viticoles
N
AISNE
Aisne
Oise
Reims
Épernay
MARNE
Paris
SEINE-ET-MARNE
CHAMPAGNE
Seine
AUBE
Aube
Troyes
les Riceys
Marne
HAUTE-MARNE
YONNE
Auxerre
Orléans
LOIRET
Chablis
BOURGOGNE
Seine
MOSELLE
EST
Toul
MEURTHE-ET-MOSELLE
BAS-RHIN
Strasbourg
ALSACE
Colmar
HAUT-RHIN
CÔTE-D'OR
Dijon
Saône
Besançon
Sancerre
Cher
NIÈVRE
Beaune
CHER
VALLÉE DE LA LOIRE
Loire
BOURGOGNE
Arbois
JURA
JURA
SAÔNE-ET-LOIRE
ALLIER
Saint-Pourçain-sur-Sioule
Mâcon
AIN
Villefranche-sur-Saône
HAUTE-SAVOIE
Rhône
Annecy
BEAUJOLAIS
Roanne
SAVOIE
Clermont-Ferrand
CENTRE
RHÔNE
Lyon
Chambéry
PUY-DE-DÔME
LOIRE
Vienne
SAVOIE
Dordogne
Allier
Loire
VALLÉE
Rhône
Valence
DU
Die
ARDÈCHE
DRÔME
Lot
Montélimar
RHÔNE
Durance
AVEYRON
Orange
ALPES-DE-HAUTE-PROVENCE
ALPES-MARITIMES
GARD
Avignon
Gaillac
Nîmes
VAUCLUSE
TARN
LANGUEDOC
BOUCHES-DU-RHÔNE
PROVENCE
Nice
Tarn
Montpellier
Draguignan
HÉRAULT
Aix-en-Provence
VAR
Béziers
Marseille
Narbonne
AUDE
Limoux
Toulon
ROUSSILLON
Perpignan
MER MÉDITERRANÉE
PYRÉNÉES-ORIENTALES
Banyuls
Patrimonio
Bastia
HAUTE-CORSE
CORSE
Ajaccio
CORSE DU-SUD

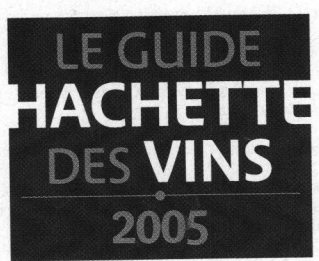

LE GUIDE HACHETTE DES VINS

2005

GUIDE HACHETTE DES VINS

Direction de l'ouvrage : Catherine Montalbetti.

Ont collaboré : Christian Asselin, INRA, *Unité de recherche vigne et vin ;* Jean-François Bazin ; Claude Bérenguer ; Richard Bertin *œnologue ;* Pierre Bidan, *professeur à l'ENSA de Montpellier ;* Jean Bisson, *ancien directeur de station viticole de l'INRA ;* Jean-Pierre Callède, *œnologue ;* Pierre Casamayor ; Béatrice de Chabert, *œnologue ;* Marc Chapleau ; Robert Cordonnier, *directeur de recherche à l'INRA ;* Jean-Pierre Deroudille ; Michel Dovaz ; Michel Feuillat, *professeur à la Faculté des Sciences de Dijon ;* Bernard Hébrard, *œnologue ;* Pierre Huglin, *directeur de recherche à l'INRA ;* Robert Lala, *œnologue ;* Antoine Lebègue ; Jean-Pierre Martinez, *chambre d'Agriculture du Loir-et-Cher ;* Marc Médevielle ; Pierre Pérez ; Mariska Pezzutto, *œnologue ;* Pascal Ribéreau-Gayon, *ancien doyen de la faculté d'œnologie de l'université de Bordeaux II ;* André Roth, *ingénieur des travaux agricoles ;* Alex Schaeffer, *œnologue ;* Anne Seguin ; Erick Stonestreet ; Bernard Thévenet, *ingénieur des travaux agricoles ;* Pierre Torrès, *œnologue.*

Editeurs assistants : Christine Cuperly, Anne Le Meur.

Avec : Patricia Abbou ; Nicole Chatelier ; Isabelle Chotel ; Nicole Crémer ; Bénédicte Gaillard ; Sylvie Hano ; Corinne Julien ; Micheline Martel ; François Merveilleau ; Evelyne Werth.

Informatique éditoriale : Marie-Line Gros-Desormeaux ; Luc Audrain ; Martine Lavergne ; Sylvie Clochez ; Michèle Boucher.

Nous exprimons nos très vifs remerciements aux 900 membres des commissions de dégustation réunies spécialement pour l'élaboration de ce guide, et qui, selon l'usage, demeurent anonymes, ainsi qu'aux organismes qui ont bien voulu apporter leur appui à l'ouvrage ou participer à sa documentation générale : l'Institut National des Appellations d'Origine, INAO ; l'Institut National de la Recherche Agronomique, INRA ; la Direction de la Consommation et de la Répression des Fraudes ; l'Office National interprofessionnel des Vins et ses délégations régionales, Onivins ; le Centre Français du Commerce Extérieur ; la DGDDI ; les Comités, Conseils, Fédérations et Unions interprofessionnels ; l'Institut des Produits de la Vigne de Montpellier et l'ENSAM ; l'Université Paul Sabatier de Toulouse ; les Syndicats viticoles et associations de viticulteurs ; les Unions et Fédérations de Grands Crus ; les Syndicats des Maisons de négoce ; les Chambres d'agriculture ; les laboratoires départementaux d'analyse ; Les lycées agricoles d'Amboise, d'Avize, de Blanquefort, de Bommes, de Montagne-Saint-Emilion, de Montreuil-Bellay, de Nîmes-Rodilhan, d'Orange ; les lycées hôteliers de Bastia (Fred Scamaroni) et de Tain-l'Hermitage ; le CFPPA d'Hyères ; l'Institut Rhodanien ; l'Union française des œnologues et les Fédérations régionales d'œnologues ; les Syndicats des Courtiers de vins ; l'Union de la Sommellerie française ; pour la Suisse, l'Office fédéral de l'agriculture, la Commission fédérale du Contrôle du commerce des vins, les responsables des Services de la viticulture cantonaux, l'OVV, l'OPAV, l'Opage ; pour le Grand-Duché de Luxembourg, l'institut viti-vinicole luxembourgeois ; la Marque nationale du vin luxembourgeois ; le Fonds de solidarité.

Couverture : Bruno Bayol.

Maquette : François Huertas.

Cartographie : Cyril Suss. **Illustrations :** Véronique Chappée.

Production : Charles De Roy, Emilie Laspas, Nathalie Lautout, Florent Roger et Cyril Sauvet.

Composition et photogravure : Maury.

Impression : STIGE. **Façonnage :** BRUN, 45331 Malesherbes. **Papier :** Alpalux mat, Myllykoski.

Crédits iconographiques : Charlus (p. 50, 64) ; Scope/J.-L. Barde (p. 21, 24, 33, 34, 44, 53, 55, 57, 62, 67) ; Scope/J. Guillard (p. 20, 29, 75, 45, 51, 85) ; Scope/M. Guillard (p. 68, 82) ; Scope/M. Plassart (p. 40).

Imprimé en Italie. – Dépôt légal n° 49580/Septembre 2004
Édition n° 01 – 23.6840.5 – ISBN 2.01.236840.9

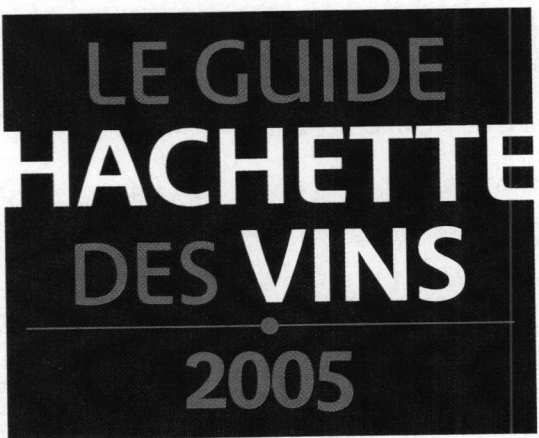

LE GUIDE HACHETTE DES VINS

2005

Sommaire

Tableau des symboles 6

Avertissement **7**

LE GUIDE, TÉMOIN DE VINGT ANS DE VITICULTURE **10**

QUOI DE NEUF DANS LES VIGNOBLES ? **20**

GUIDE DU CONSOMMATEUR 45

Comment identifier un vin ? 45

Comment acheter, à qui acheter ? 49

Conserver son vin 53

Mettre son vin en bouteilles 54

Trois propositions de cave 55

L'ART DE BOIRE **57**

La dégustation 57

Le service des vins 61

Les millésimes 65

La cuisine au vin 67

Les mets et les vins 69

DE LA VIGNE AU VIN **75**

Les travaux de la vigne 76

Les différents types de vins 79

Les différentes vinifications 80

LES CÉPAGES FRANÇAIS 1224

GLOSSAIRE 1231

Table des cartes

Alsace **86**

Beaujolais **153**

Bordelais **200-201**

Blayais et Bourgeais 239

Libournais 259

Région de Saint-Emilion 279

Entre Garonne et Dordogne 329

Région des Graves 343

Médoc et Haut-Médoc 363

Moulis et Listrac 385

Margaux 389

Pauillac 397

Saint-Estèphe 401

Saint-Julien 407

Les vins blancs liquoreux 411

Bourgogne **423**

Chablisien 455

Côte de Nuits (Nord 1) 475

Côte de Nuits (Nord 2) 477

Côte de Nuits (Centre) 495

Côte de Nuits (Sud) 515

Côte de Beaune (Nord) 521

Côte de Beaune (Centre-Nord) 543

Côte de Beaune (Centre-Sud) 559

Côte de Beaune (Sud) 577

Chalonnais et Mâconnais 587

Champagne **620-621**

Jura **693**

Savoie **709**

Languedoc **720-721**

Roussillon **775**

Poitou-Charentes **799**

Provence **808-809**

Corse **845**

Sud-Ouest **855**

Cahors 857

Gaillac 863

Bergerac 891

Vallée de la Loire et Centre **916-917**

Région nantaise 925

Anjou-Saumur 941

Touraine 985

Centre 1035

Vallée du Rhône

Nord 1067

Sud 1069

Vins de pays **1138-1139**

Canada **1185**

Luxembourg **1193**

Suisse **1198-1199**

SOMMAIRE

10 000 vins à découvrir

L'ALSACE ET LA LORRAINE
- L'Alsace 87
- La Lorraine 147

LE BEAUJOLAIS ET LE LYONNAIS
- Le Beaujolais 151
- Le Lyonnais 196

LE BORDELAIS 198
- Le Blayais et le Bourgeais 237
- Le Libournais 255
- Entre Garonne et Dordogne 328
- La région des Graves 341
- Le Médoc 361
- Les vins blancs liquoreux 408

LA BOURGOGNE 421
- Le Chablisien 453
- La Côte de Nuits 471
- La Côte de Beaune 517
- La Côte chalonnaise 583
- Le Mâconnais 597

LA CHAMPAGNE 618

LE JURA, LA SAVOIE ET LE BUGEY
- Le Jura 690
- Les vins de liqueur du Jura 704
- La Savoie 707
- Le Bugey 715

LE LANGUEDOC ET LE ROUSSILLON
- Le Languedoc 718
- Les vins doux naturels du Languedoc 769
- Le Roussillon 772
- Les vins doux naturels du Roussillon 784

LE POITOU-CHARENTES 797
- Le Haut-Poitou 798
- Le pineau-des-charentes 800

LA PROVENCE ET LA CORSE
- La Provence 805
- La Corse 844
- Les vins doux naturels de la Corse 852

LE SUD-OUEST 854
- Les vins de liqueur de Gascogne 911

LA VALLÉE DE LA LOIRE ET LE CENTRE 915
- La région nantaise 922
- Anjou-Saumur 938
- La Touraine 982
- Les vignobles du Centre 1033

LA VALLÉE DU RHÔNE 1064
- Les vins doux naturels du Rhône 1135

LES VINS DE PAYS 1137

LES VINS DE GLACE DU CANADA 1183

LES VINS DU LUXEMBOURG 1191

LES VINS DE SUISSE 1196

INDEX
- des appellations 1245
- des communes 1248
- des producteurs 1261
- des vins 1299

SYMBOLES

SYMBOLES UTILISÉS DANS LE GUIDE

La reproduction d'une étiquette signale un « coup de cœur » décerné à l'aveugle par les jurys.

★★★ vin exceptionnel
★★ vin remarquable
★ vin très réussi
vin cité (sans étoile)
2000 millésime ou année du vin dégusté

■ vin tranquille blanc
■ vin tranquille rosé
■ vin tranquille rouge

● vin effervescent blanc
● vin effervescent rosé
● vin effervescent rouge

50 000, 12 500... nombre moyen de bouteilles du vin présenté
4 ha superficie de production du vin présenté

élevage en cuve
thermorégulation
élevage en fût
vente à la propriété
gîte rural
chambre d'hôte
dégustation
visite
(r.-v. = sur rendez-vous)
adresse, téléphone, fax, e-mail
nom du propriétaire, si différent de celui figurant dans l'adresse
n.c. information non communiquée.

LES PRIX

Les prix (prix moyen de la bouteille en France par carton de 12) sont donnés sous toutes réserves.
Rappel : 1 € = 6,55957 FF.

- 3 €	3 à 5 €	5 à 8 €	8 à 11 €	11 à 15 €
15 à 23 €	23 à 30 €	30 à 38 €	38 à 46 €	46 à 76 €
+ 76 €				

L'indication de la fourchette de prix en rouge signale un bon rapport qualité/prix 11 à 15 €.

LES MILLÉSIMES (82) **83** 85 |**86**| **89** |90| 91 |92| 93 **95 96** |97| **98**

83 01 — les millésimes en rouge sont à boire (01 = millésime 2001)

95 00 — les millésimes en noir sont à garder (00 = millésime 2000)

|86| |92| — les millésimes en noir entre deux traits verticaux sont à boire pouvant attendre

83 95 — les meilleurs millésimes sont en gras

(90) — le millésime exceptionnel est dans un cercle

Les millésimes indiqués n'impliquent pas une disponibilité à la vente chez le producteur. On pourra les trouver chez les cavistes ou les restaurateurs.

AVERTISSEMENT

Comment le *Guide Hachette des Vins* est-il élaboré ?

Ce guide présente les 10 000 meilleurs vins de France, du Canada, du Luxembourg et de Suisse, tous dégustés en 2004. Il s'agit d'une **sélection entièrement nouvelle**, portant sur le dernier millésime mis en bouteilles. Ces vins ont été élus pour vous par **900 experts au cours des commissions de dégustation à l'aveugle** du *Guide Hachette des Vins*, parmi plus de 32 000 vins de toutes les appellations.

Un guide objectif

L'absence de toute participation publicitaire et financière des producteurs, coopératives ou négociants retenus assure **l'impartialité de l'ouvrage**, dont l'unique ambition est d'être un guide d'achat au service des consommateurs.
Les notes de dégustation doivent être comparées au sein d'une même appellation : il est en effet impossible de juger des appellations différentes avec le même barème.

Un classement par étoiles

Les bouteilles portent seulement un numéro afin de préserver l'**anonymat**. Chaque vin est examiné par un jury qui décrit sa couleur, ses qualités olfactives et gustatives et lui attribue une note de 0 à 5.

0 vin à défaut, il est éliminé ;
1 petit vin ou vin moyen, il est éliminé ;
2 vin réussi, il est cité sans étoile ;
3 vin très réussi, une étoile ;
4 vin remarquable par sa structure, deux étoiles ;
5 vin exceptionnel, modèle de l'appellation, trois étoiles.

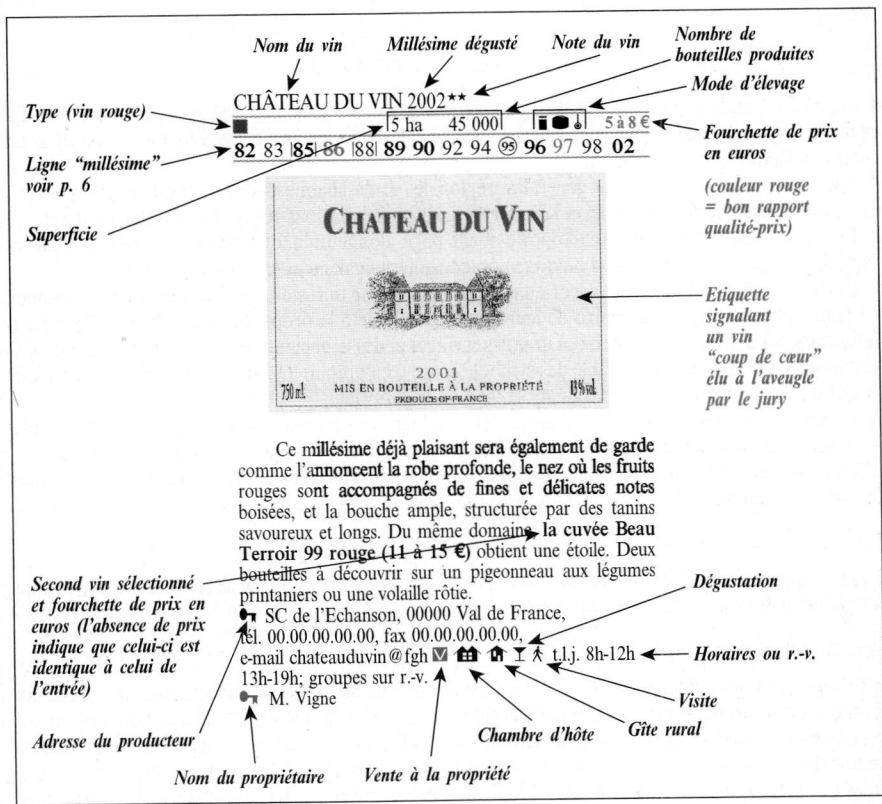

Nom du vin — *Millésime dégusté* — *Note du vin* — *Nombre de bouteilles produites* — *Mode d'élevage*

Type (vin rouge) — *Fourchette de prix en euros* *(couleur rouge = bon rapport qualité-prix)*

CHÂTEAU DU VIN 2002★★
■ 5 ha 45 000 5 à 8 €
82 83 |85| 86 |88| **89 90** 92 94 (95) **96** 97 98 **02**

Ligne "millésime" voir p. 6

Superficie

Etiquette signalant un vin "coup de cœur" élu à l'aveugle par le jury

Ce millésime déjà plaisant sera également de garde comme l'annoncent la robe profonde, le nez où les fruits rouges sont accompagnés de fines et délicates notes boisées, et la bouche ample, structurée par des tanins savoureux et longs. Du même domaine, **la cuvée Beau Terroir 99 rouge (11 à 15 €)** obtient une étoile. Deux bouteilles à découvrir sur un pigeonneau aux légumes printaniers ou une volaille rôtie.
SC de l'Echanson, 00000 Val de France, tél. 00.00.00.00.00, fax 00.00.00.00.00, e-mail chateauduvin@fgh ✉ t.l.j. 8h-12h 13h-19h; groupes sur r.-v.
M. Vigne

Second vin sélectionné et fourchette de prix en euros (l'absence de prix indique que celui-ci est identique à celui de l'entrée)

Dégustation — *Horaires ou r.-v.* — *Visite* — *Gîte rural* — *Chambre d'hôte* — *Vente à la propriété* — *Nom du propriétaire* — *Adresse du producteur*

Les étiquettes coups de cœur

Les vins dont l'étiquette est reproduite constituent les « coups de cœur », librement élus, eux aussi à l'aveugle, par les dégustateurs du Guide.

Une lecture claire

Les vins sélectionnés sont répertoriés :
- par régions, classées alphabétiquement ;
- par appellations ;
- par ordre alphabétique à l'intérieur de chaque appellation.

Quelque 2 000 vins sélectionnés, sans faire l'objet d'une entrée, sont mentionnés en **caractères gras** dans la notice consacrée au vin le mieux noté du producteur. L'absence de prix signale que celui-ci se situe dans la même fourchette que l'entrée vedette.
– Quatre index en fin d'ouvrage permettent de retrouver les appellations, les communes, les producteurs et les vins.
– Les temps de garde : ils sont indiqués par les dégustateurs sous réserve de bonnes conditions de garde. On les prendra en compte à partir de l'année d'édition et non du millésime.

Les raisons de certaines absences

Des vins connus, parfois même réputés, peuvent être absents de cette édition : soit parce que les producteurs ne les ont pas présentés ; soit parce qu'ils ont été éliminés lors des dégustations.

Le guide de l'acheteur

L'objet de ce guide étant d'**aider le consommateur à choisir ses vins** selon ses goûts et à découvrir les meilleurs rapports qualité/prix (signalés par une fourchette des prix en rouge), tout a été fait pour en rendre la lecture facile et pratique.
– Une lecture des introductions générales, régionales et de chaque appellation est recommandée : certaines informations communes à l'ensemble des vins ne sont pas répétées pour chacun d'eux.
– Le signet, placé en vis-à-vis de n'importe quelle page, donne immédiatement la **clé des symboles** et rappelle, au dos, la structure de l'ouvrage ; on consultera également les pages 4, 5 et 6.
– Certains vins sélectionnés pour leur qualité ont parfois une diffusion quasi confidentielle. L'éditeur ne peut être tenu pour responsable de leur non-disponibilité à la propriété, mais invite les lecteurs à les rechercher auprès des cavistes, des grandes surfaces et des négociants, ou sur les cartes des vins des restaurants. On se réfèrera à la table des symboles page 6 en prêtant une attention particulière au picto ☑ qui signale les producteurs pratiquant la vente à la propriété.
– Un conseil : la dégustation chez le producteur est bien souvent gratuite. On n'en abusera pas : elle représente un coût non négligeable pour le producteur qui ne peut ouvrir ses vieilles bouteilles.
– Enfin, les amateurs qui conduisent un véhicule n'oublieront pas qu'ils ne doivent pas boire le vin, mais le recracher comme le font les professionnels. Des crachoirs doivent être proposés dans les caves.

Important : le prix des vins

Les prix (prix moyen de la bouteille par carton de 12), présentés sous forme de fourchette, sont soumis à l'**évolution des cours** et donnés **sous toutes réserves**.

Numérotation téléphonique

En France, tous les numéros ont dix chiffres. Pour joindre de Suisse ou du Luxembourg un producteur français, on composera le 00.33 suivi des 9 derniers chiffres de son numéro. Pour téléphoner en Suisse, on composera le 00.41 suivi immédiatement de l'indicatif régional (ex. : 27). Pour les communications nationales à l'intérieur de la Suisse, on fera précéder l'indicatif d'un zéro lorsque le correspondant habite dans une autre zone (indicatif différent). L'indicatif du Luxembourg est le 352, celui du Canada le 001.

LE GUIDE, TEMOIN DE VINGT ANS DE VITICULTURE

Le Guide Hachette des vins fête cette année sa vingtième édition. Sa sortie est guettée chaque année par un nombre croissant d'amateurs, si bien que l'ouvrage fait désormais partie de l'univers vitivinicole. Le premier exemplaire est paru au chaud soleil de l'automne 1985 qui signa un beau millésime, solidement structuré, même s'il fut parfois un peu long à s'ouvrir. Par chance, le livre ne partagea pas ce petit défaut avec le vin de l'année et connut vite le succès.

Dès 1985, 8 000 échantillons furent dégustés à l'aveugle par des jurys et 5 000 bouteilles furent retenues pour être décrites, avec des appréciations variées. Cette année, ce ne sont pas moins de 32 000 échantillons qui ont été soumis aux dégustateurs, parmi lesquels il en a été retenu 10 000. Ces derniers tiennent à préciser que la proportion croissante de vins écartés ne signifie pas une baisse de la qualité moyenne, bien au contraire. Le nombre croissant de vins présentés aux commissions de dégustation les oblige à se montrer de plus en plus sélectifs pour ne proposer aux lecteurs que les meilleurs.

La grande leçon de ces dizaines de milliers de dégustations, c'est que la qualité du vin commercialisé a poursuivi sa progression pour une grande majorité de producteurs, et ce dans toutes les régions viticoles et pas seulement dans les appellations phares.

Vingt ans d'attention

La diffusion du progrès technique et l'accroissement de leur revenu ont permis aux viticulteurs de porter de plus en plus leurs efforts vers l'amélioration de leur produit. Quelques réserves cependant. Si la science et la technique ont permis d'éviter les accidents de vinification, les erreurs grossières, elles n'ont pas toujours empêché l'uniformisation. Peut-être l'ont-elles même favorisée, puisqu'on tend à suivre les recettes qui marchent. De la même façon, les produits phytosanitaires ont parfois été trop largement utilisés comme une assurance tous risques ; les viticulteurs ont maintenant compris qu'ils ont aussi des responsabilités en matière d'environnement, pour la santé de leur propre vignoble comme de leurs clients. Les débuts de l'agrobiologie durant ces deux dernières décennies ont été assez intéressants pour que toute la profession s'inscrive maintenant dans une démarche de « viticulture raisonnée ». Une approche qui limite le recours à la chimie, en en faisant un usage non plus préventif, systématique et massif, mais aussi mesuré que possible et fondé sur l'observation scientifique du milieu. Une démarche nécessaire pour préserver l'environnement et rassurer des consommateurs parfois un peu inquiets.

Les AOC : soixante-dix ans au service du développement

On fêtera également en 2005 le soixante-dixième anniversaire des appellations d'origine contrôlée (AOC), instituées par le décret-loi du 30 juillet 1935. Lors des cérémonies de leur cinquantième anniversaire, en 1985, Jean Pinchon, alors président de l'Institut national des appellations d'origine (INAO) avait souhaité que les AOC acceptent sans crainte la concurrence internationale. On sait maintenant que la concurrence internationale des vins de l'hémisphère Sud, mais aussi la baisse de la consommation sur le territoire national pourraient bien, si l'on n'y prend garde dans la décennie en cours, bouleverser et meurtrir la viticulture française comme elle le fut lors de la grande crise des années 1930 qui conduisit à la création des AOC.

Rien n'est acquis, rien n'est intangible, dans un marché perpétuellement mouvant, si ce n'est la qualité des terroirs viticoles que les AOC ont contribué à mettre en évidence en affirmant une doctrine simple : un grand vin naît de l'association d'un climat, de sols et de sous-sols, de cépages sélectionnés pour s'y adapter et d'usages « locaux, loyaux et constants ». Un ensemble de conditions qui n'empêchent un progrès constant mais qui sont complètement étrangères à l'idée de délocalisation pour des raisons économiques, puisqu'elles sont liées à la terre et à la culture des hommes qui y vivent. Modestement, le Guide Hachette a œuvré pour que cette idée puisse être entendue chez ses lecteurs, même s'il leur proposait avant tout un moyen simple d'acheter de bons vins sans peur de se tromper.

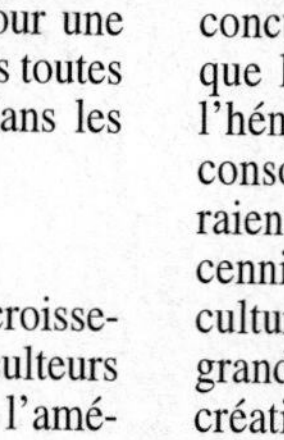

Tout cela méritait que l'on s'attarde pendant quelques lignes sur ce qui s'est passé pendant ces deux décennies écoulées pour que certains en arrivent aujourd'hui à douter même du bien-fondé de tout le système des AOC. Un édifice qui a assuré le redressement des grandes régions viticoles, a garanti leur développement à un point tel qu'à la fin du XXᵉ s., on ne pouvait même pas imaginer possible leur remise en cause. Il avait également porté le vin à un niveau de qualité jamais connu jusqu'alors.

Le vin de table marginalisé

En 1983, la superficie des vignes d'appellation, hors cognac, était de 335 000 ha, pour une production de 17 millions d'hectolitres ; elle est passée à 435 000 ha en 1993 et 491 000 ha en 2003, soit 57 % du vignoble pour une production de 21,8 millions d'hectolitres. Dans le même temps, la superficie viticole française totale (source Eurostat) a diminué, passant de 1 049 000 ha en 1983 à 924 000 ha en 1993 et à 858 400 ha en 2002.

Alors qu'elles représentaient un peu moins d'un tiers des superficies en production, les vignes pour lesquelles une appellation est revendiquée comptent désormais pour plus de la moitié du vignoble français ; on arrive aux deux tiers si l'on y inclut celles destinées au cognac, eau-de-vie dotée d'une AOC – même si le vin destiné à sa distillation n'a pas droit à cette référence de qualité. Le vignoble français est donc devenu ces vingt dernières années très majoritairement producteur d'appellation d'origine.

Le vin de table est pour sa part en voie de marginalisation, parce qu'il a cédé presque toute sa place aux vins de pays. Ces derniers occupent 31 % du marché vinicole à la production. Ils font pourtant partie de la même catégorie que les vins de table selon la réglementation européenne. L'Union distingue en effet les Vins de qualité produits dans des régions déterminées (AOC et AOVDQS) et les autres (vins de table et vins de pays).

On peut comprendre la perplexité du consommateur devant un linéaire, d'autant plus que la notion de vin de pays fait aussi référence à une provenance géographique, et que son étiquette ne précise pas ce qui le distingue d'une AOC en termes de conditions de production et de délimitation de terroir.

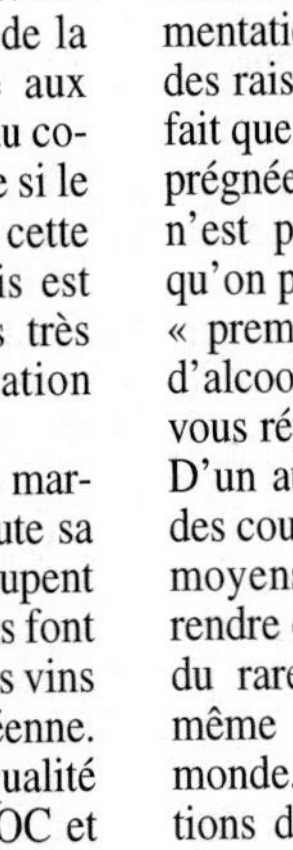

Tous les vins ont des racines

Aujourd'hui, sur un linéaire de supermarché, presque tous les vins ont donc une origine, « sont de quelque part », puisque les vins commercialisés comme simples vins de table sans autre mention géographique que le pays d'origine ne représentent pas plus de 14 % de l'ensemble. Ce qui est loin d'être le cas dans d'autres grands pays producteurs comme l'Italie ou l'Espagne.

Dans le domaine de l'information beaucoup reste à faire, et le Guide s'y emploie, en tentant de montrer que le vin est aussi un objet de culture, et qu'en ce domaine, le plaisir est forcément accru par la connaissance et les échanges qu'elle permet avec ceux qui le partagent.

La question de la diffusion d'un tel patrimoine national reste posée, et l'auteur de ces lignes se souvient d'un professeur agrégé d'histoire et de géographie qui, dans ses classes secondaires, ne craignait pas de faire un cours sur la viticulture française digne de Roger Dion, abordant tout ensemble la place du vin dans la société, l'économie et l'aménagement du territoire.

On peut se demander si la présence du vin dans l'univers de la consommation de masse permet encore ce type de relation au produit. La segmentation entre buveurs et non buveurs, pour des raisons idéologiques autant qu'hygiéniques, fait que la société ne se sent plus façonnée et imprégnée dans son ensemble par cette culture. Il n'est pas plus naturel aujourd'hui d'affirmer qu'on préfère le vin à la bière, aux sodas ou aux « premix », ces boissons sucrées additionnées d'alcool. « Tous les goûts sont dans la nature », vous répondra-t-on.

D'un autre côté, la diffusion de la culture dans des couches toujours plus nombreuses grâce aux moyens modernes de communication peut rendre optimiste. La recherche de l'authentique, du rare, du personnalisé a aussi de l'avenir, même si elle n'est pas partagée par tout le monde. Au moment où on distribue des appellations d'origine aux fromages de chèvre et aux huiles d'olive – et ils le méritent – va-t-on se résigner à dévaluer les AOC attribuées au vin il y a soixante-dix ans, et qui sont aujourd'hui au nombre de 467 en France et de 1 500 en Europe ?

L'engouement de la presse pour les numéros spéciaux sur la thématique, particulièrement nombreux, bien faits et documentés, montre que le vin tend à devenir depuis trente ans un sujet d'étude – peut-être davantage un signe de reconnaissance sociale à tendance élitiste qu'une manière de vivre de l'ensemble de la société française.

Vers un effondrement de la consommation ?

D'ailleurs, toutes les études le prouvent, la baisse de la consommation en France commence à s'attaquer au noyau dur. Pendant longtemps, la consommation a baissé globalement, tandis que sa structure se modifiait. Les « buveurs réguliers » laissaient peu à peu la place aux « buveurs occasionnels » tandis que se développait la catégorie des « non buveurs ». Ces mutations se traduisaient par une chute de la consommation des vins de table, dont une partie était remplacée par les vins d'appellation, ce qui suffisait à garantir à ceux-ci une progression des ventes, amorcée depuis cinquante ans. Durant la période 1986-1990, la consommation moyenne de vin en France était encore de 41,7 millions d'hectolitres. Elle est passée à 37,3 dans les années 1991-1995, puis à 35,3 de 1996 à 2000, pour tomber à 33,6 en 2002 et à 32,9 en 2003. Selon les estimations de l'Onivins (Office national interprofessionnel du vin), même la consommation des appellations aurait commencé à se tasser – autour de 16 millions d'hectolitres à partir du début de la décennie.

Les craintes pour la santé se font jour ; la peur de l'accident chez les automobilistes également. Ces vingt dernières années ont été marquées par un durcissement de la législation, puis de la répression contre la conduite en état d'imprégnation alcoolique. La « violence routière », est devenue cause nationale avec l'assentiment de tous. Les contrôles préventifs, institués en 1978 et facilités par la mise au point d'éthylotest, se sont multipliés. Le taux maximum légal d'alcoolémie, fixé à 0,8 g/l en 1970 a été ramené à 0,5 g/l en 1995. Les sanctions sont sévères : retrait de points (6 ou 3 selon le degré) sur le permis à 12 points institué en 1989, suspension du permis, voire annulation et confiscation du véhicule en cas de récidive, poursuites judiciaires contre les patrons de débits de boissons en cas d'accident de leurs clients... Autant de facteurs qui ont considérablement réduit la consommation hors domicile à partir de fin 2002, notamment au restaurant (avec pour conséquence heureuse une spectaculaire diminution de la mortalité routière en 2003).

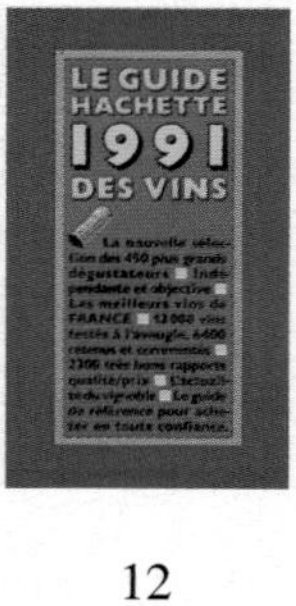

On sait qu'en 1991, la loi Evin avait réglementé strictement la publicité pour les boissons alcoolisées – et paradoxalement davantage pour les campagnes collectives que pour les marques. Les viticulteurs et les interprofessions ont demandé en 2004 qu'on revienne sur ce texte. Un député girondin de la majorité, Jean-Paul Garraud, a même rédigé une proposition de loi en ce sens, au nom d'une différence entre le vin et les « alcools durs », en s'appuyant sur l'exemple de l'Espagne qui vient de libéraliser la publicité pour le vin, distingué des autres alcools. Son texte sera-t-il voté par le Parlement ?

Cependant, il est difficile d'imaginer que la publicité suffise désormais à renverser une tendance à long terme. On a vu et lu des hygiénistes et autres garants de la santé publique, qui avaient pourtant souligné les effets bénéfiques sur l'organisme d'une consommation modérée de vin rouge, *French paradox* à l'appui, manifester une grande virulence contre cette proposition de loi. De grandes signatures médicales, dans les pages « Débats » des quotidiens, ont rappelé ce que modération veut dire.

Spécialisation et professionnalisation

Le recensement agricole, effectué en 2000 par le ministère de l'Agriculture, qui fait suite à celui de 1998, donne une excellente appréciation de l'évolution intervenue au cours des deux dernières décennies, puisque ses points de repères sont situés juste au centre de la période qui nous intéresse, celle qui couvre les vingt éditions du Guide. Il permet de voir les forces qui ont soustendu cette évolution au sein de la viticulture et les conséquences de ces mutations dans les structures productives.

La viticulture est devenue depuis vingt ans une activité extrêmement spécialisée et qui s'est intensément professionnalisée. En 2000, les statisticiens du ministère de l'Agriculture constataient que le nombre des exploitations viticoles commercialisant du vin ou livrant leur raisin à une coopérative était passé de 166 300 à 109 000 de 1988 à 2000 : 32 % de moins en douze ans. Cette baisse s'est évidemment traduite par une augmentation importante de la taille moyenne des exploitations, qui est passée de 5,5 ha à 8 ha. Malgré cela, et contre toute attente, le recensement agricole montre que les jeunes viticulteurs ont en général une formation moins longue que la moyenne des agriculteurs français. En effet, moins de 30 % des viticulteurs au-dessous de

quarante ans ont une formation au-delà du Bac (BTS, grande école ou université). Après tout, ce n'est guère surprenant, car il est en effet plus complexe de s'occuper d'un troupeau de vaches laitières que d'une dizaine d'hectares de vignes. En outre, les viticulteurs sont très encadrés techniquement par leurs fournisseurs et peuvent s'offrir de multiples conseils, tout en recueillant une tradition locale et familiale. Il faut souligner tout de même que dans les grandes appellations (Bordelais, Bourgogne, Champagne, Val de Loire, vallée du Rhône septentrionale, châteauneuf-du-pape) le pourcentage d'exploitants ayant une formation post-bac approche ou dépasse 50 %.

Aujourd'hui, plus de 80 % des déclarations de récolte destinées à la commercialisation sont souscrites par des exploitations spécialisées dans la viticulture qui cultivent environ 90 % des vignes plantées en France. Depuis les années 1980, et dans toutes les régions françaises où subsistait une forme de polyculture, le choix de la vigne devient exclusif. Dans le Béarn, dans le Tarn ou l'Aveyron, en Savoie ou dans le Centre, les producteurs de vin ont vendu leurs vaches, abandonné les cultures spécialisées, se contentant parfois de cultiver quelques champs de céréales ou d'oléagineux pour occuper les terres où ils n'ont pas pu obtenir ou acquérir de droits de plantation.

Merlot, syrah et chardonnay en vedette

Professionnalisée, la viticulture est devenue hautement capitalistique, le matériel végétal devant être renouvelé et planté selon des techniques plus coûteuses (palissage) pour garder sa productivité. Quant à l'équipement des chais, il nécessite désormais de lourds investissements pour répondre aux exigences du marché qui ne supporte plus les vins approximatifs ou accidentés. En revanche, le vignoble ne s'est pas rajeuni malgré les nombreux arrachages. Il s'est tout de même beaucoup modifié dans son encépagement, à la faveur de la restructuration, en grande partie financée par l'Union européenne.

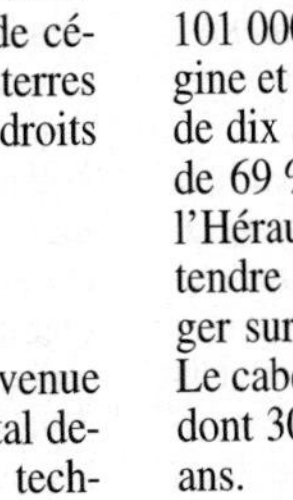

Il y a vingt ans, en effet, l'Europe s'était lancée dans un vaste processus de modernisation du vignoble destiné à l'adapter aux conditions nouvelles du marché. La libre circulation du vin à l'intérieur des frontières de l'Europe, instaurée en 1970, tandis qu'elle appliquait un tarif extérieur commun aux produits extra-communautaires comme à ceux venant des anciennes colonies françaises du Maghreb, nécessitait d'aider ceux qui devaient en supporter le choc. Par ailleurs, l'évolution de la consommation des pays producteurs, qui se traduisait par une désaffection rapide des vins de table, poussait à replanter des cépages dits « améliorateurs » dans le Midi viticole. Il fallait enfin redonner espoir à une profession qui se sentait abandonnée et méprisée, au point de multiplier des actions violentes comme on en voit rarement aujourd'hui : plasticage de perceptions et de bâtiments publics, émeutes, destruction de chais de négociants, attaques de trains. Une violence qui tournait parfois à l'émeute, comme en 1976 à Montredon (Aude), où l'on eut à déplorer deux morts.

A la faveur de ce renouvellement des cépages, le merlot, plant traditionnel du Bordelais, précoce, productif en jus et en sucre, a gagné les faveurs de la viticulture française. Ses qualités culturales l'ont fait apprécier partout, au contraire du cabernet-sauvignon, excellent cépage pour les grands vins, mais moins généreux et moins précoce. Le merlot couvre aujourd'hui plus de 101 000 ha, bien au-delà de sa Gironde d'origine et 40 % des vignes ainsi plantées ont moins de dix ans. Sa progression de 1998 à 2000 a été de 69 %. On le trouve dans l'Aude, le Gard et l'Hérault et il a tant de qualités que l'on a pu entendre des viticulteurs de Bourgueuil s'interroger sur l'intérêt de l'introduire en Val de Loire. Le cabernet-sauvignon ne couvre que 53 000 ha, dont 30 % des ceps seulement ont moins de dix ans.

Sur le podium des cépages qui ont profité de la restructuration, on trouve encore la syrah, cépage traditionnel de la vallée du Rhône, qui a essaimé dans toutes les terres ensoleillées et maigres où elle peut exprimer son potentiel aromatique et alcoolique : 40 % de ses 51 000 ha sont plantés de vignes de moins de dix ans. Présente dans la vallée du Rhône, elle a gagné les coteaux provençaux et languedociens, jusqu'à Gaillac à l'ouest, où elle fait merveille en assemblage avec le duras. Comme pour le merlot, son succès mondial suscite des tentations chez beaucoup. Au nord de Lyon, certains la verraient bien remonter aussi la vallée de la Saône pour y partager les coteaux du Beaujolais avec le gamay, jugé un peu léger. Si la température moyenne de la terre gagne 3 ou

4° C, on pourra considérer cette idée avec davantage d'indulgence qu'elle n'en suscite aujourd'hui.
Parmi les vainqueurs, on trouve aussi le grenache. Il a souvent remplacé l'ingrat carignan qui donne des vins peu aimables dans leur jeunesse. Au contraire, dans une grande partie du Midi viticole, le grenache noir est apprécié pour sa capacité à produire des vins souples et aromatiques, agréables dès leur plus jeune âge. Sur les 95 000 ha consacrés à cette variété, 21 % sont plantés depuis moins de dix ans.

Le carignan au piquet

Le grand perdant de la compétition des cépages est le carignan qui a été beaucoup arraché et peu replanté. Sa superficie a reculé de 43 %. Il a rétrogradé au second rang des cépages français, pour ne plus occuper que 96 000 ha, dont 4 % seulement ont moins de dix ans. Peut-être un jour, faudra-t-il lancer un plan de sauvetage pour le carignan dont la typicité a aussi ses mérites sous le soleil méditerranéen : sur certains terroirs, les vieux plants de carignan donnent de grands vins.
L'ugni blanc, spécialisé principalement dans les vins destinés à la distillation, a profité aussi de la restructuration de ces vignobles, puisqu'on en a planté 13 000 ha depuis 1988 sur un total de 90 000 ha en production.
Enfin, mention spéciale du jury pour le chardonnay. Bien qu'il ne s'agisse pas d'un cépage pour la production de masse, il a fait une sortie très remarquée en dehors de son terroir bourguignon : l'Ardèche et l'Aude, le Tarn, voire le Cher et la Vienne en ont planté au point qu'on en trouve jusque dans la blanquette-de-limoux ! 37 000 ha sont en production, dont 38 % ont moins de dix ans. Par son gras et ses arômes subtils mais évolutifs, ce plant se prête le mieux du monde aux méthodes de vinification en barrique importées de Bourgogne et qui sont très à la mode dans tous les vignobles. Pour combien de temps ? Heureusement que le chardonnay a d'autres ressources que de se marier avec le goût de bois neuf pour produire des vins de pays d'Oc destinés à concurrencer les blancs australiens et néo-zélandais coulés dans le même moule.

Le vignoble déménage...

Ces arrachages et ces plantations ont donné lieu à un véritable « déménagement » du vignoble, sans commune mesure avec le cataclysme vécu à l'époque du phylloxéra, mais qui a tout de même été assez puissant pour modifier profondément le paysage viticole français.
Le grand perdant a été le Languedoc-Roussillon, dont les superficies viticoles ont baissé de 17 % entre 1988 et 2000 et encore de 2,7 % entre 2000 et 2002. Ce reflux du vignoble s'est produit sans trop de problèmes de reconversion, puisque les ceps ont largement quitté les vallées et la plaine littorale abandonnées à la construction dans une région en plein essor démographique, tandis qu'ils reconquéraient des coteaux au très intéressant potentiel qualitatif dans des zones désertées au moment où la viticulture était devenue une culture de masse. Il faut encore souligner que le Languedoc-Roussillon est la seule région à avoir perdu aussi des vignes d'appellation d'origine et cela, dans une grande proportion (– 9 % de 1989 à 2000).
Le promeneur attentif ne retrouve plus ses marques dans le paysage, surtout en hiver. Les vignes nouvelles sont désormais toutes palissées et quand les feuilles sont tombées, ces rangées de fil de fer galvanisé lui apparaissent bien tristes par rapport aux petits ceps noueux et noirs, taillés en gobelet, qui dessinaient des motifs subtils sur des terres aux différentes nuances allant de l'ocre très orangé à la terre de sienne. L'amateur se consolera en allant les contempler dans le Roussillon, avant que là aussi on ne cède à la tentation de la facilité. Dans le domaine des modes de conduite de la vigne, l'uniformisation est aussi à l'œuvre. Peut-être faudra-t-il constituer un jour des comités de défense de la pergola italienne qui cède aussi le pas devant le palissage simple.
Provence-Alpes-Côte d'Azur (PACA), qui était aussi une région de vin de table, a perdu 5 % de ses surfaces totales, mais a profité en revanche de l'essor des AOC, puisque celles-ci y progressent de 9 %. Midi-Pyrénées connaît une évolution analogue (– 9 % de superficies viticoles et + 17 % de surfaces en AOC).

Migration vers l'ouest et le nord

Les seules régions qui ont profité de ce grand déménagement sont les vastes zones d'appellation : Aquitaine, Bourgogne, Rhône-Alpes, Centre, Champagne-Ardenne et Alsace. Toutes progressent autant en superficie totale qu'en superficie plantée en vignes d'appellation. Dans un contexte de réduction globale de la culture de la vigne en France, ces grandes régions viticoles ont fortement accru leur poids relatif dans l'ensemble.

L'Aquitaine, qui était déjà de loin la seconde région viticole française, a renforcé sa position, avec 50 % de plus que PACA et la moitié du potentiel languedocien. Le seul vignoble d'appellation (principalement le Bordelais) a crû de 15 % entre 1988 et 2000, et d'au moins 20 % pour la seule viticulture girondine qui a gagné 20 000 ha entre 1983 et 2003.

Cette évolution justifie évidemment quelques rancœurs chez les concurrents qui découvrent aujourd'hui un colosse aux pieds d'argile, pesant sur les cours de l'ensemble des vins rouges français, jusqu'aux vins de pays dont certains se situent dans la même gamme de prix. Ils peuvent se montrer d'autant plus amers que les viticulteurs girondins, rattrapés par la crise vécue naguère par les Languedociens, réclament aujourd'hui des subsides après avoir joué le jeu du libéralisme pour obtenir des droits de plantation.

La Bourgogne n'a pas oublié de planter non plus, mais ses tarifs restent nettement plus élevés et ses volumes ne représentent pas plus de 20 % de ceux qui sont produits à Bordeaux.

Tout cela s'explique aisément mais pose des questions désagréables en matière d'aménagement du territoire dont l'INAO se fait un défenseur. En accordant des droits de plantation qui, avec le recul, peuvent paraître excessifs, les pouvoirs publics ont favorisé un mouvement de transfert de la viticulture du sud vers l'ouest et le nord, marquant un reflux pendulaire après la course en sens inverse qui avait été lancée au XIXe s. par l'essor des chemins de fer et la crise phylloxérique.

Il ne sert à rien de déplorer le passé, mais la question est posée pour l'avenir. Va-t-on se contenter d'une réforme des AOC ? Va-t-on relancer des campagnes d'arrachage coûteuses pour la collectivité après avoir renoncé à freiner les plantations dix ans auparavant ? Ceux qui voulaient planter se prévalaient d'un marché qu'ils estimaient encore très loin d'être saturé. Parallèlement, nombre de viticulteurs bordelais sont accourus dans l'Eldorado languedocien, comme ils l'ont fait aussi dans le Nouveau Monde afin de profiter du climat et du faible coût du foncier, et y lancer des vins concurrents à moindre prix.

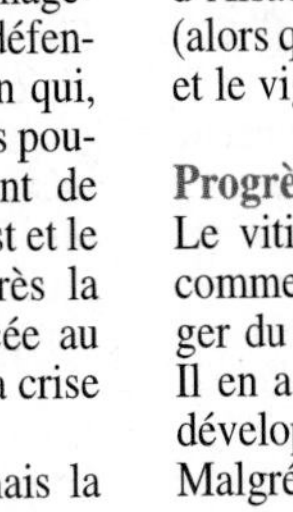

La machine à vendanger s'impose

Pour illustrer la tendance à la mécanisation et à la productivité devenue inévitables dans toutes les activités économiques, la machine à vendanger constitue un exemple symbolique. En 2000, 61 % du vignoble avaient été vendangés à la machine, alors qu'en 1983, on n'en était encore qu'aux balbutiements de cette technique. Une machine qui n'est pas forcément synonyme de vin de moindre qualité quand elle est réglée et menée avec précaution et quand son usage s'accompagne du tri des vendanges à l'arrivée au chai. On l'évite cependant partout où l'on veut produire de très grands crus. Ce sont plutôt les exploitations de grande taille implantées sur des terrains peu accidentés qui recourent à la mécanisation.

La machine s'impose jusqu'à représenter les deux tiers des vendanges effectuées dans certains vignobles : Cognac, Armagnac, Entre-deux-Mers, Dordogne, littoral de l'Aude et de l'Hérault, Gard, Vaucluse et une bonne partie du Val de Loire. En revanche, elle est quasi absente de la vallée du Rhône septentrionale, du Beaujolais (où elle fait une entrée limitée – voir rubrique « Quoi de neuf ? » – alors qu'elle était totalement proscrite en vue de la vinification par macération carbonique), de Champagne, d'Alsace et de la Côte d'Or bourguignonne (alors qu'on la retrouve dans la Côte chalonnaise et le vignoble de l'Yonne).

Progrès des effectifs salariés

Le viticulteur, qui est aussi un technicien, un commerçant, un chef d'entreprise, devait dégager du temps libre pour ces activités nouvelles. Il en a eu les moyens, ce qui explique aussi le développement de la main-d'œuvre salariée. Malgré la réduction globale des surfaces à cultiver, et sans doute à cause de la croissance de la taille moyenne des exploitations, le nombre de salariés permanents de la viticulture est passé de 48 700 en 1988 à 51 600 en 2000, la part des exploitations recourant à un ou plusieurs salariés ayant augmenté de 12 à 18 %. En 2000, selon le recensement agricole, les salariés saisonniers étaient également plus nombreux qu'en 1988, malgré la mécanisation des vendanges devenue largement majoritaire. Le développement du palissage, de même que les nouvelles pratiques qualitatives comme l'effeuillage ou les vendanges en vert ont augmenté le temps consacré aux travaux. Cette tendance trouvera sans doute sa limite avec la baisse récente et apparemment tendancielle du revenu moyen de l'activité viticole.

Des unions géantes de coopératives

La spécialisation a considérablement réduit la part de la coopération dans la production ; celle-ci ne représente plus que 51 % du total alors que les caves particulières la talonnent désormais. Le nombre de ces dernières n'a pas augmenté, mais celui des coopérateurs, qui est de 38 000, a considérablement baissé, puisque ceux-ci étaient surreprésentés parmi les petits exploitants en polyculture et même parmi les pluriactifs qui ont tendance à disparaître. Dans le Midi viticole, le postier, le cheminot, l'instituteur, voire le notable viticulteur et coopérateur ne s'éteignent tout de même pas si rapidement et l'on voit que neuf exploitants viticoles sur dix apportent toujours leur raisin à la cave coopérative. Ce fut d'ailleurs l'une des raisons des difficultés d'adhésion du vignoble méridional à un modèle de production modernisé malgré les efforts des coopératives pour l'acclimater auprès de leurs sociétaires. Les pluriactifs hésitaient en effet à investir dans un vignoble qui était davantage un mode de vie qu'une source de revenu. Dans ce cas, même de fortes incitations financières n'étaient pas suffisantes pour décider des viticulteurs dont la vigne n'était pas le véritable moyen de subsistance. Mais faut-il le regretter au nom de la règle économique ?

La coopération est encore largement dominante dans tout l'Arc méditerranéen, de Perpignan à Toulon, ainsi que dans le Sud-Ouest en dehors de Bordeaux et Bergerac. Elle s'est concentrée en unions géantes qui ont racheté des sociétés de négoce prestigieuses disposant d'un portefeuille de marques pour avoir les mains libres, sans être gênées par le statut coopératif (un adhérent, une voix) dans la conduite de leurs affaires. Les années 1960 avaient vu la création du statut de SICA (Société d'intérêt collectif agricole) pour permettre aux coopératives de vendre et d'acheter du vin à d'autres personnes qu'à leurs adhérents, mais cette notion est elle-même dépassée avec la constitution de véritables groupes comme celui du Val d'Orbieu, originaire de l'Aude et désormais tentaculaire. Le rôle de la coopération reste prépondérant, tout comme celui du négoce, malgré le développement relatif de la vente directe au consommateur dont le Guide Hachette a été le témoin ces vingt dernières années.

Sur les 39 000 viticulteurs qui vendent eux-mêmes leur vin – et qui sont plus nombreux que les caves particulières, puisqu'un peu plus d'un millier de coopérateurs pratiquent aussi cette activité pour arrondir leurs revenus et garder le contact avec le marché, – la grande majorité s'adressent au négoce. En revanche, le pourcentage des ventes en bouteilles par les viticulteurs a progressé de 21 à 34 % entre 1988 et 2000 au détriment du vrac, pour satisfaire un consommateur attaché à la mise en bouteilles à la propriété au moins autant qu'à la provenance.

Les ventes de la propriété (hors coopératives) représentaient 27 millions d'hectolitres en 2000, dont 66 % sont allés au négoce, 18 % directement aux consommateurs, 6 % à l'export, le reste se répartissant entre grande distribution, commerce traditionnel, restauration et groupements de producteurs.

Les styles de vie urbains et la place de la grande distribution dans les achats de vin (environ 70 % pour la consommation à domicile) ne permettent guère d'imaginer une évolution importante de cette répartition. La vente directe s'est certes développée, elle offre un débouché valorisant aux viticulteurs qui veulent exprimer la personnalité de leur terroir, elle constitue un modèle, mais ne pourra jamais devenir une règle unique.

En effet, la compétition est désormais mondiale. L'exportation permet d'écouler entre le quart et le tiers de la production nationale, même en excluant la part de vin destinée à la distillation des eaux-de-vie AOC. Les petits producteurs ne sont pas souvent armés pour conquérir des marchés.

Concentration dans le négoce...

Le négoce a tenté de s'adapter à la mondialisation des marchés avec des fortunes diverses, compte tenu du contexte national. On a assisté d'abord à la poursuite d'un formidable mouvement de concentration des entreprises. Les petites sociétés qui constituaient un maillage de distribution sur l'ensemble du territoire et qui pratiquaient la mise en bouteilles à petite échelle ont disparu ou ont été absorbées. Beaucoup ont été rachetées par le groupe bordelais Castel, devenu n° 1 du vin de table, mais aussi gros opérateur dans les AOC. En 2004, il a ainsi acheté au Bordelais William Pitters, spécialiste des spiritueux, la marque de bordeaux Malesan que celui-ci avait créée et portée au meilleur niveau pendant vingt ans.

Les marques de vin de table ont disparu pour la plupart. Beaucoup avaient été fédérées par Pernod-Ricard, lors du rachat de la Société des vins de France, qui s'est finalement séparé de ses étiquettes au profit aussi de Castel. Le n° 1 français du pastis et des alcools ne veut plus s'intéresser au vin en France, que ce soit aux appellations ou au vin de table, pour cause de trop faible rentabilité. Il s'est débarrassé aussi de Crus et Domaines de France fondé dans les années 1980 pour commercialiser des AOC. En revanche, il poursuit une diversification très rentable dans le vin en Australie, en contrôlant le n° 2 du secteur dans ce pays, la société Jacob's Creek, et a lancé des investissements en Géorgie.

Durant ces vingt dernières années, on a assisté à l'émergence d'un autre géant dans le domaine du vin, l'Alsacien Grands Chais de France, dirigé par une personnalité intéressante, Joseph Elfrich. Soutenu par un actionnaire allemand, il s'est développé à l'exportation et dans les chaînes de grande distribution avec des marques qui leur sont spécialement destinées. Bouteilles personnalisées, étiquettes qui ne passent pas inaperçues, il semble avoir trouvé la recette pour écouler de grandes quantités d'AOC à des prix raisonnables.

... qui reste émietté

A part la Baronnie Philippe de Rothschild, leader pour le bordeaux de marque et quelques sociétés jouant une carte personnelle sur un créneau spécifique (par exemple Dubœuf en Beaujolais), le négoce de place de production reste émietté et manifestement trop faible face aux géants internationaux pour lutter avec les armes du marketing international.

L'Onivins a noté que le vin représentait seulement 6,9 % des investissements publicitaires dans le secteur des boissons en 2003, avec 34 millions d'euros. Sur ce total, 16,8 millions avaient été dépensés pour des publicités collectives à l'initiative de comités interprofessionnels pour des vins d'appellation et de table. En revanche, le budget moyen par marque était de 74 000 € ! Il y a un progrès, puisque cette somme était de 61 000 € en 2000, ou bien cette hausse ne traduit-elle que l'augmentation des coûts ? A titre de comparaison, sur le seul marché britannique, la société californienne Ernst & Julio Gallo est capable d'investir de l'ordre de 3 millions d'euros.

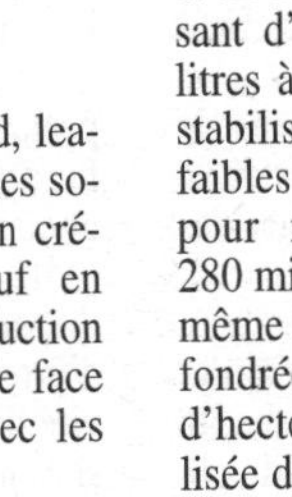

Les viticulteurs girondins qui s'en sont pris au négoce pendant le mois de juin 2004 l'ont rendu responsable de leur marasme, mais ils n'avaient peut-être pas compris que sa capacité de réaction est pratiquement nulle, tant il est faible. Le négoce français ne dégage pas de marge, il revend tant bien que mal les vins qu'il parvient à acheter, mais il ne peut se donner des objectifs de vente et y consacrer les moyens nécessaires, comme le fait un Gallo ou un Jacob's Creek. A l'occasion de Vinexpo édition américaine, on a vu Gallo salué comme un sauveur parce qu'il allait commercialiser une marque de vin de pays d'Oc ; il est permis d'y voir un signe guère plus encourageant que ne l'est pour la Colombie la création par Nestlé d'une marque de café provenant des hauts plateaux andins...

La nouvelle donne internationale

Délivré par l'INAO en juin 2004, un document baptisé « Contexte » exposait de manière synthétique, avec force tableaux et graphiques en couleurs, l'évolution du marché mondial du vin. Un document élaboré à partir des statistiques collectées par l'Office international de la vigne et du vin (OIV).

Il en ressort que la production mondiale, après avoir heureusement baissé de 1983 à 1993, passant d'une moyenne de 325 millions d'hectolitres à 270 millions d'hectolitres, s'est ensuite stabilisée et a repris sa progression, malgré deux faibles récoltes consécutives en 2002 et 2003, pour retrouver un potentiel prévisible de 280 millions d'hectolitres en 2007. Dans le même laps de temps, la consommation s'est effondrée, passant d'environ 280 à 230 millions d'hectolitres entre 1983 et 1993. Elle s'est stabilisée depuis sur une ligne de 225 à 230 millions d'hectolitres, l'INAO retenant la fourchette de 230 à 240 millions d'hectolitres.

Si on rapproche les chiffres de la production et ceux de la consommation mondiale, on obtient un déséquilibre structurel qui a dépassé les 50 millions d'hectolitres en 1999 et 2000. Il est tombé à 30 en 2002, compte tenu de la petite récolte, mais devrait remonter à 50 autour de 2007. S'il ne s'agit pas à proprement parler d'un excédent pour la totalité de ce volume, puisqu'une bonne partie de ce vin ou de ces moûts est destinée à d'autres usages que la consommation directe, il ne faut pourtant pas se cacher que l'on produit désormais dans le monde nettement plus de vin qu'on en boit et que la tendance n'est pas près de s'inverser, avec des potentiels encore sous-exploités, notamment dans les pays de l'ex-bloc soviétique (Europe centrale et orientale, Géorgie, Moldavie, Arménie, Ukraine). Les coûts de production, sauf en Slovénie et Hongrie, y sont encore dérisoires.

Le vin français battu en brèche ?

Le commerce mondial est devenu essentiel pour la France qui exporte le quart de sa production en volume. Il apparaît en nette croissance, compte tenu de l'augmentation de la consommation dans les pays non producteurs de l'Europe du Nord et de la forte capacité d'absorption des Etats-Unis qui sont devenus également exportateurs. Il est passé de 45,2 millions d'hectolitres en moyenne pour la période 1981-1985 à 73 millions d'hectolitres en 2003, soit une progression de 60 %. Ce serait plutôt encourageant pour les exportateurs, si l'apparition de nouveaux concurrents n'était venue gâcher la fête ces dix dernières années.

La France avait pourtant pris un bon départ. Ses exportations, de 10,2 millions d'hectolitres en 1981-1985, sont passées à 12,8 millions d'hectolitres en 1986-1990 et à 15,3 millions d'hectolitres en 1996-2000. Pendant ces vingt ans, sa part d'un marché mondial en expansion était passée de 21 à 25 %, après une pointe à 29 % durant les années 1986-1990.

Tout semblait aller pour le mieux dans le meilleur des mondes où le vin français restait le parangon de la qualité, mais les prémices des difficultés à venir étaient déjà présentes.

Plantations massives dans l'hémisphère Sud

Dans l'hémisphère Sud, des pays comme le Chili, l'Argentine, l'Afrique du Sud, la Nouvelle-Zélande et l'Australie avaient fait la même analyse d'un marché mondial en progression et s'étaient donné les moyens de partir à sa conquête. On peut ajouter à cette liste les Etats-Unis, situés dans l'hémisphère Nord, mais participant de la même culture commerciale et culturelle que les cinq pays cités plus haut, au point de former un bloc homogène avec eux lors des négociations commerciales multilatérales de l'OMC (Organisation mondiale du commerce) ou des sessions de l'OIV où se définit le vin, ses conditions de production et de mise en marché.

Entre 1990 et 2000, les superficies viticoles ont crû dans presque tous ces pays, passant de 100 000 ha à 117 000 ha en Afrique du Sud, de 5 000 ha à 13 000 ha en Nouvelle-Zélande, de 59 000 ha à 140 000 ha en Australie, de 124 000 ha à 174 000 ha au Chili, de 319 000 ha à 413 000 ha aux Etats-Unis. Seul, le vignoble argentin a régressé (de 259 000 ha à 209 000 ha). La part de ces six pays, qui n'était guère supérieure à 1 % du marché mondial durant la période 1981-1985, est passée à 18 % en 2000, 19 % en 2001, 21 % en 2002 et l'OIV prévoit 23 % en 2003. La France n'a pas si mal tiré son épingle du jeu, puisque, partie de 21 % en 1981-1985, elle se maintenait à 20 % en 2003, contrairement à l'ensemble des pays européens producteurs dont la part dans le commerce mondial était tombée de 55 % à 44 % ou aux PECO (pays d'Europe centrale et orientale) et au Maghreb, passés de 14 % à un chiffre insignifiant. Cependant, on peut légitimement se demander si la France n'est pas le prochain producteur à passer sous le rouleau compresseur. En 2003, l'Hexagone a connu une légère progression de ses exportations en valeur (+ 1,8 %), mais cette hausse est due principalement à l'effet millésime 2000 et à un très bon courant d'exportation sur le champagne, qui est au-delà de la crise.

Les marques au service de l'appellation ?

Le champagne est d'ailleurs un cas d'école qui n'est pas assez observé. Il associe d'une façon parfaite une appellation que les producteurs défendent bec et ongles et des marques que les négociants peuvent promouvoir, parce que leur activité est très rentable. Certains négociants disparaissent parfois, mais c'est plutôt à la suite d'erreurs de gestion, parce que le cycle d'activité du champagne sur au moins trois ans nécessite une santé financière plus que rigoureuse et une attention de tous les instants portée à la trésorerie. La croissance fulgurante de certaines marques fraîchement apparues se traduit parfois par un manque de capitaux propres qui pousse au dépôt de bilan. Il n'empêche, le champagne est présent publicitairement partout, même dans les courses de Formule 1, sport d'où l'alcool devrait être banni, et il continue à bien se vendre. Et toute la filière gagne sa vie.

L'exemple est malheureusement difficile à transposer dans les vins tranquilles. La gamme des champagnes est en effet limitée à quelques crus et à quelques villages et la plupart des grandes marques qui offrent des cuvées spéciales, même très coûteuses, le font sur un champagne « standard », mettant en avant la méthode de fabrication et d'élevage plutôt que la provenance de tel ou tel cru. Il est plus facile de bâtir un marketing sur cette base que sur les 56 appellations bordelaises ou les innombrables crus et climats bourguignons.

C'est ce constat qui a animé les rédacteurs du rapport Berthomeau adressé au ministre de l'Agriculture et qui a fait beaucoup de bruit en 2002 et 2003 avant d'être plus ou moins enterré. Le rapport préconisait une simplification du système français afin de pouvoir dégager de gros volumes homogènes, susceptibles de faire l'objet d'un marketing de masse.

Une viticulture en réflexion

L'INAO, a refusé cette suggestion. René Renou, président de l'Institut a au contraire joué la carte d'une hiérarchisation supplémentaire en proposant la création d'une catégorie complémentaire, l'AOCE ou appellation d'origine d'excellence, dans un marché des vins déjà complexe, même pour les amateurs avertis. Cette proposition entérinerait le fait que certains viticulteurs – on les estime à 5 % – enfreignent les règles qu'ils sont censés avoir adoptées volontairement.

Le ministre de l'Agriculture, Hervé Gaymard, qui a reçu l'ensemble des représentants de la filière mercredi 21 juillet 2004, ne semblait pas vouloir s'engager dans cette direction. Il a plutôt retenu l'idée de Jacques Berthomeau d'autoriser l'élaboration de vins de pays dans toutes les grandes régions viticoles, y compris dans les zones d'appellations où ils étaient jusque-là exclus. On encouragerait la production de vin de pays par grandes zones, à l'exemple des vins de pays d'Oc qui ont connu un certain succès en Languedoc, en cohabitation avec les AOC. Ces vins de pays, produits selon des règles pratiquement aussi libérales que dans les pays du Nouveau Monde, pourraient faire figurer le nom d'un cépage dès que leur assemblage contiendrait au moins 85 % de celui-ci et seraient autorisés à utiliser certaines techniques jusqu'ici bannies, comme l'immersion de copeaux dans le vin pour lui donner ce goût de bois neuf aujourd'hui à la mode. En Bourgogne, l'idée d'une telle cohabitation a été reçue avec peu d'enthousiasme, tandis que les viticulteurs bordelais y ont vu la possibilté d'écouler une partie de leur très importante production, d'autant plus que le ministre avait promis d'augmenter sensiblement les crédits consacrés à la promotion des vins français.

En revanche, le ministre a aussi demandé qu'un peu d'ordre soit remis dans les AOC, avec notamment la réécriture des décrets, ce que l'INAO, à l'instigation de son président René Renou, a déjà mis en chantier. La Confédération nationale des appellations d'origine contrôlée, par la voix de son président, Christian Paly, qui ne se montre aujourd'hui pas favorable à la création de divisions au sein des AOC, a approuvé le fait que les « vignerons disposent d'une alternative au tout appellation ». Pour sa part, le président de l'INAO n'avait pas renoncé à faire examiner sa proposition de réforme par le Comité national de l'INAO qui devait se réunir à l'automne après les vendanges.

Les débats sont vifs chez les professionnels, les propositions multiples, mais tous sont conscients de la nécessaire adéquation entre AOC et qualité. Si la crise s'intensifie, quelles solutions faudra-t-il imposer ?

On peut se contenter de relever que la France et l'Union européenne ont beaucoup aidé, au nom de la politique agricole, les exploitations, mais qu'elles ont rarement mis la main au porte-monnaie pour les entreprises de négoce auxquelles les ventes sont liées au premier chef. Un chiffre entre tous est éloquent : les aides (européennes et nationales) à la filière viticole française s'élèvent chaque année à environ 295 millions d'euros dont 96,5 % sont réservés à la production, et le reste à l'aval.

Il ne s'agit pas seulement d'aider les exportateurs, mais aussi de travailler à une meilleure diffusion de la culture du vin, sans courir le risque d'être accusé de favoriser l'alcoolisme. L'histoire, la découverte des paysages façonnés par l'homme, des monuments et des œuvres d'art, la littérature, la convivialité mise au rang des valeurs modernes, tout peut concourir aujourd'hui à faire partager le goût des bons vins. Au pluriel, parce que c'est justement leur qualité d'être nombreux et tous différents.

Le Guide Hachette, avec ses 10 000 références dans l'édition 2005, a tenté d'y travailler, et le succès qu'il remporte auprès de ses lecteurs montre que cette voie est possible, si l'on tente d'éclairer les consommateurs. Il n'est pas seul, et c'est encourageant.

Jean-Pierre Deroudille

Durant l'été 2003, il fallait avoir la tête bien couverte pour déguster le casse-croûte au pied des vignes, le lard fumé et le fameux gendarme ! Si l'on en croit les historiens, de telles conditions climatiques avaient été observées pour la dernière fois en... 1540. Vendanges très précoces, richesse en sucre, acidité insuffisante, influence de la sécheresse sur les terroirs et les cépages, les viticulteurs plongeaient dans l'inconnu, d'autant que les maturités étaient très inégales. Les volumes sont en net retrait.

Les trois G : gel, grêle et grillé

L'hiver avait pourtant commencé bien engourdi par un long gel en janvier puis en février. Début avril, un temps plus doux favorisa un débourrement rapide. En avance de trois semaines, la floraison arrivait vite, aux tout premiers jours de juin. Un temps chaud et sec s'était déjà installé en mai. Pendant près de quinze jours en août, le mercure du thermomètre a frôlé ou légèrement dépassé les 40 °C. Des pluies pour ainsi dire inexistantes, à l'exception de quelques gros orages. Plusieurs vignobles ont connu ainsi des dégâts sensibles provoqués par la grêle.

On a donc vendangé très tôt, avec d'importants écarts de maturité. A partir du 25 août en crémant-d'alsace, du 8 septembre en AOC alsace et alsace grand cru, du 15 septembre en vendanges tardives et sélections de grains nobles. L'excellent état sanitaire des raisins (quand ils n'étaient pas séchés ou grillés) compensait un peu les inquiétudes nées d'une très faible acidité. Pour la première fois l'Union européenne a d'ailleurs accordé à l'Alsace le droit d'acidifier moûts et vins. On sait que cette démarche facilite la transformation du sucre en alcool tout en assurant la stabilité des vins, leur durée.

Les ressources en eau du sous-sol ont été abondamment sollicitées par les racines de la vigne. Dès lors, les terres légères ont souffert davantage que les terres profondes, modifiant certaines références qualitatives liées aux terroirs.

Pinot noir et gewurztraminer

La durée de garde des 2003 ne répondra pas aux règles habituelles des vins d'Alsace : jusqu'à cinq ans pour les rouges, trois ans pour les blancs dont beaucoup seront à boire sur leur fruit. En qualité, le millésime est dans l'ensemble plus rouge que blanc, avec de fabuleux pinots noirs à pleine maturité. Le gewurztraminer tire également son épingle du jeu. Epicé, plein d'élan, riche, il constitue souvent la meilleure réussite en blanc.

Les sylvaner, pinot blanc et auxerrois ont donné des vins à boire maintenant. Le premier est généralement parvenu à maturité, les autres, récoltés très vite, ont vu leur acidité chuter très rapidement. Le muscat-d'alsace est correct, le riesling a été remis en selle par les petites pluies de septembre après de fréquents blocages de maturité. Quant au pinot gris, l'absence de botrytis a modifié un peu son caractère aromatique.

La production des vendanges tardives (un paradoxe !) est en légère progression (15 400 hl). Quant aux sélections de grains nobles, il faut les dénicher en l'absence de presque toute pourriture noble... Cette production se limite à 1 000 hl. En Alsace, le volume total de la récolte s'élève à 1 004 000 hl, en diminution de 18 % par rapport à 2002 ainsi qu'aux cinq dernières années, dont la production demeurait stable autour de 1 215 000 hl. Ces quantités comprennent 822 900 hl pour l'AOC alsace (-19 %), 40 500 hl pour l'AOC alsace grand cru (-8 %), 140 000 hl pour l'AOC crémant-d'alsace (-15 %). Pour les cinq dernières années, la diminution du volume de récolte en gewurztraminer atteint 31,2 % et 28 % pour le chasselas. Avec 238 000 hl, le pinot blanc est en volume le premier cépage, devant le riesling (228 000 hl).

Le marché stagne

L'année 2003 s'est achevée sur une baisse de 2,9 % des volumes commercialisés par rapport à 2002. Sans doute le niveau assez faible de la nouvelle récolte permet-il d'espérer le maintien des équilibres mais, ici comme ailleurs, le marché stagne. Près de 160 millions de bouteilles vendues pour 75 % en France (90 % il y a trente ans) et pour 25 % à l'export (hors crémant, ce marché est passé toutefois de 10 000 hl en 1969 à 230 000 hl en 2003). Les ventes subissent en France un léger tassement. Premier client à l'export, l'Union belgo-luxembourgeoise (8,3 millions de bouteilles, près du quart des vins tranquilles exportés), devant les Pays-Bas (7,3 millions de bouteilles) et l'Allemagne (4,6 millions de bouteilles. Ce dernier débouché est en forte contraction : -13 % en 2003. Premier client pendant plusieurs décennies, l'Allemagne n'assure plus que 14 % des exportations. Ensuite viennent le Danemark et les Etats-Unis.

Brève du vignoble

Vigneron indépendant à Andlau, Rémy Gresser succède à François Ringenbach comme président du Conseil interprofessionnel des vins d'Alsace. C'est la première fois qu'il exerce ce mandat.

QUOI DE NEUF EN BEAUJOLAIS ?

Le volume de la récolte est très en retrait par rapport aux années normales pour une qualité plus que convenable, voire excellente dans certaines appellations. Heureux millésime dans un Beaujolais en crise qui réfléchit à son identité et modifie parfois ses pratiques.

Jolis beaujolais

Pour la première fois de toute l'histoire viticole, on a vendangé en Beaujolais dès le 14 août. Le 20 août en 1893, rien de plus précoce depuis. Certaines parcelles ont même été récoltées à partir du 10 août. Une vendange saine. Pas de chaptalisation ou très rarement. Les 13 % vol. naturels étaient en effet fréquents, et l'on atteignait souvent les 14 à 15 % vol.

Que de soucis cependant ! De janvier à août, on a enregistré 300 heures d'ensoleillement de plus que la moyenne. En juin, des températures supérieures de 6,5 °C par rapport aux normales saisonnières. Une moyenne de 22 °C en juillet et une chaleur très élevée en août : le double des températures habituelles. Les années de sécheresse (1947, 1959, 1976, 1989) ont souvent enfanté de grands millésimes, mais en 2003 le stress hydrique a bloqué des maturations. Déjà en avril on avait souffert du gel et en mai la tempête s'était déchaînée, provoquant de nouveaux dégâts. La récolte beaujolaise 2003 est donc très en retrait des dernières années : 850 000 hl contre 1,2 à 1,35 million d'hectolitres habituellement. C'est la plus faible depuis 1975. Ainsi pour les crus : avec 222 300 hl, ils ont produit les deux tiers d'une vendange normale. Les diminutions les plus importantes concernent les moulin-à-vent (-49 % par rapport à 2002), fleurie (-45 %) et chénas (-44 %).

D'une qualité fort honorable, les primeurs étaient grenat sombre, violacés ; les 2003 ont bâti leur réputation sur des accents de fraise et de framboise, complétés en bouche par des notes de violette et d'iris. Des vins charnus, sans excès d'acidité, mais il est vrai que ces dernières années on dénonçait souvent l'acidité excessive du beaujolais nouveau.

Le beaujolais de demain

Les « docteurs tant mieux » voient dans cette modeste production l'existence d'une offre inférieure à la demande moyenne. Cependant, même si le Japon continue d'accroître ses achats en

beaujolais nouveau (600 000 caisses en 2003, soit + 3 %, dont le tiers acheté par Suntory à Georges Dubœuf), le vignoble est en crise structurelle. Le Beaujolais est loin de vendre tout son vin. En grande distribution, le fléchissement des primeurs est sensible. Nouveau président de l'UIVB, Michel Bosse-Platière s'efforce de faire évoluer les choses. Des débats ont été organisés lors des Assises du Beaujolais le 7 juillet, afin de construire « le beaujolais de demain ».
Les nouveaux décrets portent essentiellement sur les densités, portées à 6 000 pieds/ha pour les rouges et 7 000 pieds/ha pour les blancs (actuellement 7 000 en beaujolais, 8 000 en beaujolais-villages et crus). Elles permettront une meilleure exploitation des coteaux, mais obligeront à un palissage avec une hauteur de feuillage suffisante. La machine à vendanger est autorisée pour les vins de l'AOC beaujolais (à la réserve des vins primeurs) ; cette mécanisation concernerait 10 % des surfaces. Accordé à titre expérimental pendant quatre ans, le rendement moyen décennal permettra une gestion nouvelle des rendements annuels.
Le Beaujolais est la première région viticole en France à intégrer un article spécifique dans ses décrets précisant les différents points de respect de l'environnement à l'intérieur d'un règlement technique approuvé par le comité national de l'INAO.

Brèves du vignoble
Trois disparitions : André Rebut, qui dirigea l'UIVB pendant trente-quatre ans et présida le comité régional de l'INAO ; Louis Tête, propriétaire et négociant, qui avait joué un rôle actif dans le développement économique du Beaujolais ; enfin, à l'âge de cent cinq ans, Henri Mommessin, qui avait dirigé pendant un demi-siècle cette maison présente en Bourgogne, en Beaujolais et dans la vallée du Rhône, aujourd'hui dans le groupe Boisset.
Yves Coppens reçoit le 40e prix Victor-Peyret à Juliénas. Les Hospices de Beaujeu (79 ha de vignes en beaujolais-villages, brouilly, morgon et régnié) confient la gestion de leur domaine et la distribution de leurs vins à la maison Mommessin. Lydie Nesme en devient le régisseur. Innovation en 2004 pour la 207e vente aux enchères : les crus mis aux enchères étaient proposés en lots de bouteilles et non en fûts. C'est ainsi que 3 600 bouteilles et magnums ont rapporté 25 564 € : une vitrine pour l'ensemble des vins d'un domaine qui doit être relancé. Pour la première fois, on a vu des acheteurs californiens et québécois.
Après les caves coopératives de Bully et de Lachassagne, celles de Liergues (250 adhérents, 550 ha) et de Gleizé (150 adhérents, 290 ha) ont fusionné fin 2004.

QUOI DE NEUF EN BORDELAIS ?

Cette année de la canicule confirme le réchauffement climatique, désormais durablement inscrit dans les annales viticoles des cinquante dernières années. Ce millésime exceptionnel devrait donner de grandes bouteilles, tant en rouge qu'en liquoreux. Quant au marché, tandis que les grands châteaux écoulent leur production en primeur à un bon prix, les petits producteurs souffrent plus que jamais de la baisse des cours.

Des bordeaux d'un nouveau type ?
Ceux qui doutaient encore de la réalité d'un changement climatique perceptible à l'échelle d'une vie humaine ont dû commencer à se poser des questions en 2003. Non seulement l'intensité de la canicule estivale a été sans précédent, mais surtout, la précocité de l'ensemble du cycle végétatif a bousculé toutes les données connues. Cela fait plusieurs années que Guy Guimberteau et Pascal Ribéreau-Gayon (Faculté d'œnologie, Université Victor-Segalen Bordeaux II) enregistrent le réchauffement de la terre dans leurs annales. Il n'y a plus d'incertitude aujourd'hui à ce sujet. On se souvient que 2002, millésime le plus tardif de ces dix dernières années, avec un été détrempé, comptait néanmoins huit jours d'avance sur la moyenne de trente ans.
Des évolutions dont il faudra tenir compte à long terme pour la conduite de la vigne et les modes de vinification. Pour l'instant, 2003 reste un millésime exceptionnel. Mais il n'est pas interdit d'imaginer que le type des vins de Bordeaux puisse se trouver durablement modifié, se rapprochant, sans que cela ait été ni voulu ni souhaité, de ceux provenant de climats aux printemps et étés plus chauds, à partir de raisins récoltés constamment à totale maturité et sans nécessiter de chaptalisation. Nous n'en sommes pas là, et nous verrons sans doute encore toutes sortes de millésimes différents pour notre plus grand plaisir, mais il n'est pas inutile d'y réfléchir...

Records de précocité

Ainsi, les dates de demi-floraison et de demi-véraison ont été les plus précoces des annales universitaires, en avance de plus d'une semaine sur la moyenne 1993-2002, de plus de quinze jours sur la moyenne 1983-1992 et de trois semaines sur la moyenne des cinquante dernières années.

Après un hiver à peu près normal en précipitations et en température – et même plutôt froid –, les conditions climatiques se sont montrées exceptionnelles dès le mois de mars : le temps était sec et très chaud, avec une température moyenne supérieure de 4 °C à la normale. Le débourrement s'est donc produit normalement, avec des sorties de grappes sans problème particulier.

Les mois d'avril et de mai furent à leur tour chauds et secs, avec des températures maximales supérieures à 30 °C dans les dix derniers jours de mai qui virent ainsi une floraison déjà particulièrement précoce, à peine devancée par celle de l'année 1997. Juin fut également marqué par des températures très élevées, et ceux qui participèrent au salon Vinexpo qui s'est tenu à Bordeaux à la fin du mois se souviennent de la polémique sur la climatisation des locaux. Les orages furent localement très violents, avec de fortes grêles dans les Graves, les Premières Côtes et l'Entre-deux-Mers, qui touchèrent environ 6 000 ha.

Juillet fut à son tour très chaud, supérieur à la normale, mais pas vraiment exceptionnel. La canicule commença dès le premier jour d'août. Du 3 au 13, les températures maximales ont dépassé 35 °C, avec plusieurs journées supérieures à 40 °C.

La canicule ne s'est pas accompagnée d'une grave sécheresse, contrairement à l'impression que l'on a pu en retirer. Les précipitations, forcément orageuses, ont atteint des niveaux à peu près égaux à la moyenne sur l'ensemble de l'été : « L'alimentation hydrique n'a jamais été complètement déficiente, permettant à la vigne d'assurer une vitalité satisfaisante », notent Guy Guimberteau et Pascal Ribéreau-Gayon. Bien sûr, les conditions sont toujours inégales en fonction de la nature des sols et de la localisation des précipitations orageuses. Certains vignobles, dans les sols caillouteux de graves, ont été soumis plus que d'autres au stress hydrique.

Il en résulte donc des conditions de maturation assez extraordinaires. Sur les parcelles de référence de la Faculté d'œnologie, le raisin de merlot offrait 13,2 % vol. probable dès le 5 septembre, et celui de cabernet-sauvignon, 12,3% dès le 15 septembre. Jamais, de mémoire de viticulteur bordelais, on n'avait vu cela. L'acidité était évidemment très basse, comme il est normal quand la maturité est aussi précoce, surtout pour le merlot et les cépages blancs. Pour le cabernet-sauvignon, heureusement, elle était à peine inférieure aux années de référence, comme 1999 ou 1990. La chaleur et les faibles précipitations d'août expliquent également que les rendements ont été assez peu abondants, ce que personne ne regrette puisque les stocks de fin de campagne étaient plutôt abondants et les cours déprimés.

Des rouges et des liquoreux mémorables

Comme les vendanges ont commencé très tôt, dès la seconde quinzaine d'août pour les blancs et avant la mi-septembre pour les rouges, à une période où il faisait encore chaud, il a fallu travailler avec des moûts à haute température, et tous les chais n'étaient pas équipés pour refroidir suffisamment vite des quantités importantes. Certains viticulteurs ont dû recourir à l'acidification des moûts, d'autres ne l'ont pas fait. Pour les rouges, on a constaté un phénomène heureux, quoique inexpliqué : les moûts non traités ont souvent retrouvé une acidité suffisante après vinification.

Les vins liquoreux ont aussi bénéficié du climat exceptionnel de 2003. Les précipitations du début de septembre ont été suffisantes pour déclencher le développement du *Botrytis cinerea*, alors que le raisin était déjà très riche en sucre. Le champignon bénéfique a fait son œuvre de concentration et on a récolté rapidement, souvent en une seule fois, des raisins dont la teneur en alcool potentiel allait jusqu'à 25 % vol. Cela donne des liquoreux aux arômes fins, gras et très doux, mais certains regretteront peut-être le « rôti » typique des vendanges fortement botrytisées.

Quant aux vins rouges, ils sont riches en alcool, en couleur et en tanins. Certains sont un peu déséquilibrés en raison d'un manque d'acidité, mais dans l'ensemble ils sont aptes à un long vieillissement. Pour une fois, les viticulteurs des terres plus froides et argilo-calcaires ont pris une revanche sur ceux des terres de graves, trop sensibles au déficit en eau. Tous les vins ne sont pas réussis, car certaines conditions vraiment inhabituelles ont dérouté viticulteurs et œnologues, mais on est sûr que 2003 donnera aussi beaucoup de très grandes bouteilles qui resteront pour longtemps dans les mémoires.

Succès des grands crus sur fond de crise

Les grands crus les plus réputés, qui ont réussi de façon inattendue et insolente une mise en vente de leurs meilleures étiquettes au mois de juin 2004, ont fait la démonstration que leur qualité était au rendez-vous. Ainsi, 115 châteaux sur 380 qui ont proposé leurs vins en primeur ont vendu la totalité de leur récolte en quelques jours, alors que par ailleurs le marché du vin de Bordeaux connaît un marasme que l'on n'avait pas vu depuis trente ans.

Pour les premiers grands crus classés, on a vu les prix doubler sans que le marché hésite une seule seconde à les acheter, aussi bien en France qu'à l'étranger. Dans l'ensemble, pourtant, la hausse n'a été « que » de 17 % en moyenne – ce qui n'est pas si mal, cependant, compte tenu du contexte général.

Nous notions l'année dernière que la crise économique était désormais solidement installée en Bordelais, et la campagne de commercialisation a malheureusement confirmé avec éclat ce que tout le monde avait pu constater en juin 2003, après Vinexpo.

Arrachages en vue

On a vu au début de l'été les viticulteurs manifester, avec le soutien du syndicalisme agricole général de la FDSEA et du CDJA, devant le Conseil interprofessionnel du vin de Bordeaux qui parvenait jusqu'alors à gérer tant bien que mal le marché des vins d'AOC régionales en prenant des mesures de stockage ou de « réserve qualitative ». La Chambre d'agriculture, dès l'automne 2003, après une étude sur les capacités de production et de commercialisation, a commencé à évoquer la possibilité d'arracher des vignes pour redresser le marché. Celui-ci a été déséquilibré durablement pendant la décennie 1990 quand la superficie plantée du département de la Gironde s'est accrue d'environ 10 000 ha, produisant au moins 500 000 hl avec les rendements obtenus dans la région. Des plantations pour lesquelles toute la profession s'était mobilisée en vue d'arracher aux pouvoirs publics les droits correspondants, au nom d'une économie saine et en développement, à l'époque où le vin se vendait sans difficultés.

On a vu aussi les producteurs lancer un ultimatum à des négociants bien en peine d'y satisfaire, puisqu'ils ont autant de mal que leurs fournisseurs à vendre du vin. De nombreux viticulteurs qui ont planté et investi en s'endettant sur la base des revenus servis par le vin dans la période faste se déclarent aujourd'hui au bord de la ruine. Lors d'une assemblée générale du CIVB tenue fin juin, on a joué la réconciliation mais l'épisode a révélé l'ampleur de la crise. Le seul signe d'encouragement donné aux viticulteurs a été de ne pas augmenter le taux des cotisations qu'ils doivent acquitter au CIVB et dont l'usage est majoritairement de financer des campagnes de promotion.

C'est en effet la piste d'un sursaut commercial et publicitaire qu'il faudrait suivre aujourd'hui, de pair avec un effort pour garantir la qualité de tous les vins qui portent le nom toujours prestigieux de Bordeaux. On a vu pourtant, à l'occasion du salon Vinexpo tenu du 21 au 24 juin à Chicago, que la mobilisation bordelaise était bien molle, alors que le marché américain est à reconquérir après les campagnes de *French bashing* (dénigrement et boycott) qui ont suivi la condamnation par la France de l'expédition en Irak. Le Beaujolais avait commencé à connaître la même crise plusieurs années avant Bordeaux, avec des volumes pourtant moindres. Il a dû adopter des mesures très strictes pour y résister, en contrôlant la qualité et en restreignant les volumes commercialisés.

Ce n'est pas tellement les prix qui sont peu attractifs, puisque les cours du bordeaux d'AOC régionale en vrac se maintiennent peu ou prou autour de 100 € l'hectolitre, ce qui reste très raisonnable par rapport aux appellations régionales du Sud-Ouest. Le problème semble plutôt résider dans une certaine désaffection des consommateurs français, devenus plus curieux de découvrir d'autres vins nationaux, voire étrangers, et qui, surtout, ont réduit les quantités totales de vin qu'ils absorbent.

La récolte d'AOC rouges a baissé de 1,3 % à Bordeaux, celle de blancs de 6 % par rapport à celle de 2002, qui était déjà particulièrement basse, sans aucun effet sur le marché, mais les disponibilités n'avaient guère évolué en début de campagne. Deux petites récoltes successives auraient pourtant dû réveiller le marché et remettre le négoce aux achats et stimuler les cours. Il n'en a rien été, ce qui montre à quel point la gestion du marché par les rendements doit désormais être réglée de près, si les producteurs veulent éviter un krach toujours possible quand tous les opérateurs sont nerveux et fragilisés.

Yquem : une page d'histoire est tournée

Le bras de fer entre Bernard Arnault, patron du groupe LVMH, qui avait pris le contrôle de Château d'Yquem en 1999 par le biais de sa filiale Moët Hennessy, et le comte Alexandre de Lur Saluces, qui dirigeait sa propriété familiale depuis 1966, a trouvé un épilogue en juin 2004. Le château, qui était entré dans la famille de Lur Saluces en 1785, n'est donc plus dirigé par un membre de la famille. Alexandre de Lur Saluces est désormais remplacé par Pierre Lurton, lui-même originaire d'une grande famille viticole girondine, et qui avait déjà été désigné comme directeur de Château Cheval-Blanc par Bernard Arnault et Albert Frère. Il faut saluer la famille Lur Saluces qui a amené le Château d'Yquem pratiquement au sommet de la perfection, loin devant tous les grands vins liquoreux de la planète.

Le château Fonplégade, propriété depuis cinquante ans de Marie-José Moueix et de sa fille Nathalie, a été vendu en 2004 à un fonds de placement américain. Ce grand cru classé de 18 ha, vient rejoindre le portefeuille de l'investisseur qui est déjà riche de Château Pomeaux (4 ha) à Pomerol, Château Lagarosse (27 ha) à Tabanac et Château de Candale (5 ha), aussi à Saint-Emilion. Côté négoce, Malesan a été vendu à Castel, le plus gros négociant en vin français. Pendant près de vingt ans, Bernard Magrez, patron de la société William Pitters, avait fait de Malesan la seconde marque de bordeaux derrière Mouton-Cadet de la Baronnie Philippe de Rothschild. En 2004, il a finalement vendu sa marque.

Disparition d'un maître de l'œnologie

Le 18 juillet 2004 mourait Emile Peynaud qui révolutionna l'œnologie moderne tout en affirmant le rôle de la qualité du raisin.

QUOI DE NEUF EN BOURGOGNE ?

Une récolte 2003 atypique, incomparable : elle restera de toute façon dans les mémoires. Et une multitude de débats sur la hiérarchie et la dénomination des AOC régionales, sur les jugements fondés sur la loi Evin qui interdisent à l'interprofession de communiquer...

Le froid et le chaud

Au moment du débourrement, une forte poussée de gel les 8, 9 et 11 avril a touché presque tout le vignoble bourguignon, surtout le chardonnay. Les sorties de grappes étaient moins fournies quand elles ne souffraient pas d'importants dégâts. Au deuxième trimestre les températures étaient déjà de 30 % plus élevées qu'à l'habitude depuis trente ans (+ 6 °C). L'insolation était très supérieure, surtout en juin et août, et la sécheresse s'installait (-40 % d'eau par rapport à la normale). Records à Chablis (41,7 °C), partout ailleurs 39 et 40 °C.

Fin juillet, on annonçait une récolte en baisse de 15 % par rapport à 2002, des vendanges début septembre. Mais les événements s'accéléraient avec la canicule : maturation-éclair, grillure, blocage végétatif à la mi-août. Le premier ban de vendanges était fixé au 13 août en Saône-et-Loire ! En Côte-d'Or, à partir du 19 août ; en Chablisien, du 25 août. Du jamais vu depuis plusieurs siècles.

Récolté et vinifié dans des conditions d'une complexité extrême, le 2003 n'a eu nul besoin de chaptalisation. Heureusement car le taux d'acidité du raisin s'est affaibli sous ce soleil de plomb, alors que la concentration en sucre augmentait à vue d'œil (les 14 et 15 % vol. n'étaient pas rares). La thermorégulation a sauvé beaucoup de vendanges : en 1947 on n'avait que le pain de glace à jeter dans la cuve bouillonnante... Les Hospices de Beaune, par exemple, ont dû refroidir leurs raisins dans un conteneur réfrigéré afin de faire passer leur température de 30 à 18 °C.

Les rouges apparaissent denses et tanniques, capiteux, les blancs opulents et concentrés. Il ne fallait pas trop les bâtonner, car la matière était bien suffisante. N'attendez pas des vins de fraîcheur, mais de maturité et de puissance. De bons blancs, de très bons rouges, estime-t-on, sachant que les terroirs aux sols assez profonds et argileux ont su davantage retenir l'eau si rare. Les vieilles vignes ont moins protégé leur raisin. La résistance du chardonnay s'est révélée supérieure à celle du pinot noir et du gamay.

Bonnes ventes aux Hospices

Avec une hausse de 21,4 % du prix moyen de la pièce (228 l ou 300 bouteilles), la vente des vins des Hospices de Beaune a bénéficié de l'effet rareté (-18 % par rapport à 2002), des vertus du millésime atypique et d'une forte présence américaine et japonaise. Ce sont surtout les rouges qui ont flambé : + 23,65 % pour un prix moyen de la pièce à 5 751 €. Record établi par les mazis-chambertin M. Collignon (jusqu'à 25 200 € la pièce !). En blanc : + 12,15 % pour un prix moyen de la pièce à 7 906 €. Le bâtard-montrachet Dames de Flandres culminait à 40 000 € la pièce. Aux Hospices de Nuits-Saint-Georges, la hausse du prix moyen de la pièce atteignait 25,8 % (3 924 €).

Les exportations ont progressé globalement de 2,2 % en volume et de 6,5 % en valeur au second semestre 2003. En s'en tenant aux valeurs, le marché est très déséquilibré : -24 % en Suisse, -15 % au Danemark, -1,5 % aux Pays-Bas. En revanche, + 26 % au Canada et jusqu'à + 39 % au Japon. Le Royaume-Uni, premier client (le tiers des exportations totales), progresse encore légèrement. Retour à une meilleure orientation aux Etats-Unis : -2 % seulement en valeur et -2,6 % en volume.

Le vin condamné ?

« Plus que jamais la place du vin dans la société est posée », a commenté Bertrand Devillard à l'annonce du jugement de la Cour d'appel de Paris confirmant la condamnation survenue en première instance le 6 janvier 2004. L'association nationale de prévention de l'alcoolisme avait saisi la Justice après la diffusion par l'interprofession de messages vantant en 2003 le vin de Bourgogne dans la presse. Manifestation de masse à Chalon-sur-Saône le 25 février 2004, front commun avec la France vitivinicole qui souhaiterait que la loi distingue le vin des alcools. L'affaire est devenue politique.

Il y a bourgogne et bourgogne...

Il est question de revoir l'organisation de l'ensemble des appellations d'origine régionales de Bourgogne et l'INAO vient de mettre en place une commission d'enquête. Si les mots « grand ordinaire » et « passetoutgrain » n'ont guère de partisans, de nouveaux noms circulent (bourgogne de la Côte-d'Or, bourgogne Cadet, etc.) sans réussir à vraiment s'imposer... De même est-on en pleine réflexion sur le projet d'appellation d'excellence (« E ») lancé par le président de l'INAO pour l'ensemble des vignobles français. La critique bourguignonne la plus fréquente concerne la notion de terroir, minimisée au profit d'autres références liées pour une bonne part à l'exploitation viticole, à l'entité de propriété.

Le *climat* Les Ravelles au hameau de Blagny (1,3 ha) devrait bénéficier de l'appellation meursault 1er cru pour ses parcelles plantées en chardonnay. Autre dossier à l'étude : l'éventuelle appellation bourgogne-tonnerre. L'INAO refuse de modifier les dérogations temporaires permettant à certaines parcelles de Bourgogne de bénéficier de l'AOC aloxe-corton. Mais on est toujours à la recherche d'une solution pour les parcelles de bourgogne qui, dans la plaine de Beaune, doivent perdre cette appellation en 2005...

Signature d'un accord historique le 16 septembre 2003 à Toronto : le Canada s'engage auprès de l'Union européenne à ne plus vendre de faux chablis au plus tard en 2013. Il en sera de même pour tous les autres « semi-génériques », comme « bourgogne » ou « burgundy ».

Brèves du vignoble

Les Grands Jours ont fait le plein. Réservée aux professionnels (15 000 cette année), cette manifestation se déroule dans la région tous les deux

ans. Le « off » prend de l'ampleur avec de nombreuses initiatives de producteurs. Rendez-vous en 2006. La Saint-Vincent tournante est prévue les 29 et 30 janvier 2005 à Beaune, qui l'accueillera pour la première fois.
Les maisons Albert Bichot et William Fèvre (Henriot) innovent en équipant 1,5 ha sur Moutonne et Vaudésir en câbles électriques chauffants destinés à combattre le gel chablisien. L'expérimentation a commencé en 1997 et les deux domaines vont maintenant développer ce système inédit.
Jacques d'Angerville, le grand homme de Volnay, disparaît à soixante-seize ans. Bertrand Devillard préside désormais le conseil de surveillance d'Antonin Rodet, racheté par Worms & Compagnie, alors que Jean-Marie Labonde, jusqu'à présent à la tête de Moët & Chandon, lui succède à la présidence du directoire.
La SEDGV à Aloxe-Corton (Reine Pédauque et Pierre André), acquise par le groupe Ballande, devient Corton André. Jean-Claude Boisset achète le domaine De Loach (Russian River, Californie) ainsi qu'un producteur de vins effervescents du Maine-et-Loire, le domaine de la Bouvraie (marque Grandin), auparavant filiale de Marie Brizard. Michel Picard s'implante à Condrieu en devenant majoritaire dans la maison Denuzière ; Michel Laroche conclut un joint - venture au Chili. Le domaine Doudet acquiert le domaine Klein à Pernand-Vergelesses (4 ha). Après diverses péripéties, le domaine du Château de Pommard (19 ha d'un seul tenant en appellation *village*) est vendu par le professeur Jean-Louis Laplanche à Maurice Giraud (MGM Constructeur dans les Alpes et sur la Côte d'Azur). Celui-ci prévoit un investissement total de 50 millions d'euros et prend comme conseil Philippe Charlopin. Labouré-Roi (famille Cottin), à Nuits-Saint-Georges, rachète l'affaire de négoce créée par Nicolas Potel en 1996. Chaque maison conservera toutefois sa personnalité. Veuve Ambal (crémant-de-bourgogne) quitte Rully pour Montagny-lès-Beaune ; installation complète en janvier 2005. La SICA des Vignerons de Haute-Bourgogne (crémant-de bourgogne en Châtillonnais) est reprise par les Caves de Bailly. Le Château de Chambolle-Musigny (famille Mugnier) reprend l'exploitation et la commercialisation du Clos de la Maréchale (10 ha), assurées depuis 1950 par Faiveley.

QUOI DE NEUF EN CHAMPAGNE ?

Alors que 2003 évoque dans tous les esprits la canicule, la Champagne a commencé par payer un lourd tribut au froid. Un gel dévastateur, une grêle assassine, puis, comme ailleurs, une chaleur étouffante : le vignoble a traversé mille embûches. Résultat, une petite récolte en volume et une qualité souvent moyenne. On trouvera cependant du champagne 2003, ne serait-ce que pour goûter un millésime sans précédent. Heureusement, le champagne a les faveurs du marché.

2003 : l'offensive du froid...
Début janvier, un froid glacial s'abattait sur la Champagne. Un peu de neige parfois. Jusqu'à la fin février on a compté 12 jours à -5° C. À partir du 7 mars, la douceur d'un temps sec, sans giboulées permit à la vigne de débourrer. Puis vint la catastrophe : du 7 au 11 avril, on vit le thermomètre descendre souvent à -6 °C, parfois jusqu'à -11 °C. Au début, la sécheresse limita les dégâts. Il neigea le 10 et le lendemain cette atmosphère humide fut catastrophique : plus de 10 000 ha, 43 % du vignoble furent détruits de 50 à 100 %. Le pinot meunier a mieux résisté. Une calamité dans la lignée des malheurs de 1957, 1951, 1936, 1930...
Le mois de mai offrit une période de répit, puis des chutes de grêle d'une rare violence ont ravagé 650 ha, entraînant la défoliation des ceps et la destruction de la récolte future ; le 4 juin sur Dormans et la Montagne de Reims, le 8 sur Villenauxe, le 10 sur les vallées de l'Ardre et de la Marne. Des vignes qui étaient sorties indemnes du gel... On vivait l'époque de la fleur. Celle-ci se déroula dans de bonnes conditions d'ensoleillement là où la vigne avait été épargnée : ni coulure ni millerandage.

... puis la canicule...
La Champagne n'a pas échappé à la canicule de juillet-août, avec 500 h d'ensoleillement en plus qu'en 1959, année record. On a atteint les 42 °C à Charly le 8 août et dénombré 23 jours à plus de 30 °C (7 habituellement). Dans les annales, aucun témoignage ne rendait compte d'une vendange plus précoce : dès le 18 août dans la côte des Bar, le 25 août dans la majorité des communes et jusqu'aux alentours du 6 septembre. En 1893, c'était le 25 août et en 1822, le 22. De

nombreux viticulteurs ont pratiqué une seconde vendange début octobre pour cueillir les raisins de la deuxième génération apparus dans les vignes gelées.
Les raisins ? Un bon degré alcoolique, une acidité basse comme en 1976, 1964, 1959 et une vinification à haut risque. Le rendement moyen est de 8 250 kg/ha alors qu'il est de 11 000 kg/ha en année normale. En pièces champenoises de 205 l, la récolte s'élève à 800 565 pièces contre 1 145 000 environ en 2002 et 2001, soit 220 millions de cols contre 315 millions.
Pour la plupart, les grandes maisons ne millésimeront pas leurs bouteilles de proue. En revanche, on trouvera des bouteilles millésimées sous de très nombreuses signatures.
En mai, les négociations sur les accords interprofessionnels ont eu lieu. On sait que depuis 2000 l'Union européenne a interdit toute « entente » sur les prix des raisins. Les accords portent sur le plafonnement des approvisionnements, la communication des contrats à l'interprofession, etc.

Un marché porteur

Si les stocks augmentaient fin 2003 (1 099 millions de cols contre 1 081 millions les deux années précédentes, réserve qualitative incluse), le chiffre d'affaires global progressait encore : 2,8 millions d'euros en 2001, 3,3 en 2002 et 3,4 en 2003. Les expéditions ont atteint les 293 308 millions de cols contre 288 millions en 2002 et 262 en 2001. Même si l'on observe un palier, le marché reste porteur.
La France représente près de 60 % du total des ventes ; l'exportation, portée par les maisons de Champagne (88 % des ventes), ne subit pas d'érosion. La Fédération des exportateurs note une hausse de 6,5 % en valeur des ventes à l'étranger – 1,667 milliard d'euros. Parmi les clients le Royaume-Uni vient toujours en tête avec 34,4 millions de cols (25 en 2001, 31 en 2002). Les Etats-Unis sont proches des 19 millions de cols (en très légère progression), puis viennent l'Allemagne, la Belgique, l'Italie, la Suisse... Le Japon se place au 7e rang (5 millions de cols), et l'Australie au 10e (1,6 million de cols).

Brèves du vignoble

Le groupe d'Alain Thiénot a racheté à LVMH la marque Canard-Duchêne, tandis que G.-H. Martel a repris la marque de Cazanove. Après un imbroglio de plusieurs mois, la vente des actifs du groupe Martin-Bricout-Delbeck est confirmée : à Moët & Chandon pour une part, à Vranken-Pommery pour l'autre.
Les Œnologues de France élisent comme président Thierry Gasco, chef de cave de Pommery. Patrick Le Brun succède à Philippe Feneuil à la présidence du Syndicat général des vignerons. Parmi les chefs de cave, Gérard Liot (Bollinger) part en retraite, remplacé par Mathieu Kauffmann.

QUOI DE NEUF DANS LE JURA ?

Ban des vendanges le 14 août 2003. On n'avait jamais vu ça depuis 1822... Assuré de rester dans l'histoire, ce millésime sera-t-il historique pour autant ? En tout cas ses bouteilles seront précieuses.

Au printemps, quelques dégâts dus au gel de printemps, assez localisés (de l'ordre de 15 %), et aux beaux jours, des orages de grêle ont affecté certains secteurs. Dès la fin de la floraison, on enregistrait trois semaines d'avance ; aux vendanges, quatre à cinq semaines (ban des vendanges le 23 août en château-chalon). Forte chaleur : les records de 1947 sont largement battus. On n'a déploré que très peu de mildiou et d'oïdium. En revanche, le stress hydrique a été considérable, surtout dans les jeunes vignes et sur les sols marneux.
La récolte AOC est donc faible en volume : 65 900 hl contre 82 000 hl en 2002. Il faut remonter à 1997 pour rencontrer des vendanges plus avares encore (62 300 hl), mais pour d'autres causes. Sauf le château-chalon qui se maintient (pour une production de 1 470 hl seulement), toutes les appellations marquent un recul. L'AOC crémant-du-jura diminue de moitié par rapport à 2002.
Les vinifications ont été délicates comme partout, en raison notamment d'une acidité insuffisante. Les pinots noirs ont eu des cuvaisons courtes. Peu de corps mais des couleurs très belles et assez inhabituelles. Egalement coloré, le poulsard a donné des résultats inégaux alors que le trousseau donne des vins fruités et relativement puissants. En blanc, le chardonnay offre parfois des arômes de soleil surprenants. Jolies réussites en savagnin. Des vins friands, à boire jeunes. Le passerillage du vin de paille s'est déroulé sans encombre.

Stocks élevés en blancs

La campagne 2002-2003 a vu un volume global de sorties estimé à 82 000 hl. Les stocks diminuent. Toutefois, même s'il faut ici tenir compte du vieillissement en jaune, ceux-ci restent élevés en blancs (jusqu'à quatre ans quelquefois).
Principalement dégusté lors de fêtes ou durant les vacances, le vin du Jura cherche à diversifier ses débouchés (2 % seulement de sorties directes à l'export).

Henri Maire s'est éteint

Henri Maire est mort à l'âge de quatre-vingt-sept ans. Né en 1917, il s'était engagé dans le métier en 1939. S'il a volontiers divisé les esprits par sa personnalité entière, nul ne peut contester son rôle déterminant dans la sauvegarde et la renaissance du vignoble jurassien. Il consacra au vin toute sa vie, avec ce sens aigu de la publicité qui le fit inventer le Vin Fou.
La prochaine Percée du Vin jaune aura lieu les 5 et 6 février 2005 à Saint-Lothain.

QUOI DE NEUF EN SAVOIE ?

Le millésime de la canicule a provoqué ici aussi des pertes de récoltes. Ce qui reste est d'une belle richesse, et si l'année de tous les extrêmes s'est parfois montrée délicate à maîtriser, 2003 offrira à l'amateurs de riches bouteilles.

Un hiver froid et sec : la température est descendue en dessous de 0 °C plus de 20 jours d'affilée. Avril fut plus clément, puis la canicule s'établit durablement. Quelques orages n'ont pas compensé un fort stress hydrique. Pendant la période végétative d'avril à septembre, les températures moyennes ont toujours été supérieures à la normale. Des records ; plus de 41 °C et durant plus de 10 jours une température supérieure à 35 °C. Les vignes sur moraines de la Combe de Savoie, de Jongieux, de la Chautagne ont souffert. Les raisins flétrissaient et parfois, séchaient. Vendanger des « raisins de Corinthe » ne facilite guère la vinification ! On a observé sur des parcelles très éprouvées (elles étaient privées de feuilles) une reprise du développement végétatif par des bourgeons attendus normalement en... avril 2004. Exceptionnel, ce phénomène présente toutefois des risques pour la récolte suivante (moins de résistance au gel, notamment).

Vendanges dès la mi-août

Les vendanges ont commencé dès le 13 août en chardonnay. Les pluies de la fin août et de septembre ont surtout profité aux secteurs tardifs plantés en jacquère et vendangés vers le 10 septembre. On n'a déploré que peu de mildiou et de vers de la grappe, mais l'oïdium et les araignées rouges ont sévi quelquefois. La perte de récolte est globalement de 12 % en volume (121 500 hl contre 138 000 hl les deux années précédentes). Les degrés élevés (jusqu'à 15 % vol. pour l'altesse) et les problèmes d'acidité expliquent le caractère disparate des vins. Gamay, mondeuse, chignin et roussette s'en tirent en général assez bien. Comme dans le Jura, mais à l'inverse de l'Alsace, ce n'était pas l'année du pinot noir. Le marché du vin de Savoie régresse légèrement, de 2 à 10 % en volume, pour des raisons communes à une grande partie de la vigne française. Il demeure essentiellement régional, lié au tourisme. La Savoie prend toutefois son bâton de pèlerin et prospecte patiemment d'autres cieux. Un nouvel arrêté précise l'aire de production, l'encépagement, etc. des appellations VDQS bugey et roussette-du-bugey, jusqu'à présent réglementées par un texte de 1963.

QUOI DE NEUF EN LANGUEDOC-ROUSSILLON ?

Après les inondations de 2002, la canicule estivale de 2003. Une sécheresse qui a provoqué d'importantes baisses de production. Certains cépages ont révélé un potentiel insoupçonné. Tandis que le marché des vins d'appellation connaît la crise, les vins de cépage bénéficient de la faveur des marchés, et les rosés ont bien tiré leur épingle du jeu.

Les leçons de la canicule

Du jamais vu, selon certains. Les conditions climatiques exceptionnelles ont affecté la récolte 2003, qui a atteint péniblement les 15,7 millions d'hectolitres, soit pratiquement deux fois moins qu'il y a vingt ans ! Encore faut-il rappeler qu'en deux décennies, le Languedoc-Roussillon a perdu 100 000 ha, soit le quart de son vignoble, transformé son encépagement et limité ses rendements.

Après un hiver très pluvieux, la sécheresse s'est installée dès le mois de mars et a duré jusqu'en septembre. Un temps sec, des journées et des nuits très chaudes dès la fin mai ont perturbé le cycle de la vigne et bouleversé l'ordre des vendanges dans la plupart des terroirs. Bien des vignobles ont souffert du manque d'eau et montré des signes de faiblesse, avec un flétrissement des baies, des chutes de feuilles et des blocages de maturité. En comparaison, les terroirs plus frais des AOC limoux, côtes-de-la-malepère et cabardès notamment, qui ont également bénéficié de deux orages en juin et août, ont joué sur du velours.

Des degrés élevés, des acidités basses, des pellicules épaisses, peu de jus et des tanins virils : le risque était bien réel d'aboutir à des vins déséquilibrés, chauds et asséchants. Afin d'éviter l'écueil, bien des vignerons ont jugé préférable de diminuer les temps de cuvaison, mais certains ont fait un choix inverse en jouant sur la technique de la macération préfermentaire à froid.

Alors que beaucoup des meilleurs vignerons de la région modifient actuellement le style de leurs cuvées, renonçant à la surconcentration pour miser sur la finesse et la complexité aromatique, la canicule de l'été 2003 aura été riche d'enseignements. Sur l'adaptation de cépages tardifs, tels le carignan et le mourvèdre, qui ont pu profiter des pluies de septembre. Sur les pratiques culturales, le travail du sol en particulier, favorisant un enracinement profond et un meilleur équilibre des vins à l'arrivée.

Vins d'AOC : le douloureux retour à l'équilibre

Il est sans doute prématuré d'affirmer que le plus dur de la crise est passé pour les AOC du Languedoc-Roussillon dont les prix moyens en vrac, à l'exception des faugères et saint-chinian, ne sont pas supérieurs à ceux des vins de table, soit 0,60 € le litre ! Après quelques années d'euphorie, l'atterrissage s'est révélé brutal, entraînant des ajustements parfois spectaculaires. En témoigne la chute des déclarations de récolte des principales appellations en 2003 : 563 000 hl de corbières (contre 700 000 hl en 2001), 405 000 hl de coteaux-du-languedoc (contre 545 000 hl en 2001), 300 000 hl de côtes-du-roussillon et côtes-du-roussillon-villages (contre 372 000 hl en 2001) et 160 000 hl de minervois (la plus faible récolte depuis la reconnaissance de l'appellation en 1985) auxquels il faut cependant ajouter 8 000 hl de minervois-la-livinière.

Au total, en deux ans, les déclarations d'AOC ont dégringolé de près de 400 000 hl (1,5 million en 2003 contre 1,88 en 2001), revenant ainsi à

leur niveau de 1998 et au point d'équilibre entre l'offre et la demande. La sécheresse de l'été 2003 n'explique pas tout, loin de là. Bon nombre de producteurs, alarmés par le niveau des stocks et la chute des cours, ont préféré déclarer les vins issus notamment de grenache et de syrah en vins de pays, voire en vins de table, plutôt que de les écouler en AOC.
A l'instar des autres régions françaises d'appellation, le Languedoc-Roussillon a subi de sérieux revers à l'exportation (qui représente 40 % de ses débouchés). En six ans, ce sont plus de 200 000 hl qui ont été perdus sur les marchés étrangers. Le chiffre d'affaires réalisé en 2003 est néanmoins équivalent à celui de 1999 (150 millions d'euros). En 2003, la région a limité la casse (-3,7 % en volume, -1,72 % en valeur), avec des mouvements contrastés. Ainsi, les Pays-Bas, premier marché étranger en volume pour les AOC du Languedoc (160 000 hl), a légèrement accru ses achats tout en diminuant la facture, alors que le Royaume-Uni a baissé ses importations de 11 % en volume tout en progressant de 4 % en valeur. La satisfaction vient du marché canadien qui occupe désormais la cinquième place des pays importateurs d'AOC du Languedoc alors qu'il ne se situait qu'à la neuvième place, il y a encore trois ans.

La percée des rosés

Dans un contexte économique déprimé, le salut est venu, pour les AOC, du boom des ventes de rosés dans les grandes surfaces de l'Hexagone (près de 20 % de hausse en un an, bénéficiant essentiellement aux coteaux-du-languedoc). Cet essor a fait mieux que compenser la baisse sensible des ventes de vins rouges.
A noter enfin, dans une région peu réputée pour ses blancs, la bonne santé de l'AOC picpoul-de-pinet (42 000 hl en 2003) dont les prix moyens en vrac (117 €/hl) sont supérieurs à ceux des faugères et des saint-chinian, les rouges les mieux cotés de la région actuellement. On peut faire le rapprochement avec le succès rencontré par le collioure blanc en Roussillon, reconnu pour la première fois en 2003 (1 770 hl agréés). Reste à savoir si les saint-chinian blancs et les faugères blancs, reconnus à partir de la récolte 2004, connaîtront le même engouement.
Contrairement à ce que l'on pourrait imaginer, le contexte économique ne semble pas spécialement favoriser l'accélération du processus de création d'une appellation régionale, les responsables des différents syndicats semblant s'interroger sur le repositionnement de leurs appellations respectives. Le mouvement de hiérarchisation des AOC suit cependant son cours vers le sommet de la pyramide. Ainsi, au sein des coteaux-du-languedoc, la reconnaissance d'une appellation sous-régionale Terrasses du Larzac est en bonne voie. En corbières, le cru Boutenac, premier du genre, devrait être effectif à la récolte 2005.

Les vins de cépages à la conquête de l'Hexagone

Les vins de pays d'Oc ont toujours le vent en poupe ; ils représentent désormais la moitié du marché des vins de pays de France. En un an, leur production a fait un bond d'un demi-million d'hectolitres, frôlant la barre des 4 millions d'hectolitres, et leurs prix (supérieurs aux AOC) continuent d'augmenter ! Comme en AOC, ce sont les rosés (de grenache et de cinsault) qui réalisent les meilleures performances.
Les exportations (80 % des débouchés) continuent de progresser, au prix cependant d'une révision à la baisse du prix des bouteilles et grâce, essentiellement, aux blancs expédiés en citernes vers l'Allemagne qui est devenue le premier pays importateur de vins de pays d'Oc devant le Royaume-Uni. Parmi les bonnes nouvelles de 2004, le contrat signé par Sieur d'Arques, le groupe coopératif de Limoux, avec le géant californien Gallo et portant sur la fourniture de vins de cépages merlot, syrah et chardonnay qui seront vendus sur le marché américain sous la marque Red Bicyclette. L'objectif d'un million de caisses à l'horizon 2006 équivaut à 10 % de l'offre française actuelle aux Etats-Unis.
C'est cependant dans les grandes surfaces de l'Hexagone que les vins de pays d'Oc ont enregistré leur plus forte progression, signe que les consommateurs français sont de plus en plus sensibles aux vins de cépages, notamment conditionnés en *bag-in-box* qui représentent un tiers des volumes vendus. Leurs favoris ? Le merlot pour les rouges, le cinsault pour les rosés et le sauvignon pour les blancs.

Du côté des vins doux naturels

Le plan Rivesaltes, qui s'est traduit par une reconversion du vignoble entre 1996 et 2000, a réglé le problème de la surproduction chronique des vins doux naturels en Roussillon (en divisant pratiquement par trois la production des rivesaltes en dix ans), quitte à le transférer sur les vins secs. Le muscat-de-rivesaltes repré-sente désormais la moitié des volumes d'AOC doux du Roussillon, avec une production de 150 000 hl en 2003 – une production aujourd'hui stabilisée puisque les plantations de muscat sont stoppées. Même constat pour les muscats à appellation d'origine du Languedoc dont

la production avoisine bon an mal an 50 000 hl (dont la moitié en muscat-de-frontignan).
Pour le reste, alors que le marché du maury a encore chuté de moitié en 2003, les bonnes nouvelles viennent plutôt de la côte Vermeille où le banyuls semble enfin regagner l'estime des consommateurs. Une conséquence des fulgurants efforts qualitatifs et d'une tonique dynamique commerciale.

Des vignerons indépendants plus nombreux

Malgré la crise, qui fait planer de sérieuses menaces sur de nombreuses caves particulières apparues au cours des cinq dernières années, le rythme de création de nouveaux domaines (de dix à vingt par an dans les grandes appellations) se maintient peu ou prou. Cela traduit peut-être une inversion de tendance par rapport à l'évolution des vingt dernières années du XXe siècle où la concentration des domaines s'est traduite par une chute phénoménale du nombre de vignerons indépendants dans la région (de 8 255 en 1979 à 3 027 en 2000). Cet agrandissement des domaines est allé de pair avec un triplement des ventes directes en bouteilles (de 215 000 hl en 1979 à 663 000 hl en 2000, ce qui ne représente encore que 12,5 % de la production globale des caves particulières).
Après un léger tassement en 2003, la dynamique d'installation a même repris en 2004. De tous les terroirs, c'est la vallée de Maury et le plateau des Fenouillèdes, en Roussillon, qui sont le théâtre de l'effervescence la plus spectaculaire. Encore une vingtaine de nouveaux domaines sont apparus en un an. Créés par des vignerons du Bordelais notamment, mais aussi par des investisseurs étrangers qui pressentent, à l'instar du Libournais Serge Rousse, président de l'association de promotion du Fenouillèdes et du Peyrepertuise, « l'émergence d'un nouveau Priorat à la française ».
En Languedoc, parmi les investissements les plus marquants, signalons celui de John Hegarty, sorte de pape de la pub à Londres, au domaine de Chamans, à Trausse-Minervois, et ceux du cinéaste Luc Besson et de son ami producteur Bernard Grenet, devenus propriétaires de quelques parcelles sur les schistes de Berlou, au nord de Béziers.

Grandes manœuvres dans la coopération

Au sein de la coopération, qui accapare encore plus des deux tiers de la production régionale, les grandes manœuvres ont commencé. Une restructuration de vaste envergure est en cours en Roussillon où les cinq groupes coopératifs de commercialisation ont décidé de rassembler leurs forces de vente au sein d'une société commune qui sera chargée de la commercialisation en grande distribution française et à l'export.
Le groupe Val d'Orbieu, basé à Narbonne, a signé de son côté un accord de partenariat avec le

groupe coopératif italien Caviro en vue de la constitution d'un pôle vitivinicole européen capable de damer le pion aux exportateurs du Nouveau Monde. A cette fin, le Val d'Orbieu, comme les Celliers Jean d'Alibert en Minervois, ont lancé cette année dans les grandes surfaces des vins de marque dans des bouteilles à capsule à vis. La stratégie de l'autre grand groupement de producteurs audois, l'Uccoar, a également changé après la mise à l'écart de son président, Pierre Toulze, qui s'est vu reprocher son projet de création d'un vaste domaine viticole en République Dominicaine. Bernard Sabadie, qui l'a remplacé, souhaite à la fois valoriser les productions des caves adhérentes et renforcer sa position de leader sur le marché des vins d'entrée de gamme. A noter enfin, au plan syndical, l'annonce de la fusion des quatre fédérations départementales de caves coopératives qui sera effective d'ici à trois ans.

QUOI DE NEUF EN PROVENCE ?

Bien qu'habituée aux cumuls d'ensoleillement et de températures importants, la Provence a, elle aussi, été touchée par la canicule de l'été 2003. Les conséquences en sont multiples tant sur les vins que sur les esprits, avec une relance des débats sur l'irrigation et sur les moyens de prévention face aux incendies.

La vigne au péril de la sécheresse...

Marquée par le déficit hydrique et les excès de température sur de longues périodes, la récolte est légèrement déficitaire par rapport aux années précédentes.

Les vignes ont souffert plus que de besoin ; certains pieds, notamment de grenache, ont eu du mal à se remettre de ces conditions climatiques exceptionnelles. Il en va de même de certaines vignes de l'appellation bellet. Nombreux ont été les ceps ayant subi une défoliation importante entraînant des blocages de maturité phénolique, beaucoup de raisins ont flétri, ont grillé, nécessitant une attention accrue à la vendange afin d'éviter des déviations aromatiques. Les vendanges ont été précoces ; elles ont atteint évidemment une bonne richesse en sucres avec des acidités faibles, marquées par de basses teneurs en acide malique sur les vignes ayant conservé une bonne surface foliaire. Les plants défoliés, subissant un blocage de maturité, ont eu plus de mal à atteindre de fortes teneurs en sucres. Les coteaux-varois, le cœur géographique des côtes-de-provence ont bénéficié de petites pluies courant septembre, bénéfiques pour relancer la maturité phénolique.

Quand la vigne flambe

Pourtant, la mortalité de pieds de vignes observée dans certains secteurs a relancé le débat sur l'irrigation. Des voix ont préconisé la possibilité de déroger à l'interdiction de cette pratique pour préserver l'outil de travail tout en maîtrisant la récolte.
Un ciel ardent et une terre en feu : la Provence, surtout le département du Var, a été exceptionnellement touchée par les incendies, certaines vignes ayant été détruites au sein du triangle Vidauban – La Garde-Freinet – Le Plan-de-la-Tour. Devant l'incapacité d'arrêter ces feux, les réflexions portent actuellement sur les possibilités d'implantations de zones cultivées permettant de ralentir leur progression.

La vogue des rosés

Du fait de ces conditions extrêmes, les vins sont d'une grande hétérogénéité, tant à l'échelle régionale qu'au sein d'une même exploitation. La qualité est dans l'ensemble intéressante. Les vins rosés présentent un profil aromatique et une structure complexes : ils sont tantôt friands, gouleyants, tantôt très charpentés, intenses et tanniques ; les blancs, quant à eux, se caractérisent par un bon équilibre gras-acidité et une belle complexité aromatique.
Dans un contexte national morose, la Provence se porte plutôt bien, portée par la vague déferlante des rosés, tant en France qu'à l'export. Le travail entrepris depuis de nombreuses années porte ses fruits, assurant une production importante en quantité et intéressante en qualité : on a assisté à l'émergence de rosés de gastronomie au sein de chacune des appellations.

Sainte-Victoire, une nouvelle dénomination

Loin de s'endormir sur ces lauriers, les professionnels continuent leurs réflexions sur l'organisation et les règles de production des différentes appellations. Les travaux de hiérarchisation au sein de l'AOC côtes-de-provence se poursuivent, alors que 2004 a vu l'approbation par l'INAO du décret permettant la dénomination Sainte-Victoire ; d'autres études portent sur les dénominations Fréjus et La Londe ; la révision du décret de l'appellation bandol précisant les règles d'encépagement et de conduite du vignoble ; le changement de dénomination de l'appellation coteaux-varois qui s'appellerait coteaux-varois-en-provence ; la demande de reconnaissance en appellation les baux-de-provence des vins blancs produits sur cette aire géographique.
Accompagnant ces démarches, les appellations côtes-de-provence, coteaux-varois et coteaux-d'aix-en-provence se sont regroupées au sein du Conseil interprofessionnel des vins de Provence pour affirmer et préciser l'identité et la typicité des différents vins produits.

QUOI DE NEUF EN CORSE ?

Chaleur et précocité. En Corse la canicule a démarré le 3 juin. A compter de cette date le thermomètre a quotidiennement flirté avec les 30 °C et ce, jusqu'à la fin des vendanges, avec une pointe à 35 °C de moyenne entre le 1er et le 15 août. Premières vendanges le 8 août ! Une production en hausse, et un millésime des plus satisfaisants.

Vent chaud sur l'île de Beauté

La campagne viticole fut donc plutôt calme et agréable. Aucune maladie à l'horizon. La vigne a tout de même fini par souffrir légèrement du manque d'eau, en particulier sur la région de Balagne où la sécheresse a été exacerbée par les brises quasi permanentes soufflant sur cette région.
Aux premiers jours d'août, toutes les conditions étaient remplies pour réussir un grand millésime. Quelques inquiétudes ont assombri cependant la première quinzaine d'août, puisque la canicule dévastatrice présente sur toute l'Europe s'est accompagnée sur l'île d'un épisode venteux de type sirocco. Durant cette période, certains cépages tels que le sciacarellu ou le muscat gagnaient jusqu'à deux degrés par semaine, mais perdaient également sur la même période 1 hl par ha et par jour.
Il a fallu activer la préparation des chais et vendanger rapidement ces cépages. Les premiers raisins étaient en cuve dès le 8 août. Ensuite, un rééquilibrage des maturités a permis à chaque vigneron de tirer le meilleur de ses raisins.

Blancs expressifs, rosés plaisir et rouges puissants

Côté vin, le grand millésime est bien là. Les blancs sont très expressifs, puissants, avec des degrés souvent proches de 13 % vol. Ils seront en général dégustés dans l'année, mais sauront

également, dans leur majorité, soutenir une garde moyenne. La Corse confirme ici son extraordinaire et paradoxal potentiel en blanc. Les rosés, récoltés pour la plupart aux premiers jours des vendanges, sont rafraîchissants et joyeux. Des vins d'été par excellence. Quant aux rouges, ils sont grands. Puissants et riches, structurés autour de tanins soyeux, ils appellent à la patience. L'amateur devra les conserver quelques mois dans sa cave, avant de les savourer sur une cuisine sophistiquée.
La Corse démontre cette année encore qu'elle compte parmi les grandes régions viticoles françaises. De mieux en mieux distribués sur le continent, « les vins corses font leur chemin », comme l'énonce la campagne du comité interprofessionnel.

Le millésime 2003 en quelques chiffres
Production AOC totale : 111 300 hl soit 15 % de plus que l'année précédente, malgré la canicule. Ces chiffres n'empêchent pas un rendement moyen faible (36 hl/ha) mais avec une superficie en production de 3 083 ha ! La production de blanc représente 10 %, le muscat 2,5 %, le rosé, 48,5 % et le rouge 39 %.

QUOI DE NEUF DANS LE SUD-OUEST ?

Partout dans le Sud-Ouest, la récolte a été réduite, mais d'excellente qualité, avec de jolis rouges bien corsés et de superbes liquoreux. Les vignobles de l'intérieur, de Cahors à Gaillac, ont tout de même été mis à rude épreuve. Les petits volumes ont évité l'effondrement des cours, mais les viticulteurs ne sont pas encore sortis de la crise.

Des vins généreux et ronds
Comme partout, le vignoble du Sud-Ouest a connu, en raison de la canicule de l'été 2003, une production en nette régression par rapport à une année 2002 déjà déficitaire. Si le millésime précédent avait pu être décrit comme « sauvé des eaux », le 2003 a reçu le feu solaire des mois de juillet et d'août, après un hiver et un printemps beaucoup plus sages que l'année 2002. Les faibles quantités récoltées s'expliquent par le déficit de pluie. Les raisins étant surmûris, les vins présentaient de fort degrés avant toute chaptalisation.
Côté bergerac, les rouges et rosés n'ont donné que 297 828 hl en 2003, soit encore 8 % de moins qu'en 2002 où la production était déjà en baisse de 13,4 % par rapport à l'année précédente – où le rendement moyen n'était pourtant que de 45 hl/hectare, selon les statistiques de la Douane. Les vins sont de bonne facture, souples et ronds, généreux voire corsés, très concentrés, soit faciles à boire rapidement, soit taillés pour la garde.
Ces petits volumes ont permis d'éviter un effondrement des cours qui se sont maintenus à 735 € le tonneau de 900 l de bergerac rouge sur les neuf premiers mois de campagne (septembre 2003 à fin mai 2004), soit le même niveau à peu de chose près que l'année précédente (740 €). En fait, les cours du bergerac rouge sont stables depuis le mois d'août 2001 – à l'intérieur d'une fourchette peu rémunératrice pour les viticulteurs.

Une pénurie bienvenue
Malgré de grosses disponibilités, on a écoulé durant la campagne 2002-2003 l'équivalent de la récolte 2003, ce qui a déjà permis de réduire ces disponibilités au 31 août 2003. Pour la simple appellation bergerac rouge, la production s'est élevée à 233 159 hl contre 261 923 hl l'année précédente, et les transactions ont porté sur 209 000 hl pendant les dix premiers mois de la campagne, ce qui laisse augurer un stock encore réduit au 31 août 2004.
En bergerac blanc sec, on a commercialisé 81 114 hl sur les neuf premiers mois de la campagne, pour une production d'à peine 85 657 hl. Dans ce contexte de quasi-pénurie, son cours a nettement remonté ; les transactions sur le vrac ont été enregistrées à 860 € le tonneau de 900 l contre 706 € pendant la campagne précédente, soit une hausse de près de 22 %. Qui dit mieux ?
L'ensemble des appellations blanches du Bergeracois a produit 213 813 hl en 2003, soit 2 % de moins qu'en 2003, année au rendement pourtant très faible (40 hl/ha). L'année a été fort propice à la qualité des monbazillac, récoltés précocement, très concentrés. Le cours moyen de 2 303 € le tonneau reflète un marché plutôt sain.

Les vignobles de l'intérieur à la peine
S'il faut trouver des victimes de la sécheresse, il faut les chercher sur les terres continentales. Cahors en est l'exemple type. On n'y a récolté que 135 296 hl en 2003 contre 212 686 hl en 2002. Il ne s'agit plus d'une saine concentration

due aux rayons solaires, mais d'une véritable calamité agricole, avec un rendement moyen de l'ordre de 30 hl/ha. Ce qui n'a pas empêché les cours de continuer à s'avilir pour descendre de 129 € l'hectolitre à 109 d'une campagne à l'autre (-15 %). Pressentant une pénurie, le négoce s'était lourdement chargé entre août et septembre 2003, mais a stoppé ses achats dès octobre, constatant que les disponibilités, en baisse de 10 %, étaient encore au-delà de deux années de commercialisation.

Non loin de là, Gaillac a souffert du même problème avec certaines parcelles complètement grillées en août. « Tous ne mourraient pas, mais tous étaient frappés », à tel point que les appellations gaillac rouge et rosé ont vu leur production baisser de 132 039 hl à 106 405 hl, soit 19 % de moins par rapport à une année déjà déficitaire. Malgré une si petite récolte, les cours restent stables, autour de 100 € l'hectolitre pour le gaillac rouge, ce qui est toujours une performance, même par rapport au bordeaux d'AOC régionale, tandis que les blancs fluctuent dans une fourchette de 65 à 85 €. Là aussi, les vins sont aimables, avec le côté souple que donne l'alcool et des tanins peu agressifs. Des vins typés d'un pays de soleil, sans doute à boire dans les cinq à six ans et pas davantage. Pour les vins blancs, l'expression des arômes est intéressante, même si la vivacité n'est pas au rendez-vous – ce qui correspond d'ailleurs au type gaillac, un vignoble plus proche de la Méditerranée que de l'Atlantique, malgré sa localisation dans le bassin versant de la Garonne. Les gaillac liquoreux et moelleux offrent de très belles réussites grâce à cette formidable concentration naturelle et précoce.

Dans la vallée de la Garonne, la petite AOC buzet commence elle aussi à souffrir. La cave coopérative, qui a fêté ses cinquante ans en 2003 et qui contrôle la quasi-totalité de la production, vient de connaître pour la première fois un exercice où son chiffre d'affaires a baissé, avec un résultat net négatif. Les quantités produites ont, là aussi, baissé pour la troisième année consécutive, passant de 100 000 hl à 74 700 hl. Il faut remonter à 1993 pour retrouver une récolte si faible, alors que le vignoble s'est agrandi depuis. Même un très bon millésime comme 2003 n'a pas suffi a redonner un peu d'espoir aux viticulteurs de Buzet.

On peut résumer en notant que partout 2003 a été marqué par une faible récolte dans le Sud-Ouest et que celle-ci n'a pas suffi à doper le marché ; sans doute a-t-elle tout juste permis d'éviter un effondrement que chacun redoutait : Madiran est aussi tombé de 69 500 hl à 64 000 hl (près de 10 %) et les côtes-du-frontonnais de 88 000 hl à 71 500 hl.

Pour les lecteurs du Guide, cela ne veut pas dire pour autant que les prix du vin vont baisser. Une très grande partie de la récolte du Sud-Ouest est vendue en bouteilles par le producteur à travers des circuits courts, ce qui est d'ailleurs l'intérêt du consommateur qui suit des fournisseurs en qui il a confiance.

QUOI DE NEUF EN VAL DE LOIRE ?

Triomphe du soleil sur la vallée de la Loire, comme partout ailleurs. En été, les températures ont pris des ailes pour donner une année d'une précocité exceptionnelle, avec ce qu'il faut de pluie au bon moment pour ne pas trop bloquer la maturation. Le millésime offre des rouges colorés et généreux, des blancs aromatiques et souples. Avare en vins effervescents, il a donné des liquoreux très riches. Le soleil resplendissant n'a pas dissipé les nuages qui assombrissent le futur économique de certains vignobles : des restructurations sont à l'ordre du jour. Le marché est aussi fluctuant que la météo : les rouges font parfois grise mine, et les rosés sont à la fête !

DANS LA RÉGION NANTAISE

Depuis les vendanges 2002, les conditions climatiques ont été contrastées. Une constante toutefois : des températures supérieures aux normales saisonnières ; de fortes périodes de chaleur à partir de juin (le plus chaud depuis 1976) et jusqu'au début des vendanges à la mi-août. Quant aux précipitations, très abondantes en automne 2002 et durant l'hiver, elles ont été en dessous des moyennes entre février et mai 2003. Quelques épisodes de gel mi-avril et de grêle fin juillet ont eu un impact limité. Ces conditions ont permis un développement régulier et précoce de la végétation, sans stress hydrique. La floraison s'est déroulée assez rapidement, autour du 3 mai – quinze jours d'avance par rapport à 2002.

Avec un mois de juillet déjà marqué par de fortes chaleurs devenues caniculaires la première quinzaine d'août, l'avance est passée à vingt-quatre jours en tout début de récolte. Les vendanges ont débuté le 19 août 2003, date la plus précoce des quarante dernières années. L'excellent état sanitaire des raisins est garant de la qualité des vins et de leur aptitude à l'élevage sur lie.
Malgré une faible acidité, les fermentations se sont déroulées assez rapidement et dans de bonnes conditions. Les degrés potentiels étant très élevés, les professionnels ont demandé à l'INAO une augmentation du degré maximum autorisé à 12,5 %.
Résultat de ces conditions hors normes, le millésime 2003 s'annonce un peu atypique mais homogène, riche, généreux, souple, d'une grande intensité aromatique. Il est comparable aux 76 et 89. Les rendements en muscadet sont moyens : 531 hl/ha, variables cependant en fonction de la réserve hydrique et de la fertilité des sols. La récolte 2003 est de l'ordre de 650 000 hl (-20 % par rapport à 2002).

Des excédents structurels

Malgré l'annonce d'un millésime 2003 de qualité et en faible volume, le climat économique est morose. Clôturée au 31 juillet 2003, la campagne 2002-2003 s'est traduite pour les AOC muscadet par un recul de commercialisation de 6 %, à hauteur de 630 000 hl (les sorties les plus faibles depuis 1995-1996) pour une récolte 2002 de 780 000 hl. La baisse des prix était de 1 % sur le « sur lie », de 7 % pour les appellations régionales sans mention et de 4 % pour l'appellation régionale muscadet. La baisse des sorties et des cours était également sensible pour le gros-plant. Quoi qu'il en soit, les cours actuels ne permettent pas de dégager un chiffre d'affaires satisfaisant et sont loin des valeurs mises en avant par le référentiel économique établi par la Chambre d'agriculture. La situation financière des exploitations est donc préoccupante, et laisse présager un accroissement des cessations d'activité. Le muscadet subit de plein fouet le ralentissement actuel de l'économie et la baisse de la consommation.

Restructuration qualitative du vignoble

Un plan d'action 2003-2006 a été mis en place pour répondre au constat d'excédent structurel de production. Ce dispositif permet d'envisager l'arrachage primé pour le muscadet et le gros-plant sur les zones les moins qualitatives du vignoble.
Parallèlement, l'interprofession réfléchit à un plan de restructuration qualitative du vignoble. Un des axes du plan d'action devrait être la définition d'une méthodologie pour mieux définir la hiérarchie des différentes AOC du muscadet. Le travail de redélimitation en cours sur l'ensemble du vignoble devrait contribuer à une clarification de cette hiérarchie. Une réflexion s'engage sur les différents niveaux d'appellation. L'objectif est de redéfinir la typicité des vins d'AOC de la région et d'en repréciser les conditions de production ; ce travail devrait déboucher sur la modification des décrets d'appellation après instruction par l'INAO. La redéfinition des règles de production est un préalable à la construction d'un niveau d'appellations communales pour lequel la réflexion est entamée depuis 2001.

En Anjou-Saumur

Un début de saison sec, des températures et une insolation en mars et avril plus élevées que les années précédentes ont entraîné un débourrement très précoce de la vigne, entre la mi-mars et le début avril. La charge en grappes était assez faible, la sortie de grappes peu importante. Le cycle végétatif a ensuite conservé cette précocité : floraison à partir de mai, véraison dès la mi-juillet pour les cépages de première époque, fin août pour les chenin et cabernets. A la mi-juillet, la maturité avait pratiquement trois semaines d'avance, qu'elle a pu garder grâce à une pluviométrie très importante ce mois-ci (124 mm). Les vignes ont continué de produire des sucres malgré des températures dépassant pendant plusieurs jours les 37 à 38 °C. L'insolation a été de plus de 300 heures en août et les températures moyennes de 23 °C (230 heures et 19 °C en moyenne sur les cinquante dernières années). Autant de facteurs qui ont permis une maturité exceptionnelle, une augmentation de la concentration en sucres très rapide et des acidités très basses.
Les vendanges ont débuté à partir du 27 août pour le chardonnay et le sauvignon (pour les vins de base des effervescents), du 8 septembre pour le grolleau, du 10 septembre pour les premières tries de chenin et du 15 septembre pour le cabernet franc (pour les rosés) – pour ce dernier cépage avec presque un mois d'avance sur le millésime 2002.
Le cabernet franc a atteint 230 g/l de sucres au 23 septembre. Seulement 3,7 g/l d'acidité. Même 1989, 1990 et 2002 furent beaucoup moins riches en sucres et plus acides. Certains

rosés rappelleront par leur note surmûrie les vins d'antan qui étaient traditionnellement récoltés sur les meilleures parcelles des coteaux. Pour le chenin, la concentration en sucres était, à cette même date du 23 septembre, de 245 g/l avec une acidité très basse (4 g/l). Peu de pourriture noble et seulement sur les dernières tries : la récolte a été passerillée sous l'action du vent et du soleil.

Les rosés tirent la croissance

Alors que le vignoble angevin avait bénéficié d'une augmentation continue des ventes jusqu'en 2000, la croissance marquait le pas ces dernières années. Cette baisse semble enrayée en 2002-2003, avec un progrès des ventes en volumes de 1 %. Une croissance surtout due aux rosés (+ 15 % en volumes sur la campagne 2003-2004 par rapport à la moyenne des dix dernières récoltes). Avec des volumes d'environ 384 000 hl sur les trois AOC angevines, ceux-ci représentent aujourd'hui quelque 45 % des vins d'appellation d'Anjou-Saumur, du jamais vu. Les stocks sont très faibles et les prix progressent. Prépondérant sur ce marché, le négoce (80 %), complété par la vente directe. En rouge, les volumes produits en 2003 sont inférieurs de presque 12 % à la moyenne des dix dernières années. Même si, pour une part, cette baisse est à imputer à une sortie de grappes plus faible du cabernet sur ce millésime, elle traduit également un marché plus difficile. Une exception : les saumur-champigny, en légère progression tant pour les volumes que pour les prix. Quant aux vins blancs, ils connaissent une situation économique difficile, qui se traduit par un effritement des prix malgré la diminution des volumes produits. Ici, ce sont les vins liquoreux qui tirent leur épingle du jeu sur un marché national devenu plus difficile.

EN TOURAINE

Il a fallu, en 2003, attendre janvier pour voir arriver l'hiver. Mais dès février, le thermomètre prenait des ailes et en mars les premiers bourgeons s'ouvraient dans les parcelles les plus précoces, ce qui n'était pas sans inquiéter les vignerons, redoutant les gelées printanières. Elles sont venues dans la première décade d'avril ; par bonheur, l'atmosphère était sèche et les dégâts sont restés limités. Cependant la précocité était là, dans tout le vignoble et les pampres ont pris rapidement un fort développement, avec une sortie de grappes importante. La floraison a eu parfois trois semaines d'avance sur une année normale. Cependant, les fortes chaleurs de juin, en engendrant une grande vigueur des ceps, ont amené une coulure et un millerandage significatifs. Les pluies orageuses de la mi-juillet ont permis à la vigne de nourrir sa charge jusqu'aux vendanges. Des vendanges que de mémoire de Tourangeaux on n'avait pas vues si précoces. Seuls les anciens se souviennent de celles de 1947 qui avaient commencé également à la fin août. De petites pluies orageuses survenues avant la cueillette ont fait grossir les grains et parachevé le processus de maturité. Celle-ci était à point dans tous les terroirs, les teneurs en sucre étaient maximales et surtout l'acidité avait chuté. La récolte s'est poursuivie tout le mois de septembre, souvent tôt le matin dans des conditions méditerranéennes inédites.

Une année riche

Les vouvray et montlouis affichent une rare richesse. Ces appellations offrent de très grands moelleux et des demi-secs tout en élégance. La réussite est plus laborieuse en sec et la quête des élaborateurs pour trouver des vins de base destinés aux mousseux ne se fera pas sans peine. A Chinon et autour de Bourgueil, tout ce qui s'appelle vin est riche, solide ; les tanins, même très présents, passent inaperçus tant ils sont enrobés d'une matière dense et pleine de saveurs. En AOC touraine, les sauvignons ont du tempérament et une certaine rondeur. Les rouges, qu'ils soient nés de gamay, de côt ou de cabernet, se comparent par leur ampleur à leurs grands frères de l'ouest.

Un millésime atypique, comme les 89 et 90 que l'on trouve encore en cave chez les plus avisés. Des vins que l'on réserve pour de grandes occasions. Mais est-ce là la véritable vocation des vins de Loire ?

Que va devenir le millésime 2002 ? Il ne faut pas l'oublier, car c'est une grande année, aussi bien en blanc qu'en rouge. La sélection de ce guide le montre bien, offrant des vins à boire tout de suite et des bouteilles de garde disposées à faire une longue carrière. Il serait dommage que ce 2002 connaisse le sort du millésime 1988, d'excellente qualité et occulté par le 89...

Des rendements en baisse

La récolte 2003 est en nette régression par rapport à celle de l'an passé, 603 695 hl contre 680 637 hl (-11,3 %). Ce sont surtout les rouges qui ont souffert (-14 % sur l'ensemble des appellations, avec -24 % pour l'AOC touraine et

- 5,5 % pour les chinon, bourgueil et saint-nicolas). Pour les blancs, la baisse est de 8,8 %. Ce sont surtout les vins de base qui sont pénalisés car, devant la qualité de la récolte, les vignerons ont préféré produire des vins natures, réservant les moûts les moins riches, et il n'y en avait pas beaucoup, à l'élaboration des effervescents.

Les appellations périphériques (jasnières, coteaux-du-loir et coteaux-du-vendômois) sont logées à la même enseigne (-25 % en moyenne) mais elles se consoleront avec une qualité rarement égalée.

La récolte en Touraine s'est longtemps partagée en parts égales entre blancs et rouges-rosés. Aujourd'hui, ce sont ces derniers, dont la production augmente d'année en année, qui dominent (350 310 hl soit 59 %).

Ecoulement mitigé, prix contrastés

Dans un contexte économique difficile en 2003, le marché des vins de Touraine limite les dégâts. Les rouges d'appellation touraine restent les plus vendus (121 065 hl) mais régressent de 4,1 % par rapport à l'an passé. Autre baisse, en chinon (-14,4 %). Seul le bourgueil est en progression (+ 2,8 %) avec 65 200 hl. En blanc nature, le touraine diminue ses ventes de 4 %, tandis que les vouvray et montlouis affichent des croissances respectives de 6,8 % et 8,7%. En effervescents, succès pour le touraine (+ 1,5%) mais vouvray et montlouis diminuent respectivement de 1,9 % et de 7,5 %.

En rouge, chinon et saint-nicolas-de-bourgueil progressent respectivement de 12 % et de 4,6 % (164,47 € l'hectolitre pour le chinon et 232,05 € l'hectolitre pour le saint-nicolas). Bourgueil chute de près de 6 % (132,96 €) et le touraine de 5 % (71,45 €). En blanc, sensible augmentation des cours, plus de 4 % pour les vouvray et montlouis nature (respectivement 185,85 € et 153,23 €) et 19 % pour le touraine sauvignon (130,58 €). En mousseux, stabilité ou légère progression.

En ce début de campagne 2004, les prix sont dans l'ensemble à la hausse. Le record est détenu par le touraine sauvignon qui passe à 144,09 € l'hectolitre, le touraine rouge se refait une santé avec l'hectolitre à 79,27 €. Le chinon progresse de 5 €, le bourgueil est stable. Si le vouvray nature gagne légèrement du terrain, le vouvray effervescent fait un bond, passant à 145,39 € – effet de la petite récolte en 2003. Quant aux sorties de chais, elles sont dans l'ensemble en diminution de 5 à 10 % sauf en bourgueil (+ 5 %).

Succès dans la restauration

Les vins de la Touraine sont très présents dans la restauration. Au plan national on les trouve chez 30 % des restaurateurs, surtout dans l'Ouest et l'Ile-de-France (85 % des achats). Les grandes et moyennes surfaces représentent 86 % des ventes et c'est encore la région Ouest, plus le Nord et la Région parisienne qui sont les meilleurs clients. Quant aux exportations, elles continuent à s'effriter. Une lente régression entamée en 2000.

Brèves de Touraine

Dans le milieu coopératif, les établissements Chainier d'Amboise se détachent de la maison Donatien Bahuaud pour se rapprocher des Caves de la Loire à Brissac.

La coopérative Alliance-Loire, née de l'union de sept coopératives du Val de Loire dont deux de la Touraine, renforce ses structures. La coopérative des Grands Vins de Bourgueil à Restigné s'oriente vers une politique de production de vins plus aimables, en laissant la production de vins de garde aux sociétaires à titre individuel.

Du nouveau dans les appellations

Le VDQS valençay vient d'être reconnu en AOC. Bourgueil veut tester le merlot. Les responsables du syndicat souhaitent que cette expé-

rimentation ait lieu grandeur nature et sur des terroirs différents pendant une période d'au moins dix ans. Les opposants rétorquent que l'appellation risque de perdre sa spécificité et de ressembler à tous les vins du monde.
Pierre Chainier, négociant à Amboise, prend la présidence d'Interloire pour trois ans. L'interprofession développe en Touraine le concept d'Unité Terroir de Base afin de définir scientifiquement la notion de terroir, ce qui avait été fait en Anjou en relation avec l'Inra. Une UTB est le plus petit territoire où le fonctionnement de la vigne est homogène. Différents paramètres sont étudiés comme la profondeur du sol, son degré d'argilisation, l'influence des étages géologiques, les contraintes hydriques, etc. Ces travaux se poursuivent également en AOC jasnières et coteaux-du-loir.
Autre action de l'interprofession, la création de l'Académie des vins de Loire dont les objectifs sont la promotion des vins de Loire et la formation.

DANS LE CENTRE

L'année 2003 aura été marquée, ici aussi, par des chaleurs mémorables. Au cours du cycle végétatif de la vigne, la température moyenne a été supérieure de 2,5 °C aux normales. Du 3 au 13 août, la canicule a entraîné par endroits des brûlures de feuilles et de raisins ; sur certains secteurs très localisés, des pertes importantes ont pu être observées.
2003 n'aura pas été une année de sécheresse excessive : les réserves en eau des sols et quelques pluies survenues au bon moment (par exemple, du 30 juin au 4 juillet et le 17 août) ont suffi à la juste alimentation en eau des vignes.
Autre facteur bénéfique, les deux dernières semaines de maturation se sont déroulées sous un climat particulièrement frais, notamment la nuit, favorable à la stabilisation des acides qui avaient atteint des niveaux déjà bas, à l'affinement des arômes dans les blancs et à la formation de la couleur et de bons tanins dans les rouges. Les sucres ont continué de s'accumuler dans les raisins pour atteindre des concentrations records en fin de vendanges.
Commencées dès le 19 août en reuilly, les vendanges se sont déroulées, pour leur plus grande partie, au cours des trois premières semaines de septembre, soit avec trois semaines d'avance ; en quincy dès les premiers jours de septembre, puis en coteaux-du-giennois et châteaumeillant, enfin en sancerre, menetou-salon et pouilly où les dernières grappes furent coupées le 26 septembre. Les teneurs en sucres ont atteint des valeurs exceptionnellement élevées.
2003 est un millésime à part, pour lequel, tant du côté du vigneron que de celui du dégustateur, il faut mettre entre parenthèses les points de repère habituels.
Les blancs sont souples et montrent un gras qui peut être très prononcé sur les cuvées récoltées en seconde moitié de vendanges, à maturité extrême ; ces dernières sont riches, pleines et équilibrées, la force en alcool compensant les basses acidités. Les arômes présentent un style particulier, à dominante de fruits bien mûrs, voire de fruits confits.
Les rouges affichent des couleurs somptueuses, rubis violet profond. Ils sont corsés, leurs tanins sont charnus et serrés, mais non dénués de fondu. Les arômes sont marqués par le soleil, avec parfois des notes de fruits cuits et d'épices. Ces vins du millésime 2003 seront faciles à apprécier rapidement. Cependant, en blanc comme en rouge, bon nombre de cuvées parmi les plus réussies devraient avoir un très grand potentiel de garde.
La production totale de 2003 se monte à 258 823 hl, dont 213 181 en blanc, pour une superficie de 4 934 ha déclarés.
Le marché se tient globalement bien avec des variations significatives, en plus ou en moins, selon les secteurs (en particulier un tassement des ventes en France et une demande soutenue du Royaume-Uni).

Brèves du vignoble

L'année 2004 est le dixième anniversaire de la création du BIVC (Bureau interprofessionnel des vins du Centre) et de l'installation dans ses locaux actuels de Sicavac (Services techniques interprofessionnels). 2004 a donc été décrétée « Année de la vigne et du vin » pour les vignobles du Centre-Loire. Le BIVC organise de nombreuses manifestations tout au long de cette année.
Deux expositions : l'une, « Le Goût de la Terre », au Muséum d'histoire naturelle de Bourges, consacrée aux terroirs et l'autre, « Histoires de vignes, Images du Berry », qui se tient à l'Abbaye de Noirlac, qui a pour thème l'histoire de la viticulture du département du Cher. L'année sera aussi marquée par des festivals, et fêtes populaires...

QUOI DE NEUF DANS LE RHONE ?

Le temps des vendanges ? Sec et serein. Comparable au beau 89, le millésime 2003 offrira de mémorables vins rouges de garde, des blancs ronds et riches et des rosés structurés.

L'été en fusion

L'automne 2002 a été chaud et humide, avec des températures supérieures de près de 30 % par rapport à la normale et une pluviométrie excédentaire. En matière de précipitations, novembre a frôlé les 400 % de la valeur normale, ce qui a permis une mise en réserve efficace. Un hiver rigoureux a suivi (températures moyennes de janvier et février inférieures de 1°C par rapport aux normales, fortes gelées en février (inférieures à -5 °C). A l'exception de janvier, le bilan pluviométrique hivernal a été déficitaire, tant en volume qu'en durée des précipitations.

Mars, avec des températures supérieures aux normales, a inauguré un printemps exceptionnellement chaud et sec, mis à part avril, plus arrosé que la normale. Malgré un débourrement légèrement tardif, comparativement aux années antérieures, 2003 est apparu comme une année précoce dès la fin mai. Mêmes températures extrêmes au début de l'été : les moyennes de juin ont été supérieures de 5 °C par rapport aux normales ! Les mois suivants sont restés caniculaires et tout aussi peu arrosés. A la fin août, le déficit pluviométrique annuel atteint 40 à 50 % selon les secteurs.

Cette chaleur a favorisé les orages, guère nombreux toutefois. Ils ont occasionné d'importants dégâts localisés. La grêle est tombée sporadiquement les 26 juin et 27 juillet.

Des vendanges précoces

Les résultats obtenus sur le prélèvement du 11 août montraient, en moyenne, des taux d'alcool potentiel supérieurs de 2,5 % vol. par rapport au premier prélèvement de 2002. A l'inverse, les acidités totales affichaient des valeurs inférieures de 4,5 g/l H_2SO_4 en moyenne. Autre fait marquant observé lors de ce prélèvement, le faible poids des 200 baies et des rendements en jus, inférieurs de 30 % à ceux relevés en 2002. On notait aussi un écart assez marqué entre la maturité pulpaire et la maturité phénolique. Les teneurs en anthocyanes et composés phénoliques totaux étaient équivalentes à la moyenne des six dernières années pour des degrés probables plus importants

L'impact de la sécheresse et de la chaleur sur les raisins a été plus ou moins perceptible selon l'âge de la vigne et son implantation géographique. Ce sont les jeunes plantations qui ont le plus souffert et qui ont demandé le plus de suivi.

Sain, sec et serein. Voilà comment il serait possible de résumer le temps des vendanges 2003. La récolte a débuté dans la vallée du Rhône méridionale, pour les parcelles de raisins blancs en AOC, autour du 18 août pour les secteurs gardois et autour du 25 août pour les secteurs du Vaucluse. Les cépages rouges ont suivi et la moitié du vignoble était ainsi ramassée à la mi-septembre.

Dans la vallée du Rhône septentrionale, les vendanges n'ont jamais été aussi précoces, commençant vers le 16 août autour de Condrieu et de Saint-Péray, vers le 19 août pour les secteurs de Saint-Joseph et de Crozes-Hermitage et à partir du 25 août pour Cornas et Hermitage. Une très grosse partie de la récolte s'est effectuée entre le 21 août le 28 août, avant les pluies. Du fait des faibles rendements, elles ont été très rapides ; certaines propriétés avaient fini de vendanger avant le mois de septembre.

Compte tenu de l'écart observé entre la maturité pulpaire et la maturité phénolique sur les cépages rouges, les vinificateurs n'ont pas hésité à freiner la cadence de récolte ; d'autant plus que les conditions climatiques étaient très satisfaisantes et permettaient de ne pas se précipiter.

Les fortes températures du début de vendange ont incité à récolter aux heures les plus fraîches de la journée. Certaines caves équipées de machines à vendanger ont récolté la nuit.

Des vins riches et colorés

Les blancs présentent beaucoup de gras, de volume. Ronds et riches, ils développent des arômes sucrés de fleurs blanches et jaunes (acacia, genêt...). Dominés par des arômes de fraise, les rosés sont équilibrés, riches et souvent plus structurés qu'à l'accoutumée. Contrairement aux premiers prélèvements de raisins, qui faisaient état de faibles teneurs en anthocyanes, les vins rouges ont des couleurs intenses et franches. L'acidité, présente dans les matières solides, s'est diffusée dans le moût, influant favorablement sur les intensités colorantes et sur l'équilibre des vins.

La palette aromatique, très large, varie en fonction des cépages et des époques de cueillette. Les syrahs sont très marquées par le cassis. Pour les autres cépages, les premières cuves vinifiées présentent des arômes acidulés de fruits rouges alors que l'on découvre des fruits noirs confiturés pour les dernières cuvées, issues de raisins récoltés en surmaturité. Les tanins sont présents, alliés à une belle vinosité. D'une manière générale, ces vins rouges rappellent le millésime 1989 et sont promis à la garde. Les cépages secondaires se sont encore une fois très bien comportés cette année, les carignans et cinsaults, particulièrement bien adaptés aux conditions chaudes et sèches, ont offert une matière première riche et colorée aux vinificateurs.

De la fusion dans les caves

Dans les côtes-du-rhône, les caves de Costes Rousses et Costebelle à Tulette ont fusionné, en gardant la dénomination commercialement porteuse Costebelle. Dans les côtes-du-ventoux, les caves de Mormoiron et Villes-sur-Auzon se sont regroupées, prenant le nom de Terra Ventoux.
La maison de négoce Louis Bernard s'installe dans la chartreuse de Bonpas, à Caumont-sur-Durance (Vaucluse). Cette chapelle romane du XIIe siècle est entourée par 55 ha dont 17 en AOC côtes-du-rhône. En partenariat avec la famille Casalis, propriétaire des lieux, Louis Bernard produira, dès 2003, une Grande Réserve à l'image de la maison.
Le groupe Picard, basé en Bourgogne depuis 1951, et déjà propriétaire des Grandes Serres à Châteauneuf-du-Pape, a pris une participation majoritaire dans la maison Denuzière, fort réputée pour la qualité de ses vins. L'objectif est d'accélérer le développement commercial de cette maison et de créer un partage de compétences.
Poursuivant son implantation dans le vignoble, la maison Gabriel Meffre vient de prendre en fermage le château Grand Escalon (40 ha en costières-de-nîmes et vin de pays autour de Générac, près de Nîmes). Gabriel Meffre est déjà propriétaire du domaine de Longue Toque (18 ha) à Gigondas.

Rhône sans frontières

Cinq peintres de l'Académie des Beaux-Arts de Saint-Pétersbourg ont réalisé, en septembre 2003, des peintures du vignoble gardois et de ses domaines. Leurs œuvres ont été exposées sur le site du pont du Gard avant d'être présentées, en 2004, dans leur ville d'origine, accompagnées des meilleurs produits agricoles du département. Une belle manière de promouvoir en Russie les productions gardoises.
Dans le cadre des échanges franco-argentins, le consul de France à Mendoza a pris en charge l'organisation de stages pour de jeunes Argentins dans différentes régions viticoles de France. Six étudiants d'un lycée agricole à Mendoza ont choisi l'appellation lirac pour effectuer leur deux mois de stage.
Ils sont trois amis, que lient la passion du vin et de l'aventure vinicole. Laurent Combier (crozes-hermitage), Peter Fischer (coteaux-d'aix-en-provence) et Jean-Michel Gérin (côte-rôtie) ont relevé un défi, celui de faire un grand vin en Espagne, dans la région du Priorat, à l'ouest de Tarragone. Arrivé en 2000, le « trio infernal » a planté 25 000 pieds de grenache et de carignan sur des pentes qui rappellent celles de la Côte Rôtie. Il aura sa cave en 2005 et, l'année suivante, toutes les vignes plantées produiront.

Nouvelles appellations

Trois noms de villages vont quitter les côtes-du-rhône-villages avec nom de commune pour obtenir l'appellation communale : Beaumes-de-Venise et Rasteau, dans le Vaucluse, et Vinsobres dans la Drôme. Ils seront remplacés par quatre nouveaux pour les vins rouges uniquement : Signargues dans le Gard, qui produit dans l'aire délimitée sur les communes de Domazan, Estézargues, Rochefort-du-Gard et Saze ; Plan de Dieu dans le Vaucluse, sur les communes de Camaret-sur-Aigues, Jonquières, Violès, Travaillan (en partie) ; le massif d'Uchaux dans le Vaucluse, sur les communes de Lagarde-Paréol, Mondragon, Piolenc, Uchaux et Sérignan-du-Comtat (en partie) ; Puymeras, sur les communes de Puymeras, Faucon, Saint-Roman-en-Viennois dans le Vaucluse, Mérindol-les-Oliviers et Mollans-sur-Ouvèze dans la Drôme. Cela devrait concerner la récolte 2005.

Le vin n'est pas une simple boisson, mais un produit gastronomique, d'une grande variété gustative tant ses producteurs sont nombreux. Le choisir exige quelques connaissances préalables : comprendre l'étiquette, savoir où l'acheter, tenir compte des conditions de sa conservation en cave.

COMMENT IDENTIFIER UN VIN ?

Les rayons des cavistes et des grandes surfaces offrent une large palette de vins français et étrangers. Chance pour l'amateur, cette variété rend aussi le choix fort difficile : la France produit à elle seule plusieurs dizaines de milliers de vins qui ont tous des caractères propres. Leur carte d'identité ? L'étiquette, que les pouvoirs publics et les instances professionnelles se sont attachés à réglementer.

Les catégories de vin

Le premier devoir de l'étiquette est d'indiquer l'appartenance du vin à l'une des quatre catégories réglementées en Europe : *vin de table, vin de pays, appellation d'origine vin délimité de qualité supérieure* (AOVDQS) ou *appellation d'origine contrôlée* (AOC), ces deux dernières étant assimilées dans la terminologie européenne au *vin de qualité produit dans des régions déterminées* (VQPRD).

• L'appellation d'origine contrôlée

C'est la classe reine, celle de tous les grands vins. L'étiquette porte obligatoirement la mention « X appellation contrôlée » ou « appellation X contrôlée ». L'appellation désigne expressément une région, un ensemble de communes, une commune, parfois un lieu-dit (*climat* en Bourgogne) dans lequel le vignoble est implanté. Pour avoir droit à l'appellation d'origine contrôlée, un vin doit avoir été élaboré suivant « les usages locaux, loyaux et constants », c'est-à-dire à partir de cépages nobles homologués, plantés dans des sols choisis, et vinifiés selon les traditions régionales. Rendement à l'hectare et titre alcoométrique (minimal et parfois maximal) sont fixés par la loi. Les producteurs choisissent librement de revendiquer l'AOC pour leur production : chaque année, ils soumettent leurs vins à une commission de dégustation qui délivre l'agrément.

Ces règles nationales sont complétées par des usages locaux. Ainsi, en Alsace, l'appellation régionale est-elle pratiquement toujours doublée de la mention du cépage. En Bourgogne, seuls les premiers crus peuvent être mentionnés en caractères d'imprimerie de dimension égale à ceux employés pour l'appellation communale, les *climats* non classés ne pouvant figurer qu'en petits caractères dont la dimension ne peut être supérieure à la moitié de celle employée pour désigner l'appellation. Le nom de la commune ne figure pas sur l'étiquette des grands crus, ceux-ci bénéficiant d'une appellation propre.

COMMENT LIRE UNE ETIQUETTE ?

Chaque dénomination catégorielle est astreinte à des règles d'étiquetage spécifiques.

VIN DE TABLE : les mentions du degré alcoolique, du volume, du nom et de l'adresse de l'embouteilleur sont obligatoires ; celle du millésime est interdit.

VIN DE PAYS : catégorie de vin de table ayant une origine géographique. Un vin de pays ne peut porter sur son étiquette les noms « château », « cru » ou « clos », lesquels sont réservés aux AOC.

APPELLATION D'ORIGINE VIN DÉLIMITÉ DE QUALITÉ SUPÉRIEURE (AOVDQS).

APPELLATION D'ORIGINE CONTRÔLÉE (AOC).

AOC Alsace

timbre fiscal (capsule) vert

❶ dénomination catégorielle (obligatoire)

❷ indication du cépage
(autorisée seulement en cas de cépage pur)

❸ volume (obligatoire)

❹ toutes mentions obligatoires

❺ exigé pour l'exportation vers certains pays

❻ degré (obligatoire)

❼ numéro de lot (obligatoire)

AOC Bordelais

timbre fiscal vert

❶ assimilé à une marque (facultatif)

❷ millésime (facultatif)

❸ classement (facultatif)

❹ dénomination catégorielle (obligatoire)

❺ nom et adresse de l'embouteilleur (obligatoire)
le mot « propriétaire » (facultatif)
fixe le statut de l'exploitation

❻ facultatif

❼ volume (obligatoire)

❽ exigé pour l'exportation vers certains pays

❾ degré (obligatoire)

❿ numéro de lot (obligatoire)

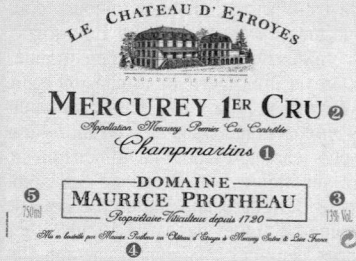

AOC Bourgogne

timbre fiscal vert

souvent sur une collerette, le millésime est facultatif

❶ nom du cru (facultatif) ;
la même dimension de caractères
que l'appellation indique qu'il s'agit d'un 1er cru

❷ dénomination catégorielle (obligatoire)

❸ degré (obligatoire)

❹ nom et adresse de l'embouteilleur (obligatoire) ;
indique en outre la mise en bouteilles à la propriété,
et qu'il ne s'agit pas d'un vin de négoce

❺ volume (obligatoire)

AOC Champagne

timbre fiscal vert

❶ obligatoire
tout champagne est AOC : la mention ne figure pas ; c'est la seule exception à la règle exigeant la mention de la dénomination catégorielle

❷ marque et adresse
(obligatoire ; sous-entendu « mis en bouteille par… »)

❸ volume (obligatoire)

❹ statut de l'exploitation
et n° du registre professionnel (facultatif)

❺ type de vin, dosage (obligatoire)

AOVDQS

timbre fiscal vert

❶ millésime (facultatif)

❷ cépage
(facultatif ; autorisé uniquement en cas de cépage pur)

❸ nom de l'appellation (obligatoire)

❹ dénomination catégorielle (obligatoire)

❺ degré (obligatoire)

❻ nom et adresse de l'embouteilleur (obligatoire)

❼ mention « à la propriété » (facultatif)

❽ vignette (obligatoire)

❾ volume (obligatoire)

❿ n° de contrôle (obligatoire en France)

Vins de pays

timbre fiscal bleu

vins de table, ils sont astreints aux mêmes obligations.
Les mots « vin de pays » doivent être suivis de l'unité géographique (obligatoire)

❶ « à la propriété » : mention facultative

❷ unité géographique (obligatoire)

❸ nom et adresse de l'embouteilleur (obligatoire)

❹ degré (obligatoire)

❺ volume (obligatoire)

• L'appellation d'origine vin délimité de qualité supérieure

Antichambre de l'appellation d'origine contrôlée, cette catégorie est soumise sensiblement aux mêmes règles et les vins sont labellisés après dégustation. L'étiquette porte obligatoirement une vignette AOVDQS. Si ces bouteilles ne sont généralement pas de garde, quelques-unes gagnent pourtant à vieillir.

• Les vins de pays

L'étiquette des vins de pays précise la provenance géographique du vin. On lira donc *Vin de pays de...* suivi d'une mention régionale, départementale ou de zone. Ces vins sont issus de cépages dont la liste est légalement définie et qui sont plantés dans une aire assez vaste certes, mais définie. En outre, leur titre alcoométrique, leur acidité, leur acidité volatile font l'objet de contrôles. D'autres informations, facultatives mais soumises à la réglementation, peuvent compléter les étiquettes.

Le responsable légal du vin

L'étiquette doit permettre d'identifier le vin et son responsable légal en cas de contestation. Le dernier intervenant dans l'élaboration du vin est celui qui le met en bouteilles ; c'est obligatoirement son nom et son adresse qui figure sur l'étiquette. Il peut s'agir d'un négociant, d'une coopérative ou d'un propriétaire-récoltant. Dans certains cas, ces renseignements sont confirmés par les mentions portées au sommet de la capsule de surbouchage.

La mise en bouteilles

L'amateur exigeant ne tolérera que les mises en bouteilles au (ou du) domaine, à (ou de) la propriété, au (ou du) château. Les formules « Mis en bouteilles dans la région de production, mis en bouteilles par nos soins, mis en bouteilles dans nos chais, mis en bouteilles par X (X étant un intermédiaire) », pour exactes qu'elles soient, n'apportent pas la garantie d'origine que procure la mise à la propriété où le vin a été vinifié. Le souci des pouvoirs publics et des comités interprofessionnels a toujours été double : d'abord inciter les producteurs à améliorer la qualité et à soumettre leur vin à une dégustation d'agrément ; ensuite faire en sorte que la bouteille revendiquant l'appellation sur l'étiquette contienne bien le vin agréé, sans mélange, sans coupage, sans substitution. En dépit de toutes les précautions possibles, y compris le contrôle du cheminement des vins, la meilleure garantie d'authenticité du produit demeure la mise en bouteilles à la propriété ; car un propriétaire-récoltant ne doit posséder dans son chai que le vin qu'il produit lui-même ; il n'a pas le droit d'acheter du vin pour l'entreposer. À noter que les mises en bouteilles effectuées à la cave coopérative au bénéfice du coopérateur peuvent être qualifiées de « mise en bouteilles à la propriété ».

Le millésime

La mention du millésime, année de naissance du vin, c'est-à-dire de la vendange, n'est pas obligatoire. Elle est portée soit sur l'étiquette – ce qui est préférable –, soit sur une collerette collée au niveau de l'épaule de la bouteille. Les vins issus d'assemblage de différentes années ne sont pas millésimés, tels certains champagnes et crémants, ou encore certains vins de liqueur et vins doux naturels. Les vins de table ne sont pas autorisés à porter de millésime.

La capsule

La plupart des bouteilles sont coiffées d'une capsule de surbouchage qui porte généralement une vignette fiscale, preuve que les droits de circulation auxquels toute boisson alcoolisée est soumise ont été acquittés. Cette vignette permet aussi de déterminer le statut du producteur (propriétaire ou négociant) et la région de production. À défaut de capsule fiscalisée, les bouteilles doivent être accompagnées d'un document délivré par le producteur (voir ci-après *Le transport du vin*).

L'étampage des bouchons

Les producteurs de vins de qualité ont éprouvé le besoin de marquer leurs bouchons, car si une étiquette peut être décollée et remplacée frauduleusement, le bouchon demeure ; l'origine du vin et le millésime y sont ainsi étampés. Pour les vins effervescents, l'indication de l'AOC sur le bouchon est obligatoire.

COMMENT ACHETER, A QUI ACHETER ?

En grande surface, chez le caviste et chez le producteur... Les circuits de distribution du vin sont multiples, chacun présentant des avantages et des inconvénients. De même, les modes de commercialisation prennent des formes différentes : vente en vrac, en *bag in box* ou en bouteilles, ventes en primeur. A chacun de trouver la formule qui lui convient : bénéficier d'une vaste palette de vins en un seul point de vente, solliciter l'avis d'un expert pour les accords gourmands, aller à la rencontre des hommes qui font le vin. Sur les routes viticoles, l'amateur se souviendra du slogan : « Celui qui conduit est celui qui ne boit pas ». Les producteurs ont prévu des crachoirs pour goûter sans risques.

Vins à boire, vins à encaver

La démarche de l'amateur sera différente selon qu'il souhaite consommer ses vins sur une courte période ou les encaver pour suivre leur évolution dans le temps. S'il recherche une bouteille prête à boire, il lui sera difficile (voire impossible) de trouver sur le marché de grands vins parvenus à leur apogée. Il se tournera plutôt vers des vins de primeur (de type beaujolais nouveau, côtes-du-rhône, touraine ou gaillac primeur), vers des vins de pays ou d'appellation de petite et moyenne origine, vers des millésimes faciles, à évolution rapide.

Les vins de garde méritent d'être achetés jeunes dans le dessein de les faire vieillir en cave. Ils doivent non seulement résister à l'usure du temps, mais aussi se bonifier avec les années. Il est judicieux de privilégier les meilleurs producteurs et les meilleurs millésimes.

L'achat en vrac

Le vin non logé en bouteilles est dit en vrac. L'expression achat en cercle est réservée à l'achat en tonneaux, alors que le vrac peut être transporté en citernes de toute nature, du wagon de 220 hl en acier au cubitainer de plastique d'une contenance de 5 l, en passant par la bonbonne de verre. La vente en vrac est pratiquée par les coopératives, par des propriétaires, par quelques négociants et même par des détaillants qui commercialisent certains vins « à la tireuse ». Il s'agit de vins ordinaires et de qualité moyenne. Dans certaines régions, notamment dans les crus classés du Bordelais, ce type de commercialisation est interdit. Il faut garder en mémoire qu'un vin vendu en vrac par un vigneron n'est jamais tout à fait identique à celui qu'il vend en bouteilles : le producteur sélectionne toujours les meilleures cuves pour ses mises en bouteilles.

L'achat du vin en vrac permet une économie de l'ordre de 25 %, puisqu'il est d'usage de payer au maximum pour un litre de vin le prix facturé pour une bouteille de 0,75 l. L'acheteur réalise également une économie sur les frais de transport. Il lui faut cependant compter les frais (peu élevés) de retour du fût si la transaction s'est faite en cercle.

Les capacités de fûts les plus usitées sont :

Barrique bordelaise	225 l
Pièce bourguignonne	228 l
Pièce mâconnaise	216 l
Pièce de Chablis	132 l
Pièce champenoise	205 l

Le bib

Le *bag-in-box*, ou bib, est une solution intermédiaire entre le vrac et la bouteille. Cette poche en plastique rétractable, enveloppée dans un carton et munie d'un robinet préserve le vin de l'air et permet ainsi de le conserver en bon état après ouverture sur une longue période. Sa capacité varie généralement entre 2 à 30 l.

L'achat en bouteilles

Il est possible d'acheter du vin en bouteilles chez une vigneron, dans une coopérative, chez un négociant et par les circuits de distribution habituels. Où l'amateur doit-il acheter pour réaliser la meilleure affaire ? Il faut savoir que les producteurs et les négociants sont tenus de ne pas concurrencer déloyalement leurs diffuseurs, donc de ne pas commercialiser des bouteilles moins chères qu'eux. Ainsi nombre de châteaux bordelais, peu portés sur la vente au détail, proposent-ils leurs crus à des prix supérieurs à ceux pratiqués par les détaillants, afin de dissuader les acheteurs qui s'obstinent malgré tout, par ignorance ou pour d'inexplicables raisons... D'autant que les revendeurs obtiennent, grâce à des commandes massives, des prix infiniment plus intéressants que le particulier qui n'achète qu'une caisse.

Dans ces conditions, on peut émettre un principe général : les vins de producteurs dont la diffusion est limitée (et ils sont légion...) seront achetés sur place, tandis que les vins de domaines ou de châteaux notoires, largement diffusés, seront acquis auprès des diffuseurs, sauf s'il s'agit de millésimes rares ou de cuvées spéciales.

Alsace Muscadet Anjou Provence

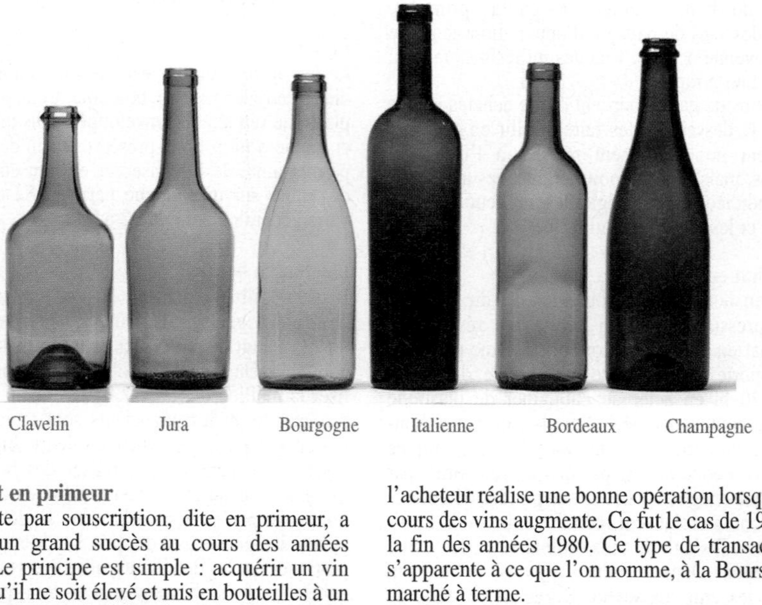

Clavelin Jura Bourgogne Italienne Bordeaux Champagne

L'achat en primeur

La vente par souscription, dite en primeur, a connu un grand succès au cours des années 1980. Le principe est simple : acquérir un vin avant qu'il ne soit élevé et mis en bouteilles à un prix supposé très inférieur à celui qu'il atteindra à sa sortie de la propriété. Les souscriptions sont ouvertes pour un volume contingenté et pour un temps limité, généralement au printemps et au début de l'été qui suit les vendanges. Elles sont organisées directement par les propriétaires ou par des sociétés de négoce et des clubs de vente de vin. L'acheteur s'acquitte de la moitié du prix convenu à la commande et s'engage à verser le solde à la livraison des bouteilles, c'est-à-dire de douze à quinze mois plus tard. Ainsi, le producteur s'assure des rentrées d'argent rapides et l'acheteur réalise une bonne opération lorsque le cours des vins augmente. Ce fut le cas de 1974 à la fin des années 1980. Ce type de transaction s'apparente à ce que l'on nomme, à la Bourse, le marché à terme.

Que se passe-t-il si les cours s'effondrent – en cas de surproduction ou de crise – entre le moment de la souscription et celui de la livraison ? Les souscripteurs paient leurs bouteilles plus cher que ceux qui n'ont pas souscrit. Cela s'est déjà vu, cela se revoit. A ce jeu spéculatif et dans le but d'assurer leur approvisionnement, de grands négociants se sont ruinés ; leur contrat était d'autant plus risqué qu'il portait sur plusieurs années. En revanche, lorsque tout va bien, la vente en primeur est sans doute la seule façon de payer un vin en dessous de son cours (de 20 à 40 % environ).

Chez le producteur

La visite rendue au producteur, indispen-sable si son vin n'est pas ou peu diffusé, apporte à l'amateur bien d'autres satisfactions que celle d'un simple bon achat. Au contact du vigneron, père de son vin, l'œnophile découvre un terroir, un mode de vinification, l'art de tirer la quintessence d'un cépage, comprend les relations étroites qui existent entre un homme et son vin. Le savoir-boire, le mieux boire, passe par cette irremplaçable rencontre.

En cave coopérative

La qualité des vins élaborés par les coopératives progresse constamment. Ces caves commercialisent des vins en vrac et en bouteilles, à des prix généralement légèrement inférieurs à ceux pratiqués par les autres circuits de vente à qualité égale.

Comment fonctionne une coopérative vinicole ? Les adhérents apportent leur raisin et les responsables techniques, dont un œnologue, se chargent du pressurage, de la vinification, de l'élevage et de la commercialisation. Des systèmes de primes accordées aux raisins nobles et aux raisins les plus mûrs, l'instauration de chartes de qualité avec les vignerons, la possibilité d'élaborer des cuvées selon la qualité spécifique de chaque livraison de raisin ou selon une sélection de terroirs ouvrent aux meilleures coopératives le secteur des vins de qualité, voire de garde.

Chez le négociant

Le négociant, par définition, achète des vins pour les revendre, mais il est souvent lui-même propriétaire de vignobles : il peut donc agir en producteur et commercialiser sa production, ou bien vendre le vin de producteurs indépendants sans autre intervention que le transfert (cas des négociants bordelais qui ont à leur catalogue des vins mis en bouteilles au château), ou encore signer un contrat de monopole de vente avec une unité de production. Le négociant-éleveur assemble des vins de même appellation fournis par divers producteurs et les élève dans ses chais. Il est ainsi le créateur du produit à double titre : par le choix de ses achats et par l'assemblage qu'il exécute.

Les maisons de négoce sont installées dans les grandes zones viticoles, mais rien n'empêche un négociant bourguignon de commercialiser du vin de Bordeaux et inversement. Le propre d'un négociant est de diffuser, donc d'alimenter les réseaux de vente qu'il ne doit pas concurrencer en vendant chez lui ses vins à des prix très inférieurs.

Chez le caviste

C'est le mode d'achat le plus facile et le plus rapide, le plus sûr également lorsque le caviste est qualifié. Il existe nombre de boutiques spécialisées dans la vente de vins de qualité. Mais qu'est-ce qu'un bon caviste ? Celui qui est équipé pour entreposer les vins dans de bonnes conditions, celui qui sait choisir des vins originaux de producteurs amoureux de leur métier. En outre, le bon détaillant saura conseiller l'acheteur, lui faire découvrir des vins que celui-ci ignore et l'inciter à marier mets et vins pour valoriser les uns et les autres.

En grande surface

Si quelques déficiences sont à regretter dans la présentation des vins en grandes surfaces (chaleur, lumière crue des néons, bouteilles rangées à la verticale), elles deviennent de plus en plus rares. Aujourd'hui, nombre d'établissements possèdent un rayon spécialisé bien équipé, où les bouteilles sont couchées et classées par région et appellation. L'amateur trouve dans les grandes surfaces non seulement des vins courants, mais aussi des crus prestigieux. Seuls les appellations confidentielles et les vins de petites propriétés sont moins représentés. Contrairement à une idée assez répandue, il peut être très avantageux d'acheter une grande bouteille en grande surface.

Dans les clubs

Quantité de bouteilles, livrées en cartons ou en caisses, arrivent directement chez l'amateur grâce aux clubs qui offrent à leurs adhérents un certain nombre d'avantages. Le choix est assez vaste et comporte parfois des vins peu courants. Il faut toutefois noter que beaucoup de clubs sont des négociants.

Les ventes aux enchères

De plus en plus fréquentées, ces ventes sont organisées par des commissaires-priseurs assistés d'un expert. Il est de la première importance de connaître l'origine des bouteilles. Si elles proviennent d'un grand restaurant ou de la riche cave d'un amateur qui s'en dessaisit (renouvellement d'une cave, succession, par exemple), leur conservation est probablement parfaite. Si elles constituent un regroupement de petits lots divers, rien ne prouve que leur garde ait été satisfaisante. Seule la couleur du vin et son niveau dans la bouteille peut renseigner l'acheteur. L'amateur averti ne surenchérira jamais lorsque se présentent des bouteilles dont le niveau n'atteint que le bas de l'épaule, ni lorsque la teinte des vins blancs vire au bronze plus ou moins foncé ou que la robe des vins rouges est visiblement usée. Il est rare de pouvoir réaliser de bonnes affaires dans les grandes appellations qui intéressent des restaurateurs pour renchérir leur carte. En revanche, les appellations marginales, moins recherchées par les professionnels, sont parfois très abordables.

Lors des ventes à but caritatif, telles celles des Hospices de Beaune ou de Beaujeu, les vins vendus sont logés en pièces (fûts) et doivent encore être élevés durant douze à quatorze mois. Ils sont de ce fait réservés aux professionnels.

Le transport du vin

Une fois résolu le problème du choix des vins et sachant que l'on pourra les accueillir et les conserver dans de bonnes conditions, il faut les transporter. Le transport des vins de qualité impose quelques précautions et obéit à une réglementation stricte.

Qu'on le transporte soi-même en voiture ou qu'on use des services d'un transporteur, le gros de l'été et le cœur de l'hiver ne sont pas favorables au voyage du vin. Il faut préserver le vin des températures extrêmes, surtout des températures élevées qui l'affectent définitivement, quelle que soit la période de repos (même des années) qu'on lui accorde ultérieurement, quels que soient sa couleur, son type et son origine.

Arrivé à domicile, on déposera tout de suite les bouteilles à la cave. Si l'on a acquis du vin en vrac, on entreposera les récipients directement au lieu de la mise en bouteilles, à la cave si la place le permet, afin de n'avoir plus à les déplacer. Les cubitainers seront déposés à 80 cm du sol (la hauteur d'une table), les fûts à 30 cm, pour permettre de tirer le vin jusqu'à la dernière goutte sans modifier sa position.

Le transport des boissons alcoolisées est soumis à un régime particulier et fait l'objet de taxes fiscales matérialisées soit par une capsule représentative des droits apposée au sommet de chaque bouteille, soit par un document d'accompagnement commercial délivré par le vigneron. Le vin en vrac doit toujours être accompagné du document le concernant.

Sur ce document figurent notamment le nom du vendeur et le cru, le volume et le nombre de récipients, le destinataire. Transporter du vin sans capsule ou document d'accompagnement est assimilé à une fraude fiscale et puni comme telle.

L'exportation du vin

Il est prudent de se renseigner sur les conditions d'importation des vins et alcools dans le pays d'accueil, chacun ayant sa propre réglementation qui s'étend de la taxation douanière au contingentement, voire à l'interdiction pure et simple.

Au sein de l'Union européenne, un particulier peut acheter un volume non limité de vin pour sa consommation personnelle. Le document d'accompagnement lui permettra de justifier auprès de son administration de la régularité de ses achats et du transport.

Hors de l'Union européenne, comme pour tout ce qui est produit ou manufacturé en France, puis exporté, il est possible d'obtenir l'exemption ou le remboursement de la TVA et des accises. Lorsqu'un voyageur veut bénéficier de la détaxe à l'exportation, le vin qu'il achète à la propriété et qu'il transporte par ses propres moyens doit être accompagné de son titre de mouvement ; ce document est visé par le bureau de douane qui constate la sortie de la marchandise du territoire communautaire. Si les bouteilles sont tributaires de capsules, leur détaxation est impossible ; il convient donc, au moment de l'achat, de préciser au vendeur que l'on entend exporter son acquisition et bénéficier de détaxation.

CONSERVER SON VIN

Constituer une cave demande de l'organisation. Avant tout, il est nécessaire d'évaluer le budget dont on dispose et la capacité de sa cave. Ensuite, il convient d'acquérir des vins dont l'évolution n'est pas semblable, afin qu'ils n'atteignent pas tous en même temps leur apogée. Et pour ne pas boire toujours les mêmes vins, fussent-ils les meilleurs, il est judicieux d'élargir sa sélection afin de disposer de bouteilles adaptées à différentes occasions et préparations culinaires.

Aménager sa cave

Une bonne cave est un lieu clos, sombre, à l'abri des trépidations et du bruit, exempte de toutes odeurs, protégée des courants d'air, mais bien ventilée, ni trop sèche ni trop humide, d'un degré hygrométrique de 75 %, et surtout d'une température stable, la plus proche possible de 11 °C.

Les caves citadines présentent rarement de telles caractéristiques. Il faut donc, avant d'encaver du vin, améliorer le local : établir une légère aération ou au contraire obstruer un soupirail trop ouvert ; humidifier l'atmosphère en déposant une bassine d'eau contenant un peu de charbon de bois ou l'assécher par du gravier et en augmentant la ventilation ; tenter de stabiliser la température par des panneaux isolants ; éventuellement, monter les casiers sur des blocs caoutchouc pour neutraliser les vibrations. Mais si une chaudière se trouve à proximité, si des odeurs de mazout se répandent, il n'y a pas grand-chose à espérer.

Si l'on ne dispose pas de cave ou que celle-ci est inutilisable, deux solutions sont possibles : acheter une armoire à vin, unité d'une capacité de 50 à 500 bouteilles, dont la température et l'hygrométrie sont automatiquement maintenues ; construire de toutes pièces, en retrait dans son appartement, un lieu de stockage dont la température varie sans à-coups et ne dépasse pas 16 °C. Plus la température est élevée, plus le vin évolue rapidement. Or, un vin qui atteint rapidement son apogée dans de mauvaises conditions de garde ne sera jamais aussi bon que s'il avait vieilli lentement dans une cave fraîche. Il appartient à l'amateur de moduler ses achats et le plan d'encavement en fonction des conditions particulières imposées par ses locaux.

Choisir ses casiers

L'expérience prouve qu'une cave est toujours trop petite. Le rangement des bouteilles doit donc être rationnel. Le casier à bouteilles, à un ou deux rangs, offre bien des avantages : il est peu coûteux, s'il est installé immédiatement, et donne accès aisément à l'ensemble des flacons encavés. Malheureusement, il est volumineux au regard du nombre de bouteilles logées. Pour gagner de la place, une seule méthode : l'empilement des bouteilles. Afin de séparer les piles pour avoir accès aux différents vins, il faut construire ou faire construire – ce n'est pas compliqué – des casiers en parpaings pouvant contenir 24, 36 ou 48 bouteilles en pile, sur deux rangs. Si la cave le permet, si le bois ne pourrit pas, il est possible d'élever des casiers en planches. Il faudra alors les surveiller car des insectes peuvent s'y installer, qui attaquent les bouchons et rendent les bouteilles couleuses. Deux instruments complètent l'aménagement de la cave : un thermomètre à maxima et minima, et un hygromètre. Des dégustations régulières permettent de corriger les défauts détectés et d'estimer l'évolution du vin cave.

Ranger ses bouteilles

Dans la mesure du possible, les principes suivants doivent être respectés : les vins blancs sont entreposés près du sol, les vins rouges au-dessus ; les vins de garde dans les rangées (ou casiers) du fond, les moins accessibles ; les bouteilles à boire, en situation frontale. Si les bouteilles achetées en carton ne doivent pas y demeurer, celles livrées en caisse de bois peuvent y être conservées, notamment si l'on envisage de revendre le vin. Néanmoins, les caisses prennent beaucoup de place et sont une proie aisée des pilleurs de cave. Il convient de repérer casiers et bouteilles par un système de notation (algébrique, par exemple), à reporter dans le livre de cave, indispensable outil pour gérer ses achats, dans lequel sont notés également la date d'entrée des vins, le nombre de bouteilles de chaque cru, leur identification précise, leur prix, leur apogée présumée, les accords gourmands et un commentaire de dégustation.

METTRE SON VIN EN BOUTEILLES

La mise en bouteilles, opération plaisante si on la réalise à plusieurs, ne pose pas de réels problèmes pourvu que l'on se conforme aux règles d'hygiène élémentaires. Si le vin a été transporté en cubitainer, il doit être embouteillé très rapidement ; s'il a voyagé dans un tonneau, il faut impérativement le laisser reposer une quinzaine de jours au préalable. Il convient de mettre le vin en bouteilles par un temps clément, un jour de haute pression, un jour sans pluie ni orage.

Les bonnes bouteilles

Les bouteilles méritent d'être adaptées au vin, sans tomber dans le purisme : bouteilles bordelaises pour les vins du Sud-Ouest et même du Midi, bourguignonne pour ceux du Sud-Est, du Beaujolais et de la Bourgogne, sachant qu'il existe d'autres bouteilles régionales réservées à certaines appellations. Chaque type de bouteille admet des modèles plus ou moins lourds, à fond plat ou presque plat, de hauteur et de diamètre différents.
Si toutes conservent favorablement le vin, les bouteilles les plus légères sont moins aptes au stockage en pile sur une longue durée. Lorsqu'elles sont trop remplies et que l'on enfonce énergiquement le bouchon, elles peuvent en outre éclater. D'une façon générale, mieux vaut utiliser des bouteilles lourdes. Il est incongru d'embouteiller un grand vin dans du verre léger, de même qu'un vin rouge dans des bouteilles blanches, incolores.
Bien que certains vins blancs, dont on souhaite mettre en valeur la robe, soient logés dans des bouteilles transparentes, cet usage n'est pas recommandé car ceux-ci sont sensibles à la lumière. Les maisons de champagne qui commercialisent ainsi leur production protègent toujours les bouteilles par un papier opaque.
Avant la mise, il convient de vérifier que l'on dispose d'un nombre suffisant de bouteilles et de bouchons, car une fois l'opération commencée, elle doit être achevée rapidement. On ne peut laisser le fût ou le cubitainer en vidange au risque que le vin restant ne s'oxyde ou ne devienne acescent et impropre à la consommation.

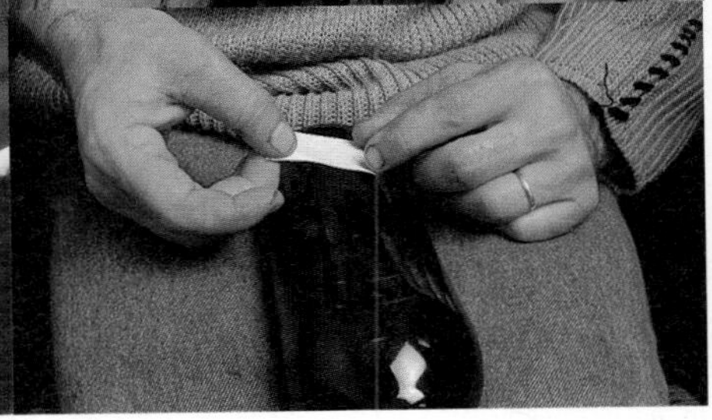

Les bouteilles doivent être parfaitement propres, rincées et séchées.

Les bons bouchons

En dépit de nombreuses recherches et du développement récent des capsules à vis pour résoudre le problème du « goût de bouchon », le liège demeure le matériau privilégié pour obturer les bouteilles. Les bouchons de liège ne sont pas tous identiques ; ils diffèrent en diamètre, en longueur et en qualité. Dans tous les cas, le diamètre du bouchon sera supérieur de 6 mm à celui du goulot. Meilleur est le vin, plus long sera le bouchon : taille nécessaire à une longue garde et hommage rendu au vin comme à ceux qui le boivent.

La qualité du liège est difficile à évaluer. Un liège d'une dizaine d'années a toute la souplesse désirée. Les beaux bouchons ne présentent pas ou peu de ces petites fissures que l'on obstrue parfois avec de la poudre de liège (bouchons améliorés). Des bouchons prêts à l'emploi, stérilisés à l'ozone et conditionnés en emballages stériles sont proposés à la vente. Il n'est plus nécessaire de les humidifier : on bouche à sec, ce qui présente un avantage certain. Il est possible d'acheter des bouchons étampés (ou de les faire étamper), portant le millésime du vin à embouteiller.

Les bons gestes

La tireuse est l'appareil idéal pour remplir la bouteille. Des tireuses à amorçage et à vanne commandées par contact avec la bouteille se vendent dans les grandes surfaces à un prix modique. On veillera à faire couler le vin le long de la paroi de la bouteille, maintenue légèrement oblique, afin de limiter le brassage et l'oxydation. Cette précaution est encore plus nécessaire pour les vins blancs. En aucun cas une écume ne doit apparaître à la surface du liquide. Les bouteilles seront remplies le plus haut possible afin que le bouchon soit en contact avec le vin (bouteille verticale). Le bouchon sera introduit dans la bouteille à l'aide d'une boucheuse, qui le comprimera latéralement avant l'introduction. Il existe une vaste gamme d'appareils, à tous les prix, destinés à cet usage.

L'étiquette

On préparera de la colle de tapissier ou un mélange d'eau et de farine, ou, plus simplement, on humectera les étiquettes avec du lait pour les coller sur le bas de la bouteille, à 3 cm de son pied. Les perfectionnistes habillent le goulot de capsules préformées posées grâce à un petit appareil manuel.

TROIS PROPOSITIONS DE CAVES

Chacun garnit sa cave selon ses goûts et dans le souci de la diversité. Nos propositions de caves n'incluent ni de vins de primeur, ni de vins à boire jeunes. Plus le nombre de bouteilles est restreint, plus l'amateur devra veiller à les renouveler. Les valeurs indiquées ne sont bien sûr que des ordres de grandeur.

CAVE DE 50 BOUTEILLES (environ 880 EUROS)

25 Bordeaux	17 rouges (graves, saint-émilion, médoc, pomerol, fronsac) 8 blancs : 5 secs (graves) 3 liquoreux (sauternes-barsac)
20 Bourgogne	12 rouges (crus de la Côte de Nuits, crus de la Côte de Beaune) 8 blancs (chablis, meursault, puligny)
10 vallée du Rhône	7 rouges (côte-rôtie, hermitage, châteauneuf-du-pape) 3 blancs (hermitage, condrieu)

CAVE DE 150 BOUTEILLES (environ 2 700 EUROS)

Région		Rouge	Blanc
40 Bordeaux	30 rouges 10 blancs	fronsac, pomerol, saint-émilion, graves, médoc (crus classés, crus bourgeois)	5 grands secs 5 { sainte-croix-du-mont sauternes-barsac
30 Bourgogne	15 rouges 15 blancs	crus de la Côte de Nuits, crus de la Côte de Beaune, vins de la Côte chalonnaise	chablis meursault puligny-montrachet
25 vallée du Rhône	19 rouges 6 blancs	côte-rôtie, hermitage rouge, cornas, saint-joseph, châteauneuf-du-pape, gigondas, côtes-du-rhône-villages	condrieu hermitage blanc châteauneuf-du-pape blanc
15 vallée de la Loire	8 rouges 7 blancs	bourgueil, chinon, saumur-champigny	pouilly-fumé, vouvray coteaux-du-layon
10 Sud-Ouest	7 rouges 3 blancs	madiran, cahors	jurançon (secs et doux)
8 Sud-Est	6 rouges 2 blancs	bandol, palette rouge	cassis palette blanc
7 Alsace	(blancs)		gewurztraminer riesling, tokay
5 Jura	(blancs)		vins jaunes côtes-du-jura, arbois
10 champagnes et autres vins effervescents (pour en avoir à disposition : ces vins ne se bonifiant pas en vieillissant).			Crémant de { Loire Bourgogne Alsace Divers types de champagnes

CAVE DE 300 BOUTEILLES

La création d'une telle cave suppose un investissement d'environ 6 500 euros. On doublera les chiffres de la cave de 150 bouteilles, en se souvenant que plus le nombre de flacons augmente, plus la longévité des vins doit être grande. Ce qui se traduit malheureusement (en général) par l'obligation d'acquérir des vins de prix élevé…

L'ART DE BOIRE

Si boire est une nécessité physiologique, boire du vin est un plaisir. A condition que le vin soit de qualité et que la dégustation se déroule dans de bonnes conditions. Savoir déguster, c'est découvrir toutes les facettes du vin et créer un moment de partage.

LA DEGUSTATION

Il existe plusieurs types de dégustation aux finalités distinctes : dégustations technique, analytique, comparative, triangulaire en usage chez les professionnels. L'œnophile, lui, pratique une dégustation hédoniste, celle qui lui permet de tirer la quintessence d'un vin, de pouvoir en parler tout en développant l'acuité de son nez et de son palais.

Les conditions de la dégustation

La dégustation ne saurait se faire n'importe où et n'importe comment. Les locaux doivent être agréables, bien éclairés (lumière naturelle ou éclairage ne modifiant pas les couleurs, dit lumière du jour), de couleur claire de préférence, exempts de toutes odeurs parasites telles que parfum, fumée (tabac ou cheminée), odeurs de cuisine ou de bouquets de fleurs. La température ne doit pas dépasser 18-20 °C.

Le choix d'un verre adéquat est extrêmement important. Il doit être incolore afin que la robe du vin soit bien visible, et si possible fin ; sa forme sera celle d'une fleur de tulipe, c'est-à-dire non pas évasée mais légèrement refermée. Le corps du verre doit être séparé du pied par une tige de manière à ce que le vin ne se réchauffe pas lorsqu'on tient le verre par son pied et à ce qu'il puisse être tourné pour s'oxygéner et révéler son bouquet.

La forme du verre a une telle influence sur l'appréciation olfactive et gustative du vin que l'Association française de normalisation (Afnor) et les instances internationales de normalisation (Iso) ont adopté, après étude, un verre qui offre toutes les garanties d'efficacité au dégustateur et au consommateur ; ce type de verre, appelé communément verre INAO, n'est pas réservé qu'aux professionnels. Il est en vente dans les maisons spécialisées. Les verriers français, allemands et autrichiens proposent un vaste choix de verres.

Les étapes de la dégustation

La dégustation fait appel à la vue, à l'odorat, au goût et au sens tactile, non par l'intermédiaire des doigts bien sûr, mais par l'entremise de la bouche, sensible aux effets mécaniques du vin : température, consistance, gaz dissous, etc.

• L'œil

Par l'œil, le consommateur prend un premier contact avec le vin. L'examen de la robe (ensemble des caractères visuels), marquée par le cépage d'origine et le mode d'élaboration, est riche d'enseignements. C'est un premier test.

Quelle que soit sa couleur, le vin doit être limpide, sans trouble. Des traînées ou des brouillards sont signes de maladies : le vin doit être rejeté. Seuls sont admissibles de petits cristaux de bitartrates (insolubles), la gravelle, précipitation que connaissent les vins victimes d'un coup de froid ; leur qualité n'en est pas altérée. L'examen de la *limpidité* se pratique en interposant le verre entre l'œil et une source lumineuse placée si possible à même hauteur. La *transparence* (vin rouge) est déterminée en examinant le vin sur un fond blanc, nappe ou feuille de papier ; cet examen implique que l'on incline son verre. Le disque (la surface) devient elliptique et son observation informe sur l'âge du vin et sur son état de conservation ; on examine alors la nuance de la robe. Tous les vins jeunes doivent être transparents, ce qui n'est pas toujours le cas des vins vieux de qualité.

Vin	Nuance de la robe	Déduction
Blanc	Presque incolore	Très jeune, très protégé de l'oxydation. Vinification moderne en cuve.
	Jaune très clair à reflets verts	Jeune à très jeune. Vinifié et élevé en cuve.
	Jaune paille, jaune or	La maturité. Peut-être élevé dans le bois.
	Or cuivre, or bronze	Déjà vieux.
	Ambré à noir	Oxydé, trop vieux.
	Blanc taché, œil-de-perdrix à reflets rosés	Rosé de pressurage et vin gris jeune.
Rosé	Rose saumon à rouge très clair franc	Rosé jeune et fruité à boire.
	Rose avec nuance jaune à pelure d'oignon	Commence à être vieux pour son type.
Rouge	Violacé	Très jeune. Bonne teinte de gamay de primeur et des beaujolais nouveaux (6 à 18 mois).
	Rouge pur (cerise)	Ni jeune ni évolué. L'apogée pour les vins qui ne sont ni primeurs ni de garde (2-3 ans).
	Rouge à franges orangées	Maturité de vin de petite garde. Début de vieillissement (3-7 ans).
	Rouge brun à brun	Seuls les grands vins atteignent leur apogée vêtus de cette robe. Pour les autres, il est trop tard.

L'examen visuel s'intéresse encore à l'*éclat*, ou *brillance*, du vin. Un vin qui a de l'éclat est gai, vif ; un vin terne est probablement triste...

Cette inspection visuelle de la robe s'achève par l'intensité de la couleur, qu'on se gardera de confondre avec la nuance (le ton) de celle-ci.

Nuance de la robe	Vin	Déduction
Robe trop claire	Manque d'extraction Année pluvieuse Rendement excessif Vignes jeunes Raisins insuffisamment mûrs Raisins pourris Cuvaison trop courte Fermentation à basse température	Vins légers et de faible garde Vins de petits millésimes
Robe foncée	Bonne extraction Rendement faible Vieilles vignes, Vinification réussie	Bons ou grands vins Bel avenir

C'est encore l'œil qui découvre les *jambes*, ou larmes, écoulements que le vin forme sur la paroi du verre quand on l'anime d'un mouvement rotatif pour humer les arômes du vin (voir ci-après). Celles-ci rendent compte du degré alcoolique : le cognac et les vins liquoreux en produisent toujours.

Exemple de vocabulaire se rapportant à l'examen visuel

Nuances : pourpre, grenat, rubis, violet, cerise, pivoine.
Intensité : légère, soutenue, foncée, profonde, intense.
Éclat : mat, terne, triste, éclatant, brillant.
Limpidité et transparence : opaque, louche, voilée, cristalline.

• Le nez

L'examen olfactif est la deuxième épreuve que le vin doit subir. Certaines odeurs sont éliminatoires, telles l'acidité volatile (acescence, vinaigre), l'odeur du liège moisi (goût de bouchon) ; mais dans la plupart des cas, le bouquet du vin – l'ensemble des odeurs se dégageant du verre – procure des découvertes toujours renouvelées.

Les composants aromatiques s'expriment selon leur volatilité. C'est en quelque sorte une évaporation du vin, ce qui explique que la température de service soit si importante : trop froide, les arômes ne s'expriment pas ; trop chaude, ils s'évaporent trop rapidement, s'oxydent, les parfums très volatils disparaissent, tandis que ressortent des éléments aromatiques lourds, anormaux.

Le nez du vin rassemble un faisceau de parfums en mouvance permanente, qui se présentent successivement selon la température et l'oxydation. Le maniement du verre est donc important. On commencera par humer ce qui se dégage du verre immobile, puis on imprimera au vin un mouvement de rotation : l'air fait alors son effet et d'autres parfums apparaissent.

La qualité d'un vin est fonction de l'intensité et de la complexité du bouquet. Les petits vins n'offrent que peu ou pas de bouquet : ils sont simplistes, monocordes. Au contraire, les grands vins se caractérisent par des bouquets amples, profonds et complexes. Le vocabulaire relatif aux arômes est infini, car il procède par analogie. Divers systèmes de classification des arômes ont été proposés ; pour simplifier, retenons les familles florale, fruitée, végétale (ou herbacée), épicée, balsamique, animale, boisée, empyreumatique (en référence au feu), chimique.

Exemple de vocabulaire se rapportant à l'examen olfactif

Fleurs : violette, tilleul, jasmin, sureau, acacia, iris, pivoine.
Fruits : framboise, cassis, cerise, griotte, groseille, abricot, pomme, banane, pruneau.
Végétal : herbacé, fougère, mousse, sous-bois, terre humide, crayeux, champignons divers.
Épicé : toutes les épices, du poivre au gingembre en passant par le clou de girofle et la muscade.
Balsamique : résine, pin, térébenthine.
Animal : viande, viande faisandée, gibier, fauve, musc, fourrure.
Empyreumatique : brûlé, grillé, pain grillé, tabac, foin séché, tous les arômes de torréfaction (café, par exemple).

• La bouche

Après avoir triomphé des épreuves de l'œil et du nez, le vin subit un dernier examen. Une faible quantité de vin est mise en bouche. Un filet d'air est aspiré afin de permettre sa diffusion dans l'ensemble de la cavité buccale. A défaut, il est simplement mâché. Dans la bouche, le vin s'échauffe, il diffuse de nouveaux éléments aromatiques recueillis par voie rétronasale, étant entendu que les papilles de la langue ne sont sensibles qu'aux quatre saveurs élémentaires : amer, acide, sucré et salé ; voilà pourquoi une personne enrhumée ne peut goûter un vin (ou un aliment), la voie rétronasale étant alors inopérante.

Outre les quatre saveurs élémentaires, la bouche est sensible à la température du vin, à sa viscosité, à la présence ou à l'absence de gaz carbonique et à l'astringence (effet tactile : absence de lubrification par la salive et contraction des muqueuses sous l'action des tanins). C'est en bouche que se révèlent l'équilibre, l'harmonie ou, au contraire, le caractère de vins mal bâtis qui ne doivent pas être achetés.

Les vins blancs, gris et rosés se caractérisent par un bon équilibre entre acidité et moelleux.

Trop d'acidité : le vin est agressif ;
pas assez, il est plat.
Trop de moelleux : le vin est lourd, épais ;
pas assez, il est mince, terne.

Pour les vins rouges, l'équilibre tient compte de l'acidité, du moelleux et des tanins.

Excès d'acidité :	vin trop nerveux, souvent maigre.
Excès de tanins :	vin dur, astringent.
Excès de moelleux (rare) :	vin lourd.
Carence en acidité :	vin mou.
Carence en tanins :	vin sans charpente, informe.
Carence en moelleux :	vin qui sèche.

Un bon vin se situe au point d'équilibre des trois composantes ci-dessus. Ces éléments supportent sa richesse aromatique ; un grand vin se distingue d'un bon vin par sa construction rigoureuse et puissante, quoique fondue, par son ampleur et sa complexité aromatique.

Exemple de vocabulaire relatif au vin en bouche

Critique : informe, mou, plat, mince, aqueux, limité, transparent, pauvre, lourd, massif, grossier, épais, déséquilibré.
Laudatif : structuré, construit, charpenté, équilibré, corpulent, complet, élégant, fin, qui a du grain, riche.

Après cette analyse en bouche, le vin est avalé. L'œnophile se concentre alors pour mesurer sa persistance aromatique, appelée aussi longueur en bouche. Cette longueur s'exprime en caudalies, unité savante valant tout simplement une seconde. Plus un vin est long, plus il est estimable. La persistance permet de hiérarchiser les vins, du plus petit au plus grand. Cette mesure en secondes est à la fois simple et compliquée ; elle ne porte que sur la longueur aromatique, à l'exclusion des éléments de structure du vin (acidité, amertume, sucre et alcool).

La reconnaissance d'un vin

La dégustation consiste à goûter pleinement un vin et à déterminer s'il est grand, moyen ou petit. Souvent, il est question de savoir s'il est conforme à son type ; mais encore faut-il que son origine soit précisée.
La dégustation d'identification, c'est-à-dire de reconnaissance, est un jeu de société ; mais c'est un jeu injouable sans un minimum d'informations. On peut reconnaître un cépage, par exemple un cabernet-sauvignon. Mais est-ce un cabernet-sauvignon d'Italie, du Languedoc, de Californie, du Chili, d'Argentine, d'Australie ou d'Afrique du Sud ? Lorsqu'on se limite à la France, l'identification des grandes régions est possible, mais il est bien difficile d'être plus précis : si l'on propose six verres de vin en précisant qu'ils représentent les six appellations du Médoc (listrac, moulis, margaux, saint-julien, pauillac, saint-estèphe), combien y aura-t-il de sans fautes ?
Une expérience classique que chacun peut renouveler prouve la difficulté de la dégustation : le dégustateur, les yeux bandés, goûte en ordre dispersé des vins rouges peu tanniques et des vins blancs non aromatiques, de préférence élevés dans le bois. Il doit simplement distinguer le blanc du rouge : il est très rare qu'il ne se trompe pas ! Paradoxalement, il est beaucoup plus facile de reconnaître un vin très typé dont on a encore en tête et en bouche le souvenir ; mais combien a-t-on de chances que le vin proposé soit justement celui-là ?

Régions	Cépages	Caractères
Toutes les AOC de bourgogne rouge	pinot	vins fins de garde
Toutes les AOC de bourgogne blanc	chardonnay	vins fins de garde
Beaujolais	gamay	vins de primeur ou de consommation rapide
Rhône Nord rouge	syrah	vins fins de garde
Rhône Nord blanc	marsanne, roussanne	garde variable
Rhône Nord blanc	viognier	vins fins de garde
Rhône Sud, Languedoc, Côtes de Provence	grenache, cinsault, mourvèdre, syrah	vins plantureux de moyenne ou petite garde
Alsace (chaque cépage, vinifié seul, donne son nom au vin)	riesling, pinot gris, gewurztraminer, sylvaner, muscat...	vins aromatiques à boire rapidement sauf les grands crus, vendanges tardives ou sélections de grains nobles
Champagne	pinot, chardonnay	à boire dès l'achat
Loire blanc	sauvignon	vins aromatiques à boire rapidement
Loire blanc	muscadet	à boire rapidement
Loire blanc	chenin	de longue garde
Loire rouge	cabernet franc (breton)	petite à grande garde
Toutes les AOC de Bordeaux rouges, bergerac et Sud-Ouest	cabernet-sauvignon, cabernet franc et merlot	vins fins de garde
Madiran	tannat, cabernets	vins fins de garde
Bordeaux blanc, bergerac, montravel, monbazillac, duras...	sémillon, sauvignon, muscadelle	secs : de petite à longue garde ; liquoreux : longue garde
Jurançon	petit manseng, gros manseng	secs : petite garde ; moelleux : longue garde

Déguster pour acheter

Lorsque l'on se rend dans le vignoble dans l'intention d'acheter du vin, il convient de déguster les échantillons proposés. Il s'agit alors de pratiquer des dégustations appréciatives et comparatives. Il est fort difficile de présumer de l'évolution d'un vin, d'évaluer leur période d'apogée. Les vignerons eux-mêmes se trompent parfois lorsqu'ils tentent d'imaginer l'avenir de leur vin. Quelques indices peuvent néanmoins fournir des éléments d'appréciation.

Pour se bonifier, les vins doivent être solidement construits. Ils doivent avoir un titre alcoométrique suffisant, et l'ont en fait toujours : la chaptalisation (ajout de sucre réglementé par la loi) y contribue si nécessaire ; il faut donc porter son attention ailleurs, sur l'acidité et les tanins. Un vin trop souple, qui peut être cependant très agréable, dont l'acidité est faible, voire trop faible, sera fragile, et sa longévité ne sera pas assurée. Un vin faible en tanins n'aura guère plus d'avenir. Dans le premier cas, le raisin aura souffert d'un excès de soleil et de chaleur, dans le second, d'un manque de maturité, d'attaques de pourriture ou encore d'une vinification inadaptée.

Ces deux constituants du vin, acidité et tanins, se mesurent : l'acidité s'évalue en équivalence d'acide sulfurique, en grammes par litre, à moins que l'on ne préfère le pH ; les tanins, selon l'indice de Folain, mais il s'agit là d'un travail de laboratoire. L'avenir d'un vin qui comporte moins de 3 g/l d'acidité n'est pas assuré. Quant à l'estimation du seuil de tanins en dessous duquel une longue garde est problématique, elle n'est pas rigoureuse. Cependant, la connaissance de cet indice est utile, car des tanins mûrs, doux, enrobés sont parfois sous-évalués ou ne se révèlent pas toujours à la dégustation.

Dans tous les cas, on dégustera le vin dans de bonnes conditions, sans se laisser influencer par l'atmosphère de la cave du vigneron. On évitera de le goûter au sortir d'un repas, après l'absorption d'eau-de-vie, de café, de chocolat ou de bonbons à la menthe, ou encore après avoir fumé. Si le vigneron propose des noix, méfiance, car elles améliorent tous les vins. Méfiance également à l'égard du fromage qui modifie la sensibilité du palais. Tout au plus mangera-t-on un morceau de pain, nature.

S'exercer à la dégustation

La dégustation s'apprend. On peut la pratiquer chez soi en suivant les principes énoncés ci-avant. On peut aussi, si l'on est passionné, suivre des stages, de plus en plus nombreux. On peut encore s'inscrire à des cycles d'initiation proposés par divers organismes privés : étude de la dégustation, étude de l'accord des mets et des vins, exploration par la dégustation des grandes régions de production françaises ou étrangères, analyse de l'influence des cépages, des millésimes, des sols, incidence des techniques de vinification, dégustations commentées en présence du propriétaire, etc.

LE SERVICE DES VINS

Si au restaurant, le service du vin est l'apanage du sommelier, cette lourde responsabilité revient au maître ou à la maîtresse de maison dans le cadre familial. Il faut choisir les bouteilles les mieux adaptées aux plats composant le repas et qui ont atteint leur apogée. Le goût de chacun intervient bien sûr dans le mariage des mets et des vins, mais des siècles d'expérience ont permis de dégager des principes généraux, des alliances idéales et des incompatibilités majeures.

Quand faut-il boire le vin ?

Un vin de garde connaît trois phases au cours de sa vie en bouteille et de sa conservation en cave : d'abord, une phase d'ascension qui traduit la maturation et l'amélioration du vin, puis une phase de plafonnement correspondant à la meilleure période de la vie du vin, à son point d'épanouissement optimal, c'est-à-dire à l'apogée, enfin une phase de récession révélatrice du déclin du vin.

Les vins évoluent de manière très différente. Selon leur appellation – et donc selon le cépage, le terroir et la vinification –, ils peuvent atteindre leur apogée après une garde plus ou moins longue : de un à vingt ans. La qualité du millésime influe aussi sur leur longévité : un vin de petit millésime peut évoluer deux ou trois fois plus rapidement. Néanmoins, il est possible d'évaluer le potentiel de garde des vins selon leur origine géographique. A chacun, ensuite, de la moduler en fonction des conditions de conservation dans sa cave et de sa connaissance des millésimes.

L'apogée (en années)

B = blanc ; R = rouge

Alsace (B) : dans l'année
Alsace grand cru (B) : 1-4
Alsace vendanges tardives (B) : 8-12
Jura (B) : 4 ; (R) : 8
Jura rosé : 6
Vin jaune (B) : 20
Savoie (B) : 1-2 ; (R) : 2-4
Bourgogne (B) : 5 ; (R) : 7
Grands bourgognes (B) : 8-10 ; (R) : 10-15
Mâcon (B) : 2-3 ; (R) : 1-2
Beaujolais (R) : dans l'année
Crus du Beaujolais (R) : 1-4
Vallée du Rhône Nord (B) : 2-3 ; (R) : 4-5
Côte-rôtie, hermitage, etc. (B) : 8 ; (R) : 8-15
Vallée du Rhône Sud (B) : 2 ; (R) : 4-8
Loire (B) : 1-5 ; (R) : 3-10
Loire moelleux, liquoreux (B) : 10-15
Vins du Périgord (B) : 2-3 ; (R) : 3-4
Vins du Périgord liquoreux (B) : 6-8
Bordeaux (B) : 2-3 ; (R) : 6-8
Grands bordeaux (B) : 4-10 ; (R) : 10-15
Bordeaux liquoreux (B) : 10-15
Jurançon sec (B) : 2-4
Jurançon moelleux, liquoreux (B) : 6-10
Madiran (R) : 5-12
Cahors (R) : 3-10
Gaillac (B) : 1-3 ; (R) : 2-4
Languedoc (B) : 1-2 ; (R) : 2-4
Côtes-de-provence (B) : 1-2 ; (R) : 2-4
Corse (B) : 1-2 ; (R) : 2-4

Remarque :
- Ne pas confondre l'apogée avec la longévité maximale.
- Une cave chaude ou à température variable accélère l'évolution.

Le règles du service

Rien ne doit être négligé depuis l'enlèvement de la bouteille en cave jusqu'au moment du service dans le verre. Plus un vin est âgé, plus il exige de soins. La bouteille sera prise sur pile et redressée lentement pour être amenée à table, à moins qu'on ne la dépose directement dans un panier verseur. Les vins de peu d'ambition seront servis de la façon la plus simple, tandis que les vins de grand âge, très fragiles, seront versés de la bouteille soigneusement déposée dans le panier, dans l'exacte position qu'elle occupait sur pile. Les vins jeunes comme les vins robustes seront décantés, soit pour les aérer parce qu'ils contiennent encore quelques traces de gaz, souvenir de leur fermentation, soit pour amorcer une oxydation bénéfique pour la dégustation, ou encore pour isoler le vin clair des sédiments déposés au fond de la bouteille. Dans ce cas, le vin sera transvasé avec soin et on le versera devant une source lumineuse, traditionnellement une bougie (habitude qui date d'avant l'éclairage électrique et qui n'apporte aucun avantage) pour laisser dans la bouteille le vin trouble et les matières solides.

Quand déboucher, quand servir ?

Selon le professeur Émile Peynaud, il est inutile d'ôter le bouchon longtemps avant de consommer le vin, la surface en contact avec l'air (le goulot et la bouteille) étant trop petite. Cependant, le tableau ci-dessous résume des usages qui, s'ils n'améliorent pas systématiquement le vin, ne l'abîment jamais.

Vins blancs aromatiques Vins de primeur rouges et blancs Vins courants rouges et blancs Vins rosés	Déboucher, boire sans délai. Bouteille verticale.
Vins blancs de la Loire Vins blancs liquoreux	Déboucher, attendre une heure. Bouteille verticale.
Vins rouges jeunes Vins rouges à leur apogée	Décanter une demi-heure à deux heures avant consommation.
Vins rouges anciens fragiles	Déboucher en panier verseur et servir sans délai ; éventuellement décanter et consommer tout de suite.

Déboucher

La capsule doit être coupée en dessous de la bague ou au milieu. Le vin ne doit pas entrer en contact avec le métal de la capsule. Dans le cas où le goulot est ciré, donner de petits coups afin d'écailler la cire ou, mieux, enlever la cire avec un couteau sur la partie supérieure du col, cette méthode ayant l'avantage de ne pas ébranler la bouteille et le vin.

Pour extraire le bouchon, seul le tire-bouchon à vis en queue de cochon donne satisfaction (avec le tire-bouchon à lames, d'un maniement délicat). Théoriquement, le bouchon ne doit pas être transpercé. Une fois extrait, le humer : il ne doit présenter aucune odeur parasite et ne pas sentir le liège (goût de bouchon). Ensuite, goûter le vin pour une ultime vérification avant de le servir aux convives.

A quelle température ?

On peut tuer un vin en le servant à une température inadéquate ou, au contraire, l'exalter en le servant à la température appropriée. On vérifie la température de service à l'aide d'un thermomètre à vin, de poche si l'on va au restaurant ou à plonger dans la bouteille lorsque l'on opère chez soi. Celle-ci dépend du type de vin, de son âge et, dans une moindre mesure, de la température ambiante. On n'oubliera pas que le vin se réchauffe dans le verre.

Grands vins rouges de Bordeaux à leur apogée	16-17 °C
Grands vins rouges de Bourgogne à leur apogée	15-16 °C
Vins rouges de qualité, grands vins rouges avant leur apogée	14-16 °C
Grands vins blancs secs	14-16 °C
Vins rouges légers, fruités, jeunes	11-12 °C
Vins rosés, vins de primeur	10-12 °C
Vins blancs secs vifs et légers	10-12 °C
Champagne, vins effervescents	7-8 °C
Vins liquoreux	6 °C

Ces températures doivent être augmentées d'un ou deux degrés lorsque le vin est vieux.
On a tendance à servir légèrement plus frais les vins destinés à l'apéritif et à boire les vins de repas légèrement chambrés. On tiendra compte du climat de la région ou de la température qui règne dans la pièce : sous un climat torride, un vin bu à 11 °C paraîtra glacé, il conviendra donc de le porter à 13 ou 14 °C. Néanmoins, on se gardera de dépasser 20 °C car, au-delà, des phénomènes physico-chimiques altèrent les qualités du vin et le plaisir qu'on peut en attendre.

Les verres

À chaque région correspond un type de verre. Dans la pratique, à moins de tomber dans un purisme excessif, on se contentera soit d'un verre universel (de style verre à dégustation), soit des deux types les plus usités, le verre à bordeaux et le verre à bourgogne. Quel que soit le verre choisi, il sera rempli modérément, plus près du tiers que de la moitié. Lavé à l'eau claire ou légèrement savonneuse, il sera bien rincé et séché à l'air libre, tête en bas.

Bourgogne Alsace Bordeaux INAO Champagne

Au restaurant

Le sommelier s'occupe de la bouteille, hume le bouchon, puis fait goûter le vin à celui qui l'a commandé. Auparavant il aura suggéré des vins en fonction des mets. La lecture de la carte des vins est instructive : elle dévoile non seulement les secrets de la cave, mais aussi éclaire sur les compétences du sommelier, du caviste ou du restaurateur. Une carte correcte doit impérativement comporter, pour chaque vin, les informations suivantes : appellation, millésime, lieu de la mise en bouteille, nom du négociant ou du propriétaire, auteur et responsable du vin. Ce dernier point est malheureusement très souvent omis.
Une belle carte doit présenter un large éventail d'appellations et de millésimes (nombre de restaurateurs ont la fâcheuse habitude de toujours proposer les petites années). Intelligente, elle sera adaptée à la gastronomie de l'établissement ou fera la part belle aux vins régionaux. Il est parfois proposé une cuvée du patron : vin agréable, généralement sans appellation d'origine.

Dans les bistrots à vin

Apparus dans les années 1970, les bistrots à vin ou bars à vin vendent au verre des vins de qualité, bien souvent de propriétaires, sélectionnés par le patron lui-même au cours de ses visites dans les vignobles. La mise au point d'un appareil protégeant le vin dans les bouteilles ouvertes par une couche d'azote – le *cruover* – leur a permis de proposer de grands vins de millésimes prestigieux. Des assiettes de charcuteries et de fromages sont souvent proposées aux clients en accompagnement, mais une restauration moins rudimentaire a complété leurs cartes.

LES MILLÉSIMES

Tous les vins de qualité sont millésimés à l'exception des vins de liqueur, de certains champagnes et vins doux naturels élaborés par assemblage de plusieurs années. Dans ce cas, la qualité du produit dépend du talent de l'assembleur ; généralement le vin assemblé est supérieur à chacun de ses composants, mais il est déconseillé de faire vieillir ces bouteilles.

Qu'est-ce qu'un grand millésime ?

Un vin né d'un grand millésime se révèle concentré et équilibré. Il est généralement issu, mais pas obligatoirement, de faibles rendements et de vendanges précoces. Dans tous les cas, il a été élaboré à partir de raisins parfaitement sains, exempts de pourriture.

Peu importe les conditions météorologiques qui ont marqué le début du cycle végétatif : on peut même soutenir que quelques mésaventures, telles que gel ou coulure (chute de jeunes baies avant maturation) sont favorables puisqu'elles diminuent le nombre de grappes par pied. En revanche, la période qui s'étend du 15 août aux vendanges de la fin septembre est capitale : un maximum de chaleur et de soleil est alors nécessaire. 1961 demeure la grande année du XXᵉ siècle. *A contrario*, les années 1963, 1965 et 1968 furent désastreuses, parce qu'elles cumulèrent froid et pluie, d'où l'absence de maturité et un fort rendement de raisins gorgés d'eau. Pluie et chaleur ne valent guère mieux, car l'eau tiédie favorise la pourriture ; 1976, le grand millésime potentiel du Sud-Ouest, en a pâti. Quant à la canicule de 2003, elle a parfois grillé le raisin et produit des vins lourds.

Les traitements phytosanitaires et fongicides (notamment contre le ver de la grappe et le développement de la pourriture) permettent d'attendre une pleine maturité pour vendanger et de récolter des raisins de qualité malgré des conditions climatiques difficiles. Dès 1978, on a pu enregistrer d'excellents millésimes vendangés tardivement.

Il est d'usage de résumer la qualité des millésimes dans des tableaux de cotation. Ces notes ne représentent que des moyennes : elles ne prennent pas en compte les microclimats, pas plus que les efforts héroïques de tris de raisins à la vendange ou les sélections forcenées des vins en cuve. Le vin de Graves, Domaine de Chevalier 1965 – millésime par ailleurs épouvantable – démontre que l'on peut élaborer un grand vin dans une année cotée zéro.

Propositions de cotation (de 0 à 20)

	Alsace	Beaujolais	Bordeaux rouge	Bordeaux liquoreux	Bordeaux sec	Bourgogne rouge	Bourgogne blanc	Champagne	Jura (vin jaune)	Languedoc-Roussillon	Provence rouge	Sud-Ouest rouge	Sud-Ouest blanc liquoreux	Loire rouge	Loire blanc liquoreux	Rhône (nord)	Rhône (sud)
1945	20		20	20	18	20	18	20					19				
1946	9		14	9	10	10	13	10					12				
1947	17		18	20	18	18	18	18					20				
1948	15		16	16	16	10	14	11					12				
1949	19		19	20	18	20	18	17					16				
1950	14		13	18	16	11	19	16					14				
1951	8		8	6	6	7	6	7					7				
1952	14		16	16	16	16	18	16					15				
1953	18		19	17	16	18	17	17					18				
1954	9	9	10			14	11	15					9				
1955	17	13	16	19	18	15	18	19					16				
1956	9	6	5										9				
1957	13	11	10	15		14	15						13				
1958	12	7	11	14		10	9						12				
1959	20	13	19	20	18	19	17	17					19				
1960	12	5	11	10	10	10	7	14					9				
1961	19	16	20	15	16	18	17	16					16				

	Alsace	Beaujolais	Bordeaux rouge	Bordeaux liquoreux	Bordeaux sec	Bourgogne rouge	Bourgogne blanc	Champagne	Jura (vin jaune)	Languedoc-Roussillon	Provence rouge	Sud-Ouest rouge	Sud-Ouest blanc liquoreux	Loire rouge	Loire blanc liquoreux	Rhône (nord)	Rhône (sud)
1962	14	13	16	16	16	17	19	17					15				
1963		6					10										
1964	18	8	16	9	13	16	17	18					16				
1965					12								8				
1966	12	11	17	15	16	18	18	17					15				
1967	14	13	14	18	16	15	16						13				
1968																	
1969	16	14	10	13	12	19	18	16					15				
1970	14	13	17	17	18	15	15	17					15				
1971	18	15	16	17	19	18	20	16					17				
1972	9	6	10		9	11	13						9				
1973	16	7	13	12		12	16	16					16				
1974	13	8	11	14		12	13	8					11				
1975	15	7	18	17	18		11	18					15				
1976	19	16	15	19	16	18	15	15					18				
1977	12	9	12	7	14	11	12	9					11				
1978	15	12	17	14	17	19	17	16					17				
1979	16	13	16	18	18	15	16	15					14				
1980	10	10	13	17	18	12	12	14					13			15	
1981	17	14	16	16	17	14	15	15					15				
1982	15	12	18	14	16	14	16	16			17	17	15	14		14	15
1983	20	17	17	17	16	15	16	15	16			16	18	12		16	16
1984	15	11	13	13	12	13	14	5		7		10		10		13	15
1985	19	16	18	15	14	17	17	17	17	18	17	17	17	16	16	17	16
1986	10	15	17	17	12	12	15	9	17	15	16	16	16	13	14	15	13
1987	13	14	13	11	16	12	11	10	16	14	14	14		13		16	12
1988	17	15	16	19	18	16	14	18	16	17	17	18	18	16	18	17	15
1989	16	16	18	19	18	16	18	16	17	16	16	17	17	20	19	18	16
1990	18	14	18	20	17	18	16	18	18	17	16	16	18	17	20	19	19
1991	13	15	13	14	13	14	15	11		14	13	14		12	9	15	13
1992	12	9	12	10	14	15	17	12		13	9	9		14		12	11
1993	13	11	13	8	15	14	13	12		14	11	14	14	13	12	11	14
1994	12	14	14	14	17	14	16	12		12	10	14	15	14	12	14	11
1995	12	16	16	18	17	14	16	16	17	15	15	15	16	17	17	15	16
1996	12	14	15	18	16	17	18	19	18	13	14	14	13	17	17	15	13
1997	13	13	14	18	14	14	17	15	16	13	13	13	16	16	16	14	13
1998	13	13	15	16	14	15	15	13	14	17	16	16	13	14		18	15
1999	10	11	14	17	13	13	12	15	17	15	16	14	10	12	10	16	14
2000	12	12	18	10	16	11	15	15	16	16	14	14	13	16	13	17	15
2001	13	11	15	17	16	13	16	9		16	14	16	118	13	16	17	11
2002	10	10	14	18	16	17	17	17	14	12	11	15	14	14	10	8	9
2003	12	15	15	18	13	17	18	14	17	15	13	14	17	15	17	16	14

Les zones cernées d'un trait épais indiquent les vins d'AOC communales à mettre en cave.

Quels millésimes boire maintenant ?

Les vins évoluent différemment selon qu'ils sont nés d'une année maussade ou ensoleillée, mais aussi selon leur appellation, leur hiérarchie au sein de cette appellation, leur vinification, leur élevage ; la qualité et la durée de leur vieillissement dépend également de la cave où ils sont entreposés. Le tableau de cotation des millésimes concerne des vins de bonne facture, à leur apogée ; il n'intègre pas l'évolution actuelle des millésimes anciens. Il ne prend en compte ni les vins ni les cuvées exceptionnels.

LA CUISINE AU VIN

La cuisine au vin ne date pas d'aujourd'hui. Au Ier s. av. J.-C., Apicius donne la recette du porcelet à la sauce au vin (il s'agissait de vin de paille). Pourquoi user du vin en cuisine ? Pour les saveurs qu'il apporte et pour les vertus digestives qu'il ajoute aux plats grâce à la glycérine et aux tanins. En outre, l'alcool disparaît presque totalement à la cuisson.

On pourrait retracer une histoire de la cuisine à travers le vin. Les marinades ont été inventées pour conserver des pièces de viande ; aujourd'hui on les perpétue pour l'apport d'éléments sapides. La cuisson, donc la réduction des marinades, est à l'origine des sauces. En cuisant la viande avec la marinade, on a inventé les civets et les daubes.

Quelques conseils

- Inutile de gaspiller de vieux millésimes pour la cuisine.
- Ne jamais user en cuisine de vins ordinaires ou de vins trop légers.
- Boire avec le plat le vin de cuisson ou de la même origine.

LE VINAIGRE DE VIN

Vins et vinaigres jouent chacun leur partie dans l'orchestre des saveurs dont l'homme se régale. Jeter des fonds de bouteilles de qualité serait regrettable. Le vinaigrier est là pour les accueillir. Il s'agit d'un récipient de 3 à 5 l en bois ou, mieux, en terre vernissée, généralement muni d'un robinet. L'acidité du vinaigre est un révélateur. Pour contenir ses ardeurs, le gourmet a inventé le vinaigre aromatisé : ail, échalote, petits oignons, estragon, graines de moutarde, grains de poivre, clous de girofle, fleurs de sureau, de capucine, pétales de roses, laurier, thym, etc.

Quelques conseils

- Ne jamais déposer un vinaigrier dans une cave, au risque de gâter les bouteilles de vin.
- Placer le vinaigrier dans un lieu tempéré (20 °C).
- Éliminer du vinaigrier la mère du vinaigre (masse visqueuse).
- Ne jamais le boucher hermétiquement car l'air contribue à la vie des bactéries acétiques qui transforment l'alcool du vin en acide acétique.
- Le vinaigrier doit vivre. Chaque fois que l'on retire du vinaigre, ajouter un volume équivalent de vin. Un vinaigre laissé en souffrance

dans un vinaigrier plus de deux ou trois mois (maximum) n'est plus qu'acétique. Il perd son goût de vin, il n'a plus d'intérêt.

- Ne jamais introduire dans le vinaigrier de vin sans origine.
- Ne jamais placer les aromates dans le vinaigrier. Il faut extraire le vinaigre du vinaigrier et conserver le vinaigre aromatisé dans un autre récipient, de préférence hermétique.

PAIN ET VIN : LES BONS COMPAGNONS

Le sait-on ? Ce sont les mêmes procédés de fermentation qui transforment le raisin en vin et le blé ou le seigle en pain. Lien naturel, lien culturel aussi. Car si la culture des céréales a précédé celle de la vigne en Mésopotamie, 8 000 ans avant notre ère, une longue histoire unit, depuis la préhistoire, le pain et le vin, à la fois aliments de base, offrandes et symboles sacrés. Les Égyptiens, puis les Grecs ont parfait la fabrication du pain au levain comme l'art de la vinification. Dans les banquets, pain et vin font honneur aux hôtes, et l'auteur Athénée, au IIIe s. apr. J.-C., conseille de ne jamais boire sans pain afin de garder tous ses sens.

Dans le monde et tout particulièrement en France, la diversité des pains n'a d'égale que celle des vins. Une richesse régionale que certains boulangers ont remis à l'honneur à partir des années 1970. Lassés du pain noir des temps de guerre, puis d'un pain blanc sans saveur, les consommateurs ont redécouvert le goût du pain d'antan grâce au travail et au savoir-faire de quelques artisans passionnés. Créée à Paris en 1932, la maison Poilâne n'a ainsi jamais renoncé à la fabrication traditionnelle de son pain au levain, référence d'un pain de qualité. Lorsque l'on déguste un vin, quel meilleur compagnon qu'un morceau de bon pain qui laisse les papilles en éveil ?

LES METS ET LES VINS

Rien n'est plus difficile que de trouver « le » vin idéal pour accompagner un plat. D'ailleurs, peut-il y avoir un vin idéal ? Au chapitre du mariage des mets et des vins, la monogamie n'a pas de place ; il faut profiter de l'extrême variété des vins français et faire des expériences : une bonne cave permet par approximations successives d'approcher de la vérité…

HORS-D'ŒUVRE, ENTREES

Anchoïade
- côtes du roussillon rosé
- coteaux d'aix-en-provence rosé
- alsace sylvaner

Artichauts barigoule
- coteaux d'aix-en-provence rosé
- rosé de loire
- bordeaux rosé

Asperges sauce mousseline
- alsace muscat

Avocat
- champagne
- bugey blanc
- bordeaux sec

Cuisses de grenouille
- corbières blanc
- touraine sauvignon
- entre-deux-mers

Escargots à la bourguignonne
- bourgogne aligoté
- alsace riesling
- touraine sauvignon

Foie gras au naturel
- barsac
- corton-charlemagne
- listrac
- banyuls rimage

Foie gras en brioche
- alsace tokay grains nobles
- montrachet
- pécharmant

Foie gras grillé
- jurançon
- graves rouge

Poivrons rouges grillés vinaigrette
- clairette de bellegarde
- muscadet
- mâcon Lugny blanc

Salade niçoise
- coteaux d'aix-en-provence rosé

Salade de soja
- alsace tokay
- clairette du languedoc
- muscadet

CHARCUTERIE

Jambon braisé
- alsace tokay
- côtes du rhône rouge
- côtes du roussillon rosé

Jambon persillé
- chassagne-montrachet blanc
- coteaux du tricastin rouge
- beaujolais rouge

Jambon de Bayonne
- côtes du rhône-villages
- bordeaux clairet
- corbières rosé

Jambon de sanglier fumé
- côtes de saint-mont rouge
- bandol rouge
- sancerre blanc

Pâté de lièvre
- côtes de duras rouge
- saumur-champigny
- moulin à vent

Rillettes
- bourgogne rouge
- alsace pinot noir
- touraine gamay

Rillons
- touraine cabernet
- beaujolais-villages
- rosé de loire

Saucisson
- côtes du rhône-villages
- beaujolais
- côtes du roussillon rosé

Terrine de foie blond
- meursault-charmes
- saint-nicolas de bourgueil
- morgon

COQUILLAGE ET CRUSTACES

Bouquet mayonnaise
- bourgogne blanc
- alsace riesling
- haut-poitou sauvignon

Brochettes de Saint-Jacques
- graves blanc
- alsace sylvaner
- beaujolais-villages rouge

Calmars farcis
- mâcon-villages
- premières côtes de bordeaux
- gaillac rosé

Cassolette de moules aux épinards
- muscadet
- bourgogne aligoté bouzeron
- coteaux champenois blanc

Clovisses au gratin
- pacherenc du vic-bilh
- rully blanc
- beaujolais blanc

Cocktail de crabe
- jurançon sec
- fiefs vendéens blanc
- bordeaux sec sauvignon

Ecrevisses à la nage
- sancerre blanc
- côtes du rhône blanc
- gaillac blanc

Homard à l'américaine
- arbois jaune
- juliénas

Homard grillé
- hermitage blanc
- pouilly-fuissé
- savennières

Huîtres de Marennes
- muscadet
- bourgogne aligoté
- alsace sylvaner
- chablis
- beaujolais primeur rouge

Huîtres au champagne
- bourgogne hautes-côtes de nuits blanc
- coteaux champenois blanc
- rousette de savoie

Langouste mayonnaise
- patrimonio blanc
- alsace riesling
- vin de savoie Apremont

Langoustines au cognac
- chablis premier cru
- graves blanc
- muscadet sèvre-et-maine

Mouclade des Charentes
- saint-véran
- bergerac sec
- haut-poitou chardonnay

Moules (crues) de Bouzigues
- coteaux du languedoc blanc
- muscadet sèvre-et-maine
- coteaux d'aix-en-provence blanc

Moules marinières
- bourgogne blanc
- alsace pinot
- bordeaux sec sauvignon

Palourdes farcies
- graves blanc
- montagny
- anjou blanc

Plateau de fruits de mer
- chablis
- muscadet
- alsace sylvaner

Salade de coquillages au concombre
- graves blanc
- muscadet
- alsace klevner

POISSONS

Anguille poêlée persillade
- corbières rosé
- gros plant du pays nantais
- blaye blanc

Alose à l'oseille
- anjou blanc
- rosé de loire
- haut-poitou chardonnay

Bar (loup) grillé
- auxey-duresses blanc
- bellet blanc
- bergerac sec

Barbue à la dieppoise
- graves blanc
- puligny-montrachet
- coteaux du languedoc blanc

Barquettes girondines
- bâtard-montrachet
- graves supérieurs
- quincy

Baudroie en gigot de mer
- mâcon-villages
- châteauneuf-du-pape blanc
- bandol rosé

Bouillabaisse
- côtes du roussillon blanc
- côteaux d'aix-en-provence blanc
- muscadet des coteaux de la loire

Bourride
- coteaux d'aix-en-provence rosé
- rosé de loire
- bordeaux rosé

Brandade
- haut-poitou rosé
- bandol rosé
- corbières rosé

Carpe farcie
- montagny
- touraine azay-le-rideau blanc
- alsace pinot

Colin froid mayonnaise
- pouilly-fuissé
- vin de savoie Chignin bergeron
- alsace klevner

Coquilles de poissons
- saint-aubin blanc
- saumur sec blanc
- crozes-hermitage blanc

Darnes de saumon grillées
- chassagne-montrachet blanc
- cahors
- côtes du rhône rosé

Filets de sole bonne femme
- graves blanc
- chablis grand cru
- sancerre blanc

Feuilleté de blanc de turbot
- chevalier-montrachet
- crozes-hermitage blanc

Gravettes d'Arcachon à la bordelaise
- graves blanc
- bordeaux sec
- jurançon sec

Koulibiak de saumon
- pouilly-vinzelles
- graves blanc
- rosé de loire

Lamproie à la bordelaise
- graves rouges
- bergerac rouge
- bordeaux rosé

Lisettes au vin blanc
- alsace sylvaner
- haut-poitou sauvignon
- quincy

Matelote de l'Ill
- chablis premier cru
- arbois blanc
- alsace riesling

Merlan en colère
- alsace gutedel
- entre-deux-mers
- seyssel

Morue à l'aïoli
- coteaux d'aix-en-provence rosé
- bordeaux rosé
- haut-poitou rosé

Morue grillée
- gros plant du pays nantais
- rosé de loire
- coteaux d'aix-en-provence rosé

Œufs de saumon
- haut-poitou rosé
- graves rouge
- côtes du rhône rouge

Petite friture
- beaujolais blanc
- béarn blanc
- fiefs vendéens blanc

Petits rougets grillés
- chassagne-montrachet blanc
- hermitage blanc
- bergerac

Pochouse
- meursault
- l'étoile
- mâcon-villages

Quenelle de brochet lyonnaise
- montrachet
- pouilly-vinzelles
- beaujolais-villages rouge

Rouille sétoise
- clairette du languedoc
- côtes du roussillon rosé
- rosé de loire

Sandre au beurre blanc
- muscadet
- saumur blanc
- saint-joseph blanc

Sardines grillées
- clairette de bellegarde
- jurançon sec
- bourgogne aligoté

Saumon fumé
- puligny-montrachet premier cru
- pouilly-fumé
- bordeaux sec sauvignon

Sole meunière
- meursault blanc
- alsace riesling
- entre-deux-mers

Soufflé Nantua
- bâtard-montrachet
- crozes-hermitage blanc
- bergerac sec

Thon rouge aux oignons
- coteaux d'aix blanc
- coteaux du languedoc blanc
- côtes de duras sauvignon

Thon (germon) basquaise
- graves blanc
- pacherenc de vic-bilh
- gaillac blanc

Tourteau farci
- premières côtes de bordeaux blanc
- bourgogne blanc
- muscadet

Truite aux amandes
- chassagne-montrachet blanc
- alsace klevner
- côtes du roussillon

Turbot sauce hollandaise
- graves blanc
- saumur blanc
- hermitage blanc

VIANDES ROUGES ET BLANCHES

Agneau

BARON D'AGNEAU AU FOUR
- haut-médoc
- vin de savoie-mondeuse
- minervois

CARRE D'AGNEAU MARLY
- saint-julien
- ajaccio
- coteaux du lyonnais

EPAULE D'AGNEAU BOULANGERE
- hermitage rouge
- côtes de bourg rouge
- moulin à vent

FILET D'AGNEAU EN CROUTE
- pomerol
- mercurey
- coteaux du tricastin

RAGOUT D'AGNEAU AU THYM
- châteauneuf-du-pape rouge
- saint-chinian
- fleurie

SAUTE D'AGNEAU PROVENÇAL
- gigondas
- côtes de provence rouge
- bourgogne passetoutgrain rouge

SELLE D'AGNEAU AUX HERBES
- vin de corse rouge
- côtes du rhône rouge
- coteaux du giennois rouge

Mouton

CURRY DE MOUTON
- montagne saint-émilion
- alsace tokay
- côtes du rhône

DAUBE DE MOUTON
- patrimonio rouge
- côtes du rhône-villages rouge
- morgon

GIGOT À LA FICELLE
- morey-saint-denis
- saint-émilion
- côte de provence rouge

GIGOT FROID MAYONNAISE
- saint-aubin blanc
- bordeaux rouge
- entre-deux-mers

MOUTON EN CARBONADE
- graves de vayres rouge
- fitou
- crozes-hermitage rouge

NAVARIN
- anjou rouge
- bordeaux côtes-de-francs rouge
- bourgogne marsannay rouge

POITRINE DE MOUTON FARCIE
- côtes du jura rouge
- graves rouge
- haut-poitou gamay

Bœuf

BŒUF BOURGUIGNON
- rully rouge
- saumur rouge
- côte du marmandais rouge

CHATEAUBRIAND
- margaux
- alsace pinot
- coteaux du tricastin

DAUBE
- buzet rouge
- côtes du vivarais rouge
- arbois rouge

ENTRECOTE BORDELAISE
- saint-julien
- saint-joseph rouge
- côtes du roussillon-villages

FILET DE BŒUF DUCHESSE
- côte rôtie
- gigondas
- graves rouge

FONDUE BOURGUIGNONNE
- bordeaux rouge
- côtes du ventoux rouge
- bourgogne rosé

GARDIANE
- lirac rouge
- côtes du luberon rouge
- costières de nîmes rouge

POT-AU-FEU
- anjou rouge
- bordeaux rouge
- beaujolais rouge

ROSBIF CHAUD
- moulis
- aloxe-corton
- côtes du rhône rouge

ROSBIF FROID
- madiran
- beaune rouge
- cahors

STEACK MAÎTRE D'HÔTEL
- bergerac rouge
- arbois rosé
- chénas

TOURNEDOS BEARNAISE
- listrac
- saint-aubin rouge
- touraine amboise rouge

Porc

ANDOUILLETTE A LA CREME
- touraine blanc
- bourgogne blanc
- saint-joseph blanc

ANDOUILLETTE GRILLEE
- coteaux champenois blanc
- petit chablis
- beaujolais rouge

BAECKEOFFE
- alsace riesling
- alsace sylvaner

CASSOULET
- côtes du frontonnais rouge
- minervois rouge
- bergerac rouge

CHOU FARCI
- côtes du rhône rouge
- touraine gamay
- bordeaux sec sauvignon

CHOUCROUTE
- alsace riesling
- alsace sylvaner

COCHON DE LAIT EN GELEE
- graves de vayres blanc
- costières du gard rosé
- beaujolais-villages rouge

CONFIT
- tursan rouge
- corbières rouge
- cahors

COTE DE PORC CHARCUTIERE
- bourgogne blanc
- côtes d'auvergne rouge
- bordeaux clairet

PALETTE AU SAUVIGNON
- bergerac sec
- menetou-salon
- bordeaux rosé

POTEE
- côtes du luberon
- côte de brouilly
- bourgogne aligoté

ROTI DE PORC A LA SAUGE
- rully blanc
- côtes du rhône rouge
- minervois rosé

ROTI DE PORC FROID
- bourgogne blanc
- lirac rouge
- bordeaux sec

SAUCISSE DE TOULOUSE GRILLEE
- saint-joseph ou bergerac rouges
- côtes du frontonnais rosé

Veau

Brochettes de rognons
- cornas
- beaujolais-villages
- coteaux du languedoc rosé

Blanquette de veau à l'ancienne
- arbois blanc
- alsace grand cru riesling
- côtes de provence rosé

Cote de veau grillee
- côtes du rhône rouge
- anjou blanc
- bourgogne rosé

Escalope panee
- côtes du jura blanc
- corbières blanc
- côtes du ventoux rouge

Foie de veau a l'anglaise
- médoc
- coteaux d'aix-en-provence rouge
- haut-poitou rosé

Noix de veau braisee
- mâcon-villages blanc
- côtes de duras rouge
- brouilly

Paupiettes de veau
- anjou gamay
- minervois rosé
- costières de nîmes blanc

Ris de veau aux langoustines
- graves blanc
- alsace tokay
- bordeaux rosé

Rognons sautes au vin jaune
- arbois blanc
- gaillac vin de voile
- bourgogne aligoté

Rognons de veau a la moelle
- saint-émilion
- saumur-champigny
- coteaux d'aix-en-provence rosé

Veau Marengo
- côtes de duras merlot
- alsace klevner
- coteaux du tricastin rosé

Veau Orloff
- chassagne-montrachet blanc
- chiroubles
- lirac rosé

VOLAILLES ET LAPIN

Barbarie aux olives
- vin de savoie-mondeuse
- canon-fronsac
- anjou cabernet rouge

Brochettes de cœurs de canard
- saint-georges-saint-émilion
- chinon
- côtes du rhône-villages

Canard a l'orange
- côtes du jura jaune
- cahors
- graves rouge

Canard farci
- saint-émilion grand cru
- bandol rouge
- buzet rouge

Canard aux navets
- puisseguin saint-émilion
- saumur-champigny
- coteaux d'aix-en-provence rouge

Canette aux peches
- banyuls
- chinon rouge
- graves rouge

Chapon roti
- bourgogne blanc
- touraine-mesland
- côtes du rhône rosé

Coq au vin rouge
- ladoix
- côte de beaune
- châteauneuf-du-pape rouge
- touraine cabernet

Curry de poulet
- montagne saint-émilion
- alsace tokay
- côtes du rhône

Dinde aux marrons
- saint-joseph rouge
- sancerre rouge
- meursault blanc

Dindonneau a la broche
- monthélie
- graves blanc
- châteaumeillant rosé

Escalopes de dinde au roquefort
- côtes du jura blanc
- bourgogne aligoté
- coteaux d'aix-en-provence rosé

Fricassee de lapin
- touraine rosé
- côtes de blaye blanc
- beaujolais-villages rouge

Lapin roti a la moutarde
- sancerre rouge
- tavel
- côtes de provence blanc

Magret au poivre vert
- saint-joseph rouge
- bourgueil rouge
- bergerac rouge

Oie farcie
- anjou cabernet rouge
- côtes du marmandais rouge
- beaujolais-villages

Pigeonneaux a la printaniere
- crozes-hermitage rouge
- bordeaux rouge
- touraine gamay

Pintadeau a l'armagnac
- saint-estèphe
- chassagne-montrachet rouge
- fleurie

Poularde demi-deuil
- chevalier-montrachet
- arbois blanc
- juliénas

Poularde en croute de sel
- listrac
- mâcon-villages blanc
- côtes du rhône rouge

Poulet au riesling
- alsace grand cru riesling
- touraine sauvignon
- côtes du rhône rosé

Poulet basquaise
- côtes de duras sauvignon
- bordeaux sec
- coteaux du languedoc rosé

Poulet saute aux morilles
- savigny-lès-beaune rouge
- arbois blanc
- sancerre blanc

Poussin de la Wantzenau
- côtes de toul gris
- alsace gutedel
- beaujolais

GIBIER

Becasse flambee
- pauillac
- musigny
- hermitage

Brochette de mauviettes
- pernand-vergelesses rouge
- pomerol
- côtes du ventoux rouge

Civet de lievre
- canon-fronsac
- bonnes-mares
- minervois rouge

Cotelettes de chevreuil conti
- lalande de pomerol
- côtes de beaune rouge
- crozes-hermitage rouge

Cuissot de sanglier sauce venaison
- chambertin
- montagne saint-émilion
- corbières rouge

Faisan en chartreuse
- moulis
- pommard
- saint-nicolas de bourgueil

Filet de sanglier bordelaise
- pomerol
- bandol
- gigondas

Gigue de chevreuil grand veneur
- hermitage rouge
- corton rouge
- côtes du roussillon rouge

Grives au genievre
- échézeaux
- coteaux du tricastin rouge
- chénas

Halbran roti
- saint-émilion grand cru
- côte rotie
- faugères

Jambon de sanglier braise
- fronsac
- châteauneuf-du-pape rouge
- moulin à vent

Lapereau roti
- auxey-duresses rouge
- puisseguin saint-émilion
- crozes-hermitage rouge

Lievre a la royale
- saint-joseph rouge
- volnay
- pécharmant

Merles a la facon corse
- ajaccio rouge
- côtes de provence rouge
- coteaux du languedoc rouge

Perdreau roti
- haut-médoc
- vosne-romanée
- bourgueil

Perdrix aux choux
- bourgogne irancy
- arbois rosé
- cornas

Perdrix a la catalane
- maury
- côtes du roussillon rouge
- beaujolais-villages

Rable de lievre au genievre
- chambolle musigny
- savoie-mondeuse
- saint-chinian

Salmis de colvert
- côte rôtie
- chinon rouge
- bordeaux supérieur

Salmis de palombe
- saint-julien
- côte de nuits-villages
- patrimonio

LEGUMES

Beignets d'aubergines
- bourgogne rouge
- beaujolais rouge
- bordeaux sec

Celeri braise
- côtes du ventoux rouge
- alsace pinot noir
- touraine sauvignon

Champignons
- beaune blanc
- alsace tokay
- coteaux de giennois rouge

Gratin dauphinois
- bordeaux côtes de castillon
- châteauneuf-du-pape blanc
- alsace riesling

Grisets sautes persillade
- beaune blanc
- alsace tokay
- coteaux du giennois rouge

Haricots verts
- côte de beaune blanc
- sancerre blanc
- entre-deux-mers

Pates
- côtes du rhône rouge
- coteaux d'aix rosé

Petits pois
- saint-romain blanc
- côtes du jura blanc
- touraine sauvignon

Pois gourmands
- graves blanc
- côtes du rhône rouge
- alsace riesling

Poivrons farcis
- mâcon-villages
- côtes du rhône rosé
- alsace tokay

FROMAGES

Au lait de vache

Beaufort
- arbois jaune
- meursault
- vin de savoie Chignin bergeron

Bleu d'Auvergne
- côtes de bergerac moelleux
- beaujolais
- touraine sauvignon

Bleu de Bresse
- côtes du jura blanc
- mâcon rouge
- côtes de bergerac blanc

Brie
- beaune rouge
- alsace pinot noir
- coteaux du languedoc rouge

Camembert
- bandol rouge
- côtes du roussillon-villages
- beaujolais-villages

Cantal
- coteaux du vivarais rouge
- côtes de provence rosé
- lirac blanc

Carre de l'Est
- saint-joseph rouge
- coteaux d'aix-en-provence rouge
- brouilly

Carre frais
- cahors
- côtes du roussillon rosé
- côtes du rhône blanc

Chaource
- montagne saint-émilion
- cadillac
- chénas

Citeaux
- aloxe-corton
- coteaux champenois rouge
- fleurie

Comte
- château-chalon, graves blanc
- côtes du luberon blanc

Edam demi-etuve
- pauillac
- fixin
- costières de nîmes rouge

Epoisses
- savigny
- côtes du jura rouge
- côte de brouilly

Fourme d'Ambert
- l'étoile vin jaune
- cérons
- banyuls rimage

Gouda demi-etuve
- saint-estèphe
- chinon
- coteaux du tricastin

Livarot
- bonnezeaux
- sainte-croix-du-mont
- alsace gewurztraminer

Maroilles
- jurançon
- alsace gewurztraminer vendanges tardives

Mimolette demi-etuve
- graves rouge
- santenay
- côtes du rhône rouge

Morbier
- gevrey-chambertin
- madiran
- côtes du ventoux rouge

Munster
- coteaux du layon-villages
- loupiac
- alsace gewurztraminer

Pate fondue (fromages a)
- alsace riesling
- haut-poitou sauvignon
- côtes du rhône-villages

Pont-l'Eveque
- côtes de saint-mont
- bourgueil
- nuits-saint-georges

Raclette
- vin de savoie Apremont
- côtes de duras sauvignon
- juliénas

Reblochon
- mercurey
- lirac rouge
- touraine gamay

Rigotte
- bourgogne hautes-côtes de nuits rouge
- côtes du forez
- saint-amour

Saint-Marcellin
- faugères
- tursan rouge
- chiroubles

Saint-Nectaire
- fronsac
- bourgogne rouge
- mâcon-villages blanc

Vacherin
- corton
- premières côtes de bordeaux
- barsac

Au lait de chèvre

Cabecou
- bourgogne blanc
- tavel
- gaillac blanc

Crottin de Chavignol
- sancerre blanc
- bordeaux sec
- côte roannaise

Chevre frais
- champagne
- montlouis demi-sec
- crémant d'alsace

Corse (fromage de chevre de)
- patrimonio blanc
- cassis blanc
- costières de nîmes blanc

Pelardon
- condrieu
- roussette de savoie
- coteaux du lyonnais rouge

Sainte-Maure
- rivesaltes blanc
- alsace tokay
- cheverny gamay

Selles-sur-Cher
- coteaux de l'aubance
- cheverny
- romorantin
- sancerre rosé

Valencay
- vouvray moelleux
- haut-poitou rosé
- valençay gamay

Au lait de brebis

Corse (fromage de brebis de)
- bourgogne irancy
- ajaccio
- côtes du roussillon rouge

Eisbarech
- lalande-de-pomerol
- cornas
- marcillac

Laruns
- bordeaux côtes de castillon
- gaillac rouge
- côtes de provence rouge

Roquefort
- côtes du jura vin jaune
- sauternes
- muscat de rivesaltes

DESSERTS

Brioche
- rivesaltes rouge
- muscat de beaumes-de-venise
- alsace vendanges tardives

Buche de Noel
- champagne demi-sec
- clairette de die tradition

Creme renversee
- coteaux du layon-villages
- sauternes
- muscat de saint-jean-de-minervois

Far breton
- pineau des charentes
- anjou coteaux de la loire
- cadillac

Fraisier
- muscat de rivesaltes
- maury

Gateau au chocolat
- banyuls grand cru
- pineau des charentes rosé

Glace a la vanille au coulis de framboise
- loupiac
- coteaux du layon

Ile flottante
- loupiac
- rivesaltes blanc
- muscat de rivesaltes

Kouglof
- quarts de chaume
- alsace vendanges tardives
- muscat de mireval

Pithiviers
- maury
- bonnezeaux
- muscat de lunel

Salade d'oranges
- sainte-croix-du-mont
- rivesaltes blanc
- muscat de rivesaltes

Tarte au citron
- alsace sélection de grains nobles
- cérons
- rivesaltes blanc

Tarte tatin
- pineau des charentes
- arbois vin de paille
- jurançon

La vigne appartient au genre *Vitis* dont il existe de nombreuses espèces. Traditionnellement, le vin est produit à partir de différentes variétés de *Vitis vinifera*, originaire du continent européen. Mais il existe d'autres espèces provenant du continent américain. Certaines sont infertiles, d'autres donnent des produits au caractère organoleptique très particulier, appelé « foxé », et peu apprécié. Ces variétés, dites américaines, possèdent des caractéristiques de résistance aux maladies supérieures à celles de *Vitis vinifera*. Dans les années 1930, on a donc cherché à créer, par hybridation, de nouvelles variétés résistant aux maladies, comme les espèces américaines, mais produisant des vins de même qualité que ceux de *Vitis vinifera* ; ce fut un échec qualitatif.

— *Vitis vinifera* est sensible à un insecte, le phylloxéra, qui attaque les racines, et dont on sait les dévastations qu'il produisit à la fin du XIXe s. Le développement d'un greffon de *Vitis vinifera* sur un porte-greffe de vigne américaine résistant au puceron conduit désormais à un cep ayant les propriétés de l'espèce, mais dont les racines ne sont pas infectées par l'insecte. *Vitis vinifera* est aussi sensible à la cicadelle qui lui inocule la flavescence, maladie qui détruit la vigne.

— L'espèce *Vitis vinifera* comprend de nombreuses variétés, appelées *cépages*. Chaque région viticole a sélectionné les plants les mieux adaptés, mais les conditions économiques et l'évolution du goût des consommateurs influent aussi sur la modification de l'encépagement. Certains vignobles produisent des vins issus d'un seul cépage (pinot et chardonnay en Bourgogne). Dans d'autres régions, les vins résultent de l'association de plusieurs cépages complémentaires. Les cépages sont eux-mêmes constitués d'un ensemble « d'individus » (clones) ne présentant pas des caractéristiques identiques (productivité, maturité, infection par les maladies à virus) ; aussi la sélection des meilleures souches a-t-elle toujours été recherchée. Des recherches sont actuellement en cours pour définir les résistances des vignes par modifications génétiques.

— Les conditions de culture de la vigne ont une incidence décisive sur la qualité du vin. On peut modifier considérablement son rendement selon la fertilisation, la densité des plants, le choix du porte-greffe, la taille. Mais on sait aussi que l'on ne peut pas augmenter exagérément les rendements sans affecter la qualité. Celle-ci n'est pas compromise lorsque la quantité est obtenue par la conjonction de facteurs naturels favorables ; certains grands millésimes sont aussi des récoltes abondantes. L'augmentation des rendements, au cours des années récentes, est en fait surtout liée à l'amélioration des conditions de culture. La limite à ne pas dépasser dépend de la qualité du produit : le rendement maximum se situe entre 45 et 60 hl/ha pour les grands vins rouges, un peu plus pour les vins blancs secs. Pour produire de bons vins, il faut en outre des vignes suffisamment âgées (trente ans et plus), ayant parfaitement développé leur système racinaire.

— La vigne est une plante sensible à de nombreuses maladies, mildiou, oïdium, blackrot, pourriture, etc., compromettant la récolte et communiquant aux raisins de mauvais goûts susceptibles de se retrouver dans le vin. Les viticulteurs disposent de moyens de traitement efficaces, facteurs certains de l'amélioration générale de la qualité. Probablement, dans le passé, la viticulture a abusé, dans un souci de recherche de la sécurité, de l'emploi des pesticides chimiques. Aujourd'hui, une réflexion s'est imposée. D'une part, l'ensemble de la viticulture se sent impliquée dans la recherche d'une culture raisonnée qui fait appel aux traitements uniquement lorsqu'ils sont nécessaires. D'autre part, l'agrobiologie, s'appuyant sur une biodynamique du sol, cherche à créer des conditions naturelles rendant la vigne moins sensible aux maladies.

LE TERROIR VITICOLE : ADAPTATION DES CEPAGES AU SOL ET AU CLIMAT

Prise dans son sens le plus large, la notion de « terroir viticole » regroupe de nombreuses données d'ordre biologique (choix du cépage), géographique, climatique, géologique et pédologique. Il faut ajouter aussi des facteurs humains, historiques, commerciaux : par exemple, il est sûr que l'existence du port de Bordeaux et son trafic important avec les pays nordiques ont incité, dès le XVIIIe s., les viticulteurs à améliorer la qualité de leur production.

— La vigne est cultivée dans l'hémisphère Nord entre le 35e et le 50e parallèle ; elle est donc adaptée à des climats très différents. Cependant, les vignobles septentrionaux, les plus froids, permettent seulement la culture des cépages blancs, que l'on choisit précoces et dont les fruits peuvent mûrir avant les froids de l'automne ; sous des climats chauds sont cultivés les cépages tardifs. Pour faire du bon vin, il faut un raisin bien mûr, mais il ne faut pas une maturation trop rapide et trop complète, qui entraîne une perte des éléments aromatiques : on choisit donc les cépages pour lesquels la maturation est atteinte de justesse. L'irrégularité, d'une année à l'autre, des conditions climatiques pendant la période de maturation présente de réelles difficultés.

— Des excès, de sécheresse ou d'humidité, peuvent également intervenir. Le sol du vignoble joue alors un rôle essentiel pour régulariser l'alimentation en eau de la plante : il apporte de l'eau au printemps, lors de la croissance ; il élimine les excès éventuels de pluie pendant la maturation. Les sols graveleux et calcaires assurent particulièrement bien ces régulations ; mais on connaît aussi des crus réputés sur des sols sableux, et même argileux. Eventuellement, un drainage artificiel complète la régulation naturelle.

— On sait aussi que la couleur ou les caractères aromatiques et gustatifs des vins, d'un même cépage et sous un même climat, peuvent présenter des différences selon la nature du sol et du sous-sol ; ainsi en est-il selon qu'ils proviennent de sols formés sur des calcaires, sur des molasses argilo-calcaires, sur des sédiments argileux, sableux ou gravelo-sableux. L'augmentation de la proportion d'argile dans les graves donne des vins plus acides, plus tanniques et corsés, au détriment de la finesse ; le sauvignon blanc, lui, prend des notes odorantes plus ou moins puissantes sur calcaire, sur graves ou sur marnes. En tout état de cause, la vigne est une plante particulièrement peu exigeante, qui pousse sur des sols pauvres. Cette pauvreté est d'ailleurs un élément de la qualité des vins, car elle favorise des rendements limités qui évitent la dilution des colorants, des arômes et des constituants sapides.

LE CYCLE DES TRAVAUX DE LA VIGNE

Destinée à équilibrer la production des fruits, en évitant le développement exagéré du bois, la taille annuelle s'effectue entre décembre et mars. La longueur des sarments, choisie en fonction de la vigueur de la plante, commande l'importance de la récolte. Les labours de printemps « déchaussent » la plante, en ramenant la terre vers le milieu du rang, et créent une couche meuble qui restera aussi sèche que possible. Le décavaillonnage consiste à enlever la terre qui reste, sous le rang, entre les ceps.

— En fonction des besoins, les travaux du sol sont poursuivis pendant toute la durée du cycle végétal ; ils détruisent la végétation adventice, maintiennent le sol meuble et évitent les pertes d'eau par évaporation. Le désherbage peut être effectué chimiquement ; s'il est total, il est effectué à la fin de l'hiver, et les travaux aratoires sont complètement supprimés ; on parle alors de non-culture, qui constitue une économie substantielle. Cependant, certains producteurs soucieux de l'environnement préfèrent les vignes enherbées qui permettent de limiter la vigueur de la plante.

CYCLE ANNUEL DE LA VIGNE

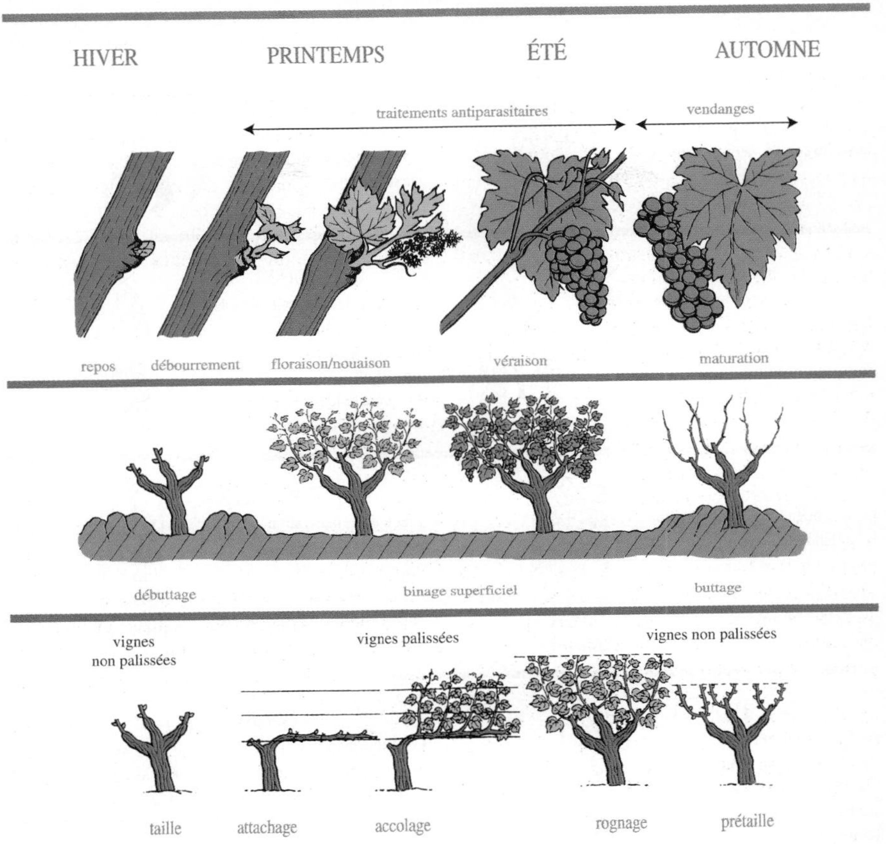

— Pendant toute la période végétative, on procède à différentes opérations pour limiter la prolifération végétale : l'épamprage, suppression de certains rameaux ; le rognage, raccourcissement de leur extrémité ; l'effeuillage, qui permet une meilleure exposition des raisins au soleil ; l'accolage, pour maintenir les sarments dans les vignes palissées. Le viticulteur doit également protéger la vigne des maladies : le Service de la protection des végétaux diffuse des informations qui permettent de prévoir les traitements nécessaires, faits par pulvérisation de produits actifs, qu'ils soient naturels (agrobiologie) ou issus de la chimie industrielle.

— Enfin, en automne, après les vendanges, un dernier labour ramène la terre vers les ceps et les protège des gelées hivernales ; la formation d'une rigole au centre du rang permet d'évacuer les eaux de ruissellement. Ce labour est éventuellement utilisé pour enfouir des engrais.

CALENDRIER DU VIGNERON

JANVIER

Si la taille s'effectue
de décembre à mars,
c'est bien « à la Saint-Vincent
que l'hiver s'en va ou se reprend ».

FEVRIER

Le vin se contracte avec l'abaissement
de la température. Surveiller les tonneaux
pour l'ouillage qui se fait
périodiquement toute l'année.
Les fermentations malolactiques
doivent être alors terminées.

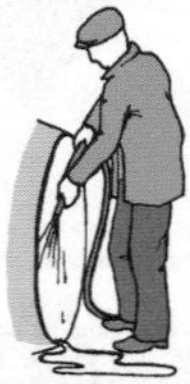

MARS

On « débutte ». On finit la taille
(« taille tôt, taille tard,
rien ne vaut la taille de mars »).
On met en bouteilles les vins
qui se boivent jeunes.

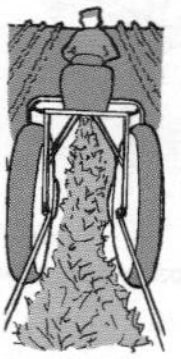

AVRIL

Avant le phylloxéra,
on plantait les paisseaux.
Maintenant on palisse
sur fil de fer, sauf à l'Hermitage,
Côte Rôtie et Condrieu.

MAI

On surveille la vigne
et on la protège
contre les gelées
de printemps. Binage.

JUIN

On « accole » les vignes palissées
et on commence à rogner les sarments.
La « nouaison » (= donner des baies)
ou la « coulure » vont commander
le volume de la récolte.

JUILLET

Les traitements contre
les parasites continuent
ainsi que la surveillance du vin
sous les fortes variations
de température !

AOUT

Travailler le sol serait nuisible
à la vigne, mais il faut être vigilant
devant les invasions possibles
de certains parasites.
On prépare la cuverie
dans les régions précoces.

SEPTEMBRE

Étude de la maturation
par prélèvement régulier
des raisins pour fixer la date
des vendanges qui commencent
en région méditerranéenne.

OCTOBRE

Les vendanges ont lieu
dans la plupart des vignobles
et la vinification commence.
Les vins de garde vont être
mis en fût pour y être élevés.

NOVEMBRE

Les vins primeurs
sont mis en bouteilles.
On surveille l'évolution
des vins nouveaux.
La prétaille commence.

DECEMBRE

La température des caves
doit être maintenue pour
assurer les fermentations
alcooliques et malolactiques.

LES RAISINS ET LES VENDANGES

L'état de maturité du raisin est un facteur essentiel de la qualité du vin. Dans une même région, les conditions climatologiques sont variables d'une année à l'autre, entraînant des différences de constitution des raisins, qui déterminent les caractéristiques propres de chaque millésime. Une bonne maturation suppose un temps chaud et sec : la date des vendanges doit être fixée avec beaucoup de discernement, en fonction de l'évolution de la maturation et de l'état sanitaire du raisin.

— De plus en plus, les vendanges manuelles laissent place au ramassage mécanique. Les machines, munies de batteurs, font tomber les grains sur un tapis mobile ; un ventilateur élimine la plus grande partie des feuilles. La brutalité de l'action sur le raisin n'est pas *a priori* favorable à la qualité, surtout pour les vins blancs : les crus de haute réputation seront les derniers à faire appel à ce procédé de ramassage, malgré des progrès considérables dans la conception et la conduite de ces machines. Dans le cas de maturité excessive lors des vendanges, l'acidité trop basse peut être compensée par addition d'acide tartrique. Si la maturité est insuffisante, on peut au contraire diminuer l'acidité par le carbonate de calcium. Dans ce cas, le raisin insuffisamment sucré pourrait donner un vin d'un degré alcoolique insuffisant. La concentration du moût peut intervenir. Enfin, dans des conditions bien précises, la législation permet d'augmenter la richesse saccharine du moût par addition de sucre : c'est la chaptalisation.

LA NAISSANCE DU VIN

Par définition, le vin est « le produit obtenu exclusivement par la fermentation alcoolique, totale ou partielle, de raisins frais, foulés ou non, ou de moûts de raisin ». Toutes les définitions légales imposent aux vins une teneur en alcool minimum, 8,5 % vol. ou 9,5 % vol. selon les zones viticoles. La teneur en alcool (degré alcoolique) est exprimée en pourcentage du volume du vin constitué par de l'alcool pur ; il faut 17 g de sucre dans le moût (jus qui s'écoule lors du pressurage des raisins frais) pour produire 1 % vol. d'alcool par la fermentation.

— Le phénomène microbiologique essentiel qui donne naissance au vin est la fermentation alcoolique ; le développement d'une espèce de levure *(Saccharomyces cerevisae)*, à l'abri de l'air, décompose le sucre en alcool et en gaz carbonique ; de nombreux produits secondaires apparaissent (glycérol, acide succinique, esters, etc.), qui participent à l'arôme et au goût du vin. La fermentation dégage des calories qui provoquent l'échauffement de la cuve, ce qui peut nécessiter une réfrigération.

— Après la fermentation alcoolique peut intervenir, dans certains cas, la fermentation malolactique : sous l'influence de bactéries, l'acide malique est décomposé en acide lactique et en gaz carbonique. La conséquence est une baisse d'acidité et un assouplissement du vin, avec affinement de l'arôme ; simultanément, le vin acquiert une meilleure stabilité pour sa conservation. Les vins rouges en sont toujours améliorés ; l'avantage est moins systématique pour les vins blancs. Levures et bactéries lactiques existent sur le raisin ; elles se développent à l'occasion des manipulations de la vendange dans le chai : au remplissage de la cuve, l'inoculation peut être suffisante ; mais on effectue de plus en plus un levurage avec des levures sèches fournies par le commerce. Cette opération permet un meilleur déroulement de la fermentation ; elle évite certains défauts liés à des levures particulières (odeurs de réduction) et, dans certains cas, une souche adaptée permet une meilleure révélation des arômes spécifiques d'un cépage (sauvignon), à partir de précurseurs non aromatiques existant dans le raisin. En tout état de cause, la qualité et la typicité du vin reposent sur la qualité du raisin, donc sur des facteurs naturels (crus et terroirs).

— Les levures se développent toujours avant les bactéries, dont la croissance commence lorsque les levures ont cessé de fermenter. Si cet arrêt intervient avant que la totalité du sucre ait été transformée en alcool, le sucre résiduel peut être décomposé par les bactéries avec production d'acide acétique (acide volatile) ; il s'agit d'un accident grave, connu sous le nom de « piqûre » ; un procédé récemment découvert permet d'éliminer les substances toxiques qui se forment alors à partir des levures ellesmêmes. Au cours de la conservation, il reste toujours des populations bactériennes dans le vin, qui peuvent provoquer des accidents graves : décomposition de certains constituants du vin ; oxydation et formation d'acide acétique (processus de fabrication du vinaigre). Les soins apportés aujourd'hui à la vinification peuvent éviter ces risques.

LES DIFFERENTS TYPES DE VINS

La réglementation européenne, entérinant les usages français, distingue les *vins de table* et les VQPRD. Les Vins de qualité produits dans une région déterminée (VQPRD) sont soumis à des règlements de contrôle. En France, ils correspondent aux *Appellations d'origine vins délimités de qualité supérieure* (AOVDQS) et aux *Vins d'appellation d'origine contrôlée* (AOC). Il faut noter que les jeunes vignes sont exclues de l'appellation jusqu'à quatre ans (vins trop légers).

— Les *vins secs et les vins sucrés* (demi-secs, moelleux et doux) sont caractérisés par des taux de sucre variables. La production des vins sucrés suppose des raisins très mûrs, riches en sucre, dont une partie seulement est transformée en alcool par la fermentation. Les sauternes par exemple sont des vins particulièrement riches ; ils sont obtenus à partir de raisins très concentrés par la pourriture noble. On les désigne volontiers par l'expression « grands vins liquoreux » qu'il ne faut pas confondre avec « vins de liqueurs » (voir ci-dessous).

— Les *vins mousseux* s'opposent aux *vins tranquilles*, par la présence, au débouchage de la bouteille, d'un dégagement de gaz carbonique provenant d'une seconde fermentation (prise de mousse). Dans la méthode traditionnelle, autrefois dite « champenoise », celle-ci est effectuée dans la bouteille définitive. Si elle est effectuée en cuve, on parle de méthode en « cuve close ». Les *vins mousseux gazéifiés* présentent aussi un dégagement de gaz carbonique qui provient, totalement ou partiellement, d'une addition de gaz. Les *vins pétillants* possèdent, eux, une pression de gaz carbonique comprise entre 1 et 2,5 bars. Leur degré alcoolique doit être supérieur à 7 % vol. seulement. Le *pétillant de raisin* est obtenu par fermentation partielle du moût de raisin ; le titre alcoolique est faible; il peut être inférieur à 7 % vol., mais doit être supérieur à 1 % vol.

— Les *vins de liqueur* et les *vins doux naturels* sont obtenus par addition, avant, pendant et après la fermentation, d'alcool neutre, d'eau-de-vie de vin, de moût de raisin concentré ou d'un mélange de ces produits. L'expression *mistelle* ne fait pas partie de la réglementation européenne qui parle de « moût de raisin frais muté à l'alcool », résultat de l'addition d'alcool ou d'eau-de-vie de vin à du moût de raisin (la fermentation est exclue).

LES DIFFERENTES VINIFICATIONS

Vinification en rouge

Dans la majorité des cas, le raisin est d'abord égrappé ; les grains sont ensuite foulés et le mélange de pulpe, de pépins et de pellicules est envoyé dans la cuve de fermentation, après légère addition d'anhydride sulfureux pour assurer une protection contre les oxydations et les contaminations microbiennes. Dès le début de la fermentation, le gaz carbonique soulève toutes les particules solides qui forment, à la partie supérieure de la cuve, une masse compacte appelée « chapeau » ou « marc ».

— Dans la cuve, la fermentation alcoolique se déroule en même temps que la macération des pellicules et des pépins dans le jus. La fermentation complète du sucre dure en général de cinq à huit jours; elle est favorisée par l'aération, pour augmenter la croissance de la population de levures, et par le contrôle de la température (aux environs de 30 °C) pour éviter la mort de ces levures. La macération apporte essentiellement au vin rouge sa couleur et sa structure tannique. Les vins destinés à un long vieillissement doivent être riches en tanin, et subissent donc une longue macération (deux à trois semaines) de 25 à 30 °C. En revanche, les vins rouges à consommer jeunes, de type primeur, doivent être fruités et peu tanniques: leur macération est réduite à quelques jours.

— L'écoulage de la cuve est la séparation du jus, appelé « vin de goutte » ou « grand vin », et du marc. Par pressurage, le marc donne le vin de presse : son assemblage éventuel avec le vin de goutte dépend de critères gustatifs et analytiques. Vins de goutte et vins de presse sont remis en cuve séparément pour subir les fermentations d'achèvement : disparition des sucres résiduels et fermentation malolactique. Pour les grands vins, de plus en plus, l'écoulage se fait directement en fûts de chêne, dans lesquels s'effectue la fermentation malolactique. Les vins rouges acquièrent ainsi un caractère boisé plus harmonieux.

— Cette technique est la méthode de base, mais il existe d'autres procédés de vinification qui présentent un intérêt particulier dans certains cas (thermovinification, vinification continue, macération carbonique).

Vinification en rosé

Les vins clairets, rosés ou gris, sont obtenus par macérations d'importance variable de raisins à peine rosés ou fortement colorés. Le plus généralement, ils sont vinifiés par pressurage direct de raisins noirs ou par saignées. Dans ce dernier cas, la cuve est remplie, comme pour une vinification en rouge classique ; au bout de quelques heures, on tire une certaine proportion du jus qui fermente séparément ; et la cuve est remplie à nouveau pour faire du vin rouge. Celui-ci est alors plus concentré.

VINIFICATION DES VINS ROUGES

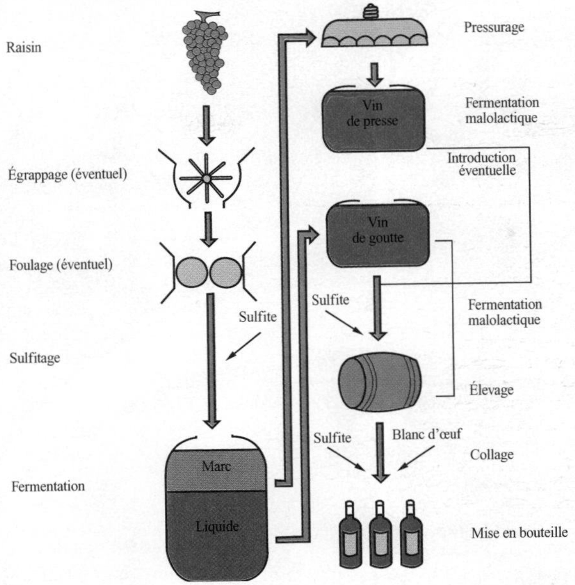

VINIFICATION DES VINS BLANCS

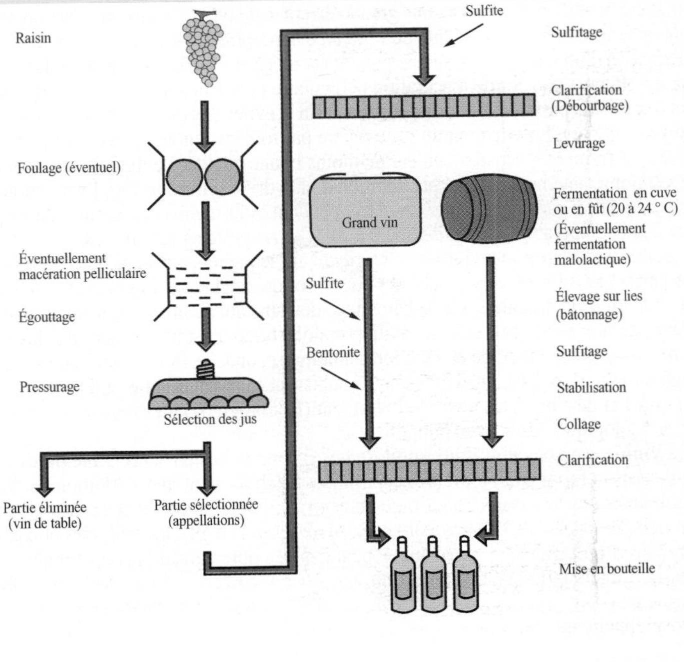

Vinification en blanc

En matière de vin blanc, il existe une grande diversité de types : à chacun d'eux correspondent une technique de vinification et une qualité de vendange appropriées. Le plus souvent, le vin blanc résulte de la fermentation d'un pur jus de raisin ; le pressurage précède donc la fermentation. Dans certains cas, cependant, on effectue une courte macération pelliculaire préfermentaire pour extraire leurs arômes ; il faut alors des raisins parfaitement sains et mûrs, afin d'éviter des défauts gustatifs (amertume) et olfactifs (mauvaise odeur). L'extraction du jus est faite par foulage, égouttage et, enfin, pressurage ; les jus de presse sont fermentés séparément, car de moins bonne qualité. Le moût blanc, très sensible à l'oxydation, est immédiatement protégé par addition d'anhydride sulfureux. Dès l'extraction du jus, on procède à sa clarification par débourbage. En outre, pendant la fermentation, la cuve est en permanence maintenue à une température de l'ordre de 20 à 24 °C pour protéger les arômes.

Les grands vins blancs sont vinifiés en barrique ; ils acquièrent ainsi un caractère boisé fondu. Cette pratique permet en outre un élevage sur lies de levures qui augmente les sensations de gras et de moelleux ; cette évolution est accentuée par le bâtonnage des vins qui assure la remise en suspension des lies.

— Dans de nombreux cas, la fermentation malolactique n'est pas recherchée, les vins blancs supportant bien une fraîcheur acide et cette fermentation secondaire faisant diminuer les arômes typiques de cépages. Les vins blancs qui, cependant, la subissent trouvent du gras et du volume lorsqu'ils sont élevés en fûts et destinés à un long vieillissement (Bourgogne); la fermentation assure en outre la stabilisation biologique des vins en bouteille.

— La vinification des vins doux suppose des raisins riches en sucre ; une partie est transformée en alcool, mais la fermentation est arrêtée, avant son achèvement, par l'addition de dioxyde de soufre et l'élimination des levures par soutirage ou centrifugation, ou encore par pasteurisation. Particulièrement riches en alcool (13 à 16 % vol.) et en sucre (50 à 100 g/l), les sauternes et barsac réclament donc des raisins d'une grande richesse qui ne peut pas être obtenue par la simple maturation du raisin ; elle nécessite l'intervention de la « pourriture noble » qui correspond au développement particulier, sur le raisin, d'un champignon, le *Botrytis cinerea*, et à la cueillette par tries successives au fur et à mesure du développement de la « pourriture noble ».

L'ELEVAGE DES VINS : LES DIFFERENTES ETAPES

Le vin nouveau est brut, trouble et gazeux ; la phase d'élevage (clarification, stabilisation, affinement de la qualité) va le conduire jusqu'à la mise en bouteilles. Elle est plus ou moins longue selon les types de vin : les « primeurs » sont mis en bouteilles quelques semaines, voire quelques jours après la fin de la vinification ; les grands vins de garde, eux, sont élevés pendant deux ans et plus.

— La clarification peut être obtenue par simple sédimentation et décantation (soutirage) si le vin est conservé en récipients de petite capacité (fût de bois). Il faut faire appel à la centrifugation ou aux différents types de filtration lorsque le vin est conservé en cuve de grand volume.

— Compte tenu de sa complexité, le vin peut donner lieu à des troubles et des dépôts ; il s'agit de phénomènes tout à fait naturels, d'origine microbienne ou chimique. Ces accidents sont extrêmement graves lorsqu'ils se produisent en bouteille ; pour cette raison, la stabilisation doit avoir lieu avant le conditionnement.

— Les accidents microbiens (piqûre bactérienne ou refermentation) sont évités en conservant le vin à l'abri de l'air en récipient plein ; l'ouillage (du mot « œil » qui se réfère au trou de la bonde du tonneau) consiste justement à faire régulièrement le plein des récipients pour éviter le contact avec l'air. En outre, le dioxyde de soufre est un antiseptique et un antioxydant d'un emploi courant. Son action peut être complétée par celle de l'acide sorbique (antiseptique) ou de l'acide ascorbique (antioxydant).

— Les traitements des vins résultent d'une nécessité ; les produits de traitement utilisés sont relativement peu nombreux ; on connaît bien leur mode d'action qui n'affecte pas la qualité, et leur innocuité est démontrée. Des tests de laboratoire permettent de prévoir les risques d'instabilité et de limiter les traitements à ceux qui sont nécessaires. Cependant, la tendance moderne consiste à agir dès la vinification de façon à limiter autant que possible les traitements ultérieurs des vins et les manipulations qu'ils nécessitent.

— Le dépôt de tartre est évité par le froid, avant la mise en bouteilles ; inhibiteur de cristallisation, l'acide métatartrique a un effet immédiat, mais sa protection n'est pas indéfinie. Le collage consiste à ajouter au vin une matière protéique (albumine d'œuf, gélatine) ; celle-ci flocule dans le vin en éliminant les particules en suspension ainsi que des constituants susceptibles de le troubler à la longue. Le collage des vins rouges (au blanc d'œuf) est une pratique ancienne, indispensable pour éliminer l'excès de matière colorante qui floculerait en tapissant l'intérieur de la bouteille.

La gomme arabique a un effet similaire ; elle est utilisée pour les vins de table consommés rapidement après la mise en bouteilles. La coagulation des protéines naturelles dans les vins blancs (casse protéique) est évitée en les éliminant par fixation sur une argile colloïdale, la bentonite. L'excès de certains métaux (fer et cuivre) donne également lieu à des troubles ; leur élimination peut être effectuée par le ferrocyanure de potassium.

— L'élevage comprend aussi une phase d'affinage. Celle-ci comporte d'abord l'élimination du gaz carbonique en excès provenant de la fermentation ; son réglage dépend du style de vin souhaité : il donne de la fraîcheur aux vins blancs secs et aux vins jeunes ; en revanche, il durcit les vins de garde, particulièrement les grands vins rouges. L'introduction ménagée d'oxygène assure également une transformation bénéfique des tanins des vins rouges jeunes ; elle est indispensable à leur vieillissement ultérieur en bouteilles. L'oxydation ménagée se produit spontanément en fût de chêne ; les techniques dites de microbullage permettent d'introduire, de façon régulière, les quantités d'oxygène juste nécessaires.

— Le fût de bois de chêne apporte aux vins des arômes vanillés qui s'harmonisent parfaitement avec ceux du fruit, surtout lorsque le bois est neuf ; le chêne de l'Allier (forêt de Tronçais) convient mieux que le chêne du Limousin ; le bois doit être fendu (et non scié) et séché à l'air pendant trois ans avant son utilisation. Ce type d'élevage fait partie de la tradition des grands vins, mais il est très onéreux (prix d'achat des fûts, travail manuel, perte par évaporation). En outre, lorsqu'ils sont un peu vieux, les fûts peuvent être des sources de contamination microbienne et apporter au vin plus de défauts que de qualités.

— Le séjour sous bois doit être réservé à des vins suffisamment riches afin que le caractère boisé ne domine pas le fruité du raisin et ne banalise pas la typicité ; l'importance du boisé doit être dosée (en jouant sur la durée d'élevage et sur la proportion de barriques neuves), en fonction de la structure du vin, afin qu'il ne sèche pas au cours du vieillissement. Des tentatives ont été faites en vue de simplifier l'acquisition du caractère boisé, en particulier par la macération de copeaux de bois de chêne, pratique interdite pour les vins d'AOC.

LE CONDITIONNEMENT ET LE VIEILLISSEMENT

L'expression « vieillissement » est spécifiquement réservée aux transformations lentes du vin conservé en bouteille, à l'abri complet de l'oxygène de l'air. La mise en bouteille demande beaucoup de soin et de propreté ; il faut éviter que le vin, parfaitement clarifié, soit contaminé par cette opération. Des précautions doivent en outre être prises pour respecter le volume indiqué. Le liège reste le matériau de choix pour l'obturation des bouteilles ; grâce à son élasticité, il assure une bonne herméticité. Cependant, ce matériau est dégradable ; il est recommandé de changer les bouchons tous les vingt-cinq ans. En outre, on connaît les deux risques du bouchage liège : les « bouteilles couleuses » et les « goûts de bouchon ».

— Les transformations du vin en bouteilles sont multiples et fort complexes. Il intervient d'abord une modification de la couleur, parfaitement mise en évidence dans le cas des vins rouges ; rouge vif dans les vins jeunes, elle évolue vers des nuances plus jaunes, responsables d'une teinte évoquant la tuile ou la brique. Dans les vins très vieux, la nuance rouge a complètement disparu ; le jaune et le marron sont les couleurs dominantes. Ces transformations sont responsables des dépôts de matière colorante dans les très vieux vins. Elles agissent sur le goût des tanins en provoquant un assouplissement de la structure générale du vin.

— Au cours du vieillissement en bouteilles interviennent également un développement des arômes et l'apparition du « bouquet » spécifique du vin vieux ; il s'agit de transformations complexes dont les fondements chimiques restent obscurs (les phénomènes d'estérification n'interviennent pas).

LE CONTROLE DE LA QUALITE

Le bon vin n'est pas forcément un grand vin ; par ailleurs, lorsque l'on parle d'un « vin de qualité », on évoque la hiérarchie qui va des vins de table aux grands crus, avec tous les intermédiaires. Derrière ces deux idées se retrouve la distinction entre les « facteurs naturels » et les « facteurs humains » de la qualité. Les seconds sont indispensables pour avoir un « bon vin » ; mais un « grand vin » nécessite en plus des conditions de milieu (sol, climat) particulières et exigeantes...

— Si l'analyse chimique permet de déceler des anomalies et de mettre en évidence certains défauts du vin, ses limites pour définir la qualité sont bien connues ; en dernier ressort, la dégustation est le critère essentiel d'appréciation de la qualité. Des progrès considérables ont été accomplis depuis une vingtaine d'années dans les techniques d'analyse sensorielle permettant de mieux en maîtriser les aspects subjectifs ; ils tiennent compte du développement des connaissances en matière de physiologie de l'odorat et du goût, et des conditions pratiques de la dégustation. L'expertise gustative intervient de plus en plus dans le contrôle de la qualité, pour l'agréage des vins d'appellation d'origine contrôlée ou dans le cadre d'expertises judiciaires.

— Le contrôle réglementaire de la qualité du vin s'est en effet imposé depuis longtemps. La loi du 1er août 1905 sur la loyauté des transactions commerciales constitue le premier texte officiel. Mais la réglementation a été progressivement affinée au fur et à mesure que progressaient les connaissances de la constitution du vin et de ses transformations. En s'appuyant sur l'analyse chimique, la réglementation définit une sorte de qualité minimale en évitant les principaux défauts. Elle incite en outre la technique à améliorer ce niveau minimum. La Direction de la consommation et de la répression des fraudes est responsable de la vérification des normes analytiques ainsi établies.

— Cette action est complétée par celle de l'Institut national des appellations d'origine, chargé, après consultation des syndicats intéressés, de déterminer les conditions de production et d'en assurer le contrôle ; aire de production, nature des cépages, mode de plantation et de taille, pratiques culturales, techniques de vinification, constitution des moûts et du vin, rendement. Cet organisme assure également la défense des vins d'appellation d'origine en France et à l'étranger.

— Dans chaque région, enfin, les syndicats viticoles participent à la défense des intérêts des viticulteurs adhérents, en particulier dans le cadre des différentes appellations. Cette action est souvent coordonnée par des conseils, bureaux ou comités interprofessionnels, qui rassemblent les représentants des syndicats de producteurs et de négociants, et des personnalités du monde professionnel et de l'administration.

Pascal Ribéreau-Gayon

10 000 VINS À DÉCOUVRIR

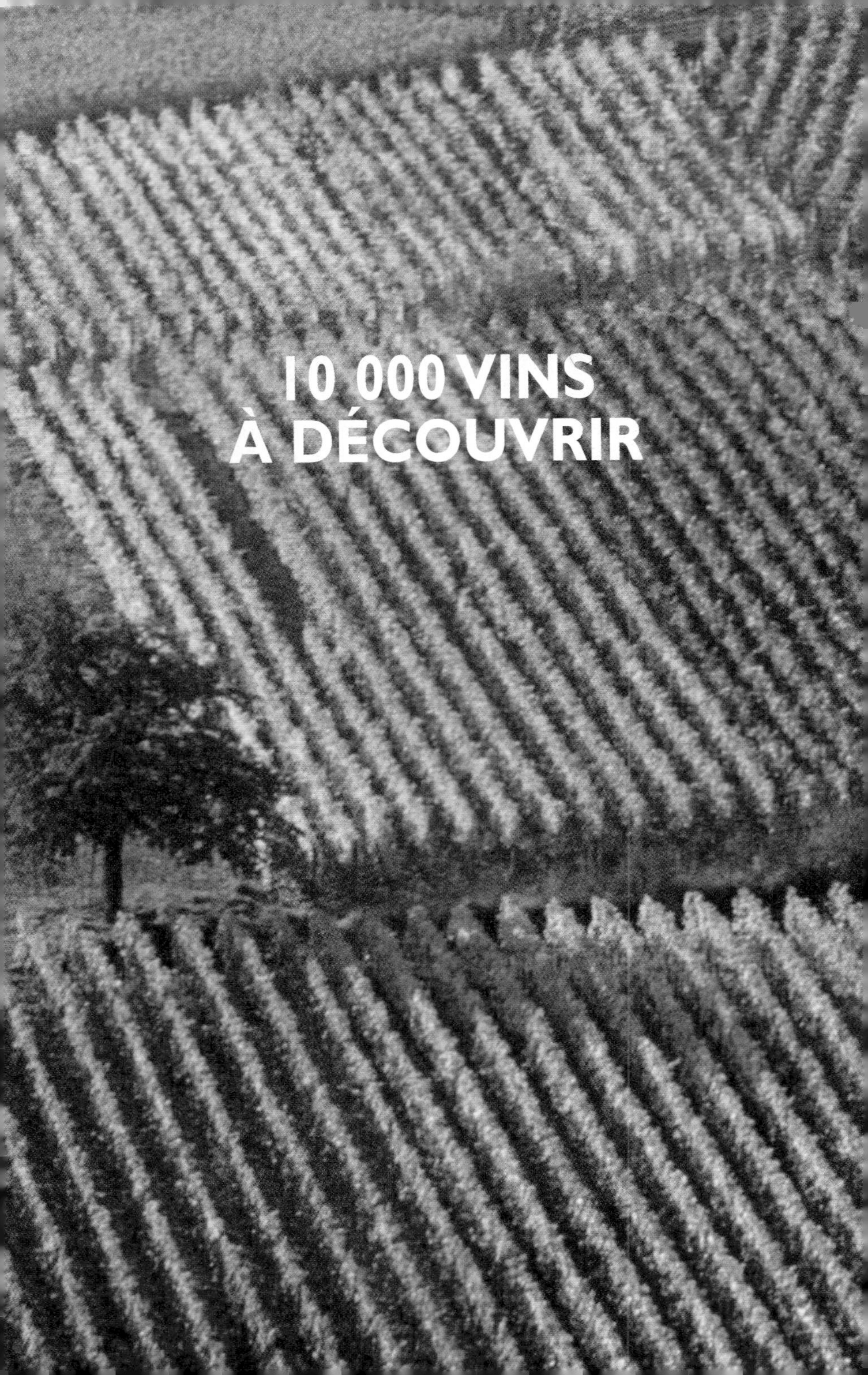

L'Alsace

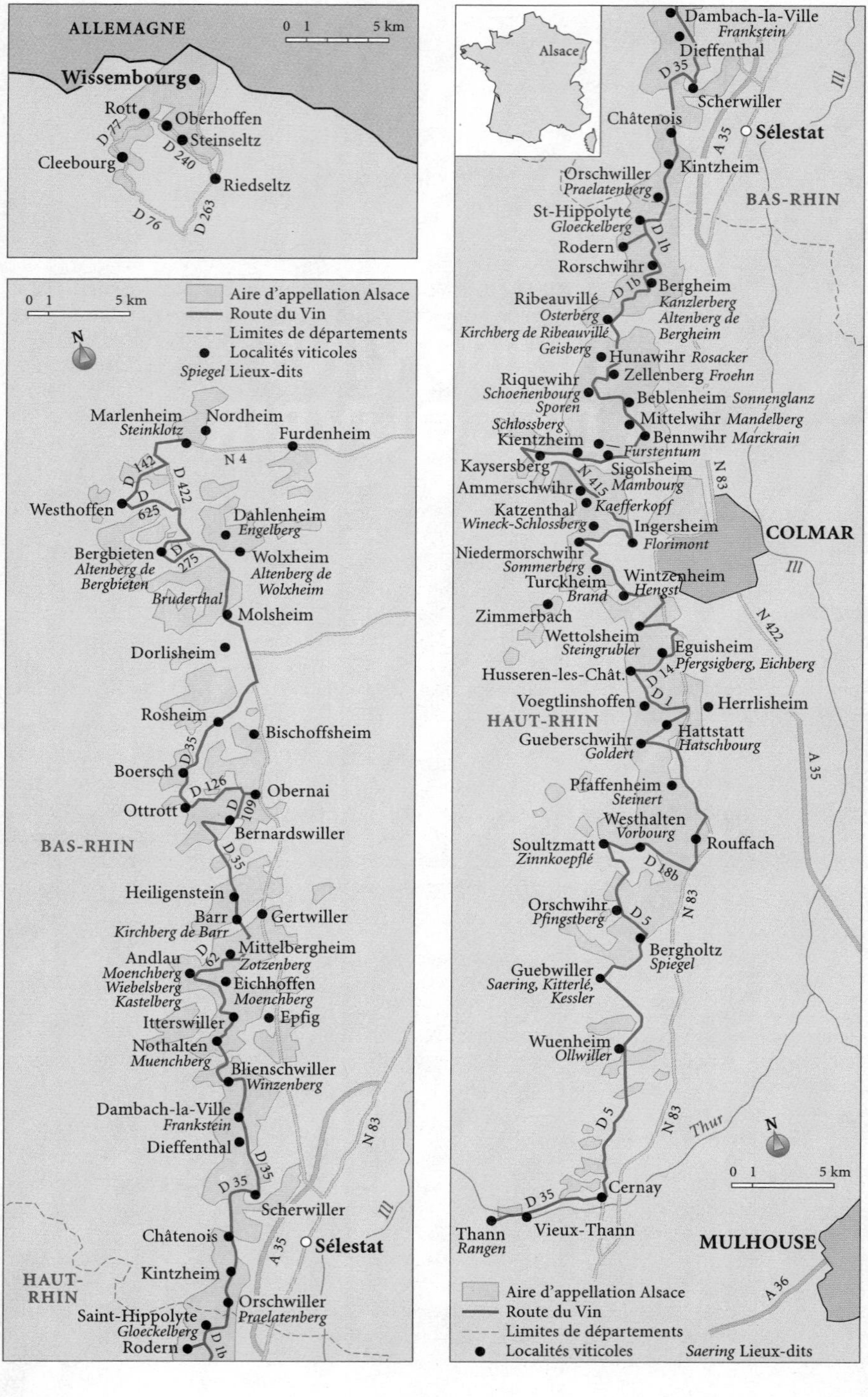
ALLEMAGNE
0 1 5 km
Wissembourg
Rott
Oberhoffen
Steinseltz
Cleebourg
Riedseltz
D 77
D 240
D 76
D 263
0 1 5 km
Aire d'appellation Alsace
Route du Vin
Limites de départements
Localités viticoles
Spiegel Lieux-dits
N
Marlenheim
Steinklotz
Nordheim
Furdenheim
N 4
D 142
D 422
Westhoffen
D 625
Dahlenheim
Engelberg
Bergbieten
Altenberg de Bergbieten
D 275
Wolxheim
Altenberg de Wolxheim
Bruderthal
Molsheim
Dorlisheim
Rosheim
Bischoffsheim
D 35
Boersch
D 126
Obernai
Ottrott
D 109
Bernardswiller
BAS-RHIN
D 35
Heiligenstein
Barr
Gertwiller
Kirchberg de Barr
Andlau
Moenchberg
Wiebelsberg
Kastelberg
D 62
Mittelbergheim
Zotzenberg
Eichhoffen
Moenchberg
Itterswiller
Epfig
Nothalten
Muenchberg
Blienschwiller
Winzenberg
Dambach-la-Ville
Frankstein
Dieffenthal
N 83
D 35
D 35
Scherwiller
Ill
Châtenois
A 35
Sélestat
HAUT-RHIN
Kintzheim
Orschwiller
Praelatenberg
Saint-Hippolyte
Gloeckelberg
Rodern
D 1b
Alsace
Dambach-la-Ville
Frankstein
Dieffenthal
D 35
Scherwiller
Ill
Châtenois
A 35
Sélestat
Kintzheim
Orschwiller
Praelatenberg
BAS-RHIN
St-Hippolyte
Gloeckelberg
D 1b
Rodern
Rorschwihr
D 1b
Bergheim
Kanzlerberg
Altenberg de Bergheim
Ribeauvillé
Osterberg
Kirchberg de Ribeauvillé
Geisberg
Hunawihr Rosacker
Zellenberg Froehn
Riquewihr
Schoenenbourg
Sporen
Beblenheim Sonnenglanz
Mittelwihr Mandelberg
Schlossberg
Bennwihr Marckrain
Kientzheim
Furstentum
Kaysersberg
Sigolsheim
N 415
Mambourg
N 83
Ammerschwihr
Kaefferkopf
Katzenthal
Wineck-Schlossberg
Ingersheim
Florimont
COLMAR
Niedermorschwihr
Sommerberg
Ill
Wintzenheim
Turckheim
Brand
Hengst
Zimmerbach
N 422
Wettolsheim
Steingrubler
Eguisheim
Pfergsigberg, Eichberg
Husseren-les-Chât.
D 14
D 1
Voegtlinshoffen
Herrlisheim
HAUT-RHIN
Hattstatt
Hatschbourg
Gueberschwihr
Goldert
A 35
Pfaffenheim
Steinert
Westhalten
Vorbourg
Soultzmatt
Zinnkoepflé
Rouffach
D 18b
N 83
Orschwihr
Pfingstberg
D 5
Bergholtz
Spiegel
Guebwiller
Saering, Kitterlé, Kessler
Wuenheim
Ollwiller
D 5
N 83
Thur
N
0 1 5 km
D 35
Cernay
Thann
Rangen
Vieux-Thann
MULHOUSE
A 36
Aire d'appellation Alsace
Route du Vin
Limites de départements
Localités viticoles
Saering Lieux-dits

L'ALSACE ET LA LORRAINE

L'Alsace

La plus grande partie du vignoble d'Alsace est implantée sur les collines qui bordent le massif vosgien et qui prennent pied dans la plaine rhénane. Les Vosges, qui se dressent entre l'Alsace et le reste du pays, donnent à la région son climat spécifique, car elles captent la grande masse des précipitations venant de l'Océan. C'est ainsi que la pluviométrie moyenne annuelle de la région de Colmar, avec moins de 500 mm, est la plus faible de France ! En été, cette chaîne fait obstacle à l'influence rafraîchissante des vents atlantiques, mais ce sont surtout les différents microclimats, nés des nombreuses sinuosités du relief, qui jouent un rôle prépondérant dans la répartition et la qualité des vignobles.

Une autre caractéristique de ce vignoble est la grande diversité de ses sols. Alors que dans un passé considéré comme récent par les géologues, même s'il remonte à quelque cinquante millions d'années, Vosges et Forêt-Noire formaient un seul ensemble, issu d'une succession de phénomènes tectoniques (immersions, érosions, plissements...), à partir de l'ère tertiaire, la partie médiane de ce massif a commencé à s'affaisser pour donner naissance, bien plus tard, à une plaine. Par suite de ce tassement, presque toutes les couches de terrain qui s'étaient accumulées au cours des différentes périodes géologiques ont été remises à nu sur la zone de rupture. Or, c'est surtout là que sont localisés les vignobles. C'est ainsi que la plupart des communes viticoles sont caractérisées par au moins quatre ou cinq formations de terrains différents.

L'histoire du vignoble alsacien se perd dans la nuit des temps, et les populations préhistoriques ont sans doute déjà dû tirer parti de la vigne, dont la culture proprement dite ne semble cependant dater que de la conquête romaine. L'invasion des Germains, au V^{e}s., entraîna un déclin passager de la viticulture, mais des documents écrits nous révèlent que les vignobles ont assez rapidement repris de l'importance, sous l'influence déterminante des évêchés, des abbayes et des couvents. Des documents antérieurs à l'an 900 mentionnent déjà plus de cent soixante localités où la vigne était cultivée.

Cette expansion se poursuivit sans interruption jusqu'au XVI^{e}s., qui marqua l'apogée de la viticulture en Alsace. Les magnifiques maisons de style Renaissance que l'on rencontre encore dans maintes communes viticoles témoignent indiscutablement de la prospérité de ce temps, où de grandes quantités de vins d'Alsace étaient déjà exportées dans toute l'Europe. Mais la guerre de Trente Ans, période de dévastation par les armes, le pillage, la faim et la peste, eut des conséquences catastrophiques pour la viticulture, comme pour les autres activités économiques de la région.

La paix revenue, la culture de la vigne reprit peu à peu son essor, mais l'extension des vignobles se fit principalement à partir de cépages communs. Un édit royal de 1731 tenta bien de mettre fin à cette situation, mais sans grand succès. Cette tendance s'accentua encore après la Révolution, et la superficie du vignoble passa de 23 000 ha en 1808 à 30 000 ha en 1828. Il s'instaura une surproduction, aggravée par la disparition totale des exportations et par une diminution de la consommation du vin au profit de la bière. Par la suite, la concurrence des vins du Midi, facilitée par l'avènement des chemins de fer, ainsi que l'apparition et l'extension des maladies cryptogamiques, des vers de la grappe et du phylloxéra ne firent qu'augmenter toutes les difficultés. Il s'ensuivit, à partir de 1902, une diminution de la superficie du vignoble qui continua jusque vers 1948, année qui le vit tomber à 9 500 ha, dont 7 500 en appellation alsace.

L'essor économique de l'après-guerre et les efforts de la profession influèrent favorablement sur le développement du vignoble alsacien, qui possède actuellement, sur une superficie de quelque 15 037 ha, un potentiel de production de l'ordre de un million d'hectolitres – dont 40 237,56 hl en grands crus et déclarés en 2003 –, commercialisés en France et à l'étranger, les exportations atteignant plus du quart des ventes totales. Ce développement a été l'œuvre de l'ensemble des diverses branches professionnelles qui mettent chacune sur le marché des quantités plus ou moins identiques de vin. Il s'agit des viticulteurs producteurs, des coopératives et des négociants (souvent eux-mêmes producteurs), qui achètent des quantités importantes à des viticulteurs ne vinifiant pas eux-mêmes leur récolte.

Tout au long de l'année, de nombreuses manifestations vinicoles se déroulent dans les diverses localités qui bordent la route du Vin. Celle-ci est un des attraits touristiques et culturels majeurs de la province. Le point culminant de ces manifestations est sans doute la Foire annuelle du vin d'Alsace qui a lieu en août à Colmar, précédée par celles de Guebwiller, d'Ammerschwihr, de Ribeauvillé, de Barr et de Molsheim. Mais il convient également de citer celle, particulièrement prestigieuse, de la confrérie Saint-Etienne, née au XIVe s. et restaurée en 1947.

Le principal atout des vins d'Alsace réside dans le développement optimal des constituants aromatiques des raisins, qui s'effectue souvent mieux dans des régions à climat tempéré frais, où la maturation est lente et prolongée. Leur spécificité dépend naturellement de la variété, et l'une des particularités de la région est la dénomination des vins d'après la variété qui les a produits, alors qu'en règle générale les autres vins français d'appellation d'origine contrôlée portent le nom de la région ou d'un site géographique plus restreint qui leur a donné naissance.

Les raisins, récoltés courant octobre, sont transportés le plus rapidement possible au chai pour y subir un foulage, parfois un égrappage, puis le pressurage. Le moût qui s'écoule du pressoir est chargé de « bourbes » qu'il importe d'éliminer le plus vite possible par sédimentation ou par centrifugation. Le moût clarifié entre ensuite en fermentation, phase au cours de laquelle on veille tout particulièrement à éviter un excès de température. Par la suite, le vin jeune et trouble demande de la part du viticulteur toute une série de soins : soutirage, ouillage, sulfitage raisonné, clarification. La conservation en cuves ou en fûts se poursuit ensuite jusque vers le mois de mai, époque à laquelle le vin subit son conditionnement final en bouteilles. Cette façon de procéder concerne la vendange destinée à l'obtention des vins blancs secs, c'est-à-dire plus de 90 % de la production alsacienne.

Les alsaces « vendanges tardives » et « sélections de grains nobles » sont des productions issues de vendanges surmûries et ne constituent des appellations officielles que depuis 1984. Ils sont soumis à des conditions de production extrêmement rigoureuses, les plus exigeantes de toutes pour ce qui concerne le taux de sucre des raisins. Il s'agit évidemment de vins de classe exceptionnelle, qui ne peuvent être obtenus tous les ans et dont le prix de revient est très élevé. Seuls le gewurztraminer, le pinot gris, le riesling et plus rarement le muscat peuvent bénéficier de ces mentions spécifiques.

Dans l'esprit des consommateurs, le vin d'Alsace doit se boire jeune, ce qui est en grande partie vrai pour le sylvaner, le chasselas, le pinot blanc et l'edelzwicker ; mais cette jeunesse est loin d'être éphémère, et riesling, gewurztraminer, pinot gris ont souvent intérêt à n'être consommés qu'après deux ans d'âge. Il n'existe en réalité aucune règle fixe à cet égard, et certains grands vins, nés au cours des années de grande maturité des raisins, se conservent beaucoup plus longtemps, des dizaines d'années parfois.

L'appellation alsace, applicable dans l'ensemble des cent dix aires de production communales, est subordonnée à l'utilisation de douze cépages : gewurztraminer, riesling rhénan, pinot gris, muscats blanc et rose à petits grains, muscat ottonel, pinot blanc vrai, auxerrois blanc, pinot noir, sylvaner blanc, chasselas blanc et rose.

Alsace klevener de heiligenstein

Le klevener de heiligenstein n'est autre que le vieux traminer (ou savagnin rose) connu depuis des siècles en Alsace.

Il a fait place progressivement à sa variante épicée ou « gewurztraminer » dans l'ensemble de la région, mais est resté vivace à Heiligenstein et dans cinq communes voisines.

Il constitue une originalité par sa rareté et son élégance. Ses vins sont à la fois très bien charpentés et discrètement aromatiques.

CAVE VINICOLE D'ANDLAU-BARR 2002 ★

	n.c.	50 000	8 à 11 €

Si cette coopérative élabore toute la gamme des vins d'Alsace, elle est particulièrement attachée à la promotion du klevener-de-heiligenstein, produit aux environs de Barr. Deux des quatre coups de cœur qu'elle a obtenus depuis la première édition du Guide sont venus saluer cette spécialité locale (voir Guides 1999 et 2003). Ce 2002 se révèle déjà intense au nez, qui marie des nuances de fruits exotiques et des notes fumées. Les agrumes viennent apporter une pointe de fraîcheur dans un palais rond et persistant. (Sucres résiduels : 12,1 g/l.)
🍷 Cave vinicole d'Andlau et environs,
15, av. des Vosges, 67140 Barr,
tél. 03.88.08.90.53, fax 03.88.47.60.22 ☑ ▼ ⋏ r.-v.

CHARLES BOCH L'Authentique Cuvée n° 1 2002 ★

	1 ha	1000	ⅢⅢ	5 à 8 €

Un nom que l'on retrouve souvent sous la rubrique « klevener-de-heiligenstein », puisque Charles Boch est établi dans le village qui a donné son nom à l'appellation. Ce vigneron signe un 2002 très expressif au nez par ses notes minérales et florales soulignées par une subtile nuance de coing. Un vin harmonieux, puissant, ample et rond. Il sera à sa place à l'apéritif ou sur un dessert pas trop sucré. (Sucres résiduels : 12,1 g/l.)
🍷 Charles Boch, 6, rue Principale, 67140 Heiligenstein,
tél. 03.88.08.41.26, fax 03.88.08.58.25
☑ 🏠 🏠 ⋏ t.l.j. 9h-12h 14h-19h; f. 2 semaines fin août

PAUL DOCK Cuvée Prestige 2002 ★

	0,7 ha	3 000	8 à 11 €

Un domaine de 8 ha, situé à Heiligenstein et grand défenseur du cépage local. L'étiquette montre le village, dominé par le mont Sainte-Odile. Comme l'an dernier, la cuvée Prestige a été sélectionnée. Le 2002 se distingue par un nez complexe, où les parfums fruités et floraux se nuancent d'une note miellée de surmaturation. Très rond, riche et concentré, il devrait trouver sa pleine harmonie après quelques années de bouteille. Pour l'apéritif ou le dessert. (Sucres résiduels : 35 g/l.)
🍷 GAEC Paul Dock et Fils,
55, rue Principale, 67140 Heiligenstein,
tél. 03.88.08.02.49, fax 03.88.08.25.65
☑ ▼ ⋏ t.l.j. 9h-12h 13h30-19h

Alsace sylvaner

Les origines du sylvaner sont très incertaines, mais son aire de prédilection a toujours été limitée au vignoble allemand et à celui du Bas-Rhin en France. En Alsace même, où il couvre environ 1 780 ha, c'est un cépage extrêmement intéressant grâce à son rendement et à sa régularité de production.

Son vin est d'une remarquable fraîcheur, assez acide, doté d'un fruité discret. On trouve en réalité deux types de sylvaner sur le marché. Le premier, de loin supérieur, provient de terroirs bien exposés et peu enclins à la surproduction. Le second est apprécié par ceux qui aiment un type de vin sans prétention, agréable et désaltérant. Le sylvaner accompagne volontiers choucroute, hors-d'œuvre et entrées, de même que les fruits de mer, tout spécialement les huîtres.

PIERRE ARNOLD 2002 ★

	0,45 ha	4 000	ⅢⅢ	3 à 5 €

Dambach-la-Ville compte nombre de très anciennes familles vigneronnes, comme les Arnold, au service du vin depuis l'époque du Roi-Soleil et qui affiche épis de blé et raisin dans ses armoiries. Autre titre de noblesse : trois coups de cœur dans diverses éditions du Guide. Voici un sylvaner très recommandable. Jaune clair à reflets verts, réservé au nez, il apparaît encore jeune mais sera encore là l'an prochain, et même plus longtemps. D'une belle attaque au palais, puissant et élégant à la fois, c'est un vin harmonieux et prometteur.
🍷 Pierre Arnold,
16, rue de la Paix, 67650 Dambach-la-Ville,
tél. 03.88.92.41.70, fax 03.88.92.62.95
☑ ▼ ⋏ t.l.j. 9h-19h; dim. sur r.-v.

AGATHE BURSIN Eminence 2002 ★★

	0,09 ha	400	▮	5 à 8 €

A l'issue de ses études d'œnologie, Agathe Bursin s'est lancé un double défi : reprendre la petite exploitation (3,4 ha) de ses parents à Westhalten, au sud de la route des Vins, et vinifier. Elle apparaît dans le Guide depuis l'an dernier avec des microcuvées de sylvaner d'un type particulier, riches en sucres résiduels (15 g/l pour celui-ci). Ce 2002 est né d'une assez vieille vigne plantée sur le prestigieux terroir du Zinnkoepflé. Elégant et complexe au nez, il est marqué par la surmaturation, avec des arômes de fruits confits. Vif à l'attaque, puissant et long, il s'accordera avec une volaille.
🍷 Agathe Bursin,
11, rue de Soultzmatt, 68250 Westhalten,
tél. 03.89.47.04.15, fax 03.89.47.04.15 ☑ ▼ ⋏ r.-v.

R. FASSMANN 2002 ★

	1,1 ha	1 300	3 à 5 €

Dambach-la-Ville ne se contente pas de flatter le regard par son patrimoine architectural d'époque médiévale et Renaissance, c'est aussi l'un des principaux villages sur la route des Vins d'Alsace. Fondé au XVIIIe s., le domaine Fassmann y exploite 15 ha. Il fait son entrée dans le Guide avec ce sylvaner intense et élégant, au fruité frais caractéristique du cépage. Vif et persistant au palais, c'est un vin très harmonieux. Tout ce qu'il faut pour les fruits de mer.

René Hauller,
3, rue de la Gare, 67650 Dambach-la-Ville,
tél. 03.88.92.40.21, fax 03.88.92.45.41 r.-v.

PIERRE FRICK Cuvée précieuse 2002 ★★

0,5 ha 2 600 **8 à 11 €**

Un domaine de 12 ha cultivé en agriculture biologique depuis 1970 et en biodynamie depuis 1981. Nouvelle révolution en 2003 : la capsule vissable a remplacé le bouchon de liège ! A l'actif de la propriété, deux coups de cœur (dont un sylvaner, un 95). Marqué par des arômes complexes au nez – poire et surmaturation –, ce 2002 révèle une grande matière première. Puissant et très équilibré, il se tiendra bien dans le temps (un an au moins). Il pourrait accompagner un poisson en sauce.

Pierre Frick, 5, rue de Baer, 68250 Pfaffenheim,
tél. 03.89.49.62.99, fax 03.89.49.73.78,
e-mail pierre.frick@wanadoo.fr
t.l.j. sf dim. 8h30-11h30 13h30-18h30

GEIGER-KOENIG Felsberg 2002 ★★

0,4 ha 2 500 **3 à 5 €**

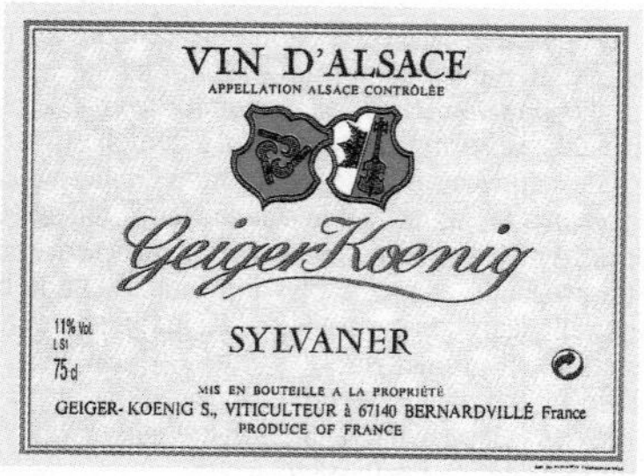

VIN D'ALSACE
APPELLATION ALSACE CONTRÔLÉE
GeigerKoenig
SYLVANER
MIS EN BOUTEILLE A LA PROPRIÉTÉ
GEIGER-KOENIG S., VITICULTEUR à 67140 BERNARDVILLÉ France
PRODUCE OF FRANCE

Le village de Bernardvillé, qui pénètre dans le massif vosgien, fut jadis le siège d'un monastère cistercien ruiné pendant les guerres de Religion. On pourra y découvrir ce sylvaner des plus harmonieux, au nez flatteur mêlant les fleurs blanches et les fruits exotiques, puissant, charpenté, croquant et d'un bel équilibre au palais. On peut le servir à l'apéritif.

Simone et Richard Geiger-Koenig,
21, rue Principale, Le Felsberg, 67140 Bernardvillé,
tél. 03.88.85.56.84, fax 03.88.85.57.74
t.l.j. 8h-19h

JULES MULLER Réserve 2002 ★

6,8 ha 60 000 **5 à 8 €**

Une maison établie à Bergheim, village très pittoresque enserré dans des remparts. Fondée en 1836, elle est à la tête d'une trentaine d'hectares de vignes en propre. Elle a signé un sylvaner dont le nez intense trahit déjà son terroir argilo-calcaire. Encore plus riche au palais, expressif et gras, un vin promis à une belle carrière.

Jules Muller,
91, rue des Vignerons, 68750 Bergheim,
tél. 03.89.73.22.22, fax 03.89.73.30.49
t.l.j. sf dim. 10h-12h 14h-18h30
Ch. Lorentl

BERNARD STAEHLE 2002 ★

0,22 ha 1 900 **5 à 8 €**

Jouxtant Colmar à l'entrée de la vallée de Munster, la ville de Wintzenheim est dominée par le château de Hohlandsbourg qui offre un magnifique panorama sur 360 degrés. Bernard Staehlé exploite 7 ha dans cette localité ; avec talent (deux coups de cœur dans les éditions 1992 et 1999). Il a proposé un sylvaner issu d'un terroir marno-calcaire. Fruité et vineux au palais, c'est un vin typé, puissant et persistant, pour poisson ou fruits de mer.

Bernard Staehlé,
15, rue Clemenceau, 68920 Wintzenheim,
tél. 03.89.27.39.02, fax 03.89.27.59.37 r.-v.

DOM. ALFRED WANTZ
Mittelbergheim Cuvée Zo 2002 ★

2,3 ha 8 000 **5 à 8 €**

Mittelbergheim est célèbre par ses maisons traditionnelles, comme celle où ce domaine a son siège. Elle l'est également par son sylvaner que l'on plante ici sur les meilleurs terroirs, comme ce Zo marno-calcaire (qui affiche le nom de grand cru Zotzenberg lorqu'il est planté de riesling, gewurztraminer et autres cépages nobles). Ce domaine de 13 ha, fondé en 1940 par Alfred Wantz et dirigé aujourd'hui par la troisième génération, en a d'ailleurs tiré un vin coup de cœur (édition 1990). Très élégant au nez avec ses notes d'agrumes et de fleurs blanches, ce 2002 est croquant, puissant et long. La finale est dominée par une plaisante note de réglisse. A servir avec fruits de mer, entrées, charcuterie.

Jean-Marc Wantz, Dom. Alfred Wantz,
3, rue des Vosges, 67140 Mittelbergheim,
tél. 03.88.08.91.43, fax 03.88.08.58.74 r.-v.

A. WITTMANN Zotz 2002 ★

0,33 ha 2 500 **5 à 8 €**

Etabli dans une magnifique maison Renaissance (1558), voici un autre défenseur du sylvaner de Mittelbergheim, planté à flanc de coteau sur terrains marno-calcaires. Vinifié avec soin, son sylvaner du Zotz apparaît fin et fruité au nez, vif, expressif, équilibré et long. A découvrir dans cette jolie localité, qui fait partie de l'Association des plus beaux villages de France.

EARL André Wittmann et Fils,
7-9, rue Principale, 67140 Mittelbergheim,
tél. 03.88.08.95.79, fax 03.88.08.53.81,
e-mail nicolas.wittmann@wanadoo.fr
r.-v.

Alsace pinot ou klevner

Sous ces deux dénominations (la seconde étant un vieux nom alsacien), le vin de cette appellation peut provenir de plusieurs cépages : le pinot blanc vrai et l'auxerrois blanc. Ce sont deux variétés assez peu exigeantes, capables de donner des résultats remarquables dans des situations moyennes, car leurs vins allient agréablement fraîcheur, corps et souplesse. Cette appellation couvre 3 124 ha.

Dans la gamme des vins d'Alsace, le pinot blanc représente le juste milieu, et il n'est pas rare qu'il surclasse certains rieslings. Du point de vue gastronomique, il s'accorde avec de nombreux plats, à l'exception des fromages et des desserts.

A. L. BAUR Cuvée Louis 2002 ★

	0,56 ha	5 800	▮	5 à 8 €

Situé à 340 m d'altitude, le village de Voegtlinshoffen bénéficie d'une vue superbe sur la plaine d'Alsace. Le domaine A. L. Baur, fortement enraciné dans l'histoire, y exploite plus de 6 ha de vignes. Très expressif au nez par ses notes de fleurs blanches, de fruits et d'épices, ce pinot blanc apparaît fort bien structuré au palais. A la fois vif et chaleureux, un vin de classe.
🕿 A. L. Baur,
4, rue Roger-Frémeaux, 68420 Voegtlinshoffen,
tél. 03.89.49.30.97, fax 03.89.49.21.37 ☑ ⊤ ⅄ r.-v.

LEON BAUR 2002 ★★

	1,6 ha	12 000	▮⅃	5 à 8 €

Installé au cœur de la cité historique d'Eguisheim, à l'abri des anciens remparts, le domaine Léon Baur exploite aujourd'hui 8 ha de vignes répartis sur les meilleurs terroirs de la contrée. Originaire d'un sol argilo-calcaire, ce pinot blanc affiche déjà une belle complexité au nez : les notes fruitées côtoient des arômes torréfiés envoûtants. Vif à l'attaque, c'est un vin long et parfaitement structuré. Un ensemble racé.
🕿 Jean-Louis Baur, 22, rue du Rempart-Nord, 68420 Eguisheim, tél. 03.89.41.79.13, fax 03.89.41.93.72, e-mail jean-louisbaur@terre-net.fr ☑ ⊤ ⅄ t.l.j. 9h-12h 13h30-18h30 sf dim. 9h-12h; groupes sur r.-v.

DOM. EINHART Westerberg 2002 ★

	1,7 ha	9 500	⦀	3 à 5 €

Vigneron de la cinquième génération, Nicolas Einhart a su hisser ce domaine de 11 ha de vignes au faîte de la gloire. En accord avec son origine argilo-calcaire, son pinot du Westerberg, 100 % auxerrois, est encore assez jeune. Délicat au nez par ses notes de coing et d'abricot, il révèle un bel équilibre au palais. Un vin prometteur.
🕿 Nicolas Einhart,
15, rue Principale, 67560 Rosenwiller,
tél. 03.88.50.41.90, fax 03.88.50.29.27,
e-mail info@einhart.com ☑ ⊤ ⅄ r.-v.

DOMINIQUE FREYBURGER 2002 ★

	0,8 ha	5 000	⦀	3 à 5 €

Après avoir travaillé quinze ans dans la restauration comme sommelier, Dominique Freyburger a souhaité revenir à la création ! Aussi a-t-il repris ce petit domaine familial en 1997. Il a présenté un pinot marqué par son origine granitique et déjà très épanoui au nez : les nuances d'acacia se mêlent aux fruits exotiques. A la fois puissant et énergique au palais, ce vin offre un beau volume en bouche. Longue garde assurée.
🕿 Dominique Freyburger,
11A-12, rue du Tir, 68770 Ammerschwihr,
tél. 03.89.78.17.62, fax 03.89.78.17.62,
e-mail vinsfreyb@aol.com ☑ ⊤ ⅄ t.l.j. 9h-18h30

JEAN-CLAUDE GUETH 2002 ★

	0,24 ha	2 000	▮⅃	5 à 8 €

Gueberschwihr est un village très pittoresque. Installés dans une demeure du XVIIᵉs., Bernadette et Jean-Claude Gueth s'engagent dans la carrière en 1970, et, en 1982, se lancent dans la mise en bouteilles au domaine. Issu d'un terroir marno-calcaire, leur pinot blanc est très typé au nez par son caractère fruité. Rond et vif à la fois, il révèle au palais des notes d'épices et d'agrumes. Un vin promis à un bel avenir.
🕿 GAEC Jean-Claude Gueth,
3, rue de la Source, 68420 Gueberschwihr,
tél. 03.89.49.33.61, fax 03.89.49.24.82,
e-mail vins.jeanclaude.gueth@wanadoo.fr ☑ ⊤ ⅄ r.-v.

JEAN-PAUL HAEFFELIN ET FILS
Auxerrois 2002 ★★

	0,7 ha	5 000	▮⅃	3 à 5 €

Si Daniel Haeffelin a décidé de vivre avec son temps en construisant une cave fonctionnelle en périphérie d'Eguisheim, il n'a pas oublié la leçon de ses ancêtres, vignerons depuis 1770 dans la célèbre cité médiévale où il accueille toujours ses visiteurs. A la fois puissant et flatteur au nez, son auxerrois évoque instantanément les fruits mûrs. Ample et parfaitement structuré au palais, ce vin fait preuve d'une longueur remarquable.
🕿 Vignoble Daniel Haeffelin,
8, rue des Merles, 68420 Eguisheim,
tél. 03.89.41.77.85, fax 03.89.23.32.43 ☑ ⊤ ⅄ r.-v.

DOM. KOEHLY Auxerrois 2002 ★

	1,4 ha	7 500	▮⅃	5 à 8 €

A la tête d'une exploitation ancienne et importante (16 ha de vignes), Jean-Marie Koehly est parvenu au sommet de son art. Les nombreux coups de cœur obtenus et une clientèle particulière qui assure 95 % des ventes du domaine en témoignent. Son origine gréseuse renforce l'expression ample et fruitée de cet auxerrois. D'une attaque franche au palais, c'est un vin chaleureux et structuré, que l'on appréciera sur les repas légers d'été.
🕿 Jean-Marie Koehly,
64, rue du Gal-de-Gaulle, 67600 Kintzheim,
tél. 03.88.82.09.77, fax 03.88.82.70.49
☑ 🏠 ⊤ ⅄ t.l.j. 8h-12h 13h-18h30

DOM. LOEW Auxerrois Barrique 2002

	0,5 ha	2 500	⦀	8 à 11 €

Westhoffen peut s'enorgueillir d'avoir vu naître deux familles de grand renom, celle des Blum et celle des Debré. Etienne Loew, qui a repris le domaine familial en 1996, est quant à lui en train d'acquérir une notoriété dans

la production vinicole. Il propose un pinot intense et élégant au nez ; élevé en barrique, ce vin est dominé par des nuances vanillées que l'on retrouve également au palais. Un ensemble long et complexe.
Etienne Loew, 28, rue Birris, 67310 Westhoffen, tél. 03.88.50.59.19, fax 03.88.50.59.19 r.-v.

ALFRED MEYER ET FILS Auxerrois 2002 ★★

2 ha 2 000 3 à 5 €

Daniel Meyer, après une première expérience professionnelle dans la restauration, a repris l'exploitation familiale en 2004. Une bonne idée, à en juger par cet auxerrois intense, fruité et chaleureux au nez. Marqué au palais par le raisin mûr, c'est un vin bien charpenté et persistant. Un bel accord avec une viande blanche ou de la charcuterie.
Alfred Meyer et Fils,
98, rue des Trois-Epis, 68230 Katzenthal,
tél. 03.89.27.24.50, fax 03.89.27.55.40
t.l.j. 8h-12h 13h30-18h30; dim. sur r.-v.

CHARLES MULLER ET FILS
Auxerrois de Traenheim Vieilles Vignes 2002 ★

2,3 ha 4 000 5 à 8 €

Descendants d'une longue lignée de vignerons dont l'origine remonte à 1580, les Muller se sont lancés en 1979 dans l'aventure de la mise en bouteilles. Leur domaine de 10 ha est aujourd'hui conduit en agriculture biologique. Marqué par la surmaturation, ce pinot auxerrois développe au nez des nuances de miel et de fruits secs. Plutôt souple au palais, c'est un vin élégant et harmonieux.
Charles Muller et Fils,
89c, rte du Vin, 67310 Traenheim,
tél. 03.88.50.38.04, fax 03.88.50.58.54 r.-v.

JEAN RAPP Auxerrois Muhlweg 2002 ★★

0,3 ha 3 600 3 à 5 €

L'histoire de la famille est liée à celle de la vigne depuis 1765. Aujourd'hui, Jean Rapp conduit son domaine de 8 ha de vignes situé à proximité de Molsheim, ville rendue célèbre par Ettore Bugatti. Né d'un terroir argilo-calcaire, son auxerrois du Muhlweg, à la fois intense et d'une grande élégance au nez, a conquis le jury. Riche et volumineux, tout en restant parfaitement équilibré au palais, il sort vraiment du lot.
Jean Rapp,
1, fg des Vosges, 67120 Dorlisheim,
tél. 03.88.38.28.43, fax 03.88.38.28.43,
e-mail vins-rapp@wanadoo.fr r.-v.

WELTY Auxerrois 2002 ★★

0,41 ha 4 000 5 à 8 €

Vignerons de père en fils depuis 1738, les Welty habitent une ancienne cave dîmière bâtie en 1579. La beauté du site, tout autant que la réputation du domaine, invitent à une halte. A la fois intense et complexe au nez, ce pinot blanc associe élégamment arômes fruités et notes de surmaturation. D'une attaque assez vive, mais d'un caractère ample et gras au palais, c'est un vin riche et persistant, tout en harmonie.
Dom. Jean-Michel Welty,
22-24, Grand-Rue, 68500 Orschwihr,
tél. 03.89.76.09.03, fax 03.89.76.16.80,
e-mail jean-michel.welty@terre-net.fr
t.l.j. 9h-11h30 14h-19h; dim. sur r.-v.

Alsace edelzwicker

Parmi les appellations alsaciennes, une place particulière est occupée par l'edelzwicker. Cette dénomination extrêmement ancienne désigne les vins issus d'un assemblage de cépages. N'oublions pas qu'il y a un siècle les parcelles du vignoble alsacien implantées avec une seule variété étaient rares. Les cépages qui entrent dans la composition de l'edelzwicker sont essentiellement les pinot blanc, auxerrois, sylvaner et chasselas. A côté d'une proportion relativement faible d'edelzwicker sans grande qualité et qui a tendance à jeter le discrédit sur cette appellation, cette production est particulièrement appréciée par les Alsaciens, et la plupart des restaurants et des cafés mettent un point d'honneur à en servir de très agréables en carafe. Il s'agit d'une appellation qui mériterait qu'on revalorise sa réputation. Elle pourrait répondre à l'une des revendications actuelles de certains vignerons pour qui les vertus de l'assemblage semblent évidentes.

COMTE D'ANDLAU-HOMBOURG
Château d'Ittenwiller Grande Réserve 2002

0,6 ha 2 500 5 à 8 €

Général d'Empire, l'ancêtre des propriétaires actuels acheta après la Révolution une ancienne abbaye bénédictine fortifiée du XII^{e}s. dont il fit un château, et créa le domaine viticole d'Ittenwiller (2,5 ha aujourd'hui). Les vins sont élaborés par François d'Andlau. Celui-ci est un assemblage traditionnel – à l'instar des vins du XIX^{e}s. que l'on produisait avant que fussent introduits les monocépages – 35 % de pinot blanc, 30 % de pinot gris, 25 % de gewurztraminer et 10 % de muscat. Fruité et floral, le nez est surtout marqué par les fleurs blanches. Après une attaque franche, le palais se montre puissant, racé et d'une bonne harmonie. (Sucres résiduels : 7,6 g/l.)
Dom. d'Ittenwiller, 67140 Saint-Pierre,
tél. 03.88.08.26.50, fax 03.88.08.13.30 r.-v.
Comtes d'Andlau

Alsace riesling

Le riesling est le cépage rhénan par excellence, et la vallée du Rhin est son berceau. Il s'agit d'une variété tardive pour la région, dont la production est régulière et bonne. Elle occupe environ 3 370 ha.

Le riesling alsacien est un vin sec, ce qui le différencie de façon générale de son homologue allemand. Ses atouts résident dans l'harmonie entre son bouquet et son fruité délicats, son corps et son acidité assez prononcée mais extrêmement fine. Mais pour atteindre cet apogée, il devra provenir d'une bonne situation.

Le riesling a essaimé dans de nombreux autres pays viticoles, où la dénomination riesling, sauf si l'on précise « riesling rhénan », n'est pas totalement fiable : une dizaine d'autres cépages ont, de par le monde, été baptisés de ce nom ! Du point de vue gastronomique, le riesling convient tout particulièrement aux poissons, aux fruits de mer et, bien entendu, à la choucroute garnie à l'alsacienne ou au coq au riesling chaque fois qu'il ne contient pas de sucres résiduels ; les sélections de grains nobles et vendanges tardives se prêtent aux accords des vins liquoreux.

LUCIEN ALBRECHT Clos Himmelreich 2002 ★★

■ 2 ha 5 500 23 à 30 €

La famille Albrecht est installée depuis 1698 à Orschwihr, petite bourgade viticole située dans la partie méridionale de la route du Vin. Jean Albrecht y dirige un vignoble de 32 ha dont les vins sont expédiés dans près de trente pays. Le Clos Himmelreich a donné un riesling au fruité frais qui évolue vers des notes confites. Sa belle maturité, alliée à la richesse de la structure, lui assure un superbe équilibre et une bonne persistance. Ce vin s'accordera avec du poisson fin tel que le sandre ou des noix de coquilles Saint-Jacques. (Sucres résiduels : 6,5 g/l.)

Lucien Albrecht, 9, Grand-Rue, 68500 Orschwihr,
tél. 03.89.76.95.18, fax 03.89.76.20.22,
e-mail lucien.albrecht@wanadoo.fr
t.l.j. 8h-19h; f. dim. de jan. à juin et de sept. à nov.
Jean Albrecht

DOM. ALLIMANT-LAUGNER 2002 ★

■ 0,9 ha 7 500 5 à 8 €

Hubert Laugner est à la tête de cette exploitation de 12 ha depuis 1984. Issu d'un sol granitique, son riesling se montre très expressif au nez, avec une fine note minérale. Bien charpenté, bien fruité et équilibré, il est recommandé sur les fruits de mer et les poissons grillés. (Sucres résiduels : 4,5 g/l.)

Allimant-Laugner, 10, Grand-Rue,
67600 Orschwiller, tél. 03.88.92.06.52,
fax 03.88.82.76.38, e-mail alaugner@terre-net.fr
t.l.j. sf dim. 9h-12h 14h-18h
Hubert Laugner

CAVE VINICOLE D'ANDLAU-BARR
Weinberg 2002 ★

■ n.c. 9 700 5 à 8 €

Le village d'Andlau vaut le détour pour son église romane et ses maisons des XVIIe et XVIIIe s. La coopérative a son siège à Barr à quelques kilomètres au nord-ouest. Elle propose un riesling aux arômes riches et typés, franc de caractère et de bonne fraîcheur. Des notes minérales et des nuances d'agrumes marquent la finale. (Sucres résiduels : 7,2 g/l.)

Cave vinicole d'Andlau et environs,
15, av. des Vosges, 67140 Barr,
tél. 03.88.08.90.53, fax 03.88.47.60.22 r.-v.

FREDERIC ARBOGAST
Geierstein Vieilles Vignes 2002 ★★

■ 0,5 ha 3 000 3 à 5 €

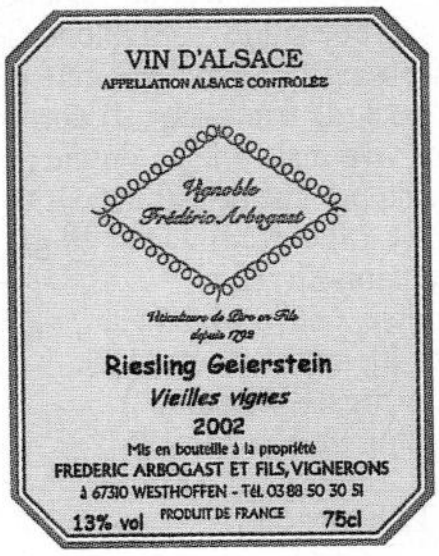

Entourée de vignes et de vergers, Westhoffen est une charmante commune du nord de la route du Vin. Cette exploitation de 15 ha est installée dans le centre historique du village, près de l'église. Dans cette cave rénovée en 2002, un travail très rigoureux et respectueux des traditions a conduit à la production d'un vin de belle expression. Cette cuvée en robe jaune doré s'épanouit sur des arômes de fruits mûrs, voire surmûris ; au palais, elle tient ses promesses : fruit, harmonie, puissance et longueur. Tout y est ! A la hauteur du turbot, de la lotte, de la langouste. (Sucres résiduels : 6 g/l.)

Frédéric Arbogast,
3, pl. de l'Eglise, 67310 Westhoffen,
tél. 03.88.50.30.51, fax 03.88.50.36.40,
e-mail fredarbogast@wanadoo.fr r.-v.

DOM. BARMES BUECHER
Leimenthal de Wettolsheim 2002 ★

■ 0,3 ha 1 200 15 à 23 €

Depuis 1985, Geneviève et François Barmès conduisent un important domaine familial : 16 ha, cultivés depuis 1998 en biodynamie et répartis dans neuf terroirs différents. Celui-ci, au sol marno-calcaire, a marqué ce riesling de son empreinte : jaune doré à l'œil, ce vin présente un nez encore discret, floral et un rien mentholé. D'une grande ampleur, il est structuré et persistant. (Sucres résiduels : 11 g/l.)

Dom. Barmès-Buecher,
30, rue Sainte-Gertrude, 68920 Wettolsheim,
tél. 03.89.80.62.92, fax 03.89.79.30.80,
e-mail barmesbuecher@terre-net.fr r.-v.

RENE BARTH Rebgarten 2002

■ 0,6 ha 5 000 8 à 11 €

Descendant d'une lignée de vignerons, Michel Fonné a fait des études d'œnologie puis a repris la propriété de son oncle René Barth. Il exploite son domaine de 12,5 ha en lutte intégrée et pratique la vinification par terroir. En 2002, il a construit un nouveau vendangeoir ainsi que des caves de vinification et de vieillissement. Son riesling du Rebgarten livre d'intenses arômes d'agrumes et révèle sa bonne matière dans une bouche puissante. Très vif, il doit mûrir pour gagner en harmonie. A déguster fin 2005. (Sucres résiduels : 8 g/l.)

Dom. Michel Fonné, 24, rue du Gal-de-Gaulle,
68630 Bennwihr, tél. 03.89.47.92.69, fax 03.89.49.04.86,
e-mail michel@michelfonne.com r.-v.

BAUMANN-ZIRGEL Streng 2002 ★

▒ 0,38 ha 4 600 **8 à 11 €**

J.-J. Zirgel est à la tête de cette propriété depuis plus de vingt-cinq ans. Son fils Benjamin vient de s'installer sur le domaine. Une robe jaune d'or annonce le caractère de leur cuvée du Streng qui livre sans retenue des arômes complexes de miel, de fruits secs, d'écorces d'agrumes... L'attaque assez vive mais fine lui donne de la race. Bien structuré, soutenu par une belle fraîcheur et persistant, un ensemble élégant. (Sucres résiduels : 10 g/l.)

🔑 EARL Baumann-Zirgel,
5, rue du Vignoble, 68630 Mittelwihr,
tél. 03.89.47.90.40, fax 03.89.49.04.89,
e-mail baumann-zirgel@wanadoo.fr
🆅 🍸 🚶 t.l.j. sf dim. 9h-12h 14h-19h

A. L. BAUR Elsbourg 2002 ★★

▒ 0,35 ha 3 700 ▮ 5 à 8 €

Le visiteur est accueilli à l'entrée de Voegtlinshoffen par la fontaine dédiée à Bacchus. Devant la propriété de la famille Baur, il découvre une rangée de vignes présentant sept principaux cépages d'Alsace. Et dans la cave, il appréciera sans aucun doute ce riesling. Les arômes fruités sont intenses, tant au nez qu'au palais ; une matière un peu ronde fait alliance avec une fraîcheur mûre qui assure une bonne persistance. Une superbe bouteille dotée d'un grand potentiel et que l'on appréciera encore davantage dans un an ou deux. (Sucres résiduels : 8 g/l.)

🔑 A. L. Baur,
4, rue Roger-Frémeaux, 68420 Voegtlinshoffen,
tél. 03.89.49.30.97, fax 03.89.49.21.37 🆅 🍸 🚶 r.-v.

BESTHEIM Rebgarten 2002 ★

▒ 14 ha 120 000 ▮🌡 5 à 8 €

Un terroir granitique a donné ce riesling où dominent des arômes de fleurs blanches et d'agrumes. Un vin assez sec et vif auquel des nuances de terroir apportent du caractère. Bien équilibré dans sa structure, il sera de bonne garde. (Sucres résiduels : 7 g/l.)

🔑 Cave de Bestheim-Bennwihr,
3, rue du Gal-de-Gaulle, 68630 Bennwihr,
tél. 03.89.49.09.29, fax 03.89.49.09.20,
e-mail bestheim@gofornet.com
🆅 🍸 t.l.j. 9h-12h 14h-18h; sam. dim. sur r.-v.

ROBERT BLANCK
Schenkenberg Vieilles Vignes 2001 ★★

▒ 0,31 ha 3 000 ◍ 8 à 11 €

Dans cette famille, on travaille la vigne depuis 1732. La passion du métier se lit dans la cave, impressionnante, uniquement composée de fûts et de foudres en chêne. Un terroir argilo-calcaire a donné naissance à ce riesling aux subtils parfums d'agrumes. Après une attaque souple, les arômes s'inscrivent dans le même registre au sein d'une structure généreuse, un peu corsée. Harmonie et élégance. (Sucres résiduels : 5 g/l.)

🔑 Robert Blanck, 167, rte d'Ottrott, 67210 Obernai,
tél. 03.88.95.58.03, fax 03.88.95.04.03,
e-mail info@blanck-obernai.com 🆅 🍸 🚶 r.-v.

DOM. CLAUDE BLEGER
Vendanges tardives 2001 ★

▒ 0,6 ha 1 200 ◍ **11 à 15 €**

Les vignerons se succèdent de génération en génération depuis le milieu du XVII^e^s. dans cette famille établie au pied du château du Haut-Kœnigsbourg. D'un or profond aux reflets verts, ce riesling exhale des notes de fruits confits, de coing, de figue ; au palais, il se révèle ample et complexe dans la même continuité aromatique. Une touche d'amertume marque la finale. On le décantera avant de le servir. (bouteilles de 50 cl.)

🔑 Dom. Claude Bléger, 23, Grand-Rue,
67600 Orschwiller, tél. 03.88.92.32.56,
fax 03.88.82.59.95, e-mail vins.c.bleger@wanadoo.fr
🆅 🏘 🏠 🍸 🚶 t.l.j. 9h-12h15 13h15-19h30

HUBERT BLUMSTEIN
Riesling de Scherwiller 2002 ★★

▒ 0,38 ha 4 500 ▮🌡 5 à 8 €

Avec la création du domaine de l'Edelweiss, marquée par la construction de la maison d'habitation et de la nouvelle cave, Hubert Blumstein a donné à la fin des années 1980 une nouvelle dynamique à son exploitation. Depuis quelques années, ses filles Sylvie et Nadine, participent à l'effort. Floral, fin et net, leur riesling de Scherwiller présente un nez fin et élégant. En bouche, il révèle une grande matière et un beau fruité qui persiste longuement. (Sucres résiduels : 12/gl.)

🔑 Hubert Blumstein, rte du Vin, Scherwiller,
67730 Châtenois, tél. 03.88.82.13.65, fax 03.88.82.34.09,
e-mail sylvie@vins-blumstein.com 🆅 🏘 🏠 🍸 🚶 r.-v.

MARIE-CLAIRE ET PIERRE BORES
Schieferberg Rêve de pierres 2002 ★

▒ 0,32 ha 3 000 ▮ **8 à 11 €**

Le joli village de Reichsfeld est situé à l'entrée du Val de Villé au pied de l'Ungersberg. Un terroir de schiste a donné ce riesling discret au nez. Rond à l'attaque et très complexe en bouche, ce vin est encore marqué par les sucres résiduels. On l'attendra un à deux ans pour lui permettre d'acquérir davantage de caractère. (Sucres résiduels : 34,6 g/l.)

🔑 Marie-Claire et Pierre Borès,
15, lieu-dit Leh, 67140 Reichsfeld,
tél. 03.88.85.58.87, fax 03.88.85.56.07,
e-mail mcpbores@cario.fr 🆅 🏠 🍸 🚶 r.-v.

DOM. DU CHATEAU DE RIQUEWIHR
Les Murailles 2002 ★

▒ 10 ha 40 000 ▮🌡 **8 à 11 €**

Cette ancienne propriété appartenait aux ducs de Wurtenberg. La cave du château date du milieu du XVI^e^s. Ce riesling des Murailles provient d'une parcelle attenante aux remparts de la cité ; ses arômes un peu discrets sont marqués par des nuances minérales. Il présente une structure de jeunesse, liée à une matière intéressante, soutenue par une bonne fraîcheur. Il devrait gagner en expression d'ici deux à trois ans. (Sucres résiduels : 6,7 g/l.)

🔑 Dopff et Irion,
Dom. du Château de Riquewihr, 68340 Riquewihr,
tél. 03.89.47.92.51, fax 03.89.47.98.90,
e-mail post@dopff-irion.com 🆅 🍸 🚶 r.-v.

CLOS SAINTE-APOLLINE
Bollenberg Sélection de grains nobles 2001 ★★

▒ 0,4 ha 800 ◍ **38 à 46 €**

La famille Meyer exploite un coquet domaine (25 ha) qui bénéficie d'une situation enviable : il couvre les pentes calcaires du Bollenberg, cette colline particulièrement protégée des pluies par les plus hauts sommets des Vosges. Sur cette hauteur, on observe localement une végétation qui rappelle la garrigue. Des conditions propices à l'ob-

tention de vins liquoreux. Jaune paille soutenu à reflets or marqués, celui-ci offre un nez complexe et riche associant fruits confits et abricot séché à des nuances de fumé et de cacao. Une palette aromatique que l'on retrouve dans une bouche marquée d'abord par une grande fraîcheur puis par un moelleux de bonne tenue. Un ensemble remarquable, qui gagnera en harmonie avec le temps et vivra au moins dix ans.
🔑 Clos Sainte-Apolline, SARL Dom. du Bollenberg, Bollenberg, 68250 Westhalten, tél. 03.89.49.67.10, fax 03.89.49.76.16, e-mail info@bollenberg.com
☑ Y ⚲ t.l.j. sf lun. 8h-19h

CLOS SAINTE-ODILE 2002 **

n.c. 16 000 5 à 8 €

Le mont Sainte-Odile veille sur la cité d'Obernai, intéressante par son ensemble architectural des XVe et XVI[e]s. S'étageant sur des terrasses bien aménagées, ce clos domine la ville et bénéficie d'une belle exposition au sud. Il a donné un riesling aux arômes intenses du cépage, accompagnés d'une touche minérale. Au palais, il gagne en intensité, avec des notes épicées. Bien équilibré et solidement charpenté, il finit sur une fraîcheur croquante. Il sera à son optimum dans un an ou deux. (Sucres résiduels : 7,2 g/l.)
🔑 Sté vinicole Sainte-Odile, 30, rue du Gal-Leclerc, 67210 Obernai, tél. 03.88.47.60.29, fax 03.88.47.60.22 ☑ Y ⚲ r.-v.

DOM. ROBERT DREYER ET FILS Sungass 2002

1,3 ha 2 500 3 à 5 €

Les deux fils de Robert Dreyer, Jean-Pierre et Claude, gèrent, depuis 1987, ce domaine qui regroupe quelque 9 ha de vignes. D'un terroir calcaire, ils ont tiré un riesling déjà bien ouvert au nez, fruité et minéral. Franc, à l'attaque fraîche, il révèle une belle matière persistante. Un classique à déguster sur des fruits de mer ou sur une choucroute. (Sucres résiduels : 4,7 g/l.)
🔑 Dom. Robert Dreyer et Fils, 17, rue de Hautvillers, 68420 Eguisheim, tél. 03.89.23.12.18, fax 03.89.41.61.45, e-mail vignoble.dreyer@wanadoo.fr ☑ Y ⚲ r.-v.

DOM. ANDRE DUSSOURT Riesling de Scherwiller Réserve Prestige 2002 *

0,35 ha 3 230 8 à 11 €

Les vestiges du château de l'Ortenbourg plairont aux amoureux des ruines. Elles dominent le village de Scherwiller. La commune regroupe de nombreuses maisons à colombage, comme celle de ce domaine viticole, dont la cave renferme des foudres centenaires. Ce riesling n'a pas connu le bois. Encore discret au nez sur des notes citronnées et minérales, il affiche une bonne structure et garde la typicité du cépage. Il s'ouvrira davantage avec le temps. (Sucres résiduels : 5,4 g/l.)
🔑 Dom. André Dussourt, 2, rue de Dambach, 67750 Scherwiller, tél. 03.88.92.10.27, fax 03.88.92.18.44, e-mail info@domainedussourt.com
☑ Y ⚲ t.l.j. sf dim. 8h-12h 13h30-18h
🔑 Paul Dussourt

EBLIN-FUCHS Lerchenberg 2002 **

0,5 ha 3 500 5 à 8 €

Les familles Eblin et Fuchs, unies au siècle dernier, ne comptent plus le nombre de générations de vignerons sur leurs arbres généalogiques qui remontent aux XIIIe et XVII[e]s. Le vignoble de 8 ha est conduit en biodynamie. Issu d'un terroir argileux, leur riesling du Lerchenberg s'ouvre sur des notes anisées, mentholées et florales. Souplesse et rondeur se fondent et s'allient à une fraîcheur séveuse. Un vin typé, une finesse dont on ne se lasse pas. (Sucres résiduels : 10 g/l.)
🔑 Christian et Joseph Eblin, 19, rte des Vins, 68340 Zellenberg, tél. 03.89.47.91.14, fax 03.89.49.05.12, e-mail eblin-fuchs@tiscali.fr ☑ 🏠 Y ⚲ r.-v.

JEAN-PAUL ECKLE Hinterburg 2002 **

0,45 ha 5 000 5 à 8 €

Un domaine qui compte, à en juger par ses trois coups de cœur et ses nombreuses sélections dans le Guide. Ce riesling n'a-t-il-pas obtenu deux étoiles pour le millésime précédent ? Le nom du lieu-dit où il est né signifie « derrière le château » et fait référence au donjon du Wineck qui domine le vignoble. Agrémenté d'arômes riches et complexes, avec des nuances florales, fruitées, et une note d'amande, ce vin harmonieux séduit par son ampleur et sa franchise. Sa fraîcheur permettra un accord avec une matelote de poissons. (Sucres résiduels : 5 g/l.)
🔑 Jean-Paul Ecklé et Fils, 29, Grand-Rue, 68230 Katzenthal, tél. 03.89.27.09.41, fax 03.89.80.86.18
☑ ⚲ t.l.j. sf dim. 9h-12h 13h30-18h30

HENRI EHRHART Réserve 2002 *

2,5 ha 21 000 5 à 8 €

Viticulteur-négociant établi à Ammerschwihr, cité viticole prospère dès le XIV[e]s. (la porte Haute, la tour des Bourgeois et celle des Voleurs, du XVI[e]s., témoignent de cette ancienne prospérité). L'établissement a proposé deux rieslings jugés tous deux très réussis. Cette Réserve présente des reflets or clair voire ambrés, et des arômes intenses de fruits surmûris et d'épices. Un riesling assez peu typé mais ample, pour des poissons en sauce. (Sucres résiduels : 7 g/l.) D'origine granitique également, l'autre riesling est un **Kaefferkopf 2002 (8 à 11 €)**. Agrumes et nuances minérales au nez, il séduit par son équilibre, sa fraîcheur et sa finale. Pour poissons et fruits de mer. (Sucres résiduels : 8 g/l.)
🔑 Henri Ehrhart, quartier des Fleurs, 68770 Ammerschwihr, tél. 03.89.78.23.74, fax 03.89.47.32.59, e-mail henri-ehrhart@ifrance.com ☑ Y ⚲ r.-v.

DOM. EINHART Westerberg 2002 **

1,2 ha 3 000 5 à 8 €

Nicolas Einhart dirige cette exploitation familiale de 11 ha de vignoble depuis maintenant près de quinze ans et a obtenu plusieurs coups de cœur au Guide Hachette. Le Westerberg, terroir argilo-calcaire, a favorisé les expressions d'agrumes (pamplemousse, orange) de son riesling. Au palais, l'intensité, le gras, le fruité et la persistance composent une bouteille très flatteuse. (Sucres résiduels : 10,5 g/l.)
🔑 Nicolas Einhart, 15, rue Principale, 67560 Rosenwiller, tél. 03.88.50.41.90, fax 03.88.50.29.27, e-mail info@einhart.com ☑ Y ⚲ r.-v.

DOM. FERNAND ENGEL Silberberg Rorschwihr Cuvée Saint-Michel 2002 **

0,52 ha 4 200 8 à 11 €

Etablie au pied du Haut-Kœnigsbourg, cette vaste exploitation familiale (près de 40 ha) rassemble trois

générations. L'an dernier, elle s'est particulièrement distinguée avec trois liquoreux (dont un coup de cœur). Cette année, c'est au tour d'un riesling de briller. Le Silberberg, terroir argilo-calcaire, ainsi qu'une vinification soignée ont contribué à la délicatesse des arômes floraux de ce vin presque aérien. En bouche, sa finesse d'expression n'a d'égale que la richesse de sa palette aromatique (citron, menthe, coing...). De bonne structure, il donne envie de passer à table. (Sucres résiduels : 8,8 g/l.)

🗝 Fernand Engel et Fils,
1, rte du Vin, 68590 Rorschwihr,
tél. 03.89.73.77.27, fax 03.89.73.63.70,
e-mail f-engel@wanadoo.fr
☒ 🍷 🚶 t.l.j. sf dim. 8h-12h 13h-18h

ANDRE FALLER Fruehmess 2002 ★

▮ 0,23 ha 2 000 ▮🌡 5 à 8 €

Village très touristique, exposé plein sud, Itterswiller est particulièrement fleuri chaque été. Le sol gréseux et caillouteux du lieu-dit Fruehmess a contribué à l'expression de ce riesling au plaisant fruité (un mélange d'agrumes bien mûrs). D'une agréable fraîcheur à l'attaque, ce vin révèle une belle matière, de la puissance, et offre une finale harmonieuse. (Sucres résiduels : 7 g/l.)

🗝 André Faller, 2, rte du Vin, 67140 Itterswiller,
tél. 03.88.85.53.55, fax 03.88.85.51.13,
e-mail andre.faller@wanadoo.fr ☒ 🍷 🚶 r.-v.

DOM. FLEISCHER Breitling 2002 ★

▮ 0,7 ha 4 800 ▮🌡 8 à 11 €

Créée en 1990, avec 3,5 ha, cette exploitation s'est étendue rapidement pour atteindre 8,5 ha aujourd'hui. Elle propose un riesling mêlant au nez de riches expressions d'agrumes et une légère note minérale. En bouche, l'attaque franche se prolonge en un palais fin et élégant. Un vin bien typé. (Sucres résiduels : 6 g/l.)

🗝 Dom. Fleischer,
28, rue du Moulin, 68250 Pfaffenheim,
tél. 03.89.49.62.70, fax 03.89.49.50.74 ☒ 🏠 🍷 🚶 r.-v.

FREY-SOHLER Rittersberg 2002 ★

▮ 1 ha 5 000 ▮🌡 8 à 11 €

Situé au pied des châteaux médiévaux du Ramstein et de l'Ortenbourg, Scherwiller ouvre ses caves chaque été, au mois d'août, pour la fête du Riesling. Il faut dire que ses terroirs sont propices à ce cépage. Né de sols granitiques, celui-ci offre une palette aromatique complexe où les agrumes jouent une partie discrète à côté des notes minérales. Une belle attaque, plutôt ronde, introduit une bouche un peu moins expressive que le nez, mais dans le même registre. (Sucres résiduels : 7 g/l.)

🗝 Frey-Sohler, 72, rue de l'Ortenbourg,
67750 Scherwiller, tél. 03.88.92.10.13,
fax 03.88.82.57.11, e-mail freysohl@wanadoo.fr
☒ 🏠 🍷 🚶 t.l.j. sf dim. 8h-12h 13h-18h30
🗝 Damien et Nicolas Sohler

FERNAND FROEHLICH ET FILS 2002 ★

▮ 0,54 ha 5 500 🛢 5 à 8 €

Le nid de cigognes, juché sur un pignon, seul vestige de l'ancienne église est tout un symbole pour Ostheim, village durement touché lors des combats de la Libération. Aujourd'hui, Michel Froehlich et sa famille y possèdent l'exploitation la plus importante, avec 7,6 ha de vignes répartis dans quatre communes de la route du Vin. Leur riesling présente une fraîcheur citronnée engageante ; cette finesse se retrouve au palais où les notes d'agrumes s'affichent dans un bel équilibre. (Sucres résiduels : 11 g/l.)

🗝 EARL Fernand Froehlich et Fils,
29, rte de Colmar, 68150 Ostheim,
tél. 03.89.86.01.46, fax 03.89.86.01.54
☒ 🏠 🍷 🚶 t.l.j. sf dim. 8h-11h45 13h-18h;
groupes sur r.-v.

DOM. ROBERT HAAG ET FILS
Vieilles Vignes 2002 ★

▮ 0,3 ha 2 600 🛢 5 à 8 €

Installée dans une maison à colombage du XVIII[e]s., cette famille de vignerons perpétue la tradition depuis cette époque. Elle produit du riesling, comme il se doit à Scherwiller. Un fruité très mûr (pêche, abricot), des notes de surmaturation et une touche beurrée annoncent un vin complexe. Cette impression se confirme dans une bouche franche et ample à l'attaque, bien structurée et d'une belle richesse aromatique, avec des nuances épicées. Harmonieux et prometteur, ce vin devrait encore s'épanouir ces deux prochaines années. (Sucres résiduels : 8,3 g/l.)

🗝 Dom. Robert Haag et Fils,
21, rue de la Mairie, 67750 Scherwiller,
tél. 03.88.92.11.83, fax 03.88.82.15.85,
e-mail vins.haag.robert@libertysurf.fr
☒ 🍷 🚶 t.l.j. sf dim. 9h-12h 14h-19h
🗝 François Haag

DOM. PIERRE HAGER 2002 ★

▮ 0,6 ha 3 000 ▮🌡 8 à 11 €

Etabli dans la partie méridionale de la route du Vin, un modeste domaine familial (4 ha) créé au début du XX[e]s. Son riesling apparaît encore fermé, mais le jury a apprécié sa finesse, son attaque franche, son élégance et sa bonne structure. Un vin déjà charmeur et qui devrait s'ouvrir. (Sucres résiduels : 2 g/l.)

🗝 Dom. Pierre Hager,
26, rue de Soultzmatt, 68500 Orschwihr,
tél. 03.89.76.11.19, fax 03.89.74.36.76 ☒ 🍷 🚶 r.-v.

HORCHER Cuvée Sélection 2002 ★★

▮ 0,7 ha 5 800 ▮🌡 5 à 8 €

A mi-parcours de la route du Vin, une exploitation familiale créée vers 1930 et dirigée par la troisième génération. D'un beau fruité, net et intense, sa Cuvée Sélection ne renie pas ses origines : le terroir marno-calcaire a favorisé cette structure bien étoffée, agrémentée d'un fruité intense. Un vin typé, persistant et plein d'avenir. Le millésime 2000 de cette cuvée avait obtenu un coup de cœur. (Sucres résiduels : 12 g/l.)

🔑 Ernest Horcher et Fils, 6, rue du Vignoble,
68630 Mittelwihr, tél. 03.89.47.93.26,
fax 03.89.49.04.92, e-mail info@horcher.fr
☑ 🏠 Y 🚶 t.l.j. sf dim. 8h-12h 14h-18h

BERNARD HUMBRECHT 2002 ★

▒ 0,7 ha 4 000 ■ 🍾 5 à 8 €

Impossible de manquer la place de la Mairie dans le village de Gueberschwihr ; elle est proche de l'église au beau clocher roman. Installée dans une demeure patricienne du XVII^{e}s., cette exploitation familiale de 7 ha est conduite en production intégrée. Né sur un sol marno-calcaire, son riesling est à dominante fruitée : agrumes et abricot se mêlent au nez. Une fraîcheur agréable accompagne la dégustation jusqu'à la finale, ponctuée par une note de citron vert. (Sucres résiduels : 5 g/l.)

🔑 Jean-Bernard Humbrecht,
10, pl. de la Mairie, 68420 Gueberschwihr,
tél. 03.89.49.31.42, fax 03.89.49.20.62
☑ Y 🚶 t.l.j. 8h-12h 13h-19h; dim. 10h-12h 14h-18h

CLAUDE ET GEORGES HUMBRECHT
Vendanges tardives 2001 ★★

▒ 0,35 ha 1 200 11 à 15 €

Le clocher roman du XI^{e}s. veille sur Gueberschwihr et sur son vignoble. Claude Humbrecht, à la tête d'un domaine familial de 7 ha, présente ce riesling issu d'un terroir argilo-marneux. Ce vin offre une surprenante et harmonieuse alliance de fraîcheur et de surmaturation ; au nez, intensité, vivacité et notes de fruits confits ; en bouche, attaque franche et ample, acidité fine et agréable, puissance et longueur. A déguster sur un foie gras poêlé.

🔑 Claude et Georges Humbrecht,
33, rue de Pfaffenheim, 68420 Gueberschwihr,
tél. 03.89.49.31.51 ☑ 🏘 🏠 Y 🚶 r.-v.

JACQUES ILTIS Schlossreben 2002 ★★

▒ 0,44 ha 3 000 ⏸ 5 à 8 €

Le domaine, 10 ha de vignes, est mis en valeur par deux frères : Christophe et Benoît Iltis. Dans leur cave, de beaux fûts de chêne, construits par leurs aïeux, tonneliers, servent toujours à l'élevage des vins. Le lieu-dit Schlossreben ou « vignes du château » est constitué d'un terroir sablo-granitique qui contribue incontestablement à la personnalité des vins. Paré de reflets dorés, ce riesling exprime le confit de la surmaturation et des notes minérales. Il est riche, rond, assez gras et d'une belle persistance. (Sucres résiduels : 9 g/l.)

🔑 Jacques Iltis et Fils, 1, rue Schlossreben,
68590 Saint-Hippolyte, tél. 03.89.73.00.67,
fax 03.89.73.01.82, e-mail jacques.iltis@calixo.net
☑ Y 🚶 t.l.j. 8h-12h 14h-18h; dim. sur r.-v.

JOGGERST ET FILS Vendanges tardives 2001 ★★

▒ 0,3 ha 2 500 15 à 23 €

En 1995, Martin Joggerst a succédé à son père René à la tête d'un vignoble de 7,2 ha aujourd'hui conduit en production intégrée. La cave est située au cœur de Ribeauvillé dans des bâtiments des XVe et XVIII^{e}s. Leur riesling de vendanges tardives 2001 affiche une jeunesse étonnante ; jaune paille aux reflets verts, il livre des parfums frais et racés : agrumes, thé, et une pointe minérale. La vivacité et le fruité qui se retrouvent en bouche avec une belle puissance et une bonne longueur en

font un vin très plaisant. Un dégustateur suggère de le servir sur des langoustines en sauce d'agrumes.

🔑 Joggerst et Fils, 19, Grand-Rue, 68150 Ribeauvillé,
tél. 03.89.73.66.32, fax 03.89.73.65.45,
e-mail vins.joggerst@ifrance.com
☑ Y 🚶 t.l.j. sf dim. 9h-12h 14h-18h
🔑 Martin Joggerst

JOSMEYER Les Pierrets 2000

▒ 1,2 ha 7 350 ⏸ 15 à 23 €

Etabli à Wintzenheim, à l'ouest de Colmar et à l'entrée de la vallée de Munster, ce domaine exporte 70 % de sa production. Il dispose de 25 ha de vignes. Un terroir alluvionnaire de loess et de limon est à l'origine de ce vin jaune paille au nez complexe fait de fruits secs légèrement mentholés. En bouche, il laisse apparaître une belle vivacité et une grande minéralité, avec des nuances de bourgeon de cassis et une pointe de menthe verte. Relativement évolué, un vin prêt à servir. (Sucres résiduels : 10 g/l.)

🔑 Dom. Josmeyer,
76, rue Clemenceau, 68920 Wintzenheim,
tél. 03.89.27.91.90, fax 03.89.27.91.99,
e-mail josmeyer@wanadoo.fr ☑ Y 🚶 r.-v.

MAISON MARTIN JUND
Harth Vieilles Vignes 2002 ★★

▒ 0,48 ha 2 000 8 à 11 €

Depuis 1980, André Jund est à la tête de cette propriété familiale de 7 ha conduite en agriculture biologique. Un terroir limono-sablonneux et des vignes cinquantenaires ont donné naissance à ce riesling élégant par ses arômes fruités ; il allie une belle matière et une bonne fraîcheur en bouche, où une note fruitée complète l'harmonie. Une dégustatrice voit dans ce vin l'archétype du bon riesling. Pas mal pour une première mention dans le Guide ! (Sucres résiduels : 1,7 g/l.)

🔑 Maison Martin Jund, 12, rue de l'Ange,
68000 Colmar, tél. 03.89.41.58.72, fax 03.89.23.15.83,
e-mail martinjund@hotmail.com ☑ 🏘 Y 🚶 r.-v.

KIEFFER Fruehmess 2002 ★★

▒ 0,6 ha 6 000 ■ 5 à 8 €

Au travail de la vigne – tradition familiale qui remonte au XVIII^{e}s. – les Kieffer ont ajouté l'activité hôtelière. Dans leur maison à colombage, leurs hôtes peuvent admirer le vignoble, tout en dégustant les vins de la propriété. Né d'un sol argilo-gréseux, leur riesling du Fruehmess porte l'empreinte de ce terroir : le nez fin se fait plus intense sur des notes florales et une touche de

torréfaction ; l'attaque est vive, l'expression racée avec un peu de rondeur et de persistance. Tout ce que l'on attend d'un riesling. (Sucres résiduels : 5 g/l.)
🕿 Jean-Charles Kieffer,
7, rte des Vins, 67140 Itterswiller,
tél. 03.88.85.59.80, fax 03.88.57.81.44,
e-mail jean-charles-kieffer @ wanadoo.fr ☑ ⟟ ⚲ r.-v.

KOEHLY Hahnenberg 2002 ★

	1,2 ha	6 000	🍶	5 à 8 €

Durant la belle saison, Kintzheim est souvent survolé par des aigles qui prennent leur envol des ruines du château : on organise sur ce site un spectacle de vol de rapaces. C'est un aigle noir – à deux têtes, symbole du Saint-Empire – qui orne le blason doré de la famille Koehly. Né d'un terroir léger, sablonneux, son riesling du Hahnenberg montre beaucoup de finesse, tant au nez qu'en bouche. Sa persistance est également saluée. (Sucres résiduels : 3 g/l.)
🕿 Jean-Marie Koehly, 64, rue du Gal-de-Gaulle,
67600 Kintzheim, tél. 03.88.82.09.77, fax 03.88.82.70.49
☑ ⟟ ⚲ t.l.j. 8h-12h 13h-18h30

KUEHN Kaefferkopf 2002

	0,7 ha	8 000	⬠	5 à 8 €

La cave de l'Enfer, c'est ici ! Mais il n'y a ni diable ni mauvais esprits. C'est sous ses voûtes que s'est réuni le premier chapitre de la confrérie Saint-Etienne lors de sa renaissance en 1947. Le riesling de la maison s'ouvre sur des notes d'agrumes ; la bouche est franche, assez fruitée, vivifiée par une touche de fraîcheur en finale. Ce vin s'affirmera davantage dans un an. (Sucres résiduels : 8 g/l.)
🕿 SA Kuehn, 3, Grand-Rue, 68770 Ammerschwihr,
tél. 03.89.78.23.16, fax 03.89.47.18.32,
e-mail vin @ kuehn.fr ☑ ⟟ ⚲ r.-v.

KUENTZ-BAS Sélection de grains nobles 2001

	n.c.	900	🍶	38 à 46 €

Cette Sélection de grains nobles est née à Husseren-les-Châteaux, village qui possède le vignoble le plus élevé de la route du Vin, à près de 400 m d'altitude. Elle provient d'une récolte effectuée durant la dernière semaine de l'année 2001, par une température de -7 °C. Jaune d'or lumineux avec des larmes très marquées le long du verre, elle apparaît encore un peu fermée au nez mais laisse percer des arômes complexes de citron confit, de reine-claude, de sureau nuancé de menthe. Une acidité bien présente lui communique une belle fraîcheur. Ample et équilibré, ce vin demande cependant à s'ouvrir. A attendre. (Bouteilles de 37,5 cl.)
🕿 Kuentz-Bas,
14, rte du Vin, 68420 Husseren-les-Châteaux,
tél. 03.89.49.30.24, fax 03.89.49.23.39,
e-mail contact @ kuentz-bas.fr ☑ ⟟ ⚲ r.-v.
🕿 SA J.-B. Adam

LEIPP-LEININGER Côte de Barr 2002 ★

	0,8 ha	6 000	🍶	5 à 8 €

Domaine établi dans une maison construite en 1720 où l'on produit du vin depuis 1760. Gilbert Leininger est aux commandes et préserve les bonnes traditions, comme l'atteste cette cuvée aux arômes fruités assortis d'une touche beurrée. En bouche, ce vin offre une belle matière, de la rondeur et de la finesse, avec une touche minérale. (Sucres résiduels : 8 g/l.)
🕿 Leipp-Leininger, 11, rue du Dr-Sultzer, 67140 Barr,
tél. 03.88.08.95.98, fax 03.88.08.43.26,
e-mail leipp-leininger @ terre-net.fr ☑ ⟟ ⟟ ⚲ r.-v.

JACQUES LINDENLAUB
Rangenberg Elisa Jade 2002 ★★

	0,26 ha	3 000	🍶	8 à 11 €

Bourgade située au nord de la route des Vins, Dorlisheim garde le souvenir de la famille Bugatti. On sait qu'Ettore Bugatti fit installer, en 1909, des ateliers à Molsheim, ville toute proche, pour y construire ses prestigieuses automobiles. Comparable à l'une de ces voitures de course des années 1930, ce riesling, au nez d'une grande finesse et bien équilibré, s'affirme par une attaque ronde, une fraîcheur vivace et une finale sans lourdeur. Un joli modèle ! (Sucres résiduels : 12,5 g/l.)
🕿 Jacques et Christophe Lindenlaub,
6, fbg des Vosges, 67120 Dorlisheim,
tél. 03.88.38.21.78, fax 03.88.38.55.38,
e-mail jacques.lindenlaub @ wanadoo.fr
☑ ⟟ ⚲ t.l.j. sf dim. 8h-11h30 14h-18h

MADER Muhlforst 2002 ★★

	0,2 ha	1 400	🍶	5 à 8 €

En 1981, Jean-Luc Mader a donné un nouvel essor à l'exploitation familiale en se lançant dans la commercialisation de ses vins. Aujourd'hui, il exporte jusqu'en Australie une production souvent saluée par les jurys Hachette. D'un fruité typé avec des notes d'agrumes, ce riesling s'inscrit dans une belle harmonie et révèle une excellente structure. Bien fait, il est croquant jusqu'à la finale. (Sucres résiduels : 3 g/l.)
🕿 Jean-Luc Mader, 13, Grand-Rue, 68150 Hunawihr,
tél. 03.89.73.80.32, fax 03.89.73.31.22,
e-mail vins.mader @ laposte.net ☑ ⟟ ⚲ r.-v.

ANDRE MAULER Schloesselreben 2002 ★★★

	0,3 ha	1 520		8 à 11 €

Christian et Claudine, les enfants d'André Mauler, sont à la tête de ce domaine qui compte quelque 14 ha. Plantée sur un sol marno-calcaire, cette vigne du « petit château » (*Schloesselreben*), âgée de trente-cinq ans, a produit un riesling couvert d'éloges par le jury : le nez intense est caractéristique du cépage avec des nuances d'agrumes et de fleurs ; de belle attaque, le palais révèle dans une structure ample des notes de fruits exotiques et une finale très persistante. Un vin hors du commun. (Sucres résiduels : 11 g/l.)
🕿 Dom. Christian Mauler,
3, rue Jean-Macé, 68980 Beblenheim,
tél. 03.89.47.90.50, fax 03.89.47.80.08,
e-mail contact @ domaine-mauler.fr ☑ ⟟ ⟟ ⚲ r.-v.

ANDRE MAULER Burgreben 2002 ★★

▒ 0,34 ha 2 800 ■ 8 à 11 €

Une autre cuvée fort complimentée du domaine Mauler. Issu d'un terroir calcaire et caillouteux, ce riesling offre un fruité d'agrumes assorti de nuances minérales et fumées. Franc à l'attaque, il est vif, assez gras et complet. Un vin de gastronomie ! (Sucres résiduels : 13 g/l.)

🔑 Dom. Christian Mauler,
3, rue Jean-Macé, 68980 Beblenheim,
tél. 03.89.47.90.50, fax 03.89.47.80.08,
e-mail contact@domaine-mauler.fr ☒ 🏠 🍷 🚶 r.-v.

GERARD METZ Cuvée Xavier 2002

▒ 1,5 ha 3 000 ■🌡 8 à 11 €

Ce vignoble de 11,5 ha, réparti sur trois communes en plus de cinquante parcelles, offre une grande variété de terroirs. Celui-ci, de nature argilo-gréseuse, a favorisé la finesse des arômes de ce riesling, à dominante fruitée avec une légère note de surmaturation. En bouche, une fraîcheur d'agrumes côtoie une douceur qui souligne la finale. Ce vin devrait gagner en expression et acquérir plus de fruité. (Sucres résiduels : 12,7 g/l.)

🔑 Dom. Gérard Metz,
23, rte du Vin, 67140 Itterswiller,
tél. 03.88.57.80.25, fax 03.88.57.81.42,
e-mail eric@vinsgerardmetz.net ☒ 🍷 🚶 r.-v.
🔑 Eric Casimir

HUBERT METZ Vieilles Vignes 2002 ★

▒ 0,82 ha 5 000 8 à 11 €

Ce vigneron accueille visiteurs et clients dans l'ancienne cave de la Dîme qui date de 1728, lieu privilégié pour l'élevage et la dégustation des vins. Né de vieilles vignes plantées sur un terroir argilo-siliceux, celui-ci, plutôt minéral, affiche une certaine complexité. Un riesling équilibré, auquel la fraîcheur confère une agréable légèreté jusque dans une finale de caractère. (Sucres résiduels : 7,5 g/l.)

🔑 Hubert Metz,
3, rue du Winzenberg, 67650 Blienschwiller,
tél. 03.88.92.43.06, fax 03.88.92.62.08,
e-mail hubertmetz@aol.com ☒ 🚶 t.l.j. sf dim. 8h-19h

DENIS MEYER Cuvée réservée Ulrich Meyer 2002

▒ 0,35 ha 3 700 5 à 8 €

Depuis 1980, Denis Meyer est à la tête du domaine familial dont les origines remontent à 1761. Aujourd'hui, il est secondé par ses filles Patricia et Valérie, l'une travaillant au vignoble, l'autre à la vinification. Née d'un sol calcaire, cette cuvée présente de plaisants arômes d'agrumes et de fleurs blanches. Après une attaque franche, une fraîcheur tonique lui confère un caractère racé. Il s'accordera avec poisson ou viande en sauce citronnée. (Sucres résiduels : 4 g/l.)

🔑 Denis Meyer, 2, rte du Vin, 68420 Voegtlinshoffen,
tél. 03.89.49.38.00, fax 03.89.49.26.52,
e-mail vins.denis.meyer@terre-net.fr ☒ 🍷 🚶 r.-v.

RENE MEYER Croix du Pfoeller
Vieilles Vignes Cuvée Joséphine 2002 ★★

▒ 0,52 ha 1 800 ⦶ 11 à 15 €

Jean-Paul Meyer est attaché au respect des bonnes traditions qu'il préserve sur cette exploitation familiale de plus de 8 ha : fermentations lentes avec levures indigènes, élevage dans des fûts en bois... Un souci de qualité qui lui a valu trois coups de cœur et de nombreuses sélections dans le Guide. Ce riesling jaune paille livre des arômes intenses et complexes : fleurs blanches, coings citronnés, agrumes et miel. Plein et gras, il emplit la bouche. Superbe d'élégance, il sera de garde. (Sucres résiduels : 9 g/l.)

🔑 EARL René Meyer et Fils,
14, Grand-Rue, 68230 Katzenthal,
tél. 03.89.27.04.67, fax 03.89.27.50.59,
e-mail domaine.renemeyer@wanadoo.fr ☒ 🍷 🚶 r.-v.
🔑 Jean-Paul Meyer

JULES MULLER Réserve 2002 ★

▒ 4,7 ha 40 000 5 à 8 €

Ce domaine de 32 ha fait partie des établissements Lorentz, viticulteur-négociant de qualité établi au milieu du XIXe s. Il propose un riesling dont la robe aux nuances vieil or annonce la personnalité. Des arômes de fruits secs, des notes grillées se précisent au nez et au palais. L'attaque vive et racée est suivie d'une bouche équilibrée, souple avec des notes légèrement boisées. Le jury prédit un bel avenir à cette bouteille que l'on pourra servir avec du saumon. (Sucres résiduels : 10 g/l.)

🔑 Jules Muller, 91, rue des Vignerons,
68750 Bergheim, tél. 03.89.73.22.22, fax 03.89.73.30.49
☒ 🍷 🚶 t.l.j. sf dim. 10h-12h 14h-18h30
🔑 Ch. Lorentz

CHARLES MULLER ET FILS
Steinacker de Traenheim 2002

▒ 0,4 ha 3 000 ⦶ 5 à 8 €

Traenheim est situé à 25 km à l'ouest de Strasbourg. Jean-Jacques Muller y exploite 10,5 ha cultivés à partir des années 1990 en production intégrée puis, après 1998, en agrobiologie. Né sur le terroir argilo-calcaire de Steinacker, ce riesling va s'ouvrir au cours des mois à venir sur des notes d'agrumes et des nuances minérales. Puissant et gras, il fait preuve en attaque d'une vivacité qui doit encore se fondre. A attendre trois à quatre ans. (Sucres résiduels : 10 g/l.)

🔑 Charles Muller et Fils,
89c, rte du Vin, 67310 Traenheim,
tél. 03.88.50.38.04, fax 03.88.50.58.54 ☒ 🏠 🍷 🚶 r.-v.

CHARLES NOLL 2002 ★★

▒ 0,4 ha 3 900 ⦶ 5 à 8 €

Représentant la quatrième génération, Charles Noll exploite aujourd'hui 6,5 ha de vignoble. Il signe ce beau riesling né sur un terroir argilo-sablonneux. Un vin aux arômes complexes, à dominante fruitée, au nez comme au palais ; équilibré et persistant, il accompagnera aussi bien les produits de la mer que les viandes blanches. Un coq au riesling, par exemple. (Sucres résiduels : 5 g/l.)

🔑 EARL Charles Noll, 2, rue de l'Ecole,
68630 Mittelwihr, tél. 03.89.47.93.21,
fax 03.89.47.86.23 ☒ 🚶 t.l.j. 9h-12h 13h30-20h

CAVE D'ORSCHWILLER-KINTZHEIM
Les Faîtières 2002 ★

▒ 1,6 ha 16 900 ■🌡 8 à 11 €

Dans cette coopérative qui regroupe 130 ha, les vinifications et l'élevage des vins sont menés avec rigueur et méthode par le directeur qui est également œnologue et maître de chai. Né d'un sol granitique, ce riesling délivre d'intenses parfums de fruits frais ; il est plaisant par sa fraîcheur, son équilibre, son fruité et sa finesse en fin de bouche. (Sucres résiduels : 4 g/l.)

⚷ Cave Les Faîtières,
4A, rte du Vin, 67600 Orschwiller,
tél. 03.88.92.09.87, fax 03.88.82.30.92,
e-mail cave@cave-orschwiller.fr
☒ Y 🚶 t.l.j. 10h-12h 14h-18h

LES VIGNERONS DE PFAFFENHEIM ET GUEBERSCHWIHR 2002 ★★

▒ 6 ha 53 000 ▮🛢 5 à 8 €

L'équipe dirigeante et technique de la cave de Pfaffenheim mise sur la qualité depuis près de trente ans. Avec de nombreuses sélections dans le Guide (dont un liquoreux 94 qui fut coup de cœur), ce riesling témoigne de son savoir-faire. Au nez, les agrumes se marient à des nuances de kiwi et de pêche, dans une grande intensité. Ce même panier de fruits se retrouve au palais et s'inscrit dans un bel équilibre. Une superbe fraîcheur souligne la finale. Bouteille d'exception. (Sucres résiduels : 6,5 g/l.)

⚷ Cave vinicole de Pfaffenheim,
5, rue du Chai, BP 33, 68250 Pfaffenheim,
tél. 03.89.78.08.08, fax 03.89.49.71.65,
e-mail cave@pfaffenheim.com
☒ Y 🚶 t.l.j. 9h-12h 14h-18h

ERNEST PREISS Cuvée particulière 2002 ★

▒ n.c. 23 000 ▮ **8 à 11 €**

Sise à Riquewihr, village emblématique du vignoble alsacien, cette maison propose une cuvée de riesling sélectionnée pour la troisième année consécutive. Encore discrète mais élégante au nez, elle se révèle au palais où du volume et du gras enveloppent une structure fraîche et rectiligne. Persistant et typique, ce vin se plaira sur les plats de poissons. (Sucres résiduels : 5,7 g/l.)

⚷ Ernest Preiss, BP 3, 68340 Riquewihr,
tél. 03.89.47.91.21, fax 03.89.47.98.90 ☒ Y r.-v.

GILBERT RUHLMANN FILS Riesling de Scherwiller 2002 ★

▒ 0,3 ha 3 200 ▮🛢 3 à 5 €

Après avoir visité le château de l'Ortenbourg, arrêtez-vous à Scherwiller, à la cave de la famille Ruhlmann, pour découvrir ce riesling, né d'un terroir limono-sableux. Bien typé par son côté floral très agréable et par des notes minérales, ce vin révèle un bel équilibre au palais avec une bonne fraîcheur de jeunesse. Il devrait gagner en expression d'ici un an. (Sucres résiduels : 8 g/l.)

⚷ Gilbert Ruhlmann Fils, 31, rue de l'Ortenbourg,
67750 Scherwiller, tél. 03.88.92.03.21,
fax 03.88.82.30.19, e-mail vin.ruhlmann@terre-net.fr
☒ Y 🚶 t.l.j. 8h30-12h 13h-18h; dim. sur r.-v.

DOM. RUNNER ET FILS 2002 ★★

▒ 0,9 ha 8 500 5 à 8 €

Entre Colmar et Rouffach, le village de Pfaffenheim est dominé par la chapelle du Schauenberg qui offre un superbe point de vue sur la plaine d'Alsace. La famille Runner y exploite 12 ha de vignoble, essentiellement en terroir argilo-calcaire. Bien expressif au nez, son riesling libère des parfums de fleurs blanches et d'agrumes qui se confirment au palais. D'une riche matière, il se montre équilibré et d'une bonne persistance. (Sucres résiduels : 7,5 g/l.)

⚷ Dom. François Runner et Fils, 1, rue de la Liberté,
68250 Pfaffenheim, tél. 03.89.49.62.89,
fax 03.89.49.73.69 ☒ ⌂ Y 🚶 t.l.j. 8h-12h 13h-18h

SAULNIER Vendanges tardives 2001 ★

▒ 0,17 ha 800 ▮ 11 à 15 €

Si Marco Saulnier dispose d'une cave du XVIe s., son exploitation est récente, puisqu'elle a vu le jour en 1992. Elle compte 4,5 ha aujourd'hui. Récolté en novembre, ce riesling de vendanges tardives a tiré profit de la pourriture noble. Jaune à reflets dorés, il offre un nez vif, typé, aux nuances d'agrumes (citron), de thé vert et de fruits confits. Bien structuré, équilibré, il conjugue fraîcheur, ampleur et rondeur. Un vin plaisir.

⚷ Marco Saulnier,
43, rue Haute, 68420 Gueberschwihr,
tél. 03.89.86.42.02, fax 03.89.49.34.82,
e-mail marco.saulnier@wanadoo.fr ☒ Y 🚶 r.-v.

SCHAEFFER-WOERLY Breitstein 2002 ★

▒ 0,54 ha 3 250 ▮🛢 **8 à 11 €**

Un vignoble familial de 7 ha conduit en production intégrée par Vincent Woerly, coup de cœur et grappe de bronze du Guide 2004, et une demeure alsacienne typique au cœur de Dambach-la-Ville. On pourra y découvrir un riesling au nez intense de fleurs blanches. Flatteur au palais, puissant et d'une fraîcheur élégante, ce vin associe des notes fruitées et des nuances de surmaturation. A déguster sur un poisson noble en sauce ou sur des crustacés. (Sucres résiduels : 31 g/l.)

⚷ Schaeffer-Woerly, 3, pl. du Marché,
67650 Dambach-la-Ville, tél. 03.88.92.40.81,
fax 03.88.92.49.87, e-mail schaeffer-woerly@wanadoo.fr
☒ Y 🚶 t.l.j. 9h-12 h 14h-18h; dim. sur r.-v.
⚷ Vincent Woerly

EDMOND SCHUELLER Vendanges tardives 2001

▒ 0,15 ha 1 000 **15 à 23 €**

Damien Schueller a repris, en 1999, ce domaine familial et exploite environ 5 ha. Il propose un riesling qui s'ouvre à l'aération sur des arômes très frais, un peu toastés et minéraux. Franc à l'attaque, droit, bien équilibré, il ne révèle pas nettement les notes de surmaturation que l'on pourrait attendre.

⚷ Edmond Schueller, 26, rte du Vin,
68420 Husseren-les-Châteaux, tél. 03.89.49.32.60,
e-mail damienschueller@aol.com ☒ ⌂⌂ ⌂ Y 🚶 r.-v.

PAUL SCHWACH 2002 ★

▒ 0,68 ha 4 500 ▮ 5 à 8 €

A mi-parcours sur la route des Vins, cette exploitation familiale, créée en 1945, compte aujourd'hui une dizaine d'hectares ; c'est la troisième génération qui gère le domaine et propose ce riesling très réussi. D'abord retenu, le nez s'ouvre sur des notes de fleurs blanches, de citron et de champignon des bois. Assez souple à l'attaque, ce vin présente de l'ampleur, un bon équilibre et une finale sur les agrumes. (Sucres résiduels : 5 g/l.)

⚷ EARL Paul Schwach,
30-32, rte de Bergheim, 68150 Ribeauvillé,
tél. 03.89.73.62.73, fax 03.89.73.37.99,
e-mail earl.paul.schwach@wanadoo.fr ☒ ⌂ Y r.-v.

SIMMLER Schlossreben 2002 ★★

▒ 0,29 ha 2 600 5 à 8 €

L'exploitation familiale qui ne compte que 5 ha de vignoble a son siège dans une maison édifiée en 1768. L'expression florale de son riesling du Schlossreben révèle son origine granitique. L'attaque est franche ; les nuances de fleurs blanches reviennent au palais ; l'ampleur et la fraîcheur lui confèrent une typicité remarquable. Ce vin chaleureux et plaisant est recommandé sur une langouste. (Sucres résiduels : 8 g/l.)

🕭 Nicolas Simmler,
1, pl. de l'Hôtel-de-Ville, 68590 Saint-Hippolyte,
tél. 03.89.73.00.31, fax 03.89.73.03.28 ☑ 🏠 ⊺ ⚘ r.-v.

RENE SIMONIS Kaefferkopf 2002 ★

	0,15 ha	800	ⓘ	5 à 8 €

Depuis 1996, Etienne, fils de René Simonis, a repris les rênes de ce domaine familial créé à la fin des années 1960. Au chai, il privilégie les techniques naturelles : emploi de levures indigènes, élevage en fût de chêne... Son riesling du Kaefferkopf, né d'un sol granitique, exprime des nuances citronnées et des notes de fruits confits. Les arômes de surmaturation reviennent en bouche, où le vin donne la pleine mesure de sa puissance, et affiche une belle matière et une bonne finale. (Sucres résiduels : 8 g/l.)

🕭 René et Etienne Simonis,
2, rue des Moulins, 68770 Ammerschwihr,
tél. 03.89.47.30.79, fax 03.89.78.24.10 ☑ ⊺ ⚘ r.-v.

SPITZ ET FILS Vieilles Vignes 2002

	0,5 ha	4 000	⚟⚘	5 à 8 €

Parmi les centres d'intérêt de Blienschwiller, une fontaine du XVᵉ s. et de nombreuses anciennes maisons alsaciennes. On reconnaît celle de la famille Spitz grâce à un oriel en grès des Vosges. L'exploitation a proposé un riesling assez expressif au nez – agrumes, fleurs et légère nuance minérale – et qui doit encore s'ouvrir. En bouche, ce vin apparaît frais, friand, assez classique... « Convivial », précise un membre du jury. (Sucres résiduels : 8 g/l.)

🕭 EARL Spitz et Fils,
2-4, rte des Vins, 67650 Blienschwiller,
tél. 03.88.92.61.20, fax 03.88.92.61.26 ☑ ⊺ ⚘ r.-v.
🕭 Dominique et Marie-Claude Spitz

ANDRE STENTZ
Rosenberg Vendanges tardives 2001 ★

	0,75 ha	650	⚟⚘	15 à 23 €

Menée depuis vingt ans en production biologique par André Stentz, cette exploitation de 9 ha cherche à élaborer des vins de caractère ; une fois encore le pari est tenu avec ce 2001 au nez très intense presque entêtant, sur le citron ; la bouche est magnifique : rondeur, surmaturation, équilibre et belle longueur.

🕭 André Stentz,
2, rue de la Batteuse, 68920 Wettolsheim,
tél. 03.89.80.64.91, fax 03.89.79.59.75,
e-mail andre-stentz@wanadoo.fr ☑ ⊺ ⚘ r.-v.

ANTOINE STOFFEL 2002 ★

	1,11 ha	8 000	ⓘ	5 à 8 €

Depuis 1962, date de création du domaine (8 ha environ), les Stoffel, aujourd'hui secondés par leur fille Annick, ont su développer leur savoir-faire qui leur permet de proposer des vins de caractère, tel ce riesling. Puissant, mûr, le nez allie les agrumes et les fleurs blanches. Après une attaque vive, la bouche apparaît assez ronde et d'une belle persistance. Ce 2002 gagnera en harmonie d'ici un à deux ans. (Sucres résiduels : 5 g/l.)

🕭 Antoine Stoffel, 21, rue de Colmar,
68420 Eguisheim, tél. 03.89.41.32.03, fax 03.89.24.92.07
☑ 🏠 ⊺ ⚘ t.l.j. sf dim. 8h-12h 14h-18h

JEAN-PAUL WASSLER FILS Pflintz 2002 ★

	0,65 ha	5 000	ⓘ	5 à 8 €

Marc Wassler est depuis 1990 à la tête d'un domaine qui compte plus de 12 ha de vignoble. Un sol argilo-calcaire est à l'origine de ce riesling du Pflintz. A un nez assez riche succède une bouche ronde où le fruité d'agrumes se libère dans un bon équilibre général. A aérer avant de servir. (Sucres résiduels : 5 g/l.)

🕭 EARL Jean-Paul Wassler Fils,
1, rte d'Epfig, 67650 Blienschwiller,
tél. 03.88.92.41.53, fax 03.88.92.63.11,
e-mail marc.wassler@wanadoo.fr ☑ ⊺ ⚘ r.-v.
🕭 Marc Wassler

ZINK 2002 ★★★

	n.c.	1 000		5 à 8 €

Bientôt rejoints par leur fils Etienne, Pierre-Paul et Martine Zink sont installés dans une maison du XVIIᵉ s. Habitués du Guide, ils ont élaboré un riesling qui fait l'unanimité. Dans sa robe jaune pâle, ce vin offre un nez complexe dominé par des nuances citronnées. Ces expressions bien mûres rehaussent le palais où se conjuguent fraîcheur et rondeur. Son harmonie et sa persistance en font une bouteille hors du commun. (Sucres résiduels : 7 g/l.)

🕭 Pierre-Paul Zink,
27, rue de la Lauch, 68250 Pfaffenheim,
tél. 03.89.49.60.87, fax 03.89.49.73.05 ☑ ⊺ ⚘ r.-v.

Alsace muscat

Deux variétés de muscat servent à élaborer ce vin sec et aromatique qui donne l'impression que l'on croque du raisin frais. Le premier, dénommé de tout temps muscat d'Alsace, n'est rien d'autre que celui que l'on connaît mieux sous le nom de muscat de Frontignan. Comme il est tardif, on le réserve aux meilleures expositions. Le second, plus précoce et de ce fait plus répandu, est le muscat ottonel. Ces deux cépages occupent 353 ha en 2003. Le muscat d'Alsace doit être considéré comme une spécialité aimable et étonnante, à boire en apéritif et lors de réceptions avec, par exemple, du kugelhopf ou des bretzels.

DOM. JEAN-PIERRE BECHTOLD
Obere Hund 2002 ★

■ 0,4 ha n.c. ▮ 8 à 11 €

Dahlenheim fait partie de la Couronne d'Or, le vignoble de Strasbourg. Jean-Pierre Bechtold a développé le domaine familial qui compte près de 20 ha, et son fils Jean-Marie l'a engagé dans la voie de la culture raisonnée. Originaire d'un terroir marno-calcaire, ce muscat ottonel se révèle élégant et fruité au nez. Après une belle attaque, le palais se montre équilibré et long. (Sucres résiduels : 6 g/l.)

🔑 Dom. Jean-Pierre Bechtold,
49, rue Principale, 67310 Dahlenheim,
tél. 03.88.50.66.57, fax 03.88.50.67.34,
e-mail bechtold@wanadoo.fr
☑ Y 🚶 t.l.j. sf dim. 8h-12h 13h-18h

HUBERT BECK 2002 ★

■ 0,25 ha 2 000 ⬮ 3 à 5 €

La cité de Dambach est restée enserrée dans ses remparts du XIVe s. et a conservé trois tours médiévales. Elle abrite de nombreuses familles enracinées dans le vignoble, telle celle d'Hubert Beck, qui représente la douzième génération. Le domaine a proposé un muscat dont le nez élégant, aux notes de fruits et de buis, est caractéristique de son terroir granitique. Vif et persistant au palais, c'est un vin bien équilibré. (Sucres résiduels : 8 g/l.)

🔑 Hubert Beck,
25, rue du Gal-de-Gaulle, 67650 Dambach-la-Ville,
tél. 03.88.92.45.90, fax 03.88.92.61.28,
e-mail sarl.beck@free.fr ☑ 🏠 Y 🚶 r.-v.

JEAN-MARC BERNHARD
Vendanges tardives 2001 ★

■ 0,15 ha 1 000 ▮🌡 15 à 23 €

Deux siècles d'histoire pour ce domaine situé à Katzenthal, village blotti au fond d'un vallon dominé par le célèbre donjon du Wineck. A la tête de l'exploitation, qui compte environ 9 ha, Jean-Marc et Frédéric Bernhard. Un terroir granitique, des vendanges le 8 novembre, une vinification rigoureuse nous valent ce muscat de vendanges tardives aux parfums délicats et élégants, où l'on décèle une touche de surmaturation. Puissant et fin à la fois, frais et persistant, ce joli muscat demande encore à s'ouvrir. (Bouteilles de 50 cl.)

🔑 Domaine Jean-Marc Bernhard,
21, Grand-Rue, 68230 Katzenthal,
tél. 03.89.27.05.34, fax 03.89.27.58.72,
e-mail jeanmarcbernhard@online.fr ☑ 🏠 Y 🚶 r.-v.

HENRI EHRHART Réserve 2002 ★★

■ 0,75 ha 6 000 ⬮ 5 à 8 €

Malgré les destructions de la dernière guerre, Ammerschwihr a conservé des vestiges de ses fortifications médiévales, en particulier une porte et des tours. C'est dans ce bourg proche de Kaysersberg qu'est établie cette maison de négoce, dotée d'un vignoble en propre. Elle a présenté une cuvée de muscat que le jury a couverte d'éloges. Issu d'un terroir sablonneux, ce vin libère de délicieux effluves de buis et de bourgeon de cassis. D'une belle attaque au palais et d'une réelle élégance, il séduit avant tout par son équilibre et son harmonie. « Vin parfait », conclut un dégustateur. Pour l'apéritif ou la table. (Sucres résiduels : 7 g/l.)

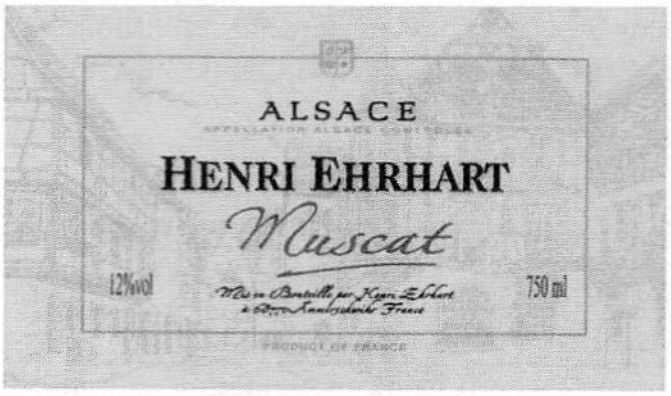

🔑 Henri Ehrhart,
quartier des Fleurs, 68770 Ammerschwihr,
tél. 03.89.78.23.74, fax 03.89.47.32.59,
e-mail henri-ehrhart@ifrance.com ☑ Y 🚶 r.-v.

SYLVIE FAHRER 2002 ★

■ 0,3 ha 912 ▮ 8 à 11 €

Sylvie Fahrer représente la troisième génération sur ce domaine de 9 ha, qu'elle a repris en 1995. Issu d'un terroir argilo-calcaire, son muscat offre déjà un nez élégant et caractéristique du cépage. Frais et long au palais, c'est un vin séduisant qui trouvera sa place à l'apéritif ou sur un plat d'asperges. (Sucres résiduels : 6,5 g/l.)

🔑 SCEA Sylvie Fahrer,
24, rte du Vin, 68590 Saint-Hippolyte,
tél. 03.89.73.00.40, fax 03.89.73.05.01,
e-mail sylvie.fahrer@wanadoo.fr ☑ 🏠 Y 🚶 r.-v.

DOM. ARMAND GILG 2002 ★

■ 1,32 ha 5 700 ▮🌡 8 à 11 €

Un hôtel de ville Renaissance, des maisons cossues, de vieux pressoirs de bois : Mittelbergheim mérite un détour. Le domaine Armand Gilg y dispose de 22 ha de vignes, ce qui en fait l'une des exploitations les plus importantes de la commune. Originaire d'un terroir argilo-calcaire, son muscat délivre des parfums de raisins frais caractéristiques du cépage. Assez vif en attaque, plus rond en finale, c'est un vin ample et persistant, recommandé à l'apéritif. (Sucres résiduels : 8,5 g/l.)

🔑 Dom. Armand Gilg et Fils,
2, rue Rotland, 67140 Mittelbergheim,
tél. 03.88.08.92.76, fax 03.88.08.25.91
☑ 🏠 Y 🚶 t.l.j. 8h-12h 13h30-18h; sam. 17h;
dim. 9h-11h30; groupes sur r.-v.

MATERNE HAEGELIN ET SES FILLES 2002 ★

■ 0,57 ha 8 400 ⬮ 5 à 8 €

A la fois pittoresque et actif, Orschwihr est un village viticole de la partie méridionale de la route des Vins. Materne Haegelin y exploite un coquet domaine (18 ha) avec ses filles. Leur muscat s'annonce par un nez très intense où se marient des notes muscatées, nuancées d'acacia et de coing. Vif et frais à l'attaque, c'est un vin équilibré, persistant et typé. Pour l'apéritif ou les asperges. (Sucres résiduels : 9,3 g/l.)

🔑 Dom. Materne Haegelin et ses Filles,
45-47, Grand-Rue, 68500 Orschwihr,
tél. 03.89.76.95.17, fax 03.89.74.88.87,
e-mail filles@haegelin-materne.fr
☑ 🏠 Y 🚶 t.l.j. sf dim. 8h15-18h30; f. nov. à avril
🔑 Régine Garnier

DOM. HAEGI Vendanges tardives 2001 ★

■ 0,21 ha 1 200 ▮🌡 11 à 15 €

Dominé par les clochers effilés de ses deux églises, Mittelbergheim est l'un des plus pittoresques villages d'Alsace. Les Haegi père et fils y exploitent environ 8,5 ha de vignes. Dans leur cave, de beaux foudres et de beaux vins, plus d'une fois classés au sommet par les jurys Hachette. Ce n'est pas la première fois que ces vignerons sont retenus pour de rares vendanges tardives de muscat. Après un 98 très réussi, voici un 2001 expressif, alliant un fruité complexe et des notes surmûries. Au palais, de l'équilibre, de la fraîcheur, une puissance modérée et une pointe d'amertume en finale. A déguster à l'apéritif ou sur une salade de langoustines. (Bouteilles de 50 cl.)

⊶ Bernard et Daniel Haegi,
33, rue de la Montagne, 67140 Mittelbergheim,
tél. 03.88.08.95.80, fax 03.88.08.91.20
☑ 🏘 🏠 Y 🚶 t.l.j. sf dim. 8h-11h45 13h30-18h

ALBERT MANN
Altenbourg Vendanges tardives 2001 ★★

■ 0,12 ha 400 ▮🌡 15 à 23 €

Une propriété de 19 ha exploitée en agriculture biologique, et disposant de parcelles dans cinq grands crus, le talent des frères Barthelmé, qui l'ont reprise en 1984 : cela nous vaut de nombreuses cuvées remarquables. Trois coups de cœur à l'actif du domaine. L'édition 1994 avait couronné un muscat (un 91) ; voici une production confidentielle du même cépage, en vendanges tardives. Le nez est muscaté, fin et léger. La surmaturation s'impose dans un palais d'un bel équilibre, gras et persistant avec élégance. Toute la finesse d'un vin en dentelles. (Bouteilles de 50 cl.)

⊶ Dom. Albert Mann,
13, rue du Château, 68920 Wettolsheim,
tél. 03.89.80.62.00, fax 03.89.80.34.23,
e-mail vins@mann-albert.com ☑ Y 🚶 r.-v.
⊶ Barthelmé

VIGNOBLE VORBURGER-MEYER 2002 ★

■ 0,2 ha 1 000 ▮◍ 5 à 8 €

Village pittoresque, Voegtlinshoffen domine la plaine d'Alsace à quelques kilomètres de Colmar. Jean-Marie Vorburger y exploite 6,5 ha de vignes. Malgré son origine argilo-calcaire, son muscat se révèle déjà très intense au nez, qui allie des parfums floraux à une pointe de surmaturation. On retrouve une même puissance dans une bouche ample et persistante. Pour l'apéritif. (Sucres résiduels : 12 g/l.)

⊶ EARL Jean-Marie Vorburger,
1-4, pl. de la Mairie, 68420 Voegtlinshoffen,
tél. 03.89.49.29.87, fax 03.89.49.39.30 ☑ Y 🚶 r.-v.

DOM. XAVIER WYMANN Tradition 2002 ★★

■ 0,3 ha 2 100 ▮🌡 5 à 8 €

Dominée par ses trois châteaux forts, Ribeauvillé fête au début de septembre les ménétriers, pour rappeler que les Ribeaupierre, seigneurs de la ville, accordaient protection à tous les musiciens itinérants et baladins d'Alsace. Xavier Wymann est, lui, un homme du vin, depuis qu'il a repris au milieu des années 1990 l'exploitation de son oncle (6 ha). Profession qu'il exerce avec talent, témoin les vins fort bien accueillis qu'il a présentés aux jurys Hachette. Voyez encore ce muscat d'origine argilo-limoneuse, au nez intense et élégant. L'assemblage entre muscat ottonel (70 %) et muscat d'Alsace confère au palais une excellente harmonie. (Sucres résiduels : 6 g/l.)

⊶ Dom. Xavier Wymann,
41, rue de la Fraternité, 68150 Ribeauvillé,
tél. 03.89.73.66.83, fax 03.89.73.66.83 ☑ Y 🚶 r.-v.

Alsace gewurztraminer

Le cépage qui est à l'origine de ce vin est une forme particulièrement aromatique de la famille des traminer. Un traité publié en 1551 le désigne déjà comme une variété typiquement alsacienne. Cette authenticité, qui s'est de plus en plus affirmée à travers les siècles, est sans doute due au fait qu'il atteint dans ce vignoble un optimum de qualité. Ce qui lui a conféré une réputation unique dans la viticulture mondiale.

Son vin est corsé, bien charpenté, en général sec mais parfois moelleux, et caractérisé par un bouquet merveilleux, plus ou moins puissant selon les situations et les millésimes. Le gewurztraminer, qui a une production relativement faible et irrégulière, est un cépage précoce aux raisins très sucrés. Il occupe environ 2 690 ha. Souvent servi en apéritif, lors de réceptions ou sur des desserts, il accompagne aussi, surtout lorsqu'il est puissant, les fromages à goût relevé comme le roquefort et le munster.

J.-B. ADAM Vendanges tardives 2001 ★

■ 1,5 ha 4 000 ◍ 23 à 30 €

Implantée depuis 390 ans à Ammerschwihr, la maison J.-B Adam dispose de caves du XVIIes. et de 15 ha de vignes en propre. Elle contribue au renom mondial des vins d'Alsace. N'exporte-t-elle pas 30 % de sa production ? Elle propose des vendanges tardives d'une couleur jaune très profonde. Le nez, assez discret, évoque le miel d'acacia, avec un rien de sous-bois. L'attaque, imposante, est encore dominée par la douceur, mais la concentration est « énorme », selon un dégustateur. Les notes de miel de la surmaturation se retrouvent en bouche, accompagnant une longue finale.

⊶ Jean-Baptiste Adam,
5, rue de l'Aigle, 68770 Ammerschwihr,
tél. 03.89.78.23.21, e-mail adam@jb-adam.com
☑ Y 🚶 t.l.j. sf dim. 8h-12h 14h-18h; groupes sur r.-v.

DOM. PIERRE ADAM Kaefferkopf 2002 ★★

■ 0,5 ha 3 500 11 à 15 €

Créé dans les années 1950, le domaine Pierre Adam compte aujourd'hui 12,5 ha de vignes. Il est situé non loin de la route des Vins, en direction de Kaysersberg. Du Kaefferkopf, lieu-dit réputé d'Ammerschwihr, l'exploitation tire un gewurztraminer régulièrement apprécié par les jurys Hachette. Avec sa couleur jaune d'or, ses parfums de fruits confits (poire et abricot) relevés d'épices poivrées, son palais puissant, corsé, ample, onctueux et nettement moelleux, marqué lui aussi par des notes de surmaturation, le 2002 rappelle les vendanges tardives. Fruits confits et confiturés s'attardent en une longue finale. Une bouteille à attendre un peu et à apprécier à l'apéritif, sur des plats épicés, du munster, certains desserts. (Sucres résiduels : 35 g/l.)

⊶ Dom. Pierre Adam, 8, rue du Lt-Louis-Mourier,
68770 Ammerschwihr, tél. 03.89.78.23.07,
fax 03.89.47.39.68, e-mail info@domaine-adam.com
☑ 🏘 🏠 Y 🚶 t.l.j. 8h-12h 13h-19h
⊶ Rémy Adam

ALLIMANT-LAUGNER Vendanges tardives 2001 *

0,54 ha 3 400 11 à 15 €

Famille établie depuis deux siècles au pied du Haut-Kœnigsbourg, à Orschwiller, bourg proche de Sélestat en plein milieu de la route des Vins. Dans les dernières éditions, l'exploitation a présenté de fort belles vendanges tardives, notamment un pinot gris 99, coup de cœur. Voici un gewurztraminer. De couleur paille, il attire l'attention par son nez intense, floral et fruité, avec une pointe épicée. Cette dernière persiste en bouche, sur un fond de fruits confiturés (mirabelle et pêche). L'amabilité de cette bouteille lui permettra d'être servie dès maintenant. (Bouteilles de 50 cl.)

Allimant-Laugner, 10, Grand-Rue,
67600 Orschwiller, tél. 03.88.92.06.52,
fax 03.88.82.76.38, e-mail alaugner@terre-net.fr
t.l.j. sf dim. 9h-12h 14h-18h

LAURENT BANNWARTH Bildstoecklé 2002

1,2 ha 11 150 8 à 11 €

Située au sud de Colmar, la commune d'Obermorschwihr se signale par un clocher à colombage. Rejoint par son fils à la fin des années 1980, Laurent Bannwarth y a constitué une propriété d'une dizaine d'hectares. Les sols, souvent marno-calcaires, y sont très favorables au gewurztraminer. Ce cépage a donné ici un vin d'un jaune clair lumineux, et qui s'ouvre discrètement sur les fleurs et les épices. Encore fermé et dominé par un sucre résiduel qui devra s'intégrer, ce 2002 offre une bonne persistance. Il est conseillé de l'attendre, car il devrait gagner en harmonie. (Sucres résiduels : 23,6 g/l.)

Laurent Bannwarth et Fils,
9, rte du Vin, 68420 Obermorschwihr,
tél. 03.89.49.30.87, fax 03.89.49.29.02,
e-mail laurent@bannwarth.fr r.-v.

FRANCIS BECK Cuvée Prestige 2002 **

0,3 ha 1 000 8 à 11 €

Epfig est la plus vaste commune viticole d'Alsace si l'on considère son potentiel de plantation. Francis Beck y exploite 7 ha de vignes. L'an dernier, un de ses gewurztraminers avait obtenu deux étoiles. En voici un autre de la même veine : robe paille dorée, nez expressif mêlant fruits jaunes, rose, épices et des notes de litchi caractéristiques du cépage. Attaque fraîche, ampleur soyeuse, bel équilibre, longue finale très fruitée, soulignée d'une nuance légèrement mentholée, tout concourt à s'arrêter sur cette bouteille. (Sucres résiduels : 26 g/l.)

Francis Beck, 79, rue Sainte-Marguerite,
67680 Epfig, tél. 03.88.85.54.84, fax 03.88.57.83.81
t.l.j. 9h-12h 14h-19h; dim. sur r.-v.

YVETTE ET MICHEL BECK-HARTWEG
Vendanges tardives 2001 *

n.c. 1 200 15 à 23 €

Dambach-la-Ville se serre à l'intérieur de ses remparts, environnée de ceps. La plus importante commune viticole d'Alsace abrite de nombreuses familles vigneronnes, presque aussi anciennes que les tours de la ville ! Celle-ci affiche dans sa cave un arbre généalogique qui remonte à 1596. Elle présente des vendanges tardives d'un jaune d'or brillant, au nez complexe associant notes de surmaturation (miel, cire d'abeille, pâte de coing) et fruits exotiques (litchi). Même impression fruitée en bouche, avec une pointe épicée, poivrée, typique du cépage. Le fruit exotique accompagne la longue finale. Un ensemble agréable, très équilibré. (Bouteilles de 50 cl.)

Yvette et Michel Beck-Hartweg,
5, rue Clemenceau, 67650 Dambach-la-Ville,
tél. 03.88.92.40.20, fax 03.88.92.63.44 r.-v.

ROBERT BLANCK Vendanges tardives 2001 *

0,7 ha 2 000 23 à 30 €

Cité très touristique au pied du mont Sainte-Odile, Obernai a gardé sa vocation viticole. Les Blanck y sont établis depuis le XVIII^e^s. Ils disposent de 19 ha de vignes. Leur cave est récente (la cave ancestrale du centre-ville s'étant révélée trop exiguë), mais ils ont gardé leurs vieux foudres dont le plus ancien date de 1725. Jaune pâle à reflets dorés, leur gewurztraminer de vendanges tardives exprime les fruits confits, les fleurs et le sous-bois. Ample et puissant, il révèle en bouche de riches arômes de fruits concentrés et d'épices (poivre) tandis que la fleur séchée marque la longue finale.

Robert Blanck, 167, rte d'Ottrott, 67210 Obernai,
tél. 03.88.95.58.03, fax 03.88.95.04.03,
e-mail info@blanck-obernai.com r.-v.

FRANCOIS BOHN Dorfburg Cuvée Flora 2002 **

0,25 ha 1 000 15 à 23 €

François Bohn est établi à Ingersheim, à quelques kilomètres à l'ouest de Colmar. Il exploite 7 ha de vignes sur des terroirs très variés. Caractérisé par des sols marno-calcaires, le Dorfburg a donné deux gewurztraminers très appréciés. Cette cuvée Flora, riche de 48 g/l de sucres résiduels, affiche une brillante couleur jaune d'or. Après aération, elle livre des parfums discrets mais fins de fruits exotiques (litchi et mangue). Equilibrée, ample et persistante, elle finit sur des notes de fruits très mûrs ou confits (la mangue encore, accompagnée de poire et de coing). Un séjour en cave devrait permettre au sucre résiduel de se fondre. Une étoile pour le **gewurztraminer 2001 vendanges tardives** : nez concentré aux notes de surmaturation (coing confit), palais long et équilibré, doux sans lourdeur, avec des notes de mangue. (Sucres résiduels : 100 g/l.)

François Bohn,
35, rue des Trois-Épis, 68040 Ingersheim,
tél. 03.89.27.31.27, fax 03.89.27.31.27 r.-v.

BOTT FRERES
Steinacker Réserve personnelle 2001 **

2 ha 12 000 11 à 15 €

Un domaine établi à Ribeauvillé depuis 1835 et transmis de père en fils ; des foudres plus que centenaires et des caves agrandies en 2000 pour faire office de musée familial. La production est exportée à 35 %. Une robe paille dorée et un nez intensément fleuri (œillet, verveine, genêt) pour ce gewurztraminer ample, onctueux, généreux et très équilibré. A déguster dès maintenant. (Sucres résiduels : 18 g/l.)

Dom. Bott Frères, 13, av. du Gal-de-Gaulle,
68150 Ribeauvillé, tél. 03.89.73.22.50,
fax 03.89.73.22.59, e-mail vins@bott-freres.fr
t.l.j. 8h-12h 14h-18h; groupes sur r.-v.

DOM. DU BOUXHOF Vendanges tardives 2001 *

0,21 ha 2 400 23 à 30 €

Ancien domaine monastique riche de huit siècles d'histoire, exploité aujourd'hui par la famille Edel. Parmi la clientèle, de nombreux artistes et réalisateurs de cinéma. Quant à ce gewurztraminer, il ne fait pas de la figuration : sa brillante robe jaune d'or, son nez intense de rose et de réglisse retiennent l'attention. Une présence qui ne faiblit pas ensuite. La rose, toujours, laisse un long sillage, enrichie de fruits exotiques et soulignée de poivre. Un ensemble harmonieux que l'on appréciera pendant cinq ans au moins.

⊶ EARL François Edel et Fils, Dom. du Bouxhof, 68630 Mittelwihr, tél. 03.89.47.90.34, fax 03.89.47.84.82, e-mail edel.bouxhof@online.fr
☒ 🏘 🏠 Y 🚶 t.l.j. 9h-19h

CAMILLE BRAUN Cuvée Saint-Nicolas 2002 *

▒ 1,2 ha 8 000 ▮🌡 5 à 8 €

Cette cuvée a-t-elle été récoltée à la Saint-Nicolas ? Il n'est pas interdit de le supposer tant elle se rapproche d'une vendange tardive, avec sa robe d'un jaune intense, profond, et son nez de miel et de fruits confits. Une attaque très douce et ronde, un corps ample, gras, onctueux, une finale persistante où l'on retrouve les fruits confits, accompagnés d'une touche bien alsacienne de pain d'épice composent un ensemble équilibré et prometteur. (Sucres résiduels : 22 g/l.)

⊶ Camille Braun, 16, Grand-Rue, 68500 Orschwihr, tél. 03.89.76.95.20, fax 03.89.74.35.03, e-mail cbraun@terre-net.fr
☒ 🏠 Y 🚶 t.l.j. sf dim. 8h-11h30 13h30-19h

FRANCOIS BRAUN ET SES FILS
Cuvée Sainte-Cécile 2002

▒ 1,9 ha 16 000 ◖▮◗ 8 à 11 €

Un autre domaine Braun d'Orschwihr, dans la partie méridionale de la route des Vins. Avec ses 21 ha, il dispose d'une grande diversité de terroirs. Des sols argilo-calcaires ont engendré cette cuvée d'un jaune brillant dont les reflets verts montrent la jeunesse. D'intenses arômes de litchi et d'épices (poivre blanc) se retrouvent au palais. Ample et puissant, un vin marqué par un sucre résiduel (20 g/l) qui devra se fondre.

⊶ François Braun et ses Fils, 19, Grand-Rue, 68500 Orschwihr, tél. 03.89.76.95.13, fax 03.89.76.10.97 ☒ Y 🚶 r.-v.

PAUL BUECHER Réserve personnelle 2002 *

▒ 4 ha 20 000 ▮🌡 5 à 8 €

Avec son domaine de 28,5 ha, Paul Buecher a pu diversifier les terroirs. Il propose un gewurztraminer né de sols légers provenant des alluvions apportées par la Fecht, l'une des rivières vosgiennes tributaires de l'Ill. Très riches en galets, ceux-ci sont assez perméables. Jaune à reflets dorés, ce vin livre d'intenses parfums de rose, assortis de senteurs de mirabelle confite. Puissant, corsé, bien équilibré malgré sa forte teneur en sucres résiduels, il est marqué par la rose jusque dans sa finale délicate. A attendre un peu. (Sucres résiduels : 22,4 g/l.)

⊶ Paul Buecher et Fils, 15, rue Sainte-Gertrude, 68920 Wettolsheim, tél. 03.89.80.64.73, fax 03.89.80.58.62, e-mail buecher@aol.com
☒ Y 🚶 t.l.j. sf dim. 8h-12h 14h-18h

JOSEPH CATTIN 2002

▒ 2,5 ha 20 000 ◖▮◗ 5 à 8 €

Créée en 1850, une exploitation transmise de père en fils. Elle a récemment étendu son vignoble et agrandi ses bâtiments d'exploitation. Elle propose un gewurztraminer d'un jaune d'or limpide, au nez expressif et élégant, évoluant des épices au litchi. Souple et gras en attaque, équilibré et persistant, il finit sur des arômes de rose et de fruits confits. Une belle harmonie. (Sucres résiduels : 15 g/l.)

⊶ Joseph Cattin, 18, rue Roger-Frémeaux, 68420 Voegtlinshoffen, tél. 03.89.49.30.21, fax 03.89.49.26.02, e-mail gcattin@terre-net.fr ☒ Y 🚶 r.-v.

JEAN DIETRICH Altenburg Vieilles Vignes 2002 *

▒ 0,37 ha 2 500 ▮🌡 8 à 11 €

Kaysersberg, ou « mont de l'Empereur » : le donjon qui domine le bourg, gardien de la vallée de la Weiss, fut au XIIIes. possession impériale. Riche de son histoire et de son splendide patrimoine civil et religieux, de son musée d'histoire locale, la patrie du docteur Schweitzer est l'une des cités les plus visitées d'Alsace. Jean Dietrich y exploite 11 ha. Son gewurztraminer Vieilles Vignes de l'Altenburg, déjà apprécié dans le millésime précédent, a été jugé tout aussi estimable. La robe jaune doré, le nez déjà intense, dominé par le miel et les fruits jaunes, retiennent l'attention. Ample, rond et onctueux, le palais révèle une grande matière, où la douceur des sucres résiduels est contrebalancée par une fraîcheur bienvenue. La longue finale laisse un sillage de rose et de fruits confits. (Sucres résiduels : 12 g/l.)

⊶ Jean Dietrich, 4, rue de l'Oberhof, 68240 Kaysersberg, tél. 03.89.78.25.24, fax 03.89.47.30.72, e-mail dietrich.jean-et-fils@wanadoo.fr
☒ Y 🚶 t.l.j. 10h-12h 14h-18h

DOM. DE L'ECOLE
Côte de Rouffach Vieilles Vignes 2002 *

▒ 0,54 ha 1 850 ▮🌡 8 à 11 €

Propriété du lycée viticole de Rouffach, le domaine de l'Ecole contribue à la formation des élèves de l'établissement secondaire et des étudiants du Centre de formation des adultes. Il mène aussi des expérimentations en matière de viticulture. Il présente souvent des vins aux jurys Hachette. Comme l'an dernier, voici un gewurztraminer. Un vin qui a semblé proche d'une vendange tardive avec sa couleur jaune d'or et son nez discret, où percent le fruit confit et le miel à côté de parfums de rose. Fruits secs et confits accompagnent la dégustation en bouche, où s'affirme le caractère moelleux. Puissant, riche et long, avec une finale fraîche, ce 2002 gagnera à attendre. (Sucres résiduels : 35 g/l.)

⊶ Dom. de l'Ecole, Lycée agricole et viticole, 8, aux Remparts, 68250 Rouffach, tél. 03.89.78.73.16, fax 03.89.78.73.43, e-mail expl.legta.rouffach@educagri.fr
☒ Y 🚶 t.l.j. sf sam. dim. 8h30-12h 13h30-17h30; groupes sur r.-v.

DOM. ANDRE EHRHART
Vendanges tardives 2001 *

▒ 0,4 ha 2 000 ▮🌡 15 à 23 €

Installée dans une maison de 1737, cette exploitation régulièrement mentionnée dans le Guide dispose de 10 ha à Wettolsheim, près de Colmar. Les terroirs de la commune, principalement de nature argilo-calcaire, sont très favorables au gewurztraminer. De couleur or clair à reflets dorés brillants, celui-ci possède un nez intense de miel et d'acacia, agrémenté de fruits confits (pêche, abricot, orange) et de mangue. Très équilibré, riche, puissant, complexe et persistant, il finit sur des notes de litchi fort agréables.

🐚 André Ehrhart, 68, rue Herzog, 68920 Wettolsheim,
tél. 03.89.80.66.16, fax 03.89.79.44.20
☑ ➤ ✦ t.l.j. sf dim. 8h-11h30 13h30-18h

LUC FALLER Fronholz 2002

	0,3 ha	1 200		🍾↓ 11 à 15 €

Le nom d'Itterswiller dériverait d'*Itineris Villa*, la
« ferme de la route » : ce village s'étire à flanc de coteau de
part et d'autre d'une voie qui remonte à l'époque romaine.
Particulièrement idyllique, il est fleuri avec profusion de
pélargoniums dont les couleurs éclatantes soulignent les
colombages de ses maisons de vignerons ou d'hôteliers-res-
taurateurs. Du Fronholz, Luc Faller a tiré un gewurztraminer or pâle, déjà expressif au nez avec ses arômes floraux
et fruités tout en finesse. Bien équilibrée et ample, avec un
caractère très rond, la bouche finit sur une vivacité un rien
mentholée. Un vin en devenir. (Sucres résiduels : 29 g/l.)
🐚 Henri et Luc Faller,
22, rte des Vins, 67140 Itterswiller,
tél. 03.88.85.51.42, fax 03.88.57.83.30 ☑ ➤ ✦ r.-v.

FRANCOIS FLESCH Vendanges tardives 2001 ★

	0,3 ha	1 500		15 à 23 €

Vignerons de père en fils depuis cent cinquante ans,
les Flesch sont établis à la périphérie de Pfaffenheim, au
milieu des vignes. Non loin de la propriété, la chapelle
Notre-Dame du Schauenberg (XVIIᵉs.), lieu de pèlerinage
aux murs couverts d'*ex-voto*. L'exploitation a proposé un
gewurztraminer jaune pâle à reflets argentés. Très ouvert
au nez, ample et élégant, il délivre des parfums de fleurs
puis de fruits confits. Cette même expression complexe,
florale et fruitée se retrouve dans une bouche persistante,
avec des notes épicées caractéristiques du cépage.
🐚 François Flesch et Fils,
20, rue du Stade, 68250 Pfaffenheim,
tél. 03.89.49.66.36, fax 03.89.49.74.71
☑ ➤ ✦ t.l.j. 8h-12h 14h-18h; dim. sur r.-v.

ANTOINE FONNE Kaefferkopf 2002 ★★

	0,9 ha	2 700		🍾 8 à 11 €

Doté d'une viticulture prospère dès le Moyen Age,
Ammerschwihr s'était entouré de fortifications dont il
reste quelques vestiges. La cité, qui a conservé la belle
maison du XVIIᵉs. où siégeait la corporation des vignerons, a contribué à la résurrection après guerre de la
confrérie Saint-Etienne et organise tous les ans une foire
aux vins. Du célèbre Kaefferkopf, le domaine Fonné a tiré
un vin jaune clair, au nez discret mais d'une grande finesse,
fait de notes exotiques (mangue). Ample, soyeux et frais à
la fois, ce gewurztraminer laisse déjà une impression
d'équilibre et d'harmonie. Fruits exotiques et épices accompagnent une finale longue et délicate. Un ensemble
promis à un bel avenir. (Sucres résiduels : 25 g/l.)
🐚 Antoine Fonné,
14, Grand-Rue, 68770 Ammerschwihr,
tél. 03.89.47.37.90, fax 03.89.47.18.83 ☑ ➤ ✦ r.-v.

JOSEPH FREUDENREICH ET FILS
Vieilles Vignes 2002

	1,1 ha	7 600		🍾↓ 5 à 8 €

Eguisheim a donné à la chrétienté un pape, qui régna
au XIᵉs., sous le nom de Léon IX. Ce domaine est installé
au centre de la cité, dans une ancienne cour dîmière qui
date de l'époque du pontife ! Cela fait des siècles que l'on
y vinifie, puisque les raisins de la dîme étaient transformés
sur place. Les locaux ont cependant été modernisés, la

dernière rénovation ayant été effectuée en 2000. Des
vignes de quarante ans ont donné un vin limpide, jaune
clair à brillants reflets verts. Le nez expressif s'ouvre sur les
fruits confits, le miel et les épices. Ample et onctueux,
équilibré et assez persistant, le palais finit sur une pointe
d'amertume. (Sucres résiduels : 14 g/l.)
🐚 Joseph Freudenreich et Fils, 3, cour Unterlinden,
68420 Eguisheim, tél. 03.89.41.36.87,
fax 03.89.41.67.12, e-mail info@joseph-freudenreich.fr
☑ ➤ ✦ t.l.j. 8h-12h 13h30-19h; groupes sur r.-v.

CHARLES ET DOMINIQUE FREY
Frauenberg 2002 ★

	1,2 ha	6 500	⦀	5 à 8 €

Exploité en biodynamie, ce domaine de 10 ha propose un vin issu du Frauenberg. Ce lieu-dit se caractérise
par un sol léger, formé par des arènes granitiques, qui se
réchauffe précocement au printemps et garde bien la
chaleur. Un terroir très favorable au gewurztraminer. Ce
cépage a donné un vin jaune d'or brillant, au nez intense,
un rien surmature, évoquant les épices et le pain d'épice
fraîchement cuit. Assez rond, ample, puissant, soutenu par
une vivacité agréable, le palais finit tout en finesse sur des
notes épicées. Un ensemble prometteur. (Sucres résiduels :
20 g/l.)
🐚 EARL Charles et Dominique Frey,
4, rue des Ours, 67650 Dambach-la-Ville,
tél. 03.88.92.41.04, fax 03.88.92.62.23,
e-mail frey.dom.bio@wanadoo.fr ☑ ➤ ✦ r.-v.

MARCEL FREYBURGER
Kaefferkopf Sélection de grains nobles 2001 ★★★

	0,21 ha	585	⦀	15 à 23 €

La commune d'Ammerschwihr a été détruite à 80 %
durant les combats de la Libération, en décembre 1944.
Proche de l'ancienne mairie, dont il ne subsiste qu'un pan
de murs, la maison des Freyburger n'a pas été épargnée.
Le domaine s'est relevé de ses ruines et agrandi (6 ha
aujourd'hui). Il s'étend en partie sur le célèbre cru du
Kaefferkopf d'où provient cette sélection de grains nobles.
De couleur paille à reflets or, ce vin révèle des parfums
intenses d'abricot confit ou confituré, de mangue et de
rose. Franc à l'attaque, très rond, il renoue en bouche avec
les notes d'abricot du nez, rehaussées par des arômes de
confiture d'oranges. La longue finale est relevée par une
touche poivrée. Un superbe vin, élégant, complexe et de
garde.
🐚 EARL Marcel Freyburger,
13, Grand-Rue, 68770 Ammerschwihr,
tél. 03.89.78.25.72, fax 03.89.78.15.50,
e-mail marcel.freyburger@libertysurf.fr
☑ ➤ ✦ t.l.j. sf dim. 9h-12h 14h-18h

J. FRITSCH 2002 ★

	0,5 ha	2 600		🍾↓ 5 à 8 €

Ce domaine reçoit les visiteurs dans l'ancienne cave
du XVIIIᵉs. et s'est équipé de locaux modernes pour la
vinification. Il a élaboré un gewurztraminer au nez expressif associant la rose, les épices et le litchi. Frais à l'attaque,
très équilibré et d'une belle ampleur, il offre une longue
finale fruitée. Un ensemble élégant. (Sucres résiduels :
26,8 g/l.)
🐚 EARL Joseph Fritsch,
31, Grand-Rue, 68240 Kientzheim,
tél. 03.89.78.24.27, fax 03.89.78.16.53,
e-mail vinsjosephfritsch@wanadoo.fr ☑ ➤ ✦ r.-v.

HENRI GROSS Sélection de grains nobles 2001 ★

	n.c.	2 200	23 à 30 €

Une église de grès rose au superbe clocher roman, bien dégagée par une belle place, des ruelles pittoresques et des maisons Renaissance : Gueberschwihr figure au nombre des joyaux du vignoble alsacien. La commune abrite de nombreux vignerons, dont Henri Gross, bien connu des lecteurs du Guide. Le domaine propose une sélection de grains nobles jeune d'apparence, avec sa robe jaune pâle à reflets verts. Le nez riche associe fruits confits, épices et litchi. Ample au palais, ce vin se distingue par une grande fraîcheur qui lui confère une légèreté bien venue. La finale, très aromatique, évoque les fruits secs. Une bouteille de garde. (Bouteilles de 50 cl.)

☛ EARL Henri Gross et Fils,
11, rue du Nord, 68420 Gueberschwihr,
tél. 03.89.49.24.49, fax 03.89.49.33.58,
e-mail vins.gross@wanadoo.fr ☑ ⊤ ⋏ r.-v.

HENRI GSELL Sélection de grains nobles 2000

	0,6 ha	5 000	⦀ 23 à 30 €

Eguisheim se distingue par son plan circulaire, aux ruelles concentriques. Fondée à l'aube du XIXe s., cette exploitation jouxte l'enceinte de la cité ; le mur extérieur de sa cave, épais de 1,20 m, est une partie de l'ancien rempart. Sa sélection de grains nobles apparaît encore jeune : la robe jaune d'or présente des reflets tirant sur le vert, le nez est discret, laissant percer des effluves de rose, puis de pamplemousse. Rond et riche, le palais devrait gagner en complexité avec le temps. Cette bouteille, qui vieillira au moins cinq ans, tirera profit d'un séjour en cave. (Bouteilles de 50 cl.)

☛ Henri Gsell,
22, rue du Rempart-Sud, 68420 Eguisheim,
tél. 03.89.41.96.40, fax 03.89.41.58.46 ☑ ⋏ r.-v.

HABSIGER Vendanges tardives 2001 ★

	0,27 ha	1 600	⦀ 15 à 23 €

Nouvelle venue dans le Guide, cette exploitation de 9,5 ha s'est spécialisée dans la viticulture durant les années 1960. Elle est établie à Gertwiller, village situé au nord-est de Barr, célèbre par ses pains d'épice. Epices que l'on respire en humant ces vendanges tardives en livrée or à reflets paille, associées au coing et à la cire. Le nez puissant et charmeur est suivi d'un palais rond, ample, gras et charnu, aux arômes de fruits confits. Une pointe de réglisse marque la finale. Une bouteille élégante.

☛ Habsiger, 15, rue Principale, 67140 Gertwiller,
tél. 03.88.08.07.54, fax 03.88.08.48.92 ☑ ⊤ ⋏ r.-v.

BERNARD HAEGELIN Bollenberg 2002 ★

	0,57 ha	4 775	▤ 5 à 8 €

Etablie dans la partie méridionale de la route des Vins, près de Guebwiller, cette exploitation a tiré du gewurztraminer deux vins jugés très réussis. Celui-ci est issu d'un secteur argilo-calcaire du Bollenberg, colline sèche, très calcaire, au couvert végétal rappelant la garrigue sur son sommet. Or à reflets verts, il mêle au nez la rose et le jasmin, avec des nuances d'épices. Equilibré, harmonieux, ample et bien structuré, il révèle une grande matière. Le sucre résiduel est bien fondu et la finale persistante évoque la poire confite. (Sucres résiduels : 39 g/l.) Quant au **gewurztraminer Vendanges tardives 2001 (15 à 23 €)**, il séduit par ses arômes dominés par l'exotisme de l'ananas, de la mangue et du litchi, par son équilibre, sa fraîcheur et sa persistance. Il obtient une citation.

☛ SCEA Bernard Haegelin,
26, rue de l'Eglise, 68500 Orschwihr,
tél. 03.89.76.14.62, fax 03.89.74.36.46 ☑ ⊤ ⋏ r.-v.

VICTOR HERTZ 2002 ★

	0,8 ha	5 200	▤ 8 à 11 €

Vicotr Hertz est établi à Herrlisheim, au sud de Colmar. Son exploitation s'étend sur plusieurs communes, ce qui lui permet, par une vinification séparée, d'exprimer l'originalité de chaque terroir. Il propose ici un gewurztraminer jaune d'or, au nez fin et floral. Franc à l'attaque, équilibré et long, ce vin est pour l'heure dominé par la douceur du sucre résiduel. Son ampleur et son corps bien structuré lui prédisent un bel avenir ; il gagnera en expression d'ici deux à trois ans. A attendre. (Sucres résiduels : 30 g/l.)

☛ Dom. Victor Hertz,
8, rue Saint-Michel, 68420 Herrlisheim,
tél. 03.89.49.31.67, fax 03.89.49.22.84,
e-mail beatrice@victorhertz.com ☑ ⊤ ⋏ r.-v.

HUEBER Kaefferkopf 2002 ★

	0,22 ha	1 500	11 à 15 €

Etablis à Riquewihr, la plus célèbre commune de la route des Vins, les Hueber disposent d'une dizaine d'hectares, dont une parcelle dans le Kaefferkopf. C'est dans ce lieu-dit qu'est né ce vin d'un jaune clair limpide, aux discrets parfums de fleurs et de fruits très mûrs. Dense, soutenu par une acidité agréable qui favorisera son évolution, ample, gras et persistant, le palais révèle une belle matière. Les fruits confits et les épices marquent la finale. (Sucres résiduels : 29 g/l.)

☛ Hueber et Fils, 6, rte du Vin, 68340 Riquewihr,
tél. 03.89.47.92.30, fax 03.89.49.04.53
☑ ⌂ ⌂ ⊤ ⋏ t.l.j. 9h-18h

HUNOLD Vendanges tardives 2001 ★

	0,35 ha	2 000	▤ 15 à 23 €

Située à une quinzaine de kilomètres au sud de Colmar, la commune de Rouffach possède quelques industries mais a gardé sa vocation viticole. Depuis le début du XXe s., son lycée agricole forme les vignerons de toute la région. On trouve dans la cité quelques domaines importants, comme celui-ci, qui compte 13 ha. Bruno Hunold signe ici des vendanges tardives fort agréables. D'un jaune pâle limpide et brillant, ce vin s'affirme au nez par des parfums de rose relevés de nuances poivrées et mentholées. Ces arômes se prolongent en bouche, accompagnés de notes de mangue. Le palais est bien équilibré, de bonne structure et persistant.

☛ EARL Bruno Hunold, 29, rue Aux-Quatre-Vents, 68250 Rouffach, tél. 03.89.49.60.57, fax 03.89.49.67.66, e-mail info@brunohunold.com
☑ ⊤ ⋏ t.l.j. 9h-12h 14h-18h sf dim. 9h-12h.

JEAN GEILER Vendanges tardives 2001

	3,4 ha	23 800	▤ 15 à 23 €

Fondée en 1926, la coopérative d'Ingersheim, à l'ouest de Colmar, se flatte de posséder le plus grand foudre de chêne de la vallée du Rhin. Pour promouvoir une partie de sa production, elle a choisi le nom de Jean Geiler, figure de l'humanisme alsacien. Des gewurztraminers de cette marque figurent souvent dans le Guide. Comme l'an dernier, voici des vendanges tardives. Or à reflets brillants, ce 2001 exprime intensément le miel, le citron confit, la

mangue et la rose, arômes que l'on retrouve dans une finale persistante. Dominée par la rondeur, la bouche devrait gagner en harmonie avec le temps.
🔑 Cave vinicole d'Ingersheim,
45, rue de la République, 68040 Ingersheim,
tél. 03.89.27.90.27, fax 03.89.27.90.30,
e-mail vin@geiler.fr ☑ 🍷 🚶 r.-v.

RENE JOGGERST Sélection de grains nobles 2001 ★

▢ 0,56 ha 1 952 **46 à 76 €**

Dominée par ses châteaux, Ribeauvillé s'étire le long des premiers contreforts des Vosges. C'est une étape incontournable de la route des Vins, célèbre par son patrimoine architectural, ses tissus imprimés et ses terroirs viticoles. Cette exploitation a son siège au cœur du quartier historique. Elle propose une sélection de grains nobles jaune d'or brillant, dont le nez très épicé évolue rapidement vers l'abricot confit. Ampleur, richesse et puissance caractérisent le palais, où le fruit confit se mêle à la pâte de fruits et à la liqueur d'orange. Une bouteille harmonieuse et longue, qui devrait bien vieillir. Elle pourra accompagner les desserts de la région, mousse au kirsch, gâteaux à la cannelle, etc.
🔑 Joggerst et Fils, 19, Grand-Rue, 68150 Ribeauvillé,
tél. 03.89.73.66.32, fax 03.89.73.65.45,
e-mail vins.joggerst@ifrance.com
☑ 🍷 🚶 t.l.j. sf dim. 9h-12h 14h-18h

DOM. JUX Vendanges tardives Prestige 2001 ★★

▢ n.c. 29 000 15 à 23 €

Très proche de Colmar, le vaste domaine Jux s'étend au nord de la préfecture du Haut-Rhin. Il fait aujourd'hui partie de la cave vinicole d'Eguisheim. Plantés sur les graves de la Hardt, l'ensemble des cépages se caractérisent par une grande précocité. Le gewurztraminer a donné ici des vendanges tardives jaune d'or à reflets dorés, au nez intense et complexe, fait de rose, de fruits secs et confits, et de mangue. On retrouve ces deux derniers arômes, nuancés d'orange, dans un palais ample, puissant et persistant qui annonce une bonne tenue dans le temps.
🔑 Dom. Jux, 5, chem. de la Fecht, 68000 Colmar,
tél. 03.89.79.13.76, fax 03.89.79.62.93 ☑ 🍷 r.-v.

KIEFFER Cuvée de l'Eté indien 2002 ★★

▢ 0,3 ha 2 000 **11 à 15 €**

Eté indien ? Eté de la Saint-Martin veut-on dire ? Un nom de cuvée qui suggère des vendanges assez tardives. De fait, ce gewurztraminer n'est pas très éloigné d'un liquoreux, avec sa robe d'un jaune d'or lumineux et ses senteurs discrètes de fruits concentrés, surmûris qui accompagnent des parfums floraux (rose fanée). Même impression au palais, ample, onctueux, très moelleux, marqué en finale par des arômes de fruits confits et de miel. Une riche matière et une grande harmonie qui laissent augurer un bel avenir. (Sucres résiduels : 30 g/l.)
🔑 Vincent Kieffer, 76, rte des Vins, 67140 Itterswiller,
tél. 03.88.85.50.22, fax 03.88.57.80.91 ☑ 🍷 🚶 r.-v.

CAVE DE KIENTZHEIM-KAYSERSBERG
Réserve 2002 ★

▢ 1,07 ha 7 000 ▮🌡 5 à 8 €

Réunissant quelque cent cinquante viticulteurs de deux importantes communes viticoles du Haut-Rhin, cette coopérative possède un potentiel de production fort intéressant (180 ha environ), avec de bons terroirs. Elle propose un gewurztraminer jaune doré laissant des larmes le long des parois du verre. Le nez s'ouvre rapidement sur les épices, la rose, puis évolue vers des parfums plus profonds de fruits en surmaturation. Après une attaque très souple, le palais apparaît dominé par une rondeur liée aux sucres résiduels. Bonne expression aromatique (épices puis fruits confits). Une bouteille qui devrait gagner en harmonie avec le temps. (Sucres résiduels : 15 g/l.)
🔑 Cave de Kientzheim-Kaysersberg,
10, rue des Vieux-Moulins, 68240 Kientzheim,
tél. 03.89.47.13.19, fax 03.89.47.34.38,
e-mail cave-kaysersberg@vinsalsace-kaysersberg.com
☑ 🚶 r.-v.

GEORGES KLEIN 2002 ★★

▢ 0,45 ha 3 000 5 à 8 €

Domaine établi à Saint-Hyppolyte, un des villages blottis en contrebas du château du Haut-Kœnigsbourg. Il signe deux gewurztraminers d'une grande séduction, nés tous deux d'un terroir granitique. Or brillant, celui-ci s'ouvre intensément sur des notes de surmaturation d'où ressortent des nuances de miel d'acacia et de pain d'épice. En bouche, il est remarquable d'harmonie : une palette aromatique complexe, riche et délicate à la fois, avec des fruits confits rehaussés d'épices, un équilibre fait d'une matière ample, soyeuse, ronde et pourtant fraîche, une longue finale. (Sucres résiduels : 20 g/l.)
🔑 SARL Georges Klein,
10, rte du Vin, 68590 Saint-Hippolyte,
tél. 03.89.73.00.28, fax 03.89.73.06.28 ☑ r.-v.

KUENTZ Vendanges tardives 2001

▢ 0,25 ha 1000 **15 à 23 €**

Domaine fondé au XIX^e^s. et établi à Pfaffenheim, à 10 km au sud de Colmar et à 3 km de la chapelle du Schauenberg. La cave date du XVII^e^s. ; les sols sont diversifiés, plutôt calcaires. L'exploitation signe des vendanges tardives jaunes à reflets dorés, au nez expressif mariant miel et abricot confit, accompagnés d'un soupçon de sous-bois. La bouche révèle une palette aromatique flatteuse avec du fruit confit relevé d'épices en finale, et laisse une impression dominante de richesse.
🔑 GAEC Romain Kuentz et Fils, 22-24, rue du Fossé,
68250 Pfaffenheim, tél. 03.89.49.61.90,
fax 03.89.49.77.17, e-mail vinskuentz@yahoo.fr
☑ 🏠 🍷 🚶 t.l.j. 9h-12h 13h30-19h; dim. sur r.-v.

LORANG Sélection de grains nobles 2001

▢ 0,14 ha 1 200 🛢 **15 à 23 €**

Des ancêtres viticulteurs, un domaine fondé dans les années 1950 et passé en cinquante ans de 10 a à 10 ha. A sa tête, Philippe Lorang. D'un terroir argilo-calcaire, il a tiré un vin brillant, de couleur paille dorée. Au nez, une discrète impression de surmaturité (fruits confits, pain d'épice). Au palais, une belle charpente et une finale longue et fruitée. Un ensemble agréable, pas trop lourd.

⌖ EARL V. Lorang et Fils, Au Florimont, 68230 Katzenthal, tél. 03.89.27.05.29, fax 03.89.27.17.37, e-mail vins.lorang@wanadoo.fr ☑ ⵜ ⋇ t.l.j. 8h-12h 14h-19h

LORENTZ Sélection de grains nobles 2001

0,8 ha	2 000	23 à 30 €

Fondée en 1836, la maison Lorentz a pignon sur rue à Bergheim, joli bourg fortifié au cœur de la route des Vins. Elle exporte environ 40 % de sa production. Elle a proposé une sélection de grains nobles jaune d'or à reflets brillants, au nez opulent marqué par d'élégants parfums de surmaturation. L'attaque est franche, le palais aura bientôt trouvé son équilibre. Un vin plaisant, encore jeune. (Bouteilles de 50 cl.)

⌖ Gustave Lorentz, 91, rue des Vignerons, 68750 Bergheim, tél. 03.89.73.22.22, fax 03.89.73.30.49, e-mail info@gustavelorentz.com ☑ ⵜ ⋇ t.l.j. sf dim. 10h-12h 14h-18h30

MADER Cuvée Théophile 2002 ★★

0,3 ha	1 200	▌⬗ 8 à 11 €

Sur l'étiquette de ce vin, la célèbre église fortifiée d'Hunawihr, village où Jean-Luc Mader exploite un peu moins de 7 ha de vignes sur des terroirs à dominante argilo-calcaire. Un producteur bien connu des lecteurs du Guide, car il a trois coups de cœur à son actif ! D'une grande matière en surmaturation, il a tiré un vin or blanc étincelant, au nez puissant de fruits exotiques (litchi et mangue). Malgré une douceur importante, le palais reste équilibré, ample, onctueux et moelleux. Fruits confits, coing et poire relevés d'une pointe d'épices persistent longuement en finale. Une grande bouteille qui sera à son apogée dans deux ou trois ans. (Sucres résiduels : 40 g/l.)

⌖ Jean-Luc Mader, 13, Grand-Rue, 68150 Hunawihr, tél. 03.89.73.80.32, fax 03.89.73.31.22, e-mail vins.mader@laposte.net ☑ ⵜ ⋇ r.-v.

MEISTERMANN Cuvée Prestige 2002 ★★

0,4 ha	4 000	⬗ 5 à 8 €

Cette exploitation familiale de 5 ha dispose de terroirs variés, à dominante argilo-calcaire. Le gewurztraminer s'exprime bien sur ce type de sols ; voyez celui-ci, jaune soutenu à reflets or, au nez intense, très fruité, mêlant le litchi et des notes de surmaturation (fruits confits, abricot). Il a tout ce qu'il faut d'onctuosité, de gras, d'ampleur et d'équilibre, et offre une finale persistante, sur le poivre et les fruits secs (coing, abricot). Le jury est conquis. (Sucres résiduels : 18 g/l.)

⌖ Michel Meistermann, 37, rue de l'Eglise, 68250 Pfaffenheim, tél. 03.89.49.60.61, fax 03.89.49.79.30 ☑ ⵜ ⋇ r.-v.

DOM. MITTNACHT FRERES 2002 ★★

2 ha	10 500	▌⬗ 8 à 11 €

Une vingtaine d'hectares cultivés en biodynamie et une production exportée à 60 %. Vous pouvez cependant y goûter dans le restaurant du domaine, qui propose des spécialités régionales. Hunawihr est l'un des villages les plus charmants de la route des Vins, et ce gewurztraminer chaleureusement recommandé. Jaune clair à reflets dorés, livrant de discrets parfums de fruits concentrés, il fait grande impression en bouche : il se montre ample, soyeux,

onctueux ; la douceur s'accompagne d'une belle fraîcheur jusqu'à la finale mariant fruits confits et agrumes. Une bouteille pour l'apéritif ou des spécialités asiatiques sucrées-salées. (Sucres résiduels : 30 g/l, bouteilles de 37,5 cl.)

⌖ Dom. Mittnacht Frères, 27, rte de Ribeauvillé, 68150 Hunawihr, tél. 03.89.73.62.01, fax 03.89.73.38.10, e-mail mittnacht.freres@terre-net.fr ☑ ⌂ ⵜ ⋇ t.l.j. sf dim. 10h-12h 14h-18h

MOELLINGER Sélection de grains nobles 2001 ★★

0,44 ha	2 600	⬗ 15 à 23 €

Trois coups de cœur au cours des dix dernières années, voilà de quoi inspirer confiance. L'exploitation dispose de 14 ha autour de Wettolsheim, commune viticole très active située à quelques kilomètres au sud-ouest de Colmar. Des vignes de quarante-cinq ans plantées sur argilo-calcaire ont donné un vin jaune d'or étincelant de reflets et dont les larmes annoncent richesse et ampleur. Au nez, de discrets effluves de rose, de mandarine et de confiture de mirabelle. Au palais, le gras et l'onctuosité se conjuguent à une belle fraîcheur, tandis que s'affirment les arômes miellés. Du caractère sans lourdeur, et de l'avenir. (Bouteilles de 50 cl.)

⌖ SCEA Joseph Moellinger et Fils, 6, rue de la 5e-D.-B., 68920 Wettolsheim, tél. 03.89.80.62.02, fax 03.89.80.04.94 ☑ ⵜ ⋇ t.l.j. 8h-12h 13h30-19h ; dim. sur r.-v.

FRANCIS MURE 2002 ★★★

0,6 ha	4 600	5 à 8 €

Après un riesling l'an dernier, voici un gewurztraminer couronné par le jury ! Il provient des coteaux situés à l'est de Westhalten ; un terroir qui bénéficie d'un climat très sec, témoin la flore de type méditerranéen que l'on rencontre dans les parages. D'un jaune soutenu à reflets or, ce vin s'ouvre sur un agréable fruité d'où ressortent la poire et le coing. Son équilibre, son ampleur soyeuse, l'intensité et la complexité de sa palette aromatique (coing, fruits très mûrs, presque confits, un rien de pêche blanche), sa finale persistante soulignée de poivre lui valent tous les éloges. (Sucres résiduels : 16 g/l.)

⌖ Francis Muré, 30, rue de Rouffach, 68250 Westhalten, tél. 03.89.47.64.20, fax 03.89.47.09.39, e-mail mure-francis@club-internet.fr ☑ ⌂ ⵜ ⋇ r.-v.

DANIEL RUFF Sélection de grains nobles 2001 ★

0,26 ha	800	⬗ 23 à 30 €

Vignoble de 13 ha situé à Heiligenstein, commune proche de Barr et dominée par le mont Sainte-Odile. Le village est célèbre pour son klevener (ou savagnin rose) qui donne des vins de gastronomie. C'est d'un autre cépage à raisins roses, le gewurztraminer, que Daniel Ruff a tiré cette bouteille fort bien venue. Jaune d'or à reflets orangés, ce vin révèle au nez d'élégantes senteurs de fruits exotiques (mangue surtout). Ample, riche, onctueux, avec des arômes de fruits concentrés, il aura bientôt atteint sa pleine harmonie. (Bouteilles de 50 cl.)

⚷ Dom. Daniel Ruff,
64, rue Principale, 67140 Heiligenstein,
tél. 03.88.08.10.81, fax 03.88.08.43.61,
e-mail vinsruff@aol.com 🏠 🏠 🍷 r.-v.

MARTIN SCHAETZEL
Kaefferkopf Cuvée Catherine 2001 ★

▒ 0,7 ha 5 000 🛢 11 à 15 €

Le domaine bénéficie des compétences de Jean Schaetzel, œnologue. Il s'étend sur 8 ha cultivés en biodynamie et exporte la moitié de sa production. Ce gewurztraminer provient du célèbre terroir du Kaefferkopf, et d'un substrat marno-calcaire. Dans sa robe vieil or brillante, il s'annonce par un plaisant cortège d'arômes : épices (poivre), rose et un soupçon de réglisse se succèdent au nez. Ample, charpenté avec des sucres résiduels bien fondus, il offre une finale persistante marquée par des arômes de fruits secs et d'épices. (Sucres résiduels : 15 g/l.)

⚷ Martin Schaetzel,
3, rue de la 5e-D.-B., 68770 Ammerschwihr,
tél. 03.89.47.11.39, fax 03.89.78.29.77 🅥 🍷 🚶 r.-v.

THIERRY SCHERRER Kaefferkopf 2002 ★★

▒ 0,1 ha 800 ▮ 5 à 8 €

Thierry Scherrer est établi à la périphérie du village d'Ammerschwihr, au milieu des vignes. Il exploite 7 ha. Avant de reprendre l'exploitation familiale en 1993, il a étudié l'œnologie et travaillé dans de prestigieuses maisons d'Alsace et de Champagne. Autant d'atouts pour élaborer lui-même son vin, vinifié par la coopérative jusqu'en 1992. Son gewurztraminer du Kaefferkopf présente une robe paille et un nez plutôt exotique, avec un rien de cacao. Ample et gras, bien structuré, onctueux, il offre une longue finale harmonieuse qui engage à se resservir. Un très bel équilibre qui emporte l'adhésion du jury. (Sucres résiduels : 18 g/l.)

⚷ Thierry Scherrer,
1, rue de la Gare, 68770 Ammerschwihr,
tél. 03.89.47.15.86, fax 03.89.47.15.86,
e-mail thierry.scherrer@wanadoo.fr 🅥 🏠 🏠 🍷 🚶 r.-v.

CAVE FRANCOIS SCHMITT
Cuvée Marie-France 2002 ★

▒ 0,6 ha 5 400 ▮ 5 à 8 €

Exploitation d'une dizaine d'hectares située dans la partie méridionale de la route du Vin et dirigée par son fondateur et ses deux fils, dont l'un est œnologue. Ces dernières années, elle a souvent été retenue grâce à des cuvées de gewurztraminer, en alsace ou en alsace grand cru. Celle-ci, d'un jaune d'or soutenu, apparaît réservée au nez, qui laisse percer quelques effluves fruités et épicés. C'est en bouche qu'elle s'exprime et révèle une grande matière, ample et onctueuse. Une belle fraîcheur vient contrebalancer la douceur des sucres résiduels, et des arômes d'agrumes et d'épices agrémentent la finale. Un ensemble harmonieux qui mérite d'évoluer encore. (Sucres résiduels : 30,5 g/l.)

⚷ Cave François Schmitt,
19, rte de Soultzmatt, 68500 Orschwihr,
tél. 03.89.76.08.45, fax 03.89.76.44.02,
e-mail cavefrancoisschmitt@wanadoo.fr 🅥 🍷 🚶 r.-v.

JEAN-PAUL SCHMITT
Rittersberg Réserve personnelle 2002 ★

▒ 0,85 ha 4 000 ▮ 11 à 15 €

Domaine situé à Scherwiller, à l'ouest de Sélestat, en un lieu-dit appelé Hühnelmühle. Sur la propriété, une auberge propose des spécialités alsaciennes, notamment de la carpe frite. Le vignoble (environ 7 ha) couvre des pentes escarpées exposées au sud, à l'entrée d'un vallon parallèle à la rivière Giessen. Il a donné un gewurztraminer or pâle très brillant, au nez d'agrumes surprenant mais flatteur (mandarine et citron). Moelleux, un peu lourd en raison de la haute teneur en sucres résiduels, ce vin persiste longuement sur des arômes délicats de poire sèche et de pâte de coing relevés d'épices (poivre). Il s'exprimera davantage dans un à deux ans. (Sucres résiduels : 70 g/l.)

⚷ Jean-Paul Schmitt, Hühnelmühle, 67750 Scherwiller,
tél. 03.88.82.34.74, fax 03.88.82.33.95,
e-mail vins-schmitt@wanadoo.fr
🅥 🍷 🚶 t.l.j. 8h-19h; dim. 14h-19h; f. 15 jan. au 1er fév.

SCHOENHEITZ Holder Vendanges tardives 2001 ★

▒ 0,51 ha 2 500 ▮ 23 à 30 €

La famille Schoenheitz exploite 13,5 ha de vignes. La plupart des parcelles s'étagent sur des pentes abruptes, exposées au sud, à l'entrée de la vallée de Munster. Terroir granitique, le Holder a donné un vin doré à reflets or vert très brillants. Intense, le nez associe les fruits confits (pêche, abricot), la mangue et une nuance délicate de rose. Riche et fraîche, la bouche est d'un grand équilibre et d'une bonne persistance. La finale offre un caractère épicé des plus intéressants. Un ensemble réussi et plein d'avenir.

⚷ Henri Schoenheitz,
1, rue de Walbach, 68230 Wihr-au-Val,
tél. 03.89.71.03.96, fax 03.89.71.14.33,
e-mail vins.schoenheitz@calixo.net 🅥 🍷 🚶 r.-v.

EMILE SCHWARTZ
Vendanges tardives Cuvée Maxime 2001 ★

▒ 0,45 ha 2 300 🛢 15 à 23 €

Proche d'Eguisheim, Husseren-les-Châteaux tire son nom des trois forteresses qui dominent le village. Cette propriété familiale y dispose de 6,5 ha. Elle propose un vin né sur un sol argilo-calcaire assez lourd, terroir fort propice à l'élaboration de gewurztraminer de vendanges tardives. Celui-ci, d'un jaune brillant, mêle au nez les épices, le sous-bois et la truffe, arômes que l'on retrouve en bouche. Bien équilibré et assez persistant, il présente une matière plutôt légère mais élégante. Une bouteille bientôt prête à déguster.

⚷ EARL Emile Schwartz et Fils, 3, rue Principale,
68420 Husseren-les-Châteaux, tél. 03.89.49.30.61,
fax 03.89.49.27.27 🅥 🍷 🚶 t.l.j. sf dim. 8h-12h 14h-18h

RENE SIMONIS Kaefferkopf 2002 ★

▒ 0,3 ha 1 400 🛢 8 à 11 €

Etienne Simonis a succédé en 1996 à son père René sur l'exploitation familiale. Il intervient le moins possible dans les vinifications, évitant la chaptalisation et laissant fermenter les moûts avec des levures indigènes. Son gewurztraminer du Kaefferkopf est souvent décrit dans le Guide. Le 2002 affiche une brillante robe paille et libère des notes de surmaturation (fruits confits et miel) nuancées d'épices. Riche et ample, équilibrée, la bouche se montre également subtile. Elle renoue en finale avec le fruit confit (poire et coing). Un vin à attendre un à deux ans et à ouvrir à l'apéritif. (Sucres résiduels : 50 g/l.)

☞ René et Etienne Simonis,
2, rue des Moulins, 68770 Ammerschwihr,
tél. 03.89.47.30.79, fax 03.89.78.24.10 ☑ ⵟ ⵝ r.-v.

SIPP-MACK Vendanges tardives 2001 ★

	0,5 ha	4 200	11 à 15 €

Géré par deux frères, un domaine créé à la fin des années 1950 mais d'origine plus ancienne. La cave date de la fin du XVIᵉ s. Avec une vingtaine d'hectares, la superficie de la propriété est supérieure à la moyenne régionale. La majeure partie des vignes est plantée sur des pentes argilo-calcaires. Jaune d'or aux brillants reflets pâles, ces vendanges tardives s'ouvrent sur la rose et la mangue, avec des nuances d'épices. Mangue et rose qui agrémentent la longue finale de ce vin ample, onctueux et puissant. (Bouteilles de 50 cl.)

☞ Dom. Sipp-Mack, 1, rue des Vosges,
68150 Hunawihr, tél. 03.89.73.61.88,
fax 03.89.73.36.70, e-mail sippmack@sippmack.com
☑ 🏠 ⵟ ⵝ t.l.j. sf dim. 9h-12h 14h-18h

PHILIPPE SOHLER Vendanges tardives 2001

	0,4 ha	2 000	🍾↓ 15 à 23 €

Héritier d'une lignée de vignerons remontant au XVIIIᵉ s., Philippe Sohler exploite 10,5 ha à Nothalten, village-rue qui s'étire sur la route des Vins, au bas des coteaux viticoles. Les terroirs de la commune présentent des sols divers, argilo-limoneux à sableux, qui permettent d'élaborer des vins variés. D'un jaune doré intense, celui-ci offre un nez riche, associant les fruits exotiques (mangue nuancée de litchi) et les fruits secs ou confits. Les arômes se font plus discrets dans un palais puissant et rond, qui s'exprimera mieux avec le temps. A attendre. (Bouteilles de 50 cl.)

☞ Dom. Philippe Sohler, 80A, rte des Vins,
67680 Nothalten, tél. 03.88.92.49.89, fax 03.88.92.49.89,
e-mail sohler.philippe@wanadoo.fr ☑ ⵟ ⵝ r.-v.

E. SPANNAGEL ET FILS Altenbourg 2002 ★★

	0,11 ha	900	8 à 11 €

Petite exploitation familiale installée à Sigolsheim, commune située au nord de Colmar, à l'entrée de la vallée de la Weiss, et dominée par son vignoble. Comme l'an dernier, le jury a salué son gewurztraminer de l'Altenbourg, un terroir dont les sols argilo-marneux, très lourds, conviennent bien à ce cépage. Habillé d'or pâle, ce vin développe un nez fin et expressif de rose et d'épices. De l'attaque à la longue finale florale relevée d'épices, il charme le palais : droit, ample et onctueux sans aucune lourdeur, il sera de garde. (Sucres résiduels : 25 g/l.)

☞ Eugène Spannagel et Fils,
11, rue de Cussac, 68240 Sigolsheim,
tél. 03.89.78.25.90, fax 03.89.78.25.90,
e-mail remy.spannagel@free.fr ☑ ⵝ r.-v.

STEINER Dorfschatz 2001 ★

	0,49 ha	3 000	🍾↓ 8 à 11 €

Fondé en 1895, le domaine Steiner est exploité par la quatrième génération. Depuis les années 1970, il est installé dans des bâtiments modernes et fonctionnels et dispose de surfaces assez importantes conduites en culture raisonnée. Terroir marno-calcaire, le Dorfschatz a engendré un vin jaune paille limpide, au nez puissant et complexe de fruits secs, de miel, de mangue et de litchi. Litchi que l'on retrouve dans une finale délicate, associé au fruit confit. Un ensemble ample et bien charpenté. (Sucres résiduels : 14 g/l.)

☞ GAEC Steiner,
11, rte du Vin, 68420 Herrlisheim-près-Colmar,
tél. 03.89.49.30.70, fax 03.89.49.29.67,
e-mail gaec-steiner@terre-net.fr ☑ 🏠 ⵟ ⵝ r.-v.

DOM. STIRN Vendanges tardives 2001 ★★

	0,15 ha	1 200	🍾↓ 15 à 23 €

Six générations se sont succédé sur ce domaine proche de Colmar, repris en 1999 par Fabien Stirn, qui a réalisé son rêve : élaborer lui-même ses vins en pratiquant des vinifications parcellaires pour mettre en relief le terroir. Ce gewurztraminer est issu d'un terroir marno-calcaire. D'un jaune doré, il livre d'intenses parfums épicés et poivrés accompagnés de nuances de rose. Malgré sa douceur, le palais ne présente aucune lourdeur et se montre très agréable, avec des arômes fruités (abricot sec et pêche). La finale concentrée laisse entrevoir un réel potentiel d'évolution. (Bouteilles de 50 cl.)

☞ Fabien Stirn, Dom. Stirn, 3, rue du Château,
68240 Sigolsheim, tél. 03.89.47.30.58,
fax 03.89.47.30.58, e-mail domainestirn@free.fr
☑ ⵟ ⵝ t.l.j. 13h30-19h sf sam. dim. sur r.-v.

DOM. STOEFFLER Vendanges tardives 2001 ★

	0,7 ha	4 000	🍾🍾 15 à 23 €

Œnologue, Vincent Stoeffler exploite un domaine de 12 ha, non seulement autour de Barr où il est installé, mais aussi sur les territoires de Ribeauvillé et de Riquewihr dans le Haut-Rhin. Issu d'un terroir argilo-calcaire, son gewurztraminer de vendanges tardives s'habille de jaune d'or, avec des reflets tirant sur le vert. Il offre un nez intensément floral, où la rose s'accompagne de litchi et de raisins de Corinthe. Ample et d'une belle harmonie, il persiste longuement sur des arômes fruités. Un vin de garde.

☞ Dom. Martine et Vincent Stoeffler,
1, rue des Lièvres, 67140 Barr,
tél. 03.88.08.52.50, fax 03.88.08.17.09,
e-mail info@vins-stoeffler.com ☑ ⵟ ⵝ r.-v.

STRUSS Cuvée Marie-Odile 2002 ★

	0,35 ha	2 761	🍾 8 à 11 €

Obermorschwihr est un des villages viticoles qui s'égrènent au sud de Colmar, tout proches les uns des autres. Les Struss y cultivent un peu plus de 6 ha. Jaune clair à reflets dorés, leur cuvée Marie-Odile s'ouvre intensément sur les fruits jaunes (pêche) et la mangue. Equilibrée, elle présente un caractère souple et son moelleux assez miellé rappelle un vin de vendanges tardives. Jolie finale concentrée et fruitée. (Sucres résiduels : 30 g/l.)

☞ André Struss et Fils,
16, rue Principale, 68420 Obermorschwihr,
tél. 03.89.49.36.71, fax 03.89.49.37.30 ☑ 🏠 ⵟ ⵝ r.-v.

CAVE DU VIEIL ARMAND
Vendanges tardives 2001 ★★★

	n.c.	29 000	15 à 23 €

Rattachée aux caves Wolfberger d'Eguisheim, cette coopérative, qui a son siège à Soultz-Wuenheim près de Guebwiller, est la plus méridionale d'Alsace. Elle tire son nom d'un belvédère qui fut le théâtre de sanglantes batailles durant la Première Guerre mondiale. Elle vinifie les vins d'environ 140 ha de vignes. Ses vendanges tardives ont fait l'unanimité et n'ont rien de confidentiel. Tout en cette bouteille a plu : sa robe d'un doré très soutenu, son nez exubérant mariant les fruits confits (abricot, orange), le litchi et la mangue, et son excellente harmonie. Ample, riche, onctueuse, elle offre un fruité concentré et une finale fraîche aux accents de sous-bois. Un ensemble hors du commun, qui grandira encore d'ici deux à cinq ans.

⊶ Cave vinicole du Vieil-Armand, 1, rte de Cernay, 68360 Soultz-Wuenheim, tél. 03.89.76.73.75, fax 03.89.76.70.75 ☒ Y 🚶 t.l.j. 8h-12h 14h-18h

DOM. DE LA VIEILLE FORGE Riquewihr 2002

■ 2,15 ha 3 000 ▮⚱ **8 à 11 €**

Jeune œnologue, Denis Wurtz a complété sa formation dans le vaste monde, notamment en Afrique du Sud, avant de reprendre l'exploitation familiale, au cœur de la route des Vins, et de s'installer dans l'ancienne forge de l'arrière-grand-père. D'un terroir argilo-marneux, il a tiré un vin jaune d'or, légèrement cuivré. Le nez est intéressant, avec ses notes de miel et d'acacia qui évoquent la surmaturité. Assez équilibré au palais, ce 2002 est soutenu par une agréable fraîcheur et termine sur les nuances épicées caractéristiques du cépage. (Sucres résiduels : 11 g/l.)

⊶ Dom. de la Vieille Forge, 5, rue de Hoen, 68980 Beblenheim, tél. 03.89.86.01.58, fax 03.89.47.86.37, e-mail virginie.wurtz@wanadoo.fr ☒ Y 🚶 t.l.j. 10h-12h 14h-19h; dim. sur r.-v.

J.-P. WASSLER Fronholz 2002

■ 0,35 ha 2 500 ◖◗ **5 à 8 €**

Blienschwiller est un petit village viticole situé sur la route du Vin, à une dizaine de kilomètres au sud de Barr. Ses terroirs présentent une grande variété : sols légers d'arènes granitiques ou d'alluvions, sols argilo-calcaires plus lourds. C'est ce dernier type de terrain qui a donné naissance à ce gewurztraminer. Jaune d'or, discrètement épicé au nez et en finale, ce 2002 apparaît encore très jeune ; les sucres résiduels demandent à se fondre. Un vin prometteur qui devrait s'exprimer davantage avec le temps. Mieux vaut l'attendre deux ou trois ans. (Sucres résiduels : 20 g/l.)

⊶ EARL Jean-Paul Wassler Fils, 1, rte d'Epfig, 67650 Blienschwiller, tél. 03.88.92.41.53, fax 03.88.92.63.11, e-mail marc.wassler@wanadoo.fr ☒ Y 🚶 r.-v.

WELTY Bollenberg 2002 ★

■ 1,43 ha 15 000 ▮⚱ **8 à 11 €**

Jean-Michel Welty est établi à Orschwihr, dans la partie méridionale de la route des Vins. Il est installé dans une ancienne cour dîmière du XVI^{e}s. classée monument historique. Régulièrement mentionné en gewurztraminer, le domaine est fidèle au rendez-vous du Guide avec deux cuvées aussi séduisantes l'une que l'autre. Colline réputée pour son climat très sec, le Bollenberg a donné par le passé un coup de cœur (millésime 99). Jaune clair dans le verre, le 2002 présente un nez déjà expressif, où se mêlent les épices, un soupçon de tabac blond et des notes de surmaturation (fruits secs ou très mûrs). Le sucre résiduel (20,8 g/l) est en train de se fondre et la rondeur est équilibrée par une grande fraîcheur dans un palais ample et qui persiste longuement sur d'agréables notes épicées et des arômes de fruits confits. Ce vin devrait se bonifier avec le temps. Autre valeur sûre du domaine, avec une étoile, le **gewurztraminer cuvée Aurélie 2002**. Proche d'un vin de vendanges tardives, il gagnera également à attendre. (Sucres résiduels : 29,4 g/l.)

⊶ Dom. Jean-Michel Welty, 22-24, Grand-Rue, 68500 Orschwihr, tél. 03.89.76.09.03, fax 03.89.76.16.80, e-mail jean-michel.welty@terre-net.fr ☒ ⌂⌂ ⌂ Y 🚶 t.l.j. 9h-11h30 14h-19h; dim. sur r.-v.

DOM. DU WINDMUEHL 2002 ★

■ 1,5 ha 6 000 ▮⚱ **8 à 11 €**

Gageons que Claude Bléger a trouvé dans sa fille une ambassadrice des vins d'Alsace : Laetitia n'est-elle pas Miss France 2004 ? Quant à ce gewurztraminer issu d'un terroir argilo-calcaire, s'il ne monte pas sur le podium, il donnera toute satisfaction à ceux qui aiment les vins moelleux rappelant les vendanges tardives. La robe est d'un vieil or limpide, le nez intense associe les épices à des notes miellées de surmaturation, le palais équilibré, bien structuré, ample et gras persiste longuement sur le miel et les fruits confits. Cette bouteille trouvera sa pleine harmonie d'ici un à deux ans. (Sucres résiduels : 25 g/l.)

⊶ Claude Bléger, Dom. du Windmuehl, 92, rte du Vin, 68590 Saint-Hippolyte, tél. 03.89.73.00.21, fax 03.89.73.04.22, e-mail vins.bleger.claude@wanadoo.fr ☒ ⌂⌂ ⌂ Y 🚶 r.-v.

ALBERT WINTER
Muhlforst Cuvée Prestige 2002 ★★

■ 0,3 ha 1 700 **11 à 15 €**

Gardé par son emblématique église fortifiée, Hunawihr cultive avec passion les traditions alsaciennes, élevant des cigognes et cultivant son vignoble. Habitué du Guide, le domaine Winter s'est attiré force éloges avec ce gewurztraminer né sur un terroir argilo-calcaire. Vêtu d'or jaune, avec un disque fin, ce vin offre un nez flatteur et complexe où se mêlent la pêche jaune, la poire et les épices. A l'attaque se conjuguent une belle rondeur et une vivacité qui laisse deviner un certain potentiel. Equilibré, ample et très onctueux, le palais persiste longuement sur les arômes fruités de l'olfaction. (Sucres résiduels : 25 g/l.)

⊶ Albert Winter, 17, rue Sainte-Hune, 68150 Hunawihr, tél. 03.89.73.62.95, fax 03.89.73.62.95 ☒ Y 🚶 r.-v.

A. WISCHLEN Vendanges tardives 2001 ★

■ 0,4 ha 3 000 **15 à 23 €**

Etabli dans la partie méridionale de la route des Vins, ce domaine nous a comblés ces deux dernières années avec deux millésimes 2000 provenant d'un grand cru : un gewurztraminer coup de cœur puis de remarquables vendanges tardives. Que vaut cette bouteille, issue d'un terroir argilo-calcaire ? Dans sa robe paille à reflets verts, elle libère de puissants parfums de fruits confits et de litchi. La belle attaque est suivie d'un palais équilibré, ample, soyeux, agréablement structuré où l'on retrouve un beau fruité (agrumes confits). La finale laisse sur une impression de concentration et d'élégance.

⊶ François Wischlen, 4, rue de Soultzmatt, 68250 Westhalten, tél. 03.89.47.01.24, fax 03.89.47.62.90, e-mail wischlen@wanadoo.fr Y 🚶 r.-v.

WOLFBERGER Sélection de grains nobles 2001 ★★

■ n.c. 9 985 **23 à 30 €**

Au début du XX^{e}s. s'est installée à Eguisheim une coopérative qui est l'une des plus anciennes et des plus importantes d'Alsace. Sa production diversifiée, provenant des terroirs les plus variés, est présente un peu partout dans le monde. Les exigences attachées à l'élaboration de sélections de grains nobles font que cette spécialité n'est le plus souvent présente qu'en volumes confidentiels. Tel n'est pas le cas de celle-ci, qui fera beaucoup d'heureux. Jaune paille à reflets or, elle délivre avec parcimonie des parfums très élégants. C'est en bouche qu'elle révèle l'opulence d'un grand vin. Riche, capiteuse et pleine, elle exprime des arômes exquis de fruits confits et offre une finale très longue. Superbe vin à attendre quelque temps. (Bouteilles de 50 cl.)

🕭 Wolfberger, 6, Grand-Rue, 68420 Eguisheim, tél. 03.89.22.20.20, fax 03.89.23.47.09 ☑ r.-v.

BERNARD WURTZ Vieilles Vignes 2002

1 ha	3 000	🍶 + de 76 €

Au cœur de la route des Vins, près de Riquewihr, Mittelwihr fête l'amandier en août. Ces arbres, plantés dans le village, témoignent de la douceur du microclimat local. La commune abrite de nombreux vignerons comme Bernard Wurtz. De vignes âgées de soixante ans, celui-ci a tiré un vin jaune brillant, au nez bien fruité. Ample et moelleux, le palais n'a pas encore trouvé sa pleine harmonie. On attendra cette bouteille pour permettre au sucre résiduel de se fondre. (Sucres résiduels : 40 g/l.)

🕭 Bernard Wurtz,
12, rue du Château, 68630 Mittelwihr,
tél. 03.89.47.93.24, fax 03.89.86.01.69 ☑ 🍷 ⚔ r.-v.
🕭 Jean-Michel Wurtz

W. WURTZ Vendanges tardives 2001 ★

0,2 ha	800	🍶 15 à 23 €

Pimpante commune reconstruite après la guerre, Mittelwihr bénéficie de terroirs bien exposés surtout argilo-calcaires. C'est le cas de la parcelle d'où proviennent les vendanges tardives de Willy Wurtz (une exploitation souvent retenue dans le Guide pour ses gewurztraminers). D'un or étincelant de reflets verts, ce vin offre un nez intense et complexe, mariant des parfums typiques du cépage, rose, pain d'épice, poivre, à la mangue et à des notes de surmaturation (fruits confits). Puissant, riche, équilibré, il est complexe malgré son apparente jeunesse. On retrouve la mangue et la rose dans une finale de bonne longueur.

🕭 GAEC Willy Wurtz et Fils,
6, rue du Bouxhof, 68630 Mittelwihr,
tél. 03.89.47.93.16, fax 03.89.47.89.01
☑ 🍷 ⚔ t.l.j. 9h-19h

ALBERT ZIEGLER Cuvée Anne-Cécile 2002

2,5 ha	15 000	🍶 5 à 8 €

Un domaine familial de 13 ha situé dans la partie sud de la route du Vin et dirigé depuis 1998 par la troisième génération. Il est souvent sélectionné pour des cuvées de gewurztraminer provenant de parcelles en grand cru ou d'autres terroirs. Issue de sols argilo-calcaires, celle-ci présente une robe jaune clair à reflets brillants et livre de discrets parfums floraux et fruités. Si les sucres résiduels, très présents, demandent à se fondre, elle se montre déjà agréable, ample et riche, et laisse un joli sillage de rose et d'épices. (Sucres résiduels : 20 g/l.)

🕭 Albert Ziegler, 10, rue de l'Église, 68500 Orschwihr, tél. 03.89.76.01.12, fax 03.89.74.91.32
☑ 🍷 ⚔ t.l.j. 8h-12h 13h-19h; dim. sur r.-v.

ZIEGLER-MAULER
Vieilles Vignes Cuvée Philippe 2002 ★★

0,43 ha	2 200	🍶 8 à 11 €

Situé au cœur de la route du Vin, un domaine modeste par la superficie mais qui a récolté nombre d'étoiles au fil des éditions du Guide. Des vignes de plus de cinquante ans plantées sur sols argilo-calcaires ont donné une cuvée dont la robe or brillant laisse beaucoup de larmes qui coulent lentement le long du verre. Une présentation qui annonce un nez généreux, riche de fruits confits et d'épices (poivre) ainsi qu'une grande matière, ample et onctueuse, soulignée également d'arômes de fruits confits, de coing et de poire. Cette impression de surmaturation se poursuit dans une très longue finale miellée. (Sucres résiduels : 23 g/l.)

🕭 Dom. Ziegler-Mauler et Fils,
2, rue des Merles, 68630 Mittelwihr,
tél. 03.89.47.90.37, fax 03.89.47.98.27 ☑ 🍷 ⚔ r.-v.
🕭 Philippe Ziegler

Alsace tokay-pinot-gris

La dénomination locale tokay d'Alsace donnée au pinot gris depuis quatre siècles est un fait étonnant, puisque cette variété n'a jamais été utilisée en Hongrie orientale... La légende dit cependant que le tokay aurait été rapporté de ce pays par le général L. de Schwendi, grand propriétaire de vignobles en Alsace. Son aire d'origine semble être, comme celle de tous les pinots, le territoire de l'ancien duché de Bourgogne.

Le pinot gris, en progression, occupe 1 878 ha. Il peut produire un vin capiteux, très corsé, plein de noblesse, susceptible de remplacer un vin rouge sur les plats de viande. Lorsqu'il est somptueux comme en 83, 89 et 90, années exceptionnelles, c'est l'un des meilleurs accompagnements du foie gras.

DOM. PIERRE ADAM
Katzenstegel Cuvée Théo 2002 ★

1 ha	7 000	🍶 11 à 15 €

Ammerschwihr a toujours été reconnaissant aux passionnés du vin d'Alsace. Si Pierre Adam a débuté dans la carrière avec 1 ha de vignes en 1950, le domaine en compte 12,50 aujourd'hui. Il présente ce pinot gris dominé au nez par des arômes de fleurs blanches et de sous-bois. D'une attaque plutôt souple au palais, c'est un vin long et parfaitement armé pour le vieillissement. (Sucres résiduels : 18 g/l.)

🕭 Dom. Pierre Adam, 8, rue du Lt-Louis-Mourier, 68770 Ammerschwihr, tél. 03.89.78.23.07, fax 03.89.47.39.68, e-mail info@domaine-adam.com
☑ 🏠 🏡 🍷 ⚔ t.l.j. 8h-12h 13h-19h

BARON KIRMANN
Sélection de grains nobles 2001 ★★★

0,15 ha 800 23 à 30 €

Située à une vingtaine de kilomètres au sud de Strasbourg, la petite cité de Rosheim mérite un détour. Ancienne ville libre, elle a notamment gardé de son riche passé ses tours-portes monumentales et une très belle église romane. Quelques exploitations viticoles y sont implantéees. Celle de Philippe Kirmann, avec 10,50 ha de vignes, est l'une des plus importantes. Son Baron n'a pas usurpé son titre : il a bien existé, sous l'Empire ; quant aux grains à l'origine de ce vin, nul ne contestera leur noblesse ! Jaune paille brillant, ce pinot gris enthousiasme d'emblée par la complexité de son nez : les fleurs (violette surtout), l'abricot sec et le coing se mêlent aux fruits exotiques. Ample, riche et puissante, d'un équilibre parfait, la bouche est l'archétype du cépage. Sublime et de garde. Quant au **tokay-pinot-gris Cuvée 2002 (8 à 11 €)** non liquoreux, (sucres résiduels : 30 g/l), il est cité pour ses arômes d'agrumes et de sous-bois, son attaque vive et sa finale ronde.

Philippe Kirmann, 2, rue du Gal-de-Gaulle, 67560 Rosheim, tél. 03.88.50.43.01, fax 03.88.50.22.72, e-mail info@baronkirmann.com r.-v.

DOM. BAUMANN-ZIRGEL Schwenkel 2002 ★

0,69 ha 5 200 8 à 11 €

Célèbre par sa Côte des Amandiers, la commune de Mittelwihr jouit d'un microclimat qui sied parfaitement à la vigne. Les Baumann-Zirgel y exploitent 8 ha depuis des décennies, et proposent ce vin bien typé au nez par ses notes fumées associées à des nuances boisées ; au palais, il révèle des nuances de fruits secs et de fruits confits. Ce tokay, riche et persistant, sera à l'aise sur foie gras ou gibier. (Sucres résiduels : 23,5 g/l.)

EARL Baumann-Zirgel, 5, rue du Vignoble, 68630 Mittelwihr, tél. 03.89.47.90.40, fax 03.89.49.04.89, e-mail baumann-zirgel@wanadoo.fr t.l.j. sf dim. 9h-12h 14h-19h

DOM. BERNHARD-REIBEL Weingarten 2002

0,5 ha 3 600 8 à 11 €

Dans la famille depuis plusieurs générations, le domaine Bernhard-Reibel s'est attaché à la remise en état des coteaux escarpés de Châtenois. Il compte aujourd'hui plus de 17 ha de vignes superbement exposées. Un terroir granitique a donné naissance à ce pinot gris assez complexe au nez avec ses nuances d'abricot, de mangue et de vanille. A la fois frais et souple au palais, c'est un vin qui gagnera en harmonie au vieillissement. (Sucres résiduels : 16,5 g/l.)

Dom. Bernhard-Reibel, 20, rue de Lorraine, 67730 Châtenois, tél. 03.88.82.04.21, e-mail bernhard-reibel@wanadoo.fr t.l.j. 8h30-12h 14h-18h; sam. dim. sur r.-v.

FRANCOIS BLEGER Kappellreben 2002

0,27 ha 2 300 5 à 8 €

Installé dans une demeure Renaissance datant de 1631, François Bléger a repris ce domaine de 6 ha en 1996. Son pinot gris livre au nez des notes de fruits confits, de fumé et de grillé : il se révèle riche et corsé au palais. (Sucres résiduels : 20 g/l.)

François Bléger, 63, rte du Vin, 68590 Saint-Hippolyte, tél. 03.89.73.06.07, fax 03.89.73.06.07, e-mail blegerfrancois@libertysurf.fr r.-v.

DOM. ANDRE EHRHART Herrenweg 2002 ★

0,25 ha 2 000 5 à 8 €

Installé dans une demeure alsacienne du XVIII[e]s., André Ehrhart se montre très soucieux de la tradition. Aussi a-t-il opté pour le pressurage du raisin entier. Son pinot gris, très intense au nez avec ses arômes d'abricot et de miel, s'avère riche et puissant au palais et d'une rondeur parfaitement équilibrée. A déguster à l'apéritif ou sur une volaille à la crème. (Sucres résiduels : 15 g/l.)

André Ehrhart, 68, rue Herzog, 68920 Wettolsheim, tél. 03.89.80.66.16, fax 03.89.79.44.20 t.l.j. sf dim. 8h-11h30 13h30-18h

RENE FLECK Vendanges tardives 2001 ★★

n.c. 1 300 15 à 23 €

En 1995, la fille de René Fleck succède à son père et à plusieurs générations de vignerons. Si les hommes sont surtout à la vigne, c'est bien Nathalie qui vinifie et élève les vins. Des pinots gris du domaine sont souvent mentionnés dans le Guide. Issu de calcaire coquillier, celui-ci mêle au nez de délicats parfums de fleurs, de fruits secs et confits. Au palais, les nuances de fruits se concentrent. Un très grand tokay, typique, élégant et de caractère. On l'appréciera de l'apéritif au dessert : foie gras, poisson en sauce, plats sucrés-salés, fromages forts...

René Fleck et Fille, 27, rte d'Orschwihr, 68570 Soultzmatt, tél. 03.89.47.01.20, fax 03.89.47.09.24, e-mail renefleck@voila.fr r.-v.

DOM. FLEISCHER Breitling 2002 ★

0,8 ha 4 000 8 à 11 €

Le domaine Fleischer, qui ne comptait en 1990 que 3,5 ha de vignes, en exploite désormais plus de 8. Plutôt une bonne idée vu l'excellence de ce tokay marqué au nez par des arômes d'agrumes et de torréfaction très intenses. D'une attaque franche au palais, long et puissant, ce vin est parfaitement armé pour la garde. (Sucres résiduels : 12,5 g/l.)

Dom. Fleischer, 28, rue du Moulin, 68250 Pfaffenheim, tél. 03.89.49.62.70, fax 03.89.49.50.74 r.-v.

DOM. FRITSCH
Cuvée du Banni Vignes en Lyre 2002 ★

0,3 ha 1 000 8 à 11 €

Sur un domaine qui compte plus de 8 ha de vignoble, Romain Fritsch se veut à la pointe de l'innovation. Il s'est lancé notamment dans la conduite de la vigne en lyre, et nous en livre aujourd'hui le résultat avec son humour habituel. Ce pinot gris, marqué par son origine argilo-calcaire, est encore dans sa phase de jeunesse. Il exprime des arômes de miel au nez, de fumé au palais ; plutôt souple, il possède la matière nécessaire pour un long vieillissement. (Sucres résiduels : 45 g/l.)

EARL Romain Fritsch, 49, rue du Gal-de-Gaulle, 67520 Marlenheim, tél. 03.88.87.51.23, fax 03.88.87.59.44 r.-v.

JOSEPH FRITSCH Lieu-dit Altenburg 2002

0,2 ha 1 500 5 à 8 €

En arrivant à la tête de l'exploitation en 1977, Joseph Fritsch a préféré installer son caveau de dégustation dans l'ancestrale demeure érigée en 1703, et construire un nouveau bâtiment pour faciliter les travaux de vinification. Il y a élevé ce vin issu d'un terroir argilo-calcaire et encore dans sa phase de jeunesse. Plutôt fruité au nez, ce pinot gris se révèle souple et long au palais. (Sucres résiduels : 26,6 g/l.)

🔑 EARL Joseph Fritsch,
31, Grand-Rue, 68240 Kientzheim,
tél. 03.89.78.24.27, fax 03.89.78.16.53,
e-mail vinsjosephfritsch@wanadoo.fr ☑ Y 🚶 r.-v.

FERNAND FROEHLICH ET FILS
Vendanges tardives 2001 ★

▨ 0,24 ha 900 ▮ **15 à 23 €**

Cette exploitation a son siège à Ostheim, à l'écart de la route du Vin. Ses vignobles sont cependant implantés en coteaux, répartis dans quatre communes voisines. De riche naissance, ce tokay s'annonce avec finesse sur des notes de surmaturation, de miel. Bien structuré, dominé par la douceur, il révèle des arômes de fruits confits. Déjà satisfaisant, il gagnera en harmonie dans les deux ou trois ans qui viennent et devrait alors être vraiment grand.

🔑 EARL Fernand Froehlich et Fils, 29, rte de Colmar, 68150 Ostheim, tél. 03.89.86.01.46, fax 03.89.86.01.54
☑ 🏠 Y 🚶 t.l.j. sf dim. 8h-11h45 13h-18h;
groupes sur r.-v.

MATHIEU GOETZ Saveur de l'automne 2002

▨ 0,6 ha 2 500 ▮ **5 à 8 €**

Ce sont les rieslings qui, depuis deux siècles, font la célébrité de Wolxheim. Mais son terroir marno-calcaire se révèle également bien adapté au tokay-pinot-gris. Celui-ci apparaît bien fumé au nez. Un caractère légèrement empyreumatique prend le relais au palais. C'est un vin plutôt souple. (Sucres résiduels : 28 g/l.)

🔑 Mathieu Goetz,
2, rue Jeanne-d'Arc, 67120 Wolxheim,
tél. 03.88.38.10.47, fax 03.88.38.67.61,
e-mail mathieu.goetz@wanadoo.fr ☑ Y 🚶 r.-v.

GSELL Cuvée César 2002 ★

▨ 0,4 ha 3 000 ▮ **8 à 11 €**

Joseph Gsell conduit son exploitation de plus de 7 ha depuis 1973. Il a dédié cette cuvée à César, l'un de ses fidèles ouvriers. Fort séduisant à l'œil, ce 2002 est aussi envoûtant au nez où les arômes de fruits secs se marient aux notes de sous-bois. Riche et persistant en bouche, c'est un vin dont la rondeur est équilibrée par la structure. (Sucres résiduels : 45 g/l.)

🔑 Joseph Gsell, 26, Grand-Rue, 68500 Orschwihr,
tél. 03.89.76.95.11, fax 03.89.76.20.54
☑ 🏠 Y 🚶 t.l.j. sf dim. 9h-12h 13h30-19h

DOM. HENRI HAEFFELIN ET FILS
Le Silex 2002 ★

▨ 0,5 ha 4 200 ▮ **8 à 11 €**

Etabli à Wettolsheim, commune proche de Colmar et l'un des centres viticoles majeurs de la région, Henri Haeffelin dirige un domaine de plus de 16 ha de vignes. Née d'un terroir argilo-calcaire, sa cuvée Le Silex demande un peu de temps pour s'ouvrir. Mais elle développe déjà au nez des notes florales, confites et fumées. D'une attaque plutôt souple au palais, c'est un vin ample et persistant à ouvrir sur un foie gras. (Sucres résiduels : 30 g/l.)

🔑 Henri Haeffelin et Fils,
13, rue d'Eguisheim, 68920 Wettolsheim,
tél. 03.89.80.76.81, fax 03.89.79.67.05
☑ Y 🚶 t.l.j. sf dim. 8h-12h 13h30-18h

SYLVAIN HERTZOG Cuvée particulière 2002 ★

▨ 1,08 ha 8 400 ▮⚲ **5 à 8 €**

Obermorschwihr possède l'une des rares églises à colombage d'Alsace. La commune abrite plusieurs exploitations renommées qui, comme le domaine Hertzog, savent porter loin ses couleurs. Issu d'un terroir argilo-calcaire, ce pinot gris séduit au nez par ses arômes de miel et de fruits mûrs. Puissant, rond et très persistant au palais, c'est le produit d'une grande matière qui gagnera encore en harmonie avec le temps. (Sucres résiduels : 12 g/l.)

🔑 EARL Sylvain Hertzog, 18, rte du Vin,
68420 Obermorschwihr, tél. 03.89.49.31.93,
fax 03.89.49.28.85 ☑ Y 🚶 t.l.j. 8h-19h; dim. sur r.-v.

ROGER HEYBERGER
Bildstoecklé Vieilles Vignes 2002

▨ 0,5 ha 1 280 ▮⚲ **8 à 11 €**

Avec ses 20 ha de vignes, cette exploitation est de celles qui comptent, non seulement à l'échelle locale, mais également au niveau régional. Marqué au nez par des arômes de fleurs et de sous-bois, son pinot gris du Bildstoecklé affiche de prime abord une certaine complexité. Plutôt sec au palais, il conviendra aux poissons cuisinés. (Sucres résiduels : 12 g/l.)

🔑 Roger Heyberger et Fils,
5, rue Principale, 68420 Obermorschwihr,
tél. 03.89.49.30.01, fax 03.89.49.22.28
☑ Y 🚶 t.l.j. sf dim. 8h-11h45 14h-18h

HENRI KLEE Cuvée particulière 2002

▨ 1,2 ha 5 500 ◍ **5 à 8 €**

Dominé par le château du Wineck, Katzenthal abrite de nombreuses exploitations viticoles dont l'origine, comme celle du domaine d'Henri Klée, se perd dans la nuit des temps. Issu d'un terroir granitique, ce pinot gris est très ouvert au nez, les arômes fumés se mariant aux notes de sous-bois. Ample et généreux au palais, c'est un vin qui gagnera en harmonie avec le temps. (Sucres résiduels : 26 g/l.)

🔑 EARL Henri Klée et Fils,
11, Grand-Rue, 68230 Katzenthal,
tél. 03.89.27.03.81, fax 03.89.27.28.17 ☑ 🏠 Y 🚶 r.-v.

MALLO Réserve particulière 2002 ★

▨ 0,75 ha 6 900 ◍ **5 à 8 €**

Hunawihr tire gloire de son église fortifiée du XVe s. (elle figure sur l'étiquette de ce domaine), mais aussi de ses vins. Dominique Mallo y a repris l'exploitation familiale en 1991. Il propose un tokay provenant d'un terroir argilo-calcaire ; un vin très complexe au nez avec ses notes d'agrumes et de fruits confits mêlées à des nuances de sous-bois. A la fois gras, structuré et persistant en bouche, il est promis à une longue vie. (Sucres résiduels : 15 g/l.)

🔑 EARL Frédéric Mallo et Fils,
2, rue Saint-Jacques, 68150 Hunawihr,
tél. 03.89.73.61.41, fax 03.89.73.68.46,
e-mail dominique.mallo@libertysurf.fr ☑ 🏠 Y 🚶 r.-v.

GILBERT MEYER Cuvée Prestige 2002 ★

▨ n.c. 3 600 ◍ **5 à 8 €**

Parmi les nombreux villages remarquables de la région, Voegtlinshoffen est sans conteste un haut lieu viticole où l'émulation règne entre vignerons. Il vient de s'offrir le luxe d'ériger une fontaine dédiée à Bacchus. Que n'y coule-t-il ces deux pinots gris proposés par Gilbert Meyer dans le même millésime : La **cuvée Clémentine (8**

à 11 €) aux arômes de fleurs et de torréfaction, vin harmonieux et apte à la garde (sucres résiduels : 15 g/l) qui obtient une étoile, et cette cuvée Prestige, née également d'un terroir marno-calcaire, tout aussi réussie avec des notes de grillé et de raisin sec au nez et sa belle harmonie générale. (Sucres résiduels : 10 g/l.)

🔑 Gilbert Meyer,
5, rue du Schauenberg, 68420 Voegtlinshoffen,
tél. 03.89.49.36.65, fax 03.89.86.42.45,
e-mail contact@vin-meyer.com ⊠ 🍷 🚶 r.-v.

JEAN-LUC MEYER Vieilles Vignes 2002 ★★

□ 0,3 ha 2 100 5 à 8 €

Jean-Luc Meyer est à la tête d'une exploitation de 10 ha depuis 1982, et, depuis cette date, le souci de la perfection ne l'a jamais abandonné. Eguisheim n'est pas la cité du pape Léon IX pour rien ! Marqué au nez par des notes de surmaturation et de fruits confits, ce pinot gris d'origine argilo-calcaire se montre d'une belle ampleur au palais. Fort heureusement, cette puissance n'a altéré ni son équilibre ni son harmonie. (Sucres résiduels : 11 g/l.)

🔑 Jean-Luc Meyer,
4, rue des Trois-Châteaux, 68420 Eguisheim,
tél. 03.89.24.53.66, fax 03.89.41.66.46,
e-mail info@vins-meyer-eguisheim.com ⊠ ⌂ 🍷 🚶 r.-v.

ALFRED MEYER ET FILS Cuvée Jules 2002 ★

□ 0,27 ha 2 000 ▮ 5 à 8 €

Après une première expérience dans la restauration, Daniel Meyer a voulu reprendre le domaine familial de 7 ha de vignes. D'origine granitique, cette cuvée affiche déjà une belle évolution. Elle livre au nez des notes d'agrumes et de surmaturation et se révèle plutôt ronde au palais. Beaucoup de promesses dans ce vin, fruit d'une grande matière première. (Sucres résiduels : 50 g/l.)

🔑 Alfred Meyer et Fils,
98, rue des Trois-Epis, 68230 Katzenthal,
tél. 03.89.27.24.50, fax 03.89.27.55.40
⊠ 🍷 🚶 t.l.j. 8h-12h 13h30-18h30; dim. sur r.-v.

LUCIEN MEYER ET FILS
Vendanges tardives 2001 ★

□ 0,17 ha 1 700 ▮ **15 à 23 €**

Le siège de cette exploitation se trouve au cœur du village de Hattstatt, à quelques pas de l'église Sainte-Colombe dotée d'une nef romane et d'un chœur gothique. Ce tokay est lui aussi bien construit. Enveloppé dans une robe jaune doré, il s'ouvre sur de belles nuances aromatiques : fumé, pruneau, abricot et miel. Ample, corsé et riche, il évoque plutôt le style baroque !

🔑 EARL Lucien Meyer et Fils,
57, rue du Mal-Leclerc, 68420 Hattstatt,
tél. 03.89.49.31.74, fax 03.89.49.24.81 ⊠ ⌂ 🍷 r.-v.

MEYER-FONNE Hinterburg de Katzenthal
Sélection de grains nobles 2001 ★

□ 0,3 ha 1 300 🛢 **23 à 30 €**

Visitez le donjon du Wineck, au milieu du vignoble, puis revenez à Katzenthal découvrir la cave typique, du XVIIIe s., de François et Félix Meyer. Dans l'élaboration de leurs vins, ces vignerons privilégient les techniques douces, évitant les interventions trop répétées. Le vin est ainsi élevé sur lies fines jusqu'à la mise en bouteilles en septembre. Le pinot gris a fourni deux très beaux liquoreux cette année (une étoile chacun) : cette sélection de grains nobles aux senteurs exubérantes d'agrumes, d'orange confite et de pêche jaune que l'on retrouve dans une bouche intense et puissante, rafraîchie en finale par une vive note exotique ; et des **vendanges tardives Dorfburg 2001 (15 à 23 €)**, qui s'ouvrent à l'aération sur des nuances de surmaturation agrémentées de notes grillées ; un vin riche, élégant et d'une douce ampleur. Les deux bouteilles sont de 50 cl. Toutes deux obtiennent une étoile.

🔑 Dom. Meyer-Fonné,
24, Grand-Rue, 68230 Katzenthal,
tél. 03.89.27.16.50, fax 03.89.27.34.17 ⊠ 🍷 🚶 r.-v.
🔑 François et Félix Meyer

DOM. MOLTES Sélection de grains nobles 2001 ★★

□ 0,31 ha 1 100 🛢 15 à 23 €

Stéphane et Michaël Moltès ont pris la succession du domaine familial en 1997. Ils pratiquent la vinification sur lies avec bâtonnage pour obtenir des vins gras et de garde. Ils sont souvent mentionnés dans le Guide pour des pinots gris : c'est encore le cas cette année avec cette remarquable sélection de grains nobles. D'un jaune paille soutenu et très brillant, ce vin mêle au nez des senteurs de miel, de cire, de fleurs et de fruits confits. On retrouve les fruits confits, relevés par le fumé exquis du cépage, dans un palais riche, ample, puissant et déjà bien fondu. « Il fait plaisir à déguster », conclut un membre du jury. Il fera plaisir de longues années.

🔑 Dom. Antoine Moltès et Fils, 8-10, rue du Fossé,
68250 Pfaffenheim, tél. 03.89.49.60.85,
fax 03.89.49.50.43, e-mail domaine@vin-moltes.com
⊠ 🍷 🚶 t.l.j. 8h-12h 14h-19h

JULES MULLER Réserve 2002 ★

□ 6,2 ha 50 000 5 à 8 €

Forte d'une longue tradition à Bergheim, la maison Jules Muller a complété la gestion de son domaine de 32 ha de vignes par une activité de négoce. Originaire d'un terroir argilo-calcaire, ce pinot gris développe au nez des arômes de fruits confits, de surmaturation. Complexe et puissant au palais, c'est un vin plutôt rond, mais d'une longueur remarquable. (Sucres résiduels : 12 g/l.)

🔑 Jules Muller, 91, rue des Vignerons,
68750 Bergheim, tél. 03.89.73.22.22, fax 03.89.73.30.49
⊠ 🍷 🚶 t.l.j. sf dim. 10h-12h 14h-18h30
🔑 Ch. Lorentz

LES VIGNERONS DE PFAFFENHEIM ET GUEBERSCHWIHR 2002 ★

□ 5,5 ha 40 000 ▮🌡 5 à 8 €

La cave vinicole de Pfaffenheim est l'une des plus en vue de la région. On ne compte plus ses distinctions. Loin de se reposer sur ses lauriers, elle vient d'investir dans un nouveau vendangeoir traitant le raisin entier. Né d'un terroir calcaire, ce pinot gris livre au nez des arômes d'agrumes et de brioche très intenses. D'une belle attaque au palais, ce vin ample et parfaitement structuré sera aussi à l'aise sur des viandes blanches que sur des poissons cuisinés. (Sucres résiduels : 14,5 g/l.)

🔑 Cave vinicole de Pfaffenheim, 5, rue du Chai,
BP 33, 68250 Pfaffenheim, tél. 03.89.78.08.08,
fax 03.89.49.71.65, e-mail cave@pfaffenheim.com
⊠ 🍷 🚶 t.l.j. 9h-12h 14h-18h

EDMOND RENTZ Réserve 2002 ★

□ 1,2 ha 10 000 🛢 **8 à 11 €**

La première parcelle de terrain fut achetée en 1785 ; dès 1936, cette exploitation fut l'une des premières à se lancer dans la mise en bouteilles. Elle a aujourd'hui pignon sur rue avec ses 20 ha de vignes. Dominé au nez par des notes de sous-bois mêlées à des nuances de fruits confits, son pinot gris est marqué par la surmaturation. Celle-ci se retrouve dans un palais très concentré, dont la rondeur est parfaitement équilibrée. Un vin né pour le gibier à plumes. (Sucres résiduels : 20 g/l.)

Dom. Edmond Rentz, 7, rte des Vins,
68340 Zellenberg, tél. 03.89.47.90.17,
fax 03.89.47.97.27, e-mail info@edmondrentz.com
t.l.j. sf dim. 8h-12h 14h-18h

HUBERT REYSER Zahlberg 2002

1,5 ha 9 000 5 à 8 €

Etabli à Nordheim depuis deux générations, le domaine Hubert Reyser regroupe aujourd'hui 11 ha de vignes. Un terroir argilo-calcaire a donné naissance à ce pinot gris très intense au nez avec ses arômes de sous-bois et de fruits mûrs. D'une attaque franche et vive au palais, c'est un vin équilibré et prometteur. (Sucres résiduels : 10 g/l.)

EARL Hubert Reyser,
26, rue de la Chapelle, 67520 Nordheim,
tél. 03.88.87.76.38, fax 03.88.87.59.67 r.-v.

ROLLY GASSMANN
Réserve Rolly Gassmann 2002 ★★

1,7 ha 11 000 15 à 23 €

La famille Rolly Gassmann, à la tête aujourd'hui de 35 ha de vignes répartis sur la commune de Rorschwihr et ses environs, a acquis une solide réputation dans l'art de vinifier chaque terroir. Son savoir-faire est de nouveau mis à l'honneur avec ce pinot gris d'origine argilo-calcaire, encore jeune au nez, mais déjà élégant avec ses nuances d'agrumes et de pain grillé. En bouche, l'attaque est très souple ; une matière ample et généreuse, bien renforcée par la surmaturation lui assurera un bon vieillissement. (Sucres résiduels : 39 g/l.)

Rolly Gassmann,
2, rue de l'Eglise, 68590 Rorschwihr,
tél. 03.89.73.63.28, fax 03.89.73.33.06,
e-mail rollygassmann@wanadoo.fr r.-v.

ANDRÉ SCHERER Vendanges tardives 2001 ★★★

0,8 ha 1 000 15 à 23 €

Fondée au milieu du XVIII[e]s., cette propriété est conduite par Christophe Scherer, qui exporte 80 % de sa production dans de nombreux pays des différents continents. Il est vrai que ses vins sont d'excellents ambassadeurs du vignoble alsacien. N'obtient-il pas avec celui-ci son quatrième coup de cœur ? Intense et fin à la fois, le nez associe des notes complexes de fruits surmûris, des nuances de sous-bois et de fumé. Le développement aromatique se poursuit sur le coing et l'abricot sec. Corsé et généreux, le palais s'achève en une finale élégante et soyeuse. Un vin d'émotion. (Bouteilles de 50 cl.)

Vignoble A. Scherer, 12, rte du Vin, BP 4,
68420 Husseren-les-Châteaux, tél. 03.89.49.30.33,
fax 03.89.49.27.48, e-mail contact@a-scherer.com
t.l.j. sf dim. 8h-12h 13h-18h

ANDRÉ SCHERER Vendanges de la St-Martin 2002 ★★

0,8 ha 5 000 8 à 11 €

La réputation du domaine A. Scherer, créé en 1750, n'est plus à faire puisque l'on peut trouver ses produits sur les tables très officielles de la République française. Et ce pinot gris sera loin d'y faire grise mine ! Intense et complexe au nez avec ses notes de miel et de surmaturation, il se révèle en effet d'une grande ampleur au palais sans pour autant perdre en équilibre. Une réussite. (Sucres résiduels : 14 g/l.)

Vignoble A. Scherer, 12, rte du Vin, BP 4,
68420 Husseren-les-Châteaux, tél. 03.89.49.30.33,
fax 03.89.49.27.48, e-mail contact@a-scherer.com
t.l.j. sf dim. 8h-12h 13h-18h

PAUL SCHERER Réserve personnelle 2002 ★

0,27 ha 2 400 5 à 8 €

Les Scherer sont établis depuis cinq générations à Husseren-les-Châteaux, superbe village perché qui domine Colmar et la plaine d'Alsace. Né d'un terroir argilo-calcaire, leur pinot gris Réserve, aux arômes de fruits mûrs, témoigne d'une belle surmaturation au nez. Sec et persistant au palais, c'est le vin rêvé pour les gastronomes : il sera aussi à l'aise sur le saumon fumé que sur une viande blanche. (Sucres résiduels : 9,5 g/l.)

EARL Paul Scherer et Fils,
40, rue Principale, 68420 Husseren-les-Châteaux,
tél. 03.89.49.30.34, fax 03.89.86.41.67 r.-v.

MICHEL SCHOEPFER
Sélection de grains nobles 2000

0,4 ha 2 000 23 à 30 €

Eguisheim figure au nombre des villes à ne pas manquer lorsque l'on visite le vignoble alsacien. La cité natale du pape Léon IX, dont le millénaire a été fêté il y a deux ans, abrite de nombreux vignerons, tels Michel Schoepfer, installé dans une ancienne cour dîmière. Issu d'un terroir silico-argileux, ce pinot gris, jaune d'or à reflets brillants, est fort engageant. Abricot, agrumes et une nuance d'acacia se côtoient au nez qui fait preuve d'une belle intensité. Fraîche, équilibrée, d'une structure assez étoffée, la bouche finit sur des notes épicées. Un vin encore jeune.

Dom. Michel Schoepfer et Fils,
43, Grand-Rue, 68420 Eguisheim,
tél. 03.89.41.09.06, fax 03.89.23.08.50 r.-v.

CHRISTIAN SCHWARTZ 2002 ★

0,5 ha 5 000 5 à 8 €

Blienschwiller est un village entièrement voué à la culture de la vigne. Christian Schwartz y exploite 7 ha. Ce pinot gris, fin et bien typé au nez, reflète parfaitement son origine granitique. Frais à l'attaque, rond en finale, ce vin devrait trouver une complète harmonie dans deux ou trois ans. (Sucres résiduels : 14 g/l.)

⊶ Christian Schwartz,
8, rue de l'Ungersberg, 67650 Blienschwiller,
tél. 03.88.92.41.73, fax 03.88.92.63.06
☑ Y 🚶 t.l.j. 11h-12h 14h-18h; dim. sur r.-v.

SEILLY Schenkenberg Sélection de grains nobles 2001

▒ 0,4 ha 800 ▮🌡 46 à 76 €

Obernai est une ville très pittoresque où les touristes se bousculent. Quelques vignerons y ont pignon sur rue, comme les Seilly. Le domaine a élaboré une sélection de grains nobles jaune d'or à reflets ambrés, mêlant au nez des nuances empyreumatiques, de la cire d'abeille et quelques touches vanillées. Très agréable mais atypique, ce pinot gris liquoreux rappelle un vin de paille. Il est conseillé de le décanter.
⊶ Dom. Seilly, 18, rue du Gal-Gouraud,
67210 Obernai, tél. 03.88.95.55.80, fax 03.88.95.54.00,
e-mail info@seilly.fr ☑ 🏠 Y 🚶 r.-v.

ALINE ET REMY SIMON
Vendanges tardives 2001 *

▒ 0,14 ha 800 ▮ 15 à 23 €

Installés dans une maison du XVIIIe s., Aline et Rémy Simon ont assuré avec dynamisme la reprise d'un petit vignoble familial. Ils conduisent les 3,2 ha de leur domaine en production intégrée. C'est un pinot gris qui leur a permis de faire leur entrée dans le Guide l'an dernier. En voici un autre du même millésime, des vendanges tardives. Les arômes de surmaturation s'agrémentent d'une touche fumée typique du cépage. Le palais est frais et puissant, bien équilibré. Charme et élégance sont au rendez-vous.
⊶ Aline et Rémy Simon, 12, rue Saint-Fulrade,
68590 Saint-Hippolyte, tél. 03.89.73.04.92,
fax 03.89.73.04.92 ☑ 🏠 🏠 Y 🚶 r.-v.

LOUIS SIPP
Sélection de grains nobles Cœur de tries 2000 ***

▒ 0,3 ha 1 052 ▮ 38 à 46 €

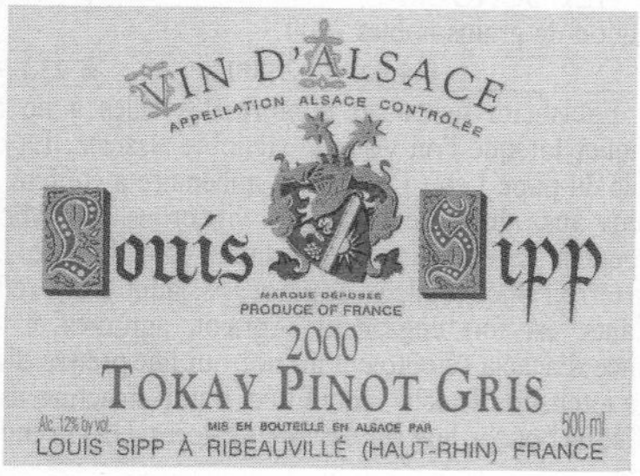

Docteur-ingénieur, Etienne Sipp s'est d'abord orienté vers les industries de pointe – aéronautique, automobile – avant de se consacrer à l'affaire familiale installée dans la vénérable cour des Nobles de Pflixbourg, aux caves délimitées par les vieux remparts de la ville : une maison de négoce et 32 ha de vignes implantées pour la plupart sur les coteaux de Ribeauvillé. Sa sélection de grains nobles s'envole vers les sommets... Jaune paille étincelant de reflets dorés, elle attire par l'extrême complexité de son nez, où se bousculent les fleurs (violette), les fruits confits, le miel, les agrumes, les fruits exotiques, accompagnés d'une touche végétale agréable. Au palais, la mirabelle et l'abricot très mûrs dominent, relevés de nuances poivrées. Ample, onctueux, ce vin persiste longuement sur des notes légèrement réglissées. « On aimerait l'avoir dans sa cave », écrit un dégustateur.
⊶ Louis Sipp - Grands vins d'Alsace,
5, Grand-Rue, 68150 Ribeauvillé, tél. 03.89.73.60.01,
fax 03.89.73.31.46, e-mail louis@sipp.com ☑ Y 🚶 r.-v.

PAUL SPANNAGEL Purberg 2002 *

▒ 0,28 ha 2 500 ▮🌡 8 à 11 €

La première mention manuscrite attestant l'existence d'un vignoble à Katzenthal date de 1264. En 1598, il est fait état de la présence de Jean Spannagel dans cette commune. C'est dire l'ancienneté de cette exploitation. Originaire d'un sol bien calcaire, son pinot gris du Purberg affiche une belle complexité au nez avec ses notes de fumé mêlées de sous-bois. D'une attaque franche au palais, il termine en souplesse. (Sucres résiduels : 22 g/l.)
⊶ Paul Spannagel et Fils,
1, Grand-Rue, 68230 Katzenthal,
tél. 03.89.27.01.70, fax 03.89.27.45.93,
e-mail paul.spannagel@wanadoo.fr ☑ Y 🚶 r.-v.

ANDRE THOMAS ET FILS
Cuvée particulière 2002 **

▒ 0,3 ha 1 500 ▮🌡 5 à 8 €

Belle devise que celle de la maison André Thomas et Fils : « L'homme le plus heureux est celui qui fait le bonheur du plus grand nombre. » Et ces vignerons doués ont rendu bien des amateurs de vin heureux depuis la première édition du Guide puisqu'ils en sont à leur quatrième coup de cœur. Cette année encore ils vous combleront avec ce pinot gris remarquable : à la fois intense et complexe, le nez délivre des arômes de pêche et d'agrumes mêlés d'épices et de fruits confits. Souple à l'attaque, la bouche évolue très vite vers une puissance renforcée par la concentration. (Sucres résiduels : 15 g/l.)
⊶ André Thomas et Fils,
3, rue des Seigneurs, 68770 Ammerschwihr,
tél. 03.89.47.16.60, fax 03.89.47.37.22 ☑ Y 🚶 r.-v.

DOM. DE LA VIEILLE FORGE 2002 **

▒ 1,8 ha 2 500 ▮🌡 8 à 11 €

Installée dans l'ancienne forge de Beblenheim, Virginie Wurtz, jeune œnologue, a repris l'exploitation de ses grands-parents en 1998. Et déjà, quel succès ! Elle présente ce pinot gris très intense au nez avec ses notes de miel et de coing. D'une attaque franche au palais, ce vin ample et puissant accompagnera harmonieusement une viande blanche ou du foie gras. (Sucres résiduels : 12 g/l.)

🔑 Dom. de la Vieille Forge, 5, rue de Hoen, 68980 Beblenheim, tél. 03.89.86.01.58, fax 03.89.47.86.37, e-mail virginie.wurtz@wanadoo.fr
☑ Y 🚶 t.l.j. 10h-12h 14h-19h; dim. sur r.-v.
🔑 Denis Wurtz

JEAN WACH 2002

▪ 0,6 ha 4 000 **5 à 8 €**

En l'espace de trente ans, Jean Wach a su faire prospérer son domaine : la petite exploitation de 1 ha de l'apporteur de raisins est devenue une belle propriété de 10 ha pratiquant la vente directe. Conforme à son origine gréseuse, ce pinot gris est déjà épanoui au nez avec ses notes de fleurs blanches et de fruits mûrs. Sec et bien équilibré en bouche, ce vin s'accordera avec les viandes blanches. (Sucres résiduels : 10 g/l.)

🔑 Jean Wach et Fils, 16, rue du Mal-Foch, 67140 Andlau, tél. 03.88.08.09.73, fax 03.88.08.09.73, e-mail raph.wach@wanadoo.fr
☑ Y 🚶 t.l.j. 8h-12h 14h-19h; dim. sur r.-v.

WACKENTHALER 2002 *

▪ 0,7 ha 4 500 🛢 5 à 8 €

A proximité de Kaysersberg, Ammerschwihr est un lieu emblématique du vignoble alsacien. Les Wackenthaler y sont vignerons depuis 1756. Leur pinot gris, d'origine argilo-calcaire, est bien typé au nez par ses arômes fumés et ses notes de sous-bois. Plutôt souple au palais, riche et persistant, il s'épanouira avec le temps. (Sucres résiduels : 21 g/l.)

🔑 EARL François Wackenthaler, 8, rue du Kaefferkopf, 68770 Ammerschwihr, tél. 03.89.78.23.76, fax 03.89.47.15.48, e-mail wackenthal@wanadoo.fr
☑ Y 🚶 t.l.j. sf dim. 10h-12h 13h-19h

JEAN-PAUL WASSLER Fronholz 2002

▪ 0,32 ha 2 500 🛢 **5 à 8 €**

Fort de ses 12 ha de vignes, le domaine Wassler pratique depuis 1990 la culture raisonnée et la vinification douce (pressurage du raisin entier et élevage sur lies fines). D'un terroir argilo-calcaire, il obtient ce pinot gris encore jeune mais très prometteur. Livrant au nez des notes de miel et de fruits confits, ce vin se révèle élégant et bien équilibré au palais. (Sucres résiduels : 13 g/l.)

🔑 EARL Jean-Paul Wassler Fils, 1, rte d'Epfig, 67650 Blienschwiller, tél. 03.88.92.41.53, fax 03.88.92.63.11, e-mail marc.wassler@wanadoo.fr ☑ Y 🚶 r.-v.

JEAN WEINGAND Vendanges tardives 2001 **

▪ 2 ha 8 000 🛢 15 à 23 €

Cette société de négoce contrôlée par Jacques et Jean-Marie Cattin n'est pas inconnue des fidèles lecteurs du Guide. Vieil or dans le verre, son tokay de vendanges tardives présente un nez riche et complexe, mêlant la figue et l'abricot, qui annonce une grande matière. Après une bonne attaque, on découvre une bouche grasse, moelleuse et ample qui persiste longuement sur les fruits confits, le miel et le coing. A boire ? A garder quelques années ? Apéritif ? Munster ? Tarte aux quetsches ? Toutes les options sont possibles.

🔑 Jean Weingand, 19, rue Roger-Frémeaux, 68420 Voegtlinshoffen, tél. 03.89.49.22.23 ☑ Y 🚶 r.-v.

DOM. DU WINDMUEHL 2002 *

▪ 1,2 ha 8 000 ▮🍾 5 à 8 €

Chez les Bléger, on est vigneron de père en fils depuis 1700. Ce pinot gris est très bien né. Comme le veut son origine granitique, il est aérien avec ces senteurs de fruits et de fumé si caractéristiques du cépage. D'une belle attaque au palais, c'est un vin plutôt rond, mais parfaitement structuré. Une grande matière. (Sucres résiduels : 20 g/l.)

🔑 Claude Bléger, Dom. du Windmuehl, 92, rte du Vin, 68590 Saint-Hippolyte, tél. 03.89.73.00.21, fax 03.89.73.04.22, e-mail vins.bleger.claude@wanadoo.fr
☑ 🏨 🏠 Y 🚶 r.-v.

BERNARD WURTZ Cuvée Tradition 2002 **

▪ 1 ha 4 000 🛢 **11 à 15 €**

C'est son microclimat très favorable qui prédispose depuis des siècles la ville de Mittelwihr à la culture de la vigne. Les vignerons récoltants y sont nombreux et, comme Bernard Wurtz, travaillent inlassablement au renom de la commune. Renom auquel contribuera ce pinot gris à la robe dorée séduisante et au nez très expressif avec ses arômes de fumé et de fruits secs rehaussés par la surmaturation. Ample et persistant au palais, c'est le produit d'une grande matière. (Sucres résiduels : 25 g/l.)

🔑 Bernard Wurtz, 12, rue du Château, 68630 Mittelwihr, tél. 03.89.47.93.24, fax 03.89.86.01.69 ☑ Y 🚶 r.-v.
🔑 Jean-Michel Wurtz

Alsace pinot noir

L'Alsace est surtout réputée pour ses vins blancs ; mais sait-on qu'au Moyen Age les rouges y occupaient une place considérable ? Après avoir presque disparu, le pinot noir (le meilleur cépage rouge des régions septentrionales) occupe aujourd'hui 1 170 ha et a produit 72 288 hl en 2003.

On connaît surtout le type rosé, vin agréable, sec et fruité, susceptible comme d'autres rosés d'accompagner une foule de mets. On remarque cependant une tendance qui se développe à élaborer un véritable vin rouge de pinot noir, tendance très prometteuse.

JEAN-BAPTISTE ADAM
Le Pinot noir Elevé en fût de chêne 2001 **

■ 1 ha 3 000 🛢 **15 à 23 €**

Les caves, ainsi que la maison, remontent au XVIIe s. Jean-Baptiste Adam mène une activité de négoce tout en mettant en valeur 15 ha de vignes. Des mentions régulières dans le Guide, depuis la première édition, témoignent d'un grand savoir-faire. Déjà jugé remarquable dans le millésime précédent, ce pinot noir élevé en fût affiche une robe grenat

profond. Le nez mêle les fruits rouges et le grillé du chêne. Une belle attaque introduit un palais puissant et long. Cette bouteille mérite un filet de bœuf ou un civet de biche.
Jean-Baptiste Adam,
5, rue de l'Aigle, 68770 Ammerschwihr,
tél. 03.89.78.23.21, e-mail adam@jb-adam.com
t.l.j. sf dim. 8h-12h 14h-18h; groupes sur r.-v.

DOM. DE L'ANCIEN MONASTERE
Rouge de Saint-Léonard Cuvée des Vigneronnes 2002 ★
■ 0,8 ha 6 400 5 à 8 €

Conduit en agriculture biologique par Bernard Hummel et ses filles, ce domaine a fait du pinot noir sa spécialité. Il tire son nom du monastère fondé au XIIe s. à Saint-Léonard par les bénédictins. Ces moines venus de Bourgogne auraient introduit le cépage rouge de leur région dans cette partie d'Alsace. Pas moins de trois cuvées de « rouge de Saint-Léonard » ont été retenues par le jury. Toutes ont fait un séjour plus ou moins long dans le bois. Cette cuvée des Vigneronnes affiche une robe magnifique aux reflets grenat. Agrémenté d'arômes de fruits rouges au nez comme en bouche, puissant et long au palais avec des tanins fondus, c'est un vin harmonieux qui s'épanouira dans les deux ans qui viennent. La **cuvée du Grand Chapitre 2002**, une étoile également, a vieilli plus d'un an en fût. Un boisé vanillé se mêle au fruité du cépage. Puissante et élégante, une bouteille armée pour la garde. Un peu plus légère, la **cuvée principale 2002**, issue de terroirs sablo-limoneux, est citée.
Bernard Hummel et ses Filles,
Dom. de l'Ancien Monastère de Saint-Léonard,
4, cour du Chapître, 67530 Boersch-Saint-Léonard,
tél. 03.88.95.81.21, fax 03.88.48.11.21,
e-mail b.hummel@wanadoo.fr r.-v.

PIERRE BECHT Cuvée Frédéric 2002 ★★★
■ 0,53 ha 5 000 8 à 11 €

Très engagé au sein de la profession viticole, Pierre Becht conduit ce domaine familial de 15 ha ; son fils Frédéric qui a rejoint l'exploitation y fait brillamment ses armes (trois coups de cœur à l'actif de l'exploitation, dont les millésimes 98 et 2000 de cette cuvée Frédéric). D'un rubis profond, ce 2002 s'ouvre sur les fruits rouges (cassis) avec des notes boisées, vanillées et une touche d'épices. Les nuances fruitées reviennent au palais et le vin s'exprime longuement par une structure pleine, puissante, racée et fondue.
Pierre et Frédéric Becht,
26, fbg des Vosges, 67120 Dorlisheim,
tél. 03.88.38.18.22, fax 03.88.38.87.81,
e-mail pbecht@terre-net.fr r.-v.

ALBERT BOHN 2002
■ 0,32 ha 1000 5 à 8 €

Dès le XVIe s., Ammerschwihr était connue pour son activité viticole. Vignerons, courtiers et négociants s'y livraient à de fructueuses affaires. Aujourd'hui, c'est sans doute le village d'Alsace qui compte le plus grand nombre de viticulteurs : Albert Bohn a élaboré un vin d'un rouge bien foncé, aux notes de fruits nuancées. De bonne structure, ce pinot noir possède une finale agréable et déjà fondue.
EARL Albert Bohn et Fils,
4, rue du Cerf, 68770 Ammerschwihr,
tél. 03.89.78.25.77, fax 03.89.78.16.34,
e-mail vins.bohn@wanadoo.fr r.-v.

MARIE-CLAIRE ET PIERRE BORES
Tradition 2002 ★
■ 0,28 ha 1 500 8 à 11 €

L'importante abbaye d'Andlau possédait dès le XIVe s. de nombreuses vignes sur les coteaux exposés au sud-est du village de Reichsfeld. Né d'un terroir gréseux, ce pinot noir s'annonce par une robe d'un rubis foncé. Le fruité de cerise, accompagné d'une note réglissée, constitue une belle entrée en matière. Au palais, ce vin encore jeune est marqué par les tanins. Dans deux ou trois ans, il trouvera une belle harmonie.
Marie-Claire et Pierre Borès,
15, lieu-dit Leh, 67140 Reichsfeld,
tél. 03.88.85.58.87, fax 03.88.85.56.07,
e-mail mcpbores@cario.fr r.-v.

CLAUDE DIETRICH 2002 ★★★
■ 0,35 ha 3 000 11 à 15 €

Il y a une quinzaine d'années, ce fils de vigneron s'est installé à son compte. Cinq ans plus tard, succédant à un autre viticulteur, il s'établit à Kientzheim au cœur de la route des Vins. C'est là qu'il a élevé ce superbe pinot noir rouge grenat, au fruité de cerise, frais et franc d'attaque. Doté d'un bon équilibre avec une forte présence tannique, c'est – dit un dégustateur – un vin « sérieux ». A boire sur un gibier.
Claude Dietrich, SCEA Schlossberg,
13, rte du Vin, 68240 Kientzheim,
tél. 03.89.47.19.42, fax 03.89.47.36.67 r.-v.

EBLIN-FUCHS
Rouge de Zellenberg Réserve exceptionnelle 2002 ★
■ 1 ha 3 000 8 à 11 €

Un bâtiment néo-classique construit en pierre de taille abrite la cave de ce domaine ; les vins y sont élevés en fût de chêne. Revêtu d'une robe carminée montrant quelques reflets orangés, ce vin exprime des parfums de petits fruits rouges caractéristiques du pinot noir. Charnu, ample, avec des arômes bien marqués, il est généreux, persistant et puissant. A déguster sur une grillade.
Christian et Joseph Eblin,
19, rte des Vins, 68340 Zellenberg,
tél. 03.89.47.91.14, fax 03.89.49.05.12,
e-mail eblin-fuchs@tiscali.fr r.-v.

FRITZ-SCHMITT
Rouge d'Ottrott Vieilles Vignes 2002 ★
■ 0,3 ha 2 700 11 à 15 €

Proche du mont Sainte-Odile, la commune d'Ottrott est célèbre par son vin rouge. Fort de ses 12,5 ha de vignes, ce domaine contribue à ce renom. Ce 2002 est né de vignes de plus de quarante ans. Reflétant son terroir limono-sableux, il est très expressif au nez, avec ses notes de framboise. Complexe, tannique mais bien équilibré, un vin de classe, à déboucher de préférence l'an prochain.
EARL Fritz-Schmitt,
1, rue des Châteaux, 67530 Ottrott,
tél. 03.88.95.98.06, fax 03.88.95.99.03 r.-v.

PAUL GASCHY Vieilli en fût de chêne 2001 ★
■ 0,18 ha 1 400 8 à 11 €

Hervé Gaschy a rejoint son père en 2001 sur le domaine fondé par son grand-père à la fin des années 1930. L'exploitation, dont le siège est proche du centre historique d'Eguisheim, compte plus de 8 ha de vignes. Originaire d'un terroir calcaire, ce pinot noir élevé un an en fût

de chêne apparaît encore discret au nez. Marqué par des tanins soyeux au palais, souple et élégant, il s'exprimera davantage dans deux ans.
⊶ Maison Paul Gaschy,
16, Grand-Rue, 68420 Eguisheim,
tél. 03.89.41.67.34, fax 03.89.24.33.12 ☑ ⌂ Y ⅄ r.-v.

A. GERBER FILS Hahnenberg 2002 ★★

■ 0,6 ha 3 600 ⦶ 5 à 8 €

Représentant la troisième génération, Patricia Him dirige depuis 1997 la propriété familiale (8 ha) dont les origines remontent à 1932. La cave, traditionnelle, ne compte que des fûts de chêne. Livrant des arômes intenses, ce pinot noir offre une bouche ample, aux tanins bien fondus, et une finale d'une bonne persistance. Agréable à boire, il ne révèle pourtant qu'une partie de sa grandeur à venir.
⊶ A. Gerber Fils, 21, rue des Goumiers,
67730 Châtenois, tél. 03.88.82.21.95, fax 03.88.82.21.23
☑ Y ⅄ t.l.j. 8h-19h; dim. sur r.-v.

PAUL GINGLINGER Rouge d'Alsace 2002 ★

■ 0,5 ha 2 600 ⦶ 11 à 15 €

Cette famille compte treize générations de vignerons. En 2002, le fils Michel, après des études d'œnologie, a repris le domaine. D'un rouge très sombre à reflets violets, son pinot apparaît boisé, vanillé, tout en laissant s'exprimer de belles notes de fruits. Ce vin pinote dans une ampleur suave rehaussée par la puissance et les tanins. Un réel potentiel pour cette bouteille qu'il convient d'attendre deux à trois ans.
⊶ Paul Ginglinger, 8, pl. Charles-de-Gaulle,
68420 Eguisheim, tél. 03.89.41.44.25,
fax 03.89.24.94.88, e-mail info@paul-ginglinger.fr
☑ Y ⅄ t.l.j. sf dim. 8h-12h 13h30-19h

ANDRE HARTMANN Armoirie Hartmann 2002 ★

■ 0,35 ha 2 500 ▮🌡 5 à 8 €

La tradition est la marque propre à cette exploitation ; elle apparaît tant dans les pratiques viticoles et œnologiques que dans cette cuvée Armoirie, un pinot rouge clair comme l'Alsace aime à en produire. Assez ample et d'une belle souplesse avec des arômes fins, c'est un vin bien fait et déjà prêt.
⊶ André Hartmann,
11, rue Roger-Frémeaux, 68420 Voegtlinshoffen,
tél. 03.89.49.38.34, fax 03.89.49.26.18
☑ ⌂ Y ⅄ t.l.j. sf dim. 9h-12h 14h-18h;
sur r.-v. pendant les vendanges

JEAN-PAUL ET FRANK HARTWEG
Fût de chêne 2002 ★★

■ 0,41 ha 4 400 ⦶ 11 à 15 €

Installé depuis huit ans sur l'exploitation familiale, David Hartweg a étudié l'œnologie à Beaune. Il y a certainement acquis un grand savoir-faire dans la vinification du pinot noir. De fait, sa cuvée en fût de chêne a souvent été très appréciée par les dégustateurs Hachette. Remarquable comme le dernier millésime, ce 2002 d'origine marno-calcaire ne peut cacher son élevage en fût de chêne. Dominé par le cuir et les fruits rouges au nez, il se montre très complexe, puissant et long. On pourra le garder trois ou quatre ans.
⊶ Jean-Paul et Frank Hartweg, 39, rue Jean-Macé,
68980 Beblenheim, tél. 03.89.47.94.79,
fax 03.89.49.00.83, e-mail frank.hartweg@free.fr
☑ ⌂ Y ⅄ t.l.j. sf dim. 8h-11h30 13h30-18h

LOUIS HAULLER
Rouge d'Alsace Elevé en barriques 2002 ★

■ 0,35 ha 4 500 ⦶ 8 à 11 €

Durant des générations, les Hauller ont été tonneliers à Dambach-la-Ville. Au cours du XX^e^s., la vigne est devenue leur activité principale, si bien que Louis Hauller se trouve aujourd'hui à la tête d'un domaine de 10 ha. Il n'en a pas pour autant oublié cette tradition familiale et élève en barrique ses pinots noirs. Issu d'un terroir argilo-calcaire, celui-ci ne manque pas de nez. Puissant et charpenté, il révèle des tanins élégants et soyeux. C'est sans conteste le fruit d'une grande matière.
⊶ Louis et Claude Hauller, La Cave du Tonnelier,
88, rue Foch, 67650 Dambach-la-Ville,
tél. 03.88.92.40.00, fax 03.88.92.65.80,
e-mail claude@louishauller.com ☑ ⌂ ⌂ Y ⅄ r.-v.

PH. HEITZ Hahnenberg 2002 ★

■ n.c. 1 800 ▮⦶🌡 8 à 11 €

Philippe Heitz a pris la succession de ses parents en 1986, agrandi la cave en 1995, et, depuis, pratique la culture biologique sur son domaine de 7 ha. Déjà bien ouvert au nez, ce pinot rouge rubis est d'une belle rondeur, avec beaucoup de corps ; généreux en arômes, il est aussi apprécié pour sa persistance.
⊶ Philippe Heitz,
4, rue Ettore-Bugatti, 67120 Molsheim,
tél. 03.88.38.25.38, fax 03.88.38.82.53,
e-mail contact@vins-heitz.com
☑ Y ⅄ t.l.j. 10h-12h 14h-19h; groupes sur r.-v.

JEAN HIRTZ ET FILS
Rouge de Mittelbergheim 2002 ★

■ 0,43 ha 1 200 ▮ 5 à 8 €

Dans ce très beau village de Mittelbergheim, indissociable du vignoble qui s'étale à ses pieds, Jean Hirtz dirige un domaine de 8 ha. Un terroir argilo-gréseux a donné naissance à ce pinot noir au nez typé de griotte et de framboise ; après une attaque fraîche, on découvre une bouche élégante dont la bonne matière se prolonge en finale sur une pointe de vivacité.
⊶ EARL Jean Hirtz et Fils, 13, rue Rotland,
67140 Mittelbergheim, tél. 03.88.08.47.90,
fax 03.88.08.47.90 ☑ Y ⅄ t.l.j. 9h-12h 14h-19h
⊶ Edy Hirtz

ARMAND HURST Vieilles Vignes 2002 ★★

■ 0,49 ha 2 780 ⦶ 11 à 15 €

Ancienne ville libre de la Décapole, Turckheim possède de nombreux édifices historiques, des demeures bourgeoises ou maisons de vignerons, de belles caves et des vins d'Alsace évidemment au diapason. Parée d'une robe à la teinte profonde, cette cuvée d'origine granitique affiche des arômes de fruits cuits et confits. D'attaque assez vive, elle est bien structurée sur des tanins fondus, marqués en finale par une touche de cacao. A déguster sur un civet de gibier ou un bœuf en daube.
⊶ Armand Hurst, 8, rue de la Chapelle,
BP 46, 68230 Turckheim,
tél. 03.89.27.40.22, fax 03.89.27.47.67 ☑ Y ⅄ r.-v.

GEORGES KLEIN 2002 ★

■ 0,6 ha 4 000 ▮ 5 à 8 €

Auguste Klein, vigneron-négociant, dirige depuis 1996 cette société familiale ; il présente ce pinot noir de belle apparence à la robe rubis prononcé et aux arômes intenses. De bonne constitution, il révèle des tanins bien présents qui demandent à se fondre. Sa persistance est déjà appréciée.

🍴 SARL Georges Klein,
10, rte du Vin, 68590 Saint-Hippolyte,
tél. 03.89.73.00.28, fax 03.89.73.06.28 ☑ r.-v.

ANDRE KLEINKNECHT 2002

■	0,3 ha	2 000	▮	5 à 8 €

La propriété d'André Kleinknecht est installée dans une auberge du XVIIIes. située à quelques pas de l'église romane du charmant village de Mittelbergheim. Son pinot rubis est agréable par ses nuances de griotte et de framboise, tendre, frais et gouleyant. A déguster avec des grillades.

🍴 André Kleinknecht,
45, rue Principale, 67140 Mittelbergheim,
tél. 03.88.08.49.46, fax 03.88.08.53.87,
e-mail andre.kleinknecht@wanadoo.fr
☑ 𝚼 ⚒ t.l.j. 10h-11h30 14h-18h; dim. sur r.-v.

DOM. PIERRE KOCH ET FILS
Rouge de Nothalten 2002 ★

■	0,5 ha	3 400	⫘	5 à 8 €

Pierre Koch et son fils François Koch exploitent ce domaine familial de 13 ha. Un terroir granitique est à l'origine de ce pinot au nez intense de fruits rouges, agrémentés d'une note boisée. De bonne attaque, déjà assez fondu, c'est un vin complet. Equilibré, il se montrera sûrement agréable sur une viande rouge grillée.

🍴 Dom. Pierre et François Koch,
2, rte du Vin, 67680 Nothalten,
tél. 03.88.92.42.30, fax 03.88.92.62.91 ☑ ⌂ 𝚼 ⚒ r.-v.

KOEBERLE KREYER Elevé en barrique 2002

■	0,25 ha	2 700	⫘	8 à 11 €

Viticulteurs depuis 1760 à Rodern, au pied du Haut-Kœnigsbourg, les Koeberlé sont très attachés au pinot noir. Né de vignes de plus de quarante ans plantées sur un terroir granitique, celui-ci porte la marque d'un élevage d'un an en barrique : son nez très complexe associe les fruits rouges et la vanille. Puissant et persistant mais encore tannique, il gagnera en amabilité avec le temps. On l'oubliera trois ans en cave.

🍴 Koeberlé Kreyer,
28, rue du Pinot-Noir, 68590 Rodern,
tél. 03.89.73.00.55, fax 03.89.73.00.55,
e-mail fkoeberle@free.fr
☑ ⌂ 𝚼 ⚒ t.l.j. 8h-19h; dim. 8h-12h

KOEHLY Hahnenberg Vieilli en fût de chêne 2002 ★

■	0,27 ha	2 000	⫘	8 à 11 €

Un domaine de 16 ha, ce n'est pas rien en Alsace. Il est situé en plein milieu de la route du Vin sur le chemin du Haut-Kœnigsbourg, et s'est illustré récemment dans le Guide, avec deux coups de cœur consécutifs. L'un est allé au millésime 2000 de ce pinot noir originaire d'un terroir gréseux, sablonneux. Très intense au nez, le 2002 développe des arômes fruités et boisés fort harmonieux. Franc à l'attaque, tannique sans excès, un vin bien équilibré.

🍴 Jean-Marie Koehly, 64, rue du Gal-de-Gaulle, 67600 Kintzheim, tél. 03.88.82.09.77, fax 03.88.82.70.49
☑ ⌂ 𝚼 ⚒ t.l.j. 8h-12h 13h-18h30

JACQUES LINDENLAUB Stierkopf 2002

■	0,63 ha	5 000	▮	5 à 8 €

La nouvelle cave, construite en 2002, abrite une cuverie bien fonctionnelle alors que les foudres en chêne

sont alignés dans l'ancienne cave qui date du XVIIIes. C'est dans la première qu'a été élevé ce pinot bien expressif, mêlant des notes de griotte et de mûre ; de belle attaque, charpenté, il offre une finale un peu tannique mais fruitée.

🍴 Jacques et Christophe Lindenlaub,
6, fbg des Vosges, 67120 Dorlisheim,
tél. 03.88.38.21.78, fax 03.88.38.55.38,
e-mail jacques.lindenlaub@wanadoo.fr
☑ 𝚼 ⚒ t.l.j. sf dim. 8h-11h30 14h-18h

DOM. GERARD METZ
Rouge d'Itterswiller Cuvée Pierric 1999 ★★

■	1 ha	2 400	⫘	8 à 11 €

Dès les XIVe et XVes., le vignoble d'Itterswiller procurait d'importants revenus à l'abbaye du lieu et aux nobles d'Andlau – le village voisin. D'un beau rouge foncé, cette cuvée exprime au nez un fruité intense. Ample en bouche et bien charpentée, elle offre une finale où un boisé soyeux contribue à l'harmonie générale.

🍴 Dom. Gérard Metz,
23, rte du Vin, 67140 Itterswiller,
tél. 03.88.57.80.25, fax 03.88.57.81.42,
e-mail eric@vinsgerardmetz.net ☑ 𝚼 ⚒ r.-v.
🍴 Eric Casimir

DOM. DU MITTELBURG 2002 ★

■	0,85 ha	4 400	⫘	5 à 8 €

Cette famille de vignerons qui demeure attachée à l'élevage des vins en fût de chêne a derrière elle plus de deux siècles d'expérience dans le domaine viticole. Elle propose un pinot à la robe légère de fruits rouges qui exhale au nez de fins arômes. Sa souplesse en bouche et sa finale persistante en font un rosé bien sympathique.

🍴 EARL Henri Martischang,
15, rue du Fossé, 68250 Pfaffenheim,
tél. 03.89.49.60.83, fax 03.89.49.76.61,
e-mail vin.h.martischang@free.fr ☑ ⌂ 𝚼 ⚒ r.-v.

RUHLMANN-DIRRINGER
A Fleur de Roche 2002 ★

■	0,5 ha	3 000	⫘	5 à 8 €

Déguster un beau vin dans une cave du XVIes. sous des voûtes en ogives, voilà un privilège pour œnophiles amoureux d'histoire et de vieilles pierres. C'est dans un tel cadre que l'on pourra découvrir ce pinot noir d'origine granitique au nez intense. La bouche révèle une bonne matière, une note légèrement boisée et une persistance moyenne. A attendre un peu.

🍴 Ruhlmann-Dirringer,
3, imp. de Mullenheim, 67650 Dambach-la-Ville,
tél. 03.88.92.40.28, fax 03.88.92.48.05
☑ 𝚼 ⚒ t.l.j. sf dim. 9h-11h45 13h30-18h30

PAUL SCHERER Réserve personnelle 2002 ★

■	0,5 ha	n.c.	▮	5 à 8 €

Point culminant de la route des Vins, ce village d'Husseren voit ses coteaux s'étendre jusqu'à Colmar. D'un rouge clair, plutôt légère, cette Réserve personnelle est agréable au nez. Elle se montre franche, nette et souple, d'une persistance satisfaisante. A déguster comme un rosé.

🍴 EARL Paul Scherer et Fils,
40, rue Principale, 68420 Husseren-les-Châteaux,
tél. 03.89.49.30.34, fax 03.89.86.41.67 ☑ 𝚼 ⚒ r.-v.

SCHLEGEL BOEGLIN V 2002 ★★

■ 0,85 ha 2 000 8 à 11 €

Ce village modeste est pourtant chargé d'histoire : du XIIe au XVIIIes., de nombreux monastères y possédaient des vignobles. Sous l'initiale « V » se cache un grand cru réputé. C'est un pinot noir au fruité (cassis) intense accompagné de notes grillées. Le fruité se prolonge dans un palais ample et persistant. Bel accord en perspective avec un bœuf en sauce.

Dom. Schlegel-Boeglin,
22 A, rue d'Orschwihr, 68250 Westhalten,
tél. 03.89.47.00.93, fax 03.89.47.65.32,
e-mail schlegel-boeglin@wanadoo.fr r.-v.

DOM. MARIE-HELENE SCHOETTEL
Rouge d'Ottrott Mûri en barrique 2002 ★

■ 1 ha 5 500 8 à 11 €

Comment ne pas être attaché au pinot noir quand on est établi à Ottrott, où ce cépage prospère, dit-on, depuis le XIIes. ? Marie-Hélène Schoettel est fière de défendre le vin rouge perdu en Alsace dans un océan de vin blanc. Elle conduit ses vignes en agrobiologie. D'un rouge très intense, ce 2002 n'apparaît pas le moins du monde dominé par la barrique, malgré son long séjour dans le chêne. Ce sont de séduisants parfums de groseille et de griotte qui dominent au nez. Tannique et très persistant, c'est le produit d'une grande matière première, apte à la garde.

Marie-Hélène Schoettel,
1, rue du Stade, 67530 Ottrott,
tél. 03.88.95.80.05, fax 03.88.48.13.14
r.-v.

DOM. CLAUDE SCHOETTEL
Cuvée la Schliff 2002 ★★

■ 0,2 ha 1 200 5 à 8 €

Un domaine proche du mont Saint-Odile, auquel est attaché un vaste hôtel-restaurant, le Relais de la Schliff. Il produit exclusivement du Rouge d'Ottrott. Habillé d'une robe grenat sombre très séduisante, celui-ci libère au nez d'intenses senteurs de fruits rouges. Tannique et gras, d'une grande concentration et d'une belle harmonie, il pourra attendre quatre ou cinq ans.

Claude Schoettel, Relais de la Schliff,
rte du Mont Sainte-Odile, 67530 Ottrott,
tél. 03.88.48.13.13, fax 03.88.48.13.14
r.-v.

STEINER Elsbourg 2002 ★

■ 0,25 ha 1 000 8 à 11 €

Déjà connu au XVes., ce lieu-dit correspond au promontoire calcaire qui domine la plaine de Colmar. Il a donné naissance à un pinot d'un rubis éclatant, et qui s'inscrit dans un registre bien fruité, un rien boisé et épicé. Typé et harmonieux, c'est un vin plaisir.

GAEC Steiner,
11, rte du Vin, 68420 Herrlisheim-près-Colmar,
tél. 03.89.49.30.70, fax 03.89.49.29.67,
e-mail gaec-steiner@terre-net.fr r.-v.

DOM. DE LA TOUR Cuvée Xavière 2002 ★

■ 0,6 ha 4 000 5 à 8 €

Si le vignoble de Blienschwiller existe depuis le IXes., c'est au XVIes. que commence l'histoire viticole de cette famille. A la tête aujourd'hui de 11 ha, les Straub ont déjà eu deux coups de cœur en pinot noir. Ils proposent cette cuvée un peu boisée et marquée par le terroir granitique. Au nez, elle livre des arômes complexes de fruits rouges. Bien structurée, avec des tanins soyeux en finale, ce vin dispose d'un bel avenir.

Jean-François Straub, Dom. de la Tour,
35, rte des Vins, 67650 Blienschwiller,
tél. 03.88.92.48.72, fax 03.88.92.62.90
t.l.j. 8h-12h 14h-18h; dim. sur r.-v.;
f. vacances de fév.

ZEYSSOLFF Cuvée Z 2002 ★

■ n.c. 900 11 à 15 €

L'histoire de ce domaine remonte à la fin du XVIIIes. ; aujourd'hui, fort de quelque 8 ha, Yvan Zeyssolff y élève des vins de caractère. D'un rubis brillant, cette cuvée révèle des arômes francs du cépage ; encore dominée par le bois neuf, elle demande à être attendue quelques mois pour que ses tanins se fondent. L'ensemble gagnera alors en harmonie.

G. Zeyssolff,
156, rte de Strasbourg, 67140 Gertwiller,
tél. 03.88.08.90.08, fax 03.88.08.91.60,
e-mail yvan.zeyssolff@wanadoo.fr r.-v.

Alsace grand cru

Dans le but de promouvoir les meilleures situations du vignoble, un décret de 1975 a institué l'appellation « alsace grand cru », liée à un certain nombre de contraintes plus rigoureuses en matière de rendement et de teneur en sucre, et limitée au gewurztraminer, au pinot gris, au riesling et au muscat. Les terroirs délimités produisent, parallèlement aux vins sigillés de la confrérie Saint-Etienne et à certaines cuvées de renom, le *nec plus ultra* des vins d'Alsace.

En 1983, un décret définit un premier groupe de 25 lieux-dits admis dans cette appellation, qui sera abrogé et remplacé par un nouveau décret du 17 décembre 1992. Le vignoble d'Alsace compte ainsi officiellement 50 grands crus, répartis sur 47 communes (46 dans le décret – on a oublié Rouffach !) et dont les surfaces sont comprises entre 3,23 ha et 80,28 ha, en raison du principe d'homogénéité géologique propre aux grands crus. La production des grands crus reste modeste : 40 237 hl ont été déclarés pour le millésime 2003 pour une superficie de 857 ha.

Les disciplines nouvelles, déjà mises en pratique depuis la récolte 1987, concernent l'élévation de 11 ° à 12 ° du titre alcoométrique minimum naturel des gewurztraminers et des tokay-pinot-gris ainsi que l'obligation de mentionner désormais le nom du lieu-dit, conjointement au cépage et au millésime, sur les étiquettes et tous les documents administratifs et commerciaux.

LES CINQUANTE GRANDS

Grand cru	Commune(s)	Surface délimitée (ha)
Altenberg de Bergbieten	Bergbieten (67)	30
Altenberg de Bergheim	Bergheim (68)	35
Altenberg de Wolxheim	Wolxheim (67)	31
Brand	Turckheim (68)	58
Bruderthal	Molsheim (67)	18
Eichberg	Eguisheim (68)	57
Engelberg	Dahlenheim, Scharrachbergheim (67)	14
Florimont	Ingersheim, Katzenthal (68)	21
Frankstein	Dambach-la-Ville (67)	56
Froehn	Zellenberg (68)	14
Furstentum	Kientzheim, Sigolsheim (68)	30
Geisberg	Ribeauvillé (68)	8
Gloeckelberg	Rodern, Saint-Hippolyte (68)	23
Goldert	Gueberschwihr (68)	45
Hatschbourg	Hattstatt, Voegtlinshoffen (68)	47
Hengst	Wintzenheim (68)	76
Kanzlerberg	Bergheim (68)	3
Kastelberg	Andlau (67)	6
Kessler	Guebwiller (68)	28
Kirchberg de Barr	Barr (67)	40
Kirchberg de Ribeauvillé	Ribeauvillé (68)	11
Kitterlé	Guebwiller (68)	25
Mambourg	Sigolsheim (68)	62
Mandelberg	Mittelwihr, Beblenheim (68)	22
Marckrain	Bennwihr, Sigolsheim (68)	53
Moenchberg	Andlau, Eichhoffen (67)	12
Muenchberg	Nothalten (67)	18
Ollwiller	Wuenheim (68)	36
Osterberg	Ribeauvillé (68)	24
Pfersigberg	Eguisheim, Wettolsheim (68)	74
Pfingstberg	Orschwihr (68)	28
Praelatenberg	Kintzheim (67)	18
Rangen	Thann, Vieux-Thann (68)	19
Rosacker	Hunawihr (68)	26
Saering	Guebwiller (68)	27
Schlossberg	Kientzheim (68)	80
Schoenenbourg	Riquewihr, Zellenberg (68)	53
Sommerberg	Niedermorschwihr, Katzenthal (68)	28
Sonnenglanz	Beblenheim (68)	33
Spiegel	Bergholtz, Guebwiller (68)	18
Sporen	Riquewihr (68)	23
Steinert	Pfaffenheim, Westhalten (68)	38
Steingrubler	Wettolsheim (68)	23
Steinklotz	Marlenheim (67)	40
Vorbourg	Rouffach, Westhalten (68)	72
Wiebelsberg	Andlau (67)	12
Wineck-Schlossberg	Katzenthal, Ammerschwihr (68)	27
Winzenberg	Blienschwiller (67)	19
Zinnkoepflé	Soultzmatt, Westhalten (68)	68
Zotzenberg	Mittelbergheim (67)	36

CRUS ALSACIENS

Exposition	Sols	Cépages de prédilection
S.-E.	Marnes dolomitiques du keuper	Riesling, gewurztraminer
S.	Sols marno-calcaires caillouteux d'origine jurassique	Gewurztraminer
S.–S.-O.	Terroir du lias, marno-calcaires riches en cailloutis	Riesling
S.	Granite	Riesling, gewurztraminer
S.-E.	Marno-calcaires caillouteux du muschelkalk	Riesling, gewurztraminer
S.-E.	Marnes mêlées de cailloutis calcaires ou siliceux	Gewurztraminer puis riesling, pinot gris
S.	Calcaires du muschelkalk	Gewurztraminer
S. et E.	Marno-calcaires recouverts d'éboulis calcaires du bathonien et du bajocien	Gewurztraminer puis riesling
S.-E.	Arènes granitiques	Riesling
S.	Marnes schisteuses	Gewurztraminer
S.	Sols bruns calcaires caillouteux	Gewurztraminer puis riesling
S.	Marnes dolomitiques du muschelkalk	Riesling
S.-E.	Sols bruns à dominante sableuse de grès vosgien	Gewurztraminer, pinot gris
E.	Marnes riches en cailloutis calcaires	Gewurztraminer
S.-E	Marnes	Gewurztraminer, pinot gris, muscat
S.-E.	Marno-calcaires oligocènes	Gewurztraminer, pinot gris
	Marno-calcaires	Riesling, gewurztraminer
S.	Schistes caillouteux	Riesling
S.-E.	Sable de grès rose et matrice argileuse	Gewurztraminer
S.	Calcaires du jurassique moyen	Gewurztraminer, riesling, pinot gris
S.–S.-O.	Marnes dolomitiques	Riesling
S.-O.	Grès	Riesling
S.	Marno-calcaires	Gewurztraminer
S.–S.-E.	Marno-calcaires oligocènes	Riesling, gewurztraminer
E.	Marno-calcaire	Gewurztraminer
S.	Sols limono-sableux du quaternaire	Riesling
S.	Terroirs sablonneux du permien	Riesling
S.–S.-E.	Marnes caillouteuses	Riesling
E.–S.-E.	Sols triasiques assez marneux	Gewurztraminer puis riesling
S.-E.	Sols caillouteux calcaires de l'oligocène	Gewurztraminer puis riesling
S.-E.	Grès et calcaires du buntsandstein et du muschelkalk	Riesling
E.–S.-E.	Sables gneissiques	Riesling
S.	Sols volcaniques	Pinot gris, riesling
E.–S.-E.	Marnes et calcaires du muschelkalk	Riesling
S.-E.	Sols marno-sableux avec cailloutis	Riesling
S.	Arènes granitiques	Riesling
	Marnes du keuper recouvertes de calcaires coquilliers	Riesling
S.	Arènes granitiques	Riesling
S.-E.	Conglomérats et marnes de l'oligocène	Gewurztraminer, pinot gris
E.	Marnes de l'oligocène et sables gréseux du trias	Gewurztraminer
	Sols marneux du lias	Gewurztraminer
E.	Cailloutis calcaires oolithiques	Gewurztraminer, pinot gris
S.	Marnes oligocènes	Gewurztraminer, riesling, pinot gris
S.	Marnes recouvertes d'éboulis calcaires du muschelkalk	Riesling, gewurztraminer
S.–S.-E.	Marno-calcaires	Gewurztraminer, puis riesling, pinot gris
S.	Sables gréseux triasiques	Riesling
	Granite	Riesling
S.–S.-E.	Arènes granitiques	Riesling
S.	Terroir calcaro-gréseux	Gewurztraminer
S.	Calcaires jurassiques et conglomérats marno-calcaires de l'oligocène	Riesling

Alsace grand cru altenberg-de-bergbieten

MOCHEL-LORENTZ Gewurztraminer 2001 ★★

▒ 0,48 ha 3 595 ⦀ 8 à 11 €

Domaine de 14 ha mis en valeur de père en fils depuis 1934, et situé dans la Couronne d'Or, le vignoble proche de Strasbourg (à 25 km à l'ouest de la capitale régionale). Une propriété à suivre, car ce gewurztraminer a recueilli nombre d'éloges. D'un jaune soutenu montrant quelques reflets verts brillants, il séduit par son nez expressif et concentré mariant l'abricot et les épices. Riche, structuré, ample, soyeux, il fait preuve d'une remarquable tenue au palais et laisse en finale d'exquises saveurs de mangue. On peut déjà le servir, mais il est apte à la garde. (Sucres résiduels : 20 g/l.)

⊶ Mochel-Lorentz,
19, rue Principale, 67310 Traenheim,
tél. 03.88.50.38.17, fax 03.88.50.59.18,
e-mail plorentz@mochel-lorentz.com ☑ Y ✱ r.-v.

Alsace grand cru altenberg-de-wolxheim

ANDRE REGIN Riesling 2002 ★

▒ 0,78 ha 2 000 ▮🌡 8 à 11 €

Le grand cru Altenberg de Wolxheim fait partie du vignoble de la Couronne d'Or situé à l'ouest de Strasbourg. C'est un des lieux-dits les plus réputés de cette partie septentrionale de la route du Vin. André Regin en a tiré un riesling jaune pâle au nez assez discret mais fin mêlant les fruits frais et les fleurs blanches. Puissant, harmonieux et long, il mérite d'attendre deux ou trois ans. (Sucres résiduels : 9,3 g/l.)

⊶ André Regin, 2, rue Principale, 67120 Wolxheim,
tél. 03.88.38.17.02, fax 03.88.38.17.02,
e-mail regin.andre@free.fr ☑ Y ✱ r.-v.

DOM. JOSEPH SCHARSCH Riesling 2002 ★★

▒ 0,3 ha 2 000 ▮🌡 8 à 11 €

Cette exploitation familiale de 10 ha a été retenue ces deux dernières années pour des rieslings, une des spécialités de Wolxheim. Ce 2002, particulièrement bien venu, est digne de son prestigieux terroir tout en reflétant le talent de ses auteurs. Jaune paille à reflets verts, il offre un nez léger mais d'une complexité intéressante, où se mêlent l'acacia, le pamplemousse et la pierre à fusil. Franc à l'attaque, il présente une trame nerveuse et finit sur des notes persistantes de zeste de citron, un rien poivrées. Son acidité lui garantit une belle évolution. (Sucres résiduels : 14 g/l.)

⊶ Dom. Joseph Scharsch,
12, rue de l'Eglise, 67120 Wolxheim,
tél. 03.88.38.30.61, fax 03.88.38.01.13,
e-mail domaine.scharsch@wanadoo.fr ☑ ⌂ Y ✱ r.-v.

Alsace grand cru brand

PAUL BUECHER ET FILS Riesling 2002 ★★

▒ 0,51 ha 4 000 ▮🌡 11 à 15 €

Etablie à Wettolsheim, village à forte activité viticole situé à quelques kilomètres au sud-ouest de Colmar, cette exploitation dispose de 28,5 ha de vignes, ce qui est considérable en Alsace. Elle possède des parcelles dans trois grands crus, et notamment dans le Brand de Turckheim qui a donné ce riesling jaune doré, au nez expressif et élégant associant les fruits mûrs à des touches florales légèrement musquées. D'une ampleur et d'une générosité remarquables, c'est un vin harmonieux et long qui fera le plaisir des connaisseurs. Il accompagnera poissons et volailles en sauce. (Sucres résiduels : 12,9 g/l.)

⊶ Paul Buecher et Fils, 15, rue Sainte-Gertrude,
68920 Wettolsheim, tél. 03.89.80.64.73,
fax 03.89.80.58.62, e-mail buecher@aol.com
☑ Y ✱ t.l.j. sf dim. 8h-12h 14h-18h

EMILE HERZOG
Tokay-pinot gris Vendanges tardives 2001 ★

▒ 0,18 ha 900 ▮🌡 23 à 30 €

Anne-Marie Herzog perpétue l'activité vigneronne de la famille, établie à Turckheim depuis le XVII^{e}s. Après un riesling coup de cœur en vendanges tardives l'an dernier, voici en grand cru un pinot gris bien réussi dans le millésime suivant. D'une belle finesse, le nez apparaît caractéristique du cépage, avec des parfums de fruits secs et de sous-bois. Franc, puissant et ample, le palais offre une bonne finale. Un vin à déguster seul ou sur des plats sucrés-salés, tel le canard à l'orange.

⊶ Emile Herzog,
28, rue du Florimont, 68230 Turckheim,
tél. 03.89.27.08.79, fax 03.89.27.08.79,
e-mail e.herzog@laposte.net ☑ Y ✱ r.-v.

ARMAND HURST
Pinot gris Sélection de grains nobles 2000 ★★

▒ 0,2 ha 1 580 ⦀ 23 à 30 €

Etablie à Turckheim depuis de nombreuses générations, cette maison de négoce exploite une grande partie de ses vignes sur les coteaux du Brand. Ce millésime a donné un liquoreux de pinot gris jaune paille soutenu et très brillant ; ce vin se distingue par son expression fruitée (agrumes) et florale (violette). Bien ample et onctueux au palais, il laisse apparaître le fumé d'une grande finesse caractéristique du cépage et finit tout en douceur. « Un vin très riche, une vraie sélection de grains nobles », conclut un dégustateur. (Bouteilles de 50 cl.)

⊶ Armand Hurst,
8, rue de la Chapelle, BP 46, 68230 Turckheim,
tél. 03.89.27.40.22, fax 03.89.27.47.67 ☑ Y ✱ r.-v.

PREISS-ZIMMER Gewurztraminer 2002 ★

▒ 3 ha 17 200 ▮🌡 11 à 15 €

Comme dans les deux éditions précédentes, cette maison de négoce a vu son gewurztraminer du Brand fort bien accueilli par le jury. Situé à l'entrée de la vallée de Munster, ce terroir léger, constitué d'arènes granitiques, favorise la maturité précoce des raisins et l'expression aromatique des vins. D'un jaune d'or intense, celui-ci présente un nez très ouvert, fait de fruits exotiques nuancés d'épices. Puissant et gras au palais, il paraît plutôt sec malgré la quantité annoncée de sucres résiduels. Il donnera la réplique à des fromages forts (munster) et à des plats exotiques. (Sucres résiduels : 25 g/l.)

🕯 SARL Preiss-Zimmer, 40, rue du Gal-de-Gaulle, BP 20, 68340 Riquewihr, tél. 03.89.47.86.91, fax 03.89.27.35.33, e-mail preiss-zimmer@calixo.net

Alsace grand cru bruderthal

VIGNOBLE FREDERIC ARBOGAST
Gewurztraminer 2002

	0,26 ha	1 600	🍶 8 à 11 €

Ce vigneron récemment installé est établi à Westhoffen, petit village proche de Molsheim, commune qui détient le terroir du Bruderthal. Les sols marno-calcaires de ce grand cru, aérés par un cailloutis dense, sont propices au gewurztraminer. Les vins qui y naissent mettent du temps à s'exprimer. C'est le cas de celui-ci. Jaune orangé légèrement ambré, il apparaît réservé au nez, livrant au palais quelques notes de surmaturation. En bouche, on remarque d'emblée une belle fraîcheur, gage d'une excellente évolution. Un vin de gastronomie. (Sucres résiduels : 20 g/l.)

🕯 Frédéric Arbogast, 3, pl. de l'Eglise, 67310 Westhoffen, tél. 03.88.50.30.51, fax 03.88.50.36.40, e-mail fredarbogast@wanadoo.fr ☑ ⊺ 🏃 r.-v.

DOM. GERARD NEUMEYER
Tokay-pinot gris 2002

	0,48 ha	3 250	⫿ 11 à 15 €

Etablie de longue date à Molsheim, cette exploitation dispose de 16 ha de vignes. Elle figure régulièrement dans le Guide sous la rubrique Grand cru Bruderthal, car elle possède plusieurs parcelles dans ce terroir. Cette année, elle a proposé un pinot gris jaune limpide à reflets dorés, mêlant au nez des senteurs de surmaturation (pâte de coing), de mirabelle et des notes fumées. Le palais puissant, frais et long laisse augurer une bonne longévité. (Sucres résiduels : 47 g/l.)

🕯 Dom. Gérard Neumeyer, 29, rue Ettore-Bugatti, 67120 Molsheim, tél. 03.88.38.12.45, fax 03.88.38.11.27, e-mail domaine.neumeyer@wanadoo.fr ⊺ 🏃 r.-v.

Alsace grand cru eichberg

BROBECKER Tokay-pinot gris 2002 ★

	0,3 ha	1 000	11 à 15 €

Avec ses rues enroulées autour de son église, Eguisheim est l'une des communes les plus pittoresques de la route du Vin. Tourisme et viticulture sont à la base de son économie. Les visiteurs trouveront sans peine cette

exploitation établie au centre de la cité. Ce pinot gris d'un jaune doré brillant, laisse discrètement percer au nez quelques notes fumées caractéristiques du cépage. Puissant, équilibré, le palais conjugue rondeur et fraîcheur. Doté d'un réel potentiel, il devrait encore gagner en harmonie avec le temps : on peut l'oublier en cave un an ou deux. (Sucres résiduels : 57 g/l.)

🕯 SCEA Vins Brobecker, 3, pl. de l'Eglise, 68420 Eguisheim, tél. 06.87.52.80.72, fax 03.89.41.55.93, e-mail pascal.joblot@free.fr ☑ 🏠 ⊺ r.-v.
🕯 Pascal Joblot

PAUL SCHNEIDER Riesling 2002 ★

	0,2 ha	1 500	🍶 8 à 11 €

Sous l'Ancien Régime, la dîme était payée à l'Eglise en nature, et le raisin fournissait une part non négligeable des richesses du clergé. Après la Révolution, les cours dîmières, qui accueillaient le produit des récoltes, sont passées aux mains des laïcs. Paul Schneider a ainsi hérité de bâtiments du XVIIᵉs. qui dépendaient du grand prévôt de la cathédrale de Strasbourg. Son domaine est très souvent mentionné pour des rieslings du grand cru Eichberg. Jaune pâle très brillant à reflets gris perle, celui-ci présente un nez ouvert et complexe associant notes minérales (pierre à fusil), cire d'abeille et fruits confits. Plus réservé au palais, il se montre droit, très nerveux avec une pointe citronnée. La finale est franche et chaleureuse. On attendra ce 2002 un an ou deux avant de le servir sur poissons, coquilles Saint-Jacques ou crustacés. (Sucres résiduels : 5,4 g/l.)

🕯 Paul Schneider et Fils, 1, rue de l'Hôpital, 68420 Eguisheim, tél. 03.89.41.50.07, fax 03.89.41.30.57 ☑ 🏠 ⊺ 🏃 t.l.j. sf dim. 9h30-12h 13h30-18h; groupes sur r.-v.

Alsace grand cru engelberg

DOM. JEAN-PIERRE BECHTOLD
Gewurztraminer 2001 ★

	0,85 ha	n.c.	🍶 11 à 15 €

Marno-calcaire à cailloutis important, le terroir de l'Engelberg se caractérise par des sols peu profonds, résistants à la sécheresse et favorables au gewurztraminer qui y mûrit parfaitement. Jaune clair à reflets paille, celui-ci apparaît typé et fin au nez, mais encore fermé. Tout aussi réservée, la bouche laisse poindre quelques arômes de fruits confits. Puissante et équilibrée, elle révèle une grande matière. Ce jeune vin donnera toute sa mesure d'ici un à deux ans. (Sucres résiduels : 25 g/l.)

🕯 Dom. Jean-Pierre Bechtold, 49, rue Principale, 67310 Dahlenheim, tél. 03.88.50.66.57, fax 03.88.50.67.34, e-mail bechtold@wanadoo.fr ☑ ⊺ 🏃 t.l.j. sf dim. 8h-12h 13h-18h

Alsace grand cru florimont

FRANCOIS BOHN Gewurztraminer 2002 ★★

	0,6 ha	1 800	🍶 11 à 15 €

Installé en 1992, François Bohn s'est lancé dans la vente directe six ans plus tard. La construction en 2004 d'une nouvelle cave concrétise cette ambition. L'exploitation figure dans le Guide depuis plusieurs éditions. Terroir dominant Ingersheim du côté ouest, le Florimont est un des fleurons de ce domaine. Il a donné cette année un gewurztraminer jaune soutenu aux brillants reflets paille. Avec ses notes épicées, poivrées, le nez apparaît déjà bien typé. Ample, harmonieux, élégant avec des arômes évoquant l'abricot confit, le palais révèle une grande matière. (Sucres résiduels : 45 g/l.)

🔑 François Bohn,
35, rue des Trois-Épis, 68040 Ingersheim,
tél. 03.89.27.31.27, fax 03.89.27.31.27 ☑ 🍸 🚶 r.-v.

RENE MEYER Gewurztraminer 2002 ★★

■ 0,34 ha 2 500 ▮▮ 11 à 15 €

Les vignerons de Katzenthal s'intéressent aussi au Florimont. Son nom rappelle les fleurs : n'était-il pas couvert de tulipes des vignes au printemps ? Cette flore, qui disparaissait, est en train de revenir grâce à certaines modifications des façons culturales. De ce grand cru, le domaine a tiré des vins captivants ces trois dernières années : deux étoiles au minimum, un gewurztraminer 2000 coup de cœur... D'un jaune d'or intense à reflets ambrés, ce 2002 possède un nez très ouvert sur des notes de surmaturation et des nuances de rose. Somptueux et ample au palais et pourtant délicat, il persiste longuement sur de délicieux arômes de litchi et de mangue. On l'appréciera dès maintenant. (Sucres résiduels : 35 g/l.)

🔑 EARL René Meyer et Fils,
14, Grand-Rue, 68230 Katzenthal,
tél. 03.89.27.04.67, fax 03.89.27.50.59,
e-mail domaine.renemeyer@wanadoo.fr ☑ 🍸 🚶 r.-v.
🔑 Jean-Paul Meyer

Alsace grand cru frankstein

CHARLES ET DOMINIQUE FREY
Gewurztraminer 2002 ★

■ 0,14 ha 600 ▮▮ 8 à 11 €

Dominant le bourg de Dambach-la-Ville, le Frankstein fait la fierté des vignerons du cru à tel point qu'ils ont créé il y a dix ans la confrérie des Bienheureux du Frankstein pour chanter ses louanges. Exploitant un domaine familial de 10 ha converti à la biodynamie, Charles et Dominique Frey en ont tiré un gewurztraminer dont la robe jaune pâle dit la jeunesse, tout comme le nez encore discret. Un fruité diffus et d'une grande finesse laisse cependant augurer un bel avenir. Bien équilibré, plein, voluptueux mais sans lourdeur (le sucre ne pèse pas), le palais tout en dentelle confirme cette bonne impression. Ce vin de gastronomie mérite d'attendre deux ou trois ans. (Sucres résiduels : 20 g/l.)

🔑 EARL Charles et Dominique Frey,
4, rue des Ours, 67650 Dambach-la-Ville,
tél. 03.88.92.41.04, fax 03.88.92.62.23,
e-mail frey.dom.bio@wanadoo.fr ☑ 🍸 🚶 r.-v.

SCHAEFFER-WOERLY Riesling 2002 ★

■ 0,44 ha 1 900 ▮🌡 8 à 11 €

Dans sa maison à colombage avec une entrée sous arcade, la famille Schaeffer-Woerly accueille les visiteurs. Le riesling est une spécialité de Vincent Woerly, en témoignent plusieurs mentions dans le Guide, le coup de cœur obtenu en alsace riesling par un 2001 distingué par la grappe de bronze l'an dernier. Celui-ci, de couleur jaune d'or, offre un nez typique et d'une belle finesse. Le palais prolonge ces premières impressions : croquant, concentré, plein de mâche, rehaussé par des arômes d'agrumes frais, il offre une longue finale soutenue par une belle fraîcheur. (Sucres résiduels : 16 g/l.)

🔑 Schaeffer-Woerly, 3, pl. du Marché,
67650 Dambach-la-Ville, tél. 03.88.92.40.81,
fax 03.88.92.49.87, e-mail schaeffer-woerly@wanadoo.fr
☑ 🍸 🚶 t.l.j. 9h-12 h 14h-18h; dim. sur r.-v.
🔑 Vincent Woerly

JEAN-VICTOR SCHUTZ Riesling 2002 ★

■ 1,3 ha 10 600 ▮🌡 8 à 11 €

Dambach-la-Ville est le plus important village viticole d'Alsace : il abrite une soixantaine de vignerons-récoltants. Depuis 1997, cette maison de négoce y a élu domicile. Elle se tourne principalement vers l'export (30 %) et la grande distribution. Jaune d'or dans le verre, son riesling du Frankstein séduit d'emblée par son nez expressif, complexe où se mêlent les fleurs blanches et un fruité exotique. On retrouve cette riche palette aromatique dans un palais ample, gras et structuré. La finale fraîche laisse un excellent souvenir. Un dégustateur aimerait avoir dans sa cave cette bouteille qui se gardera au moins cinq ans. (Sucres résiduels : 7 g/l.)

🔑 Jean-Victor Schutz,
34, rue du Mal-Foch, 67650 Dambach-la-Ville,
tél. 03.88.92.41.86, fax 03.88.92.61.81 🍸 r.-v.

Alsace grand cru froehn

JEAN-PHILIPPE ET JEAN-FRANCOIS BECKER
Tokay-pinot gris 2002

■ 0,8 ha 1 150 ▮ ▮▮ 11 à 15 €

Les ancêtres des Becker étaient déjà établis à Zellenberg en 1610. La dernière génération vient de convertir les 10 ha du domaine à l'agriculture biologique. Parmi les fleurons de la propriété, ces vignes du Froehn, grand cru aux sols assez lourds qui borde à l'est et au sud l'éperon sur lequel se perche le vieux village. Jaune à reflets verts, ce pinot gris possède un nez bien ouvert mêlant les fleurs à des nuances fumées caractéristiques du cépage. Ample et gras, il se montre aussi très frais au palais, avec une finale marquée par un fruité d'agrumes. Mieux vaut l'attendre un an pour lui permettre de parfaire son harmonie. On pourra ensuite l'apprécier pendant dix ans. (Sucres résiduels : 32 g/l.)

🔑 GAEC Jean-Philippe et François Becker,
2, rte d'Ostheim, 68340 Zellenberg,
tél. 03.89.47.87.56, fax 03.89.47.99.57,
e-mail vinsbecker@aol.com ☑ 🍸 🚶 r.-v.

ANTOINE ZIMMER Riesling 2002 ★

■ 0,17 ha 1 000 ▮🌡 11 à 15 €

Il est difficile de manquer ce domaine dont la cave de vinification et d'élevage, datant de 1631, et le caveau de dégustation, de 1572, donnent dans la rue principale de Riquewihr. La propriété dispose aussi d'une *winstub* et loue des chambres dans la ville. Le vignoble de 9 ha a été constitué en 1998 par Antoine Zimmer. Depuis sa disparition en 2001, il est géré par son épouse. D'un jaune pâle brillant, ce riesling du Froehn offre au nez un fruité mûr assez intense. Une bonne attaque, une bouche ample, équilibrée, plutôt ronde, de bonne longueur, marquée en finale par des saveurs d'abricot sec, composent un riesling très plaisant. (Sucres résiduels : 10 g/l.)

Antoine Zimmer, 42, rue du Gal-de-Gaulle,
68340 Riquewihr, tél. 03.89.47.85.01,
fax 03.89.47.85.01, e-mail zimmer.antoine@wanadoo.fr
t.l.j. 10h-12h 13h-19h; f. janv.

Alsace grand cru furstentum

DOM. PAUL BLANCK

Gewurztraminer Vieilles Vignes 2001 ★

3 ha 12 000 **15 à 23 €**

Les Blanck descendent d'une lignée de vignerons originaires d'Autriche, et établis en Alsace au début du XVII^e^s. Au XX^e^s., ils se sont fait les promoteurs des grands crus. Avec 36 ha répartis dans de nombreux lieux-dits (et cinq grands crus), Bernard et Marcel, rejoints par leurs fils Frédéric et Philippe, dirigent une des exploitations qui comptent dans la région. Ils l'ont orientée vers l'agrobiologie. Du Furstentum, terroir pentu au-dessus de Kientzheim, ils ont tiré deux vins très réussis. Jaune d'or à reflets brillants, ce gewurztraminer mêle au nez le litchi, le miel et les fruits confits, le tout relevé de notes poivrées. Puissant, bien structuré, équilibré malgré une grande douceur, persistant, ce vin possède un réel potentiel. (Sucres résiduels : 38 g/l.) Le **riesling 2001**, de couleur paille, présente un nez vif, minéral et citronné. Gras et souple au palais, il n'en possède pas moins une belle fraîcheur, soulignée d'arômes d'agrumes et d'ananas. Sa richesse, son équilibre, sa longue finale tout en finesse composent un ensemble très harmonieux. (Sucres résiduels : 18 g/l.)

Dom. Paul Blanck, 32, Grand-Rue,
68240 Kientzheim, tél. 03.89.78.23.56,
fax 03.89.47.16.45, e-mail info@blanck.com
t.l.j. sf dim. 9h-12h 13h30-18h30

RENE FLEITH-ESCHARD ET FILS

Tokay-pinot gris Sélection de grains nobles 1999 ★

0,33 ha 1 470 **23 à 30 €**

Propriété familiale de 9 ha environ, située à l'entrée d'Ingersheim en direction de Bennwihr, par la route du Vin. Ces dernières années, elle a proposé aux jurys Hachette de superbes liquoreux et d'excellents pinots gris (rappelons le coup de cœur obtenu par le 98 dans ce même grand cru). Or brillant, cette sélection de grains nobles associe au nez le fumé caractéristique du cépage aux fruits confits, avec une touche de noix et des nuances de pain d'épice. On retrouve le pain d'épice en bouche, accompagné d'un fruité complexe. Liquoreux et très doux, persistant, ce 99 offre tout ce que l'on attend de ce style de vin. On le dégustera dès maintenant. (Bouteilles de 50 cl.)

René Fleith-Eschard et Fils,
lieu-dit Lange Matten, 68040 Ingersheim,
tél. 03.89.27.24.19, fax 03.89.27.56.79 r.-v.
Vincent Fleith

DOM. WEINBACH ET SES FILLES

Gewurztraminer Cuvée Laurence 2002 ★

1 ha 3 800 **38 à 46 €**

Une propriété de réputation mondiale. Ici, on cultive des vignes depuis le IX^e^s. ; ce vignoble ecclésiastique a été donné aux Capucins au XVII^e^s. avant d'être sécularisé à la Révolution et d'être acquis par la famille Faller. Depuis 1979, c'est Colette, rejointe par ses filles, qui conduit cette importante exploitation (27 ha) aux terroirs très variés, allant du granitique au marno-calcaire en passant par l'alluvionnaire, et qui comprend des parcelles dans deux grands crus. Elles ont marqué le domaine de leur personnalité, l'orientant en biodynamie. Laurence, qui donne son nom à des cuvées de gewurztraminer issues de lieux-dits réputés comme ce grand cru, est œnologue. D'un jaune d'or brillant, ce 2002 libère des senteurs de rose. Equilibré, ample, onctueux, bien structuré et de bonne longueur, le palais révèle un réel potentiel. Il est dominé par une douceur qui incite à laisser cette bouteille vieillir un an ou deux. (Sucres résiduels : 52 g/l.)

Dom. Weinbach-Colette Faller et ses Filles,
Clos des Capucins, 68240 Kaysersberg,
tél. 03.89.47.13.21, fax 03.89.47.38.18,
e-mail contact@domaineweinbach.com r.-v.

Alsace grand cru geisberg

KIENTZLER

Riesling Sélection de grains nobles 2001 ★★★

0,4 ha n.c. **+ de 76 €**

André Kientzler exploite 11 ha de vignes à Ribeauvillé, et a la chance de posséder des parcelles dans les trois grands crus qui dépendent de la commune. Dominant la petite ville, le Geisberg occupe une position centrale. Ses sols argilo-calcaires à cailloutis important sont très propices au riesling. Voici un modèle du genre, dans le style liquoreux. Paille doré à reflets brillants, il séduit d'emblée par un nez intense, riche et complexe où l'on trouve des fleurs, des fruits confits (pâte de coings) et frais, avec des touches de cacao, de foin et de menthe poivrée. En bouche, quelle matière ! Ample, soyeux, onctueux, soutenu par une très bonne structure acide, concentré et très persistant, il fait l'unanimité. Faut-il le boire seul, à l'apéritif ou avec quelque tarte au citron ? En tout cas, « en bonne compagnie », conclut un dégustateur.

⚓ André Kientzler,
50, rte de Bergheim, 68150 Ribeauvillé,
tél. 03.89.73.67.10, fax 03.89.73.35.81 ☑ 🍴 🏃 r.-v.

Alsace grand cru gloeckelberg

KOEBERLE KREYER
Tokay-pinot gris Sélection de grains nobles 2001

	0,18 ha	800	🍷🔽 30 à 38 €

Cette famille est établie à Rodern depuis 1760. Proche de Saint-Hippolyte, ce village est situé dans un vallon. Il est entouré d'un vignoble sur des sols sableux, légers, où le pinot gris peut exprimer tout son potentiel, particulièrement sur ce grand cru. Ce domaine s'est illustré dans le Guide à trois reprises grâce à son tokay du Gloeckelberg, avec des millésimes 89, 90 et 99 coups de cœur. Que dire de ce liquoreux ? Bien doré, il laisse déjà entrevoir son gras dans le verre ; au nez, il est très timide, montrant discrètement son caractère botrytisé avec quelques notes de fruits confits. Cette réserve se manifeste également dans une bouche ronde et équilibrée, dont la finale puissante et longue est soulignée d'arômes de bergamote. Une bouteille à attendre.

⚓ Koeberlé Kreyer, 28, rue du Pinot-Noir,
68590 Rodern, tél. 03.89.73.00.55, fax 03.89.73.00.55,
e-mail fkoeberle@free.fr
☑ 🏠 🍴 🏃 t.l.j. 8h-19h; dim. 8h-12h

Alsace grand cru goldert

HENRI GROSS Riesling 2002 ★

	0,16 ha	1 400	8 à 11 €

Ce vigneron est établi à Gueberschwihr, village bâti à flanc de coteau, charmant avec ses ruelles pentues, sa place ombragée de platanes et son église Saint-Pantaléon au clocher roman. Il est installé dans une maison du XVIIIᵉ. et possède des vignes dans un des fleurons de la commune, le Goldert, qui lui a valu un coup de cœur (un riesling 96). S'annonçant par une robe jaune d'or aux reflets brillants, ce 2002 séduit par un nez léger, tout en finesse, où se mêlent le zeste d'orange, la cire d'abeille et la pierre à fusil. Moins complexe, le palais n'en est pas moins net, plein, nerveux et offre une bonne expression du terroir. (Sucres résiduels : 10 g/l.)

⚓ EARL Henri Gross et Fils,
11, rue du Nord, 68420 Gueberschwihr,
tél. 03.89.49.24.49, fax 03.89.49.33.58,
e-mail vins.gross@wanadoo.fr ☑ 🍴 🏃 r.-v.

CLAUDE ET GEORGES HUMBRECHT
Gewurztraminer 2002 ★

	0,25 ha	1 200	8 à 11 €

Situé sur le territoire de Gueberschwihr vers Voegtlinshoffen, le Goldert est un terroir très calcaire dans sa partie haute, la partie basse étant surtout constituée d'alluvions mélangées à des galets calcaires. Autant de terrains favorables au gewurztraminer. Jaune d'or à reflets brillants, celui-ci séduit par son nez intense et riche mêlant des notes exotiques de litchi et des nuances de surmaturation, fruits confits, abricot, coing et miel. La bouche ne déçoit pas : fruitée dès l'attaque, elle possède une fraîcheur qui contribue à son harmonie. Complexe, ample et de bonne longueur, ce vin pourra accompagner un curry. (Sucres résiduels : 28,6 g/l.)

⚓ Claude et Georges Humbrecht,
33, rue de Pfaffenheim, 68420 Gueberschwihr,
tél. 03.89.49.31.51 ☑ 🏠 🏠 🍴 🏃 r.-v.

SAULNIER Tokay-pinot gris Les Eboulis 2002 ★★

	0,32 ha	2 200	8 à 11 €

L'exploitation a été constituée dans les années 1990, mais la maison où elle a son siège date de la dernière décennie du XVIᵉs. Marco Saulnier conduit 4,5 ha de vignes dont une partie est située dans le grand cru Goldert. Ces éboulis semblent convenir au pinot gris, car après les deux millésimes précédents, très réussis, cette cuvée a été jugée remarquable. Jaune d'or brillant, ce vin développe un nez intense mêlant les fruits confits et la noisette grillée. Ce fruité, accompagné de nuances fumées caractéristiques du cépage, se prolonge dans un palais ample et riche. Cette excellente bouteille devrait encore se bonifier dans les trois ou quatre ans à venir. (Sucres résiduels : 14 g/l.)

⚓ Marco Saulnier,
43, rue Haute, 68420 Gueberschwihr,
tél. 03.89.86.42.02, fax 03.89.49.34.82,
e-mail marco.saulnier@wanadoo.fr ☑ 🍴 🏃 r.-v.

FERNAND STENTZ
Tokay-pinot gris Sélection de grains nobles 2001 ★

	0,15 ha	1 200	15 à 23 €

Etabli à Husseren-les-Châteaux, Fernand Stentz exploite aussi des parcelles sur le territoire de Gueberschwihr, notamment dans le Goldert. Il en a tiré une sélection de grains nobles dont la robe jaune doré fait très bonne impression. Réservé au premier nez, ce vin libère ensuite des notes fruitées (agrumes et ananas). Très riche au palais avec des arômes de fruits secs et confits, il est fort apprécié pour sa longue finale fraîche. Un vin de garde qui mérite d'attendre trois ou quatre ans. (Bouteilles de 50 cl.)

⚓ Fernand Stentz,
40, rte du Vin, 68420 Husseren-les-Châteaux,
tél. 03.89.49.30.04, fax 03.89.49.32.88 ☑ 🍴 🏃 r.-v.

Alsace grand cru hatschbourg

A. L. BAUR Gewurztraminer 2002 ★

	0,42 ha	2 100	🍷 8 à 11 €

Situé à une altitude de 340 m, Voegtlinshoffen domine son vignoble. La vue y embrasse toute la plaine d'Alsace et, au-delà, la Forêt-Noire au nord et les Alpes au sud. Du Hatschbourg est né ce gewurztraminer jaune pâle à reflets ambrés et au nez bien ouvert libérant des arômes caractéristiques de rose et de litchi. Riche, ample, soyeuse et persistante, la bouche finit sur une note de fraîcheur qui rend ce vin agréable à boire. On peut le servir dès maintenant à l'apéritif ou sur une cuisine exotique, par exemple. (Sucres résiduels : 38 g/l.)

🔑 A. L. Baur,
4, rue Roger-Frémeaux, 68420 Voegtlinshoffen,
tél. 03.89.49.30.97, fax 03.89.49.21.37 ☑ 🍷 🚶 r.-v.

BUECHER-FIX Gewurztraminer 2002 ★

▒ 0,51 ha 3 300 🍾🌡 11 à 15 €

Installé à Wettolsheim, à 5 km à l'ouest de Colmar, ce domaine possède des vignes sur le terroir de Hatschbourg, situé à une dizaine de kilomètres plus au sud. Un terroir dont il tire régulièrement des gewurztraminers très appréciés, plus ou moins couverts d'étoiles suivant les millésimes. Jaune intense à reflets dorés, le 2002 est délicatement marqué par le fruit grillé au nez, tandis que la rose imprègne le palais. Sa bouche équilibrée, fraîche et persistante reflète son terroir. C'est un vin de garde, qui mérite d'attendre un an ou deux. (Sucres résiduels : 25 g/l.)

🔑 Buecher-Fix,
21, rue Sainte-Gertrude, 68920 Wettolsheim,
tél. 03.89.30.12.80, fax 03.89.30.12.81,
e-mail buecher@terre-net.fr ☑ 🍷 🚶 r.-v.

GINGLINGER-FIX Gewurztraminer 2002

▒ 0,42 ha 2 600 🍾 11 à 15 €

Enracinée dans la viticulture depuis le début XVII^{e}s, la famille d'André Ginglinger s'est fixée à Voegtlinshoffen vers 1950. Depuis quelques années, Eliane, fille d'André, met ses compétences d'œnologue au service de la propriété. Comme dans les deux millésimes précédents, ce gewurztraminer du Hatschbourg est retenu. Jaune d'or avec quelques reflets ambrés, ce 2002 libère au nez des parfums de fruits confits avec des nuances de fruits secs grillés. Equilibré, bien structuré, il présente une finale fraîche qui laisse présager une bonne évolution. A attendre. (Sucres résiduels : 40 g/l.)

🔑 Ginglinger-Fix, 38, rue Roger-Frémeaux,
68420 Voegtlinshoffen, tél. 03.89.49.30.75,
fax 03.89.49.29.98, e-mail ginglinger-fix@wanadoo.fr
☑ 🍷 🚶 t.l.j. sf dim. 8h30-12h 13h30-19h
🔑 André Ginglinger

LUCIEN MEYER ET FILS Riesling 2002 ★★

▒ 0,29 ha 2 500 🛢 5 à 8 €

Situé au nord de Hattstatt, le Hatschbourg se caractérise par un important cailloutis, facteur de réchauffement du sol. Il a engendré un riesling qui a recueilli tous les suffrages. Jaune soutenu à reflets dorés, le nez bien ouvert et complexe mêlant les fleurs blanches, les fruits très mûrs, ce vin fait d'entrée bonne impression. Puissant, remarquable par son équilibre sucre-acidité, le palais révèle une très belle matière. Ses arômes d'agrumes se prolongent dans une finale persistante. (Sucres résiduels : 16 g/l.)

🔑 EARL Lucien Meyer et Fils,
57, rue du Mal-Leclerc, 68420 Hattstatt,
tél. 03.89.49.31.74, fax 03.89.49.24.81 ☑ 🏠 🍷 r.-v.

DOM. OTTER Gewurztraminer 2002 ★

▒ 0,8 ha 630 🛢 15 à 23 €

Installé en 1998 sur l'exploitation familiale, J.-F. Otter a très vite révélé son talent, témoin les trois coups de cœur consécutifs qu'il a obtenus en pinot noir dans les éditions précédentes. Le voici en blanc, avec ce grand cru jaune d'or intense, au nez fruité subtil et complexe. Au palais, ce vin révèle une belle matière puissante, ronde et bien équilibrée, aux arômes caractéristiques du cépage. Tout ce que l'on attend d'un gewurztraminer. (Sucres résiduels : 18 g/l.)

🔑 Dom. François Otter et Fils,
4, rue du Muscat, 68420 Hattstatt,
tél. 03.89.49.33.00, fax 03.89.49.38.69,
e-mail jf.otter@wanadoo.fr ☑ 🏠 🍷 🚶 r.-v.

Alsace grand cru hengst

BUECHER-FIX Gewurztraminer 2002

▒ 1,1 ha 8 000 🍾🌡 11 à 15 €

Cette exploitation située près de Colmar a proposé ces dernières années de forts beaux gewuztraminers et pinots gris. Elle possède des parcelles dans des grands crus des environs, notamment le Hengst, terroir où ce cépage engendre des vins puissants et séveux. Jaune paille intense, celui-ci s'exprime très discrètement, tant au nez, qui laisse poindre des parfums de fruits confits, qu'en bouche, puissante mais dominée par des impressions douces et chaleureuses. On l'attendra un an ou deux. (Sucres résiduels : 31 g/l.)

🔑 Buecher-Fix,
21, rue Sainte-Gertrude, 68920 Wettolsheim,
tél. 03.89.30.12.80, fax 03.89.30.12.81,
e-mail buecher@terre-net.fr ☑ 🍷 🚶 r.-v.

ALBERT MANN Tokay-pinot gris 2002 ★

▒ 0,7 ha 5 000 🍾🌡 15 à 23 €

Depuis 1984, Jacky et Maurice Barthelmé sont à la tête d'un important domaine proche de Colmar : 19 ha, avec des vignes dans cinq grands crus. De ces terroirs réputés, ils tirent des vins très remarqués par les jurys du Guide. Leur pinot gris du Hengst n'a-t-il pas obtenu deux coups de cœur (millésimes 2001 et 95) ? Doré à reflets orangés, le 2002 présente un nez encore discret mais complexe et élégant : on y décèle de l'orange confite, du pain d'épice. Onctueux, puissant, structuré, équilibré avec des sucres bien fondus, persistant, c'est un vin de gastronomie doté d'un bon potentiel de garde. (Sucres résiduels : 30 g/l.)

⊶ Dom. Albert Mann,
13, rue du Château, 68920 Wettolsheim,
tél. 03.89.80.62.00, fax 03.89.80.34.23,
e-mail vins@mann-albert.com ☑ Y 🚶 r.-v.
⊶ Barthelmé

MOELLINGER Gewurztraminer 2002

▒ 0,52 ha 3 000 ▮🌡 5 à 8 €

Créée en 1945 par Joseph Moellinger, l'exploitation compte aujourd'hui 14 ha. C'est le petit-fils du fondateur qui la dirige depuis 1998. Souvent retenu, le gewurztraminer du Hengst présente dans ce millésime une robe jaune d'or et un nez des plus discrets rappelant le champignon de Paris. Puissant, bien structuré, équilibré, assez plaisant en finale, il devra séjourner un an ou deux en cave. (Sucres résiduels : 33,8 g/l.)

⊶ SCEA Joseph Moellinger et Fils,
6, rue de la 5e-D.-B., 68920 Wettolsheim,
tél. 03.89.80.62.02, fax 03.89.80.04.94
☑ Y 🚶 t.l.j. 8h-12h 13h30-19h; dim. sur r.-v.

BERNARD STAEHLE Tokay-pinot gris 2001

▒ 0,22 ha 1 400 ⬮ 8 à 11 €

Bernard Staehlé est établi à Wintzenheim, commune située à l'ouest de Colmar et à l'entrée de la vallée de Munster. Sur les 7 ha de vignes, il possède une parcelle de pinot gris dans le grand cru Hengst qui a engendré ce 2001 or pâle à reflets paille. Discret mais élégant, le nez évoque les fleurs blanches. En bouche, ce vin donne une impression de souplesse. Sa finale assez longue s'agrémente d'arômes de fruits confits. D'une belle finesse, une bouteille de bonne compagnie. (Sucres résiduels : 33 g/l.)

⊶ Bernard Staehlé,
15, rue Clemenceau, 68920 Wintzenheim,
tél. 03.89.27.39.02, fax 03.89.27.59.37 ☑ Y r.-v.

Alsace grand cru kastelberg

ANDRE ET REMY GRESSER Riesling 2002 ★

▒ 0,85 ha 2 000 ▮⬮🌡 15 à 23 €

Andlau est situé sur la route du mont Sainte-Odile, du Hohwald et du Champ de feu, site bien connu des amateurs de ski de fond. Avec son abbatiale, le bourg mérite qu'on s'y arrête. Ses domaines viticoles également. André et Rémy Gresser descendent d'une longue lignée de vignerons ; on ne sait si leurs ancêtres ont vu l'ourse de sainte Richarde, mais les archives attestent leur présence à Andlau au XVIes. La propriété compte aujourd'hui 10 ha, avec des vignes dans les trois grands crus de la commune. Du Kastelberg est né ce riesling jaune pâle à reflets verts, au nez complexe libérant des effluves de fleurs blanches, puis d'agrumes et enfin des notes minérales de terroir. Cette minéralité délicate marque la finale de ce vin bien structuré, équilibré et fringant avec ses nuances balsamiques. (Sucres résiduels : 10 g/l.)

⊶ Dom. André et Rémy Gresser, 2, rue de l'Ecole,
67140 Andlau, tél. 03.88.08.95.88, fax 03.88.08.55.99,
e-mail remy.gresser@wanadoo.fr
☑ Y 🚶 t.l.j. 8h-12h 14h-18h30; dim. sur r.-v.

MARC KREYDENWEISS
Riesling Le Château 2002

▒ 1 ha 3 500 ⬮ 38 à 46 €

L'étiquette facétieuse transforme un foudre en petite maison... Manière de suggérer la vinification sous bois des vins du domaine, qui est par ailleurs un des pionniers de la culture biologique. Les 12 ha de l'exploitation sont conduits en biodynamie. Plantés sur les schistes du Kastelberg, de vieux ceps de soixante-dix ans ont donné naissance à un riesling jaune à reflets verts, marqué au nez par des arômes miellés et confits de surmaturation. On retrouve ce fruité surmûri dans un palais ample, gras et de bonne longueur. (Sucres résiduels : 2 g/l.)

⊶ Dom. Marc Kreydenweiss, 12, rue Deharbe,
67140 Andlau, tél. 03.88.08.95.83, fax 03.88.08.41.16,
e-mail marc@kreydenweiss.com ☑ Y 🚶 r.-v.

GUY WACH Riesling 2002 ★

▒ 0,58 ha 3 500 ▮🌡 11 à 15 €

Andlau mérite un détour pour son abbatiale romane riche d'un superbe portail, d'une frise historiée et d'une crypte très ancienne. Guy Wach y exploite un domaine de plus de 7 ha constitué à la fin du XIXes., avec plusieurs parcelles en grand cru. Son riesling du Kastelberg a obtenu un coup de cœur dans le millésime 99. Jaune pâle avec quelques reflets verts, le 2002 développe un nez intense mêlant les fruits jaunes aux fleurs blanches, avec une touche musquée. Plutôt souple et assez long, le palais donne l'impression de croquer le raisin. Une bouteille typée que l'on peut déboucher dès maintenant. (Sucres résiduels : 7,5 g/l.)

⊶ Guy Wach, Dom. des Marronniers,
5, rue de la Commanderie, 67140 Andlau,
tél. 03.88.08.93.20, fax 03.88.08.45.59
☑ 🏠 🏠 Y 🚶 r.-v.

Alsace grand cru kessler

DIRLER Gewurztraminer Vendanges tardives 2001 ★

▒ 0,85 ha 2 200 ▮🌡 23 à 30 €

En 1871, Jean Dirler, instituteur, devient vigneron. En 2004, son descendant porte le même nom. Depuis son mariage avec Ludivine Cadé, la propriété, agrandie et conduite en biodynamie, a changé de raison sociale, prenant le nom de Dirler-Cadé. C'est un domaine qui compte en Alsace méridionale : une production de qualité, maintes fois saluée par le Guide, et plus de 17 ha, avec de nombreuses parcelles dans plusieurs grands crus autour de Guebwiller. Le Kessler, d'où est issu ce vin, est un terroir de grès rouge (Bundsandstein) où prospère le gewurztraminer. Jaune d'or à reflets brillants, ces vendanges tardives séduisent par un nez élégant, fin et complexe, qui évolue des fleurs (rose, fleur d'oranger) aux fruits confits et à la réglisse. Souples à l'attaque, amples et onctueuses, elles révèlent en bouche un fruité exotique (litchi, mangue) nuancé de violette. Une note de fraîcheur souligne la longue finale.

⊶ EARL Dirler-Cadé, 13, rue d'Issenheim,
68500 Bergholtz, tél. 03.89.76.91.00, fax 03.89.76.85.97,
e-mail jpdirler@terre-net.fr ☑ Y 🚶 r.-v.

Alsace grand cru kirchberg-de-Barr

DOM. HERING
Riesling Vendanges tardives 2001 ★★

0,25 ha	1 200	**(II)**	15 à 23 €

En 1999, Jean-Daniel Hering a pris les rênes du vignoble familial constitué en 1858. Il conduit les 10 ha du domaine en production intégrée. Datant de 1652, la cave est équipée de nombreux foudres de chêne. Jaune doré à l'œil, agrumes bien mûrs au nez, ce riesling grand cru s'affiche avec puissance et fraîcheur. Cette superbe bouteille accompagnera un foie gras poêlé.
➼ Pierre et Jean-Daniel Hering, 6, rue Sultzer, 67140 Barr, tél. 03.88.08.90.07, fax 03.88.08.08.54, e-mail jdh@infonie.fr ☑ ⏀ ⋏ r.-v.

Alsace grand cru mambourg

DOM. JEAN-MARC BERNHARD
Gewurztraminer 2002 ★★

0,5 ha	3 000	■↓	11 à 15 €

Les ancêtres vignerons de Jean-Marc Bernhard ont développé une activité de négoce à partir de 1850. Ce dernier a préféré devenir vigneron indépendant. Il exploite plus de 9 ha de vignes autour de Katzenthal. Le Mambourg est l'un des fleurons du domaine. Un terroir marno-calcaire, pentu et orienté au sud, remarquable par sa précocité et favorable au gewurztraminer. Déjà remarquable dans le millésime précédent, ce vin affiche une robe jaune paille lumineuse. Complexe et fin au nez, il mêle des notes fruitées et épicées que l'on retrouve en bouche. Ample et somptueux, il fait preuve d'une belle fraîcheur qui contribue à son harmonie. Finesse et élégance. (Sucres résiduels : 20 g/l.)
➼ Domaine Jean-Marc Bernhard, 21, Grand-Rue, 68230 Katzenthal, tél. 03.89.27.05.34, fax 03.89.27.58.72, e-mail jeanmarcbernhard@online.fr ☑ ⏀ ⏀ ⋏ r.-v.

DANIEL FRITZ ET FILS
Gewurztraminer Vendanges tardives 2001 ★

0,14 ha	930		15 à 23 €

Proche de Kaysersberg, Sigolsheim a conservé une église au superbe portail roman. Son fleuron viticole est sans doute le grand cru Mambourg : un terroir exposé plein sud, aux sols marno-calcaires propices au gewurztraminer. Ce domaine en avait tiré une superbe sélection de grains nobles l'an dernier ; il propose pour cette édition des vendanges tardives fort bien venues : d'un jaune doré soutenu, elles offrent un nez intense fait de fleurs, de fruits confiturés et confits ; d'une grande pureté, le palais laisse une impression de puissance et de finesse avant de finir sur les fruits confits. Profondeur et plénitude. (Bouteilles de 50 cl.)
➼ Daniel Fritz, 3, rue du Vieux-Moulin, 68240 Sigolsheim, tél. 03.89.47.11.15, fax 03.89.78.17.07 ☑ ⏀ ⋏ r.-v.

DANIEL FRITZ ET FILS Gewurztraminer 2002 ★

0,6 ha	3 330	■	11 à 15 €

Lorsque l'on prend la route reliant Houssen à Kientzheim, on longe le grand cru Mambourg, baigné par le soleil. Ce terroir a donné naissance à ce vin jaune paille, aux parfums complexes et intenses dominés par le coing. On retrouve des arômes de surmaturation dans une bouche ample et bien structurée. Longue et d'une belle fraîcheur, la finale est très agréable. (Sucres résiduels : 40 g/l.). Du même grand cru, une toute petite parcelle a produit une microcuvée de **tokay pinot gris 2002** ; une bouteille citée pour ses arômes typiques, sa puissance et sa longueur. (Sucres résiduels : 47 g/l.)
➼ Daniel Fritz, 3, rue du Vieux-Moulin, 68240 Sigolsheim, tél. 03.89.47.11.15, fax 03.89.78.17.07 ☑ ⏀ ⋏ r.-v.

Alsace grand cru mandelberg

BAUMANN-ZIRGEL Riesling 2002 ★

0,16 ha	1 000	■↓	8 à 11 €

Récemment reprise par la dernière génération, cette exploitation dispose de 8 ha de vignes. Des ceps de quarante ans ont donné naissance à ce riesling jaune doré très brillant, au nez expressif et fin marqué par la minéralité du terroir. Le palais révèle une bonne matière, soutenue par une belle acidité dénuée d'agressivité. Une pointe de sucre résiduel, qui devrait rapidement se fondre, n'altère pas l'équilibre de l'ensemble. Une longue finale conclut la dégustation de ce vin harmonieux, qu'il convient d'attendre un peu. (Sucres résiduels : 5,2 g/l.)
➼ EARL Baumann-Zirgel, 5, rue du Vignoble, 68630 Mittelwihr, tél. 03.89.47.90.40, fax 03.89.49.04.89, e-mail baumann-zirgel@wanadoo.fr ☑ ⏀ ⋏ t.l.j. sf dim. 9h-12h 14h-19h

DOM. DU BOUXHOF Riesling 2002

0,16 ha	1 170	■(II)↓	8 à 11 €

Ancien vignoble monastique, le domaine du Bouxhof, fort de 7,5 ha de vignes, a huit siècles d'histoire et est établi dans des bâtiments classés Monument historique. Du grand cru Mandelberg est issu ce riesling d'un jaune pâle brillant et limpide, qui s'ouvre rapidement sur des notes d'acacia et de fruits très mûrs. L'attaque douce est

équilibrée par une acidité non mordante. Un fruité concentré agrémente le palais fait d'une belle matière et persiste dans une finale agréable et bien fondue. (Sucres résiduels : 6 g/l.)
☛ EARL François Edel et Fils, Dom. du Bouxhof, 68630 Mittelwihr, tél. 03.89.47.90.34, fax 03.89.47.84.82, e-mail edel.bouxhof@online.fr
☑ 🏢 🏠 ⵠ ⵜ t.l.j. 9h-19h

GOCKER Gewurztraminer 2002

	0,2 ha	1 400	🍾♦ 11 à 15 €

Philippe Gocker exploite 8 ha autour de Mittelwihr. Sur l'étiquette de son gewurztraminer du Mandelberg, il a fait représenter une branche d'amandier, arbre qui a pu s'acclimater sur ce terroir précoce. D'un jaune intense et brillant, ce 2002 mêle au nez des arômes très fins de fruits surmûris et de fruits secs. Riche, ample et élégant, le palais offre une finale fraîche et persistante. Ce vin devrait s'exprimer davantage dans un an ou deux. (Sucres résiduels : 30 g/l.)
☛ Philippe Gocker, 1, pl. des Cigognes, 68630 Mittelwihr, tél. 03.89.49.01.23, fax 03.89.49.04.72, e-mail philippe.gocker@wanadoo.fr ☑ ⵠ ⵜ r.-v.

JEAN-PAUL MAULER Gewurztraminer 2002 ★

	0,5 ha	3 200	🍷 8 à 11 €

Jean-Paul Mauler bénéficie d'une solide expérience puisqu'il conduit sa propriété depuis le début des années 1960. Le cru du Mandelberg a engendré un gewurztraminer jaune paille à reflets brillants, au nez intense associant la rose aux fruits confits. Le palais ample se distingue par une douceur modérée et une bonne fraîcheur qui donnent une agréable impression de légèreté. La finale est longue et délicate. Une bouteille tout indiquée pour la table, à servir par exemple avec des spécialités exotiques. (Sucres résiduels : 27 g/l.)
☛ EARL Jean-Paul Mauler, 3, pl. des Cigognes, 68630 Mittelwihr, tél. 03.89.47.93.23, fax 03.89.47.88.29, e-mail mauler.jp@wanadoo.fr
☑ 🏢 ⵠ ⵜ t.l.j. 9h-12h 13h-19h

BERNARD WURTZ Riesling 2002 ★★

	0,24 ha	1 000	🍾 46 à 76 €

Si le millésime précédent a été cité l'an dernier, le 2002 est couvert d'éloges. Jaune pâle à reflets dorés très brillants, il est encore réservé au nez, exprimant la minéralité du terroir avec quelques notes florales. C'est en bouche qu'il s'impose : sa très belle matière ronde est portée par une acidité bien fondue et sa finale aromatique persiste longuement. Une remarquable harmonie. (Sucres résiduels : 15 g/l.)
☛ Bernard Wurtz, 12, rue du Château, 68630 Mittelwihr, tél. 03.89.47.93.24, fax 03.89.86.01.69 ☑ ⵠ ⵜ r.-v.

ZIEGLER-MAULER
Gewurztraminer Les Amandiers 2002 ★★

	0,15 ha	1 000	🍾♦ 11 à 15 €

Philippe Ziegler conduit les 4,5 ha de la propriété familiale depuis 1996. Déjà remarquée dans certaines éditions précédentes, cette cuvée Les Amandiers est très convaincante ce millésime. D'un jaune d'or intense, elle s'ouvre sur d'engageants parfums évoquant la surmaturité (pâte de fruits, miel). On retrouve ce fruité confit

dans une bouche riche et longue. Un vin de gastronomie, que l'on peut servir dès maintenant mais qui devrait se bonifier dans les années à venir. (Sucres résiduels : 25 g/l.)
☛ Dom. Ziegler-Mauler et Fils, 2, rue des Merles, 68630 Mittelwihr, tél. 03.89.47.90.37, fax 03.89.47.98.27 ☑ ⵠ ⵜ r.-v.

Alsace grand cru marckrain

RENE BARTH Gewurztraminer 2002 ★

	0,6 ha	2 500	🍷 11 à 15 €

Michel Fonné s'est formé à Dijon, en Champagne et même en Californie avant de reprendre en 1989 la propriété de son oncle René Barth. Partisan de la vinification parcellaire, il a développé les vins de terroir. Jaune d'or dans le verre, son gewurztraminer du Marckrain présente un nez intense, évoluant des fruits surmûris, voire confits, vers de délicates senteurs de rose. Cette palette aromatique se retrouve dans un palais concentré ample, à la finale agréable. Un ensemble élégant que l'on pourra servir à l'apéritif, avec une cuisine exotique ou sur un dessert pas trop sucré. (Sucres résiduels : 25 g/l.)
☛ Dom. Michel Fonné, 24, rue du Gal-de-Gaulle, 68630 Bennwihr, tél. 03.89.47.92.69, fax 03.89.49.04.86, e-mail michel@michelfonne.com ☑ ⵠ ⵜ r.-v.

DOM. STIRN Gewurztraminer 2001 ★

	0,15 ha	1 000	🍷 8 à 11 €

Diplôme d'œnologie en poche, Fabien Stirn a repris l'exploitation de ses parents qui étaient apporteurs de raisins. Il a montré d'emblée son savoir-faire, témoins les vins retenus dans le Guide. Du Marckrain est issu ce gewurztraminer jaune d'or très brillant, au nez complexe dominé par les fruits confits. Très concentré, souple, le palais se caractérise par une douceur qui ne demande qu'à se fondre. Cette bouteille peut plaire dès maintenant mais elle devrait s'exprimer davantage dans quelques années. (Sucres résiduels : 50 g/l.)
☛ Fabien Stirn, Dom. Stirn, 3, rue du Château, 68240 Sigolsheim, tél. 03.89.47.30.58, fax 03.89.47.30.58, e-mail domainestirn@free.fr
☑ ⵠ ⵜ t.l.j. 13h30-19h sf sam. dim. sur r.-v.

Alsace grand cru moenchberg

ANDRE ET REMY GRESSER Riesling 2002

	0,78 ha	2 000	🍾🍷♦ 11 à 15 €

Avec ses 10 ha répartis dans plusieurs grands crus d'Andlau et son enracinement séculaire dans le vignoble, cette exploitation est de celles qui comptent dans la petite cité du Bas-Rhin. Du Moenchberg est issu ce riesling jaune clair, encore assez fermé au nez. Il en émane cependant des

effluves d'agrumes accompagnés de touches minérales. Des notes citronnées intenses marquent un palais bien équilibré, qui gagnera en fondu dans les années qui viennent. (Sucres résiduels : 13 g/l.)
Dom. André et Rémy Gresser, 2, rue de l'Ecole, 67140 Andlau, tél. 03.88.08.95.88, fax 03.88.08.55.99, e-mail remy.gresser@wanadoo.fr
t.l.j. 8h-12h 14h-18h30; dim. sur r.-v.

ALBERT MAURER Riesling 2002 ★★

0,6 ha 3 500 8 à 11 €

Avec un domaine de près de 13 ha, cette exploitation figure au nombre des plus importantes d'Eichhoffen, petit village limitrophe d'Andlau. « Mont des Moines », le Moenchberg, qui dépendait à l'origine d'une abbaye bénédictine, bénéficiait d'un grand renom dès la fin du XIes. Situé à l'ouest d'Eichhoffen, il couvre un coteau en pente douce. Ses sols limono-argileux à tendance calcaire vers la crête sont fort propices au riesling. Voyez ce vin jaune à reflets or, aux parfums si flatteurs : pêche blanche au premier nez, puis une touche un peu poivrée. L'attaque pleine introduit une bouche corsée, ample, plutôt ronde et persistante, mêlant les agrumes et l'exotisme de l'ananas et de la papaye. Un vin de grande tenue qui fera plaisir pendant plusieurs années. (Sucres résiduels : 8 g/l.)
Albert Maurer, 11, rue du Vignoble, 67140 Eichhoffen, tél. 03.88.08.96.75, fax 03.88.08.59.98, e-mail info@vins-maurer.fr
t.l.j. sf dim. 8h-12h 13h30-18h

GUY WACH Riesling 2002

0,32 ha 2 100 11 à 15 €

Dirigé par Guy Wach depuis 1979, le domaine des Marronniers (plus de 7 ha) est l'une des propriétés réputées d'Andlau, d'autant plus qu'il comprend des parcelles dans les trois grands crus de la commune. Du Moenchberg est né ce riesling jaune pâle, au nez floral très expressif. Une attaque souple introduit une bouche équilibrée et fraîche, où l'on retrouve les notes florales, assorties de nuances minérales. Une jolie bouteille qu'il est conseillé d'attendre un an ou deux au moins. (Sucres résiduels : 7 g/l.)
Guy Wach, Dom. des Marronniers, 5, rue de la Commanderie, 67140 Andlau, tél. 03.88.08.93.20, fax 03.88.08.45.59
r.-v.

Alsace grand cru muenchberg

W. GISSELBRECHT Riesling 2002

1,5 ha 10 000 8 à 11 €

Etablie à Dambach-la-ville, la maison Willy Gisselbrecht exerce une activité de négoce tout en exploitant en propre un vignoble de 17 ha. Elle possède notamment une parcelle dans le Muenchberg. Situé à Nothalten dans un petit vallon, ce « mont des Moines », autrefois propriété des Cisterciens, est constitué de sédiments de la fin de l'ère primaire, partiellement volcaniques, mais surtout sableux et caillouteux. Un terrain d'élection pour le riesling. Jaune pâle à reflets verts, celui-ci possède un nez expressif, déclinant des notes de fleurs blanches, puis d'agrumes frais (citron et pamplemousse) et enfin des nuances balsamiques. Ample et bien équilibré, le palais révèle des arômes fruités et floraux, minéraux en finale. (Sucres résiduels : 11 g/l.)
Willy Gisselbrecht et Fils, 5, rte du Vin, 67650 Dambach-la-Ville, tél. 03.88.92.41.02, fax 03.88.92.45.50, e-mail info@vins-gisselbrecht.com r.-v.

Alsace grand cru ollwiller

VIEIL-ARMAND Gewurztraminer 2001 ★

n.c. 8 810 8 à 11 €

Cette coopérative vinifie des vendanges issues de la partie méridionale du vignoble alsacien. Ce tronçon de la route du Vin comprend d'excellents terroirs, dont cet Ollwiller aux sols de conglomérats sablo-argileux rougeâtres. Avec 450 mm de précipitations annuelles, c'est l'un des lieux-dits les plus secs d'Alsace. Il a donné naissance à ce gewurztraminer jaune aux brillants reflets verts, dont le nez révèle une intense surmaturation du raisin. Les notes florales typiques du cépage complètent cette palette aromatique. Riche, ample et d'une onctuosité caractéristique, le palais est dominé par des sucres résiduels qui se fondront avec le temps. Un vin de garde. (Sucres résiduels : 37 g/l.)
Cave vinicole du Vieil-Armand, 1, rte de Cernay, 68360 Soultz-Wuenheim, tél. 03.89.76.73.75, fax 03.89.76.70.75 t.l.j. 8h-12h 14h-18h

Alsace grand cru osterberg

FRANCOIS SCHWACH ET FILS
Gewurztraminer 2002

0,14 ha 1 200 11 à 15 €

Ce domaine familial s'étend sur 21 ha, ce qui représente une superficie assez importante en Alsace. Il a son siège à Hunawihr mais possède des vignes dans différents terroirs des communes environnantes. C'est ainsi qu'une parcelle de l'Osterberg de Ribeauvillé est à l'origine de ce gewurztraminer. Jaune d'or à reflets plus soutenus, ce vin révèle au nez le caractère marneux de son terroir en libérant des parfums plutôt lourds de pêche blanche. En bouche, il séduit par son ampleur, une douceur bien intégrée et des arômes épicés. Mieux vaut le déguster à son optimum, dans deux à trois ans. (Sucres résiduels : 35 g/l.)
Dom. François Schwach et Fils, 28, rte de Ribeauvillé, 68150 Hunawihr, tél. 03.89.73.62.15, fax 03.89.73.37.84, e-mail info@schwach.com r.-v.

Alsace grand cru pfersigberg

CHARLES BAUR
Gewurztraminer Vendanges tardives 2001 *

0,36 ha 3 000 15 à 23 €

Avec son plan circulaire et ses ruelles bordées d'étroites maisons serrées les unes contre les autres, Eguisheim attire nombre de visiteurs. La cité dispose aussi d'excellents terroirs, bien mis en valeur par des vignerons talentueux, tels Charles Baur. Comme pour l'édition précédente, le domaine a présenté un gewurztraminer du Pfersigberg, grand cru aux sols marno-calcaires très favorables à ce cépage ; un 2001 comme l'an dernier, mais celui-ci est un liquoreux. Un vin jaune pâle, au nez délicat de rose et de litchi. Attaque charmeuse, finesse, longue finale épicée : l'élégance est le maître mot de la dégustation. Roquefort ou crème brûlée ?

Charles Baur, 29, Grand-Rue, 68420 Eguisheim,
tél. 03.89.41.32.49, fax 03.89.41.55.79,
e-mail cave@vinscharlesbaur.fr
t.l.j. sf dim. 9h-13h 14h-19h

EMILE BEYER Riesling 2002 *

0,68 ha 3 115 11 à 15 €

Etablie à Eguisheim depuis 1580, la famille Beyer est installée au centre du bourg. L'exploitation a son siège dans une ancienne hostellerie où Turenne, dit-on, logea en 1674 à la veille de la prise de Turckheim. Sur ses 16,5 ha de vignes, une parcelle de riesling implantée dans le Pfersigberg est à l'origine de ce vin jaune clair limpide qui évolue au nez des fleurs blanches au pamplemousse. On retrouve ces arômes d'agrumes, dominés par la minéralité du terroir argilo-calcaire, dans un palais vif et bien équilibré, qui renoue en finale avec le pamplemousse. (Sucres résiduels : 8 g/l.)

Emile Beyer, 7, pl. du Château, 68420 Eguisheim,
tél. 03.89.41.40.45, fax 03.89.41.64.21,
e-mail info@emile-beyer.fr
t.l.j. 9h-12h 14h-18h
Luc et Christian Beyer

DOM. FERNAND STENTZ Riesling 2002 *

0,49 ha 2 300 8 à 11 €

Etabli à Husseren-les-Châteaux, au sud de Colmar, Fernand Stentz signe des vins typiques et de qualité, comme ce riesling du Pfersigberg. Jaune clair tirant sur le vert, ce 2002 apparaît très jeune. Au nez, il délivre avec discrétion un fruité citronné. Assez vif à l'attaque, il est adouci par une certaine rondeur qui contribue à son équilibre. Sa longue finale est soulignée de notes d'agrumes. De l'avis général, une bouteille pleine de promesses, à attendre deux ou trois ans. (Sucres résiduels : 8,3 g/l.)

Fernand Stentz,
40, rte du Vin, 68420 Husseren-les-Châteaux,
tél. 03.89.49.30.04, fax 03.89.49.32.88 r.-v.

ODILE ET DANIELLE WEBER
Gewurztraminer Sélection de grains nobles 2001 *

0,5 ha n.c. 23 à 30 €

Fortifiée au XIIIe s., la cité d'Eguisheim a gardé un cachet médiéval. Sa renommée viticole remonte également au Moyen Age. Les sœurs Weber exploitent aux environs de la commune 4,5 ha de vignes conduites depuis dix ans en agrobiologie et depuis trois ans en biodynamie. Elles proposent une sélection de grains nobles jaune d'or. Un peu fermé, le nez laisse percer des notes fraîches d'agrumes relevées d'épices diverses. Une attaque franche inaugure un palais équilibré, même si la douceur demande à se fondre. La palette aromatique faite d'un fruité exotique et d'épices est bien agréable. Un vin en train de se révéler.

Odile et Danielle Weber,
14, rue de Colmar, 68420 Eguisheim,
tél. 03.89.41.35.56, fax 03.89.41.35.56 r.-v.

Alsace grand cru pfingstberg

LUCIEN ALBRECHT
Riesling Vendanges tardives 2001 **

n.c. 3 500 23 à 30 €

Un certain Roman Albrecht était vigneron dans le sud de l'Alsace en 1425. Ses descendants exploitent 32 ha de vignes et exportent 50 % de leur production dans une trentaine de pays. Enjôleur par sa palette aromatique très raffinée, où la fraîcheur des agrumes s'accorde avec des notes de surmaturation, leur riesling du Pfingstberg révèle en bouche une pointe de minéralité. Parfaitement équilibré, typique et persistant, un vin de classe pour l'apéritif, du poisson en sauce ou du homard.

Lucien Albrecht, 9, Grand-Rue, 68500 Orschwihr,
tél. 03.89.76.95.18, fax 03.89.76.20.22,
e-mail lucien.albrecht@wanadoo.fr
t.l.j. 8h-19h; f. dim. de jan. à juin et de sept. à nov.
Jean Albrecht

Alsace grand cru praelatenberg

DOM. ENGEL Riesling 2002 *

0,85 ha 7 300 8 à 11 €

Les terres d'Orschwiller dépendaient du château du Haut-Kœnigsbourg qui domine toujours le village. Située à l'extérieur de la commune, l'exploitation s'étend sur 18 ha, dont 7 situés dans le Praelatenberg. Ce grand cru a valu un coup de cœur à Christian et Hubert Engel dans le millésime précédent (en gewurztraminer). D'un jaune assez clair, ce riesling développe au nez des senteurs d'agrumes caractéristiques du cépage. Ample, riche, profond et long, il laisse un très bon souvenir. Il plaira pendant plusieurs années. (Sucres résiduels : 7 g/l.)

☞ Dom. Engel Frères, 1, rue des Vignes,
Haut-Kœnigsbourg, 67600 Orschwiller,
tél. 03.88.92.01.83, fax 03.88.92.17.27,
e-mail vins-engel@wanadoo.fr
☑ ⌂ ⚭ t.l.j. 9h-11h30 14h-18h; groupes sur r.-v.

CHARLES FAHRER Gewurztraminer 2002

	0,19 ha	1 700	🍶 8 à 11 €

Exposé sud-sud-est, le Praelatenberg couvre les pentes du Haut-Kœnigsbourg qui se dresse majestueusement au-dessus d'Orschwiller. Le sous-sol de gneiss et le sol siliceux, peu profond, aéré grâce à la présence de cailloux ferrugineux, sont très propices au gewurztraminer. Celui-ci apparaît très jeune avec sa robe jaune pâle et son nez plutôt minéral qui demande à s'affiner. Expressif au palais, type par le terroir avec ses arômes réglissés, bien structuré et long, il révèle un beau potentiel de garde. On l'attendra au moins un an. (Sucres résiduels : 43 g/l.)
☞ GAEC Charles Fahrer et Fils, 5-7, Grand-Rue, 67600 Orschwiller, tél. 03.88.92.08.25, fax 03.88.82.56.14 ☑ ⌂ ⚭ t.l.j. 8h-20h

LES VIGNERONS RECOLTANTS D'ORSCHWILLER-KINTZHEIM Riesling 2002 ★

	1,2 ha	7 500	🍶⚮ 8 à 11 €

Cette coopérative ne vinifie que 130 ha de vignes mais livre des vins intéressants, en particulier ceux qui sont issus du grand cru Praelatenberg, tel ce riesling. Sa robe jaune pâle à reflets verts dit sa jeunesse, mais son nez est déjà expressif et complexe, évoluant de notes minérales, un peu pétrolées vers des senteurs de fleurs blanches. On y trouve aussi des nuances de surmaturation. Après une belle attaque fraîche, la bouche apparaît souple, pleine de gras et longue. Fort agréable, la palette aromatique mêle les agrumes et les fruits blancs (poire, pêche). Ce riesling au joli fruité se gardera bien cinq ans. (Sucres résiduels : 8 g/l.)
☞ Cave Les Faîtières, 4A, rte du Vin, 67600 Orschwiller, tél. 03.88.92.09.87, fax 03.88.82.30.92, e-mail cave@cave-orschwiller.fr
☑ ⚮ ⚭ t.l.j. 10h-12h 14h-18h

ZIMMERMANN Riesling 2001

	0,29 ha	2 000	🍾 8 à 11 €

Le vignoble a été constitué il y a plus de trois siècles par des ancêtres de la famille Zimmermann. En 1990, la dernière génération a pris les rênes de la propriété qui s'étend sur 16 ha. Jaune clair à reflets verts, son riesling du Praelatenberg possède un nez expressif et profond, plutôt minéral. Frais et concentré au palais, il attire l'attention par sa palette aromatique qui associe des fleurs blanches et des fruits à pépins avec des nuances miellées. Atypique mais intéressant. (Sucres résiduels : 20 g/l.)
☞ EARL A. Zimmermann Fils, 3, Grand-Rue, 67600 Orschwiller, tél. 03.88.92.08.49, fax 03.88.92.94.55 ☑ ⚭ r.-v.

Alsace grand cru rangen

CLOS SAINT-THEOBALD
Gewurztraminer 2002 ★★★

	0,6 ha	1 500	30 à 38 €

Etablie à Colmar, cette exploitation est réputée pour ses vignes du Rangen qui lui ont permis de collectionner les coups de cœur (une bonne demi-douzaine). Ce cru

escarpé (plus de 60 % de pente) domine la vallée de la Thur et la petite ville de Thann et donne naissance à des vins de grande expression. Habillé d'or, celui-ci ne se livre pas entièrement au nez, même si l'olfaction, avec ses notes confites, laisse augurer une matière concentrée. Somptueux, soyeux, voluptueux, le palais apparaît très rond tout en restant remarquablement équilibré. Longue et fraîche, la finale au fruité complexe laisse le souvenir d'un superbe ensemble, qui sera encore plus grand dans cinq ans. (Sucres résiduels : 40 g/l.)
☞ EARL Dom. Schoffit, 66-68, Nonnenholzweg, 68000 Colmar, tél. 03.89.24.41.14, fax 03.89.41.40.52 ☑ ⚮ ⚭ r.-v.

CLOS SAINT-THEOBALD
Tokay-pinot gris Vendanges tardives 2001 ★★

	1,2 ha	3 000	🍾 38 à 46 €

Pour connaître le Rangen, il faut se cramponner à la vigne qui couvre ce coteau pentu pour ne pas glisser sur le sol caillouteux d'origine volcanique. Le pinot gris exprime au mieux la personnalité de ce terroir exceptionnel. D'un jaune doré brillant, ce 2001 offre un nez complexe : senteurs florales, notes de pourriture noble, avec de l'abricot sec, nuances de truffe et de cacao s'y rencontrent et se prolongent dans une bouche riche et longue. Un ensemble harmonieux et de garde.
☞ EARL Dom. Schoffit, 66-68, Nonnenholzweg, 68000 Colmar, tél. 03.89.24.41.14, fax 03.89.41.40.52 ☑ ⚮ ⚭ r.-v.

Alsace grand cru rosacker

DAVID ERMEL Riesling 2001

	0,55 ha	4 100	🍶⚮ 8 à 11 €

Ce domaine familial d'une douzaine d'hectares est situé à Hunawihr, à 100 m du parc à cigognes et à 400 m de la célèbre église fortifiée. Son riesling du Rosacker apparaît fort jeune avec sa robe jaune pâle et son nez discret, floral et minéral. Cette minéralité domine le palais franc et droit, qui frappe par sa vivacité. Des arômes d'agrumes (citron et pamplemousse) s'expriment en finale. Une bouteille à garder deux ou trois ans et à servir sur du poisson ou des fruits de mer. (Sucres résiduels : 5 g/l.)
☞ David Ermel, 30, rte de Ribeauvillé, 68150 Hunawihr, tél. 03.89.73.61.71, fax 03.89.73.32.56 ☑ ⚮ ⚭ t.l.j. 8h-12h 14h-19h

CAVE VINICOLE DE HUNAWIHR
Tokay-pinot gris 2002 ★★

1,2 ha 8 000 8 à 11 €

Créée en 1954, cette coopérative a su se faire connaître grâce à ses vins issus de grands crus. Les lecteurs du Guide voient régulièrement décrits ceux qui proviennent du plus célèbre terroir de Hunawihr, le Rosacker. Il a produit ces trois dernières années des pinots gris très intéressants. Après un 2001 coup de cœur, ce 2002 s'habille d'or pâle et s'annonce par un nez discret, aux parfums fumés caractéristiques du cépage. Une attaque moelleuse introduit un palais puissant, ample et onctueux. La longue finale associe les fleurs blanches et les fruits exotiques. Une bouteille de caractère qu'il vaut mieux déboucher dans deux ans. (Sucres résiduels : 43 g/l.)

Cave vinicole de Hunawihr, 48, rte de Ribeauvillé, 68150 Hunawihr, tél. 03.89.73.61.67, fax 03.89.73.33.95
t.l.j. 8h-12h 14h-18h

Alsace grand cru saering

LOBERGER Tokay-pinot gris Cuvée Florian 2002 ★

0,05 ha 450 11 à 15 €

Etablie dans le tronçon méridional de la route du Vin, cette exploitation dispose de près de 8 ha éparpillés sur différents terroirs. Elle paraît régulièrement dans le Guide sous la rubrique alsace grand cru et a montré aussi son savoir-faire avec des tokays (voir le coup de cœur attribué à des vendanges tardives 2000). Jaune d'or dans le verre, ce 2002 reste fermé au nez mais laisse percer le fumé-grillé du cépage. Une attaque fraîche introduit un palais puissant, et qui laisse pourtant une impression de finesse et d'élégance. Plus expressif que le nez, celui-ci mêle l'orange et les fruits confits dans une finale complexe. Un vin de grande garde à ouvrir de préférence dans deux ou trois ans. (Sucres résiduels : 32 g/l.)

Dom. Joseph Loberger, 10, rue de Bergholtz-Zell, 68500 Bergholtz, tél. 03.89.76.88.03, fax 03.89.74.16.89, e-mail vin.loberger@worldonline.fr r.-v.

Alsace grand cru schlossberg

ANDRE BLANCK ET SES FILS Riesling 2002 ★★

2 ha 9 000 8 à 11 €

Etablie dans l'ancienne propriété des chevaliers de Malte, cette exploitation a le privilège de posséder 2 ha de riesling dans le grand cru Schlossberg, un terroir qui semble fait pour ce cépage. N'a-t-il pas donné plusieurs coups de cœur au domaine (voir le millésime 97) ? Jaune doré à reflets brillants, ce 2002 s'ouvre d'emblée sur des arômes de pêche et de fleurs. Cette palette aromatique se retrouve dans un palais gras et rond, à la longue finale fruitée. Une bouteille pour les grandes occasions dont on peut être tenté de suivre l'évolution sur plusieurs années. (Sucres résiduels : 12 g/l.)

André Blanck et Fils,
Ancienne Cour des Chevaliers de Malte,
68240 Kientzheim, tél. 03.89.78.24.72,
fax 03.89.47.17.07, e-mail charles.blanck@free.fr
t.l.j. sf dim. 8h-12h 13h30-18h

JEAN DIETRICH Riesling Vieilles Vignes 2002

0,41 ha 3 000 8 à 11 €

Exploitation familiale de 11 ha établie à Kaysersberg, au cœur de la route du Vin. Elle possède une parcelle de plants de riesling âgés d'environ quarante ans qui a donné naissance à ce vin jaune vert. Déjà bien ouvert, le nez mêle les fleurs blanches à une touche minérale. La bouche révèle une belle matière, ample et plutôt complexe, avec des saveurs de pêche blanche. Assez persistante, elle suggère un certain potentiel. Cette bouteille devrait bien évoluer dans les cinq prochaines années. (Sucres résiduels : 1 g/l.)

Jean Dietrich,
4, rue de l'Oberhof, 68240 Kaysersberg,
tél. 03.89.78.25.24, fax 03.89.47.30.72,
e-mail dietrich.jean-et-fils@wanadoo.fr
t.l.j. 10h-12h 14h-18h

ALBERT MANN Riesling 2002 ★★★

1,4 ha 7 000 15 à 23 €

A la tête de 19 ha, Jacky et Maurice Barthelmé détiennent des parcelles dans cinq grands crus, dont ils tirent des vins régulièrement couverts d'étoiles. Après un pinot gris du Hengst couronné l'an dernier, ce riesling jaune doré à reflets verts est unanimement salué. Le nez exubérant mêle des parfums de surmaturation (coing et abricot). Frais à l'attaque, puissant, agréablement rond, tout en finesse, ce 2002 laisse une superbe impression avec sa longue finale aux notes de fruits exotiques. Excellent et de garde. (Sucres résiduels : 17 g/l.)

Dom. Albert Mann,
13, rue du Château, 68920 Wettolsheim,
tél. 03.89.80.62.00, fax 03.89.80.34.23,
e-mail vins@mann-albert.com r.-v.
Barthelmé

ZIEGLER-MAULER Riesling Les Murets 2002 ★★

0,27 ha 1 500 11 à 15 €

Etablie à Mittelwihr, cette exploitation familiale possède une parcelle de riesling sur le terroir du Schlossberg à Kientzheim. Elle donne naissance à cette cuvée des Murets qui reçoit généralement un très bon accueil dans le Guide. Ainsi, le 2002 a-t-il obtenu deux étoiles comme le 2001. Jaune d'or à reflets vieil or, ce vin séduit d'emblée par ses parfums complexes : des notes de surmaturité au premier nez (miel, coing), puis des nuances de pêche blanche. Cette palette se prolonge en bouche, complétée d'un fruité exotique et de touches minérales liées au terroir granitique. Franc, bien structuré, très harmonieux, un beau vin de garde. (Sucres résiduels : 13,2 g/l.)

Dom. Ziegler-Mauler et Fils,
2, rue des Merles, 68630 Mittelwihr,
tél. 03.89.47.90.37, fax 03.89.47.98.27 r.-v.
Philippe Ziegler

Alsace grand cru schoenenbourg

CAVE VINICOLE DE HUNAWIHR
Gewurztraminer 2002 ★

▒ 0,2 ha 1 300 ▮ 🌡 8 à 11 €

La coopérative de Hunawihr élabore des vins de grands crus (cinq en tout) qui contribuent à sa réputation. D'un joli doré à reflets verts, ce gewurztraminer du Schoenenbourg présente un nez complexe mêlant senteurs florales, fruits confits et nuances épicées. Ce fruité épicé se retrouve dans un palais équilibré, frais et long. Un ensemble flatteur qui devrait encore se bonifier au cours des prochaines années. (Sucres résiduels : 35 g/l.)

🔑 Cave vinicole de Hunawihr, 48, rte de Ribeauvillé, 68150 Hunawihr, tél. 03.89.73.61.67, fax 03.89.73.33.95
🅥 🍸 🚶 t.l.j. 8h-12h 14h-18h

ROGER JUNG ET FILS Riesling 2001

▒ 1 ha 5 300 ▮ 🌡 11 à 15 €

Installés près des remparts de Riquewihr, Rémy et Jacques Jung ont pris les rênes de l'exploitation familiale en 1989. Le Schoenenbourg a déjà valu un coup de cœur à cette propriété (un riesling vendanges tardives 98). Il a donné naissance à ce riesling dont la robe jaune-vert dit la jeunesse. Le nez discret livre des effluves floraux puis des parfums d'agrumes et enfin des touches minérales liées au terroir. Au palais, la vivacité est contrebalancée par la rondeur de sucres résiduels qui devront se fondre. Une finale sur les fruits secs conclut la dégustation de ce vin fin et plaisant. (Sucres résiduels : 14,7 g/l.)

🔑 Roger Jung et Fils, 23, rue de la 1re-Armée, 68340 Riquewihr, tél. 03.89.47.92.17, fax 03.89.47.87.63, e-mail rjung@terre-net.fr
🅥 🏠 🍸 🚶 t.l.j. 8h-12h 13h30-18h

Alsace grand cru sommerberg

ALBERT BOXLER Riesling Vieilles Vignes 2002 ★★

▒ n.c. n.c. 15 à 23 €

Ce n'est pas la première fois, tant s'en faut, que cette exploitation tire un remarquable riesling du Sommerberg, terroir de prédilection pour ce cépage. D'un jaune d'or intense et brillant, ce 2002 apparaît confit au nez, avec des parfums d'abricot. Le palais ample, voluptueux, révèle une grande matière et séduit par son fruité exotique, son équilibre et sa persistance. Déjà plaisante, une bouteille de garde. (Sucres résiduels : 15 g/l.)

🔑 Albert Boxler, 78, rue des Trois-Epis, 68230 Niedermorschwihr, tél. 03.89.27.11.32, fax 03.89.27.70.14

PREISS-ZIMMER Riesling 2002 ★

▒ 1,3 ha n.c. ▮ 🌡 8 à 11 €

Etablie à Riquewihr, cette maison de négoce possède une parcelle dans le Sommerberg, terroir qui constitue le fleuron de Niedermorschwihr. La « Montagne de l'Eté », exposée au midi, se caractérise par des sols d'arènes granitiques qui se réchauffent rapidement : des conditions rêvées pour le riesling. De couleur jaune-vert, celui-ci semble très jeune. Son nez frais évoque les agrumes. Vif à l'attaque, aromatique (toujours sur les agrumes, nuancés de notes florales), marqué par une forte acidité, ce vin montre toute sa puissance en finale. Une cuvée de longue garde que l'on peut oublier cinq ans en cave. (Sucres résiduels : 2,3 g/l.)

🔑 SARL Preiss-Zimmer, 40, rue du Gal-de-Gaulle, BP 20, 68340 Riquewihr, tél. 03.89.47.86.91, fax 03.89.27.35.33, e-mail preiss-zimmer@calixo.net

CAVE DE TURCKHEIM Riesling 2002 ★

▒ 1,3 ha 7 300 ▮ 🌡 8 à 11 €

Cette coopérative a produit plus d'une fois de très bons rieslings. L'œnologue Michel Lihrmann signe ce 2002 jaune clair à reflets verts, au nez expressif et frais évoquant les agrumes. Franche à l'attaque, marquée par une bonne acidité, la bouche se montre puissante et persiste sur des notes citronnées d'une grande finesse. Un vin de gastronomie à laisser vieillir quelques années. (Sucres résiduels : 2,3 g/l.)

🔑 Cave de Turckheim, 16, rue des Tuileries, 68230 Turckheim, tél. 03.89.30.23.60, fax 03.89.27.35.33, e-mail brandt@cave-turckheim.com 🅥 🍸 r.-v.

Alsace grand cru sonnenglanz

DOM. BOTT-GEYL Gewurztraminer 2002 ★★★

▒ 1 ha 4 000 ▮ 🌡 15 à 23 €

Créé par Jean-Martin Geyl en 1795, ce domaine couvre aujourd'hui près de 13 ha. Depuis le début des années 1990, Jean-Christophe Bott le conduit avec un réel savoir-faire dont témoignent cinq coups de cœur obtenus en alsace grand cru au cours de la dernière décennie (trois en Sonnenglanz). Exploitée maintenant en biodynamie, la propriété exporte 60 % de sa production. Son gewurztraminer habillé d'or lui permet de renouer avec les coups de cœur. Le nez intense et d'une extrême complexité associe une pointe minérale liée au terroir à des parfums floraux et fruités. D'une rare puissance au palais, il laisse cependant une impression de délicatesse. Bien structuré, d'un très bel équilibre, aromatique et persistant, il fait l'unanimité. (Sucres résiduels : 40 g/l.)

🔑 Dom. Jean-Christophe Bott-Geyl,
1, rue du Petit-Château, 68980 Beblenheim,
tél. 03.89.47.90.04, fax 03.89.47.97.33,
e-mail bottgeyl@libertysurf.fr ☑ ⌂ Y 🚶 r.-v.

DOM. BOTT-GEYL Pinot gris 2002 ★★

■	1,3 ha	5 600	▮ ⚲	**15 à 23 €**

Le Sonnenglanz donne décidément naissance à des vins de très grande tenue, surtout lorsque ceux-ci sont élaborés avec l'art de Jean-Christophe Bott. Dans son habit jaune doré, ce pinot gris libère des parfums puissants : les notes fumées caractéristiques du cépage accompagnées de nuances de zeste d'agrumes révèlent la jeunesse de ce vin. On trouve une même puissance au palais, un fruité concentré et complexe, une longue finale fraîche. Riche et harmonieuse, cette bouteille offre tout ce que l'on demande à un grand cru, conclut un dégustateur. (Sucres résiduels : 30 g/l.)

🔑 Dom. Jean-Christophe Bott-Geyl,
1, rue du Petit-Château, 68980 Beblenheim,
tél. 03.89.47.90.04, fax 03.89.47.97.33,
e-mail bottgeyl@libertysurf.fr ☑ ⌂ Y 🚶 r.-v.

RAYMOND RENCK Gewurztraminer 2002 ★★

■	0,2 ha	1 400	8 à 11 €

Etablie à Beblenheim, cette exploitation dispose de 5 ha de vignes, dont quelques parcelles dans les grands crus environnants. Le Sonnenglanz, exposé au sud-est, mérite bien son nom : ce « Rayon de soleil » a donné naissance à un gewurztraminer d'un jaune d'or soutenu et brillant, au nez intense de fruits confits nuancé de poivre. On retrouve ce fruité surmûri dans une bouche riche, ample et très persistante. Pour l'apéritif ou le foie gras. (Sucres résiduels : 49 g/l.)

🔑 EARL Raymond Renck, 11, rue de Hoën,
68980 Beblenheim, tél. 03.89.47.91.59,
fax 03.89.47.91.75 ☑ Y 🚶 t.l.j. sf dim. 8h-12h 14h-19h

Alsace grand cru spiegel

LOBERGER Gewurztraminer 2002 ★★★

■	0,17 ha	1 400	11 à 15 €

Etabli à Bergholtz, dans la partie méridionale du vignoble alsacien, ce domaine familial régulièrement distingué, en particulier en grand cru, est une valeur sûre du Guide. N'a-t-il pas obtenu un coup de cœur l'an dernier ? Très favorable au gewurztraminer, le terroir du Spiegel a donné naissance ici à un vin mémorable. Jaune d'or brillant, ce 2002 explose en senteurs multiples et élégantes : les fruits confits dominent, accompagnés de pâte de coing et de notes miellées. Riche, opulent et soyeux, le palais conjugue puissance et élégance, moelleux et fraîcheur, et fait preuve d'une belle persistance. On y retrouve le fruité confituré de l'olfaction. « Vin de méditation », conclut un dégustateur... De garde bien sûr, et à laisser vieillir quelques années. (Sucres résiduels : 59 g/l.) Le **riesling 2002** de ce grand cru obtient une étoile. (Sucres résiduels : 6 g/l.)

🔑 Dom. Joseph Loberger, 10, rue de Bergholtz-Zell, 68500 Bergholtz, tél. 03.89.76.88.03, fax 03.89.74.16.89, e-mail vin.loberger@worldonline.fr ☑ Y 🚶 r.-v.

DOMAINES SCHLUMBERGER
Pinot gris Vendanges tardives 2001 ★

■	2,47 ha	12 479	▮ ◍ ⚲	**23 à 30 €**

Fondée sous le Premier Empire et agrandie au XXe s., cette propriété est la première d'Alsace par sa superficie (140 ha). Les grands crus occupent 70 ha et plus de la moitié des vignes couvrent des coteaux escarpés. Les sols lourds, sablo-argileux, du Spiegel ont engendré ce pinot gris jaune d'or marqué au nez par des notes de torréfaction (le fût) et de raisins secs. Gras, bien équilibré et assez persistant, ce vin plaisant est prêt à paraître à table.

🔑 Domaines Schlumberger,
100, rue Théodore-Deck, 68500 Guebwiller Cedex,
tél. 03.89.74.27.00, fax 03.89.74.85.75,
e-mail mail@domaines-schlumberger.com ☑ Y 🚶 r.-v.

Alsace grand cru sporen

ROGER JUNG ET FILS Tokay-pinot gris 2002 ★★★

■	0,57 ha	4 000	▮ ⚲	11 à 15 €

Roger Jung figurait dans la première édition du Guide. Ce sont ses fils Rémy et Jacques qui conduisent maintenant les 15,5 ha du domaine. Leurs vignes en grand cru (riesling du Schoenenbourg, gewurztraminer du Sporen) et leur talent leur permettent de paraître régulièrement et en bonne place dans le Guide. Ce pinot gris a ainsi charmé les dégustateurs. Jaune d'or dans le verre, il délivre le fumé du cépage avant de s'ouvrir sur des parfums complexes de fruits frais. Tout aussi fruité, le palais est riche et d'une rare harmonie. Une fine acidité vient équilibrer la rondeur et souligner la longue finale. « Un vin parfait », conclut un membre du jury. (Sucres résiduels : 45 g/l.)

🔑 Roger Jung et Fils, 23, rue de la 1re-Armée, 68340 Riquewihr, tél. 03.89.47.92.17, fax 03.89.47.87.63, e-mail rjung@terre-net.fr
☑ 🏠 🍷 🚶 t.l.j. 8h-12h 13h30-18h

JEAN KLACK Gewurztraminer 2002

■ 0,11 ha 400 🛢 11 à 15 €

Sur ce domaine, on est vigneron de père en fils depuis 1628. L'exploitation a son siège dans une maison à colombage datant de 1557 : une ancienne prison à la porte sud de Riquewihr. L'ex-geôle ouvre aujourd'hui ses portes pour faire goûter sa production. Jaune d'or à reflets verts, ce vin est à l'image de son terroir marneux assez lourd. Encore fermé au nez, à peine fruité, il se montre plus expressif au palais, qui révèle des nuances de pêche blanche accompagnées de notes épicées. Assez équilibré et charpenté, il est déjà agréable mais devrait gagner à un séjour en cave. (Sucres résiduels : 39 g/l.)

🔑 EARL Jean Klack et Fils, 18, rue de la 1re-Armée-française, 68340 Riquewihr, tél. 03.89.47.92.44, fax 03.89.47.84.72, e-mail jean.klack@wanadoo.fr
☑ 🍷 🚶 t.l.j. 9h-12h 14h-19h
🔑 Daniel Klack

JEAN ZIEGLER Tokay-pinot gris 2002 ★

■ 0,3 ha 1 500 🛢 8 à 11 €

Jean Ziegler a hérité du savoir-faire de quatre générations. Et pourtant, sur cette petite propriété (2,5 ha de vignes), la vigne ne constitue pas l'activité principale : le père était préposé aux PTT, le fils est pilote de ligne ! Ce pinot gris n'en est pas moins très réussi. De couleur jaune d'or, il est encore fermé au nez, tout en révélant le côté fumé caractéristique du cépage. Puissant à l'attaque, ample et long, c'est un vin de garde, que l'on pourra faire vieillir au moins trois ans. (Sucres résiduels : 30 g/l.)

🔑 Jean Ziegler, 3, chem. de la Daensch, 68340 Riquewihr, tél. 03.89.47.86.02, fax 03.89.47.86.02 ☑ 🍷 🚶 r.-v.

ANTOINE ZIMMER Gewurztraminer 2002 ★★

■ 0,58 ha 2 200 🍾 15 à 23 €

Dirigé par Régine Zimmer depuis 2001, ce domaine de 9 ha reconstitué en 1998 par Antoine Zimmer a pignon sur rue au cœur de Riquewihr. Il dispose non seulement d'un caveau de dégustation mais aussi d'un restaurant et de chambres d'hôtes. Du Sporen est issu ce remarquable gewurztraminer jaune d'or à reflets verts. Assez intense, le nez associe les fruits exotiques (litchi), d'autres nuances complexes de fruits frais, des épices et des notes de surmaturation. Tout en rondeur, ample, gras à souhait, onctueux, le palais est dominé par la douceur mais le sucre est équilibré par une belle fraîcheur qui porte la finale. Une grande bouteille qui gagnera à attendre. Elle se gardera au moins cinq ans. (Sucres résiduels : 52 g/l.)

🔑 Antoine Zimmer, 42, rue du Gal-de-Gaulle, 68340 Riquewihr, tél. 03.89.47.85.01, fax 03.89.47.85.01, e-mail zimmer.antoine@wanadoo.fr
☑ 🏠 🍷 🚶 t.l.j. 10h-12h 13h-19h; f. janv.

Alsace grand cru steingrübler

ANDRE STENTZ Gewurztraminer 2002 ★★

■ 0,55 ha 2 100 🍾 11 à 15 €

Voilà plus de trois cents ans que la famille d'André Stentz cultive la vigne et déjà vingt ans que cette exploitation est conduite en agrobiologie. Elle détient une parcelle dans le grand cru Steingrübler, qui domine à l'ouest la commune de Wettolsheim. Riche en cailloutis qui aèrent le sol marno-calcaire, c'est un terroir très favorable au gewurztraminer. Affichant une robe jaune d'or légèrement ambrée, celui-ci s'annonce par un nez engageant et complexe où se mêlent la rose et des parfums grillés. Puissant, équilibré et long, le palais révèle un potentiel remarquable. Une bouteille qui mérite d'attendre deux à trois ans. (Sucres résiduels : 52 g/l.)

🔑 André Stentz, 2, rue de la Batteuse, 68920 Wettolsheim, tél. 03.89.80.64.91, fax 03.89.79.59.75, e-mail andre-stentz@wanadoo.fr ☑ 🍷 🚶 r.-v.

ANDRE STENTZ
Gewurztraminer Vendanges tardives 2001 ★

■ 0,55 ha 1 550 🍾 15 à 23 €

Dans le millésime précédent, le gewurztraminer a engendré de très belles vendanges tardives sur ce même grand cru. D'un jaune soutenu, ce 2001 libère de subtils parfums de rose. On retrouve ces nuances florales typiques dans une attaque franche, avec un soupçon de réglisse. La longue finale relevée d'épices est très agréable.

🔑 André Stentz, 2, rue de la Batteuse, 68920 Wettolsheim, tél. 03.89.80.64.91, fax 03.89.79.59.75, e-mail andre-stentz@wanadoo.fr ☑ 🍷 🚶 r.-v.

Alsace grand cru vorbourg

BESTHEIM Gewurztraminer 2002 ★

■ 0,6 ha 6 476 🍾 8 à 11 €

Regroupant les caves de Bennwihr et de Westhalten, cette coopérative exploite des parcelles dans le Vorbourg, grand cru qui domine à l'ouest la ville de Rouffach. Abrité par le Petit et le Grand Ballon, ce grand cru bénéficie d'un microclimat très sec et ensoleillé. Son exposition et ses sols aux nombreux cailloutis calcaro-gréseux permettent une maturité précoce des raisins et sont favorables à la surmaturation. Jaune paille à reflets or, ce gewurztraminer encore discret au nez laisse cependant percer quelques parfums de fruits concentrés. Une attaque douce introduit un palais riche, ample et confit. La longue finale fraîche est gage d'un bel avenir. Une bouteille à laisser vieillir deux ou trois ans. (Sucres résiduels : 54 g/l.)

🔑 Bestheim,
Cave de Westhalten,
52, rte de Soultzmatt, 68250 Westhalten,
tél. 03.89.49.09.29, fax 03.89.49.09.20,
e-mail bestheim@gofvnet.com
☒ Y t.l.j. 9h-12h 14h-18h; sam. dim. sur r.-v.

CLOS SAINT-LANDELIN
Pinot gris Vendanges tardives 2001 *

▢ 2,5 ha 11 000 ◖▮ 30 à 38 €

Conduit en agriculture biologique, un domaine renommé en raison de sa superficie (22 ha), de la qualité de ses terroirs et surtout de l'ancienneté de son fleuron, le clos Saint-Landelin : ce vignoble qui dépendait de l'évêché de Strasbourg au VII^e^s., fut ensuite donné à une abbaye et finalement acquis, en 1935, par la famille Muré. Dans sa partie méridionale, ce clos est cultivé en étroites terrasses exposées plein sud. Il a donné un pinot gris doré, qui livre des parfums floraux puis des nuances complexes de miel et de sous-bois. Après une attaque franche, ce vin se révèle équilibré, onctueux et de bonne persistance.

🔑 René Muré,
Dom. du Clos Saint-Landelin,
rte du Vin, 68250 Rouffach,
tél. 03.89.78.58.00, fax 03.89.78.58.01,
e-mail rene@mure.com ☒ Y 🚶 r.-v.

Alsace grand cru wiebelsberg

GUY WACH Riesling 2002 *

▢ 0,24 ha 1 200 ▮🌡 11 à 15 €

Le Wiebelsberg couvre un coteau très pentu au nord d'Andlau, ce qui signifie qu'il est exposé plein sud. Ses sols légers, gréseux et sableux ont donné un riesling jaune à reflets verts, au nez intense déclinant les fleurs blanches, les fruits frais, des touches musquées puis minérales. Fruité et floral, ample, typé, équilibré et de bonne structure, le palais prolonge bien l'olfaction. Un riesling que l'on peut déguster maintenant ou garder en cave quelques années. (Sucres résiduels : 5,5 g/l.)

🔑 Guy Wach,
Dom. des Marronniers,
5, rue de la Commanderie, 67140 Andlau,
tél. 03.88.08.93.20, fax 03.88.08.45.59
☒ 🏠 🏠 Y 🚶 r.-v.

Alsace grand cru wineck-schlossberg

J.-B. ADAM Riesling 2002 *

▢ 0,35 ha 3 300 ▮🌡 15 à 23 €

Le fondateur de cette maison renommée, créée au début du XVII^e^s., était « gourmet » (dégustateur professionnel) et s'appelait lui aussi Jean-Baptiste. Aujourd'hui, la société mène une activité de négoce tout en exploitant 15 ha de vignes en propre. Or à reflets verts, son riesling du Wineck-Schlossberg offre au nez la belle minéralité de son terroir. Puissant, ample et bien équilibré, il fait preuve d'une vivacité qui le rend apte à la garde. Sa longue finale fraîche est soulignée de notes d'agrumes. « L'élégance du riesling granitique », conclut un dégustateur. Une bouteille qui gagnera à être ouverte dans deux ou trois ans. (Sucres résiduels : 8 g/l.)

🔑 Jean-Baptiste Adam,
5, rue de l'Aigle, 68770 Ammerschwihr,
tél. 03.89.78.23.21, e-mail adam@jb-adam.com
☒ Y 🚶 t.l.j. sf dim. 8h-12h 14h-18h; groupes sur r.-v.

JEAN-PAUL ECKLE Riesling 2002 *

▢ 0,21 ha 1 500 ◖▮ 8 à 11 €

Emmanuel Ecklé s'est installé sur la propriété familiale qui couvre 8 ha. Le domaine comprend des vignes dans le Wineck-Schlossberg qui lui ont déjà valu deux coups de cœur. Ce grand cru aux sols légers d'arènes granitiques a donné naissance à un riesling jaune d'or soutenu, au nez très ouvert sur la minéralité du terroir, avec des nuances de surmaturation et de fruits exotiques. Bien équilibré, frais en finale, il est prêt à paraître à table. (Sucres résiduels : 5 g/l.)

🔑 Jean-Paul Ecklé et Fils, 29, Grand-Rue,
68230 Katzenthal, tél. 03.89.27.09.41,
fax 03.89.80.86.18 ☒ 🚶 t.l.j. sf dim. 9h-12h 13h30-18h30

CLEMENT KLUR Gewurztraminer 2002 **

▢ 0,35 ha 2 800 ◖▮ 11 à 15 €

Dominant Katzenthal et son vignoble, le donjon du Wineck a donné son nom à ce grand cru. Un terroir granitique aux sols légers, qui favorise l'expression aromatique précoce des vins. Clément Klur en a tiré un gewurztraminer jaune paille intense, au nez puissant mêlant les fruits confits et l'exotisme du litchi. Un même fruité exotique et surmûri agrémente une bouche équilibrée, fraîche et longue. Un ensemble harmonieux et de garde. Les amateurs patients auront intérêt à le faire vieillir quelques années. (Sucres résiduels : 50 g/l.)

🔑 Clément Klur,
105, rue des Trois-Epis, 68230 Katzenthal,
tél. 03.89.80.94.29, fax 03.89.27.30.17,
e-mail info@klur.net ☒ 🏠 🏠 Y 🚶 r.-v.

MEYER-FONNE Riesling 2002 *

▢ 0,54 ha 3 000 ◖▮ 11 à 15 €

Félix Meyer a pris la succession de son père sur le domaine familial d'une dizaine d'hectares. Deux récents coups de cœur témoignent d'un grand savoir-faire. Quant à ce riesling du Wineck, s'il n'a pas atteint son apogée, il a été jugé très réussi. D'un jaune d'or profond, il mêle au nez des nuances de surmaturation et des notes de fruits exotiques. Le palais est agréable mais surprend par sa douceur : les accords gourmands seront plutôt ceux d'un vin moelleux. (Sucres résiduels : 18 g/l.)

☞ Dom. Meyer-Fonné,
24, Grand-Rue, 68230 Katzenthal,
tél. 03.89.27.16.50, fax 03.89.27.34.17 ☑ ⅄ ⚲ r.-v.
☞ François et Félix Meyer

VINCENT SPANNAGEL Gewurztraminer 2001 ★★

	0,56 ha	4 100	11 à 15 €

Une exploitation créée à la fin des années 1950 par André Spannagel et reprise en 1982 par son fils. Elle compte 9,5 ha de vignes. La cave du XVIIᵉ s. recèle ce superbe gewurztraminer d'un jaune d'or soutenu, expressif et d'une grande finesse. Au nez comme en bouche, la palette aromatique traduit la surmaturation, avec des notes de fruits très mûrs, voire confits, et des nuances de fruits secs. Concentré, généreux, gras, très rond et persistant, c'est un grand vin que l'on peut déjà déguster mais qui gagnera encore en harmonie avec les années. (Sucres résiduels : 68,5 g/l.)
☞ Vincent Spannagel,
82, rue du Vignoble, 68230 Katzenthal,
tél. 03.89.27.52.13, fax 03.89.27.56.48 ☑ ⅄ ⚲ r.-v.

Alsace grand cru winzenberg

HUBERT METZ Riesling 2002 ★

	0,33 ha	2 800	11 à 15 €

Une cour dîmière du XVIIIᵉ s., une cave voûtée où s'alignent des foudres de chêne ornés de verrous sculptés : la visite de cette cave ne manque pas d'intérêt. Les vins non plus, notamment ce riesling né dans le Winzenberg. Jaune pâle avec de belles larmes coulant sur les parois du verre, ce vin présente un nez minéral et floral caractéristique de son terroir granitique. Au palais, on découvre une grande matière, pour l'heure un peu couverte par le sucre résiduel. Cette cuvée de bonne longueur devrait profiter d'un an ou deux de vieillissement. (Sucres résiduels : 15,2 g/l.)
☞ Hubert Metz,
3, rue du Winzenberg, 67650 Blienschwiller,
tél. 03.88.92.43.06, fax 03.88.92.62.08,
e-mail hubertmetz@aol.com ☑ ⚲ t.l.j. sf dim. 8h-19h

DOM. J. SPERRY-KOBLOTH Riesling 2002

	0,15 ha	850	〨 5 à 8 €

Cette famille est de longue date au service du vin, que ce soit dans l'élaboration, le courtage ou la commercialisation. Tous ses membres participent à la bonne marche du domaine qui couvre un peu plus de 6 ha. D'un jaune soutenu, ce riesling laisse de belles larmes sur le verre. Légèrement évolué au nez, il libère des notes minérales reflétant le terroir, accompagnées de nuances exotiques. On retrouve cette minéralité au palais. Issu d'une belle matière, c'est un vin de gastronomie. (Sucres résiduels : 4,1 g/l.)
☞ Dom. J. Sperry-Kobloth,
50, rue du Winzenberg, 67650 Blienschwiller,
tél. 03.88.92.40.66, fax 03.88.92.63.95 ☑ ⚲ r.-v.

STRAUB Riesling 2002 ★★

	0,32 ha	2 400	〨 5 à 8 €

Installé dans une maison de 1715, Jean-Marie Straub exploite un vignoble de 7 ha, dont une partie dans le Winzenberg. Ce grand cru aux sols granitiques sablonneux donne des rieslings de haute expression. Celui-ci, d'un jaune pâle, offre un nez franc et élégant, minéral et légèrement citronné. Cette minéralité caractéristique du terroir s'affirme en bouche. Celle-ci séduit de l'attaque à la longue finale au fruité frais d'agrumes. Harmonieux, fin et typé, « un grand cru comme on les attend », conclut un dégustateur. Il est prêt à paraître à table mais peut attendre. (Sucres résiduels : 6 g/l.)
☞ Jean-Marie Straub,
61, rte des Vins, 67650 Blienschwiller,
tél. 03.88.92.40.42, fax 03.88.92.40.42,
e-mail jean-marie.straub@wanadoo.fr ☑ ⅄ ⚲ r.-v.

Alsace grand cru zinnkoepflé

BESTHEIM Gewurztraminer 2002 ★★

	3 ha	18 816	〨⬇ 8 à 11 €

Installée à Westhalten, cette coopérative a vinifié 3 ha de gewurztraminer dans le Zinnkoepflé, grand cru situé sur le territoire de la commune. Le terroir, très propice à ce cépage, et l'art de l'œnologue ont produit un vin de couleur paille dorée et au nez expressif, s'ouvrant d'emblée sur la rose et des notes fruitées concentrées. Ample, onctueuse, soyeuse, la bouche séduit par son équilibre, la vivacité venant contrebalancer une douceur encore très présente. La finale est longue et d'une agréable fraîcheur. Un vin d'avenir à attendre un an ou deux. (Sucres résiduels : 45 g/l.)
☞ Bestheim, Cave de Westhalten,
52, rte de Soultzmatt, 68250 Westhalten,
tél. 03.89.49.09.29, fax 03.89.49.09.20,
e-mail bestheim@gofvnet.com
☑ ⅄ t.l.j. 9h-12h 14h-18h; sam. dim. sur r.-v.

DOM. LEON BOESCH Gewurztraminer 2002 ★

	1 ha	3 700	〨 15 à 23 €

À la tête de ce domaine régulièrement présent dans le Guide, Gérard Boesch est aussi le très actif président de l'Association des Viticulteurs d'Alsace. Ce terroir de Zinnkoepflé a donné naissance à un gewurztraminer jaune d'or, dont les larmes annoncent le gras. Le nez, encore fermé, laisse augurer une belle concentration. Après une attaque vive, la bouche confirme la richesse de ce vin. Équilibrée, fraîche et longue, cette bouteille agréable est apte à la garde. On l'attendra un an ou deux avant de la servir à l'apéritif ou sur des mets relevés. (Sucres résiduels : 30 g/l.)
☞ Dom. Léon Boesch,
6, rue Saint-Blaise, 68250 Westhalten,
tél. 03.89.47.01.83, fax 03.89.47.64.95,
e-mail domaine-boesch@wanadoo.fr ☑ ⌂ ⅄ ⚲ r.-v.
☞ Gérard Boesch

DIRINGER Gewurztraminer 2002

	0,8 ha	4 300	〨⬇ 8 à 11 €

À la tête du domaine familial depuis 1982, Sébastien et Thomas Diringer sont installés dans une maison du

XVIe s. qui abritait un très ancien négoce de vins. Leur vignoble, de plus de 13 ha, couvre en partie le grand cru Zinnkoepflé. Il a produit un gewurztraminer de couleur paille assez claire, au nez déjà bien ouvert mêlant les senteurs de rose caractéristiques du cépage à des nuances de fruits confits. Puissant, corsé, charpenté, il n'en est pas moins élégant. Un vin promis à un bel avenir. On l'attendra un an ou deux. (Sucres résiduels : 29 g/l.)

⊶ Dom. Diringer,
18, rue de Rouffach, 68250 Westhalten,
tél. 03.89.47.01.06, fax 03.89.47.62.64,
e-mail info@diringer.fr
☑ ⌂ Y 🚶 t.l.j. sf dim. 9h-12h 14h-19h

RENE FLECK Gewurztraminer 2002 ★

■ n.c. 2 900 8 à 11 €

Cette propriété a été reprise par Nathalie, la plus jeune des filles de René Fleck, et par son mari. C'est la femme qui est au chai. Elle signe un gewurztraminer dont la robe paille à reflets verts suggère la jeunesse. Discret et fin au nez, ce vin associe la rose et le litchi. Frais à l'attaque, riche, équilibré, sans aucune lourdeur malgré une douceur importante, il persiste longuement sur le fruit. Un 2002 prometteur qu'il est conseillé d'attendre un an ou deux. (Sucres résiduels : 37 g/l.)

⊶ René Fleck et Fille,
27, rte d'Orschwihr, 68570 Soultzmatt,
tél. 03.89.47.01.20, fax 03.89.47.09.24,
e-mail renefleck@voila.fr ☑ Y 🚶 r.-v.

JEAN-MARIE HAAG Gewurztraminer Sélection de grains nobles L'Esprit 2000

■ 0,26 ha n.c. ▮🌡 **46 à 76 €**

Les buveurs d'eau peuvent se rendre à Soultzmatt, qui possède une source d'eau minérale. Autre richesse de la ville, son industrie métallurgique. Le vignoble, en particulier le grand cru Zinnkoepflé, constitue la plus célèbre ressource de cette commune de la partie méridionale de la route des Vins. Il a donné ici une sélection de grains nobles or intense à reflets orangés, presque ambrés. Confiture d'oranges et pamplemousse au nez, avec des nuances florales, ce vin mêle en bouche un fruité exotique (mangue) et des arômes de pâte de coing. Un ensemble onctueux, ample, riche, plutôt capiteux. Bonne longueur.

⊶ EARL Jean-Marie Haag,
17, rue des Chèvres, 68570 Soultzmatt,
tél. 03.89.47.02.38, fax 03.89.47.64.79,
e-mail jean-marie.haag@wanadoo.fr
☑ Y 🚶 r.-v.

KLEIN-BRAND Gewurztraminer Sélection de grains nobles 2000 ★

■ 0,17 ha 1 460 ▮🌡 15 à 23 €

La commune de Soultzmatt est située à l'entrée de la Vallée Noble – autrement dit la vallée de l'Ohmbach, qui tire son nom des nombreux châteaux qui se dressaient aux alentours. Ce domaine familial y exploite 10 ha de vignes. Né sur les flancs ensoleillés du Zinnkoepflé, le gewurztraminer a donné un vin jaune d'or à reflets orangés. Discret, le nez n'en laisse pas moins deviner une palette variée de senteurs fruitées et épicées. Au palais, une bonne structure, bien équilibrée, des arômes fruités évoquant les agrumes et une finale douce composent un ensemble harmonieux. (Bouteilles de 50 cl.)

⊶ Klein-Brand,
96, rue de la Vallée, 68570 Soultzmatt,
tél. 03.89.47.00.08, fax 03.89.47.65.53,
e-mail kleinbrand@free.fr
☑ Y 🚶 t.l.j. sf dim. 8h-12h 13h30-18h

PAUL KUBLER Gewurztraminer Sélection de grains nobles 2000 ★

■ 0,3 ha 1 800 ▮🌡 **30 à 38 €**

Couverte de vignes, la Vallée Noble possède dans le terroir du Zinnkoepflé l'un des crus les mieux exposés, particulièrement favorable à la maturation et à l'expression du gewurztraminer. Or intense avec quelques reflets orangés, celui-ci s'ouvre sur la rose, les agrumes et la mangue, agrémentés par une note de miel typique de la surmaturation. On retrouve la mangue dans un palais gras, confit, miellé, caractéristique d'une sélection de grains nobles. Un vin harmonieux et tout en dentelles.

⊶ EARL Paul Kubler,
103, rue de la Vallée, 68570 Soultzmatt,
tél. 03.89.47.00.75, fax 03.89.47.65.45,
e-mail kubler@lesvins.com ☑ Y 🚶 r.-v.
⊶ Philippe Kubler

SEPPI LANDMANN Tokay-pinot gris 2002 ★★

■ 0,3 ha 2 000 ▮🌡 **15 à 23 €**

L'année 2002 est celle où Seppi Landmann a fêté le vingtième anniversaire de son domaine. Son savoir-faire et la qualité de ses terroirs – dont le Zinnkoepflé, très sec et ensoleillé, constitue le fleuron – ont donné à ses vins une grande renommée. Or pâle dans le verre, ce pinot gris affiche d'emblée son gras par les nombreuses larmes qui coulent le long des parois. Discret mais très élégant et complexe, le nez associe des notes florales, fruitées (pêche) et miellées. Une attaque onctueuse introduit un palais ample, équilibré et long. Un ensemble agréable et prometteur. Il devrait s'entendre avec un magret de canard au miel et aux épices. (Sucres résiduels : 29 g/l.)

⊶ Seppi Landmann,
20, rue de la Vallée, 68570 Soultzmatt,
tél. 03.89.47.09.33, fax 03.89.47.06.99,
e-mail seppi.landmann@wanadoo.fr ☑ Y 🚶 r.-v.

ERIC ROMINGER Tokay-pinot gris Les Sinneles 2002 ★★

■ 1,2 ha 2 500 ▮🌡 **15 à 23 €**

Si le gewurztraminer est très présent dans le Zinnkoepflé, ce grand cru peut donner asile à tous les cépages ; Eric Rominger, avec deux coups de cœur à son actif (un riesling 96 et un gewurztraminer 98), et une grappe de bronze dans le Guide 1999, a bien montré, par son savoir-faire, les potentialités de ce terroir bien abrité. Il se distingue cette année grâce à un pinot gris jaune d'or aux brillants reflets. Le nez intense exprime le fumé légèrement torréfié caractéristique du cépage, tandis qu'au palais apparaissent des arômes de fruits confits qui témoignent de la surmaturité du raisin. Gras, ample et long, ce vin révèle une bonne fraîcheur qui équilibre la rondeur des sucres résiduels. Il sera de garde. (Sucres résiduels : 59 g/l.). Le **riesling grand cru Zinnkoepflé 2002** (une étoile) présente lui aussi de bonnes réserves. Floral et minéral, bien structuré avec une bonne acidité, persistant, il devra attendre au moins deux ans. (Sucres résiduels : 8,7 g/l.)

🔑 SCEA Eric Rominger,
16, rue Saint-Blaise, 68250 Westhalten,
tél. 03.89.47.68.60, fax 03.89.47.68.61 ☑ 🍷 🚶 r.-v.

CH. WAGENBOURG Gewurztraminer 2002 ★★

0,52 ha 3 500 ▮ 8 à 11 €

Construit en 1506, ce château est l'unique rescapé des sept demeures seigneuriales qui valurent à la vallée de l'Ohmbach le nom de Vallée Noble. Il a été acheté par la famille Klein en 1905. Le domaine viticole a donné naissance à un gewurztraminer doré aux brillants reflets. Discret au nez, avec quelques effluves floraux, ce vin affirme sa richesse et son potentiel en bouche. Ample, gras, onctueux, bien structuré et de bon équilibre, il offre une longue finale fraîche, relevée de notes poivrées : le gage d'une belle longévité. Encore dans sa jeunesse, il bénéficiera d'un séjour en cave d'un an ou deux. (Sucres résiduels : 40 g/l.)

🔑 Joseph et Jacky Klein, Ch. Wagenbourg,
25 A, rue de la Vallée, 68570 Soultzmatt,
tél. 03.89.47.01.41, fax 03.89.47.65.61 ☑ 🏠 🍷 🚶 r.-v.

A. WISCHLEN Gewurztraminer 2002

0,46 ha 3 000 **15 à 23 €**

Majestueux coteau aux pentes abruptes, le Zinnkoepflé domine la Vallée Noble et les villages de Soultzmatt et de Westhalten. Il est protégé de l'humidité apportée par les vents d'ouest par les plus hauts sommets vosgiens. Il a donné ici un vin jaune paille brillant, au nez encore réservé associant des senteurs florales à d'élégantes nuances de fruits confits. Ample et onctueux, offrant une finale fraîche et longue, il est dominé au palais par les sucres résiduels qui devront se fondre : ce sera l'affaire de deux ans. Le 2000 avait obtenu un coup de cœur. (Sucres résiduels : 62 g/l.)

🔑 François Wischlen,
4, rue de Soultzmatt, 68250 Westhalten,
tél. 03.89.47.01.24, fax 03.89.47.62.90,
e-mail wischlen@wanadoo.fr ☑ 🍷 🚶 r.-v.

Alsace grand cru zotzenberg

PIERRE ET JEAN-PIERRE RIETSCH
Pinot gris 2002 ★★

0,24 ha 1 730 ▮ ⬮ 🌡 11 à 15 €

Installée à Mittelbergheim, la famille Rietsch fait preuve de recherche et d'originalité dans le graphisme de ses étiquettes. Le contenu des bouteilles mérite aussi que l'on s'y arrête. Ce tokay est issu du Zotzenberg, terroir qui engendre des vins de grande tenue et qui se bonifient avec le temps. Habillé d'or, il libère des parfums élégants, où se mêlent l'abricot confit et le fumé caractéristique du cépage. Au palais, il se montre gras, onctueux et révèle une belle fraîcheur qui contribue à son équilibre. Il persiste longuement sur l'abricot perçu au nez, accompagné d'une pointe épicée. Déjà agréable, il mérite d'attendre un an ou deux. (Sucres résiduels : 65 g/l.)

🔑 EARL Pierre et Jean-Pierre Rietsch,
32, rue Principale, 67140 Mittelbergheim,
tél. 03.88.08.00.64, fax 03.88.08.40.91 ☑ 🍷 🚶 r.-v.

FERNAND SELTZ ET FILS
Gewurztraminer 2002 ★

0,18 ha 1 200 8 à 11 €

Etabli à Mittelbergheim, ce domaine familial de 9 ha possède des vignes dans le grand cru de la commune. Ce terroir marno-calcaire engendre des vins qui demandent du temps pour atteindre leur expression optimale. C'est sans doute le cas de ce gewurztraminer, qui devrait se bonifier dans les deux ou trois ans qui viennent. Il fait cependant très bonne impression. Jaune paille brillant, il livre des parfums de rose assez simples mais délicats et typiques. Bien équilibré, élégant, il offre une longue finale fraîche. (Sucres résiduels : 35 g/l.)

🔑 EARL Fernand Seltz et Fils,
42, rue Principale, 67140 Mittelbergheim,
tél. 03.88.08.93.92, fax 03.88.08.93.92,
e-mail michel.seltz@terre-net.fr ☑ 🍷 🚶 r.-v.
🔑 Michel Seltz

Crémant-d'alsace

La création de cette appellation, en 1976, a donné un nouvel essor à la production de vins effervescents élaborés selon la méthode traditionnelle, qui existait depuis longtemps à une échelle réduite. Les cépages qui peuvent entrer dans la composition de ce produit de plus en plus apprécié sont le pinot blanc, l'auxerrois, le pinot gris, le pinot noir, le riesling et le chardonnay. La production de crémant-d'Alsace représente 1 876 ha en 2003.

PAUL GASCHY 2001 ★

0,65 ha 7 000 ▮ 5 à 8 €

Etablie à Eguisheim, haut-lieu de l'Alsace viticole et touristique, cette exploitation, fondée en 1938, est gérée depuis plus de trente ans par Bernard Gaschy, épaulé depuis peu par son fils Hervé. Elle fait son entrée dans le Guide avec cette cuvée, d'une bonne effervescence, née du cépage auxerrois complété d'un soupçon de riesling, retenue pour sa finesse, son fruité et son équilibre.

🔑 Maison Paul Gaschy,
16, Grand-Rue, 68420 Eguisheim,
tél. 03.89.41.67.34, fax 03.89.24.33.12 ☑ 🏠 🍷 🚶 r.-v.

GINGLINGER-FIX ★

1,05 ha 12 000 ▮ **8 à 11 €**

André Ginglinger est à la tête de cette exploitation familiale depuis une quinzaine d'années. Sa fille Eliane, œnologue, l'a rejoint depuis quelque temps. Assemblage d'auxerrois (58 %), de chardonnay (27 %) et de pinot gris, leur crémant présente une agréable effervescence et des arômes très fins. Cette élégance se retrouve au palais, marqué par une nuance de noisette. A déguster en apéritif ou sur du poisson grillé.

🔑 Ginglinger-Fix, 38, rue Roger-Frémeaux,
68420 Voegtlinshoffen, tél. 03.89.49.30.75,
fax 03.89.49.29.98, e-mail ginglinger-fix@wanadoo.fr
☒ 🍷 🚶 t.l.j. sf dim. 8h30-12h 13h30-19h

JOSEPH GRUSS ET FILS 2002 ★

● 1,2 ha 10 000 🛢 5 à 8 €

Une exploitation régulièrement retenue en crémant-d'alsace ces dernières années. André Gruss, après avoir étrenné son diplôme d'œnologue aux antipodes, a rejoint, en 1997, son père Bernard à la tête du domaine familial. Dominé par l'auxerrois (80 %), complété par du riesling, leur crémant exhale des arômes intenses de fleurs blanches et de raisin bien mûr. Ce brut s'annonce avec souplesse et un peu de gras, accompagné d'une bonne fraîcheur dans une finale bien marquée.

🔑 Dom. Gruss et Fils,
25, Grand-Rue, 68420 Eguisheim,
tél. 03.89.41.28.78, fax 03.89.41.76.66,
e-mail domainegruss@hotmail.com ☒ 🍷 🚶 r.-v.

HABSIGER 2001

● 0,49 ha 5 000 ▮ **5 à 8 €**

Réputé pour ses pains d'épice, le village de Gertwiller est peut-être moins connu pour ses terroirs viticoles mais les vignerons n'en déméritent pas pour autant. Celui-ci fait son entrée dans le Guide avec ce crémant assemblant deux tiers de chardonnay à un tiers d'auxerrois. Offrant un nez complexe et fin, fruité et floral, ce crémant ample à l'attaque et vif en finale présente un bel équilibre.

🔑 Habsiger, 15, rue Principale, 67140 Gertwiller,
tél. 03.88.08.07.54, fax 03.88.08.48.92 ☒ 🍷 🚶 r.-v.

HANSMANN ★★

● 0,27 ha 2 800 5 à 8 €

En 2002, Frédéric a rejoint son père Bernard Hansmann à la tête du domaine. Au centre de celui-ci s'élève une belle maison du XVIII^{e}s. construite en pierres calcaires du pays. Leur crémant marie l'auxerrois (80 %) au pinot noir. D'une belle effervescence, il allie des arômes fins et une touche poivrée. Bien équilibré, plein, élégant, il pourra accompagner tout un repas.

🔑 Bernard et Frédéric Hansmann,
66, rue Principale, 67140 Mittelbergheim,
tél. 03.88.08.07.44, fax 03.88.08.07.44,
e-mail bernard.hansmann@libertysurf.fr
☒ 🍷 🚶 t.l.j. sf dim. 8h-18h

HEIM ★

● 15 ha 164 000 ▮🌡 5 à 8 €

La société Heim fait partie du groupe Bestheim, coopérative de Bennwihr-Westhalten ; on y a élaboré ce crémant orné d'une belle mousse sur une robe or pâle, au nez à la fois intense et fin. Franc à l'attaque, il présente une bonne vivacité. Il pourra accompagner des crustacés.

🔑 SARL Heim,
53, rte de Soultzmatt, 68250 Westhalten,
tél. 03.89.78.09.08, fax 03.89.49.09.20 ☒ 🍷 r.-v.

JEAN GEILER Blanc de blancs Prestige ★★

● 20 ha 250 000 ▮🌡 5 à 8 €

La cave coopérative d'Ingersheim, près de Colmar, a sélectionné quelque 20 ha de pinot blanc, d'auxerrois et de chardonnay pour produire cette cuvée. Très flatteuse à l'œil, elle se présente dans un registre floral (fleurs blanches), tant au nez qu'au palais. Bien équilibrée, de belle harmonie, elle est également de bonne persistance. Un vin pour le repas.

🔑 Cave vinicole Jean Geiler, 45, rue de la République,
68040 Ingersheim, tél. 03.89.27.90.27,
fax 03.89.27.90.30, e-mail vin@geiler.fr ☒ 🍷 🚶 r.-v.

HUBERT KRICK 2001 ★

● 0,8 ha 6 900 ▮ **8 à 11 €**

Tout près de Colmar, Wintzenheim est dominé par le château médiéval du Hohlandsbourg qui gardait l'entrée de la vallée de Munster ; c'est là que Hubert Krick exploite un vignoble de plus de 11 ha. Son crémant donne toute satisfaction avec ses reflets dorés, sa belle mousse, son nez fin et complexe, et son bon équilibre. Il ne manque pas de caractère.

🔑 EARL Hubert Krick,
93-95, rue Clemenceau, 68920 Wintzenheim,
tél. 03.89.27.00.01, fax 03.89.27.54.75,
e-mail krick.hubert@wanadoo.fr ☒ 🍷 🚶 r.-v.

JEAN RAPP 2002

● 0,22 ha 2 500 ▮🌡 **5 à 8 €**

Guillaume, le fils de Jean Rapp, élabore ce premier crémant de l'exploitation à partir du cépage auxerrois. Ce vin a mérité l'attention du jury, ce qui doit l'encourager. Si son effervescence est un peu retenue, il offre une bonne intensité au nez tout en fleurs blanches et fruits verts. L'équilibre repose encore sur une vivacité de jeunesse. Cette bouteille aura, à n'en pas douter, gagné en harmonie à la fin de l'année 2004.

🔑 Jean Rapp, 1, fg des Vosges, 67120 Dorlisheim,
tél. 03.88.38.28.43, fax 03.88.38.28.43,
e-mail vins-rapp@wanadoo.fr ☒ 🍷 🚶 r.-v.

DOM. JOSEPH SCHARSCH 2002 ★

● 0,95 ha 10 000 ▮🌡 5 à 8 €

Après avoir achevé ses études en viticulture-œnologie, Nicolas Scharsch a rejoint en 1999 l'exploitation familiale qui compte quelque 10 ha de vignoble. S'annonçant par une fine effervescence et des parfums floraux fins et frais, leur crémant porte l'empreinte du pinot blanc. Un ensemble équilibré et racé.

🔑 Dom. Joseph Scharsch,
12, rue de l'Eglise, 67120 Wolxheim,
tél. 03.88.38.30.61, fax 03.88.38.01.13,
e-mail domaine.scharsch@wanadoo.fr ☒ 🏠 🍷 🚶 r.-v.

FRANCOIS SCHWACH ET FILS
Blanc de noirs 2001 ★★

● 0,9 ha 8 000 ▮🌡 5 à 8 €

A la tête d'un domaine de 21 ha, la famille Schwach accueille les visiteurs dans la nouvelle cave de dégustation. Vous y goûterez cette cuvée en robe dorée née du pinot noir ; les arômes de petits fruits sont charmeurs. Cette élégance se retrouve au palais, doublée d'une bonne étoffe. Une longue finale sur les fruits conclut la dégustation. Pour l'apéritif.

🔑 Dom. François Schwach et Fils,
28, rte de Ribeauvillé, 68150 Hunawihr,
tél. 03.89.73.62.15, fax 03.89.73.37.84,
e-mail info@schwach.com ☒ 🏘 🏠 🍷 🚶 r.-v.

BERNARD STAEHLE 2001 ★

0,45 ha 4 000 5 à 8 €

Proche de Colmar, cette exploitation familiale regroupe quelque 7 ha de vignes. C'est le cépage auxerrois, dominant dans l'assemblage, qui caractérise ce crémant au nez aromatique. D'un bon équilibre au palais, ce vin affiche une complexité et une ampleur que le jury a appréciées. Il conviendra pour l'apéritif.

Bernard Staehlé,
15, rue Clemenceau, 68920 Wintzenheim,
tél. 03.89.27.39.02, fax 03.89.27.59.37 r.-v.

STINTZI 2001 ★

0,9 ha 10 000 8 à 11 €

Vigneron établi à Husseren, village dominé par les trois donjons de ses châteaux d'où la vue sur la plaine d'Alsace est incomparable. Issu d'auxerrois, son crémant s'ouvre sur des arômes floraux très agréables qui s'affirment en bouche. Assez vif, surtout en finale, il révèle une bonne matière.

EARL Gérard Stintzi,
29, rue Principale, 68420 Husseren-les-Châteaux,
tél. 03.89.49.30.10, fax 03.89.49.34.99
t.l.j. 10h-12h 13h30-18h30; dim. sur r.-v.

JEAN WEINGAND ★

n.c. 150 000 5 à 8 €

En hommage à leur cousin Jean Weingand dont ils ont repris le vignoble, Jacques et Jean-Marie Cattin ont gardé cette marque pour l'entreprise de négoce menée de pair avec le domaine familial. Des nuances florales de belle intensité caractérisent leur crémant ; en bouche, elles sont complétées par des notes de pain grillé. Une structure équilibrée, très fraîche et persistante, plaide en faveur de ce vin, fruit du pinot blanc et d'une bonne maîtrise technique.

Jean Weingand,
19, rue Roger-Frémeaux, 68420 Voegtlinshoffen,
tél. 03.89.49.22.23 r.-v.
J. et J.-M. Cattin

La Lorraine

Les vignobles des Côtes de Toul et de la Moselle restent les deux seuls témoins d'une viticulture lorraine autrefois florissante. Florissant, le vignoble lorrain l'était par son étendue, supérieure à 30 000 ha en 1890. Il l'était aussi par sa notoriété. Les deux vignobles connurent leur apogée à la fin du XIX^{e}s. Dès cette époque, plusieurs facteurs se conjuguèrent pour entraîner leur déclin : la crise phylloxérique, qui introduisit l'usage de cépages hybrides de moindre qualité ; la crise économique viticole de 1907 ; la proximité des champs de bataille de la Première Guerre mondiale ; l'industrialisation de la région, à l'origine d'un formidable exode rural. Ce n'est qu'en 1951 que les pouvoirs publics reconnurent l'originalité de ces vignobles et définirent les côtes-de-toul et vins-de-moselle, les rangeant ainsi définitivement parmi les grands vins de France. Aujourd'hui, les vins de pays de Meuse ont demandé leur accession à l'AOVDQS.

Côtes-de-toul

Situé à l'ouest de Toul et du coude caractéristique de la Moselle, le vignoble se trouve sur le territoire de huit communes qui s'échelonnent le long d'une côte résultant de l'érosion de couches sédimentaires du Bassin parisien. On y rencontre des sols de période jurassique, composés d'argiles oxfordiennes, avec des éboulis calcaires en notable quantité, très bien drainés et d'exposition sud ou sud-est. Le climat semi-continental qui renforce les températures estivales est favorable à la vigne. Toutefois, les gelées de printemps sont fréquentes.

Le gamay domine toujours, bien qu'il régresse sensiblement au profit du pinot noir. L'assemblage de ces deux cépages produit des vins gris caractéristiques, obtenus par pressurage direct. En outre, le décret précise l'obligation d'assembler au minimum 10 % de pinot noir au gamay en superficie pour la production de gris, ceci conférant au vin une plus grande rondeur. Le pinot noir seul, vinifié en rouge, donne des vins corsés et agréables, l'auxerrois d'origine locale, en progression constante, des vins blancs tendres.

La vigne couvre actuellement près de 87 ha dont 78,73 ont été déclarés en 2003 pour une production de 3 873,71 hl.

Parfaitement fléchée au départ de Toul, une route du Vin et de la Mirabelle parcourt le vignoble.

Ce vignoble a accédé à l'appellation d'origine contrôlée (décret du 31 mars 1998).

DOM. VINCENT GORNY
Gris Cuvée Sélection 2003 ★

■	2 ha	13 300	▮	3 à 5 €

Installé en 1991 sur l'exploitation familiale, Vincent Gorny a misé à fond sur la viticulture : il a augmenté les surfaces de la propriété, construit un chai. Ses vins, issus de cépages rouges principalement, figurent très souvent dans le Guide. Dans ce millésime, il a proposé un vin gris. Habillé d'une robe saumon typique, ce 2003 se montre discret au nez mais sait se faire adopter grâce à des arômes de fraise prononcés qui flattent le palais. Un ensemble élégant. Son **côtes-de-toul pinot noir 2003** (5 à 8 €) a également obtenu une étoile ; c'est un vin prometteur.

🍷 Vincent Gorny,
50, rue des Triboulottes, 54200 Bruley,
tél. 03.83.63.80.41, fax 03.83.64.53.80,
e-mail vincentgorny@yahoo.fr
☑ ▼ ⚘ t.l.j. sf dim. 9h-12h 14h-19h

MARCEL ET MICHEL LAROPPE
Pinot noir 2003 ★★

■	6 ha	25 000	⦀	5 à 8 €

Un François Laroppe était maître vigneron au château de Bruley au XVIIIᵉˢ. Ses descendants sont les champions lorrains des coups de cœur : pinots noirs, vins gris, ils en ont récolté six au fil des éditions du Guide. Leur vignoble n'a rien d'un mouchoir de poche : 19 ha. Cette année, les jurés ont retenu trois belles bouteilles. La préférée est ce pinot noir qui a fait un court séjour dans le bois. Sa robe rubis sombre, son nez chaleureux, marqué par des parfums de fruits noirs et son palais riche, légèrement épicé et aux tanins soyeux lui valent beaucoup d'éloges. Deux autres réussites (une étoile) : un **pinot noir 2002** élevé dix mois en fût, confiture de fraises au nez, fruité nuancé de sous-bois au palais, puissant avec une trame de tanins bien fondus, susceptible d'une petite garde ; et un **vin gris 2003** mêlant groseille, nuances amyliques et framboise, riche et long.

🍷 Marcel, Michel et Vincent Laroppe,
253, rue de la République, 54200 Bruley,
tél. 03.83.43.11.04, fax 03.83.43.36.92,
e-mail vignoble.laroppe@wanadoo.fr
☑ ▼ ⚘ t.l.j. sf dim. 8h-12h 14h-19h

ANDRE ET ROLAND LELIEVRE
Auxerrois 2003 ★★

■	2,1 ha	8 405	▮⚬	5 à 8 €

Cela fait belle lurette que le lièvre vendangeur (regardez l'étiquette) hante les colonnes du Guide. Couvrant aujourd'hui 15 ha, le domaine familial constitué en 1970, a beaucoup contribué au renom de l'appellation. Son auxerrois a fait l'unanimité dans le millésime 2003. De couleur jaune clair, il séduit d'emblée par des parfums exubérants de fruits exotiques (mangue, ananas) que l'on retrouve dans un palais riche, puissant et long. Un ensemble d'un remarquable équilibre, que l'on pourra servir avec un poisson en sauce ou une cassolette d'escar-

gots à la crème d'auxerrois. Le **vin gris 2003** mérite lui aussi l'attention. Il a obtenu une étoile pour son fruité puissant, sa richesse, son onctuosité et sa longueur.
🍷 André et Roland Lelièvre, 1, rue de la Gare,
54200 Lucey, tél. 03.83.63.81.36, fax 03.83.63.84.45
☑ ▼ ⚘ t.l.j. 8h30-12h30 13h30-19h30

DOM. DE LA LINOTTE Gris 2003 ★

■	0,69 ha	6 500	▮	3 à 5 €

Un autre Laroppe de Bruley. Après une première expérience dans le Sancerrois et en Champagne, Marc Laroppe a constitué en 1993 un petit vignoble dans son Toulois. Quelques années plus tard, ses vins ont fait leur apparition dans le Guide. Vous pourrez découvrir le domaine et ses productions en louant une des deux chambres d'hôtes récemment aménagées. Gris ou blanc ? Les deux sont tout aussi réussis. Le premier est plus rose que gris. Ses parfums fruités, à la fois puissants et élégants, se prolongent dans une bouche imprégnée de fruits rouges. Vif et fin, un vin croquant. Jaune à reflets verts, l'**auxerrois 2003** offre un joli nez de fruits exotiques. Plus minéral au palais, il finit sur des notes de fruits secs. Son équilibre est fort apprécié.
🍷 Marc Laroppe, 90, rue Victor-Hugo, 54200 Bruley,
tél. 03.83.63.29.02, fax 03.83.63.00.39
☑ 🏠 ▼ ⚘ t.l.j. 9h-20h

ISABELLE ET JEAN-MICHEL MANGEOT
Pinot noir 2003 ★★★

■	0,5 ha	9 000	⦀	5 à 8 €

Décidément, la vigne est de retour en Lorraine : informaticien, Jean-Michel Mangeot a fait l'audacieux pari de la viticulture au tournant du XXIᵉˢ. Vente directe et tourisme vert sont les piliers de l'exploitation, qui comporte une chambre d'hôtes. D'emblée, les vins du domaine ont été remarqués par les dégustateurs du Guide. Cette année, un coup de cœur ! Il distingue un pinot noir rubis profond, aux intenses parfums de cassis légèrement boisés. La bouche ? Une puissante structure aux tanins fondus, des arômes de mûre et de réglisse : le jury est conquis.

🠶 SCEA Dom. Régina, 350, rue de la République, 54200 Bruley, tél. 03.83.64.49.52, fax 03.83.64.49.52, e-mail jmmangeot@compuserve.com
☑ 🏠 ⵏ 🎋 t.l.j. 10h-19h
🠶 Mangeot

ISABELLE ET JEAN-MICHEL MANGEOT
Gris 2003 ★

	3 ha	8 000	▮↓	3 à 5 €

Deux autres bouteilles à retenir chez Isabelle et Jean-Michel Mangeot : toutes deux ont obtenu une étoile. Couleur saumon clair, ce vin gris s'annonce par de délicats parfums de petits fruits rouges. Le fruit rouge, la fraise surtout, égaye une bouche onctueuse, équilibrée et longue. L'**auxerrois 2003** brille dans sa robe or vert et offre d'élégantes senteurs d'agrumes. Fruité, suave, équilibré, il séduit, lui aussi.

🠶 SCEA Dom. Régina, 350, rue de la République, 54200 Bruley, tél. 03.83.64.49.52, fax 03.83.64.49.52, e-mail jmmangeot@compuserve.com
☑ 🏠 ⵏ 🎋 t.l.j. 10h-19h

LES VIGNERONS DU TOULOIS Gris 2003

	1,6 ha	13 000	▮↓	3 à 5 €

Créée en 1990, cette coopérative se flatte d'être la plus petite cave de France : elle ne regroupe que huit adhérents. Elle n'en contribue pas moins à la renaissance du vignoble lorrain. Son vin gris s'habille d'une robe saumon aux reflets jaunes et délivre des parfums discrets de fruits rouges. Un rosé sec qui fera l'affaire avec les entrées, une raclette ou un barbecue.

🠶 Les Vignerons du Toulois, 43, pl. de la Mairie, 54113 Mont-le-Vignoble, tél. 03.83.62.59.93, fax 03.83.62.59.93 ☑ ⵏ 🎋 t.l.j. sf lun.14h-18h

Moselle AOVDQS

L̲e vignoble représentant 38 ha s'étend sur les coteaux qui bordent la vallée de la Moselle ; ceux-ci ont pour origine les couches sédimentaires formant la bordure orientale du Bassin parisien. L'aire délimitée se concentre autour de trois pôles principaux : le premier au sud et à l'ouest de Metz, le second dans la région de Sierck-les-Bains ; le troisième pôle se situe dans la vallée de la Seille autour de Vic-sur-Seille. La viticulture est influencée par celle du Luxembourg tout proche, avec ses vignes hautes et larges et sa dominante de vins blancs secs et fruités. En volume, cette AOVDQS reste très modeste, quelque 1 260 hl ayant été déclarés pour le millésime 2003. Son expansion est contrariée par l'extrême morcellement de la région.

GAUTHIER Pinot noir Les Dominicains 2003 ★★

◼	1,5 ha	3 000	▮	5 à 8 €

Voici une foule de raisons pour vous rendre à Vic-sur-Seille : le patrimoine architectural remarquable de cette cité florissante jusqu'au XVIIᵉs., où les évêques de Metz avaient installé l'administration de leur diocèse ; le musée départemental Georges-de-la-Tour, inauguré en 2003 et dédié au peintre natif de Vic ; ce vin enfin, signé par Claude Gauthier, que le maître du clair-obscur aurait sans doute aimé peindre et que vous aurez peut-être la chance de goûter. Sa robe sombre, ses parfums intenses de fruits rouges qui se prolongent en bouche, son palais marqué par des tanins soyeux composent une superbe bouteille. Elle est prête à paraître à table mais peut encore attendre.

🠶 Claude Gauthier, 4, pl. du Palais, 57630 Vic-sur-Seille, tél. 03.87.01.11.55 ☑ ⵏ 🎋 r.-v.

MICHEL MAURICE Gris 2003 ★

◼	0,92 ha	5 300	▮↓	3 à 5 €

Installé au début des années 1980, Michel Maurice manque rarement le rendez-vous du Guide. Son petit vignoble (3 ha) s'est particulièrement distingué en auxerrois (deux coups de cœur), mais le vin gris est très souvent mentionné lui aussi. Le 2003, d'une couleur saumonée typique, discret mais agréable au nez, fruité et équilibré, a été bien accueilli. Quant à l'**auxerrois 2003 (5 à 8 €)**, il ne manque pas non plus d'agréments. Il est cité.

🠶 Michel Maurice, 1-3, pl. Foch, 57130 Ancy-sur-Moselle, tél. 03.87.30.90.07, fax 03.87.30.91.48, e-mail mauricem@netcourrier.com ☑ ⵏ 🎋 r.-v.

DOM. MUR DU CLOITRE Muller Thurgau 2002

◼	0,3 ha	3 220	▮↓	5 à 8 €

Le vignoble constitué par Jean-Paul Paquet en 1996 est tout proche de Sierck-les-Bains, du Luxembourg et de l'Allemagne. Il est implanté sur un lieu-dit appelé Klostermauer (« Mur du Cloître ») : le nom du vin était tout trouvé. Répandu dans le monde germanique, le cépage muller-thurgau a donné naissance à ce 2002 jaune pâle limpide, au nez floral bien agréable et au palais équilibré et long. À déboucher dès maintenant et à servir sur du poisson grillé, des fruits de mer...

🠶 Jean-Paul Paquet, chem. des Quatre-Vents, 57570 Berg-sur-Moselle, tél. 06.08.09.83.49, fax 03.87.67.44.29 ☑ ⵏ 🎋 r.-v.

OURY-SCHREIBER Pinot gris Canicule 2003 ★

◼	1 ha	2 400	▮↓	11 à 15 €

Installé en pays messin au début des années 1990, Pascal Oury s'est rapidement imposé. Les dernières édi-

tions du Guide témoignent de son savoir-faire. Cette année vous montrera les effets de la canicule sur le pinot gris. Ce 2003 affiche une belle robe jaune soutenu, un nez intense, floral avec des nuances grillées. Puissant et riche, il est fort agréable et devrait gagner en harmonie avec le temps. On ouvrira d'abord l'**auxerrois 2003 (5 à 8 €)**, jaune à reflets verts. Ce vin a obtenu une étoile pour ses parfums fruités et élégants, son palais souple, aromatique et bien construit.
↬ Oury-Schreiber,
29, rue des Côtes, 57420 Marieulles,
tél. 03.87.52.09.02, fax 03.87.52.09.17,
e-mail oury-pascal-viticulteur@wanadoo.fr ☑ ↑ ↟ r.-v.

STROMBERG Pinot blanc 2003

	0,64 ha	6 400	▮↓	5 à 8 €

Un nouveau nom dans le Guide, ce domaine repris en l'an 2000. Il est situé au pays des Trois Frontières, à deux pas du Luxembourg et de l'Allemagne. Deux de ses vins ont été cités. Du pinot blanc et de l'**auxerrois 2003**. A essayer pour saisir la différence entre ces deux cépages proches. Tous deux sont jaune pâle, le second montre quelques reflets verts. Tous deux présentent un nez floral et assez long au palais. Le pinot blanc semble assez vif, l'auxerrois plutôt souple.
↬ SCEA Dom. du Stromberg,
19-23, Grand'rue, 57480 Petite-Hettange,
tél. 03.82.50.10.15, fax 03.82.50.33.23,
e-mail caboz.thierry@wanadoo.fr ☑ ↑ ↟ r.-v.

CH. DE VAUX Les Gryphées 2003 ★★

	3 ha	14 200	▮↓	5 à 8 €

Cinquième vendange pour Marie-Geneviève et Norbert Molozay et déjà deux coups de cœur ! En rouge l'an dernier (pour un superbe pinot noir), en blanc cette année, pour une cuvée déjà très réussie dans le millésime précédent. Assemblage d'auxerrois, de muller-thurgau et de pinot gris, ce vin est issu d'une courte macération pelliculaire et a été élevé sur lies. Jaune à reflets verts, il séduit d'entrée par d'intenses parfums floraux des plus engageants, qui se prolongent dans un palais riche, puissant et gras. Une très grande matière.
↬ Ch. de Vaux, 4, pl. Saint-Rémi, 57130 Vaux,
tél. 03.87.60.20.64, fax 03.87.60.24.67,
e-mail chateaudevaux.m@wanadoo.fr ☑ ↑ ↟ r.-v.

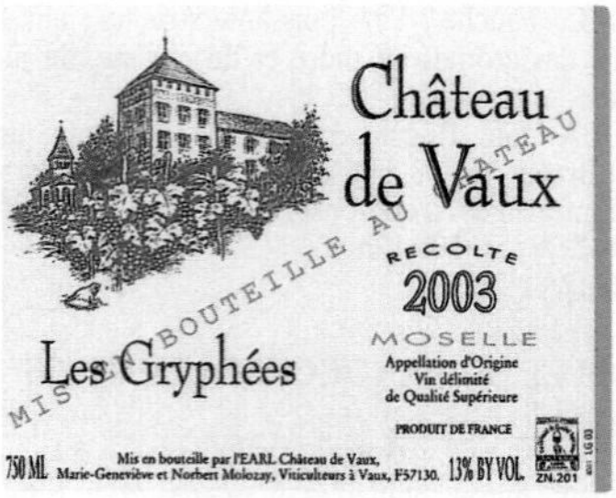

CH. DE VAUX Les Clos Pinot noir 2002 ★★

	0,3 ha	1 400	▯▮	11 à 15 €

Le château de Vaux n'a pas démérité en rouge. Ces clos en particulier, élevés un an en fût. Rouge soutenu, ce vin est très agréable au nez, bien fruité, et achève de convaincre par ses tanins fondus. Un ensemble très équilibré qui pourra encore s'affiner pendant plusieurs années. Quant au **pinot noir Les Hautes Bassières 2003 (8 à 11 €)**, coup de cœur dans le millésime précédent, il a été jugé très réussi et possède des qualités proches du précédent : nez fruité, palais soyeux, marqué par un léger boisé. Il pourra lui aussi se garder quelques années.
↬ Ch. de Vaux, 4, pl. Saint-Rémi, 57130 Vaux,
tél. 03.87.60.20.64, fax 03.87.60.24.67,
e-mail chateaudevaux.m@wanadoo.fr ☑ ↑ ↟ r.-v.

LE BEAUJOLAIS ET LE LYONNAIS

Le Beaujolais

Officiellement – et légalement – rattachée à la Bourgogne viticole, la région du Beaujolais n'en a pas moins une spécificité largement consacrée par l'usage. Celle-ci est d'ailleurs renforcée par la promotion dynamique de ses vins, menée avec ardeur par tous ceux qui ont rendu le beaujolais célèbre dans le monde entier. Ainsi, qui pourrait ignorer, chaque troisième jeudi de novembre, la joyeuse arrivée du beaujolais nouveau ? Déjà, sur le terrain, les paysages diffèrent de ceux de l'illustre voisine ; ici, point de côte linéaire et presque régulière, mais le jeu varié de collines et de vallons, qui multiplient à plaisir les coteaux ensoleillés ; et les maisons elles-mêmes, où les tuiles romaines remplacent les tuiles plates, prennent déjà un petit air du Midi.

Extrême midi de la Bourgogne, et déjà porte du Sud, le Beaujolais s'étend sur 23 000 ha et quatre-vingt-seize communes des départements de Saône-et-Loire et du Rhône, formant une région de 50 km du nord au sud, sur une largeur moyenne d'environ 15 km. Il est plus étroit dans sa partie septentrionale. Au nord, l'Arlois semble être la limite avec le Mâconnais. A l'est, en revanche, la plaine de la Saône, où scintillent les méandres de la majestueuse rivière dont Jules César disait qu'« elle coule avec tant de lenteur que l'œil à peine peut juger de quel côté elle va », est une frontière évidente. A l'ouest, les monts du Beaujolais sont les premiers contreforts du Massif central ; leur point culminant, le mont Saint-Rigaux (1 012 m), apparaît comme une borne entre les pays de Saône et de Loire. Au sud enfin, le vignoble lyonnais prend le relais pour conduire jusqu'à la métropole, irriguée, comme chacun sait, par trois « fleuves » : le Rhône, la Saône et le... beaujolais !

Il est sûr que les vins du Beaujolais doivent beaucoup à Lyon, dont ils alimentent toujours les célèbres « bouchons », et où ils trouvèrent évidemment un marché privilégié après que le vignoble eut pris son essor au XVIIIe s. Deux siècles plus tôt, Villefranche-sur-Saône avait succédé à Beaujeu comme capitale du pays, qui en avait pris le nom. Habiles et sages, les sires de Beaujeu avaient assuré l'expansion et la prospérité de leurs domaines, stimulés en cela par la puissance de leurs illustres voisins, les comtes de Mâcon et du Forez, les abbés de Cluny et les archevêques de Lyon. L'entrée du Beaujolais dans l'étendue des cinq grosses fermes royales dispensées de certains droits pour les transports vers Paris (qui se firent longtemps par le canal de Briare) entraîna donc le développement rapide du vignoble.

Aujourd'hui, le Beaujolais produit en moyenne 1 400 000 hl de vins rouges typés (la production de blancs est extrêmement limitée), mais – et c'est là une différence essentielle avec la Bourgogne – à partir d'un cépage presque exclusif, le gamay. Cette production se répartit entre les trois appellations beaujolais, beaujolais supérieur et beaujolais-villages, ainsi qu'entre les dix « crus » : brouilly, côte-de-brouilly, chénas, chiroubles, fleurie, morgon, juliénas, moulin-à-vent, saint-amour et régnié. Seules les appellations beaujolais et beaujolais-villages peuvent être revendiquées pour les vins rouges, rosés ou blancs, l'appellation beaujolais supérieur étant réservée aux vins rouges ou blancs. Quant aux dix autres, ils concernent uniquement des vins rouges, qui ont légalement la possibilité d'être déclarés en AOC bourgogne, à l'exception du dernier, le régnié. Géologiquement, le Beaujolais a subi successivement les effets des plissements hercyniens à l'ère primaire et alpin à l'ère tertiaire. Ce dernier a façonné le relief actuel, disloquant les couches sédimentaires du secondaire et faisant surgir les roches primaires. Plus près de nous, au quaternaire, les glaciers et les rivières s'écoulant d'ouest en est ont creusé de nombreuses vallées et modelé les terroirs, faisant apparaître des îlots de roches dures résistant à l'érosion, compartimentant le coteau viticole qui, tel un gigantesque escalier, regarde le levant et vient mourir sur les terrasses de la Saône.

De part et d'autre d'une ligne virtuelle passant par Villefranche-sur-Saône, on distingue traditionnellement le Beaujolais Nord du Beaujolais Sud. Le premier présente un relief plutôt doux, aux formes arrondies, aux fonds de vallons en partie comblés par des sables. C'est la région des roches anciennes de type granite, porphyre, schiste, diorite. La lente décomposition du granite donne des sables siliceux, ou « gore », dont l'épaisseur peut varier dans certains endroits d'une dizaine de centimètres à plusieurs mètres, sous forme d'arènes granitiques. Ce sont des sols acides, filtrants et pauvres. Ils retiennent mal les éléments fertilisants en l'absence de matière organique, sont sensibles à la sécheresse mais faciles à travailler. Avec les schistes, ce sont les terrains privilégiés des appellations locales et des beaujolais-villages. Le deuxième secteur, caractérisé par une plus grande proportion de terrains sédimentaires et argilo-calcaires, est marqué par un relief un peu plus accusé. Les sols sont plus riches en calcaire et en grès. C'est la zone des « pierres dorées », dont la couleur, qui vient des oxydes de fer, donne aux constructions un aspect chaleureux. Les sols sont plus riches et gardent mieux l'humidité. C'est la zone de l'AOC beaujolais. Ces deux entités, où la vigne prospère entre 190 et 550 m d'altitude, ont comme toile de fond le haut Beaujolais, constitué de roches métamorphiques plus dures, couvert à plus de 600 m par des forêts de résineux alternant avec des châtaigniers et des fougères. Les meilleurs terroirs, orientés sud-sud-est, sont situés entre 190 et 350 m.

La région beaujolaise jouit d'un climat tempéré, résultat de trois régimes climatiques différents : une tendance continentale, une tendance océanique et une tendance méditerranéenne. Chaque tendance peut dominer, le temps d'une saison, avec des transitions brutales faisant s'affoler baromètre et thermomètre. L'hiver peut être froid ou humide ; le printemps, humide ou sec ; les mois de juillet et août, brûlants quand souffle le vent desséchant du Midi, ou humides avec des pluies orageuses accompagnées de fréquentes chutes de grêle ; l'automne, humide ou chaud. La pluviométrie moyenne est de 750 mm, la température peut varier de -20 °C à +38 °C. Mais des microclimats modifient sensiblement ces données, favorisant l'extension de la vigne dans des situations *a priori* moins propices. Dans l'ensemble, le vignoble profite d'un bon ensoleillement et de bonnes conditions pour la maturation.

L'encépagement, en Beaujolais, est réduit à sa plus simple expression, puisque 99 % des surfaces sont plantées en gamay noir. Celui-ci est parfois désigné dans le langage courant sous le terme de « gamay beaujolais ». Banni de la Côte-d'Or par un édit de Philippe le Hardi qui, en 1395, le traitait de « très desloyault plant » (très certainement en comparaison du pinot), il s'adapte pourtant à de nombreux sols et prospère sous des climats très divers ; il couvre en France près de 33 000 ha. Remarquablement bien adapté aux sols du Beaujolais, ce cépage à port retombant doit, durant les dix premières années de sa culture, être soutenu pour se former ; d'où les parcelles avec échalas que l'on peut observer dans le nord de la région. Il est assez sensible aux gelées de printemps, ainsi qu'aux principaux parasites et maladies de la vigne. Le débourrement peut se manifester tôt (fin mars), mais le plus souvent on l'observe au cours de la deuxième semaine d'avril. Ne dit-on pas ici : « Quand la vigne brille à la Saint-Georges, elle n'est pas en retard » ? La floraison a lieu dans la première quinzaine de juin, et les vendanges commencent à la mi-septembre.

Les autres cépages ouvrant le droit à l'appellation sont le pinot noir pour les vins rouges et rosés, et, pour les vins blancs, le chardonnay et l'aligoté. Jusqu'en 2015, les parcelles de pinot noir pourront être assemblées dans la limite de 15 % ; l'usage d'incorporer en mélange dans les vignes des plants de pinot noir et gris, de chardonnay, de melon et d'aligoté dans la limite de 15 % reste autorisé pour l'élaboration des vins rouges et rosés. Deux principaux modes de taille sont pratiqués : une taille courte en forme de gobelet ou d'éventail pour toutes les appellations, et une taille avec baguette (ou taille guyot simple) pour l'appellation beaujolais.

Tous les vins rouges du Beaujolais sont élaborés selon le même principe : respect de l'intégralité de la grappe associé à une macération courte (de trois à sept jours en fonction du type de vin). Cette technique combine la fermentation alcoolique classique dans 10 à 20 % du volume de moût libéré à l'encuvage, et la fermentation intracellulaire qui assure une dégradation non négligeable

Le Beaujolais

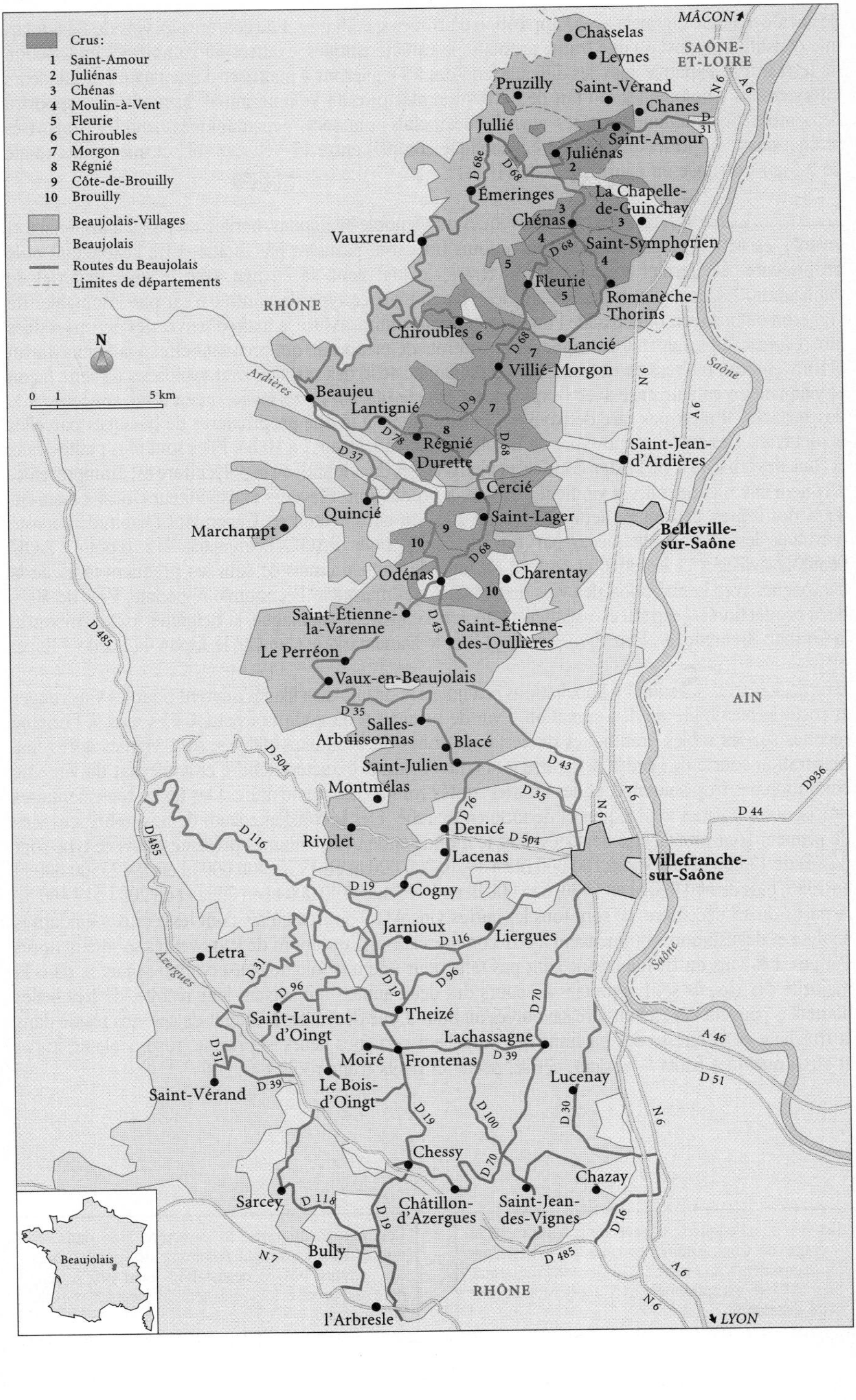
Crus :
1 Saint-Amour
2 Juliénas
3 Chénas
4 Moulin-à-Vent
5 Fleurie
6 Chiroubles
7 Morgon
8 Régnié
9 Côte-de-Brouilly
10 Brouilly
Beaujolais-Villages
Beaujolais
Routes du Beaujolais
Limites de départements
N
0 1 5 km
MÂCON
SAÔNE-ET-LOIRE
RHÔNE
AIN
Chasselas
Leynes
Pruzilly
Saint-Vérand
Chanes
Jullié
Saint-Amour
Juliénas
Émeringes
La Chapelle-de-Guinchay
Chénas
Vauxrenard
Saint-Symphorien
Fleurie
Romanèche-Thorins
Chiroubles
Lancié
Villié-Morgon
Beaujeu
Lantignié
Régnié
Durette
Saint-Jean-d'Ardières
Cercié
Quincié
Saint-Lager
Marchampt
Belleville-sur-Saône
Odénas
Charentay
Saint-Étienne-la-Varenne
Saint-Étienne-des-Oullières
Le Perréon
Vaux-en-Beaujolais
Salles-Arbuissonnas
Blacé
Saint-Julien
Montmélas
Rivolet
Denicé
Lacenas
Villefranche-sur-Saône
Cogny
Jarnioux
Liergues
Letra
Theizé
Saint-Laurent-d'Oingt
Lachassagne
Moiré
Frontenas
Saint-Vérand
Le Bois-d'Oingt
Lucenay
Chessy
Chazay
Sarcey
Châtillon-d'Azergues
Saint-Jean-des-Vignes
Bully
l'Arbresle
LYON
Beaujolais
Saône
Ardières
Azergues
D 68e
D 68
D 31
D 9
D 78
D 37
D 43
D 35
D 504
D 76
D 116
D 485
D 19
D 96
D 31
D 39
D 70
D 100
D 30
D 118
D 16
D 44
D936
D 51
N 6
A 6
A 46
N 7

de l'acide malique du raisin avec l'apparition d'arômes spécifiques. Elle confère aux vins du Beaujolais une constitution ainsi qu'une trame aromatique caractéristiques, exaltées ou complétées en fonction du terroir. Elle explique aussi les difficultés qu'ont les vignerons à maîtriser d'une façon parfaite leurs interventions œnologiques, du fait de l'évolution aléatoire du volume initial du moût par rapport à l'ensemble. Schématiquement, les vins du Beaujolais sont secs, peu tanniques, souples, frais, très aromatiques ; ils présentent un degré alcoolique compris entre 12 ° et 13 ° vol., et une acidité totale de 3,5 g/l exprimée en équivalence de $H^2 SO^4$.

L'une des caractéristiques du vignoble beaujolais, héritée du passé mais tenace et vivante, est le métayage : la récolte et certains frais sont partagés par moitié entre l'exploitant et le propriétaire, ce dernier fournissant les terres, le logement, le cuvage avec le gros matériel de vinification, les produits de traitement, les plants, mais ce type de contrat n'est pas immuable. Le vigneron ou métayer, qui possède l'outillage pour la culture, assure la main-d'œuvre, les dépenses dues aux récoltes, le parfait état des vignes. Les contrats de métayage, qui prennent effet à la Saint-Martin (11 novembre), intéressent de nombreux exploitants ; 46 % des surfaces sont exploitées de cette façon et viennent en concurrence avec l'exploitation directe (45 %). Le fermage, quant à lui, concerne 9 % des surfaces. Il n'est pas rare de trouver des exploitants à la fois propriétaires de quelques parcelles et métayers. Les exploitations types du Beaujolais s'étendent sur 7 à 10 ha. Elles sont plus petites dans la zone des crus, où le métayage domine, et plus grandes dans le sud, où la polyculture est omniprésente. Dix-neuf caves coopératives vinifient 30 % de la production. Eleveurs et expéditeurs locaux assurent 85 % des ventes, exprimées depuis la récolte 2001 en euro/hectolitre. Cependant l'habitude persiste d'évaluer les cours à la pièce, par fûts de 216 l pour l'AOC beaujolais, 215 l pour l'AOC beaujolais-villages et les crus, et ce tout au long de l'année ; mais ce sont les premiers mois de la campagne, avec la libération des vins de primeur, qui marquent l'économie régionale. Près de 50 % de la production est exportée, essentiellement vers la Suisse, l'Allemagne, la Belgique, le Luxembourg, la Grande-Bretagne, les Etats-Unis, les Pays-Bas, le Danemark, le Canada, le Japon, la Suède, l'Italie.

Seules les appellations beaujolais et beaujolais-villages ouvrent pour les vins rouges et rosés la possibilité de dénomination « vin de primeur » ou « vin nouveau ». Ces vins, à l'origine récoltés sur les sables granitiques de certaines zones de beaujolais-villages, sont vinifiés après une macération courte de l'ordre de quatre jours, favorisant le caractère tendre et gouleyant du vin, une coloration pas trop soutenue, et des arômes fruités comme la banane mûre. Des textes réglementaires précisent les normes analytiques et de mise en marché. Dès le troisième jeudi de novembre, ces vins de primeur sont prêts à être dégustés dans le monde entier. Les volumes présentés dans ce type sont passés de 13 000 hl en 1956 à 100 000 hl en 1970, 200 000 hl en 1976, 400 000 hl en 1982, 500 000 hl en 1985, plus de 600 000 hl en 1990, 655 000 hl en 1996 mais 790 000 hl en 2002 et en 2003 517 100 hl. A partir du 15 décembre, ce sont tous les autres vins AOC du Beaujolais dont les « crus » qui, après analyse et dégustation, commencent à être commercialisés, l'optimum de leurs ventes se situant après Pâques. Les vins du Beaujolais ne sont pas faits pour une très longue conservation ; mais si, dans la majorité des cas, ils sont appréciés au cours des deux années qui suivent leur récolte, de très belles bouteilles peuvent cependant être savourées au bout d'une décennie. L'intérêt de ces vins réside dans la fraîcheur et la finesse des parfums qui rappellent certaines fleurs – pivoine, rose, violette, iris – et aussi quelques fruits – abricot, cerise, pêche et petits fruits rouges.

Les vins dont l'étiquette est reproduite constituent les « coups de cœur » librement élus à l'aveugle par les dégustateurs du Guide ; seuls les vins remarquables (★★) et exceptionnels (★★★) peuvent obtenir cette distinction.

Les vins mentionnés en caractère gras dans les notices sont également recommandés par les jurés des commissions de dégustation. Leur prix et leur note sont précisés lorsqu'ils sont différents de ceux du vin principal.

Beaujolais et beaujolais supérieur

L'appellation beaujolais est celle de près de la moitié de la production. 10 500 ha, localisés en majorité au sud de Villefranche, ont fourni en 2003, 386 357 hl dont 6 557 hl de vins blancs élaborés à partir du chardonnay et récoltés pour 30 % des volumes dans le canton de La Chapelle-de-Guinchay, zone de transition entre les terrains siliceux des crus et les terrains calcaires du Mâconnais. Dans la zone des « pierres dorées », à l'est du Bois-d'Oingt et au sud de Villefranche, on trouve des vins rouges aux arômes plus fruités que floraux, parfois avec des pointes olfactives végétales ; ces vins colorés, charpentés, un peu rustiques, se conservent assez bien. Dans la partie haute de la vallée de l'Azergues, à l'ouest de la région, on retrouve des roches cristallines qui communiquent aux vins une mâche plus minérale, ce qui les fait apprécier un peu plus tardivement. Enfin, les zones plus en altitude offrent des vins vifs, plus légers en couleur, mais aussi plus frais les années chaudes. Les neuf caves coopératives implantées dans ce secteur ont fait considérablement évoluer les technologies et l'économie de cette région, dont sont issus près de 75 % des vins de primeur.

L'appellation beaujolais supérieur ne comporte pas de territoire délimité spécifique, mais une identification des vignes est réalisée chaque année. Elle peut être revendiquée pour des vins dont les moûts présentent, à la récolte, une richesse en équivalent alcool de 0,5 ° supérieure à ceux de l'appellation beaujolais. En 2003, se sont 4 244 hl qui ont été déclarés principalement sur le territoire de l'AOC beaujolais.

L'habitat est dispersé, et l'on admirera l'architecture traditionnelle des maisons vigneronnes : l'escalier extérieur donne accès à un balcon à auvent et à l'habitation, au-dessus de la cave située au niveau du sol. A la fin du XVIIIe s., on construisit de grands cuvages extérieurs à la maison de maître. Celui de Lacenas, à 6 km de Villefranche, dépendance du château de Montauzan, abrite la confrérie des Compagnons du Beaujolais, créée en 1947 pour servir les vins du Beaujolais, et qui a aujourd'hui une audience internationale. Une autre confrérie, les Grappilleurs des pierres dorées, anime depuis 1968 les nombreuses manifestations beaujolaises. Quant à déguster un « pot » de beaujolais, ce flacon de 46 cl à fond épais qui garnit les tables des bistrots, on le fera avec gratons, tripes, boudin, cervelas, saucisson et toute cochonnaille, ou sur un gratin de quenelles lyonnaises. Les primeurs iront sur les cardons à la moelle ou les pommes de terre gratinées avec des oignons.

Beaujolais

D'ARENA Terroirs des Granits 2003 ★

■ 10 ha 40 000 ■⸸ 5 à 8 €

Cette jeune entreprise de négoce se distingue en recueillant une citation pour son **beaujolais-villages rouge 2003 Arena Terroirs des Granits** et une étoile pour son **beaujolais rouge Hills (8 à 11 € ces deux cuvées)** du même millésime. Quant à cette sélection grenat intense, elle livre d'assez puissants parfums de fruits rouges, de prune et d'iris qu'accompagnent quelques nuances poivrées. Après une bonne attaque, sa matière puissante au léger fruité amylique se développe jusqu'à des impressions plus tanniques en finale. Concentré et long, ce vin de garde sera prêt dès cet automne.

🔑 Signé Vigneron, Cuvage de la Pierre-Bleue, 69460 Odenas, tél. 04.74.03.52.72, fax 04.74.03.38.58, e-mail signe-vigneron1@wanadoo.fr

DOM. DE BALUCE 2003 ★

■ 5,74 ha 46 000 ■ ⏀ ⸸ 5 à 8 €

Le domaine dépendait autrefois du château de Bagnols (XIIe s.). Dans ses caves enterrées et voûtées a été élevé ce vin d'un rubis brillant aux agréables parfums fruités mariés à des nuances minérales liées au granit. Encore marqué par des tanins austères mais à l'évolution prometteuse, ce beaujolais n'en est pas moins plébiscité pour son expression du terroir. Corsé, il sera à découvrir dans les deux prochaines années et pourra accompagner une côte de veau.

🔑 Jean-Yves et Annick Sonnery, Dom. de Baluce, 69620 Bagnols, tél. 04.74.71.71.43, fax 04.74.71.71.43, e-mail baluce@cario.fr ☑ Y ⛹ r.-v.

DOM. DES BAS-CIEUX Cuvée Terroir 2003 ★

■ 8,8 ha 8 000 ■⸸ 5 à 8 €

Cette propriété, qui domine la Saône au milieu des vignes, a été achetée en 1973 et agrandie au fil des ans (10 ha aujourd'hui). Elle propose un beaujolais d'un grenat limpide assez léger et aux intenses parfums de groseille, de cassis et de mûre. La bouche puissante, au frais fruité persistant, est concentrée et soyeuse à la fois. Ce beaujolais typé et friand est à boire dans les deux ans. A servir sur de la charcuterie ou sur un plat de viande en sauce.

🔑 Georges Rebut, chem. de la Vigne-des-Garçons, 69480 Anse, tél. 04.74.67.07.43, fax 04.74.67.20.83, e-mail domaine.des-bas-cieux@wanadoo.fr
☑ Y ⛹ t.l.j. sf dim. 10h30-12h30 17h-20h

CAVE DU BEAU VALLON
Au Pays des Pierres dorées 2003

■ 20 ha 50 000 ■⸸ 5 à 8 €

Fondée au début des années 1960, la Cave du Beau Vallon vinifie 465 ha de vignes. Elle a présenté un beaujolais d'un beau rouge, aux parfums expressifs et fins de cassis et de fruits rouges frais. Ce vin garnit totalement le palais d'une matière ronde mais bien structurée au fruité de fraise persistant. Cette bouteille harmonieuse est à boire dans l'année.

⊶ Cave du Beau Vallon, 69620 Theizé,
tél. 04.74.71.48.00, fax 04.74.71.84.46,
e-mail cave-beauvallon@wanadoo.fr ☒ Y 🚶 r.-v.

CH. DE BEL-AIR 2003 ★★

■ n.c. 7 000 3 à 5 €

Depuis 1967, date de la première rentrée scolaire avec vingt élèves, le lycée de Bel-Air n'a cessé d'évoluer. Aujourd'hui, un circuit pédagogique ouvert à tous permet d'assister à la vinification des raisins. Le grand jury a confirmé coup de cœur ce beaujolais rubis soutenu dont les parfums intenses évoluent de la groseille et de la framboise vers la fraise des bois et le cassis. Charnu, d'une bonne structure tannique pleine de fraîcheur, élégant et persistant, ce vin mérite un poulet de Bresse. Toute viande blanche lui conviendra aussi.

⊶ Lycée viticole de Bel-Air, rte de Beaujeu,
69220 Saint-Jean-d'Ardières, tél. 04.74.66.45.97,
fax 04.74.66.54.55, e-mail lpa.belleville@educagsi.fr
☒ Y 🚶 r.-v.

DOM. DE BELLEVUE 2003 ★

■ 11 ha 30 000 ▮🌡 **5 à 8 €**

La propriété a été créée en 1963. Des vignes de quarante ans ont donné ce vin rubis aux beaux reflets violets. Assez intenses et complexes, les parfums évoquent les fruits noirs, avec des notes de gibier et de sous-bois. L'attaque franche révèle une matière agréablement fruitée et épicée d'une bonne longueur. Plaisant, ce beaujolais est à boire dans les deux prochaines années.

⊶ EARL Saint-Cyr, Les Perrelles, 69480 Anse,
tél. 04.74.60.23.69, fax 04.74.60.23.26
☒ Y 🚶 t.l.j. 10h-12h30 15h-19h

DOM. BERGER DES VIGNES 2003 ★

■ 2 ha 6 000 ▮ **5 à 8 €**

Distingué il y a deux ans en blanc, ce domaine de 15 ha a proposé cette année un beaujolais d'un rubis brillant qui s'ouvre sur des notes de fleurs et de fruits rouges. L'attaque généreuse se développe sur des arômes d'iris assez intenses. Correctement structuré et de bonne longueur, ce vin de terroir est à consommer dans l'année. Il accompagnera un saucisson chaud ou du jambon cuit.

⊶ EARL Claude Berger, Le Chalier, 69480 Pommiers,
tél. 04.74.65.07.09, fax 04.74.60.08.72,
e-mail berger-co@wanadoo.fr ☒ Y 🚶 r.-v.

DOM. DE BOIS DIEU 2003 ★

□ 1 ha 2 000 ▮⛁ 5 à 8 €

Avec l'arrivée du fils David sur l'exploitation, la famille Baratin a quitté la coopérative pour créer ce domaine en 2003. Elle propose un beaujolais blanc cristallin d'un or vert, aux complexes parfums de glycine, de cassis accompagnés de notes minérales. La bouche harmonieuse révèle un fruité d'amande. Ce vin de style classique est à boire dans l'année. De la même propriété, le **beaujolais rouge 2003 (3 à 5 €)** a été cité.

⊶ Dom. de Bois Dieu, Les Sapins, 69400 Liergues,
tél. 06.63.56.22.83, fax 04.74.03.83.94
☒ Y 🚶 t.l.j. 9h-12h 14h-19h; dim. a.-m. sur r.-v.
⊶ Baratin

CAVE DES VIGNERONS DE BULLY 2003 ★

□ 20 ha 100 000 3 à 5 €

Avec 750 ha et 43 000 hl vinifiés, la cave de Bully, créée en 1959, est la première coopérative du Beaujolais. A la suite d'une fusion en 2003, elle vinifie les apports des adhérents de la cave de Lachassagne. Si son **beaujolais rouge Vieilles Vignes 2003 (5 à 8 €)** a été cité, les dégustateurs ont préféré ce rosé très pâle. Des parfums frais de fraise et de framboise bien développés et persistants accompagnent une bouche vineuse, souple, équilibrée et élégante. Ce vin, à boire dans l'année, pourra accompagner un couscous.

⊶ Cave des vignerons de Bully-en-Beaujolais,
La Martinière, 69210 Bully,
tél. 04.74.01.27.77, fax 04.74.01.22.30,
e-mail cavedebully@wanadoo.fr ☒ Y 🚶 r.-v.

CH. DE CERCY 2003 ★

■ n.c. 30 000 ▮ 3 à 5 €

D'un rouge soutenu, ce beaujolais affiche des parfums complexes de fruits rouges et de cassis, associés à des notes de pivoine. Des tanins soyeux soutiennent une matière charnue et aromatique que remplit longuement le palais. Cette bouteille sera prête dans un an.

⊶ Michel Picard, Ch. de Cercy, 69640 Denicé,
tél. 04.74.67.34.44, fax 04.74.67.32.35 ☒ Y 🚶 r.-v.

PIERRE CHARMET Cuvée la Ronze 2003 ★

■ 0,7 ha 5 000 ▮🌡 **5 à 8 €**

Pierre Charmet a vinifié cette cuvée d'un grenat profond, au nez flatteur de fruits noirs très mûrs et de fruits rouges. Dès l'attaque, on tombe sous le charme de sa matière riche et ample dotée d'une bonne structure qui place ce vin parmi les plus représentatifs du millésime. Bien travaillée, une bouteille à attendre un an et plus. A déguster avec une viande rouge.

⊶ Pierre Charmet, Le Martin, 69620 Le Breuil,
tél. 04.74.71.80.67 ☒ Y 🚶 r.-v.

VIGNOBLE CHARMET Moulin la Blanche 2003

■ 1 ha 5 000 ▮🌡 **8 à 11 €**

Deux citations pour ce domaine de 26 ha. La première pour cette cuvée pourpre sombre issue de vignes de quarante ans implantées sur des schistes. Au nez, les nuances de fruits rouges et de myrtille évoluent vers des senteurs plus affirmées de cassis. L'attaque franche est suivie d'impressions de puissance, reflet d'une matière concentrée. Ce vin bien travaillé, à la finale légèrement tannique, est apte à la garde (un an et plus). On le servira avec du gibier. La seconde citation est allée au **beaujolais rouge 2003 Cuvée Masfraise (5 à 8 €)**.

⌐┑ Vignoble Charmet, La Ronze, 69620 Le Breuil,
tél. 04.78.43.92.69, fax 04.78.43.90.31
☑ 𝕐 ⚲ t.l.j. sf dim. 8h-12h 14h-18h
⌐┑ GFA Escargot

DOM. DU CHARVERRON Vieilles Vignes 2003 ★★

■	0,8 ha	3 500		3 à 5 €

Obtenue à partir de vignes de plus de soixante ans implantées dans un secteur granitique au sud du Beaujolais, cette cuvée grenat limpide livre de frais parfums de fruits rouges, de cassis et de mûre. Assez puissante mais très bien équilibrée entre la vinosité, l'acidité et les arômes de fruits rouges, elle laisse des impressions soyeuses au palais. Elle sera à boire pendant deux ans avec des cochonnailles, un saucisson chaud, ou encore avec les grillades d'un barbecue.
⌐┑ Roudon Mère et Fils, GAEC du Charverron, le Farginet, 69620 Létra, tél. 04.74.71.33.97, fax 04.74.71.33.97 ☑ 𝕐 ⚲ r.-v.

DOM. CHATELUS Cuvée Terroir 2003 ★

■	2 ha	10 000	■	3 à 5 €

Domaine familial de près de 19 ha retenu ces dernières années en beaujolais grâce à cette même cuvée. D'un rubis assez intense, limpide et brillant, le 2003 fleure le cassis et la groseille associés à des notes d'épices réglissées. Son agréable chair toujours imprégnée de la fraîcheur du cassis nuancé de réglisse glisse sans aspérité dans le palais. Vin de plaisir, à boire dès maintenant, sur une épaule roulée par exemple.
⌐┑ Pascal Chatelus, La Roche, 69620 Saint-Laurent-d'Oingt, tél. 04.74.71.24.78, fax 04.74.71.28.36 ☑ 𝕐 ⚲ t.l.j. 8h-19h

CLOS DU CHATEAU LASSALLE 2003 ★

▨	n.c.	600	■	5 à 8 €

Dans la cave, rénovée en 2003, ont été élaborés un **beaujolais rouge 2003** qui a obtenu une citation, et cette petite cuvée à la belle robe jaune et aux parfums floraux. On retrouve ces arômes dans une bouche ample et longue. Une finale pour l'heure assez vive incite à attendre ce vin deux à trois ans.
⌐┑ Frédéric Pérol, N447, chem. de La Colletière, 69380 Châtillon-d'Azergues, tél. 04.78.43.99.84, fax 04.78.43.99.84 ☑ ⌂ 𝕐 ⚲ r.-v.

CH. DES CORREAUX 2002

▨	2 ha	10 000	■⚲	5 à 8 €

A la tête de 30 ha de vignes, Jean Bernard exporte 60 % de sa production. Les vignes implantées sur des terrains granitiques sont à l'origine de ce beaujolais jaune d'or, limpide et brillant, qui montre quelques reflets verts. Bien développés et très agréables, les parfums évoquent l'aubépine, la poire et le citron. Fin, généreux tout en restant frais, ce vin est classique. A boire dans les deux ans avec un poisson en sauce ou des viandes blanches.
⌐┑ Jean Bernard, Ch. des Correaux, 71570 Leynes, tél. 03.85.35.11.59, fax 03.85.35.13.94, e-mail bernardleynes@yahoo.fr ☑ 𝕐 ⚲ r.-v.

DOM. DES COTEAUX DE CRUIX
Cuvée Tradition 2003 ★

■	3 ha	10 000	■⚲	5 à 8 €

Située au cœur du pays des pierres dorées, cette exploitation (17 ha) a tiré de sols argilo-calcaires un vin grenat, profond, au nez de fruits rouges très mûrs et de

pivoine. Puissant et gouleyant à la fois, ce beaujolais facile à boire, équilibré et d'une bonne persistance, sera apprécié au cours des deux prochaines années.
⌐┑ Paul André Brossette et Fils, Cruix, 69620 Theizé, tél. 04.74.71.24.83, fax 04.74.71.28.98, e-mail beaujolais.brossette.pa@wanadoo.fr
☑ 𝕐 ⚲ t.l.j. 7h-21h sf dim. 9h-20h

DOM. DES COTEAUX DE LA ROCHE
Cuvée Vieilles Vignes 2003 ★

■	1 ha	6 600	▥	5 à 8 €

Une exploitation de 9,5 ha établie au sud du Beaujolais. Implantées sur des terrains granitiques, des vieilles vignes d'une cinquantaine d'années ont donné ce vin rubis soutenu, limpide, aux parfums de mûre, de myrtille et de fruits rouges confiturés (fraise). L'attaque riche et ronde évoque les raisins très mûrs. Une note épicée est associée à la bonne structure tannique. La finale où l'on retrouve la fraise reste fraîche. Très agréable, ce beaujolais est à boire au cours des deux prochaines années. A servir avec des viandes blanches, de la charcuterie, voire certains poissons.
⌐┑ EARL Joyet, La Roche, 69620 Létra, tél. 04.74.71.32.77, fax 04.74.71.32.77 ☑ 𝕐 ⚲ r.-v.

DOM. DES CRETES 2002 ★

	0,96 ha	4 800	■	5 à 8 €

Limpide, d'une très belle couleur or à reflets citron, ce 2002 présente un nez expressif, riche et complexe, dominé par les agrumes. On retrouve ces arômes au palais, associés à une vivacité prometteuse. Bien typé et équilibré, ce vin sera apprécié pendant deux ans. Du même domaine, le **beaujolais rouge 2003 Cuvée des Varennes** a été cité.
⌐┑ GAEC Brondel Père et Fils, 750, rte des Crêtes, 69480 Graves-sur-Anse, tél. 04.74.67.11.62, fax 04.74.60.24.30, e-mail domaine.descretes@wanadoo.fr ☑ ⌂ 𝕐 ⚲ r.-v.

DOM. DE CRUIX 2003 ★★

■	1,5 ha	7 000		3 à 5 €

Installé dans une maison de 1622, cette propriété dispose d'un cuvage en pierres dorées qui date de 1897. Elle a produit un vin d'un rouge soutenu et lumineux, aux agréables parfums de fruits noirs associés à des nuances de chocolat et de moka. Charnue, tendre, veloutée, harmonieusement structurée, la bouche est d'une belle complexité. Cet excellent 2003 est à apprécier au cours des deux prochaines années.
⌐┑ Jean-Claude Brossette, Dom. de Cruix, 69620 Theizé, tél. 04.74.71.24.74, fax 04.74.71.29.16, e-mail jcbrossette@areka.com
☑ 𝕐 ⚲ t.l.j. 9h-12h 14h-18h

CAVE DES VIGNERONS DU DOURY
Cuvée Prestige 2003

▨	5 ha	4 000	■⚲	5 à 8 €

Créée en 1957, la coopérative des vignerons du Doury vinifie 465 ha de vignes. Trois de ses cuvées ont été citées. Celle-ci présente une robe grenat limpide à reflets rosés. Les parfums qui s'épanouissent lentement sont dominés par le cassis, avec de la cerise. Franche, souple et fruitée, l'attaque est suivie d'impressions tanniques assez perceptibles en finale. Un vin bien équilibré que l'on appréciera pleinement dans un an. Ont obtenu la même note le **beaujolais supérieur 2003** et le **beaujolais blanc 2003** (3 à 5 €).

🔑 Cave des Vignerons du Doury, 69620 Létra, tél. 04.74.71.30.52, fax 04.74.71.35.28, e-mail cavedoury@wanadoo.fr ☑ 🍷 🚶 r.-v.

BERNARD DUMAS 2003

■ 1 ha 2 000 ▮ 5 à 8 €

Des vignes de cinquante-cinq ans ont donné ce beaujolais d'un grenat lumineux aux parfums fruités, discrets mais plaisants. Associés à une structure légère, ils composent un vin agréable, assez long, que l'on prendra plaisir à boire dans l'année.

🔑 Bernard Dumas, Les Ronzières, 69620 Ternand, tél. 04.74.71.38.57 ☑ 🍷 🚶 r.-v.

DOM. DUPRE Terre noire 2003 *

■ 5 ha 6 000 ▮ 5 à 8 €

Cette exploitation, entrée dans la famille en 1965, compte aujourd'hui 10 ha. Dans sa cave voûtée a été élevée une cuvée rouge sombre à reflets violets. Des parfums intenses s'en échappent : cassis, mûre et myrtille très mûrs associés à des nuances de réglisse. Ces arômes se prolongent au palais et se marient à une bonne vinosité. Une bouteille bien faite, une valeur sûre. On la boira dans les deux ans avec un bœuf bourguignon ou même un plat exotique.

🔑 Jean-Michel Dupré, Ranfray, 69430 Les Ardillats, tél. 04.26.74.88.14, fax 04.26.74.88.15 ☑ 🏠 🏠 🍷 🚶 r.-v.

DOM. GARLON 2003 *

■ 4 ha 25 000 ▮🌡 5 à 8 €

Dans cette propriété aux mains de la même famille depuis 1750, on retourne au travail du sol. Des vignes d'une cinquantaine d'années sont à l'origine de ce vin grenat aux parfums assez intenses de fruits rouges et d'épices. La bouche, délicieusement parfumée, souple et tendre, présente une belle fraîcheur. La structure tannique qui apparaît en finale fait de ce beaujolais un vin complet, d'une grande typicité. Il est à boire au cours des deux prochaines années.

🔑 Jean-François Garlon, Le Bourg, 69620 Theizé, tél. 04.74.71.11.97, fax 04.74.71.23.30, e-mail jf.garlon@wanadoo.fr ☑ 🍷 🚶 r.-v.

CH. DU GRAND TALANCE 2003 *

□ 1,5 ha 2 400 ▮ⓘ🌡 3 à 5 €

Le domaine environne un petit château du XIXᵉs. Obtenue après une fermentation de plusieurs semaines, cette cuvée jaune paille à reflets verts s'ouvre rapidement sur des notes d'agrumes et de fruits exotiques très agréables. La dégustation révèle un beau potentiel associé à une chair fraîche qui doit s'affiner. On attendra un à deux ans avant de déguster cette bouteille sur un poisson frit ou grillé.

🔑 Jean Truchot, GFA du Grand Talancé, 69640 Denicé, tél. 04.74.67.55.83, fax 04.74.67.55.83 ☑ 🍷 🚶 r.-v.

DOM. DE LA GRANGE-MENARD Cuvée Vieilles Vignes 2003 *

■ 7 ha 9 000 ▮🌡 5 à 8 €

Le vignoble a été créé il y a cinquante ans. Coup de cœur pour son millésime 2001, cette cuvée Vieilles Vignes est née de vignes âgées de soixante ans. D'un rubis profond et limpide, le 2003 livre de riches parfums où dominent le cassis et les fruits rouges. Après l'attaque ample et ronde, le palais est impressionné par la belle structure d'une chair étoffée et fruitée. Très harmonieuse et d'une bonne longueur, une bouteille à boire dans les deux ans avec une viande blanche ou de la charcuterie. Du même domaine, le **beaujolais-villages Coteaux des Pierres rouges 2003** a été cité.

🔑 Evelyne et Guy Pignard, Dom. de la Grange-Ménard, 69400 Arnas, tél. 04.74.62.87.60, fax 04.74.62.87.60, e-mail pignard.guy@wanadoo.fr ☑ 🍷 🚶 r.-v.

CAVE DES VIGNERONS DE LIERGUES 2003 *

■ 5 ha 10 000 ▮🌡 3 à 5 €

Régulièrement distinguée par les dégustateurs Hachette, la Cave des vignerons de Liergues ne faillit pas : son **beaujolais blanc Réserve particulière (5 à 8 €)** élevé en fût, est cité ; son **rosé 2003** se voit attribuer une étoile, tout comme ce beaujolais rouge à la robe rubis intense animée de reflets violets. Aux parfums friands et fins de fruits rouges frais écrasés se mêle une note amylique que l'on retrouve au palais. Ronde et souple, la bouche révèle un bon équilibre entre le fruité et la fraîcheur. D'une belle rémanence, cette bouteille sera appréciée pendant deux ans avec une viande blanche.

🔑 Cave des Vignerons de Liergues, 69400 Liergues, tél. 04.74.65.86.00, fax 04.74.62.81.20, e-mail cave-des-vignerons-de-liergues@wanadoo.fr ☑ 🍷 🚶 r.-v.

DAVID MARCHAND 2003 *

■ 1 ha 2 328 ▮🌡 5 à 8 €

David Marchand a repris l'exploitation familiale en 2002 ; en 2003, il a étendu la superficie de son exploitation en prenant en métayage 1,3 ha de vignes vinifiées à la coopérative de Saint-Julien. Paré d'une robe rouge violacé, profonde et limpide, son 2003 exprime des parfums de fruits rouges bien mûrs, de banane et des notes épicées. Ces arômes se révèlent encore plus puissants en bouche, accompagnés de nuances de framboise et de kirsch. Riche et équilibré, un vin de classe qui prendra la suite des cuvées de primeur.

🔑 David Marchand, Les Meules, 69640 Cogny, tél. 04.74.67.33.25, fax 04.74.67.33.94 ☑ 🍷 🚶 r.-v.

DOM. DU MARQUISON Clos de Rapetour 2003 *

■ 1,5 ha 5 000 ⓘ 5 à 8 €

Implantées sur des coteaux exposés au sud-ouest, une majeure partie des vignes du domaine explorent un sous-sol de marnes fossiles et de calcaires à gryphées. Cette cuvée affiche une robe rubis intense aux reflets bleutés. Les fruits noirs et rouges dominent la palette aromatique accompagnés de cumin, de poivre et de pivoine. L'attaque franche révèle de l'ampleur et une bonne structure. Cet ensemble solide, complexe et harmonieux, pourra être apprécié pendant deux à trois ans. Il s'accordera aussi bien avec la cuisine lyonnaise, un coq de Bresse au vin, qu'avec certains plats exotiques (couscous). Souple, ronde et fruitée, la **cuvée principale 2003 (3 à 5 €)** fait jeu égal avec cette bouteille.

🔑 Christian Vivier-Merle, Dom. du Marquison, Les Verjouttes, 69620 Theizé, tél. 06.15.88.06.16, fax 04.74.71.26.66, e-mail ncviviermerle@wanadoo.fr ☑ 🍷 🚶 r.-v.

DOM. MIOLANE 2003 ★★

□	0,64 ha	2 000	▮ ♁	5 à 8 €

Salles-Arbuissonnas mérite une visite pour son prieuré Saint-Martin (XIIe s.), bel exemple d'art roman clunisien. Christian Miolane y exploite quelque onze hectares. Son beaujolais blanc, lui aussi, vaut le détour. D'un jaune d'or étincelant, il délivre les délicates senteurs fruitées du chardonnay, associées à des touches minérales et vanillées. Généreuse, bien structurée, complexe, équilibrée et charnue à souhait, la bouche révèle une belle acidité qui met en valeur des arômes d'amande et d'abricot. Long et harmonieux, ce vin est à boire au cours des deux prochaines années.

⊶ EARL Dom. Christian Miolane,
La Folie, 69460 Salles-Arbuissonnas,
tél. 04.74.67.52.67, fax 04.74.67.59.95,
e-mail domainemiolane@wanadoo.fr ☑ ⌂ Y 🚶 r.-v.

DOM. DU MOULIN BLANC
Cuvée Tradition 2003 ★★

■	1 ha	7 000		3 à 5 €

Dans la cave voûtée, longue de 50 m, de ce domaine a été élevée une cuvée à la robe grenat brillant animée de reflets violets. D'intenses et plaisants parfums de fruits rouges sont associés en bouche à une chair succulente, riche et bien structurée. Cette remarquable bouteille atteindra son apogée à la sortie du Guide ; elle sera appréciée pendant deux ans. De la même propriété, le **beaujolais blanc 2003 (5 à 8 €)** reçoit une étoile.

⊶ Alain et Danièle Germain, Dom. du Moulin Blanc,
Crière, 69380 Charnay, tél. 04.78.43.98.60,
e-mail domaine-du-moulin-blanc@wanadoo.fr
⌂ ⌂ Y 🚶 r.-v.

JEAN-JACQUES PAIRE 2003 ★

□	0,36 ha	1000	▮ ♁	5 à 8 €

A travers une exposition de vieux outils, l'histoire de la vigne du Moyen Age à nos jours est expliquée aux visiteurs, ainsi que celle de la tonnellerie au XIXe s. L'exploitation s'est distinguée par ce vin jaune pâle aux délicats parfums de fleurs. Une chair et une rondeur de bon aloi accompagnent d'élégants arômes toujours floraux, associés à des impressions minérales. Ce beaujolais sera apprécié dans l'année. Le **beaujolais rouge cuvée Prestige 2003**, du même domaine, a recueilli pour sa part une citation.

⊶ Jean-Jacques Paire, Les Ronzières, 69620 Ternand,
tél. 04.74.71.35.72, fax 04.74.71.38.34,
e-mail j.paire@terre-net.fr ☑ Y 🚶 r.-v.

CH. DES PERTONNIERES
Coteau Belle-Vue 2003 ★

■	12 ha	30 000		5 à 8 €

Ce vignoble de 40 ha prépare déjà son 500e anniversaire qu'il fêtera dans huit ans. Son beaujolais Coteau Belle-Vue, d'un grenat soutenu émoustillant, délivre des notes végétales sur un fond de fruits confiturés. Charnue et fruitée avec quelques nuances épicées, la bouche est bien structurée, ronde et longue. Très agréable en début de repas, cette bouteille sera appréciée au cours des deux prochaines années. Du même domaine, le **beaujolais rouge les Tonnelières 2003 (3 à 5 €)** a été cité.

⊶ Dom. Dupeuble Père et Fils, Ch. des Pertonnières,
69620 Le Breuil, tél. 04.74.71.68.40, fax 04.74.71.64.22,
e-mail mail@beaujolaisdupeuble.com ☑ 🚶 r.-v.

DOM. DES PIERRES DOREES
La Doyenne 2003 ★

■	1 ha	5 000	▮ ◍	5 à 8 €

De vignes de soixante-dix ans implantées sur un terroir argilo-calcaire est né ce vin à la robe pourpre nuancée de grenat d'une très forte intensité. Tout aussi intenses, les parfums de cassis, de cerise et de pêche de vigne sont d'une grande finesse. Riche et puissante, la bouche révèle un côté tannique pour l'heure austère, mais elle reste équilibrée. Ce beau vin de garde est à attendre un à trois ans. Il pourra accompagner une viande en sauce.

⊶ Jean-Paul Devay, Bois-Virot, 69620 Le Breuil,
tél. 04.74.71.74.29, fax 04.74.71.74.29,
e-mail jpdevay@free.fr ☑ Y 🚶 t.l.j. 9h-18h

CH. DE PIZAY 2003 ★★

□	3,8 ha	15 000	▮ ♁	5 à 8 €

Près de mille ans d'histoire et un domaine d'une soixantaine d'hectares pour cet authentique château dont la production est très souvent remarquée par les dégustateurs du Guide. Implanté sur des moraines glaciaires, le chardonnay a donné ici un vin d'un jaune soutenu, aux intenses et francs parfums de fleurs et de miel. Puissant, chaleureux, ample, charnu, aromatique et long, un vin harmonieux à déguster au cours des quatre prochaines années.

⊶ SCEA Ch. de Pizay, 69220 Saint-Jean-d'Ardières,
tél. 04.74.66.26.10, fax 04.74.69.60.66,
e-mail chateau-de-pizay@chateau-de-pizay.com
☑ ⌂ Y 🚶 r.-v.

DOM. DE ROCHEBONNE
Cuvée Générations 2003 ★

■	n.c.	4 000	▮ ♁	3 à 5 €

Comme l'an dernier, la cuvée Générations. Pourquoi ce nom ? Sans doute parce que sur ce domaine on est viticulteur de père en fils depuis 1781. Pourpre sombre à reflets bleus, le 2003 s'ouvre sur de fines notes de fruits rouges très mûrs. Après une bonne attaque, on découvre une structure tannique équilibrée et une chair riche. Bien typée et harmonieuse, une bouteille à déboucher dans les deux prochaines années.

⊶ Jean-François Pein, Dom. de Rochebonne,
La Roche, 69620 Theizé,
tél. 04.74.71.21.47, fax 04.74.71.21.47 ☑ Y 🚶 r.-v.

DOM. ROMY 2003 ★

□	0,5 ha	3 500	▮ ♁	5 à 8 €

Des chardonnays de sept ans ont donné cette cuvée d'un beau jaune d'or, aux subtils parfums de fleurs et de miel. Fraîche, franche et aromatique, la bouche, où l'on retrouve le miel, livre encore quelques impressions tanniques qui n'altèrent pas la bonne harmonie de ce vin assez long. On appréciera cette bouteille pendant deux à trois ans. Du même domaine, le **beaujolais rouge L'Or des Treilles 2003** a été cité.

🔑 Dominique Romy, 1020, rte de Saint-Pierre, 69480 Morancé, tél. 04.78.43.65.06, fax 04.78.43.65.06, e-mail domaine.romy@infonie.fr ☑ 🍷 🚶 r.-v.

DOM. DE ROTISSON 2003 *

■	1,5 ha	6 500	■🌡	3 à 5 €

De nombreuses manifestations sont organisées au domaine : salon des anciennes autos en avril, marché paysan, artisanat et peinture en novembre. On y découvrira même des peintures sur cuve ! On y goûtera ce rosé d'un rose vif et limpide, aux parfums de cerise et de rose. La bouche harmonieuse laisse une agréable impression de fraîcheur. Cette cuvée typique pourra accompagner une piperade. Quant au **beaujolais blanc 2003 (5 à 8 €)**, il a obtenu une citation.

🔑 Dom. de Rotisson, rte de Conzy, 69210 Saint-Germain-sur-l'Arbresle, tél. 04.74.01.23.08, fax 04.74.01.55.41, e-mail didier.paget@domaine-de-rotisson.com ☑ 🍷 🚶 t.l.j. 9h-12h30 14h-18h30; dim. sur r.-v.

🔑 Didier Pouget

DOM. DES SABLES D'OR 2003 *

■	10 ha	20 000	**5 à 8 €**

Obtenu à partir de vignes de cinquante ans dont les racines explorent un sol siliceux sur mâchefer, ce vin rubis profond s'ouvre sur des parfums de cerise et de framboise légèrement épicés. L'attaque charnue met en valeur une matière concentrée et fruitée. La bonne structure tannique qui ressort en finale dénote un certain potentiel. On attendra un à deux ans pour déboucher cette bouteille et on la servira sur une pintade ou un plat en sauce épicée.

🔑 Olivier Ravier, Descours, 69220 Belleville, tél. 04.74.66.12.66, fax 04.74.66.57.50, e-mail olivier.ravier@wanadoo.fr ☑ 🍷 🚶 r.-v.

CAVE BEAUJOLAISE DE SAINT-LAURENT-D'OINGT 2003

■	2,1 ha	17 300	■🌡	**5 à 8 €**

A 2 km du petit village d'Oingt, riche de nombreux vestiges médiévaux, la cave coopérative de Saint-Laurent-d'Oingt vinifie la production de 320 ha de vignes. Elle a élaboré un vin rouge pâle aux parfums de framboise, de cassis et de banane. Aromatique, souple et léger, ce beaujolais est à boire dans l'année. Le **beaujolais blanc 2002** a également été cité.

🔑 Cave coop. beaujolaise de Saint-Laurent-d'Oingt, Le Gonnet, 69620 Saint-Laurent-d'Oingt, tél. 04.74.71.20.51, fax 04.74.71.23.46, e-mail cave-saintlaurent@wanadoo.fr ☑ 🚶 r.-v.

CAVE BEAUJOLAISE DE SAINT-VERAND Cuvée réservée 2003

■	3,85 ha	30 000	**3 à 5 €**

D'un rubis brillant, ce vin livre de puissants parfums d'où ressort surtout le cassis, accompagné de notes florales de rose. Un peu léger en attaque, il révèle une matière équilibrée et fruitée. Ce beaujolais gouleyant est à boire dans l'année.

🔑 Cave beaujolaise de Saint-Vérand, Le Bady, 69620 Saint-Vérand, tél. 04.74.71.73.19, fax 04.74.71.83.45, e-mail cbsv@wanadoo.fr ☑ 🍷 🚶 r.-v.

DOM. DU SOLY 2003 **

■	n.c.	12 000	■🌡	5 à 8 €

Fondée en 1956, la cave de Sain-Bel est située aux limites des appellations coteaux-du-lyonnais et beaujolais. D'un rouge profond, ce beaujolais délivre des parfums puissants et très frais de fruits rouges bien mûrs. Il remplit le palais d'une chair riche et concentrée. Un vin capiteux et typique, à boire dans l'année.

🔑 Cave de Vignerons réunis de Sain-Bel, RN 89, Les Ragots, 69210 Sain-Bel, tél. 04.74.01.11.33, fax 04.74.01.10.27, e-mail cave.vignerons.reunis@wanadoo.fr ☑ 🍷 🚶 r.-v.

DOM. DE TANTE ALICE 2003 *

□	0,42 ha	3 000	■	5 à 8 €

Ce domaine se distingue souvent en beaujolais blanc : son 99 n'avait-il pas enlevé un coup de cœur ? Comme le 2001, ce millésime a été jugé très réussi. D'un jaune léger, il libère des parfums intenses et frais, fruités, floraux et un rien mentholés. On retrouve les fleurs dans un palais aromatique, charnu et rond. A déguster au cours des deux prochaines années. Des mêmes producteurs, le **régnié, Chrystèle et Jean-Paul Peyrard 2003** a été cité.

🔑 Jean-Paul Peyrard, SCEA Dom. de Tante Alice, La Pilonnière, 69220 Saint-Lager, tél. 04.74.66.89.33, fax 04.74.66.86.20 ☑ 🍷 🚶 r.-v.

🔑 Chrystèle et Jean-Paul Peyrard

DOM. DES TERRES MOREL Cuvée Tradition 2003

■	1,8 ha	7 500	**5 à 8 €**

Etabli à Lucenay, village en pierres dorées, ce domaine dispose de 22 ha. D'un rubis soutenu et limpide, sa cuvée Tradition livre d'intenses et complexes parfums de fruits rouges agrémentés de nuances de pivoine et d'épices. Charnu à souhait, gouleyant et aromatique, ce beaujolais convivial est à déguster à toute heure.

🔑 Dom. des Terres Morel, 587, rte de Morancé, 69480 Lucenay, tél. 04.74.67.17.00, fax 04.74.60.22.08 ☑ 🏠 🍷 🚶 r.-v.

🔑 Antoine Riche

CH. DE VAURENARD 2003 *

■	22 ha	30 000	**5 à 8 €**

Un vrai château, et une vingtaine d'hectares de vignes. Cette propriété familiale, dont les origines remontent à 1672, a élaboré un vin grenat profond au bon nez mêlant les fruits rouges très mûrs et le cassis. Sa matière puissante et structurée par des tanins dénués d'agressivité, sa bouche assez longue, prédisposent cette bouteille à la garde. Elle sera à son apogée d'ici un à deux ans.

🔑 SCI du Dom. de Vaurenard, 69400 Gleizé, tél. 04.74.68.21.65, fax 04.74.68.21.60, e-mail chateaudevaurenard@wanadoo.fr ☑ 🍷 🚶 t.l.j. 10h-12h 14h-19h

🔑 Ghislain de Longevialle

CH. LA VENERIE Vieilles Vignes 2003

■	0,7 ha	3 000	■🌡	**3 à 5 €**

Ancien relais de chasse des sires de Beaujeu, cette propriété dispose de 9 ha. Des ceps de soixante ans d'âge sont à l'origine de cette cuvée rubis clair aux parfums de fruits à noyau et de cerise. Plus expressive au palais, agréablement aromatique, elle révèle une structure tannique prometteuse. Elle sera appréciée au cours des deux prochaines années avec un solide plat de résistance, un rôti de porc au gratin dauphinois, par exemple.

🔑 Benoît Proton de la Chapelle, La Forêt,
69640 Denicé, tél. 06.85.42.59.04, fax 04.74.62.93.02,
e-mail chateau-la-venerie@wanadoo.fr ☑ Y 🚶 r.-v.

Beaujolais supérieur

FLORENCE ET PASCAL DESGRANGES
Côtes de Brie 2003 ★

■	1 ha	2 000	3 à 5 €

Un domaine situé non loin d'une croix qui marquait au XIVes. la limite entre Lyonnais et Bourgogne. Il a élaboré un vin rubis limpide aux parfums de cerise et de cassis. La mise en bouche, unanimement appréciée, est suivie d'agréables impressions associant une structure tannique équilibrée à des arômes de fruits rouges. Harmonieux et d'une belle finesse, ce vin accompagnera pendant un à deux ans de la charcuterie ou des viandes blanches.

🔑 Pascal et Florence Desgranges, chem. de Saint-Pré,
69480 Pommiers, tél. 04.74.09.06.12 ☑ Y 🚶 r.-v.

Beaujolais-villages

Le mot « villages » a été adopté pour remplacer la multiplicité des noms de communes qui pouvaient être ajoutés à l'appellation beaujolais pour distinguer des productions considérées comme supérieures. La quasi-totalité des producteurs ont opté pour la formule beaujolais-villages.

Trente-huit communes, dont huit dans le canton de La Chapelle-de-Guinchay, ont droit à l'appellation beaujolais-villages, mais seulement trente peuvent ajouter le nom de la commune à celui de beaujolais. Si le terme de beaujolais-villages facilite la commercialisation depuis 1950, certains noms synonymes d'un cru peuvent créer des confusions. Les 6 250 ha, dont la quasi-totalité est comprise entre la zone des beaujolais et celle des crus, ont assuré en 2003 une production de 224 094 hl de rouges et 2 504 hl de blancs.

Les vins de l'appellation se rapprochent des crus et en ont les contraintes culturales (taille en gobelet ou éventail, degré initial des moûts supérieur de 0,5 ° à ceux des beaujolais). Originaires de sables granitiques, ils sont fruités, gouleyants, parés d'une robe d'un beau rouge vif : ce sont les inimitables têtes de cuvée des vins de primeur. Sur les terrains granitiques, plus en altitude, ils apportent la vivacité requise pour l'élaboration de bouteilles consommables toute l'année. Entre ces extrêmes, toutes les nuances sont représentées, alliant finesse, arôme et corps, s'accommodant aux mets les plus variés, pour la plus grande joie des convives : le brochet à la crème, les terrines, le pavé de charolais iront bien avec un beaujolais-villages plein de finesse.

JEAN-LOUIS CHANAY 2003 ★★

■	1 ha	3 800	▮🌡	5 à 8 €

Les Chanay sont viticulteurs de père en fils depuis 1850, mais l'exploitation a été créée en 1976 à la suite d'un partage. Son beaujolais-villages est d'un superbe rubis clair limpide et brillant. Expressifs et élégants, ses parfums associent les petits fruits rouges à des nuances très pures de minéralité dues au terroir de granit. Equilibrée et aromatique, sa riche matière conserve de la fraîcheur. Ce vin harmonieux, reflet du terroir, est prêt à boire et se gardera deux ans. Il pourra accompagner des cochonnailles, du fromage de tête, par exemple.

🔑 Jean-Louis Chanay,
Le Trêve, 69460 Saint-Etienne-des-Oullières,
tél. 04.74.03.43.65, fax 04.74.03.30.27 ☑ Y 🚶 r.-v.

DOM. DE LA CHAPELLE DE VATRE
Cuvée Allys 2003 ★

■	1,6 ha	7 500	▮⬮🌡	5 à 8 €

Une adorable chapelle romane a donné son nom à ce domaine, dont les origines remontent à 1650. Sa cloche sonne pour marquer la fin des vendanges. Deux vins de la propriété ont reçu une étoile. La préférence va à cette cuvée grenat violine aux puissants parfums de fruits rouges compotés. Riche et généreuse, l'attaque introduit un palais charpenté et très bien structuré, qui dénote un vin bâti pour la garde. On appréciera cette bouteille au moins pendant trois ans. L'autre **beaujolais-villages 2003** de la propriété (sans nom de cuvée) est assez proche, mais il n'a pas connu le bois.

🔑 Dom. de la Chapelle de Vâtre, Le Bourbon,
69840 Jullié, tél. 04.74.04.43.57, fax 04.74.04.40.27,
e-mail dominique.capart@libertysurf.fr
☑ 🏠 🏠 Y 🚶 r.-v.
🔑 Dominique Capart

DOM. CHASSAGNE Charme des Bruyères 2003 ★

■	8 ha	15 000	▮🌡	5 à 8 €

Implantées sur des sols argilo-limoneux et granitiques, des vignes de quarante-cinq ans ont donné une cuvée d'un rubis foncé brillant au nez élégant associant la groseille et la framboise à des notes florales. Sa matière friande et racée remplit le palais et laisse en finale une impression de fraîcheur. Fruité et croquant, un vin à boire dans l'année. On le servira avec de la charcuterie, de la volaille rôtie ou des grillades. De la même propriété, le **régnié Vieilles Vignes 2003** a été cité.

🔑 SCEA Chassagne-Bertoldo, Les Bruyères,
69430 Lantignié, tél. 04.74.04.82.11, fax 04.74.69.25.53,
e-mail domaine.chassagne@wanadoo.fr ☑ Y 🚶 r.-v.

RECOLTE CHERMIEUX 2003 ★★

■	3,5 ha	4 000	▮🌡	5 à 8 €

Née de vignes d'âge respectable, cette cuvée d'un grenat limpide à reflets violets livre une palette complexe de parfums : à côté de la fraise, du cassis et de la cerise, de la pivoine et de discrètes notes de fruits secs. Après une

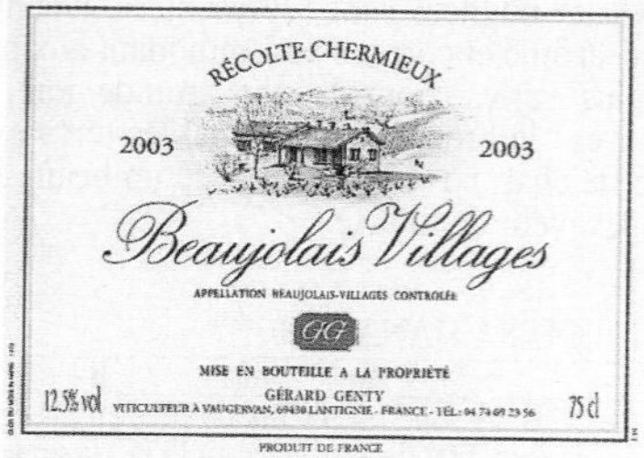

attaque charnue et aromatique se révèle une structure d'élégants tanins, gage d'une bonne garde. Un vin d'un très bel équilibre ; on peut déjà l'apprécier, mais il gagnera à attendre un à deux ans.
🔑 Gérard Genty, Vaugervan, 69430 Lantignié,
tél. 04.74.69.23.56, fax 04.74.69.23.56 ☑ 🍷 🚶 r.-v.

CLOCHEMERLE 2003

■ 20 ha 150 000 ▮♁ 3 à 5 €

Cette cuvée, qui obtint un coup de cœur dans le millésime 2001, a emprunté le titre du célèbre roman de Gabriel Chevallier évoquant la vie d'un village du Beaujolais. Rouge sombre à reflets violets, ce 2003 livre d'agréables parfums de fraise, de framboise et de cassis mêlés de quelques notes épicées. Aromatique, assez fortement structurée, la bouche révèle un vin prometteur. On attendra un à deux ans pour le savourer.
🔑 Maison François Paquet, 435, rue du Beaujolais, 69830 Saint-Georges-de-Reneins, tél. 04.74.09.77.27, fax 04.74.69.09.75, e-mail coquard.c@fpaquet.fr

DOM. DE COLETTE Coteaux de Colette 2003 *

■ 1 ha 5 000 5 à 8 €

Souvent mentionné dans le Guide, ce domaine compte une quinzaine d'hectares de vignes exposées au sud-est. Elles ont donné naissance à cette cuvée d'un rubis limpide et aux parfums assez intenses de bonbon anglais et de fruits bien mûrs. Ample, charnue, équilibrée et aromatique, la bouche montre une belle structure. Ce vin peut déjà être bu, mais il gagnera à attendre un à deux ans. Par ailleurs, le **régnié Sélection Vieilles Vignes 2003** obtient une citation.
🔑 EARL Jacky Gauthier, Colette, 69430 Lantignié,
tél. 04.74.69.25.73, fax 04.74.69.25.14 ☑ 🍷 🚶 r.-v.

DOM. DU COTEAU DE VALLIERES 2003 **

■ 6,84 ha 6 000 3 à 5 €

Dans la dernière édition, le régnié 2002 du domaine avait remporté le coup de cœur. Cette année deux étoiles sont attribuées à ce vin d'un pourpre intense et aux beaux reflets violets, né de vignes de quarante-cinq ans. Agréables et puissants, les parfums de framboise et de cassis se prolongent en bouche et contribuent à une dégustation gourmande faite de rondeur, de souplesse et d'une bonne vivacité des tanins. Harmonieux et bien typé, ce beaujolais-villages est à boire au cours des deux prochaines années.
🔑 Lucien et Lydie Grandjean,
Vallières, 69430 Régnié-Durette,
tél. 04.74.69.24.92, fax 04.74.69.23.36,
e-mail grandjean.lucien@wanadoo.fr ☑ 🍷 🚶 r.-v.

VALERIE ET PASCAL DALAIS 2003

■ n.c. 2 000 ▮♁ 5 à 8 €

Rubis à reflets violines, cette cuvée, née de vignes de soixante ans, livre des parfums intenses et complexes de fruits rouges et de bonbon anglais. Bien constituée, la bouche, au fruité amylique développé, reste élégante malgré une matière un peu tannique en finale. Très agréable, cette bouteille rappelle par sa légèreté un vin de primeur : à boire dans l'année.
🔑 Valérie et Pascal Dalais,
La Grand-Raie, 69220 Saint-Lager,
tél. 04.74.66.75.37, fax 04.74.66.75.77 🍷 🚶 r.-v.

PHILIPPE DESCHAMPS
Sélection Cuvée Vieilles Vignes 2003

■ 1 ha 6 500 ▮ 5 à 8 €

Un domaine assez souvent mentionné dans le Guide, notamment à travers cette cuvée Vieilles Vignes. D'un rubis limpide, le 2003 exprime des parfums de fruits rouges acidulés accompagnés de nuances beurrées. La bouche révèle d'agréables arômes de bonbon anglais et une bonne structure tannique. Un vin plaisant à boire dans l'année.
🔑 Philippe Deschamps, Morne, 69430 Beaujeu,
tél. 04.74.04.82.54, fax 04.74.69.51.04 ☑ 🍷 🚶 r.-v.

MICHELE ET FRANCOIS DESCOMBES
Fût de chêne 2003

■ 0,5 ha 1 400 (I) 5 à 8 €

Cette cuvée grenat limpide s'impose d'emblée, mêlant aux fruits rouges des notes assez intenses de vanille provenant du fût. Son boisé s'épanouit harmonieusement en bouche. Le jury salue ce mariage réussi entre le chêne et le fruité, particulièrement apprécié des amateurs de ce style de vin.
🔑 François Descombes, Bel-Air, 69430 Lantignié,
tél. 04.74.69.20.33, fax 04.74.69.20.33 ☑ 🍷 🚶 r.-v.

CH. D'EMERINGES 2002 *

□ 0,63 ha 5 100 ▮♁ 5 à 8 €

Créé en 1856, le domaine est commandé par un petit château Second Empire. Implantées sur des sols sablo-limoneux et granitiques, les vignes de chardonnay de cette propriété ont donné naissance à un beaujolais-villages jaune pâle à reflets verts et aux parfums d'épices et d'acacia. Après une attaque vive, ce vin s'épanouit en bouche avec rondeur. Très bien équilibré et structuré, il sera à son apogée à la sortie du Guide. Il s'accordera avec le poisson, la charcuterie ou des fromages doux.
🔑 Pierre David, Ch. d'Emeringes, 69840 Emeringes,
tél. 04.74.04.44.52, fax 04.74.04.44.52 ☑ 🏠 🍷 🚶 r.-v.

DOM. DES FOUDRES 2003 *

■ 1,4 ha 8 000 ▮♁ 3 à 5 €

Domaine familial d'un peu plus de 9 ha, situé à Vaux-en-Beaujolais, le Clochemerle de Gabriel Chevallier. Des vignes de quarante ans plantées sur des sols granitiques sont à l'origine de cette cuvée rubis profond, limpide et brillante, mêlant au nez la framboise, la fraise des bois et des notes amyliques. Onctueuse, presque douce, sa matière aux arômes complexes et aux tanins fins emplit agréablement le palais. Plus vif en finale, ce 2003 plaisant et élégant est à boire dans les deux ans.
🔑 Roger et Jean-Philippe Sanlaville, Le Plageret,
69460 Vaux-en-Beaujolais, tél. 04.74.03.24.03,
fax 04.74.03.21.77 ☑ 🍷 🚶 t.l.j. 8h-19h

STEPHANE GARDETTE 2003 ★★

■ 1,3 ha 1 200 3 à 5 €

La maîtrise de science économique mènerait-elle au coup de cœur Hachette ? Toujours est-il que, ce diplôme en poche, Stéphane Gardette a repris en 1998 la propriété acquise par ses parents deux ans auparavant. Après un 2002 remarquable, ces lauriers pour le 2003. Beau début. D'un rouge sombre, limpide, ce vin exprime des parfums vineux associés au cassis et à la framboise. Après une attaque onctueuse, le palais évolue avec ampleur, équilibré, bien structuré, charnu et aromatique. Une bouteille complexe à boire au cours des deux prochaines années.

Stéphane Gardette, La Haute-Ronze,
69430 Régnié-Durette, tél. 04.74.69.50.05,
fax 04.74.69.50.05, e-mail stgardette@wanadoo.fr
r.-v.

DAVID GOBET 2003 ★

■ 0,5 ha 2 000 3 à 5 €

Comme l'an dernier, cette exploitation a été retenue dans deux appellations : un **régnié 2003**, cité par le jury, et ce beaujolais-villages, un cran au-dessus. D'un grenat soutenu, ce vin s'ouvre sur les petits fruits rouges accompagnés de notes amyliques. Fruitée, charnue, gouleyante, d'un bon volume, la bouche est soutenue par un trait de vivacité. Elle a de la puissance en réserve mais sera prête dans l'année. Un ensemble agréable, facile à boire.

David Gobet, L'Ermitage, 69430 Régnié-Durette,
tél. 04.74.69.22.10, fax 04.74.69.22.10,
e-mail sanybonn@wanadoo.fr r.-v.

DOM. GOUILLON 2002 ★★

0,4 ha 3 500 5 à 8 €

A la tête d'un domaine de 9 ha acquis en 1983, Dominique Gouillon élabore ses vins dans une cuverie moderne installée dans un bâtiment du XIXes. Cité dans le millésime précédent, son beaujolais blanc a été couvert d'éloges cette année. D'un jaune paille léger aux reflets verts, ce 2002 libère des parfums assez soutenus d'ananas, de pamplemousse et de citron agrémentés de notes de cannelle. Une palette aromatique complexe que l'on retrouve en bouche, complétée de nuances de noisette. Pleine, longue et intense en finale, cette bouteille accompagnera dès maintenant le poisson et nombre de fromages. De la même propriété, le **beaujolais-villages rouge 2003 (3 à 5 €)** a été cité.

Dominique Gouillon,
Les Vayvolets, 69430 Quincié-en-Beaujolais,
tél. 04.74.04.38.50, fax 04.74.69.00.67,
e-mail gouillon.dominique@club-internet.fr r.-v.

CH. DES JACQUES Grand Clos de Loyse 2002 ★★

n.c. n.c. 5 à 8 €

Propriété depuis 2000 de la maison bourguignonne Louis Jadot, ce domaine a produit un beaujolais-villages brillant d'un joli jaune pâle. Les parfums complexes qui en émanent rappellent le tilleul, le miel, l'acacia, l'amande et la vanille, avec une légère touche poivrée. Après une belle attaque franche et nette, ce vin s'épanouit dans un palais tout en finesse, délivrant avec élégance ses arômes. Tendre, fin, ce 2003 n'en présente pas moins un caractère affirmé. On le dégustera avec des poissons ou des entrées froides. De la même maison, on retiendra aussi le **moulin-à-vent Château des Jacques Clos de Rochegrès 2003 (11 à 15 €),** une citation.

Maison Louis Jadot,
21, rue Eugène-Spuller, BP 117, 21200 Beaune,
tél. 03.80.22.10.57, fax 03.80.22.56.03,
e-mail contact@louisjadot.com r.-v.
P.-H. Gagey

PIERRE JANNY 2003

■ 4 ha 16 000 5 à 8 €

La sélection rubis limpide de ce négociant livre de sympathiques parfums de framboise et de bonbon anglais mêlés de pivoine et d'épices. L'attaque vigoureuse est suivie de sensations fraîches soulignées par des arômes vifs et gais. Ce vin gouleyant et « réveillé » est à boire dans l'année. La maison obtient une autre citation pour un **chiroubles 2002**.

Sté Pierre Janny, La Condemine, Cidex 1556,
71260 Péronne, tél. 03.85.23.96.20, fax 03.85.36.96.58,
e-mail pierre-janny@wanadoo.fr

MICHEL JUILLARD Fût de chêne 2003

■ 3,25 ha 11 600 5 à 8 €

Installé en 1978, Michel Juillard a développé la vente en bouteilles. On retrouve cette année un de ses beaujolais-villages. D'un rouge sombre presque violine, ce vin livre des parfums fruités et boisés. Sa chair plutôt douce, associée à des arômes de cassis et de myrtille, se révèle assez fortement structurée. La finale, marquée de fins tanins, incite à attendre cette bouteille un an pour lui permettre de s'affiner.

Michel Juillard, Les Bruyères, rte de Saint-Amour,
71570 Chânes, tél. 03.85.36.53.29, fax 03.85.37.19.02,
e-mail juillard-michel@wanadoo.fr r.-v.

DOM. DE LA MADONE Le Perréon 2003 ★

■ 20 ha 60 000 5 à 8 €

On retrouve assez souvent dans le Guide cette Madone du Perréon, née de vignes de quarante ans implantées sur des sols de granit rose et de schiste. Grenat foncé, le 2003 offre un nez de fruits rouges avec des nuances de pivoine. Introduit par une belle attaque, le palais trouve son harmonie dans un fruité qui s'épanouit en finale et une structure tannique plutôt légère. A boire dans l'année.

🕿 Jean Bérerd et Fils,
Dom. de la Madone, 69460 Le Perréon,
tél. 04.74.03.21.85, fax 04.74.03.27.19,
e-mail bererd@terre-net.fr ☑ ✠ ⚲ r.-v.

DOM. DE LA MAISON GERMAIN 2003 ★★

■	7,4 ha	5 000	∎↓	5 à 8 €

La maison Germain ? 11 ha de vignes, trois chambres d'hôtes et un camping à la ferme. Le domaine embrasse un vert panorama sur le mont Brouilly. C'est le 15 août que la récolte à l'origine de ce beaujolais-villages a débuté. La trentième vendange de Patrick Bossan. Et ce 2003 est fort beau. Pourpre à reflets violets, il livre d'intenses parfums de bigarreau et de myrtille. Franche et vive, l'attaque est suivie des riches impressions d'une matière charnue et vineuse, structurée par des tanins denses aux accents de réglisse et de cacao. Cette bouteille typique est prête à boire mais elle pourra attendre deux à trois ans.

🕿 Patrick et Marie-Paule Bossan,
Hameau de Blaceret, D 20, rte de Salles, 69460 Blacé,
tél. 04.74.67.56.36, fax 04.74.60.55.23,
e-mail patrick.bossan@wanadoo.fr ☑ 🏠 ✠ ⚲ r.-v.

DOM. DES MAISONS NEUVES 2002 ★

■	1 ha	5 000	∎↓	5 à 8 €

Ce domaine s'est doté d'une confrérie de Chevaliers du domaine des Maisons Neuves ! D'un jaune soutenu, son beaujolais-villages livre des parfums de miel et de fruits confits qui évoquent les vendanges tardives. On retrouve le miel dans un palais rond qui n'en demeure pas moins bien structuré et typé. Cette bouteille sera appréciée pendant l'année avec des poissons en sauce, de la charcuterie ou des fromages.

🕿 Jean-Pierre Merle, Dom. des Maisons-Neuves,
69460 Blacé, tél. 04.74.67.53.10, fax 04.74.60.51.87,
e-mail j-p.merle@wanadoo.fr ☑ 🏠 ⚲ r.-v.

DOM. LES MARGOTS 2003

■	4,84 ha	3 000		3 à 5 €

Dans des caves qui datent du milieu du XIXᵉs. a été élevé ce vin rubis limpide aux délicats parfums de fruits rouges. La bonne attaque révèle d'agréables impressions fondues. Harmonieux, mais assez léger, un beaujolais-villages à boire dans l'année.

🕿 André et Andrée Longin, Les Laforest,
69430 Beaujeu, tél. 04.74.04.83.25, fax 04.74.04.83.25,
e-mail marieandree@tiscali.fr ☑ ✠ ⚲ r.-v.

DOM. DE LA MERLETTE 2003 ★

■	n.c.	5 000	∎↓	3 à 5 €

Président depuis Vaux-en-Beaujolais la célèbre confrérie du Gosier sec, René Tachon a élaboré un vin d'un rouge intense au très joli nez de groseille, de fraise et de framboise. Fruitée à souhait, d'une bonne fraîcheur, la bouche est agréablement soutenue par d'assez fins tanins, un rien mentholés. Longue et bien structurée, cette plaisante bouteille est à boire dans l'année. Quant au **côte-de-brouilly Cuvée Tradition 2002** (5 à 8 €), élevé en fût, il obtient une citation.

🕿 René et Marie-Claire Tachon, Le Sottizon,
69460 Vaux-en-Beaujolais, tél. 04.74.03.24.80,
fax 04.74.03.24.80, e-mail tachon@tiscali.fr ☑ ✠ ⚲ r.-v.

CH. DE MONVALLON Elevé en fût de chêne 2003

■	2,03 ha	4 000	∎ ◖▮◗ ↓	3 à 5 €

Construit en 1830, un petit château avec son parc arboré au milieu des vignes. Comme l'an dernier, le beaujolais-villages élevé en fût a été retenu. Rubis aux reflets violets, ce 2003 livre des parfums de fruits rouges bien mûrs nuancés d'iris. Garnissant la bouche de sa matière vineuse et charnue aux arômes floraux, il laisse rapidement apparaître des tanins fermes. Ce vin prometteur devrait avoir gagné son amabilité à la sortie du Guide. Les Chastel ont présenté également le **beaujolais rouge Domaine de la Grange Bourbon Clos du Gaillard 2003**, qui a obtenu la même note.

🕿 Françoise et Benoît Chastel, La Grange-Bourbon,
69220 Charentay, tél. 04.74.66.86.60, fax 04.74.66.73.23
☑ ✠ ⚲ t.l.j. sf dim. 8h-12h30 14h-19h

DOM. DE L'OISILLON 2003 ★

■	2 ha	4 000	∎↓	5 à 8 €

Des vignes de cinquante ans sont à l'origine de cette cuvée rubis violacé aux parfums intenses de cassis et de fraise associés à d'élégantes touches florales. Ample, très fruitée avec des tanins fondus, la bouche persiste assez longuement. Bien travaillé, le type même du vin aromatique. A boire dans l'année sur de la charcuterie.

🕿 Michel et Béatrix Canard, Dom. de l'Oisillon,
Le Bourg, 69820 Vauxrenard,
tél. 04.74.69.90.51, fax 04.74.69.90.51,
e-mail beatrix-michel.canard@wanadoo.fr ☑ ✠ ⚲ r.-v.

DOM. DE L'OREE DU BOIS Le Perréon 2003

■	3,2 ha	8 000	∎↓	5 à 8 €

D'un rubis violacé, cette cuvée s'exprime sur des notes de bonbon anglais et de fruits rouges. Après une attaque pleine de finesse, la bouche évolue sur des arômes de fruits très mûrs associés à une bonne structure encore un peu austère. Bien représentatif, ce 2003 au fruité persistant est à boire au cours des deux prochaines années.

🕿 Olivier Bérerd, Le Bourg, 69460 Le Perréon,
tél. 04.74.03.21.85, fax 04.74.03.27.19,
e-mail bererd@terre-net.fr ☑ ✠ ⚲ r.-v.

J.-F. PERRAUD 2003

■	n.c.	2 500		3 à 5 €

D'un grenat intense, ce vin s'ouvre sur des parfums de myrtille, de mûre et de cerise noire. Assez puissant et bien structuré avec des tanins riches mais souples, il sera à son apogée dans quelques mois.

🕿 Jean-François Perraud, Les Chanoriers,
69840 Jullié, tél. 06.81.36.30.96, fax 04.74.04.49.09,
e-mail jean-françois-perraud@wanadoo.fr ☑ ✠ ⚲ r.-v.

DOM. DU PERRIN 2003

■	0,5 ha	3 000	∎↓	5 à 8 €

Vêtu d'une robe claire, rose orangé aux reflets tuilés, ce rosé associe de légers parfums floraux à quelques touches minérales. Il révèle un agréable compromis entre fraîcheur et générosité. Plaisant et bien équilibré, ce vin peut être bu à l'apéritif ou accompagner une paella.

🕿 Roger Lacondemine, Dom. du Perrin,
69460 Le Perréon,
tél. 04.74.03.24.69, fax 04.74.03.27.79 ☑ ✠ ⚲ r.-v.

DOM. DES PINS 2003

■ 0,5 ha 2 000 **3 à 5 €**

D'un rouge sombre et mat aux nuances noires, ce 2003 livre d'intenses parfums de mûre, de groseille, de framboise très mûre, arômes qui imprègnent également une bouche ample et ronde. Equilibrée et représentative de l'appellation, une agréable bouteille à boire dans les deux prochaines années avec une viande rouge ou du fromage.

🔑 EARL Gobet, Les Pins, 69430 Lantignié,
tél. 04.74.04.84.12, fax 04.74.69.22.10 ☑ 🍷 🚶 r.-v.

CAVE BEAUJOLAISE DE QUINCIE 2003

■ 7 ha 30 000 🛢 **3 à 5 €**

A sa création en 1929, la cave de Quincié vinifiait 90 ha, aujourd'hui elle en traite 700. D'un rouge très sombre et mat, son beaujolais-villages s'ouvre sur des notes fraîches de fruits rouges. L'attaque franche et nette se poursuit sur des nuances de fruits bien mûrs. Concentré, solide, équilibré et typé, ce vin est à boire dans l'année. Le **régnié 2003** de la coopérative a également été cité.

🔑 Cave beaujolaise de Quincié,
Le Ribouillon, 69430 Quincié-en-Beaujolais,
tél. 04.74.04.32.54, fax 04.74.69.01.30,
e-mail cavedequincie@terre-net.fr ☑ 🍷 🚶 r.-v.

DANIEL RAMPON 2003

■ 2 ha 7 000 ▮ **5 à 8 €**

D'un rubis mat, cette cuvée livre des parfums fruités concentrés ; on y reconnaît la mûre, le cassis et les petits fruits rouges. La bouche gouleyante et tendre révèle une belle complexité. Plaisant, élégant, un beaujolais-villages typique. A boire dans l'année.

🔑 Daniel Rampon, Les Marcellins,
69910 Villié-Morgon, tél. 04.74.69.11.02,
fax 04.74.69.15.88, e-mail danrampon@aol.com
☑ 🏠 🍷 🚶 t.l.j. sf dim. 8h-12h 13h30-19h

DOM. DE LA ROCHE THULON 2003 ★★

■ 4 ha 5 000 🛢 **3 à 5 €**

A la tête de l'exploitation depuis 1990, Pascal Nigay conduit ses 12 ha de vignes en lutte raisonnée. D'un rubis brillant, son beaujolais-villages s'ouvre sur d'agréables parfums de fruits rouges et d'épices. Empreint d'une vivacité qui se manifeste dès l'attaque, il exprime de beaux arômes de myrtille et de framboise. Une bonne vinosité et une chair riche aux tanins assez fins composent une bouteille bien structurée et pleine de promesses. On attendra un à deux ans qu'elle soit à son apogée. Du même domaine, le **régnié 2003 (5 à 8 €)** a été cité.

🔑 Pascal Nigay, Thulon, 69430 Lantignié,
tél. 04.74.69.23.14, fax 04.74.69.26.85,
e-mail nigay.pascal.chantal@wanadoo.fr ☑ 🍷 🚶 r.-v.

DOM. DE SAINT-ENNEMOND 2003 ★

■ 5,5 ha 30 000 🛢 **5 à 8 €**

Le domaine a été créé en 1977, et en 1996 trois chambres d'hôtes ont été ouvertes. Né de vignes de cinquante ans, ce beaujolais-villages rubis clair et limpide libère des parfums de fruits rouges très mûrs associés à des notes florales. Sa chair tendre et riche en arômes fruités garnit avec élégance le palais. Gouleyant et assez long, un vin à boire dans l'année.

🔑 Christian et Marie Béréziat, Saint-Ennemond,
69220 Cercié, tél. 04.74.69.67.17, fax 04.74.69.67.29,
e-mail christian.bereziat@wanadoo.fr ☑ 🏨 🍷 🚶 r.-v.

CAVE COOP. DE SAINT-JULIEN 2003 ★★

■ n.c. 6 000 **5 à 8 €**

Créée en 1988, la dernière née des caves coopératives du beaujolais vinifie 210 ha. En 2003, elle a entrepris quelques travaux de rénovation. Son beaujolais-villages 2001 avait décroché un coup de cœur. Le 2003 est des plus satisfaisants. D'un rouge profond, il livre des parfums de fruits rouges très mûrs et de fruits secs. Ample, la bouche révèle une bonne structure tannique soulignée par des arômes de framboise, de cerise, de figue. D'un bel équilibre, bien construit et assez puissant, ce vin est à boire au cours des deux prochaines années.

🔑 Cave coop. de Saint-Julien,
Les Fournelles, 69640 Saint-Julien,
tél. 04.74.67.57.46, fax 04.74.67.51.93,
e-mail cavesaintjulien@free.fr ☑ 🍷 🚶 r.-v.

DOM. LES VILLIERS 2003 ★

■ 5,5 ha 6 000 **5 à 8 €**

Ce beaujolais-villages rouge livre des parfums assez complexes et agréables de fleurs et de fruits confits. Sa matière ronde et aromatique s'épanouit avec souplesse au palais. Equilibré de l'attaque à la finale, harmonieux et facile à boire, ce vin est fait pour maintenant.

🔑 Lucien Chemarin, Les Villiers, 69430 Marchampt,
tél. 04.74.04.37.11 ☑ 🏠 🍷 🚶 t.l.j. 8h-20h

Brouilly et côte-de-brouilly

Le dernier samedi d'août, le vignoble retentit de chants et de musique ; les vendanges ne sont pas commencées et pourtant une nuée de marcheurs, panier de victuailles au bras, escaladent les 484 m de la colline de Brouilly, en direction du sommet où s'élève une chapelle près de laquelle seront offerts le pain, le vin et le sel. De là, les pèlerins découvrent le Beaujolais, le Mâconnais, la Dombes, le mont d'Or. Deux appellations sœurs se sont disputé la délimitation des terroirs environnants : brouilly et côte-de-brouilly.

Le vignoble de l'AOC côte-de-brouilly, installé sur les pentes du mont, repose sur des granites et des schistes très durs, vert-bleu, dénommés « cornes-vertes » ou diorites. Cette montagne serait un reliquat de l'activité volcanique du primaire, à défaut d'être, selon la légende, le résultat du déchargement de la hotte d'un géant ayant creusé la Saône... La production (13 023 hl pour 331 ha) est répartie sur quatre communes : Odenas, Saint-Lager, Cercié et Quincié. L'appellation brouilly, elle, ceinture la montagne en position de piémont sur 1 315 ha, et a produit 51 247 hl en 2003. Outre les communes déjà citées, elle déborde sur Saint-Etienne-la-Varenne et Charentay ; sur la commune de Cercié se trouve le terroir bien connu de la « Pisse-Vieille ».

Brouilly

DOM. DE BEL-AIR 2003 ★★

| ◼ | 6,65 ha | 35 000 | ◼ ↓ | 5 à 8 € |

A la tête de la propriété depuis 1991, Jean-Marc Laffont a élaboré une cuvée rubis violine au nez de cassis très mûr associé à des notes de cerise et de café. Par sa bouche charnue, équilibrée, longue et structurée, celle-ci est représentative du millésime ; elle est à boire dans les deux ans. Le **beaujolais-villages 2003** du même domaine est cité.

🕭 Jean-Marc Lafont, Bel-Air, 69430 Lantignié, tél. 04.74.04.82.08, fax 04.74.04.89.33, e-mail lafont.jean-marc@wanadoo.fr ☑ ⊼ ∦ r.-v.

VIGNOBLE BEL AIR Pur Sang 2002

| ◼ | 0,9 ha | 4 000 | ◼ | 5 à 8 € |

Le domaine, créé en 1888, possède une maison beaujolaise typique. Sa cuvée 2002, rouge moyen aux beaux reflets grenat, est restée jeune. Elle s'ouvre sur des parfums de raisins très mûrs qu'agrémentent des notes de cuir et des nuances minérales. La bouche, équilibrée et structurée, exprime des arômes fruités mêlés d'une pointe végétale. Ce vin à la minéralité affirmée, assez puissant, doit être servi dans les deux prochaines années.

🕭 SCI Vignoble Bel-Air, 644, rte de Bel Air, 69220 Saint-Jean-d'Ardières, tél. 04.74.66.00.16, fax 04.74.69.61.67, e-mail vins.fessy@wanadoo.fr ☑ ∦ r.-v.
🕭 Henry et Serge Fessy

CH. DE LA CHAIZE 2003

| ◼ | 98,11 ha | 280 000 | ◼ ⊞ | 8 à 11 € |

Un château dessiné par Mansard en 1676, des jardins dus à Le Nôtre : La Chaize mérite une visite. Dans la très belle cave, classée Monument historique, de ce célèbre domaine, a été élevé un vin rouge soutenu à reflets violines. Les parfums complexes de bonne intensité évoquent les fruits noirs bien mûrs. La bouche, tout d'abord soyeuse, évolue sur des tanins assez fondus, associés à des impressions capiteuses. Ce vin très riche, assez long et plein de promesses, doit s'affiner pendant deux ans en cave.

🕭 Marquise de Roussy de Sales, Ch. de La Chaize, 69460 Odenas, tél. 04.74.03.41.05, fax 04.74.03.52.73, e-mail chateaudelachaize@wanadoo.fr ☑ ⊼ ∦ r.-v.

PAUL CHAMPIER 2002 ★

| ◼ | n.c. | 10 000 | ◼ | 8 à 11 € |

Si le **côte-de-brouilly 2003** mérite une citation, le brouilly a été plus remarqué encore. Doté d'une robe grenat foncé, il livre des parfums frais de groseille et de framboise, d'une bonne intensité. Ces arômes composent avec une bouche ample, charnue et charpentée, un harmonieux ensemble à déguster dans l'année.

🕭 GAEC Paul Champier, Les Sigaux, 69460 Odenas, tél. 04.74.03.42.23, fax 04.74.03.48.41, e-mail paulchampier@terre-net.fr ☑ ⊼ ∦ r.-v.
🕭 Rolland Sigaux

MAISON CHANDESAIS 2002

| ◼ | n.c. | 6 000 | | 8 à 11 € |

Cette maison de négoce-éleveur propose un vin rouge soutenu et limpide éclairé de quelques reflets tuilés. Les parfums développés de fruits mûrs ont gardé une bonne fraîcheur. Très rond, friand et souple, ce 2002 persistant, jeune et représentatif, est à boire au cours des deux prochaines années.

🕭 Maison Chandesais, Château Saint-Nicolas, 71150 Fontaines, tél. 03.85.87.51.17, fax 03.85.87.51.12, e-mail marie-laure@m-p.fr

DOM. DU CHATEAU DE LA VALETTE 2003 ★

| ◼ | 4,74 ha | 14 000 | | 5 à 8 € |

Installé depuis 1983, Jean-Pierre Crespin vient de rénover son caveau de dégustation. Vous goûterez ce vin grenat profond aux parfums de fruits rouges, de cassis et d'épices (muscade, poivre) d'une bonne intensité. La bouche ronde et équilibrée se développe avec puissance. Ses arômes concentrés mariés à la vivacité et à de fins tanins sont particulièrement élégants. Bien représentatif, ce 2003 qui peut encore se bonifier pendant un ou deux ans accompagnera un plat en sauce. Le **côte-de-brouilly 2003** est cité.

🕭 Jean-Pierre Crespin, Le Bourg, 69220 Charentay, tél. 04.74.66.81.96, fax 04.74.66.71.72, e-mail jp.crespin@wanadoo.fr ☑ ⊼ ∦ r.-v.

MURIEL ET YVAN CHAVRIER
Cuvée Tradition 2003 ★

| ◼ | 2 ha | 8 000 | ⊞ | 5 à 8 € |

Métayers au château de La Chaize, Muriel et Yvan Chavrier ont élaboré une cuvée rubis soutenu qui s'ouvre sur des notes vineuses agrémentées de fruits rouges et d'épices. Cet ensemble aromatique accompagne une bouche concentrée, à la fois ronde et charpentée. Frais, parfumé et persistant, ce beau vin est à boire dans l'année avec une volaille aux champignons ou un plat de cochonnaille. Le **brouilly Vieilles Vignes 2002** est cité.

🕭 Muriel et Yvan Chavrier, Les Caboches, 69460 Odenas, tél. 04.74.03.30.15, fax 04.74.03.30.15 ☑ ⊼ ∦ r.-v.
🕭 de Roussy de Salles

CLOS DE PONCHON Pisse-Vieille 2002

| ◼ | 2 ha | 14 000 | ◼ ↓ | 5 à 8 € |

Des vignes de quarante ans sur des terrains sablo-argileux sont à l'origine de ce vin à la robe grenat limpide, marquée par quelques nuances prune et aux parfums intenses de petits fruits rouges. La bouche souple et équilibrée, dotée de fins tanins, révèle des arômes fruités évoluant vers le minéral et le sous-bois. A boire dans l'année.

🕭 Dufour Père et Fils, GFA Clos de Ponchon, 69430 Régnié-Durette, tél. 04.74.04.35.46, fax 04.74.69.03.89, e-mail florent.dufour@free.fr ☑ ⊼ ∦ r.-v.

DOM. CRET DES GARANCHES 2003 ★

| ◼ | 5 ha | 24 000 | ◼ ↓ | 5 à 8 € |

2002 marque la reprise de l'exploitation par la fille de l'ancienne propriétaire. Celle-ci a élaboré un vin rouge moyen, qui livre des parfums assez intenses et plaisants de framboise et de groseille. La bouche bien vive décline des arômes fins de fruits rouges. Equilibré, ce brouilly agréable sera apprécié dans l'année.

🕭 Sylvie Dufaitre-Genin, Crêt des Garanches, 69460 Odenas, tél. 04.74.03.41.46, fax 04.74.03.51.65 ☑ ⊼ ∦ r.-v.

DOM. DIT BARRON 2003

■ 9,1 ha 30 000 5 à 8 €

Un nom curieux pour ce domaine de 14 ha : un ancêtre de la famille travaillait la vigne pour le compte d'un baron dont le fils avait été appelé à la guerre ; celui-ci demanda au vigneron d'envoyer son propre fils en échange de ses titres de noblesse. Rouge à reflets rubis, ce vin, qui s'ouvre sur de fines notes fruitées associées à des nuances minérales, emplit avec souplesse le palais. Rond et aromatique, il sera aisé de le déguster dans l'année.

Muriel et Gilles Aujogues, Les Bruyères, 69220 Cercié, tél. 04.74.66.87.59, fax 04.74.66.72.55, e-mail gilles.aujogues@wanadoo.fr r.-v.

DOM. GEOFFRAY 2003

■ 7,5 ha 30 000 5 à 8 €

Métayer au château de Saint-Jean, Denis Geoffray a élaboré un vin grenat profond aux parfums flatteurs, amyliques et évocateurs de fruits rouges frais. La matière ronde, tendre et aromatique, invite à boire ce brouilly gouleyant dans l'année.

Denis Geoffray, 69220 Saint-Lager, tél. 04.74.66.26.10, fax 04.74.69.60.66 r.-v.

GOBET Pisse-Vieille 2003 ★★

■ n.c. 17 300 5 à 8 €

Ce brouilly du lieu-dit Pisse-Vieille, rubis intense, s'ouvre sur d'élégants et fins parfums de framboise et de cerise. Sa riche matière, structurée et charpentée, lui confère un beau potentiel de garde. Un représentant très prometteur de l'appellation, à attendre un ou deux ans.

Maison Gobet, Les Chers, 69840 Juliénas, tél. 04.74.06.78.00, fax 04.74.06.78.71

DOM. DE LA JONCHERE 2003 ★

■ 1,46 ha 7 000 5 à 8 €

Le domaine, dont les origines remontent à 1871, propose une cuvée rubis foncé, aux parfums développés de cerise, de groseille, de framboise et de cassis bien mûrs. Elle emplit le palais d'une matière riche et puissante, dont le fruité persistant s'associe à des nuances minérales. Doté d'une charpente de tanins fins, très prometteurs, ce 2003, d'une bonne typicité, est à boire, mais peut aussi attendre un an. Il accompagnera du gibier ou une viande rouge.

Eric Delaye, La Jonchère, 69460 Saint-Etienne-la-Varenne, tél. 04.74.03.49.42, fax 04.74.03.57.20 r.-v.

Michel Joseph

DOM. LAFOND 2003 ★

■ 4 ha n.c. 5 à 8 €

Pierre et Thierry Lafond sont à la tête de ce domaine familial créé en 1942. En 2002, ils se sont aussi lancés dans une activité de négoce. Rouge grenat assez vif, leur vin aux parfums friands et développés de framboise et de cassis s'épanouit souplement et délicatement en bouche. Bien structuré et d'une bonne longueur, il sera apprécié dans sa jeunesse (un an). Le **beaujolais rouge 2003 (3 à 5 €)** est cité.

EARL du Dom. Lafond, Bel-Air, 69220 Saint-Lager, tél. 04.74.66.04.46, fax 04.74.66.37.91 t.l.j. 8h30-12h 14h-19h

MICHEL MANIGAND 2002 ★

■ 4,53 ha 1 500 5 à 8 €

Des ceps de quatre-vingts ans sont à l'origine de ce vin rouge léger aux reflets violacés, qui s'ouvre après aération sur de fins parfums de fruits rouges. La bouche franche, fruitée, charpentée et structurée, lui donne un caractère rustique bien adapté à des plats en sauce ou à un coq au vin.

Co-exploitation Michel Manigand, Champ-Lévrier, 69220 Cercié, tél. 04.74.66.84.02, fax 04.74.66.84.02 r.-v.

LA MARGOT 2003

■ 4 ha 20 000 5 à 8 €

Créée en 1993, cette jeune maison de négoce propose un vin fuschia brillant aux parfums assez intenses de fruits rouges mûrs. Plein et aromatique, ce brouilly gouleyant est d'une bonne longueur. A boire dans l'année.

Daniel Fauvette Vins, 5, av. Léon-Foillard, 69830 Saint-Georges-de-Reneins, tél. 04.74.67.73.74, fax 04.74.67.70.24, e-mail dfauvettevins@aol.com

CAVE BEAUJOLAISE DU PERREON 2003 ★

■ 2,72 ha n.c. 5 à 8 €

La cave se distingue par un **beaujolais-villages Château des Loges 2003** et un **régnié 2003 (3 à 5 € chacun)** cités dans les différents jurys, ainsi que par cette cuvée carmin brillant qui développe des parfums de minéraux et d'épices, suivis de notes de framboise. Dès l'attaque, son équilibre est salué. Sa rondeur, ses arômes complexes dignes d'une corbeille de fruits séduisent. Particulièrement expressif en bouche, ce vin persistant n'a cependant pas la puissance nécessaire à une longue conservation. Aussi accompagnera-t-il dans l'année de la charcuterie froide ou chaude.

Cave Beaujolaise du Perréon, 69460 Le Perréon, tél. 04.74.03.22.83, fax 04.74.03.27.60 r.-v.

CH. DE PIERREUX La Réserve du Château 2003 ★

■ 7 ha 20 000 11 à 15 €

Les bâtiments datent du début du XIX^e^s., car de la maison forte du XIII^e^s. ne restent que deux tours. Cette Réserve, grenat foncé, développe des parfums de fruits rouges bien mûrs auxquels se mêlent des nuances de coing et de vanille assorties de délicates notes florales. La bouche charnue et puissante est empreinte d'arômes de fruits des bois. Des tanins harmonieux viennent soutenir en finale ce vin gourmand. Le **brouilly Château de Pierreux 2003 (5 à 8 €)** élevé en foudre reçoit également une étoile.

GFA Ch. de Pierreux, Ch. de Pierreux, 69460 Odenas, tél. 04.74.03.42.16

DOM. DE LA ROCHE SAINT MARTIN 2003 ★★

■ 7 ha 25 000 5 à 8 €

Des vignes implantées au pied de l'imposante colline sont à l'origine de ce vin rubis soutenu à reflets violines, très limpide, dont les parfums flatteurs évoquent les fruits des bois, le cassis et les épices. La bouche fort agréable montre une structure équilibrée par des tanins peu agressifs qui se marient aux arômes fruités. Ce vin très harmonieux, bien vinifié, peut encore attendre un ou deux ans. Le **côte-de-brouilly 2003 (8 à 11 €)** est cité.

SCEA Jean-Jacques Béréziat, Briante, 69220 Saint-Lager, tél. 04.74.66.85.39, fax 04.74.66.70.54 r.-v.

DOM. DES ROSES D'OR 2002

■ 1,5 ha 5 000 5 à 8 €

A partir de son vignoble créé en 1939, Jean-Luc Bernillon a produit un vin rouge légèrement évolué, dont les parfums assez intenses évoquent les fruits rouges frais, les épices et le sous-bois. La structure légère et élégante s'accompagne de fins arômes de fleurs séchées un peu mentholés. D'une bonne longueur, ce 2002 est prêt à boire.

🔑 Jean-Luc Bernillon, Les Poutoux, 69220 Belleville, tél. 04.74.07.99.95 ☑ ⌂ 🚶 r.-v.

DOM. DE TANTE ALICE 2003

■ 1,24 ha 6 000 ▮⫰ 5 à 8 €

Des vignes de soixante-cinq ans environ sur sol granitique sont à l'origine de ce vin grenat mat, aux parfums frais et élégants de cassis bien mûr associés à des nuances vineuses. Sa chair ample et fruitée s'appuie sur une charpente de tanins un peu fermes. D'un bon équilibre, voici un brouilly à servir avec un plat de charcuterie ou du petit gibier après un an de garde.

🔑 Jean-Paul Peyrard, SCEA Dom. de Tante Alice, La Pilonnière, 69220 Saint-Lager, tél. 04.74.66.89.33, fax 04.74.66.86.20 ☑ Y 🚶 r.-v.

CH. DE LA TERRIERE

Cuvée Jules du Souzy Vieilli en fût de chêne 2003 *

■ 10,1 ha 8 000 ⦀ 8 à 11 €

Le vignoble de ce château, dont les origines remontent au XIII[e]s., a produit un **brouilly 2003 (5 à 8 €)**, cité par le jury, et cette cuvée élevée sur lies et en fût. D'une couleur rouge soutenu, celle-ci s'ouvre sur des parfums discrets qui se développent avec élégance en bouche : fruits noirs, réglisse et boisé. Bien équilibrée et harmonieusement structurée, elle a beaucoup de charme. Son potentiel lui permettra d'être appréciée au cours des deux prochaines années.

🔑 SCEV du Ch. de La Terrière, La Terrière, 69220 Cercié, tél. 04.74.66.73.19, fax 04.74.66.73.07, e-mail chateau.terriere@ext.c-si.fr ☑ Y 🚶 r.-v.

CH. THIVIN 2003 *

■ 6 ha 28 000 ▮⫰ 8 à 11 €

Une cave de 1383 atteste des origines de ce domaine bien connu qui a appartenu à l'abbaye de Belleville-sur-Saône, puis aux sieurs de Beaujeu. Pourpre foncé, ce brouilly livre des parfums intenses et chaleureux, fidèles reflets du millésime : il évoque la minéralité des sols associée au fruit de la Passion. Ronde et structurée, sa bouche évolue sur des tanins agréables jusqu'à une finale persistante. Un vin bien typé, à boire au cours des deux prochaines années. Le **côte-de-brouilly 2003** est cité.

🔑 Claude Geoffray, Ch. Thivin, la Côte de Brouilly, 69460 Odenas, tél. 04.74.03.47.53, fax 04.74.03.52.87, e-mail geoffray@chateau-thivin.com
☑ Y 🚶 t.l.j. sf dim. 9h-12h30 14h-19h

GEORGES VIORNERY 2003 *

■ 5,15 ha 10 000 ▮⫰ 5 à 8 €

Implantées sur des terrains de sable granitique, des vignes de quarante ans ont donné naissance à un vin grenat profond, aux parfums de groseille, de cassis, de mûre et de kirsch d'une bonne intensité. La bouche assez riche et aromatique révèle quelques tanins plus fermes en finale. Ce brouilly prometteur mérite d'attendre un an en cave ; il pourra alors accompagner une viande rouge.

🔑 Georges Viornery, Brouilly, 69460 Odenas, tél. 04.74.03.41.44, fax 04.74.03.41.44 ☑ Y 🚶 r.-v.

Côte-de-brouilly

CH. DE BRIANTE 2003

■ 1,43 ha 4 600 ▮⫰ 5 à 8 €

Un château qui appartint à Emile Duport, fondateur en 1888 de l'Union beaujolaise, un des premiers syndicats de producteurs. Le domaine compte 30 ha. Des vignes de quarante-cinq ans implantées sur les roches bleues du mont Brouilly ont donné ce vin d'un rouge moyen qui s'ouvre sur des parfums de fruits rouges et des notes minérales. La bonne attaque charnue est suivie d'impressions tanniques austères que le temps atténuera. Bien structurée, une bouteille à boire dans deux ans.

🔑 GFA Ch. de Briante, 69220 Saint-Lager, tél. 04.74.66.72.34, fax 04.74.66.78.97, e-mail chateau.briante@wanadoo.fr ⌂ Y 🚶 r.-v.
🔑 Brochier

DOM. DES BUSSIERES 2003

■ 5,2 ha 3 000 ▮⦀ 5 à 8 €

Une propriété de 8 ha située sur le versant sud du mont Brouilly. Elle a présenté une cuvée d'un rouge franc et soutenu, aux parfums intenses de framboise et de fraise bien mûres, associés à des notes amyliques. Souple, équilibrée avec des tanins fondus, la bouche ne manque pas de structure. Très agréable, tout en fruit, un vin à boire dans l'année.

🔑 Colette Deverchère, Dom. des Bussières, 144, av. de la Libération, 69400 Villefranche-sur-Saône, tél. 04.74.65.13.51, e-mail c.deverchere@wanadoo.fr ☑ ⌂ Y 🚶 r.-v.

DOM. DE CHARDIGNON 2003

■ n.c. 10 000 5 à 8 €

Située au pied de la chapelle du mont Brouilly, l'exploitation est distante de 2 km du monument emblématique de l'appellation. Elle a élaboré un vin brillant d'une couleur violine des plus engageantes. Le nez livre des parfums expressifs de raisin frais. Très ronde et fruitée, la chair se montre plutôt avare en tanins : un vin léger mais harmonieux, à boire maintenant avec une viande blanche.

🔑 Roger Manigand, Les Maisons-Neuves, 69220 Saint-Lager, tél. 04.74.66.84.97, fax 04.74.66.84.97 ☑ Y 🚶 r.-v.

DOM. DU CHEMIN DE RONDE 2003

■ n.c. 10 000 ▮ 5 à 8 €

Des vignes de soixante ans sont à l'origine de ce vin d'un rouge profond, aux parfums de fruits noirs très mûrs mêlés de nuances de violette et de réglisse. Agréable et longue, l'attaque révèle de la puissance et de beaux arômes de fruits rouges. Ce vin chaleureux laisse percevoir en finale quelques notes herbacées : il doit s'affiner encore (de un à trois ans).

🔑 Gérard Monteil, 70, Grande-Rue, 69220 Cercié, tél. 04.74.66.80.50, e-mail gerardmonteil@terre-net.fr ☑ Y 🚶 r.-v.

DOM. CHEVALIER-METRAT 2002

■ 2 ha 10 000 5 à 8 €

Créé en 1956, le domaine a été exploité en métayage avant d'être acquis en 1987 par Sylvain Métrat. D'un rouge profond sans défaut, son côte-de-brouilly 2002 offre un nez plutôt simple mais chaleureux, mêlant framboise et cassis à une touche vanillée. Une attaque ronde introduit

un palais plein et d'une belle persistance aromatique, agréable malgré la présence de tanins plutôt fermes en finale. Equilibré et déjà plaisant, un vin prêt à boire mais qui peut attendre encore un an.
☛ Sylvain Métrat, Le Roux, 69460 Odenas,
tél. 04.74.03.50.33, fax 04.74.03.37.24 ☑ ⊥ ⚹ r.-v.

DOM. DU FOUR A PAIN 2003

■	2 ha	12 000	■	5 à 8 €

Les vignes implantées sur des sols argilo-calcaires et du porphyre sont à l'origine de ce vin rubis sombre aux reflets violacés, au nez bien ouvert associant des fruits rouges et des notes minérales et végétales. La bonne attaque révèle une matière charnue, des arômes de fruits très mûrs et de jeunes tanins. Une bouteille que les impatients pourront déjà déboucher, mais qui gagnera à attendre un an.
☛ SCI de l'Ecluse, 69220 Saint-Lager,
tél. 04.74.66.82.09, fax 04.74.69.09.75
☛ Robert Verger

DOM. DE LA GRAND RAIE 2003 ★

■	1,6 ha	4 000	■	5 à 8 €

Des vignes de soixante ans implantées sur des sols de limon, d'argile et de sable ont donné naissance à ce vin grenat mêlant au nez des parfums de fruits rouges, des notes florales et minérales. L'attaque souple, sur les fruits rouges et noirs, est suivie d'impressions charnues. Très ample et dotée d'une bonne structure, cette bouteille est prête à boire, mais possède un réel potentiel de garde qui lui permettra d'attendre un à deux ans. Elle accompagnera aussi bien des viandes en sauce que de la charcuterie. Le 2000 avait obtenu un coup de cœur.
☛ EARL Laurent Charrion,
La Grand-Raie, 69220 Saint-Lager,
tél. 04.74.66.81.69, fax 04.74.66.71.32 ☑ ⊥ ⚹ r.-v.

CH. DU GRAND VERNAY Cuvée Prestige 2002

■	2 ha	1 000	⊞	11 à 15 €

Un petit château Napoléon III bâti en 1850 et un domaine viticole de 12 ha exploité par la famille Geoffray depuis 1950. Par beau temps, la dégustation se fait dans la cour ombragée. On pourra y goûter un **beaujolais-villages 2003 (5 à 8 €)**, cité comme ce côte-de-brouilly. D'un rouge profond aux légers reflets orangés, ce dernier marie au nez des parfums très agréables et fins de fruits rouges et des notes vanillées et briochées. La belle attaque fraîche fait revivre le fruit, puis la bouche évolue sur des notes boisées bien fondues. Un peu léger pour un cru, ce vin peut être bu dès aujourd'hui, mais il peut attendre un an.
☛ EARL Claude Geoffray,
Ch. du Grand Vernay, 69220 Charentay,
tél. 04.74.03.46.20, fax 04.74.03.47.46,
e-mail chateau.grand.vernay@wanadoo.fr ☑ ⊥ ⚹ r.-v.

DOM. DE LA MADONE 2003

■	8 ha	10 000		5 à 8 €

Le domaine que ses parents exploitaient depuis 1946 comme métayers, Daniel Trichard l'a acheté en 1976. Il a agrandi l'exploitation (18,5 ha aujourd'hui), a construit une maison et un cuvage. D'un rouge profond aux reflets violets, son côte-de-brouilly livre d'intenses parfums de fruits rouges et de framboise à l'eau-de-vie. Souple, rond et fruité en début de bouche, il révèle ensuite des tanins fermes qui laissent encore une impression d'austérité en finale. Un vin au réel potentiel qui doit s'affiner au moins un an.

☛ EARL Dom. de la Madone,
Maisons-Neuves, 69220 Saint-Lager,
tél. 04.74.66.84.37, fax 04.74.66.70.65 ☑ ⊥ ⚹ r.-v.
☛ Daniel Trichard

LAURENT MARTRAY Les Feuillées 2002

■	1,09 ha	8 400	⊞	5 à 8 €

Métayer au château de La Chaize, Laurent Martray est fier de sa vieille maison de vigneron et de cette parcelle en côte-de-brouilly plantée de ceps âgés de soixante-dix ans, achetée en 2002. Voici donc sa première récolte. D'un rouge profond montrant quelques reflets ambrés, ce 2002 offre une palette aromatique complexe où se mêlent parfums fruités, notes de kirsch, de vanille et de fleurs. Agréable, charnue, l'attaque fait rapidement place à des impressions boisées plutôt fermes. Une bouteille intéressante qui doit encore s'affiner quelques mois.
☛ Laurent Martray, Combiaty, 69460 Odenas,
tél. 04.74.03.51.03, fax 04.74.03.50.92,
e-mail laurent.martray@wanadoo.fr ☑ ⊥ ⚹ r.-v.

JEAN-FRANCOIS MORIN

Cuvée Tradition Elevé en fût de chêne 2002

■	0,33 ha	1 800	⊞	5 à 8 €

Elevé pendant huit mois en fût de chêne, ce vin n'a subi qu'une légère filtration avant sa mise en bouteilles. Sa robe rouge intense, marquée par quelques reflets dorés, ainsi que ses parfums vifs de framboise accompagnés de notes vanillées et de torréfaction sont unanimement appréciés. Il n'en est pas de même pour les impressions de boisé qui marquent le palais rond et ample. Cette bouteille est prête, mais elle peut encore attendre un à deux ans.
☛ Jean-François Morin, Chateland, 69220 Saint-Lager,
tél. 04.74.66.83.12, fax 04.74.66.83.12 ☑ ⊥ ⚹ r.-v.

CELLIER DES SAINT-ETIENNE 2003 ★

■	13 ha	12 000	■	5 à 8 €

Créée en 1957, cette coopérative vinifie aujourd'hui 430 ha et regroupe quelque deux cent cinquante viticulteurs. D'un pourpre intense, son côte-de-brouilly délivre pêle-mêle d'harmonieux parfums de fruits des bois et de fruits rouges. La bouche, très dense, est marquée par des tanins concentrés, associés à des arômes fruités et à des nuances presque végétales. Bien structuré, composé d'une riche matière, un vin fait pour la garde et à attendre deux à trois ans ; il pourra accompagner une côte de bœuf au côte-de-brouilly. A retenir encore, le **beaujolais-villages 2003**, cité par le jury.
☛ Cellier des Saint-Etienne, rue du Beaujolais,
69460 Saint-Etienne-des-Oullières,
tél. 04.74.03.43.69, fax 04.74.03.48.29 ☑ ⊥ ⚹ r.-v.

Chénas

La légende raconte que ce lieu était autrefois couvert d'une immense forêt de chênes, et qu'un bûcheron, constatant le développement de la vigne plantée naturellement par quelque oiseau, à n'en pas douter divin, se mit en devoir de défricher pour introduire la noble plante ; celle-là même qui aujourd'hui s'appelle gamay noir.

L'une des plus petites appellations du Beaujolais, couvrant 285 ha aux confins du Rhône et de la Saône-et-Loire a donné, en 2003, 8 823 hl récoltés sur les communes de Chénas et de La Chapelle-de-Guinchay. Les chénas produits sur les terrains pentus et granitiques à l'ouest sont colorés, puissants, mais sans agressivité excessive, exprimant des arômes floraux à base de rose et de violette ; ils rappellent ceux du moulin-à-vent qui occupe la plus grande partie des terroirs de la commune. Les chénas issus de vignes du secteur plus limoneux et moins accidenté de l'est, présentent une charpente plus ténue. Cette appellation, qui, sans pour autant démériter, fait figure de parent pauvre par rapport aux autres crus du Beaujolais, souffre de la petitesse de son potentiel de production. La cave coopérative du château vinifie 45 % de l'appellation et offre une belle perspective de fûts de chêne sous ses voûtes datant du XVIIe s.

REMI ET PAOLA BENON 2003 *

■ 3,1 ha 13 000 5 à 8 €

Sur des sols d'argile et de sable granitique, des vignes de cinquante ans en moyenne sont à l'origine de ce chénas de couleur bigarreau, aux parfums engageants de fruits rouges et d'épices. Sa chair puissante et aromatique emplit le palais, développant une belle structure et une charpente tannique typique. Ce 2003 au bon potentiel va poursuivre sa maturation. Il sera à boire au cours des deux prochaines années. Des mêmes producteurs, on pourra retenir le **saint-amour 2003** qui a obtenu une citation.

⊶ Rémi et Paola Benon, Les Avenets,
71570 La Chapelle-de-Guinchay,
tél. 03.85.33.84.22, fax 03.85.33.89.54,
e-mail paola.benon@wanadoo.fr ☑ Y ✱ r.-v.

DOM. DES BRUREAUX Cuvée Prestige 2002 *

■ 1,5 ha 3 000 8 à 11 €

De la gastronomie à la vigne ! En 1961, Emile Robin quitte la restauration pour acquérir le domaine. En 2001, sa petite-fille Nathalie abandonne elle aussi les fourneaux pour se consacrer à cette propriété. Ses débuts sont encourageants, puisqu'une grande partie de la production de sa petite exploitation a attiré l'attention du jury Hachette. La cuvée Prestige est la préférée. Rouge sombre à reflets violets, elle s'ouvre sur d'agréables parfums de fruits rouges, avec des notes minérales et de vanille. Charnue et puissante, la bouche est imprégnée par des arômes complexes qui traduisent un mariage réussi entre le bois et le fruit. Structuré et équilibré, ce vin saura donner la réplique à du gibier. Le **chénas 2002 Cuvée principale (5 à 8 €)** a été élevé en cuve. Il est cité.

⊶ Nathalie Fauvin, Les Gandelins,
71570 La Chapelle-de-Guinchay,
tél. 03.85.36.70.95, fax 03.85.36.59.50,
e-mail brureaux@wanadoo.fr ☑ Y ✱ r.-v.

DOM. DES BRUYERES Cuvée fût de chêne 2002

■ 5 ha 1 000 5 à 8 €

Après le départ à la retraite de son père en 2001, Nicolas Durand a pris l'entière direction du domaine (environ 19 ha de vignes). Vêtu d'une robe rouge sombre, son chénas élevé en fût de chêne exprime d'intenses parfums de griotte et de cassis très mûrs, alliés à un boisé qui révèle son élevage. Ce dernier envahit la bouche même si le fruité n'est pas absent. Un vin équilibré que l'on peut déjà déguster mais qui gagnera à être conservé.

⊶ Nicolas et Sandrine Durand,
Les Bruyères, 71570 La Chapelle-de-Guinchay,
tél. 03.85.36.55.16, fax 03.85.37.45.97,
e-mail nicolas.durand41@wanadoo.fr ☑ Y ✱ r.-v.

DOM. DE LA CROIX BARRAUD
Cuvée Vieilles Vignes 2002

■ 3,12 ha 2 800 8 à 11 €

Franck Bessone a repris progressivement l'exploitation familiale à partir des années 1990. Depuis 1999, il est à la tête de l'ensemble du domaine (8 ha). Des ceps de plus de cinquante ans ont donné naissance à ce chénas en robe rouge moyen. Ce vin livre des senteurs boisées très nettes qui témoignent de son mode d'élevage. La bonne attaque se développe sur des notes vanillées qui mettent en valeur la belle structure apportée par le bois. Assez ample et harmonieuse, cette bouteille peut encore mûrir une année.

⊶ Franck Bessone, Les Pinchons, 69840 Chénas,
tél. 04.74.06.77.53, fax 04.74.06.77.13 ☑ Y ✱ r.-v.

CH. DESVIGNES 2003 *

■ n.c. n.c. 5 à 8 €

Implanté sur une pente orientée au sud en direction du célèbre moulin de l'AOC moulin-à-vent, le vignoble de ce domaine familial a donné naissance à ce chénas d'un rouge profond et au fruité intense de griotte. On retrouve le fruité, mêlé de quelques notes animales, dans un palais riche, puissant, à la structure tannique équilibrée et d'une belle persistance. Très harmonieuse mais un peu atypique, une bouteille à boire au cours des deux prochaines années. A retenir encore, mis en bouteilles par Paul Beaudet, le **beaujolais-villages Château des Maladrets 2003** (une citation).

⊶ Paul Beaudet, rue Paul-Beaudet,
71570 Pontanevaux, tél. 03.85.36.72.76,
fax 03.85.36.72.02, e-mail contact@paulbeaudet.com
☑ Y ✱ t.l.j. sf sam. dim. 8h-12h 13h30-17h30; f. août
⊶ Jean Beaudet

DOM. DES GANDELINS Elevage en fût 2003

■ 4,2 ha 3 000 5 à 8 €

Installée dans une maison traditionnelle de trois cents ans d'âge, la quatrième génération est à la tête de l'exploitation depuis 1991. Paré d'une robe d'un rouge clair très limpide, ce chénas s'ouvre doucement sur des nuances boisées. Ces arômes de chêne envahissent le palais, dominant encore quelque peu l'expression fruitée. D'une bonne longueur, ce vin ne manque pas d'harmonie et possède un réel potentiel. A attendre un à deux ans.

⊶ Patrick Thévenet, Les Gandelins,
Cidex 324, 71570 La Chapelle-de-Guinchay,
tél. 03.85.36.72.68, fax 03.85.33.89.51,
e-mail patrick-thevenet@wanadoo.fr ☑ Y ✱ t.l.j. 9h-19h

BEAUJOLAIS

PASCAL GRANGER 2003 ★★★

■ 0,7 ha 3 500 ▮♁ 5 à 8 €

Vignerons de père en fils depuis deux siècles, les Granger exportent les quatre cinquièmes de leur production. A la tête de l'exploitation depuis 1983, Pascal Granger a élaboré, à partir de vignes d'une cinquantaine d'années, un superbe chénas grenat limpide. Libérant des parfums expressifs de cassis et de fruits rouges, ce 2003 s'épanouit au palais avec rondeur. Sa chair puissante est harmonieusement structurée avec des tanins bien fondus. Cette bouteille qui sort du lot sera prête à la parution du Guide. La **Cuvée spéciale de juliénas 2003** obtient une étoile. Bien charpenté et fruité, c'est un vrai vin de gibier.

⊶ Pascal Granger, Les Poupets, 69840 Juliénas,
tél. 04.74.04.44.79, fax 04.74.04.41.24
☒ Ꮖ ⽘ t.l.j. 8h-20h

HUBERT LAPIERRE 2003 ★

■ 4,2 ha 15 000 ▮♁ 5 à 8 €

Hubert Lapierre exploite le domaine familial depuis 1970. Des vignes de soixante ans sont à l'origine de son chénas pourpre clair aux parfums friands de fleurs et de fruits. La bouche révèle une agréable matière, toujours fruitée, des tanins déjà souples, une certaine puissance et une bonne longueur. Ce vin harmonieux est à boire au cours des deux prochaines années avec un canard rôti, du gibier à plume ou des grillades.

⊶ Hubert Lapierre, Les Gandelins,
71570 La Chapelle-de-Guinchay,
tél. 03.85.36.74.89, fax 03.85.36.79.69,
e-mail hubert.lapierre@terre-net.fr ☒ Ꮖ ⽘ r.-v.

CH. DES PAQUELETS 2002 ★

■ 3 ha 20 000 ▮♁ 5 à 8 €

Le château des Paquelets est une gentilhommière du XVIe s. avec chapelle, puits, cave voûtée et étang. Le domaine viticole comprend des vignes de cinquante ans à l'origine de ce vin grenat foncé aux arômes de fraise. Vive, « réveillée », la bouche possède une matière assez légère. Ce 2002 est à boire dans les deux prochaines années.

⊶ Monique Perrachon, Ch. des Paquelets,
71570 La Chapelle-de-Guinchay,
tél. 03.85.36.71.02 ☒ Ꮖ ⽘ r.-v.

DOM. DES PIERRES 2003 ★★

■ 2,54 ha 18 000 ▮ 5 à 8 €

Voilà quarante ans que Georges Trichard est à la tête de son exploitation. Il a vinifié un chénas rubis profond dont le nez associe parfums vineux et notes de fruits rouges. Ce vin garnit en douceur le palais d'une matière charnue et ronde. Soulignés d'arômes fruités qui évoluent en finale sur des nuances un peu cacaotées, les tanins témoignent d'une belle structure. Cette bouteille sera à boire à la sortie du Guide.

⊶ Georges Trichard, rte de Juliénas,
71570 La Chapelle-de-Guinchay,
tél. 03.85.36.70.70, fax 03.85.33.82.31 ☒ ⽘ r.-v.

DOM. DU POURPRE 2003 ★

■ 1 ha 1 000 ▮ 5 à 8 €

Des vignes cultivées sur des sols siliceux et granitiques ont donné naissance à ce chénas grenat foncé au puissant nez de fruits rouges bien mûrs associés à des notes épicées. Très concentrée avec des tanins encore fermes, la bouche développe une belle structure. Ce vin prometteur doit s'affiner un à deux ans.

⊶ EARL Dom. du Pourpre,
Les Pinchons, 69840 Chénas,
tél. 04.74.04.48.81, fax 04.74.04.49.22
☒ Ꮖ ⽘ t.l.j. 8h-20h

DOM. DU P'TIT PARADIS 2003 ★

■ 1 ha 1 800 ▮ 5 à 8 €

Comme souvent, ce P'tit Paradis situé à mi-coteau au milieu des vignes figure au nombre des élus. D'un pourpre intense, son chénas livre des parfums puissants de fruits rouges mêlés d'une pointe végétale. Le bel équilibre des tanins et du fruit est mis en valeur par une bonne vinosité. Persistant et harmonieux, ce vin accompagnera une pintade ou du fromage. Le **moulin-à-vent 2003** du domaine a par ailleurs été cité.

⊶ Denise Margerand, Les Pinchons, 69840 Chénas,
tél. 04.74.04.48.71, fax 04.74.04.46.29
☒ Ꮖ ⽘ t.l.j. 8h-20h; groupes sur r.-v.

DOM. DES ROSIERS 2003 ★

■ 1,6 ha 5 000 ▮ 5 à 8 €

Il est souvent mentionné dans le Guide, ce domaine au nom évocateur de quelque maison de campagne. Il a même obtenu deux coups de cœur (le dernier en date pour un chénas 99). Grenat profond, le 2003 s'ouvre sur d'intenses parfums de fruits rouges. La bouche, franche et d'une ampleur honorable, révèle des tanins souples et persistants. Une bouteille harmonieuse à boire dans les deux prochaines années.

⊶ Gérard Charvet, Les Rosiers, 69840 Chénas,
tél. 04.74.04.48.62, fax 04.74.04.49.80
☒ Ꮖ ⽘ t.l.j. 8h-20h

BERNARD SANTE 2002

■ 3 ha 15 000 ▮♁ 5 à 8 €

Dans la belle cave voûtée de la maison familiale datant du XVIIe s. sont stockées des bouteilles qui ont intéressé. Ce chénas qui s'habille d'une robe rubis léger livre des parfums concentrés de fruits rouges très mûrs. Une bonne attaque, expressive et charnue, introduit un palais aux tanins souples qui s'avère assez léger : un vin à boire dans l'année. Le **juliénas 2003** du domaine a également été cité.

⊶ Bernard Santé, Les Blémonts,
rte de Juliénas, 71570 La Chapelle-de-Guinchay,
tél. 03.85.33.82.81, fax 03.85.33.84.46,
e-mail bernardsante@terre-net.fr ☒ Ꮖ ⽘ r.-v.

Chiroubles

Le plus « haut » des crus du Beaujolais. Récolté sur les 376 ha d'une seule commune perchée à près de 400 m d'altitude, dans un site en forme de cirque aux sols constitués de sable granitique léger et maigre, il a produit en 2003, 12 643 hl à partir du gamay noir. Le chiroubles, élégant, fin, peu chargé en tanins, gouleyant, charmeur, évoque la violette. Créée en 1996, la Confrérie des Damoiselles de Chiroubles, assistée de ses chevaliers, fait connaître avec tact ce vin quelquefois désigné comme étant le plus féminin des crus. Rapidement consommable, il a parfois un peu le caractère du fleurie ou du morgon, crus limitrophes. Il accompagne à toute heure quelque plat de charcuterie. Pour s'en convaincre, il suffit de prendre la route au-delà du bourg, en direction du Fût d'Avenas, dont le sommet, à 700 m, domine le village et abrite un « chalet de dégustation ».

Chiroubles célèbre chaque année, en avril, l'un de ses enfants, le grand savant ampélographe Victor Pulliat, né en 1827, dont les travaux consacrés à l'échelle de précocité et au greffage des espèces de vigne sont mondialement connus ; pour parfaire ses observations, il avait rassemblé dans son domaine de Tempéré plus de 2 000 variétés ! Chiroubles possède une cave coopérative qui vinifie 3 000 hl du cru.

DOM. BERLIOZ SAINT-ROCH 2003

■ 6,5 ha 42 000 ▮ 🌡 5 à 8 €

Le patronyme du célèbre compositeur, dont une descendante est l'épouse de l'actuel propriétaire, est associé au nom du lieu-dit où, paraît-il, le fléau de la peste fut endigué. D'un rouge profond et limpide, ce vin livre des parfums de cassis et de bourgeon de cassis qui dominent aussi en bouche. A boire.

🔑 Michel Rotival, Saint-Roch, 69115 Chiroubles,
tél. 04.74.69.13.70, fax 04.74.69.09.75

PATRICK BOULAND 2003

■ 1 ha 4 000 ▮ 5 à 8 €

Habillé d'une robe profonde, d'un rubis intense, ce 2003 exprime des parfums bien développés de fruits rouges. Charnue et équilibrée, la mise en bouche est plébiscitée. La suite s'avère plus légère. Un joli chiroubles à boire au cours des deux prochaines années avec une viande rouge ou du fromage.

🔑 Patrick Bouland,
77, montée des Rochauds, 69910 Villié-Morgon,
tél. 04.74.69.16.20, fax 04.74.69.13.55,
e-mail patrick.bouland@free.fr 🅥 🍸 🚶 r.-v.

ARMAND CHARVET
Cuvée Les Rochaux Vieilles Vignes 2002

■ 2 ha 5 000 🛢 8 à 11 €

De vieilles vignes ont donné un vin grenat limpide et brillant. Le nez libère des notes de fruits noirs et de vanille, ces dernières liées au fût de l'élevage. Sans surprise, les arômes boisés imprègnent le palais, associés à des tanins souples. Equilibré mais plutôt sévère pour un chiroubles, ce 2002 est prêt à passer à table.

🔑 Armand Charvet, Dom. Les Rochaux,
Bel Air, 69115 Chiroubles, tél. 04.74.69.13.08,
fax 04.74.69.13.13 🅥 🏘 🏠 🍸 🚶 t.l.j. 8h-20h

LA MAISON DES VIGNERONS DE CHIROUBLES
Cuvée Vidame de Rocsain 2002 ★

■ 4 ha 26 420 ▮ 🌡 5 à 8 €

Le 2001 de cette cuvée fut coup de cœur l'an dernier. Habillé d'une robe pourpre prononcé, ce Vidame de Rocsain livre d'authentiques parfums de fruits rouges. Sa matière vive et aromatique s'épanouit longuement au palais. Charpenté sans excès, très équilibré et typique, ce beau 2002 s'accordera avec des viandes rouges épicées.

🔑 La Maison des Vignerons de Chiroubles,
Le Bourg, 69115 Chiroubles,
tél. 04.74.69.14.94, fax 04.74.69.12.59,
e-mail lamaisondesvignerons@wanadoo.fr 🅥 🍸 🚶 r.-v.

DOM. DE LA COMBE AU LOUP 2002 ★

■ 4,55 ha 33 700 ▮ 🌡 5 à 8 €

Les Méziat sont viticulteurs de père en fils à Chiroubles depuis 1870. Gérard et David exploitent 11 ha répartis dans trois crus du Beaujolais. Leur domaine fait preuve d'une belle régularité, notamment en chiroubles. Grenat soutenu, ce 2002 livre de riches parfums d'épices, de fruits rouges assortis de notes minérales. Ample, corsée, dotée d'une bonne charpente, la bouche fait preuve d'équilibre. Complet et assez puissant pour cette appellation, ce vin est à boire au cours des deux prochaines années.

🔑 EARL Méziat Père et Fils,
Dom. de la Combe au Loup, Le Bourg,
69115 Chiroubles, tél. 04.74.04.24.02,
fax 04.74.69.14.07, e-mail david.meziat@meziat.com
🅥 🍸 🚶 t.l.j. sf dim. 8h30-12h 14h-18h30

DOM. DE LA COUR PROFONDE 2003 ★★

■ 3,2 ha 10 000 ▮ 5 à 8 €

Conduites en mode de lutte raisonnée, des vignes de cinquante ans ont été vendangées le 20 août. Triée, la récolte a donné un vin rubis léger aux parfums bien développés de groseille et de fleurs. Ample et franche, la bouche révèle une matière généreuse et pleine de finesse. Ce chiroubles bien typé est à boire au cours des deux prochaines années.

🔑 Cyril Revollat, La Cour Profonde,
69115 Chiroubles, tél. 04.74.69.13.72,
fax 04.74.69.13.72 🅥 🍸 🚶 t.l.j. 9h-19h

DOM. DUFOUX Cuvée réservée 2002

■ 1,5 ha 6 000 ▮ 5 à 8 €

Depuis 1983, c'est la troisième génération qui est à la tête du domaine familial. Elle propose un 2002 sympathique dont la robe rubis à reflets légèrement violets est restée très jeune. Les parfums de fruits rouges, associés à des nuances exotiques et épicées, ont une belle intensité. Vive en attaque, la bouche devient plus austère en finale mais elle devrait être prête à la sortie du Guide.

🔑 Guy Morin, Le Bois, 69115 Chiroubles,
tél. 04.74.69.13.29, fax 04.74.69.13.29,
e-mail guy.morin@terre-net.fr
🅥 🍸 🚶 t.l.j. 9h-12h 13h-20h

HENRY FESSY Cuvée Peyraud 2002 *

■ n.c. 20 000 ▮ 5 à 8 €

Ce négociant beaujolais a fait aménager un nouveau chai de vinification en 2003 ; ce vin grenat brillant affiche des parfums intenses de fruits rouges. Les arômes du nez se retrouvent dans une bouche ample et souple, associés à des tanins fondus. D'une belle finesse et typique, ce chiroubles est à boire dès à présent. De la même maison, les jurés ont cité le **côte-de-brouilly cuvée Geoffrey Fessy 2002** et le **morgon Calot 2002**.

Vins Henry Fessy, 644, rte de Bel-Air, 69220 Saint-Jean-d'Ardières, tél. 04.74.66.00.16, fax 04.74.69.61.67, e-mail vins.fessy@wanadoo.fr ☑ Y ⅄ r.-v.

DOM. DES GATILLES 2003 **

■ 7 ha 25 000 ▮ 5 à 8 €

En 1917, la famille Fourneau devient propriétaire de ce domaine créé en 1850, et qui compte aujourd'hui 13 ha. Son chiroubles 2003 est particulièrement bien venu. Habillé d'une belle robe grenat à reflets violets, il livre d'agréables parfums de petits fruits rouges. Il s'épanouit en bouche sur des arômes fruités et floraux associés à des tanins légers. Typée, gourmande, tout en finesse et en élégance, cette bouteille n'attend plus qu'un bon tire-bouchon.

SCE de Javernand, 69115 Chiroubles, tél. 04.74.69.16.04, fax 04.74.69.16.04, e-mail pfourneau@libertysurf.fr ☑ Y ⅄ r.-v.

Pierre Fourneau

DOM. GRAVALLON LATHUILIERE 2003 **

■ 0,5 ha 3 500 ▮ 5 à 8 €

Depuis juin 2003 un beau-père et son gendre se sont associés pour exploiter ce domaine transmis de mère en fille depuis plusieurs générations. D'un grenat soutenu, leur chiroubles exprime des nuances florales asssez flatteuses associées à de jolies notes de fruits rouges, arômes qui se prolongent en bouche. Après l'attaque nette, fraîche et tendre, le palais évolue sur des tanins veloutés. Plaisant, d'une belle finesse, ce 2003 fera plaisir pendant les deux prochaines années.

Dom. Gravallon Lathuilière, Vermont, 69910 Villié-Morgon, tél. 04.74.04.23.23, fax 04.74.69.10.49, e-mail c.lathuiliere@libertysurf.fr ☑ Y ⅄ t.l.j. 8h-12h 14h-19h

DOM. DE LA GROSSE PIERRE 2003 *

■ 9 ha 30 000 ▮ 5 à 8 €

Alain Passot est à la tête de 11 ha de vignes. Exposés au sud-est à mi-coteau, les ceps sont implantés sur arène granitique. Le domaine propose également dans la maison de maître cinq chambres d'hôtes. Pourpre aux jolis reflets grenat, son chiroubles livre de belles notes fraîches de fruits rouges et de raisin. Framboise et cerise imprègnent une bouche tendre, ample et longue. Friand et gouleyant, un ensemble très flatteur à boire dans les deux ans.

Alain Passot, La Grosse Pierre, 69115 Chiroubles, tél. 04.74.69.12.17, fax 04.74.69.13.52, e-mail apassot@terre-net.fr ☑ Y ⅄ r.-v.

DOM. DES MAISONS NEUVES 2003 *

■ 0,9 ha 4 500 5 à 8 €

Des vignes implantées sur des sables granitiques ont donné un vin rouge vif et brillant aux parfums intenses et complexes de fruits rouges et de raisin. Ces arômes imprègnent le palais, où l'on trouve de frais tanins et une chair équilibrée et longue. Très fruité, un bon ambassadeur de l'appellation qui pourra accompagner pendant deux ans des entrées ou de la charcuterie.

Michèle et Robert Jambon, Bergeron, 69220 Saint-Lager, tél. 04.74.66.81.24, fax 04.74.66.70.00 ☑

DOM. MARQUIS DES PONTHEUX Sélection Vieilles Vignes Elevé un an en fût de chêne 2002 **

■ 3 ha 16 000 5 à 8 €

En arrivant à Chiroubles, si vous demandez où est le marquis, on vous conduira au Pontheux, chez les Méziat : une maison au milieu des vignes. Né de ceps de soixante ans d'âge, implantés sur des sols de sable granitique et exposés au sud-est, ce chiroubles a passé un an en fût de chêne. Rouge intense avec des reflets ocres, il exprime de puissantes notes minérales qui évoquent le terroir. Sa riche matière fruitée, soutenue par une belle charpente tannique fraîche, compose une bouteille complexe, équilibrée et représentative de l'appellation. Ce 2002 sera à découvrir au cours des deux prochaines années. Il accompagnera des viandes en sauce épicée.

Pierre Méziat, Les Pontheux, 69115 Chiroubles, tél. 04.74.69.13.00, fax 04.74.04.21.62, e-mail meziatpierre@aol.com ☑ Y ⅄ r.-v.

BERNARD METRAT 2003 *

■ 1 ha 4 000 5 à 8 €

Né de vignes de cinquante ans, ce chiroubles a été vinifié dans un cuvage rénové en 2003. D'un pourpre intense, il s'ouvre rapidement sur de riches nuances florales. Charnue et charpentée avec des tanins fondus, sa chaleureuse matière persiste longuement, imprégnée de notes de cassis. Structuré et équilibré, ce 2003 se montre très agréable par sa rondeur et son fruité. On le boira au cours des deux prochaines années avec de la viande ou du fromage. Du même domaine, le **fleurie La Roilette 2002** a été cité.

Dom. Métrat, Le Brie, 69820 Fleurie, tél. 04.74.69.84.26, fax 04.74.69.84.49, e-mail domaine-metrat-et-fils@wanadoo.fr ☑ Y ⅄ r.-v.

MEZIAT-BELOUZE Vieilles Vignes 2002 **

■ 3,59 ha 6 300 ▮ 5 à 8 €

D'un rouge léger, ce 2002 n'a pas pris une ride. Intense et très fin à la fois, le nez décline des notes de poivre, de fruits à noyau et de fleurs. Après une attaque franche, la bouche s'arrondit sur une structure élégante au grain agréable. Harmonieux et long, ce vin racé est à boire dans les deux prochaines années.

GAEC Méziat-Belouze, Rochefort, 69115 Chiroubles, tél. 04.74.69.11.81, fax 04.74.69.11.81 ☑ Y ⅄ r.-v.

DOM. DU MOULIN-FAVRE Cuvée Vieilles Vignes 2003

■ 1 ha 5 500 ▮ 5 à 8 €

Des vignes de cinquante-cinq ans ont donné une cuvée rubis soutenu au nez de cassis. La bouche fraîche, aromatique et légère est assez flatteuse. Ce chiroubles sera à boire à la sortie du Guide.

Armand et Céline Vernus, Le Vieux-Bourg, 69460 Odenas, tél. 04.74.03.40.63, fax 04.74.03.40.76, e-mail moulin-favre@wanadoo.fr ☑ Y ⅄ r.-v.

DOM. DU PETIT PUITS 2003 ★★

| ■ | 5 ha | 20 000 | ■↓ | 5 à 8 € |

L'un des deux coups de cœur de la dernière édition : le millésime de la canicule est loin de démériter. Vendangées à partir du 20 août, les vignes ont donné naissance à un vin grenat soutenu, au nez assez intense, mêlant les fruits rouges à de fines notes florales. Equilibré et de bonne longueur, un chiroubles distingué, à boire au cours des deux prochaines années.

⚲ Gilles Méziat, Le Verdy, 69115 Chiroubles, tél. 04.74.69.15.90, fax 04.74.04.27.71, e-mail domainedupetitpuitschiroubles@wanadoo.fr ☑ ⌶ ⚚ t.l.j. 8h-12h 13h-19h

CH. DE RAOUSSET 2002 ★

| ■ | 15 ha | 40 000 | ■⬤↓ | 8 à 11 € |

Un « château du vin » en Beaujolais : des médailles décernées par Napoléon III et, dès les origines, un habillage noir et or pour ses vins. D'un rouge soutenu, celui-ci offre un nez complexe où se mêlent les fruits et le boisé. Dominée par le chêne, sa chair structurée ne manque pourtant pas de fruit. Ce chiroubles bien fait et typé, qui révèle de façon ostentatoire son mode d'élevage, peut encore attendre un à deux ans.

⚲ Ch. de Raousset, Les Prés, 69115 Chiroubles, tél. 04.74.69.17.28, fax 04.74.69.61.38, e-mail chateau-de-raousset@wanadoo.fr ☑ ⌶ ⚚ r.-v.

CH. DE RAOUSSET 2002

| ■ | 4,5 ha | 20 000 | ⬤ | 5 à 8 € |

Des vignes de cinquante ans ont engendré un vin rouge profond au nez complexe, fruité et floral. Franc, équilibré et aromatique, cet agréable chiroubles est à boire dans l'année.

⚲ SCEA héritiers de Raousset, Les Prés, 69115 Chiroubles, tél. 04.74.69.16.19, fax 04.74.04.21.93, e-mail remy@scea-de-raousset.fr ☑ ⌶ ⚚ r.-v.

DOM. DE LA ROCASSIERE 2003 ★

| ■ | 6 ha | 8 000 | ■ | 5 à 8 € |

Rubis profond, ce chiroubles issu de vignes de quarante ans s'ouvre rapidement sur de puissantes notes vineuses. Sa belle structure est accompagnée d'arômes fruités et persistants évoluant vers des nuances un peu végétales. Un vin bien équilibré, à boire au cours des trois prochaines années. Le **morgon 2003** de la propriété a été cité.

⚲ Yves Laplace, Javernand, 69115 Chiroubles, tél. 04.74.69.12.23, fax 04.74.69.16.49 ☑ ⌶ ⚚ r.-v.

DOM. CHRISTOPHE SAVOYE 2003

| ■ | 5,7 ha | 17 000 | ■↓ | 5 à 8 € |

Cette exploitation est conduite par Christophe Savoye depuis 1991. Elle a présenté un chiroubles d'un rouge intense et limpide et aux parfums plutôt discrets de fruits rouges. Doté d'une matière charnue, puissante et tannique bien représentative du millésime, ce vin est à attendre un à deux ans. Il pourra accompagner des viandes en sauce.

⚲ Christophe Savoye, Le Bourg, 69115 Chiroubles, tél. 04.74.69.11.24, fax 04.74.04.22.11 ☑ ⚚ t.l.j. sf dim. 8h-19h

RENE SAVOYE 2003

| ■ | 7 ha | 18 000 | ■↓ | 5 à 8 € |

Un domaine conduit depuis 1971 par René Savoye. Son chiroubles exprime après une légère aération des notes de pruneau. Sa matière généreuse, associée à une puissante charpente, occulte encore son fruité mais lui confère des atouts pour la conservation. Une bouteille à attendre un ou deux ans et à servir avec des viandes en sauce.

⚲ Dom. René Savoye, Le Bourg, 69115 Chiroubles, tél. 04.74.04.23.47, fax 04.74.04.22.11, e-mail savoye.rene@wanadoo.fr ☑ ⚚ ⌶ ⚚ r.-v.

Fleurie

Posée au sommet d'un mamelon totalement planté de gamay noir, une chapelle semble veiller sur le vignoble : c'est la Madone de Fleurie, qui marque l'emplacement du troisième cru du Beaujolais par ordre d'importance, après le brouilly et le morgon. Les 879 ha de l'appellation ne s'échappent pas des limites communales, où l'on produit un vin issu d'un ensemble géologique assez homogène, constitué de granites à grands cristaux qui communiquent au vin une impression de finesse et de charme. La production a atteint, en 2003, 27 300 hl. Certains l'aiment frais, d'autres tempéré, mais tous, à la suite de la famille Chabert qui créa le célèbre plat, apprécient l'andouillette beaujolaise préparée avec du fleurie. C'est un vin qui apparaît, tel un paysage printanier, plein de promesses, de lumière, d'arômes aux tonalités d'iris et de violette.

Au cœur du village, deux caveaux (l'un près de la mairie, l'autre à la cave coopérative qui est l'une des plus importantes puisqu'elle vinifie 30 % du cru) offrent toute la gamme des vins aux noms de terroirs évocateurs : la Rochette, la Chapelle-des-Bois, les Roches, Grille-Midi, la Joie-du-Palais...

CH. DE L'ABBAYE SAINT-LAURENT D'ARPAYE 2003 ★

| ■ | 3,5 ha | 16 000 | ■ | 5 à 8 € |

Possession monastique jusqu'à la Révolution, ce domaine, acquis par la famille Quinson en 1904, témoigne de l'importance dès l'an 1000 de l'abbaye de Cluny. Il propose un fleurie rubis foncé aux parfums de fruits rouges et de pivoine accompagnés de nuances de poire et de fleurs blanches. Ce vin garnit le palais d'une chair puissante et ronde, soutenue par des tanins soyeux. Complet et long, bien équilibré et très plaisant, il est prêt à boire mais peut aussi attendre.

⚲ SA Quinson, Ch. d'Arpaye, 69820 Fleurie, tél. 04.74.69.87.00, fax 04.74.04.14.26, e-mail dfernez@jlq.fr ☑ ⌶ r.-v.

PIERRE ANDRE La Treille 2002

| ■ | 1,5 ha | 9 000 | ■↓ | 15 à 23 € |

Cette maison de négoce bourguignonne a présenté comme l'an dernier cette cuvée en fleurie et le 2002 a reçu le même accueil que le millésime précédent. Il émane de ce vin rubis aux nuances tuilées de bons parfums de fruits rouges et noirs bien mûrs, arômes que l'on retrouve au palais associés à une chair légère. De bonne facture mais un peu fugace, une bouteille à boire maintenant avec de la charcuterie ou des fromages mi-frais.

🍷 Pierre André, Ch. de Corton-André,
21420 Aloxe-Corton,
tél. 03.80.26.44.25, fax 03.80.26.43.57,
e-mail pandre@axnet.fr ✦ t.l.j. 10h-13h 14h30-18h

PASCAL AUFRANC 2003

■	1,05 ha	3 000	■ 8 à 11 €

Depuis 2002, Pascal Aufranc exploite des parcelles en fleurie. Habillé d'une robe grenat, son 2003 livre de délicats parfums de petits fruits rouges légèrement acidulés. Ronde et friande sur l'attaque, aromatique et gouleyante, cette bouteille n'est pas retenue pour sa charpente, mais pour son amabilité fruitée. On la débouchera dans les deux ou trois prochaines années.

🍷 Pascal Aufranc, En Rémont, 69840 Chénas,
tél. 04.74.04.47.95, fax 04.74.04.47.95 ☑ ⴲ ✦ r.-v.

DOM. BERROD Les Roches du Vivier 2003

■	8 ha	30 000	■ 8 à 11 €

Des vignes de quarante ans implantées sur sols argileux sont à l'origine d'un vin qui avait été jugé remarquable dans le millésime 2002. Le 2003 n'aura pas sa longévité, en raison de sa structure un peu fine pour le type. De couleur grenat, il livre de bons parfums floraux accompagnés de quelques nuances végétales. La bouche équilibrée séduit par ses arômes de fruits confits et ses tanins ronds. Une bouteille à ouvrir dans l'année.

🍷 Dom. Berrod, Le Vivier, 69820 Fleurie,
tél. 04.74.69.83.83, fax 04.74.69.86.19,
e-mail domaine.berrod@libertysurf.fr ☑ ⴲ ✦ r.-v.

DOM. DE LA BOURONIERE 2003

■	6 ha	30 000	■↓ 8 à 11 €

Des vignes de quarante-huit ans implantées sur des sables granitiques ont donné naissance à ce fleurie grenat aux francs parfums de cerise, de framboise et de raisins bien mûrs. Ronde et gourmande, agréablement structurée, la bouche révèle de beaux arômes de violette et de réglisse. Souple et plaisant, ce 2003 est à boire au cours des deux prochaines années.

🍷 Fabien de Lescure, La Bouronière, 69820 Fleurie,
tél. 04.74.69.82.13, fax 04.74.69.85.40,
e-mail bouroniere@wanadoo.fr ☑ ⴲ ✦ r.-v.

DOM. DE LA CHAPELLE DES BOIS 2002

■	2,5 ha	20 000	■ 5 à 8 €

Domaine créé en 1965 par Michel Appert. Depuis 1997, sa fille Chantal et son gendre Eric Coudert en assurent la continuité. D'un rouge violacé, leur fleurie 2002 apparaît toujours très jeune. Il s'exprime sur des notes fruitées intenses et franches. D'une bonne ampleur avec des arômes fruités assez discrets, le palais se montre encore austère en finale. On oubliera cette bouteille un à deux ans en cave pour lui permettre de gagner en aménité. Le **chiroubles 2002** de l'exploitation est également cité.

🍷 Eric et Chantal Coudert-Appert, Le Colombier, 69820 Fleurie, tél. 04.74.69.86.07, fax 04.74.04.12.66, e-mail coudert@terre-net.fr ☑ ⴲ ✦ r.-v.

🍷 Michel Appert

CH. DU CHATELARD Fût de chêne 2002

■	3,5 ha	2 500	ⴲⴲ 5 à 8 €

Les origines de ce domaine ramènent aux Carolingiens. L'exploitation s'étend sur 20 ha. Elevé dix mois en fût, son fleurie d'un grenat intense est dominé par les notes boisées, vanillées et beurrées du chêne. En bouche, il apparaît assez carré et le fruité agréable s'efface derrière les arômes de l'élevage. Un vin viril à attendre deux ans.

🍷 Sylvain Rosier, baronne du Chatelard,
Ch. du Chatelard, 69220 Lancié,
tél. 04.74.04.12.99, fax 04.74.69.86.17,
e-mail vinduchato@aol.com
☑ ⴲ ✦ t.l.j. sf dim. 9h-12h 14h-18h

DOM. CHIGNARD Les Moriers 2002

■	n.c.	25 000	■ 5 à 8 €

La troisième génération est à la tête de l'exploitation depuis 1967. Son fleurie est très souvent mentionné dans le Guide. Habillé d'une belle robe rouge profond, ce 2002 s'exprime sur des nuances de fruits blancs et d'épices. Sa matière équilibrée aux arômes fruités apparaît assez fine, ce qui incite à boire cette bouteille dans les deux prochaines années.

🍷 Michel Chignard, Le Point du Jour, 69820 Fleurie,
tél. 04.74.04.11.87, fax 04.74.69.81.97
☑ ✦ t.l.j. sf dim. 8h-12h 13h30-19h

DOM. COTEAU DE BEL-AIR
Cuvée Tradition 2002

■	1 ha	4 000	ⴲⴲ 5 à 8 €

Une cuvée très souvent décrite dans le Guide. Plantées sur un sol de gore et d'argile, des vignes de cinquante ans ont donné naissance à un vin pourpre à reflets violets. Ses parfums de bonne intensité évoquent la banane et les épices, avec des notes végétales. « Réveillée », soutenue par des tanins légers et aromatiques, la bouche est bien équilibrée. A boire au cours des deux prochaines années.

🍷 Jean-Marie Appert, Bel-Air, 69115 Chiroubles,
tél. 04.74.04.23.77, fax 04.74.69.17.13 ☑ ⴲ ✦ r.-v.

DOM. DE LA COTE D'ADULE 2003 ★

■	15 ha	200 000	■↓ 5 à 8 €

Domaine repris par la famille Matray en 2003. Eric, le plus jeune frère, est œnologue. Deux fleurie de l'exploitation ont été retenus : un **Château du Bourg 2003**, cité, et ce vin grenat au joli nez floral. La bouche gouleyante montre de la finesse dès l'attaque, ce qui ne l'empêche pas d'être bien structurée. Une finale tannique incite à oublier un à deux ans en cave ce vin équilibré et prometteur.

🍷 SARL Bruno, Denis et Patrick Matray, Le Bourg, 69820 Fleurie, tél. 04.74.69.81.15, fax 04.74.69.86.80, e-mail denis@chateau-du-bourg.com ☑ ⴔ ⴲ ✦ r.-v.

DOM. DES DEUX FONTAINES 2003 ★

■	10 ha	25 000	■ 5 à 8 €

La propriété a été achetée en 1885 et c'est la quatrième génération qui conduit l'exploitation depuis 1978. D'un rubis limpide, son fleurie livre des parfums de petits fruits rouges de bonne intensité. Sa matière à la fois riche et fine laisse percevoir de jeunes tanins prometteurs. Bien structuré, complet et plaisant, l'ensemble peut être dégusté dès maintenant ou attendre un an.

Michel Despres, Les Raclets, 69820 Fleurie, tél. 04.74.69.80.03, fax 04.74.69.86.16, e-mail 2fontaines@despres-michel.com ☑ Y ⚘ r.-v.

DOM. DES DEUX LYS 2002 ★★

■ 2,16 ha 7 000 ▮ 5 à 8 €

Un jeune couple de vignerons installé depuis 1994 à la tête d'un domaine de 9 ha. La cave a été rénovée en 2002. Issu de vignes de quatre-vingts ans, ce vin rouge profond exprime des parfums assez intenses de framboise et de fraise. Charnu et ferme à la fois, puissant et équilibré, ce 2002 s'épanouit au palais comme un cocktail de fruits frais et laisse une belle finale vive. Typé et racé, un fleurie déjà prêt à boire mais apte à une garde de quelques années.

Franck Mathray, La Chapelle des Bois, 69820 Fleurie, tél. 04.74.69.89.93, fax 04.74.69.89.93 ☑ Y ⚘ r.-v.

CAVE DES PRODUCTEURS DE FLEURIE

Cuvée Cardinal Bienfaiteur 2002

■ 3 ha 20 000 ▮ 5 à 8 €

Créée en 1927, cette cave garde le souvenir de Marguerite Chabert, première femme à avoir présidé une coopérative (de 1946 à 1984). En 2003, un nouvel espace de vente a été aménagé. On pourra y découvrir un **moulin-à-vent 2002**, cité comme ce fleurie. Rubis montrant quelques reflets ambrés, ce vin s'ouvre sur de délicates nuances de fruits séchés. L'attaque franche et vive est marquée par des tanins encore fermes. Ample et déjà facile à boire, l'ensemble gagnera à attendre un an.

Cave des producteurs de Fleurie, BP 2, Le Bourg, 69820 Fleurie, tél. 04.74.04.11.70, fax 04.74.69.84.73, e-mail cave-de-fleurie@wanadoo.fr ☑ Y ⚘ r.-v.

DOM. DE GRY-SABLON 2003 ★

■ 2,47 ha 17 000 ▮ 5 à 8 €

Produisant plusieurs crus du Beaujolais, ce domaine créé en 1920 est régulièrement mentionné dans le Guide. Les vignes conduites en lutte raisonnée, qui sont à l'origine de ce fleurie, ont une quarantaine d'années. Elles ont donné un vin d'un grenat limpide et brillant, aux agréables parfums associant la fraise très mûre à des nuances de cassis, de pivoine, de violette, et à des notes amyliques. Puissante et fruitée à l'attaque, la dégustation se poursuit sur des tanins présents mais d'une bonne rondeur. Bien travaillé et élégant, ce 2003 pourra accompagner pendant deux à trois ans un rôti de biche aux airelles. Le **régnié 2003** a par ailleurs été cité.

Dominique Morel, Les Chavannes, 69840 Emeringes, tél. 04.74.04.45.35, fax 04.74.04.42.66, e-mail gry-sablon@wanadoo.fr ☑ Y ⚘ r.-v.

DOM. DU HAUT-PONCIE 2002

■ 3 ha 10 800 ⏸ 5 à 8 €

Implantées sur un sol d'arène granitique, les vignes ont donné un vin rouge clair brillant libérant de subtils parfums de mûre, de raisin et de framboise associés à des notes de pivoine et de violette. L'attaque souple révèle aussi des arômes de vanille liés à un séjour de six mois dans le chêne. Très plaisant, souple voire gouleyant, ce fleurie pourra paraître à table dès maintenant en compagnie d'une terrine de lapin aux pruneaux.

SCEA Patrick Tranchand, Dom. du Haut-Poncié, Poncié, 69820 Fleurie, tél. 04.74.04.16.06, fax 04.74.69.89.97 ☑ Y ⚘ t.l.j. 8h-20h; dim. sur r.-v.

DOM. DE LA LEVRATIERE

Cuvée Vieilles Vignes 2003

■ 2 ha 5 000 ▮ 5 à 8 €

Ce domaine a emprunté son nom à la parcelle qui a produit ce fleurie, ancienne « terre à lièvres ». D'un grenat profond, cette cuvée issue de vignes de cinquante ans mêle de fraîches notes fruitées à des nuances florales. Au palais, sa richesse aromatique fait vite place à des impressions tanniques qui se fondront avant décembre car l'ensemble n'en est pas moins réussi. A boire dans l'année 2005.

André et Marylenn Meyran, Dom. de La Levratière, Les Presles, 69910 Villié-Morgon, tél. 04.74.69.11.80, fax 04.74.69.16.51, e-mail domlalevratiere@aol.com ☑ Y ⚘ r.-v.

DOM. DE LA MADONE

La Madone Tradition 2002

■ 6 ha 40 000 ▮ 5 à 8 €

Le rubis de la robe s'accompagne de quelques nuances ambrées. Les parfums délicats évoquent les petits fruits rouges et les fleurs. Un peu fugace, la bouche séduit par sa fraîcheur, son côté aromatique et son élégance. Plutôt fin et facile à boire, ce 2002 compose une agréable bouteille pour maintenant. Il pourra être servi avec une viande blanche ou du fromage.

Jean-Marc Després, La Madone, 69820 Fleurie, tél. 04.74.69.81.51, fax 04.74.69.81.93, e-mail domainedelamadone@wanadoo.fr ☑ ⌂ Y ⚘ t.l.j. sf dim. 10h-12h 14h-19h

MOMMESSIN Réserve 2003

■ 2 ha 12 000 ▮ 8 à 11 €

2003 n'est pas 2002 (millésime qui valut un coup de cœur à ce fleurie Réserve), mais ce vin ne manque pas de ressources. D'un rouge intense, il livre de fines notes fruitées et se révèle en bouche riche et puissant. Ample et doté de tanins encore fermes, il devra s'affiner un à deux ans en cave. De la même maison, le **brouilly Les Grumières 2003 (5 à 8 €)** est également cité.

Mommessin, Le Pont-des-Samsons, 69430 Quincié-en-Beaujolais, tél. 04.74.69.09.30, fax 04.74.69.09.28, e-mail information@mommessin.fr

DOM. MONTANGERON 2002

■ 1,45 ha 4 600 ▮ 5 à 8 €

Propriété achetée en 2000 par Frédéric Montangeron pour agrandir son domaine. Des vignes d'une soixantaine d'années ont donné naissance à ce vin limpide, rubis brillant, aux parfums de fruits rouges évoluant sur des notes épicées et animales. Ample et vif, un peu léger toutefois, ce fleurie s'épanouit de façon harmonieuse en bouche. Il est conseillé de le boire dès à présent. On pourra le servir aussi bien avec une salade thaïe au bœuf qu'avec une pintade aux choux. Le **morgon 2002** a également été cité.

Frédéric Montangeron, Grand-Pré, 69820 Fleurie, tél. 04.74.04.10.97, fax 04.74.04.10.97 ☑ Y ⚘ r.-v.

DOM. DU POINT DU JOUR

Cuvée Tradition 2002 ★

■ 5,5 ha 25 000 ▮ 5 à 8 €

Cinq générations se sont succédé sur ce domaine. La dernière est aux commandes depuis neuf ans. Rubis foncé, ce fleurie livre des parfums assez intenses de fruits rouges et noirs mêlés de notes épicées et réglissées. L'attaque franche est suivie d'impressions tanniques encore un peu fermes. Long et aromatique, ce vin harmonieux a conservé une finale fraîche. Le boire ou l'attendre encore ? Vous avez le choix.

🗝 GAEC Depardon-Copéret, Dom. du Point du Jour, 69820 Fleurie, tél. 04.74.69.82.93, fax 04.74.69.82.87, e-mail depardon-coperet@terre-net.fr ☑ 🍸 🚶 r.-v.

DOM. DU PRESSOIR FLEURI
Cuvée de garde 2002

■ n.c. n.c. ▮ 5 à 8 €

Dans les caves du domaine repris en 2001 a été élevé pendant un an un vin rubis limpide aux parfums plaisants de fraise, de pivoine et de cuir. L'attaque ample évolue vers de bons tanins aromatiques. Bien équilibré, agréable, une bouteille à déboucher au cours des deux prochaines années.

🗝 Dom. du Pressoir Fleuri, Le Bourg, 69115 Chiroubles, tél. 04.74.04.23.12, fax 04.74.69.12.65, e-mail dom.pressoir.fleuri@terre-net.fr ☑ 🍸 🚶 t.l.j. sf dim. 8h-12h 14h-18h; groupes sur r.-v.

OLIVIER RAVIER La Madone 2003

■ 1 ha 6 000 ▮🍾 8 à 11 €

Issu de la parcelle de vignes qui entoure la Madone de Fleurie, ce 2003 est plus modeste que le millésime précédent, qui fut coup de cœur. Il n'en est pas moins bien représentatif de l'appellation. Ses parfums complexes évoquent les fruits rouges et les épices. L'attaque franche laisse la place à une charpente développée qui doit s'arrondir : on attendra un à deux ans que ce vin mûrisse.

🗝 Olivier Ravier, Descours, 69220 Belleville, tél. 04.74.66.12.66, fax 04.74.66.57.50, e-mail olivier.ravier@wanadoo.fr ☑ 🍸 🚶 r.-v.

DOM. DE ROCHE-GUILLON 2003 ★★

■ 4 ha 13 000 5 à 8 €

Sur des coteaux très pentus, exposés au sud-est, des vignes de quarante-cinq ans ont donné naissance à ce vin grenat aux parfums bien développés de fruits rouges et de mûre. Après une belle attaque franche, sa matière fruitée et charnue, agréablement veloutée, imprègne le palais. Une finale aromatique et persistante conclut la dégustation de cet harmonieux fleurie que l'on peut savourer dès maintenant malgré un bon potentiel de garde.

🗝 Bruno Coperet, Dom de Roche-Guillon, 69820 Fleurie, tél. 04.74.69.85.34, fax 04.74.04.10.25, e-mail roche-guillon.coperet@wanadoo.fr ☑ 🏠 🍸 🚶 r.-v.

DOM. LES ROCHES DES GARANTS
Les Moriers 2002

■ 3 ha 10 000 ▮🍾 5 à 8 €

Implantées sur des coteaux proches de l'aire du moulin-à-vent, des vignes de soixante ans ont donné un vin grenat s'ouvrant sur quelques notes florales et végétales. L'attaque, qui révèle une chair assez ample, est relayée par des tanins dénués d'agressivité. Bien structuré, un fleurie à boire dans l'année. Un ragoût de mouton devrait lui convenir.

🗝 Jean-Paul Champagnon, La Treille, 69820 Fleurie, tél. 04.74.04.15.62, fax 04.74.69.82.60, e-mail sylvie.champagnon@chello.fr ☑ 🍸 🚶 r.-v.

LAURENT SAVOYE Cuvée de la Cadole 2003 ★

■ 1 ha 1 500 ▮🍾 8 à 11 €

Installé en 1993, Laurent Savoye, qui produisait jusqu'alors exclusivement du beaujolais et du beaujolais-villages, a ajouté en 2002 le fleurie à sa gamme de vins. Celui-ci, rubis foncé, livre des parfums complexes de pêche de vigne, de cassis et de mûre mêlés de notes de violette. La mise en bouche révèle une matière équilibrée, faite d'une chair aromatique et ronde s'épanouissant avec finesse. Ce très bon représentant de l'appellation, complet, ne manque pas d'atouts pour la garde. Il pourra être apprécié au cours des deux prochaines années.

🗝 Laurent Savoye, Les Combiers, 69820 Vauxrenard, tél. 04.74.04.11.06 ☑ 🍸 🚶 r.-v.

TERROIR DU PAVILLON
Selection Vieilles Vignes 2002 ★

■ 1 ha 6 700 ▮ 8 à 11 €

Une exploitation très souvent mentionnée dans le Guide, notamment sous le nom de Domaine des Marrans. Son **juliénas Domaine des Marrans cuvée Tradition 2002** a été cité. Le jury a préféré ce fleurie élaboré à partir de vignes de quatre-vingt-dix ans. Paré d'une robe grenat à reflets violets, ce vin livre d'agréables parfums de fruits rouges assortis de notes florales. L'attaque nette et franche se poursuit sur des nuances bien ciselées de violette et de fruits. Structuré, fruité, et représentatif de l'appellation, ce 2002 sera apprécié au cours des trois prochaines années avec un carré d'agneau.

🗝 Jean-Jacques et Liliane Melinand, Les Marrans, 69820 Fleurie, tél. 04.74.04.13.21, fax 04.74.69.82.45, e-mail melinand.m@wanadoo.fr ☑ 🏠 🍸 🚶 r.-v.

CH. DE LA VERNE 2003

■ 1,8 ha 10 000 ▮🍾 5 à 8 €

Vêtue d'une robe rouge profond, cette sélection livre des parfums qui évoquent le pruneau. Sa matière riche et souple, très vineuse, conserve un bon équilibre. Ce 2003 devra s'affiner quelques mois puis sera apprécié dans l'année.

🗝 Joseph Pellerin, 435, rue du Beaujolais, 69830 Saint-Georges-de-Reneins, tél. 04.74.09.60.00, fax 04.74.69.09.75

Juliénas

Cru impérial d'après l'étymologie, Juliénas tiendrait en effet son nom de Jules César, de même que Jullié, l'une des quatre communes qui composent l'aire géographique de l'appellation (avec Emeringes et Pruzilly, cette dernière se trouvant en Saône-et-Loire). Occupant des terrains granitiques à l'ouest et des terrains sédimentaires avec des alluvions anciennes à l'est, les 609 ha de gamay noir ont permis en 2003 la production de 20 064 hl de vins bien charpentés, riches en couleur, appréciés au printemps après quelques mois de conservation. Gaillards et espiègles, ils sont à l'image des fresques qui ornent le caveau de la Vieille Eglise, au centre du bourg. Dans cette chapelle désaffectée, chaque année à la mi-novembre est remis le prix Victor-Peyret à l'artiste, peintre, écrivain ou journaliste qui a le mieux « tasté » les vins du cru ; celui-ci reçoit 104 bouteilles : 2 par week-end... La cave coopérative, installée dans l'enceinte de l'ancien prieuré du château du Bois de la Salle, vinifie 30 % de l'appellation.

DOM. GUY BARRAUD
Vieilles Vignes Les Rizières 2003 ★

■ 2,5 ha 12 000 ▮ 8 à 11 €

On ne peut s'empêcher de se poser la question : les rizières ? Quelles rizières ? On pense à Henri Michaux, qui mit du chameau à Honfleur. On s'imagine un instant les vignerons repiquer du gamay sur les collines beaujolaises... puis on passe à l'essentiel : des vignes d'une quarantaine d'années, implantées sur des sols de schiste, de granite et d'argile, à l'origine de cette cuvée rubis profond ; des parfums intenses de fruits très mûrs ; un palais bien structuré et aromatique, imprégné de notes de cassis, bref, un juliénas fort plaisant pour qui voudra le savourer dans l'année.

Guy Barraud, Le Moulin, 69840 Juliénas,
tél. 04.74.04.44.17, fax 04.74.04.44.17 r.-v.

ANTOINE BARRIER 2003

■ 16 ha 110 000 5 à 8 €

D'un rubis intense et limpide, la sélection de ce négociant s'exprime sur des notes complexes et assez puissantes de fruits rouges et de raisin bien mûr – « de soleil », selon un dégustateur. Riche et aromatique, l'attaque est suivie d'impressions tanniques plus austères. Ce juliénas structuré et au potentiel certain doit attendre un à deux ans pour s'affirmer, gagner en rondeur et en homogénéité. Il pourra être servi avec un civet.

Antoine Barrier,
52, rue Camille-Desmoulins, 92135 Issy-les-Moulineaux,
tél. 01.46.62.76.00, fax 01.46.44.34.08

CAVE DU BOIS DE LA SALLE 2003 ★★★

■ n.c. 30 000 5 à 8 €

Créée en 1960 par quatre-vingt-trois viticulteurs, cette coopérative rassemble aujourd'hui deux cent quarante adhérents et vinifie 255 ha. D'un rouge profond et limpide, ce juliénas livre des parfums intenses et nets de fruits rouges frais et de baies noires. L'attaque franche agrémentée d'arômes complexes introduit une bouche charpentée, ferme et longue. Un vin élégant, harmonieux et typé, au réel potentiel de garde. Les impatients le boiront dès maintenant mais il peut attendre deux ans. Le **juliénas Chevalier Saint-Vincent 2003** reçoit par ailleurs une étoile. Un vin d'avenir, lui aussi.

Cave coop. des grands vins du Bois de la Salle,
Ch. du Bois de la Salle, 69840 Juliénas,
tél. 04.74.04.42.61, fax 04.74.04.47.47,
e-mail contact@cave-de-julienas.fr r.-v.

CH. DE LA BOTTIERE Cuvée Vieilles Vignes 2002

■ 2 ha n.c. 5 à 8 €

Les archives locales signalent des Perrachon à Juliénas au commencement du XVII^e^s., mais c'est en 1877 que la famille a acquis ce domaine. L'héritier de la lignée signe un juliénas rouge profond au nez d'épices, de vanille et de café. Son élevage en foudre et fut de chêne imprègne le palais d'arômes boisés. Une chair puissante entoure des tanins encore fermes qui devraient s'adoucir. On le boira au cours des deux prochaines années avec une viande en sauce. De la même exploitation, on s'intéressera également au **moulin-à-vent Domaine des Pérelles Cuvée spéciale fût de chêne 2002** (une citation).

Jacques et Cécile Perrachon,
La Bottière, 69840 Juliénas,
tél. 03.85.36.75.42, fax 03.85.33.86.36 r.-v.

NADEGE ET DAVID BOULET 2003 ★

■ 5 ha 8 000 5 à 8 €

Représentant la quatrième génération sur le domaine, les Boulet se sont installés en 1993. Ils exploitent 6,50 ha de vignes. D'un rouge violacé intense, leur cuvée principale de juliénas livre des parfums complexes de mûre, d'épices et de fruits confits. Ronde et fruitée, la bouche est soutenue par de fins tanins. Long et très bien structuré, ce vin sera à son apogée dans deux à trois ans. Il pourra accompagner du gibier. Le **chénas Cuvée du Vieux Pressoir 2003** reçoit également une étoile.

David Boulet, Le Bourg, 69840 Juliénas,
tél. 04.74.04.40.78, fax 04.74.04.40.78,
e-mail domaine.boulet@wanadoo.fr r.-v.

DOM. DU CAPOU 2003

■ 4 ha 1 500 5 à 8 €

Exploité par le père et le fils, ce domaine s'étend sur 9 ha. Son nom vient d'une parcelle de vigne située dans un creux de terrain appelé « capon » en patois. D'un rubis assez vif, leur juliénas exprime d'originales notes florales associées à des arômes de fruits rouges et à noyau. Sa chair peu concentrée, fraîche et fruitée montre quelques tanins mais l'ensemble reste agréable. A boire avec une viande blanche.

GAEC Jean et Benoît Aujas,
La Ville, 69840 Juliénas, tél. 04.74.04.41.35,
e-mail benoit.aujas@wanadoo.fr t.l.j. 8h-18h

CH. DE CHENAS 2003 ★★

■ 2,4 ha 10 000 5 à 8 €

Créée en 1934, cette coopérative vinifie aujourd'hui 260 ha. Elle a proposé un juliénas habillé de pourpre, aux parfums complexes et intenses de fruits rouges et de raisin frais. Après une attaque ronde et charnue, la dégustation révèle une belle charpente, des arômes fruités nuancés de bonbon anglais, une bonne fraîcheur. Elégant, franc et long, un excellent ambassadeur de l'appellation. Il est prêt mais peut attendre deux ou trois ans. Une étoile encore pour une cuvée figurant souvent dans le Guide, le **chénas Sélection de la Hante 2003**

Cave du Ch. de Chénas,
Les Michauds, 69840 Chénas, tél. 04.74.04.48.19,
fax 04.74.04.47.48, e-mail cave.chenas@wanadoo.fr
t.l.j. sf dim. 8h-12h 14h-18h

CLOS DE HAUTE-COMBE Cuvée Prestige 2002 ★★

■ 2 ha 6 000 8 à 11 €

Des vignes d'une soixantaine d'années implantées sur des terrains granitiques sont à l'origine de cette cuvée bigarreau vif qui a fermenté avec des levures indigènes puis séjourné dans le chêne. Son nez intense associe la fraise et la cerise à des nuances de violette, de réglisse et de boisé.

Cette palette complexe mêlant le fût à un fruité très mûr se prolonge dans une bouche superbe de richesse, soutenue par une belle charpente tannique et d'une longueur notable. Un juliénas de garde que l'on pourra servir pendant deux à trois ans sur une viande en sauce. Le **juliénas cuvée Tradition 2002 (5 à 8 €)** du domaine reçoit une étoile.

🍷 Vincent Audras, Clos de Haute-Combe, 69840 Juliénas, tél. 04.74.04.41.09, fax 04.74.04.47.69, e-mail vincentaudras@voila.fr ☑ ♈ ⚘ r.-v.

DOM. DU CLOS DU FIEF 2003

■	6,4 ha	30 000	■⬇	5 à 8 €

Domaine de 12 ha exploité par la troisième génération depuis 1980. Des vignes de quarante-cinq ans implantées sur des sols silico-argileux sont à l'origine de ce 2003 rubis intense s'ouvrant sur des parfums de fruits rouges très mûrs associés à des nuances florales et végétales. Ronde et très fruitée en attaque, la bouche se poursuit sur des notes vineuses plus chaudes. Ce juliénas n'est pas des plus puissants, mais c'est un vin flatteur. On le boira au cours des deux prochaines années avec des fromages secs, par exemple.

🍷 Michel Tête, Les Gonnards, 69840 Juliénas, tél. 04.74.04.41.62, fax 04.74.04.47.09 ☑ ♈ ⚘ t.l.j. sf dim. 8h-12h 14h-19h; f. 10-25 août

DOM. DE LA COMBE-DARROUX
Cuvée Prestige Vieilles Vignes 2003 ★★

■	2 ha	11 000	⬛⬛	5 à 8 €

Créée en 1818, cette propriété exporte 60 % de sa production. Elle a tiré de vignes âgées de soixante ans une cuvée rubis intense au nez associant les fruits rouges à un léger boisé. Frais et plein, le palais révèle un harmonieux mariage d'arômes de cerise bien mûre et de nuances léguées par le chêne de l'élevage. Concentrée et élégante, une excellente bouteille à boire au cours des deux prochaines années.

🍷 EARL Anne et Pascal Guignet, Dom. de La Combe-Darroux, 69840 Juliénas, tél. 04.74.06.70.90, fax 04.74.04.45.08, e-mail domaine.guignet@wanadoo.fr ☑ ♈ ⚘ r.-v.

DOM. DU COTEAUX
DES FOUILLOUSES 2003 ★

■	1,08 ha	3 000	■	5 à 8 €

Des vignes de soixante ans, cultivées sur des sols argilo-calcaires et caillouteux, ont donné ce vin grenat aux frais parfums de groseille bien mûre. L'attaque vive donne du relief à une chair longue et fine, bien équilibrée. Une bouteille de bonne facture à boire au cours des deux prochaines années.

🍷 Roland Lattaud, Le Bourg, 69840 Jullié, tél. 04.74.04.43.86, fax 04.74.04.43.86, e-mail roland@lattaud.com ☑ ♈ ⚘ r.-v.

DOM. DE LA COTE DE CHEVENAL 2003 ★

■	2,2 ha	9 000	■⬇	5 à 8 €

Les quelque 26 ha de cette exploitation souvent mentionnée dans le Guide sont conduits en mode de culture raisonnée. Agées de plus de quarante-cinq ans, les vignes ont donné naissance à ce juliénas rubis profond aux parfums prononcés de banane, de framboise et de cassis. Fruitée et souple, la bouche révèle une bonne structure équilibrée, constituée de tanins très présents mais arrondis, plus austères en finale. Un vin agréable et bien fait, à boire au cours des deux prochaines années. Même note pour le **fleurie 2003 (8 à 11 €)** du domaine pour son côté aromatique, son équilibre et sa longueur.

🍷 Jean-François et Pierre Bergeron, Emeringes, 69840 Juliénas, tél. 04.74.04.41.19, fax 04.74.04.40.72, e-mail domaine-bergeron@wanadoo.fr ☑ ♈ ⚘ t.l.j. 8h30-12h30 13h30-19h

MAISON DESVIGNES Prestige 2002

■	n.c.	3 200		5 à 8 €

Habillée de pourpre, la sélection de ce négociant s'ouvre sur des parfums de fruits rouges de bonne intensité. La bouche révèle une belle rondeur associée à une charpente tannique intéressante. Un vin équilibré à boire dès à présent.

🍷 Maison Desvignes, rue Guillemet-Desvignes, Pontanevaux, 71570 La Chapelle-de-Guinchay, tél. 03.85.36.72.32, fax 03.85.36.74.02 ♈ ⚘ r.-v.

GEORGES DUBŒUF 2002

■	n.c.	20 000	■⬇	5 à 8 €

Créée en 1964, cette maison de négoce a développé entre l'ancienne gare de Romanèche-Thorins et ses entrepôts le site *Plaisirs en Beaujolais* où petits et grands découvrent le monde de la vigne et la magie des trains. Régulièrement mentionnée dans le Guide, sa production a collectionné les coups de cœur au fil des ans : pas moins de douze, rien que dans la région du Beaujolais. Cette édition est plutôt celle des citations, mais celles-ci sont nombreuses : le **beaujolais 2003 (3 à 5 €)** et le **beaujolais-villages 2003 (3 à 5 €)** sont retenus ainsi que la **fleurie 2002** et ce juliénas rouge profond nuancé de pourpre. Ce dernier vin a retenu l'attention par ses parfums de fruits rouges frais évoquant la framboise, par sa bonne attaque aromatique et ses tanins flatteurs, plus austères en finale. Une bouteille équilibrée et élégante que l'on appréciera au cours des deux prochaines années.

¶ SA Les Vins Georges Dubœuf, La Gare, BP 12, 71570 Romanèche-Thorins, tél. 03.85.35.34.20, fax 03.85.35.34.25, e-mail gduboeuf@duboeuf.com ☑ ⅄ 🏃 t.l.j. 9h-18h au Hameau-en-Beaujolais; f. 1ᵉʳ-15 jan.

CH. D'ENVAUX 2003 ★

■	4,3 ha	8 000	⅏	5 à 8 €

Dans les vastes caves de cette demeure seigneuriale du XVIᵉˢ. a été élevé ce vin pourpre limpide au nez de fruits rouges, de cassis et d'épices. Une attaque fruitée et vive, une chair corsée et souple et des tanins un peu jeunes composent une bouteille à attendre encore un an : elle s'exprimera avec plus de grâce. Un autre juliénas a été cité : la **Cuvée de la Comtesse fût de chêne 2003 (8 à 11 €)**.
¶ Yves de Coligny, Vaux, 69840 Juliénas, tél. 04.74.04.45.48, fax 04.74.04.45.48 ☑ 🏠 ⅄ 🏃 r.-v.

FRANCK JUILLARD Vieilles Vignes 2003 ★

■	5,2 ha	15 000		5 à 8 €

Installé en 1992, Franck Juillard exploite son domaine en métayage. Il a élaboré ce vin pourpre au bon nez fait de framboise, de notes épicées et florales associées à une touche de figue et de pruneau. Ample, dotée d'une belle charpente de tanins et d'arômes de cassis et de framboise, la bouche montre de la rondeur et se révèle assez longue. Représentatif du millésime et prometteur, ce 2003 devra attendre un an ou deux. La cuvée de **saint-amour 2003** du même producteur a été citée.
¶ Franck Juillard, Les Poupets, 69840 Juliénas, tél. 04.74.04.42.56, fax 04.74.04.43.82 ☑ ⅄ 🏃 r.-v.

DOM. MAISON DE LA DIME 2003

■	6 ha	8 000	∎⅊	5 à 8 €

Très belle demeure de la fin du XVIᵉˢ., la Maison de la Dîme est entrée dans le patrimoine de la famille Foillard au début du XIXᵉˢ. Rubis intense, son juliénas libère des parfums assez intenses de fruits rouges et noirs très mûrs, d'épices et de fleurs. Charnue et aromatique, la bouche apparaît plutôt souple malgré des tanins présents en finale. Un vin plaisant à boire au cours des deux prochaines années avec des fromages secs.
¶ Daniel Foillard, Maison de la Dîme, 69840 Juliénas, tél. 04.74.04.41.74, fax 04.74.69.09.75

DOM. JEAN-PIERRE MARGERAND 2003 ★

■	5 ha	6 000	∎	5 à 8 €

Cette ancienne famille, établie en Beaujolais dès 1640, est bien connue des fidèles lecteurs du Guide où elle figure très souvent, notamment dans la rubrique juliénas. Elle a élaboré cette année une cuvée rouge foncé aux parfums intenses et fins évoquant le cassis et d'autres fruits noirs. Structurée, aromatique et puissante, la bouche révèle d'élégants tanins qui lui confèrent une certaine souplesse. Représentative de l'appellation, cette bouteille est faite pour la garde. Après deux à quatre ans en cave, elle accompagnera viandes et volailles en sauce.
¶ Jean-Pierre Margerand, Les Crots, 69840 Juliénas, tél. 04.74.04.40.86, fax 04.74.04.46.54, e-mail contact@dom-jp-margerand.com ☑ ⅄ 🏃 r.-v.

PATRICE MARTIN 2002 ★★

■	0,9 ha	3 000	∎	5 à 8 €

Installé dans un ancien presbytère du XVIIIᵉˢ., Patrice Martin s'est établi comme fermier et métayer puis a acheté une parcelle de juliénas en 1999. Pour la qua-

trième année consécutive, il est sélectionné grâce à une cuvée de ce cru. Rouge bigarreau, ce 2002 libère des parfums assez intenses de fruits rouges et de fleurs accompagnés de notes variétales. Ronde et souple, la bouche est imprégnée d'arômes persistants de framboise et de cerise très mûres. Soutenu par des tanins doux, ce vin gouleyant, franc et élégant séduira les amateurs aujourd'hui et durant les deux prochaines années.
¶ Patrice Martin, Le Village, 71570 Chânes, tél. 03.85.36.53.58 ☑ ⅄ 🏃 r.-v.

DOM. MATRAY
Vieilles Vignes Elevé en fût de chêne 2002

■	1,3 ha	8 000	⅏	5 à 8 €

La récolte de vignes de soixante ans, élevée dix mois en fût de chêne, est à l'origine de cette cuvée rubis sombre mêlant au nez des nuances de pruneau, notes végétales et boisées. Ronde et fine, la bouche révèle un bon équilibre entre les arômes légués par le chêne et un fruité confit. Une bouteille à déboucher dès maintenant sur une assiette de charcuterie.
¶ EARL Lilian et Sandrine Matray, Les Paquelets, 69840 Juliénas, tél. 04.74.04.45.57, fax 04.74.04.47.63, e-mail domaine.matray@wanadoo.fr ⅄ 🏃 t.l.j. 8h-20h

DOM. DU MAUPAS 2003 ★

■	5 ha	16 000	∎	5 à 8 €

Un domaine de 7 ha conduit par la jeune génération depuis 2000. Elle propose une cuvée d'un pourpre intense, aux parfums de cassis et de fruits rouges. Aromatique et structuré, sans sophistication, ce 2003 glisse facilement dans le palais, soutenu par des tanins soyeux. Il est à boire dans l'année. De la même exploitation, un autre **juliénas Climat la Bottière 2002 (8 à 11 €)** a obtenu une citation.
¶ Jacques Lespinasse, La Bottière, 69840 Juliénas, tél. 03.85.33.84.21, fax 03.85.33.86.70, e-mail jacques.lespinasse@wanadoo.fr ☑ 🏠 ⅄ 🏃 t.l.j. 9h-12h30 13h30-20h

DOM. DES MOUILLES 2003

■	4,5 ha	10 000	∎⅏⅊	5 à 8 €

Il y a des Perrachon à Juliénas depuis la nuit des temps, et plusieurs descendants de cette lignée conduisent des domaines viticoles. Laurent exploite ainsi 18 ha de vignes dans trois crus du Beaujolais. Il a élaboré un juliénas rouge sombre aux parfums de framboise. La bouche agréable et fruitée est composée de tanins souples et ronds. Equilibré et assez persistant, ce joli 2003 est à boire dans les deux ans.
¶ Laurent Perrachon, Dom. des Mouilles, 69840 Juliénas, tél. 04.74.04.40.44, fax 04.74.04.40.44, e-mail laurent.perrachon@wanadoo.fr ☑ ⅄ 🏃 r.-v.

DOM. DES MOUILLES 2003 ★

■	n.c.	100 000	∎⅊	5 à 8 €

D'un rouge très soutenu, la sélection de ce négociant exprime des parfums de pruneau et de cassis au sirop. La bouche révèle une bonne attaque sur le fruité, une charpente assez étoffée de tanins qui commencent à s'arrondir. Ce vin complet et corsé doit s'affiner. On attendra un à deux ans avant de le servir avec une côte de bœuf. Le jury a cité par ailleurs le **juliénas Domaine des Berthets 2003** diffusé par la même maison.
¶ La Réserve des Domaines, Les Chers, 69840 Juliénas, tél. 04.74.06.78.00, fax 04.74.06.78.71 ☑ ⅄ 🏃 r.-v.

DOM. DU MOULIN BERGER Vayolette 2003 ★

	3,2 ha	3 400	⑪	5 à 8 €

En 1998, Michel Laplace a acheté la propriété qu'il exploitait comme métayer depuis 1975. Il propose un juliénas d'un rouge vif très brillant, limpide et aux discrets parfums de fruits rouges. Après une attaque séduisante, ample et aromatique, la bouche évolue sur des notes chaleureuses. Complet, équilibré et bien typé, un jeune vin à découvrir bientôt.
↬ Michel Laplace, Le Moulin Berger,
71570 Saint-Amour-Bellevue, tél. 03.85.37.41.57
☑ ⏁ ⚲ r.-v.

LE PAVILLON DES CAPITANS 2003

	1,8 ha	4 600	▤	5 à 8 €

Ce domaine tire son nom d'un pavillon de chasse construit en 1900. Habillé d'une très belle robe rubis intense, son juliénas s'affirme par des notes de fruits noirs et de réglisse. L'attaque souple laisse rapidement la place à de jeunes tanins qui prennent le dessus. Équilibré et bien fait, ce vin attendra deux à trois ans.
↬ GFA Le Pavillon des Capitans,
Le Pavillon, 69840 Juliénas,
tél. 04.74.04.41.55, fax 04.74.04.41.55 ☑ ⏁ ⚲ r.-v.
↬ Rey

DOM. DU PENLOIS 2003 ★★

	1,92 ha	19 000	▤⚱	5 à 8 €

Trois générations se sont succédé depuis 1922 sur cette exploitation qui compte 19 ha de vignes. Celles-ci ont donné naissance à une cuvée rubis mat aux séduisants parfums de mûre, de cassis et de raisin frais. Tout en rondeur, la très belle attaque met en évidence l'équilibre de jeunes tanins à l'évolution prometteuse et une chair aromatique et persistante. Long et frais, harmonieusement structuré, ce vin sera apprécié pendant les deux ou trois prochaines années avec une viande rouge, voire un gibier. On pourra s'intéresser au **beaujolais-villages Lancié rouge 2003** du domaine, qui est cité.
↬ SCEA Besson Père et Fils, Dom. du Penlois,
69220 Lancié, tél. 04.74.04.13.35, fax 04.74.69.82.07,
e-mail domaine-du-penlois@wanadoo.fr ☑ ⏁ ⚲ r.-v.

JEAN-FRANCOIS PERRAUD 2003

	3 ha	5 000	▤	5 à 8 €

Des vignes de quarante ans sont à l'origine de cette cuvée rubis limpide qui exprime au nez des notes minérales évocatrices du terroir argileux où ce vin a pris naissance. La bouche vive est dominée par des tanins qui devraient gagner en amabilité avec le temps. Dès la fin de l'année, on pourra déboucher cette bouteille et la servir sur de la charcuterie.
↬ Jean-François Perraud, Les Chanoriers,
69840 Jullié, tél. 06.81.36.30.96, fax 04.74.04.49.09,
e-mail jean-françois-perraud@wanadoo.fr ☑ ⏁ ⚲ r.-v.

DOM. DES PIVOINES Elevé en fût de chêne 2002

	2,66 ha	1 500	⑪	5 à 8 €

Issu de vignes de soixante-dix ans, ce juliénas a séjourné sept mois dans le chêne. Habillé d'une robe limpide, rubis foncé légèrement tuilé, ce 2002 offre un nez assez discret dominé par le boisé qui imprègne également le palais. Une chair un peu fine et vive, d'une bonne persistance, compose un ensemble équilibré, à boire dans l'année.

↬ GFA Alain Durand Peytel, Les Gonnards,
69840 Juliénas, tél. 04.74.04.44.73, fax 04.74.04.48.39,
e-mail alain.peytel@wanadoo.fr ☑ ⏁ ⚲ t.l.j. 8h-19h

MADAME PIERRE RAVIER 2003 ★

	3,63 ha	1 600	▤	5 à 8 €

Céline Midey exploite ce domaine en métayage depuis 2002. Elle a proposé un juliénas en robe pourpre et aux parfums de fruits rouges et de mûre que l'on retrouve en bouche. Ample et chaleureux, doté d'une bonne charpente tannique et persistant, c'est un vin équilibré et bien fait, à attendre deux ans.
↬ Céline Midey, Les Capitans,
Cidex 1119, 71570 Saint-Amour-Bellevue,
tél. 04.74.04.41.17 ☑ ⏁ ⚲ r.-v.
↬ Vilma Ravier

DOM. SANCY 2003

	3 ha	5 600	⑪	5 à 8 €

Des vignes de soixante-cinq ans implantées sur des terrains argileux sont à l'origine de cette cuvée grenat aux parfums assez puissants de cassis, de griotte et d'épices. Onctueux, corsé et équilibré, c'est un vin flatteur à boire dans l'année. Le **chénas 2003** de l'exploitation a également été cité.
↬ Bernard Broyer, Les Bucherats, 69840 Juliénas,
tél. 04.74.04.46.75, fax 04.74.04.45.18
☑ ⏁ ⚲ t.l.j. 9h30-12h 14h-19h30; f. 15-25 août

CELLIER DE LA VIEILLE EGLISE
Cuvée Fût de chêne 2002

	n.c.	4 000		8 à 11 €

Une institution à Juliénas, ce caveau de dégustation créé et tenu par les vignerons du cru, et où est remis chaque année le prix Victor-Peyret à une célébrité œnophile. Le prix 2003 est allé à Yves Coppens. Cette sélection 2002 du Cellier apparaît rubis limpide avec quelques reflets orangés. Au nez, elle marie harmonieusement de fines notes boisées et vanillées. Le chêne marque aussi un palais souple et long aux tanins bien fondus. Un vin à boire dans l'année sur du gibier.
↬ Cellier de la Vieille Eglise,
Association des producteurs du cru juliénas,
69840 Juliénas, tél. 04.74.04.42.98, fax 04.74.04.42.98
⏁ ⚲ t.l.j. 9h45-12h 14h30-18h30;
f. mar. du 1er oct.-31 mai

DOM. DE LA VIEILLE EGLISE 2003 ★

	n.c.	n.c.		5 à 8 €

Les établissements Loron proposent trois crus du Beaujolais qui ont reçu un bon accueil du jury : le **régnié Château de la Pierre 2003**, cité ; le **saint-amour Domaine des Billards 2003**, qui obtient une étoile pour sa bonne structure ; ce Domaine de la Vieille Eglise très réussi lui aussi. D'un rouge vif et limpide, ce juliénas présente un nez expressif de fruits rouges. Une attaque gouleyante, une charpente de tanins soyeux et des arômes fruités composent un ensemble équilibré et harmonieux. A déguster au cours des deux prochaines années.
↬ Ets Loron et Fils, Pontanevaux,
71570 La Chapelle-de-Guinchay, tél. 03.85.36.81.20,
fax 03.85.33.83.19, e-mail vinloron@wanadoo.fr

DOM. GUY VOLUET 2003 ★

	n.c.	14 600	▤⚱	5 à 8 €

D'un rubis profond, la sélection de ce négociant s'ouvre sur des notes de groseille, de cassis et de mûre. Les tanins déjà fondus participent à la rondeur d'une chair où l'on retrouve les nuances fraîches du cassis. Agréable et gouleyant, ce juliénas accompagnera pendant deux ans une épaule roulée ou du fromage de tête.

🔑 Jean-Marc Aujoux, Les Chers, 69840 Juliénas,
tél. 04.74.06.78.00, fax 04.74.06.78.71 ☑ Y 🚶 r.-v.

Morgon

Le deuxième cru en importance après le brouilly est localisé sur une seule commune. Ses 1 132 ha revendiqués en AOC ont fourni, en 2003, 36 243 hl d'un vin robuste, généreux, fruité, évoquant la cerise, le kirsch et l'abricot. Ces caractéristiques sont dues aux sols issus de la désagrégation des schistes à prédominance basique, imprégnés d'oxyde de fer et de manganèse, que les vignerons désignent par les termes de « terre pourrie » et qui confèrent aux vins des qualités particulières ; celles qui font dire que les vins de Morgon... « morgonnent ». Cette situation est propice à l'élaboration, à partir du gamay noir, d'un vin de garde qui peut prendre des allures de bourgogne, et qui accompagne parfaitement un coq au vin. Non loin de l'ancienne voie romaine reliant Lyon à Autun, le terroir de la colline de Py, situé à 300 m d'altitude sur cette croupe aux formes parfaites, en est l'archétype.

La commune de Villié-Morgon s'enorgueillit à juste titre d'avoir été la première à se préoccuper de l'accueil des amateurs de vin de Beaujolais : son caveau, construit dans les caves du château de Fontcrenne, peut recevoir plusieurs centaines de personnes. Dans ce lieu privilégié qui fait le bonheur des visiteurs et des associations à la recherche d'une « ambiance vigneronne », sont proposés à la vente des vins de producteur représentatifs des différents terroirs de l'appellation.

DOM. DES ARCADES Côte de Py 2003 ★★

■ 6 ha 11 000 🛢 8 à 11 €

Propriété de la famille Sauzey depuis près de deux cents ans, le domaine des Arcades a produit un vin rubis au nez puissant et complexe associant le cassis et la violette aux épices et à des notes empyreumatiques. On retrouve des arômes floraux, avec des nuances de fruits à noyau dans une bouche ronde et puissante. Harmonieuse et bien représentative du millésime, une bouteille à boire au cours des trois prochaines années.

🔑 GFA du Py, Morgon, 69910 Villié-Morgon,
tél. 04.74.04.21.60, fax 04.74.69.15.28 Y 🚶 r.-v.

DOM. DES ARCADES 2003 ★★★

■ 7 ha 25 000 🛢 5 à 8 €

Distribué par la maison Thorin, cette autre cuvée du domaine des Arcades constitue un superbe morgon. Au nez se marient de délicats parfums d'iris et des notes minérales. Après une attaque fraîche, ronde et pleine, la bouche évolue sur des tanins soyeux, agrémentée d'arômes de fruits bien mûrs et de cacao. La belle matière, riche sans excès et qui finit tout en douceur, est un régal. Un excellent ambassadeur de l'appellation, prêt à paraître à table, mais susceptible d'une garde d'au moins trois ans.

🔑 Maison Thorin, Pont des Samsons,
69430 Quincié-en-Beaujolais,
tél. 04.74.69.09.10, fax 04.74.69.09.28,
e-mail information@maisonthorin.com
🔑 Mme Sauzey

DOM. AUCŒUR Tradition Vieilles Vignes 2002 ★

■ 4 ha 30 000 5 à 8 €

Créé en 1825, ce domaine familial figurait en morgon dans la première édition du Guide ; il manque rarement le rendez-vous des commissions Hachette. Issue de vignes de quarante ans, cette cuvée, éblouissante dans le millésime précédent, donne toute satisfaction dans celui-ci. Rouge foncé aux reflets violets, elle livre d'intenses et frais parfums de fruits noirs accompagnés de notes épicées. Fruitée et tout en rondeur, la bouche apparaît très structurée, dotée d'un solide fond tannique. Complet et complexe, fort d'un réel potentiel d'évolution, ce vin devra patienter en cave deux à trois ans.

🔑 Dom. Aucœur, Le Rochaud, 69910 Villié-Morgon,
tél. 04.74.04.22.10, fax 04.74.69.16.82,
e-mail contact@domaineaucoeur.com
☑ Y 🚶 t.l.j. sf dim. 8h-19h

JEAN BARONNAT 2003 ★

■ n.c. n.c. 5 à 8 €

Créée en 1920, cette maison de négoce est restée familiale : elle est dirigée par Jean-Jacques Baronnat, petit-fils du fondateur. Deux vins du Beaujolais ont été retenus : un **côte-de-brouilly 2003**, cité, et ce morgon grenat foncé mêlant au nez d'intenses parfums de fruits rouges et des notes amyliques. Sa chair ronde imprégnée d'arômes de pêche jaune garnit avec ampleur le palais. De jeunes tanins incitent à garder cette bouteille en cave deux à trois ans pour leur permettre de s'arrondir.

🔑 Maison Baronnat,
Les Bruyères, 491, rte de Lacenas, 69400 Gleizé,
tél. 04.74.68.59.20, fax 04.74.62.19.21,
e-mail info@baronnat.com 🚶 r.-v.

DOM. DE LA BECHE
Cuvée Vieilles Vignes 2002 ★★

■ 3,5 ha 20 000 ⦶ 3 à 5 €

Dans ce domaine, on cultive la vigne de père en fils depuis 1848. L'exploitation est souvent représentée dans le Guide par cette cuvée née de ceps âgés de soixante ans. Le 2002 affiche une robe grenat brillant et exprime des parfums de cerise, de kirsch et de mûre de bonne intensité. Après une attaque fraîche et structurée, la bouche révèle des tanins déjà enrobés et pleins de promesses. Tout en finesse, typé, ce morgon au réel potentiel devra attendre un à deux ans. Il pourra accompagner une viande blanche comme le veau. Le **régnié 2002** de la propriété a été cité.

🔑 Olivier Depardon,
Dom. de la Bêche, 69910 Villié-Morgon,
tél. 04.74.69.15.89, fax 04.74.04.21.88,
e-mail o.depardon@libertysurf.fr ☑ Y 🚶 r.-v.

CAVE DES VIGNERONS DE BEL AIR
Entre Chien et Loup 2003

■ 16 ha 80 000 **8 à 11 €**

Fondée en 1929, cette coopérative, établie au pied de la colline de Brouilly, vinifie aujourd'hui 512 ha de vignes. Ses installations sont modernes, la dernière rénovation datant de 2003. De l'aurore à la pénombre, les heures du jour ont inspiré la cave, qui a ainsi baptisé Entre Chien et Loup ce morgon aux parfums intenses de fruits rouges (framboise). Bien équilibrée avec une rétro-olfaction sur le fruit, la bouche se montre agréable, les tanins étant dénués d'agressivité. Bien fait et complet, ce vin est déjà prêt, mais il peut attendre un à deux ans. Le **côte de brouilly Veillée 2003 (5 à 8 €)** de la cave a également été cité.

🔑 Cave des Vignerons de Bel-Air, rte de Beaujeu, 69220 Saint-Jean-d'Ardières, tél. 04.74.06.16.05, fax 04.74.06.16.09, e-mail cvba@wanadoo.fr
☑ Y 🚶 t.l.j. sf dim. 9h-12h 14h-18h

DOM. JEAN-PAUL BOULAND 2002 *

■ 5 ha 27 000 ▮ 5 à 8 €

Implantée sur des roches décomposées schisteuses, la vigne a produit un vin à la robe grenat, ourlée de reflets orangés, et aux parfums de mûre et de sous-bois. L'attaque plutôt vive est agrémentée par un fruité de cerise, d'abricot et de réglisse. Vineux et bien structuré, ce morgon laisse un bon souvenir en finale. On l'appréciera au cours des deux prochaines années.

🔑 Dom. Jean-Paul Bouland, 396, rue Ronsard, 69910 Villié-Morgon, tél. 04.74.04.25.23, fax 04.74.04.21.06 ☑ Y 🚶 r.-v.

RAYMOND BOULAND 2002 *

■ 6 ha 10 000 ▮ 5 à 8 €

Des vignes de cinquante ans cultivées en mode de lutte raisonnée sont à l'origine de ce vin rouge profond à reflets violets, qui mêle au nez d'harmonieux parfums : groseille, framboise et cassis très mûrs, avec des nuances épicées. Concentrée et structurée, la bouche révèle des tanins soyeux et des arômes fruités persistants. Bien travaillé, ce 2002 est prêt mais il peut attendre un an. Il accompagnera une volaille grillée ou un poulet basquaise.

🔑 Raymond Bouland, Corcelette, 69910 Villié-Morgon, tél. 04.74.04.22.25, fax 04.74.04.22.25, e-mail vins_raymondbouland@hotmail.com ☑ Y r.-v.

DOM. NOEL BULLIAT Cuvée Vieilles Vignes 2002

■ 0,7 ha 4 000 ⏸ **5 à 8 €**

Les millésimes se suivent et ne se ressemblent pas, mais la cuvée Vieilles Vignes de Noël Bulliat passe régulièrement la barre. Elle provient de ceps âgés d'environ quatre-vingts ans. D'un rouge vif brillant, la robe livre des parfums assez discrets d'amande grillée et de boisé. La chair fruitée et épicée reste marquée par le fût. D'une bonne longueur, ce vin est à boire au cours des deux prochaines années.

🔑 Noël Bulliat, Le Colombier, 69910 Villié-Morgon, tél. 04.74.69.13.51, fax 04.74.69.14.09, e-mail bulliat.noel@wanadoo.fr ☑ Y 🚶 r.-v.

DOM. DU CALVAIRE DE ROCHE GRES
Les Charmes 2003 **

■ n.c. n.c. ▮ 5 à 8 €

Ce domaine figure très souvent en bonne place dans le Guide. Ainsi comme l'an dernier, le **fleurie 2003** (une étoile) et le morgon Les Charmes ont-ils été très bien accueillis. Dans le millésime 2003, c'est ce dernier qui l'a emporté. Pourpre intense à reflets grenat, il s'ouvre sur des parfums de mûre, de cassis et de pruneau assortis d'une touche de pivoine. La bouche séduit par son ampleur, son fruité très riche, sa chair croquante soutenue par de fins tanins. De ce 2003 vineux et gourmand émane un... charme certain. Une bouteille qui s'affirmera l'année prochaine. Le 99 avait obtenu un coup de cœur.

🔑 Didier Desvignes, Saint-Joseph, 69910 Villié-Morgon, tél. 04.74.69.92.29, fax 04.74.69.97.54 ☑ Y 🚶 r.-v.

BERNARD CHAGNY Côte du Py 2003 **

■ 2 ha 5 000 ▮🌡 5 à 8 €

Créée en 1980 à la suite de l'achat de vignes ayant appartenu au château de Pizay, cette exploitation s'est attiré des compliments unanimes avec cette cuvée grenat soutenu au nez expressif de fruits très mûrs, voire confits, associés à de fines notes florales. Sa chair ample et longue, vive et d'une grande franchise garnit le palais. Une solide charpente tannique assurera une belle longévité à cette bouteille que l'on attendra trois ou quatre ans.

🔑 EARL Bernard Chagny, Les Vergers, 69430 Régnié-Durette, tél. 04.74.04.36.48, fax 04.74.04.36.48 ☑ Y 🚶 r.-v.

PIERRE CHANAU 2003 *

■ n.c. 90 000 ▮🌡 5 à 8 €

Sélectionné pour Auchan, ce morgon carmin sombre exprime de fines nuances florales accompagnées de notes minérales. Après une attaque franche des plus agréables, on découvre des tanins bien présents mais fins. Equilibré et harmonieux, ce vin « morgonne » à souhait. Les impatients pourront le déboucher dès maintenant, mais il peut attendre deux à trois ans. Egalement dignes d'attention, le **brouilly 2003** et le **juliénas 2003** sont tous deux cités.

🔑 Auchan, 200, rue de la Recherche, 59650 Villeneuve-d'Ascq, tél. 04.74.69.09.10, fax 04.74.69.09.75

DOM. DE LA CHAPONNE 2002 *

■ 11 ha 14 000 5 à 8 €

Cette exploitation familiale dispose de 11 ha et d'une maison typiquement beaujolaise. Dans la cave voûtée du domaine a été élevé ce morgon grenat mêlant au nez de frais parfums fruités à des nuances de cuir et de sous-bois. Charnu avec des tanins fondus, puissant, agrémenté d'arômes complexes, ce vin est bien représentatif de l'appellation. On le dégustera maintenant.

⌐ Laurent Guillet,
70, montée des Gaudets, 69910 Villié-Morgon,
tél. 04.74.69.15.73, fax 04.74.69.11.43 ☑ ⵣ r.-v.

ARMAND ET RICHARD CHATELET
Cuvée du P'tit Moustachu Elevé en fût de chêne 2002

■	1 ha	7 000	◫	5 à 8 €

BTS d'œnologie en poche, Richard Chatelet s'est installé sur l'exploitation familiale et s'est associé deux ans plus tard avec son père. Remarquable dans le millésime précédent, leur cuvée du P'tit Moustachu se présente avec discrétion cette année : robe rouge limpide, timides parfums fruités. Elle s'affirme en bouche, révélant des arômes persistants. Rond et souple, un vin agréable, à boire sans attendre.
⌐ EARL Armand et Richard Chatelet,
Les Marcellins, 69910 Villié-Morgon,
tél. 04.74.04.21.08, fax 04.74.69.16.48,
e-mail armand-richard-chatelet@tiscali.fr
☑ ⵣ ⵣ t.l.j. sf dim. 8h-12h 14h-19h

FRANCK CHAVY Cuvée Prestige 2002

■	2 ha	6 000	▮⌐	5 à 8 €

Titulaire d'un BTS de viti-œnologie, Franck Chavy a d'abord exploité des vignes en métayage (1991), puis il a progressivement acquis des parcelles en pleine propriété : 3 ha en régnié (1995) puis 4 ha en morgon (2000). Plus de la moitié de sa production a été citée : le **régnié 2003** et cette cuvée rubis brillant à reflets pourpres. Le nez complexe mêle le kirsch et d'intéressantes nuances de granit désagrégé. Franche et charnue à l'attaque, la bouche apparaît plus austère en finale. Une bouteille à servir dans un an ou deux sur un petit salé aux lentilles ou du fromage de tête.
⌐ Franck Chavy, Lachat, 69430 Régnié-Durette,
tél. 06.07.16.18.85, fax 04.74.69.20.00 ☑ ⶏ ⵣ ⵣ r.-v.

DOM. DU COTEAU DES LYS 2002 ★

■	4 ha	16 000	▮	5 à 8 €

Maurice Passot dispose de 7 ha de vignes. En 2001, il a aménagé un gîte rural sur le domaine. Pourpre profond à reflets violines, son morgon livre d'intenses parfums aux nuances de pêche jaune et d'abricot. Rond, vif et très fruité, il n'est pas des plus typiques, mais c'est un vin bien fait qui ne manquera pas d'amateurs. A boire.
⌐ Maurice Passot, Corcelette, 69910 Villié-Morgon,
tél. 04.74.04.20.27, fax 04.74.69.15.57,
e-mail maurice.passot@wanadoo.fr ☑ ⶏ ⵣ r.-v.

DOM. DU COTEAU VERMONT 2003 ★

■	5 ha	6 000	▮	5 à 8 €

La troisième génération est à la tête de l'exploitation depuis 1980. Elle a vinifié un morgon d'un rouge foncé presque noir, aux parfums puissants et complexes. La bouche ample est soutenue par des tanins qui commencent à s'arrondir. Un vin persistant qui devrait gagner en finesse avec le temps.
⌐ Bernard Gonin, Le Truges, 69910 Villié-Morgon,
tél. 04.74.69.12.97, fax 04.74.69.12.97 ☑ ⵣ ⵣ r.-v.

DOM. CROIX DE CHEVRE 2003

■	10 ha	8 000	▮◫⌐	5 à 8 €

Un domaine de 15 ha, propriété des descendants de l'inventeur du pressoir Marmonier. D'un grenat soutenu, ce morgon libère des parfums assez puissants de fruits

rouges et de violette, qui commencent à évoluer. Rond avec une pointe acidulée, il est représentatif du millésime. A boire.
⌐ EARL Striffling, La Ronze, 69430 Régnié-Durette,
tél. 04.74.69.20.16, fax 04.74.04.84.79 ☑ ⵣ r.-v.

DOM. DE LA CROIX MULINS 2003

■	4,5 ha	33 000	▮⌐	5 à 8 €

Située au pied de la colline du Py, cette exploitation a produit un vin grenat à reflets bleutés et aux parfums de fruits très mûrs, voire confits. Assez tonique et fraîche, l'attaque est vite relayée par les tanins un peu austères. Ce vin long est fait pour la garde. Il doit s'affiner encore trois ou quatre ans.
⌐ Pierre Depardon, Les Raisses, 69910 Villié-Morgon,
tél. 04.74.69.10.15, fax 04.74.69.09.75 ⵣ ⵣ r.-v.

DOM. DONZEL Cuvée Prestige 2002

■	1,3 ha	10 000	◫	5 à 8 €

Le 2001 obtint l'un des coups de cœur de l'appellation l'année dernière. Ce millésime est plus modeste. Rubis brillant, il exprime de discrets parfums de vanille et de noisette liés à un élevage de huit mois dans le bois. Sa structure légère est encore dominée par des tanins un peu austères, boisés en finale. Ce vin de bonne facture est à attendre quelques mois.
⌐ Bernard Donzel, Fondlong, 69910 Villié-Morgon,
tél. 04.74.04.20.56, fax 04.74.69.14.52 ☑ ⵣ r.-v.

DOM. DUBOST
Prieuré du Tracot Cuvée La Ballofière 2003

■	n.c.	8 000	◫	5 à 8 €

Elevée en barrique, cette cuvée rubis sombre mêle au nez des parfums de fruits rouges et des notes épicées et vanillées. L'attaque tout en rondeur se prolonge par une bouche concentrée, puissante et souple, aux arômes de groseille et de mûre. Ce vin complet, s'il apparaît encore un peu fermé, est déjà flatteur, facile à boire. Il ravira dans un an de nombreux amateurs.
⌐ Jean-Paul Dubost, Le Tracot, 69430 Lantignié,
tél. 04.74.04.87.51, fax 04.74.69.27.33,
e-mail j.p-dubost@wanadoo.fr
☑ ⶏ ⵣ ⵣ t.l.j. sf dim. 8h-12h 14h-19h; f. 16-30 août

CORINNE ET VINCENT FLACHE 2002 ★★

■	4 ha	16 000	▮	5 à 8 €

Corinne et Vincent Flache ne sont à la tête de l'exploitation que depuis 2001, et déjà leur morgon 2002 recueille des éloges unanimes. Né de vignes de plus de quarante ans, ce vin d'un rouge soutenu libère d'intenses parfums de raisin frais, de groseille et de framboise bien mûrs. Ample, rond et puissant, composé de tanins fondus, il révèle une palette aromatique complexe où se mêlent fruits confits et notes amyliques et fait preuve d'un fort bel équilibre. On l'appréciera maintenant.
⌐ EARL Flache-Sornay,
Fondlong, 69910 Villié-Morgon,
tél. 04.74.04.26.70, fax 04.74.04.26.70 ☑ ⵣ ⵣ r.-v.

DOM. DE FONTRIANTE Vieilles Vignes 2002 ★★

■	0,7 ha	5 000	▮◫⌐	5 à 8 €

Jacky Passot a repris le labour des vignes une à deux fois l'an. De très vieux ceps (plus de quatre-vingts ans), il a tiré une cuvée dont la robe rouge vif à reflets violets est bien engageante. Des notes fruitées et épicées composent un nez harmonieux, puissant, franc et complexe. Equilibrée, ronde et charnue avec des tanins agréables, la bouche est également fort appréciée. Un vin complet, représentatif de l'appellation, « super », pour reprendre la conclusion d'une fiche de dégustateur. Il peut attendre deux à trois ans.

🔑 Jacky Passot, Fontriante, 69910 Villié-Morgon, tél. 04.74.69.10.03, fax 04.74.69.14.29, e-mail jacky.passot@wanadoo.fr ☒ Y ⚲ r.-v.

DOM. GAGET
Côte du Py Cuvée Joseph
Elevé en fût de chêne 2002 ★★

■ 0,5 ha 2 400 🛢 11 à 15 €

Les 9 ha de vignes constituant l'exploitation ont été achetés en 1980 au château de Pizay par Maurice Gaget, qui a construit un cuvage l'année suivante. Dédiée au grand-père, cette cuvée grenat limpide libère rapidement d'intenses parfums de noyau de cerise et de mûre, mariés à des nuances boisées. Assez ronde et capiteuse, la bouche est imprégnée d'arômes de cassis et de fruits noirs, associés à des notes de chêne. Bien structuré, encore jeune, ce 2002 est marqué par le fût neuf. Déjà agréable, il gagnera à attendre deux ans. Le **morgon Grands Cras 2002 (8 à 11 €)** du domaine a par ailleurs été cité.

🔑 EARL Dom. Gaget, La Côte du Py, 69910 Villié-Morgon, tél. 04.74.04.20.75, fax 04.74.04.21.54 ☒ Y ⚲ r.-v.

DOM. DES GENERATIONS 2003 ★★

■ 4 ha 20 000 ▮⚲ 5 à 8 €

Les générations se succèdent sur ce domaine depuis 1834, date d'acquisition du premier hectare de vignes (l'exploitation en compte aujourd'hui 11,50). Laurent Gauthier a signé une remarquable cuvée rouge soutenu dont les parfums gagnent en intensité au cours de la dégustation. Doté d'une belle structure dominée par de jeunes tanins prometteurs, ce vin de terroir très typé est fait pour la garde. On attendra trois ou quatre ans qu'il mûrisse.

🔑 EARL Laurent et Marinette Gauthier, Morgon-le-Bas, 69910 Villié-Morgon, tél. 04.74.04.26.57, fax 04.74.69.12.08 Y ⚲ r.-v.

DOM. DE L'HERMINETTE 2003

■ 1,9 ha 8 000 ▮⚲ 5 à 8 €

Exploité par la même famille depuis 1834, ce domaine signe un morgon d'un rouge profond aux parfums de mûre encore assez discrets. Concentré et tannique, ce vin est agrémenté d'arômes de cassis et de framboise et persiste longuement. Une bonne bouteille à attendre un an.

🔑 EARL Gauthier, Morgon-le-Bas, 69910 Villié-Morgon, tél. 04.74.04.26.57, fax 04.74.69.09.75

DOM. DE JAVERNIERE 2003 ★★

■ 0,7 ha 3 000 ▮ 5 à 8 €

Installé voilà trente ans sur le domaine familial, Noël Lacoque a cédé la quasi-totalité des vignes à son fils Hervé. Il n'a gardé qu'une parcelle de vieux ceps d'où il a tiré ce remarquable morgon. Rubis sombre, ce vin s'ouvre sur de fines notes de framboise et de cassis, accompagnées de nuances de réglisse et d'épices. Dès l'attaque, sa matière « réveillée », concentrée et équilibrée s'épanouit, imprégnée d'arômes qui persistent longuement. Déjà excellente, cette bouteille va encore gagner en harmonie au cours des mois qui viennent. On l'appréciera pendant deux à trois ans.

🔑 Noël Lacoque, Javernière, 69910 Villié-Morgon, tél. 04.74.04.24.26, fax 04.74.69.11.01 ☒ Y ⚲ r.-v.

DOM. DE JAVERNIERE 2003 ★

■ 4 ha 20 000 ▮ 5 à 8 €

Fils de Noël, Hervé Lacoque a hérité du domaine familial agrandi grâce à l'achat de vignes. Il est aujourd'hui à la tête de plus de 10 ha. Des ceps cinquantenaires sont à l'origine de ce morgon rouge intense aux subtils parfums de fruits rouges (framboise). Dès l'attaque, on apprécie son harmonie, faite de tanins riches et souples et d'arômes de cerise qui persistent longuement. Bien représentatif de l'appellation et doté d'un bon potentiel de garde, ce vin peut attendre un an.

🔑 Hervé Lacoque, Javernière, 69910 Villié-Morgon, tél. 04.74.04.26.64, fax 04.74.04.27.10 ☒ Y ⚲ r.-v.

JOEL LACOQUE
Côte du Py Cuvée Marie-Jeanne 2002 ★★★

■ 0,5 ha 3 500 🛢 8 à 11 €

De vieilles vignes cultivées sur des sols schisteux ont donné naissance à ce morgon rouge profond à reflets grenat qui mêle au nez des parfums de fruits noirs très mûrs à d'agréables notes vanillées léguées par un élevage d'un an sous bois. Dominé par le boisé en attaque, le palais révèle un vin surprenant de concentration et de complexité, promis à un bel avenir. Charnu et fruité, d'une persistance aromatique peu commune, ce 2002 sort du lot. Déjà prêt, il peut attendre un an. Un autre **morgon Côte du Py 2002 (5 à 8 €)**, 25 000 bouteilles, a été retenu sans étoile.

🔑 Joël Lacoque, Morgon, 69910 Villié-Morgon, tél. 04.74.69.16.52, fax 04.74.04.27.03 ☒ Y ⚲ r.-v.

DOM. DES MICOUDS 2003

■ 5 ha 19 950 ▮⚲ 8 à 11 €

Ce morgon grenat livre des parfums assez discrets de fruits mûrs. Il garnit le palais d'une chair ronde et ample. Agréable mais un peu léger pour un vin, il est à boire dans les deux ans.

🔑 Morel, Les Micouds, 69910 Villié-Morgon, tél. 04.74.03.52.72, fax 04.74.03.38.58

BERNARD PASSOT Douby 2002 ★

■ 0,7 ha 3 200 ▮ 5 à 8 €

On pourra découvrir ce vin au caveau de dégustation ouvert dès 1953 par les producteurs de morgon au château de Fontcrenne (XVIIe s.). D'un grenat soutenu, ce 2002 libère d'intenses parfums fruités et amyliques. Ronde, dotée de tanins bien fondus et aromatique, la bouche s'épanouit avec ampleur. Un ensemble harmonieux à apprécier sans attendre.

🔑 Bernard Passot, Le Colombier, 69910 Villié-Morgon, tél. 04.74.04.20.99, fax 04.74.04.20.25, e-mail cru.morgon@wanadoo.fr
Y ⁂ t.l.j. 9h30-12h 14h-18h30

DOM. PASSOT-COLLONGE Les Charmes 2002

■ 2,83 ha 7 750 ▮ 8 à 11 €

Des vignes de quarante ans implantées sur des terrains schisteux sont à l'origine de cette cuvée à la robe grenat brillant montrant quelques reflets jaunes. Assez intenses, les parfums de fruits rouges et noirs se prolongent dans une bouche tout d'abord onctueuse et fine, puis marquée par des tanins plutôt fermes. Ce morgon corsé est à attendre un an.

🔑 Bernard et Monique Passot, Le Colombier, rte de Fleurie, 69910 Villié-Morgon, tél. 04.74.69.10.77, fax 04.74.69.13.59, e-mail mbpassot@infonie.fr ☑ 🏠 Y ⁂ r.-v.

DOM. DU PETIT PEROU 2002 *

■ 2 ha 10 000 5 à 8 €

Installé en 1993, Laurent Thévenet exploite 8 ha de vignes. Des ceps de trente-cinq ans plantés sur des sols à dominante argileuse sont à l'origine de ce vin rubis soutenu aux parfums intenses et complexes de fruits rouges bien mûrs. Ces arômes se prolongent dans un palais plutôt rond, aux tanins fondus et d'une bonne longueur. Déjà prêt, ce 2002 peut attendre un à deux ans.

🔑 Laurent Thévenet, Fondlong, 69910 Villié-Morgon, tél. 04.74.69.13.23, fax 04.74.69.12.05 ☑ Y ⁂ r.-v.

DOM. DES PILLETS Les Charmes 2002 *

■ 25 ha 40 000 ▮🌡 8 à 11 €

Représentée sur l'étiquette, une louve romaine rappelle que l'ancienne voie romaine Lyon-Autun traverse la propriété. Celle-ci s'est distinguée les dernières années, notamment grâce à ce morgon Les Charmes. D'un rubis limpide, ce 2002 est dominé par des parfums floraux associés à des notes épicées. Ample et bien structurée, la bouche est marquée par des tanins qui commencent à s'assouplir. On attendra un an ou deux que ce vin au fort potentiel s'épanouisse.

🔑 Gérard Brisson, Les Pillets, chem. des Romains, 69910 Villié-Morgon, tél. 04.74.04.21.60, fax 04.74.69.15.28 ☑ Y ⁂ r.-v.

DOMINIQUE PIRON Grands Cras 2003

■ 6 ha 24 000 ▮⏸ 5 à 8 €

Créée en 1988, cette maison de négoce a diversifié ses activités en prenant en charge la gestion de vignes et la vinification à façon. Elle propose un vin grenat aux reflets violets très sombres, associant au nez de subtils parfums fruités et végétaux à des nuances de café. Vineux, tannique et d'une grande puissance, ce 2003 est taillé pour la garde : on l'oubliera au moins quatre ans en cave. Egalement cité, le **beaujolais-villages rouge Les Vignes de Pierreux 2003** peut être apprécié maintenant.

🔑 Vins Dominique Piron, Morgon, 69910 Villié-Morgon, tél. 04.74.69.10.20, fax 04.74.69.16.65, e-mail dominiquepiron@domaines-piron.fr ☑ Y ⁂ r.-v.

CH. DE PIZAY 2003

■ 16 ha 60 000 ▮🌡 5 à 8 €

Les bâtiments du château, dont les origines remontent au Xᵉs., ont été aménagés en hôtel-restaurant en 1985. Le domaine viticole couvre 16 ha en morgon. Rubis limpide, le vin qui en est issu offre un fruité léger fait de groseille, de cerise et de cassis. Sa matière charnue reste dominée par des tanins serrés, un rien sévères, mais la finale fraîche et réglissée laisse un bon souvenir. Une bouteille à boire dans le courant de l'année sur une côte de bœuf.

🔑 SCEA Ch. de Pizay, 69220 Saint-Jean-d'Ardières, tél. 04.74.66.26.10, fax 04.74.69.60.66, e-mail chateau-de-pizay@chateau-de-pizay.com
☑ 🏠 Y ⁂ r.-v.

POTEL-AVIRON Côte du Py Vieilles Vignes 2002 **

■ 3 ha 9 000 ⏸ 8 à 11 €

Présenté par un négociant, ce morgon est né de vignes de quarante-cinq ans. D'un grenat limpide, il associe des parfums assez puissants de fruits rouges et noirs à des notes florales et épicées. La bouche ronde est marquée par un boisé qui domine sans exagération. Encore tannique, équilibré et long, ce 2002 est déjà prêt, mais il peut attendre deux à trois ans. De la même maison, le **fleurie Vieilles Vignes 2002**, boisé également, reçoit une étoile. Il possède lui aussi un certain potentiel de garde.

🔑 SARL Potel-Aviron, Les Gandelins, Cidex 326, 71570 La Chapelle-de-Guinchay, tél. 03.85.36.76.18, fax 03.85.36.73.55 Y r.-v.

DOM. DES ROCHES DU PY Côte du Py 2002

■ 5 ha 20 000 ▮ 5 à 8 €

Le domaine est situé sur le flanc sud de la célèbre colline du Py. D'un rouge soutenu, son morgon 2002 mêle au nez des notes boisées conférées par son élevage en foudre de chêne, des parfums de fruits confits et des nuances de sous-bois légèrement végétales. Puissante, ferme et d'un bon équilibre, la bouche révèle un certain potentiel. Une bouteille à attendre un an.

🔑 Marcel Jonchet, Côte du Py, 69910 Villié-Morgon, tél. 04.74.04.23.03 ☑ ⁂ r.-v.

DOM. SAVOYE
Sur Côte du Py Cuvée Vieilles Vignes 2003

■ 1 ha 7 500 ▮🌡 8 à 11 €

Fondé en 1852, ce domaine familial a été replanté juste après la guerre, et la plupart des ceps de l'exploitation ont un âge respectable. Affichant une robe d'un rouge profond, ce 2003 livre des parfums assez intenses de fruits rouges et noirs bien mûrs. La bonne attaque, équilibrée, laisse place à des impressions plus tanniques. Bien représentatif de l'appellation, ce morgon devra s'affiner un an en cave.

🔑 Pierre Savoye, Les Micouds, 69910 Villié-Morgon, tél. 04.74.04.21.92, fax 04.74.04.26.04, e-mail pierre.savoye@wanadoo.fr
☑ Y ⁂ t.l.j. 8h30-11h30 13h30-18h; sam. dim. sur r.-v.; f. 15-31 août, 20 déc.-2 jan.

DOM. DE LA SERVE DES VIGNES 2002 *

■ n.c. n.c. ▮ 5 à 8 €

D'un rubis limpide, cette sélection, présentée par un négociant caladois (c'est ainsi que l'on nomme les habitants de Villefranche-sur-Saône), ne semble pas avoir pris une ride. Ses parfums de raisin frais, évoluant vers des notes minérales, sont de bonne intensité. Franche et équilibrée, la bouche révèle une chair structurée associée à d'harmonieux tanins. Elle offre une belle fraîcheur en finale. Ce morgon racé est à boire dans les deux ans. Il accompagnera une viande rouge. Le **juliénas Domaine de Boischampt 2002** fait jeu égal.

Pierre Dupond, 235, rue de Thizy, BP 79,
69653 Villefranche-sur-Saône, tél. 04.74.65.24.32,
fax 04.74.68.04.14, e-mail p.dupond.cvc@wanadoo.fr

DOM. DES SOUCHONS Cuvée Tradition 2003

■ 10 ha 35 000 8 à 11 €

Créé au milieu du XVIII[e]s., ce domaine familial s'étend aujourd'hui sur 14 ha. Importante en volume, sa cuvée Tradition est issue de vignes d'âge respectable, implantées sur des sols de schiste micacé. D'un rouge léger et limpide, le 2003 livre des parfums plutôt discrets de fruits rouges bien mûrs. Riche et ample, sa structure, soutenue par des tanins fermes mais élégants, agrémentée d'arômes fruités, permettra son épanouissement dans le temps. Une bouteille à attendre un à deux ans.

Serge Condemine-Pillet,
Morgon-le-Bas, 69910 Villié-Morgon,
tél. 04.74.69.14.45, fax 04.74.69.15.43,
e-mail domainesouchons@free.fr
t.l.j. 8h30-12h 14h-19h

DOM. DE LA TOUR DES BANS 2003 *

■ 2,2 ha 10 000 5 à 8 €

Métayer au château de Pizay, Raphaël Blanco signe un vin rubis limpide et brillant aux parfums de pivoine et de rose assortis de notes de mûre. L'attaque franche révèle des tanins veloutés, des arômes floraux et épicés, puis la bouche se fait plus sévère en finale : ce beau vin gagnera à attendre quelques mois.

Raphaël Blanco, Pizay, 69220 Saint-Jean-d'Ardières,
tél. 04.74.66.26.10

TRENEL FILS Côte de Py 2002

■ n.c. 13 000 5 à 8 €

Créée en 1928, cette maison de négoce propose une sélection rubis profond aux senteurs à la fois fines et assez intenses de fruits noirs. Puissante, équilibrée et aromatique, la bouche révèle de bons tanins. Typé et représentatif du millésime, ce morgon peut passer à table ou attendre un an.

SA Trénel Fils, 33, chem. du Buéry,
71850 Charnay-lès-Mâcon,
tél. 03.85.34.48.20, fax 03.85.20.55.01,
e-mail info@trenel.com t.l.j. sf dim. 8h-18h;
lun. 14h-18h et sam. 8h-12h; f. 1 sem. fév.

DOM. DE LA VOIE ROMAINE 2003

■ 5 ha 20 000 5 à 8 €

Des vignes de quarante-cinq ans ont donné naissance à ce vin carmin intense, au bon nez de fruits rouges très mûrs. Puissant, ample, bien constitué, doté d'une charpente tannique assez ferme, ce 2003 est déjà plaisant mais doit s'affiner. Représentatif de l'appellation, il séjournera deux ans en cave puis accompagnera un rôti de bœuf.

SCEA Dufour,
La Grange Cochard, 69910 Villié-Morgon,
tél. 04.74.69.11.04, fax 04.74.69.09.75

Moulin-à-vent

BEAUJOLAIS

Le « seigneur » des crus du Beaujolais campe ses 681 ha sur les communes de Chénas, dans le Rhône, et de Romanèche-Thorins, en Saône-et-Loire. L'appellation, symbolisée par le vénérable moulin à vent qui a retrouvé ses ailes en 1999, en présence des navigateurs Laurent et Yvan Bourgnon, se dresse à une altitude de 240 m au sommet d'un mamelon aux formes douces, de pur sable granitique, au lieu-dit Les Thorins. En 2003, elle a produit 18 535 hl élaborés à partir de gamay noir. Les sols peu profonds, riches en éléments minéraux tels que le manganèse, apportent aux vins une couleur d'un rouge profond, un arôme rappelant l'iris, du bouquet et du corps, qui, quelquefois, les font comparer à leurs cousins bourguignons de la Côte-d'Or. Selon un rite traditionnel, chaque millésime est porté aux fonts baptismaux, d'abord à Romanèche-Thorins (fin octobre), puis dans tous les villages et, début décembre, dans la « capitale ».

S'il peut être apprécié dans les premiers mois de sa naissance, le moulin-à-vent supporte sans problème une garde de quelques années. Ce « prince » fut l'un des premiers crus reconnus appellation d'origine contrôlée, en 1936, après qu'un jugement du tribunal civil de Mâcon en eut défini les limites. Deux caveaux permettent de le déguster, l'un au pied du moulin, l'autre au bord de la route nationale. Ici ou ailleurs, on appréciera pleinement le moulin-à-vent sur tous les plats généralement accompagnés de vin rouge.

DOM. BENOIT RACLET 2003 *

■ 10 ha n.c. 5 à 8 €

Fêté à Romanèche-Thorins, Benoît Raclet découvrit en 1840 que l'échaudage des vignes était plus efficace contre la pyrale que les processions. Il a donné son nom à ce vin diffusé par la maison Thorin. Très réussi comme le millésime précédent, le 2003 affiche une robe rubis intense. Ses parfums associent la minéralité du terroir et des nuances d'iris et de géranium. Aromatique et puissante, la bouche révèle un volume important de tanins et s'achève sur des notes de fruits macérés. Typée et apte à la garde, une bouteille à attendre deux à trois ans.

Dom. Benoît Raclet, 71570 Romanèche-Thorins,
tél. 04.74.69.09.10, fax 04.74.69.09.28,
e-mail information@maisonthorin.com
Frédérique Coste

CH. BONNET Vieilles Vignes 2003

■ 1,7 ha 7 000 5 à 8 €

Commandé par leur petit château du XVI[e]s., ce domaine porte le nom de l'échevin qui l'a créé au début du XVII[e]s. Il est passé dans la famille de Pierre-Yves Perrachon en 1973 et compte 7,50 ha de vignes. Dans les caves voûtées du manoir a été élevé ce vin rubis intense aux parfums plutôt discrets d'iris et de géranium, associés à des nuances minérales. Après une attaque aromatique fort agréable, la dégustation évolue rapidement sur des impressions plus austères. Un moulin-à-vent typé, à attendre un à deux ans.

↩ Pierre-Yves Perrachon, Ch. Bonnet,
71570 La Chapelle-de-Guinchay,
tél. 03.85.36.70.41, fax 03.85.36.77.27,
e-mail chbonnet@terre-net.fr ☑ ⟂ ⚹ r.-v.

DOM. BOURISSET Cuvée spéciale chêne 2002

| ■ | 5,4 ha | 3 000 | ■ ⬗ ⬓ | 8 à 11 € |

A la tête de cette maison de négoce créée en 1922 par Louis Bourisset, Edward Steeves est originaire de Boston. Ce latiniste américain, qui se définit comme « poète et humaniste du vin » a découvert le phénomène du beaujolais nouveau au cours de ses études de lettres à la Sorbonne. Après dix ans d'enseignement, il décide de se consacrer à cette « boisson de civilisation ». Il propose une cuvée d'un rouge assez intense aux parfums légers de fruits rouges, nuancés de fruits exotiques. Souple et ample, l'attaque s'accompagne d'impressions tanniques fondues. Les arômes sont à la fois fruités et boisés, avec de la noisette et une pointe de sous-bois. Une bouteille pour maintenant.

↩ Collin-Bourisset Vins Fins,
rue de la Gare, 71680 Crèches-sur-Saône,
tél. 03.85.36.57.25, fax 03.85.37.15.38,
e-mail cbourisset@gofornet.com ☑ ⟂ ⚹ r.-v.

DOM. DU CHAI DE LA MERLATIERE 2003

| ■ | 1,1 ha | 3 000 | ■ ⬓ | 5 à 8 € |

Dominant la vallée de la Saône, cette exploitation familiale, créée en 1936, est conduite depuis 1989 par deux frères et compte une vingtaine d'hectares. Elle a présenté un vin rouge soutenu aux reflets violets. Flatteurs et intenses, les parfums mêlent fruits rouges, coing, nuances amyliques, amande amère et tabac blond. Après une attaque plutôt ronde, la bouche évolue sur des tanins assez serrés qui permettront à cette bouteille d'attendre deux ans.

↩ GAEC de la Merlatière, Gérard Gauthier,
Dom. du Chai de la Merlatière, 69220 Lancié,
tél. 04.74.04.13.29, fax 04.74.69.86.84,
e-mail gaecdelamerlatiere@wanadoo.fr ☑ ⟂ ⚹ r.-v.

DOM. DE LA CHEVRE BLEUE
Vieilles Vignes 2002 ★★

| ■ | 2 ha | 4 000 | ⬗ | 5 à 8 € |

Des vignes de soixante ans sont à l'origine de ce moulin-à-vent à la robe pourpre intense animée de quelques reflets orangés. Les parfums complexes associent le cassis et la cerise bien mûre à la vanille et aux épices. Dès l'attaque la structure souple de ce vin et ses tanins ronds s'imposent. Le mariage des arômes acidulés de griotte avec le bois est harmonieux. Equilibrée et fraîche, cette bouteille est à boire dans les deux ans. Les Kinsella signent par ailleurs un **chénas 2002** qui a été cité.

↩ Michel et Gérard Kinsella, Les Deschamps,
69840 Chénas, tél. 03.85.33.85.70, fax 03.85.33.85.70,
e-mail gerard@chevrebleue.com ☑ ⟂ ⚹ r.-v.

DOM. MICHEL CROZET 2002

| ■ | n.c. | 5 000 | ⬗ | 8 à 11 € |

De nombreuses améliorations techniques et des agrandissements successifs ont été réalisés depuis la créa-

tion du domaine en 1922. Après un 2001 remarquable, Michel Crozet propose un 2002 grenat limpide aux parfums expressifs de fraise et de cassis très mûrs mêlés de nuances de chêne et de touches végétales. Franche et d'une belle ampleur, la bouche révèle un boisé bien maîtrisé mais dominateur. Encore jeune, ce vin peut attendre un à deux ans. Il pourra accompagner un gigot de chevreuil à l'ail confit.

↩ Michel Crozet, Les Fargets,
71570 Romanèche-Thorins, tél. 03.85.35.53.61,
fax 03.85.35.20.16, e-mail michel.crozet@wanadoo.fr
☑ ⟂ ⚹ t.l.j. 9h-12h 14h-19h

DOM. DES DARROUX 2003

| ■ | 1,4 ha | 1 500 | ■ | 5 à 8 € |

Cette cuvée rouge carmin s'ouvre après aération sur les fruits bien mûrs. Après une bonne attaque, on découvre une solide charpente qui laisse augurer un bel avenir. Persistant mais encore fermé, ce vin prometteur est à attendre au moins deux ans.

↩ Dom. des Darroux, Les Darroux,
71570 La Chapelle-de-Guinchay, tél. 03.85.36.73.97,
fax 03.85.36.79.37 ☑ ⟂ ⚹ t.l.j. 10h-19h; f. 15-25 août

DOM. DIOCHON Vieilles Vignes 2002 ★★

| ■ | 2 ha | 9 600 | ⬗ | 11 à 15 € |

Créé en 1935, le domaine est exploité depuis 1967 par Bernard Diochon. Des vignes d'une cinquantaine d'années ont donné naissance à ce vin rouge sombre au nez expressif associant griotte, kirsch et fruits noirs à de légères notes boisées. Après une attaque souple et ample, la dégustation révèle une belle structure tannique et une palette aromatique complexe où l'on retrouve les fruits rouges et le cassis, accompagnés de nuances de chocolat et de menthe. Puissant et équilibré, un superbe vin qui s'affirme encore plus au palais. Les impatients peuvent déjà le déguster, mais il peut attendre deux à trois ans.

↩ Bernard Diochon,
Le Moulin à Vent, 71570 Romanèche-Thorins,
tél. 03.85.35.52.42, fax 03.85.35.56.41,
e-mail bdiochon@club-internet.fr ☑ ⟂ ⚹ r.-v.

DOM. LES FINES GRAVES 2002 ★

| ■ | 2 ha | 12 000 | ⬗ | 5 à 8 € |

Ce domaine, qui porte le nom du lieu-dit où se situe le siège de l'exploitation, a fort bien réussi les deux millésimes précédents. Le 2002 est dans la même lignée. D'un rubis limpide, il délivre des senteurs de rose et de violette mêlées de notes de kirsch et de cacao. D'agréables tanins confortent la rondeur d'une chair ample et généreuse aux arômes de fruits à noyau et de grillé. Fine mais sans faiblesse, cette harmonieuse bouteille est prête mais

elle pourra attendre un à deux ans. Elle s'accordera avec un gigot d'agneau, du bœuf braisé ou du gibier à plume. De la même exploitation, le **chénas 2002** est cité.
🔑 Jacky Janodet,
Les Garniers, 71570 Romanèche-Thorins,
tél. 03.85.35.57.17, fax 03.85.35.21.69,
e-mail jacky.janodet@wanadoo.fr ☑ 🍷 ⛹ r.-v.

DOM. DU GRANIT Elevé en fût de chêne 2002

■ 5 ha 6 000 8 à 11 €

Exploité par la troisième génération, ce domaine fondé en 1918 couvre 8,50 ha. Il propose un 2002 d'un rouge soutenu, qui a séjourné six mois en fût de chêne. De subtils parfums épicés constituent, avec une bouche fruitée, dotée d'élégants tanins légèrement réglissés, un ensemble équilibré et plaisant. On peut déboucher dès maintenant ce moulin-à-vent, ou l'attendre deux ans. A servir avec gibier ou fromage.
🔑 Dom. du Granit, La Rochelle, 69840 Chénas,
tél. 04.74.04.48.40, fax 04.74.04.47.66 ☑ 🍷 ⛹ r.-v.

DOM. DU GROSEILLER Elevé en fût de chêne 2003 ★

■ 1,4 ha 10 000 5 à 8 €

D'un rouge profond, ce 2003 délivre des notes assez discrètes de vanille, de fraise et d'épices. Charnu à l'attaque, légèrement minéral, le palais est marqué par un boisé soutenu mais bien fondu. Solidement structuré, ce moulin-à-vent doit mûrir au moins deux ans.
🔑 Jacques et Cécile Perrachon,
La Bottière, 69840 Juliénas,
tél. 03.85.36.75.42, fax 03.85.33.86.36 🍷 ⛹ r.-v.

DOM. LARDY 2003 ★★

■ 1,7 ha 10 000 8 à 11 €

Fondé en 1914, ce domaine s'est distingué ces dernières années (voir son morgon 2000). Implantées sur des sols de granite et de manganèse, des vignes de soixante-cinq ans sont à l'origine de ce moulin-à-vent rubis aux senteurs florales (rose, iris et pivoine) assorties de notes de pierre à fusil et d'épices. L'excellent équilibre au palais réside dans des tanins denses, bien structurés, des arômes complexes et racés de fruits confits et de chocolat, et dans une belle fraîcheur. Riche, très harmonieux et plein d'avenir, ce vin est à boire au cours des deux ou trois prochaines années. Il accompagnera gibier en sauce ou viande rôtie. Puissant et tannique, le **fleurie Les Roches Vieilles Vignes 2003** a obtenu une étoile.
🔑 Lucien Lardy, Le Vivier, 69820 Fleurie,
tél. 04.74.69.81.74, fax 04.74.04.12.30 ☑ 🍷 ⛹ r.-v.

PARDON ET FILS Les Bruyères des Thorins 2002

■ 0,5 ha 4 000 5 à 8 €

Etabli à Beaujeu depuis 1820, ce négociant commercialise les vins de ses domaines et d'autres qu'il sélectionne dans les propriétés. D'un grenat limpide et brillant, ce 2002 a gardé une apparence de jeunesse. Le nez associe des notes minérales et des nuances boisées bien marquées à d'agréables parfums de confiture de fraises et de groseilles. Ample et gourmande, bien structurée, la bouche demande à s'affiner. Un vin typé à attendre un an.
🔑 Pardon et Fils, 39, rue du Gal-Leclerc,
69430 Beaujeu, tél. 04.74.04.86.97, fax 04.74.69.24.08,
e-mail pardon-fils.vins@wanadoo.fr
☑ 🍷 ⛹ t.l.j. sf sam. dim. 8h-12h 14h-18h; f. août

DOM. DU PRIEURE SAINT ROMAIN 2003

■ 4 ha 34 000 5 à 8 €

Un domaine de 10 ha dont la production est distribuée par la maison Thorin. D'un rouge soutenu et limpide, ce moulin-à-vent offre un nez intense et complexe aux nuances de fraise et de cerise à l'eau-de-vie. Après une attaque charnue aux arômes de fruits noirs très mûrs, la bouche évolue sur des impressions chaudes et tanniques. Structurée et puissante, elle doit s'affiner au moins un an.
🔑 Dom. du Prieuré Saint Romain,
71570 Romanèche-Thorins,
tél. 04.74.69.09.10, fax 04.74.69.09.28,
e-mail information@maisonthorin.com

DOM. DE LA ROCHELLE La Rochelle 2002 ★

■ 8 ha 15 000 8 à 11 €

Domaine aux mains des Sparre, famille aristocratique d'origine suédoise, depuis 1874. Ses 23 ha sont conduits pour partie en biodynamie et pour l'autre en lutte raisonnée. D'un rouge profond et limpide, ce moulin-à-vent évolue de senteurs de fraise cuite et de groseille vers des notes empyreumatiques, des nuances de fruits secs et de pruneau. Riche, ample et aromatique, l'attaque confirme ces premières impressions. Bien structuré, puissant et équilibré, ce 2002 est à attendre deux ans. Il accompagnera du gibier à plume, comme un ragoût de sarcelle.
🔑 GFA des domaines Sparre,
La Tour du Bief, 69840 Chénas, tél. 04.74.66.62.05,
fax 04.74.69.61.38 ☑ 🍷 ⛹ t.l.j. 8h-12h 14h-18h;
sam. dim. sur r.-v.; f. 15 jrs en août

DOM. DE LA ROCHE MERE Récolte MMII Elevé en fût de chêne 2002

■ 0,15 ha 1 000 8 à 11 €

Ce domaine a proposé deux remarquables cuvées dans les deux éditions précédentes du Guide. Il présente cette fois une cuvée spéciale 2002 élevée onze mois en fût de chêne neuf. D'un rouge sombre et limpide, ce vin s'ouvre sur de discrets parfums boisés et vanillés. Ample et ronde, la bouche est imprégnée d'arômes de fruits noirs et d'épices, associés à des notes de chêne marquées. Structurée et agréable, cette bouteille sera appréciée pendant les deux ou trois prochaines années.
🔑 Robert Bridet, le Bourg, 69840 Jullié,
tél. 04.74.04.42.32, fax 04.74.04.42.32,
e-mail robertbridet@wanadoo.fr ☑ 🍷 ⛹ r.-v.

DOM. DE LA TEPPE Les Burdelines 2002 ★

■ 1,2 ha 2 900 8 à 11 €

Cinq générations se sont succédé à la tête de ce domaine qui couvre 24 ha aux confins de la Bourgogne et du Beaujolais. En 1988 avec l'arrivée du fils Pierre Bouzereau, l'exploitation s'est agrandie et s'est lancée dans la vente directe. Pourpre à reflets violacés, cette cuvée livre des senteurs de cassis, de cuir, de cacao et de sous-bois. Ce vin musclé, alliant une bonne vinosité à des tanins plutôt fins, a conservé une agréable fraîcheur. D'un boisé persistant, il est déjà prêt mais peut attendre un à deux ans. On le servira avec une volaille rôtie ou de l'agneau braisé.
🔑 EARL Robert et Pierre Bouzereau,
le Bourg, 71570 Romanèche-Thorins,
tél. 03.85.35.52.47, fax 03.85.35.59.40,
e-mail domainedelateppe@wanadoo.fr ☑ 🍷 ⛹ r.-v.

ESPRIT THORIN Terres de Silice 2003

■ n.c. 66 000 Ⅰ 5 à 8 €

D'un rouge sombre d'une belle limpidité, cette sélection exprime des nuances de fruits très mûrs, de pivoine et d'épices. Après une attaque ronde, veloutée, fruitée et épicée, la bouche évolue vers une finale plus ferme. Représentatif de l'appellation et agréable, ce 2003 est prêt à boire mais il peut aussi attendre quelques années. A retenir encore, les 150 000 bouteilles du **beaujolais La Bareille 2003 (3 à 5 €)**, cité par le jury.

Maison Thorin,
Pont des Samsons, 69430 Quincié-en-Beaujolais,
tél. 04.74.69.09.10, fax 04.74.69.09.28,
e-mail information@maisonthorin.com

DOM. DE LA TREILLE 2003 *

■ 0,16 ha 1 000 ◐ 5 à 8 €

Une famille installée depuis 1955 sur ce domaine d'une quinzaine d'hectares dont certaines constructions remontent au XVIIIes. La troisième génération a vinifié une cuvée grenat d'une belle luminosité. Très agréables, les parfums évoquent la rose, la pivoine et l'iris, avec des nuances de cacao, de vanille et de figue. La bonne attaque est relayée par une structure de puissants tanins qui commencent à s'arrondir. Bien équilibré et long, cet excellent vin de garde doit s'affiner un à deux ans. Le **fleurie 2003** de l'exploitation, élevé en cuve, a été cité.

EARL Jean-Paul et Hervé Gauthier,
Les Frébouches, 69220 Lancié,
tél. 04.74.04.11.03, fax 04.74.69.84.13,
e-mail jean-paul.gauthier2@wanadoo.fr ⊠ Ⅰ ✝ r.-v.

LE VIEUX DOMAINE 2002 **

■ 9 ha 7 000 ◐ 8 à 11 €

Fondé en 1890, ce domaine de 10 ha (dont 9 ha en moulin-à-vent) est régulièrement mentionné dans le Guide, souvent en très bonne place. Ainsi, une nouvelle fois, la totalité de la production du millésime 2002 a-t-elle été retenue : le **chénas (5 à 8 €)** a été cité et, surtout, le moulin-à-vent reçoit un coup de cœur (après les 97 et 92). Cerise burlat limpide, ce 2002 mêle des parfums de fruits rouges acidulés à des notes de vanille, d'épices et de grillé de bonne intensité. La bouche équilibrée développe une bonne charpente avec des arômes fruités et boisés. Un vin « réveillé » et persistant ; une bouteille au riche potentiel que l'on peut déboucher ou attendre deux ou trois ans.

EARL M.-C. et D. Joseph, Le Vieux-Bourg,
69840 Chénas, tél. 04.74.04.48.08, fax 04.74.04.47.36,
e-mail le.vieux.domaine@wanadoo.fr ⊠ Ⅰ ✝ r.-v.

DOM. DES VIGNES DU TREMBLAY 2003

■ 5 ha 18 000 8 à 11 €

Des vignes de soixante-quinze ans sont à l'origine de ce vin rubis mêlant au nez d'intenses notes minérales et iodées à des parfums de fruits rouges et de mangue. Equilibré, charnu, structuré et aromatique, ce moulin-à-vent sera bientôt prêt à boire.

Paul Janin, La Chanillière,
71570 Romanèche-Thorins,
tél. 03.85.35.52.80, fax 03.85.35.21.77 ⊠ Ⅰ ✝ r.-v.

Régnié

Officiellement reconnu en 1988, le plus jeune des crus s'insère entre le morgon au nord et le brouilly au sud, confortant ainsi la continuité des limites entre les dix appellations locales beaujolaises. A l'exception de 5,93 ha sur la commune voisine de Lantignié, les 746 ha délimités de l'appellation sont totalement inclus dans le territoire de la commune de Régnié-Durette. Par analogie avec son aîné le morgon, seul le nom de l'une des communes fusionnées a été retenu pour le désigner. Seuls 525 ha ont été déclarés en AOC régnié en 2003 pour une production de 18 112 hl.

Le territoire de la commune est orienté nord-ouest-sud-est et s'ouvre largement au soleil levant et à son zénith, ce qui a permis au vignoble de s'implanter entre 300 et 500 m d'altitude. Dans la majorité des cas, les racines de l'unique cépage de l'appellation, le gamay noir, explorent un sous-sol sablonneux et caillouteux ; on est ici dans le massif granitique dit de Fleurie. Mais il y a aussi quelques secteurs à tendance légèrement argileuse.

La conduite des vignes et le mode de vinification sont identiques à ceux des autres appellations locales. Toutefois, une exception d'ordre réglementaire ne permet pas la revendication en AOC bourgogne.

Au Caveau des Deux Clochers, près de l'église dont l'architecture originale symbolise le vin, les amateurs peuvent apprécier quelques échantillons de l'appellation. Les vins aux arômes développés de groseille, de framboise et de fleurs, charnus, souples, équilibrés, élégants sont qualifiés par certains de rieurs et de féminins.

DOM. DES BRAVES 2003

■ 4 ha 15 000 Ⅰ 5 à 8 €

Dans la famille Cinquin, voici le fils – dernière génération d'une lignée au service du vin depuis 1903.

Rouge sombre, son régnié 2003 libère de friands parfums de petits fruits où domine le cassis. On retrouve ces frais arômes de cassis dans un palais qui débute par une attaque gouleyante et se poursuit par des tanins souples. Agréablement fruité, équilibré et rond, un vin à boire au cours des deux prochaines années.

🐓 Franck Cinquin, Les Braves, 69430 Régnié-Durette, tél. 04.74.69.05.32, fax 04.74.69.97.31,
e-mail franck.cinquin@wanadoo.fr
☑ ⊻ ⋔ t.l.j. 8h-12h 14h-19h; sam. dim. sur r.-v.

DOM. DES BRAVES 2003 ★

| | 5,2 ha | 20 000 | | 5 à 8 € |

Cet autre domaine des Braves est conduit depuis 1970 par Paul Cinquin, père de Franck (voir ci-dessus). D'un rouge sombre et limpide, son régnié est marqué par des parfums très intenses de groseille, de framboise et de cassis. Après une attaque ronde, charnue et aromatique, la dégustation se poursuit plaisamment sur des impressions tanniques bien fondues et équilibrées. Un ensemble complet et gouleyant à déguster au cours des deux prochaines années avec une viande grillée ou un poisson en sauce.

🐓 Paul Cinquin,
Les Grandes Bruyères, 69430 Régnié-Durette,
tél. 04.74.66.84.67, fax 04.74.66.84.67
☑ ⊻ ⋔ t.l.j. 8h-12h 14h-19h; sam. dim. sur r.-v.

MAISON DES BULLIATS Réserve Terroir 2003 ★

| | 8 ha | n.c. | | 3 à 5 € |

Depuis cette grande maison bourgeoise datant de 1850 se déploie un vaste panorama sur le vignoble et les coteaux. Le domaine compte 8 ha de vignes et ne vend son vin en bouteilles que depuis 1997. Il propose une cuvée rubis violacé aux parfums concentrés de mûre, de myrtille, de noyau de cerise et d'épices. L'attaque, tout d'abord discrète, s'affirme avec des arômes de fruits très mûrs sur une trame élégante. Ample et structuré, un ensemble plaisant à découvrir au cours des deux prochaines années.

🐓 Jean-Max Lambinon,
Les Bulliats, 69430 Régnié-Durette,
tél. 04.74.69.03.40, fax 04.74.69.03.39,
e-mail maison.bulliats@wanadoo.fr ☑ ⊻ ⋔ t.l.j. 9h-20h

DOM. BURNOT-LATOUR 2003 ★

| | n.c. | 10 000 | | 5 à 8 € |

Elevé neuf mois en cuve, ce régnié affiche une robe rouge violacé intense et livre des parfums complexes et puissants de cerise et de framboise très mûre. Aromatique, ronde, charnue et fraîche, la bouche montre un bel équilibre. Un ensemble plaisant à déguster dans l'année.

🐓 Christian Chambon, Lachat, 69430 Régnié-Durette, tél. 04.74.69.26.56, fax 04.74.69.20.99 ☑ ⊻ ⋔ r.-v.

DOM. DES BUYATS 2003

| | n.c. | n.c. | | 5 à 8 € |

Dans la famille depuis trois générations, cette propriété jouxte au sud l'aire du brouilly, et au nord celle du morgon. Rubis clair, ce régnié libère des parfums flatteurs de raisin bien mûr associés à des nuances de fraise et de framboise. Ample, puissante et aromatique, la bouche est encore dominée par des tanins assez vifs. Un vin au bon potentiel qui doit mûrir pendant quelques mois.

🐓 Pierre Coillard,
Dom. des Buyats, Les Bulliats, 69430 Régnié-Durette,
tél. 04.74.04.35.37, fax 04.74.69.02.93,
e-mail domainedesbuyats@voila.fr ☑ ⊻ ⋔ r.-v.

DOM. DU CHAZELAY 2003 ★

| | 2 ha | n.c. | | 5 à 8 € |

Si vous aimez les randonnées à bicyclette, Henri Chavy, ancien cycliste, devrait avoir de bons conseils à vous donner sur les routes de sa région. Si vous aimez le vin, vous pouvez aussi vous rendre au Chazelet. Franck et Cyrille, les deux fils d'Henri, ont chacun leur exploitation mais tous se retrouvent pour partager leur passion de la vigne et du vin. Rouge vif à reflets violets, ce régnié livre des parfums fruités assez discrets. Charnue et aromatique, structurée et équilibrée, la bouche n'exprime pas encore toutes ses potentialités. On attendra ce vin deux à trois ans.

Le **morgon 2003** du domaine reçoit également une étoile pour ses arômes exubérants et de bonne matière.

🐓 Henri Chavy, Le Chazelet, 69430 Régnié-Durette, tél. 04.74.69.24.34, fax 04.74.69.20.00 ☑ ⊻ r.-v.

DOM. DU COLOMBIER Cuvée Vieilles Vignes 2003

| | 1,5 ha | 3 000 | | 5 à 8 € |

Issue d'une petite parcelle de vignes de cinquante ans, cette cuvée rubis profond libère des parfums de fruits rouges bien mûrs associés à des notes minérales. Après une attaque souple et fraîche, le palais évolue rapidement, révélant une charpente de fins tanins. Des arômes fruités s'harmonisent avec des notes de terroir. Ce vin complet est à boire au cours des deux prochaines années.

🐓 Paul Desplace,
Le Colombier, 69430 Régnié-Durette,
tél. 04.74.69.06.96, fax 04.74.69.06.96 ☑ ⊻ r.-v.

DOM. DE COLONAT Cuvée Vieilles Vignes 2003 ★

| | 0,76 ha | 4 900 | | 8 à 11 € |

Six générations de Collonge se sont succédé à la tête de ce domaine dont les origines remontent à 1828. D'un rubis profond à reflets vermillon, cette cuvée livre des parfums expressifs de groseille et de mûre qui se prolongent au palais, associés à de bons tanins. Charnu et « réveillé », équilibré et long, ce beau régnié sera apprécié pendant les deux prochaines années. De la même propriété, le **morgon cuvée Tradition 2003**, a été cité.

🐓 Bernard Collonge,
Dom. de Colonat, Saint-Joseph, 69910 Villié-Morgon,
tél. 04.74.69.91.43, fax 04.74.69.92.47,
e-mail domaine.de.colonat@wanadoo.fr ☑ ⊻ r.-v.

DOM. DE LA COMBE GOUTY 2002

| | 1 ha | 5 000 | | 5 à 8 € |

Après douze années passées aux Hospices de Beaujeu comme maître de chai, Louis-Noël Chopin a loué, en 1994, 6,5 ha de vignes et réalisé sa passion : devenir vigneron. D'un rubis soutenu et limpide, son régnié 2002 montre quelques reflets orangés. Son fruité de bonne intensité mêlé de notes vineuses accompagne assez discrètement une bouche vive et rafraîchissante. Quelques jeunes tanins surgissent en finale. Ce vin équilibré et plutôt souple est à boire au cours des deux prochaines années.

🐓 Louis-Noël Chopin, Le Trève, 69460 Le Perréon,
tél. 04.74.03.21.59, fax 04.74.02.13.30,
e-mail ln.chopin@wanadoo.fr ☑ ⊻ ⋔ r.-v.

REGINE ET DIDIER COSTE-LAPALUS
Fût de chêne 2002

| | 1,7 ha | 1 000 | | 5 à 8 € |

En 1999, une partie des vignes familiales jusqu'alors confiées à un fermier ont été reprises par l'actuel exploitant. Elles sont à l'origine de ce vin d'un carmin limpide

agrémenté de quelques reflets orangés. Ses parfums évolués et agréables associent les fruits mûrs à la réglisse et à la vanille. La bouche assez vive montre quelques arômes fruités même si les notes boisées dominent. Ce 2002 bien structuré, résultat d'un bon élevage sous bois, est à boire au cours des deux prochaines années.
🔑 Coste-Lapalus, chem. des Bruyères,
69430 Régnié-Durette, tél. 04.74.04.38.04 ☑ Y ⚲ r.-v.
🔑 Coste

DOM. DU CRET DES BRUYERES 2003

■ n.c. 13 000 ■ 5 à 8 €

Cette propriété est souvent mentionnée. C'est encore le cas cette année avec deux citations : pour un **chiroubles 2003** et pour ce régnié grenat issu de vignes de quarante ans. Ce 2003 offre un nez assez intense où se mêlent le cassis, les fruits rouges et des nuances amyliques. Ronde et charnue, la bouche reste dominée par les arômes de fruits noirs. Doté d'une bonne structure et assez persistant, ce vin bien travaillé est à boire maintenant.
🔑 EARL René et Gilles Desplace,
Aux Bruyères, 69430 Régnié-Durette,
tél. 04.74.04.37.13, fax 04.74.04.30.55,
e-mail gillesdesplace@wanadoo.fr ☑ ⌂ Y ⚲ r.-v.

DOM. DU CRET D'ŒILLAT 2003

■ 9,3 ha 5 000 ■ 5 à 8 €

Un domaine familial de 9,5 ha dont les origines remontent à 1900. Des vignes de quarante ans ont donné ce régnié rubis aux intenses parfums de fraise et de framboise associés à des nuances florales. On retrouve en bouche les arômes de fruits rouges, en harmonie avec une structure plutôt fine pour un cru. Un vin rond et léger que l'on boira au cours des deux prochaines années.
🔑 EARL du Crêt d'Œillat,
Le Bourg, 69430 Régnié-Durette,
tél. 04.74.04.38.75, fax 04.74.04.38.75 ☑ Y ⚲ r.-v.
🔑 J.-F. Matray

REMY CROZIER 2003

■ 2,8 ha 6 000 ■ 3 à 5 €

Des vignes de quarante-cinq ans ont donné naissance à un régnié rubis soutenu qui s'ouvre sur des notes de fruits à noyau, de fleurs et des nuances minérales. Friande et aromatique, la bouche révèle une matière charnue et ronde, plus austère en finale. A boire au cours des deux prochaines années.
🔑 Rémy Crozier,
Les Maisons Neuves, 69430 Régnié-Durette,
tél. 04.74.04.39.59, fax 04.74.04.39.59,
e-mail remycrozier@wanadoo.fr ☑ Y ⚲ r.-v.

HOSPICES DE BEAUJEU 2003 ★★

■ 25 ha 100 000 ■ 5 à 8 €

En 2004, les vins des Hospices de Beaujeu vont être soumis pour la deux-cent-septième fois aux enchères pendant les deux feux d'une bougie. Cette cuvée va être convoitée. D'un rouge sombre intense, elle livre sur un fond minéral de puissants parfums de cassis, de mûre et de groseille. La belle attaque charnue de sa matière concentrée est soutenue par des tanins fondus aux accents du terroir très agréables. Equilibré, typé et frais, cet excellent ensemble ravira plus d'un palais pendant quatre ans. Il pourra accompagner une viande grillée, de la charcuterie ou un poisson en sauce. Le **brouilly 2003** quant à lui, reçoit une étoile pour sa très bonne constitution.

🔑 Hospices de Beaujeu,
La Grange Charton, 69430 Régnié-Durette,
tél. 06.85.41.17.42, fax 04.74.04.31.05

DOM. DOMINIQUE JAMBON 2003 ★★

■ 4,2 ha 6 000 ■ 5 à 8 €

Installé depuis 1982, Dominique Jambon a repris en 1995 les vignes travaillées par son père, et a construit en 2003 un nouveau cuvage en remplacement des deux anciens devenus trop petits. Habillée de grenat à reflets de velours noir, cette cuvée livre des notes agréables de mûre, de groseille et de cassis associées à de fines nuances d'iris. Tout d'abord discrète, sa charpente tannique s'affirme ensuite révélant sa rondeur dans une chair persistante et vive. Ce 2003 bien fait est à boire dans les deux ans. Le **morgon 2003** de l'exploitation a obtenu une citation.
🔑 Dominique Jambon, Arnas, 69430 Lantignié,
tél. 04.74.04.80.59, fax 04.74.04.80.59,
e-mail dominique.jambon@wanadoo.fr ☑ Y ⚲ r.-v.

DIDIER LAGNEAU Vieilles Vignes 2003

■ 6,8 ha 600 ■ 5 à 8 €

Installé en 1999 sur 1,8 ha, ce jeune vigneron exploite maintenant près de 7 ha grâce à des parcelles héritées du grand-père. Grenat à reflets violets, son régnié associe au nez des fruits mûrs à des notes florales et épicées. L'attaque souple met en évidence des tanins fins et aromatiques. Cet agréable représentant de l'appellation est à boire dans l'année.
🔑 Didier Lagneau, Huire, 69430 Quincié-en-Beaujolais,
tél. 06.07.05.97.66, fax 04.74.04.89.44,
e-mail didier.lagneau@mail.com ☑ Y ⚲ r.-v.

GERARD LAGNEAU 2003 ★

■ 4,5 ha 12 000 ■ 5 à 8 €

Des vignes de soixante ans cultivées sur des sols granitiques sont à l'origine de ce régnié couleur cerise burlat. Ses parfums de bonne intensité mêlent la minéralité du terroir aux petits fruits rouges très mûrs et à des notes d'épices douces. D'emblée, des tanins soyeux soulignés d'arômes de fruits rouges remplissant le palais constituent un ensemble équilibré, plaisant et long. A boire dans l'année. Le **beaujolais-villages rouge 2003 (3 à 5 €)** du domaine a été cité.
🔑 EARL Gérard Lagneau,
Huire, 69430 Quincié-en-Beaujolais,
tél. 04.74.69.20.70, fax 04.74.04.89.44,
e-mail jealagneau@wanadoo.fr ☑ ⌂ Y ⚲ r.-v.

ANDRE LAISSUS 2003 ★

■ n.c. 12 000 ■ 5 à 8 €

En 1806 déjà, cette famille de vignerons travaillait pour le compte des Hospices de Beaujeu. En 1984, elle a lancé son étiquette. D'un rouge presque noir, ce régnié s'ouvre sur d'intenses parfums de fruits très mûrs. Doté d'une chair ronde et chaleureuse, il garnit le palais de fins tanins et révèle des arômes de fruits surmûris. Un vin riche à boire au cours des deux prochaines années.

⌐ André Laissus, La Grange Charton,
69430 Régnié-Durette, tél. 04.74.04.38.06,
fax 04.74.04.37.75 ☑ ⌂ ⌶ ⚹ t.l.j. 9h-20h

STEPHANE LAROCHE ET MARIA FELISBELA BELINHA 2002

■	7 ha	2 500	■⚖	5 à 8 €

Depuis 1985, la cinquième génération est à la tête de cette exploitation familiale. D'un rouge soutenu montrant quelques reflets tuilés, ce 2002 livre des parfums floraux avec des notes de fruits rouges. Des tanins souples et de fins arômes composent une agréable bouteille à consommer dans l'année.

⌐ Stéphane Laroche et Maria Félisbela Belinha,
Les Braves, 69430 Régnié-Durette,
tél. 04.74.04.36.65, fax 04.74.04.36.65 ☑ ⌶ ⚹ r.-v.

DOM. TANO PECHARD Tradition 2003 ★

■	4 ha	9 000	■⚖	5 à 8 €

Une partie de la maison en pierre est portée sur le premier cadastre napoléonien, ce qui atteste l'ancienneté de cette propriété. Grenat intense, ce 2003 associe d'harmonieuses notes de pivoine, de violette et d'iris aux fruits rouges et confits. Après une bonne attaque franche, sa riche matière soutenue par une charpente de fins tanins s'épanouit avec rondeur au palais. Dotée d'un beau potentiel, elle sera dégustée pendant les trois prochaines années.

⌐ Ghislaine et Patrick Péchard,
Aux Bruyères, 69430 Régnié-Durette,
tél. 04.74.04.38.89, fax 04.74.04.33.35 ☑ ⌶ ⚹ r.-v.

JEAN-PAUL RAMPON Les Larmes du Granit 2003

■	2 ha	5 000	■ 5 à 8 €

Chaque cuvée de l'exploitation porte une dénomination permettant de l'identifier facilement. Comme l'an dernier, les Larmes du Granit ont été sélectionnées. D'un rubis soutenu, le 2003 libère d'assez puissants parfums de fruits rouges et noirs nuancés de pivoine et d'iris. L'attaque franche introduit une bouche aromatique de structure un peu fine. Equilibrée et de bonne facture, une bouteille à boire au cours des deux prochaines années.

⌐ EARL Jean-Paul Rampon,
Les Rampeaux, chem. de la Place,
69430 Régnié-Durette, tél. 04.74.04.36.32,
fax 04.74.69.00.04, e-mail jp@rampon.fr ☑ ⌶ ⚹ r.-v.

DOM. DE LA ROCHE ROSE 2003 ★

■	7,3 ha	8 000	■⚖	5 à 8 €

Des vignes de quarante ans cultivées sur du granite sont à l'origine de ce régnié grenat aux parfums expressifs et frais de cassis et d'amande. Très puissante et concentrée, la bouche révèle des tanins assez ronds. La finale délicate laisse un bon souvenir. Facile à boire, cet excellent représentant de l'appellation illustre les potentialités du gamay dans le millésime. On le boira au cours des deux prochaines années.

⌐ Georges Demont,
Les Braves, 69430 Régnié-Durette,
tél. 04.74.04.38.98, fax 04.74.04.33.28 ☑ ⌶ ⚹ r.-v.

DOM. RUET 2003 ★

■	2,5 ha	6 000	5 à 8 €

Situé au pied du mont Brouilly, ce domaine d'une douzaine d'hectares est très souvent mentionné en brouilly et en régnié. Le vignoble qui s'étend sur des coteaux exposés au sud a donné un vin grenat limpide aux parfums amples de cassis et de pêche de vigne, avec une pointe d'abricot. Après une attaque sur les fruits rouges, la bouche évolue sur de puissants tanins enrobés d'une chair persistante. Concentré et complet, ce 2003 est à déguster au cours des trois prochaines années.

⌐ Dom. Jean-Paul Ruet, Voujon, 69220 Cercié,
tél. 04.74.66.85.00, fax 04.74.66.89.64,
e-mail ruet.beaujolais@wanadoo.fr ☑ ⌶ ⚹ r.-v.

DOM. DES SOUZONS Cuvée Vieilles Vignes 2002 ★

■	2 ha	5 000	■▥⚖	5 à 8 €

Dans les caves de cette ancienne métairie du château de Thulon (XIIIᵉ et XVᵉs.) achetée en 1987, a été élevé un vin pourpre au nez mêlant fruits rouges, nuances amyliques, notes boisées à la minéralité du granite. Après une attaque charnue aux arômes de fruits rouges, des tanins assez fermes font sentir leur présence, particulièrement en finale. Vif, typé et long, ce 2002 sera dégusté au cours des deux prochaines années avec une assiette de charcuterie ou du poisson. De la même exploitation, le **beaujolais-villages rouge Domaine de Thulon 2003** a été cité.

⌐ EARL A. et R., C., L. Jambon, Thulon,
69430 Lantignié, tél. 04.74.04.80.29, fax 04.74.69.29.50,
e-mail jambon.annie-rene@wanadoo.fr ☑ ⌶ ⚹ r.-v.

Saint-amour

Totalement inclus dans le département de Saône-et-Loire, les 317 ha de l'appellation produisent 13 086 hl sur des sols argilo-siliceux décalcifiés, de grès et de cailloutis granitiques, faisant la transition entre les terrains purement primaires au sud et les terrains calcaires voisins au nord, qui portent les appellations saint-véran et mâcon. Deux « tendances œnologiques » émergent pour épanouir les qualités du gamay noir : l'une favorise une cuvaison longue dans le respect des traditions beaujolaises, donnant aux vins nés sur les roches granitiques le corps et la couleur nécessaires pour faire des bouteilles de garde ; l'autre préconise un traitement de type primeur, donnant des vins consommables plus tôt pour assouvir la curiosité des amateurs. Le saint-amour accompagnera des escargots, de la friture, des grenouilles, des champignons ou une poularde à la crème.

L'appellation a conquis de nombreux consommateurs étrangers et une très grande part des volumes produits alimente le marché extérieur. Le visiteur pourra découvrir le saint-amour dans le caveau créé en 1965, au lieu-dit le Plâtre-Durand, avant de continuer sa route vers l'église et la mairie qui, au sommet d'un mamelon de 309 m d'altitude, dominent la région. A l'angle de l'église, une statuette rappelle la conversion du soldat romain qui donna son nom à la commune ; elle fait oublier les peintures, aujourd'hui disparues, d'une maison du hameau des Thévenins, qui auraient témoigné de la joyeuse vie menée pendant la Révolution dans cet « hôtel des Vierges » et qui expliqueraient, elles aussi, le nom de ce village...

DOM. DE L'ANCIEN RELAIS Vieilles Vignes 2002

■ 2 ha 15 000 ▮ **5 à 8 €**

Dans la cave voûtée datant de 1399, André Poitevin a aménagé un caveau de dégustation. Les 6,5 ha de vignes du domaine sont exploités depuis 1995 par sa fille et son gendre. D'un grenat profond, leur saint-amour Vieilles Vignes est né de ceps de soixante ans. Il s'ouvre sur une palette de fruits très mûrs, voire compotés, associés à des notes de menthe et de cannelle. Des nuances de kirsch imprègnent une bouche puissante aux tanins encore un peu fermes. Ce beau vin devrait connaître une évolution favorable. Il peut attendre deux ans.

🗝 EARL André Poitevin,
Les Chamonards, 71570 Saint-Amour-Bellevue,
tél. 03.85.37.16.05, fax 03.85.37.40.87,
e-mail earlandrepoitevin@terre-net.fr ☑ Y ⛹ r.-v.
🗝 Jean-Yves Midey

HELENE BARBELET 2003 ★★

■ 5,95 ha 24 000 ▮🌡 5 à 8 €

Depuis 1981, la sixième génération exploite les 6 ha du domaine familial. Elle a entrepris de nombreux travaux pour optimiser la vinification. D'un rouge très profond, ce saint-amour livre de subtils parfums de pêche blanche et de fruits rouges avec des notes de cuir neuf. Après l'attaque pleine de rondeur, d'intenses arômes de fraise et de framboise s'épanouissent, accompagnant une matière concentrée, riche et vineuse. Le bel équilibre entre la souplesse et la vivacité de la chair incite à déguster ce vin dès à présent, mais il peut attendre un ou deux ans.

🗝 Hélène Barbelet,
Les Billards, 71570 Saint-Amour-Bellevue,
tél. 03.85.36.51.36, fax 03.85.37.19.74 ☑ Y ⛹ r.-v.

JACQUES CHARLET La Victorine 2003 ★★

■ n.c. n.c. 5 à 8 €

D'un rouge vif, limpide et brillant, la sélection de ce négociant s'impose par ses parfums de fruits rouges et de cassis d'une bonne intensité, associés à des notes de pivoine et de rose. Le palais séduit par la rondeur de sa chair ; des tanins serrés n'altèrent ni la souplesse ni la finesse de ce saint-amour élégant et plein de charme. Cette bouteille devrait être à son apogée à la sortie du Guide.

🗝 Jacques Charlet, 71570 La Chapelle-de-Guinchay,
tél. 03.85.36.82.41, fax 03.85.33.83.19

DOM. LES COTES DE LA ROCHE 2003

■ 2,3 ha 5 000 ▮ **5 à 8 €**

En 2003, le fils a rejoint ses parents sur le domaine créé en 1973, et qui compte aujourd'hui 15 ha. Affichant une superbe robe rubis éclatant, leur saint-amour livre de complexes parfums de mûre et de myrtille ponctués de notes florales. L'attaque charnue et aromatique, sur le fruit rouge, s'estompe pour faire place à une belle mâche pleine de fraîcheur. Long et d'un bon équilibre, ce vin devra attendre un an avant de paraître à table. Il s'entendra avec une côte de bœuf charolais.

🗝 EARL Joëlle et Gérard Descombes,
Les Préaux, 69840 Jullié,
tél. 04.74.04.42.05, fax 04.74.04.48.04 ☑ Y ⛹ r.-v.

DOM. LE COTOYON 2003

■ 4 ha 5 000 **5 à 8 €**

Proche de Juliénas, ce domaine a aménagé deux gîtes et une piscine. Les visiteurs pourront goûter les vins de la propriété, parmi lesquels deux ont été cités par les jurys Hachette : le **juliénas 2002, fût de chêne**, et ce saint-amour rouge sombre au nez intense mais fin associant vanille, bergamote et cassis. Vineuse et aromatique, la bouche doit s'affiner. Une bouteille à attendre un à deux ans.

🗝 Frédéric Bénat, Les Ravinets, 71570 Pruzilly,
tél. 03.85.35.12.90, fax 03.85.35.12.90 ☑ 🏠 Y ⛹ r.-v.

DOM. DES DUC 2003

■ 9,5 ha 50 000 ▮🌡 **8 à 11 €**

Présente dans le Guide dès la première édition, la famille Duc y a collectionné les mentions, notamment en saint-amour. Paré d'une robe rouge soutenu d'une belle intensité, celui-ci livre de délicats parfums de pêche bien mûre et de fraise. Rond, fruité et volumineux au palais, il finit sur des sensations douces. A attendre quelques mois. Le **chénas 2002** du domaine a également été cité.

🗝 Dom. des Duc,
La Piat, 71570 Saint-Amour-Bellevue,
tél. 03.85.37.10.08, fax 03.85.36.55.75,
e-mail duc@vins-du-beaujolais.com ☑ Y ⛹ r.-v.

PASCAL DURAND En Paradis 2003 ★

■ 3 ha 17 000 ▮ **8 à 11 €**

Une étoile en Paradis... décrochée par Pascal Durand qui s'est installé en 1999 sur la petite (4 ha) propriété familiale. D'un rouge soutenu, son saint-amour délivre des parfums très agréables de cerise et de fraise, assortis d'une pointe amylique caractéristique. Riche, plein, concentré, le palais révèle des tanins assez puissants et des arômes persistants. Le très beau produit d'un travail soigné sur des raisins d'excellente maturité. Déjà prêt, il pourra attendre deux à trois ans. Un dégustateur suggère de le servir sur un gâteau de foie lyonnais.

🗝 Pascal Durand,
En Paradis, 71570 Saint-Amour-Bellevue,
tél. 03.85.36.52.97, fax 03.85.36.52.50,
e-mail saint-amour.pascaldurand@wanadoo.fr
☑ Y ⛹ r.-v.

JEAN-JACQUES ET SYLVAINE MARTIN 2003 ★★★

■ 0,5 ha 2 000 ▮ 5 à 8 €

Jean-Jacques et Sylvaine Martin se sont installés comme métayers en 1973 et ont patiemment constitué leur domaine, qui compte aujourd'hui 6,50 ha. Les deux fils, Cédric et Patrice ont hérité de leurs talents de vignerons et exploitent d'autres vignes sur la même commune. On retrouve ces trois noms dans les diverses éditions du Guide. Le grand jury des saint-amour a plébiscité cette cuvée pourpre profond aux parfums de cassis, de myrtille et de groseille très mûrs évoluant vers la fraise des bois.

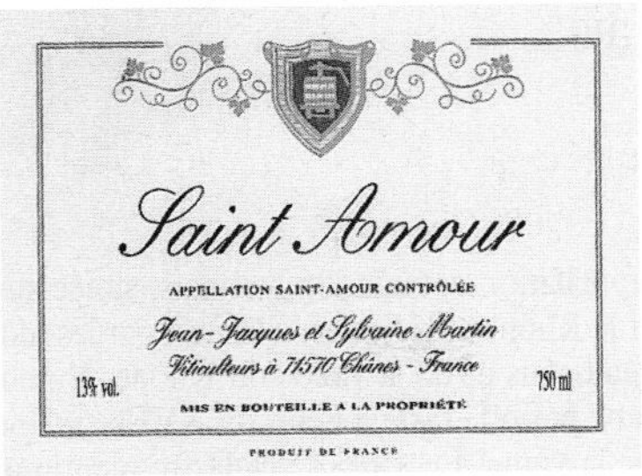

Ample, charnu, souple avec de superbes tanins fondus, tout en longueur, ce vin intense et plein de charme pourra être dégusté pendant quatre ans. Il accompagnera une côte de bœuf charolais.
🗝 Jean-Jacques Martin, Les Verchères, 71570 Chânes, tél. 03.85.37.42.27, fax 03.85.37.47.43 ☑ Y 🚶 r.-v.

CEDRIC MARTIN 2003 ★★

■ 1 ha 2 100 ▮ 5 à 8 €

Un coup de cœur pour Cédric Martin, fils de Jean-Jacques et de Sylvaine, qui a appris le métier en famille.

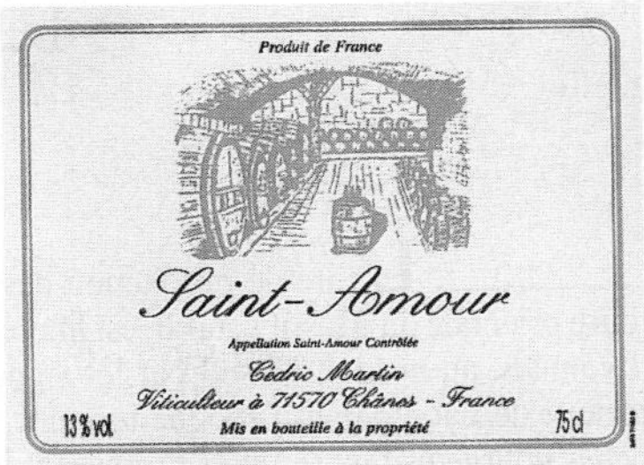

Comme ses parents, il privilégie les levures indigènes pour les fermentations. D'un rouge très sombre à reflets violets, son saint-amour offre un nez discret mais d'une agréable complexité où se mêlent framboise et pivoine associées à une touche de cuir. Puissant, riche et concentré tout en conservant de la rondeur, ce vin aux arômes persistants de bigarreau montre une structure tannique pleine de promesses. Sérieuse, de garde, une bouteille à attendre deux ans. On pourra aussi s'intéresser au **beaujolais blanc 2003** du domaine, cité.
🗝 Cédric Martin, Les Verchères, 71570 Chânes, tél. 03.85.37.46.32, fax 03.85.37.46.32 ☑ Y 🚶 r.-v.

Le Lyonnais

L'aire de production des vins de l'appellation coteaux du lyonnais, située sur la bordure orientale du Massif central, est limitée à l'est par le Rhône et la Saône, à l'ouest par les monts du Lyonnais, au nord et au sud par les vignobles du Beaujolais et de la vallée du Rhône. Vignoble historique de Lyon depuis l'époque romaine, il connut une période faste à la fin du XVIe s., religieux et riches bourgeois favorisant et protégeant la culture de la vigne. En 1836, le cadastre mentionnait 13 500 ha. La crise phylloxérique et l'expansion de l'agglomération lyonnaise ont réduit la zone de production. Aujourd'hui, la superficie en production s'élève à 350 ha, répartis sur quarante-neuf communes ceinturant la grande ville par l'ouest, depuis le mont d'Or, au nord, jusqu'à la vallée du Gier, au sud.

Cette zone de 40 km de long sur 30 km de large est structurée par un relief sud-ouest–nord-est qui détermine une succession de vallées à 250 m d'altitude et de collines atteignant 500 m. La nature des terrains est variée ; on y rencontre des granites, des roches métamorphiques, sédimentaires, des limons, des alluvions et du lœss. La structure perméable et légère, la faible épaisseur de certains de ces sols sont le facteur commun qui caractérise la zone viticole où prédominent les roches anciennes.

Coteaux-du-lyonnais

Les trois principales tendances climatiques du Beaujolais sont présentes ici, avec toutefois une influence méditerranéenne plus prononcée. Cependant, le relief, plus ouvert aux aléas climatiques de type océanique et continental, limite l'implantation de la vigne à moins de 500 m d'altitude et l'exclut des expositions nord. Les meilleures situations se trouvent au niveau du plateau. L'encépagement de cette zone est essentiellement à base de gamay noir, cépage qui, vinifié selon la méthode beaujolaise, donne les produits les plus intéressants et les plus recherchés de la clientèle lyonnaise. Les autres cépages admis dans l'appellation sont, en blanc, le chardonnay et l'aligoté. La densité requise est au minimum de 6 000 pieds/ha, les tailles autorisées étant le gobelet ou le cordon et la taille guyot. Le rendement de base est de 60 hl/ha, les degrés d'alcool minimum et maximum étant de 9,5 ° et 12,5 ° pour les vins rouges et les vins blancs. La production est de 10 812 hl en rouge et rosé, et 984 hl en blanc pour l'année 2003. Vinifiant les trois quarts de la récolte, la cave coopérative de Sain-Bel est un élément moteur dans cette région de polyculture, où l'arboriculture fruitière est fortement implantée.

Consacrés AOC en 1984, les vins des coteaux du lyonnais sont fruités, gouleyants, riches en parfums, et accompagnent agréablement et simplement toutes les cochonnailles lyonnaises, saucisson, cervelas, queue de cochon, petit salé, pieds de porc, jambonneau, ainsi que les fromages de chèvre.

LE BOUC ET LA TREILLE Cuvée de garde 2003

| ■ | 2 ha | 10 000 | ▮↓ | 3 à 5 € |

Un nom évocateur de fables pour cette exploitation installée dans le château de Poleymieux (XIIIe s.). Citée également pour sa production de **coteaux-du-lyonnais blanc 2003** (né de chardonnay), elle a élaboré un vin rouge aux parfums de raisin assez discrets mais frais. Equilibré, léger et tendre, il sera apprécié des joueurs de boules ou des habitués d'un bouchon lyonnais. Convivial et typique, donc.

↬ Le Bouc et la Treille, 82, chem. de la Tour-Risler, 69250 Poleymieux-au-Mont-d'Or,
tél. 06.60.21.59.22, fax 04.78.91.93.74,
e-mail s.vier@wanadoo.fr ☑ ⏐ 人 r.-v.

DOM. DU CLOS SAINT-MARC
Les Doyennes 2003

| ■ | 5 ha | 20 000 | ▮↓ | 3 à 5 € |

Un domaine habitué du Guide. Pour la troisième année consécutive, on retrouve ses Doyennes : une cuvée née des vignes les plus anciennes de la propriété. En 2003, ces vénérables ceps ont été vendangés le 16 août ! Ils sont à l'origine de ce vin à la robe légère et aux parfums de framboise et de bonbon anglais. Tendre, ce vin présente une agréable fraîcheur associée à des arômes de groseille et de framboise. A boire dans l'année.

↬ GAEC du Clos Saint-Marc, 60, rte des Fontaines, 69440 Taluyers, tél. 04.78.48.26.78, fax 04.78.48.77.91,
e-mail contact@clos-st-marc.com ☑ ⏐ 人 r.-v.

DOM. CONDAMIN 2003 ★★

■ 0,7 ha 5 000 ▮ 3 à 5 €

Cette propriété familiale de 10 ha a pris une nouvelle orientation en 2002 en rénovant sa cave de vinification. Obtenu par macération carbonique, ce vin rouge sombre aux reflets violet soutenu livre des parfums de cassis et de violette accompagnés de discrètes notes poivrées. Sa matière riche, charnue et aromatique, son harmonieuse structure de tanins fins en font un excellent représentant de l'appellation. C'est aussi une belle expression du millésime. Cette bouteille est prête, mais elle peut attendre un à deux ans.

🔑 GAEC du Dom. Condamin,
85, rte du Batard, 69440 Taluyers,
tél. 04.78.48.24.41, fax 04.78.48.24.41 ☑ Y 🚶 r.-v.

MICHEL DESCOTES 2003

▒ 1,5 ha 4 000 ▮ ♁ 3 à 5 €

D'un jaune soutenu à reflets verts, ce 2003 né de chardonnay offre une palette aromatique intense mêlant fleurs blanches, agrumes, notes fermentaires et fumée. Le palais montre un équilibre suffisant entre la vivacité et la chair. Une bouteille à boire dans l'année. On pourra la servir sur une viande blanche.

🔑 Michel Descotes,
12, rue de la Tourtière, 69390 Millery,
tél. 04.78.46.31.03, fax 04.72.30.16.65 ☑ Y 🚶 r.-v.

REGIS DESCOTES 2003

▒ 1,2 ha 6 000 ▮ ♁ 5 à 8 €

Régis Descotes s'est signalé dans les dernières éditions par deux remarquables vins blancs, élevés en cuve et en fût. Le 2003 est en-deçà, mais suffisamment honorable pour figurer ici. L'alliance de 20 % d'aligoté au chardonnay est à la base de cette cuvée jaune pâle, au nez évoquant des fruits secs, avec des nuances d'agrumes et une touche végétale. Après une attaque franche et souple, elle garnit le palais d'une chair aux arômes discrets. A boire dans l'année.

🔑 Régis Descotes, 16, av. du Sentier, 69390 Millery,
tél. 04.78.46.18.77, fax 04.78.46.16.22,
e-mail vinsdescotes@wanadoo.fr ☑ Y 🚶 r.-v.

ETIENNE DESCOTES ET FILS
Vieilles Vignes 2003

■ 1,2 ha 8 000 ▮ ◍ ♁ 5 à 8 €

Issu de vignes de soixante ans, ce vin rubis limpide diffuse des senteurs automnales boisées. Il révèle en bouche un bon équilibre entre des saveurs fruitées et vanillées du chêne. D'une ampleur moyenne, il est à boire dans l'année.

🔑 GAEC Etienne Descotes et Fils,
12, rue des Grès, 69390 Millery,
tél. 04.78.46.18.38, fax 04.72.30.70.68 ☑ Y 🚶 r.-v.

PIERRE ET JEAN-MICHEL JOMARD 2003

▒ 0,93 ha 8 000 ▮ ♁ 3 à 5 €

Ici, on fait du vin depuis le XVIes. Les 23 ha de l'exploitation, situés aux confins du Beaujolais et du Lyonnais, produisent des vins des deux AOC. Le domaine est souvent cité pour ses coteaux-du-lyonnais blancs. Résultat d'une macération pelliculaire, cette cuvée or pâle limpide aux nuances vertes exprime d'intenses parfums d'orange confite et de pamplemousse associés à des notes de beurre et de brioche. Après une attaque franche et vive, elle remplit la bouche d'une chair légère. Cette bouteille n'en remplira pas moins son office servie avec un poisson.

🔑 Pierre et Jean-Michel Jomard,
Le Morillon, 69210 Fleurieux-sur-l'Arbresle,
tél. 04.74.01.02.27, fax 04.74.01.24.04 ☑ Y 🚶 r.-v.

ANNE MAZILLE 2003

▒ 0,4 ha 2 000 ▮ ♁ 3 à 5 €

Domaine créé en 1962. Anne Mazille est à sa tête depuis 1995. Ses vins sont souvent retenus en blanc, parfois aux meilleures places (un 99 a été élu coup de cœur). Ce 2003 présente un nez de fruits très mûrs mêlant la poire, le coing et l'ananas. C'est un vin souple, riche et long, aux arômes de pain au levain, sans excès de vivacité. A boire dans l'année.

🔑 Anne Mazille, 10, rue du 8-Mai, 69390 Millery,
tél. 04.78.46.20.61, fax 04.72.30.16.65,
e-mail anne.mazille@chello.fr ☑ Y 🚶 r.-v.

DOM. DE LA PETITE GALLEE
Vieilles Vignes 2003

■ 2 ha 8 000 ◍ 3 à 5 €

D'un rouge sombre, limpide, un vin aux agréables et discrets arômes de fruits cuits et d'agrumes. Après des premières impressions fruitées et rondes, sa puissante structure faite de tanins denses marque le palais. Une bouteille à attendre un an.

🔑 Robert et Patrice Thollet, La Petite Gallée,
69390 Millery, tél. 04.78.46.24.30,
e-mail contact@domainethollet.com
☑ Y 🚶 t.l.j. sf dim. 9h-12h 14h-19h

DOM. DE PETIT FROMENTIN
Champ de Lorge 2003 ★

▒ 2 ha 5 000 3 à 5 €

Pour constituer son domaine de 14 ha, la famille Decrenisse a remis en valeur certains terroirs tombés en friche. Le domaine a souvent été retenu pour ses vins rouges. Cette année, il se distingue grâce à ce vin or pâle lumineux, aux parfums complexes de mangue, d'ananas, de citron, relevés par des nuances de gingembre et de curry. L'attaque franche, progressive, est suivie d'impressions amples et charnues mais sans excès, avec des arômes de fruits secs. Un vin plaisir, plein de générosité, que l'on pourra apprécier pendant deux ans. Pourquoi ne pas l'essayer avec des crevettes au gingembre ?

🔑 Marie-Jo, André et Franck Decrenisse,
Le Petit-Fromentin, 69380 Chasselay,
tél. 04.78.47.35.11, fax 04.78.47.35.11 ☑ Y 🚶 r.-v.

CAVE DE SAIN-BEL Cuvée Benoît-Maillard 2003 ★

▒ n.c. 30 000 ▮ ♁ 5 à 8 €

Fondée en 1956 par quelques viticulteurs soucieux de préserver la culture de la vigne en Lyonnais, cette coopérative compte 140 adhérents et vinifie la récolte de 280 ha répartis pour les trois-quarts dans l'AOC coteaux-du-lyonnais (le reste en beaujolais). Sa production de qualité a reçu plus d'une fois un coup de cœur. Née de chardonnay, cette cuvée livre des parfums fruités complexes qui se retrouvent dans une bouche souple et longue. On l'appréciera jeune avec un poisson grillé ou des crustacés.

🔑 Cave de Vignerons réunis de Sain-Bel,
RN 89, Les Ragots, 69210 Sain-Bel,
tél. 04.74.01.11.33, fax 04.74.01.10.27,
e-mail cave.vignerons.reunis@wanadoo.fr ☑ Y 🚶 r.-v.

LE BORDELAIS

Partout dans le monde, Bordeaux représente l'image même du vin. Pourtant, le visiteur éprouve aujourd'hui quelques difficultés à déceler l'empreinte vinicole dans une ville délaissée par les beaux alignements de barriques sur le port et par les grands chais du négoce, partis vers les zones industrielles de la périphérie. Et les petits bars-caves où l'on venait le matin boire un verre de liquoreux ont presque tous disparu. Autres temps, autres mœurs.

Il est vrai que la longue histoire vinicole de Bordeaux n'en est pas à son premier paradoxe. Songeons qu'ici le vin fut connu avant... la vigne, quand, dans la première moitié du I^{er}s. av. J.-C. (avant même l'arrivée des légions romaines en Aquitaine), des négociants campaniens commençaient à vendre du vin aux Bordelais. Si bien que, d'une certaine façon, c'est par le vin que les Aquitains ont fait l'apprentissage de la romanité... Par la suite, au I^{er}s. de notre ère, la vigne est apparue. Mais il semble que ce soit surtout à partir du XII^{e}s. qu'elle ait connu une certaine extension : le mariage d'Aliénor d'Aquitaine avec Henri Plantagenêt, futur roi d'Angleterre, favorisa l'exportation des « clarets » sur le marché britannique. Les expéditions de vin de l'année se faisaient par mer, avant Noël. On ne savait pas conserver les vins ; après une année, ils étaient moins prisés parce que partiellement altérés.

A la fin du XVII^{e}s., les « clarets » ont été concurrencés par l'introduction de nouvelles boissons (thé, café, chocolat) et par les vins plus riches de la péninsule Ibérique. D'autre part, les guerres de Louis XIV entraînèrent des mesures de rétorsion économique contre les vins français. Cependant, la haute société anglaise restait attachée au goût des « clarets ». Aussi quelques négociants londoniens cherchèrent-ils, au début du XVIII^{e}s., à créer un nouveau style de vins plus raffinés, les *new French clarets* qu'ils achetaient jeunes pour les élever. Afin d'accroître leurs bénéfices, ils imaginèrent de les vendre en bouteilles. Bouchées et scellées, celles-ci garantissaient l'origine du vin. Insensiblement, la relation terroir-château-grand vin s'effectua, marquant l'avènement de la qualité. A partir de ce moment, les vins commencèrent à être jugés, appréciés et payés en fonction de leur qualité. Cette situation encouragea les viticulteurs à faire des efforts pour la sélection des terroirs, la limitation des rendements et l'élevage en fût ; parallèlement, ils introduisirent la protection des vins par l'anhydride sulfureux qui permit le vieillissement, ainsi que la clarification par collage et soutirage. A la fin du XVIII^{e}s., la hiérarchie des crus bordelais était établie. Malgré la Révolution et les guerres de l'Empire, qui fermèrent provisoirement les marchés anglais, le prestige des grands vins de Bordeaux ne cessa de croître au XIX^{e}s., pour aboutir, en 1855, à la célèbre classification des crus du Médoc, qui est toujours en vigueur malgré les critiques que l'on peut émettre à son égard.

Après cette période faste, le vignoble fut profondément affecté par les maladies de la vigne, phylloxéra et mildiou ; et par les crises économiques et les guerres mondiales. De 1960 à la fin des années 1980, le vin de Bordeaux a connu un regain de prospérité, lié à une remarquable amélioration de la qualité et à l'intérêt que l'on porte, dans le monde entier, aux grands vins. La notion de hiérarchie des terroirs et des crus retrouve sa valeur originelle ; mais les vins rouges ont mieux bénéficié de cette évolution que les vins blancs. Au début des années 2000, le marché connaît des difficultés qui ne seront pas sans incidence sur la structure du vignoble.

Le vignoble bordelais est organisé autour de trois axes fluviaux : la Garonne, la Dordogne et leur estuaire commun, la Gironde. Ils créent des conditions de milieux (coteaux bien exposés et régulation de la température) favorables à la culture de la vigne. En outre, ils ont joué un rôle économique important en permettant le transport du vin vers les lieux de consommation. Le climat de la région bordelaise est relativement tempéré (moyennes annuelles 7,5 °C minimum, 17 °C maximum), et le vignoble protégé de l'Océan par la forêt de pins. Les gelées d'hiver sont exceptionnelles (1956, 1958, 1985), mais une température inférieure à -2 °C sur les jeunes bourgeons (avril-mai) peut entraîner leur destruction. Un temps froid et humide au moment de la floraison (juin) provoque un risque de coulure, qui correspond à un avortement des grains. Ces deux accidents entraînent des pertes de récolte et expliquent la variation de leur importance. En revanche, la qualité de la récolte suppose un temps chaud et sec de juillet à octobre, tout particulièrement pendant les quatre dernières semaines précédant les vendanges (globalement, 2 008 heures de soleil par an). Le climat bordelais est assez humide (900 mm de précipitations annuelles) ; particulièrement au printemps, où le temps n'est pas toujours très bon. Mais les automnes sont réputés, et de nombreux millésimes ont été sauvés *in extremis* par une arrière-saison exceptionnelle ; les grands vins de Bordeaux n'auraient jamais pu exister sans cette circonstance heureuse.

La vigne est cultivée en Gironde sur des sols de natures très diverses et le niveau de qualité n'est pas lié à un type de sol particulier. La plupart des grands crus de vin rouge sont établis sur des alluvions gravelo-sableuses siliceuses ; mais on trouve aussi des vignobles réputés sur les calcaires à astéries, sur les molasses et même sur des sédiments argileux. Les vins blancs secs sont produits indifféremment sur des nappes alluviales gravelo-sableuses, sur calcaire à astéries et sur limons ou molasses. Les deux premiers types se retrouvent dans les régions productrices de vins liquoreux, avec les argiles. Dans tous les cas, les mécanismes naturels ou artificiels (drainage) de régulation de l'alimentation en eau constituent une caractéristique essentielle de la production de vins de qualité. Il s'avère donc qu'il peut exister des crus ayant la même réputation de haut niveau sur des roches-mères différentes. Cependant, les caractères aromatiques et gustatifs des vins sont influencés par la nature des sols ; les vignobles du Médoc et de Saint-Emilion en fournissent de bons exemples. Par ailleurs, sur un même type de sol, on produit indifféremment des vins rouges, des vins blancs secs et des vins blancs liquoreux.

Le vignoble bordelais atteint 123 000 ha en 2003. A la fin du XIXe s., il s'est étendu sur plus de 150 000 ha. Après avoir connu une forte régression dans la première partie du XXe s., il a connu une considérable expansion entre 1983 et 2003, gagnant 20 000 ha. La production globale approche les 7 millions d'hectolitres en moyenne, le millésime 2003, marqué par la canicule, ne représentant que 5 757 000 hl. On assiste à une concentration des propriétés, avec une diminution du nombre des producteurs.

Les vins de Bordeaux ont toujours été produits à partir de plusieurs cépages qui ont des caractéristiques complémentaires. En rouge, les cabernets et le merlot sont les principales variétés. Les premiers donnent aux vins leur structure tannique, mais il faut plusieurs années pour qu'ils atteignent leur qualité optimale ; en outre, le cabernet-sauvignon est un cépage tardif, qui résiste bien à la pourriture, mais avec parfois des difficultés de maturation. Le merlot donne un vin plus souple, d'évolution plus rapide ; il est plus précoce et mûrit bien, mais il est sensible à la coulure, à la gelée et à la pourriture. Sur une longue période, l'association des deux cépages, dont les proportions varient en fonction des sols et des types de vin, donne les meilleurs résultats. Pour les vins blancs, le cépage essentiel est le sémillon (52 %), complété dans certaines zones par le colombard (11 %) et surtout par le sauvignon – qui tend à se développer – et la muscadelle (15 %), qui possèdent des arômes spécifiques très fins. L'ugni blanc est en retrait.

La vigne est conduite en rangs palissés, avec une densité de ceps à l'hectare très variable. Elle atteint 10 000 pieds dans les grands crus du Médoc et des Graves ; elle se situe à 4 000 pieds dans les plantations classiques de l'Entre-deux-Mers, pour tomber à moins de 2 500 pieds dans les vignes dites hautes et larges. Les densités élevées permettent une diminution de la récolte par pied, ce qui est favorable à la maturité ; par contre, elles entraînent des frais de plantation et de culture plus élevés et luttent moins bien contre la pourriture. La vigne est l'objet, tout au long de l'année, de soins attentifs. C'est à la faculté des sciences de Bordeaux qu'a été découverte en 1885 la « bouillie

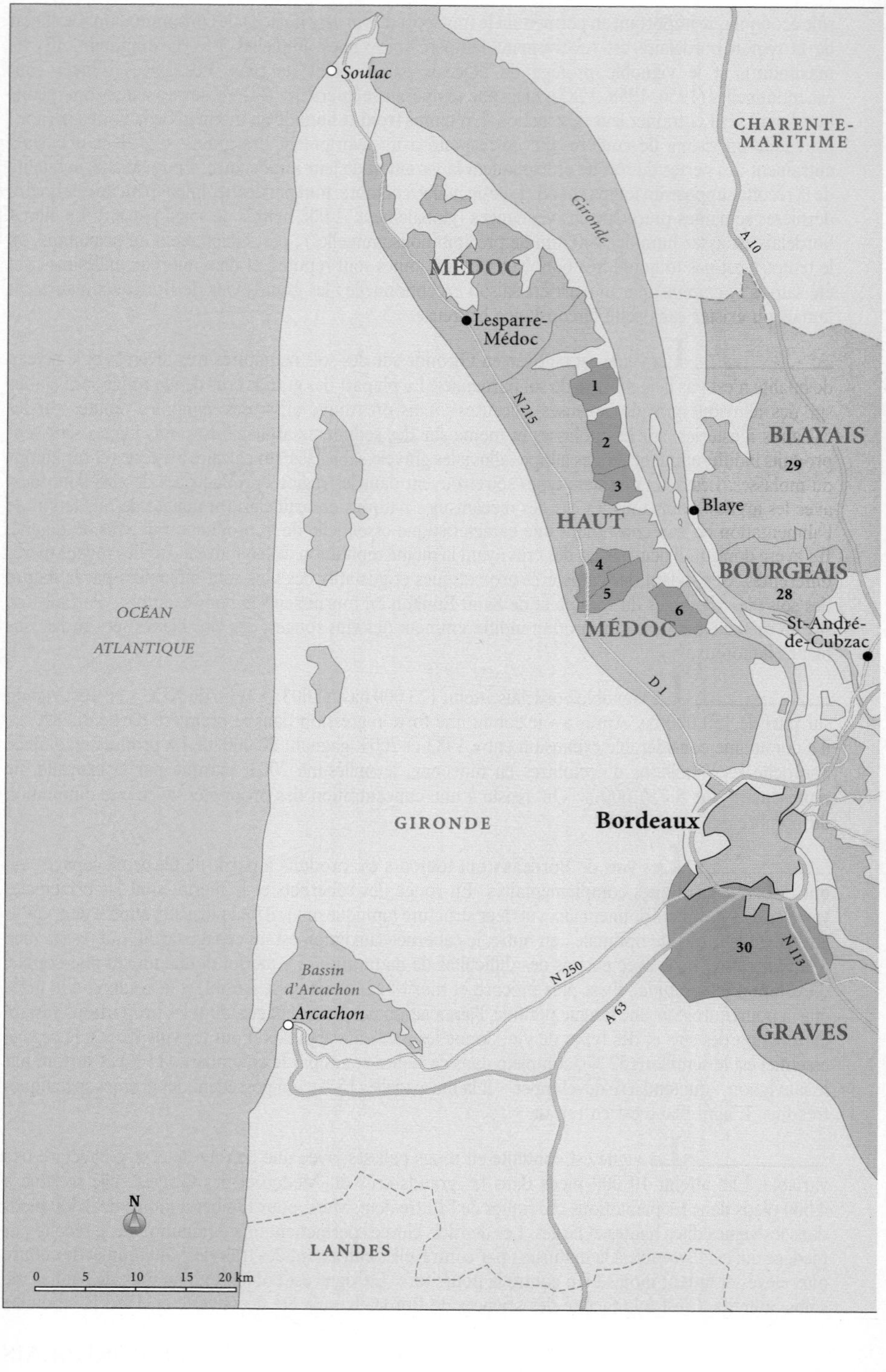

Soulac
CHARENTE-MARITIME
Gironde
A 10
MÉDOC
Lesparre-Médoc
1
2
3
N 215
BLAYAIS
29
Blaye
HAUT
4
5
6
MÉDOC
BOURGEAIS
28
St-André-de-Cubzac
OCÉAN
ATLANTIQUE
D 1
GIRONDE
Bordeaux
30
N 113
N 250
A 63
Bassin
d'Arcachon
Arcachon
GRAVES
N
LANDES
0
5
10
15
20 km

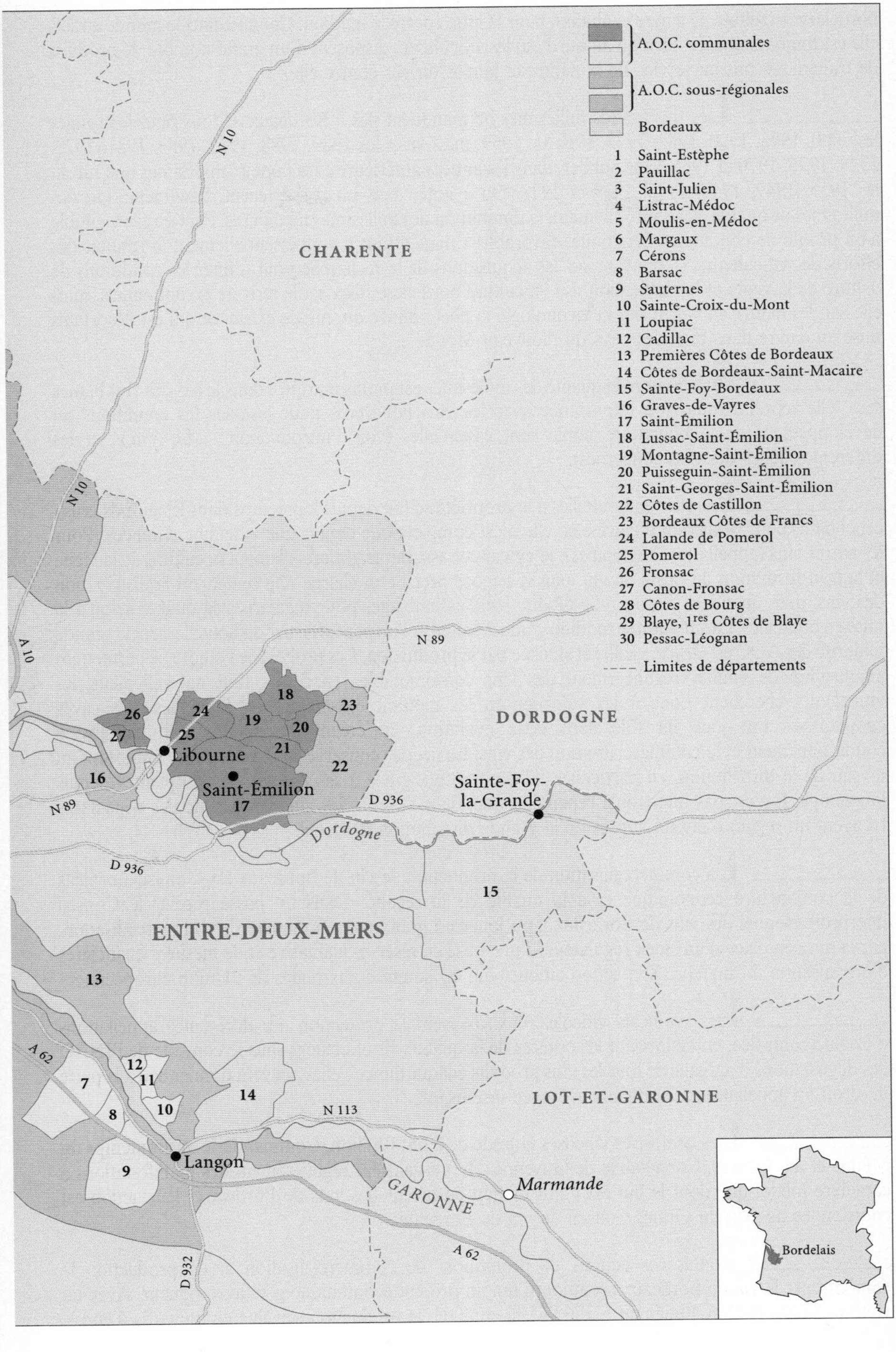
A.O.C. communales
A.O.C. sous-régionales
Bordeaux
1 Saint-Estèphe
2 Pauillac
3 Saint-Julien
4 Listrac-Médoc
5 Moulis-en-Médoc
6 Margaux
7 Cérons
8 Barsac
9 Sauternes
10 Sainte-Croix-du-Mont
11 Loupiac
12 Cadillac
13 Premières Côtes de Bordeaux
14 Côtes de Bordeaux-Saint-Macaire
15 Sainte-Foy-Bordeaux
16 Graves-de-Vayres
17 Saint-Émilion
18 Lussac-Saint-Émilion
19 Montagne-Saint-Émilion
20 Puisseguin-Saint-Émilion
21 Saint-Georges-Saint-Émilion
22 Côtes de Castillon
23 Bordeaux Côtes de Francs
24 Lalande de Pomerol
25 Pomerol
26 Fronsac
27 Canon-Fronsac
28 Côtes de Bourg
29 Blaye, 1res Côtes de Blaye
30 Pessac-Léognan
Limites de départements
CHARENTE
DORDOGNE
ENTRE-DEUX-MERS
LOT-ET-GARONNE
N 10
A 10
N 89
D 936
Libourne
Saint-Émilion
Sainte-Foy-la-Grande
Dordogne
Langon
Marmande
GARONNE
N 113
A 62
D 932
Bordelais

bordelaise » (sulfate de cuivre et chaux), pour la lutte contre le mildiou. Connue dans le monde entier, elle est toujours utilisée, bien qu'aujourd'hui les viticulteurs disposent d'un grand nombre de produits de traitement, mis au service de la nature et jamais dirigés contre elle.

Les très grands millésimes ne manquent pas à Bordeaux. Citons pour les rouges les 2000, 1995, 1990, 1982, 1975, 1961 ou 1959, mais aussi les 1989, 1988, 1985, 1983, 1981, 1979, 1978, 1976, 1970 et 1966, sans oublier, dans les années antérieures, les fameux millésimes que furent les 1955, 1949, 1947, 1945, 1929 et 1928. On a noté, dans un passé récent, l'augmentation des millésimes de qualité et, réciproquement, la diminution des millésimes médiocres. Peut-être le vignoble a-t-il profité de conditions climatiques favorables ; mais il faut y voir essentiellement le résultat des efforts des viticulteurs, s'appuyant sur les acquisitions de la recherche pour affiner les conditions de culture de la vigne et la vinification. La viticulture bordelaise dispose de terroirs exceptionnels, mais elle sait les mettre en valeur par la technologie la plus raffinée qui puisse exister et qui est désormais mise en œuvre dans bien des pays du Nouveau Monde.

Si la notion de qualité des millésimes est moins marquée dans le cas des vins blancs secs, elle reprend toute son importance avec les vins liquoreux, pour lesquels les conditions du développement de la pourriture noble sont essentielles (voir l'introduction : « Le Vin », et les différentes fiches des vins concernés).

La mise en bouteilles à la propriété se fait depuis longtemps dans les grands crus ; cependant, pour beaucoup d'entre eux, elle n'est complète que depuis une vingtaine d'années. Pour les autres vins (appellations régionales), le viticulteur assurait traditionnellement la culture de la vigne et la transformation du raisin en vin, puis le négoce prenait en charge non seulement la distribution des vins, mais aussi leur élevage, c'est-à-dire leurs assemblages pour régulariser la qualité jusqu'à la mise en bouteilles. La situation se modifie graduellement et l'on peut affirmer qu'actuellement la grande majorité des AOC est élevée, vieillie et stockée par la production. Les progrès de l'œnologie permettent aujourd'hui de vinifier régulièrement des vins consommables en l'état ; tout naturellement, les viticulteurs cherchent donc à les valoriser en les mettant eux-mêmes en bouteilles ; les caves coopératives ont joué un rôle dans cette évolution, en créant des unions qui assurent le conditionnement et la commercialisation des vins. Le négoce conserve toujours un rôle important au niveau de la distribution, en particulier à l'exportation, grâce à ses réseaux bien implantés depuis longtemps. Il n'est pas impossible cependant que, dans l'avenir, les vins de marque des négociants trouvent un regain d'intérêt auprès de la grande distribution de détail.

La commercialisation de la production de vin de Bordeaux est soumise aux aléas de la conjoncture économique et à la qualité de la récolte. Dans un passé récent, le Conseil interprofessionnel des vins de Bordeaux a pu jouer un grand rôle en matière de commercialisation, par la mise en place d'un stock régulateur, d'une mise en réserve qualitative et de mesures financières d'organisation du marché. Son action aujourd'hui est soumise aux règles de l'Union européenne.

Les syndicats viticoles, eux, assurent la protection des différentes appellations d'origine contrôlée, en définissant les critères de la qualité. Ils effectuent sous le contrôle de l'INAO des dégustations d'agréage de tous les vins produits chaque année ; elles peuvent donner lieu à la perte du droit à l'appellation si la qualité est jugée insuffisante.

Les confréries vineuses (Jurade de Saint-Emilion, Commanderie du Bontemps du Médoc et des Graves, Connétablie de Guyenne, etc.) organisent régulièrement des manifestations à caractère folklorique dont le but est l'information en faveur des vins de Bordeaux ; leur action est coordonnée au sein du Grand Conseil du vin de Bordeaux.

Toutes ces actions de promotion, de commercialisation et de production le démontrent : le vin de Bordeaux est aujourd'hui un produit économique géré avec rigueur. Avec un volume de production atteignant 5 756 965 hl en 2003, la production s'évalue en milliards d'euros, dont 1,265 milliard à l'exportation. Son importance dans la vie régionale aussi, puisque l'on estime qu'un Girondin sur six dépend directement ou indirectement des activités viti-vinicoles. Mais qu'il soit rouge, blanc sec ou liquoreux, dans ce pays gascon qu'est le Bordelais, le vin n'est pas seulement un produit économique. C'est aussi et surtout un fait de culture. Car derrière chaque étiquette se cachent tantôt des châteaux à l'architecture de rêve, tantôt de simples maisons paysannes, mais toujours des vignes et des chais où travaillent des hommes, apportant, avec leur savoir-faire, leurs traditions et leurs souvenirs.

Les appellations régionales bordeaux

Si le public situe assez facilement les appellations communales, il lui est souvent plus difficile de se faire une idée exacte de ce que représente l'appellation bordeaux. Pourtant, la définir est apparemment simple : ont droit à cette appellation tous les vins de qualité produits dans la zone délimitée du département de la Gironde, à l'exclusion de ceux qui viendraient de la zone sablonneuse située à l'ouest et au sud (la lande, consacrée depuis le XIXes. à la forêt de pins). Autrement dit, ce sont tous les terroirs à vocation viticole de la Gironde qui ont droit à cette appellation. Et tous les vins qui y sont produits peuvent l'utiliser, à condition qu'ils soient conformes aux règles assez strictes fixées pour son attribution (sélection des cépages, rendements à ne pas dépasser...). Mais derrière cette simplicité se cache une grande variété. Variété, tout d'abord, des types de vins. En effet, plus que d'une appellation bordeaux, il convient de parler des appellations bordeaux, celles-ci comportant des vins rouges, mais aussi des rosés et des clairets, des vins blancs (secs et liquoreux) et des mousseux (blancs ou rosés). Variété des origines ensuite, les bordeaux pouvant être de plusieurs types : pour les uns, il s'agit de vins produits dans des secteurs de la Gironde n'ayant droit qu'à la seule appellation bordeaux, comme les régions de palus (certains sols alluviaux) proches des fleuves, ou quelques zones du Libournais (communes de Saint-André-de-Cubzac, Guîtres, Coutras...). Pour les autres, il s'agit de vins provenant de régions ayant droit à une appellation spécifique (Médoc, Saint-Emilion, Pomerol, etc.). Dans certains cas, l'utilisation de l'appellation régionale s'explique alors par le fait que l'appellation locale est commercialement peu connue (comme pour les bordeaux côtes-de-francs, les bordeaux haut-benauge, les bordeaux sainte-foy ou les bordeaux saint-macaire) ; l'appellation spécifique n'est, en définitive, qu'un complément de l'appellation régionale, et, en outre, n'apporte rien de plus à la valorisation du produit. Aussi les viticulteurs préfèrent-ils se contenter de l'image de marque bordeaux. Mais il arrive également que l'on trouve des bordeaux provenant d'une propriété située dans l'aire de production d'une appellation spécifique prestigieuse, ce qui ne manque pas d'intriguer certains amateurs curieux. Mais là aussi l'explication est aisée à trouver : traditionnellement, beaucoup de propriétés en Gironde produisent plusieurs types de vins (notamment des rouges et des blancs) ; or dans de nombreux cas (médoc, saint-émilion, entre-deux-mers ou sauternes), l'appellation spécifique ne s'applique qu'à un seul type. Les autres productions sont donc commercialisées comme bordeaux ou bordeaux supérieurs.

S'ils sont moins célèbres que les grands crus, tous ces bordeaux n'en constituent pas moins quantitativement la première appellation de la Gironde, avec, en 2003, en rouge et rosé, 2 938 309 hl, 369 962 hl pour les blancs et 6 646 hl pour les crémants-de-bordeaux.

L'importance de cette production et l'impressionnante surface du vignoble pourraient laisser penser qu'il n'existe guère de similitudes entre deux bordeaux. Pourtant, si l'on trouve une certaine diversité de caractères, il existe aussi des points communs, donnant leur unité aux différentes appellations régionales. Ainsi les bordeaux rouges sont des vins équilibrés, harmonieux, délicats ; généralement, ils doivent être fruités, mais pas trop corsés, pour pouvoir être consommés jeunes. Les bordeaux supérieurs rouges se veulent des vins plus complets. Ils utilisent les meilleurs raisins, sont vinifiés de façon à leur assurer une certaine longévité. Ils constituent en somme une sélection parmi les bordeaux.

Les bordeaux clairets et rosés, eux, sont obtenus par faible macération de raisins de cépages rouges ; les clairets ont une couleur un peu plus soutenue. Ils sont frais et fruités, mais leur production reste très limitée.

Les bordeaux blancs sont des vins secs, nerveux et fruités. Leur qualité a été récemment améliorée par les progrès réalisés dans les techniques de conduite de la vinification, mais cette appellation ne jouit pas encore de la notoriété à laquelle elle devrait pouvoir prétendre. Ce qui explique que certains vins soient « repliés » en vins de table, puisque, la différence de cotation étant parfois assez faible, il est plus avantageux commercialement de vendre du vin de table que du bordeaux blanc. Constituant une sélection, les bordeaux supérieurs blancs sont moelleux et onctueux ; leur production est limitée.

Il existe enfin une appellation crémant-de-bordeaux. Les vins de base doivent être produits dans l'aire d'appellation bordeaux. La deuxième fermentation (prise de mousse) doit être effectuée en bouteilles dans la région de Bordeaux.

Bordeaux

CH. ARNAUD 2002

■ 14 ha 120 000 ▮🌡 3 à 5 €

Le vignoble à forte dominante de merlot domine la Dordogne sur des coteaux de graves et de calcaire exposés au plein midi. Il en résulte une bouteille d'un grenat profond et aux flaveurs printanières de petits fruits rouges et de fleur d'iris. La bouche est ronde et volumineuse, toujours sur le fruit et la fraîcheur, puis elle s'affermit en présence de tanins encore en devenir. Ce vin demande à être conservé en cave au moins deux ans pour révéler au mieux son potentiel.

⊶ Christian Zucchetto, 1, Chaternaud, 33220 Saint-André-et-Appelles, tél. 05.57.46.19.76

CH. DES ARNAUDS 2001 ★

■ 2 ha 15 000 ⓞ 3 à 5 €

Né du merlot implanté sur les graves rouges et les gros cailloux de Lussac, ce vin pourpre aux éclats mauves affiche un nez déjà mûr, animal et confit. Une agréable flaveur boisée apparaît dès l'entrée en bouche, mêlée à des arômes doucement goudronnés, épicés dans une matière épanouie. La finale laisse percer une légère pointe amère, comme une preuve discrète de caractère. Ce vin s'accommoderait fort bien d'un jambon de sanglier braisé.

⊶ Daniel Lassagne, EARL des Vignobles du Château des Landes, Lagrenière, 33570 Lussac, tél. 05.57.74.68.05, fax 05.57.74.68.05, e-mail chateaudeslandes@yahoo.fr
☒ Y 🚶 t.l.j. 9h-12h 13h-19h30

CH. BEL AIR LA PERRIERE 2002 ★

■ 1 ha 6 000 ▮🌡 3 à 5 €

Cette vieille famille de vignerons exploite ce même terroir depuis plus de deux cents ans et a récemment quitté la coopérative pour produire ses vins dans son propre chai. Le 2002 présente une teinte encore jeune et intense, violine et d'une belle brillance. Son bouquet de truffe et de raisiné est celui d'un merlot exclusif, vendangé à parfaite maturité. Gras, souple et plein d'une bonne chair, le palais ne cache point un tanin encore viril avant de se prolonger par une finale épicée et savoureuse. Dans deux ans, l'amateur patient trouvera sa récompense.

⊶ François et Viviane Falgueyret, 2, Benauge, 33420 Jugazan, tél. 05.57.84.15.98, fax 05.57.84.02.31, e-mail v.falgueyret@gmx.net ☒ Y 🚶 r.-v.

CH. BELLE-GARDE Elevé en fût de chêne 2002 ★

■ 14 ha 90 000 ⓞ 5 à 8 €

Pleine d'éclat dans sa robe grenat à reflets carminés, cette cuvée peut se prévaloir d'une composition aromatique bien orchestrée, où vanille et cannelle s'accordent au fruit insistant du pruneau et de la myrtille. Le merlot, base principale de l'assemblage, gratifie d'une bouche ronde et charnue, tout en faisant parler la truffe et le cuir prolongés d'une note de gibier. Des tanins savoureux mais un peu fermes font un retour impétueux comme pour inviter le dégustateur à patienter deux ans avant de servir ce vin à table.

⊶ Eric Duffau, Monplaisir, 33420 Génissac, tél. 05.57.24.49.12, fax 05.57.24.41.28, e-mail duffau.eric@wanadoo.fr
☒ Y 🚶 t.l.j. sf dim. 8h-12h 14h-19h

CH. BELLEVUE LA MONGIE 2002 ★★

■ 6,3 ha 50 000 ▮🌡 3 à 5 €

Sous sa robe pourpre à reflets violacés soutenus, ce vin de grande classe vous fera voir monts et merveilles. Les notes fraîches de fruits rouges introduisent un nez montant qui se poursuit par des parfums d'œillet et de fleur de sureau. La bouche souple, généreuse, donne à croquer la cerise noire et la prune d'Ente. Les tanins bien apprivoisés sont le gage d'un solide potentiel de vieillissement. Un vin harmonieux dont vous vous souviendrez longtemps.

⊶ Michel Boyer, Ch. Bellevue La Mongie, 33420 Génissac, tél. 05.57.24.48.43, fax 05.57.24.48.63, e-mail boyer-michel@worldonline.fr ☒ Y 🚶 r.-v.

CH. BONNET Réserve Elevé en fût de chêne 2002 ★★

■ 57 ha 400 000 ⓞ 5 à 8 €

André Lurton a fait de cette Réserve une remarquable réussite technique et commerciale, ce qu'annoncent d'emblée une impeccable présentation et un nez de fruits rouges confits. La matière n'est pas moins convaincante, ronde et très mûre, capiteuse, d'un beau classicisme. Le mariage du bois et du raisin n'est pas tout à fait consommé, mais le temps fera son œuvre bienfaitrice. Une parfaite illustration de ce que doit être un bordeaux. Du même producteur, le **château Guibon 2002**, qui n'a pas connu le bois, obtient une étoile pour ses arômes complexes et sa bouche veloutée.

⊶ André Lurton, Ch. Bonnet, 33420 Grézillac, tél. 05.57.25.58.58, fax 05.57.74.98.59, e-mail andrelurton@andrelurton.com ☒ r.-v.

CELLIER DE BORDES 2002 ★★

■ n.c. 80 000 ▮🌡 3 à 5 €

La puissance s'exprime autant dans les reflets noirs de la robe que dans les arômes. Le fruit sous-jacent évoque un raisin très mûr. Le corps rond et souple s'appuie sur une structure aux tanins soyeux, renforcée d'une pointe fumée et goudronnée. Un vin plein de force et d'avenir, auquel il faut donner le temps de s'ouvrir. Autre vin distribué par la maison Cheval-Quancard, le **Château Tour Chapoux 2002** obtient une étoile pour son fruité élégant.

⊶ Cheval-Quancard, La Mouline, BP 36, 33560 Carbon-Blanc, tél. 05.57.77.88.88, fax 05.57.77.88.99, e-mail chevalquancard@chevalquancard.com Y 🚶 r.-v.

CH. DE BOUCHET La Rentière 2002

■ 15 ha 80 000 ◖◗ 5 à 8 €

La ferme fortifiée – qui figure sur l'étiquette – remonte à la fin du Moyen Âge. Elle fut un relais sur la route de Saint-Jacques-de-Compostelle. Le domaine est aujourd'hui conduit par Marc Lurton, œnologue, aidé de sa femme Agnès. Leur vin scelle le mariage réussi des fruits rouges et du chêne, une alliance qui se prolonge dans un palais séveux et solidement structuré. A conserver en cave quelques mois.

⊶ SCEA Vignobles Marc Lurton, Ch. Reynier,
33420 Grézillac, tél. 05.57.84.52.02, fax 05.57.84.56.93,
e-mail marc.lurton@wanadoo.fr ☑ Y 🚶 r.-v.

DOM. DE BOUILLEROT 2001

■ 2 ha 10 000 ▮♁ 3 à 5 €

Déjà distingué dans les éditions précédentes du Guide, le domaine de Bouillerot propose un 2001 franc et tonique, revêtu d'un pourpoint grenat moyen et environné de fines senteurs fruitées. Le corps est ferme, d'une belle structure. Un vin à apprécier sans plus tarder, autant avec des volailles grasses qu'avec des viandes rouges.

⊶ Thierry Bos, Lacombe, 33190 Gironde-sur-Dropt,
tél. 05.56.71.46.04, fax 05.56.71.46.04,
e-mail info@bouillerot.com ☑ Y 🚶 r.-v.

CH. BOURDICOTTE 2002 *

■ 8,5 ha 60 000 ▮♁ 3 à 5 €

Pourpre lumineux, cette cuvée à base de merlot pur ne cache pas ses origines et exprime toutes les saveurs intenses de sa jeunesse. Seul le premier nez semble un peu timide, mais les arômes se déclarent bien vite après une courte aération : la violette et l'iris viennent à l'esprit, parfums simples mais puissants. Le palais est d'emblée conquis par la souplesse, le coulant d'une trame presque moelleuse, qui ne dévoile ses tanins harmonieux qu'en finale. Ce vin sera à son aise sur la table dès cet automne. Du même auteur, le **Château Moulin de Pillardot 2002** obtient également une étoile.

⊶ SCEA Rolet Jarbin,
Dom. de Bourdicotte, le bourg, 33790 Cazaugitat,
tél. 05.56.61.32.55, fax 05.56.61.38.26

CH. BRIOT 2002 *

■ 31 ha n.c. ▮♁ 5 à 8 €

La teinte cerise aux fugitives nuances violettes annonce le léger parfum fruité (groseille, cassis) de ce vin. La bonne mâche, empreinte de flaveurs de muscade et de fruits cuits, témoigne d'une certaine jeunesse sans pour autant masquer les charmes d'une finale polissée et séveuse. Ce bordeaux discret dévoilera son potentiel avec des viandes rouges et des fromages. La grande maison de négoce bordelaise a élaboré un **Marquis de Chasse 2002 (3 à 5 €)** équilibré, auquel le jury accorde une citation. Destiné à la Table des Sommeliers, le **Château de Balan 2002 (3 à 5 €)** est également cité pour ses arômes intenses et sa matière dense.

⊶ Ginestet, 19, av. de Fontenille,
33360 Carignan-de-Bordeaux, tél. 05.56.20.90.74,
fax 05.56.20.91.74, e-mail contact@ginestet.fr Y 🚶 r.-v.
⊶ Philippe Ducourt

CALVET XF 2002

■ n.c. 285 000 ▮♁ 3 à 5 €

XF pour Extra Fruit. Un bordeaux nouveau style, conçu pour plaire aux jeunes générations... et aux moins jeunes... Fermentation à température modérée, macération courte : tout est fait pour extraire un maximum d'arômes. La recette doit être bonne car nos dégustateurs insistent sur le joli fruit frais, croquant, évoquant la fraise et la framboise et sur la bouche souple, peut-être un peu légère, mais suave.

⊶ Calvet, 75, cours du Médoc,
BP 11, 33028 Bordeaux Cedex, tél. 05.56.43.59.00,
fax 05.56.43.17.78, e-mail calvet@calvet.com

BORDELAIS

CH. CAVALE BLANCHE 2001 **

■ 1 ha 4 000 ▮◖◗♁ 3 à 5 €

Jean-Yves Millaire n'a pas ménagé sa peine pour tirer le meilleur de cette petite vigne de merlot plantée sur l'argile du Fronsadais et vendangée à la main. Les reflets framboise de sa robe épaisse s'accordent aux notes confiturées et mentholées d'un nez qui s'amplifie avec l'aération et prépare une bouche au bouquet très expressif. Un vin plein de ressources, souple, équilibré et vineux. Les tanins mûrs, accompagnés d'un boisé assez puissant, assureront un long et bienfaisant vieillissement. Une pièce maîtresse dans la cave d'un amateur sensible au rapport qualité-prix.

⊶ Jean-Yves Millaire, Lamarche, 33126 Fronsac,
tél. 06.08.33.81.11, fax 05.57.24.94.99
☑ Y 🚶 t.l.j. 8h-13h 14h-20h

CH. CAZEAU
Cuvée Prestige Elevé en fût de chêne 2002 *

■ 20 ha 150 000 ◖◗ 8 à 11 €

Ce vaste domaine (170 ha) au cœur de l'Entre-Deux-Mers réserve une vingtaine d'hectares à sa cuvée Prestige, plantés à parts égales de merlot et de cabernet-sauvignon. Son vin d'une belle couleur bordeaux typique a conservé son fruité de jeunesse, auquel se mêlent les senteurs d'un chêne de qualité. Rond et d'un bon relief, il s'installe avec aisance en bouche et fait montre de sa chaude vinosité, d'un moelleux de bon aloi et d'une certaine richesse aromatique (mûre et violette). Déjà aimable, il ne doit pas être oublié dans un fond de cave. Egalement produit par la Guyennoise, le **Château Giraudot 2002 (5 à 8 €)** obtient une citation.

⊶ SCI Domaines Cazeau et Perey,
33540 Sauveterre-de-Guyenne,
tél. 05.56.71.50.76, fax 05.56.71.87.70,
e-mail cfontaniol@laguyennoise.com ⌂ ⌂
⊶ Anne-Marie et Michel Martin

LA CLEDE Cuvée Prestige 2002 **

■ n.c. 450 000 ◖◗ - de 3 €

Cette cuvée Prestige a l'éclat, la complexité et la richesse aromatique d'un produit remarquable qui devrait remporter un grand succès commercial. Au-delà d'un boisé fort discret, c'est le raisin et le cassis qui imposent leur fraîcheur au nez et donnent une plaisante sensation de fruit très mûr. D'une belle consistance en bouche, chaleureux, le vin bénéficie de tanins de velours qui lui assurent jusqu'en finale équilibre et saveur.

⊶ SA Guiraud Raymond Marbot,
ZAE de l'Arbalestrier, 33220 Pineuilh,
tél. 05.57.41.91.50, fax 05.57.46.42.76,
e-mail negoce.grm@tiscali.fr

DOM. DE LA COLOMBINE 2001 *

■ 8,04 ha n.c. ▮♁ 5 à 8 €

Cette coopérative du Libournais propose un bordeaux à la carnation éclatante et au nez très fin, dont les

notes de fruits (cerise) et d'épices douces s'affirment après agitation. La bouche est équilibrée et pleine de fraîcheur ; les arômes se révèlent bien fondus, sur une base de fruits rouges mêlée de nuances réglissées. Le corps solide, étayé par de beaux tanins, promet à ce vin harmonieux une longue carrière. Cité, le **Château La Fleur Bonnin 2001** offre une composition aimable et concentrée.
⊶ Les Producteurs réunis de Puisseguin et Lussac-Saint-Emilion,
Lieu-dit Durand, 33570 Puisseguin,
tél. 05.57.55.50.40, fax 05.57.74.57.43,
e-mail vignoble@producteurs-reunis.com
☒ Y ⚲ t.l.j. 8h30-12h30 14h30-18h30
⊶ Jean-Louis Rabiller

CH. DE LA COUR D'ARGENT 2002

■ 22 ha 105 000 ▮ ◍ ♁ 5 à 8 €

La demeure du XVIIes. a servi de cadre à certaines scènes du film *La Rivière Espérance*. Le bordeaux 2002, lui, n'a rien d'une fiction. Il possède une matière douce dans laquelle explose le fruit de la groseille écrasée. Le boisé discret, bien fondu, met en valeur des tanins fins et savoureux. La légère amertume de jeunesse n'empêchera pas de poser cette bouteille sur la table dans une petite année.
⊶ SCEA des Vignobles Denis Barraud,
Ch. Les Gravières, 33330 Saint-Sulpice-de-Faleyrens,
tél. 05.57.84.54.73, fax 05.57.84.52.07,
e-mail denis.barraud@wanadoo.fr ☒ Y ⚲ r.-v.

CH. CURTON LA PERRIERE
La Combe aux Ortolans 2002 ★

■ 2,5 ha 14 000 ◍ 5 à 8 €

Cette cuvée au joli nom est l'enfant d'un jeune vigneron qui a quitté la coopération pour voler de ses propres ailes. Elle provient d'une parcelle de merlot à laquelle Jérôme Falgueyret apporte tous ses soins. Grenat brillant de mille éclats dans le verre, elle livre à profusion des parfums raisinés et de chocolat. Ses tanins, affinés, ont de la rondeur et du velouté. Viandes et gibier s'accommoderont de bonne grâce à cette matière.
⊶ Jérôme Falgueyret, La Perrière, 33420 Jugazan,
tél. 05.57.84.08.95, fax 05.57.84.02.31,
e-mail jerome.falgueyret@tiscali.fr Y ⚲ r.-v.

CH. DARZAC 2002

■ 15 ha 120 000 ▮ ♁ 3 à 5 €

La longue lignée vigneronne des Barthe remonte à cet ancêtre qui accompagna Napoléon Ier dans ses conquêtes et acheta ses premiers hectares avec sa solde de grognard. Deux siècles plus tard, on découvre ce vin au bouquet expressif où l'on retrouve un peu de raisin frais. La bouche, tout d'abord souple et élégante, offre ensuite des tanins frais et déjà ronds. Jouez une alliance avec une cuisine moderne.
⊶ SCA Vignobles Claude Barthe,
22, rte de Bordeaux, 33420 Naujan-et-Postiac,
tél. 05.57.84.55.04, fax 05.57.84.60.23,
e-mail chateau-fondarzac@wanadoo.fr ☒ ⚲ r.-v.

DELOR Réserve Elevé en fût de chêne 2002 ★

■ n.c. 600 000 ◍ 3 à 5 €

La vieille maison Delor n'a rien oublié du savoir-faire qui a fait sa réputation et a produit en 2002 cette Réserve très appréciée des dégustateurs : sa teinte grenat brille de mille feux dans le verre, tandis que les arômes de raisin témoignent de sa jeunesse avec un boisé discret. Au nez comme en bouche, c'est un style naturel, authentique qui prévaut. Les tanins du raisin et du bois, pleins de saveurs, signent une bouteille prometteuse, destinée à une cuisine traditionnelle.
⊶ Maison Delor,
35, rue de Bordeaux, 33290 Parempuyre,
tél. 05.56.35.53.00, e-mail contact@cvbg.com
⊶ J.-M. Chadronnier

CH. DES DEUX RIVES 2002 ★

■ 20 ha 139 066 ▮ ♁ 5 à 8 €

L'étoffe d'un grenat velouté de ce millésime et ses arômes de petits fruits rouges (groseille, cassis) donnent à ce vin un abord des plus attrayants. La bouche ample et consistante offre des saveurs à dominante végétale allant du champignon à la feuille séchée. La finale emprunte à la réglisse des notes douces qui font oublier la présence discrète de tanins amicaux. L'harmonie sera atteinte dans deux ans.
⊶ Dulong Frères et Fils, 29, rue Jules-Guesde,
33270 Floirac, tél. 05.56.86.51.15, fax 05.56.40.66.41,
e-mail dulong@dulong.com

DIVIN 2002

■ 1,75 ha 7 500 ◍ 15 à 23 €

Cette cuvée a été vinifiée puis élevée dans le but d'obtenir le plus de concentration possible : longue macération à froid puis à chaud, saignée avant fermentation, embouteillage sans filtration... La dégustation confirme : une robe d'un grenat intense à reflets noirs, un nez puissant, boisé, aux nuances vanillées et grillées. La bouche est ronde, charnue, sans occulter l'astringence d'un tanin vigoureux. Un bordeaux tenant bien en bouche, mais encore marqué par un boisé assez dominateur qui repousse à quelques années le service à table.
⊶ GAEC Grandeau et Fils, Ch. Lauduc,
33370 Tresses, tél. 05.57.34.43.56, fax 05.57.34.43.58,
e-mail m.grandeau@lauduc.fr Y ⚲ r.-v.

EPICURE Elevé en fût de chêne français 2001 ★★

■ 35 ha 45 000 ◍ 3 à 5 €

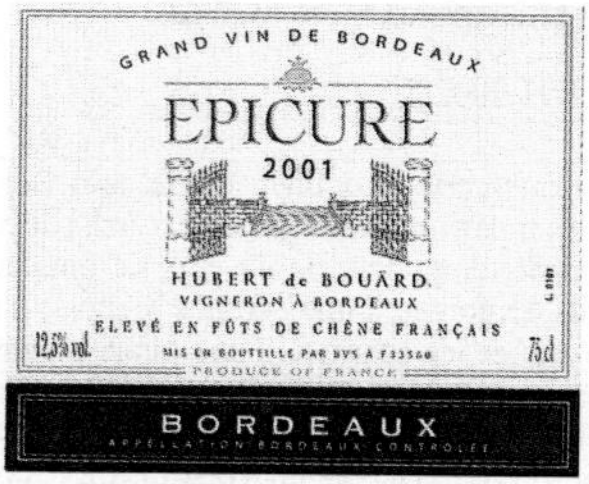

Issu de parcelles sélectionnées sur la rive droite de la Garonne, exposées plein sud et récoltées à la main, ce bordeaux est un enchantement pour les sens dès le regard porté sur la robe cerise intense et brillante. Le jury a aimé sa palette aromatique où les notes de gibier côtoient la fraîcheur du cassis et de la myrtille. Suave, ronde, la bouche mêle les arômes à des tanins bien fondus et décline pour finir des touches confiturées persistantes. Etonnant, ce coup de cœur le sera encore davantage dans deux ou trois ans.
⊶ SARL Bordeaux Vins Sélection,
27, rue de Roullet, 33800 Bordeaux, tél. 05.57.35.12.35,
fax 05.57.35.12.36, e-mail bvs.grands.crus@wanadoo.fr
⊶ B. Pujol

CH. LES EYMERIES Cuvée Prestige 2002 ★

■ 20 ha 120 000 ▮♁ - de 3 €

Margueron et sa belle église à trois nefs gothiques, le château Les Eymeries et sa cuvée Prestige : deux excellentes raisons de visiter ce charmant village aux confins de la Gironde. On a plaisir à s'attarder sur les nuances pourpres de cette cuvée comme sur les notes réglissées et fruitées de son nez puissant. La bouche associe des tanins d'un joli grain à une matière fraîche et ample. Un équilibre très réussi, signant un vin de belle facture, auquel le temps donnera de la patine.

🔑 SCEA Les Eymeries,
33220 Margueron, tél. 05.57.41.21.97
🔑 Charles

CH. FLEUR HAUT GAUSSENS 2002

■ 11,6 ha 70 000 ▮◖♁ 8 à 11 €

Belle et sobre comme son étiquette, la robe de ce vin annonce un nez subtil de cassis et de cerise, nuancé de quelques touches torréfiées et balsamiques. En harmonie avec ces senteurs, la bouche se montre assez suave et présente un équilibre réussi entre le fruit et des tanins fondus. Pour un plateau de fromages à pâte pressée.

🔑 Vignobles Pierre Lhuillier et Fils,
Guiard, 33620 Laruscade,
tél. 05.57.68.50.99, fax 05.57.68.50.99,
e-mail fleur.haut.gaussens@wanadoo.fr ☑ Y 🚶 r.-v.

CH. FLEUR SAINT-ESPERIT
Elevé en fût de chêne 2002 ★

■ 1,38 ha 7 000 ◖ 3 à 5 €

La robe grenat à reflets vermillon laisse présager un vin de forte constitution tannique. Le nez épanoui livre d'intenses senteurs épicées (clou de girofle, muscade), puis répand un long sillage boisé et grillé. D'une approche un peu vive, ce 2002 offre un milieu de bouche plus complaisant, avant que ne s'expriment des tanins pleins de verve, garants d'un long vieillissement. La finale charmeuse est longue. Une bouteille d'avenir.

🔑 GFA V. et P. Fourreau, Chevrol, 33500 Néac,
tél. 05.57.51.28.68, fax 05.57.51.91.79 ☑

CH. DE FONTENILLE 2002 ★

■ 10 ha 150 000 ▮◖♁ 5 à 8 €

Ce bordeaux provient d'un terroir sablo-limono-graveleux partagé entre merlot et cabernet. Une technicité avancée dans son mode d'élaboration lui a procuré une forte concentration, qui se vérifie déjà à sa teinte pourpre intense. Pruneau et groseille se partagent le nez avec subtilité, tandis que la matière se répand en notes boisées et épicées, sur un fond de tanins bien fondus. La finale s'étire sur un fruité persistant et harmonieux. L'année 2006 marquera l'apogée de cette bouteille.

🔑 SC Ch. de Fontenille, 33670 La Sauve,
tél. 05.56.23.03.26, fax 05.56.23.30.03,
e-mail contact@chateau-fontenille.com ☑ Y 🚶 r.-v.
🔑 Stéphane Defraine

CH. GABELOT
Réserve Elevé en fût de chêne 2002 ★★

■ 5 ha 23 333 ◖ 3 à 5 €

Cette cuvée a été élaborée par une famille de vignerons dont la réputation n'est plus à faire. Elle doit son élégance à la subtilité de ses caractères. Tout est justement dosé, tant au nez qu'en bouche, et tout concourt à l'harmonie générale : bouquet fin à peine toasté, évocateur de myrtille et de prune ; palais plein de chair, aux tanins fondus. Un vin rare, à apprécier dans sa jeunesse comme dans sa maturité.

🔑 SC Gabelot, le bourg, 33760 Ladaux,
tél. 05.56.23.40.46, fax 05.56.23.40.46 ☑ Y 🚶 r.-v.
🔑 Sylvie Duhot

CH. GILLET 2002 ★

■ 13 ha 100 000 ▮♁ 3 à 5 €

La robe nuancée de rubis et de reflets carmin est aussi flatteuse que le nez à la fois floral et fruité, d'une agréable vivacité. Velouté dès l'attaque, le vin révèle progressivement son étoffe consistante. Le merlot apporte une note raisinée et truffée et donne à l'ensemble une rondeur avenante. Cette bouteille sera en harmonie avec toute bonne cuisine familiale.

🔑 EARL Nadau, La Gourdine, 33760 Faleyras,
tél. 05.56.23.94.58, fax 05.57.34.40.21 ☑ Y 🚶 r.-v.

GIROLATE 2001 ★★★

■ 10 ha 20 000 ◖ 46 à 76 €

Ce bordeaux des vignobles Despagne est déjà, par ses origines, un vin d'exception : une très forte densité de plantation (10 000 pieds à l'hectare), condition déterminante de la qualité d'un cru, le parti de ne loger le vin que dans un bon fût de chêne et des soins minutieux apportés au vin durant toute sa vie en cave. Verdict ? Un coup de cœur unanime de la part d'un jury étonné devant le nez puissant et complexe, où le boisé – fait rare – laisse heureusement l'avantage au fruité. Prune à l'eau-de-vie, pain d'épice et tanins soyeux donnent à la bouche une incomparable élégance. Un instant de bonheur qui ne pourra que s'amplifier avec une bonne garde.

🔑 SCEA Vignobles Despagne,
33420 Naujan-et-Postiac,
tél. 05.57.84.55.08, fax 05.57.84.57.31,
e-mail contact@despagne.fr ☑ Y 🚶 r.-v.

GRANDE TRADITION GOURMET 2001 ★

■ n.c. 80 000 ▮♁ 3 à 5 €

Voici un exemple réussi de vin proposé à Monoprix et qui ne sacrifie rien à la standardisation. Sa qualité authentique démontre que l'on peut joindre un bon vin d'un prix très raisonnable au repas quotidien et y trouver un vrai plaisir. Plaisir d'une robe intense et brillante et d'un nez aux notes de petits fruits rouges. La bouche volumineuse, riche de tanins francs et déjà bien fondus, évoque discrètement la myrtille. Bonne persistance aromatique. A boire dès à présent.

🔑 Cheval-Quancard,
La Mouline, BP 36, 33560 Carbon-Blanc,
tél. 05.57.77.88.88, fax 05.57.77.88.99,
e-mail chevalquancard@chevalquancard.com Y 🚶 r.-v.

CH. GRAND BIREAU 2001 ★

■ 10 ha 40 000 5 à 8 €

Né de bonnes et vieilles vignes plantées sur sol gravelo-siliceux, ce bordeaux 2001 de Michel Barthe ne se livre pas au premier nez venu et n'accorde ses flaveurs épicées, grillées et vanillées qu'à celui qui prendra le temps de les débusquer en faisant tourner son verre. La bouche, souple et d'un bon volume, est moins timide et récompense le dégustateur d'une sève et d'une vinosité de bon aloi. Un vin bien fait, à marier bientôt à un canard aux girolles.

SCEA Michel Barthe,
18, Girolatte, 33420 Naujan-et-Postiac,
tél. 05.57.84.55.23, fax 05.57.84.57.37,
e-mail scea.barthemichel@wanadoo.fr r.-v.

CH. LE GRAND CHEMIN 2002 ★

■ 2,5 ha 19 000 3 à 5 €

La robe pourpre intense est un premier indice de l'influence majoritaire du merlot, ce dont témoigne aussi le bouquet naissant de cuir et de truffe. La chair ample et veloutée enveloppe les tanins dans ses rondeurs chocolatées avant de dérouler sa finale chaleureuse. Une telle générosité ferait bon ménage avec un bœuf bourguignon.

Bourseau, SCEA Le Grand-Chemin, Pradelle,
33240 Virsac, tél. 05.57.43.29.32, fax 05.57.43.39.57,
e-mail sc.legrandchemin@wanadoo.fr
t.l.j. sf dim. lun. 15h-19h30 et sam. 9h-19h30

CH. DU GRAND FERRAND 2002 ★

■ 5 ha 33 333 3 à 5 €

Partisane de la lutte raisonnée (c'est-à-dire de l'utilisation minimale des produits chimiques sur la vigne) et des techniques traditionnelles de vinification, cette propriété offre un bordeaux 2002 d'une belle couleur rubis à reflets violacés. La bouche, en évolution, allie un fruité évolué à une trame tannique complaisante. Il faudra laisser un peu de temps (deux ans) à ce vin pour parfaire son harmonie.

Ch. du Grand Ferrand, lieu-dit Grand-Ferrand,
33540 Sauveterre-de-Guyenne, tél. 05.56.71.60.42,
fax 05.56.71.69.08, e-mail grand.ferrand@wanadoo.fr

CH. DES GRANDES VIGNES 2002 ★

■ n.c. 55 000 3 à 5 €

Saint-Martial, près de Saint-Macaire, vaut le détour pour son église du XIV^{e}s. qui possède un portail mouluré et un clocher-pignon à auvent. Le Château des Grandes Vignes offre des plaisirs plus terre à terre, mais son bouquet en formation, à base de fruits noirs (mûre) et de raisin de Corinthe séduit. Son volume en bouche traduit un corps puissant et charpenté, riche d'arômes séveux et démontre une bonne aptitude à la garde. Egalement distribué par Yvon Mau, le **Cellier Yvecourt 2002** (4 millions de bouteilles) obtient une citation.

SA Yvon Mau, BP 1, 33190 Gironde-sur-Dropt,
tél. 05.56.61.54.54, fax 05.56.61.54.61,
e-mail info@ymau.com
Didier Pueyo

CH. LA GRAVE 2001 ★

■ 7,44 ha 12 000 5 à 8 €

Né sur les croupes argilo-limoneuses d'un domaine exploité de manière traditionnelle, ce vin d'intensité moyenne offre un bouquet fin de cassis et de cerise. La bouche souple et d'une bonne ampleur laisse les mêmes impressions fruitées, soutenue par une belle structure tannique. Un magret grillé conviendrait bien à ce vin équilibré, agréable et élégant.

EARL Vignoble Tinon, Ch. La Grave,
33410 Sainte-Croix-du-Mont, tél. 05.56.62.01.65,
fax 05.56.76.70.43, e-mail tinon@terre-net.fr r.-v.

CH. LA GUILLAUMETTE

Cuvée Prestige Elevé en fût de chêne 2001 ★

■ 35 ha 30 000 3 à 5 €

Le propriétaire de ce château a de hautes responsabilités dans le domaine agricole, ce qui ne l'empêche pas de gérer son vignoble en bon père de famille et de produire un vin qui fait référence. Un dégustateur a noté que ce vin « suscite curiosité et appétence » par son nez friand, riche de notes vives et confiturées. La bouche est souple et d'un bon volume, chocolatée, presque moelleuse. La trame tannique assez soutenue se superpose sans la dominer à une finale aromatique persistante. Il faut profiter du beau potentiel de vieillissement de cette bouteille.

SARL Bordeaux Vins Sélection,
27, rue de Roullet, 33800 Bordeaux,
tél. 05.57.35.12.35, fax 05.57.35.12.36,
e-mail bvs.grands.crus@wanadoo.fr
Bernard Artigue

CH. LA HARGUE 2002 ★

■ 15 ha n.c. 5 à 8 €

Un vin brillant au nez fruité, fleurant bon la groseille et le cassis, avec suffisamment d'intensité. Gras, il développe une texture soyeuse dans laquelle se fondent les tanins. On pourra consommer sans attendre ce 2002, sur le fruit, ou patienter un peu.

Omnivins, 17, rue Pistoley,
BP 30, 33502 Libourne Cedex,
tél. 05.57.57.32.10, fax 05.57.51.05.68,
e-mail vignobles-ducourt@wanadoo.fr r.-v.
Vignobles Ducourt

HAUT BLAGNAC 2002 ★★

■ 9 ha 60 000 3 à 5 €

Haut Blagnac fait partie de la gamme des vins du château de Seguin et se distingue particulièrement dans le millésime 2002, paré d'une fine étoffe rubis à reflets violines. Plein de jeunesse également, son bouquet naissant emprunte au règne végétal ses arômes délicats de fruits secs (amande, noisette). Son caractère corsé s'impose dès la mise en bouche, et l'on est conquis par le côté séveux, épicé, annonçant une remarquable évolution des arômes en finale. Ses tanins vigoureux lui assurent un bel avenir. Le **Riveret 2002**, cité, montre un joli nez de fruits rouges et une agréable légèreté.

SC du Ch. de Seguin, 33360 Lignan-de-Bordeaux,
tél. 05.57.97.19.81, fax 05.57.97.19.82,
e-mail info@chateau-seguin.fr r.-v.

CH. HAUT-CASTENET 2001

■ n.c. 80 000 3 à 5 €

Sous une teinte engageante, ce bordeaux 2001 dévoile un nez fruité de prune confite et de mûre. La bouche ronde, charnue, exprime discrètement un raisin presque surmûri ; les tanins encore un peu vigoureux méritent de s'affiner. Le vin tirera profit d'une bonne aération et sera au mieux de sa forme dans deux ans.

EARL François Greffier, Castenet, 33790 Auriolles,
tél. 05.56.61.40.67, fax 05.56.61.38.82,
e-mail ch.castenet@wanadoo.fr r.-v.

CH. HAUTE BRANDE Cuvée Fougirard 2002 ★

| ■ | n.c. | 67 000 | ▮↓ | 3 à 5 € |

Le rubis tendre de sa robe laisse imaginer un nez plein de fraîcheur qui mêle les senteurs de prune et de myrtille. Le corps certes corsé, mais aussi séveux, rond et souple, s'ouvre en finale sur un retour épicé (clou de girofle). L'apogée n'est pas loin : un à deux ans tout au plus.
🕿 SA Yvon Mau,
BP 1, 33193 Gironde-sur-Dropt Cedex,
tél. 05.56.61.54.54, fax 05.56.61.54.61

CH. HAUT-LA PEREYRE 2001 ★

| ■ | 13 ha | 60 000 | ▮↓ | 3 à 5 € |

Gérée de longue date par la même famille, cette propriété produit des vins de bonne garde dont ce bordeaux 2001 est un exemple représentatif : teinte grenat léger à reflets tuilés, nez partagé entre les senteurs de fruits rouges et quelques fines notes florales dont l'agréable complexité se retrouve dès l'attaque en bouche. Un vin structuré, assez gras, qui exprime longuement en finale la cerise, le cuir et l'amande grillée.
🕿 EARL Vignobles Cailleux,
La Pereyre, 33760 Escoussans,
tél. 05.56.23.63.23, fax 05.56.23.64.21 ☑ ☀ r.-v.

CH. HAUT-MARCHAND 2002 ★★

| ■ | 2 ha | 9 000 | ⦿ | 8 à 11 € |

CHATEAU
Haut-Marchand
Grand Vin

BORDEAUX
Appellation Bordeaux Contrôlée

2002

Sélection de bonnes vignes, ce 2002 arbore une robe d'un charme discret, mais réserve la surprise d'un nez étonnant de finesse et de concentration : le raisin à pleine maturité dialogue harmonieusement avec un boisé très doux. La bouche ronde, chaleureuse et puissante traduit bien le souci de la perfection. Tant de bonté méritait une distinction : une matière riche, un fruit expressif, un tanin caressant et une longue persistance aromatique. Chaque bouteille fera de la dégustation une fête.
🕿 EARL Vignobles Dufourg,
11, rte de Sauveterre, 33760 Targon,
tél. 05.56.23.90.16, fax 05.56.23.45.30 ☑ ☀ r.-v.

CH. HAUT PELLETAN 2002

| ■ | 25 ha | 186 666 | ▮↓ | 3 à 5 € |

Grenat dense et profond, ce 2002 se plaît à inventorier les fruits à travers sa riche palette : myrtille, griotte, mûre se succèdent. La bouche est franche, solide et vineuse. Un vrai vin de raisin et de terroir, auquel une petite garde permettra de révéler l'élégance promise par sa matière généreuse. Egalement cité, le **Château Marbot 2002** est un bordeaux aimable, frais et fruité.
🕿 EARL Charrut,
33220 Saint-Quentin-de-Caplong,
tél. 05.57.41.22.51 ☑ ☀ r.-v.

CH. HAUT SAINT-MARTIN

Elevé en fût de chêne 2002

| ■ | 8 ha | 30 000 | ⦿ | 3 à 5 € |

Sa teinte rouge franc est d'intensité moyenne, mais son nez est plein d'attraits : jeune, frais, au fruité complexe avec une pointe friande de cassis. La finesse l'emporte sur la puissance, et si les tanins jouent leur partition en sourdine, il ne faut pas s'en plaindre car le bouquet en profite pour faire valoir une délicate composition de réglisse et de tabac blond. Un 2002 coulant et frais.
🕿 Jean-Louis Lafon, ch. Haut Saint-Martin,
Lieu-dit la Garrigue, 33910 Saint-Martin-de-Laye,
tél. 05.57.55.48.90, fax 05.57.84.31.27,
e-mail milhade@milhade.fr

CH. JOININ 2002

| ■ | 21,01 ha | 48 000 | ▮↓ | 5 à 8 € |

Brigitte Mestreguilhem a quitté le monde coopératif pour prendre en main et vinifier personnellement sa production. Ce bordeaux 2002 a du caractère et propose un fruité bien mûr, voire confituré, qui s'exprimera davantage avec le temps. Plaisante dès l'attaque, la bouche ronde développe à l'envi ses arômes complexes. Des tanins de qualité assurent à ce vin un vrai potentiel de garde.
🕿 Brigitte Mestreguilhem, 33420 Rauzan,
tél. 05.57.24.72.95, fax 05.57.24.71.25,
e-mail chateau.pipeau@wanadoo.fr
☑ ☲ t.l.j. sf sam. dim. 8h-12h 14h-18h

CH. JULIAN 2002

| ■ | 15 ha | 80 000 | ▮↓ | 3 à 5 € |

Issue d'un assemblage à parts égales de merlot et de cabernets, cette cuvée a été spécialement conçue pour conserver un maximum d'arômes propres à ces cépages. De fait, c'est un nez riche de senteurs fruitées qui caractérise la première approche, et l'agitation dans le verre ne fait que révéler de nouvelles notes plus discrètes de cumin et de réglisse. La bouche tout en finesse met en valeur cette fraîcheur fruitée. L'équilibre général semble proche, de même que la date de service à table.
🕿 Michel Dulon, Grand-Jean, 33760 Soulignac,
tél. 05.56.23.69.16, fax 05.57.34.41.29,
e-mail dulon.vignobles@wanadoo.fr ☲ ☀ r.-v.

CH. LAMOTHE-VINCENT Cuvée Sélection 2002 ★

| ■ | 21 ha | 160 000 | ▮↓ | 5 à 8 € |

A la tête d'une exploitation de 71 ha, la famille Vincent a adopté une démarche d'agriculture respectueuse de la nature, ce qui a impliqué une réforme profonde des méthodes de travail jusqu'au chai. Cette cuvée tire le meilleur parti d'un assemblage de cabernet-sauvignon et de merlot dont elle exprime la concentration et la richesse aromatique. A l'aération, c'est la fraise écrasée qui se détache sur un fond épicé, tandis qu'en bouche on savoure la chair d'un raisin surmûri qui enveloppe des tanins encore abondants. On retrouve la fraîcheur et le fruit dans une finale persistante.
🕿 Vignobles Vincent,
3, chem. Laurenceau, 33760 Montignac,
tél. 05.56.23.96.55, fax 05.56.23.97.72,
e-mail info@lamothe-vincent.com ☑ ☲ ☀ r.-v.

MICHEL LYNCH 2001 ★

| ■ | n.c. | 600 000 | ▮↓ | 5 à 8 € |

Une réussite commerciale que ce bordeaux qui porte le nom du créateur de Lynch-Bages sous la Révolution

BORDELAIS

française. Sans doute le parfait compromis entre tradition et modernité. Sous une robe intense aux riches reflets grenat apparaît un fruité frais. Souple en attaque, la bouche offre des tanins fins qui laissent toute sa place à une chair ample et volumineuse. Ce vin consistant atteindra son apogée dans deux ans.

🍷 Jean-Michel Cazes Sélection, rte de Bordeaux, 33460 Macau, tél. 05.57.88.60.04, fax 05.57.88.03.84, e-mail contact@jmcazes-selection.com

DE LYNE 2002 ★★

◼	6 ha	29 000	◼ ◫ ⬇	5 à 8 €

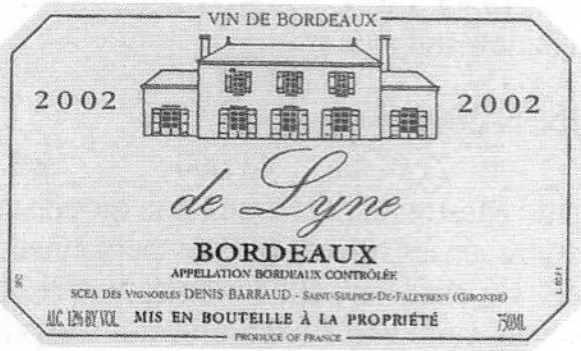

Denis Barraud est un homme comblé, car son souci déclaré de la qualité se voit récompensé ici. Sa cuvée incarnat brillant dévoile un nez d'une réelle distinction où l'on retrouve la framboise, la vanille et le cassis, environnés d'un boisé-toasté fort bien dosé. Très charnue, vineuse et ample, elle peut compter sur des tanins abondants et fondus pour faire cortège à une finale grillée, épicée, assurément de grande classe. Superbe, elle vieillira longuement.

🍷 SCEA des Vignobles Denis Barraud, Ch. Les Gravières, 33330 Saint-Sulpice-de-Faleyrens, tél. 05.57.84.54.73, fax 05.57.84.52.07, e-mail denis.barraud@wanadoo.fr ☑ ⅄ ⚹ r.-v.

CH. MAISON NOBLE
Cuvée Prestige Vieilli en fût de chêne 2002 ★

◼	2,5 ha	15 300	◫	5 à 8 €

Cette cuvée est issue d'une sélection des plus vieilles vignes du domaine. Sous sa robe pourpre à reflets carminés, elle propose un bouquet frais et une composition bien ordonnée. C'est au palais que s'expriment le mieux ses arômes poivrés, goudronnés, associés à un fond tannique tonifiant et savoureux. Une finale de bonne persistance laisse l'agréable souvenir de la griotte et de la pâte de coings.

🍷 Bernard Sartron, Maison Noble, 33230 Maransin, tél. 05.57.69.19.36, fax 05.57.69.17.78 ☑ ⅄ ⚹ r.-v.

CH. MARJOSSE 2002 ★★

◼	35 ha	150 000	◫	5 à 8 €

Une robe bordeaux classique et encore jeune habille ce 2002. Un raisin frais, finement boisé, anime son bouquet naissant, en se mêlant à quelques touches discrètes de pain d'épice et de cacao. La bouche corsée attaque en souplesse puis gagne du volume en s'appuyant sur des tanins encore vigoureux, mais prometteurs. Le boisé monte en puissance dans la finale chaleureuse. Un vin destiné à une large palette culinaire.

🍷 EARL Pierre Lurton, Ch. Marjosse, 33420 Tizac-de-Curton, tél. 05.57.55.57.80, fax 05.57.55.57.84, e-mail pierre.lurton@wanadoo.fr

CH. METHEE 2001

◼	18 ha	140 000	◼ ⬇	3 à 5 €

Un terroir sablo-graveleux et un assemblage à forte dominance de merlot ont donné naissance à ce vin de caractère, habillé d'une robe intense et doté d'un nez expressif de fruits mûrs et d'épices. Le corps solide bénéficie de tanins fondus.

🍷 Cave des Hauts de Gironde, La Cafourche, 33860 Marcillac, tél. 05.57.32.48.33, fax 05.57.32.49.63, e-mail contact@tutiac.com ⅄ ⚹ r.-v.

CH. MONDAIN 2001

◼	33 ha	106 660	◼ ⬇	3 à 5 €

Merlot et cabernets à parts égales ont donné naissance à cette bouteille rubis intense et brillant qui exprime des arômes de cassis, de griotte et de myrtille. La bouche assez charpentée en attaque, encore un peu vive, demande à se fondre. Un vin prometteur pour qui sait attendre.

🍷 Pierre Ciroli, Guilhem-de-Mestre, 33350 Sainte-Radegonde, tél. 05.57.40.52.22, fax 05.57.40.52.22

CH. MOTTE MAUCOURT
Vieilli en fût de chêne 2002 ★

◼	5 ha	20 000	◫	5 à 8 €

Il faut un regard aguerri pour apercevoir la motte féodale qui marque le paysage de ce domaine. En revanche, la qualité de ses vins se prête à une expertise ô combien plus évidente... Le bordeaux 2002 se distingue en effet par sa robe à peine tuilée et son nez mêlé de notes grillées et de brioche beurrée. La bouche dense et consistante reprend les mêmes arômes, bien qu'elle soit plus nettement marquée par un fût de qualité. Avec toute bonne cuisine, ce vin se montrera d'un commerce fort plaisant.

🍷 Villeneuve, EARL Ch. Motte Maucourt, 2, au Canton, 33760 Saint-Genis-du-Bois, tél. 05.56.71.54.77, fax 05.56.71.64.23 ☑ ⅄ ⚹ t.l.j. sf dim. 9h-12h 14h-19h

CH. MOULIN DE BEAUSEJOUR 2000 ★

◼	10 ha	10 000	◼	5 à 8 €

Une vieille vigne de merlot plantée sur un sol argilo-calcaire, la passion d'une Lorraine et d'un Réunionnais convertis à la viticulture depuis 2001... Et voici un vin de fête aux reflets groseille et aux arômes de fruits épicés. Le fruit rouge (mûre et myrtille) se déclare ouvertement en bouche et procure une plaisante sensation de fraîcheur, tandis que la finale se montre volumineuse et structurée. Dans deux ans, toute bonne cuisine campagnarde révélera les talents de ce 2000.

🍷 Olivier Cadarbacasse, Ch. Moulin de Beauséjour, 33420 Saint-Jean-de-Blaignac, tél. 05.57.84.55.71, fax 05.57.84.59.05, e-mail moulinbeausejour@aol.com ☑ ⅄ ⚹ r.-v.

CH. MOULIN DU ROULET
Sélection Catherine Elevé en fût de chêne 2001 ★★

◼	3 ha	9 000	◫	5 à 8 €

Récolté sur un sol argilo-calcaire, le merlot (80 %) domine l'assemblage de ce vin complété de cabernet franc. Sous une livrée pourpre à reflets fuchsia apparaît un nez plein de verve ; le cuir, la venaison, les épices légères passent le relais à un doux mélange de violette et de jacinthe. La bouche est vive et livre une corbeille de fruits mûrs. Vanille et muscade se manifestent dans une finale persistante, soutenue par des tanins savoureux. On peut déjà déboucher, mais on gagnera à attendre.

⊶ Catherine Bonnamy,
Moulin du Roulet, 33350 Sainte-Radegonde,
tél. 05.57.40.58.51, fax 05.57.40.58.51,
e-mail catherinebonnamy@wanadoo.fr ☑ Y ⛹ r.-v.

CH. MYLORD
Cuvée Milady Vinifié en fût de chêne 2002 ★

■ 3 ha 12 000 8 à 11 €

Sur cette terre vénérable, Michel et Alain Large ont élaboré cette cuvée Milady drapée dans une robe prune noire et parée d'un nez très expressif, confituré, rehaussé d'un boisé fondu, fort plaisant. C'est une chair ample et pourtant structurée, charpentée, qui enveloppe le palais et livre un joli fruité mêlé d'un boisé encore conquérant. Un vin consistant et riche qui s'accordera au mieux avec une entrecôte bordelaise et des fromages gras.

⊶ Michel et Alain Large, Ch. Mylord, 33420 Grézillac,
tél. 05.57.84.52.19, fax 05.57.74.93.95,
e-mail large@chateau-mylord.com ☑ Y ⛹ r.-v.

ORPHYS Elevé en fût de chêne 2001 ★

■ 2 ha 8 000 3 à 5 €

Orphys montre un caractère affirmé tant dans sa livrée pourpre profond que dans la richesse et la complexité d'un nez où cerise et coing s'équilibrent avec un vanillé toasté mêlé de nuances poivrées. Le corps assez rond consacre ce mariage aromatique persistant tout en s'appuyant sur des tanins encore un peu virils qui promettent de s'affiner. Donnons à ce vin un peu de temps pour achever une œuvre si bien commencée.

⊶ C.C. Viticulteurs réunis de Sainte-Radegonde,
le bourg, 33350 Sainte-Radegonde,
tél. 05.57.40.53.82, fax 05.57.40.55.99,
e-mail cavesainteradegonde@wanadoo.fr
☑ Y ⛹ t.l.j. sf sam. dim. 8h30-12h30 14h-17h

CH. PERAYNE Cuvée du Patron 2001

■ n.c. 6 000 3 à 5 €

Cette cuvée du Patron s'ouvre comme une fleur à l'aération en évoquant les parfums du tilleul et de la vigne. Cette élégance discrète lui confère un caractère délicat que seul un dégustateur attentif peut percevoir. La bouche ne dément pas cette première impression en développant des flaveurs de vanille, d'épices douces, puis des effluves envoûtants de violette en finale. Un vin aimable, en dentelle, à boire avec un carré d'agneau Marly, sans plus attendre.

⊶ Henri Luddecke,
Ch. Perayne, 33490 Saint-André-du-Bois,
tél. 05.57.98.16.20, fax 05.56.76.45.71,
e-mail chateau.perayne@wanadoo.fr ☑ Y ⛹ r.-v.

CH. LA PETITE BORIE 2002 ★★

■ 60 ha 266 000 3 à 5 €

La robe d'un rouge sombre très soutenu est sans nul doute le résultat d'une vendange concentrée et cueillie au moment optimal. Les arômes puissants expriment toute la complexité d'un assemblage de quatre cépages cultivés sur un sol argilo-calcaire. Les notes de gibier et d'épices se fondent à une plaisante impression de douceur confiturée. Ce vin très enveloppé, comme nappé de fruit sûrmuri, déroule des tanins soyeux et une finale longue, délectable. Une remarquable harmonie pour un dîner aux chandelles.

⊶ Grands Vins de Gironde, Dom. du Ribet,
33451 Saint-Loubès Cedex, tél. 05.57.97.07.20,
fax 05.57.97.07.27, e-mail gvg@gvg.fr

CH. PETIT FREYLON 2002

■ 10 ha 20 000 3 à 5 €

Dans sa robe rubis brillant et légère, ce bordeaux semble encore dans sa prime jeunesse et son nez ne s'est pas départi d'une certaine timidité. Mais l'agitation y remédie et le terroir apparaît avec son cortège végétal : sous-bois, champignon. Par contraste, la bouche semble assez hardie, charpentée et même corsée. Elle se termine sur une bonne fermeté tannique. Que l'on se presse ou non pour le boire, il faut réserver ce vin à un plateau de fromages.

⊶ EARL Vignobles Lagrange, Ch. Petit-Freylon,
33760 Saint-Genis-du-Bois, tél. 05.56.71.54.79,
fax 05.56.71.59.90 ☑ 🏠 Y ⛹ r.-v.

CH. LA PEYRERE DU TERTRE
Cuvée spéciale Elevé en fût de chêne 2001

■ 4 ha 20 000 3 à 5 €

C'est sous le règne de Louis XV que Raymond de Lassas, secrétaire du Roy à Bordeaux et négociant avisé, fit édifier une gentilhommière au centre d'un terroir de graves que sa famille exploitait déjà depuis deux cents ans. Il fit aussi construire un vaisseau *la Peyrere* qui porta sur les mers du Globe les couleurs de son vin. De couleur justement, ce millésime 2001 n'en manque pas : son pourpre intense est des plus engageants, et ses arômes de guimauve aux nuances réglissées semblent encore embaumer une bouche souple et d'une honnête consistance. Quelques tanins un peu austères écourtent cet ensemble élégant qui demande à vieillir.

⊶ SCEA Sada, Ch. La Peyrère, 33124 Savignac,
tél. 05.56.65.41.86, fax 05.56.65.41.82,
e-mail lapeyreredutertre@wanadoo.fr ☑ Y ⛹ r.-v.

PRIMO PALATUM 2002 ★

■ n.c. 6 000 11 à 15 €

Un négociant œnologue passionné. Il assemble pour cette AOC les cinq cépages bordelais. La teinte est vive et pleine de jeunesse, tout comme le nez intense où le fruit et l'épice s'allient à un boisé encore assez marqué, mais très prometteur. La bouche franche, vive, presque nerveuse, est nettement charpentée d'un tanin qui emprunte au chêne autant qu'au raisin. Fort potentiel de vieillissement.

⊶ Primo Palatum, 1, Cirette, 33190 Morizès,
tél. 05.56.71.39.39, fax 05.56.71.39.40,
e-mail xavier-copel@primo-palatum.com ☑ Y ⛹ r.-v.
⊶ Xavier Copel

CH. LA RAME 2002 ★

■ 6 ha 40 000 5 à 8 €

Sainte-Croix-du-Mont : un nom qui chante la douceur girondine. Il faut réserver un week-end printanier à la visite des caves du château La Rame. Ses vieilles vignes rouges ont produit en 2002 ce bordeaux attachant, enveloppé d'un grenat dense et environné de senteurs gourmandes, doux mélange de cannelle et de fruits à noyau. La bouche ample, fraîche, sous-tendue de tanins au grain fin, s'achemine vers une finale souriante. « Un vin de soif et de plaisir », résume l'un des dégustateurs.

⊶ Yves Armand, Ch. La Rame,
33410 Sainte-Croix-du-Mont, tél. 05.56.62.01.50,
fax 05.56.62.01.94, e-mail dgm@wanadoo.fr
☑ Y ⛹ t.l.j. 9h-12h 13h30-18h30; sam. dim. sur r.-v.

CH. ROQUEFORT 2002 ★★

■ 58 ha n.c. 5 à 8 €

Le château Roquefort joue dans la cour des grands et obtient avec aisance un coup de cœur enthousiaste.

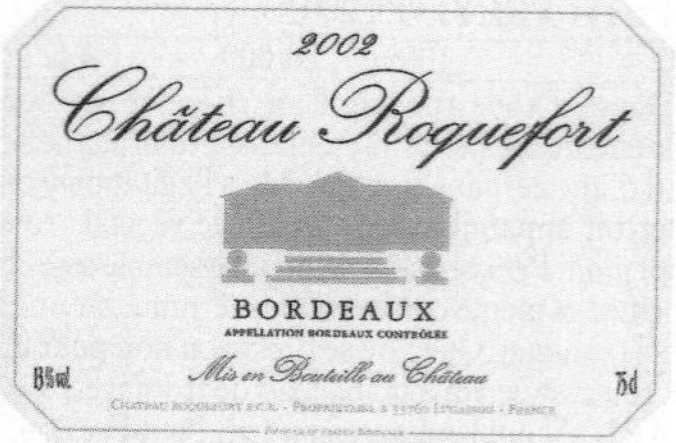

Encore juvénile, sa teinte d'un grenat profond annonce un bouquet volubile, riche d'un beau raisin et du parfum des fruits du plein été : cerise noire, prune d'Ente. Cet ensemble aromatique en devenir emplit une bouche charnue et corpulente d'une étoffe veloutée. Des tanins majestueux signent un vin de garde très attachant, à réserver pour les grandes occasions, dans trois ou quatre ans. Le **Roquefortissime 2002 (8 à 11 €)** est cité : il mérite une longue garde pour s'harmoniser.

🔑 Ch. Roquefort, 33760 Lugasson,
tél. 05.56.23.97.48, fax 05.56.23.50.60,
e-mail chateau-roquefort@vignobles-bellanger.com
☑ Y 🚶 r.-v.
🔑 F. Bellanger

HERITAGE DE THIEULEY 2001 ★★

■ n.c. 10 000 ◍ 15 à 23 €

Des vignes d'un âge respectable (un demi-siècle) sur un terroir argilo-graveleux en plein cœur de l'Entre-Deux-Mers, une vendange soigneusement triée et vinifiée en petites cuves par macération longue... Un vrai travail d'artisan à l'origine de cet Héritage de Thieuley dont le nez séveux et mentholé évoque la truffe noire à l'agitation. Suit une attaque souple, puis une matière concentrée, volumineuse et ample qui enrobe les tanins soyeux... Un civet de marcassin donnerait si bien la réplique à ce vin.

🔑 Sté des Vignobles Francis Courselle, Ch. Thieuley, 33670 La Sauve, tél. 05.56.23.00.01, fax 05.56.23.34.37, e-mail chateau.thieuley@wanadoo.fr ☑ Y 🚶 r.-v.

CH. TIRE PE La Côte 2002 ★

■ 5 ha 12 000 ◍ 11 à 15 €

Ce millésime possède une vraie personnalité qui s'exprime sans détour à travers un fruité complexe sur un fond boisé-beurré charmeur. D'une élégance discrète au palais, il met en valeur ses saveurs et présente un équilibre très réussi entre des tanins mesurés et une chair ronde, empreinte d'un chêne savamment dosé. Dans deux ans, cette bouteille accompagnera brillamment toute bonne cuisine familiale.

🔑 David Barrault,
Ch. Tire Pé, 33190 Gironde-sur-Dropt,
tél. 05.56.71.10.09, fax 05.56.71.10.09,
e-mail tirepe@cegetel.net ☑ Y 🚶 r.-v.

CH. TOUR DE BIOT Cuvée Vieilles Vignes 2002 ★

■ 3 ha 20 000 ◍ 5 à 8 €

Un vin haut en couleur et généreux par ses arômes intenses de fruits très mûrs, rehaussés de touches de cacao. Reflet de son terroir argilo-limoneux, c'est un produit de caractère, d'une belle ampleur et dont la présence tannique mesurée autorise l'expression de la framboise et de la cerise à l'alcool, suivie d'un retour légèrement réglissé en finale.

🔑 Gilles Gremen,
La Tour Rouge, 33220 La Roquille,
tél. 05.57.41.26.49, fax 05.57.41.29.84 ☑ Y 🚶 r.-v.

LES TROIS COLONNES 2002

■ n.c. 950 000 ▮🌡 3 à 5 €

Des arômes discrets mais très élégants émanent d'une robe impeccable, nuancée de reflets mauves. La bouche gourmande, pleine de fraîcheur, laisse une impression de fruit pulpeux et parfumé. A boire dans un avenir proche.

🔑 Frédéric Salin, 8, rue Descartes, 33290 Blanquefort,
tél. 05.56.95.28.22, fax 05.56.95.24.72,
e-mail salin-bordeaux@wanadoo.fr

DOM. DE VALMENGAUX 2002 ★★

■ 3,3 ha 12 000 ◍ 15 à 23 €

En trois ans, les Rapin ont fait entrer cet ancien domaine dans une aire de renouveau. Tout a été changé, sauf bien sûr les vieilles et bonnes vignes entretenues de façon naturelle et vendangées à la main. Sans surprise, ce bordeaux 2002 se distingue par une palette aromatique des plus attractives : mûre, fraise des bois, vanille se fondent en un ensemble harmonieux qui se prolonge dans une bouche chaleureuse et tonifiante. Les tanins séveux se manifestent en finale, annonçant un honnête potentiel de vieillissement.

🔑 Béatrice et Vincent Rapin,
8, petit Gontey, 33330 Saint-Emilion,
tél. 05.57.74.48.92, fax 05.57.74.48.92,
e-mail vincent.rapin@libertysurf.fr ☑ 🏠 🏠 Y 🚶 r.-v.

CH. DE VAURE 2002

■ 5 ha 10 000 ◍ 5 à 8 €

Cette Union de producteurs, née à l'époque héroïque des premiers mouvements coopératifs, produit régulièrement un bordeaux de qualité. Celui-ci, élevé sous bois, marie subtilement la griotte, la réglisse et les nuances chaudes d'un boisé à peine toasté. C'est une bouteille aimable en tout, légère et gouleyante qui accompagnera avec aisance vos repas du dimanche en famille.

🔑 Chais de Vaure, 33350 Ruch,
tél. 05.57.40.54.09, fax 05.57.40.70.22,
e-mail chais-de-vaure@wanadoo.fr ☑ Y 🚶 r.-v.

CH. VERMONT
Cuvée Prestige Elevé en fût de chêne 2002 ★★

■ 7 ha 17 300 ◍ 5 à 8 €

Situé au cœur de l'Entre-Deux-Mers, le château Vermont a produit sur un terroir argilo-calcaire cette cuvée drapée d'une jolie robe rubis frangée de reflets carminés, riche d'un nez complexe, à la fois fruité (fruits noirs) et agréablement boisé-vanillé. Très souple au palais, fin et harmonieux, ne perdant rien de sa séduction aromatique, le vin développe une chair friande dotée de tanins sans aucune agressivité. La finale ronde se montre vineuse et persistante. Pour une consommation prochaine. Le **Château Haut-Marchand Cuvée Prestige Elevé en fût de chêne 2002** obtient une étoile. Souple, frais et coulant, c'est un vin subtilement aromatique, destiné aux viandes blanches.

🔑 EARL Vignobles Dufourg,
11, rte de Sauveterre, 33760 Targon,
tél. 05.56.23.90.16, fax 05.56.23.45.30 ☑ 🚶 r.-v.

Bordeaux clairet

CH. BELLEVUE LA MONGIE 2003 ★

1 ha 7 000 3 à 5 €

Un clairet haut en couleur, à la limite du rouge. Il offre un bouquet de fruits et de fleurs printanières, puis une bouche fraîche et ample, bien structurée. Les arômes d'agrumes trouvent toute leur place jusqu'en finale. Pour un lapin grillé aux herbes, agrémenté de poivrons rouges, d'oignons dorés et de piment d'Espelette.

Michel Boyer, Ch. Bellevue La Mongie,
33420 Génissac, tél. 05.57.24.48.43, fax 05.57.24.48.63,
e-mail boyer-michel@worldonline.fr r.-v.

LE CLAIRET DU CHATEAU BONNANGE 2003

1 ha 600 8 à 11 €

Claude Bonnange, fondateur d'une agence de publicité, a acquis ce domaine en 1999. Six cents bouteilles : c'est ce que l'on appelle une microcuvée... élevée en fût de chêne neuf comme il se doit et issue à 100 % de merlot. Le bouquet allie les fruits cuits et le cassis aux épices douces et à un boisé soutenu dont on retrouve la marque grillée dans la chair ronde et souple.

Claude et Julia Bonnange,
10, chem. des Roberts, 33390 Saint-Martin-Lacaussade,
tél. 06.85.52.48.08, fax 05.57.42.19.48 r.-v.

CH. LA BRETONNIERE 2003

2 ha 13 300 3 à 5 €

La jolie couleur grenade brillant est en parfait accord avec la palette de fruits (cerise, fraise et abricot) de ce vin coulant et facile d'accès. La fraîcheur et l'agréable fruité en font un clairet gourmand qui accompagnera bien des brochettes.

Stéphane Heurlier, EARL Ch. La Bretonnière,
33390 Mazion, tél. 05.57.64.59.23, fax 05.57.64.67.41,
e-mail sheurlier@wanadoo.fr r.-v.

CH. DARZAC 2003 ★★

10 ha 70 000 3 à 5 €

Le château Darzac, dont les bordeaux et bordeaux sec sont également représentés cette année dans le Guide, séduit tous les dégustateurs avec ce clairet. Le bouquet délicat associe le fruité à de remarquables arômes floraux (rose et violette). La fraîcheur de l'attaque est parfaitement équilibrée par le moelleux qui enveloppe une étonnante structure, avec en finale un retour fruité et floral des plus élégants.

SCA Vignobles Claude Barthe,
22, rte de Bordeaux, 33420 Naujan-et-Postiac,
tél. 05.57.84.55.04, fax 05.57.84.60.23,
e-mail chateau-fondarzac@wanadoo.fr r.-v.

CH. HAUT-MONGEAT 2003 ★

2,72 ha 9 360 3 à 5 €

Bernard Bouchon a été rejoint par sa fille en 1996 pour conduire la propriété familiale de 27 ha. Tous deux ont élaboré un clairet cerise clair, dont les arômes évoquent tout autant la framboise et la cerise que la brioche, avec une petite note mentholée à l'aération. La bouche ronde et souple, de bonne longueur contribue au caractère friand de ce vin destiné à une viande grillée.

Bernard Bouchon et Fille, Le Mongeat,
33420 Génissac, tél. 05.57.24.47.55, fax 05.57.24.41.21,
e-mail info@mongeat.com r.-v.

LISE DE BORDEAUX 2003 ★★

n.c. 50 000 3 à 5 €

Un nouveau succès pour la maison Cheval-Quancard. Son clairet vif et gai dans son habit rose présente un bouquet de fleurs printanières et de fruits. Sa franchise est tout aussi remarquable en bouche : du velours, de la souplesse, de l'équilibre et une agréable finale. Un filet mignon de porc aux airelles et aux champignons lui ira bien.

Cheval-Quancard,
La Mouline, BP 36, 33560 Carbon-Blanc,
tél. 05.57.77.88.88, fax 05.57.77.88.99,
e-mail chevalquancard@chevalquancard.com r.-v.

CH. PENIN 2003

5 ha 37 000 5 à 8 €

Une palette riche de fruits mûrs évocateurs du verger, de prune et de figue invite à poursuivre la dégustation. On sent de la matière et de la structure dans ce vin au caractère un peu rustique, mais agréable, qui accompagnera une salade landaise ou un jambonneau braisé.

SCEA Patrick Carteyron, Ch. Penin,
33420 Génissac, tél. 05.57.24.46.98, fax 05.57.24.41.99,
e-mail vignoblescarteyron@wanadoo.fr r.-v.

LES VIGNERONS DE SAINT-MARTIN 2003

2,5 ha 19 500 3 à 5 €

Elevé sur lies fines pendant trois mois, voici un bordeaux grenadine. Des arômes de fleurs, de baies rouges et de citron annoncent la fraîcheur d'une bouche équilibrée. Cassis, rose, noyau de cerise se pressent en finale pour clore cet ensemble sympathique.

Les Vignerons de Génissac,
54, le Bourg, 33420 Génissac, tél. 05.57.55.55.65,
fax 05.57.55.11.61, e-mail cave.genissac@wanadoo.fr
t.l.j. sf dim. 9h-12h 14h-18h; sam. 9h-12h

CH. SAINT-OURENS 2003

1,3 ha 3 800 3 à 5 €

Après une visite de Langoiran, au pays de François Mauriac, passez voir Michel Maës dans sa propriété de 15 ha. Ce producteur propose un clairet aux reflets orangés, d'un abord timide mais agréable : un léger fruité (noyau de cerise) s'accompagne de notes de verveine citronnée et de menthe. La bouche laisse une impression de grande fraîcheur.

🔑 Michel Maës, 57, rte de Capian, Saint-Ourens, 33550 Langoiran, tél. 05.56.67.39.45, fax 05.56.67.61.14 ☑ 🍷 🚶 t.l.j. sf dim. 9h-13h 14h-18h; f. 1er-15 août

CH. THIEULEY 2003

18 ha 140 000 ■ ♁ 5 à 8 €

Les amateurs d'art roman ne peuvent manquer de visiter l'abbaye de La Sauve-Majeure, dans l'Entre-Deux-Mers, juste à côté de Créon. Un petit détour par le château Thieuley et les amateurs de vin découvriront cet aimable clairet, tout en simplicité. Aux notes de fruits noirs et de quetsche répond une bouche fruitée, fraîche, soutenue par quelques tanins perceptibles. Pour un repas sans façon.

🔑 Sté des Vignobles Francis Courselle, Ch. Thieuley, 33670 La Sauve, tél. 05.56.23.00.01, fax 05.56.23.34.37, e-mail chateau.thieuley@wanadoo.fr ☑ 🍷 🚶 r.-v.

Bordeaux sec

CAVE BEL-AIR 2003

20 ha 65 000 ■ ♁ 3 à 5 €

La maison Sichel s'est engagée dans un partenariat avec les producteurs en établissant une charte de qualité qui définit la conduite de la vigne, les rendements et les traitements. De la cave Bel-Air est né ce vin friand et équilibré qui porte jusqu'en finale des arômes fruités persistants. Le bouquet d'agrumes, de pêche et de fleurs blanches (chèvrefeuille) contribue à son caractère sympathique.

🔑 SA Maison Sichel,
8, rue de la Poste, 33210 Langon, tél. 05.56.63.50.52, fax 05.56.63.42.28, e-mail maison-sichel@sichel.fr

CH. DE BONHOSTE Elevé en fût de chêne 2003 *

2 ha 3 000 ⦀ 8 à 11 €

De passage à Saint-Jean-de-Blaignac, visitez l'église romane fortifiée pendant la guerre de Cent ans. Le château de Bonhoste, lui, propose un vin qui joue la force tranquille. Son bouquet puissant aux notes fruitées d'abricot et d'écorce de pamplemousse est souligné d'une subtile nuance de safran. C'est le soleil que l'on retrouve dans cet assemblage de sauvignon (80 %) et de sémillon souple, charnu, bien équilibré par de la fraîcheur. La finale évoque durablement le boisé et la pêche. La même note est attribuée au **Château de Bonhoste 2003 (5 à 8 €)** élevé en cuve, tout en fleurs et en agrumes.

🔑 SCEA des Vignobles Fournier,
Ch. de Bonhoste, 33420 Saint-Jean-de-Blaignac,
tél. 05.57.84.12.18, fax 05.57.84.15.36 ☑ 🍷 🚶 r.-v.

CELLIER DE BORDES 2003

n.c. 50 000 ■ 3 à 5 €

Un bouquet de fleurs (genêt), d'agrumes, de fruits exotiques s'associe aux notes fraîches typiques du sauvignon. La matière ronde s'enveloppe de flaveurs de fruits jaunes. Tout juste pourrait-on souhaiter un peu plus de vivacité en finale.

🔑 Cheval-Quancard,
La Mouline, BP 36, 33560 Carbon-Blanc,
tél. 05.57.77.88.88, fax 05.57.77.88.99,
e-mail chevalquancard@chevalquancard.com 🍷 🚶 r.-v.
🔑 Pierre Dumontet

CALVET RESERVE Vinifié en barrique 2003 *

36 ha 300 000 ■ ⦀ ♁ 3 à 5 €

Si elle est attachée à la tradition, la maison Calvet n'est jamais restée amarrée au passé. Ici, une partie du sémillon, parfaitement mûr, a été vinifiée de manière classique avec élevage sur lie, tandis que le sauvignon a connu une macération préfermentaire. Un bouquet de jeunesse se libère de ce vin fruité et légèrement fumé. Si elle se montre fraîche, la bouche offre de longues flaveurs gourmandes de poire, d'agrumes, de violette et de vanille.

🔑 Calvet, 75, cours du Médoc,
BP 11, 33028 Bordeaux Cedex, tél. 05.56.43.59.00,
fax 05.56.43.17.78, e-mail calvet@calvet.com

CH. CARSIN Signature L'Etiquette grise 2002 *

20,44 ha 6 000 ⦀ 11 à 15 €

Une allure jeune et distinguée pour ce vin issu à 100 % de sauvignon gris fermenté en barrique. Des arômes d'agrumes, d'acacia et de miel, nuancés d'un léger brûlé, cèdent place au palais à une sensation de fraîcheur, fruitée et réglissée. La chair ronde et pleine assimile bien le boisé de l'élevage qui se manifeste en finale.

🔑 GFA Ch. Carsin, 33410 Rions,
tél. 05.56.76.93.06, fax 05.56.62.64.80,
e-mail chateau@carsin.com ☑ 🍷 🚶 r.-v.

LA CHAPELLE D'ALIENOR 2003

1,93 ha 13 500 ⦀ 8 à 11 €

Une chapelle domine les vignes plantées en coteau. L'ensoleillement généreux et la chaleur de l'été 2003 se traduisent dans ce vin de teinte or nuancé de vert. Citron, bigarade, pamplemousse et un grillé de qualité introduisent la dégustation. Puis c'est une matière dense et fruitée qui se développe jusqu'à une finale boisée.

🔑 Aliénor et Alexandre de Malet-Roquefort,
BP 12, Saint-Pey-d'Armens, 33330 Saint-Emilion,
tél. 05.57.56.40.80, fax 05.57.56.40.89,
e-mail chateau.armens@chateau.armens.com ☑

DOM. CHEVAL-BLANC SIGNE 2003 *

8 ha 50 000 ■ 3 à 5 €

A Arbis, dans le vignoble, se trouve un moulin à eau datant du milieu du XVIIes. ; le domaine, lui, remonte au début du XVIIIes. Vinifié par macération puis élevé sur lie, c'est un vin expressif et élégant que l'on découvre. A la richesse des arômes de fleurs blanches nuancés de buis et de cassis répond une bouche harmonieuse, ronde et mûre qui se prolonge sur des notes de sauvignon. Lui aussi très sauvignonné, le **Château de Los 2003 (3 à 5 €)**, qui n'a pas connu le bois, est cité. Son équilibre entre gras et vivacité lui permettra de rejoindre des palourdes farcies aux noisettes.

🔑 SCEA Vignobles Signé, 505, Petit Moulin Sud,
33760 Arbis, tél. 05.56.23.93.22, fax 05.56.23.45.75,
e-mail signevignobles@wanadoo.fr ☑ 🍷 🚶 r.-v.

CH. CLOS CHAUMONT 2002 *

1,1 ha 3 300 ⦀ 8 à 11 €

Sur le circuit des bastides de l'Entre-Deux-Mers, ce château mérite une halte pour découvrir sa cuvée confidentielle, mariant à parts égales le sauvignon gris et le sémillon. Tout en séduction dans sa robe jonquille brillant, le vin développe un fruité élégant, relevé d'un boisé fumé que l'on retrouve dans une bouche ronde et persistante. Pour des coquilles Saint-Jacques.

🔑 EARL Ch. Clos Chaumont, 8, Chomar,
33550 Haux, tél. 05.56.23.37.23, fax 05.56.23.30.54,
e-mail chateau-clos-chaumont@wanadoo.fr 🍷 🚶 r.-v.

🔑 Pieter Verbeek

CH. COURREGES 2003 *

▒ n.c. 11 000 ▮🌡 3 à 5 €

Né sur un sol argilo-calcaire, ce vin se compose de 80 % de sauvignon blanc et de 20 % de sauvignon gris. Il se pare d'une ravissante robe pâle, presque blanche, relevée d'une nuance verte. Frais et délicat, il joue sur les harmonies florales et fruitées (fruit de la Passion, mangue, ananas), ponctuées de minéral et de fumé. Une agréable impression de souplesse émane de la bouche fraîche, empreinte de flaveurs de fruits à chair blanche. Le compagnon d'une aumônière de saumon frais et fumé.

🔑 SCE Clos de Brague, 33240 Vérac,
tél. 05.57.84.41.71, fax 05.57.84.81.10,
e-mail closdebrague@voila.fr ☑ 🍷 🚶 r.-v.

🔑 Pineaud

CH. COURTEY Cuvée Idrïs 2003 **

▒ 2,1 ha 1 200 ▮🌡 3 à 5 €

A Courtey, la fête bat son plein en mai et juin, lorsque l'on déguste les vins en cours d'élevage autour d'un buffet paysan, en musique. Il y a fort à parier qu'à la sortie du Guide, on célébrera à nouveau le cru et, notamment, cette cuvée qui a fait bonne impression. Bouquet charmeur de mangue, d'ananas et de fruit de la Passion, nuancé d'amande et de noisette. Palais rond et séduisant, typique des sauvignons gris et blanc, et une belle ampleur aromatique. Espérons que le buffet comprendra des coquilles Saint-Jacques ou du crabe...

🔑 SCEA Courtey, 33490 Saint-Martial,
tél. 05.56.76.42.56, fax 05.56.76.42.56 ☑ 🏠 🍷 🚶 r.-v.

LA CROIX DE FRENEAU 2003

▒ 10 ha 50 000 ▮🌡 3 à 5 €

Marqué par la personnalité du sauvignon (90 %), ce vin jaune clair brillant aux reflets vert tendre libère un parfum d'île lointaine (mangue, ananas, agrumes). Sa texture fine, délicatement ronde, a de quoi séduire.

🔑 Cave des Hauts de Gironde, La Cafourche,
33860 Marcillac, tél. 05.57.32.48.33, fax 05.57.32.49.63,
e-mail contact@tutiac.com 🍷 🚶 r.-v.

CH. DU CROS 2003

▒ 12 ha 50 000 ▮🌡 5 à 8 €

Le château, inscrit aux Monuments historiques en 1993, possède 45 ha de vignes. La technicité de son équipe lui a permis de bien traverser ce millésime marqué par la canicule. En témoigne ce vin floral et fruité, légèrement muscaté au nez. Il se montre charmeur dès l'attaque avant de poursuivre en rondeur sur des flaveurs de fruits goûteux.

🔑 SA Vignobles M. Boyer, Ch. du Cros,
33410 Loupiac, tél. 05.56.62.99.31, fax 05.56.62.12.59,
e-mail contact@chateauducros.com
☑ 🍷 🚶 t.l.j. 8h-12h 14h-18h

CH. DARZAC 2003

▒ 2 ha 13 000 ▮🌡 3 à 5 €

Fort de 65 ha aujourd'hui, le château Darzac a donné naissance à un 2003 qui libère après aération un bouquet très mûr de rose et de coriandre. La bouche d'une extrême rondeur mêle les fruits surmûris à des notes florales et sauvignonnées. La finale aurait mérité d'être plus vive, mais la canicule ne l'a pas permis.

🔑 SCA Vignobles Claude Barthe,
22, rte de Bordeaux, 33420 Naujan-et-Postiac,
tél. 05.57.84.55.04, fax 05.57.84.60.23,
e-mail chateau-fondarzac@wanadoo.fr ☑ 🚶 r.-v.

NUMERO 1 DE DOURTHE 2003 *

▒ n.c. 600 000 ▮🌡 5 à 8 €

La marque Numéro 1 de Dourthe, créée en 1988, bénéficie de l'expertise de Denis Dubourdieu et de Christophe Ollivier. Son dernier millésime, fruité et élégamment souligné de notes mentholées, se montre avenant. Sa chair ronde, friande, trouve un bon équilibre et s'exprime durablement dans un registre floral. Le **bordeaux sec Beau Mayne 2003 (3 à 5 €)** est cité.

🔑 Vins et vignobles Dourthe, 35, rue de Bordeaux,
33290 Parempuyre, tél. 05.56.35.53.00,
fax 05.56.35.53.29, e-mail contact@cvbg.com ☑ r.-v.

CH. FRANC-PERAT 2003 **

▒ 17 ha 65 000 ▮🌡 5 à 8 €

Le millésime 2003 restera dans les annales comme celui « de la canicule ». Dans cette propriété, les vendanges ont ainsi eu lieu pendant la nuit pour profiter d'un peu de fraîcheur. Il en résulte un vin intensément floral, qui associe la suavité de la rose à la sensualité du jasmin. La bouche remarquablement ronde évoque les fruits mûrs jusque dans la finale persistante. Beaucoup de finesse dans ce bordeaux destiné à l'apéritif.

🔑 SCEA de Mont-Pérat, 33420 Naujan-et-Postiac,
tél. 05.57.84.55.08, fax 05.57.84.57.31,
e-mail contact@despagne.fr ☑ 🍷 🚶 r.-v.

🔑 Despagne

CH. GANTONET 2003

▒ 8 ha 30 000 ▮(|) 3 à 5 €

Ce vin saura offrir toute sa tendresse à un lapin sauté aux pommes. Il lui associera ses arômes nuancés de vanille, sa chair qui ne manque ni de gras ni de vivacité, et sa légère sucrosité finale.

🔑 SC Ch. Gantonet, 33350 Sainte-Radegonde,
tél. 05.57.40.53.83, fax 05.57.40.58.95 ☑ 🍷 🚶 r.-v.

🔑 Famille Richard

CH. DU GRAND FERRAND 2003 *

▒ 6 ha 49 000 ▮🌡 3 à 5 €

Une tunique de couleur jaune pâle, finement ourlée de vert, annonce un nez intense d'agrumes, de bourgeon de cassis, souligné de notes musquées. Une chair pleine, grasse et fruitée enveloppe le palais et laisse en finale une sensation persistante de fondant.

🔑 Ch. du Grand Ferrand, lieu-dit Grand-Ferrand,
33540 Sauveterre-de-Guyenne, tél. 05.56.71.60.42,
fax 05.56.71.69.08, e-mail grand.ferrand@wanadoo.fr

CH. JEAN L'ARC 2003

▒ 0,3 ha 1 200 ▮(|)🌡 3 à 5 €

Né de raisins qui ont résisté avec brio à la canicule, ce 2003 se présente dans une tenue or pâle. Il se montre

bavard, tout en arômes de fruits bien frais : citron, poire, pomme granny. Son gras, à mettre au compte de l'année, et la fermeté de sa construction ne laissent pas indifférent. Une petite amertume apporte de la fraîcheur en finale.
🕭 EARL Vignobles Siozard,
Au Claouset, 33420 Lugaignac,
tél. 05.57.74.90.05, fax 05.57.84.67.10,
e-mail vignobles-siozard@wanadoo.fr ☑ ☉ ⚤ r.-v.

CH. DU JUGE Cru Quinette 2003 ★

9 ha	40 000	▮ 5 à 8 €

Un vin qui sait ce qu'élégance, finesse et équilibre veulent dire. Plaisir des yeux devant la robe jaune clair transparente. Etonnement des sens lorsque se libèrent les fragrances de fleurs et de fruits exotiques. Générosité d'une bouche charnue qui laisse le souvenir d'arômes d'orange confite. Un beau bordeaux destiné à un turbotin au beurre d'agrumes.
🕭 Pierre Dupleich,
Ch. du Juge, rte de Branne, 33410 Cadillac,
tél. 05.56.62.17.77, fax 05.56.62.17.59,
e-mail chateau-du-juge@wanadoo.fr ☑ ☉ ⚤ r.-v.
🕭 David Dupleich

CH. LAMOTHE VINCENT Fleur de Cuvée 2003 ★

8,91 ha	76 000	▮⚬ 5 à 8 €

Le bouquet plein de jeunesse évoque les fleurs et les fruits. Une invitation à découvrir le palais frais et franc dès l'attaque, dont la structure subtile s'enveloppe d'une chair ronde et savoureuse. Un vin qui a beaucoup à offrir dès aujourd'hui.
🕭 Vignobles Vincent,
3, chem. Laurenceau, 33760 Montignac,
tél. 05.56.23.96.55, fax 05.56.23.97.72,
e-mail info@lamothe-vincent.com ☑ ☉ ⚤ r.-v.

CH. LANGEL MAURIAC 2003 ★

3 ha	30 000	▮⚬ 3 à 5 €

Ce 2003, jaune pâle aux discrets reflets vert tendre, offre des senteurs de rose et des nuances muscatées. Il apparaît souple, délicieusement velouté et charnu, avec des flaveurs d'eau de rose et de litchi. Pour des coquilles Saint-Jacques avec leur corail, accompagnées de fois gras et d'une gelée de piment d'Espelette. Cité, le **bordeaux sec Arsius 2003**, issu du seul sauvignon, présente une élégance simple, mais de bon goût.
🕭 Vignerons de Guyenne,
Union des producteurs de Blasimon, 33540 Blasimon,
tél. 05.56.71.55.28, fax 05.56.71.59.32,
e-mail vigneronsdeguyenne@worldonline.fr
☑ ☉ ⚤ t.l.j. sf sam. dim. 8h-12h 14h-18h
🕭 Alain Langel

CH. LESTRILLE CAPMARTIN
Vinifié et élevé en fût de chêne 2003

0,6 ha	5 000	⚬ 5 à 8 €

Le sauvignon (55 %) et le sémillon vendangés à pleine maturité ont tiré profit d'une macération pelliculaire de huit heures pour exprimer au mieux leurs caractères variétaux. Ce potentiel aromatique a été accentué par l'élevage sur lie fine. Il en résulte un vin jaune pastel. Le nez met en valeur les arômes d'orange, d'abricot et de pomme sur fond boisé-toasté, tandis que la bouche est toute ragaillardie par les notes d'agrumes.

🕭 Jean-Louis Roumage,
Lestrille, 33750 Saint-Germain-du-Puch,
tél. 05.57.24.51.02, fax 05.57.24.04.58,
e-mail jlroumage@lestrille.com ☑ ☉ ⚤ r.-v.

JACQUES ET FRANCOIS LURTON
Sauvignon 2003 ★★

28 ha	173 000	▮⚬ 5 à 8 €

Il n'était pas loin du coup de cœur ce bordeaux brillant qui révèle une exquise expression de sauvignon mêlée de pêche de vigne et d'abricot. Le palais bien expressif fait preuve d'ampleur et d'onctuosité tout en bénéficiant d'un bon soutien acide qui rafraîchit l'ensemble. Un vin qui pourra vieillir un ou deux ans en cave avant de rejoindre un plateau convivial de fruits de mer.
🕭 SA Jacques et François Lurton,
Dom. de Poumeyrade, 33870 Vayres,
tél. 05.57.55.12.12, fax 05.57.55.12.13,
e-mail jflurton@jflurton.com ☉ ⚤ r.-v.

CH. MARAC 2003

3,25 ha	24 800	▮⚪⚬ 3 à 5 €

En 1975, le vignoble a été totalement transformé pour donner naissance à ce cru. Les vignes hautes ont cédé place à des ceps conduits bas et plus densément plantés. Aujourd'hui, les techniques de vinification les plus modernes sont utilisées. Ainsi est né ce 2003 d'abord timide au nez, mais qui libère progressivement des notes de pêche blanche et de fruits jaunes des îles. Il allie vivacité et volume en attaque, avant de développer du gras et des flaveurs de fruits mûrs. La finale révèle un soupçon d'amertume.
🕭 Alain Bonville, Ch. Marac, 33350 Pujols,
tél. 05.57.40.53.21, fax 05.57.40.71.36,
e-mail vignoble-alain.bonville@wanadoo.fr ☑ ☉ ⚤ r.-v.

PAVILLON BLANC
DU CHATEAU MARGAUX 2002 ★★

n.c.	n.c.	46 à 76 €

Une fois encore l'aptitude des terroirs graveleux à produire de grands blancs a parlé. Agrumes sur fruits blancs, pamplemousse sur poire, son bouquet est un univers complexe et sensuel où même l'oriental vétiver trouve sa place. Ronde, pleine et moelleuse à souhait, la structure est du même niveau, comme la longue finale qui s'ouvre sur un retour aromatique fabuleusement gourmand avec des notes de vanille et de biscuit à la cuiller. C'est déjà un régal ; pourtant il pourra tout autant être apprécié dans cinq ou six ans.
🕭 SC du Ch. Margaux, 33460 Margaux,
tél. 05.57.88.83.83, fax 05.57.88.31.32 ⚤r.-v.

CH. MARGEROTS 2003

■ 7,58 ha 66 600 ▮↓ 3 à 5 €

Ce vin peut être le compagnon de rougets grillés, assortis de tomates séchées et d'un ciselé de basilic, sans oublier les pommes de terre à l'ail. Il apportera au plat ses arômes d'agrumes et de violette, sa chair tendre, relevée d'accents fruités bien frais.

🔑 Prodiffu, 17-19, rte des Vignerons,
33790 Landerrouat, tél. 05.56.61.33.73,
fax 05.56.61.40.57, e-mail prodiffu@prodiffu.com

MARQUIS D'ALBAN 2003 ★★

■ 7 ha 48 000 ▮↓ 5 à 8 €

Dulong Frères et Fils est une maison familiale, fondée en 1873, qui participe largement à la notoriété du négoce bordelais. Elle a élevé ce vin jaune pâle à reflets verts, plein de fraîcheur. Le bouquet expressif exprime les fleurs blanches, l'aubépine et le buis, soulignés de notes fumées et minérales. La texture pleine, fine et douce, séduit le palais, enrichie de longues notes muscatées.

🔑 Dulong Frères et Fils,
29, rue Jules-Guesde, 33270 Floirac, tél. 05.56.86.51.15,
fax 05.56.40.66.41, e-mail dulong@dulong.com

CH. LA MASSONNE 2003

■ 5 ha 35 000 ▮ 3 à 5 €

Un pur sauvignon au bouquet d'abord frileux, mais qui égrène à l'aération des notes florales et fruitées agréables. La bouche lisse et harmonieuse, sphérique, présente beaucoup de gras, auquel l'élevage sur lie fine n'est pas étranger. Encore dans son premier âge, ce vin révèle une pointe végétale en finale qui devrait se gommer après une petite garde dans votre cave.

🔑 SCV Jean Queyrens et Fils, Le Grand Village,
33410 Donzac, tél. 05.56.62.97.42, fax 05.56.62.10.15,
e-mail scvjqueyrens@free.fr Ɪ 🚶 r.-v.

MAYNE D'OLIVET 2002 ★

■ 2 ha 12 000 ◍ 11 à 15 €

Passez voir les moulins de Calon, à 1 km de Montagne, que Jean-Noël Boidron a restaurés. Il a assemblé les quatre cépages blancs du Bordelais (sauvignons blanc et gris, sémillon et muscadelle), récoltés sur un sol argilo-calcaire pour élaborer ce 2002 intense, aux arômes de fruits auxquels s'ajoute un boisé fumé hérité de l'élevage. Le raffinement caractérise la bouche ronde et équilibrée, friande jusqu'à la finale persistante. A boire dès maintenant.

🔑 Jean-Noël Boidron,
Ch. Corbin Michotte, 33330 Saint-Emilion,
tél. 05.57.51.64.88, fax 05.57.51.56.30,
e-mail vignoblesjnboidron@wanadoo.fr ☑ Ɪ 🚶 r.-v.

CH. MEMOIRES

Fleur d'Opale Elevé en fût de chêne 2002 ★

■ 1,5 ha 7 000 ◍ 8 à 11 €

La période serait-elle morose ? En tout cas, on ne manque ni de projets ni de dynamisme au château Mémoires, depuis sa création en 1987. Cette Fleur d'Opale saura plaire aux côtés d'un bar en croûte au sel, cuit au four. Son bouquet de fruits mûrs intenses s'accompagne de notes florales et vanillées, cependant que sa matière dense et concentrée laisse la même sensation qu'une tartine briochée nappée de compote. La finale se montre chaleureuse.

🔑 SCEA Vignobles Ménard, Ch. Mémoires,
33490 Saint-Maixant, tél. 05.56.62.06.43,
fax 05.56.62.04.32, e-mail memoires1@aol.com
☑ Ɪ 🚶 t.l.j. 8h-12h 13h30-17h30; sam. dim. sur r.-v.

CH. MONIER-LA FRAISSE 2003 ★

■ 8 ha 10 000 ▮↓ 3 à 5 €

Ancienne bastide fondée en 1281 par Edouard Ier, roi d'Angleterre, Sauveterre-de-Guyenne est au cœur d'une région riche en abbayes. Arrêtez-vous aussi au cellier de la Bastide pour découvrir ce vin or pâle brillant à reflets verts. De bonne intensité, celui-ci évoque la pêche blanche et le citron, avec quelques touches de buis. Sa texture flatteuse, pleine et généreuse, accueille le fruit du sauvignon : elle bénéficie d'une juste acidité qui la porte en finale. Pour des gambas sur le gril. Le **Cellier de la Bastide 2003**, issu de pur sauvignon et élevé en cuve, obtient une citation.

🔑 Cave coopérative Cellier de la Bastide,
33540 Sauveterre-de-Guyenne,
tél. 05.56.61.55.21, fax 05.56.61.59.10 ☑ Ɪ 🚶 r.-v.
🔑 Claude Laveix

CH. MONTAUNOIR 2003 ★

■ 3,5 ha 7 600 ▮ 3 à 5 €

Geneviève Ricard a succédé à sa mère en 1999 pour gérer le vignoble acquis par son grand-père en 1966. Aidée de son maître de chai Philippe Durand, elle obtient un résultat fort honorable en 2003 : un vin tout en gourmandise qui allie les fruits des îles (ananas, litchi) et les fruits à chair blanche, avec une pointe citronnée bien fraîche. La bouche est joliment fruitée.

🔑 SCEA des Vignobles Ricard,
Ch. de Vertheuil, 33410 Sainte-Croix-du-Mont,
tél. 05.56.62.02.70, fax 05.56.76.73.23 ☑ Ɪ 🚶 r.-v.
🔑 B. et J.-P Ricard

CH. MOULIN DE PONCET 2003 ★

■ 5 ha 40 000 ▮↓ 5 à 8 €

Chez les Barthe, le vignoble est transmis de père en fils depuis la Révolution. Seulement voilà, aujourd'hui, c'est une fille qui en a hérité. Et Véronique Barthe se montre à la hauteur en proposant un 2003 tout en fleurs et en fruits à chair blanche, qui a su garder de la fraîcheur pour équilibrer le gras. Pour des viandes blanches.

🔑 Vignobles Philippe Barthe, Peyrefus,
33420 Daignac, tél. 05.57.84.55.90, fax 05.57.74.96.57,
e-mail vbarthe@club-internet.fr ☑ Ɪ 🚶 r.-v.

MOULIN DES MAILLETS 2003

■ 3 ha 23 000 ▮↓ - de 3 €

Habillé d'une robe aérienne, au dégradé de verts doux, signe de jeunesse, ce vin marie fort bien les fruits à chair blanche et les fleurs. Un peu de vivacité en attaque réveille les papilles, puis la matière apparaît dense et vineuse, bien fruitée en finale.

🔑 Dom. de Sansac, Les Lèves,
33220 Sainte-Foy-la-Grande, tél. 05.57.56.02.02,
fax 05.57.56.02.22, e-mail jm.portier@univitis.fr

CH. PERAYNE 2003 *

□ 2 ha 3 460 ▮♁ 3 à 5 €

La propriété de 21 ha d'un seul tenant bénéficie d'un sol argilo-calcaire de qualité. Le sauvignon, épaulé par 10 % de sémillon, apparaît distinctement dans la palette de ce 2003, fait de cassis, de groseille, de buis et de litchi. La bouche bien vive s'achemine vers une finale suffisamment longue. Un style classique.

🔑 Henri Luddecke,
Ch. Perayne, 33490 Saint-André-du-Bois,
tél. 05.57.98.16.20, fax 05.56.76.45.71,
e-mail chateau.perayne@wanadoo.fr ☒ 🍷 🚶 r.-v.

CH. PIERRAIL
Cuvée Prestige Vinifié et élevé en fût de chêne 2002

□ 1,3 ha 6 200 ◍ 8 à 11 €

Elaboré par macération pelliculaire et élevé sur lie fine, ce vin équilibré est à courtiser dès à présent. Les sauvignons blanc (80 %) et gris lui ont donné des parfums de fleurs et de fruits exotiques, tandis que le fût a laissé pour empreintes des nuances de noisette et d'épices douces. S'il se montre rond, le palais bénéficie aussi d'un bon soutien acide.

🔑 EARL Ch. Pierrail, Ch. Pierrail, 33220 Margueron,
tél. 05.57.41.21.75, fax 05.57.41.23.77,
e-mail alice@chateaupierrail.com ☒ 🍷 🚶 r.-v.
🔑 Famille Demonchaux

CH. RECOUGNE Terra Recognita 2003 **

□ 2 ha 10 000 ◍ 5 à 8 €

Terra recognita... Ce terroir, en effet, a été reconnu officiellement par Henri IV après son passage d'une nuit au château. C'est aujourd'hui son vin que le jury reconnaît. Ce 2003 libère sans retenue des senteurs de pêche et d'agrumes, de fruits exotiques qui se mêlent aux notes de vanille et de crème brûlée. Sa matière dense fait preuve de concentration grâce à ses flaveurs de raisin mûri sous un soleil généreux. Elle possède aussi du volume et du fondant. Un 2003 bien construit, équilibré et complexe. Le **Château Recougne 2003 (3 à 5 €)**, élevé en cuve, obtient une étoile : évocateur de fruits exotiques au sirop, vif en attaque, puis rond, il pourra accompagner dans un an une sole meunière aux cèpes aillés et persillés.

🔑 SEV Vignobles Jean Milhade, Ch. Recougne,
33133 Galgon, tél. 05.57.55.48.90, fax 05.57.84.31.27,
e-mail milhade@milhade.fr ☒ 🍷 r.-v.

DOM. DE RICAUD 2003 *

□ 4 ha 30 000 ▮♁ 5 à 8 €

Deux générations, les parents et le fils, conduisent cette exploitation de 32 ha dans l'Entre-Deux-Mers. Leur expérience a été un atout pour l'élaboration d'un 2003 fruité. Le bouquet allie harmonieusement les fleurs blanches, les fruits jaunes et les agrumes, avec une touche mentholée. Pour l'apéritif ou le poisson.

🔑 Vignobles Chaigne et Fils,
Ch. Ballan-Larquette, 33540 Saint-Laurent-du-Bois,
tél. 05.56.76.46.02, fax 05.56.76.40.90,
e-mail rchaigne@vins-bordeaux.fr ☒ 🍷 🚶 r.-v.

CH. ROCHEBERT
Grande Sélection Elevé en fût de chêne 2003

□ 0,5 ha 1 500 ◍ 5 à 8 €

En 2003 un musée du Vin et de la Tonnellerie a été créé dans cette chartreuse qui commande 22 ha de vignes. Sa visite sera aussi l'occasion de découvrir ce 2003 au fruité de poire, de pêche, d'abricot et d'agrumes, qui révèle une grande fraîcheur et du gras. La vanille apparaît avec discrétion en finale.

🔑 SCEA Roche, Perriche, 33750 Beychac-et-Caillau,
tél. 05.56.72.41.28, fax 05.56.72.41.28,
e-mail vignobleroche@wanadoo.fr ☒ 🍷 🚶 t.l.j. 9h-19h

CH. DES ROCS 2003 *

□ 2,7 ha 19 000 ▮♁ 5 à 8 €

Un vin qui sait se mettre en valeur... De la robe or pâle lumineux émane un bouquet complexe et soutenu, d'abord porté sur l'acacia, puis sur le fruit des sauvignons blanc et gris, et du sémillon. L'attaque soyeuse introduit une bouche charnue, aux flaveurs de bonbon acidulé. Un bon équilibre et de la longueur.

🔑 SCEA Vignobles Michel Bergey,
Ch. de Damis, 33490 Sainte-Foy-la-Longue,
tél. 05.56.76.41.42, fax 05.56.76.46.42,
e-mail contact@vignoblesbergey.com
☒ 🍷 🚶 t.l.j. sf sam. dim. 8h30-12h30 14h-18h;
f. sem. 15 août

CH. ROQUEFORT 2003 *

□ 40 ha 120 000 ▮♁ 5 à 8 €

Lorsque l'on associe 80 % de sauvignon à 20 % de sémillon récoltés sur un sol argilo-calcaire, lorsque l'on réserve à la vendange une macération préfermentaire à froid et au vin un élevage sur lie, c'est bien le caractère aromatique que l'on privilégie. Il en est ainsi dans ce 2003 qui s'exprime dans un registre floral égayé d'un fruité pulpeux de pêche de vigne. De la rondeur juste comme il faut, bientôt équilibrée par la fraîcheur des arômes de mandarine et de citron... Un plaisir immédiat.

🔑 Ch. Roquefort, 33760 Lugasson,
tél. 05.56.23.97.48, fax 05.56.23.50.60,
e-mail chateau-roquefort@vignobles-bellanger.com
🍷 🚶 r.-v.
🔑 Frédric Belanger

CH. SAINTE-CATHERINE
Vinifié et élevé en fût de chêne 2003 *

□ 10,14 ha 36 000 ◍ 5 à 8 €

De passage à Paillet, vous visiterez l'église romane et vous vous arrêterez sans doute devant la chapelle Sainte-Catherine-du-Désert. Non loin de là, Florence et Jean Arjeau vous présenteront une catherinette coiffée d'un jaune vif éclatant. Les senteurs de pêche de vigne et de miel d'acacia sont relevées d'une pointe minérale fraîche. La bouche grasse et d'un bon volume offre un agréable fruité évocateur d'ananas. Un peu plus de vivacité, peut-être ? Le millésime ne s'y prêtait pas.

⌐ SCEA vignobles F. et J. Arjeau,
chem. Chapelle-Sainte-Catherine, 33550 Paillet,
tél. 05.56.72.11.64, fax 05.56.72.13.62,
e-mail vignoblesarjeau@wanadoo.fr ☑ ⅄ r.-v.

CH. SUAU 2003 ★

	3,85 ha	19 900	▮⬦	5 à 8 €

Sémillon, sauvignon et muscadelle s'associent dans
ce vin qui n'a pas besoin de fard pour séduire. Sa
gourmandise, il la doit à ses arômes de fruits à l'eau-de-vie,
à des notes florales délicates et à un fruité exotique. Son
élégance lui vient tout autant de sa souplesse et de sa
rondeur que de son caractère aromatique persistant. A
déguster dès maintenant avec des rosaces de lotte à la
fondue de poireaux.
⌐ Monique Bonnet, Ch. Suau, 33550 Capian,
tél. 05.56.72.19.06, fax 05.56.72.12.43,
e-mail bonnet.suau@wanadoo.fr ☑ ⅄ r.-v.

CH. THIEULEY Cuvée Francis Courselle 2002 ★★

	10 ha	60 000	⫼	8 à 11 €

Une sorte de Merlin l'enchanteur que ce bordeaux
plein de séduction qui demeure l'une des figures de proue
de l'appellation. Gourmand dans ses arômes de zeste
d'agrumes, de miel, de fleurs alliés à un vanillé chaleureux
et sensuel. Croquant aussi grâce à sa chair douce et ample,
fruit d'une vinification et d'un élevage en barrique neuve
parfaitement maîtrisés. Un boisé grillé embellit sa silhouette. Un vin prêt à passer à table avec des viandes
blanches ou des poissons en sauce. Très réussi, le **Château
Thieuley 2003 (5 à 8 €)**, qui n'a pas connu le bois, dévoile
un caractère fruité-floral agréable, ainsi qu'un bon équilibre
entre le gras et la vivacité.
⌐ Sté des Vignobles Francis Courselle, Ch. Thieuley,
33670 La Sauve, tél. 05.56.23.00.01, fax 05.56.23.34.37,
e-mail chateau.thieuley@wanadoo.fr ☑ ⅄ r.-v.

CH. TOUR DE MIRAMBEAU
Cuvée Passion Elevé en fût de chêne 2002 ★★

	4 ha	20 000	⫼	11 à 15 €

Dans la cour des grands ? Effectivement, ce bordeaux a figuré au grand jury des coups de cœur. En digne
représentant de l'appellation, il offre un bouquet élégant et
intense d'acacia, de sauvignon mûr et de croûte de bon
pain chaud. Sa matière ample, souple et fondue invite à un
accord avec un homard grillé à la crème. A boire
aujourd'hui tout en conservant quelques bouteilles pour les
deux prochaines années.
⌐ SCEA Vignobles Despagne,
33420 Naujan-et-Postiac,
tél. 05.57.84.55.08, fax 05.57.84.57.31,
e-mail contact@despagne.fr ☑ ⅄ r.-v.

CELLIER YVECOURT 2003 ★

	n.c.	700 000	▮⬦	3 à 5 €

Ce bordeaux appréciera la rencontre avec un filet de
saint-pierre braisé à la fleur de sel de Guérande, accompagné de pétoncles et de coques au gingembre frais. De
quoi mettre l'eau à la bouche... Autour d'un accord de
fruits, de fleurs, de buis et de notes animales, il révèle un
bon équilibre entre la richesse et la fraîcheur. Un vin de
caractère, expressif. Retenez aussi le **château Ducla
Expérience X 2002 (8 à 11 €)**, élevé en fût, que le jury a
cité.
⌐ SA Yvon Mau,
BP 1, 33193 Gironde-sur-Dropt Cedex,
tél. 05.56.61.54.54, fax 05.56.61.54.61

BORDELAIS

Bordeaux rosé

CH. DE BEAUREGARD-DUCOURT 2003 ★

	41 ha	n.c.	▮⬦	3 à 5 €

Un vignoble de tout premier ordre et un terroir
privilégié, parfaitement entretenu. On devine à la robe
limpide à reflets framboise le soin apporté à la vinification.
Un peu timide au premier nez, puis révélant des arômes de
fruits rouges, le vin se montre bien structuré, volumineux
et gras. Une longue suite de flaveurs fruitées dessine sa
finale.
⌐ SCEA Vignobles Ducourt,
18, rte de Montignac, 33760 Ladaux,
tél. 05.57.34.54.00, fax 05.56.23.48.78,
e-mail vignobles-ducourt@wanadoo.fr ☑ ⅄ r.-v.

CH. BONNET 2003 ★

	n.c.	n.c.	▮⬦	5 à 8 €

Le château Bonnet fait partie des grands domaines
d'André Lurton, propriétaire de 630 ha de vignes. Il
propose ici un bordeaux rosé séduisant par ses arômes de
framboise, de groseille, de pêche blanche et de banane.
Après une attaque fraîche se révèle une chair suave,
empreinte d'un fruité mûr à dominante de pêche. Un vin
de caractère qui possède toute la richesse du millésime.
⌐ André Lurton,
Ch. Bonnet, 33420 Grézillac,
tél. 05.57.25.58.58, fax 05.57.74.98.59,
e-mail andrelurton@andrelurton.com ☑

CH. DE BOUCHET La Rentière 2003 ★

	n.c.	3 000	▮⬦	3 à 5 €

En passant par Grézillac, vous marcherez sur les
traces des pèlerins de Compostelle en vous ferez halte dans
cette ferme fortifiée du XVᵉs., ancien relais. Vous y
dégusterez ce vin couleur framboise, parfumé de fruits
rouges. Tonique à l'attaque, la bouche apparaît aérienne et
svelte. Un bordeaux rosé droit et facile d'accès qui saura
participer à l'ambiance d'une table garnie de jambon de
pays et de magret de canard séché, accompagné de figue
fraîche à la confiture d'échalotes.

♄ SCEA Vignobles Marc Lurton, Ch. Reynier,
33420 Grézillac, tél. 05.57.84.52.02, fax 05.57.84.56.93,
e-mail marc.lurton@wanadoo.fr ☑ ⌾ ⚲ r.-v.

CH. BUTTE DE CAZEVERT 2003 ★★

| ◼ | 2,5 ha | 10 600 | 🍾↓ | 3 à 5 € |

Accueil sympathique garanti dans cette ferme de découverte, proche d'un sentier viticole consacré aux cépages bordelais. Jean-François et Monique Dufaget, à la tête de 22 ha de vignes, proposent un vin fruité et floral sous une coquette robe rose pâle à reflets orangés. Riche à souhait, séveux et agréablement structuré, ce 2003 ne se départit jamais de son fruité savoureux.
♄ Dufaget, Lafond, 33420 Naujan-et-Postiac,
tél. 05.57.84.57.03, fax 05.57.74.97.14,
e-mail ch.buttedecazevert@free.fr ☑ ⚲ ⌾ r.-v.

CH. CHANTELOUVE 2003 ★

| ◼ | 2,5 ha | 18 000 | | 3 à 5 € |

Le lilas ? C'est une note qui glisse dans le bouquet de petits fruits rouges (fraise) de ce vin de plaisir. Gouleyant et frais, le palais laisse aussi une impression veloutée que l'on aurait aimé plus persistante. Mais l'ensemble est bien agréable.
♄ EARL J.-C. Lescoutras et Fils, Le Bourg,
33760 Faleyras, tél. 05.56.23.90.87, fax 05.56.23.61.37
☑ ⚲ ⌾ r.-v.

DOM. DE DAMAZAC 2003

| ◼ | 1,5 ha | 8 000 | 🍾↓ | 3 à 5 € |

D'un rose vif intense, presque clairet, ce bordeaux dévoile sans ambages des arômes de framboise et de mûre. Il possède une chair ronde, soutenue par quelques tanins perceptibles, puis une finale fruitée élégante. Pensez à lui pour vos prochaines grillades.
♄ GAEC J.-R. Feyzeau et Fils,
Ch. La Capelle, 33500 Arveyres,
tél. 05.57.51.09.35, fax 05.57.51.86.27 ☑ ⚲ ⌾ r.-v.

CH. GABARON 2003 ★★

| ◼ | 15 ha | 100 000 | 🍾↓ | 3 à 5 € |

Michel et Henri Latorse dirigent cette exploitation créée en 1948 par leur père. Aujourd'hui rejoints par leurs fils, ils cultivent pas moins de 130 ha de vignes et produisent du vin dans trois appellations. Leur bordeaux rosé a conquis le jury. Couleur groseille à reflets saumonés, délicatement parfumé de fruits noirs, il présente une matière pleine et ronde, dotée de suffisamment de fraîcheur et de fruit. Proposez-lui une pintade aux raisins de muscat et aux agrumes.
♄ SC des vignobles Latorse,
Gabaron, 33670 La Sauve,
tél. 05.56.23.92.76, fax 05.56.23.61.65 ☑ ⚲ r.-v.

CH. GAYON 2003 ★

| ◼ | n.c. | 12 000 | 🍾↓ | 3 à 5 € |

D'un rose saumoné brillant, ce vin accueille le dégustateur par un bouquet de fruits mûrs chaleureux. Rond et plein, c'est un rosé de bouche qui trouve une heureuse conclusion dans des notes fruitées bien fraîches. Pour des brochettes de poulet et de crevettes marinées dans du jus de citron vert, avec du gingembre frais et des épices douces.

♄ Jean Crampes, Ch. Gayon, 33490 Caudrot,
tél. 05.56.62.81.19, fax 05.56.62.71.24,
e-mail jcrampes@chateau-gayon.com
☑ ⌂ ⚲ t.l.j. sf dim. 8h-12h 14h-19h

GRANDES VERSANNES 2003 ★★

| ◼ | 2 ha | 10 000 | 🍾↓ | 3 à 5 € |

Troisième coopérative de Gironde, forte de 240 adhérents cultivant un vignoble de 1 100 ha et d'une production de 130 000 hl par an, l'Union des producteurs de Lugon peut s'enorgueillir de ce rosé remarquable. Couleur framboise brillant, celui-ci décline de senteurs de grenadine et de cassis, puis montre une bouche à la fois fraîche et ronde, tout en finesse. Une alose ou une daurade rose cuites sur le gril lui iront bien.
♄ Union de producteurs de Lugon,
6, rue Louis-Pasteur, 33240 Lugon,
tél. 05.57.55.00.88, fax 05.57.84.83.16,
e-mail udpl-magasin@fr.oleane.com ☑ ⚲ ⌾ r.-v.

CH. DU GRAND PLANTIER 2003

| ◼ | 3 ha | 20 000 | 🍾↓ | 5 à 8 € |

Ce vin sera apprécié pour sa couleur orangé et son bouquet tonique de citron nuancé de senteurs de fruits rouges mûrs. Sa matière souple offre des flaveurs fruitées acidulées rafraîchissantes. Un plaisir simple.
♄ GAEC des Vignobles Albucher,
Ch. du Grand Plantier, 33410 Monprimblanc,
tél. 05.56.62.99.03, fax 05.56.76.91.35,
e-mail chdugrandplantier@hotmail.com ☑ ⌂ ⚲ ⌾ r.-v.

CH. HAUT-GARRIGA 2003

| ◼ | 9 ha | 35 000 | 🍾↓ | 3 à 5 € |

Très fruits rouges sous sa robe rose pâle légèrement orangé, ce vin tient du merlot (90 %), une aimable rondeur et de la souplesse. Sa finale chaleureuse s'évanouit assez vite, mais l'ensemble demeure équilibré. Pour une entrecôte vigneronne aux échalotes.
♄ EARL Vignobles C. Barreau et Fils,
Garriga, 33420 Grézillac,
tél. 05.57.74.90.06, fax 05.57.74.96.63,
e-mail barreau.alain@wanadoo.fr ☑ ⚲ ⌾ r.-v.

CH. LAMOTHE VINCENT Cuvée Passion 2003

| ◼ | 5,2 ha | 40 000 | 🍾↓ | 5 à 8 € |

Un bordeaux rosé nouvelle vague : macération préfermentaire, pressurage après stabulation à froid, fermentation à 18 °C et séjour sur lie. Le résultat ? Une robe à reflets vermillon, un bouquet intense alliant la gelée de coing et les fruits rouges macérés, une douceur enveloppante, avec juste ce qu'il faut de fraîcheur en finale pour éviter la mollesse.
♄ Vignobles Vincent,
3, chem. Laurenceau, 33760 Montignac,
tél. 05.56.23.96.55, fax 05.56.23.97.72,
e-mail info@lamothe-vincent.com ☑ ⚲ ⌾ r.-v.

CH. LARROQUE 2003 ★

| ◼ | n.c. | n.c. | 🍾↓ | 3 à 5 € |

Edifié en 1348 sous le règne d'Edouard III Plantagenêt, le château Larroque est devenu au fil des siècles un beau domaine viticole. Né d'un assemblage à parts égales de cabernets franc et sauvignon récoltés sur un sol de

graves, son vin s'ouvre volontiers sur des fragrances florales de violette et des senteurs de fruits rouges charmantes. Sa bouche, soutenue par un discret perlant, apparaît fraîche et ronde à la fois, puis se prolonge durablement sur des accents fruités. Une gourmandise à savourer avec une grillade ou une viande blanche.
🔶 M. C. Boyer de La Giroday,
18, rte de Montignac, 33760 Ladaux,
tél. 05.57.34.54.00, fax 05.56.23.48.78,
e-mail vignobles-ducourt@wanadoo.fr ⚲r.-v.

CH. DE LUGAGNAC 2003

	7,5 ha	40 000	🍷↓	5 à 8 €

Cette propriété a fait l'objet d'un vaste programme de rénovation, du vignoble aux chais en passant par l'élégant château des XIIᵉ et XIIIᵉs. Issu d'une vendange manuelle, le 2003 exhale des parfums de cassis et de myrtille sous une robe rose soutenu aux nuances orangées. Après une attaque fraîche, légèrement perlante, il se montre gouleyant et fruité, avant de conclure sur une sensation chaleureuse.
🔶 Famille Bon,
SCEA du Ch. de Lugagnac, 33790 Pellegrue,
tél. 05.56.61.30.60, fax 05.56.61.38.48,
e-mail clugagnac@aol.com ☑ 🍷 ⚲ t.l.j. 9h-12h 14h-18h

CH. MAISON NOBLE SAINT-MARTIN 2003

	n.c.	n.c.	🍷↓	3 à 5 €

Un château féodal en cours de rénovation commande ce vignoble situé à 1 km du bourg encore fortifié de Castelmoron-d'Albret, la plus petite commune de France. Le cabernet-sauvignon s'exprime sous des accents de cassis et de myrtille dans ce vin framboise à reflets rubis. Des saveurs acidulées rafraîchissantes marquent la bouche, soulignées d'arômes de bonbon anglais et de fruits. Pour des plats exotiques.
🔶 Ch. Maison Noble Saint-Martin,
33540 Saint-Martin-du-Puy,
tél. 05.56.71.86.53, fax 05.56.71.86.12,
e-mail maison.noble@wanadoo.fr ☑ 🍷 ⚲ r.-v.
🔶 Pelissié

CH. MONTAUNOIR 2003 ★

	2 ha	7 300	🍷↓	3 à 5 €

Un vin qui ne manque ni de charme ni de finesse dans sa robe vieux rose. Tandis que le bouquet harmonieux mêle les senteurs fraîches des fruits au parfum chaleureux du musc, le palais, vineux dès l'attaque, se déploie avec rondeur et persiste sur des accents de cassis, de framboise et de mûre. Un plateau de charcuteries sera flatté par tant d'arômes.
🔶 SCEA des Vignobles Ricard,
Ch. de Vertheuil, 33410 Sainte-Croix-du-Mont,
tél. 05.56.62.02.70, fax 05.56.76.73.23 ☑ 🍷 ⚲ r.-v.

CH. MOULIN DE FERRAND 2003 ★★

	2,5 ha	15 000	🍷↓	3 à 5 €

Le château Moulin de Ferrand a toujours cru en son étoile et aujourd'hui il reçoit un coup de cœur pour son bordeaux d'une couleur grenadine brillante. De son bouquet se libèrent des notes de fraise des bois, de noyau, de kirsch et de brioche chaude beurrée. D'attaque fraîche, la bouche riche de sève offre une expression persistante de fruits (banane, fraise et cerise).

🔶 Vignobles Boissonneau,
Cathelicq, 33190 Saint-Michel-de-Lapujade,
tél. 05.56.61.72.14, fax 05.56.61.71.01,
e-mail vignobles@boissonneau.fr 🍷 ⚲ r.-v.

CH. MOUSSEYRON 2003 ★

	2 ha	13 000	🍷↓	3 à 5 €

À 1 km de Saint-Macaire et du château de Malromé, demeure familiale de Toulouse-Lautrec, cette propriété de 26 ha recherche la modernité dans ses vins, sans renier la tradition. Son rosé exalte les fleurs dans son bouquet, tout en laissant une place aux fruits rouges. Sphérique et coulant, il ne se dépare jamais de son amabilité et laisse en finale l'agréable souvenir de sa palette florale.
🔶 Jacques Larriaut,
31, rte de Gaillard, 33490 Saint-Pierre-d'Aurillac,
tél. 05.56.76.44.53, fax 05.56.76.44.04 🍷 ⚲ r.-v.

CUVEE PIN-FRANC-PILET 2003 ★

	2,2 ha	16 000	🍷↓	3 à 5 €

Saumon pâle mais brillant, ce bordeaux offre avec sincérité ses arômes de fruits nuancés d'une pointe florale. Des flaveurs de bonbon acidulé introduisent une bouche équilibrée, disposée à se prolonger sur des notes fruitées et une touche d'amertume qui apporte de la fraîcheur.
🔶 SCV Jean Queyrens et Fils, Le Grand Village,
33410 Donzac, tél. 05.56.62.97.42, fax 05.56.62.10.15,
e-mail scvjqueyrens@free.fr ☑ 🍷 ⚲ r.-v.

CH. REYNIER 2003 ★★

	n.c.	3 000	🍷↓	3 à 5 €

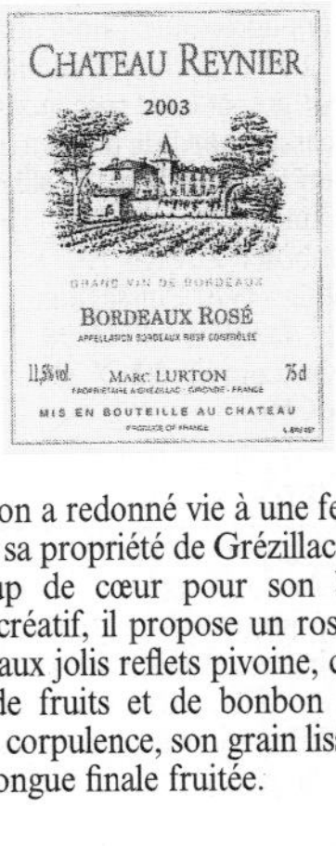

Marc Lurton a redonné vie à une ferme fortifiée du XVᵉs., sise dans sa propriété de Grézillac. Il a obtenu l'an dernier un coup de cœur pour son bordeaux 2000. Toujours aussi créatif, il propose un rosé qui a du chic. Dans une robe aux jolis reflets pivoine, celui-ci révèle un bouquet frais de fruits et de bonbon anglais. Elle se distingue par sa corpulence, son grain lisse et sa rondeur, puis offre une longue finale fruitée.

🐦 SCEA Vignobles Marc Lurton, Ch. Reynier,
33420 Grézillac, tél. 05.57.84.52.02, fax 05.57.84.56.93,
e-mail marc.lurton@wanadoo.fr ☑ ⵣ 🏃 r.-v.

CH. LA RIVALERIE 2003

▦	1,5 ha	8 000	▪ 3 à 5 €

Ce château du blayais propose un rosé de teinte soutenue qui joue dans les registres des fleurs et des fruits avec complexité. Les arômes de pêche et de cerise se prolongent dans une bouche souple, fraîche et friande. Préparez une paella : l'accord sera réussi.
🐦 Ch. La Rivalerie,
1, La Rivalerie, 33390 Saint-Paul-de-Blaye,
tél. 05.57.42.18.84, fax 05.57.42.14.27,
e-mail larivalerie@wanadoo.fr ☑ ⵣ 🏃 r.-v.

CH. ROSE BOURBON 2003

▦	3 ha	15 000	◫ 3 à 5 €

Un romantique, ce vin d'un rose délicat qui ranime des souvenirs d'enfance par ses arômes de groseille, de fraise et de barbe à papa. Son corps svelte et souple s'accompagne d'agréables sensations de fruits mûrs et de bonbon acidulé à la framboise. Une bouteille à servir avec des brochettes ou un lapin à la jardinière de légumes.
🐦 d'Halluin, Clos Bourbon, 33550 Paillet,
tél. 05.56.72.11.58, fax 05.56.72.13.76,
e-mail closbourbon@club-internet.fr
☑ ⵣ 🏃 t.l.j. sf sam. dim. 9h-12h 14h-17h; ven. 9h-12h

CH. DU SIRON 2003

▦	1,5 ha	12 000	▪ 3 à 5 €

Rosé limpide animé de reflets orangés, ce vin fruité offre en toile de fond d'agréables notes épicées. Fin et frais dès la mise en bouche, il se poursuit avec rondeur dans le registre des fruits nuancés de bonbon anglais. Dommage que la finale s'évanouisse bientôt.
🐦 Pierre Ginelli, EARL Ch. du Siron,
2, Le Siron, 33490 Saint-Martin-de-Sescas,
tél. 05.56.76.44.79, fax 05.56.76.43.10,
e-mail pierre.ginelli@wanadoo.fr ☑ ⵣ 🏃 r.-v.

CH. TIFAYNE 2003

▦	0,5 ha	4 000	▪ 5 à 8 €

Dans cette propriété de 13 ha achetée en 1997 par un couple d'ingénieurs agronomes, on s'attache à respecter l'environnement. 80 % de la production est vendue à l'étranger. Couleur grenade, ce rosé aux arômes de fraise garriguette et de cassis aborde le palais avec fraîcheur, que souligne encore un léger perlant. Sa silhouette menue et équilibrée en fait un vin avenant.
🐦 Vignobles Limbosch-Zavagli,
Tifayne-Monbadon, 33570 Puisseguin,
tél. 05.57.40.61.29, fax 05.57.40.60.98,
e-mail info@tifayne.com ☑ 🏠 ⵣ 🏃 r.-v.
🐦 GFA Côtes à Côtes

CH. LA VERRIERE 2003 ★

▦	1 ha	7 000	▪ 5 à 8 €

André Bessette, à la tête de ce domaine de 20 ha depuis 1960, propose un bordeaux de teinte grenadine, brillant de reflets mauves et légèrement perlant. Si les notes de fruits mûrs et, plus particulièrement de groseille, s'expriment avec discrétion au nez, la bouche ronde et équilibrée laisse une plus grande place au fruité jusqu'en

finale. Une idée d'accord gourmand : des côtes de porc caramélisées à l'ananas et aux litchis.
🐦 EARL André Bessette,
8, La Verrière, 33790 Landerrouat,
tél. 05.56.61.33.21, fax 05.56.61.44.25 ☑ 🏃 r.-v.

Bordeaux supérieur

CH. DES ANTONINS 2001 ★

▦	8 ha	50 000	▪⌄ 3 à 5 €

Antonins : le nom de ce château rend hommage aux moines qui assuraient ici une étape réconfortante aux pèlerins de Saint-Jacques-de-Compostelle en leur offrant « Tout ce qu'il faut pour ici bas et, mieux encore, pour l'au-delà... » Les bâtiments conventuels du XIIIᵉs., en excellent état, se visitent encore. Version moderne du saint vinage d'antan, ce bordeaux supérieur est d'une belle robe pourpre, dont l'aspect de velours annonce une chair ronde, fondue, bien équilibrée. Avec son bouquet épicé, il pourra bientôt jouer son rôle bienfaiteur à table.
🐦 Geoffroy de Roquefeuil,
Le Couvent, 33190 Pondaurat,
tél. 05.56.61.00.08, fax 05.56.71.22.07 ☑ ⵣ r.-v.

CH. BAULOS LA VERGNE 2001 ★

▦	6,82 ha	28 000	▪⌄ 5 à 8 €

Le merlot prédominant (80 %), récolté sur un terroir argileux, révèle tout son caractère dans ce 2001. La robe purpurine est en accord avec les arômes de fruits cuits et de noyau. Puis c'est une matière dense, soutenue par des tanins savoureux, qui se révèle garante d'une grande longévité. « Un vin à l'ancienne », écrit un dégustateur nostalgique. Une belle bouteille pour les retours de chasse en 2006.
🐦 Maison Yvan Dinand,
Dom. de Baulos, 33240 Saint-Germain-la-Rivière,
tél. 05.57.84.46.01, fax 05.57.84.81.36,
e-mail maison-yvan-dinand@wanadoo.fr ☑ ⵣ 🏃 r.-v.

CH. BEAU RIVAGE Le Phare 2002 ★★

▦	1 ha	4 000	◫ 15 à 23 €

Un assemblage rare : 80 % de merlot complété du seul petit verdot. Les vignes d'âge respectable (trente ans) ont été vendangées à la main. Il en résulte un remarquable 2002 auquel le grand jury a décerné un coup de cœur. Des éclats pourpres attirent le regard, tandis que des nuances chaudes et variées (vanille, clou de girofle et autres épices) s'épanouissent au nez comme en bouche. De fort belle structure, le vin se montre gras et opulent, promis à

un grand avenir. Cité, le **Château Beau Rivage Elevé en fût de chêne 2002 (8 à 11 €)** réunit pas moins de cinq cépages : c'est un vin corsé et concentré qui atteindra son équilibre dans deux ans.
⚷ SCEA Ch. Beau Rivage,
7, chem. du Bord-de-l'Eau, 33460 Macau,
tél. 05.57.10.03.70, fax 05.57.10.02.00,
e-mail beau-rivage@aol.com
☑ Y 🚶 t.l.j. 9h-12h 14h-17h; sam. dim. sur r.-v.

CH. BEL AIR PERPONCHER 2002 ★

■ n.c. n.c. ▮◍♁ 5 à 8 €

Sous une robe d'un grenat profond nuancé de mauve, les arômes de fruits rouges se mêlent aux épices et aux douces senteurs grillées d'un boisé discret. Objet d'un soin jaloux, le merlot d'origine, récolté à la main, a donné à ce vin une touche séveuse. Les tanins se sont arrondis à la faveur du vieillissement de douze mois dans un chai climatisé. Un joli 2002 persistant et apte à la garde.
⚷ SCEA Vignobles Despagne,
33420 Naujan-et-Postiac,
tél. 05.57.84.55.08, fax 05.57.84.57.31,
e-mail contact@despagne.fr ☑ Y 🚶 r.-v.
⚷ J.-L. Despagne

CH. BELLE-GARDE L'Excellence 2002

■ 3 ha 12 000 ◍ 8 à 11 €

De vieilles vignes partagées entre merlot et cabernet, récoltées à la main sur un sol argilo-calcaire et graveleux : grenat profond, ce 2002 révèle des arômes concentrés et une matière opulente et longue. Un bouquet balsamique, vanillé et grillé, masque encore le fruité, mais celui-ci prendra toute sa place avec le temps.
⚷ Eric Duffau, Monplaisir, 33420 Génissac,
tél. 05.57.24.49.12, fax 05.57.24.41.28,
e-mail duffau.eric@wanadoo.fr
☑ Y 🚶 t.l.j. sf dim. 8h-12h 14h-19h

CH. BELLEVUE La Réserve des amis 2002 ★

■ 10 ha 70 000 ◍ 5 à 8 €

Génial inventeur, l'arrière-grand-père de l'actuel propriétaire conçut au milieu du XIX[e]s. le premier hélicoptère. Ses descendants pratiquent aujourd'hui l'art de la vinification ; cette Réserve des amis est vigoureuse et concentrée. La bouche harmonieuse développe de plaisants arômes de fruits, ainsi que des tanins fins qui accompagnent la finale à dominante grillée. Une longue garde ne s'impose pas.
⚷ SCEA Famille d'Amécourt,
Bellevue, 33540 Sauveterre-de-Guyenne,
tél. 05.56.71.54.56, fax 05.56.71.83.95,
e-mail y.damecourt@chateau-bellevue.com ☑ Y 🚶 r.-v.

CH. BELLEVUE LA MONGIE
Cuvée vieillie en fût de chêne 2002 ★

■ 2,6 ha 18 000 ▮◍♁ 5 à 8 €

Des vignes plus que trentenaires plantées sur les boulbènes argileuses de l'Entre-Deux-Mers, associant le cabernet à 85 % de merlot. Telle est l'origine de cette cuvée pourpre intense qui présente de multiples facettes aromatiques : cacao, café, prune, mûre et griotte. Des flaveurs doucement boisées se mêlent à une forte structure tannique qui promet de se fondre dans la matière pleine et riche. D'ici deux à cinq ans, l'ensemble aura pris la patine du temps.
⚷ Michel Boyer, Ch. Bellevue La Mongie,
33420 Génissac, tél. 05.57.24.48.43, fax 05.57.24.48.63,
e-mail boyer-michel@worldonline.fr ☑ Y 🚶 r.-v.

CH. BELLEVUE-PEYCHARNEAU
Vieilli en fût de chêne 2002 ★

■ 15 ha 95 000 ◍ 5 à 8 €

L'assemblage des trois grands cépages bordelais vendangés sur un sol argilo-calcaire a donné naissance à ce vin de teinte cramoisie qui livre un bouquet fondu de cannelle, de cerise à l'eau-de-vie et de torréfaction. La bouche ample s'inscrit dans un registre classique, en privilégiant le fruit et un boisé élégant. Aucune amertume n'est perceptible dans la finale douce et longue. Un plaisir authentique pour les consommateurs impatients.
⚷ SCEA Pécharnaud, Les Bouchets, 33220 Pineuilh,
tél. 05.57.46.04.46, fax 05.57.46.47.56 ☑ 🚶 r.-v.

CH. BELROSE MONCAILLOU 2002 ★

■ 7 ha n.c. ◍ 8 à 11 €

Un domaine fort plaisant à visiter, non seulement pour sa cave, mais aussi pour son cadre naturel particulièrement arboré. Ayant mûri sur un terroir argilo-calcaire et graveleux, merlot (75 %) et cabernet-sauvignon ont donné naissance à un vin qui se révèle par touches successives de sous-bois, de cuir et de cacao, puis qui livre une bouche onctueuse et réglissée. Avec un boisé maîtrisé et des tanins assagis, il procure une sensation durable.
⚷ Ernst Reinersmann, SCEA Ch. Belrose,
Dom. de Maucaillou, 33670 Sabirac,
tél. 05.56.30.68.10, fax 05.56.30.63.61,
e-mail domaine.maucaillou@wanadoo.fr ☑ Y r.-v.

CH. BERARD 2001 ★

■ 50 ha 386 000 ▮♁ 5 à 8 €

Cet ancien et beau domaine de 71 ha situé sur des croupes argilo-calcaires a été entièrement rénové au cours des vingt dernières années. Il a produit un 2001 grenat intense qui exhale un bouquet de fruits mûrs, de fumé, de tabac et d'épices. La matière riche et corsée laisse le même sillage aromatique et intègre parfaitement une large structure. Une bouteille de caractère à servir après un court séjour en cave.
⚷ EARL Jean-Christophe Mauro,
Bérard, 33220 Saint-Quentin-de-Caplong,
tél. 05.57.41.26.92, fax 05.57.41.27.87,
e-mail jean-christophe.mauro@wanadoo.fr

CH. BIRE 2002 ★

■ n.c. n.c. ▮◍♁ 5 à 8 €

La robe d'encre brillante laisse percevoir quelques fugitifs reflets violacés, puis les arômes de musc et d'épices, évoluant vers de fines notes vanillées, caressent le nez. A l'agitation, des parfums de cassis et de framboise se manifestent comme autant de composants d'un bouquet en formation. La bouche attaque fermement avant de déployer une matière consistante, d'un bon grain. Un certain fruité mêlé de cacao s'affirme dans la finale savoureuse. Nul besoin d'une longue garde pour apprécier ce 2002.
⚷ SA Mähler-Besse, 49, rue Camille-Godard,
33000 Bordeaux, tél. 05.56.56.04.30, fax 05.56.56.04.59,
e-mail france@mahler-besse.com ☑ Y 🚶 r.-v.

CH. BOIS-MALOT Tradition 2001

■ 8 ha 35 000 ▮◍♁ 8 à 11 €

Racheté et relevé de ses ruines en 1973 par une famille de vignerons réputés, le château Bois-Malot consacre 15 ha d'un terroir argilo-limoneux à un vignoble conduit en agriculture raisonnée et vendangé manuellement. Ainsi est née cette cuvée pleine de jeunesse par ses arômes de vanille légère, de fruits et de fleurs délicats. Tout en volume, elle s'accompagne d'un boisé élégant jusqu'à une finale tendre. Vous la servirez prochainement.

🔑 SCA Meynard,
133, rte des Valentons, 33450 Saint-Loubès,
tél. 05.56.38.94.18, fax 05.56.38.92.47 ☑ 🚶 r.-v.

CH. BOIS NOIR 2001

■ 10 ha 54 000 🛢 5 à 8 €

Dans le cadre résolument moderne de son exploitation, Cyrille Grégoire s'efforce d'élaborer des vins les plus proches possible de la nature : collage au blanc d'œuf, pas de filtration. Le 2001 exprime bien le caractère du terroir argilo-calcaire par la vivacité de sa robe pourpre et la fraîcheur de ses arômes de fruits rouges, discrètement vanillés. Les tanins se manifestent sans excès dans une bouche aromatique, d'une bonne texture, dont la finale s'étire sur une note poivrée savoureuse.

🔑 Cyrille Grégoire, SARL Ch. Bois Noir,
Le Bois Noir, 33230 Maransin,
tél. 05.57.49.41.09, fax 05.57.49.49.43,
e-mail cyrille.gregoire@wanadoo.fr ☑ Y 🚶 r.-v.

DOM. DE BOUILLEROT
Essentia Elevé en fût de chêne 2001

■ 2 ha 9 000 🛢 5 à 8 €

Il faut agiter dans le verre ce vin rouge brillant et vif pour apprécier ses reflets grenat et son fruité délicat, nuancé d'arômes de biscotte. Souple en attaque, il dévoile un milieu de bouche rond et pulpeux, légèrement compoté et discrètement soutenu par des tanins mûrs. Le plaisir à table sera bientôt au rendez-vous.

🔑 Thierry Bos, Lacombe, 33190 Gironde-sur-Dropt,
tél. 05.56.71.46.04, fax 05.56.71.46.04,
e-mail info@bouillerot.com ☑ Y 🚶 r.-v.

CH. DE BRONDEAU 2002 ★

■ 10 ha 18 500 ▮🛢🌡 8 à 11 €

Aux portes de Libourne, le château de Brondeau possède en bordure de Dordogne un vignoble bien ramassé, à majorité de merlot. Pourpre à reflets grenat, ce bordeaux supérieur libère un nez de petits fruits rouges et de griotte, agrémenté de fines notes vanillées. Ces arômes fruités sont plus discrets au palais et s'effacent devant un bouquet d'épices douces et de cire. Quelques tanins assagis, rappelant le passage en barrique, préparent une finale encore austère, mais prometteuse.

🔑 SCEV Vignoble Brondeau, Ch. Brondeau,
33500 Arveyres, tél. 05.57.55.11.80, fax 05.57.55.11.84,
e-mail chateaubrondeau@free.fr ☑
🔑 Meneret

CH. LA CADERIE Elevé en fût de chêne 2001

■ 7 ha 32 000 🛢 8 à 11 €

François Landais, partisan de l'agriculture biologique, a récolté ses raisins à la main et pratiqué des macérations très longues pour élaborer ce 2001. Elevé quinze mois en fût, c'est en effet un vin puissant que l'on découvre, au nez fruité, légèrement vanillé. Charpenté, il offre une belle matière tannique qui ne masque en rien son fruit mûr et pulpeux, persistant jusqu'en finale. Après deux ans de garde, il s'entendra avec une volaille rôtie.

🔑 François Landais,
Ch. La Caderie, 33910 Saint-Martin-du-Bois,
tél. 05.57.49.41.32, fax 05.57.49.43.02,
e-mail chateau-la-caderie@wanadoo.fr ☑ 🏠 Y 🚶 r.-v.

DOM. DE CANTEMERLE Grains du Terroir 2002

■ 1,5 ha 4 000 🛢 5 à 8 €

Anciennement implantée sur ce terroir argilo-calcaire, la famille Mabille connaît bien l'art de l'assemblage : pas moins de cinq cépages composent ce vin encore jeune mais intense, fleurant bon la noix de coco et la cerise confite. D'attaque franche, la bouche consistante révèle une vinosité de bon aloi. Un 2002 à découvrir au mieux de sa forme dans deux ou trois ans.

🔑 Vignobles Mabille,
Dom. de Cantemerle, 33240 Saint-Gervais,
tél. 05.57.43.11.39, fax 05.57.43.42.28,
e-mail cantemerle@wanadoo.fr ☑ Y 🚶 r.-v.

CRU CANTEMERLE
Cuvée Prestige Elevé en fût de chêne 2002 ★★

■ 5,94 ha 5 400 ▮🛢🌡 5 à 8 €

Le prestige de cette bouteille au bel éclat rubis ne réside pas que dans son nom : le nez intense de cassis et de mûre est en plein épanouissement, et ses nuances toastées préfigurent un boisé en parfaite harmonie avec la chair ample et soyeuse. Les tanins mûrs et fins lui promettent une longue carrière, mais autorisent aussi un passage à table dans deux ans.

🔑 Vignobles Mignon,
6 bis, rue de Cantemerle, 33240 Saint-Gervais,
tél. 03.26.58.33.33, fax 03.26.51.54.10,
e-mail bmignon@champagne-mignon.fr Y r.-v.

CAP ROYAL Elevé en fût de chêne 2001

■ 25 ha 150 000 🛢 8 à 11 €

La Compagnie médocaine des grands crus a été bien inspirée de suivre les conseils des équipes des domaines du groupe AXA. Ils ont su donner à cette cuvée une personnalité attachante. Rouge sombre à reflets mauves, celle-ci décline des fragrances discrètes de fruits rouges. Un fruité que l'on retrouve en bouche, avec quelques variations grillées héritées du bois. La structure assez légère prédispose ce 2001 à un service prochain.

🔑 Compagnie Médocaine des Grands Crus,
7, rue Descartes, 33290 Blanquefort, tél. 05.56.95.54.95,
fax 05.56.95.54.85, e-mail cmgc@medocaine.com ☑

LE CŒUR DE CASTENET 2001 ★

■ n.c. 9 000 🛢 8 à 11 €

Ce Cœur pourpre intense a de la profondeur. On perçoit de la puissance dans les notes grillées, puis dans la matière ample et volumineuse. Les sens en éveil apprécient les flaveurs de fruits noirs mûrs (cassis), même si quelques tanins semblent encore un peu austères et invitent à garder deux ans ce bordeaux supérieur. Le **Castenet-Greffier rouge 2001 Elevé en fût de chêne (5 à 8 €)** est cité : vin de plaisir immédiat, il se mariera à une pintade rôtie accompagnée de pommes caramélisées.

🔑 EARL François Greffier, Castenet, 33790 Auriolles,
tél. 05.56.61.40.67, fax 05.56.61.38.82,
e-mail ch.castenet@wanadoo.fr ☑ Y 🚶 r.-v.

LA CHAPELLE D'ALIENOR 2002 ★

■ 5 ha 16 000 🛢 5 à 8 €

Placés sous la protection d'une ancienne chapelle, deux coteaux aux sols d'argile, de calcaire et de graves, ont

porté le merlot qui, seul, compose cette cuvée. Des arômes de chocolat, de torréfaction, de moka et de fruits noirs mûrs s'expriment avec complexité, tandis qu'en bouche des tanins veloutés et un boisé délicat se fondent dans la matière charnue, longuement aromatique en finale.
Aliénor et Alexandre de Malet-Roquefort, BP 12, Saint-Pey-d'Armens, 33330 Saint-Emilion, tél. 05.57.56.40.80, fax 05.57.56.40.89, e-mail chateau.armens@chateau.armens.com V

CH. LA COMMANDERIE DE QUEYRET
Cuvée Sybèle Elevé en fût de chêne 2002 ★★

■ 2,5 ha 15 000 5 à 8 €

Ancienne propriété des Templiers, la Commanderie de Queyret est aujourd'hui un domaine familial. Elle n'en est pas à sa première mention dans le Guide. Son 2002 a la puissance et la rondeur des grands vins. Aussi intense dans sa robe éclatante que dans son bouquet de mûre et de cassis, il développe une chair ample, jouant si remarquablement des notes fruitées que l'on en oublie la force des tanins. Un vin parfaitement équilibré, au meilleur niveau de l'appellation.
Claude Comin, Ch. La Commanderie, 33790 Saint-Antoine-du-Queyret, tél. 05.56.61.31.98, fax 05.56.61.34.22, e-mail vignoblecomin@wanadoo.fr V Y ✝ r.-v.

CORDIER Collection privée 2002 ★

■ n.c. 60 000 3 à 5 €

La Collection privée 2002 est à la hauteur du prestige de cette ancienne maison bordelaise fondée en 1886. D'un grenat profond, elle évoque les fruits confiturés, très concentrés, et les épices (réglisse, clou de girofle). Le corps se montre dès l'attaque rond et charpenté, le gras enrobant des tanins de bonne naissance. Un vin de velours, plein de saveurs, à déguster avec une épaule d'agneau au four.
Cordier Mestrezat et domaines, 109, rue Achard, 33300 Bordeaux, tél. 05.56.11.29.00, fax 05.56.11.29.01, e-mail contact@cordier-wines.com

DOM. DE COURTEILLAC 2002 ★

■ n.c. 114 000 8 à 11 €

Le Domaine de Courteillac 2002 réunit tous les caractères du bordeaux supérieur type : une couleur intense et profonde, un nez de fruits cuits (pruneau), de réglisse, de muscade et de poivre, une bouche charnue dans laquelle se prolonge la même ligne aromatique. La finale semble un peu ferme, mais ce vin plein de ressources ne manque pas de charme.
SCA Dom. de Courteillac, 2, Courteillac, 33350 Ruch, tél. 05.57.40.79.48, fax 05.57.40.57.05, e-mail domainedecourteillac@free.fr V
D. Meneret

CH. LA COURTIADE 2002 ★

■ 7 ha 45 000 3 à 5 €

Cette bouteille illustre le type même du bordeaux supérieur moderne, bien adapté au goût du nouveau consommateur. Equilibrée, elle évite tous les excès d'une surextraction et fait la part belle aux arômes de cassis. La bouche ronde et soyeuse bénéficie du soutien des tanins du raisin pour se prolonger aimablement sur des flaveurs finement épicées.
Closerie d'Estiac, 1, rue du Gal-de-Gaulle, 33220 Les Lèves-et-Thoumeyragues, tél. 05.57.56.02.02, fax 05.57.56.02.22, e-mail jm.pontier@univitis.fr
Y ✝ t.l.j. sf dim. lun. 9h30-12h30 15h30-18h30
H. Sicard

CH. DUCLA 2002 ★

■ n.c. 192 000 3 à 5 €

D'un rouge intense frangé de grenat, ce 2002 déclame sans ambages ses accents d'épices (cumin, poivre) et de fruits à l'eau-de-vie qui ne s'éteignent pas en bouche. La matière pleine et longue fait preuve d'un équilibre prometteur. Vous pouvez déjà servir ce vin ou le conserver jusqu'en 2007. Le **Château Ducla Permanence VIII 2002 (5 à 8 €)**, élevé en fût, est cité : une cuvée solide et classique qui fera belle escorte à un cuissot de sanglier en sauce dans quelques années.
SA Yvon Mau, BP 1, 33193 Gironde-sur-Dropt Cedex, tél. 05.56.61.54.54, fax 05.56.61.54.61

CH. ELIXIR DE GRAVAILLAC
Prestige Elevé en fût de chêne 2002

■ 1,86 ha 14 000 5 à 8 €

Si elle ne s'exprime pas encore avec exubérance, cette cuvée laisse percevoir des nuances délicates et bien mariées de boisé et de fruits confiturés (cassis, cerise). La bouche soutenue par des tanins vigoureux fait un rappel au fruité en finale. A déboucher dans deux ans.
EARL Guironnet Frères, Aux Graves, 33350 Civrac-sur-Dordogne, tél. 05.57.40.34.84, fax 05.57.40.34.84 V Y ✝ r.-v.

CH. L'ESCART Omar Khayam 2002 ★

■ 1,8 ha 10 500 11 à 15 €

Le soleil et le vin : Omar Khayam, Persan érudit (1050-1123), levait souvent les yeux vers le premier (il mit au point le système des années bissextiles) et révérait le second. Cette cuvée lui rend hommage : sa tunique carmin, son nez boisé, vanillé et réglissé, sa souplesse et son ampleur séduisent le jury tout comme la puissance des flaveurs de poivre et de cacao qui perdurent en finale.
Ch. L'Escart, 70, chem. Couvertaire, BP 8, 33450 Saint-Loubès, tél. 05.56.77.53.19, fax 05.56.77.68.59, e-mail lescart@wanadoo.fr V Y ✝ r.-v.
Gérard Laurent

CH. FAYAU 176e cuvée 2002

■ 8 ha 33 000 3 à 5 €

La famille Médeville, présente sur ce domaine depuis sept générations, a fêté en 2002 la 176e vinification du cru. Ce bordeaux supérieur entre pourpre et grenat, dont le nez mêle un boisé bien dosé aux fruits rouges est doté d'un corps charmeur et svelte ; il peut déjà être servi à table.
SCEA Jean Médeville et Fils, Ch. Fayau, 33410 Cadillac, tél. 05.57.98.08.08, fax 05.56.62.18.22, e-mail medeville-jeanetfils@wanadoo.fr V Y ✝ r.-v.

CH. FERET-LAMBERT 2002 ★

■ 5 ha 12 000 8 à 11 €

Cette propriété du XIXe s., actuellement en rénovation, dispose d'un terroir argilo-calcaire de qualité et de profondes carrières situées sous son vignoble pour faire vieillir ses vins. Né du merlot, ce vin incarnat brillant s'ouvre sur les fruits cuits mêlés de notes empyreumatiques et cacaotées. Sa chair opulente enveloppe des tanins ronds et s'agrémente de flaveurs boisées des plus plaisantes. Un 2002 d'un beau classicisme, à ne pas oublier trop longtemps en cave.
SCEA Sulzer-Féret-Lambert, 33420 Grézillac, tél. 05.57.74.93.18, fax 05.57.74.93.05, e-mail feretlambert@aol.com V
Henri Féret - Olivier Sulzer

FLEUR SAINT-ANTOINE 2002 ★

▪ 30 ha 120 000 ◫ 5 à 8 €

S'il est encore sous l'emprise du fût, ce vin ne demande qu'à être légèrement aéré pour révéler les arômes d'un raisin mûr (cassis). Une harmonie commence à se dessiner entre le boisé et la matière ample, épicée en finale. Un séjour en cave permettra à l'ensemble de se fondre.
🕯 Vignobles Aubert,
Ch. La Couspaude, 33330 Saint-Emilion,
tél. 05.57.40.15.76, fax 05.57.40.10.14,
e-mail vignobles.aubert@wanadoo.fr ☑ r.-v.

CH. FONCHEREAU 2001 ★

▪ 20,05 ha 35 000 ▪↓ 3 à 5 €

Propriété viticole établie sur de larges croupes d'argiles et de graves, entourées de bois (ce qui devient trop rare), le château Fonchereau propose un 2001 drapé de pourpre brillant et parfumé de fruits mûrs, telle la cerise noire. Celui-ci révèle une belle harmonie des saveurs, de la mâche grâce à des tanins au grain fin et à une longue suite d'arômes floraux. Un plaisir dès la sortie du Guide.
🕯 Ch. Fonchereau, BP 9, 33450 Montussan,
tél. 05.56.72.96.12, fax 05.56.72.44.91,
e-mail courrier@fonchereau.com ☑ ☓ ⚔ r.-v.
🕯 Madar

CH. DE FUSSIGNAC 2002 ★★

▪ 16 ha 60 000 ▪◫↓ 5 à 8 €

Implanté sur un sol argileux, le merlot constitue 70 % de ce vin impressionnant d'intensité à l'œil comme au nez. Le fruit, surtout, témoigne de la parfaite maturité du raisin (fruits cuits), mais des arômes mentholés et épicés apparaissent également au palais aux côtés de tanins assagis qui laissent une impression chaleureuse et persistante.
🕯 Jean-François Carrille,
pl. du Marcadieu, 33330 Saint-Emilion,
tél. 05.57.24.74.46, fax 05.57.24.64.40,
e-mail jeanfrancois-carrille@wanadoo.fr ☑ ☓ ⚔ r.-v.

CH. GALAND Cuvée Genius 2001 ★★

▪ 3,58 ha 3 000 ◫ 8 à 11 €

Cette remarquable cuvée Genius satisfera les amateurs exigeants, ainsi que les cartésiens pour qui tout doit trouver explication. Ici, elle tient en quelques mots : densité de plantation élevée, vignes âgées, vendange manuelle, tris en cagette à la main. Il n'en fallait pas moins pour élaborer un vin qui attire l'œil et séduit les sens de son bouquet de chocolat vanillé et de fruits confits. Tout aussi riche est la matière volumineuse et ample. Des arômes légèrement boisés apparaissent sur un fond de tanins raffinés qui soutiennent la longue finale. La cuvée principale **Château Galand 2001 Elevé en fût de chêne** obtient une étoile :

issue de merlot exclusif, elle développe une structure affirmée qui lui permettra d'être gardée en cave deux ou trois ans.
🕯 SCEA vignobles Jean Galand et Enfants,
La Malatie, 33126 Fronsac, tél. 06.18.95.06.78,
fax 05.57.58.20.81 ☑ ☓ ⚔ r.-v.

CH. LA GALANTE Le Grand Vin 2002 ★★

▪ 2 ha 6 000 ◫ 8 à 11 €

Ici, tout est mis en œuvre pour donner la meilleure expression du terroir : la lutte biologique, l'enherbement, une vendange manuelle et une vinification traditionnelle. Ce Grand Vin porte bien son nom et suscite la gourmandise par ses nuances finement boisées et ses arômes de cassis confituré. Sa chair ronde, au caractère affirmé, allie des tanins mûrs aux flaveurs de réglisse. Long, ce 2002 jouera les premiers rôles dans trois à cinq ans.
🕯 SC du Ch. la Galante,
rte de la Joncasse, 33750 Beychac-et-Caillau,
tél. 05.56.72.86.77, fax 05.56.68.34.31,
e-mail chateau.lagalante@wanadoo.fr ☑ ☓ ⚔ r.-v.
🕯 Christophe Pinard

CH. GANDOY-PERRINAT 2002 ★

▪ 110 ha 500 000 ▪ 8 à 11 €

Ce domaine, entièrement remanié il y a quelques années, a produit un joli 2002 pourpre intense, au nez franc de fruits mûrs (pruneau) et de réglisse, nuancé d'une note de gibier. Le palais ample, volumineux, est structuré par des tanins bien présents qui se fondront dans les deux années à venir.
🕯 SCEA Gandoy-Perrinat,
33540 Sauveterre-de-Guyenne,
tél. 05.56.71.50.76, fax 05.56.71.87.70,
e-mail cfontaniol@laguyennoise.com 🏠 🏠

CH. DE LA GARDE Elevé en fût de chêne 2001

▪ n.c. 60 000 ◫ 5 à 8 €

D'un carmin brillant, cette cuvée livre un bouquet discret de fleurs et de fruits rouges mûrs. Une puissante structure de tanins au bon grain renforce les flaveurs grillées apportées par l'élevage de douze mois sous bois. Cette architecture s'affirme en finale, un peu saillante, pour inviter l'amateur à garder le vin deux ou trois ans.
🕯 SCEA Ch. de la Garde,
33240 Saint-Romain-la-Virvée,
tél. 05.57.58.17.31 ☑ ☓ ⚔ r.-v.
🕯 Ilja Gort

CH. GAYON Cuvée Prestige 2001

▪ 24,6 ha 30 000 ◫ 8 à 11 €

Sous la Convention, le propriétaire de ce domaine eut le triste privilège d'être le premier à monter sur l'échafaud à Bordeaux. L'actuel propriétaire ne connaît que les risques du millésime et il tire son épingle du jeu avec cette cuvée de teinte brillante, dont le nez révèle progressivement des nuances grillées à l'aération. Volumineux, le vin est armé de tanins encore un peu saillants, mais montre un boisé fondu. Une bouteille toute désignée pour accompagner une poularde fermière en 2006.
🕯 Jean Crampes, Ch. Gayon, 33490 Caudrot,
tél. 05.56.62.81.19, fax 05.56.62.71.24,
e-mail jcrampes@chateau-gayon.com
☑ 🏠 ☓ ⚔ t.l.j. sf dim. 8h-12h 14h-19h

MASCARON PAR GINESTET 2002

■ 12 ha 80 000 5 à 8 €

D'un velours pourpre, cette cuvée signée Ginestet porte sur son étiquette des mascarons qui ornent les façades XVIIIe de Bordeaux. Elle charme par son nez intense de fruits rouges nuancés de cacao. Sa matière concentrée entoure des tanins qui demandent encore un peu de temps pour s'assouplir. Une bouteille pour amateurs patients.

Ginestet, 19, av. de Fontenille, 33360 Carignan-de-Bordeaux, tél. 05.56.20.90.74, fax 05.56.20.91.74, e-mail contact@ginestet.fr r.-v.

CH. LE GRAND CHEMIN

Cuvée élevée et vieillie en fût de chêne 2002

■ 2,25 ha 17 000 5 à 8 €

La robe rubis est aussi franche que le bouquet qui s'en libère : la griotte se mêle aux notes vanillées élégantes, témoin d'un boisé mesuré. Une palette qui prépare le dégustateur à une bouche chaleureuse et aromatique. La charpente est là, faite de bons tanins encore un peu sévères en finale. Une garde en cave est conseillée.

Bourseau, SCEA Le Grand-Chemin, Pradelle, 33240 Virsac, tél. 05.57.43.29.32, fax 05.57.43.39.57, e-mail sc.legrandchemin@wanadoo.fr t.l.j. sf dim. lun. 15h-19h30 et sam. 9h-19h30

CH. GRAND-JEAN Elevé en fût de chêne 2002

■ 7,63 ha 56 000 5 à 8 €

Cette ancienne propriété familiale possède un vignoble dominé par le cabernet-sauvignon, ce qui est rare en plein cœur de l'Entre-Deux-Mers. Le 2002 se pare d'une robe rubis profond à reflets violets et propose un bouquet assez intense, marqué par le boisé. La bouche souple et de bon volume s'achève un peu vite, mais d'une harmonieuse façon.

Michel Dulon, Grand-Jean, 33760 Soulignac, tél. 05.56.23.69.16, fax 05.57.34.41.29, e-mail dulon.vignobles@wanadoo.fr r.-v.

CH. LE GRAND VERDUS 2002 ★

■ 81 ha 450 000 5 à 8 €

Toujours fidèle à sa réputation, le château Le Grand Verdus (gentilhommière fortifiée du XVIes.) propose un vin épanoui, mêlant en une même corbeille le fruit du merlot mûr et les épices. Très enveloppé, son corps puissant et vineux est bâti autour de tanins encore un peu fermes, mais gage de longévité et qui se fondront dans le temps. La **Grande Réserve 2002 (11 à 15 €)**, élevée en fût, est citée : d'un abord encore austère en raison de l'empreinte du bois, elle doit vieillir au moins deux ans.

Ph. et A. Le Grix de La Salle, Ch. le Grand Verdus, 33670 Sadirac, tél. 05.56.30.50.90, fax 05.56.30.50.98, e-mail le.grand.verdus@wanadoo.fr r.-v.

DOM. DE LA GRAVE

Vieilles Vignes de 1923 2001 ★★

■ 0,8 ha 3 000 11 à 15 €

On peut aller visiter le tout nouveau musée du Vin du domaine de La Grave et en profiter pour contempler son vignoble âgé de quatre-vingts ans et composé majoritairement de merlot. Ce 2001 a hérité de son élevage de dix-huit mois en barrique une empreinte torréfiée, cacaotée et grillée, mais il laisse aussi s'exprimer un merlot plein de verve. Bien fondu, rond et charnu, il possède un réel potentiel de garde (cinq ans).

SCEA Roche, Perriche, 33750 Beychac-et-Caillau, tél. 05.56.72.41.28, fax 05.56.72.41.28, e-mail vignobleroche@wanadoo.fr t.l.j. 9h-19h

CH. LA GRAVETTE DES LUCQUES 2002 ★

■ 4,12 ha 30 000 5 à 8 €

La famille Haverlan peut légitimement être fière de son savoir-faire acquis au fil des générations sur cette même terre. Né de merlot (80 %) et de cabernet-sauvignon vendangés et triés manuellement, son 2002 brille dans sa robe écarlate et présente l'attrait d'un nez aux multiples facettes : fruits rouges surmûris, chocolat, bois neuf. Des flaveurs grillées marquent la bouche ronde et souple, avec des accents réglissés. Cette bonne matière persistante s'affinera encore dans le temps.

EARL Patrice Haverlan, 11, rue de l'Hospital, 33640 Portets, tél. 05.56.67.11.32, fax 05.56.67.11.32, e-mail patrice.haverlan@worldonline.fr r.-v.

CH. LE GRILLON 2001 ★★

■ 5,06 ha n.c. 5 à 8 €

Constitué en majorité de merlot (84 %), ce 2001 s'habille d'une robe grenat léger à reflets violines et laisse une impression de jeunesse par son nez frais et floral de bonne intensité. Sa bouche franche et longuement fruitée se déroule tout en douceur, mais trouve aussi de la tonicité ; les tanins continueront de s'affiner pendant trois ou quatre ans. Une brillante carrière attend cette bouteille que vous apprécierez aussi bien avec une pièce de bœuf en croûte qu'avec une fricassée de lapin.

Les Producteurs réunis de Puisseguin et Lussac-Saint-Emilion, Lieu-dit Durand, 33570 Puisseguin, tél. 05.57.55.50.40, fax 05.57.74.57.43, e-mail vignoble@producteurs-reunis.com t.l.j. 8h30-12h30 14h30-18h30

M. Laborie

CH. GUILLOT 2001 ★

■ 4,5 ha 28 000 5 à 8 €

Ce vaste domaine de 72 ha, sis sur la rive gauche de la Dordogne, possède un vignoble entièrement enherbé. Dans sa robe carmin, cette cuvée se montre puissante, avec une matière de qualité et des tanins présents, mais pas asséchants. La longue finale laisse une bonne impression.

SC Ch. Gantonet, 33350 Sainte-Radegonde, tél. 05.57.40.53.83, fax 05.57.40.58.95 r.-v.

Famille Richard

CH. HAUT LEZIN 2001 ★

■ 24 ha 29 040 3 à 5 €

A un quart d'heure de Bordeaux, Saint-Germain-du-Puch possède deux témoins de son histoire médiévale : son église romane et son château du Grand Puch du XIVes. Le château Haut Lézin, lui, mérite une visite pour son vignoble et son chai qui a vu naître un 2001 intensément coloré. Les parfums semblent tout droit sortis du verger : cassis, cerise, pruneau. C'est encore le fruit qui accompagne et tempère des tanins un peu juvéniles. Ce bel édifice trouvera une silhouette parfaite dans deux ou trois ans.

🗝 Cheval-Quancard,
La Mouline, BP 36, 33560 Carbon-Blanc,
tél. 05.57.77.88.88, fax 05.57.77.88.99,
e-mail chevalquancard@chevalquancard.com 🍷 🚶 r.-v.
🗝 M. Huillier

CH. HAUT MALLET 2001 ★

■ 6 ha 21 000 🛢 5 à 8 €

Patrick Boudon a converti l'ensemble de son exploitation à l'agriculture biologique depuis une quarantaine d'années. Son bordeaux supérieur, intense et franc à l'œil, est un bel exemple d'équilibre entre le fruit et le bois. D'attaque soyeuse, il offre une bouche ample avant de laisser libre cours à des tanins encore fermes en finale, mais qui ne demandent qu'à s'assouplir. Un vin authentique, à boire dans trois ou quatre ans avec une entrecôte aux morilles grillée sur des sarments de vigne.

🗝 SCA Vignoble Boudon, Le Bourdieu,
33760 Soulignac, tél. 05.56.23.65.60, fax 05.56.23.45.58,
e-mail contact@vignoble-boudon.fr ☑ 🍷 🚶 r.-v.

CH. HAUT NADEAU
Réserve du propriétaire 2002 ★

■ 9 ha 48 000 ▮🌡 5 à 8 €

Patrick Audouit exerce avec succès ses talents d'œnologue dans cette propriété de quelque 19 ha, dont la récolte est presque entièrement vendue en bouteilles. En témoigne cette Réserve brillante qui évoque le cassis au nez et livre une matière ample, charnue, longuement persistante. Egalement une étoile, la **cuvée Prestige 2002 (8 à 11 €)**, élevée en fût, n'ignore pas le fruit sous un élégant boisé. Sa bouche ronde enveloppe sans peine les tanins que l'on devine abondants.

🗝 SCEA Ch. Haut Nadeau, 3, chem. d'Estévenadeau,
33760 Targon, tél. 05.56.20.44.07, fax 05.56.20.44.07,
e-mail hautnadeaupa@wanadoo.fr ☑ 🍷 🚶 r.-v.
🗝 Audouit

L'HERITIER DE CLOS NORMANDIN
Cuvée Prestige 2002 ★

■ 1,5 ha 6 000 🛢 5 à 8 €

A partir de vieilles vignes de merlot (95 %), le propriétaire a produit un 2002 de teinte vive et brillante, doté d'un nez de pain grillé et d'épices. La bouche riche et charnue est marquée par les arômes vanillés du chêne, mais livre aussi des flaveurs de fruits rouges. Les tanins apparaissent encore un peu saillants, mais l'ensemble, proche de l'harmonie, est déjà charmeur.

🗝 EARL R. Alicandri et Fils,
12, le bourg, 33750 Saint-Quentin-de-Baron,
tél. 05.57.24.26.03, fax 05.57.24.26.03,
e-mail closnormandin@wanadoo.fr ☑ 🍷 🚶 r.-v.

CH. DE L'HOSTE BLANC Vieilles Vignes 2002 ★★

■ 8 ha 40 000 🛢 5 à 8 €

Un modèle en matière de vinification et d'élevage. Cette cuvée carmin brillant dispense dès le premier nez une palette expressive et complexe d'épices, de torréfaction légère et surtout de cerise et de mûre. Son corps témoigne d'une parfaite extraction, tant ses tanins sont fins et bien fondus dans la matière opulente et séveuse. Un vin équilibré, dense et bouqueté, longuement persistant au palais.

🗝 SC Vignobles Baylet, Ch. Landereau, 33670 Sadirac,
tél. 05.56.30.64.28, fax 05.56.30.63.90,
e-mail vignoblesbaylet@free.fr ☑ 🍷 🚶 r.-v.
🗝 Michel Baylet

DOM. DE L'ILE MARGAUX 2002

■ 13,75 ha 62 100 🛢 **11 à 15 €**

L'Ile Margaux est un monde à part : elle, qui faisait partie du patrimoine d'Henri IV, est aujourd'hui cultivée par des vignerons marins comme un jardin : vignes, rosiers, arbres fruitiers. Agréablement fruitée (pruneau) et épicée (vanille, cannelle), cette cuvée offre une chair à la fois fraîche et ronde. Elle est tout indiquée pour un pique-nique au vent du large.

🗝 Favarel, Dom. de l'Ile Margaux, 33460 Margaux,
tél. 06.81.21.33.23, fax 05.57.88.35.87,
e-mail domaine.ile.margaux@wanadoo.fr ☑ 🍷 🚶 r.-v.

CH. JALOUSIE 2002

■ 6 ha 36 000 ▮🌡 3 à 5 €

D'un rubis intense et limpide, ce vin livre un nez vineux, légèrement végétal. Il fait montre d'une forte structure de tanins encore austères, mais l'ensemble exprime bien le terroir, et la finale revient sur le fruit. Un séjour d'un an en cave sera tout à l'avantage de cette bouteille.

🗝 Cheval-Quancard,
La Mouline, BP 36, 33560 Carbon-Blanc,
tél. 05.57.77.88.88, fax 05.57.77.88.99,
e-mail chevalquancard@chevalquancard.com 🍷 🚶 r.-v.

CH. JALOUSIE-BEAULIEU 2002 ★

■ n.c. 334 000 ▮🌡 3 à 5 €

C'est un nez tout en finesse que l'on découvre sous une robe pourpre intense. La mûre, le cassis et la cerise s'expriment avec discrétion, bientôt rejoints par les épices et une note animale. Cette harmonie délicate se retrouve dans une bouche ronde et svelte, assez persistante sur des nuances épicées.

🗝 SA Yvon Mau, BP 1, 33193 Gironde-sur-Dropt
Cedex, tél. 05.56.61.54.54, fax 05.56.61.54.61

CH. JONQUEYRES 2002 ★

■ 32 ha 172 000 ▮🛢🌡 5 à 8 €

Ce bordeaux supérieur est issu de merlot (85 %) et de cabernet-sauvignon plantés sur un sol argilo-calcaire et vendangés à la main. Habillé de pourpre nuancé de reflets bleutés, il dispense un bouquet fin de fruits légèrement vanillés, puis affiche une structure de tanins mûrs et doux. Groseille et gelée de coing tapissent le palais et se fondent en finale à un boisé léger. Ne l'oubliez pas en cave car il est prêt pour le service.

🗝 Anne-Marie Audy-Arcaute,
Ch. Jonqueyres, 33750 Saint-Germain-du-Puch,
tél. 05.56.68.55.88, fax 05.56.30.17.23 ☑ 🍷 r.-v.

CH. JOURDAN 2001

■ 20 ha 88 666 ▮🌡 **5 à 8 €**

Le château Jourdan s'élève sur les ruines d'un ancien prieuré bénédictin, non loin de Rions, ancienne cité gallo-romaine. Grenat pâle à reflets vermillon, son 2001 au

bouquet évolué gagne en expressivité au palais. Progressivement la matière légèrement épicée révèle son ampleur, autour d'une trame de tanins serrés. Un vin chaleureux à savourer avec des viandes en sauce ou des grillades.
🕭 Grands Vins de Gironde, Dom. du Ribet, 33451 Saint-Loubès Cedex, tél. 05.57.97.07.20, fax 05.57.97.07.27, e-mail gvg@gvg.fr

CH. LAFLEUR-NAUJAN
Cuvée des Chevaliers 2002 ★

■	3,18 ha	23 000	⦿	5 à 8 €

Cette cuvée des Chevaliers à la robe violine s'est parée d'un bouquet épicé (café) et fruité à la fois, où se décèle en outre quelques nuances boisées légères, le tout demeurant dans une agréable fraîcheur. Après une attaque franche, elle offre une structure solide, avec de bons tanins et une finale persistante. A attendre deux ans.
🕭 Les Grands Châteaux de Naujan, Dom. de Naujan, 33240 Saint-Vincent-de-Pertignas, tél. 05.57.55.22.07, fax 05.57.84.04.98, e-mail info@direct-chateaux.com ☑ 🏠 ⟟ ⚔ r.-v.

CH. LAGRANGE LES TOURS 2001 ★

■	18 ha	160 000	▮⚭	5 à 8 €

La robe grenat à reflets mauves invite à découvrir le nez caractéristique d'une bonne évolution animé de notes complexes de thé, de fleurs séchées et de fruits très mûrs. Le corps charnu, étayé par des tanins assagis, laisse libre cours à un bon retour aromatique floral. Un vin aimable qu'il est inutile d'attendre longuement. La cuvée **Les Cent Rangs 2001 (8 à 11 €)**, qui a connu le bois, est citée ; elle exige une garde de trois ou quatre ans.
🕭 SCEA des Vignobles Choquet, 30, rue de Bernescut, 33240 Cubzac-les-Ponts, tél. 05.57.43.04.96, fax 05.57.43.04.96, e-mail vignobles.choquet@wanadoo.fr ☑ ⟟ ⚔ r.-v.

CH. LAMOTHE-VINCENT
Réserve Saint-Vincent Elevé en fût de chêne 2002 ★

■	6 ha	40 000	⦿	5 à 8 €

Les techniques de vinification les plus élaborées ont été appliquées à la vendange de merlot (60 %) et de cabernet-sauvignon. Il en résulte un 2002 expressif, à la fois fruité et boisé. La bouche associe un joli fruit à la saveur prenante de tanins légèrement poivrés. L'harmonie se dessine entre le vin et le fût pour un plus grand plaisir dans deux ans.
🕭 Vignobles Vincent, 3, chem. Laurenceau, 33760 Montignac, tél. 05.56.23.96.55, fax 05.56.23.97.72, e-mail info@lamothe-vincent.com ☑ ⟟ ⚔ r.-v.

CH. LA LANDE SAINT-JEAN 2001 ★

■	1,44 ha	11 589	▮⚭	5 à 8 €

Composé de merlot (80 %) et de malbec, avec 2 % de cabernet-sauvignon seulement, ce vin de teinte vive à reflets violacés décline un nez intense : le fruit (cassis) cède le pas à de plaisantes notes florales de violette. Une matière ample et savoureuse se développe autour d'une charpente de tanins puissants, parfaitement assortie à un retour fruité charmeur. Un vin plaisir à remonter de la cave aux prochains beaux jours.
🕭 Michel Manaud, 10, chemin de Terrefort, 33450 Saint-Loubès, tél. 05.56.38.00.06, fax 05.56.38.00.06, e-mail m.manaud@wanadoo.fr ☑ ⟟ ⚔ t.l.j. sf dim. 10h-12h 14h-18h

CH. DES LANNES 2001 ★

■	n.c.	35 000	▮⚭	3 à 5 €

La maison Cheval-Quancard diffuse ce 2001 à la robe pourpre, festonnée de mauve, qui exprime tous les arômes d'une vendange bien mûre : fruits rouges, pruneau, réglisse, menthol. L'harmonie se précise en bouche, les mêmes flaveurs soulignant l'impression de rondeur procurée par des tanins déjà enrobés. Entrecôtes et volailles rôties pourront tenir compagnie à ce vin dès cet hiver.
🕭 Cheval-Quancard, La Mouline, BP 36, 33560 Carbon-Blanc, tél. 05.57.77.88.88, fax 05.57.77.88.99, e-mail chevalquancard@chevalquancard.com ⟟ ⚔ r.-v.

CH. LARONDE DESORMES 2002

■	9,1 ha	50 000	⦿	8 à 11 €

Né sur les palus d'argile et de sable des bords de la Garonne, ce vin grenat intense aux nuances violettes affiche un délicat fruité de cassis accompagné de notes grillées et torréfiées. Bien équilibré, il laisse poindre quelques tanins qu'un sage vieillissement en bouteille fera bien vite rentrer dans le rang.
🕭 SC Ch. Laronde-Desormes, 33460 Macau, tél. 05.57.88.07.64, fax 05.57.88.07.00 ☑ ⟟ ⚔ r.-v.

CH. LARTEAU Cuvée Renaissance
Elevé en fût de chêne Vieilles Vignes 2001 ★

■	1 ha	4 000	⦿	5 à 8 €

Belle demeure construite avant la Révolution, le château Larteau commande un vignoble d'un seul tenant qui s'étend à gauche de la Nationale, juste avant Libourne. Il propose une cuvée réussie qui, sous sa robe pourpre soutenu, dévoile toute la rondeur du merlot. Un boisé vanillé et un soupçon d'épices accompagnent sa matière volumineuse, encore empreinte de tanins vigoureux, gage d'une bonne garde. A déguster dans deux ou trois ans.
🕭 SCEV Ch. Larteau, Larteau, 33500 Arveyres, tél. 05.57.24.86.98, fax 05.57.24.89.69 ☑ ⟟ ⚔ r.-v.
🕭 Vergne

CH. LASCAUX 2001

■	2 ha	12 800	⦿	5 à 8 €

L'ex-cuisinier réputé est maintenant un viticulteur chevronné, comme en témoignent ses mentions dans le Guide. La propriété, agrandie, s'est structurée et un personnel compétent a été recruté. En 2001, la vendange triée a subi une longue macération, avec immersion du chapeau dans le moût. D'où cette robe grenat, ces arômes intenses de fruits rouges et d'épices, et cette bouche pleine, aux tanins puissants, mais assez fondus. Pour des pigeonneaux à la printanière.
🕭 Fabrice Lascaux, Ch. Lascaux, La Caillebosse, 33910 Saint-Martin-du-Bois, tél. 05.57.84.72.16, fax 05.57.84.72.17, e-mail chateau.lascaux@wanadoo.fr ☑ 🏠 ⚔ r.-v.

CH. LESPARRE 2002 ★

■	140 ha	500 000	▮⚭	3 à 5 €

Cette ancienne et vaste propriété de 280 ha a connu un renouveau depuis que la famille Gonet l'a reprise en main. D'un rouge brillant, ce 2002 présente un nez discret, mais d'une réelle élégance : association réussie des fruits rouges mûrs et des épices (pain d'épice). Une même harmonie caractérise la bouche de velours, souple et riche de savoureux tanins, avec un retour fruité nuancé d'une touche de menthol. A table, le succès est garanti dès aujourd'hui mais aussi demain. Du même producteur, le **Château Durand-Bayle 2002** obtient également une étoile : sa bonne matière concentrée et souple invite à une dégustation prochaine.

🐦 SCEV Michel Gonet et Fils,
Ch. Lesparre, 33750 Beychac-et-Caillau,
tél. 05.57.24.51.23, fax 05.57.24.03.99,
e-mail vins.gonet@wanadoo.fr ☑ 𝕐 🏃 r.-v.

CH. LESTRILLE CAPMARTIN
Cuvée Tradition Elevé en fût de chêne 2001 ★

■	10 ha	50 000	■ ⦿ 🌡	5 à 8 €

La robe écarlate et brillante, frangée de violine, témoigne de la qualité de cette cuvée. Elle dispense de discrètes notes balsamiques mêlées de réglisse. La trame de tanins se fond dans une chair tendre et autorise un service à table sans délai de rigueur et jusqu'en 2006.

🐦 Jean-Louis Roumage,
Lestrille, 33750 Saint-Germain-du-Puch,
tél. 05.57.24.51.02, fax 05.57.24.04.58,
e-mail jlroumage@lestrille.com ☑ 𝕐 🏃 r.-v.

CH. LIEUMENANT 2002 ★

■	4,39 ha	33 300	■ 🌡	3 à 5 €

La famille Cardarelli conduit avec application ce vignoble complanté à parts égales de merlot et de cabernet. Paré d'une robe soutenue, le 2002 offre un bouquet déjà attrayant de fruits mûrs, d'épices et de violette. Généreuse par son expression fruitée, la bouche soyeuse et vineuse s'appuie sur des tanins riches, gage d'une bonne garde (quoique facultative).

🐦 EARL Cardarelli, La Borne-Nord, 33790 Massugas,
tél. 05.56.61.48.13, fax 05.56.61.32.38 ☑ 𝕐 🏃 r.-v.

CH. LION BEAULIEU 2002 ★

■	n.c.	n.c.	■ ⦿ 🌡	5 à 8 €

Une cuvée au caractère affirmé, signée Despagne en lettres d'or. Dans les tons grenat, elle exprime sa jeunesse sous de légers accents de fruits rouges (griotte, framboise). Sa bouche attaque avec franchise sur les fruits mûrs, puis dévoile une bonne matière charpentée par des tanins vigoureux. D'une longueur intéressante, ce vin promet de bien évoluer d'ici 2006.

🐦 SCEA de Mont-Pérat, 33420 Naujan-et-Postiac,
tél. 05.57.84.55.08, fax 05.57.84.57.31,
e-mail contact@despagne.fr 𝕐 🏃 r.-v.

🐦 J.-L. Despagne

CH. DE LUGAGNAC 2001 ★

■	25 ha	100 000	■ 🌡	5 à 8 €

Haut lieu du tourisme vitivinicole en Gironde, le château de Lugagnac (XIIᵉ-XIIIᵉs.) mérite le détour et propose à l'amateur une dégustation des plus convaincantes. Son bordeaux supérieur met à l'honneur les arômes suaves des petits fruits. Couleur amarante, il laisse une impression de velours en attaque, puis dévoile une charpente solide, mais sans agressivité car enveloppée d'une chair fruitée que l'on prévoit ronde lorsque le vin aura vieilli deux ans en cave.

🐦 Famille Bon, SCEA du Ch. de Lugagnac,
33790 Pellegrue, tél. 05.56.61.30.60, fax 05.56.61.38.48,
e-mail clugagnac@aol.com ☑ 𝕐 🏃 t.l.j. 9h-12h 14h-18h

CH. MAISON NOBLE SAINT-MARTIN 2002 ★

■	30 ha	n.c.	⦿	5 à 8 €

Tandis qu'il rénove son vénérable château d'origine féodale, Michel Pélissie exploite son vignoble selon les méthodes actuelles, vendange à la main, et élève ses vins en fût de chêne. Ce 2002 dévoile des nuances bleutées sur un fond pourpre brillant. Il joue de la séduction de ses arômes de fruits rouges et de vanille jusque dans la matière franche et souple. Une légère austérité finale ? Donnons rendez-vous à ce vin dans un ou deux ans : il n'en sera que plus savoureux.

🐦 Ch. Maison Noble Saint-Martin,
33540 Saint-Martin-du-Puy,
tél. 05.56.71.86.53, fax 05.56.71.86.12,
e-mail maison.noble@wanadoo.fr ☑ 𝕐 🏃 r.-v.

🐦 Pélissie

CH. MAJUREAU-SERCILLAN
Elevé en fût de chêne 2002 ★

■	10 ha	60 000	⦿	5 à 8 €

Responsable professionnel des vins de Bordeaux, Alain Vironneau propose un 2002 élevé douze mois en barrique. Paré d'une robe pourpre soutenu, ce vin affiche des arômes de fruits rouges et des notes fumées et vanillées héritées d'un bois de bonne naissance. D'attaque souple, il s'ouvre sur un fruité de type pruneau à l'eau-de-vie et enveloppe ses tanins d'une chair généreuse. Il saura accompagner toute cuisine traditionnelle.

🐦 Alain Vironneau, Le Majureau, 33240 Salignac,
tél. 05.57.43.00.25, fax 05.57.43.91.34,
e-mail alain.vironneau@wanadoo.fr ☑ 𝕐 🏃 r.-v.

CH. MARAC 2002 ★

■	10,96 ha	64 000	⦿	5 à 8 €

Les Bonville ont fait de cette propriété dominant la vallée de la Dordogne un beau domaine qu'ils ont planté de vigne à forte densité. Leur 2002 a convaincu le jury par son nez assez intense mariant les notes de pain grillé aux senteurs de la fraise écrasée et du cassis. Cette richesse aromatique se retrouve au palais qui se révèle rond et gras, fort plaisant. Ce vin atteindra sa maturité dans un an tout au plus.

🐦 Alain Bonville, Ch. Marac, 33350 Pujols,
tél. 05.57.40.53.21, fax 05.57.40.71.36,
e-mail vignoble-alain.bonville@wanadoo.fr ☑ 𝕐 🏃 r.-v.

CH. MARGEROTS 2001 ★

■	54,08 ha	395 000	■ 🌡	3 à 5 €

D'un grenat brillant, ce vin présente un nez agréable dont la fraîcheur tient à une dominante fruitée (bigarreau, cassis). A l'agitation, le bouquet naissant gagne en complexité. La matière pulpeuse, soutenue par des tanins équilibrés, se développe en douceur, avec un bon retour aromatique sur le fruit. A boire en 2006. Egalement diffusé par Prodiffu, le **Coste Motte Collection Terroir 2002** (5 à 8 €) est cité.

🐦 Prodiffu, 17-19, rte des Vignerons,
33790 Landerrouat, tél. 05.56.61.33.73,
fax 05.56.61.40.57, e-mail prodiffu@prodiffu.com

CH. MATALIN Elevé en fût de chêne 2002 ★

■	5 ha	33 333	■ 🌡	3 à 5 €

Une robe rubis à reflets mauves et un nez intense de fruits rouges nuancés de végétal sont des premiers signes engageants. Si quelques tanins vigoureux se manifestent pour signaler une bonne structure, une sève riche et ample se dévoile également. Ce vin donnera le meilleur de lui-même dans deux ans.

🔑 Ginestet, 19, av. de Fontenille,
33360 Carignan-de-Bordeaux, tél. 05.56.20.90.74,
fax 05.56.20.91.74, e-mail contact@ginestet.fr Y 🚶 r.-v.
🔑 Thierry Faure

CH. LE MAYNE 2002 ★

■ 2 ha 18 000 🛢 8 à 11 €

Issue d'un assemblage bien équilibré de merlot et de cabernet, cette cuvée a été vinifiée dans un chai entièrement rénové et a bénéficié d'un élevage en barrique pendant douze mois. Le nez associe avec élégance les notes cacaotées et le fruit. Le bois marque plus nettement le palais, accompagné de tanins de qualité. L'ensemble ample et volumineux fait preuve d'une bonne longueur.

🔑 Ch. le Mayne,
33220 Saint-Quentin-de-Caplong, tél. 05.57.41.00.05,
e-mail chateaulemayne@wanadoo.fr ☑ Y 🚶 r.-v.

CH. MESTE JEAN Elevé en fût de chêne 2001

■ 4,5 ha 18 000 ▮🛢🌡 5 à 8 €

Sur un terroir de boulbènes, de limon et de sable typique de l'Entre-Deux-Mers, ce domaine s'est agrandi progressivement pour atteindre 44 ha aujourd'hui. Equitablement composé de merlot et de cabernet-sauvignon, son vin est empreint d'un boisé grillé et fumé sous une teinte rouge assez profonde, aux nuances évoluées. Quelques touches de fruits rouges apparaissent à l'aération. Charnu et ample, structuré par des tanins consistants, un 2001 à boire dans deux ou trois ans.

🔑 EARL Vignobles Cailleux,
La Pereyre, 33760 Escoussans,
tél. 05.56.23.63.23, fax 05.56.23.64.21 ☑ 🚶 r.-v.

CH. MIRAMBEAU PAPIN 2001 ★

■ 12 ha 30 000 🛢 8 à 11 €

Cette cuvée de teinte brillante doit à une vendange manuelle et à une vinification soignée son profil aimable et velouté. Les fruits noirs (cassis), élégamment soulignés d'un boisé caressant, trouvent toute leur place sur un fond de tanins assagis et embaument la finale. Un bordeaux supérieur qui sort des sentiers battus, à boire dès la sortie du Guide et jusqu'en 2006.

🔑 Vignobles Landeau,
Mondion, 33440 Saint-Vincent-de-Paul,
tél. 05.56.77.03.64, fax 05.56.77.11.17,
e-mail xavier.landeau@wanadoo.fr ☑ Y 🚶 r.-v.

CH. MIREFLEURS 2002 ★

■ 39,78 ha 100 000 ▮🛢🌡 5 à 8 €

Sous une robe pourpre profond s'exprime un nez de cuir et de pain grillé dans lequel les fruits rouges se fraient finalement un chemin. Avec un certain panache, le vin déroule sa matière consistante et ronde, étayée par des tanins harmonieux jusqu'à une finale réglissée. Il sera bientôt prêt à accompagner un navarin.

🔑 Sté des Vins de France,
24, rue G.-Guynemer, 33290 Blanquefort,
tél. 05.56.95.54.00, fax 05.56.95.54.20

CH. LA MOTHE DU BARRY Cuvée Le Barry 2002

■ 1,5 ha 8 000 🛢 8 à 11 €

La cuvée Le Barry a été lancée en 1998, soit douze ans après la création de ce domaine de 34 ha sis dans le Libournais. Ce nouveau millésime, pourpre à reflets fuchsia, est en pleine évolution : ses fines senteurs boisées et épicées se fondent, ses tanins encore un peu frais s'assouplissent, sa chair nuancée de petits fruits s'arrondit et se prolonge assez longuement. Un vin destiné aux tables des dimanches en famille en 2006.

🔑 Joël Duffau, Les Arromans n° 2, 33420 Moulon,
tél. 05.57.74.93.98, fax 05.57.84.66.10,
e-mail lamothed@club-internet.fr
☑ Y 🚶 t.l.j. sf dim. 8h-12h 14h-19h; f. 22-31 août

CH. MOULIN DE BEAUSEJOUR 2001 ★

■ 10 ha 36 000 ▮ 5 à 8 €

Si vous avez bien étudié la sélection de bordeaux, vous connaissez déjà ce vigneron d'origine réunionnaise, installé à 5 km de Saint-Emilion dans une maison de maître du XVIIIe s. entourée de 12 ha de vignes. Ici, c'est un bordeaux supérieur pourpre intense et plein de subtilité aromatique. Un monde d'épices s'ouvre aux dégustateurs, bientôt abordé par d'agréables arômes de fruits rouges qui persistent dans le corps velouté, à la structure bien fondue. Un vin harmonieux qui accompagnera à la première occasion un lapin en fricassée.

🔑 Olivier Cadarbacasse, Ch. Moulin de Beauséjour,
33420 Saint-Jean-de-Blaignac,
tél. 05.57.84.55.71, fax 05.57.84.59.05,
e-mail moulinbeausejour@aol.com ☑ Y 🚶 r.-v.

CH. MOULIN DE PILLARDOT 2002 ★

■ 10 ha 70 000 ▮🌡 3 à 5 €

Le nez puissant de petits fruits rouges et de cassis a tout le charme des senteurs des confitures maison. C'est bien le fruité que l'on perçoit dans la matière élancée, aux côtés de tanins savoureux qui ne demandent qu'à se fondre à la faveur d'une garde d'un an ou deux. Le **Château Bourdicotte Haut de gamme 2002** obtient une étoile également : encore jeune lui aussi, il mérite de vieillir.

🔑 SCEA Rolet Jarbin,
Dom. de Bourdicotte, le bourg, 33790 Cazaugitat,
tél. 05.56.61.32.55, fax 05.56.61.38.26

CH. MOUTTE BLANC 2002

■ 2 ha 10 000 🛢 8 à 11 €

Implanté dans le Médoc, à Macau, ce domaine a assemblé de manière équilibrée le fruit de vieilles vignes (soixante ans) de merlot, de cabernet-sauvignon et de petit verdot pour élaborer ce vin finement bouqueté, mariant les fruits noirs à un boisé grillé. Les tanins lui offrent une bonne structure, même s'ils se montrent encore un peu austères.

🔑 Patrice de Bortoli-Déjean, Ch. Moutte Blanc,
6, imp. de la Libération, 33460 Macau,
tél. 05.57.88.40.39, fax 05.57.88.40.39 ☑ Y 🚶 r.-v.

CH. NARDIQUE LA GRAVIERE
Elevé en fût de chêne 2002

■ 4 ha 25 000 🛢 5 à 8 €

Au cœur de l'Entre-Deux-Mers, le château Nardique La Gravière commande un beau vignoble planté sur graves, propriété de la même famille depuis la fin des années 1920. Son 2002 grenat brillant livre un nez fruité, nuancé de végétal et d'un boisé grillé. La bouche apparaît plutôt vaillante sous l'influence d'une charpente solide, mais les épices, le cassis et quelques notes cacaotées reprennent l'avantage en finale. A ouvrir en 2006.

🔑 Vignobles Thérèse, Ch. Nardique La Gravière,
33670 Saint-Genès-de-Lombaud,
tél. 05.56.23.01.37, fax 05.56.23.25.89 ☑ Y 🚶 r.-v.

CH. PANCHILLE Cuvée Alix 2002 ★★

■ 3 ha 17 000 🛢 5 à 8 €

La robe grenat sombre en dit long sur la concentration de la vendange, de même que le bouquet complexe qui lie intimement les fruits à un boisé vanillé harmonieux. Les tanins de qualité soutiennent le corps ample, rond et persistant en respectant l'expression fruitée finale. Notez sur votre livre de cave qu'en 2007 ce vin sera fin prêt.

🗝 Pascal Sirat, Ch. Panchille, 33500 Arveyres,
tél. 05.57.51.57.39, fax 05.57.51.57.39,
e-mail siratpascal@aol.com ☑ 🍷 🚶 r.-v.

CH. DE PARENCHERE Cuvée Raphaël 2002

■ 18,33 ha 110 000 🛢 8 à 11 €

Le château de Parenchère, qui fit partie du domaine royal jusqu'au XVII[e]s., peut s'enorgueillir d'un vignoble créé en 1731. Bien sûr les vignes ont été renouvelées depuis, mais le souci de la tradition est resté et l'on vendange le raisin à la main dans ce domaine de 62 ha, avant de le vinifier en grains entiers. Sans doute est-ce là l'origine de l'expression très aromatique du 2002, évocateur de fruits mûrs et d'épices. Des tanins francs et puissants structurent la bouche dense, tandis que la finale, sans s'éterniser, met l'accent sur la vinosité.

🗝 Jean Gazaniol, SCEA Dom. de Parenchère,
33220 Ligueux, tél. 05.57.46.04.17, fax 05.57.46.42.80,
e-mail info@parenchere.com ☑ 🍷 🚶 r.-v.

CH. PAS DE RAUZAN Elevé en fût de chêne 2001

■ n.c. 21 000 ▮ 🛢 🌡 3 à 5 €

Propriété de la famille Fouresty depuis 1890, ce château est situé à une dizaine de kilomètres de Castillon. Il propose un vin de teinte grenat fraîche et brillante, qui se montre fort discret au nez. En bouche, s'installent une matière bien vineuse et des tanins fondus qui rendent l'ensemble aimable. A boire en 2005.

🗝 Fourestey, SCEA Pas de Rauzan,
1, rte du Pas-de-Rauzan, 33350 Mouliets,
tél. 05.57.40.09.05, fax 05.57.40.09.05 ☑ 🍷 🚶 r.-v.

CH. PASSE CRABY 2002 ★

■ 20 ha 72 000 ▮ 🌡 3 à 5 €

A partir d'un merlot dominant (75 %) récolté sur un terroir argilo-calcaire, Vincent Boyé a élaboré un vin d'une couleur juvénile, qui doit sa fraîcheur aux arômes de fruits. Fougue et vivacité caractérisent l'entrée en bouche, puis un corps consistant s'affirme, solidement étayé par les tanins. A attendre deux ans.

🗝 Vincent Boyé, Lieu-dit Chiquet, 33133 Galgon,
tél. 05.57.55.05.38, fax 05.57.55.49.81,
e-mail v.boye@wanadoo.fr ☑ 🍷 🚶 r.-v.

CH. PENIN Grande Sélection 2002 ★

■ 12 ha 70 000 🛢 8 à 11 €

1985, le premier millésime de la Grande Sélection, marqua le début de l'élevage en barrique au château Penin. Le domaine avait été repris trois ans plus tôt par Patrick Carteyron qui allait lui donner son élan. Le temps a passé, mais l'esprit demeure dans cette cuvée issue de 95 % de merlot récolté sur des graves. De teinte brillante et soutenue, le 2002 libère un nez charmeur de cassis et de mûre, relevé de notes légèrement grillées. Une attaque sans heurt introduit une bouche pleine, subtilement épicée et persistante, aux tanins fondus. A découvrir en 2005.

🗝 SCEA Patrick Carteyron, Ch. Penin,
33420 Génissac, tél. 05.57.24.46.98, fax 05.57.24.41.99,
e-mail vignoblescarteyron@wanadoo.fr ☑ 🍷 🚶 r.-v.

CH. PEUY-SAINCRIT Montalon 2002

■ 5 ha 30 000 ▮ 🛢 🌡 5 à 8 €

La vigne implantée sur ce coteau calcaire a donné un vin à la robe pourpre plaisant à l'œil ; le nez libère de fines notes torréfiées de moka et de café. Léger, le corps avance quelques tanins encore fermes, mais en passe de s'arrondir, puis offre une fraîcheur avenante en finale.

🗝 SCEA Vignobles Bernard Germain,
Ch. Peuy-Saincrit, 33390 Berson,
tél. 05.57.42.66.66, fax 05.57.42.46.66,
e-mail bordeaux@vgas.com ☑ 🍷 🚶 r.-v.

CH. PEYAU 2002 ★

■ 6 ha 42 133 ▮ 🌡 5 à 8 €

La maison Dulong assure la diffusion de ce vin qui possède les caractères traditionnels du bordeaux supérieur : une robe rubis, les chaleureuses senteurs fruitées d'une vendange mûre, une bouche satinée, dont la chair entoure des tanins séveux. Une bouteille bien équilibrée que l'on servira à table dès 2005.

🗝 Dulong Frères et Fils, 29, rue Jules-Guesde,
33270 Floirac, tél. 05.56.86.51.15, fax 05.56.40.66.41,
e-mail dulong@dulong.com

CH. PEYFAURES L'Alpha
Elaboré en fût de chêne 2002 ★

■ 16 ha 40 000 🛢 8 à 11 €

Un chai flambant neuf a accueilli la récolte 2002 de ce vignoble situé sur les premiers coteaux de l'Entre-Deux-Mers. Le domaine a en effet pris un nouveau départ en quittant la coopérative un an plus tôt. Pari réussi pour la jeune équipe à en juger par ce vin pourpre à reflets violets. Au nez intense mêlant torréfaction (café), épices et fleurs (pivoine) répond une bouche vineuse, ronde et ample. Si les tanins semblent un peu carrés à ce jour, ils sauront se fondre d'ici 2006 pour donner toute son harmonie à l'ensemble.

🗝 Nicole, Marie-Amélie & Laurent Peyfaures,
33420 Génissac, tél. 05.57.55.06.77,
fax 05.57.25.16.63 ☑ 🍷 🚶 r.-v.

CH. PEYNAUD 2001 ★

■ 3,5 ha 27 000 ▮ 5 à 8 €

Régis Chaigne a acheté en 1994 ce vignoble de 9 ha situé sur le plateau argilo-calcaire et siliceux de l'Entre-Deux-Mers ; il a ainsi agrandi le patrimoine viticole familial, déjà riche, de deux propriétés. Le 2001 doit son étoile à un nez complexe de cassis et de framboise comme à une bouche chaleureuse et vineuse, dont la trame tannique solide est pleine de saveurs. Un fruité mûr se fait complice de la réglisse en finale. Un bordeaux supérieur prometteur que l'on dégustera en 2006.

🗝 Vignobles Chaigne et Fils,
Ch. Ballan-Larquette, 33540 Saint-Laurent-du-Bois,
tél. 05.56.76.46.02, fax 05.56.76.40.90,
e-mail rchaigne@vins-bordeaux.fr ☑ 🍷 🚶 r.-v.
🗝 Régis Chaigne

CH. PICON 2002 ★★

■ n.c. n.c. ▮ 🌡 3 à 5 €

Dans le canton de Sainte-Foy-la-Grande, la commune d'Eynesse mérite une visite non seulement pour son intéressant château du XIV[e]s., mais aussi pour son vignoble et ses propriétés viticoles, tel le château de Picon. Celui-ci a élaboré un beau vin aux chaleureuses notes de pain d'épice, suivies de senteurs fruitées (cerise, fraise). Le palais souple et vineux bénéficie de tanins bien fondus qui le soutiennent jusqu'à la longue finale et participent de son harmonie. La longévité est assurée.

🔑 Promocom,
rte du Petit-Conseiller, 33750 Beychac-et-Cailleau,
tél. 05.57.97.39.73, fax 05.57.97.39.74,
e-mail scluzeau@promocom.fr

CH. LE PIN BEAUSOLEIL 2002 ★★

■ 5,8 ha 20 000 🛢 15 à 23 €

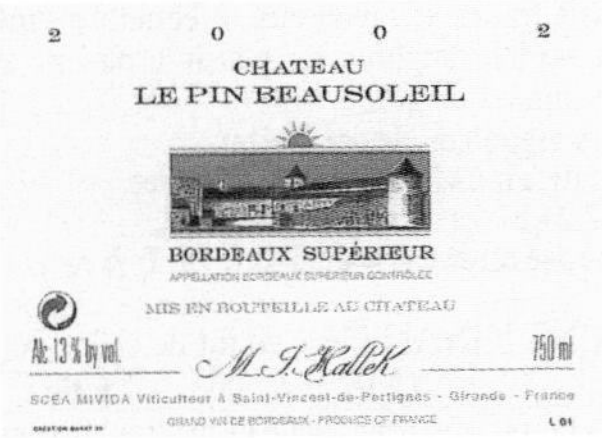

Grâce à cette cuvée, Arnaud Pauchet confirme – si besoin était – son talent de vinificateur. Rubis sombre à reflets tuilés, son 2002 finement torréfié évoque de chaleureuses senteurs d'épices, de figue sèche, de noisette, de tabac doux et de cerise à l'eau-de-vie. La bouche vineuse et d'une agréable rondeur révèle un fruité mûr, soutenu par un boisé discret et des tanins francs du meilleur goût. Un vin conquérant, auquel on ne refuse rien et surtout pas le coup de cœur.

🔑 Arnaud Pauchet,
Le Pin, 33420 Saint-Vincent-de-Pertignas,
tél. 05.57.84.02.56, fax 05.57.84.02.56 ☒ Y ⚲ r.-v.
🔑 Mickael Mallek

CH. PIOTE-AUBRION
Cuvée Prestige Vieilli en fût de chêne 2001 ★

■ 2 ha 10 000 🛢 8 à 11 €

Virginie Aubrion réussit à mener de front vie de famille avec six enfants et activité viticole sur son domaine de 10 ha. Attachée à la tradition, elle pratique le labour et l'enherbement à la vigne, et de longues macérations à la cave. Une franche couleur grenat, puis un nez de fruits relevé d'épices et de nuances boisées donnent du charme à ce 2001 vieilli douze mois en fût de chêne. Une chair opulente enveloppe des tanins présents, mais bien fondus, gage d'une bonne tenue dans les deux à trois prochaines années. A boire ou à attendre.

🔑 Virginie Aubrion,
Ch. de Piote, 33240 Aubie-Espessas,
tél. 05.57.43.96.10, fax 05.57.43.96.10,
e-mail chateau.piote-aubrion@wanadoo.fr
☒ Y ⚲ t.l.j. 9h-19h

CH. PLAISANCE 2002 ★

■ 9,51 ha 65 000 🛢 8 à 11 €

Cette superbe propriété sise en bordure des grands crus médocains a pris un nouveau départ en 1991, avec l'arrivée de Jean-Louis et Isabelle Chollet. Le vignoble a été reconstitué pour atteindre les 12 ha actuels, encépagés de 70 % de merlot, de 20 % de cabernet et de 10 % de petit verdot. Grenat soutenu, le 2002 offre un nez harmonieux de fruits rouges et d'épices, puis une bouche souple, sans austérité, dans la même ligne aromatique. Nul besoin d'une longue garde pour hisser ce vin à son apogée. 2006 sera une bonne année pour le déguster.

🔑 SCEA Ch. Plaisance, 33460 Macau,
tél. 05.57.88.07.64, fax 05.57.88.07.00 ☒ Y ⚲ r.-v.
🔑 J.-L. et I. Chollet

CH. PRIEURE MARQUET 2002

■ 4,34 ha 14 700 🛢 5 à 8 €

L'ancien prieuré du diocèse de Guîtres, bâti au XV[e]s. et remanié au XVII[e]s., a ouvert en 2002 un nouveau chapitre de son histoire sous l'impulsion de deux entrepreneurs entourés d'excellents techniciens. Cette cuvée inaugurale, tout de pourpre vêtue, exhale de subtiles notes de fruits, de poivre, de vanille et même de violette. Son corps souple laisse poindre quelques tanins encore austères en finale, mais ce péché de jeunesse disparaîtra après un séjour de deux ans en cave.

🔑 F. Despujol - A. de Malet Roquefort,
Ch. Prieuré Marquet, 33910 Saint-Martin-du-Bois,
tél. 05.57.56.40.80, fax 05.57.56.40.89,
e-mail sales@malet-roquefort.com

CH. PUY-FAVEREAU 2002 ★

■ 12 ha 50 000 ▮🌡 3 à 5 €

Le vignoble de cette propriété s'étend sur un sol argilo-siliceux, partagé entre merlot et cabernets. Son exposition en plein Midi favorise la maturité du raisin, ce qui se traduit dans ce vin par une robe bigarreau, presque noire. Le nez flatteur de fruits rouges mûrs se nuance d'épices et annonce une chair consistante et longue, bien structurée.

🔑 SCEA les Ducs d'Aquitaine, Favereau,
33660 Saint-Sauveur-de-Puynormand,
tél. 05.57.69.69.69, fax 05.57.69.62.84,
e-mail vignobles@lepottier.com ☒ Y ⚲ r.-v.
🔑 Le Pottier

CH. RAUZAN DESPAGNE
Cuvée de Landeron 2002

■ n.c. n.c. ▮🛢🌡 5 à 8 €

Ayant bénéficié des exigences techniques propres aux vignobles Despagne, cette cuvée de Landeron est issue de vieilles vignes (80 % de merlot) cultivées sur des calcaires à astéries et vendangées à la main. Son nez fin allie les fruits rouges au toasté d'un merrain de qualité, tandis que sa bouche laisse une impression d'harmonie et de souplesse, avec un charme discret qui fait toute son élégance.

🔑 SCEA Vignobles Despagne,
33420 Naujan-et-Postiac,
tél. 05.57.84.55.08, fax 05.57.84.57.31,
e-mail contact@despagne.fr Y ⚲ r.-v.

CH. DE REIGNAC 2002 ★★

■ 16,5 ha 100 000 🛢 5 à 8 €

Trois bonnes raisons de visiter le château de Reignac : une demeure Grand Siècle, une serre signée Eiffel et surtout un remarquable bordeaux supérieur 2002. Habillé d'un velours vermillon, ce vin offre un bouquet fruité enveloppé des notes torréfiées d'un beau bois. La bouche opulente, ronde et ample laisse pleinement s'exprimer le fruit. Le grand jury était conquis, enthousiaste.

⊶ SARL Ch. de Reignac,
Le Truch, 33450 Saint-Loubès,
tél. 05.56.20.41.05, fax 05.56.68.63.31,
e-mail chateau.reignac@wanadoo.fr ☑ Y ☨ r.-v.
⊶ Vatelot

CH. DE REYNAUD 2002 ★

■ 2,76 ha 15 000 ▮ 3 à 5 €

En 1999, deux journalistes parisiens s'éprennent d'une région, d'un vignoble et... d'un joli pigeonnier. Ils proposent un vin rubis riche de fruits rouges mûrs, d'une texture agréable. Quelques tanins encore fermes se manifestent, mais relayés en finale par un fruité plaisant. Vous pourrez déboucher cette bouteille en 2005.

⊶ Bernard Capdevielle,
Ch. de Reynaud, 33710 Bourg-sur-Gironde,
tél. 05.57.68.44.13, fax 05.57.68.44.13,
e-mail chateau.reynaud@libertysurf.fr ☑ Y ☨ r.-v.

PRESTIGE DE RIBEBON 2002 ★

■ 6 ha 30 000 ⦶ 5 à 8 €

Nés sous le règne du Roi-Soleil, le château Ribebon et son domaine de 72 ha offrent un superbe point de vue sur la Dordogne qu'ils dominent du haut d'une falaise. En 2002, le vin expose un boisé puissant, témoin d'un vieillissement en fût de vingt mois, en déroulant en arrière-plan un fruité doux de griotte et de fraise. Une rondeur certaine se manifeste dès l'attaque, le gras enveloppant ensuite les tanins jusqu'à une longue finale vanillée et grillée. Un bordeaux supérieur racé qui mérite un peu de patience.

⊶ Alain Aubert, 57 bis, av. de l'Europe,
33350 Saint-Magne-de-Castillon,
tél. 05.57.40.04.30, fax 05.57.56.07.10,
e-mail domaines.a.aubert@wanadoo.fr

CH. ROC MEYNARD 2002 ★

■ 20 ha 70 000 ▮⫰ 5 à 8 €

Issu des sols argilo-calcaires du Fronsadais et d'un merlot majoritaire, ce vin présente sous une robe sombre un nez délicat de fruits. Les épices apparaissent subtilement dans l'étoffe soyeuse, soutenue par des tanins de bonne naissance, longuement persistante.

⊶ Philippe Hermouet, Clos du Roy, 33141 Saillans,
tél. 05.57.55.07.41, fax 05.57.55.07.45,
e-mail contact@vignobleshermouet.com ☑ Y ☨ r.-v.

CH. ROQUES MAURIAC 2002

■ 40 ha 150 000 ▮⫰ 5 à 8 €

Cette cuvée très largement diffusée par la grande distribution se distingue dans le millésime 2002 par une jolie teinte grenat et un nez discret, floral et fruité. Le corps équilibré et ample dévoile quelques tanins encore austères, que le temps devrait policer. Le **Château Roques Mauriac cuvée Hélène 2002 Elevé en fût de chêne (8 à 11 €)** est également cité : deux ans de garde seront favorables à son expression.

⊶ GFA Les Trois Châteaux, Lagnet, 33350 Doulezon,
tél. 05.57.40.51.84, fax 05.57.40.55.48 ☑ Y ☨ r.-v.
⊶ Vincent Levieux

CH. LA ROSE RENEVE 2001 ★

■ 4 ha 15 500 ▮⫰ 5 à 8 €

Planté sur un terroir caractéristique de l'Entre-Deux-Mers, composé d'argile, de sable fin et de limon, le vignoble entoure la maison de maître et le chai attenant. La vendange a été soumise à une macération préfermentaire avant fermentation pour donner naissance à cette cuvée au nez de pruneau et de kirsch. La bouche vineuse et puissante révèle sans détour des tanins encore très présents, mais francs et savoureux. L'équilibre s'impose en finale et semble augurer un plaisir croissant au fil de quelques années de garde.

⊶ SCEA vignobles André Bertin,
1, chem. de Tire-Merle, 33500 Arveyres,
tél. 05.57.24.81.72, fax 05.57.24.81.72,
e-mail la-rose-reneve@wanadoo.fr ☑ Y ☨ r.-v.

CH. SAINT-IGNAN Elevé en fût de chêne 2002

■ 12 ha 62 000 ▮⦶⫰ 5 à 8 €

Proche du très beau château du Bouilh construit au XVIII[e]s. par l'architecte Victor Louis, cette propriété de 23 ha est aujourd'hui conduite par les petits-enfants de son créateur. Le 2002 affiche sous une robe violine un nez complexe de fruits rouges nuancés de menthol et d'un boisé discret. D'attaque souple, il se développe autour de tanins déjà aimables qui annoncent l'harmonie prochaine de l'ensemble. Vous lui réserverez une volaille ou une viande rouge.

⊶ Feillon Frères et Fils,
Ch. Les Rocques, 33710 Saint-Seurin-de-Bourg,
tél. 05.57.68.42.82, fax 05.57.68.36.25,
e-mail feillon.vins.de.bordeaux@wanadoo.fr
☑ Y ☨ t.l.j. 9h-12h 14h-18h; sam. dim. sur r.-v.

CH. SAINT-VINCENT 2002 ★

■ 16,5 ha 88 000 ▮⦶⫰ 3 à 5 €

A sa forte teneur en merlot, cette cuvée doit sa parure grenat profond et son nez fin de fruits mûrs ; au fût, il doit ses notes vanillées. Dès l'attaque, le palais se montre charpenté, avec juste ce qu'il faut de rondeur pour assurer l'équilibre. Un beau mariage entre le bois et le vin qui trouvera son point d'orgue dans deux ans.

⊶ Philippe Dumas, rte de Bourg-Saint-Gervais,
BP 15, 33240 Saint-André-de-Cubzac,
tél. 05.57.94.00.20, fax 05.57.43.45.72,
e-mail info@bertranddetavernay.com Y ☨ r.-v.

CH. DE SEGUIN

Cuvée Prestige Vieilli en barrique neuve 2002 ★

■ 15 ha 100 000 ▮⦶⫰ 8 à 11 €

Immédiatement séduisante par son bouquet de fruits mûrs et de vanille, cette cuvée d'un rouge écarlate et brillant offre une bouche ample, finement épicée. Les tanins commencent à se fondre dans la matière, promettant d'assurer à ce vin une élégante structure d'ici 2006. La cuvée principale **Château de Seguin 2002 (5 à 8 €)** est citée pour sa souplesse et son fruité.

⊶ Erling Carl,
SC du Ch. de Seguin, 33360 Lignan-de-Bordeaux,
tél. 05.57.97.19.81, fax 05.57.97.19.82,
e-mail info@chateau-seguin.fr ☑ ☨ r.-v.

CH. SENAILHAC 2001

■ 55,16 ha 48 740 ⚱ 8 à 11 €

Ce 2001 est issu des cinq cépages traditionnels du Bordelais, avec une majorité de merlot. Sous une teinte pourpre, il offre un nez fruité et boisé discret, puis une matière ample et structurée, marquée de nuances grillées. Un peu austère en finale, il grandira encore au cours de deux ou trois ans de garde.

⊶ Grands Vins de Gironde, Dom. du Ribet,
33451 Saint-Loubès Cedex, tél. 05.57.97.07.20,
fax 05.57.97.07.27, e-mail gvg@gvg.fr
⊶ SC du Château Senailhac

CH. STREVIC-GODINEAU

Cuvée Vieilles Vignes Elevé en fût de chêne 2001 *

■ 3 ha 20 000 ⚱ 5 à 8 €

Ricardo et Evelyne Roberts ont privilégié le merlot (80 %) et ont pris soin de trier la vendange sur table pour élaborer ce vin dont la concentration est perceptible dès le premier regard, puis, après aération, dans la palette de fruits mûrs nuancés de notes subtiles de vanille et de torréfaction. Le corps parfaitement structuré et charnu est souligné d'un boisé fondu, signe d'un élevage réussi. Vous pourrez apprécier ce millésime dès aujourd'hui en le décantant pour une meilleure expression ou bien l'attendre jusqu'en 2006.

⊶ Ricardo et Evelyne Roberts, 1, La Longa,
33240 Vérac, tél. 05.57.84.81.57, fax 05.57.84.81.57,
e-mail evieroberts@aol.com ☒ Y ⅄ r.-v.

CH. DE TERREFORT-QUANCARD 2002 *

■ 62,33 ha 274 134 Ī ⚱ ♁ 3 à 5 €

Ancienne et belle demeure chargée d'histoire, le château de Terrefort-Quancard est aussi un important domaine viticole de plus de 65 ha, bénéficiant d'un terroir argilo-calcaire planté de vieilles vignes. D'un grenat sombre, son bordeaux supérieur libère un boisé discret qui laisse toute sa place à un fruité intense (mûre, cassis, cerise). De beaux tanins encore fermes manifestent leur présence en bouche, mais l'on perçoit aussi du volume et du fruit. A attendre jusqu'en 2007.

⊶ SCA du Ch. de Terrefort-Quancard,
BP 50, 33240 Cubzac-les-Ponts,
tél. 05.57.43.00.53, fax 05.57.43.59.87,
e-mail terrefort.quancard@wanadoo.fr ☒ Y ⅄ r.-v.

CH. TERTRE CABARON

Elevé en fût de chêne 2001

■ 1,46 ha 5 300 ⚱ 5 à 8 €

Domaine familial de 40 ha, le château Tertre Cabaron a produit un vin incarnat brillant, parfumé de fruits cuits (pruneau) et de vanille légère. Les mêmes arômes apparaissent dans une bouche ample et charnue, mais les tanins encore un peu saillants en finale demandent à s'affiner au cours de deux ou trois ans de garde.

⊶ Valérie Dugrand, Bastorre, 33540 Saint-Brice,
tél. 05.56.71.54.19, fax 05.56.71.50.29,
e-mail domaine.bastorre@wanadoo.fr ☒ Y ⅄ r.-v.

CH. TOUR DE GILET

L'Expression du petit verdot 2002 *

■ 6 ha 9 000 ⚱ 8 à 11 €

Les moines de l'abbaye de Gilet (XII[e]s.) avaient creusé des jalles pour drainer les palus et y planter la vigne. Ce domaine leur doit beaucoup, lui qui propose aujourd'hui ce bordeaux supérieur issu majoritairement de petit verdot (60 %). Arômes de fruits et notes toastées se mêlent agréablement au nez, tandis qu'en bouche les tanins commencent à se fondre dans la chair ample et souple, toute parfumée de confiture de fruits rouges et de torréfaction. En 2006, ce vin aura atteint sa pleine maturité.

⊶ SC Ch. Tour de Gilet,
BP 11, 33460 Macau, tél. 05.57.88.07.64,
fax 05.57.88.07.00 ☒ ⅄ r.-v.

CH. TOUR DE MIRAMBEAU 2002 *

■ n.c. n.c. Ī ⚱ ♁ 5 à 8 €

Grand classique dans le Guide, le château Tour de Mirambeau présente un 2002 haut en couleur, d'un grenat brillant et juvénile. Une fraîcheur que l'on retrouve dans le nez empreint de cassis et d'un fruité plus complexe encore après aération. La bouche d'un bon volume bénéficie de tanins souples et évolue avec charme vers une finale persistante.

⊶ SCEA Vignobles Despagne,
33420 Naujan-et-Postiac,
tél. 05.57.84.55.08, fax 05.57.84.57.31,
e-mail contact@despagne.fr ☒ Y ⅄ r.-v.

CH. LA TUILERIE 2001 *

■ 3 ha 20 000 ⚱ 5 à 8 €

Pourpre brillant, ce vin libère un nez assez complexe aux notes de fruits, de sous-bois, de vanille et de toasté. La bouche d'attaque puissante s'appuie sur des tanins bien fondus, avec un boisé encore présent mais qui ne gêne en rien l'équilibre de l'ensemble car le fruit se manifeste aussi. Laissez cette bouteille évoluer quelque temps en cave. Le **Château Freyneau Cuvée traditionnelle Elevé en fût de chêne 2001** est cité : d'un joli fruit nuancé d'arômes de torréfaction, il peut être apprécié dès 2005 avec une poitrine de veau farcie.

⊶ EARL Maulin et Fils,
81, rte de Sorbède, 33450 Montussan,
tél. 05.56.72.95.46, fax 05.56.72.84.29 ☒ Y ⅄ r.-v.

CH. TURCAUD Cuvée majeure 2001 *

■ 2,5 ha 18 500 ⚱ 8 à 11 €

Cette Cuvée majeure est fille de 65 % de merlot et de 35 % de cabernet-sauvignon, mais cette lignée ne suffit pas à expliquer son caractère séducteur : la longue expérience du vigneron a été déterminante. Au nez concentré de fruits subtilement épicés et vanillés répond une bouche tout aussi aromatique, ronde, reposant sur des tanins mûrs et se prolongeant sur des notes grillées. Ce vin devrait évoluer favorablement dans le temps.

⊶ EARL Vignobles Maurice Robert,
Ch. Turcaud, 33670 La Sauve,
tél. 05.56.23.04.41, fax 05.56.23.35.85,
e-mail chateau-turcaud@wanadoo.fr ☒ Y ⅄ r.-v.

CH. VALROSE 2001 *

■ 2 ha 10 000 ⚱ 5 à 8 €

Les graves siliceuses de cette propriété au cœur de l'Entre-Deux-Mers, plantées de vieilles vignes à majorité de merlot, ont donné naissance à un vin pourpre, parfumé de fruits rouges confiturés. Solidement structuré, le corps ample et rond est marqué par un boisé vanillé de qualité, en harmonie avec le fruit. Un millésime que vous associerez en 2006 à un gibier.

🔑 SCEA Michel Barthe,
18, Girolatte, 33420 Naujan-et-Postiac,
tél. 05.57.84.55.23, fax 05.57.84.57.37,
e-mail scea.barthemichel@wanadoo.fr ☑ 🍷 🚶 r.-v.

CH. VERGNES-BEAULIEU 2001

■ 3 ha 13 000 🛢 5 à 8 €

A la fin du XIX[e]s., ce vignoble – alors très vaste – appartenait au baron de Gargan, resté célèbre pour son engagement dans la lutte contre le phylloxéra et pour avoir accordé à son personnel vigneron une protection sociale très développée. Aujourd'hui, le vin ne manque pas d'intérêt, comme en témoigne ce 2001 qui mêle fruits rouges et épices. Certes, les tanins dominent encore le palais, mais la matière est là, qui promet de s'affiner au cours des deux prochaines années.

🔑 Univitis, Les Lèves, 33220 Sainte-Foy-la-Grande,
tél. 05.57.56.02.02, fax 05.57.56.02.22,
e-mail jm.portier@univitis.fr
☑ 🍷 🚶 t.l.j. sf dim. lun. 9h30-12h30 15h30-18h30

CH. LA VERRIERE 2002

■ 10 ha 50 000 ▮ 5 à 8 €

André Bessette et son fils Alain joignent leurs efforts pour donner un nouvel élan à cette ancienne propriété de 20 ha. Ils proposent un 2002 de tradition, tout de pourpre vêtu et riche d'arômes fruités nuancés d'une note balsamique. Très charpenté, c'est un vin plein de mâche qui affrontera avec profit quelques années en cave.

🔑 EARL André Bessette,
8, La Verrière, 33790 Landerrouat,
tél. 05.56.61.33.21, fax 05.56.61.44.25 ☑ 🚶 r.-v.
🔑 André et Alain Bessette

CH. DE VIAUT Cuvée Prestige Elevé en fût de chêne 2002 ★

■ 43 ha 120 000 🛢 5 à 8 €

Issue d'une sélection de vieilles vignes de merlot et de cabernets, cette cuvée d'un rouge sombre est encore marquée par son élevage de douze mois en fût. Après agitation, quelques notes de cuir s'ajoutent au boisé. L'attaque est certes ferme, mais l'équilibre est respecté car la matière se montre suffisamment consistante, persistante sur des accents de vanille. Un petit séjour en cave sera bénéfique.

🔑 F. Boudat Cigana,
Ch. de Viaut, 33410 Mourens,
tél. 05.56.61.98.13, fax 05.56.61.99.46 ☑ 🍷 🚶 r.-v.

Y 2002 ★★

□ n.c. n.c. 🛢 38 à 46 €

Né sur le domaine d'Yquem, ce vin a bénéficié du savoir-faire de l'une des plus brillantes équipes au monde en matière de liquoreux. Sa robe en témoigne avec un mariage très réussi des teintes jaune citron et or blanc. Franc et net, le bouquet éveille des sensations printanières en passant des fruits blancs (pêche et poire) au tilleul et au miel d'acacia. A la finesse de l'attaque succède une structure fraîche, vive et parfaitement équilibrée.

🔑 SA du Ch. d'Yquem, 33210 Sauternes,
tél. 05.57.98.07.07, fax 05.57.98.07.08,
e-mail info@chateau-yquem.com
🚶 lun au ven 14h ou 15h30
🔑 LVMH

Crémant-de-bordeaux

AOC depuis 1990, le crémant-de-bordeaux est élaboré selon des règles très strictes communes à toutes les appellations de crémant, à partir de cépages traditionnels du Bordelais. Les crémants sont généralement blancs (6 024 hl en 2003) mais ils peuvent aussi être rosés (623 hl).

REMY BREQUE Cuvée Prestige ★

○ n.c. 6 500 5 à 8 €

Sémillon et muscadelle se partagent l'assemblage de ce crémant habilement élaboré. Jaune paille, chapeauté d'une mousse crémeuse persistante, celui-ci laisse s'exprimer des arômes de fruits mûrs, marqués par l'ananas et la mangue presque confits. Une ligne aromatique qui souligne savoureusement le corps rond et frais, équilibré.

🔑 Maison Rémy Brèque,
8, rue du Cdt-Cousteau, 33240 Saint-Gervais,
tél. 05.57.43.10.42, fax 05.57.43.91.61 ☑ 🍷 🚶 r.-v.
🔑 M. Bonnefis

CAILLEUX 2001

○ 1,35 ha 10 000 5 à 8 €

Issu à 100 % de sémillon, ce crémant présente un bouquet évolué de fruits confits et de figue sèche. Il ne manque pas d'équilibre et laisse une agréable sensation finale. A déguster sans attendre avec un feuilleté de fruits rouges ou à l'apéritif.

🔑 EARL Vignobles Cailleux,
La Pereyre, 33760 Escoussans,
tél. 05.56.23.63.23, fax 05.56.23.64.21 ☑ 🚶 r.-v.

CRISTAL DE ROCHE 2001 ★

● 1 ha 7 000 ▮🌡 8 à 11 €

Un nom qui va comme un gant à ce crémant d'un rose très pâle, brillant de quelques reflets saumonés, signe d'une certaine évolution. Le bouquet est une orchestration classique de fleurs et d'agrumes, cependant que la bouche vive a gardé l'allant de la jeunesse.

🔑 GFA La Croix de Roche, 33133 Galgon,
tél. 05.57.84.38.52, fax 05.57.84.31.39,
e-mail chateau-la-croix-de-roche@wanadoo.fr
☑ 🍷 🚶 r.-v.
🔑 François Maurin

VIGNOBLES FOURNIER Blanc de blancs Cuvée de Bonhoste 2002 ★

○ 3 ha 4 000 ▮🌡 8 à 11 €

Un vin composé de sémillon et d'ugni blanc qui irait fort bien avec des huîtres tièdes nappées de sauce crémeuse au curry, avec un effiloché de blancs de poireaux. Un léger cordon de bulles fines s'élève du verre, porteur d'arômes exotiques de fruit de la Passion, de banane et d'agrumes. A la fois vif et gouleyant, ce crémant se prolonge agréablement sur une finale citronnée.

🔑 SCEA des Vignobles Fournier,
Ch. de Bonhoste, 33420 Saint-Jean-de-Blaignac,
tél. 05.57.84.12.18, fax 05.57.84.15.36 ☑ 🍷 🚶 r.-v.

LATEYRON 2002 ★★

● n.c. 16 122 5 à 8 €

Créée en 1897 par Abel Lateyron, cette maison spécialisée dans les vins effervescents dispose de belles

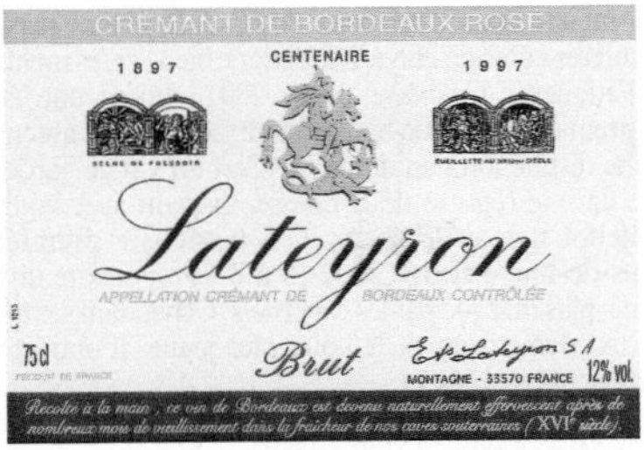

caves souterraines creusées sur 3 km ; la pierre ainsi extraite a servi à la construction de nombreux châteaux de la région. Son crémant rosé s'habille d'une robe griffée Lateyron, d'un rose pâle limpide, faite pour séduire. Le charme définit aussi le bouquet de framboise légèrement vanillé, ainsi que la bouche équilibrée, sans aucune agressivité, qui persiste dans le registre des fruits. Un cabernet franc bien mûr est à l'origine de cette cuvée conviviale, destinée à l'apéritif. Le **crémant-de-bordeaux Lateyron blanc 2002** obtient deux étoiles également pour sa palette fraîche de fleurs et de fruits, pour sa souplesse aussi. De la même maison, le **Paulian 2002** est cité.
🔑 SA Lateyron, Ch. Tour Calon,
BP 1, 33570 Montagne,
tél. 05.57.74.62.05, fax 05.57.74.58.58,
e-mail lateyron@wanadoo.fr ☑ 🍸 ⛹ r.-v.

DOM. DE LA NOUZILLETTE ★

● n.c. 10 000 ▮♁ 5 à 8 €

L'accueil chaleureux que le propriétaire de ce domaine réserve aux visiteurs incite à y faire halte pour déguster sa production. Des bulles fines et régulières animent ce crémant rose-gris brillant qui inspire la sympathie par ses élégants arômes de fleurs et de fruits. Son corps aux formes graciles se pare de flaveurs d'agrumes citronnés qui lui donnent de la fraîcheur.
🔑 GAEC du Moulin Borgne,
5, le Moulin Borgne, 33620 Marcenais,
tél. 05.57.68.70.25, fax 05.57.68.09.12
☑ 🏠 🍸 ⛹ t.l.j. 9h-20h
🔑 Catherinaud

PAUL RIBES 2002 ★

○ 50 ha 20 000 ▮♁ 5 à 8 €

A Castillon-la-Bataille, le crémant s'est fait une bonne place, défendu par cette cave coopérative. Le crémant Paul Ribes affiche un agréable fruité nuancé de notes florales sous une robe pâle à reflets verts, ornée d'un chapelet de perles fines. Il ne manque pas d'entrain grâce à une juste vivacité qui soutient durablement ses arômes de pamplemousse, de citron et de pêche. Une étoile est également accordée au **Balard 2002**, tandis que le crémant **Marie Jades 2002** est cité.
🔑 Union Vignerons d'Aquitaine,
ZI de Barbet, 33350 Castillon-la-Bataille,
tél. 05.57.40.04.31, fax 05.57.40.17.60

LE TREBUCHET 2002 ★

○ 0,5 ha 5 000 ▮♁ 5 à 8 €

A 3 km du moulin de Bagas (XIIe s.), Bernard Berger exploite un domaine de 40 ha. Le château emprunte son nom à cette machine qui servait à jeter des pierres sur l'ennemi pendant la guerre de Cent ans. Aucune offensive guerrière dans ce crémant à la mousse fine et persistante, emporté par un fruité fringant. Le vin glisse agréablement au palais. Il trouvera sa place à l'apéritif.
🔑 Bernard Berger,
Ch. Le Trébuchet, 33190 Les Esseintes,
tél. 05.56.71.42.28, fax 05.56.71.30.16,
e-mail chateautrebuchet@wanadoo.fr
☑ 🍸 ⛹ t.l.j. sf dim. 8h-12h 14h-18h

Le Blayais et le Bourgeais

Blayais et Bourgeais, deux petits pays aux confins charentais de la Gironde que l'on découvre toujours avec plaisir. Peut-être en raison de leurs sites historiques, de la grotte de Pair-Non-Pair (avec ses fresques préhistoriques, presque dignes de Lascaux), de la citadelle de Blaye ou de celle de Bourg, ou des petits châteaux et autres anciens pavillons de chasse. Mais plus encore parce que de cette région très vallonnée se dégage une atmosphère intimiste, apportée par de nombreuses vallées et qui contraste avec l'horizon presque marin des bords de l'estuaire. Pays de l'esturgeon et du caviar, c'est aussi celui d'un vignoble qui, depuis les temps gallo-romains, contribue à son charme particulier. Pendant longtemps, la production de vins blancs a été importante ; jusqu'au début du XXe s., ils étaient utilisés pour la distillation du cognac. Mais aujourd'hui, les vins blancs sont en très nette régression, car les rouges jouissent d'une prospérité économique beaucoup plus grande.

Blaye, premières-côtes-de-blaye, côtes-de-blaye, bourg, bourgeais, côtes-de-bourg, rouges et blancs : il est parfois un peu difficile de se retrouver dans les appellations de cette région. Toutefois, on peut distinguer deux grands groupes : celui de Blaye, avec des sols assez diversifiés, et celui de Bourg, géologiquement plus homogène.

Blaye, côtes-de-blaye et premières-côtes-de-blaye

Sous la protection, désormais toute morale, de la citadelle de Blaye due à Vauban, le vignoble blayais s'étend sur environ 6 000 ha plantés de vignes rouges et blanches. L'AOC blaye a revendiqué 5 070 hl en 2003. Les premières-côtes-de-blaye rouges (266 978 hl en

2003) sont des vins puissants et fruités. Les blancs (9 616 hl) sont aromatiques. Ils sont en général secs, d'une couleur légère, et on les sert en début de repas, alors que les premières-côtes rouges vont plutôt sur des viandes ou des fromages.

La nouvelle charte qualitative de l'AOC blaye exige une mise en bouteilles après dix-huit mois d'élevage.

Blaye

GRAND VIN DE CHATEAU DUBRAUD 2001 *

■ 5 ha 11 000 🛢 15 à 23 €

Nous avons retenu trois crus de cet important vignoble de 25 ha. Celui-ci, de couleur à la fois sombre et vive, marie joliment les fruits confits et le fin bois ; sa structure est dense et équilibrée, d'une belle harmonie. Fruité, le **Château Dubraud en premières-côtes-de-blaye rouge 2002 (5 à 8 €)** est cité ; il est à boire plus vite.

⊶ Alain et Céline Vidal,
Ch. Dubraud, 33920 Saint-Christoly-de-Blaye,
tél. 05.57.42.45.30, fax 05.57.42.50.92,
e-mail avidal@terre-net.fr ☑ 🏠 🏠 🍷 🚶 r.-v.

CH. GARREAU 2001 *

■ 7,81 ha 29 500 ▮🛢🌡 8 à 11 €

Ce blaye assemble à parité le merlot et le cabernet-sauvignon, nés tous deux sur argilo-calcaire. Cela donne un 2001 particulier dont la couleur rubis présente quelques reflets ambrés. L'aération libère des arômes de fruits confits, de cacao et de moka. La bouche, souple et harmonieuse, devrait finir de s'affiner d'ici un à deux ans.

⊶ SCEA Ch. Garreau, Lafosse, 33710 Pugnac,
tél. 05.57.68.90.75, fax 05.57.68.90.84 ☑ 🍷 🚶 r.-v.
⊶ Guez

CH. GRILLET-BEAUSEJOUR 2001 *

■ 2 ha 3 600 🛢 8 à 11 €

La famille Jullion exploite un vignoble de 23 ha. Pour cette cuvée, elle sélectionne 2 ha d'argilo-calcaires plantés à 90 % de merlot et à 10 % de cabernet-sauvignon. D'une couleur rubis encore très vive, ce vin associe les petits fruits rouges et le bois fin. Fruitée et agréable, la bouche s'appuie sur des tanins encore un peu sévères qui devraient s'affiner d'ici deux à trois ans. Cet ensemble typique de l'AOC et du millésime pourrait accompagner une spécialité à découvrir, la lamproie à la bordelaise.

⊶ EARL J.-J. et F. Jullion, Beauséjour, 33390 Berson,
tél. 05.57.64.39.98, fax 05.57.64.23.00 ☑ 🍷 🚶 r.-v.

CH. HAUT-COLOMBIER 2001 *

■ 1 ha 6 000 🛢 11 à 15 €

Sur son grand vignoble de 54 ha, la famille Chéty produit deux cuvées sous le même nom, Château Haut-Colombier, mais dans deux AOC différentes : blaye et premières-côtes-de-blaye. Il faut donc bien lire les mentions de l'étiquette. Ce blaye rouge 2001 obtient une étoile (le premières-côtes-de-blaye rouge 2001 avait obtenu la même distinction l'an dernier). C'est un vin de garde qui joue dans le registre de la finesse, mariant avec bonheur le merlot mûr et le chêne bien toasté. Le **premières-côtes-de-blaye rouge 2002 (5 à 8 €)** est encore un peu fermé, plus marqué par les cabernets. Cependant ses tanins soyeux permettront de le boire plus jeune. Il obtient une citation.

⊶ Jean, Olivier et Emmanuel Chéty,
2, La Maisonnette, 33390 Cars,
tél. 05.57.42.10.28, fax 05.57.42.17.65,
e-mail chateau.hautcolombier@wanadoo.fr
☑ 🍷 🚶 t.l.j. 8h-12h 14h-18h; sam. dim. sur r.-v.

CH. LIVENNE 2001

■ n.c. 7 000 🛢 15 à 23 €

Vive, violacée, jeune et brillante, la robe de ce 2001 rayonne. Si le premier nez se montre fruité (fruit rouge mûr), très vite le bois s'impose. Franche en bouche, souple, équilibrée, cette bouteille se montre suffisamment structurée pour se garder encore deux à trois ans qui lui permettront de s'exprimer davantage.

⊶ Sylvie Germain, Ch. Maine-Gazin, 33390 Plassac,
tél. 05.57.42.80.10, fax 05.57.64.36.20 ☑ 🍷 🚶 r.-v.

CH. MONCONSEIL GAZIN 2001 **

■ 3 ha 16 200 🛢 11 à 15 €

Site gallo-romain de première importance, Plassac intéressera tous les amateurs tant pour les vestiges d'une *villa* que pour ce remarquable vin couleur bordeaux, jeune et sombre, presque noir. Son bouquet expressif évoque le fruit (cerise) et le bois caramélisé. Sa structure ample repose sur une trame tannique élégante. Michel Baudet produit aussi un **premières-côtes-de-blaye rouge 2002 sous le nom de Château Ricaud (8 à 11 €)** à évolution plus rapide : déjà ouvert, avec un nez floral et discrètement boisé, ce vin est cité pour sa saveur souple et équilibrée.

⊶ Vignobles Michel Baudet,
Ch. Monconseil Gazin, 33390 Plassac,
tél. 05.57.42.16.63, fax 05.57.42.31.22,
e-mail mbaudet@terre-net.fr ☑ 🍷 🚶 r.-v.

CH. MOULIN DE CHASSERAT 2001 **

■ 3 ha 9 000 🛢 11 à 15 €

C'est sur un sol de graves qu'est récolté ce blaye, petite entité parmi les 21 ha que possède ce cru. Ce 2001 est remarquable d'intensité, tant dans sa robe bordeaux sombre que dans son bouquet puissant et expressif ou sa saveur très fruitée, sur des tanins persistants. C'est un excellent vin de garde pour les trois à douze prochaines années. Nous avons également retenu le **Château Chasserat en premières-côtes-de-blaye rouge cuvée André Bouyé 2001 (8 à 11 €)** qui présente quelques reflets ambrés ; il s'ouvre à l'aération sur des notes surtout boisées. Sa saveur rappelle le pruneau, le cuir. Ce vin qui obtient une étoile sera prêt plus tôt que le blaye (dans deux ou trois ans).

⊶ EARL Boyer-Fourcade,
11, Moulin de Chasserat, 33390 Cartelègue,
tél. 05.57.64.63.14, fax 05.57.64.50.14,
e-mail contact@chateauchasserat.com
☑ 🍷 🚶 t.l.j. sf dim. 8h-12h 14h-19h

Premières-côtes-de-blaye

CH. L'ABBAYE Vieilli en fût de chêne 2001

| ■ | 1,7 ha | 13 000 | 🍷🍷🍷 | 8 à 11 € |

Il s'agit ici d'une cuvée née de 1,7 ha sur les 21 ha exploités par la famille Rossignol-Boinard. Son nom est lié à la présence des vestiges de l'abbaye de Pleine-Selve construite entre 1145 et 1150 sur la route de Saint-Jacques-de-Compostelle. Le vin, encore marqué par le bois de la barrique, est plein de ressources. Son bouquet offre un mélange d'épices douces, de fruits secs et de bois torréfié (moka). On retrouve en bouche les arômes du nez avec des tanins enrobés et savoureux qui devront être attendus un an ou deux. Le **blanc 2003 du château (5 à 8 €)** obtient une citation. Il est perlant, fleuri et fruité.

⌐ SCEA Vignobles Rossignol-Boinard,
L'Abbaye, 33820 Pleine-Selve,
tél. 05.57.32.64.63, fax 05.57.32.74.35 ☑ 🍷 🏃 r.-v.

CH. ANGLADE-BELLEVUE
Cuvée Prestige Elevé en fût de chêne 2002

| ■ | 3,6 ha | 26 667 | 🍷 | 5 à 8 € |

Ce cru avait décroché un coup de cœur pour le millésime 2000. Le 2002 est plus discret. La couleur rubis est intense. Le nez est encore fruité, avec une touche de bourgeon de cassis. Cette bouteille bien équilibrée sera prête assez rapidement (un à deux ans).

⌐ SCEA Mège Frères,
Aux Lamberts, 33920 Générac,
tél. 05.57.64.73.28, fax 05.57.64.53.90,
e-mail scea-mege @ mege-freres.fr ☑ 🍷 🏃 r.-v.

BORDELAIS

Le Blayais et le Bourgeais

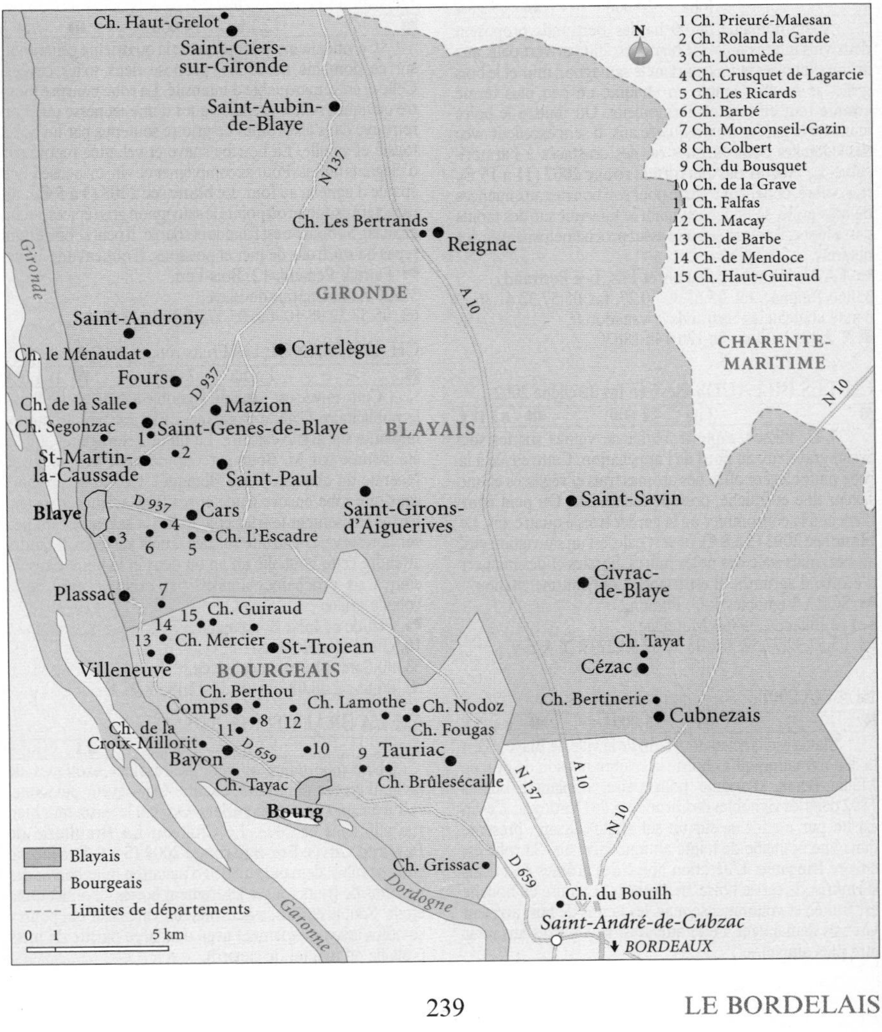

1 Ch. Prieuré-Malesan
2 Ch. Roland la Garde
3 Ch. Loumède
4 Ch. Crusquet de Lagarcie
5 Ch. Les Ricards
6 Ch. Barbé
7 Ch. Monconseil-Gazin
8 Ch. Colbert
9 Ch. du Bousquet
10 Ch. de la Grave
11 Ch. Falfas
12 Ch. Macay
13 Ch. de Barbe
14 Ch. de Mendoce
15 Ch. Haut-Guiraud

CH. BERTINERIE Sauvignon 2003 ★★

□ 9 ha 60 000 ▮🌡 5 à 8 €

Si Cubnezais est célèbre pour son église Saint-Martin du XII[e]s., cette commune l'est aussi pour ce vaste domaine de 60 ha dirigé par Daniel Bantégnies depuis 1961. Cette cuvée de pur sauvignon est très agréable : or vert, elle offre de frais arômes fruités qui persistent dans une bouche ronde, équilibrée. Une bouteille idéale pour accompagner des noix de Saint-Jacques poêlées. Le **Bertinerie rouge 2002**, encore dominé par le bois, obtient une citation ; il devra s'affiner deux ou trois ans.

🔑 SCEA Bantégnies et Fils,
Ch. Bertinerie, 33620 Cubnezais,
tél. 05.57.68.70.74, fax 05.57.68.01.03,
e-mail contact@chateaubertinerie.com ☒ 🍷 🚶 r.-v.
🔑 Daniel Bantégnies

CH. LES BERTRANDS
Cuvée Prestige Elevé en fût de chêne 2003 ★

□ 3 ha 20 000 ⬮ 5 à 8 €

Vaste domaine de 90 ha, les Bertrands proposent deux vins intéressants. Ce blanc sec 2003 or vert pâle, aux arômes intenses et fins mariant le sauvignon mûr et le bois grillé, se montre souple en attaque, un peu plus ferme ensuite tout en restant harmonieux. On pourra le boire jeune ou le garder trois à quatre ans. Il sera excellent avec des coquilles Saint-Jacques ou des crustacés à l'armoricaine. Le **Nectar des Bertrands rouge 2002 (11 à 15 €)**, très coloré, obtient une étoile pour son bon nez aux nuances de bois grillé, sa bouche équilibrée finissant sur des tanins persistants ; il pourra se boire assez prochainement avec des magrets.

🔑 EARL Vignobles Dubois et Fils, Les Bertrands,
33860 Reignac, tél. 05.57.32.40.27, fax 05.57.32.41.36,
e-mail chateau.les.bertrands@wanadoo.fr
☒ 🍷 🚶 t.l.j. sf dim. 9h-12h 14h-18h30

CH. LES BILLAUDS Elevé en fût de chêne 2002

■ 2 ha 12 600 ⬮ 8 à 11 €

J.-C. Plisson exploite 16 ha de vignes sur les sols argilo-graveleux du nord de l'appellation. Cette cuvée à la robe plutôt légère offre des arômes frais et réglissés et une saveur fine et fraîche, presque mentholée. On peut commencer à la consommer ou la garder trois à quatre ans. Le **blanc sec 2003 (5 à 8 €)**, or vert pâle, est un sauvignon viril au nez, mais avec des notes mûres, florales et des nuances d'écorce d'agrumes. Il est friand et obtient une citation.

🔑 SCEA Vignobles J.-C. Plisson,
5, Les Billauds, 33860 Marcillac,
tél. 05.57.32.77.57, fax 05.57.32.95.27 ☒ 🍷 🚶 r.-v.

BLAVIA 2001

■ n.c. 16 000 ⬮ 8 à 11 €

Blavia est l'ancien nom latin de la ville de Blaye. C'est la dénomination qu'a choisie la célèbre maison de négoce Mähler-Besse, d'origine hollandaise, implantée depuis 1892 dans les vignobles de Gironde et de Dordogne. Ce vin est un pur merlot né sur un sol argilo-calcaire, présenté dans une bouteille de teinte antique bien sûr. Sa robe est encore fringante. L'aération libère des arômes de raisins surmûris, de cerise noire, de pruneau. La mise en bouche est fruitée et volumineuse mais les tanins de bois arrivent vite ; ils demandent à être attendus deux à trois ans pour être plus aimables.

🔑 SA Mähler-Besse, 49, rue Camille-Godard,
33000 Bordeaux, tél. 05.56.56.04.30, fax 05.56.56.04.59,
e-mail france@mahler-besse.com 🍷 🚶 r.-v.

CH. LE BOIS DES ABEILLES
Elevé en fût de chêne Cuvée Prestige 2002

■ 15 ha 24 000 ⬮ 8 à 11 €

Cuvée élaborée à partir de 75 % de merlot et de 25 % de malbec (cot) plantés sur un terroir silico-graveleux. La robe rubis foncé présente quelques reflets d'évolution. Le nez est encore sous le bois, de qualité certes, mais qui masque le fruit. La saveur est très boisée mais on sent une bonne matière. Ce vin devrait trouver son harmonie dans deux à trois ans.

🔑 Jean-Michel et Jocelyne Brun,
26, Les Voinauds, 33820 Saint-Aubin-de-Blaye,
tél. 05.57.32.70.00, fax 05.57.32.79.43,
e-mail le.bois.des.abeilles@wanadoo.fr

CH. BOIS-VERT Cuvée Prestige
Elevé en fût de chêne 2002 ★★

■ 2,3 ha 14 000 ⬮ 8 à 11 €

Ce viticulteur, qui représente la quatrième génération sur ce domaine de 25 ha, propose deux jolies cuvées. Celle-ci est remarquable d'intensité. La robe pourpre montre quelques reflets grenat, signes d'une jeunesse que l'on retrouve dans les arômes de griotte soutenus par un boisé toasté et vanillé. La bouche suave et veloutée repose sur d'élégants tanins. Pour accompagner ce vin, on pense à une épaule d'agneau au four. Le **blanc sec 2003 (3 à 5 €)** a un caractère exotique où pointe le sauvignon gris (épices, litchi, ananas). Sa bouche est friande et souple. Il peut se boire hors repas ou sur fruits de mer et poissons. Il obtient une étoile.

🔑 Patrick Penaud, 12, Bois-Vert,
33820 Saint-Caprais-de-Blaye,
tél. 05.57.32.98.10, fax 05.57.32.98.10 ☒ 🍷 🚶 r.-v.

CH. BONNANGE Les Fruits rouges 2002 ★

■ 1,5 ha 7 000 ⬮ 11 à 15 €

Cette cuvée est issue du vignoble acheté en 1999 par le publicitaire Claude Bonnange. Elle est née de merlot implanté sur argilo-calcaire. La fin de l'élevage du 2002 a été assurée par M. Boulmé (coup de cœur avec la cuvée Noémie du château Terre Blanque). Ce vin se présente sous une robe encore jeune et ses frais arômes associent harmonieusement le fruit et le bois. La saveur est un peu sur la réserve, construite sur des tanins austères. Il faudra attendre cette bouteille un an ou deux et la boire dans les cinq à six prochaines années, par exemple avec de la volaille grillée.

🔑 Claude et Julia Bonnange,
10, chem. des Roberts,
33390 Saint-Martin-Lacaussade,
tél. 06.85.52.48.08, fax 05.57.42.19.48 ☒ 🚶 r.-v.

CH. LA BRAULTERIE 2003 ★★

□ 1,5 ha 7 000 ▮🌡 3 à 5 €

Une jolie teinte or vert, des arômes exotiques de litchi, d'écorce d'agrumes confite. Une saveur puissante, rafraîchie par un peu de perlant. On sent le raisin mûr bien travaillé dans ce 2003. Le **Château La Braulterie de Peyraud Cuvée Prestige rouge 2002 (5 à 8 €)**, à la jolie couleur rubis, demande un peu d'agitation pour libérer des parfums de fruits rouges légèrement boisés ; il obtient une étoile. Souple et frais, assez rond, un vin plaisir qui pourra se boire assez rapidement avec une large palette de mets (volaille ou magret de canard).

🔑 SARL La Braulterie Morisset, Les Graves, 33390 Berson, tél. 05.57.64.39.51, fax 05.57.64.23.60, e-mail braulterie@wanadoo.fr ☑ 🍷 🚶 r.-v.

CH. LA BRETONNIERE
Elevé en fût de chêne 2002 ★

■ 2 ha 10 000 🛢 8 à 11 €

Les jurys ont retenu, fait suffisamment rare pour être souligné, les trois vins présentés par Stéphane Heurlier, lesquels constituent la totalité de sa production. Celui-ci, rubis sombre, au fumet subtil de fruits noirs, d'épices, de vanille, friand, souple, aux tanins fins, sera parfait avec un magret de canard grillé dans les deux à sept prochaines années. Le **Château La Bretonnière rouge 2002 (5 à 8 €)** repose surtout sur le fruit et pourra se boire plus vite ; il est cité, tout comme le **Château Romfort Excellence rouge 2002**, encore un peu fermé. Ce dernier gagnera à être carafé avant d'être servi dans deux à trois ans.

🔑 Stéphane Heurlier,
EARL Ch. La Bretonnière, 33390 Mazion,
tél. 05.57.64.59.23, fax 05.57.64.67.41,
e-mail sheurlier@wanadoo.fr ☑ 🍷 🚶 r.-v.

CH. CAILLETEAU BERGERON
Vieilli en fût de chêne 2002 ★★

■ 10 ha 40 000 🛢 5 à 8 €

Ce domaine de 38 ha présente toujours une cuvée vieillie en fût de bonne tenue, comme ce 2002 paré d'une robe vive. Si le nez demande un peu d'aération pour s'ouvrir sur de plaisants parfums de fruits rouges, la bouche très harmonieuse, ronde, équilibrée, offre une agréable saveur persistante. On pourra consommer cette bouteille assez prochainement et continuer à l'apprécier lors des quatre ou cinq prochaines années.

🔑 EARL Dartier et Fils, 24, Bergeron, 33390 Mazion, tél. 05.57.42.11.10, fax 05.57.42.37.72 ☑ 🍷 🚶 r.-v.

CH. CANTELOUP 2002 ★

■ 6 ha 38 000 🛢 8 à 11 €

Fours avait la chance de posséder une eau de source dont on dit qu'elle guérissait les maux de gorge. C'est aujourd'hui un village viticole. Ce beau vignoble de 24 ha repose sur un sol argilo-calcaire planté à 85 % de merlot complété par le cabernet-sauvignon. Douze mois d'élevage en fût ont donné ce vin de couleur rubis brillant, au bouquet déjà puissant et élégant, fruité (griotte) avec des notes de bois toasté et épicé. La bouche chaleureuse repose sur des tanins déjà fondus permettant de servir cette bouteille d'ici un à deux ans.

🔑 Eric Vezain, Canteloup, 33390 Fours,
tél. 05.57.42.13.16, fax 05.57.42.26.28 ☑ 🍷 🚶 r.-v.

CH. CANTINOT 2002 ★

■ 11 ha 50 000 🍾 🛢 🌡 11 à 15 €

Il faut entrer dans l'église de Cars et prendre le temps d'admirer ses beaux chapiteaux romans. Ensuite, découvrez ce vignoble de 20 ha implanté sur argilo-calcaire, complanté presque à parité de cabernets et de merlot. Le jury a aimé cette cuvée pour sa robe pourpre intense et jeune, son bouquet naissant qui libère des arômes de fruits mûrs et un boisé discret à l'aération. La bouche puissante est particulièrement bien équilibrée : le bois y respecte le raisin. Un excellent vin de côte qui devrait s'exprimer dans un an ou deux et se conserver ensuite cinq à six ans.

🔑 EARL Ch. Cantinot, 1, Cantinot, 33390 Cars,
tél. 05.57.64.31.70, fax 05.57.64.29.13,
e-mail chateau.cantinot@wanadoo.fr
☑ 🍷 🚶 t.l.j. 9h30-12h30 15h-20h
🔑 Bouscasse

CH. CAP SAINT-MARTIN Cuvée Prestige 2002 ★

■ 4 ha 18 000 🛢 8 à 11 €

Depuis son arrivée en Blayais en 1850, la famille Ardoin a fait plusieurs acquisitions et son domaine compte aujourd'hui 17 ha de vignes. Paré d'une robe à la fois sombre et éclatante, ce vin, encore un peu fermé, s'ouvre à l'aération sur des notes de fruits rouges finement boisés que l'on retrouve en bouche. Celle-ci donne tout d'abord une impression chaleureuse puis les tanins s'avèrent encore frais. Tout cela devrait bien se marier dans un an ou deux. La **cuvée principale Château Cap Saint-Martin rouge 2002 (5 à 8 €)** obtient une citation. C'est un vin agréable, élégant, fruité, qui pourra se boire plus vite.

🔑 SCEA des Vignobles P. et B. Ardoin,
11, rte de Mazerolles, 33390 Saint-Martin-Lacaussade,
tél. 05.57.42.91.73, fax 05.57.42.91.73,
e-mail vignobles.ardoin@cariv.fr
☑ 🍷 🚶 t.l.j. sf dim. 8h-12h 14h-19h; f. 15-30 août

CH. LES CEDRES Elixir 2001 ★

■ 1 ha 3 630 🛢 8 à 11 €

Une étiquette pleine de charme pour cette première vendange de Nathalie Bonnet. Il s'agit d'une sévère sélection d'un hectare argilo-graveleux sur les 5,4 ha du château Les Cèdres. Le vin, lui aussi, ne manque pas de charme. Sa robe rubis profond se frange de reflets grenat. Ses arômes puissants évoquent le merlot bien mûr (pruneau, fruits à l'eau-de-vie) et le chêne grillé, épicé. Ses belles rondeurs en bouche sont encore cachées par des tanins boisés qui demanderont un an ou deux pour se fondre. On pourra alors l'apprécier avec des viandes rouges et des fromages à pâte cuite.

🔑 Bonnet,
4, Le Guiraud, 33710 Saint-Ciers-de-Canesse,
tél. 05.57.64.90.75 ☑ 🍷 r.-v.
🔑 Brouette

CH. CHARRON Acacia 2002 ★

□ 6 ha 30 000 🛢 8 à 11 €

Cet élégant Château Charron, composé de 80 % de sémillon et élevé en fût de chêne, joue dans le registre de la finesse, de la souplesse et de l'harmonie entre le fruit mûr et le bois délicat. Idéal pour un turbot à l'oseille. Le **Château Peyredoulle Maine Criquau rouge 2002** (siège des vignobles Germain) est un merlot original, au caractère et aux tanins fermes. Il lui faudra deux ou trois ans de garde.

🔑 Vignobles Germain et Associés, SCEA Ch. Charron, 33390 Berson, tél. 05.57.42.66.66, fax 05.57.64.36.20, e-mail bordeaux@vgas.com ☑ 🍷 🚶 r.-v.

CH. LE CHAY Vieilli en fût de chêne 2001

■ 2 ha 12 000 🛢 5 à 8 €

Un important domaine de 38 ha et une petite cuvée de couleur soutenue. Le nez est franc car le fruit et le bois sont bien assemblés. La bouche est pleine mais les tanins un peu surextraits demanderont à être attendus un an ou deux.

🗝 Didier et Sylvie Raboutet, Ch. Le Chay,
33390 Berson, tél. 05.57.64.39.50, fax 05.57.64.25.08,
e-mail lechay@wanadoo.fr ☑ 🍷 🚶 r.-v.

CH. LE CONE Vieilles Vignes
Elevé en fût de chêne 2002

■ 8 ha 25 000 ⏺ 5 à 8 €

Belle propriété de la fin du XVIII[e]s., située au pied de la citadelle de Blaye construite par Vauban. Huit hectares de vieilles vignes sur terrain argilo-calcaire sont sélectionnés pour cette cuvée à la couleur rubis encore jeune. Les arômes frais rappellent la cerise et le sous-bois. La bouche, assez ronde, soutenue par des tanins boisés et veloutés, offre une saveur légèrement vanillée en finale. Dans deux ou trois ans, on pourra commencer à servir ce vin, avec du chevreau par exemple.
🗝 GFA Ch. Le Cône, rte des Cônes, 33390 Blaye,
tél. 05.57.42.80.37, fax 05.57.42.83.58,
e-mail cancave@wanadoo.fr ☑ 🏠 🍷 🚶 r.-v.
🗝 Lepage-Macé

CH. COUTRIL 2002 ★

■ 1,57 ha 5 822 ▮ 5 à 8 €

Les Frioux viennent de reprendre la propriété familiale de 5,37 ha créée par l'arrière-grand-père. Leur première mise en bouteilles concerne ce vin au caractère naturel, non boisé. Le rubis est vif ; les arômes fruités relativement présents. La bouche ronde, bien équilibrée, repose sur des tanins de raisin qui assurent une bonne longueur. A servir dans un à cinq ans.
🗝 Jean-Jacques Frioux, 1, Coutril, 33390 Eyrans,
tél. 05.57.64.61.86, fax 05.57.64.61.86,
e-mail chateaucoutril@cegetel-net ☑ 🍷 🚶 r.-v.

CH. CRUSQUET DE LAGARCIE 2002 ★

■ 20 ha 70 000 ⏺ 8 à 11 €

Nous sommes ici sur un vignoble enherbé à 80 % qui fêtera cette année le centenaire de la construction d'un magnifique chai-cuvier à deux étages (une prouesse pour l'époque). Ce 2002 est très réussi. Sa robe mêle des reflets pourpres et rubis alors que le bouquet délicat s'ouvre sur des notes de fruits mûrs et de chêne caramélisé. La bouche évolue sur une saveur fruitée et des tanins fins et fondus. Ce vin équilibré pourra être apprécié rapidement et pendant les quatre à cinq prochaines années avec toutes les viandes blanches ou rouges.
🗝 SAS Vignobles Ph. de Lagarcie, Le Crusquet,
33390 Cars, tél. 05.57.42.15.21, fax 05.57.42.90.87,
e-mail vignobles.delagarcie@free.fr ☑ 🍷 🚶 r.-v.

CH. L'ESCADRE Major 2002 ★★

■ 1 ha 4 000 ⏺ 11 à 15 €

Cars possède une église au clocher de tuiles vernissées, dans la plus pure tradition bourguignonne. Pourtant, nous sommes bien en Bordelais, à 3 km de la citadelle de Blaye, et ce vin unanimement élu par le grand jury témoigne de son identité. Cette cuvée Major rappelant le grade d'un ancien propriétaire du domaine est élaborée pour la première fois par les Carreau, très engagés dans la viticulture française. D'entrée, elle mérite la plus haute marche. Elle a tout pour séduire : l'œil, le nez, le palais. On y trouve du très bon raisin, bien mûr, bien élevé en barrique de chêne. A la fois harmonieuse et puissante, elle devrait s'ouvrir dans deux ou trois ans et s'épanouir ensuite pendant de longues années. Le **Château Les Petits**

Arnauds rouge 2002 (5 à 8 €) est un vin plus facile mais agréable, au caractère épicé et boisé, qui devrait s'affiner assez rapidement (un à deux ans). Il est cité.
🗝 SCEV G. Carreau et Fils, Ch. Les Petits Arnauds,
33390 Cars, tél. 05.57.42.36.57, fax 05.57.42.14.02,
e-mail scevcarreau@wanadoo.fr ☑ 🍷 🚶 r.-v.

CH. FERTHIS Cuvée Ulysse 2002 ★★

■ 1,5 ha 10 000 ▮⏺🌡 11 à 15 €

Ulysse célèbre l'arrière-grand-père de Stéphane Eymas qui créa ce vignoble en 1900. Né sur un terroir argilo-graveleux, ce très beau vin à la robe pourpre éclatante, au bouquet fruité (cerise) et boisé (café), à la bouche harmonieuse et aux tanins persistants, est apte à la garde (quatre à huit ans). Le **Château Ferthis rouge 2002 (5 à 8 €)**, plus évolué, floral et vanillé, souple en bouche, déjà bon à boire, obtient une étoile alors que le **blanc 2003 (5 à 8 €)** est cité. Sa bouche est fraîche avec une petite amertume finale qui ne l'empêchera pas d'être agréable sur des fruits de mer ou des salades.
🗝 Stéphane Eymas, 9, av. Mendès-France,
33820 Saint-Ciers-Sur-Gironde, tél. 05.57.32.72.52,
fax 05.57.32.60.05, e-mail seymas@terre-net.fr
☑ 🍷 🚶 t.l.j. 9h-12h 14h-19h

CH. FONTARABIE 2002 ★

■ 15 ha n.c. ▮⏺🌡 5 à 8 €

Sur leur vignoble de 20 ha en terroir argilo-calcaire, et planté à 60 % de merlot et à 40 % de cabernet-sauvignon, Alain Faure et ses deux filles produisent deux cuvées : celle-ci, à la robe pourpre intense, offre de très agréables senteurs de fruits noirs finement boisées ; sa trame tannique serrée et épicée demandera à s'affiner un an ou deux avant de s'ouvrir pour plusieurs années. Le **Château Les Hauts de Fontarabie rouge 2002** est de même nature mais avec des tanins un peu plus fermes. Dans deux ou trois ans on pourra commencer à le boire avec un aloyau sauce marchand de vin.
🗝 Vignobles Alain Faure,
Ch. Belair-Coubet, 33710 Saint-Ciers-de-Canesse,
tél. 05.57.42.68.80, fax 05.57.42.68.81,
e-mail belair-coubet@wanadoo.fr ☑ 🚶 r.-v.

CH. FREDIGNAC Cuvée Prestige 2002 ★

■ 2 ha n.c. ▮⏺🌡 5 à 8 €

Si vous allez à Saint-Martin-Lacaussade, ne manquez pas d'entrer dans l'église car la clef d'ogives est un chef-d'œuvre de la fin du XII[e]s. Michel L'Amouller exploite ici un vignoble de 15,5 ha sur argilo-calcaires. Deux cuvées ont retenu notre attention. Ce vin élevé en barrique est d'un joli rubis vif, avec un fumet de bois frais au nez, une bouche ronde et fruitée finissant sur d'élégants tanins finement boisés. Il s'ouvrira dans un an ou deux et pourra s'apprécier pendant cinq ou six ans. La **cuvée principale rouge 2002** reste plus sur le fruit. Elle obtient une étoile.

⚷ Michel L'Amouller, Ch. Frédignac,
7, rue Emile-Frouard, 33390 Saint-Martin-Lacaussade,
tél. 05.57.42.24.93, fax 05.57.42.00.64,
e-mail fredignac@wanadoo.fr ☒ 🏠 Ῑ ☨ r.-v.

CH. GAUTHIER Elevé en fût de chêne 2002

■ 11,96 ha 50 000 ◍ 5 à 8 €

L'Union de producteurs de Pugnac élabore ce vin issu des vignes de Michel Massé implantées sur les sols argilo-siliceux de Civrac-de-Blaye. C'est un vin bien dans le standard de l'appellation avec une jolie couleur de cerise noire, un bouquet naissant encore boisé et un bon équilibre. Il devrait s'ouvrir très prochainement ; on l'appréciera ensuite pendant cinq à six ans avec un civet ou un rôti de bœuf.

⚷ Union de producteurs de Pugnac, Bellevue,
33710 Pugnac, tél. 05.57.68.81.01, fax 05.57.68.83.17,
e-mail udep.pugnac@wanadoo.fr Ῑ ☨ r.-v.
⚷ Michel Massé

CH. GIGAULT Cuvée Viva 2002 ★★

■ 14 ha 30 000 ◍ 11 à 15 €

Ce vin est issu de merlot (à 95 %) planté sur les sols argilo-siliceux de Mazion, au nord de Blaye. L'étiquette propose un charmant poème sur les prouesses de la jeunesse. Ce vin en a tous les attraits. Rubis vif traversé de reflets noirs, il offre un bouquet naissant encore très fruité (cerise, groseille) et finement boisé ; il est friand et charnu à la mise en bouche, puis les tanins serrés arrivent, assurant un beau potentiel. Un superbe vin de garde. Du même producteur, le **Château Les Grands Maréchaux rouge 2002 (8 à 11 €)** obtient également deux étoiles. De style classique, il est très bien fait. De garde aussi, mais qui sera déjà plaisant dans un an ou deux.

⚷ SCEA Ch. Gigault, 116 bis, av. de La Garonne,
33440 Saint-Louis-de-Montferrand, tél. 05.56.77.80.60,
fax 05.56.77.80.61, e-mail eb@barre-touton.com

CH. LE GRAND MOULIN 2002 ★

■ 20 ha 146 000 ◍ 5 à 8 €

Ce domaine viticole de 27 ha situé sur les sables du nord de l'AOC (terroir de l'asperge du Blayais) offre des cuvées qui représentent pratiquement l'ensemble de sa production (et non des microcuvées). Ce vin a une robe bordeaux jeune, des arômes de fruits rouges et de bois vanillé, de beaux tanins et une longue finale sur les fruits et un boisé élégant. Il devrait être prêt dans les deux à cinq prochaines années. Le **Château Le Grand Moulin blanc sec 2003** est un sauvignon déjà doré, aux arômes d'écorce d'agrumes et d'abricot sec, chaleureux en bouche ; une saveur de tilleul lui donne une certaine originalité. Cité, il devra être servi assez vite.

⚷ GAEC du Grand Moulin, La Champagne,
33820 Saint-Aubin-de-Blaye, tél. 05.57.32.62.06,
fax 05.57.32.73.73, e-mail jfreaud@wanadoo.fr
☒ 🏠 Ῑ ☨ t.l.j. sf sam. dim. 9h-12h 14h-18h
⚷ GFA Réaud Père et Fils

CH. LE GRAND TRIE 2003

□ 2,5 ha 10 000 ▮🌡 3 à 5 €

Déjà remarqué l'an dernier, ce vin blanc sec a encore retenu l'attention. Produit tout au nord de l'appellation, en bordure de la Charente-Maritime, sur un terroir caillouteux planté à 90 % de sauvignon et à 10 % de muscadelle, il porte une robe de teinte légèrement dorée, et libère des arômes fins de fleurs et de fruits secs (amande, noisette). Friande et fruitée en bouche, cette bouteille est prête à accompagner des fruits de mer.

⚷ Jany Haure, Les Augirons,
33820 Saint-Ciers-sur-Gironde, tél. 05.57.32.63.10,
fax 05.57.32.95.34 ☒ Ῑ ☨ t.l.j. 8h-12h 14h-18h

CH. LES GRAVES 2002 ★★

■ 5 ha 18 000 ◍ 5 à 8 €

Jean-Pierre Pauvif exploite 18 ha sur un terroir argilo-graveleux. Il présente chaque année de jolis vins (coup de cœur pour le 2000). La cuvée 2002 est dans la même lignée. La robe rubis encore jeune précède un nez un peu marqué par le cabernet-sauvignon, qui s'ouvre sur le fruit à l'aération. La bouche est volumineuse, charpentée par des tanins épicés assez fermes mais qui en font un authentique vin de garde pour les sept à huit prochaines années.

⚷ SCEA Pauvif,
15, rue Favereau, 33920 Saint-Vivien-de-Blaye,
tél. 05.57.42.47.37, fax 05.57.42.55.89,
e-mail info@chateau-les-graves.com ☒ Ῑ ☨ r.-v.

DOM. DES GRAVES D'ARDONNEAU
Cuvée Prestige Elevé en fût de chêne 2002 ★★

■ 5 ha 33 000 ◍ 5 à 8 €

Les racines de cette famille de Saint-Mariens remontent au XVIIIes. Aujourd'hui, elle y exploite 28 ha de vignes. Cette cuvée pourpre sombre affiche de délicieux arômes de raisin mûr et de pain grillé. Sa saveur fruitée et vanillée, accompagnée de tanins bien fondus, sera fort agréable dans les deux à huit ans qui viennent. On pourra servir ce vin avec des viandes en sauce. La cuvée **Prestige blanc sec 2003**, très légèrement saumonée, florale (rose), friande, goûteuse et persistante, accompagnera les entrées ou les fromages de chèvre. Elle obtient une étoile.

⚷ Simon Rey et Fils,
Ardonneau, 33620 Saint-Mariens,
tél. 05.57.68.66.98, fax 05.57.68.19.30,
e-mail gravesdardonneau@wanadoo.fr
☒ Ῑ ☨ t.l.j. sf dim. 8h-12h30 14h30-19h
⚷ Christian Rey

CH. HAUT-BOURCIER
Cuvée spéciale Elevé en fût de chêne 2002 ★

■ 4 ha 25 000 ◍ 5 à 8 €

Avec ses deux fils Laurent et Thomas, ce viticulteur exploite 30 ha de vignes d'où il tire cette cuvée issue presque exclusivement de merlot (90 %). Une couleur rubis éclatante, un bouquet fruité (fruits rouges), une bouche ronde et gourmande composent un vin plaisir que l'on peut commencer à boire avec une entrecôte à la bordelaise et qui se comportera bien pendant deux à trois ans.

⚷ SCEA des Vignobles Philippe Bourcier,
12, La Riade, 33390 Saint-Androny, tél. 05.57.64.43.74,
fax 05.57.64.40.52, e-mail philippebourcier@cario.fr
☒ Ῑ ☨ t.l.j. 8h-19h; dim. sur r.-v.

CH. HAUT-CANTELOUP
Cuvée spéciale Elevé en fût de chêne 2002 ★

■ 3 ha 19 000 ◍ 5 à 8 €

Une belle propriété familiale et trois vins qui pourront accompagner tout un repas. Le **Haut-Canteloup blanc sec 2003 (3 à 5 €)** sera servi dans sa jeunesse, en entrée, avec des crustacés. Ses notes d'agrumes, de fruits exotiques, très fraîches, et sa bouche corsée lui valent une étoile. Quant à cette Cuvée spéciale rubis intense, fruitée et au boisé bien intégré, elle présente une structure équilibrée, savoureuse et élégante. Elle accompagnera une viande grillée dans un an ou deux. Le **Château Les Pierrères en AOC blaye rouge 2001 (8 à 11 €)**, une étoile également, sombre et concentré, devrait s'ouvrir dans trois ans.

🔑 Sylvain Bordenave, 1, Salvert, 33390 Fours,
tél. 05.57.42.87.12, fax 05.57.42.36.69 ☑ 🍷 🚶 r.-v.

CH. HAUT DU PEYRAT 2002

■ n.c. 20 000 3 à 5 €

Patrick et Muriel Revaire exploitent un important vignoble de 33 ha sur les argilo-calcaires dominant la Gironde. Sa belle robe, son fumet aux notes d'amande et de barrique, sa structure très charpentée permettent de retenir cette cuvée de garde. Il faudra l'attendre deux à trois ans avant de l'associer à des viandes en sauce.

🔑 Muriel et Patrick Revaire, Gardut, 33390 Cars,
tél. 05.57.42.20.35, fax 05.57.42.20.35 ☑ 🍷 🚶 r.-v.

CH. DU HAUT GUERIN
Elevé en fût de chêne 2002 ★

■ 4 ha 21 720 8 à 11 €

Situé sur la Route verte, ce domaine, commandé par une grosse maison bourgeoise, est exploité par la famille Coureau. Les graves argileuses de l'est de l'appellation ont donné un 2002 à la robe rubis signant sa jeunesse. Au nez, les cabernets pointent un peu, accompagnés de fruits rouges et de notes boisées. La trame est solide, charpentée par des tanins encore un peu fermes qui en font un bon vin de garde à l'ancienne. A attendre un à deux ans. Lors des cinq à six années suivantes, il sera parfait avec des plats chasseurs.

🔑 Coureau, Ch. du Haut Guérin,
1, Guérin, 33920 Saint-Savin,
tél. 05.57.58.40.47, fax 05.57.58.93.09,
e-mail info@cgmvins.com ☑ 🍷 🚶 t.l.j. 9h30-18h30

LA REVELATION DES VIGNOBLES DENIS LAFON 2002

■ 4,5 ha 24 000 8 à 11 €

Il s'agit d'une sélection de 4,5 ha de vieilles vignes sur les 35 ha exploités par Denis Lafon. La robe rubis est très sombre. Le bouquet discret et subtil mêle notes florales, épices et bois toasté. La bouche est équilibrée mais encore marquée par la barrique. Il faudra attendre ce vin deux ou trois ans pour le boire avec des viandes rôties.

🔑 Vignobles Denis Lafon, Bracaille 1, 33390 Cars,
tél. 05.57.42.33.04, fax 05.57.42.08.92,
e-mail denis-lafon@wanadoo.fr ☑ 🍷 🚶 r.-v.

CH. LARDIERE Elevé en fût de chêne 2001 ★

■ n.c. 12 000 5 à 8 €

Depuis cinq générations, la famille Lardière exploite un vignoble situé en bordure de la Charente-Maritime. Ce vin élevé en fût de chêne est encore jeune. Ses arômes de fruits rouges sont finement boisés. La bouche, ronde et équilibrée, est soutenue par des tanins frais qui permettront à ce 2001 de bien vieillir dans les deux à cinq prochaines années.

🔑 GAEC Lardière, 3, Lardière, 33860 Marcillac,
tél. 05.57.32.50.11, fax 05.57.32.50.12,
e-mail lardiere@chateaulardiere.com ☑ 🍷 🚶 r.-v.

CH. MAISON NEUVE Elevé en fût de chêne 2002

■ 3,5 ha 10 000 11 à 15 €

Alexia Eymas a rejoint ses parents sur les 35 ha du domaine. Leur 2002, après quinze mois de barrique, est encore sous le bois ; l'agitation libère des notes minérales. La bouche est bien équilibrée : ce vin pourra se boire assez rapidement, dans un an ou deux.

🔑 SCEA Vignobles J.-P. et C. Eymas,
Ch. Maison Neuve, 33820 Saint-Palais-de-Blaye,
tél. 05.57.32.96.15, fax 05.57.32.96.15,
e-mail chateaumaisonneuve@hotmail.com ☑ 🍷 🚶 r.-v.

CH. DES MATARDS 2003 ★

□ 15 ha 80 000 5 à 8 €

La famille Terrigeol exploite un important domaine viticole de 45 ha, à cheval sur la Gironde et la Charente-Maritime. Ici, la production de vin blanc sec n'est pas négligeable. Ce 2003, habillé d'or vert très brillant, affiche des arômes de sauvignon bien mûr rappelant les agrumes. La bouche puissante offre une saveur fleurie et épicée persistante. On peut déjà apprécier cette bouteille avant le repas ou en entrée.

🔑 GAEC Terrigeol et Fils, 27, av. du Pont-de-la-Grâce,
Le Pas d'Ozelle, 33820 Saint-Ciers-sur-Gironde,
tél. 05.57.32.61.96, fax 05.57.32.79.21
☑ 🍷 🚶 t.l.j. 8h-12h 14h-18h

CH. MAZEROLLES Cuvée Tradition 2002

■ 4 ha 30 000 5 à 8 €

Qu'est-ce qui distingue la cuvée Tradition de la **cuvée Marine rouge 2002 (8 à 11 €)** ? Le prix, l'assemblage, la première étant issue à 95 % merlot, et la seconde l'assemblant à 30 % de cabernet-sauvignon. Le reste est assez proche, si ce n'est que la seconde est plus ferme. Dira-t-on que Tradition conviendra aux viandes blanches et Marine aux viandes rouges ? Certes, mais dans un à deux ans, pour les deux cuvées.

🔑 Guy Valleau, 11, chem. du Haut-Gradecap,
33390 Saint-Martin-Lacaussade,
tél. 05.57.42.18.61, fax 05.57.42.18.61 ☑ 🍷 🚶 r.-v.

CH. MONDESIR-GAZIN 2002 ★★

■ 7,75 ha 50 000 8 à 11 €

Marc Pasquet produit des vins à Saint-Emilion et à Bourg ; il exploite aussi 12,5 ha de vignes en Blayais d'où sont issus deux vins sélectionnés. Harmonieux, sombre, fruité au nez, élégant en bouche, ce 2002 repose sur de très bons tanins qui en font un excellent vin de garde à attendre deux ou trois ans. Le **Château Mondésir-Gazin AOC blaye rouge 2001 (11 à 15 €)**, au boisé très présent mais élégant, à la saveur déjà attirante et aux tanins délicats, obtient une étoile. On pourra commencer à le servir dans un an ou deux.

🔑 Marc Pasquet, Mondésir-Gazin,
Blassac - BP 7, 33393 Blaye Cedex,
tél. 05.57.42.29.80, fax 05.57.42.84.86,
e-mail mondesirgazin@aol.com ☑ 🏠 🍷 🚶 r.-v.

CH. MONTFOLLET Vieilles Vignes 2002 ★

■ 5 ha 30 000 8 à 11 €

Ce vin présenté par la Cave du Blayais provient des vignobles Raimond. Sur les 45 ha de ce domaine, 5 sont sélectionnés pour cette cuvée excluant les cabernets (90 % de merlot et 10 % de malbec). Paré d'une robe cerise noire, ce 2002 offre un bouquet ouvert et délicat de fruits noirs et de chêne. Sa bouche charnue est charpentée par des tanins de bois encore un peu envahissants mais garants d'une bonne garde pour les quatre à dix prochaines années.

⊶ Cave coop. du Blayais, 9, Le Piquet, 33390 Cars,
tél. 05.57.42.13.15, fax 05.57.42.84.92,
e-mail contact@la-cave-des-chateaux.com
☑ 🍷 🚶 t.l.j. sf dim. 9h-12h 14h-18h
⊶ Raimond

CH. MOULIN DE LA GACHE
Cuvée Saint-Pierre 2002 ★

■ 2 ha 10 000 ◍ 5 à 8 €

Depuis l'an 2000, M. Lacuisse exploite 10,5 ha de vignes sur le terroir silico-argileux proche du lac des Moulins blancs. La cuvée Saint-Pierre est un peu particulière puisque le cabernet-sauvignon y domine à 60 %. Très réussie, elle porte une robe soutenue et présente un bouquet encore très boisé mais de qualité (toast, café, vanille). La bouche, fraîche et harmonieuse, encore un peu sous le bois, reste cependant agréable et devrait finir de s'ouvrir dans un an ou deux.

⊶ SCEV Ch. Moulin de La Gache,
33920 Saint-Christoly-de-Blaye, tél. 05.57.42.51.47,
fax 05.57.42.40.27, e-mail la.gache@wanadoo.fr
☑ 🍷 🚶 t.l.j. 9h-12h 14h-19h
⊶ Lacuisse

CH. MOULIN NEUF Elevé en fût de chêne 2002

■ 1,5 ha 7 500 ◍ 5 à 8 €

Cette petite cuvée présente quelques reflets d'évolution, des arômes de fruits secs, de beurre et de bois toasté. Sa saveur fraîche, mentholée, avec une note de cassis, révèle un boisé assez fondu mais des tanins encore très présents. Attendre deux ou trois ans avant d'ouvrir cette bouteille pour accompagner un gibier.

⊶ Laurent Glemet, Le Moulin Neuf,
33920 Saint-Christoly-de-Blaye, tél. 05.57.42.55.38,
fax 05.57.42.55.08 ☑ 🍷 🚶 t.l.j. 8h-12h 14h-19h

DOM. DE LA NOUZILLETTE 2003 ★

░ 3 ha 20 000 ▮♁ 3 à 5 €

Ce nom mérite quelques explications : Nouzillette signifie en patois petite noisette – un nom lié à la présence de noisetiers – alors que Moulin Borgne fait référence à l'unique œil-de-bœuf du moulin à eau qui jouxte les chais. Depuis quatre générations, la famille Catherinaud a agrandi le vignoble qui atteint aujourd'hui 40 ha dont 3 sont consacrés à cet excellent vin blanc sec. Sa teinte est encore très pâle. Ses arômes fins et discrets jouent sur des notes fruitées et minérales (pierre à fusil, silex). La bouche est fraîche mais ronde, fruitée, élégante, racée. Son caractère s'appréciera sur du poisson, par exemple une poêlée d'anguilles en persillade.

⊶ GAEC du Moulin Borgne,
5, le Moulin Borgne, 33620 Marcenais,
tél. 05.57.68.70.25, fax 05.57.68.09.12
☑ ⌂ 🍷 🚶 t.l.j. 9h-20h
⊶ Catherinaud

CH. PATY CLAUNE 2003 ★

░ 1,15 ha 5 000 ▮♁ 3 à 5 €

Sur les 15 ha qu'il exploite tout au nord de la Gironde, Jean-Michel Bertrand consacre 1,15 ha de sauvignon planté sur sol argilo-siliceux à la production de ce blanc sec déjà remarqué l'an dernier. La teinte or gris est encore pâle. Les arômes reposent sur le sauvignon bien mûr : ils sont fins et légèrement floraux. Une saveur fraîche, souple, tendre et gouleyante marque la bouche bien équilibrée. Une bouteille à boire hors repas, ou avec des crustacés et des poissons grillés.

⊶ Jean-Michel Bertrand,
Les Renauds, 33820 Saint-Ciers-sur-Gironde,
tél. 05.57.32.65.45, fax 05.57.32.65.45
☑ 🍷 🚶 t.l.j. sf dim. 9h-12h30 14h-19h

CH. PETIT-BOYER 2003 ★★

░ 0,63 ha 1 500 ◍ 8 à 11 €

Jean-Vincent Bideau exploite le beau vignoble familial de 21,46 ha depuis 1997. Ce magnifique vin blanc sec, à la teinte or vert, affiche de délicieux arômes de raisin frais, de tilleul, de bois vanillé. Sa bouche offre une saveur de vanille et de noisette. Un vin complet et élégant qui s'appréciera en toutes circonstances. Le **Château Petit-Boyer rouge 2001 (11 à 15 €) AOC blaye**, bordeaux foncé, encore un peu sous le bois mais bien structuré, saura vieillir. Il obtient une étoile, tout comme **Petit-Boyer en AOC premières-côtes-de-blaye rouge 2002**, un vin épicé, concentré, charpenté, qui devra vieillir trois ans avant de rejoindre sur la table un civet de lièvre.

⊶ Jean-Vincent Bideau, 5, Les Bonnets, 33390 Cars,
tél. 05.57.42.19.40, fax 05.57.42.33.49,
e-mail bideau.jv@wanadoo.fr ☑ 🍷 🚶 r.-v.

CH. PETIT LA GAROSSE
Cuvée Margot Elevé en barrique neuve 2002 ★★

■ 1,8 ha 13 000 ◍ 8 à 11 €

Entièrement restructurée depuis le début des années 1990, cette propriété viticole de 18,5 ha est implantée sur les argilo-calcaires et les graves de l'est de l'appellation. La cuvée Margot est élevée en barrique neuve. Cela se sent à la dégustation. Le rubis foncé commence à présenter quelques reflets d'évolution. Le bouquet déjà expressif repose surtout sur le chêne grillé et vanillé, mais le fruit revient à l'aération. La bouche est encore fruitée (mûre), et sa structure tannique est soutenue par un boisé bien fondu. Ce vin, déjà très harmonieux, devrait commencer à s'épanouir dans deux à trois ans.

⊶ SCEA des Vignobles Jean-Paul Clavé,
7, la Garosse, 33620 Laruscade,
tél. 05.57.68.67.20, fax 05.57.68.17.04,
e-mail info@vignobles-clave.com ☑ 🍷 🚶 r.-v.

CH. PEYBONHOMME LES TOURS 2002

■ 59 ha 300 000 ◍ 5 à 8 €

Cette cuvée représente la quasi-totalité de la production de ce vaste vignoble de 62 ha cultivé en agriculture biologique et entourant un authentique château. Avec une teinte de cerise noire, des arômes de fruits mûrs, de cassis et un boisé léger, l'ensemble est très sympathique. La bouche, équilibrée et harmonieuse, offre une saveur en accord avec les arômes, agréable et persistante. On pourra commencer à boire ce vin assez rapidement (un an) et le conserver ensuite quelques années.

☛ SCEA Vignobles Bossuet-Hubert,
Ch. Peybonhomme les Tours, 33390 Cars,
tél. 05.57.42.11.95, fax 05.57.42.38.15
▣ ▼ ⚲ t.l.j. sf sam. dim. 9h-12h 13h-17h

CH. PINET LA ROQUETTE
Le Bouquet Elevé en fût de chêne 2002 ★

■	1,86 ha	9 000	◫	5 à 8 €

Cette ancienne propriété viticole de 10,5 ha a été
reprise en 2001 par un couple d'ingénieurs militaires qui
présentent deux vins très réussis à un prix raisonnable. Ce
Bouquet rouge à la robe rubis vif exprime au nez tous les
caractères d'un vin jeune. Sa bouche ronde et bien
équilibrée permettra de le boire assez vite avec toute
viande blanche. Le **Château Pinet la Roquette blanc sec
2003 (3 à 5 €)**, à la teinte paille claire, aux délicates notes
exotiques (agrumes, ananas), à la bouche souple et fruitée,
encore un peu dur en finale, se conservera deux ou trois ans.
Il obtient lui aussi une étoile.
☛ EARL Nativel, Pinet La Roquette, 33390 Berson,
tél. 05.57.42.64.05, fax 05.57.42.64.06,
e-mail sv.nativel@wanadoo.fr ▣ ⌂ ▼ ⚲ t.l.j. 8h-19h30

CH. LA RAZ CAMAN 2002 ★★

■	15 ha	50 000	◫	8 à 11 €

Ce cru, au nom digne des aventures du capitaine
Haddock, propose régulièrement une cuvée importante en
volume, ce qui ne l'empêche pas d'être toujours bien jugée.
Belle performance. Le 2002 se présente dans une élégante
robe aux reflets noirs. Son bouquet, succession de cerise,
de myrtille, d'épices douces, de bois fin, est impressionnant. La saveur, elle aussi, est très agréable avec une touche
de malbec (cot), accompagnée des arômes du nez. La
structure tanique déjà harmonieuse permettra d'apprécier ce vin remarquable dès cet hiver, mais il se bonifiera
lors des cinq à six prochaines années.
☛ Jean-François Pommeraud,
Ch. La Raz Caman, 33390 Anglade,
tél. 05.57.64.41.82, fax 05.57.64.41.77,
e-mail jean-francois.pommeraud@wanadoo.fr
▣ ▼ ⚲ r.-v.

CH. LES RICARD 2001 ★

■	5 ha	20 000	◫	11 à 15 €

Sur les 13 ha qu'ils exploitent depuis 1992, Corinne
et Xavier Loriaud consacrent 5 ha à ce vin, dont le 2000
avait décroché deux étoiles. Le 2001 est très réussi dans sa
robe intense. Son bouquet, déjà expressif, s'ouvre sur les
fruits rouges et le bois vanillé, puis la saveur s'accorde au
bouquet. Les tanins, encore un peu fermes, mériteront
d'attendre deux ou trois ans. On servira alors cette
bouteille avec une entrecôte à la bordelaise.
☛ Corinne et Xavier Loriaud,
Ch. Bel Air La Royère, 1, Les Ricards, 33390 Cars,
tél. 05.57.42.91.34, fax 05.57.42.32.87,
e-mail chateau.belair.la.royere@wanadoo.fr ▣ ▼ ⚲ r.-v.

DOM. DES ROSIERS Elevé en fût de chêne 2002 ★★

■	3 ha	19 000	◫	5 à 8 €

De son domaine de 15,5 ha situé tout au nord de la
Gironde, entre l'estuaire et la Charente-Maritime, Christian Blanchet jouit d'une vue superbe sur la rivière et le
Médoc. Sa cuvée élevée en fût de chêne est remarquable,
tant par sa robe d'un beau rubis intense que par son
bouquet encore fruité. Le corps rond et onctueux compose

un ensemble très harmonieux, qui pourra déjà se boire
mais s'épanouira dans les quatre à cinq prochaines années.
☛ Christian Blanchet,
12, La Borderie, 33820 Saint-Ciers-sur-Gironde,
tél. 05.57.32.75.97, fax 05.57.32.78.37,
e-mail cblanchet@wanadoo.fr ▣ ▼ ⚲ r.-v.

CH. SAINTE-LUCE-BELLEVUE 2002 ★★

■	7,5 ha	24 000	◫↓	11 à 15 €

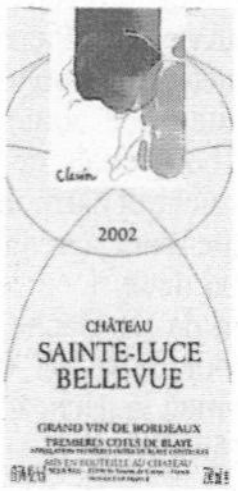

Bruno Martin est un habitué des coups de cœur avec
son Roland La Garde. En 2002, il a acquis dans Blaye une
propriété située sur une colline, qu'il a appelée Sainte-
Luce-Bellevue pour son point de vue sur la Gironde. Eh
bien c'est elle qui décroche le coup de cœur cette année.
Elle a donné un très grand vin de garde, puissant, complexe
(notes minérales, fruits mûrs, merrain très fin), encore un
peu sous le bois mais doté d'un énorme potentiel. Le
**Château Roland La Garde Prestige rouge 2002
(8 à 11 €)** reste un grand vin, à la robe sombre, aux
arômes de myrtille et de cerise. Les tanins sont un peu
fermes, il faudra les attendre deux ou trois ans. Il obtient
une étoile.
☛ Bruno Martin, 8, La Garde,
33390 Saint-Seurin-de-Cursac, tél. 05.57.42.32.29,
fax 05.57.42.01.86 ▣ ▼ ⚲ t.l.j. sf dim. 8h-12h 14h-19h

CH. DE LA SALLE 2002 ★

■	15 ha	83 000	◫	8 à 11 €

Ce joli petit manoir du XVIᵉˢ, doté de chambres
d'hôte, est entouré d'un vignoble de 26 ha. Il propose un
2002 pourpre sombre aux reflets framboisés. Au nez, les
fruits (cerise, cassis, framboise) sont suivis d'un léger boisé
épicé. Souple et ample, la bouche reste sur le fruit, qui lui
confère un caractère naturel. Les tanins, un peu fermes,
devront être attendus un an ou deux. Le **Château de La
Salle blanc sec 2003 (5 à 8 €)**, encore jeune, très
aromatique (fleurs, fruits exotiques), savoureux, pourra se
boire rapidement avec des poissons grillés ou des fromages
de chèvre frais. Il se gardera deux ou trois ans et méritera
toujours son étoile.
☛ SCEA Ch. de La Salle, 33390 Saint-Genès-de-Blaye,
tél. 05.57.42.12.15, fax 05.57.42.87.11,
e-mail marc.bonnin19@voila.fr ▣ 🏤 ⚲ r.-v.

CH. SEGONZAC Vieilles Vignes 2002 ★★

■	16 ha	84 000	◫	11 à 15 €

Beau domaine viticole de 33 ha créé en 1887 par un
ministre de l'Agriculture et commandé par un vrai château. La récolte est scindée en deux importantes cuvées,
toutes deux sélectionnées. Ces Vieilles Vignes, parées
d'une magnifique robe sombre, offrent un bouquet à la fois

concentré et élégant, mariant le raisin mûr et le bon bois. La bouche ample et équilibrée finit sur des tanins présents mais prometteurs. C'est un très grand vin de garde qui devrait s'ouvrir dans trois à quatre ans. Le **Château Segonzac rouge 2002 (8 à 11 €)** obtient une citation. Bien que très corsé, il pourra être consommé un peu plus vite (un à deux ans).

☛ SCEA Ch. Segonzac,
39, Segonzac, 33390 Saint-Genès-de-Blaye,
tél. 05.57.42.18.16, fax 05.57.42.24.80,
e-mail segonzac@chateau-segonzac.com ☑ ⳨ ⅄ r.-v.
☛ Charlotte Herter-Marmet

CH. TAYAT Cuvée Tradition 2002 ★

■	3 ha	15 000	ⅅ 8 à 11 €

Sur son vaste vignoble de 32 ha, la famille Favereaud produit quelques belles cuvées. Deux d'entre elles ont retenu l'attention du jury. Cette cuvée Tradition, rubis intense et jeune, a des parfums de fruits rouges et de bois ; sa bouche souple et équilibrée sera prête dans un an ou deux. Le **Château Tayat blanc 2003 (5 à 8 €)**, or gris, très sauvignonné, frais et fruité en bouche, encore un peu sauvage, sera agréable avec des crustacés dès cet automne.

☛ SCEA Favereaud, 2, Tayat, 33620 Cézac,
tél. 05.57.68.62.10, fax 05.57.68.15.07
☑ ⅄ ⳨ t.l.j. 8h-13h 15h-19h

CH. TERRE-BLANQUE Cuvée Noémie 2002 ★★★

■	11 ha	30 000	ⅅ 11 à 15 €

GRAND VIN DE BORDEAUX
2002
CHATEAU
TERRE-BLANQUE
Cuvée Noémie
PREMIÈRES CÔTES DE BLAYE
APPELLATION PREMIÈRES CÔTES DE BLAYE CONTROLÉE
Paul-Emmanuel Boulmé, viticulteur
33390 SAINT-GENÈS-DE-BLAYE - FRANCE
Mis en Bouteille au Château

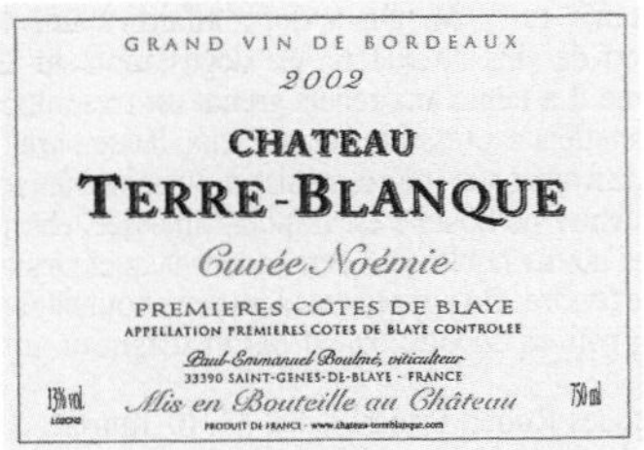

Cette importante cuvée avait plusieurs fois frôlé le coup de cœur ; elle atteint enfin la plus haute marche avec ce formidable 2002. Il faut dire que Paul-Emmanuel Boulmé veille attentivement à la maturité des cabernets qui représentent 40 % de l'assemblage. Les dégustateurs sont tombés sous le charme de Noémie : une splendide robe bordeaux, un élégant bouquet, encore sous le merrain torréfié et vanillé, une texture onctueuse, grasse, puissante, équilibrée par des tanins fins et persistants de chêne et de raisin bien mûr. Ce vin devrait finir de s'ouvrir d'ici un à deux ans et s'épanouir lors des sept à huit années suivantes.

☛ Paul-Emmanuel Boulmé,
Ch. Terre-Blanque, 33390 Saint-Genès-de-Blaye,
tél. 06.85.52.48.08, fax 05.57.42.19.48 ☑ ⳨ r.-v.

CH. TOUR GALINEAU
Elevé en fût de chêne 2002 ★

■	50 ha	n.c.	ⅅ 5 à 8 €

Nous avons retenu deux crus présentés par la société Œnoalliance. Ce vin est produit par l'EARL Chéty à Blaye, mis en bouteilles par André Quancard à Saint-André-de-Cubzac et commercialisé par Œnoalliance. Encore un peu fermé, il est plein de ressources, très dense. Dans un an ou deux, on pourra commencer à le servir avec un sauté de veau ou une longe de porc. Le **Château Maine blanc en rouge 2002**, cité, est produit par J. Chéty à Cars. Il est plus facile à boire, par exemple sur une alose.

☛ Œnoalliance,
rte du Petit-Conseiller, 33750 Beychac-et-Caillau,
tél. 05.57.97.39.73, fax 05.57.97.39.74,
e-mail scluzeau@oenoservices.fr
☛ EARL Chéty

CH. DES TOURTES
Cuvée Prestige Elevé en fût de chêne 2001 ★

■	n.c.	40 000	ⅅ 8 à 11 €

Une propriété de 50 ha et ce vin né de 70 % de merlot complété par le cabernet-sauvignon. Quatorze mois de fût ont donné un ensemble puissant et massif, de couleur sombre, aux arômes de cassis et de bois vanillé. Structurée par des tanins encore un peu envahissants, c'est une bouteille de garde, à attendre encore deux ans. La **cuvée Prestige blanc sec 2002** est issue exclusivement de sauvignon, élevé en barrique, à la jolie teinte or gris, au bouquet naissant finement boisé, à la saveur fraîche et élégante. Cité, ce sera un très bon compagnon pour les asperges du Blayais.

☛ EARL Raguenot-Lallez-Miller,
Le Bourg, 33820 Saint-Caprais-de-Blaye,
tél. 05.57.32.65.15, fax 05.57.32.99.38
☑ ⅄ ⳨ t.l.j. 9h-12h 14h-19h; dim. sur r.-v.

DUC DE TUTIAC Elevé en fût de chêne 2001 ★★

■	25 ha	100 000	ⅅ 5 à 8 €

La Cave des Hauts de Gironde élabore d'excellents vins, à partir des 1 700 ha de vignes de ses adhérents. Deux importantes cuvées ont été sélectionnées. Celle-ci, très élégante, possède un fort potentiel de garde. Ses arômes fruités (cerise, pruneau) et boisés (chêne grillé), ses tanins soyeux, fins et persistants s'en portent garants. Le **T de Tutiac rouge 2002 (3 à 5 €)** est, quant à lui, très réussi, avec sa couleur foncée, ses senteurs florales, fruitées, épicées et mentholées, sa bouche bien équilibrée. Ces deux vins, à attendre un peu (deux à trois ans), présentent un rapport qualité-prix très intéressant.

☛ Cave des Hauts de Gironde, La Cafourche,
33860 Marcillac, tél. 05.57.32.48.33, fax 05.57.32.49.63,
e-mail contact@tutiac.com ☑ ⅄ ⳨ r.-v.

CH. VIEUX PLANTY Elevé en fût de chêne 2002 ★

■	4,5 ha	3 200	ⅅ 8 à 11 €

Propriété familiale de 15 ha située à 20 km au nord de Blaye sur un terroir argilo-graveleux. La cuvée élevée en fût de chêne est très réussie. La robe, presque noire, est encore jeune, alors que le bouquet est déjà ouvert, distingué, avec des nuances de fruits rouges, un boisé discret, grillé et vanillé. La bouche, suave et ronde, repose sur des tanins veloutés. Un vin plaisir, présentant de la finesse et de l'élégance et une structure qui lui permettra de bien vieillir (cinq à huit ans).

☛ EARL Ovide et Fils,
10, Le Bourg, 33820 Saint-Aubin-de-Blaye,
tél. 05.57.32.67.35, fax 05.57.32.67.35,
e-mail chateauvieuxplanty@cario.fr ☑ ⅄ ⳨ r.-v.

BORDELAIS

Côtes-de-bourg

L'AOC couvre environ 3 985 ha. Avec le merlot comme cépage dominant, les rouges (193 497 hl en 2003) se distinguent souvent par une belle couleur et des arômes assez typés de fruits rouges. Plutôt tanniques, ils permettent dans bien des cas d'envisager favorablement un certain vieillissement. Peu nombreux, les blancs (1336 hl) sont en général secs, avec un bouquet assez typé.

CH. DE BARBE 2002 ★

■ 29 ha 150 000 ▮ ⬮ 🌡 5 à 8 €

Très important vignoble de 62 ha, entourant un magnifique château du XVIII[e]s., au flanc du coteau bordant la Gironde et exposé au sud-ouest. Dans sa jolie couleur bordeaux jeune, ce millésime possède un bouquet naissant finement boisé, agrémenté de notes de gibier ; la bouche ample, aux tanins encore fermes, en fait un bon vin de garde. La cuvée **Pourpre 2002 (11 à 15 €)** est issue de pur merlot planté sur argilo-calcaire. Elle est déjà très harmonieuse : le nez s'ouvre sur une délicate palette aromatique (griotte, framboise, pruneau, boisé fin). La bouche est ronde, élégante, avec des tanins soyeux mais solides. Un vin sérieux et très bien présenté qui obtient haut la main une étoile.

🔑 SC Villeneuvoise, Ch. de Barbe, 33710 Villeneuve, tél. 05.57.42.64.00, fax 05.57.64.94.10
☑ Y 🚶 t.l.j. sf sam. dim. 9h-12h 14h-17h
🔑 Richard

CH. BEGOT Cuvée Prestige Elevé en fût de chêne 2002 ★★

■ 2 ha 12 800 ⬮ 5 à 8 €

Sur les 16 ha de vignes plantées sur argilo-calcaires, la famille Gracia a sélectionné 2 ha pour cette cuvée. La dégustation valide la sélection. La couleur est sombre et jeune. Le bouquet déjà très présent rappelle les fruits cuits, le café grillé, la réglisse. La bouche, fraîche et mentholée, repose sur des tanins de bois encore un peu envahissants, mais qui s'adouciront après une garde de trois à sept ans ; on appréciera alors ce vin avec un magret de canard.

🔑 Alain Gracia, 5, Bégot, 33710 Lansac, tél. 05.57.68.42.14, fax 05.57.68.29.90, e-mail chateau.begot@libertysurf.fr ☑ Y 🚶 r.-v.

CH. BELAIR-COUBET 2002 ★★

■ 25 ha 150 000 ▮ ⬮ 🌡 5 à 8 €

Alain Faure et ses filles exploitent plusieurs vignobles à Villeneuve et Saint-Ciers-de-Canesse. Les jurys ont sélectionné quatre 2002 dont ce vin de garde, harmonieux et prometteur. Le **Château Tour Neuve**, concentré, très boisé, avec des tanins frais qui devront être attendus un peu, obtient également deux étoiles, alors que le **Château Jansenant**, plus fruité, plus moderne, plus facile à boire aujourd'hui, en reçoit une. Est cité le **Château du Bois de Tau**, fruité, boisé et prêt à boire, un vin pour tous les goûts.

🔑 Vignobles Alain Faure, Ch. Belair-Coubet, 33710 Saint-Ciers-de-Canesse, tél. 05.57.42.68.80, fax 05.57.42.68.81, e-mail belair-coubet@wanadoo.fr ☑ 🚶 r.-v.

EVIDENCE DES VITICULTEURS DE BOURG-TAURIAC 2001 ★★

■ n.c. 24 000 ⬮ 11 à 15 €

La coopérative de Bourg-Tauriac, idéalement située avenue des Côtes-de-Bourg, présente un magnifique 2001 sous une étiquette très moderne. Il s'agit d'une sélection très poussée, élevée en barrique. La robe, presque noire, montre quelques reflets grenat. Le bouquet déjà puissant exprime les fruits mûrs et le chêne torréfié. Imposant, rond, prolongé par des tanins enrobés et persistants, un vin déjà harmonieux mais qui pourra se maintenir lors des six à huit prochaines années. Il accompagnera viande et fromage.

🔑 Cave de Bourg-Tauriac, 3, av. des Côtes-de-Bourg, 33710 Tauriac, tél. 05.57.94.07.07, fax 05.57.94.07.00, e-mail info@cave-bourg-tauriac.com
☑ Y 🚶 t.l.j. 9h-12h30 13h30-18h

CH. DU BOUSQUET 2002

■ n.c. n.c. ▮ 🌡 5 à 8 €

Ce très important vignoble fait partie du groupe Castel. Son 2002 a une jolie robe encore jeune. Les arômes sont jeunes eux aussi : floraux, fruités (raisin frais). La bouche, souple et ronde, s'achève sur des tanins soyeux qui permettront de boire ce vin assez rapidement, par exemple avec des viandes blanches.

🔑 Castel Frères, 21-24, rue Georges-Guynemer, 33290 Blanquefort, tél. 05.56.95.54.00, fax 05.56.95.54.20

CH. BRULESECAILLE 2002 ★★

■ n.c. 80 000 ⬮ 8 à 11 €

Ce cru réputé est entré dans la famille des actuels exploitants en 1924. On a donc affaire à une longue tradition de vins de qualité. La dégustation du 2002 le confirme. La teinte aux reflets grenat est très intense. Le bouquet, déjà expressif et harmonieux, laisse paraître des notes de fruits noirs (mûre, cassis) et un boisé bien intégré. La structure de bouche est trapue, ramassée, charpentée par des tanins nobles qui demanderont quelques années pour se fondre. On appréciera alors cette bouteille avec un pigeon rôti en cocotte ou un baron d'agneau aux fines herbes.

🔑 Jacques Rodet, Brulesécaille, 33710 Tauriac, tél. 05.57.68.40.31, fax 05.57.68.21.27, e-mail cht.brulesecaille@freesbee.fr ☑ 🏠 Y 🚶 r.-v.

CH. BUJAN 2002

■ 8 ha 48 000 ⬮ 8 à 11 €

Pascal Méli exploite un vignoble de 16 ha. Il réserve 8 ha à cette bouteille dont la teinte, de bonne intensité, commence à évoluer légèrement. Le bouquet, évolué lui aussi, finement boisé et floral annonce une bouche souple et agréable. Les tanins jouent plus sur la finesse que sur la concentration. Cela permettra de boire ce vin assez vite.

🔑 Pascal Méli, Ch. Bujan, 33710 Gauriac, tél. 05.57.64.86.56, fax 05.57.64.93.96, e-mail pmeli@alienor.fr
☑ 🏠 Y 🚶 t.l.j. 9h30-12h 14h30-18h30

CH. CASTEL LA ROSE Cuvée Sélection Vieilli en fût de chêne 2002 ★

■ 8 ha 25 000 ⬮ 5 à 8 €

Cet important vignoble de 22 ha a son siège à 50 m de l'église de Villeneuve, remarquable par son clocher du XI[e]s. dont les cloches seraient – dit-on – les plus anciennes de France. Ces producteurs présentent deux 2002. Celui-ci repose surtout sur le fruit, très discrètement boisé : il pourra se boire assez vite. Citée, la **cuvée Rosissime (8 à 11 €)** semble plus concentrée, plus boisée et devra être un peu attendue. La première pourra accompagner des volailles rôties, la seconde conviendra à du gibier.

🔑 GAEC Rémy Castel et Fils,
3, Laforêt, 33710 Villeneuve,
tél. 05.57.64.86.61, fax 05.57.64.90.07 ☑ 🏠 🍷 🚶 r.-v.

CH. CLOS DU NOTAIRE Notaris 2002 ★

■ 9 ha 50 000 ▮◍⌂ 8 à 11 €

Dans le millésime 2002, Roland Charbonnier présente sa cuvée Notaris, sélectionnée sur 9 ha, sous une belle étiquette dorée où il est notamment écrit *Bonum vinum lætificat cor hominis* (« le bon vin réjouit le cœur de l'homme »). Le contenu de la bouteille répond bien à ce propos : l'œil est charmé par un rubis intense ; l'odorat est flatté par des arômes de fruits compotés et un fumet beurré ; le palais apprécie la rondeur consistante, les tanins enrobés et finement boisés. D'ici un à trois ans, ce vin ne devrait avoir aucun mal à vous réjouir le cœur.

🔑 Roland Charbonnier,
Clos du Notaire, 33710 Bourg-sur-Gironde,
tél. 05.57.68.44.36, fax 05.57.68.32.87,
e-mail closnot@club-internet.fr ☑ 🍷 🚶 r.-v.

CH. COLBERT Cuvée Prestige Elevé en fût de chêne 2002 ★

■ 3 ha 15 000 ◍ 5 à 8 €

Un château néogothique de la fin du XIXe s. et un domaine de 22 ha. Cette cuvée Prestige, issue de 3 ha de vieilles vignes, est régulièrement retenue par nos experts. C'est aussi le cas pour ce 2002 rubis franc encore sous le bois grillé, mais dont le fruité profond se libère à l'aération. La bouche est corsée, charpentée, toujours dominée par le bois, mais derrière il y a du raisin ! Bon vin de garde qui pourra accompagner des plats en sauce dans les deux à huit prochaines années.

🔑 Duwer, Ch. Colbert, 33710 Comps,
tél. 05.57.64.95.04, fax 05.57.64.88.41,
e-mail backus@club-internet.fr
☑ 🍷 🚶 t.l.j. 9h-12h 14h-19h

CH. DE COTS Cuvée Prestige Elevé en fût de chêne 2002 ★

■ 2 ha 6 000 ◍ 8 à 11 €

Drôle de nom. Vient-il de Côtes ? de taille en côts ? ou du cépage côt (malbec) d'ailleurs présent à 10 % dans l'encépagement ? L'important est que ce vin soit bon, et c'est le cas : dans le verre on trouve un côtes-de-bourg à l'ancienne, à la couleur intense, au bouquet naissant encore fruité, au corps ample et volumineux, aux tanins solides et un peu fermes. Tout cela en fait un vin de garde qui devrait s'ouvrir dans deux ou trois ans pour accompagner viande rouge et gibier. Signalons que les vignes sont cultivées selon les principes de l'agrobiologie.

🔑 Gilles Bergon, 3, Cots, 33710 Bayon-sur-Gironde,
tél. 05.57.64.82.79, fax 05.57.64.95.82
☑ 🍷 🚶 t.l.j. 10h-12h 15h-19h

LA COULEE DE BAYON 2002

■ 0,5 ha 1 400 ◍ 8 à 11 €

Né d'une petite vigne située en face d'une église romane du XIIe s., ce vin est surtout intéressant par son caractère floral et fruité très marqué. Les arômes mêlent la rose, la framboise, la prune à l'eau-de-vie. La mise en bouche est souple, les tanins de raisin sont élégants. Sous une jolie étiquette, un ensemble déjà très plaisant qui pourra se boire assez vite.

🔑 Jean-Marc Delhaye, 2, Le Bourg,
33710 Bayon-sur-Gironde, tél. 05.57.64.81.74,
e-mail jm.delhaye@planetis.com ☑ 🍷 🚶 r.-v.

CH. CROUTE-CHARLUS 2002 ★★

■ 5 ha 35 000 ▮⌂ 3 à 5 €

Fondé au XVIIe s. par l'architecte de l'église Notre-Dame-de-Bordeaux, ce domaine fut acquis par l'aïeul de l'exploitant actuel en 1922. Cette bouteille est issue de vieilles vignes plantées sur argilo-calcaires et d'un encépagement parfaitement équilibré. Dans le verre on trouve un raisin de très bonne qualité, des arômes intenses mêlant les fleurs et les fruits (pivoine, groseille, pruneau), une bouche chaleureuse, charpentée par des tanins persistants. Dans deux à trois ans, ce 2002 sera parfait avec un cuissot de chevreuil et des fromages doux. Vu le prix, c'est une affaire !

🔑 EARL Sicard-Baudouin,
5, rte de Croûte, 33710 Bourg-sur-Gironde,
tél. 05.57.68.25.67, fax 05.57.68.25.77,
e-mail chateaucroutecharlus@wanadoo.fr ☑ 🍷 🚶 r.-v.
🔑 Cédric Baudouin

CH. FOUGAS Maldoror 2002 ★★

■ 8 ha 40 000 ◍ 15 à 23 €

Cette cuvée qui rend hommage à Lautréamont (*Les Chants de Maldoror*) ne peut laisser indifférent. Mais ce n'est pas par cette seule référence littéraire. Car elle a, dans les millésimes antérieurs, reçu quatre coups de cœur. Celle-ci n'en est pas loin. Remarquable d'intensité et de persistance, elle joue dans un registre libournais : merlot très mûr, chêne toasté. Elle s'épanouira dans les cinq à six prochaines années. Une étoile pour le **Château Fougas cuvée Prestige 2002 (8 à 11 €)**, plus marqué par les cabernets, encore un peu austère mais élégant, et qui s'apparente plutôt au style médocain. Tout ceci est assez logique lorsqu'on sait que le Bourgeais se situe exactement à mi-chemin entre le Libournais et le Médoc... en traversant l'estuaire à vol d'oiseau. Mais Fougas ne signifie-t-il pas oiseau de proie en langue d'oc ?

🔑 Jean-Yves Béchet, Ch. Fougas, 33710 Lansac,
tél. 05.57.68.42.15, fax 05.57.68.28.59,
e-mail jean-yves.bechet@wanadoo.fr
☑ 🍷 🚶 t.l.j. sf sam. dim. 9h-18h

CH. GALAU Elevé en fût de chêne 2002 ★

■ 4,5 ha 20 000 ◍ 5 à 8 €

Un vin bien dans son appellation et dans son millésime. Sa robe pourpre profond annonce un nez puissant, encore sous le bois torréfié, vanillé, mais qui, à l'aération, laisse apparaître un joli fruit. Franche, la saveur mêle les fruits rouges et les tanins boisés jusque dans une finale persistante dont la légère astringence demandera deux ou trois ans pour s'assouplir. On pourra alors servir cette bouteille avec toutes les viandes rouges.

🔑 Ch. Nodoz, 33710 Tauriac,
tél. 05.57.68.41.03, fax 05.57.68.37.34,
e-mail chateau.nodoz@wanadoo.fr ☑ 🏠 🍷 🚶 r.-v.
🔑 Sandrine Cenac

CH. LE GALION 2002

■ 6 ha 18 000 🛢 8 à 11 €

Comme beaucoup de viticulteurs de la région, Marc Bonnin exploite des vignes en Blayais et en Bourgeais. Il présente ce cru sous une étiquette à la fois sobre et moderne. Le vin est déjà relativement évolué, se nuançant de grenat. Le bouquet très ouvert, de type oxydatif, exprime le raisin bien mûr. Le palais souple évolue sur des tanins civilisés qui permettront de boire cette bouteille assez vite avec un civet de lièvre.

🔑 SCEA Ch. de La Salle, 33390 Saint-Genès-de-Blaye,
tél. 05.57.42.12.15, fax 05.57.42.87.11,
e-mail marc.bonnin19@voila.fr ☑ 🏠 🚶 r.-v.
🔑 Bonnin

CH. GARREAU 2002 ★★

■ 5,93 ha 21 300 🍾 🛢 🌡 11 à 15 €

Cette propriété présente toujours un excellent vin : ne fut-elle pas coup de cœur pour son 2000 ? Ce 2002 est lui aussi remarquable dans sa robe très profonde aux reflets grenat. Le nez de fruits rouges et de bois fin est bien fondu. La bouche puissante et savoureuse (fruits frais) est structurée par des tanins encore un peu austères, mais charnus. Une belle bouteille pour l'avenir (trois à dix ans).

🔑 SCEA Ch. Garreau, Lafosse, 33710 Pugnac,
tél. 05.57.68.90.75, fax 05.57.68.90.84 ☑ 🍷 🚶 r.-v.
🔑 Guez

CH. GENIBON-BLANCHEREAU

Améthyste de Genibon 2002 ★

■ 1 ha 6 000 🛢 8 à 11 €

Ce beau vignoble de 20 ha, dans la même famille depuis cinq générations, sélectionne 1 ha pour élaborer cette cuvée Améthyste. On notera que le merlot est moins présent qu'ailleurs, puisqu'il plafonne à 49 % de l'encépagement. La couleur est profonde, le nez encore très boisé, vanillé, mais l'aération laisse apparaître des parfums de fruits rouges et de pruneau cuit. Après une attaque plaisante, les tanins dominent le palais. Ce vin moderne, marqué par son élevage, demandera deux à trois ans d'affinage avant d'accompagner un canard au sang.

🔑 EARL Eynard-Sudre, Genibon,
33710 Bourg-sur-Gironde,
tél. 05.57.68.25.34, fax 05.57.68.27.58,
e-mail eynard.sudre@wanadoo.fr ☑ 🍷 🚶 r.-v.

CH. DE LA GRAVE Nectar 2002

■ 5 ha 20 000 🛢 11 à 15 €

La famille Bassereau exploite un important domaine viticole de 42 ha, commandé par un authentique château. La cuvée principale, **Caractère (8 à 11 €)**, citée, est produite sur 25 ha. Le cabernet-sauvignon y pointe à 20 %, ce qui contribue probablement à lui conférer un caractère un peu médocain. Quant à ce Nectar, il est plus marqué par le merlot, plus chaleureux, plus libournais. Les deux cuvées sont soutenues par un bois discret et demanderont à être attendues deux à trois ans.

🔑 Philippe Bassereau,
Ch. de La Grave, 33710 Bourg-sur-Gironde,
tél. 05.57.68.41.49, fax 05.57.68.49.26,
e-mail chateaudelagrave@chateaudelagrave.com
☑ 🏠 🍷 🚶 r.-v.

CH. LES GRAVES DE VIAUD

Cuvée Prestige Elevé en fût de chêne 2002 ★★

■ n.c. 60 000 🍾 🛢 🌡 5 à 8 €

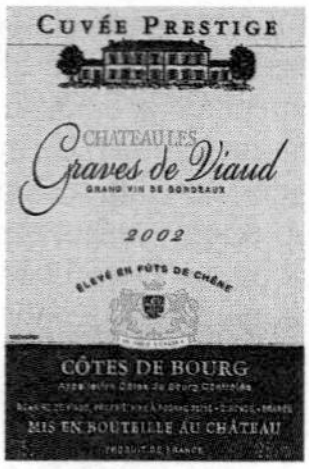

Ce cru est régulièrement retenu par nos dégustateurs. Avec son 2002, il fait mieux en décrochant un coup de cœur. Comme son nom l'indique, il bénéficie d'un sol argilo-graveleux. Le vignoble est exposé plein sud. Cela donne un superbe vin, plein de jeunesse, de fruit, de fraîcheur, exprimant bien son terroir, son millésime, et doté d'un bon potentiel de garde. La robe bordeaux est très foncée. Les arômes mêlent les fruits frais et le merrain fin, tout comme la bouche harmonieuse et apéritive (on a envie d'en boire). Les tanins frais et agréables permettront à cette bouteille d'accompagner une multitude de mets lors des dix prochaines années.

🔑 Dom. de Viaud, 33710 Pugnac,
tél. 05.57.68.94.37, fax 05.57.68.94.49,
e-mail pierre.concorde@wanadoo.fr ☑ 🍷 🚶 r.-v.
🔑 P. et G. Derouineau

CH. GRAVETTES-SAMONAC

Cuvée Prestige 2002 ★★

■ 4 ha 25 000 🛢 8 à 11 €

Régnant sur son domaine familial, Gérard Giresse s'est engagé dans la vie syndicale pour que l'image des vins de Bourg soit celle des grands vins de Bordeaux. Il sait aussi prêcher par l'exemple comme le prouvent ses nombreuses sélections dans le Guide. Voyez cette cuvée à la robe rubis intense, au bouquet élégant, à la fois très fruité (cerise, pruneau) et finement boisé. Sa belle structure lui permettra de bien vieillir. La cuvée **Elégance 2002 (5 à 8 €)**, issue de 15 ha, obtient une étoile ; c'est un vin légèrement plus évolué, au fumet plus beurré, puissant et équilibré en bouche ; la finale est soulignée par des tanins enrobés qui permettront de commencer à le boire d'ici deux à trois ans.

🔑 Gérard Giresse,
Ch. Gravettes-Samonac, 33710 Samonac,
tél. 05.57.68.21.16, fax 05.57.68.36.43 ☑ 🍷 🚶 r.-v.

CH. LA GROLET 2002 ★★

■ 24,8 ha 150 000 🛢 5 à 8 €

Il s'agit ici de la cuvée principale du domaine puisqu'elle est issue de 24,8 ha sur les 28 ha du vignoble.

L'étiquette est un véritable tableau champêtre, on y voit le château et, à l'arrière-plan, l'église de Saint-Ciers-de-Canesse, commune sur laquelle se situe la propriété. Ce vin a été très bien accueilli par nos experts. La teinte rubis foncé, traversée de reflets noirs, trahit sa jeunesse. L'aération libère des arômes de fruits confits, de fruits noirs (mûre) et de boisé légèrement vanillé. Ample et généreux au palais, avec des saveurs de fruits noirs, de cèpe de Bordeaux et des tanins présents mais harmonieux, ce 2002 remarquable devrait s'ouvrir d'ici deux ou trois ans.

SCEA Vignobles Bossuet-Hubert,
Ch. Peybonhomme-les-Tours, 33390 Cars,
tél. 05.57.42.11.95, fax 05.57.42.38.15
t.l.j. sf sam. dim. 9h-12h 13h-17h
Hubert

CH. GUERRY 2002 ★

22 ha n.c. 8 à 11 €

Une belle maison girondine coiffant un coteau couvert de vignes. Ici la réalité rejoint l'image. C'est dans ce cadre que naît le Château Guerry, qui vient d'être acquis par Bernard Magrez. Fruité, souple, rond, au fumet animal, ce millésime rubis brillant pourra se boire jeune. Il faut noter que ce vin représente la totalité de la récolte, et non une microsélection.

SC du Ch. Guerry,
26, rte du Guérry, 33710 Tauriac,
tél. 05.57.68.20.78, fax 05.57.68.41.31 r.-v.

CH. GUIONNE Elevé en fût de chêne 2002 ★

n.c. 19 300 5 à 8 €

Depuis l'an 2000 à la tête de l'exploitation commandée par une belle maison girondine, Alain et Isabelle Fabre proposent deux cuvées : celle-ci est préférée pour son fruité intense, son boisé bien fondu et la puissance de ses tanins. La **cuvée Renaissance 2001 (11 à 15 €)**, citée, est plus minérale, plus boisée et pourra se boire assez prochainement, par exemple avec un civet.

Alain Fabre, Ch. Guionne, 33710 Lansac,
tél. 05.57.68.42.17, fax 05.57.68.29.61,
e-mail chateauguionne@wanadoo.fr r.-v.

CH. HAUT-BAJAC Elevé en fût de chêne 2002 ★

n.c. 6 500 5 à 8 €

Jacques Pautrizel est un jeune viticulteur-œnologue. Rubis vif, cette cuvée élevée douze mois en fût de chêne offre des arômes frais et racés, à la fois boisés et minéraux. La saveur est ensoleillée et chaleureuse, accompagnée de tanins fins et fondus. Dans les deux à huit prochaines années, ce 2002 sera parfait avec viandes blanches et fromages doux.

Jacques Pautrizel,
Ch. Haut-Bajac, 33710 Bourg-sur-Gironde,
tél. 05.57.68.35.99, fax 05.57.68.32.15 r.-v.

CH. HAUT-GUIRAUD Péché du Roy 2002 ★★

10 ha 22 000 11 à 15 €

Il paraît que Louis XIV enfant apprécia les pêches de ce domaine, commettant un péché de gourmandise, d'où le nom de cette cuvée. On ne peut qu'applaudir à la qualité des vins de ce cru conduit par la famille Bonnet. Ce millésime est à la hauteur des précédents. Sa belle robe bordeaux sombre, presque noire, son bouquet naissant et concentré, très expressif (griotte, pruneau, chêne toasté, cuir), sa bouche puissante et charpentée par de bons tanins de raisin et de bois en font un superbe vin de garde destiné à une cuisine traditionnelle. Le **Château Castaing 2002 (5 à 8 €)**, coloré, très fruité, ample et rond en bouche, soutenu par des tanins de raisin à la saveur apéritive, s'accordera plus vite avec une large palette culinaire. Il obtient lui aussi deux étoiles.

EARL Bonnet et Fils,
Ch. Haut-Guiraud, 33710 Saint-Ciers-de-Canesse,
tél. 05.57.64.91.39, fax 05.57.64.88.05 r.-v.

CH. HAUT-MACO Cuvée Jean Bernard 2001

6 ha 23 027 8 à 11 €

Cette cuvée, qui porte les prénoms des deux frères Mallet, est une sélection de 6 ha parmi la cinquantaine d'hectares de vignes qu'exploite cet important domaine. Elle est régulièrement retenue par nos experts. Le 2001 a une jolie robe rubis vif. Le nez demande un peu d'aération pour libérer des arômes de cerise noire confiturée et de chêne vanillé. On trouve de la mâche en bouche, celle-ci reposant sur de solides tanins de raisin et de bois. Typé vin de côtes, cet ensemble devrait s'épanouir dans un à deux ans.

Jean et Bernard Mallet,
Ch. Haut-Macô, 33710 Tauriac, tél. 05.57.68.81.26,
fax 05.57.68.91.97, e-mail hautmaco@wanadoo.fr
t.l.j. sf dim. 8h-12h 14h-18h; sam. sur r.-v.

HAUT-MONDESIR 2002 ★

1,8 ha 12 000 11 à 15 €

Un vigneron qui dit « en faire le moins possible » en matière de travaux de vinification. Parce que, précise-t-il, « c'est dans la vigne que le vin se joue ». Il n'y a pas de cabernets dans celui-ci, produit sur argilo-calcaire, mais 90 % de merlot et 10 % de malbec (cot). Cela donne un 2002 à la robe pourpre intense, aux arômes de fruits cuits et de bois grillé. La bouche ample et élégante est soutenue par des tanins fins et veloutés, qui lui permettront de bien vieillir dans les prochaines années.

Marc Pasquet, Mondésir-Gazin,
Blassac - BP 7, 33393 Blaye Cedex,
tél. 05.57.42.29.80, fax 05.57.42.84.86,
e-mail mondesirgazin@aol.com r.-v.

CH. HAUT-MOUSSEAU Cuvée Prestige 2002

6 ha 40 000 5 à 8 €

C'est sur la colline de Puybarbe que l'on a mis au jour des vestiges préhistoriques révélant l'ancienneté de Teuillac. Dominique Briolais et son épouse présentent leurs deux cuvées Prestige : déjà évolué, le rubis de celle-ci se frange d'ambre. Les notes de fruits confits et de sous-bois au nez et la saveur chaleureuse permettront une consommation rapide. Le **Château Terrefort-Bellegrave cuvée Prestige 2002 (8 à 11 €)**, cité, est plus concentré, plus coloré, plus boisé. Le fruit mûr et le bois vanillé sont fondus. La bouche souple offre une saveur fruitée et des tanins encore frais, qui lui permettront de bien évoluer dans les toutes prochaines années.

Dominique Briolais,
1, Haut-Mousseau, 33710 Teuillac,
tél. 05.57.64.34.38, fax 05.57.64.31.73 r.-v.

CH. HAUT-ROUSSET
Cuvée sélectionnée Elevé en fût de chêne 2002

19,56 ha 88 600 5 à 8 €

Ce vaste vignoble de 21,56 ha a été créé après la Révolution et transmis de père en fils durant deux siècles. Il produit deux crus. Celui-ci est un vin évolué dont la robe rubis commence à prendre des teintes ambrées. Le bou-

BORDELAIS

quet de petits fruits est finement boisé, la bouche fraîche et fruitée. Les tanins déjà affinés permettront de le boire rapidement avec une viande blanche. Cité, le **Château La Renardière 2002 (8 à 12 €)** est plus boisé, avec un fruité de fraise confiturée. Les tanins de bois dominent la bouche mais devraient s'assagir assez vite. On pourra alors le boire avec des viandes en sauce.

🔑 Joël Grellier,
9, Les Arnauds, 33710 Saint-Ciers-de-Canesse,
tél. 05.57.64.92.45, fax 05.57.64.89.27,
e-mail info@vignobles-joel-grellier.com ☒ Y 🚶 r.-v.

CH. L'HOSPITAL Elevé en fût de chêne 2002 ★★

■ 5 ha 15 000 🛢 11 à 15 €

Sur leur vignoble de 7 ha, Christine et Bruno Duhamel élaborent deux très belles cuvées élevées en fût de chêne. Celle-ci, de couleur profonde, offre un bouquet s'ouvrant à l'aération sur des parfums de fruits noirs et un boisé élégant. De jolies rondeurs s'affirment en bouche autour d'une saveur de fruits rouges et de bois en harmonie avec le nez et des tanins flatteurs en finale. Le **Château L'Hospital cuvée merlot-malbec 2002 (8 à 11 €)** est lui aussi un vin de plaisir. A l'aération, c'est surtout le fruit acidulé (framboise) et le malbec (cot) qui apparaissent. La bouche, souple, fruitée et légère, lui permet de recevoir une étoile. On pourra boire cette bouteille assez vite, avec des plats épicés.

🔑 Christine et Bruno Duhamel,
EARL Alvitis, Ch. L'Hospital, 33710 Saint-Trojan,
tél. 05.57.64.33.60, fax 05.57.64.33.60,
e-mail alvitis@wanadoo.fr ☒ Y 🚶 r.-v.

CH. LABADIE Vieilli en fût de chêne 2002 ★★

■ 13 ha 84 000 ▮🛢🌡 5 à 8 €

Joël Dupuy fête avec ce millésime 2002 ses vingt ans à la tête de ce domaine familial, réitérant l'exploit de son millésime 98 déjà coup de cœur du Guide. Si le **Château Laroche Joubert 2002** est cité pour son fruité et son équilibre, c'est surtout ce château Labadie qui enthousiasme le grand jury. Tout y est ! La robe bordeaux intense, le raisin très mûr et le bois torréfié, la mâche charnue, ample et charpentée à la fois, les tanins vanillés et persistants. Pour l'accompagner, on pense à un salmis de palombe ou à un cuissot de chevreuil.

🔑 Vignobles Joël Dupuy, 1, Cagna, 33710 Mombrier,
tél. 05.57.64.23.84, fax 05.57.64.23.85,
e-mail vignoblesjdupuy@aol.com ☒ Y 🚶 r.-v.

CH. LAMBLIN Cuvée Mozart 2002

■ 2 ha 7 000 ▮🛢 11 à 15 €

Ce jeune viticulteur propose une cuvée Mozart née sur argilo-calcaire et assemblant 60 % de merlot, 20 % de cabernet-sauvignon et 20 % de malbec (cot) travaillés selon les principes de l'agriculture biologique. C'est un vin encore très jeune, mêlant des reflets rubis et pourpres. Les arômes, encore boisés, demandent de l'aération pour libérer des notes de fruits rouges et d'épices. L'entame est assez enrobée, mais les tanins de bois prennent vite le relais. Il faudra attendre au moins deux ans avant de servir cette bouteille avec du fromage.

🔑 Francis Lamblin,
1, Dom. de Beauséjour, 33710 Comps,
tél. 06.82.00.83.50, fax 05.57.64.96.05 ☒ Y 🚶 r.-v.

CH. LAMOTHE Grande Réserve 2002

■ 5 ha 10 000 🛢 5 à 8 €

La cuvée Grande Réserve est issue de 5 ha sur les 23 ha que compte ce domaine. On a affaire à un vin déjà affiné, dont les reflets mêlent le rubis et le grenat. Après un nez finement boisé, la bouche se révèle souple, gouleyante, bien équilibrée. Ses tanins discrets permettront de boire ce 2002 d'ici un an ou deux sur les rôtis du dimanche.

🔑 Anne Pousse et Michel Pessonnier, Ch. Lamothe 1, 33710 Lansac, tél. 05.57.68.41.07, fax 05.57.68.46.62,
e-mail chateaulamothe@yahoo.fr ☒ Y 🚶 r.-v.

CH. LANGUIREAU Elevé en fût 2002

■ 0,75 ha 5 050 ▮🛢 5 à 8 €

Petite cuvée portant une étiquette aux armoiries curieuses : un tigre et un cheval ayant rompu leurs attaches. Y-a-t-il une relation avec les deux amis qui ont créé ce domaine récemment ? Le vin, lui, correspond bien à cette image : puissant mais un peu sauvage. La robe est encore très vive. Le nez mêle des arômes de fruits noirs et un fumet réglissé. Après une attaque chaleureuse, les tanins s'affirment, engageant à attendre un à deux ans cette bouteille.

🔑 Fabien Vitu et Hervé Cwiklinski,
375, av. du Gal-de-Gaulle, 33450 Izon,
tél. 05.57.74.86.52 ☒ 🚶 r.-v.

CH. LAROCHE Elevé en fût de chêne 2002 ★

■ 18 ha 130 000 🛢 5 à 8 €

Ce très ancien domaine se défend avec ténacité : rasé durant la guerre de Cent ans, reconstruit, brûlé à la Révolution française, il a été de nouveau reconstruit au XXᵉs. Aujourd'hui des bâtiments modernes commandent une propriété de 42 ha dont 18 ha produisent cette cuvée. Parée de rubis et de carmin, celle-ci affiche un bouquet déjà intense, mêlant les fruits rouges confiturés, les épices douces et le bois vanillé. D'une agréable attaque, la bouche évolue sur des tanins frais et souples qui permettront de boire ce vin assez rapidement.

🔑 Baron Roland de Onffroy,
Ch. Laroche, 33710 Tauriac,
tél. 05.57.68.20.72, fax 05.57.68.20.72 ☒ Y 🚶 r.-v.

CH. MACAY Original 2002 ★★

■ 5 ha 20 000 ▮🛢🌡 11 à 15 €

Eric et Bernard Latouche exploitent un important vignoble de 32 ha dont les vins sont toujours intéressants. Très élégante (le cabernet franc pointe), cette cuvée mêle les fruits noirs et le merrain torréfié (café). La bouche veloutée, équilibrée, s'achève sur des tanins bien fondus. Le **Château Macay 2002 (8 à 11 €)**, moins boisé, plus fruité, plus souple, plus marqué par le merlot, plus facile d'accès, obtient une étoile. Les deux bouteilles reflètent un travail soigné à la vigne et à la cave.

🔑 Eric et Bernard Latouche, Ch. Macay,
33710 Samonac, tél. 05.57.68.41.50, fax 05.57.68.35.23,
e-mail chateaumacay@wanadoo.fr
☑ 🍷 🚶 t.l.j. sf dim. 9h-12h 14h-18h; sam. sur r.-v.

CH. MARTINAT 2002 ★★

■ 11 ha 55 000 ⬮ 8 à 11 €

Après un coup de cœur pour son 2001, le château Martinat confirme avec son 2002 la qualité de sa production. Tout y est irréprochable : la belle couleur bordeaux jeune, le bouquet équilibré entre le raisin et le bois (noyau, pruneau, tabac, cuir), la bouche charnue et savoureuse, structurée par des tanins bien fondus. Dans les deux à dix prochaines années ce sera un excellent compagnon des mets traditionnels.

🔑 SCEV Marsaux-Donze, Ch. Martinat,
33710 Lansac, tél. 05.57.68.34.98, fax 05.57.68.35.39,
e-mail chateaumartinat@aol.com ☑ 🍷 🚶 r.-v.
🔑 Stéphane Donze

CH. MERCIER Cuvée Prestige 2002 ★

■ 11 ha 30 000 ⬮ 5 à 8 €

Philippe Chéty organise en mai une journée portes ouvertes avec dégustation de dix-sept millésimes. Heureux sont ceux qui se seront inscrits les premiers car bien sûr les vins sont intéressants ; l'homme est certainement l'un des vignerons les plus conscients de la qualité de la vigne et des terroirs. Il s'est d'ailleurs beaucoup engagé dans la défense de l'agriculture raisonnée. Deux cuvées ont été retenues : celle-ci, d'une belle couleur bordeaux sombre, affiche un bouquet déjà expressif évoquant les fruits confiturés finement boisés. La bouche est fruitée et veloutée, bien équilibrée. Lors des deux à quatre prochaines années, ce vin sera parfait avec une entrecôte grillée sur sarments de vigne. Et la deuxième, le **côtes-de-bourg blanc 2003 (3 à 5 €)** est or vert pâle, riche d'arômes de fleurs blanches et de mirabelle. Ce vin offre généreusement une bouche souple à la finale de pêche jaune. Il sera agréable à l'apéritif ou avec des poissons cuisinés. Une réussite dans une appellation confidentielle.

🔑 SCEA Famille Chéty, Ch. Mercier,
33710 Saint-Trojan, tél. 05.57.42.66.99,
fax 05.57.42.66.96, e-mail vin@chateaumercier.fr
☑ 🍷 🚶 t.l.j. 8h-12h 14h-18h; sam. dim. sur r.-v.

LES HAUTS DE MILLE SECOUSSES 2001

■ 3 ha 16 800 ⬮ 8 à 11 €

Il faut se promener sur le port de Bourg pour découvrir les immenses celliers où étaient entreposés les vins qui partaient sur des gabares vers le quai des Chartrons. A Bourg vous trouverez encore ce beau château du XVIII[e]s. Son vignoble est conduit depuis 1982 par Philippe Darricarrère qui a exercé la profession de pharmacien jusqu'en 1976. A cette date il décida de se consacrer entièrement à la vigne. Ce vin est intéressant par son caractère finement boisé, ses notes de fruits mûrs et son équilibre. Philippe Darricarère a proposé également la **Grande Réserve du Château de Mendoce 2002 (5 à 8 €)**, qui est citée pour son fruité agréable au nez, sa fraîcheur de bouche. Ne manquez pas d'admirer, à Villeneuve, le château de Mendoce (XVe et XVI[e]s.) dont les tours sont coiffées de poivrières ardoisées entourant une extraordinaire charpente asymétrique.

🔑 Philippe Darricarrère, Ch. Mille-Secousses,
33710 Bourg-sur-Gironde, tél. 05.57.68.34.95,
fax 05.57.68.34.91, e-mail info@mille-secousses.com
☑ 🍷 🚶 t.l.j. 9h-12h 14h-18h; sam. dim. sur r.-v.

CH. MOULIN DE GUIET
Elevé en fût de chêne 2001

■ 10,81 ha 50 000 ⬮ 5 à 8 €

Philippe Blanchard produit ce cru à partir de merlot (60 %), de cabernet-sauvignon (31 %) et de cabernet franc (9 %) plantés sur les argilo-calcaires de Pugnac. C'est la cave de cette même commune qui assure la vinification et la commercialisation du vin. Celui-ci, dans une robe pourpre, offre un fruité plein de nuances et un élégant bois grillé. La bouche est souple, jouant sur le merlot, corsée par des tanins enrobés et persistants. D'un bon potentiel pour les deux ou trois prochaines années, ce 2001 pourra accompagner un rôti de bœuf. De la même coopérative, le **Château Pradier 2002 Elevé en fût de chêne** obtient la même note.

🔑 Union de producteurs de Pugnac, Bellevue,
33710 Pugnac, tél. 05.57.68.81.01, fax 05.57.68.83.17,
e-mail udep.pugnac@wanadoo.fr 🍷 🚶 r.-v.
🔑 Philippe Blanchard

LA PETITE CHARDONNE
Elevé en fût de chêne 2002 ★

■ 6 ha 12 000 ⬮ 8 à 11 €

Le Guide, créé il y a vingt ans, ne peut oublier le rôle que Louis Marinier jouait alors dans la viticulture girondine. Ce cru, situé sur les argilo-calcaires de Teuillac, fait partie des quatre vignobles exploités aujourd'hui par les filles Marinier. Depuis sa création en 1999, il est régulièrement sélectionné. C'est encore le cas pour ce 2002 à la couleur intense, au bouquet franc de fruits noirs et de pain grillé ; la bouche souple et charnue est soutenue par des tanins veloutés et vanillés qui permettront d'apprécier cette bouteille assez rapidement, autant sur une cuisine moderne que traditionnelle.

🔑 SCEA Vignobles Louis Marinier,
Dom. Florimond-La-Brède, 33390 Berson,
tél. 05.57.64.39.07, fax 05.57.64.23.27,
e-mail info@vignoblesIouismarinier.com
☑ 🍷 🚶 t.l.j. 8h-12h30 14h-17h30; sam. dim. sur r.-v.

CH. PEYCHAUD Maisonneuve Vieilles Vignes 2002

■ 6 ha 30 000 ▮⬮🌡 8 à 11 €

Cette cuvée rubis vif possède des arômes de fruits rouges frais et une saveur fraîche, gouleyante. Un vin simple qui pourra se boire assez rapidement lors d'un repas familial.

🔑 SCEA Ch. Peychaud, Vignobles Germain,
33390 Berson, tél. 05.57.42.66.66, fax 05.57.64.36.20,
e-mail bordeaux@vgas.com ☑ 🏠 🏠 🍷 🚶 r.-v.

CH. PUYBARBE
Cuvée Prestige Elevé en fût de chêne neuf 2001 ★

■ n.c. 10 000 ⬮ 5 à 8 €

Sur leur important vignoble de 27 ha, les frères Orlandi ont sélectionné cette cuvée comportant 75 % de merlot et 25 % de cabernet-sauvignon élevés en fût de chêne neuf. Cela donne un vin « costaud », à la teinte presque noire et au bouquet de fruits très mûrs, de cerise à l'eau-de-vie, d'épices et de cacao. La bouche dense et chaleureuse marie le fruit et le bois. Les tanins bien présents sont encore jeunes et demandent un an ou deux de garde. On servira cette bouteille avec des magrets de canard.

🔑 SCEA Orlandi Frères,
Ch. Puybarbe, 33710 Mombrier,
tél. 05.57.64.37.41, fax 05.57.64.37.41 ☑ r.-v.

CH. PUY D'AMOUR

Cuvée Grain de folie Elevé en fût de chêne 2002 *

■ 0,3 ha 2 200 11 à 15 €

Murielle et Johann Demel ont repris cette jolie propriété en 1998. Sur les 12 ha de vignes conduits en agrobiologie, ils prélèvent une mini-cuvée assemblant le merlot (80 %) au cabernet et au malbec. Cela donne un vin très coloré, aromatique, souple et boisé. Une bouteille à attendre deux à trois ans.

Johann et Murielle Demel,
5, Marchais, 33710 Saint-Seurin-de-Bourg,
tél. 05.57.68.38.01, fax 05.57.68.38.01,
e-mail puydamour@tiscali.fr r.-v.

CH. PUY DESCAZEAU Vieilli en fût de chêne 2002

■ 0,43 ha 4 500 5 à 8 €

Un couple dynamique (lui ingénieur des Travaux publics, elle chirurgien-dentiste) a repris ce domaine viticole en 1998. Ce millésime paré d'une jolie robe aux reflets grenat, fruité et framboisé au nez, souple et charnu en bouche, finit sur des tanins élégants qui préservent bien le fruité. Il sera prêt dans deux à trois ans pour accompagner une blanquette ou un pot-au-feu.

Martine et Jean-Marc Médio, Ch. Puy Descazeau,
33710 Gauriac, tél. 06.12.47.75.75, fax 01.48.71.39.33,
e-mail jmmedio@club-internet.fr r.-v.

CH. RELAIS DE LA POSTE

Vieilli en fût de chêne 2002 *

■ n.c. 14 133 5 à 8 €

Les vignobles Drode se sont constitués autour d'un ancien relais de poste datant de 1750. Ils présentent une cuvée de merlot issue d'un terroir argilo-silico-limoneux. La robe est sombre, le bouquet intéressant, à la fois fruité et minéral. La bouche corsée, séveuse est terroitée, soutenue par des tanins fermes mais fins. Bref un vin de caractère qui devrait se marier assez prochainement avec des plats en sauce.

Vignobles Drode, Relais de la Poste, 33710 Teuillac,
tél. 05.57.64.37.95, fax 05.57.64.37.95 r.-v.

CH. DE REYNAUD La Volière 2002 *

■ 0,5 ha 3 000 5 à 8 €

Anciens journalistes parisiens, les Capdevielle sont devenus viticulteurs à Bourg en 1999. Voici leur premier millésime élevé en fût de chêne, dont le nom évoque le pigeonnier du domaine. C'est un vin séduisant. D'une belle couleur rubis, il affiche un joli nez fait de fruits confits, de bois toasté, de notes animales. Puissant, ample, mais sans lourdeur, il repose sur des tanins à la fois fermes et élégants qui lui permettront de bien vieillir. Dans un an ou deux, on pourra commencer à le boire. Un essai à transformer !

Bernard Capdevielle,
Ch. de Reynaud, 33710 Bourg-sur-Gironde,
tél. 05.57.68.44.13, fax 05.57.68.44.13,
e-mail chateau.reynaud@libertysurf.fr r.-v.

CH. ROC PLANTIER

Cuvée Prestige Elevé en fût de chêne 2002 **

■ 1,5 ha 8 000 5 à 8 €

Depuis 1996, Eric Eymas exploite un vignoble de 5 ha sur un plateau dominant la Dordogne. Voici un vin de caractère rubis intense ; il affiche des notes de fruits noirs compotés (cerise mûre), de bois beurré et vanillé. A la bouche franche et savoureuse, mêlant le pruneau et les tanins boisés, succède une finale ronde et agréable. Ce 2002 devrait être assez prochainement bon à boire avec des viandes blanches.

Eric Eymas, 104, av. des Côtes-de-Bourg,
33710 Prignac-et-Marcamps, tél. 06.12.63.68.90,
fax 05.57.43.82.85 r.-v.

CH. LES ROCQUES

Cuvée Elégance Elevé en fût de chêne 2002 *

■ 2,2 ha 11 500 8 à 11 €

Situé sur la rive droite de la Dordogne, ce domaine compte une quarantaine d'hectares. Sa cuvée Elégance est issue de vieilles vignes plantées sur graves et argilo-calcaires. Sa robe bordeaux est encore jeune et foncée. Son bouquet exprime les fruits confits et le bois vanillé alors que la bouche est fraîche et fruitée. Les tanins un peu verts demanderont à être attendus.

Feillon Frères et Fils,
Ch. Les Rocques, 33710 Saint-Seurin-de-Bourg,
tél. 05.57.68.42.82, fax 05.57.68.36.25,
e-mail feillon.vins.de.bordeaux@wanadoo.fr
t.l.j. 9h-12h 14h-18h; sam. dim. sur r.-v.

CH. DE ROUSSELET Elevé en fût de chêne 2001 **

■ 2 ha 13 300 5 à 8 €

Coiffé d'une belle maison girondine, le vignoble d'Emmanuel Sou compte 12 ha. Le merlot ne représente qu'un tiers de l'assemblage de cette cuvée. Cela donne un 2001 concentré, à très forte personnalité. Sa robe sombre est zébrée de reflets noirs. Son bouquet délicat, déjà complexe, marie cassis, vanille et notes de fourrure. Sa bouche révèle un bon équilibre entre le raisin et le merrain ; son imposante structure repose sur des tanins de qualité qui lui permettront de bien vieillir.

Emmanuel Sou,
EARL du Ch. de Rousselet, 33710 Saint-Trojan,
tél. 05.57.64.32.18, fax 05.57.64.26.10,
e-mail chateau.de.rousselet@wanadoo.fr r.-v.

CH. SAUMAN 2002

■ 18 ha 30 000 5 à 8 €

Un domaine situé sur les argilo-calcaires de la corniche de Gironde où le merlot représente 80 %. On a affaire à un vin solide, de couleur rubis foncé. Le bouquet profond demande un peu d'aération pour s'exprimer. La flaveur à la fois vive et ronde permet de retenir ce vin « nature » qui demande à s'affiner un peu.

SCEA Vignobles Dominique Braud,
Le Sauman, 33710 Villeneuve,
tél. 05.57.42.16.64, fax 05.57.42.93.00,
e-mail chateau.sauman@libertysurf.fr
t.l.j. 10h-13h 14h-19h; sam. dim. sur r.-v.

CH. DE TASTE Réserve 2002 *

■ 2 ha 10 000 5 à 8 €

15 ha répartis sur les coteaux argilo-calcaires et le plateau argilo-siliceux de l'appellation. Cette cuvée, d'une couleur cerise noire, a de délicieux arômes de baies sauvages mêlés à des notes exotiques (vanille, cannelle, coco). La mise en bouche est ample et charnue, relayée par un boisé fin et élégant. D'ici un à deux ans on pourra commencer à apprécier cette bouteille sur des poissons de l'estuaire (pibales, aloses, lamproie) et des fromages secs (brebis, chèvre).

SCEA des Vignobles de Taste et Barrié,
33710 Lansac, tél. 05.57.68.40.34, fax 05.57.68.40.34,
e-mail chateaudetaste@free.fr r.-v.
Jean-Paul Martin

CH. LE TERTRE DE LEYLE
Cuvée Réserve Elevé en fût de chêne 2002 ★★

■	1,1 ha	7 200		5 à 8 €

Petite devinette : savez-vous comment se nomment les habitants de Teuillac ? Les Teuillacais. Sur cette commune viticole très ancienne, les Grandillon possèdent un joli vignoble et voient cette cuvée à nouveau couronnée de deux étoiles. L'ensemble est homogène, très équilibré entre le raisin bien mûr et le boisé fin. Le rubis scintille, le fumet évoque les fruits noirs, le pruneau, le chêne toasté. Le corps, ample et puissant, repose sur des tanins au grain solide. Dans les deux à cinq prochaines années on appréciera cette bouteille en accompagnement d'une épaule d'agneau boulangère.
Vignobles Grandillon, le Bourg, 33710 Teuillac,
tél. 05.57.64.23.81, fax 05.57.64.24.18,
e-mail vignoblegrandillon@tiscali.fr r.-v.

CH. TOUR DE GUIET
Elevé en fût de chêne 2002 ★★

■	2 ha	13 000		8 à 11 €

C'est à Mazion, commune du Blayais, que Stéphane Heurlier commercialise ce côtes-de-bourg, qui dans ce millésime a donné un excellent vin de côtes. Paré d'un pourpoint bordeaux très jeune, ce 2002 offre un nez concentré, une bouche à la fois ronde et charpentée, finissant sur des tanins aromatiques (moka et cacao). La **Tour de Guiet 2002 (5 à 8 €)** est également un vin de garde mais non boisé. La couleur est aussi très foncée. Le bouquet exprime le noyau de cerise, l'amande, des notes minérales. La bouche est structurée par des tanins un peu austères mais de bon goût. Une étoile distingue cette cuvée principale.
Stéphane Heurlier, EARL Ch. La Bretonnière,
33390 Mazion, tél. 05.57.64.59.23, fax 05.57.64.67.41,
e-mail sheurlier@wanadoo.fr r.-v.

CH. LES TOURS SEGUY
Elevé en fût de chêne 2002 ★

■	0,3 ha	1 800		8 à 11 €

Deux tours, l'une ronde, l'autre carrée, encadrent la demeure qui commande ce beau vignoble de 16 ha. En 1998, de jeunes viticulteurs ont pris la tête de ce domaine, dans leur famille depuis cent cinquante ans. Ils présentent une petite cuvée issue de vieilles vignes et élevée en fût de chêne. Le vin est équilibré, très harmonieux. On y trouve des raisins mûrs à point, du merrain toasté, des arômes de pain d'épice, des tanins fondus et élégants. Ce 2002 devrait s'épanouir dans deux à trois ans.
Jean-François Breton,
Les Tours Seguy, 33710 Saint-Ciers-de-Canesse,
tél. 05.57.64.99.57, fax 05.57.64.99.57,
e-mail chateau-les-tours-seguy@wanadoo.fr r.-v.

CH. LA TUILIERE Les Armoiries 2002 ★

■	3 ha	15 000		11 à 15 €

Philippe Estournet a acquis ce vignoble en 1991 ; il élève ses vins dans un chai enterré à température constante. Associant le cabernet-sauvignon à 60 % de merlot, cette cuvée porte une robe foncée. Son bouquet finement boisé, vanillé, et son palais équilibré, mais encore un peu marqué par la barrique, ne cachent pas son élevage. Il suffira de mettre en cave cette bouteille un à deux ans pour qu'elle donne le meilleur d'elle-même.
Vignobles Philippe Estournet,
Ch. La Tuilière, 33710 Saint-Ciers-de-Canesse,
tél. 05.57.64.80.90, fax 05.57.64.89.97,
e-mail chateau.la.tuiliere@wanadoo.fr r.-v.

Le Libournais

Même s'il n'existe aucune appellation « Libourne », le Libournais est bien une réalité. Avec la ville-filleule de Bordeaux comme centre et la Dordogne comme axe, il s'individualise fortement par rapport au reste de la Gironde en dépendant moins directement de la métropole régionale. Il n'est pas rare, d'ailleurs, que l'on oppose le Libournais au Bordelais proprement dit, en invoquant par exemple l'architecture, moins ostentatoire, des châteaux du vin, ou la place des Corréziens dans le négoce de Libourne. Mais ce qui individualise le plus le Libournais, c'est sans doute la concentration du vignoble, qui apparaît dès la sortie de la ville et recouvre presque intégralement plusieurs communes aux appellations renommées comme Fronsac, Pomerol ou Saint-Emilion, avec un morcellement en une multitude de petites ou moyennes propriétés. Les grands domaines, du type médocain, ou les grands espaces caractéristiques de l'Aquitaine étant presque d'un autre monde.

Le vignoble s'individualise également par son encépagement dans lequel domine le merlot, qui donne finesse et fruité aux vins et leur permet de bien vieillir, même s'ils sont de moins longue garde que ceux d'appellations à dominante de cabernet-sauvignon. En revanche, ils peuvent être bus un peu plus tôt, et s'accommodent de beaucoup de mets (viandes rouges ou blanches, fromages, mais aussi certains poissons, comme la lamproie).

Canon-fronsac et fronsac

Bordé par la Dordogne et l'Isle, le Fronsadais offre de beaux paysages, très tourmentés, avec deux sommets, ou « tertres », atteignant 60 et 75 mètres, d'où la vue est magnifique. Point stratégique, cette région joua un rôle important, notamment au Moyen Age et lors de la Fronde de Bordeaux, une puissante forteresse y ayant été édifiée dès l'époque de Charlemagne. Aujourd'hui, celle-ci n'existe plus, mais le Fronsadais possède de belles églises et de nombreux châteaux. Très ancien, le vignoble produit sur six communes des vins personnalisés, complets et corsés, tout en étant fins et distingués. Toutes les communes peuvent revendiquer l'appellation fronsac (31 715 hl sur 836 ha en 2003), mais Fronsac et Saint-Michel-de-Fronsac sont les seules à avoir droit, pour les vins produits sur leurs coteaux (sols argilo-calcaires sur banc de calcaire à astéries), à l'appellation canon-fronsac (11 174 hl sur 294 ha).

Canon-fronsac

CH. BARRABAQUE Prestige 2001 ★

■ n.c. 21 300 🛢 **15 à 23 €**

88 89 |**90**| 91 92 94 (95) (96) **97** **98** |**99**| **00** 01

Une fois n'est pas coutume, ce château, qui partage sa production entre fronsac et canon-fronsac, n'obtient pas de coup de cœur, ce qui n'empêche pas ce 2001 d'être très réussi. La robe se pare de pourpre intense. Au bouquet, un caractère toasté et vanillé domine encore le fruit tant au nez qu'en bouche, où les tanins se révèlent francs et élégants. Ce boisé perturbe un peu les dégustateurs. Cependant la longueur et la matière permettent d'espérer une plus grande harmonie après trois à cinq ans de garde.

🔑 SCEA Noël Père et Fils, Ch. Barrabaque,
33126 Fronsac, tél. 05.57.55.09.09, fax 05.57.55.09.00,
e-mail chateaubarrabaque@yahoo.fr ☑ Y 🚶 r.-v.

CH. BELLOY Cuvée Prestige 2001

■ 3 ha 13 500 ▮🛢🌡 **11 à 15 €**

Cette ancienne propriété du XVIIIe s., qui se développa à partir du Second Empire, fut coup de cœur pour son 99. Ce 2001 compose avec les difficultés du millésime : sous-bois et fumée s'expriment au nez alors que la structure en bouche est dominée par des tanins mûrs, de bonne qualité, mais manquant un peu de complexité finale. Un vin sincère, à boire dans les cinq prochaines années.

🔑 SA Travers, BP 1, 33126 Fronsac,
tél. 05.57.24.98.05, fax 05.57.24.97.79 ☑ 🚶 r.-v.
🔑 GAF Bardibel

CH. CANON DE BREM 2001 ★★

■ 8 ha 28 000 🛢 15 à 23 €

Ce château a été racheté en décembre 2000 par Jean Halley aux établissements Moueix de Libourne. Le nouveau propriétaire a su s'entourer d'une équipe talentueuse en tête de laquelle figure Jean-Claude Berrouet pour ses conseils éclairés. Ce coup de cœur est une distinction presque inespérée pour un premier millésime. Il est complexe, fin et puissant tant au nez qu'en bouche où s'expriment une multitude de notes fruitées et un boisé harmonieux. Les tanins possèdent beaucoup de race et d'élégance en finale. Une bouteille à classer parmi les grandes et à servir dans quatre à huit ans avec une bonne viande grillée.

🔑 SCEA Dom. Jean Halley, Ch. La Dauphine,
33126 Fronsac, tél. 05.57.74.06.61, fax 05.57.51.80.57,
e-mail contact@chateau-dauphine.com ☑ Y 🚶 r.-v.

CH. CANON SAINT-MICHEL 2001 ★★

■ 4,4 ha 22 000 ▮🛢🌡 8 à 11 €

Il semble important de garder un œil sur cette propriété qui progresse régulièrement depuis le millésime 1998 qui coïncide avec la reprise en main du vignoble. Ce 2001 est tout simplement remarquable. L'œil est séduit par la robe pourpre profond, le nez comblé par des notes de fruits confits (pruneau), de grillé toasté et de vanille. Les tanins, suaves et veloutés en attaque, évoluent avec une belle présence et beauoup de finesse aromatique. Une superbe bouteille à ouvrir dans quatre à six ans. Signalons sa composition : 60 % de merlot, 30 % de cabernet-sauvignon, 5 % de cabernet franc et 5 % de malbec, assemblage qui donne une expression intéressante du terroir argilo-calcaire et argilo-sableux de l'AOC après un élevage raisonnable de douze mois en barrique.

🔑 Jean-Yves Millaire, Lamarche, 33126 Fronsac,
tél. 06.08.33.81.11, fax 05.57.24.94.99
☑ Y 🚶 t.l.j. 8h-13h 14h-20h

CH. CASSAGNE HAUT-CANON La Truffière 2001 ★★

■ 11,99 ha 41 600 🛢 11 à 15 €

C'est le cabernet-sauvignon, planté sur le roc tout autour d'une truffière qui, en prenant une part assez grande dans l'assemblage final (20 %), a donné son identité à cette cuvée La Truffière dont le 2001 est remarquable : son bouquet intense rappelle le fumé, les fruits mûrs, les épices. Sa structure tannique souple, équilibrée et puissante à la fois, évolue avec une grande harmonie jusqu'en finale. Cette bouteille sera délicieuse dans deux ou trois ans. La **cuvée classique 2001 (8 à 11 €)** obtient une étoile ; elle est plus accessible dans sa jeunesse, voire prête à boire.

🔑 Jean-Jacques Dubois, Ch. Cassagne Haut-Canon,
33126 Saint-Michel-de-Fronsac,
tél. 05.57.51.63.98, fax 05.57.51.62.20,
e-mail jjdubois@club-internet.fr ☑ Y 🚶 r.-v.

CH. LA CHAPELLE-LARIVEAU 2001

■ 4 ha 12 000 🛢 5 à 8 €

Uniquement du merlot dans ce 2001 bien fait, aux senteurs discrètes de vanille, de prune et de fruits rouges mûrs. En bouche, les tanins souples, assez charnus et persistants, permettent de servir ce vin dès cet hiver ou de le garder quelques années.

🔑 Serge Ravat, 13, Lariveau,
33126 Saint-Michel-de-Fronsac,
tél. 05.57.24.97.27, fax 05.57.24.92.00 ☑ Y r.-v.

CH. COUSTOLLE Saint-Jacques 2001 ★

■ 3 ha 12 000 🛢 **15 à 23 €**

Cette cuvée dénommée Saint-Jacques est identifiable par le dessin sur l'étiquette de la célèbre coquille, symbole du chemin de Compostelle. Les pèlerins d'aujourd'hui pourront faire étape dans cette propriété et découvrir ce 2001 à la robe pourpre profond. Ses arômes de fruits noirs, de cuir, sont rehaussés de notes boisées très agréables. En bouche, les tanins présentent une structure ample et veloutée qui évolue avec beaucoup de maturité, de longueur et de complexité. Un beau vin à attendre deux à cinq ans.

🔑 SCEV Vignobles Alain Roux et Fils, Ch. Coustolle, 33126 Fronsac, tél. 05.57.51.31.25, fax 05.57.74.00.32 ☑ 🏠 🍷 🚶 r.-v.

CH. LA CROIX CANON 2001

■ 12 ha 60 000 🛢 11 à 15 €

Autre cru racheté par Jean Halley à la maison J.-P. Moueix, cette propriété de 32 ha propose un vin à la robe vive, profonde, et aux parfums discrets de sous-bois et de fruits frais. En bouche, les tanins sont déjà souples, mais de longueur moyenne. Un vin à boire dans les trois ans à venir.

🔑 SCEA Dom. Jean Halley, Ch. La Dauphine, 33126 Fronsac, tél. 05.57.74.06.61, fax 05.57.51.80.57, e-mail contact@chateau-dauphine.com ☑ 🍷 🚶 r.-v.

CH. LA FLEUR CAILLEAU 2001 ★

■ 3,6 ha 11 000 🛢 15 à 23 €

85 86 88 92 |93| 94 **95 96** |**98**| 99 01

Ce vin est issu de raisins cultivés selon les règles de la biodynamie. Il est très bon dans le millésime 2001 : la robe est brillante, le bouquet intense et complexe apparaît marqué par le fruit et les épices, et les tanins pleins et riches évoluent jusqu'à une finale encore ferme qui demande deux ou trois ans de vieillissement.

🔑 Paul et Pascale Barre, La Grave, 33126 Fronsac, tél. 05.57.51.31.11, fax 05.57.25.08.61, e-mail p.p.barre@wanadoo.fr ☑ 🍷 🚶 r.-v.

CH. DU GABY 2001 ★★

■ 5 ha 18 200 🛢 15 à 23 €

Acheté en 1999 par la famille Khayat, ce cru bénéficie depuis de gros investissements, tant au vignoble que dans les chais, investissements dont elle cueille aujourd'hui les fruits avec deux vins remarquables dans ce millésime. Cette grande bouteille à la robe intense brille de reflets grenat ; ses parfums complexes évoquent les épices, les fruits confits, la vanille, le pain grillé. En bouche, les tanins veloutés et moelleux évoluent avec puissance et une bonne persistance aromatique. A ouvrir dans deux à cinq ans. Seconde marque, le **Château La Roche Gaby 2001 (11 à 15 €)** obtient également deux étoiles. Il est lui aussi de grande classe.

🔑 SCEA Vignobles famille Khayat, Ch. du Gaby, 33126 Fronsac, tél. 05.57.51.24.97, fax 05.57.25.18.99, e-mail chateau.du.gaby@wanadoo.fr ☑ 🍷 r.-v.

CH. GRAND RENOUIL 2001 ★

■ 4,8 ha 12 000 🛢 15 à 23 €

Michel Ponty conduit ce domaine depuis 1986. Il vinifie cette cuvée exclusivement avec du merlot. Et c'est très réussi ! Pourpre sombre, ce millésime offre un bouquet empyreumatique rehaussé de notes vanillées et légèrement fruitées. Sa structure fraîche évolue avec puissance et finesse à la fois. Un vin de garde à apprécier dans deux à cinq ans. Du même propriétaire, le **Château du Pavillon Haut-Gros-Bonnet 2001 (11 à 15 €)** obtient également une étoile : c'est un vin aromatique, chaleureux et fin en bouche ; il se boira un peu plus jeune.

🔑 Michel Ponty, Les Chais du Port, 33126 Fronsac, tél. 05.57.51.29.57, fax 05.57.74.08.47, e-mail michel.ponty@wanadoo.fr ☑ 🚶 r.-v.

CH. HAUT-MAZERIS Cuvée spéciale 2001 ★★

■ 2 ha 15 000 ▮ 🛢 🌡 11 à 15 €

Une cuvée spéciale née des vignes les plus âgées (dont une parcelle centenaire) de cette propriété de 11 ha. Son remarquable 2001 se distingue par une robe pourpre profond aux reflets violacés, par des arômes complexes et intenses de fruits rouges et de vanille et par des tanins souples, concentrés et équilibrés en finale. L'harmonie sera atteinte dans trois ou quatre ans. La **cuvée classique 2001 (8 à 11 €)** obtient une étoile ; de même style, elle présente une structure plus légère autorisant une consommation pratiquement immédiate.

🔑 SCEA du Ch. Haut-Mazeris, 33126 Saint-Michel-de-Fronsac, tél. 05.57.24.98.14, fax 05.57.24.91.07, e-mail hautmazeris@hotmail.com ☑ 🚶 r.-v.

CH. LARCHEVESQUE 2001 ★★

■ 3 ha 8 400 ▮ 8 à 11 €

Remarquables résultats dans ce millésime pour ce château qui se décline en deux cuvées obtenant chacune deux étoiles. Cette cuvée classique se pare d'une robe chatoyante. Elle développe un bouquet complexe de fruits rouges, de réglisse, de prunelle et de boisé discret. Les tanins sont présents en bouche, avec du volume, du gras et beaucoup de longueur : son équilibre sera parfait dans deux ou trois ans. La **cuvée Prestige 2001 (11 à 15 €)** est très proche, elle se différencie par des arômes plus floraux (violette) et plus boisés ; elle vieillira également plus longtemps, au moins de cinq à huit ans.

🔑 SARL Cave de Larchevesque, 1, rue Guadet, 33330 Saint-Emilion, tél. 05.57.24.67.78, fax 05.57.24.71.31 ☑ 🍷 🚶 t.l.j. 10h-12h30 13h30-19h

🔑 Viaud

CH. DE LARIVEAU Cuvée Jade 2001 ★

■ 0,7 ha 3 000 ▮ 🛢 8 à 11 €

Cette cuvée spéciale d'une propriété de 26 ha est issue d'une sélection de parcelles de trente ans, plantées sur un terroir argilo-calcaire ; elle présente une robe pourpre encore vive et un bouquet très fruité (groseille, cerise), délicatement boisé. Les tanins amples et savoureux sont parfaitement mûrs bien qu'une petite note d'astringence apparaisse encore en finale. Il est nécessaire d'attendre deux ou trois ans pour obtenir une bouche soyeuse. Autre mini-cuvée de Sébastien Gaucher, le **Château Saint-Bernard 2001 élevé en fût de chêne (11 à 15 €)**. Puissante et aromatique, elle devra elle aussi rester trois à six ans en cave. Elle obtient également une étoile.

🔑 Sébastien Gaucher, 1, Nardon, 33126 Saint-Michel-de-Fronsac, tél. 06.13.80.33.62, fax 05.57.24.90.24, e-mail s.gaucher@free.fr ☑ 🍷 🚶 r.-v.

CH. LA MARCHE-CANON 2001 ★★

■ 2 ha 10 000 ▮ 🛢 🌡 8 à 11 €

Les 5 ha de terrasses de ce vignoble sont situés sur le versant est du tertre de Canon, sur un terroir argilo-calcaire. Ce vin est remarquable par sa robe rubis brillant, son bouquet généreux de fruits mûrs, de fleurs séchées, de figue et par sa structure tannique puissante, élégante et soyeuse. Tout est réuni pour un vrai plaisir dans les cinq

BORDELAIS

prochaines années. La cuvée **Candelaire** du même château obtient une étoile ; elle est davantage marquée par le boisé.
🔑 SCEA Ch. Lamarche-Canon, 33126 Fronsac, tél. 05.57.51.28.13, fax 05.57.51.28.13, e-mail bordeaux@vgas.com ☒ Y 🚶 r.-v.

CH. MAZERIS 2001 *

■ n.c. 20 000 🛢 5 à 8 €

Cette propriété du XVIII^e^s., d'un seul tenant, est commandée par un très beau château. Quant à la qualité de sa production, ce 2001 plaide en sa faveur : une robe grenat aux reflets rubis, un bouquet discret de petits fruits légèrement épicés et une structure moelleuse en attaque, évoluant avec de la puissance et du volume. Une bouteille racée et de garde (deux à trois ans).
🔑 EARL de Cournuaud, Ch. Mazeris, 33126 Saint-Michel-de-Fronsac, tél. 05.57.24.96.93, fax 05.57.24.98.25, e-mail mazeris@free.fr ☒ Y 🚶 r.-v.

CH. MONTCANON 2001 *

■ 4 ha 24 000 🛢 8 à 11 €

Autrefois Toumalin-Joncquet : ce cru a changé de nom mais pas de qualité. Situé sur des coteaux exposés plein sud, il propose un assemblage de 80 % de merlot et de 20 % de cabernet franc. La robe pourpre a de superbes reflets noirs, le nez exprime des notes fruitées et de tabac blond. Les tanins, souples et charnus, se révèlent puissants mais bien fondus. Un vin à apprécier dès aujourd'hui ou à laisser vieillir deux à cinq ans.
🔑 Arnaud Roux-Oulié, Palais du Fronsadais, 33126 Fronsac, tél. 05.57.51.24.68, fax 05.57.25.98.67 ☒ Y 🚶 r.-v.
🔑 Marcel Durant

CH. ROULLET 2001 **

■ 2,8 ha 6 260 🛢 8 à 11 €

Prochainement, vous pourrez visiter, en même temps que le domaine, l'atelier de Princeteau, peintre animalier et maître d'art de Toulouse-Lautrec qui débuta ici sa vie artistique. Les propriétaires font preuve d'un savoir-faire régulier, tant aux vignes que dans les chais, comme le montre ce remarquable 2001. La robe pourpre à reflets noirs annonce des arômes puissants évoquant la confiture de cerises, la vanille, le fumé. Les tanins se révèlent ronds, charnus, élégants. La fin de bouche, tout en harmonie et en finesse, est la marque d'un grand vin d'avenir, qui s'épanouira après deux à cinq ans de vieillissement.
🔑 SCEA Dorneau et Fils, Ch. La Croix, 33126 Fronsac, tél. 05.57.51.31.28, fax 05.57.74.08.88, e-mail scea-dorneau@wanadoo.fr ☒ Y 🚶 r.-v.

CH. VRAI CANON BOUCHE 2001 *

■ 8 ha 40 000 🛢 8 à 11 €

|90| 91 94 |95| |96| 97 |98| |99| 00 01

L'artillerie d'Ancien Régime fit ici des essais de tirs de canon au XVIII^e^s. Plus pacifiquement, les propriétaires actuels présentent un vin à la robe vive et intense ; ses parfums de mûre et de cassis se mêlent à des senteurs boisées. Ses tanins, francs, puissants, bien mûrs et longs s'épanouiront totalement avec deux à trois ans de garde.
🔑 Françoise Roux, Ch. Lagüe, 33126 Fronsac, tél. 05.57.51.24.68, fax 05.57.25.98.67 ☒ Y 🚶 r.-v.

Fronsac

CH. ARNAUTON Grand Sol 2001 **

■ 4 ha 19 000 ▮ 🛢 🌡 15 à 23 €

Cette propriété appartient depuis environ soixante-dix ans à une famille belge qui l'a depuis considérablement développée puisqu'elle est passée de 9 à 25 ha. Ce 2001 se dévoile sous une robe pourpre ; son bouquet expressif évoque les fruits noirs confits, la vanille, le cacao, notes que l'on retrouve en bouche où des tanins suaves et épicés évoluent avec finesse, équilibre et caractère. Un vin racé, au sommet de son appellation, à boire dans trois à sept ans.
🔑 Ch. Arnauton, rte de Saillans, 33126 Fronsac, tél. 05.57.55.06.00, fax 05.57.55.06.01, e-mail arnauton.chateau@free.fr ☒ Y 🚶 r.-v.

CH. BARRABAQUE 2001 *

■ n.c. 19 300 🛢 11 à 15 €

Plus connu dans l'appellation voisine de canon-fronsac, ce château n'en demeure pas moins ici une bonne référence. La robe de ce 2001 brille de superbes reflets bleutés. Les arômes discrets évoquent le cuir, la cerise noire, le poivre. La structure tannique, très présente, évolue heureusement en bouche avec gras et longueur. Une bouteille à ouvrir dans deux ou trois ans.
🔑 SCEA Noël Père et Fils, Ch. Barrabaque, 33126 Fronsac, tél. 05.57.55.09.09, fax 05.57.55.09.00, e-mail chateaubarrabaque@yahoo.fr ☒ Y 🚶 r.-v.

CH. BOURDIEU LA VALADE 2001 *

■ 13 ha 30 000 🛢 8 à 11 €

Avec sa robe pourpre profond et ses arômes élégants de fruits rouges (cerise) et de vanille, ce 2001 est déjà très séduisant. Les tanins, souples et généreux à la fois, manquent peut-être un peu de persistance mais c'est un bon vin sincère, à servir dans un à trois ans. La **cuvée Prestige (11 à 15 €)** est citée. Ses notes boisées, presque goudronnées, signent un long élevage en barrique mais sont en équilibre avec les tanins du raisin. A attendre deux ou trois ans.
🔑 SCEV Vignobles Alain Roux et Fils, Ch. Coustolle, 33126 Fronsac, tél. 05.57.51.31.25, fax 05.57.74.00.32 ☒ 🏠 Y 🚶 r.-v.

CLOS DU ROY Cuvée Arthur 2001

■ 5 ha 30 000 ▮ 🛢 🌡 11 à 15 €

Une maison familiale girondine classique, reprise en 1987 par Philippe Hermouet. Cette cuvée spéciale est citée pour sa puissance aromatique ; elle est aujourd'hui dominée par des notes boisées toastées, masquant un peu le fruit. Les tanins sont assez puissants, complexes, là encore un peu écrasés par le boisé. Quelques années semblent nécessaires pour fondre l'ensemble.
🔑 Philippe Hermouet, Clos du Roy, 33141 Saillans, tél. 05.57.55.07.41, fax 05.57.55.07.45, e-mail contact@vignobleshermouet.com ☒ Y 🚶 r.-v.

CH. LA CROIX 2001

■ 10 ha 9 700 🛢 8 à 11 €

Le peintre Princeteau fut propriétaire de ce vignoble. S'il est inconnu du plus grand nombre, l'un de ses élèves ne l'est pas : Toulouse-Lautrec fut le plus célèbre d'entre eux. Patrick Dorneau pense réhabiliter l'atelier de l'artiste. Son 2001 présente une couleur grenat aux reflets pourpres, un bouquet agréable de fruits noirs, d'épices et de boisé élégant. En bouche, les tanins sont suaves, riches, bien enrobés ; ils manquent cependant un peu de complexité en finale. Un vin à boire dans deux ou trois ans.

SCEA Dorneau et Fils, Ch. La Croix, 33126 Fronsac, tél. 05.57.51.31.28, fax 05.57.74.08.88, e-mail scea-dorneau@wanadoo.fr r.-v.

CH. DALEM 2001 *

10,6 ha 38 880 15 à 23 €

88 89 90 92 93 94 |95| |96| |97| 98 99 00 01

Ce château fondé avant la Révolution et agrandi en 1977 est entré dans la famille de Michel Rullier en 1952. Celui-ci est régulièrement à l'honneur dans le Guide, des sélections témoignant d'une qualité irréprochable, liée au terroir et à une grande rigueur des propriétaires. La couleur violine de ce 2001 séduit, tout comme ses arômes complexes marqués par un boisé élégant, vanillé et toasté ne cachant pas cependant les fruits rouges qui apparaissent ensuite. Les tanins mûrs et puissants demandent à se fondre encore : à faire vieillir de deux à cinq ans. Le **Château de La Huste (11 à 15 €)** est cité ; il ressemble à son aîné dans un registre plus simple ; on le boira plus rapidement.

Rullier, SCEA du Ch. Dalem, 1, Dalem, 33141 Saillans, tél. 05.57.84.34.18, fax 05.57.74.39.85, e-mail chateau-dalem@wanadoo.fr r.-v.

CH. DE LA DAUPHINE 2001 *

10 ha 45 000 15 à 23 €

La Dauphine était l'une des propriétés de Jean-Pierre Moueix. Achetée avec la Croix Canon et Canon de Brem en 2000 par Jean Halley, homme d'affaires du monde de la grande distribution, ce château a vu la construction d'un nouveau chai où a été élevé ce 2001, très plaisant dans sa robe grenat soutenu. Son bouquet élégant mêle fruits noirs bien mûrs, cacao et réglisse. Ses tanins pleins et veloutés dès l'attaque évoluent avec finesse et complexité. Un beau vin déjà agréable à boire mais qui vieillira sans problème trois à six ans.

SCEA Dom. Jean Halley, Ch. La Dauphine, 33126 Fronsac, tél. 05.57.74.06.61, fax 05.57.51.80.57, e-mail contact@chateau-dauphine.com r.-v.

CH. LA FLEUR CHADENNE 2001 *

2,8 ha 14 000 11 à 15 €

On dit que Max Linder vécut ici. Issu exclusivement du cépage merlot, cet excellent 2001 se distingue par sa robe grenat brillant, son bouquet boisé intense, presque goudronné, et par une structure tannique ample et veloutée, puissante mais un peu écrasée par l'élevage sous bois. Trois à cinq ans de cave apporteront plus d'harmonie à ce vin. Le **Château Chadenne 2001 (15 à 23 €)** est cité : ses dix-huit mois de barrique lui ont conféré des notes grillées qui ne cachent pas ses arômes fruités. Ce pur merlot est à boire ou à garder deux ou trois ans.

SCEA Ph. et V. Jean, Ch. Chadenne, 33126 Saint-Aignan, tél. 05.57.24.93.10, fax 05.57.24.95.98, e-mail chateau.chadenne@wanadoo.fr r.-v.

CH. FONTENIL 2001 ***

9,39 ha 26 500 15 à 23 €

|88| |89| |(90)| 92 93 94 |95| |96| 97 98 99 00 (01)

Déjà propriétaires à Pomerol et à Saint-Emilion, Dany et Michel Rolland, œnologues de renommée internationale, ont acquis ce cru fronsadais en 1985 et, depuis lors, ils ont investi régulièrement pour le hisser au sommet de l'appellation. Ce coup de cœur et les trois étoiles distinguent un millésime 2001 à la robe vive, grenat soutenu. Ses arômes complexes et puissants rappellent la mûre, le cassis, les épices, assortis d'un boisé élégant. Suaves et volumineux, les tanins explosent littéralement

Le Libournais

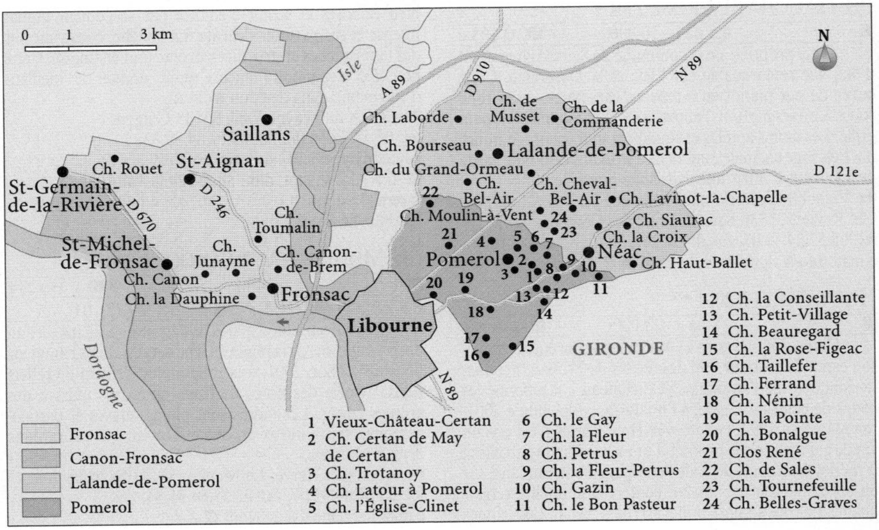

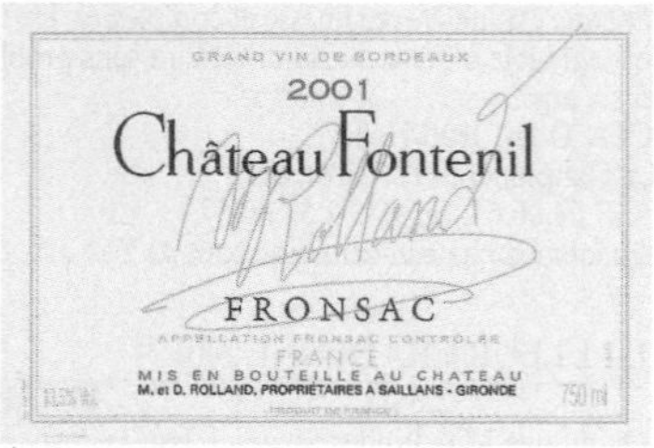

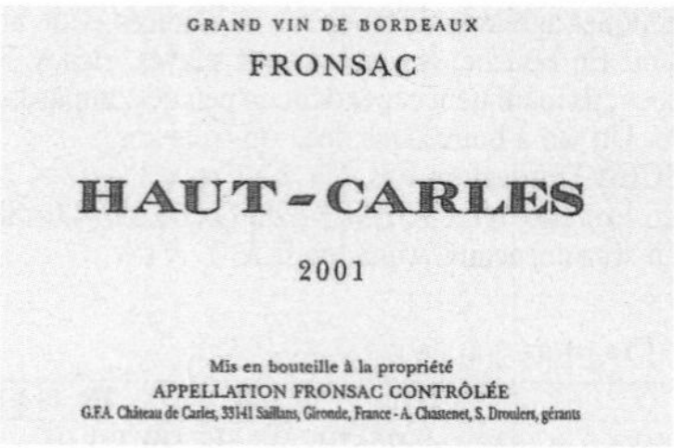

ensuite, avec beaucoup de complexité, de charme et de persistance. Un vin exceptionnel, de très grande classe, à apprécier dans trois à six ans.
🔑 Michel et Dany Rolland, Catusseau, 33500 Pomerol, tél. 05.57.51.23.05, fax 05.57.51.66.08, e-mail rolland.vignobles@wanadoo.fr ☑

CH. GRAND BARAIL 2001

■ 1 ha 7 000 🛢 8 à 11 €

Cette micro-propriété de 1 ha de merlot propose un vin grenat aux reflets rubis. Ses arômes de pain grillé et de café dominent un peu le fruit mais les tanins sont fondus, bien qu'encore marqués par le bois. Une bouteille à boire dans deux ou trois ans.
🔑 GFA Pierre Goujon, Ch. Loiseau, 33240 Lalande-de-Fronsac, tél. 05.57.58.14.02, fax 05.57.58.15.46 ☑ 🍷 🚶 r.-v.

CH. LA GRAVE 2001

■ 3,7 ha 13 000 🛢 8 à 11 €

Ce domaine applique les principes de la biodynamie. D'une couleur profonde et doté d'un bouquet de fruits rouges et de cacao, son 2001 repose sur des tanins fondus, amples mais austères en finale. L'équilibre sera atteint après un à deux ans de garde.
🔑 Paul et Pascale Barre, La Grave, 33126 Fronsac, tél. 05.57.51.31.11, fax 05.57.25.08.61, e-mail p.p.barre@wanadoo.fr ☑ 🍷 🚶 r.-v.

CH. HAUCHAT LA ROSE 2001 ★

■ 4,5 ha 16 000 🛢 11 à 15 €

Cette propriété de la commune de Saint-Aignan jouit d'une vue remarquable sur l'Isle et la Dordogne. Cette cuvée de pur merlot en a tous les caractères, de sa robe soutenue à ses parfums fruités, associant la vanille et le pain grillé. Les tanins amples et équilibrés sont encore marqués par l'élevage en finale mais deux à trois ans de bonne garde permettront d'offrir une excellente bouteille.
🔑 Vignobles Jean-Bernard Saby et Fils, Ch. Rozier, 33330 Saint-Laurent-des-Combes, tél. 05.57.24.73.03, fax 05.57.24.67.77, e-mail info@vignobles-saby.com ☑ 🍷 🚶 r.-v.

HAUT-CARLES 2001 ★★

■ 8 ha 28 000 🛢 23 à 30 €

Carles doit son nom à Charlemagne qui établit en 769 son camp de toile sur l'un des tertres de Fronsac pendant sa conquête de l'Aquitaine. Ce château collectionne les coups de cœur du Guide, à l'image de ce splendide 2001. Inaugurée en 1994, cette cuvée Haut-Carles n'est pas un vin de garage, c'est le produit d'une sélection de parcelles ; le merlot représente 90 % de l'encépagement, implanté sur un sol argilo-calcaire qui lui confère une qualité remarquable. La robe sombre brille de reflets grenat. Les arômes de fruits mûrs, de réglisse sont agrémentés de notes boisées élégantes. Les tanins suaves, soyeux et charnus composent un palais puissant, excellemment équilibré. La finale, très persistante, laisse espérer un grand avenir à ce vin : au moins cinq à dix ans.
🔑 SCEV du Ch. de Carles, Ch. de Carles, 33141 Saillans, tél. 05.57.84.32.03, fax 05.57.84.31.91, e-mail stephane-droulers@lazard.fr ☑ 🍷 🚶 r.-v.

CH. JEANDEMAN La Chêneraie 2001 ★

■ 5 ha 20 000 🛢 8 à 11 €

Situé sur les hauteurs du Fronsadais, ce cru a assemblé 15 % de cabernets au merlot : cela répond aux usages. Elevée douze mois en fût, la Chêneraie est une cuvée spéciale issue de vieilles vignes. La robe violine a de beaux reflets rubis. Cette jeunesse se retrouve au nez, encore fermé, qui laisse cependant paraître une complexité fruitée sous-jacente. Les tanins, amples, harmonieux et élégants, demandent pour s'épanouir totalement deux à quatre ans de garde.
🔑 SCEV Roy-Trocard, Ch. Jeandeman, 33126 Fronsac, tél. 05.57.74.30.52, fax 05.57.74.39.96, e-mail roy.trocard@terre-net.fr ☑ 🍷 🚶 r.-v.
🔑 Trocard

CH. MAYNE-VIEIL Cuvée Aliénor 2001 ★

■ 4 ha 24 000 🛢 8 à 11 €

Cette cuvée Aliénor du château Mayne-Vieil est issue à 100 % du cépage merlot ; elle a le charme des bons vins bien élaborés et séduit d'emblée par sa couleur grenat intense et ses parfums délicats. La bouche, construite sur des tanins riches et structurés, évolue tout en finesse. Cette bouteille s'épanouira encore pour donner le meilleur d'elle-même dans deux ou trois ans.
🔑 SCEA du Mayne-Vieil, 33133 Galgon, tél. 05.57.74.30.06, fax 05.57.84.39.33, e-mail maynevieil@aol.com
☑ 🍷 🚶 t.l.j. sf sam. dim. 8h30-12h30 14h-18h; f. sem. 15 août
🔑 Famille Sèze

CH. MOULIN HAUT-LAROQUE 2001 ★

■ 14 ha 50 000 ▮🛢🌡 15 à 23 €

86 88 |(89)| **|90|** **91** |95| **|96|** 97 98 **99** 00 01

Ce château situé à 500 m de l'église de Saillans est l'un des plus anciens de la région et il ne déçoit jamais l'amateur de fronsac. Son 2001, à la robe grenat brillant de reflets rubis, associe des notes de fruits noirs très mûrs à des arômes épicés. Les tanins sont pleins, suaves et particulièrement harmonieux en finale. Un vin qui plaira dans deux à trois ans.
🔑 Jean-Noël Hervé, Le Moulin, 33141 Saillans, tél. 05.57.84.32.07, fax 05.57.84.31.84, e-mail hervejnoel@aol.com ☑ 🚶 r.-v.

CH. PLAIN-POINT 2001 *

■ 17 ha 120 000 [fût] 11 à 15 €

Fondé au XVI^e^s., ce château dispose d'un vignoble à forte densité (7 500 pieds à l'hectare). Son 2001 se distingue par une couleur grenat vive, des arômes intenses (notes toastées et fruits noirs) et une structure tannique fraîche, veloutée et longue. Attendre deux à trois ans.

⊶ Michel Aroldi, BP 23, 33126 Saint-Aignan, tél. 05.57.24.96.55, fax 05.57.24.91.64, e-mail chateau.plain-point@libertysurf.fr ☑ Y ⚲ r.-v.

CH. PUY GUILHEM 2001 *

■ 12 ha 34 000 [fût] 11 à 15 €

De style Empire mais construit à la fin du XIX^e^s., ce château mérite le détour tant pour découvrir le site qui l'accueille que pour y déguster cet excellent vin. La robe très sombre brille de reflets cerise. Les arômes puissants et complexes de fruits rouges et de fleurs sont en harmonie avec les notes vanillées de l'élevage. La bouche repose sur des tanins fins, équilibrés et très volumineux. La fraîcheur de la finale ainsi que sa longueur autorisent une garde de trois à cinq ans.

⊶ Jean-François Enixon, Ch. Puy Guilhem, 33141 Saillans, tél. 05.57.84.32.08, fax 05.57.74.36.45, e-mail puy.guilhem@infonie.fr ☑ Y ⚲ r.-v.

CH. RENARD MONDESIR 2001

■ 7 ha 18 000 [cuve fût] 11 à 15 €

|93| 94 |95| 96 |97| 98 |99| 00 01

Ce château tire son nom du sable de renard, sable calcaire et aggloméré où, dit-on, les renards creusent leur terrier. Son 2001 présente un nez complexe de fruits noirs, de réglisse, de grillé. Ses tanins denses composent une bouche encore austère mais d'un bon volume. A attendre deux ou trois ans.

⊶ Xavier Chassagnoux, Ch. Renard, 33126 La Rivière, tél. 05.57.24.96.37, fax 05.57.24.90.18, e-mail chateau.renard.mondesir@wanadoo.fr ☑ ⚲ r.-v.

CH. RICHELIEU 2001

■ 5 ha 25 000 [fût] 8 à 11 €

Construit au XVIII^e^s. par le duc de Richelieu, ce château propose un agréable 2001 : sa robe à reflets rubis annonce un nez dominé par des notes de fruits cuits. Doté de tanins bien enrobés, c'est un vin prêt à boire.

⊶ Gauthier, 1, chem. du Tertre, 33126 Fronsac, tél. 05.57.51.13.94, fax 05.57.51.13.94 ☑ Y ⚲ t.l.j. sf sam. dim. 8h30-17h; ven. 8h30-12h; f. 15 août au 6 sept.

CH. DE LA RIVIERE 2001 *

■ 59 ha 200 000 [fût] 11 à 15 €

Cette magnifique propriété, construite au XVI^e^s. et restaurée par Viollet-le-Duc au XIX^e^s., vient d'être achetée par James Grégoire, bien connu dans le vignoble charentais. Le nouveau propriétaire continue dans la lignée de son prédécesseur qui élabora ce 2001. Le vin développe des arômes intenses de fruits mûrs et de moka ; ses tanins sont associés à une acidité qui lui confère une fraîcheur agréable. Il se boira dans deux à trois ans. Une cuvée spéciale, **Aria 2001 (38 à 46 €)**, obtient également une étoile ; elle comblera les amateurs de vins très boisés. Sous-jacentes se devinent des notes de fruits noirs, de la mâche, et une structure tannique entourée par une matière encore ferme.

⊶ SCA Ch. de La Rivière, 33126 La Rivière, tél. 05.57.55.56.56, fax 05.57.24.94.39, e-mail info@chateau-de-la-rivière.com ☑ Y ⚲ t.l.j. 9h-12h30 14h-17h30; sam. dim. sur r.-v.

⊶ James Grégoire

CH. LES ROCHES DE FERRAND

Elevé en fût de chêne 2001

■ 3 ha 15 000 [cuve fût] 11 à 15 €

Ce cru propose un 2001 agréable, au bouquet puissant et fruité, évoluant avec finesse ; sa bonne palette aromatique se retrouve en bouche ; celle-ci, bien construite, est encore sévère en finale. Attendre un à trois ans pour une meilleure harmonie. Le deuxième vin, le **Château Vray Houchat (8 à 11 €)**, est également cité ; fin, fruité et très souple, il peut se boire dès aujourd'hui.

⊶ Rémy Rousselot, Ch. Les Roches de Ferrand, 33126 Saint-Aignan, tél. 05.57.24.95.16, fax 05.57.24.91.44, e-mail vignobles.remy.rousselot@wanadoo.fr ☑ [gîte] [chambres d'hôtes] Y ⚲ r.-v.

CH. LA ROUSSELLE 2001 **

■ 4,5 ha 16 000 [fût] 11 à 15 €

Une étiquette sobre et élégante, une demeure du XVIII^e^s., un vignoble repris en main en 1971, idéalement implanté sur le côté sud du plateau argilo-calcaire. Ce petit cru se caractérise par une proportion importante (45 %) de cabernets dans son encépagement. Le vin présente une robe intense, presque noire, un bouquet riche, évocateur de vanille, de grillé torréfié, de fruits mûrs. Les tanins, gras et élégants en attaque, composent un palais complexe, long et équilibré. Un excellent vin qui a manqué de peu le coup de cœur, à apprécier dans deux à cinq ans.

⊶ Jacques et Viviane Davau, Ch. La Rousselle, 33126 La Rivière, tél. 05.57.24.96.73, fax 05.57.24.91.05 ☑ Y ⚲ r.-v.

CH. STEVAL 2001

■ 4 ha 15 000 [fût] 8 à 11 €

Provenant essentiellement de merlot (85 %), ce 2001 se distingue grâce à un bouquet naissant d'épices, de fruits rouges, assortis d'un boisé discret. La bouche se montre plaisante, équilibrée. A boire dans les trois prochaines années. NDLR : jolie étiquette.

⊶ Sébastien Gaucher, 1, Nardon, 33126 Saint-Michel-de-Fronsac, tél. 06.13.80.33.62, fax 05.57.24.90.24, e-mail s.gaucher@free.fr ☑ Y ⚲ r.-v.

CH. LES TONNELLES Prestige 2001

■ 2,1 ha 12 000 [cuve fût] 8 à 11 €

Appartenant aux domaines Leymarie, ce cru est réparti sur trois parcelles vinifiées séparément avant assemblage : cela donne ce vin agréable, au bouquet discret de fruits rouges bien mûrs. En bouche, il possède une structure équilibrée qui demande pour s'assouplir une à deux années de garde.

⊶ SCEA les Tonnelles, Ch. Les Tonnelles, 33126 Saint-Aignan, tél. 06.09.73.12.78, fax 05.57.51.99.94, e-mail leymarie@ch-leymarie.com ☑ Y ⚲ r.-v.

CH. TOUR DU MOULIN 2001 *

■ 7 ha 30 000 [cuve fût] 8 à 11 €

Situé à Saillans sur un plateau argilo-calcaire, ce château a réussi un joli vin à la couleur rouge cerise. Le bouquet fruité est encore légèrement dominé par le boisé mais les tanins veloutés, gras et bien fondus, offrent une finale très harmonieuse qui laisse présager deux à cinq ans de garde.

🔑 SCEA Ch. Tour du Moulin, Le Moulin,
33141 Saillans, tél. 05.57.74.34.26, fax 05.57.74.34.26,
e-mail chttourdumoulin@aol.com ☑ 🍷 r.-v.

🔑 Dupuch

CH. LES TROIS CROIX 2001 ★

■ 13,5 ha 70 000 ◍ 15 à 23 €

Les Trois Croix appartiennent à la famille du grand œnologue Patrick Léon. Sa femme et ses enfants partagent sa passion pour la vigne comme en témoignent les soins apportés à la vendange : celle-ci est manuelle, triée deux fois, éraflée... Coup de cœur et Grappe d'argent pour leur millésime 97, ils proposent cette fois un 2001 issu à 90 % du merlot et marqué par des arômes intenses de fruits rouges, de cassis et d'épices. La structure ample et soutenue se développe avec beaucoup d'élégance, de complexité et de persistance. Attendre deux ou trois ans pour une meilleure intégration du boisé. Le **Château Lamolière 2001 (8 à 11 €)** est cité.

🔑 EARL Trois Croix,
Ch. Les Trois Croix, 33126 Fronsac,
tél. 05.57.84.32.09, fax 05.57.84.34.03 ☑ 🍷 🚶 r.-v.

CH. LA VIEILLE CROIX Cuvée DM 2001 ★

■ 8 ha 30 000 ◍ 8 à 11 €

Cette propriété a la particularité de se transmettre depuis huit générations par les femmes dont la première fut Marie Dubreuil, d'où le nom de cette cuvée DM. Des arômes en début d'évolution et une structure agréable, assez ronde et de bonne longueur : ce vin est déjà prêt à boire comme le révèlent les reflets tuilés traversant sa robe intense.

🔑 SCEA de la Vieille Croix, La Croix, 33141 Saillans,
tél. 05.57.74.30.50, fax 05.57.84.30.96 ☑ 🍷 🚶 r.-v.

🔑 Isabelle Dupuy

CH. LA VIEILLE CURE 2001 ★★

■ 17 ha 60 000 ◍ 15 à 23 €

88 89 90 91 92 93 **94** |**95**| |96| |**97**| **98** |99| 00 **01**

Situé sur un coteau argilo-calcaire idéalement placé, ce château bénéficie aujourd'hui de toutes les techniques innovantes. Arrivé troisième au grand jury, ce 2001 est remarquable par sa robe grenat soutenu, son bouquet puissant, vineux, aux notes fruitées (mûre), grillées et animales (cuir). Tendres et élégants, les tanins se révèlent ensuite puissants, équilibrés et mûrs. La finale soutenue laisse augurer un vieillissement de trois à cinq ans.

🔑 SNC Ch. la Vieille Cure, 1, Coutreau,
33141 Saillans, tél. 05.57.84.32.05, fax 05.57.74.39.83

CH. VIEUX MOULEYRE 2001

■ 2 ha n.c. ▮◍ 11 à 15 €

Un couple de Franciliens venus de Levallois décide d'investir ici il y a quatre ans pour redonner vie à ce vignoble. Leur 2001, à 95 % issu de merlot complété par le cabernet franc, est habillé d'une robe sombre et brillante animée par un léger reflet tuilé. Le bouquet discret évoque les fruits mûrs confits et les épices ; la bouche est souple, fruitée. Si la finale est encore un peu tannique, le bois et le vin sont bien mariés. Attendre un à deux ans.

🔑 SCEA Anna et Jacques Favier, Ch. Vieux Mouleyre,
33126 Fronsac, tél. 06.80.58.42.10, fax 01.47.58.08.92,
e-mail jacques-favier@vieux-mouleyre.com

CH. VILLARS 2001 ★

■ 20 ha 84 000 ◍ 11 à 15 €

93 |**94**| **95** 96 98 99 **00** 01

Ce château compte parmi les trésors de l'appellation depuis de longues années. Ce 2001, paré d'une robe encore jeune, pourpre profond aux reflets violets, exprime des parfums de fruits cuits, d'épices et un toasté léger. En bouche, l'attaque est souple et soyeuse puis l'évolution se fait plus puissante mais ne manque pas d'harmonie. Un bon vin à boire dans deux à cinq ans.

🔑 SCEV Gaudrie et Fils, Villars, 33141 Saillans,
tél. 05.57.84.32.17, fax 05.57.84.31.25,
e-mail chateau.villars@wanadoo.fr ☑ 🍷 🚶 r.-v.

Pomerol

Avec environ 800 ha, Pomerol est l'une des plus petites appellations girondines, et l'une des plus discrètes sur le plan architectural.

Au XIX^e^s., la mode des châteaux du vin, d'architecture éclectique, ne semble pas avoir séduit les Pomerolais, qui sont restés fidèles à leurs habitations rurales ou bourgeoises. Néanmoins, l'aire d'appellation possède la demeure qui est sans doute l'ancêtre de toutes les chartreuses girondines, le château de Sales (XVII^e^s.), et l'une des plus charmantes constructions du XVIII^e^s., le château Beauregard, qui a été reproduit par les Guggenheim, dans leur propriété new-yorkaise de Long Island.

Cette modestie du bâti sied à une AOC dont l'une des originalités est de constituer une sorte de petite « république villageoise » où chaque habitant cherche à conserver l'harmonie et la cohésion de la communauté ; souci qui explique pourquoi les producteurs sont toujours restés plus que réservés quant au bien-fondé d'un classement des crus.

La qualité et la spécificité des terroirs auraient justifié une reconnaissance officielle du mérite des vins de l'appellation. Comme tous les grands terroirs, celui de Pomerol est né du travail d'une rivière, l'Isle, qui a commencé par démanteler la table calcaire pour y déposer en désordre des nappes de cailloux, que s'est chargée de travailler l'érosion. Le résultat est un enchevêtrement complexe de graves ou cailloux roulés, originaires du Massif central. La complexité des terrains semble inextricable : toutefois il est possible de distinguer quatre grands ensembles : au sud, vers Libourne, une zone sablonneuse ; près de Saint-Emilion, des graves sur sables ou argiles (terroir proche de celui du plateau de Figeac) ; au centre de l'AOC, des graves sur, ou parfois sous des argiles (Petrus) ; enfin, au nord-est et au nord-ouest, des graves plus fines et plus sablonneuses.

Cette diversité n'empêche pas les pomerol de présenter une analogie de structure. Très bouquetés, ils allient la rondeur et la souplesse à une réelle puissance, ce qui leur permet d'être de longue garde tout en pouvant être bus assez jeunes. Ce caractère leur ouvre une large palette d'accords gourmands, aussi bien avec des mets sophistiqués qu'avec des plats très simples. En 2003, l'appellation a produit 23 554 hl.

CH. LA BASSONNERIE 2001 *

■ n.c. 14 700 🛢 15 à 23 €

96 97 |98| 99 00 01

Vignoble de graves sur argiles du secteur de René, composé à 80 % de merlot et à 20 % de cabernet franc. Dans le verre la teinte est séduisante : cœur rubis, liseré ambré. Le bouquet est expansif, succession de fruits mûrs, d'épices, de notes de cuir et de bois toasté. La bouche, corpulente et charnue, mêle le bois et le cuir sur des tanins encore très présents qui assureront la garde. Ce style de vin appelle un plat riche, par exemple un filet de bœuf piqué au lard de cul noir.

🔑 Dominique Leymarie et J.-P. Compin,
SCEA La Bassonnerie, René, 33500 Pomerol,
tél. 06.09.73.12.78, fax 05.57.51.99.94,
e-mail leymarie@quaternet.fr ☑ 🍷 🚶 r.-v.

CH. BEAUREGARD 2001 **

■ 12 ha 53 000 🛢 38 à 46 €

75 78 81 (82) **83** 84 **85** 86 |88| 89 |90| 92 93 94 |95| |96| |97| (98) |99| (00) **01**

Si vous connaissez la villa Millefleurs des Guggenheim à Long Island, vous serez étonné de voir son modèle, Beauregard qui est, lui, une vraie chartreuse du XVIII[e]s. C'est aussi un grand de Pomerol qui présente toujours de très belles bouteilles nées d'un terroir argilo-graveleux de qualité et d'un encépagement bien étudié comportant 75 % de merlot et 25 % de cabernet franc. En dégustation, l'impression générale est la profondeur et le classicisme. La robe de ce 2001 est sombre. Le nez s'ouvre à l'aération sur une palette florale, fruitée (mûre), boisée, torréfiée. En bouche, la saveur est en harmonie avec le bouquet : le fruit est croquant, la structure bien équilibrée entre la rondeur du merlot et la charpente tannique. D'une longueur remarquable, c'est un vin de garde par excellence.

🔑 SCEA Ch. Beauregard, 33500 Pomerol,
tél. 05.57.51.13.36, fax 05.57.25.09.55,
e-mail pomerol@chateau-beauregard.com ☑ 🍷 🚶 r.-v.

CH. BEAU SOLEIL 2001 *

■ 3,52 ha 16 000 🛢 23 à 30 €

Etabli sur des sables et des graves fines et complanté d'une majorité de merlot avec un petit appoint de 5 % en cabernet-sauvignon, ce cru est largement exporté sur trois continents. Admirablement présenté dans une robe très sombre de couleur bigarreau, ce vin libère un bouquet vineux de fruits cuits associés à un boisé fin. La bouche souple, ronde et parfaitement équilibrée offre toute la fraîcheur du fruit. Une jolie bouteille qui pourra accompagner des viandes rouges dans trois à cinq ans.

🔑 Anne-Marie Audy-Arcaute,
Ch. Jonqueyres, 33750 Saint-Germain-du-Puch,
tél. 05.56.68.55.88, fax 05.56.30.17.23 ☑ 🍷 r.-v.

CH. BELLEGRAVE 2001

■ 7 ha 40 000 🛢 15 à 23 €

88 89 91 **92** 93 94 |95| |96| |97| **98** 99 00 01

On ne sera pas étonné d'apprendre que ce cru est installé sur un terroir de graves, et qu'il associe un quart de cabernet franc à trois quarts de merlot. Cela donne un 2001 réussi, de couleur grenat. Le bouquet est encore un peu fermé, mais il devrait rapidement s'ouvrir sur des arômes de fruits rouges mûrs et de pain grillé. La bouche, suave et généreuse à l'attaque, révèle ensuite des tanins fins et élégants qui persistent agréablement en finale.

🔑 EARL Vignobles Jean-Marie Bouldy, Lieu-dit René,
33500 Pomerol, tél. 05.57.51.20.47, fax 05.57.51.23.14,
e-mail jmbouldy@wanadoo.fr ☑ 🍷 🚶 r.-v.

CH. LE BON PASTEUR 2001 **

■ 7 ha 29 000 🛢 46 à 76 €

78 79 81 (82) **83** |85| |86| |88| |89| |90| 92 |93| **94** (95) 96 |97| (98) **99 00 01**

Navire amiral des crus libournais exploités par Dany et Michel Rolland. Ici, ces spécialistes de l'assemblage peuvent s'en donner à cœur joie : le terroir est varié (argiles, graves, sables), l'encépagement aussi (avec 25 % de cabernet franc). Le résultat est régulièrement de haut niveau. C'est le cas de ce 2001 très concentré comme le révèle d'emblée la superbe robe presque noire. Le premier nez, encore fort boisé, laisse la place, à l'aération, à d'intenses arômes de fruits noirs (mûre, cassis, sureau). Après une attaque chaleureuse, le palais se montre puissant et charnu, accompagné d'une saveur de raisin mûr et de tanins au grain serré et persistants qui devraient s'exprimer parfaitement dans deux à trois ans. Une seule voix manquait pour le coup de cœur.

🔑 SCEA des domaines Rolland, Maillet,
33500 Pomerol, tél. 05.57.51.23.05, fax 05.57.51.66.08,
e-mail rolland.vignobles@wanadoo.fr ☑ 🍷 🚶 r.-v.

CH. BOURGNEUF-VAYRON 2001

■ 9 ha 38 000 🛢 30 à 38 €

89 |90| 93 |95| |96| 97 |98| 99 00 01

A la fin du XIX[e]s., les Vayron firent l'acquisition de ce cru de 9 ha implanté sur un terroir argileux et argilo-graveleux. Ce 2001 de teinte grenat sombre, frangé de violine en surface, rappelle au nez les fruits rouges et noirs en confiture, mêlés de notes animales de cuir et d'une touche boisée. La bouche est charnue et équilibrée, avec une légère fermeté en finale qui conseille deux à trois ans de patience.

🔑 Xavier Vayron, Ch. Bourgneuf-Vayron,
1, le Bourgneuf, 33500 Pomerol,
tél. 05.57.51.42.03, fax 05.57.25.01.40 ☑ 🍷 🚶 r.-v.

CH. LA CABANNE 2001 *

■ 10 ha 52 000 🛢 30 à 38 €

La famille Estager exploite plusieurs crus en Libournais, notamment ce cru très ancien. Son nom remonte au

XVIe s., époque où il y avait ici des cabanes de serfs. Aujourd'hui on y produit un excellent pomerol pourpre éclatant, au bouquet montant qui débute sur des notes de fruits très mûrs, confiturés, et qui évolue vers un boisé réglissé aux accents de moka. La bouche possède beaucoup de charme, avec des notes de fruits à noyau (cerise), une trame serrée, des tanins élégants et soyeux et une agréable finale persistante. D'ici un à deux ans on pourra commencer à servir ce vin avec une large palette culinaire, par exemple avec un gigot.

🔑 Vignobles Jean-Pierre Estager,
33-41, rue de Montaudon, 33500 Libourne,
tél. 05.57.51.04.09, fax 05.57.25.13.38,
e-mail estager@estager.com ☑ 🍷 🚶 r.-v.

CH. LE CAILLOU 2001

■ 6,27 ha 31 300 🛢 15 à 23 €

La famille Giraud-Bélivier possède plusieurs crus en Libournais. Comme l'indique le nom cadastral à l'origine de la dénomination du domaine, nous sommes ici sur graves sablonneuses et crasse de fer. La vigne est complantée pour les trois quarts de merlot et pour un quart de cabernet franc. Cela donne un pomerol un peu ferme. Quelques reflets grenat animent la robe. Frais et épicé, légèrement viandé, il demandera à être aéré lors du service. La bouche charpentée par des tanins encore austères impose une garde de deux à cinq ans. Ensuite, ce vin devrait convenir à des mets en sauce.

🔑 SARL André Giraud, Ch. Le Caillou,
41, rue de Catusseau, 33500 Pomerol,
tél. 05.57.51.06.10, fax 05.57.51.74.95,
giraud.belivier/e-mail @wanadoo.fr
☑ 🍷 🚶 t.l.j. 9h-12h 14h-18h; mer. sam. dim. sur r.-v.
🔑 GFA Giraud-Belivier

CH. CANTELAUZE 2001 ★

■ 1 ha 3 800 🛢 38 à 46 €

92 94 |95| |96| 98 99 01

Etabli sur le plateau de Pomerol, ce petit cru fut créé en 1989 à partir de parcelles détachées d'autres vignobles, par Jean-Noël Boidron, œnologue, longtemps enseignant à l'Institut d'œnologie de Bordeaux. D'une belle couleur rubis sombre, ce 2001 révèle un nez riche et élégant, fruité et floral, finement boisé. La bouche, corsée, charpentée et puissante, se montre un peu austère aujourd'hui en finale, mais elle devrait bien évoluer.

🔑 Jean-Noël Boidron, 6, pl. Joffre, 33500 Libourne,
tél. 05.57.51.64.88, fax 05.57.51.56.30,
e-mail vignoblesjnboidron@wanadoo.fr ☑ 🍷 🚶 r.-v.

CH. CERTAN DE MAY DE CERTAN 2001 ★

■ 5 ha 24 000 🛢 46 à 76 €

85 86 88 |89| |(90)| 94 |95| |96| 97 98 |99| 00 01

Ce très ancien domaine viticole, qui fut confié à un Ecossais au XVIe s., est établi sur des graves argileuses plantées à 70 % de merlot et à 30 % de cabernets. Aujourd'hui, Jean-Luc Barreau y élabore un pomerol de style classique, régulièrement retenu par les dégustateurs du Guide. C'est le cas de ce 2001 « sérieux », à la robe sombre et intense. Le bouquet délicat et frais (typique du millésime) s'ouvre à l'aération sur des notes de fruits à noyau, un bois discret, des senteurs de gibier. La bouche ample et séveuse est charpentée par des tanins fermes mais francs. Dans les trois à quinze prochaines années, ce vin de garde pourra accompagner des mets de caractère, notamment du gibier.

🔑 Mme Barreau-Badar, Ch. Certan de May de Certan,
33500 Pomerol, tél. 05.57.51.41.53, fax 05.57.51.88.51,
e-mail chateau.certan-de-may@wanadoo.fr ☑ r.-v.

CH. LA CLEMENCE 2001 ★★

■ n.c. n.c. 🛢 46 à 76 €

Cette petite propriété créée en 1996 est composée de sept parcelles établies sur quatre types de terroir : argiles bleues, graves du plateau, argiles sableuses et graves blanches de Figeac. Le chai, superbe et original, a été construit pour ce millésime 2001 qui s'annonce remarquable. La robe est noire en profondeur et pourpre en surface, le bouquet intense et élégant est fait de griotte, de mûre, de vanille, d'épices et de chocolat. La bouche apparaît généreuse, puissante, riche, harmonieuse et longue. Un grand pomerol de garde.

🔑 SCA Anne-Marie Dauriac,
Ch. Destieux, 33330 Saint-Emilion,
tél. 05.57.24.77.44, fax 05.57.48.10.21,
e-mail amd@vignobles-dauriac.com 🍷 🚶 r.-v.

CH. CLINET 2001

■ 7,6 ha 30 000 🛢 + de 76 €

Le GAN, propriétaire pendant dix ans de ce cru, l'a vendu avant le changement de millénaire à la famille Laborde. Ici, le terroir de graves et d'argiles repose sur de la crasse de fer et il est exclusivement planté de vieux merlots. Le 2001 présente une couleur foncée et montre quelques reflets bruns. Son bouquet est encore très fruité (pruneau, coing), boisé, toasté, finement cacaoté. Sa bouche à la fois souple et dense offre une saveur boisée très persistante. L'harmonie générale, déjà bonne, devrait permettre de boire ce vin assez rapidement avec des viandes grillées.

🔑 SA Ch. Clinet, 3, rue Fénelon, 33000 Bordeaux,
tél. 05.56.79.12.12, fax 05.56.79.01.11,
e-mail chateau-clinet@wanadoo.fr 🚶 r.-v.
🔑 J.-L. Laborde

CLOS DE LA VIEILLE EGLISE 2001 ★

■ 1,5 ha 7 000 🛢 30 à 38 €

92 93 94 |95| |96| (98) 99 **00** 01

La famille Trocard exploite plusieurs vignobles dans le nord du Libournais, dont ce cru qui avait donné un 2000 remarquable. Installé sur un terroir de graves argileuses, il a engendré ce 2001 dans lequel le merlot représente 90 % de l'assemblage. Sa robe intense mêle des reflets rubis et grenat. Le nez est encore dominé par un bois torréfié, avec de la vanille et du moka, mais le fruit apparaît en bouche ; on peut y trouver la griotte, la mûre, le cassis. Les tanins frais et nobles sont gage d'un bel avenir. Dans deux ans on pourra commencer à apprécier ce vin avec un gibier à plume.

🔑 Jean-Louis Trocard, Clos de la Vieille Eglise, BP 3,
33570 Les Artigues-de-Lussac, tél. 05.57.55.57.90,
fax 05.57.55.57.98, e-mail trocard@wanadoo.fr
☑ 🍷 🚶 t.l.j. 8h-12h 14h-17h; sam. dim. sur r.-v.

CH. CLOS DE SALLES 2001

■ 1,3 ha n.c. 🛢 23 à 30 €

Ce petit cru du secteur de Sales est régulièrement retenu par les jurys du Guide bien que son caractère médocain, lié à la présence de 40 % de cabernets, surprenne toujours. Cela se traduit par une certaine austérité lorsque le vin est jeune, mais celui-ci évolue généralement en finesse. A l'œil, le rubis est vif. Au nez, le bouquet naissant est fruité, épicé, avec un boisé discret. La bouche est fraîche et fruitée, structurée par des tanins encore fermes mais très persistants qui lui permettront de bien vieillir.

↬ EARL du Ch. Clos de Salles, Ch. du Pintey, 33500 Libourne, tél. 05.57.51.03.04, fax 05.57.51.59.61, e-mail merlet@club-internet.fr ☑ r.-v.

CLOS DU CLOCHER 2001 ★

■	4,3 ha	20 800	⦿ 30 à 38 €

82 83 85 ⑧⑥|88| |89| |90| 93 |94| 95 |97| **98** 99 **00** 01

Intéressant vignoble situé sur le plateau de Pomerol. Le 2001 est déjà très expressif et sa robe pourpre commence à se franger de reflets d'ambre. L'aération libère une succession de notes de fruits très mûrs, de pain d'épice, de chocolat, de cuir. La bouche souple et ronde est très « pomerolesque ». Les tanins commencent à s'arrondir et cela devrait permettre de boire ce vin d'ici un à cinq ans. Le **Château Monregard La Croix 2001 (15 à 23 €)** est cité par le jury.

↬ SC Clos du Clocher, BP 79, 35, quai du Priourat, 33502 Libourne Cedex, tél. 05.57.51.62.17, fax 05.57.51.28.28, e-mail jeanbaptiste.audy@wanadoo.fr ⚲r.-v.

CLOS RENE 2001

■	12 ha	65 000	⦿ 23 à 30 €

86 88 |89| |90| 91 92 93 |95| |96| 97 98 99 00 01

Ancien et important domaine viticole, dans la même famille depuis plusieurs générations. Dans l'encépagement on note la présence de 10 % de malbec (cot) qui contribue au caractère particulier de ce cru. La couleur de ce 2001 est profonde. Au premier nez, on perçoit un beau fruit mûr, au second un bois torréfié. La bouche expressive, bien équilibrée, présente une bonne persistance aromatique. D'ici un an ou deux, on pourra commencer à servir cette bouteille sur viandes rouges et fromage. Du même propriétaire, le **Château Moulinet-Lasserre 2001** obtient les mêmes commentaires.

↬ SCEA Garde-Lasserre, Clos René, 33500 Pomerol, tél. 05.57.51.10.41, fax 05.57.51.16.28 ☑ ⵣ ⚲ r.-v.

↬ Jean-Marie Garde

CLOS SAINT-ANDRE 2001 ★

■	0,61 ha	3 000	⦿ 23 à 30 €

Daniel Mouty et sa famille exploitent plusieurs vignobles en Saint-Emilionnais et Sud-Libournais. Il y a dix ans, il a acquis une vigne en AOC pomerol, juste au nord de Libourne. Ce 2001 est exclusivement issu de merlot planté sur sol sablo-graveleux. Sa couleur est très foncée, presque noire. Le nez s'ouvre sur le fruit rouge (fraise, framboise) enrobé de bois épicé (vanille, cannelle). La bouche, fraîche et veloutée, offre une bonne persistance aromatique. L'ensemble est très gourmand et devrait le rester au cours des trois à quinze prochaines années. En 1998, la famille Mouty a acquis deux parcelles situées entre Beauregard et Figeac, ainsi qu'un beau château à l'entrée de Libourne où les cuvées sont vinifiées pour donner le **Château Grand Beauséjour 2001 (38 à 46 €)**. Un vin auquel les dégustateurs ont également attribué une étoile.

↬ SCEA Vignobles Daniel Mouty, Ch. du Barry, 33350 Sainte-Terre, tél. 05.57.84.55.88, fax 05.57.74.92.99, e-mail daniel-mouty@wanadoo.fr ☑ ⵣ ⚲ t.l.j. sf dim. 8h-18h

CH. LA COMMANDERIE DE MAZEYRES 2001 ★★

■	9,61 ha	18 000	⦿ 30 à 38 €

Clément Fayat, déjà à la tête de plusieurs crus dont La Dominique en cru classé de saint-émilion, a acquis le clos Mazeyres en 2000 et l'a rebaptisé. Ses deux premiers millésimes sont remarquables et témoignent du savoir-faire de la nouvelle équipe. Vêtu d'une admirable robe grenat à frange violine, ce 2001 libère un bouquet riche et élégant qui rappelle le merlot bien mûr associé à un boisé racé, grillé, épicé, vanillé et chocolaté. La bouche, charnue et puissante, est un feu d'artifice de saveurs fruitées et épicées, et révèle la structure d'un grand vin de garde.

↬ Clément Fayat, SCEA Clos Mazeyres, Ch. La Dominique, 33330 Saint-Emilion, tél. 05.57.51.31.36, fax 05.57.51.63.04, e-mail info@vignobles.fayat-group.com ☑ ⵣ r.-v.

CH. LA CONSEILLANTE 2001 ★★

■	12 ha	60 000	⦿ 46 à 76 €

82 85 88 |89| |90| 92 |93| |95| |96| 97 98 99 **00** 01

C'est en 1871 que Louis Nicolas acheta ce cru situé sur le plateau de Pomerol ; c'est l'un des fleurons de l'appellation et il produit régulièrement un grand pomerol de garde. C'est le cas de ce 2001, à la robe sombre et vive à la fois, au bouquet profond, encore un peu sous le bois neuf, mais qui libère à l'agitation un fruité très mûr, du pain d'épice, du chêne vanillé, du cuir. A la saveur puissante et chaleureuse d'une bouche ample et racée répond la qualité des tanins persistants qui laissent augurer une excellente évolution dans le temps.

↬ SC Héritiers Nicolas, Ch. La Conseillante, 33500 Pomerol, tél. 05.57.51.15.32, fax 05.57.51.42.39, e-mail chateau.la.conseillante@wanadoo.fr ⵣ r.-v.

CH. LA CROIX 2001 ★★

■	9,5 ha	50 000	⦿ 23 à 30 €

86 |89| |90| 92 94 |95| |⑨⑥| 97 |98| 00 **01**

La famille Joseph Janoueix, d'origine corrézienne, exploite plusieurs crus sur Pomerol dont les noms font référence à la croix érigée sur le bord du chemin de Compostelle. Celui-ci appartint à Jean de Sèze qui fut avocat de Louis XVI, mais aussi propriétaire de vignes. Sables et graves sur fond ferrugineux, 60 % de merlot complété des deux cabernets, douze mois de barrique sont à l'origine de ce 2001 opulent, paré d'une robe très jeune, pourpre à reflets bleu nuit. Son bouquet concentré est un défilé de fruits (cerise mûre), d'épices douces, de chêne toasté et de venaison. Le palais est à la fois puissant et onctueux et la saveur, en harmonie avec le bouquet, longue et veloutée. Un excellent pomerol à servir avec un filet de bœuf de Bazas aux girolles.

↬ SC Ch. La Croix, 37, rue Pline-Parmentier, BP 192, 33506 Libourne Cedex, tél. 05.57.51.41.86, fax 05.57.51.53.16, e-mail info@j-janoueix-bordeaux.com ☑ ⵣ ⚲ r.-v.

CH. LA CROIX DE GAY 2001

■	10 ha	31 919	⦿ 23 à 30 €

⑧⑤ 86 88 89 91 92 93 |95| |99| **00** 01

Cette belle propriété appartient à la famille de Chantal Lebreton depuis le XVᵉs. Cela devrait être inscrit dans le *Guinness des Records* ! Elle est installée sur des terroirs tantôt argilo-graveleux, tantôt sablo-graveleux, et plantée de merlot avec un appoint de 5 % en cabernet franc. Doté d'une robe grenat, ce vin mêle au nez des arômes de fruits cuits, de cuir et de bon bois grillé. En bouche, la dégustation est agréable, souple et fruitée ; les tanins sont fins mais bien présents. La finale, plaisante et équilibrée, permettra une consommation assez rapide, d'ici deux à cinq ans. Rappelons le coup de cœur obtenu pour le millésime 2000.

🔑 SCEV Ch. La Croix de Gay, 33500 Pomerol,
tél. 05.57.51.19.05, fax 05.57.51.81.81,
e-mail contact@chateau-lacroixdegay.com ☑ 🍷 🚶 r.-v.
🔑 C. Lebreton et A. Raynaud

CH. LA CROIX SAINT-GEORGES 2001 ★

■ 3 ha 14 000 🛢 46 à 76 €

(82) 83 85 86 **88 89** 90 **93** |**96**| 97 |98| **99 00** 01

Un nouveau chai a été construit en 1999, sur la façade duquel une sculpture représente... saint Georges terrassant le dragon. Ce domaine, ancienne propriété des Hospitaliers de Saint-Jean de Jérusalem qui en avaient fait un lieu d'accueil des invalides et des pèlerins de Saint-Jacques, avait obtenu un coup de cœur pour le millésime 2000. Celui-ci est plus modeste mais de bonne facture : rouge grenat, il porte un liseré violine (signe de jeunesse). Frais et mentholé, le nez n'oublie pas les nuances fruitées (myrtille, mûre). Les tanins se font discrets à l'attaque, puis s'affirment en finale. Dans deux à quatre ans, ce vin pourra accompagner une cuisse confite de canard.

🔑 SC Ch. La Croix, 37, rue Pline-Parmentier,
BP 192, 33506 Libourne Cedex,
tél. 05.57.51.41.86, fax 05.57.51.53.16,
e-mail info@j-janoueix-bordeaux.com ☑ 🍷 🚶 r.-v.

CH. LA CROIX TAILLEFER 2001 ★★

■ 3,2 ha 23 000 ▮ 🛢 ♁ 15 à 23 €

Sur l'important domaine viticole de 17 ha qu'elle exploite, la famille Rivière consacre 3,2 ha à la production de ce pomerol issu de merlot implanté sur sables noirs et sur crasse de fer. On y trouve l'une des quatre bornes qui, en 1090, délimitaient le territoire de la commanderie des Hospitaliers de Saint-Jean de Jérusalem (très présente à Pomerol). Aujourd'hui on y a produit un 2001 prometteur, paré d'une robe bordeaux à reflets noirs. Son bouquet fin, élégant et expressif, mêle le pruneau, l'amande grillée, le moka, le cuir. Sa saveur généreuse et suave est encore fruitée, soutenue par des tanins jeunes mais garants d'un bel avenir. Dans les trois à douze prochaines années, on pourra servir ce vin avec des viandes rouges grillées et du petit gibier à plume.

🔑 SARL La Croix Taillefer, BP 4, 33500 Pomerol,
tél. 05.57.25.08.65, fax 05.57.25.08.65,
e-mail la.croix.taillefer@wanadoo.fr ☑ 🍷 🚶 r.-v.
🔑 Romain Rivière

CH. LA CROIX-TOULIFAUT 2001 ★

■ 1,62 ha 8 500 🛢 30 à 38 €

85 86 88 89 90 93 94 |95| (96) **97** 99 00 01

Allez-vous succomber à ce vin comme son nom veut vous y inciter (toulifaut vient du roman *tot li falt*, « tous y succombent ») ? On ne peut que vous le conseiller... avec modération pour répondre à la loi ! La robe a des reflets pourpres et le nez joue en parfait équilibre avec le boisé (vanille) et le fruit (framboise, mûre). L'attaque est fraîche, puis la rondeur s'installe jusqu'à une finale confiturée et toastée. Rappelons que les millésimes 96 et 97 furent coups de cœur.

🔑 Jean-François Janoueix,
37, rue Pline-Parmentier, BP 192, 33506 Libourne Cedex, tél. 05.57.51.41.86, fax 05.57.51.53.16,
e-mail info@j-janoueix-bordeaux.com ☑ 🍷 🚶 r.-v.

ESPRIT DE L'EGLISE 2001 ★

■ 1,5 ha 6 000 🛢 23 à 30 €

Voilà qui est rare, mais cela arrive : le second vin est mieux noté que le grand. C'est que ce dernier, le **Clos L'Eglise 2001 (plus de 76 €)**, est concentré, très (trop ?) marqué par le bois. Il faudra une patience d'ange pour attendre qu'il se fonde. En revanche, l'Esprit de L'Eglise est plus accessible. Il se présente dans une robe de couleur pourpre, sombre et profonde. Le nez développe des arômes de fruits rouges et noirs confits, délicatement mariés à des notes grillées et épicées. La bouche souple, ronde et charnue repose sur des tanins mûrs et puissants qui persistent longuement en finale.

🔑 Sylviane Garcin-Cathiard, SC Clos L'Eglise,
33500 Pomerol, tél. 05.56.64.05.22, fax 05.56.64.06.98,
e-mail haut.bergey@wanadoo.fr ☑ r.-v.

CH. DU DOMAINE DE L'EGLISE 2001 ★

■ 7 ha 35 000 🛢 23 à 30 €

|95| 97 |98| **99** 00 01

Ce joli cru de 7 ha appartient à la famille Castéja, et est donc une exclusivité de la maison de négoce Borie-Manoux dirigée par Philippe Castéja. Issu de trois quarts de merlot et d'un quart de cabernet franc plantés sur graves, ce vin arbore une robe grenat profond. Le bouquet est élégant, fruité, avec le grillé et le vanillé légués par l'élevage. Equilibré et harmonieux, ce vin évolue sur des tanins soyeux et délicats qui persistent agréablement en finale, soulignés de saveurs fruitées et boisées.

🔑 Indivision Castéja-Preben-Hansen, 33500 Pomerol,
tél. 05.56.00.00.70, fax 05.57.87.48.61,
e-mail domaines.boriemanoux@dial.oleane.com
☑ 🚶 r.-v.

CH. L'ENCLOS 2001 ★

■ 9,45 ha 45 240 ▮ 🛢 ♁ 23 à 30 €

|85| 86 |88| |**89**| |95| |96| |98| **99** 00 01

Hugues Weydert aime rappeler que c'est le millésime 47 de l'Enclos qui fut servi aux souverains britanniques et hollandais en 1959. Ceci appartient aux annales car nous n'avons jamais goûté ce millésime de légende. On ne sait si le 2001 honorera une table royale, mais nos dégustateurs ont apprécié son élégante robe pourpre grenat, son bouquet épanoui mariant les fruits noirs (mûre, myrtille) et le chêne finement vanillé. Les tanins sont fins et persistants. Dans deux à quatre ans, ce vin sera parfait, servi avec une daube de volaille truffée.

🔑 SCEA du Ch. L'Enclos, 20, rue du Grand-Moulinet,
33500 Pomerol, tél. 05.57.51.04.62, fax 05.57.51.43.15,
e-mail chateaulenclos@wanadoo.fr ☑ 🍷 🚶 r.-v.

CH. L'EVANGILE 2001 ★★

■ 14 ha 34 000 🛢 + de 76 €

Cette célèbre et ancienne propriété de Pomerol est devenue cousine du château Lafite-Rothschild lorsque les Domaines Barons de Rothschild l'acquirent en 1989. Paré de grenat sombre et intense, son 2001 libère un bouquet racé et élégant, marqué par un boisé de qualité, grillé et toasté, du fruit mûr et des nuances florales. La bouche puissante et ferme est dotée d'une belle structure tannique, un peu sévère aujourd'hui, mais sa finale sur le fruit très mûr est prometteuse. Le second vin, **Blason de L'Evangile 2001 (23 à 30 €)**, cité, demandera lui aussi au moins cinq ans de garde pour s'épanouir.

⊸ Ch. L'Evangile, 33500 Pomerol,
tél. 05.57.55.45.55, fax 05.57.55.45.56 Y r.-v.
⊸ DBR Rothschild

CH. FEYTIT-CLINET 2001 ★

■ 6,34 ha 17 000 ◍ **30 à 38 €**

Second millésime produit en direct par la famille Chasseuil sur ce terroir de graves et de sables, exclusivement planté de merlot. Comme le 2000, le 2001 a reçu une étoile. Le pourpre intense de sa robe se frange de reflets cuivrés. Le premier nez, très boisé, exprime le moka, la vanille, le caramel, puis l'aération libère des senteurs de fruits cuits. La mise en bouche est chaleureuse et fruitée (fruits à noyau) ; les tanins fins et mûrs font encore sentir leur présence mais devraient s'assagir dans deux à trois ans.

⊸ Chasseuil, Ch. Feytit-Clinet, 33500 Pomerol,
tél. 05.57.25.51.27, fax 05.57.25.93.97 ☑ Y 🚶 r.-v.

CH. LA FLEUR DE PLINCE 2001 ★

■ 0,28 ha 1 500 ▪◍ **23 à 30 €**

Sur des sables limoneux avec un sous-sol de crasse de fer, au lieu-dit Grand Moulinet, un cru microscopique (0,28 ha), créé en 1998 par un couple de viticulteurs venu des côtes-de-castillon. Ce 2001 présente une jolie robe rubis, vive et brillante, et un nez fruité et frais. La bouche est également agréable, vive, corsée, dotée de tanins certes un peu fermes aujourd'hui, mais qui devraient rapidement s'assagir.

⊸ Pierre et Sylvie Choukroun, Grand Moulinet,
33500 Pomerol, tél. 05.57.74.15.26, fax 05.57.74.15.27,
e-mail contact@pomerol.com ☑ ⌂ Y 🚶 r.-v.

CH. LA FLEUR-PETRUS 2001 ★

■ 10,41 ha 53 000 ◍ **+ de 76 €**

82 83 |**85**| 86 |**88**| |(89)| **90** 94 95 |**96**| **98** 99 01

Des graves sur un sous-sol argileux, 76 % de merlot et 24 % de cabernet franc, un voisinage avec Petrus dont il n'est séparé que par une petite route pour ce cru de 10,41 ha qui propose une bouteille à la robe sombre, presque noire. Ce vin charme par son nez où violette, pruneau, chêne réglissé et tabac blond se donnent la réplique. Soyeuse et charnue, tout en étant dense, la bouche associe les tanins du raisin et du bois. « Très pomerol », conclut un dégustateur.

⊸ SC du Ch. La Fleur-Pétrus, 33500 Pomerol

CH. FRANC-MAILLET 2001 ★★

■ 4,4 ha 29 000 ◍ 15 à 23 €

|98| |**99**| 00 **01**

La famille Arpin exploite sept crus libournais, dont un **Château La Fleur Maillet** à Pomerol, exclusivité de la Compagnie médocaine des grands crus à Blanquefort, qui obtient une citation. Ici nous sommes sur Franc-Maillet. Le 2001 y est particulièrement réussi, peut-être en l'honneur de Glenn Arpin né cette année-là et appelé à poursuivre la saga des G. Arpin, après Guy, Gérard et Gaël. Le vin, très jeune lui aussi, sera de longue garde. Sa robe bordeaux est foncée, presque noire. Le bouquet est prometteur : on y trouve encore du fruit rouge, mais aussi des épices, de la vanille et du cuir. En bouche, l'équilibre entre le fruit et le bois est parfait. La finale interminable permettra à cette bouteille d'être appréciée très longtemps (deux à vingt ans).

⊸ EARL Vignobles G. Arpin,
Chantecaille, 33330 Saint-Emilion,
tél. 06.22.08.70.56, fax 05.57.51.96.75,
e-mail vignobles.g.arpin@cario.fr ☑ 🚶 r.-v.

CH. LA GANNE 2001 ★

■ 3,5 ha 13 990 ◍ 15 à 23 €

86 88 |90| 93 94 |96| 97 **98** 99 00 01

Installé aux portes de Libourne, sur un sol sableux et ferrugineux, ce petit cru appartient à la famille Dubois-Lachaud depuis quatre générations. Composé de quatre cinquièmes de merlot et d'un cinquième de cabernet franc, ce 2001 se présente dans une jolie robe rubis aux reflets violines. Le nez est aujourd'hui dominé par un puissant boisé, vanillé et toasté. La bouche, d'abord ronde et suave, évolue sur une matière riche et puissante, un peu sévère ; elle devrait s'assouplir avec le temps.

⊸ Michel Dubois, 224, av. Foch, 33500 Libourne,
tél. 05.57.51.18.24, fax 05.57.51.62.20,
e-mail laganne@aol.com ☑ Y 🚶 r.-v.

CH. LE GAY 2001 ★

■ n.c. 19 200 ◍ **46 à 76 €**

Ce millésime aura été le dernier des demoiselles Robin, puisqu'elles ont cédé ce domaine aux Péré-Vergé en 2002. Etabli sur des graves argileuses complantées à 85 % de merlot et à 15 % de cabernet franc, ce cru a donné un vin vêtu de pourpre à reflets noirs ; le nez joue sur des notes de cassis, de mûre, de vanille et de chocolat. La bouche est puissante ; ses beaux tanins de raisin bien mûr, encore un peu fermes en finale, nécessiteront quelques années de garde. Le second vin, **Manoir de Gay 2001 (30 à 38 €)**, mérite lui aussi au moins cinq ans de patience ; il est cité.

⊸ SCEA Vignobles Péré-Vergé, Le Gay,
33500 Pomerol, tél. 05.57.51.87.92, fax 05.57.51.87.92,
e-mail pvp.montviel@skynet.be ☑ 🚶 r.-v.

CH. GAZIN 2001

■ 24 ha 70 667 ◍ **38 à 46 €**

70 75 76 78 79 80 81 82 **83** 84 **85 86 87 88** |89|
|(90)| **91** 92 **93** 94 (95) (96) |97| **98** 99 **00** 01

Ravissante propriété reposant sur un sol argilo-graveleux, ancien domaine des Hospitaliers de l'Ordre de Malte, conduite par les Bailliencourt depuis 1917. Ce 2001 a paru austère lors de la dégustation : il demandera à être décanté dans quatre à cinq ans, lorsque ses tanins se seront assagis. Il ne manquera pas de donner une bonne bouteille car la robe est profonde, encre de Chine à reflets rouges. Le nez animal, réglissé, toasté, joue dans la même cour que la bouche, franche, équilbrée et longue. Un vin de gibier.

⊸ Nicolas et Christophe de Bailliencourt, Ch. Gazin,
33500 Pomerol, tél. 05.57.51.07.05, fax 05.57.51.69.96,
e-mail contact@gazin.com ☑ Y 🚶 r.-v.

CH. GOMBAUDE-GUILLOT 2001

■ 8 ha 34 360 ◍ **30 à 38 €**

86 |**89**| |90| 91 93 94 |**95**| |96| |98| 99 00 01

Exploitant ses vignes selon les principes de l'agriculture biologique, ce cru bénéficie d'un beau terroir de graves sur argiles. Le vin, de couleur grenat sombre, est encore un peu discret au nez, où l'on devine cependant un

BORDELAIS

joli fruit, des notes boisées et légèrement animales. La bouche, structurée, puissante et vineuse, offre une finale ferme qui demande une garde de trois à cinq ans.
SCEA Famille Laval, 4, chem. des Grands-Vignes, 33500 Pomerol, tél. 05.57.51.17.40, fax 05.57.51.16.89, e-mail chateaugombaude-guillot@wanadoo.fr
r.-v.

CH. GRAND MOULINET 2001

■ 3 ha 16 000 15 à 23 €

94 |96| 97 |98| 99 00 01

Exploitation familiale depuis le début du XXe s., ce petit cru de 3 ha est rattaché au château Haut-Surget qui est en AOC lalande-de-pomerol. Le merlot, complété par 10 % de cabernet franc, est planté sur un terroir sableux. De teinte grenat brillant, ce 2001 est encore discret au nez et demande un peu de temps pour exprimer ses arômes fruités et boisés. La bouche équilibrée possède une bonne matière, encore un peu ferme aujourd'hui, mais qui saura se faire.
GFA Ch. Haut-Surget, Chevrol, 33500 Néac, tél. 05.57.51.28.68, fax 05.57.51.91.79, e-mail chthautsurget@voila.fr r.-v.
Fourreau

CH. LA GRAVE A POMEROL TRIGANT DE BOISSET 2001 ★★

■ 8,68 ha 36 000 23 à 30 €

82 83 85 86 |88| |89| |(90)| 92 |94| |95| 98 99 **00 01**

Après la dernière guerre, Jean-Pierre Moueix fut le principal artisan de l'envolée du pomerol. Aujourd'hui, son fils Christian, entouré d'une équipe de grands professionnels tels Jean-Claude Berrouet et F. Veyssière, reste le principal acteur de l'appellation, même s'il a dû se défaire de certains crus prestigieux ; les cinq qu'il a présentés en pomerol sont produits sur près de 50 ha, superficie importante dans une appellation constituée de petites unités, hors le château de Sales qui atteint aussi cette taille. Chez Christian Moueix, on n'est pas dans l'univers des microcuvées et c'est là tout l'art des grands crus : tous ses vins ont époustouflé les jurys qui les ont, bien sûr, goûtés à l'aveugle. Celui-ci joue dans un registre classique de vin de garde. Tout est profond, mais reste dans le non-dit, dans l'attente d'un épanouissement promis. La chair apparaît soyeuse, sans excès de bois, jusque dans une longue finale sur le fruit.
Ets Jean-Pierre Moueix, 54, quai du Priourat, 33500 Libourne, tél. 05.57.55.05.80, fax 05.57.25.13.30

CH. LAFLEUR 2001 ★★

■ 3 ha 12 000 + de 76 €

85 86 |88| |89| |90| |(93)| |94| |95| |96| 97 **98** 99 **00 01**

Lafleur fut créé à la fin du XIXe s. par un aïeul de Jacques Guinaudeau, dont la tante, Marie Robin, fut longtemps propriétaire du cru. Celui-ci couvre 4,5 ha d'un seul tenant sur le plateau de Pomerol et se caractérise par des sols bruns sableux, argileux et graveleux. Revêtu d'une superbe robe sombre et dense, presque noire, ce 2001 s'exprime déjà beaucoup au nez : fruits rouges et noirs confits, bon bois grillé et brûlé. La bouche d'abord ronde, charnue et vineuse, évolue sur une puissante structure tannique, gage d'une longue et bonne garde. Le second vin, **Pensées de Lafleur 2001 (46 à 76 €)**, obtient une étoile et demandera, lui aussi, au moins cinq années de garde.
Sylvie et Jacques Guinaudeau, Grand Village, 33240 Mouillac, tél. 05.57.84.44.03, fax 05.57.84.83.31

CH. LAFLEUR DU ROY 2001 ★★

■ 3,2 ha 20 000 15 à 23 €

Ce joli petit cru est établi sur un sol sablo-graveleux avec un sous-sol d'alios. L'encépagement, dominé par le merlot, compte également 10 % de cabernet franc et 5 % de cabernet-sauvignon. Paré de grenat sombre, ce vin offre un joli bouquet de fruits mûrs, délicatement mariés à un élégant boisé grillé. La bouche est puissante, charnue et ample, grâce à de beaux tanins riches et denses, très persistants en finale. Une superbe bouteille de garde à un prix intéressant.
SARL Laurent Dubost, Catusseau, 33500 Pomerol, tél. 05.57.51.74.57, fax 05.57.25.99.95, e-mail sarl.dubost.l@wanadoo.fr r.-v.
Yvon Dubost

CH. LATOUR A POMEROL 2001 ★★

■ 7,93 ha 44 500 38 à 46 €

61 64 66 67 70 71 75 (76) **80** 81 **82 83** 85 **86 87** |**88**| |**89**| |**90**| 92 |(93)| |**94**| 95 |96| 97 98 99 00 **01**

Dix-huit mois de barrique pour ce vin assemblant 91 % de merlot et 9 % de cabernet franc. Sombre à reflets noirs, il affiche d'emblée sa vinosité soutenue par un fin boisé ; d'une belle fraîcheur, les tanins au grain serré respectent le fruit dans une bouche ample, presque volumineuse, mais élégante.
Ets Jean-Pierre Moueix, 54, quai du Priourat, 33500 Libourne, tél. 05.57.51.78.96
Lily Lacoste

CH. MAZEYRES 2001 ★★

■ 20,96 ha 65 000 15 à 23 €

92 93 **94** |**95**| |96| |97| 00 **01**

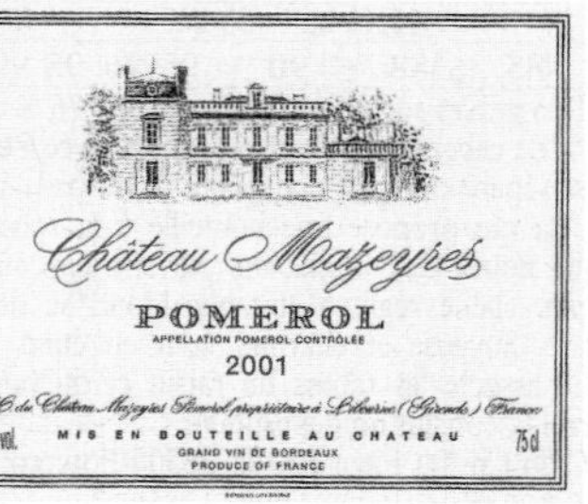

Mazeyres, propriété de 21 ha, aura emporté un grand succès avec ce millésime qui – décidément – aura su donner des vins remarquables. Parfaitement élaboré, ce 2001 à forte proportion de merlot (plus un appoint de 10 % de cabernet franc) séduit par sa superbe robe sombre et profonde, encore très jeune. Sa classe et son élégance, ses notes grillées et toastées au nez sur du fruit mûr, sa bouche harmonieuse et soyeuse, aux tanins bien présents mais délicats et très savoureux en finale, composent une bouteille de grande qualité à un prix très abordable.
SC Ch. Mazeyres, 56, av. Georges-Pompidou, 33500 Libourne, tél. 05.57.51.00.48, fax 05.57.25.22.56, e-mail mazeyres@wanadoo.fr r.-v.

CH. MONTVIEL 2001 ★★

■ 6 ha 20 000 🍷 30 à 38 €

88 89 |90| 93 |95| |96| 97 98 **99 00 01**

Pour la troisième année consécutive, Montviel décroche deux étoiles. Cette note confirme le sérieux des producteurs. Les dégustateurs ont surtout apprécié le grand potentiel de garde de ce vin dont la robe est sombre, dense, à reflets noirs. Le bouquet concentré affiche des senteurs de fleurs à bulbe, des notes de fruits cuits, une touche de cuir et de bois vanillé. La bouche est charnue, animale, chaleureuse, soutenue par des tanins encore massifs mais derrière lesquels perce le caractère du pomerol. Dans les deux à douze prochaines années, ce 2001 se mariera à la cuisine traditionnelle, aux viandes rouges, aux fromages.

🔑 SCEA Vignobles Péré-Vergé, 33500 Pomerol,
tél. 05.57.51.87.92, fax 05.57.51.87.92,
e-mail pvp.montviel@skynet.be ☑ Y ★ r.-v.

CH. MOULINET 2001 ★

■ 14,04 ha 80 000 🍷 15 à 23 €

95 96 |98| 99 00 01

La belle chartreuse et son parc entourés de vignes se situent près de la voie ferrée Paris-Bordeaux, juste avant Libourne. Depuis 1971, ce domaine appartient à la famille Armand Moueix, d'origine corrézienne ; il est aujourd'hui dirigé par une nouvelle génération de femmes. Le vin, régulièrement retenu par nos jurys, est d'une qualité classique et suivie. Le 2001, paré d'un rubis sombre et jeune, exprime les fruits rouges, les épices, le bon bois grillé, réglissé, cacaoté, avec une touche de cuir assez fréquente dans le millésime. La bouche est corsée par des tanins solides mais élégants. Un bon pomerol qui, dans les deux à dix prochaines années, pourra accompagner toute cuisine traditionnelle.

🔑 Nathalie et Marie-José Moueix, Ch. Moulinet,
33500 Pomerol, tél. 05.57.74.43.11, fax 05.57.74.44.67,
e-mail domaines-armand-moueix@wanadoo.fr
☑ Y ★ r.-v.

CH. LA PATACHE 2001 ★★

■ 3,19 ha 19 400 🍷 15 à 23 €

En bordure de la nationale 89, ce petit cru a pris le nom du lieu-dit où il est installé. Les pataches étaient ces voitures à cheval qui transportaient autrefois les voyageurs entre Bordeaux et Lyon. Ce splendide 2001 se présente élégamment vêtu d'une robe grenat sombre et intense. Encore un peu discret, le nez libère des arômes de fruits rouges confits, associés à un noble boisé. La bouche est harmonieuse et racée : du gras, de la chair, de la puissance et une grande longueur. Un vrai pomerol.

🔑 SARL de la Diligence, La Patache, 33500 Pomerol,
tél. 05.57.55.38.03, fax 05.57.55.38.00 ☑ Y ★ r.-v.

PETRUS 2001 ★★★

■ 11,42 ha 27 000 🍷 + de 76 €

61 **67 71** 74 **75 76** 78 **79** 81 (82) |**83**| |**85**| |**86**| 87 |(88)|
|**89**| **90 92** |**93**| **94** (95) (96) |**97**| (98) **99** (00) **01**

Petrus, un nom en lettres géantes sur la façade d'une simple maison, élégante certes, mais sans autre signe ostentatoire que son nom. C'est là que naît l'un des rares vins qui soit un symbole universel de qualité. A la fois classique, authentiquement pomerol et moderne. Fruit d'une exigence qui commence dans les vignes – donner la grande expression d'un terroir original avec le meilleur

raisin – et qui se poursuit dans les chais où tout est mis au service de la recherche de la complexité – on la retrouve dans ce 2001 remarquable d'équilibre. La somptueuse robe noire à reflets brillants annonce une dégustation exceptionnelle dont les prémices, un nez finement boisé sur des notes de fruits noirs, de café, de moka, sont d'une rare richesse. La bouche ample, suave et généreuse s'appuie sur une matière dense et racée et s'achève sur une longue finale dominée par des arômes de cerise noire à l'eau-de-vie. D'une extrême élégance, ce Petrus vivra longtemps.

🔑 SC du Ch. Petrus, 33500 Pomerol

CH. PIERHEM 2001 ★

■ 1,78 ha 8 000 🍷 23 à 30 €

Ce nouveau cru, créé en 2000 par Pierre-Emmanuel Janoueix lorsqu'il a repris les propriétés familiales, fait suite au château Grands Sillons Gabachot, qui demeure cependant le nom du second vin de l'exploitation. Paré d'une jolie robe rubis intense et vif, ce 2001 associe au nez des arômes de fruits cuits, de vanille, de cannelle et d'épices. La bouche est agréable et harmonieuse, avec de la vinosité, une structure équilibrée et une finale souple et délicate. Une bouteille à ouvrir dans deux à cinq ans et à servir avec des volailles rôties.

🔑 Vignobles Pierre-Emmanuel Janoueix, Ch. Pierhem,
BP 10, 33500 Pomerol, tél. 05.57.74.53.18,
fax 05.57.74.53.91, e-mail pejanoueix@free.fr ☑ ★ r.-v.

CH. PLINCE 2001

■ 8,66 ha 43 000 🍷 15 à 23 €

86 |89| |90| 91 |95| |96| |**98**| 00 01

Jolie propriété viticole d'un seul tenant, appartenant à une vieille famille libournaise, dont la maison est entourée de marronniers. Dans l'encépagement, on note que les cabernets atteignent 28 %. Cela donne un 2001 de caractère qui plaît beaucoup à certains dégustateurs, un peu moins à d'autres. De couleur jeune, il développe un nez encore très fruité, soutenu par un boisé vanillé et toasté. L'attaque est croquante et fraîche, la bouche fruitée s'accompagnant d'un boisé bien fondu. A ouvrir en 2006.

🔑 SCEV Moreau, Ch. Plince, 33500 Libourne,
tél. 05.57.51.68.77, fax 05.57.51.43.39,
e-mail plince@tiscali.fr ☑ Y ★ r.-v.

CH. LA POINTE 2001 ★★

■ 22 ha 100 000 🍷 23 à 30 €

82 83 85 86 88 |89| |**93**| 94 |**95**| |**96**| 97 (98) 00 **01**

La famille d'Arfeuille gère cet important domaine viticole de 25 ha, commandé par un élégant château Directoire ; il est idéalement situé à la jonction des routes de Pomerol et de Catusseau, à la sortie de Libourne. Le 2001 apparaît remarquablement séduisant. La robe est

éclatante, d'un bordeaux sombre et jeune. Le bouquet exprime le merlot très mûr, les amandes grillées, le café ; le boisé est encore très présent. Après une attaque ample et suave, le corps se révèle élégant, soutenu par des tanins à grain fin et très persistants, qui s'allient longuement aux fruits mûrs. Un vin idéal pour accompagner un pigeon rôti au jus de morille.
⊶ SCE Ch. La Pointe, 33500 Pomerol,
tél. 05.57.51.02.11, fax 05.57.51.42.33,
e-mail chateau.lapointe@wanadoo.fr ☑ Y ⛹ r.-v.

CH. POMEAUX 2001 ★★

■ 3,78 ha 15 000 ⫼ 46 à 76 €

|**98**| |**99**| **00 01**

Depuis sa création en 1998 par A.T. Powers, ce cru a réalisé, avec les conseils de Michel Rolland, la prouesse d'obtenir deux étoiles pour chacun de ses millésimes dans le Guide. Exclusivement planté de merlot sur sables, graves et crasse ferrugineuse, il propose un magnifique 2001 de couleur noire en profondeur et violine vif en surface. Le bouquet est encore un peu discret, mais prometteur par ses arômes de fruits rouges et noirs bien mûrs et son élégant boisé grillé à nuances mentholées. La bouche ne déçoit pas, tant elle est ronde, charnue, ample et chaleureuse, dotée d'une très belle matière et d'une finale longue et savoureuse de grand vin de garde.
⊶ Ch. Pomeaux, 6, Lieu-dit Toulifaut, 33500 Pomerol,
tél. 05.57.51.98.88, fax 05.57.51.88.99,
e-mail info@pomeaux.com ☑ Y ⛹ r.-v.
⊶ A.T. Powers

CH. PONT-CLOQUET 2001 ★

■ 0,52 ha 3 300 ▮ ⫼ ⫰ 30 à 38 €

Un demi-hectare de vieilles vignes de soixante ans implantées sur des graves fines avec un sous-sol argilo-siliceux : ce 2001 très bien présenté dans une robe sombre et dense, noire en profondeur et violine en surface, rappelle les fruits cuits associés à un beau boisé et à des notes de sous-bois. La bouche corsée, charnue et savoureuse persiste en finale sur des tanins veloutés et soyeux. Une bouteille très typée, à attendre quatre ou cinq ans.
⊶ Stéphanie Rousseau, 1, Petit Sorillon, 33230 Abzac,
tél. 05.57.49.06.10, fax 05.57.49.38.96,
e-mail chateau@vignoblesrousseau.com ☑ Y ⛹ r.-v.

CH. RATOUIN 2001

■ 3 ha 15 000 ▮ ⫼ ⫰ 15 à 23 €

80 % de merlot associés à 20 % de cabernet franc de quarante ans d'âge, plantés sur des sols silico-graveleux : cela donne un 2001 grenat sombre à reflets carminés. Le nez mêle fruits rouges et noirs cuits, notes grillées et toastées et touche florale. La bouche repose sur des tanins encore fermes qui permettront une bonne tenue dans le temps.
⊶ SCEA Ch. Ratouin,
Village de René, 33500 Pomerol,
tél. 05.57.51.19.58, fax 05.57.51.19.58 ☑ Y ⛹ r.-v.

ROMULUS 2001 ★

■ 1 ha 4 000 ⫼ + de 76 €

Issu d'une parcelle d'un hectare de merlot planté sur des sables noirs recouvrant la crasse de fer, ce nouveau cru est la première œuvre d'un jeune œnologue, Romain Rivière, fils des propriétaires du château La Croix Taillefer. La robe est profonde, de teinte grenat à peine évoluée. Le bouquet, complexe et délicat, associe des fruits noirs, de la violette, des épices, du tabac et de la vanille. La bouche, suave à l'attaque, évolue sur une matière tannique ferme qui devra vieillir en cave pour s'assagir quelque peu.
⊶ SARL La Croix Taillefer, BP 4, 33500 Pomerol,
tél. 05.57.25.08.65, fax 05.57.25.08.65,
e-mail la.croix.taillefer@wanadoo.fr ☑ Y ⛹ r.-v.
⊶ Rivière

CH. LA ROSE FIGEAC 2001 ★★

■ 5,5 ha 7 500 ⫼ 30 à 38 €

86 88 |**89**| |90| 92 93 94 |95| |96| |**97**| 98 00 **01**

La famille Despagne-Rapin est profondément enracinée dans le Libournais, et se consacre aux métiers de la vigne et du vin depuis plus de trois siècles et au moins onze générations. Ce cru est installé sur graves et sables anciens, près du secteur saint-émilionnais de Figeac. Il a produit un remarquable 2001 de couleur bigarreau mûr, très sombre et profonde. Le bouquet, subtil et complexe, rappelle les fruits noirs, le pruneau cuit et le pain grillé. La bouche ample, charnue et riche est faite d'une superbe matière, puissante et concentrée, apte à une longue garde.
⊶ Vignobles Despagne-Rapin,
Maison Blanche, 33570 Montagne,
tél. 05.57.74.62.18, fax 05.57.74.58.98 ☑ Y ⛹ r.-v.

CH. ROUGET 2001 ★

■ 18,5 ha 26 000 ⫼ 23 à 30 €

94 |95| |96| 97 |98| **99** 00 01

Etabli sur un plateau argilo-graveleux proche de l'ancienne église du bourg, autrefois nommé Rougier, c'est un des plus anciens crus de Pomerol. Il propose un 2001 à la robe noire, dense et profonde, et au bouquet intense et complexe, un peu dominé par le bois de son élevage, sur des arômes de noisette grillée, de noix, de café torréfié et de pain grillé. La bouche est puissante mais équilibrée, charnue et ample, d'une grande longueur. Une très belle bouteille de garde.
⊶ SGVP - Ch.Rouget, 33500 Pomerol,
tél. 05.57.51.05.85, fax 05.57.55.22.45,
e-mail chateau.rouget@wanadoo.fr ⛹ r.-v.
⊶ Labruyère

CH. DE SALES 2001

■ 47,5 ha 133 000 ▮ ⫼ ⫰ 23 à 30 €

86 88 89 90 97 98 00 01

Depuis cinq siècles dans la même famille, ce château possède l'une des plus belles architectures bordelaises. Il est entouré d'un magnifique domaine viticole situé à l'entrée nord de Libourne. L'essentiel du terroir se compose de sables et de graves fines sur lesquels sont implantés 70 % de merlot et 30 % de cabernets. Le jury a apprécié le joli drapé pourpre et grenat de ce 2001. Le bouquet encore très fruité rappelle la cerise burlat, la myrtille ; puis apparaissent le bois vanillé et un fumet viandé. Au palais, la saveur est fraîche et élégante, soutenue par des tanins soyeux qui devraient permettre d'apprécier cette bouteille assez rapidement avec un civet de canard. Le second vin de Bruno de Lambert, **Château Chantalouette 2001 (15 à 23 €)**, est également cité.
⊶ Bruno de Lambert, Ch. de Sales, 33500 Libourne,
tél. 05.57.51.04.92, fax 05.57.25.23.91,
e-mail chdesales@chateaudesales.fr ☑ Y ⛹ r.-v.

CH. DU TAILHAS 2001 ★

■ 11 ha 60 000 ▮ ⫼ ⫰ 15 à 23 €

Belle propriété familiale idéalement située aux confins de Pomerol et de Libourne. Le terroir de graves et

de sables sur alios est complanté à 70 % de merlot et à 30 % de cabernets. Pourpre intense, la robe de ce 2001 est traversée de reflets noirs. L'olfaction révèle les baies mûres, les épices poivrées, le merrain toasté. Au palais, encore frais et fruité, les flaveurs reposent sur le bois et le cuir. Les tanins sont francs. Un vin bien représentatif de son AOC et de son millésime, qui d'ici deux à cinq ans pourra se marier à une large palette culinaire.
🔑 Nebout et Fils, SC Ch. du Tailhas, 33500 Pomerol,
tél. 05.57.51.26.02, fax 05.57.25.17.70,
e-mail luc.nebout@wanadoo.fr V Y 🚶 r.-v.

CH. TAILLEFER 2001 ★

■ 11,45 ha 50 000 🛢 30 à 38 €

93 94 |95| |96| |97| **00** 01

Cette belle propriété viticole, sur laquelle règne un élégant château, remonte à 1764. Elle est installée à l'est de Libourne sur un terroir sablo-graveleux. Vêtu d'une superbe robe grenat, ce 2001 s'exprime déjà pleinement au nez (fruits rouges et noirs cuits, griotte, épices, cacao). La bouche charnue et vineuse est bien structurée et élégante. Un pomerol typique, qui pourra se consommer dans deux ou trois ans ou se garder jusqu'à dix ans. Une poularde truffée ou un gigot aux cèpes lui donneront la réplique.
🔑 SC Bernard Moueix,
Ch. Taillefer, BP 9, 33501 Libourne Cedex,
tél. 05.57.25.50.45, fax 05.57.25.50.45 Y 🚶 r.-v.
🔑 Héritiers Bernard Moueix

CH. THIBEAUD-MAILLET 2001

■ 1,5 ha 6 140 🛢 15 à 23 €

88 89 |90| 93 94 |95| |96| 97 98 99 01

Ce petit cru créé vers 1800 par la famille Thibeaud à l'est de l'appellation est aujourd'hui propriété de la famille Duroux. Le 2001, de couleur rubis franc, offre un bouquet déjà fin et expressif où l'on trouve des fruits rouges confiturés, du chêne noble et toasté, des notes beurrées. En bouche, le bois encore très présent s'efface pour laisser place à des saveurs de réglisse et de cassis d'une bonne longueur. Dans les deux à quatre prochaines années, on pourra servir ce vin avec du gibier non faisandé et des fromages doux et crémeux.
🔑 Roger et Andrée Duroux, Ch. Thibeaud-Maillet,
33500 Pomerol, tél. 05.57.51.82.68, fax 05.57.51.58.43
V 🏠 Y 🚶 t.l.j. 9h-12h 14h-20h

CH. TOUR MAILLET 2001 ★★

■ 2,22 ha 12 000 🛢 15 à 23 €

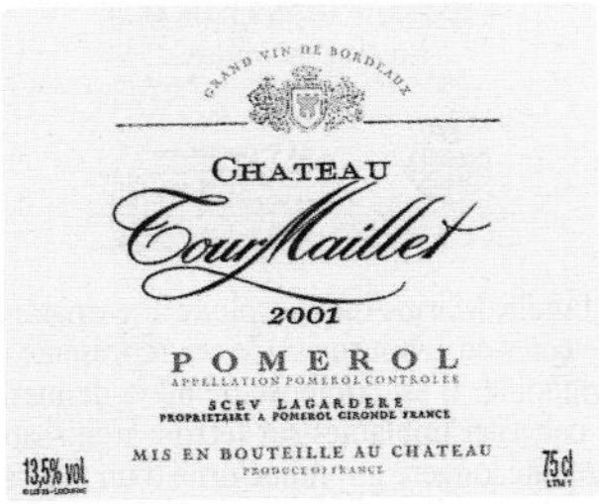

Progression fulgurante pour ce petit vignoble exploité par des vignerons de l'appellation voisine de montagne-saint-émilion. Le 99 avait obtenu une étoile, le 2000 deux étoiles, le 2001 décroche un coup de cœur ! Ce pomerol exprime totalement le bon merlot. Dans une somptueuse robe au velours presque noir, le bouquet se montre déjà puissant, succession d'arômes de fruits noirs très mûrs, d'épices, de moka, de merrain finement toasté. Au palais, la saveur est généreuse, onctueuse, charnue, étoffée par des tanins fins et veloutés. Un dégustateur aurait aimé goûter ce vin accompagné d'une épaule d'agneau de lait aux morilles.

🔑 SCEV Lagardère, Négrit, 33570 Montagne,
tél. 05.57.74.61.63, fax 05.57.74.59.62 V Y 🚶 r.-v.

CH. TROTANOY 2001 ★★★

■ 7,16 ha 31 000 🛢 + de 76 €

75 79 80 (82) 85 86 87 |**88**| |**89**| |(90)| 92 94 (95) (96) 97 **98 99 00** (01)

Si le jury unanime affirme le haut niveau de plaisir qu'apporte l'analyse sensorielle de ce vin, il note aussi l'expression d'une grande authenticité que tout amateur, éclairé ou non, saura apprécier comme l'une des caractéristiques des très grands vins français. Trotanoy jouit d'un intéressant terroir gravelo-argileux dont Jean-Claude Berrouet sait tirer le meilleur, même en année difficile. Ici, la robe est sombre et dense, profonde, superbe. Le nez de sous-bois, de pruneau cuit, de fruits à noyau n'oublie pas une note de merrain, de moka grillé et de cuir de Russie. En bouche, la délicatesse du pomerol s'affirme dans ce vin généreux et fin à la fois, parfaitement équilibré, étoffé et élégant, riche et soyeux jusque dans une longue finale épicée, réglissée, porteuse d'un avenir radieux.
🔑 SC du Ch. Trotanoy, 33500 Pomerol

CH. DE VALOIS 2001 ★★

■ 5 ha 30 000 🍾 🛢 🌡 15 à 23 €

Créé en 1862, après le démembrement de Figeac, ce cru a pris son nom actuel en 1886, et n'a cessé de s'agrandir pour compter aujourd'hui 7,66 ha. Il propose un 2001 de couleur grenat intense, légèrement carminé. Le bouquet puissant et concentré exprime les fruits rouges mûrs, et la bouche révèle une remarquable matière tannique, ample, charnue et dense, très persistante en finale, affichant un énorme potentiel de garde.
🔑 EARL Vignobles Leydet, Rouilledimat,
33500 Libourne, tél. 05.57.51.19.77, fax 05.57.51.00.62,
e-mail frederic.leydet@wanadoo.fr V Y 🚶 r.-v.

VIEUX CHATEAU CERTAN 2001 ★★

■ 14 ha 48 000 🛢 + de 76 €

81 82 83 85 86 |(88)| |**89**| |**90**| 92 |**93**| |**94**| |**95**| **96** |97| (98) 99 **00 01**

L'étiquette, d'un grand classicisme, montre la chartreuse, propriété des Thienpont qui en ont fait l'un des phares du vignoble français. Cette demeure élégante possède un agréable parc aux arbres centenaires, et règne sur un beau domaine de 16 ha d'un seul tenant, établi sur le plateau argilo-graveleux à l'est de Catusseau. Le vin est charmeur, avec sa somptueuse robe pourpre à reflets violines, sombre et dense en profondeur, vive en surface. Le nez ne s'exprime pas encore totalement, mais laisse percer des arômes de fruits rouges et noirs bien mûrs, d'épices et de pain grillé. La bouche corsée, charnue, riche, se montre harmonieuse jusque dans sa finale longue, ferme et savoureuse, qui permettra au moins cinq ans de garde. Le second vin, **La Gravette de Certan 2001 (23 à 30 €)**, est cité et mérite une petite garde.

🔑 SCA du Vieux Château Certan, 33500 Pomerol,
tél. 05.57.51.17.33, fax 05.57.25.35.08,
e-mail info@vieuxchateaucertan.com 🍷 🚶 r.-v.
🔑 Thienpont

CH. VIEUX MAILLET 2001

■ 2,62 ha 12 000 🛢 38 à 46 €

95 |96| 97 |98| **99** |00| 01

Ce joli petit cru, installé sur les sols argilo-graveleux du secteur de Maillet, vient d'être racheté début 2004 par Griet et Hervé Laviale, déjà propriétaires du château de Lussac (lussac-saint-émilion). Bien présenté dans une jolie robe grenat profond, ce 2001 développe un nez puissant sur des arômes de cerise confite, de pain grillé, d'épices douces et de tabac. La bouche est d'abord corsée et souple, bien charnue, puis évolue sur une trame tannique serrée, un peu ferme et sévère en finale. Ce vin nécessite plusieurs années de patience.

🔑 SCEA du Ch. Vieux Maillet, 16, rte de Maillet,
33500 Pomerol, tél. 05.57.74.56.80, fax 05.57.74.56.59,
e-mail chateauvieuxmaillet@bluewin.ch ☑ 🍷 🚶 r.-v.
🔑 Hervé et Griet Laviale

CH. VRAY CROIX DE GAY 2001

■ 2,8 ha 15 000 🛢 30 à 38 €

85 86 88 |**89**| |**90**| 93 94 |95| |97| |98| 99 00 01

Ce domaine de 3,70 ha repose sur un sol argilo-graveleux. Elevé quatorze mois en barrique de chêne, ce 2001 est intéressant. Sa robe grenat soutenu est élégante. Le nez, légèrement fermé encore, s'ouvre à l'aération sur des arômes fruités et épicés. La bouche est charmeuse, charnue et veloutée, de belle longueur sur des saveurs douces de cacao. Une jolie bouteille à ouvrir dans trois à quatre ans pour accompagner de la lamproie à la bordelaise.

🔑 SCE Baronne Guichard, Ch. Siaurac, 33500 Néac,
tél. 05.57.51.64.58, fax 05.57.51.41.56,
e-mail chateausiaurac@aol.com ☑ 🍷 🚶 r.-v.

Lalande-de-pomerol

Créé, comme celui de pomerol dont il est voisin, par les hospitaliers de Saint-Jean (à qui l'on doit aussi la belle église de Lalande qui date du XIIe s.), ce vignoble de 1 137 ha, produit, à partir des cépages classiques du Bordelais, des vins rouges colorés, puissants et bouquetés, qui jouissent d'une bonne réputation, les meilleurs pouvant rivaliser avec les pomerol et les saint-émilion. 43 928 hl ont été revendiqués en 2003.

CH. BELLES-GRAVES 2001 ★

■ 15,5 ha 80 000 🛢 11 à 15 €

Domaine viticole de style libournais, sur graves argileuses de coteau, bien exposé face au village de Pomerol. Ce vin se pare de rubis franc. Son bouquet, encore frais et fruité, est soutenu par un boisé discrètement épicé. La bouche aussi repose sur un beau fruit et des tanins suaves dans un ensemble parfaitement équilibré. Dans les deux à cinq prochaines années, ce 2001 sera parfait pour accompagner un civet de canard aux cèpes...

🔑 GFA Theallet-Piton, SC du Ch. Belles-Graves,
33500 Néac, tél. 05.57.51.09.61, fax 05.57.51.01.41,
e-mail x.piton@belles.graves.com
☑ 🏠 🍷 🚶 t.l.j. 9h-18h; sam. dim. sur r.-v.

CH. BOUQUET DE VIOLETTES 2001

■ n.c. 8 500 🛢 23 à 30 €

Les Chollet habitent dans la Manche mais possèdent des vignes à Néac, dont une partie produit ce cru au nom très printanier. Si le nom est poétique, ce 2001, lui, est plutôt sérieux, caractéristique d'un jeune vin de cabernets. Le rubis intense, malgré 50 % de merlot, est bordé de fuschia. Après un premier nez encore sous le bois torréfié et vanillé, l'agitation libère le fruit noir. L'attaque fraîche et fruitée est vite relayée par des tanins de raisin et de barrique encore un peu austères. Il faudra attendre quelques années ; on pourra alors servir ce lalande au caractère un peu médocain sur des viandes rouges ou du gibier.

🔑 Jean-Jacques Chollet,
La Chapelle, 50210 Camprond,
tél. 02.33.45.19.61, fax 02.33.45.35.54 ☑ 🚶 r.-v.

CH. CANON CHAIGNEAU 2001 ★★

■ n.c. 18 000 ▮ 🛢 🌡 11 à 15 €

La famille Marin-Audra exploite une vingtaine d'hectares de vignes en Libournais. Ce cru représente un quart de son vignoble. Il est composé de 60 % de merlot et de 40 % de cabernet implantés sur terroir argilo-sablonneux et entoure une longère girondine orné d'un mascaron, sur la commune de Néac. Son lalande 2001 est un vin de caractère à la robe rubis intense, au bouquet de fruits noirs tout aussi intense, accompagné d'un boisé fin et épicé. La bouche se montre chaleureuse, ample et la saveur fruitée et apéritive très persistante. La trame tannique est à la fois fine et solide. Belle expression de l'encépagement et du millésime. A servir avec des pommes de terre truffées (sautées ou en purée), un agneau en croûte d'herbes...

🔑 SCEA Marin-Audra,
3 bis, rue Porte-Brunet, 33330 Saint-Emilion,
tél. 05.57.24.69.13, fax 05.57.24.69.11,
e-mail suzanne.marin@wanadoo.fr ☑ 🚶 r.-v.

CLOS DU CHAPELAIN 2001 *

■ 1,8 ha 8 400 🛢 23 à 30 €

Les époux Quenin font un excellent travail sur leur domaine historique de Pressac à Saint-Emilion. Ils présentent le premier millésime d'une vigne qu'ils ont acquise à Néac en 2000. Le terroir argilo-graveleux est complanté pour deux tiers en merlot et pour un tiers en cabernet franc. Cela donne un vin très équilibré. Le pourpoint bordeaux est foncé. L'olfaction très aromatique joue sur des notes de fruits frais (cassis) et de chêne torréfié, épicé, réglissé. En bouche, la saveur est également fruitée, soutenue par un volume important et des tanins veloutés et prometteurs. Quant au **Pavillon Bel Air 2001 (15 à 23 €)**, il obtient une citation. Il est un peu plus souple et un peu moins cher.

🔑 J.-F. et D. Quenin, Ch. de Pressac,
Saint-Etienne-de-Lisse, 33330 Saint-Emilion,
tél. 05.57.40.18.02, fax 05.57.40.10.07,
e-mail jfetdquenin@libertysurf.fr ☑

CH. LA CROIX 2001

■ 6,99 ha 40 000 🛢 11 à 15 €

Ce joli vignoble est installé sur un terroir gravelo-sableux avec moitié merlot et moitié cabernet franc. Il propose un 2001 encore très jeune, en robe rubis à reflets violine vif, et au nez fruité et frais, finement boisé. La bouche est corsée, nerveuse et charpentée ; il faudra attendre deux à trois ans pour qu'elle s'épanouisse.

🔑 SARL Roc de Boissac, 33570 Puisseguin,
tél. 05.57.74.61.22, fax 05.57.74.59.54 ☑ 🍷 🚶 r.-v.

CH. LA CROIX BELLEVUE 2001

■ 5 ha n.c. 🛢 11 à 15 €

Ce vignoble a été acquis par Jean-Louis Trocard en 2000. Il est établi sur des graves argileuses. L'encépagement comprend une moitié de merlot, un quart de cabernet franc et un quart de cabernet-sauvignon. Cela donne un joli vin à la robe rubis chatoyante et brillante, au nez fruité et frais, légèrement épicé avec de fines touches boisées. La bouche, souple et équilibrée, joue sur des saveurs fruitées acidulées, et fait preuve d'une bonne tenue en finale. Une bouteille plaisir à ouvrir dans deux à trois ans sur des volailles rôties.

🔑 Jean-Louis Trocard, Ch. La Croix Bellevue, BP 3,
33570 Artigues-de-Lussac, tél. 05.57.55.57.90,
fax 05.57.55.57.98, e-mail trocard@wanadoo.fr
☑ 🍷 🚶 t.l.j. 8h-12h 14h-17h; sam. dim. sur r.-v.

CH. LA CROIX SAINT-ANDRE 2001

■ 16,5 ha 70 000 🛢 11 à 15 €

Important vignoble rassemblant des terroirs variés, argiles, graves et sables, plantés de vieilles vignes. Cela donne un vin sérieux. Dans le verre, il se pare de rubis intense à reflets framboisés. Le bouquet naissant est encore fruité et frais avec des notes de sous-bois. La mise en bouche est chaleureuse : la saveur repose sur le fruit mûr et le bois fin. L'ensemble, bien équilibré, s'achève sur de bons tanins qui rendent ce 2001 apte à la garde. Dans les deux à dix prochaines années, on pourra le servir sur viandes rouges, canard ou gibier.

🔑 GFA Ch. La Croix Saint-André, 1, av. de la Mairie,
33500 Néac, tél. 05.57.84.36.67, fax 05.57.74.32.58,
e-mail fcarayon@wanadoo.fr ☑ 🚶 r.-v.
🔑 F. Carayon

CH. ETOILE DE SALLES 2001 *

■ 4 ha 22 000 ▮ 🛢 🌡 8 à 11 €

Un sol de graves sur crasse de fer complanté à 80 % de merlot et à 20 % de cabernets a donné ce vin sombre, presque noir, dont les arômes expriment un raisin très mûr. La bouche fruitée et chaleureuse est charpentée par des tanins persistants. Une bouteille agréable et authentique, bien dans son appellation et son millésime. Dans deux ou trois ans, on pourra penser à elle pour accompagner une entrecôte grillée sur sarments de vigne ou un rôti. La cuvée **Prestige 2001 (15 à 23 €)** obtient également une étoile.

🔑 Dubois et Fils,
Pont de Guitres, 33500 Lalande-de-Pomerol,
tél. 06.25.94.08.55, fax 05.57.25.91.81,
email etoile-de-salles@wanadoo.fr ☑ 🍷 🚶 r.-v.

CH. DE L'EVECHE 2001 *

■ 10 ha 21 790 🛢 11 à 15 €

Les vignobles Chaumet produisent deux lalande-de-pomerol différents mais de même niveau qualitatif (une étoile) et de prix comparables. Le **Château Moulin de Sales 2001**, à dominante de merlot, né de sables graveleux, est plutôt souple, concentré et boisé et conviendra bien aux viandes rouges. Ce Château de l'Evêché, issu d'argilo-calcaire, est fruité, épicé et élégant ; il sera mieux pour le gibier.

🔑 Vignobles Chaumet,
RN 89, Goujon, 33500 Lalande-de-Pomerol,
tél. 05.57.25.50.12, fax 05.57.25.51.48,
e-mail vignobles.chaumet@wanadoo.fr
☑ 🍷 🚶 t.l.j. 8h-12h 13h-18h; dim. sur r.-v.

LA FLEUR DE BOUARD 2001 **

■ 10 ha 48 000 🛢 23 à 30 €

En 1998, Hubert de Boüard, copropriétaire du château Angelus, a acheté cet important vignoble de 19,50 ha de grosses graves. Il consacre 10 ha à La Fleur de Boüard, qui se passe du titre de château, ce qui ne l'a pas empêchée de décrocher un coup de cœur dès la première année. Le 2001, comme les 2000 et les 99, obtient deux étoiles, belle régularité qui se termine en apothéose avec un nouveau coup de cœur. Tout y est : la splendide robe bordeaux parée de rubis, la merveilleuse alliance entre les arômes de merlot bien mûr et le merrain fin, une concentration qui respecte l'équilibre de bouche, des tanins fins. On est là dans le domaine de l'harmonie et de l'élégance.

🔑 Hubert de Boüard de Laforest, BP 7,
33500 Pomerol, tél. 05.57.25.25.13, fax 05.57.51.65.14,
e-mail contact@lafleurdebouard.com ☑ 🍷 🚶 r.-v.

CH. FOUGEAILLES 2001 ★

■ 2,72 ha 18 000 ▮◖◗♁ 11 à 15 €

La famille Estager possède aussi ce petit vignoble à Néac, sur terroir sablo-argileux complanté à 70 % de merlot et à 30 % de cabernet franc. La palette de ce 2001 mêle le rubis, le grenat et des nuances violines. Le bouquet élégant marie le raisin mûr aux épices et aux senteurs de chêne. La structure, elle aussi élégante, et la saveur fraîche et fruitée sont accompagnées de tanins encore jeunes qui permettront à ce vin de bien vieillir.

⊶ Claude Estager et Fils, Ch. Fougeailles, 33500 Néac, tél. 05.57.51.35.09, fax 05.57.25.95.20, e-mail charles.estager@wanadoo.fr ☑ Y ⅄ r.-v.

DOM. DE GACHET 2001 ★

■ 1 ha 4 500 ◖◗ 11 à 15 €

Ce tout petit cru d'un hectare appartient aux vignobles J.-P. Estager qui possèdent plusieurs domaines dans le Libournais. Les vignes cinquantenaires, moitié merlot et moitié cabernet franc, sont installées à Néac sur graves et argiles. Cela donne un beau 2001, de couleur rubis intense et sombre, aux arômes de griotte et de fruits noirs associés à un élégant boisé bien fondu. La bouche équilibrée est tout d'abord corsée et souple, puis fruitée et acidulée, de bonne tenue et ferme en finale. Une bouteille plaisante à conserver trois ou quatre ans en cave.

⊶ Vignobles Jean-Pierre Estager, 33-41, rue de Montaudon, 33500 Libourne, tél. 05.57.51.04.09, fax 05.57.25.13.38, e-mail estager@estager.com ☑ Y ⅄ r.-v.

DOM. GALVESSES GRAND MOINE 2001

■ 1,65 ha 8 800 ▮◖◗♁ 8 à 11 €

Ce petit cru (à peine plus d'un hectare) est implanté sur un sol argilo-siliceux. Il appartient à la famille Chanet. La robe de ce 2001, grenat légèrement évoluée, est limpide, et le nez frais et délicat rappelle le bourgeon de cassis et l'iris. La bouche corsée, charpentée, s'appuie sur des tanins un peu fermes. Attendre deux ou trois ans.

⊶ SCEA Chanet et Fils, n° 1 Jacques, 33570 Puisseguin, tél. 05.57.74.60.85, fax 05.57.74.59.90 ☑ ⅄ r.-v.

CH. GARRAUD 2001 ★★

■ 20 ha 100 000 ◖◗ 11 à 15 €

Ce grand vignoble, créé au XIXe s. par le comte de Kermartin, est la propriété de la famille Nony depuis 1939. Il est implanté à Néac sur un terroir argilo-graveleux et comprend trois quarts de merlot pour un quart de cabernet franc. Ce 2001 séduit d'abord par sa somptueuse robe pourpre. Le bouquet est élégant et racé, sur des arômes de fruits rouges et noirs cuits, de cacao et de pain grillé. La bouche est charnue, ample, concentrée, riche et dense. Une très belle bouteille de garde à un prix intéressant. Le **Château l'Ancien 2001 (15 à 23 €)**, issu de pur merlot, obtient également deux étoiles pour sa matière et sa puissance qui en font également une grande bouteille de garde.

⊶ Vignobles Léon Nony, Ch. Garraud, 33500 Néac, tél. 05.57.55.58.58, fax 05.57.25.13.43, e-mail info@vln.fr
☑ Y ⅄ t.l.j. sf sam. et dim. 9h-12h 14h-17h, ven. 9h-12h

CH. GRAND ORMEAU Cuvée Madeleine 2001 ★★

■ 3 ha 10 000 ◖◗ 30 à 38 €

Sur les 11,66 hectares qu'il exploite, Jean-Claude Béton, fondateur du groupe Orangina avant de revenir à la terre en 1988, sélectionne trois hectares de graves pour élaborer cette remarquable cuvée Madeleine. Le 2001 ne déroge pas à l'exigence d'excellence. Sa robe est dense et sombre. Son bouquet, déjà extrêmement aromatique, mêle le merlot bien mûr et le merrain fin, vanillé, torréfié. En bouche, le bon bois est très présent, mais le fruit résiste, chaleureux, savoureux, aromatique. Ses tanins élégants et persistants assureront une longue garde à ce vin de belle concentration. La cuvée principale **Grand Ormeau 2001 (23 à 30 €)** obtient une étoile : élégante, charpentée, elle demande trois ans pour s'assouplir.

⊶ Jean-Claude Béton, Ch. Grand Ormeau, 33500 Lalande-de-Pomerol, tél. 05.57.25.30.20, fax 05.57.25.22.80, e-mail grand.ormeau@wanadoo.fr ☑ Y ⅄ r.-v.

CH. LA GRAVIERE 2001 ★

■ 1,5 ha 8 700 ◖◗ 15 à 23 €

La famille Péré-Vergé a acquis cette parcelle de merlot sur graves en 2000, pour créer ce petit cru. Paré d'une très belle robe grenat sombre et dense, ce 2001 est assez discret au nez où percent seulement quelques notes de fruits noirs, de bon bois et de cuir. La bouche est corsée, ample et structurée, avec des tanins encore un peu fermes. Laissez dormir cette bouteille deux ou trois ans en cave.

⊶ SCEA Vignobles Péré-Vergé, 33500 Pomerol, tél. 05.57.51.87.92, fax 05.57.51.87.92, e-mail pvp.montviel@skynet.be ☑ Y ⅄ r.-v.

CH. LE GRAVILLOT 2001 ★

■ 1,1 ha 6 500 ◖◗ 11 à 15 €

Ce tout petit cru, composé d'une parcelle de merlot plantée sur limons et sables, a été créé en 1998 par la famille Brunot, qui exploite des vignobles à Saint-Emilion et à Lussac. De couleur grenat intense, ce 2001 développe un bouquet associant les fruits rouges et noirs bien mûrs à un boisé fumé, plus une touche de clou de girofle. La bouche, corsée et charnue, est charpentée ; les tanins encore rebelles nécessiteront trois à cinq ans de garde pour s'assagir.

⊶ SCEA J.-B. Brunot et Fils, 1, Jean-Melin, 33330 Saint-Emilion, tél. 05.57.55.09.99, fax 05.57.55.09.95, e-mail vignobles.brunot@wanadoo.fr ☑ Y ⅄ r.-v.

CH. HAUT-CHAIGNEAU 2001 ★

■ 22 ha 75 000 ◖◗ 15 à 23 €

La famille Chatonnet exploite plusieurs crus sur l'appellation. Celui-ci est régulièrement retenu par nos jurys qui avaient même donné un coup de cœur au 2000. Il faut dire qu'il ne manque pas d'atouts pour produire des vins de qualité : le sol argilo-siliceux repose sur la crasse de fer, l'âge moyen des vignes atteint la quarantaine, le merlot, dominant à 70 %, est rafraîchi par 15 % de cabernet franc et 15 % de cabernet-sauvignon. Cela donne un 2001 fruité, de couleur franche, aux arômes confiturés (figue) et boisés, à la saveur de fruits à noyau (cerise), à l'attaque souple et douce évoluant vite sur des tanins frais et élégants qui devraient achever de s'affiner d'ici deux ans.

⊶ GFA J. et A. Chatonnet, Haut-Chaigneau, 33500 Néac, tél. 05.57.51.31.31, fax 05.57.25.08.93, e-mail vignobleschatonnet@wanadoo.fr ☑ Y ⅄ r.-v.

CH. HAUT-CHATAIN 2001

■ 9 ha 52 000 ◖◗ 8 à 11 €

Sur son important vignoble de 22 ha, la famille Rivière-Junquas en consacre 9 à ce cru, issu pour 80 % de merlot. Ce millésime grenat de bonne intensité est encore discret au nez, mais franc. La bouche est agréable, aromatique, avec des tanins fondus qui permettront de boire ce 2001 assez prochainement.

⊶ Vignobles Rivière-Junquas, Ch. Haut-Châtain,
33500 Néac, tél. 05.57.25.98.48, fax 05.57.25.95.45,
e-mail chateau.haut.chatain@wanadoo.fr ☑ 🍷 🚶 r.-v.

CH. HAUT-GOUJON 2001

■ 5 ha 25 000 ▮ 🛢 🌡 11 à 15 €

Coup de cœur l'an passé avec le 2000, ce cru des vignobles Garde est produit sur un terroir sablo-graveleux avec 85 % de merlot et 15 % de cabernet-sauvignon. Le 2001 affiche une couleur rubis limpide et brillante, à reflets carmin. Le nez, encore fermé aujourd'hui, est dominé par des notes boisées. La bouche corsée, vineuse et bien structurée permettra une garde de trois à cinq ans.

⊶ SCEA Garde et Fils, Goujon, 33570 Montagne,
tél. 05.57.51.50.05, fax 05.57.25.33.93,
e-mail contact@chateauhautgoujon.com ☑ 🍷 🚶 r.-v.

CH. HAUT-MUSSET 2001

■ n.c. 3 600 ▮ 🛢 8 à 11 €

En 1997, les femmes ont repris l'exploitation familiale et créé la marque. Il s'agit d'un petit vignoble du secteur de Musset implanté sur terroir argilo-graveleux et complanté à 80 % de merlot et à 20 % de cabernet franc. Ce 2001 de couleur foncée est sympathique. Le bouquet est frais et épicé. L'attaque est souple puis une saveur fruitée, accompagnée de notes de gibier, s'impose. La structure tannique déjà agréable devrait permettre de le boire prochainement.

⊶ Etiennette Abbadie, Musset,
33500 Lalande-de-Pomerol,
tél. 05.57.51.24.85, fax 05.57.51.24.85,
e-mail veroabbadie@clubinternet.fr ☑ 🍷 🚶 r.-v.

CH. LES HAUTS-CONSEILLANTS 2001

■ 9 ha 45 500 🛢 15 à 23 €

Pierre Bourotte gère plusieurs domaines libournais, ainsi que la maison de négoce Jean-Baptiste Audy. A Néac, il exploite un vignoble de taille familiale implanté sur un terroir sablo-limoneux. Ce 2001 est à la fois jeune et chaleureux. D'une couleur cerise noire, il présente un nez un peu fermé qui, à l'aération, libère du fruit noir (mûre, cassis), des notes épicées et vanillées. La bouche assez puissante est dominée par des tanins encore fermes. Ce vin devrait être prêt dans les deux à cinq prochaines années.

⊶ SA Pierre Bourotte,
62, quai du Priourat, 33502 Libourne Cedex,
tél. 05.57.51.62.17, fax 05.57.51.28.28,
e-mail jeanbaptiste.audy@wanadoo.fr 🚶 r.-v.

CH. HAUT-SURGET 2001 ★

■ 35 ha 100 000 🛢 11 à 15 €

Cette belle et grande exploitation viticole appartient à la même famille depuis le début du XXes. Doté d'une jolie robe carminée et chatoyante, son 2001 développe un bouquet très agréable de fruits rouges et noirs compotés, avec des arômes de fleurs et une touche de cuir. La bouche, corsée et charnue, présente elle aussi des nuances florales. La structure tannique est équilibrée et de bonne tenue. Le **Château Lafleur-Vauzelle 2001 (8 à 11 €),** destiné à la grande distribution, obtient également une étoile et demandera trois à cinq ans de garde comme le Haut-Surget.

⊶ GFA Ch. Haut-Surget, Chevrol, 33500 Néac,
tél. 05.57.51.28.68, fax 05.57.51.91.79,
e-mail chthautsurget@voila.fr ☑ 🍷 🚶 r.-v.
⊶ Fourreau

CH. JEAN DE GUE Cuvée Prestige 2001

■ 6 ha 40 000 🛢 15 à 23 €

Etabli sur des sols de graves, ce cru a donné un vin paré d'une belle couleur rubis. Il libère au nez des arômes de fruits rouges bien mûrs et quelques notes florales de violette, mêlées à des odeurs de pain grillé. La bouche, corsée et charnue en attaque, évolue sur une structure tannique ferme, un peu austère aujourd'hui, mais prometteuse pour l'avenir.

⊶ Vignobles Aubert,
Ch. La Couspaude, 33330 Saint-Emilion,
tél. 05.57.40.15.76, fax 05.57.40.10.14,
e-mail vignobles.aubert@wanadoo.fr ☑ r.-v.

CH. LABORDERIE-MONDESIR 2001 ★

■ 2,19 ha 14 000 ▮ 🛢 🌡 11 à 15 €

La famille Rousseau exploite une quarantaine d'hectares de vignes à l'est de Libourne, dont ce petit cru établi sur graves et mâchefer, planté de merlots de quarante ans avec un appoint de 10 % en cabernet-sauvignon. Paré d'une robe noire très profonde, aux reflets violines en surface, ce 2001 révèle un bouquet agréable dans lequel un élégant boisé torréfié et toasté couvre des arômes de fraise et de cassis. La bouche, dense, puissante et concentrée, présente une structure tannique très extraite et un peu austère, qui demande au moins quatre à cinq ans de garde pour s'assagir.

⊶ SCE Vignobles Rousseau, 1, Petit-Sorillon,
33230 Abzac, tél. 05.57.49.06.10, fax 05.57.49.38.96,
e-mail chateau@vignoblesrousseau.com ☑ 🍷 🚶 r.-v.

CH. LEVEQUE 2001

■ 0,4 ha 1 500 🛢 8 à 11 €

Depuis quatre générations, la famille de Jean-François Blanc exploite 27 ha sur trois appellations libournaises, dont cette petite vigne de 0,40 ha en lalande. Dans le verre, le rubis commence à présenter quelques reflets d'évolution. L'aération libère des arômes frais et fruités de petits fruits rouges, ainsi qu'une discrète note épicée. La bouche, souple et fruitée à l'attaque, se montre bien équilibrée et persiste sur des arômes boisés. Typique de l'appellation et du millésime, ce vin pourra se boire assez vite.

⊶ Jean-François Blanc, Ch. Bellevue-Poitou,
33570 Lussac, tél. 06.07.39.25.70, fax 05.57.74.57.97,
e-mail jean-francois-blanc@wanadoo.fr ☑ 🍷 🚶 r.-v.

CH. PERRON La Fleur 2001 ★★

■ 5 ha 24 000 🛢 23 à 30 €

Cette cuvée a été élaborée dans ce millésime 2001 à partir de 5 ha sur les 15 que compte la propriété de la famille Massonie dans cette appellation. Elle est composée de 70 % de merlot, 20 % de cabernet franc et 10 % de cabernet-sauvignon installés sur des graves. Cela a donné un vin remarquable, doté d'une splendide robe noire profond, à reflets pourpres en surface. Le bouquet explose sur des arômes de fruits rouges et noirs confits, de cacao, de vanille et de pain grillé. La bouche est riche, charnue, concentrée et puissante, digne d'une longue garde. Le **Château Perron 2001 (15 à 23 €),** produit sur les 10 ha restants, obtient une étoile ; il paraît un peu sévère à ce jour, mais très prometteur.

🐦 SCEA Vignobles Michel-Pierre Massonie,
Ch. Perron, BP 88, 33503 Libourne,
tél. 05.57.51.40.29, fax 05.57.51.13.37,
e-mail b_massonie@libertysurf.fr ☑ ⲏ 🕇 r.-v.

DOM. PONT DE GUESTRES
Elevé en fût de chêne 2001 ★

■	2 ha	10 000	🍶 ⲏ↓ 15 à 23 €

Le merlot, installé sur des graves sableuses, a produit ce joli 2001 à la robe rubis intense et soutenue. Le nez fin mêle des arômes de fruits rouges confits et un beau boisé, grillé et cacaoté. La bouche ample, sur ce même registre, est bien structurée, sans aspérités, avec de bons tanins déjà lissés qui permettront une garde de trois à cinq ans. Le second vin, **Château au Pont de Guîtres (11 à 15 €)**, obtient également une étoile ; il pourra se consommer un peu plus tôt, d'ici deux à trois ans.
🐦 Rémy Rousselot,
Ch. Les Roches de Ferrand, 33126 Saint-Aignan,
tél. 05.57.24.95.16, fax 05.57.24.91.44,
e-mail vignobles.remy.rousselot@wanadoo.fr
☑ 🏡 🏠 ⲏ 🕇 r.-v.

PRIEURE DES JACOBINS La Menotte 2001

■	5 ha	12 000	ⲏ 8 à 11 €

Cette marque de la maison de négoce girondine Sichel assemble 85 % de merlot et 15 % de cabernet. Cela a donné un 2001 réussi, de couleur grenat sombre et intense. Le bouquet est aujourd'hui marqué par un joli boisé, vanillé, fumé et mentholé. La bouche est charnue et assez onctueuse, d'une bonne tenue. Ce vin devrait s'accorder d'ici deux à trois ans à des viandes rouges rôties.
🐦 SA Maison Sichel, 8, rue de la Poste,
33210 Langon, tél. 05.56.63.50.52, fax 05.56.63.42.28,
e-mail maison-sichel@sichel.fr

CH. SAINT-JEAN-DE-LAVAUD 2001 ★

■	1,1 ha	6 000	ⲏ 15 à 23 €

Hervé et Griet Laviale ont acquis ce petit vignoble début 2004. Le 2001 a été produit par l'ancienne propriétaire, Isabelle Motte. C'est un vin grenat foncé aux arômes encore jeunes : on y trouve la violette, les fruits rouges, le bois réglissé. Au palais, la saveur est ample et savoureuse, bien équilibrée entre le raisin et le merrain, avec une bonne persistance de tanins réglissés en finale. Il devrait être prêt dans les deux à cinq prochaines années.
🐦 SCEA du Ch. Vieux Maillet, 16, rte de Maillet, 33500 Pomerol, tél. 05.57.74.56.80, fax 05.57.74.56.59, e-mail chateauvieuxmaillet@bluewin.ch ☑ ⲏ 🕇 r.-v.
🐦 Hervé et Griet Laviale

CH. SERGANT 2001

■	18 ha	90 000	ⲏ 8 à 11 €

Cette propriété viticole est installée à l'ouest de la commune de Lalande-de-Pomerol sur des sols sablo-graveleux. Son 2001 présente une robe rubis, vive et intense, et des arômes essentiellement fruités, avec des touches boisées subtiles. La bouche est bien structurée et de belle longueur, sur des saveurs de fruits rouges. Une bouteille à ouvrir dans deux à trois ans pour accompagner une entrecôte grillée.
🐦 SEV Vignobles Jean Milhade, Ch. Recougne, 33133 Galgon, tél. 05.57.55.48.90, fax 05.57.84.31.27, e-mail milhade@milhade.fr ☑ ⲏ r.-v.

CH. LA SERGUE 2001 ★

■	5 ha	15 000	ⲏ 15 à 23 €

Pascal Chatonnet, œnologue bordelais, exploite une partie du domaine familial, dont ce cru qui avait obtenu un coup de cœur pour son 1999. Le 2001 présente une robe foncée, cerise noire. Au nez, les arômes puissants évoquent les fruits rouges très mûrs, le bois vanillé. La bouche ample et chaleureuse est construite sur une forte charpente encore dominée par les tanins de merrain toasté qui demanderont deux ou trois ans pour s'assagir.
🐦 GFA J. et A. Chatonnet, Haut-Chaigneau, 33500 Néac, tél. 05.57.51.31.31, fax 05.57.25.08.93, e-mail vignobleschatonnet@wanadoo.fr ☑ ⲏ 🕇 r.-v.

CH. SIAURAC 2001 ★★

■	34 ha	100 000	ⲏ 11 à 15 €

Cette année a vu la disparition d'Olivier Guichard, engagé dans la campagne de France en 1944, ancien ministre du général de Gaulle. Une personnalité que sa carrière politique n'a jamais totalement éloigné de Néac, sa terre natale. Cette belle et grande propriété viticole appartient à sa famille. Elle est établie sur des sols argilo-graveleux et plantée en majorité de merlot avec un appoint de 10 % de cabernet franc. Paré d'une couleur rubis intense et profond, ce 2001 libère au nez de jolis arômes de fruits noirs mûrs, de vanille, de fumée et de café. La bouche corsée, mais charnue et harmonieuse, repose sur une matière riche et longue. Une remarquable bouteille dans son millésime, et de garde.
🐦 SCE Baronne Guichard, Ch. Siaurac, 33500 Néac, tél. 05.57.51.64.58, fax 05.57.51.41.56, e-mail chateausiaurac@aol.com ☑ ⲏ 🕇 r.-v.

CH. DES TOURELLES 2001

■	4,44 ha	10 500	🍶 ⲏ↓ 11 à 15 €

La maison François Janoueix, d'origine corrézienne comme beaucoup à Libourne, exploite ce cru situé aux confins de quatre appellations libournaises. Elle présente un lalande de style classique. Dans le verre, le cœur est rubis et le liseré grenat traduit une légère évolution. Le bouquet s'ouvre sur les petits fruits finement boisés. La saveur fraîche repose sur des tanins encore un peu austères : ce vin devra être attendu deux à trois ans avant d'accompagner un rôti de bœuf.
🐦 François Janoueix,
Château Clos-du-Roy, 33570 Montagne,
tél. 05.57.25.54.44, fax 05.57.25.26.07,
e-mail phbb@janoueixfrancois.com ☑ ⲏ 🕇 r.-v.

CH. TOURNEFEUILLE La Cure 2001 ★★

■	1 ha	3 000	ⲏ 23 à 30 €

La famille Petit-Cambier, qui a acquis récemment cet important domaine, présente deux versions du cru : le **Tournefeuille, cuvée principale 2001 (15 à 23 €)** et cette cuvée La Cure issue de vieux merlot implanté sur graves. Les deux versions sont d'un niveau remarquable. Le Tournefeuille est plus discret au nez, mais avec une saveur fruitée et une charpente virile impressionnantes. La Cure exprime plus le bois fin et les épices douces et joue plutôt dans le registre de l'élégance. Les deux vins sont aptes à un bon vieillissement. Le premier pourra s'accorder avec un filet mignon de porc. Le second avec une gigue de chevreuil.
🐦 Familles Petit-Cambier, 24, rue de l'Eglise, 33500 Néac, tél. 05.57.51.18.61, fax 05.57.51.00.04, e-mail fpetit@terre-net.fr ☑ ⲏ 🕇 r.-v.

CH. DE VIAUD 2001 ★

■	19,3 ha	n.c.	15 à 23 €

Il s'agit d'un important et ancien vignoble, fondé au XVIII[e]s. Aujourd'hui, son vin est très régulièrement retenu par nos experts. C'est le cas de ce 2001, à la robe sombre comme une cerise noire, au bouquet déjà très intense, mêlant les fruits noirs (mûre), les fruits à noyau (cerise), le bois épicé et une touche de gibier. La bouche prend bien le relais du nez sur les mêmes notes ; la structure tannique est solide et persistante. Ce vin de caractère vieillira bien et résistera à des mets typés : gibier, bœuf au foie gras chaud...

SAS du Ch. de Viaud, 33500 Lalande-de-Pomerol,
tél. 05.57.51.17.86, fax 05.57.51.79.77,
e-mail chateaudeviaud@9online.fr r.-v.
Philippe Raoux

DOM. DE VIAUD 2001 ★★

■	n.c.	n.c.	30 à 38 €

Sur les 16 ha de ses vignobles, Lucette Bielle sélectionne une cuvée issue à 95 % de merlot planté sur sables et sur graves. Cela donne un 2001 remarquable, à la robe sombre et jeune, aux arômes intensément fruités (fruits exotiques), bien mariés avec un boisé élégant. En bouche aussi, le fruit est superbe ; après une entame chaleureuse les tanins restent frais et assureront un bon vieillissement. Dans deux à trois ans, on pourra commencer à servir ce vin avec des viandes rouges.

Lucette Bielle,
13, rue des Gauthiers, 33500 Les Billaux,
tél. 05.57.51.06.12, fax 05.57.25.10.14,
e-mail bielle@wanadoo.fr r.-v.

CH. VIEUX CARDINAL LAFAURIE 2001

■	5 ha	14 546	8 à 11 €

Ce cru de 5 ha produit à Bertineau, sur la commune de Néac, est distribué par la maison Cheval Quancard. On a là un lalande-de-pomerol qui pourra se boire assez vite. Sa jolie couleur présente quelques reflets d'évolution. Son bouquet déjà intense repose sur des fruits cuits, des fruits secs, et un boisé légèrement épicé. La bouche souple est soutenue par des tanins fondus discrètement marqués par le merrain. Un vin déjà affiné.

Cheval-Quancard,
La Mouline, BP 36, 33560 Carbon-Blanc,
tél. 05.57.77.88.88, fax 05.57.77.88.99,
e-mail chevalquancard@chevalquancard.com r.-v.

VIEUX CHATEAU GACHET 2001 ★★

■	4,5 ha	28 000	11 à 15 €

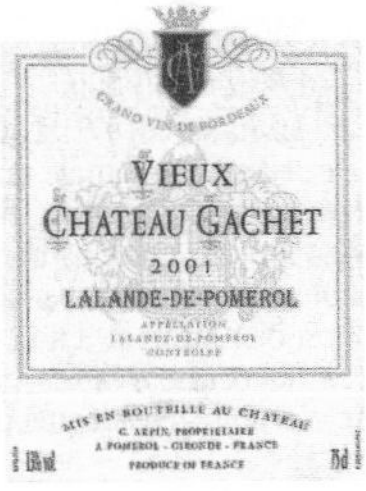

Lorsqu'on réalise un exploit, il est important de le confirmer pour être crédible. C'est ce que vient de faire la nouvelle génération des Arpin qui avait déjà obtenu un coup de cœur avec ce cru en 2000. Elle a élaboré un 2001 d'une très grande finesse et plein d'avenir. Paré d'une robe pourpre foncé entourée d'un bouquet déjà expressif où se succèdent des notes florales (rose), fruitées (framboise, raisins secs) et boisées, ce vin est chaleureux et concentré. Sa structure est très équilibrée : le fruit est soutenu par des tanins fins et denses. Dans deux ans, on pourra commencer à servir ce lalande avec une large palette culinaire.

EARL Vignobles G. Arpin,
Chantecaille, 33330 Saint-Emilion,
tél. 06.22.08.70.56, fax 05.57.51.96.75,
e-mail vignobles.g.arpin@cario.fr r.-v.

CH. VIEUX CHEVROL 2001 ★

■	n.c.	n.c.	11 à 15 €

Important vignoble de 21 ha dominé par le merlot (80 %). Son 2001 est déjà plaisant. La couleur framboise présente une légère note d'évolution. Les arômes fruités s'accompagnent de discrètes senteurs boisées et épicées. La bouche souple et fruitée s'appuie sur des tanins déjà fondus permettant de servir ce vin assez rapidement. L'impression d'ensemble est agréable.

SA Champseix, Vieux Chevrol, 33500 Néac,
tél. 05.57.51.09.80, fax 05.57.51.31.05 r.-v.

CH. VIEUX-RIVIERE 2001

■	n.c.	n.c.	8 à 11 €

La famille Rivière, également propriétaire en pomerol, a acquis ce vignoble en 1982 et lui a donné son nom. Implantée à Néac sur des graves et des argiles ferrugineuses, la propriété est en voie de conversion vers l'agriculture biologique. Paré d'une robe rubis vif et intense, ce 2001 ne s'exprime pas encore pleinement au nez, où percent quelques notes de fumée et de réglisse. La bouche, fruitée, souple et ronde, est bien équilibrée et très agréable. Une bouteille plaisante, à ouvrir dans un an ou deux pour accompagner de la viande grillée. Romain Rivière, œnologue, fils cadet, vinifiait ici son premier millésime.

SARL La Croix Taillefer, BP 4, 33500 Pomerol,
tél. 05.57.25.08.65, fax 05.57.25.08.65,
e-mail la.croix.taillefer@wanadoo.fr r.-v.
Rivière

Saint-émilion et saint-émilion grand cru

Etalé sur les pentes d'une colline dominant la vallée de la Dordogne, Saint-Emilion (3 300 habitants) est une petite ville viticole charmante et paisible. Mais c'est aussi une cité chargée d'histoire. Etape sur le chemin de Saint-Jacques-de-Compostelle, ville forte pendant la guerre de Cent Ans et refuge des députés girondins proscrits sous la Convention, elle possède de nombreux vestiges évoquant son passé. La légende fait remonter le vignoble à l'époque romaine et attribue sa plantation à des légionnaires. Mais il semble que son véritable début, du moins sur une certaine surface, se situe au XIIIe s. Quoi qu'il en soit, Saint-Emilion est aujourd'hui le centre de l'un des plus célèbres vignobles du monde qui, depuis 1999, fait partie du patrimoine mondial de l'Unesco. L'aire d'appellation, répartie sur neuf communes, comporte une riche gamme de sols. Tout autour de la ville, le plateau calcaire et la côte argilo-calcaire (d'où proviennent de nombreux crus classés) donnent des vins d'une belle couleur, corsés et charpentés. Aux confins de Pomerol, les graves produisent des vins qui se remarquent par leur très grande finesse (cette région possédant aussi de nombreux grands crus). Mais l'essentiel de l'appellation saint-émilion est représenté par les terrains d'alluvions sableuses, descendant vers la Dordogne, qui produisent de bons vins. Pour les cépages, on note une nette domination du merlot, que complètent le cabernet franc, appelé bouchet dans cette région, et, dans une moindre mesure, le cabernet-sauvignon.

L'une des originalités de la région de Saint-Emilion est son classement. Assez récent (il ne date que de 1955), il est régulièrement et systématiquement revu (la première révision a eu lieu en 1958, la dernière en 1996). L'appellation saint-émilion peut être revendiquée par tous les vins produits sur la commune et sur huit autres communes l'entourant. La seconde appellation, saint-émilion grand cru, ne correspond donc pas à un terroir défini, mais à une sélection de vins, devant satisfaire à des critères qualitatifs plus exigeants, attestés par la dégustation. Les vins doivent subir une seconde dégustation avant la mise en bouteilles. C'est parmi les saint-émilion grand cru que sont choisis les châteaux qui font l'objet d'un classement. En 1986, 74 ont été classés, dont 11 premiers grands crus. Dans le classement de 1996, 68 ont été classés dont 13 en premiers crus. Ceux-ci se répartissent en deux groupes : A pour deux d'entre eux (Ausone et Cheval Blanc) et B pour les onze autres. Il faut signaler que l'Union des producteurs de Saint-Emilion est sans nul doute la plus importante cave coopérative française située dans une zone de grande appellation. En 2003, l'AOC saint-émilion a produit 73 269 hl et saint-émilion grand cru 134 608 hl sur 5 543 ha.

La dégustation Hachette n'a pas été globale au sein de l'appellation saint-émilion grand cru. Une commission a sélectionné les saint-émilion grand cru classés (sans distinction des premiers) ; une autre commission a dégusté les saint-émilion grand cru. Les étoiles correspondent donc à ces deux critères.

Saint-émilion

ANDELI 2001

■ n.c. 150 000 ▮ ⫯ 8 à 11 €

Ce vin de marque est élaboré par l'Union de producteurs de Saint-Emilion avec 80 % de merlot et 20 % de cabernets. Bien coloré, de teinte grenat sombre, il offre un nez où le fruité se mêle à des notes animales (gibier). La bouche révèle une belle matière tannique, encore ferme, mais qui devrait s'attendrir d'ici trois à cinq ans.

☞ Union de producteurs de Saint-Emilion,
Haut-Gravet, BP 27, 33330 Saint-Emilion,
tél. 05.57.24.70.71, fax 05.57.24.65.18,
e-mail contact@udpse.com
☑ Y 🚶 t.l.j. sf dim. 8h-12h 14h-18h

CH. L'ARCHANGE 2001 *

■ 1,21 ha 5 000 ◍ 30 à 38 €

Coup de cœur l'an dernier avec le 2000, cette petite cuvée créée par l'œnologue Pascal Chatonnet est composée uniquement de merlot issu de deux parcelles aux sols différents : l'une argilo-siliceuse et l'autre silico-graveleuse. Vinifié en cuve en bois et élevé en fûts de chêne neufs, ce vin présente une superbe robe sombre, dense et profonde. Aujourd'hui un peu dominé par un beau boisé élégant, le nez exprime les fruits mûrs et le pruneau cuit. La bouche est bien structurée avec des tanins riches et puissants et une remarquable finale sur des saveurs grillées nées de la barrique. A laisser mûrir en cave quatre ou cinq ans afin que le vin l'emporte sur le bois.

☞ GFA J. et A. Chatonnet, Haut-Chaigneau,
33500 Néac, tél. 05.57.51.31.31, fax 05.57.25.08.93,
e-mail vignobleschatonnet@wanadoo.fr Y 🚶 r.-v.

CH. BARBEROUSSE 2001 *

■ 6 ha 25 000 ◍ 5 à 8 €

La famille Puyol, également productrice de bergerac rouge, exploite ce cru depuis 1977. Son 2000 avait obtenu une étoile, son 2001 confirme ce bon niveau. La robe pourpre à reflets rubis est vive. Le nez est encore un peu sous le bois, mais le pruneau et la cerise confite commencent à pointer. La bouche charnue et harmonieuse est soutenue par des tanins frais et persistants. Dans deux ans, ce vin pourra commencer à accompagner une entrecôte à la bordelaise.

☞ GAEC Jean Puyol et Fils,
Ch. Barberousse, 33330 Saint-Emilion,
tél. 05.57.24.74.24, fax 05.57.24.62.77,
e-mail chateau-barberousse@wanadoo.fr ☑ Y 🚶 r.-v.

CH. BEZINEAU 2001 *

■ 1,3 ha 7 000 ▮ ◍ ⫯ 8 à 11 €

Cuvée issue de 1,3 ha sur les 9,7 ha qu'exploite à 2 km de la cité médiévale cette vieille famille saint-émilionnaise. Le cœur du verre est rubis sombre, frangé de reflets d'évolution. Le bouquet s'ouvre sur un bois fin, bien toasté, accompagné de notes de noyau de cerise et de noisettes grillées : le merlot est bien présent. La bouche, séveuse et charnue, offre des flaveurs agréables et des tanins de qualité. Un vin de caractère avec lequel on se fera plaisir dans deux ou trois ans.

☞ SCEA Vignobles Faure,
Ch. Bézineau, 33330 Saint-Emilion,
tél. 05.57.24.72.50, fax 05.57.24.72.50 ☑ Y 🚶 r.-v.

CH. BILLEROND 2001

■   4 ha   23 006   ■ ⚱   8 à 11 €

Produit sur 4 ha silico-graveleux, ce cru est composé par 70 % de merlot, 20 % de cabernet franc et 10 % de cabernet-sauvignon. Doté d'une belle couleur grenat profond, ce 2001 est marqué au nez par des notes animales de viande et de gibier. La bouche est corsée, charpentée ; sa structure tannique bien ferme demandera trois à cinq ans pour s'épanouir.

⚑ Union de producteurs de Saint-Emilion,
Haut-Gravet, BP 27, 33330 Saint-Emilion,
tél. 05.57.24.70.71, fax 05.57.24.65.18,
e-mail contact@udpse.com
Ⲧ ⚲ t.l.j. sf dim. 8h-12h 14h-18h

CH. BOIS GROULEY 2001

■   6 ha   9 000   ⏛   8 à 11 €

Régulièrement mentionnée dans le Guide, cette propriété familiale a assemblé pour ce millésime 80 % de merlot aux deux cabernets à parts égales, nés sur les sols sablo-graveleux de Saint-Sulpice-de-Faleyrens. La robe rubis offre quelques reflets d'évolution. Le bouquet, fin et subtil, joue sur des arômes de cassis et de fruits rouges mêlés de notes grillées, avec des nuances de vanille et de sous-bois. La bouche, très classique, est équilibrée, ronde, souple et fruitée, savoureuse en finale. Une bouteille sympathique qui sera vite prête à boire.

⚑ SCEA Vignobles Lusseau,
276, Bois Grouley, 33330 Saint-Sulpice-de-Faleyrens,
tél. 05.57.24.74.03, fax 05.57.74.46.09 ☑ Ⲧ ⚲ r.-v.

CH. LES CABANNES 2001

■   1 ha   3 600   ⏛   11 à 15 €

Reprise en 1997 par deux œnologues formés à Bordeaux, cette petite propriété compte 7 ha implantés sur les graves sableuses de Saint-Sulpice-de-Faleyrens. Le vignoble étant en cours de remembrement, ce 2001 est composé uniquement des vieux merlots qui existaient déjà sur l'exploitation. La robe est intense et vive, d'un beau rouge rubis soutenu. Le bouquet libère des arômes grillés et torréfiés de bon bois sur du fruit bien mûr. La bouche, équilibrée, est bien structurée par de jolis tanins qui persistent en finale et permettront une garde de quatre à cinq ans.

⚑ EARL Vignobles Kjellberg-Cuzange,
Les Cabannes, 33330 Saint-Sulpice-de-Faleyrens,
tél. 05.57.24.62.86, fax 05.57.24.66.08,
e-mail kjellberg.cuzange@wanadoo.fr ☑ Ⲧ ⚲ r.-v.

CASSINI 2001

■   2 ha   10 000   ■ ⏛   8 à 11 €

Depuis 1999, ce petit cru alors en ruine n'a cessé d'être en travaux. Aujourd'hui, maison et chai sont achevés. Elaboré à partir de vieilles vignes, ce 2001, paré d'une robe rubis vif et éclatant, se montre complexe et élégant par ses parfums de fruits mûrs et confits, de pruneau, avec quelques nuances florales et épicées. La bouche ample, bien structurée, montre encore un peu de fermeté qui nécessitera deux à trois ans de garde.

⚑ Arnaud Daudier de Cassini,
Lartigue, 33330 Saint-Emilion,
tél. 05.57.24.73.83, fax 05.57.74.46.93,
e-mail chcassini@aol.com ☑ Ⲧ ⚲ r.-v.

CH. LA CAZE BELLEVUE 2001 ★

■   13 ha   35 000   ■ ⏛ ⚱   5 à 8 €

Philippe Faure consacre la plus grande partie de son important vignoble de 17 ha à la production de ce cru, déjà

remarqué avec ses 99 et 98. Il s'agit d'un vin « nature », pas trop marqué par le bois. La couleur pourpre est vive et profonde. Le bouquet naissant, déjà intense, repose sur des notes florales et des nuances de fruits noirs. L'attaque souple et ronde introduit un palais équilibré, soutenu par des tanins persistants et légèrement réglissés. Dans les deux à quatre prochaines années, ce millésime sera parfait pour accompagner les viandes blanches.

⚑ Vignobles Philippe Faure,
7, rue de la Cité, 33330 Saint-Sulpice-de-Faleyrens,
tél. 05.57.74.41.85, fax 05.57.74.42.39,
e-mail pf@vignoblesphilippefaure.com ☑ Ⲧ ⚲ r.-v.

CLOS AEMILIAN 2001

■   n.c.   658   ⏛   11 à 15 €

Ce cru microscopique (moins de 0,5 ha), composé uniquement de merlot planté sur sols argilo-sableux, est installé au pied des grottes de Ferrand, au bord d'un petit ruisseau nommé la Grangère. Il a produit un beau vin puissant, doté d'une jolie robe rubis, éclatant de reflets vermillon. Le boisé grillé domine aujourd'hui le fruit mais on perçoit des notes florales sous-jacentes. La bouche reste sur le merrain mais ses tanins semblent mûrs : à ouvrir sans doute en 2005.

⚑ Marc Triffault,
Saint-Jean-Béard, 33330 Saint-Laurent-des-Combes,
tél. 06.20.62.50.25 ☑ ⌂ Ⲧ r.-v.

CH. COTES DU GROS CAILLOU 2001

■   5,8 ha   9 000   ■ ⏛   5 à 8 €

Installé sur les sols sablo-graveleux à Saint-Sulpice-de-Faleyrens, ce cru de 5,8 ha a été constitué au début des années 1960. Il est composé aujourd'hui par 85 % de merlot et 15 % de cabernets. D'un beau rubis intense et

La région de Saint-Émilion

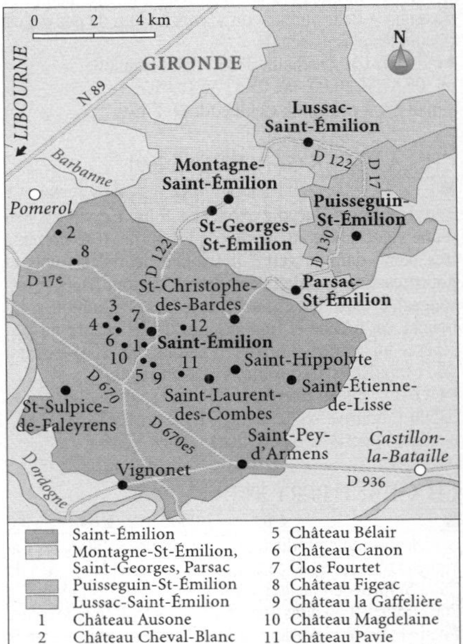

Saint-Émilion	5 Château Bélair
Montagne-St-Émilion,	6 Château Canon
Saint-Georges, Parsac	7 Clos Fourtet
Puisseguin-St-Émilion	8 Château Figeac
Lussac-Saint-Émilion	9 Château la Gaffelière
1 Château Ausone	10 Château Magdelaine
2 Château Cheval-Blanc	11 Château Pavie
3 Ch. Beauséjour-Bécot	12 Château Trottevieille
4 Ch. Beauséjour-Duffau	

BORDELAIS

éclatant, la robe de ce millésime annonce un bouquet expressif s'ouvrant sur des arômes fruités, agrémentés de notes grillées et épicées. La bouche, bien structurée, révèle un joli volume avec des tanins encore un peu serrés : à attendre deux à trois ans.
⊶ SCEA Vignobles Tourenne,
Gros-Caillou, 33330 Saint-Sulpice-de-Faleyrens,
tél. 05.57.24.75.17, fax 05.57.24.76.50 ☒ Y 🚶 r.-v.

CH. COUDERC 2001

■ n.c. 7 000 ◍ 5 à 8 €

Première apparition dans le Guide pour ce petit vignoble exploité par la famille Masse, productrice de bordeaux et de graves-de-vayres. En fait, il s'agit du reliquat de la vente du château Bellevue-Mondotte en 2001. Le vin est très plaisant dans sa robe pourpre tirant sur le rubis. Ses arômes intenses évoquent les fruits mûrs, la cerise confite, les épices et le sous-bois. Sa structure, assez complète, devrait évoluer dans le bon sens pour permettre à cette bouteille d'accompagner lamproie ou grillades dans deux ans.
⊶ SCEA du Ch. Haut Brondeau, 17, rte de Bordeaux,
33500 Arveyres, tél. 05.57.24.87.87,
e-mail chateauhautbrondeau@wanadoo.fr ☒ Y 🚶 r.-v.
⊶ J. et N. Masse

LE « D » DE DASSAULT 2001 ★

■ 8,35 ha 27 000 ▮◍🌡 11 à 15 €

Le second vin du château Dassault est né des vignes les plus jeunes de la propriété installées sur sables anciens. Cela ne l'empêche pas de se présenter admirablement, dans une robe rubis vive et intense. Les arômes de fruits rouges et noirs, de vanille et d'épices et la bouche équilibrée et charnue séduisent. Les tanins encore un peu fermes demanderont quelques années (deux à quatre ans) pour s'assagir. « Belle vinification », conclut l'un de nos dégustateurs les plus exigeants.
⊶ SARL Ch. Dassault, 33330 Saint-Emilion,
tél. 05.57.55.10.00, fax 05.57.55.10.01,
e-mail lbv@chateaudassault.com ☒ Y r.-v.

CH. LA FLEUR GARDEROSE 2001

■ 1 ha 7 000 ▮◍🌡 8 à 11 €

Les frères Pueyo exploitent 8,8 ha. Ce vin est issu d'une vigne située aux portes de Libourne. Il se présente très bien : dans le verre, il scintille de reflets rubis et pourpres. Son bouquet déjà intense, surtout fruité (fruits rouges), évolue vers des notes épicées et balsamiques. La bouche est fraîche et franche. Les tanins encore un peu sévères lui gardent un style classique. Ce 2001 pourra, assez rapidement, convenir à tout un repas.
⊶ GAEC Pueyo Frères, 15, av. de Gourinat,
33500 Libourne, tél. 05.57.51.71.12, fax 05.57.51.82.88,
e-mail contact@belregard-figeac.com ☒ Y 🚶 r.-v.

CH. GRAND BERT 2001 ★

■ 4 ha 27 000 ▮◍ 5 à 8 €

Importants producteurs de côtes-de-castillon, les Lavigne exploitent aussi ce cru sur les sables et les graves de Saint-Sulpice-de-Faleyrens, au sud de Saint-Emilion. Ce 2001 est net et fin dans une robe pourpre vif. Son bouquet, finement boisé, s'exprime surtout dans le registre des fruits rouges. Les tanins bien présents lui permettront de vieillir, bien que ce vin soit déjà plaisant à boire.
⊶ SCEA Lavigne,
Tuillac, 33350 Saint-Philippe-d'Aiguilhe,
tél. 05.57.40.60.09, fax 05.57.40.66.67,
e-mail scea.lavigne@wanadoo.fr ☒ Y 🚶 r.-v.

HAUT-RENAISSANCE 2001 ★★

■ 1 ha 6 700 ◍ 8 à 11 €

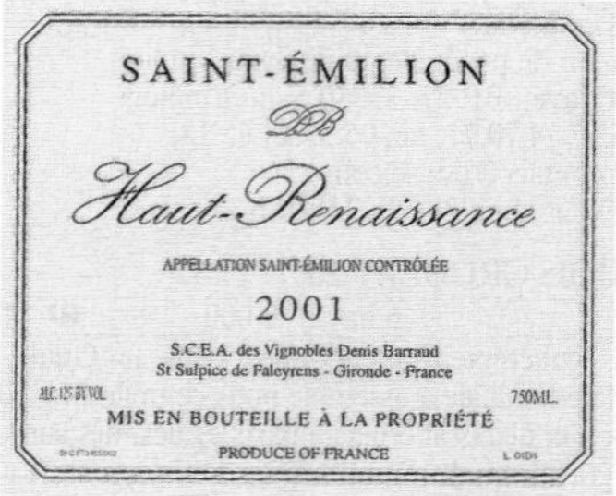

Lauréat de douze coups de cœur depuis vingt ans, dans différentes appellations, Denis Barraud reçoit une nouvelle consécration. Sur les 35 ha qu'il exploite, il sélectionne 1 ha de vieux merlots pour cette cuvée présentée très sobrement sans le terme « château ». Pourtant, le site au bord de la Dordogne et les bâtiments du XVIIe s. ont suffisamment de charme pour avoir reçu le tournage de la série télévisée *La Rivière Espérance*. Macération préfermentaire à froid, élevage de douze mois en barrique neuve, où le vin effectue sa fermentation malolactique, tout est mis en œuvre pour faire de Haut-Renaissance une cuvée remarquable. Dans une robe intense, presque noire, ce millésime marie parfaitement le bois et le fruit mûr (cassis et cerise). Les tanins très présents n'en sont pas moins soyeux et longs : ils se portent garants d'une grande garde (trois à cinq ans). Pour accompagner cette bouteille, choisir une bécasse ou une entrecôte grillée.
⊶ SCEA des Vignobles Denis Barraud,
Ch. Les Gravières, 33330 Saint-Sulpice-de-Faleyrens,
tél. 05.57.84.54.73, fax 05.57.84.52.07,
e-mail denis.barraud@wanadoo.fr ☒ Y 🚶 r.-v.

CH. HAUTS-MOUREAUX 2001

■ 7,89 ha 48 292 ▮🌡 8 à 11 €

Vinifié par l'Union de producteurs de Saint-Emilion, ce cru compte presque 8 ha, avec pour cépage principal le merlot et un appoint de 15 % en cabernet franc. Issu de sols argilo-siliceux, ce 2001 se présente dans une belle robe rubis soutenu et limpide. Le nez, agréable, rappelle les fruits frais avec quelques notes florales ; la bouche est corsée, souple et équilibrée, avec une finale de bonne tenue sur les fruits rouges. Peut être apprécié dès maintenant pour sa fraîcheur ou rester en cave deux à trois ans.
⊶ Union de producteurs de Saint-Emilion,
Haut-Gravet, BP 27, 33330 Saint-Emilion,
tél. 05.57.24.70.71, fax 05.57.24.65.18,
e-mail contact@udpse.com
Y 🚶 t.l.j. sf dim. 8h-12h 14h-18h

CH. JUPILLE CARILLON

Cuvée sélectionnée Elevée en fût de chêne 2001

■ 6,1 ha 7 000 ◍ 5 à 8 €

Propriété familiale depuis trois générations, ce domaine de 9 ha s'enorgueillit d'une belle chartreuse du

XVIIIᵉs. Il présente ici une cuvée composée essentiellement de merlot avec un appoint de 15 % en cabernets, plantés sur sols bruns, graves et sables. Cela donne un vin de couleur vive, rubis, aux arômes de cerise et de cassis mêlés de notes grillées et épicées. La bouche séveuse offre une finale encore très boisée : on attendra quelques années pour permettre au merrain de se fondre.

🖐 SCEA des Vignobles Isabelle Visage,
Jupille, 33330 Saint-Sulpice-de-Faleyrens,
tél. 05.57.24.62.92, fax 05.57.24.69.40 ☑ ▼ ⵙ r.-v.

CH. DE LA NAUVE Elevé en fût de chêne 2001 ★

| ■ | 3 ha | 16 300 | ⅲ 15 à 23 € |

Exploitation familiale de 10 ha située sur les sols argilo-sableux au sud-est de l'appellation. Richard Veyry sélectionne 3 ha complantés à 80 % de merlot, 10 % de cabernet franc et 10 % de cabernet-sauvignon pour cette cuvée élevée en fût de chêne. La robe rubis présente quelques reflets ambrés. Le nez, à dominante boisée, libère à l'agitation des arômes de fruits noirs, de cerise, d'épices. La bouche soyeuse et ronde repose sur des tanins dont la texture et la saveur rappellent le chocolat fondant. Un vin fin, déjà très agréable, pour accompagner lamproie ou entrecôte à la bordelaise.

🖐 Richard Veyry,
9, Nauve sud, 33330 Saint-Laurent-des-Combes,
tél. 05.57.24.71.89, fax 05.57.74.46.61 ☑ ▼ ⵙ r.-v.

CH. PEREY-GROULEY 2001 ★★

| ■ | 4,35 ha | 30 000 | ⅲ 8 à 11 € |

Ce cru fait partie d'une très ancienne exploitation familiale située au sud de Saint-Emilion. Ce 2001, paré d'une pourpre flamboyante, y est particulièrement réussi. Le bouquet est complexe et épanoui : à l'agitation, le bois laisse la place aux fruits mûrs, au noyau, au pain chaud, aux épices douces (muscade). La bouche, charnue, suave, possède une texture soutenue par des tanins à la fois fins, puissants, torréfiés et réglissés. Dans quelques années, on pourra marier ce millésime avec un coquelet aux morilles ou aux cèpes, du gibier et même des marinades et du poisson en sauce au vin (lotte, lamproie).

🖐 Vignobles Florence et Alain Xans,
Ch. la Fleur-Perey, 33330 Saint-Sulpice-de-Faleyrens,
tél. 06.80.72.84.87, fax 05.57.24.63.61,
e-mail alainxans@vignoblesxans.com ☑ ▼ ⵙ r.-v.

CH. LA POINTE CHANTECAILLE
Elevé en fût de chêne 2001

| ■ | 1,2 ha | 7 400 | ⅲ 11 à 15 € |

Petit vignoble situé sur les graves siliceuses à la limite de l'appellation pomerol. La couleur du vin est séduisante, rubis à reflets carminés. Le nez, encore un peu fermé, s'ouvre à l'aération sur des notes florales, fruitées, accompagnées de titillements boisés. La bouche tendre et svelte permettra de boire ce 2001 assez rapidement, avec des viandes rouges.

🖐 Propriété Paulette Estager,
55, rue des Quatre-Frères-Robert, 33500 Libourne,
tél. 05.57.51.06.97, fax 05.57.25.90.01 ☑ ▼ ⵙ r.-v.

CH. REDON 2001

| ■ | 6,17 ha | 44 528 | ▮ⵙ 8 à 11 € |

Ce cru d'un peu plus de 6 ha, installé sur des sols sableux et silico-graveleux et complanté pour les trois quarts de merlot pour un quart de cabernets, propose un joli 2001 de couleur grenat bien soutenue et encore vive.

Le bouquet naissant mêle des arômes de fruits rouges (surtout groseille) et des notes épicées. La bouche ronde et charnue, équilibrée, affiche une certaine élégance et de beaux retours en finale sur les fruits confits et les épices. Ce vin, agréable à boire dès maintenant, peut se garder trois à cinq ans.

🖐 Union de producteurs de Saint-Emilion,
Haut-Gravet, BP 27, 33330 Saint-Emilion,
tél. 05.57.24.70.71, fax 05.57.24.65.18,
e-mail contact@udpse.com
▼ ⵙ t.l.j. sf dim. 8h-12h 14h-18h

CH. SAINT-VALERY 2001

| ■ | 2,5 ha | 16 000 | ▮ 8 à 11 € |

Une belle propriété viticole de plus de 12 ha, située au sud de l'appellation, signe cette cuvée qui ne voit pas le fût. Cela ne l'empêche pas d'avoir été appréciée par nos dégustateurs pour sa jolie robe carminée, son nez fin et délicat, sa bouche franche et étoffée, sa structure bien construite et ses tanins agréables ; ce vin pourra se boire assez rapidement.

🖐 GFA Perey-Chevreuil, Ch. Saint-Valéry, 283, Perey, 33330 Saint-Sulpice-de-Faleyrens, tél. 05.57.74.41.14, fax 05.57.74.41.14, e-mail f.moquet@wanadoo.fr
☑ ▼ ⵙ t.l.j. 8h-12h 14h-18h30; f. 24 déc.-3 jan.

DOM. DU SEME 2001

| ■ | 1,44 ha | 5 000 | ▮ⅲⵙ 8 à 11 € |

Ce petit cru de moins de 1,5 ha, composé uniquement de merlot, est rattaché à une exploitation des AOC satellites de Saint-Emilion. Il propose un 2001 puissant et concentré, comme l'annonce la robe pourpre, sombre et très dense. Le nez, encore discret, laisse percer des arômes de fruits rouges et noirs mariés à un boisé grillé. La bouche, structurée, un peu ferme, est austère aujourd'hui, mais devrait s'amabiliser dans un an ou deux.

🖐 SCEA du Moulin Blanc, Le Moulin Blanc, 33570 Lussac, tél. 05.57.74.50.27, fax 05.57.74.58.88, e-mail lemoulinblanc@wanadoo.fr ☑ ▼ ⵙ r.-v.

CH. TOINET-FOMBRAUGE 2001

| ■ | 5,3 ha | 5 600 | ▮ⅲⵙ 8 à 11 € |

Ce cru familial est régulièrement retenu par nos jurys. Situé sur les sols argilo-calcaires au nord-est de l'appellation, il produit un vin assez long à s'ouvrir mais typique de son terroir. C'est encore le cas du 2001 à la couleur vive, au bouquet naissant qui demande un peu d'agitation pour libérer des notes florales, épicées, des senteurs de cèdre et de laurier. Pleine de relief, la bouche est charpentée par des tanins encore austères mais qui rendent ce vin apte à la garde. Dans quelques années, il pourra accompagner volailles, viandes blanches, gibiers (chevreuil)... Sous le même nom, la famille Sierra produit un **saint-émilion grand cru 2001 (11 à 15 €)** qui a été également cité par notre jury.

🖐 Bernard Sierra, Toinet-Fombrauge, 33330 Saint-Christophe-des-Bardes, tél. 05.57.24.77.70, fax 05.57.24.76.49 ☑ ⌂ ▼ ⵙ t.l.j. 10h-12h 15h-19h

CH. TONNERET 2001

| ■ | 3,2 ha | 7 100 | ▮ⅲⵙ 8 à 11 € |

Ce petit vignoble, dans la même famille depuis les années 1930, est établi sur les argilo-calcaires et les sables au nord-est de l'appellation, plantés à 70 % de merlot et à 30 % de cabernet franc. La vinification et l'élevage traditionnels donnent un vin intéressant malgré une certaine austérité. Sa robe et son bouquet sont déjà évolués.

Sa saveur s'achève sur des tanins boisés qui devraient s'affiner assez rapidement pour permettre de le consommer sur volailles et viandes rouges.
🔑 Jacky Gresta, Ch. Tonneret,
33330 Saint-Christophe-des-Bardes,
tél. 05.57.24.60.01 ☑ 🍷 ⛹ r.-v.

CH. VIEUX CASTEL ROBIN Cuvée du Dahu 2001

■ 0,8 ha 5 300 8 à 11 €

Provenant d'une parcelle de merlot très pentue, il s'agit du second vin du château Lavallade dont le sous-titrage Cuvée du Dahu est une gasconnade. Le vin, d'une couleur encore vive, est sympathique, frais. Au nez, il rappelle la griotte et la fenaison. La bouche est gouleyante, fraîche et épicée avec, curieusement, un caractère plutôt cabernets. Un vin « chasseur » qui devrait pouvoir se boire entre amis assez rapidement.
🔑 SCEA Gaury et Fils,
Ch. Lavallade, 33330 Saint-Christophe-des-Bardes,
tél. 05.57.24.77.49, fax 05.57.24.64.83,
e-mail chateau.lavallade@wanadoo.fr ☑ 🍷 ⛹ r.-v.

CH. VIEUX CHANTECAILLE 2001 *

■ 1,27 ha 2 525 8 à 11 €

Petit vignoble familial exploité par des viticulteurs de Montagne. La présence du cabernet franc est relativement importante (40 %). Cela donne un millésime de caractère, à la robe sombre mêlant les reflets noirs et rubis. Le premier nez est un peu fermé, mais l'agitation libère beaucoup de fruits rouges (cerise, framboise...). La bouche est charnue et tendre. Des tanins à grains fins confèrent un caractère charmeur à ce vin prometteur.
🔑 SCEA Patrick et Sylvie Moze-Berthon,
Bertin, 33570 Montagne,
tél. 05.57.74.66.84, fax 05.57.74.58.70 ☑ 🍷 ⛹ r.-v.

CH. LES VIEUX MAURINS Cuvée Prestige Vieilli en fût de chêne 2001 *

■ 1,5 ha 8 000 11 à 15 €

Créée en 1998, cette cuvée, sélectionnée par la famille Goudal parmi les 8 ha qu'elle exploite au sud-ouest de l'appellation, est régulièrement bien notée par nos dégustateurs. C'est encore le cas pour ce 2001 à la couleur rubis présentant quelques reflets d'évolution. Son bouquet est dominé par des notes boisées, fruitées et épicées. Après une attaque séduisante paraissent des tanins fondants, encore marqués par le merrain. Tout cela vieillira bien. D'ici deux ans, cette bouteille comblera les amateurs de vins boisés.
🔑 Michel et Jocelyne Goudal,
187, Les Maurins, 33330 Saint-Sulpice-de-Faleyrens,
tél. 05.57.24.62.96, fax 05.57.24.65.03,
e-mail les-vieux-maurins@wanadoo.fr ☑ 🍷 ⛹ r.-v.

DOM. D'YSSY 2001

■ 1,5 ha 6 000 11 à 15 €

Le domaine d'Yssy est en quelque sorte le second vin du Clos d'Abba (saint-émilion grand cru), et « d'Yssy à l'Abba », résume de façon originale l'histoire de Marie-Pierre et Stéphane Apelbaum qui ont créé ces deux crus en 2001. Ce millésime à la robe rubis, vive et limpide, exprime au nez des arômes frais de cerise et des fragrances florales avec de fines notes boisées. La bouche est souple et équilibrée, pas très puissante, mais elle aussi fraîche et fruitée. Une bouteille plaisir à consommer dès maintenant avec des viandes blanches.
🔑 Vignobles M.-P. et S. Apelbaum,
2, pl. du Marché, 33330 Saint-Emilion,
tél. 05.57.84.56.07, fax 05.57.84.54.82,
e-mail chateauquercy@wanadoo.fr ☑ 🍷 ⛹ r.-v.

Saint-émilion grand cru

CH. ANDREAS 2001 *

■ 2 ha 7 000 30 à 38 €

Ce vin fait partie des cuvées vinifiées par Jean-Luc Thunevin et son équipe. La robe pourpre à reflets violines et le nez puissant et complexe indiquent déjà la grande concentration de ce 2001. La bouche est charpentée et solide, avec des tanins jeunes, encore un peu austères, qui demanderont cinq à six ans pour s'assagir.
🔑 Vignoble Rocher Cap de Rive,
33350 Saint-Magne-de-Castillon, tél. 05.57.55.09.13,
fax 05.57.55.09.12, e-mail info@thunevin.com ☑

CH. L'APOLLINE 2001

■ n.c. n.c. 15 à 23 €

Acheté en 1996 par Perrine et Philippe Genevey, ce cru est installé sur sables et graves sur la route de Brame. Il est composé de deux tiers de merlot et d'un tiers de cabernet-sauvignon dont la moyenne d'âge est de trente-cinq ans. Bien présenté dans une jolie robe couleur cerise, ce 2001 est frais et fruité au nez. La bouche, souple et ronde en attaque, évolue vite sur une structure tannique aujourd'hui un peu austère, qui demandera plusieurs années de garde pour s'assagir.
🔑 EARL Ch. L'Apolline,
Le Brégnet, 33330 Saint-Sulpice-de-Faleyrens,
tél. 05.57.51.26.80, fax 05.57.51.26.80,
e-mail chateaul-apolline@wanadoo.fr ☑ 🍷 ⛹ r.-v.
🔑 Perrine et Philippe Genevey

CH. ARMENS 2001 *

■ 5,4 ha 30 000 23 à 30 €

Alexandre, fils de Léo de Malet-Roquefort, a connu une première expérience comme régisseur d'un domaine argentin avant d'acquérir ce cru. Son troisième millésime comporte 70 % de merlot, 20 % de cabernet-sauvignon et 10 % de cabernet franc. Cela donne un 2001 paré d'une robe grenat très dense. Le nez, flatteur et puissant, libère des notes grillées et vanillées qui recouvrent des arômes de fruits rouges mûrs. La bouche est corsée, ample et concentrée, avec une trame tannique riche et ferme qui assurera une bonne garde.
🔑 Aliénor et Alexandre de Malet-Roquefort, BP 12,
Saint-Pey-d'Armens, 33330 Saint-Emilion,
tél. 05.57.56.40.80, fax 05.57.56.40.89,
e-mail chateau.armens@chateau.armens.com ☑

CH. L'ARROSEE 2001 *

■ Gd cru clas. 9,3 ha 26 000 46 à 76 €

Depuis une dizaine d'années l'entrepreneur Roger Caille, fondateur en 1973 de Jet Services, et son fils Jean-Philippe cherchaient à acquérir un vignoble borde-

BORDELAIS

CLASSEMENT 1996 DES GRANDS CRUS DE SAINT-ÉMILION

SAINT-ÉMILION PREMIERS GRANDS CRUS CLASSÉS

A Château Ausone
Château Cheval Blanc

B Château Angelus
Château Beau-Séjour (Bécot)
Château Beauséjour (Duffau-Lagarrosse)
Château Belair
Château Canon
Clos Fourtet
Château Figeac
Château La Gaffelière
Château Magdelaine
Château Pavie
Château Trottevieille

SAINT-ÉMILION GRANDS CRUS CLASSÉS

Château Balestard La Tonnelle
Château Bellevue
Château Bergat
Château Berliquet
Château Cadet-Bon
Château Cadet-Piola
Château Canon-La Gaffelière
Château Cap de Mourlin
Château Chauvin
Clos des Jacobins
Clos de L'Oratoire
Clos Saint-Martin
Château Corbin
Château Corbin-Michotte
Couvent des Jacobins
Château Curé Bon La Madeleine
Château Dassault
Château Faurie de Souchard
Château Fonplégade
Château Fonroque
Château Franc-Mayne
Château Grand Mayne
Château Grand-Pontet
Château Guadet Saint-Julien
Château Haut-Corbin
Château Haut-Sarpe
Château La Clotte
Château La Clusière
Château La Couspaude
Château La Dominique
Château La Marzelle
Château Laniote
Château Larcis-Ducasse
Château Larmande
Château Laroque
Château Laroze
Château L'Arrosée
Château La Serre
Château La Tour du Pin-Figeac (Giraud-Belivier)
Château La Tour du Pin-Figeac (Moueix)
Château La Tour-Figeac
Château Le Prieuré
Château Les Grandes Murailles
Château Matras
Château Moulin du Cadet
Château Pavie-Decesse
Château Pavie-Macquin
Château Petit-Faurie-de-Soutard
Château Ripeau
Château Saint-Georges Côte Pavie
Château Soutard
Château Tertre Daugay
Château Troplong-Mondot
Château Villemaurine
Château Yon-Figeac

lais. Leur choix s'est porté en 2002 sur ce grand cru classé de Saint-Emilion à taille humaine. Ils s'y investissent beaucoup et tiennent les professionnels au courant à l'aide du journal *Les Saisons*, qui sort quatre fois par an. Ils présentent un 2001 plein de tonus : la robe cerise est éclatante ; les petits fruits sautent au nez (cassis, mûre), respectés par un bois discret ; la bouche est charmeuse, élégante, enveloppée de tanins qui tapissent bien le palais sans le fatiguer. A savourer entre amis, sur un tournedos Rossini par exemple.

⊶ EARL Famille Caille, Ch. L'Arrosée,
33330 Saint-Emilion, tél. 04.72.41.66.40,
fax 04.72.41.66.41, e-mail contact@chateaularrosee.com

AURELIUS 2001 ★

■ 20 ha 45 352 ▮ 🛢 🌡 30 à 38 €

Cette marque, haut de gamme de la coopérative de Saint-Emilion, fait référence à l'empereur Marcus Aurelius Probus qui, en 279, encouragea les Gaulois à planter de la vigne et à faire du vin. L'originalité de celui-ci vient de l'assemblage des meilleures parcelles représentant les terroirs, les microclimats et les cépages de l'ensemble de l'aire d'appellation. L'idée est sûrement bonne puisque le 2000 avait décroché un coup de cœur. Le 2001 est jugé très réussi. Encore dominé par le bois de chêne, il affiche une forte concentration à tous les stades de la dégustation. Les amateurs de vins boisés pourront le déguster assez vite. Les autres devront l'attendre quelques années. La **cuvée Galius 2001 (15 à 23 €)**, plus de 100 000 bouteilles, obtient une citation.

⊶ Union de producteurs de Saint-Emilion,
Haut-Gravet, BP 27, 33330 Saint-Emilion,
tél. 05.57.24.70.71, fax 05.57.24.65.18,
e-mail contact@udpse.com
☑ 🍸 🚶 t.l.j. sf dim. 8h-12h 14h-18h

CH. AUSONE 2001 ★★

■ 1er gd cru clas. A 7 ha 16 800 🛢 + de 76 €

61 64 **75 76 78 79** 80 **81** (82) **83 85 86** 88 |(89)| |**90**|
92 93 |94| (96) **97** (98) **99** (00) **01**

Les dégustations se font strictement à l'aveugle (bouteilles rendues anonymes), la composition des jurys change chaque année, rien n'y fait ! Ausone décroche très régulièrement son coup de cœur (dont les jurys sont pourtant avares à Bordeaux. Cela tient du défi. Mais Alain Vauthier est un homme de défi, il l'a prouvé lorsqu'il a repris le domaine familial, convoité par tant de monde. Intéressons-nous à ce qui caractérise cette grande bouteille 2001 : la fraîcheur de sa robe, la parfaite maturité du raisin (ni trop, ni trop peu), des tanins séveux, la finesse et la discrétion de la barrique qui permet l'expression d'un terroir de réputation millénaire. Race et élégance.

⊶ Famille Vauthier, Ch. Ausone, 33330 Saint-Emilion,
tél. 05.57.24.70.26, fax 05.57.74.47.39,
e-mail chateau.ausone@wanadoo.fr

CH. BADETTE Prestige 2001 ★

■ 4,5 ha 22 500 🛢 11 à 15 €

Il s'agit du dernier millésime élaboré par M. Arreaud. A sa mort en 2002, ce domaine d'une dizaine d'hectares a été légué à la mairie de Saint-Emilion, fait rarissime. Ce millésime laissera un très bon souvenir aux amateurs de vins bien faits et bien élevés. L'œil apprécie le rubis intense et profond de la robe. Le nez plein de panache, de fines notes fruitées, de boisé toasté et vanillé, ouvre sur une attaque soyeuse, puis la bouche évolue sur une structure élégante et des tanins harmonieux. Déjà civilisée, agréable dès maintenant, cette bouteille pourra être mariée aux viandes rouges ou aux fromages à pâte molle dans les cinq prochaines années.

⊶ SCEA Ch. Badette,
Badette, 33330 Saint-Christophe-des-Bardes,
tél. 06.09.73.12.78, fax 05.57.51.99.94,
e-mail leymarie@ch-leymarie.com ☑ 🍸 🚶 r.-v.

CH. BALESTARD LA TONNELLE 2001

■ Gd cru clas. 10,6 ha 47 000 🛢 23 à 30 €

(83) **85 86** 88 |**89**| |90| **94** |95| |96| 99 00 01

Balestard était un chanoine du chapitre de Saint-Emilion et la Tonnelle, une vieille tour située au cœur du vignoble. Cet ancien cru, déjà cité au XVe s. dans un poème de François Villon qui figure sur l'étiquette, est de grande notoriété. Le vin, lui, est encore un peu jeune, mais prometteur : la robe est sombre et intense ; le bouquet élégant affiche des arômes de fruits noirs, d'épices et de pain grillé, avec une pointe de réglisse. La bouche révèle une matière harmonieuse et équilibrée qui persiste agréablement en finale sur des saveurs fruitées et boisées bien mariées.

⊶ SCEA Capdemourlin,
Ch. Roudier, 33570 Montagne,
tél. 05.57.74.62.06, fax 05.57.74.59.34,
e-mail info@vignoblescapdemourlin.com ☑ 🍸 🚶 r.-v.

CH. BARDE-HAUT 2001 ★

■ 16 ha 36 900 ▮ 🛢 🌡 30 à 38 €

Déjà productrice en pessac-léognan et en pomerol, Sylviane Garcin-Cathiard a acquis cet important vignoble saint-émilionnais en 2000. Ici le merlot règne en maître quasi absolu sur les argilo-calcaires. Cela donne un 2001 à la fois classique et moderne, à la pourpre traversée d'ombres noires et au bouquet déjà intense et complexe (raisin très mûr, pain d'épice, merrain vanillé). La bouche chaleureuse, onctueuse, presque moelleuse est structurée par des tanins de raisin mûr et de fût neuf. Parfait pour accompagner un lièvre à la royale.

⊶ SCEA Ch. Barde-Haut,
33330 Saint-Christophe-des-Bardes, tél. 05.56.64.05.22,
fax 05.56.64.06.98, e-mail haut.bergey@wanadoo.fr r.-v.
⊶ Garcin

CH. DU BARRY 2001 ★

■ 10 ha 45 000 🛢 15 à 23 €

89 |90| 93 **95** |(98)| |99| **00** 01

Dans les années 1920, le grand-père achète « par hasard » une petite propriété viticole ; aujourd'hui le petit-fils en exploite six et s'est tellement investi dans son activité que le ministre de l'Agriculture vient de l'élever au

grade d'officier du Mérite agricole. Son épouse et ses enfants sont également très impliqués. Sur les 42 ha de vignes, 10 ha de graves sont consacrés à ce cru. Paré d'une magnifique robe noire, ce vin demande un peu d'aération pour libérer des notes fruitées et boisées bien mariées. Ample, rond et corpulent en bouche, il repose sur une belle charpente de tanins racés, qui lui permettront de vieillir agréablement. Second vin en saint-émilion grand cru, le **Comte du Barry 2001 (11 à 15 €)** obtient une citation.
⊶ SCEA Vignobles Daniel Mouty, Ch. du Barry,
33350 Sainte-Terre, tél. 05.57.84.55.88,
fax 05.57.74.92.99, e-mail daniel-mouty@wanadoo.fr
☑ 🍸 🚶 t.l.j. sf dim. 8h-18h

CH. BEAUSEJOUR 2001

■ 1er gd cru clas. B 6,8 ha 25 000 ◍ 30 à 38 €

75 79 81 **82 83 85 86** |(88)| |**89**| |(90)| **92** |**93**| |94| **95** |**96**| |97| 99 01

Depuis huit générations, la famille Duffau-Lagarrosse exploite ce 1er grand cru classé, situé sur le coteau sud-ouest de Saint-Emilion. Le terroir argilo-calcaire est planté à 70 % de merlot et à 30 % de cabernets. Ce 2001 entre dans la catégorie des grands vins de garde, aussi est-il assez lent à s'ouvrir. La robe rubis présente cependant quelques reflets carminés. Le bouquet naissant de fruits frais et de chêne toasté évolue sur des notes d'épices et de cuir et sur une touche minérale typique du terroir. La saveur est séveuse mais serrée. Les tanins encore un peu austères demanderont à être attendus trois à quatre ans.
⊶ Héritiers Duffau-Lagarrosse,
S.C. Ch. Beauséjour, 33330 Saint-Emilion,
tél. 05.57.24.71.61, fax 05.57.74.48.40 ☑ 🍸 🚶 r.-v.

CH. BEAU-SEJOUR BECOT 2001 ★★

■ 1er gd cru clas. B 16,5 ha n.c. ◍ 30 à 38 €

75 78 79 81 **82** 83 85 (86) **87** |**88**| |**89**| |90| 91 **92** |93| |**94**| |**95**| |**96**| |97| 98 **99** 00 **01**

Le sol de Beau-Séjour Bécot est chargé d'histoire, depuis les sillons tracés par les Romains et les carrières du Moyen Age. C'est aujourd'hui un 1er cru réputé. 800 m séparent le château du village de Saint-Emilion, distance à parcourir à pied pour découvrir les superbes paysages qui entourent la cité. Ce vin est composé de 70 % de merlot, 24 % de cabernet franc et 6 % de cabernet-sauvignon. Des cuves à petite capacité ont permis un beau travail de sélection parcellaire. D'une couleur très sombre, ce millésime séduit dès le premier coup de nez par ses notes élégantes (cannelle, vanille, cerise confite, truffe...). Charpenté par des tanins fermes et savoureux à la fois, d'une rare persistance dans ce millésime, il est de grande classe.
⊶ Gérard et Dominique Bécot,
Ch. Beau-Séjour Bécot, 33330 Saint-Emilion,
tél. 05.57.74.46.87, fax 05.57.24.66.88 ☑ 🍸 🚶 r.-v.

CH. BELLEFONT-BELCIER 2001 ★

■ 12 ha 29 000 ◍ 23 à 30 €

|95| |96| |97| 98 99 00 01

Cette belle exploitation viticole couvre une douzaine d'hectares sur les coteaux argilo-calcaires de Saint-Laurent-des-Combes, à proximité de nombreuses sources, d'où le nom de « bellefont » qui signifie belle fontaine. A voir, le cuvier circulaire avec toit de bois et fines poutrelles métalliques à la Gustave Eiffel. Le vin a une jolie robe rubis vif et libère un bouquet fruité, épicé et agréablement boisé. La bouche équilibrée est structurée par des tanins plaisants et savoureux en finale. Il convient d'attendre cette bouteille deux à trois ans.
⊶ Jacques Berrebi et Alain Laguillaumie,
Ch. Bellefont-Belcier, 33330 Saint-Laurent-des-Combes,
tél. 05.57.24.72.16, fax 05.57.74.45.06,
e-mail bellefontbelcier@aol.com ☑ 🍸 🚶 r.-v.

CH. BELLEVUE 2001 ★

■ Gd cru clas. 6,2 ha 18 000 ◍ 38 à 46 €

En 2000, les familles de Lavaux et de Coninck ont fait appel à Nicolas Thienpont pour diriger l'exploitation. Le vignoble classique (terroir argilo-calcaire complanté à 80 % de merlot et à 20 % de cabernet franc) est situé sur la route du Milieu entre Saint-Emilion et Libourne. La couleur rubis de ce 2001 est encore vive. Le bouquet repose sur un raisin très mûr, des épices, avec de surprenantes nuances de caramel et de vieux cuir. Après une attaque ample et riche, la bouche évolue sur des tanins élégants et un boisé flatteur et persistant. Un grand vin, bien dans son classement et son millésime.
⊶ Ch. Bellevue, rte du Milieu, 33330 Saint-Emilion,
tél. 05.57.24.74.23, fax 05.57.24.63.78
⊶ de Lavaux et de Coninck

CH. BELLISLE MONDOTTE 2001 ★★

■ 4,5 ha 20 000 ◍ 15 à 23 €

|**97**| |98| |99| 00 **01**

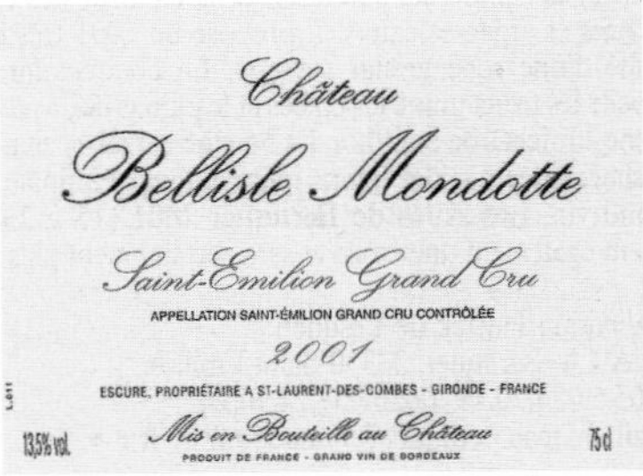

Ce cru d'une grande régularité depuis quelques années a particulièrement séduit le jury avec ce 2001, tant par sa robe jeune et profonde que par son bouquet élégant, mêlant harmonieusement les arômes de fruits mûrs, d'épices et de vanille. La bouche, riche et équilibrée, n'est pas en reste et s'appuie sur des tanins fondus et savoureux. La finale éclate en queue de paon. Une bouteille de garde, mais qui sera vite agréable à boire (deux à trois ans).
⊶ SCEA Héritiers Escure,
103, Grand-Pey, 33330 Saint-Sulpice-de-Faleyrens,
tél. 05.57.74.41.17, fax 05.57.24.67.81 ☑ 🍸 🚶 r.-v.

CH. BELREGARD-FIGEAC 2001 ★

■ 3 ha 18 000 ▮◍🌡 11 à 15 €

Les frères Pueyo exploitent près de 9 ha de vignes. Ils sélectionnent 3 ha de sols sablo-graveleux du secteur de Figeac pour produire cette cuvée dans laquelle les cabernets pointent à 40 % en complément du merlot. Cela se retrouve dans la dégustation. La couleur est encore fraîche, le fumet élégant associe le raisin mûr, le bois chaud et une légère touche animale. La saveur est franche : la barrique respecte le vin qui joue plutôt sur la finesse et la fraîcheur que sur la puissance. D'ici trois à quatre ans, ce millésime sera parfait pour accompagner une large palette de viandes

et de fromages. La cuvée **L'Excellence de Belregard-Figeac, autre saint-émilion grand cru 2001 (30 à 38 €)**, obtient une citation.
🔑 GAEC Pueyo Frères, 15, av. de Gourinat,
33500 Libourne, tél. 05.57.51.71.12, fax 05.57.51.82.88,
e-mail contact@belregard-figeac.com ☑ Y 🚶 r.-v.

CH. BERGAT 2001 ★

■ Gd cru clas. 4 ha 12 000 ◍ 30 à 38 €

88 89 93 94 |95| |96| 97 **98** 99 00 01

Cousin de Trottevieille, Bergat bénéficie de soins attentifs comme le révèle la robe dense et profonde de ce millésime au nez expressif mêlant cuir, tabac et mûre. Ce sont les fruits rouges qui marquent l'attaque, puis les tanins s'affirment, puissants, encore un peu vifs, mais équilibrés. Attendre deux ou trois ans avant de le servir sur une viande rôtie.
🔑 Indivision Castéja-Preben-Hansen,
Ch. Bergat, 33330 Saint-Emilion,
tél. 05.56.00.00.70, fax 05.57.87.48.61,
e-mail domainesboriemanoux@dialoleane.com ☑ 🚶 r.-v.

CH. BERLIQUET 2001 ★

■ Gd cru clas. 8,53 ha 26 000 ◍ 38 à 46 €

88 89 93 94 |95| |96| 97 **98** 99 **00** 01

Ce beau vignoble de 9 ha, un des plus anciens de l'appellation connu sous le nom de « château », jouit d'une superbe exposition, au sud-ouest de la cité, sur des côtes calcaires et argilo-calcaires. Il propose un 2001 très bien habillé d'une robe grenat soutenu. Le bouquet intense rappelle les fruits mûrs, les épices et le pain grillé, avec des touches fraîches de menthol. La bouche corsée et charnue est charpentée par des tanins mûrs et longs en finale. Le second vin, **Les Ailes de Berliquet 2001 (15 à 23 €)**, obtient également une étoile et sera certainement plus vite prêt.
🔑 Vicomte Patrick de Lesquen,
SCEA Ch. Berliquet, 33330 Saint-Emilion,
tél. 05.57.24.70.48, fax 05.57.24.70.24,
e-mail chateau.berliquet@wanadoo.fr Y 🚶 r.-v.

CH. CADET-PEYCHEZ 2001

■ n.c. 5 200 ▮ ◍ ♁ 8 à 11 €

Ce minuscule cru (1,2 ha), petit frère du grand cru classé Château Faurie de Souchard, est installé à la sortie nord de la cité médiévale sur un terroir argilo-calcaire. Il adjoint 20 % de cabernet franc au merlot pour donner un millésime à la couleur rubis bien soutenu ; le nez associe les fruits rouges à un boisé fin et discret. La bouche est souple, équilibrée, fruitée et épicée, d'une bonne tenue en finale. Un vin de plaisir à ouvrir d'ici deux à trois ans et à servir avec volailles ou viandes blanches.
🔑 SAS Françoise Sciard Jabiol,
Ch. Faurie de Souchard, 33330 Saint-Emilion,
tél. 05.57.74.43.80, fax 05.57.74.43.96,
e-mail fauriedesouchard@wanadoo.fr ☑ r.-v.

CH. CANON 2001 ★

■ 1er gd cru clas. B n.c. 36 000 ◍ 46 à 76 €

|89| |90| 96 |97| **98** 99 **00** 01

Très beau domaine viticole du secteur de Saint-Martin implanté sur le plateau argilo-calcaire, et clos d'un mur en moellons. Il faut dire qu'ici, la pierre ne manque pas, nous sommes sur d'immenses carrières qui se visitent. Canon, c'est aussi une ravissante chartreuse, et un vin à la robe rubis frangée de carmin plus évolué. Le caractère olfactif est très intéressant : on y trouve du noyau, du cuir, de la truffe, du poivre et du genièvre (à côté du raisin et du chêne, bien sûr). La bouche est souple, fraîche et corsée à la fois. Les tanins un peu fermes demanderont à être attendus deux ou trois ans. Le second vin, **Clos Canon saint-émilion grand cru 2001 (23 à 30 €)**, a lui aussi été sélectionné avec une étoile.
🔑 SC Ch. Canon,
BP 22, Saint-Martin, 33330 Saint-Emilion,
tél. 05.57.55.23.45, fax 05.57.24.68.00,
e-mail contact@chateau-canon.com Y 🚶 r.-v.
🔑 Wertheimer

CH. CANTENAC 2001

■ 7,5 ha 45 000 ▮ ◍ ♁ 15 à 23 €

Ce joli domaine viticole installé en pied de côte abrite un manoir du XIXe s. De couleur intense et encore vive, ce 2001 développe un nez très agréable mêlant fruits rouges, notes épicées et boisé fin. Bien équilibré et assez volumineux, il est apte à une bonne garde (trois à cinq ans).
🔑 Nicole Roskam, SCEA Ch. Cantenac, RD 670,
33330 Saint-Emilion, tél. 05.57.51.35.22,
fax 05.57.25.19.15, e-mail roskam@club-internet.fr
☑ Y 🚶 t.l.j. sf sam. dim. 9h-12h 14h-18h

CH. CANTIN 2001 ★★

■ 10 ha 72 000 ◍ 15 à 23 €

Cette ancienne ferme monastique du XVIe s. règne sur un vignoble de 35 ha, dont 10 ha sont consacrés à ce cru, composé d'une majorité de merlot et de 10 % de cabernet franc, plantés sur le plateau argilo-calcaire de Saint-Christophe-des-Bardes. Doté d'une superbe robe pourpre sombre, dense et profonde, ce 2001 séduit par son bouquet suave et élégant, mariant harmonieusement fruits rouges confits, boisé grillé, vanille et épices. La bouche, corsée, séveuse et charnue, développe une matière savoureuse, très persistante. Le **Vieux Château des Combes 2001 (11 à 15 €)**, qui constitue le reste du domaine, obtient une citation ; il est un peu sévère aujourd'hui et mérite quelques années de garde. Le **Château Bellevue Figeac 2001 (11 à 15 €)**, situé à Saint-Emilion, obtient une étoile et demande aussi à vieillir un peu.
🔑 SC Vignobles J. Leprince,
Ch. Cantin, 33330 Saint-Christophe-des-Bardes,
tél. 05.57.24.65.73, fax 05.57.24.65.82,
e-mail contact@chateau-cantin.com ☑ Y 🚶 r.-v.

CH. CAP DE MOURLIN 2001 ★

■ Gd cru clas. 13,81 ha 46 000 ◍ 15 à 23 €

(82) 83 85 **86** 88 |89| |90| 92 93 94 |96| |98| 99 00 01

Les Capdemourlin conduisent ce cru depuis cinq siècles ; ils se sont souvent engagés pour la viticulture

saint-émilionnaise. Cette jolie propriété est installée sur des sols argilo-sableux et argilo-calcaires. Doté d'une robe grenat soutenu, ce 2001 libère un bouquet fin et complexe, dominé par des arômes de fruits rouges et d'épices, avec quelques notes grillées. La bouche équilibrée et harmonieuse est construite sur une belle trame tannique qui persiste agréablement en finale sur des saveurs de confiture de cerises. On peut espérer une garde de cinq à dix ans pour cette bouteille très élégante.
SCEA Capdemourlin,
Ch. Roudier, 33570 Montagne,
tél. 05.57.74.62.06, fax 05.57.74.59.34,
e-mail info@vignoblescapdemourlin.com r.-v.

CH. CARTEAU COTES DAUGAY 2001 *

■ 15 ha 85 000 11 à 15 €

86 88 **89** 90 **92** 93 94 95 96 **97** 98 99 01

Propriété familiale depuis cinq générations, ce domaine de 15 ha à l'encépagement classique est installé à 2 km de Saint-Emilion sur des sols sableux et argilo-calcaires. Il propose un 2001 de teinte rubis, au bouquet fruité élégamment boisé. La bouche est souple, assez soyeuse, alors que la finale se révèle encore un peu ferme et demande deux à quatre ans de garde. Du même propriétaire, le **Château Franc Pipeau 2001**, installé à Saint-Hippolyte, obtient une citation ; fin au nez et agréable en bouche, il mérite lui aussi un peu de temps de garde pour assouplir sa finale.
SCEA Vignobles Jacques Bertrand,
Ch. Carteau, 33330 Saint-Emilion,
tél. 05.57.24.73.94, fax 05.57.24.69.07 r.-v.

CH. DU CAUZE 2001

■ 20 ha 120 000 15 à 23 €

85 88 89 90 92 **93** 94 95 97 98 00 01

Un très beau vignoble installé sur des sols argilo-calcaires. Le vin porte une robe très jeune, grenat. Fruité et vineux, il exprime les petits fruits rouges mûrs, mêlés de notes boisées fines avec des nuances minérales. Souple et rond en attaque, il révèle ensuite une structure équilibrée mais un peu ferme ; il convient de l'attendre deux à trois ans.
Bruno Laporte,
SC Ch. du Cauze, 33330 Saint-Christophe-des-Bardes,
tél. 05.57.74.62.47, fax 05.57.74.59.12 r.-v.

CH. CHAMPION 2001 *

■ 6 ha 16 000 11 à 15 €

95 96 98 99 00 01

Ce cru, dans la famille depuis le XVIII[e]s., est géré par Pascal Bourrigaud. Le 2001 est très réussi. La teinte bordeaux est d'une grande brillance. Le bouquet encore discret demande de l'aération pour libérer des senteurs de fruits des bois, de cuir et de bois chaud. La mise en bouche est soyeuse et équilibrée puis le palais affiche vite une charpente dotée de tanins toastés encore un peu fermes, mais qui devraient bien s'affiner d'ici deux à trois ans. A signaler, un prix intéressant et une bonne organisation pour l'accueil de groupes. Les dégustateurs ont aussi retenu l'autre saint-émilion grand cru de ce producteur : **Château Vieux Grand Faurie 2001 (11 à 15 €)**, cité.
SCEA Bourrigaud et Fils,
Ch. Champion, 33330 Saint-Christophe-des-Bardes,
tél. 05.57.74.43.98, fax 05.57.74.41.07,
e-mail info@chateau-champion.com r.-v.

CH. CHAUVIN 2001 **

■ Gd cru clas. 13,5 ha 45 000 23 à 30 €

82 85 86 **88 89** 90 93 94 96 98 99 00 **01**

Depuis 1891 propriété de la famille Ondet, ce cru a réjoui le jury. Il a assemblé la quasi-totalité de la production, comme la plupart des crus classés (alors que les crus inférieurs présentent parfois des cuvées hypersélectionnées). Le château Chauvin surmonte cette difficulté sans peine et décroche deux étoiles avec ce vin à la fois charmeur et sérieux. La robe pourpre est dense et attrayante. Le bouquet déjà puissant mêle les fruits très mûrs, les notes boisées et briochées. La bouche est ample, savoureuse, structurée par des tanins solides qui demanderont à être attendus quelques années. Un grand saint-émilion de style classique.
SCEA Ch. Chauvin, 1, les Cabanes-Nord,
BP 67, 33330 Saint-Emilion,
tél. 05.57.24.76.25, fax 05.57.74.41.34,
e-mail chateauchauvingc@aol.com r.-v.
Béatrice Ondet, Marie-France Février

BORDELAIS

CH. CHEVAL BLANC 2001 **

■ 1er gd cru clas. A 37 ha n.c. + de 76 €

61 64 66 69 **70 71** 72 73 74 **75 76** 77 **78 79** 80 **81 82 83 85 86** 87 **88 89 90 92 93 94 95 96 97 98 99 00 01**

Lorsqu'on roule sur la route séparant Saint-Emilion et Pomerol, on passe devant des bâtiments viticoles qui n'ont rien d'impressionnant. C'est pourtant là que naissent quelques fleurons des vins de France (Cheval Blanc, Petrus...). Cette petite route a vu beaucoup de grands de ce monde venir se changer les idées ici. A Cheval Blanc, c'est Pierre Lurton qui les reçoit. Dans quelques années, ils pourront y déguster un 2001 remarquable et plein de promesses. Ici on recherche surtout l'élégance et le classicisme. Cela se traduit par une magnifique robe bordeaux, un bouquet d'une rare finesse où se succèdent une multitude de senteurs venant des raisins, du terroir, des fûts, du savoir-faire. La saveur est racée, encore un peu dominée par des tanins garants d'une excellente aptitude à la garde.
SC du Cheval Blanc, 33330 Saint-Emilion,
tél. 05.57.55.55.55, fax 05.57.55.55.50 r.-v.
B. Arnault et A. Frère

CH. CHEVALIER BLANC 2001 *

■ 2 ha 12 900 11 à 15 €

En 2001, 2 ha, partagés entre 80 % de merlot et 20 % de cabernet franc, ont servi à élaborer cette cuvée de teinte grenat. Le bouquet chaleureux et flatteur mêle les fruits mûrs à des notes épicées. La bouche est dotée d'une matière équilibrée et d'une finale longue et harmonieuse, sur le fruit et le bon bois grillé.
Richard Bouvier, SARL SOVIFA,
36 A, rue de la Dordogne,
33330 Saint-Sulpice-de-Faleyrens,
tél. 05.57.24.68.83, fax 05.57.24.63.12,
e-mail so-vi-fa@wanadoo.fr r.-v.

CLOS DES JACOBINS 2001 **

■ Gd cru clas. 8,3 ha 25 000 23 à 30 €

En 2001, Gérald Frydman a acheté ce cru classé aux établissements Cordier. Ce millésime lui permet de faire une entrée fracassante dans le Guide puisqu'il décroche un coup de cœur. A noter que c'est Hubert de Boüard (Angelus) qui dirige le domaine et la vinification. Tout ravit

dans le verre, la couleur pourpre intense à reflets noirs, le bouquet explosif mêlant les fleurs exotiques (fleur de vanille), les fruits rouges et le merrain toasté. La bouche opulente et veloutée, tapissée par d'élégants tanins, confirme qu'il s'agit d'un très grand vin de garde.

🔑 Gérald Frydman,
Clos des Jacobins, 33330 Saint-Emilion,
tél. 05.57.24.70.14, fax 05.57.24.68.08 ☑ 🍷 r.-v.

CLOS DES MENUTS 2001

■ 36 ha 200 000 🛢 15 à 23 €

|95| |96| |98| 01

Cette grande exploitation viticole (36 ha) possède de très belles caves monolithes au cœur de la cité de Saint-Emilion, qui assurent une excellente conservation de ses précieux flacons. Ce 2001 grenat sombre se montre encore discret, laissant toutefois percer des arômes de fruits cuits et des notes grillées, ainsi que quelques odeurs animales. La bouche, d'abord corsée et chaleureuse, évolue sur une charpente ferme et un peu austère aujourd'hui. A ouvrir dans deux à trois ans.

🔑 SCEV Pierre Rivière,
Clos des Menuts, 33330 Saint-Emilion,
tél. 05.57.55.59.59, fax 05.55.59.55.51,
e-mail priviere@riviere-stemilion.com
☑ 🍷 🚶 t.l.j. 10h-12h 14h-19h

CH. CLOS DES PRINCE 2001 ★

■ 2 ha 11 000 🛢 15 à 23 €

Après une entrée réussie dans le Guide avec son 2000, Gilles Prince qui dirige le bureau de courtage créé par son père à Branne confirme ses talents de vigneron. Pour élaborer ce 2001, il assemble trois parcelles situées à Saint-Emilion, à Saint-Sulpice-de-Faleyrens et à Saint-Laurent-des-Combes où se trouvent la maison et les chais. Une belle robe sombre, un bouquet déjà expressif de vendange mûre, de pruneau, de bois toasté. Une bouche ample et volumineuse encore dominée par les tanins du chêne persistants. Il faudra attendre quelques années pour apprécier ce vin avec une large palette culinaire (aloyau de bœuf aux cèpes, plateau de fromages, etc.).

🔑 SCA des Vignobles Prince, 68, rue E.-Roy,
33420 Branne, tél. 06.76.81.04.11, fax 05.57.84.64.54,
e-mail prince.g@wanadoo.fr ☑ 🍷 🚶 r.-v.
🔑 G. et M.-C. Prince

CLOS FOURTET 2001 ★

■ 1er gd cru clas. B n.c. 50 000 🛢 46 à 76 €

71 73 74 75 **76 78 79 81** 82 **83 85 86** 87 |88| |**89**|
90 91 92 93 **94** |(95)| **96** 97 **98** 99 **00** 01

Cru emblématique de Saint-Emilion situé en face du porche de l'église collégiale, ce vignoble tiré au cordeau, entouré d'un interminable mur en moellons, est commandé par une grande demeure girondine. Il ne s'agit là que de la partie émergée. Sous le sol, s'étagent des kilomètres de carrières sur trois niveaux, dans lesquelles reposent barriques et bouteilles. Après les seigneurs de Figeac, les familles Ginestet et Lurton, c'est aujourd'hui Philippe Cuvelier qui présente son premier millésime. Bien dans le style du Clos Fourtet, c'est un vin de longue garde, encore très frais, dont la concentration et la charpente puissantes sont garantes d'une grande aptitude à la garde. Le second vin du domaine, **La Closerie de Fourtet, saint-émilion grand cru 2001 (15 à 23 €)**, est retenu par le jury avec une étoile.

🔑 SC Clos Fourtet, 33330 Saint-Emilion,
tél. 05.57.24.70.90, fax 05.57.74.46.52,
e-mail closfourtet@wanadoo.fr 🚶 r.-v.
🔑 M. Cuvelier

CLOS JUNET 2001 ★★

■ 1,6 ha 7 200 ▮ 🛢 🌡 11 à 15 €

Ce petit vignoble est constitué de parcelles issues d'une propriété acquise par l'arrière-grand-père de Patrick Junet. Ce dernier est bien connu pour avoir dirigé l'Office de tourisme de Saint-Emilion – cité et juridiction viticole aujourd'hui classées au patrimoine mondial par l'Unesco. Ce remarquable 2001 est paré d'une superbe robe bordeaux. Le nez très jeune annonce un grand avenir : l'aération libère des senteurs florales et fruitées (griotte). La bouche charnue et fruitée est tapissée de tanins denses et réglissés. La discrétion du bois permet au terroir et aux cépages de s'exprimer (pointe de cabernet franc). Ce vin de garde demandera à être attendu quelques années et carafé avant service.

🔑 Patrick Junet, Clos Junet,
13, Berthonneau, 33330 Saint-Emilion,
tél. 05.57.51.16.39, fax 05.57.51.19.52,
e-mail clos.junet@voila.fr ☑ 🍷 🚶 r.-v.

CLOS L'ABBA 2001 ★

■ 3 ha 15 000 🛢 23 à 30 €

Il s'agit du premier millésime de ce nouveau cru créé par M.-P. et S. Apelbaum, né de merlot presque pur (95 %) implanté sur un terroir gravelo-sablo-argileux. Débuts prometteurs puisque ce vin a été jugé très réussi. La robe sombre mêle des reflets noirs, rubis et grenat. Son bouquet s'ouvre sur des fruits mûrs, confiturés, puis évolue sur du merrain torréfié, réglissé. Sa bouche fruitée, chaleureuse et corsée est charpentée par des tanins puissants, concentrés mais élégants, garants d'une longue garde. Dans quelques années, ce 2001 sera parfait servi avec un magret de canard ou des grillades.

🔑 Vignobles M.-P. et S. Apelbaum,
2, pl. du Marché, 33330 Saint-Emilion,
tél. 05.57.84.56.07, fax 05.57.84.54.82,
e-mail chateauquercy@wanadoo.fr ☑ 🍷 🚶 r.-v.

CLOS LA GAFFELIERE 2001

■ n.c. n.c. 🛢 15 à 23 €

Issu de sols sablo-limoneux, ce second vin de La Gaffelière se montre délicat et plaisant, bien présenté dans une robe rubis brillant. Le nez, fruité et floral, est finement boisé sur des notes fraîches un peu réglissées. La bouche, souple, vive et fruitée, compense un certain manque de puissance par l'élégance de ses tanins soyeux et doux. A servir dès cet hiver.

⊶ de Malet Roquefort,
Clos La Gaffelière, 33330 Saint-Emilion,
tél. 05.57.24.72.15, fax 05.57.24.69.06 ☑ 🍸 🚶 r.-v.

CH. CLOS SAINT-EMILION PHILIPPE 2001

■ 5,8 ha 30 000 ◍ 15 à 23 €

Cette propriété familiale fondée au début du XXᵉs. est installée aux portes de Libourne sur des sols argilo-sableux avec du mâchefer. De couleur grenat sombre, ce 2001 rappelle les fruits cuits au nez, avec des notes de sous-bois. La bouche est bien structurée, ferme en finale : il faudra attendre quelques années pour que tout cela s'harmonise.

⊶ J.-C. Philippe, 101, av. Gallieni, 33500 Libourne,
tél. 05.57.51.05.93, fax 05.57.25.96.39,
e-mail vignobles.philippe@libertysurf.fr ☑ 🍸 🚶 r.-v.

CLOS SAINT-JULIEN 2001 *

■ 1,2 ha 4 200 ◍ 23 à 30 €

Ce petit vignoble entouré de murs en moellons, dans le village de Saint-Emilion, avait fait une entrée fracassante dans le Guide avec son 2000 qui avait décroché un coup de cœur. Il ne s'agissait pas d'une étoile filante puisque Catherine Papon-Nouvel a élaboré un 2001 très réussi. La robe est sombre, presque noire. A l'aération, le nez, encore un peu fermé, libère un bouquet complexe où se mêlent les fleurs, les petits fruits (cassis, groseille) et un discret boisé. La bouche ronde, soyeuse et charnue évolue sur des tanins structurés mais fondus. Un équilibre général à la fois subtil, charmant mais avec du caractère. Dans les trois à six prochaines années, ce vin tiendra tête aux lamproies à la bordelaise ou aux civets de gibier. La même famille produit deux autres grands crus : le **Château Petit Gravet Ainé 2001**, également retenu avec une étoile, et le **Château Gaillard 2001 (11 à 15 €)**, cité par le jury.

⊶ SCEA Vignobles J.-J. Nouvel,
Clos Saint-Julien, BP 84, 33330 Saint-Emilion,
tél. 05.57.24.72.44, fax 05.57.24.74.84 ☑ 🚶 r.-v.

CLOS SAINT-MARTIN 2001 *

■ Gd cru clas. 1,33 ha 5 000 ◍ 30 à 38 €

88 89 90 93 |95| |96| |97| 98 99 00 01

Ancien presbytère de la paroisse Saint-Martin, cette toute petite propriété est entrée en 1850 dans le patrimoine de ses propriétaires actuels. 70 % de merlot complétés par les deux cabernets donnent cette bouteille « sombre mais transparente aux multiples nuances... » Le nez annonce un boisé fondu, le fruit étant présent. En bouche, on découvre de la puissance et une palette aromatique complexe, avec des notes fruitées suivies de touches persistantes, un peu réglissées et épicées.

⊶ SA Les Grandes Murailles,
Ch. Côte de Baleau, 33330 Saint-Emilion,
tél. 05.57.24.71.09, fax 05.57.24.69.72,
e-mail lesgrandesmurailles@wanadoo.fr

SIGNATURE DU CLOS SAINT-VINCENT 2001

■ n.c. 6 500 ◍ 15 à 23 €

Cette cuvée prestige du Clos Saint-Vincent est produite sur des sols sablo-graveleux, avec trois quarts de merlot et un quart de cabernet-sauvignon. Elle évoque les petits fruits rouges, le noyau de cerise et le tabac. La bouche est corsée et charnue, avec une structure tannique qui s'affermit en finale. Ce vin nécessitera trois à cinq ans de garde avant d'accompagner un canard rôti.

⊶ SC Clos Saint-Vincent,
236, Lanseman, 33330 Saint-Sulpice-de-Faleyrens,
tél. 05.57.74.44.80, fax 05.57.74.44.80,
e-mail lionellatorse@aol.com ☑ 🍸 🚶 r.-v.

CH. LA CLOTTE 2001

■ Gd cru clas. 4 ha 13 500 ◍ 23 à 30 €

Ce petit vignoble, proche des remparts de la cité médiévale, associe les deux cabernets à 80 % de merlot vieux de quarante ans. La robe rubis de ce 2001 est vive et brillante. Le bouquet exprime de la vinosité, des fruits rouges mûrs et un joli boisé grillé et vanillé. La bouche, d'abord ronde et suave, évolue sur une bonne structure tannique, encore un peu ferme en finale, mais gage d'un bel avenir.

⊶ SCEA du Ch. La Clotte, 33330 Saint-Emilion,
tél. 05.57.24.66.85, fax 05.57.24.79.67,
e-mail chateau-la-clotte@wanadoo.fr ☑ 🍸 🚶 r.-v.

CH. LA COMMANDERIE 2001 *

■ 6 ha 20 000 ◍ 15 à 23 €

82 85 89 |(90)| 95 96 98 99 00 01

Premier millésime produit par le nouveau propriétaire de ce cru situé dans le secteur de Fortin, entre Saint-Emilion et Pomerol. Il décroche une étoile pour sa bonne harmonie générale. La robe pourpre a des reflets grenat. Les arômes sont très marqués par les fruits noirs, soutenus par le fût chauffé (agréable retour vanillé). La bouche équilibrée, ample, ronde et chaleureuse révèle un fruité bien marié avec des tanins toastés. Déjà agréable, ce millésime s'appréciera au cours de la prochaine décennie.

⊶ Gérald Frydman,
SC Ch. La Commanderie, 33330 Saint-Emilion,
tél. 05.57.24.70.14, fax 05.57.24.68.08 ☑ 🍸 r.-v.

CH. CORMEIL-FIGEAC 2001

■ 10 ha 50 000 ◍ 15 à 23 €

82 83 86 88 89 90 94 |95| |96| 98 00 |01|

La famille Moreaud exploite 25 ha de vignes à Saint-Emilion, dont ce cru acquis en 1940 dans le secteur de Figeac. Le 2001 se présente bien. Si la couleur est encore jeune et si le nez doit être un peu sollicité pour libérer des arômes de fruits et de réglisse, la mise en bouche est en revanche souple et délicate, suivie d'une jolie densité des tanins. Ce vin pourra se boire assez rapidement avec des viandes rouges ou des fromages doux.

⊶ SCEA Cormeil-Figeac, BP 49, 33330 Saint-Emilion,
tél. 05.57.24.70.53, fax 05.57.24.68.20,
e-mail moreaud@cormeil-figeac.com ☑ 🍸 🚶 r.-v.
⊶ Richard Moreaud

CH. COTE DE BALEAU 2001 **

■ 9 ha 30 000 ◍ 15 à 23 €

88 |95| |96| |98| **00 01**

Un coup de cœur pour ce grand vin produit par une famille connue à Saint-Emilion depuis 1643 ; il résulte de l'assemblage de la quasi-totalité du vignoble (et non d'une microsélection, comme trop souvent). Le 2000 avait déjà obtenu deux étoiles. Le regard est séduit par une somptueuse robe de soirée, presque noire. Le bouquet, d'une riche complexité, marie les baies très mûres, les épices douces et un boisé d'une grande finesse. La saveur chaleureuse, séveuse et racée, ravit le palais. Les tanins mûrs mais bien présents assureront la garde. Une grande bouteille qui sait rester à un prix raisonnable.

⊶ SA Les Grandes Murailles,
Ch. Côte de Baleau, 33330 Saint-Emilion,
tél. 05.57.24.71.09, fax 05.57.24.69.72,
e-mail lesgrandesmurailles@wanadoo.fr

CH. COUDERT-PELLETAN
Elevé en fût de chêne 2001

■ 10 ha 60 000 ▮ 11 à 15 €

Ce millésime est le dernier portant ce nom car le domaine de 50 ha vient d'être partagé entre les trois garçons de Jean Lavau. Sélection de 10 ha d'argilo-calcaires, ce vin se présente sous une teinte grenat soutenu auréolée d'une frange légèrement évoluée. Le bouquet déjà expressif joue sur des notes de fruits rouges, de confiture de fraises, avec une pointe de bois épicé. L'attaque est fraîche, puis la rondeur et le volume apparaissent accompagnés de tanins épicés et torréfiés qui n'empêcheront pas de servir cette bouteille assez rapidement.

⊶ GAEC Jean Lavau et Fils, Ch. Coudert-Pelletan,
33330 Saint-Christophe-des-Bardes,
tél. 05.57.24.77.30, fax 05.57.24.66.24
☑ Y ☆ t.l.j. sf sam. dim. 9h-12h 14h-18h

CH. DE LA COUR 2001

■ 5,5 ha 30 000 ▮▮ 11 à 15 €

Sur les 9 ha qu'il exploite sur le terroir sableux et graveleux du sud de l'appellation, Hugues Delacour produit ce cru, qui porte pratiquement son nom, à partir de 5,5 ha plantés à 90 % de merlot. Si la couleur de ce 2001 est d'une bonne intensité, le disque est légèrement tuilé. Le bouquet reste encore sur les fruits : fruits rouges, fruits confits (abricot), fruits secs (amande). La bouche est ronde et élégante, mais en finale les tanins se révèlent encore un tantinet rustiques ; ils demandent un peu de vieillissement.

⊶ Hugues Delacour, EARL du Châtel Delacour,
33330 Vignonet, tél. 05.57.84.64.95, fax 05.57.84.65.00,
e-mail chateau.de.la.cour@wanadoo.fr ☑ ⌂ Y ☆ r.-v.

CH. LA COURONNE 2001 *

■ 10 ha n.c. ▮ 11 à 15 €

Cette belle propriété viticole compte 10 ha de vignes implantées sur des sols argilo-sableux. Elle appartient en propre à la société de négoce bordelaise Mähler-Besse. Doté d'une superbe robe noire en profondeur et violine en surface, ce 2001 mêle au nez les fruits rouges mûrs à un élégant boisé fumé et grillé. La bouche est charnue, ample et concentrée, dans une belle harmonie fruitée et boisée, et d'une longue persistance. Du même producteur, la marque **Le Fer 2001 (30 à 38 €)** obtient également une étoile : un vin riche et puissant dont la structure demande quelques années de garde.

⊶ SA Mähler-Besse, 49, rue Camille-Godard,
33000 Bordeaux, tél. 05.56.56.04.30, fax 05.56.56.04.59,
e-mail france@mahler-besse.com ☑ Y ☆ r.-v.

CH. LA COUSPAUDE 2001 *

■ Gd cru clas. 7,01 ha 36 000 ▮ 38 à 46 €

Nous sommes ici sur le navire amiral de la famille Aubert qui produit aussi des montagne-saint-émilion, des lalande-de-pomerol, des côtes-de-castillon, et autres bordeaux et bordeaux supérieurs. La Couspaude, bien que classée, reste à taille humaine ; la proximité immédiate de la cité médiévale permet d'y organiser des animations culturelles. La vigne plonge ses racines dans les argilo-calcaires du plateau. Le vin est un classique de l'appellation, élégant et complet : sa robe rubis est intense, son bouquet fin et frais offre des notes de fruits rouges, d'épices finement boisées, avec des nuances mentholées et minérales. La saveur harmonieuse est soutenue par des tanins fins et persistants. On pense à des viandes rôties, à un faisan.

⊶ Vignobles Aubert,
Ch. La Couspaude, 33330 Saint-Emilion,
tél. 05.57.40.15.76, fax 05.57.40.10.14,
e-mail vignobles.aubert@wanadoo.fr ☑ r.-v.

COUVENT DES JACOBINS 2001

■ Gd cru clas. 8,3 ha 36 600 ▮ 46 à 76 €

98 00 |01|

Ce cru est situé à l'emplacement d'un ancien couvent de Dominicains, face à la mairie, au cœur de la cité ; ses caves souterraines datent du XIIIe s. Les vignes (trois quarts de merlot et un quart de cabernet franc) sont plantées sur des terroirs argilo-calcaires et argilo-sableux. La teinte de ce millésime est éclatante. Le bouquet déjà expressif repose sur les fleurs, les fruits frais et une originale touche minérale. La mise en bouche d'abord discrète prend de l'ampleur avec des tanins encore un peu fermes. Un style privilégiant la finesse par rapport à la puissance et qui devrait permettre à ce vin d'accompagner assez prochainement un gibier à plume.

⊶ SCEV Joinaud-Borde,
10, rue Guadet, 33330 Saint-Emilion,
tél. 05.57.24.70.66, fax 05.57.24.62.51 Y ☆ r.-v.

CH. CROIX DE LABRIE 2001

■ 2 ha 3 800 ▮ + de 76 €

91 **92 93** |95| |**96**| |97| 01

Ce cru microscopique est uniquement composé de vieux merlot planté sur des sols de graves anciennes. La vendange est cueillie, éraflée et foulée manuellement, et le vin est élevé en fût de chêne pendant dix-huit mois. Paré d'une belle couleur rubis sombre et profond, ce 2001 propose au nez des arômes de fruits rouges et noirs bien mûrs, de réglisse et de bon bois grillé. La bouche corsée, charnue, ronde et longue est portée par des tanins de qualité qui permettront une garde de cinq à huit ans. Le millésime 96 fut coup de cœur.

⊶ Puzio-Lesage, SCEA Ch. Croix de Labrie,
BP 41, 33330 Saint-Emilion,
tél. 05.57.24.64.60, fax 05.57.24.64.60 ☑ Y r.-v.

CH. DARIUS 2001 **

■ 6,6 ha 40 000 ▮ 15 à 23 €

On peut être viticulteur dans l'Entre-deux-Mers et réussir un très bon saint-émilion. C'est ce que nous démontre la famille Pommier avec ce remarquable 2001.

Le pourpre intense de la robe est traversée de raies grenat. Au nez déjà puissant, le fruit résiste au bois réglissé et vanillé. La bouche, elle aussi, est très équilibrée, alliant la souplesse et la rondeur de l'attaque à une forte structure tannique garante d'une bonne évolution. Dans deux ou trois ans on pourra commencer à apprécier ce vin, par exemple avec un poulet sauté aux griottes et aux amandes.
🔑 GFA des Pommiers,
Ch. Darius, 33330 Saint-Laurent-des-Combes,
tél. 05.56.61.31.56, fax 05.56.61.33.52,
e-mail mpomm527339@aol.com ☑ Y 🚶 r.-v.
🔑 Michel Pommier

CH. DASSAULT 2001

■ Gd cru clas. 16,63 ha 57 600 🛢 38 à 46 €

83 86 88 89 |**90**| 92 94 |**95**| |96| 98 99 00 01

Acquis en 1955 par Marcel Dassault, ce château est aujourd'hui dirigé par le petit-fils du créateur du groupe portant son nom. De grands travaux sont entrepris au cuvier et au chai. Sur l'important vignoble de 27 ha, 16,63 ha sont consacrés au grand vin, classé depuis 1969. Le 2001 présente une jolie robe rubis et un bouquet plaisant et complexe : fleurs d'été, mûre, noyau de cerise, bois chaud, vanille. La bouche attaque sur le fruit, puis les tanins arrivent très vite, encore un peu vifs mais de bon augure pour un vin de garde. Il faudra l'attendre deux à trois ans pour commencer à le décanter et à le servir avec un pot-au-feu ou une grillade.
🔑 SARL Ch. Dassault, 33330 Saint-Emilion,
tél. 05.57.55.10.00, fax 05.57.55.10.01,
e-mail lbv@chateaudassault.com ☑ Y r.-v.

CH. LA DOMINIQUE 2001 ★

■ Gd cru clas. 18,5 ha 68 000 🛢 38 à 46 €

(82) 86 87 88 |**89**| |90| 91 92 93 |94| |95| |**96**| |97| |98| |99| 00 01

L'entrepreneur et toujours entreprenant Clément Fayat a acquis plusieurs crus en Libournais et en Médoc. Nous sommes ici sur un grand cru classé qui doit son nom exotique à un marchand libournais du XVIII[e]s. qui, fortune faite sur cette île lointaine, acheta ce domaine. Le vin est harmonieux et classique. La robe rubis se frange de quelques reflets d'évolution. Le bouquet élégant et expressif égrène des notes de fruits rouges, de cerise à l'eau-de-vie, de vanille, de tabac (havane), de cuir. La bouche est chaleureuse, savoureuse, avec des tanins fins et persistants en finale. D'ici deux à trois ans on pourra commencer à apprécier ce 2001 avec une épaule de veau aux truffes ou un magret de canard aux cèpes... Sur ce domaine, on trouve aussi un **saint-émilion grand cru 2001 Saint-Paul de Dominique (15 à 23 €)**, cité par les dégustateurs.
🔑 Vignobles Clément Fayat,
Ch. La Dominique, 33330 Saint-Emilion,
tél. 05.57.51.31.36, fax 05.57.51.63.04,
e-mail info@vignobles.fayat-group.com ☑ Y 🚶 r.-v.

CH. L'EGLISE D'ARMENS 2001

■ 4,37 ha n.c. ▮🛢 8 à 11 €

Petit cru morcelé, créé en 1988 par l'achat de plusieurs parcelles dans la plaine de Saint-Emilion, aux terroirs siliceux sur graves profondes et argilo-calcaires. Les bâtiments d'exploitation font face à l'église de Saint-Pey-d'Armens. La robe de ce 2001 est jeune et vive, de teinte rubis à reflets roses. Le nez est frais, fruité, vanillé et réglissé. La bouche, souple à l'attaque, évolue sur des tanins encore un peu fermes : il faudra attendre trois à quatre ans pour apprécier ce vin.
🔑 Bertrand et Jocelyne Martigne,
Le Bourg, 33330 Saint-Pey-d'Armens,
tél. 05.57.47.16.45, fax 05.57.47.16.54,
e-mail bmartigne@hotmail.com ☑ Y 🚶 r.-v.

CH. L'EVECHE Paco Rabanne 2001 ★★

■ 1,2 ha 6 000 🛢 46 à 76 €

Une curiosité présentée par François Quentin, œnologue bordelais, qui, à partir de vieilles vignes ayant survécu aux terribles gelées de 1956, élabore un produit haut de gamme. La culture est ici du domaine du jardinage. La vinification et l'élevage associent la tradition et la modernité. Dans le verre, le vin se montre à la hauteur. Tout y est ! La robe bordeaux très sombre, l'intensité du fruit que respecte un boisé élégant. Une harmonie parfaite qui, certes, évoluera mais devrait rester à un haut niveau dans les deux à vingt prochaines années. Ce 2001 pourra accompagner des mets de caractère (carré d'agneau façon Alain Dutournier). L'autre saint-émilion grand cru de François Quentin, **Château La Chapelle-Lescours 2001 (11 à 15 €)**, obtient une citation.
🔑 François Quentin,
La Chapelle Lescours, 33330 Saint-Emilion,
tél. 05.57.74.41.22, fax 05.57.24.65.37,
e-mail info@chateau-eveche.com ☑ 🚶 r.-v.

CH. LA FAGNOUSE 2001

■ 10,01 ha 45 000 ▮🛢 11 à 15 €

Ce joli cru de 10 ha se situe sur les terroirs argilo-calcaires de Saint-Etienne-de-Lisse et affiche un encépagement classique dans l'appellation : deux tiers de merlot pour un tiers de cabernet franc. Bien présenté dans une robe rubis brillant, son 2001 exprime les fruits rouges mêlés d'épices et de bon bois grillé. La bouche est corsée, charpentée, avec des tanins mûrs et équilibrés qui devraient s'épanouir entre 2005 et 2010.
🔑 SCE du Ch. La Fagnouse,
33330 Saint-Etienne-de-Lisse,
tél. 05.57.40.11.49, fax 05.57.40.46.20 ☑ Y 🚶 r.-v.
🔑 Famille Coutant

CH. FAUGERES 2001

■ 22 ha 89 000 🛢 23 à 30 €

|93| |94| |95| |96| |97| **98** 99 **00** 01

De très belles chambres d'hôte vous attendent dans ce château situé au cœur des vignes, lieu idéal pour écrire un scénario – le mari de Corinne Guisez était cinéaste. Assemblage classique, le vin, après quatorze mois de fût, se montre peu expressif, son expression tannique l'emportant aujourd'hui sur le fruit. Mais on sent que le boisé va bien s'intégrer car l'extraction a été correctement menée. Deux à trois ans de cave lui permettront de composer une belle bouteille.
🔑 Corinne Guisez,
Ch. Faugères, 33330 Saint-Etienne-de-Lisse,
tél. 05.57.40.34.99, fax 05.57.40.36.14,
e-mail faugeres@chateau-faugeres.com ☑ 🏠 Y 🚶 r.-v.

CH. FAURIE DE SOUCHARD 2001

■ Gd cru clas. 11,05 ha 60 000 ▮🛢🌡 23 à 30 €

L'un des plus anciens domaines de Saint-Emilion et un 2001 bien équilibré, frais et savoureux. Les cabernets complètent pour un quart le merlot né sur sables et argilo-calcaires, à environ 1 km de la cité médiévale. La teinte cerise de ce vin est éclatante. Le nez très flatteur rappelle les fruits macérés à l'eau-de-vie, le noyau, la vanille ; il devrait finir de s'ouvrir dans les prochaines années. La bouche fraîche et franche est encore sur le fruit, soutenue par des tanins bien présents. Ce vin gagnera à être carafé et accompagnera les viandes rouges grillées.

🔑 SAS Françoise Sciard Jabiol,
Ch. Faurie de Souchard, 33330 Saint-Emilion,
tél. 05.57.74.43.80, fax 05.57.74.43.96,
e-mail fauriedesouchard@wanadoo.fr ☑ r.-v.

CH. DE FERRAND 2001 ★★

■ 29,72 ha 160 000 🛢 11 à 15 €

L'important vignoble entoure un château construit sous Louis XIV, époque à laquelle furent creusées des grottes à flanc du coteau d'où l'on domine la plaine de la Dordogne. Il y a quelques décennies, ce cru a été acquis par le baron Bich, connu pour le stylo Bic ou la Course de l'America. Ses héritiers proposent un remarquable 2001, d'une grande finesse. Sa belle robe rubis miroite, montrant quelques reflets d'évolution. Son bouquet exprime les fruits rouges finement boisés, et sa bouche fruitée et savoureuse est charpentée par des tanins de grande qualité. Une excellente bouteille à un prix raisonnable (à noter qu'il s'agit de l'ensemble de la production et non d'une micro-cuvée).

🔑 Héritiers du Baron Bich,
Ch. de Ferrand, 33330 Saint-Hippolyte,
tél. 05.57.74.47.11, fax 05.57.24.69.08,
e-mail info@chateaudeferrand.com ☑ 🍸 🚶 r.-v.

CH. FERRAND LARTIGUE 2001 ★

■ 5,8 ha 24 000 🛢 23 à 30 €

|95| |**96**| **97** |98| 99 **00** 01

Ce cru est installé sur argiles, sables et graves, et assemble 85 % de merlot, 10 % de cabernet franc et 5 % de cabernet-sauvignon. Ce 2001 grenat, très expressif, rappelle les raisins cuits, la prune, la fraise et le cassis, mariés à un boisé brûlé et légèrement mentholé. La bouche est bien charpentée par des tanins jeunes mais prometteurs, qui demandent quelques années de garde pour assumer leur élevage en fût.

🔑 Pierre Ferrand,
Ch. Ferrand Lartigue, Lartigue, 33330 Saint-Emilion,
tél. 05.57.74.46.19, fax 05.57.74.46.19,
e-mail vincent.rapin@libertysurf.fr 🍸 🚶 r.-v.

CH. FIGEAC 2001 ★

■ 1er gd cru clas. B 37,5 ha 96 000 🛢 + de 76 €

62 **64** **66** (70) **71** 74 **75** **76** 77 **78** 79 80 |**81**| |**82**| |**83**|
|**85**| |**86**| 87 |**88**| |**89**| |90| |**93**| |94| (95) 96 97 **98** 99 00 01

On ne présente plus Figeac, élégant château du XVIII^{e}s. entouré d'un parc et d'un important domaine viticole de 53 ha, qui, depuis des temps immémoriaux (*villa* gallo-romaine), a légué son nom à un vaste secteur triangulaire entre Saint-Emilion, Pomerol et Libourne. Thierry Manoncourt à donné naissance depuis 1947 à de nombreux millésimes dont un 95 d'anthologie Grappe d'or du Guide. Ce 2001 n'est pas mal non plus. A la fois classique et moderne, il s'accordera à une large palette gastronomique. On joue là dans la cour des grands, on y côtoie le charme, l'élégance mais aussi le caractère qui fait l'originalité de ce cru dans lequel le merlot ne joue que 30 % d'une partition dominée par les deux cabernets à parts égales.

🔑 SCEA Famille Manoncourt,
Ch. Figeac, 33330 Saint-Emilion,
tél. 05.57.24.72.26, fax 05.57.74.45.74,
e-mail chateau-figeac@chateau-figeac.com 🍸 🚶 r.-v.

CH. FLEUR CARDINALE 2001

■ 10 ha 60 000 🛢 15 à 23 €

Cette propriété, située sur des sols argilo-calcaires sur fonds rocheux, a été acquise en mai 2001 par Dominique Decoster, ancien propriétaire des porcelaines Haviland à Limoges. Ce premier millésime, bien présenté dans une robe grenat, se révèle déjà très plaisant au nez par ses arômes de raisin mûr et de fruits cuits, agrémentés de notes suaves de vanille et de cannelle. La bouche, charmeuse à l'attaque, évolue sur des tanins légèrement fermes en finale, qui ont besoin d'un peu de temps pour s'affiner (un à deux ans).

🔑 Dominique Decoster, SCEA Ch. Fleur Cardinale,
33330 Saint-Etienne-de-Lisse,
tél. 05.57.40.14.05, fax 05.57.40.28.62,
e-mail fleurcardinale@wanadoo.fr ☑ 🍸 🚶 r.-v.

CH. LA FLEUR CRAVIGNAC 2001

■ 7,75 ha 44 200 🛢 11 à 15 €

J.-B. Lavau de Cravignac et son fils furent maires et jurats de Saint-Emilion au XVII^{e}s. Le vin du cru, qui fut l'un des favoris de Raymond Poincaré, est toujours servi au restaurant de l'Assemblée nationale. Paré d'une robe sombre, ce 2001 libère au nez des arômes vineux de fruits rouges cuits, mariés à un joli boisé intense. La bouche, d'abord corsée, souple et ronde, évolue sur une belle structure tannique, ferme et puissante, qui demandera au moins trois ou quatre ans pour s'assagir.

🔑 SCEA Ch. Cravignac, 33330 Saint-Emilion,
tél. 05.57.74.44.01, fax 05.57.84.56.70 ☑ 🍸 🚶 r.-v.
🔑 L. Beaupertuis

LA FLEUR D'ARTHUS 2001 ★

■ n.c. 12 000 🛢 15 à 23 €

En 1999, Jean-Denis Salvert a repris cette petite propriété familiale située au sud de l'appellation et exclusivement plantée de merlot. Aujourd'hui il présente un 2001 plein de charme, d'une couleur de bonne intensité. Le bouquet subtil rappelle la vendange fraîche et mûre. La bouche ample et charnue repose sur des tanins soyeux et bien intégrés. Un vin de plaisir et de finesse exprimant bien son millésime.

🔑 Jean-Denis Salvert, La Grave, 33330 Vignonet,
tél. 06.08.49.18.11, fax 05.57.84.61.76,
e-mail chateau-caillou-darthus@wanadoo.fr
☑ 🍸 🚶 t.l.j. sf sam. dim. 9h-12h 14h-17h

CH. FLEUR DE LISSE Elevé en fût de chêne 2001

■ 2 ha 13 050 🛢 11 à 15 €

Le vignoble quadragénaire se situe au pied et à flanc d'un coteau argilo-calcaire. Issu de deux tiers de merlot et d'un tiers de cabernet franc, ce 2001 présente une couleur grenat chatoyante à reflets carminés. Le nez, très agréable, exprime des fruits rouges cuits, du pain d'épice, ainsi que quelques notes grillées. La dégustation se révèle souple, ronde et charnue en attaque, avec une finale encore un peu ferme qui mérite un à deux ans de vieillissement.

🔑 Xavier Minvielle, 1, Giraud,
Ch. Fleur de Lisse, 33330 Saint-Etienne-de-Lisse,
tél. 05.57.40.18.46, fax 05.57.40.35.74 ☑ 🍸 🚶 r.-v.

CH. FLEUR LARTIGUE 2001

■   5,16 ha   31 736   ■ ❶ ↓ 11 à 15 €

Les vignobles Chantureau confient la vinification et la commercialisation de leur récolte à l'Union de producteurs. Le vin se présente bien, avec une robe pourpre intense, un bouquet agréable et puissant où se succèdent la violette, les fruits secs, un léger boisé vanillé et réglissé. D'une saveur agréable dans laquelle se fondent les fruits rouges, les épices et une finale vanillée, ce 2001 laisse une impression générale de finesse qui devrait satisfaire prochainement, mais sa bonne structure permettra de le garder cinq à sept ans.

❧ Union de producteurs de Saint-Emilion, Haut-Gravet, BP 27, 33330 Saint-Emilion, tél. 05.57.24.70.71, fax 05.57.24.65.18, e-mail contact@udpse.com

Ⓨ ⚔ t.l.j. sf dim. 8h-12h 14h-18h

❧ SCEA des Vignobles Chantureau

CH. LA FLEUR PEREY

Cuvée Prestige Vieillie en fût de chêne 2001 ★

■   4,85 ha   30 000   ■ ❶ ↓ 11 à 15 €

Sur leur exploitation de plus de 13 ha, Alain et Florence Xans sélectionnent près de 5 ha de vieilles vignes plantées sur un terroir sablo-graveleux pour élaborer leur grand cru. C'est un vin très bien fait, à la couleur encore jeune, demandant à être aéré pour libérer d'intenses senteurs fruitées (framboise), mentholées, vanillées, avec une touche de clou de girofle. La bouche, elle aussi, est encore fruitée, équilibrée par des tanins mûrs qui permettront de boire cette bouteille assez prochainement.

❧ Vignobles Florence et Alain Xans, Ch. la Fleur-Perey, 33330 Saint-Sulpice-de-Faleyrens, tél. 06.80.72.84.87, fax 05.57.24.63.61, e-mail alainxans@vignoblesxans.com ✅ Ⓨ ⚔ r.-v.

CH. FOMBRAUGE 2001

■   40,58 ha   134 000   ❶ 15 à 23 €

88 |90| 91 92 93 |95| |96| 97 98 99 00 01

Un des nombreux domaines viticoles de Bernard Magrez. Celui-ci, commandé par une chartreuse du XVIIe s., est situé sur les argilo-calcaires du nord-est de l'appellation. Le vin y est d'une couleur pourpre profond avec quelques reflets grenat. Le nez, encore un peu fermé, s'ouvre à l'aération sur des fruits noirs légèrement boisés. La bouche est chaleureuse, le fruit agréable, les tanins du bois encore un peu jeunes, mais ils devraient gagner en élégance dans les trois à cinq prochaines années. On pourra alors apprécier ce 2001 sur de la lamproie à la bordelaise, des viandes rouges, du gibier... Le second vin du domaine, **Le Cadran de Fombrauge 2001** (11 à 15 €), est également cité ; il est plus léger.

❧ SA Ch. Fombrauge, 33330 Saint-Christophe-des-Bardes, tél. 05.57.24.77.12, fax 05.57.24.66.95, e-mail chateau@fombrauge.com ✅ Ⓨ ⚔ r.-v.

❧ Bernard Magrez

CH. FONGRAVES 2001

■   3 ha   19 600   ❶ 8 à 11 €

Un 2001 de couleur rubis limpide qui rappelle au nez les fruits rouges avec une fine touche boisée. La bouche est corsée, souple et agréable, compensant un petit manque de puissance par de belles saveurs fruitées. Une bouteille sympathique et bon marché, pour accompagner volailles et viandes blanches.

❧ Michel Rosario Tabbacchiera, 13, Le Bourg, 33330 Saint-Pey-d'Armens, tél. 05.57.47.16.73, fax 05.57.47.16.73 ✅ Ⓨ ⚔ r.-v.

CH. FONPLEGADE 2001

■ Gd cru clas.   10,4 ha   75 000   ❶ 23 à 30 €

85 86 **88** 90 92 93 94 |95| |96| 97 98 99 00 01

Ici, les Romains plantaient déjà la vigne – on peut y voir les traces des sillons. Aujourd'hui, une belle demeure du XIXe s. règne sur cette exploitation viticole qui possède également une superbe orangerie. Le cru tire son nom d'une fontaine encore active située sur la propriété. Le vin exprime une personnalité intéressante avec sa jolie robe rubis, vive et brillante, et son nez fruité, réglissé et épicé. La bouche est bien équilibrée par une structure tannique de qualité et du fruit ; la finale encore un peu ferme demandera quelques années de garde pour s'affiner.

❧ SCEA du Ch. Fonplégade, 33330 Saint-Emilion, tél. 05.57.74.43.11, fax 05.57.74.44.67 ✅ Ⓨ ⚔ r.-v.

CH. FONRAZADE 2001 ★

■   9,7 ha   61 500   ■ ❶ ↓ 11 à 15 €

86 88 |90| |95| |96| **98** 00 01

Une dizaine d'hectares de vignes installées sur des sols bruns sableux, en pied de côte, entre Libourne et Saint-Emilion. Composé de trois quarts de merlot et d'un quart de cabernet-sauvignon, ce 2001 est doté d'une superbe robe bordeaux. Le bouquet exprime les fruits mûrs avec des notes boisées subtiles. La dégustation, d'abord souple et chaleureuse, évolue sur une structure tannique puissante et ferme, qui permet une bonne garde.

❧ Fabienne Balotte, Ch. Fonrazade, 33330 Saint-Emilion, tél. 05.57.24.71.58, fax 05.57.74.40.87, e-mail chateau-fonrazade@wanadoo.fr

✅ Ⓨ ⚔ t.l.j. sf sam. dim. 8h-12h 14h-18h

❧ Guy Balotte

CH. FONROQUE 2001 ★

■ Gd cru clas.   17,6 ha   62 700   ❶ 23 à 30 €

81 82 83 85 86 **88** 89 |90| **95** |97| **98** 00 01

En 2001, Alain Moueix a repris la gestion de ce grand cru classé déjà dans sa famille depuis les années 1930. Comme le nom le suggère, il est situé à 300 m du village de Saint-Emilion sur le calcaire, bien que certaines parcelles soient sur argiles. On trouve là un beau vin de garde, équilibré et charpenté. La robe pourpre est encore jeune et éclatante. Le bouquet apparaît bien sûr un peu fermé mais plein de ressources : floral (narcisse), fruité (groseille), épicé, vanillé, torréfié. La bouche ronde et savoureuse en attaque évolue ensuite sur des tanins fins et persistants qui demanderont trois à quatre ans pour s'assagir. On pourra alors servir ce 2001 avec de bonnes viandes au four nappées de sauces forestières. Second de Fonroque, le **Château Cartier 2001** (11 à 15 €) obtient également une étoile.

❧ SAS Alain Moueix, 56, av. Georges-Pompidou, 33500 Libourne, tél. 06.80.72.58.61, fax 05.57.24.74.59, e-mail info@chateaufonroque.com ✅ Ⓨ ⚔ r.-v.

CH. FOURNEY Cuvée Alexine 2001

■   5,5 ha   13 400   ■ ❶ ↓ 15 à 23 €

Jean-Pierre Rollet est une personnalité bien connue du monde viticole à Saint-Emilion et en Gironde. Son navire amiral, le château Fourney, se trouve à Saint-Pey-d'Armens, mais l'essentiel de son important vignoble

BORDELAIS

de 44 ha s'étend sur Saint-Etienne-de-Lisse. En 1998, il a transmis la direction générale à Hélène Rollet. La cuvée Alexine est issue d'un terroir limono-siliceux sur crasse de fer. Elle se présente bien, dans une jolie robe frangée de quelques reflets d'évolution. Son bouquet, déjà expressif, évoque la réglisse, les épices douces, avec une légère touche animale. La bouche, aux tanins bien fondus, est fraîche et franche. A recommander pour une viande rôtie. Le **Château du Vieux-Guinot saint-émilion grand cru 2001** a également été cité.

🔑 Vignobles Rollet S.A.,
Ch. Fourney, BP 23, 33330 Saint-Emilion,
tél. 05.57.56.10.20, fax 05.57.47.10.50,
e-mail contact@vignoblesrollet.com 🅥 🍸 r.-v.

CH. FRANC GRACE-DIEU 2001 ★

■ 5,1 ha 27 000 🛢 11 à 15 €

Franc de taxe, cet ancien prieuré cistercien a conservé dans son nom le souvenir de ce privilège. Installé entre Libourne et Saint-Emilion sur des sables bruns reposant sur de l'argile bleue, il a donné un vin d'un beau rouge pourpre qui exprime au nez des notes de fruits rouges associées à un boisé fin et élégant. Ample, bien en chair, la bouche se montre vineuse et corsée. Ce 2001 accompagnera d'ici deux à trois ans un gigot de mouton.

🔑 SA Dom. Daniel Fournier,
Ch. Franc Grace-Dieu, 33330 Saint-Emilion,
tél. 05.57.24.66.18, fax 05.57.24.67.86,
e-mail fournier.daniel.domaine@wanadoo.fr 🅥 🚶 r.-v.

CH. FRANC LA ROSE 2001

■ 6 ha 40 000 🛢 15 à 23 €

|98| |99| 00 01

Excerçant d'importantes fonctions dans la viticulture bordelaise et nationale, Jean-Louis Trocard a acquis ce cru en 1995. Il propose un 2001 très coloré dont le bouquet rappelle les fruits rouges confits avec une nuance de vanille. La bouche ample, riche et bien structurée offre une finale encore ferme qui incitera les amateurs à attendre ce vin quatre ou cinq ans.

🔑 Jean-Louis Trocard, Ch. Franc La Rose, BP 3,
33570 Artigues-de-Lussac, tél. 05.57.55.57.90,
fax 05.57.55.57.98, e-mail trocard@wanadoo.fr
🅥 🍸 🚶 t.l.j. 8h-12h 14h-17h; sam. dim. sur r.-v.

CH. FRANC-MAYNE 2001 ★

■ Gd cru clas. 7 ha 28 000 🛢 38 à 46 €

85 86 |**88**| |**89**| |90| 92 |95| |96| 97 98 |99| 00 01

Dans les années 1996-1998, Georgy Fourcroy, négociant belge, a beaucoup investi à Saint-Emilion. Notamment dans ce grand cru classé, coiffé d'une belle « girondine » et doté de superbes carrières souterraines. La vigne (90 % de merlot) est plantée sur terroir argilo-calcaire. D'un rubis éclatant, le 2001 offre un bouquet de fruits frais élégant et typique du millésime. D'une saveur serrée, boisée, persistante, à la fois fin et puissant, il satisfera les classiques et les modernes, et d'ici deux à trois ans pourra tenir tête à des mets de caractère, même relevés. Les deux autres saint-émilion grand cru de G. Fourcroy ont été sélectionnés : **Les Cèdres de Franc-Mayne 2001 (15 à 23 €)**, une étoile, le **Château Montlabert 2001 (11 à 15 €)**, une citation.

🔑 Georgy Fourcroy, SCEA Ch. Franc-Mayne,
14, La Gomerie, 33330 Saint-Emilion,
tél. 05.57.24.62.61, fax 05.57.24.68.25,
e-mail contact@chateau-francmayne.com
🅥 🏠 🍸 🚶 r.-v.

CH. FRANC PATARABET 2001

■ 6 ha 22 400 🛢 11 à 15 €

86 88 89 90 97 |98| |99| 01

Ce domaine de 6 ha, installé sur des terroirs sablo-argileux, assemble 65 % de merlot et 35 % de cabernets pour ce vin élevé au cœur de la cité, dans une cave monolithe. Si la robe est brillante et le nez expressif, fruité et floral avec des notes épicées et boisées, la bouche demande quelques années de patience pour s'affiner.

🔑 GFA Faure-Barraud,
rue Guadet, BP 72, 33330 Saint-Emilion,
tél. 05.57.24.65.93, fax 05.57.24.69.05,
e-mail jn@franc-patarabet.com 🅥 🍸 🚶 r.-v.

CH. LA GARELLE 2001

■ 6,02 ha 31 000 🛢 15 à 23 €

Ce joli domaine viticole d'une dizaine d'hectares est situé à l'emplacement de l'ancien relais de poste de Saint-Emilion au pied de la côte de Pavie. 60 % du vignoble est consacré au cru La Garelle. Le 2001, d'une couleur dense, est fin et élégant. Fruits noirs et bois toasté composent le nez. La saveur encore fruitée (cerise) accompagne une structure équilibrée par des tanins présents mais enrobés. Un vin homogène qui sera prêt d'ici trois à cinq ans pour accompagner lamproie à la bordelaise ou viande rouge.

🔑 SARL La Garelle, 33330 Saint-Emilion,
tél. 05.57.24.61.98, fax 05.57.24.75.22,
e-mail chateaulagarelle@wanadoo.fr 🅥 🍸 🚶 r.-v.
🔑 Michel Billon

CH. GODEAU 2001

■ 5 ha 28 000 🛢 11 à 15 €

Ce vignoble, établi sur les pentes argilo-calcaires du coteau de Saint-Laurent-des-Combes, est essentiellement planté de merlot avec un léger appoint (5 %) de cabernet franc. Doté d'une robe grenat intense, le vin associe au nez les petits fruits rouges et noirs confits à un boisé qui prend toute sa mesure en bouche. Celle-ci est corsée mais souple. Cependant sa finale légèrement ferme exige une attente de deux ou trois ans.

🔑 Grégoire Bonte,
Ch. Godeau, 33330 Saint-Laurent-des-Combes,
tél. 05.57.24.72.64, fax 05.57.24.65.89,
e-mail chateau.godeau@free.fr 🅥 🏠 🍸 🚶 r.-v.

CH. LA GOMERIE 2001 ★★

■ 2,52 ha 10 800 🛢 46 à 76 €

95 **96** 97 **98** |99| 00 **01**

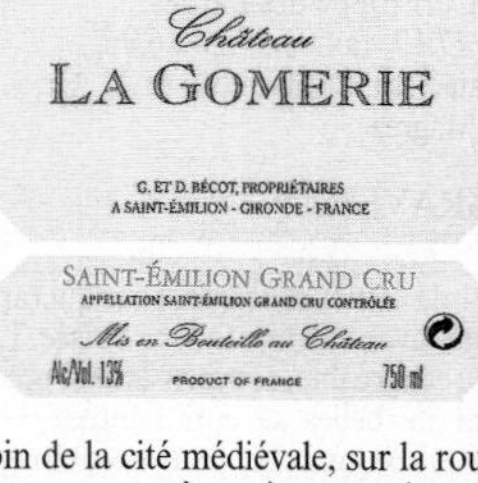

Non loin de la cité médiévale, sur la route menant à Libourne, on trouve ce très ancien cru aujourd'hui exploité

par les frères Bécot, de Beauséjour. Ce pur merlot avait déjà frappé à la porte des coups de cœur avec son 98. Cette porte, pourtant très lourde, s'est finalement ouverte pour ce superbe 2001. Il offre un caractère hors du commun par sa concentration, sa puissance, son potentiel de garde. Mais qui respecte la typicité du cépage, du terroir, du millésime. Avec, en plus, beaucoup de charme dans les senteurs florales (violette), fruitées (cassis) et les saveurs boisées finement vanillées. Il a fait l'unanimité et pourra s'apprécier servi sur une large palette culinaire.
⊶ Gérard et Dominique Bécot,
Ch. La Gomerie, 33330 Saint-Emilion,
tél. 05.57.74.46.87, fax 05.57.24.66.88

CH. GONTEY 2001

■ 2,4 ha 12 000 🛢 **15 à 23 €**

De vieilles vignes, un travail soigné, voilà qui explique que, depuis qu'ils ont repris ce petit vignoble, ces viticulteurs du Bourgeais et Blayais produisent un vin de qualité régulière. La teinte rubis de ce 2001 miroite de quelques nuances grenat. Le bouquet ouvert exprime les fruits rouges (cerise) et le chêne toasté. Déjà harmonieux, équilibré entre le fruit et le fût, ce vin très bien fait pourra se boire assez rapidement, par exemple avec une viande grillée ; il pourra aussi se conserver cinq à huit ans.
⊶ Laurence et Marc Pasquet,
Grand Gontey, 33330 Saint-Emilion,
tél. 05.57.42.29.80, fax 05.57.42.84.86 ☑ 🍸 r.-v.

CH. LA GRACE DIEU DES PRIEURS Fortin 2001 *

■ 2,8 ha 15 000 🛢 **15 à 23 €**

Cette cuvée est composée de vieux merlot avec un appoint de 10 % en cabernet franc, plantés sur sables et graves à 3 km de Saint-Emilion, sur la route de Libourne. Parée d'une robe rubis, très jeune, elle libère un bouquet de confiture de fruits rouges, agrémenté de notes boisées fines (vanille). La bouche révèle des tanins soyeux et élégants, longs et savoureux en finale. Une bouteille qui pourra être consommée dès maintenant ou rester en cave plus longtemps.
⊶ SCEA Laubie-Prach,
Ch. La Grâce Dieu des Prieurs, Fortin,
33330 Saint-Emilion,
tél. 05.57.74.42.97, fax 05.57.24.69.59,
e-mail gracedieuprieurs@wanadoo.fr ☑ 🏠 🍸 🚶 r.-v.

CH. LA GRACE DIEU LES MENUTS 2001 **

■ 13,35 ha 86 000 🛢 15 à 23 €

93 94 |95| |96| |97| 98 00 **01**

Bénéficiant d'un encépagement équilibré, ce cru propose un 2001 remarquable, drapé dans une superbe robe bordeaux profond. Le bouquet, encore discret, laisse percer des arômes fruités, de la réglisse et du cacao. La bouche est équilibrée, structurée par des tanins fermes qui, persistant longuement en finale, assureront une belle garde.
⊶ EARL Vignobles Pilotte-Audier,
Ch. La Grâce-Dieu-les-Menuts, 33330 Saint-Emilion,
tél. 05.57.24.73.10, fax 05.57.74.40.44 ☑ 🚶 r.-v.

CH. GRAND BERT 2001 *

■ 7 ha 43 000 ▮🛢 8 à 11 €

Cinq générations pour ce cru installé à Saint-Sulpice-de-Faleyrens sur un terroir de graves sur sables. D'une avenante couleur rubis, ce 2001 exprime au nez des arômes de fruits mûrs et de réglisse. La bouche est charnue à l'attaque, puis évolue sur une structure tannique puissante et ferme, très longue et fruitée en finale. Une belle bouteille de garde à un prix très abordable.
⊶ SCEA Lavigne, Tuillac,
33350 Saint-Philippe-d'Aiguilhe,
tél. 05.57.40.60.09, fax 05.57.40.66.67,
e-mail scea.lavigne@wanadoo.fr ☑ 🍸 🚶 r.-v.

CH. GRAND CORBIN 2001 *

■ 15,45 ha 80 900 🛢 **15 à 23 €**

Il ne s'agit pas ici d'une microsélection, mais de l'assemblage de la production du vignoble tout entier. D'une belle brillance à l'œil avec des nuances rubis et grenat, ce millésime offre un bouquet déjà expressif conjuguant les fruits mûrs, des notes de merrain toasté et de croûte de pain chaud. La bouche, charnue et pleine de mâche, offre une bonne persistance aromatique. Une grande harmonie préside à la dégustation de ce vin qui devrait être à son apogée dans trois à cinq ans.
⊶ Sté familiale Alain Giraud,
5, Grand Corbin, 33330 Saint-Emilion,
tél. 05.57.24.70.62, fax 05.57.74.47.18,
e-mail grand-corbin@wanadoo.fr ☑ 🍸 🚶 r.-v.

CH. GRAND CORBIN-DESPAGNE 2001 *

■ 20 ha 86 000 🛢 **15 à 23 €**

|89| |**90**| 93 94 |95| |96| 97 |98| |99| 00 01

Au début du XVIII[e]s., Louis Despagne, alors métayer au château Cheval Blanc, achète une première parcelle de 1 ha au lieu-dit Grand Corbin. Depuis, sept générations se sont succédé et la propriété a atteint 26,5 ha aujourd'hui gérés par François Despagne. Paré d'une superbe robe rubis, ce 2001 révèle un bouquet puissant et vineux de merlot bien mûr, associé à un beau boisé torréfié. La bouche est riche, charnue et concentrée, très prometteuse : cette bouteille accompagnera n'importe quel gibier dans trois à cinq ans.
⊶ Famille Despagne,
Ch. Grand Corbin-Despagne, 33330 Saint-Emilion,
tél. 05.57.51.08.38, fax 05.57.51.29.18,
e-mail f-despagne@grand-corbin-despagne.com
☑ 🍸 🚶 r.-v.

CH. LES GRANDES MURAILLES 2001 *

■ Gd cru clas. 1,6 ha 5 500 🛢 30 à 38 €

88 |(89)| 94 |95| |96| 97 |98| **99** 00 01

Ce tout petit vignoble de 2 ha appartient à la famille de Sophie Fourcade depuis le XVII[e]s. Il est installé au pied des ruines emblématiques d'un couvent jacobin du XII[e]s., sur un terroir argilo-calcaire avec du merlot pour unique cépage. La robe de ce vin est grenat sombre et profond. Le bouquet puissant exprime les fruits mûrs, le pain grillé et la réglisse, avec une touche florale d'œillet. La bouche, corsée et charnue à l'attaque, évolue sur une belle structure tannique, puissante et ferme en finale. Une bouteille qui mérite trois à cinq ans de cave pour s'épanouir.
⊶ SA Les Grandes Murailles,
Ch. Côte de Baleau, 33330 Saint-Emilion,
tél. 05.57.24.71.09, fax 05.57.24.69.72,
e-mail lesgrandesmurailles@wanadoo.fr

CH. GRAND MAYNE 2001

■ Gd cru clas. 17 ha 60 000 🛢 38 à 46 €

85 **86** 88 |89| |**90**| **91** 92 93 94 |95| |**96**| 97 **99** 00 01

Ce domaine viticole, situé à l'ouest de Saint-Emilion, entoure un beau mayne (manoir) construit sous Henri IV.

Paré d'une superbe robe grenat chatoyant, ce 2001 libère un bouquet élégant et délicat, associant les fruits noirs mûrs et les épices avec des nuances grillées. La bouche est généreuse à l'attaque, puis évolue sur une structure tannique ferme et puissante, gage d'une bonne garde.

⊶ Famille Nony,
Ch. Grand Mayne, 33330 Saint-Emilion,
tél. 05.57.74.42.50, fax 05.57.74.41.89,
e-mail grand-mayne@grand-mayne.com ☒ Y ⚲ r.-v.

CH. GRAND-PONTET 2001 *

■ Gd cru clas. 13 ha 38 000 ⦀ 23 à 30 €

85 86 88 89 **|90|** 93 94 95 96 97 98 (00) 01

Dans la famille Bécot, cherchez la sœur aînée : c'est Sylvie. C'est elle qui, en 2000, a repris la gestion de ce cru classé. D'entrée, elle a décroché un coup de cœur pour ce très beau millésime. Elle confirme son talent par ce 2001 très réussi, représentant plus de 90 % de la récolte, et non une microcuvée, ce qui lui permet de rester à un prix raisonnable. Le vin est largement au niveau de son classement ; il est doté d'une belle robe bordeaux classique, d'un bouquet plein de volupté, riche en arômes de fruit mûrs, d'épices poivrées et d'une légère touche mentholée. Si le corps est puissant et charpenté, les tanins de merrain dominent encore un peu, avec une saveur de vanille et de girofle très persistante. Un vin de grande race qui, dans les trois à vingt prochaines années, pourra s'accorder avec viandes et gibiers.

⊶ Ch. Grand-Pontet, 33330 Saint-Emilion,
tél. 05.57.74.46.88, fax 05.57.74.45.31,
e-mail chateau-grand.pontet@wanadoo.fr ☒ Y ⚲ r.-v.
⊶ Pourquet-Bécot

CH. LA GRANGERE 2001 *

■ 3,85 ha 15 000 ⦀ 15 à 23 €

Ce cru, installé au creux de la combe argilo-calcaire de Saint-Christophe-des-Bardes, appartient à Pierre Durand, qui fut champion olympique d'équitation à Séoul en 1988. Paré d'une robe grenat, limpide et brillante, le vin exhale des arômes de fruits rouges très plaisants, finement associés à un beau boisé grillé. La bouche est équilibrée, harmonieuse et élégante, mais encore un peu ferme en finale ; il faudra savoir attendre trois ou quatre ans que l'ensemble s'épanouisse. Le second vin, **L'Etrier de la Grangère 2001 (11 à 15 €)**, obtient une citation et sera plus rapidement accessible à la consommation.

⊶ SCEA Ch. La Grangère,
3, Tauzinat Est, BP 56, 33330 Saint-Emilion,
tél. 05.57.74.43.07, fax 05.57.24.60.94,
e-mail devilder.durand@free.fr ☒ Y ⚲ r.-v.

CH. GRANGEY 2001

■ 6,2 ha 33 581 ▮ ⦀ ⊥ 11 à 15 €

La vigne, établie sur les sols argilo-siliceux de Saint-Christophe-des-Bardes, au nord-est de l'appellation, et composée à 80 % de merlot et à 20 % de cabernets, appartient à F. Araoz. La vinification et la commercialisation sont assurées par la coopérative de Saint-Emilion. Les dégustateurs ont retenu ce vin pour sa jolie couleur, la fraîcheur de son nez discrètement boisé, sa bouche souple et sa saveur agréable ; ses tanins discrets laissent une bonne impression finale. Ce 2001 pourra se boire assez rapidement.

⊶ Union de producteurs de Saint-Emilion,
Haut-Gravet, BP 27, 33330 Saint-Emilion,
tél. 05.57.24.70.71, fax 05.57.24.65.18,
e-mail contact@udpse.com
☒ Y ⚲ t.l.j. sf dim. 8h-12h 14h-18h
⊶ SCEA Ch. Grangey

CH. GRAVET 2001

■ 4 ha 22 000 ⦀ 8 à 11 €

Il devra s'apprivoiser, ce 2001 dont le jury a apprécié le classicisme. Grenat, la robe annonce sa jeunesse. Le nez, lui, ne dit mot. La bouche paraît construite sur des tanins denses ; quelques années de cave les rendront plus aimables.

⊶ Vignobles Philippe Faure,
7, rue de la Cité, 33330 Saint-Sulpice-de-Faleyrens,
tél. 05.57.74.41.85, fax 05.57.74.42.39,
e-mail pf@vignoblesphilippefaure.com ☒ Y ⚲ r.-v.

CH. GRAVET-RENAISSANCE 2001

■ 11,6 ha 45 935 ▮ ⦀ ⊥ 11 à 15 €

Ce joli cru étend ses 12 ha sur des terroirs variés, tantôt silico-argileux, tantôt graveleux, avec en sous-sol des bancs d'alios. Classique, l'encépagement comporte deux tiers de merlot et un tiers de cabernet franc. Cela donne un vin paré d'une robe rubis vive et limpide. Le nez, agréable et frais, rappelle les petits fruits rouges acidulés avec une touche boisée. La bouche souple et équilibrée permettra une consommation assez rapide.

⊶ SCEA Peuch,
Gravet, 33330 Saint-Sulpice-de-Faleyrens,
tél. 05.57.24.66.69, fax 05.57.24.75.30,
e-mail gravet-renaissance@wanadoo.fr ☒ ⚲ r.-v.

CH. LES GRAVIERES 2001

■ 3,5 ha 20 000 ⦀ 15 à 23 €

Lorsque son père meurt, Denis Barraud n'a que vingt et un ans. Il doit prendre la tête du domaine familial en 1971. Les lecteurs du Guide savent qu'il est devenu l'un des producteurs les plus en vue, avec 35 ha. Ce 2001 a été élevé en fût neuf et cela se sent, tant au nez qu'en bouche. Si l'attaque est fondue, l'évolution se fait davantage sur la réglisse que sur le fruit. La longueur est signe de qualité et engage à lui faire confiance : une bonne garde, puis une décantation seront nécessaires.

⊶ SCEA des Vignobles Denis Barraud,
Ch. Les Gravières, 33330 Saint-Sulpice-de-Faleyrens,
tél. 05.57.84.54.73, fax 05.57.84.52.07,
e-mail denis.barraud@wanadoo.fr ☒ Y ⚲ r.-v.

L'EXCELLENCE DE GROS CAILLOU 2001 *

■ 2 ha 7 200 ⦀ 23 à 30 €

Sur l'important domaine viticole d'une vingtaine d'hectares situé juste au sud du bourg de Saint-Sulpice, près de la Croix de Bertinat, la famille Dupuy a sélectionné 2 ha de vieux merlot implanté sur graves pour créer cette cuvée en 2001. L'objectif de qualité est atteint puisque le jury est séduit et qu'un dégustateur conclut : « Un beau vin, issu d'un bon terroir, dominé par le merlot qui lui donne ce joli velours », ceci à l'aveugle évidemment. Donc, un vin authentique, pas trop gêné par le bois, jeune et apte à une bonne garde (de huit à dix ans).

⊶ SCEA des Vignobles Jacques Dupuy,
Ch. Gros Caillou, 33330 Saint-Sulpice-de-Faleyrens,
tél. 05.57.24.74.91, fax 05.57.74.40.98 ☒ Y ⚲ r.-v.
⊶ Eric Dupuy

CH. HAUT-BADETTE 2001 *

■ 1,19 ha 6 000 ⦀ 15 à 23 €

C'est le plus petit des crus exploités par les Janoueix à Saint-Emilion. Il est composé de merlot avec un appoint de 10 % en cabernet-sauvignon et installé sur les contreforts orientaux du plateau argilo-siliceux de Saint-Emilion.

Doté d'une belle robe rubis sombre et profond, ce 2001 rappelle au nez les fruits rouges mûrs, cuits et confits, mêlés de douces notes épicées. La bouche, puissante, ferme et concentrée, demande un peu de temps pour s'assagir. Les **Châteaux Vieux Sarpe 2001** et **Le Castelot 2001**, des mêmes propriétaires, sont cités et nécessitent également quelques années de garde pour s'exprimer pleinement.
🔑 Jean-François Janoueix, 37, rue Pline-Parmentier, BP 192, 33506 Libourne Cedex, tél. 05.57.51.41.86, fax 05.57.51.53.16, e-mail info@j-janoueix-bordeaux.com ☑ Y 🚶 r.-v.

CH. HAUT-BRISSON 2001 ★

■ 5 ha 25 000 🛢 **15 à 23 €**

Cette propriété, acquise en 1997 par Elaine Kwok, propose un vin bien habillé par une robe annonçant une forte concentration. Le nez mêle des arômes de fruits rouges cuits à un boisé grillé. La bouche, structurée et puissante, associe les tanins de raisin et du merrain. Encore un peu austère, ce 2001 devra attendre quelques années. Son cadet, **Château Haut-Brisson La Grave 2001**, obtient une citation.
🔑 SCEA Ch. Haut-Brisson, 33330 Vignonet, tél. 05.57.84.69.57, fax 05.57.74.93.11, e-mail haut.brisson@wanadoo.fr ☑ Y 🚶 r.-v.

CH. HAUT-CORBIN 2001

■ Gd cru clas. 6,01 ha 36 250 🛢 **23 à 30 €**

81 ⑧② **83** 85 86 88 90 |**93**| 94 |**97**| |98| 99 00 01

Propriété des Mutuelles d'assurance du bâtiment et des travaux publics depuis 1986, Haut-Corbin occupe un site historique puisqu'il a appartenu au Prince Noir, fils d'Edouard III d'Angleterre. Les 6,01 ha du cru entrent dans la composition de ce vin. D'une belle teinte vive, celui-ci offre un nez toasté, réglissé, fumé, notes derrière lesquelles pointent des touches fruitées. Les tanins mûrs et odorants structurent une bouche qui demande trois à cinq ans de garde.
🔑 SC Ch. Haut-Corbin, 33330 Saint-Emilion, tél. 05.57.51.95.54, fax 05.57.51.90.93 ☑ Y 🚶 r.-v.

CH. HAUT-GRAVET 2001 ★

■ 9,01 ha 45 000 🛢 **23 à 30 €**

Ce joli cru de 9 ha est installé sur des graves et planté pour moitié de merlot et pour moitié de cabernets. Ce 2001 à la belle robe pourpre associe au nez des arômes de petits fruits rouges confits à un élégant boisé grillé. La bouche souple et charnue possède des tanins veloutés et opulents jusqu'à la finale savoureuse et légèrement réglissée. Une belle bouteille à garder trois à cinq ans.
🔑 Alain Aubert, 57 bis, av. de l'Europe, 33350 Saint-Magne-de-Castillon, tél. 05.57.40.04.30, fax 05.57.56.07.10, e-mail domaines.a.aubert@wanadoo.fr

CH. HAUT GROS CAILLOU Cassagne 2001 ★

■ 1,5 ha 7 500 🛢 **15 à 23 €**

Installé sur des sols argilo-graveleux, avec 80 % de merlot pour 20 % de cabernet, ce saint-émilion grand cru se distingue du saint-émilion par la seule mention « Cassagne ». D'une couleur rubis soutenu, ce vin exhale des arômes agréables et frais de fruits rouges, associés à une douce note boisée. Ses tanins sont souples, ronds et charnus, avec une bonne persistance sur des saveurs fruitées. Une jolie bouteille à ouvrir dans trois à quatre ans pour accompagner des viandes rouges grillées.
🔑 SCEA Ch. Haut Gros Caillou, 33330 Saint-Sulpice-de-Faleyrens, tél. 05.56.62.66.16, fax 05.56.76.93.30 ☑ Y 🚶 r.-v.
🔑 Alain Thiénot

CH. HAUT LA GRACE DIEU 2001 ★

■ 2,5 ha n.c. 🛢 **23 à 30 €**

98 99 **00** 01

La famille Saby exploite un important domaine viticole de 58 ha. Pour cette cuvée, elle sélectionne deux beaux terroirs complémentaires : l'un sur le coteau argilo-calcaire exposé plein sud, l'autre sur une croupe graveleuse. Cela donne un 2001 complet, paré d'une superbe robe dense. Le bouquet déjà complexe exprime la violette, les fruits rouges, le boisé réglissé. La bouche savoureuse et puissante est structurée par des tanins solides, épicés et torréfiés (moka). Dans les deux à huit prochaines années, ce vin pourra tenir tête à une entrecôte aux échalotes grillée sur sarments de vigne.
🔑 Vignobles Jean-Bernard Saby et Fils, Ch. Rozier, 33330 Saint-Laurent-des-Combes, tél. 05.57.24.73.03, fax 05.57.24.67.77, e-mail info@vignobles-saby.com ☑ Y 🚶 r.-v.

CH. HAUT-MONTIL 2001

■ 7,04 ha 28 359 ▮🛢🌡 **11 à 15 €**

Ce vignoble appartenant à la famille Vimeney est situé sur les sols siliceux et silico-graveleux de Saint-Sulpice-de-Faleyrens, au sud de l'appellation. La vinification et la commercialisation sont assurées par l'Union de producteurs. La couleur rubis de ce 2001 commence à évoluer vers des nuances grenat clair. Un sympathique bouquet libère des senteurs de sous-bois, de fruits rouges, d'épices (vanille, poivron). Souple, fruité, équilibré par des tanins fondus, ce vin pourra être servi d'ici un an ou deux. Il est droit, bien dans son terroir et son millésime.
🔑 Union de producteurs de Saint-Emilion, Haut-Gravet, BP 27, 33330 Saint-Emilion, tél. 05.57.24.70.71, fax 05.57.24.65.18, e-mail contact@udpse.com
Y 🚶 t.l.j. sf dim. 8h-12h 14h-18h
🔑 SCEA Famille Vimeney

CH. HAUT-POURRET 2001

■ 2,75 ha 13 700 ▮🛢🌡 **11 à 15 €**

Des terroirs argilo-calcaires, reposant sur un sous-sol rocheux, composent ce petit vignoble situé à l'ouest de Saint-Emilion. Ce 2001 de couleur rubis libère des arômes frais et fruités, avec des nuances boisées bien fondues. La dégustation est équilibrée mais la finale ferme et vigoureuse incitera à laisser ce vin vieillir trois à cinq ans avant de le servir sur une volaille rôtie.
🔑 Serge Lepoutre, Ch. Haut-Pourret, 33330 Saint-Emilion, tél. 05.57.74.46.76, fax 05.57.74.45.17, e-mail serge.lepoutre@worldonline.fr ☑ Y 🚶 r.-v.

CH. HAUT ROCHER 2001 ★

■ 6 ha 38 000 🛢 **11 à 15 €**

|89| 91 93 94 |95| 97 99 00 01

Jean de Monteil dirige depuis 1973 cette propriété entrée dans sa famille au XVII^{e}s. Issu d'un encépagement équilibré (65 % de merlot, 32 % de cabernets et un petit apport de 3 % de malbec), ce vin à la robe grenat affiche un bouquet déjà expressif qui rappelle les fruits mûrs et la confiture de raisins et présente un boisé bien dosé. Equilibré par des tanins mûrs, ce vin devra attendre deux à trois ans pour un meilleur épanouissement.

🔑 Jean de Monteil,
Ch. Haut-Rocher, 33330 Saint-Etienne-de-Lisse,
tél. 05.57.40.18.09, fax 05.57.40.08.23,
e-mail ht-rocher@vins-jean-de-monteil.com ☑ 🚶 r.-v.

CH. HAUT-SARPE 2001 ★

■ Gd cru clas. 12,3 ha 72 000 🛢 23 à 30 €

85 86 88 89 |90| 92 93 94 |95| |96| 98 |99| 00 01

Installé au nord-ouest de la cité médiévale de Saint-Emilion sur un plateau argilo-calcaire, le château, reconstruit au XVIIIes., comprend un élégant pavillon central. Il présente un 2001 très réussi, paré d'une superbe robe grenat soutenu. Le bouquet complexe et délicat joue sur des parfums de moka, de fruits rouges à noyau, de sous-bois, de vanille et d'épices. La bouche corsée, charpentée et puissante repose sur des tanins solides, encore un peu fermes mais prometteurs.

🔑 SCE du Ch. Haut-Sarpe, BP 192, 33506 Libourne Cedex, tél. 05.57.51.41.86, fax 05.57.51.53.16,
e-mail info@j-janoueix-bordeaux.com ☑ 🍷 🚶 r.-v.

CH. HAUT TROQUART LA GRACE DIEU
Cuvée Passion 2001

■ 1,5 ha 6 000 🛢 23 à 30 €

Tout petit cru de moins de 3 ha, dont 1,5 ha de vieilles vignes implantées sur sables bruns, sables argileux et crasse de fer pour la production de cette cuvée Passion. De couleur rubis, elle développe un bouquet à dominante boisée et des notes de pain grillé sur des arômes de fruits mûrs. La bouche est vineuse, bien structurée par des tanins encore fermes.

🔑 Odile Audier, Ch. Haut Troquart La Grâce Dieu,
33330 Saint-Emilion, tél. 05.57.24.73.10,
fax 05.57.74.40.44 ☑ 🚶 r.-v.

CH. JACQUES BLANC 2001

■ 15,35 ha 87 500 🛢 15 à 23 €

Cette vaste exploitation viticole est installée en pied de côte sur des sols limono-argileux. Les vignes, 70 % de merlot et 30 % de cabernet franc, sont cultivées en biodynamie depuis de nombreuses années. Le 2001 a une belle couleur rubis, limpide et brillante. Le nez, fruité avec une jolie touche boisée, est agréable. La bouche souple, fraîche et équilibrée, légèrement acidulée en finale, permettra une consommation rapide.

🔑 SCEA Jacques-Blanc, 33330 Saint-Etienne-de-Lisse,
tél. 05.57.56.02.97, fax 05.57.40.01.98,
e-mail chateau-jacquesblanc@wanadoo.fr ☑ 🍷 r.-v.

CH. JEAN VOISIN Cuvée Amédée 2001

■ n.c. 30 000 ▮ 🛢 🌡 15 à 23 €

|⑨⑤| |96| 97 |**98**| |99| 01

La famille Chassagnoux exploite deux propriétés viticoles à Saint-Emilion et à Fronsac. La cuvée Amédée est le premier vin du château Jean Voisin. Le 2001, à la robe pourpre intense, nuancée de grenat, affiche un nez à la fois fin et puissant mêlant les épices, le bois toasté et réglissé à une touche de cèdre. La bouche est savoureuse et fraîche même si en finale les tanins sont encore un peu durs ; il faudra les attendre deux ou trois ans puis ils assureront la tenue de cette bouteille pour les sept à dix ans à venir.

🔑 SCEA du Ch. Jean Voisin, 33330 Saint-Emilion,
tél. 05.57.24.70.40, fax 05.57.24.79.57 ☑ 🍷 🚶 r.-v.
🔑 Chassagnoux

CH. JUGUET 2001 ★

■ 10 ha 60 000 🛢 8 à 11 €

La famille Landrodie exploite 30 ha dans le Libournais, dont 10 ha dans l'appellation saint-émilion grand cru. Le vignoble, composé de merlot et de 30 % de cabernets, est installé sur des sables mêlés d'argiles. Paré d'une couleur rubis intense, ce 2001 exprime des arômes de fruits rouges cuits, des fragrances florales et des notes épicées et grillées. La bouche est corsée, souple et ronde, épaulée par une bonne structure tannique. Une jolie bouteille classique.

🔑 SCEA Landrodie Père et Fille,
33330 Saint-Pey-d'Armens, tél. 05.57.24.74.10,
fax 05.57.24.66.33, e-mail chateau.juguet@wanadoo.fr
☑ 🍷 🚶 t.l.j. 8h-12h 14h-19h

CH. LE JURAT 2001 ★

■ 7,58 ha 47 700 🛢 15 à 23 €

Cette bouteille représente l'ensemble de la production de ce grand cru (et non une microcuvée) et sa sélection n'en est que plus méritoire. La teinte est encore jeune, avec quelques rares reflets carminés, tout comme le premier nez un peu fermé. L'aération permet de découvrir un bouquet concentré et complexe dans lequel apparaissent successivement la mûre, la vanille et la truffe. La bouche présente elle aussi une belle palette aromatique ; elle s'achève sur des tanins encore un peu austères aujourd'hui, qui devraient s'affiner d'ici deux ou trois ans. On pourra ensuite apprécier ce 2001 pendant de nombreuses années.

🔑 Ch. le Jurat, 33330 Saint-Emilion,
tél. 05.57.51.95.54, fax 05.57.51.90.93 ☑ 🍷 🚶 r.-v.

CH. LANIOTE 2001

■ Gd cru clas. 5 ha 26 000 🛢 15 à 23 €

89 93 94 |95| |96| |98| 99 00 01

Heureux propriétaires de ce beau vignoble de 5 ha, Arnaud et Florence de La Filolie ont également hérité de l'ermitage où aurait vécu le moine Emilien au VIIIes., de la chapelle de la Trinité (XIIIes.) et des catacombes. Ils proposent un joli 2001 à la robe rubis soutenu. Le nez élégant évoque les fruits confits, les épices et le bon bois grillé. Après une attaque ronde, la bouche se montre bien charpentée par des tanins déjà veloutés. Seule la finale encore un peu ferme incitera à attendre cette bouteille trois à cinq ans.

🔑 de La Filolie, Ch. Laniote, 33330 Saint-Emilion,
tél. 05.57.24.70.80, fax 05.57.24.60.11,
e-mail laniote@wanadoo.fr
☑ 🍷 🚶 t.l.j. 8h-12h 13h30-18h; groupes sur r.-v.

CH. LAPELLETRIE 2001

■ 12 ha 65 000 ▮ 🛢 🌡 11 à 15 €

Ce cru, mis en bouteilles et distribué par Yvon Mau (Gironde-sur-Dropt), est situé sur les argilo-calcaires au nord-est de l'appellation ; le merlot domine l'encépagement à 90 %. Dans le verre, on trouve un vin de bon aloi, à la couleur franche, au nez encore un peu fermé qui demande à être aéré pour libérer son fruit et une note de croûte de pain chaud. Fraîche, délicatement boisée, la bouche conseille une dégustation rapide.

⊶ GFA Lapelletrie,
Ch. Lapelletrie, 33330 Saint-Christophe-des-Bardes,
tél. 05.56.61.51.80, fax 05.56.61.51.90

CH. LARGUET 2001

■ 9,57 ha 34 000 ▮ ◍ ⚲ 11 à 15 €

La propriété appartient aux consorts Hart-Arteau de Saint-Emilion. La vinification et la commercialisation sont assurées par l'Union de producteurs. Dans la vigne, les cabernets « pointent » à 30 %. Cela donne un vin intéressant, à la robe pourpre intense, au bouquet fin qui, à l'aération, libère des senteurs fruitées, minérales, animales, légèrement boisées. La bouche puissante, fruitée et épicée, s'achève sur des tanins torréfiés qui demanderont trois à quatre ans d'affinage. Bref, de la mâche et un certain charme.

⊶ Union de producteurs de Saint-Emilion,
Haut-Gravet, BP 27, 33330 Saint-Emilion,
tél. 05.57.24.70.71, fax 05.57.24.65.18,
e-mail contact@udpse.com
Y 🚶 t.l.j. sf dim. 8h-12h 14h-18h
⊶ SCEA Ch. Larguet

CH. LARMANDE 2001 ★

■ Gd cru clas. 22,4 ha 70 000 ◍ 23 à 30 €

85 86 |(88)| |89| |**90**| 92 93 94 |**96**| 97 |98| 99 **00** 01

Ce joli cru est établi sur le versant nord du plateau de Saint-Emilion et composé de deux tiers de merlot pour un tiers de cabernet, plantés sur des terrains variés : sables anciens, sols argilo-calcaires et argilo-siliceux. Une superbe robe noire, sombre en profondeur et violine en surface, habille cette bouteille au bouquet fin et expressif, qui associe les fruits rouges confits et les épices à un élégant boisé grillé et frais. La bouche riche et puissante, charnue et charpentée, évolue vers une finale encore ferme, digne d'une longue garde. Ce vin s'associera alors parfaitement aux grands gibiers.

⊶ Ch. Larmande, 33330 Saint-Emilion,
tél. 05.57.24.71.41, fax 05.57.74.42.80,
e-mail chateau-larmande@wanadoo.fr ▣ Y 🚶 r.-v.

CH. LAROZE 2001

■ Gd cru clas. 25 ha 89 000 ◍ 15 à 23 €

85 86 88 89 90 93 95 96 97 |**98**| 99 00 01

Guy Meslin est l'un des descendants des Gurchy qui créèrent ce vignoble vers 1883, à l'ouest de Saint-Emilion. Implanté sur un terroir siliceux avec un sous-sol argileux, le merlot représente quatre cinquièmes de l'encépagement, complété par les deux cabernets. Cela donne un joli vin, paré d'une robe grenat soutenu. Le bouquet fin et frais rappelle la prune rouge et les épices, arômes que l'on retrouve dans une bouche charpentée et puissante, charnue d'abord avec un boisé bien fondu puis ferme en finale. Il faudra patienter au moins cinq ans pour que l'ensemble s'assouplisse.

⊶ Guy Meslin, Ch. Laroze, 33330 Saint-Emilion,
tél. 05.57.24.79.79, fax 05.57.24.79.80,
e-mail info@laroze.com ▣ Y 🚶 r.-v.

CH. DES LAUDES 2001

■ 2,5 ha 13 300 ◍ 15 à 23 €

98 99 **00** 01

Ce cru utilise 2,5 ha des 5 ha qu'exploite le GFA du Haut-Saint-Georges à Vignonet, sur un terroir mêlant sables, graves et argiles. Le merlot y trouve l'appui d'un quart de cabernet franc et de 5 % de cabernet-sauvignon. Cela donne un joli vin de teinte rubis vif. Au nez, les arômes de fruits rouges et d'épices sont associés à un boisé grillé. La dégustation est équilibrée : la bouche, de belle structure tannique, est ferme et longue. A conserver en cave pendant trois à cinq ans pour obtenir plus d'harmonie.

⊶ GFA du Haut-Saint-Georges,
Vignonet, 33330 Saint-Emilion,
tél. 05.57.55.38.03, fax 05.57.55.38.01 ▣ Y 🚶 r.-v.

CH. LAVALLADE Carpe Diem 2001 ★★

■ 4,5 ha 30 000 ◍ 11 à 15 €

|95| |96| 98 00 **01**

Cette propriété familiale d'un seul tenant élabore plusieurs cuvées, et c'est sa cuvée principale qui est saluée par le jury : composée de trois quarts de merlot pour un quart de cabernets, nés sur sols argilo-calcaires ou limono-argileux, elle porte une robe jeune, très dense et affiche des parfums riches, complexes et puissants, harmonieusement équilibrés entre fruits rouges bien mûrs, épices et boisé fin. La bouche est racée, séveuse, dotée d'une remarquable matière qui permettra une longue garde. La microcuvée du **Château Lavallade, cuvée Roxana 2001 (15 à 23 €)**, obtient une étoile pour sa belle concentration ; elle demandera plusieurs années de patience aux amateurs.

⊶ SCEA Gaury et Fils,
Ch. Lavallade, 33330 Saint-Christophe-des-Bardes,
tél. 05.57.24.77.49, fax 05.57.24.64.83,
e-mail chateau.lavallade@wanadoo.fr ▣ Y 🚶 r.-v.

CH. LEYDET-VALENTIN 2001 ★★

■ 3 ha 18 000 ▮ ◍ 11 à 15 €

Ce petit cru de 3 ha appartient à Bernard Leydet depuis 1973. Complanté de 60 % de merlot et de 40 % de cabernet franc, il est installé sur des sables reposant sur une couche d'alios. Paré d'une jolie robe rubis, intense et profonde, ce 2001 développe un nez élégant sur des arômes de griotte, de réglisse, de vanille et de pain grillé. La bouche est très bien équilibrée, avec de la structure, du volume, de la vinosité et une belle finale sur les fruits rouges et noirs confits. Du même propriétaire, mais un peu plus cher, le **Château Meylet La Gomerie 2001 (15 à 23 €)**, né d'un cru microscopique de 1 ha, obtient une étoile pour sa richesse et sa puissance. Il demandera lui aussi trois à cinq ans de garde.

⊶ EARL Vignobles Leydet, Rouilledimat,
33500 Libourne, tél. 05.57.51.19.77, fax 05.57.51.00.62,
e-mail frederic.leydet@wanadoo.fr ▣ Y 🚶 r.-v.

LUCIA 2001 ★

■ n.c. 10 000 ◍ 30 à 38 €

Cette marque rebaptisée Lucia en 2001 est produite avec de vieux merlots et un appoint de 20 % de cabernet

franc. C'est un vin de couleur pourpre, au nez aujourd'hui dominé par un boisé racé, sur des notes grillées, vanillées et torréfiées. La bouche est charnue et puissante ; sa matière très concentrée devrait résister au petit excès de bois actuellement perceptible.
🔑 Michel Bortolussi,
316, Grands-Champs, 33330 Saint-Sulpice-de-Faleyrens,
tél. 06.80.66.20.89, fax 05.57.24.73.00

CH. LUSSEAU 2001

■ 0,42 ha 2 700 🛢 **15 à 23 €**

Sur les 10,50 ha qu'il exploite, Laurent Lusseau a donné son nom à une parcelle qu'il a rachetée à son oncle en 1993. Le terroir sablo-graveleux y est complanté à 70 % de merlot, à 20 % de cabernet franc et à 10 % de cabernet-sauvignon. Le 2001, d'une couleur intense, est très concentré et encore nettement dominé par la barrique. Au nez, le fruit rouge essaie de pointer sous un boisé aux nuances café, coco, caramel. En bouche, la matière est bonne, ronde et équilibrée. Il est un peu dommage que le bois masque le raisin et le terroir, mais l'ensemble devrait s'affiner d'ici quelques années.
🔑 SCEA Vignobles Lusseau,
276, Bois Grouley, 33330 Saint-Sulpice-de-Faleyrens,
tél. 05.57.24.74.03, fax 05.57.74.46.09 ☑ 🍸 🚶 r.-v.

CH. MAGDELAINE 2001 ★★

■ 1er gd cru clas. B 10,37 ha 33 600 🛢 **46 à 76 €**

70 75 78 79 80 82 (83) 85 **|86| |87| |88| |89| |90|** 92 93 94 **95** |96| 97 98 99 00 **01**

Dans l'honorable maison J.-P. Moueix, qui a tant fait pour les vins du Libournais, on s'intéresse certes au progrès, mais on respecte avant tout la tradition. Cela se sent à Magdelaine. Le terroir (calcaire), le cépage (merlot), le millésime (plus frais que le 2000) se retrouvent dans le verre. Les amateurs d'exotisme iront voir ailleurs. Ici, on préfère la finesse, l'élégance et l'authenticité. Cela n'empêche pas les petites touches d'originalité du cru : la pierre à fusil, la cire d'abeille, le tabac blond, le merrain discret et réglissé. Un vin de connaisseurs.
🔑 Ets Jean-Pierre Moueix, 54, quai du Priourat,
33500 Libourne, tél. 05.57.55.05.80, fax 05.57.25.13.30

CH. MAGNAN LA GAFFELIERE 2001 ★

■ 9,31 ha 49 600 ▮ 🛢 🌡 11 à 15 €

Etabli en pied de côte, au sud de Saint-Emilion, au lieu-dit la Gaffellière Ouest, ce cru propose un joli vin à la robe bordeaux ; au nez, on perçoit un boisé grillé mêlé de nuances animales, sur du fruit rouge mûr. La bouche, corsée et séveuse, révèle une belle constitution tannique qui devrait s'épanouir d'ici trois à six ans.
🔑 SA du Clos La Madeleine,
La Gaffelière Ouest, 33330 Saint-Emilion,
tél. 05.57.55.38.03, fax 05.57.55.38.00 ☑ 🍸 🚶 r.-v.

CH. MAINE REYNAUD
Elevé en fût de chêne 2001 ★

■ 4,3 ha 25 000 🛢 **15 à 23 €**

Sur les 7 ha de sol sablo-graveleux sur argiles qu'elle exploite au sud-est de l'appellation, Chantal Veyry-Seguillon en consacre 4,3 à ce vin qui n'est pas dominé par le bois ; il représente bien son terroir, son appellation et son millésime. La robe rubis est marquée de traits d'évolution grenat. Le bouquet, d'abord discret, s'ouvre à l'aération sur des notes florales et des fruits rouges (groseille). En bouche, on croque d'abord le fruit, puis une chair tendre, soutenue par des tanins ramassés et vigoureux. Un bon vin racé qui pourra se boire jeune mais apte à la garde ; il gagnera à être un peu aéré. La microcuvée **Maine Rabyon 2001 (23 à 29 €)** obtient également une étoile.
🔑 Chantal Veyry-Seguillon,
Ch. Le Maine, 33330 Saint-Pey-d'Armens,
tél. 05.57.24.74.09, fax 05.57.24.64.81,
e-mail contact@chateau-maine-reynaud.com
☑ 🏠 🍸 🚶 r.-v.

CH. MANGOT Cuvée Quintessence 2001

■ 2,75 ha 11 000 🛢 **23 à 30 €**

96 97 |98| |99| 00 01

Cette cuvée, uniquement composée de vieux merlot, est dotée d'une superbe robe violine. Le nez puissant allie fruits confits, réglisse et cacao. La bouche révèle une belle matière corsée et charpentée, mais les tanins fermes en finale demandent quelques années de garde. Le **Château Bel-Air Mangot 2001** obtient une citation : sa concentration tannique incitera à le laisser dormir en cave au moins cinq ans.
🔑 Vignobles Jean Petit, Ch. Mangot,
33330 Saint-Etienne-de-Lisse, tél. 05.57.40.18.23,
fax 05.57.56.43.97, e-mail todeschini@chateaumangot.fr
☑ 🍸 🚶 t.l.j. sf dim. 8h15-12h 13h45-17h30; sam. sur r.-v.
🔑 GFA Ch. Mangot

CH. LA MARZELLE 2001

■ Gd cru clas. 13 ha 61 000 🛢 15 à 23 €

Industriels des textiles techniques en Belgique, les Sioen ont acquis La Marzelle en 1997. Depuis, ils ont repris les meilleures pratiques de vendange à la main et de tri des raisins. Cela était indispensable pour ce millésime ! Un vin sombre à reflets violacés. Le nez joue d'abord sur le cassis et le poivre, puis apparaît une note de cuir, suivie par une pointe de cabernet que l'on retrouve en bouche alors que ce cépage ne représente que 16 % de l'assemblage. La structure de cette bouteille devrait lui permettre de bien évoluer. Rappelons que le 99 a obtenu deux étoiles.
🔑 SCEA Ch. La Marzelle, 33330 Saint-Emilion,
tél. 05.57.55.10.55, fax 05.57.55.10.56,
e-mail chateau.lamarzelle@wanadoo.fr ☑ 🍸 🚶 r.-v.

CH. MATRAS 2001 ★

■ Gd cru clas. 9 ha 28 180 🛢 23 à 30 €

83 85 86 **|90|** 92 93 94 97 |98| 99 00 01

Ce domaine viticole est situé au sud-ouest de la cité sur des sols argilo-calaires et silico-argileux, et planté pour moitié de merlot et pour moitié de cabernet franc. Les chais sont installés dans l'ancienne chapelle de Mazerat construite au XII^{e}s. La robe grenat sombre présente une belle intensité avec des reflets carminés. Le bouquet est délicat et complexe : fruits rouges à noyau confits (cerise et prune), sous-bois, cuir, réglisse. La bouche est élégante, d'abord souple et charnue, puis bien structurée avec des tanins fins et frais, qui persistent agréablement en finale. Un joli vin à ouvrir dans trois à cinq ans pour accompagner de la cuisine raffinée.
🔑 Vignobles Véronique Gaboriaud-Bernard,
Ch. Matras, 33330 Saint-Emilion,
tél. 05.57.51.52.39, fax 05.57.51.70.19,
e-mail chateau-bourseau@wanadoo.fr ☑ 🚶 r.-v.

CH. MAYNE-FIGEAC 2001 ★

■ 1,68 ha 3 000 🛢 8 à 11 €

Etabli sur sables et graves dans le secteur de Figeac, ce petit cru de moins de 2 ha est dans la même famille depuis six générations. Il propose un 2001 bien coloré, au bouquet naissant, élégant et charmeur, mêlant la groseille et la vanille. La bouche est savoureuse et charpentée, avec une belle tenue en finale sur des notes réglissées et épicées. Une bouteille agréable et bon marché, à ouvrir d'ici deux à trois ans sur des viandes rouges. La **cuvée Prestige Armence de Mayne Figeac 2001 (11 à 15 €)** est citée ; plus puissante, elle demandera quelques années supplémentaires de garde.

↳ Chambret, 101, rte de Saint-Emilion,
33500 Libourne, tél. 05.57.74.12.98 ☑

LE MENUT DES JACOBINS 2001

■	1,8 ha	9 000	⦙⦙⦙ 23 à 30 €

Créée en 1998, cette marque est en fait le second vin du cru classé Couvent des Jacobins. Les 9 000 bouteilles produites en 2001 proviennent de merlot avec un appoint d'un cinquième de cabernet franc. Cela donne un joli vin rubis profond et intense. Le nez élégant associe des arômes de fruits mûrs et d'épices douces à des senteurs florales. La bouche harmonieuse, souple et fruitée compense un petit manque de puissance par beaucoup de fraîcheur et de finesse. Un vin bientôt prêt.

↳ SCEV Joinaud-Borde,
10, rue Guadet, 33330 Saint-Emilion,
tél. 05.57.24.70.66, fax 05.57.24.62.51 ⵟ ⵟ r.-v.

CH. MILON 2001 ★

■	6,87 ha	25 000	■ ⦙⦙⦙ ⬦ 11 à 15 €

Cette ancienne exploitation familiale (septième génération aux commandes) est installée au nord-est de Saint-Emilion sur des sols silico-argileux avec de la crasse de fer. Doté d'une robe bordeaux sombre et profonde, ce 2001 développe un bouquet expressif et évolué de fruits mûrs ou cuits et d'épices, avec des senteurs de sous-bois. D'abord souple, ronde et suave, la bouche révèle une très belle concentration et une finale longue, confite et épicée. Du même propriétaire, le **Clos de La Cure 2001** est cité. Le boisé est déjà bien fondu. Ces deux bouteilles devraient être prêtes dans deux ou trois ans.

↳ SCEA des domaines Bouyer,
Milon, 33330 Saint-Christophe-des-Bardes,
tél. 05.57.24.77.18, fax 05.57.24.64.20,
e-mail milon-cure@infonie.fr ☑ ⵟ ⵟ r.-v.

CH. MOINE VIEUX 2001

■	3,5 ha	18 000	⦙⦙⦙ 11 à 15 €

95 |98| **99** 00 01

Ce vin naît sur sables et graves, à partir de 85 % de merlot et de 15 % de cabernet franc. De couleur grenat sombre, il a un bouquet intense mêlant des arômes de fruits mûrs et cuits à des notes grillées et à des nuances de pain d'épice. La bouche, souple mais puissante, révèle une structure tannique encore un peu sévère en finale. A ouvrir dans un an et à servir avec une viande blanche.

↳ Patrice Dentraygues, Lanseman,
Ch. Moine Vieux, 33330 Saint-Sulpice-de-Faleyrens,
tél. 05.57.74.40.54 ☑ ⵟ r.-v.

CH. MONBOUSQUET 2001 ★★

■	33 ha	80 000	⦙⦙⦙ + de 76 €

93 94 |95| |96| |97| 98 99 00 **01**

Depuis son achat en 1993 par Gérard Perse, Monbousquet est toujours présent dans le Guide. Ce 2001 étonne et obtient deux étoiles grâce à sa puissance et à sa concentration. La robe, noire en profondeur et violine en

surface, est annonciatrice de la richesse du vin. Le bouquet est aujourd'hui encore sous l'effet de l'élevage en bois neuf cachant le raisin, mais on trouve des arômes de fruits en bouche. Celle-ci, très structurée, aura besoin de temps pour s'épanouir (peut-être cinq ans).

↳ SA Ch. Monbousquet,
33330 Saint-Sulpice-de-Faleyrens, tél. 05.57.55.43.43,
fax 05.57.24.63.99, e-mail vignobles.perse@wanadoo.fr
↳ Gérard Perse

CH. MONDORION 2001

■	n.c.	30 000	⦙⦙⦙ 15 à 23 €

Première apparition de ce cru repris en 2000 par Stéphanie Léon, jeune ingénieur-œnologue, aidée par son frère Bertrand (des Trois Croix à Fronsac), tous deux enfants de Patrick Léon, tout récemment encore directeur technique de la société Baron Philippe de Rothschild (Mouton, entre autres). Le nom et l'étiquette originale associent le lieu-dit Mondou et la constellation Orion. Le terroir sablo-graveleux, complanté à 80 % de merlot et à 20 % de cabernet franc, a donné un vin au style très classique : robe sombre, nez de fruits rouges bien boisé (demandant une légère aération), saveur jouant plus dans le registre de la finesse que de la puissance, mais soutenue par des tanins denses qui lui assurent une bonne aptitude à la garde.

↳ SCEA Mondorion, 151 bis, Grand-Chemin,
33330 Saint-Sulpice-de-Faleyrens,
tél. 05.57.24.76.11, fax 05.57.74.44.28,
e-mail mondorion@worldonline.fr ☑ ⵟ ⵟ r.-v.

CH. MONLOT CAPET 2001

■	7 ha	45 000	⦙⦙⦙ 15 à 23 €

90 93 95 96 97 |98| |99| 01

Situé au sud-est de l'appellation, sur argilo-calcaires, ce cru compte 70 % de merlot, 25 % de cabernet franc et 5 % de cabernet-sauvignon. D'une couleur grenat sombre avec des reflets d'évolution, ce 2001 est encore un peu timide, mais libère quelques arômes de fruits, de café et de pain grillé. La bouche, franche et équilibrée à l'attaque, devient un peu nerveuse et ferme ensuite, ce qui incitera à garder cette bouteille un an en cave.

↳ Béatrice Rivals,
Ch. Monlot Capet, 33330 Saint-Hippolyte,
tél. 05.57.74.49.47, fax 05.57.24.62.33,
e-mail musset-rivals@belair-monlot.com
☑ 🏠 ⵟ t.l.j. 9h-20h

CH. MONT BELAIR Cuvée Jean Denamiel 2001 ★★

■	3 ha	6 000	⦙⦙⦙ 15 à 23 €

Assemblage classique, cette cuvée spéciale est produite sur 3 des 21 ha que compte cette exploitation située sur les coteaux argilo-calcaires de Saint-Etienne-de-Lisse. Paré d'une robe bordeaux très dense, ce 2001 révèle un bouquet intense où le bon bois grillé, la réglisse et la vanille dominent un peu les arômes de fruits mûrs et confits. La bouche est corsée, charpentée, solide et ferme. Ce 2001 pourra accompagner du gibier dans trois à cinq ans.

↳ Jean-Pierre Denamiel,
Château Mont Bélair, 33330 Saint-Etienne-de-Lisse,
tél. 05.57.40.14.09, fax 05.57.40.42.90 ☑ ⵟ ⵟ r.-v.

CH. MOULIN DU CADET 2001 ★★

■ Gd cru clas.	4,62 ha	22 200	⦙⦙⦙ 15 à 23 €

82 85 86 88 89 |90| 94 96 **00 01**

Ce petit vignoble de 4,62 ha appartient à la maison libournaise Jean-Pierre Moueix ; depuis 2002, il est géré

par Isabelle Blois, sa fille. Alain Moueix en assure la direction technique. Marqué par 90 % de merlot bien mûr, ce 2001 a séduit le jury par sa superbe robe grenat sombre et dense, et par son bouquet encore un peu discret mais très prometteur, vineux, fruité et élégamment boisé. La bouche a fini de convaincre : puissante, généreuse et riche, elle est construite sur des tanins gras, charnus et longs. Cette bouteille supportera une garde de six à dix ans.

↬ GFA Ch. Moulin du Cadet,
33330 Saint-Emilion,
tél. 05.57.55.00.50, fax 05.57.51.63.44,
e-mail moulinducadet@wanadoo.fr

CH. MOULIN GALHAUD 2001 ★★

| ■ | 2 ha | 6 300 | ⊞ | 15 à 23 € |

97 |98| |99| |00| 01

Sur les 5,86 ha qu'elle exploite à Vignonet au sud de l'appellation, Martine Galhaud sélectionne 2 ha de pur merlot planté sur graves pour élaborer ce cru qui avait déjà frappé à la porte des coups de cœur avec son 98. Le 2001 transforme l'essai. La robe est somptueuse, à la fois sombre et brillante ; le bouquet un peu fermé de prime abord explose à l'aération : jasmin, lilas, cerise, noyau... Très flatteur en bouche, ce vin a beaucoup de volume, de structure, de longueur. La saveur est finement boisée, avec des tanins serrés en finale. Un ensemble fort élégant qui devrait totalement s'exprimer dans les prochaines années. Martine Galhaud produit aussi un autre **saint-émilion grand cru 2001**, le **Château La Rose Brisson (8 à 11 €)** : une étoile.

↬ SCEA Martine Galhaud,
La Rouchonne, 33330 Saint-Emilion,
tél. 06.63.77.39.75, fax 05.57.74.48.93,
e-mail mgalhaud@galhaud.com ☑ ⅄ ⅄ r.-v.

CH. MUSSET-CHEVALIER 2001 ★

| ■ | 7,28 ha | 45 000 | ■⊞↓ | 8 à 11 € |

Un 2001 présenté par un important négociant de la région de Saint-André-de-Cubzac qui possède une quin-

zaine d'hectares sur Saint-Pey-d'Armens au sud-est de l'AOC. Les cabernets y sont presque à parité avec le merlot (42/58 %). La production est commercialisée sous trois noms de crus : **Musset-Chevalier**, **Croix-Musset** et **Château de Langranne**. Les dégustateurs ont jugé les trois vins très voisins, de même niveau qualitatif, et attribuent une étoile à chacun. Tous ont une bonne présentation, un caractère boisé, une structure fraîche et solide qui leur permettra de bien vieillir pour accompagner une entrecôte grillée sur sarments.

↬ SC du Ch. Musset-Chevalier,
33330 Saint-Pey-d'Armens,
tél. 05.57.94.00.20, fax 05.57.43.45.72,
e-mail info@bertranddetavernay.com ⅄ ⅄ r.-v.

PAGUS NOVERTAS 2001

| ■ | 42 ha | 250 000 | ■⊞↓ | 11 à 15 € |

Autre référence latine pour cette importante cuvée de l'Union de producteurs, qui rappelle le lieu de villégiature du poète Ausone dans ses dernières années. Le vin est bien fait et typique de l'appellation et du millésime. La robe rubis présente quelques reflets tuilés. Le nez expressif mêle les fruits rouges, des arômes grillés et une touche sauvage de cuir et de fourrure. La bouche souple et chaleureuse, rafraîchie par une saveur de petits fruits, révèle des tanins encore un peu sévères qui devraient s'affiner dans un an ou deux. On pourra alors apprécier ce 2001 avec une viande rouge ou un gibier.

↬ Union de producteurs de Saint-Emilion,
Haut-Gravet, BP 27, 33330 Saint-Emilion,
tél. 05.57.24.70.71, fax 05.57.24.65.18,
e-mail contact@udpse.com
⅄ ⅄ t.l.j. sf dim. 8h-12h 14h-18h

CH. PAS DE L'ANE 2001

| ■ | 2,25 ha | 8 200 | ■⊞↓ | 23 à 30 € |

Ce petit vignoble, établi sur les argilo-calcaires au nord-est de l'appellation, est complanté pour moitié en merlot et pour moitié en cabernet franc. L'élevage se fait en barrique neuve. Cela donne un 2001 très concentré, marqué par les tanins et par le bois. Ces caractères, excessifs sur le vin jeune, pourront s'affiner d'ici deux ou trois ans : ils plairont alors aux amateurs de vins boisés et assureront un bon vieillissement.

↬ SARL Pas de l'Ane, Jean Guillot,
33330 Saint-Christophe-des-Bardes,
tél. 05.57.74.62.55, fax 05.57.74.57.33,
e-mail arnaud.delane@wanadoo.fr ☑ ⅄ ⅄ r.-v.

CH. PATRIS 2001 ★

| ■ | 6 ha | 20 000 | ⊞ | 23 à 30 € |

90 95 96 97 |98| |99| 00 01

Michel Querre exploite plusieurs propriétés viticoles en Libournais. Il s'agit ici d'un petit vignoble implanté sur terroir sablonneux, mais de qualité régulière. C'est toujours le cas du 2001 à la robe pourpre sombre bordée d'une touche d'évolution. Ses arômes sont encore sur le fruit (fraise des bois), accompagné d'un boisé épicé. La bouche fruitée, concentrée et consistante, repose sur une structure tannique un peu forte qui demande une attente de deux ans.

↬ SCEA Ch. Patris,
Hospices de la Madeleine, 33330 Saint-Emilion,
tél. 05.57.55.51.60, fax 05.57.55.51.61 ☑ ⅄ ⅄ r.-v.

CH. PAVIE 2001 ★★

■ 1er gd cru clas. B 37 ha 90 000 🛢 + de 76 €

70 71 **75** 76 **78** 79 80 **81 82 83** |**85**| |**86**| 87 |**88**| |**89**| |(90)| **91 92** |**93**| |**94**| **95** |**96**| 98 99 **00 01**

La côte de Pavie fait face à celle d'Ausone : nous sommes ici sur la première ligne de coteaux de Saint-Emilion, exposée plein sud ; dès l'époque gallo-romaine on y a vu de la vigne. Depuis 1998, Gérard Perse y exploite plusieurs crus, avec Pavie en chef de file. Le 2001 tient bien son rang (comme le 2000). C'est un vin d'une puissance exceptionnelle (presque excessive pour un vin jeune), parti pour une longue garde. La couleur est sombre, très dense. A l'aération, le bouquet explose en une multitude d'arômes où dominent les fruits mûrs et le merrain réglissé. La saveur chaleureuse et charnue repose sur de solides tanins de raisins et de chêne, finement chocolatés.

🔑 SCA Ch. Pavie, 33330 Saint-Emilion,
tél. 05.57.55.43.43, fax 05.57.24.63.99,
e-mail vignobles.perse@wanadoo.fr

CH. PAVIE MACQUIN 2001 ★

■ Gd cru clas. 11,97 ha 49 000 🛢 46 à 76 €

83 85 86 88 |89| |90| 93 94 |96| (97) **98** 99 **00** 01

Cette propriété viticole jouit d'une remarquable exposition au sommet de la côte Pavie, sur un plateau argilo-calcaire reposant sur du rocher calcaire. Elle est cultivée selon deux méthodes : une partie en biodynamie, l'autre en lutte raisonnée. Le merlot, présent pour quatre cinquièmes, marque ce 2001 de son empreinte : la robe pourpre vif séduit ; le bouquet exprime les fruits noirs et rouges bien mûrs, associés à des épices et à un beau boisé grillé. La bouche charnue, ronde et vineuse s'appuie sur une structure tannique de qualité et une jolie longueur. A apprécier dans trois à cinq ans avec des viandes rouges en sauce.

🔑 SCEA Ch. Pavie Macquin, 33330 Saint-Emilion,
tél. 05.57.24.74.23, fax 05.57.24.63.78,
e-mail pavie.macquin@wanadoo.fr ☑ 🍷 🚶 r.-v.
🔑 Famille Corre-Macquin

CH. PETIT-FAURIE-DE-SOUTARD 2001

■ Gd cru clas. 7,57 ha 31 000 🛢 23 à 30 €

85 86 88 89 |90| 91 92 93 94 |96| |97| 00 01

Etabli sur des sols argilo-calcaires, ce cru jouit d'une belle exposition. L'encépagement équilibré (deux tiers de merlot pour un tiers de cabernet) donne un vin rubis vif, plaisant et de bonne tenue. Les arômes rappellent les fruits confits et la vanille alors que la bouche, souple et fruitée, révèle des tanins mûrs et gras, qui manquent cependant un peu de puissance en finale. Une bouteille agréable, à ouvrir dans trois à cinq ans pour accompagner une volaille rôtie.

🔑 SCEV Aberlen,
Ch. Petit-Faurie-de-Soutard, 33330 Saint-Emilion,
tél. 05.57.74.62.06, fax 05.57.74.59.34,
e-mail info@vignoblescapdemourlin.com ☑ 🍷 🚶 r.-v.

CH. PETIT FOMBRAUGE 2001 ★

■ 2,5 ha 12 000 🛢 23 à 30 €

|96| |97| |**98**| 00 01

Pierre Lavau, viticulteur dans l'appellation voisine des côtes-de-castillon, a acheté ce petit cru de 2,5 ha en 1996. Celui-ci est planté de vieilles vignes, sur les sols argilo-calcaires de Saint-Christophe-des-Bardes. L'encépagement comprend neuf dixièmes de merlot et un dixième de cabernet franc. Une robe rubis habille ce 2001 au nez élégant, associant les fruits rouges et noirs à un boisé fin, vanillé et grillé. La bouche, charpentée et ferme, demande deux à trois ans de garde pour que les tanins s'assagissent. Ce domaine fut coup de cœur pour le millésime 98.

🔑 Pierre Lavau, Ch. Petit Fombrauge,
BP 20107, 33330 Saint-Christophe-des-Bardes,
tél. 05.57.24.77.30, fax 05.57.24.66.24,
e-mail petitfombrauge@terre-net.fr 🍷 🚶 r.-v.

CH. PEYMOUTON 2001 ★

■ 23 ha 105 000 ▮ 🛢 ♁ 11 à 15 €

A côté du très important vignoble du Château Laroque (grand cru classé), la famille Beaumartin exploite 23 ha de vignes non classées qui donnent ce Château Peymouton commercialisé en exclusivité par Crus et Domaines de France. C'est un vin sérieux mais qui peut se boire plus jeune que le classé. Sa teinte présente quelques reflets d'évolution, et le nez se révèle fin et fruité. La mise en bouche est souple et chaleureuse. La structure repose sur des tanins finement boisés. Très prochainement, ce 2001 pourra accompagner agréablement viandes rouges et fromages à pâte molle.

🔑 SCA Famille Beaumartin,
Ch. Laroque, 33330 Saint-Christophe-des-Bardes,
tél. 05.57.24.77.28, fax 05.57.24.63.65,
e-mail contact@chateau-laroque.com ☑ 🍷 🚶 r.-v.

CH. PEYRELONGUE 2001

■ 12,03 ha 23 500 ▮ 🛢 ♁ 11 à 15 €

En gascon, *peyrelongue* signifie pierre longue, et le nom de ce cru provient d'un menhir de l'époque gallo-romaine, sur lequel le moine Emilion se serait reposé, si l'on en croit la légende ! Bien présenté dans une robe rubis, vive et claire, ce vin évoque les petits fruits rouges au nez avec une note de cacao. La bouche est en harmonie, souple, fruitée et fraîche. Une bouteille agréable, pas très puissante mais pleine de finesse, à boire dès maintenant.

🔑 EARL Bouquey et Fils,
Ch. Peyrelongue, 1, Marquey-Sud, 33330 Saint-Emilion,
tél. 05.57.24.71.17, fax 05.57.24.69.24,
e-mail chateau-peyrelongue@wanadoo.fr ☑ 🍷 🚶 r.-v.

CH. PIERRE DE LUNE 2001 ★★

■ 0,95 ha 3 000 🛢 38 à 46 €

99 |**00**| **01**

Tony Ballu, directeur de Clos Fourtet, produit son propre vin depuis 1999, sur une parcelle de pur merlot planté sur graves et sables. Le 2001 est remarquable dans sa robe intense. Le bouquet naissant s'ouvre à l'aération sur un raisin très mûr (pruneau, cassis, fruits confiturés), un bois épicé et une touche animale. La bouche est gourmande, chaleureuse, volumineuse, soutenue par des tanins bien enrobés. D'un bon équilibre général, cette bouteille sera agréable assez rapidement mais pourra se garder de nombreuses années.

🔑 Véronique et Tony Ballu,
1, Châtelet-Sud, 33330 Saint-Emilion,
tél. 05.57.74.49.72, fax 05.57.74.49.72,
e-mail veronique.ballu@wanadoo.fr ☑ 🍷 🚶 r.-v.

CH. PIGANEAU 2001

■ 5,04 ha 30 000 🛢 11 à 15 €

D'origine corrézienne, la famille Brunot s'est implantée en 1922 dans le vignoble libournais. Elle y possède plusieurs crus dont celui-ci, situé près de l'ancien port de la cité médiévale, tout près du mégalithe de Pierrefitte.

BORDELAIS

Comme d'habitude, ce vin joue dans le registre de la finesse plutôt que de la puissance. Sa jolie couleur présente quelques reflets d'évolution. Son bouquet exprime surtout le bois fin, bien torréfié. Sa bouche souple est soutenue par des tanins assez élégants. Ce millésime devrait être prêt dans deux à trois ans.

🔑 SCEA J.-B. Brunot et Fils,
1, Jean-Melin, 33330 Saint-Emilion,
tél. 05.57.55.09.99, fax 05.57.55.09.95,
e-mail vignobles.brunot@wanadoo.fr ☑ 🍸 🚶 r.-v.

CH. PIPEAU 2001

■ n.c. 208 000 **15 à 23 €**

86 88 89 92 93 |95| |96| 98 |99| 00 01

Ici, le terme de « grand » cru est justifié par la qualité mais aussi par la taille de l'exploitation qui est une des plus grandes de l'appellation, dans la famille Mestreguilhem depuis l'illustre millésime 1929. Le 2001, lui, est encore un peu « dans le bois ». L'ombre de sa robe est traversée de reflets rubis et grenat. Le premier nez d'humus et de sous-bois s'ouvre à l'aération sur des fruits noirs (mûre) et du chêne toasté et vanillé. La bouche est charnue et puissante, les tanins de la barrique restant un peu austères ; dans quelques années, lorsqu'il « sortira du bois », ce sera un vin plaisir, typique de ce cru et pouvant accompagner une large palette culinaire.

🔑 GAEC Mestreguilhem,
Ch. Pipeau, 33330 Saint-Laurent-des-Combes,
tél. 05.57.24.72.95, fax 05.57.24.71.25,
e-mail chateau.pipeau@wanadoo.fr ☑ 🍸 🚶 r.-v.

LA PLAGNOTTE 2001 ★

■ 1 ha 4 200 🛢 **23 à 30 €**

Ces descendants d'une vieille famille saint-émilionnaise présentent deux cuvées très réussies. La Plagnotte, encore un peu sous le bois, exprime plutôt le merlot par sa rondeur et sa puissance. **Laplagnotte-Bellevue 2001 (15 à 23 €)** est plus typée des cabernets par son fruité et sa structure tannique encore un peu ferme. Ces deux vins devraient s'ouvrir d'ici deux ou trois ans et bien se conserver par la suite.

🔑 Claude de Labarre, Ch. Laplagnotte-Bellevue,
33330 Saint-Christophe-des-Bardes,
tél. 05.57.24.78.67, fax 05.57.24.63.62,
e-mail arnauddl@aol.com ☑ 🍸 🚶 r.-v.

CH. PLAISANCE 2001 ★

■ 16,51 ha 66 000 🛢 **15 à 23 €**

Acheté en 1997 par Xavier Mareschal, ce cru étend ses 17 ha de vignes sur des sols argilo-sableux. Le merlot domine l'encépagement avec un appoint de 10 % de deux cabernets. Le 2001 développe un bouquet riche de pain grillé et de café, sur des fruits rouges et noirs confits. La bouche, puissante et concentrée, bénéficie de bons tanins et d'un joli volume. La finale, fruitée et chocolatée, persiste longuement et agréablement au palais.

🔑 Xavier Mareschal,
Ch. Plaisance, 33330 Saint-Sulpice-de-Faleyrens,
tél. 05.57.24.78.85, fax 05.57.24.77.94 ☑ 🍸 🚶 r.-v.

CH. DE PRESSAC 2001 ★★

■ 24,58 ha 45 000 🛢 23 à 30 €

97 |98| |99| 00 **01**

Un beau vignoble de coteaux entourant un vrai château lié à la grande et à la petite histoire de France. La grande est très connue (guerre de Cent Ans) ; pour la petite, on peut signaler que c'est ici, entre 1737 et 1747, que fut introduit le cot (ou auxerrois, ou malbec), connu alors sous le nom de « noir de Pressac ». Depuis 1997, J.-F. et D. Quenin font beaucoup d'efforts pour redonner à ce cru le lustre qu'il mérite. En ce qui concerne la qualité du vin cela se sent : cité pour le 99, une étoile pour le 2000, deux étoiles pour ce 2001. Il est à la fois puissant et élégant, possède une robe attrayante, un boisé fin qui respecte le bon raisin bien mûr ; sa concentration importante ne masque pas la chair, et ses tanins sont dignes d'un grand vin de garde. Une valeur sûre. Le second vin, **Château Tour de Pressac 2001 (15 à 23 €)**, obtient une étoile.

🔑 GFA Ch. de Pressac, 33330 Saint-Etienne-de-Lisse,
tél. 05.57.40.18.02, fax 05.57.40.10.07,
e-mail jfetdquenin@libertysurf.fr ☑ 🍸 🚶 r.-v.
🔑 J.-F. et D. Quenin

CH. PUY MOUTON 2001 ★

■ 4 ha 25 000 ▮ 🛢 🌡 11 à 15 €

Producteurs de bordeaux supérieur aux Artigues-de-Lussac, D. et C. Devaud ont repris en 1997 cette propriété de 9 ha implantée sur les argilo-calcaires de Saint-Christophe-des-Bardes, au nord-est de Saint-Emilion. Ils consacrent 4 ha à l'élaboration de ce grand cru plein d'avenir. Sa couleur pourpre intense est encore jeune. Le bouquet naissant est déjà puissant et élégant : l'aération ouvre une succession de fruits rouges (cerise), de sous-bois, de notes grillées. La bouche, pleine et charnue, est charpentée par des tanins vanillés encore un peu austères mais prometteurs pour les deux à dix prochaines années.

🔑 EARL Vignobles D. et C. Devaud,
Ch. de Faise, 33570 Les Artigues-de-Lussac,
tél. 05.57.24.31.39, fax 05.57.24.34.17,
e-mail vignobles.devaud@wanadoo.fr ☑ 🍸 🚶 r.-v.

CH. QUERCY 2001 ★

■ 4 ha 18 000 🛢 **15 à 23 €**

88 89 **90** 92 **93** 94 |**95**| |96| |**98**| |99| |00| 01

Situé sur les graves au sud de l'appellation, ce cru tire vraisemblablement son nom de la présence de très vieux chênes verts dans son parc (Quercus). Le 2001, d'une belle couleur sombre et dense, possède un bouquet très prometteur, mêlant fleurs et fruits, soutenu par des notes boisées empyreumatiques. Sa saveur est encore fruitée. Charpenté par des tanins puissants et longs, il accompagnera dans deux ou trois ans daubes et lamproie à la bordelaise. Il gagnera à être décanté.

🔑 GFA du Ch. Quercy, 3, Grave, 33330 Vignonet,
tél. 05.57.84.56.07, fax 05.57.84.54.82,
e-mail chateauquercy@wanadoo.fr ☑ 🍸 🚶 r.-v.
🔑 Apelbaum-Pidoux

CH. LES RELIGIEUSES 2001

■ 4 ha 26 000 🛢 **11 à 15 €**

Sur les 14 ha qu'elle exploite dans le nord-est de l'appellation, Françoise Dumas sélectionne 4 ha d'argilo-calcaires plantés à 90 % de merlot pour élaborer la cuvée Les Religieuses. La robe est d'une jolie couleur rubis. A l'aération, le nez, encore un peu fermé, est sur le fruit. Après une attaque souple, encore fruitée (cerise), des tanins boisés apparaissent déjà fondus ; ils permettront de boire ce vin assez vite.

🔑 Françoise Dumas,
Jaumat, 33330 Saint-Christophe-des-Bardes,
tél. 05.57.40.09.34, fax 05.57.40.09.34

CH. RIOU DE THAILLAS 2001 ★★

■ 2,54 ha 10 000 15 à 23 €

Situé tout près de l'agglomération libournaise, ce petit cru de 2,5 ha a été acquis en 1997 par Michèle et Jean-Yves Béchet, déjà propriétaires d'un vignoble en côtes-de-bourg. Pur merlot, né sur des boulbènes riches en galets, ce 2001 a conquis le jury d'emblée par sa superbe robe, noire en profondeur et grenat en surface. Le bouquet puissant libère des arômes de fruits noirs confits, de pain grillé et de fumée. La bouche est charnue et dense, riche et concentrée, équilibrée et savoureuse. Une bouteille remarquable à conserver au moins cinq ans en cave.

GFA Béchet,
Ch. Riou de Thaillas, 33330 Saint-Emilion,
tél. 05.57.68.42.15, fax 05.57.68.28.59,
e-mail jean-yves.bechet@wanadoo.fr r.-v.

CH. RIPEAU 2001

■ Gd cru clas. 13 ha 50 000 15 à 23 €

85 88 **89** 90 91 92 93 94 95 99 01

Depuis 1976, Françoise de Wilde est à la tête de ce cru commandé par un château de la fin du XVIIIᵉs. Elle propose un 2001 grenat soutenu et limpide, dont le nez reste sur la réserve (prunelle, note cacaotée). L'attaque est très fine sur un fruit présent mais le bois s'impose rapidement. Il faut attendre deux à trois ans que le fût s'estompe pour mieux juger ce vin.

Françoise de Wilde,
SCEA Ch. Ripeau, 33330 Saint-Emilion,
tél. 05.57.74.41.41, fax 05.57.74.41.57,
e-mail chateauripeau@wanadoo.fr r.-v.

CH. ROC DE BOISSEAUX 2001

■ 5,5 ha 33 000 11 à 15 €

98 99 00 01

Nous sommes ici sur le terroir sablo-graveleux de Trapeau, entre Vignonet et Saint-Sulpice, au sud de l'appellation. On y trouve des vins qui, en général, s'expriment plus en finesse qu'en puissance. C'est le cas de ce cru à la jolie robe pourpre et au bouquet naissant qui, après sollicitation, libère des parfums de fruits rouges (groseille), des nuances toastées et vanillées. La bouche souple et fraîche repose sur des tanins fondus. Un vin plaisir, fin et élégant, qui pourra se boire assez rapidement.

SCEA du Ch. Roc de Boisseaux,
Trapeau, 33330 Saint-Sulpice-de-Faleyrens,
tél. 05.57.74.45.40, fax 05.57.88.07.00 r.-v.

CH. ROCHEBELLE 2001 ★

■ 2,7 ha 15 000 15 à 23 €

88 89 93 **96** 97 **98** 99 00 01

A 50 m de l'église de Saint-Laurent-des-Combes, ce petit cru de 3 ha est installé sur un terroir argilo-calcaire. Les vignes sont âgées en moyenne de quarante-cinq ans. Un 2001 très réussi, drapé dans une belle robe à reflets violines. Le nez, concentré et élégant, associe les fruits noirs confits, la vanille, la réglisse. La bouche est corsée, ample et puissante avec des tanins mûrs et veloutés qui persistent longuement en finale. Une bouteille destinée à du gibier en sauce dans deux ou trois ans.

SCEA Faniest, Ch. Rochebelle,
33330 Saint-Laurent-des-Combes,
tél. 05.57.51.30.71, fax 05.57.51.01.99,
e-mail faniest@archimedia.fr r.-v.

CH. ROL DE FOMBRAUGE 2001

■ 5,55 ha 26 995 15 à 23 €

Cette propriété de 5,55 ha, dirigée depuis 1986 par Francine et Jean-Michel Delloye, est installée sur les terroirs argilo-calcaires de Saint-Christophe-des-Bardes. L'encépagement comprend 70 % de merlot, 20 % de cabernet-sauvignon et 10 % de cabernet-franc. Cela donne un 2001 rubis au bouquet délicat, fruité et floral, nuancé par un boisé harmonieux. La bouche équilibrée et fraîche offre une finale aux tanins encore jeunes. A ouvrir dans deux à trois ans et à servir avec des viandes blanches.

Jean-Michel Delloye,
33330 Saint-Christophe-des-Bardes, tél. 05.57.24.77.67,
fax 02.35.86.59.49, e-mail delloye@aol.com r.-v.

CH. ROLLAND-MAILLET 2001 ★

■ 3,35 ha 9 744 15 à 23 €

(82) 85 **86** **89** **90** 93 94 95 97 **98** 00 01

Michel et Dany Rolland, œnologues à Catusseau-Pomerol, produisent plusieurs appellations libournaises : pomerol, lalande-de-pomerol, fronsac. Leur saint-émilion provient du terroir silico-argileux et silico-graveleux du secteur des Corbin. Leur 2001, très réussi, présente une belle robe pourpre. Le nez puissant demande un peu d'aération pour exprimer pleinement les fleurs, les fruits confits, les épices et un merrain très présent. La bouche, ample et élégante, repose sur des tanins boisés, épicés et savoureux. Un vin charmeur mais bien structuré, que les impatients apprécieront jeune mais qui pourra également vieillir.

SCEA des domaines Rolland, Maillet,
33500 Pomerol, tél. 05.57.51.23.05, fax 05.57.51.66.08,
e-mail rolland.vignobles@wanadoo.fr r.-v.

CH. LA ROSE-POURRET 2001

■ 8 ha 45 000 11 à 15 €

94 95 96 97 99 01

Une belle exploitation dans la famille depuis un siècle. Les 70 % de merlot, 25 % de cabernet franc et 5 % de cabernet-sauvignon qui se partagent l'encépagement poussent sur un terroir argilo-siliceux avec crasse de fer en sous-sol. D'une jolie couleur grenat, le vin développe des arômes délicats de fruits rouges et de pruneau. La bouche est bien équilibrée, mais la fermeté de la structure tannique obligera les amateurs à attendre au moins trois ans pour consommer cette bouteille.

Warion, SCEA Ch. La Rose-Pourret,
33330 Saint-Emilion,
tél. 05.57.24.71.13, fax 05.57.74.43.93,
e-mail contact@la-rose-pourret.com r.-v.

CH. LA ROSE-TRIMOULET 2001 ★

■ 5 ha 30 000 11 à 15 €

Depuis 1836 dans la famille de la mère de Jean-Claude Brisson, ce cru est installé à la périphérie de la cité médiévale de Saint-Emilion sur un plateau argilo-siliceux descendant en pente douce vers le ruisseau de la Barbanne. La robe de ce 2001 est grenat sombre et son bouquet suave rappelle les fruits rouges cuits, la cannelle et la vanille. La bouche, harmonieuse et corsée, ronde et charnue, possède une bonne présence tannique en finale, qui permettra une garde de trois à cinq ans.

🍷 Jean-Claude Brisson,
Ch. La Rose-Trimoulet, 33330 Saint-Emilion,
tél. 05.57.24.73.24, fax 05.57.24.67.08,
e-mail f.brisson@libertysurf.fr ☑ ⵏ 🍴 r.-v.

CH. SAINT-ESPRIT 2001 ★

■	1,28 ha	8 100	🍶 ⬭ 15 à 23 €

Institué en 1578 par Henri III, l'ordre du Saint-Esprit était le plus illustre des ordres de chevalerie de l'ancienne France. Il devint après Vatel le symbole de l'excellence culinaire. Ce tout petit cru (à peine plus de 1 ha) propose un 2001 paré d'une robe grenat chatoyante. Les fruits rouges confits, la réglisse et la violette composent un vin ample et velouté, bien étoffé et persistant sur des saveurs épicées. Une bouteille qui s'accordera dans deux à trois ans avec un tournedos Rossini.

🍷 Jérôme Dohet,
8, la Rose, 33330 Saint-Emilion,
tél. 05.57.74.41.53, fax 05.57.74.41.53,
e-mail chateausaintesprit@ifrance.com ☑ ⵏ 🍴 r.-v.

CH. SAINT-HUBERT 2001 ★

■	n.c.	12 000	⬭ 15 à 23 €

Un des nombreux crus que possède la famille Aubert dans le Libournais. Planté sur argilo-calcaires, le merlot représente ici trois cinquièmes de l'encépagement, complété par un cinquième de cabernet franc et un cinquième de cabernet-sauvignon. La robe rubis de ce 2001 est vive et bien soutenue. Le nez, à la fois floral et fruité, rappelle la mûre et la prunelle, avec des notes de caramel. La bouche, d'abord ronde et charnue, évolue sur une belle structure tannique qui permettra à tout chasseur d'ouvrir cette bouteille dans trois à cinq ans pour le servir avec son gibier favori.

🍷 Vignobles Aubert,
Ch. La Couspaude, 33330 Saint-Emilion,
tél. 05.57.40.15.76, fax 05.57.40.10.14,
e-mail vignobles.aubert@wanadoo.fr ☑ r.-v.

SANCTUS 2001 ★★

■	3,7 ha	12 000	⬭ 38 à 46 €

Une cuvée spéciale du Château La Bienfaisance, vinifiée par des hommes très médiatiques, le célèbre viticulteur chilien Aurelio Montès, cousin du propriétaire, et Stéphane Derenoncourt. Né sur sables, alios et sols argilo-calcaires, ce vin qui célèbre saint Jacques et saint Emilion est admirablement présenté dans une somptueuse robe pourpre violine. Il exprime au nez des arômes fruités (cerise, groseille), épicés, vanillés et grillés, avec une nuance de violette. La bouche corsée, charpentée et puissante mérite au moins cinq ans de garde pour s'épanouir. Le **Château La Bienfaisance 2001 (11 à 15 €)** obtient une étoile, et justifie son bon rapport qualité-prix par une grande harmonie et une belle structure de garde.

🍷 SA Ch. La Bienfaisance,
39, le Bourg, 33330 Saint-Christophe-des-Bardes,
tél. 05.57.24.65.83, fax 05.57.24.78.26,
e-mail info@labienfaisance.com ☑ r.-v.

CH. SANSONNET 2001 ★

■	5,22 ha	18 000	⬭ 30 à 38 €
98 99 00	01			

Ce cru implanté sur les argilo-calcaires du plateau de Saint-Emilion, est proche de l'église monolithe du XIᵉs. Dans la vigne, le merlot est complété par 30 % de cabernets. Cela donne un 2001 à la fois fin et structuré. Dans le verre, le rubis brillant est bordé de reflets tuilés ; le bouquet, déjà expressif, offre une succession de cerise, de cannelle, de chêne finement toasté. Au palais, la saveur est à la fois fruitée et boisée. Sa texture harmonieuse permettra d'apprécier ce vin dans les deux à six prochaines années, particulièrement avec une viande blanche.

🍷 Patrick d'Aulan, 33330 Saint-Emilion,
tél. 05.57.34.51.51, fax 05.56.30.11.45,
e-mail info@gamaudy.com ⵏ 🍴 r.-v.

CH. LA SERRE 2001

▣ Gd cru clas.	7 ha	21 000	⬭ 23 à 30 €
	90	92 93	95		96		98	99 00 01			

Ce cru correspond bien à la réalité saint-émilionnaise : un domaine familial à taille humaine, niché à 200 m de la cité médiévale sur un coteau argilo-calcaire, planté à 80 % de merlot et à 20 % de cabernet franc. Dans le verre, cela se traduit par un vin de bon aloi, aux scintillements grenat intenses, aux arômes de fruits frais (cassis) et de croûte de pain chaud. La bouche, chaleureuse et volumineuse, soutenue par des tanins soyeux, forme un ensemble qui exprime plus la finesse que la puissance. Ce 2001 présente une bonne aptitude à la garde.

🍷 SCE Luc d'Arfeuille,
Ch. La Serre, 33330 Saint-Emilion,
tél. 05.57.24.71.38, fax 05.57.24.63.01,
e-mail darfeuille.luc@wanadoo.fr ⵏ 🍴 r.-v.

CH. TAUZINAT L'HERMITAGE 2001 ★

■	9,28 ha	53 000	⬭ 11 à 15 €
88 89 93 **94 95** |96| |97| **00** 01			

Cette belle propriété d'une dizaine d'hectares, magnifiquement située sur des coteaux argilo-calcaires à l'est de Saint-Emilion, fut au XVIIIᵉs. la demeure du comte de Carles, lieutenant-général des armées du roi. Coup de cœur l'an passé avec le 2000, elle propose un 2001 à la robe superbe et au nez complexe, qui marie harmonieusement des arômes fruités et un boisé élégant. Riche et volumineux, ce vin repose sur de beaux tanins mûrs et persistants en finale. Une bouteille de garde à ouvrir dans deux à cinq ans et à servir avec viande rouge et gibier.

🍷 SC Bernard Moueix,
Ch. Taillefer, BP 9, 33501 Libourne Cedex,
tél. 05.57.25.50.45, fax 05.57.25.50.45 ⵏ 🍴 r.-v.
🍷 Héritiers Marcel Moueix

TERRE BLANCHE DU CH. TOURANS 2001 ★

■	4 ha	26 500	⬭ 11 à 15 €

Ce cru utilise 4 ha de vignes quarantenaires plantées sur sols argilo-calcaires et se compose essentiellement de merlot, avec un apport de 10 % de cabernet franc. D'une jolie couleur rubis, ce 2001 libère un bouquet complexe, alliant des arômes de griotte à un boisé toasté. La bouche est équilibrée et fraîche jusque dans une finale ample sur des saveurs fruitées. Une belle bouteille qui devrait être prête en 2006.

🔑 SCEA Vignobles Rocher-Cap-de-Rives 1,
33350 Saint-Magne-de-Castillon,
tél. 05.57.56.02.97, fax 05.57.40.01.98,
e-mail chateaujacquesblanc@wanadoo.fr

CH. TOUR BALADOZ 2001 ★

■ 6 ha 45 000 🛢 15 à 23 €

93 94 |95| |96| 97 |98| |99| 00 01

Ce cru fait partie d'une jolie propriété viticole d'une dizaine d'hectares, typique du Saint-Emilionnais. Six hectares sont consacrés à ce cru régulièrement retenu. Derrière une robe avenante, d'un beau rubis sombre, le nez se montre encore frais, fruité, fermentaire, mêlant le cassis, les épices et le bois vanillé. La mise en bouche est gouleyante mais étoffée : la structure repose sur des tanins aimables, et la saveur est raffinée. Un vin agréable qui devrait bien évoluer dans les cinq prochaines années. Dans la même appellation, les vignobles de Schepper produisent aussi le **Château Roquettes 2001 (11 à 15 €)** qui a été cité et le **Château La Croizille 2001 (46 à 76 €)** qui a obtenu une étoile.

🔑 SCEA Ch. Tour Baladoz,
33330 Saint-Laurent-des-Combes,
tél. 05.57.88.94.17, fax 05.57.88.39.14,
e-mail ch-baladoz@aol.com ☑ 🍷 🚶 r.-v.
🔑 de Schepper

CH. LA TOUR FIGEAC 2001 ★

■ Gd cru clas. 14,6 ha 40 000 🛢 30 à 38 €

82 83 85 86 89 |**90**| 93 94 |95| |**96**| |97| |98| 01

Otto Rettenmaier possède ce cru depuis 1994 et l'a converti à la biodynamie. Sur un terroir de graves et de sables reposant sur un sous-sol argileux, merlot (70 %) et cabernet franc ont donné un vin d'une jolie couleur rubis soutenu et au bouquet très fruité, frais avec une touche de violette. La bouche corsée, charnue s'appuie sur une belle trame tannique, puissante et ferme, qui permettra une bonne garde.

🔑 Famille Rettenmaier,
SC La Tour Figeac, BP 007, 33330 Saint-Emilion,
tél. 05.57.51.77.62, fax 05.57.25.36.92,
e-mail latourfigeac@aol.com ☑ 🍷 🚶 r.-v.

CH. TOUR GRAND FAURIE 2001 ★

■ 11,86 ha 36 000 🛢 11 à 15 €

88 |90| |95| |96| 97 |98| |99| 01

Un cru installé sur deux types de terroir, l'un argilo-calcaire, l'autre sableux sur crasse de fer. Le merlot domine l'encépagement, complété par 18 % de cabernet franc et 2 % de cot. La robe grenat éclatant de ce 2001 montre des reflets d'évolution ; le nez est encore discret mais fin. Le vin s'exprime surtout en bouche ; ses tanins mûrs et ronds persistent longuement en finale sur des saveurs fruitées.

🔑 SCEA Vignobles Feytit, Ch. Tour Grand Faurie,
33330 Saint-Emilion, tél. 05.57.24.73.75,
fax 05.57.74.46.94, e-mail feytit@hotmail.com
☑ 🍷 🚶 t.l.j. 9h-12h 13h30-19h30
🔑 Isabelle et Franck Feytit

CH. TOUR RENAISSANCE 2001

■ 4 ha 12 000 🛢 11 à 15 €

89 90 91 92 93 94 96 97 |98| 99 |00| 01

Françoise Mouty possède ce domaine implanté sur graves. Le cabernet franc (20 %) complète le merlot dans ce vin à la robe brillante, rubis à reflets grenat. Intéressant, le nez joue sur des notes complexes d'épices (cannelle) et de petits fruits rouges suivies d'une pointe mentholée. Elégante, fraîche, équilibrée, la bouche finit sur des tanins serrés qui demandent un à deux ans de garde pour se fondre.

🔑 SCEA Vignobles Daniel Mouty,
Ch. du Barry, 33350 Sainte-Terre, tél. 05.57.84.55.88,
fax 05.57.74.92.99, e-mail daniel-mouty@wanadoo.fr
☑ 🍷 🚶 t.l.j. sf dim. 8h-18h

CH. TRAPAUD 2001 ★

■ 14 ha 39 428 ▮ 🛢 🌡 11 à 15 €

Cette propriété familiale, acquise au début du siècle dernier par la famille Larribière, est établie en pied de côte à l'est de l'appellation. D'une jolie teinte rubis soutenu, ce 2001 révèle au nez des arômes de fruits confits et de caramel nuancés de rose. La bouche est ronde, équilibrée et chaleureuse, avec une belle structure et des saveurs fruitées agréables. Une bouteille à déboucher dans trois ou quatre ans.

🔑 SCEA Larribière,
Ch. Trapaud, 33330 Saint-Etienne-de-Lisse,
tél. 05.57.40.18.08, fax 05.57.40.07.17,
e-mail chateau-trapaud@wanadoo.fr ☑ 🍷 🚶 r.-v.

CH. TRIANON 2001

■ 8 ha 13 000 🛢 30 à 38 €

Ce domaine viticole d'une dizaine d'hectares a été acquis en 2000 par Dominique Hébrard. Sa famille s'était séparée de Cheval Blanc en 1999, puis avait investi dans la maison de négoce libournaise, en côtes-de-francs et même au Liban. Sur ce terroir sablo-graveleux reposant sur argile, on note la présence de 5 % de carmenère, vieux cépage médocain très rare à Saint-Emilion. Cela donne un vin sombre, aux reflets rubis et grenat, au bouquet naissant de sous-bois, de fruits noirs, de griotte, de merrain toasté et vanillé. La saveur concentrée, soutenue par un boisé noble, demandera quelques années pour s'affiner. Vin de garde classique.

🔑 Dominique Hébrard,
Ch. Trianon, 33330 Saint-Emilion,
tél. 05.57.25.34.46, fax 05.57.25.28.61,
e-mail contact@chateau-trianon.com ☑ 🍷 🚶 r.-v.

CH. TRIMOULET 2001

■ 6,5 ha 39 000 ▮ 🛢 🌡 11 à 15 €

Un vin commercialisé par Yvon Mau, né dans une propriété installée sur le versant nord de l'appellation, aux sols argilo-siliceux mêlés d'alios. Il est composé de trois quarts de merlot pour un quart de cabernet franc. Rouge rubis profond, il mêle des arômes de fruits rouges mûrs et confits et un boisé grillé. La bouche puissante révèle une structure tannique ferme, encore un peu austère aujourd'hui, mais prometteuse pour l'avenir. Le second vin, **Emilius de Château Trimoulet 2001 (8 à 11 €)**, est cité pour son fruit, sa fraîcheur et son équilibre : à servir en 2005.

🔑 Michel Jean, Ch. Trimoulet, BP 60,
33330 Saint-Emilion, tél. 05.57.24.70.56,
fax 05.57.74.41.69, e-mail infos@chateautrimoulet.com

CH. TROPLONG-MONDOT 2001 ★★

■ Gd cru clas. 22,5 ha 65 000 🛢 38 à 46 €

82 83 85 86 88 |**89**| |(90)| 92 93 |95| |96| 97 98 **01**

Cette propriété du XVIIIes. eut l'honneur de recevoir Théophile Gautier, auteur du *Capitaine Fracasse* mais aussi théoricien de l'art pour l'art. C'est certainement à cette même philosophie que fait appel Christine Valette pour qui le vin doit être une œuvre d'art. C'est le cas de ce 2001, millésime difficile et chez elle remarquable. Superbement présenté dans une robe pourpre sombre et dense, ce vin, intense et vineux, associe les fruits rouges et noirs bien mûrs à un boisé racé, grillé et épicé. La bouche, riche et puissante, révèle des tanins charnus et gras qui persistent longuement en finale. Une magnifique bouteille à conserver entre cinq et dix ans en cave. Le second vin, **Mondot 2001 (15 à 23 €)**, 10 000 bouteilles, cité, est lui aussi charpenté et de garde.

🔑 GFA Valette,
Ch. Troplong-Mondot, 33330 Saint-Emilion,
tél. 05.57.55.32.05, fax 05.57.55.32.07,
e-mail chateautroplongmondot@wanadoo.fr
☒ 🍷 🚶 r.-v.

CH. TROTTEVIEILLE 2001 ★★

■ 1er gd cru clas. B   n.c.   20 000   Ⅲ 46 à 76 €

82 **85 86 88 90** 93 94 |95| |96| 97 98 |99| **00 01**

L'an dernier le millésime 2000 avait obtenu un coup de cœur. Le 2001 le frôle à nouveau. Belle performance ! La petite différence tient plutôt aux conditions du millésime qu'au travail, tout aussi parfaitement maîtrisé. Une magnifique robe aux reflets pourpres et bigarreau. Un bouquet profond, puissant, rappelant les raisins concentrés, les fruits confits, le sous-bois, la vanille, le bon bois et mille autres senteurs plaisantes (par exemple, la truffe). En bouche, la saveur relaie bien le nez, dans les mêmes notes, signant une cohérence rassurante. Les tanins sont solides et prometteurs.

🔑 Indivision Castéja-Preben-Hansen,
Ch. Trottevieille, 33330 Saint-Emilion,
tél. 05.56.00.00.70, fax 05.57.87.48.61,
e-mail domaines.boriemanoux@dial.oleane.com
☒ 🚶 r.-v.

CH. DE VALANDRAUD 2001 ★★

■   4,5 ha   12 000   Ī Ⅲ + de 76 €

En peu d'années J.-F. Thunevin et M. Andraud sont devenus d'importants producteurs de saint-émilion grand cru. Ce 2001 décroche un coup de cœur pour son opulence, sa puissance, son élégance, sa finesse, bref, il a tout ce qu'il faut là où il faut ! Les cuvées **Virginie de Valandraud 2001** et **Château de Valandraud 2001 Cuvée Kasher** obtiennent également deux étoiles. Le **Clos Badon Thunevin 2001 (46 à 76 €)**, à l'étiquette étonnante, est un peu surboisé. Il mérite tout de même une étoile pour son caractère affirmé. Un ensemble impressionnant qui peut plaire à beaucoup de monde.

🔑 Ets Thunevin, 6, rue Guadet, 33330 Saint-Emilion,
tél. 05.57.55.09.13, fax 05.57.55.09.12,
e-mail thunevin@thunevin.com ☒ 🚶 r.-v.

CH. DU VAL D'OR 2001 ★

■   12,5 ha   72 000   Ī Ⅲ 🌡 11 à 15 €

|95| |96| 97 |98| **99 00 01**

Philippe Bardet exploite 106 ha de vignes dans le Libournais, dont ce cru installé à Vignonet sur des graves et qui doit son nom au village d'Orval en Dordogne où naquit son grand-père, créateur de l'exploitation. Doté d'une robe rubis, ce 2001 développe un bouquet concentré, encore un peu enfermé dans sa coquille, mêlant fruits mûrs, cuir et bois grillé. La bouche séveuse et charnue, bien charpentée, signe une bouteille apte à une garde de trois ou quatre ans. Le **Château La Mouleyre 2001** obtient également une étoile ; solide et ferme, il est à garder trois à cinq ans en cave ; le **Château Pontet-Fumet 2001**, frais et plaisant, pourra se boire d'ici deux ans : il obtient une citation.

🔑 SCEA des Vignobles Philippe Bardet, 17, La Cale, 33330 Vignonet, tél. 05.57.84.53.16, fax 05.57.74.93.47,
e-mail vignobles@vignobles-bardet.fr
☒ 🍷 🚶 t.l.j. sf ven. sam. dim. 8h-12h 14h-17h

CH. VIEILLE TOUR LA ROSE 2001 ★

■   5,06 ha   13 500   Ī Ⅲ 8 à 11 €

Dans la famille depuis quatre générations, ce domaine de 10 ha consacre la moitié de son vignoble à ce cru. Les vignes quarantenaires sont implantées sur les sols sableux du flanc nord du coteau de Saint-Emilion, avec un sous-sol argileux et ferrugineux. Le merlot, majoritaire, reçoit l'appui de 20 % de cabernet franc pour donner ce vin rubis, au nez intense et frais mariant des arômes fruités, floraux et boisés. La bouche est équilibrée, déjà souple, charnue ; sa finale savoureuse et fine autorise une consommation assez rapide.

🔑 SCEA Vignobles Daniel Ybert,
Lieu-dit La Rose, 33330 Saint-Emilion,
tél. 05.57.24.73.41, fax 05.57.74.44.83,
e-mail commercial@vignoblesybert.fr ☒ 🍷 🚶 r.-v.

VIEUX CHATEAU L'ABBAYE 2001

■   1,73 ha   10 000   Ⅲ 15 à 23 €

95 96 |97| |98| **99 00 01**

Installé à 200 m de l'église de Saint-Christophe-des-Bardes sur un terroir argilo-calcaire, ce petit cru est composé de vieilles vignes de merlot avec un appoint de 15 % en cabernet franc. Grenat assez sombre, la robe montre quelques reflets d'évolution. Les arômes de raisin frais sur des notes grillées et torréfiées accompagnent la dégustation d'un vin corsé, nerveux et ferme, qui demande à se faire.

🔑 Françoise Lladères, Le Bourg,
BP 69, 33330 Saint-Christophe-des-Bardes,
tél. 05.57.47.98.76, fax 05.57.47.93.03 ☒ 🍷 🚶 r.-v.

CH. VIEUX LARMANDE 2001 ★

■   4,25 ha   23 471   Ī Ⅲ 11 à 15 €

La famille Magnaudeix exploite deux crus à taille humaine à Saint-Emilion et à Saint-Christophe-des-Bardes. Vieux Larmande est implanté sur les sols silico-argileux à quelques kilomètres au nord de la cité médiévale. Le 2001 y est très réussi, doté d'une belle robe pourpre aux reflets chatoyants et d'un bouquet déjà épanoui où se succèdent les fruits (pruneau, cassis), les épices poivrées relevées par des notes de fraîcheur. La bouche, à la fois puissante et équilibrée, est structurée par des tanins bien enrobés. L'ensemble laisse une impression d'harmonie, d'authenticité ; il devrait bien évoluer. L'autre cru, **Vieux Château Pelletan 2001**, obtient une citation.

🔑 SCEA Vignobles Magnaudeix,
Ch. Vieux Larmande, 33330 Saint-Emilion,
tél. 05.57.24.60.49, fax 05.57.24.61.91,
e-mail vignobles-magnaudeix@wanadoo.fr ☑ 🍷 🚶 r.-v.

CH. VIEUX LARTIGUE 2001

■ 6,14 ha 33 200 🛢 11 à 15 €

Un 2001 plaisant, de couleur rubis vif et soutenu. Le nez, très frais, associe les fruits rouges à la vanille et au tabac. La bouche, équilibrée et ronde, est bien armée pour la garde, grâce à une solide charpente. Un classique de l'appellation.

🔑 SC du Ch. Vieux Lartigue,
BP 80, 33330 Saint-Sulpice-de-Faleyrens,
tél. 05.57.55.38.03, fax 05.57.55.38.01 ☑ 🍷 🚶 r.-v.

CH. VILLHARDY 2001 **

■ 1 ha 3 200 🛢 30 à 38 €

Ce cru microscopique (1 ha) a été créé en 2001 par l'achat de deux parcelles de vignes, l'une implantée en plein centre de Libourne sur des sables, et l'autre au bord de la Dordogne sur des graves argileuses. Cela donne un vin revêtu d'une somptueuse robe grenat profond. Le bouquet complexe et puissant associe réglisse, fruits rouges et noirs, pain grillé, fumée et vanille. La bouche est ample et volumineuse, dotée d'une belle matière qui persiste longuement en finale sur des saveurs de fruits cuits et de bon bois. Une très jolie bouteille, de garde car les dix-huit mois de barrique ne se font pas oublier.

🔑 Stéphane Bedenc,
6, Petit-Chemin-de-Barreau, 33500 Libourne,
tél. 05.57.25.26.67, fax 05.57.25.26.67 ☑ 🚶 r.-v.

CH. VIRAMIERE 2001

■ 13,74 ha 69 884 ▮ 🛢 🌡 11 à 15 €

Ce vin est issu de la propriété de la famille Dumon de Saint-Etienne-de-Lisse, à l'est de l'aire AOC. Il est surtout intéressant par son caractère fruité et sa typicité 2001, le boisé étant très discret. Il n'a pas une grosse structure, mais affiche un bon équilibre et une certaine élégance qui devraient permettre de le boire assez rapidement.

🔑 Union de producteurs de Saint-Emilion,
Haut-Gravet, BP 27, 33330 Saint-Emilion,
tél. 05.57.24.70.71, fax 05.57.24.65.18,
e-mail contact@udpse.com
🍷 🚶 t.l.j. sf dim. 8h-12h 14h-18h
🔑 SCEA Vignobles Dumon

Les autres appellations de la région de Saint-Emilion

Plusieurs communes, limitrophes de Saint-Emilion et placées jadis sous l'autorité de sa jurade, sont autorisées à faire suivre leur nom de celui de leur célèbre voisine. Ce sont les appellations de lussac-saint-émilion (1 437 ha, 63 140 hl), montagne saint-émilion (1 591 ha, 67 252 hl), puisseguin saint-émilion (740 ha, 32 122 hl), saint-georges saint-émilion (187 ha, 7 663 hl), les deux dernières correspondant d'ailleurs à des communes aujourd'hui fusionnées avec Montagne. Toutes sont situées au nord-est de la petite ville, dans une région au relief tourmenté qui en fait le charme, avec des collines dominées par nombre de prestigieuses demeures historiques. Les sols sont très variés et l'encépagement est le même qu'à Saint-Emilion ; aussi la qualité des vins est-elle proche de celle des saint-émilion.

Lussac-saint-émilion

Lussac-saint-émilion est l'un des aires du Libournais les plus riches en vestiges gallo-romains. Au centre et au nord de l'AOC, le plateau est composé de sables du Périgord alors qu'au sud le coteau argilo-calcaire forme un arc de cercle bien exposé. 63 140 hl ont été produits en 2003 sur 1 437 ha.

CH. DE BARBE BLANCHE 2001 *

■ 10 ha 40 000 🛢 11 à 15 €

André Magnon et André Lurton possèdent chacun 50 % des parts de ce cru dont on prétend qu'Henri IV appréciait le vin. Implanté sur un excellent terroir, le vignoble a donné naissance à un très bon vin dans ce millésime. La robe rubis est soutenue et le bouquet légèrement épicé est rehaussé de notes de fruits mûrs. Les tanins souples, grillés, bien fondus devraient évoluer assez vite, autorisant une consommation dans les trois ans. Le **Château Tour de Ségur 2001 (8 à 11 €),** des mêmes propriétaires, est cité pour son équilibre général tourné vers une grande vivacité ; il est prêt à boire.

🔑 André Lurton, Ch. Bonnet, 33420 Grézillac,
tél. 05.57.25.58.58, fax 05.57.74.98.59,
e-mail andrelurton@andrelurton.com ☑
🔑 André Lurton et André Magnon

CH. BEL-AIR Cuvée Jean-Gabriel 2001 **

■ 2 ha 12 000 🛢 8 à 11 €

De très vieilles vignes plantées sur un plateau argilo-calcaire et un élevage long de dix-huit mois en barrique neuve sont à l'origine de cette excellente cuvée : sa robe sombre brille de reflets pourpres entourant des arômes de vanille et de cerise noire très harmonieux. La bouche est élégante, équilibrée ; le boisé très présent demande trois à six ans de vieillissement pour se fondre. Le **Château Bel-Air 2001 (8 à 11 €)** obtient une étoile, il est délicieux en l'état, très fruité et devrait pouvoir être bu dès aujourd'hui. En confiance.

🔑 Jean-Noël Roi, EARL Ch. Bel-Air, 33570 Lussac,
tél. 05.57.74.60.40, fax 05.57.74.52.11,
e-mail jean.roi@wanadoo.fr ☑ 🍷 🚶 r.-v.

CH. DE BELLEVUE 2001 ★★

■ 12 ha 67 000 11 à 15 €

Actuellement en conversion vers l'agriculture biologique, cette propriété est commandée par une chartreuse du XVIIIes., elle-même construite sur 3 ha de caves souterraines creusées dans le calcaire. Son 2001 porte une robe violacée profonde et intense et libère des arômes élégants de violette, d'épices, de cuir et de fruits noirs. Ample et généreuse, la bouche évolue tout en finesse, avec équilibre et un agréable boisé. Assurément une grande bouteille qui sera au sommet de l'appellation dans trois à huit ans.

Charles Chatenoud et Fils, Ch. de Bellevue, 33570 Lussac, tél. 06.72.83.18.04, fax 05.57.74.53.69, e-mail andrechatenoud@wanadoo.fr r.-v.

CH. BONNIN 2001 ★★

■ 1,5 ha 6 000 8 à 11 €

Cette propriété a changé de main en 1997. Etablie sur un excellent terroir argilo-calcaire, elle est parfaitement mise en valeur par les nouveaux propriétaires. Issu exclusivement du merlot, son 2001 présente une robe sombre, aux reflets bigarreau. Le bouquet naissant est marqué par le fruit noir et la vanille. Les tanins assez volumineux sont encore un peu dominés par la barrique : il faudra attendre trois à quatre ans avant d'offrir à cette bouteille un civet de sanglier.

Philippe Bonnin, Pichon, 33570 Lussac, tél. 05.57.74.53.12, fax 05.57.74.58.26 r.-v.

CH. DE BORDES B de B 2001 ★

■ 0,25 ha 2 100 15 à 23 €

Née sur une propriété d'une dizaines d'hectares, cette cuvée confidentielle, issue du seul merlot, est présentée dans un flacon de forme antique. La robe grenat intense brille de reflets violacés, le bouquet expressif de fruits rouges mûrs est bien fondu avec des notes boisées torréfiées. Les tanins puissants, équilibrés, très aromatiques sont encore marqués par le bois en fin de bouche. Un vin bien fait, à laisser s'épanouir dans une bonne cave.

Vignobles Paul Bordes, Faize, 33570 Les Artigues-de-Lussac, tél. 05.57.24.33.66, fax 05.57.24.30.42, e-mail vignobles.bordes.paul@wanadoo.fr r.-v.

CH. CAILLOU LES MARTINS 2001 ★

■ 8 ha 40 000 5 à 8 €

Située sur un terroir d'argiles et de graves, cette propriété familiale propose un 2001 rubis foncé aux reflets noirs. Rehaussé de subtiles notes de boisé, le bouquet fruité s'exprime sur la cerise et la framboise. Harmonieux, équilibré et persistant, un vin tout en finesse, à boire d'ici deux à cinq ans.

Jean-François Carrille, pl. du Marcadieu, 33330 Saint-Emilion, tél. 05.57.24.74.46, fax 05.57.24.64.40, e-mail jeanfrancois-carrille@wanadoo.fr r.-v.

CH. DU COURLAT Cuvée Jean-Baptiste 2001 ★

■ 4 ha 27 000 11 à 15 €

Issue des meilleures parcelles de la propriété, cette cuvée Jean-Baptiste a été créée en hommage au grand-père du propriétaire actuel, Pierre Bourotte. Parée d'une somptueuse robe violacée aux reflets rubis, elle offre un bouquet élégant et fruité et une structure en bouche riche, concentrée qui s'épanouira totalement dans un an ou deux. La **cuvée classique 2001 (8 à 11 €)** est citée pour son caractère aromatique tout en finesse et sa sincérité en bouche ; elle est déjà agréable à boire avec des volailles.

SA Pierre Bourotte, 62, quai du Priourat, 33502 Libourne Cedex, tél. 05.57.51.62.17, fax 05.57.51.28.28, e-mail jeanbaptiste.audy@wanadoo.fr r.-v.

CH. LES COUZINS Cuvée Prestige 2001

■ 2 ha 12 000 5 à 8 €

Parée d'une robe pourpre violacé, ce vin développe un bouquet encore discret de cerise et de cassis, dominé par des notes boisées. En bouche, il se révèle frais, équilibré, mais la finale un peu simple est encore sous l'emprise du bois. Attendre un à deux ans un meilleur équilibre général.

Robert Seize, Ch. Les Couzins, 33570 Lussac, tél. 05.57.74.60.67, fax 05.57.74.55.60 r.-v.

CH. CROIX DE RAMBEAU 2001 ★

■ 6 ha 50 000 8 à 11 €

Appartenant à Jean-Louis Trocard, personnalité du vignoble girondin, ce cru est régulièrement bien noté dans ce Guide. C'est le cas dans ce millésime paré d'une robe rubis aux reflets grenat ; le bouquet naissant évoque le menthol, les épices douces, le pruneau... Les tanins veloutés, très aromatiques et persistants composent une bouteille de style classique, à boire dans les deux ou trois prochaines années avec un chapon.

Jean-Louis Trocard, Ch. Croix de Rambeau, BP 3, 33570 Les Artigues-de-Lussac, tél. 05.57.55.57.90, fax 05.57.55.57.98, e-mail trocard@wanadoo.fr t.l.j. 8h-12h 14h-17h; sam. dim. sur r.-v.

CH. LA HAUTE CLAYMORE 2001

■ 3 ha n.c. 5 à 8 €

Ce vignoble de l'ancienne abbaye cistercienne de Faise a donné un très bon 2001. La robe est noire, les arômes fruités et boisés sont en harmonie, la structure en bouche est pleine, intense, avec cependant une légère amertume finale qu'un à deux ans de garde devrait atténuer.

EARL Vignobles D. et C. Devaud, Ch. de Faise, 33570 Les Artigues-de-Lussac, tél. 05.57.24.31.39, fax 05.57.24.34.17, e-mail vignobles.devaud@wanadoo.fr r.-v.

CH. HAUT-GAZEAU 2001

■ 9 ha 15 000 8 à 11 €

Diffusé par la maison Sichel qui a repris à Langon la marque de Pierre Coste, ce vin, né sur un sol sablo-argileux, mérite l'intérêt pour son bouquet de fruits frais, de vanille et pour sa structure élégante, souple et bien équilibrée jusqu'en finale. Destiné à un plaisir immédiat, il pourra également vieillir quelques années.

SA Maison Sichel, 8, rue de la Poste, 33210 Langon, tél. 05.56.63.50.52, fax 05.56.63.42.28, e-mail maison-sichel@sichel.fr

CH. HAUT-PIQUAT 2001

■ 22 ha 150 000 11 à 15 €

Construit au XIXes. dans un style Directoire, ce château propose un 2001 caractérisé par une couleur rubis intense, un bouquet naissant de fruits rouges et d'épices, une structure tannique mêlant le fruit et le bois et une finale un peu fugace : ce vin se boira rapidement.

🔑 Jean-Pierre Rivière, Ch. Haut-Piquat, 33570 Lussac, tél. 05.57.55.59.59, fax 05.57.55.59.51, e-mail jpriviere@riviere-stemilion.com
☑ 🍷 🚶 t.l.j. sf dim. 9h-12h 14h-18h

L'INTEMPOREL 2001 ★★

■ n.c. 27 732 🛢 8 à 11 €

Issu de seize parcelles de vieilles vignes de merlot situées sur les meilleurs terroirs de l'appellation, cet Intemporel est une création de la cave coopérative qui montre avec ce coup de cœur tout son art des assemblages. La robe brille de reflets rubis. Le bouquet expressif et intense évoque les fruits mûrs, la vanille, le toasté. Les tanins, gras et fruités en attaque, deviennent gourmands dans un environnement équilibré et très persistant. Exemple réussi d'une belle vinification et d'un élevage bien dosé, cette bouteille s'appréciera dans trois à six ans.
🔑 Les Producteurs réunis de Puisseguin et Lussac-Saint-Emilion, Lieu-dit Durand, 33570 Puisseguin, tél. 05.57.55.50.40, fax 05.57.74.57.43, e-mail vignoble@producteurs-reunis.com
🍷 🚶 t.l.j. 8h30-12h30 14h30-18h30

CH. LA JORINE 2001 ★

■ 3,5 ha 25 000 ▮ 🛢 🌡 8 à 11 €

Ce cru est situé à l'emplacement d'un relais du chemin de Compostelle, sur un sol de roches calcaires. Elaboré traditionnellement, son 2001 présente une couleur pourpre brillant et un bouquet très fruité (framboise, griotte confite) et minéral. Les tanins puissants et équilibrés, racés et élégants, devraient totalement s'épanouir dans un à deux ans.
🔑 EARL Vignobles Fagard, Cornemps, 33570 Petit-Palais, tél. 05.57.69.73.19, fax 05.57.69.73.75, e-mail vignobles.fagard@wanadoo.fr ☑ 🍷 🚶 r.-v.

CH. DES LANDES Cuvée Prestige 2001 ★★

■ 2 ha 9 000 🛢 8 à 11 €

Cette cuvée Prestige est une sélection rigoureuse de vieilles vignes de merlot (80 %) et de cabernets (20 %) plantées sur un sol d'argiles blanches et d'alios. Le millésime 2001 est d'une qualité remarquable : robe pourpre intense, bouquet complexe et expressif de cerise confite, de mûre, de moka, de boisé grillé. Les tanins, gras et fruités en attaque, évoluent ensuite avec puissance et équilibre ; l'harmonie finale est très typée. Une bouteille qui donne déjà un vrai plaisir, mais qui sera encore plus complexe après trois ans de garde.
🔑 Daniel Lassagne, EARL des Vignobles du Château des Landes, Lagrenière, 33570 Lussac, tél. 05.57.74.68.05, fax 05.57.74.68.05, e-mail chateaudeslandes@yahoo.fr
☑ 🍷 🚶 t.l.j. 9h-12h 13h-19h30

CH. LION PERRUCHON La Griffe 2001

■ 1,4 ha 8 404 ▮ 🛢 🌡 15 à 23 €

Une belle étiquette moderne et sobre à la fois pour saluer le premier millésime des nouveaux propriétaires de ce domaine de 10 ha. Ce 2001 voit également l'éclosion d'un nouveau nom de cuvée, La Griffe. La robe grenat a des reflets carminés ; le bouquet, un peu simple, est très boisé, mais les tanins se révèlent moelleux et équilibrés. La finale demande quelques mois de garde. Un vin un peu stéréotypé et que les défenseurs du terroir qualifient de technique ; mais il y a des amateurs...
🔑 SARL Munck-Lussac, Ch. Lion-Perruchon, 33570 Lussac, tél. 05.57.74.58.21, fax 05.57.74.58.39, e-mail perruchon@wanadoo.fr ☑ 🍷 🚶 r.-v.

CH. LUCAS L'Esprit de Lucas 2001

■ 3 ha 16 000 🛢 15 à 23 €

Un assemblage équilibré entre merlot (50 %) et cabernet franc (50 %) dans ce 2001 qui ne manque pas d'Esprit. La robe rubis annonce des parfums de fruits rouges et de poivre en harmonie avec un léger boisé et des tanins généreux. Une bouteille déjà prête à boire, mais qui vieillira également deux à trois ans.
🔑 Frédéric Vauthier, Ch. Lucas, 33570 Lussac, tél. 05.57.74.60.21, fax 05.57.74.62.46, e-mail chateau.lucas.fred.vauthier@wanadoo.fr
☑ 🍷 🚶 r.-v.

CH. DE LUSSAC 2001

■ 15 ha 60 000 🛢 15 à 23 €

Acheté en 2000, l'imposant château de Lussac est entouré de 25 ha de vignes. Ses propriétaires ne cessent depuis d'investir. En 2001, le vin est intéressant à découvrir : il se pare d'une robe chatoyante, d'un bouquet développé d'épices, d'agrumes et de boisé grillé. Les tanins, assez puissants, bien que légèrement acidulés, sont harmonieux. Ils manquent d'un peu de complexité et de persistance. A boire dans les trois à cinq prochaines années. On attend de voir comment évoluera la production de ce domaine.
🔑 SCEA du Ch. de Lussac, 15, rue de Lincent, 33570 Lussac, tél. 05.57.74.56.58, fax 05.57.74.56.59, e-mail chateaudelussac@terre-net.fr ☑ 🍷 🚶 r.-v.

CH. LYONNAT 2001 ★★

■ 35 ha 212 000 🛢 8 à 11 €

Des argiles sur sous-sol calcaire offrent toutes leurs qualités à de vieux ceps dont certains sont centenaires. Jouissant d'une bonne exposition, ces vignes se jouent des millésimes difficiles. D'ailleurs celui-ci est passé à une voix du coup de cœur, lors de la dégustation de notre grand jury. La robe pourpre presque noir annonce des arômes puissants de fruits très mûrs et d'épices fondus avec un boisé toasté et torréfié. En bouche, les tanins suaves, subtils, puissants et racés gardent jusqu'en finale beaucoup de fraîcheur. Un grand vin apte à sept ans de garde.
🔑 SEV Vignobles Jean Milhade, Ch. Recougne, 33133 Galgon, tél. 05.57.55.48.90, fax 05.57.84.31.27, e-mail milhade@milhade.fr ☑ 🍷 r.-v.

CH. MAYNE-BLANC Cuvée Saint-Vincent 2001 ★★

■ 4 ha 23 792 ▮◍ ⚲ 11 à 15 €

D'année en année, ce château se maintient parmi les ténors de l'appellation. Le lecteur assidu du Guide se souvient certainement du mémorable 99, coup de cœur. Encore une fois, le vin est remarquable : la robe se pare d'une teinte grenat aux brillants reflets rubis ; les parfums complexes de menthol, de cassis, de groseille jouent en parfaite harmonie avec des notes boisées. Les tanins, moelleux et fruités en attaque, évoluent avec puissance et beaucoup de persistance. Attendre impérativement deux à cinq ans. **L'Essentiel de Mayne-blanc 2001 (15 à 23 €)** est une nouvelle cuvée du domaine ; elle obtient une étoile. Marquée par un boisé intense mais de qualité, elle comblera les amateurs de bouteilles rares. Un vin à laisser vieillir deux ou trois ans.

⊶ EARL Jean Boncheau, Ch. Mayne-Blanc,
33570 Lussac, tél. 05.57.74.60.56, fax 05.57.74.51.77,
e-mail mayne.blanc@wanadoo.fr
☑ Y ⛹ t.l.j. sf dim. 9h-12h 14h-19h

CH. DU MOULIN NOIR 2001

■ 6,1 ha 46 600 ▮◍ ⚲ 11 à 15 €

Ce cru utilise les techniques les plus modernes, tant au vignoble que dans les chais, et réussit son 2001 : couleur sombre presque noire, arômes de fruits mûrs (griotte), de moka. En bouche, les tanins puissants, serrés, demandent à se fondre ; ils s'harmoniseront au cours des deux ou trois prochaines années.

⊶ SC Ch. du Moulin Noir, Lescalle, 33460 Macau,
tél. 05.57.88.07.64, fax 05.57.88.07.00 ☑ Y ⛹ r.-v.

CH. DES ROCHERS 2001 ★

■ 2,8 ha 21 000 ▮◍ 11 à 15 €

Ce cru se distingue depuis quelques années (coup de cœur l'an dernier). Il est établi sur un excellent terroir argileux complanté à 100 % de merlot. Il présente cette année une couleur pourpre intense, des arômes de cerise, de framboise et des notes minérales élégantes. La bouche révèle des tanins fondus et harmonieux évoluant avec puissance et une palette aromatique plaisante. Un vin qui sera très vite agréable à boire (un à trois ans).

⊶ SCE Vignobles Rousseau, 1, Petit-Sorillon,
33230 Abzac, tél. 05.57.49.06.10, fax 05.57.49.38.96,
e-mail chateau@vignoblesrousseau.com ☑ Y ⛹ r.-v.

Montagne-saint-émilion

Montagne a la chance de disposer d'un riche patrimoine architectural et d'une église romane (Saint-Martin) qui reste malgré sa réfection au XIX^{e}s. l'un des joyaux de la région. Le visiteur pourra apprécier la vocation viticole du village dans l'écomusée du Libournais. S'étendant sur 1 590 ha, les terroirs de Montagne sont variés, argilo-calcaires ou de graves. Ils ont donné 67 252 hl de vin rouge en 2003.

CH. LA BASTIDETTE 2001 ★

■ 1,13 ha 6 000 ▮◍ ⚲ 8 à 11 €

Depuis plus de cent trente ans dans la même famille, cette propriété de 25 ha est commandée par un château du XIX^{e}s. entouré d'un parc. Fruit de vendanges manuelles, ce 2001 offre des arômes élégants et typés qui accompagnent des tanins vineux et équilibrés, sans fioritures ni surpuissance. Un vin racé, classique, à apprécier dans un à trois ans avec un lapereau aux cèpes.

⊶ SCEA MM de Jerphanion, Moncets, 33500 Néac,
tél. 05.57.51.19.33, fax 05.57.51.56.24,
e-mail bastidette@moncets.com ☑ Y ⛹ r.-v.

CH. BEAUSEJOUR
Clos L'Eglise Vieilles Vignes 2001 ★★

■ 5 ha 30 000 ▮◍ ⚲ 8 à 11 €

Cette cuvée Clos L'Eglise a été créée pour mettre en valeur les 3 ha de vignes centenaires encore présentes sur la propriété. Le résultat est superbe dans ce millésime qui associe 70 % de merlot au cabernet franc. On aime sa robe profonde, son bouquet puissant et frais d'épices, de petits fruits rouges ; les tanins élégants, très fins, accompagnent une grande fraîcheur aromatique jusqu'en finale. Une bouteille à oublier entre deux et six ans dans sa cave. Le **Château Beauséjour 2001 (5 à 8 €)** est cité. Très fruité et prêt à boire dès aujourd'hui, il est composé de 90 % de merlot.

⊶ SARL Beauséjour,
Ch. Beauséjour, 33570 Montagne,
tél. 05.57.42.66.66, fax 05.57.64.36.20,
e-mail bordeaux@vgas.com ☑ Y ⛹ r.-v.

CH. CARDINAL 2001 ★

■ 8,9 ha 39 000 ▮◍ ⚲ 8 à 11 €

Depuis le milieu du XVIII^{e}s. dans la même famille, ce domaine a su évoluer au fil du temps. Ce 2001 au bouquet puissant de fruits mûrs, aux tanins très ronds, assez puissants et persistants en finale, est à la fois classique et racé ; à laisser vieillir deux à cinq ans avant de lui permettre d'accompagner les rôtis.

⊶ SCEA Bertin, Dallau,
8, rte de Lamarche, 33910 Saint-Denis-de-Pile,
tél. 05.57.84.21.17, fax 05.57.84.29.44,
e-mail vignoble.bertin@wanadoo.fr ☑ Y ⛹ r.-v.

CH. LA CHAPELLE Elevé en fût de chêne 2001 ★

■ 2 ha 12 000 ▮◍ 8 à 11 €

Né sur un domaine familial, qui s'est développé depuis trente ans pour atteindre près de 12 ha aujourd'hui, ce 2001 est un assemblage de 95 % de merlot et de 5 % de carbernet-sauvignon. Sa robe rubis commence à évoluer. Son bouquet puissant évoque les épices et les fruits cuits. Au palais, on trouve des tanins mûrs et concentrés, de l'équilibre et un boisé agréable. Une bouteille plaisir à ouvrir dans un à trois ans.

⊶ SCEA du Ch. La Chapelle,
Berlière-Parsac, 33570 Montagne,
tél. 05.57.24.78.33, fax 05.57.24.78.33 ☑ ⛹ r.-v.
⊶ Thierry Demur

CLOS CROIX DE MIRANDE 2001 ★

■ 1,36 ha 9 000 ▮◍ ⚲ 8 à 11 €

Ce tout petit clos d'à peine plus d'un hectare présente un 2001 agréable, au bouquet frais et fruité, délicatement épicé. En bouche, les tanins soyeux et plaisants, équilibrés, composent un vin facile à boire dès aujourd'hui et qui se bonifiera pendant deux à cinq ans.

⊶ Yvette et Michel Bosc,
Clos Croix de Mirande, 33570 Montagne,
tél. 05.57.74.68.70, fax 05.57.74.50.61 ☑ ⌂ Y ⛹ r.-v.

CH. CLOS DAVIAUD Les Cimes 2001

■ 1,3 ha 6 000 🛢 11 à 15 €

François Thienpont propose une cuvée élaborée sur les conseils de Stéphane Derenoncourt. Voici un 2001 qui plaira à l'amateur par son fruité légèrement minéral évoluant vers une touche épicée. En bouche, les tanins sont flatteurs, encore un peu écrasés par un boisé fort dominant. Attendre deux à cinq ans que l'harmonie se fasse.

⊶ SCEA Mirambeau, BP 80, 33330 Saint-Emilion,
tél. 05.57.55.38.00, fax 05.57.55.38.01
Y 🚶 t.l.j. sf sam. dim. 8h-12h 14h-17h

CLOS LA CROIX D'ARRIAILH 2001 ★

■ 1 ha 5 000 ▮🛢🍾 8 à 11 €

De vieilles vignes âgées de soixante-dix ans composent cette petite cuvée du château Croix Beauséjour établi sur un sol limono-argilo-calcaire. Après un millésime 2000 remarquable, le 2001 se révèle très réussi : la robe rubis soutenu annonce un bouquet puissant et dominateur de grillé et de café. Les tanins sont aujourd'hui très harmonieux, bien qu'eux aussi sous l'emprise de l'élevage boisé. La finale est également très marquée : les amateurs de ce type de vin pourront le goûter dès maintenant.

⊶ Olivier Laporte,
Ch. Croix-Beauséjour, Arriailh, 33570 Montagne,
tél. 05.57.74.69.62, fax 05.57.74.59.21 ☒ 🏠 Y 🚶 r.-v.

CH. COUCY 2001 ★

■ 20 ha n.c. ▮🛢🍾 8 à 11 €

Avec un encépagement traditionnel de 30 % de cabernets et 70 % de merlot, ce 2001 mérite le détour pour sa robe grenat dense à reflets pourpres, son bouquet fruité aux notes boisées élégantes et ses tanins gras et concentrés, très présents, mais dénués d'agressivité en finale : un joli vin à boire dans deux à cinq ans, tout comme le **Château Chapelle Ségur 2001**, cité, classique de l'AOC.

⊶ GFA des Vignobles Maurèze,
Ch. Coucy, 33570 Montagne, tél. 05.57.55.09.13,
fax 05.57.55.09.12, e-mail thunevin@thunevin.com

CH. LA COUROLLE Elevé en fût de chêne 2001 ★

■ n.c. 30 000 ▮🛢🍾 5 à 8 €

85 % de merlot et 15 % de cabernets dans ce 2001 très réussi : la couleur pourpre profond est presque noire. Le bouquet élégant de fruits mûrs est rehaussé de notes grillées. La structure tannique possède de la chair, du fruit et beaucoup de persistance aromatique. Un vin classique et prometteur, à servir dans deux à cinq ans avec du gibier ou une viande rouge rôtie.

⊶ SCEA Vignobles Guimberteau,
Arriailh, 33570 Montagne,
tél. 05.57.74.62.38, fax 05.57.74.50.78 ☒ Y 🚶 r.-v.

CH. LA COURONNE 2001 ★★

■ 11 ha 50 000 🛢 11 à 15 €

Ce vin élaboré à partir du seul merlot, né sur un terroir argilo-calcaire, est remarquablement vinifié. Sa robe présente une belle intensité, avec des reflets framboise ; ses parfums riches et racés évoquent les fruits rouges, les épices et l'écorce d'orange ; les tanins sont puissants, avec cependant beaucoup de douceur, d'onctuosité et d'élégance. La finale très aromatique et persistante laisse espérer une bonne garde (au moins trois à quatre ans).

⊶ EARL Thomas Thiou,
Ch. La Couronne, BP 10, 33570 Montagne,
tél. 05.57.74.66.62, fax 05.57.74.51.65,
e-mail lacouronne@aol.com ☒ Y 🚶 r.-v.

L'ENVIE 2001 ★

■ 2 ha 10 000 🛢 11 à 15 €

Cette cuvée spéciale est une sélection de vieilles vignes de merlot (90 %) et de cabernet-sauvignon (10 %). Paré d'une robe pourpre brillant de reflets grenat, le 2001 se montre encore fermé. Sous le boisé, le fruité apparaît discrètement sur des tanins nerveux, puissants, et très persistants. L'harmonie sera atteinte après deux à cinq ans de vieillissement. La cuvée classique du **Château Vieux Bonneau 2001** est citée.

⊶ SCEV Despagne et Fils,
3, Bonneau, 33570 Montagne,
tél. 05.57.74.60.72, fax 05.57.74.58.22,
e-mail despagne@tiscali.fr ☒ Y 🚶 r.-v.

CH. FAIZEAU Sélection Vieilles vignes 2001 ★

■ 10 ha 45 079 🛢 11 à 15 €

Ce château, situé sur les pentes du tertre de Calon, nous a habitués à goûter de très grands vins depuis quelques années. Elevée en barriques neuves et d'un an (50/50), cette cuvée est issue du seul merlot vendangé manuellement. Le jury a aimé la robe pourpre intense, le nez de fruits confits et de réglisse. Les tanins se révèlent puissants et la chair est de qualité. Les dégustateurs conseillent d'attendre au moins un an cette bouteille qui satisfera une lamproie à la bordelaise pendant deux ou trois ans.

⊶ SCE du Ch. Faizeau, 33570 Montagne,
tél. 05.57.24.68.94, fax 05.57.51.81.81,
e-mail contact@chateau.faizeau.com ☒ Y 🚶 r.-v.
⊶ Chantal Lebreton

LA FLEUR MOUCHET
Elevé en fût de chêne 2001 ★

■ n.c. 850 🛢 11 à 15 €

Une cuvée spéciale et confidentielle, née sur un vaste domaine : ce 2001 est issu d'une sélection de vieux merlot élevé douze mois en fût de chêne. Le résultat est intéressant : le fruité intense est presque confit. Alors que le boisé est encore très présent au nez, la structure tannique se révèle déjà ronde, ce qui ne l'empêche pas d'être concentrée et équilibrée. L'harmonie sera meilleure dans deux ou trois ans, quand le boisé se sera mieux intégré à l'ensemble.

⊶ SCEA Ch. Croix de Mouchet,
Mouchet, 33570 Montagne,
tél. 05.57.74.62.83, fax 05.57.74.59.61,
e-mail croixdemouchet@wanadoo.fr ☒ Y 🚶 r.-v.

CH. GAY-MOULINS 2001

■ 2 ha 6 000 🛢 15 à 23 €

Issu d'un sol argileux sur sous-sol calcaire, ce vin à la robe grenat profond offre des arômes de cassis, d'épices et de sous-bois. Sa structure tannique ample, complexe et vineuse lui permettra d'être servi dès cet automne tout en promettant une belle garde de cinq ans.

⊶ Vignobles Raymond Tapon,
Ch. des Moines, Mirande, 33570 Montagne,
tél. 05.57.74.61.20, fax 05.57.74.61.19,
e-mail information@tapon.net ☒ Y 🚶 r.-v.

CH. GRAND BARAIL 2001 ★

■ 6 ha 50 000 🍷 5 à 8 €

Le château Grand Barail a présenté deux 2001 qui ont obtenu chacun une étoile. **Révélation (8 à 11 €)** est une sélection 100 % merlot au fruité bien mûr, confituré, et aux tanins fermes et puissants évoluant avec du volume et du gras. Une bouteille qui mérite deux à six ans de vieillissement. Quant à cette cuvée classique, elle en est assez proche, peut-être davantage marquée par les épices et un équilibre boisé très agréable ; elle se goûtera plus jeune, d'ici un à trois ans.

🔑 EARL Vignobles D. et C. Devaud,
Ch. de Faise, 33570 Les Artigues-de-Lussac,
tél. 05.57.24.31.39, fax 05.57.24.34.17,
e-mail vignobles.devaud@wanadoo.fr ☑ Y ✱ r.-v.

CH. GRAND BARIL 2001 ★

■ 28 ha 26 605 🍷 8 à 11 €

Ce château abrite le lycée viticole de Libourne-Montagne qui forme nombre d'ouvriers et de cadres viticoles. Il produit chaque année avec l'aide des élèves un très bon vin, à l'image de ce 2001. La couleur est profonde ; le bouquet encore discret évoque les fruits bien mûrs, la violette et la réglisse. Ses tanins, charnus et bien présents, donnent un vin déjà harmonieux à servir d'ici un à trois ans.

🔑 Lycée viticole de Libourne-Montagne,
7, le Grand Barail, Goujon, 33570 Montagne,
tél. 05.57.55.21.22, fax 05.57.55.13.53,
e-mail expl.legta.libourne@educagri.fr ☑ Y ✱ r.-v.

CH. LA GRANDE BARDE 2001

■ 9 ha 50 000 🍷 8 à 11 €

Le malbec (6 %) complète un assemblage classique du Libournais dans cette cuvée qui a passé douze mois en barrique. Ce vin présente une couleur somptueuse à reflets bleutés et un bouquet naissant de confiture et d'épices. Sa structure tannique, encore très jeune, demande pour s'assagir une garde en cave de deux ou trois ans.

🔑 SCEA de La Grande Barde,
Ch. La Grande Barde, 33570 Montagne,
tél. 05.57.74.64.98, fax 05.57.74.65.42,
e-mail chateaulagrandebarde@wanadoo.fr ☑ Y ✱ r.-v.

CH. HAUT-BONNEAU

L'Eloïna-David Elevé en fût de chêne 2001 ★★

■ 1 ha 6 000 🍷 15 à 23 €

L'Eloïna-David est une curiosité car cette cuvée est née du seul cépage cabernet franc. Le résultat est étonnant et prometteur, et notre jury a été réellement séduit par ce 2001 : son bouquet riche et complexe offre des notes de fruits noirs, d'épices et de menthol. Ses tanins soyeux et racés assurent un bon équilibre jusqu'à la finale très harmonieuse. Un vin de classe à apprécier dans deux à six ans. Le **Château Haut-Bonneau 2001 (8 à 11 €)** obtient une étoile : il révèle un bel équilibre entre fruits et épices ; onctueux en bouche, il est à servir dès aujourd'hui ou à garder deux à trois ans.

🔑 Héritiers Marchand, 4, Bonneau, 33570 Montagne,
tél. 05.57.74.69.23, fax 05.57.74.54.21,
e-mail bm@chateau-haut-bonneau.com ☑ Y ✱ r.-v.

CH. HAUTE FAUCHERIE 2001 ★

■ 4,3 ha 12 500 🍷 11 à 15 €

Cette propriété, située sur les coteaux à 200 m des moulins de Calon, présente un 2001 très réussi ; la robe pourpre soutenu annonce des arômes complexes évoquant la violette, la fraise, le cassis et la réglisse. Les tanins, riches et veloutés en attaque, se révèlent puissants et longs ; ils exprimeront tout leur potentiel après deux à cinq ans de garde. Des mêmes producteurs, le **Château Vieille Tour Montagne 2001 (8 à 11 €)**, issu exclusivement de merlot et qui ne connaît pas le bois, obtient une citation.

🔑 Pierre et André Durand, 33570 Montagne,
tél. 05.57.74.62.02, fax 05.57.74.53.66
☑ Y ✱ t.l.j. 9h-12h 14h-18h

CH. JURA-PLAISANCE 2001

■ 8 ha 16 500 🍷 5 à 8 €

Appartenant aux Delol depuis 1938, ce cru consacre ses 8 ha d'un seul tenant à ce vin assemblant 85 % de merlot au cabernet franc. Ce millésime se caractérise par des arômes évolués de fumé et de raisin très mûr, avec une note de gibier agréable. Ronds et au grain fin, les tanins sont bien équilibrés et donnent une bouteille classique à attendre un an ou deux.

🔑 SCEV B. Delol,
Ch. Jura-Plaisance, 33570 Montagne,
tél. 05.57.51.91.44, fax 05.57.51.88.92,
e-mail bernard.delol@wanadoo.fr ☑ Y ✱ r.-v.

CH. LAFLEUR GRANDS-LANDES 2001 ★

■ 8 ha 12 000 🍷 8 à 11 €

Appartenant depuis 1997 à une jeune œnologue, ce cru est toujours aussi bon. Assemblage classique de 80 % de merlot et des deux carbernets, ce 2001 a passé douze mois en barrique. La robe profonde annonce des arômes concentrés de cerise cuite et de cuir. Les tanins bien fondus, très harmonieux offrent une touche ensoleillée en fin de bouche. Un vin à boire assez rapidement, d'ici un à trois ans, avec des viandes blanches.

🔑 EARL Vignobles Carrère, 9, rte de Lyon,
Lamarche, 33910 Saint-Denis-de-Pile,
tél. 05.57.24.31.75, fax 05.57.24.30.17 ☑ Y ✱ r.-v.
🔑 Isabelle Fort

CH. MAISON BLANCHE 2001 ★★

■ 15 ha 48 000 🍷 11 à 15 €

La famille Despagne, propriétaire de ce magnifique château du XIXe s., est établie sur cette terre libournaise depuis plus de trois siècles et au moins onze générations... Le vin produit en 2001 est remarquable, tant par sa robe grenat profond à reflets violines que par son bouquet complexe et expressif de petits fruits rouges, d'écorce d'agrumes confite et d'épices. La structure tannique, riche, puissante et soyeuse à la fois, participe au charme d'une dégustation qui laisse sur le souvenir d'une finale harmonieuse, annonciatrice d'un grand avenir (au moins quatre à huit ans).

🔑 Vignobles Despagne-Rapin,
Maison Blanche, 33570 Montagne,
tél. 05.57.74.62.18, fax 05.57.74.58.98 ☑ Y ✱ r.-v.

CH. MOULIN BLANC LA CHAPELLE 2001

■ 3,97 ha 12 000 🍷 8 à 11 €

Ce 2001 présente une robe profonde, presque noire. Le nez de fruits secs est encore discret, et la structure tannique ferme est traditionnelle dans l'appellation. A garder deux à cinq ans dans une bonne cave pour que l'équilibre soit atteint.

🔑 SCEA du Moulin Blanc, Le Moulin Blanc,
33570 Lussac, tél. 05.57.74.50.27, fax 05.57.74.58.88,
e-mail lemoulinblanc@wanadoo.fr ☑ Y ✱ r.-v.
🔑 Gilles Merias

CH. DU MOULIN NOIR 2001

■ 6,2 ha 47 000 11 à 15 €

Montagne était, il y a seulement cinquante ans, une terre de polyculture comme le rappellent les noms de nombreux crus faisant référence aux moulins. C'est le cas de celui-ci qui propose un millésime au pourcentage important de cabernet-franc (45 %). Intense et complexe, tant dans ses arômes (fruits noirs mûrs, poivre, pruneau) qu'en bouche, où les tanins gras et puissants se révèlent équilibrés, ce 2001 peut se boire ou se garder deux à cinq ans.

⊶ SC Ch. du Moulin Noir, Lescalle, 33460 Macau,
tél. 05.57.88.07.64, fax 05.57.88.07.00 ☑ Y 🚶 r.-v.

CH. NEGRIT 2001 ★★

■ 15,5 ha 100 000 5 à 8 €

Cette belle propriété, complantée à 95 % de merlot et à 5 % de cabernets, est établie sur un sol argilo-calcaire classique. La robe pourpre de son 2001 brille de reflets grenat. Le bouquet puissant de mûre et de cassis est rehaussé par la réglisse. Les tanins, gras et veloutés en attaque, évoluent avec finesse, concentration et équilibre. Tout est réuni pour passer un moment agréable autour de cette bouteille, dans deux à cinq ans. On l'accompagnera d'une viande rouge ou d'un petit gibier.

⊶ SCEV Lagardère, Négrit, 33570 Montagne,
tél. 05.57.74.61.63, fax 05.57.74.59.62 ☑ Y 🚶 r.-v.

CH. LA PAPETERIE 2001

■ 10 ha 45 000 11 à 15 €

Situé à l'emplacement d'un ancien moulin de pâte à papier, ce cru propose un 2001 bien fait aux arômes mentholés, épicés et confits. En bouche, la structure légère séduit par sa finesse et son harmonie finale. Un vin à boire dans sa jeunesse.

⊶ Vignobles Jean-Pierre Estager,
33-41, rue de Montaudon, 33500 Libourne,
tél. 05.57.51.04.09, fax 05.57.25.13.38,
e-mail estager@estager.com ☑ Y 🚶 r.-v.

CH. PEY-LAMOTHE La Référence 2001 ★

■ 2,5 ha 14 500 8 à 11 €

Récemment sorti de la cave coopérative, ce cru se décline dans le millésime 2001 avec deux vins qui ont obtenu chacun une étoile : élevée un an en barrique, cette cuvée Référence présente une robe pourpre, des arômes de petits fruits rouges légèrement toastés et des tanins gras et volumineux évoluant sur un bon équilibre. A boire dans deux ans avec un petit gibier. **La Tradition 2001** est élevée en cuve : le bouquet est plus épicé, plus floral et la structure en bouche très agréable ; cette bouteille appréciera dès aujourd'hui la compagnie des rôtis.

⊶ Didier Peytour,
39, Le Bourg, 33330 Saint-Christophe-des-Bardes,
tél. 05.57.74.57.79, fax 05.57.74.57.79,
e-mail didierpeytour@terre-net.fr ☑ Y 🚶 r.-v.

CH. LA PICHERIE Cuvée Privilège 2001 ★★

■ 1,5 ha 4 800 11 à 15 €

Même s'il n'obtient pas cette année un coup de cœur comme son grand frère millésimé 2000, ce vin est toujours délicieux et il est toujours issu de très vieilles vignes, qui atteignent cent quatre ans cette année, parfaitement respectées par des vendanges manuelles. La robe très profonde brille de superbes reflets noirs ; les arômes de fruits cuits sont puissants ; les tanins, peu acides en attaque, évoluent avec de la finesse, du gras, beaucoup de volume et de longueur. Une bouteille remarquablement bien faite, avec doigté, que l'on appréciera dans deux à huit ans.

⊶ Rodolphe Guimberteau,
2, Champ Tricot, 33570 Montagne,
tél. 05.57.74.57.66, fax 05.57.74.50.78 ☑ Y 🚶 r.-v.

CH. PUYNORMOND Sélection 2001

■ 1,5 ha 8 000 8 à 11 €

Cette sélection de vieilles vignes cultivées avec beaucoup de rigueur aboutit à ce 2001 agréable dont la robe rouge se pare d'un liseré ambré. Les parfums d'épices et de cassis accompagnent des tanins fins et élégants. Un vin à boire dans un à trois ans.

⊶ R. Lamarque, BP 4, 33570 Puisseguin,
tél. 05.57.74.66.69, fax 05.57.74.52.62,
e-mail lamarque.philippe@wanadoo.fr
☑ Y 🚶 t.l.j. sf dim. 9h-12h30 14h-19h

CH. ROC DE CALON Cuvée Prestige 2001 ★★

■ 6 ha 28 500 11 à 15 €

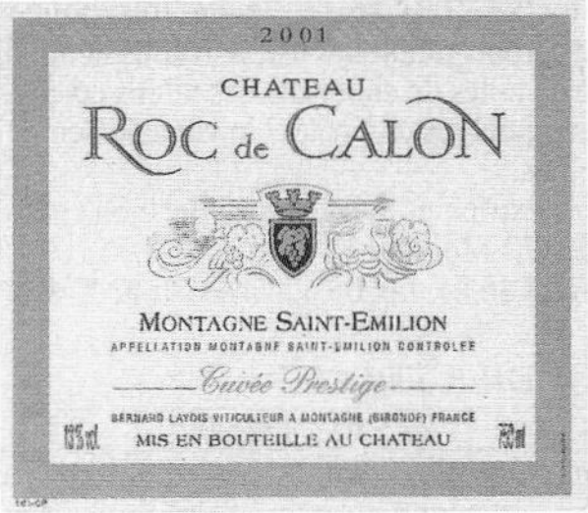

La cuvée Prestige du château Roc de Calon obtient dans ce millésime un coup de cœur unanime, après l'avoir manqué d'une voix l'an dernier pour le 2000. Ce n'est que justice tant le vin mérite de superlatifs : robe intense et brillante, arômes complexes de fruits mûrs, de réglisse et d'épices, nuances toastées, tanins de velours, gras, enrobés et d'une longueur infinie. Une bouteille d'anthologie à boire dans trois à huit ans. La **cuvée classique 2001 (8 à 11 €)** n'est pas élevée en barrique. Elle obtient une étoile. Son fruité vif et ses tanins harmonieux, plus simples, permettront de la consommer immédiatement en attendant la cuvée Prestige.

⊶ Bernard Laydis,
Ch. Roc de Calon, 33570 Montagne,
tél. 05.57.74.63.99, fax 05.57.74.51.47,
e-mail rocdecalon@wanadoo.fr ☑ Y 🚶 r.-v.

CH. ROCHER CORBIN 2001 ★★

■ 9,5 ha 50 000 11 à 15 €

5 700 pieds à l'hectare, un travail rigoureux et méticuleux des vignes qui sont enherbées, des raisins récoltés à la main dans de petites cagettes, une table de tri au cuvier, un élevage en barrique de chêne français, rien n'est laissé au hasard. La récompense est là avec ce coup de cœur décerné à l'unanimité par notre grand jury. La robe grenat est profonde ; les arômes intenses évoquent les fruits noirs, les épices, le cuir... Les tanins puissants mais veloutés et bien mûrs sont enrobés par un boisé de qualité. Tout est réuni pour faire de ce vin une grande bouteille à ouvrir entre amis dans trois ans.

Château **Rocher Corbin**

MIS EN BOUTEILLE AU CHATEAU

MONTAGNE SAINT-ÉMILION

2001

13%vol.   75 cl

SCE Ch. Rocher Corbin, 33570 Montagne,
tél. 05.57.74.55.92, fax 05.57.74.53.15 ☑ ⴵ 🅰 r.-v.
Philippe Durand

CH. ROCHER-GARDAT Cuvée Saint-Jean 2001 ★

| ■ | 0,5 ha | 2 598 | ⴵ | 8 à 11 € |

Une toute petite cuvée provenant exclusivement du
cépage merlot. Elle se révèle de très bonne facture.
Derrière la robe grenat intense, le fruité encore discret est
rehaussé de notes de chocolat. Les tanins épicés sont bien
fondus et équilibrés en finale. Un vin à laisser vieillir deux
à quatre ans.
SCEA Patrick et Sylvie Moze-Berthon,
Bertin, 33570 Montagne,
tél. 05.57.74.66.84, fax 05.57.74.58.70 ☑ ⴵ 🅰 r.-v.

CH. ROUDIER 2001 ★★

| ■ | 27,5 ha | 132 000 | 🍴 | 8 à 11 € |

Appartenant à la famille Capdemourlin, propriétaire
de plusieurs grands crus classés à Saint-Emilion, ce château
présente deux vins qui obtiennent chacun deux étoiles. La
cuvée classique, élaborée uniquement en cuve, séduit par
des tanins complexes, très fruités et superbement équilibrés ; à boire pendant trois ans. **L'As de Roudier 2001
(11 à 15 €)**, élevé en fût pendant dix-huit mois, offre un
puissant bouquet d'épices et de grillé, mais les tanins restent
veloutés et harmonieux. On pourra l'apprécier également
dès sa prime jeunesse et pendant cinq à huit ans.
SCEA Capdemourlin,
Ch. Roudier, 33570 Montagne,
tél. 05.57.74.62.06, fax 05.57.74.59.34,
e-mail info@vignoblescapdemourlin.com ☑ ⴵ 🅰 r.-v.

LA TOUR MONT D'OR Vieilli en fût de chêne 2001

| ■ | 2,5 ha | 6 000 | 🍴ⴵ | 5 à 8 € |

Ce vin est une sélection de la cave coopérative.
Habillé d'une robe brillante, il évoque le cuir avec un boisé
discret. Les tanins fermes et riches offrent un bon équilibre
en finale. Une bouteille à boire ou à garder deux à trois ans.
Groupe de producteurs La Tour Mont d'Or,
33570 Montagne, tél. 05.57.74.62.15,
fax 05.57.74.50.51, e-mail la.tour.mont.dor@wanadoo.fr
☑ ⴵ 🅰 t.l.j. sf sam. dim. 8h-12h 14h-18h

CH. TREYTINS 2001 ★★

| ■ | 2,5 ha | 16 100 | ⴵ | 8 à 11 € |

Ce petit château est situé sur un terroir graveleux à
flanc de colline ; il s'est doté de moyens simples et efficaces
pour réussir d'excellents vins, tant à la vigne que dans les
chais. C'est encore le cas de cette cuvée à la robe intense,

presque noire. Ses arômes de fruits et d'épices sont en
harmonie avec des notes boisées agréables. Ses tanins
puissants, veloutés et bien mûrs évoluent avec une grande
finesse. Une bouteille remarquable, à apprécier dans deux
à cinq ans.
Vignobles Léon Nony, Ch. Garraud, 33500 Néac,
tél. 05.57.55.58.58, fax 05.57.25.13.43,
e-mail info@vln.fr
☑ ⴵ 🅰 t.l.j. sf sam. et dim. 9h-12h 14h-17h, ven. 9h-12h

CH. TRICOT 2001 ★

| ■ | 5,65 ha | 47 000 | 🍴ⴵⴵ | 5 à 8 € |

Située sur les hauts plateaux argilo-calcaires de Montagne, cette propriété compte 7 ha. Douze mois de cuve et
six mois de barrique ont donné à cet assemblage classique
une robe pourpre soutenu, brillant de reflets légèrement
tuilés, et un bouquet de fruits très mûrs au boisé équilibré.
Les tanins gras et savoureux, très présents, évoluent en fin
de bouche avec finesse et élégance. Un vin à la forte
personnalité, à apprécier dans deux à cinq ans. Du même
propriétaire, le **Château La Fauconnerie 2001 (5 à 8 €)**
est cité ; il ressemble beaucoup au Château Tricot, avec une
présence plus forte de l'élevage sous bois. Il demande trois
à quatre ans de garde.
Bernadette Paret,
3, Château Tricot, Arriailh, 33570 Montagne,
tél. 05.57.74.65.47, fax 05.57.74.65.47 ☑ ⴵ 🅰 r.-v.

VIEUX CHATEAU CALON 2001 ★

| ■ | 3 ha | n.c. | ⴵ | 5 à 8 € |

Les moulins de Calon sont situés à 200 m de ce
domaine de 7 ha, qui propose ici un vin issu exclusivement
de merlot. Le jury a aimé la diversité, la fraîcheur et
l'élégance de ses arômes de fruits rouges et de fleurs
séchées, sa structure tannique friande et délicate qui, sans
être un monstre de puissance, affiche une parfaite harmonie. Un vrai plaisir à déguster d'ici un à trois ans avec des
magrets de canard nappés d'un coulis de fruits rouges.
SCEA Gros et Fils,
Grange-Neuve, 33500 Pomerol,
tél. 05.57.51.23.03, fax 05.57.25.36.14 ☑ ⴵ r.-v.

VIEUX CHATEAU DES ROCHERS 2001

| ■ | 4 ha | 15 000 | ⴵ | 5 à 8 € |

Des vignes plus que trentenaires, une vinification
traditionnelle tout comme l'assemblage (80 % merlot, 20 %
cabernet franc) sont à l'origine de ce vin à la robe pourpre
profond, au bouquet de pruneau, de petits fruits rouges et
aux tanins bien structurés. A boire dans deux ans.
Jean-Claude Rocher, Mirande, 33570 Montagne,
tél. 05.57.74.62.37, fax 05.57.25.18.14,
e-mail jcrocher@free.fr ☑ ⴵ 🅰 r.-v.
Abel Rocher

VIEUX CHATEAU PALON 2001 ★★

| ■ | 1,65 ha | 12 000 | ⴵ | 15 à 23 € |

Etablie sur les pentes du coteau de Calon, l'un des
points culminants de la région, cette propriété bénéficie
d'un excellent ensoleillement. Elle propose une remarquable sélection de vieilles vignes : la robe brille de reflets
violacés ; le fruité intense s'harmonise parfaitement aux
notes boisées, cacaotées de l'élevage ; les tanins de velours
se révèlent bien mûrs, très flatteurs et d'une persistance
intéressante. Le potentiel est celui d'un vin de garde, à
apprécier dans trois à six ans.

⚷ EARL Vignobles Naulet,
Mondou, 33330 Saint-Sulpice-de-Faleyrens,
tél. 06.89.10.90.01, fax 05.57.51.23.79,
e-mail vignobles.naulet@wanadoo.fr ☑ Y 🚶 r.-v.

VIEUX CHATEAU SAINT-ANDRE 2001

■ 10 ha n.c. ▮⓿⚲ 8 à 11 €

Jean-Claude Berrouet possède ici un domaine installé sur une assise calcaire où l'on trouve des témoignages de la présence romaine en Aquitaine. Ce millésime n'offrait pas spontanément des vins de charme ! Celui-ci paraît encore austère dans sa robe soutenue. Sévérité que l'on retrouve au nez où pointent cependant, derrière des notes réglissées, des touches fruitées discrètes. Si la bouche se montre ferme, elle n'en est pas moins racée, reposant sur un fruit de qualité et des tanins équilibrés. Une bouteille pour connaisseurs qui saura s'exprimer dans deux à trois ans.

⚷ Jean-Claude Berrouet,
1, Samion, 33570 Montagne ☑ r.-v.

Puisseguin-saint-émilion

La plus orientale des voisines de saint-émilion, d'une superficie de 740 ha ; le millésime 2003 a représenté 33 122 hl.

CH. BEL-AIR Cuvée Bacchus
Elevé en fût de chêne 2001

■ 4 ha 20 000 ▮⓿⚲ 8 à 11 €

Appartenant à la même famille depuis des générations, cette propriété d'un seul tenant compte 17 ha. Cette cuvée présente une couleur rubis limpide. Après un nez discret de fruits confits et de pruneau, l'attaque apparaît riche et fruitée, puis la structure évolue avec souplesse. On aurait pu attendre davantage d'ampleur, mais ce vin se montre plaisant dès maintenant tout en offrant un potentiel de garde de deux ou trois années.

⚷ SCEA Adoue Bel-Air, Bel-Air, 33570 Puisseguin,
tél. 05.57.74.51.82, fax 05.57.74.59.94 ☑ Y 🚶 r.-v.
⚷ Adoue Frères

CH. LE BERNAT 2001 ★

■ 6 ha 25 000 ⓿ 11 à 15 €

Deuxième millésime de Pierre-Jean Le Roy (conseillé par Jean-Philippe Fort), ce vin témoigne d'une attention soutenue à la vigne (vendanges manuelles) et à la vinification. 25 % de cabernet-sauvignon, 75 % de merlot, seize mois de barrique, ce 2001 est très réussi : robe pourpre intense aux reflets rubis, arômes de fruits rouges aux nuances balsamiques, tanins souples et charnus évoluant avec beaucoup de finesse et de noblesse. Tout est réuni pour que cette bouteille soit parfaite dans deux à cinq ans et contente un magret de canard.

⚷ SARL Ch. Le Bernat, 1, Champs-des-Boys,
33570 Puisseguin, tél. 05.57.74.58.54, fax 05.57.74.59.02
☑ Y 🚶 t.l.j. 10h-12h 14h-18h
⚷ Le Roy P.-J.

CH. BRANDA 2001 ★★

■ 8,09 ha 50 000 ⓿ 15 à 23 €

Grande vedette de l'appellation, Branda ne compte plus ses étoiles. Après un coup de cœur dans l'édition précédente, il brille encore dans ce millésime difficile. Bien sûr, les vendanges sont manuelles. Bien sûr, les tris suivent – auparavant les vendanges vertes ont été effectuées – et la malolactique se fait en barriques neuves. Ce sont les bonnes fées du vin... Ce 2001 porte une robe violacée intense. Ses arômes d'agrumes, de fruits cuits et de boisé vanillé annoncent une structure tannique charnue et équilibrée, une finale longue et soyeuse. Dans deux ou trois ans, servez-le sur une viande accompagnée d'une sauce au vin.

⚷ SC Ch. du Branda, Roques, 33570 Puisseguin,
tél. 05.57.74.62.55, fax 05.57.74.57.33,
e-mail chateau.branda@wanadoo.fr ☑ 🚶 r.-v.

CLOS DES RELIGIEUSES 2001

■ 10 ha 58 000 ▮⓿⚲ 8 à 11 €

Cette propriété a appartenu au XVIIe s. aux Ursulines de Saint-Emilion. Son 2001 affiche un bouquet naissant d'épices, de cuir et de boisé grillé. Ses tanins très souples et ronds sont déjà fondus, mais la finale se révèle encore un peu austère. Elle devrait cependant bien évoluer. Une bouteille authentique que l'on peut boire dès maintenant sur une entrecôte bordelaise ou garder quelques années.

⚷ Jean-Marie Leynier,
GAEC Clos des Religieuses, 33570 Puisseguin,
tél. 05.57.74.67.52, fax 05.57.74.64.12,
e-mail clos.des.religieuses@wanadoo.fr
☑ 🏠 Y 🚶 t.l.j. 8h-12h 14h-19h ; sam. dim. sur r.-v.

CH. FONGABAN 2001 ★★

■ 8 ha 35 000 ⓿ 8 à 11 €

Commandé par une superbe maison de maître, ce château n'en finit pas de briller au sommet de son appellation. Avec ce 2001, il présente encore un vin remarquable : robe intense aux reflets violacés, bouquet puissant de fruits noirs, de fumé, en harmonie avec des notes boisées torréfiées. Sa matière se révèle onctueuse, charnue et très équilibrée. Cette bouteille exprimera tout son potentiel et sa complexité après un vieillissement de deux à cinq ans dans une bonne cave.

⚷ Ch. Fongaban, Monbadon, 33570 Puisseguin,
tél. 05.57.74.54.07, fax 05.57.74.50.97,
e-mail fongaban@vignobles-taix.com
☑ Y 🚶 t.l.j. sf sam. dim. 9h-12h 14h-18h
⚷ Georges Taïx

CH. GUIBOT La Fourvieille 2001 ★★

■ 10 ha 50 000 ▮⓿⚲ 15 à 23 €

Un kilomètre sépare ce domaine du château de Monbadon édifié au XIVe s. et remanié au XVIIe s. Issu à 90 % de merlot et à 10 % de cabernet franc, son 2001 est dans la lignée du remarquable millésime précédent. Sa robe pourpre brille de reflets bleutés. Son nez de fruits rouges, d'amande et de menthol se montre complexe, et ses tanins, amples et fruités à l'attaque, se révèlent ensuite tout en finesse. La finale persistante et aromatique, sur les fruits à l'eau-de-vie, promet que ce vin sera magnifique dans deux à huit ans.

⚷ Henri Bourlon, Ch. Guibeau, 33570 Puisseguin,
tél. 05.57.55.22.75, fax 05.57.74.58.52,
e-mail vignobles.henri.bourlon@wanadoo.fr ☑ Y 🚶 r.-v.

CH. HAUT-BERNAT Elevé en fût de chêne 2001

■ 5,5 ha 36 700 ⓿ 11 à 15 €

Acquise en 1990 par les Bessineau, cette propriété a élevé ce vin douze mois en barriques dont 50 % étaient neuves. Issu exclusivement du cépage merlot, ce millésime à la robe intense et profonde évoque les petits fruits rouges, le grillé et les épices. Ses tanins, souples et équilibrés, montrent encore un peu de fermeté en finale : il est conseillé de l'attendre un à deux ans.

🔑 SA Vignobles Bessineau,
8, Brousse, BP 42, 33350 Belvès-de-Castillon,
tél. 05.57.56.05.55, fax 05.57.56.05.56,
e-mail bessineau@cote-montpezat.com ☒ Y 🚶 r.-v.

CH. HAUT-BERNON Elevé en fût de chêne 2001

■ 10,06 ha 20 000 ▮◖◗ 8 à 11 €

Ancienne dépendance du château de Monbadon, Haut-Bernon domine la vallée. Ce 2001 présente une robe pourpre intense aux reflets violacés, un bouquet naissant de cassis et de fruits à l'eau-de-vie et une structure souple et équilibrée, légèrement austère en finale. L'harmonie sera atteinte dans un à trois ans : on servira alors cette bouteille avec un rôti de veau.

🔑 SCEA Jean-Marie Estager,
55, rue des Quatre-Frères-Robert, 33500 Libourne,
tél. 05.57.51.06.97, fax 05.57.25.90.01 ☒ Y 🚶 r.-v.

CH. HAUT-LAPLAGNE 2001 ★★

■ 4 ha 13 000 ▮◖◗ 15 à 23 €

Marnay, siège du cognac Anne Godet, est un petit village de la Vienne situé au sud de Poitiers. Si l'on en croit le grand jury, ce vin mérite un tel détour ! Il est bien né en puisseguin, affiche ses 95 % de merlot et ses dix-huit mois de barrique. La robe pourpre intense brille de reflets violines. Les arômes puissants de fruits noirs, de vanille, de grillé sont en harmonie avec les tanins, soyeux et veloutés en attaque, évoluant avec puissance, voire opulence ; il leur faudra cependant un peu de temps pour atteindre un équilibre parfait. Attendre trois à six ans pour boire ce vin entre connaisseurs. Anne Godet propose également un **Seigla-Laplagne 2001 (8 à 11 €)** qui obtient une étoile.

🔑 Anne Godet, Maugue, 86160 Marnay,
tél. 05.49.43.26.33, fax 05.49.43.23.43

CH. LACABANNE-DUVIGNEAU 2001 ★★

■ 3,5 ha 17 000 ▮◖◗🌡 5 à 8 €

C'est à 800 m de l'église romane de Puisseguin que vous découvrirez ce domaine familial dont les deux vins présentés à notre jury ont été sélectionnés. Celui-ci, assemblage à 90 % de merlot et à 10 % de cabernet franc, est remarquable dans sa robe pourpre violacé intense. Ses parfums délicats de petits fruits (mûre et groseille) sont soutenus par un boisé délicat. En bouche, les tanins sont charnus, gras, pleins et ils évoluent avec finesse et équilibre. A savourer dans deux à cinq ans avec un petit gibier. La **Sélection Vieilles Vignes (11 à 15 €)** obtient une étoile : 100 % merlot, elle est de même style, mais il faudra attendre peut-être un peu plus longtemps pour l'apprécier.

🔑 Vignobles Celerier,
Moulin Courrech, 33570 Puisseguin,
tél. 05.57.74.61.75, fax 05.57.74.52.79,
e-mail vignoblescelerier@wanadoo.fr ☒ 🏠 Y 🚶 r.-v.

CH. LANBERSAC

Cuvée Louisa Lecoester Vieilli en fût de chêne 2001 ★

■ 2 ha 9 200 ◖◗ 11 à 15 €

Cette nouvelle cuvée est née avec ce millésime 2001, et c'est déjà une belle réussite. Avec 85 % de merlot et 15 % de cabernet franc plantés sur argilo-calcaire, elle offre au regard une robe vive qui brille de reflets rubis et au nez des arômes de fleurs, de fruits rouges et des nuances boisées. Les tanins sont très présents, un peu dominateurs aujourd'hui, mais ils devraient bien évoluer après deux à six ans de garde dans une bonne cave.

🔑 SCEV Françoise et Philippe Lannoye,
Le Chais, 33570 Puisseguin,
tél. 05.57.55.23.28, fax 05.57.55.23.29,
e-mail lannoye@vignoble.fr.st ☒ Y 🚶 r.-v.

CH. DES LAURETS 2001 ★★

■ 7 ha 34 000 ◖◗ 8 à 11 €

On a retrouvé dans ce domaine les restes d'une forteresse du XIVe s., mais le château ne remonte qu'au Second Empire. Les Laurets figurent parmi les plus grandes propriétés de la commune ; ils ont produit un excellent vin à partir d'un assemblage équilibré où le merlot est complété par 15 % de cabernet franc et 10 % de cabernet-sauvignon. La robe pourpre a des reflets violines. Le nez de fruits rouges confits se marie avec des notes grillées fort agréables. Les tanins savoureux et capiteux offrent une élégante finale très équilibrée. Une belle bouteille à laisser vieillir deux à six ans.

🔑 SAS Château des Laurets,
BP 12, 33570 Puisseguin,
tél. 05.57.74.63.40, fax 05.57.74.65.34,
e-mail chateau-des-laurets@wanadoo.fr ☒ Y 🚶 r.-v.

CH. MOUCHET Elevé en fût de chêne 2001

■ 6 ha 22 000 ◖◗ 5 à 8 €

Un vin plaisant, se dévoilant sous une robe pourpre brillant et des parfums délicats de noyau de cerise, de vanille et de framboise. En bouche, il est souple et fruité, doté d'une bonne matière tannique et d'une finale réglissée qui demandera peu de temps pour se fondre.

🔑 SCEA Ch. Croix de Mouchet,
Mouchet, 33570 Montagne,
tél. 05.57.74.62.83, fax 05.57.74.59.61,
e-mail croixdemouchet@wanadoo.fr ☒ Y 🚶 r.-v.

CH. DE PUISSEGUIN CURAT 2001 ★

■ 2 ha 10 000 ◖◗ 8 à 11 €

Le cabernet franc (25 %) et le cabernet-sauvignon (5 %) accompagnent 70 % de merlot dans ce vin de belle présentation : la robe rubis foncé est brillante. Le bouquet fruité et fumé ne manque pas d'élégance et la structure en bouche, riche et bien enrobée, offre un bon équilibre de tanins boisés. Bien fait, ce 2001 peut se boire dès maintenant ou se garder deux à cinq ans.

🔑 EARL du Ch. de Puisseguin Curat,
33570 Puisseguin, tél. 05.57.74.51.06, fax 05.57.74.54.29 ☒ 🏠 Y 🚶 t.l.j. sf dim. 9h-12h30 13h30-18h; f. 10-30 août
🔑 Robin

CH. RIGAUD 2001 ★★

■ 8,14 ha 35 000 ◍ 8 à 11 €

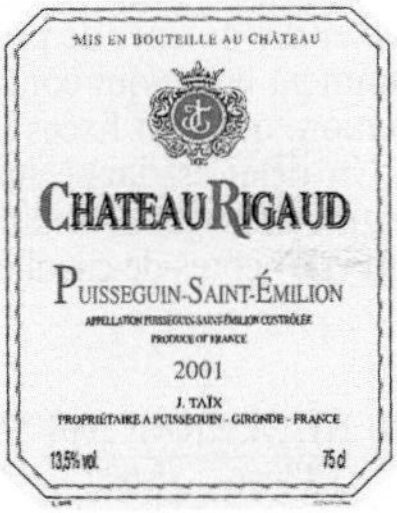

Bis repetita ! Un nouveau coup de cœur pour ce cru où le travail, tant à la vigne – avec vendanges manuelles – que dans les chais, porte encore ses fruits. Voyez la robe pourpre profond aux reflets violacés. Vous aimerez sa palette aromatique complexe où se mêlent des notes d'agrumes, de fruits cuits (cerise et pruneau) et de boisé toasté. En bouche, les tanins rappellent la confiture de mûres : ils sont suaves, généreux et remarquablement longs. Un très grand vin, né sur un terroir argilo-calcaire, à laisser vieillir entre trois et huit ans avant de le servir sur du chevreuil.

⊶ Josette Taïx, Ch. Rigaud, BP 5, 33570 Puisseguin, tél. 05.57.74.54.07, fax 05.57.74.50.34, e-mail rigaud@vignoble-taix.com ☑ 🍸 🚶 r.-v.

CH. ROC DE BOISSAC 2001

■ 5 ha 26 000 ◍ 8 à 11 €

Une étiquette célèbre par sa volonté de conserver l'orthographe puysseguin. Et un vin élevé douze mois en barrique, associant 70 % de merlot et 30 % de cabernet. Ce 2001 présente une robe violacée brillante et un bouquet ouvert d'écorce d'orange, de fruits mûrs et d'épices. En bouche, la structure est équilibrée, souple, sans grande complexité finale cependant ; c'est un vin prêt à boire.

⊶ SARL Roc de Boissac, 33570 Puisseguin, tél. 05.57.74.61.22, fax 05.57.74.59.54 ☑ 🍸 🚶 r.-v.

CH. LA ROSERAIE DU MONT
Cuvée des Gens heureux 2001 ★

■ n.c. 6 000 ▮◍⚲ 11 à 15 €

Le nom de cette petite cuvée suffirait à attirer les amateurs. Ceux-ci ne seront pas déçus par ce millésime à la robe pourpre, violacée et brillante. Ses arômes séduisent par un bon mariage du fruit et du bois. Les tanins francs et puissants sont en revanche encore dominés par la barrique, mais tout cela devrait se fondre avec le temps ; attendre deux à cinq ans. Notez qu'ici les vignes sont enherbées et que J.-Ch. Brisson pratique la technique du microbullage.

⊶ J.-Ch. Brisson, 4, Loterie, 33350 Saint-Genès-de-Castillon, tél. 06.09.03.28.63, fax 05.57.47.93.39, e-mail jchbrisson@tele2.fr ☑ 🍸 🚶 r.-v.

CH. VIEUX BARRAIL 2001

■ 10 ha 53 000 ▮◍⚲ 8 à 11 €

Ici, c'est le négociant Milhade qui a vinifié les 53 000 bouteilles proposées. La robe pourpre brillant et le bouquet de fruits mûrs (framboise), dominé par des notes vanillées, annoncent une bouche où les tanins sont très présents, un peu fermes. La finale encore austère demande un vieillissement de deux à cinq ans en bouteille.

⊶ SA Milhade, 6, Daupin, 33133 Galgon, tél. 05.57.55.48.90, fax 05.57.84.31.27, e-mail milhade@milhade.fr

⊶ Héritiers Adoue

Saint-georges-saint-émilion

Séparé du plateau de Saint-Emilion par la Barbanne, le terroir de saint-georges présente une grande homogénéité avec des sols presqu'exclusivement argilo-calcaires. En 2003, 7 663 hl ont été déclarés pour une superficie de 187 ha.

CH. LA CROIX DE SAINT-GEORGES 2001

■ 6,58 ha n.c. ▮◍ 8 à 11 €

|96| 97 98 |99| 00 01

Parcourir les vignobles de Saint-Georges, c'est entrer dans la splendeur des paysages viticoles, et découvrir des crus qui savent mettre en valeur le beau terroir argilo-calcaire. Ce 2001 présente une couleur bigarreau sombre aux reflets orangés. Il développe un bouquet naissant de cassis et de sous-bois. Les tanins, assez puissants et équilibrés, apportent de l'authenticité et un potentiel de garde intéressant, de l'ordre de deux à cinq ans.

⊶ Jean de Coninck, Ch. du Pintey, 75, av. de la Roudet, 33500 Libourne, tél. 05.57.51.03.04, fax 05.57.51.03.04 ☑ 🚶 r.-v.

CH. HAUT-SAINT-GEORGES 2001 ★★

■ 3 ha 18 000 ▮◍⚲ 15 à 23 €

Petit par sa superficie, ce cru complanté à 84 % de merlot s'installe au fil des ans parmi les quelques ténors de l'appellation. Ce 2001 est remarquable, sa présentation, parfaite (robe pourpre, bouquet puissant de fruits noirs encore un peu dominé par un boisé très grillé, voire goudronné). Les tanins, riches et gras en attaque, évoluent avec une grande complexité, un fruité agréable, beaucoup de persistance et d'équilibre. Une bouteille à laisser vieillir trois à huit ans.

⊶ SCEA de La Grande Barde, Ch. La Grande Barde, 33570 Montagne, tél. 05.57.74.64.98, fax 05.57.74.65.42, e-mail chateaulagrandebarde@wanadoo.fr ☑ 🍸 🚶 r.-v.

CH. SAINT-ANDRE CORBIN 2001

■ 17,5 ha 74 000 ◍ 8 à 11 €

Né sur un terroir argilo-calcaire magnifiquement exposé au sud, ce 2001 est séduisant tant par ses arômes (fruits rouges, cuir, épices) que par son expression tannique racée, puissante, lui conférant une grande aptitude au vieillissement. Un vin sincère pour connaisseurs !

⊶ SAS Alain Moueix, 56, av. Georges-Pompidou, 33500 Libourne, tél. 06.80.72.58.61, fax 05.57.24.74.59, e-mail info@chateaufonroque.com ☑ 🍸 🚶 r.-v.

CH. SAINT-GEORGES 2001 ★★

■	43 ha	300 000	🛢 15 à 23 €

92 93 94 |**95**| 96 **97** |(98)| 99 00 **01**

Encore une fois, ce cru, commandé par un magnifique château du XVIII[e]s., obtient les faveurs du grand jury. Son 2001 à la robe profonde et dense, brille de reflets carminés. Ses arômes complexes et riches évoquent le pruneau, la pierre, la cannelle, avec un boisé élégant. En bouche, les tanins puissants et équilibrés expriment une grande harmonie : parfaitement mûrs, très persistants, ils apportent un potentiel de garde important (au moins quatre à huit ans). Ainsi, lorsque architecture, paysage et production se conjuguent au fil des millésimes, on ne peut qu'applaudir.

🔑 Desbois, Ch. Saint-Georges, 33570 Montagne,
tél. 05.57.74.62.11, fax 05.57.74.58.62,
e-mail g.desbois@chateau-saint-georges.com ☑ 🍷 🚶 r.-v.

CH. TROQUART Cuvée Auguste 2001 ★

■	5,34 ha	2 000	▮ 🛢 11 à 15 €

Racheté en 1999, ce cru a commencé à se moderniser ; il présente cette cuvée dont la robe grenat violacé est intense. Le bouquet, encore marqué par un boisé grillé, révèle néanmoins des notes de cuir et de kirsch. En bouche, c'est un vin très frais, voire croquant, qui évolue tout en finesse ; il est cependant préférable d'attendre deux à quatre ans pour une meilleure intégration du boisé. La **cuvée principale 2001 (8 à 11 €)** obtient une citation ; elle sera agréable à boire sur son fruit dans les trois prochaines années.

🔑 GFA du Ch. Troquart, Troquart, 33570 Montagne,
tél. 05.57.74.62.45, fax 05.57.74.56.20,
e-mail chateautroquart@aol.com
☑ 🍷 🚶 t.l.j. sf dim. 9h-12h 13h30-18h
🔑 Grégoire

Côtes-de-castillon

En 1989, une nouvelle appellation est née, côtes-de-castillon. Elle reprend sur 3 067 ha la zone qui était dévolue à l'appellation bordeaux-côtes-de-castillon, c'est-à-dire les neuf communes de Belvès-de-Castillon, Castillon-la-Bataille, Saint-Magne-de-Castillon, Gardegan-et-Tourtirac, Sainte-Colombe, Saint-Genès-de-Castillon, Saint-Philippe-d'Aiguilhe, Les Salles-de-Castillon et Monbadon. Néanmoins, pour quitter le groupe « bordeaux » les viticulteurs doivent respecter des normes de production plus sévères, notamment en ce qui concerne les densités de plantation, qui sont fixées à 5 000 pieds par hectare. Un délai est laissé jusqu'en 2010, pour tenir compte des vignes existantes. En 2003, la production de côtes-de-castillon a atteint 128 066 hl.

CH. D'AIGUILHE QUERRE 2001 ★★

■	1,12 ha	5 000	🛢 23 à 30 €

C'est sur un plateau calcaire recouvert d'une mince couche d'argile qu'est implanté ce tout petit cru qui reçut un coup de cœur l'an dernier. Ce millésime ne démérite pas. Sa robe pourpre à reflets vermillon annonce un nez puissant de cerise confite et de cassis, en harmonie avec les notes boisées élégantes de l'élevage. Rond, séveux, plein, le palais se montre d'une grande fraîcheur jusque dans la finale très harmonieuse. Un excellent vin à découvrir dans deux à cinq ans.

🔑 Emmanuel Querre, Moulin de Lavaud,
33500 Pomerol, tél. 05.57.25.22.52, fax 05.57.25.22.53,
e-mail e.querre@fiducie-conseil.com ☑ 🍷 r.-v.

CH. AMPELIA 2001 ★

■	3 ha	13 500	🛢 11 à 15 €

Ce château appartient à François Despagne de Grand-Corbin Despagne en Saint-Emilion. Tenté par l'expérience que lui offrirait un autre terroir, il s'est impliqué en 1999 dans ce cru de 4,8 ha au sol argilo-calcaire. Bien sûr, les vendanges sont manuelles et donnent deux cuvées très réussies dans ce millésime. Une robe pourpre aux reflets grenat pare celle-ci dont les arômes de cassis et de framboise sont très fondus à des notes boisées discrètes. Les tanins, soyeux et très présents à la fois, s'épanouiront totalement dans deux à cinq ans. **La Dame d'Ampélia (8 à 11 €)** obtient également une étoile : de structure plus simple mais très aromatique, elle se boira plus jeune et permettra d'attendre son aîné.

🔑 Murielle et François Despagne,
21, allée Robert-Boulin, 33500 Libourne,
tél. 06.09.08.77.08, fax 05.57.74.18.78 ☑ 🍷 🚶 r.-v.

ARTHUS 2001 ★

■	n.c.	n.c.	🛢 8 à 11 €

Produisant Orisse du Casse et autres crus, les Dubois ont repris ce vignoble il y a une vingtaine d'années. Avec sa robe grenat limpide et un bouquet naissant de petits fruits, ce 2001 a tout pour séduire d'emblée. En bouche, les tanins sont bien extraits, onctueux, ronds, aromatiques mais encore fermes en finale. Ce vin sera prêt à boire dans un à trois ans. On pourra le servir avec des pigeonneaux accompagnés de légumes printaniers.

🔑 Richard et Danielle Dubois,
Lieu-dit Lartigue, 33330 Saint-Sulpice-de-Faleyrens,
tél. 05.57.24.72.75, fax 05.57.74.45.43,
e-mail dubricru@terroirsenliberte.com ☑ 🍷 🚶 r.-v.

CH. BASTILLE 2001

■	4,3 ha	9 000	▮ 🛢 🌡 5 à 8 €

Non, l'étiquette ne représente absolument pas la Bastille ni aucun événement lié à la Révolution française.

Ce vin de pur merlot mérite néanmoins l'attention du lecteur par son bouquet de cerise, de réglisse et de vanille, par sa structure souple et assez équilibrée, un peu simple en finale. A boire ou à garder deux ou trois ans. Le **Château Puy Arnaud Maurèze 2001** obtient la même note et lui ressemble comme un frère jumeau.

🔑 GFA des Vignobles Maurèze, Ch. Coucy, 33570 Montagne, tél. 05.57.55.09.13, fax 05.57.55.09.12, e-mail thunevin@thunevin.com ☑

CH. BEL-AIR La Chapelle
Elevé en fût de chêne 2001 ★

■ 13,5 ha 60 000 🛢 8 à 11 €

Ayant appartenu au XVIes. à l'écuyer de Charles IX, Jean Dupouget, ce cru propose un 2001 au nez complexe de fruits très mûrs, de vanille, doté d'une structure de tanins ronds et équilibrés, très aromatiques en finale. Une bouteille que l'on pourra boire assez vite avec une pintade aux raisins.

🔑 SCEA du Dom. de Bellair, 33350 Belvès-de-Castillon, tél. 06.80.13.02.12, fax 05.56.42.44.47, e-mail patrick.david.cgc@wanadoo.fr ☑ 🍷 🚶 r.-v.

🔑 Patrick David

LE PIN DE BELCIER 2001 ★★

■ 3 ha 4 018 🛢 15 à 23 €

Une propriété de 52 ha, créée en 1770 et restaurée par la Macif. Sous une étiquette classique représentant le château, Gilbert Dubois propose sa cuvée principale **Château Belcier 2001 (5 à 8 €)**, qui obtient une étoile. Et sous un autre graphisme plus moderne tout en restant dans les canons du classicisme bordelais, ce Pin de Belcier, cuvée élaborée sur 3 ha de vignes sélectionnées. L'œil contemple une robe profonde, presque noire. La puissance et la richesse aromatique (fruits à noyau, mûre, vanille du fût) n'ont d'égale que la saveur des tanins très harmonieux, bien extraits, mariant fût et raisin. La complexité de la longue finale laisse augurer une grande bouteille dans deux à cinq ans.

🔑 SCA Ch. de Belcier, 33350 Les Salles-de-Castillon, tél. 05.57.40.67.58, fax 05.57.40.67.58 ☑ 🍷 🚶 r.-v.

🔑 Macif

CH. BELLEVUE
Cuvée Vieilles Vignes Elevé en fût de chêne 2001

■ 3 ha 17 000 🛢 5 à 8 €

Très régulier, ce cru propose une petite cuvée dans laquelle le cabernet franc (30 %) répond au merlot. Grenat limpide, ce 2001 joue sur des notes d'épices, de groseille, de cerise en harmonie avec un boisé discret. Sa structure est franche, vineuse, un peu nerveuse en finale. Attendre deux ou trois ans que l'équilibre se fasse.

🔑 Michel Lydoire, Rouye, 33350 Belvès-de-Castillon, tél. 05.57.47.94.29, fax 05.57.47.94.29 ☑ 🍷 🚶 r.-v.

CH. BEYNAT Cuvée Léonard 2001 ★

■ 2,5 ha 10 000 ▮ 🛢 8 à 11 €

De vieilles vignes de merlot (50 %) et de cabernets, vendangées manuellement, entrent dans la composition de cette cuvée Léonard. Sa robe est violine et les arômes de griotte, de fumé, de café et de réglisse apparaissent ouverts. Les tanins, mûrs et très présents, sont équilibrés jusqu'en finale. Tout est réussi pour offrir un vrai plaisir dans un à trois ans.

🔑 Xavier Borliachon, 27, rue de Beynat, 33350 Saint-Magne-de-Castillon, tél. 05.57.40.01.14, fax 05.57.40.18.51, e-mail chateau.beynat@wanadoo.fr ☑ 🏠 🍷 🚶 t.l.j. 9h-19h

CH. BLANZAC Cuvée Prestige 2001

■ 17,2 ha 24 000 🛢 5 à 8 €

Une belle chartreuse du XVIIIes. commande le vaste vignoble d'où provient cette cuvée Prestige à la robe rubis limpide. Les arômes de fruits rouges mêlés d'un boisé léger sont très fins. La structure déjà agréable, tout en rondeur, permettra de servir cette bouteille pendant les trois années à venir avec des mets mijotés. Pour l'anecdote, sachez qu'ici, au XIXes., on élevait des lions !

🔑 Bernard Depons, EARL Ch. Blanzac, 22, rte de Coutras, 33350 Saint-Magne-de-Castillon, tél. 05.57.40.11.89, fax 05.57.40.49.69, e-mail chateaublanzac@wanadoo.fr ☑ 🍷 🚶 t.l.j. 10h-12h 15h-19h

CH. LA BRANDE 2002

■ 15 ha 55 000 ▮ 🛢 🌡 5 à 8 €

Cette propriété d'un seul tenant est mitoyenne du site où se déroule chaque été la reconstitution de la bataille de Castillon. Depuis 1998, le cuvier et le chai à barrique ont été rénovés. Ce 2002 présente un bouquet mêlant les petits fruits à un boisé discret. La bouche chaleureuse est aujourd'hui très charpentée par des tanins puissants qui rendent la dégustation austère. Ce vin trop jeune devra patienter sagement en cave. A ouvrir en 2007, pour voir. Rappelons que le millésime 2000 avait obtenu deux étoiles.

🔑 Vignobles Jean Petit, Ch. Mangot, 33330 Saint-Etienne-de-Lisse, tél. 05.57.40.18.23, fax 05.57.56.43.97, e-mail todeschini@chateaumangot.fr ☑ 🍷 🚶 t.l.j. sf dim. 8h15-12h 13h45-17h30; sam. sur r.-v.

LES ARMES DE BRANDEAU
Cuvée de la Trilogie 2002 ★

■ 2 ha 14 000 ▮ 🛢 🌡 3 à 5 €

La plus petite fourchette de prix et une bouteille parmi les meilleures dans ce millésime et dans l'AOC. Cette cuvée de la Trilogie est une sélection de 2 ha de vieilles vignes. Intéressant par sa couleur rubis à reflets mauves, ce vin rappelle les fruits rouges, le cuir, et joue sur un boisé bien intégré. En bouche, il se montre soyeux et équilibré. Doté d'un bon potentiel, il s'exprimera au mieux dans deux à cinq ans.

🔑 SCEA Mirambeau, BP 80, 33330 Saint-Emilion, tél. 05.57.55.38.00, fax 05.57.55.38.01 ☑ 🍷 🚶 t.l.j. sf sam. dim. 8h-12h 14h-17h

🔑 Banton-Lauret-Piat

CH. CATEGENS 2001 ★

■ 28 ha 20 000 ▮ 🛢 🌡 5 à 8 €

Dans la même famille depuis le XVes., ce château est inscrit à l'inventaire des Monuments historiques et il a la particularité d'accueillir chaque année la reconstitution de la bataille de Castillon qui mit fin à la guerre de Cent Ans. D'une couleur franche et satinée, ce 2001 développpe un bouquet discret de mûre, de fleurs et de boisé léger. La structure tannique encore ferme et complexe se révèle riche et moelleuse. Cette bouteille s'épanouira totalement après deux à cinq ans de garde.

🔸 SCEA J.-L. de Fontenay, Ch. Castegens,
33350 Belvès-de-Castillon, tél. 05.57.47.96.71,
e-mail jldefontenay@wanadoo.fr ☑ Ⴢ ⅄ r.-v.

CLOS DE LA COSTIERE 2001

| ■ | 6 ha | 7 000 | ▮ | 5 à 8 € |

Un tiers de cabernet franc en complément du merlot dans ce bon 2001 à la robe rubis légèrement tuilée. Le bouquet déjà ouvert évoque le cuir, les fruits mûrs, accompagnant des tanins souples mais assez charpentés pour promettre un bon avenir. Une bouteille typée qui sera prête à boire dans un à trois ans.
🔸 SCEA Jean-Marie Estager,
55, rue des Quatre-Frères-Robert, 33500 Libourne,
tél. 05.57.51.06.97, fax 05.57.25.90.01 ☑ Ⴢ ⅄ r.-v.

CLOS L'EGLISE 2001 ★★

| ■ | 16 ha | 50 000 | ⏛ | 23 à 30 € |

L'excellent terroir argilo-calcaire de Sainte-Colombe est parfaitement mis en valeur par Gérard Perse et son équipe dans ce vin à la robe sombre, très dense. Ses arômes de fruits rouges sont encore dominés par un élégant boisé grillé et les tanins sont très présents ; mais mûrs et gras, ils sont de qualité comme le prouve la grande persistance du palais. Attendre deux à cinq ans. Le **Château Sainte-Colombe 2001** (8 à 11 €) obtient une étoile pour son soyeux et son harmonie ; il apportera rapidement un réel plaisir (un à deux ans).
🔸 Gérard Perse,
SCA Sainte-Colombe, Puylazat,
33350 Saint-Magne-de-Castillon, tél. 05.57.55.43.43,
fax 05.57.24.63.99, e-mail vignobles.perse@wanadoo.fr

CH. COTE MONTPEZAT
Elevé en fût de chêne 2002 ★

| ■ | | n.c. | 109 000 | ⏛ | 8 à 11 € |

Ce cru a été, il y a une quinzaine d'années, l'un de ceux qui furent à l'origine du renouveau de l'appellation et de sa promotion en AOC communale. La réussite est au rendez-vous avec ce 2002 à la robe grenat profond et aux arômes élégants de fruits et d'épices (clou de girofle). Ses tanins souples, bien mûrs et très persistants offrent un palais équilibré. Un plaisir certain après deux ou trois ans de vieillissement en cave.
🔸 SA Vignobles Bessineau,
8, Brousse, BP 42, 33350 Belvès-de-Castillon,
tél. 05.57.56.05.55, fax 05.57.56.05.56,
e-mail bessineau@cote-montpezat.com ☑ Ⴢ ⅄ r.-v.

CH. DUBOIS-GRIMON 2001 ★★

| ■ | 2 ha | 4 656 | ⏛ | 15 à 23 € |

Cette cuvée spéciale est issue d'une sélection rigoureuse de merlot (80 %) et de cabernet franc (20 %) récoltée et vinifiée avec un soin particulier. Sa robe jeune se pare de reflets violacés et ses arômes de griotte et de cassis se mêlent à des senteurs boisées agréables. Les tanins mûrs et très fruités possèdent un réel potentiel d'évolution qui se révélera d'ici trois à six ans. La cuvée principale, le **Château Grimon 2001** (3 à 5 €), est citée pour son caractère fruité et sa douceur en bouche, qui annoncent une consommation rapide.
🔸 Gilbert Dubois,
Ch. Grimon, 33350 Saint-Philippe-d'Aiguilhe,
tél. 05.57.40.67.58, fax 05.57.40.67.58 ☑ r.-v.

CH. DE L'ESTANG 2002

| ■ | 20 ha | 40 000 | ▮⏛⅃ | 5 à 8 € |

Vous trouverez ici des ruines du XIᵉs., des bâtiments du XIIIᵉs. et une demeure datant du Directoire. Vous pourrez y déguster ce 2002 qui ne manque pas de charme avec son bouquet encore dominé par le boisé et sa structure suave, équilibrée, plaisante mais qui a besoin de digérer son élevage en barrique. Deux ans de garde s'imposent.
🔸 SCEA du Ch. de L'Estang,
33350 Saint-Genes-de-Castillon,
tél. 05.57.47.91.81, fax 05.57.47.92.13,
e-mail jmfconseil@aol.com ☑ Ⴢ ⅄ r.-v.
🔸 J.-M. Ferrandez

CH. FILLIOL 2001 ★

| ■ | 2 ha | 3 000 | ⏛ | 8 à 11 € |

Un vin vinifié par sa propriétaire, Sandrine Ferrer, mais qui ne répond pas au style stéréotypé d'un « vin de femme ». Issu de 2 ha de vieilles vignes de merlot (80 %) et de cabernet, ce vin pourpre brillant évoque les fruits rouges, la réglisse, le cuir et la vanille. Ses tanins veloutés, marqués par un boisé vif, ne manqueront pas de se fondre après deux à trois ans de garde, car la matière est de qualité. Ce sera alors une bouteille digne de la meilleure entrecôte bordelaise.
🔸 Sandrine Ferrer,
Mattetournier, 33350 Gardegan-et-Tourtirac,
tél. 05.57.40.47.54, fax 05.57.40.14.04,
e-mail sandrine.ferrer@free.fr ☑ Ⴢ ⅄ r.-v.

CH. FLOJAGUE 2001 ★

| ■ | 4,05 ha | n.c. | ▮⏛⅃ | 11 à 15 € |

Commandé par un château qui fut une maison forte au Moyen Age, ce cru est dirigé depuis peu par Jean-Patrick Mayrignac, œnologue installé dans l'appellation depuis une quinzaine d'années. Avec sa robe grenat sombre et son bouquet floral, fruité (griotte) et délicatement boisé, son 2001 est déjà séduisant. En bouche, il révèle une saveur particulièrement harmonieuse. Son grand potentiel s'exprimera davantage dans deux à cinq ans. Probablement une valeur montante à suivre dans les années à venir.
🔸 Aymen de Lageard, Ch. Flojague,
33350 Saint-Genès-de-Castillon, tél. 05.57.47.91.67,
e-mail chateau.flojague@wanadoo.fr ☑ Ⴢ ⅄ r.-v.

CH. FONGABAN 2001 ★★

| ■ | 32 ha | 120 000 | ▮⏛⅃ | 5 à 8 € |

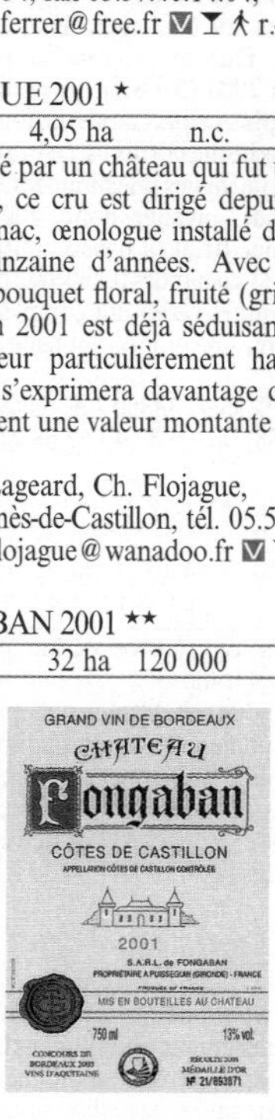

Ce coup de cœur unanime distingue une vaste propriété produisant des vins en quantité significative, qui comblera les auteurs de bons vins authentiques. La robe pourpre intense est brillante. Au bouquet, ce sont les fruits mûrs qui dominent les notes boisées fort élégantes. Pleins, gras et riches dès l'attaque, les tanins évoluent avec beaucoup d'harmonie et d'équilibre jusqu'en finale. Une bouteille racée à ouvrir en confiance dans trois à six ans.

⊶ Ch. Fongaban, Monbadon, 33570 Puisseguin,
tél. 05.57.74.54.07, fax 05.57.74.50.97,
e-mail fongaban@vignobles-taix.com
☑ Y 🚶 t.l.j. sf sam. dim. 9h-12h 14h-18h

CH. FONTBAUDE
Sélection de vieilles vignes Elevé en fût de chêne 2002 ★

■ 4 ha 20 000 ⦀ 8 à 11 €

Cette Sélection de vieilles vignes de merlot (60 %) et de cabernet franc (40 %) plantés sur un sol calcaire est à l'origine de ce 2002 fort bien réussi. La robe pourpre est soutenue ; les parfums de fruits noirs et d'épices se mêlent à des notes délicatement grillées. Le palais soyeux repose sur des tanins harmonieux jusqu'en finale. Un vin typé qui demande deux à quatre ans de vieillissement.

⊶ GAEC Sabaté,
34, rue de l'Eglise, 33350 Saint-Magne-de-Castillon,
tél. 05.57.40.06.58, fax 05.57.40.26.54,
e-mail chateau.fontbaude@wanadoo.fr ☑ Y 🚶 r.-v.

CH. GRAND BARRAIL Elevé en fût de chêne 2002

■ 3,8 ha 20 000 ▮⦀♁ 5 à 8 €

Depuis huit générations dans la même famille, ce cru propose un 2002 à la robe rubis brillant. Le bouquet naissant d'épices et de mûre se révèle davantage en bouche, sur des tanins amples, bien présents et de bonne persistance. Attendre un à trois ans avant d'ouvrir cette bouteille représentative de son appellation.

⊶ Vignobles Jean Coste,
Ch. Grand Barrail, 33350 Saint-Magne-de-Castillon,
tél. 05.57.40.07.83, fax 05.57.40.08.56,
e-mail vignoblesjean.coste@wanadoo.fr ☑ Y 🚶 r.-v.

CH. GRAND TUILLAC
Cuvée Elégance Elevé en fût de chêne 2001

■ 10 ha 60 000 ⦀ 5 à 8 €

Une maison girondine, un pigeonnier, 26 ha de vignes d'un seul tenant et cette cuvée Elégance rubis vermillon aux parfums de petits fruits rouges. Sa structure tannique est souple, élégante, en harmonie avec un léger boisé. A boire au cours des trois prochaines années.

⊶ SCEA Lavigne, Tuillac,
33350 Saint-Philippe-d'Aiguilhe,
tél. 05.57.40.60.09, fax 05.57.40.66.67,
e-mail scea.lavigne@wanadoo.fr ☑ Y 🚶 r.-v.

CH. HAUTE TERRASSE 2002

■ 3,18 ha 8 700 ▮⦀♁ 5 à 8 €

Déjà propriétaires à Saint-Emilion au XVIIIes., les Bourrigaud ont acquis ce cru en côtes-de-castillon. Pascal Bourrigaud proposent un 2002 aux arômes d'épices et de fruits rouges très mûrs. Souples à l'attaque, les tanins s'affirment ensuite sans masquer le fruité. A boire dans les trois prochaines années.

⊶ Pascal Bourrigaud,
Ch. Haute Terrasse, 33350 Saint-Magne-de-Castillon,
tél. 05.57.74.43.98, fax 05.57.74.41.07
☑ Y t.l.j. sf dim. 10h-12h 14h-18h

JOANIN BECOT 2001 ★

■ 5,4 ha 30 000 ⦀ 11 à 15 €

Situé à 300 m à l'ouest du bourg et acheté récemment par Juliette et Gérard Bécot, déjà propriétaires de Beau-Séjour Bécot, 1er grand cru classé de Saint-Emilion, ce château devrait faire parler de lui dans les années à venir, son potentiel paraissant très important. Ce 2001 présente un bouquet subtil de fruits mûrs et de grillé torréfié. Ses tanins francs, pleins et complexes évoluent avec puissance et longueur. Le boisé intense a besoin pour se fondre de deux à cinq ans de vieillissement.

⊶ Juliette Bécot, Ch. Joanin-Bécot,
33350 Saint-Philippe-d'Aiguilhe,
tél. 05.57.74.46.87, fax 05.57.24.66.88,
e-mail becotjuliette@hotmail.com

CH. LABESSE Elevé en fût de chêne 2002 ★★

■ n.c. n.c. ⦀ 5 à 8 €

Déjà propriétaire du château La Couspaude, grand cru classé de Saint-Emilion, la famille Aubert présente deux excellents côtes-de-castillon. Ce Château Labesse possède un bouquet complexe, aromatique, fait de fruits mûrs, de vanille, d'épices et une structure soyeuse et puissante à la fois, d'une grande longueur. Une bouteille à ouvrir dans deux à cinq ans. Le **Château Lagrave-Aubert 2002 (8 à 11 €)** reçoit une étoile : il est un peu moins aromatique, mais en bouche, c'est un vin très proche du premier, tout aussi puissant et équilibré, qu'il faudra également attendre quelques années.

⊶ Vignobles Aubert,
Ch. La Couspaude, 33330 Saint-Emilion,
tél. 05.57.40.15.76, fax 05.57.40.10.14,
e-mail vignobles.aubert@wanadoo.fr ☑ r.-v.

CIMES DE LARTIGUE 2001 ★

■ 1 ha 3 000 ⦀ 11 à 15 €

Cette nouvelle cuvée est une sélection des meilleures parcelles du château La Croix Lartigue qui appartient aux anciens co-propriétaires du château Cheval-Blanc. Le vin présente une robe carmin lumineux, et un joli nez de fruits mûrs et de boisé torréfié. Si l'équilibre tannique est déjà charnu et harmonieux, il faudra attendre deux à trois ans que le boisé se fonde. La longue finale n'est pas le moindre des atouts de cette bouteille.

⊶ SCEA Fourcaud-Laussac, Laplagnotte-Bellevue,
33330 Saint-Christophe-des-Bardes,
tél. 05.57.24.78.67, fax 05.57.24.63.62,
e-mail arnauddl@aol.com ☑ Y 🚶 r.-v.

CH. DE LAUSSAC 2001 ★★

■ 10 ha 45 000 ⦀ 11 à 15 €

Ce cru appartient depuis 2001 à Alain Raynaud et à quelques associés, déjà très présents à Pomerol et à Saint-Emilion. Après d'importants investissements tant dans les vignes que dans les chais, ce premier millésime est plus qu'encourageant. Sa robe rouge foncé est intense. Déjà complexe, le nez associe des nuances fruitées à un boisé grillé dominant et à des notes de café. Mais les tanins suaves, veloutés, très flatteurs composent un palais remarquable par sa persistance et son harmonie. Une très belle bouteille à ouvrir dans trois à cinq ans.

⊶ Raynaud Laborde Rocher Ch. de Laussac,
33350 Saint-Magne-de-Castillon,
tél. 05.57.74.19.52, fax 05.57.25.91.20 ☑ Y 🚶 r.-v.

CH. LAVERGNE

Cuvée Prestige Elevé en barrique de chêne 2001

■ 2 ha 6 000 🛢 8 à 11 €

Belle couleur, rubis vif, très joli nez assez délicat où épices, cerise et amande se donnent la réplique avec subtilité. Ronde et charmeuse, la bouche choisit le registre des fruits rouges, évoluant sur une structure tannique harmonieuse et fraîche. Une bouteille digne d'un gigot d'agneau.

🔑 Thierry Moro, La Vergnasse, 33570 Saint-Cibard,
tél. 05.57.40.65.75, fax 05.57.40.65.75,
e-mail thierry.moro@tiscali.fr ☑ 🚶 r.-v.

CH. LUCAS 2001 *

■ 10 ha 40 000 🛢 8 à 11 €

Acquise en 2000 par Christian Deshors, cette propriété de 13 ha a été restructurée et les façons culturales renouvelées pour aboutir à des vendanges manuelles. Le résultat est déjà perceptible si l'on en juge ce millésime. Le riche bouquet de petits fruits noirs et rouges est agréable et la structure ne manque ni de volume ni de puissance, jusque dans une finale très persistante. Une garde de deux ou trois ans paraît cependant nécessaire pour que le vin acquière plus d'harmonie.

🔑 SCEA Lucas, BP 104, 33350 Castillon-la-Bataille,
tél. 05.57.40.42.17, fax 05.57.40.33.56,
e-mail chateaulucas@wanadoo.fr
☑ 🍷 🚶 t.l.j. sf sam. dim. 8h-12h 14h-17h
🔑 Christian Deshors

CH. MAUGRESIN DE CLOTTE 2002 **

■ 16 ha 23 000 🛢 8 à 11 €

Cette cuvée spéciale du château de Clotte est issue d'une sélection de cabernet franc (50 %), de merlot (35 %) et de malbec (15 %). Le millésime 2002 se distingue par sa couleur grenat profond, son bouquet intense de fruits mûrs, de vanille et de pain grillé. Les tanins, souples et volumineux en attaque, révèlent ensuite une ampleur et une longueur dignes d'un grand vin. L'harmonie sera parfaite après trois à six ans de vieillissement.

🔑 Bruno Laporte, SCEA Bayard de Clotte,
Petit-Champ-Bayard, 33570 Montagne,
tél. 05.57.40.60.15, fax 05.57.40.60.15 ☑ 🚶 r.-v.

CH. MOULIN DE BOUTY Cuvée Prestige 2001 *

■ 6 ha 40 000 🛢 5 à 8 €

Dans ce domaine, un moulin et une maison de meunier répertoriés aux Bâtiments de France : dans la même famille depuis quatre générations, ce cru perpétue avec bonheur la tradition et présente un excellent vin dans ce millésime. De la robe pourpre intense émanent des parfums de fruits cuits et de boisé qui commencent à évoluer. Les tanins paraissent bien extraits, très fruités et persistants. Un vrai plaisir dans un an ou deux sur une gigue de chevreuil.

🔑 Francis Bonneaud,
23, le bourg, 33350 Belvès-de-Castillon,
tél. 05.57.47.96.02, fax 05.57.47.91.65,
e-mail francis.bonneaud@wanadoo.fr ☑ 🏠 🍷 🚶 r.-v.

CH. MOULIN DE CLOTTE

Cuvée Dominique Vieilli en fût de chêne 2001

■ 0,8 ha 4 800 🛢 8 à 11 €

Un ancien meunier est à l'origine de cette propriété de quelque 7 ha. Cette petite cuvée, déjà plaisante, possède un potentiel non négligeable. Le boisé semble finement dosé et le corps rond et fruité confirme les arômes perçus au nez : fruits confits et notes grillées.

🔑 SCEV Françoise et Philippe Lannoye,
Le Chais, 33570 Puisseguin,
tél. 05.57.55.23.28, fax 05.57.55.23.29,
e-mail lannoye@vignoble.fr.st ☑ 🍷 🚶 r.-v.

HARMONIE DE PERREAU BEL-AIR

Elevé en fût de chêne 2001

■ 1 ha 2 000 🛢 11 à 15 €

Cette cuvée spéciale brille d'une couleur rubis violacé. Les fruits rouges et la violette se donnent la réplique sur une scène vaste où se tient un scénario subtil. La finale attire les applaudissements. A goûter souvent, pour voir.

🔑 GAEC Lubiato, Mattetournier, 33350 Gardegan,
tél. 05.57.40.42.43, fax 05.57.40.42.47 ☑ 🍷 🚶 r.-v.

CH. PERVENCHE-PUY ARNAUD 2001 **

■ 1,5 ha 5 200 🛢 8 à 11 €

Fondé à la fin du XIXe s., ce cru fut repris en 2000 par Thierry Valette qui a rénové les bâtiments. Coup de cœur l'an dernier, il continue sur sa lancée avec ce 2001 dont la robe pourpre à reflets carminés est sublime. Le bouquet n'est pas en reste, intense, évoquant les fruits noirs, le boisé grillé et vanillé. Les tanins suaves, veloutés et gras composent une bouche équilibrée et fine. La dégustation s'achève en apothéose sur un fruité remarquable. Un grand vin à boire dans deux à cinq ans. Le **Clos Puy Arnaud 2001 (23 à 30 €)** obtient une étoile. Il paraît moins harmonieux à ce jour, en raison d'un élevage en barrique un peu long pour le millésime, mais c'est assurément un bon vin.

🔑 EARL Thierry Valette,
7, Puy-Arnaud, 33350 Belvès-de-Castillon,
tél. 05.57.47.90.33, fax 05.57.47.90.53,
e-mail clospuyarnaud@wanadoo.fr ☑ r.-v.

CH. PEYROU 2001 *

■ 5 ha 20 000 🛢 8 à 11 €

Coup de cœur dans cette appellation pour le millésime 98, cette petite propriété, établie sur argile dans la plaine de Castillon, propose encore un excellent vin issu de merlot (80 %) et de cabernet-sauvignon. Brillant de reflets violets, ce vin affiche un nez élégant évoquant la griotte, le cassis et la mûre, avec un boisé relativement discret. Ample et soyeux en attaque, il évolue en bouche vers plus de puissance, voire de fermeté en finale. Attendre deux à trois ans pour ouvrir cette belle bouteille.

🔑 Catherine Papon, Peyrou,
33350 Saint-Magne-de-Castillon,
tél. 05.57.24.72.44, fax 05.57.24.74.84,
e-mail chateau.peyrou@free.fr ☑ 🍷 🚶 r.-v.

CH. PICORON 2001 *

■ n.c. 10 000 🛢 8 à 11 €

Philippe Bardet possède plus d'une centaine d'hectares en Libournais. Sur ce domaine ont été retrouvés des fragments de mosaïque gallo-romaine. Ce Château Picoron se caractérise par un bouquet naissant d'épices, de cuir, de fruits confits et par une structure en bouche corsée, séveuse et racée : ce vin bien typé est à boire dans les trois prochaines années. Le **Château Rodier-Lideyre 2001** est cité : il présente le même style d'arômes, mais se montre plus souple, frais et très aromatique en finale ; il est à boire.

↳ SCEA des Vignobles Philippe Bardet, 17, La Cale, 33330 Vignonet, tél. 05.57.84.53.16, fax 05.57.74.93.47, e-mail vignobles@vignobles-bardet.fr
☑ ⅄ ⚒ t.l.j. sf ven. sam. dim. 8h-12h 14h-17h

CH. PILLEBOIS Vieilles Vignes
Vieilli en fût de chêne 2001 ★★

■	2 ha	15 000	ⅢⅢ 5 à 8 €

La plupart des étiquettes de cette appellation se sont bien modernisées depuis quelque temps, sans renier l'élégance et la sobriété propres aux grands vins du Bordelais. Celle-ci est exemplaire de ce renouveau d'image. Elle désigne un vin remarquable, issu à 80 % de merlot et à 20 % de cabernet franc plantés sur un sol gravelo-sableux. D'une couleur pourpre profond, ce 2001 développe des parfums de fruits mûrs, de torréfaction et de réglisse ; les tanins veloutés, soyeux, évoluent avec puissance, une grande richesse et beaucoup d'élégance en finale. Tout en finesse, mais doté d'un grand potentiel, ce 2001 s'exprimera parfaitement dans trois à cinq ans.
↳ Vignobles Marcel Petit, 6, chem. de Pillebois, 33350 Saint-Magne-de-Castillon, tél. 05.57.40.33.03, fax 05.57.40.06.05, e-mail vignobles.marcel.petit@wanadoo.fr ☑ ⅄ ⚒ r.-v.
↳ Toxé

CH. PUY GARANCE Elevé en fût de chêne 2001

■	2 ha	5 000	ⅢⅢ 5 à 8 €

Ce vin est issu exclusivement du cépage merlot. Sa robe rubis et son bouquet floral sont élégants. Il est tendre, souple, coulant, rond, en un mot épanoui.
↳ Frédéric Burriel, 3 bis, Le Caufour, 33350 Sainte-Colombe, tél. 06.81.47.90.23, fax 05.57.47.99.23 ☑ ⚒ r.-v.

CH. ROBIN 2001 ★★

■	11 ha	43 000	ⅢⅢ 11 à 15 €

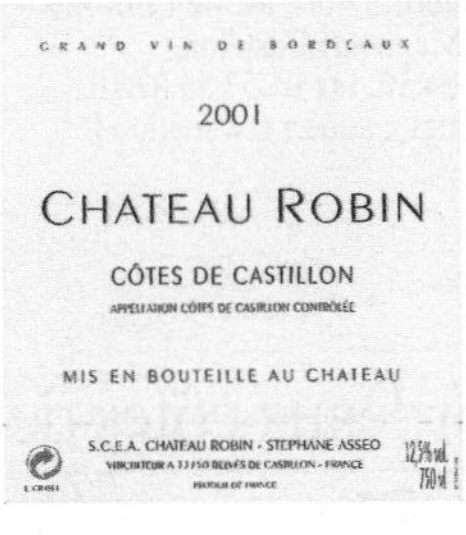

Premier au grand jury des coups de cœur de l'appellation, Robin montre un réel savoir-faire. Des vendanges manuelles et un assemblage classique sont à l'origine de cette bouteille née sur des coteaux argilo-calcaires exposés est-sud-est. La robe est traversée d'éclairs pourpres. Le bouquet de confit, d'agrumes, de cerise est étonnamment complexe. Les tanins suaves et généreux révèlent beaucoup de rondeur, de gras et ils évoluent avec finesse, équilibre et persistance aromatique. Un grand vin à laisser mûrir en bouteilles entre deux et cinq ans.
↳ SCEA Ch. Robin, 33350 Belvès-de-Castillon, tél. 05.57.47.92.47, fax 05.57.47.94.45, e-mail chateau.robin@wanadoo.fr ☑ ⅄ ⚒ r.-v.
↳ Sté Lurckroft

CH. ROC DE TIFAYNE Elevé en fût de chêne 2001

■	2,5 ha	16 000	ⅰ ⅢⅢ 11 à 15 €

Un jeune couple d'ingénieurs agronomes reprend ce domaine en 1997. Ce vin mérite d'être cité pour son bouquet d'épices et de sous-bois, rehaussé d'une pointe de cassis, et pour sa structure tannique concentrée, marquée par des notes de cabernet qui étonnent ici. A mettre en cave deux à quatre ans.
↳ Vignobles Limbosch-Zavagli, Tifayne-Monbadon, 33570 Puisseguin, tél. 05.57.40.61.29, fax 05.57.40.60.98, e-mail info@tifayne.com ☑ ⌂ ⅄ ⚒ r.-v.

AMAVINUM DU CH. LA ROCHE BEAULIEU 2001 ★

■	8 ha	32 400	ⅢⅢ 15 à 23 €

Amavinum signifie « aime le vin » en latin ; ce nom convient parfaitement à ce 2001 de grande qualité. Grenat à reflets violets, très jeune, ce vin évoque le moka et les petits fruits noirs. Equilibrée, à la fois puissante et souple, la bouche évolue vers une certaine fermeté en finale, mais sans manquer d'élégance. L'harmonie sera parfaite dans deux à trois ans.
↳ SCEA Tchekhov et Associés, Ch. la Roche Beaulieu, 1, Peyrelebade, 33350 Les Salles-de-Castillon, tél. 05.57.40.64.37, fax 05.57.40.65.05, e-mail larochebeaulieu@wanadoo.fr

CH. LA ROCHE-PRESSAC 2002 ★

■	2 ha	5 000	ⅢⅢ 15 à 23 €

80 % de merlot et 20 % de cabernet franc, un assemblage classique de l'AOC pour ce 2002 qui s'annonce par une robe grenat soutenu et des arômes intenses de fumé, de poivre, de vanille qui masquent un peu le fruit aujourd'hui. Puissants en attaque, les tanins sont mûrs, bien équilibrés ; leur caractère très boisé peut plaire ou au contraire gêner. Pour les amateurs de ce style de vin.
↳ Ch. La Roche-Pressac, Clos Puylazat, 33350 Saint-Magne-de-Castillon, tél. 05.57.40.48.24, fax 05.57.40.48.24, e-mail contact@laroche-pressac.com ☑ ⅄ ⚒ r.-v.

L'EXTREME DU DOM. ROCHES BLANCHES
Elevé en fût de chêne 2001

■	1,7 ha	5 700	ⅰ ⅢⅢ⅃ 11 à 15 €

Un terroir d'argile rouge sur roche calcaire, un encépagement composé de 70 % de merlot, complétés de cabernet franc. Ce 2001 affiche un bouquet généreux de mûre, de fumé, de cassis et des tanins très concentrés, assez vifs et puissants en finale. A attendre trois à six ans.
↳ SCEA Vignobles Patrice Roux, 90, av. du Gal-de-Gaulle, 33350 Saint-Magne-de-Castillon, tél. 05.57.40.21.30, fax 05.57.40.21.87, e-mail scea-roux@wanadoo.fr ☑ ⅄ ⚒ t.l.j. 9h-20h30; dim. 9h-12h30

CH. LA RONCHERAIE Sereine 2001 ★

■	n.c.	18 000	ⅢⅢ 8 à 11 €

Une propriété récente, à l'encépagement dominé par le merlot (90 %) implanté sur un terroir argilo-calcaire. D'une couleur pourpre profond, ce vin offre des parfums puissants et riches de fruits et de bon boisé. Sa structure pleine et aromatique accompagne toute la dégustation jusqu'à une finale concentrée onctueuse. Attendre deux à cinq ans que la matière se fonde.

🔑 Grégoire et Anne Roy De Pianelli, La Roncheraie-Terrasson, 33350 Belvès-de-Castillon, tél. 05.57.47.94.12, fax 05.57.47.95.34, e-mail laroncheraie@club-internet.fr ☑ 🍷 🚶 r.-v.

CH. ROQUE LE MAYNE
Elevé en fût de chêne 2002 ★★

■ n.c. n.c. 8 à 11 €

Il doit être intéressant d'ouvrir aujourd'hui une bouteille du millésime 99 qui fut coup de cœur. Ce 2002 est lui aussi remarquable, dans une robe pourpre profond aux reflets chatoyants. Le pruneau et les fruits rouges sont en harmonie avec un boisé de qualité, toasté et vanillé. Ample, très présente, la bouche est équilibrée. Sa finale fruitée, harmonieuse et très persistante prédit un avenir important à ce vin, au moins cinq à six ans.

🔑 SCEA Vignobles Meynard, 10, av. de Labourrée, 33350 Saint-Magne-de-Castillon, tél. 05.57.40.17.32, fax 05.57.40.38.93, e-mail vignobles-meynard@wanadoo.fr ☑ 🍷 🚶 r.-v.

CH. DE SAINT-PHILIPPE 2001

■ 16,35 ha 18 000 5 à 8 €

Une cuvée classique de couleur rouge rubis, aux parfums évolués de cuir, de réglisse, avec une note crayeuse et une structure de tanins séveux et équilibrés. Elle accompagnera dès cet automne une cuisine traditionnelle.

🔑 EARL Vignobles Bécheau, Ch. de Saint-Philippe, 26, le bourg-ouest, 33350 Saint-Philippe-d'Aiguilhe, tél. 05.57.40.60.21, fax 05.57.40.62.28, e-mail pbecheau@terre-net.fr ☑ 🍷 🚶 t.l.j. 8h-12h 14h-19h

CH. TOUR D'HORABLE
Elevé en fût de chêne 2002 ★

■ 3 ha 12 000 5 à 8 €

Cette petite propriété familiale propose un 2002 né de l'assemblage de 80 % de merlot et de 20 % de cabernet franc. La robe semble presque noire, alors que le bouquet naissant de pruneau, de fleurs, ne manque pas de fraîcheur. Les tanins sont déjà ronds, gras, tout en finesse dans leur évolution. Une bouteille qui ne demande qu'à vieillir deux ou trois ans dans une excellente cave.

🔑 Jean-Albert Faytout, 3, Horable, 33350 Castillon-la-Bataille, tél. 05.57.40.04.98, fax 05.57.40.48.67 ☑ 🍷 🚶 t.l.j. 8h-10h 14h-19h

DOM. LA TUQUE BEL-AIR 2002

■ 4 ha 15 000 5 à 8 €

Héritant de ce cru en 2002, Pierre Lavau, propriétaire de Petit Fonbrauge à Saint-Emilion, vinifie ce premier millésime, qui se présente sous une robe grenat limpide. Ses arômes de confiture, de boisé léger, d'eau-de-vie et sa bouche souple et assez équilibrée en font un vin à boire dans les trois ou quatre prochaines années.

🔑 Pierre Lavau, SCEA Ch. Petit Fonbrauge, BP 20107, 33330 Saint-Emilion, tél. 05.57.24.77.30, fax 05.57.24.66.24, e-mail petitfonbrauge@terre-net.fr ☑ 🍷 🚶 r.-v.

VALMY DUBOURDIEU-LANGE 2001 ★★

■ 4 ha 13 000 15 à 23 €

Déjà deux coups de cœur pour cette cuvée née en 1996, année où Patrick Erésué a pris la succession du vignoble, et qui porte le nom de son arrière-grand-père. Pour l'élaborer, il choisit les plus vieilles vignes de merlot, plantées sur un coteau exposé plein sud. Ce 2001 est tout simplement remarquable ; dès le premier regard, il séduit par sa robe pourpre aux reflets violets. Si ses arômes sont aujourd'hui dominés par un bon boisé toasté et vanillé, les tanins veloutés et bien fruités évoluent avec de l'ampleur, beaucoup de fraîcheur et d'harmonie jusque dans une longue finale. Assurément un grand vin qui exprimera mieux son potentiel dans trois à six ans.

🔑 Vignobles Patrick Erésué, Chainchon, 33350 Castillon-la-Bataille, tél. 05.57.40.14.78, fax 05.57.40.25.45, e-mail chainchon@wanadoo.fr ☑ 🍷 🚶 r.-v.

VIEUX CHATEAU CHAMPS DE MARS 2001 ★

■ 7 ha 40 000 8 à 11 €

90 % de merlot complété par des cabernets dans l'assemblage de cet excellent 2001 élevé en barriques, dont un tiers sont neuves. D'une grande harmonie visuelle et gustative, il affiche une robe dense, couleur cerise, et libère des parfums de cuir, d'amande, de fruits mûrs bien mariés à des notes de merrain. Les tanins amples, ronds et équilibrés autorisent une garde de deux à cinq ans.

🔑 GFA Régis et Sébastien Moro, Le Pin, 33350 Les Salles-de-Castillon, tél. 05.57.40.63.49, fax 05.57.40.61.41 ☑ 🍷 🚶 r.-v.

CH. YOT Cuvée Prestige Elevé en fût de chêne 2001 ★

■ 8 ha 50 000 8 à 11 €

Alain Aubert a proposé un **2001 Château German Elevé en fût de chêne (5 à 8 €)** – un château célèbre pour avoir accueilli des députés girondins proscrits pendant la Terreur. Le vin obtient une citation. Quant à cette cuvée Prestige, c'est une sélection de vieilles vignes de quarante ans partagées entre merlot et cabernets. Sa robe grenat éclatant annonce des arômes de fruits noirs, de menthol et de réglisse très fins. Les tanins souples et bien mûrs évoluent dans un bon équilibre, bien fondus avec le boisé. A boire dans deux à cinq ans.

🔑 Alain Aubert, 57 bis, av. de l'Europe, 33350 Saint-Magne-de-Castillon, tél. 05.57.40.04.30, fax 05.57.56.07.10, e-mail domaines.a.aubert@wanadoo.fr

Bordeaux-côtes-de-francs

S'étendant, à 12 km à l'est de Saint-Emilion, sur les communes de Francs, Saint-Cibard et Tayac, le vignoble de bordeaux-côtes-de-francs (547 ha en production pour un volume de 23 481 hl en rouge et 270 hl en blanc) bénéficie d'une situation privilégiée sur des coteaux argilo-calcaires et marneux parmi les plus élevés de la Gironde. Presque intégralement consacré aux vins rouges (à l'exception d'une vingtaine d'hectares), il est exploité par quelques viticulteurs dynamiques et une cave coopérative, qui produisent de très jolis vins, riches et bouquetés.

CH. LES CHARMES-GODARD 2002 ★

▒ n.c. 11 000 🛢 15 à 23 €

Coup de cœur l'an dernier pour le 2001, ce cru, depuis longtemps habitué aux honneurs du Guide, présente un 2002 fermenté et élevé neuf mois en barrique. La robe jaune paille séduit, puis le nez discret évoque le grillé et les fruits blancs bien mûrs. Ample et équilibré, le palais évolue sur le fruit et joue sur la rondeur. Ce vin assemble 65 % de sémillon, 20 % de sauvignon gris et 15 % de muscadelle.

🔑 GFA Les Charmes-Godard,
Lauriol, 33570 Saint-Cibard,
tél. 05.57.56.07.47, fax 05.57.56.07.48 ☑ 🍸 🚶 r.-v.

CH. DE FRANCS
Les Cerisiers Elevé en fût de chêne 2001 ★★

■ 12 ha 40 900 🛢 8 à 11 €

Emblématique de l'AOC, le Château de Francs est arrivé second dans le grand jury des coups de cœur. Sa robe grenat profond brille de beaux reflets carminés. Son nez complexe et racé évoque le cuir, la prune, le cassis, le café... Suaves et veloutés, les tanins très mûrs évoluent avec beaucoup de puissance, de gras et de fraîcheur aromatique. Une grande bouteille qui saura vieillir. En confiance !

🔑 SCEA Ch. de Francs, 33570 Francs,
tél. 05.57.40.65.91, fax 05.57.40.63.04 ☑ 🍸 🚶 r.-v.
🔑 D. Hébrard et H. de Boüard

L'EXCUSE DU CH. DE GARONNEAU
Elevé en fût de chêne 2001 ★

■ n.c. 1 500 🛢 8 à 11 €

Premier millésime pour cette petite cuvée spéciale élevée en fût neuf. La robe rubis brillant annonce d'agréables parfums de fruits, de noisette et d'épices. Les tanins soyeux et enrobés se révèlent francs et équilibrés ; racée mais un peu nerveuse, la finale conseille une garde d'un à deux ans.

🔑 EARL Roussille,
Ch. de Garonneau, 33570 Saint-Cibard,
tél. 05.57.40.60.74, fax 05.57.40.60.74 ☑ 🍸 🚶 r.-v.

CH. GODARD BELLEVUE
Elevé en fût de chêne 2001 ★★

■ 5 ha 15 500 🛢 8 à 11 €

Avec un encépagement partagé entre merlot (50 %) et cabernets (50 %), ce château est une référence de l'appellation : il obtient pour ce 2001 un coup de cœur unanime de notre grand jury. La robe sombre brille de reflets grenat. Les arômes de cuir, de sous-bois, de fruits rouges se mêlent à des notes toastées, poivrées. En bouche, l'équilibre est parfait entre des tanins mûrs et denses et un boisé élégant et bien dosé. La finale tout en harmonie laisse imaginer un long avenir pour ce vin, au moins cinq à huit ans ; les impatients pourront cependant le servir dès maintenant tant l'élevage a respecté le vin (douze mois de barrique dont un tiers neuves).

🔑 EARL Arbo, Godard, 33570 Francs,
tél. 05.57.40.65.77, fax 05.57.40.68.48,
e-mail earl.arbo@wanadoo.fr ☑ 🍸 🚶 r.-v.

BORDELAIS

CH. HAUT LAULAN Elevé en fût de chêne 2001 ★

■ 13 ha 4 200 ▮ 🛢 ⫯ 8 à 11 €

Implanté sur un sol argilo-limoneux et calcaire, ce château présente un 2001 à la robe grenat soutenu. Le nez racé évoque les fruits cuits, le boisé toasté. En bouche, les tanins se montrent soyeux, veloutés, bien enrobés par un bon élevage en barrique. La finale harmonieuse autorise une garde de deux ou trois ans. Pour accompagner cette bouteille, on suggère une échine de porc à l'antipasti.

🔑 Bruno Citerne, Seignade, 33570 Francs,
tél. 05.57.40.63.37, fax 05.57.40.68.05 ☑ 🍸 🚶 r.-v.

CH. HAUT-ROZIER Cuvée Saint-Vincent 2001

■ 2,5 ha 7 500 ▮ 5 à 8 €

Situé à 1 km de l'église romane de Tayac, ce cru propose un vin classique dans une robe rubis profond. Le bouquet naissant de fruits et les tanins vineux sont intenses et assez longs en bouche. A boire dans les trois prochaines années.

🔑 Annick Pujol, Rozier, 1, 33570 Tayac,
tél. 05.57.40.63.05, fax 05.57.40.63.05,
e-mail haut-rozier.pujol@wanadoo.fr ☑ 🍸 🚶 r.-v.

CH. LALANDE DE TIFAYNE 2001

■ 3 ha 21 600 ▮ 8 à 11 €

Reprise en 1997 par un jeune couple d'ingénieurs agronomes, cette propriété propose ce 2001 au bouquet de violette, de cuir et de framboise. Les tanins bien équilibrés, encore un peu sévères en finale, conseillent d'attendre un à trois ans pour ouvrir la bouteille.

🔑 Vignobles Limbosch-Zavagli,
Tifayne-Monbadon, 33570 Puisseguin,
tél. 05.57.40.61.29, fax 05.57.40.60.98,
e-mail info@tifayne.com ☑ 🏠 🍸 🚶 r.-v.

L'EDEN DE LAPEYRONIE 2001 ★

■ 2 ha 5 000 🛢 11 à 15 €

Après un coup de cœur l'an dernier, ce cru complanté à 60 % de cabernets et à 40 % de merlot réussit fort bien son 2001. La robe grenat est soutenue ; le nez puissant joue sur les fruits cuits, la vanille et les épices. La structure veloutée et très présente correspond à un vin de garde qu'il faudra attendre deux ou trois ans. Un dégustateur conseille de servir ce vin avec un carré d'agneau à l'ail confit.

🔑 Lapeyronie, 9, Zelatte, 33350 Gardegan-et-Tourtirac,
tél. 05.57.40.19.27, fax 05.57.40.14.38,
e-mail lapeyroniefred@wanadoo.fr ☑ 🍸 🚶 r.-v.
🔑 A. Charrier

CH. MARSAU 2001 ★

■ 9 ha 33 000 🛢 11 à 15 €

Plantées sur un terroir d'argiles profondes, les vignes de merlot ont donné un 2001 dont la robe brille de reflets presque noirs. Son bouquet mêle les fruits rouges et un boisé bien mené. Les tanins gras et assez puissants demandent pour s'assouplir un vieillissement de deux ou trois ans. Mais ce vin peut déjà plaire aux amateurs, accompagné d'une épaule d'agneau au four.

➤ Ch. Marsau, La Bernaderie,
33570 Francs, tél. 05.56.44.30.49,
e-mail chadronnier@cvbg.com ☑ 📇 ⚜ r.-v.
➤ S. et J.-M. Chadronnier

CH. NARDOU 2002 ★

■	8 ha	45 000	⦀	5 à 8 €

Récemment sorti de la cave coopérative, ce château monte petit à petit en puissance grâce à la rigueur apportée aux travaux dans les vignes et dans les chais. Né de ceps âgés de trente ans et de 90 % de merlot, ce vin à la robe intense parcourue de reflets violacés libère de discrets parfums de fruits rouges. Les tanins sont gras, puissants et équilibrés ; un à deux ans de garde permettront à cette bouteille de parfaire son harmonie. La **cuvée du Bois Meney 2002** obtient également une étoile, c'est le deuxième vin du château, marqué par un fruité plus intense et une structure tannique plus fine, fraîche et élégante.
➤ EARL Vignobles Dubard, Nardou, 33570 Tayac, tél. 05.57.40.69.60, fax 05.57.40.69.20,
e-mail f.dubard@aol.fr ☑ 📇 🏠 ⵏ ⚜ r.-v.

PELAN 2001 ★

■	5 ha	8 000	⦀	15 à 23 €

80 % de cabernet-sauvignon pour seulement 20 % de merlot, voilà un encépagement atypique pour la région et qui mérite d'être signalé, d'autant plus que la réussite est au rendez-vous avec ce 2001. La robe pourpre sombre est presque noire. Le bouquet fin et élégant évoque le poivre, les fruits noirs et la groseille. Les tanins gras et puissants évoluent avec élégance et beaucoup de longueur. Une bouteille à ouvrir avec une entrecôte grillée.
➤ GFA Régis et Sébastien Moro,
Le Pin, 33350 Les Salles-de-Castillon,
tél. 05.57.40.63.49, fax 05.57.40.61.41 ☑ ⵏ ⚜ r.-v.

CH. LA PRADE 2001 ★

■	3,5 ha	12 700	⦀	15 à 23 €

Un assemblage classique de merlot (80 %) et de cabernet-sauvignon nés sur un sol limono-argilo-calcaire. Rubis à reflets carminés, ce millésime étonne par l'intensité de ses parfums de pruneau, de fumé et de boisé toasté. Les tanins souples et mûrs, bien enrobés par un bel élevage, s'affirment jusqu'en finale sur des notes épicées très agréables. Un vin élégant, à boire dans trois à cinq ans.
➤ Nicolas Thienpont, 33570 Saint-Cibard,
tél. 05.57.56.07.47, fax 05.57.56.07.48,
e-mail ch.puygueraud@wanadoo.fr ☑ ⵏ ⚜ r.-v.

FLEURON DE CH. PUY GALLAND 2002 ★★

■	1 ha	1 800	⦀	11 à 15 €

Exploité par la même famille depuis trois générations, ce cru idéalement situé sur un sol à dominante argilo-calcaire propose deux cuvées 2002. Ce Fleuron développe un bouquet de violette, de cassis et de mûre ; les tanins élégants, racés et puissants sont rehaussés par un boisé très présent. Un style moderne pour ce vin de longue garde digne d'un filet de bœuf au foie gras. La **cuvée principale (5 à 8 €)** obtient une étoile.
➤ Bernard Labatut, 12, Le Bourg, 33570 Saint-Cibard, tél. 05.57.40.63.50, fax 05.57.40.63.50 ☑ ⚜ r.-v.

CH. PUYGUERAUD 2001 ★

■	35 ha	86 300	⦀	15 à 23 €

Ravissant manoir du XIVᵉs., Puygueraud est à l'origine de vins réguliers en qualité comme ce 2001 grenat

intense dont les arômes de cerise et de sous-bois se mêlent à des senteurs grillées. Les tanins pleins et gras, légèrement mentholés, sont très puissants et demandent quelques années pour se fondre. La cuvée **George rouge 2001** obtient également une étoile ; elle se distingue par un boisé plus intense, mais en harmonie avec le vin, et une belle douceur en finale. Une bouteille que l'on peut boire ou garder deux à cinq ans.
➤ SCEA Ch. Puygueraud, 33570 Saint-Cibard, tél. 05.57.56.07.47, fax 05.57.56.07.48,
e-mail ch.puygueraud@wanadoo.fr ☑ ⵏ ⚜ r.-v.
➤ Héritiers George Thienpont

CH. VIEUX SAULE 2002 ★

■	2 ha	10 000	⦀	5 à 8 €

Beaucoup de rigueur et d'attention sont portées à l'élaboration de ce vin encore très réussi dans ce millésime. La robe est intense, soutenue, entourant des arômes de fruits rouges et de vanille. La structure est soyeuse, ample et bien équilibrée, le boisé fondu. Un 2002 riche, que l'on peut boire avec un magret ou garder quelques années.
➤ Thierry Moro, La Vergnasse, 33570 Saint-Cibard, tél. 05.57.40.65.75, fax 05.57.40.65.75,
e-mail thierry.moro@tiscali.fr ☑ ⚜ r.-v.

Entre Garonne et Dordogne

La région géographique de l'Entre-Deux-Mers forme un vaste triangle délimité par la Garonne, la Dordogne et la frontière sud-est du département de la Gironde ; c'est sûrement l'une des plus riantes et des plus agréables de tout le Bordelais, avec ses vignes qui couvrent 23 000 ha, soit le quart de tout le vignoble. Très accidentée, elle permet de découvrir de vastes horizons comme de petits coins tranquilles qu'agrémentent de splendides monuments, souvent très caractéristiques (maisons fortes, petits châteaux nichés dans la verdure et, surtout, moulins fortifiés). C'est aussi un haut lieu de la Gironde de l'imaginaire, avec ses croyances et traditions venues de la nuit des temps.

Entre-deux-mers

L'appellation entre-deux-mers ne correspond pas exactement à l'Entre-Deux-Mers géographique, puisque, regroupant les communes situées entre les deux fleuves, elle en exclut celles qui disposent d'une appellation spécifique. Il s'agit d'une appellation de vins blancs secs dont la réglementation n'est guère plus contraignante que pour l'appellation bordeaux. Mais dans la pratique les viticulteurs cherchent à réserver pour cette appellation leurs meilleurs vins blancs. Aussi la production est-elle volontairement limitée (1 487 ha en production, 81 482 hl en 2003).

Le cépage le plus important est le sauvignon qui communique aux entre-deux-mers un arôme particulier très apprécié, surtout lorsque le vin est jeune.

BARON D'ESPIET 2003

■ 0,91 ha 8 000 ▮🍷 3 à 5 €

Cette puissante union, l'une des premières coopératives créées en Gironde, en 1932, propose un assemblage classique de 80 % de sauvignon et de 20 % de sémillon. Les fleurs blanches apparaissent avec subtilité, tandis que la bouche harmonieuse et légèrement fruitée présente une petite amertume qui lui donne du relief en finale. Très proche dans l'équilibre des cépages, le **Château La Lézardière 2003** est également cité : souple et léger, il sera apprécié à l'apéritif ou en accompagnement d'entrées froides.

🔑 Union de producteurs Baron d'Espiet,
Lieu-dit Fourcade, 33420 Espiet,
tél. 05.57.24.24.08, fax 05.57.24.18.91,
e-mail baron-espiet@dial.oleane.com ☑ Y ⚘ r.-v.

CH. DE BEAUREGARD-DUCOURT 2003 *

■ 13,45 ha n.c. ▮🍷 3 à 5 €

La famille Ducourt est liée par son histoire à la reconquête du vignoble sur les bois et les prés qui avaient envahi la région pendant la période de crise de 1929 à 1955. Elle a accompagné la mutation de l'Entre-deux-Mers des cépages blancs vers les cépages rouges dans la seconde partie du XX[e]s., tout en persévérant dans la production de vins blancs de qualité. Le sauvignon (70 %) domine ce 2003, mais le sémillon et la muscadelle apportent aussi leur empreinte. Le nez de pêche, de litchi et d'agrumes se montre un peu réservé, mais frais. Les arômes s'affirment dans une bouche d'abord ronde, puis vive, toujours élégante et d'une belle persistance. Il n'est pas interdit de servir cet entre-deux-mers avec des entremets sucrés.

🔑 SCEA Vignobles Ducourt, 18, rte de Montignac,
33760 Ladaux, tél. 05.57.34.54.00, fax 05.56.23.48.78,
e-mail vignobles-ducourt@wanadoo.fr ☑ Y ⚘ r.-v.

CH. BEL AIR PERPONCHER 2003 *

■ n.c. n.c. ▮🍷 5 à 8 €

Les trois cépages de l'appellation composent à parts égales ce vin charmeur, évocateur de fleurs printanières (seringa, acacia), de fruits du verger (pêche), de litchi et de fruit de la Passion dépaysants. Une harmonie se dessine entre les saveurs et devrait encore se parfaire dans le temps, ce qui n'est pas permis à tous les entre-deux-mers, mais ce Château fait référence dans la région.

🔑 SCEA Vignobles Despagne,
33420 Naujan-et-Postiac,
tél. 05.57.84.55.08, fax 05.57.84.57.31,
e-mail contact@despagne.fr ☑ Y ⚘ r.-v.

CH. BONNET 2003

■ 124 ha 800 000 ▮🍷 5 à 8 €

Le château Bonnet, dont l'histoire remonte au XVII[e]s., occupe des croupes argilo-calcaires au nord de l'Entre-deux-Mers. André Lurton s'en porta acquéreur en

Entre Garonne et Dordogne

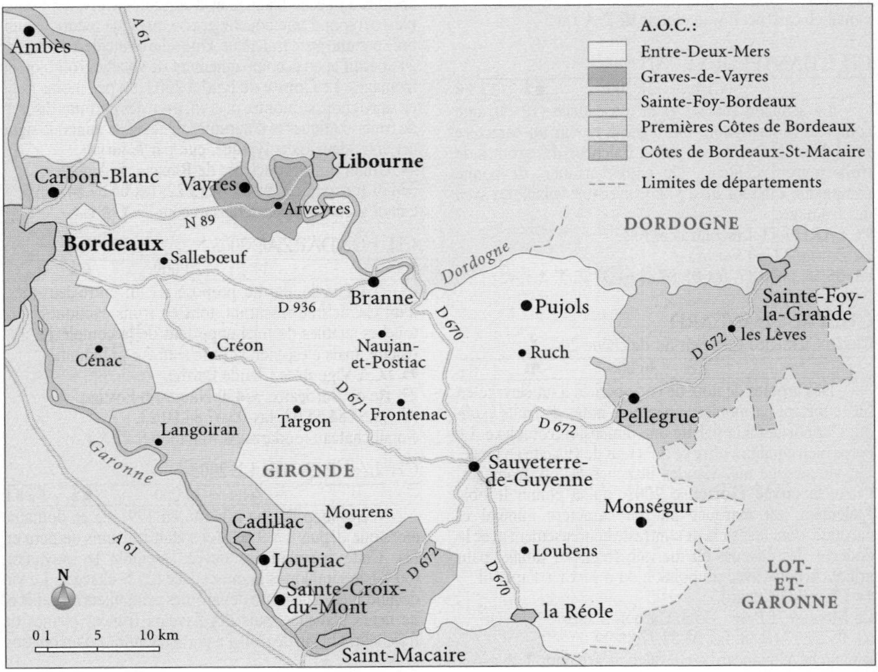

1956. Pimpant, alerte, presque vif, ce classique du Guide est tout en fleurs blanches. Il séduira vos amis à l'apéritif, avec des amuse-gueule raffinés.

⌁ André Lurton, Ch. Bonnet, 33420 Grézillac, tél. 05.57.25.58.58, fax 05.57.74.98.59, e-mail andrelurton@andrelurton.com ☑

CH. DE CASTELNEAU 2003

| | 7,5 ha | 20 000 | ⓘ♨ | 3 à 5 € |

Le château de Castelneau est une ancienne maison forte du XIIIᵉs. autour de laquelle s'étend un domaine de 98 ha. Des vendanges précoces expliquent la vivacité affirmée de ce vin issu à 50 % de sémillon, à 40 % de sauvignon et à 10 % de muscadelle. L'arôme de buis typique du sauvignon persiste tout au long de la dégustation, aux côtés d'un léger fruité. Equilibrée, la bouche dévoile en finale une petite amertume que les amateurs de coquillages apprécieront.

⌁ Vicomte Loïc de Roquefeuil, Ch. de Castelneau, 33670 Saint-Léon, tél. 05.56.23.47.01, fax 05.56.23.46.31, e-mail castelneau-roquefeuil@wanadoo.fr ☑ 🏰 ⌂ ⏉ ⚔ r.-v.

CH. CASTENET-GREFFIER 2003 ★

| | 6 ha | 35 000 | ⓘ♨ | 5 à 8 € |

François Greffier a su maîtriser l'élevage sur lies fines pour élaborer ce 2003 tout en délicatesse, équilibré et doux qui se prolonge agréablement. La palette d'agrumes et de fruit de la Passion offre un vrai plaisir et témoigne de la bonne maturité des raisins. Pour l'apéritif et des poissons à chair fine.

⌁ EARL François Greffier, Castenet, 33790 Auriolles, tél. 05.56.61.40.67, fax 05.56.61.38.82, e-mail ch.castenet@wanadoo.fr ☑ ⏉ ⚔ r.-v.

CH. CHANTELOUVE 2003 ★

| | 4,1 ha | 27 300 | ⓘ♨ | 3 à 5 € |

Le sémillon (60 %) et la muscadelle (10 %), que complète le sauvignon, ont légué à ce vin un caractère rond, bien mis en valeur par la fraîcheur des arômes de fruits (agrumes, litchi). Un entre-deux-mers de bonne compagnie, qui sera aussi à l'aise avec une volaille qu'avec des fromages.

⌁ EARL J.-C. Lescoutras et Fils, Le Bourg, 33760 Faleyras, tél. 05.56.23.90.87, fax 05.56.23.61.37 ☑ ⏉ ⚔ r.-v.

CHEVAL-QUANCARD

Cuvée Clémence Elevé en fût de chêne 2003 ★

| | n.c. | 36 000 | ⓪ | 3 à 5 € |

Des arômes de noix de coco hérités d'un élevage en fût se mêlent harmonieusement aux notes de fruits exotiques, apportant à la palette une dimension complexe. Le corps bien équilibré offre ce qu'il faut de vivacité en finale. Un vin destiné aux viandes blanches et aux fromages. Citée, la **cuvée Hortense 2003**, qui a connu le bois également, est marquée par un caractère minéral et citronné, dont la fraîcheur contraste heureusement avec la douceur des flaveurs du merrain (réglisse, vanille, pain grillé). A boire avec un poisson ou à servir à l'apéritif.

⌁ Cheval-Quancard, La Mouline, BP 36, 33560 Carbon-Blanc, tél. 05.57.77.88.88, fax 05.57.77.88.99, e-mail chevalquancard@chevalquancard.com ⏉ ⚔ r.-v.

CH. LA COMMANDERIE DE QUEYRET 2003 ★

| | 12 ha | 50 000 | ⓘ♨ | 3 à 5 € |

Ancienne propriété des Templiers datant du XIIIᵉs., ce domaine entré dans la famille Comin en 1967 réserve l'heureuse surprise d'un millésime 2003 au fruité mûr et persistant. Jouant un duo pêche-pomélo des plus réussis, cet entre-deux-mers se développe avec souplesse et sans aucune agressivité. Un vin de plaisir à apprécier avec une viande blanche ou un poisson au four.

⌁ Claude Comin, Ch. La Commanderie, 33790 Saint-Antoine-du-Queyret, tél. 05.56.61.31.98, fax 05.56.61.34.22, e-mail vignoblecomin@wanadoo.fr ☑ ⏉ ⚔ r.-v.

CH. DE CRAIN 2003 ★

| | 12 ha | 50 000 | ⓘ♨ | 3 à 5 € |

Muscadelle et sémillon se partagent 50 % de l'assemblage, le sauvignon prenant ses aises. Mais c'est un sauvignon civilisé qui se manifeste au nez, au travers d'arômes exquis de pêche, de fleurs blanches et même d'abricot. La chair est aussi fondante que celle des fruits d'été qu'elle évoque, et si un léger perlant persiste, c'est pour mieux souligner l'expression des flaveurs.

⌁ SCA de Crain, Ch. de Crain, 33750 Baron, tél. 05.57.24.50.66, fax 05.45.25.03.73, e-mail fougere@chateau-de-crain.com ☑ ⏉ ⚔ r.-v.
⌁ Fougère

FLEUR 2003 ★

| | n.c. | 30 000 | ⓘ♨ | 3 à 5 € |

Fondée en 1933, cette puissante cave de deux cent soixante-dix adhérents se situe près des ruines d'un château médiéval que l'on peut visiter. Fleur est un mariage de sauvignon (65 %) et de sémillon finement élaboré. Aux arômes de pêche blanche et d'abricot, élégamment complexes, répond une bouche grasse, presque tendre, équilibrée par une juste fraîcheur. Une jolie bouteille à découvrir à l'apéritif et en accompagnement de volailles rôties ou de fromages. Le **Comte de Rudel 2003**, un peu moins riche en sauvignon, se montre plus vif, avec des parfums discrets de fruits exotiques et d'agrumes. Une finale minérale signe cet entre-deux-mers typique, cité par le jury.

⌁ Union des Producteurs de Rauzan, L'Aiguilley, 33420 Rauzan, tél. 05.57.84.13.22, fax 05.57.84.19.96, e-mail accueil@cavesderauzan.com ☑ ⏉ ⚔ r.-v.

CH. FONDARZAC 2003 ★

| | 17 ha | 120 000 | ⓘ♨ | 3 à 5 € |

La famille Barthe propose ici un entre-deux-mers d'un classicisme rassurant, tout en fruits exotiques. Des touches subtiles de miel apportent de la complexité à la palette, mais c'est bien la fraîcheur qui prédomine.

⌁ SCA Vignobles Claude Barthe, 22, rte de Bordeaux, 33420 Naujan-et-Postiac, tél. 05.57.84.55.04, fax 05.57.84.60.23, e-mail chateau-fondarzac@wanadoo.fr ☑ ⚔ r.-v.

CH. LA FREYNELLE 2003

| | 4 ha | 30 000 | ⓘ♨ | 5 à 8 € |

Véronique Barthe a hérité en 1991 de ce domaine alors que depuis 1789 celui-ci s'était transmis de père en fils. Cette harmonieuse cuvée assemble le sauvignon (50 %), le sémillon et la muscadelle (25 % chacun). Le vin décline avec délicatesse des arômes printaniers de genêt et de fleurs blanches, puis des flaveurs fruitées pleines de fraîcheur. Un vin de plaisir à partager autour d'un poisson grillé.

☙ Vignobles Philippe Barthe, Peyrefus,
33420 Daignac, tél. 05.57.84.55.90, fax 05.57.74.96.57,
e-mail vbarthe@club-internet.fr ☑ ⏀ ☦ r.-v.

CH. GROSSOMBRE 2003

	7 ha	40 000	▮⬤	5 à 8 €

Béatrice Lurton a reconstitué le vignoble qui entourait l'élégante et sobre chartreuse du XVIIIᵉs. Si le sauvignon et le sémillon se partagent à 90 % la composition de ce vin, la muscadelle n'est pas étrangère à ses charmes. Une vendange mûre et un élevage bien maîtrisé se traduisent par une palette aromatique pleine, aux nuances de fleur de vigne, d'ananas, de pêche blanche et de fruit de la Passion mûrs. Le corps, très gras et rond, étonne les dégustateurs : il a le caractère du millésime.
☙ André Lurton, Ch. Bonnet, 33420 Grézillac,
tél. 05.57.25.58.58, fax 05.57.74.98.59,
e-mail andrelurton@andrelurton.com ☑
☙ Béatrice Lurton

CH. GUIBON 2003 ★

	5 ha	n.c.	▮⬤	5 à 8 €

Les arômes s'épanouissent sans retenue dans ce vin pâle à reflets verts : des fleurs du printemps (genêt, seringa) au zeste d'orange, en passant par d'intenses notes de fruits confits, de poire, de bourgeon de cassis. La bouche ample et ronde reprend et amplifie cette déclinaison harmonieuse, et trouve une agréable fraîcheur en finale. Un vin à déguster avec un entremets, une viande blanche ou un cantal.
☙ André Lurton, Ch. Bonnet, 33420 Grézillac,
tél. 05.57.25.58.58, fax 05.57.74.98.59,
e-mail andrelurton@andrelurton.com ☑

CH. HAUT-GARRIGA 2003

	2 ha	10 000	▮⬤	3 à 5 €

D'une réelle typicité malgré le millésime 2003 très chaud, ce vin minéral (pierre à fusil) dès la mise en bouche se développe avec vivacité jusqu'en finale. Il évoque au nez le buis, les fleurs et l'ananas, avec un zeste d'agrumes bien enlevé. « Joli moment de plaisir », conclut un dégustateur.
☙ EARL Vignobles C. Barreau et Fils, Garriga,
33420 Grézillac, tél. 05.57.74.90.06, fax 05.57.74.96.63,
e-mail barreau.alain@wanadoo.fr ☑ ⏀ ☦ r.-v.

CH. HAUT GUILLEBOT 2003 ★

	20 ha	n.c.	▮⬤	5 à 8 €

Pour qui veut bien marcher ou rouler sur quelques kilomètres, de beaux panoramas sur la Dordogne s'offrent au regard. Sur la route, le voyageur découvrira ce domaine qui s'est transmis de mère en fille depuis sept générations. Là, a été produit cet entre-deux-mers marqué par un sauvignon au bon tempérament. Le genêt et les fleurs blanches s'expriment volontiers, mais l'on décèle aussi sans peine des notes de miel d'acacia et de pêche juteuse. Le corps rond, sans aucune agressivité, est équilibré par une juste vivacité qui lui permet de s'étirer en finale. Pour l'apéritif ou une viande blanche.
☙ Eveline Rénier, Lugaignac, 33420 Branne,
tél. 05.57.84.53.92, fax 05.57.84.62.73,
e-mail chateauhautguillebot@wanadoo.fr
☑ ☦ t.l.j. 9h-12h 14h-18h; sam. dim. sur r.-v.;
f. 15-31 août

CH. HAUT NADEAU 2003 ★

	3,7 ha	22 000	▮⬤	3 à 5 €

La muscadelle contribue pour 17 % à l'assemblage d'un entre-deux-mers issu de vendanges très mûres, les baies ayant été régulièrement goûtées sur pied, dans le vignoble, pour suivre leur maturation. La chair est ronde, souple mais sans mollesse, émoustillée par un perlant de bon aloi qui souligne les parfums d'un raisin doré : rose, agrumes, litchi, miel d'acacia, abricot sec. Un 2003 complexe qui enchantera votre table aux côtés d'une viande blanche ou d'un fromage crémeux. Et pourquoi pas avec un petit régal : pain frais, jambon cru, noix, noisette, fromages divers et soupçon de confiture ?
☙ SCEA Ch. Haut Nadeau, 3, chem. d'Estévenadeau,
33760 Targon, tél. 05.56.20.44.07, fax 05.56.20.44.07,
e-mail hautnadeaupa@wanadoo.fr ☑ ⏀ ☦ r.-v.
☙ Audouit

CH. LAFITE MONTEIL 2003

	4 ha	19 000	▮	5 à 8 €

Gustave Eiffel fut propriétaire de cette maison bourgeoise entourée de chênes et de vignes. Le caractère de ce millésime est à la fois rond et vif, affichant des arômes de fruits exotiques (litchi, banane, pomélo). Un vin de coquillages.
☙ Jean Téchenet,
SCEA Ch. Grand Monteil, BP 8, 33370 Sallebœuf,
tél. 05.56.21.29.70, fax 05.56.78.39.91,
e-mail maisongrandmonteil@wanadoo.fr
☑ ⏀ t.l.j. sf sam. dim. 9h-12h 14h-17h

CH. LALANDE-LABATUT 2003 ★

	1,6 ha	12 000	▮⬤	5 à 8 €

Cette sélection composée à 90 % de sauvignon dispense d'agréables arômes de fleur d'oranger, de zeste de citron, nuancés de subtiles touches de pêche blanche et d'acacia. Ronde dès l'attaque, elle trouve une vivacité bienvenue en finale et laisse ainsi une séduisante sensation de fraîcheur. Un entre-deux-mers classique, tout indiqué pour les huîtres du bassin d'Arcachon.
☙ Dominique Falxa, 38, Labatut, 33370 Sallebœuf,
tél. 05.56.21.23.18, fax 05.56.21.20.98,
e-mail chateau.lalande-labatut@wanadoo.fr ⏀ ☦ r.-v.

CH. LESTRILLE 2003 ★

	1,3 ha	10 000	▮⬤	3 à 5 €

Un vin parfaitement élaboré. Certes, l'attaque est un peu vive et la finale enlevée, mais n'est-ce pas ce que l'on attend d'un entre-deux-mers. Le sémillon (45 %) et la muscadelle (35 %) ont façonné ce corps rond, aux arômes de pêche blanche, de fleurs mellifères, de bonbon anglais et d'orange. Vin d'apéritif à savourer tranquillement, vin de repas à servir avec des filets de sole.
☙ Jean-Louis Roumage,
Lestrille, 33750 Saint-Germain-du-Puch,
tél. 05.57.24.51.02, fax 05.57.24.04.58,
e-mail jlroumage@lestrille.com ☑ ⏀ ☦ r.-v.

CH. MARJOSSE 2003 ★

	5 ha	26 000	▮⬤	5 à 8 €

Le sémillon représente la moitié de l'assemblage de ce vin qui pourrait fort bien accompagner une viande blanche ou un fromage dans quelques mois. Sous une robe jaune pâle à reflets verts, le nez intense évoque les fruits exotiques mûrs : noix de coco, litchi sur fond d'agrumes. Le corps, à la fois frais et rond, se prolonge durablement.
☙ EARL Pierre Lurton, Ch. Marjosse,
33420 Tizac-de-Curton, tél. 05.57.55.57.80,
fax 05.57.55.57.84, e-mail pierre.lurton@wanadoo.fr

PERLE DES MERS Cuvée Prestige 2003

	2 ha	4 000	∎↓	- de 3 €

Cette coopérative créée en 1936 en limite de la Gironde et des côtes-de-duras, illustre la diversité des appellations de ces régions. Cet entre-deux-mers traduit bien son terroir. Intensément parfumé de buis, d'agrumes et de fleurs blanches, il possède un corps rond et ferme qui se prolonge sur une note de pierre à fusil caractéristique. Une bouteille de souvenir de vacances.
⚓ SCA Les Vignerons de Landerrouat-Duras, 33790 Landerrouat,
tél. 05.56.61.31.21, fax 05.56.61.40.79,
e-mail cave.landerrouatduras@tiscali.fr ☑ ⊺ ⋏ r.-v.

CH. PEYREBON 2003 ★

	3,8 ha	8 000	∎↓	3 à 5 €

La muscadelle et le sémillon (40 % chacun) signent avec le sauvignon un vin chaleureux, complexe et aromatique : miel d'acacia, pétale de rose, fruits exotiques mûris au soleil. La bouche laisse une impression suave, avec une vivacité à peine esquissée. Témoin du millésime 2003 atypique, cette bouteille n'en demeure pas moins très plaisante et accompagnera dignement une viande blanche.
⚓ Jean-François Robineau, Bouchet, 33420 Grézillac, tél. 05.57.84.56.73, fax 05.57.74.97.92 ☑ ⊺ ⋏ r.-v.

CH. RAUZAN DESPAGNE
Cuvée de Landeron 2003

	n.c.	n.c.	∎↓	5 à 8 €

Un vin gracieux, né d'un assemblage par tiers de sauvignon, de muscadelle et de sémillon. Le genêt et le buis s'expriment au nez, tandis qu'en bouche l'acacia, le miel, voire la brioche participent à une impression de rondeur chaleureuse, mais une certaine vivacité fait contraste.
⚓ SCEA Vignobles Despagne, 33420 Naujan-et-Postiac,
tél. 05.57.84.55.08, fax 05.57.84.57.31,
e-mail contact@despagne.fr ☑ ⊺ ⋏ r.-v.
⚓ J.-L. Despagne

CH. LA ROSE D'ARGENT
Vieilles Vignes Elevé en fût de chêne 2002

	1 ha	1 600	⦙⦙⦙	11 à 15 €

Ce vin issu de vignes de sémillon âgées de vingt-cinq ans a été élaboré selon des principes traditionnels : vignoble conduit en agriculture biologique, vendanges manuelles, pressurage en pressoir vertical à l'ancienne, fermentation en fût neuf, bâtonnage des lies et mise en bouteilles après une filtration légère. Les dégustateurs ont apprécié l'harmonie entre le fruit et un boisé vanillé-toasté. La bouche ronde dès l'attaque offre en finale un caractère vif et aromatique, très entre-deux-mers. Pour l'apéritif ou des crustacés.
⚓ SCEA La Rose d'Argent, 8, chem. de Gastineau, 33670 Saint-Léon, tél. 05.56.23.91.06, fax 05.56.23.91.06 ☑ ⊺ r.-v.
⚓ Hébert

CH. SAINTE-MARIE Madlys 2003 ★

	4 ha	8 500	∎↓	5 à 8 €

Marqués par le sauvignon (62 %), les arômes se montrent intenses et élégants dès le service, puis apparaissent des notes de fruits secs et de miel liées au passage sous bois qui s'installent également au palais. La bouche, bien sculptée, fait preuve de rondeur, ainsi que de vivacité en finale. Un beau mariage entre le bois et le vin. A déguster avec une viande blanche ou un fromage d'Auvergne.

⚓ Gilles et Stéphane Dupuch, 51, rte de Bordeaux, 33760 Targon,
tél. 05.56.23.64.30, fax 05.56.23.66.80 ☑ ⊺ ⋏ r.-v.

CH. LA TUILERIE DU PUY Cuvée Tradition 2003

	2,34 ha	14 000	∎↓	3 à 5 €

Proche de l'austère abbaye de Saint-Ferme et de la petite bastide de Monségur, le château La Tuilerie du Puy appartient à la même famille depuis 1616. Son 2003 privilégie le sauvignon (45 %), mais la muscadelle en tempère les ardeurs. Un perlant abondant, ainsi que des arômes de fruits exotiques, d'agrumes et de pêche blanche titillent les sens à la dégustation. Un peu trop discret au goût d'un dégustateur, ce vin n'en est pas moins élégant et flatteur.
⚓ SCEA Regaud, La Tuilerie, 33580 Le Puy,
tél. 05.56.61.61.92, fax 05.56.61.86.90,
e-mail regaud@free.fr
☑ ⊺ ⋏ t.l.j. 8h30-12h 14h-18h; sam. dim. sur r.-v.

CH. TURCAUD 2003 ★★

	15 ha	72 500	∎↓	5 à 8 €

A 2 km des ruines de la célèbre abbaye de La Sauve-Majeure, cette propriété de 45 ha avait obtenu le coup de cœur l'an passé pour son entre-deux-mers 2002. Distingué, parfumé, le 2003 se nuance d'arômes prometteurs de miel d'acacia, d'agrumes et d'amande grillée. Le sauvignon (34 %) le marque également de son empreinte (buis et vivacité). « J'aime », conclut un dégustateur.
⚓ EARL Vignobles Maurice Robert, Ch. Turcaud, 33670 La Sauve, tél. 05.56.23.04.41, fax 05.56.23.35.85, e-mail chateau-turcaud@wanadoo.fr ☑ ⊺ ⋏ r.-v.

CH. VRAI CAILLOU 2003 ★

	24,51 ha	135 000	∎↓	8 à 11 €

Un peu à l'écart des grandes routes et à moins d'une lieue du carrefour de Soussac, la butte de Launay est le point culminant de la Gironde ; les ruines d'un moulin rappellent que le blé a longtemps accompagné la vigne dans les exploitations agricoles. A la tête d'un domaine de plus de 80 ha, Michel Pommier propose un vin rond, bien équilibré et persistant, auquel le sauvignon ne participe que pour un tiers de l'assemblage. Les arômes ouverts, évocateurs d'agrumes, sont bien dans le ton de l'appellation. Un vin pour le week-end ou les soirées paisibles entre amis.
⚓ SAS Vignobles Michel Pommier, Vrai Caillou, 33790 Soussac, tél. 05.56.61.31.56, fax 05.56.61.33.52, e-mail vignoblespommier@aol.com ☑ ⊺ ⋏ r.-v.

Entre-deux-mers haut-benauge

Neuf communes situées autour de Targon, sur la même aire que le bordeaux-haut-benauge, peuvent ajouter le nom de haut-benauge.

CH. NICOT 2003

	4 ha	25 000	∎↓	5 à 8 €

Ce vin de caractère est controversé. Un dégustateur, connaisseur des ambitions de l'appellation, l'a très bien

noté. Un autre s'est inquiété de sa vivacité aiguisée par un perlant accentué. Mais le jury a apprécié l'élégance de la matière ronde, délicatement parfumée de fleurs blanches et de fruits mûrs.
🕿 Vignobles Dubourg, 545, Nicot, 33760 Escoussans, tél. 05.56.23.93.08, fax 05.56.23.65.77, e-mail bdubourg@wanadoo.fr ☑ ⟟ ⚘ r.-v.

CH. PEYRINES 2003

	2 ha	11 000	▤♨	5 à 8 €

Du château médiéval, il ne reste que quelques pierres dont celles qui portent le blason de la maison. Mais la tradition du bon vin se maintient : ce mariage sauvignon-sémillon nuancé de muscadelle (10 %) chante la fleur d'églantier et les agrumes. Ce 2003 est rond, bien présent, et la finale fraîche invite à le goûter avec des coquillages.
🕿 Behaghel, Ch. Peyrines, 33410 Mourens, tél. 05.56.61.98.05, fax 05.56.61.98.23
☑ ⟟ ⚘ t.l.j. 9h-20h

Graves-de-vayres

Malgré l'analogie du nom, cette région viticole, située sur la rive gauche de la Dordogne, non loin de Libourne, est sans rapport avec la zone viticole des Graves. Les graves-de-vayres correspondent à une enclave relativement restreinte de terrains graveleux, différents de ceux de l'Entre-Deux-Mers. Cette appellation a été utilisée depuis le XIXes., avant d'être officialisée en 1931. Initialement, elle correspondait à des vins blancs secs ou moelleux, mais la conjoncture actuelle tend à augmenter la production des vins rouges qui peuvent bénéficier de la même appellation.

La superficie totale du vignoble de cette région représente environ 490 ha de vignes rouges et 110 ha de vignes à raisins blancs ; une part importante des vins rouges est commercialisée sous l'appellation régionale bordeaux. En AOC graves-de-vayres, la production a atteint 22 517 hl en rouge et 6 700 en blanc en 2003 pour une superficie déclarée de 637 ha.

CH. BUSSAC 2001

	n.c.	40 000	▤⦀♨	5 à 8 €

Ce domaine de 25 ha est implanté sur des boulbènes sur graves. Ce 2001 a séduit nos dégustateurs par sa fraîcheur aromatique marquée par les fruits rouges et par son élégance en bouche où les tanins se révèlent présents et bien mûrs. A boire ou à garder deux ou trois ans.
🕿 SCEA Vignobles Cassignard, Bussac, 33870 Vayres, tél. 05.57.24.52.14, fax 05.57.24.06.00 ☑ ⟟ ⚘ r.-v.

CH. CANTELOUP 2003

	1 ha	4 000	▤♨	3 à 5 €

Ce vin blanc de pur sauvignon possède une robe jaune pâle aux reflets verts et il développe des arômes

d'agrumes, de fleurs, de pêche. Ample et ronde, la structure évolue en bouche avec harmonie. D'une bonne typicité de la région, une bouteille à servir sur un poisson grillé.
🕿 EARL Landreau, L'Hermette, 33750 Beychac-et-Caillau, tél. 05.56.72.97.72, fax 05.56.72.49.48 ☑ ⟟ r.-v.

CH. LA CHAPELLE BELLEVUE 2001 ★

	2 ha	10 000	⦀	8 à 11 €

Situé sur un sol sablo-graveleux, ce cru présente un 2001 très agréable : robe grenat sombre, bouquet expressif dominé par le fruit, les épices, le chocolat et le cuir. En bouche, les tanins sont mûrs, puissants, longs et demandent à s'assouplir en finale. Le laisser vieillir deux à cinq ans.
🕿 Lisette Labeille, Ch. La Chapelle Bellevue, chem. du Pin, 33870 Vayres, tél. 05.57.84.90.39, fax 05.57.74.82.40, e-mail lachapellebellevue@wanadoo.fr ☑ ⛪ ⟟ r.-v.

CH. FAGE Elevé en fût de chêne 2002 ★

	16 ha	100 000	⦀	3 à 5 €

Né sur un terroir de graves argilo-calcaires, ce 2002 s'habille de rubis brillant et se parfume discrètement de prune et de fruits mûrs. Sa structure tannique suave, ronde, est bien rehaussée par un fruité agréable. Un vin frais et stylé, à boire dans les trois ans à venir.
🕿 SA Ch. Fage, 33500 Arveyres, tél. 04.67.39.10.51, fax 04.67.39.15.33, e-mail maxcazottes@domainecaton.com ☑ ⚘ r.-v.

CH. GOUDICHAUD 2002 ★

	39 ha	50 000	⦀	5 à 8 €

Superbe propriété de 110 ha dont 47 sont consacrés à la vigne, ce château du XVIIIes., dessiné par Victor Louis, possède une façade semi-circulaire décorée. Il appartient à la famille Glotin depuis 1947. On y produit aujourd'hui de bons vins, comme ce 2002 au bouquet élégant de fruits noirs et de café. Rond et équilibré en bouche, il s'appréciera dès aujourd'hui mais pourra aussi vieillir deux ou trois ans. Le **Château Goudichaud blanc 2003** (3 à 5 €) est cité. Particulièrement aromatique (citron, fruits blancs), il séduit aussi par son ampleur et son équilibre. A boire maintenant pour lui-même ou sur les produits de la mer.
🕿 Paul Glotin, EARL Ch. Goudichaud, 33750 Saint-Germain-du-Puch, tél. 05.57.24.57.34, fax 05.57.24.59.90, e-mail chateau-goudichaud@wanadoo.fr ☑ ⟟ r.-v.

CH. HAUT BRONDEAU Moelleux 2003

	n.c.	7 000		3 à 5 €

Commandé par une maison bourgeoise du XIXes., ce domaine présente un vin blanc moelleux agréable, aux arômes de fleurs blanches, de menthol et de bonbon anglais. Plaisant en bouche, bien équilibré, il est déjà prêt pour un foie gras ou un fromage à pâte persillée.
🕿 SCEA du Ch. Haut Brondeau, 17, rte de Bordeaux, 33500 Arveyres, tél. 05.57.24.87.87, e-mail chateauhautbrondeau@wanadoo.fr ☑ ⟟ ⚘ r.-v.
🕿 Masse

CH. HAUT-GAYAT 2002 ★

	21 ha	n.c.	⦀	5 à 8 €

Ici, un parc classé que l'on peut visiter. Sur ce vaste domaine de 85 ha, 21 sont consacrés à ce 2002 rouge carmin profond, au bouquet élégant de grillé et de fraise des bois. Sa structure se révèle pleine, riche et équilibrée. Un vin à boire ou à garder deux ou trois ans.

⌐ Marie-José Degas,
La Souloire, 33750 Saint-Germain-du-Puch,
tél. 05.57.24.52.32, fax 05.57.24.03.72 ☑ ⏷ ⋏ r.-v.

CH. LATHIBAUDE 2003 ★

■	2 ha	12 000	⫴	5 à 8 €

70 % de sémillon, 20 % de sauvignon et 10 % de muscadelle dans cet excellent 2003 fermenté et élevé en barrique. La robe jaune paille brille de reflets dorés. Des notes de grillé, de beurre et d'ananas se marient parfaitement, alors que la rondeur et la complexité sont au rendez-vous en bouche. Un vrai plaisir à boire ou à garder deux ou trois ans. Le **Château Lathibaude rouge 2002 (8 à 11 €)** est cité ; il est aujourd'hui très marqué par le boisé, mais l'équilibre général est bon : l'attendre un à trois ans.

⌐ SCEV Michel Gonet et Fils,
Ch. Lesparre, 33750 Beychac-et-Caillau,
tél. 05.57.24.51.23, fax 05.57.24.03.99,
e-mail vins.gonet@wanadoo.fr ☑ ⏷ ⋏ r.-v.

CH. LESPARRE 2002

■	50 ha	230 000	▬⫴↓	8 à 11 €

Appartenant à la famille champenoise Gonet, bien implantée dans le Bordelais sur les deux rives, ce cru produit régulièrement de bons vins, comme ce 2002 aux arômes intenses et très marqués aujourd'hui par le boisé. D'un potentiel certain, il demande quelques années de vieillissement. Le **Château Lesparre blanc 2003 (5 à 8 €)** est cité ; il se distingue par des arômes de buis, de pêche et de grillé, et par son harmonie en bouche. Attendre un an.

⌐ SCEV Michel Gonet et Fils,
Ch. Lesparre, 33750 Beychac-et-Caillau,
tél. 05.57.24.51.23, fax 05.57.24.03.99,
e-mail vins.gonet@wanadoo.fr ☑ ⏷ ⋏ r.-v.

MAISON NOBLE DU PETIT PUCH 2002 ★

■	14 ha	n.c.	⫴	8 à 11 €

Acquis par ses nouveaux propriétaires en 1998, le Petit Puch est un superbe monument dont la construction remonte au XIVᵉs. Remanié, il reste un témoignage de l'ancrage viticole de l'aristocratie bordelaise. Ce 2002 étonne par sa robe rubis profonde et ses parfums de fruits légèrement dominés par un boisé intense mais de qualité. Dotée de tanins encore très présents mais équilibrés, qui demandent à s'assouplir, cette bouteille sera prête dans deux ou trois ans.

⌐ Isabelle et Patrice Chaland,
GFA du Petit Puch, 33750 Saint-Germain-du-Puch,
tél. 05.57.24.52.36, fax 05.57.24.01.82,
e-mail ipchaland@libertysurf.fr ☑ ⋏ r.-v.

CH. PICHON-BELLEVUE Cuvée Elisée 2002 ★

■	6 ha	n.c.	⫴	8 à 11 €

85 % de merlot et 15 % de cabernet franc plantés sur un sol graveleux ont donné naissance à cette cuvée dont la robe rouge carmin est brillante. Le bouquet boisé est intéressant, tout comme la structure tannique, équilibrée, encore marquée par l'élevage en barrique : deux ou trois ans de vieillissement semblent nécessaires.

⌐ Ch. Pichon-Bellevue, 33870 Vayres,
tél. 05.57.74.84.08, fax 05.57.84.95.04 ☑ ⏷ ⋏ r.-v.
⌐ Reclus

CH. LA PONTETE 2002 ★

■	18,65 ha	16 000	▬	5 à 8 €

Le vignoble de ce château est remarquablement situé sur le plus haut plateau de l'appellation, sur un terroir de graves alluvionnaires. Son vin présente une robe profonde annonçant un nez encore fermé où se discerne une note de cassis. Equilibrée, une bouteille à attendre un à trois ans. La **cuvée rouge 2002 élevée en fût de chêne** obtient également une étoile ; elle séduira les amateurs de vins vanillés et soyeux en bouche.

⌐ SCEA Ch. et S. Lacombe, Ch. La Pontète,
33870 Vayres, tél. 05.57.74.76.99, fax 05.57.74.79.88,
e-mail christianlacombe2@wanadoo.fr ☑ ⌂ ⏷ ⋏ r.-v.

CH. LE TERTRE
Cuvée du Baron Charles Elevé en fût de chêne 2001 ★

■	3 ha	15 000	⫴ ↓	8 à 11 €

Cette cuvée du château Le Tertre existe en rouge et en blanc ; elle obtient la même note dans les deux couleurs. Pour l'une, la robe pourpre brille de reflets rubis et son bouquet fruité est élégant et légèrement boisé. Ample et harmonieux, le palais affiche un bon équilibre. Un vin à boire d'ici un à trois ans. Le **blanc 2003** est élevé sept mois en barrique. Il possède des arômes exotiques (ananas) et d'agrumes ; vif en bouche, il est déjà harmonieux et prêt à boire. Quant au **Château Le Tertre blanc 2003 (5 à 8 €)**, cité, il est très aromatique et peut être bu dès maintenant.

⌐ Pierrette et Christian Labeille, Ch. Le Tertre,
33870 Vayres, tél. 05.57.74.76.91, fax 05.57.74.87.40,
e-mail clabeille@vignobles-labeille.com ☑ ⏷ ⋏ r.-v.

Sainte-foy-bordeaux

Cité médiévale à l'intérêt touristique évident, mais aussi cité du vin entre Lot-et-Garonne et Dordogne, Sainte-Foy a produit 2 006 hl de vin blanc et 14 520 hl de vin rouge en 2003 sur les 380 ha du vignoble.

CH. DU BRU Elevé en fût 2002 ★★

■	1,5 ha	7 500	⫴	11 à 15 €

Un assemblage typique de cabernet-sauvignon et de petit verdot pour ce 2002 remarquablement vinifié : la robe grenat est profonde. Le bouquet expressif de fruits mûrs se fond avec des notes boisées (vanille, cacao, fumé). Les tanins charnus, très présents, n'en sont pas moins équilibrés jusqu'en finale. Un beau vin de garde, à ouvrir dans trois à cinq ans.

⌐ SCEA du Bru, 33220 Saint-Avit-Saint-Nazaire,
tél. 05.57.46.12.71, fax 05.57.46.10.64 ☑ ⋏ r.-v.
⌐ Guy Duchant

CH. DU CHAMP DES TREILLES 2002

■	3,78 ha	9 000	⫴	11 à 15 €

A 300 m de l'église du XIIᵉs., ce domaine repris en main depuis quelques années a développé une politique de qualité qui porte ses fruits, introduisant le cépage petit verdot, plus fréquent en Médoc. Ce 2002 à la robe dense

et profonde mêle des notes de fleurs, de fruits rouges et de boisé léger. La bouche est ronde et fruitée, assez boisée mais bien équilibrée. A ouvrir dans deux ou trois ans.
🕿 Corinne et Jean-Michel Comme, Pibran,
33250 Pauillac, tél. 05.56.59.15.88, fax 05.56.59.15.88,
e-mail champdestreilles@9online.fr ☑ ⟆ ⚮ r.-v.

CH. DES CHAPELAINS
Cuvée La Découverte 2002 ★

	2 ha	14 000	⦅⦆ 8 à 11 €

Dans la même famille, depuis le XVIIᵉs., ce château produit depuis quelques années d'excellents vins à la fois à la pointe de la technologie et respectueux du terroir. En 2002, cette cuvée en blanc brille de reflets jaune paille ; les parfums d'épices et de citron se mêlent aux notes plus florales, les agrumes ressortent bien en bouche. Celle-ci reste équilibrée jusqu'en finale. Un vin à boire dans les deux ans. La cuvée **Prélude rouge 2002 (5 à 8 €)** est citée : ses tanins chaleureux ont besoin de s'assouplir avec deux ou trois ans de vieillissement.
🕿 Pierre Charlot,
Les Chapelains, 33220 Saint-André-et-Appelles,
tél. 05.57.41.21.74, fax 05.57.41.27.42,
e-mail chateaudeschapelains@wanadoo.fr
☑ ⚮ t.l.j. 8h30-12h 14h-17h30; sam. dim. sur r.-v.

CH. GRAND MONTET 2002 ★★

	2 ha	10 300	⦅⦆ 5 à 8 €

Situé sur un terroir d'argiles et de calcaire, ce château récemment sorti de la cave coopérative présente pour son deuxième millésime un vin remarquable issu à 70 % de merlot et à 30 % de cabernet franc. La robe grenat soutenu brille de reflets violines. Les arômes racés et complexes évoquent la vanille et les petits fruits bien mûrs. Les tanins généreux et veloutés évoluent avec du volume et beaucoup de persistance. Une bouteille tout en finesse, à apprécier dans deux à cinq ans.
🕿 Marie-France et Didier Roussel,
EARL Les Deux Domaines,
Le Montet, 33220 Saint-André-et-Appelles,
tél. 05.57.46.10.23, fax 05.57.46.10.23 ☑ ⟆ ⚮ r.-v.

CH. HOSTENS-PICANT
Cuvée d'Exception Lucullus 2002 ★★

	13,8 ha	33 000	🍶⦅⦆⚲ 23 à 30 €

Situé sur un terroir d'argiles, de graves et de calcaire, ce château fait régulièrement les honneurs du Guide, à l'image de cette cuvée d'exception au prix élevé. Derrière une robe profonde, les arômes complexes évoquent les fruits mûrs, le cuir, le grillé. Les tanins puissants, très boisés mais superbement équilibrés, conseillent de laisser ce vin s'épanouir encore trois à cinq ans. Le **blanc sec du château, la Cuvée des Demoiselles 2003 (11 à 15 €)**, mérite une citation pour sa belle harmonie en bouche entre le fruité et un boisé grillé élégant. Une bouteille à boire dans les trois prochaines années.
🕿 Ch. Hostens-Picant, Grangeneuve Nord,
33220 Les Lèves-et-Thoumeyragues, tél. 05.57.46.38.11,
fax 05.57.46.26.23, e-mail chateauhp@aol.com
☑ ⚮ t.l.j. sf dim. 9h-12h 14h-18h

CH. LES MANGONS Vieilles Vignes 2002

	n.c.	14 000	🍶⦅⦆⚲ 8 à 11 €

Ce château a choisi la culture en biodynamie : il propose ce 2002 aux arômes encore dominés par un bon

boisé, aux tanins fermes et équilibrés qui demandent à s'assouplir et à se fondre avec deux ou trois ans de vieillissement.
🕿 EARL Ch. Les Mangons, Les Mangons 3-4,
33220 Pineuilh, tél. 05.57.46.17.27, fax 05.57.46.17.67,
e-mail michel.comps@chateaulesmangons.com ☑ ⚮ r.-v.
🕿 Michel et Brigitte Comps

CH. MARTET Réserve de la Famille 2002 ★

	10 ha	36 000	⦅⦆ 15 à 23 €

Maison accueillant les pèlerins de Saint-Jacques-de-Compostelle, ce domaine fut coup de cœur l'an dernier. Son 2002 à la robe intense et très profonde offre un bouquet de fruits mûrs en harmonie avec un boisé chaleureux. Les tanins puissants, gras et équilibrés montrent le fort potentiel de ce vin à boire dans trois à cinq ans. **Les Hauts de Martet rouge 2002 (5 à 8 €)** obtient également une étoile : le fruit est très présent. Plus simple en bouche, il se boira plus vite (un à trois ans).
🕿 SCEA Ch. Martet, 33220 Eynesse,
tél. 05.57.41.00.49, fax 05.57.41.09.36,
e-mail pdc@deconinckwine.com ☑ ⟆ ⚮ r.-v.
🕿 Patrick de Coninck

CH. PICHAUD SOLIGNAC
Cuvée des Danaïdes 2002 ★

	n.c.	12 000	⦅⦆ 8 à 11 €

Planté sur une croupe ensoleillée et naturellement drainée, le vignoble s'étend autour d'une ancienne ferme et de son pigeonnier. En 2002, cette cuvée spéciale séduit par ses arômes (fruits rouges, épices, cuir). Ses tanins puissants et racés accompagnent un boisé intense équilibré par une fraîcheur finale bienvenue. Attendre deux à cinq ans. La **cuvée classique rouge 2002** est citée pour son bouquet de fruits rouges confits et sa structure souple et harmonieuse : à boire ou à garder deux ou trois ans.
🕿 EARL Pichaud Solignac,
La Niolaise, 33790 Pellegrue, tél. 05.56.61.43.55,
fax 05.56.61.43.55, e-mail ch-pic-sol@terre-net.fr ☑
🕿 Delbeuf

CH. TROIS FONDS 2003

	0,3 ha	n.c.	🍶⚲ 3 à 5 €

75 % de sauvignon dans l'assemblage de ce vin blanc à la robe jaune pâle et au bouquet de fleurs, de citron et de fruits blancs. En bouche, la vivacité et la fraîcheur lui confèrent une bonne harmonie. Un plaisir à apprécier immédiatement.
🕿 EARL Jacques et Sébastien Deffarge,
23, La Beysse, 33220 Eynesse,
tél. 05.57.41.02.65, fax 05.57.41.01.42 ☑ ⟆ ⚮ r.-v.

Premières-côtes-de-bordeaux

La région des premières-côtes-de-bordeaux s'étend, sur une soixantaine de kilomètres, le long de la rive droite de la Garonne, depuis les portes de Bordeaux jusqu'à Verdelais. Les vignobles sont implantés sur des coteaux qui dominent le fleuve et offrent de magnifiques points de vue. Les sols y sont très variés : en bordure de la Garonne, ils sont constitués d'alluvions récentes, et certains donnent d'excellents vins rouges ; sur les coteaux, on trouve des sols graveleux ou calcaires ; l'argile devient de plus en plus abondante au fur et à mesure que l'on s'éloigne du fleuve. L'encépagement, les conditions de culture et de vinification sont classiques. Le vignoble pouvant revendiquer cette appellation représente 3 525 ha en rouge et 310 ha en blanc doux ; une part importante des vins, surtout blancs, est commercialisée sous des appellations régionales bordeaux. Les vins rouges (143 833 hl en 2003) ont acquis depuis longtemps une réelle notoriété. Ils sont colorés, corsés, puissants ; les vins produits sur les coteaux ont en outre une certaine finesse. Les vins blancs (8 779 hl) sont des moelleux qui tendent de plus en plus à se rapprocher des liquoreux.

CH. ARNAUD JOUAN
Elevé en fût de chêne 2001 *

■ 40 ha 280 000 5 à 8 €

Issu d'un vaste vignoble, ce vin n'a rien de confidentiel. Sa robe, d'un rouge profond, annonce sa bonne structure, que soutiennent des tanins ronds et souples. Toujours boisé, avec des arômes de grillé et de toast, son bouquet demande encore à s'épanouir. Ce qui sera chose faite d'ici deux ou trois ans.

Les Hauts de Palette, 4 bis, chem. de Palette, 33410 Béguey, tél. 05.56.62.94.85, fax 05.56.62.18.11, e-mail h-d-p@wanadoo.fr r.-v.

CH. BRETHOUS Cuvée Prestige 2001 **

■ n.c. 40 000 11 à 15 €

Savoir passer la main est un art difficile. A Brethous – du nom d'un jurat au parlement de Bordeaux au XVIIIe s., fondateur du domaine –, la transmission de témoin a été réussie. Passé près du coup de cœur, ce vin en témoigne par sa concentration et sa complexité aromatique. Souple et puissante, sa présence tannique sait lui donner un bon potentiel sans l'empêcher de se montrer déjà agréable.

Denise et Cécile Verdier, Ch. Brethous, 33360 Camblanes, tél. 05.56.20.77.76, fax 05.56.20.08.45, e-mail brethous@libertysurf.fr t.l.j. 8h30-18h30; sam. dim. sur r.-v.

CH. DE CAILLAVET Cuvée Prestige 2002

■ 56,8 ha 50 000 5 à 8 €

« Site inspiré », ce château fut régulièrement visité par Anatole France. Encore un peu sévère en finale, sa cuvée Prestige méritera d'être attendue trois ou quatre ans, sa puissance et ses tanins équilibrés lui permettant d'évoluer favorablement et d'être servie sur un gibier.

Ch. de Caillavet, Morin, 33550 Capian, tél. 05.57.97.75.75, fax 05.56.72.13.23 r.-v.

CH. CARIGNAN Elevé en barrique 2001 **

■ 28 ha 180 000 8 à 11 €

Construit au XVe s. par un compagnon de Jeanne d'Arc, ce château a fière allure, même si les siècles suivants l'ont remanié. Tannique, puissant et riche, son vin est lui aussi fort bien bâti et méritera un séjour en cave. Sa matière est rejointe par sa complexité aromatique pour laisser le souvenir d'un très bel ensemble.

GFA Philippe Pieraerts, Ch. Carignan, 33360 Carignan-de-Bordeaux, tél. 05.56.21.21.30, fax 05.56.78.36.65, e-mail tt@chateau-carignan.com r.-v.

CH. DE CHELIVETTE Cuvée Elisabeth 2001 *

■ 2,5 ha 3 000 11 à 15 €

Cuvée prestige, ce vin a fait l'objet de soins attentifs, comme le prouve son évolution au cours de la dégustation. D'un rubis intense, il développe un bouquet aux fines notes fruitées. Ample et souple, il possède la matière nécessaire pour être attendu trois ou quatre ans. La **cuvée principale 2002 (8 à 11 €)** a été citée.

Jean-Louis Boulière, Ch. de Chelivette, BP 6, Sainte-Eulalie, 33564 Carbon-Blanc Cedex, tél. 05.56.06.11.79, fax 05.56.38.01.97, e-mail chelivette@wanadoo.fr r.-v.

CH. LA CHEZE Elevé en fût de chêne 2002 *

■ 10 ha 40 000 5 à 8 €

Ancien relais de chasse, cette jolie demeure ne manque pas de charme. C'est plutôt par sa puissance que ce vin a choisi de s'exprimer. Reposant sur un bel équilibre entre l'élevage en barrique et sa matière dense, sa solide structure permettra au bouquet de s'ouvrir, ce qui devrait être chose faite d'ici trois ou quatre ans.

Rontein-Priou, La Chèze, 33550 Capian, tél. 05.56.72.11.77, fax 05.56.72.11.77 r.-v.

CLOS BOURBON Vieilli en fût de chêne 2002

■ 2,7 ha 17 000 5 à 8 €

Issu d'un vignoble à dominante de merlot (90 %), ce vin en porte la trace dans ses arômes de fruits rouges, même si le bois l'emporte encore. Souple et gras, il pourra être bu dans un an.

d'Halluin, Clos Bourbon, 33550 Paillet, tél. 05.56.72.11.58, fax 05.56.72.13.76, e-mail closbourbon@club-internet.fr t.l.j. sf sam. dim. 9h-12h 14h-17h; ven. 9h-12h

CLOS SAINTE ANNE 2001 *

■ 4,4 ha 36 000 8 à 11 €

Surtout connus pour leurs bordeaux, les vignobles Courselle n'en proposent pas moins un joli premières-côtes. S'il évolue avec beaucoup de fraîcheur et de douceur tout au long de la dégustation, celui-ci révèle une bonne charpente tannique qui invite à l'attendre quelques années.

Sté des Vignobles Francis Courselle, Ch. Thieuley, 33670 La Sauve, tél. 05.56.23.00.01, fax 05.56.23.34.37, e-mail chateau.thieuley@wanadoo.fr r.-v.

CH. CRABITAN-BELLEVUE 2002

5 ha 9 000 5 à 8 €

Même s'il peut sembler encore un peu lourd en finale, ce vin, frais et vif, demeure intéressant par sa constitution et son expression aromatique aux jolies notes de pêche fraîche.

GFA Bernard Solane et Fils, Crabitan, 33410 Sainte-Croix-du-Mont, tél. 05.56.62.01.53, fax 05.56.76.72.09 t.l.j. sf dim. 8h-12h 14h-18h

CH. CROIX DE BERN
Cuvée Julien Elevé en fût de chêne 2002

■ 4 ha 15 000 🛢 8 à 11 €

Le bouquet de cette cuvée, marqué par l'élevage en fût, ne l'empêche pas de développer de jolies notes de fruits associées au cuir. Son équilibre et ses tanins lui ouvrent les portes de la cave pour une petite garde qui lui permettra de s'affiner.

⊶ Vignobles Méric et Fils,
Ch. Bel Air, 33410 Sainte-Croix-du-Mont,
tél. 05.56.62.01.19, fax 05.56.62.09.33,
e-mail jeanguy.meric@tiscali.fr ☑ 🍷 🚶 r.-v.

LE DELICE D'EXCEPTION
Cuvée Cédric Elevé en fût de chêne 2002

■ 1,5 ha 5 000 🛢 11 à 15 €

Cette sympathique cuvée aurait sans doute mérité un peu plus de longueur, sa matière, ronde et bien équilibrée, possédant la puissance nécessaire pour laisser au bouquet le temps de développer ses plaisants parfums de fruits mûrs.

⊶ SCEA des Vignobles Larroque, 15, allée de Gageot,
33550 Paillet, tél. 05.56.72.16.02, fax 05.56.72.34.44,
e-mail vignobles.larroque@wanadoo.fr ☑ 🚶 r.-v.

CH. LE DOYENNE 2001 ★

■ 6 ha 33 000 ▮🛢🌡 8 à 11 €

Si son bouquet, encore assez fermé, est presque masqué, ce vin s'épanouit au palais, qui tient les promesses de la robe, profonde et intense. Concentré et puissant, doté d'arômes complexes mêlant les fruits noirs aux notes torréfiées, vanillées, il invite à la patience. On l'attendra autour de trois à quatre ans.

⊶ SCEA du Doyenné,
27, chem. de Loupes, 33880 Saint-Caprais-de-Bordeaux,
tél. 05.56.78.75.75, fax 05.56.21.30.09,
e-mail doyenne@francom.fr 🏨 🏠 🍷 🚶 r.-v.

L'ACANTHE DE DUDON 2001 ★★

■ 0,5 ha 2 240 🛢 8 à 11 €

Propriété de l'importante famille Merlaut, ce cru propose avec cette cuvée un vin agréable à l'œil avec sa couleur intense et brillante. Et pas seulement à l'œil, comme le prouve son bouquet où un boisé bien dosé se combine avec les fruits exotiques pour composer un ensemble harmonieux. Ses fins tanins permettront de l'apprécier dès à présent ou de l'attendre quelques années.

⊶ SARL Dudon, Ch. Dudon, 33880 Baurech,
tél. 05.57.97.77.35, fax 05.57.97.77.39,
e-mail jmerlaut@jean-merlaut.com ☑ 🍷 🚶 r.-v.
⊶ Jean Merlaut

CH. FAYAU Cuvée Jean Médeville 2001 ★

■ 5 ha 25 000 🛢 5 à 8 €

Siège de la maison Médeville, négociant établi de longue date à Cadillac, ce cru produit un vin puissant, tant par son bouquet aux notes de toast et de café qu'au palais marqué par le bois. Celui-ci, d'un beau volume, peut évoluer à la garde, tandis que son côté fruité le rend déjà plaisant.

⊶ SCEA Jean Médeville et Fils, Ch. Fayau,
33410 Cadillac, tél. 05.57.98.08.08, fax 05.56.62.18.22,
e-mail medeville-jeanetfils@wanadoo.fr ☑ 🍷 🚶 r.-v.

CH. DE FONTES
Cuvée Marie-Pierre Elevé en fût de chêne 2001

■ 4 ha 15 000 🛢 3 à 5 €

Ce vignoble de 12 ha est situé sur l'un des plus hauts plateaux de l'AOC. Sans afficher de prétentions exceptionnelles, ce vin se montre intéressant par sa bonne matière, à la fois souple et tannique, et son bouquet aux fraîches notes de fruits rouges. Déjà plaisant, il pourra aussi être attendu quelques années.

⊶ Bernard Balan, 101, Loustalet, 33550 Capian,
tél. 05.56.23.60.49, fax 05.56.23.65.41
☑ 🍷 🚶 t.l.j. sf dim. 8h-12h 15h-18h; f. août

CH. LA FORET Cuvée Prestige
Vieilli en fût de chêne 2001 ★

■ 2 ha 13 000 🛢 5 à 8 €

S'il demande encore à s'affiner, ce vin n'en demeure pas moins intéressant par son expression aromatique (toujours fraîche) et sa structure qui s'accordent avec la robe pour indiquer sa jeunesse. Plus souple, la **cuvée principale 2001** a obtenu une citation.

⊶ SCEA Ch. La Forêt, 33880 Cambes,
tél. 05.56.21.31.25, fax 05.56.78.71.80,
e-mail chateaulaforet@wanadoo.fr ☑ 🍷 🚶 r.-v.
⊶ d'Herbigny

CH. GOURRAN 2001

■ 6,5 ha 40 000 ▮🛢🌡 5 à 8 €

Issu d'un vignoble à l'encépagement diversifié avec même 10 % de petit verdot, ce vin souple et rond possède des tanins civilisés et un bouquet suffisamment expressif pour être attendu quelques années.

⊶ SARL Ch. de Haux, 33550 Haux,
tél. 05.57.34.51.12, fax 05.57.34.51.15,
e-mail haux@wanadoo.fr ☑ 🏠 🍷 🚶 r.-v.
⊶ Kaare Thal-Jantzen

CH. GRIMONT Cuvée Prestige 2002 ★

■ 8 ha 55 000 🛢 5 à 8 €

Bien construite, la cuvée Prestige du Château Grimont se présente dans une robe limpide à reflets noirs. Son boisé généreux ne masque pas les arômes de fruits noirs. L'attendre un ou deux ans pour le servir sur une entrecôte, un gibier ou du fromage.

⊶ SCEA Pierre Yung et Fils,
Ch. Grimont, 33360 Quinsac,
tél. 05.56.20.86.18, fax 05.56.20.82.50 ☑ 🍷 🚶 r.-v.

CH. HAUT-BRANA Elevé en fût de chêne 2001 ★

■ 8 ha 12 000 ▮🛢🌡 8 à 11 €

Dominant le village de Rions, ce cru bénéficie d'un splendide point de vue. Et comme c'est souvent le cas, beau panorama est synonyme de bon terroir. On n'en doutera pas en dégustant son vin rouge, finement bouqueté et bien construit, avec de la souplesse, de la matière et de la longueur. On n'en doutera pas non plus avec son **blanc 2002**. Généreux et élégant, il a également obtenu une étoile.

⊶ Brigitte Botquelen, 33410 Rions,
tél. 05.56.62.19.12, fax 05.56.62.65.83,
e-mail chateau-du-brana@wanadoo.fr ☑ 🍷 🚶 r.-v.

CH. HAUT GAUDIN
Cuvée Prestige Elevé en fût de chêne 2001 ★

■ 5 ha 30 000 🛢 5 à 8 €

Appartenant à la cuvée Prestige de ce cru situé à 1 km du château médiéval des Benauges, ce vin se présente dans une robe rubis franc et intense. La vanille, perceptible dès le premier nez, révèle un élevage bien dosé, tandis que le palais montre par ses fins tanins que cette bouteille va bien évoluer et se mariera heureusement avec la cuisine traditionnelle.

⌐ Vignobles Dubourg, 545, Nicot, 33760 Escoussans,
tél. 05.56.23.93.08, fax 05.56.23.65.77,
e-mail bdubourg@wanadoo.fr ☑ ⫟ ⋏ r.-v.

CH. HAUT LA PEREYRE
Cuvée Meste Jean 2002 ★

■	4,96 ha	17 000	⬛ 5 à 8 €

Fait désormais rare pour l'appellation, ce cru a gardé
une forte majorité de cabernet-sauvignon (75 %). Cela ne
lui réussit pas mal, si l'on en juge d'après ce vin à la robe
profonde. Souple et bien constitué, il s'appuie sur une
solide structure tannique qui demandera encore deux à
trois ans pour s'arrondir complètement.
⌐ EARL Vignobles Cailleux,
La Pereyre, 33760 Escoussans,
tél. 05.56.23.63.23, fax 05.56.23.64.21 ☑ ⋏ r.-v.

CH. HAUT MAURIN
Cuvée Vieilles Vignes Elevé en fût de chêne 2001

■	11,2 ha	20 000	⬛ 5 à 8 €

Souple mais bien construit, ce vin est plaisant par son
expression aromatique qui marie la vanille du bois aux
fruits rouges. On le servira jeune sur une viande grillée.
⌐ EARL Vignobles Sanfourche,
rue Grand-Village, 33410 Donzac,
tél. 05.56.62.97.43, fax 05.56.62.16.87 ☑ ⫟ ⋏ r.-v.

CH. HENRY DE FRANCE 2002

■	3 ha	4 200	⬛ 5 à 8 €

Un nom qui peut surprendre, qui fait sans doute
référence au bon roi Henri IV que la viticulture française
aime souvent citer, et pas seulement sur ses terres d'origine. Ce vin, encore sévère en finale, possède la matière
suffisante pour bien évoluer à la garde. Sa robe brillante et
sombre, et ses parfums de fruits mûrs que ne cache pas le
boisé sont signes de qualité.
⌐ Jean-Jacques Hias,
20, rue des Vignerons, 33560 Sainte-Eulalie,
tél. 05.56.38.92.41, fax 05.56.38.81.82 ☑ r.-v.

CH. JORDY D'ORIENT
Vieilli en fût de chêne 2002 ★

■	2 ha	14 000	■⬛⌂ 5 à 8 €

Pratiquant la lutte raisonnée, Laurent Descorps
propose un vin bien équilibré. Tant par son bouquet, où de
discrets arômes de fruits rouges sont renforcés par de fines
notes boisées, qu'au palais, souple à l'attaque et plus
tannique en finale. Un à deux ans de garde conseillés.
⌐ Laurent Descorps,
Ch. Haut-Liloie, 33760 Escoussans,
tél. 05.56.23.94.23, fax 05.57.34.40.09 ☑ ⫟ ⋏ r.-v.

CH. LAFITTE Elevé en fût de chêne 2001

■	1 ha	5 000	⬛ 8 à 11 €

Cuvée prestige, élevée en fût, ce vin s'annonce par
une robe des plus parlantes. Quelques petites traces
d'évolution apparaissent mais sans gâcher la belle impression que procure sa limpidité et sa brillance. On pourra
donc sans avoir à attendre profiter de ses doux tanins, de
sa longueur et de son bouquet aux arômes de fruits mûrs,
de gibier et de sous-bois.
⌐ Philippe Mengin,
SCE Ch. Lafitte, 6, rte de la Lande, 33360 Camblanes,
tél. 05.56.20.77.19, fax 05.56.20.00.18,
e-mail scchateaulafitte@aol.com ☑ ⫟ r.-v.

CH. LAGAROSSE Les Comtes 2002 ★★

■	3,5 ha	10 000	⬛ 15 à 23 €

CHATEAU LAGAROSSE
Les Comtes
2002

Coup de cœur l'an dernier, ce cru réitère cet exploit.
A l'image du château lui-même, ce très beau 2002 présente
un visage majestueux. Par sa robe, splendide livrée d'un
rubis sombre, mais aussi par son bouquet, où les notes
torréfiées et toastées se marient avec les fruits rouges, et
par son palais, long et tannique. Bien équilibré, il sera
attendu quatre ou cinq ans, voire davantage, avant
d'égayer un repas de gourmet avec une belle pièce de
viande rouge suivie d'un pont-l'évêque fermier.
⌐ SAS Ch. Lagarosse, 33550 Tabanac,
tél. 05.56.67.00.05, fax 05.56.67.58.90,
e-mail lagarosse@wanadoo.fr ☑ ⫟ ⋏ r.-v.

CH. LARONDE Cuvée Prestige
Elevé en fût de chêne 2001

■	2,6 ha	10 000	⬛ 5 à 8 €

Même si son bouquet, encore discret, est un peu
dominé par l'élevage, ce vin bien construit conserve un bon
équilibre. Tannique, il devrait s'ouvrir et s'affiner d'ici un
à deux ans.
⌐ SCEA Moncho-Yung, Ch. Lapeyrere,
4, chem. de Palette, 33410 Béguey,
tél. 05.56.62.69.25, fax 05.56.62.69.25,
e-mail catherine-moncho-yung@wanadoo.fr ☑ ⋏ r.-v.

CH. DE LAVILLE Elevé en fût de chêne 2002 ★★

■	18 ha	20 000	⬛ 5 à 8 €

Nouveau venu dans le Guide, ce cru au joli terroir fait
une belle entrée avec ce vin dont le bouquet montre sa
complexité (fruits noirs et rouges, épices et notes animales). Cette impression favorable se confirme au palais qui
révèle une structure équilibrée avec une bonne matière
tannique. Une réussite. Déjà agréable tout en pouvant
vieillir, ce vin augure bien de l'avenir de cette aimable
propriété.
⌐ Laurent Gapenne, Laville, 33550 Lapian,
tél. 05.56.72.36.18, fax 05.56.72.38.18 ☑ ⫟ ⋏ r.-v.

CH. LENORMAND Elevé en fût de chêne 2002 ★★

■	2,5 ha	13 000	⬛ 5 à 8 €

Comme beaucoup de crus du Haut Benauge, ce
château possède des vignes en premières-côtes. De son
élevage en fût, son 2002 a retiré des parfums de vanille et
de grillé qui contribuent à la richesse du bouquet. Concentré, d'une bonne présence tannique, le palais révèle une
solide structure qui appelle quatre ou cinq ans de patience
avant d'ouvrir cette remarquable bouteille.
⌐ SCEA des Vignobles Menguin, 194, Gouas,
33760 Arbis, tél. 05.56.23.61.70, fax 05.56.23.49.79,
e-mail vignoblesmenguin@caris.fr ☑ ⫟ ⋏ r.-v.

CH. DE LESTIAC
Cuvée Prestige Elevé en fût de chêne 2002 ★★

■	55,7 ha	50 000	Ⅲ	5 à 8 €

Ce cru ne représente qu'une petite partie des vignobles des Gonfrier, qui s'étendent sur quelque 240 ha. Encore marqué par le bois, leur 2002 demande à être un peu attendu. Mais sa robe d'un rouge soutenu à reflets violines indique qu'il est encore jeune ; ce que confirme le palais qui laisse sur le souvenir d'un ensemble élégant. Le **Château de Marsan 2002 (3 à 5 €)**, du même producteur, est cité.

🕊 SCEA Gonfrier Frères,
Ch. de Marsan, 33550 Lestiac-sur-Garonne,
tél. 05.56.72.14.38, fax 05.56.72.10.38,
e-mail gonfrier@terre-net.fr ⵜ ⵏ r.-v.

SPECIAL CUVEE DU CH. LEZONGARS 2001 ★★

■	3,5 ha	15 000	Ⅲ	23 à 30 €

Cuvée prestige, ce vin a été élevé dix-huit mois en fût. Son bouquet en porte la marque avec des notes grillées et vanillées. Mais tout en étant dominantes, celles-ci n'empêchent pas les autres parfums de laisser deviner leur future personnalité. Puissant, tannique et bien équilibré, l'ensemble est de qualité et de garde. La **cuvée principale 2001 (8 à 11 €)** reçoit une citation.

🕊 SC Ch. Lezongars,
323, Roques-Nord, 33550 Villenave-de-Rions,
tél. 05.56.72.18.06, fax 05.56.72.31.44,
e-mail info@chateau-lezongars.com ✓ ⵜ ⵏ r.-v.
🕊 Philip Iles

CH. MESTREPEYROT Cuvée Tradition 2002 ★

■	5 ha	3 400	Ⅲ	5 à 8 €

Possédant une jolie collection de crus, les vignobles Chassagnol proposent ici un vin plaisant et bien constitué. Débutant par un bouquet développé et complexe dans lequel le bois se fond délicatement, il se développe ensuite au palais où se révèle une belle structure. Sa longue finale vient conclure positivement la dégustation, en apportant de solides garanties sur son potentiel de garde.

🕊 GAEC Vignobles Chassagnol, Bern,
33410 Gabarnac, tél. 05.56.62.98.00, fax 05.56.62.93.23
✓ ⵜ ⵏ t.l.j. 8h-12h 14h-18h; sam. dim. sur r.-v.;
f. 15-23 août

CH. DE MILLE Elevé en fût de chêne 2002 ★

■	8 ha	50 000	Ⅲ	5 à 8 €

Année de la rénovation des chais de ce cru, chartreuse du XVIIIᵉs. appartenant à la famille Lurton, 2002 est aussi un joli millésime. Robe rubis, limpide et intense, bouquet expressif (fruits rouges et pruneau), sa présentation n'est pas trompeuse. Par sa matière et son équilibre, le palais possède la richesse qui lui permettra de séjourner plusieurs années à la cave.

🕊 SARL Les Vins Dominique Lurton, Martouret,
33750 Nérigean, tél. 05.57.24.50.02, fax 05.57.24.03.30,
e-mail d.lurton@martouret.com ✓ ⵜ ⵏ r.-v.

CH. MONTJOUAN 2001 ★

■	7,83 ha	25 000	▮Ⅲ↓	5 à 8 €

Jolie maison de campagne aux portes de Bordeaux, ce domaine bénéficie d'un bon terroir argilo-calcaire. Bien soutenu par le bois, son vin annonce ses prétentions par sa couleur grenat. Encore discret, le bouquet associe les fruits rouges aux épices. Ample, souple et tannique, sa structure lui permettra d'être attendu, tout en étant déjà plaisant.

🕊 Anne-Marie et Patrick Le Barazer,
Ch. Montjouan, 1, côte du Piquet, 33270 Bouliac,
tél. 05.56.20.52.18, fax 05.56.20.90.31 ✓ r.-v.

CH. MONT-PERAT 2002 ★★

■	8 ha	n.c.	Ⅲ	15 à 23 €

Que ce soit dans l'entre-deux-mers ou ici en premières-côtes, les Despagne sont des perfectionnistes. Ce vin à la robe sombre presque noire et au bouquet complexe le prouve. Souple et soyeux, avec des tanins et une matière de bonne qualité, il gagnera à être attendu trois ou quatre ans, même s'il est déjà plaisant. Du même producteur, le **Château Franc-Perat 2002 (8 à 11 €)** est cité.

🕊 SCEA de Mont-Pérat, 33550 Capian,
tél. 05.57.84.55.08, fax 05.57.84.57.31,
e-mail contact@despagne.fr
🕊 J.-L. Despagne

CH. NENINE 2002 ★★

■	8,5 ha	60 000	▮Ⅲ↓	8 à 11 €

Issu d'un domaine fondé par les Augustins, moines ayant mis en valeur la région, ce cru propose ici un vin à nette majorité de cabernets (sauvignon et franc). Un bon choix, si l'on en juge d'après ce vin qui se présente avec une couleur d'un rouge intense. Fort d'un riche bouquet, aux notes de fruits rouges et de vendange mûre avec une touche boisée, il révèle au palais une belle matière, solidement charpentée. Gracieux, distingué, long et persistant, il possède un intéressant potentiel de garde : il faudra patienter trois ou quatre ans avant de le servir sur un plat raffiné. La **cuvée des Augustins 2001** obtient une étoile. De bonne garde mais plus simple, presque rustique, elle sera servie sur une viande rouge.

🕊 SCEA des coteaux de Nénine,
Ch. Nénine, 33880 Baurech,
tél. 05.56.78.70.78, fax 05.56.78.70.78 ✓ ⵜ r.-v.

CH. DE PIC Cuvée Tradition 2002

■	6 ha	40 000	Ⅲ	8 à 11 €

L'une des tours de ce château date du XIVᵉs., témoignant de l'ancienneté de ce cru. S'il aurait mérité un peu plus de longueur, son vin n'en possède pas moins un bouquet expressif, aux notes de fruits rouges, et une bonne matière. Le premier autorise à le boire jeune et la seconde à l'attendre deux ou trois ans.

🕊 François Masson-Regnault,
Ch. de Pic, 33550 Le Tourne,
tél. 05.56.67.07.51, fax 05.56.67.21.22 ✓ ⵜ ⵏ r.-v.

CH. DU PIRAS 2001 ★

■	61 ha	n.c.	▮Ⅲ↓	5 à 8 €

Appartenant à un bel ensemble, ce cru a élaboré un vin dont la jeunesse s'annonce par sa couleur. D'abord proche de l'élevage, le bouquet fait ensuite une belle place aux fruits rouges (fraise des bois). Encore un peu jeune, le palais ne cache pas sa bonne présence tannique. Charnu et corsé, il mérite la garde et un mariage avec une authentique cuisine traditionnelle. Le **Château du Grand Mouëys 2001 (8 à 11 €)**, autre cru, obtient également une étoile.

🕊 SCA Les Trois Collines, Ch. du Grand Mouëys,
33550 Capian, tél. 05.57.97.04.44, fax 05.57.97.04.60,
e-mail cavif.gm@ifrance.com ✓ 🏠 ⵜ ⵏ r.-v.
🕊 Bömers

CH. PLAISANCE Cuvée Tradition 2002 ★

■   12 ha   n.c.   ❚❙❙   8 à 11 €

Bien nommé, ce château est une jolie demeure comme en comptent beaucoup les Premières Côtes. A son image, ce vin sait se rendre agréable tout au long de la dégustation. Un boisé bien mené accompagne les fruits rouges jusque dans une bouche charnue et longue. Puissant mais sans excès, il pourra être apprécié jeune ou après une bonne garde.

🖐 Patrick Bayle, SCEA Ch. Plaisance, 33550 Capian, tél. 05.56.72.15.06, fax 05.56.72.13.40, e-mail patrick.bayle@wanadoo.fr ☑ ❖ r.-v.

CH. DE PLASSAN Elevé en fût de chêne 2001 ★★

■   24 ha   56 000   ❚❙❙   8 à 11 €

Exemple rare d'architecture Directoire en Bordelais, cette demeure palladienne est un modèle d'équilibre. Son élégance se retrouve dans la robe du vin. Si le bouquet porte encore les traces de l'élevage, il annonce déjà sa complexité future, que confirme l'évolution au palais : sa puissance et son harmonie vouent ce premières-côtes à une bonne garde. Il accompagnera un gibier à poil. En liquoreux, le **cadillac Villa Plassan 2001** est cité.

🖐 Ch. de Plassan, 33550 Tabanac, tél. 05.56.67.53.16, fax 05.56.67.26.28, e-mail contact@chateauplassan.fr ☑ ❖ r.-v.

🖐 J. Brianceau

CH. PUY BARDENS Cuvée Prestige 2002

■   13 ha   60 000   ❚❙❙   8 à 11 €

Simple et souple, ce vin ne fait pas mentir sa belle robe d'un rouge profond. Ses parfums de fruits rouges se marient bien aux notes boisées et sa structure s'appuie sur une bonne présence tannique. « Digne de l'appellation », apprécie un juré.

🖐 SC Vignobles Lamiable, Ch. Puy Bardens, 33880 Cambes, tél. 05.56.21.31.14, fax 05.56.21.86.40, e-mail chateau-puybardens@wanadoo.fr ☑ ❖ r.-v.

CH. LA RAME La Charmille 2002

■   7 ha   36 000   ❚❙❙   8 à 11 €

Complétant les liquoreux du même producteur, ce vin ne semble pas avoir encore trouvé son expression aromatique. Mais sa structure, charpentée, longue et bien équilibrée, lui ouvre les portes de la cave où il aura le loisir de s'épanouir.

🖐 Yves Armand, Ch. La Rame, 33410 Sainte-Croix-du-Mont, tél. 05.56.62.01.50, fax 05.56.62.01.94, e-mail dgm@wanadoo.fr ☑ ❖ t.l.j. 9h-12h 13h30-18h30; sam. dim. sur r.-v.

CH. REYNON 2002 ★★

■   18 ha   65 000   ❚❙❙   11 à 15 €

Elégante demeure classique, Reynon prend ses aises pour s'offrir aux rayons du soleil. La vigne elle aussi profite de conditions favorables, comme en témoigne, après beaucoup d'autres, ce millésime. Très expressif, son bouquet associe aux fruits rouges de fines notes empyreumatiques. Souple à l'attaque, son palais révèle ensuite une matière tannique ample et longue, qui demandera encore deux ou trois ans pour s'arrondir.

🖐 Denis et Florence Dubourdieu, Ch. Reynon, 33410 Béguey, tél. 05.56.62.96.51, fax 05.56.62.14.89, e-mail reynon@gofornet.com ☑ ❖ r.-v.

CH. ROQUEBERT 2002 ★

■   n.c.   28 000   ❚⬇   5 à 8 €

Riche en vieilles vignes (l'âge moyen est de quarante ans), ce cru possède un encépagement diversifié avec une sympathique présence du malbec. D'un rubis sombre, ce vin sait se montrer agréable par son délicat bouquet de framboise et de grillé comme par sa structure ronde et équilibrée.

🖐 Christian Neys, Ch. Roquebert, 33360 Quinsac, tél. 05.56.20.84.14, fax 05.56.20.84.14, e-mail roquebert.neys@tiscali.fr ☑ ❖ t.l.j. 9h-12h 14h-19h; f. août

CH. LE SENS 2002

■   5 ha   20 000   ❚❙❙   8 à 11 €

Saint-Caprais-de-Bordeaux vaut le détour pour son église romane construite sur une chapelle paléochrétienne. Ce domaine n'en est éloigné que de 500 m. Un peu surprenant par son bouquet, où le fruit est dominé aujourd'hui par des notes terpéniques, ce vin rentre ensuite dans le rang avec un palais classique. Frais et bien équilibré, il termine par une finale tannique.

🖐 SCEA Dom. du Sens, 31, chem. des Vignes, 33880 Saint-Caprais-de-Bordeaux, tél. 05.56.21.32.87, fax 05.56.21.37.18, e-mail domainedusens@wanadoo.fr ☑ ❖ t.l.j. sf dim. 8h-12h 14h-18h; f. août

🖐 F. Courrèges

CH. SISSAN Grande Réserve
Elevé en fût de chêne 2002 ★★

■   6 ha   40 000   ❚❙❙   5 à 8 €

Régulier en qualité, ce cru est déjà passé très près du coup de cœur. La cible est atteinte avec ce millésime particulièrement réussi. S'annonçant par une livrée d'une couleur profonde et intense, il révèle tranquillement sa richesse et sa complexité. Soutenu par une puissante structure aux tanins élégants, il mérite un long séjour en cave pour ouvrir une belle palette d'accords gourmands.

🖐 SCEA Pierre Yung et Fils, Ch. Sissan, 33360 Camblanes, tél. 05.56.20.00.98 ☑ ❖ r.-v.

🖐 Jean Yung

CH. DE TESTE 2002 ★

▨   3,54 ha   17 000   ❚❚❙❙   8 à 11 €

Complété par quelques muscadelles, le sémillon (95 % de l'encépagement) donne ici un vin fin, élégant et d'une jolie complexité aromatique où les notes toastées jouent avec les fruits confits. Il sera préférable de l'attendre trois ou quatre ans.

🖐 EARL Vignobles Laurent Réglat, Ch. de Teste, 33410 Monprimblanc, tél. 05.56.62.92.76, fax 05.56.62.98.80, e-mail vignobles.l-reglat@wanadoo.fr ☑ ❖ r.-v.

Côtes-de-bordeaux-saint-macaire

L'appellation côtes de bordeaux saint-macaire prolonge, vers le sud-est, celle des premières-côtes-de-bordeaux. Elle produit des vins blancs secs et liquoreux qui ont représenté 1 469 hl en 2002 pour 48 ha revendiqués en AOC.

DOM. DE BOUILLEROT Moelleux 2002 ★

▒ 1 ha 1 500 🛢 5 à 8 €

Seulement 1 ha de vignes de sémillon plantées sur un sol argilo-calcaire et quatre tries successives pour vendanger les raisins les plus rôtis. Le résultat séduit par les arômes élégants d'amande, d'épices, de miel et d'ananas, par la complexité et la douceur de la bouche qui révèle un volume et une longueur parfaits. Un vin à boire ou à laisser vieillir quelques années.

🔑 Thierry Bos, Lacombe, 33190 Gironde-sur-Dropt,
tél. 05.56.71.46.04, fax 05.56.71.46.04,
e-mail info@bouillerot.com 🆅 🍸 🚶 r.-v.

CH. DE CAPPES Moelleux 2002

▒ 0,35 ha 1 500 🛢 5 à 8 €

Seulement 0,35 ha de sémillon pour ce vin blanc moelleux, coup de cœur l'an dernier. En 2002, le vin est très bon, développant des arômes de fruits secs et confits, de cire, d'abricot. Equilibrée en bouche avec une acidité bienvenue en finale, c'est une bouteille à ouvrir dès aujourd'hui à l'apéritif ou sur un foie gras.

🔑 EARL Patrick Boulin,
Ch. de Cappes,
33490 Saint-André-du-Bois,
tél. 05.56.76.40.88, fax 05.56.76.46.15 🆅 🍸 🚶 r.-v.

CH. DE DAMIS Moelleux 2002 ★

▒ 2,05 ha 7 500 ▮🌡 5 à 8 €

Depuis plusieurs générations dans la même famille, cette propriété présente un 2002 très réussi. La robe pâle brille de reflets dorés, les arômes de fleurs d'acacia, d'abricot, de citronnelle sont très agréables. La bouche offre un bon équilibre entre sucrosité et acidité. La finale est fraîche et persistante. Un vin de plaisir prêt dès cet automne, à servir avec des fruits blancs ou en apéritif.

🔑 SCEA Vignobles Michel Bergey,
Ch. de Damis, 33490 Sainte-Foy-la-Longue,
tél. 05.56.76.41.42, fax 05.56.76.46.42,
e-mail contact@vignoblesbergey.com
🆅 🍸 🚶 t.l.j. sf sam. dim. 8h30-12h30 14h-18h;
f. sem. 15 août

CH. FAYARD 2002

▒ 2,7 ha 12 000 🛢 11 à 15 €

Né sur un sol pierreux, ce 2002 est intéressant pour la qualité de son bouquet expressif de brioche, de noisette, de pamplemousse. Souple et charnue, flattée par un boisé discret de vanille, la structure est dès à présent très harmonieuse.

🔑 Jacques-Charles de Musset,
Ch. Fayard, 33490 Le Pian-sur-Garonne,
tél. 05.56.63.33.81, fax 05.56.63.60.20,
e-mail chateau-fayard@wanadoo.fr 🆅 🍸 🚶 r.-v.

CH. DE LAGARDE Cuvée Prestige 2002

▒ 2 ha 10 000 🛢 5 à 8 €

Cette cuvée fermentée et élevée neuf mois en barrique de chêne présente une robe jaune aux reflets à peine dorés, des arômes complexes acidulés avec une touche de tabac et d'agrumes. Vif en bouche, ce vin possède du caractère et une bonne longueur : il est à boire sur un poisson grillé.

🔑 SCEA Raymond,
3, Lagarde, 33540 Saint-Laurent-du-Bois,
tél. 05.56.76.43.63, fax 05.56.76.46.26,
e-mail scea.raymond@wanadoo.fr 🆅 🚶 r.-v.

LA PETITE DOREE Moelleux 2002 ★

▒ 1 ha 3 600 🛢 3 à 5 €

Récoltée en deux tries successives pour ramasser lentement les baies les plus confites, cette cuvée brille en 2002 d'une robe dorée très plaisante. Son bouquet évoque le miel, l'abricot et le café. La bouche est parfaite, ample et d'une race certaine en finale. A boire d'ici à trois ans. (Bouteilles de 50 cl.) Le **Château Majoureau 2002 moelleux** obtient lui aussi une étoile.

🔑 Bernard Delong, 1, Majoureau, 33490 Caudrot,
tél. 05.56.62.81.94, fax 05.56.62.75.87 🆅 🍸 🚶 r.-v.

CH. TOUR DU MOULIN DU BRIC 2002 ★

▒ 1,5 ha 2 000 🛢 5 à 8 €

Ce vin blanc sec, fermenté et élevé huit mois en fût, assemble 60 % de sauvignon aux sémillon et muscadelle à parts égales. Sa robe jaune pâle brillante séduit d'emblée, tout comme son bouquet intense d'épices, de menthol, d'ananas et de fruits exotiques. Souple en attaque, il se révèle en évolution, un peu acidulé, citronné ; il finit très harmonieusement. Il est à découvrir dès cet automne sur un poisson à la crème.

🔑 SCEA Vignobles Faure,
Le Moulin du Bric, 33490 Saint-André-du-Bois,
tél. 05.56.76.40.20, fax 05.56.76.45.29,
e-mail vignoblesfaure@wanadoo.fr 🍸 🚶 r.-v.
🔑 P. Faure et S. Thomasson

La région des Graves

Vignoble bordelais par excellence, les graves n'ont plus à prouver leur antériorité : dès l'époque romaine, leurs rangs de vignes ont commencé à encercler la capitale de l'Aquitaine et à produire, selon l'agronome Columelle, « un vin se gardant longtemps et se bonifiant au bout de quelques années ». C'est au Moyen Age qu'apparaît le nom de Graves. Il désigne alors tous les pays situés en amont de Bordeaux, entre la rive gauche de la Garonne et le plateau landais. Par la suite, le Sauternais s'individualise pour constituer une enclave, vouée aux liquoreux, dans la région des Graves.

Graves et graves supérieures

S'allongeant sur une cinquantaine de kilomètres, la région des Graves doit son nom à la nature de son terroir : celui-ci est constitué principalement par des terrasses construites par la Garonne et ses ancêtres qui ont déposé une grande variété de débris caillouteux (galets et graviers originaires des Pyrénées et du Massif central).

Depuis 1987, les vins qui y sont produits ne sont pas tous commercialisés comme graves, le secteur de Pessac-Léognan bénéficiant d'une appellation spécifique, tout en conservant la possibilité de préciser sur les étiquettes les mentions « vin de graves », « grand vin de graves » ou « cru classé de graves ». Concrètement, ce sont les crus du sud de la région qui revendiquent l'appellation graves.

L'une des particularités de l'AOC graves réside dans l'équilibre qui s'est établi entre les superficies consacrées aux vignobles rouges (2 703 ha) et blancs secs (1 138 ha). Les graves rouges (119 135 hl en 2003) possèdent une structure corsée et élégante qui permet un bon vieillissement. Leur bouquet, finement fumé, est particulièrement typé. Les blancs secs (50 300 hl), élégants et charnus, sont parmi les meilleurs de la Gironde. Les plus grands, maintenant fréquemment élevés en barrique, gagnent en richesse et en complexité après quelques années de garde. On trouve aussi des vins moelleux qui ont toujours leurs amateurs et qui sont vendus sous l'appellation graves supérieures.

Graves

CH. D'ARDENNES 2002 ★

■ 20 ha 30 000 ▮◍⫯ 11 à 15 €

88 ⑧⑨ **90** 92 93 **94** **96** 97 |98| |**99**| 00 01 02

Belle unité, ce cru peut s'enorgueillir d'avoir appartenu jadis à Jeanne de Lestonnac, la nièce de Montaigne, mais aussi d'avoir été distingué par plusieurs coups de cœur. D'une jolie robe pourpre à reflets dorés, son 2002 porte encore la marque de l'élevage dans ses arômes de café et de toast grillé. Mais progressivement le fruit se développe pour déboucher, après une attaque franche et nette, sur un palais bien équilibré que prolonge un retour aromatique sympathique. Une garde de trois ou quatre ans permettra au bois de se fondre.

⊶ SCEA Ch. d'Ardennes, 33720 Illats,
tél. 05.56.62.53.66, fax 05.56.62.43.67 ☑ Y ⚲ r.-v.
⊶ Cyril Dubrey

CH. D'ARRICAUD Cuvée Prestige 2001

■ n.c. 15 000 ▮◍⫯ 8 à 11 €

⑧⑤ **88** **89** **90** **91** 93 |96| |98| |99| 00 01

Née sur une belle croupe de graves d'une vingtaine d'hectares, cette cuvée est constituée de 60 % de merlot complété par le cabernet-sauvignon. Elle annonce sa jeunesse par sa robe rubis. Porté par des tanins bien fondus, le vin séduit le dégustateur par son bouquet aux notes fruitées et réglissées et des tanins onctueux qui prendront leur pleine dimension d'ici deux à trois ans.

⊶ EARL Bouyx, Ch. d'Arricaud, 33720 Landiras,
tél. 05.56.62.51.29, fax 05.56.62.41.47,
e-mail chateaudarricaud@wanadoo.fr ☑ Y ⚲ r.-v.

CH. BEAUREGARD DUCASSE
Albertine Peyri Elevé en fût de chêne neuf 2002 ★★

□ 3 ha 8 400 ◍ 8 à 11 €

Fermentation en fût de l'Allier, élevage sur lie avec bâtonnage, ce vin a bénéficié de soins attentifs et efficaces. Sa belle présentation, avec une robe jaune pâle et un bouquet aux doux accents de noix de coco, de fruits exotiques et d'agrumes, mettent en confiance, tout comme l'attaque grasse à souhait. Au palais et en finale, on retrouve la même fraîcheur. Une belle bouteille à servir maintenant ou dans un ou deux ans sur une volaille, un poisson en sauce ou un fromage à pâte cuite. Aromatique et portée par de bons tanins, la **cuvée Albert Duran rouge 2001** a mérité une étoile, et la **cuvée principale rouge 2001 (5 à 8 €)** a été citée.

⊶ EARL Vignobles Jacques Perromat, Ducasse,
33210 Mazères, tél. 05.56.76.18.97, fax 05.56.76.17.73,
e-mail vignobles.jacques.perromat@wanadoo.fr
☑ Y ⚲ r.-v.
⊶ GFA de Gaillote

CH. BERGER 2002 ★

□ 3,73 ha 1 200 ◍ 8 à 11 €

Issu d'un vignoble à dominante de sémillon (avec un petit complément en muscadelle), ce vin, à l'avenante robe jaune paille, porte la marque du cépage dans son bouquet fruité, avec quelques aimables et subtiles notes fleuries. Ample et long, il s'exprimera parfaitement sur un poisson grillé ou une volaille à la crème.

⊶ SCA Ch. Berger, 6, chem. La Girafe, 33640 Portets,
tél. 05.56.67.58.98, fax 05.56.67.04.88 ☑ Y ⚲ r.-v.

CH. BICHON CASSIGNOLS 2003 ★

□ 1,5 ha 7 200 ▮◍ 5 à 8 €

Pour être d'une étendue plus modeste que le rouge, le vignoble blanc du cru n'en bénéficie pas moins de soins attentifs. Ce vin en témoigne par sa robe aux jolis reflets d'or pâle, comme par son bouquet où le citron est rejoint par la mandarine. Gras, élégant et bien fondu, il pourra être attendu et couvrira une large palette d'accords gourmands. Bien typé graves par sa note de violette, le **Bichon Cassignols rouge 2001 (8 à 11 €)** a été cité par le jury.

⊶ Jean-François Lespinasse,
50, av. Edouard-Capdeville, 33650 La Brède,
tél. 05.56.20.28.20, fax 05.56.20.20.08,
e-mail bichon.cassignols@wanadoo.fr ☑ Y ⚲ r.-v.

CH. BIGNON Cuvée des Gravières 2001 ★

■   5 ha   10 500   ◧   5 à 8 €

Cuvée élevée en fûts (neufs pour les trois quarts), ce vin est bien soutenu par le bois qui n'enlève pas son élégance au bouquet, fruité et floral. Ample et harmonieux, le palais s'exprime sur des tanins amples, qui appellent un séjour en cave de trois ou quatre ans avant d'ouvrir cette bouteille.
❧ H. Daubas, Ch. Tourbicheau, 33640 Portets, tél. 05.56.67.37.75, fax 05.56.67.37.75

CH. LE BONNAT 2001 ★

■   25 ha   150 000   ◧   8 à 11 €

Confirmant la régularité du cru, qui appartient au groupe Leda, ce vin s'annonce très heureusement par une robe d'un pourpre léger à reflets violacés. Son bouquet de fruits noirs comme son palais, d'une agréable souplesse, montrent que le bois n'écrase pas la matière et que l'ensemble, déjà bien ouvert, sera à point dans deux ans environ. Pour accompagner des viandes grillées ou un plateau de fromages.
❧ SCA Ch. Branda et Cadillac,
Branda, 33240 Cadillac-en-Fronsadais,
tél. 05.57.94.09.20, fax 05.57.94.09.30,
e-mail contact@leda-sa.com ☑ ▼ ⚔ r.-v.
❧ J.-J. Lesgourgues

TENTATION DU CH. LE BOURDILLOT 2002 ★★

■   7 ha   50 000   ▮◧♦   8 à 11 €

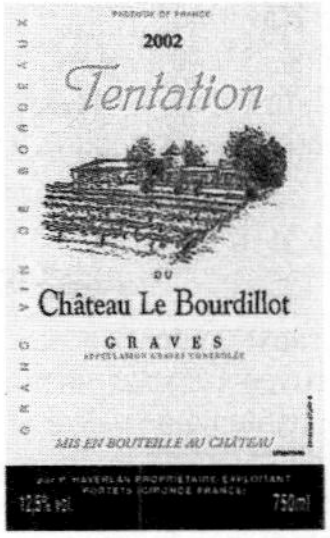

Ce cru possède une curiosité rare : le « Petit Jésus des Lucques », cep de vigne en forme de Christ sur la croix. Cette cuvée Tentation a-t-elle bénéficié de sa protection ? Quelle que soit la réponse, sa teinte grenat sombre, son bouquet de fruits rouges sur un fin boisé, son attaque souple et veloutée comme ses tanins assez soyeux dégagent une sensation de grande harmonie et une belle complexité, même si l'ensemble doit encore se fondre. Une remarqua-

La région des Graves

Pessac-Léognan

Graves et
Graves supérieures

N

Eysines

Bordeaux

Martignas-
sur-Jalle

Saint-Jean-
d'Illac

Mérignac

Ch. la Mission-
Haut-Brion

Ch.
Haut-Brion

Talence

Ch. Pape-Clément

Château Laville-Haut-Brion

Pessac

Ch. Latour-
Haut-Brion

PESSAC-LÉOGNAN

Ch. Couhins

Villenave-d'Ornon

GIRONDE

Ch. Carbonnieux

Cadaujac

Ch. Olivier

Cestas

Ch. Haut-Bailly

Léognan

Ch. Bouscaut

Domaine
de Chevalier

Ch. Smith-Haut-Lafitte

Saint-Médard-d'Eyrans

Ch.
Malartic-
Lagravière

Martillac

Beautiran

Ch. Fieuzal

Ch. Latour-
Martillac

Portets

Castres-Gironde

Labrède

Arbanats

Saint-Selve

Virelade

Saucats

Saint-Morillon

Podensac

GRAVES

Cérons

Saint-Michel-
de-Rieufret

Barsac

Cabanac-
et-Villagrains

CÉRONS

BARSAC

Landiras

Preignac

Saint-Pardon-
de-Conques

Pujols-sur-Ciron

Langon

Bommes

Saint-Pierre-
de-Mons

Budos

SAUTERNES

Sauternes

Fargues

Léogeats

Mazères

Garonne

0   5   10 km

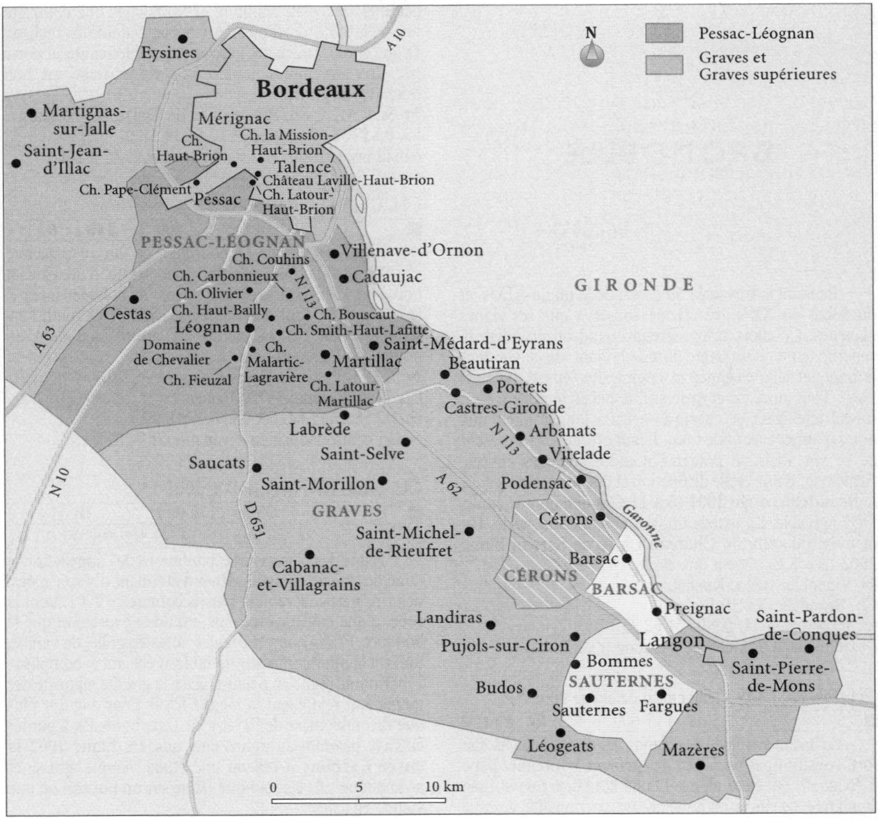

ble réussite que l'on imagine bien d'ici quatre ou cinq ans, voire plus, sur un plat en sauce. Souple et assez riche, le **Bourdillot blanc 2003 (11 à 15 €)** a reçu une étoile.
🔑 EARL Patrice Haverlan,
11, rue de l'Hospital, 33640 Portets,
tél. 05.56.67.11.32, fax 05.56.67.11.32,
e-mail patrice.haverlan@worldonline.fr ☒ Y 🚶 r.-v.

CAPRICE DE BOURGELAT 2002 ★

□ 1,5 ha 12 000 🛢 8 à 11 €

Ce cru est sans doute l'un des plus anciens de l'appellation. Sa cuvée Caprice se montre digne de ce passé. D'une belle teinte jaune pâle à reflets dorés, et fort plaisante par son bouquet aux intenses et élégantes notes d'agrumes et de bois, elle reste dans le droit fil par son attaque bien soutenue par l'acidité, comme par sa fraîcheur et son joli retour aromatique de pamplemousse. La cuvée principale étiquetée **Clos Bourgelat rouge 2001 (5 à 8 €)** reçoit une citation.
🔑 Dominique Lafosse, Clos Bourgelat, 33720 Cérons,
tél. 05.56.27.01.73, fax 05.56.27.13.72
☒ Y 🚶 t.l.j. sf dim. 9h-12h 14h-19h; groupes sur r.-v.

CH. BRONDELLE 2002 ★★

□ 3 ha 15 000 🛢 11 à 15 €

Pendant la traversée du désert de la fin du XIX^e^s. et du début du XX^e^s., ce cru ne conserva que ses vignes blanches. Ce choix se comprend quand on découvre la superbe teinte, d'un jaune doré et brillant, de ce vin dont le bouquet allie élégance et complexité (épices et fruits secs). Tout aussi fin et expressif, le palais témoigne d'un travail intelligent et s'accorde avec la longue finale aux notes d'abricot sec et de toast. Il faut profiter dès à présent de ce vin, mais on pourra l'attendre quelques années. Egalement d'une réelle distinction et doté de tanins serrés, le **Brondelle rouge 2001 (8 à 11 €)** a obtenu une étoile. Déjà agréable, il possède un bon potentiel de garde. Du même producteur, le **Château La Rose Sarron blanc 2003 (5 à 8 €)** obtient une étoile.
🔑 Vignobles Belloc-Rochet,
Ch. Brondelle, 33210 Langon,
tél. 05.56.62.38.14, fax 05.56.62.23.14,
e-mail chateau.brondelle@wanadoo.fr ☒ Y 🚶 r.-v.

CH. DE BUDOS Vieilli en fût de chêne 2001 ★

■ 2,5 ha 17 600 🛢 8 à 11 €

S'élevant au milieu des vignes, les vestiges du château fort, construit par un neveu de Clément V, premier pape d'Avignon, ont fière allure. D'une structure fine et bien équilibrée, ce vin ne manque pas de personnalité, comme le montre son bouquet où les notes empyreumatiques et minérales rejoignent les fruits rouges et la truffe. Equilibré, le palais est long et fin.
🔑 Bernard Boireau, Les Marots, 33720 Budos,
tél. 05.56.62.51.64, fax 05.56.62.48.07,
e-mail chateaudebudos@free.fr ☒ Y 🚶 r.-v.

CH. CABANNIEUX
Réserve du château Elevé en barrique 2001

■ 13,42 ha 40 000 🛢 8 à 11 €

Commandé par une chartreuse du XVIII^e^s., ce cru propose avec cette Réserve un vin encore tannique en finale mais intéressant par son intensité aromatique (fruits mûrs légèrement épicés), qui s'accorde avec sa structure. Il a la force nécessaire pour pouvoir s'arrondir d'ici trois ou quatre ans.
🔑 SCEA du Ch. Cabannieux, 44, rte du Courneau, 33640 Portets, tél. 05.56.67.22.01, fax 05.56.67.22.01,
e-mail dudignacbarriere@free.fr ☒ 🏠 Y 🚶 r.-v.
🔑 Mme Régine Dudignac

CH. DE CALLAC 2001 ★

■ 3 ha 18 000 🛢 11 à 15 €

Régulier en qualité, ce cru reste une fois encore fidèle à lui-même avec ce 2001. D'une belle intensité, son bouquet est un appel à la gourmandise par ses arômes de caramel, chocolat, confiture et fruits cuits que complète une jolie note de fumée. Au palais s'ajoute la réglisse. D'une grande fraîcheur, avec une agréable acidité, et porté par une structure complexe, ce vin possède un bon potentiel de garde.
🔑 SCE M. et Ph. Rivière, Ch. de Callac, 33720 Illats,
tél. 05.57.55.59.55, fax 05.57.55.59.51,
e-mail priviere@riviere-stemilion.com ☒ Y 🚶 r.-v.

CH. CANTEGRIL 2002 ★

■ 4 ha 12 500 ▮🛢🌡 8 à 11 €

Signé par Denis Dubourdieu, ce vin au caractère charmeur s'annonce par une jolie teinte d'un élégant bordeaux à reflets violets. Soutenu par un bois bien intégré, le bouquet est tout aussi agréable. Souple et rond, l'ensemble séduit par sa complexité aromatique dont on pourra profiter sans avoir à attendre.
🔑 EARL Pierre et Denis Dubourdieu,
Ch. Doisy-Daëne, 33720 Barsac,
tél. 05.56.27.15.84, fax 05.56.27.18.99,
e-mail denisdubourdieu@wanadoo.fr ☒ Y 🚶 r.-v.

CH. DE CHANTEGRIVE 2001 ★★

■ 35 ha 170 000 🛢 11 à 15 €

82 83 (85) 86 88 89 |90| 91 92 93 |95| |96| 99 00 01

L'une des plus vastes exploitations de l'appellation et l'une des mieux équipées. Rien d'étonnant d'y voir naître des vins particulièrement réussis comme ce 2001, dont la robe, d'une couleur profonde, est aussi expressive que le bouquet. Fruits noirs et rouges, notes de grillé, de vanille, tout est là pour composer un tableau élégant et complexe. L'harmonie règne au palais grâce à la grande maturité des tanins, qui rejoignent la longue finale pour augurer plus que favorablement de l'avenir de cette bouteille, à garder en cave pendant au moins cinq ans. En **blanc 2002 la cuvée Caroline** a obtenu une étoile. Ample, grasse et aromatique, elle sera à boire jeune sur un poisson ou une viande en sauce.

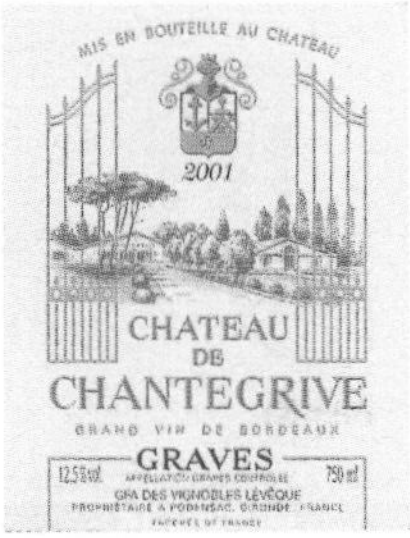

🔑 SAS Vignobles Lévêque, Ch. de Chantegrive, 33720 Podensac, tél. 05.56.27.17.38, fax 05.56.27.29.42, e-mail courrier@chateau-chantegrive.com
☑ 🍷 🚶 t.l.j. sf dim. 9h-17h

CH. LE CHEC Cuvée Cana 2001 ★

■ 1,5 ha 4 800 🛢 8 à 11 €

Issu de parcelles rigoureusement sélectionnées, ce vin fait preuve d'une réelle homogénéité, son développement s'appuyant sur des notes de fruits rouges et de bourgeon de cassis, tant au nez qu'au palais. Agréable et bien fait, il pourra être servi dans deux ans sur un rôti ou une viande en croûte.

🔑 Christian Auney, La Girotte, 33650 La Brède, tél. 05.56.20.31.94, fax 05.56.20.31.94 ☑ 🍷 🚶 r.-v.

CLOS D'UZA 2002 ★

■ 30 ha 28 000 🛢 8 à 11 €

A l'origine surtout voué aux blancs (secs et liquoreux), ce cru se consacre essentiellement aujourd'hui aux rouges. Des vins comme ce 2002 démontrent le bien-fondé de cette orientation. D'une belle couleur entre rubis et grenat, il se montre bien fait et agréable par son développement aromatique, aux notes de raisin mûr, moka et cèdre, comme par sa souplesse. Equilibré, il gagnera à être attendu un à trois ans.

🔑 GAF Ch. Les Queyrats,
33210 Saint-Pierre-de-Mons,
tél. 05.56.63.07.02, fax 05.61.54.41.73,
e-mail dulac.queyrats@wanadoo.fr ☑ 🍷 🚶 r.-v.

CLOS FLORIDENE 2002 ★★

□ 13,45 ha 63 540 🛢 11 à 15 €

Certaines signatures sont des gages de qualité. Celle de Denis Dubourdieu est de celles-là. Une fois encore, il le prouve avec ce graves dont la robe, jaune pâle à reflets verts, est aussi sympathique et agréable que le bouquet aux fins parfums d'agrumes, de vanille et de fruits exotiques. Sans être majoritaire, le sauvignon lui apporte une note de buis et de citron, qui s'intègre bien dans l'ensemble. Ample et pleine, sa structure séduit par sa vivacité et sa belle expression aromatique. Porté par des tanins harmonieux et un joli bouquet, le **Clos Floridène rouge 2002** obtient une étoile.

🔑 Denis et Florence Dubourdieu, Ch. Reynon, 33410 Béguey, tél. 05.56.62.96.51, fax 05.56.62.14.89, e-mail reynon@gofornet.com ☑ 🍷 🚶 r.-v.

DOM. DE COUQUEREAU 2001 ★

■ 1,93 ha 5 000 ▮🛢🌡 3 à 5 €

Son modeste titre de domaine n'empêche pas ce petit cru de proposer un vin fort plaisant. Son bouquet balsamique s'ouvre sur des notes de fruits (cassis, fruits des bois et pruneau) et de bois (café, vanille), qui s'accordent bien avec la chair et la rondeur de sa structure. Une bouteille qui demande encore un ou deux ans avant de s'ouvrir.

🔑 Gipoulou, 33, rue des Templiers, 33650 La Brède, tél. 05.56.78.56.83, fax 05.56.78.56.83 ☑ 🍷 🚶 r.-v.

CH. LA CROIX Vinifié en fût de chêne 2002 ★

□ 3,15 ha 1 200 🛢 8 à 11 €

Petite cuvée élevée en barrique, ce vin intègre parfaitement l'apport du bois, qui se fond bien dans les parfums de fleurs et d'abricot pour composer un bel ensemble dont la complexité est enrichie par un léger côté miellé. Ample, rond, équilibré et long, le palais possède une petite pointe de vivacité qui fera le bonheur de coquillages. Finement fruitée, la **cuvée principale 2002 en blanc (5 à 8 €)**, qui ne connaît pas le fût, a été citée.

🔑 Vignobles Espagnet, Ch. La Croix,
rte d'Auros, 33210 Langon, tél. 05.56.63.29.36,
fax 05.56.63.19.18, e-mail vignobles.espagnet@free.fr
☑ 🍷 🚶 t.l.j. 9h-12h 13h30-20h

CH. DOMS 2002

□ 4,5 ha 24 000 ▮🌡 3 à 5 €

Une croix ancienne rappelle que ce cru fut à l'origine un établissement religieux. D'un beau jaune pâle à reflets verts, son 2002 développe une belle expression aromatique (fleurs blanches, citron, pêche blanche et fleur d'oranger). On retrouve les mêmes arômes au palais. Vif et d'une bonne longueur, il trouvera sa vocation sur des coquillages au goût fin.

🔑 SCE Vignobles Parage, Ch. Doms, 33640 Portets, tél. 05.56.67.20.12, fax 05.56.67.31.89 ☑ 🍷 🚶 r.-v.
🔑 Hélène Durand-Parage

DOURTHE La Grande Cuvée 2001 ★

■ n.c. 40 000 🛢 8 à 11 €

« Faire découvrir aux amateurs des vins représentatifs des bordeaux », l'objectif que s'est fixé, voici une dizaine d'années, la maison Dourthe avec sa Grande Cuvée est parfaitement atteint dans ce 2001. Son bouquet élégant (fruits rouges confits relevés de quelques notes animales et fumées) et son palais qui évolue sur une trame tannique assez serrée mais ronde laissent le souvenir d'un ensemble très harmonieux. Une entrecôte bordelaise lui conviendra pendant deux ou trois ans.

🔑 Vins et Vignobles Dourthe, 35, rue de Bordeaux, 33290 Parempuyre, tél. 05.56.35.53.00, fax 05.56.35.53.29, e-mail contact@cvbg.com ☑

EPICURE Elevé en fût de chêne 2001 ★

■ n.c. 17 000 🛢 8 à 11 €

L'originalité de cette marque, créée par Bernard Pujol et Hubert de Boüard, est d'offrir des vins provenant d'un terroir bien identifié dont ils ont suivi les travaux des vignes avant de vinifier dans leurs propres chais. Doté d'une belle expression aromatique (toast, fruits rouges, vanille et gibier), le 2001 possède une solide matière tannique qui ne demande qu'à se fondre pour accompagner une lamproie d'ici trois ou quatre ans.

🔑 SARL Bordeaux Vins Sélection, 27, rue de Roullet, 33800 Bordeaux, tél. 05.57.35.12.35, fax 05.57.35.12.36, e-mail bvs.grands.crus@wanadoo.fr

CH. FERRANDE 2002

■ 37 ha 370 000 🛢 8 à 11 €

Propriété d'un amiral au XIXe s., ce cru appartient aujourd'hui au vaste ensemble des domaines de la famille

Castel. Un peu discret quoiqu'élégant dans son développement aromatique, ce vin se révèle pleinement au palais avec une dominante de fruits rouges, qui s'accorde bien avec la souplesse de sa structure.
🔗 Castel Frères,
21-24, rue Georges-Guynemer, 33290 Blanquefort,
tél. 05.56.95.54.00, fax 05.56.95.54.20

CH. LA FLEUR JONQUET 2001

■	4 ha	17 000	〕〕 11 à 15 €

Né dans une ancienne ferme fortifiée (fontaine et lavoir), ce vin au caractère féminin joue résolument la carte de la finesse et de l'élégance avec de jolis arômes de cuir, de pruneau et de cerise, qui le rendent fort plaisant dès à présent.
🔗 Laurence Lataste, 5, rue Amélie, 33200 Bordeaux, tél. 05.56.17.08.18, fax 05.57.22.12.54, e-mail l.lataste@wanadoo.fr ☑ Ⱶ 🖈 r.-v.

CH. DES FOUGERES Clos Montesquieu 2001 ★

■	4 ha	25 000	〕〕 11 à 15 €

Si de nombreux crus de graves se réfèrent volontiers à Montesquieu, Fougères est le seul qui appartient toujours à sa famille. Ce vin lui fait honneur par sa robe, d'un rouge profond, comme par la belle complexité de son bouquet aux odeurs tentatrices de fraise, d'épices et de vanille. Pleine et ronde, la structure s'appuie sur des tanins fondus, qui rendent cette bouteille déjà agréable tout en lui apportant un bon potentiel de garde. Gras et concentré tout en restant frais, le **Château des Fougères blanc 2002 (8 à 11 €)** a obtenu une étoile. Ses arômes de fruits exotiques se marieront bien avec du comté ou du beaufort. Le **rouge 2002 Les Persanes de Montesquieu (8 à 11 €)** a reçu une citation.
🔗 Vins et Domaines H. de Montesquieu,
Les Fougères, BP 53, 33650 La Brède,
tél. 05.56.78.45.45, fax 05.56.20.25.07,
e-mail montesquieu@montesquieu.com ☑ Ⱶ 🖈 r.-v.

CH. GRAND ABORD 2002 ★

▨	4 ha	10 000	▮⌄ 3 à 5 €

Toujours fidèle au sémillon (70 % de l'encépagement), ce cru propose un vin agréable à l'œil, avec une jolie couleur jaune pâle à reflets verts, tout aussi plaisant en bouche et bien équilibré, il séduit par son expression aromatique qui marie la mandarine et le toast.
🔗 SCEA Vignobles Dugoua, Ch. Grand Abord,
56, rte des Graves, 33640 Portets,
tél. 05.56.67.50.75, fax 05.56.67.22.23,
e-mail dugoua.ph@wanadoo.fr ☑ 🏠 Ⱶ 🖈 r.-v.

CH. DU GRAND BOS 2001 ★★

■	8 ha	28 755	〕〕 11 à 15 €

La belle chartreuse a été bâtie à une époque (le XVIIIᵉs.) où le vignoble était déjà planté. Une nouvelle fois, son vin sait se montrer digne de l'ancienneté et du cadre de la propriété. Le drapé à reflets de velours annonce de jolies surprises. Un bouquet mariant les fruits rouges et le bois confirme cette séduisante entrée en matière. Equilibre et richesse sont les maîtres mots du palais, dont le volume, la rondeur et les tanins mûrs et serrés procurent une sensation durable d'élégance. Une très belle bouteille à oublier quelque temps à la cave. Du même producteur, le **Château Plégat La Gravière rouge 2001** reçoit une citation.

🔗 SCEA du Ch. du Grand Bos,
chem. de l'Hermitage, 33640 Castres-Gironde,
tél. 05.56.67.39.20, fax 05.56.67.16.77,
e-mail chateau.du.grand.bos@free.fr ☑ Ⱶ 🖈 r.-v.
🔗 Vincent

GRAND ENCLOS
DU CHATEAU DE CERONS 2001 ★

■	13 ha	10 360	〕〕 11 à 15 €

Premier millésime pour Giorgio Cavanna, viticulteur toscan qui a acheté ce cru en 2000. L'examen de passage était réussi l'an dernier avec le blanc 2001 qui fut élu coup de cœur. Tout au long de la dégustation de ce même millésime en rouge apparaît une importante finesse aromatique avec de belles notes fruitées. Petit à petit se révèle une bonne matière, tannique et charnue, qui promet une fort jolie bouteille d'ici un à trois ans. Friand, long et également d'une grande élégance aromatique (agrumes confits), le **blanc 2002** obtient lui aussi une étoile.
🔗 SCEA du Grand Enclos de Cérons,
pl. du Gal-de-Gaulle, 33720 Cérons,
tél. 05.56.27.01.53, fax 05.56.27.08.86,
e-mail grand.enclos.cerons@wanadoo.fr ☑ 🖈 r.-v.
🔗 Giorgio Cavanna

CH. DE LA GRAVELIERE Cuvée Prestige 2001

■	12 ha	50 000	〕〕 8 à 11 €

Cuvée prestige du cru, ce vin, souple, frais et fruité, se montre très plaisant par son joli grain et son expression aromatique aux fines notes de confiture de fraises et de réglisse.
🔗 Bernard Réglat,
Ch. de La Mazerolle, 33410 Monprimblanc,
tél. 05.56.62.98.63, fax 05.56.62.17.98,
e-mail reglat.bernard@wanadoo.fr ☑ 🖈 r.-v.

GRAVEUM 2001 ★

■	2 ha	3 000	▮〕〕⌄ 23 à 30 €

Une idée originale dans l'étiquette : coller de petits morceaux de gravier pour dessiner une croupe rappelant le terroir. Une robe jeune et fraîche, couleur cerise, entoure un bouquet épicé où le boisé semble brider le fruit. La bouche, en revanche, a bien fondu les nuances du fût, laissant cette fois apparaître le vin. L'ensemble reste fin et élégant.
🔗 Dominique Haverlan, Vieux Château Gaubert,
33640 Portets, tél. 05.56.67.18.63, fax 05.56.67.52.76,
e-mail dominique.haverlan@libertysurf.fr ☑ Ⱶ 🖈 r.-v.

DOM. DU HAURET-LALANDE 2003

▨	3 ha	12 000	▮⌄ 5 à 8 €

Du même producteur que le cérons homonyme, ce vin est très expressif, notamment par son bouquet mêlant des arômes de fruits écrasés à ceux de genêt et de bourgeon de cassis. Bien équilibré et charnu, il pourra être apprécié jeune.

☛ EARL Lalande et Fils, Ch. Piada, 33720 Barsac, tél. 05.56.27.16.13, fax 05.56.27.26.30
☑ ⵏ ⵝ t.l.j. 8h-12h 13h30-19h; sam. dim. sur r.-v.

CH. HAUT-CALENS Elevé en fût de chêne 2002 ★

■	3 ha	12 000	⬛❖⬥	5 à 8 €

Comme beaucoup de crus de la région, ce domaine fut sans doute jadis un établissement religieux. D'un grenat sombre, la robe de ce vin n'est pas sans rappeler ce passé par sa sévérité. Mais c'est aussi un gage de sérieux et de bonne garde, que confirment la complexité du bouquet, aux fraîches notes mentholées, et le volume du palais. La finale est encore un peu sur le bois, mais d'ici trois à quatre ans tout sera bien fondu.

☛ EARL Vignobles Albert Yung, Ch. Haut-Calens, 33640 Beautiran, tél. 05.56.67.05.25, fax 05.56.67.24.91
☑ ⵝ t.l.j. sf sam. dim. 9h-11h30 15h-17h30; groupes sur r.-v.; f. août

CH. HAUT-GRAMONS
Vieilli en fût de chêne 2002 ★

■	12 ha	80 000	⬛	8 à 11 €

Devenu au cours des dernières années l'une des valeurs sûres de l'appellation, ce cru montre avec ce vin qu'il entend poursuivre dans la même voie. Le bois apparaît avec de fines notes de coco et de réglisse, mais sans déséquilibrer l'ensemble. Sans être très puissant, le palais procure une réelle sensation d'harmonie et de plaisir, avec des notes de silex fort bienvenues. Une bouteille déjà agréable, mais qui pourra être attendue quelques années. Aromatique (fruits exotiques) et d'une bonne acidité, le **blanc 2002 Vieilli en fût de chêne (5 à 8 €)** a obtenu une citation.

☛ F. Boudat Cigana, Ch. de Viaut, 33410 Mourens, tél. 05.56.61.98.13, fax 05.56.61.99.46 ☑ ⵏ ⵝ r.-v.

CH. HAUT-MAYNE Prestige
Elevé en fût de chêne 2001

■	4,5 ha	27 000	⬛	8 à 11 €

Cuvée prestige du cru, ce vin est certes un peu court en finale mais sans faire oublier le plaisir apporté par son bouquet aux notes typiques de cendre froide, de cuit et de toasté, et par ses tanins ronds et moelleux.

☛ SC Haut-Mayne-Gravaillas, 10, Caubillon, 33720 Cérons, tél. 05.56.27.08.53, fax 05.56.27.08.53, e-mail j.gracia@moueix-lebegue.com

CH. HAUT SELVE 2001

■	30 ha	150 000	⬛	15 à 23 €

Comme toutes les propriétés du groupe Leda, ce cru constitue une belle unité. D'une jolie teinte rouge cerise, gage de jeunesse, son 2001 marie bien le fruit et le merrain pour former un ensemble souple dont la vivacité des tanins marque toute la dégustation jusqu'en finale.

☛ SCA Ch. Branda et Cadillac, Branda, 33240 Cadillac-en-Fronsadais, tél. 05.57.94.09.20, fax 05.57.94.09.30, e-mail contact@leda-sa.com ☑ ⵏ ⵝ r.-v.
☛ J.-J. Lesgourgues

CH. DE L'HOSPITAL 2001

■	10,65 ha	48 800	⬛	11 à 15 €

Nos lecteurs connaissent bien ce cru qui a reçu plusieurs coups de cœur au cours des dernières années.

Avec ce millésime difficile, il réussit un vin qui joue résolument la carte de la délicatesse et de la complexité. Tour à tour se succèdent des notes de fumée, de fruits cuits et de vanille qui débouchent sur des impressions mentholées, puis réglissées. Sa charpente et sa finale légèrement poivrée invitent à l'attendre encore trois ou quatre ans. Le **blanc 2002**, d'une belle intensité aromatique (vanille et orange confite), a également obtenu une citation.

☛ SCS Vignobles Lafragette, Darrouban, 33640 Portets, tél. 05.56.73.17.80, fax 05.56.09.02.87, e-mail loudenne@lafragette.com ☑ ⵏ ⵝ r.-v.

CH. JEAN GERVAIS 2001

■	20 ha	60 000	⬛⬥	5 à 8 €

Dominant l'encépagement (75 %), le merlot a marqué d'une délicate note fruitée ce vin au développement net, droit et souple. Il est déjà plaisant, mais pourra être attendu un ou deux ans.

☛ SCEA Counilh et Fils, 51-53, rte des Graves, 33640 Portets, tél. 05.56.67.18.61, fax 05.56.67.32.43, e-mail counilhetfils@aol.com ☑ ⵏ ⵝ r.-v.

CH. JOUVENTE 2002 ★★

■	0,8 ha	2 700	⬛	5 à 8 €

En prenant de l'âge, ce vignoble confirme ses bonnes dispositions. Celles-ci éclatent dans ce 2002 qu'annonce une superbe robe d'un jaune doré soutenu. A la fois exotique et frais, son bouquet fait preuve d'une grande complexité, même si la vanille se taille la part du lion. Vif et rond à l'attaque, le palais révèle bien vite son ampleur et son gras qui s'associent à une réelle intensité aromatique (citron et vanille) pour témoigner d'un élevage bien maîtrisé. Très bien construite, cette bouteille mérite un séjour en cave de deux ou trois ans.

☛ SEV Zyla Mercadier, Ch. Jouvente, le Bourg, 33720 Illats, tél. 05.56.62.49.69, fax 05.56.27.05.97, e-mail sevzmjouvente@aol.com ☑ ⵏ ⵝ r.-v.

KRESSMANN Grande Réserve 2001

■	n.c.	50 000	⬛	5 à 8 €

Portant l'une des grandes signatures du négoce bordelais, ce vin déploie un bouquet très fruité (pruneau) et des tanins soyeux. Le tout dans une fine enveloppe qui invite à profiter des charmes de cette bouteille dès cette année.

☛ Kressmann, 35, rue de Bordeaux, 33290 Parempuyre, tél. 05.56.35.53.00, fax 05.56.35.53.05, e-mail contact@kressmann.com

CH. DE LANDIRAS 2001

■	5 ha	19 000	⬛	11 à 15 €

Cette propriété, plantée à 9 600 pieds à l'hectare sur un terroir de graves profondes, a changé de mains en 2002. D'une belle couleur aux reflets intenses, ce vin affiche de fins arômes de pain grillé, de biscuit et de fruits noirs. Au palais, sa chair est délicate mais ses saveurs sont bien équilibrées.

☛ SCA Dom. La Grave, Ch. de Landiras, 33720 Landiras, tél. 05.56.62.40.75, fax 05.56.62.43.78 ☑ ⵏ ⵝ r.-v.

CH. LANGLET 2001

■	5,6 ha	18 000	⬛	8 à 11 €

Né sur le canton de La Brède, ce vin à la robe intense et limpide, sans afficher de grande prétention de garde, se montre agréable par son expression aromatique fruitée. Bien équilibré, il pourra être servi sans avoir à attendre.

⊶ Sté fermière Domaines Kressmann, 33650 Martillac, tél. 05.57.97.71.11, fax 05.57.97.71.17, e-mail langlet@domaines-kressmann.com

CH. LAUBAREDE COURVIELLE 2002 ★

□ 1,5 ha 2 000 ⦀ 5 à 8 €

Le sud de l'appellation est favorable aux blancs. Ce vin, à la robe d'un jaune pâle à reflets verts, le prouve tout au long de la dégustation. Débutant par de discrets parfums de fleurs blanches et de fruits très mûrs, il attaque en souplesse avant de révéler une structure intéressante avec un boisé bien fondu et une touche de fleur d'acacia, voire de miel et de citron. A servir sur une viande blanche.

⊶ Delpeuch et Fils, Courvielle, 33210 Castets-en-Dorthe, tél. 05.56.62.86.81, fax 05.56.62.78.50, e-mail delpeuch@aol.com ☒ Y 🚶 r.-v.

CH. LEHOUL Plénitude 2001 ★★

■ 2,5 ha 11 500 ⦀ 15 à 23 €

Régulière en qualité, la cuvée prestige de ce cru est à la hauteur de sa réputation (elle fut coup de cœur pour le millésime 2000). Impressionnante par la profondeur de sa robe, elle fait preuve d'une belle complexité aromatique (fruits noirs et pain grillé) et d'une grande richesse au palais. Sa chaire dense et réglissée soutenue par des tanins bien fondus est déjà agréable, mais elle augure aussi un bon potentiel de garde. La **cuvée principale rouge 2001 (8 à 11 €)**, citée, moins puissante, est destinée à être bue rapidement.

⊶ EARL Fonta et Fils, rte d'Auros, 33210 Langon, tél. 05.56.63.17.74, fax 05.56.63.06.06 ☒ Y 🚶 r.-v.

CH. LEONIE 2002

■ 6 ha 21 000 ⦀ 11 à 15 €

Créé en 2002, ce cru fait son entrée dans le Guide dès son premier millésime. Discret dans sa première expression, il révèle à l'agitation des notes de fruits bien mûrs et d'épices. Déjà plaisant, il pourra aussi être attendu deux ou trois ans.

⊶ Séverine Prissette, Ch. Léonie, 33210 Léogeats, tél. 05.57.31.02.87, fax 05.57.31.02.88 ☒ Y t.l.j. 9h-12h 14h-17h

CH. LUDEMAN LA COTE 2003

□ 5 ha n.c. ⫿ 5 à 8 €

Venu du sud des Graves, ce vin réussit à se montrer vif et frais tout en gardant un côté assez gras et long. Son bouquet, aux généreuses notes d'agrumes et d'anis avec une petite pointe minérale, trouvera sa meilleure expression sur des mets empruntés aux cuisines orientales.

⊶ SCEA Chaloupin-Lambrot, Ludeman La Côte, 33210 Langon, tél. 05.56.63.07.15, fax 05.56.63.48.17, e-mail mbelloc-ludeman@wanadoo.fr ☒ Y 🚶 r.-v.

CH. LUSSEAU 2001

■ 5 ha 10 000 ⦀ 8 à 11 €

Commandé par un château construit par un général de l'armée napoléonienne, ce cru propose un vin à la jolie robe rubis, au bouquet discret et au palais, vif, frais, bien structuré.

⊶ Bérengère Quellien, Ch. Lusseau, 33640 Ayguemorte-les-Graves, tél. 05.56.67.01.67, fax 05.56.67.30.48, e-mail berengere.quellien@wanadoo.fr ☒ ⌂ Y 🚶 r.-v.

⊶ Mme de Granvilliers

CH. MAGENCE 2001 ★

■ 25 ha 69 000 ⫿ 8 à 11 €

Cette ancienne propriété jouit d'une solide réputation. Ce n'est pas ce millésime qui la ternira. Il se présente dans une robe rubis franc aussi engageante que son bouquet aux délicates notes de groseille, de framboise et d'épices. L'harmonie de la matière et la fraîcheur de la finale contribuent à son caractère. Un vin de garde.

⊶ SCEA Ch. Magence, 33210 Saint-Pierre-de-Mons, tél. 05.56.63.07.05, fax 05.56.63.41.42, e-mail magence@magence.com ☒ Y 🚶 r.-v.

⊶ Guillot de Suduiraut-d'Antras

CH. MAGNEAU 2002 ★★

■ 20 ha 60 000 ⦀ 8 à 11 €

Très ancienne famille de viticulteurs, les Ardurats conservent de précieux souvenirs sur l'histoire viticole des Graves. Ils défendent aussi l'image de leur région par la qualité de leurs vins, tel ce 2002 drapé dans une toge rubis brillant. Celui-ci s'annonce par un bouquet généreux, où les fruits rouges sont relevés d'une fine note boisée. Le palais affiche à la fois de la souplesse et un bon volume, avec de fins tanins et de beaux arômes. Un vrai vin de garde, à servir dans quelque temps sur une viande goûteuse comme un agneau. En **blanc 2002, la cuvée Julien** est couronnée d'une étoile, alors que la **cuvée principale blanc 2003 (5 à 8 €)**, qui ne connaît pas la barrique, obtient une citation. En **blanc 2003, le Château Coustaut (5 à 8 €)** obtient deux étoiles. Brillant palmarès.

⊶ Henri Ardurats et Fils, EARL Les Cabanasses, 12, chem. Maxime-Ardurats, 33650 La Brède, tél. 05.56.20.20.57, fax 05.56.20.39.95, e-mail ardurats@chateau-magneau.com ☒ Y 🚶 t.l.j. 8h30-12h 14h-18h; sam. dim. sur r.-v.

M. DE MALLE 2002 ★★

□ 3 ha 6 800 ⦀ 11 à 15 €

A cheval sur les Graves et Sauternes, le château de Malle, superbe construction du XVII^{e}s., offre dans sa gamme ce blanc sec dont la réussite s'annonce dès l'examen de la robe, limpide avec de beaux reflets verts. Intense et fin, le bouquet passe des agrumes (pamplemousse) au bourgeon de cassis avant de revenir au fruit de la Passion. Vif à l'attaque, le palais équilibré et gras laisse le souvenir d'un goût d'écorce d'orange mêlé de quelques notes plus minérales. En **rouge, le Château de Cardaillan 2002 (8 à 11 €)** est tout aussi remarquable. Sa robe élégante, son nez charmeur, son corps parfait, rond et frais justifient pleinement ses deux étoiles.

⊶ Comtesse de Bournazel, GFA des Comtes de Bournazel, Ch. de Malle, 33210 Preignac, tél. 05.56.62.36.86, fax 05.56.76.82.40, e-mail chateaudemalle@wanadoo.fr ☒ Y 🚶 r.-v.

CH. MAMIN Arbanats Elevé en fût de chêne 2002 ★

■ 9 ha 30 000 ⦀ 5 à 8 €

Ici, le merlot règne en maître avec 90 % de l'encépagement. Les fruits rouges du bouquet portent sa signature. Mais loin de monopoliser l'expression aromatique, ils doivent composer avec des notes florales et poivrées. Franc et net en attaque, le vin possède du gras, du corps. La belle finale fruitée et les tanins assez souples permettront des accords gourmands avec la cuisine classique ou exotique d'ici cinq à six ans.

☙ Vignobles Vincent Lataste,
Ch. de Lardiley, 33410 Cadillac,
tél. 05.57.98.19.86, fax 05.57.98.19.90 ☑

CH. MASSEREAU 2001

■	1,8 ha	9 500	⦀ 15 à 23 €

Ancien relais de chasse des ducs d'Epernon, ce château du XVIe s. domine le Ciron. Souple et fruité, ce vin se montre agréable par son expression aromatique qu'agrémentent des notes de sous-bois.
☙ Jean-François Chaigneau,
Ch. Massereau, lieu-dit La Pachère, 33720 Barsac,
tél. 05.56.27.46.62, fax 05.56.27.02.18,
e-mail chateau.massereau@wanadoo.fr
☑ ⵊ ⵗ t.l.j. 10h-19h

CH. MAYNE D'IMBERT 2002 ★

	3,52 ha	1 336	■↓ 3 à 5 €

Né sur un cru toujours fidèle au sémillon, ce vin développe très logiquement de jolis arômes fruités que complète une touche de citron, sans doute apportée par le sauvignon. D'autres parfums d'agrumes et des notes mentholées donnent beaucoup de fraîcheur à l'ensemble. Délicat et plaisant, ce 2002 fera le bonheur d'un plateau de fruits de mer.
☙ SCEA Vignobles Bouche,
23, rue François-Mauriac, BP 58, 33720 Podensac,
tél. 05.56.27.18.17, fax 05.56.27.21.16 ☑ ⵊ ⵗ r.-v.

CH. MAYNE DU CROS
Elevage en fût de chêne 2001

■	7 ha	24 380	⦀ 8 à 11 €

Elevé en barrique, ce vin en porte encore la marque, mais le bouquet n'en reste pas moins flatteur et les fines saveurs fruitées expriment leur élégance. On pourra profiter de cette bouteille sans avoir à attendre plus d'un an ou deux.
☙ SA Vignobles M. Boyer, Ch. du Cros,
33410 Loupiac, tél. 05.56.62.99.31, fax 05.56.62.12.59,
e-mail contact@chateauducros.com
☑ ⵊ ⵗ t.l.j. 8h-12h 14h-18h

CH. MOURAS 2002 ★

■	4 ha	20 000	⦀ 8 à 11 €

Vendanges tardives et rendement faible. Ce 2002 a bénéficié d'un travail rigoureux et efficace. Son côté sérieux s'affiche dans sa couleur aux reflets carmin. Encore un peu dominé par le bois, le bouquet s'annonce prometteur par ses notes empyreumatiques et fruitées (cerise et pruneau) qui témoignent d'une vendange bien mûre. Franc, équilibré, riche, il est solidement armé pour séjourner pendant quatre ou cinq ans en cave.
☙ SCEA Ch. Laville, 33210 Preignac,
tél. 05.56.63.59.45, fax 05.56.63.16.28 ☑ ⵊ ⵗ r.-v.
☙ Famille Barbe

CH. DE NAVARRO 2002 ★★

	5,43 ha	3 000	■↓ 5 à 8 €

Né à Illats, commune limitrophe de Barsac, ce vin témoigne de l'aptitude de ce secteur à produire de beaux blancs. Sa jeunesse, que traduit l'intensité de sa robe, et sa puissance, qu'exprime son bouquet aux fraîches notes mentholées, enchantent le jury. Vif, élégant et bien équilibré, il a tout pour séduire.
☙ Vignobles Hélène Biarnès-Ballion,
Ch. de Navarro, 33720 Illats,
tél. 05.56.27.15.36, fax 05.56.27.26.53 ☑ ⵊ r.-v.

CH. DE L'OMERTA Elevé en fût de chêne 2001 ★

■	0,7 ha	4 800	■⦀↓ 8 à 11 €

En dépit du nom du cru, né en 2000, ce vin n'a rien d'inquiétant ou de silencieux. Il est même très expressif sous sa robe assez sombre : un bouquet chaud et riche en parfums de fruits rouges et de toast. Franc et ample, il gagnera à être attendu pendant deux ou trois ans avant d'être servi sur un gibier suivi d'un fromage.
☙ Denis Roumegous,
5, rue de la Résistance, 33210 Preignac,
tél. 06.12.33.51.36, fax 05.56.76.20.34 ☑ ⵊ ⵗ r.-v.

CH. LE PAVILLON DE BOYREIN 2002 ★

	23 ha	72 000	■ 5 à 8 €

Héritier d'un domaine ayant appartenu aux Pontac et aux Gourgue, ce cru peut s'enorgueillir d'un passé fort ancien. Ce vin s'en montre digne par sa prestation : une belle et intense couleur, un bouquet complexe (épices, fruits confits et réglisse), une attaque progressive et une chair bien concentrée. Autant de caractères qui appellent une garde de deux ou trois ans.
☙ SCEA Vignobles Bonnet, Le Pavillon de Boyrein,
33210 Roaillan, tél. 05.56.63.24.24, fax 05.56.62.31.59,
e-mail vignobles-bonnet@wanadoo.fr ☑ ⵊ ⵗ r.-v.

CH. PESSAN 2002 ★

■	7 ha	6 000	⦀ 11 à 15 €

Agréable domaine du XVIIIe s., ce cru propose un vin qui possède lui aussi un charme réel. Souple, gras, ample et équilibré, celui-ci procure un vrai plaisir par ses arômes d'épices et de café. Sa longue finale est encore un peu dominée par les tanins, mais deux ans de garde sauront l'arrondir.
☙ Comtes de Bournazel, SCI Ch. Pessan,
33640 Portets, tél. 05.56.62.36.86, fax 05.56.76.82.40,
e-mail chateaudemalle@wanadoo.fr

CH. PEYREBLANQUE 2002 ★★

	n.c.	n.c.	⦀ 5 à 8 €

Appartenant au vaste ensemble des vignobles Médeville, ce cru témoigne du savoir-faire des équipes du négociant cadillacais. Sa couleur jaune pâle à reflets verts traduit sa jeunesse ; avec des petites notes de praline, son bouquet fait preuve d'une incontestable originalité. Ample, gras, frais et complexe, cet ensemble aux jolies touches vanillées et citronnées est déjà agréable tout en disposant d'un beau potentiel d'évolution pour les deux ou trois ans à venir. Egalement d'une intéressante complexité aromatique et porté par des tanins bien fondus, le **rouge 2001 (8 à 11 €)** mérite lui aussi d'être attendu (de trois à cinq ans). Il a obtenu une étoile, tout comme le **Château du Mouret blanc 2003 (3 à 5 €)**.
☙ SCEA Jean Médeville et Fils, Ch. Fayau,
33410 Cadillac, tél. 05.57.98.08.08, fax 05.56.62.18.22,
e-mail medeville-jeanetfils@wanadoo.fr ☑ ⵊ ⵗ r.-v.

CH. PIRON Elevé en fût de chêne 2002 ★

	12 ha	10 000	⦀ 5 à 8 €

De son élevage en barrique, ce vin a gardé de fins arômes grillés et vanillés. Vif à l'attaque puis gras, souple et persistant, il révèle un bon équilibre et promet un plaisir immédiat.
☙ EARL Famille Boyreau,
Piron, 33650 Saint-Morillon,
tél. 05.56.20.25.61, e-mail boyreaul@club-internet.fr
☑ ⵊ ⵗ t.l.j. 8h-12h 14h-20h

CH. PONT DE BRION 2002 ★

■ 7 ha 45 000 🛢 8 à 11 €

Issu de vignes d'un âge respectable, ce vin s'inscrit dans la tradition de qualité du cru. A la délicatesse d'un bouquet jouant sur les notes de grillé, de griotte et de framboise succède une bouche d'attaque puissante et élégante. Son harmonie et sa richesse se retrouvent au palais. Harmonieuse et riche, cette bouteille mérite un séjour en cave pendant trois à quatre ans. Le **Château Ludeman Les Cèdres rouge 2002 (5 à 8 €)** obtient lui aussi une étoile. Sa souplesse et ses tanins fondus permettent de le servir dès cette année. Le **Château Rivière Lacoste rouge 2002 (5 à 8 €)** remporte la même note pour sa séduction.

SCEA Molinari et Fils, Ludeman, 33210 Langon, tél. 05.56.63.09.52, fax 05.56.63.13.47 ☑ 🍷 ♿ r.-v.

CH. DE PORTETS 2002 ★

□ 4,96 ha 15 000 ▮🛢🌡 8 à 11 €

Demeure féodale au XIIIes., le château de Portets conserve une tour du XVIIIes. située au milieu des vignes, la tour de Gascq, du nom de l'illustre famille qui régna deux siècles sur ce fief. Issu d'un vignoble entièrement planté de sémillon, son vin possède une bonne structure qui sert de support à une expression aromatique, d'une grande complexité : de l'ananas au miel et à l'abricot mûr. Ce 2002 pourra attendre en cave avant d'accompagner un dessert (charlotte).

SCEA Théron-Portets, Ch. de Portets, 33640 Portets, tél. 05.56.67.12.30, fax 05.56.67.33.47, e-mail vignobles.theron@wanadoo.fr ☑ 🍷 ♿ r.-v.

Jean-Pierre Théron

CH. PRIEURE LES TOURS 2001

■ 19 ha 123 000 🛢 8 à 11 €

Issu d'une vaste unité située à Portets, ce vin gracile sait se montrer charmeur par ses arômes gourmands de fraise cuite et de groseille comme par son corps moelleux et équilibré. Sa souplesse permettra de l'apprécier sans attendre.

Domaines de la Mette, 17, rte de Mathas, 33640 Portets, tél. 05.56.67.18.18, fax 05.56.67.53.66, e-mail domainesdelamette@wanadoo.fr ☑ 🍷 ♿ r.-v.

J.-B. Solorzano

PRIMO PALATUM 2001 ★★

■ 2 ha 3 000 🛢 15 à 23 €

Une marque commerciale, mais un vin issu d'une sélection parcellaire rigoureuse, qui possède une typicité incontestable. Sa teinte soutenue annonce la structure tannique du palais. La richesse de la matière est prometteuse, tout comme le bouquet dont l'élégance est parfaitement dans l'esprit bordeaux. Une garde de cinq à dix ans est à envisager. Elle trouvera une conclusion heureuse par un mariage avec un civet ou un fromage.

Primo Palatum, 1, Cirette, 33190 Morizès, tél. 05.56.71.39.39, fax 05.56.71.39.40, e-mail xavier-copel@primo-palatum.com ☑ 🍷 ♿ r.-v.

Xavier Copel

CH. RAHOUL 2001 ★

■ 20 ha 67 500 🛢 15 à 23 €

Trois coups de cœur ont prouvé que la notoriété de ce cru n'est pas usurpée. Il n'aura pas à rougir de son 2001. D'une couleur rubis, celui-ci se montre plaisant par son bouquet aux notes de pâtisserie à la fraise et à la framboise. Souple à l'attaque, il se développe harmonieusement au palais, avant de s'ouvrir sur une finale plus ferme, indice de sa capacité à affronter la garde. Le **blanc 2002** obtient une citation.

SA Ch. Rahoul, 4, rte du Courneau, 33640 Portets, tél. 05.57.97.73.33, fax 05.57.97.73.36, e-mail chateau-rahoul@alain-thienot.fr ☑ 🍷 ♿ r.-v.

Alain Thiénot

CH. DE RESPIDE Cuvée Callipyge 2001 ★★

■ 5 ha 24 000 🛢 11 à 15 €

Cette cuvée, du même producteur que le Pavillon de Boyrein, a été baptisée du nom de la célèbre statue du musée de Naples en espérant que son vin serait à son image, rond et velouté. L'objectif est incontestablement atteint dans ce millésime. Dès l'attaque, le palais est d'une rondeur et d'un équilibre qui mettent en valeur la riche expression aromatique : framboise et cassis sur un fond toasté, boisé. Riche, ample, aromatique et fraîche, la **cuvée Callipyge blanc 2003 (8 à 11 €)** obtient une étoile. Comme la rouge, elle pourra être bue immédiatement ou attendue. En **rouge 2002, la cuvée principale Château de Respide (8 à 11 €)** est citée.

SCEA Vignobles Bonnet, Le Pavillon de Boyrein, 33210 Roaillan, tél. 05.56.63.24.24, fax 05.56.62.31.59, e-mail vignobles-bonnet@wanadoo.fr ☑ 🍷 ♿ r.-v.

CH. RESPIDE-MEDEVILLE 2001 ★★

■ 7,7 ha 30 000 🛢 15 à 23 €

Situé sur une croupe argilo-graveleuse bien exposée, ce cru bénéficie d'un beau terroir, fort heureusement planté avec une majorité de cabernet-sauvignon. Rubis brillant, son 2001 montre sa jeunesse par d'élégants reflets violacés comme par son bouquet intense de fruits rouges et de pain grillé qui se prolonge au palais. Bien équilibré, long et ferme, il est solidement armé pour affronter la garde (trois à quatre ans ou plus) et accompagner des fromages, un civet ou du gibier. Le second vin **Dame de Respide rouge 2001 (8 à 11 €)** obtient une étoile. Il possède la trame nécessaire pour séjourner en cave et justifier un mariage avec un mets goûteux.

Christian Médeville, Ch. Gilette, 33210 Preignac, tél. 05.56.76.28.44, fax 05.56.76.28.43, e-mail christian.medeville@wanadoo.fr ☑ ♿ r.-v.

CH. DE RIEUFRET 2002 ★

■ 7 ha 10 000 ▮🛢🌡 8 à 11 €

Cette propriété a été reprise en 2002 par une nouvelle société d'exploitation qui signe ici son premier millésime. Teinte foncée, bouquet complexe (toast, vanille et cuir) et solide structure, mariant le fruit et le bois, ce vin qui mérite de vieillir augure bien de l'avenir du cru.

SCEA de Villeneuve, Ch. de Rieufret, 33720 Saint-Michel-de-Rieufret, tél. 06.80.25.74.03, fax 05.56.27.24.79 ☑ 🍷 ♿ r.-v.

CH. ROQUETAILLADE LA GRANGE 2001 ★

■ 23 ha 150 000 🛢 8 à 11 €

A une centaine de mètres du célèbre château fort dont il dépendait autrefois, ce cru occupe l'un des points culminants de l'appellation. En raison d'une forte extraction, son vin demande à être attendu deux ou trois ans pour se fondre. Il possède la structure nécessaire pour bien évoluer et son expression aromatique n'en sera que magnifiée. Doté d'un bouquet de fruits exotiques, de fleurs blanches, de buis et de fleur d'acacia, le **blanc 2003**

(5 à 8 €) mérite une citation. Quant au **Château de Carolle Elevé en fût de chêne rouge 2002 (5 à 8 €)**, il obtient une étoile et doit être attendu.
⊶ GAEC Guignard Frères,
Ch. Roquetaillade la Grange, 33210 Mazères,
tél. 05.56.76.14.23, fax 05.56.62.30.62,
e-mail contact@vignobles-guignard.com ☑ Y ⚲ r.-v.

CH. SAINT-AGREVES Vieilli en fût de chêne 2001

■ 11 ha 60 000 ⊕ 5 à 8 €

De son ancienne vocation équestre, cette propriété conserve d'intéressants haras. S'il aurait mérité un peu plus de chair, son vin fait preuve d'une personnalité très plaisante, tant par sa robe aux beaux reflets cerise que par son expression aromatique mêlant les fruits rouges aux notes florales. Bien équilibré, il sera à boire dans deux ou trois ans.
⊶ EARL Landry, Ch. Saint-Agrèves,
17, rue Joachim-de-Chalup, 33720 Landiras,
tél. 05.56.62.50.85, fax 05.56.62.42.49,
e-mail saint.agreves@free.fr
☑ Y ⚲ t.l.j. sf dim. 9h30-12h30 14h-19h

CH. SAINT-JEAN-DES-GRAVES 2003 ★

□ 10 ha n.c. 5 à 8 €

Résolument moderne dans son élaboration avec macération pelliculaire et élevage sur lie, ce vin joue la carte de l'élégance. Une finesse qui se lit dans le bouquet de fleurs blanches, d'écorce d'orange et de fruit de la Passion. Frais et long, ce millésime s'exprimera parfaitement avec un poisson de qualité ou de la charcuterie.
⊶ SCEA J. E. David, Ch. Liot, 33720 Barsac,
tél. 05.56.27.15.31, fax 05.56.27.14.42,
e-mail chateau.liot@wanadoo.fr ☑ Y ⚲ r.-v.

CH. SAINT-ROBERT Poncet Deville 2002 ★★

□ 3 ha 18 000 ⊕ 11 à 15 €

89 90 92 93 94 95 96 97 **98** |99| **00 01 02**

Avec cinq coups de cœur, ce cru est l'un des plus récompensés de l'appellation. Sa cuvée Poncet Deville 2002 témoigne qu'il n'a rien perdu de son savoir-faire. La robe aux reflets dorés et le bouquet de fruits exotiques, de mangue, de pêche, de fleur d'acacia et de pamplemousse rose sont une invitation au voyage gourmand. Le bois est présent mais sans gêner l'expression des autres arômes. Equilibré et soutenu par une bonne vivacité, ce vin saura tirer le meilleur parti d'une garde d'un ou deux ans. La cuvée **Poncet Deville rouge 2002 (15 à 23 €)** a obtenu une étoile.
⊶ SCEA Vignobles Bastor Saint-Robert,
Dom. de Lamontagne, 33210 Preignac,
tél. 05.56.63.27.66, fax 05.56.76.87.03,
e-mail bastor-lamontagne@dial.oleane.com ☑ Y ⚲ r.-v.
⊶ Foncier-Vignobles

CH. DU SEUIL 2002 ★

□ 5,83 ha 25 960 ▮⊕⚲ 11 à 15 €

Entourant le château du XIX^{e}s., les vignes s'étendent sur un plateau descendant doucement vers la Garonne. Ces conditions naturelles favorables ne sont pas étrangères aux attraits de ce vin dont la belle présentation n'a rien de trompeur. Complexe et élégant, avec de jolis parfums de fleurs blanches, le nez est tout aussi suave et délicat que le palais, vif et bien équilibré. Les poissons et fruits de mer comme les volailles apprécieront la compagnie de cette bouteille. Le **rouge 2001** est cité.
⊶ SCEA Ch. du Seuil, 33720 Cérons,
tél. 05.56.27.11.56, fax 05.56.27.28.79,
e-mail chateau-du-seuil@wanadoo.fr ☑ ⚲ r.-v.

ALLIAGE DE SICHEL 2001 ★

■ 15 ha 46 000 ⊕ 8 à 11 €

Bien implantés dans les Graves avec la maison Pierre Coste, les Sichel signent ici un vin dont la robe rubis franc n'est pas trompeuse. Son bouquet mêlant la noisette à la praline et à la fraise est suivi par une structure équilibrée, encore un peu ferme mais prometteuse par ses tanins soyeux. Il n'est pas obligatoire de l'attendre, mais une garde de deux à trois ans ne le rendra que meilleur. Le **blanc 2002 (5 à 8 €)** a reçu une citation. Il s'accordera avec des crustacés. De la même maison, la cuvée **Pierre Coste rouge 2001 (5 à 8 €)**, soyeuse et fruitée, obtient une citation : un plaisir immédiat.
⊶ SA Maison Sichel, 8, rue de la Poste,
33210 Langon, tél. 05.56.63.50.52, fax 05.56.63.42.28,
e-mail maison-sichel@sichel.fr

T DU TEIGNEY Vieilli en fût de chêne 2001 ★

■ 2 ha 8 600 ⊕ 11 à 15 €

Cuvée prestige du cru, ce 2001 a hérité de son élevage un boisé élégant qui soutient et renforce une expression aromatique aussi intense que complexe. Le gras, les tanins fins et serrés, puis la longue finale aux notes de fruits cuits confirment une qualité que laissait deviner la belle robe. On attendra quatre ou cinq ans pour ouvrir cette bouteille.
⊶ EARL Buytet et Fils, Ch. Teigney, 33210 Langon,
tél. 05.56.63.17.15, fax 05.56.76.20.19 ☑ Y ⚲ r.-v.

CH. TOUR BICHEAU 2001

■ 19 ha 80 000 ⊕ 5 à 8 €

Né sur une propriété dont le parc possède des arbres centenaires, ce vin rond, souple et frais sera très agréable à boire jeune pour son fruité.
⊶ SCEA des Vignobles Daubas et Fils,
Ch. Tour Bicheau, 8, rte du Cabernet, 33640 Portets,
tél. 05.56.67.37.75, fax 05.56.67.37.75,
e-mail chateau.tourbicheau@wanadoo.fr ☑ Y ⚲ r.-v.
⊶ Hugues Daubas

CH. TOUR DE CALENS Elevé en fût de chêne 2001

■ 6 ha 20 000 ▮⊕⚲ 8 à 11 €

Fidèle à son habitude, ce cru propose un vin à l'expression aromatique bien marquée. Avec ses notes empyreumatiques et surmûries, celle-ci est presque atypique. Rond, ample et d'une bonne persistance, l'ensemble ne manque pas d'intérêt. Le **blanc 2002** a également été cité.
⊶ Bernard et Dominique Doublet,
Ch. Tour de Calens, 33640 Beautiran,
tél. 05.57.24.12.93, fax 05.57.24.12.83,
e-mail d.doublet@free.fr ☑ ⚲ r.-v.

CH. TOUR DE CASTRES 2002 ★

■ 7 ha 34 000 ⊕ 8 à 11 €

Une vaste et ancienne propriété a donné naissance à ce vin qui fait preuve d'une réelle personnalité et de typicité. D'une teinte très foncée, celui-ci a un nez marqué par un boisé bien fondu (cèdre) et par des notes de cassis, de framboise et de cerise. Franc en attaque, il est bien constitué. Il peut être attendu deux ou trois ans ou bu plus jeune, servi sur un gibier, à condition d'être carafé.

🔑 EARL Vignobles Rodrigues-Lalande,
Ch. de Castres, 33640 Castres-sur-Gironde,
tél. 05.56.67.51.51, fax 05.56.67.52.22,
e-mail chateaudecastres@free.fr
☑ Y 🚶 t.l.j. 8h-12h 13h-20h

CH. DU TOURTE 2002

4 ha 15 000 8 à 11 €

Le bouquet s'ouvre progressivement à l'aération pour devenir bien expressif, avec de jolies notes de fleurs blanches, de pamplemousse et de grillé. La robe soutenue annonce un palais où le gras et l'acidité s'équilibrent.
🔑 Ch. du Tourte, 33210 Toulenne,
tél. 01.46.88.40.08, fax 01.46.88.01.45,
e-mail hubert.arnaud@c2a.fr ☑ Y 🚶 r.-v.
🔑 H. Arnaud

CH. TOURTEAU-CHOLLET 2001 *

44,52 ha 196 680 8 à 11 €

Millésime qui a vu le changement de propriétaire du cru avec l'arrivée de Maxime Bontoux, ce 2001 est de bon augure pour l'avenir. Sa couleur intense, son bouquet qui révèle un très bon équilibre entre le fruit et le merrain, son palais rond, souple et soutenu par des tanins soyeux lui confèrent une personnalité plaisante. Frais et doté d'une belle expression aromatique (agrumes), le **blanc 2002** obtient également une étoile.
🔑 SC du Ch. Tourteau-Chollet, 3, chem. de Chollet,
33640 Arbanats, tél. 05.56.67.47.78, fax 05.56.67.40.09,
e-mail tourteauchollet@wanadoo.fr ☑ Y 🚶 r.-v.
🔑 M. Bontoux

CH. LA TUILERIE 2002

35 ha 199 999 3 à 5 €

Issu d'un cru appartenant au même propriétaire que le château d'Ardennes, mais diffusé par la maison Cordier dans le cadre de son club, ce vin sait se rendre attrayant par son équilibre et son bouquet au parfum de fraise bien mûre.
🔑 Cordier Mestrezat et domaines,
109, rue Achard, 33300 Bordeaux, tél. 05.56.11.29.00,
fax 05.56.11.29.01, e-mail contact@cordier-wines.com
🔑 Dubrey

CH. LE TUQUET 2001 *

35 ha 45 000 8 à 11 €

Domaine de 120 ha d'un seul tenant, bâtiments d'exploitation du XVIIe s., chartreuse du XVIIIe s., ce cru constitue une très belle propriété. Avec son bouquet qui passe des notes de gibier (ventre de lièvre) aux notes toastées et torréfiées, ce graves affiche une réelle personnalité que confirme sa matière bien structurée, empreinte d'originales notes de romarin et de laurier.
🔑 Paul Ragon, GFA Ch. Le Tuquet, 33640 Beautiran,
tél. 05.56.20.21.23, fax 05.56.20.21.83 ☑ 🚶 r.-v.

CH. LA VIEILLE FRANCE 2001

3,5 ha 22 600 15 à 23 €

Toujours fidèle à son étiquette fleurdelisée, ce vin est simple mais bien constitué, avec une jolie teinte rubis, un bouquet fruité et une bonne mâche. Souple, il pourra être bu jeune.
🔑 Michel Dugoua, EARL Ch. La Vieille France,
1, chem. du Malbec, BP 8, 33640 Portets,
tél. 05.56.67.19.11, fax 05.56.67.17.54,
e-mail lavieillefrance@wanadoo.fr ☑ Y 🚶 r.-v.

VIEUX CHATEAU GAUBERT 2002 *

6 ha 25 000 11 à 15 €

Cinq fois coup de cœur, ce cru est l'un des plus renommés de l'appellation. Derrière le bois encore très présent, son blanc 2002 montre que sa réputation n'a rien d'usurpé. Sa robe limpide et brillante comme son bouquet élégant lui assurent une belle présentation. Equilibré, avec ce qu'il faut de gras, il accompagnera des blancs de volaille à la crème. Doté d'un bouquet aux notes de fleurs et de fruits mûrs et d'une bonne matière, le second vin **Benjamin de Vieux Château Gaubert blanc 2003 (5 à 8 €)** obtient également une étoile tout comme le **Benjamin de Vieux Château Gaubert rouge 2002 (8 à 11 €)**.
🔑 Dominique Haverlan, Vieux Château Gaubert,
33640 Portets, tél. 05.56.67.18.63, fax 05.56.67.52.76,
e-mail dominique.haverlan@libertysurf.fr ☑ Y 🚶 r.-v.

CH. VILLA BEL-AIR 2002 *

23 ha 190 000 11 à 15 €

Au fil des années, ce cru est devenu l'une des valeurs sûres des graves. Fort plaisant par son bouquet aux fines notes florales et épicées, net et souple à l'attaque, puis moelleux et gras avec une matière bien maîtrisée et des tanins fondus, ce 2002 sait se montrer séduisant aujourd'hui sans sacrifier pour autant ses possibilités d'évolution. Vif et aromatique, le **blanc 2003 (8 à 11 €)** obtient également une étoile.
🔑 Jean-Michel Cazes,
Ch. Villa Bel-Air, Bel-Air, 33650 Saint-Morillon,
tél. 05.56.20.29.35, fax 05.56.78.44.80

Graves supérieures

CH. LEONIE 2002

2 ha 1 700 8 à 11 €

Du même producteur que les graves homonymes, ce vin d'un beau jaune d'or foncé aurait mérité un peu plus de vivacité en finale, mais l'ensemble laisse un souvenir fort plaisant, tant par son attaque croissante et franche que par son bouquet mêlant la pâte de fruits aux arômes primaires d'agrumes. (Bouteilles de 50 cl.)
🔑 Séverine Prissette, Ch. Léonie, 33210 Léogeats,
tél. 05.57.31.02.87, fax 05.57.31.02.88
☑ Y t.l.j. 9h-12h 14h-17h

BARON DE MONTESQUIEU 2001 *

8 ha 40 000 5 à 8 €

Complétant la belle gamme de graves proposés par les Montesquieu sous une étiquette représentant l'illustre ancêtre, ce graves supérieures ne manque pas de charme. Sous une robe d'un jaune bien soutenu apparaissent de fins arômes de citron, de miel et d'abricot très mûr. Après une attaque volumineuse, le palais se distingue par son équilibre entre l'alcool, l'acidité et les sucres. Déjà plaisant, ce vin pourra être attendu deux ou trois ans. (Bouteilles de 50 cl.)
🔑 Vins et Domaines H. de Montesquieu,
Les Fougères, BP 53, 33650 La Brède,
tél. 05.56.78.45.45, fax 05.56.20.25.07,
e-mail montesquieu@montesquieu.com ☑ Y 🚶 r.-v.

CH. DE ROCHEFORT 2002 ★

□ 2 ha 4 000 ⊕ 8 à 11 €

Seul graves supérieures à avoir obtenu un coup de cœur, ce cru est une fois encore à la hauteur de sa renommée avec un 2002 jaune bouton d'or, qu'une importante sucrosité (100 g/l de sucres résiduels) destine aux amateurs de liquoreux traditionnels. Gras et ample, ce vin se distingue par la finesse de ses arômes de genêt, de fruits confits et de pêche très mûre. Pour profiter pleinement de ses qualités, on l'attendra quelque temps.

⊶ Jean-Christophe Barbe, Ch. Laville, 33210 Preignac, tél. 05.56.63.59.45, fax 05.56.63.16.28 ☑ Y 🚶 r.-v.

Pessac-léognan

Correspondant à la partie nord des Graves (appelée autrefois Hautes-Graves), la région de Pessac et de Léognan est aujourd'hui une appellation communale, inspirée de celles du Médoc. Sa création, qui aurait pu se justifier par son rôle historique (c'est l'ancien vignoble périurbain qui produisait les clarets médiévaux), s'explique par l'originalité de son sol. Les terrasses que l'on trouve plus au sud cèdent la place à une topographie plus accidentée. Le secteur compris entre Martillac et Mérignac est constitué d'un archipel de croupes graveleuses qui présentent d'excellentes aptitudes vitivinicoles par leurs sols, composés de galets très mélangés, et par leurs fortes pentes. Celles-ci garantissent un excellent drainage. Les pessac-léognan présentent une grande originalité ; les spécialistes l'ont d'ailleurs remarquée depuis fort longtemps, sans attendre la création de l'appellation. Ainsi, lors du classement impérial de 1855, Haut-Brion fut le seul château non médocain à être classé (premier cru). Puis, lorsque en 1959, seize crus de graves furent classés, tous se trouvaient dans l'aire de l'actuelle appellation communale.

Les vins rouges (51 931 hl en 2003) possèdent les caractéristiques générales des graves, tout en se distinguant par leur bouquet, leur velouté et leur charpente. Quant aux blancs secs (11 552 hl), ils se prêtent tout particulièrement à l'élevage en fût et au vieillissement qui leur permet d'acquérir une très grande richesse aromatique, avec de fines notes de genêt et de tilleul.

CH. BAHANS HAUT-BRION 2001 ★

■ n.c. n.c. ⊕ 38 à 46 €

Ce vin, seconde étiquette de Haut-Brion, se montre à la hauteur de ses origines. Tant par son bouquet, aux délicats parfums de cerise noire, d'épices et de cannelle, que par sa structure aux tanins fins et élégants, bien mis en valeur par un merrain de qualité. L'ensemble demande à se fondre, ce qui sera chose faite d'ici deux à trois ans.

⊶ Dom. Clarence Dillon, Ch. Haut-Brion, 33608 Pessac Cedex, tél. 05.56.00.29.30, fax 05.56.98.75.14, e-mail info@haut-brion.com 🚶 r.-v.

CH. BOIS-MARTIN 2001

■ 8 ha 50 000 ⊕ 11 à 15 €

Signé par l'équipe d'Antony Perrin, comme le Carbonnieux, ce vin sera de moins longue garde. Toutefois, il se montre intéressant par son expression aromatique aux fines notes de fruits rouges, d'épices et de toast comme par ses tanins bien extraits.

⊶ Antony Perrin, Ch. Bois Martin, 33850 Léognan, tél. 05.57.96.56.20, fax 05.57.96.59.19, e-mail chateau.carbonnieux@wanadoo.fr ☑ Y 🚶 t.l.j. sf sam. dim. 8h-12h 14h-17h

CH. BRANON 2001 ★★

■ 2 ha 5 000 ⊕ + de 76 €

Ce vin, élaboré dans un cuvier en bois, sait se montrer reconnaissant des soins dont il a bénéficié ! Sa teinte sombre est prometteuse, tout comme le bouquet qui, derrière sa retenue actuelle, laisse apparaître des arômes complexes. L'attaque révèle la puissance des tanins confirmée par la suite. Riche et dense, cette bouteille saura récompenser l'amateur, s'il a la patience de l'attendre au moins pendant deux ou trois ans.

⊶ Ch. Haut-Bergey, 69, cours Gambetta, BP 49, 33850 Léognan, tél. 05.56.64.05.22, fax 05.56.64.06.98, e-mail haut.bergey@wanadoo.fr ☑ Y 🚶 r.-v.

⊶ S. Garcin

CH. BROWN 2001 ★

■ 14,13 ha 69 000 ⊕ 15 à 23 €

98 |99| 00 01

Sans doute né au Moyen Age, même si son nom lui vient d'un négociant et peintre anglais du XVIIIe s., John-Lewis Brown, ce cru propose un vin dont le raffinement se traduit par l'élégance des tanins et de ses saveurs de fruits rouges. D'une bonne complexité, son bouquet passe des notes de raisin frais à celles d'amande grillée. Second vin, **Le Colombier de Château Brown rouge 2001 (8 à 11 €)** a également obtenu une étoile.

⊶ SAS Ch. Brown, allée John-Lewis-Brown, 33850 Léognan, tél. 05.56.87.08.10, fax 05.56.87.87.34, e-mail chateau.brown@wanadoo.fr ☑

⊶ Bernard Barthe

CH. CANTELYS 2002 ★

□ 10 ha 12 000 ⊕ 11 à 15 €

S'il est moins connu que le Smith Haut Lafitte, du même producteur, ce vin n'en fait pas un complexe. D'un jaune pâle brillant, sa robe met en confiance. Son bouquet porte la double marque de l'élevage (grillé) et du sauvignon (buis). Au palais, où se révèle sa richesse, le sémillon entre en jeu pour donner un ensemble complexe. Il ne faudra pas craindre de l'attendre deux ou trois ans. Notez que les deux cépages sont à parts égales et élevés douze mois avec bâtonnage sur lies en barrique.

⊶ Daniel Cathiard, Ch. Smith Haut Lafitte, 33650 Martillac, tél. 05.57.83.11.22, fax 05.57.83.11.21, e-mail f.cathiard@smith-haut-lafitte.com ☑ Y 🚶 r.-v.

CH. CARBONNIEUX 2001 ★★

■ Cru clas. 45 ha 300 000 15 à 23 €

75 81 82 **83 85** (86) 87 |**88**| |89| |**90**| 91 92 93 **94** |95| **96** |97| 98 |99| **00 01**

Une histoire remontant au XII^e^s., un domaine de plus de 80 ha, de beaux bâtiments... Carbonnieux constitue incontestablement une belle unité. Son vin montre lui aussi du caractère ; par sa présentation, d'un rouge intense qui traduit sa jeunesse, mais aussi par son bouquet et son palais. Tous deux sont puissants, élégants et complexes. Qualités qui se lisent dans les arômes de fruits rouges et de merrain, comme dans les tanins fins et serrés. Une grande bouteille à attendre quatre ou cinq ans pour permettre au bois de se fondre.

SC des Grandes Graves, Ch. Carbonnieux, 33850 Léognan, tél. 05.57.96.56.20, fax 05.57.96.59.19, e-mail chateau.carbonnieux@wanadoo.fr r.-v.

Antony Perrin

CH. CARBONNIEUX 2002 ★★

Cru clas. 42 ha 220 000 15 à 23 €

81 82 83 85 86 87 **88 89** |90| **91** 92 |93| |**94**| |95| |**96**| |**97**| |98| 99 |(00)| |01| |**02**|

Célèbre dès le XVIII^e^s., le blanc de Carbonnieux est une valeur sûre de l'appellation. Frais, aromatique, avec de délicates notes d'agrumes, de fruits exotiques et de bois, rond et bien équilibré, son 2002 constitue un vin de caractère qui demandera une garde de trois à cinq ans avant de trouver une belle alliance gourmande avec un poisson grillé ou en papillotes.

SC des Grandes Graves, Ch. Carbonnieux, 33850 Léognan, tél. 05.57.96.56.20, fax 05.57.96.59.19, e-mail chateau.carbonnieux@wanadoo.fr r.-v.

DOM. DE CHEVALIER 2001 ★

■ Cru clas. n.c. n.c. 30 à 38 €

64 66 70 73 75 78 79 83 84 |**85**| |**86**| 87 88 |(89)| |**90**| **91 92** |**93**| |**94**| **96** |**97**| **98** |99| **00** 01

De l'encépagement (à forte majorité de cabernet-sauvignon) aux méthodes de vinification en passant par la conduite de la vigne, les Bernard restent fidèles à la tradition. Nul ne sera donc étonné de la qualité des tanins et de la longueur de la finale de ce millésime. Si la structure est déjà agréable par son équilibre et sa chair, il conviendra d'attendre trois ou quatre ans avant d'ouvrir cette bouteille dont le bouquet demande encore à se préciser et à s'affiner. Moins concentré mais très plaisant par la variété de ses arômes (épices, menthol et frangipane), l'**Esprit de Chevalier rouge 2001 (11 à 15 €)** obtient également une étoile.

SC Dom. de Chevalier, 33850 Léognan, tél. 05.56.64.16.16, fax 05.56.64.18.18, e-mail olivierbernard@domainedechevalier.com

Famille Bernard

DOM. DE CHEVALIER 2001 ★

Cru clas. n.c. n.c. 46 à 76 €

82 83 85 86 |**89**| |(90)| 91 92 93 94 |**95**| |96| 97 |**98**| (99) **00** 01

Réputé pour ses blancs, le domaine de Chevalier se singularise par l'originalité de son 2001. Son non-conformisme n'apparaît pas dès le premier contact, sa robe d'un jaune pâle brillant semblant des plus classiques. C'est le bouquet, discret mais élégant, qui surprend le dégustateur par ses notes d'épices et, surtout, de fruits confits mêlées à un boisé fin. Après un développement bien équilibré au palais, la finale rejoint le bouquet par ses arômes d'abricot surmûri.

SC Dom. de Chevalier, 33850 Léognan, tél. 05.56.64.16.16, fax 05.56.64.18.18, e-mail olivierbernard@domainedechevalier.com

CH. COUCHEROY 2002

n.c. 70 000 5 à 8 €

Couchiroy en gascon, le nom de ce cru viendrait d'une halte réparatrice qu'aurait effectuée le futur Henri IV, peut-être surpris par un orage. Il aurait sûrement aimé ce vin, coulant, frais, et se serait étonné de ses parfums de fruits exotiques.

André Lurton, Ch. Bonnet, 33420 Grézillac, tél. 05.57.25.58.58, fax 05.57.74.98.59, e-mail andrelurton@andrelurton.com

CH. COUHINS-LURTON 2002 ★★

Cru clas. 5,5 ha 18 000 23 à 30 €

82 83 85 **86** 87 **88 89** |**90**| 91 |**92**| 93 94 |**95**| |(96)| |**97**| |98| |**99**| 00 **01 02**

On sait qu'André Lurton, le « père » de l'AOC pessac-léognan, nourrit de grandes ambitions pour ce cru. En 1992, il racheta le château afin de redonner au vignoble qu'il possédait depuis 1970 sa ravissante demeure historique. Le jury a apprécié les agréables sensations d'équilibre et de fraîcheur que procure ce vin très bien dosé. La puissance des parfums de fruits à chair blanche rejoint l'élégance des nuances de fleurs (pétale de rose) et de boisé toasté pour lui apporter une belle expression aromatique. On pourra apprécier ce 2002 tout de suite ou dans trois ou quatre ans. Il ne lui a manqué qu'une voix pour être coup de cœur !

André Lurton, Ch. Bonnet, 33420 Grézillac, tél. 05.57.25.58.58, fax 05.57.74.98.59, e-mail andrelurton@andrelurton.com

CH. DE CRUZEAU 2002 ★

12 ha 80 000 8 à 11 €

88 89 90 92 93 94 95 |96| |**97**| |**98**| |99| (01) 02

Appartenant à André Lurton, comme La louvière ou Couhins, mais situé à Saint-Médard-d'Eyrans, ce cru est à forte majorité de sauvignon. Son bouquet en porte la marque qui intègre heureusement l'apport du bois pour former un ensemble élégant. Fin, frais, bien équilibré et harmonieux, il est à boire dans les deux ans. Doté d'un bon potentiel, le **Cruzeau rouge 2001 (11 à 15 €)** est cité.

André Lurton, Ch. Bonnet, 33420 Grézillac, tél. 05.57.25.58.58, fax 05.57.74.98.59, e-mail andrelurton@andrelurton.com

CH. D'EYRAN 2001

■ 10 ha 50 000 11 à 15 €

Fondé au XIV^e^s., ce château occupant des croupes graveleuses est propriété de la famille de Sèze depuis 1796. Les Sèze élaborent un vin privilégiant la finesse. Celle-ci apparaît dès le bouquet. Au palais, les tanins encore fermes, mais qui n'ôtent rien à l'harmonie de l'ensemble, demandent deux à trois ans de patience.

SCEA Ch. d'Eyran, 33650 Saint-Médard-d'Eyrans, tél. 05.56.65.51.59, fax 05.56.65.43.78, e-mail stephane.savigneux@wanadoo.fr r.-v.

de Sèze

CH. FERRAN 2001 ★★

■ 10 ha 65 000 🍷 8 à 11 €

83 85 88 89 |90| 94 95 97 **98** |99| **00 01**

Coup de cœur l'an dernier, ce cru réitère l'exploit avec son 2001. On ne peut que féliciter ses auteurs ainsi que l'œnologue conseil Denis Dubourdieu. D'un rouge grenat brillant et soutenu, sa robe met en confiance comme le bouquet expressif et puissant aux élégantes notes toastées, qui ne masquent pas la présence du fruit. Celle-ci se renforce encore à l'attaque, dont la richesse annonce le caractère du palais. Entre la puissance et l'élégance s'établit un équilibre aussi parfait que celui qui existe entre le bois et le fruit. Une très belle bouteille à oublier à la cave pendant quatre ou cinq ans.

🔑 Ch. Ferran, 33650 Martillac,
tél. 06.07.41.86.00, fax 05.56.72.62.73 ☑ 🚶 r.-v.
🔑 Hervé Béraud-Sudreau

CH. DE FIEUZAL 2001 ★★

■ Cru clas. n.c. 80 000 🍷 38 à 46 €

70 75 76 77 78 79 80 81 82 83 84 |85| |86| |88| |89| |(90)| 91 92 93 94 (95) |(96)| |97| **98** 99 00 **01**

Rares sont les crus pouvant s'enorgueillir d'avoir obtenu plus de dix coups de cœur. Fieuzal est de ces derniers, avec quatre en rouge et sept en blanc. C'est donc sans surprise que l'on découvre les qualités de son 2001, dont la robe à reflets violets annonce la jeunesse. A la concentration du bouquet, qui mêle harmonieusement les arômes de raisin mûr et de bois, répond celle du palais. Soutenue par des tanins serrés, sa charpente ouvre de belles perspectives de garde et de mariages gourmands.

🔑 Ch. de Fieuzal, 124, av. de Mont-de-Marsan, 33850 Léognan, tél. 05.56.64.77.86, fax 05.56.64.18.88, e-mail fieuzal@terre-net.fr ☑ 🍷 🚶 r.-v.

CH. DE FIEUZAL 2002 ★

□ n.c. 25 000 🍷 38 à 46 €

83 84 85 86 87 |88| |89| |(90)| 91 92 |93| |94| |95| |96| |97| |98| (99) 00 **01** 02

S'annonçant par une robe d'un jaune doré des plus avenants, ce vin progresse tout au long de la dégustation. D'abord un peu timide, son bouquet livre à l'aération des arômes de pain grillé et de buis qui se mêlent harmonieusement à ceux de fruits à chair blanche. Rond, souple, vif et frais, le palais possède une matière qui lui permettra de bien évoluer dans les trois ou quatre ans à venir.

🔑 Ch. de Fieuzal, 124, av. de Mont-de-Marsan, 33850 Léognan, tél. 05.56.64.77.86, fax 05.56.64.18.88, e-mail fieuzal@terre-net.fr ☑ 🍷 🚶 r.-v.

CH. DE FRANCE 2001 ★

■ 20 ha 50 000 🍷 15 à 23 €

81 82 83 85 86 **88** 89 |90| 92 93 95 |96| 97 98 99 |00| 01

Bien placé sur une croupe de graves profondes, ce cru est judicieusement planté avec une majorité de cabernet-sauvignon. Aussi plaisant par son bouquet que par sa robe d'un rouge carminé, il développe de sympathiques parfums de fleurs printanières et d'arômes de fruits rouges confiturés. Souple, rond et porté par des tanins bien mûrs, il s'exprimera pleinement sur une viande rouge ou sur un fromage doux.

🔑 SA Bernard Thomassin, Ch. de France, 98, av. de Mont-de-Marsan, 33850 Léognan, tél. 05.56.64.75.39, fax 05.56.64.72.13, e-mail chateau-de-france@chateau-de-france.com ☑ 🍷 🚶 r.-v.

CH. DE FRANCE 2002 ★

□ 2,33 ha 6 000 🍷 15 à 23 €

88 89 **90** 95 96 97 |99| |00| **01** 02

Sa superficie modeste n'empêche pas le vignoble blanc d'être suivi avec autant de soins que le rouge. A la profondeur de son bouquet, aux harmonieux parfums de fruits secs, de banane et de toast, répond l'amabilité de son

BORDELAIS

LES CRUS CLASSÉS DES GRAVES

NOM DU CRU CLASSÉ	VIN CLASSÉ	NOM DU CRU CLASSÉ	VIN CLASSÉ
Château Bouscaut	en rouge et en blanc	Château Laville-Haut-Brion	en blanc
Château Carbonnieux	en rouge et en blanc	Château Malartic-Lagravière	en rouge et en blanc
Domaine de Chevalier	en rouge et en blanc	Château La Mission Haut-Brion	en rouge
Château Couhins	en blanc	Château Olivier	en rouge et en blanc
Château Couhins-Lurton	en blanc	Château Pape Clément	en rouge
Château Fieuzal	en rouge	Château Smith Haut Lafitte	en rouge
Château Haut-Bailly	en rouge	Château La Tour-Haut-Brion	en rouge
Château Haut-Brion	en rouge	Château Latour-Martillac	en rouge et en blanc

palais, souple, friand et frais. Poisson en sauce, viande blanche, la palette des accords gourmands possibles sera large.

🔑 SA Bernard Thomassin, Ch. de France,
98, av. de Mont-de-Marsan, 33850 Léognan,
tél. 05.56.64.75.39, fax 05.56.64.72.13,
e-mail chateau-de-france@chateau-de-france.com
☒ Y ⚘ r.-v.

CH. LA GARDE 2001 *

■ 49 ha 153 000 ⓘ 15 à 23 €

(90) 91 93 94 |(95)| **96** |97| **98** 99 00 01

Chartreuse du XVIII[e]s. sur une belle croupe de graves à la sortie sud du bourg de Martillac, ce cru constitue une belle unité acquise en 1990 par la maison Dourthe. Par son bouquet aux notes de bois neuf sur fond de fruits rouges, ce vin joue résolument la carte de la finesse. Son élégance ne l'empêche pas de révéler une structure justifiant un séjour en cave de trois à six ans. Associant autant de sauvignon blanc que de sauvignon gris, le **blanc 2002** est cité ; des notes de tabac blond et de fruits exotiques accompagnent une bouche ronde et séveuse mais fraîche.

🔑 Vins et vignobles Dourthe, 35, rue de Bordeaux,
33290 Parempuyre, tél. 05.56.35.53.00,
fax 05.56.35.53.29, e-mail contact@cvbg.com
☒ Y ⚘ r.-v.

CH. GAZIN ROCQUENCOURT 2001 *

■ 6,75 ha 36 000 ⓘ 11 à 15 €

Situé non loin de Chevalier, ce cru, fondé en 1660, a profité de son terroir de graves profondes et de son encépagement (à 70 % de cabernet-sauvignon) pour élaborer avec ce millésime un vrai vin de garde. Sa robe, d'un rubis franc à frange pourpre, annonce son caractère que confirme la présence tannique. Corsé et séveux, ce 2001 n'oublie pas pour autant d'être racé et harmonieux, comme il sied à un véritable pessac-léognan.

🔑 Ch. Gazin Rocquencourt,
74, av. de Cestas, 33850 Léognan,
tél. 05.56.64.77.89, fax 05.56.64.77.89 ☒ r.-v.
🔑 Michotte

CH. HAUT-BACALAN 2001 *

■ 6 ha 15 000 ▮ⓘ🌡 15 à 23 €

Après être resté sans production pendant quarante ans, ce cru pessacais fait un retour dans le monde du vin avec ce millésime. La technicité des Gonet ne fait aucun doute quand on regarde la robe de ce vin aux beaux reflets rubis ou quand on hume son bouquet enrichi par l'apport du fût d'une note de caramel qui n'écrase pas le fruit. Concentré, avec une bonne présence tannique, le palais doit encore célébrer le mariage du bois et du raisin. Il a une espérance de vie supérieure à l'âge des vignes, qui n'est que de six ans.

🔑 SCEV Michel Gonet et Fils,
Ch. Lesparre, 33750 Beychac-et-Caillau,
tél. 05.57.24.51.23, fax 05.57.24.03.99,
e-mail vins.gonet@wanadoo.fr ☒ Y ⚘ r.-v.

CH. HAUT-BAILLY 2001 **

■ Cru clas. 26 ha 80 000 ⓘ 30 à 38 €

78 79 80 **81** 82 **83 85** |**86**| **87 88** (89)|**90**| **92** |**93**| |**94**|
(95) **96** |**97**| **98 99** 00 **01**

Pas de cabernet franc, récolte à part des parcelles les plus âgées ; en 2001 la conduite de la vigne et les vendanges ont été menées avec rigueur. La méthode s'est avérée fructueuse. Dès le premier coup d'œil sur la robe grenat de ce vin, on envisage des perspectives fort réjouissantes : celles-ci commencent à prendre corps avec le bouquet qui se développe en douceur sur les notes de pain grillé d'un boisé bien mené. Ronde et souple, l'attaque s'ouvre sur un palais dont la charpente veloutée, les accents épicés et la concentration lui donnent autant de race que d'aptitude à la garde. Second vin, le **La Parde de Haut-Bailly 2001 (15 à 23 €)** obtient une étoile. Il demande lui aussi d'être attendu quelque temps pour permettre au bois de se fondre.

🔑 SCA Ch. Haut-Bailly, 103, rte de Cadaujac,
33850 Léognan, tél. 05.56.64.75.11, fax 05.56.64.53.60,
e-mail mail@chateau-haut-bailly.com Y ⚘ r.-v.
🔑 Robert Wilmers

CH. HAUT-BERGEY 2001 *

■ 20,71 ha 36 500 ⓘ 23 à 30 €

91 92 93 94 96 97 **98** 99 00 01

Si le château est d'un parfait éclectisme, avec un style par façade, tous les dégustateurs s'accorderont pour trouver une unité profonde dans ce vin qui exprime sa personnalité par sa finesse et son élégance. Perceptibles dans le bouquet qui se partage entre les fruits noirs, le graphite (mine de crayon) et le bois, ces traits de caractère s'imposent dans l'attaque, douce et enrobée, et le palais aux tanins serrés et à la chair délicate. Une solide garde s'impose.

🔑 Ch. Haut-Bergey, 69, cours Gambetta, BP 49,
33850 Léognan, tél. 05.56.64.05.22, fax 05.56.64.06.98,
e-mail haut.bergey@wanadoo.fr ☒ Y ⚘ r.-v.
🔑 Sylviane Garcin

CH. HAUT-BERGEY 2002 *

□ 2,14 ha 6 000 ⓘ 23 à 30 €

A forte majorité de sauvignon (82 %), ce vin en porte la marque dans la richesse de son expression aromatique. Les agrumes et les fruits exotiques rejoignent des notes de pain grillé pour composer un ensemble des plus plaisants. Moelleux à l'attaque, le palais monte tranquillement en puissance pour terminer par une longue et élégante finale.

🔑 Ch. Haut-Bergey, 69, cours Gambetta, BP 49,
33850 Léognan, tél. 05.56.64.05.22, fax 05.56.64.06.98,
e-mail haut.bergey@wanadoo.fr ☒ Y ⚘ r.-v.

CH. HAUT-BRION 2001 ***

■ 1er cru clas. 43,2 ha n.c. ⓘ + de 76 €

73 74 |**75**| **76 77 78** |**79**| **81** |(82)| |**83**| **84** |**85**| |**86**| **87**
|**88**| |**89**| |(90)| **91 92** |**93**| |**94**| (95) (96) **97** (98) **99** (00) **01**

Lontemps au cœur du vignoble historique de Bordeaux, aujourd'hui enclavé dans l'agglomération, ce cru, commandé par une élégante demeure des XVIe et XVII[e]s., tient une place à part dans le Bordelais tant par les propriétaires prestigieux qui se sont succédé que par la qualité de son vin. Avec ce millésime, il joue résolument la carte de la puissance. Celle-ci se lit dans les reflets sombres de la robe, avant de s'annoncer par des arômes qui concilient vigueur et distinction dans des notes d'épices douces (vanille), évoluant vers le pain d'épice et la fumée. Au palais, les saveurs se multiplient encore avec des notes de moka, de raisin de Corinthe, de porto et de cassis. Serrés à l'attaque, les tanins se montrent ensuite mûrs, accompagnant un fruité étonnant ; ils s'accordent avec la longue et savoureuse finale pour dire clairement que ce vin a de belles années devant lui et qu'il serait réellement dommage de le servir avant sept ou huit ans.

Dom. Clarence Dillon, Ch. Haut-Brion,
33608 Pessac Cedex, tél. 05.56.00.29.30,
fax 05.56.98.75.14, e-mail info@haut-brion.com r.-v.

CH. HAUT-BRION 2002 ★★★

2,7 ha n.c. + de 76 €

(82) 83 85 87 88 89 90 94 95 96 97 98 (99) (00) (01) 02

Fait rare, à Haut-Brion le blanc est, même en année difficile, aussi magique que le rouge. D'un classicisme irréprochable, sa robe jaune clair est zèbrée de reflets verts. Derrière le genêt et le buis dominants, le bouquet s'affirme tout en nuances. Généreux à l'attaque, le palais est gras, riche et d'une rare densité. Bois, poire, coing, fruits blancs confits, l'expression aromatique est puissante. Florale, tendre et fraîche, la finale vient clore heureusement la degustation, pour convaincre que ce vin peut déjà accompagner de grands poissons (turbot, saint-pierre) ou être attendu cinq à dix ans.

Dom. Clarence Dillon, Ch. Haut-Brion,
33608 Pessac Cedex, tél. 05.56.00.29.30,
fax 05.56.98.75.14, e-mail info@haut-brion.com r.-v.

LES PLANTIERS DU HAUT-BRION 2002

n.c. n.c. 15 à 23 €

Vinifié par l'équipe du château Haut-Brion, ce vin fait preuve d'une réelle singularité par ses parfums de citron, de chèvrefeuille, de fleur de genêt et de miel, avec un zeste d'orange. L'ensemble au boisé bien intégré est charmeur, tout comme le gras, la rondeur et les saveurs du palais. Equilibrée, cette bouteille pourra être appréciée aujourd'hui comme dans deux ou trois ans.

Dom. Clarence Dillon, Ch. Haut-Brion,
33608 Pessac Cedex, tél. 05.56.00.29.30,
fax 05.56.98.75.14, e-mail info@haut-brion.com r.-v.

CH. LAFARGUE 2002 ★

1,76 ha 7 800 11 à 15 €

Très expressif par son bouquet, où pêche, litchi, agrumes, fruits exotiques et beurre forment un ensemble aussi puissant que complexe, ce vin connaît une bonne progression au palais jusqu'à la finale jouant sur le genêt et l'abricot sec.

Jean-Pierre Leymarie, 5, imp. de Domy,
33650 Martillac, tél. 05.56.72.72.30, fax 05.56.72.64.61,
e-mail chateau.lafargue@wanadoo.fr r.-v.

CH. LAFONT MENAUT 2002

3 ha 20 000 8 à 11 €

Une jolie étiquette pour un vin intéressant, tant par son bouquet, aux riches notes fruitées, mentholées et muscatées, que par son palais, frais et sympathique. On le servira sans attendre sur des poissons grillés ou des fruits de mer.

SCEA Philibert Perrin, Ch. Lafont Menaut,
33850 Léognan, tél. 05.57.96.56.20, fax 05.57.96.59.19,
e-mail chateau.carbonnieux@wanadoo.fr r.-v.

CH. LAMOTHE BOUSCAUT 2002 ★

1,2 ha 6 000 8 à 11 €

Né sur le domaine de château Bouscaut, ce vin connaît l'art de se présenter dans une robe jaune paille. Son bouquet, s'il traduit la présence du sauvignon, n'ignore pas celle du sémillon. Sa palette s'enrichit de jolies notes toastées, apportées par l'élevage. Vif et élégant, ce 2002 pourra être apprécié sans avoir à attendre. Le **rouge 2001 (11 à 15 €)** est cité.

Ch. Bouscaut, rte de Toulouse, 33140 Cadaujac,
tél. 05.57.83.12.20, fax 05.57.83.12.21,
e-mail cb@chateau-bouscaut.com r.-v.

S. et L. Cogombles

CH. LARRIVET-HAUT-BRION 2001

45 ha 130 000 23 à 30 €

La réussite de ce vin se lit dans sa couleur rouge sombre. Sa large palette aromatique va des classiques parfums fruités et épicés aux notes animales. De puissants tanins s'accordent avec la matière qui marie le fruit et le bois pour dire clairement que cette bouteille pourra prendre de l'âge et laisser à la finale le temps de s'arrondir. Ample et d'une bonne complexité aromatique, le **Domaine de Larrivet blanc 2002 (8 à 11 €)** obtient une citation. Il devra attendre que le boisé se fonde.

Ch. Larrivet-Haut-Brion, rte de Cadaujac,
33850 Léognan, tél. 05.56.64.75.51, fax 05.56.64.53.47,
e-mail Larrivet.haut.brion@fr r.-v.

Ph. Gervoson

CH. LATOUR-MARTILLAC 2001 ★

Cru clas. 30 ha 143 000 15 à 23 €

79 81 (82) 83 84 85 86 87 88 89 90 91 92 93 94 95 96 97 98 99 00 01

En dépit de l'ancienneté du cru (de la construction primitive du XIIᵉs., il ne reste qu'une tour) et de l'importance dans l'histoire du vin de Bordeaux de ses propriétaires, les Kressmann, rien d'ostentatoire dans ce cru. Ses qualités d'authenticité se retrouvent dans son vin issu d'un beau terroir. Certes, le bois est présent dans les arômes, mais en soutien d'un raisin bien mûr. Rond et corsé, le palais s'appuie sur des tanins aussi fins et soyeux que solides pour composer un ensemble charmeur et de garde. Second vin, le **Lagrave Martillac rouge 2001 (11 à 15 €)** est cité.

Domaines Kressmann,
Ch. Latour-Martillac, 33650 Martillac,
tél. 05.57.97.71.11, fax 05.57.97.71.17 r.-v.

Famille Jean Kressmann

CH. LATOUR-MARTILLAC 2002 ★★

Cru clas. 9 ha 25 200 23 à 30 €

81 82 83 84 85 86 87 (88) 89 90 91 92 93 94 95 96 97 98 99 (00) 01 02

Fidèles à leur tradition familiale, Tristan et Loïc Kressmann apportent autant d'attention à leur blanc qu'à leur rouge. Robe jaune clair à reflets dorés, bouquet aux délicates notes d'agrumes légèrement épicées et vanillées,

attaque vive et nerveuse, leur 2002 montre sa jeunesse avant de prendre du volume et du gras, pour déboucher sur une longue finale aromatique. Une bouteille digne d'un foie gras poêlé ou d'un poisson cuisiné.
🔑 Domaines Kressmann,
Ch. Latour-Martillac, 33650 Martillac,
tél. 05.57.97.71.11, fax 05.57.97.71.17 🍷 🚶 r.-v.

CH. LAVILLE HAUT-BRION 2002 ★★

□ Cru clas.   3,7 ha   n.c.   🛢 + de 76 €

81 82 83 |**85**| 87 88 |(89)| |**90**| 93 94 |**95**| |**96**| |**97**| |(98)| **99** |**00**| (01) |**02**|

Classé en 1959, ce vignoble voisin de la Mission est voué aux cépages blancs, parmi lesquels domine le sémillon (70 %), qui donne l'un des plus grands vins blancs du Bordelais, car son terroir est remarquable. La robe de ce 2002 est avenante, claire et délicate. D'agréables parfums de poire, d'épices et de buis préparent une bouche aux douces sensations de fruits blancs mûrs. Tout est finement ciselé, notamment l'élégante finale aux notes de cédrat et de gingembre. On pourra pleinement apprécier cette bouteille dès aujourd'hui mais aussi dans quatre ou cinq ans.
🔑 Dom. Clarence Dillon, Ch. Haut-Brion,
33608 Pessac Cedex, tél. 05.56.00.29.30,
fax 05.56.98.75.14, e-mail info@haut-brion.com 🚶r.-v.

CH. LESPAULT 2002 ★

□   1 ha   2 600   🛢 11 à 15 €

D'une superficie de 6 ha, ce cru propose un vin de belle tenue. D'un jaune clair presque blanc, ce 2002 exprime sa personnalité par une élégante palette aromatique (agrumes, fruits à chair jaune, vanille). Vif à l'attaque, très « sauvignon » et bien équilibré, il se plaira sur de fins coquillages iodés. Le **Château Lespault rouge 2001** est cité.
🔑 Domaines Kressmann,
Ch. Latour-Martillac, 33650 Martillac,
tél. 05.57.97.71.11, fax 05.57.97.71.17 🍷 🚶 r.-v.
🔑 SC Bolleau

CH. LA LOUVIERE 2002 ★★

□   8 ha   50 000   🛢 23 à 30 €

86 88 89 (90) 91 92 93 94 |95| |96| |97| **98 99** |00| |01| **02**

Caractéristique de l'appellation, la variété des terroirs de La Louvière permet au cru de nourrir autant d'ambitions en blanc qu'en rouge et de les atteindre. Très présent dans l'encépagement (85 %), le sauvignon l'est aussi dans le bouquet de ce superbe 2002. Sa complexité se retrouve au palais où se révèle une structure ample et fraîche. Son gras, sa sève, son bois bien fondu et sa longue finale créent un dilemme : faut-il se faire plaisir dès maintenant ou patienter deux ou trois ans ? Une chose est sûre : il faudra l'accompagner d'un beau poisson ou de fruits de mer de qualité. Egalement gras et plaisant, le **L de La Louvière blanc 2002 (8 à 11 €)** obtient une étoile.
🔑 André Lurton,
Ch. La Louvière, 149, av. Cadaujac, 33850 Léognan,
tél. 05.56.64.75.87, fax 05.56.64.71.76,
e-mail lalouviere@andrelurton.com □ 🍷 🚶 r.-v.

CH. LA LOUVIERE 2001 ★★

■   30 ha   150 000   🛢 23 à 30 €

75 80 81 82 83 85 86 |**88**| |89| |(90)| 92 |**93**| |**94**| |95| |96| |**97**| 98 **99** (00) **01**

Bel exemple d'architecture viticole girondine, cette élégante demeure est l'un des rares châteaux du vin à bénéficier du titre de Monument historique. Mais c'est surtout à la qualité de ses vins que le cru doit sa renommée. On comprend aisément pourquoi en humant son bouquet aussi élégant que complexe avec un boisé qui respecte le raisin. Vanille, cuir, truffe, la recherche des arômes devient un jeu passionnant. Tannique et harmonieux, le palais réussit l'exploit d'être déjà très agréable tout en affichant un joli potentiel de garde. Second vin, le **L de La Louvière rouge 2001 (11 à 15 €)** est cité. Signalons l'engagement d'André Lurton dans un nouveau combat : la lutte contre le goût de bouchon, et son choix d'utiliser désormais des capsules à vis à partir du millésime 2003.
🔑 André Lurton, Ch. La Louvière,
149, av. Cadaujac, 33850 Léognan,
tél. 05.56.64.75.87, fax 05.56.64.71.76,
e-mail lalouviere@andrelurton.com □ 🍷 🚶 r.-v.

CH. MALARTIC-LAGRAVIERE 2001 ★

■ Cru clas.   41 ha   47 000   🛢 30 à 38 €

64 66 (70) 71 75 76 79 81 82 83 |**85**| |**86**| |**88**| |**89**| |90| |**91**| 92 |**93**| **95** 96 |97| 98 99 00 01

Très logiquement pour un domaine ayant appartenu à un gouverneur de l'île de France – entendez l'île Maurice – ce cru a produit des vins dits de « retour des Indes ». Son 2001 n'aura besoin d'aucun voyage en mer pour bien vieillir. La profondeur de sa robe grenat, la présence de tanins soyeux et la puissance de sa longue finale sont là pour témoigner de son potentiel de garde. On l'attendra donc au moins trois ans pour permettre au bois de se fondre complètement dans l'ensemble. Bien structuré et également apte au vieillissement, le second vin, le **Sillage de Malartic rouge 2001 (15 à 23 €)**, obtient lui aussi une étoile.
🔑 SC Ch. Malartic-Lagravière,
43, av. de Mont-de-Marsan, 33850 Léognan,
tél. 05.56.64.75.08, fax 05.56.64.99.66,
e-mail malartic-lagraviere@malartic-lagraviere.com
🍷 🚶 r.-v.
🔑 A.-A. Bonnie

CH. DE MALLEPRAT 2001

■   8,5 ha   32 000   🛢 11 à 15 €

Jadis surtout connu pour ses chevaux, ce cru propose un vin fin et bien équilibré, à la fois en son nom propre et en sélection par la maison Ginestet. Tout en nuances, son bouquet développe d'agréables notes fruitées, mentholées et fumées.

BORDELAIS

❧ Ginestet, 19, av. de Fontenille,
33360 Carignan-de-Bordeaux,
tél. 05.56.20.90.74, fax 05.56.20.91.74,
e-mail contact@ginestet.fr ☑ ⵠ ⅄ r.-v.
❧ J.-C. Cots

CH. MANCEDRE 2001

| ■ | | 7 ha | 9 500 | ⅢⅡ 15 à 23 € |

Entré dans le Guide avec son troisième millésime l'an dernier, ce cru, en restructuration depuis 1994, confirme sa présence avec ce 2001. Frais, élégant, il se montre sympathique par ses arômes de fruits légèrement confits avant de prendre de l'ampleur en finale.
❧ SCEV Héritiers Dubos, Ch. Mancèdre,
33850 Léognan, tél. 05.57.74.30.52, fax 05.57.74.39.96,
e-mail roy.trocard@terre-net.fr ☑ ⵠ ⅄ r.-v.
❧ J. Trocard

CH. MIREBEAU 2001 ★

| ■ | | 4,28 ha | 20 000 | ⅷ Ⅲ ⅾ 15 à 23 € |

Issu d'un vignoble martillacais appartenant au château d'Ardennes (graves), ce vin porte la marque de son élevage dans ses arômes de torréfaction et de pain grillé. Bien constitué, il méritera une garde de deux ou trois ans avant de livrer le charme de ses tanins soyeux à des plats délicats tels que des quenelles de veau.
❧ Cyril Dubrey, SCEA Ch. d'Ardennes, 33720 Illats,
tél. 05.56.62.53.66, fax 05.56.62.43.67 ☑ ⵠ ⅄ r.-v.

CH. LA MISSION HAUT-BRION 2001 ★★★

| ■ Cru clas. | n.c. | n.c. | ⅢⅡ + de 76 € |

78 80 **81** |**82**| |**83**| 84 |**85**| |**86**| 87 |**88**| |**89**| |⑨⓪| 92 |**93**| |**94**| |**95**| |⑨⑥| |**97**| 98 99 |⓪⓪| 01

Les Prêcheurs de la mission, ordre créé par saint Vincent-de-Paul au XVIIe s. parmi de multiples institutions charitables, ont laissé leur nom après avoir implanté ici un vignoble sur les meilleurs terroirs. Unie désormais à Haut-Brion, la Mission tient son rang. Dans ce millésime, elle s'exprime par une palette aromatique très complexe (cuir, réglisse, moka, raisin mûr, cerise, cassis...). Après une attaque sensuelle se développe une structure à la trame serrée, avec des tanins solides mais sans la moindre rugosité, qui procure une grande sensation de fraîcheur. Une somptueuse finale achève de faire de cette bouteille un modèle de puissance et de charme. Egalement fraîche et bien constituée, la seconde étiquette, **La Chapelle de la Mission Haut-Brion 2001 rouge (30 à 38 €)** obtient une citation.
❧ Dom. Clarence Dillon, Ch. Haut-Brion,
33608 Pessac Cedex, tél. 05.56.00.29.30,
fax 05.56.98.75.14, e-mail info@haut-brion.com ⅄ r.-v.

CH. OLIVIER 2001 ★★

| ■ Cru clas. | 33,42 ha | 164 000 | ⅢⅡ 15 à 23 € |

82 83 85 86 88 89 90 91 93 94 |95| |96| |97| 98 99 00 |01|

Avec une équipe et des méthodes renouvelées, 2001 n'aura pas été un millésime anodin pour ce cru commandé par un remarquable château du XIIe s. entouré de douves. On le devine en contemplant ce vin rubis à reflets pourpres, ou en humant ses parfums de cerise, rose, noyau et amande pour créer une sensation de fraîcheur et d'harmonie qui se retrouve au palais. Souple et rond, en même temps que riche et assez complexe, celui-ci est déjà fort agréable tout en possédant un bon potentiel d'évolution. Le second vin, **Olivier 2001 rouge (8 à 11 €)** obtient une citation.

❧ Jean-Jacques de Bethmann, Ch. Olivier,
175, av. de Bordeaux, 33850 Léognan,
tél. 05.56.64.73.31, e-mail chateau-olivier@wanadoo.fr
☑ ⵠ ⅄ r.-v.

CH. PAPE CLEMENT 2001 ★★

| ■ Cru clas. | 30 ha | 84 000 | ⅢⅡ 38 à 46 € |

75 78 79 80 ⑧① 82 83 85 |86| 87 |88| 89 |90| 91 92 93 94 **95** 96 |97| **98** 99 00 01

Vaisseau amiral de la flotte de Bernard Magrez, ce cru prestigieux bénéficie de moyens importants. Mis au service d'un terroir exceptionnel, ils trouvent leur justification dans des vins tels que ce 2001 superbement réussi. Tenant les promesses de sa robe, d'un grenat profond, il montre son aptitude à la garde par sa structure concentrée et ses tanins denses et ronds. Ses arômes grillés, toastés et fumés viennent rappeler la présence toujours sensible du bois. On attendra quatre ou cinq ans, voire plus, avant d'ouvrir cette remarquable bouteille et de la servir avec un mets raffiné tel qu'un canard à l'orange.
❧ Bernard Magrez, Montagne
et Cie Ch. Pape Clément,
216, av. du Dr-Nancel-Penard, BP 164, 33600 Pessac,
tél. 05.57.26.38.38, fax 05.57.26.38.39,
e-mail chateau@pape-clement.com ⵠ ⅄ r.-v.

CH. PONTAC MONPLAISIR 2002 ★★

| ■ | | 2,5 ha | 13 000 | ⅢⅡ 11 à 15 € |

Situé aux portes de Bordeaux, ce cru sait qu'il ne devra sa survie qu'à la qualité de sa production. Heureusement des vins comme ce blanc permettent de penser qu'il a encore de belles années devant lui. Ample avec au palais des arômes d'orange qui relaient un nez aux notes toastées et fumées, il a suffisamment de personnalité pour animer un apéritif réussi avant de se marier avec des entrées. Assez harmonieux mais devant encore évoluer, le **rouge 2001** est cité. Du même producteur, le **Château Limbourg blanc 2002** obtient également une citation pour ses parfums de fruits exotiques et de noisette grillée.
❧ Jean et Alain Maufras,
Ch. Pontac Monplaisir, 33140 Villenave-d'Ornon,
tél. 05.56.87.08.21, fax 05.56.87.35.10,
e-mail maufras.pontac@wanadoo.fr ☑ ⵠ ⅄ r.-v.

CH. POUMEY 2001 ★

| ■ | | 8 ha | 10 000 | ⅢⅡ 11 à 15 € |

Signé par l'équipe de Pape Clément, ce vin est de bonne origine et il le montre tout au long de la dégustation. D'un rouge à la fois délicat et soutenu, il développe des arômes grillés qui montent en puissance à l'agitation du verre, avant de révéler une jolie structure tannique et une longue finale aux notes réglissées.

🔑 Bernard Magrez, Montagne
et Cie Ch. Pape Clément,
216, av. du Dr-Nancel-Penard, BP 164, 33600 Pessac,
tél. 05.57.26.38.38, fax 05.57.26.38.39,
e-mail chateau@pape-clement.com Y 🚶 r.-v.

CH. DE ROCHEMORIN 2001 *

■ 50 ha 180 000 🛢 11 à 15 €

85 86 **88 89 90** 91 92 93 94 |95| |96| |97| 98 99 **00** 01

Du même producteur que La Louvière et Couhins Lurton, ce vin est, lui aussi, bien typé par sa belle matière et son élégance. Ses qualités se lisent dans sa couleur grenat intense et profond. D'une bonne complexité son bouquet ne permet pas aux notes vanillées et épicées du bois de dominer les fruits noirs. Sa présence tannique et sa générosité laissent envisager son avenir avec sérénité. Le **blanc 2002 (8 à 11 €)**, aux délicats arômes de fruits exotiques et à la jolie sève en finale, obtient une étoile.
🔑 André Lurton, Ch. Bonnet, 33420 Grézillac,
tél. 05.57.25.58.58, fax 05.57.74.98.59,
e-mail andrelurton@andrelurton.com ☑

CH. LE SARTRE 2001

■ 18 ha 100 000 🛢 8 à 11 €

Sans chercher à rivaliser avec d'autres crus d'Antony Perrin (Carbonnieux), ce vin au fin bouquet de fruits rouges et à la structure croquante et bien équilibrée ne manque pas de charme.
🔑 Ch. Le Sartre, 33850 Léognan,
tél. 05.57.96.56.20, fax 05.57.96.59.19,
e-mail chateau.carbonnieux@wanadoo.fr ☑ Y 🚶 r.-v.
🔑 Antony Perrin

CH. SEGUIN 2001 **

■ 23 ha 35 000 🛢 11 à 15 €

La couleur d'un rouge grenat intense n'a rien d'un piège. Le bouquet est lui aussi volontiers tentateur. Les notes toastées et torréfiées rejoignent celles de cassis et de framboise pour former un ensemble d'une bonne complexité. Souple et délicat, le palais montre par sa structure dense et racée qu'il n'aura pas à craindre une longue garde.
🔑 SC Dom. de Seguin,
chem. de la House, 33610 Canéjan,
tél. 05.56.75.02.43, fax 05.56.89.35.41,
e-mail chateau-seguin@wanadoo.fr
☑ Y 🚶 t.l.j. 8h-12h 13h-19h; sam. dim. sur r.-v.

LA SERENITE 2001 **

■ 2 ha 3 544 🛢 30 à 38 €

Premier millésime pour cette cuvée issue du château Poumey. Ce vin atteste que le choix du terroir sélectionné pour le produire n'a pas été fait à la légère par l'équipe de Bernard Magrez. Même si son bouquet et son palais restent très marqués par le bois, ce 2001 montre qu'il possède la puissance et les réserves nécessaires pour tirer le plus grand profit d'une bonne garde. Il ne faudra pas hésiter à l'attendre cinq ou six ans.
🔑 Bernard Magrez, Montagne
et Cie Ch. Pape Clément,
216, av. du Dr-Nancel-Penard, BP 164, 33600 Pessac,
tél. 05.57.26.38.38, fax 05.57.26.38.39,
e-mail chateau@pape-clement.com Y 🚶 r.-v.

CH. SMITH HAUT LAFITTE 2001 **

■ Cru clas. 44 ha 100 000 🛢 30 à 38 €

61 62 70 71 72 73 (75) 80 82 **83 85 86** 87 |**88**| |**89**| |**90**| |**91**| 92 **93 94 95** |96| 97 **98 99 00 01**

Avec son centre de cures utilisant les vertus des polyphénols, Smith Haut Lafitte est devenu l'un des crus vedettes de la Gironde. D'un beau rubis foncé, son 2001 développe un bouquet complexe, dans lequel les notes empyreumatiques (pain grillé) l'emportent encore sur le fruité. Fin, élégant et racé, le palais est riche de multiples sensations et saveurs, que soutiennent des tanins soyeux. Très présents dans la longue finale, ils garantissent l'aptitude à la garde de cette remarquable bouteille. Frais et vif, le second vin du cru, **Les Hauts de Smith 2001 (15 à 23 €)**, suave, concentré et long, obtient une étoile.
🔑 Daniel Cathiard, Ch. Smith Haut Lafitte,
33650 Martillac, tél. 05.57.83.11.22, fax 05.57.83.11.21,
e-mail f.cathiard@smith-haut-lafitte.com ☑ Y 🚶 r.-v.

CH. SMITH HAUT LAFITTE 2002 **

□ 11 ha 33 000 🛢 30 à 38 €

88 89 90 91 **92** 93 94 95 **96 97** |(98)| |**99**| |**00**| |**01**| **02**

Remarquable propriété de 55 ha, Smith Haut Lafitte remonte au XIV^e^s. Restauré, le château et ses dépendances sont devenus un lieu incontournable du tourisme œnologique. Succédant à une robe d'un beau jaune pâle, le bouquet de ce 2002 se montre très expressif avec ses parfums de fruits exotiques (litchi) et de pétale de rose. Tout aussi charmeur, le palais est séveux, équilibré et long. Le second vin, **Les Hauts de Smith blanc 2002 (15 à 23 €)** ressemble à son aîné, avec de délicieux arômes de sauvignon mûr et de pain grillé et une structure fraîche. Seule la finale est moins marquée par le bois.
🔑 Daniel Cathiard, Ch. Smith Haut Lafitte,
33650 Martillac, tél. 05.57.83.11.22, fax 05.57.83.11.21,
e-mail f.cathiard@smith-haut-lafitte.com ☑ Y 🚶 r.-v.

CH. LE THIL COMTE CLARY 2001

■ 8,52 ha 45 000 🛢 15 à 23 €

Ici les noms du château proprement dit (Le Thil) et du cru (Le Thil Comte Clary) sont un peu différents. Encore dominé par le bois au bouquet et par des tanins assez fermes au palais, ce vin demande d'être attendu. Mais son équilibre et son élégance justifient la patience.
🔑 Ch. le Thil Comte Clary, Le Thil, 33850 Léognan,
tél. 05.56.30.01.02, fax 05.56.30.04.32,
e-mail jean-de-laitre@chateau-le-thil.com ☑ Y 🚶 r.-v.
🔑 SCEA de Laitre Le Thil

CH. LA TOUR HAUT-BRION 2001 *

■ Cru clas. 4,9 ha n.c. 🛢 38 à 46 €

78 79 80 **81** |(82)| |**83**| **84** |**85**| |**86**| 87 |**88**| |**89**| |**90**| 92 |93| |**94**| |**95**| |**96**| |97| 98 99 00 01

Voisin de la Mission Haut-Brion et lui appartenant depuis 1953, ce vignoble fut pendant un temps sa seconde étiquette, avant de redevenir un cru à part entière, classé en 1959. Puissant et charmeur, ce millésime fait preuve d'un bon équilibre, avec une force tannique enrobée, du gras et un moelleux qui mettent en valeur ses saveurs de fruits rouges, de compote de mûres, de poivre et de clou de girofle.
🔑 Dom. Clarence Dillon, Ch. Haut-Brion,
33608 Pessac Cedex, tél. 05.56.00.29.30,
fax 05.56.98.75.14, e-mail info@haut-brion.com 🚶 r.-v.

CH. TOUR LEOGNAN 2002 *

10 ha 40 000 8 à 11 €

96 97 99 |00| |01| 02

Situé à proximité de Carbonnieux, ce cru appartient lui aussi aux Perrin. D'une belle couleur jaune à reflets dorés, son vin blanc se montre frais, gras, épanoui et bien équilibré, avec un bouquet discret et fin (toast). Le **rouge 2001** est cité pour son nez mêlant clou de girofle et cannelle, son boisé bien dosé, sa finale tout en nuances.

SC des Grandes Graves, Ch. Carbonnieux, 33850 Léognan, tél. 05.57.96.56.20, fax 05.57.96.59.19, e-mail chateau.carbonnieux@wanadoo.fr r.-v.

Antony Perrin

Le Médoc

Dans l'ensemble girondin, le Médoc occupe une place à part. A la fois enclavés dans leur presqu'île et largement ouverts sur le monde par un profond estuaire, le Médoc et les Médocains apparaissent comme une parfaite illustration du tempérament aquitain, oscillant entre le repli sur soi et la tendance à l'universel. Et il n'est pas étonnant d'y trouver aussi bien de petites exploitations familiales presque inconnues que de grands domaines prestigieux appartenant à de puissantes sociétés françaises ou étrangères.

S'en étonner serait oublier que le vignoble médocain (qui ne représente qu'une partie du Médoc historique et géographique) s'étend sur plus de 80 km de long et 10 de large. Le visiteur peut donc admirer non seulement les grands châteaux du vin du siècle dernier, avec leurs splendides chais-monuments, mais aussi partir à la découverte approfondie du pays. Très varié, celui-ci offre aussi bien des horizons plats et uniformes (près de Margaux) que de belles croupes (vers Pauillac), ou l'univers tout à fait original du Médoc dans sa partie nord, à la fois terrestre et maritime. La superficie des AOC du Médoc représente environ 16 300 ha.

Pour qui sait quitter les sentiers battus, le Médoc réserve plus d'une heureuse surprise. Mais sa grande richesse, ce sont ses sols graveleux, descendant en pentes douces vers l'estuaire de la Gironde. Pauvre en éléments fertilisants, ce terroir est particulièrement favorable à la production de vins de qualité, la topographie permettant un drainage parfait des eaux.

On a pris l'habitude de distinguer le haut-Médoc, de Blanquefort à Saint-Seurin-de-Cadourne, et le nord Médoc, de Saint-Germain-d'Esteuil à Saint-Vivien. Au sein de la première zone, six appellations communales produisent les vins les plus réputés. Les soixante crus classés sont essentiellement implantés sur ces appellations communales ; cependant, cinq d'entre eux portent exclusivement l'appellation haut-médoc. Les crus classés représentent approximativement 25 % de la surface totale des vignes du Médoc, 20 % de la production de vins et plus de 40 % du chiffre d'affaires. A côté des crus classés, le Médoc compte de nombreux crus bourgeois qui assurent la mise en bouteilles au château et jouissent d'une excellente réputation. Plusieurs caves coopératives existent dans les appellations médoc et haut-médoc, mais aussi dans trois appellations communales.

Le vignoble du Médoc s'étend du nord au sud entre huit appellations d'origine contrôlées. Il existe deux appellations sous-régionales, médoc et haut-médoc (60 % du vignoble médocain), et six appellations communales : saint-estèphe, pauillac, saint-julien, listrac-médoc, moulis-en-médoc et margaux (40 % du vignoble médocain). L'appellation régionale étant bordeaux comme dans le reste du vignoble du Bordelais.

Cépage traditionnel en Médoc, le cabernet-sauvignon est probablement moins important qu'autrefois, mais il couvre 52 % de la totalité du vignoble. Avec 34 %, le merlot vient en deuxième position ; son vin, souple, est aussi d'excellente qualité et d'évolution plus rapide, il peut être consommé plus jeune. Le cabernet franc, qui apporte de la finesse, représente 10 %. Enfin, le petit verdot et le malbec ne jouent pas un bien grand rôle.

Les vins du Médoc jouissent d'une réputation exceptionnelle ; ils sont parmi les plus prestigieux vins rouges de France et du monde. Ils se remarquent à leur couleur rubis, évoluant vers une teinte tuilée, ainsi qu'à leur bouquet fruité dans lequel les notes épicées de cabernet se mêlent souvent à celles, vanillées, qu'apporte le chêne neuf. Leur structure tannique, dense et complète en même temps qu'élégante et moelleuse, et leur parfait équilibre autorisent un excellent comportement au vieillissement ; ils s'assouplissent sans maigrir et gagnent en richesse olfactive et gustative.

Médoc

L'ensemble du vignoble médocain a droit à l'appellation médoc, mais en pratique celle-ci n'est utilisée que dans le nord de la presqu'île, à proximité de Lesparre, les communes situées entre Blanquefort et Saint-Seurin-de-Cadourne pouvant revendiquer celle de haut-médoc ou des communales, dans le cadre de leurs zones délimitées spécifiques. Malgré cela, l'appellation médoc est la plus importante avec 5 578 ha et une production de 275 637 hl en 2003.

Les médoc se distinguent par une couleur généralement très soutenue. Avec un pourcentage de merlot plus important que dans les vins du haut-Médoc et des appellations communales, ils possèdent souvent un bouquet fruité et beaucoup de rondeur en bouche. Certains, provenant de belles croupes graveleuses isolées, présentent aussi une grande finesse et une richesse tannique.

CH. L'ARGENTEYRE
Vieilles Vignes Elevé en barrique 2001

■ 8,5 ha 40 000 ı(I) 5 à 8 €

Situé à proximité des petits ports de l'estuaire, ce cru, d'une bonne régularité, fait partie des domaines classés cru bourgeois en 2003. Il propose ici un vin antérieur à ce classement. Paré d'une robe intense, il offre un bouquet aux jolis parfums de fruits rouges et une bonne constitution. A ouvrir dans deux ou trois ans.

⊶ GAEC des vignobles Reich, rte de Courbian,
33340 Bégadan, tél. 05.56.41.52.34, fax 05.56.41.52.34
☒ Y ⚲ t.l.j. sf dim. 8h-12h 14h-18h

CH. BEJAC ROMELYS
Elevé en fût de chêne 2001 *

■ Cru artisan 15 ha 20 000 ı(I)↓ 5 à 8 €

On appréciera le côté sympathique du nom de ce cru, composé à partir des patronymes des propriétaires et des prénoms de leurs enfants. Le bouquet fait également preuve d'originalité par ses notes de Zan. Rond, gras et bien constitué, ce 2001 ne demande qu'à vieillir pour permettre aux tanins de se fondre.

⊶ Xavier et Sylvie Berrouet,
4, rue de Rigon, 33340 Saint-Yzans-de-Médoc,
tél. 05.56.09.08.21, fax 05.56.09.08.21,
e-mail romelys@wanadoo.fr ☒ Y ⚲ r.-v.

CH. BELLEGRAVE Cuvée spéciale 2001

■ Cru bourg. 2 ha 6 000 (I) 5 à 8 €

Constituée à parts égales de merlot et de cabernet, élevée en fût de chêne neuf, cette cuvée porte fortement la marque du bois. Il faudra donc patienter environ deux ans pour profiter de l'originalité de son bouquet aux notes de curry et de cannelle et de sa bonne constitution.

⊶ EARL des Vignobles Caussèque, Janton,
33340 Valeyrac, tél. 05.56.41.53.82, fax 05.56.41.50.10
☒ Y ⚲ t.l.j. 9h-12h 14h-19h; f. 15 sep.-1er juil.

CH. BELLERIVE Vieilli en fût de chêne 2001 *

■ Cru bourg. 13,34 ha 15 000 ı(I) 5 à 8 €

Fidèle aux traditions, ce cru vendange toujours à la main. Personne ne le regrettera en découvrant ce joli vin. Sa robe grenat brillant met en confiance comme son bouquet aux parfums de fruits rouges avec une petite note de torréfaction en soutien. Rond et équilibré, le palais est tout aussi friand. Ses tanins bien fondus, sa longueur et son harmonie sont un appel gourmand à le saisir tout de suite ou d'ici trois ou quatre ans.

⊶ SCEA Ch. Bellerive-Perrin,
1, rte des Tourterelles, 33340 Valeyrac,
tél. 05.56.41.52.13, fax 05.56.41.52.13 ☒ Y ⚲ r.-v.
⊶ Annie Perrin

CH. BESSAN SEGUR 2001 *

■ Cru bourg. 38,21 ha 300 000 (I) 5 à 8 €

Comme le rappelle son nom, ce cru fut l'un des domaines fétiches de la famille de Ségur avant la Révolution. C'est dire que son histoire est ancienne. Une fois encore, son vin se montre à la hauteur de son passé. Tant par sa présentation grenat à reflets violets que par son bouquet complexe (bois, fruits et épices) ou par son palais à la fois souple et ample. Sa bonne constitution et son élégance finale sauront retenir votre attention. Du même propriétaire, **La Gravette Lacombe 2001** obtient elle aussi une étoile. Déjà plaisante, elle saura attendre.

⊶ SCF Rémi Lacombe,
Bessan, 33340 Civrac-en-Médoc,
tél. 05.56.41.56.91, fax 05.56.41.59.06,
e-mail scflacombe@free.fr ☒ Y ⚲ r.-v.

CH. BLAIGNAN 2001

■ Cru bourg. 87,41 ha 513 800 ı 5 à 8 €

Né sur une vaste unité de 140 ha appartenant au groupe Cordier-Mestrezat, présidé par Yves Barsalou, ce vin d'une structure gracile et au bouquet fin saura se rendre agréable sans attendre.

⊶ SC du Ch. Blaignan, La Croix-Bacalan,
109, rue Achard, BP 154, 33042 Bordeaux Cedex,
tél. 05.56.11.29.00, fax 05.56.11.29.01

CH. BOIS CARRE 2001 **

■ 1 ha 3 000 (I) 8 à 11 €

L'année 2001 laissera un souvenir marquant dans l'histoire du cru. D'abord, parce que sa maison bourgeoise de 1870 a été habitée pour la première fois (la crise phylloxérique l'avait laissée inachevée). Ensuite parce qu'elle correspond à un beau millésime. Sa robe d'un pourpre profond n'est pas chiche en promesses. Va-t-on être déçu ? Sûrement pas par le bouquet intense, complexe, élégant et frais. Et encore moins par la structure aux tanins aussi soyeux que prometteurs. Une bien jolie bouteille à garder en cave trois ou quatre ans.

⊶ David Renouil,
1, rue de Mazails, 33340 Saint-Yzans-de-Médoc,
tél. 05.56.09.08.12, fax 05.56.09.04.21
☒ Y ⚲ t.l.j. sf dim. 8h-12h 13h30-19h

CH. BOIS DE ROC 2001 *

■ Cru artisan 14 ha 90 000 (I) 8 à 11 €

89 90 **92** (93) |96| 97 98 99 01

On appréciera la diversité de l'encépagement de ce cru qui n'a pas hésité, voilà quelques années, à réintroduire la carmenère. Nul doute qu'elle a contribué à forger le caractère sérieux et équilibré de ce vin qui ne demande qu'à être attendu un ou deux ans. Ce qui laissera au bois le temps de se fondre dans un ensemble déjà homogène.

⊶ GFA du Taillanet, Ch. Bois de Roc,
2, rue des Sarments, 33340 Saint-Yzans-de-Médoc,
tél. 05.56.09.09.79, fax 05.56.09.06.29,
e-mail boisderoc@aol.com
☒ Y ⚲ t.l.j. sf dim. 10h-12h30 14h30-19h
⊶ Ph. Cazenave

BOIS GALANT 2001 *

■ 25 ha 10 700 8 à 11 €

Un nom sympathique pour ce vin signé par les vignerons d'Uni-Médoc, lesquels peuvent être fiers de leur ouvrage. Le pari de l'élégance a été gagné. Dans la finesse et la complexité du bouquet, que soutient un grillé de bon aloi, comme dans la parfaite harmonie des tanins du vin et du bois. Au total un ensemble puissant, déjà plaisant, mais qui méritera d'être attendu trois ou quatre ans.

Les Vignerons d'Uni-Médoc,
14, rte de Soulac, BP 25,
33340 Gaillan-en-Médoc,
tél. 05.56.41.03.12, fax 05.56.41.00.66,
e-mail cave@uni-medoc.com ☑ Y ✈ r.-v.

Le Médoc et le Haut-Médoc

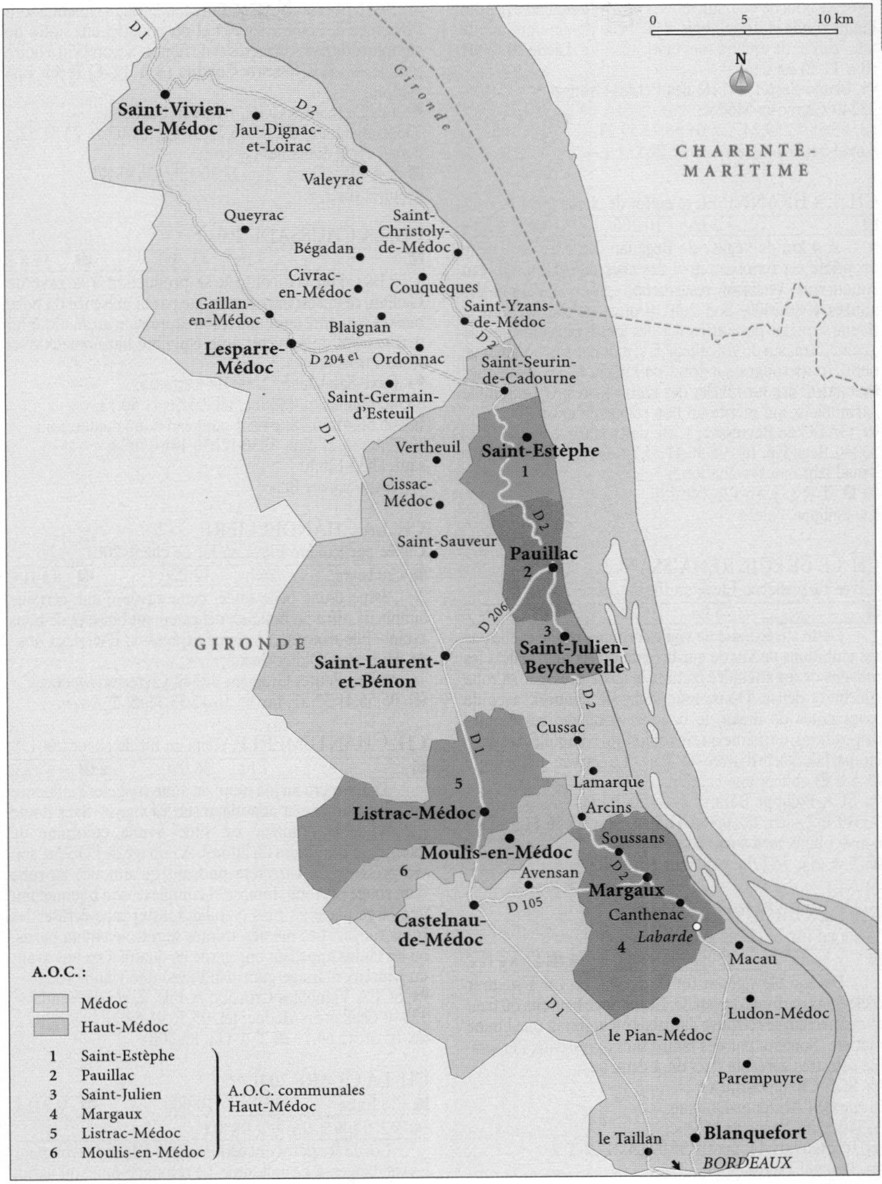

CH. BOURNAC 2001 ★★

■ Cru bourg.	8 ha	54 000	❶❶ 11 à 15 €

93 94 |95| |96| 98 99 00 01

Comme d'habitude, ce cru saura récompenser ses fidèles et conquérir de nouveaux amateurs avec ce millésime. D'emblée la robe intense et brillante annonce la couleur. Le bouquet, puissant et complexe, joue sur les notes de cassis, de fruits rouges et de confiture de mûres pour aiguiser l'appétit du dégustateur. Grasse et savoureuse, la bouche poursuit dans le droit fil, soulignée par des tanins ronds et un joli bois. Une belle matière qui mérite une garde de quatre ou cinq ans. Le **Little B 2001** (8 à 11 €) est cité.

↳ Bruno Secret, 11, rte des Petites-Granges, 33340 Civrac-en-Médoc,
tél. 05.56.73.59.24, fax 05.56.73.59.23,
e-mail bournac@terre-net.fr ☑ ⅄ ⅄ r.-v.

CH. LA BRANNE Elevé en fût de chêne 2001 ★

■	3 ha	10 200	❶❶ 5 à 8 €

A 4 km de l'église de Bégadan (belle abside), cette propriété est représentative des crus du XIX[e]s. qui ont connu une véritable résurrection grâce à l'essor des années 1980-2000. Son 2001 prouve qu'elle a choisi la bonne stratégie pour affronter des temps plus difficiles : la qualité. Vrai vin de viticulteur, il séduit par son bouquet de petits fruits rouges sur fond de kirsch, avant d'attaquer avec fermeté pour révéler des tanins serrés. Un ensemble harmonieux qui mérite un bon séjour en cave.

↳ GAEC de Peyressac, 1, rte de la Hargue, 33340 Bégadan, tél. 05.56.41.55.24, fax 05.56.41.55.24, e-mail labranne@wanadoo.fr
☑ ⌂ ⅄ ⅄ t.l.j. 8h-12h 14h-19h
↳ Philippe Videau

CH. LE BREUIL RENAISSANCE

Cuvée l'Excellence Elevé en fût de chêne 2001 ★★

■	3 ha	19 000	❶❶ 8 à 11 €

Cette cuvée issue de vignes centenaires ne cache pas ses ambitions de vin de garde (cinq ou six ans). Elle a les moyens de les atteindre comme le laisse présager sa robe fraîche et dense. Doux, mûr, riche de nuances, avec de jolies notes de moka, le bouquet confirme ces bonnes dispositions, de même que le volume du palais plein et gras, en parfait accord avec le bois. La **cuvée principale** (5 à 8 €) obtient une citation.

↳ SCA Philippe Bérard, 6, rte du Bana, 33340 Bégadan, tél. 05.56.41.50.67, fax 05.56.41.36.77, e-mail phil.berard@wanadoo.fr
☑ ⅄ ⅄ t.l.j. 9h-17h; sam. dim. sur r.-v.

CH. DES BROUSTERAS

Vieilli en fût de chêne 2001 ★

■ Cru bourg.	25 ha	189 000	■❶❶ 8 à 11 €

De son élevage en fût de chêne, ce vin a su tirer d'élégants parfums de vanille. Le mariage heureux du fruit et du merrain se retrouve au palais où apparaît une bonne matière. Soutenu par des tanins sans agressivité, l'ensemble sera très agréable d'ici un à deux ans.

↳ SCF Ch. des Brousteras, 2, rue de l'Ancienne-Douane, 33340 Saint-Yzans-de-Médoc, tél. 05.56.09.05.44, fax 05.56.09.04.21 ☑ ⅄ r.-v.
↳ Renouil Frères

CH. LA CARDONNE 2001 ★

■ Cru bourg.	87 ha	430 000	■❶❶ 11 à 15 €

88 89 90 94 |95| |96| 97 |98| 99 00 01

Cœur des vastes domaines CGR, ce cru est célèbre pour son bouteiller enterré, surnommé dans le pays la cathédrale. Avec ce millésime, il a joué la carte de l'amabilité et de la finesse. Rassurons toutefois les habitués : l'aptitude à la garde demeure. Un séjour en cave d'environ trois ans est même souhaitable. L'équilibre, déjà excellent, ne fera que se parfaire tandis que se maintiendra l'élégance des tanins soyeux et du bouquet aux notes de camphre, de fruits macérés et de fumée. Second vin à boire plus jeune, le **Château Cardus (8 à 11 €)** reçoit une citation.

↳ Les Domaines CGR, rte de la Cardonne, 33340 Blaignan, tél. 05.56.73.31.51, fax 05.56.73.31.52, e-mail cgr@domaines-cgr.com
☑ ⅄ ⅄ t.l.j. sf sam. dim. 8h30-12h 13h30-17h; groupes sur r.-v.

CH. LA CAUSSADE 2001 ★

■	9 ha	45 300	❶❶ 5 à 8 €

Issu d'un cru confiant sa production à la cave de Gaillan, ce vin est encore marqué par la présence du bois, mais sa structure tannique et son expression aromatique lui permettront de parvenir à un équilibre harmonieux d'ici deux à trois ans.

↳ Cave Saint-Jean, 2, rte de Canissac, 33340 Gaillan-en-Médoc, tél. 05.56.41.50.13, fax 05.56.41.50.78, e-mail saintjean@uni-medoc.com
☑ ⅄ ⅄ t.l.j. sf dim. 8h30-12h30 14h-17h30; sam. 8h30-12h30
↳ Jean-Jacques Billa

CH. LA CHANDELLIERE

Cuvée particulière Elevé en fût de chêne 2001

■ Cru bourg.	26 ha	12 000	❶❶ 8 à 11 €

Issue d'une belle unité, cette cuvée d'une certaine simplicité offre un bouquet délicatement boisé et de bons tanins. Elle trouvera sa pleine expression d'ici deux ans.

↳ Hubert et Didier Secret, 16, rte des Petites-Granges, 33340 Civrac-en-Médoc, tél. 05.56.41.53.51, fax 05.56.41.53.38 ☑ ⅄ ⅄ r.-v.

CH. CHANTEMERLE Vieilli en fût de chêne 2001 ★

■	7 ha	56 000	■❶❶ 5 à 8 €

Dans ce cru au joli nom, on aime rappeler l'influence bénéfique du climat atlantique sur les vignes. Sans doute parce que le domaine est situé à une quinzaine de kilomètres des plages du littoral. A l'image de l'Océan, son vin présente un caractère puissant qu'annonce sa robe d'un rouge profond. Intense et complexe, son bouquet fait une large place au bois (vanille, toasté) sans écraser les fruits rouges. Les mêmes arômes se retrouvent au palais, où les tanins appellent une garde de quatre à six ans avant un heureux mariage gourmand avec une viande rouge.

↳ SCEA Vignobles Cruchon et Fils, 2, rte de Vendays, 33340 Gaillan-en-Médoc, tél. 05.56.41.69.71, fax 05.56.41.69.71 ☑ ⅄ ⅄ t.l.j. 8h-20h

CH. LA CLARE 2001 ★★

■ Cru bourg.	15 ha	110 000	❶❶ 8 à 11 €

90 92 94 |95| |96| |97| 98 01

Les de Rozières ont cédé leur cru à Jean Guyon pour les vendanges de ce millésime. Le résultat montre qu'ils ont

été bien inspirés en choisissant le producteur de Rollan de By pour leur succéder. La robe grenat annonce un bouquet aux subtiles notes de torréfaction et d'épices. Corsé, charpenté et séveux, le palais se porte garant de l'avenir de cette jolie bouteille à ouvrir d'ici cinq à huit ans en accompagnement d'une cuisine de caractère.
🍷 Jean Guyon, 7, rte Rollan-de-By, 33340 Bégadan, tél. 05.56.41.58.59, fax 05.56.41.37.82, e-mail rollan-de-by@wanadoo.fr ☑ ⵒ 🍴 r.-v.

LA COLONNE 2001 ★

■	n.c.	12 000	🍾 11 à 15 €

Encore jeune et marqué par le bois, ce millésime s'annonce bien armé pour la garde. Par sa structure, que soutient une bonne présence tannique, comme par ses arômes aux notes de fruits noirs mûrs et de café, cette marque de la coopérative de Saint-Brice pourra accompagner un sanglier. Autre production, le **Château Les Granges de Civrac 2001 (5 à 8 €)** obtient la même note.
🍷 SCV Cave Saint-Brice, 33340 Saint-Yzans-de-Médoc, tél. 05.56.09.05.05, fax 05.56.09.01.92, e-mail saintbrice@wanadoo.fr
☑ ⵒ 🍴 t.l.j. sf dim. 8h-12h 14h-18h

CH. DE LA CROIX 2001 ★

■ Cru bourg.	3 ha	20 000	🍷🍾↓ 8 à 11 €
93 94 95 96	97	01			

Sur cette propriété où la tradition familiale remonte à 1870, on cherche à exprimer le terroir par des vins structurés, aux tanins fondus. L'objectif est atteint avec ce millésime. Sa complexité aromatique (fraise, framboise, poivre et girofle) rejoint la matière puissante et chaleureuse pour constituer un ensemble équilibré.
🍷 SCF Dom. de la Croix, 6, chem. de la Croix, 33340 Ordonnac, tél. 05.56.09.04.14, fax 05.56.09.01.32
☑ 🍴 t.l.j. sf sam. dim. 9h-12h 14h-18h30; groupes sur r.-v.
🍷 J. Francisco

DOURTHE La Grande Cuvée 2001

■	n.c.	300 000	🍾 8 à 11 €

Proposé par la célèbre maison de négoce médocaine, ce vin souple et tendre trouvera son bonheur dans des mets délicats dont les saveurs s'accorderont avec le joli bouquet de fruits secs et de fleurs.
🍷 Vins et vignobles Dourthe, 35, rue de Bordeaux, 33290 Parempuyre, tél. 05.56.35.53.00, fax 05.56.35.53.29, e-mail contact@cvbg.com ☑ r.-v.

ELITE SAINT-ROCH Elevé en fût de chêne 2001 ★

■	10 ha	10 000	🍷🍾↓ 5 à 8 €

Signée par la cave de Queyrac, cette cuvée élevée en fût est encore marquée par le bois. Mais tout annonce qu'elle s'harmonisera d'ici environ trois ans. Puissant et long, ce vin possède du répondant, avec un bouquet fin et complexe qui va des notes toastées aux fruits rouges.
🍷 Cave Saint-Roch, 27, chem. de la Cave, 33340 Queyrac, tél. 05.56.59.83.36, fax 05.56.59.86.57, e-mail saintroch@uni-medoc.com
☑ ⵒ 🍴 t.l.j. sf dim. 8h30-12h30 14h-17h30; sam. 8h30-12h30

CH. D'ESCURAC 2001 ★

■ Cru bourg.	12 ha	60 000	🍾 11 à 15 €

Si vous passez par Civrac, ne manquez pas la vénérable chapelle dont peut s'enorgueillir ce cru. Ce sera

l'occasion de découvrir ce vin rouge foncé qui sait se présenter. Ses arômes de toasté et de fruits rouges s'accorderont avec les tanins, bien fondus, et un bois discrètement présent pour accompagner un agneau grillé d'ici deux ou trois ans.
🍷 Jean-Marc Landureau, Ch. d'Escurac, 33340 Civrac-en-Médoc, tél. 05.56.41.50.81, fax 05.56.41.36.48, e-mail chateau.d.escurac@wanadoo.fr ☑ ⵒ 🍴 r.-v.

ESPRIT D'ESTUAIRE 2001 ★

■	13 ha	12 500	🍾 11 à 15 €

Haut de gamme de la collection des Vignerons d'Uni-Médoc, ce vin issu de vignobles sélectionnés a été élevé dans des barriques neuves. Le résultat est à la hauteur des espoirs avec une robe d'un pourpre intense et brillant de laquelle émane un bouquet complexe et harmonieux. Puissant, riche et goûteux, le palais séduit par son harmonieux caractère épicé. Cette bouteille s'exprimera pleinement d'ici quatre ou cinq ans.
🍷 Les Vignerons d'Uni-Médoc, 14, rte de Soulac, BP 25, 33340 Gaillan-en-Médoc, tél. 05.56.41.03.12, fax 05.56.41.00.66, e-mail cave@uni-medoc.com ☑ ⵒ 🍴 r.-v.

CH. FONTANEAU 2001

■	14 ha	96 000	🍷↓ 5 à 8 €

Elaboré par la cave Saint-Jean (de Bégadan) ce vin souple est à boire jeune pour profiter de sa rondeur et de son bouquet aux légères notes confites et épicées.
🍷 Cave Saint-Jean, 2, rte de Canissac, 33340 Gaillan, tél. 05.56.41.50.13, fax 05.56.41.50.78, e-mail saintjean@uni-medoc.com
ⵒ 🍴 t.l.j. sf dim. 8h30-12h30 14h-17h30; sam. 8h30-12h30

CH. FONTIS 2001 ★★

■ Cru bourg.	10 ha	40 000	🍾 11 à 15 €

Valeur sûre de l'appellation – en témoigne sa présence régulière dans le Guide – ce cru s'inscrit dans le meilleur de la tradition avec des vins comme ce 2001 séveux et corsé. Portée par des tanins francs, il se mariera heureusement avec la bonne cuisine familiale qu'il agrémentera de ses parfums d'amande et de cerise.
🍷 Vincent Boivert, Ch. Fontis, 33340 Ordonnac, tél. 05.56.73.30.30, fax 05.56.73.30.31 ☑ ⵒ 🍴 r.-v.

CH. GARANCE HAUT GRENAT 2001 ★

■ Cru artisan	4,1 ha	30 000	🍾 11 à 15 €

Sur ce petit cru situé à 300 m de l'estuaire, la conduite de la vigne tient du jardinage. Les soins apportés au travail de la vigne et du chai ont donné un beau millésime. Justifiant son nom par la couleur de sa robe, il développe de délicats parfums mêlant les fruits rouges très mûrs aux épices et de solides tanins qui appellent une bonne garde.
🍷 Laurent Rebes, Ch. Garance Haut Grenat, 14, rte de la Reille, 33340 Bégadan, tél. 05.56.41.37.61, fax 05.56.41.37.61, e-mail l.rebes@free.fr ☑ ⵒ 🍴 r.-v.

CH. LA GORCE 2001

■ Cru bourg.	n.c.	150 000	🍾 5 à 8 €

Issu d'une ferme devenue chartreuse en 1821, ce cru propose un vin encore austère dans sa finale, mais qui s'arrondira d'ici quatre à cinq ans, la richesse de sa matière

et l'intensité de son bouquet aux arômes d'épices lui assurant un bon potentiel d'évolution.
Denis Fabre, Ch. La Gorce, 33340 Blaignan,
tél. 05.56.09.01.22, fax 05.56.09.03.27,
e-mail info@chateaulagorce.com t.l.j. 8h-18h

CH. GRAND BERTIN DE SAINT CLAIR 2001 ★★

Cru bourg. 3,3 ha 20 000 8 à 11 €

Une fois encore la passion aura été payante. Le viticulteur (Olivier Compagnet) et le juriste (Pascal Coyault) ont concocté un vin qui est un véritable appel au péché de gourmandise. Mûre, framboise, épices et amande avec une pointe de violette, le bouquet met en appétit, comme pour préparer à la découverte d'un palais aux tanins soyeux. Pour un peu, on en redemanderait tout de suite. Mais il serait bien dommage de ne pas attendre au moins cinq ans tant les promesses de garde sont évidentes.
SCEA Ch. Grand Bertin de Saint Clair,
10, rte de l'Esparre, 33340 Bégadan,
tél. 05.56.41.57.75, fax 05.56.41.53.22,
e-mail compagnetvins@wanadoo.fr
t.l.j. sf dim. 9h-12h 14h-18h

CH. LES GRANDS CHENES Cuvée Prestige 2001 ★★

Cru bourg. 10 ha 48 942 11 à 15 €

86 88 **89 90** 91 92 93 **94 95** |96| |**97**| **98 99 01**

Une fois encore, l'équipe qui conduit ce cru appartenant à Bernard Magrez a su tirer le meilleur profit d'un terroir de qualité. La cuvée spéciale est impressionnante par la profondeur de sa robe. Et ses promesses sont presque timides par rapport à la suite : au bouquet, la présence du bois n'éclipse pas les fruits et la complexité ; au palais se développent des tanins bien enrobés. Elégant et prometteur l'ensemble laisse sur le souvenir d'une belle envolée qui préfigure ce que sera cette superbe bouteille d'ici quatre ou cinq ans.
Ch. Les Grands Chênes,
13, rte de Lesparre, 33340 Saint-Christoly-Médoc,
tél. 05.56.41.53.12, fax 05.56.41.35.69 r.-v.
B. Magrez

CH. LES GRAVES DE LOIRAC 2001

Cru artisan 6,76 ha 4 000 5 à 8 €

Des vignes de douze ans travaillées en lutte raisonnée, 34 % merlot complétant le cabernet-sauvignon ont donné ce vin à la robe violine, au nez capiteux et à la bouche encore très jeune.
EARL Jean-François Gillet,
21, chem. du Centre, 33590 Jau-Dignac-et-Loirac,
tél. 05.56.09.48.97, fax 05.56.09.48.97 r.-v.

CH. GREYSAC 2001 ★

Cru bourg. 70 ha 500 000 15 à 23 €

85 86 |**88**| |89| **91** 93 94 |95| |96| 97 98 99 00 01

Bénéficiant d'un terroir de graves gunziennes sur une matrice argilo-calcaire, ce cru peut proposer un vin solidement bâti. Expressif par son bouquet aux riches arômes de torréfaction et de fruits, ce 2001 montre par ses tanins ronds et grillés qu'une garde d'encore trois ans lui sera favorable et qu'il sera sans doute bon de le décanter.
SA Domaines Codem,
18, rte de By, 33340 Bégadan,
tél. 05.56.73.26.56, fax 05.56.73.26.58 r.-v.

CH. GRIVIERE 2001 ★

Cru bourg. 18 ha 65 000 11 à 15 €

93 **94 95** 96 |97| 98 **99** (00) 01

Appartenant au même ensemble que le château La Cardonne, ce cru n'en conserve pas moins sa personnalité, comme l'a montré son coup de cœur pour le millésime 2000. Jouant sur l'apport du bois, le 2001 apparaît séducteur par son bouquet aux notes toastées et mûres. Poursuivant dans le même esprit, le palais concilie un côté rond et charnu avec une riche présence tannique. Un ensemble de bonne facture à attendre trois ou quatre ans. Le **Château Ramafort 2001**, du même producteur, obtient une citation.
Les Domaines CGR, rte de la Cardonne,
33340 Blaignan, tél. 05.56.73.31.51, fax 05.56.73.31.52,
e-mail cgr@domaines-cgr.com
t.l.j. sf sam. dim. 8h30-12h 13h30-17h;
groupes sur r.-v.

CH. HAUT-BALIRAC Le Marginal Cuvée Prestige Vieilli en fût de chêne 2001 ★

2,5 ha 7 500 5 à 8 €

Issu de vignes sélectionnées et élevé en fût, ce vin met en confiance dans sa livrée grenat. Bien constitué, il a une structure suffisante pour être attendu trois ou quatre ans. Cela permettra de réfléchir à l'accord gourmand qui mettra le mieux en valeur sa palette aromatique où les petits fruits rouges et la confiture de prunes succèdent au sous-bois, à la truffe et à la cerise à l'eau-de-vie.
SCEA Haut-Balirac, 1, rte de Lousteauneuf,
33340 Valeyrac, tél. 06.86.82.01.99 r.-v.
Cédric Chamaison

CH. HAUT BARRAIL 2001 ★★

Cru bourg. 6 ha 20 000 8 à 11 €

Coup de cœur l'an dernier pour le millésime 2000, ce cru se présente une fois encore dans une robe dont la profondeur annonce la jeunesse. Celle-ci se confirme au bouquet, expressif et très médoc par ses arômes de cassis. Le palais, élégant et concentré, s'inscrit dans le droit fil jusqu'à la finale. Tannique et bien soutenu par le bois, l'ensemble est déjà harmonieux tout en bénéficiant d'un bon potentiel de garde.
EARL Cyril Gillet, 6, rte du Château-Landon,
33340 Bégadan, tél. 05.56.41.50.42, fax 05.56.41.57.10,
e-mail chateau.landon@wanadoo.fr
t.l.j. 8h-12h 14h-18h; sam. dim. sur r.-v.

CH. HAUT-BLAIGNAN Elevage en barrique 2001 ★

Cru artisan 16 ha 14 415 5 à 8 €

Fidèle à son habitude, ce cru artisan offre un vin sérieux et authentique assemblant à parts égales merlot et cabernet-sauvignon. Franc et équilibré, ce 2001 témoigne d'une vendange de qualité et d'un élevage bien conduit (douze mois en barrique). On n'hésitera pas à l'attendre quelques années.

⌐ EARL Brochard-Cahier,
19, rue de Verdun, 33340 Blaignan, tél. 05.56.09.04.70, fax 05.56.09.00.08 ☑ ⊤ ⅄ t.l.j. 9h-12h 14h-19h

CH. HAUT-CANTELOUP 2001

■ Cru bourg.	36 ha	200 000	⅏ 8 à 11 €

94 95 |96| |97| **98 99** |01|

Né dans un chai situé à côté de l'un des plus jolis petits ports gabariers du Médoc (Saint-Christoly), ce vin s'annonce par une robe aux reflets violacés. Bien équilibré, il ne manque ni de concentration ni de complexité, avec une palette de fruits rouges, de fruits exotiques et de fruits macérés.

⌐ SARL du Ch. Haut-Canteloup,
33340 Saint-Christoly-Médoc,
tél. 05.56.41.58.98, fax 05.56.41.36.08 ☑ ⊤ ⅄ r.-v.

CH. HAUT CONDISSAS Prestige 2001 ★★

■	3 ha	15 229	⅏ 46 à 76 €

Avec cette cuvée Prestige, Jean Guyon (Rollan de By et La Clare) a placé la barre très haut. Le succès est au rendez-vous si l'on en juge par le 2001 dans lequel 25 % de petit verdot épaulent 25 % de cabernet-sauvignon et 50 % de merlot. D'une superbe robe rouge, celui-ci séduira les amateurs les plus exigeants par l'équilibre de son bouquet de fruits rouges, d'épices et de vanille comme par la concentration du palais que met parfaitement en valeur un bois très bien dosé. Dotée d'un beau potentiel de garde, cette bouteille possède suffisamment de personnalité et d'harmonie pour envisager un accord avec un gigot d'agneau à la ficelle.

⌐ Jean Guyon,
7, rte Rollan-de-By, 33340 Bégadan,
tél. 05.56.41.58.59, fax 05.56.41.37.82,
e-mail rollan-de-by@wanadoo.fr ☑ ⅄ r.-v.

CH. HAUT-MAURAC 2001 ★★

■ Cru bourg.	15 ha	76 825	⅏ 8 à 11 €

Lutte raisonnée, vendanges en vert, tri des grappes dans les vignes puis des raisins à l'entrée du cuvier... Ici, les soins apportés à la conduite du vignoble et à la vinification ont été poussés loin. Et le résultat est visible dans l'élégance et la race du bouquet (raisin mûr et moka) comme dans la richesse du palais que soutiennent des tanins denses et soyeux à souhait. Une bouteille déjà fort tentante mais qui méritera d'être attendue pendant quatre ou cinq ans pour profiter de son apogée.

⌐ Ch. Haut-Maurac, 3, rue de Mazails,
33340 Saint-Yzans-de-Médoc, tél. 05.56.09.05.37, fax 05.56.09.00.90, e-mail haut-maurac@wanadoo.fr
☑ ⊤ ⅄ t.l.j. sf sam. dim. 9h-12h 14h-18h
⌐ Decelle

CH. HOURBANON Elevé en fût 2001

■ Cru bourg.	12,66 ha	46 000	⅏ 8 à 11 €

Les habitués de ce cru trouveront sans doute un changement avec ce 2001. La rondeur des millésimes précédents a cédé la place à un caractère tannique très marqué. Corsée, solide, dotée d'arômes de cassis, cette bouteille demandera une bonne garde (cinq ou six ans) avant d'être servie sur des grillades.

⌐ SCF Delayat et Fils,
Ch. Hourbanon, 33340 Prignac-en-Médoc,
tél. 05.56.41.02.88, fax 05.56.41.24.33,
e-mail contact@chateauhourbanon.com ☑ ⊤ ⅄ r.-v.

CH. LA HOURCADE Elevé en fût de chêne 2001

■	n.c.	126 000	▤ ⅏ ⅃ 5 à 8 €

96 |97| **98 99** 01

Exploité par deux des figures sympathiques de Jau-et-Dignac, ce cru reste fidèle à sa réputation avec ce 2001 dont la dégustation tient les promesses de sa robe pourpre intense. Le bouquet de fruits noirs et le palais ample et frais donnent une jolie bouteille à ouvrir dans environ trois ans.

⌐ SCEA Gino et Florent Cecchini, Ch. La Hourcade,
7, rte de Noaillac, 33590 Jau-Dignac-et-Loirac,
tél. 05.56.09.53.61, fax 05.56.09.57.53,
e-mail la.hourcade@infonie.fr
☑ ⊤ ⅄ t.l.j. 9h-12h 14h-20h

CH. LABADIE 2001 ★

■ Cru bourg.	15 ha	83 000	⅏ 5 à 8 €

|90| 94 |95| 96 |**97**| **98 99** 00 |01|

Sorti en 1988 de la coopérative, le château Labadie propose depuis un vin intéressant. D'une couleur grenat, ce 2001 développe un bouquet des plus friands, avec des notes de fruits rouges, d'épices et de noisette grillée. Souple, rond et soutenu par des tanins soyeux, il s'inscrit dans la logique du millésime par sa double aptitude à être bu jeune ou à être attendu quelques années.

⌐ GFA Bibey, 1, rte de Chassereau, Ch. Labadie,
33340 Bégadan, tél. 05.56.41.55.58, fax 05.56.41.39.47
☑ ⊤ ⅄ t.l.j. sf dim. 9h-12h 14h30-18h

CH. LACOMBE NOAILLAC 2001 ★

■ Cru bourg.	15 ha	100 000	▤ ⅏ ⅃ 8 à 11 €

Q.G. de Jean-Michel Lapalu, ce domaine est aussi un cru réputé. Drapé dans une profonde robe grenat, son 2001 présente un bouquet mêlant les fruits rouges au

pain d'épice. Après une attaque dominée par la barrique, il développe un corps certes tannique, mais charnu. Il appellera d'ici deux à trois ans un accord gourmand avec une viande, rouge comme blanche, ou un fromage. Signalons que les lieux d'achat sont à Bégadan, aux Domaines Lapalu.
⊶ SC Ch. Lacombe Noaillac, Le Broustéra,
33590 Jau-Dignac-et-Loirac, tél. 05.56.41.50.18,
fax 05.56.41.54.65, e-mail info@domaines-lapalu.com
☑ 🍸 t.l.j. sf sam. dim. 9h-12h 14h-16h30
⊶ Jean-Michel Lapalu

CH. LALANDE D'AUVION 2001

■ Cru bourg. 20,6 ha n.c. **5 à 8 €**

Issu d'un vignoble où les merlots et les cabernets sont à égalité, ce vin est un peu surprenant mais intéressant par son bouquet naissant aux notes d'amande, de noyau, de cuir et d'humus. Encore un peu ferme dans son expression tannique, le palais charpenté et bien équilibré appelle obligatoirement une attente de quatre à six ans.
⊶ Christian Benillan, 3, rue de Verdun,
33340 Blaignan, tél. 05.56.09.05.52, fax 05.56.09.08.54
☑ 🍸 🚶 t.l.j. sf sam. dim. 8h30-12h 13h30-18h

CH. LALANDE VILLENEUVE 2001

■ 3,5 ha 28 000 ▮🛢 **8 à 11 €**

Né sur un cru où l'encépagement respecte la tradition avec du malbec, ce vin retient l'attention par son bouquet mariant les petits fruits rouges et la vanille sur un fond de sous-bois. Tannique, il demande à s'assouplir mais possède la matière nécessaire pour évoluer. Le **Château Lalande de Gravelongue 2001 (11 à 15 €)** est également cité.
⊶ SCEA Lalande de Gravelongue, 19, rte de Troussas,
33340 Valeyrac, tél. 03.88.28.34.69, fax 03.88.28.34.69,
e-mail gravelongue@wanadoo.fr ☑ 🍸 🚶 r.-v.

CH. LASSUS Cuvée Excellence 2001 ★

■ Cru bourg. 3 ha 13 000 🛢 **5 à 8 €**

Cuvée prestige, ce vin a fait l'objet d'une extraction poussée, qui lui a donné une robe d'une réelle profondeur. Son bouquet aux notes de fruits mûrs (griotte) montre qu'il a du répondant, comme l'attaque sur le fruit. Solidement charpenté, il sera gardé en cave pendant deux ou trois ans pour donner le meilleur de lui-même. Autre étiquette du même producteur, le **Château du Reysse 2001** obtient une étoile.
⊶ SCEA Vignobles Chaumont, 7, rte du Port-de-By,
33340 Bégadan, tél. 05.56.41.50.79, fax 05.56.41.51.36,
e-mail vignobles.chaumont@wanadoo.fr
☑ 🍸 🚶 t.l.j. 9h-12h 14h-18h30

CH. LAULAN DUCOS 2001

■ n.c. 22 000 🛢 **5 à 8 €**

Une croupe graveleuse, un encépagement bien médocain, douze mois d'élevage en barrique, Laulan Ducos a réussi son grand vin comme son second, cité également, **Insula Jovis 2001**. Celui-ci, d'un grenat intense, joue sur des fruits rouges et des tanins serrés qui demandent à se faire.
⊶ SCEA Ch. Laulan Ducos, 4, rte de Vertamont,
33590 Jau-Dignac-et-Loirac, tél. 05.56.09.42.37,
fax 05.56.09.48.40, e-mail chateau@laulanducos.com
☑ 🍸 🚶 t.l.j. sf sam. dim. 9h-12h 14h-17h
⊶ Ducos

CH. LISTRAN Cuvée Prestige 2001

■ Cru bourg. 15 ha 40 000 🛢 **8 à 11 €**

La présence de jeunes vignes n'empêche pas ce cru au beau terroir d'offrir un vin d'une réelle qualité gustative, qui a su trouver un bon compromis entre la souplesse et la matière tannique.
⊶ SCE Crété, Ch. Listran, 33590 Jau-Dignac-et-Loirac,
tél. 05.56.09.48.59, fax 05.56.09.58.70,
e-mail crete@chateau-listran.com
☑ 🍸 🚶 t.l.j. sf dim. 9h30-12h30 14h-19h

CH. LOIRAC Sélection Elevé en fût de chêne 2001 ★

■ 9,66 ha 16 000 **8 à 11 €**

Régulier en qualité, ce cru reste fidèle à lui-même. Son 2001 dont l'approche est des plus agréables se présente dans une robe grenat à reflets violets. La douceur de son bouquet aux jolies notes de fruits rouges se retrouve au palais. Gras, ample et harmonieux, il promet d'atteindre son meilleur niveau d'ici trois à quatre ans.
⊶ SCA Ch. Loirac,
1, rte de Queyrac, 33590 Jau-Dignac-et-Loirac,
tél. 06.08.46.68.21, fax 05.56.73.98.22,
e-mail jlcchtloirac@aol.com ☑ 🍸 🚶 r.-v.

CH. LOUDENNE 2001 ★★

■ Cru bourg. 48 ha n.c. 🛢 **11 à 15 €**

⑧② **83 85 86 88 89 90** 93 94 |95| |⑨⑥| |**97**| **98** 99 00 **01**

Musée, école de dégustation, ici tout est fait pour accueillir comme il se doit les visiteurs, sans jamais négliger la vocation première d'un cru qui est d'élaborer un vin de qualité. Ce 2001 en témoigne, tant par sa robe rubis que par son bouquet qui associe avec beaucoup de finesse les fruits mûrs, la réglisse et les notes toastées. Démarrant dans la souplesse, le palais ne tarde pas à révéler sa mâche avant de terminer par une longue et riche finale qu'accompagnent des tanins imposants. Une remarquable réussite dont on profitera pleinement dans trois à quatre ans.
⊶ SCS Ch. Loudenne, 33340 Saint-Yzans-de-Médoc,
tél. 05.56.73.17.80, fax 05.56.09.02.87 ☑ 🏠 🍸 🚶 r.-v.
⊶ Lafragette

CH. LOUSTEAUNEUF Art et Tradition Elevé en fût de chêne 2001 ★

■ Cru bourg. 12,5 ha 75 000 🛢 **8 à 11 €**

93 94 ⑨⑤ |**96**| 97 98 99 **00** 01

Produit à Valeyrac sur une propriété de 22 ha, le second vin, **Le Petit Lousteau 2001**, une étoile également, séduit par sa délicatesse, sa fraîcheur fruitée et la rondeur des tanins qu'agrémentent de sympathiques

arômes. Plus marqué par le bois, son grand frère se montre équilibré, doté de tanins fins et serrés. Il s'épanouira dans quatre à cinq ans.
⚷ Bruno Segond, EARL Ch. Lousteauneuf, 2, rte de Lousteauneuf, 33340 Valeyrac, tél. 05.56.41.52.11, fax 05.56.41.38.52, e-mail chateau.lousteauneuf@wanadoo.fr ☑ Ⲧ ⚲ r.-v.

CH. LES MOINES 2001 ★

■ Cru bourg. 15,07 ha 115 000 ▮ ◍ ⫯ 8 à 11 €

Rappelant par son nom le rôle qu'ont tenu les moines dans le défrichement du Médoc, ce vin est intéressant par sa complexité aromatique (griotte et grillé) et par sa richesse. on le servira sur un gibier ou une viande en sauce d'ici deux ou trois ans.
⚷ SCEA Vignobles Claude Pourreau, 9, rue Charles-Plumeau, 33340 Couquèques, tél. 05.56.41.38.06, fax 05.56.41.37.81 ☑ Ⲧ ⚲ r.-v.

MONFORT-BELLEVUE Elevé en fût de chêne 2001

■ n.c. 20 000 ◍ 5 à 8 €

Commercialisé par la maison de négoce Cheval-Quancard, ce vin s'appuie sur un boisé délicat et des tanins fondus pour attaquer tout en souplesse avant d'évoluer harmonieusement, en laissant s'exprimer son caractère fruité. Agréable à servir dès à présent mais aussi dans deux ans.
⚷ Cheval-Quancard, La Mouline, BP 36, 33560 Carbon-Blanc, tél. 05.57.77.88.88, fax 05.57.77.88.99, e-mail chevalquancard@chevalquancard.com Ⲧ ⚲ r.-v.

CH. DU MONTHIL 2001 ★

■ Cru bourg. 10 ha 80 000 ▮ ◍ ⫯ 11 à 15 €

Né dans une commune riche en coups de cœur du Guide Hachette (treize en dix-neuf ans), ce vin s'inscrit parfaitement dans l'esprit médocain par son élégance. Celle-ci apparaît dans sa robe nuancée de violine comme dans son bouquet aux notes de fumée, de grillé et de cannelle. Le palais prolonge cette impression par ses tanins serrés et son ample finale. Bien constituée, cette bouteille mérite une jolie garde.
⚷ SA Domaines Codem, 18, rte de By, 33340 Bégadan, tél. 05.56.73.26.56, fax 05.56.73.26.58 ☑ Ⲧ ⚲ r.-v.

CH. DU MOULIN-NEUF
Elevé en fût de chêne 2001 ★

■ 2 ha 5 500 ◍ 5 à 8 €

Il y a dix ans, ce cru comptait 2,20 ha. Aujourd'hui, il atteint 8,10 ha. Cette cuvée spéciale est bien constituée, avec des tanins élégants et un bouquet d'une bonne complexité qui la rendent déjà plaisante tout en l'assurant d'une évolution favorable au cours des années à venir.
⚷ Christiane Mastellotto, 16, chem. de Charmail, 33590 Jau-Dignac-et-Loirac, tél. 05.56.09.42.86, fax 05.56.60.72.67 ☑ Ⲧ ⚲ r.-v.

CH. NOAILLAC 2001 ★★

■ Cru bourg. 31 ha 150 000 ◍ 8 à 11 €

86 88 91 92 93 94 |95| |**96**| 97 98 99 00 **01**

Formant aujourd'hui, avec Jau et Dignac, l'une des communes viticoles les plus réputées de l'appellation, Loirac est vouée à la vigne depuis longtemps. Ce cru fait une fois encore honneur à son terroir grâce à ce 2001 des plus remarquables. Sa profonde robe grenat, son bouquet ouvert aux notes de grillé, de moka, de toasté et de fruits confits, son palais riche, concentré que soutiennent des tanins denses et mûrs : tout contribue à composer un ensemble complexe et harmonieux qui méritera une attente de trois ou quatre ans, voire plus.
⚷ Ch. Noaillac, 33590 Jau-Dignac-et-Loirac, tél. 05.56.09.52.20, fax 05.56.09.58.75, e-mail noaillac@noaillac.com
☑ ⚲ t.l.j. sf sam. dim. 8h-12h 13h30-17h
⚷ Xavier Pagès

CH. LES ORMES SORBET 2001 ★

■ Cru bourg. 21 ha 100 000 ◍ 15 à 23 €

78 81 83 **85 86** 88 89 |(90)| **91** 92 **93 94 95 96** |**97**| **98 99 00** 01

Construit en calcaire de Couquèques, ce château est en harmonie avec son terroir. Ce caractère se retrouve dans son vin qui mêle une note de cassis aux arômes de café et dont les solides tanins sauront se fondre d'ici trois ou quatre ans. On destinera cette bouteille à un gibier.
⚷ Jean Boivert, Ch. Les Ormes-Sorbet, 33340 Couquèques, tél. 05.56.73.30.30, fax 05.56.73.30.31, e-mail ormes.sorbet@wanadoo.fr
☑ Ⲧ ⚲ t.l.j. 9h-12h 14h-18h; sam. sur r.-v.

CH. DE PANIGON 2001

■ Cru bourg. 48,29 ha 300 000 ▮ ◍ ⫯ 5 à 8 €

Belle unité située entre les bourgs de Civrac, Bégadan et Queyrac, ce cru propose un vin rond et équilibré qui pourra être bu jeune pour profiter de ses agréables arômes de fruits rouges et d'épices.
⚷ SA DWL France, Ch. de Panigon, 33340 Civrac-en-Médoc, tél. 05.56.41.36.27, fax 05.56.41.36.27 ☑ Ⲧ ⚲ r.-v.

CH. PATACHE D'AUX 2001

■ Cru bourg. 43 ha 300 000 ▮ ◍ ⫯ 11 à 15 €

82 83 **85** 86 88 **89** |**90**| 91 92 93 |94| 95 96 |97| 98 01

Les chevaliers d'Aux furent sans doute les premiers propriétaires de ce cru qui fut un relais de diligences (pataches) sous la Révolution. Entré dans la famille Lapalu en 1964, le domaine atteint 69 ha. D'un assemblage bien médocain, ce millésime d'une couleur nette et franche offre un nez empyreumatique. Tannique et solide, il devra attendre deux ou trois ans pour s'exprimer avec davantage de charme. **La Patache 2001 (5 à 8 €)**, marque composée de lots provenant des différentes propriétés des Lapalu, est plaisante par son bouquet et ses tanins bien extraits. Ce vin obtient également une citation.

🗝 SA Patache d'Aux, 1, rue du 19-Mars,
33340 Bégadan, tél. 05.56.41.50.18, fax 05.56.41.54.65,
e-mail info@domaines-lapalu.com ☑ Ɪ ⛹ r.-v.
🗝 J.-M. Lapalu

CH. DU PERIER 2001 *

■ Cru bourg. 7 ha n.c. ⓘ 8 à 11 €

90 91 92 93 94 95 96 |97| **98** 99 00 01

Régulier en qualité, ce cru propose un millésime dont le jury a apprécié l'équilibre entre la souplesse et la puissance. Soutenu par de bons tanins, le vin développe un bouquet très agréable par son mariage des notes de fruits, de réglisse et d'épices. Une jolie bouteille à ouvrir dans deux ou trois ans.

🗝 Bruno Saintout, Cartujac,
33112 Saint-Laurent-Médoc,
tél. 05.56.59.91.70, fax 05.56.59.46.13 ☑ Ɪ ⛹ r.-v.

CH. PESSANGE 2001 *

■ 8,9 ha 48 000 5 à 8 €

Ce cru a confié sa vinification à la cave Saint-Roch, de Queyrac. Avec raison si l'on en juge d'après ce vin. S'il sait se présenter dans une robe des plus avenantes, d'une couleur pourpre à reflets violacés, il sait aussi tenir ses promesses, tant par son bouquet aux notes de fruits confits que par son évolution au palais à la fois souple et tannique. Un beau retour vient donner un côté très agréable à la finale.

🗝 Cave Saint-Roch, 27, chem. de la Cave,
33340 Queyrac, tél. 05.56.59.83.36, fax 05.56.59.86.57,
e-mail saintroch@uni-medoc.com
Ɪ ⛹ t.l.j. sf dim. 8h30-12h30 14h-17h30;
sam. 8h30-12h30
🗝 Rémy Faux

CH. LE PEY 2001 *

■ Cru bourg. 15 ha 105 000 ⓘ 8 à 11 €

La vigilance apportée à la conduite de la vigne, au choix du moment des vendanges comme au travail dans le cuvier et le chai était plus que jamais nécessaire dans ce millésime. Vif dans sa présentation, ce vin déploie un bouquet frais et joliment fruité que rehaussent quelques touches toastées et réglissées. Rond et bien équilibré, le palais s'ouvre sur une finale fort agréable. Au total une bouteille déjà plaisante, mais qui demande encore à se fondre.

🗝 SCEA Compagnet, Ch. Le Pey, 10, rte de Lesparre,
33340 Bégadan, tél. 05.56.41.57.75, fax 05.56.41.53.22,
e-mail compagnetvins@wanadoo.fr
☑ Ɪ ⛹ t.l.j. sf dim. 9h-12h 14h-18h

CH. PEY DE PONT Elevé en fût de chêne 2001

■ Cru bourg. 3 ha 22 000 ⓘ 8 à 11 €

Commandé par une demeure de style Directoire, ce cru propose un vin dont les tanins demandent à s'arrondir. Son gras et ses arômes de fruits rouges s'accorderont avec des viandes rouges et des fromages gras.

🗝 EARL Henri Reich et Fils,
3, rte du Port-de-Goulée, Trembleaux,
33340 Civrac-en-Médoc, tél. 05.56.41.52.80,
fax 05.56.41.52.80, e-mail cht.pey-de-pont@wanadoo.fr
☑ Ɪ ⛹ t.l.j. 8h-12h 13h30-19h

CH. PIERRE DE MONTIGNAC
Elevé en fût de chêne 2001 *

■ 20 ha 12 000 ⓘ 5 à 8 €

Enherbement, macération préfermentaire à froid, ce vin issu d'une vaste propriété (60 ha) a bénéficié de soins attentifs et efficaces. Avec pour résultat un vin au bouquet sympathique, franc et élégant, que prolonge un palais à la structure harmonieuse. Ses tanins soyeux le rendent déjà agréable, tout en lui assurant un bon potentiel de garde.

🗝 José Sallette, EARL de Montignac,
1, rte de Montignac, 33340 Civrac-en-Médoc,
tél. 05.56.73.59.08, fax 05.56.73.59.08,
e-mail pierredemontignac@free.fr
☑ Ɪ ⛹ t.l.j. sf dim. 9h-12h 14h-18h

CH. PLAGNAC 2001 *

■ Cru bourg. 30,32 ha 27 700 ⓘ 8 à 11 €

Un dôme évidé de calcaires tertiaires recouvert çà et là de sables rouges, un encépagement alliant les vieilles vignes et les jeunes plantations, les Domaines Cordier-Mestrezat possèdent ici de sérieux atouts. Ils savent les exploiter comme le montre ce vin d'une belle intensité aromatique (fruit, toasté et poivron). Riche à l'attaque et long, le palais est bien typé nord Médoc. Un séjour en cave de trois ou quatre ans se justifie.

🗝 Cordier-Mestrezat et Domaines,
SAS Ch. Plagnac, La Croix-Bacalan,
109, rue Achard, BP 154, 33042 Bordeaux Cedex,
tél. 05.56.11.29.00, fax 05.56.11.29.01,
e-mail mestrezat-domaines@wanadoo.fr

CH. PONTAC GADET 2001 *

■ 11 ha 66 600 ⓘ 5 à 8 €

Sur ce cru on tient à rester fidèle à la tradition et au cabernet. A 70 %, celui-ci domine l'encépagement et marque profondément le vin. La puissance apparaît dès l'attaque puis se développe au palais, pour confirmer l'aptitude à la garde qu'indiquaient déjà l'intensité et la complexité du bouquet, auquel des notes de vanille, de gingembre et de fruit apportent une réelle douceur.

🗝 Dominique Briolais,
Ch. Pontac Gadet, 33590 Jau-Dignac-et-Loirac,
tél. 05.57.64.34.38, fax 05.57.64.31.73 ☑ r.-v.

CH. PONTEY 2001

■ Cru bourg. 13,31 ha 61 300 ⓘ 8 à 11 €

Sans chercher à rivaliser avec le millésime 2000, particulièrement réussi, ce vin marie agréablement les fruits à un bois bien fondu. Encore un peu ferme en finale, le palais long et élégant justifiera une garde d'environ trois ans.

🗝 GFA du Ch. Pontey,
Dom. Auberive, 33260 Latresne,
tél. 05.56.20.71.03, fax 05.56.20.11.30 ☑ Ɪ ⛹ r.-v.

CH. POTENSAC 2001 **

■ n.c. 230 000 ⓘ 15 à 23 €

Encépagement, densité de plantation, vendanges, méthodes de vinification comme à Léoville Las Cases, les Delon privilégient la qualité dans l'esprit du terroir. Ils trouvent depuis deux siècles leur récompense dans des bouteilles comme celle-ci. Impeccable dans sa présentation d'un rouge vif, elle devient sensuelle par son bouquet fruité que soutient un bois d'une grande élégance. Rond, gras, aromatique et long, le palais révèle des tanins soyeux qui rendent ce vin déjà très agréable tout en lui apportant un très beau potentiel.

🗝 Ch. Potensac, 33340 Ordonnac,
tél. 05.56.73.25.26, fax 05.56.59.18.33,
e-mail leoville-las-cases@wanadoo.fr Ɪ ⛹ r.-v.
🗝 Héritiers Delon

CH. PREUILLAC 2001 ★

■ Cru bourg. 18 ha 120 000 ◍ 8 à 11 €

Premier millésime à avoir bénéficié de la rénovation des équipements réalisée en 2000, ce vin, d'une bonne expression aromatique (fruits et cuir) attaque en souplesse avant de faire preuve de plus de nervosité. Le bois, qui se révèle au cours de la dégustation, devra se fondre (deux à trois ans) ; l'ampleur du corps et les tanins perceptibles en finale témoignent d'un bon potentiel.

Yvon Mau, Ch. Preuillac, 33340 Lesparre-Médoc, tél. 05.56.09.00.29, fax 05.56.09.00.34, e-mail chateau.preuillac@wanadoo.fr ☑ Y ⚘ r.-v.

CH. RICAUDET 2001 ★

■ Cru bourg. 7,5 ha 46 000 ◍ 5 à 8 €

Ce cru, situé à Valeyrac, a confié sa vinification à la cave de Bégadan. Ce n'est pas ce vin qui lui fera regretter son choix. Chaleureux et jeune dans sa présentation, il se montre rond et équilibré au palais. Bien qu'encore marqué par le bois il est déjà agréable, avec de jolies notes grillées ; il pourra être attendu trois ou quatre ans.

Cave Saint-Jean, 2, rte de Canissac, 33340 Gaillan-en-Médoc, tél. 05.56.41.50.13, fax 05.56.41.50.78, e-mail saintjean@uni-medoc.com ☑ Y ⚘ t.l.j. sf dim. 8h30-12h30 14h-17h30; sam. 8h30-12h30

Robert Couthures

CH. ROLLAN DE BY 2001 ★★

■ Cru bourg. 30 ha 171 589 ◍ 15 à 23 €

|89| 91 92 93 94 |(96)| 97 **98 00 01**

Avec une jolie chartreuse du XIXᵉs. et un jardin à la française, ce château a fière allure. Et son 2001 n'a pas grand-chose à lui envier. La robe rouge cerise à reflets grenat annonce son caractère : s'il a la puissance nécessaire pour tirer profit d'une garde de quatre ou cinq ans, il n'est pas tombé dans le piège de l'hyper-extraction. Sa délicatesse s'exprime par la douceur de ses tanins comme par ses arômes d'amande, de torréfaction, de petits fruits rouges, d'épices et de menthol. Une bouteille à ouvrir sur une blanquette de veau à l'ancienne ou une volaille rôtie.

Jean Guyon, 7, rte Rollan-de-By, 33340 Bégadan, tél. 05.56.41.58.59, fax 05.56.41.37.82, e-mail rollan-de-by@wanadoo.fr ☑ ⚘ r.-v.

CH. ROUSSEAU DE SIPIAN 2001 ★

■ 5 ha 23 600 ◍ 11 à 15 €

Premier millésime entièrement signé par le propriétaire, ce vin augure bien de l'avenir du cru. Rouge foncé, il développe un bouquet franc, friand et complexe que prolonge un palais aromatique (vanille). Ample, gourmand et équilibré, il saura tirer profit d'une garde de trois à cinq ans.

Ch. Rousseau de Sipian ltd, 26, rte du Port-de-Goulée, 33340 Valeyrac, tél. 05.56.41.54.92, fax 05.56.41.53.26, e-mail rousseaudesipian@aol.com ☑ 🏠 Y ⚘ t.l.j. sf sam. dim. 9h30-12h 14h-17h

M. Racey

CH. SAINT-HILAIRE Vieilli en fût de chêne 2001 ★★

■ 16 ha 90 000 ◍ 5 à 8 €

Vinifiant au château depuis 1995, cette famille venue des Pays-Bas confirme les qualités de ce cru avec ce 2001. Entre rubis foncé et pourpre, sa robe met en confiance par sa netteté qui n'a d'égale que la complexité du bouquet. L'harmonie entre les fruits et le bois est renforcée par des notes florales. Dès l'attaque ronde et charnue, apparaissent des tanins lisses qui vont soutenir la structure de belle facture et la finale longue et aromatique. Parfaitement équilibrée, cette bouteille appelle une solide garde avant d'accompagner un mets de choix (gibier, canard rôti ou chapon).

EARL A. et F. Uijttewaal, 13, chem. de la Rivière, 33340 Queyrac, tél. 05.56.59.80.88, fax 05.56.59.87.68, e-mail chateau.st.hilaire@wanadoo.fr ☑ Y ⚘ t.l.j. sf dim. 9h-12h 14h-18h

CAVE SAINT-JEAN Le Grand Art 2001 ★

■ 10 ha 26 000 ◍ 5 à 8 €

Marque de prestige de la cave de Bégadan, ce vin débute sur un bouquet aux fines notes fruitées et vanillées pour laisser ensuite s'exprimer la puissance de ses tanins. Rond et bien constitué, il pourra être servi jeune ou attendu quelque temps.

Cave Saint-Jean, 2, rte de Canissac, 33340 Gaillan-en-Médoc, tél. 05.56.41.50.13, fax 05.56.41.50.78, e-mail saintjean@uni-medoc.com ☑ Y ⚘ t.l.j. sf dim. 8h30-12h30 14h-17h30; sam. 8h30-12h30

CH. SEGUE LONGUE Elevé en fût de chêne 2001 ★

■ Cru bourg. 19,2 ha 135 000 ◍ 8 à 11 €

Né dans un chai-cuvier circulaire, ce vin ne se contente pas de séduire le regard par sa couleur cerise à reflets sombres. Avec ses parfums de fruits rouges, de cassis et de mûre sur fond de bois, le bouquet est aussi charmeur que le palais. Plein et moelleux, celui-ci révèle une belle structure qui demandera encore du temps pour s'affiner complètement. Des mêmes propriétaires, le **Château Hauts de Boussan 2001** obtient une citation.

SCV du Ch. Segue Longue, 13, chem. de Lamale, 33590 Jau-Dignac-et-Loirac, tél. 06.11.77.30.25, fax 05.56.09.57.28, e-mail contact@segue-longue.com ☑ Y ⚘ r.-v.

J.-P. et P.-C. Monnier

CH. LE TEMPLE 2001 ★

■ Cru bourg. 14 ha 70 000 ■ ◍ ⚲ 8 à 11 €

Ce cru serait-il l'héritier d'un ancien établissement templier ? Quelques vestiges dans les constructions actuelles le laissent penser. Aucun doute, en revanche, sur les qualités du terroir de graves argileuses et sableuses ou sur le dynamisme et la rigueur des exploitants actuels. Ce vin en témoigne, tant par sa présentation d'un rouge profond que par son évolution au cours de la dégustation. Souple, bien concentré et long, il demandera trois ou quatre ans de patience pour laisser au bois le temps de se fondre.

Denis Bergey, Ch. Le Temple, 33340 Valeyrac, tél. 05.56.41.53.62, fax 05.56.41.57.35, e-mail letemple@terre-net.fr ☑ Y ⚘ t.l.j. 8h30-12h30 13h30-19h

CH. TERRE ROUGE 2001

■ Cru bourg. 30 ha 18 000 ■ ⚲ 8 à 11 €

Commercialisée par la maison Sichel, cette marque joue résolument la carte de la fraîcheur. Ce trait de caractère se lit dans le côté fruité du bouquet comme dans l'amabilité des tanins et de la structure.

SA Maison Sichel, 8, rue de la Poste, 33210 Langon, tél. 05.56.63.50.52, fax 05.56.63.42.28, e-mail maison-sichel@sichel.fr

CH. TOUR BLANCHE 2001

■ Cru bourg. 27 ha 120 000 ▮ ⬮ ♁ 8 à 11 €

Distribué par les établissements Kressmann, ce vin sait se rendre agréable par sa finesse. Celle-ci est le fil rouge de la dégustation, depuis le bouquet, plus floral que fruité, jusqu'à la finale aux plaisantes sensations de tanins bien mûrs.

⊶ SVA Ch. Tour Blanche,
15, rte du Breuil, 33340 Saint-Christoly-Médoc,
tél. 05.56.35.53.00, fax 05.56.35.53.05,
e-mail contact@kressmann.com 🚶r.-v.

CH. TOUR CASTILLON 2001 ★★

■ Cru bourg. 13 ha 18 000 ⬮ 8 à 11 €

Héritier d'une ancienne forteresse contrôlant l'accès maritime à Bordeaux, ce cru n'a pas gardé grand-chose des fortifications médiévales. En revanche, son vignoble est privilégié par le site : une croupe de graves au bord de l'estuaire. Impossible d'en douter en regardant ce vin à la robe carminée, en humant son bouquet expressif aux notes de tabac blond légèrement toasté, en appréciant ses fines saveurs et sa belle structure tannique. Un vin moderne, à servir d'ici quatre ou cinq ans sur une cuisine jeune.

⊶ EARL Vignobles Peyruse,
3, rte du Fort-Castillon, 33340 Saint-Christoly-Médoc,
tél. 05.56.41.54.98, fax 05.56.41.39.19
☑ Y 🚶 t.l.j. sf dim. 9h-12h 14h-18h; f. 15-31 août

CH. TOUR HAUT-CAUSSAN 2001 ★

■ Cru bourg. 16 ha 104 800 ⬮ 11 à 15 €

82 83 85 86 |89| (90) 91 92 93 94 |95| (96) 97 98 99 00 01

Ce cru, qui a obtenu quatre fois un coup de cœur, est l'un des plus renommés de l'appellation. Le 2001 ne décevra pas ses fidèles. Sa couleur d'un rubis étincelant annonce l'élégance du bouquet de fruits rouges mûrs et de la structure bien soutenue par le bois. On pourra profiter de ses qualités sans avoir à attendre trop longtemps.

⊶ Philippe Courrian,
Ch. Tour Haut-Caussan, 33340 Blaignan,
tél. 05.56.09.00.77, fax 05.56.09.06.24 ☑ Y 🚶 r.-v.

CH. TOUR PRIGNAC 2001 ★

■ Cru bourg. 129,62 ha 593 000 ⬮ 11 à 15 €

Né sur une propriété appartenant à la famille Castel, ce 2001 est un vin plaisir, riche en sensations olfactives (fruits rouges et fleurs) et agréable par sa structure souple et élégante. Le **Château Tartuguière**, produit sur la même exploitation, lui ressemble comme un frère et obtient lui aussi une étoile.

⊶ Castel Frères,
21-24, rue Georges-Guynemer, 33290 Blanquefort,
tél. 05.56.95.54.00, fax 05.56.95.54.20

TRADITION DES COLOMBIERS
Elevé en fût de chêne 2001 ★

■ 15 ha 20 000 ⬮ 8 à 11 €

Signé par la cave des Vieux Colombiers (Prignac), ce vin semble un peu délicat dans sa présentation. Mais il s'ouvre ensuite sur un bouquet élégant et un palais qui révèle des tanins bien extraits. Il fait preuve d'une bonne persistance aromatique.

⊶ Cave Les Vieux Colombiers,
23, rue des Colombiers, 33340 Prignac-en-Médoc,
tél. 05.56.09.01.02, fax 05.56.09.03.67,
e-mail vieuxcolombiers@uni-medoc.com
☑ Y 🚶 t.l.j. sf dim. 8h30-12h30 14h-17h30;
sam. 8h30-12h30

VIEUX CHATEAU LANDON 2001

■ Cru bourg. 25 ha 80 000 ⬮ 8 à 11 €

Le grand-père de Cyril Gillet pratiquait l'élevage en même temps que la viticulture. Seule la vigne est aujourd'hui exploitée, comme sur l'ensemble des domaines. Rouge carmin, ce vin affiche une expression aromatique équilibrée, d'une bonne intensité. Les tanins, bien extraits, rendront ce vin intéressant pendant un à deux ans.

⊶ EARL Cyril Gillet, 6, rte du Château-Landon,
33340 Bégadan, tél. 05.56.41.50.42, fax 05.56.41.57.10,
e-mail chateau.landon@wanadoo.fr
☑ Y 🚶 t.l.j. 8h-12h 14h-18h; sam. dim. sur r.-v.

CH. VIEUX ROBIN Bois de Lunier 2001 ★★

■ Cru bourg. 12 ha 65 000 ▮ ⬮ ♁ 11 à 15 €

|82| 83 |85| |86| 87 |88| |89| |90| 91 |93| 94 95 96 97 98 99 00 |01|

La renommée de la cuvée Bois de Lunier de Vieux Robin n'est plus à établir. Ce n'est pas ce millésime qui la ternira. D'un rouge profond, il développe un bouquet aux fines notes de griotte et de pain d'épice. Le bois participe à sa complexité aromatique sans rompre l'équilibre de l'ensemble. Souple, plein et charnu, le palais mène à une longue et fraîche finale. Une jolie bouteille qui pourra être appréciée jeune ou attendue. Encore marquée par le bois mais dotée d'une belle matière, la cuvée **Collection de Bois de Lunier** ne décevra pas : elle obtient une étoile.

⊶ SCE Ch. Vieux Robin, 3, rte des Anguilleys,
33340 Bégadan, tél. 05.56.41.50.64, fax 05.56.41.37.85,
e-mail contact@chateau-vieux-robin.com ☑ Y 🚶 r.-v.
⊶ Maryse et Didier Roba

Haut-médoc

Le territoire spécifique de l'appellation haut-médoc serpente autour des appellations communales. Cette AOC est la seconde en importance avec 4 615 ha et une production en 2003 de 203 825 hl. Ses vins jouissent d'une grande réputation, due en partie à la présence de cinq crus classés dans leur région, les autres se trouvant dans les six appellations communales enclavées dans l'aire d'appellation.

En haut-médoc, le classement des vins a été réalisé en 1855, soit près d'un siècle avant celui des graves. Cela s'explique par l'avance prise par la viticulture médocaine à partir du XVIIIe s. ; car c'est là que s'est en grande partie produit « l'avènement de la qualité », avec la découverte des notions de terroir et de cru, c'est-à-dire la prise de conscience de l'existence d'une relation entre le milieu naturel et la qualité du vin. Les haut-médoc se caractérisent par leur générosité, mais sans excès de puissance. D'une réelle finesse au nez, ils présentent généralement une bonne aptitude au vieillissement. Ils devront alors être bus chambrés et iront très bien avec des viandes blanches et des volailles ou du gibier à plume. Mais bus plus jeunes et servis frais, ils pourront aussi accompagner d'autres plats, comme certains poissons.

CH. D'AGASSAC 2001 *

■ Cru bourg. sup. 26,8 ha 153 333 ▮ ◍ ♁ 15 à 23 €

95 96 97 **98 99 00** 01

Les impératifs défensifs du Moyen Age adoucis par la quête de confort de la Renaissance, le château a de quoi faire rêver sur son îlot. Et son vin n'est pas en reste. Sa robe intense et sombre, son bouquet naissant mais concentré avec des notes de cuir et de venaison, son attaque ample, son fruit mûr et très sain et sa persistance sont autant de raisons de patienter pendant au moins quatre ou cinq ans. Rond et charnu, le **château Pomiès-Agassac (11 à 15 €)** a été cité.

⊶ SCA du Ch. d'Agassac,
15, rue du Château-d'Agassac, 33290 Ludon-Médoc,
tél. 05.57.88.15.47, fax 05.57.88.17.61,
e-mail contact@agassac.com ☒ ⌶ 🚶 r.-v.
⊶ Groupama

CH. D'ARCHE 2001 **

■ Cru bourg. 9 ha n.c. ◍ 15 à 23 €

94 |95| |**96**| |**97**| |98| **99 00 01**

Si les chais sont situés en plein cœur du bourg de Ludon, les vignes se trouvent sur une belle croupe de graves de la commune. La qualité du terroir se retrouve dans celle du vin. Somptueuse, la robe pourpre met en confiance. Tout comme le bouquet profond et complexe, avec un mariage heureux des parfums de fruits noirs très mûrs et de bois, et le palais plein, rond et charnu. Les tanins fins et concentrés témoignent d'un élevage raisonné. Longue et mûre, la finale achève de convaincre le dégustateur de l'aptitude à la garde de cette grande bouteille.

⊶ SA Mähler-Besse, 49, rue Camille-Godard,
33000 Bordeaux, tél. 05.56.56.04.30, fax 05.56.56.04.59,
e-mail france@mahler-besse.com ☒ ⌶ 🚶 r.-v.

CH. D'ARCINS 2001 *

■ Cru bourg. 92,63 ha 580 000 ◍ 11 à 15 €

Situé au cœur du village, en face de l'un des restaurants vedettes du Médoc, ce château ne passe pas inaperçu. Son vin, d'une belle teinte grenat, sait lui aussi retenir l'attention, notamment par son bouquet où la mûre fait alliance avec le cuir. D'un bon volume, équilibré et d'une longueur appréciable, le palais révèle des arômes de fruits rouges qu'accompagne un bois finement dosé. Déjà agréable, cette bouteille pourra être bue immédiatement ou d'ici deux à trois ans.

⊶ Castel Frères,
21-24, rue Georges-Guynemer, 33290 Blanquefort,
tél. 05.56.95.54.00, fax 05.56.95.54.20

CH. LE MONTEIL D'ARSAC 2001

■ 71,9 ha 170 000 ◍ 5 à 8 €

Vaste domaine, le château d'Arsac possède de nombreuses vignes dans l'aire des haut-médoc. Son 2001 ne semble pas voué à une longue garde, mais, bu jeune, il saura se montrer agréable par son bouquet aux notes de fruits confits et de grillé comme par son équilibre et sa chair.

⊶ Philippe Raoux, Ch. d'Arsac, 33460 Arsac,
tél. 05.56.58.83.90, fax 05.56.58.83.08,
e-mail chateau.arsac@wanadoo.fr ☒ ⌶ 🚶 r.-v.

CH. D'AURILHAC 2001 *

■ Cru bourg. 5,5 ha 40 500 ◍ 8 à 11 €

96 |**97**| **98 99 00** 01

Possédant un bon terroir, ce cru sait en tirer profit. Une fois encore, un vin bien armé pour la garde. Sa robe, d'un beau rouge, annonce sa jeunesse que confirme le bouquet intense. Fruité et soutenu par un boisé discret, le palais est vif, nerveux, mais équilibré et aromatique. Sa structure appelle la patience : quelques années seront nécessaires à cette bouteille pour s'arrondir.

⊶ SCEA Ch. d'Aurilhac et La Fagotte,
Sénilhac, 33180 Saint-Seurin-de-Cadourne,
tél. 05.56.59.35.32, fax 05.56.59.35.32 ☒ ⌶ r.-v.
⊶ Erik Nieuwaal

CH. BALAC Cuvée Prestige 2001 *

■ Cru bourg. 15 ha 120 000 ▮ ◍ ♁ 11 à 15 €

88 89 90 92 93 94 |95| 96 97 99 00 |01|

Discret et régulier en qualité, ce cru, connu pour la qualité de son accueil, constitue une valeur sûre. Une fois encore, il le prouve avec ce 2001 d'un beau pourpre profond qui développe un joli bouquet aux notes de cassis, de cerise et de pain d'épice. Frais, moelleux et souple, le palais fait preuve d'une finesse et d'une élégance qui se retrouvent dans les tanins mûrs de la finale. Autre raison de découvrir ce domaine, sa chartreuse construite par l'architecte du Grand Théâtre de Bordeaux.

⊶ Luc Touchais, Ch. Balac,
33112 Saint-Laurent-Médoc, tél. 05.56.59.41.76,
fax 05.56.59.93.90, e-mail chateau.balac@wanadoo.fr
☒ ⌶ 🚶 t.l.j. 10h-12h 14h-18h

CH. BARTHEZ 2001

■ Cru bourg. 20 ha 63 700 ◍ 5 à 8 €

Nouveau venu dans le Guide, ce vin fait une entrée sympathique. Il laisse le dégustateur sur le souvenir d'un mariage heureux entre les fruits rouges confits et les notes grillées, torréfiées, cacaotées et poivrées. Sa structure souple et ronde le rend aimable dès à présent.

⊶ Grands Vins de Gironde, Dom. du Ribet,
33451 Saint-Loubès, tél. 05.57.97.07.20,
fax 05.57.97.07.27, e-mail gvg@gvg.fr

CH. BEAUMONT 2001 *

■ Cru bourg. n.c. 400 000 🛢 11 à 15 €

Toits à la Mansart, tours d'angle octogonales, Beaumont est bien un château éclectique de style Napoléon III, mais avec un sens de la mesure qui lui apporte une réelle élégance. C'est pourtant un autre registre qu'a choisi son 2001 : une personnalité virile, corsée, séveuse et charpentée. Ses bons tanins de raisins et de bois s'accordent avec ses arômes de tabac brun, de gibier et de toasté pour annoncer un solide potentiel de garde et inviter à un mariage gourmand classique avec une entrecôte ou un gigot à la ficelle.

🔑 SCE Ch. Beaumont, 33460 Cussac-Fort-Médoc,
tél. 05.56.58.92.29, fax 05.56.58.90.94,
e-mail beaumont@chateau-beaumont.com ☒ 🏠 🍷 r.-v.
🔑 Grands Millésimes de France

CH. BEL AIR 2001 *

■ Cru bourg. 37 ha 233 000 🛢 11 à 15 €

Sur une croupe graveleuse face à la Gironde, ce cru bénéficie d'un terroir de choix. La complémentarité des graves du sol et des argiles du sous-sol se traduit par la solide constitution de ce vin qu'annonce une robe sombre encore fraîche. Le bouquet est lui aussi fort prometteur avec une grande variété de parfums de fruits, de cuir, d'épices et de poudre de cacao. Les tanins doux et fondus et l'ample finale du palais confirment cette jolie palette gustative ainsi que le potentiel de cette bouteille, à attendre entre quatre et six ans.

🔑 Dom. Martin, Ch. Gloria,
33250 Saint-Julien-Beychevelle,
tél. 05.56.59.08.18, fax 05.56.59.16.18,
e-mail domainemartin@wanadoo.fr ☒ 🍷 🚶 r.-v.
🔑 Françoise Triaud

CH. BELGRAVE 2001 *

■ 5e cru clas. 56 ha 223 000 🛢 23 à 30 €

82 **83 84 85 86** 87 88 **89** (90) **91** 92 93 |**94**| |95| |**96**| **97** |**98**| **99 00** 01

Classé en 1855 sous le nom de Château Coutenceau, ce cru fut baptisé par l'un de ses anciens propriétaires. Belgrave évoque non pas le sol sur lequel il est implanté mais un quartier de Londres ! Sans chercher à rivaliser avec certains millésimes antérieurs qui ont obtenu des coups de cœur, ce vin atteste néanmoins des qualités du terroir. Comme l'annonce sa couleur soutenue et intense, il développe une structure tannique qui appelle une bonne garde et s'accorde avec la richesse du bouquet (fruits mûrs et confits) pour laisser penser qu'un mariage avec des gibiers à plume sera des plus heureux.

🔑 Dourthe, Ch. Belgrave,
35, rue de Bordeaux, 33290 Parempuyre,
tél. 05.56.35.53.00, fax 05.56.35.53.29,
e-mail contact@cvbg.com ☒ 🍷 🚶 r.-v.

CH. BELLEGRAVE DU POUJEAU 2001

■ Cru bourg. 4 ha 20 000 🛢 8 à 11 €

Graves, cabernet-sauvignon, la bonne constitution de ce vin s'explique aisément. On l'ouvrira dans trois ou quatre ans pour qu'il n'ait pas perdu ses arômes de poivron, de paprika et de fruits rouges. Une agréable bouteille fraîche et veloutée.

🔑 Vignoble Cantelaube,
chem. des Vignes, Le Poujeau, 33290 Le Pian-Médoc,
tél. 06.07.14.09.47, fax 05.56.39.22.98 ☒ 🍷 🚶 r.-v.

CH. BELLE-VUE 2001 *

■ 9,73 ha 48 000 🛢 15 à 23 €

Elaboré par le château de Gironville, ce haut-médoc est assurément de bonne origine, comme le laisse deviner sa couleur d'un pourpre violine profond. Débutant par des arômes de fruits mûrs et de vendanges avant de laisser apparaître le bois pour donner un ensemble d'une bonne complexité, le bouquet confirme les bonnes dispositions de la présentation. Tout comme le palais, aromatique, corpulent, rond et charnu, avec de séduisants tanins très mûrs. Six ou sept ans de garde sont à sa portée ; mais on pourra aussi l'ouvrir vers 2006, à condition de le décanter deux heures avant son service. Le **château de Gironville (8 à 11 €)** a été cité.

🔑 SC de la Gironville,
69, rte de Louens, 33460 Macau,
tél. 05.57.88.19.79, fax 05.57.88.41.79 ☒ 🍷 🚶 r.-v.

CH. BERNADOTTE 2001 *

■ Cru bourg. 35 ha n.c. 🛢 11 à 15 €

Toujours fidèle à la tradition médocaine par son encépagement diversifié à majorité de cabernet-sauvignon, ce cru offre ici un vin qui joue la carte de l'élégance et de la finesse. Il n'en sacrifie pas pour autant son aptitude à la garde. Celle-ci sera de deux ou trois ans, sans nuire à ses arômes actuels qui mêlent un boisé discret à la griotte.

🔑 SC Ch. Le Fournas,
Le Fournas-Nord, 33250 Saint-Sauveur,
tél. 05.56.59.57.04, fax 05.56.59.54.84 ☒ r.-v.
🔑 May-Eliane de Lencquesaing

LES BRULIERES DE BEYCHEVELLE 2001

■ 13 ha 87 000 🛢 11 à 15 €

Produit par le célèbre cru de saint-julien, ce haut-médoc à la structure ronde et soyeuse exprime sa personnalité par le développement d'arômes persistants de fruits rouges et de vanille.

🔑 SC Ch. Beychevelle, 33250 Saint-Julien-Beychevelle,
tél. 05.56.73.20.70, fax 05.56.73.20.71,
e-mail beychevelle@beychevelle.com ☒ 🚶 r.-v.

CH. BEYZAC 2001 *

■ Cru bourg. n.c. n.c. 🛢 11 à 15 €

Nouveau venu dans le Guide, ce cru fait une jolie entrée avec ce vin. Drapé dans une robe bordeaux, il développe un bouquet aux douces touches de réglisse. Gras, rond et charnu, il montre par ses tanins assez fondus comme par sa lisse et longue finale qu'il pourra ête bu jeune ou attendu. Le **Château Prieuré de Beyzac Quintessence 2001 (8 à 11 €)** a été cité par le jury.

🔑 EARL Les Granges de Civrac,
23, rte des Granges, 33340 Civrac-en-Médoc,
tél. 05.56.41.58.73, fax 05.56.41.55.87 ☒ 🍷 🚶 r.-v.
🔑 Roland

CH. DE BRAUDE 2001 *

■ 6,4 ha 36 000 🗄 🛢 🌡 11 à 15 €

Presque en première ligne face à la poussée urbaine, la commune de Macau aura sans doute du mal à conserver ses vignobles. Heureusement, sa meilleure arme est la qualité du travail dans de nombreux crus dont celui-ci. S'annonçant par une couleur soutenue et un bouquet aux intenses et fraîches senteurs fruitées, son 2001 fait preuve

LE CLASSEMENT DE 1855 REVU EN 1973

PREMIERS CRUS
- Château Lafite-Rothschild (Pauillac)
- Château Latour (Pauillac)
- Château Margaux (Margaux)
- Château Mouton-Rothschild (Pauillac)
- Château Haut-Brion (Pessac-Léognan)

SECONDS CRUS
- Château Brane-Cantenac (Margaux)
- Château Cos-d'Estournel (Saint-Estèphe)
- Château Ducru-Beaucaillou (Saint-Julien)
- Château Durfort-Vivens (Margaux)
- Château Gruaud-Larose (Saint-Julien)
- Château Lascombes (Margaux)
- Château Léoville-Barton (Saint-Julien)
- Château Léoville-Las-Cases (Saint-Julien)
- Château Léoville-Poyferré (Saint-Julien)
- Château Montrose (Saint-Estèphe)
- Château Pichon-Longueville-Baron (Pauillac)
- Château Pichon-Longueville Comtesse-de-Lalande (Pauillac)
- Château Rauzan-Ségla (Margaux)
- Château Rauzan-Gassies (Margaux)

TROISIÈMES CRUS
- Château Boyd-Cantenac (Margaux)
- Château Cantenac-Brown (Margaux)
- Château Calon-Ségur (Saint-Estèphe)
- Château Desmirail (Margaux)
- Château Ferrière (Margaux)
- Château Giscours (Margaux)
- Château d'Issan (Margaux)
- Château Kirwan (Margaux)
- Château Lagrange (Saint-Julien)
- Château La Lagune (Haut-Médoc)
- Château Langoa (Saint-Julien)
- Château Malescot-Saint-Exupéry (Margaux)
- Château Marquis d'Alesme-Becker (Margaux)
- Château Palmer (Margaux)

QUATRIÈMES CRUS
- Château Beychevelle (Saint-Julien)
- Château Branaire-Ducru (Saint-Julien)
- Château Duhart-Milon-Rothschild (Pauillac)
- Château Lafont-Rochet (Saint-Estèphe)
- Château Marquis de Terme (Margaux)
- Château Pouget (Margaux)
- Château Prieuré-Lichine (Margaux)
- Château Saint-Pierre (Saint-Julien)
- Château Talbot (Saint-Julien)
- Château La Tour-Carnet (Haut-Médoc)

CINQUIÈMES CRUS
- Château d'Armailhac (Pauillac)
- Château Batailley (Pauillac)
- Château Belgrave (Haut-Médoc)
- Château Camensac (Haut-Médoc)
- Château Cantemerle (Haut-Médoc)
- Château Clerc-Milon (Pauillac)
- Château Cos-Labory (Saint-Estèphe)
- Château Croizet-Bages (Pauillac)
- Château Dauzac (Margaux)
- Château Grand-Puy-Ducasse (Pauillac)
- Château Grand-Puy-Lacoste (Pauillac)
- Château Haut-Bages-Libéral (Pauillac)
- Château Haut-Batailley (Pauillac)
- Château Lynch-Bages (Pauillac)
- Château Lynch-Moussas (Pauillac)
- Château Pédesclaux (Pauillac)
- Château Pontet-Canet (Pauillac)
- Château du Tertre (Margaux)

LES CRUS CLASSÉS DU SAUTERNAIS EN 1855

PREMIER CRU SUPÉRIEUR
- Château d'Yquem

PREMIERS CRUS
- Château Climens
- Château Coutet
- Château Guiraud
- Château Lafaurie-Peyraguey
- Château La Tour-Blanche
- Clos Haut-Peyraguey
- Château Rabaud-Promis
- Château Rayne-Vigneau
- Château Rieussec
- Château Sigalas-Rabaud
- Château Suduiraut

SECONDS CRUS
- Château d'Arche
- Château Broustet
- Château Caillou
- Château Doisy-Daëne
- Château Doisy-Dubroca
- Château Doisy-Védrines
- Château Filhot
- Château Lamothe (Despujols)
- Château Lamothe (Guignard)
- Château de Malle
- Château Myrat
- Château Nairac
- Château Romer
- Château Romer du Hayot
- Château Suau

d'une complexité, d'une rondeur et d'une longueur qui lui confèrent un caractère à la fois sérieux et plaisant. Sa structure invite à l'attendre cinq ou six ans. Egalement d'un classicisme de bon aloi, le **Château Braude-Fellonneau 2001** a obtenu lui aussi une étoile.

Régis Bernaleau, SCEA Mongravey,
8, av. Jean-Luc-Vonderheyden, 33460 Arsac,
tél. 05.56.58.84.51, fax 05.56.58.83.39,
e-mail chateau.mongravey@wanadoo.fr r.-v.

CH. DE CACH 2001

Cru bourg. 19 ha 80 000 8 à 11 €

Marquant l'entrée du cru dans le Guide, ce vin à la robe rubis foncé affiche un bouquet fin et assez intense (bois fondu, vanille, épices, clou de girofle). Sa finale a moins de charme mais ne fait pas oublier le bon volume et les tanins ronds du palais. Il pourra affronter sans attendre des mets un peu gras.

Henri Musso,
Ch. de Cach, 33112 Saint-Laurent,
tél. 05.56.59.45.91, fax 05.56.59.49.80
t.l.j. sf sam. dim. 8h-12h 13h-17h

CH. CAMBON LA PELOUSE 2001 ★★

Cru bourg. sup. 35 ha 220 000 11 à 15 €

Une propriété sérieuse et sympathique. Cela mérite d'être noté, car l'ambiance qui règne sur la propriété n'est pas étrangère à la qualité de sa production. Dès le premier regard, on devine à sa robe d'un violet profond que ce vin a du répondant. Ce que confirment son bouquet, développé et complexe, comme son évolution au palais. Là, des tanins déjà fondus se mêlent aux notes grillées, toastées, et aux arômes de fruits rouges pour composer un ensemble harmonieux que clôt une finale douce et puissante à la fois. Bien dans la tradition du cru, cette bouteille mérite un séjour en cave de quatre ou cinq ans.

Annick et Jean-Pierre Marie,
SCEA Cambon La Pelouse,
5, chem. de Canteloup, 33460 Macau,
tél. 05.57.88.40.32, fax 05.57.88.19.12,
e-mail contact@cambon-la-pelouse.com r.-v.

CH. CAMENSAC 2001 ★

5e cru clas. 70 ha 260 000 23 à 30 €

85 86 88 89 90 92 94 |(95)| |(96)| |97| 98 99 00 01

Ce cru, qui a déjà offert de beaux coups de cœur, possède un terroir de qualité, ce que démontre ce millésime. Les graves et le cabernet-sauvignon ne sont pas étrangers à son aptitude à une garde de quatre ou cinq ans, voire plus. Ce potentiel s'annonce par sa couleur d'un rubis profond comme par sa complexité aromatique : notes de raisin mûr, de merrain et d'épices douces. Sa structure repose sur des tanins veloutés. Gras, rond et assez puissant, ce vin ne manque pas d'atouts.

Ch. Camensac,
rte de Saint-Julien, BP 9, 33112 Saint-Laurent-Médoc,
tél. 05.56.59.41.69, fax 05.56.59.41.73,
e-mail chateaucamensac@wanadoo.fr r.-v.

CH. DE CANDALE 2001

11 ha n.c. 8 à 11 €

Issu d'un vignoble dépendant de château d'Issan (margaux), ce vin se rend déjà agréable par ses parfums de fruits toastés et ses doux tanins.

Ch. d'Issan, 33460 Cantenac,
tél. 05.57.88.35.91, fax 05.57.88.74.24,
e-mail issan@chateau-issan.com r.-v.
Famille Cruse

CH. CANTEMERLE 2001 ★

5e cru clas. 87 ha 400 000 23 à 30 €

81 82 83 (85) 86 87 |88| |(89)| |90| 91 92 93 94 |95| 96 |97| |98| 99 00 01

Ce domaine est l'un des rares crus classés à avoir gardé son parc. Sans doute a-t-il été un peu gêné dans ce millésime par sa majorité de merlot. Toutefois, son vin ne manque pas de personnalité. Celle-ci s'exprime par la qualité de son bouquet d'une bonne complexité avec des notes de grillé, de torréfaction et de fruits rouges qui se retrouvent au palais. Souple et savoureux à l'attaque, il est plus ferme en finale. Ses tanins demandent à se fondre pendant deux à quatre ans. Choisir alors une viande rouge ou un gibier pour un dîner de fête.

Ch. Cantemerle, 33460 Macau,
tél. 05.57.97.02.82, fax 05.57.97.02.84,
e-mail cantemerle@cantemerle.com
groupe SMABTP

CH. CAP DE HAUT Comtesse de Fumel 2001 ★

Cru bourg. 12 ha 42 000 8 à 11 €

La comtesse de Fumel qu'honore l'étiquette de ce cru n'est autre qu'une aïeule des propriétaires, également à la tête du château de Lamarque ; elle fut sauvée des prisons révolutionnaires et posséda plusieurs grands crus. Couleur prune, ce vin est lui aussi aristocratique par ses délicats et discrets parfums de cerise, de groseille, de fleurs et d'épices douces, comme par le côté rond, moelleux et satiné du palais. Ses tanins mûrs et sa bonne finale appellent une garde de trois à quatre ans.

SC Gromand d'Evry,
Ch. Cap de Haut, 33460 Lamarque,
tél. 05.56.58.90.03, fax 05.56.58.93.43,
e-mail chdelamarq@aol.com r.-v.

CH. CARONNE SAINTE-GEMME 2001 ★

Cru bourg. 40 ha 270 000 11 à 15 €

Né dans les beaux chais des XVIIIe et XIXes. qui entourent la chartreuse de style Directoire, ce vin est en harmonie avec les lieux par l'élégance de sa robe. Développant généreusement des arômes de fruits rouges et de gibier, il révèle dès l'attaque sa structure et sa matière où les saveurs de poivron prennent un peu le pas sur le fruit. Bien équilibré, il est encore un peu austère mais promet une bonne bouteille d'ici trois à quatre ans.

SCE Vignobles Nony-Borie,
Caronne Sainte-Gemme, 33112 Saint-Laurent-Médoc,
tél. 05.57.87.56.81, fax 05.56.51.71.51,
e-mail caronne-ste-gemme@wanadoo.fr r.-v.

DOM. DE CARTUJAC 2001

Cru paysan 7 ha n.c. 5 à 8 €

Egalement producteur à Saint-Julien, Bruno Saintout propose un haut-médoc qui demandera à être bu d'ici un ou deux ans, afin de profiter pleinement des qualités de son bouquet fruité et épicé. Avec sa robe grenat profond et sa bouche ronde et chaleureuse, ce vin accompagnera une volaille sur la table dominicale.

Bruno Saintout, Cartujac,
33112 Saint-Laurent-Médoc,
tél. 05.56.59.91.70, fax 05.56.59.46.13 r.-v.

CH. CHARMAIL 2001 ★

■ Cru bourg. 22,5 ha 105 000 15 à 23 €

88 89 90 91 **92** 93 **94** |95| ⑯ |97| **98 99** 00 01

Quand on contemple la vue sur l'estuaire depuis le balcon de ce cru, on devine qu'il possède un beau terroir. On n'en doute pas non plus en dégustant ce vin qui s'annonce par une ravissante robe rubis et un bouquet complexe (cuir, tabac blond et épices). Le boisé, de qualité, se retrouve au palais où il se marie avec des tanins d'une bonne maturité pour former un ensemble expressif, bien construit qui mérite un séjour en cave de trois ou quatre ans.

Olivier Sèze, Ch. Charmail, 33180 Saint-Seurin-de-Cadourne, tél. 05.56.59.70.63, fax 05.56.59.39.20 r.-v.

CH. CISSAC 2001 ★

■ Cru bourg. 50 ha 180 000 15 à 23 €

Un beau jardin à la française donnant sur l'église de Cissac. Son charme trouve comme un écho dans ce vin dont le bouquet révèle sa complexité par une série de touches successives : toasté, petits fruits rouges, cassis, et fleurs (rose). Bien équilibré et complet, le palais appelle un accord gourmand avec un gibier à plume, à réaliser d'ici trois ans.

SCF Cissac, 33250 Cissac-Médoc, tél. 05.56.59.58.13, fax 05.56.59.55.67, e-mail marie.vialard@chateau-cissac.com r.-v.

CH. CLEMENT-PICHON 2001 ★★

■ Cru bourg. sup. 25 ha 104 000 15 à 23 €

85 86 88 89 90 94 |95| 97 |**98**| |**99**| 00 **01**

L'un des plus fastueux châteaux bordelais du XIX[e]s. Et un vin qui ne manque pas d'éclat dans sa livrée grenat aux reflets brique. Riche et puissant, le bouquet débute par des notes animales (cuir) et de sous-bois (humus) avant de proposer des nuances plus vanillées. Porté par un beau volume et de fins tanins, le palais sait se montrer déjà plaisant tout en conservant suffisamment de réserves pour autoriser une garde de deux, trois ou quatre ans.

Clément Fayat, Ch. Clément-Pichon, 33290 Parempuyre, tél. 05.56.35.23.79, fax 05.56.35.85.23, e-mail info@vignobles.fayat-group.com r.-v.

CH. COLOMBE PEYLANDE 2001

■ 6 ha 37 000 8 à 11 €

D'une taille modeste, ce cru a gardé une sympathique atmosphère familiale. Bien qu'un peu austère en finale, son 2001 sait lui aussi se montrer aimable par ses arômes de fruits rouges et ses tanins chaleureux.

EARL Dedieu-Benoit, 6, chem. des Vignes, 33460 Cussac-Fort-Médoc, tél. 05.56.58.93.08, fax 05.57.88.50.81 r.-v.

CH. COUFRAN 2001

■ Cru bourg. 76 ha 500 000 11 à 15 €

95 96 97 |98| |99| 00 01

La plus ancienne propriété cadournaise de la famille Miailhe. Sans doute la forte proportion de merlot (85 %) a-t-elle pu constituer un handicap dans ce millésime. Mais la maîtrise du processus de vinification a été suffisante pour retrouver dans ce vin le caractère du Coufran : bouquet expressif et bon équilibre du palais rond et séveux. Une jolie bouteille en perspective d'ici trois ou quatre ans.

SCA Ch. Coufran, 33180 Saint-Seurin-de-Cadourne, tél. 05.56.59.31.02, fax 05.56.81.32.35, e-mail contact@chateau-coufran.com r.-v.

Groupe Jean Miailhe

CH. CROIX DU TRALE 2001

■ 6 ha 29 333 8 à 11 €

Diffusé par le négociant de Sauveterre, ce vin est encore un peu austère, mais ses puissants tanins lui permettront de bien évoluer à la garde et de développer son bouquet aux élégantes et fraîches senteurs de fruits rouges.

La Guyennoise, BP 17, 33540 Sauveterre-de-Guyenne, tél. 05.56.71.50.76, fax 05.56.71.87.70, e-mail cfontaniol@laguyennoise.com

SCEA Michel Négrier

CH. DEVISE D'ARDILLEY 2001

■ 8,66 ha 25 330 8 à 11 €

La propriété ne remontant qu'à 1992, ses vignes sont encore assez jeunes. Cela ne les empêche pas de donner un vin bien constitué même s'il aurait mérité un peu plus de gras. Ses tanins et ses arômes lui permettront d'être prêt pour la consommation dans trois ou quatre ans.

Vignoble Vimes-Philippe SAS, Ch. Devise d'Ardilley, 33112 Saint-Laurent-Médoc, tél. 05.57.75.14.26, fax 05.57.75.14.26 r.-v.

CH. DILLON 2001

■ Cru bourg. 26 ha 200 000 8 à 11 €

82 83 **85** ⑯ 88 |89| |**90**| 91 93 |95| |96| |97| |98| |99| 00 01

Important lycée agricole et viticole, ce domaine forme chaque année quelque 1 600 élèves et stagiaires. Simple, mais bien constitué par des tanins élégants, son 2001 sera facile à boire jeune : on n'hésitera pas à le servir dès la fin 2004 ou en 2005 pour profiter pleinement de ses parfums fruités.

Lycée agricole de Blanquefort, Ch. Dillon, rue Arlot-de-Saint-Saud, 33290 Blanquefort, tél. 05.56.95.39.94, fax 05.56.95.36.75, e-mail chateau-dillon@chateau-dillon.com r.-v.

CH. DOYAC 2001

■ 14 ha 58 000 8 à 11 €

Ce cru propose un vin s'exprimant plus par sa douceur que par sa force. Son attaque soyeuse et son corps charnu s'accordent en effet avec les petites notes de fruits acidulés (cerise, kirsch) du bouquet pour composer un ensemble plaisant.

EARL Max de Pourtalès, Ch. Doyac, 33180 Saint-Seurin-de-Cadourne, tél. 05.56.59.34.49, fax 05.56.59.74.82, e-mail chateau.doyac@wanadoo.fr r.-v.

Mme du Vivier

DUTHIL 2001

■ 7 ha 50 000 8 à 11 €

S'il n'entend pas rivaliser avec le Giscours, coup de cœur en margaux cette année, ce vin, signé par la même équipe, est à l'image de sa robe violine. Bien qu'encore dominé par le chêne, son bouquet est expressif, avec une très agréable note de coco. Rond et bien constitué, le palais laisse le choix d'ouvrir cette bouteille tout de suite ou dans deux ou trois ans.

⌖ SAE Ch. Giscours, Labarde, 33460 Margaux,
tél. 05.57.97.09.09, fax 05.57.97.09.00,
e-mail giscours@chateau-giscours.fr ⋔r.-v.

CH. FERRE 2001 ★★

■ Cru artisan   12 ha   30 000   ⦙⦙⦙ 11 à 15 €

Majorité de cabernets, présence de petit verdot, ce cru a su résister aux chants des sirènes de la mode. Avec raison, comme le montre ce vin à la belle robe brillante et profonde. Encore un peu dominé par un boisé de qualité dont les notes de grillé, de café et de cacao se mêlent à la griotte, son bouquet laisse deviner sa personnalité future. Rond à l'attaque, le palais prend ensuite de l'ampleur pour laisser le souvenir d'un ensemble riche, très présent et long qui méritera un séjour en cave de quatre ou cinq ans.
⌖ EARL Ch. Ferré, 3, rue des Aubépines,
33180 Vertheuil, tél. 05.56.41.96.39, fax 05.56.41.95.52,
e-mail fer33c@wanadoo.fr ☑ 𝚼 ⋔ t.l.j. 9h-12h 14h-19h

CH. FONPIQUEYRE Vieilles Vignes 2001 ★

■ Cru bourg.   2,5 ha   20 000   ⦚⦙⦙⦙ 11 à 15 €

Sur ce cru appartenant au vaste ensemble qu'il a constitué, Jean-Michel Lapalu a élaboré une cuvée prestige qui s'inscrit dans l'esprit médocain par son corps élégant, ses tanins serrés et sa longue finale qui rappelle le passage en fût par des notes vanillées. On attendra deux ou trois ans pour ouvrir cette bouteille.
⌖ SCEA Ch. Liversan,
1, rte de Fonpiqueyre, 33250 Saint-Sauveur,
tél. 05.56.41.50.18, fax 05.56.41.54.65,
e-mail info@domaines-lapalu.com 𝚼 ⋔ r.-v.
⌖ J.-M. Lapalu

FORT DU ROY Le Grand Art 2001

■   5 ha   16 000   ⦙⦙⦙ 5 à 8 €

Formant avec la citadelle de Blaye et le bastion de l'île Paté une ligne de forteresses protégeant Bordeaux, Fort Médoc (XVIIes.) est la fierté de la commune de Cussac, comme le rappelle ce haut-médoc par son nom. La puissance tannique impose elle aussi un sentiment de force, de même que la robe d'un grenat soutenu. Encore un peu agressif en finale, ce vin demande une garde de deux à trois ans avant d'être ouvert sur une viande rouge ou un giber.
⌖ SCA Les Viticulteurs du Fort-Médoc,
105, av. du Haut-Médoc, 33460 Cussac-Fort-Médoc,
tél. 05.56.58.92.85, fax 05.56.58.92.86,
e-mail cave-fort-medoc@wanadoo.fr
☑ 𝚼 ⋔ t.l.j. sf dim. 9h30-12h30 14h-18h

DOM. GRAND LAFONT 2001 ★

■ Cru artisan   3,25 ha   15 000   ⦚⦙⦙⦙ 8 à 11 €

Cru artisan, domaine, certes, mais le terroir est de belles graves garonnaises, enclavé parmi les parcelles de deux crus classés. Et puis, ici, on sait travailler. Ce vin en témoigne. Tant par sa robe à reflets carmin que par son bouquet fin, intense et complexe (fruits confiturés, vanille, épices). La finesse des tanins et l'équilibre de son corps le rendront très plaisant d'ici deux à trois ans.
⌖ Mme Lavanceau,
Dom. Grand Lafont, 33290 Ludon-Médoc,
tél. 05.57.88.44.31, fax 05.57.88.44.31 ☑ 𝚼 ⋔ r.-v.

LE GRAND PAROISSIEN

Elevé et vieilli en fût de chêne 2001

■   4 ha   22 000   ⦙⦙⦙ 5 à 8 €

Adresse bien connue des Médocains et des Bordelais, la cave Saint-Seurin. A l'image de sa robe, son 2001 est

souple et tendre. Simple et bien fait, il plaira aux amateurs de vin rond et gras qui n'auront pas besoin d'attendre pour profiter de ses parfums de petits fruits rouges acidulés, caractéristiques du millésime.
⌖ Sté coop. de vinification La Paroisse,
2, rue Clément-Lemaignan,
33180 Saint-Seurin-de-Cadourne,
tél. 05.56.59.31.28, fax 05.56.59.39.01,
e-mail la.paroisse@free.fr ☑ 𝚼 ⋔ r.-v.

CH. GUGES 2001

■   3 ha   14 000   ⦚⦙⦙⦙ 11 à 15 €

Au charme bourgeois très XIXes. de la maison d'hôtes répond la délicatesse du vin. Entre le rubis et le grenat, il développe un bouquet ajoutant une sympathique touche de vanille aux parfums de fruits noirs. S'appuyant sur de petits tanins assez seyants, le palais s'inscrit dans le registre de l'harmonie et s'exprimera pleinement d'ici environ trois ans.
⌖ Georges-Claude Gugès et Fils, Ch. Gugès,
29, rue de la Croix-des-Gunes, 33250 Cissac-Médoc,
tél. 05.56.59.58.04, fax 05.56.59.56.19,
e-mail contact@chateau-guges.com
☑ 🏠 🏠 𝚼 ⋔ t.l.j. sf dim. 8h-12h 14h-19h

EQUUS DU HA Cuvée Vieilles Vignes 2001 ★

■   0,5 ha   600   ⦙⦙⦙ 11 à 15 €

Un domaine de 20 ha qui se consacre à l'élevage de chevaux, comme l'évoque le nom de cette cuvée spéciale. Le 2001 déploie une large palette aromatique allant des fruits rouges confits aux épices et à la vanille. Plein, équilibré, complet et harmonieux, il est bien armé pour une garde de cinq ans ou plus.
⌖ Cédric et Isabelle Moreau,
Ch. du Hâ, 33250 Saint-Sauveur,
tél. 05.56.59.50.52, fax 05.56.73.92.21,
e-mail cedric.moreau7@wanadoo.fr ☑ 𝚼 ⋔ r.-v.

CH. HANTEILLAN 2001

■ Cru bourg.   45,31 ha   290 000   ⦚⦙⦙⦙ 8 à 11 €

A l'origine dépendance de l'abbaye de Vertheuil, située à 3 km, ce domaine est voué à la vigne depuis longtemps. Suffisamment musclé pour justifier une attente de deux ou trois ans, ce vin à la belle couleur, franche et profonde, séduit par sa complexité aromatique alliant du fruit à un boisé délicat.
⌖ SA Ch. Hanteillan,
12, rte d'Hanteillan, 33250 Cissac-Médoc,
tél. 05.56.59.35.31, fax 05.56.59.31.51,
e-mail chateau.hanteillan@wanadoo.fr
☑ ⋔ t.l.j. sf sam. dim. 9h-12h 14h-17h
⌖ Catherine Blasco

CH. HAUT BEYZAC 2001 ★

■   3 ha   10 000   ⦙⦙⦙ 11 à 15 €

Avec ce 2001 fort bien réussi, ce jeune cru fait son entrée dans le Guide. Sombre et brillante, sa robe ouvre d'intéressantes perspectives qui se concrétisent dès le bouquet. Partant de notes de café et de torréfaction, celui-ci exprime ensuite des touches de cuir et de fraise. Au palais se révèlent le volume et l'équilibre entre le bois et la matière. Bien extraits, les tanins et le retour aromatique de cerise laissent la liberté de profiter de cette bouteille tout de suite ou après une petite garde.

⊶ EARL Raguenot-Lallez-Miller,
Le Bourg, 33820 Saint-Caprais-de-Blaye,
tél. 05.57.32.65.15, fax 05.57.32.99.38
☑ Y 🚶 t.l.j. 9h-12h 14h-19h; dim. sur r.-v.

CH. JULIEN 2001 *

■ 15 ha 40 000 ⦀ 8 à 11 €

S'il est surtout connu pour son listrac (Cap Léon Veyrin), Alain Meyre n'en néglige pas pour autant son haut-médoc. Témoin ce vin : une couleur sombre, des reflets grenat, un bouquet plein de jeunesse sur des arômes primaires, des notes de fruits cuits fougueux. En bouche, des arômes fruités bien enveloppants, une texture pleine et des tanins fermes. Un vin qui demande du temps pour être apprécié pleinement.

⊶ SCEA Vignobles Alain Meyre,
Ch. Cap Léon Veyrin, Donissan, 33480 Listrac-Médoc,
tél. 05.56.58.07.28, fax 05.56.58.07.50,
e-mail capleonveyrin@aol.com
☑ 🏨 🏠 Y 🚶 t.l.j. sf dim. 9h-12h 14h-18h

KAROLUS 2001 **

■ 3 ha 7 900 ⦀ 30 à 38 €

Cuvée spéciale du château Sénéjac, issu d'un choix de parcelles, ce vin, coup de cœur pour le millésime 2000, est une fois encore à la hauteur des ambitions de son producteur. Sa présentation ne laisse pas longtemps le dégustateur insensible : sa noble parure rubis à reflets violets indique clairement la forte personnalité de cette bouteille. Intense, fin et frais, le bouquet poursuit dans la même veine avec des touches de menthol, de cerise, d'épices et de vanille. Doté d'un volume intéressant, charnu et d'une bonne présence tannique, le palais débouche sur une longue et vive finale. Trois ou quatre ans de patience seront récompensés.

⊶ M. et Mme Thierry Rustmann, Ch. Sénéjac,
33290 Le Pian-Médoc, tél. 05.56.70.20.11,
fax 05.56.70.23.91, e-mail chateausenejac@free.fr 🚶r.-v.

CH. LABARDE 2001 *

■ 4,82 ha 30 000 ⦀ 8 à 11 €

La signature de l'équipe de Dauzac est un gage de qualité. Bien armé pour la garde (de quatre à huit ans), ce vin séduit par la richesse de son bouquet, avec une large palette d'arômes primaires, comme par le côté charnu et solide de son palais qui s'ouvre sur une finale fruitée.

⊶ SE du Ch. Dauzac, 1, av. Georges-Johnson,
33460 Labarde, tél. 05.57.88.32.10, fax 05.57.88.96.00,
e-mail andrelurton@andrelurton.com ☑ Y 🚶 r.-v.
⊶ MAIF

CH. LA LAGUNE 2001 **

■ 3e cru clas. 66,77 ha 180 000 ⦀ 23 à 30 €

75 78 81 |82| 83 85 |86| 87 88 (89) **90** 91 92 |93| 94 **95 96** |97| **98 99** (00) **01**

Ayant appartenu à la même famille depuis 1855, la Lagune a été acquise en 1961 par le groupe champenois Ayala. En 2000, le groupe immobilier Frey est entré dans son capital. La chartreuse du XVIII^{e}s., qui se dresse derrière une grille au fond d'une allée, reste d'un grand intérêt, comme le vin à la hauteur de son classement. Si la robe est d'un grenat assez léger, elle annonce l'élégance du palais dont la finesse n'exclut pas la présence de tanins serrés. D'un excellent équilibre, ce 2001 offre des arômes complexes de fruits des bois, nuancés d'une pointe épicée et d'un grillé-torréfié-vanillé de bon aloi.

⊶ Ch. La Lagune,
81, av. de l'Europe, 33290 Ludon-Médoc,
tél. 05.57.88.82.77, fax 05.57.88.82.70,
e-mail p.moulin@chateau-lalagune.com Y 🚶 r.-v.

CH. DE LAMARQUE 2001 **

■ Cru bourg. sup. 35 ha 150 000 ⦀ 11 à 15 €

83 86 88 89 90 **91** |95| 96 97 |98| **99 00 01**

A 2 km à peine du port de Lamarque et de sa sympathique guinguette, ce château a gardé son caractère médiéval. Lutte raisonnée, biodynamie, les méthodes de travail s'inscrivent elles aussi dans le respect de la tradition et de la nature. Avec un succès incontestable comme le montre, dès le premier regard, la teinte flamboyante de ce vin. Les promesses de ce pourpre très juvénile n'ont rien de mensonger. Le palais charnu, bien construit par des tanins mûrs, le bouquet riche et expressif, et la longue finale aromatique annoncent un ensemble qui séduira toujours par son élégance d'ici cinq ou six ans.

⊶ SC Gromand d'Evry,
Ch. de Lamarque, 33460 Lamarque,
tél. 05.56.58.90.03, fax 05.56.58.93.43,
e-mail chdelamarq@aol.com ☑ Y 🚶 r.-v.

CH. LAMOTHE BERGERON 2001 *

■ Cru bourg. 67,75 ha 201 300 ⦀ 11 à 15 €

95 96 97 |99| **00 01**

Commandé par un château à l'architecture caractéristique du style Napoléon III, ce cru a choisi de privilégier légèrement les cabernets sauvignon et franc pour ce millésime. Ce ne sont ni la robe grenat à frange purpurine, ni le bouquet, qui se partage de façon élégante entre le fruit et le boisé, ni la structure ronde et bien constituée qui feront regretter ce choix. Déjà harmonieuse, cette bouteille pourra aussi être attendue entre deux à quatre ans.

⊶ SC du Ch. Grand-Puy Ducasse, La Croix Bacalan,
109, rue Achard, BP 154, 33042 Bordeaux Cedex,
tél. 05.56.11.29.00, fax 05.56.11.29.01

CH. LAMOTHE-CISSAC 2001 *

■ Cru bourg. 35,92 ha 200 000 ▮⦀🌡 11 à 15 €

85 86 89 |90| 94 |**95**| |96| |98| **99 00 01**

A 3 km de Vertheuil et de sa belle église romane, ce cru mérite une halte pour son château de style néo-renaissance comme pour la qualité de son vin. Les belles notes toastées et vanillées, la structure, l'équilibre, tout invite à laisser à ce 2001 trois ou quatre ans pour intégrer complètement le bois.

⊶ SC Ch. Lamothe, BP 3, 33250 Cissac-Médoc,
tél. 05.56.59.58.16, fax 05.56.59.57.97,
e-mail domaines.fabre@enfrance.com ☑ Y 🚶 r.-v.

CH. LANESSAN 2001 *

■ Cru bourg. sup. 50 ha 280 000 ⦀ 15 à 23 €

86 88 **90** 91 92 93 94 |95| |96| |97| 98 **99** 00 01

Les voitures à cheval du musée de Lanessan ne font pas que de la figuration. Elles témoignent de l'ancienneté du lien existant entre les Bouteiller et leur domaine. La solidité de cette fidélité est aussi prouvée par la qualité de ce vin. Sa robe rouge soutenu à reflets grenat est aussi expressive que son bouquet aux élégantes touches d'eau de rose, de fruits légèrement confiturés et de cannelle. Fins et goûteux, ses tanins lui assurent un joli potentiel de garde.

🔑 SCEA Delbos-Bouteiller, Ch. Lanessan,
33460 Cussac-Fort-Médoc, tél. 05.56.58.94.80,
fax 05.57.88.89.92, e-mail bouteiller@bouteiller.com
☑ 🍷 🚶 t.l.j. 9h15-12h 14h-18h

CH. LAROSE PERGANSON 2001 ★★

■ Cru bourg. 33 ha 120 000 🛢 11 à 15 €

D'abord Pontet-Perganson, ce cru né au XVIIIe s. a perdu son étiquette dans les années 1910 et son château, détruit par le feu, dans l'entre-deux-guerres. Mais son vignoble est demeuré, permettant sa résurrection en 1996. Avec ses parfums épicés, fins et flatteurs, son ampleur et son côté à la fois charnu et corsé, ce 2001 justifie pleinement par son harmonie cette renaissance.

🔑 SA Ch. Larose-Trintaudon,
rte de Pauillac, 33112 Saint-Laurent-Médoc,
tél. 05.56.59.41.72, fax 05.56.59.93.22,
e-mail info@trintaudon.com ☑ 🍷 🚶 r.-v.
🔑 AGF

CH. LAROSE-TRINTAUDON 2001 ★

■ Cru bourg. 139 ha 950 000 🛢 8 à 11 €

81 82 83 85 **86** 87 **88** **89** |**90**| 91 92 93 94 |95| 96 |**97**| 98 99 00 01

Régulière en qualité, cette belle unité propose un vrai vin plaisir. Brillante et limpide, la présentation met en confiance, de même que le bouquet dont les nuances fruitées (fruits noirs) et grillées se fondent harmonieusement, procurant une sensation agréable qui se retrouve au palais. Le bois s'intègre bien dans la matière pour former un ensemble de qualité.

🔑 SA Ch. Larose-Trintaudon,
rte de Pauillac, 33112 Saint-Laurent-Médoc,
tél. 05.56.59.41.72, fax 05.56.59.93.22,
e-mail info@trintaudon.com ☑ 🍷 🚶 r.-v.
🔑 AGF

CH. LAROZE LABATISSE 2001 ★

■ 6 ha 33 600 ▮ 8 à 11 €

Un petit domaine mais à l'encépagement diversifié et aux vignes d'un âge respectable (autour de 35 ans). De teinte rubis, ce vin en a tiré profit : il offre un bouquet aux plaisantes notes de fumée, de café et de poivre, puis se montre franc à l'attaque, généreux au palais, avec de bons tanins qui invitent à une garde de trois ou quatre ans.

🔑 La Guyennoise, BP 17,
33540 Sauveterre-de-Guyenne, tél. 05.56.71.50.76,
fax 05.56.71.87.70, e-mail cfontaniol@laguyennoise.com
🔑 Allemandou

CH. LESTAGE SIMON 2001

■ Cru bourg. 26 ha 142 000 🛢 11 à 15 €

Une robe grenat assez soutenue, un nez discret où le fruit est associé à des nuances boisées, au pain d'épice et à la violette. La bouche bien équilibrée repose sur une structure délicate.

🔑 Ch. Lestage Simon,
33180 Saint-Seurin-de-Cadourne,
tél. 05.56.59.31.83, fax 05.56.59.70.56 ☑ 🍷 🚶 r.-v.

CH. LIVERSAN 2001

■ Cru bourg. 39 ha 250 000 ▮ 🛢 🌡 11 à 15 €

Exploité depuis 1995 par Jean-Michel Lapalu, ce cru, commandé par une jolie maison du XVIIIe s., propose un vin où s'équilibrent les cabernets et le merlot. La robe sombre a de beaux reflets. Si le nez est réservé, la bouche se montre gracile, construite sur des tanins soyeux et souples.

🔑 SCEA Ch. Liversan,
1, rte de Fonpiqueyre, 33250 Saint-Sauveur,
tél. 05.56.41.50.18, fax 05.56.41.54.65,
e-mail info@domaines-lapalu.com ☑ 🍷 🚶 r.-v.

LES HAUT DE LYNCH MOUSSAS 2001

■ 60 ha 60 000 🛢 8 à 11 €

Comme beaucoup de grands crus des communales, Lynch Moussas (pauillac) possède des vignobles dans l'AOC haut-médoc. Bien fait dans un style léger, son 2001 développe un agréable bouquet aux notes épicées. Il sera à boire dans les deux ou trois ans à venir.

🔑 Emile Castéja, 33250 Pauillac,
tél. 05.56.00.00.70, fax 05.57.87.48.61,
e-mail domaines.boriemanoux.@dial.oleane.com

CH. MALESCASSE 2001

■ 35 ha 65 000 🛢 8 à 11 €

82 **83** **88** **89** |**90**| **93** **94** |95| 96 97 |98| 99 (00) 01

Avec ses beaux bâtiments s'ordonnant autour d'une cour centrale, Malescasse offre une belle illustration de château du vin. Sombre, encore un peu austère en finale, son vin possède la structure nécessaire pour s'arrondir d'ici trois à quatre ans.

🔑 Ch. Malescasse,
6, rte du Moulin-Rose, 33460 Lamarque,
tél. 05.56.73.15.20, fax 05.56.59.64.72,
e-mail malescasse@free.fr ☑ 🍷 🚶 r.-v.
🔑 Alcatel

CH. MAUCAMPS 2001 ★

■ Cru bourg. 19 ha n.c. 🛢 15 à 23 €

82 **83** **85** (86) **88** |**89**| |90| **93** **94** |95| |96| |97| 98 99 **00** 01

Les familiers du cru seront peut-être surpris de ne pas retrouver sa charpente habituelle dans ce millésime. Mais ils seront séduits par son caractère délicat et par ses fins arômes fruités et vanillés. Bien constitué et d'une bonne complexité, l'ensemble est déjà agréable tout en pouvant encore évoluer favorablement.

🔑 SARL Ch. Maucamps, 33460 Macau,
tél. 05.57.88.07.64, fax 05.57.88.07.00 ☑ 🍷 🚶 r.-v.
🔑 Tessandier

CH. MAURAC Les Vignes de Cabaleyran 2001 ★

■ 9 ha 19 000 🛢 11 à 15 €

Plantées sur des sols de graves, les vignes de Cabaleyran sont dédiées à la cuvée prestige du château Maurac. Par sa robe rouge foncé et son bouquet aux élégants arômes épicés, fruités et confits, comme par son développement au palais, ce 2001 prouve les qualités du terroir. Rond, charnu et long, il saura plaire à un large public.

🔑 SCEA Ch. Maurac,
Le Trale, 33180 Saint-Seurin-de-Cadourne,
tél. 05.57.88.07.64, fax 05.57.88.07.00 ☑ 🍷 🚶 r.-v.

CH. MEYRE Optima 2001

■ Cru bourg. 15,5 ha 15 000 ▮ 🛢 🌡 8 à 11 €

Disposant de chambres d'hôtes, le château Meyre est l'un des crus bordelais qui se sont ouverts à l'œnotourisme. Un bon outil de promotion pour son vin, à commencer par sa cuvée Optima. Encore un peu sévère en finale, celle-ci possède le volume et l'expression aromatique suffisants pour pouvoir évoluer favorablement dans les années à venir.

🔑 SA Ch. Meyre, 16, rte de Castelnau,
33480 Avensan, tél. 05.56.58.10.77, fax 05.56.58.13.20,
e-mail chateau.meyre@wanadoo.fr

☑ 🏠 ⊤ 🖈 t.l.j. sf sam. dim. 14h-17h; f. 1ᵉʳ nov.-30 mars

CH. MILLE ROSES 2001 ⋆

| ■ | n.c. | 27 000 | ⦿ 11 à 15 € |

Jeune viticulteur, David Faure s'applique à apporter une grande rigueur dans toutes les étapes de la conduite de la vigne comme de la vinification. Avec succès, comme le démontre la régularité de son jeune cru. Il propose ici un vin encore un peu sévère en finale, mais dont la structure tannique et l'expression aromatique, aux élégantes notes de fruits cuits, de confiture et de bois, sont riches de promesses. Trois ou quatre ans seront nécessaires à son évolution.

🔑 David Faure, Ch. Mille Roses, 33460 Macau,
tél. 06.10.01.31.41, fax 05.57.88.42.16,
e-mail davidfaure@mageos.com ☑ ⊤ 🖈 r.-v.

CH. MILOUCA 2001

| ■ | 1,98 ha | 12 000 | ▮⦿ 5 à 8 € |

Produit dans une petite propriété de Cussac, ce vin est bien constitué, même s'il n'est pas d'une grande concentration. Net et bien équilibré, il tirera profit d'une petite garde.

🔑 Ind. Lartigue-Coulary, 6, chem. des Salies,
33460 Cussac-Fort-Médoc, tél. 05.56.58.93.23,
fax 05.56.58.93.23 ☑ ⊤ 🖈 t.l.j. 10h-12h30 14h-19h

CH. DU MOULIN 2001 ⋆

| ■ | 1 ha | 6 150 | ⦿ 11 à 15 € |

Né avec le nouveau millénaire, ce cru fait une belle entrée dans le Guide dès son premier millésime. A sa tête, José Sanfins, qui fut directeur technique d'un 3ᵉ cru classé de Margaux, et sa femme, ingénieur agronome. La robe soutenue, vive et très brillante de ce 2001 retient l'attention. Elle annonce un bouquet complexe. Corsé, plein et structuré, le palais révèle une présence tannique de qualité tout en restant soyeux ; il ne laisse planer aucun doute sur l'aptitude à la garde de cette bouteille qui méritera un séjour en cave de cinq ou six ans.

🔑 Ch. du Moulin, 33460 Lamarque,
tél. 06.10.46.34.35, fax 05.57.88.81.90,
e-mail chateaudumoulin@free.fr
🔑 José Sanfins

CH. MOULIN DE BLANCHON 2001 ⋆

| ■ | 12,5 ha | 50 000 | ⦿ 5 à 8 € |

Après un 2000 d'une belle tenue, ce cru a fort bien réussi son 2001. Hésitant entre le pourpre et le grenat, sa robe est aussi évocatrice que le bouquet dont la richesse va du café à la noisette en passant par le grillé. Puissant, le palais est en même temps rond et même un rien féminin par sa grâce. Dans quatre à six ans, ce vin pourra accompagner des plats riches.

🔑 EARL Vignobles Henri Négrier et Fils,
Ch. Moulin de Blanchon,
33180 Saint-Seurin-de-Cadourne,
tél. 05.56.59.38.66, fax 05.56.59.32.31,
e-mail earlvignoblesnegrier@terre-net.fr

☑ ⊤ 🖈 t.l.j. 8h30-12h30 13h-20h

CH. DU MOULIN ROUGE 2001 ⋆

| ■ Cru bourg. | 15,48 ha | 85 000 | ▮⦿ 8 à 11 € |

Peut-être en raison de son ancienneté, ce cru reste fidèle aux méthodes traditionnelles. Ce vin lui donne entièrement raison. D'un bon équilibre entre les fruits et le bois, les parfums font preuve de complexité. Le palais possède lui aussi une personnalité intéressante avec une solide structure, soutenue par des tanins bien extraits, et une élégante finale. Egalement bien constitué mais à consommer plus jeune (deux à trois ans contre cinq ou six), l'**Ecuyer du Moulin rouge 2001 (5 à 8 €)** a été cité.

🔑 Pelon-Ribeiro, 18, rue de Costes,
33460 Cussac-Fort-Médoc, tél. 05.56.58.91.13,
fax 05.56.58.93.68, e-mail laurence.ribeiro@free.fr

☑ ⊤ 🖈 t.l.j. sf dim. 9h-12h 13h15-18h30

CH. MOUTTE BLANC Marguerite Déjean 2001 ⋆

| ■ Cru artisan | 0,37 ha | 2 000 | ⦿ 11 à 15 € |

Petite cuvée issue du cépage merlot, ce vin a fait l'objet de soins minutieux dans son élaboration et son élevage. D'une couleur intense, il développe un bouquet de fruits noirs (cassis et mûres) et confits, souligné de notes épicées. Franc et velouté à l'attaque, il se révèle ensuite ample, sensuel et bien équilibré, avec une riche expression aromatique et beaucoup de mâche. Tout aussi harmonieuse, la finale confirme sa vocation à la garde.

🔑 Patrice de Bortoli-Déjean, Ch. Moutte Blanc,
6, imp. de la Libération, 33460 Macau,
tél. 05.57.88.40.39, fax 05.57.88.40.39 ☑ ⊤ 🖈 r.-v.

CH. PALOUMEY 2001

| ■ Cru bourg. | 14 ha | 85 000 | ⦿ 15 à 23 € |

A l'image de la belle demeure bourgeoise qui commande le cru, ce vin n'est pas sans rappeler les vacances d'antan et leurs goûters par sa délicatesse, sa rondeur, ses arômes de fruits rouges et d'écorces d'orange amères. A marier à un agneau... de Paloumey.

🔑 Ch. Paloumey,
50, rue Pouge-de-Beau, 33290 Ludon-Médoc,
tél. 05.57.88.00.66, fax 05.57.88.00.67,
e-mail info@chateaupaloumey.com ☑ ⊤ 🖈 r.-v.

CH. PEY MALLET 2001

| ■ | 2 ha | 120 000 | ⦿ 8 à 11 € |

Sympathique petite propriété, ce cru s'inscrit dans la tradition par son vin dont le caractère solide appelle une garde de trois ou quatre ans pour lui laisser le temps de s'arrondir avant d'épouser un gibier.

🔑 Jean-Claude et Michelle Albouy,
1, chem. de Gassiot, 33480 Avensan,
tél. 05.56.58.21.91, fax 05.56.58.21.91 ☑ ⊤ 🖈 r.-v.

CH. PEYRABON 2001

| ■ Cru bourg. | 38,88 ha | 173 000 | ▮⦿↓ 11 à 15 € |

Propriété au XIXᵉs. du sous-intendant militaire de Bordeaux, Peyrabon est une vaste propriété de 52 ha. Le petit verdot (3 %) complète l'assemblage bien médocain de ce 2001. Son nez joue sur la réglisse et de petites notes vanillées. Equilibré et souple, le vin n'est pas très volumineux mais son expression globale est agréable.

🔑 SARL Ch. Peyrabon,
Vignes de Peyrabon, 33250 Saint-Sauveur,
tél. 05.56.59.57.10, fax 05.56.59.59.45,
e-mail chateau.peyrabon@wanadoo.fr ☑ ⊤ 🖈 r.-v.

CH. PEYRAT-FOURTHON 2001 ★

■ Cru bourg. 10 ha 30 000 11 à 15 €

Peyrat-Fourthon occupe un ancien relais de chasse du XIXe s. A l'image de l'encépagement du cru, qui n'oublie ni le cabernet franc ni le petit verdot, ce vin se montre bien équilibré tout au long de la dégustation. Le bois n'étouffe ni le bouquet de fruits rouges confiturés, ni la matière qui révèle progressivement sa richesse tannique, sa chair et sa plénitude. La finale, d'une bonne ampleur, confirme qu'un séjour en cave de quatre ou cinq ans est mérité.

Ch. Peyrat-Fourthon,
33112 Saint-Laurent-du-Médoc,
tél. 05.56.59.40.87, fax 05.56.52.36.62,
e-mail chateaupeyratfourthon@hotmail.com r.-v.
Godin

CH. PEYRE-LEBADE 2001

■ Cru bourg. 55 ha n.c. 11 à 15 €

C'est ici que vécut le peintre Odilon Redon au XIXe s. Racheté par Edmond de Rothschild en 1979, ce domaine a été totalement rénové. Ses vignes ont maintenant un âge respectable. D'une teinte rubis à reflets violines, ce millésime est marqué par de doux parfums de petits fruits rouges mêlés à une élégante note minérale. La bouche est gracile, fine, tout en nuances, équilibrée. En un mot séduisante.

CV Edmond et Benjamin de Rothschild,
33480 Listrac-Médoc, tél. 05.56.58.38.00,
fax 05.56.58.26.46, e-mail chateau.clarke@wanadoo.fr

CH. DE SAINTE-GEMME 2001 ★

■ Cru bourg. n.c. n.c. 11 à 15 €

Héritier d'une ancienne paroisse, doublé d'une maison noble, ce cru fut longtemps rattaché à Lachesnaye avant que les Bouteiller ne lui aient rendu son autonomie dans les années 1980. Ce vin fait preuve d'une grande tenue, tant par son bouquet, d'une réelle complexité même si elle est encore contenue, que par sa robe d'un rouge fort avenant. Rond, plein, charnu, équilibré et structuré, le palais révèle un solide potentiel de garde que confirme la longue finale.

SCEA Delbos-Bouteiller,
Ch. de Sainte-Gemme, 33460 Cussac-Fort-Médoc,
tél. 05.56.58.94.80, fax 05.57.88.89.92,
e-mail bouteiller@bouteiller.com r.-v.

CH. SENEJAC 2001 ★★

■ Cru bourg. 28 ha 70 000 11 à 15 €

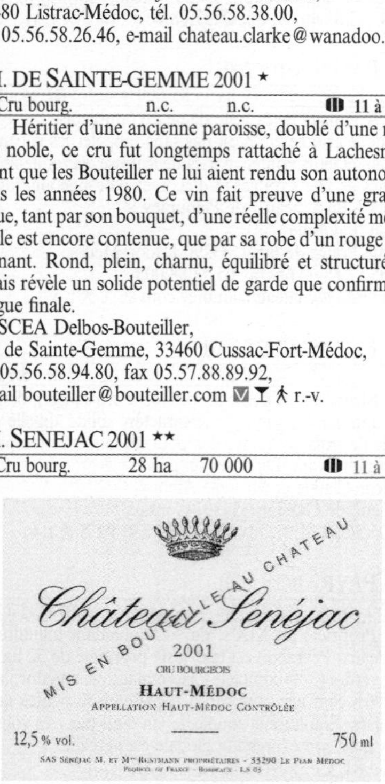

Commandé par un château du XVIIe s. avec de superbes communs, ce cru se distingue par l'intérêt de son patrimoine comme par la qualité de son vin. Arborant une majestueuse livrée grenat à reflets violacés, son 2001 impressionne par la netteté et la complexité de son bouquet où le cuir côtoie la cerise et les fruits confits. Tout aussi harmonieux et riche, le palais se porte garant d'une excellente évolution dans les cinq à sept ans à venir. Une alliance gourmande avec des volailles ou des fromages de qualité saura récompenser généreusement les amateurs patients.

M. et Mme Thierry Rustmann, Ch. Sénéjac,
33290 Le Pian-Médoc, tél. 05.56.70.20.11,
fax 05.56.70.23.91, e-mail chateausenejac@free.fr r.-v.

BEL AIR DE SIRAN 2001

■ 0,93 ha 6 200 8 à 11 €

Issu de petites parcelles en haut-médoc du château Siran, ce vin souple et moelleux demande encore deux ans pour permettre à ses tanins de s'arrondir complètement.

SC du Ch. Siran, 33460 Labarde,
tél. 05.57.88.34.04, fax 05.57.88.70.05,
e-mail chateau.siran@wanadoo.fr
t.l.j. 10h15-12h45 13h30-18h
Alain Miailhe

CH. SOCIANDO-MALLET 2001 ★★

■ Cru bourg. 50 ha 295 600 30 à 38 €

75 76 78 80 81 (82) 83 84 85 86 87 88 89 90 91 92 93 94 (95) (96) 97 (98) **99** (00) **01**

Champion toutes catégories des coups de cœur pour l'appellation, avec neuf millésimes récompensés, Sociando n'a plus à se faire connaître. Cela n'empêche pas Jean Gautreau de soigner toujours autant la qualité de sa production. Témoin, ce vin qui annonce d'emblée sa personnalité par une superbe couleur bigarreau foncé. Très séduisant par ses friands arômes toastés, il allie au palais le fruit mûr à une belle matière. Charnu, riche et bien équilibré, il demande encore à vieillir et promet une grande bouteille d'ici quatre à cinq ans.

SCEA Jean Gautreau,
Ch. Sociando-Mallet, 33180 Saint-Seurin-de-Cadourne,
tél. 05.56.73.38.80, fax 05.56.73.38.88,
e-mail scea-jean-gautreau@wanadoo.fr r.-v.

CH. SOUDARS 2001 ★

■ Cru bourg. 22,5 ha 160 000 11 à 15 €

89 **90** 93 94 95 96 97 98 **99** **00** **01**

Du même producteur que le château Coufran, ce vin a bénéficié d'une part importante de cabernets. Sa couleur rouge grenat et ses arômes complexes, mélange de framboise, de grillé et de cèdre, annoncent un bon potentiel de garde. La richesse du palais et la longueur de la finale allant dans le même sens, on n'hésitera pas à conserver cette bouteille en cave pendant quatre ou cinq ans, ce qui permettra au bois de se fondre complètement.

Vignobles E. F. Miailhe, Ch. Soudars,
33180 Saint-Seurin-de-Cadourne,
tél. 05.56.59.36.09, fax 05.56.59.72.39,
e-mail contact@chateausoudars.com r.-v.

CH. DU TAILLAN Cuvée des Dames 2001

■ Cru bourg. 2,5 ha 7 300 11 à 15 €

Aujourd'hui dans la banlieue bordelaise, le château de Taillan (XVIIIe s.) est l'une des plus belles demeures de la Gironde. Sans rivaliser en majesté et en grâce avec

l'architecture, son vin est bien fait, avec des tanins serrés et d'agréables arômes de fruits rouges.
SCEA Ch. du Taillan,
56, av. de la Croix, 33320 Le Taillan-Médoc,
tél. 05.56.57.47.00, fax 05.56.57.47.01,
e-mail chateaudutaillan@wanadoo.fr
t.l.j. 9h-18h; sam. dim. sur r.-v.

CH. LA TOUR CARNET 2001 ★★

4e cru clas. 48 ha 170 000 15 à 23 €

79 81 82 83 85 86 (88) |89| 90 93 94 |(96)| |97| 98 |99| 00 01

Jadis propriété de la puissante famille de Foix-Candale et de la sœur de Montaigne, ce cru est l'un des plus anciens domaines de la Gironde. Il fait toujours preuve d'une remarquable vitalité, ce qu'illustre ce vin. De la robe pourpre à la structure riche et équilibrée, il se distingue par son ampleur. Son expression aromatique étant de la même veine, avec un beau mariage des notes de cassis, de cuir, d'épices et de pain chaud, tout annonce une bouteille de qualité, à servir dans trois ou quatre ans sur un mets raffiné.
Ch. La Tour Carnet, rte de Beychevelle,
33112 Saint-Laurent-Médoc, tél. 05.56.73.30.90,
fax 05.56.59.48.54, e-mail la-tour-carnet@tiscali.fr r.-v.
Bernard Magrez

CH. TOUR DU HAUT-MOULIN 2001 ★★

Cru bourg. 32 ha 150 000 11 à 15 €

88 |89| |90| 91 92 93 94 |95| 96 |97| 98 99 00 01

Vignerons depuis six générations, les Poitou comptent au nombre des viticulteurs les plus accueillants du Médoc. Ce sont aussi d'excellents vinificateurs comme le prouve leur réussite dans ce millésime pas toujours facile. Séveux, charnu et porté par une structure tannique soyeuse, leur vin développe un beau bouquet où les fruits rouges s'associent au café torréfié. Il déploie une parure d'un grenat soutenu moiré de violacé. Tout s'accorde pour inviter à oublier quelque temps cette bouteille à la cave.
Lionel Poitou, 24, av. du Fort-Médoc,
33460 Cussac-Fort-Médoc,
tél. 05.56.58.91.10, fax 05.57.88.83.13,
e-mail contact@chateau-tour-du-haut-moulin.com
t.l.j. sf dim. 9h-12h30 13h30-17h30;
groupe sur r.-v.

CH. VERDIGNAN 2001 ★

Cru bourg. 60 ha 400 000 11 à 15 €

(86) 88 89 90 93 94 95 96 |98| |99| 00 01

Du même producteur que les châteaux Soudars et Coufran, ce cru possède une curiosité : son terroir à dominante argilo-calcaire abrite un nombre incalculable de petits fossiles marins. C'est aussi un terrain très filtrant, une qualité dont a incontestablement bénéficié son vin fort bien réussi. Riche, puissant, complexe, long et bien équilibré, celui-ci est caractéristique de l'appellation et méritera un séjour à la cave.
SC Ch. Verdignan, 33180 Saint-Seurin-de-Cadourne,
tél. 05.56.59.31.02, fax 05.56.81.32.35,
e-mail contact@chateau-coufran.com r.-v.
Groupe Jean Miailhe

L'étiquette signale un coup de cœur décerné à l'aveugle par le jury.

Listrac-médoc

Correspondant exclusivement à la commune homonyme, l'appellation est la communale la plus éloignée de l'estuaire. C'est l'un des seuls vignobles que traverse le touriste se rendant à Soulac ou venant de la Pointe-de-Grave. Très original, son terroir correspond au dôme évidé d'un anticlinal, où l'érosion a créé une inversion de relief. A l'ouest, à la lisière de la forêt, se développent trois croupes de graves pyrénéennes, dont les pentes et le sous-sol souvent calcaire favorisent le drainage naturel des sols. Le centre de l'AOC, le dôme évidé, est occupé par la plaine de Peyrelebade, aux sols argilo-calcaires. Enfin, à l'est, s'étendent des croupes de graves garonnaises.

Le listrac est un vin vigoureux et robuste. Cependant, contrairement au style d'autrefois, sa robustesse n'implique plus aujourd'hui une certaine rudesse. Si certains vins restent un peu durs dans leur jeunesse, la plupart contrebalancent leur force tannique par leur rondeur. Tous offrent un bon potentiel de garde, entre sept et dix-huit ans selon les millésimes. En 2003, les 670 ha ont produit 30 579 hl.

CH. BIBIAN 2001

Cru bourg. 20 ha 120 000 11 à 15 €

Célèbre pour avoir appartenu de 1985 à 1997 au footballeur Tigana, ce cru est aujourd'hui exploité par Alain Meyre. Sans rivaliser avec le Cap Léon Veyrin, son 2001, au discret bouquet de fruits noirs et d'épices, possède la structure nécessaire pour justifier un séjour en cave de trois ans.
Alain Meyre, SARL Ch. Bibian,
Ch. Cap Léon Veyrin, 33480 Listrac-Médoc,
tél. 05.56.58.07.28, fax 05.56.58.07.50 r.-v.

CH. CAPDET 2001

12 ha 40 000 11 à 15 €

Jadis domaine du Puy de Monjon, ce cru est situé sur la croupe de Fonréaud. Encore un peu rude, son 2001, assemblant à parts égales merlot et cabernet-sauvignon, est assez bien construit pour pouvoir être attendu trois ou quatre ans avant d'être servi sur un gibier.
Cave de vinification de Listrac,
21, av. de Soulac, 33480 Listrac-Médoc,
tél. 05.56.58.03.19, fax 05.56.58.07.22,
e-mail grandlistrac@cave-listrac-medoc.com r.-v.

CH. CAP LEON VEYRIN 2001 ★★

Cru bourg. 15 ha 60 000 11 à 15 €

« Il était une fois ». L'histoire de ce cru a commencé, au XIXe s., comme un conte avec le double mariage des deux sœurs Lucat et des deux frères Meyre. Près de deux siècles après, leurs descendants élaborent un vin qui affirme sa forte personnalité par sa robe pourpre qu'ornent de beaux reflets et par son bouquet qui mêle les notes de confiture de prunes aux senteurs de cuir et de sous-bois.

Très souple, l'attaque révèle la place du merlot dans l'encépagement ; puis c'est au tour du cabernet de s'exprimer au travers d'une solide structure tannique et d'une longue finale qui appellent cinq ans de garde.

🔑 SCEA Vignobles Alain Meyre,
Ch. Cap Léon Veyrin, Donissan, 33480 Listrac-Médoc,
tél. 05.56.58.07.28, fax 05.56.58.07.50,
e-mail capleonveyrin@aol.com
☑ 🏠 🏠 🍷 🚶 t.l.j. sf dim. 9h-12h 14h-18h

LA CARAVELLE Cuvée Prestige 2001 ★

■ 4 ha 35 000 🛢 11 à 15 €

Seules trente-cinq parcelles sur les mille deux cents que compte la coopérative entrent dans cette sélection. Cette rigueur trouve une récompense dans ce vin. La couleur rouge foncé annonce le caractère tannique du palais. L'expression aromatique n'étant pas en reste, avec des notes de bois, de cendre et de pruneau, tout indique que cette bouteille est bien armée pour la garde et pour un mariage avec une entrecôte.

🔑 Cave de vinification de Listrac,
21, av. de Soulac, 33480 Listrac-Médoc,
tél. 05.56.58.03.19, fax 05.56.58.07.22,
e-mail grandlistrac@cave-listrac-medoc.com
☑ 🍷 🚶 r.-v.

CH. CLARKE 2001 ★★

■ Cru bourg. 54 ha 244 000 🛢 15 à 23 €

(86) **88** 89 **90** 93 |**95**| |**96**| 97 **98 99 00 01**

Navire amiral des crus de la Compagnie vinicole Edmond de Rothschild, Clarke est aussi l'un des porte-drapeaux de l'appellation. Un honneur dont il se rend digne avec des vins comme celui-ci. A l'éclat de sa robe limpide et brillante s'ajoute un bouquet intense, complexe et gourmand à souhait : fruits rouges, vanille, compote... Le palais charpenté, bien équilibré et d'une remarquable longueur laisse le dégustateur sur une conclusion très claire : cette bouteille est destinée à une grande garde et il serait sans doute dommage de ne pas attendre trois à cinq ans pour l'ouvrir.

🔑 CV Edmond et Benjamin de Rothschild,
33480 Listrac-Médoc,
tél. 05.56.58.38.00, fax 05.56.58.26.46,
e-mail chateau.clarke@wanadoo.fr ☑

CH. DONISSAN 2001

■ Cru bourg. 9,02 ha 28 000 🛢 8 à 11 €

Né sur un vignoble à majorité de merlot, ce vin en porte la marque dans son bouquet où les fruits rouges se mêlent harmonieusement à des notes boisées bien fondues. Souple à l'attaque, il affiche ensuite une réelle présence tannique : il pourra être attendu.

🔑 Mme Marie-Véronique Laporte,
Ch. Donissan, 33480 Listrac-Médoc,
tél. 05.56.58.04.77, fax 05.56.58.04.45 ☑ 🍷 🚶 r.-v.

CH. DUCLUZEAU 2001

■ Cru bourg. 5 ha 36 000 🛢 8 à 11 €

81 (82) **83 85 86** |88| |89| |90| 94 **96** |97| 98 99 00 01

Avec 90 % de merlot et 10 % de cabernet-sauvignon, ce cru propose un vin d'une structure légère mais plaisante par son élégance qui prolonge la finesse du bouquet aux notes de fruits rouges et de cuir.

🔑 Mme Jean-Eugène Borie,
Ch. Ducluzeau, 33480 Listrac-Médoc,
tél. 05.56.73.16.73, fax 05.56.59.27.37

CH. L'ERMITAGE 2001

■ Cru bourg. 10 ha 73 000 ▮ 🛢 🌡 11 à 15 €

Du même producteur que le Château Reverdi, ce vin est lui aussi plaisant par sa finesse et ses tanins vanillés. Son côté mode qui le rend déjà agréable ne devra pas empêcher de l'attendre deux ou trois ans.

🔑 SCEA Vignobles Thomas,
Donissan, 33480 Listrac-Médoc,
tél. 05.56.58.02.25, fax 05.56.58.06.56
☑ 🍷 🚶 t.l.j. sf dim. 9h-12h 14h-18h; f. 20 sept.-20 oct.

CH. FONREAUD 2001 ★

■ Cru bourg. 32 ha 120 000 🛢 11 à 15 €

Commencé en 1855, cet élégant château n'a été complètement achevé qu'en... 1966. Ce vin prendra sans doute moins de temps pour se faire ; toutefois, il sera bon de l'attendre environ deux ans pour que ses tanins s'assagissent et que le bois se fonde. D'une couleur pleine de promesses, il n'oublie pas les fruits derrière les notes réglissées et vanillées qui accompagnent un corps bien construit.

🔑 Ch. Fonréaud, 33480 Listrac-Médoc,
tél. 05.56.58.02.43, fax 05.56.58.04.33,
e-mail vignobles.chanfreau@wanadoo.fr
☑ 🍷 🚶 t.l.j. sf sam. dim. 9h-12h 14h-17h
🔑 Jean Chanfreau

CH. FOURCAS-DUMONT 2001 ★★

■ 15 ha 60 000 🛢 23 à 30 €

Un beau terroir, pour moitié sur une croupe de graves et pour l'autre sur un sol argilo-calcaire, un travail sérieux à la vigne comme au chai, avec une traçabilité complète : il n'en faut pas plus pour donner naissance à un vin puissant et charnu qui ne demande qu'à s'affiner dans la pénombre de la cave avant de ravir des palais exigeants sur un gibier ou un fromage de caractère.

🔑 SCA Ch. Fourcas-Dumont,
12, rue Odilon-Redon, 33480 Listrac-Médoc,
tél. 05.56.58.03.84, fax 05.56.58.01.20,
e-mail info@chateau-fourcas-dumont.com
☑ 🍷 🚶 t.l.j. sf sam. dim. 9h-12h 14h-17h
🔑 Lescoutra et Miquau

CH. FOURCAS DUPRE 2001

■ Cru bourg. 44,08 ha 258 240 🛢 11 à 15 €

81 82 83 |**85**| |**86**| |**88**| |**89**| |90| 91 **92** 93 94 |**95**| |**96**| |97| 98 99 00 01

Né dans de beaux chais, avec une cuverie en bois du XIX^e^s., ce vin souple et rond s'appuie sur des tanins attrayants pour mettre en valeur sa complexité aromatique. Un ensemble plaisant.

🔑 Ch. Fourcas Dupré,
Le Fourcas, 33480 Listrac-Médoc,
tél. 05.56.58.01.07, fax 05.56.58.02.27,
e-mail chateau-fourcas-dupre@wanadoo.fr
☑ 🍷 🚶 t.l.j. sf sam. dim. 8h-12h 14h-17h

CH. FOURCAS LOUBANEY 2001 ★

■ Cru bourg. 19 ha 65 287 🛢 11 à 15 €

Ce cru possède sans doute le maître de chai le plus célèbre du Bordelais, Marianne Marret ayant été l'un des

professionnels choisis par le CIVB pour illustrer sa dernière campagne d'affichage. Son vin ne manque pas d'allure : l'élégance de sa robe, vive et soutenue, se retrouve dans le bouquet qui fait la part belle aux fruits rouges nuancés d'un discret boisé. Souple, rond et long, le palais s'inscrit dans le droit fil, tandis qu'une bonne présence tannique vient affirmer sans agressivité que cette bouteille méritera deux ou trois ans de patience.
SARL Fourcas-Loubaney,
17, av. Julien-Ducourt, 33610 Cestas,
tél. 05.57.26.26.66, fax 05.57.26.26.67,
e-mail divin@divin-sa.fr
F.-M. Marret

CH. LESTAGE 2001

■ Cru bourg. 42 ha 160 000 11 à 15 €

Vaste demeure de style Napoléon III entourée d'un parc, ce château appartient au même propriétaire que Fonréaud. Souple, rond et bien équilibré, son vin montre par ses tanins et sa longueur qu'il gagnera à être attendu deux ou trois ans pour permettre à la finale de se polir. Le nez associe épices et fruits mûrs.
Ch. Lestage, 33480 Listrac-Médoc,
tél. 05.56.58.02.43, fax 05.56.58.04.33,
e-mail vignobles.chanfreau@wanadoo.fr
t.l.j. sf sam. dim. 9h-12h 14h-17h
au ch. Fonreaud

CH. MAYNE LALANDE 2001 ★★

■ Cru bourg. 15 ha 29 000 11 à 15 €

85 86 88 89 |90| |95| |96| |97| 98 99 00 01

Viticulteur passionné, Bernard Lartigue est l'un des authentiques vignerons qui auront contribué au fantastique essor qu'a connu le vignoble bordelais au cours des années 1980-2000. Même si les temps sont plus durs, il continue à apporter toujours autant de soins à sa vigne et à son vin. Par sa profonde couleur comme par son puissant bouquet (fruits rouges et épices) ou par la solidité de sa charpente, ce vin en témoigne. Mais son aptitude à la garde n'exclut pas une grande finesse des tanins qui apporte une réelle harmonie à l'ensemble. Souple, rond et délicat, le **Château Malbec Lartigue 2001 (8 à 11 €)** a été cité.
Bernard Lartigue, Ch. Mayne Lalande,
33480 Listrac-Médoc, tél. 05.56.58.27.63,
fax 05.56.58.22.41, e-mail b.lartigue@terre-net.fr
t.l.j. sf sam. dim. 8h-12h 14h-18h

CH. DES MERLES 2001 ★

■ 5 ha 20 000 11 à 15 €

Régulier en qualité, ce cru surprendra un peu ses fidèles avec son 2001 qui privilégie plus la structure que la rondeur. Encore très sévère, ce vin appelle la garde, de même que le bouquet qui attend de s'ouvrir sur des notes gourmandes de fruits rouges, de coco et d'épices. Un vin de gibier par excellence.
Cave de vinification de Listrac,
21, av. de Soulac, 33480 Listrac-Médoc,
tél. 05.56.58.03.19, fax 05.56.58.07.22,
e-mail grandlistrac@cave-listrac-medoc.com r.-v.
Raymond et Maleyran

CH. MOULIN DU BOURG 2001 ★

■ Cru bourg. 15 ha 70 000 23 à 30 €

Appartenant au même propriétaire que le château Fourcas Dumont, ce cru propose un vin lui aussi bien construit, mais dont le registre est la finesse. Celle-ci s'exprime aussi bien par l'élégance du bouquet fruité que par l'harmonie du palais. Sans être d'une grande ampleur, ce 2001 pourra être attendu trois ou quatre ans.
SCA Ch. Fourcas-Dumont,
12, rue Odilon-Redon, 33480 Listrac-Médoc,
tél. 05.56.58.03.84, fax 05.56.58.01.20,
e-mail info@chateau-fourcas-dumont.com
t.l.j. sf sam. dim. 9h-12h 14h-17h
Lescoutra-Miquau

CH. MOULIN D'ULYSSE 2001

■ 9,2 ha 30 000 11 à 15 €

Troisième millésime vinifié de façon autonome dans ce cru, ce vin, assemblant 55 % de merlot, 35 % de cabernet-sauvignon et 10 % de petit verdot, se montre intéressant. Fort d'arômes fruités et d'une structure au boisé bien mené, il tirera profit d'un séjour de quelque temps en cave.
Jean-Claude Castel, Donissan, 33480 Listrac-Médoc,
tél. 05.56.58.04.18, fax 05.56.58.00.15 r.-v.

CH. PEYREDON LAGRAVETTE 2001 ★

■ Cru bourg. 3,54 ha 25 000 8 à 11 €

81 (82) 83 85 86 |89| |90| |95| |96| 97 98 99 00 01

Ici la continuité familiale remonte au milieu du XVIe s. Avec ce millésime, dans lequel le merlot fait part égale avec le cabernet-sauvignon, l'accent est mis sur la finesse. Tant dans le bouquet aux notes de fruits rouges et aux touches animales, qu'au palais, rond, charnu et bien équilibré. Une attente de un ou deux ans suffira pour permettre à cette bouteille de livrer son charme.
Paul Hostein,
2062, Médrac-Est, 33480 Listrac-Médoc,
tél. 05.56.58.05.55, fax 05.56.58.05.55 r.-v.

CH. REVERDI

Cuvée Prestige Elevé en fût de chêne neuf 2001 ★

■ Cru bourg. 22 ha 130 000 5 à 8 €

Issue d'un vignoble conservant un encépagement varié avec des petits verdots et malbecs à côté des cabernets et merlots, cette cuvée Prestige a bénéficié d'un élevage en fût bien maîtrisé. Le résultat est un vin fin et élégant avec des tanins fondus qui le rendent sympathique tout en lui assurant un bon avenir. Intéressant par son côté aromatique, le **Château Reverdi 2001(11 à 15 €)**, proposé par son propriétaire Christian Thomas, a été cité.

Moulis et Listrac

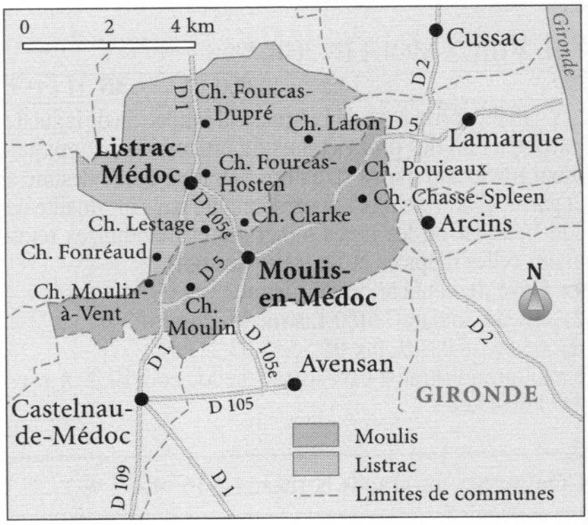

⊶ André Quancard, chem. de La Cabeyre,
33240 Saint-André-de-Cubzac, tél. 05.57.97.32.80,
fax 05.57.97.39.76, e-mail phclave@andrequancard.com

CH. SAINT-MARTIN 2001 *

■ 10 ha 30 000 ◍ 11 à 15 €

Rompant avec l'onctuosité qui a fait la réputation du cru, ce 2001 exprime sa personnalité par la fermeté de ses tanins, particulièrement sensible dans la finale presque sévère. Mais l'intensité de la couleur, la richesse du bouquet, aux notes gourmandes de fruits légèrement confits, la qualité des tanins, enrobés par le gras, et la longueur de l'ensemble, tout vient indiquer que cette bouteille a la matière et l'équilibre nécessaires pour bien évoluer à la garde.

⊶ Cave de vinification de Listrac,
21, av. de Soulac, 33480 Listrac-Médoc,
tél. 05.56.58.03.19, fax 05.56.58.07.22,
e-mail grandlistrac@cave-listrac-medoc.com ☑ Y ♟ r.-v.
⊶ Michel Chevalier

CH. SARANSOT-DUPRE 2001 *

■ Cru bourg. 15 ha 70 000 ◍ 11 à 15 €

86 88 |89| |90| 91 93 |94| |95| 96 97 |98| |99| 00 01

Vaste domaine de 255 ha, cette propriété est tout autant vouée à la forêt avec des peupleraies et des pinèdes qu'à son vignoble. Issu de raisins bien mûrs, ce vin présente un visage chaleureux, avec de sympathiques arômes de fruits rouges, d'agrumes et d'amandes grillées qui s'accordent heureusement avec le côté souple et charnu du palais.

⊶ Yves Raymond,
4, Grande-Rue, 33480 Listrac-Médoc,
tél. 05.56.58.03.02, fax 05.56.58.07.64,
e-mail yraymond@wanadoo.fr ☑ Y ♟ r.-v.

CH. SEMEILLAN MAZEAU 2001

■ Cru bourg. 12 ha 60 000 ▮◍⌀ 8 à 11 €

Situé à l'entrée du bourg, ce cru propose un vin encore marqué par le bois. Mais celui-ci est de qualité, et la structure franche et tannique témoigne d'un bon potentiel de garde qui permettra à l'ensemble de s'affiner pendant quatre ou cinq ans.

⊶ SCE Vignobles Jander, 41, av. de Soulac,
33480 Listrac-Médoc, tél. 05.56.58.01.12,
fax 05.56.58.01.57, e-mail vignobles.jander@wanadoo.fr
☑ Y ♟ t.l.j. sf sam. dim. 9h-12h 14h-18h

CH. VIEUX MOULIN 2001 *

■ 7 ha 42 000 ◍ 11 à 15 €

Elaboré à la cave de Listrac, à la fondation de laquelle participa l'un des propriétaires du cru, ce vin est typiquement médocain par sa structure tannique qui le destine à la garde. Il affirme aussi sa personnalité par l'originalité de son bouquet où les notes minérales et mentholées rejoignent celles d'épices et de fraise des bois.

⊶ Cave de vinification de Listrac,
21, av. de Soulac, 33480 Listrac-Médoc,
tél. 05.56.58.03.19, fax 05.56.58.07.22,
e-mail grandlistrac@cave-listrac-medoc.com ☑ Y ♟ r.-v.
⊶ Fort-Dufau

> On servira les grands bordeaux à 16 ou 17 °C.

Margaux

Si Margaux est le seul nom d'appellation à être aussi un prénom féminin, ce n'est sans doute pas par pur hasard. Il suffit de goûter un vin bien typé provenant du terroir margalais pour saisir les liens subtils qui unissent les deux.

Les margaux présentent une excellente aptitude à la garde, mais ils se distinguent aussi par leur souplesse et leur délicatesse que soutiennent des arômes fruités d'une grande élégance. Ils constituent l'exemple même des bouteilles tanniques généreuses et suaves, à enregistrer sur le livre de cave dans la classe des vins de grande garde.

L'originalité des margaux tient à de nombreux facteurs. Les aspects humains ne sont pas à négliger. A l'écart des autres grandes appellations communales médocaines, les viticulteurs margalais ont moins privilégié le cabernet-sauvignon. Ici, tout en restant minoritaire, le merlot prend une importance accrue. D'autre part, l'appellation s'étend sur le territoire de cinq communes : Margaux et Cantenac, Soussans, Labarde et Arsac. Dans chacune d'elles tous les terrains ne font pas partie de l'AOC ; seuls les sols présentant les meilleures aptitudes viti-vinicoles ont été retenus. Le résultat est un terroir homogène qui se compose d'une série de croupes de graves.

Celles-ci s'articulent en deux ensembles : à la périphérie se développe un système faisant penser à une sorte d'archipel continental, dont les « îles » sont séparées par des vallons, ruisseaux ou marais tourbeux ; au cœur de l'appellation, dans les communes de Margaux et de Cantenac, s'étend un plateau de graves blanches, d'environ 6 km sur 2, que l'érosion a découpé en croupes. C'est dans ce secteur que sont situés nombre des dix-huit grands crus classés de l'appellation.

Remarquables par leur élégance, les margaux appellent des mets raffinés, comme le chateaubriand, le canard, le perdreau ou, bordeaux oblige, l'entrecôte à la bordelaise. En 2003, 53 296 hl ont été produits sur 1 409 ha.

ALTER EGO DE PALMER 2001 *

■ 52 ha 950 000 ◍ 38 à 46 €

Toujours à majorité de merlot, ce vin élaboré par l'équipe de Palmer est d'un bel aspect visuel, avec une agréable couleur rouge et de longues jambes qui s'écoulent sur le verre. Souple et rond, il s'appuie sur des tanins mûrs et veloutés qui mettent en valeur le bouquet où les notes boisées (épices et pain grillé) et les fruits noirs composent un ensemble racé qui méritera d'être attendu quatre ou cinq ans.

🔑 Ch. Palmer, Cantenac, 33460 Margaux,
tél. 05.57.88.72.72, fax 05.57.88.37.16,
e-mail chateau-palmer@chateau-palmer.com 🍷 🚶 r.-v.

LA BERLANDE 2001 ★

■ 4 ha 15 000 ◍ 11 à 15 €

94 |95| |96| 97 98 |99| 00 01

Marque du négociant Henri Duboscq, ce vin annonce sa belle structure par la teinte grenat sombre de sa robe. Elégant dès le bouquet, il exprime de jolies notes de fruits rouges renforcées d'une touche de vanille apportée par l'élevage. Son équilibre et sa finesse se confirment au palais, où des tanins bien enrobés mènent vers une longue finale qui doit encore se fondre. On attendra trois ou quatre ans avant de servir cette bouteille avec une viande rouge.

🔑 Brusina-Brandler,
3, quai de Bacalan, 33300 Bordeaux,
tél. 05.56.39.26.77, fax 05.56.69.16.89 ☑ 🍷 🚶 r.-v.

CH. BRANE-CANTENAC 2001 ★★

■ 2e cru clas. n.c. 140 000 ◍ 38 à 46 €

70 71 75 76 78 79 81 82 83 84 85 (86) 87 |88| |89| |90| 93 94 95 (96) |97| 98 99 00 01

Pour ce millésime, Henri Lurton a choisi de renforcer la part du merlot (50 %) et de faire intervenir le cabernet franc (10 %). Il a été bien inspiré si l'on en juge d'après ce vin. Hésitant entre le grenat et le pourpre, sa robe est intense et prometteuse. La suite confirme cette excellente impression. Un peu discret au premier nez, le bouquet s'ouvre à l'aération pour livrer des parfums de cerise et de cassis soutenus par un boisé bien fondu. Après une attaque sans faiblesse, le palais révèle du gras, de la chair et des tanins denses et croquants. Equilibré et harmonieux, ce vin n'a pas à craindre la garde et trois ou quatre ans de patience seront nécessaires avant de songer à le servir avec une belle pièce de viande.

🔑 Henri Lurton, SCEA Ch. Brane-Cantenac,
33460 Margaux, tél. 05.57.88.83.33, fax 05.57.88.72.51,
e-mail contact@brane-cantenac.com ☑ 🍷 🚶 r.-v.

CLOS DES QUATRE VENTS 2001 ★

■ 2,2 ha 6 000 ◍ 38 à 46 €

Reprise en 2000 par Luc Thienpont (Labégorce Zédé), cette petite propriété fait son entrée dans le Guide avec ce vin à la belle robe entre rubis et grenat. Discret au départ, le bouquet s'ouvre sur d'élégantes notes de groseille et de framboise. Son harmonie se retrouve dans l'attaque, vive et souple, comme au palais doté de tanins soyeux. Tout au long de la dégustation, le bois respecte le fruit. Mieux vaudra cependant attendre trois ou quatre ans avant d'ouvrir cette bouteille.

🔑 Luc Thienpont,
Dom. de Campion, BP 33, 33460 Margaux,
tél. 05.57.88.71.31, fax 05.57.88.72.54 ☑ 🍷 🚶 r.-v.

CH. DAUZAC 2001 ★

■ 5e cru clas. 25 ha 130 000 ◍ 30 à 38 €

78 79 80 81 82 83 84 85 86 87 88 89 |(90)| 91 92 |93| |95| 96 |97| 98 99 00 01

Pour être à l'écart de la route des châteaux, Dauzac n'en demeure pas moins une étape des plus intéressantes, tant par son architecture, caractéristique du Bordelais, que par son rôle dans l'histoire viticole (la bouillie bordelaise y a été mise au point) ou par son vin. D'un grenat intense, celui-ci fait une forte impression. Son bouquet est dominé par les notes de grillé et de torréfaction du bois avant que n'apparaisse le fruit. Souple, dense et charnu, le palais révèle une solide structure. Ses tanins encore un peu austères invitent à attendre cette bouteille quatre ou cinq ans pour que l'ensemble se marie.

🔑 SE du Ch. Dauzac, 1, av. Georges-Johnson,
33460 Labarde, tél. 05.57.88.32.10, fax 05.57.88.96.00,
e-mail andrelurton@andrelurton.com ☑ 🍷 🚶 r.-v.
🔑 MAIF

CH. DESMIRAIL 2001 ★

■ 3e cru clas. n.c. 80 000 ◍ 23 à 30 €

81 82 (83) |85| |86| 87 88 |89| 90 91 92 93 94 95 96 |97| 99 00 01

Cantenac, Soussans et Arsac, le vignoble de ce cru fondé au XVIIe s. se répartit à parts égales en trois ensembles. Se présentant dans une robe d'une grande fraîcheur, ce vin se fait tentateur par ses parfums qui évoquent la confiture de prunes, puis les épices, la réglisse et le Zan. Rond et assez corsé, le palais possède une matière suffisante pour pouvoir être attendu deux ou trois ans.

🔑 SCEA du Ch. Desmirail, 33460 Cantenac,
tél. 05.57.88.34.33, fax 05.57.88.96.27,
e-mail desmirail.accueil@free.fr 🍷 🚶 r.-v.
🔑 Denis Lurton

CH. DEYREM VALENTIN 2001

■ Cru bourg. 12,5 ha 60 000 ◍ 15 à 23 €

83 85 86 88 89 90 91 92 93 94 95 97 |98| 99 00 01

Un charmant petit château, fleurant bon les vacances d'antan, pour un vin dont le bouquet a lui aussi des parfums de bien vivre : cassis, cerise, rose et fruits noirs à l'eau-de-vie. Sans être un athlète, le palais est homogène, construit sur de jolis petits tanins. Une garde de trois ans doit lui permettre de s'affiner et de s'exprimer complètement.

🔑 EARL des Vignobles Jean Sorge,
1, rue Valentin-Deyrem, 33460 Soussans,
tél. 05.57.88.35.70, fax 05.57.88.36.84,
e-mail deyremvalentin@aol.com ☑ 🍷 🚶 r.-v.

CH. DURFORT-VIVENS 2001

■ 2e cru clas. 28 ha 72 000 ◍ 30 à 38 €

75 76 81 82 83 85 |(86)| |88| |89| |90| 91 92 93 94 |95| (96) |97| |99| 00 01

Jolie demeure, Durfort-Vivens commande un domaine de 32 ha. Sans chercher à rivaliser avec certains millésimes antérieurs, ce 2001 affiche fièrement sa jeunesse par sa robe violacée. Encore un peu fermé, son bouquet commence à dévoiler des parfums de fruits rouges. Au palais, on devine une importante extraction dans la sévérité des tanins qui demanderont plusieurs années pour s'arrondir. Des fromages gras s'accorderont alors avec cette bouteille.

🔑 SCEA Ch. Durfort, 33460 Margaux,
tél. 05.57.88.31.02, fax 05.57.88.60.60,
e-mail infos@durfort-vivens.com

L'ENCLOS GALLEN 2001

■ 1,58 ha 7 500 ▮ ◍ 🌡 15 à 23 €

Ce cru offre ici un vin qui doit beaucoup au tonnelier mais qui promet de bien évoluer. Sa robe grenat, son

bouquet se partageant entre le fruit noir, le cuir et le bois, comme sa structure, souple et bien constituée, appellent une garde de plusieurs années.
SA Ch. Meyre, 16, rte de Castelnau,
33480 Avensan, tél. 05.56.58.10.77, fax 05.56.58.13.20,
e-mail chateau.meyre@wanadoo.fr
t.l.j. sf sam. dim. 14h-17h; f. 1er nov.-30 mars

CH. FERRIERE 2001 ★★

■ 3e cru clas. n.c. n.c. 15 à 23 €

70 75 78 81 83 84 (85) **86** 87 88 |89| 92 **93** |**94**| |**95**| |**96**| |97| **98** |99| **00 01**

Claire Villars Lurton dirige ce cru comme Haut Bages Libéral à Pauillac ; ici aussi elle cherche à privilégier l'harmonie et la finesse, retrouvant ainsi l'esprit même du margaux. La profondeur de ce vin annonce son potentiel de garde, qu'explique le pourcentage (78 %) de cabernet-sauvignon. Cette solide constitution s'appuie sur des tanins bien fondus ; elle n'exclut pas cependant une grande délicatesse et beaucoup de fraîcheur dans son développement aromatique où la réglisse, la menthe et la rose s'associent au cassis. Très classique au meilleur sens du terme, cette élégante bouteille méritera d'être attendue cinq ans ou plus. Riche et complexe, la seconde étiquette, les **Remparts de Ferrière**, a obtenu une étoile. Elle pourra être appréciée plus jeune (dans deux ou trois ans).
Claire Villars, SA Ch. Ferrière,
33 bis, rue de la Trémoille, 33460 Margaux,
tél. 05.57.88.76.65, fax 05.57.88.98.33 r.-v.

CH. GISCOURS 2001 ★★

■ 3e cru clas. 80 ha 300 000 30 à 38 €

75 78 81 **82 83 85** (86) **88 89** 90 91 **93** 94 |97| **98 99 00 01**

Quatre coups de cœur ont démontré la qualité du terroir de graves de ce cru représentatif par ses bâtiments du grand domaine viticole du XIXe s. Une nouvelle fois, il propose un remarquable vin dont la robe d'un rouge intense annonce la richesse. Sa puissance se retrouve dans le bouquet. Elégant et très expressif, celui-ci porte d'abord la marque du bois avec de nombreuses notes toastées, mais sa complexité permet au cassis et aux fruits mûrs d'apparaître à leur tour. Au palais, la même impression d'ampleur et de vigueur se dégage avec, en prime, un velouté et un équilibre qui apportent charme et race à cette bouteille. Celle-ci s'exprimera plus complètement, après un séjour de cinq ou six ans en cave. Il lui faudra un mets à la fois puissant et raffiné. Un accord gourmand du même type conviendra aussi, mais dans deux ou trois ans, au second vin, **La Sirène de Giscours (15 à 23 €)**, qui a obtenu une étoile.

SAE Ch. Giscours, Labarde, 33460 Margaux,
tél. 05.57.97.09.09, fax 05.57.97.09.00,
e-mail giscours@chateau-giscours.fr r.-v.
Eric Albada Jelgersma

QUINTESSENCE DU CHATEAU DES GRAVIERS 2001 ★

■ Cru artisan 0,6 ha 4 800 15 à 23 €

Issue d'une petite parcelle de vieilles vignes, cette cuvée prestige porte la marque de l'élevage dans ses arômes de chauffe qui lui donnent une tonalité particulière. Mais là ne s'arrête pas sa personnalité. De jolis parfums de groseille se marient bien avec le bois, tandis qu'au palais apparaît un ensemble puissant et élégant, doté d'une bonne matière qui permet d'envisager trois à huit ans de garde.
SCE des Vignobles Dufourg-Landry,
52, rue des Graviers, 33460 Arsac,
tél. 05.56.58.89.11, fax 05.57.88.20.34 r.-v.

CH. LA GURGUE 2001 ★

■ Cru bourg. sup. n.c. n.c. 15 à 23 €

Du même producteur que le château Ferrière, issu d'une propriété située sur le plateau margalais, ce vin joue lui aussi la carte de la finesse. Expressif et complexe, son bouquet marie les notes toastées et grillées aux fruits mûrs. Au palais apparaît un beau volume. Longue et équilibrée, la finale confirme que cette bouteille est de garde. Elle sera attendue pendant trois ou quatre ans.
SA Ch. Ferrière, 33 bis, rue de la Trémoille,
33460 Margaux, tél. 05.57.88.76.65, fax 05.57.88.98.33,
e-mail infos@lagurgue.com r.-v.
C. Villars

CH. D'ISSAN 2001 ★

■ 3e cru clas. 30 ha 105 000 15 à 23 €

82 **83 85 86** 87 |**88**| |89| |90| 92 93 |94| |95| |96| 97 |98| 99 **00** 01

De nombreux crus commencent à trouver de l'intérêt à l'œnotourisme. A Issan, il y a plusieurs décennies que les Cruse ont ouvert leur magnifique chai aux visiteurs. Il est vrai que le château, fondé au XIIIe s., propose l'une des plus belles architectures d'Aquitaine. Un peu discret au départ, ce vin ne livre pas tout de suite son bouquet, encore dominé par le bois (toast et vanille), mais on sent poindre les fruits de demain. Après une attaque sans agressivité, les tanins se révèlent très présents dans la finale qui appelle une garde de quelques années.
Ch. d'Issan, 33460 Cantenac,
tél. 05.57.88.35.91, fax 05.57.88.74.24,
e-mail issan@chateau-issan.com r.-v.
Famille Cruse

CH. KIRWAN 2001 ★

■ 3e cru clas. n.c. 100 000 23 à 30 €

75 79 81 82 83 **85** (86) 88 **89 93** 94 **95** |**96**| 97 98 **99 00** 01

Kirwan appartient depuis 1925 à la famille Schÿler qui, venue de Hambourg, fonda en 1739 cette maison de négoce réputée. Ce vin présente une robe pleine de jeunesse, profonde et violacée. Réglisse, cassis, fruits noirs et épices, le bouquet se montre flatteur. Encore un peu fermes, les tanins appellent une solide garde. Accessible plus jeune, le second vin, **Les Charmes de Kirwan (11 à 15 €)**, obtient une citation.

🔑 Maison Schröder et Schÿler,
55, quai des Chartrons, 33027 Bordeaux,
tél. 05.57.87.64.55, fax 05.57.87.57.20 ☑ Y 🚶 r.-v.

CH. LABEGORCE ZEDE 2001 ★

■ Cru bourg.	27 ha	n.c.	⊕ 23 à 30 €

82 (83) **85 86 88** 89 90 91 **92** **|93|** 94 **|95|** **96** **|97|** **98**
99 00 01

Valeur sûre, ce vin est une fois encore à la hauteur de sa réputation. Sa belle robe est typique de l'appellation ; le bouquet se montre d'abord un peu timide, puis il prend de l'ampleur ; une réelle harmonie se dégage entre le grillé et le fruité, complétés par une légère note poivrée. Elégant, concentré et corsé, le palais fait preuve d'un bon équilibre qu'un bois bien dosé ne perturbe jamais. Une jolie bouteille à ouvrir dans quelques années.

🔑 Luc Thienpont, BP 33, 33460 Margaux,
tél. 05.57.88.71.31, e-mail labegorce.zede@wanadoo.fr
☑ Y 🚶 t.l.j. sf sam. dim. 8h-12h 13h-16h30

CH. LARRUAU 2001 ★

■ Cru bourg.	11,5 ha	65 000	⊕ 11 à 15 €

86 88 89 **|90|** 93 **|94|** **|95|** **|96|** 97 **|98|** **|99|** **00 01**

Un travail sérieux et régulier, un élevage 100 % en barriques dont 30 % sont neuves, pas de collage : ce millésime est bien réussi. Son bouquet aux notes de groseille et de café, sa structure souple, d'une bonne ampleur et très aromatique comme sa finale longue et harmonieuse garantissent l'avenir de cette bouteille.

🔑 Bernard Château,
4, rue de La Trémoille, 33460 Margaux,
tél. 05.57.88.35.50, fax 05.57.88.76.69 ☑ r.-v.

CH. MARGAUX 2001 ★★★

■ 1er cru clas.	n.c.	160 000	⊕ + de 76 €

59 **|61|** 66 **70 71** 75 78 **|79|** 80 **|81|** **|(82)|** **|83|** **84** **|85|** **|86|**
|87| **|88|** **|89|** **90** **|91|** **|92|** **93 94** (95) (96) **97** (98) (99) (00) **01**

MIS EN BOUTEILLE AU CHÂTEAU
CHÂTEAU MARGAUX
GRAND VIN
PREMIER GRAND CRU CLASSÉ
2001
MARGAUX
APPELLATION MARGAUX CONTRÔLÉE
S.C.A. CHATEAU MARGAUX PROPRIÉTAIRE A MARGAUX - FRANCE
75cl

Architecture néo-palladienne du château et de ses dépendances qui surgissent au bout d'une majestueuse allée de platanes, terroir de belles graves, qualité des équipes, tout contribue à faire de Margaux l'exemple même du cru mythique. Et le vin tient sa place dans ce domaine d'exception, témoin, ce 2001 dont la robe est aussi jeune que le bouquet. Moka, vanille, cuir et rose, les parfums les plus délicats se succèdent. Le palais s'enrichit encore de notes de

Margaux

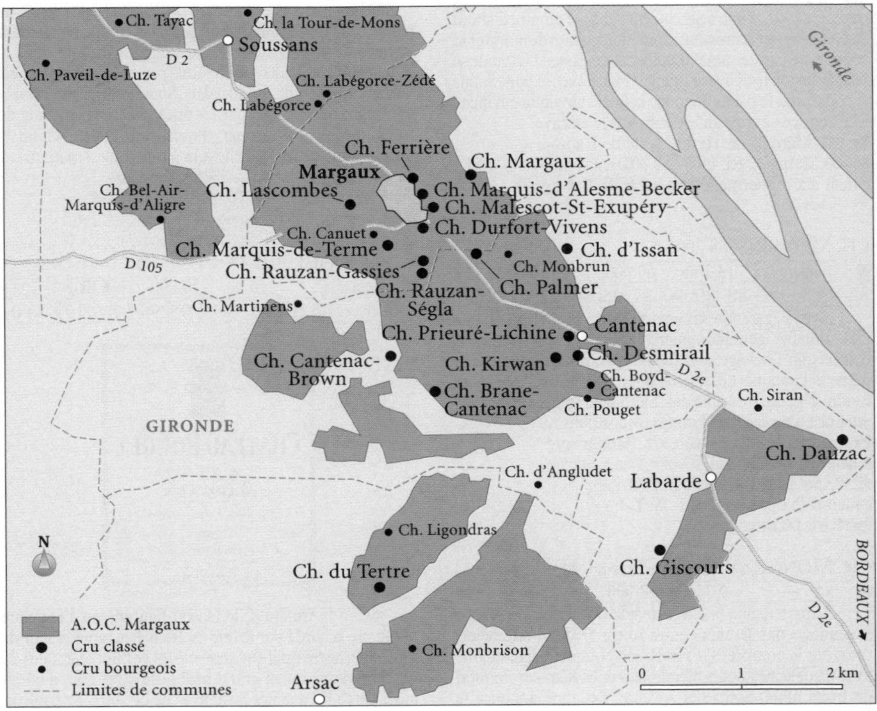
Ch. Tayac
Ch. la Tour-de-Mons
Soussans
Gironde
D 2
Ch. Paveil-de-Luze
Ch. Labégorce-Zédé
Ch. Labégorce
Ch. Ferrière
Ch. Margaux
Margaux
Ch. Lascombes
Ch. Marquis-d'Alesme-Becker
Ch. Bel-Air-Marquis-d'Aligre
Ch. Malescot-St-Exupéry
Ch. Durfort-Vivens
Ch. Canuet
Ch. Marquis-de-Terme
Ch. d'Issan
Ch. Monbrun
D 105
Ch. Rauzan-Gassies
Ch. Palmer
Ch. Rauzan-Ségla
Ch. Martinens
Cantenac
Ch. Prieuré-Lichine
Ch. Desmirail
Ch. Cantenac-Brown
Ch. Kirwan
D 2e
Ch. Boyd-Cantenac
Ch. Brane-Cantenac
Ch. Pouget
Ch. Siran
GIRONDE
Ch. Dauzac
Ch. d'Angludet
Labarde
N
Ch. Ligondras
BORDEAUX
Ch. du Tertre
Ch. Giscours
D 2e
A.O.C. Margaux
Cru classé
Cru bourgeois
Limites de communes
Ch. Monbrison
Arsac
0
1
2 km

fruits cuits, d'épices et de cacao. Vif, frais et élégant, il s'appuie sur des tanins d'une grande maturité pour affirmer son impressionnant potentiel de garde que confirme une finale remarquable. Un vin étincelant.
⊶ SC du Ch. Margaux, 33460 Margaux,
tél. 05.57.88.83.83, fax 05.57.88.31.32 🚶 r.-v.
⊶ Corinne Mentzelopoulos

CH. MARQUIS D'ALESME Becker 2001 ★

■ 3e cru clas. 15,5 ha 80 000 🛢 23 à 30 €

81 **82** 83 85 87 |**88**| |89| |96| 97 **99 00 01**

Longtemps un peu en retrait par rapport à son classement, ce cru a fortement progressé durant la seconde moitié de la dernière décennie du XXᵉs. D'une belle couleur, ce millésime développe un joli bouquet fruité et un palais porté par une solide matière où les tanins se mêlent aux fruits. Assez puissant mais encore un peu sévère en finale, il demande à être attendu pendant deux ou trois ans.
⊶ Jean-Claude Zuger, Ch. Marquis d'Alesme,
33460 Margaux, tél. 05.57.88.70.27, fax 05.57.88.73.78,
e-mail marquisdalesme@wanadoo.fr
Ⓥ Y 🚶 t.l.j. 9h-12h 14h-17h

CH. MARQUIS DE TERME 2001 ★

■ 4e cru clas. 38 ha 170 000 🛢 30 à 38 €

75 81 82 (83) **85** |**86**| **89** 90 |93| |**94**| **95** 96 97 **98** 99 (00) 01

En dépit de son ancienneté (il est né au XVIIIᵉs.), de ses origines nobiliaires et de sa situation (au cœur de Margaux), ce cru fait preuve d'une discrétion exemplaire. Peut-être faut-il y voir l'une des causes de la qualité de sa production dont témoignait l'an dernier le millésime 2000, coup de cœur. Ce 2001, d'une belle couleur rubis, se montre d'abord discret dans son expression aromatique, avant de montrer sa complexité par des notes d'épices et de cassis. L'attaque se fait sur un joli fruit heureusement marié avec le bois. Solide et concentré, le palais annonce la finale tannique qui incite à laisser deux à trois ans cette bouteille en cave.
⊶ Ch. Marquis de Terme, 3, rte de Rauzan,
33460 Margaux, tél. 05.57.88.30.01, fax 05.57.88.32.51,
e-mail marquisterme@terre-net.fr Ⓥ Y 🚶 r.-v.
⊶ Sénéclauze

CH. MONBRISON 2001 ★

■ Cru bourg. 13,2 ha 60 000 🛢 23 à 30 €

82 83 85 |(86)| |**88**| |**89**| |**90**| **91** |95| |96| |**97**| 98 00 01

Avec sa garenne aux beaux arbres, ce château est une fort aimable gentilhommière. S'il est encore un peu dominé par l'élevage, son 2001, bien constitué, possède la matière tannique nécessaire pour que le bois puisse se fondre d'ici quatre à cinq ans. Sa couleur intense et limpide annonce d'emblée ses bonnes dispositions.
⊶ Laurent Vonderheyden, Ch. Monbrison,
1, allée de Monbrison, 33460 Arsac,
tél. 05.56.58.80.04, fax 05.56.58.85.33,
e-mail lvdh33@wanadoo.fr Ⓥ Y 🚶 r.-v.
⊶ E.M. Davis et Fils

CH. MONGRAVEY Cuvée Prestige 2001 ★

■ 9,7 ha 18 000 🛢 15 à 23 €

Appartenant à la cuvée de tête du cru, ce vin affiche sa jeunesse par sa teinte entre rouge et violet aux reflets tirant sur le pourpre. Très frais, son bouquet naissant joue avec de délicates notes mentholées et boisées sur un fond de fruits noirs. Souple et soyeuse, l'attaque annonce le caractère du palais, qui révèle une bonne structure. Une bouteille à attendre quatre ou cinq ans avant de l'ouvrir pour accompagner un agneau rôti. Plus importante avec 32 000 cols, la **Cuvée de tradition 2001** a été citée.
⊶ Régis Bernaleau, SCEA Mongravey,
8, av. Jean-Luc-Vonderheyden, 33460 Arsac,
tél. 05.56.58.84.51, fax 05.56.58.83.39,
e-mail chateau.mongravey@wanadoo.fr Ⓥ ⌂ Y 🚶 r.-v.

CH. PALMER 2001 ★★

■ 3e cru clas. 51 ha 120 000 🛢 + de 76 €

78 79 80 **81 82 83** 84 **85** (86) **88 89** |**90**| **91 92 93 94** |**95**| **96 97 98 99 00 01**

Avec ce millésime, exit le cabernet franc, l'assemblage mariant 51 % de cabernet-sauvignon, 44 % de merlot et 5 % de petit verdot. Dans sa jolie robe rubis, ce vin ne semble pas avoir trouvé son expression définitive mais déjà apparaissent des notes de fruits rouges et noirs confits harmonieusement alliés aux élégants apports fumés de l'élevage. Plein et charnu, le palais s'appuie sur une bonne matière et des tanins mûrs pour faire entrevoir d'intéressantes perspectives d'évolution : il laisse aujourd'hui sur le souvenir d'un beau retour aromatique.
⊶ Ch. Palmer, Cantenac, 33460 Margaux,
tél. 05.57.88.72.72, fax 05.57.88.37.16,
e-mail chateau-palmer@chateau-palmer.com Y 🚶 r.-v.

PAVILLON ROUGE 2001 ★

■ n.c. 200 000 🛢 30 à 38 €

78 81 **82 83 84** |**85**| |**86**| |**88**| |**89**| |**90**| 92 |**93**| **94** |**95**| **96 97 98 99 00** 01

Margaux, vaste domaine de 262 ha, possède 82 ha plantés en vignes rouges. Son second vin joue résolument la carte de la délicatesse et du raffinement, tant dans le bouquet, où les fruits sont rejoints par des notes de fumée, de vanille et de cuir, qu'au palais. Souple et élégant, celui-ci se montre harmonieux par ses fines saveurs d'épices et de fruits rouges. Portée par d'excellents tanins, la finale rappelle que cette bouteille a la garde pour vocation.
⊶ SC du Ch. Margaux, 33460 Margaux,
tél. 05.57.88.83.83, fax 05.57.88.31.32 🚶 r.-v.
⊶ Corinne Mentzelopoulos

CH. POUGET 2001 ★★

■ 4e cru clas. 10 ha 20 000 ▮ 🛢 🌡 15 à 23 €

75 85 86 88 |**89**| |**90**| 92 94 |95| |96| |97| |98| 99 00 **01**

Selon la tradition, le blason figurant sur l'étiquette aurait été accordé par le duc de Richelieu, gouverneur de Guyenne, après qu'il eut apprécié les vertus diététiques du vin. Nul doute qu'en grand hédoniste qu'il était, il aurait aussi perçu les qualités gustatives de ce 2001. Sa couleur, limpide et brillante, l'aurait mis en joie, tout comme la complexité de son fin bouquet aux notes épicées, mentholées et toastées. Souple à l'attaque avec de jolies saveurs de pruneau, le palais monte en puissance pour révéler une solide structure faite de tanins ronds, puis offre une longue finale. Concentrée, élégante et parfaitement équilibrée, cette bouteille devra être gardée en cave pendant quatre ou cinq ans avant d'accompagner du gibier ou un fromage de caractère.

SCE Ch. Boyd-Cantenac et Pouget,
33460 Cantenac, tél. 05.57.88.90.82, fax 05.57.88.33.27,
e-mail guillemet.lucien@wanadoo.fr r.-v.
Famille Guillemet

CH. PRIEURE-LICHINE 2001 ★

4e cru clas. 40 ha 180 000 30 à 38 €

82 83 86 88 89 |**90**| 91 92 93 |**96**| 97 (98) 99 00 01

Depuis sa reprise par les Ballande en 1999, ce cru longtemps animé par Alexis Lichine, a bénéficié d'importants investissements. D'un rouge profond à reflets cerise (bigarreau), le millésime 2001 met en confiance. Son bouquet est lui aussi fort avenant avec beaucoup d'élégance et de finesse. Un bois bien dosé l'enrichit d'une jolie note de vanille et de café torréfié jusqu'en finale. Ample et agréablement bâti, doté de solides tanins, il n'a pas à craindre les années.

Ch. Prieuré-Lichine, 34, av. de la 5e-République,
33460 Cantenac, tél. 05.57.88.36.28, fax 05.57.88.78.93,
e-mail prieure.lichine@wanadoo.fr
t.l.j. sf dim. 9h-12h 14h-17h
GPE Ballande

CH. RAUZAN-GASSIES 2001 ★★

2e cru clas. 24,5 ha 120 000 30 à 38 €

93 94 |96| 97 98 99 **00 01**

Confirmant la progression marquée par le 2000, ce 2001 prouve l'efficacité du travail entrepris par les Quié et leur équipe pour ramener ce cru au niveau de son classement. Fruits mûrs, cacao, café et épices, son bouquet sait allier complexité et élégance. Fine et grasse, l'attaque n'est pas en reste. Quant au palais, soutenu par des tanins soyeux, il garde un bel équilibre tout en révélant une grande puissance. On sent une réelle maîtrise de la vinification ; cette bouteille s'appréciera encore mieux dans quatre ou cinq ans.

Ch. Rauzan-Gassies, rue Alexis-Millardet,
33460 Margaux, tél. 05.57.88.71.88, fax 05.57.88.37.49,
e-mail jphiquie@net-up.com
t.l.j. sf sam. dim. 8h-12h 13h30-17h
J.-M. Quié

CH. RAUZAN-SEGLA 2001 ★★

2e cru clas. 51 ha 110 000 46 à 76 €

81 82 |**83**| |**85**| |(86)| |**88**| |**89**| |**90**| 91 92 93 |**94**| **95** (96)|**97**| (98) **99** (00) **01**

Si le château n'a été construit qu'en 1903 par Frédéric Cruse qui reconstitua le vignoble ravagé par le phylloxéra, il n'en a pas moins de charme et a conquis en 1994 la famille Wertheimer. Chacun savait qu'à Rauzan-Ségla, lors des vinifications, on comptait beaucoup sur la finesse naturelle des cabernets de cette vendange pour donner un vin s'inscrivant parfaitement dans l'esprit margaux. Avec raison, si l'on en juge d'après ce 2001. D'une engageante teinte rubis, ce millésime développe un bouquet franc et net, encore marqué par le bois, mais flatteur. Au palais, le corps et la charpente n'excluent ni la souplesse ni la rondeur. Très agréable, la finale se porte garante du

potentiel de cette bouteille par ses tanins bien enveloppés et son beau retour aromatique. A servir dans quelques années avec un mets à la fois fort en goût et raffiné, tel un cuissot de chevreuil grand veneur. Plus facile, le second vin, **Ségla 2001 (15 à 23 €)**, obtient une citation.

SA Ch. Rauzan-Ségla, BP 56, 33460 Margaux,
tél. 05.57.88.82.10, fax 05.57.88.34.54 r.-v.
Chanel.Inc

CH. SIRAN 2001 ★★

Cru bourg. 22,2 ha 85 000 23 à 30 €

66 78 79 80 81 82 83 85 86 87 88 |**89**| 90 91 92 |93| |94| |95| 96 97 |98| 99 **00 01**

Belle propriété ayant appartenu aux Toulouse-Lautrec, ce cru est l'un des seuls à ouvrir aux visiteurs une partie de ses appartements. Conduite par une femme, Brigitte Miailhe, l'équipe propose une fois encore un vin ayant fière allure. Sa présentation est prometteuse : une robe profonde et un bouquet aussi puissant que complexe, avec de fines notes boisées (épices et toast). Sa concentration se retrouve au palais. Souple, bien structuré et équilibré, il s'appuie sur des tanins soyeux pour constituer un ensemble qui s'exprimera très heureusement d'ici quatre à cinq ans.

SC du Ch. Siran, 33460 Labarde,
tél. 05.57.88.34.04, fax 05.57.88.70.05,
e-mail chateau.siran@wanadoo.fr
t.l.j. 10h15-12h45 13h30-18h
Alain Miailhe

CH. DU TERTRE 2001 ★★

5e cru clas. 50 ha 200 000 23 à 30 €

90 91 92 93 95 |96| **98** 99 00 **01**

Quartier général d'Eric Albada, ce château a été métamorphosé ; tant la résidence que le vignoble et les chais ont retrouvé un nouveau lustre. Ces investissements trouvent leur justification dans des vins comme celui-ci. Sa robe rubis intense séduit d'emblée. Avec des notes grillées et vanillées qui se fondent dans les fruits cuits et la réglisse, son bouquet est expressif, élégant et racé. Souple et ample à l'attaque, le palais affirme un caractère solide mais velouté qui appelle trois ou quatre ans de patience. Egalement aromatique et charpenté, le second vin, **Les Hauts du Tertre 2001 (15 à 23 €)** a obtenu une étoile.

SEV Ch. du Tertre, 33460 Arsac,
tél. 05.57.97.09.09, fax 05.57.97.09.00 r.-v.
Eric Albada Jelgersma

CH. DES TROIS CHARDONS 2001 ★

Cru artisan 2,88 ha 17 000 15 à 23 €

Alors que l'heure est à la concentration des terres et à la disparition des petits crus appartenant à d'authentiques vignerons médocains, le maintien de petites unités comme ces Trois Chardons a quelque chose de réconfortant. Surtout quand elles donnent des vins de la qualité de ce 2001. Si celui-ci est encore un peu austère, on devine à l'élégance de son bouquet de truffe et de fruits rouges que son avenir s'annonce intéressant. Une impression que confirme un palais puissant et onctueux, garant d'un bon potentiel de garde.

Claude et Yves Chardon, Issan, 33460 Cantenac,
tél. 05.57.88.33.94, fax 05.57.88.39.13

Moulis-en-médoc

Etroit ruban de 12 km de long sur 300 à 400 m de large, moulis est la moins étendue des appellations communales du Médoc. Elle offre pourtant une large palette de terroirs.

Comme à Listrac, ceux-ci forment trois grands ensembles. A l'ouest, près de la route de Bordeaux à Soulac, le secteur de Bouqueyran présente une topographie variée, avec une crête calcaire et un versant de graves anciennes (pyrénéennes). Au centre, on trouve une plaine argilo-calcaire qui est le prolongement de celle de Peyrelebade (voir listrac-médoc). Enfin, à l'est et au nord-est, près de la voie ferrée, se développent de belles croupes de graves du Günz (graves garonnaises) qui constituent un terroir de choix. C'est dans ce dernier secteur que se trouvent les buttes réputées de Grand-Poujeaux, Maucaillou et Médrac.

Moelleux et charnus, les moulis se caractérisent par leur caractère suave et délicat. Tout en étant de bonne garde (de sept à huit ans), ils peuvent s'épanouir un peu plus rapidement que les vins des autres appellations communales. Le millésime 2003 a produit 26 504 hl sur 633 ha.

CH. BISTON-BRILLETTE 2001 *

Cru bourg. 22 ha 118 000 11 à 15 €

86 88 89 (90) 91 93 94 |95| |96| 97 98 99 **00** 01

Les Barbarin cherchent à concilier la puissance et l'élégance. C'est chose faite dans ce vin séveux. On y trouve rondeur et volume, souplesse et concentration ; tout chez lui est croquant, notamment ses arômes de fruits relevés de notes de violette et de bois. Mais ne nous y trompons pas, il demandera encore trois à quatre ans pour devenir vraiment un vin-plaisir.

EARL Ch. Biston-Brillette,
Petit-Poujeaux, 33480 Moulis-en-Médoc,
tél. 05.56.58.22.86, fax 05.56.58.13.16,
e-mail contact@châteaubistonbrillette.com
t.l.j. sf dim. 10h-12h 14h-18h; sam. 10h-12h
Michel Barbarin

CH. BRILLETTE 2001 *

Cru bourg. 22,5 ha 120 000 15 à 23 €

94 95 |96| **98** 99 **00** 01

Ce cru tire son nom des reflets particuliers des cailloux tapissant son sol : un tel terroir est gage de qualité. Bien équilibré avec des tanins fondus et un bouquet élégant, son vin est plaisant. Il pourra être servi sur des viandes blanches d'ici deux à trois ans.

SA Ch. Brillette, 33480 Moulis-en-Médoc,
tél. 05.56.58.22.09, fax 05.56.58.12.26,
e-mail secretariat@chateau-brillette.fr
t.l.j. sf sam. dim. 9h-12h30 14h-17h30
Jean-Louis Flageul

CH. CAROLINE 2001

Cru bourg. 8 ha n.c. 11 à 15 €

Prolongeant sur moulis le vignoble du château Lestage, ce cru dispose de nouveaux chais. Il propose ici un vin encore un peu discret au nez mais très plaisant par ses arômes de fruits rouges confits qui s'accordent avec sa souplesse et ses tanins fondus. Bien équilibré et d'une bonne longueur, il gagnera à être attendu quatre ou cinq ans.

Ch. Lestage, 33480 Listrac-Médoc,
tél. 05.56.58.02.43, fax 05.56.58.04.33,
e-mail vignobles.chanfreau@wanadoo.fr
t.l.j. sf sam. dim. 9h-12h 14h-17h au ch. Fonreaud

CH. CHASSE-SPLEEN 2001 **

Cru bourg. 40 ha 300 000 15 à 23 €

75 76 **78 79** 80 **81 82** |(83)| **85 86** |**88**| 89 |**90**| 91 92 93 94 |**95**| |**96**| |**97**| **98 99 00 01**

A deux petites minutes de la superbe église romane de Moulis, ce cru doit sa célébrité à son nom (sans doute d'inspiration littéraire) mais aussi à la qualité de son vin. Celle-ci trouve une belle illustration dans cette bouteille dont la robe grenat est aussi soutenue que le bouquet. Mêlant le bois et le fruit, ses parfums créent une sensation de finesse et d'équilibre qui se retrouve dans un palais aux tanins harmonieux. Une longue finale torréfiée couronnant le tout, on n'hésitera pas à laisser ce millésime en cave pendant cinq ou six ans avant de l'ouvrir pour accompagner une viande rouge ou un fromage.

SA Ch. Chasse-Spleen,
2558, Grand-Poujeaux Sud, 33480 Moulis-en-Médoc,
tél. 05.56.58.02.37, fax 05.57.88.84.40,
e-mail info@chasse-spleen.com r.-v.
Céline Villars-Foubet

CH. LA CLOSERIE DU GRAND-POUJEAUX 2001 *

Cru bourg. 7 ha 35 000 11 à 15 €

Du même producteur que le Haut Franquet, ce vin souple et rond saura très vite livrer le charme de son bouquet aux notes de fruits surmûris. Il possède cependant une structure suffisante pour supporter une garde de deux à quatre ans.

SARL Seguin-Bacquey, Grand-Poujeaux,
33480 Moulis-en-Médoc, tél. 05.56.58.01.89,
fax 05.56.58.05.21 t.l.j. 9h-12h 14h-20h

CH. DUPLESSIS 2001

Cru bourg. 18,58 ha 60 200 11 à 15 €

Le domaine abrita un pavillon de chasse (aujourd'hui disparu) qui appartenait au duc de Richelieu, gouverneur de Guyenne. Résolument moderne, ce vin permettra à l'amateur un peu pressé de profiter sans attendre de sa souplesse charmeuse et de son bouquet de fruits rouges vanillés.

🔑 Vignobles Marie-Laure Lurton,
2036, Chalet, 33480 Moulis-en-Médoc,
tél. 05.56.58.22.01, fax 05.56.58.15.10,
e-mail contact@vignobles-marielaurelurton.com
☑ 🚶 r.-v.

CH. DUTRUCH GRAND POUJEAUX 2001 ★★

■ Cru bourg. 26 ha 102 000 11 à 15 €

81 82 (83) **85 86** |88| 89 90 93 94 |95| |**96**| 97 |98| 99 00 **01**

Situé au cœur du hameau de Grand-Poujeaux et de la croupe homonyme, ce château bénéficie d'un beau terroir. Il en exprime la personnalité par ce vin au bouquet complexe (fruits mûrs, grillé, vanille et cacao) et à la solide structure. Sa chair et ses tanins soyeux invitent à le laisser trois ou quatre ans en cave pour mettre en valeur ensuite un aloyau ou une côte de bœuf grillés sur les sarments.

🔑 EARL François Cordonnier, Ch. Dutruch Grand Poujeaux, 33480 Moulis-en-Médoc, tél. 05.56.58.02.55, fax 05.56.58.06.22, e-mail chateau.dutruch@aquinet.net
☑ 🍷 🚶 t.l.j. sf sam. dim. 9h30-12h 14h-17h;
f. 25 déc.-5 jan.

CH. LA GARRICQ 2001

■ 3 ha 15 000 15 à 23 €

93 94 95 |96| **98** 99 01

Même producteur que le haut-médoc Paloumey. Rubis, soutenu et brillant, ce vin, aux notes épicées et vanillées montre son ampleur dès l'attaque. D'une bonne présence tannique, charnu, il donne le choix entre une consommation immédiate ou une garde de trois à quatre ans.

🔑 Ch. Paloumey,
50, rue Pouge-de-Beau, 33290 Ludon-Médoc,
tél. 05.57.88.00.66, fax 05.57.88.00.67,
e-mail info@chateaupaloumey.com ☑ 🍷 🚶 r.-v.

CH. GRANINS GRAND POUJEAUX 2001 ★

■ Cru bourg. 9,25 ha 39 000 11 à 15 €

Jadis château Peyrodon, ce cru a pris son nom et son visage actuels, grâce à Edouard Batailley qui l'a constitué parcelle après parcelle pendant soixante ans. Dans l'esprit des moulis modernes, ce 2001 présente un bon équilibre entre la souplesse et la puissance. Le mariage du cassis et du poivre, et la fusion des tanins du bois et du vin composent un ensemble harmonieux, déjà agréable tout en possédant un bon potentiel d'évolution.

🔑 SCEA Batailley, Ch. Granins Grand Poujeaux,
Grand-Poujeaux, 33480 Moulis-en-Médoc,
tél. 05.56.58.05.82, fax 05.56.58.05.26,
e-mail sceabatailley@wanadoo.fr ☑ 🍷 🚶 r.-v.

CH. GUITIGNAN 2001

■ Cru bourg. 8 ha 40 000 11 à 15 €

Sans rivaliser avec les 1999 et 2000, particulièrement réussis, ce vin porte encore la marque de l'élevage. Mais sa robe grenat, son intensité et sa complexité aromatiques (réglisse et sirop de fraise), sa chair et ses tanins bien fondus se portent garants de ses possibilités d'évolution au cours des années à venir.

🔑 Cave de vinification de Listrac,
21, av. de Soulac, 33480 Listrac-Médoc,
tél. 05.56.58.03.19, fax 05.56.58.07.22,
e-mail grandlistrac@cave-listrac-medoc.com ☑ 🍷 🚶 r.-v.
🔑 Annie Vidaller

CH. HAUT-FRANQUET 2001 ★★

■ Cru bourg. 5 ha 25 000 8 à 11 €

Comme pour leurs autres crus, les vignobles Seguin-Bacquey ont choisi d'appliquer ici les méthodes traditionnelles et la lutte raisonnée. Avec un succès réel dans ce millésime difficile. L'élégance de la robe et du bouquet, mêlant avec bonheur cassis et notes toastées, se retrouve au palais. Ses tanins soyeux, son gras et sa concentration destinent cette bouteille à une belle garde (de trois à six ans). Produit sur 9 ha, le **Château Bel Air Lagrave 2001 (11 à 15 €)** obtient une étoile. C'est également un vin de garde.

🔑 SARL Seguin-Bacquey, Grand-Poujeaux,
33480 Moulis-en-Médoc, tél. 05.56.58.01.89,
fax 05.56.58.05.21 ☑ 🍷 🚶 t.l.j. 9h-12h 14h-20h

CH. JANDER 2001

■ 1,89 ha 8 000 11 à 15 €

Commandé par un beau château du XIXe s., ce cru propose avec ce 2001 un vin encore dominé par le bois. On devine qu'il a du répondant, tant par son bouquet, aux notes de fruits confits et de réglisse, que par sa structure tannique, qui invite à une attente de deux à trois ans.

🔑 SCE Vignobles Jander, 41, av. de Soulac,
33480 Listrac-Médoc, tél. 05.56.58.01.12,
fax 05.56.58.01.57, e-mail vignobles.jander@wanadoo.fr
☑ 🍷 🚶 t.l.j. sf sam. dim. 9h-12h 14h-18h

CH. LALAUDEY 2001 ★★

■ 6,5 ha 45 000 11 à 15 €

Régulier en qualité, ce cru reste fidèle à sa tradition avec ce millésime fort réussi. D'une grande concentration, son bouquet développe de beaux arômes de fruits rouges dont l'élégance est renforcée par l'apport d'un élevage bien dosé. Cet équilibre se retrouve dans un palais soyeux aux tanins bien fondus. Tout indique une vendange mûre et un réel potentiel de garde.

🔑 Régis Bernaleau, SCEA Mongravey,
8, av. Jean-Luc-Vonderheyden, 33460 Arsac,
tél. 05.56.58.84.51, fax 05.56.58.83.39,
e-mail chateau.mongravey@wanadoo.fr ☑ 🏠 🍷 🚶 r.-v.

CH. MALMAISON 2001 ★

■ Cru bourg. 24 ha 98 000 15 à 23 €

88 89 90 **91** 92 93 94 |95| |96| 97 **98 99 00 01**

Bien qu'essentiellement listracais, le domaine du château Clarke déborde sur moulis où se trouvent les vignes qui forment ce cru. D'une belle couleur rouge à reflets violets, son vin séduit par la fraîcheur de son bouquet où les fruits rouges se mêlent au cacao. Ample, charnu et tannique, le palais est bien constitué pour affronter la garde. On l'attendra trois ou quatre ans afin de laisser au bois le temps de se fondre.

CV Edmond et Benjamin de Rothschild,
33480 Listrac-Médoc,
tél. 05.56.58.38.00, fax 05.56.58.26.46,
e-mail chateau.clarke@wanadoo.fr V

CH. MAUCAILLOU 2001 *

■ Cru bourg. 60 ha 388 000 15 à 23 €

81 82 83 85 86 87 |88| |89| |90| 91 92 93 94 |95| |(96)| |97| 98 99 00 01

Son musée des Arts et Métiers de la vigne fait de ce cru l'une des étapes incontournables de l'œnotourisme en Médoc. Mais l'intérêt premier reste son vin. Bien typé par sa belle robe, ce 2001 retient l'attention par son expression aromatique, où des notes toastées et animales rejoignent les fruits rouges. L'attaque, la présence tannique ronde et soyeuse, la structure bien équilibrée et la finale complexe incitent à attendre cette bouteille trois ou quatre ans. On le servira avec une viande en sauce.

Philippe Dourthe, quartier de la Gare,
33480 Moulis-en-Médoc, tél. 05.56.58.01.23,
fax 05.56.58.00.88, e-mail chateau@maucaillou.com
V Y t.l.j. 10h-12h30, 14h-18h

CH. MOULIN A VENT 2001

■ 25 ha 120 000 11 à 15 €

Situé à l'ouest de l'appellation, sur la route de Soulac, ce cru doit son nom à un ancien moulin à vent aujourd'hui disparu. Sans être très étoffée, la matière de ce vin a été bien exploitée. Elle permet de profiter dès à présent des qualités aromatiques de cette bouteille aux senteurs de fruits et de sous-bois.

Dominique Hessel, Ch. Moulin à Vent, Bouqueyran,
33480 Moulis-en-Médoc, tél. 05.56.58.15.79,
fax 05.56.58.39.89, e-mail hessel@moulin-a-vent.com
V Y t.l.j. sf sam. dim. 9h-12h 13h30-17h30; f. août

CH. LA MOULINE 2001 *

■ Cru bourg. 17,18 ha 80 000 8 à 11 €

Entre un moulin à vent et un moulin à eau, ce cru rappelle que la commune de Moulis fut pendant longtemps celle des moulins. Bien typé par la profondeur de sa robe, ce vin développe un bouquet délicat (fruits rouges et bois) avant de révéler son volume et d'affirmer sa personnalité par des tanins puissants et enrobés. Bien construit, l'ensemble invite à faire preuve de patience pendant cinq à six ans pour profiter pleinement du charme de cette bouteille.

SARL JLC Coubris, 90, rue Marcelin-Jourdan,
33200 Bordeaux, tél. 05.56.17.13.17, fax 05.56.17.13.18,
e-mail cedric-coubris@chateaulamouline.com
V Y t.l.j. sf sam. dim. 8h-12h 13h-17h; f. août

CH. POUJEAUX 2001 *

■ Cru bourg. 55 ha 280 000 15 à 23 €

81 82 83 85 (86) 87 |88| |89| |90| 93 94 |95| |96| |97| 98 99 00 01

L'accord entre le terroir (graves garonnaises) et l'encépagement (cabernets, complétés par le merlot et le petit verdot) donne sa tonalité à ce cru justement renommé, qui a été coup de cœur à six reprises. S'il est encore dominé par le bois, ce 2001 montre déjà son harmonie par la complexité de son expression aromatique aux notes de grillé, de vanille et de cannelle.

Jean Theil SA,
Ch. Poujeaux, 33480 Moulis-en-Médoc,
tél. 05.56.58.02.96, fax 05.56.58.01.25,
e-mail chateau-poujeaux@wanadoo.fr V Y r.-v.

Pauillac

À peine plus peuplé qu'un gros bourg rural, Pauillac est une vraie petite ville, agrémentée, qui plus est, d'un port de plaisance sur la route du canal du Midi. C'est un endroit où il fait bon déguster, à la terrasse des cafés sur les quais, les crevettes fraîchement pêchées dans l'estuaire. Mais c'est aussi, et surtout, la capitale du Médoc viticole, tant par sa situation géographique, au centre du vignoble, que par la présence de trois premiers crus classés (Lafite, Latour et Mouton) que complète une liste assez impressionnante de 18 crus classés. La coopérative assure une production importante. L'appellation a produit 46 553 hl sur 1 214 ha en 2003.

L'appellation est coupée en deux en son centre par le chenal du Gahet, petit ruisseau séparant les deux plateaux qui portent le vignoble. Celui du nord, qui doit son nom au hameau de Pouyalet, se distingue par une altitude légèrement plus élevée (une trentaine de mètres) et par des pentes plus marquées. Détenant le privilège de posséder deux premiers crus classés (Lafite et Mouton), il se caractérise par une parfaite adéquation entre sol et sous-sol, que l'on retrouve aussi dans le plateau de Saint-Lambert. S'étendant au sud du Gahet, ce dernier s'individualise par la proximité du vallon du Juillac, petit ruisseau marquant la limite méridionale de la commune, qui assure un bon drainage, et par ses graves de grosse taille qui sont particulièrement remarquables sur le terroir du premier cru de ce secteur, Château Latour.

Provenant de croupes graveleuses très pures, les pauillac sont des vins corsés, puissants et charpentés, mais aussi fins et élégants, avec un bouquet délicat. Comme ils évoluent très heureusement au vieillissement, il convient de les attendre. Mais ensuite, il ne faut pas avoir peur de les servir sur des plats assez forts comme, par exemple, des préparations de champignons, des viandes rouges, du gibier ou du foie gras.

CH. D'ARMAILHAC 2001 ★

■ 5e cru clas. 49 ha 190 800 ◖◗ 30 à 38 €

72 73 74 75 78 **79 80 81 82 83 84** **|85|** |(86)| 87 **|88|**
|89| **|90|** 92 **|93|** 94 **|95|** |96| 97 **98** 99 00 01

Bien que son destin soit lié depuis les années 1920 à celui de Mouton, ce cru, s'il a plusieurs fois changé de nom, a toujours conservé sa personnalité. On la retrouve dans les tanins fondus de ce millésime, dont la fermeté de l'attaque est rapidement dissipée par le côté charnu du palais. Celui-ci, équilibré, se montre plein d'allant et très persistant. Ses arômes de fruits noirs, d'épices (clou de girofle et muscade) et de boisé toasté s'exprimeront pleinement dans deux ou trois ans sur un coq au vin.

🔑 SA Baron Philippe de Rothschild, BP 117,
33250 Pauillac, tél. 05.56.73.20.20, fax 05.56.73.20.44,
e-mail webmaster@bpdr.com
🔑 GFA Baronne Ph. de Rothschild

CH. BATAILLEY 2001 ★★

■ 5e cru clas. n.c. 320 000 ◖◗ 23 à 30 €

70 75 76 78 79 80 81 82 **83** **|85|** **|86|** **|88|** |89| |90| 91
92 93 **|95|** |(96)| **|97|** **98** |99| 00 **01**

Notaires puis négociants en vins, les Castéja sont l'une des plus anciennes familles propriétaires de grands crus du Médoc. Avec sa robe d'un noir profond et brillant, leur 2001 montre d'emblée qu'il a du répondant. La finesse et la délicatesse du bouquet s'expriment par des notes de confitures, de mûre sauvage et de pruneau. Au palais, cette palette aromatique complexe s'enrichit de touches de merise, de myrtille et de cassis, donnant naissance à de somptueuses flaveurs. Des tanins abondants et de qualité destinent cette bouteille à la garde et à une alliance gourmande avec un gigot d'agneau (de préférence de Pauillac).

🔑 Héritiers Castéja, 33250 Pauillac,
tél. 05.56.00.00.70, fax 05.57.87.48.61,
e-mail domaines.boriemanoux@dial.oleane.com
☑ 🍷 🚶 r.-v.

CH. LA BECASSE 2001 ★

■ 4 ha 28 000 ◖◗ 23 à 30 €

91 92 93 94 |95| 96 97 **98 00** 01

Sa taille modeste n'empêche pas ce cru de se maintenir à un très bon niveau. Affirmant sa jeunesse par la vivacité de sa robe, ce vin séduit par la finesse et l'élégance de son bouquet où les fruits mûrs, le cassis et le pruneau croisent les épices. Rond, plein et ample, le palais évolue en douceur, tout en révélant une riche texture faite de tanins à grains fins. Un ensemble harmonieux, à attendre au moins cinq ans.

🔑 Roland Fonteneau,
21, rue Edouard-de-Pontet, 33250 Pauillac,
tél. 05.56.59.07.14, fax 05.56.59.18.44 ☑ 🚶 r.-v.

CH. BELLEGRAVE 2001 ★

■ Cru bourg. 7,02 ha 31 000 ◖◗ 15 à 23 €

|97| 98 **99 00** 01

Du même producteur que le château du Glana (saint-julien), ce vin est lui aussi d'une belle tenue. Celle-ci s'annonce dès l'examen visuel : d'un grenat profond, la robe est traversée de reflets violines attestant sa jeunesse. Toast, épices et fruits rouges, le bouquet prépare à la découverte d'une attaque fort plaisante. Porté par des tanins soyeux, le palais fait preuve d'un bel équilibre. Il s'accorde avec la finale pour dire que l'on est en présence d'un vrai vin de garde, à attendre au moins trois ans. Plus simple mais de bon ton, le second vin du cru, **Les Sieurs de Bellegrave 2001 (11 à 15 €)**, a été cité.

🔑 Ch. Bellegrave, 22, rte des Châteaux,
33250 Pauillac, tél. 05.56.59.06.47, fax 05.56.59.06.51,
e-mail contact@chateau-bellegrave.fr ☑ 🍷 🚶 r.-v.
🔑 J.-P. Meffre

CH. CLERC MILON 2001 ★

■ 5e cru clas. 31 ha 122 500 ◖◗ 15 à 23 €

75 76 78 79 **|82|** **|83|** **|85|** **|86|** **87** **|88|** **|89|** **|90|** **92 93**
94 (95) **|96|** **|97|** 98 **99 00** 01

C'est en 1970 que le baron Philippe de Rothschild acheta Clerc Milon. Pour ce millésime, l'équipe de Mouton qui officie aussi à Clerc Milon a choisi de donner une part significative au merlot (36 % de l'assemblage). Le résultat est un vin à la texture douce et enveloppante, aux tanins mûrs et ronds. Le bouquet fait preuve d'une bonne complexité et le bois respecte le fruit. Cette bouteille pourra être appréciée d'ici deux à trois ans.

🔑 SA Baron Philippe de Rothschild, BP 117,
33250 Pauillac, tél. 05.56.73.20.20, fax 05.56.73.20.44,
e-mail webmaster@bpdr.com
🔑 GFA Baronne Ph. de Rothschild

CH. CROIZET-BAGES 2001

■ 5e cru clas. 25 ha 150 000 ◖◗ 15 à 23 €

93 94 |95| |96| 97 |98| 99 **00** 01

Né sur un cru classé très discret, peut-être en raison de l'absence de château au sens architectural du terme, ce vin à la belle robe sombre est encore un peu timide dans son développement aromatique. Mais à l'aération on devine les fruits du bouquet naissant. Après une attaque assez austère, le palais s'épanouit agréablement et invite à attendre deux ou trois ans pour apprécier ce 2001.

🔑 Jean-Michel Quié, Ch. Croizet-Bages,
9, rue du Port-de-la-Verrerie, 33250 Pauillac,
tél. 05.56.59.66.69, fax 05.56.59.23.39,
e-mail jphiquie@net-up.com ☑ 🚶 r.-v.

CH. DUHART-MILON 2001 ★★

■ 4e cru clas. n.c. 240 000 ◖◗ 46 à 76 €

61 70 75 76 79 80 **81** **|82|** **|83|** **|85|** **|86|** **87** **|88|** **|89|** **90**
91 92 **|93|** 94 **95 96** **|97|** **98 99** 00 **01**

Dans l'élaboration de ce millésime, l'équipe de Lafite a préféré ne pas trop pousser l'extraction. Le résultat est un vin aimable qui se livre avec facilité. On apprécie l'élégance de son expression aromatique : de fines notes vanillées saupoudrées sur un océan de fruits avec un soupçon de cuir. Son amabilité n'exclu pas un volume et une puissance qui invitent, comme la belle finale épicée, à l'attendre quelques années. Frais et tannique, le second vin, **Moulin de Duhart 2001 (11 à 15 €)**, a obtenu une étoile.

🔑 Ch. Duhart-Milon, 33250 Pauillac,
tél. 01.53.89.78.00, fax 01.53.89.78.01

CH. LA FLEUR MILON 2001 ★★

■ Cru bourg. 12,5 ha 85 000 ▮◖◗🌡 15 à 23 €

94 (95) **96 97 98 00 01**

Respectueux de la tradition médocaine par son encépagement diversifié, ce cru s'inscrit dans la typicité de l'appellation par sa trame serrée de beaux tanins soyeux et par son aptitude à la garde, annoncée par la profondeur de

sa robe. Intense et élégant, son bouquet n'est pas en reste, avec des notes de cannelle, de truffe et de liqueur de prune. On servira ce vin dans quatre à cinq ans, ou plus, sur un plat de caractère comme un magret aux pêches.
⊶ SCE Ch. La Fleur Milon, Le Pouyalet,
33250 Pauillac, tél. 05.56.59.29.01, fax 05.56.59.23.22,
e-mail contact@lafleurmilon.com
☒ Y ⚲ t.l.j. sf sam. dim. 8h30-11h30 14h-17h;
f. 24-31 août, vendanges
⊶ Héritiers Gimenez

CH. FONBADET 2001 *

■ Cru bourg. 20 ha 50 000 ◍ 15 à 23 €

75 76 78 79 81 82 83 85 86 88 |89| |90| 93 95 |96| 97 98 99 00 01

Ici, on n'a pas attendu l'apparition du terme pour pratiquer l'œnotourisme. La visite du domaine sera l'occasion de découvrir ce joli vin, né sur les croupes de graves profondes du Pouyalet et de Saint-Lambert. Les cinq cépages médocains, dans les meilleures proportions d'assemblage pauillacais, ont un âge respectable ! Le bouquet révèle une bonne présence des fruits mûrs qui commencent à percer derrière un bois de qualité. Fin, élégant, bien équilibré et soutenu par des tanins soyeux, le palais sera très agréable dans deux ou trois ans et pendant quelques années.
⊶ SCEA Domaines Peyronie, Ch. Fonbadet,
33250 Pauillac, tél. 05.56.59.02.11, fax 05.56.59.22.61,
e-mail pascale@chateaufonbadet.com ☒ Y ⚲ r.-v.

CH. GRAND-PUY DUCASSE 2001 *

■ 5e cru clas. 38,67 ha 120 000 ◍ 30 à 38 €

82 83 84 85 86 88 89 |90| 91 92 93 94 |95| 96 97 |98| |99| 00 01

Propriété du groupe Cordier Mestrezat, ce cru, créé au XVIIIᵉs. par un avocat bordelais, Pierre Ducasse, se compose de trois parcelles réparties entre les grands terroirs pauillacais. Typé par l'intensité de sa robe, ce vin se montre très expressif par son bouquet de petites baies rouges mûres. Fin et bien dosé, le bois soutient le fruit sans l'écraser. Une solide présence tannique voue cette bouteille structurée à la garde. On ne l'ouvrira pas avant cinq ou six ans. Pour patienter, on pourra apprécier dans trois ou quatre ans le second vin, **Prélude à Grand-Puy Ducasse 2001 (15 à 23 €)**, qui a été cité.
⊶ SC du Ch. Grand-Puy Ducasse, La Croix Bacalan,
109, rue Achard, BP 154, 33042 Bordeaux Cedex,
tél. 05.56.11.29.00, fax 05.56.11.29.01

CH. GRAND-PUY-LACOSTE 2001 *

■ 5e cru clas. 55 ha 185 000 ◍ 30 à 38 €

61 66 70 71 75 76 78 81 82 83 |85| |(86)| 87 |88| |89| 90 91 92 93 94 95 96 |97| 98 |99| 00 01

Si, dans la tradition des grands crus médocains, Grand-Puy-Lacoste fut créé par un conseiller du Parlement de Bordeaux au début du XVIIIᵉs., le château actuel date de 1850. Il est entré dans la famille Borie en 1978. Coup de cœur l'an dernier pour un magnifique 2000, ce domaine n'a pas succombé à la tentation – ou facilité – du merlot. Aussi ce jeune 2001 se montre-t-il encore un peu discret. Mais son bouquet naissant laisse apparaître des odeurs de toast et d'amande grillée. De son côté, le palais, corsé, séveux et soutenu par des tanins sévères mais élégants, en dit long sur ses possibilités de garde. Il faudra savoir l'attendre. Le second vin, le **Lacoste Borie 2001 (11 à 15 €)**, a obtenu une citation. Il est soyeux et sera plus vite prêt.
⊶ Domaines F. Xavier Borie, 33250 Pauillac,
tél. 05.56.59.06.66, fax 05.56.59.22.27,
e-mail domainesfxborie@domainesfxborie.com

CH. HAUT BAGES LIBERAL 2001 *

■ 5e cru clas. n.c. n.c. ◍ 23 à 30 €

75 76 78 79 80 81 |(82)| 83 84 |85| |86| 87 |88| |89| |90| 91 92 |93| |94| |95| |96| |97| (98) 99 (00) 01

Lauréate de la Grappe d'or du Guide l'an dernier pour le millésime 2000, Claire Villars reste fidèle à l'esprit du pauillac. Confirmant l'évolution des vinifications du cru au cours des derniers millésimes, ce 2001 révèle une recherche d'élégance. Celle-ci se lit dans le bouquet naissant, où le cabernet-sauvignon (80 % de l'encépagement) vient rejoindre les notes de café et de truffe. Encore jeunes et solides, mais de qualité, les tanins structurent une bouche ample et s'accordent avec la longue finale pour garantir l'aptitude à la garde de ce vin qui demandera un séjour en cave de cinq ou six ans. Destiné à une consommation précoce, le second vin, **La Chapelle de Bages 2001 (11 à 15 €)**, a été cité.
⊶ Claire Villars,
Ch. Haut-Bages Libéral, Saint-Lambert, 33250 Pauillac,
tél. 05.57.88.76.65, fax 05.57.88.98.33,
e-mail infos@hautbagesliberal.com Y ⚲ r.-v.

CH. HAUT-BATAILLEY 2001 *

■ 5e cru clas. 22 ha 110 000 ◍ 23 à 30 €

66 71 75 78 81 82 83 84 85 |86| 87 |88| |89| 90 91 92 |93| |94| 95 96 |97| 98 99 00 01

Les habitués du cru ne retrouveront peut-être pas la même puissance tannique que dans les autres millésimes de Haut-Batailley. Cette année c'est au contraire par leur tendreté que les tanins se distinguent. Cette délicatesse s'accorde bien avec les notes fruitées et florales du bouquet et avec les nuances de violette et de réglisse de la finale. Mais elle n'exclue pas un palais riche et bien construit qui gagnera à être attendu deux ou trois ans.
⊶ Domaines F. Xavier Borie, 33250 Pauillac,
tél. 05.56.59.06.66, fax 05.56.59.22.27,
e-mail domainesfxborie@domainesfxborie.com

CH. LAFITE ROTHSCHILD 2001 **

■ 1er cru clas. 100 ha 260 000 ◍ + de 76 €

59 (61) 64 66 69 |70| 73 |75| 76 77 |78| 79 80 |81| |82| |83| 84 |85| |86| 87 |88| |89| 90 |92| |93| |94| (95) (96) 97 (98) 99 (00) 01

Lafite dérive du gascon *la hite*, c'est-à-dire la butte : une croupe épaisse de graves. Ancienne seigneurie, ce cru doit son prestige aux Ségur, qui plantèrent le vignoble à la fin du XVIIᵉs. Le bel ensemble architectural date de cette époque. En 2001, l'équipe de Charles Chevallier a choisi de laisser le temps au temps et de faire preuve de patience pour suivre un cycle végétatif long. Bien lui en a pris, car elle a ainsi préservé la richesse et la complexité aromatique de ce vin qui joue sur des notes de cuir, de fruits rouges, de réglisse, de grillé et de moka. Ample et puissant, le palais s'appuie sur des tanins de velours pour livrer une foule de saveurs et annoncer un grand potentiel de garde, confirmé par la longue finale où s'exprime le raisin. Il ne faudra pas avoir peur d'attendre sept ou huit ans avant d'ouvrir cette très belle bouteille.

🔑 Ch. Lafite Rothschild, 33250 Pauillac, tél. 01.53.89.78.00, fax 01.53.89.78.01 🍷 🚶 r.-v.

CARRUADES DE LAFITE 2001 ★

■ n.c. 260 000 ⅠⅠ 38 à 46 €

85 86 |**88**| |**89**| |90| 92 93 |94| **95** **96** 97 98 **99** 00 01

Seconde étiquette de Lafite, ce vin montre qu'il est de bonne origine par sa teinte qui hésite entre le rouge sang et le grenat foncé. Encore proche de la vendange, son bouquet fait lui aussi une belle place aux fruits rouges. Au palais, on retrouve un joli fruit qui s'accorde bien avec la rondeur de son caractère. Ample et ferme, la finale appelle la garde.

🔑 Ch. Lafite Rothschild, 33250 Pauillac, tél. 01.53.89.78.00, fax 01.53.89.78.01 🍷 🚶 r.-v.

CH. LATOUR 2001 ★★★

■ 1er cru clas. 66 ha 150 000 ⅠⅠ + de 76 €

|(61)| 67 71 73 74 75 |**76**| 77 |**78**| 79 |**80**| 81 |**82**| |**83**| 84 |**85**| |**86**| |**87**| |**88**| |**89**| **90** |**91**| |**92**| |**93**| |**94**| (95) **96** |**97**| (98) **99** (00) **01**

La célèbre tour que l'on voit dans le vignoble est en réalité un colombier du XVIIe s. – sans doute construit avec des pierres de la forteresse initiale, prise pendant la guerre de Cent Ans. Mis en valeur dès le XVIe s., le cru atteignait déjà les sommets de la qualité au XVIIIe s. Né dans le nouveau cuvier du cru auquel François Pinault, propriétaire depuis 1993, a donné une dimension majestueuse, ce vin est une magnifique expression du pauillac. Impérial dans sa profonde robe rouge à reflets noirs, il déploie un bouquet aussi racé qu'intense. Sa complexité semble sans limite. Cassis, réglisse, fruits frais et confits, épices, vanille, tout est nuance, à commencer par le soutien du bois, parfaitement fondu. L'attaque, bien vineuse, révèle des tanins veloutés et onctueux qu'appuie une belle acidité. Un ensemble puissant et élégant, équilibré et harmonieux, voué à une très grande garde. Il serait vraiment dommage de déboucher cette superbe bouteille avant sept, huit ou dix ans.

🔑 SCV du Ch. Latour, Saint-Lambert, 33250 Pauillac, tél. 05.56.73.19.80, fax 05.56.73.19.81 🍷 🚶 r.-v.
🔑 F. Pinault

LES FORTS DE LATOUR 2001 ★

■ n.c. 120 000 ⅠⅠ 38 à 46 €

80 81 82 83 85 86 87 |**88**| |**89**| **90** 92 94 **95** **96** 97 **98** **99** **00** 01

Le second de Latour sait affirmer sa personnalité. Celle-ci s'exprime par une structure qui ignore l'agressivité tout en montrant par sa solidité qu'elle est faite pour une belle garde. Elégants et tendres, ses tanins s'accordent idéalement avec la délicatesse du bouquet (fruits rouges cuits, réglisse et cassis) pour donner un ensemble élancé, mais qu'il conviendra cependant d'attendre cinq ou six ans.

🔑 SCV du Ch. Latour, Saint-Lambert, 33250 Pauillac, tél. 05.56.73.19.80, fax 05.56.73.19.81 🍷 🚶 r.-v.

CH. LYNCH-BAGES 2001 ★★

■ 5e cru clas. 90 ha 400 000 ⅠⅠ 46 à 76 €

75 |**79**| 80 |**81**| |(82)| |**83**| 84 |**85**| |**86**| |**87**| |**88**| |**89**| **90** |91| |92| |93| **94** 95 **96** |97| (98) **99** (00) **01**

Situé sur le plateau de Bages, au sud de l'appellation, ce cru fut, de 1749 à 1824, propriété d'une famille d'origine

Pauillac

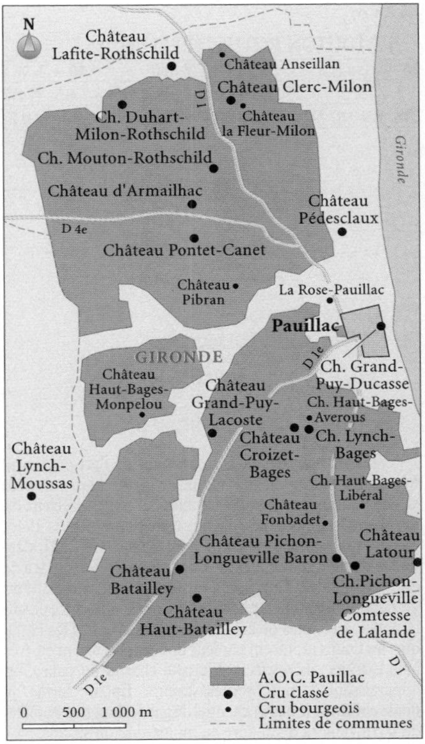

irlandaise, les Lynch, qui lui donnèrent leur nom. André Cazes l'acquit en 1933. Aujourd'hui Jean-Michel Cazes l'administre avec brio : ne fut-il pas Grappe d'or du Guide pour le millésime 98 ? Lynch-Bages bénéficie d'un terroir de qualité comme en témoignent la robe d'un beau rubis velouté de ce 2001 ainsi que son bouquet naissant qui laisse déjà entrevoir des notes de sous-bois, d'humus, de truffe et de cuir. Equilibré, corsé et charnu, le palais s'appuie sur des tanins ronds et élégants pour mener vers une finale bien typée, qui invite à attendre quatre ou cinq ans pour ouvrir cette bouteille sur un gibier ou un fromage. Second vin de la propriété, le **Château Haut-Bages Averous 2001 (23 à 30 €)** a obtenu une étoile.

Jean-Michel Cazes, Ch. Lynch-Bages,
33250 Pauillac, tél. 05.56.73.24.00, fax 05.56.59.26.42,
e-mail infochato@lynchbages.com r.-v.

CH. LYNCH-MOUSSAS 2001

5e cru clas. 35 ha 200 000 15 à 23 €

81 82 83 85 86 88 |89| |90| |93| 95 |96| |97| 98 00 |01|

Ce cru, qui fit partie des domaines de Michel Lynch, mort ici en 1844, appartient aux Castéja depuis 1919. Le vin joue la carte de la finesse : ses tanins respectent le fruit. Le bois sachant également se faire discret, avec une petite note toastée, on obtient un ensemble bien équilibré qui évolue tout en douceur. Une bouteille à ouvrir pour se faire plaisir, dès à présent ou dans deux à trois ans, afin d'accompagner un agneau de Pauillac.

Emile Castéja, 33250 Pauillac,
tél. 05.56.00.00.70, fax 05.57.87.48.61,
e-mail domaines.boriemanoux.@dial.oleane.com
r.-v.

CH. MOUTON ROTHSCHILD 2001 ★★

1er cru clas. 82 ha 277 800 + de 76 €

73 74 |75| 76 77 |78| 79 80 81 |82| |83| 84 |85| (86) |87| |88| |89| 90 |91| |92| |93| |94| (95) |96| |97| (98) 99 (00) 01

Témoignant des liens historiques de l'art et du vin, Mouton a, avec le baron Philippe de Rothschild, puis avec sa fille Philippine, constitué un musée d'objets précieux du vin. Dans cette même exigence esthétique, depuis 1945, chaque millésime est signé par un artiste. Ce 2001 s'annonce par une étiquette illustrée par Robert Wilson. Il a de quoi surprendre. Tant par la profondeur de sa robe, d'un grenat sombre à reflets pourpres que par la puissance de son bouquet, aux notes de café et de chocolat noir. Dès l'attaque, les tanins montrent par leur douceur qu'ils ont été très bien extraits ; ils respectent le côté charnu du palais, où apparaissent de nombreuses saveurs. Encore ferme, la finale confirme le beau potentiel de garde de cette bouteille, qu'il conviendra d'attendre au moins cinq ou six ans.

SA Baron Philippe de Rothschild, BP 117,
33250 Pauillac, tél. 05.56.73.20.20, fax 05.56.73.20.44,
e-mail webmaster@bpdr.com r.-v.

GFA Baronne Ph. de Rothschild

CH. PEDESCLAUX 2001 ★★

5e cru clas. 12,5 ha 120 000 15 à 23 €

Depuis 2003, ce cru s'est ouvert à l'œnotourisme. Une visite en Médoc sera donc une bonne occasion pour déguster *in situ* ce joli vin et découvrir sa robe vermillon et son délicat bouquet aux harmonieux arômes de fruits, de fleurs et d'épices. Après une attaque explosive, sa complexité se confirme, tandis que se révèle une matière à la fois concentrée, profonde et élégante. Sa longue et riche finale confirme son potentiel de garde. Un dégustateur aurait aimé le goûter avec un Saint-Nectaire fermier de belle maturité...

SCEA Ch. Pédesclaux, Padarnac, 33250 Pauillac,
tél. 05.56.59.22.59, fax 05.56.59.63.19,
e-mail contact@chateau-pedesclaux.com
t.l.j. sf sam. dim. 10h30-11h30 14h-16h

Famille Jugla

CH. PIBRAN 2001

Cru bourg. 10 ha 54 000 23 à 30 €

Propriété du groupe Axa Millésimes, comme Pichon Baron, ce cru propose un vin à l'ancienne, encore un peu austère mais bien constitué, destiné à un civet. Il conviendra de l'attendre cinq ou six ans. Egalement de garde, son second vin **Château Tour Pibran 2001 (15 à 23 €)** a, lui aussi, obtenu une citation.

Ch. Pibran, 33250 Pauillac,
tél. 05.56.73.17.17, fax 05.56.73.17.28,
e-mail infochato@pichonlongueville.com

Axa Millésimes

CH. PICHON-LONGUEVILLE BARON 2001 ★★

2e cru clas. 70 ha 200 000 46 à 76 €

78 81 |82| |83| 84 |85| |86| 87 |88| |89| (90) 91 92 93 94 95 (96) |97| 98 99 00 01

Le programme de construction engagé ici au cours des deux dernières décennies a été spectaculaire. Pourtant on étudie aujourd'hui un nouveau chantier destiné à étendre la superficie des chais. Ce 2001 n'en bénéficiera pas, mais il n'en fait pas un complexe. Se présentant dans une remarquable livrée d'un bordeaux profond traversé de reflets violacés, il annonce d'emblée sa jeunesse et sa vocation à la garde. Très expressif, le bouquet confirme l'examen visuel par sa complexité dans laquelle le bois prend toute sa part sans se montrer écrasant. Corsé, charpenté et concentré, le palais révèle une solide présence

tannique qui garantit la longévité de cette bouteille et invite à l'attendre six ou sept ans. Egalement bien charpenté, le second vin, **Les Tourelles de Longueville 2001 (23 à 30 €)**, demande trois ou quatre ans de patience avant d'accompagner une cuisine traditionnelle de qualité (confit ou gibier).
Ch. Pichon-Longueville, BP 46, 33250 Pauillac,
tél. 05.56.73.17.17, fax 05.56.73.17.15,
e-mail infochato@pichonlongueville.com
t.l.j. 9h-12h 14h-18h; sam. dim. sur r.-v.
Axa Millésimes

CH. PICHON-LONGUEVILLE COMTESSE DE LALANDE 2001 ★★

2e cru clas. 75 ha n.c. 46 à 76 €

66 70 71 75 76 78 79 80 81 82 83 84 85 |86| 87 |88| |89| |90| |91| 92 |93| |94| 95 96 |97| 98 99 00 01

Avec 14 % de petit verdot dans l'encépagement de ce millésime, ce cru fait preuve d'originalité. Nul doute que la présence de ce cépage a dû contribuer à la couleur soutenue de ce vin dont la jeunesse se lit dans les reflets violines. Il a aussi sa place dans le côté fruité très marqué du bouquet, qui fait preuve, par ailleurs, d'une belle complexité avec des notes de réglisse, de cacao et de violette. Frais, servi par une bonne présence tannique et une mâche de grande classe, le palais est valorisé par l'élevage. Jouissant d'un bon potentiel de garde tout en étant déjà très agréable, ce vin est ce que l'on peut trouver de mieux quand la douceur épouse la concentration. Commercialisé par le négoce et destiné à une garde moins longue mais lui aussi plein de charme, le second vin de Pichon Lalande, la **Réserve de la Comtesse 2001 (15 à 23 €)**, a obtenu une citation.
SCI Ch. Pichon-Longueville Comtesse de Lalande, 33250 Pauillac, tél. 05.56.59.19.40, fax 05.56.59.26.56, e-mail pichon@pichon-lalande.com r.-v.
May-Eliane de Lencquesaing

CH. PONTET-CANET 2001 ★★

5e cru clas. 80 ha 270 000 30 à 38 €

82 83 84 85 86 87 88 89 |90| 91 92 93 |94| 95 96 |97| 98 99 00 01

Fait rare en Gironde, ce cru possède d'imposantes caves qui ont été creusées au XIXe s. quand la propriété appartenait aux Cruse. S'annonçant par une robe élégante associant les teintes grenat et rubis, ce vin développe un bouquet conciliant richesse et délicatesse, avec des notes de fruits rouges, de réglisse, d'épices et de cuir. L'attaque est ferme ; mais ensuite la chair apparaît ainsi qu'un volume ample reposant sur une remarquable structure. Solide et puissant, ce 2001 est un vrai vin de garde, qu'il conviendra d'attendre pendant quelques années. La seconde étiquette du cru, **Les Hauts de Pontet-Canet 2001 (15 à 23 €)** a été citée.
Alfred Tesseron, Ch. Pontet-Canet, 33250 Pauillac, tél. 05.56.59.04.04, fax 05.56.59.26.63, e-mail pontet-canet@wanadoo.fr r.-v.

CH. PUY LA ROSE 2001

Cru bourg. 8 ha 40 000 15 à 23 €

S'il n'est pas voué à une grande garde, ce vin sait se montrer plaisant actuellement par un équilibre reposant sur de fins tanins, qui mettent en valeur son élégante expression aromatique, où les fruits et les épices côtoient le sous-bois et le grillé de la barrique.
Sté des Vignobles Jugla, Ch. Colombier-Monpelou, 33250 Pauillac, tél. 05.56.59.01.48, fax 05.56.59.12.01 r.-v.

CH. LA TOURETTE 2001

3 ha 18 000 15 à 23 €

Du même producteur que le Larose-Trintaudon (haut-médoc), ce vin montre le savoir-faire de ses auteurs par la bonne intégration du bois dans l'ensemble. C'est vrai du bouquet où les notes de pain grillé se fondent dans les fruits rouges de l'arrière-plan, comme du palais qui a su trouver un bon compromis entre la puissance et la finesse, grâce à ses tanins veloutés. Fraîche et bien faite, cette bouteille est à boire jeune ou dans quelques années mais dans les deux cas sur un plat ayant de la personnalité.
SA Ch. Larose-Trintaudon, rte de Pauillac, 33112 Saint-Laurent-Médoc, tél. 05.56.59.41.72, fax 05.56.59.93.22, e-mail info@trintaudon.com r.-v.
AGF

Saint-estèphe

A quelques encablures de Pauillac et de son port, Saint-Estèphe affirme un caractère terrien avec ses rustiques hameaux pleins de charme. Correspondant (à l'exception de quelques hectares compris dans l'appellation pauillac) à la commune elle-même, l'appellation (1 254 ha déclarés en 2003 et 52 494 hl) est la plus septentrionale des six appellations communales médocaines. Ceci lui donne une typicité assez accusée, avec une altitude moyenne d'une quarantaine de mètres et des sols formés de graves légèrement plus argileuses que dans les appellations plus méridionales. L'appellation compte cinq crus classés, et les vins qui y sont produits portent la marque du terroir. Celui-ci renforce nettement leur caractère, avec, en général, une acidité des raisins plus élevée, une couleur plus intense et une richesse en tanins plus grande que pour les autres médocs. Très puissants, ce sont d'excellents vins de garde.

CH. ANDRON BLANQUET 2001 ★

Cru bourg. 16 ha 60 000 11 à 15 €

85 86 88 89 90 93 94 95 96 97 |98| |99| 00 01

Appartenant aux Audoy, également propriétaires de Cos Labory, ce vignoble aurait pu n'être qu'une simple annexe du cru classé. Comme les précédents, ce millésime prouve qu'il n'en est rien. Sa robe, d'un rubis intense, annonce la puissance de la structure reposant sur de jolis tanins garants d'une sérieuse aptitude à la garde. Mais cette richesse a le bon goût de respecter la finesse du bouquet et du palais qui témoignent tous deux d'un bon équilibre entre le bois et le fruit.

⌐ SCE Domaines Audoy, Ch. Andron Blanquet,
33180 Saint-Estèphe, tél. 05.56.59.30.22,
fax 05.56.59.73.52, e-mail cos-labory@wanadoo.fr ☑

CH. BEAU-SITE 2001

■ Cru bourg.	n.c.	200 000	ⅱ 15 à 23 €

Ce domaine jouit d'une vue superbe sur l'estuaire de la Gironde. La simplicité de sa finale n'empêche pas ce vin de se montrer fort intéressant. Son bouquet, assez puissant, bénéficie d'un beau mariage du bois et du fruit, avec des notes de cèdre. Au palais, on retrouve de la finesse et un bon équilibre grâce à des tanins de qualité, qui savent manifester leur présence sans se montrer agressifs.
⌐ Héritiers Castéja, 33250 Pauillac,
tél. 05.56.00.00.70, fax 05.57.87.48.61,
e-mail domaines.boriemanoux@dial.oleane.com
☑ ⵙ ⵣ r.-v.

CH. BEL-AIR ORTET 2001 ★

■	1 ha	6 000	ⅱ 8 à 11 €

Situé tout à côté du bourg, ce petit cru bénéficie d'un terroir de qualité, bien drainé. Très aromatique, son 2001 se signale par la complexité du bouquet où se mêlent des notes de grillé, de fruits rouges et de mûre. Fin, rond, ample, puissant et d'une jolie longueur, il méritera d'être attendu trois ou quatre ans.
⌐ Cheval-Quancard,
La Mouline, BP 36, 33560 Carbon-Blanc,
tél. 05.57.77.88.88, fax 05.57.77.88.99,
e-mail chevalquancard@chevalquancard.com ⵙ ⵣ r.-v.

CH. LE BOSCQ 2001

■ Cru bourg.	17 ha	46 000	ⅱ 15 à 23 €
82 83 85 ⑧⑥ 88 89 90 95 96 97 |98| 99 00 01		

La majesté du château, très belle demeure du XVIIIᵉ s., ne se retrouve pas dans ce millésime vendangé le 2 octobre 2001. Toutefois, celui-ci sait se montrer très plaisant par son bouquet, fin et délicat, comme par sa structure que soutiennent des tanins fondus et un boisé bien dosé. Il gagnera à être attendu pendant au moins deux ans.
⌐ Ch. Le Boscq - Vignobles Dourthe,
35, rue de Bordeaux, 33290 Parempuyre,
tél. 05.56.35.53.00, fax 05.56.35.53.29,
e-mail contact@cvbg.com ☑ ⵙ ⵣ r.-v.

CH. CALON SEGUR 2001 ★

■ 3e cru clas.	87 ha	250 000	ⅱ 38 à 46 €

Villa gallo-romaine puis fief médiéval, ce domaine a été certainement à l'origine du bourg de Saint-Estèphe. C'est aujourd'hui un agréable château des XVIIᵉ et XVIIIᵉs. D'une jolie couleur rubis, son vin n'est pas sans rappeler l'architecture de la demeure par son élégance. Fin et complexe, son bouquet offre de délicats arômes d'épices (vanille), de fruits et de réglisse. Séveux et soutenu par une solide matière tannique, le palais s'accorde avec la persistance de la finale pour inviter à attendre cette bouteille quatre ou cinq ans.
⌐ SCEA Calon-Ségur, 33180 Saint-Estèphe,
tél. 05.56.59.30.08, fax 05.56.59.71.51 ⵣ r.-v.

CH. CHAMBERT-MARBUZET 2001 ★

■ Cru bourg.	7 ha	48 000	ⅱ 15 à 23 €
66 76 79 81 82 83 85	86		88		89		90	93 94 95	96			
97 98 99 00 01			

Vignerons au XIXᵉs., les Chambert donnèrent leur nom à cette propriété qui aujourd'hui fait partie du patrimoine d'Henri Duboscq. Ce vin demande d'être attendu pour permettre au bois, encore très présent, de se fondre. D'autant plus qu'il a tout pour bien évoluer, grâce à sa constitution solide et équilibrée. Son bouquet, d'une belle intensité avec une réelle présence des fruits rouges aux côtés du merrain, séduit tout autant que sa robe pourpre brillant de reflets rubis.
⌐ Henri Duboscq et Fils,
Ch. Chambert-Marbuzet, 33180 Saint-Estèphe,
tél. 05.56.59.30.54, fax 05.56.59.70.87 ☑ ⵙ ⵣ r.-v.

CH. LA COMMANDERIE 2001 ★

■ Cru bourg.	12 ha	78 000	ⅱ ◈ ◈ 11 à 15 €

Exclusivité de la maison Kressmann (CVBG à Parempuyre) ce vin à la robe très jeune, sombre avec des reflets violets, est bien respecté par le bois, qui le soutient sans lui enlever son côté charnu et ses fins arômes de framboise. Plein et droit, il possède une matière ample reposant sur de beaux tanins qui lui promettent une bonne garde.
⌐ Ch. la Commanderie, Leyssac, 33180 Saint-Estèphe,
tél. 05.56.35.53.00, fax 05.56.35.53.05,
e-mail contact@kressmann.com ⵙ ⵣ r.-v.
⌐ Cl. Meffre

COS D'ESTOURNEL 2001 ★★★

■ 2e cru clas.	64 ha	n.c.	ⅱ + de 76 €
75 76 78 79 80 81 |82| 83 |85| 86 88 |89| |⑨⓪| |91| |92|		
|93| |94| 95 96 97 98 ⓪⓪ ⓪①			

Fantaisie absolue mariant le classicisme le plus strict à l'exotisme des influences orientales, l'architecture du chai, palais de ce cru, ferait presque oublier que Cos est avant tout un terroir d'exception. Mais la qualité du vin est là pour le rappeler. Irréprochable dans sa robe rouge bigarreau, ce 2001 montre sa forte personnalité par la puissance de son bouquet, où le cuir, le moka et la cerise à l'eau-de-vie côtoient une originale note d'eau de rose. Suave, goûteuse et onctueuse, l'attaque annonce le côté cappuccino du palais. Solidement bâti sur des tanins soyeux, le corps marie puissance et élégance, pour donner une bouteille d'exception, qui est déjà fort séduisante tout en ayant devant elle de très belles perspectives de garde. On pourra l'attendre sans crainte pendant dix ou quinze ans.
⌐ SA Domaines Reybier, Cos d'Estournel,
33180 Saint-Estèphe, tél. 05.56.73.15.50,
fax 05.56.59.72.59, e-mail estournel@estournel.com r.-v.

CH. COS LABORY 2001 ★★

■ 5e cru clas.	19 ha	80 000	ⅱ 23 à 30 €
64 70 75 78 79 80 81 82 83 85 86 88 89	⑨⓪	91		
92 93 94	95	96	97	98 99 00 01			

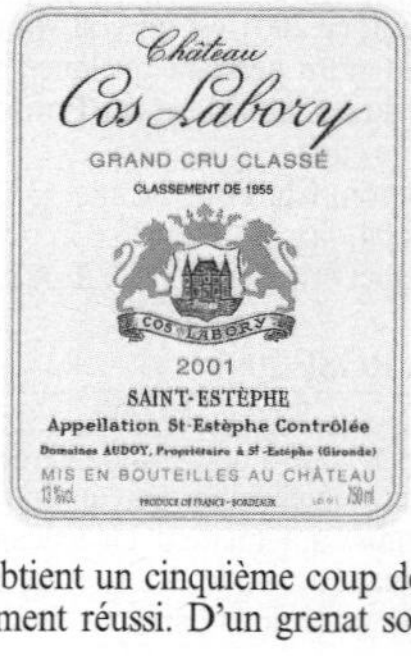

Ce cru obtient un cinquième coup de cœur avec ce 2001 superbement réussi. D'un grenat soutenu à reflets

rubis, il sait mettre en confiance par sa présentation. Dès le bouquet, il prend de la puissance et s'affirme d'une grande complexité avec des notes de fruits rouges, de vanille, de grillé et d'épices. Charnue et très ronde, l'attaque s'ouvre sur un palais bien structuré et aromatique. Des tanins mûrs soutiennent le tout et s'accordent avec l'élégante finale pour destiner ce vin à une entrecôte de bœuf de Bazas. Mais dans cinq ou six ans, voire beaucoup plus.
SCE Domaines Audoy,
Ch. Cos Labory, 33180 Saint-Estèphe,
tél. 05.56.59.30.22, fax 05.56.59.73.52,
e-mail cos-labory@wanadoo.fr r.-v.

CH. COUTELIN-MERVILLE 2001 *

Cru bourg. 23,5 ha 150 000 11 à 15 €

Toujours fidèle à lui-même, ce cru poursuit son cours dans la discrétion et la qualité. D'un rubis assez profond, ce 2001 respecte la typicité stéphanoise, avec une bonne structure du vin de garde, tout en se distinguant par sa fraîcheur. Celle-ci se lit dans le bouquet, fin et élégant, et au palais, souple et franc. La finale boisée demande environ trois ou quatre ans pour se fondre.
G. Estager et Fils,
Ch. Coutelin-Merville, Blanquet, 33180 Saint-Estèphe,
tél. 05.56.59.32.10, fax 05.56.59.32.10 r.-v.

CH. LE CROCK 2001

Cru bourg. n.c. n.c. 15 à 23 €

90 |95| 96 97 98 99 00 |01|

Belle unité, tant par sa taille que par son château, ce cru s'inscrit dans sa tradition personnelle et dans l'esprit de l'appellation par ce vin, résolument masculin. Sa personnalité est annoncée par sa couleur très soutenue. D'une réelle complexité aromatique et franc à l'attaque, il montre sa puissance par ses tanins de bonne origine et bien mûrs. Une belle bouteille, harmonieuse et de garde.
Sté fermière Cuvelier,
Ch. Le Crock, Marbuzet, 33180 Saint-Estèphe,
tél. 05.56.59.08.30, fax 05.56.59.60.09 r.-v.
Domaines Cuvelier

CH. DOMEYNE 2001 *

Cru bourg. 7,2 ha 50 000 11 à 15 €

Encépagement et méthodes de travail respectent les traditions médocaines. Ces conditions expliquent la robe rubis profond de ce vin, comme les qualités du bouquet et du palais. Frais et riche, le premier intègre facilement l'apport d'un bois discret et fin. Puissante, ferme, très saint-estèphe, la structure est encore austère, mais tout annonce que l'ensemble se fondra à la garde pour donner un vin riche et typé.
SARL d'Exploitation du Ch. Domeyne,
3, espace Guy-Guyonnaud, 33180 Saint-Estèphe,
tél. 05.56.59.72.29, fax 05.56.59.75.55,
e-mail chateau-domeyne@wanadoo.fr
t.l.j. 8h-12h 13h-17h; ven. 13h-15h; groupes sur r.-v.

CH. FAGET 2001

Cru bourg. 4 ha 17 600 8 à 11 €

Simple mais bien constitué, ce vin, dont Marcel et Christian Quancard sont fermiers, s'annonce par une belle robe brillante avant de manifester sa personnalité par des arômes presque entêtants de torréfaction. Mais ensuite, le fruit (groseille) apparaît. Bien équilibrée, cette bouteille sera à ouvrir dans deux ou trois ans.
Cheval-Quancard,
La Mouline, BP 36, 33560 Carbon-Blanc,
tél. 05.57.77.88.88, fax 05.57.77.88.99,
e-mail chevalquancard@chevalquancard.com r.-v.
Succ. Yves-Louis Lagarde

CH. HAUT-BEAUSEJOUR 2001 *

Cru bourg. 20 ha 90 000 15 à 23 €

Acheté en 1992 par la maison de champagne Roederer, ce cru bien géré reste fidèle à lui-même avec ce vin résolument rond. Mais sa personnalité ne se limite pas à sa souplesse. Se présentant dans une robe profonde et nette, il retient l'attention par ses arômes d'élevage (toast et chocolat) que suit le fruit, encore discret. On attendra que le bois soit moins dominateur pour ouvrir cette bouteille.
Ch. Haut-Beauséjour, SC La Salle Saint-Estèphe,
rue de la Mairie, 33180 Saint-Estèphe,
tél. 05.56.59.30.26, fax 05.56.59.39.25,
e-mail philippe.moureau@champagne-roederer.com
r.-v.
Roederer

CH. HAUT-COUTELIN 2001 *

5,2 ha 38 000 11 à 15 €

Elaboré par l'équipe du château Tour de Pez, ce vin est bien constitué et équilibré. Il se distingue toutefois des autres productions du domaine par le côté plus austère de ses tanins corpulents qui appellent un séjour en cave pour se fondre complètement. A la clé, l'élégance s'imposera.
SA Ch. Tour de Pez,
L'Hereteyre, 33180 Saint-Estèphe,
tél. 05.56.59.31.60, fax 05.56.59.71.12,
e-mail chtrpez@terre-net.fr r.-v.
Ph. Bouchara

Saint-Estèphe

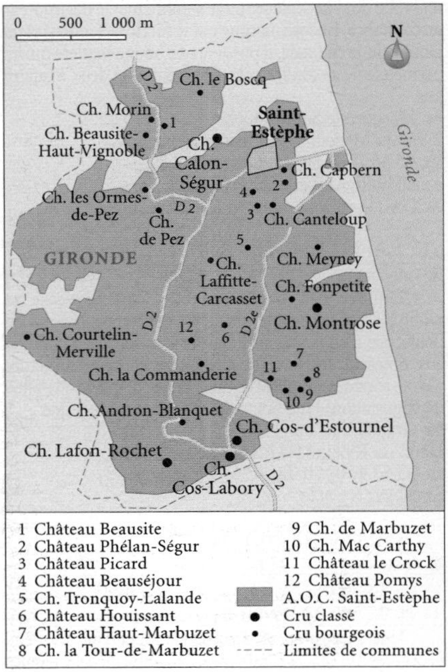

CH. HAUT-MARBUZET 2001 ★★

■ Cru bourg. 58 ha 340 000 23 à 30 €

75 76 77 78 79 80 81 (82) 83 85 86 88 |89| 90 92 93 94 95 |96| 97 (98) 99 00 01

Situé, comme son nom l'indique, sur le coteau de Marbuzet, face à la Gironde, ce cru bénéficie d'un terroir de grande qualité, et bien exploité par Henri Duboscq dont le savoir-faire n'est plus à prouver. Par une longue macération, il élabore des vins qui demandent à être attendus. Ce millésime pourtant difficile s'inscrit dans cette tradition. Ample à l'attaque et très jeune dans sa présentation, il a tout pour permettre au bois, qui domine encore le fruit, de se fondre dans la complexité naissante du bouquet et dans l'ampleur de la matière.

Henri Duboscq et Fils,
Ch. Haut-Marbuzet, 33180 Saint-Estèphe,
tél. 05.56.59.30.54, fax 05.56.59.70.87 r.-v.

CH. LA HAYE 2001 ★

■ Cru bourg. 6 ha 39 462 11 à 15 €

89 90 91 92 93 94 |95| |96| 97 99 00 01

Les romantiques retiendront les D et H gravés sur l'entrée du château. Initiales (peut-être) d'Henri II et de Diane de Poitiers. Frais, souple, léger et bien fait avec d'aimables arômes de fruit, de menthol, de fleur et d'eucalyptus, ce vin ne manque pas d'agrément. Bien équilibré, avec des tanins encore jeunes, il demande à être attendu pendant environ trois ans.

Georges Lecallier, Ch. la Haye, Leyssac,
33180 Saint-Estèphe, tél. 05.56.59.32.18,
e-mail chateau.lahaye@free.fr r.-v.

CH. LADOUYS Elevé en fût de chêne 2001

■ Cru bourg. 9,37 ha 69 500 11 à 15 €

Elaboré à la cave coopérative, ce vin s'annonce par une robe dont la couleur rouge sombre met le dégustateur en confiance. Encore marqué par le fût (torréfaction) et un peu rustique en finale, il possède une bonne matière qui lui permettra de se fondre complètement d'ici deux à quatre ans.

Marquis de Saint-Estèphe,
2, rte du Médoc, 33180 Saint-Estèphe,
tél. 05.56.73.35.30, fax 05.56.59.70.89,
e-mail marquis-st-estephe@wanadoo.fr
t.l.j. sf sam. dim. 9h-12h 14h-18h

CH. LAFFITTE-CARCASSET Cuvée spéciale 2001

■ Cru bourg. 27 ha 120 000 8 à 11 €

Diffusée par le négoce, cette Cuvée spéciale se montre assez accessible mais fort peu typée. Simple en finale, elle n'en laisse pas moins le souvenir d'un bouquet aux notes de fraise et de framboise et d'une structure pleine, ronde et souple avec une nuance réglissée en milieu de dégustation. Une bouteille aimable à boire jeune.

Grands Vins de Gironde,
Dom. du Ribet, 33451 Saint-Loubès Cedex,
tél. 05.57.97.07.20, fax 05.57.97.07.27,
e-mail gvg@gvg.fr

CH. LAFON-ROCHET 2001 ★★

■ 4e cru clas. 42 ha 140 000 30 à 38 €

(64) 75 78 79 81 82 83 85 86 |88| |89| |90| 91 92 93 94 (95) 96 |97| 98 99 00 01

Une succession de propriétaires pendant plusieurs décennies (de 1880 à 1960), une chartreuse de belle facture mais construite en 1960 : ce cru classé n'a pas toujours bénéficié des meilleures conditions pour se faire connaître. Heureusement, sous la houlette de Michel Tesseron, il dispose d'un réel atout avec sa production elle-même, dont il offre une fois encore une remarquable illustration. Intense, limpide et profonde, la robe annonce la puissance du palais et l'aptitude à la garde. A cela s'ajoutent un joli mariage du vin et du bois, de fraîches notes de fruits et de menthol. L'ensemble est séduisant et prometteur. Avec une belle expression aromatique et une solide matière, le second vin, **les Pèlerins de Lafon-Rochet (11 à 15 €)**, a obtenu une étoile.

SCF Ch. Lafon-Rochet, 33180 Saint-Estèphe,
tél. 05.56.59.32.06, fax 05.56.59.72.43,
e-mail lafon@lafon-rochet.com r.-v.
Tesseron

CH. LAVILLOTTE 2001

■ Cru bourg. 10 ha 41 000 11 à 15 €

Bien qu'issu d'un vignoble à forte majorité de cabernet-sauvignon, ce vin cherche avant tout à apporter un plaisir immédiat par la rondeur, la souplesse et la légèreté de sa structure qui s'accordent bien avec le côté flatteur de ses arômes de fruits mûrs et de vanille.

SCEA des Dom. Pedro,
Ch. Le Meynieu, 33180 Vertheuil,
tél. 05.56.73.32.10, fax 05.56.41.98.89,
e-mail ddompedro@aol.com
t.l.j. sf sam. dim. 9h-12h 14h-17h;
groupes sur r.-v.; f. du 7-15 août

CH. LEO DE PRADES 2001

■ n.c. 35 000 15 à 23 €

Elaboré à la cave coopérative de Saint-Estèphe, ce vin d'une belle couleur rouge est agréable dans son expression aromatique légèrement vanillée, avec des notes de caramel et de fruits rouges et noirs. Ses tanins légers et bien fondus et sa finale suave promettent eux aussi une bouteille fort sympathique d'ici deux à trois ans.

Marquis de Saint-Estèphe,
2, rte du Médoc, 33180 Saint-Estèphe,
tél. 05.56.73.35.30, fax 05.56.59.70.89,
e-mail marquis.st.estephe@wanadoo.fr
t.l.j. sf sam. dim. 9h-12h 14h-18h

CH. LILIAN LADOUYS 2001

■ Cru bourg. 36 ha 240 000 15 à 23 €

89 (90) 91 92 93 94 |95| 96 97 98 |99| 00 |01|

Reconnaissable à ses tours qui émergent d'une mer de vignes, ce cru propose un vin au délicat bouquet floral et fruité (cerise, groseille). Marqué par son millésime, il se montre déjà souple et rond, pas du tout typé ; il est à boire jeune sur des viandes rouges.

SA Ch. Lilian Ladouys,
Blanquet, 33180 Saint-Estèphe,
tél. 05.56.59.71.96, fax 05.56.59.35.97,
e-mail chateau-lilian-ladouys@wanadoo.fr r.-v.

CH. MEYNEY 2001 ★★

■ Cru bourg. 50,79 ha 173 300 23 à 30 €

81 82 83 85 (86) 88 |89| 90 92 93 94 |95| 96 97 99 00 01

Le coteau bordant et dominant l'estuaire ; une veine d'argiles bleues : ce cru, à l'origine monastère de cisterciens, bénéficie d'un terroir de choix. L'équipe des domaines Cordier-Mestrezat sait en tirer l'esprit avec des vins comme ce 2001. D'un rouge sombre à reflets violacés, il développe un bouquet d'une grande intensité qui a su trouver un bon équilibre entre le fruit rouge du raisin et les notes de grillé et de vanillé du bois. Rond à l'attaque, il monte ensuite en puissance pour composer un palais riche aux tanins bien constitués. Il donnera d'ici sept ou huit ans une bouteille qui saura affronter des mets aussi redoutables qu'un carré de sanglier. Puissant, ample et long, le second vin, **Prieur de Meyney (11 à 15 €)** est le digne petit frère de Meyney. Il a obtenu une étoile.

🔑 SAS Prieuré de Meyney, La Croix Bacalan, 109, rue Achard, BP 154, 33042 Bordeaux Cedex, tél. 05.56.11.29.00, fax 05.56.11.29.01

CH. MONTROSE 2001 ★★

■ 2e cru clas. 68,39 ha n.c. 46 à 76 €

64 66 |70| |75| 76 78 |79| (82) 83 |85| 86 87 |88| |89| 90 |91| |92| |93| |94| 95 96 |97| 98 99 00 01

Avec quatre coups de cœur, ce cru a largement prouvé que sa qualité est à la hauteur de sa réputation. Le millésime 2001 contribuera lui aussi à consolider sa renommée. Se présentant dans une belle livrée, d'un rouge foncé brillant, il est très expressif et complexe : ses arômes vont des fruits noirs au sous-bois, en passant par des notes grillées. Soutenu par une structure tannique ferme et solide mais sans agressivité, le palais s'ouvre sur une longue finale épicée, qui appelle un séjour en cave de cinq à huit ans, avant de mettre en valeur des viandes ou des fromages. Egalement à garder et favorable aux mêmes accords gourmands, le second vin, **la Dame de Montrose (15 à 23 €)**, a obtenu une étoile.

🔑 Jean-Louis Charmolüe, SCEA du Ch. Montrose, 33180 Saint-Estèphe, tél. 05.56.59.30.12, fax 05.56.59.38.48 ☑ Y ⚲ r.-v.

CH. LES ORMES DE PEZ 2001 ★★

■ Cru bourg. 33 ha 230 000 23 à 30 €

81 82 83 |85| |86| |88| |89| 90 |91| 92 93 |94| |95| |96| 97 |98| 99 00 01

Les ormes qui donnèrent leur nom à cette propriété ont malheureusement disparu, mais le vignoble est resté, conduit aujourd'hui par Jean-Michel Cazes. Ce saint-estèphe est parfaitement équilibré. D'une belle couleur sombre, il possède une réelle complexité aromatique, avec des notes de grillé, de pruneau et d'épices. Ample et tannique mais très grasse, sa structure lui confère un côté mode, sans pour autant trahir son appellation, et lui assure de réelles perspectives de garde. Sa longue finale très aromatique et veloutée n'est pas le moindre de ses charmes.

🔑 Jean-Michel Cazes, Ch. Les Ormes de Pez, 33180 Saint-Estèphe, tél. 05.56.73.24.00, fax 05.56.59.26.42, e-mail infochato@ormesdepez.com ☑

🔑 Famille Cazes

CH. PETIT BOCQ 2001 ★

■ 15 ha 90 000 11 à 15 €

94 |95| |96| 97 |98| 99 00 01

Si le cuvier et les chais de ce cru sont situés au cœur du hameau de Pez, ses parcelles de merlot et de cabernet-sauvignon s'éparpillent aux quatre coins du finage stéphanois. Comme beaucoup de saint-estèphe 2001, ce vin présente un bon équilibre entre le bois et le fruit. Cela permet à l'ensemble de faire preuve d'une agréable complexité aromatique, qui rejoint la rondeur et la puissance du développement au palais. On peut envisager une garde sérieuse et une réelle complicité avec des viandes en sauce et du gibier.

🔑 SCEA Lagneaux-Blaton, 3, rue de la Croix-de-Pez, BP 33, 33180 Saint-Estèphe, tél. 05.56.59.35.69, fax 05.56.59.32.11, e-mail petitbocq@hotmail.com ☑ Y ⚲ r.-v.

CH. LA PEYRE 2001 ★

■ Cru artisan 5 ha 34 000 11 à 15 €

95 |(96)| 97 |98| 99 00 01

Les fidèles du cru seront heureux de retrouver dans ce millésime ses caractères habituels : une robe sombre, dont la densité annonce celle de la structure soutenue par des tanins assez fermes. Conforme à l'esprit de l'appellation, ce vin méritera la garde, laquelle permettra à son bouquet de fruits noirs et de grillé de s'ouvrir complètement.

🔑 EARL Vignobles Rabiller, Le Cendrayre, 33180 Saint-Estèphe, tél. 05.56.59.32.51, fax 05.56.59.70.09 ☑ Y ⚲ t.l.j. sf dim. 8h-12h 14h-18h

CH. DE PEZ 2001 ★

■ Cru bourg. 28 ha 108 000 15 à 23 €

Ce vignoble de 28 ha a appartenu à de prestigieuses familles bordelaises, dont les Pontac ; Jean-Claude Rouzaud l'acheta en 1995 pour sa maison de champagne Roederer. Sans chercher à rivaliser avec le 2000, coup de cœur l'an dernier, ce vin sait se présenter, dans une robe d'une couleur intense. Son bouquet élégant marie les fruits rouges à un bois de qualité. Rond à l'attaque, le palais révèle ensuite une belle matière. Une longue finale laisse le souvenir d'un ensemble harmonieux.

🔑 SC La Chapelle Saint-Estèphe, Ch. de Pez, 33180 Saint-Estèphe, tél. 05.56.59.30.26, fax 05.56.59.39.25, e-mail philippe-moureau@champagne-roederer.com ☑ Y ⚲ r.-v.

🔑 Roederer

CH. PHELAN SEGUR 2001 ★★

■ 64 ha 138 000 23 à 30 €

82 88 |89| |90| 91 93 94 |95| |96| 97 98 99 00 01

Phélan Ségur est l'un des crus qui ont le plus contribué à faire bouger l'appellation. Le savoir-faire de son équipe se lit dans l'harmonie de cette bouteille où un palais expérimenté reconnaît des tanins bien extraits. Leur richesse tient les promesses de la robe, d'un rouge très sombre. Ils prédisent un bel avenir à ce 2001, tout comme le bouquet somptueux (café et fruits mûrs) et l'attaque splendide. Riche en sensations fortes, il méritera un séjour en cave de trois à cinq ans, et même beaucoup plus. Aimable et s'exprimant tout en douceur, le second vin, **Franck Phélan 2001 (11 à 15 €)**, a été cité.

🔑 Ch. Phélan Ségur, 33180 Saint-Estèphe, tél. 05.56.59.74.00, fax 05.56.59.74.10, e-mail phelan.segur@wanadoo.fr Y ⚲ r.-v.

🔑 X. Gardinier

CH. PLANTIER ROSE 2001

■ Cru bourg. 9 ha 27 000 11 à 15 €

Proposée par la maison de négoce La Guyennoise, cette cuvée du château Plantier Rose, appartenant à F. Conte, est encore un peu austère en finale. Mais sa

puissance et sa richesse, qui se dévoilent dès l'attaque, lui permettront de s'arrondir. Sa robe franche et vive annonçait un bouquet assez délicat de fruits rouges et d'épices. Une dégustation à deux temps que la garde harmonisera.
🔑 La Guyennoise, BP 17,
33540 Sauveterre-de-Guyenne, tél. 05.56.71.50.76,
fax 05.56.71.87.70, e-mail cfontaniol@laguyennoise.com
🔑 F. Conte

CH. POMYS 2001

■ Cru bourg. 13 ha 77 000 ⓘ 15 à 23 €

Hôtel trois étoiles, ce château a très tôt compris l'intérêt que représente l'œnotourisme pour le monde vitivinicole. Il est vrai que la commune renferme, outre de très belles propriétés au cœur des vignes, une église de style baroque. Simple mais riche avec une teinte rubis avenante et un bouquet assez intense et complexe, ce vin, un peu à l'ancienne, ne manque pas d'intérêt.
🔑 SA Arnaud, Ch. Pomys, 33180 Saint-Estèphe,
tél. 05.56.59.32.26, fax 05.56.59.35.24,
e-mail francois-arnaud@netcourrier.com ☒ 🍷 🚶 r.-v.

CH. SEGUR DE CABANAC 2001 ★★

■ Cru bourg. 7,07 ha 45 000 ⓘ 15 à 23 €

86 88 **89** 90 |**93**| 94 |95| |96| **97** **98** 99 **00** **01**

Avec ce millésime, ce cru obtient son premier coup de cœur. Déjà très remarqué dans les éditions précédentes, il offre ici un superbe exemple d'harmonie et de concentration. Une teinte soutenue aux reflets violacés ; un bouquet complexe où se fondent les notes de sous-bois, de goudron, de caramel et de cassis très mûr ; une attaque souple ; un palais au fruité élégant et aux tanins savoureux, tout contribue à apporter beaucoup de douceur à cette bouteille que sa matière et sa longueur vouent à une belle garde.
🔑 SCEA Guy Delon et Fils,
Ch. Ségur de Cabanac, 33180 Saint-Estèphe,
tél. 05.56.59.70.10, fax 05.56.59.73.94 ☒ r.-v.

CH. SERILHAN 2001 ★

■ 5 ha 12 000 ▮ⓘ🌡 15 à 23 €

En 2003, Michel Marcelis, qui gère ce domaine familial, a entrepris d'importants travaux pour transformer les équipements des chais. Le millésime 2001 n'en a pas profité, ce qui ne l'empêche pas de montrer le potentiel du cru. Prolongeant la densité et la profondeur de la robe, la puissance du bouquet déploie une large palette d'arômes : sous-bois, petits fruits rouges (cerise) et grillé. Ample et gras, le palais révèle une bonne maîtrise du bois. Souple et harmonieux avec des tanins bien fondus, ce vin mérite un séjour en cave de quatre ou cinq ans.
🔑 SCEA M. Marcelis, Ch. Serilhan,
5, rue E.-Herriot, 33180 Saint-Estèphe,
tél. 05.56.59.38.83, fax 05.56.59.35.14,
e-mail chateau.serilhan@wanadoo.fr ☒ 🏠 🚶 r.-v.
🔑 Didier Marcelis

CH. TOUR DE MARBUZET 2001 ★

■ Cru bourg. 5 ha 36 000 ⓘ 15 à 23 €

Signé par Henri Duboscq, comme Haut Marbuzet, ce vin est de bonne origine. Il s'en montre digne par la densité de sa robe, comme par l'élégance de son bouquet aux notes de chocolat et de torréfaction, ou par celle de sa charpente. Long, corsé et racé, il devra être attendu pour que l'ensemble se fonde. Ce vin est vendu exclusivement par Jean-François Moueix.
🔑 Henri Duboscq et Fils,
Ch. Tour de Marbuzet, 33180 Saint-Estèphe,
tél. 05.56.59.30.54, fax 05.56.59.70.87 🍷 🚶 r.-v.

CH. TOUR DE PEZ 2001 ★

■ Cru bourg. 12,5 ha 63 000 ⓘ 15 à 23 €

89 90 91 93 94 95 |**96**| |97| **98** **99** **00** 01

Succédant à deux superbes millésimes, distingués par deux coups de cœur successifs, ce 2001 est un peu moins ambitieux dans ses appétences pour la garde. Mais sa robe, d'un rubis brillant, son bouquet assez flatteur (raisin mûr) et son palais franc, gras et velouté savent le rendre aimable tout en indiquant qu'il méritera un séjour en cave de trois ou quatre ans. Egalement très veloutée, la seconde étiquette du cru, le **T de Tour de Pez (11 à 15 €)**, a obtenu une étoile, de même que le château **Les Hauts de Pez (8 à 11 €)**. Tous deux ont réussi un bel équilibre entre la finesse et la richesse, affichant volontiers des notes de petits fruits rouges et de menthol.
🔑 SA Ch. Tour de Pez,
L'Hereteyre, 33180 Saint-Estèphe,
tél. 05.56.59.31.60, fax 05.56.59.71.12,
e-mail chtrpez@terre-net.fr ☒ 🍷 🚶 r.-v.
🔑 P.-H. Bouchara

CH. TRONQUOY-LALANDE 2001

■ Cru bourg. 17 ha 95 000 ⓘ 15 à 23 €

82 83 **85** **86** 88 89 90 **93** **94** |95| 96 |98| 99 00 01

Elégante chartreuse flanquée de pavillons à étage, ce château est l'un des premiers que découvrent les croisiéristes des paquebots remontant l'estuaire. Franc et limpide, ce vin a des tanins un peu pointus en finale, mais son gras et sa puissance lui permettront de s'arrondir. Un domaine distribué par Dourthe à Parempuyre.
🔑 Ch. Tronquoy-Lalande, 33180 Saint-Estèphe,
tél. 05.56.35.53.00, fax 05.56.35.53.29,
e-mail contact@cvbg.com 🚶 r.-v.
🔑 Mme Castéja-Texier

CH. VALROSE 2001 ★

■ 5,04 ha 20 000 ⓘ 23 à 30 €

Comme les millésimes précédents, ce 2001 est soutenu par des tanins assez puissants, mais un peu plus ronds. Le résultat est d'autant plus agréable que le bouquet se distingue par sa finesse et sa complexité (fruits noirs, cannelle et toast avec de jolies notes grillées, mentholées et réglissées). Il faudra quand même attendre cette bouteille deux à trois ans.
🔑 SCEA Ch. Valrose, Ch. Jonqueyres,
33750 Saint-Germain-du-Puch, tél. 05.57.34.51.51,
fax 05.56.30.11.45, e-mail info@gamaudy.com

CH. VIEUX COUTELIN 2001 ★

■ 6,25 ha 30 666 ▮ ⬮ ♁ 5 à 8 €

Nouveau venu dans le Guide, ce cru fait une entrée remarquée avec ce 2001 qui s'annonce par une belle robe rouge à reflets sombres et un bouquet aux délicates notes de fruits, de réglisse et d'épices. Droit et velouté, le palais montre par ses tanins bien mûrs qu'il possède le potentiel nécessaire pour évoluer en cave où il s'arrondira avec le temps.

🔑 SCEA Vignobles Rocher Cap de Rive n° 3,
33340 Saint-Germain-d'Esteuil,
tél. 05.56.73.05.49, fax 05.56.73.07.56 r.-v.

Saint-julien

Pour l'une « saint-julien », pour l'autre « saint-julien-beychevelle », saint-julien est la seule appellation communale du haut-médoc à ne pas respecter scrupuleusement l'homonymie entre les dénominations viticole et municipale. La seconde, il est vrai, a le défaut d'être un peu longue, mais elle correspond parfaitement à l'identité humaine et au terroir de la commune et de l'appellation, à cheval sur deux plateaux aux sols caillouteux et graveleux.

Situé exactement au centre du haut-Médoc, le vignoble de saint-julien constitue, sur une superficie assez réduite (913 ha et 34 300 hl en 2003), une harmonieuse synthèse entre margaux et pauillac. Il n'est donc pas étonnant d'y trouver onze crus classés (dont cinq seconds). A l'image de leur terroir, les vins offrent un bon équilibre entre les qualités des margaux (notamment la finesse) et celles des pauillac (le corps). D'une manière générale, ils possèdent une belle couleur, un bouquet fin et typé, du corps, une grande richesse et de la sève. Mais, bien entendu, les quelque 6,6 millions de bouteilles produites en moyenne chaque année en saint-julien sont loin de se ressembler toutes, et les dégustateurs les plus avertis noteront les différences qui existent entre les crus situés au sud (plus proches des margaux) et ceux du nord (plus près des pauillac), ainsi qu'entre ceux qui sont à proximité de l'estuaire et ceux qui se trouvent plus à l'intérieur des terres (vers Saint-Laurent).

CH. BEYCHEVELLE 2001 ★

■ 4e cru clas. 74 ha 264 000 ⬮ 30 à 38 €

70 76 79 81 82 **83 85 |86| 88** (89) 90 91 92 93 **94**
95 96 **|97| 98** 99 **00** 01

S'il n'y avait qu'un château du vin à voir en Médoc, ce serait sans doute Beychevelle : ses dimensions impressionnantes ne l'empêchent pas de se distinguer par son élégance, caractéristique du Siècle des lumières. C'est aussi l'élégance qui caractérise le bouquet de son 2001. S'annonçant par une robe dont le rouge soutenu se pare de reflets rubis et par de tentants arômes de toast, de menthol et de pain d'épice, il développe des tanins doux et tendres qui invitent à l'attendre deux ou trois ans.

🔑 SC Ch. Beychevelle, 33250 Saint-Julien-Beychevelle,
tél. 05.56.73.20.70, fax 05.56.73.20.71,
e-mail beychevelle@beychevelle.com ☑ 🚶 r.-v.

CH. BRANAIRE-DUCRU 2001 ★

■ 4e cru clas. 50 ha 160 000 ⬮ 23 à 30 €

81 82 **83 85 86 88 89** 90 93 **94 |95|** |96| 97 **98 99**
00 01

Comme dans beaucoup de grands crus médocains, derrière le classicisme de l'architecture se cachent des installations ultramodernes. Leur efficacité ne fait aucun doute. Avec un encépagement très caractéristique où 4 % de petit verdot rejoignent le cabernet franc (2 %), le merlot (19 %) et le roi cabernet-sauvignon (75 %), ce vin est un vrai saint-julien. D'une belle teinte grenat à reflets framboise, il marie des arômes de pain grillé et du fruit rouge avant de montrer une bonne présence dès l'attaque, qui se révèle ronde. Son corps s'appuie sur des tanins soyeux et sur un agréable fruité. Un ensemble net et naturel dans sa constitution comme dans son expression aromatique.

🔑 Ch. Branaire-Ducru, 33250 Saint-Julien-Beychevelle,
tél. 05.56.59.25.86, fax 05.56.59.16.26,
e-mail branaire@branaire.com 🍷 🚶 r.-v.

CLOS DU MARQUIS 2001 ★★

■ n.c. 175 000 ⬮ 23 à 30 €

Seconde étiquette de Léoville Las Cases, ce Clos du Marquis n'est pas un second vin car il est issu d'un terroir spécifique depuis le millésime 1989. Ce 2001 se révèle de grande classe. Sa robe, d'un rouge intense à reflets violines, témoigne de sa jeunesse ; son élégance se retrouve dans les notes de fruits mûrs du bouquet. Après une attaque charnue, le palais est frais et charmeur, soyeux et gras, puissant et bien équilibré. Il a le potentiel qui fait les belles bouteilles de garde.

🔑 SC. du Ch. Léoville Las Cases,
33250 Saint-Julien-Beychevelle,
tél. 05.56.73.25.26, fax 05.56.59.18.33,
e-mail leoville-las-cases@wanadoo.fr 🍷 🚶 r.-v.
🔑 J.-H. Delon, G. d'Alton

CH. DUCRU-BEAUCAILLOU 2001 ★★

■ 2e cru clas. 50 ha n.c. ⬮ + de 76 €

|61| 64 66 |70| 71 |75| 76 **|78|** 79 **81** |(82)| **83** 84 **|85|**
|86| 87 **88 89 90 91** 92 **|93| 94** (95) (96) **|97| 98 |99|** (00)
01

Avec Jean-Eugène Borie est disparue l'une des grandes figures de ces viticulteurs humanistes qui ont accompagné et conduit l'essor du vignoble bordelais au cours du dernier tiers du XXᵉs. Son amour du terroir médocain passait aussi par la qualité de son vin, comme le montre ce 2001 fort réussi. Fin et élégant, le bouquet aux notes de myrtille, de mûre et de cuir, s'inscrit parfaitement dans l'esprit de l'appellation. Cette amabilité se retrouve dans un palais d'un parfait équilibre, que respecte un bois bien dosé et intégré. Sa chair, son fruité et ses tanins ronds mènent en douceur vers une finale éclatante qui ouvre de belles perspectives de garde. On attendra cinq à dix ans avant de servir cette jolie bouteille.

🔑 SA Jean-Eugène Borie, Ch. Ducru-Beaucaillou, 33250 Saint-Julien-Beychevelle, tél. 05.56.73.16.73, fax 05.56.59.27.37, e-mail je-borie@je-borie-sa.com

CH. DU GLANA 2001 ★

■ Cru bourg. 43,67 ha 110 000 🛢 15 à 23 €

94 95 |96| 97 00 01

Caractéristique du Médoc par son mariage de la brique et de la pierre, ce château de 1870 est à la tête d'une propriété qui connaît de profondes mutations depuis quelques années. D'une couleur soutenue aux reflets cerise, son vin porte encore la marque de l'élevage dans son bouquet à dominante boisée. Mais, à côté des notes grillées, vanillées et fumées, la cerise et l'eucalyptus viennent annoncer sa future complexité. Onctueux dès l'attaque, ce 2001 repose sur des tanins bien enrobés qui lui permettront d'attendre en cave que le bois se fonde.

🔑 Ch. du Glana, 33250 Saint-Julien-Beychevelle, tél. 05.56.59.06.47, fax 05.56.59.06.51 ▣ Y ⛹ r.-v.

🔑 J.-P. Meffre

CH. GLORIA 2001 ★★

■ 48 ha 240 000 🛢 30 à 38 €

64 66 70 71 75 76 78 79 81 82 83 84 85 86 87
|88| |89| |90| 93 94 |95| |96| 97 |98| |99| 00 01

A la jolie collection de coups de cœur qu'ils ont déjà obtenus pour le Château Saint-Pierre, les domaines Henri Martin vont pouvoir ajouter celui-ci, qui n'est pas le premier pour Gloria. Soutenue et brillante, la robe de son 2001 annonce ses ambitions. Celles-ci se concrétisent dans le bouquet : aussi expressif qu'élégant, il joue sur les notes de vanille et de fruits noirs ; son harmonie est rehaussée d'une touche grillée. Le palais poursuit dans le même registre, associant des tanins soyeux et des saveurs d'épices et de moka. Une finale persistante et puissante vient compléter le tableau. Un vrai saint-julien, possédant autant de charme que de potentiel.

🔑 Dom. Martin, Ch. Gloria, 33250 Saint-Julien-Beychevelle, tél. 05.56.59.08.18, fax 05.56.59.16.18, e-mail domainemartin@wanadoo.fr ▣ Y ⛹ r.-v.

🔑 Françoise Triaud

CH. GRUAUD LAROSE 2001 ★★

■ 2e cru clas. 82 ha 250 000 🛢 38 à 46 €

70 71 75 76 77 78 79 80 81 82 83 84 |85| |(86)| 87
|88| |89| 90 |91| 92 |93| |94| (95) 96 |97| 98 99 (00) 01

A Gruaud, les méthodes de vinification ne sont pas destinées à produire des vins de soif. La puissante structure tannique et le bon potentiel de ce 2001 s'expliquent par le travail au cuvier ; mais aussi par le terroir (des graves sur argilo-calcaire). Le résultat est un ensemble bien constitué et équilibré tant dans son expression aromatique où les notes grillées et vanillées s'entendent à merveille avec les parfums de cerise noire et de cassis qu'au palais, charnu à l'attaque, puis tannique. Cette bouteille ne demande qu'à s'arrondir, ce qui sera chose faite d'ici trois ou quatre ans. « Voici un vin qui vous ferait aimer l'homme qui l'a fait », note un dégustateur enthousiaste. « Vin plaisir », avec une bonne matière, le **Sarget de Gruaud Larose 2001 (23 à 30 €)** a obtenu une étoile.

🔑 SA Ch. Gruaud-Larose, BP 6, 33250 Saint-Julien-Beychevelle, tél. 05.56.73.15.20, fax 05.56.59.64.72, e-mail gl@gruaud-larose.com Y ⛹ r.-v.

CH. LAGRANGE 2001 ★★

■ 3e cru clas. 109 ha 317 000 🛢 15 à 23 €

79 81 82 83 85 |86| 87 88 |89| |(90)| 91 92 93 94 |95|
96 97 98 99 00 01

Un cadre romantique pour ce château au bord d'un étang entouré de verdure. Peut-être influencé par l'esprit des lieux, ce vin exprime sa personnalité par son harmonie et son élégance, avec des tanins très fondus et déjà bien enrobés. Ils prolongent les arômes délicats du bouquet, qui marient la vanille et la cerise. Une longue finale vient confirmer le potentiel de garde de cette belle bouteille qu'il faudra savoir attendre un peu. **Les Fiefs de Lagrange 2001 (11 à 15 €)**, qui ont obtenu une étoile, seront prêts plus rapidement.

🔑 SAS Ch. Lagrange, 33250 Saint-Julien-Beychevelle, tél. 05.56.73.38.38, fax 05.56.59.26.09, e-mail chateau-lagrange@chateau-lagrange.com Y ⛹ r.-v.

CH. LALANDE 2001 ★

■ 31,15 ha 107 000 🛢 11 à 15 €

Elevé douze mois en barrique, ce millésime ignore l'agressivité mais sait montrer sa personnalité. Précédant une attaque ronde, le bouquet joue sur des notes fruitées et truffées pour composer un ensemble aussi fin et agréable que le palais, au corps bien équilibré. La finale aux arômes d'agrumes confits confirme l'agrément présent de cette bouteille ; elle pourra aussi être attendue quelques années.

🔑 SCE Ch. Lalande, 2, Grand-Rue, 33250 Saint-Julien-Beychevelle, tél. 05.56.59.06.47, fax 05.56.59.06.51 ▣ Y ⛹ r.-v.

CH. LALANDE-BORIE 2001 ★

■ 23 ha 190 000 🛢 11 à 15 €

78 79 80 81 (82) 83 85 86 87 88 |89| |90| 91 92 93
|94| |96| |98| 00 01

Créé en 1970, ce cru associe le nom d'un lieu-dit juliénois à celui de la famille Borie. Drapé dans une robe rouge à reflets rubis, son vin trouve un bon équilibre dans son expression aromatique où le bois respecte le raisin pour former un ensemble friand et fondu. Derrière une attaque très douce apparaissent des tanins bien extraits et goûteux ; le bois est sous-jacent sans trop faire sentir sa présence. Encore ferme, la finale demande un peu de patience.

🔑 SA Jean-Eugène Borie, 33250 Saint-Julien-Beychevelle, tél. 05.56.73.16.73, fax 05.56.59.27.37, e-mail je-borie@je-borie-sa.com

CH. LANGOA BARTON 2001 ★★

■ 3e cru clas. 19 ha 96 000 23 à 30 €

70 75 76 78 80 **81 |82| 83 |85| |86|** |88| |(89)| **90** |93| |94|

95 96 97 98 **99 00 01**

Chartreuse enrichie de pavillons, ce château, acheté en 1821 par Hugh Barton, est caractéristique par son élégance de l'architecture bordelaise. C'est le même esprit que l'on retrouve dans ce vin. Fin et harmonieux, son bouquet s'ouvre sur une note de cannelle, puis marie avec élégance fruité et boisé. Franc et bien équilibré, le palais s'appuie sur un fût bien maîtrisé et des tanins soyeux et amples. Une jolie bouteille de garde.

Anthony Barton,
Ch. Langoa Barton, 33250 Saint-Julien-Beychevelle,
tél. 05.56.59.06.05, fax 05.56.59.14.29,
e-mail chateau@leoville-barton.com r.-v.

CH. LEOVILLE-BARTON 2001 ★

■ 2e cru clas. 46 ha 250 000 30 à 38 €

64 67 **70 71 75 76** 78 **79** 80 81 **|82| 83 |85| |86| |88|**

89 |(90)| **91** |93| **|94| 95 96 97 98 99 00** 01

Rattachés à Langoa lors du partage du domaine de Léoville, ces 46 ha ont pris le nom de leur nouveau propriétaire sans perdre leur identité. Avec 80 % de cabernets, ce vin montre sa présence tannique et sa richesse. Son bouquet bien ouvert, aux notes de gingembre et de grillé complétées d'une légère touche minérale, appelle une bouche encore jeune, charnue, mais dominée par un boisé toasté qui demande à se fondre. Cette bouteille devra faire un séjour en cave de trois ou quatre ans.

Anthony Barton, Ch. Léoville-Barton,
33250 Saint-Julien-Beychevelle,
tél. 05.56.59.06.05, fax 05.56.59.14.29,
e-mail chateau@leoville-barton.com r.-v.

CH. LEOVILLE LAS CASES 2001 ★★★

■ 2e cru clas. n.c. 180 000 + de 76 €

Cœur du domaine Léoville avant sa division sous la Révolution, les 97 ha de ce cru constituèrent la part de Jean de Las Cases, qui lui donna son nom. Ils furent acquis en 1900 par les ancêtres de Jean-Hubert Delon qui l'administre aujourd'hui. S'étendant au bord de l'estuaire du bourg de Saint-Julien jusqu'à la limite de Pauillac, Las Cases possède un terroir d'exception. Les Delon ont toujours réussi à en exprimer toutes les potentialités et la personnalité ; le résultat est un vin dont la classe apparaît d'emblée. D'une superbe teinte soutenue, il offre un bouquet aussi intense qu'élégant, avec des notes de cassis et de fumée. Puissante, mais soyeuse et bien enrobée, l'attaque introduit un palais plein, riche et charnu qui s'appuie sur des tanins élégants pour développer de savoureuses sensations. Un séjour en cave de cinq à dix ans s'impose.

SC. du Ch. Léoville Las Cases,
33250 Saint-Julien-Beychevelle,
tél. 05.56.73.25.26, fax 05.56.59.18.33,
e-mail leoville-las-cases@wanadoo.fr r.-v.
J.-H. Delon et G. d'Alton

CH. LEOVILLE POYFERRE 2001 ★

■ 2e cru clas. 60 ha 220 000 30 à 38 €

76 78 79 80 **81 82** (83) **85 86 88 89** |90| **91** 93 **94**

|95| **|96| 97 98 99 00** 01

Comme beaucoup de grands crus juliénois, Léoville Poyferré reste fidèle au cabernet-sauvignon, qui représente 75 % de l'encépagement. Des tanins mûrs et fondus et des arômes de réglisse sont là pour indiquer que ce cépage a su marquer de son empreinte ce vin très bien équilibré. D'une grande complexité, le bouquet fait preuve d'une réelle originalité par son fruit très frais relevé par la note vanillée du fût. Charnu et soyeux, l'ensemble est déjà harmonieux, ce qui ne l'empêchera pas de mériter la garde. Second vin, le **Château Moulin Riche 2001 (15 à 23 €)**, a également obtenu une étoile. Bien extrait et aromatique, il laisse lui aussi l'amateur libre de l'apprécier tout de suite ou dans quelque temps.

Sté fermière du Ch. Léoville Poyferré,
33250 Saint-Julien-Beychevelle,
tél. 05.56.59.08.30, fax 05.56.59.60.09,
e-mail lp@leoville-poyferre.fr r.-v.

CH. MOULIN DE LA ROSE 2001 ★

■ Cru bourg. 4,18 ha 27 000 **15 à 23 €**

93 94 95 **96** 97 98 |99| **00** 01

Modeste par ses dimensions (4,8 ha pour l'ensemble de la propriété), ce cru l'est beaucoup moins par la qualité de sa production. Celle-ci se devine dans la teinte rouge foncé de ce 2001 qui annonce une bonne structure. Suit un bouquet plein de charme avec des notes de pain d'épice et des touches de menthol et de raisins mûrs. Le palais plein, charnu et élégant révèle une réelle puissance tannique qui atteste le potentiel de garde de cette bouteille sans jamais montrer la moindre agressivité.

SCEA Guy Delon et Fils,
Ch. Moulin de la Rose, 33250 Saint-Julien-Beychevelle,
tél. 05.56.59.08.45, fax 05.56.59.73.94 r.-v.

Saint-Julien

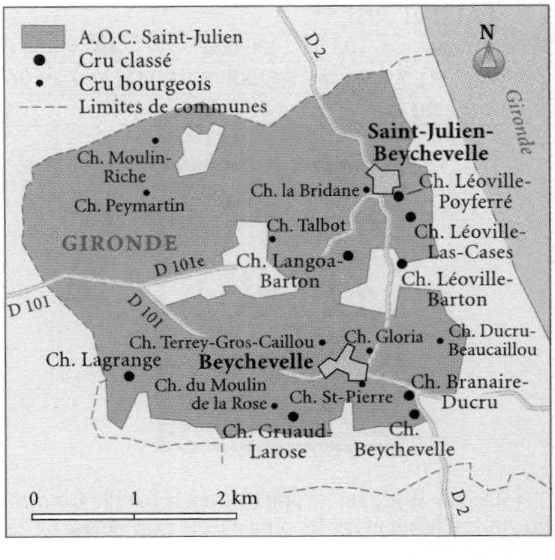

CH. LES ORMES 2001

■ 1,5 ha 10 000 **15 à 23 €**

Du même producteur que le Château Teynac, ce vin est plus linéaire, mais il n'en demeure pas moins intéressant par son corps aux tanins serrés et par son expression aromatique, aux notes de torréfaction et de cerise. D'une bonne prestance et bien équilibré, il demande à être attendu deux à trois ans.

EARL Ch. Les Ormes,
Granrue Beychevelle, 33250 Saint-Julien-Beychevelle,
tél. 05.56.59.12.91, fax 05.56.59.46.12,
e-mail chateau.teynac@wanadoo.fr r.-v.
F. et Ph. Pairault

PORT CAILLAVET 2001

■ 4 ha 15 000 **11 à 15 €**

Henri Duboscq dans ses œuvres de négociant – l'étiquette reproduit une gravure d'Ancien Régime montrant le port de Bordeaux... Ce vin, d'une belle couleur soutenue, révèle un bon mariage du bois et du fruit par sa complexité aromatique comme par sa matière. Fine et d'une réelle élégance, sa structure est soutenue par des tanins bien enrobés et de bonne facture.

Brusina-Brandler,
3, quai de Bacalan, 33300 Bordeaux,
tél. 05.56.39.26.77, fax 05.56.69.16.89 r.-v.

CH. SAINT-PIERRE 2001 ★★

■ 4e cru clas. 17 ha 70 000 **38 à 46 €**

82 83 85 (86) |**88**| |**89**| |90| |**93**| 94 |(95)| |(96)| 97 **98 99 01**

Comme en témoignent ses six coups de cœur, ce cru est l'une des valeurs sûres de l'appellation et du Médoc. Constitué au XVII[e]s. sous le nom de Saint-Pierre-Sauvestre, plusieurs fois morcelé, ce château fut repris en 1982 par Henri Martin qui reconstitua le vignoble. D'un rouge profond, ce vin se montre très élégant dans sa présentation. Son bouquet développe de fines notes toastées et fumées puis des parfums de mûre. Pleine, grasse et ample, l'attaque annonce un palais que son volume, sa chair et la présence de tanins très enrobés vouent à une belle garde.

Domaines Martin,
Ch. Saint-Pierre, 33250 Saint-Julien-Beychevelle,
tél. 05.56.59.08.18, fax 05.56.59.16.18 r.-v.
Françoise Triaud

CH. TALBOT 2001 ★★

■ 4e cru clas. 102 ha 300 000 **30 à 38 €**

78 79 80 81 82 83 |(85)| |**86**| |**88**| |89| 90 **93** |94| **95** 96 97 **98 99 00 01**

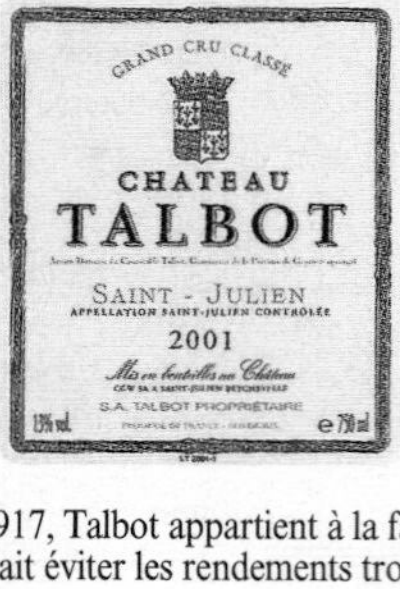

Depuis 1917, Talbot appartient à la famille Cordier. En 2001, il fallait éviter les rendements trop élevés. Ici, la rigueur a permis de donner un vin à l'allure irréprochable. Brillante et limpide, la robe promet une belle structure par l'intensité de sa couleur grenat. Encore marqué par un boisé toasté et grillé, le bouquet laisse déjà percevoir sa complexité et son élégance. Après une attaque sans faiblesse se développent des tanins soyeux et un corps bien équilibré. On attendra cette bouteille cinq, dix ou quinze ans avant de la servir sur un plat élaboré de la grande cuisine classique, comme le canard à l'orange.

Ch. Talbot, 33250 Saint-Julien-Beychevelle,
tél. 05.56.73.21.50, fax 05.56.73.21.51,
e-mail chateau-talbot@chateau-talbot.com r.-v.
Mmes Rustmann et Bignon

CH. TERREY-GROS-CAILLOUX 2001 ★

■ Cru bourg. 17 ha 90 000 **15 à 23 €**

94 96 |97| 98 99 00 |01|

Régulier en qualité, ce cru présente avec ce millésime un vin qui privilégie la douceur. Perceptible dans sa robe d'un rubis délicat, celle-ci marque profondément le bouquet aux notes de cannelle et de truffe avec une légère évocation de sous-bois. Après une attaque assez moelleuse se développe un corps gras et charnu qui s'ouvre sur une finale lisse et homogène.

SCEA Ch. Terrey-Gros-Cailloux,
33250 Saint-Julien-Beychevelle,
tél. 05.56.59.06.27, fax 05.56.59.29.32
t.l.j. sf sam. dim. 9h-12h 14h-17h; f. 3 sem. août
Pradère

CH. TEYNAC 2001 ★

■ 11,66 ha 45 602 **15 à 23 €**

93 94 |95| 96 97 98 99 00 01

Merlot (40 %) et cabernet-sauvignon composent ce vin prometteur tout au long de la dégustation. D'un rouge vermillon à reflets cerise, il s'ouvre sur de fines notes de fruits rouges, de pain grillé et de gingembre, avant de révéler au palais une structure bien charpentée et équilibrée. Le relief de la finale confirme l'impression générale et invite à attendre cette bouteille pendant trois ou quatre ans.

EARL Ch. Teynac,
Beychevelle, 33250 Saint-Julien-Beychevelle,
tél. 05.56.59.12.91, fax 05.56.59.46.12,
e-mail chateau.teynac@wanadoo.fr r.-v.
F. et Ph. Pairault

Les vins blancs liquoreux

Quand on regarde une carte vinicole de la Gironde, on remarque aussitôt que toutes les appellations de liquoreux se retrouvent dans une petite région située de part et d'autre de la Garonne, autour de son confluent avec le Ciron. Simple hasard ? Assurément non, car c'est l'apport des eaux froides de la petite rivière landaise, au cours entièrement couvert d'une voûte de feuillages, qui donne naissance à un climat très particulier. Celui-ci favorise l'action du *Botrytis cinerea*, champignon de la pourriture noble. En effet, le type de temps que connaît la région en automne (humidité le matin, soleil chaud l'après-midi) permet au champignon de se développer sur un raisin parfaitement mûr sans le faire éclater : le grain se comporte comme une véritable éponge, et le jus se concentre par évaporation d'eau. On obtient ainsi des moûts très riches en sucre.

Mais, pour obtenir ce résultat, il faut accepter de nombreuses contraintes. Le développement de la pourriture noble étant irrégulier sur les différentes baies, il faut vendanger en plusieurs fois, par tries successives, en ne ramassant à chaque fois que les raisins dans l'état optimal. En outre, les rendements à l'hectare sont faibles (avec un maximum autorisé de 25 hl à Sauternes et à Barsac). Enfin, l'évolution de la surmaturation, très aléatoire, dépend des conditions climatiques et fait courir des risques aux viticulteurs.

Cadillac

Cette bastide qu'ennoblit son splendide château du XVIIe s., surnommé le « Fontainebleau girondin », est souvent considérée comme la capitale des premières côtes. Mais c'est aussi, depuis 1980, une appellation de liquoreux qui a produit 4 856 hl sur 200 ha en 2003.

CH. LA BERTRANDE 2001 ★★

■ n.c. 21 000 ▮🌡 8 à 11 €

Originaire de la commune d'Omet, aux collines bien marquées, ce vin a bénéficié d'un terroir de qualité, comme en témoignent sa jolie robe, d'un jaune doré, son bouquet aux parfums de fruits et de noisette et sa présence au palais. Fraîche, riche et persistante, la bouche laisse le souvenir d'un ensemble des plus plaisants.

🗝 Vignobles Anne-Marie Gillet, Ch. La Bertrande, 33410 Omet, tél. 05.56.62.19.64, fax 05.56.76.90.55, e-mail chateau.la.bertrande@wanadoo.fr ☑ 🍷 🚶 r.-v.

CH. CHAMPCENETZ 2002 ★

■ 2,05 ha 6 000 ▥ 8 à 11 €

De la conduite de la vigne au travail du chai, le sérieux apporté à l'élaboration de ce vin a été fructueux. Derrière l'or pâle de la robe se cache un bouquet aux notes caractéristiques de fruits confits. On les retrouve au palais où la palette aromatique s'enrichit de l'apport du bois (vanille et grillé).

🗝 SCEA du Ch. Champcenetz, 33880 Baurech, tél. 05.56.67.05.58, e-mail chateau-champcenetz@wanadoo.fr ☑ 🍷 🚶 r.-v.

🗝 Jorgen Smidt

CLOS SAINT-NICOLAS

Vieilli en fût de chêne 2002 ★

■ 0,36 ha 1 100 ▥ 5 à 8 €

Marquant l'entrée dans le Guide de ce microvignoble, ce vin riche et bien construit affirme fièrement sa personnalité par un bouquet aux notes confites mêlées d'agrumes et une belle liqueur au palais.

🗝 Vignobles Benito, Ch. Le Videau, 33410 Cardan, tél. 05.56.76.72.37, fax 05.56.76.95.24 ☑ 🚶 r.-v.

CH. FAYAU 2002 ★★

■ 10 ha 40 000 ▮🌡 5 à 8 €

S'ils offrent une large gamme de vins, les établissements Médeville sont particulièrement attachés à leur cadillac. Celui-ci ne se montre pas ingrat. D'un beau jaune doré, il développe un bouquet d'une bonne complexité, de délicats parfums de cire d'abeille et de citron venant rejoindre les senteurs de fruits confits. Ample, jeune et bien équilibré, le palais confirme la présence du botrytis.

🗝 SCEA Jean Médeville et Fils, Ch. Fayau, 33410 Cadillac, tél. 05.57.98.08.08, fax 05.56.62.18.22, e-mail medeville-jeanetfils@wanadoo.fr

☑ 🍷 🚶 t.l.j. sf sam.-dim. 8h30-12h30 14h-18h

CH. FRAPPE-PEYROT 2002

■ 5 ha 7 000 ▥ 5 à 8 €

D'une belle présentation, avec une robe limpide, ce vin est plus discret par son bouquet. Toutefois à l'aération, celui-ci s'ouvre sur des notes boisées et des arômes de fruits confits. Ample et bien équilibré, le palais monte en puissance pour révéler une matière de qualité avec ce qu'il faut de liqueur. Une bouteille à garder quelque temps.

🗝 SCEA Vignobles Jean-Yves Arnaud, La Croix, 33410 Gabarnac, tél. 05.56.20.23.52, fax 05.56.20.23.52 ☑ 🍷 🚶 r.-v.

CH. JANISSON 2002

■ n.c. n.c. ▥ 8 à 11 €

Bien qu'appartenant à un producteur établi en Entre-deux-Mers, ce cru a des vignobles dans la petite commune de Cardan (belle église romane). Rond et bien fait, son vin se montre intéressant par ses jolies notes confites. Ample et gras, il gagnera à être attendu quatre ou cinq ans.

🗝 Vignobles Clissey-Fermis, 24, rte de Cantois, 33760 Ladaux, tél. 05.57.34.40.50, fax 05.57.34.40.50, e-mail clissey.fermis@wanadoo.fr ☑ 🍷 🚶 r.-v.

CH. DU JUGE Cru Quinette 2001 ★

■ n.c. n.c. ▥ 11 à 15 €

Issu d'un vignoble où le sauvignon gris est venu rejoindre le sémillon et le sauvignon, ce vin finit sur une petite pointe d'amertume. Mais celle-ci ne gomme pas l'impression de gras, d'équilibre et de finesse que laissent sa structure et son expression aromatique. Il conviendra d'attendre deux ans pour ouvrir cette bouteille.

🗝 Pierre Dupleich, Ch. du Juge, rte de Branne, 33410 Cadillac, tél. 05.56.62.17.77, fax 05.56.62.17.59, e-mail chateau-du-juge@wanadoo.fr ☑ 🍷 🚶 r.-v.

🗝 David-Dupleich

CH. LAGRANGE Cuvée Anaïs 2002 ★

■ 1 ha 4 000 ▥ 8 à 11 €

Conditionnée uniquement en bouteilles de 50 cl., cette cuvée ne se contente pas de sa présentation or clair brillant pour séduire. A la complexité du bouquet aux notes confites (orange et mandarine) s'ajoute une structure souple et pleine pour constituer un ensemble ample et de bonne garde.

Michel Lacoste, Ch. Lagrange, 33550 Capian, tél. 05.56.72.15.96, fax 05.56.72.31.41, e-mail chateaulagrange@ifrance.com r.-v.

CH. MEMOIRES 2002 *

5 ha 5 000 8 à 11 €

La renommée de ce cru en matière de liquoreux est solidement établie ; une fois encore à la hauteur de sa réputation, ce vin riche, ample et gras est élaboré à partir de très vieilles vignes. Ses fins arômes de miel et de fruits confits lui donnent une bonne typicité.

SCEA Vignobles Ménard, Ch. Mémoires, 33490 Saint-Maixant, tél. 05.56.62.06.43, fax 05.56.62.04.32, e-mail memoires1@aol.com t.l.j. 8h-12h 13h30-17h30; sam. dim. sur r.-v.

CH. PEYBRUN Cuvée Colombe 2001 *

5 ha 2 000 8 à 11 €

Figure sympathique de la viticulture cadillacaise, Catherine de Loze sait concilier gentillesse et professionnalisme, témoin, ce vin à la belle robe bouton d'or. A la limpidité de sa robe répond la finesse du bouquet qui intègre bien le bois. Au palais, l'ensemble prend de l'ampleur. Rond et riche, ce 2001 mérite un séjour en cave de quatre ou cinq ans, ce qui permettra au bois de se fondre complètement. (Bouteilles de 50 cl.)

Catherine de Loze, 41, rue Sainte-Cécile, 33000 Bordeaux, tél. 05.56.96.10.84, fax 05.56.96.10.84 r.-v.

DOM. DU ROC 2001 *

2,37 ha 10 000 8 à 11 €

Egalement producteurs dans le Saint-Emilionnais, les Opérie offrent avec ce 2001 un cadillac au bouquet expressif (fruits cuits, confits et exotiques) et à la structure très agréable par sa rondeur et son équilibre.

Opérie, Ch. Haut-Fayan, 33570 Puisseguin, tél. 05.57.74.59.97, fax 05.57.74.54.82 t.l.j. sf dim. 10h-18h; f. 15-30 août

Loupiac

Le vignoble de Loupiac (11 046 hl déclarés en 2003 sur 368 ha) est d'une origine ancienne, son existence étant attestée depuis le XIIIe s. Par l'orientation, les terroirs et l'encépagement, cette aire d'appellation est très proche de celle de sainte-croix-du-mont. Toutefois, comme sur la rive gauche, on sent, en allant vers le nord, une subtile évolution des liquoreux proprement dits vers des vins plus moelleux.

CLOS JEAN 2001 **

15 ha 24 000 11 à 15 €

Embrassant un vaste panorama sur la Garonne, cette chartreuse du XVIIIe s. ne manque pas de charme. Riche et puissant, son vin, d'une belle teinte jaune d'or, se montre bien typé par son expression aromatique où les fruits confits rejoignent les notes de noisette et de grillé pour composer un ensemble racé et complexe. Ces qualités se retrouvent au palais qui s'ouvre en finale sur de jolies notes botrytisées. Une bouteille à attendre. La **Cuvée sublime de Clos Jean 2001 (15 à 23 €)** a été citée.

SCEA Vignobles Bord, Clos Jean, 33410 Loupiac, tél. 05.56.62.99.83, fax 05.56.62.93.55, e-mail closjean@vignoblesbord.com t.l.j. 8h-12h 14h-17h; sam. dim. sur r.-v.

CH. DU CROS 2001 *

37 ha 42 500 11 à 15 €

Sémillon (70 %), sauvignon (20 %) et muscadelle, ce cru, qui a reçu trois coups de cœur, reste dans l'esprit de Bordeaux par son encépagement. Ce 2001 l'est aussi par son élégance et son équilibre, perceptibles dans son bouquet, riche et complexe, comme dans son palais, fin, rond et gras. L'ensemble est déjà fort plaisant mais le sera tout autant dans trois, quatre ou cinq ans.

SA Vignobles M. Boyer, Ch. du Cros, 33410 Loupiac, tél. 05.56.62.99.31, fax 05.56.62.12.59, e-mail contact@chateauducros.com t.l.j. 8h-12h 14h-18h

CRU DU GARRE 2001

0,6 ha 2 500 8 à 11 €

Egalement propriétaire de crus plus étendus dans d'autres appellations, Vincent Labouille propose ici un loupiac dont la simplicité de la finale ne parvient pas à faire oublier le parcours tout en finesse de la dégustation. D'un beau jaune doré, ce 2001 développe des arômes de coing et de miel avant de poursuivre par la souplesse et le volume du palais.

Vincent Labouille, Ch. de Crabitan, 33410 Sainte-Croix-du-Mont, tél. 05.56.62.01.78, fax 05.56.76.71.17, e-mail mlabouille@aol.fr r.-v.

CH. GRAND PEYRUCHET 2001

8 ha 15 000 8 à 11 €

L'église romane de Loupiac, restaurée au XIXe s., offre une façade saintongeaise où l'on peut admirer une frise magistrale évoquant la Cène. Certes, il ne s'agissait pas du vin de Loupiac. Bernard Queyrens propose ici un vin simple mais bien équilibré. Sa complexité aromatique joue sur les notes de vanille, de toast, de fleur d'oranger et de fruits confits pour créer une impression de charme et d'élégance.

Bernard Queyrens, 1, Les Plainiers, 33410 Loupiac, tél. 05.56.62.62.71, fax 05.56.76.92.09, e-mail chateaupeyruchet@wanadoo.fr r.-v.

CH. DU GRAND PLANTIER Elevé en fût de chêne 2001 *

n.c. 4 000 8 à 11 €

Monprimblanc possède une église fondée au XIIe s. qui conserve un remarquable chapiteau « Daniel dans la fosse aux lions ». Le Grand Plantier est une vaste propriété de 55 ha. Appartenant à la cuvée prestige, ce vin a tiré profit de son élevage en fût. Très bien maîtrisé, celui-ci a enrichi d'un joli boisé le bouquet aux expressives notes confites (abricot et orange). Elles trouvent leur confirmation au palais où se lit l'influence du botrytis qui se fond dans un ensemble onctueux et souple.

🔑 GAEC des Vignobles Albucher,
Ch. du Grand Plantier, 33410 Monprimblanc,
tél. 05.56.62.99.03, fax 05.56.76.91.35,
e-mail chdugrandplantier@hotmail.com ☑ 🏠 🍷 🚶 r.-v.

CH. MEMOIRES 2002 ★

n.c. 3 000 8 à 11 €

Egalement présent en cadillac, ce cru offre ici un bel exemple de son savoir-faire. Tout au long de la dégustation, ce vin révèle son ampleur. D'abord dans son bouquet dont les notes confites et rôties sont une invitation à poursuivre la promenade gourmande. Puis au palais, tout aussi expressif par sa richesse, sa concentration et son équilibre entre l'acidité et le sucre. Un séjour en cave s'impose.

🔑 SCEA Vignobles Ménard, Ch. Mémoires,
33490 Saint-Maixant, tél. 05.56.62.06.43,
fax 05.56.62.04.32, e-mail memoires1@aol.com
☑ 🍷 🚶 t.l.j. 8h-12h 13h30-17h30; sam. dim. sur r.-v.

CH. LA NERE Réserve 2001 ★★

14 ha 7 000 11 à 15 €

Elevée en fût de chêne, cette cuvée se distingue par le sens de la nuance de son bouquet qui associe le genêt aux notes confites dues au botrytis. Sa personnalité se confirme au palais soutenu par un bois bien fondu. Un bon équilibre s'établit entre la liqueur et la vivacité, tandis que se dévoilent d'intéressantes perspectives de garde.

🔑 EARL Vignobles Dulac Séraphon, 2, Pantoc,
33490 Verdelais, tél. 05.56.62.02.08, fax 05.56.76.71.49,
e-mail maite.seraphon@wanadoo.fr ☑ 🍷 🚶 r.-v.

CH. PEYROT-MARGES Réserve du Château 2002 ★

1,6 ha 2 500 5 à 8 €

Le portail de l'église romane de Gabarnac donne à voir d'intéressantes sculptures illustrant des scènes profanes. A ne pas manquer avant de vous rendre sur ce cru qui, deux fois coup de cœur, constitue une valeur sûre. D'une jolie complexité aromatique, avec des notes de fruits exotiques, de bois et de fleurs (magnolia), ce vin trouve un bon équilibre au palais. Son caractère sympathique, à la fois léger, moelleux et frais, lui permettra de s'accorder à de nombreux mets.

🔑 GAEC Vignobles Chassagnol, Bern,
33410 Gabarnac, tél. 05.56.62.98.00, fax 05.56.62.93.23
☑ 🍷 🚶 t.l.j. 8h-12h 14h-18h; sam. dim. sur r.-v.;
f. 15-23 août

CH. DE RICAUD 2001 ★

18,41 ha 29 215 11 à 15 €

Cachant son architecture néogothique loin des grandes routes, ce château de conte de fées sait parler à l'imagination. D'un jaune paille brillant, son 2001 reste plus discret dans son expression aromatique, par ailleurs assez élégante, puis il se réveille au palais, dévoilant une structure puissante mais bien équilibrée. Il affirmera pleinement sa personnalité d'ici deux à trois ans.

🔑 Ch. de Ricaud, 33410 Loupiac,
tél. 05.56.62.66.16, fax 05.56.76.93.30,
e-mail chateau-ricaud@alain.thienot.com ☑ 🍷 🚶 r.-v.
🔑 Alain Thiénot

CH. LES ROQUES 2001 ★

4 ha 6 000 11 à 15 €

Sur des coteaux exposés sud-ouest, ce vignoble a déjà produit un coup de cœur avec son millésime 99. Ce 2001 reste encore un peu discret dans son expression aromatique mais, franc à l'attaque, il se montre droit de goût et généreux. Il pourra être attendu.

🔑 SCEA Ch. du Pavillon, 33410 Sainte-Croix-du-Mont,
tél. 05.56.62.01.04, fax 05.56.62.00.92,
e-mail a.v.fertal@wanadoo.fr ☑ 🍷 🚶 r.-v.
🔑 A. et V. Fertal

CH. DE ROUQUETTE 2001 ★

5 ha 12 000 8 à 11 €

Chartreuse du XVIIIe s., ce cru possédait déjà une tonnellerie avant la Révolution. Frais, délicat et ample, le bouquet de son 2001 fait preuve d'une belle complexité après quelques minutes d'aération. Souple, doux et bien équilibré, le palais est très harmonieux.

🔑 SC J. Darriet, Ch. Dauphiné-Rondillon,
33410 Loupiac, tél. 05.56.62.61.75, fax 05.56.62.63.73,
e-mail vignoblesdarriet@wanadoo.fr
☑ 🍷 🚶 t.l.j. 8h30-12h30 14h-18h; sam. dim. sur r.-v.;
f. 9-20 août

CH. LA YOTTE 2002

4 ha 5 000 8 à 11 €

En dépit du côté un peu sauvage de la finale, ce vin sait se rendre sympathique par la fraîcheur et la délicatesse de son bouquet comme par la finesse et l'équilibre de sa structure.

🔑 SCEA Bouffard-Audibert, 2, rte de Lambrot,
33410 Loupiac, tél. 05.56.62.92.22, fax 05.56.62.92.22,
e-mail chateaulayotte@wanadoo.fr ☑ 🍷 🚶 r.-v.

Les vins blancs liquoreux

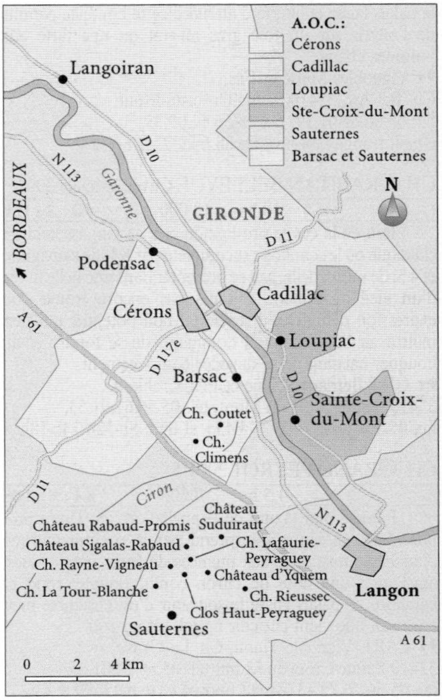

Sainte-croix-du-mont

Un site de coteaux abrupts dominant la Garonne, trop peu connu en dépit de son charme, et un vin ayant trop longtemps souffert (à l'égal des autres appellations de liquoreux de la rive droite) d'une réputation de vin de noces ou de banquets.

Pourtant, cette aire d'appellation (11 756 hl en 2003 sur 405 ha déclarés), située en face de Sauternes, mérite mieux : à de bons terroirs, en général calcaires, avec des zones graveleuses, elle ajoute un microclimat favorable au développement du botrytis. Quant aux cépages et aux méthodes de vinification, ils sont très proches de ceux du Sauternais. Et les vins, autant moelleux que véritablement liquoreux, offrent une plaisante impression de fruité. On les servira comme leurs homologues de la rive gauche, mais leur prix, plus abordable, pourra inciter à les utiliser pour composer de somptueux cocktails.

CH. BEL AIR Prestige 2002 ★

▪ 4 ha 10 000 🛢 11 à 15 €

Régulier en qualité, ce cru est une nouvelle fois fidèle au rendez-vous avec cette cuvée 100 % sémillon qui tient les promesses de sa belle robe dorée. Soutenu par un bois de bonne qualité, le bouquet développe de puissants arômes de mie et de fruits confits. Souple, gras et ample, le palais laisse la liberté d'attendre cette bouteille comme de l'ouvrir sur un foie gras mi-cuit ou une tarte aux pommes chaude.

🗝 Vignobles Méric et Fils,
Ch. Bel Air, 33410 Sainte-Croix-du-Mont,
tél. 05.56.62.01.19, fax 05.56.62.09.33,
e-mail jeanguy.meric@tiscali.fr ☒ 🍷 🚶 r.-v.

CH. CRABITAN-BELLEVUE Cuvée spéciale 2002

▪ 18 ha 13 000 🛢 8 à 11 €

Issu de la cuvée prestige du cru, ce vin, assemblage classique où le sémillon est complété par 6 % de sauvignon et 4 % de muscadelle, sait se présenter dans une belle livrée d'un vieil or brillant. S'il n'a pas encore trouvé son expression définitive, il révèle un bon potentiel qui permettra au bois, toujours dominant, de se fondre et au bouquet naissant de se dévoiler complètement.

🗝 GFA Bernard Solane et Fils, Crabitan,
33410 Sainte-Croix-du-Mont, tél. 05.56.62.01.53,
fax 05.56.76.72.09 ☒ 🍷 🚶 t.l.j. sf dim. 8h-12h 14h-18h

CH. GRAND PEYROT 2001 ★

▪ 4,5 ha 7 800 ▮🌡 8 à 11 €

Famille marquante de l'appellation, les Tinon proposent ici un vin qui surprend par le parfum marqué d'ananas qui se mêle aux nuances de fruits frais et secs, ainsi qu'à une note de citron confit. Souple, rond et équilibré, le palais laisse le souvenir d'un ensemble bien construit que vient enrichir un joli retour rôti.

🗝 EARL Vignoble Tinon, Ch. La Grave,
33410 Sainte-Croix-du-Mont, tél. 05.56.62.01.65,
fax 05.56.76.70.43, e-mail tinon@terre-net.fr ☒ 🚶 r.-v.

CRU DE GRAVERE 2002 ★

▪ 1,51 ha 8 000 ▮🛢 8 à 11 €

Même si ce vignoble est de petite taille, Laurent Réglat, qui possède des crus plus vastes, ne le néglige pas ; témoin, ce vin 100 % sémillon. Sa finesse apparaît dès le bouquet où un bois bien dosé soutient efficacement les parfums de fruits et de fleurs blanches. Souple, gras, rond et long, ce 2002 pourra être attendu plusieurs années ou être servi dès à présent sur un foie gras ou une tarte Tatin.

🗝 EARL Vignobles Laurent Réglat,
Ch. de Teste, 33410 Monprimblanc,
tél. 05.56.62.92.76, fax 05.56.62.98.80,
e-mail vignobles.l-reglat@wanadoo.fr ☒ 🍷 🚶 r.-v.

CH. DES GRAVES DU TICH 2002

▪ 2,9 ha 13 500 🛢 5 à 8 €

S'il est encore dominé par le bois, ce vin souple, rond et ample possède suffisamment d'équilibre, de notes confites, de miel, de cire, en un mot de complexité pour être apprécié. Il sera intéressant dans un an.

🗝 SCV Jean Queyrens et Fils, Le Grand Village,
33410 Donzac, tél. 05.56.62.97.42, fax 05.56.62.10.15,
e-mail scvjqueyrens@free.fr ☒ 🍷 🚶 r.-v.

CH. DU MONT Cuvée Pierre 2002 ★★

▪ 20 ha 15 000 🛢 11 à 15 €

96 97 |**98**| **99** 00 **01 02**

Avec six coups de cœur, ce cru a largement démontré son aptitude à élaborer de grands vins. Sa cuvée Pierre 2002 ne peut que consolider sa réputation. S'annonçant par une robe brillant dans le verre, elle apparaît presque timide dans son bouquet aux fines notes de fleurs blanches et de bois, avant d'affirmer sa puissance. Celle-ci ne fait aucun doute au palais, dont la souplesse et la rondeur s'accompagnent d'une réelle richesse et d'une belle longueur. Un vrai vin de garde, qu'on laissera tranquille à la cave pendant quatre ou cinq ans, voire plus. En attendant, on pourra apprécier l'élégance et la longueur du **Château Valentin 2002 (8 à 11 €)** qui a obtenu une étoile.

🗝 Hervé Chouvac,
Ch. du Mont, 33410 Sainte-Croix-du-Mont,
tél. 05.56.62.07.65, fax 05.56.62.07.58,
e-mail chateau-du-mont@wanadoo.fr ☒ 🍷 🚶 r.-v.

CH. MORANGE 2002 ★

▪ 4,76 ha 32 000 ▮🌡 5 à 8 €

La taille modeste de ce cru ne doit pas faire oublier qu'il appartient à un bel ensemble de quelque 80 ha. Bien construit, son 2002 est caractéristique du millésime par sa structure à la fois souple et grasse. Equilibré, il sait affirmer sa personnalité liquoreuse dès le bouquet par de sympathiques notes de fruits confits et de miel. Un dégustateur regrette qu'on ne lui ait pas servi un foie gras poêlé aux figues !

🗝 F. Boudat Cigana, Ch. de Viaut, 33410 Mourens,
tél. 05.56.61.98.13, fax 05.56.61.99.46 ☒ 🍷 🚶 r.-v.

CH. PEYROT-MARGES Réserve du Château 2002 ★

▪ 7 ha 2 500 🛢 5 à 8 €

Du même producteur que le Château Mestrepeyrot (premières-côtes-de-bordeaux), cette Réserve séduit d'emblée par sa robe, soutenue et brillante, comme par son bouquet aux agréables notes d'écorces d'orange, de miel et de bois. Au palais, la gamme aromatique s'enrichit de touches d'abricot sec, tandis que son équilibre, sa souplesse, son gras et sa longueur savent le rendre déjà plaisant tout en lui ouvrant de belles perspectives de conservation.

⊶ GAEC Vignobles Chassagnol, Bern,
33410 Gabarnac, tél. 05.56.62.98.00, fax 05.56.62.93.23
☑ Y ⚲ t.l.j. 8h-12h 14h-18h; sam. dim. sur r.-v.;
f. 15-23 août

CH. LA RAME Réserve du Château 2002 ★★

18 ha 18 000 15 à 23 €

96 97 98 99 **00 01 02**

Onze coups de cœur sont là pour témoigner de l'excellence de la Réserve du château La Rame. Dans ce millésime, on retrouve l'équilibre caractéristique de sa production : entre la souplesse de l'attaque et la longueur de la finale, la rondeur et la concentration du palais donnent un ensemble bien constitué qui permet aux arômes d'exprimer leur richesse. Superbe, cette bouteille méritera d'être conservée à la cave pendant quatre ou cinq ans. Du même producteur, le **Château La Caussade 2002 (8 à 11 €)** a obtenu une citation.

⊶ Yves Armand, Ch. La Rame,
33410 Sainte-Croix-du-Mont, tél. 05.56.62.01.50,
fax 05.56.62.01.94, e-mail dgm@wanadoo.fr
☑ Y ⚲ t.l.j. 9h-12h 13h30-18h30; sam. dim. sur r.-v.

Cérons

Enclavés dans les graves (appellation à laquelle ils peuvent aussi prétendre, à la différence des sauternes et des barsac), les cérons (1 426 hl sur 53 ha déclarés pour le millésime 2003) assurent une liaison entre les barsac et les graves supérieures moelleux. Mais là ne s'arrête pas leur originalité, qui réside aussi dans une sève particulière et une grande finesse.

CH. DE CHANTEGRIVE Sélection Françoise 2001 ★

4 ha 6 000 15 à 23 €

Du même producteur que le graves homonyme, ce vin illustre les qualités de l'appellation par son élégance. Son harmonie apparaît dès la présentation, dans une robe limpide et brillante. Ensuite, elle se développe dans son bouquet aux discrètes notes de fruits confits pour finir par exploser au palais.

⊶ SAS Vignobles Lévêque, Ch. de Chantegrive,
33720 Podensac, tél. 05.56.27.17.38, fax 05.56.27.29.42,
e-mail courrier@chateau-chantegrive.com
☑ Y ⚲ t.l.j. sf dim. 9h-17h

CH. HAURA 2002 ★

0,34 ha 2 000 11 à 15 €

Premier millésime de ce cru à être élaboré par Denis Dubourdieu, ce 2002 est de bon augure pour l'avenir de cette propriété commandée par une maison de maître du XVIII[e]s. Bouton d'or, la robe est limpide. La bonne intensité du bouquet aux notes de mangue confite et de toast, et l'équilibre du palais expriment la finesse du terroir.

⊶ EARL Pierre et Denis Dubourdieu,
Ch. Doisy-Daëne, 33720 Barsac,
tél. 05.56.27.15.84, fax 05.56.27.18.99,
e-mail denisdubourdieu@wanadoo.fr ☑ Y ⚲ r.-v.

DOM. DU HAURET-LALANDE 2002 ★

0,5 ha 1 260 11 à 15 €

Signé par l'équipe barsacaise de Piada, ce vin sait montrer qu'il est de bonne origine. Son bouquet passe des notes de fruits confits aux notes florales pour terminer sur la figue et le pruneau. Encore un peu rebelle mais tout aussi expressif, le palais annonce un bon potentiel de garde que confirme sa longue finale.

⊶ EARL Lalande et Fils, Ch. Piada, 33720 Barsac,
tél. 05.56.27.16.13, fax 05.56.27.26.30
☑ Y ⚲ t.l.j. 8h-12h 13h30-19h; sam. dim. sur r.-v.

Barsac

Tous les vins de l'appellation barsac peuvent bénéficier de l'appellation sauternes. Barsac (553 ha, 11 444 hl déclarés en 2003) s'individualise cependant par rapport aux communes du Sauternais proprement dit par un moindre vallonnement et par les murs de pierre entourant souvent les exploitations. Ses vins se distinguent des sauternes par un caractère plus légèrement liquoreux. Mais, comme les sauternes, ils peuvent être servis de façon classique sur un dessert ou, comme cela se fait de plus en plus, en entrée, sur un foie gras, ou bien sur des fromages forts du type roquefort.

CH. COUTET 2001 ★

1er cru clas. 38,5 ha 49 000 30 à 38 €

73 75 76 78 **81 83** 85 **86 89 90** 95 96 97 99 01

Le botrytis s'étant développé très rapidement, l'année 2001 a été favorable aux liquoreux. Homogène et harmonieux, ce vin le confirme pleinement. Délicat dans sa robe jaune paille et ses arômes de fruits secs (abricot sec, figue et amande), il est tout aussi fin et élégant au palais, équilibré et persistant, et présente un beau retour aromatique de miel et de fleur d'acacia délicieusement épicé. Déjà plaisant, il pourra aussi rester plusieurs années en cave.

⊶ SC Ch. Coutet, 33720 Barsac,
tél. 05.56.27.15.46, fax 05.56.27.02.20,
e-mail chateaucoutet@aol.com ☑ ⚲ r.-v.

CH. FARLURET 2002 ★★

9 ha 18 000 15 à 23 €

75 76 78 80 81 82 83 85 **86 87 88** (89) **90 91** 94 95 **96 97** 98 01 **02**

Ce domaine est depuis vingt ans une valeur sûre du Sauternais. Située sur la commune de Barsac, la propriété a donc droit aux deux appellations ; ce que revendique l'étiquette de ce 2002 remarquable : ample à souhait, son

bouquet fait plonger dans l'univers du botrytis avec du zeste d'orange et de mandarine confite sur un fond de fleur d'acacia. Gras, rond et opulent, le palais révèle un bel équilibre et une riche matière qui donnent à cette bouteille un côté très séduisant.

🔑 Hervé et Patrick Lamothe, 3, Piquey,
33210 Preignac, tél. 05.56.63.24.76, fax 05.56.63.23.31,
e-mail haut-bergeron@wanadoo.fr ☑ 🍸 🚶 r.-v.

CH. PIADA 2002 ★★

■ 9,67 ha 13 000 ◍ 15 à 23 €

83 85 86 88 89 (90) **91** |95| |96| |97| |98| **|99|** **01** **02**

L'un des rares crus du Sauternais à être placé sous direction féminine. Bien typé dans son appellation et son millésime par son harmonie, ce vin déploie un bouquet bien botrytisé, aux parfums séduisants d'orange, de gingembre, d'angélique et d'abricot confit. Charnu, rond et très goûteux, il n'aura rien contre une garde prolongée.

🔑 EARL Lalande et Fils, Ch. Piada, 33720 Barsac,
tél. 05.56.27.16.13, fax 05.56.27.26.30
☑ 🍸 🚶 t.l.j. 8h-12h 13h30-19h; sam. dim. sur r.-v.

CH. ROUMIEU LACOSTE
Sélection André Dubourdieu 2001 ★

■ 8 ha 12 000 ◍ 30 à 38 €

Issue d'un vignoble entièrement planté en sémillon, cette cuvée arbore une belle livrée d'or. Très complet, son bouquet marie l'apport du bois (toast et grillé) à des notes confites. Tout aussi riche et expressif, le palais est déjà onctueux, mais ce 2001 pourra aussi être attendu pendant une dizaine d'années. Signalons que l'étiquette porte les mentions haut-barsac sauternes.

🔑 Hervé Dubourdieu, Ch. Roûmieu-Lacoste,
33720 Barsac, tél. 05.56.27.16.29, fax 05.56.27.02.65,
e-mail hervedubourdieu@aol.com ☑ 🍸 🚶 r.-v.

Sauternes

Si vous visitez un château à Sauternes, vous saurez tout sur ce propriétaire qui eut un jour l'idée géniale d'arriver en retard pour les vendanges et de décider, sans doute par entêtement, de faire ramasser les raisins malgré leur état surmûri. Mais si vous en visitez cinq, vous n'y comprendrez plus rien, chacun ayant sa propre version, qui se passe évidemment chez lui. En fait, nul ne sait qui « inventa » le sauternes, ni quand ni où.

Si en Sauternais, l'histoire se cache toujours derrière la légende, la géographie, elle, n'a plus de secret. Chaque caillou des cinq communes constituant l'appellation (dont Barsac, qui possède sa propre appellation) est recensé et connu dans toutes ses composantes. Il est vrai que c'est la diversité des sols (graveleux, argilo-calcaires ou calcaires) et des sous-sols qui donne un caractère à chaque cru, les plus renommés étant implantés sur des croupes graveleuses. Obtenus avec trois cépages – le sémillon (de 70 à 80 %), le sauvignon (de 20 à 30 %) et la muscadelle –, les sauternes sont dorés, onctueux, mais aussi fins et délicats. Leur bouquet « rôti » se développe très bien au vieillissement, devenant riche et complexe, avec des notes de miel, de noisette et d'orange confite. Il est à noter que les sauternes sont les seuls vins blancs à avoir été classés en 1855. L'AOC couvrait une superficie de 1 723 ha en 2003 pour une production de 34 807 hl.

CH. ANDOYSE DU HAYOT 2000

■ 20 ha 22 000 ▮ ◍ 🌡 11 à 15 €

|90| 91 93 94 |95| **|96|** |97| 98 99 00

Avec ce millésime, ce cru barsacais propose un vin simple mais bien fait. Frais et floral, son bouquet complète les arômes fruités par une délicate note de cannelle. D'un bon équilibre, ce 2000 pourra être apprécié jeune.

🔑 Vignobles du Hayot, Andoyse, 33720 Barsac,
tél. 05.56.27.15.37, fax 05.56.27.04.24,
e-mail vignoblesduhayot@aol.com ☑ 🍸 🚶 r.-v.

CH. D'ARMAJAN DES ORMES 2001 ★★

■ 15 ha 13 000 ▮ ◍ 🌡 15 à 23 €

|95| **|96|** |97| |98| |99| 00 **01**

Si le château est caractéristique des XVIIe et XVIIIe s., l'anoblissement de la terre est bien antérieur, remontant sans doute à un passage de Charles IX. Outre sa chaude teinte mordorée et vieil ambre, ce vin dispose d'atouts pour séduire : un bouquet riche et complexe fait d'empreintes florales de genêt, d'aubépine, de miel, mais aussi d'ananas et de tabac avec un zeste de caramel ; une matière importante, concentrée et aromatique. Très bien dosé, le bois participe à l'équilibre de l'ensemble ; ce 2001 s'exprimera pleinement sur un fromage bleu ou une viande blanche.

🔑 EARL Jacques et Guillaume Perromat,
Ch. d'Armajan, 33210 Preignac,
tél. 05.56.63.22.17, fax 05.56.63.21.55,
e-mail guillaume.perromat@wanadoo.fr ☑ 🍸 🚶 r.-v.

CH. DE BASTARD 2002 ★

■ 6,5 ha 10 000 ◍ 8 à 11 €

Au bord du Ciron, cette maison de charme et sa tour médiévale constituent une étape obligée des amateurs de VTT et de canoë. Avec sa brillante robe dorée à reflets verts et son bouquet complexe (citron, fruits confits et abricot sec), ce vin a lui aussi beaucoup de charme. Son caractère

très aromatique se retrouve au palais qui révèle une matière équilibrée. Une finale acidulée complète le tout. Une jolie bouteille à attendre quelques années.
🐦 Christophe et Catherine Gachet, Ch. Bastard, 33720 Barsac, tél. 06.87.50.14.38, fax 05.56.62.33.11, e-mail clos.dady@wanadoo.fr ☑ ⟁ ⚭ r.-v.

CH. BASTOR-LAMONTAGNE 2001 ★

	38 ha	65 000	⬛ ⬛⬇ 23 à 30 €

82 83 84 85 86 |88| |89| ⑨⓪ 94 95 96 |97| |98| 99 **00 01**

Quartier général de Foncier-Vignobles, ce cru constitue une belle unité dont la réputation n'est plus à faire. D'un élégant or pâle brillant, ce millésime s'annonce par des parfums de fruits exotiques et de fleurs blanches. Grasse et puissante, l'attaque s'ouvre sur un palais égayé par des arômes d'agrumes et de fruits secs bien soutenus par un boisé fondu conférant une note épicée. En finale, du grain et une petite touche d'acidité sont les bienvenus. Une bouteille à ouvrir dans deux ans et pendant de longues années pour un accord gourmand avec un poisson à la crème. Très agréable par son expression aromatique (acacia, abricot mûr, écorce d'orange), le second vin, **Les Remparts de Bastor 2001 (11 à 15 €)**, est lui aussi ample et bien équilibré, marqué par l'acidité typique du millésime qui lui confère une jolie fraîcheur en finale. Il obtient également une étoile.
🐦 SCEA Vignobles Bastor Saint-Robert, Dom. de Lamontagne, 33210 Preignac, tél. 05.56.63.27.66, fax 05.56.76.87.03, e-mail bastor-lamontagne@dial.oleane.com ☑ ⟁ ⚭ r.-v.
🐦 Foncier-Vignobles

CRU BORDENAVE 2001 ★

	3 ha	3 600	⬛ ⬛⬇ 38 à 46 €

Petit domaine dépendant de Bastor-Lamontagne, ce cru propose un vin intéressant par son équilibre, son développement au palais et son expression aromatique : à côté des arômes d'agrumes confits et de boisé torréfié, on y décèle d'originales notes de rancio, de pierre à fusil, de menthe et de pain d'épice. Ample, équilibré, d'une belle longueur en finale, ce 2001 ne se livre pas totalement pour l'instant et demande d'être attendu.
🐦 SCEA Vignobles Bastor Saint-Robert, Dom. de Lamontagne, 33210 Preignac, tél. 05.56.63.27.66, fax 05.56.76.87.03, e-mail bastor-lamontagne@dial.oleane.com ☑ ⟁ ⚭ r.-v.
🐦 Foncier-Vignobles

CH. CAILLOU Cuvée Reine 1999

2e cru clas.	13 ha	600	⬛ + de 76 €

Sans chercher à rivaliser avec certains millésimes antérieurs, dont un beau coup de cœur avec le 97, cette cuvée prestige sait retenir l'attention, tant par le joli rôti de son bouquet que par les notes d'ananas, de miel et de cire que l'on retrouve au palais, qui s'ouvre sur une finale très liquoreuse.
🐦 M. et Mme Pierre, Ch. Caillou, 33720 Barsac, tél. 05.56.27.16.38, fax 05.56.27.09.60, e-mail chateaucaillou@aol.com ☑ ⟁ ⚭ r.-v.

CH. CANTEGRIL 2002 ★

	17 ha	53 000	⬛ 15 à 23 €

Signé par Denis Dubourdieu, ce vin sait montrer son élégance par des notes d'oranges confites, de fruits surmûris avec une pointe de miel. Frais et charmeur, il

présente une bonne vivacité qui lui donne du relief et lui permettra d'accompagner un foie gras poêlé aux raisins.
🐦 EARL Pierre et Denis Dubourdieu, Ch. Doisy-Daëne, 33720 Barsac, tél. 05.56.27.15.84, fax 05.56.27.18.99, e-mail denisdubourdieu@wanadoo.fr ☑ ⟁ ⚭ r.-v.

PIERRE CHANAU 2002

	n.c.	165 000	⬛⬇ 8 à 11 €

Elaboré par la maison Dulong pour les magasins Auchan, ce vin est d'une jolie tenue, tant par son attaque veloutée que par son équilibre général et son expression aromatique aux notes de fleurs, de pêche blanche et de miel.
🐦 Dulong Frères et Fils, 29, rue Jules-Guesde, 33270 Floirac, tél. 05.56.86.51.15, fax 05.56.40.66.41, e-mail dulong@dulong.com

CLOS DU ROY 2002 ★

	9,67 ha	5 000	11 à 15 €

Du même producteur que le Château Piada (barsac), ce vin possède lui aussi un bouquet agréable (fleurs, amandes, écorce d'orange, fruits exotiques et secs) et une bonne structure. Gras et frais, il appelle la garde, mais pourra être servi plus jeune que le Piada (d'ici deux à trois ans).
🐦 EARL Lalande et Fils, Ch. Piada, 33720 Barsac, tél. 05.56.27.16.13, fax 05.56.27.26.30
☑ ⟁ ⚭ t.l.j. 8h-12h 13h30-19h; sam. dim. sur r.-v.

CH. CLOS HAUT-PEYRAGUEY 2001 ★

1er cru clas.	12 ha	27 670	⬛ 38 à 46 €

82 83 85 86 |88| |89| |90| 91 94 |95| |96| |97| 99 01

Situé sur la partie la plus élevée du plateau de Bommes, ce cru bénéficie de bonnes conditions naturelles. D'un léger jaune pâle, ce vin en est l'illustration par la finesse et l'élégance de son bouquet (fleurs, pêche et délicat rôti sur une pointe d'ananas) à mettre en relation avec son terroir argilo-graveleux. Ample, d'une structure très liquoreuse et d'une bonne acidité, son palais se prolonge par un retour aromatique de fruits exotiques, de pêche et d'abricot. Une bouteille de garde, à attendre quelques années.
🐦 SC J. et J. Pauly, Ch. Clos Haut-Peyraguey, 33210 Bommes, tél. 05.56.76.61.53, fax 05.56.76.69.65, e-mail contact@closhautpeyraguey.fr
☑ ⟁ ⚭ t.l.j. 9h-12h 14h-18h30; groupes sur r.-v.

CH. CLOSIOT 2001

	4,5 ha	9 300	⬛ 15 à 23 €

De ce petit cru de 4,5 ha, dire que les portes sont ouvertes sept jours sur sept n'est pas une simple formule. Cela vous permettra de passer un week-end dans cette petite propriété et de goûter ce millésime. D'un beau jaune franc lumineux, ce vin frais et élégant associe de fins arômes de citron, d'orange et de mangue. Gras et délicat, avec une agréable présence de la liqueur en finale, le palais invite à ouvrir cette bouteille d'ici trois à cinq ans.
🐦 Françoise Sirot-Soizeau, Ch. Closiot, 33720 Barsac, tél. 05.56.27.05.92, fax 05.56.27.11.06, e-mail closiot@vins-sauternes.com
☑ 🏠 ⟁ ⚭ t.l.j. 9h30-12h 14h-18h; f. 24 déc. au 15 jan.

CLOS L'ABEILLEY 2002 ★

	78,24 ha	34 400	⬛ ⬛⬇ 15 à 23 €

Dès les vendanges et les primeurs, le millésime 2002 s'est taillé une solide réputation. Ce vin montre qu'elle n'est pas usurpée : d'un beau jaune doré, il développe un bouquet de fruits exotiques avant de montrer son volume à l'attaque. Puissant et agrémenté d'arômes de fruits secs, le palais autorise l'amateur à déguster cette bouteille sans attendre ou à la laisser vieillir quelques années.

🔑 SC du Ch. de Rayne Vigneau, La Croix Bacalan,
109, rue Achard, BP 154, 33042 Bordeaux Cedex,
tél. 05.56.11.29.00, fax 05.56.11.29.01

CH. DOISY-DAENE 2002 ★

■ 2e cru clas. 15 ha 40 000 ◍ 30 à 38 €

50 71 75 76 78 79 80 |**81**| **82** |(83)| 84 85 |**86**| |88| |89|
|**90**| |**91**| |**94**| |**95**| |**96**| |**97**| |98| |00| **01** 02

Faut-il y voir une influence de la fraîcheur des nuits du mois de septembre 2002, alternant avec des journées chaudes ? Le fait que les vendanges ont ici précédé les pluies qui ont débuté le 10 octobre ? Ou le savoir-faire de Denis Dubourdieu ? En tout cas, il est incontestable qu'une acidité de bon aloi participe à l'équilibre de ce vin. S'annonçant par une robe brillante, il tend un bouquet printanier aux mille parfums de fleurs (acacia, tilleul, genêt et jonquille), de fruits blancs (pêche blanche) et de miel, prolongé par un palais doux à la texture pleine et au beau volume. On lui laissera quelque temps (deux à trois ans) pour qu'il gagne encore en complexité aromatique.

🔑 EARL Pierre et Denis Dubourdieu,
Ch. Doisy-Daëne, 33720 Barsac,
tél. 05.56.27.15.84, fax 05.56.27.18.99,
e-mail denisdubourdieu@wanadoo.fr ☑ 🍷 🚶 r.-v.

CH. DUDON 2001 ★

■ 11,8 ha 8 500 ◍ 15 à 23 €

Gîte Bacchus, ce cru est l'un de ceux qui croient depuis longtemps à l'œnotourisme. L'un de ses premiers arguments pour attirer les visiteurs est la qualité de son vin, dont témoigne ce 2001 à la séduisante robe d'un or pâle lumineux. Sa finesse prépare à la découverte de délicates notes d'orange confite, de brioche, de rose et de cire. Le palais reste dans le droit fil, révélant un équilibre très subtil et un dosage savant privilégiant les notes florales et printanières complétées d'arômes d'agrumes. Un sauternes moderne bien réussi.

🔑 SCE du Ch. Dudon, 33720 Barsac,
tél. 05.56.27.29.38, fax 05.56.27.29.38,
e-mail chateau.dudon.barsac@wanadoo.fr
☑ 🏠 🍷 🚶 r.-v.
🔑 Allien

DULONG 2002

■ n.c. 65 000 ▮ 🌡 8 à 11 €

Signé par une maison réputée de la place de Bordeaux pour les magasins Cora, ce vin or clair à reflets verts charme par ses frais parfums de fleurs (acacia, tilleul), de pêche blanche, que complète une petite odeur marine, et par sa structure ronde, pleine, équilibrée et harmonieuse. Une bouteille qui permettra à beaucoup de s'initier au sauternes.

🔑 Dulong Frères et Fils, 29, rue Jules-Guesde,
33270 Floirac, tél. 05.56.86.51.15, fax 05.56.40.66.41,
e-mail dulong@dulong.com

CH. L'ERMITAGE 2002

■ 7 ha 15 000 ◍ 11 à 15 €

Acquis par ses propriétaires actuels en 1999, ce cru est en cours de modernisation. Simple et bien fait, son 2002 montre sa délicatesse par son bouquet où les fleurs d'acacia se mêlent aux fruits confits, aux agrumes (pamplemousse, citron) et à l'ananas. Aimable et bien équilibré, le palais est dans la continuité du nez.

🔑 SCEA Ch. l'Ermitage, 9, VC M. Lacoste,
33210 Preignac, tél. 05.56.76.24.13, fax 05.56.76.12.75,
e-mail contact@chateau-lermitage.com
☑ 🍷 🚶 t.l.j. sf sam. dim. 8h-18h
🔑 Fontan

CH. DE FARGUES 1998 ★★

■ 14 ha 20 000 ◍ 46 à 76 €

|**47**| |**49**| |**53**| |**59**| 62 |(67)| 71 |**75**| |**76**| |**83**| **84 85** |**86**| **87**
|**88**| |**89**| |**90**| |**91**| |**94**| |**95**| **96 97 98**

Sans être d'une taille exceptionnelle (15 ha), ce vignoble jouit d'une grande renommée qui ne s'explique pas seulement par le fier aspect des ruines du château fort qui lui donne son nom. La qualité du vin a sa part dans cette notoriété, témoin, ce 98 aussi agréable dans sa robe d'or jaune brillant que dans son expression aromatique. D'une réelle complexité, son bouquet passe des raisins secs et des fruits exotiques aux notes plus fraîches d'ananas et de chèvrefeuille. Son sens de l'équilibre, notamment entre le fruit et le rôti, se retrouve au palais. Elégant, ample mais sans lourdeur, très persistant, un sauternes bien armé pour la garde.

🔑 Comte Alexandre de Lur-Saluces,
Ch. de Fargues, 33210 Fargues-de-Langon,
tél. 05.57.98.04.20, fax 05.57.98.04.21,
e-mail fargues@chateau-de-fargues.com ☑ r.-v.

CH. FILHOT 2001

■ 2e cru clas. 62 ha 81 000 ▮ ◍ 🌡 15 à 23 €

81 82 83 85 **86 88** 89 91 92 |95| |**96**| |97| |98| 99 |00|
01

Appelé pendant un temps (de 1865 à 1880) château de Sauternes, Filhot est l'une des plus majestueuses demeures néoclassiques de Gironde. Aussi généreux qu'agréable à l'œil, son vin apparaît délicat et fin au bouquet, où une note minérale vient renforcer les arômes de fruits confits et les saveurs boisées. Rond, gras, plein, sans mollesse ni lourdeur, le palais mène en douceur vers une jolie finale de pain d'épice et d'écorce d'orange.

🔑 SCEA du Ch. Filhot, 33210 Sauternes,
tél. 05.56.76.61.09, fax 05.56.76.67.91,
e-mail filhot@filhot.com ☑ 🍷 🚶 r.-v.
🔑 Famille de Vaucelles

DOM. DE LA FORET 2001

■ 16 ha 35 000 ◍ 15 à 23 €

L'amateur nostalgique des sauternes traditionnels trouvera son bonheur dans ce vin. D'une belle teinte vieil or, il plonge dans l'univers liquoreux par son bouquet aux notes rôties d'abricot sec et d'amande grillée. Au palais, il fait preuve d'une grande présence. Sa bonne matière lui ouvrira les portes de la cave.

🔑 Pierre Vaurabourg,
Dom. de La Forêt, 33210 Preignac,
tél. 05.56.76.88.46, fax 05.56.76.88.46 ☑ 🍷 r.-v.

CH. GRILLON 2002

■ 11 ha 25 000 ◍ 11 à 15 €

Sans être très riche, ce vin est intéressant par son équilibre et son expression aromatique qui associe des notes florales (acacia et genêt) aux fruits blancs. Frais et rond, il demande cependant d'être attendu. Le potentiel est là.

🔑 Odile Roumazeilles, Ch. Grillon, 33720 Barsac,
tél. 05.56.27.16.45, fax 05.56.27.03.77
☑ 🍷 🚶 t.l.j. 8h30-12h 14h-19h

CH. GUIRAUD 2001 ★★

■ 1er cru clas. 85 ha 140 000 ⦀ 46 à 76 €

83 85 **86 88 89** (90) 92 |**95**| **96** |(97)| |**98**| |99| **00 01**

De belles proportions, ce château, situé entre Yquem et le bourg de Sauternes, semble n'avoir pas changé depuis le XIXes., époque où il était la propriété de M. Solar. Nul doute que ce gourmet amateur de bons vins aurait été sensible au beau jaune doré de ce 2001, ou à l'intensité de son bouquet. Ses puissants arômes rôtis, que soutiennent d'agréables notes boisées, se retrouvent au palais où le botrytis manifeste sa présence avec force, équilibre et élégance. De grande classe, sa finale confirme l'impression générale et demande une longue garde.

🔑 SCA du Ch. Guiraud, 33210 Sauternes,
tél. 05.56.76.61.01, fax 05.56.76.67.52,
e-mail x.planty@club-internet.fr ☑ Y 🚶 r.-v.

CH. GUITERONDE DU HAYOT 2000 ★

■ 35 ha 58 000 ▮⦀♁ 11 à 15 €

Déjà connu au XIXes., époque où son nom s'écrivait « Guitte-Ronde », ce cru propose un vin qui sait se présenter, dans une robe viel or d'une bonne intensité. Frais, net et complexe, le bouquet agrémente ses notes confites d'une légère touche mentholée de bon aloi. Au palais on retrouve la fraîcheur tandis que la structure affirme sa personnalité par son volume et son équilibre.

🔑 Vignobles du Hayot, Andoyse, 33720 Barsac,
tél. 05.56.27.15.37, fax 05.56.27.04.24,
e-mail vignoblesduhayot@aol.com ☑ Y 🚶 r.-v.

CH. HAUT-BERGERON 2002 ★★

■ 17 ha 30 000 ⦀ 15 à 23 €

83 85 86 88 |**89**| |**90**| **91** 95 |**96**| 97 |98| 99 00 **01 02**

Entre les Lamothe, qui possèdent la propriété depuis plus de deux siècles, et ce cru, il s'est créé une réelle complicité. Après beaucoup d'autres, ce millésime en apporte une brillante illustration, tant par sa robe, d'un jaune doré limpide, que par son bouquet, puissant, fin et complexe. Après une attaque sans faiblesse, le palais montre qu'il possède l'équilibre et la longueur que l'on est en droit d'attendre d'un vrai liquoreux.

🔑 Hervé et Patrick Lamothe, 3, Piquey,
33210 Preignac, tél. 05.56.63.24.76, fax 05.56.63.23.31,
e-mail haut-bergeron@wanadoo.fr ☑ Y 🚶 r.-v.

CH. HAUT BOMMES 2001 ★

■ 5 ha 8 430 ⦀ 15 à 23 €

Depuis 1850 dans la famille Pauly, ce cru propose un vin à la robe intense, nette et brillante. Il développe de beaux arômes d'aubépine, d'acacia, de miel et de fruits confits, avant de laisser pleinement s'exprimer les notes de botrytis (rôti) et son caractère liquoreux qui l'emporte en finale.

🔑 SC J. et J. Pauly, Ch. Clos Haut-Peyraguey,
33210 Bommes, tél. 05.56.76.61.53, fax 05.56.76.69.65,
e-mail contact@closhautpeyraguey.fr
☑ Y 🚶 t.l.j. 9h-12h 14h-18h30; groupes sur r.-v.

CH. LAFAURIE-PEYRAGUEY 2002 ★

■ 1er cru clas. 42 ha 70 000 ⦀ 30 à 38 €

75 76 79 80 81 82 83 84 85 86 **87** (88) **89 90** 91
92 93 |**94**| |**95**| |**96**| |**97**| |98| **99 01** 02

Tours d'angles, murailles crénelées, donjon à échauguettes, tout ici semble être réuni pour servir de décor à un film de chevaliers ou à une histoire de cape et d'épée en costumes. Le vin, lui, est de notre temps. Au bouquet, il offre une profusion de parfums floraux : fleurs blanches (acacia), jaunes (genêt) associées au miel et à l'orange confite. Souple à l'attaque, le palais ne cache pas son élevage en barrique mais il se montre ensuite généreux et bien équilibré.

🔑 Ch. Lafaurie-Peyraguey,
160, cours du Médoc, 33300 Bordeaux,
tél. 05.57.19.57.77, fax 05.57.19.57.87 ☑ Y r.-v.
🔑 Groupe Suez

CH. LAMOURETTE 2001 ★

■ 10 ha 8 200 ▮⦀ 15 à 23 €

Né à quelque 300 m du confluent du Ciron (halte nautique), ce vin annonce sa vivacité par l'intensité de sa robe et le brio de son bouquet, où les parfums floraux dominants s'enrichissent de notes de fruits exotiques – mangue et litchi. Ample et puissante sans jamais tomber dans la lourdeur, la bouche se montre nette et pleine de charme. Mais son côté gracieux n'empêchera pas l'amateur éclairé d'attendre deux ou trois ans pour ouvrir cette bouteille.

🔑 EARL Vignobles Léglise, Ch. Lamourette,
33210 Bommes, tél. 05.56.76.63.58, fax 05.56.76.60.85,
e-mail leglise@terre-net.fr ☑ Y 🚶 r.-v.

CH. LATREZOTTE 2002 ★

■ 5 ha 9 000 ⦀ 15 à 23 €

Né sur un petit cru barsacais, ce vin aborde la dégustation avec une certaine timidité, dans sa robe jaune paille, avant de prendre plus d'assurance à l'aération. Peu à peu se découvrent de jolis parfums de fleurs, d'abricot sec et de bois, tandis qu'au palais se développe un léger botrytis qui s'associe à une silhouette ronde et grasse pour former un ensemble de forte personnalité. Ce 2002 demande d'être attendu trois à quatre ans ou d'être aéré s'il est servi jeune.

🔑 Jan de Kok, Ch. Latrezotte, 33720 Barsac,
tél. 05.56.27.16.50, fax 05.56.27.08.89 ☑ Y 🚶 r.-v.

CH. LAVILLE 2002 ★

■ 13 ha 20 000 ⦀ 15 à 23 €

92 94 |95| |**96**| 97 **98** 99 00 02

Né sur un cru sablo-graveleux de Preignac, ce vin d'un beau jaune doré sait retenir l'attention par l'intensité de son bouquet, aux parfums d'abricot confit accompagnés d'un joli boisé (toast). Franc à l'attaque, il présente beaucoup de moelleux, équilibré par une bonne acidité, notamment en finale. Une bouteille qu'il faudra savoir attendre. La patience sera aussi de rigueur avec le second vin, le **Château Delmond (8 à 11 €)**, qui a également obtenu une étoile.

🔑 SCEA Ch. Laville, 33210 Preignac,
tél. 05.56.63.59.45, fax 05.56.63.16.28 ☑ Y 🚶 r.-v.
🔑 Famille Barbe

CH. LIOT 2001 ★★

■ 20 ha n.c. ⦀ 15 à 23 €

89 90 91 93 95 96 |97| 98 99 |00| |**01**|

Situé dans le hameau homonyme, le château Liot bénéficie d'un terroir de qualité. Fin et puissant, le bouquet de ce vin montre que le potentiel offert par la nature a été bien exploité : ses notes de miel, de fruits secs, de tilleul, d'aubépine et même de poivre composent un ensemble complexe. Le palais est tout aussi riche. Ample, franc et

net, il révèle un botrytis de qualité et un très bel équilibre entre l'acidité et les sucres. Cette bouteille méritera un long séjour en cave.
🔑 SCEA J. E. David, Ch. Liot, 33720 Barsac,
tél. 05.56.27.15.31, fax 05.56.27.14.42,
e-mail chateau.liot@wanadoo.fr ☑ 🍸 🚶 r.-v.

CH. DE MALLE 2002 ★

■ 2e cru clas. 27 ha 15 000 🛢 30 à 38 €

71 (75) 76 81 83 85 86 87 88 89 90 91 94 95 96 |97| **98** |99| 00 02

Quand à l'élégance du classicisme à la française s'ajoute la magie d'un jardin à l'italienne, on obtient un petit bijou au charme enchanteur. C'est Malle. Et le vin se plaît à ressembler aux lieux par sa robe à reflets dorés et son bouquet aux délicats parfums de fruits frais et de fleurs que rejoignent bien vite des notes de menthol, d'abricot sec et d'orange confite. Riche, gras et bien équilibré, il offre une longue finale sur des notes de mandarine confite. Assez proche et également à attendre quelques années, le second vin, le **Château de Sainte-Hélène 2002 (15 à 23 €)**, a obtenu une citation.
🔑 Comtesse de Bournazel,
GFA des Comtes de Bournazel, Ch. de Malle,
33210 Preignac, tél. 05.56.62.36.86, fax 05.56.76.82.40,
e-mail chateaudemalle@wanadoo.fr ☑ 🍸 🚶 r.-v.

CH. DU MONT Cuvée Jeanne 2002 ★

■ 0,54 ha 1 200 🛢 15 à 23 €

Les Chouvac sont d'authentiques élaborateurs de grands liquoreux. Leur sainte-croix-du-mont en est la preuve. Ce sauternes confirme leur savoir-faire. Au charme de ses élégants parfums de fleurs et de fruits blancs s'ajoutent de légères notes grillées, qui témoignent d'un élevage bien dosé. Après une attaque souple, le palais développe de fines notes de rôti et révèle un bon équilibre général.
🔑 Vignobles Hervé Chouvac,
Ch. du Mont, 33410 Sainte-Croix-du-Mont,
tél. 06.89.96.54.73, fax 05.56.62.07.58,
e-mail chateau-du-mont@wanadoo.fr ☑ 🍸 🚶 r.-v.

CH. RAYMOND-LAFON 2000 ★

■ 15,3 ha 7 600 🛢 38 à 46 €

Portant le nom du créateur du cru, au milieu du XIXᵉs., ce vin, après trois ans de fût, n'a pas encore trouvé son expression définitive mais déjà il se montre bien typé par ses arômes d'orange et d'abricot confits. Après une attaque ronde, le palais se révèle ample et harmonieux. Elégant et apte à la garde, le second vin, **Cadet de Raymond-Lafon (23 à 30 €)**, a également obtenu une étoile.
🔑 Famille Meslier, Ch. Raymond-Lafon,
33210 Sauternes, tél. 05.56.63.21.02, fax 05.56.63.19.58,
e-mail famille.meslier@chateau-raymond-lafon.fr
☑ 🍸 🚶 r.-v.

CH. RAYNE VIGNEAU 2001 ★

■ 1er cru clas. 76,24 ha 87 600 🛢 46 à 76 €

85 86 |**88**| |89| |90| |**91**| 92 94 |**95**| |**96**| |97| |**98**| |**99**| 00 01

Sans chercher à rivaliser avec certains millésimes antérieurs, dont le 99, beau coup de cœur, ce 2001 sait se montrer attachant. Floral et complexe – genêt et note de tilleul – le bouquet est typique de l'appellation. Vif et frais, agrémenté de notes de passerillage, le palais laisse le souvenir d'un vin délicat qui procure un réel plaisir.
🔑 SC du Ch. de Rayne Vigneau, La Croix Bacalan,
109, rue Achard, BP 154, 33042 Bordeaux Cedex,
tél. 05.56.11.29.00, fax 05.56.11.29.01

CH. RIEUSSEC 2001 ★★

■ 1er cru clas. n.c. 150 000 🛢 46 à 76 €

62 67 70 71 75 76 78 79 80 81 82 83 84 85 86 87 88 89 |(90)| 92 |**94**| |**95**| |(96)| (97) **98 99 00 01**

Etabli sur une croupe de graves argileuses, ce cru fut au XVIIIᵉs. propriété des Carmes de Langon. Il partage depuis 1985 les destinées de Lafite-Rothschild. Huit fois coup de cœur, il a largement démontré qu'il est à la hauteur de sa renommée. Une fois encore, il propose un millésime qui contribuera à sa réputation. Jaune à reflets dorés, ce 2001 développe un bouquet dense et frais, aux belles notes confites d'orange et d'abricot qui annonce la présence du botrytis au palais. Onctueux, gras et bien équilibré, il laisse le souvenir de jolis arômes de mirabelle. Un ensemble frais et harmonieux qui méritera une longue garde.
🔑 Ch. Rieussec, 33210 Fargues-de-Langon,
tél. 05.57.98.14.14, fax 05.57.98.14.10 ☑ 🍸 🚶 r.-v.

CH. DE ROCHEFORT 2002 ★

■ n.c. 2 500 🛢 11 à 15 €

Ce vin ne manque pas d'atouts, à commencer par son expression aromatique d'une réelle complexité, avec de délicats parfums allant de la rose au citron confit. Riche et gras, il possède une belle liqueur qui fait de lui un vrai classique, aussi agréable à boire jeune qu'apte à la garde.
🔑 Jean-Christophe Barbe, Ch. Laville, 33210 Preignac,
tél. 05.56.63.59.45, fax 05.56.63.16.28 ☑ 🍸 🚶 r.-v.

CH. ROUMIEU 1998 ★

■ 17 ha 45 000 🛢 15 à 23 €

Né dans un beau chai de la fin du XIXᵉs., ce vin ne se contente pas de sa jolie teinte jaune doré pour retenir l'attention. Ses parfums de citron, d'orange confite et de raisins très mûrs, comme l'équilibre du palais et sa finale harmonieuse savent rendre cette bouteille aimable.
🔑 Catherine Craveia-Goyaud,
Ch. Roumieu, 33720 Barsac,
tél. 05.56.27.21.01, fax 05.56.27.01.55 ☑ 🍸 🚶 r.-v.

CH. SAINT-VINCENT Cuvée Camille 2001 ★

■ 3 ha 3 000 🛢 38 à 46 €

Cuvée spéciale, ce vin laisse percevoir un contraste saisissant entre les nuances ambrées de sa robe dorée et la fraîcheur de son bouquet aux notes de citron, de genêt et de chèvrefeuille. Gras, riche et expressif, son palais lui ouvre les portes de la cave tout en le rendant déjà plaisant sur un foie gras ou une viande blanche en sauce.

SCEA Vignobles Francis Desqueyroux et Fils,
1, rue Pourière, 33720 Budos,
tél. 05.56.76.62.67, fax 05.56.76.66.92,
e-mail vign.fdesqueyroux@wanadoo.fr r.-v.

CH. SIGALAS-RABAUD 2002 ★

1er cru clas. 13,37 ha n.c. 15 à 23 €

66 75 76 **81** **82** **83** 85 **86** 87 **88** **89** 90 91 92 94 |(95)| |96| |**97**| |**98**| |**99**| 00 **01** 02

Valeur sûre, ce cru reste fidèle à sa tradition de qualité avec ce vin dont le bouquet, complexe à souhait, développe de délicats parfums de fleurs blanches à côté des notes classiques de fruits confits, de coing, d'abricot et de miel. Souple et gras à l'attaque, il se montre ensuite riche, franc et élégant. Puissant et savoureux, il méritera d'être attendu deux ou trois ans.

Ch. Sigalas-Rabaud, 33210 Bommes,
tél. 05.56.11.29.00, fax 05.56.11.29.01
de Lambert des Granges

CH. SUDUIRAUT 2001 ★

1er cru clas. 90 ha 107 000 46 à 76 €

(67) 75 82 |**83**| 85 86 |88| |89| (90) |96| (97) **99** 01

Majestueux sans être pompeux ni austère, ce château de la seconde moitié du XVIIe s. est l'un des plus beaux du Bordelais. Et la robe de ce vin, dorée et limpide, se plaît à lui ressembler. Avec ses notes de petits fruits jaunes, de fleurs d'acacia et son léger rôti, le bouquet partage lui aussi cette amabilité tout en se montrant expressif et en annonçant la concentration et la puissance du palais. Ce 2001 sera à attendre, tout comme le **Castelnau de Suduiraut (23 à 30 €)** qui a été cité.

Ch. Suduiraut, 33210 Preignac,
tél. 05.56.63.61.90, fax 05.56.63.61.93,
e-mail infochato@suduiraut.com r.-v.
Axa Millésimes

CH. LA TOUR BLANCHE 2001 ★

1er cru clas. 37,92 ha 56 000 38 à 46 €

(61) 62 75 79 80 81 82 83 85 86 |**88**| |89| |**90**| |91| 94 |**95**| |**96**| |97| 99 01

Comme de nombreux crus sauternais, La Tour Blanche possède un superbe pigeonnier, même si ce n'est pas à lui mais à l'un des anciens seigneurs du lieu que le domaine doit son nom. Légué à l'Etat, il est devenu, selon les vœux du donateur, une école de viticulture. Avec son 2001, il opte résolument pour la fraîcheur et l'élégance qui apparaissent nettement dès le bouquet aux notes de verveine, de tilleul et de prune. Au palais, elles se confirment par un fruit très pur. Puis le vin affirme sa personnalité, dévoilant beaucoup de saveurs soutenues par un réel équilibre entre l'acidité et la liqueur. Une grande finale est le point d'orgue de cette belle évolution. Une jolie bouteille à attendre ou à décanter si elle doit être servie jeune.

Ch. La Tour Blanche, 33210 Bommes,
tél. 05.57.98.02.73, fax 05.57.98.02.78,
e-mail tour-blanche@tour-blanche.com r.-v.
Ministère de l'Agriculture

CH. VALGUY 2002 ★

4,16 ha 5 200 15 à 23 €

Avec ce 2002, ce tout jeune cru, au nom composé des prénoms des producteurs (Valérie et Guy), confirme la bonne impression produite par ses deux premiers millésimes. D'un beau jaune d'or légèrement cuivré, il est délicat et charmeur par son bouquet aux fraîches notes florales et son attaque onctueuse. Puis il prend son envol et du relief pour s'affirmer pleinement en finale sur un joli confit finement citronné. Un vrai vin plaisir, déjà prêt mais qui peut vieillir. Seconde étiquette, **Château Loubrie 2002** a également obtenu une étoile. Bien construit mais moins fondu, il demande encore deux ou trois ans de patience.

Grands vignobles Loubrie,
4, chem. de Couitte, 33210 Preignac,
tél. 05.56.63.58.25, fax 05.56.63.58.25 r.-v.

CH. DE VEYRES 2001 ★★

13 ha 7 000 15 à 23 €

Grâce à ce vin, ce domaine fait une entrée remarquée dans le Guide. Mais si son étiquette est toute jeune (2001 est son premier millésime), ses vignes sont d'un âge plus que respectable : cent ans. Il est en effet l'héritier d'un ancien cru réputé au XIXe s. D'un jaune paille soutenu, sa robe est prometteuse, moins cependant que son bouquet où d'intenses parfums d'orange confite et de thé noir se marient avec des notes boisées de grande qualité. Ample, frais et onctueux, le palais plonge dans les savoureuses sensations de botrytis et de raisins confits qui sont la marque des grands sauternes classiques. Une très belle bouteille à ouvrir dans quatre à dix ans.

Vignobles Philippe Mercadier, Ch. Tuyttens-Laville,
33210 Fargues, tél. 05.56.76.85.69, fax 05.56.76.85.69,
e-mail vignoblesmercadier@wanadoo.fr r.-v.

CH. VILLEFRANCHE 2002

12 ha 22 000 15 à 23 €

Fait rare en Bordelais, ce cru possède des archives ininterrompues depuis l'avènement de Louis XVI. Son 2002 se montre intéressant par sa liqueur et son expression aromatique mariant les notes florales à des nuances d'orange et d'abricot confits qui révèlent un côté botrytisé. Il joue sur la fraîcheur, la finesse et l'élégance.

Benoît Guinabert, Ch. Villefranche, 33720 Barsac,
tél. 05.56.27.05.77, fax 05.56.27.33.02 r.-v.

CH. D'YQUEM 1999 ★★★

1er cru sup. 103 ha n.c. + de 76 €

21 29 37 42 |**45**| 53 55 59 (67) 70 71 |**75**| 76 80 |**82**| 83 86 |**88**| **89** |**90**| 91 |**94**| (95) (96) (97) **98** (99)

Marqués par le départ, comme administrateur, d'Alexandre de Lur-Saluces, par l'arrivée de Pierre Lurton ainsi que par la décision d'adhérer au système des primeurs, ces derniers mois auront été décisifs pour Yquem. Mais on peut gager que les millésimes de demain seront aussi réussis que ce 99 dont la forte personnalité apparaît dès le premier contact : une robe d'un jaune d'or sans

faiblesse et un bouquet aussi subtil que complexe. Des fruits jaunes aux fleurs, en passant par les agrumes et la figue sèche, mille parfums viennent évoquer les jardins de toutes les latitudes et les cuisines du monde entier, accompagnés de touches gourmandes de vanille, de pâte de fruits et d'épices, sans oublier le côté rôti et confit indispensable à tout grand sauternes. Dès l'attaque, le palais se révèle gras, ample, onctueux, parfaitement équilibré et d'une rare élégance. On croit avoir tout découvert, quand la finale, aussi riche que longue, réussit à dévoiler de nouvelles saveurs. Une superbe bouteille, qui a devant elle plusieurs décennies.

⊶ SA Ch. d'Yquem, 33210 Sauternes,
tél. 05.57.98.07.07, fax 05.57.98.07.08,
e-mail info@yquem.fr
✗ sur r.-v. à 14h et/ou 15h30 t.l.j. sf sam. dim.;
f. août et Noël
⊶ LVMH

LA BOURGOGNE

« Aimable et vineuse Bourgogne », écrivait Michelet. Quel amateur de vin ne reprendrait à son compte une telle assertion ? Avec le Bordelais et la Champagne, la Bourgogne porte en effet à travers le monde entier la prestigieuse renommée des vins de France les plus illustres, les associant sur ses terroirs avec une gastronomie des plus riches, et trouvant dans leur diversité de quoi satisfaire tous les goûts et réussir tous les accords gourmands.

Plus encore que dans toute autre région viticole, on ne peut dissocier en Bourgogne l'univers du vin de la vie quotidienne, dans une civilisation forgée au rythme des travaux de la vigne : depuis les confins auxerrois jusqu'aux monts du Beaujolais, tout au long d'une province qui relie les deux métropoles que sont Paris et Lyon, la vigne et le vin ont, dès la plus haute Antiquité, fait vivre les hommes, et les ont fait vivre bien. Si l'on en croit Gaston Roupnel, écrivain bourguignon mais aussi vigneron à Gevrey-Chambertin, auteur d'une *Histoire de la campagne française*, la vigne aurait été introduite en Gaule au VI^{e}s. av. J.-C. « par la Suisse et les défilés du Jura », pour être bientôt cultivée sur les pentes des vallées de la Saône et du Rhône. Même si, pour d'autres, ce sont les Grecs qui sont à l'origine de la culture de la vigne, venue du Midi, nul ne conteste l'importance qu'elle a prise très tôt sur le sol bourguignon. Certains reliefs du Musée archéologique de Dijon en témoignent. Et lorsque le rhéteur Eumène s'adresse à l'empereur Constantin, à Autun, c'est pour évoquer les vignes cultivées dans la région de Beaune et qualifiées déjà d'« admirables et anciennes ».

Modelée par les avatars glorieux ou tragiques de son histoire, soumise aux aléas des données climatiques autant qu'aux transformations des pratiques agricoles – où les moines, dans les mouvances de Cluny ou de Cîteaux, jouèrent un rôle capital –, la Bourgogne a dessiné peu à peu la palette de ses *climats* et de ses crus, évoluant constamment vers la qualité et la typicité de vins incomparables. C'est sous le règne des quatre ducs de Bourgogne (1342-1477) que furent édictées les règles destinées à garantir un niveau qualitatif élevé.

Il faut cependant préciser que la Bourgogne des vins ne recouvre pas exactement la Bourgogne administrative : la Nièvre (qui se rattache administrativement à la Bourgogne, avec la Côte-d'Or, l'Yonne et la Saône-et-Loire) fait partie du vignoble du Centre et du vaste ensemble de la vallée de la Loire (vignoble de Pouilly-sur-Loire). Tandis que le Rhône (appartenant pour les autorités judiciaires et administratives à la Bourgogne lui aussi), pays du beaujolais, a acquis par l'habitude une autonomie que justifie – outre la pratique commerciale – l'usage d'un cépage spécifique. C'est ce choix qui est retenu dans le présent guide (voir le chapitre « Le Beaujolais »), où l'on comprend donc en Bourgogne les vignobles de l'Yonne (basse Bourgogne), de la Côte-d'Or et de la Saône-et-Loire, bien que certains vins produits en Beaujolais puissent être vendus en appellation régionale bourgogne.

L'unité ampélographique de la Bourgogne – à l'exclusion, donc, du Beaujolais, planté de gamay noir – ne fait pas de doute : le chardonnay pour les vins blancs et le pinot noir pour les vins rouges y règnent en maîtres. On rencontre cependant quelques variétés annexes, vestiges de pratiques culturales anciennes ou adaptations spécifiques à des terroirs particuliers : l'aligoté, cépage blanc produisant le célèbre bourgogne-aligoté, fréquemment employé dans la confection du « kir » (blanc-cassis) ; il atteint son sommet qualitatif dans le petit pays de Bouzeron, tout près de Chagny (Saône-et-Loire) qui bénéficie d'une AOC communale. Le césar, lui, plant « rouge », est surtout cultivé dans les Côtes d'Auxerre et peut être assemblé au pinot noir pour cette appellation. Le césar apporte beaucoup de tanins. Le sacy donne du bourgogne-grand-ordinaire dans l'Yonne, mais il est de plus en plus remplacé par le chardonnay ; le gamay, lui, fournit du bourgogne-grand-ordinaire et, associé au pinot, du bourgogne-passetoutgrain. Enfin, le sauvignon, fameux cépage aromatique des vignobles de Sancerre et de Pouilly-sur-Loire, est cultivé dans la région de Saint-Bris-le-Vineux, dans l'Yonne, où il donne le saint-bris qui a accédé au statut de l'AOC en 2002.

Sous une relative unité climatique, globalement semi-continentale avec l'influence océanique atteignant ici les limites du Bassin parisien, ce sont les sols qui vont spécifier les caractères propres des très nombreux vins produits en Bourgogne. Car si l'extrême morcellement des parcelles est la règle partout, il se fonde en grande partie sur une juxtaposition d'affleurements géologiques variés, origine de la riche palette de parfums et de saveurs des crus de Bourgogne. Et plus que des données strictement météorologiques, ce sont des variations pédologiques qui rendent compte de la notion de terroir (ou *climat*) précisant les caractères des vins au sein d'une même appellation, et compliquant comme à plaisir le classement et la présentation des grands vins de Bourgogne... Ces *climats*, aux noms particulièrement évocateurs (la Renarde, les Cailles, Genevrières, Clos de la Maréchale, Clos des Ormes, Montrecul...), sont les termes consacrés depuis au moins le XVIII^{e}s. pour désigner des surfaces de quelques hectares, parfois même quelques « ouvrées » (une ouvrée est égale à 4 ares, 28 centiares), correspondant à « une entité naturelle s'extériorisant par l'unité du caractère du vin qu'elle produit... » (A. Vedel). Et l'on peut constater en effet qu'il y a parfois moins de différences entre deux vignes séparées de plusieurs centaines de mètres mais à l'intérieur du même *climat* qu'entre deux autres voisines mais dans deux *climats* différents.

On dénombre en outre quatre niveaux d'appellations dans la hiérarchie des vins : appellation régionale bourgogne (56 % de la production), *villages* (ou appellation communale), premier cru (12 % de la production) et grand cru (3 % de la production qui recouvre trente-trois grands crus répertoriés en Côte-d'Or et à Chablis). Et le nombre de terroirs légalement délimités est très grand : on compte, par exemple, vingt-sept dénominations différentes pour les premiers crus récoltés sur la commune de Nuits-Saint-Georges, et cela pour une centaine d'hectares seulement !

Dans une étude portant sur 59 profils de sols établis dans la Côte de Nuits, Meriaux *et ali* montrent que ce sont des critères morphologiques et physico-chimiques tels que la pente, la pierrosité, les taux d'argile et de calcaire qui permettent le mieux de distinguer l'échelle des appellations.

Plus simplement, dans une approche géographique beaucoup plus générale, il est d'usage de distinguer, du nord au sud, quatre grandes zones au sein de la Bourgogne viticole : les vignobles de l'Yonne (ou de basse Bourgogne), de la Côte-d'Or (Côte de Nuits et Côte de Beaune), la Côte chalonnaise, le Mâconnais.

Dispersé, le vignoble de Chablis couvre aujourd'hui plus de 4 500 ha de collines aux pentes d'exposition variées avec, en dehors de la petite ville de Chablis elle-même, une constellation de villages et de hameaux. L'exploitation du vignoble est partagée entre de nombreux petits propriétaires et quelques grands domaines de 100 ha et plus qui en font les plus importants de Bourgogne. A noter également la présence d'une coopérative « La Chablisienne » qui regroupe plus de trois cents viticulteurs et qui vinifie environ 25 % du vignoble. Du point de vue pédoclimatique, on distingue trois étages géologiques appartenant au jurassique supérieur : l'oxfordien, le kimméridgien et le portlandien qui sont pris en compte dans la délimitation des quatre appellations d'origine contrôlée : petit-chablis, chablis, chablis-premier-cru, chablis-grand-cru. Le caractère gelif du vignoble chablisien est légendaire et son extension à partir des années 1960 a été possible en partie grâce à la mise en place de systèmes de protection comme l'aspersion d'eau. Le vin de Chablis est décrit comme « un vin sec, finement parfumé, léger, vif, qui surprend l'œil par son étonnante limpidité à peine teintée d'or vert » (P. Poupon). De grande réputation mondiale, le nom de ce vin, rançon du succès sans doute, est utilisé abusivement pour de nombreux vins blancs secs produits dans les divers pays viticoles.

La Bourgogne

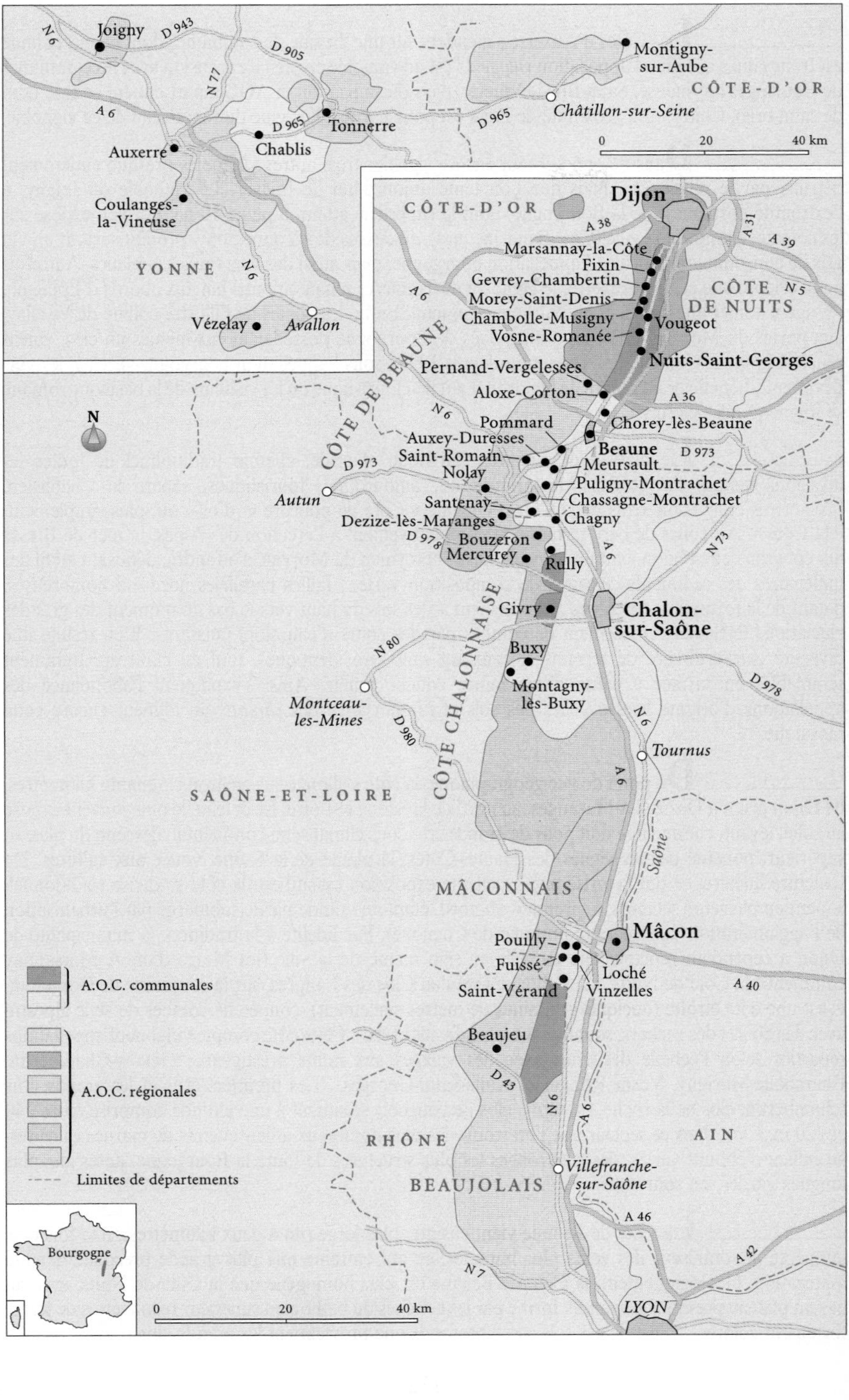

Les Côtes d'Auxerre s'étendent sur une dizaine de communes dont la plus connue est Irançy qui a accédé à l'appellation *village*. C'est un vignoble en pleine expansion avec les communes de Coulanges-la-Vineuse, Saint-Bris-le-Vineux (pays du sauvignon et AOC à part entière sous le nom de saint-bris), Chitry... La proximité de Paris est pour partie à l'origine du renouveau de ce vignoble.

Dans l'Yonne, il faut encore signaler trois autres vignobles presque entièrement détruits par le phylloxéra, mais que l'on tente aujourd'hui de raviver. Le vignoble de Joigny, à l'extrémité nord-ouest de la Bourgogne, dont la superficie atteint à peine 10 ha, est bien exposé sur les coteaux entourant la ville (Côte Saint-Jacques), au-dessus de l'Yonne ; on y produit surtout un vin gris de consommation locale, d'appellation bourgogne, mais aussi des vins rouges et blancs. Autrefois aussi célèbre que celui d'Auxerre, le vignoble de Tonnerre renaît aujourd'hui aux abords d'Epineuil ; l'usage y admet une appellation bourgogne-épineuil. Enfin, les pentes de l'illustre colline de Vézelay, aux portes du Morvan, et où les grands-ducs de Bourgogne possédaient eux-mêmes un clos, voient renaître un petit vignoble en production depuis 1979 ; sous l'appellation bourgogne-vézelay, les vins devraient y bénéficier du renom de l'endroit, haut lieu touristique où les visiteurs de la basilique romane se joignent aux pèlerins.

Le plateau de Langres, karstique et aride, chemin traditionnel de toutes les invasions venues du nord-est, historiques ou, aujourd'hui, touristiques, sépare le Chablisien, l'Auxerrois et le Tonnerrois de la Côte-d'Or, dite « Côte de pourpre et d'or » ou, plus simplement, « la Côte ». Au cours de l'ère tertiaire, et consécutivement à l'érection des Alpes, la mer de Bresse qui couvrait cette région, battant le vieux massif hercynien du Morvan, s'effondra, déposant au fil des millénaires des sédiments calcaires de composition variée : failles parallèles nord-sud nombreuses, datant de la formation des Alpes ; « coulement » des sols du haut vers le bas au moment des grandes glaciations tertiaires ; creusement de combes par des cours d'eau alors puissants. Il en résulte une diversité extraordinaire de terrains se jouxtant sans être identiques, tout en étant apparemment semblables en surface à cause d'une mince couche arable. Ainsi s'expliquent l'abondance des appellations d'origine liées à celles des sols et l'importance des *climats* qui affinent encore cette mosaïque.

Du point de vue géographique, la côte s'allonge sur environ cinquante kilomètres, de Dijon jusqu'à Dezize-lès-Maranges, au nord de la Saône-et-Loire. Le coteau, le plus souvent exposé au soleil levant, comme il se doit pour de grands crus sous climat semi-continental, descend du plateau supérieur, ponctué par les vignes des Hautes-Côtes, la plaine de la Saône, vouée aux cultures. De structure linéaire, ce qui favorise une excellente exposition est-sud-est, la côte se divise traditionnellement en plusieurs secteurs, le premier, au nord, étant en grande partie submergé par l'urbanisation de l'agglomération dijonnaise (commune de Chenôve). Par fidélité à la tradition, la municipalité de Dijon a cependant replanté une parcelle au sein même de la ville (les Marcs d'or. A Marsannay commence la Côte de Nuits, qui s'allonge jusqu'au Clos des Langres, sur la commune de Corgoloin. C'est une côte étroite (quelques centaines de mètres seulement), coupée de combes de style alpestre avec des bois et des rochers, soumise aux vents froids et secs. Cette côte compte vingt-neuf appellations réparties selon l'échelle des crus, avec des villages aux noms prestigieux : Gevrey-Chambertin, Chambolle-Musigny, Vosne-Romanée, Nuits-Saint-Georges... Les premiers crus et les grands crus (chambertin, clos de la roche, musigny, clos de vougeot) se situent à une altitude comprise entre 240 et 320 m. C'est dans ce secteur que l'on trouve les plus nombreux affleurements de marnes calcaires, au milieu d'éboulis variés ; les vins rouges les plus structurés de toute la Bourgogne, aptes aux plus longues gardes, en sont issus.

La Côte de Beaune vient ensuite, plus large (un à deux kilomètres), à la fois plus tempérée et soumise à des vents plus humides, ce qui entraîne une plus grande précocité dans la maturation. Géologiquement, la Côte de Beaune est plus homogène que la Côte de Nuits, avec au bas un plateau presque horizontal, formé par les couches du bathonien supérieur recouvertes de terres fortement colorées. C'est de ces sols assez profonds que proviennent les grands vins rouges (beaune

Grèves, pommard Epenots...). Au sud de la Côte de Beaune, les bancs de calcaires oolithiques avec, sous les marnes du bathonien moyen recouvertes d'éboulis, des calcaires sus-jacents donnent des sols à vigne caillouteux, graveleux, sur lesquels sont récoltés les vins blancs parmi les plus prestigieux : premiers et grands crus des communes de Meursault, Puligny-Montrachet, Chassagne-Montrachet. Si l'on parle de « côte des rouges » et de « côte des blancs », il faut citer entre les deux le vignoble de Volnay, implanté sur des terrains pierreux argilo-calcaires et donnant des vins rouges d'une grande finesse.

La culture de la vigne se poursuit jusqu'à une altitude plus élevée dans la Côte de Beaune que dans la Côte de Nuits : 400 m et parfois plus. Le coteau est coupé de larges combes, dont celle de Pernand-Vergelesses, semblant séparer la fameuse Montagne de Corton du reste de la côte.

On replante peu à peu les secteurs des hautes-côtes, où sont produites les appellations régionales bourgogne-hautes-côtes-de-nuits et bourgogne-hautes-côtes-de-beaune. L'aligoté y trouve son terrain de prédilection, qui met bien en valeur sa fraîcheur. Quelques terroirs y donnent d'excellents vins rouges issus de pinot noir, présentant souvent des odeurs de petits fruits rouges (framboise, cassis), spécialités de la Bourgogne, cultivées là aussi.

Le paysage s'épanouit quelque peu dans la Côte chalonnaise (4 500 ha) ; la structure linéaire du relief s'y élargit en collines de faible altitude s'étendant plus à l'ouest de la vallée de la Saône. La structure géologique est beaucoup moins homogène que celle du vignoble de la Côte-d'Or ; les sols reposent sur les calcaires du jurassique, mais aussi sur des marnes de même origine ou d'origine plus ancienne, lias ou trias. Des vins rouges d'AOC *village* et premier cru sont produits à partir du pinot noir à Mercurey, Givry et Rully, mais ces mêmes communes proposent aussi des blancs de chardonnay, cépage qui devient unique pour l'appellation montagny située un peu plus au sud ; c'est aussi là que se trouve Bouzeron, à l'aligoté réputé. Il faut enfin signaler un bon vignoble aux abords de Couches, que domine le château médiéval. D'églises romanes en demeures anciennes, chaque itinéraire touristique peut d'ailleurs se confondre ici avec une route des Vins.

Jeu de collines découvrant souvent de vastes horizons, où les bœufs charolais ponctuent de blanc le vert des prairies, le Mâconnais (5 700 ha en production), cher à Lamartine – Milly, son village, est vinicole, et lui-même possédait des vignes – est géologiquement plus simple que le Chalonnais. Les terrains sédimentaires du triasique au jurassique y sont coupés de failles ouest-est. 20 % des appellations sont communales, 80 % régionales (mâcon blanc et mâcon rouge). Sur des sols bruns calcaires, les blancs les plus réputés, issus de chardonnay, naissent sur les versants particulièrement bien exposés et très ensoleillés de Pouilly, Solutré et Vergisson avec les AOC pouilly-fuissé, pouilly-vinzelles, pouilly-loché, saint-véran. Ils sont remarquables par leur aspect et leur aptitude à une longue garde. Les rouges et rosés proviennent du pinot noir pour les vins d'appellation bourgogne et de gamay noir à jus blanc pour les mâcons issus de terrains à plus basse altitude et moins bien exposés, aux sols souvent limoneux où des rognons siliceux facilitent le drainage.

Pour essentielles que soient les données pédologiques et climatiques, on ne peut présenter la Bourgogne vinicole sans aborder les aspects humains du travail de la vigne et des vins : les hommes attachés à leur terroir le sont souvent ici depuis des siècles. Ainsi, les noms de nombreuses familles ont traversé cinq siècles. De même, la fondation de certaines maisons de négoce remonte parfois au XVIII^{e}s.

Morcelé, notamment en Côte d'Or, le vignoble est constitué d'exploitations familiales de faible superficie. C'est ainsi qu'un domaine de 4 à 5 ha suffit, en appellation communale (nuits-saint-georges, par exemple), à faire vivre un ménage occupant un ouvrier. Rares sont les producteurs qui possèdent et cultivent plus de 10 ha : l'illustre Clos-Vougeot, par exemple, qui couvre cinquante hectares, est partagé entre plus de soixante-dix propriétaires ! Ce morcellement des *climats* du point de vue de la propriété augmente encore la diversité des vins produits et crée une saine émulation chez les vignerons ; une dégustation consistera souvent, en Bourgogne, à comparer deux vins de même cépage et de même appellation, mais provenant chacun d'un *climat* différent ; ou encore, à juger deux vins de même cépage et de même *climat*, mais d'années différentes. Ainsi, en Bourgogne, deux notions reviennent en permanence en matière de dégustation : le cru, ou *climat*, et le millésime, auxquels s'ajoute bien sûr la « touche » personnelle du vinificateur qui les présente. Du point de vue technique, le vigneron bourguignon est très attaché au maintien des usages et traditions, ce qui ne signifie pas un refus absolu de la modernisation. C'est ainsi que la mécanisation de la viticulture se développe et que de nombreux vinificateurs ont su tirer profit de nouveaux matériels ou de nouvelles techniques. Il est toutefois des traditions qui ne sauraient être remises en cause aussi bien par les viticulteurs que par les négociants : l'un des meilleurs exemples en est l'élevage des vins en fût de chêne.

On recense environ 3 500 domaines vivant uniquement de la vigne. Ils exploitent les deux tiers des 24 000 ha de vignes plantées en appellation d'origine. Dix-neuf coopératives sont répertoriées ; le mouvement est très actif en Chablisien, en Côte chalonnaise et surtout dans le Mâconnais (13 caves). Elles produisent environ 25 % des volumes de vin. Les négociants-éleveurs jouent un grand rôle depuis le XVIII^{e}s. Ils commercialisent plus de 60 % de la production et détiennent plus de 35 % de la surface totale des grands crus de la Côte de Beaune. Avec ses domaines, le négoce produit 8 % de la récolte totale bourguignonne. Celle-ci représente en moyenne 180 millions de bouteilles (105 en blanc, 75 en rouge) qui génèrent 760 millions d'euros de chiffre d'affaires. Le volume global des appellations représente environ 300 000 hl.

L'importance de l'élevage (conduite d'un vin depuis sa prime jeunesse jusqu'à son optimal qualitatif avant la mise en bouteilles) met en évidence le rôle du négociant-éleveur : outre sa responsabilité commerciale, il assume une responsabilité technique. On comprend donc qu'une relation professionnelle harmonieuse se soit créée entre la viticulture et le négoce.

Le Bureau interprofessionnel des vins de Bourgogne (BIVB) possède trois « antennes » : Mâcon, Beaune et Chablis. Le BIVB met en œuvre des actions dans les domaines technique, économique et promotionnel. L'université de Bourgogne a été le premier établissement en France, du moins au niveau universitaire, à dispenser des enseignements d'œnologie et à créer un diplôme de technicien, en 1934, en même temps qu'était fondée la prestigieuse confrérie des Chevaliers du Tastevin, qui fait tant pour le rayonnement et le prestige universel des vins de Bourgogne. Siégeant au château du Clos-Vougeot, elle contribue avec d'autres confréries locales à maintenir vivaces les traditions. L'une des plus brillantes est sans conteste la vente des hospices de Beaune, créée en 1851, rendez-vous de l'élite internationale du vin et « Bourse » des cours de référence des grands crus ; avec le chapitre de la confrérie et la « Paulée » de Meursault, la vente est l'une des « Trois Glorieuses ». Mais c'est à travers toute la Bourgogne que l'on sait fêter joyeusement le vin, devant quelque « pièce » (228 litres) ou bouteille. Il n'en faut d'ailleurs pas tant pour aimer la Bourgogne et ses vins : n'est-elle pas tout simplement « un pays que l'on peut emporter dans son verre » ?

Les vins mentionnés en caractère gras dans les notices sont également recommandés par les jurés des commissions de dégustation. Leur prix et leur note sont précisés lorsqu'ils sont différents de ceux du vin principal.

Les vins dont l'étiquette est reproduite constituent les « coup de cœur » librement élus à l'aveugle par les dégustateurs du Guide ; seuls les vins remarquables (★★) et exceptionnels (★★★) peuvent obtenir ces distinction.

Les appellations régionales bourgogne

Les appellations régionales bourgogne, bourgogne-grand-ordinaire et leurs satellites ou homologues couvrent l'aire de production la plus vaste de la Bourgogne viticole. Elles peuvent être produites dans les communes traditionnellement viticoles des départements de l'Yonne, de la Côte-d'Or, de la Saône-et-Loire, et dans le canton de Villefranche-sur-Saône, dans le Rhône. Elles représentent en moyenne un volume de 500 000 hl.

Compte tenu de la dispersion géographique de l'appellation régionale bourgogne, celle-ci est souvent associée au nom de la zone de production : côtes d'auxerre, hautes-côtes-de-nuits et de beaune, côte-chalonnaise.

La codification des usages, et plus particulièrement la définition des terroirs par la délimitation parcellaire, a conduit à une hiérarchie au sein des appellations régionales. L'appellation bourgogne-grand-ordinaire est la plus générale, la plus extensive par l'aire délimitée. Avec un encépagement plus spécifique, on récolte dans les mêmes lieux le bourgogne-aligoté, le bourgogne-passetoutgrain et le crémant-de-bourgogne.

Bourgogne

L'aire de production de cette appellation est assez vaste, si l'on considère les adjonctions possibles de différents noms de sous-régions (Hautes-Côtes, Côte chalonnaise) ou de villages (Irancy, Chitry, Epineuil) qui constituent chacun une entité à part, et sont présentés ici comme tels. Il n'est pas étonnant qu'en raison de l'étendue de cette appellation les producteurs aient cherché à personnaliser leurs vins et à convaincre le législateur d'en préciser l'origine. Dans le Châtillonnais, en Côte-d'Or, le nom de Massingy a été utilisé, mais ce vignoble a quasiment disparu. Plus récemment, et de manière continue, les viticulteurs utilisent le nom de village et l'ont ajouté à l'appellation bourgogne, sur les coteaux de l'Yonne. C'est le cas de Saint-Bris, de Côtes d'Auxerre, sur la rive droite, et de Coulanges-la-Vineuse, sur la rive gauche.

Les bourgognes blancs sont produits à partir du cépage chardonnay, encore appelé beaunois dans l'Yonne. Le pinot blanc, bien que cité dans le texte de définition et autrefois un peu plus cultivé dans les hautes côtes de la Bourgogne, a pratiquement disparu. Il est d'ailleurs très souvent confondu, du moins par le nom, avec le chardonnay.

En rouge et rosé, le pinot noir est roi. Le pinot beurot a malheureusement presque disparu en raison de sa carence en matières colorantes ; il apportait aux vins rouges une finesse remarquable. Certaines années, les volumes déclarés peuvent être augmentés de volumes issus du « repli » des appellations communales du Beaujolais : brouilly, côte-de-brouilly, chénas, chiroubles, fleurie, juliénas, morgon, moulin-à-vent et saint-amour. Ces vins sont alors issus du cépage gamay noir seul, et ont ainsi un caractère différent. Les vins rosés, dont les volumes augmentent un peu les années de maturité difficile ou de fort développement de la pourriture grise, peuvent être déclarés sous l'appellation bourgogne rosé ou bourgogne clairet.

Pour ajouter à la difficulté, on trouvera des étiquettes portant, en plus de l'appellation bourgogne, le nom du lieu-dit sur lequel a été produit le vin. Quelques vignobles anciens et réputés justifient aujourd'hui cette pratique ; c'est le cas du Chapitre à Chenôve, des Montreculs, vestiges du vignoble dijonnais envahi par l'urbanisation, ainsi que de la Chapelle-Notre-Dame à Serrigny. Pour les autres, ils créent souvent une confusion avec les premiers crus et ne se justifient pas toujours.

BOURGOGNE

DOM. DE L'ABBAYE DU PETIT QUINCY
Epineuil Cuvée Juliette 2002 ★

■ 2,5 ha 13 000 ◖◗ 11 à 15 €

Depuis quinze ans, la famille Gruhier a littéralement réveillé cette ancienne abbaye cistercienne fondée en 1212. Un élan également pour le vignoble du Tonnerois. La cuvée Juliette est notre préférée en Epineuil rouge. Rubis dense, ce vin encore tannique et boisé aura beaucoup de charme lorsqu'il se sera fondu dans deux ans. Matière et acidité sont en effet bien présentes. Quant à l'**Epineuil blanc 2003 (5 à 8 €),** il est jeune mais la valeur n'attend pas toujours le nombre des années. Il obtient également une étoile tant il est charmeur, frais et gourmand.

⊶ Dominique Gruhier,
Dom. de l'Abbaye du Petit Quincy,
rue du Clos-de-Quincy, 89700 Epineuil,
tél. 03.86.55.32.51, fax 03.86.55.32.50,
e-mail gruhier@domaine-abbaye.com
☑ Y ⛹ t.l.j. 10h-18h; dim. sur r.-v.

FRANCOIS D'ALLAINES 2002 ★★

■ 1,5 ha n.c. ▮◖◗ 8 à 11 €

Créée il y a quinze ans, cette maison de négoce-éleveur a su se faire une place sous le bourguignon (ainsi appelait-on jadis le soleil). Son 2002 rouge a le feu à sa robe, très vive. Framboise et vanille rivalisent d'ardeur au

bouquet, avec une petite note boisée. Tannique, la structure ne fait rien de trop et constitue l'écrin d'une matière bien traitée et de bonne persistance.
🔑 François d'Allaines, La Corvée du Paquier, 71150 Demigny, tél. 03.85.49.90.16, fax 03.85.49.90.19, e-mail francois@dallaines.com ☑ Y 🚶 r.-v.

DOM. ARLAUD Roncevie 2002 ★

■ 4,88 ha 30 000 ⓘ 5 à 8 €

Cyprien et Romain Arlaud (troisième génération) travaillent maintenant dans la nouvelle cuverie bâtie en 2003. Intensément brillant, doté d'un nez toasté et de fruits noirs très mûrs, ce vin de grande extraction, tannique, puissant, réglissé, est placé sous le double pavillon de la framboise et de la mûre.
🔑 Dom. Arlaud Père et Fils, 41, rue d'Epernay, 21220 Morey-Saint-Denis, tél. 03.80.34.32.65, fax 03.80.34.10.11, e-mail cyprien.arlaud@wanadoo.fr ☑ Y 🚶 r.-v.

CHRISTOPHE AUGUSTE
Coulanges-la-Vineuse 2002 ★

■ 13,5 ha 60 000 ▮🌡 5 à 8 €

Comme son nom l'indique... Une bouteille vineuse en effet. Sa robe vive éclaire les profondeurs d'un nez cerise et épices. Egayé par quelques notes de terroir, un Coulanges à boire sur son fruit afin de profiter dès à présent de sa gouleyance rafraîchissante.
🔑 Christophe Auguste, 55, rue André-Vildieu, 89580 Coulanges-la-Vineuse, tél. 03.86.42.35.04, fax 03.86.42.51.81 ☑ Y 🚶 r.-v.

L'AURORE 2003

□ 180 ha 200 000 ▮🌡 5 à 8 €

Depuis sa fusion avec la cave de Chardonnay en 1994, la coopérative de Lugny (1 450 ha !) possède le privilège de produire du chardonnay... de Chardonnay. Celui-ci est d'un jaune verdâtre et brillant. Aromatiquement parlant ? Fruits blancs, litchi. Tout récent (un 2003), vendangé dès le 20 août (ce qui n'est pas spectaculairement précoce en Mâconnais), un vin bien typé par son gras et sa maturité, marqué par une finale chaleureuse.
🔑 SCV Cave de Lugny, rue des Charmes, BP 6, 71260 Lugny, tél. 03.85.33.22.85, fax 03.85.33.26.46, e-mail commercial@cave-lugny.com
Y 🚶 t.l.j. sf dim. 8h30-12h30 13h30-18h; groupes sur r.-v.

ROSELYNE BATTISTELI 2003 ★

■ 0,64 ha 1 960 ▮ 5 à 8 €

Roselyne Battisteli est une nouvelle venue (2002) sur cette fermette en Tonnerrois dans l'Yonne qui ne veut pas baisser les bras (moins de 1 ha). Vendangés début septembre, ces raisins donnent de la couleur. Le nez est assez convaincant, sur le fruit, alors que la bouche joue sur des tanins présents mais souples, dans une atmosphère toujours fruitée.
🔑 Roselyne Battisteli, rue de Bréchain, 89800 Fyé, tél. 03.86.42.47.79 ☑ Y r.-v.

JEAN-BAPTISTE BEJOT 2002 ★

□ n.c. 30 000 3 à 5 €

Vif en couleur, brillant à la lumière, il présente une grande limpidité. Le nez a un penchant floral mais il s'offre un détour du côté de la fougère, du végétal. Une touche minérale est assez constante durant la dégustation. Elle contribue à cet aspect un peu sévère, à cette amertume sensible en finale, mais il ne s'agit pas là de défauts : seulement une forme de classicisme. Le **bourgogne rouge 2002** mérite également de chaleureux compliments : gourmand et framboisé. Même note.
🔑 SA Jean-Baptiste Béjot, 21190 Meursault, tél. 03.80.21.22.45, fax 03.80.21.28.05

DOM. BERNAERT 2002 ★

■ 0,9 ha 1 600 ▮ⓘ 5 à 8 €

Le pinot noir est de retour ici depuis quelques années seulement et à en juger par ce 2002, il y trouve des appuis dans le terroir argilo-calcaire. Limpide et franc, le rouge est mis. Le bouquet d'une finesse framboisée est très agréable. Au palais, les tanins n'écrasent pas le vin. L'ensemble est léger mais bien traité. Rappelez-vous l'ancienne route de Paris et les potiers d'Accolay entre Avallon et Auxerre. Ah ! on oubliait, le domaine **Bernaert blanc 2002** une étoile et le **bourgogne blanc 2002 dit la Chaume Blanche (3 à 5 €)** cité.
🔑 Philippe Bernaert, 6, RN 6, 89460 Accolay, tél. 03.86.81.56.95, fax 03.86.81.69.33 ☑ 🚶 r.-v.

CUVEE LOUIS BERSAN Côtes d'Auxerre 2001 ★

□ 1,8 ha 12 000 ▮ⓘ🌡 8 à 11 €

Côtes d'Auxerre 2001 et encore capable de vieillir un peu. Il a vraiment quelque chose dans sa hotte, sur un mode distingué, noble qui le met un ton au-dessus de la plupart des quelque quatre cents vins dégustés dans l'AOC régionale. Or blanc, floral et épicé, il monte très vite en puissance sur une belle acidité. Long, il s'accroche et n'est pas pressé de vous quitter. Nuances de fruits secs et léger vanillé (deux tiers de fût, un tiers de cuve pendant un an pour chacune des deux parties assemblées ensuite). Une vieille famille vigneronne installée depuis six siècles au cœur du beau village de Saint-Bris-le-Vineux.
🔑 Dom. Bersan et Fils, 20, rue du Dr-Tardieux, 89530 Saint-Bris-le-Vineux, tél. 03.86.53.33.73, fax 03.86.53.38.45, e-mail bourgognes-bersan@wanadoo.fr ☑ Y 🚶 r.-v.

JEAN-CLAUDE BOISSET 2001 ★★

□ 1 ha 9 000 ⓘ 5 à 8 €

On entre au paradis. Doré comme un *jaunet* d'autrefois (une pièce en or, bien sûr), un vin respirant les fruits jaunes, les agrumes, sur un mode un tout petit peu anisé. De l'attaque à la finale, il est complet et harmonieux, d'une intégrité aromatique parfaite. Chez une autre marque du groupe Boisset, **Mommessin, le bourgogne blanc La Clé Saint-Pierre 2002** obtient une étoile.
🔑 Jean-Claude Boisset, 5, quai Dumorey, 21700 Nuits-Saint-Georges, tél. 03.80.62.61.61, fax 03.80.62.37.38, e-mail patriat.g@jcboisset.fr Y 🚶 r.-v.

DOM. BORGNAT
Coulanges-la-Vineuse Tête de cuvée 2002

■ 3 ha 18 000 ⓘ 5 à 8 €

Tout à fait la fausse ingénue. Son rouge tirant sur le noir, son bouquet subtil où sommeille un léger fût (six mois), tout annonce un Coulanges à la main caressante. En bouche, l'impression actuelle est marquée par une ardeur

> Les étiquettes illustrent les vins élus coup de cœur par les dégustateurs ; ce sont en quelque sorte les ambassadeurs de leur appellation.

tannique qui toutefois s'atténue en finale. Domaine voisin du site archéologique d'Escolives, où l'on a retrouvé des bas-reliefs évoquant la vigne et le vin chez les Gallo-Romains. Du haut de ce cep, vingt siècles vous contemplent.
🔑 Dom. Borgnat,
1, rue de l'Eglise, 89290 Escolives-Sainte-Camille,
tél. 03.86.53.35.28, fax 03.86.53.65.00,
e-mail domaineborgnat.vins@wanadoo.fr
☑ 🏠 🏠 🍸 🚶 t.l.j. 9h-12h 14h-19h; dim. 9h-12h

JEAN-MARC BROCARD Jurassique 2003 ★

■ n.c. 40 000 ▮🌡 5 à 8 €

Jean-Marc Brocard a toujours une idée nouvelle en tête. Parti de rien en 1973, il règne maintenant sur 100 ha en Chablisien ! Cette cuvée Jurassique ne doit rien au cinéma d'épouvante : c'est l'étage géologique d'une grande partie du vignoble bourguignon. Très dorée, elle a du bouquet (brugnon, poire). Son attaque débouche sur des arômes secondaires de fruit à chair blanche. Longueur tout à fait correcte et concentration suffisante.
🔑 Jean-Marc Brocard, 3, rte de Chablis, 89800 Préhy,
tél. 03.86.41.49.00, fax 03.86.41.49.09,
e-mail c.brocard@brocard.fr
☑ 🍸 🚶 t.l.j. sf dim. 9h30-12h30 14h-19h

CH. DE LA BRUYERE
Elevé en fût de chêne 2002 ★★

■ 0,3 ha 3 200 ▮ ⦀ 🌡 5 à 8 €

« Où qu'il pleuve, où qu'il vente, Cluny prend sa rente », disait-on jadis. On est ici, justement, sur un terroir viticole mis en valeur par cette abbaye. Jolie propriété de 78 ha en Mâconnais ! Robe pâle mais lumineuse, puis un bouquet intense et complexe. La pomme verte ? L'aubépine ? Le minéral en retrait ? De quoi animer la conversation si elle languit un peu à table. Pourquoi la bouche plaît-elle à ce point ? Parfumée, aromatique, elle chante sans arrêt. L'acidité et le moelleux s'harmonisent à merveille. Avec un tel vin dans leurs burettes, on comprend les vocations monastiques à Cluny !
🔑 Paul-Henry Borie, Ch. de La Bruyère, 71960 Igé,
tél. 03.85.33.30.72, fax 03.85.33.40.65,
e-mail mph.borie@wanadoo.fr
☑ 🍸 🚶 t.l.j. 8h-12h 14h-19h

UNION DES VITICULTEURS DE CHABLIS
2002 ★

■ 15 ha 130 000 ▮🌡 5 à 8 €

Produit par la coopérative La Chablisienne sous un autre nom, un chardonnay né aux environs de la Porte d'or de la Bourgogne. Robe claire et arômes assez végétaux : lichen, fougère. Le gras et l'acidité trouvent un accord aimable et quelque peu complexe. Forte montée en puissance sur la fin et typicité indéniable.
🔑 Union des Viticulteurs de Chablis,
8, bd Pasteur, BP 14, 89800 Chablis,
tél. 03.86.42.89.89, fax 03.86.42.89.90,
e-mail chab@chablisienne.fr ☑ 🍸 🚶 r.-v.

PATRICK ET CHRISTINE CHALMEAU
Chitry 2002

■ 2 ha 10 000 ▮ 5 à 8 €

Simple sans doute mais « bien tournée » (lisez « bien vinifiée ») cette bouteille jaune doré, partagée entre le citron vert et la pierre à fusil. Reprise de l'exploitation du grand-père en 1980, extension du domaine (12 ha) et création d'un caveau voûté en 2002. Chitry est un bonheur pour les amateurs de vieilles pierres.
🔑 Patrick et Christine Chalmeau,
76, rue du Ruisseau, 89530 Chitry,
tél. 03.86.41.43.71, fax 03.86.41.47.51,
e-mail chalmeau.patrick@wanadoo.fr ☑ 🍸 🚶 r.-v.

LES CHAMPS DE L'ABBAYE
Côtes du Couchois Les Rompeys 2002 ★★

■ 0,85 ha 2 500 ⦀ 11 à 15 €

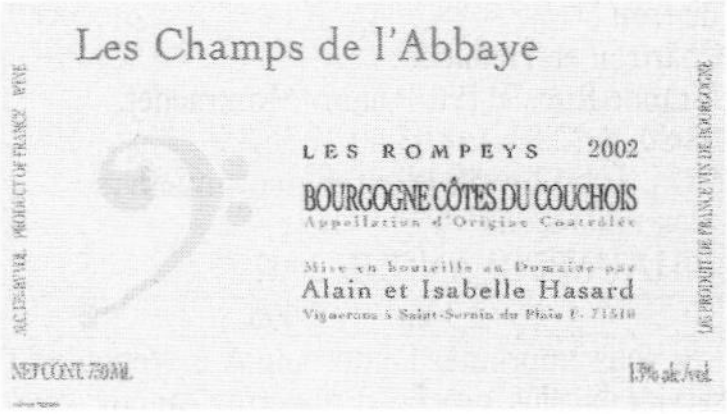

Les cinq membres du grand jury ont tous dit oui. Coup de cœur, ce 2002 honore grandement la jeune appellation. Les jurés le voient presque noir et opaque. Ils le sentent puissant au nez, recherché, légèrement boisé. Au palais, ils apprécient sa sérieuse intensité, la finesse de son grain très flatteur, sa mâche savoureuse, sa rusticité bien typée Couchois. Qu'Alain et Isabelle – depuis 1999 en biodynamie – nous pardonnent car nous savons qu'ils n'aiment pas le mot rustique. Désolés, mais nos dégustateurs le jugent ainsi et nous suivons leur avis... Bien vinifié « à l'ancienne ». **Les Vignes Martin rouge 2002** ? Magnifique et deux étoiles.
🔑 Alain et Isabelle Hasard,
3, pl. de l'Abbaye, 71510 Saint-Sernin-du-Plain,
tél. 03.85.45.59.32, fax 03.85.45.59.32,
e-mail alainhasard@wanadoo.fr ☑ 🍸 🚶 r.-v.

DOM. PHILIPPE CHARLOPIN
Cuvée Prestige 2001 ★★

■ n.c. n.c. ⦀ 11 à 15 €

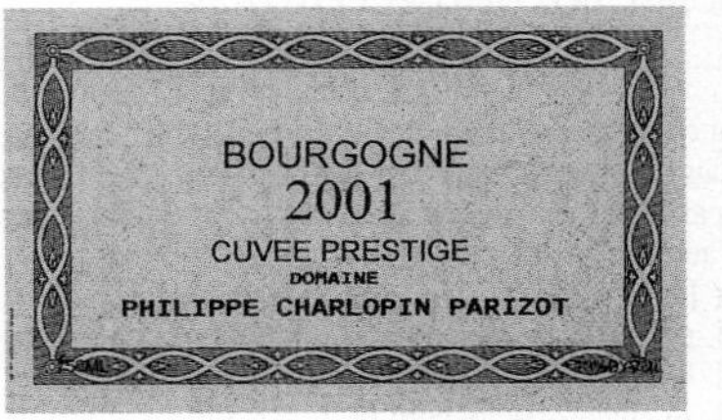

On aurait été bien étonnés si Toutoune n'avait pas décroché cette année encore son coup de cœur. Il le signe, grand seigneur, en bourgogne rouge. Bigarreau foncé, un vin qui se livre quand on agite le verre, sur un fruité boisé. Ce 2001 a eu le temps de se faire. Ses tanins sont fondus. Une acidité de bon aloi accompagne la structure charnue sur des accents de menthe poivrée. Philippe Charlopin vient de recevoir la mission de veiller sur le domaine du Château de Pommard cédé récemment par les Laplanche. Un nouveau défi !
🔑 Dom. Philippe Charlopin,
18, rte de Dijon, 21220 Gevrey-Chambertin,
tél. 03.80.91.81.18, fax 03.80.51.81.27,
e-mail charlopin.philippe@wanadoo.fr

CHARTRON ET TREBUCHET
Cuvée de Jean Chartron 2002 ★

■ 2,2 ha 12 000 ◍ 8 à 11 €

Rouge assez peu intense, plus vanillé que fruité dans l'immédiat, il s'exprime en finesse et en persistance d'une matière très plaisante. L'attaque aromatique est charmante et le cassis, le pruneau sont à la fête. Mais ce pinot noir est peu profond, gouleyant sur un mode très léger. Une bouteille pour nouveau consommateur cherchant le vin de fruit !

🔑 Chartron et Trébuchet,
13, Grande-Rue, 21190 Puligny-Montrachet,
tél. 03.80.21.32.85, fax 03.80.21.36.35
☑ 🍷 t.l.j. 10h-12h 14h-18h; f. fin nov.-mi-mars

LA CHAUME BLANCHE 2002

■ 2,3 ha 5 000 ▮ 3 à 5 €

Si vous empruntez l'autoroute A 6, Venoy est l'aire de service la plus proche d'Auxerre. Autour, quelques vignes, dont celle-ci. Denis Gabrielle a repris l'exploitation de son patron en 2001 et il signe un honorable pinot noir rubis foncé. Le nez perçoit une pointe de feuille du cassissier. Il persiste en bouche sur cette note *Ribes nigrum* (variété du cassissier) avec puissance. A attendre un an.

🔑 Denis Gabrielle, 43, rue des Trois-Soleines,
89290 Venoy, tél. 03.86.40.33.88, fax 03.86.40.38.65,
e-mail denis.gabrielle@wanadoo.fr ☑ 🍷 🚶 r.-v.

DOM. CHEVROT 2002 ★

■ 1,88 ha 8 000 ◍ 5 à 8 €

Cinq sur cinq pour la couleur. Le nez est spontané, framboisé. Il évoque aussi le raisin mûr. Si ses tanins sont encore un peu combatifs, c'est de son âge. Quand ils seront fondus, on tiendra un vin équilibré et plein. Un dégustateur rêve d'un bœuf... gros sel !

🔑 Fernand Chevrot,
19, rte de Couches, 71150 Cheilly-lès-Maranges,
tél. 03.85.91.10.55, fax 03.85.91.13.24,
e-mail contact@chevrot.fr ☑ 🏠 🍷 🚶 r.-v.

DOM. GEORGES CHICOTOT 2001 ★

■ 0,34 ha 1 700 ◍ 8 à 11 €

Vingt-quatre jours de cuvaison pour ce 2001 pourpre foncé à légers reflets bruns. Boisé (vingt-et-un mois de fût !) mais sans que sa finesse en souffre. Maturité et puissance : il parvient à son point culminant sur une pointe de réglisse. L'aérer un peu.

🔑 Dom. Georges Chicotot,
15, rue du Gal-de-Gaulle, 21700 Nuits-Saint-Georges,
tél. 03.80.61.19.33, fax 03.80.61.38.94,
e-mail chicotot@aol.com ☑ 🍷 🚶 r.-v.

CLAUDE CHONION
L'Âme du Terroir Vieilli en fût de chêne 2002

■ n.c. n.c. ◍ 3 à 5 €

Claude Chonion est une des nombreuses marques de la famille Cottin à Nuits-Saint-Georges (Labouré-Roi). Son bourgogne n'a pas une intensité terrible ni le nez de Cyrano. En revanche, la bouche souple et fruitée a du répondant. Les arômes évoluent entre la vanille et la gelée de cassis. Couleur bien typée. A introduire sur la table familiale, pour le repas quotidien du soir.

🔑 Claude Chonion, rue Lavoisier,
21700 Nuits-Saint-Georges, tél. 03.80.62.64.00,
fax 03.80.62.64.10, e-mail vrizet@vfb.fr

CLOS DE L'HERMITAGE 2002 ★

■ 0,4 ha 3 000 ◍ 11 à 15 €

Un bourgogne bien coloré sur fond de vanille, de girofle, de poivre et de cuir. Son attaque est souple et débouche sur une forte concentration de baies sauvages, genre myrtilles. Un peu d'amertume en finale et un boisé assez persistant engagent à attendre un peu cette bouteille destinée à un gibier.

🔑 Dom. Guy Dufouleur,
19, pl. Monge, 21700 Nuits-Saint-Georges,
tél. 03.80.62.31.00, fax 03.80.62.31.00 ☑ 🏨 🍷 🚶 r.-v.

CH. CLOS DE VAULICHERES Epineuil 2002

■ 0,8 ha 5 000 ▮ ◍ 🍾 5 à 8 €

Anciennement Clermont-Tonnerre, ce domaine retrouve son lustre grâce à Olivier Refait, passionné par ce magnifique patrimoine. Léger mais friand, un Epineuil rouge nuance cerise clair. Ses arômes évoquent la menthe, la fraise jusqu'à la finale fruitée et réglissée. Attendre un peu le fondu des tanins ? L'idée est à retenir (un an).

🔑 Château Clos de Vaulichères,
Vaulichères, 89700 Tonnerre,
tél. 03.86.55.02.74, fax 03.86.55.47.37,
e-mail infos@vaulicheres.com
☑ 🏨 🏠 🚶 t.l.j. 8h-12h 13h30-18h30
🔑 Olivier Refait

DOM. DU CLOS SAINT-JACQUES
Côte Saint-Jacques 2002 ★

▒ 0,8 ha 2 800 ▮ 🍾 5 à 8 €

Le rosé Côte Saint-Jacques (Joigny) est un oiseau rare. Voici celui (60 % pinot gris, 40 % pinot noir) de l'illustre famille Lorain, aux fourneaux du restaurant éponyme. Voyons tout de suite l'accord gastronomique suggéré : salade de rouget au coulis de tomate. Allez-y *colissimo* ! Pétale de rose à l'œil, le nez s'ouvrant très discrètement, un 2002 tout en douceur et fraîcheur. Son acidité est fondue mais néanmoins efficace. Version **blanche en bourgogne 2002** chaleureusement recommandée avec la même note, pour un saumon mariné aux herbes.

🔑 SCEV Michel Lorain, 14, fg de Paris, 89300 Joigny,
tél. 03.86.62.06.70, fax 03.86.91.49.70 ☑ 🍷 🚶 r.-v.

LES CŒURIOTS Vézelay 2002 ★

□ 7 ha 14 000 ▮ 🍾 8 à 11 €

Fondée en 1989, la cave Henry de Vézelay contribue sur près de 50 ha à la reconquête de ce vignoble. Jaune pâle de pied en cap, un vin vif et frais, sympathique et bien représentatif de l'appellation. La cuvée **Henry de Vézelay blanc 2002 (5 à 8 €)**, une étoile, offre également un beau point de vue sur la colline éternelle.

🔑 Cave Henry de Vézelay,
rte de Nanchèvres, 89450 Saint-Père,
tél. 03.86.33.29.62, fax 03.86.33.35.03,
e-mail henrydevezelay@wanadoo.fr
☑ 🍷 🚶 t.l.j. 8h-12h 14h-18h

FRANCOIS COURTET Côtes d'Auxerre 2002 ★★

■ 0,55 ha 3 500 ◍ 5 à 8 €

Dans la trajectoire du coup de cœur, François et Valérie Courtet signent un bourgogne qui témoigne assurément de gros efforts pour un produit de qualité. Rouge sombre et profond, il affiche des notes de cerise confite et de vanille qui forment ici une bonne paire aromatique. Souple, évoluant de façon structurée, on est en présence d'un vin harmonieux et flatteur. Il fait honneur à l'Auxerrois.

🔑 François Courtet, 9, rue de Tubie, 89290 Champs-sur-Yonne, tél. 03.86.53.38.17 ☑ 🍷 r.-v.

DOM. PIERRE DAMOY 2001 **

■ 0,78 ha 5 700 🛢 11 à 15 €

Un bourgogne gibriacois. On juge qu'il survole largement le sujet : beaucoup de couleur, de grillé, de fruits rouges ; il abat tout de suite des cartes maîtresses. Puis pour un 2001, et au regard de nombre de ses collègues, il opère habilement entre la richesse et l'acidité tout en gardant son maintien du début à la fin.

🔑 Dom. Pierre Damoy, 11, rue du Mal-de-Lattre-de-Tassigny, 21220 Gevrey-Chambertin, tél. 03.80.34.30.47, fax 03.80.58.54.79, e-mail info@domaine-pierre-damoy.com

DOM. DESERTAUX-FERRAND 2002 *

□ 0,67 ha 2 500 5 à 8 €

Il y a de la luminescence dans cette robe jaune citron. On a bien besoin des trois coups de nez car le bouquet se révèle surtout à l'aération (boisé assez élégant, notes beurrées). La bouche tient en équilibre le fût et le fruit : rond et gras, un vin peut-être plus complexe qu'il ne le paraît à première vue... Le village de Corgoloin se situe en pleine Côtes des Pierres, entre Côtes de Nuits et Côtes de Beaune. Le **bourgogne rouge 2002** obtient une étoile.

🔑 Dom. Désertaux-Ferrand, 135, Grande-Rue, 21700 Corgoloin, tél. 03.80.62.98.40, fax 03.80.62.70.32, e-mail contact@desertaux-ferrand.com ☑ 🏠 🍷 🚶 r.-v.

CH. DE DRACY 2001 *

■ 12 ha 72 000 🍾🛢🌡 8 à 11 €

Ce domaine est confié à la maison Bichot. Son propriétaire en est l'un des dirigeants : l'illustre famille de Charette, dont le château, forteresse du XIIIe s. souvent remaniée, vaut le détour. Rouge cerise à reflets violets, le nez en cocktail de fruits puis évoluant vers le pruneau, ce 2001 garde les tanins serrés. Doit s'ouvrir car il a une bonne finale. Le **Côtes-du-Couchoir rouge 2002 (11 à 15 €)** obtient une citation.

🔑 SCA Ch. de Dracy, 71490 Dracy-lès-Couches, tél. 03.85.49.62.13, fax 03.80.24.37.38 🍷 🚶 r.-v.

DUPONT-FAHN Chaumes des Perrières 2002

□ 1,35 ha 10 000 🛢 11 à 15 €

Vigne située dans les Perrières à Meursault mais le grand-père a fait naguère ce qui se faisait souvent : remonter de la terre du bas du coteau. Dès lors ces Chaumes des Perrières sont devenus du bourgogne blanc. Toujours est-il que cette bouteille or tendre au nez un peu herbacé illustre un chardonnay plus doux que vif, de saveur agréable et qu'on boira dans un an sur des entrées.

🔑 Dom. Raymond Dupont-Fahn, rue de la Gare, 21190 Meursault, tél. 06.14.38.53.21, fax 03.80.21.29.21 ☑ 🍷 🚶 r.-v.

FERY-MEUNIER 2001 *

■ 0,3 ha 2 100 🛢 8 à 11 €

Cette jeune maison de négoce-éleveur établie dans les Hautes-Côtes de Beaune au-dessus de Savigny a été fondée il y a tout juste dix ans. Ce 2001 rubis pourpre est correctement typé par son cépage. Sa charpente repose sur des assises puissantes, mais les tanins en particulier n'ont que de bons sentiments. Ensemble bien constitué, ponctué par le geste vif de la finale.

🔑 Maison Fery-Meunier, 2, rue Marey, 21420 Echevronne, tél. 03.80.21.59.60, fax 03.80.21.59.59, e-mail fery.meunier@wanadoo.fr ☑ 🏠 🍷 🚶 r.-v.

DOM. FOREY PERE ET FILS 2002 **

■ 1,3 ha 7 300 🛢 5 à 8 €

« Soyez simple avec art », conseille Boileau qui, s'il portait un nom malheureux, pouvait guider le vigneron dans son travail. On trouve ici tout ce qui fait le charme d'un « simple » bourgogne vinifié avec goût. Finesse et fruité, maturité des tanins, saveur du gras, boisé raisonnable, nez discret mais qui s'ouvre dans le verre sur la framboise et le poivre... La revue de détail montre qu'il n'y manque pas un bouton de guêtre.

🔑 Dom. Forey Père et Fils, 2, rue Derrière-le-Four, 21700 Vosne-Romanée, tél. 03.80.61.09.68, fax 03.80.61.12.63 ☑ 🍷 🚶 r.-v.

BOURGOGNE

FORGEOT PERE ET FILS 2002 *

■ n.c. n.c. 🍾🛢🌡 5 à 8 €

Framboise ? Fraise ? Toujours est-il qu'il y a du fruit en vedette sur un boisé fin. Sa robe pratique une modestie de bon ton. Au palais, des tanins si soyeux conduisent le cortège d'un pas souple et naturellement distingué. Forgeot Père et Fils est une autre façon de dire Bouchard Père et Fils, selon les circuits de distribution.

🔑 Grands Vins Forgeot, 15, rue du Château, 21200 Beaune, tél. 03.80.24.80.50, fax 03.80.22.55.88

MAISON JEAN-CLAUDE FROMONT Vézelay 2002

□ n.c. 36 000 🍾 3 à 5 €

Sans doute n'a-t-il pas le souffle de saint Bernard prêchant la croisade du haut de Vézelay, mais ce vin à la robe claire et radieuse, au nez légèrement mentholé, à la bouche simple et fraîche, un rien miellée, ne déçoit pas. A boire dans l'année, évidemment.

🔑 Maison Jean-Claude Fromont, Ch. de Ligny, 7, av. de Chablis, 89144 Ligny-le-Châtel, tél. 03.86.98.20.40, fax 03.86.47.40.72, e-mail accueil@chateau-de-ligny.com ☑ 🍷 🚶 r.-v.

DOM. DE LA GALOPIERE Cuvée noble 2002 *

■ 7 ha 10 000 🛢 5 à 8 €

Il n'y a pas plus ancienne noblesse que les vignerons puisqu'au sortir de l'arche de Noé ce fut le premier métier du monde. Cuvée noble, nous dit-on de ce bourgogne rouge cerise, joliment bouqueté (fruit) et à la bouche gourmande. L'arbitre des élégances !

🔑 Claire et Gabriel Fournier, Dom. de la Galopière, 6, rue de l'Eglise, 21200 Bligny-lès-Beaune, tél. 03.80.21.46.50, fax 03.80.21.49.93, e-mail c.g.fournier@wanadoo.fr ☑ 🍷 🚶 r.-v.

ALEX GAMBAL Cuvée Prestige 2002 *

□ 0,35 ha 2 668 🛢 8 à 11 €

Signé par un Américain, ce vin n'en a pas moins l'accent bourguignon. Jaune très soutenu, il évoque le sous-bois, la feuille humide et, après douze mois de fût, la vanille. En bouche, ce serait plutôt la fleur blanche. Beau chardonnay riche en personnalité et qu'on gardera deux à trois ans (acidité suffisante).

🔑 Maison Alex Gambal, 4, rue Jacques-Vincent, 21200 Beaune, tél. 03.80.22.75.81, fax 03.80.22.21.66, e-mail alexgambal@wanadoo.fr ☑ 🍷 🚶 r.-v.

DOM. DE LA GARENNE Fût de chêne 2002 ★

□ 3 ha 2 000 🛢 5 à 8 €

Le domaine de la Garenne nous fait le coup du lapin, mais seulement sur l'étiquette ! Sous sa robe claire, un blanc légèrement citronné au boisé bien présent. On sent cependant, sous-jacente, que la matière est belle. Promesses à attendre un an.

🔑 Philippe Clément, Dom. de la Garenne,
rte de Tissey, 89700 Tonnerre,
tél. 03.86.55.16.30, fax 03.86.55.02.66 ☑ Y 🚶 r.-v.

CAVE DE GENOUILLY Le Mont Bouzu 2002 ★

□ 1 ha 5 000 🛢 3 à 5 €

Cave coopérative de Saône-et-Loire : elle a retenu notre attention pour son bourgogne blanc 2002. Cette bouteille porte le nom de son *climat*. Jaune doré, elle conserve sa fraîcheur et son fruit tant au nez qu'au palais. Bien représentative de l'appellation en Bourgogne du Sud. La cuvée principale qui n'a pas connu le fût, le **bourgogne blanc 2002,** obtient une citation.

🔑 Cave des vignerons de Genouilly, 71460 Genouilly,
tél. 03.85.49.23.72, fax 03.85.49.23.58
☑ Y 🚶 t.l.j. sf dim. 8h-12h 14h-18h

DOM. ANNE-MARIE GILLE 2002 ★

■ 0,24 ha 1 500 🛢 8 à 11 €

Il y a un pilote dans l'avion ! Pierre Gille était en effet pilote de ligne. Il y a aussi une pharmacienne, Anne-Marie, dotée également d'un diplôme d'œnologue. Tous deux ont repris cet ancien domaine il y a dix ans, dans la Côte des Pierres. Voyagez donc l'esprit détendu à bord de ce bourgogne teinté de violacé, parfumé à la violette et au bonbon anglais, assez tannique en bouche. La durée du vol : deux à trois ans.

🔑 Dom. Anne-Marie Gille,
34, RN 74, 21700 Comblanchien,
tél. 03.80.62.94.13, fax 03.80.62.99.88,
e-mail domaine.gille@wanadoo.fr ☑ Y 🚶 r.-v.

DOM. GEORGES GLANTENAY ET FILS 2002

■ n.c. 6 000 ▮🛢🌡 8 à 11 €

Robe rubis, bouquet de fruits en compote, on est dans l'expectative puis on craque en bouche. Souplesse, fraîcheur, élégance des tanins, c'est un bal à la cour du duc de Bourgogne. Cela ne dure pas toute la nuit et on éteint les lustres, mais en attendant on se sera fait plaisir sur une volaille.

🔑 Dom. Georges Glantenay et Fils,
chem. de la Cave, 21190 Volnay,
tél. 03.80.21.61.82, fax 03.80.21.68.66 ☑ Y 🚶 r.-v.

DOM. ANNE ET ARNAUD GOISOT
Cotes d'Auxerre 2002

□ 2 ha 10 000 ▮🌡 5 à 8 €

Or blanc limpide, ce chardonnay au nez crayeux et végétal apparaît très ferme dès l'entrée en bouche. Nerveux et minéral, mais aussi très frais. Exemple d'une exploitation en polyculture (cerisiers, céréales) totalement convertie à la vigne en 1980.

🔑 Dom. Anne et Arnaud Goisot,
4 bis, rte de Champs, 89530 Saint-Bris-le-Vineux,
tél. 03.86.53.32.15, fax 03.86.53.64.22
☑ Y 🚶 t.l.j. 9h-12h 13h30-18h30; f. du 15 au 30 août

GHISLAINE ET JEAN-HUGUES GOISOT
Côtes d'Auxerre Corps de Garde 2002 ★

■ 4,5 ha 18 000 🛢 8 à 11 €

Inutile de recadrer le sujet tant il est traité avec soin. La robe la plus intense de tous les côtes d'auxerre dégustés. Les notes de bourgeon de cassis engagent à carafer cette cuvée deux à trois heures avant le repas, ou bien à l'aérer dans le verre. Ouvert, le vin est très réussi, offrant une impression de complexité et de maturité dans un environnement de merise, de fraise des bois. Entre nous, on voit cette bouteille à la table seigneuriale plutôt qu'à celle du corps de garde (marque Goisot depuis 1981, en raison d'un authentique corps de garde à la cave).

🔑 Ghislaine et Jean-Hugues Goisot,
30, rue Bienvenu-Martin, 89530 Saint-Bris-le-Vineux,
tél. 03.86.53.35.15, fax 03.86.53.62.03,
e-mail jhetg.goisot@cerb.cernet.fr ☑ Y 🚶 r.-v.

ALBERT GRIVAULT 2002 ★

□ 0,28 ha 2 800 🛢 5 à 8 €

Ce bourgogne est récolté sur deux parcelles arrachées en 1938 et récemment replantées : l'une en Perrières Dessous, l'autre en Meursault Au Village. Toutes deux pourraient bénéficier d'un classement en AOC communale. Que vaut ici cette cinquième feuille ? Jaune paille très soutenu, les arômes nous parlent d'herbe sèche, de pivoine, de noisette. La bouche délicate, peau de pêche, suggère davantage le confort que l'aventure par son ampleur et sa longueur.

🔑 SC du Dom. Albert Grivault,
7, pl. du Murger, 21190 Meursault,
tél. 03.80.21.23.12, fax 03.80.21.24.70 ☑ 🚶 r.-v.

DOM. ANNE GROS 2002 ★

□ 0,17 ha 1 900 🛢 11 à 15 €

Fille de François Gros, Anne a reçu l'un des nombreux domaines provenant de la succession Louis Gros (1951) à Vosne-Romanée. « Je fais tout », disait-elle naguère, « y compris l'enjambeur... sauf planter les piquets ! » Clos de vougeot et richebourg sont les fleurons de la maison. Produit pour élargir la carte et offrir un peu de blanc en pleine terre à rouges, son 2002 est un joli vin pour l'appellation. Couleur sans problème. Nez au boisé discret. La bouche est fine, assez longue, encore un peu vive. A attendre un an ou deux avant de l'offrir à une viande blanche à la crème.

🔑 Dom. Anne Gros,
11, rue des Communes, 21700 Vosne-Romanée,
tél. 03.80.61.07.95, fax 03.80.61.23.21 ☑ Y 🚶 r.-v.

DOM. PIERRE GUILLEMOT 2002 ★

■ 0,7 ha 6 000 🛢 8 à 11 €

« Je m'appelle cerise », pourrait dire ce 2002 qui nous vient de la Côte de Beaune. Il en possède la robe sur une tonalité claire, les arômes (mêlés à ceux de la pêche de vigne) et la rétro. Bouche généreuse aux tanins bien présents mais courtois. Un petit passage boisé puis en finale une plume de queue de paon.

🔑 SCE du Dom. Pierre Guillemot,
1, rue Boulanger-et-Vallée, 21420 Savigny-lès-Beaune,
tél. 03.80.21.50.40, fax 03.80.21.59.98 ☑ Y 🚶 r.-v.

OLIVIER GUYOT 2002 ★★

■ 4 ha 10 000 🛢 11 à 15 €

Monolithique et cubique comme un bloc de calcaire de Comblanchien, ce vin appuie sur la couleur : le rouge

est mis ! Le nez ne se livre pas du premier coup et semble complexe. Très belle matière et fortes réserves permettant d'attendre quelques années le maximum de plaisir. Assez cher pour une AOC régionale, mais à la hauteur d'un village... Olivier Guyon est un adepte de la charrue tirée par un cheval et il peut vous faire visiter le vignoble en calèche (sur rendez-vous).
🔑 Dom. Olivier Guyot,
39, rue de Mazy, 21160 Marsannay-la-Côte,
tél. 03.80.52.39.71, fax 03.80.51.17.58,
e-mail domaine.guyot@libertysurf.fr ☑ Y 🚶 r.-v.

HENRY FRERES Elevé en fût de chêne 2002 ★★

░ 0,5 ha 1 400 🛢 5 à 8 €

Il était une fois deux frères et leurs épouses. De cette exploitation familiale de Tonnerois arrive ce chardonnay d'un bel or clair, au nez orienté vers le silex et à la bouche pleine de distinction. Un peu de fleurs blanches, de pamplemousse : on lui trouve de grandes qualités. Quant au **bourgogne rouge 2002,** il est comme la Fédération française de football : 3 F (facile, friand, fruité). Une étoile pour un casse-croûte où on ne lésine pas...
🔑 GAEC Henry Frères,
30, chem. des Fossés, 89800 Saint-Cyr-les-Colons,
tél. 03.86.41.44.87, fax 03.86.41.41.48 ☑ Y 🚶 r.-v.

JEAN-LUC HOUBLIN Coulanges-la-Vineuse 2001

░ 2,5 ha 4 400 ▮ 5 à 8 €

Migé est célèbre dans l'Yonne pour son moulin à vent restauré ces dernières années. A défaut de grain à moudre, voyez ce qui sort ici du pressoir. Translucide et doré, ce chardonnay 2001 attaque sur le fruit sitôt qu'il est dans le verre. Court mais friand, léger et à boire pour se rafraîchir le corps et les idées, il a sa petite personnalité et on ne lui marche pas sur les pieds. Pointe de fruit confit dans le style du millésime.
🔑 Jean-Luc Houblin, 1, passage des Vignes,
89580 Migé, tél. 03.86.41.69.87, fax 03.86.41.71.95,
e-mail houblin.fr@wanadoo.fr ☑ Y 🚶 r.-v.

JABOULET-VERCHERRE
Côtes de Chartogne 2002 ★★

■ n.c. 9 500 🛢 11 à 15 €

Grenat à reflets framboisés, un bourgogne Jaboulet-Vercherre signé en réalité par Laurent Max qui a racheté la maison lorsqu'elle a baissé pavillon. Le nez vanillé est assez chaud, l'architecture intérieure élégante car les tanins ne font pas le gros dos et la finale se risque à la queue de paon.
🔑 Jaboulet-Vercherre,
6, rue de Chaux, 21700 Nuits-Saint-Georges,
tél. 03.80.62.43.27, fax 03.80.62.68.02

DOM. REMI JOBARD 2001 ★★

░ 1 ha 6 500 ▮ 🛢 🌡 8 à 11 €

Un « simple » bourgogne blanc provenant de Meursault laisse rarement indifférent. Témoin ce 2001. Il connaît ses devoirs et présente un or vert très typé. Assez démonstratif, le nez suggère le citron ou le pamplemousse, l'amande grillée (douze mois de fût, six de cuve). Très gras, généreux, il se veut murisaltien et se situe évidemment sur un registre un peu particulier. Avec de l'élégance car le volume n'écrase ni le cépage ni le terroir. Le **bourgogne rouge 2001 (5 à 8 €)** obtient une étoile. Le boisé bien intégré dans une matière pleine et riche demande une petite garde.
🔑 Rémi Jobard, 12, rue Sudot, 21190 Meursault,
tél. 03.80.21.20.23, fax 03.80.21.67.69,
e-mail remi.jobard@libertysurf.fr ☑ Y 🚶 r.-v.

DOM. DES LEGERES 2002 ★★

░ 2 ha 12 000 ▮ 🌡 5 à 8 €

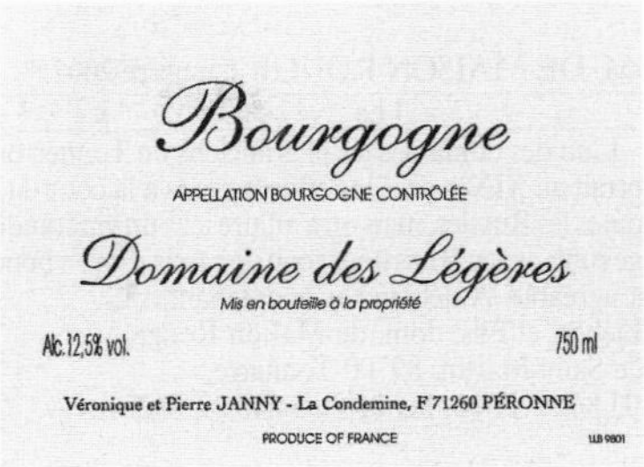

Si le *Guide bleu* situe Péronne en Mâconnais sur le circuit des Brigands (l'émeute populaire qui fit suite à la prise de la Bastille), notre Guide parlerait plutôt du circuit des Gourmands. Coup de cœur, ce 2002 fait d'ailleurs mentir le nom du domaine : les Légères. La robe est ici bien soutenue, le bouquet très intense et frôlant la surmaturité, le palais gras et puissant, fortement expressif. On ne fait pas ici dans la demi-mesure et si le style est un peu « nouveau monde », c'est bon et même très bon.
🔑 Sté Pierre Janny, La Condemine, Cidex 1556,
71260 Péronne, tél. 03.85.23.96.20, fax 03.85.36.96.58,
e-mail pierre-janny@wanadoo.fr ☑

DOM. LEJEUNE 2002 ★★

■ 1,4 ha 12 000 🛢 5 à 8 €

Cet ancien professeur à la Viti de Beaune vinifie de façon très personnelle. Foulage aux pieds, par exemple, ce qui devient assez rare. Son bourgogne (à carafer) l'en récompense. D'un beau rouge cerise, il développe un nez complexe : de la baie de cassis à la feuille de cassis en passant par le boisé. La matière est encore un peu serrée, mais le plaisir est incommensurable. Et durable !
🔑 Dom. Lejeune, 1, pl. de l'Eglise, 21630 Pommard,
tél. 03.80.22.90.88, fax 03.80.22.90.88,
e-mail domaine-lejeune@wanadoo.fr ☑ Y 🚶 r.-v.

SERGE LEPAGE Côte Saint-Jacques 2002 ★★

▒ 0,72 ha 4 000 ▮ 5 à 8 €

On va vous confier un petit secret : il n'est pas passé loin du coup de cœur. Vous pouvez donc le choisir en toute confiance, d'autant qu'un Côte Saint-Jacques donne toujours de...l'appétit. Très clair, orangé léger, il a le nez quelque peu exotique (mangue, fruits de la Passion) et la bouche expressive, structurée. Ce rosé présente presque la logique d'un blanc. Notez : 75 % de pinot gris, 25 % de pinot noir, et une belle occasion de découvrir ce cépage devenu très rare en Bourgogne.
🔑 Serge Lepage, 9, rue Principale,
Grand Longueron, 89300 Champlay,
tél. 03.86.62.05.58, fax 03.86.62.20.08,
e-mail clepage@wanadoo.fr ☑ Y 🚶 r.-v.

LOUIS DE BEAUMONT Tonnerre 2002

░ 2 ha 19 000 ▮ 5 à 8 €

Tonnerre ne fait rien comme les autres : son grand homme est une femme ; l'étiquette rend ainsi hommage à

Louis de Beaumont, le fameux chevalier d'Eon. Quant au sexe de cette bouteille, il apparaît assez masculin... sous sa robe or pâle. Nez de pomme verte, d'agrumes, et du coing en rétro. L'acidité tient le vin, à boire dans le temps présent.
⊶ EARL Hervé Dampt, 1, rue de Fleys, 89700 Collan, tél. 03.86.55.29.55, fax 03.86.54.49.89 ☒ Y ⛹ r.-v.

DOM. DE MAISON ROUGE Tonnerre 2002 *

■ 3 ha 12 500 ▮♨ 5 à 8 €

L'un des domaines les plus anciens du Tonnerrois. Il exportait au XIXᵉs. ses vins effervescents à la cour du tsar de toutes les Russies, mais on a affaire ici à un vin tranquille rouge rubis aux arômes bourgeon de cassis. Fin en bouche, il est agréable. A déboucher maintenant.
⊶ Liebert et Fils, dom. de Maison Rouge, rte de Saint-Martin, 89700 Tonnerre, tél. 03.86.55.11.05, fax 03.86.54.46.39 ☒ Y ⛹ r.-v.

DOM. MALTOFF
Coulanges-la-vineuse Cuvée Classic 2002 **

■ 3 ha 21 000 ▮ 5 à 8 €

Le pinot noir ne manque pas son rendez-vous amoureux avec l'appellation. D'un beau pourpre, il orchestre un bouquet très symphonique où la noisette et le sous-bois se répondent. Framboisée, la bouche est fraîche, avenante, équilibrée et portée par une bonne acidité. « Bien Coulanges », résume un dégustateur qui le voit coup de cœur. En **2002 rouge (8 à 11 €), la cuvée Aimé de Maltoff** et l'honorable **cuvée Prestige**, Coulanges toujours et élevées en fût, reçoivent chacune une étoile.
⊶ Dom. Maltoff,
20, rue d'Aguesseau, 89580 Coulanges-la-Vineuse,
tél. 03.86.42.32.48, fax 03.86.42.24.92,
e-mail domainej-p.maltoff@wanadoo.fr ☒ Y ⛹ r.-v.

LES ESSENTIELLES DE MANCEY 2002 *

■ n.c. 8 000 ⓾ 8 à 11 €

Située entre la Côte chalonnaise et le Mâconnais, la cave coopérative de Mancey a du vent dans les voiles. Une cuvée dite « essentielle », aux avant-postes de cette dégustation. Grenat brillant, fruitée, elle est fraîche et accueillante. « Mention très honorable », déclare le jury qui fait toutefois observer qu'elle doit surveiller le merrain, agréable mais très présent. Bon l'année prochaine.
⊶ Cave des vignerons de Mancey, BP 100, RN 6, 71700 Tournus,
tél. 03.85.51.00.83, fax 03.85.51.71.20 ☒ Y ⛹ r.-v.

LA MARCHE 2002 **

■ n.c. 151 200 ▮♨ 5 à 8 €

La Marche est l'une des marques les plus anciennes de la maison Bouchard Aîné et Fils, reprise de nos jours par la famille Boisset. L'étiquette était quasiment identique il y a plus d'un siècle. La Marche s'associe ici à un rubis lumineux et brillant. Réglisse et mûre composent son bouquet. Quant à son corps, il offre un équilibre parfait entre la force tranquille et une rondeur extrêmement savoureuse. A déboucher cette année ou la prochaine.
⊶ Bouchard Aîné et Fils, hôtel du Conseiller-du-Roy, 4, bd Mal-Foch, 21200 Beaune, tél. 03.80.24.24.00, fax 03.80.24.64.12, e-mail bouchard@bouchard-aine.fr
☒ ⛹ t.l.j. 9h30-11h30 14h-17h30

DOM. DES MARRONNIERS 2002 *

□ 1,1 ha 10 000 ▮♨ 5 à 8 €

Domaine de 20 ha en Chablisien. A consommer dès à présent pour son côté désaltérant ou à attendre un peu, un 2002 or pâle qui privilégie les agrumes au sein de son bouquet dont la légère sensation minérale se poursuit en bouche. On apprécie sa finale très fraîche. Le type même du vin bien construit et dont l'harmonie est sans défaut.
⊶ Bernard Légland, 1 et 3, Grande-Rue-de-Chablis, 89800 Préhy, tél. 03.86.41.42.70, fax 03.86.41.45.82
☒ Y ⛹ t.l.j. 9h-19h30; f. 15-30 août

DOM. DE MAUPERTHUIS
Les Truffières 2002 ***

□ 1,35 ha 7 500 ▮ 5 à 8 €

Le mieux, dit-on, serait l'ennemi du bien. Eh bien ! non. Ce domaine a pris pour devise *Vers le mieux* et il y réussit. Création récente (1992). Le coup de foudre de quelques passionnés : il conduit au... coup de cœur. Le genre de vin qui nous rend *fiers d'être Bourguignons.* Peu de couleur mais les arômes de fruits blancs sont de grands séducteurs. Souple et dense à la fois, aisé à découvrir malgré sa complexité, il est à déguster par pur plaisir. Le **bourgogne Grande Réserve 2002 rouge** est également de grande classe et obtient deux étoiles. Situation géographique : le Tonnerrois.
⊶ Laurent Ternynck,
Dom. de Mauperthuis, Civry, 89440 Massangis,
tél. 03.86.33.86.24, fax 03.86.33.86.24,
e-mail ternynck@hotmail.com ☒ Y ⛹ t.l.j. 8h-19h

MILLIANE 2001 *

■ n.c. 3 300 ⓾ 8 à 11 €

Milliane, nom de la grand-mère des propriétaires actuelles, Laurence Jobard (œnologue très distinguée) et Mireille Desmonet. Le vin provient d'une sélection de vieilles vignes. Il fournit un bel exemple de réussite en AOC régionale : encore jeune et déjà élégant. D'une teinte cerise, le nez bien fruité, il est un peu serré et on attendra la mi-2005 pour le déguster. D'ici là, ses tanins auront appris à sourire tout à fait.
⊶ Dom. Gabriel Billard, 15, Grande-Rue,
21630 Pommard, tél. 03.80.22.27.82, fax 03.85.49.49.02,
e-mail domaine.gabriel.billard@wanadoo.fr ☒ Y ⛹ r.-v.
⊶ Jobard-Desmonet

DOM. MOISSENET-BONNARD
Les Maisons Dieu 2002 *

■ 0,3 ha 2 400 ⓾ 8 à 11 €

Vigneron ou architecte ? Ce vin limpide et grenat presque noir est si bien construit... On adore son nez sauvage qui fait penser à une promenade parmi des buissons de mûre et de myrtille. Après une belle attaque, ses tanins fins et polis ne dissimulent pas une chair assez ronde. Le tout concentré : on a quelque chose dans son verre !

⊶ Dom. Moissenet-Bonnard,
5, rte d'Autun, 21630 Pommard,
tél. 03.80.24.62.34, fax 03.80.22.30.04 ☑ Y 🚶 r.-v.

DOM. DE MONTPIERREUX 2002 ★★

□ 0,5 ha 4 000 ▮ ♁ 5 à 8 €

La Bourgogne de l'Auxerrois dans toute sa splendeur. Proche du chef-lieu de l'Yonne, Venoy a reçu en 1988 l'AOC régionale. Cette bouteille justifie amplement une telle décision. Françoise Choné obtient en effet le coup de cœur pour son vin à la robe claire et limpide. Très floral, son bouquet ouvre la voie à une bouche droite et franche, dont le gras n'est pas avare de ses dons. Vif, nuancé, minéral, il est sur un petit nuage... Quant au **bourgogne rouge 2002**, il lui faut prendre un peu de bouteille mais il est très réussi (une étoile).

⊶ Françoise Choné,
Dom. de Montpierreux, rte de Chablis, 89290 Venoy,
tél. 03.86.40.20.91, fax 03.86.40.28.00 ☑ 🏠 Y 🚶 r.-v.

JEAN-MICHEL MOREAU 2003 ★

▒ 0,5 ha 3 000 ▮ ♁ 5 à 8 €

Nous sommes en Tonnerrois, rien qu'à voir l'étiquette qui montre la Fontaine Dionne : l'une des curiosités du pays. D'un rosé vif et éclatant, ce vin valorise bien son millésime. Son bouquet gentiment fruité annonce une vivacité fraîche et joyeuse qui demeure équilibrée, élégante même.

⊶ Jean-Michel Moreau,
La Grange Aubert, 89700 Tonnerre,
tél. 03.86.55.23.37, fax 03.86.55.23.37 ☑ Y 🚶 r.-v.

PIERRE MOREY 2001 ★

□ 2,16 ha 10 000 ◍ 8 à 11 €

L'un des biodynamistes convaincus et sérieux en Côte de Beaune. Par ailleurs proche collaborateur d'Anne-Claude Leflaive, elle aussi très engagée dans ce mouvement. Son bourgogne, or pâle à légers reflets verts, a un nez nettement porté sur le minéral. Cette impression persiste au palais. « On croirait sucer un silex ! », écrit un dégustateur sur sa fiche... Un style intéressant et assurément original.

⊶ Dom. Pierre Morey,
9, rue Comte-Lafon, 21190 Meursault,
tél. 03.80.21.21.03, fax 03.80.21.66.38,
e-mail morey-blanc@wanadoo.fr ☑ 🚶 r.-v.

CHRISTIAN MORIN Chitry 2002 ★

□ 4,1 ha 18 000 ▮ ♁ 5 à 8 €

Il ne botte pas en touche. Il va droit à l'essai entre les poteaux. Jaune à reflets paille, il a un nez de demi d'ouverture et sa passe lance sa ligne aromatique : amande douce, silex, poire... Le pack tient bon en bouche. La mêlée avance sans s'effondrer à aucun moment. Super pour la saison ! Un vin très pur, très droit.

⊶ Christian Morin,
17, rue du Ruisseau, 89530 Chitry-le-Fort,
tél. 03.86.41.44.10, fax 03.86.41.48.21 ☑ Y 🚶 r.-v.

OLIVIER MORIN Chitry 2002 ★

■ 4 ha 20 000 ▮ ◍ 8 à 11 €

Au nez un solo de fraise, de petites fraises sauvages cueillies dans le sous-bois. Assez longue et vivante, sa bouche trouve ici un avocat efficace au caractère de Chitry. En **Chitry blanc 2002,** demandez la cuvée Olympe, qui obtient une citation.

⊶ Olivier Morin, 2, chem. de Vaudu, 89530 Chitry,
tél. 03.86.41.47.20, fax 03.86.41.47.20,
e-mail morin.chitry@wanadoo.fr ☑ Y 🚶 r.-v.

DOM. PANSIOT 2002 ★

■ 2,27 ha 3 000 ▮ ♁ 5 à 8 €

Si toutes les appellations régionales avaient en bourgogne rouge cette qualité, le marché serait sans doute plus actif de ce côté-là. D'une couleur très foncée, parfumé à la mûre et au cassis, ce vin rond et ferme, déjà agréable, demande à s'ouvrir un peu courant 2005.

⊶ Dom. Eric Pansiot,
Ch. de la Chaume, 21700 Corgoloin,
tél. 03.80.62.94.32, fax 03.80.62.73.14 ☑ Y 🚶 r.-v.

DOM. GERARD PERSENOT
Côtes d'Auxerre Vieilles Vignes 2002 ★

■ 5 ha 35 000 ▮ 5 à 8 €

Rouge profond à reflets rubis, un vin dont la complexité éclate au premier coup de nez avec des notes minérales, d'écorce de pin, de fruit rouge. De bonne persistance, il est souple, soyeux, plein et complet, agréable.

⊶ EARL Gérard Persenot,
20, rue de Gouaix, 89530 Saint-Bris-le-Vineux,
tél. 03.86.53.61.46, fax 03.86.53.61.52 ☑ Y 🚶 r.-v.

DOM. PINQUIER-BROVELLI 2001 ★

■ 0,95 ha 7 000 ▮ ◍ 5 à 8 €

Ce 2001 a fière allure et, s'il fait son âge (ses arômes sont teintés de sous-bois, de champignon, de musc), il le porte bien. Il a encore de la fraîcheur et de l'élan en attaque. Ses tanins sont assez fondus. Réglissée, poivrée, la finale est de bonne longueur.

⊶ Dom. Pinquier-Brovelli, imp. des Belges,
5, rue Pierre-Mouchoux, 21190 Meursault,
tél. 03.80.21.24.87, fax 03.80.21.61.09
☑ 🏠 Y 🚶 lun.-sam. 9h-12h 13h30-19h; dim. 9h-12h

DOM. JOEL REMY 2002

□ 0,5 ha 3 000 ◍ 5 à 8 €

Bel œil or pâle ensoleillé, ce 2002 partage ses élans aromatiques entre le pain grillé et le fruit exotique. La bouche est très avenante. Tout en acquérant dans la rondeur une certaine consistance, elle maintient jusqu'au bout un sentiment de jeunesse. Très classique. Sortir le tire-bouchon dans un an. Cité également un **bourgogne rouge 2002** assez léger, sympathique.

⊶ Joël Rémy,
4, rue du Paradis, 21200 Sainte-Marie-la-Blanche,
tél. 03.80.26.60.80, fax 03.80.26.53.03,
e-mail domaine.remy@wanadoo.fr ☒ Y ⁑ r.-v.

DOM. RIGOUTAT Coulanges-la-Vineuse
Cuvée Prestige Elevé en fût de chêne 2002 ★★

■ 4 ha n.c. ⬮ 5 à 8 €

Une Cuvée Prestige qui mérite bien son nom. Elle ne risque pas d'être prise de court tant l'intensité de sa robe (très foncée pour un Coulanges), son bouquet concentré sur la cerise (légère surmaturation), sa structure, son fruité étiré en longueur font l'unanimité. Des tanins à assouplir d'ici 2006, mais le potentiel est là. Le **Coulanges rouge 2002** obtient une étoile.

⊶ Dom. Rigoutat, 2, rue du Midi, 89290 Jussy,
tél. 03.86.53.33.79, fax 03.86.53.66.89,
e-mail domainerigoutat@wanadoo.fr ☒ Y ⁑ r.-v.

DOM. NICOLAS ROSSIGNOL 2001 ★

■ 1 ha 5 000 ⬮ 5 à 8 €

Entre pourpre et rubis, un bourgogne né à l'ombre du clocher de Volnay. La framboise et le sous-bois règnent sur un bouquet déjà développé. Dès l'attaque, le fruit noir accompagne une ascension tannique qui signe un certain potentiel de vieillissement (un an ou deux).

⊶ Nicolas Rossignol, rue de Mont, 21190 Volnay,
tél. 03.80.21.62.43, fax 03.80.21.27.61,
e-mail rossignolnic@aol.com ☒ Y ⁑ r.-v.

DOM. DE ROTISSON
Les Chères Elevé en fût de chêne 2002

□ 0,7 ha 3 500 ▮⬮⫰ 5 à 8 €

Didier Pouget a racheté ce domaine en 1998. Il y marie volontiers l'art et le vin (salon d'artisanat et de peinture, voitures anciennes de collection, etc.). Même les cuves sont peintes par un artiste ! Côté chardonnay, la robe est choisie, le bouquet intense et tirant sur le végétal. Assez vif en conclusion mais bien constitué et bon pour un brochet grillé au beurre blanc.

⊶ Dom. de Rotisson,
rte de Conzy, 69210 Saint-Germain-sur-l'Arbresle,
tél. 04.74.01.23.08, fax 04.74.01.55.41,
e-mail didier.pouget@domaine-de-rotisson.com
☒ Y ⁑ t.l.j. 9h-12h30 14h-18h30; dim. sur r.-v.
⊶ Didier Pouget

DOM. ROYET ET FILS 2002

□ 2 ha 5 000 ▮⬮⫰ 3 à 5 €

Fraîcheur et vivacité résument ce chardonnay qui nous vient du Couchois (en Saône-et-Loire, entre la Côte chalonnaise et les Hautes Côtes de Beaune). Robe claire d'un beau brillant, bouquet d'agrumes. L'attaque est nerveuse mais le support acide s'avère précieux. Le jury rêve d'un feuilleté de noix de Saint-Jacques. Le **bourgogne Côtes-du-Couchois rouge 2001 (5 à 8 €)** obtient une citation. Elevé en fût, il devra adoucir ses tanins.

⊶ GAEC Royet et Fils, Combereau, 71490 Couches,
tél. 03.85.49.64.01, fax 03.85.49.61.77 ☒ Y ⁑ r.-v.

DOM. DE RUERE 2002 ★

■ 0,5 ha 2 000 ⬮ 3 à 5 €

Une bouteille née en plein pays lamartinien. « O temps, suspends ton vol ! » Mais vous, buveurs propices, ne suspendez pas votre cours... En effet, ce pinot noir mâconnais, rouge vif, nous fait faire plusieurs escales : l'une de pruneau (au nez), l'autre de framboise (au palais) et on se dit qu'à ce rythme-là, la promenade en barque peut durer encore pas mal de temps. Tanins bien marqués : il faut ramer. Petit creux au milieu : pour rêver un peu. Fin de bouche assez longue.

⊶ Didier Eloy, en Ruère, 71960 Pierreclos,
tél. 03.85.35.76.65, fax 03.85.35.70.19 ☒ Y ⁑ r.-v.

DOM. SAINT-PANCRACE
Côtes d'Auxerre La Côte d'Or 2002

■ 0,33 ha n.c. ▮⬮ 5 à 8 €

La Côte d'Or n'est pas dans l'Auxerrois. Cela dit, voici un 2002 au bouquet assez boisé qui laisse une petite place au fruit. En bouche, l'évolution tannique est nette et demande un an de garde. Xavier Julien a planté ses premiers pieds de vigne il y a près de dix ans et il continue lentement mais sûrement (moins de 2 ha à ce jour).

⊶ Xavier Julien, Dom. Saint-Pancrace, 6, rue Lebeuf,
89000 Auxerre, tél. 03.86.51.69.71, fax 03.86.51.69.71,
e-mail domaine.saintpancrace@wanadoo.fr ☒ Y r.-v.

DOM. VINCENT SAUVESTRE 2002 ★★

■ 2,5 ha 13 800 ⬮ 5 à 8 €

Paré d'un rouge intense et brillant, un pinot noir très légèrement vanillé. La mûre y tient une large place. L'alcool et l'acidité trouvent en bouche les conditions d'une entente cordiale. La rondeur est là pour dire le dernier mot d'un vin bien typé et de garde (deux à trois ans).

⊶ Dom. Vincent Sauvestre, rte de Monthélie,
21190 Meursault, tél. 03.80.21.22.45, fax 03.80.21.28.05

DOM. ROBERT SIRUGUE ET SES ENFANTS 2002 ★

■ 2 ha 15 000 ⬮ 5 à 8 €

Très structuré, ce pinot noir supporte le fût. D'un rouge sombre, il marie astucieusement le cuir et le fruit frais et a ce qu'il faut d'acidité pour se tenir debout quelque temps. Vin de caractère, masculin comme on dit – à moins que vous ne préfériez dire classique ? Pour un giber, évidemment !

⊶ Dom. Robert Sirugue et ses Enfants,
3, rue du Monument, 21700 Vosne-Romanée,
tél. 03.80.61.00.64, fax 03.80.61.27.57,
e-mail sirugue@ifrance.com ☒ Y ⁑ r.-v.

VAUDOISEY-CREUSEFOND 2002 ★★★

■ 1,87 ha 9 000 ⬮ 5 à 8 €

Tout le grand bourgogne possible ! Coup de cœur pour cette bouteille assez claire. Mi-fruits rouges mi-moka (douze mois de fût), la prestation aromatique est remarquable. La bouche est un auditorium pour un concerto offert au pruneau et à l'orchestre. Friand, direct, et d'une architecture rare, un 2002 éblouissant et qui ne fera aucune difficulté pour passer tout de suite à table. Mais cette hauteur de vue mérite le gigot.

🔑 Vaudoisey-Creusefond,
16, rte d'Autun, 21630 Pommard,
tél. 03.80.22.48.63, fax 03.80.24.16.81 ☑ 🍷 🚶 r.-v.

DOM. DE VAUROUX 2002 *

□ 2 ha 12 800 🛢 5 à 8 €

Ce domaine (43 ha, dont 2 pour ce vin) est dirigé par Olivier Tricon. Jaune d'or, il n'hésite pas à se parer de quelques reflets verts. Fruits blancs, pierre à fusil, son bouquet est dans le ton du pays. Léger, flatteur en arômes, tout en rondeur, boisé mais raisonnablement, il doit être servi en 2005.

🔑 SCEA Dom. de Vauroux,
rte d'Avallon, 89800 Chablis,
tél. 03.86.42.10.37, fax 03.86.42.49.13,
e-mail domaine-de-vauroux@domaine-de-vauroux.com
☑ 🍷 r.-v.
🔑 Tricon

DOM. DU VIEUX COLLEGE
Les Longues Pièces 2002 *

□ 0,7 ha 3 000 🛢 5 à 8 €

Il devrait bien évoluer jusqu'à la fin 2005. Sous des traits bien clairs, peu prononcés, son bouquet ne chôme pas dans un environnement vanillé. Gras, puissance, équilibre, il est partout au-dessus de la moyenne. La petite fermeté des tanins rencontrée en fin de bouche n'est pas de nature à modifier un jugement globalement positif.

🔑 Jean-Pierre Guyard, Dom. du Vieux Collège,
4, rue du Vieux-Collège, 21160 Marsannay-la-Côte,
tél. 03.80.52.12.43, fax 03.80.52.95.85 ☑ 🍷 🚶 r.-v.

ALAIN VIGNOT Côte Saint-Jacques 2002

■ 7 ha 35 000 ▮🛢♁ 5 à 8 €

La Côte Saint-Jacques à Joigny n'est plus un vignoble menacé de disparition. Il doit notamment sa résurrection à Alain Vignot. Son pinot noir (sur 7 ha élevé un an moitié en cuve et moitié en fût) se montre discret à toutes les étapes de la dégustation. Agrémenté de cerise, il coule agréablement en bouche. Un petit air de vin plaisir, à boire maintenant. Pour se donner du cœur sur le chemin de Compostelle...

🔑 Alain Vignot,
16, rue des Prés, 89300 Paroy-sur-Tholon,
tél. 03.86.91.03.06, fax 03.86.91.09.37 ☑ 🍷 🚶 r.-v.

HENRI DE VILLAMONT 2002

■ 19,12 ha 98 600 ▮🛢 5 à 8 €

Robe claire, limpide et parfums de fruits frais : l'entrée en matière laisse une impression agréable. Assez boisée, les tanins enrobés, la bouche vit en harmonie avec de bonnes promesses de dégustation dans l'année qui vient. Henri de Villamont est une filiale du groupe suisse Schenk, installée dans l'ancienne propriété Léonce Bocquet à Savigny.

🔑 SA Henri de Villamont, 2, rue du Dr-Guyot,
21420 Savigny-lès-Beaune, tél. 03.80.24.70.07,
fax 03.80.22.54.31, e-mail contact@hdv.fr
☑ 🍷 🚶 t.l.j. sf mar. 10h-18h; jeu. 14h-18h

DOM. ELISE VILLIERS 2002 *

■ 0,5 ha 3 000 🛢 5 à 8 €

Très clair et limpide, presque transparent, un pinot noir du Vézelien aux arômes de fruits rouges très légers. L'élevage sous bois suscite une impression de torréfaction. La bouche est plus serrée que longue, mais structurée. Les tanins se tiennent à distance. On retrouve alors le fruit sur une finale chaleureuse et épicée. En blanc, voyez aussi le **bourgogne Vézelay Le Clos 2002** : le vin de onze heures du matin, entre casse-croûte et déjeuner...

🔑 Elise Villiers, Précy-le-Moult, 89450 Vézelay,
tél. 03.86.33.27.62, fax 03.86.33.27.62 ☑ 🏠 🍷 🚶 r.-v.

DOM. VIRELY-ROUGEOT 2002 *

■ 1,77 ha 3 084 🛢 5 à 8 €

Ces parcelles jouxtent l'appellation Pommard. On se situe donc en un lieu particulier où l'AOC régionale flirte avec le *village*. De fait, on a affaire à un 2002 grenat violacé, où le fruit va directement jusqu'au confituré, voire au confit. Le corps tannique et puissant, néanmoins équilibré, a deux ou trois ans devant lui. Une paire d'œufs en meurette paraît indiquée.

🔑 Dom. Virely-Rougeot,
pl. de l'Europe, 21630 Pommard,
tél. 03.80.22.34.34, fax 03.80.22.38.07 ☑ 🍷 🚶 r.-v.

Bourgogne-aligoté

Le cépage aligoté donne des vins plus vifs et plus précoces que le chardonnay mais le terroir influe sur lui autant que sur les autres cépages. Il y a ainsi autant de profils d'aligotés que de zones où on les élabore. Les aligotés de Pernand étaient connus pour leur souplesse et leur nez fruité (avant de céder la place au chardonnay) ; les aligotés des Hautes-Côtes sont recherchés pour leur fraîcheur et leur vivacité ; ceux de Saint-Bris dans l'Yonne semblent emprunter au sauvignon quelques traces de fleur de sureau, sur des saveurs légères et coulantes.

Le bourgogne aligoté constitue un excellent vin d'apéritif associé ou non à de la liqueur de cassis, devenant alors le célèbre « kir ». L'appellation a trouvé ses lettres de noblesse dans le petit village de Bouzeron près de Chagny (Saône-et-Loire) où elle est devenu en 2001 une appelaltion *village*.

JEAN-BAPTISTE BEJOT 2002 **

□ n.c. 20 000 ▮ 8 à 11 €

Il est tellement bon qu'on l'imagine déjà discutant d'égal à égal avec un turbot au beurre blanc. Jaune à reflets dorés, fruité, il offre une bouche ronde, riche et très longue. Beaucoup de classe et d'élégance.

🔑 SA Jean-Baptiste Béjot, 21190 Meursault,
tél. 03.80.21.22.45, fax 03.80.21.28.05

PHILIPPE BOUCHARD 2002 *

□ n.c. 60 000 🛢 5 à 8 €

Une robe satisfaisante, un bouquet de printemps (fruits frais et agrumes) et une légère vivacité : on tient là un bon aligoté des familles pour faire les dix heures avec de la charcuterie de campagne pendant les vacances.

⌐ Philippe Bouchard, 21420 Aloxe-Corton,
tél. 03.80.25.00.00, fax 03.80.26.42.00,
e-mail vinibeaune@bourgogne.net ⚔ r.-v.

UNION DES VITICULTEURS DE CHABLIS
2002 ★★

	12,5 ha	100 000	▤↧	5 à 8 €

Le meilleur aligoté de l'Yonne cette année, signé par
la cave La Chablisienne sous un autre nom. Sa robe ferait
pâlir d'envie beaucoup de chardonnays. Au nez l'affaire se
traite entre compères : les agrumes, le minéral. La bouche
s'en inspire également, avec ce qu'il faut de vivacité pour
que l'on reste dans l'esprit du cépage.
⌐ Union des Viticulteurs de Chablis,
8, bd Pasteur, BP 14, 89800 Chablis,
tél. 03.86.42.89.89, fax 03.86.42.89.90,
e-mail chab@chablisienne.fr ☑ ⊻ ⚔ r.-v.

MADAME EDMOND CHALMEAU 2002

	3,26 ha	16 500	▤↧	3 à 5 €

Le jaune de sa robe n'est guère accentué. On aime
mieux ça car l'aligoté n'est pas un vin doré comme doit
l'être le chardonnay. Le nez a des accents de pierre à fusil
bien prononcés. L'acidité tient la bouche en haleine
jusqu'à une finale où l'on sent l'alcool. La minéralité
caractérise ce 2002 né sur un domaine où travaillent trois
générations, domaine situé à 100 m de l'église fortifiée du
XIIIᵉs.
⌐ Madame Edmond Chalmeau,
20, rue du Ruisseau, 89530 Chitry-le-Fort,
tél. 03.86.41.42.09, fax 03.86.41.46.84 ☑ ⊻ ⚔ r.-v.

FRANCOISE CHAUVENET Les Terpierreux 2002

	n.c.	45 000	▤	5 à 8 €

Du haut du Paradis, le chanoine Kir salue cet aligoté
qui répond aux exigences du kir. Assez brillant, le bouquet
en cours d'épanouissement (fleurs blanches), il attaque sec
et tient la route. A déboucher maintenant. Cette maison
nuitonne fait aujourd'hui partie de la famille Jean-Claude
Boisset.
⌐ Françoise Chauvenet, 9, quai Fleury,
21700 Nuits-Saint-Georges, tél. 03.80.61.39.83,
fax 03.80.61.32.72, e-mail chauvenet@chauvenet.com

RESERVE DE LA CHEVRE NOIRE
Monopole 2002 ★

	1,6 ha	8 000	▤↧	8 à 11 €

Présenté dans une bouteille « à l'antique », un vin
assez riche en couleur. Agréablement constitué, il respire
la plénitude avec un support d'agrumes qui réveille sa
nature plutôt ronde.
⌐ Boisseaux-Estivant,
38, fb Saint-Nicolas, BP 107, 21200 Beaune,
tél. 03.80.22.26.84, fax 03.80.24.19.73 ☑

DOM. CHEVROT Cuvée des Quatre Terroirs 2002 ★

	1,31 ha	12 000	▤	3 à 5 €

Cuvée des Quatre Terroirs ? Nous posions l'an passé
la question. Voici la réponse. Il s'agit bien de quatre *climats*
assemblés : Sous la croix de pierre, Route de Sampigny,
Les champs rigets et Au bourg. Pour un vin aux reflets
argentés, bouqueté sur l'acacia. Une bouche gourmande,
de la matière mais un style peut-être un peu dense pour un
aligoté qu'on imagine davantage le nez au vent et la fleur

au fusil. Mais la finale est bien acidulée. Une sole meunière
lui conviendra.
⌐ Fernand Chevrot,
19, rte de Couches, 71150 Cheilly-lès-Maranges,
tél. 03.85.91.10.55, fax 03.85.91.13.24,
e-mail contact@chevrot.fr ☑ ⌂ ⊻ ⚔ r.-v.

DOM. COLLOTTE 2002 ★

	1 ha	4 000	▤	5 à 8 €

Blanc or, le nez assez ouvert et floral, cet aligoté venu
de Marsannay est bien dans le ton : un rien impertinent,
acidulé citron-pamplemousse, avec ce petit caractère de
silex, tranchant, qui lui va si bien. Bonne pureté. Son gras,
en équilibre avec l'acidité, lui confère une certaine originalité. Parfait à l'apéritif et pas forcément avec de la crème
de cassis...
⌐ Dom. Collotte,
44, rue de Mazy, 21160 Marsannay-la-Côte,
tél. 03.80.52.24.34, fax 03.80.58.74.40,
e-mail domaine.collotte@terre-net.fr ☑ ⊻ ⚔ r.-v.

EDMOND CORNU ET FILS 2002 ★

	0,5 ha	4 500	▤↧	5 à 8 €

On l'appelait jadis plant de trois ou de Troyes, griset
blanc, etc. On finit par l'appeler aligoté et ce nom lui va
comme un gant. Et à Ladoix, on se rappelle qu'il y avait
de ce cépage en corton-charlemagne il n'y a pas si
longtemps ! Bien lumineux, celui-ci dévelope peu d'arômes
(agrumes en perspective). Sec et vif, assez minéral, il a un
corps équilibré et une longueur très correcte.
⌐ EARL Edmond Cornu et Fils,
Le Meix Gobillon, 21550 Ladoix-Serrigny,
tél. 03.80.26.40.79, fax 03.80.26.48.34 ☑ ⊻ ⚔ r.-v.

GERARD DOREAU 2001

	0,41 ha	2 300	▥	5 à 8 €

Cet aligoté bon enfant, aigu comme du silex, se
présente sous des traits or blanc. De petites notes de
pamplemousse effleurent le nez légèrement grillé, puis la
bouche franche reste vive jusqu'en finale.
⌐ Gérard Doreau, rue du Dessous, 21190 Monthélie,
tél. 03.80.21.27.89, fax 03.80.21.62.19 ☑ ⊻ ⚔ r.-v.

JEAN-PIERRE DUFOUR 2002 ★★

	0,31 ha	1 300	▤	8 à 11 €

2002

Grand Vin   de Bourgogne

BOURGOGNE ALIGOTÉ

Appellation d'Origine Contrôlée

75 cl   Mis en bouteilles par
12,5% vol.   DUFOUR Jean-Pierre
        Viticulteur à Chorey-les-Beaune (Côte-d'Or) France

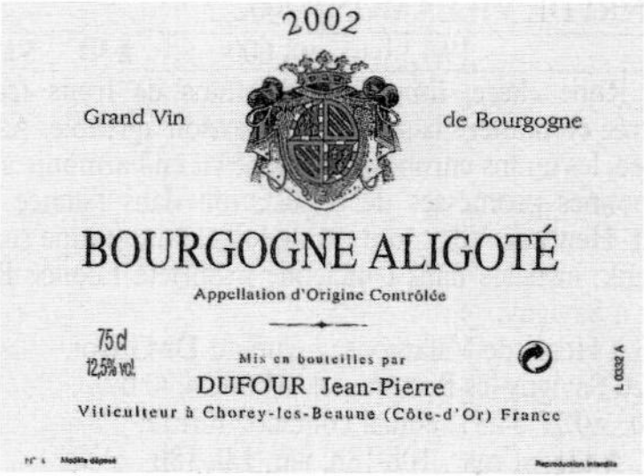

Cette bouteille merveilleuse, n°1 de la dégustation,
porte une jolie robe de printemps, très fraîche. Le bouquet
évoque la fougère alors que la bouche explose en arômes
fruités. Bon support acide et finale éblouissante : la belle

maturité du raisin et une vinification particulièrement réussie emportent le coup de cœur.
🔷 Jean-Pierre Dufour,
11, rue de Ley, 21200 Chorey-lès-Beaune,
tél. 03.80.22.10.93, fax 03.80.22.10.93,
e-mail gilberte.dufour@terre-net.fr ☑ ⅄ ⅄ r.-v.
🔷 Gilberte Dufour

DOM. DUPASQUIER ET FILS 2002 ★★

	1,88 ha	5 100	🔲	3 à 5 €

Jaune clair, le nez plein d'agrumes, il a cette fraîcheur et cette vivacité qui donnent envie d'y revenir. Assez subtil pour un aligoté et élégant, il est tout simplement bon.
🔷 SCEA Dom. Dupasquier et Fils,
47 bis, rue Henri-Challand, 21700 Nuits-Saint-Georges,
tél. 03.80.61.13.78, fax 03.80.61.05.08,
e-mail dupasquier.domaine@wanadoo.fr ☑ ⅄ ⅄ r.-v.

RAYMOND DUREUIL-JANTHIAL 2002 ★

	0,65 ha	6 000	ⅢⅠ	5 à 8 €

Jaune pâle d'intensité moyenne, cet aligoté de la Côte chalonnaise a été élevé sous bois (un an de fût), ce qui contribue à la qualité de son nez élégant et fin, très plaisant. L'attaque est un peu austère puis le vin s'émancipe. Ses notes de silex, d'herbe fraîche sont agréables. Persistance réelle.
🔷 Raymond Dureuil-Janthial,
rue de la Buisserolle, 71150 Rully,
tél. 03.85.87.02.37, fax 03.85.87.00.24 ☑ ⅄ ⅄ r.-v.

DOM. DES FARONDES 2002 ★

	2,96 ha	28 470	🔲♭	5 à 8 €

Jaune paille, cet aligoté bien typé possède un beau corps sans lourdeur, de l'acidité sans agressivité sous des airs citronnés. Le choisir pour une terrine de poisson. Fondée en 1928, la cave de Bissey-sous-Cruchaud vinifie les raisins produits sur 100 ha en Saône-et-Loire.
🔷 Cave de Bissey,
Les Millerands, 71390 Bissey-sous-Cruchaud,
tél. 03.85.92.12.16, fax 03.85.92.08.71,
e-mail cave.bissey@wanadoo.fr ☑ ⅄ ⅄ r.-v.

DOM. ANNE ET ARNAUD GOISOT

Coteaux de Saint-Bris 2002 ★

	7 ha	30 000	🔲♭	5 à 8 €

Voilà vingt-cinq ans que cette famille a tourné le dos à la polyculture (celle notamment de la célèbre cerise marmotte de l'Auxerrois) pour jurer fidélité à la vigne, sur 24 ha. Son aligoté est discret, fin, léger et d'une grande fraîcheur. Sa minéralité et sa longueur en font un vin intéressant.
🔷 Dom. Anne et Arnaud Goisot,
4 bis, rte de Champs, 89530 Saint-Bris-le-Vineux,
tél. 03.86.53.32.15, fax 03.86.53.64.22
☑ ⅄ ⅄ t.l.j. 9h-12h 13h30-18h30; f. du 15 au 30 août

GHISLAINE ET JEAN-HUGUES GOISOT 2002 ★

	7,3 ha	40 000	🔲♭	5 à 8 €

Domaine en bio certifiée, sur 27 ha. Il nous fait profiter du plaisir d'un joli vin sachant concilier le minéral et le fruité. Vive comme il se doit, la bouche ne perd cependant pas l'équilibre. A choisir pour un plat de coquillages.

🔷 Ghislaine et Jean-Hugues Goisot,
30, rue Bienvenu-Martin, 89530 Saint-Bris-le-Vineux,
tél. 03.86.53.35.15, fax 03.86.53.62.03,
e-mail jhetg.goisot@cerb.cernet.fr ☑ ⅄ r.-v.

GRIFFE 2002 ★

	4,7 ha	6 800	🔲	5 à 8 €

Cet aligoté produit en Auxerrois est à la fois floral et minéral. Jaune pâle, il a la bouche ample et vive. Sa structure est bien équilibrée. Bon pour les crustacés.
🔷 EARL Griffe, 15, rue du Beugnon, 89530 Chitry,
tél. 03.86.41.41.06, fax 03.86.41.47.36,
e-mail domaine.griffe@wanadoo.fr ☑ ⅄ ⅄ r.-v.

DOM. REMI JOBARD 2002 ★

	0,5 ha	4 500	🔲♭	5 à 8 €

On se réjouit de voir les viticulteurs, même à Meursault, continuer de célébrer les vertus de l'aligoté (ici sur un demi ha). Robe paille, puis un élan d'agrumes : pamplemousse, mandarine. Très puissant, chaleureux et gras, il se montre généreux. Il pourra très certainement être servi pendant deux ou trois ans.
🔷 Rémi Jobard, 12, rue Sudot, 21190 Meursault,
tél. 03.80.21.20.23, fax 03.80.21.67.69,
e-mail remi.jobard@libertysurf.fr ☑ ⅄ ⅄ r.-v.

DOM. NICOLAS MAILLET 2002

	0,5 ha	2 300	🔲♭	5 à 8 €

Nicolas a quitté la cave coopérative en 1999 pour vinifier lui-même les raisins de ses 5 ha. Son 2002 est un peu atypique en raison de sa concentration et de sa richesse en bouche. L'acidité n'en est pas absente et le bouquet minéral est intense. Il peut accompagner le poisson (saumon au beurre blanc).
🔷 Dom. Nicolas Maillet, La Cure, 71960 Verzé,
tél. 03.85.33.46.76, fax 03.85.33.46.76 ⅄ ⅄ r.-v.

STEPHAN MAROSLAVAC-TREMEAU 2001 ★

	3 ha	8 500	🔲♭	3 à 5 €

Doré brillant, parfumé à la noisette, un vin qui joue la finesse et la fraîcheur sans s'écarter du portrait-robot de l'appellation. Sa finale est particulièrement heureuse. On a affaire à une bonne bouteille née de vignes de plus de quarante ans.
🔷 EARL Stéphan Maroslavac-Trémeau,
5, Grande-rue, 21190 Puligny-Montrachet,
tél. 03.80.21.30.19, fax 03.80.21.92.84 ☑ ⅄ ⅄ r.-v.

DOM. ALAIN PATRIARCHE 2002 ★

	1,75 ha	8 000	ⅢⅠ	5 à 8 €

Sur des rillettes peut-être, ce vin fera un bon contrepoint. Limpide, sa robe est classique. Quant à son premier nez, flatteur et floral, il évolue ensuite sur le fruit. Son attaque est souple. Il chardonne un peu et le bois est discret. Ce n'est pas désagréable.
🔷 Dom. Alain Patriarche,
12, rue des Forges, 21190 Meursault,
tél. 03.80.21.24.48, fax 03.80.21.63.37 ☑ ⅄ ⅄ r.-v.

DOM. PAVELOT 2002 ★

	0,8 ha	2 500	🔲	5 à 8 €

La famille Pavelot illustre à merveille la condition des vignerons en Côte de Beaune depuis plus d'un siècle. Elle continue de rapporter le raisin à la cuverie dans des paniers en osier, comme sur l'étiquette de la bouteille. A l'œil ?

Brillant. Au nez ? Le fruit à chair blanche. En bouche ? Le minéral l'emporte (légère sensation de craie). Voilà un vin démocratique ! Pensez à lui si vous faites une raclette.

⌘ EARL Dom. Régis et Luc Pavelot,
rue du Paulant, 21420 Pernand-Vergelesses,
tél. 03.80.26.13.65, fax 03.80.26.13.65,
e-mail earl.pavelot @ cerb.cernet.fr ☑ ▼ ⋏ r.-v.

DOM. PETITOT 2002 ★

| | 0,62 ha | 3 450 | ▮♦ | 5 à 8 € |

Corgoloin, c'est – comme l'appela le doyen Ciry – la Côte des Pierres, le bassin carrier qui bouscule un peu l'ordon de la Côte. L'aligoté vit ici, près des Hautes-Côtes, comme poisson en Saône. Celui-ci est d'une teinte discrète et correcte. Après aération, il n'est pas avare de ses arômes de jeunesse (agrumes classiques). Sa bouche n'appelle aucun reproche tant elle est franche, vive, enlevée et légèrement iodée. Comme si la mer, présente ici il y a 150 millions d'années, n'avait pas seulement laissé des fossiles...

⌘ EARL Dom. Jean Petitot et Fils,
26, pl. de la Mairie, 21700 Corgoloin,
tél. 03.80.62.98.21, fax 03.80.62.71.64,
e-mail domaine.petitot @ wanadoo.fr
☑ ▼ ⋏ t.l.j. sf dim. 8h-12h 13h30-19h

DOM. PIGNERET FILS 2002 ★

| | 1,5 ha | 10 000 | | 3 à 5 € |

L'association de deux frères, Eric et Joseph, donne naissance à un vin jaune doré soutenu. Beaucoup de fruits vous passent littéralement sous le nez, notamment la pêche. Une même impression domine en bouche. La Côte chalonnaise a ici un petit côté méridional. La finale témoigne d'une vraie longueur. Une bouteille agréable bien que non typée.

⌘ EARL Dom. Pigneret Fils,
Vingelles, 71390 Moroges,
tél. 03.85.47.15.10, fax 03.85.47.15.12,
e-mail domaine.pigneret @ wanadoo.fr
☑ ▼ ⋏ t.l.j. 9h-12h 14h-21h

DOM. PINQUIER-BROVELLI
La Corvée Saint-Nicolas 2002

| | 1 ha | 7 200 | ▮◑ | 3 à 5 € |

Les aligotés revendiquant le nom d'un *climat* sont rares. Il s'agit ici d'un lieu-dit de Meursault qui fut une terre épiscopale. Jaune clair, le nez assez rustique, un vin très vif qui a de la personnalité. Notamment pour ses arômes un peu atypiques (jacinthe puis abricot au bout d'un moment). Le servir dans les temps qui viennent.

⌘ Dom. Pinquier-Brovelli, imp. des Belges,
5, rue Pierre-Mouchoux, 21190 Meursault,
tél. 03.80.21.24.87, fax 03.80.21.61.09
☑ ⌂ ▼ ⋏ lun.-sam. 9h-12h 13h30-19h; dim. 9h-12h

CAVE DE PRISSE 2002

| | n.c. | 30 000 | ▮ | 5 à 8 € |

Jaune paille et brillant, ses arômes ont quelque chose de l'aubépine et du pain frais. Au palais, les sensations sont plutôt végétales et minérales. Finesse, intensité, longueur, il est prêt à passer à table. Signé par une cave coopérative de Saône-et-Loire.

⌘ Caves de Prissé-Sologny-Verzé, Les Grandes-Vignes,
71960 Prissé, tél. 03.85.37.88.06, fax 03.85.37.61.76,
e-mail caves.prisse @ wanadoo.fr ⌂ ▼ ⋏ r.-v.

DOM. DES REMPARTS 2002 ★

| | 9 ha | 20 000 | ▮♦ | 5 à 8 € |

Vigneron depuis la nuit des temps, ce village a vu se succéder près de vingt générations connues de la famille Sorin. Vaste domaine de 33 ha. Ce vin nous arrive de l'Auxerrois et il concurrence le fameux sauvignon-de-saint-bris. Jaune pâle, rond et fruité du nez au palais, c'est un 2002 à boire dès à présent.

⌘ GAEC Dom. des Remparts,
6, rte de Champs, 89530 Saint-Bris-le-Vineux,
tél. 03.86.53.33.59, fax 03.86.53.62.12 ☑ ▼ ⋏ r.-v.
⌘ Patrick et Jean-Marc Sorin

SORIN-COQUARD 2002 ★

| | 5,5 ha | 20 000 | ▮♦ | 5 à 8 € |

Quand un vigneron bourguignon épouse une vigneronne champenoise, on peut boire son vin du début à la fin. En commençant par cet aligoté à l'apéritif, autour de la corbeille de gougères. De teinte claire, il n'a pas le nez très bavard mais cela peut encore venir. Structure et longueur honorables, bonne acidité et présence minérale.

⌘ EARL Sorin-Coquard,
15, rue de Grisy, 89530 Saint-Bris-le-Vineux,
tél. 03.86.53.37.76, fax 03.86.53.37.76 ☑ ▼ ⋏ r.-v.
⌘ Pascal Sorin

JEAN-BAPTISTE THIBAUT 2002 ★★

| | 3,2 ha | 4 000 | ▮♦ | 3 à 5 € |

Aligoté de l'Yonne. Sous sa robe légèrement brillante, le bouquet apparaît floral et minéral : une vraie brise printanière. Au palais, des notes de fleurs blanches complètent le tableau. C'est un très joli vin, bien équilibré sur ses jambes.

⌘ Jean-Baptiste Thibaut,
3, rue du Château, 89290 Quenne,
tél. 03.86.40.35.76, fax 03.86.40.27.70 ☑ ▼ ⋏ r.-v.

CORINNE TOURNIER ET THIERRY GAUTIER 2002 ★

| | 2 ha | 6 000 | ▮ | 3 à 5 € |

Corinne et Thierry sont un cas à part. Une première génération dans la vigne et le vin. Leur aligoté or brillant très bien habillé a le nez fleuri (ce n'est pas une métaphore) tout en finesse. Le fruit et la fraîcheur sont bien acidulés, la finale chaleureuse, la structure solide. Un 2002 bien bâti !

⌘ Corinne Tournier et Thierry Gautier,
GAEC Dionysos, quartier de la Gare,
71460 Culles-les-Roches,
tél. 03.85.44.01.90, fax 03.85.44.08.61,
e-mail gaecdionysos @ tiscali.fr ☑ ▼ ⋏ r.-v.

DOM. VANBESELAERE-MARNIX
Elevé en fût de chêne 2001 ★

| | 0,22 ha | 1 800 | ◑ | 5 à 8 € |

Venu faire les vendanges en Bourgogne il y a une dizaine d'années, ce Belge revient apprendre le métier à Pommard et s'installe. Cet aligoté est son premier vin. Singulière étiquette montrant... une sorcière sur son balai : rappel du cortège des sorcières dans le village belge de Beselaere... Peu de couleur, arômes de noisette, un vin très net, franc, assez tendre et léger.

⌘ Dom. Vanbeselaere-Marnix, Grande-rue,
21340 Ivry-en-Montagne, tél. 03.80.20.23.15 ☑ ▼ r.-v.

Bourgogne-passetoutgrain

Appellation réservée aux vins rouges et rosés à l'intérieur de l'aire de production du bourgogne-grand-ordinaire, ou d'une appellation plus restrictive à condition que les vins proviennent de l'assemblage de raisins issus de pinot noir et gamay noir ; le pinot noir doit représenter au minimum le tiers de l'ensemble. Il est courant de constater que les meilleurs vins contiennent des quantités identiques de raisin de chacun des deux cépages, voire davantage de pinot noir.

Les vins rosés sont obligatoirement obtenus par saignée : ce sont donc des rosés macérés, par opposition aux « gris » obtenus par pressurage direct de raisins noirs et vinifiés comme des vins blancs. Dans la saignée, le tirage des jus est effectué lorsque le vigneron a obtenu, lors de la macération, la couleur désirée, ce qui peut très bien arriver en plein milieu de la nuit ! La production de passetoutgrain rosé est très faible ; c'est surtout en rouge que cette appellation est connue. Elle est produite essentiellement en Saône-et-Loire (environ les deux tiers), le reste en Côte-d'Or et dans la vallée de l'Yonne. Elle n'a représenté que 27 992 hl en 2003. Les vins sont légers et friands, et doivent être consommés jeunes.

JEAN-PIERRE BONY 2002 ★

■ 0,19 ha 1 500 3 à 5 €

Fabienne Bony a repris le domaine créé à Nuits dans les années 1960 par son père. Son vin est à boire jeune car il est friand et frais. Rouge à reflets mauves, il rappelle la framboise, la fraise. Ce caractère fruité persiste agréablement au palais. Pour une grillade autour du barbecue.

EARL Dom. Jean-Pierre Bony,
5, rue de Vosne, 21700 Nuits-Saint-Georges,
tél. 03.80.61.16.02, fax 03.80.61.16.02,
e-mail fabiennebony@wanadoo.fr r.-v.

FRANCK CHALMEAU 2003 ★

■ 0,51 ha 4 000 3 à 5 €

Un passetoutgrain rosé gamay à 60 %. Oui, cela existe et si vous voulez étonner vos amis, servez-leur cette bouteille issue de l'Auxerrois. De nuance fuchsia, ce vin soutient bien ses arômes plutôt floraux tout en montrant de la fraîcheur, du tonus. Le passetoutgrain rosé est rarissime.

Franck Chalmeau,
2, pl. de l'Eglise, 89530 Chitry-le-Fort,
tél. 03.86.41.42.09, fax 03.86.41.46.84 r.-v.

LES CHAMPS DE L'ABBAYE 2002 ★

■ 1 ha 2 500 5 à 8 €

Gamay noir à jus blanc et pinot noir à 50/50, le premier né sur granits rouges, le second sur un sol argilo-calcaire (Saône-et-Loire), et cultivés en biodynamie. Ce passetoutgrain dense, riche et puissant peut attendre l'an prochain car il a du coffre, même si sa robe pourpre donne quelques signes de légère évolution. Le bouquet tourne autour du cuir, des petits fruits noirs. Le bœuf bourguignon filera le parfait amour avec cette bouteille.

Alain et Isabelle Hasard,
3, pl. de l'Abbaye, 71510 Saint-Sernin-du-Plain,
tél. 03.85.45.59.32, fax 03.85.45.59.32,
e-mail alainhasard@wanadoo.fr r.-v.

DOM. DE LA GRANGERIE 2003 ★

■ 8,25 ha 53 000 5 à 8 €

Un passetoutgrain venu de la Côte chalonnaise : de Saint-Martin-sous-Montaigu pour être plus précis. Pourpre, violet, très coloré, il offre un bouquet légèrement réglissé. La bouche s'appuie sur un bon grain et, du début à la fin, on le goûte avec plaisir. Pour un jour de potée !

Dom. de la Grangerie,
71640 Saint-Martin-sous-Montaigu, tél. 03.85.87.51.17,
fax 03.85.87.51.12, e-mail marie-laure@m-p.fr

BOURGOGNE

BERTRAND MACHARD DE GRAMONT 2002 ★

■ 0,7 ha 2 100 5 à 8 €

La cuverie est construite sur le flanc de la colline de Vergy, tout près de l'ancienne abbaye de Saint-Vivant. Elle a vu passer le pinot et le gamay de ce bourgogne d'un rouge profond et soutenu, aux notes de sous-bois. Il ne s'endort pas à l'attaque et met du fruit en bouche. Ce n'est pas un passetoutgrain de charcuteries mais de viandes grillées.

Bertrand Machard de Gramont,
13, rue de Vergy, 21700 Nuits-Saint-Georges,
tél. 03.80.61.16.96, fax 03.80.61.16.96,
e-mail bertrandmacharddegramont@tiscali.fr
r.-v.

LES VIGNERONS DE MANCEY 2002 ★

■ n.c. 7 000 5 à 8 €

Les vignerons de Mancey (près de Tournus) ont connu des émotions. Notamment le 15 juin 1875 quand on a découvert chez eux, pour la première fois en Bourgogne, le phylloxéra ! D'un rubis grenat, leur passetoutgrain répand des arômes herbacés et poivrés. Pleine d'épices et de fruits rouges, la bouche (pas très longue) est plaisante. Ce vin répond bien à ce qu'on attend de l'appellation.

Cave des vignerons de Mancey, BP 100, RN 6,
71700 Tournus,
tél. 03.85.51.00.83, fax 03.85.51.71.20 r.-v.

DOM. DU MERLE 2002 ★

■ 1 ha 3 000 5 à 8 €

Rouge foncé légèrement violacé, ce millésime se montre tout d'abord assez fermé puis il s'ouvre à l'aération sur un bon fruit. Produit en Côte chalonnaise, ce passetoutgrain traditionnel, évidemment tannique, un peu chaud en bouche, offre une belle persistance pour l'appellation.

Dom. du Merle, Sens, 71240 Sennecey-le-Grand,
tél. 03.85.44.75.38, fax 03.85.44.73.63
t.l.j. 8h-20h; f. 1er jan. au 1er mai

PAUL REITZ 2002 ★

■ n.c. n.c. 5 à 8 €

Cette maison est restée familiale depuis le XIXe s. Vers 1810 le premier Reitz bourguignon venait de la Sarre. Si sa finale est encore sévère, ce passetoutgrain se présente bien à l'œil et on lui trouve un très joli nez, fin, élégant, presque complexe. Charnu et ferme à l'attaque, il ne manque pas d'ambition. L'ensemble est de bonne constitution.

🔑 SA Paul Reitz,
122-124, Grande-Rue, 21700 Corgoloin,
tél. 03.80.62.98.24, fax 03.80.62.96.83,
e-mail maison-paul.reitz@laposte.net ☑

DOM. JEAN-PIERRE TRUCHETET 2002 *

■ 0,63 ha 5 000 ▮◍ 3 à 5 €

Voici un passetoutgrain de la Côte de Nuits d'un rouge profond et qui a besoin d'aération dans le verre. Le premier nez animal évolue logiquement vers le sous-bois. Et il n'a pas fini de nous en raconter ! Ses arômes se fixent plus tard sur la cerise à l'eau-de-vie. Les tanins sont fins mais présents et l'on retrouve du fruit rouge. Un ensemble cohérent.

🔑 Jean-Pierre Truchetet, RN 74,
21700 Premeaux-Prissey,
tél. 03.80.61.07.22, fax 03.80.61.34.35 ☑ 🍷 🚶 r.-v.

VEUVE HENRI MORONI 2000

■ 1,04 ha 4 240 ▮🍾 3 à 5 €

Un 2000 ! Ce n'est cependant ni un retraité ni un revenant. Certes, il y a du tuilé dans sa robe qui reste limpide. En bouche, l'impression tannique s'accompagne d'arômes secondaires de maturité (cuir). A boire bien sûr maintenant avec le respect et la compréhension portés à tout « vieux millésime ». Et pas cher avec ça !

🔑 Veuve Henri Moroni,
1, rue de l'Abreuvoir, 21190 Puligny-Montrachet,
tél. 03.80.21.30.48, fax 03.80.21.33.08,
e-mail info@vins-moroni.com ☑ 🍷 🚶 r.-v.

Bourgogne-hautes-côtes-de-nuits

Dans le langage courant et sur les étiquettes, on utilise le plus fréquemment « bourgogne-hautes-côtes-de-nuits » pour les vins rouges, rosés et blancs produits sur seize communes de l'arrière-pays, ainsi que sur les parties de communes situées au-dessus des appellations communales et des crus de la Côte de Nuits. Ces vignobles ont produit 20 400 hl en 2003, dont 3 220 hl en blanc. Cette production a augmenté de manière importante depuis 1970, date avant laquelle le vignoble se limitait à la production de vins plus régionaux, bourgogne-aligoté essentiellement. Le vignoble s'est reconverti à ce moment-là et des terrains, plantés avant le phylloxéra, ont été reconquis.

Les coteaux les mieux exposés donnent certaines années des vins qui peuvent rivaliser avec des parcelles de la Côte, notamment en blanc avec le chardonnay qui, d'un millésime à l'autre, donne des vins d'une meilleure régularité que le pinot noir. A l'effort de reconstitution du vignoble a été associé un effort touristique qu'il faut souligner, avec en particulier la construction d'une maison des Hautes-Côtes où sont exposées les productions locales – dont les liqueurs de cassis et de framboise – que l'on peut déguster avec la cuisine régionale.

BERTRAND AMBROISE 2002 **

□ 1,18 ha 6 000 ◍ 8 à 11 €

Coup de cœur dans notre édition 2000, la maison Ambroise propose un beau 2002 jaune brillant à jambes bien présentes. Le merrain est influent tant au nez qu'en bouche, mais il ne masque pas le nerf et la charpente de ce vin qui a vraiment de la classe.

🔑 Maison Bertrand Ambroise,
rue de l'Eglise, 21700 Premeaux-Prissey,
tél. 03.80.62.30.19, fax 03.80.62.38.69,
e-mail bertrand.ambroise@wanadoo.fr ☑ 🍷 🚶 r.-v.

YVES BAZIN 2002

□ 0,5 ha 1 500 ◍ 5 à 8 €

Sous sa robe jaune pâle, un aimable grillé s'harmonise avec des senteurs florales. La fleur est également incrustée en bouche, selon une approche souple. Calme comme le Meuzin, la rivière du pays.

🔑 Yves Bazin, 21700 Villars-Fontaine,
tél. 03.80.61.35.25, fax 03.80.61.21.46,
e-mail domaine-bazin@wanadoo.fr
☑ 🍷 🚶 t.l.j. 9h-12h 14h-18h; dim. et groupes sur r.-v.

JEAN-CLAUDE BOISSET 2002 *

□ 1 ha 9 000 ◍ 5 à 8 €

Un vin qui devrait honorer la table du président du Conseil régional car il est l'œuvre de son fils Grégory, attaché à la maison Jean-Claude Boisset. Blanc sur blanc : fruits et fleurs parsèment le nez de cette couleur, sous le doré de la robe. La bouche est de grande tenue sur un moelleux mie de pain. Quant à l'acidité, elle s'inspire de l'oracle de Delphes : ni trop ni trop peu. Citons aussi les **Dames Huguettes en rouge 2002**.

🔑 Jean-Claude Boisset,
5, quai Dumorey, 21700 Nuits-Saint-Georges,
tél. 03.80.62.61.61, fax 03.80.62.37.38,
e-mail patriat.g@jcboisset.fr 🍷 🚶 r.-v.

DOM. DES CHAMBRIS
Cuvée des Chambris 2002 *

■ 4,5 ha 8 000 ◍ 11 à 15 €

En cours de conversion à l'agrobiologie, ce domaine de 8 ha produit un vin rouge qui semble réciter sa leçon : grenat, cassis rimant avec réglisse, les tanins un peu rudes... Mais c'est net et propre, bien vinifié et bien élevé, avec une certaine aptitude à la garde (trois à quatre ans, ce qui n'est pas mal). Pour une côte de bœuf.

🔑 SCEV du Dom. des Chambris,
7, rue du Lavoir, 21220 Chevannes,
tél. 03.80.61.44.77, fax 03.80.61.48.87,
e-mail leschambris@wanadoo.fr ☑ 🍷 🚶 r.-v.

PIERRE CORNU-CAMUS 2002 *

■ 0,52 ha 4 000 ▮◍ 5 à 8 €

On comprend pourquoi trouvères et ménestrels faisaient si souvent halte au château de Vergy. On leur servait

sans doute de tels vins. Le **blanc 2001** nous plaît tout autant que ce rouge 2002. D'une présentation impeccable, le nez de griotte évoluant légèrement vers le pruneau, il déroule le tapis rouge sur la langue : richesse soyeuse, maturité épanouie, la séduction mise en bouteille.
🔑 Pierre Cornu-Camus,
2, rue Varlot, 21420 Echevronne,
tél. 03.80.21.57.23, fax 03.80.26.11.94,
e-mail cornu.camus@voila.fr ☑ 🍷 🚶 r.-v.

R. DUBOIS ET FILS 2002

■ 1,2 ha 6 000 🛢 8 à 11 €

Un sentier pédestre permet de découvrir ce vignoble de Premeaux-Prissey. Ce 2002, d'une excellente typicité, d'une couleur grenat intense, privilégie les arômes de fraise. Puis il séjourne en bouche sur de bonnes bases : acidité, tanins, fruits, tout est bien construit, même si l'ensemble se montre plus souple que profond.
🔑 Dom. Régis Dubois et Fils, rte de Nuits-Saint-Georges, 21700 Premeaux-Prissey,
tél. 03.80.62.30.61, fax 03.80.61.24.07,
e-mail rdubois@wanadoo.fr
☑ 🍷 🚶 t.l.j. 8h-11h30 14h-17h30; sam. dim. sur r.-v.

DOM. YVAN DUFOULEUR
Les Dames Huguette 2002

■ 1 ha 6 300 🛢 11 à 15 €

Les Dames Huguette sont au-dessus de Nuits le *climat* le plus connu de cette partie des Hautes-Côtes. Elles donnent un vin rubis sombre bien fruité (style cassis, myrtille) et légèrement acidulé, aux tanins souples, au boisé fondu. La touche d'amertume en finale engage à mettre cette bouteille sous le coude un an ou deux. Yvan Dufouleur s'occupe également des Domaines Guy Dufouleur et Barbier et Fils.
🔑 Dom. Yvan Dufouleur,
18, rue Thurot, 21700 Nuits-Saint-Georges,
tél. 03.80.62.31.00, fax 03.80.62.31.00 ☑ 🏠 🍷 🚶 r.-v.

HENRI FELETTIG 2002 ★

■ 1,3 ha 8 000 🛢 5 à 8 €

Henri et Reine Félettig ont fondé leur domaine en 1969, puis en 1993 ils ont été rejoints sur l'exploitation par leurs enfants Christine et Gilbert. Encore très jeune, ce vin bien réussi a besoin de se fondre et il y parviendra. Légèrement épicé, il est solide et donne en bouche l'impression de sucer un bâton de réglisse... Un magret de canard lui conviendrait.
🔑 GAEC Henri Félettig,
rue du Tilleul, 21220 Chambolle-Musigny,
tél. 03.80.62.85.09, fax 03.80.62.86.41 ☑ 🍷 🚶 r.-v.

DOM. MAURICE GAVIGNET
Les Dames Huguette 2003 ★

■ 4,07 ha 12 000 ▮ 🛢 🌡 5 à 8 €

Domaine créé en 1920 par Honoré Gavignet, vigneron au domaine de la Romanée-Conti, et cela vaut brevet de noblesse en Bourgogne. Son fils Maurice a poursuivi l'extension du parcellaire. Grenat soutenu, ce vin se plaît sur un fond de cassis, aux arômes de terroir. L'élan est légèrement tannique avec un peu de sévérité en finale. Il devra attendre avant d'accompagner des viandes braisées.
🔑 SCEA Dom. Maurice Gavignet,
69, rue Félix-Tisserand, 21700 Nuits-Saint-Georges,
tél. 03.80.61.03.87, fax 03.80.62.14.69
☑ 🍷 🚶 t.l.j. sf dim. lun. 8h30-12h 13h30-18h

DOM. GLANTENET PERE ET FILS 2002 ★★

■ 9,44 ha 13 300 🛢 8 à 11 €

Domaine de 25,5 ha réparti sur cinq communes des Hautes-Côtes de Nuits et de Beaune : Magny-lès-Villers est d'ailleurs la limite entre les deux vignobles. Rubis foncé, riche en arômes d'épices, de moka, de boisé fin et de cassis, un vin dont les tanins prêchent la concorde et la paix. Enormément de présence et un bel avenir en vue (dans les cinq ans à venir).
🔑 Dom. Glantenet Père et Fils,
rue de l'Aye, 21700 Magny-lès-Villers,
tél. 03.80.62.91.61, fax 03.80.62.74.79,
e-mail domaine.glantenet@wanadoo.fr ☑ 🍷 🚶 r.-v.

DOM. ANNE GROS Cuvée Marine 2002 ★

□ 1 ha 6 900 ▮ 🛢 🌡 11 à 15 €

Cuvée Marine ? Sans doute s'agit-il d'un bout d'chou car il faut remonter cent cinquante millions d'années pour avoir ici les pieds sur la plage ! Mais il est vrai aussi que l'on trouve souvent des fossiles marins dans les vignes. Ce chardonnay or vert, beurre frais accompagné de notes de sureau n'est pas fait pour le tour du monde en solitaire. Mais il a du vent dans les voiles et il ne démâtera pas. Offrez-vous une croisière avec lui en 2005 !
🔑 Dom. Anne Gros,
11, rue des Communes, 21700 Vosne-Romanée,
tél. 03.80.61.07.95, fax 03.80.61.23.21 ☑ 🍷 🚶 r.-v.

DOM. MICHEL GROS 2002 ★

■ 11 ha 40 000 🛢 8 à 11 €

Cette famille de Vosne-Romanée a été l'une des premières dans la Côte à planter dans les Hautes-Côtes et à miser sur la nouvelle appellation. Jean Gros était alors un pionnier. Le temps lui donne raison. Rouge soutenu, voici un vin dont le bouquet suggère le cocktail de petits fruits. Ses tanins robustes et francs doivent le conforter dans sa garde, tandis que le fruit (cerise) joue du violon. A attendre un an ou deux car il lui faut encore assouplir sa finale.
🔑 Dom. Michel Gros,
7, rue des Communes, 21700 Vosne-Romanée,
tél. 03.80.61.04.69, fax 03.80.61.22.29 ☑ 🍷 🚶 r.-v.

DOM. GROS FRERE ET SŒUR 2002 ★★★

■ 9 ha 43 100 🛢 8 à 11 €

Le meilleur rouge de la dégustation. La famille Gros, de Vosne-Romanée, s'est intéressée aux hautes-côtes-de-nuits dès la reconquête de ce vignoble. Pourpre à reflets de mauve à violet, le nez profond comme le Creux de Tombin et gorgé de cassis, ce vin vit au-dessus de sa condition, mais pas au-dessus de ses moyens. Le coup de cœur pour la

générosité de son fruit et la beauté de sa structure. Digne d'une noisette de chevreuil. Et si vous n'aimez pas le gibier, un filet de bœuf mettra cette bouteille en valeur.
🔑 Dom. Gros Frère et Sœur,
6, rue des Grands-Crus, 21700 Vosne-Romanée,
tél. 03.80.61.12.43, fax 03.80.61.34.05,
e-mail Bernard.gros2@wanadoo.fr ☑ 🍷 🚶 r.-v.
🔑 Bernard Gros

DOM. PATRICK HUDELOT Les Roncières 2002 *

■ 6 ha 5 000 🛢 8 à 11 €

Villars-Fontaine est un village où l'on aime redonner leur notoriété aux vieux *climats* : ces Roncières donnent un vin à la robe nette et limpide. Peu de nez, juste vanillé par huit mois de fût. L'acidité est présente aujourd'hui, mais cela passera et lui assurera un excellent bâton de vieillesse. Rondeur suffisante, texture satisfaisante.
🔑 Dom. Patrick Hudelot, 21700 Villars-Fontaine,
tél. 03.80.61.50.37, fax 03.80.61.35.53,
e-mail commercial@domaine-patrick-hudelot.com
☑ 🍷 🚶 t.l.j. 9h-12h30 14h-19h

DOM. ALAIN JEANNIARD 2002 **

□ 1,04 ha 5 000 🗄🛢 8 à 11 €

Un très petit domaine de 2 ha, mais un grand vin : le nez ouvert et quelque peu vanillé, il parvient à mettre tous les atouts de son côté : la puissance contenue, une complexité qui reste accessible, de la longueur et une acidité parfaitement réglée. Coup de cœur bien sûr et hors du commun.
🔑 Dom. Alain Jeanniard,
4, rue aux Loups, 21220 Morey-Saint-Denis,
tél. 03.80.58.53.49, fax 03.80.58.53.49,
e-mail domaine.ajeanniard@wanadoo.fr ☑ 🍷 🚶 r.-v.

DOM. MICHEL JOANNET 2001 **

■ 3,5 ha 6 000 🛢 8 à 11 €

A deux doigts du coup de cœur, ce 2001 a dix-huit mois de fût. Café, épices se mêlent aux petits fruits noirs. Rubis cerise, il tient bien en bouche. Ses tanins sont simples et de bonne composition. Structure, élégance, de quoi réveiller les papilles les plus endormies.
🔑 Dom. Michel Joannet,
Grande-Rue, 21700 Marey-lès-Fussey,
tél. 03.80.62.90.58, fax 03.80.62.90.58 ☑ 🍷 🚶 r.-v.

JEAN-PHILIPPE MARCHAND 2002 *

■ n.c. n.c. 🛢 5 à 8 €

Coup de cœur pour son 95. A la fois viticulteur et négociant, Jean-Philippe Marchand occupe les locaux dans lesquels étaient produites les confitures *Duchesse de Bourgogne*, à Gevrey-Chambertin. « Voyons voir... » comme on dit en Bourgogne. Rubis sombre et limpide, il exprime fortement le bourgeon de cassis. Certes, on en tire à Grasse de l'essence de parfum pour *Chamade* de Guerlain ou *Sonia Rykiel*. Mais c'est aussi le signe qu'il faut l'aérer avant de le servir. Intense et long, déjà à maturité, il peut durer trois à quatre ans encore.
🔑 Jean-Philippe Marchand,
4, rue Souvert, BP 41, 21220 Gevrey-Chambertin,
tél. 03.80.34.33.60, fax 03.80.34.12.77,
e-mail marchand@axnet.fr ☑ 🍷 🚶 r.-v.

DOM. MOILLARD 2002

□ 7,64 ha 40 000 🗄🌡 5 à 8 €

Moillard a pris position dans les Hautes-Côtes et peut se permettre de proposer son propre vin. Or soutenu, son chardonnay est prêt à passer à table. Franc et loyal, il charme par sa fraîcheur. Netteté en bouche, légère nervosité, bon fruit, il a tout. Devenues mythiques, hélas ! les écrevisses du Meuzin l'auraient joliment accompagné.
🔑 Dom. Moillard,
chem. rural 59, 21700 Nuits-Saint-Georges,
tél. 03.80.62.42.00, fax 03.80.61.28.13,
e-mail contact@moillard.fr ☑ 🍷 🚶 t.l.j. 10h-18h; f. jan.

DOMINIQUE MUGNERET 2002 **

■ 0,5 ha 3 600 🛢 5 à 8 €

Dominique Mugneret est le fils de Denis parti en retraite en 2003. Il vinifiait déjà depuis longtemps. Rubis clair violacé, ce millésime s'adonne à des arômes de cerise délicatement réglissés. La bouche est fine et délicate, une broderie. Bouteille déjà fort agréable qu'on pourra conserver deux ans environ. Mariage idéal avec une viande blanche.
🔑 Dominique Mugneret,
9, rue de la Fontaine, 21700 Vosne-Romanée,
tél. 03.80.61.00.97, fax 03.80.61.24.54 ☑ 🍷 🚶 r.-v.

DOM. HENRI NAUDIN-FERRAND
Elevé en fût de chêne 2001

■ 2,69 ha 18 144 🗄🛢🌡 8 à 11 €

Grenat clair, un 2001 qui pourrait vous en raconter ! Après dix-sept mois de fût, on a des souvenirs, vanillés justement mais raisonnablement. L'acidité est juste présente, les tanins soigneusement rabotés, la bouche plus fine que structurée. Agréable dès cet automne avec un rôti de veau aux petits légumes.
🔑 Dom. Henri Naudin-Ferrand, rue du Meix-Grenot,
21700 Magny-lès-Villers, tél. 03.80.62.91.50,
fax 03.80.62.91.77, e-mail dnaudin@ipac.fr ☑ 🍷 🚶 r.-v.

OLIVIER-GARD 2001 **

□ 1 ha 6 000 🛢 5 à 8 €

Viticulteur établi sur les hauteurs de Nuits-Saint-Georges, Manuel Olivier présente avec succès un 2001 qui a l'étoffe d'un grand vin. On pense à cette phrase de Van Gogh : « La peinture, c'est la réalité plus le tempérament. » Car si l'on sent ici le raisin cueilli à pleine maturité, sa vinification très bien menée conduit à la subtilité, à la complexité sous une couleur discrète et un bouquet vif, floral et légèrement vanillé. Haut de gamme. Toujours en 2001, la **cuvée de Garde rouge (8 à 11 €)**, rustique à souhait, obtient une citation.
🔑 Dom. Olivier-Gard,
Concœur-et-Corboin, 21700 Nuits-Saint-Georges,
tél. 03.80.62.39.33, fax 03.80.62.10.47,
e-mail olivier@olivier-gard.com ☑ 🏠 🍷 🚶 r.-v.
🔑 Manuel Olivier

LAURENT ROUMIER 2001 ★

■ 2 ha 6 000 🛢 8 à 11 €

Petite exploitation familiale créée en 1991 avec 4 ha de vignes en location. Cette micro-viticulture donne d'excellents résultats, constatés ici d'année en année. Ce rouge à la teinte pâle et aux reflets violacés n'a pas passé dix-huit mois en fût pour rien. Mais à ses arômes de pain grillé s'ajoutent la brioche et la confiture de fraises. Un vrai petit déjeuner. On glisse en bouche sur des tanins soyeux, dans un confort élégant. A boire maintenant comme vin plaisir. On peut même bousculer les traditions et le savourer à l'apéritif sur de la charcuterie fine.

🔑 Dom. Laurent Roumier,
rue de Vergy, 21220 Chambolle-Musigny,
tél. 03.80.62.83.60, fax 03.80.62.84.10 ☑ 🚶 r.-v.

DOM. SAINT SATURNIN DE VERGY 2002 ★

■ 22 ha 100 000 ▮🛢🌡 11 à 15 €

La belle église de Vergy est dédiée à saint Saturnin. Quant à ce domaine vraisemblablement issu des plantations Geisweiler à Bévy ou aux environs, il était commercialisé naguère par Bichot et l'est aujourd'hui par la maison Béjot. Grenat foncé, cette bouteille a trouvé dans le cassis l'amour de sa vie. Ronde, fine, elle offre une image très sympathique de l'appellation. Vinification réussie en dépit de la difficulté du sujet (22 ha et 100 000 cols).

🔑 Dom. Saint Saturnin de Vergy, 7, rte de Monthélie,
21190 Meursault, tél. 03.80.21.22.45, fax 03.80.21.28.05

GUY SIMON ET FILS 2002 ★

■ 2 ha 8 000 🛢 5 à 8 €

Plein de feu, de montant et de légèreté, ce vin a le charme du bourgogne au XVIII^{e}s. « Presque tout esprit », disait alors l'abbé Claude Arnoux. Apôtre des Hautes-Côtes, Guy Simon assisté par Didier peut être fier de ce millésime haut en couleur et délicieusement parfumé (de la fraise à l'églantine). Au palais, il se montre sensible et subtil, avec des accents de réglisse noire, très bien élevé comme on sait l'être dans la famille. On le boira dans les deux ans à venir en compagnie d'un rôti de veau.

🔑 Guy Simon et Fils, 21700 Marey-lès-Fussey,
tél. 03.80.62.91.85, fax 03.80.62.71.82
☑ 🍷 🚶 sam. 8h-12h 14h-19h; dim. 8h-12h;
autres jrs sur r.-v.

DOM. THEVENOT-LE BRUN ET FILS 2001 ★★

□ n.c. 8 500 ▮🛢🌡 8 à 11 €

Maurice Thévenot est l'un des viticulteurs qui ont adhéré dès les années 1960 à la renaissance des Hautes-Côtes. Avec d'heureux résultats ! Son chardonnay 2001 est capable de rivaliser à armes égales avec un bon blanc de la Côte. Doré, le nez joliment ouvert sur le fruit, il n'a pas beaucoup d'acidité (à boire maintenant) mais il impressionne par son ampleur, son moelleux et – pourquoi ne pas le dire ? – sa complexité. Le **Clos du Vignon blanc 2002** frais et friand ainsi que **Les Renardes rouge 2001** obtiennent une citation.

🔑 Dom. Thévenot-Le Brun et Fils,
21700 Marey-lès-Fussey,
tél. 03.80.62.91.64, fax 03.80.62.99.81,
e-mail thevenot-le-brun@wanadoo.fr ☑ 🍷 🚶 r.-v.

LA TOUR BLONDEAU 2002

■ n.c. n.c. ▮🛢🌡 8 à 11 €

Vin de plaisir, pas forcément intense mais tout de même... D'une structure moyenne, il porte une robe mauve. Fruits cuits ou confiturés, on pense à la fraise. La bouche ? Elle est tout bonnement joyeuse et on aurait grand tort de la laisser s'ennuyer à la cave. Forgeot est une marque de Bouchard Père et Fils.

🔑 Grands Vins Forgeot, 15, rue du Château,
21200 Beaune, tél. 03.80.24.80.50, fax 03.80.22.55.88

JEAN-CLAUDE TRAPET 2002 ★

■ 1,25 ha 3 000 🛢 5 à 8 €

Chevrey est un hameau d'Arcenant, à l'écart du passage. Il y a ici des Trapet depuis la nuit des temps et ce domaine est restructuré depuis 1963 en vignes hautes et larges. Rubis tirant sur le violet, ce vin bien fait peut dormir un peu en cave. Ses tanins ont de la politesse et l'équilibre est assuré. On prendra plaisir aux assauts courtois auxquels se livrent au nez et en bouche les arômes de mûre, de myrtille, et ceux épicés et réglissés.

🔑 Jean-Claude Trapet, Chevrey-A, 21700 Arcenant,
tél. 03.80.61.25.05, fax 03.80.61.25.05 ☑ 🍷 🚶 r.-v.

DOM. JEAN-PIERRE TRUCHETET 2002

■ 0,53 ha 3 100 🛢 8 à 11 €

Coup de cœur pour son 98, ce viticulteur nous invite à apprécier une bouteille grenat à reflets pourpres. Son bouquet est un éventail de fruits rouges avec des notes de bourgeon de cassis. Il n'a pas beaucoup de matière mais une démarche franche et un grain intéressant.

🔑 Jean-Pierre Truchetet, RN 74,
21700 Premeaux-Prissey,
tél. 03.80.61.07.22, fax 03.80.61.34.35 ☑ 🍷 🚶 r.-v.

ROMUALD VALOT 2001 ★

□ n.c. 11 000 ▮🛢 8 à 11 €

Limpide à reflets mauves, il pose sur le verre d'importants jambages. Le nez assemble les petits fruits. Nuances boisées en bouche (vanille, cannelle). Elles agrémentent un fond sérieux et convaincant, puis une conclusion agréable. Facile en toute circonstance, un vin commercial.

🔑 SARL Romuald Valot,
14, rue des Tonneliers, 21206 Beaune Cedex,
tél. 03.80.26.84.63, fax 03.80.25.91.29

VAUCHER PERE ET FILS 2002 ★

■ n.c. n.c. ▮🌡 5 à 8 €

Vaucher est une vieille maison de négoce dijonnaise reprise par les frères Cottin à Nuits. Cerise brillant, parfumé à la mûre, à la myrtille, un vin souple et soyeux, porté par des tanins mûrs. L'extraction en bouche n'est pas considérable mais on préfère un hautes-côtes avenant et chantant.

🔑 Vaucher Père et Fils, rue Lavoisier, BP 14,
21700 Nuits-Saint-Georges, tél. 03.80.62.64.00,
fax 03.80.62.64.00, e-mail jnchriste@vfb.fr

ALAIN VERDOT 2002

■ 1,5 ha 5 000 🛢 11 à 15 €

L'étiquette porte la mention « Domaine en agrobiologie depuis 1971 – culture sans produit chimique ni de synthèse ». Il est vrai qu'Alain Verdet s'est engagé dès 1970 – l'un des premiers – sur cette voie. Rouge soutenu, son 2002 n'a pas oublié son élevage en fût : moka et notes brûlées composent un nez sévère. Les tanins attaquent d'entrée de jeu. Equilibré, de bonne constitution, il doit s'ouvrir mais la clé pourrait arriver dans trois à quatre ans. Coup de cœur pour le millésime 96.

🔑 Alain Verdet, rue de la Combe-à-Naudon, 21700 Arcenant, tél. 03.80.61.08.10, fax 03.80.61.08.10, e-mail alain.verdet@wanadoo.fr ☑ Y ⚘ r.-v.

DOM. DE LA VIGNE AU ROY
Les Champs Bon Valot 2002 *

■ 3,5 ha 25 000 ⏸ 5 à 8 €

Sur 36 ha une partie du vignoble créé à Bévy par Maurice Eisenchteter, qui réalisa le remembrement de sept cent soixante-douze parcelles ! Acquis ensuite par un Champenois, Philippe Gonet, c'est aujourd'hui la propriété de Veuve Ambal. Très grenat, un pinot noir au bouquet végétal. Son corps est bien constitué, et si les tanins ont de la présence ils ne suscitent aucune sécheresse. A garder éventuellement jusqu'à deux ans pour une pièce de bœuf.

🔑 Dom. de la Vigne au Roy, rue de la Vigne-au-Roy, 21220 Bévy, tél. 03.80.61.44.87, fax 03.80.61.44.87 ☑ Y ⚘ t.l.j. sf sam. dim. 8h-12h 13h30-18h; f. août

CH. DE VILLARS FONTAINE
Les Genévrières 2001 *

■ 6 ha n.c. ⏸ 11 à 15 €

Il enseigne les sciences de la vigne et du vin sur le campus de Dijon. Il les pratique dans les Hautes-Côtes où il remet en valeur des friches abandonnées depuis le phylloxéra. Quatre bras à l'ouvrage, il a acquis la maison des Hautes-Côtes, le château de Villars-Fontaine, et à ses moments perdus il s'occupe d'un vignoble à... Tahiti. Comme il ne fait rien comme les autres, Bernard Hudelot laisse sa récolte en fût de trente à quarante-deux mois. Rubis intense, accompagné d'un bon boisé, son vin s'appuie sur des tanins rustiques constituant une structure très riche. Savoir l'attendre...

🔑 Ch. de Villars Fontaine, Dom. de Montmain, 21700 Villars-Fontaine, tél. 03.80.62.31.94, fax 03.80.61.02.31, e-mail bernard.hudelot@wanadoo.fr ☑ 🏠 ⚘ t.l.j. sf sam. dim. 9h-12h 14h-18h

🔑 Hudelot

Bourgogne-hautes-côtes-de-beaune

Située sur une aire géographique plus étendue (une vingtaine de communes, et débordant sur le nord de la Saône-et-Loire), la production des vins d'appellation bourgogne-hautes-côtes-de-beaune représente un volume de 25 537 hl en rouge et 4 873 hl en blanc en 2003. Les situations sont plus hétérogènes et des surfaces importantes sont encore occupées par les cépages aligoté et gamay.

La coopérative des Hautes-Côtes, qui a fait ses débuts à Orches, hameau de Baubigny, est maintenant installée au « Guidon » de Pommard, à l'intersection des D 973 et RN 74, au sud de Beaune. Elle vinifie un volume important de bourgogne-hautes-côtes-de-beaune. Comme celui des hautes-côtes-de-nuits, le vignoble des hautes-côtes-de-beaune s'est essentiellement développé depuis les années 1970-1975.

Le paysage est très pittoresque et de nombreux sites méritent une visite, comme Orches, La Rochepot et son château, Nolay et ses halles. Il faut enfin ajouter que les Hautes-Côtes, qui autrefois étaient le siège d'exploitations de polyculture, sont restées une région productrice de petits fruits destinés à alimenter les liquoristes de Nuits-Saint-Georges et de Dijon, et qu'on y rencontre encore, sous différents états, des cassis, framboises ou liqueurs et eaux-de-vie de ces fruits, d'excellente qualité. L'eau-de-vie de poire des Monts-de-Côte-d'Or, bénéficiant d'une appellation simple, trouve également ici son origine.

DOM. JEAN-MARC BOULEY 2002 *

■ 0,4 ha 2 300 ⏸ 5 à 8 €

Présenté par l'une de nos anciennes grappes d'or, ce hautes-côtes-de-beaune rouge griotte à reflets violines a le nez souple, bien arrondi. On y sent la mûre cueillie au long du chemin et parmi les buissons. Il a du corps et de bons tanins, de la mâche accompagnée d'un bon boisé, et surtout d'intéressantes perspectives (l'an prochain ou le suivant). Le **blanc 2002** élevé neuf mois en fût doit vieillir tout autant que le rouge. Il obtient une citation.

🔑 Dom. Jean-Marc Bouley, chem. de la Cave, 21190 Volnay, tél. 03.80.21.62.33, fax 03.80.21.64.78, e-mail jeanmarc.bouley@wanadoo.fr ☑ Y ⚘ r.-v.

CAPITAIN-GAGNEROT Les Gueulottes 2002 **

□ 1,05 ha 7 000 ⏸ 5 à 8 €

Deux siècles de présence en Côte d'Or dans la vigne ! Ces traditions-là sont merveilleuses : jaune clair, ce vin possède une bonne intensité aromatique portée sur la fleur blanche (aubépine surtout). L'acidité est bien présente dans un ensemble harmonieux et expressif. Bouteille à déboucher l'année prochaine.

🔑 Capitain-Gagnerot, 38, rte de Dijon, 21550 Ladoix-Serrigny, tél. 03.80.26.41.36, fax 03.80.26.46.29, e-mail contact@capitain-gagnerot.com ☑ Y ⚘ r.-v.

DOM. DENIS CARRE 2002 **

■ n.c. n.c. ⏸ 5 à 8 €

Le domaine avait déjà reçu le coup de cœur dans cette appellation en 1991. Il présente un remarquable vin qui possède du fruit, du corps, une bouche séductrice. Quelle belle enveloppe en finale ! La robe est très sombre à reflets bleutés, le nez cassis et vanille. Ce qu'on appelle un vin gourmand (meilleur rouge de la dégustation). Digne d'un filet de bœuf en croûte.

🔑 Dom. Denis Carré, rue du Puits-Bouret, 21190 Meloisey, tél. 03.80.26.02.21, fax 03.80.26.04.64 ☑ Y ⚘ r.-v.

DOM. CHARACHE-BERGERET
Les Bignons 2002 **

■ 4 ha 10 000 ⏸ 8 à 11 €

D'un rouge étincelant, il suggère le petit fruit rouge acheté le matin même au marché. Sa finesse apparaît ensuite : rondeur de la démarche, soie des tanins. Le fruit est bien marié au souvenir du fût (douze mois). Quant à la pointe d'amertume en conclusion, elle est très fréquente et ne gêne nullement.

☙ René Charache-Bergeret,
chem. de Dière, 21200 Bouze-lès-Beaune,
tél. 03.80.26.00.86, fax 03.80.26.00.86,
e-mail bourgogne-charache.bergeret@wanadoo.fr
☑ ⵏ ⚸ r.-v.

DOM. FRANCOIS CHARLES ET FILS 2002 ★

■	4 ha	24 000	⬙ 5 à 8 €

Coup de cœur sur l'édition 1997 pour un 94, cet estimé domaine signe un rouge se tenant sagement à l'écart de la faiblesse en couleur ou de ses excès. Il affiche un nez de raisin frais, puis un bel assortiment de fruits dans une composition souple et tendre. L'étoffe ne manque pas. Très agréable à boire.

☙ EARL François Charles et Fils, rue de Pichot, 21190 Nantoux, tél. 03.80.26.01.20, fax 03.80.26.04.84, e-mail charles.francois@terre-net.fr ☑ ⌂ ⵏ ⚸ r.-v.

DOM. JEAN CHARTRON
Les Grandes Vignes 2002 ★★

	0,34 ha	1 500	⬙ 11 à 15 €

Limpidité parfaite et robe claire pour ce vin aux arômes généreux, répartis entre l'aubépine et le silex. Encore peu évolué, riche en acidité, il a des atouts certains pour s'épanouir en cave car il demande à s'exprimer davantage. Et quand on a été élevé auprès des plus grands vins de Puligny... Voyez aussi du côté de **Beauregard en rouge 2002**. Il a le nez fin et obtient une étoile.

☙ Jean Chartron,
13, Grande-Rue, 21190 Puligny-Montrachet,
tél. 03.80.21.32.85, fax 03.80.21.36.35
☑ ⵏ t.l.j. 10h-12h 14h-18h; f. de fin nov. à mi-mars

DOM. DE LA CONFRERIE 2002

■	5,5 ha	8 400	▮ 8 à 11 €

Une propriété familiale ancienne dont le nom de Domaine de la Confrérie (du nom d'une parcelle) ne fut déposé qu'en 1991. Ce vin vraiment noir a encore peu de nez. Mais le résultat est assez plaisant en bouche, selon un processus classique : souplesse et générosité au début, équilibre et un soupçon d'âpreté sur la fin.

☙ Jean Pauchard et Fils, Dom. de La Confrérie,
37, rue Perraudin, Cirey, 21340 Nolay,
tél. 03.80.21.89.23, fax 03.80.21.70.27,
e-mail domj.pauchard@wanadoo.fr ☑ ⵏ ⚸ r.-v.

DOM. DES VIGNES DES DEMOISELLES
Cuvée Delphine Saint-Eve 2002 ★★

	0,8 ha	5 400	⬙ 8 à 11 €

La famille Demangeot cultive la vigne depuis quatre siècles. On la retrouve très souvent dans le Guide. Sa cuvée Delphine Saint-Eve, jaune clair, affiche un nez bien ouvert

et expressif (acacia, chèvrefeuille). Vif à l'attaque mais sans nervosité, floral en bouche, remarquablement persistant, ce vin sait de quoi il parle. C'est pourquoi il est arrivé premier du grand jury.

☙ SCE du Dom. Gabriel Demangeot et Fils,
rue de Santenay, 21340 Change,
tél. 03.85.91.11.10, fax 03.85.91.16.83,
e-mail domaine.demangeot@wanadoo.fr ☑ ⵏ ⚸ r.-v.

DEVEVEY Les Chagnots Dix-huit Lunes 2001

	0,6 ha	3 600	⬙ 11 à 15 €

Un viticulteur devenu également négociant. Ce qui se voit maintenant assez souvent en Bourgogne. Et avec de l'imagination puisqu'il baptise ses Chagnots « dix-huit lunes ». Cette bouteille n'est cependant pas loin de la décrocher, la lune. Son intensité de couleur, son bouquet mi-acacia mi-citron, son acidité actuellement dérangeante mais garante d'un peu d'attente, tout cela donne un équilibre harmonieux.

☙ Jean-Yves Devevey, rue de Breuil, 71150 Demigny,
tél. 03.85.49.91.11, fax 03.85.49.91.59,
e-mail devevey-bois-guillaume@wanadoo.fr ☑ ⵏ ⚸ r.-v.

GILBERT ET PHILIPPE GERMAIN 2002 ★

	1 ha	8 000	⬙ 5 à 8 €

La vigne et la forêt se partagent équitablement le territoire de Nantoux. Or intense, le nez encore enfant, ce blanc de bonne race a du gras et du potentiel. Il chardonne avec beaucoup de détermination. Il s'ennuie visiblement dans la bouteille et brûle d'être dans le verre. Le **rouge 2002** est également conseillé : un vin léger et sympathique.

☙ Gilbert et Philippe Germain, 21190 Nantoux,
tél. 03.80.26.05.63, fax 03.80.26.05.12,
e-mail germain.vins@wanadoo.fr ☑ ⌂ ⵏ ⚸ r.-v.

DOM. LUCIEN JACOB Les Larrets blancs 2002 ★★

	1,2 ha	6 400	⬙ 5 à 8 €

Si Lucien Jacob (le seul député de la Côte-d'Or descendu des Hautes-Côtes avec Jean Bouhey) ne s'est pas représenté au conseil général il y a quelques mois, il demeure un solide vigneron. Ses Larrets blancs brillent d'or pâle et affichent un boisé élégant. Encore vif, ce 2002 plein d'avenir (deux à trois ans) offre une excellente harmonie générale. Le **2001 rouge** passe également l'épreuve avec mention très réussie sans dénomination.

☙ Dom. Lucien Jacob, 21420 Echevronne,
tél. 03.80.21.52.15, fax 03.80.21.55.65,
e-mail lucien-jacob@wanadoo.fr ☑ ⌂ ⵏ ⚸ r.-v.

HUBERT JACOB MAUCLAIR 2002 ★

	0,6 ha	4 200	▮⬙ 5 à 8 €

Or léger et brillant, ce vin aux arômes d'agrumes serait destiné, propose-t-on, à une tourte au saumon. Il a beaucoup d'influx en bouche, s'appuyant sur un fruit bien mûr. C'est un sujet bien cadré dans un style robuste. Propriété transmise par les parents, étoffée par des achats de vigne dans la Côte.

☙ Hubert Jacob Mauclair, 56, Grande-Rue,
Changey, 21420 Echevronne,
tél. 03.80.21.57.07, fax 03.80.21.57.07 ☑ ⵏ ⚸ r.-v.

HENRI LATOUR ET FILS 2002 ★

■	4,74 ha	4 000	⬙ 5 à 8 €

Un tout petit tuilé, et pourtant ! Il mérite d'être attendu une bonne année. Le bouquet est peu volubile, mais le fruit est aux aguets et montrera le bout de son nez.

En revanche, il s'exprime au palais, essentiellement sur des notes de cassis. Ses tanins sont encore fermes, l'architecture réussie. Filet de bœuf mais on l'a dit : pas demain.

☞ Henri Latour et Fils,
rte de Beaune, 21190 Auxey-Duresses,
tél. 03.80.21.65.49, fax 03.80.21.63.08,
e-mail h.latour.fils@wanadoo.fr ☑ ⍟ ⚲ r.-v.

MANOIR DE MERCEY Au Paradis 2002 ★

■	3 ha	7 000	⊞	8 à 11 €

Au Paradis : le lieu-dit est bien trouvé... Ce vin plaisir est produit sur des vignes hautes et larges qui sont bêchées depuis quinze ans par des machines à bêcher, ce qui est assez rare, mais pas unique dans le vignoble. Quant au vin rouge sombre et violacé, il tire de ses fragrances une symphonie fruitée et vanillée. En bouche, tout est bien qui commence et finit bien, et le boisé est bien intégré.

☞ Dom. Gérard Berger-Rive et Fils,
Manoir de Mercey, 2, rue Saint-Louis,
71150 Cheilly-lès-Maranges,
tél. 03.85.91.13.81, fax 03.85.91.17.06,
e-mail contact@berger-rive.com ☑ ⍟ ⚲ r.-v.

MARINOT-VERDUN 2002

■	n.c.	15 000	▮	5 à 8 €

Rouge vif, il est bien calé sur le fruit : évolution normale d'une bouteille bien constituée, montrant en fin de bouche une certaine dureté et qu'on aimerait revoir, comme disent parfois les dégustateurs. Vous l'aurez compris : le jugement est positif, mais un à deux ans de garde sont nécessaires pour parfaire le sujet.

☞ Marinot-Verdun, Caves de Mazenay,
71510 Saint-Sernin-du-Plain, tél. 03.85.49.67.19,
fax 03.85.45.57.21 ☑ ⍟ ⚲ t.l.j. sf dim. 8h-12h 14h-18h

DOM. MAZILLY PERE ET FILS
Clos du Bois Prévot Monopole 2002 ★★

■	2,4 ha	15 000	⊞	8 à 11 €

D'intensité moyenne mais riche en nuances, la robe rouge sombre allant vers le grenat, ce vin a le nez grec : pur et droit. Le cassis et la vanille y sont à l'aise. Carrée à l'attaque, la bouche est fortement structurée par les tanins, équilibrée par un beau gras. On vous propose une côte d'agneau.

☞ Dom. Mazilly Père et Fils,
rte de Pommard, 21190 Meloisey,
tél. 03.80.26.02.00, fax 03.80.26.03.67 ☑ ⍟ ⚲ r.-v.

DOM. MONNOT-ROCHE 2002 ★

■	4,8 ha	2 000		5 à 8 €

Voici un très bon avocat de l'appellation, sachant convaincre le jury. Légères touches d'évolution perceptibles au regard ? Messieurs les Jurés, ne vous fiez pas aux apparences ! Le fruit est jeune, le pinot est fin, la bouche assez fondue, la vinosité épaulée par le gras. Cette finale teintée d'amertume ? Vous la rencontrerez parmi les familles les plus honorables et il vous sera conseillé simplement d'attendre un an avant de préparer le rôti de bœuf qui l'accompagnera.

☞ Dom. Monnot-Roche, rue Collot, 21340 Change,
tél. 03.85.91.17.74, fax 03.85.91.17.74 ☑ ⌂ ⍟ ⚲ r.-v.

DOM. HENRI NAUDIN-FERRAND
Elevé en fût de chêne 2002 ★

■	1,97 ha	n.c.	▮⊞⚬	8 à 11 €

L'année 2003 a vu disparaître René, un pilier de l'équipe, après vingt-huit ans de bons et loyaux services.

Géraldine, œnologue, est arrivée. Un domaine est aussi une grande famille. Voici un hautes-côtes-de-beaune très septentrional car aux abords du Nuiton. D'un bel or nuancé de reflets, ce vin offre un excellent suivi du nez à la bouche. Aux arômes de tilleul et de miel succèdent au sein du même décor légèrement citronné, des sensations nettes et agréables. A boire maintenant sur une blanquette de veau...

☞ Dom. Henri Naudin-Ferrand, rue du Meix-Grenot,
21700 Magny-lès-Villers, tél. 03.80.62.91.50,
fax 03.80.62.91.77, e-mail dnaudin@ipac.fr ☑ ⍟ ⚲ r.-v.

NICOLAS PERE ET FILS 2002 ★

■	0,9 ha	3 000	▮⚬	5 à 8 €

Ce millésime, comme Lazare Carnot l'enfant du pays, sait très bien organiser sa victoire. Certes, il n'est pas chargé d'or, et s'il s'ouvre lentement, c'est dans sa stratégie. Ample, net, carré, franc, il parcourt la bouche la fleur au fusil. Dans un an, il sera prêt.

☞ Dom. Nicolas Père et Fils,
38, rte de Cirey, 21340 Nolay, tél. 03.80.21.82.92,
fax 03.80.21.85.47, e-mail nicolas-alain2@wanadoo.fr
☑ ⍟ ⚲ t.l.j. 8h-12h 13h30-19h; f. 1 sem. en fév.
et en août

DOM. CLAUDE NOUVEAU 2001

■	3 ha	10 000	▮⚬	5 à 8 €

Si sa robe ne déborde pas de couleur, son nez a beaucoup de caractère. Fraise, framboise, de la fraîcheur, et aussi un peu de champignon. On aime ce patchwork. Le corps est charnu, léger mais insistant, bien typé et honorablement conservé pour un 2001. « Nuance jasmin en finale », suggère une dégustatrice et les femmes s'y connaissent en parfum !

☞ EARL Dom. Claude Nouveau,
Marchezeuil, 21340 Change,
tél. 03.85.91.13.34, fax 03.85.91.10.39 ☑ ⍟ ⚲ r.-v.

DOM. PARIGOT PERE ET FILS
Clos de la Perrière 2002 ★★★

■	n.c.	n.c.	⊞	8 à 11 €

A-t-on vraiment bu du vin de Meloisey au sacre de Philippe-Auguste ? Apôtre des Hautes-Côtes, Etienne Kayser revendiquait volontiers cet honneur. Proche du coup de cœur (obtenu par ce domaine pour ses 89 et 93), ce vin à la robe rouge presque noire à reflets violets, habilement vanillé, bondit au palais de façon féline. Et pourtant sa puissance, sa corpulence, sa mâche sont dignes des plus grands bourgognes. « Superbe », dit le jury qui s'interroge sur son appellation.

☞ Dom. Parigot Père et Fils,
rte de Pommard, 21190 Meloisey,
tél. 03.80.26.01.70, fax 03.80.26.04.32 ☑ ⍟ ⚲ r.-v.

PATRICK PESTRE 2000

■	1,1 ha	3 000	⊞	5 à 8 €

Un 2000 fort bien conservé. S'il est à l'évidence une curiosité, on fait un constat d'huissier. La robe profonde, violacée, ne subit aucun signe d'évolution. Framboise, cannelle, le nez ne fait pas son âge, pas plus que la bouche d'ailleurs, encore vive, gouleyante comme la Cozanne. On dirait un candidat aux élections, tant il est aimable. Beau millésime il est vrai.

☞ Dom. Patrick Pestre,
rte Départementale, 21200 Bouze-lès-Beaune,
tél. 03.80.26.04.39, fax 03.80.26.04.39,
e-mail patrick.pestre@wanadoo.fr ☑ ⍟ ⚲ r.-v.

LA TOUR BLONDEAU 2002 ★

	n.c.	n.c.	▮◖▯⬇ 8 à 11 €

La maison Bouchard Père et Fils qui présente ce vin sous une autre signature a de fortes accointances dans les Hautes Côtes de Beaune. A nuances rouge vif, le nez très frais et offert au fruit, ce vin fin et souple, assez complet et charnu s'appuie sur de bons tanins et un boisé bien intégré. Il devrait être de bonne garde et satisfaire les recettes familiales.

🐦 Grands Vins Forgeot,
15, rue du Château, 21200 Beaune,
tél. 03.80.24.80.50, fax 03.80.22.55.88

DOM. ZECCHINI 2002 ★

	1,5 ha	7 200	▮⬇ 5 à 8 €

Magny-lès-Villers : c'est là que passe la frontière entre les Hautes Côtes de Nuits et de Beaune. Les vins tiennent ici des deux. Celui-ci se colore de paille intense. Sensation de fumé, puis un départ en fraîcheur. Le fruit se détache bien et la dernière ligne droite ne faiblit pas. Un vin très régulier, à boire ou à attendre... un peu.

🐦 Dom. Zecchini,
chemin-rural n° 29, 21700 Magny-lès-Villers,
tél. 03.80.62.42.00, fax 03.80.61.28.13,
e-mail nuicave@wanadoo.fr ☑ ⟡ ⚡ t.l.j. 10h-18h; f. jan.

Crémant-de-bourgogne

Comme toutes les régions viticoles françaises ou presque, la Bourgogne avait son appellation pour les vins mousseux produits et élaborés sur l'ensemble de son aire géographique. Sans vouloir critiquer cette production, il faut bien reconnaître que la qualité n'était pas très homogène et ne correspondait pas, la plupart du temps, à la réputation de la région, sans doute parce que les mousseux se faisaient à partir de vins trop lourds. Un groupe de travail constitué en 1974 jeta les bases du crémant en lui imposant des conditions de production aussi strictes que celles de la région champenoise et calquées sur celles-ci. Un décret de 1975 consacra officiellement ce projet, auquel se sont ralliés finalement tous les élaborateurs (bon gré mal gré), puisque l'appellation bourgogne mousseux a été supprimée en 1984. Après un départ difficile, cette appellation connaît actuellement un bon développement et a produit 53 324 hl en 2003. Un crémant de bourgogne peut être un blanc de blanc élaboré généralement par un assemblage de chardonnay et d'aligoté mais le crémant peut être aussi constitué de l'assemblage des cépages blancs avec le pinot noir et/ou le gamay rouge à jus blanc vinifiés en blanc.

AMELIN 2002 ★

	n.c.	6 000	5 à 8 €

Maison fondée en 1962 par Edmond Amelin, développée par son fils Jean-Pierre. Sa petite-fille est aujourd'hui à la barre. Issu du pinot noir, ce vin établit l'équilibre presque parfait entre le rose pâle et le rose rouge. On ne fait pas mieux. Arômes de raisin, bouche fraîche et fruitée, il est des plus convenables.

🐦 SA Amelin, 110, Grande-Rue, 71150 Rully,
tél. 03.85.87.16.45, fax 03.85.87.32.43,
e-mail sa.amelin@wanadoo.fr ⟡ ⚡ r.-v.

JEAN BARONNAT Blanc de blancs ★

	n.c.	n.c.	▮ 8 à 11 €

Une maison entre les mains du petit-fils du fondateur. On est ici en Mâconnais. Or-vert intense, 100 % chardonnay, un crémant aux bulles croquantes. Petit bouquet fruité, pur et discret. Equilibré, dépourvu d'agressivité comme de tout mauvais sentiment, il est à déguster dès à présent.

🐦 Maison Jean Baronnat, Les Bruyères,
491, rte de Lacenas, 69400 Gleizé, tél. 04.74.68.59.20, fax 04.74.62.19.21, e-mail info@baronnat.com ☑

ALAIN BERTHAULT 2002

	0,5 ha	3 000	8 à 11 €

Pour qui cherche le fruit, son accord avec l'acidité, un pinot noir bon pour le service. Or blanc, il suggère le fruit jaune puis attaque de façon souple et tendue à la fois. De la matière en début d'évolution. Un crémant venu de Moroges, commune de la Côte chalonnaise.

🐦 Alain Berthault, Moroges, 71390 Moroges,
tél. 03.85.47.91.03, fax 03.85.47.99.75 ☑ ⟡ ⚡ r.-v.

DOM. DU BICHERON Blanc de blancs 2001 ★

	1 ha	7 000	▮⬇ 5 à 8 €

Denis et Geneviève Rousset ont pris cette année la direction du domaine familial. Ce crémant mâconnais est 100 % chardonnay. Sa couleur est attrayante. Au nez ? Les agrumes sont à la fête. Intense et long, c'est à l'apéritif un vin d'appel d'une fraîcheur bien parfumée.

🐦 Denis et Geneviève Rousset, Dom. du Bicheron,
Saint-Pierre-de-Lanques, 71260 Péronne,
tél. 03.85.36.94.53, fax 03.85.36.99.80 ☑ ⟡ ⚡ r.-v.

CAVE DE BISSEY Blanc de blancs ★★

	n.c.	n.c.	8 à 11 €

Petite coopérative de la Côte chalonnaise préférant ne pas grandir pour demeurer à l'échelle humaine. Finaliste du coup de cœur, ce crémant fait partie du premier cercle du vin, des cols distingués ! Mousse, bulles, cordon, un blanc de blancs à la robe légère et flatteuse : il met en scène des arômes floraux et de sous-bois qui introduisent l'attaque vive, bien enlevée. C'est bien simple, on a envie d'être reservi... Le **blanc brut** (5 à 8 €) (étiquette noire) est également recommandé avec deux étoiles.

🐦 Cave de Bissey,
Les Millerands, 71390 Bissey-sous-Cruchaud,
tél. 03.85.92.12.16, fax 03.85.92.08.71,
e-mail cave.bissey@wanadoo.fr ☑ ⟡ ⚡ r.-v.

BLASON DE BOURGOGNE ★★

	n.c.	300 000	5 à 8 €

Le grand vainqueur de la compétition. Il est signé par un groupement réunissant plusieurs coopératives bourgui-

gnonnes et celui-ci provient des Caves de Bailly dans l'Yonne. C'est un pinot noir (90 %) associant 10 % de gamay ; la bulle est très fine, parcourant une couleur légèrement œil-de-perdrix. Le nez est bien évidemment marqué par le fruit rouge et le palais repose sur une excellente acidité qui lui confère équilibre et fraîcheur. Un crémant de caractère. La cave de Bailly élabore également un **blanc de blancs Bailly-Lapierre (8 à 11 €)** qui obtient une citation.

Blasons de Bourgogne, rue du Serein,
89800 Chablis, tél. 03.86.42.88.34, fax 03.86.42.83.75,
e-mail blasons@blasonsdebourgogne.fr

LES CAVES DU BOIS DE LANGRES 2001

16,5 ha 10 000 **5 à 8 €**

La SICA des Vignerons de Haute-Bourgogne (Châtillonnais) qui réunit soixante-quatorze adhérents sur une trentaine d'hectares a été reprise par les Caves de Bailly au printemps dernier. Le site du bois de Langres restera un centre de pressurage. Essentiellenent issu du pinot noir, ce 2001 jaune d'or offre un bouquet de fruits secs puis une bouche ronde, fidèle aux mêmes arômes.

SICA les Vignerons de Haute-Bourgogne,
Les caves du Bois de Langres, 21400 Prusly-sur-Ource,
tél. 03.80.91.07.60, fax 03.80.91.24.76,
e-mail lesvignerons.htbourgogne@wanadoo.fr
t.l.j. sf dim. lun. 9h30-12h 14h30-19h
au caveau centre-ville de Châtillon/Seine

DOM. BOUCHEZ-CRETAL 2001 ★★

0,3 ha 2 000 5 à 8 €

Ce 2001 respecte toutes les règles de la bienséance. Et il y a du savoir-faire ! Une sarabande de bulles au sein d'une mousse persistante. Des arômes de fleur blanche (acacia) ragaillardis par des notes d'agrumes (citron) : vif et floral en bouche, il gagne avec élégance et panache des atouts jusqu'en finale.

Dom. Bouchez-Crétal, 21190 Monthélie,
tél. 03.85.87.17.40, fax 03.85.87.17.40 r.-v.

LOUIS CHAVY ★

n.c. n.c. **8 à 11 €**

Mousse et cordon n'appellent aucune critique. Doré clair, son bouquet évoque un fruit un peu toasté. Généreuse, la bouche se montre souple, toujours fruitée et un peu briochée. Dosage réussi pour un vin d'apéritif tirant sur le pamplemousse en arômes secondaires. Il ne fera aucune difficulté à accepter quelques gouttes de crème de mûre ou de framboise. (Etiquette du Tastevinage.)

Louis Chavy, Pl. des Marronniers,
21190 Puligny-Montrachet, tél. 03.80.26.33.00,
fax 03.80.24.14.84, e-mail nie.jp@cva-beaune.fr
t.l.j. 10h-18h; f. nov.-mars

DOM. CORNU 2000 ★★

0,25 ha 2 500 5 à 8 €

Un bel envol de montgolfière ! Ce 2000 reste vif et il a largué toutes les amarres. D'une brillance or pâle, l'enveloppe accueille des parfums chaleureux, plus explicites au nez qu'en bouche. Le pinot noir (100 %) ne passe pas inaperçu. Le tout a bien évolué et mérite d'être savouré dans les temps qui viennent. Elaboré par André Delorme.

Dom. Claude Cornu,
rue du Meix-Grenot, 21700 Magny-lès-Villers,
tél. 03.80.62.92.05, fax 03.80.62.72.22 r.-v.

DELIANCE PERE ET FILS Ruban vert ★

4 ha 15 000 5 à 8 €

Chardonnay à 90 %, pinot noir à 10 %, il est agréable et équilibré. Sa belle mousse fine se dépose sur les bords du verre. Ses bulles s'affinent et le nez intense, d'une netteté sans défaut, apparaît très plaisant. Citons également le **Ruban or**, mi-chardonnay mi-pinot, qui, par sa fraîcheur et sa vivacité, répond à la définition du vin de soif.

Dom. Deliance, Le Buet, 71640 Dracy-le-Fort,
tél. 03.85.44.40.59, fax 03.85.44.36.13
t.l.j. sf dim. 8h-12h 14h-19h

ANDRE DELORME Blanc de blancs ★★

n.c. 31 000 5 à 8 €

Ce blanc de blancs chalonnais est l'œuvre du président de l'Interprofession, Jean-François Delorme. Sa mousse est généreuse, sa robe or blanc, son nez légèrement vineux sur des arômes de fruits du verger (pomme, poire). Au palais, il a quelque chose d'un sultan : gras, onctueux, riche en parfums. D'une effervescence délicate, il montre sur la fin une vigueur surprenante et durable. Très belle expression de l'appellation. Rully n'est-il pas l'un des berceaux de la bulle bourguignonne ? Son **blanc de noirs** obtient une étoile. C'est un vin vineux, gourmand qui appelle les gougères.

André Delorme, 2, rue de la République,
71150 Rully, tél. 03.85.87.10.12, fax 03.85.87.04.60,
e-mail andre-delorme@wanadoo.fr r.-v.

CHARLES DURET

n.c. 140 000 **5 à 8 €**

Comme Labouré-Gontard, Charles Duret est une très ancienne marque nuitonne reprise naguère par Moingeon acquis en partie par Günther Reh (Bertagna). Il s'agit aujourd'hui à Meursault d'une affaire Sauvestre et Béjot. Chardonnay (65 %), pinot (25 %) et aligoté dans cet ordre décroissant, ce crémant bénéficie d'arômes persistants. Agréable et facile à boire sur une terrine de poisson.

Moingeon - la Maison du Crémant, RN 74, 21190 Meursault, tél. 03.80.21.66.22, fax 03.80.21.28.09

CHARLES DE FERE Grande Cuvée 2000 ★

1 ha 10 000 5 à 8 €

Charles de Fère est l'une des marques de vins effervescents de la famille Jean-Claude Boisset, aux côtés de Louis Bouillot coup de cœur en 2001. La bulle en effet possède ici de la particule. Or clair, la pêche blanche influente au nez, il est sec, vif et d'une longueur appréciable. Joli retour d'agrumes. Millésimé 2000, son bouchon est impatient. A tenter sur la volaille (de Bresse évidemment). En **Louis Bouillot, le blanc de noirs Perle de Nuit**, une étoile, est intéressant : pour consommateurs avertis, un raisin de caractère très étudié (pinot noir).

Charles de Fère, 5, quai Dumorey, 21700 Nuits-Saint-Georges, tél. 03.80.62.61.48, fax 03.80.62.37.38

DOM. GILLON FRERES 2001 ★

1,6 ha 15 850 5 à 8 €

Cette exploitation agricole du Châtillonnais s'est diversifiée en 1995 en plantant quelques vignes à Gommeville. Deux tiers de pinot noir, le reste en chardonnay, son crémant est tout à fait réussi. Frais et fruité, très persistant, il sera servi à l'apéritif.

Dom. Gillon Frères, rue du Pont, 21400 Gommeville, tél. 03.80.81.94.68, fax 03.80.81.92.96 t.l.j. 7h-23h

PATRICK GIRARDIN Blanc de blancs ★

0,17 ha 1 200 **8 à 11 €**

Mousse persistante avec une belle couronne, discrétion des arômes floraux, un chardonnay (80 %), aligoté (20 %) jaune pâle brillant, à la fois vif et souple. Les agrumes font leur nid en bouche. Elaboré par Vitteaut-Alberti.

Dom. Girardin, 14, ancienne rte d'Autun, BP 14, 21630 Pommard, tél. 03.80.22.61.21, fax 03.80.24.29.23, e-mail girardinpat@wanadoo.fr r.-v.

DOM. GOUFFIER Blanc de blancs 2002 ★

1,5 ha 5 000 **8 à 11 €**

Bonne effervescence dans le verre, ordonnée cependant. Chardonnay et aligoté donnent sans doute ce nez de pierre à fusil. A boire dans le temps présent pour profiter de sa jeunesse spontanée, de sa fraîcheur impertinente. Elaboré par Vitteaut-Alberti.

Dom. Gouffier, 11, Grande-Rue, 71150 Fontaines, tél. 03.85.91.49.66, fax 03.85.91.46.98

LES CAVES DES HAUTES-COTES Blanc de Blancs ★★

6,75 ha 45 000 5 à 8 €

Blanc de blancs, chardonnay sur toute la ligne, un crémant riche en mousse dans une robe bien typée. Ses arômes floraux et fermentaires ont beaucoup de présence. Sa bouche quasiment parfaite lui vaut tous les compliments.

Les Caves des Hautes-Côtes, rte de Pommard, 21200 Beaune, tél. 03.80.25.01.00, fax 03.80.22.87.05, e-mail vinchc@wanadoo.fr r.-v.

DOM. MICHEL ISAIE 1999

3 ha 17 746 **5 à 8 €**

On peut lire sur l'étiquette « propriétaire-récoltant-manipulant ». Outre le crémant, il produit de la fine, du ratafia et même de la verveine. Aux deux cépages habituels des crémants s'ajoutent ici l'aligoté (30 %) et le gamay (5 %). Une mousse assez fine libère la robe, jaune soutenu. Encore vif mais vineux, son côté brioché et pain grillé en fait le compagnon d'une viande blanche.

Michel Isaïe, chem. de l'Ouche, 71640 Saint-Jean-de-Vaux, tél. 03.85.45.23.32, fax 03.85.45.29.38, e-mail michel.isaie@wanadoo.fr r.-v.

PIERRE JANNY ★

5 ha 30 000 5 à 8 €

Peu de mousse, des bulles très fines, minuscules. Les arômes floraux et fermentaires (les bons) arrivent bientôt et en beauté. Le gras, la rondeur ont une jovialité typiquement mâconnaise. Entièrement chardonnay.

Sté Pierre Janny, La Condemine, Cidex 1556, 71260 Péronne, tél. 03.85.23.96.20, fax 03.85.36.96.58, e-mail pierre-janny@wanadoo.fr

MARIE-HELENE LAUGEROTTE 2002 ★★

0,25 ha 2 000 5 à 8 €

Elaboré par Vitteaut-Alberti, expert en la matière, ce vin honore une viticultrice de la Côte chalonnaise : 70 % de pinot noir, 30 % de chardonnay, le plus heureux des mariages. Ses bulles fines et persistantes, son beau cordon, ses arômes un peu exotiques (citron, pamplemousse) en font un crémant souple et suave, frais, gourmand en un mot.

Marie-Hélène Laugerotte, Cidex 512, 71640 Saint-Denis-de-Vaux, tél. 03.85.44.36.35, fax 03.85.44.42.70 r.-v.

LOUIS LORON Cuvée royale ★

n.c. 20 000 5 à 8 €

Fondée en 1932, cette maison restée familiale achète en raisins, vinifie et élabore elle-même. A défaut de beaujolais nouveau, on peut faire la fête toute l'année avec ce crémant qui nous vient du Rhône. Chardonnay à 100 %, il laisse paraître sous une mousse abondante un fin cordon persistant. Son bouquet est léger comme la brise de printemps, son acidité bien maîtrisée dans un contexte assez riche et puissant. La **cuvée Prestige**, satisfaisante elle aussi, obtient une étoile.

Ets Louis Loron et Fils, Le Vivier, 69820 Fleurie, tél. 04.74.04.10.22, fax 04.74.69.84.19, e-mail infos@loron-et-fils.com t.l.j. sf dim. 8h-12h 13h30-18h; sam. 8h30-12h

CAVE DE LUGNY

15 ha 150 000 **5 à 8 €**

50 % de chardonnay, 40 % de pinot noir et – comme on est en Mâconnais – 10 % de gamay noir à jus blanc, pour un vin non millésimé aux bulles très fines et au tempérament vineux. Le kir royal semble un destin tout trouvé car la crème de cassis s'harmonisera bien à sa constitution.

SCV Cave de Lugny, rue des Charmes, BP 6, 71260 Lugny, tél. 03.85.33.22.85, fax 03.85.33.26.46, e-mail commercial@cave-lugny.com t.l.j. sf dim. 8h30-12h30 13h30-18h; groupes sur r.-v.

BOURGOGNE

DOM. MOISSENET-BONNARD 2000 ★★

	0,7 ha	4 000		8 à 11 €

Sa vinosité ne gâte pas la finesse d'ensemble d'un vin remarquable. Or clair, la bulle élégante et fine, il choisit les agrumes comme ligne aromatique. Sa vivacité lui permet de faire le grand écart en bouche. Elaboré par André Delorme.

🖙 Dom. Moissenet-Bonnard,
5, rte d'Autun, 21630 Pommard,
tél. 03.80.24.62.34, fax 03.80.22.30.04 ☑ ⦿ ⸕ r.-v.

DOM. MUCYN

	1,2 ha	4 000	🍷⸕	5 à 8 €

Propriétaire-récoltant en Champagne limitrophe (l'Aube), Pierre Mucyn a planté de la vigne en Bourgogne châtillonnaise, estimant qu'à l'époque de Bernard de Clairvaux et des comtes de Champagne on ne distinguait pas les crus voisins de l'Aube et de la Côte-d'Or. Démarche originale pour un pinot noir 100 %, discret en robe, citronné, simple et sans prétention, destiné à honorer la mémoire du chanoine Kir. En tout cas un oiseau rare pour dégustation-devinette entre amis (avant le cassis, bien sûr !).

🖙 Pierre Mucyn,
12, rue Jacques-Bachot, 10000 Troyes,
tél. 03.25.80.21.41, fax 03.25.80.21.41 ☑ ⦿ ⸕ r.-v.

DOM. JEAN ET GENO MUSSO ★

	9,54 ha	88 000	🍷⬚⸕	5 à 8 €

Domaine pionnier en agriculture bio, se soumettant aux contrôles de certification depuis quelque vingt-cinq ans. 60 % de pinot noir, 10 % de gamay, 25 % d'aligoté et 5 % de chardonnay composent ce crémant qu'on choisira de préférence comme un vin de dessert, sur une tarte aux fruits rouges. La robe est claire, la bulle fine et le nez marqué par le pinot. Sec et vif, il ne manque pas d'originalité.

🖙 Ch. de Sassangy, Le Château, 71390 Sassangy,
tél. 03.85.96.18.61, fax 03.85.96.18.62,
e-mail musso.jean@wanadoo.fr ☑ ⌂ ⦿ ⸕ r.-v.

PICAMELOT 2002 ★

	1 ha	10 363	🍷⸕	8 à 11 €

C'était l'an dernier notre coup de cœur. L'affaire est restée familiale depuis sa création en 1926 par Louis Picamelot. Fines bulles et mousse très persistante traversent ce crémant mi-pinot noir mi-chardonnay, qui a le nez bien ouvert sur les fruits secs et l'agrume vif. Son acidité un peu mordante donne à l'attaque un caractère incisif. On croise le fer, mais l'affaire se conclut de façon conviviale : la fin de bouche est bien enrobée, gardant sa fraîcheur avec un zeste de citron et une touche minérale.

🖙 Louis Picamelot,
12, pl. de la Croix-Blanche, BP 2, 71150 Rully,
tél. 03.85.87.13.60, fax 03.85.87.63.81,
e-mail louispicamelot@wanadoo.fr ☑ ⦿ ⸕ r.-v.
🖙 Philippe Chautard

DOM. DES PONCETYS

	0,16 ha	n.c.	🍷⸕	5 à 8 €

On se trouve ici sur les terres du conseil régional de Bourgogne et plus précisément du lycée viticole de Mâcon-Davayé. M. le Proviseur obtient de bonnes notes pour la mousse, la limpidité, l'onctuosité. C'est plus juste pour la couleur très pâle. L'examen est néanmoins réussi. Issu de chardonnay et élaboré par André Delorme, le vin de base est produit au chai de l'établissement.

🖙 Lycée viticole de Mâcon-Davayé,
Dom. des Poncetys, 71960 Davayé,
tél. 03.85.33.56.20, fax 03.85.35.86.34,
e-mail domaineponcetys@macon-davaye.com
☑ ⦿ ⸕ t.l.j. sf dim. 9h-12h 14h-17h; lun. 14h-17h30;
sam. 12h-17h; f. 30 juil.-14 août

SIMONNET-FEBVRE ★

	n.c.	800		5 à 8 €

Acquise par Louis Latour, la maison Simonnet-Febvre champagnise le chablis depuis le milieu du XIX[e]s. C'est aujourd'hui l'unique élaborateur d'effervescents dans ce vignoble, travaillant aussi pour divers viticulteurs. On a ici affaire à un pinot noir au cordon persistant, moyennement bouqueté, riche en goût (petits fruits rouges) et à consommer maintenant. Rosé de repas.

🖙 Simonnet-Febvre, 9, av. d'Oberwesel,
La Maladière, BP 12, 89800 Chablis,
tél. 03.86.98.99.00, fax 03.86.98.99.01,
e-mail simonnet@chablis.net
☑ ⦿ ⸕ t.l.j. 9h-12h 14h-18h; sam. dim. sur r.-v.
🖙 Laurent Simonnet

ALBERT SOUNIT Cuvée Prestige 2001

	2,5 ha	25 280		5 à 8 €

Vieille de plus d'un siècle et demi, cette maison a appartenu successivement aux familles Jeunet et Sounit avant de devenir une propriété danoise. Elle produit une cuvée Prestige assemblant pinot noir à 65 % et chardonnay à 35 %. Ce 2001 attaque en puissance sous des notes de fruits exotiques : le chardonnay l'emporte au bouquet sur le pinot et il ne faut pas s'en étonner.

🖙 Albert Sounit, 5, pl. du Champ-de-Foire,
71150 Rully, tél. 03.85.87.20.71, fax 03.85.87.09.71,
e-mail albert.sounit@wanadoo.fr ☑ ⦿ ⸕ r.-v.

DOM. DE LA TOUR BAJOLE 2000 ★

	0,3 ha	3 000	🍷⸕	5 à 8 €

Domaine du Couchois accoudé à la tour Bajole, maison du prévôt royal. Et très vieille famille du cru, qui compta, ces dernières années, un conseiller régional de Bourgogne. Chardonnay à 100 %, son crémant regorge de mousse. La noisette, les fruits secs composent le bouquet tandis que la bouche décline un *credo* vineux et mûr, intense et structuré. Vin à servir durant le repas, ni à l'apéritif ni au dessert.

🖙 Dom. de la Tour Bajole, 11, rue de la Chapelle,
71490 Saint-Maurice-les-Couches, tél. 03.85.45.52.90,
fax 03.85.45.52.90, e-mail domaine-de-la-
tour-bajole@wanadoo.fr ☑ ⦿ ⸕ r.-v.

VEUVE AMBAL L'Excellence de Marie Ambal ★★

	n.c.	26 000		5 à 8 €

Il en fut question lors des débats sur le coup de cœur. Jaune paille, L'Excellence de Marie Ambal (la maison quitte Rully pour Montagny-lès-Beaune en bordure de l'autoroute) vous convie à un merveilleux labyrinthe aromatique (miel, beurre, vanille), puis à une bouche pleine d'ampleur et de distinction. Pour tout dire, de volupté.

🖙 Veuve Ambal, rue des Bordes, BP 1, 71150 Rully,
tél. 03.85.87.15.05, fax 03.85.87.30.15,
e-mail vveambal@aol.com ☑ ⦿ r.-v.
🖙 Eric Piffaut

L. VITTEAUT-ALBERTI Blanc de blancs 2002 ★

● 4 ha 30 000 ■↓ 8 à 11 €

Coup de cœur sur notre édition 2003, cette maison née en 1951 est de nos jours dirigée par Gérard Vitteaut, fils du fondateur, à l'origine du domaine et de l'unité de vinification. Ce blanc de blancs (chardonnay à 80 %, aligoté à 20 %) affiche une mousse crépitante. La fleur blanche décore le nez. L'attaque est plaisante, ouvrant sur un vin bien construit, charpenté. On n'est pas obligé de le boire tout de suite.

⊶ Gérard Vitteaut-Alberti,
20, rue du Pont-d'Arrot, 71150 Rully,
tél. 03.85.87.23.97, fax 03.85.87.16.24,
e-mail vitteaut-alberti@lesvinsfrancais.com ☒ Y 🚶 r.-v.

Le Chablisien

Malgré une célébrité séculaire qui lui a valu d'être imité de la façon la plus fantaisiste dans le monde entier, le vignoble de Chablis a bien failli disparaître. Deux gelées tardives, catastrophiques, en 1957 et en 1961, ajoutées aux difficultés du travail de la vigne sur des sols rocailleux et terriblement pentus, avaient conduit à l'abandon progressif de la culture de la vigne ; le prix des terrains en grands crus atteignait un niveau dérisoire, et bien avisés furent les acheteurs du moment. L'apparition de nouveaux systèmes de protection contre le gel et le développement de la mécanisation ont rendu ce vignoble à la vie.

L'aire d'appellation couvre les territoires de la commune de Chablis et de dix-neuf communes voisines dans les quatre appellations chablis. La récolte a atteint 206 715 hl en 2003. Les vignes dévalent les fortes pentes des coteaux qui longent les deux rives du Serein, modeste affluent de l'Yonne. Une exposition sud-sud-est favorise à cette latitude une bonne maturation du raisin, mais on trouvera plantés en vigne des « envers » aussi bien que des « adroits » dans certains secteurs privilégiés. Le sol est constitué de marnes jurassiques (kimméridgien, portlandien). Il convient admirablement à la culture du chardonnay, comme s'en étaient déjà rendu compte au XII^e^s. les moines cisterciens de la toute proche abbaye de Pontigny, qui y implantèrent sans doute ce cépage, appelé localement beaunois. Celui-ci exprime ici plus qu'ailleurs ses qualités de finesse et d'élégance, qui font merveille sur les fruits de mer, les escargots, la charcuterie. Premiers et grands crus méritent d'être associés aux mets de choix : poissons, charcuterie fine, volailles ou viandes blanches, qui pourront d'ailleurs être accommodés avec le vin lui-même.

Petit-chablis

Cette appellation constitue la base de la hiérarchie bourguignonne dans le Chablisien. Elle a produit 24 867 hl en 2003 sur 652 ha. Moins complexe que le chablis du point de vue aromatique, le petit-chablis possède une acidité un peu plus élevée qui lui confère une certaine verdeur. Autrefois consommé en carafe, dans l'année, il est maintenant mis en bouteilles. Victime de son nom, il a eu de la peine à se développer, mais il semble qu'aujourd'hui le consommateur ne lui tienne plus rigueur de son adjectif dévalorisant.

BOURGOGNE

DOM. BARDET ET FILS 2002

▪ 2,82 ha 1 230 ■ 5 à 8 €

Depuis 1992, Philippe et Michel Bardet, rejoints par le fils de ce dernier, Alexandre, plantent sur Préhy et Chablis (6,5 ha à ce jour). Ils habitent la très jolie petite cité de Noyers-sur-Serein. Leur petit-chablis cède à la nervosité fréquente des 2002. Du bouquet au palais, la continuité aromatique est assurée par le floral sous un or clair bien brillant. Encore une belle année de vie pour ce vin réussi.

⊶ Dom. Bardet et Fils,
Ferme de la Borde, 89310 Noyers-sur-Serein,
tél. 03.86.82.61.49, fax 03.86.82.61.49,
e-mail vins.bardet@free.fr ☒ ⌂ Y 🚶 r.-v.

JEAN-MARC BROCARD 2003 ★

▪ n.c. 240 000 ■↓ 5 à 8 €

Pilier de l'AJ Auxerre, Jean-Marc Brocard sait faire circuler le ballon. Et aussi les bouteilles, faisant déguster un 2003 presque dans ses langes, dynamisé par le gaz carbonique qui a sans doute disparu aujourd'hui. Des notes d'agrumes escortent une bouche vive et légère, où apparaît en finale un peu de gras. Parfait après la visite de l'église du XIII^e^s. qui se trouve à 20 m des caves.

⊶ Jean-Marc Brocard, 3, rte de Chablis, 89800 Préhy,
tél. 03.86.41.49.00, fax 03.86.41.49.09,
e-mail c.brocard@brocard.fr
☒ Y 🚶 t.l.j. sf dim. 9h30-12h30 14h-19h

LA CHABLISIENNE 2002 ★★

▪ n.c. 400 000 ■↓ 8 à 11 €

La coopérative de Chablis a été fondée en 1923. Avec 274 adhérents aujourd'hui, regroupant 1 144 ha de vigne, elle est un acteur incontournable du Chablisien. Or pâle très limpide, cette bouteille montre amplement qu'un petit-chablis peut être grand. Son élevage en cuve est particulièrement réussi. Délicatesse du bouquet, minéralité agréable, équilibre en acidité, persistance intéressante, tout concourt à en faire le premier du grand jury.

⊶ La Chablisienne,
8, bd Pasteur, BP 14, 89800 Chablis,
tél. 03.86.42.89.89, fax 03.86.42.89.90,
e-mail htucki@chablisienne.fr ☒ Y 🚶 r.-v.

DOM. DES CHENEVIERES 2002 ★★

▪ 2 ha 15 000 ■↓ 5 à 8 €

Bernard Tremblay a choisi Frédéric Gueguen en 2003 pour la poursuite de son domaine. Pour l'heure, restons-en au millésime 2002. Jaune pâle limpide, il évoque le pain beurré, la fleur d'acacia et, discrètement, la pêche bien mûre. Peu de persistance mais de la rondeur, du gras et une réelle franchise de goût. L'acidité est suffisante. Pourquoi Domaine des Chenevières ? Le chanvre était autrefois une importante production du Chablisien.

☛ Frédéric Gueguen, rte de Chablis, 89800 Préhy, tél. 03.86.41.49.08, fax 03.86.41.49.09, e-mail fgueguen@leschenevieres.com

☑ ▼ ⚒ t.l.j. sf dim. 9h-12h 14h-19h

DOM. DU COLOMBIER 2002 ★★

	1,6 ha	15 000	▮⚐	5 à 8 €

Cette bouteille a disputé la finale du coup de cœur arrivant en troisième position. Sous sa robe paille de seigle, elle plante un décor aromatique où fleurit l'acacia, où pousse le genêt. La vivacité de son attaque ne surprend pas : un petit-chablis est souvent impertinent. Celui-ci a juste ce qu'il faut d'acidité. La finale devient minérale. D'une forte constitution, un vin taillé pour la garde, c'est-à-dire jusqu'au début 2006.

☛ Guy Mothe et ses Fils, Dom. du Colombier, 42, Grand-Rue, 89800 Fontenay-près-Chablis, tél. 03.86.42.15.04, fax 03.86.42.49.67 ☑ ▼ ⚒ r.-v.

☛ Mothe Frères

DOM. JEAN-CLAUDE COURTAULT 2002 ★

	7,5 ha	17 000	▮⚐	5 à 8 €

Tout feu tout flamme, il part à l'abordage avec la vigueur nerveuse d'un petit-chablis formé à bonne école. Il s'affiche en or blanc et la brise lui apporte des parfums floraux et minéraux. Après cette attaque enthousiaste, la bouche est plus assise ; la matière n'est pas considérable, mais une rondeur aimable récompense les émotions premières. Ce domaine situé à 5 km de l'abbaye de Pontigny comportait 1,5 ha en 1984 ; aujourd'hui, il en compte plus de 16 ha.

☛ Dom. Jean-Claude Courtault, 1, rte de Montfort, 89800 Lignorelles, tél. 03.86.47.50.59, fax 03.86.47.50.74 ☑ ▼ ⚒ r.-v.

DOM. ERIC DAMPT Vieilles Vignes 2002 ★

	2,1 ha	16 800	▮⚐	5 à 8 €

Collan occupe une grande place dans l'histoire de la chrétienté : fondateur de Cîteaux, saint Robert y fut ermite. Quant au vin, il occupe une grande place dans le message cistercien. A vrai dire, cette bouteille ne pratique pas particulièrement l'ascèse. Enluminée d'or fin, rehaussée de vert, elle cultive des arômes de fleurs blanches, présente une bonne acidité et se laisse pénétrer par un souffle iodé très chablisien.

☛ Eric Dampt, 16, rue de l'Ancien-Presbytère, 89700 Collan, tél. 03.86.55.36.28, fax 03.86.54.49.89

☑ ▼ ⚒ r.-v.

JEAN-PAUL ET BENOIT DROIN 2002 ★★

	1,32 ha	10 000	▮	5 à 8 €

Les Drouin sont vignerons à Chablis depuis le XVIIᵉs. Leur petit-chablis bénéficie d'un savoir-faire séculaire. Il est vif à l'œil et son nez à la légèreté d'un pétale de rose, sur des notes minérales et florales. Le corps puissant et généreux a beaucoup de mordant. Caractéristique de l'appellation, il fait partie du « top 5 » (les cinq meilleures bouteilles ayant concouru au grand jury des coups de cœur).

☛ Dom. Jean-Paul et Benoît Droin, 14 bis, rue Jean-Jaurès, BP 19, 89800 Chablis, tél. 03.86.42.16.78, fax 03.86.42.42.09, e-mail benoit@jeanpaul-droin.fr

☑ ▼ t.l.j. sf sam. dim. 8h30-12h 13h30-17h; f. 1-15 août

DURUP 2002 ★

	23 ha	184 000	▮⚐	5 à 8 €

Un vin réussi nécessite infiniment de soins, surtout dans des années complexes. Sous sa livrée jaune paille, celui-ci a le nez fin et citronné. Gras et long, il s'exprime d'abord par le corps. Il va à l'essentiel puis cisèle le détail, illustrant de façon concrète la notion de terroir. Ce domaine, né au XVIᵉs., compte 23 ha en petit-chablis sur une totalité de 180 ha.

☛ SA Jean Durup Père et Fils, 4, Grande-Rue, 89800 Maligny, tél. 03.86.47.44.49, fax 03.86.47.55.49 ☑ ▼ r.-v.

DOM. D'ELISE 2002 ★

	7,02 ha	10 000	▮⚐	5 à 8 €

Craignant un licenciement, le père de Frédéric songeait à se reconvertir dans la vigne et le vin. Un domaine chablisien était à vendre. Il le visita mais recula devant ce changement de cap. Ingénieur des travaux publics, c'est le fils qui tenta l'aventure. La suite de l'histoire ? Aujourd'hui, ce petit-chablis produit sur 7 ha, de bon goût, ferme sur les principes – le fruit blanc comme la pêche, la fleur blanche et la pierre à fusil composant un nez classique –, affiche une bouche typée qui réjouira une andouillette... au petit-chablis.

☛ Frédéric Prain, Côte de Léchet, 89800 Milly, tél. 03.86.42.40.82, fax 03.86.42.44.76 ☑ ▼ ⚒ r.-v.

WILLIAM FEVRE 2003 ★

	n.c.	n.c.	▮⚐	5 à 8 €

A boire dans l'année qui vient, ce petit-chablis 2003 a le nez juvénile et déjà exotique. Assez minéral, vif à l'attaque, équilibré, il tient dans son cadre sans en déborder. On sait que William Fèvre est, depuis 1997, l'une des maisons de Joseph Henriot (Bouchard Père et Fils et champagne Henriot).

☛ Dom. William Fèvre, 21, av. d'Oberwesel, 89800 Chablis, tél. 03.86.98.98.98, fax 03.86.98.98.99, e-mail france@williamfevre.com

☑ ▼ ⚒ t.l.j. sf mer. dim. 9h-12h 14h-18h

DOM. FILLON 2003 ★

	4,5 ha	15 000	▮⚐	5 à 8 €

Ce petit-chablis, équilibré et typé, d'une jolie teinte soutenue, concilie au palais la fraîcheur et une certaine richesse. Son bouquet penche vers le minéral. Un fromage de chèvre chaud pourrait l'accompagner.

☛ Dom. Fillon, 53, rue Bienvenu-Martin, 89530 Saint-Bris-le-Vineux, tél. 03.86.53.30.26, fax 03.86.53.63.88 ☑ ▼ ⚒ r.-v.

DOM. DE GRILLOT 2002 ★

	0,9 ha	2 000	▮⚐	5 à 8 €

De deux choses l'une... La bouche est ici très différente du nez. Après une phase aromatique puissante et élancée, florale, ouverte, on rencontre un corps plus discret, fin, iodé. Le jaune or de la robe est en revanche parfaitement cohérent avec les étapes suivantes de la dégustation.

🔑 James Haigre,
16, rue de l'Ancien-Presbytère, 89700 Collan,
tél. 06.07.62.64.08, fax 03.86.54.49.89 ☒ 𝐘 ⛹ r.-v.

DOM. DES HERITIERES 2002 *

1,5 ha 12 000 ▮🌡 5 à 8 €

Ces Héritières chaperonnées par Olivier Tricon portent des robes jaune clair très chatoyantes. Leur parfum vient de Chablis : il n'y a qu'ici qu'on extrait à ce point l'essence de mousseron. Ce vin a du coffre, de la stature, et il est prêt ; il n'attend qu'un signe de vous pour passer à table.

🔑 Olivier Tricon, 15, rue de Chichée, 89800 Chablis,
tél. 03.86.42.10.37, fax 03.86.42.49.13

ROLAND LAVANTUREUX 2002 **

4,5 ha 35 000 ▮🌡 5 à 8 €

Jaune très pâle, il a besoin du contact de l'air pour révéler ses secrets discrètement floraux. En bouche, il a beaucoup de gras pour un petit-chablis, d'où ce côté presque imposant là où l'on s'attend à la frivolité. Le fruit mûr, le silex sont également au rendez-vous d'un 2002 qui prend son temps. On ne le lui reproche pas !

🔑 Roland Lavantureux,
4, rue Saint-Martin, 89800 Lignorelles,
tél. 03.86.47.53.75, fax 03.86.47.56.43
☒ 𝐘 ⛹ t.l.j. 8h-20h; dim. sur r.-v.; f. 13-22 août

MOREAU-NAUDET 2002

n.c. 3 300 ▮🌡 5 à 8 €

Il est moins long que d'ici à Auxerre, mais il a une vivacité d'agrumes associée à une douce rondeur. Or brillant pâle, généreux en arômes (pierre à fusil, fleur blanche), il provient d'un domaine chablisien de 22 ha. Recommandé avec les charcuteries.

🔑 Moreau-Naudet et Fils,
10, bd Tacussel, 89800 Chablis,
tél. 03.86.42.14.83, fax 03.86.42.85.04 ☒ 𝐘 ⛹ r.-v.

SYLVAIN MOSNIER 2002 **

0,75 ha 6 000 ▮🌡 8 à 11 €

Jaune à reflets dorés, d'une belle brillance, ce petit-chablis affiche un nez tout en dentelle. Il a du volume, sans lourdeur, de la souplesse, sans faiblesse, de la tenue, sans être guindé. Une belle réussite pour un millésime difficile,

Le Chablisien

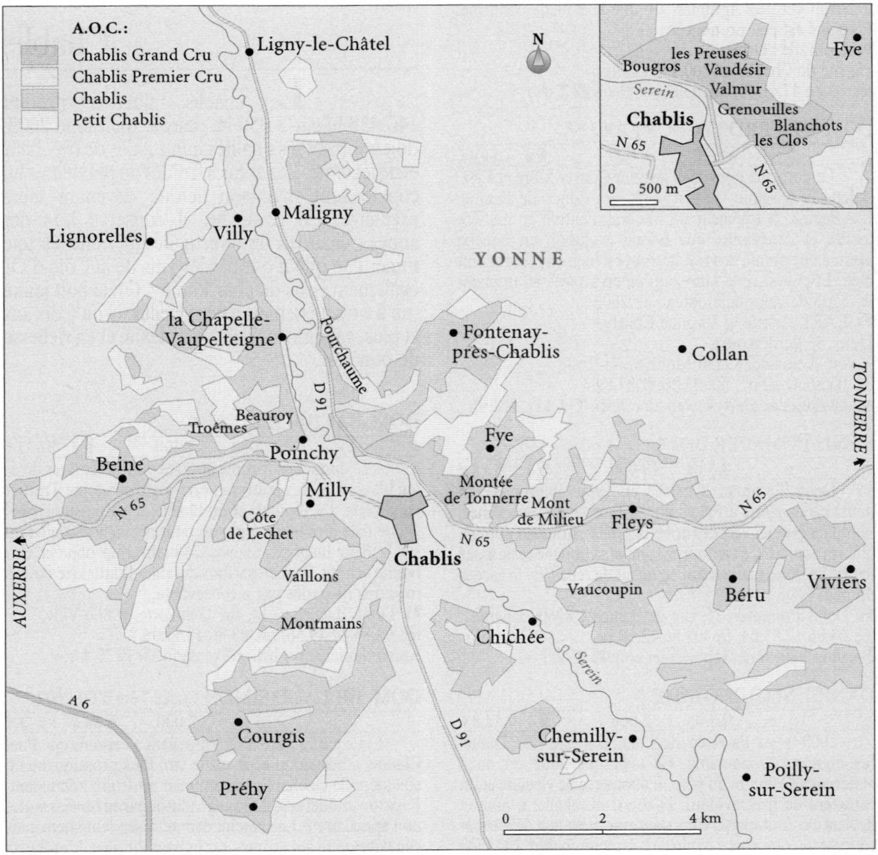

d'autant qu'il sera possible de garder au moins un an ce vin en cave. On peut tout aussi bien l'honorer dès à présent pour lui-même, à l'apéritif.
🔑 Sylvain Mosnier, 4, rue Derrière-les-Murs, 89800 Beine, tél. 03.86.42.43.96, fax 03.86.42.42.88, e-mail sylvain.mosnier@libertysurf.fr ☑ Y 🚶 r.-v.

DOM. DE L'ORME 2003

7 ha 25 000 ▮🍾 5 à 8 €

Un domaine de 39 ha, et un petit-chablis né sur les sols sablo-limoneux. Sa couleur habituelle en pareil cas. Le nez plaisant, flatteur, est tout en finesse fruitée : on y sent le citron vert, les agrumes. Ce que la bouche confirme. L'acidité est peu prononcée.
🔑 Dom. de l'Orme, 16, rue de Chablis, 89800 Lignorelles, tél. 03.86.47.41.60, fax 03.86.47.56.66 ☑ Y 🚶 r.-v.

DOM. DE PERDRYCOURT 2002 ★★

4 ha 8 000 ▮🍾 5 à 8 €

Le domaine pourrait s'appeler Courty Mère et Fille. Arlette et Virginie vinifient avec des doigts de femme. L'aubépine, la fraîcheur du minéral, l'entrée en matière tendre et caressante, une bonne évolution en bouche jusqu'à une pointe de vivacité, tout est bien en place et finit bien. Et quand vous saurez qu'on en a parlé au moment du coup de cœur déjà obtenu en 2003...
🔑 EARL Arlette et Virginie Courty, Dom. de Perdrycourt, 9, voie Romaine, 89230 Montigny-la-Resle, tél. 03.86.41.82.07, fax 03.86.41.87.89, e-mail domainecourty@wanadoo.fr ☑ Y 🚶 t.l.j. 9h-19h

DENIS POMMIER 2002 ★

4,5 ha 19 000 ▮🍾 5 à 8 €

Denis Pommier s'installe en 1990. Il propose un petit-chablis jaune à reflets dorés, assez riche en arômes, semblant évoluer vers des notes de fruits exotiques, comme litchi et ananas. Ce vin tourne rond et sa bouche reste assez jeune. Le boire maintenant en début de repas, ou le garder un peu.
🔑 Denis Pommier, 31, rue de Poinchy, 89800 Chablis, tél. 03.86.42.83.04, fax 03.86.42.17.80, e-mail isabelle@denis-pommier.com ☑ Y 🚶 r.-v.

DANIEL SEGUINOT 2002 ★

0,8 ha 2 000 ▮🍾 5 à 8 €

2003 a vu l'arrivée de l'une des filles de Daniel Séguinot sur le domaine. Ce millésime 2002 est donc entièrement l'œuvre du père. Il attaque avec vivacité et un caractère de fruit évolutif. D'abord mirabelle, il mue et devient du fruit blanc. Ceci dans une élégance délicate et soyeuse qui rapproche ce vin de la typicité chablis. Limpide et jaune-vert, il attend l'aération pour confesser ses arômes de fleur (acacia) puis de fruit, comme on l'a dit plus haut. A déboucher maintenant.
🔑 SCEA Daniel Séguinot, rte de Tonnerre, 89800 Maligny, tél. 03.86.47.51.40, fax 03.86.47.43.37 ☑ Y 🚶 r.-v.

DOM. SEGUINOT-BORDET 2002 ★

1 ha 4 000 ▮🍾 5 à 8 €

Sénèque consacre quelques réflexions à la dureté du silex. Connaissait-il ses propriétés vineuses ? La minéralité de cette bouteille lui eût appris que le silex peut être un goût, un arôme... Cette vieille famille de Chablis exploite 13 ha, dont 1 dans cette appellation. Le nez expressif, la bouche épanouie signalent un vin au tempérament calme, soyeux, moyennement sec. Agréable à regoûter car on le trouve alors un cran au-dessus.
🔑 Dom. Séguinot-Bordet, 8, chem. des Hâtes, 89800 Maligny, tél. 03.86.47.44.42, fax 03.86.47.54.94, e-mail j.f.bordet@wanadoo.fr ☑ Y 🚶 r.-v.

Chablis

Le chablis, qui a produit 140 438 hl sur 3 056 ha dans le millésime 2003, doit à son sol ses qualités inimitables de fraîcheur et de légèreté. Les années froides ou pluvieuses lui conviennent mal, son acidité devenant alors excessive. En revanche, il conserve lors des années chaudes une vertu désaltérante et une minéralité que n'ont pas les vins de la Côte-d'Or également issus du chardonnay. On le boit jeune (un à trois ans), mais il peut vieillir jusqu'à dix ans et plus, gagnant ainsi en complexité et en richesse de bouquet.

DOM. BACHELIER 2002 ★

1,2 ha 9 400 ▮🍾 8 à 11 €

« Je donnerais fortune et titres pour m'enivrer de ce vin blanc avec des huîtres », écrivait le chanoine Trottier au XVIIe s. La réputation du chablis n'est pas nouvelle ! Jaune pâle à reflets argent, un petit nez délicat s'ouvrant sur la fleur blanche, celui-ci est bien armé pour la vie : bonne acidité, fruit et parfum durable. L'attendre deux à trois ans ne paraît pas inconcevable.
🔑 Dom. Bachelier, 14, rue Genillotte, 89800 Villy, tél. 03.86.47.49.56, fax 03.86.47.57.96, e-mail domaine.bachelier@wanadoo.fr ☑ Y 🚶 r.-v.

DOM. BILLAUD-SIMON Cuvée Tête d'Or 2002 ★★

3 ha 22 000 ▮🛢🍾 8 à 11 €

Cette cuvée Tête d'Or rappellera à certains que Paul Claudel a beaucoup écrit sur le vin. Plus prosaïquement, elle identifie ce chablis brillant clair au fruité bondissant. Face aux modernes, il se range plutôt parmi les classiques de l'appellation. La bouche débute assez lentement puis elle développe ses arômes sur la base du silex. L'architec-

ture est belle, la longueur intéressante. Ce domaine fondé en 1815, commercialisant directement sa production depuis les années 1950, est arrivé troisième au grand jury.
⊶ Dom. Billaud-Simon,
1, quai de Reugny, BP 46, 89800 Chablis,
tél. 03.86.42.10.33, fax 03.86.42.48.77 ☑ 🍸 🚶 r.-v.

LA CHABLISIENNE Cuvée L.C. 2002 ★★

■ 55 ha 370 000 ▮⦀🌡 8 à 11 €

La Chablisienne, c'est la Grande Armée : 370 000 cols pour ce 2002 ! Deux avantages : il y en aura sans doute pour tout le monde et c'est... très bon. Des nuances bien travaillées entre l'or et l'argent, un fruit marié au minéral en un beau duo aromatique, un chêne maîtrisé (seize mois de cuve, six mois sous bois), la fermeté du corps et la surprise en finale d'un retour de saveurs. Demandez bien la Cuvée L.C., celle dont nous parlons.
⊶ La Chablisienne,
8, bd Pasteur, BP 14, 89800 Chablis,
tél. 03.86.42.89.89, fax 03.86.42.89.90,
e-mail htucki@chablisienne.fr ☑ 🍸 🚶 r.-v.

DOM. DE CHANTEMERLE 2002 ★★

■ 10,3 ha 75 000 ▮ 5 à 8 €

Pourquoi Chantemerle ? Aller aux vignes d'Adhémar et vous les entendrez chanter ! Adhémar Boudin conçut ce domaine en 1961. Son fils Francis maintient le flambeau. Ce beau chablis offre un bouquet d'agrumes et fait en bouche le saut de l'ange. Vif, rond, frais et fruité, ce vin coule de source. Une bouteille remarquable pour amateur d'étiquette parcheminée.
⊶ SCEA de Chantemerle, 3, pl. des Cotats,
89800 La Chapelle-Vaupelteigne,
tél. 03.86.42.18.95, fax 03.86.42.81.60,
e-mail domaine.chantemerle@wanadoo.fr ☑ 🍸 🚶 r.-v.
⊶ Francis Boudin

DOM. CHRISTOPHE ET FILS Vieilles Vignes 2002

■ 0,35 ha 2 500 ▮ **5 à 8 €**

En haut de la vallée de Bréchain, un peu à l'écart de Fyé, allez à la découverte de ce domaine de 4 ha créé en 1999 lorsque Sébastien s'est installé. La cuverie date de 2003. Si tout cela sent le neuf, vous découvrez aussi ce chablis peu intense mais qui va sûrement s'ouvrir. Or à reflets argentés, il porte la robe du pays et affiche des nuances d'agrumes, assez d'acidité pour avoir des perspectives crédibles dans deux ans. Le millésime 2000 n'a-t-il pas reçu le coup de cœur ?
⊶ Dom. Christophe et Fils,
Ferme des Carrières à Fyé, 89800 Chablis,
tél. 03.86.55.23.10, fax 03.86.55.23.10 ☑ 🍸 🚶 r.-v.

DOM. JEAN COLLET ET FILS 2002 ★

■ 1,3 ha 10 263 ▮🌡 5 à 8 €

Chablis se proclamant Porte d'or de la Bourgogne, voici le concierge tout trouvé. Il en a les qualités souhaitées. A l'œil, il ne se fait pas trop remarquer. Au nez, discret et réservé, il n'ouvre pas à tout le monde. Frais et doux, il semble posséder une structure et un potentiel aromatique de qualité. L'ouvrir à Pâques 2005 lorsque les escargots seront réveillés.
⊶ Dom. J. Collet et Fils, 15, av. de la Liberté,
89800 Chablis, tél. 03.86.42.11.93, fax 03.86.42.47.43,
e-mail collet.chablis@wanadoo.fr ☑ 🍸 🚶 r.-v.
⊶ Gilles Collet

DOM. JEAN-CLAUDE COURTAULT 2002 ★★

■ 8,9 ha 34 000 ▮🌡 5 à 8 €

Un séducteur aux reflets argentés. Au nez, très franc, agrumes, pierre à fusil, fleur blanche composent un discours aromatique varié. Dans un contexte acidulé, l'équilibre se réalise en bouche au profit des fruits exotiques, des agrumes. Ce viticulteur installé en 1984 sur une vigne alors pas plus étendue qu'un mouchoir de poche (1,3 ha) possède vingt ans après 16,4 ha.
⊶ Dom. Jean-Claude Courtault,
1, rte de Montfort, 89800 Lignorelles,
tél. 03.86.47.50.59, fax 03.86.47.50.74 ☑ 🍸 🚶 r.-v.

EMMANUEL DAMPT Cuvée Prestige 2002 ★★

■ n.c. 7 000 ▮🌡 8 à 11 €

A Collan, on a intérêt à connaître le prénom quand on cherche un membre de la famille Dampt ! Jaune clair, porté sur la fleur blanche et le minéral, ce vin fidèle en bouche à cette première approche offre un bel équilibre entre onctuosité et vivacité. Quand les espérances du nez se confirment en bouche, les dégustateurs proposent de nombreux accords gourmands : pour l'un, des gambas flambées et crémées, pour l'autre des Saint-Jacques ; quant au troisième, il préférait une poularde aux nouilles.
⊶ Emmanuel Dampt,
3, rte de Tonnerre, 89700 Collan,
tél. 03.86.54.49.52, fax 03.86.54.49.89 ☑ 🍸 🚶 r.-v.

HERVE DAMPT Tradition 2002 ★★

■ 1,9 ha 12 000 ▮🌡 5 à 8 €

On sait qu'en matière de vin, « complexe » n'est pas synomyme de compliqué. En voulez-vous un exemple ? Les arômes intenses de ce chablis suggérant le végétal, le floral, les fruits blancs. C'est un vin plus caractéristique du chablis que beaucoup d'autres. Sa minéralité profonde, sa fraîcheur citronnée, sa structure enveloppante ont de quoi satisfaire les amoureux d'un style inimitable.
⊶ EARL Hervé Dampt, 1, rue de Fleys, 89700 Collan,
tél. 03.86.55.29.55, fax 03.86.54.49.89 ☑ 🍸 🚶 r.-v.

DOM. DANIEL DAMPT ET FILS 2002

■ 14 ha 80 000 ▮🌡 **8 à 11 €**

Celui-ci laisse tout d'abord l'acidité prendre le dessus, puis le fruit arrive pour jouer sa partie avant de laisser place à une légère amertume en finale. Sous une robe discrète, le nez s'oriente vers le minéral et le citron. Bouteille à servir dans un an. Les premières vignes de ce domaine familial ont été plantées par Jean Defaix durant les années 1950 (26 ha aujourd'hui, dont 14 de chablis).
⊶ Dom. Daniel Dampt et Fils, 1, rue des Violettes,
89800 Milly, tél. 03.86.42.47.23, fax 03.86.42.46.41,
e-mail domaine.dampt.defaix@wanadoo.fr ☑ 🍸 🚶 r.-v.

JEAN DAUVISSAT Saint-Pierre 2002 ★★

■ 2,87 ha 19 000 ▮🌡 8 à 11 €

Prix d'excellence, il arrive bon premier des 139 chablis dégustés. Major de sa promotion, il reçoit le coup de cœur auquel il s'est remarquablement préparé. La robe a le charme des grands de l'AOC. Le bouquet est d'une finesse extrême, entre le fruit blanc et les agrumes. Au palais, on ne boude pas son plaisir tant les sensations sont amples et fruitées, déjà flatteuses pour un vin d'acidité moyenne que l'on dégustera en 2005. Le jambon sauce chablis s'impose.

Caves Jean et Sébastien Dauvissat,
3, rue de Chichée, 89800 Chablis,
tél. 03.86.42.14.62, fax 03.86.42.45.54,
e-mail jean.dauvissat@wanadoo.fr ☒ Y ⅄ r.-v.

DOM. BERNARD DEFAIX 2002 *

■ 12 ha 90 000 ▮♁ 8 à 11 €

D'un bon chablis on disait autrefois qu'il a de l'amour. Ainsi peut-on dire de ce 2002. Il devrait bien vieillir, durant une paire d'années à tout le moins. Or pâle, très clair, il a le nez droit : l'affaire s'engage dans la franchise. Des arômes d'amande s'expriment sur une bonne longueur dans une bouche où finesse rime ici avec tendresse.

Dom. Bernard Defaix, 17, rue du Château,
89800 Milly, tél. 03.86.42.40.75, fax 03.86.42.40.28,
e-mail didier@bernard-defaix.com ☒ Y ⅄ r.-v.

DOM. FOURREY ET FILS 2002 **

■ 10 ha 7 100 ▮ 5 à 8 €

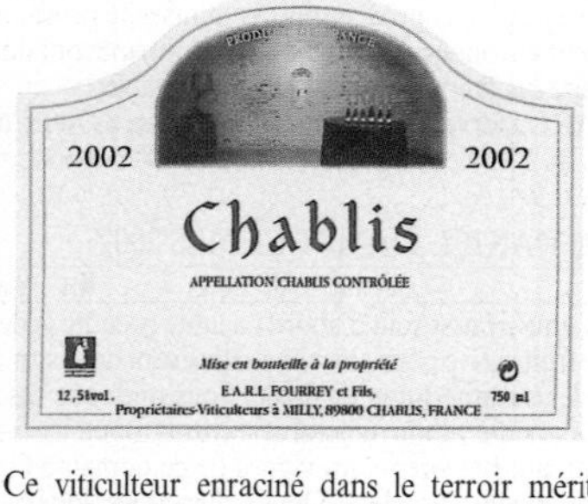

Ce viticulteur enraciné dans le terroir mérite les honneurs du coup de cœur. Ce 2002 est-il destiné à un carpaccio de saumon ou à un brochet au beurre blanc ? Or discret à reflets verts, porté par des senteurs florales et fruitées, ample et long en bouche, très long, il parvient à son sommet. A déboucher dans les temps à venir.

Dom. Fourrey et Fils, 6, rue du Château, Milly,
89800 Chablis, tél. 03.86.42.14.80, fax 03.86.42.84.78,
e-mail domaine.fourrey@wanadoo.fr ☒ Y ⅄ r.-v.

MAISON JEAN-CLAUDE FROMONT
Vieilles Vignes 2002 *

■ n.c. 10 000 ◘ 5 à 8 €

Ce négociant succède ici aux Colbert et Montmorency qui possédèrent jadis la châtellenie de Ligny. D'une teinte paille, voici une cuvée de vieilles vignes dont les arômes grillés attestent du passage sous bois pendant douze mois. Le bouquet suggère ensuite les fruits mûrs, voire confits. Au palais, on ne s'écarte guère de cette configuration, mais les sensations de pêche blanche et d'agrumes rendent sa saveur assez gourmande.

Maison Jean-Claude Fromont, Ch. de Ligny,
7, av. de Chablis, 89144 Ligny-le-Châtel,
tél. 03.86.98.20.40, fax 03.86.47.40.72,
e-mail accueil@chateau-de-ligny.com ☒ Y ⅄ r.-v.

DOM. GARNIER ET FILS Grains dorés 2002 **

■ 0,9 ha 6 700 ▮◘♁ 8 à 11 €

Grains dorés est sur l'étiquette une dénomination imaginée par ce jeune domaine entre les mains de Xavier et de Jérôme Garnier. L'assemblage cuve-fût n'échappe pas à la perspicacité de nos dégustateurs : onze mois de cuve, un temps égal en fût et six mois ensemble. Cette vinification donne un vin vif et frais, citronné sur une pointe de silex, bien typé et apte à une garde de deux ou trois ans.

Dom. Garnier et Fils,
chem. de Méré, 89144 Ligny-le-Châtel,
tél. 03.86.47.42.12, fax 03.86.98.09.95,
e-mail domainegarnier@terre-net.fr ☒ Y ⅄ r.-v.

ALAIN GAUTHERON Vieilles Vignes 2002 *

■ 1,5 ha 10 000 ▮◘♁ 8 à 11 €

Ce vin a fait un séjour en feuillette chablisienne (132 litres) et au-delà de ses arômes citronnés ou floraux, il garde au nez un vanillé assez persistant. En fait, 80 % en cuve et 20 % sous bois sont des proportions raisonnables. La suite est friande au sein d'un environnement minéral pour un 2002 à boire dès à présent. Coup de cœur en l'an 2000.

GAEC Alain et Cyril Gautheron,
18, rue des Prégirots, 89800 Fleys, tél. 03.86.42.44.34,
fax 03.86.42.44.50, e-mail vins@chablisgautheron.com
☒ Y ⅄ t.l.j. 9h-18h; dim. sur r.-v.

DOM. JEAN GOULLEY ET FILS 2002

■ 7 ha 55 000 ▮♁ 5 à 8 €

Issu de l'assemblage d'une dizaine de parcelles exposées au levant sur sols caillouteux, ce chablis or léger retient l'attention du nez : on pense au coing, au melon frais avec une discrète note minérale. La bouche est moins expressive, encore fermée. Il faudra attendre un an qu'elle accepte de se raconter.

Jean Goulley et Fils, 11 bis, vallée des Rosiers,
89800 La Chapelle-Vaupelteigne,
tél. 03.86.42.40.85, fax 03.86.42.81.06,
e-mail phil.goulley@wanadoo.fr ☒ Y ⅄ r.-v.

DOM. DE GRILLOT 2002

■ n.c. 8 000 ▮♁ 5 à 8 €

Signe des temps ! Traditionnellement les arômes habituels du chablis étaient le silex, le champignon, la violette, voire le jujube. Les fruits exotiques les remplacent de plus en plus. Ce n'est nullement désagréable d'ailleurs. Cette bouteille intense en couleur en porte témoignage. La mangue et le miel s'y déploient de concert pour le bonheur d'une cuisine chinoise.

James Haigre,
16, rue de l'Ancien-Presbytère, 89700 Collan,
tél. 06.07.62.64.08, fax 03.86.54.49.89 ☒ Y ⅄ r.-v.

DOM. HAMELIN 2002 *

■ 10,18 ha 40 000 ▮♁ 8 à 11 €

Il a aux joues ces « pâles couleurs » qui désespéraient Colette dans son enfance. On sait en Bourgogne comment les guérir, et à Chablis on en connaît la recette : profitez donc de ce chablis aux arômes voluptueux, gourmands. Ils conduisent tout droit à un sillon minéral qui traverse merveilleusement la bouche. Le millésime 99 a obtenu le coup de cœur en 2002.

Dom. Hamelin,
1, rue des Carillons, 89800 Lignorelles,
tél. 03.86.47.54.60, fax 03.86.47.53.34,
e-mail domaine.hamelin@wanadoo.fr r.-v.

DOM. DES ILES 2002 *

n.c. n.c. 5 à 8 €

Dans son livre *Vignes et jours*, Pierre Poupon montre comment le chablis est mordant dans son enfance. Puis sa verdeur devient vivacité, son acidité devient fraîcheur. Or très léger, celui-ci répond à ces critères : il attaque vivement. Son passage en bouche s'entoure de ce même caractère et de fraîcheur, sur des bases minérales. Quant aux arômes, ils ont une petite nuance de pêche. L'harmonie d'un 2002 bien maîtrisé.

Gérard Tremblay, 12, rue de Poinchy,
89800 Chablis, tél. 03.86.42.40.98, fax 03.86.42.40.41,
e-mail gerard.tremblay@wanadoo.fr r.-v.

LAMBLIN ET FILS 2002 *

n.c. 12 000 8 à 11 €

Depuis trois siècles à Chablis, les Lamblin témoignent de leur attachement à la vigne. Doré à reflets gris-vert, ce chablis assez odorant (agrumes, mie de pain) est souple et vif à la fois. Sa légèreté initiale prend de la consistance au fil de la dégustation, jusqu'à une bonne longueur. On verrait bien cette bouteille avec une tarte meringuée au citron.

Lamblin et Fils, Maligny, 89800 Chablis,
tél. 03.86.98.22.00, fax 03.86.47.50.12,
e-mail infovin@lamblin.com
t.l.j. sf dim. 8h-12h30 14h-17h; sam. 8h-12h30

DOM. LAROCHE Saint-Martin 2002 **

61,57 ha 489 000 11 à 15 €

Michel Laroche n'a pas seulement un vaste domaine en Chablisien. On le rencontre aussi en Languedoc-Roussillon et outre-Atlantique. Coup de cœur l'an dernier pour le même Saint-Martin 2001 (les reliques du célèbre évêque de Tours trouvèrent jadis refuge à Chablis). Le résultat est à nouveau remarquable cette année. Sous sa robe légèrement argentée, il respire l'aubépine. Sa bouche n'est pas persistante pour le plaisir : elle apporte quelque chose. L'acidité conforte ses espérances (jusqu'à trois ou quatre ans de garde). Un dégustateur aurait aimé le goûter sur une darne de saumon grillé sauce béarnaise.

Michel Laroche, L'Obédiencerie, 22, rue Louis-Bro,
89800 Chablis, tél. 03.86.42.89.00, fax 03.86.42.89.29,
e-mail info@michellaroche.com r.-v.

DOM. DES MALANDES
Cuvée Tour du Roy Vieilles Vignes 2002 *

1,3 ha 10 000 8 à 11 €

Un vin qui doit beaucoup gagner au vieillissement (un an ou deux) car il reste encore derrière ses volets. A quoi le voit-on ? L'équilibre général est bien assuré, l'acidité convenable, la persistance honorable. Ce sont les arômes qui vont se libérer. Jusqu'à présent, ils tournent autour du menthol, de la citronnelle, sans forcer la note.

Dom. des Malandes, 63, rue Auxerroise,
89800 Chablis, tél. 03.86.42.41.37, fax 03.86.42.41.97,
e-mail contact@domainedesmalandes.com r.-v.

DOM. CHRISTIAN MOREAU PERE ET FILS 2002

2 ha 15 500 8 à 11 €

Vénéré à Chablis, saint Martin donnait la moitié de son manteau. Placé, sur l'étiquette, sous ce patronage, ce vin typé 2002 lui ressemble un peu... On a l'impression qu'il garde pour lui la moitié de son bouquet ainsi qu'une partie de sa bouche, encore fermée. En revanche, il offre toute la robe ! Le contrat de fourniture de raisins à la maison J. Moreau et fils (cédée à J.-C. Boisset) ayant pris fin à la récolte 2001, la famille retrouve l'usage de ses vignes avec ce millésime.

Dom. Christian Moreau Père et Fils,
26, av. d'Oberwesel, 89800 Chablis,
tél. 03.86.42.86.34, fax 03.86.42.84.62,
e-mail contact@domainechristianmoreau.com
r.-v.
Fabien Moreau

CHRISTIAN MORIN 2002

1,9 ha 4 000 5 à 8 €

Ce n'est pas un grand vin mais il sait se présenter à son avantage. Il faut tenir compte du millésime et de ses limites. La robe est tout à fait correcte et ses arômes discrets. Le millésime 2000 reçut le coup de cœur en 2003.

Christian Morin,
17, rue du Ruisseau, 89530 Chitry-le-Fort,
tél. 03.86.41.44.10, fax 03.86.41.48.21 r.-v.

DOM. DE LA MOTTE 2003 *

12 ha 64 000 5 à 8 €

Un 2003 qui a glissé du berceau. Mais ne reste que quatre mois en cuve. Cela dit, la robe se dessine bien. Le nez est pierreux, minéral. C'est sûr, il n'a pas raté le train. Vif, son corps ne présente aucun défaut mais s'exprime encore par la sobriété, tel un parfait reflet de son terroir. En contrebas de l'église de Beine du XII[e]s., une nouvelle cuverie vient ici de sortir de terre.

Michaut-Robin, SCEA Dom. de La Motte,
41, rue du Ruisseau, 89800 Beine, tél. 03.86.42.49.61,
fax 03.86.42.49.63, e-mail mottemichaut@wanadoo.fr
t.l.j. sf mer. 8h-12h 14h-18h

DOM. DES ORMES Vieilles Vignes 2002 *

0,75 ha 5 800 8 à 11 €

Un chablis qui vous regarde droit dans les yeux. Or discret à reflets lumineux, il est d'une nette et franche minéralité rehaussée par un corps très équilibré (huit mois de cuve). « Seul le vin permet à l'homme de connaître la véritable saveur de la terre », disait Colette. C'est bien le cas ici. Un bon point pour la typicité. Le choisir pour un poisson.

Dom. des Ormes, 4, rte de Lignorelles, 89800 Beine,
tél. 03.86.42.40.91, fax 03.86.42.48.58
t.l.j. 8h-18h

DOM. DE PISSE-LOUP 2002 *

0,75 ha 4 000 5 à 8 €

Un pied ici et l'autre en AOC Cahors (château Lagarde-Rouffiac), l'équipe Hugot-Michaut a l'esprit large. Jaune paille, son chablis offre au nez des notes beurrées et grillées. La suite est briochée, un peu capiteuse

mais non dénuée de vivacité, d'un commerce aimable. L'étiquette un tantinet coquine (mais d'assez bon goût) amusera les convives... Le millésime 98 reçut le coup de cœur.
🔑 SCEA Hugot-Michaut,
1, rue de la Poterne, 89800 Beine,
tél. 03.80.97.04.67, fax 03.80.97.04.67 ☑ 🍷 🚶 r.-v.

DENIS POMMIER 2002 ★

■ 4 ha 29 000 ▮ 🌡 8 à 11 €

Il n'a pas l'ampleur d'une symphonie de Beethoven, mais apparaît comme une superbe fugue. Jaune assez doré, le bouquet brioché et très doux, c'est un joli morceau. La belle attaque est minérale puis la fraîcheur s'installe.
🔑 Denis Pommier, 31, rue de Poinchy, 89800 Chablis,
tél. 03.86.42.83.04, fax 03.86.42.17.80,
e-mail isabelle@denis-pommier.com ☑ 🍷 🚶 r.-v.

DENIS RACE 2002

■ 4,86 ha 24 200 ▮ 🌡 5 à 8 €

Denis Race exploite 16 ha en Chablisien. Ce 2002, blanc-vert et limpide, affiche des arômes de fruits secs délicats et élégants. L'attaque ? Le bond d'un fauve... apprivoisé. Belle qualité de matière et de structure pour un vin qui a tout à fait sa place ici.
🔑 Denis Race, rue Benjamin-Constant, 89800 Chablis,
tél. 03.86.42.45.87, fax 03.86.42.81.23,
e-mail domaine@chablisrace.com ☑ 🍷 🚶 r.-v.

FRANCINE ET OLIVIER SAVARY 2002 ★★

■ 10 ha n.c. ▮ 🌡 5 à 8 €

Rappelez-vous Mallarmé : « le vivace et le bel aujourd'hui »... Fraîche, à dominantes pamplemousse et citron, la finale encore jeune, cette bouteille est en effet la vivacité même. Mais elle est solidement encadrée par la structure et le corps, qui ne s'en laissent pas conter. Le bouquet de fruit à chair blanche est agréable, tout comme la couleur jaune clair. Un vin à garder deux ans. La **sélection Vieilles Vignes 2002 (8 à 11 €)** est également un vin remarquable. Elevé pour un quart en fût, il reste fort bien typé.
🔑 Francine et Olivier Savary,
4, chem. des Hâtes, 89800 Maligny,
tél. 03.86.47.42.09, fax 03.86.47.55.80 ☑ 🍷 🚶 r.-v.

DOM. SEGUINOT-BORDET Vieilles Vignes 2002 ★

■ 0,5 ha 6 000 ▮ 🌡 8 à 11 €

Maligny est, après Chablis, la commune viticole la plus animée. On se trouve ici sur des terrains portlandiens, l'un des étages géologiques du jurassique, du moins en AOC chablis. On prend plaisir à rencontrer celui-ci. Léger et net du premier coup d'œil jusqu'à l'arrière-bouche, un vin au bouquet minéral et fruité, souple et frais, presque rond à la finale soutenue.
🔑 Dom. Séguinot-Bordet, 8, chem. des Hâtes,
89800 Maligny, tél. 03.86.47.44.42, fax 03.86.47.54.94,
e-mail j.f.bordet@wanadoo.fr ☑ 🍷 🚶 r.-v.

DOM. LE VERGER
Cuvée Vieilles Vignes Elevé en fût de chêne 2002 ★

■ 2,5 ha 18 000 ▮ 🛢 🌡 8 à 11 €

Sous sa robe étincelante, cette bouteille a besoin d'un peu d'aération pour révéler l'intérieur fruité de son nez. L'élevage (sept mois de cuve, quatre mois sous bois) laisse une impression grillée. Une touche miellée s'y ajoute sans la moindre lourdeur. Solide vin de terroir, finissant sur les épices. Le **chablis 2002** qui n'a pas connu le fût obtient une étoile.
🔑 Dom. Alain Geoffroy, 4, rue de l'Equerre,
89800 Beine, tél. 03.86.42.43.76, fax 03.86.42.13.30,
e-mail info@chablis-geoffroy.com ☑ 🍷 🚶 r.-v.

CH. DE VIVIERS 2002 ★★

■ 14,05 ha 33 000 ▮ 🌡 8 à 11 €

Une bouteille à servir au Jockey Club. Elle est placée en effet sous les couronnes du comte de Mayol de Lupé et du marquis de Traynel : la maison nuitonne Lupé-Cholet acquise par Albert Bichot qui, outre le château de Viviers remis en selle depuis 1984 (17 ha), possède en Chablisien Long-Depaquit (44 ha). Voici un vrai chablis plaisir. Une robe haute couture l'habille ; la fraîcheur et l'aménité des arômes, un souffle iodé animant la bouche minérale sont du meilleur goût. Nos dégustateurs y ont pensé pour le coup de cœur.
🔑 SCV Ch. de Viviers, 89700 Viviers,
tél. 03.80.61.25.02, fax 03.80.24.37.38,
e-mail bourgogne@lupe-cholet.com
🔑 Lupé-Cholet

DOM. YVON VOCORET 2002 ★★

■ 11 ha 11 000 ▮ 5 à 8 €

Ce chablis fait de la culture physique. Un corps sculptural, charpenté, puissant, tout en restant accessible aux sentiments humains. Sa couleur est parfaite. Son bouquet riche et complexe, sur une minéralité fine qui confirme l'excellente typicité du sujet. Goûtez-le sur de l'époisses ! Et si vous n'êtes pas « fromage », choisissez une viande blanche.
🔑 Dom. Yvon Vocoret,
9, chem. de Beaune, 89800 Maligny,
tél. 03.86.47.51.60, fax 03.86.47.57.47 ☑ 🍷 🚶 r.-v.

DOM. VRIGNAUD 2002

■ 7,2 ha 10 000 ▮ 🌡 5 à 8 €

« Un vin qui n'est pas trop jaune », écrit le trouvère Henri d'Andely au XIIIe s. et à propos du Chablis. On voit que les canons de sa beauté ne datent pas d'aujourd'hui ni même d'hier. Cette bouteille en effet n'est pas trop jaune. Il faudra l'aérer un peu afin de laisser s'exprimer des arômes nés de l'argile bleu. La bouche est équilibrée.
🔑 Dom. Vrignaud,
10, rue de Beauvoir, 89800 Fontenay-près-Chablis,
tél. 03.86.42.15.69, fax 03.86.42.40.06,
e-mail guillaume.vrignaud@wanadoo.fr ☑ 🍷 🚶 r.-v.

Chablis premier cru

Produit sur 775 ha, il provient d'une trentaine de lieux-dits sélectionnés pour leur situation et la qualité de leurs produits (37 036 hl en 2003). Il diffère du précédent moins par une maturité supérieure du raisin que par un bouquet plus complexe et plus persistant, où se mêlent des arômes de miel d'acacia, un soupçon d'iode et des nuances végétales. Le rendement est limité à 50 hl à l'hectare. Tous les vignerons s'accordent à situer son apogée vers la cinquième année, lorsqu'il « noisette ». Les *climats* les plus complets sont la Montée de Tonnerre, Fourchaume, Mont de Milieu, Forêt ou Butteaux, et Côte de Léchet.

DOM. BARAT Côte de Léchet 2002 ★

▢ 3 ha 15 000 ▮♁ 8 à 11 €

Vendanges à bonne maturité pour ce vin jaune-gris au fruité intense. On croit lire la définition du chablis par Raymond Dumay : « sec, limpide, parfumé, vif et léger ». Tout est dit de ce 2002 raffiné qui évoluera peut-être vers plus de gras. Signalé également : les **Fourneaux 2002** qui obtiennent la même note. A ne pas boire trop jeunes l'un et l'autre, le premier sur un saint-pierre, le second sur des escargots.

🔑 Michel Barat, 6, rue de Léchet, Milly, 89800 Chablis, tél. 03.86.42.40.07, fax 03.86.42.47.88, e-mail domaine.barat@wanadoo.fr ☒ Y ⚲ r.-v.

JULES BELIN Côte de Léchet 2001 ★

▢ n.c. 4 000 ▮♁ 15 à 23 €

Un 2001 en état de grâce et qui surpend agréablement. Ses reflets dorés donnent envie de caresser le verre. Le bouquet est bien dans son millésime, avec des touches de silex et de fruits mûrs. Assez longue, la bouche est fraîche et aiguisée par une acidité salutaire à cet âge.

🔑 Maison Jules Belin, 6, rue de Chaux, BP 4, 21704 Nuits-Saint-Georges Cedex, tél. 03.80.62.43.40, fax 03.80.62.68.02 Y ⚲ r.-v.

DOM. BILLAUD-SIMON Les Vaillons 2002 ★

▢ 3,6 ha 26 000 ▮♁ 15 à 23 €

Chablis moderne, *new generation*, mais cela dit, délectable. Or blanc nuancé légèrement de jaune, un Vaillons au nez ensoleillé par la pêche blanche. Il n'est pas opulent comme ce fut naguère la réputation de ce 1er cru, mais montre au contraire une sensibilité à fleur de peau, cristalline, délicate, chablisienne en un mot.

🔑 Dom. Billaud-Simon, 1, quai de Reugny, BP 46, 89800 Chablis, tél. 03.86.42.10.33, fax 03.86.42.48.77 ☒ Y ⚲ r.-v.

JEAN-MARC BROCARD Vaucoupin 2002 ★

▢ n.c. 64 000 ▮♁ 8 à 11 €

En quelques décennies, Jean-Marc Brocard a transformé Préhy, où il n'y avait que quelques viticulteurs livrant leurs raisins à la Chablisienne, en un site viti-vinicole majeur du Chablisien. Son Vaucoupin est bien travaillé, pourvu d'une bonne matière et à laisser vieillir un peu. Jaune clair, il a un nez d'acacia et de pierre à fusil. En entrée de bouche, l'attaque est plutôt sévère, mais elle est suivie par un excellent équilibre entre le minéral et le floral. Cinq à six ans de garde ne lui feront pas peur.

🔑 Jean-Marc Brocard, 3, rte de Chablis, 89800 Préhy, tél. 03.86.41.49.00, fax 03.86.41.49.09, e-mail c.brocard@brocard.fr
☒ Y ⚲ t.l.j. sf dim. 9h30-12h30 14h-19h

LA CHABLISIENNE Grande Cuvée 2002 ★★★

▢ 13,5 ha 90 000 ▮◍♁ 11 à 15 €

Coup de cœur l'an dernier (Mont de Milieu) et il y a deux ans (Fourchaume), la fille de l'abbé Balitran, fonda-

teur de la Cave en 1923, réalise un exploit historique : sur quelque deux cents 1ers crus dégustés, le « top 5 » comporte quatre bouteilles de La Chablisienne. La Grande Cuvée 2002 arrive en tête. La robe est d'un grand couturier, le nez de son meilleur parfumeur (fleurs blanches et miel s'en donnent à cœur joie). Charme et structure, typicité, tout est en place. Elle règne en archange sur la légion des anges. Parmi ceux-ci et toujours en **2002, Fourneaux**, **Côte de Léchet** et **Montmain sous l'étiquette Cave des Vignerons de Chablis** qui reçoivent deux étoiles. S'il existait un Ordre du Mérite chablisien, toute l'équipe de la coopérative le recevrait !

🔑 La Chablisienne, 8, bd Pasteur, BP 14, 89800 Chablis, tél. 03.86.42.89.89, fax 03.86.42.89.90, e-mail htucki@chablisienne.fr ☒ Y ⚲ r.-v.

CHANSON PERE ET FILS Vaucoupins 2002 ★

▢ n.c. n.c. ◍ 15 à 23 €

Il y va de bon cœur, ce Vaucoupins, *climat* qui dépend de Chichée et qui est néanmoins rive droite. Sa robe jaune pâle à jambages, son bouquet toasté, sa matière qui supporte heureusement le fût en font un vin gras, presque moelleux, à la finale chaleureuse. Ne pas le servir avant 2010, si possible. On sait que Chanson Père et Fils a été acquis par Bollinger.

🔑 Maison Chanson Père et Fils, 10, rue Paul-Chanson, 21200 Beaune, tél. 03.80.25.97.97, fax 03.80.24.17.42, e-mail chanson@vins-chanson.com

DOM. DE CHANTEMERLE L'Homme mort 2002 ★★

▢ 0,22 ha 1 700 ▮♁ 11 à 15 €

Un domaine de plus de 15 ha portant le nom d'une parcelle située entre des bois habités par des merles chanteurs. Cet Homme mort est bien vivant ! Frais, rond et minéral, avec une petite nuance miellée, ce vin gourmand « donne envie d'en boire », note un dégustateur. Son harmonie le rend déjà agréable, mais elle gagnera encore avec une garde de trois à cinq ans.

🔑 SCEA de Chantemerle, 3, pl. des Cotats, 89800 La Chapelle-Vaupelteigne, tél. 03.86.42.18.95, fax 03.86.42.81.60, e-mail domaine.chantemerle@wanadoo.fr ☒ Y ⚲ r.-v.
🔑 Francis Boudin

DOM. DES CHENEVIERES Côte de Léchet 2002

▢ 0,47 ha 3 400 ▮♁ 8 à 11 €

On dit « Côte del'chet » si vous voulez passer pour un enfant du pays. Il s'agit ici de l'ancien Domaine Bernard Tremblay. Jaune et brillant, les arômes expressifs et confits, assez gras, un 2002 qui va évoluer. Aucun défaut, mais à boire dans l'année.

⊶ Frédéric Gueguen, rte de Chablis, 89800 Préhy, tél. 03.86.41.49.08, fax 03.86.41.49.09, e-mail fgueguen@leschenevieres.com
⊠ Y 🚶 t.l.j. sf dim. 9h-12h 14h-19h

DOM. DU COLOMBIER Vaucoupin 2002

□ 1,5 ha 8 000 ■ ♁ 8 à 11 €

Fontenay-près-Chablis se trouve sur le « demi-cercle d'or », rive droite. Vaucoupin en revanche se situe sur Chichée. Trois frères, Jean-Louis, Thierry et Vincent Mothe sont ici à l'ouvrage sur 43 ha. Leur 2002 d'une bonne clarté hésite encore entre le minéral et végétal, avec une note de verdeur. Sa texture est soyeuse en milieu de bouche mais c'est un vin fermé qu'il faut impérativement oublier deux ans en cave.

⊶ Guy Mothe et ses Fils, Dom. du Colombier, 42, Grand-Rue, 89800 Fontenay-près-Chablis, tél. 03.86.42.15.04, fax 03.86.42.49.67 ⊠ Y 🚶 r.-v.

DOM. DE LA CONCIERGERIE Montmain 2002 ★

□ 3,4 ha 25 000 ■ ♁ 8 à 11 €

Coup de cœur sur notre édition 1998 pour le même Montmain, Christian Adine n'est pas mal placé cette année encore. Or gris, ce 1er cru rive gauche est convaincant par ses arômes de silex et d'acacia ; on ne s'écarte pas du modèle enseigné. Vif à l'attaque, friand, assez gras, il peut être dégusté dès à présent pour sa fraîcheur. On peut tout aussi bien jouer les prolongations et le boire dans deux ans, ne serait-ce que pour voir s'il aura gardé cette mignonne finale de violette.

⊶ EARL Christian Adine, 2, allée du Château, 89800 Courgis, tél. 03.86.41.40.28, fax 03.86.41.45.75, e-mail nicole.adine@free.fr ⊠ Y r.-v.

LA CAVE DU CONNAISSEUR Vaillons 2002 ★

□ n.c. 2 400 ■ ♁ 11 à 15 €

Maison de négoce-éleveur créée il y a une quinzaine d'années et destinée à la clientèle particulière ainsi qu'à la restauration. Son Vaillons or blanc montre un nez quelque peu réservé tout en esquissant un schéma aromatique où entrent l'aubépine et l'abricot. Le fruit reste en bouche et se prolonge jusque dans une finale minérale. Attendre un peu, et lui offrir des langoustines.

⊶ La Cave du Connaisseur, rue des Moulins, BP 78, 89800 Chablis, tél. 03.86.42.87.15, fax 03.86.42.49.84, e-mail connaisseur@chablis.net ⊠ Y 🚶 t.l.j. 10h-18h

DOM. DANIEL DAMPT Vaillons 2002 ★★

□ 5 ha 30 000 ■ ♁ 11 à 15 €

Domaine familial dont le père fondateur fut Jean Defaix. Il couvre actuellement 26 ha avec une belle palette de 1ers crus. Accordons la palme à cette bouteille de Vaillons. Son nez va tout de suite à l'essentiel. Il ne vous raconte pas d'histoires, donnant seulement l'envie d'y goûter. Franc et fruité, plein et généreux, il a reçu une vinification respectant le terroir. Le **Côte de Léchet** et le **Fourchaume 2002** obtiennent chacun une étoile.

⊶ Dom. Daniel Dampt et Fils, 1, rue des Violettes, 89800 Milly, tél. 03.86.42.47.23, fax 03.86.42.46.41, e-mail domaine.dampt.defaix@wanadoo.fr ⊠ Y 🚶 r.-v.

AGNES ET DIDIER DAUVISSAT Beauroy 2002

□ n.c. 4 000 ■ ♁ 8 à 11 €

D'une teinte très nette, ce Beauroy part en campagne d'un nez décidé, miel et pierre à fusil. Si la fin de bouche est encore vive, l'attaque est élégante et le corps du sujet ample, robuste, avec beaucoup de retour aromatique. Ce vin a tout avantage à prendre un an ou deux de bouteille.

⊶ Agnès et Didier Dauvissat, chem. de Beauroy, 89800 Beine, tél. 03.86.42.46.40, fax 03.86.42.80.82 ⊠ Y t.l.j. 9h-19h

JEAN DAUVISSAT Vaillons Vieilles Vignes 2001 ★

□ 0,5 ha 3 000 ■ ◍ ♁ 15 à 23 €

Petite propriété familiale sur 9 ha, ce qui est modeste et sage en Chablisien où l'on pratique souvent les nombres à deux chiffres, sinon à trois... Notez le **Séchet 2001 (11 à 15 €)** cité et dans ce même millésime un Vaillons Vieilles Vignes jaune clair qui chardonne avec bonne volonté, agréablement boisé, ne cachant pas ses origines. Un vin de style moderne construit autour du fruit, sur le fruit.

⊶ Caves Jean et Sébastien Dauvissat, 3, rue de Chichée, 89800 Chablis, tél. 03.86.42.14.62, fax 03.86.42.45.54, e-mail jean.dauvissat@wanadoo.fr ⊠ Y 🚶 r.-v.

VINCENT DAUVISSAT Séchet 2002 ★

□ 0,81 ha 6 000 ◍ 11 à 15 €

Rarement revendiqué sous ce nom (plus généralement sous celui de Vaillons auquel il est fédéré), Séchet (ou Sécher) est un bon terroir. Vincent Dauvissat en tire le meilleur parti. Or vert pâle, le bouquet en éveil floral avec une note boisée qui persiste au palais, un gras équilibré et habilement minéral sur la fin.

⊶ Vincent Dauvissat, 8, rue Emile-Zola, 89800 Chablis, tél. 03.86.42.11.58, fax 03.86.42.85.32

DOM. BERNARD DEFAIX Côte de Léchet 2002 ★

□ 9 ha 50 000 ■ ◍ ♁ 11 à 15 €

Sur Milly, l'un des meilleurs 1ers crus de la rive gauche. Cette belle côte bénéficie en effet d'une remarquable unité morphologique. Or gris, ce vin offre un bouquet fin et complexe (agrumes et fruits blancs). Il a un bon retour du fruit en bouche, de la fraîcheur et aussi du gras, le caractère sec des chablis. Oubliez cette bouteille en cave durant deux ans. Citons encore les **Lys 2002**, à attendre également un peu, destiné aux coquillages.

⊶ Dom. Bernard Defaix, 17, rue du Château, 89800 Milly, tél. 03.86.42.40.75, fax 03.86.42.40.28, e-mail didier@bernard-defaix.com ⊠ Y 🚶 r.-v.

JEAN-PAUL DROIN Fourchaume 2002 ★★

□ 0,39 ha 3 000 ■ ◍ 11 à 15 €

Un beau vin fait de raisin mûr, et au boisé bien maîtrisé qui demande trois à cinq ans pour se fondre. Le nez joue sa partition chablisienne : pierre à fusil, fleurs blanches, dans un rythme élégant qui se poursuit en bouche jusque dans une finale encore dominée par le fût. Un grand poisson lui conviendra... plus tard.

⊶ Dom. Jean-Paul et Benoît Droin, 14 bis, rue Jean-Jaurès, BP 19, 89800 Chablis, tél. 03.86.42.16.78, fax 03.86.42.42.09, e-mail benoit@jeanpaul-droin.fr
⊠ Y t.l.j. sf sam. dim. 8h30-12h 13h30-17h; f. 1-15 août

DURUP Vau de Vey 2002 ★

□ 15 ha 116 000 ■ ♁ 11 à 15 €

Du domaine Durup, on pourrait dire comme des Etats de Charles Quint : le soleil ne s'y couche jamais. Ce Vau de Vey (face au lac de Beine) possède une robe très classique. Son bouquet séduit par cet arôme de rose aussi

original que délicat. Large d'épaules, le corps prend toute sa place en bouche et, sous des nuances végétales, sait se montrer assez souple. Pour une viande blanche à la crème.
SA Jean Durup Père et Fils,
4, Grande-Rue, 89800 Maligny,
tél. 03.86.47.44.49, fax 03.86.47.55.49 r.-v.

WILLIAM FEVRE Montmains 2002 ★★

n.c. n.c. 15 à 23 €

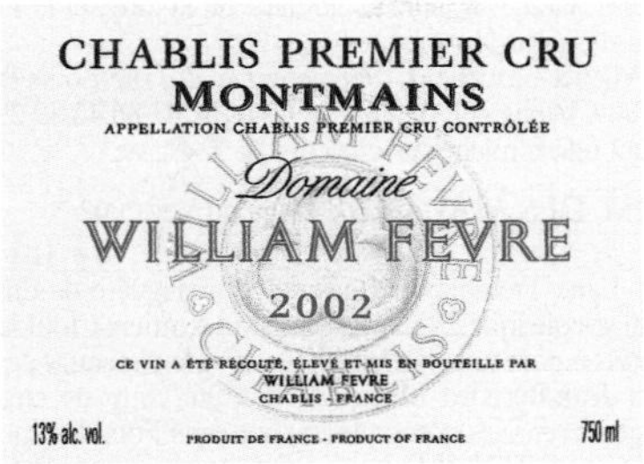
CHABLIS PREMIER CRU
MONTMAINS
APPELLATION CHABLIS PREMIER CRU CONTRÔLÉE
Domaine
WILLIAM FEVRE
2002
CE VIN A ÉTÉ RÉCOLTÉ, ÉLEVÉ ET MIS EN BOUTEILLE PAR
WILLIAM FEVRE
CHABLIS - FRANCE
13% alc. vol.
PRODUIT DE FRANCE - PRODUCT OF FRANCE
750 ml

William Fèvre (devenu l'un des domaines bourguignons Henriot en 1997 et donc dans la fratrie de Bouchard Père et Fils) a eu souvent le coup de cœur. Ce Montmains or gris est de toute beauté. Ses arômes iodés et minéraux expriment l'âme odorante du terroir. Et si au palais le vin est plein, il est aussi plein... d'avenir. A boire plus tôt : la **Montée de Tonnerre 2002**, un cran en dessous il est vrai, mais plaisant et prêt dès maintenant.
Dom. William Fèvre, 21, av. d'Oberwesel,
89800 Chablis, tél. 03.86.98.98.98, fax 03.86.98.98.99,
e-mail france@williamfevre.com
t.l.j. sf mer. dim. 9h-12h 14h-18h

DOM. FOURREY ET FILS Côte de Léchet 2002 ★★

3 ha 7 650 11 à 15 €

Près de 20 ha, dont 3 pour ce vin : son gras permet une dégustation précoce, mais le potentiel rend curieux de le regoûter dans un an ou deux. Sa couleur est chablisienne : les fruits jaunes embellissent la fraîcheur et la netteté du nez. Un peu moins de fruit en bouche, mais l'ampleur et la densité sont à la hauteur du 1er cru. **Mont de Milieu 2002** de bonne facture obtient une étoile.
Dom. Fourrey et Fils, 6, rue du Château, Milly,
89800 Chablis, tél. 03.86.42.14.80, fax 03.86.42.84.78,
e-mail domaine.fourrey@wanadoo.fr r.-v.

GAUTHERIN Vaillons 2002 ★

1 ha 6 500 8 à 11 €

Jaune paille clair, limpide, luisant à la lumière, ce Vaillons sait se servir de son nez énergétique et poivré. Un séducteur ! La bouche reste épicée, ce qui lui donne un côté convivial et chaleureux, un rien rustique certes mais agréable. On n'a pas besoin de mettre son smoking pour passer la soirée avec lui et cela change des vins sophistiqués.
Dom. Raoul Gautherin et Fils, 6, bd Lamarque,
89800 Chablis, tél. 03.86.42.11.86, fax 03.86.42.42.87,
e-mail domainegautherin@wanadoo.fr r.-v.

DOM. ALAIN GAUTHERON
Les Fourneaux 2002 ★★

2 ha 10 600 8 à 11 €

Ne restez pas derrière ces Fourneaux ! Mettez-vous plutôt devant car ils sont lyriques. Jaune à reflets verts, l'habit ne surprend pas. Le silex et le citron se renvoient bien la balle jusqu'au fond du palais. Du gras, de la richesse et surtout une sorte de pureté cristalline qui change le chablis comme si c'était le Regain... La version **Fourneaux Vieilles Vignes 2002** est également digne de tous les éloges. Sa minéralité élégante, la richesse de sa matière parfaitement équilibrée, sa longueur en font un bon vin de garde qui obtient deux étoiles.
GAEC Alain et Cyril Gautheron,
18, rue des Prégirots, 89800 Fleys, tél. 03.86.42.44.34,
fax 03.86.42.44.50, e-mail vins@chablisgautheron.com
t.l.j. 9h-18h; dim. sur r.-v.

DOM. DES GENEVES Mont de Milieu 2002 ★

1,43 ha 7 300 11 à 15 €

Les Genèves n'ont rien d'helvétique : c'est un lieu-dit de Fleys qui a donné son nom à ce domaine. Ce Mont de Milieu porte une robe légère. Au nez le minéral du sol pointe derrière des notes de raisin encore présentes. La bouche n'est pas le Colisée mais elle a tout ce qu'il faut pour plaire : de l'acidité, du gras, un zeste de complexité et ce champignon si caractéristique des chablis de tradition. Autre vin obtenant la même note, **Les Fourneaux 2002** à consommer dès aujourd'hui.
Dom. des Genèves, 3, rue des Fourneaux,
89800 Fleys, tél. 03.86.42.10.15, fax 03.86.42.47.34,
e-mail domainegeneves@wanadoo.fr r.-v.
Aufrère

ALAIN GEOFFROY Beauroy 2002

8,5 ha 68 000 11 à 15 €

Sous sa robe assez dense, il n'est guère généreux en arômes (notes fruitées), mais il se sera ouvert à l'heure où vous lirez ces lignes. L'attaque est franche, accompagnée de gras et de complexité aromatique (abricot mêlé à des sensations épicées, voire miellées). On voit que la bouche est un roman à épisodes. A ne pas déboucher tout de suite.
Dom. Alain Geoffroy, 4, rue de l'Equerre,
89800 Beine, tél. 03.86.42.43.76, fax 03.86.42.13.30,
e-mail info@chablis-geoffroy.com r.-v.

JEAN GOULLEY ET FILS Fourchaume 2002 ★★

n.c. n.c. 8 à 11 €

Sur cette parcelle de Fourchaume située à 1,5 km du village, est installée l'une des dernières maisons des vignes qui réservait autrefois une place pour le cheval et une pour le vigneron. Ce 2002 pâle à reflets verts offre un nez printanier. La bouche minérale et fruitée ne déçoit pas, sa pointe de vivacité se portant garante de son épanouissement dans deux ou trois ans.
Jean Goulley et Fils, 11 bis, vallée des Rosiers,
89800 La Chapelle-Vaupelteigne,
tél. 03.86.42.40.85, fax 03.86.42.81.06,
e-mail phil.goulley@wanadoo.fr r.-v.

JEAN-PIERRE GROSSOT Les Fourneaux 2002 ★

1,07 ha 9 000 11 à 15 €

Paille dorée, un vin chablisien en diable. Le type même du bouquet iodé – coquille d'huître pour tout dire. En bouche, le scénario est bien au point avec un retour du minéral, une acidité qu'équilibre le gras, une légère amertume en finale. Le boisé est si discret (six mois de fût) que la typicité est respectée. A défaut, choisissez le **Vaucoupin 2002** : un vin assez différent, solide mais plus aguicheur bien que n'ayant pas connu le fût, titulaire lui aussi d'une étoile.

☛ Corinne et Jean-Pierre Grossot,
4, rte de Mont-de-Milieu, 89800 Fleys,
tél. 03.86.42.44.64, fax 03.86.42.13.31 ☑ ⵂ ⵏ r.-v.

THIERRY HAMELIN Vau Ligneau 2002 ★

1,7 ha	13 000		ⵏ⬇ 11 à 15 €

Sous son étiquette un peu kitsch (le parchemin à bords roulés), un bon Vau Ligneau (la promotion la plus récente en 1ers crus). Jaune clair, il ne manque pas de bouquet (aubépine, acacia). Son développement en bouche est long, consistant. A laisser vieillir deux à trois ans. La poularde aux écrevisses attendra.
☛ Dom. Thierry Hamelin,
1, imp. de la Grappe, 89800 Lignorelles,
tél. 03.86.47.52.79, fax 03.86.47.53.41,
e-mail domaine.hamelin@wanadoo.fr
☑ ⵂ ⵏ t.l.j. sf dim. 9h-12h 14h-18h; mer. sam. sur r.-v.

LES VIEILLES VIGNES D'HENRI
Vau Ligneau 2001 ★

8 ha	12 000		ⵏ⬇ 8 à 11 €

En 1990 les trois enfants d'Henri associés à Claude Robin ont quitté la Chablisienne pour voler de leurs propres ailes sur 25 ha. Sur Beine, Vau Ligneau est le porte-drapeau des *climats* La Forêt, Sur la Forêt, Vau Girault et Vau de Longue. Un terrain est-sud-est très pentu. Ce vin bien typé 2001, léger, très fleur blanche, vivifiant est à ouvrir dans les deux ans à venir. Le **1er cru Beauroy 2002** peut être conservé avec profit quelques années en cave avant d'être servi sur un époisses – pour les amateurs – ou tout produit de la mer. Deux vins, deux millésimes, obtenant la même note.
☛ Michaut-Robin, SCEA Dom. de La Motte,
41, rue du Ruisseau, 89800 Beine, tél. 03.86.42.49.61,
fax 03.86.42.49.63, e-mail mottemichaut@wanadoo.fr
☑ ⵂ ⵏ t.l.j. sf mer. 8h-12h 14h-18h

DOM. DES ÎLES Côte de Léchet 2002 ★

n.c.	n.c.		ⵏ⬇ 8 à 11 €

Ce *climat* se situe sur Milly, commune fusionnée avec Chablis mais qui affirme sa « différence », notamment en défendant l'honneur de ses crus les Lys et Côte de Léchet. Or gris, très fleurs blanches mais sans trop d'intensité aromatique, un vin pétulant de fraîcheur, assez équilibré et à boire dans l'année.
☛ Gérard Tremblay, 12, rue de Poinchy,
89800 Chablis, tél. 03.86.42.40.98, fax 03.86.42.40.41,
e-mail gerard.tremblay@wanadoo.fr ☑ ⵂ ⵏ r.-v.

LAMBLIN ET FILS Beauroy 2002 ★

n.c.	13 000		ⵏ⬇ 11 à 15 €

Beauroy fédère neuf autres *climats* sous sa bannière : Côte de Savant, Vallée des Vaux, Frouquelin, etc. Si le vin est volontiers républicain, les étiquettes s'inspirent souvent de la Monarchie ! La famille Lamblin est ici depuis 1690 et elle fait figure de « pilier chablisien ». Son Beauroy peu coloré évoque des senteurs minérales. En bouche, c'est une pointe de flèche : un vin très chablisien, tout en silex, vif, rectiligne et capable d'atteindre sa cible d'ici trois à quatre ans.
☛ Lamblin et Fils, Maligny, 89800 Chablis,
tél. 03.86.98.22.00, fax 03.86.47.50.12,
e-mail infovin@lamblin.com
☑ ⵂ ⵏ t.l.j. sf dim. 8h-12h30 14h-17h; sam. 8h-12h30

DOM. LAROCHE Les Vaudevey 2002 ★★

10,2 ha	77 000		ⵏ ⬛ ⬇ 15 à 23 €

Le domaine Laroche est tout près du podium avec ce Vaudevey. Limpide et frais, le nez fleuri et légèrement miellé, il remplit le verre : attaque iodée, puissance de la structure, acidité suffisante, matière intéressante, ce qu'on appelait jadis « un vin fin ». Ne le sollicitez pas avant quelques années. Notez encore le **Fourchaumes Vieilles Vignes 2002 (23 à 30 €)**, une étoile, boisé et bien construit. Choisir Vaudevey pour le homard ou la lotte, et le Fourchaumes pour le fromage.
☛ Michel Laroche, L'Obédiencerie, 22, rue Louis-Bro, 89800 Chablis, tél. 03.86.42.89.00, fax 03.86.42.89.29, e-mail info@michellaroche.com ☑ ⵂ ⵏ r.-v.

DOM. DES MALANDES Vau de Vey 2002 ★

3,52 ha	27 000		ⵏ⬇ 11 à 15 €

Lyne Tremblay n'a pas eu peur naguère de diriger seule ses quelque 20 ha. Le domaine Rottiers-Clotilde fut rebaptisé domaine des Malandes avec le concours de son mari Jean-Bernard Marchive. Il a été coup de cœur à plusieurs reprises et notamment pour son Fourchaume 98. Cette année le Vau de Vey se distingue, même si le **Côte de Léchet 2002** dispose de solides atouts et obtient la même note. La robe est très pâle, le bouquet partagé entre miel et citron. La structure fine et agréable conviendra à des coquillages. Vous avez deux ans pour préparer le plateau.
☛ Dom. des Malandes, 63, rue Auxerroise,
89800 Chablis, tél. 03.86.42.41.37, fax 03.86.42.41.97,
e-mail contact@domainedesmalandes.com ☑ ⵂ ⵏ r.-v.
☛ Marchive

DOM. DE LA MANDELIERE
Les Fourneaux 2002 ★★

3,75 ha	20 000		ⵏ ⬛ ⬇ 8 à 11 €

Tous deux issus de familles vigneronnes, Josette Laroche et Robert Nicolle ont réuni leurs vignes en 1978 (16 ha de nos jours). Aux abords du coup de cœur, cette bouteille rappelle qu'ici il ne faut jamais perdre de vue les Fourneaux. Sous un bel or jaune, elle n'a pas seulement le nez minéral : il est caillouteux, calcaire, très intense et très pur. Au palais on retrouve ce décor associé à une maturité fruitée du meilleur effet.
☛ Robert Nicolle, Dom. de La Mandelière,
55, rte des Monts-de-Milieu, 89800 Fleys,
tél. 03.86.42.19.30, fax 03.86.42.80.07
☑ ⵂ ⵏ t.l.j. 8h-12h 14h-18h

DOM. DE LA MEULIERE Fourchaume 2002 ★

0,27 ha	1 600		ⵏ⬇ 11 à 15 €

Coup de cœur l'an dernier pour son Mont de Milieu, le voici cette fois en Fourchaume. Les habitants de Fleys étaient jadis surnommés les *Gougueys*, c'est-à-dire les Escargots. Ce vin pourtant ne reste pas dans sa coquille. Coloré comme un chablis sait l'être, bouqueté à la fougère et au menthol, il est gras, riche et puissant en alcool. A attendre.
☛ Claude Laroche, Dom. de La Meulière,
18, rte des Monts-de-Milieu, 89800 Fleys,
tél. 03.86.42.13.56, fax 03.86.42.19.32,
e-mail chablis.meuliere@wanadoo.fr ☑ ⵂ ⵏ r.-v.

LOUIS MICHEL ET FILS Fourchaume 2002 ★

n.c.	2 000		ⵏ⬇ 15 à 23 €

Une étoile pour chacune de ces trois bouteilles : ce Fourchaume, vin plein d'allant, jaune paille à reflets verts, a le nez transatlantique, iodé à souhait, sur fond d'épices. En bouche, on a son content tant il est réussi dans le fond et la forme. On aurait tort de négliger **Vaillons 2002** et **Montée de Tonnerre 2002**, qui obtiennent tous deux une étoile.

🔑 Louis Michel et Fils, 9, bd de Ferrières, 89800 Chablis, tél. 03.86.42.88.55, fax 03.86.42.88.56, e-mail contact@louismicheletfils.com ☑ Y ⚲ r.-v.

J. MOREAU ET FILS Mont de Milieu 2002

3,2 ha 24 650 11 à 15 €

Mont de Milieu est généralement considéré comme l'un des trois meilleurs 1ers crus. Celui-ci porte une robe de bon goût, le classique tailleur chablisien, jaune léger moiré de vert. A un bouquet un peu exotique (ananas) succède un corps de sultan. Ample et gras, opulent même, il traite cependant une affaire sérieuse car il réussit à se montrer concentré. Ce n'est pas le style minéral, mais c'est bien agréable.

🔑 J. Moreau et Fils, Lacroix Saint-Joseph, rte d'Auxerre, 89800 Chablis, tél. 03.86.42.88.00, fax 03.86.42.88.08, e-mail moreau@jmoreau-fils.com ☑ Y r.-v.

MOREAU-NAUDET Forêts 2001

1,6 ha 6 100 11 à 15 €

Forêts est un *climat* rattaché à Vau Ligneau depuis l'établissement par l'INAO de la liste des soixante-dix-neuf 1ers crus de chablis (1978). Il peut cependant être revendiqué seul si les raisins en proviennent. En voici l'exemple. Jaune clair, le bouquet beurré à tendances minérales, ce vin entre avec ardeur dans le vif du sujet. Son attaque nerveuse s'assouplit sur un certain gras mentholé et quelques nuances boisées (douze mois de cuve, autant de feuillette). Un 2001 ne l'oublions pas.

🔑 Moreau-Naudet et Fils, 10, bd Tacussel, 89800 Chablis, tél. 03.86.42.14.83, fax 03.86.42.85.04 ☑ Y ⚲ r.-v.

DOM. CHRISTIAN MOREAU PERE ET FILS Vaillon 2002 ★

4 ha 25 000 11 à 15 €

Un Vaillon un peu discret en couleur mais entreprenant en arômes (végétaux et minéraux). Rondeur et puissance se disputent la bouche qui finit bien droite et intense sur la pierre. Un petit côté tannique venu du fût conduit à quelques années de garde, probablement bien récompensées.

🔑 Dom. Christian Moreau Père et Fils, 26, av. d'Oberwesel, 89800 Chablis, tél. 03.86.42.86.34, fax 03.86.42.84.62, e-mail contact@domainechristianmoreau.com ☑ Y ⚲ r.-v.

SYLVAIN MOSNIER Côte de Léchet 2002 ★

0,6 ha 4 000 11 à 15 €

Sa robe jaune pâle abrite un joli nez où les fruits jaunes sont à la fête. « Rien à dire, c'est tout dire », note une dégustatrice sur sa fiche ; cependant elle décrit le caractère minéral qui s'accorde parfaitement à la finesse du cépage et y prend plaisir comme les autres membres du jury. Très expressif, ce Côte de Léchet peut être ouvert ou gardé deux à trois ans.

🔑 Sylvain Mosnier, 4, rue Derrière-les-Murs, 89800 Beine, tél. 03.86.42.43.96, fax 03.86.42.42.88, e-mail sylvain.mosnier@libertysurf.fr ☑ Y ⚲ r.-v.

DOM. OUDIN Vaugiraut 2002 ★★

0,75 ha 4 800 11 à 15 €

Vaugiraut se situe sur Chichée et partage ce nom avec Vosgros (rarement revendiqué, il est vrai). Tous deux font partie des 1ers crus « historiques ». Coloré avec discrétion, ce 2002 présente une pointe végétale sensible au nez. En bouche, il s'exprime sur la fleur blanche. De très bonne garde, c'est une valeur sûre, chablis jusqu'au bout des ongles. Vous parlez d'une viande blanche ? Dans trois à quatre ans.

🔑 Dom. Oudin, 5, rue du Pont, 89800 Chichée, tél. 03.86.42.44.29, fax 03.86.42.10.59, e-mail domaine.oudin@wanadoo.fr ☑ Y r.-v.

BOURGOGNE

DENIS POMMIER Côte de Léchet 2002 ★

1,1 ha 8 000 11 à 15 €

« Je le garderai bien en bouche », note un dégustateur. N'est-ce pas le meilleur compliment ! L'éclat dans le verre séduit, tout autant que le nez marqué par un fin boisé et du fruit jaune que l'on retrouve au palais.

🔑 Denis Pommier, 31, rue de Poinchy, 89800 Chablis, tél. 03.86.42.83.04, fax 03.86.42.17.80, e-mail isabelle@denis-pommier.com ☑ Y ⚲ r.-v.

REGNARD Fourchaume 2002 ★★

n.c. n.c. 15 à 23 €

Vénérable maison de négoce-éleveur fondée en 1860 par Zéphyr Régnard et acquise en 1984 par le baron Patrick de Ladoucette. Jaune clair à reflets limpides, cette bouteille reste fidèle aux arômes de pierre à fusil, aux accents iodés qui appartiennent à l'image même du terroir. Sa plénitude, sa franchise devraient plaire à un large public. Un « super vin à boire dans les trois ans », note le jury enthousiaste.

🔑 Régnard, 26, bd Tacussel, 89800 Chablis, tél. 03.86.42.10.45, fax 03.86.42.48.67 ☑ Y ⚲ r.-v.

ANTONIN RODET Côte de Léchet 2001 ★

n.c. 778 23 à 30 €

Climat décidément très présent cette année, Côte de Léchet offre ici un 2001 au doré un peu évolué, vieil or. Le bouquet rappelle les fruits jaunes, les agrumes dans un contexte vanillé qui accompagne le vin en bouche. Rondeur et gras s'en accommodent. Bouteille à point pour un poisson... grillé.

🔑 Antonin Rodet, 71640 Mercurey, tél. 03.85.98.12.12, fax 03.85.45.25.49, e-mail rodet@rodet.com ☑ ⚲ t.l.j. sf sam. dim. 9h-12h 14h-18h

FRANCINE ET OLIVIER SAVARY Fourchaume 2002 ★

0,75 ha n.c. 11 à 15 €

Prolongement vers le nord de la côte du grand cru, Fourchaume est sans doute le seul 1er cru à avoir acquis une notoriété mondiale. Il figure déjà sur la carte de Cassini en 1780. Aujourd'hui il regroupe une dizaine de lieux-dits. Jaune chablis, un vin au nez net mais sévère, très puissant, assez long, à la fin de bouche marquée par une pointe de chaleur due à l'alcool. Comme il a du caractère, on le laissera sagement se parfaire en cave au moins trois ans.

🔑 Francine et Olivier Savary, 4, chem. des Hâtes, 89800 Maligny, tél. 03.86.47.42.09, fax 03.86.47.55.80 ☑ Y ⚲ r.-v.

DOM. SEGUINOT-BORDET Fourchaume 2002 ★★

1,15 ha 9 000 11 à 15 €

1732 voit la naissance de la passion pour la vigne d'une famille toujours chablisienne ! Voici un très grand vin de terroir à attendre quatre à huit ans. La couleur est typée chablis, tout comme le nez fin et minéral. Tout cela se retrouve au palais avec une vivacité intéressante, et une matière qui ne pourra que monter en puissance.

Dom. Séguinot-Bordet, 8, chem. des Hâtes, 89800 Maligny, tél. 03.86.47.44.42, fax 03.86.47.54.94, e-mail j.f.bordet@wanadoo.fr r.-v.

DOM. SERVIN Vaillons 2002 ★

2,69 ha 20 000 **11 à 15 €**

Quasiment de même valeur, la **Montée de Tonnerre 2002** et ce Vaillons : au centre de la grande côte du sud-ouest de Chablis, ce dernier joue souvent le rôle d'homme de base lorsque défilent les 1ers crus. D'une couleur très soutenue, ce 2002 se montre floral et surtout minéral. Ronde, sa bouche s'inspire du fruit mûr pour aboutir à une impression de terroir, par un retour sur le minéral. A boire ou à laisser un an ou deux en cave.

Dom. Servin, 20, av. d'Oberwesel, 89800 Chablis, tél. 03.86.18.90.00, fax 03.86.18.90.01, e-mail servin@domaine-servin.fr t.l.j. sf dim. 8h-12h 13h30-17h30

CH. DE VIVIERS Vaucoupins 2002 ★★

1,66 ha 12 500 11 à 15 €

Le vin du château de Viviers fut servi, dit-on, au mariage de Louis XV. La République vous permet aujourd'hui de partager ce privilège. Or blanc, vif à nuances florales, élevé entièrement en cuve et s'en portant très bien, il est délicieux au palais (arômes de fruits blancs et note minérale). Accompagné d'une bonne acidité et persistant en finale, c'est un vrai chablis 1er cru ! Propriété de la maison Albert Bichot, coup de cœur l'an dernier en Vaillons, ce Vaucoupins fut également candidat au grand jury.

Lupé-Cholet, SCEV Ch. de Viviers, 89700 Viviers, tél. 03.80.61.25.02, fax 03.80.24.37.38, e-mail bourgogne@lupe-cholet.com

DOM. VOCORET ET FILS
Montée de Tonnerre 2002 ★★

1,5 ha 11 200 11 à 15 €

Une Montée de Tonnerre bien proche du sommet. Et on ne s'essouffle pas en la dégustant ! Limpide et brillant, ce vin sacrifie à un boisé discret (six mois de fût, deux de cuve), tout en jouant également sur les agrumes et le végétal. La bouche multiplie les égards : élégance, subtilité, il ne s'agit pas d'un passage en force mais d'une opération séduction. Que lui manquerait-t-il ? Un rien de nervosité. Ce n'est pas son tempérament.

Dom. Vocoret et Fils, 40, rte d'Auxerre, 89800 Chablis, tél. 03.86.42.12.53, fax 03.86.42.10.39, e-mail domaine.vocoret@wanadoo.fr r.-v.

Chablis grand cru

Issu des coteaux les mieux exposés de la rive droite, divisés en sept lieux-dits : Blanchot (538 hl), Bougros (650 hl), les Clos (1 058 hl), Grenouilles (503 hl), Preuses (438 hl), Valmur (479 hl), Vaudésir (700 hl), le chablis grand cru possède à un degré plus élevé toutes les qualités des précédents, la vigne se nourrissant d'un sol enrichi par des colluvions argilo-pierreuses. Quand la vinification est réussie, un chablis grand cru est un vin complet, à forte persistance aromatique, auquel le terroir confère un tranchant qui le distingue de ses rivaux du sud. Sa capacité de vieillissement stupéfie, car il exige huit à quinze ans pour s'apaiser, s'harmoniser et acquérir un inoubliable bouquet de pierre à fusil, voire, pour les Clos, de poudre à canon !

DOM. BESSON Vaudésir 2002

1,43 ha 2 000 **15 à 23 €**

Clair et limpide, un Vaudésir aux arômes d'acacia et de miel, à la bouche très longue sur un minéral persistant. Iodée, celle-ci est assez concentrée mais montre quelques signes d'évolution : à servir maintenant sur une viande blanche.

Dom. Alain Besson, rue de Valvan, 89800 Chablis, tél. 03.86.42.40.88, fax 03.86.42.49.46, e-mail domaine-besson@wanadoo.fr r.-v.

DOM. BILLAUD-SIMON
Les Blanchots Vieilles Vignes 2002 ★

0,2 ha 1000 **38 à 46 €**

Un 2002 à la robe légère. Son bouquet assez complexe convoque des notes vanillées, minérales et de fruits blancs. L'attaque développe beaucoup de volume. Il se montre capiteux, large d'épaules, communicatif. A ne pas servir sur une cuisine évanescente... Coup de cœur pour ses millésimes 98 et 2001, en grand cru.

Dom. Billaud-Simon, 1, quai de Reugny, BP 46, 89800 Chablis, tél. 03.86.42.10.33, fax 03.86.42.48.77 r.-v.

DOM. PASCAL BOUCHARD Les Clos 2002 ★

0,7 ha 3 000 **30 à 38 €**

Pascal Bouchard est l'un des membres fondateurs de l'Union des grands crus de Chablis, créée pour la défense et l'illustration de ce vin qui est formé d'un seul grand cru divisé en *climats*. Ces Clos à la robe chablisienne suggèrent le pain frais et la vanille (six mois de cuve, six mois de fût). Au palais, on les juge agréables sur des notes d'amande et de cire d'abeille. Plus fins que robustes, ils sont à boire dans les deux à trois ans à venir.

Pascal Bouchard, parc des Lys, 5 bis, rue Porte-Noël, 89800 Chablis, tél. 03.86.42.18.64, fax 03.86.42.48.11, e-mail info@pascalbouchard.com r.-v.

LA CHABLISIENNE Blanchot 2002 ★★

2 ha 10 000 **30 à 38 €**

Rempart sud-est de la côte du grand cru, Blanchot (ou Blanchots) donne un vin délicat, parfumé. Comme on le constate en savourant ce millésime or pâle, bien bouqueté (fleurs blanches, agrumes). Vif, nerveux, aérien, il sait se montrer persistant et convaincant. « Plus fait douceur que violence », dit le fabuliste. En effet, sur une tonalité assez moderne qu'escorte un boisé discret mais efficace (seize mois de cuve, six mois de fût).

🕊 La Chablisienne,
8, bd Pasteur, BP 14, 89800 Chablis,
tél. 03.86.42.89.89, fax 03.86.42.89.90,
e-mail htucki@chablisienne.fr ▨ ⵟ 🏂 r.-v.

DOM. DU COLOMBIER Bougros 2002

1,4 ha	n.c.	∎🍷 15 à 23 €

Trois frères à la tâche, Jean-Louis, Thierry et Vincent depuis vingt ans. Célébrer cet anniversaire ? Pourquoi ne pas choisir ce Bougros or blanc, au nez discret de prime abord puis mentholé. Sa vivacité ne surprend pas dans le millésime ; la bouche n'est pas très minérale, laissant une sensation de fruit blanc en dernière analyse. A déboucher dans l'année qui vient. Ce domaine fut coup de cœur pour son Bougros 97.
🕊 Guy Mothe et ses Fils, Dom. du Colombier,
42, Grand-Rue, 89800 Fontenay-près-Chablis,
tél. 03.86.42.15.04, fax 03.86.42.49.67 ▨ ⵟ 🏂 r.-v.

JEAN DAUVISSAT Les Preuses 2001 ★★

0,7 ha	4 000	∎⑪🍷 23 à 30 €

Voici des Preuses d'un jaune affirmé, brillant, à reflets verts. Le passage sous bois laisse quelques souvenirs aromatiques, sans excès toutefois. La montée en puissance, en milieu de bouche, précède une finale longue et plaisante : ce qu'on pourrait appeler l'harmonie progressive d'un chardonnay qui cache un peu son jeu puis le découvre. A attendre cependant.
🕊 Caves Jean et Sébastien Dauvissat,
3, rue de Chichée, 89800 Chablis,
tél. 03.86.42.14.62, fax 03.86.42.45.54,
e-mail jean.dauvissat@wanadoo.fr ▨ ⵟ 🏂 r.-v.

VINCENT DAUVISSAT Les Clos 2002 ★

1,7 ha	12 000	⑪ 15 à 23 €

Il n'aurait pas besoin d'un balancier pour marcher sur un fil tant il est équilibré. D'un or classique, le bouquet expressif et vineux, déjà droit et mûr, il est plus calme et concentré que nerveux ou dispersé. La finale est intéressante, jouant sur le pain frais, l'orange sanguine... Très terroir, il reposera avec profit en cave et le capital portera intérêts.
🕊 Vincent Dauvissat, 8, rue Emile-Zola,
89800 Chablis, tél. 03.86.42.11.58, fax 03.86.42.85.32

SYLVAIN ET DIDIER DEFAIX Bougros 2002 ★★

n.c.	4 000	⑪ 23 à 30 €

Ce domaine vigneron garde un charme naturel et il a créé une activité de négoce-éleveur à côté de la viticulture. Il y réussit pleinement, comme le montre ce Bougros d'un or léger et lumineux. Son bouquet fleure bon la franchise et la race. L'architecture ne néglige ni la structure extérieure ni la décoration intérieure. Il faut compter trois à quatre ans de garde pour atteindre un fondu parfait. Comme le chantait Aristide Bruand, « lorsqu'on a l'esprit

morose, il faut s'enfuir loin de Paris et pour voir l'existence en rose, s'en aller tout droit à Chablis... » En rose ou en jaune ?
🕊 Sylvain et Didier Defaix, 17, rue du Château, 89800 Milly, tél. 03.86.42.40.75, fax 03.86.42.40.28, e-mail didier@bernard-defaix.com ▨ ⵟ 🏂 r.-v.

JEAN-PAUL DROIN Valmur 2002 ★★

1,03 ha	7 300	∎⑪ 15 à 23 €

On ne compte plus les coups de cœur obtenus par ce domaine pour lequel chablis n'a pas de secret depuis le... XVIIᵉs. Un de plus, pour un Valmur tout à fait dans l'esprit qu'on lui prête habituellement : puissant et d'excellente garde. Limpide et doré, miellé et complexe, un vin structuré et riche. L'acidité le rend vivifiant et durable. Il faudra s'y faire. Benoît a rejoint son père en 2002 et c'est ce millésime qui inaugure sa signature sur l'étiquette. **Vaudésir 2002** obtient également deux étoiles, tout comme **Les Clos 2002**. Tous sont destinés à de grands poissons nobles.
🕊 Dom. Jean-Paul et Benoît Droin,
14 bis, rue Jean-Jaurès, BP 19, 89800 Chablis,
tél. 03.86.42.16.78, fax 03.86.42.42.09,
e-mail benoit@jeanpaul-droin.fr
▨ ⵟ t.l.j. sf sam. dim. 8h30-12h 13h30-17h; f. 1-15 août

JOSEPH DROUHIN Vaudésir 2002 ★

n.c.	n.c.	⑪ 30 à 38 €

La maison beaunoise Joseph Drouhin a toujours eu un pied en Chablisien. Son Vaudésir se présente sous des traits classiques. Pain grillé, fruits jaunes, fleurs blanches, ses parfums sont généreux, extravertis. Sous la fraîcheur boisée on trouve une bonne concentration et une structure encore assez carrée. A l'horizon 2008, il sera grand.
🕊 Maison Joseph Drouhin, 7, rue d'Enfer,
21200 Beaune, tél. 03.80.24.68.88, fax 03.80.22.43.14,
e-mail maisondrouhin@drouhin.com ▨ ⵟ 🏂 r.-v.

DOM. WILLIAM FEVRE Les Clos 2002 ★★

4,11 ha	n.c.	∎⑪🍷 30 à 38 €

Ce qui s'appelle un vin chat. Ronronnant dans le verre, disposé à toutes les amabilités pourvu qu'on s'en occupe. Blanc jaune, respirant le silex et le menthol, il s'étire délicieusement en bouche avec charme et rondeur. De qualité mais un cran en dessous se situe **Bougros 2002 lieu-dit Côte Bouguerots**. William Fèvre fait partie des domaines Henriot (Bouchard Père et Fils). Coup de cœur en grand cru pour ses 98, 99 et 2001.
🕊 Dom. William Fèvre, 21, av. d'Oberwesel,
89800 Chablis, tél. 03.86.98.98.98, fax 03.86.98.98.99,
e-mail france@williamfevre.com
▨ ⵟ 🏂 t.l.j. sf mer. dim. 9h-12h 14h-18h

DOM. GUITTON-MICHEL Les Clos 2002 ★★

0,16 ha	1000	🍾 🍷 23 à 30 €

Exposé plein sud, cette vigne vient du beau-père Maurice Michel. Heureuse corbeille de noces ! Soit 16 a, ce qui fait du domaine Guitton-Michel le plus petit propriétaire de grand cru. Et c'est du nectar ! Or léger, nez distingué (un rien citron), un vin merveilleusement réussi, misant sur l'intelligence discrète plus que sur le tape-à-l'œil. Beaucoup de caractère dans le minéral rigoureux mais constamment aimable. Suivez le conseil de Buffon : « Le génie est une longue patience ». A oublier trois à quatre ans en cave.

🍴 Guitton-Michel, 2, rue de Poinchy, 89800 Poinchy, tél. 03.86.42.43.14, fax 03.86.42.17.64 ☑ 🍷 🚶 r.-v.

🍴 Patrice Guitton

DOM. LAROCHE Les Clos 2001 ★★

1,12 ha	7 810	🍷 46 à 76 €

Si ce vin ne sort pas du vénérable pressoir à abattage du XIIIᵉs. qui fait l'admiration de tous à l'Obédiencerie, il n'en possède pas moins des qualités remarquables, notamment pour un 2001. La robe est d'or, le nez vanillé, toasté ; ampleur et gras caractérisent l'attaque, avec une note d'abricot qui précède l'illustration d'une note fraîche, bien minérale. « Beau vin pour ce millésime », conclut le jury.

🍴 Michel Laroche, L'Obédiencerie, 22, rue Louis-Bro, 89800 Chablis, tél. 03.86.42.89.00, fax 03.86.42.89.29, e-mail info@michellaroche.com ☑ 🍷 🚶 r.-v.

DOM. LONG-DEPAQUIT
Moutonne Monopole 2001

2,35 ha	14 300	🍾 🍷 🍸 30 à 38 €

Jean-Didier Basch, ex-directeur d'exploitation du château de Selle (domaine Ott, Var), succède à Gérard Vuillien qui part en retraite après plus de trente ans de bons et loyaux services chez Long-Depaquit (maison Albert Bichot). On sait que la principauté de La Moutonne se situe en monopole entre Preuses et Vaudésir. Ce vin jaune doré révèle ses arômes à l'aération (aubépine, miel léger). La bouche se montre concentrée, très structurée. D'ici deux à trois ans, le temps l'aura sculptée. Voir aussi **Les Clos 2001 (23 à 30 €)**. Ils ont encore des perspectives.

🍴 Dom. de la Moutonne, 45, rue Auxerroise, 89800 Chablis, tél. 03.86.42.11.13, fax 03.86.42.81.89, e-mail chateau-long-depaquit@wanadoo.fr ☑ 🍷 🚶 r.-v.

🍴 A. Bichot

DOM. DES MALANDES Vaudésir 2002 ★

0,9 ha	6 500	🍾 🍸 23 à 30 €

Lyne et Jean-Bernard Marchive ont la main heureuse. Leur Vaudésir léger comme l'air papillonne de l'œil au nez et du nez à la bouche. Sa finesse et sa subtilité lui valent d'être retenu et même fort bien noté. Sera plus à l'aise avec des crustacés qu'avec une poularde à la crème.

🍴 Dom. des Malandes, 63, rue Auxerroise, 89800 Chablis, tél. 03.86.42.41.37, fax 03.86.42.41.97, e-mail contact@domainedesmalandes.com ☑ 🍷 🚶 r.-v.

🍴 Marchive

DOM. LOUIS MOREAU Vaudésir 2002

0,46 ha	1 160	🍾 🍷 🍸 23 à 30 €

Comme c'est de plus en plus le cas en Chablisien, le viticulteur (ici 50 ha) acquiert une patente de négociant et se partage entre les deux métiers. Ce Vaudésir n'aura sans doute pas la longévité d'un patriarche de l'Ancien Testa-

ment, mais il tient la route. D'une couleur prononcée, développant des arômes beurrés, il a du ressort, porte un boisé sensible et se montre favorable à une consommation cette année ou la prochaine.

🍴 Louis Moreau, 10, Grande-Rue, 89800 Beine, tél. 03.86.42.87.20, fax 03.86.42.45.59, e-mail contact@louismoreau.com
☑ 🍷 🚶 t.l.j. sf sam. dim. 8h30-12h 14h-17h30. ven. f. à 17h

J. MOREAU ET FILS Valmur 2001

1,98 ha	13 800	🍾 🍸 23 à 30 €

Couleur toison d'or, un 2001 très correct dans son millésime et son évolution, resté assez vif et qui doit attendre encore un an ou deux pour que sa matière prenne le dessus. Bonne suite en bouche dans la franchise. Son bouquet est légèrement miellé. La maison J. Moreau et Fils appartient à la famille des grand vins de J.-C. Boisset. Elle dispose de son autonomie de vinification et d'élevage.

🍴 J. Moreau et Fils, Lacroix Saint-Joseph, rte d'Auxerre, 89800 Chablis, tél. 03.86.42.88.00, fax 03.86.42.88.08, e-mail moreau@jmoreau-fils.com ☑ 🍷 r.-v.

DOM. CHRISTIAN MOREAU PERE ET FILS
Clos des Hospices dans les Clos 2002 ★

0,41 ha	2 500	🍾 🍷 🍸 23 à 30 €

Ce millésime signé par Fabien Moreau est le premier depuis que cette famille (qui a cédé à Jean-Claude Boisset sa maison de négoce) a repris la gestion de son domaine viticole. Le Clos des Hospices (ceux de Chablis avant la Révolution) constitue un particularisme au sein des Clos, consacré par un usage immémorial. Jolis reflets, nez de caillou blanc – disons très minéral et agréable –, un vin assez austère, à la texture serrée, à la bouche plus fleurie que fruitée, dont on prévoit l'heureux vieillissement (trois à quatre ans). Le **Blanchot 2002 (15 à 23 €)** est très vif et d'esprit classique lui aussi. Il obtient une étoile.

🍴 Dom. Christian Moreau Père et Fils, 26, av. d'Oberwesel, 89800 Chablis, tél. 03.86.42.86.34, fax 03.86.42.84.62, e-mail contact@domainechristianmoreau.com ☑ 🍷 🚶 r.-v.

🍴 Fabien Moreau

DOM. NICOLLE Bougros 2002 ★★★

n.c.	15 000	🍾 🍷 🍸 23 à 30 €

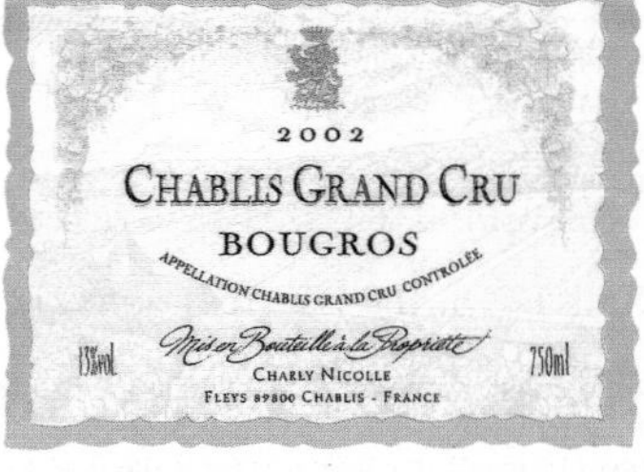

2 0 0 2
CHABLIS GRAND CRU
BOUGROS
APPELLATION CHABLIS GRAND CRU CONTROLEE
Mis en Bouteille à la Propriété
CHARLY NICOLLE
FLEYS 89800 CHABLIS - FRANCE
13%vol.   750ml

Casaque jaune-vert, cette bouteille coup de cœur n ° 1 remporte le grand prix de Chablis ! Son nez délicat, raffiné annonce sur des notes de raisins de Corinthe un caractère très prometteur. On sent de l'énergie. Dès le départ, sans paraître accomplir des efforts excessifs, il prend la tête et la conserve. Minéral, concentré, il est vif sans verdeur. Du raisin mûr juste comme il faut et du terroir ! Son petit fond vanillé (dix mois de cuve, autant sous bois) tient lieu de douce cravache. Charly Nicolle a quitté le domaine familial pour créer en 2001 ce petit négoce de qualité.

🔖 Charly Nicolle, 35, rte des Monts-de-Milieu, 89800 Fleys, tél. 03.86.18.97.48, fax 03.86.42.80.07
☑ Ⲧ ⅄ t.l.j. 8h-12h 14h-18h

DOM. PINSON FRERES Les Clos 2002 ★★

	2,57 ha	12 000	🔲 ⊞ ⅃ 23 à 30 €

Laurent et Christophe sont les petits-fils du fondateur du domaine, Louis Pinson il y a un peu plus d'un demi-siècle. Ils ont la chance de faire fructifier 2,57 ha dans les Clos. Leur vin or paille brillant exprime le minéral, le sous-bois en arrière-plan. L'attaque est euphorique, la suite conforme à son terroir kimméridgien pierreux. Il ne cherche pas l'originalité mais s'applique à respecter le canon chablisien. Le millésime 96 a obtenu le coup de cœur.

🔖 Dom. Pinson, 5, quai Voltaire, 89800 Chablis, tél. 03.86.42.10.26, fax 03.86.42.49.94, e-mail contact@domaine-pinson.com ☑ Ⲧ ⅄ r.-v.

SEGUINOT-BORDET Vaudésir 2002 ★

	n.c.	1 300	⊞ 15 à 23 €

Affaire de négoce créée tout récemment et qui vinifie les jus de raisin qu'elle acquiert dans le vignoble. Elle complète l'activité du domaine. Voici un vin bien dessiné dont le nez demande à s'ouvrir sur la pierre à fusil. Minéral, crayeux, assez portlandien, un 2002 qui évolue ensuite tout en douceur et finesse, classique de bout en bout.

🔖 FWS Jean-François Bordet, 4, rue de Méré, 89800 Maligny, tél. 03.86.47.44.42, fax 03.86.47.54.94 ☑ Ⲧ ⅄ r.-v.

DOM. SERVIN Blanchots 2002 ★

	0,91 ha	5 000	🔲 ⊞ ⅃ 23 à 30 €

A la sortie de Chablis en direction de Tonnerre, ce *climat* est en pente rude. Limpide et plus doré que la plupart des vins dégustés, ce millésime met des fleurs dans son bouquet agrémenté de raisins secs. Une touche d'agrumes apparaît en bouche. Un Blanchot agréable et parfumé, convivial à boire dans les deux ans à venir. **Les Clos 2002** sont de qualité analogue mais peut-être de plus longue garde.

🔖 Dom. Servin, 20, av. d'Oberwesel, 89800 Chablis, tél. 03.86.18.90.00, fax 03.86.18.90.01, e-mail servin@domaine-servin.fr
☑ Ⲧ ⅄ t.l.j. sf dim. 8h-12h 13h30-17h30

DOM. VOCORET ET FILS Blanchot 2002 ★

	1,7 ha	12 000	🔲 ⊞ ⅃ 15 à 23 €

Tiens, vous rappelez-vous que les millésimes 95 et 97 ont reçu le coup de cœur ? Or jaune limpide, celui-ci est relativement exemplaire, bon exemple d'un chablis type (version grand cru). Ses arômes font penser à une infusion de plantes aromatiques ainsi qu'aux agrumes vifs (pamplemousse) puis l'acacia paraît en bouche dans un contexte bien construit : la prestation globale trouve ici un écho positif.

🔖 Dom. Vocoret et Fils, 40, rte d'Auxerre, 89800 Chablis, tél. 03.86.42.12.53, fax 03.86.42.10.39, e-mail domaine.vocoret@wanadoo.fr ☑ Ⲧ ⅄ r.-v.

Irancy

Ce petit vignoble situé à une quinzaine de kilomètres au sud d'Auxerre a vu sa notoriété confirmée, devenant AOC communale.

Les vins d'Irancy ont acquis une réputation en rouge, grâce au césar ou romain, cépage local datant peut-être du temps des Gaules. Ce dernier, assez capricieux, est capable du pire et du meilleur ; lorsqu'il a une production faible à normale, il imprime un caractère particulier au vin et, surtout, lui apporte un tanin permettant une très longue conservation. Au contraire, lorsqu'il produit trop, le césar donne difficilement des vins de qualité ; c'est la raison pour laquelle il n'a pas fait l'objet d'une obligation dans les cuvées.

Le cépage pinot noir, qui est le principal cépage de l'appellation, donne sur les coteaux d'Irancy un vin de qualité, très fruité, coloré. Les caractéristiques du terroir sont surtout liées à la situation topographique du vignoble, qui occupe essentiellement les pentes formant une cuvette au creux de laquelle se trouve le village. Le terroir débordait d'ailleurs sur les deux communes voisines de Vincelotte et de Cravant, où les vins de la Côte de Palotte sont particulièrement réputés. La production a été de 5 436 hl en 2003.

CAVE DE BAILLY Vieilles Vignes 2002 ★★

	n.c.	44 000	🔲 ⅃ 5 à 8 €

Excellent ! Un pinot noir propre, net et prometteur. Souple, frais, sympathique. Il n'est sans doute pas destiné à entrer dans la préparation du coq à l'irancy, mais il lui tiendra compagnie à table. Sans insister sur la couleur, il est moyennement bouqueté car un peu fermé, et triomphe au palais par sa structure, sa typicité et ses vertus de garde (largement cinq ans). Charmant goût de griotte et, si vous voulez tout savoir, finaliste du coup de cœur.

🔖 Caves de Bailly, BP 3, Hameau de Bailly, 89530 Saint-Bris-le-Vineux, tél. 03.86.53.77.77, fax 03.86.53.80.94, e-mail home@caves-bailly.com
☑ Ⲧ ⅄ t.l.j. 8h-12h 14h-18h; groupes sur r.-v.

BERSAN ET FILS Cuvée Louis Bersan 2002 ★

	0,7 ha	3 600	🔲 ⊞ ⅃ 8 à 11 €

De teinte assez claire, cette cuvée Louis Bersan (une famille présente au village depuis le XVᵉs., mais qui ne possédait pas alors 40 ha) provient intégralement et sincèrement de pinot noir. Floral et réglissé, ce vin, assez riche en alcool, chaleureux, est plaisant grâce à son fondu. Il peut attendre deux à trois ans en cave.

🔖 Dom. Bersan et Fils, 20, rue du Dr-Tardieux, 89530 Saint-Bris-le-Vineux, tél. 03.86.53.33.73, fax 03.86.53.38.45, e-mail bourgognes-bersan@wanadoo.fr ☑ Ⲧ ⅄ r.-v.

BENOÎT CANTIN
Palotte Elevé en fût de chêne 2002

■	1 ha	7 000	Ⅲ 8 à 11 €

D'une robe rubis intense, ce vin a passé un an en fût et en porte témoignage. L'équilibre avec le fruit est toutefois respecté. L'impression générale est bonne. On l'attendra quelques mois encore. Palotte est le premier *climat* à s'être fait un nom ici (on dit depuis longtemps « le cru palotte »).

↰ Benoît Cantin, 35, chem. des Fossés, 89290 Irancy, tél. 03.86.42.21.96, fax 03.86.42.21.96 ☑ ⵙ ⵟ r.-v.

ANITA STEPHANIE
ET JEAN-PIERRE COLINOT Palotte 2002 ★

■	0,27 ha	n.c.	▯ 11 à 15 €

Stéphanie, la fille, veille sur les vinifications depuis le millésime 2001. Quant à ses parents, ils ont reçu naguère le coup de cœur. César à 3 %, ce Palotte a du feu dans la robe, un bouquet en recherche sur un fond fruité et un caractère nettement tannique. C'est carré, sans doute, mais il y a de la matière et de la présence. Le **Vieilles Vignes 2002**, léger, désaltérant, obtient une citation.

↰ EARL Colinot, 1, rue des Chariats, 89290 Irancy, tél. 03.86.42.33.25, fax 03.86.42.33.25 ☑ ⵙ ⵟ r.-v.

FRANCK GIVAUDIN 2002 ★

■	6 ha	15 000	▯ 8 à 11 €

Habillé d'une robe rouge violine, cet irancy a le nez un peu chocolaté ; la bouche s'appuie sur une bonne maturité du fruit après une approche douce, sans attaque très marquée ; les tanins délicats et le sentiment final harmonieux permettent de parler d'une bouche gourmande.

↰ Franck Givaudin, sentier de la Bergère, 89290 Irancy, tél. 03.86.42.20.67, fax 03.86.42.54.33, e-mail earl.givaudin@wanadoo.fr ☑ ⵙ ⵟ r.-v.

JEAN-HUGUES ET GHISLAINE GOISOT
Les Mazelots 2002 ★★

■	0,6 ha	2 500	Ⅲ 11 à 15 €

Ce domaine est bien connu des lecteurs depuis vingt ans. Coup de cœur l'an dernier en saint-bris, cette année en irancy. Si Palotte est le plus réputé des *climats* de l'appellation, les Mazelots semblent bien décidés à tirer, eux aussi, leur épingle du jeu. Une couleur magnifique, des arômes de jeunesse sur un petit fruit rouge, ce 2002 a tout pour plaire. Surtout cette bouche nette et précise, complète et riche de potentiel. Un vrai corps de garde (au sens propre) ! Pinot noir 100 %.

↰ Ghislaine et Jean-Hugues Goisot, 30, rue Bienvenu-Martin, 89530 Saint-Bris-le-Vineux, tél. 03.86.53.35.15, fax 03.86.53.62.03, e-mail jhetg.goisot@cerb.cernet.fr ☑ ⵙ ⵟ r.-v.

GRIFFE Les Cailles 2002

■	0,45 ha	3 000	▯ 8 à 11 €

David a repris en 2000 la suite du GAEC qu'il exploitait depuis 1992 avec son père, sur une douzaine d'hectares. Constitué de 10 % de césar, ce vin porte une robe rubis classique. Le nez bien ouvert se place sous le patronage de la griotte et du poivre. Les tanins tiennent leur rôle sans la moindre dureté. Attaque pleine de fruits suivie d'un bon développement. Intéressant.

↰ EARL Griffe, 15, rue du Beugnon, 89530 Chitry, tél. 03.86.41.41.06, fax 03.86.41.47.36, e-mail domaine.griffe@wanadoo.fr ☑ ⵙ ⵟ r.-v.

DOM. HEIMBOURGER 2002 ★

■	4,1 ha	14 000	▯Ⅲ⤋ 5 à 8 €

Avec une robe d'un rubis légèrement violacé et un nez vineux qui s'ouvre quand on l'a dégusté, cet irancy vous prend par la douceur et vous mène à une fin de bouche très consensuelle. Un tout petit peu d'astringence, mais la rondeur domine en ce pinot noir laissant un strapontin au césar (5 %). On se fera plaisir sur des œufs en meurette.

↰ Dom. Heimbourger Père et Fils, 5, rue de la Porte-de-Cravant, 89800 Saint-Cyr-les-Colons, tél. 03.86.41.40.88, fax 03.86.41.48.33, e-mail heimbourger@wanadoo.fr ☑ ⵙ ⵟ t.l.j. sf dim. 10h-12h 14h-18h30

Saint-bris

Seul VDQS bourguignon depuis 1974, saint-bris est devenu AOC depuis 2001 pour le cépage sauvignon. Celui-ci provient d'une aire géographique de 895 ha, principalement sur la commune de Saint-Bris. Sa production est la plupart du temps limitée aux zones de plateaux calcaires où il atteint toute sa puissance aromatique. Contrairement aux vins du même cépage de la vallée de la Loire ou du Sancerrois, le sauvignon fait ici, généralement, sa fermentation malolactique, ce qui ne l'empêche pas d'être très parfumé et lui confère une certaine souplesse. Le millésime 2003 a produit 5 272 hl sur 103 ha.

BAILLY-LAPIERRE 2003

	n.c.	34 000	▯⤋ 5 à 8 €

Présenté par les Caves de Bailly bien connues pour leur crémant, un saint-bris tranquille... comme tout, honnête pour le millésime. On goûtera sa robe claire mais suffisante, les notes fraîches et florales de son bouquet, ce mélange de gras et de vigueur qui rend le corps assez réussi.

↰ Caves de Bailly, BP 3, Hameau de Bailly, 89530 Saint-Bris-le-Vineux, tél. 03.86.53.77.77, fax 03.86.53.80.94, e-mail home@caves-bailly.com ☑ ⵙ ⵟ t.l.j. 8h-12h 14h-18h; groupes sur r.-v.

BERSAN ET FILS Cuvée Louis Bersan 2002 ★

	1,5 ha	8 000	▯Ⅲ⤋ 8 à 11 €

Ce n'est pas pour rien que le village s'appelle Saint-Bris-le-Vineux. Ronde, pleine et parfumée, la bouche remplit ici son contrat. Jaune paille, bouqueté sans forcer la note, un vin de caractère dont les arômes secondaires évoquent le citron vert. Agréable et étoffé.

↖ Dom. Bersan et Fils,
20, rue du Dr-Tardieux, 89530 Saint-Bris-le-Vineux,
tél. 03.86.53.33.73, fax 03.86.53.38.45,
e-mail bourgognes-bersan@wanadoo.fr ☑ ⏑ ⚲ r.-v.

PASCAL BOUCHARD 2002 ★

	n.c.	25 000	▮⏑	5 à 8 €

Paille limpide, ce 2002 suggère les agrumes dès le premier coup de nez. Sa vivacité très présente au palais se mêle à des accents végétaux pour inspirer ce conseil : buvez-le avec des asperges mais pas avant la mi-2005. Il doit trouver son plein fondu.

↖ Pascal Bouchard, parc des Lys,
5 bis, rue Porte-Noël, 89800 Chablis,
tél. 03.86.42.18.64, fax 03.86.42.48.11,
e-mail info@pascalbouchard.com ☑ ⏑ ⚲ r.-v.

UNION DES VITICULTEURS DE CHABLIS 2002

	1,5 ha	13 000	▮⏑	5 à 8 €

Fruit de la Chablisienne sous un nom différent et une jolie étiquette, ce 2002 or léger a besoin d'un coup d'épaule à l'aération pour offrir son parfum de jeunesse. L'attaque ouvre sur des perspectives riches et complexes, plus discrètes par la suite.

↖ Union des Viticulteurs de Chablis,
8, bd Pasteur, BP 14, 89800 Chablis,
tél. 03.86.42.89.89, fax 03.86.42.89.90,
e-mail chab@chablisienne.fr ☑ ⏑ ⚲ r.-v.

GHISLAINE ET JEAN-HUGUES GOISOT 2002 ★

	7 ha	38 000	▮⏑	5 à 8 €

Premier coup de cœur de la nouvelle appellation (millésime 2001 sur le Guide l'an passé), Jean-Hugues et Ghislaine Goisot peuvent se considérer heureux et fiers. Leur 2002 est d'un jaune juste soutenu. Au nez s'expriment des nuances assez classiques de buis. L'attaque est spontanée et franche, et si la rétro est peu intense, la finale garde en réserve une fraîcheur sympathique.

↖ Ghislaine et Jean-Hugues Goisot,
30, rue Bienvenu-Martin, 89530 Saint-Bris-le-Vineux,
tél. 03.86.53.35.15, fax 03.86.53.62.03,
e-mail jhetg.goisot@cerb.cernet.fr ☑ ⏑ ⚲ r.-v.

DOM. GERARD PERSENOT 2002 ★★

	2 ha	13 000	▮	5 à 8 €

D'une teinte assez soutenue, un beau saint-bris de l'ancienne génération. Au nez, il sauvignonne juste ce qu'il faut car on doit ici éviter l'excès. Un style très félin, prêt à bondir mais sachant se retenir... Au palais, on croit lire tous les arguments positifs qui ont justifié le passage du VDQS à l'AOC au millésime précédent. Une réelle authenticité.

↖ EARL Gérard Persenot,
20, rue de Gouaix, 89530 Saint-Bris-le-Vineux,
tél. 03.86.53.61.46, fax 03.86.53.61.52 ☑ ⏑ ⚲ r.-v.

DOM. VERRET 2003 ★★

	5,33 ha	27 000	▮⏑	5 à 8 €

Pionnier dans ce vignoble pour la vente directe dès les années 1950, ce domaine demeuré familial (53 ha) présente un vin très porteur de cette nouvelle appellation. Le coup de cœur salue à la fois la typicité du cépage et

le travail de vinification. Jaune clair, un vin aux notes florales (violette, bleuet). Bien équilibré en bouche, il montre puissance et vivacité.

↖ Dom. Verret, 7, rte de Champs, BP 4,
89530 Saint-Bris-le-Vineux, tél. 03.86.53.31.81,
fax 03.86.53.89.61, e-mail dverret@domaineverret.com
☑ ⏑ t.l.j. sf dim. 8h-12h 14h-18h

La Côte de Nuits

Marsannay

Les géographes discutent encore sur les limites nord de la Côte de Nuits car, au siècle dernier, un vignoble florissant faisait, des communes situées de part et d'autre de Dijon, la Côte dijonnaise. Aujourd'hui, à l'exception de quelques vignes vestiges comme les Marcs d'Or et les Montreculs, l'urbanisation a chassé le vignoble de Dijon, mais aussi de la commune voisine de Chenôve.

Marsannay, puis Couchey ont, encore, il y a une cinquantaine d'années, approvisionné la ville de grands ordinaires et manqué en 1935 le coche des AOC communales. Petit à petit, les viticulteurs ont replanté ces terroirs en pinot et la tradition du rosé s'est développée sous l'appellation locale « bourgogne rosé de Marsannay ». Puis, on a retrouvé les vins rouges et les vins blancs d'avant le phylloxéra et, après plus de vingt-cinq ans d'efforts et d'enquêtes, l'AOC marsannay a été reconnue en 1987 pour les trois couleurs. Une particularité cependant, encore une en Bourgogne : le « marsannay rosé », dont les deux mots sont indissociables, peut être produit sur une aire plus extensive, dans le piémont sur les graves, que le marsannay (vins rouges et vins blancs) délimité uniquement dans le coteau des trois communes de Chenôve, Marsannay-la-Côte et Couchey.

Les vins rouges sont charnus, un peu sévères dans leur jeunesse et il faut les attendre quelques années. Pas courants dans la Côte de Nuits, les vins blancs sont ici particulièrement recherchés pour leur finesse et leur solidité. Il est vrai que le chardonnay, mais aussi le pinot blanc trouvent dans des niveaux marneux propices leur terroir d'élection.

DOM. CHARLES AUDOIN Les Favières 2001 ★★

■ 0,89 ha 4 800 11 à 15 €

Sans collage, sans filtration, d'un rouge grenat flamboyant comme chevalier tirant la lance au fameux tournoi ducal de Marsannay, un vin fruité au premier nez et boisé au second. D'une bonne acidité, et d'excellente structure tannique, il attaque net et franc. Typé, il a cette jolie petite touche d'amertume en finale. « J'aime », conclut un de nos dégustateurs. Une citation pour **Les Longeroies 2001 en rouge** et une étoile pour le **marsannay blanc 2001** destiné à un poisson en sauce.

Dom. Charles Audoin,
7, rue de la Boulotte, 21160 Marsannay-la-Côte,
tél. 03.80.52.34.24, fax 03.80.58.74.34,
e-mail domaine-audoin@wanadoo.fr ☑ Y ⚲ r.-v.

DOM. BART Les Echézeaux 2001 ★★

■ 1,03 ha 3 000 8 à 11 €

Si on aime les vins concentrés, généreux, puissants, on choisira sans hésiter cette bouteille. Des échézeaux de... Marsannay (on rencontre ce *climat* à plusieurs reprises dans la Côte) d'un beau rouge griotte. Le nez plonge profondément dans la cerise noire. Corpulent ? Sans doute, mais sachant jouer de son charme. Connaissez-vous le chardonnay musqué ? Cette variante du cépage donne ici un excellent **marsannay blanc Les Favières 2002** qui apportera une note originale à votre cave. Son étoile lui permettra de briller sur une quiche aux poireaux tout autant qu'un foie gras : il offre un festival de fruits exotiques.

Dom. Bart,
23, rue Moreau, 21160 Marsannay-la-Côte,
tél. 03.80.51.49.76, fax 03.80.51.23.43 ☑ Y ⚲ r.-v.

REGIS BOUVIER
Les Longeroies Cuvée Excellence 2001 ★★★

■ 0,7 ha 3 500 11 à 15 €

Cuvée dite Excellence. En effet : la plus haute marche du podium lors du grand jury, le coup de cœur incontesté. Rouge violacé, ce pinot noir pourrait solliciter son admission à la société de chasse de Marsannay. Ses arômes se concentrent en grande partie sur le sous-bois, le gibier, le confit. Au palais, en revanche, richesse rime avec délicatesse. On le garde longtemps en bouche. Le **Clos du roy 2002** dit **Tête de Cuvée** possède de solides arguments ; il reçoit une étoile.

Régis Bouvier,
52, rue de Mazy, 21160 Marsannay-la-Côte,
tél. 03.80.51.33.93, fax 03.80.58.75.07 ☑ Y ⚲ r.-v.

DOM. PHILIPPE CHARLOPIN
En Montchenevoy 2001 ★

■ n.c. n.c. 15 à 23 €

Philippe Charlopin a eu le coup de cœur pour son 95 et pour son 98 dans cette appellation et en a reçu beaucoup d'autres ailleurs. Son Montchenevoy a toutes les qualités requises. Mais le fruit mûr, la richesse de constitution demeurent aujourd'hui quelque peu masqués par un fût sûr de lui. Et même si on aime, la preuve, on aurait bien vu le coup de cœur une fois encore... si le boisé était plus fondu.

Dom. Philippe Charlopin,
18, rte de Dijon, 21220 Gevrey-Chambertin,
tél. 03.80.91.81.18, fax 03.80.51.81.27,
e-mail charlopin.philippe@wanadoo.fr

HERVE CHARLOPIN Clos du Roy 2002 ★

■ 0,4 ha 2 100 8 à 11 €

Un Hervé Charlopin. On ne s'en étonnera pas à Marsannay : la lignée est du cru. Son Clos du Roy ne prend pas de gants pour vous faire admirer sa robe rouge cerise intense, ses arômes de cassis. Au palais, il laisse une impression d'équilibre, sous bonne charpente. Aisé à servir sur un plat canaille de la cuisine familiale du dimanche, andouille aux haricots par exemple. Signalons que l'office de tourisme, situé à 480 m du domaine, organise des visites vitico-géologiques.

Dom. Hervé Charlopin,
5, rue des Avoines, 21160 Marsannay-la-Côte,
tél. 03.80.59.86.75, fax 03.80.51.44.49 ☑ Y ⚲ r.-v.

DOM. BRUNO CLAIR 2001 ★

2,14 ha 13 000 8 à 11 €

Quand on compte Joseph Clair-Daü parmi ses aïeux, on est pleinement enfant de Marsannay. Le chardonnay s'épanouit ici de fraîche date et est assemblé à 25 % de pinot blanc. Ce vin, or pâle, ouvert sur le minéral, tendre et flatteur, demande à être sollicité. Sa fraîcheur persistante souligne la qualité du fruit. Facile à boire, déjà complet, un blanc tenant à merveille sa partition.

SCEA Dom. Bruno Clair,
5, rue du Vieux-Collège, BP 22,
21160 Marsannay-la-Côte,
tél. 03.80.52.28.95, fax 03.80.52.18.14,
e-mail brunoclair@wanadoo.fr ☑ Y ⚲ r.-v.

CLOS SAINT-LOUIS 2002 ★★

■ 1,5 ha 6 000 8 à 11 €

Exploitation située à Fixey, hameau de Fixin, attachée à la famille Bernard (12 ha dans cette partie de la Côte). Couleur et bouquet jouent la même partition : celle du petit fruit noir. Les arômes sont particulièrement savoureux. En bouche, la concentration s'appuie sur une bonne charpente et une longue finale très riche. Produit de confiance absolue.

Dom. du Clos Saint-Louis, 4, rue des Rosiers,
21220 Fixin, tél. 03.80.52.45.51, fax 03.80.58.88.76,
e-mail clos.st.louis@wanadoo.fr
☑ Y ⚲ t.l.j. sf dim. 9h-12h 13h30-19h; f. 15-30 août
Ph. Bernard

DOM. COLLOTTE Les Champsalomon 2001 ★

■ 0,5 ha 2 000 ⅢⅢ 8 à 11 €

L'un des domaines ancestraux qui ont pris part à la saga des vins du cru depuis plus d'un siècle. Il nous invite à déguster l'un des *climats* les plus connus de marsannay, les Champsalomon dont l'orthographe varie d'étiquette en étiquette. Il est grenat soutenu, limpide ; le bouquet débute sur le fruit rouge à maturité puis évolue vers des accents un peu plus cuits. L'acidité, la structure tannique, la netteté de la démarche font pencher la balance du bon côté. **Le Clos de Jeu 2001 en rouge** obtient une citation. Ces deux vins devront attendre deux ans.

Dom. Collotte,
44, rue de Mazy, 21160 Marsannay-la-Côte,
tél. 03.80.52.24.34, fax 03.80.58.74.40,
e-mail domaine.collotte@terre-net.fr r.-v.

DOM. FOUGERAY DE BEAUCLAIR
Saint-Jacques 2002 ★

n.c. 2 500 ⅢⅢ 11 à 15 €

Ces Saint-Jacques (de Marsannay) donnent envie de faire le pèlerinage. Un vin qui a d'ailleurs valu deux coups de cœur au domaine (millésimes 88 et 93). Notez qu'il s'agit ici d'un pinot blanc. Jaune doré léger, il suggère les agrumes. Très franc en bouche, il plaît d'emblée sur une petite nuance minérale qui lui assure un capital de fraîcheur. Patrice Ollivier a pris la gérance en 1999 tandis que J.-L. Fougeray devenait viticulteur en Languedoc (Val Grieux).

Dom. Fougeray de Beauclair, 44, rue de Mazy,
BP 36, 21160 Marsannay-la-Côte,
tél. 03.80.52.21.12, fax 03.80.58.73.83,
e-mail fougeraydebeauclair@wanadoo.fr r.-v.

ALAIN GUYARD Charme aux Prêtres 2001 ★

■ 0,53 ha 3 400 ⅢⅢ 8 à 11 €

Alain est le fils de Lucien qui présida naguère le syndicat viticole. Rubis vif, son marsannay offre un joli fruit bien épaulé par la vanille du fût. Les tanins sont encore un peu mordants, mais vous n'allez pas déboucher tout de suite cette bouteille : le grand rabot du temps va les aplanir. La bonne structure et la persistance correcte s'en portent garants.

Alain Guyard,
10, rue du Puits-de-Têt, 21160 Marsannay-la-Côte,
tél. 03.80.52.14.46, fax 03.80.52.67.36 r.-v.

OLIVIER GUYOT La Montagne 2002 ★★

■ 2 ha 8 000 ⅢⅢ 23 à 30 €

On l'a goûté lors de la finale du coup de cœur. C'est dire si on lui reconnaît de nombreuses qualités. Rouge foncé brillant, son boisé s'exprime façon café auprès d'un bon fruit. Sa matière intense et généreuse, son acidité suffisante conviendront très bien à une âme de conservateur (de trois à huit ans de garde ne lui feront pas peur). Cité, le **marsannay blanc 2002 (11 à 15 €)** aimera une blanquette de veau. Labours « à la main » comme dans l'ancien temps, la charrue tirée par le cheval du domaine : vous pourrez effectuer une visite du vignoble en calèche, sur rendez-vous.

Dom. Olivier Guyot,
39, rue de Mazy, 21160 Marsannay-la-Côte,
tél. 03.80.52.39.71, fax 03.80.51.17.58,
e-mail domaine.guyot@libertysurf.fr r.-v.

HUGUENOT PERE ET FILS 2002 ★

2,5 ha 12 000 ⅢⅢ 11 à 15 €

Philippe Huguenot dans ses œuvres blanches. Cette famille presque plus ancienne que le clocher de Marsannay a un faible pour le chardonnay. Cela lui réussit : les 91 et 97 ont reçu le coup de cœur. On a goûté le 2002 d'excellente facture or à reflets verts, il affiche des tonalités élégantes de fleurs blanches, de miel, d'agrumes, avec une pointe de vanille. Ample, équilibré et long, il devrait atteindre 2010, mais le plaisir est déjà là : il pourrait accompagner des médaillons de homard.

SCE Huguenot Père et Fils, Dom. Nicolas Theuriet,
7, ruelle du Carron, 21160 Marsannay-la-Côte,
tél. 03.80.52.11.56, fax 03.80.52.60.47,
e-mail domaine.huguenot@wanadoo.fr r.-v.

PIERRE LAVENANT Grande Cuvée 2000 ★

■ 1,2 ha 4 500 ⅢⅢ 8 à 11 €

Installé en 1999 sur 4,5 ha de marsannay (La Combe du Pré) provenant du château de Marsannay, Pierre Lavenant a appris son métier pendant dix ans chez Rebourseau, J. Drouhin, l'Arlot et J. Prieur. Ce qu'il appelle sa Grande Cuvée (2000 est sa première vinification) fait honneur à l'appellation. Une très légère évolution marque l'œil, mais le bouquet de cassis séduit. La bouche joue les prolongations dans une belle continuité aromatique. La **Cuvée Jean Mehu (2000, rouge et à moins de 8 € !)** est fort bien faite ; prête à être servie, elle reçoit une citation. Un bon départ dans le vin.

Pierre Lavenant,
5, rue Couturie, 21420 Savigny-lès-Beaune,
tél. 03.80.26.10.81, fax 03.80.26.12.84,
e-mail pierre.lavenant@wanadoo.fr r.-v.

CH. DE MARSANNAY Les Grandes Vignes 2001 ★

■ 2,01 ha 9 927 ⅢⅢ 11 à 15 €

Ce domaine fut l'une des dernières aventures vigneronnes d'André Boisseaux. Il fallait croire en l'appellation, remodeler cette demeure, lancer un programme sur près de 35 ha. Sous la belle étiquette évoquant le fameux tournoi de Marsannay au temps des ducs de Bourgogne, un 2001 haut en couleur. Riche et puissant, il a tout d'un des chevaliers. En bouche, il brise de bon cœur la plupart des lances. Le sentiment d'amertume ressenti en finale provient de sa jeunesse : l'attendre deux ans. En **blanc, les Champs Perdrix 2001** obtiennent une étoile, vous pouvez convoquer pendant deux ou trois ans tous les poissons des mers.

Dom. du Ch. de Marsannay,
rte des Grands-Crus, BP 78, 21160 Marsannay-la-Côte,
tél. 03.80.51.71.11, fax 03.80.51.71.12,
e-mail chateau.marsannay@kriter.com
t.l.j. 10h-12h 14h-18h30; groupes sur r.-v.;
f. dim. de nov. à mars

DOM. SYLVAIN PATAILLE L'Ancestrale 2002 ★★

■ 0,5 ha 900 ⅢⅢ 23 à 30 €

Sylvain a pris un vignoble de 9 ha en main il y a six ans seulement. Son Ancestrale ne manque ni de couleur ni de bouquet (fruit bien dégagé). L'attaque est encore plutôt vive mais bientôt l'édifice se construit, se met en place. Son équilibre lui ouvre les portes de l'avenir, d'autant qu'il était sur les rangs lorsqu'on décida du coup de cœur.

Dom. Sylvain Pataille,
14, rue Neuve, 21160 Marsannay-la-Côte,
tél. 06.70.11.62.15, fax 03.80.52.49.49 r.-v.

BOURGOGNE

DOM. HENRI RICHARD 2002 ★★

■ 0,32 ha 1 150 ▮▮ 8 à 11 €

Moins de dix ouvrées et un beau 2002 à mettre au-dessus du panier, car on l'appréciera cette année ou la prochaine. Rouge intense et franc, il se présente bien. Parfums fruités et corps agréable sous le couvert de tanins discrets mais aidant à la charpente. Tout en élégance. La famille Richard est en période de reconversion à l'agrobiologie. Quels progrès accomplis par l'appellation jadis vouée au gamay et à la consommation courante des Dijonnais !

⊶ SCE Henri Richard,
75, rte de Beaune, 21220 Gevrey-Chambertin,
tél. 03.80.34.35.81, fax 03.80.34.35.81,
e-mail scehenririchard@aol.com
☑ Y 🚶 t.l.j. 9h-18h; dim. 9h-13h; f. 15-31 août

DOM. TRAPET PERE ET FILS 2002 ★

■ 1 ha 4 500 ▮▮ 8 à 11 €

Jean Trapet a pris pied de vigne en marsannay dès 1979, cherchant de bonnes parcelles. Il y réussit fort bien ; Jean-Louis (honoré il y a peu de la plus haute distinction de notre Guide) a pris le relais. Rubis limpide, ce 2002 sort vainqueur d'une légère réduction au nez. Cela s'estompe à l'aération et laisse place à une bouche teintée de poivre, à un corps expressif et très communicant. On s'y plaît. Comme c'est bien fait ! Biodynamie rigoureuse et convaincue depuis 1998, culture que le papa voit avec affection et philosophie.

⊶ Dom. Trapet Père et Fils,
53, rte de Beaune, 21220 Gevrey-Chambertin,
tél. 03.80.34.30.40, fax 03.80.51.86.34,
e-mail message@domaine-trapet.com ☑ Y 🚶 r.-v.

UNIVERSITE DE BOURGOGNE 2002

■ 0,8 ha 4 000 ▮ 5 à 8 €

Universitas Burgundiae Diligenti Scientiae Facultatis Opere In Suis Agris.... Rien que pour l'étiquette, on s'en contenterait. Le vignoble de l'Université de Bourgogne (legs Lucotte en 1917, devenu centre expérimental pour les étudiants) dirigé par Noël Leneuf (éminent pédologue des vignobles français) donne un marsannay à la robe pinot noir, au nez de légère réduction (aérer dans le verre) et à la bouche de maturité grave, un rien austère. Sera plus souriant dans deux à trois ans.

⊶ Centre expérimental Université de Bourgogne,
16, rue du Carré, 21160 Marsannay-la-Côte,
tél. 03.80.52.12.96, fax 03.80.52.12.96,
e-mail sylvain.debord@u-bourgogne.fr ☑ 🚶 r.-v.

DOM. DU VIEUX COLLEGE Les Favières 2001 ★

■ 0,5 ha 2 000 ▮▮ 11 à 15 €

Grenat à reflets violets, il ne tergiverse pas et affiche sa couleur en vous regardant droit dans les yeux. Au premier nez, on le sent boisé, poivré. Au deuxième, l'affaire devient plus complexe sur le fruit cuit et le sous-bois. La persistance aromatique se développe au palais d'un élan très viril. Cela ne dure qu'un instant, mais un grand instant ! On vous conseille encore **Les Recilles 2001 en rouge (8 à 11 €)** et **Les Vignes Marie 2002 en blanc**. Tous deux sont cités.

⊶ Jean-Pierre Guyard, Dom. du Vieux Collège,
4, rue du Vieux-Collège, 21160 Marsannay-la-Côte,
tél. 03.80.52.12.43, fax 03.80.52.95.85 ☑ Y 🚶 r.-v.

Fixin

Après avoir visité les pressoirs des ducs de Bourgogne à Chenôve, dégusté le marsannay, vous rencontrez Fixin, première d'une série de communes donnant leur nom à une appellation d'origine contrôlée, où l'on produit surtout des vins rouges. Ils sont solides, charpentés, souvent tanniques et de bonne garde. Ils peuvent également revendiquer, au choix, à la récolte, l'appellation côte-de-nuits-villages. L'AOC couvre 107 ha auxquels il faut rajouter les 45,3 ha des premiers crus.

Les *climats* Hervelets, Arvelets, Clos du Chapitre et Clos Napoléon, tous classés en premiers crus, sont parmi les plus réputés, mais c'est le Clos de la Perrière qui en est le chef de file puisqu'il a même été qualifié de « cuvée hors classe » par d'éminents écrivains bourguignons et comparé au chambertin ; ce clos déborde un tout petit peu sur la commune de Brochon. Autre lieu-dit : Le Meix-Bas.

VINCENT ET DENIS BERTHAUT 2002 ★

■ 3 ha 10 000 ▮▮ 11 à 15 €

Les **Arvelets en 1er cru rouge 2002 (15 à 23 €)** ne sont pas déplaisants du tout mais doivent se faire avant d'être ouverts en 2008. Ce *village* correspond tout à fait à l'image classique du fixin : un vin d'hiver, à déboucher dès l'ouverture de la chasse. Rustique dans le bon sens du terme, bien bâti et à attendre un peu, il affiche une robe intense aux larmes nombreuses et régulières. Le nez est évidemment animal, suivi du petit fruit noir qui persiste à l'étape suivante avec générosité, gras et puissance.

⊶ Vincent et Denis Berthaut, 9, rue Noisot,
21220 Fixin, tél. 03.80.52.45.48, fax 03.80.51.31.05,
e-mail denis.berthaut@wanadoo.fr
☑ Y 🚶 t.l.j. 10h-12h 14h-18h; f. sam. dim. en jan.

REGIS BOUVIER 2002 ★

■ 0,3 ha 1 800 ▮▮ 11 à 15 €

Ni collé ni filtré, un fixin réussi aux arômes de griotte, mobilisant du gras et du coffre. Sa robe est d'un grenat sombre et soutenu. Le bouquet se cherche encore un peu mais il se dessine avec cette délicatesse propre à l'appellation (aérer avant le service). Equilibré, et il y a encore un coup de rabot à offrir aux tanins.

⊶ Régis Bouvier,
52, rue de Mazy, 21160 Marsannay-la-Côte,
tél. 03.80.51.33.93, fax 03.80.58.75.07 ☑ Y 🚶 r.-v.

DOM. RENE BOUVIER Crais de chêne 2001 ★

■ 1 ha 5 000 ▮▮ 11 à 15 €

Climat situé le long de la route des grands crus lorsque l'on quitte Couchey. L'intensité colorante de ce vin se rapproche du noir cerise. Au nez, l'animal et le végétal se disputent la préséance. La fin de bouche présente encore un caractère assez ferme mais le reste est magnifique (tanins maîtrisés, rétro de petits fruits macérés, harmonie très heureuse). A déguster dans trois ans environ.

⊶ Dom. René Bouvier,
29 bis, rte de Beaune, 21220 Gevrey-Chambertin,
tél. 03.80.52.21.37, fax 03.80.59.95.96,
e-mail rene-bouvier@wanadoo.fr ☑ Y ⛹ r.-v.
⊶ Bernard Bouvier

HERVE CHARLOPIN 2002 *

■ 0,47 ha 3 000 ◫ 11 à 15 €

Hervé Charlopin s'est installé il y a tout juste dix ans et lui aussi fait honneur à son nom bien connu dans la Côte. Rouge cerise à reflets mauves, voici un vin tout en souplesse, agréable, aux tanins bien enrobés, à l'aise dans son millésime, d'une jolie longueur et qui est prêt à être bu. Quelques années de garde ne vont pas l'effrayer. Il est un peu porté par son fût mais reste net et franc, sur des arômes de cassis.

⊶ Dom. Hervé Charlopin,
5, rue des Avoines, 21160 Marsannay-la-Côte,
tél. 03.80.59.86.75, fax 03.80.51.44.49 ☑ Y ⛹ r.-v.

DOM. DU CLOS SAINT-LOUIS 2002 **

■ 4 ha 18 000 ◫ 11 à 15 €

Rebaptisé de façon très convenable par la famille Bernard, le Clos Saint-Louis s'appelait jadis le « Clos Bizoutte » car un négociant dijonnais y donnait ses rendez-vous galants... Cela dit, Philippe Bernard, à la tête du domaine depuis dix ans, signe un fixin pourpre foncé, peu

BOURGOGNE

La côte de Nuits (Nord-1)

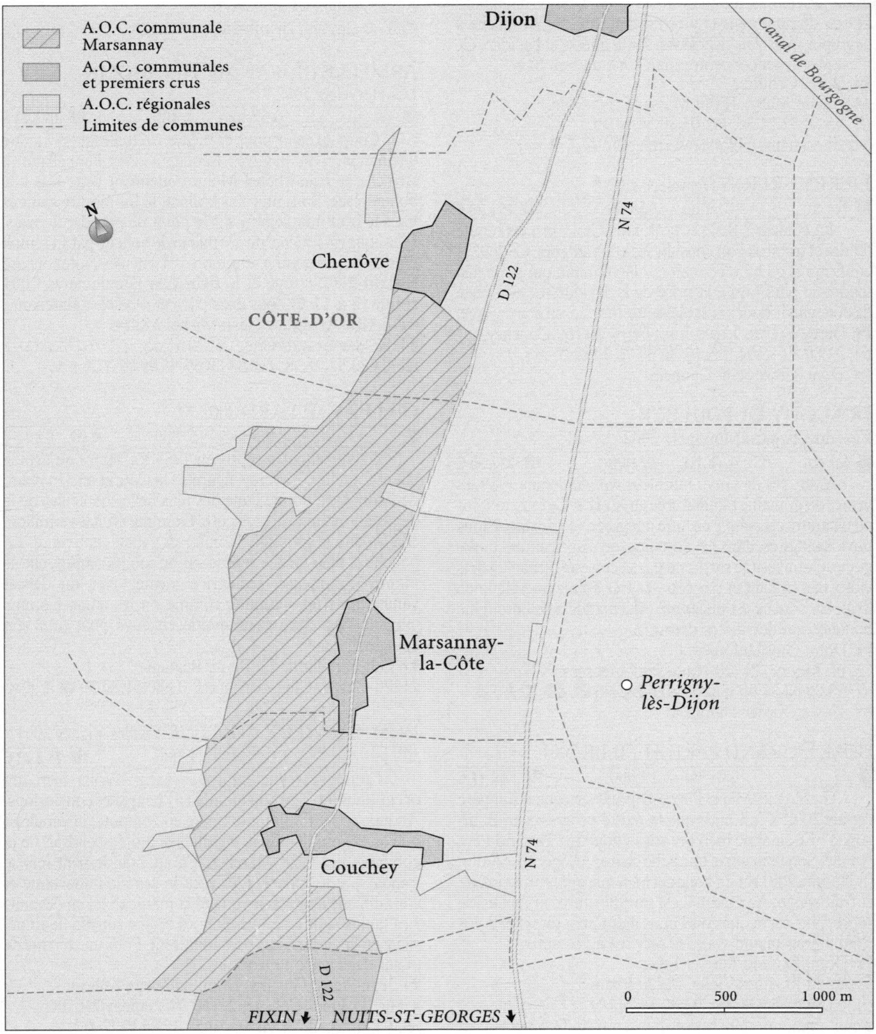

aromatique (fruits noirs macérés) mais dont la bouche éblouit : ample et profonde, un peu austère, disons plutôt recueillie, elle porte une matière considérable et en ces temps, exceptionnelle. L'attente est impérative, au moins trois ans et si possible davantage.
🔑 Dom. du Clos Saint-Louis, 4, rue des Rosiers, 21220 Fixin, tél. 03.80.52.45.51, fax 03.80.58.88.76, e-mail clos.st.louis@wanadoo.fr
☑ 🍷 🚶 t.l.j. sf dim. 9h-12h 13h30-19h; f. 15-30 août
🔑 Philippe Bernard

DOM. COLLOTTE 2002 ★

■ 0,38 ha 1 700 🛢 8 à 11 €

Un fixin (prononcer fissin, bien sûr) rubis intense et violacé. Son nez retient fortement l'attention car il penche tout à la fois vers la prune et la violette (arôme très classique et distingué en Côte de Nuits). Un rien d'animal ? On en discute, mais le jury est d'accord sur sa mâche à assouplir mais déjà délicieuse, sur la finesse et l'acidité. Ce n'est pas hyper-concentré mais c'est un bon fixin.
🔑 Dom. Collotte,
44, rue de Mazy, 21160 Marsannay-la-Côte,
tél. 03.80.52.24.34, fax 03.80.58.74.40,
e-mail domaine.collotte@terre-net.fr ☑ 🍷 🚶 r.-v.

DEREY FRERES Hervelets 2002 ★

■ 1er cru 0,9 ha 5 000 🛢 15 à 23 €

La couleur ? Belle et profonde. Ce 1er cru est réputé tendre et friand si l'on consulte les bons auteurs. Ce 2002 le confirme et on lui reconnaît ce côté féminin qui porte à la tendresse plutôt qu'à la prise de la Bastille. Le nez reste discret mais la bouche est plaisante, fondue, un peu poivrée.
🔑 Derey Frères, 1, rue Jules-Ferry, 21160 Couchey, tél. 03.80.52.15.04, fax 03.80.58.76.70 ☑ 🍷 🚶 r.-v.
🔑 Dom. Croix Saint-Germain

DOM. GUY DUFOULEUR
Clos du Chapitre Monopole 2002

■ 1er cru 4,78 ha 12 000 🛢 23 à 30 €

Yvan, fils de Guy Dufouleur, vinifie depuis 1989 les vignes du domaine familial créé au XVIIe s. Ce fameux Clos du Chapitre est cultivé en lutte intégrée avec des incursions phytosanitaires dans le domaine de l'agriculture biologique. Ce millésime surprend par sa couleur grenat à reflets violet très brillant et par son nez très animal, atypique de fixin. La bouche est puissante et demande à se faire. Une bouteille qui devra être décantée.
🔑 Dom. Guy Dufouleur,
19, pl. Monge, 21700 Nuits-Saint-Georges,
tél. 03.80.62.31.00, fax 03.80.62.31.00 ☑ 🏠 🍷 🚶 r.-v.
🔑 Guy et Xavier Dufouleur

DOM. DURAND PERE ET FILLE 2001

■ 3,88 ha 12 000 🛢 8 à 11 €

Œnologue, Marie-Pierre Durand succède à son père depuis 2002. C'est ainsi que la parité progresse en Bourgogne ! Et on aime bien lire sur l'étiquette : Durand Père et Fille. Son fixin porte une robe claire, en légère évolution (millésime 2001) et un bouquet bien marqué, entre violette et fruit rouge. Au palais, il est sans fioritures ni fantaisies, sobre, plus carré que rond mais il donnera du relief à vos charcuteries quand vous les servirez à vos amis.
🔑 Dom. Durand Père et Fille,
5, rue du Pr.-Jules-Violle, 21220 Fixin,
tél. 03.80.52.45.28, fax 03.80.58.74.61,
e-mail dom.durandfixin@waika9.com ☑ 🍷 🚶 r.-v.

JOLIET PERE ET FILS
Clos de la Perrière Monopole 2001 ★

■ 1er cru 4,5 ha 20 000 ▮ 🛢 🌡 11 à 15 €

Monopole appartenant depuis près de cent cinquante ans au même patrimoine familial, le Clos de la Perrière (5 ha) était considéré au XIXe s. comme l'égal des plus grands vins de Bourgogne. Nous sommes ici en présence d'un 2001 rouge (un demi-hectare est planté en blanc) à la robe vive et brillante, au nez légèrement vanillé qui exprime le fruit frais à l'aération. La première bouche est un peu ferme, puis l'horizon se dégage sur un équilibre velouté et soyeux. L'impression générale est excellente. Bouteille à ouvrir cette année ou la prochaine pour un lapereau ou... une anguille.
🔑 EARL Joliet Père et fils, manoir de La Perrière, 21220 Fixin, tél. 03.80.52.47.85, fax 03.80.51.99.90, e-mail benigne@wanadoo.fr
☑ 🍷 🚶 t.l.j. 8h-12h 14h-18h

ARMELLE ET JEAN-MICHEL MOLIN
Les Hervelets 2002 ★

■ 1er cru 0,57 ha 1 400 🛢 15 à 23 €

Coup de cœur pour ce même vin millésimé 97 (cette distinction n'est pas très fréquente dans l'appellation), Armelle et Jean-Michel Molin obtiennent cette fois une bonne place. Sous un rubis brillant, le fût montre son nez mais le fruit mûr semble sur le point de prendre le relais. L'attaque est fraîche, puis le milieu de bouche paraît rempli d'amabilités dans une sensation très vineuse. Notez encore le **fixin 2002 rouge** et le **fixin Les Chenevières 2001 rouge (8 à 11 €)**, tous deux cités et à boire maintenant.
🔑 EARL Armelle et Jean-Michel Molin,
54, rte des Grands-Crus, 21220 Fixin,
tél. 03.80.52.21.28, fax 03.80.59.96.99 ☑ 🍷 🚶 r.-v.

GILLES VAILLARD 2002 ★★

■ 0,5 ha 2 000 ▮ 🛢 8 à 11 €

Ce viticulteur a repris en 1983 les vignes qu'exploitaient Camille Crusserey, figure de la Côte et ancien maire de Fixin. Cela donne l'une des plus belles bouteilles de la dégustation, sinon la meilleure. De teinte grenat-vermillon, elle évoque la groseille, la mûre de façon captivante. En bouche et bien qu'elle repose sur de solides assises, elle se montre charmeuse, séductrice même, avec un délicat vanillé pas trop accentué, comme on les aime. Comme quoi, un vin élevé pour moitié en cuve peut tirer son épingle du jeu.
🔑 Gilles Vaillard, 42, rte de Beaune,
21220 Gevrey-Chambertin, tél. 03.80.51.80.30 ☑ 🍷 r.-v.

DOM. DU VIEUX COLLEGE Vieilles Vignes 2001

■ 0,5 ha 2 000 🛢 15 à 23 €

Cerise soutenue ou rouge sang ? Voilà bien qui occupe nos jurés un bon moment à l'heure des conclusions. Au nez, ce serait plutôt la cerise en compote, la vanille et quelque chose d'animal, de sauvage qui descendrait de la combe et des Cent Marches. En attaque, le fruit (cerise toujours) a de l'allure. L'extraction semble importante et c'est difficile à apprécier quand la maturité est en devenir. Les tanins sont assez enveloppés et une touche de minéralité en finale ne laisse pas indifférent. Pour une terrine de gibier dans deux ou trois ans.
🔑 Jean-Pierre Guyard, Dom. du Vieux Collège,
4, rue du Vieux-Collège, 21160 Marsannay-la-Côte,
tél. 03.80.52.12.43, fax 03.80.52.95.85 ☑ 🍷 🚶 r.-v.

Gevrey-chambertin

Au nord de Gevrey, trois appellations communales sont produites sur la commune de Brochon : fixin sur une petite partie du Clos de la Perrière, côte-de-nuits-villages sur la partie nord (lieux-dits Préau et Queue-de-Hareng) et gevrey-chambertin sur la partie sud.

En même temps qu'elle constitue l'appellation communale la plus importante en volume (10 036 hl en 2003), la commune de Gevrey-Chambertin abrite des premiers crus tous plus grands les uns que les autres ayant donné 2 726 hl. La combe de Lavaux sépare la commune en deux parties. Au nord, nous trouvons, entre autres *climats*, les Evocelles (sur Brochon), les Champeaux, la combe aux Moines (où allaient en promenade les moines de l'abbaye de Cluny qui furent au XIIIᵉs. les plus importants propriétaires de Gevrey), les Cazetiers, le clos Saint-Jacques, les Varoilles, etc. Au sud, les crus sont moins nombreux, presque tout le coteau étant en grand cru ; on peut citer les *climats* de Fonteny, Petite-Chapelle, Clos-Prieur, entre autres.

BOURGOGNE

La côte de Nuits (Nord-2)

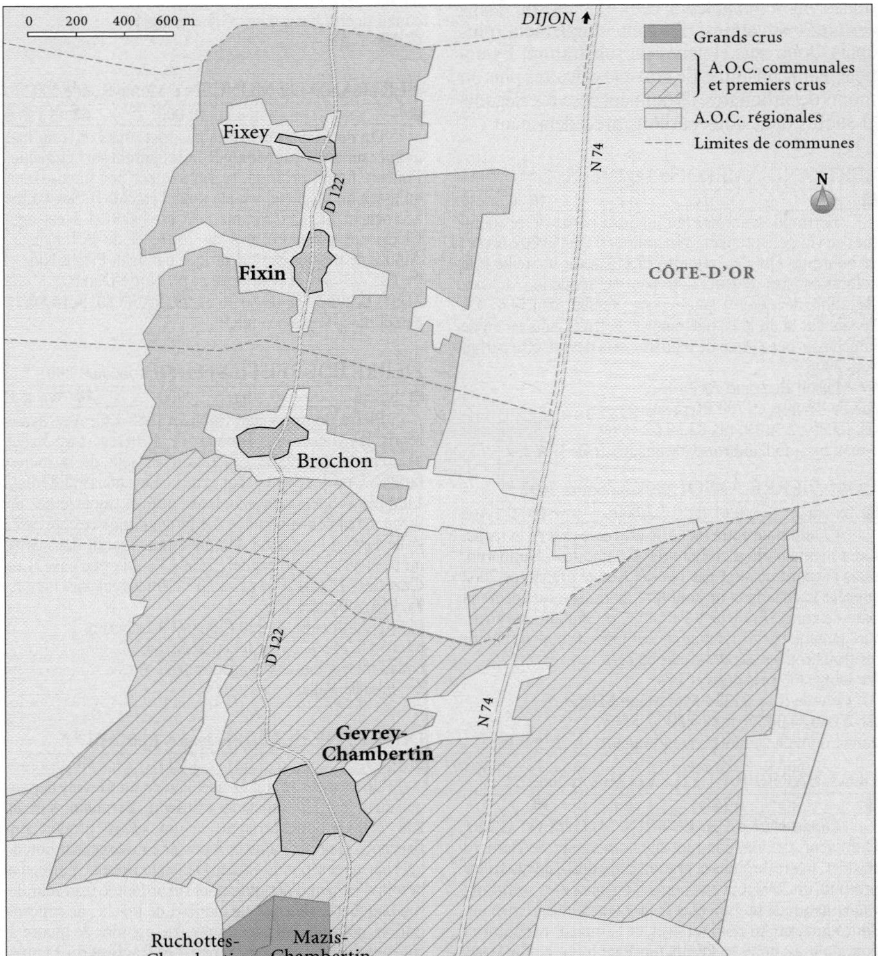

Les vins de cette appellation sont solides et puissants dans le coteau, élégants et subtils dans le piémont. A ce propos, il convient de répondre à une rumeur erronée selon laquelle l'appellation gevrey-chambertin s'étend jusqu'à la ligne de chemin de fer Dijon-Beaune, dans des terrains qui ne le mériteraient pas. Cette information, qui fait fi de la sagesse des vignerons de Gevrey, nous donne l'occasion d'apporter une explication : la côte a été le siège de nombreux phénomènes géologiques, et certains de ses sols sont constitués d'apports de couverture, dont une partie a pour origine les phénomènes glaciaires du quaternaire. La combe de Lavaux a servi de « canal », et à son pied s'est constitué un immense cône de déjection dont les matériaux sont identiques ou semblables à ceux du coteau. Dans certaines situations, ils sont simplement plus épais, donc plus éloignés du substratum. Essentiellement constitués de graviers calcaires plus ou moins décarbonatés, ils donnent ces vins élégants et subtils dont nous parlions précédemment.

BERTRAND AMBROISE Les Crais 2002 ★★

■ n.c. n.c. 🛢 11 à 15 €

Bertrand Ambroise fait lui aussi partie de ces hommes de vin de la première génération. Il voulait être berger et bifurqua. On s'en réjouit grâce à cette bouteille à la coloration très réussie. Un peu de réduction au nez (aération nécessaire) puis cassis, vanille, chocolat. De l'épaisseur et du gras, une nuance de fruits cuits en fin de bouche, un beau grain de matière : cela devrait être parfait vers 2006.

⊶ Maison Bertrand Ambroise,
rue de l'Eglise, 21700 Premeaux-Prissey,
tél. 03.80.62.30.19, fax 03.80.62.38.69,
e-mail bertrand.ambroise@wanadoo.fr ☑ 🍷 🚶 r.-v.

DOM. PIERRE AMIOT Les Combottes 2002 ★

■ 1er cru 0,61 ha 3 000 🛢 23 à 30 €

Climat situé entre les latricières et le clos de la roche. On a même parlé d'en faire des Combottes-Chambertin, mais l'accord ne s'est pas réalisé. Rouge grenat, ce 2002 suggère le chaudron de confiture de fraises, ou encore la pâte de coing. Franche à l'attaque, présentant une structure tannique déjà arrondie et équilibrée, la bouche choisit les fruits rouges sur des notes épicées.

⊶ Dom. Pierre Amiot et Fils,
27, Grande-Rue, 21220 Morey-Saint-Denis,
tél. 03.80.34.34.28, fax 03.80.58.51.17,
e-mail domaine.amiot-pierre@wanadoo.fr 🍷 🚶 r.-v.

DOM. BARBIER ET FILS Les Murots 2002 ★★

■ 0,24 ha 1 500 🛢 15 à 23 €

Climat situé à l'est de la RN 74. Géré par Xavier Dufouleur, ce domaine rappelle la mémoire de Bernard Barbier, maire de Nuits et grand maître du Tastevin. Rubis profond, un 2002 tout en finesse et en puissance : un grand *village* assurément. Epices et fruits bien mûrs agrémentent l'introduction. Au cœur du sujet, de l'ampleur comme il en faut, du gras, un tissu soyeux teinté de fraise en finale sur un support boisé demeurant raisonnable. Il fait plaisir ! N.B. : finaliste du coup de cœur.

⊶ Dom. Barbier et Fils,
17, rue Thurot, 21700 Nuits-Saint-Georges,
tél. 03.80.61.21.21, fax 03.80.61.10.65,
e-mail domaine.barbier@wanadoo.fr
☑ 🍷 🚶 t.l.j. 9h-19h

DOM. DES BEAUMONT Aux Combottes 2002

■ 1er cru n.c. 1 400 🛢 23 à 30 €

Une nouveauté au domaine : la climatisation de la cuverie, réalisée en juin 2003. Il était temps avant la canicule ! Ces Combottes donnent un vin grenat très marqué. Son nez marie la vanille et l'animal, avec une certaine complexité. Il faut tenir compte du millésime... En sa faveur : une honnête structure tannique, de la finesse. Epanouissement prévu dans trois ans !

⊶ EARL Dom. des Beaumont,
9, rue Ribordot, 21220 Morey-Saint-Denis,
tél. 03.80.51.87.89, fax 08.25.18.63.99,
e-mail thierry.beaumont1@libertysurf.fr
☑ 🏠 🍷 🚶 r.-v.

BERTRAND DE MONCENY Monte-Ronde 2002 ★

■ n.c. 10 000 🛢 15 à 23 €

On ne connaît peut-être pas tout, mais on a du mal à situer sur la carte le Monte-Ronde figurant sur l'étiquette. Pourpre foncé, profond, ce vin a le nez peu intense bien qu'assez fin (réglisse, vanille pour l'essentiel). Ses tanins accrochent un peu comme cela est habituel à cet âge. Charpenté, structuré, il a du coffre et de la longueur. Affaire de négoce-éleveur dirigée par Jean-Pierre Nié.

⊶ Cie des Vins d'Autrefois, 3, pl. Notre-Dame,
21200 Beaune, tél. 03.80.26.33.00, fax 03.80.24.14.84,
e-mail nie.jp@cva-beaune.fr

PIERRE BOUREE FILS Clos Saint-Jacques 2001 ★

■ 1er cru 0,2 ha 900 🛢 38 à 46 €

Pierre Bourée s'était établi en 1888 à Gevrey, ayant repris la Maison P. Thomas de Pellerey. Les Vallet assurent la quatrième génération au sein de la même famille. Un Clos Saint-Jacques ne laisse jamais indifférent. Limpide, rouge à reflets violacés, celui-ci cajole le nez de façon agréablement fruitée. Le fût lui donne ce côté café, grillé sur fond tannique. Un millésime à servir dans deux ou trois ans. On ne gagnera rien à l'oublier en cave. Les **Cazetiers 1er cru 2001 (23 à 30 €)** obtiennent une citation.

⊶ Pierre Bourée Fils,
13, rte de Beaune, 21220 Gevrey-Chambertin,
tél. 03.80.34.30.25, fax 03.80.51.85.64,
e-mail pierre-bouree@wanadoo.fr ☑ 🚶 r.-v.
⊶ Famille Vallet

DOM. RENE BOUVIER Jeunes Rois 2001 ★★

■ 3 ha 5 000 🛢 15 à 23 €

Un pied sur Marsannay et l'autre sur Gevrey depuis quelques années (ancienne maison Bernollin sur la RN 74), ce domaine signe ici un *village* produit sur Brochon. Haut de gamme, il possède un excellent potentiel : son avenir paraît assuré. De teinte presque noire, il a besoin d'un peu d'aération pour offrir tout le fruit mûr de son bouquet. Beaucoup de matière, de mâche, de concentration, pour un 2001 qu'on pourra attendre de quatre à cinq ans car il est solidement bâti. Les **Racines du Temps 2001 (23 à 30 €)**, issues de vignes de quatre-vingts ans, obtiennent une étoile.

🔑 Dom. René Bouvier,
29 bis, rte de Beaune, 21220 Gevrey-Chambertin,
tél. 03.80.52.21.37, fax 03.80.59.95.96,
e-mail rene-bouvier@wanadoo.fr ☑ 🍷 🚶 r.-v.

DOM. PHILIPPE CHARLOPIN La Justice 2001 ★

■ n.c. n.c. 🛢 15 à 23 €

Philippe Charlopin fait partie de ces vignerons qui, en s'installant, sont allés recueillir les conseils d'Henri Jayer. Ils ont porté leurs fruits car son domaine a reçu plusieurs fois le coup de cœur. Voici un 2001 plus tendre que charpenté. Sous sa robe profonde, le bouquet laisse deviner les fruits rouges et le sous-bois. Cette Justice rendra son verdict d'ici deux ans.

🔑 Dom. Philippe Charlopin,
18, rte de Dijon, 21220 Gevrey-Chambertin,
tél. 03.80.91.81.18, fax 03.80.51.81.27,
e-mail charlopin.philippe@wanadoo.fr

DOM. BRUNO CLAIR Cazetiers 2001 ★

■ 1er cru 0,8 ha 3 400 🛢 38 à 46 €

Après avoir envisagé l'élevage du mouton, Bruno Clair (une dynastie à Marsannay) a choisi la vigne. Ses Cazetiers (vignes de trente ans) sont d'un rubis bien brillant et affichent un nez boisé tirant sur le fruit cuit légèrement épicé. En bouche, on retrouve le fruit, les mêmes arômes, sur une pointe d'amertume qui ne nuit pas au tableau. La finesse de ses tanins, son style en un mot incitent à déboucher maintenant la bouteille.

🔑 SCEA Dom. Bruno Clair, 5, rue du Vieux-Collège,
BP 22, 21160 Marsannay-la-Côte,
tél. 03.80.52.28.95, fax 03.80.52.18.14,
e-mail brunoclair@wanadoo.fr ☑ 🍷 🚶 r.-v.

CLOS DU CHAPITRE Monopole 2002 ★

■ 1er cru n.c. 3 600 🛢 23 à 30 €

La Cave des Hautes-Côtes (désormais seule coopérative en Côte-d'Or) a absorbé en 1989 la cave de Gevrey riche de vignes en chambertin, mazis et charmes ; de surcroît le monopole du Clos du Chapitre (98 a 20 ca) acquis en 1927. Sur l'étiquette, la mention « monopole » est donc exacte. « Domaine exclusif ? » Moins évident... Cela dit, c'est d'un rouge violine avec d'aimables arômes de cassis. Grâce à son attaque agréable et à la civilité de ses tanins, il tient parfaitement son rang parmi les 1ers crus. *Climat* historique, tout près du Clos Saint-Jacques.

🔑 Les Caves des Hautes-Côtes, rte de Pommard,
21200 Beaune, tél. 03.80.25.01.00, fax 03.80.22.87.05,
e-mail vinchc@wanadoo.fr ☑ 🍷 🚶 r.-v.

BERNARD COILLOT PERE ET FILS
Vieilles Vignes 2002

■ 0,7 ha 4 000 🛢 15 à 23 €

Violet très profond, avec formation de jambes importantes, un *village* aux arômes déjà évolués : cerise à l'eau-de-vie, fruits en confiture, goudron. Riche et assez équilibrée, la bouche laisse une impression de fraîcheur, contrastant avec le bouquet. Longueur et structure correctes. Ce vin provient de raisins récoltés près du château de Brochon.

🔑 Dom. Bernard Coillot Père et Fils,
31, rue du Château, 21160 Marsannay-la-Côte,
tél. 03.80.52.17.59, fax 03.80.52.17.59,
e-mail domaine.coillot@wanadoo.fr ☑ 🍷 🚶 r.-v.

DOM. PIERRE DAMOY 2001 ★

■ 0,34 ha 1 700 🛢 23 à 30 €

Le **Clos Tamisot 2001 (30 à 38 €)**, acquis avec sa belle maison par Julien Damoy en 1936, obtient une citation. Il a une couleur intense et profonde, offre un bouquet posé tout d'abord sur le grillé puis ouvert sur l'animal, les épices. Les tanins ne se laissent pas oublier. Quant à ce *village* 2001, habillé de cerise rouge, il a le nez ouvert sur la framboise et le fût. Equilibré, élégant, construit sur de beaux tanins mesurés et longs, il est à servir dans deux à cinq ans.

🔑 Dom. Pierre Damoy,
11, rue du Mal-de-Lattre-de-Tassigny,
21220 Gevrey-Chambertin,
tél. 03.80.34.30.47, fax 03.80.58.54.79,
e-mail info@domaine-pierre-damoy.com

DOM. DROUHIN-LAROZE 2002 ★

■ 1er cru 4,1 ha 3 600 🛢 15 à 23 €

Lavaux Saint-Jacques et Clos Prieur font partie des 1ers crus de ce domaine contribuant à l'histoire de Gevrey depuis cent cinquante ans. On peut donc imaginer que ce 1er cru sans nom de *climat* en provient. Sa robe intense grenat foncé habille un nez très minéral au boisé déjà bien gommé. Au palais, et d'entrée de jeu, l'impression est favorable. Une petite fermeté en finale ? Sans doute, mais ce 2002 n'a pas encore dit tout ce qu'il a à dire. On le situe dans l'avenir.

🔑 Dom. Drouhin-Laroze, 20, rue du Gaizot,
21220 Gevrey-Chambertin, tél. 03.80.34.30.39,
fax 03.80.51.83.70, e-mail drouhinlaroze@aol.com
☑ 🍷 t.l.j. 9h-12h 13h30-18h
🔑 Philippe Drouhin

DOM. DUPONT-TISSERANDOT
La Petite Chapelle 2002 ★★★

■ 1er cru 0,17 ha 900 🛢 23 à 30 €

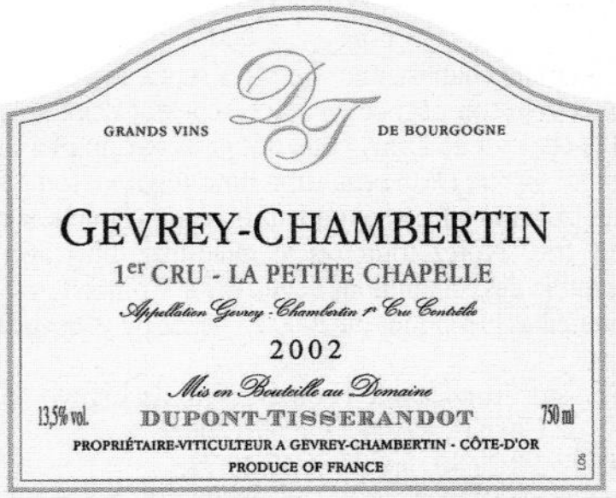

Disons-le tout de suite : ce domaine sort grand vainqueur du tournoi ! Si le jury a adoré cette Petite Chapelle en 1er cru (excellentissime) vous saurez qu'en **village le 2002 (15 à 23 €)** est arrivé à égalité en coup de cœur. Le jury par ailleurs ne tarit pas d'éloges sur les **Cazetiers** et les **Lavaux Saint-Jacques en 1ers crus 2002**. Un remarquable sans faute pour ce domaine de 24 ha qui accomplit d'importants efforts qualitatifs, on le constate. Si vous avez la chance de goûter l'une des 900 bouteilles de La Petite Chapelle, vous admirerez la robe profonde et intense, le nez mariant boisé et fruits noirs très mûrs, parfums que l'on retrouve dans un palais bien constitué, puissant et long...

🔑 Dupont-Tisserandot,
2, pl. des Marronniers, 21220 Gevrey-Chambertin,
tél. 03.80.34.10.50, fax 03.80.58.50.71
▼ Y ⛹ t.l.j. 9h-18h; sam. dim. sur r.-v.
🔑 Guillard et Chevillon

FAIVELEY Les Cazetiers 2001 *

■ 1er cru	2,04 ha	7 360	◐	30 à 38 €

Installé à Gevrey dans l'ancienne propriété de Grésigny, le Domaine Faiveley est une institution dans la Côte. Le grand-père Georges n'était-il pas le fondateur de la Confrérie des Chevaliers du Tastevin avec Camille Rodier ? Couleur cassis, ces Cazetiers marient avec bonheur les arômes fruités et boisés. Encore fermé comme il se doit, le corps ne se livre pas mais on le sent charpenté, tannique et en devenir. Sa longueur est prometteuse.
🔑 Bourgognes Faiveley,
8, rue du Tribourg, 21700 Nuits-Saint-Georges,
tél. 03.80.61.04.55, fax 03.80.62.33.37,
e-mail info@bourgognes-faiveley.com ▼ r.-v.
🔑 François Faiveley

DOM. JEAN FERY ET FILS Les Crais 2001 *

■	0,5 ha	2 800	◐	11 à 15 €

Depuis 1997, Alain Meunier a ce domaine en charge auprès de Jean-Louis Féry, fils de Jean Féry (une dizaine d'hectares). Ce qu'on appelait jadis un « vin de rôti ». C'est en effet ainsi, sans oublier les champignons, qu'on le goûtera le mieux. Cerise burlat à l'œil, son nez n'est pas très bavard mais il chuchote quelques arômes de réglisse et de fruits rouges. Franchise en bouche : assez simple mais bien typé, sans excès de longueur, un *village* qui nous plaît par son équilibre et sa discrétion.
🔑 Dom. Jean Fery et Fils, 21420 Echevronne,
tél. 03.80.21.59.60, fax 03.80.21.59.59,
e-mail fery.meunier@wanadoo.fr ▼ 🏠 Y ⛹ r.-v.

MAISON JEAN-CLAUDE FROMONT 2000

■	6 ha	6 000	▮◐	11 à 15 €

Famille chablisienne. Le fils a repris le vignoble en 1981 et créé son négoce en 1992, achetant deux ans plus tard le château de Ligny construit jadis par un marchand de vin de Bercy. D'un beau rubis bourguignon, son gevrey floral (pivoine) offre une rondeur fruitée en bouche sur des tanins fins. Notez toutefois le millésime, plus âgé que l'ensemble des échantillons dégustés ici. Combien reste-t-il de bouteilles invendues du 2000 à l'heure où vous lisez ces lignes ?
🔑 Maison Jean-Claude Fromont, Ch. de Ligny,
7, av. de Chablis, 89144 Ligny-le-Châtel,
tél. 03.86.98.20.40, fax 03.86.47.40.72,
e-mail accueil@chateau-de-ligny.com ▼ Y ⛹ r.-v.

DOM. JEROME GALEYRAND Les Crais 2002 **

■	0,26 ha	1 500	◐	15 à 23 €

Un nouveau venu sur qui il faudra compter. Installé à Saint-Philibert près de Gevrey, Jérôme Galeyrand a quitté en 2001 son emploi salarié pour vivre sa grande passion. Nous dégustons ici sa première vinification. Finaliste du coup de cœur, s'il vous plaît ! Un vin remarquable de fraîcheur, tout fruit, à attendre sagement. Ses arômes de fruits noirs réglissés, son corps bien équilibré (alcool-acidité) en font un gevrey flamboyant, d'une typicité impeccable. Les Crais sont proches de la Justice, à l'est de la RN 74.
🔑 Dom. Jérôme Galeyrand, 16, rue de Gevrey,
Saint-Philibert, 21220 Gevrey-Chambertin,
tél. 06.61.83.39.69, fax 03.80.34.39.69,
e-mail jerome.galeyrand@wanadoo.fr ▼ Y ⛹ r.-v.

DOM. DOMINIQUE GALLOIS
La Combe aux Moines 2002

■ 1er cru	0,45 ha	n.c.	◐	23 à 30 €

La famille Gallois est liée à la mémoire du grand écrivain bourguignon Gaston Roupnel. Elle présente une Combe aux Moines faite davantage pour le plaisir que pour la vie contemplative : robe très sombre, beau nez (groseille, framboise) et belle constitution avec, en rétro, une sensation fruitée à laquelle se mêle un peu de tabac blond. Rond et vif, il paraît stable dans son évolution.
🔑 Dom. Dominique Gallois,
9, rue du Mal-de-Lattre-de-Tassigny,
21220 Gevrey-Chambertin,
tél. 03.80.34.11.99, fax 03.80.34.38.62 Y ⛹ r.-v.

DOM. PIERRE GELIN
Clos de Meixvelles Monopole 2001

■	1,8 ha	9 000	◐	15 à 23 €

Situé au beau milieu de Gevrey, ce clos est présenté par un domaine de Fixin. Rubis limpide et relativement clair, un vin dont le nez pinote bien sur un air de groseille. L'attaque en bouche est plaisante, l'ampleur correcte. Sa maturité est à parfaire, d'autant que l'acidité paraît capable de le maintenir en bonne forme pendant deux à trois ans. Cité également, le **Clos Prieur 2001 (23 à 30 €)** sur un mode léger.
🔑 Dom. Pierre Gelin, 2, rue du Chapitre, 21220 Fixin,
tél. 03.80.52.45.24, fax 03.80.51.47.80,
e-mail gelin-pierre@wanadoo.fr ▼ Y ⛹ r.-v.
🔑 Stephen Gelin

DOM. ROBERT GROFFIER ET FILS 2002 **

■	0,85 ha	4 500	◐	15 à 23 €

Domaine de Morey qu'un coureur cycliste national a rendu célèbre. Une vinification probablement assez courte, mettant le fruit en valeur. A rendre le chambolle jaloux du gevrey ! Ce gevrey, en effet, se découvre d'un bel éclat pourpre. Cassis écrasé sur une pointe vanillée, il nous dévoile peu à peu le bonheur d'un grand *village*, délicat et rond, plein de sensibilité en bouche, souple, élégant et néanmoins costaud. L'harmonie est quasiment parfaite. Allons jusqu'au fromage de Cîteaux...
🔑 Dom. Robert et Serge Groffier,
3-5, rte des Grands-Crus, 21220 Morey-Saint-Denis,
tél. 03.80.34.31.53, fax 03.80.34.15.48 ▼ r.-v.

S.C. GUILLARD Lavaux Saint-Jacques 2001

■ 1er cru	0,08 ha	500	◐	15 à 23 €

Le petit-fils d'Henri IV (il y avait alors quatre Henri au pays et on les avait numérotés comme des rois de France) gère avec soin un tout petit domaine vigneron de moins de 5 ha. Rubis profond, son Lavaux Saint-Jacques fleure bon le raisin mûr (petite nuance boisée). Il se tient très bien en bouche : sa puissance n'écrase pas le fruit noir.
🔑 SCEA Guillard,
3, rue des Halles, 21220 Gevrey-Chambertin,
tél. 03.80.34.32.44 ▼ Y ⛹ r.-v.

JEAN-MICHEL GUILLON Vieilles Vignes 2002 **

■	1,3 ha	6 200	◐	11 à 15 €

Jean-Michel Guillon a débuté il y a vingt-cinq ans avec 2,5 ha en fermage. Il en exploite 10 de nos jours et cette cuvée Vieilles Vignes est arrivée troisième au grand jury des coups de cœur. Noir violacé, ce *village* au nez bien équilibré entre le fruit rouge, la vanille, le pain d'épice possède pas mal de gras et des tanins soyeux, caressants. Très bon retour en bouche. Quelle chance aura le coq qui lui tiendra compagnie ! Conseillés également : de remarquables **Champonnets 2002 en 1er cru (15 à 23 €)**, deux étoiles.

⊶ Jean-Michel Guillon,
33, rte de Beaune, 21220 Gevrey-Chambertin,
tél. 03.80.51.83.98, fax 03.80.51.85.59,
e-mail eurl.guillon@aol.com ☒ 𝐈 ⛯ r.-v.

DOM. ANTONIN GUYON 2001 ★★

▪ 2,4 ha 12 000 ◍ 15 à 23 €

L'un des quatre domaines réunis sous le nom d'Antonin Guyon (48 ha en tout). Une importante et ancienne activité vitivinicole des Côtes-de-Nuits et de Beaune. A Gevrey, outre des charmes-chambertin, ce valeureux *village* au teint rubis intense à reflets roses offrant élégance et plénitude du bouquet ; le corps au fruit très mûr possède une charpente impériale. On sent un grand travail de la vigne à la cave, une extraction maxima. Quatre à six ans de garde.

⊶ Dom. Antonin Guyon, 21420 Savigny-lès-Beaune,
tél. 03.80.67.13.24, fax 03.80.66.85.87,
e-mail vins@guyon-bourgogne.com ☒ 𝐈 ⛯ r.-v.

OLIVIER GUYOT Les Champeaux 2002 ★

▪ 1er cru 1 ha 4 500 ◍ 38 à 46 €

Cet adepte sincère (pour lui, ce n'est pas une mode) des labours avec un cheval vous propose une visite du vignoble en calèche... sur rendez-vous. Evidemment car il a autre chose à faire. Ses Champeaux occupent une situation élevée à la limite de Brochon et de Gevrey. Grenat foncé violine, ce 2002 assez boisé, frais et fruité, offre une finale épicée sur une note d'amertume. Ne pas déboucher avant quelques années.

⊶ Dom. Olivier Guyot,
39, rue de Mazy, 21160 Marsannay-la-Côte,
tél. 03.80.52.39.71, fax 03.80.51.17.58,
e-mail domaine.guyot@libertysurf.fr ☒ 𝐈 ⛯ r.-v.

DOM. HARMAND-GEOFFROY
Lavaux Saint-Jacques 2001 ★

▪ 1er cru 0,68 ha 4 200 ◍ 23 à 30 €

Rouge violacé brillant aux longues jambes, il est aisé de le situer (les yeux fermés) dans le secteur des Saint-Jacques : ces parfums de truffe noire, d'épices, de gibier... Sans doute doit-il se fondre et apparaît-il encore assez massif, mais son très bon équilibre et sa longueur promettent un réel plaisir dans deux à trois ans. Vous pouvez également noter **La Perrière en 1er cru 2001**, citée, et le **Clos Prieur en village (15 à 23 €)**, une étoile.

⊶ Dom. Harmand-Geoffroy,
1, pl. des Lois, 21220 Gevrey-Chambertin,
tél. 03.80.34.10.65, fax 03.80.34.13.72,
e-mail harmand-geoffroy@wanadoo.fr ☒ 𝐈 ⛯ r.-v.

DOM. HERESZTYN Vieilles Vignes 2002 ★

▪ 5,3 ha 14 000 ◍ 15 à 23 €

Coup de cœur en 1999 pour ses Perrières, le domaine connaît son sujet sur le bout des doigts. « Noir, c'est noir », nous chante ici la robe. Arômes de mûre et de vanille. Ses tanins jouent sur le velours, tandis qu'il emplit la bouche d'un seul élan. Joli vin qui rêve d'être dégusté jeune dans deux à cinq ans. En **1er cru, Les Champonnets 2002 (30 à 38 €)**, cités, ne vous décevront pas, en tenant compte du millésime et du fût.

⊶ EARL Dom. Heresztyn,
27, rue Richebourg, 21220 Gevrey-Chambertin,
tél. 03.80.34.30.86, fax 03.80.34.13.99,
e-mail domaine.heresztyn@wanadoo.fr ☒ 𝐈 ⛯ r.-v.

DOM. HUMBERT FRERES Craipillot 2002 ★

▪ 1er cru 0,19 ha 1 050 ◍ 30 à 38 €

Lavaux Saint-Jacques, Petite Chapelle, Estournelles Saint-Jacques, Poissenot 2002 sont cités. Vraiment un domaine qui fait visiter toute la cave ! Celui qui l'a remporté est ce Craipillot (un *climat* situé face au Clos Saint-Jacques au début de la combe) en robe violette. Son bouquet est encore très concentré mais on y perçoit de la complexité (prunelle, bois de cèdre). Extraction importante donnant un pinot noir tannique et corsé, puissant mais sans dureté. Un gevrey de la vieille école.

⊶ Dom. Humbert Frères,
rue de Planteligone, 21220 Gevrey-Chambertin,
tél. 03.80.51.80.14, fax 03.80.51.80.14 ☒ 𝐈 ⛯ r.-v.

LOU DUMONT Lavaux Saint-Jacques 2002 ★★

▪ 1er cru n.c. 600 ◍ 30 à 38 €

Affaire de négoce créée à Gevrey en 2000 par des professionnels du vin : Français, Japonais et Coréens. Grenat soutenu, un 2002 puissant et concentré, avec cette petite pointe d'acidité qui l'aidera à mûrir. Il possède ce type un peu sauvage qu'on rencontre souvent sur le versant des Saint-Jacques. Vieillira bien, mais déjà complet. Notez aussi le **gevrey-chambertin village 2002 (15 à 23 €)** : d'une élégance soyeuse, il obtient une étoile.

⊶ Maison Lou Dumont,
1, rue de Paris, 21220 Gevrey-Chambertin,
tél. 03.80.51.82.82, fax 03.80.51.82.84,
e-mail sales@loudumont.com ☒ 𝐈 ⛯ r.-v.
⊶ Nakada

JEAN-PHILIPPE MARCHAND
Lavaux Saint-Jacques 2002

▪ 1er cru n.c. n.c. ◍ 23 à 30 €

Une robe rouge grenat d'intensité moyenne ; son bouquet rappelle le sous-bois, les fruits cuits, les épices (poivre, girofle) qu'on retrouve au palais. Assez profond, il opte alors pour les fruits noirs. Myrtille, mûre, et Dieu sait si l'on en cueille sur les hauteurs de ce versant ! L'attendre deux à trois ans. Ce viticulteur (nom porté à Gevrey par plusieurs vignerons) est également négociant-éleveur (Alfred Salbreux, Jean Virely), et il travaille dans l'ancienne usine des confitures « les Duchesses de Bourgogne », disparue de nos jours.

⊶ Jean-Philippe Marchand,
4, rue Souvert, BP 41, 21220 Gevrey-Chambertin,
tél. 03.80.34.33.60, fax 03.80.34.12.77,
e-mail marchand@axnet.fr ☒ 𝐈 ⛯ r.-v.

MARINOT-VERDUN 2002 ★

▪ n.c. 1 700 ◍ 11 à 15 €

Nuance cerise noire et d'un éclat franc, ce gevrey-chambertin provient d'un négociant-éleveur de la Côte chalonnaise. Bouquet fruité et vanillé, attaque décidée, bouche suave mariant fruits rouges et boisé, finale harmonieuse, il remplit convenablement son contrat.

BOURGOGNE

🐓 Marinot-Verdun, Caves de Mazenay,
71510 Saint-Sernin-du-Plain, tél. 03.85.49.67.19,
fax 03.85.45.57.21 ☑ ⵣ ⵏ t.l.j. sf dim. 8h-12h 14h-18h

DOM. THIERRY MORTET 2002 ★

■	3 ha	12 000	🍶 ⬛ 15 à 23 €

Rouge foncé à reflets violacés, il porte un joli nez de cassis légèrement mentholé, mais le bouquet n'est pas encore tout à fait ouvert. On prend plaisir à l'accompagner en attaque, d'autant qu'il y a de la matière et qu'elle se montre élégante. Il s'agit ici de l'un des deux domaines issus de Charles Mortet, Thierry étant le cadet.
🐓 Dom. Thierry Mortet,
16, pl. des Marronniers, 21220 Gevrey-Chambertin,
tél. 03.80.51.85.07, fax 03.80.34.16.80 ☑ ⵣ ⵏ r.-v.

PIERRE NAIGEON Les Fontenys 2002 ★

■ 1er cru	0,06 ha	n.c.	⬛ 30 à 38 €

Issu d'une famille implantée dans la vigne à Gevrey depuis plusieurs générations, Pierre Naigeon vit dans l'une des plus belles demeures du village : l'hôtel Jobert de Chambertin (figure historique du vin de Bourgogne). Pourpre sombre, un 1er cru aux arômes de sous-bois soutenus par un joli boisé discret. Un beau fruit rouge dès l'attaque conduit à une impression favorable tant en structure qu'en longueur. A boire plutôt dans sa jeunesse.
🐓 Pierre Naigeon, 4, rue du Chambertin,
21220 Gevrey-Chambertin, tél. 03.80.34.14.87,
fax 03.80.58.51.18, e-mail pierre.naigeon@wanadoo.fr
☑ ⵣ ⵏ t.l.j. 10h-12h 14h-18h; f. nov.-mars

GERARD QUIVY 2002

■	2 ha	8 000	⬛ 15 à 23 €

Ancien fonctionnaire de la Concurrence et de la Consommation, ancien directeur du Syndicat des Côtes-de-Provence, Gérard Quivy a opté en définitive pour le métier de viticulteur à Gevrey (domaine de 4,3 ha et très belle demeure de parlementaire dijonnais du début du XVIIIes.). Pourpre assez soutenu, son 2002 partage ses ardeurs entre la vanille et le fruit rouge. Finesse en bouche, fraîcheur, acidité sont ses meilleurs atouts, plutôt que la matière ou la longueur. Egalement cités, **Les Corbeaux 2002 en 1er cru (23 à 30 €)**.
🐓 Gérard Quivy, 7, rue Gaston-Roupnel,
21220 Gevrey-Chambertin, tél. 03.80.34.31.02
☑ ⵣ ⵏ t.l.j. sf ven. 9h-12h 14h-18h; f. jan.

GERARD RAPHET 2002

■	3 ha	5 000	⬛ 15 à 23 €

Fils de Jean Raphet, Gérard présente un *village* qui pourrait venir des Combottes, des Lavaux Saint-Jacques car il exploite des parcelles par là-bas (aux deux extrémités de l'appellation). Rubis clair, le nez de ce millésime s'ouvre peu (noyau de cerise). Le corps bien constitué est encore replié sur lui-même, mais le grain est assez fin, la longueur digne d'un potentiel réel. A attendre un peu.
🐓 Gérard Raphet,
25, rte des Grands-Crus, 21220 Morey-Saint-Denis,
tél. 03.80.51.89.52, fax 03.80.51.84.25 ☑ ⵣ ⵏ r.-v.

DOM. HENRI RICHARD Aux Corvées 2002

■	2,08 ha	n.c.	⬛ 15 à 23 €

Les Corvées se situent à Gevrey tout près de cette cuverie. D'une couleur assez dense, elles ont un premier nez de fruit macéré dans l'alcool, de marc de vendange sur fond torréfié. Très tannique, d'une belle longueur, un vin

comme les aimait Nono, le vigneron du pays dont Gaston Roupnel fit tout un roman. Goûtez-le sur un lapin dans trois à six ans.
🐓 SCE Henri Richard, 75, rte de Beaune,
21220 Gevrey-Chambertin, tél. 03.80.34.35.81,
fax 03.80.34.35.81, e-mail scehenririchard@aol.com
☑ ⵣ ⵏ t.l.j. 9h-18h; dim. 9h-13h; f. 15-31 août

GERARD SEGUIN Vieilles Vignes 2002 ★★

■	2 ha	7 500	⬛ 11 à 15 €

Petit domaine de 5,5 ha, parfaitement représentatif de l'appellation. Rouge grenat intense avec de beaux reflets violets, voici un *village* Vieilles Vignes qui sait ménager ses effets jusqu'au coup de cœur final. Son bouquet s'ouvre sur la cerise rouge. Bien expressif, il présente une petite pointe chocolatée due à l'élevage sous bois neuf. L'attaque est franche, nette, enlevée. Sa légère tannicité ne surprend pas à cet âge.
🐓 Dom. Gérard Seguin,
11-15, rue de l'Aumônerie, 21220 Gevrey-Chambertin,
tél. 03.80.34.38.72, fax 03.80.34.17.41,
e-mail domaine.gerard.seguin@wanadoo.fr ☑ ⵣ ⵏ r.-v.

REMI SEGUIN Les Seuvrées 2001

■	1,1 ha	n.c.	⬛ 11 à 15 €

Climat séparé des mazoyères-chambertin par la RN 74. Quant à Rémi, il est né au Clos de Tart, fils du régisseur ! Difficile de concevoir berceau plus bourguignon ! D'un rouge vermillon net et brillant, ce 2001 laisse au nez une impression plaisante de groseille. Belle attaque sur le fruit, puis le corps se révèle au palais jusqu'à une finale assez longue et chaleureuse. La texture est cependant légère : un charme à saisir à la volée dans les trois à quatre années à venir.
🐓 Rémi Seguin,
19, rue de Cîteaux, 21640 Gilly-lès-Cîteaux,
tél. 03.80.62.89.61, fax 03.80.62.80.92 ☑ ⵣ ⵏ r.-v.

DOM. TAUPENOT-MERME Bel Air 2001 ★

■ 1er cru	n.c.	2 700	⬛ 30 à 38 €

L'un des domaines nés des œuvres d'Armand Merme à Morey. Bel air ? Un *climat* qui porte bien son nom ! Niché juste au-dessus du clos de bèze, quelques mètres seulement le séparent du grand cru. Rouge cassis, ce 2001 offre une certaine complexité aromatique où se détache le fruit noir. Même si les tanins demeurent marqués, l'attaque et la longueur ne manquent pas de charme. On conseille de le déguster dans deux ans.
🐓 Dom. Taupenot-Merme,
33, rte des Grands-Crus, 21220 Morey-Saint-Denis,
tél. 03.80.34.35.24, fax 03.80.51.83.41,
e-mail domaine.taupenot-merme@wanadoo.fr
☑ ⵣ ⵏ r.-v.

DOM. TORTOCHOT Les Corvées 2001 ★★

■ 0,86 ha 5 000 🛢 11 à 15 €

D'une texture assez fine (les tanins sont très plaisants et en tout cas doux comme des agneaux), le fruit généreux, c'est la main de fer sous un gant de velours. Car il a de la puissance, de la matière. Le jury lui prédit de l'avenir (dans les cinq ans à venir), appréciant également son rubis profond et son bouquet de groseille. Chantal est bien la digne fille de son père Gaby Tortochot, et il n'était pourtant pas si facile de lui succéder... Les **Lavaux Saint-Jacques 2001 (23 à 30 €)**, obtiennent également deux étoiles (à attendre trois ou quatre ans).

🔑 Dom. Tortochot,
12, rue de l'Eglise, 21220 Gevrey-Chambertin,
tél. 03.80.34.30.68, fax 03.80.34.18.80,
e-mail chantam@aol.com ☑ Y 🚶 r.-v.

DOM. DES VAROILLES La Romanée 2001 ★

■ 1er cru 1,06 ha n.c. 🛢 **30 à 38 €**

Mais oui, il existe une Romanée à Gevrey-Chambertin. A l'orée de la combe de Lavaux, ornée d'une jolie « maison de quatre heures » (qu'on n'habitait pas mais où l'on faisait le goûter), elle relancera la conversation si celle-ci tiédit à votre table. La robe va du pourpre au grenat selon les reflets qu'on y cherche. Le bouquet est déjà évolué, mais complexe (gibier, griotte) et, au palais, la chair est présente. « La mise en bouteilles semble avoir été bien choisie dans le temps », note un juré, ce qui veut dire que l'élevage a été soigneusement mesuré !

🔑 Dom. des Varoilles,
rue de l'Ancien-Hôpital, 21220 Gevrey-Chambertin,
tél. 03.80.34.30.30, fax 03.80.51.88.99,
e-mail contact@domaine-varoilles.com ☑ Y 🚶 r.-v.

DOM. DE LA VOUGERAIE Les Evocelles 2001 ★

■ 2,7 ha 3 762 🛢 **38 à 46 €**

Situé tout en haut du coteau sur Brochon, ce *climat* fournit un vin d'une remarquable typicité. D'une teinte dense et veloutée, rouge grenat brillant, il laisse percer mûre et cassis sous un bon boisé discret. Rond et pulpeux, il est à attendre quelques années afin de laisser les tanins s'enrober pleinement du fruit. Ce domaine réunit les vignes de la famille Boisset (la Vougeraie est à Vougeot la demeure familiale).

🔑 Dom. de La Vougeraie,
rue de l'Eglise, 21700 Premeaux-Prissey,
tél. 03.80.62.48.25, fax 03.80.61.25.44,
e-mail vougeraie@domainedelavougeraie.com ☑ r.-v.
🔑 Famille Boisset

Chambertin

Bertin, vigneron à Gevrey, possédant une parcelle voisine du Clos de Bèze et fort de l'expérience qualitative des moines, planta les mêmes plants et obtint un vin similaire : c'était le « champ de Bertin », d'où Chambertin. L'AOC a produit 478 hl sur 13,29 ha en 2002 et 288,25 hl en 2003.

JEAN-CLAUDE BELLAND 2002 ★

■ Gd cru 0,41 ha 2 000 🛢 **46 à 76 €**

En épousant en 1954 une jeune fille de la lignée Latour, Adrien Belland reçut de sa belle-famille 40 a 57 ca en chambertin. Rouge franc, ce vin encore un peu fermé donnera plus tard l'impression de poser le nez sur un bocal de cerises à l'eau-de-vie. Au palais, ses tanins sont bien construits, sa charpente relativement costaude, et on aperçoit la cible en ligne de mire. Sans doute l'atteindra-t-on dans trois à cinq ans.

🔑 Jean-Claude Belland,
45, Grande-Rue, 21590 Santenay,
tél. 03.80.20.61.90, fax 03.80.20.65.60 ☑ r.-v.

DOM. TRAPET PERE ET FILS 2002 ★

■ Gd cru 2 ha n.c. 🛢 **46 à 76 €**

|96| **98** 99 (00) **01** 02

Domaine en biodynamie, titulaire de la grappe d'or du Guide Hachette, distinction suprême. Jeune, trop jeune aujourd'hui, ce vin ravira dans deux ou quatre ans des plats associant sucré-salé tel le porc aux pruneaux. Il porte allègrement un rubis bourguignon, et son nez est à solliciter pour qu'il exprime le fruit rouge très mûr, l'humus, dans un léger boisé. La bouche est charmeuse, construite sur une bonne charpente généreuse qui demande à vieillir.

🔑 Dom. Trapet Père et Fils,
53, rte de Beaune, 21220 Gevrey-Chambertin,
tél. 03.80.34.30.40, fax 03.80.51.86.34,
e-mail message@domaine-trapet.com ☑ Y 🚶 r.-v.

Chambertin-clos-de-bèze

Les religieux de l'abbaye de Bèze plantèrent en 630 une vigne dans une parcelle de terre qui donna un vin particulièrement réputé : ce fut l'origine de l'appellation, qui couvre une quinzaine d'hectares ; les vins peuvent également s'appeler chambertin. La production a atteint 461 hl en 2002 sur 14,62 ha et 344,71 hl en 2003.

DOM. BRUNO CLAIR 2002

■ Gd cru 0,98 ha 2 670 🛢 **46 à 76 €**

Un chambertin appelé jadis à Paris « le vin du refus ». Désireux d'entrer à l'Académie française, Stéphen Liégard (château de Brochon) envoyait chaque année à chacun des quarante membres ses dernières plaquettes de vers et un panier de son chambertin. « Si on l'élit, disait Léon Daudet, il ne nous enverra plus que ses poèmes ! » Ces bouteilles si appréciées quai Conti provenaient de cette vigne. De belles larmes sur le verre rubis mat, l'approche est romantique. La suite assez lyrique, la figue sèche et le cassis équilibrant la vanille. La bouche n'a pas énormément de fond mais un style aromatique qui a son charme.

🔑 SCEA Dom. Bruno Clair, 5, rue du Vieux-Collège,
BP 22, 21160 Marsannay-la-Côte,
tél. 03.80.52.28.95, fax 03.80.52.18.14,
e-mail brunoclair@wanadoo.fr ☑ Y 🚶 r.-v.

DOM. PIERRE DAMOY Vieilles Vignes 2001 *

■ Gd cru 1,9 ha 4 700 + de 76 €

Des vignes de quatre-vingt-un ans ont donné ce 2001 très moderne – l'âge et la modernité se sont de tout temps conjugués – bien construit, puissant sans qu'il n'écrase jamais les parfums de cerise noire et de cassis. Dès l'entrée de bouche la matière domine, puis le boisé prend progressivement la première place ; il faudra l'attendre cinq à huit ans.

Dom. Pierre Damoy,
11, rue du Mal-de-Lattre-de-Tassigny,
21220 Gevrey-Chambertin,
tél. 03.80.34.30.47, fax 03.80.58.54.79,
e-mail info@domaine-pierre-damoy.com

DOM. DROUHIN-LAROZE 2002 *

■ Gd cru 1,37 ha 4 500 46 à 76 €

95 96 97 |00| |01| 02

En 1850, Jean-Baptiste Laroze crée son exploitation viticole. Suzanne Laroze épouse en 1919 Alexandre Drouhin. Naissance d'un beau domaine de plus de 11 ha, dirigé par Philippe Drouhin depuis 2001. Il faudra attendre au moins six ans ce 2002 qui joue sur des notes boisées mêlées de fruits rouges. La bouche est pleine et longue, généreuse et charpentée.

Dom. Drouhin-Laroze, 20, rue du Gaizot,
21220 Gevrey-Chambertin, tél. 03.80.34.30.39,
fax 03.80.51.83.70, e-mail drouhinlaroze@aol.com
t.l.j. 9h-12h 13h30-18h

DOM. PIERRE GELIN 2001

■ Gd cru 0,6 ha 2 000 46 à 76 €

Ces 60 a 25 ca proviennent du Domaine Marion (1962). Rouge à reflets violacés distillant le fruit rouge comme si le nez servait d'alambic, un 2001 vif et tannique dont le boisé est encore marqué mais dont la matière semble riche et de qualité.

Dom. Pierre Gelin, 2, rue du Chapitre, 21220 Fixin,
tél. 03.80.52.45.24, fax 03.80.51.47.80,
e-mail gelin-pierre@wanadoo.fr r.-v.
Stéphen Gelin

FREDERIC MAGNIEN 2002 **

■ Gd cru 0,6 ha 3 000 + de 76 €

Si l'exactitude est la politesse des rois, le roi des vins aime à être attendu. Il obéit assez longtemps à une règle austère et il sait faire désirer ses ardeurs. En voici l'illustration. Une robe très sombre, encrée et brillante. Un nez qui ne se donne pas à moitié et le fait en deux temps (cassis et vanille). Beaucoup de matière sur la langue, de vin en bouche. Protégée par ses remparts tanniques, cette forteresse n'est nullement imprenable, mais le siège sera long (huit à dix ans).

EURL Frédéric Magnien, 35, rte des Grands-Crus,
21220 Morey-Saint-Denis, tél. 03.80.58.54.20,
fax 03.80.51.84.34, e-mail fredericmagnien.grandsvinsde bourgogne@wanadoo.fr r.-v.

DOM. ARMAND ROUSSEAU PERE ET FILS 2002 *

■ Gd cru 1,42 ha 6 900 + de 76 €

Que la robe est jolie avec ses reflets violacés de jeunesse. Le premier nez s'ouvre sur le bois, le deuxième coup de nez découvre les fruits des bois... toujours sur le fût. L'attaque est fruitée sur des notes de cassis, puis la charpente s'impose sans oublier l'élégance. Un vin qui réussit à allier matière et finesse. Garde assurée.

Dom. Armand Rousseau,
1, rue de l'Aumônerie, 21220 Gevrey-Chambertin,
tél. 03.80.34.30.08, fax 03.80.58.50.25,
e-mail contact@domaine-rousseau.com

Autres grands crus de Gevrey-Chambertin

Autour des deux précédents, il y a six autres crus qui, sans les égaler, restent de la même famille. Les conditions de production sont un peu moins exigeantes, mais les vins y ont les mêmes caractères de solidité, de puissance, de plénitude, où domine la réglisse, qui permet généralement de différencier les vins de Gevrey de ceux des appellations voisines : les latricières (environ 7 ha) ; les charmes (31 ha 61 a 30 ca) ; les mazoyères, qui peuvent également s'appeler charmes (l'inverse n'est pas possible) ; les mazis, comprenant les Mazis-Haut (environ 8 ha) et les Mazis-Bas (4 ha 59 a 25 ca) ; les ruchottes (venant de roichot, lieu où il y a des roches), toutes petites par la surface, comprenant les Ruchottes-du-Dessus (1 ha 91 a 95 ca) et les Ruchottes-du-Bas (1 ha 27 a 15 ca) ; les griottes, où auraient poussé des cerisiers sauvages (5 ha 48 a 5 ca) ; et enfin, les chapelles (5 ha 38 a 70 ca), nom donné par une chapelle bâtie en 1155 par les religieux de l'abbaye de Bèze, rasée lors de la Révolution.

Latricières-chambertin

DOM. DROUHIN-LAROZE 2002 *

■ Gd cru 0,68 ha 3 300 30 à 38 €

Cité pour la première fois en 1508, ce grand cru a beaucoup de points communs avec le chambertin qu'il prolonge en direction de Morey. Ici 67 a 45 ca achetés naguère aux Gillot. Il y a du feu dans sa robe cerise noire à reflets mauves. De l'éclat en son bouquet tout d'abord girofle puis griotte au second nez. Cette bouteille est dégustée dans son âge ingrat : acidité et tanins s'affrontent encore. Cette touche « masculine » va cependant évoluer vers une sensibilité « féminine » (dans les trois à cinq ans à venir). Vinification très chambertine.

Dom. Drouhin-Laroze,
20, rue du Gaizot, 21220 Gevrey-Chambertin,
tél. 03.80.34.30.39, fax 03.80.51.83.70,
e-mail drouhinlaroze@aol.com
t.l.j. 9h-12h 13h30-18h

DOM. ROSSIGNOL-TRAPET 2001

■ Gd cru 0,75 ha 3 000 ⫶ 38 à 46 €

Limpide et brillant, ce 2001 fait son âge mais il ne porte aucun signe d'évolution négative. D'intensité moyenne sous le regard, il est plus explicite au nez : le genre de vin qui ouvre l'appétit, sur une tonalité de fruits rouges cuits. Le relief n'est pas celui du mont Poupet tel qu'on le voit dans le Jura du haut des Latricières, mais il a de la finesse. Vigne achetée dans l'entre-deux-guerres à la famille Savot.

Dom. Rossignol-Trapet,
4, rue de la Petite-Issue, 21220 Gevrey-Chambertin,
tél. 03.80.51.87.26, fax 03.80.34.31.63,
e-mail info@rossignol-trapet.com ☑ Y ⛹ r.-v.

DOM. TRAPET PERE ET FILS 2002 *

■ Gd cru 0,75 ha n.c. ⫶ 46 à 76 €

98 99 **00 01** 02

Superbe robe, nez intense mêlant fruits rouges macérés, musc et vanille du fût : ce latricières a de quoi séduire... dans quelques années. La bouche en effet doit encore s'harmoniser : elle a tous les atouts en main.

Dom. Trapet Père et Fils,
53, rte de Beaune, 21220 Gevrey-Chambertin,
tél. 03.80.34.30.40, fax 03.80.51.86.34,
e-mail message@domaine-trapet.com ☑ Y ⛹ r.-v.

Chapelle-chambertin

DOM. PIERRE DAMOY 2001 **

■ Gd cru 2,22 ha 9 275 ⫶ 46 à 76 €

Vignes de 2,21 ha 82 ca acquises durant les années 1920 par Julien Damoy. Celui-ci avait cédé la multitude d'épiceries créées à son enseigne dans la région parisienne pour vivre une grande passion avec le vin de Bourgogne. Cette chapelle-chambertin est vraiment de dévotion. Rouge sombre à reflets vieux rose, mise en beauté par un charmant bouquet de violette, elle est complexe. On s'y abandonne avec délice même si la finale montre une légère sécheresse qui s'estompera, car ce 2001 parfaitement d'aplomb a de vastes projets que l'on vous souhaite de partager.

Dom. Pierre Damoy,
11, rue du Mal-de-Lattre-de-Tassigny,
21220 Gevrey-Chambertin,
tél. 03.80.34.30.47, fax 03.80.58.54.79,
e-mail info@domaine-pierre-damoy.com ☑

DOM. MICHEL NOELLAT ET FILS 2002 *

■ Gd cru 0,36 ha 900 ⫶ 38 à 46 €

Ce vin applique une démarche qui a fait ses preuves. Il séduit l'œil par sa brillance. Il prend soin de ne pas délivrer tous ses arômes d'un seul coup, ménageant ses effets : le cassis que l'on ne saurait oublier ici, les épices douces du fût. Charnu et structuré, affichant des notes de cerise en rétro, il est encore assez éloigné de sa destination finale mais est tout à fait armé pour la garde.

SCEA Dom. Michel Noëllat et Fils,
5, rue de la Fontaine, 21700 Vosne-Romanée,
tél. 03.80.61.36.87, fax 03.80.61.18.10 ☑ Y ⛹ r.-v.

DOM. TRAPET PERE ET FILS 2002 *

■ Gd cru 0,6 ha n.c. ⫶ 46 à 76 €

91 |94| 95 96 **98** 99 00 01 02

Ce grand cru doit son nom à un oratoire édifié près du clos-de-bèze, complètement rasé vers 1830. Quant à cette vigne, elle fut achetée par la famille Trapet à deux personnages célèbres ici : Truchetet qui roulait à Gevrey vers 1900 dans une automobile de sa fabrication et Boinet dit le Zouave en qui l'on a vu l'inventeur du... kir. Produit en biodynamie, ce vin couleur très 2002, esquissant un bouquet pastel (cerise et boisé, bien fondus) et qui récompensera votre attente. Fin et élégant.

Dom. Trapet Père et Fils,
53, rte de Beaune, 21220 Gevrey-Chambertin,
tél. 03.80.34.30.40, fax 03.80.51.86.34,
e-mail message@domaine-trapet.com ☑ Y ⛹ r.-v.

BOURGOGNE

Charmes-chambertin

DOM. DES BEAUMONT 2002 *

■ Gd cru 0,52 ha 2 500 ⫶ 38 à 46 €

Le pinot noir a quelquefois des reflets bleutés. On le constate en dégustant cette bouteille où la confiture de fraises et la gousse de vanille se disputent les faveurs du nez. Texture de velours, suffisamment d'acidité, des tanins très fins : un vin opulent et encore un peu porté par l'alcool, mais assurément de classe. On nous dit de l'attendre alors qu'on vante ses mérites présents...

EARL Dom. des Beaumont,
9, rue Ribordot, 21220 Morey-Saint-Denis,
tél. 03.80.51.87.89, fax 08.25.18.63.99,
e-mail thierry.beaumont1@libertysurf.fr
☑ ⌂ Y ⛹ r.-v.

RENE BOUVIER 2001 *

■ Gd cru 0,3 ha 1 200 ⫶ 46 à 76 €

René Bouvier dans ses œuvres de négociant-éleveur. C'est un succès. Sa couleur comble. Il vous mène par le bout du nez là où il a décidé : épices, réglisse... Tannique, il montre encore un peu de verdeur. Mais sa vie intérieure, son harmonie profonde, sa longueur exceptionnelle et dépourvue de tout artifice nous rappellent le mot de saint Bernard le Bourguignon : « Il faut laisser du temps au temps. » Le temps qu'il faudra ! Un charmes fou !

Dom. René Bouvier,
29 bis, rte de Beaune, 21220 Gevrey-Chambertin,
tél. 03.80.52.21.37, fax 03.80.59.95.96,
e-mail rene-bouvier@wanadoo.fr ☑ Y ⛹ r.-v.

DOM. DUJAC 2001 *

■ Gd cru 0,7 ha 4 500 ⫶ 46 à 76 €

Une parcelle tout au nord du grand cru, une autre tout au sud (70 a au total), ce 2001 tient en main les cartes maîtresses pour réussir la synthèse des charmes et des mazoyères. Sa robe lumineuse aux pourtours violacés, son bouquet fruité et réglissé conduisent à une bouche riche en promesses. Ses tanins encore fermes ne l'entravent pas. En longueur et surtout en profondeur il « capte » bien, privilégiant le fond et remettant la forme aux derniers coups de pinceau. De grande garde.

⊶ Dom. Dujac,
7, rue de la Bussière, 21220 Morey-Saint-Denis,
tél. 03.80.34.01.00, fax 03.80.34.01.09,
e-mail dujac@dujac.com ☑ Ｙ ⚘ r.-v.
⊶ Jacques Seysses

DUPONT-TISSERANDOT 2002 *

■ Gd cru	0,8 ha	1 800	⏺ 38 à 46 €

Epicier haut-marnais, Bernard Dupont pouvait difficilement imaginer qu'il serait avec son épouse Gisèle Tisserandot, de Gevrey, le fondateur d'un des plus vastes domaines créés ici depuis les années 1960 (24 ha)... Très sombre parmi les rouges, un 2002 aux arômes de cassis, de myrtille sur un boisé très brûlé. L'attaque est riche, suivie par un passage plus minéral et réservé en milieu de bouche, puis tannique en finale. Bon vin de garde (trois à quatre ans) assez austère pour l'instant, comme il est normal.

⊶ Dupont-Tisserandot,
2, pl. des Marronniers, 21220 Gevrey-Chambertin,
tél. 03.80.34.10.50, fax 03.80.58.50.71
☑ Ｙ ⚘ t.l.j. 9h-18h; sam. dim. sur r.-v.
⊶ Guillard, Chevillon

DOM. DOMINIQUE GALLOIS 2002 *

■ Gd cru	0,3 ha	1 500	⏺ 38 à 46 €

96 |97| 98 **99** 01 02

Proche de la griotte-chambertin, cette parcelle (28 a 86 ca) est l'un des fleurons du domaine. Proche parente de Gaston Roupnel, cette famille a veillé religieusement sur les archives de l'auteur de *Nono* en nous permettant de découvrir plusieurs textes inédits. Un 2002 promu grand vin de garde. Fortement grenat, il garde en tête son élevage en fût. Un peu austère aujourd'hui en bout de course, mais il possède une bonne acidité et cette élégance attendue ici. Pas du tout mâle et dominateur, ce charmes préfère la douceur.

⊶ Dom. Dominique Gallois,
9, rue du Mal-de-Lattre-de-Tassigny,
21220 Gevrey-Chambertin,
tél. 03.80.34.11.99, fax 03.80.34.38.62 ☑ Ｙ ⚘ r.-v.

DOM. HUGUENOT PERE ET FILS 2001 *

■ Gd cru	0,21 ha	n.c.	⏺ 38 à 46 €

Parcelle de 21,41 a acquise vers 1965 auprès de la famille Dupont et séparée de la griotte-chambertin par un simple chemin, sur la pointe nord des charmes. Jolie harmonie de couleur. Nez sur la réserve, légèrement boisé (dix-huit mois de fût). Sitôt l'attaque passée, aimable et fruitée, les tanins et l'acidité se précipitent en bouche. De façon courtoise il est vrai. Laissez à ce charmes 2001 deux ans et choisissez une bonne pièce de charolais ornée de champignons.

⊶ SCE Huguenot Père et Fils, Dom. Nicolas Theuriet,
7, ruelle du Carron, 21160 Marsannay-la-Côte,
tél. 03.80.52.11.56, fax 03.80.52.60.47,
e-mail domaine.huguenot@wanadoo.fr ☑ Ｙ ⚘ r.-v.

DOM. HUMBERT FRERES 2002 **

■ Gd cru	0,21 ha	1 030	⏺ 38 à 46 €

|96| 98 99 **01 02**

On aurait parlé autrefois d'une « tête de cuvée » tant il est réussi. Parcelle de 19,79 a, issue de successions familiales, donnant « tout le grand bourgogne possible », comme le disait Roupnel. Qu'il s'agisse de la robe ou du bouquet, ce vin adore la violette. Nuancée de mûre pour être plus précis. S'il observe beaucoup de retenue, il dispose d'un potentiel considérable. Soyeux, élégant, il est cependant merveilleux dès à présent. Les quatre fiches de dégustation expriment le même enthousiasme.

⊶ Dom. Humbert Frères,
rue de Planteligone, 21220 Gevrey-Chambertin,
tél. 03.80.51.80.14, fax 03.80.51.80.14 Ｙ ⚘ r.-v.

LOU DUMONT 2002 *

■ Gd cru	n.c.	1 500	⏺ 38 à 46 €

Singulière aventure que celle de Lou Dumont, nom imaginaire offert à une jeune maison de négoce fondée par des professionnels du vin coréens, japonais et français ! Ces cultures différentes trouvent un beau dénominateur commun. Rouge-noir bigarreau, presque opaque, un 2002 entrouvert sur le cassis. Le voyage en bouche ne manque pas d'attraits fruités, mais comme Ulysse dans l'*Odyssée* on rencontre quelques obstacles et, notamment, des tanins encore vifs. Rassurez-vous, tout devrait bien se terminer à Ithaque. Quand ? N'oubliez pas que Calypso retint Ulysse sept ans à Malte...

⊶ Maison Lou Dumont,
1, rue de Paris, 21220 Gevrey-Chambertin,
tél. 03.80.51.82.82, fax 03.80.51.82.84,
e-mail sales@loudumont.com ☑ Ｙ ⚘ r.-v.

FREDERIC MAGNIEN 2002 **

■ Gd cru	0,85 ha	4 000	▮⏺ 46 à 76 €

Elu coup de cœur l'an dernier dans ces charmes-chambertin 2001, Frédéric Magnien éblouit encore avec ce vin pourpre à reflet violacé ; le nez offre une grande complexité de fruits noirs jouant avec un grillé délicat. Ample, riche, structuré, élégant, le palais annonce un réel potentiel (cinq à dix ans).

⊶ EURL Frédéric Magnien, 35, rte des Grands-Crus,
21220 Morey-Saint-Denis, tél. 03.80.58.54.20,
fax 03.80.51.84.34, e-mail fredericmagnien.grandsvinsde bourgogne@wanadoo.fr ☑ Ｙ r.-v.

JEAN-PAUL MAGNIEN 2002 *

■ Gd cru	0,2 ha	1 100	⏺ 30 à 38 €

Petit domaine sur 4,50 ha où l'on travaille au peigne fin. Victor, Félix, Jean-Paul, Stéphane. La quatrième génération s'installe actuellement en réalisant notamment... un site Internet. A l'opposé des vins de surextraction, voici un 2002 rubis assez clair, finement boisé sur le fruit rouge et qui montre la voie dans le respect, sans artifice, du cépage et du terroir. La trame est belle, l'acidité parfaite, les tanins sagement à leur place. Très bien. Episode peu connu : Gaspard Monge fut un temps propriétaire à Morey et à Chambolle. C'était ici sa cave. Au Panthéon, il doit en avoir la nostalgie...

⊶ Jean-Paul Magnien,
5, ruelle de l'Eglise, 21220 Morey-Saint-Denis,
tél. 03.80.51.83.10, fax 03.80.58.53.27,
e-mail DomMagnien@aol.com ☑ Ｙ ⚘ r.-v.

DOM. MICHEL MAGNIEN ET FILS 2002 *

■ Gd cru	0,3 ha	1 500	▮⏺ 46 à 76 €

Pourpre à reflets bleutés, un vin qui – le saviez-vous ? – figure en bonne compagnie dans *La Vie mode d'emploi*, le célèbre livre de Georges Perec. On ne s'étonnera donc pas de trouver à ces charmes une certaine complexité. Pourtant le nez sauvage et animal, mûre et myrtille, garde les pieds sur terre. Les colonnes fines et longues des tanins soutiennent un palais volumineux.

Aucune lourdeur, car l'architecture est ici pleine de grâce. Très bon vin aujourd'hui et qui le restera au moins cinq ans... sinon plus.
⊶ Dom. Michel Magnien et Fils,
4, rue Ribordot, 21220 Morey-Saint-Denis,
tél. 03.80.51.82.98, fax 03.80.58.51.76 ☑ ⁂ r.-v.

DOM. HENRI PERROT-MINOT
Vieilles Vignes 2001 ★★

■ Gd cru 0,82 ha 4 500 ⦀ 46 à 76 €

Intéressante dégustation des deux *climats* jumeaux en 2001. La palme revient nettement à ces charmes rubis à reflets pourpres. Raffinement du bouquet (fruits frais) et attaque en fanfare. Ample, souple, fruité, peu marqué par le bois, son corps n'est pas terriblement complexe, mais sa vinosité est celle d'un grand. Parfait avec le coq au vin (sachez que les puristes, derrière Brillat-Savarin, exigent un coq vierge !).
⊶ Henri Perrot-Minot,
54, rte des Grands-Crus, 21220 Morey-Saint-Denis,
tél. 03.80.34.32.51, fax 03.80.34.13.57

GERARD QUIVY 2001

■ Gd cru 0,09 ha 475 ▮⦀ 46 à 76 €

A visiter : la belle demeure XVIIIe s. d'un dignitaire au Parlement de Bourgogne. Deux ouvrées pour ce vin jeune, équilibré sur un bouquet et un fruit quelque peu influencés par le fût et l'alcool. Son acidité est bien en accord avec le millésime. On joue à cache-cache en bouche, à la recherche de sa vraie nature. A première vue, elle semble tendre, mais les tanins se réveillent sur la fin. On le définira mieux dans une paire d'années.
⊶ Gérard Quivy, 7, rue Gaston-Roupnel,
21220 Gevrey-Chambertin, tél. 03.80.34.31.02
☑ Y ⁂ t.l.j. sf ven. 9h-12h 14h-18h; f. jan.

DOM. HENRI RICHARD 2002 ★

■ Gd cru n.c. n.c. 30 à 38 €

Jeune, si jeune, un grand cru jouant sur le fruit noir depuis la première approche : la robe a des reflets noirs, le nez d'abord cerise s'ouvre, sur un fond boisé, sur le fruit noir confituré – un dégustateur discerne une pointe florale. Après une belle attaque le volume s'affirme sur des tanins mûrs aux arômes de... fruits noirs, puis le boisé reparaît. A ouvrir dans trois à quatre ans.
⊶ SCE Henri Richard, 75, rte de Beaune,
21220 Gevrey-Chambertin, tél. 03.80.34.35.81,
fax 03.80.34.35.81, e-mail scehenririchard@aol.com
☑ Y ⁂ t.l.j. 9h-18h; dim. 9h-13h; f. 15-31 août

DOM. TAUPENOT-MERME 2001 ★

■ Gd cru n.c. 6 600 ⦀ 46 à 76 €

96 97 98 99 **00** 01

Née de la division familiale du domaine Merme comme le domaine Perrot-Minot, cette exploitation produit aussi du... clos-des-lambrays sur une minuscule parcelle certes, mais suffisante pour priver le domaine des Lambrays du monopole... Ce 2001 porte une robe chambertine sombre et noble. Son bouquet ? Un brin de violette, une touche de framboise et un petit boisé (dix-sept mois de fût). Caractéristique du *climat*, il est aromatique en bouche, gras, modérément tannique. Il a du caractère et appelle le chevreuil.
⊶ Dom. Taupenot-Merme,
33, rte des Grands-Crus, 21220 Morey-Saint-Denis,
tél. 03.80.34.35.24, fax 03.80.51.83.41,
e-mail domaine.taupenot-merme@wanadoo.fr
☑ Y ⁂ r.-v.

DOM. DES VAROILLES 2001 ★

■ Gd cru 0,75 ha n.c. ⦀ 38 à 46 €

« C'est si bon... » Vous connaissez la chanson. Cette bouteille la fredonne. Sous sa robe d'intensité moyenne, le nez soigne le détail, la petite fraise des bois, si riche en arômes naturels et sauvages : c'est nous faire un cadeau. Belle bouche aux sensations épicées, légère mais soyeuse, ponctuée par un soupçon d'amertume en finale (très habituel). Sa finesse incite à une dégustation dans cette décennie, pas au-delà.
⊶ Dom. des Varoilles, rue de l'Ancien-Hôpital,
21220 Gevrey-Chambertin,
tél. 03.80.34.30.30, fax 03.80.51.88.99,
e-mail contact@domaine-varoilles.com ☑ Y ⁂ r.-v.

Griotte-chambertin

JOSEPH DROUHIN 2001 ★

■ Gd cru 0,52 ha n.c. ⦀ 46 à 76 €

52 a 59 ca achetés en 1981 à la commune de Gevrey-Chambertin. Ce vin fin, tendre et de dentelle d'un beau rubis bourguignon, est très disponible, équilibré par une jolie architecture et conforme pour l'essentiel à sa légende. Carafé, il s'ouvre lentement sur des arômes de cuir et de fourrure. Délicieux et long en bouche ! Joseph Drouhin a obtenu le coup de cœur pour ce cru (millésime 89).
⊶ Maison Joseph Drouhin, 7, rue d'Enfer,
21200 Beaune, tél. 03.80.24.68.88, fax 03.80.22.43.14,
e-mail maisondrouhin@drouhin.com ☑ Y ⁂ r.-v.

CHARLES VIENOT 2002

■ Gd cru n.c. 2 500 ⦀ 46 à 76 €

La production annuelle de griotte-chambertin ne dépasse guère les 10 000 à 12 000 bouteilles. On est heureux d'en trouver sur le marché. Celle-ci est du plus beau rouge. Réservé, son nez est à solliciter : on y sent la cerise (nos dégustateurs savaient qu'il s'agissait de grands crus de Gevrey-Chambertin, sans connaître l'identité de chacun). Souple et fondu, un peu chaud en finale, un vin que l'on pourra servir dès 2005, par exemple sur un canard aux baies noires.
⊶ Charles Viénot, 5, quai Dumorey, BP 102,
21703 Nuits-Saint-Georges, tél. 03.80.62.61.61,
fax 03.80.62.61.57, e-mail despont.m@boisset.fr
⊶ Boisset SA

Mazis-chambertin

DOM. CHARLOPIN 2001 ★

■ Gd cru n.c. n.c. ⦀ + de 76 €

Pourpre sombre et profond, la robe de ce vin apparaît assez jeune au regard des autres 2001. Riche en demi-teintes, son bouquet est parfaitement mazis : à la mûre et au cassis ; au vanillé de l'élevage s'ajoute une dominante cuir qui rebondit en bouche. Complet, il s'élargit dès l'entrée au palais et réussit son parcours en nous faisant partager les délices d'une longue finale.

Dom. Philippe Charlopin,
18, rte de Dijon, 21220 Gevrey-Chambertin,
tél. 03.80.91.81.18, fax 03.80.51.81.27,
e-mail charlopin.philippe@wanadoo.fr

JEAN-MICHEL GUILLON 2002 ★★

Gd cru 0,14 ha 1 100 38 à 46 €

On aime sa jeunesse conquérante et son potentiel. Sa concentration apparaît au premier coup d'œil et se confirme au nez. Mais ce n'est pas un pur esprit. Sa bouche exprime le gras, la chair, de façon chaleureuse et réglissée. Exubérante en attaque, sereine en fin de dégustation. Rendez-vous est pris pour 2006 ou 2007. Voire un peu plus tard.

Jean-Michel Guillon,
33, rte de Beaune, 21220 Gevrey-Chambertin,
tél. 03.80.51.83.98, fax 03.80.51.85.59,
e-mail eurl.guillon@aol.com r.-v.

DOM. HARMAND-GEOFFROY 2001

Gd cru 0,73 ha 4 000 38 à 46 €

Ici, pas de désherbant, pas d'engrais, et la lutte raisonnée est de rigueur. D'un rouge profond, ce mazis affiche des arômes qui invitent à la promenade en sous-bois. Le clou de girofle prend la suite, puis des notes boisées (seize mois de fût). En bouche l'attaque est solide, tout en montrant une souplesse fine et leste. Sur un fond de fruits et d'épices douces, ses tanins tendent à se montrer en finale, mais en tout état de cause on en parlera vraiment dans trois à cinq ans.

Dom. Harmand-Geoffroy,
1, pl. des Lois, 21220 Gevrey-Chambertin,
tél. 03.80.34.10.65, fax 03.80.34.13.72,
e-mail harmand-geoffroy@wanadoo.fr r.-v.

MICHEL PICARD 2002 ★

Gd cru n.c. 1 520 + de 76 €

Bien en chair et gourmand, il entre en scène comme l'abbé, le confident, le personnage indispensable du théâtre jadis. Il est discret. Il sait attendre. En revanche, sa robe mêle le rouge au noir. D'un fruit bien mûr, évidemment, coulis ou confiture de mûres. Ses tanins ont le dos rond. Ce 2002 pèse en bouche chaque mot et ne paraît guère ouvert, mais il investit dans la durée. Bel enfant de la maison Michel Picard.

Maison Michel Picard, BP 49, 71150 Chagny,
tél. 03.85.87.51.01, fax 03.85.87.51.12,
e-mail commercial@m-p.fr

DOM. HENRI REBOURSEAU 2001 ★

Gd cru 0,96 ha 2 292 38 à 46 €

|97| 98 99 00 01

Cette vigne représente 10 % de la superficie du grand cru. Rouge vermillon, un 2001 réglissé comme le sont fréquemment les mazis. Le fût (dix-sept mois) reste dans le paysage. Son acidité et ses tanins signent équilibre et longévité. Une jolie cerise à l'eau-de-vie anime la fin de bouche. Un grand vin ajoute l'espérance à la foi. Celui-ci se donne cinq ans pour le vérifier.

NSE Dom. Henri Rebourseau,
10, pl. du Monument, 21220 Gevrey-Chambertin,
tél. 03.80.51.88.94, fax 03.80.34.12.82,
e-mail domaine@rebourseau.com r.-v.

Mazoyères-chambertin

DOM. HENRI PERROT-MINOT
Vieilles Vignes 2001

Gd cru 0,73 ha 4 200 46 à 76 €

Une demeure du XVIe s. située à 6 km de l'abbaye de Cîteaux. Et un mazoyères qu'il faudra carafer. Brillante et limpide, la robe est pourpre. Le nez se tait encore, et le vin se révèle en bouche sur les fruits mûrs, certes discrets mais prometteurs, derrière un boisé et des tanins qui imposent quelques années de garde.

Henri Perrot-Minot,
54, rte des Grands-Crus, 21220 Morey-Saint-Denis,
tél. 03.80.34.32.51, fax 03.80.34.13.57

DOM. HENRI RICHARD 2001

Gd cru n.c. n.c. 30 à 38 €

Félicitations à ce domaine qui a le bon goût de maintenir l'appellation mazoyères-chambertin souvent revendiquée en charmes ! Cette vigne est historique, ayant appartenu à l'écrivain bourguignon Gaston Roupnel qui la vendit en 1938 à la famille Richard. Cerise rouge et violine, un 2001 au bouquet floral (la rose éclose à l'aube...) et végétal (mousse). Franc et droit, assez fin et élégant, il est à déboucher maintenant.

SCE Henri Richard, 75, rte de Beaune,
21220 Gevrey-Chambertin, tél. 03.80.34.35.81,
fax 03.80.34.35.81, e-mail scehenririchard@aol.com
t.l.j. 9h-18h; dim. 9h-13h; f. 15-31 août

Ruchottes-chambertin

CH. DE MARSANNAY 2001

Gd cru 0,1 ha 521 46 à 76 €

Guère plus de deux ouvrées en ruchottes du bas. Simple rappel géographique, car ces vignes voisinent en effet avec les mazis. Ce 2001 rubis foncé présente quelques nuances brunes sur le disque. Ce caractère (début d'évolution) se prolonge au nez : fruits mûrs et notes d'animal. Il se poursuit en bouche avec des accents de pruneau et d'épices. Il s'y plaît, de façon lisse et soyeuse. L'harmonie et la persistance constituent un renfort précieux à l'heure du verdict.

Dom. du Ch. de Marsannay,
rte des Grands-Crus, BP 78, 21160 Marsannay-la-Côte,
tél. 03.80.51.71.11, fax 03.80.51.71.12,
e-mail chateau.marsannay@kriter.com
t.l.j. 10h-12h 14h-18h30; groupes sur r.-v.;
f. dim. de nov. à mars

DOM. ARMAND ROUSSEAU
Clos des Ruchottes Monopole 2002 *

■ Gd cru 1,06 ha 3 600 46 à 76 €

Monopole du domaine Armand Rousseau, acheté en 1977 aux héritiers Thomas-Bassot, le Clos des Ruchottes (1 ha 6 a 12 ca) est réellement ceint de murs. Ce sont les ruchottes du Dessus. Classique dans sa présentation et dans son expression, rouge brillant, suggérant le coulis de framboise et le poivre sur un boisé très discret, il doit sans doute sa minéralité à fleur de terre à ces petits rochers appelés ici *roichots* : ils ont donné ce nom au grand cru. Déjà agréable, il ira jusqu'à cinq ans, compensant son ampleur moyenne par un bel arrondi en bouche.

Dom. Armand Rousseau,
1, rue de l'Aumônerie, 21220 Gevrey-Chambertin,
tél. 03.80.34.30.08, fax 03.80.58.50.25,
e-mail contact@domaine-rousseau.com

Morey-saint-denis

Morey-Saint-Denis constitue, avec un peu plus de 100 ha dont 93,73 revendiqués en 2002, une des plus petites appellations communales de la Côte de Nuits. On y trouve d'excellents premiers crus et cinq grands crus ayant une appellation d'origine contrôlée particulière : clos-de-tart, clos-saint-denis, bonnes-mares (en partie), clos-de-la-roche et clos-des-lambrays.

L'appellation est coincée entre Gevrey et Chambolle, et l'on pourrait dire que ses vins produits sur 80,57 ha en communale et 71,85 ha en premier cru sont, avec leurs caractères propres, intermédiaires entre la puissance des premiers et la finesse des seconds. Les vignerons présentent au public les morey-saint-denis, et uniquement ceux-ci, le vendredi précédant la vente des Hospices de Nuits (3e semaine de mars) en un Carrefour de Dionysos, à la salle des fêtes communale.

DOM. PIERRE AMIOT ET FILS
Les Ruchots 2002 *

■ 1er cru 0,52 ha 3 100 15 à 23 €

Rubis soutenu, le nez réservé où se glisse un léger fruité, un vin rond et tendre qui appelle la viande blanche. Des Ruchots (*climat* tout proche du Clos de Tart) corrects qui, sans s'appuyer sur une matière imposante, réussissent à trouver place ici. « Dire Amiot, c'est dire Morey », a-t-on écrit de cette famille vigneronne. Aujourd'hui, Didier et Jean-Louis Amiot représentent la cinquième génération.

Dom. Pierre Amiot et Fils,
27, Grande-Rue, 21220 Morey-Saint-Denis,
tél. 03.80.34.34.28, fax 03.80.58.51.17,
e-mail domaine.amiot-pierre@wanadoo.fr r.-v.

DOM. ARLAUD Aux Cheseaux 2002 *

■ 1er cru 0,71 ha 3 800 23 à 30 €

L'année 2003 a vu de grands travaux au domaine où Cyprien et Romain ont rejoint leur père : construction d'un nouveau chai et d'une cuverie. Une bouteille à attendre, mais, rassurez-vous, on pourra se faire plaisir dans deux à cinq ans. Le rouge est ici hissé jusqu'au noir, et les arômes de mûre percent à peine. En revanche, gras et tanins vont bien ensemble. La puissance est là et ne demande qu'à s'assouplir d'ici une paire d'années. La finale légèrement épicée est prometteuse.

Dom. Arlaud Père et Fils,
41, rue d'Epernay, 21220 Morey-Saint-Denis,
tél. 03.80.34.32.65, fax 03.80.34.10.11,
e-mail cyprien.arlaud@wanadoo.fr r.-v.

DOM. DES BEAUMONT 2002 *

■ 1er cru n.c. 1 600 23 à 30 €

Sous sa parure d'un rouge cerise dense et luisant, il a besoin d'aération. Peu à peu naît un bouquet marqué par l'élevage en fût. Cette impression majeure se prolonge au palais, qui ressemble à l'armoire aux épices : clou de girofle, muscade. Un vin droit dans ses bottes, avec des tanins puissants qui deviendront gras et moelleux après quelques années de garde tant la mâche est élégante. Egalement très structuré, le **morey villages 2002** obtient une citation.

EARL Dom. des Beaumont,
9, rue Ribordot, 21220 Morey-Saint-Denis,
tél. 03.80.51.87.89, fax 08.25.18.63.99,
e-mail thierry.beaumont1@libertysurf.fr
r.-v.

RENE BOUVIER Genavrières 2001

■ 1er cru n.c. 1 200 30 à 38 €

Une partie des Genavrières enclavée entre le Clos de La Roche et le Clos Saint-Denis n'ayant pas été classée en grand cru, l'INAO admet l'omission en 1971 et répare cet oubli. On se trouve ici dans l'autre partie, restée 1er cru. Mais très voisine de l'autre... Robe profonde et bien limpide ; bouquet framboisé mais peu volubile pour le moment ; corps des 2001 : la sincérité a ses mérites. Elevage de dix-huit mois en fûts (neufs pour un tiers).

Dom. René Bouvier,
29 bis, rte de Beaune, 21220 Gevrey-Chambertin,
tél. 03.80.52.21.37, fax 03.80.59.95.96,
e-mail rene-bouvier@wanadoo.fr r.-v.

ETIENNE COSSON Clos Sorbès 2002 *

■ 1er cru 0,98 ha 4 000 15 à 23 €

Avis aux collectionneurs d'étiquettes ! Celle-ci est historique car portant le loup dessiné par Hansi pour son amie Renée Cosson à Morey. Pourquoi un loup ? On appelle ainsi, depuis toujours, l'habitant de Morey... Si le Clos des Lambrays est passé depuis en d'autres mains, il subsiste un Domaine Cosson. Grenat léger, un 1er cru au bouquet complexe de fruits mûrs. Les notes grillées sont plus sensibles en bouche qu'au nez : il faut savoir l'attendre encore un peu, même si ses tanins sont assez fondus. Finale agréable.

Etienne Cosson,
28, rue Basse, 21220 Morey-Saint-Denis,
tél. 03.80.34.32.42 r.-v.

DOM. YVAN DUFOULEUR
Cuvée Vieilles Vignes 2002

■ 0,42 ha 2 500 15 à 23 €

Yvan Dufouleur s'occupe également des domaines familiaux Guy Dufouleur et Barbier et Fils. Son morey

Vieilles Vignes est rubis. Son nez rappelle la violette comme souvent le pinot dans cette partie de la Côte, avec des accents épicés de poivre et de cannelle. Un vin d'approche facile, agréable, et à savourer maintenant ou dans deux ans.

🔑 Dom. Yvan Dufouleur,
18, rue Thurot, 21700 Nuits-Saint-Georges,
tél. 03.80.62.31.00, fax 03.80.62.31.00 ☒ 🏠 Y 🚶 r.-v.

DUFOULEUR PERE ET FILS 2002 *

■ 1er cru n.c. 6 200 🛢 15 à 23 €

Achats en raisins, vinification et élevage par cette maison nuitonne. Belle brillance violacée de vin jeune. Si le premier nez tend vers l'animal de façon un peu sauvage, cela s'estompe et donne lieu à un bouquet typé confiture de mûres. Tapissée de velours, la bouche est de structure moyenne, mais elle prolonge le même arôme fruité et répond à l'harmonie souhaitée. Le fût bien intégré n'outrepasse pas ses droits. Les **Monts Luisants 2002 en 1er cru (23 à 30 €)** obtiennent une étoile.

🔑 Dufouleur Père et Fils,
17, rue Thurot, 21700 Nuits-Saint-Georges,
tél. 03.80.61.21.21, fax 03.80.61.10.65,
e-mail dufouleur@dufouleur.com ☒ Y 🚶 t.l.j. 9h-19h

DOM. DUJAC 2001 *

■ 3,63 ha 12 000 🛢 **23 à 30 €**

Coup de cœur en 1997, millésime 93, le vin apparaît cette fois-ci avec de bonnes couleurs aux joues. Le bouquet se partage assez équitablement entre le kirsch, la cerise à l'eau-de-vie et la vanille de l'élevage en fût (quinze mois). La bouche joue la cerise sur des tanins suaves aux angles arrondis. Belle harmonie dans l'esprit de l'appellation. Une devinette pour finir : pourquoi Domaine Dujac ? Lorsqu'il l'a créé en 1968, Jacques Seysses entendait dire au village : « C'est le domaine du Jacques. » A la recherche d'un nom, il le baptisa selon la *vox populi*.

🔑 Dom. Dujac,
7, rue de la Bussière, 21220 Morey-Saint-Denis,
tél. 03.80.34.01.00, fax 03.80.34.01.09,
e-mail dujac@dujac.com ☒ Y 🚶 r.-v.
🔑 Seysses

FERY-MEUNIER 2001 **

■ 1 ha 6 300 🛢 11 à 15 €

Vigneron, Alain Meunier rencontre en 1988 Jean-Louis Fery, fils de vigneron. Leur amour du vin les rapproche et ils décident de s'associer en 1995. Leur morey rubis à reflets violacés offre un nez d'une délicieuse complexité (violette, kirsch et vanille) ; c'est un 2001 souple, élégant, qui ne manque de rien, car il a du volume et de la persistance. A déboucher dans deux ans. Excellent exemple d'une macération préfermentaire à froid de cinq jours suivie de dix jours de cuve avec pigeages.

🔑 Maison Fery-Meunier,
2, rue Marey, 21420 Echevronne,
tél. 03.80.21.59.60, fax 03.80.21.59.59,
e-mail fery.meunier@wanadoo.fr ☒ 🏠 Y 🚶 r.-v.

DOM. FOREY PERE ET FILS 2001 *

■ 1,18 ha 6 800 🛢 **15 à 23 €**

Domaine vigneron : Forey-Esmonin, puis Forey-Naudin, puis Forey Père et Fils quand Régis commence à travailler avec son père et son frère (1983). Longtemps métayer du chanoine Liger-Belair à Vosne et propriétaire d'une petite parcelle en Gaudichots qui aimerait revendiquer l'appellation la tâche. Voici un morey coloré à souhait, généreux en arômes (de la framboise au cacao) et d'une honnête structure. Sans doute n'est-il pas d'une longueur considérable et montre-t-il à cet âge une certaine sévérité, mais on le trouvera de bonne compagnie dans deux à quatre ans.

🔑 Dom. Forey Père et Fils,
2, rue Derrière-le-Four, 21700 Vosne-Romanée,
tél. 03.80.61.09.68, fax 03.80.61.12.63 ☒ Y 🚶 r.-v.

JEAN-MICHEL GUILLON La Riotte 2002 *

■ 1er cru 0,18 ha 1 485 🛢 15 à 23 €

Les 2 ha du père Galland en fermage ont fait des petits depuis l'installation de Jean-Michel en 1980. Il est aujourd'hui à la tête de 10 ha. Nichée en plein milieu du village, cette Riotte est appréciée : la vigne municipale de Morey se trouve ici. Fortement coloré, un 2002 aux notes torréfiées, nuancées de fruits mûrs. Beau vin dont il faut attendre l'évolution : sa plénitude permet de lui porter confiance car toutes les qualités sont là.

🔑 Jean-Michel Guillon,
33, rte de Beaune, 21220 Gevrey-Chambertin,
tél. 03.80.51.83.98, fax 03.80.51.85.59,
e-mail eurl.guillon@aol.com ☒ Y 🚶 r.-v.

DOM. HERESZTYN Les Millandes 2002 *

■ 1er cru 0,37 ha 1 900 🛢 **38 à 46 €**

Elue coup de cœur en 1996 pour ces mêmes Millandes, la famille Heresztyn témoigne de l'une des plus belles greffes polonaises sur un cep bourguignon. Rouge sombre à reflets noirâtres, un nez où le grillé le dispute à l'animal. Au palais, la sensation boisée est présente sous des abords riches et charpentés. A laisser vieillir quelques années, le temps de parvenir à l'équilibre du corps.

🔑 EARL Dom. Heresztyn,
27, rue Richebourg, 21220 Gevrey-Chambertin,
tél. 03.80.34.30.86, fax 03.80.34.13.99,
e-mail domaine.heresztyn@wanadoo.fr ☒ Y 🚶 r.-v.

DOM. ALAIN JEANNIARD 2002 *

■ 0,33 ha 2 000 🛢 **15 à 23 €**

Alain est parti d'un demi-hectare en 2000. Il en est aujourd'hui à 2 ha, tout en diversifiant son activité (une part de négoce-éleveur à partir d'achats en raisins). Excellent tir groupé. Au même niveau de qualité se situent en effet ses **Cheneverys 2001** (deux ouvrées seulement) et ce *village* qui défie le regard par la pureté de sa robe. L'agitation suscite l'éveil d'arômes d'épices, de sous-bois. L'attaque est riche en chair puis vient l'acidité avec beaucoup de fruit sur des tanins assez fondus. Complexe et flatteur, ce vin a séduit les cinq dégustateurs.

🔑 Dom. Alain Jeanniard,
4, rue aux Loups, 21220 Morey-Saint-Denis,
tél. 03.80.58.53.49, fax 03.80.58.53.49,
e-mail domaine.ajeanniard@wanadoo.fr ☒ Y 🚶 r.-v.

OLIVIER JOUAN La Riotte Vieilles Vignes 2001

■ 1er cru 0,2 ha 1 200 🛢 **15 à 23 €**

Rouge intense et sombre, une Riotte au nez de petits fruits noirs (cassis surtout) influencé par les dix-huit mois de fût. En bouche, ni un soprano ni un baryton, mais un ténor : un puissant nectar, étoffé, plein de sève. Nuance de vivacité en finale. L'attendre deux ou trois ans.

🔑 Olivier Jouan, rue de l'Eglise, 21700 Arcenant,
tél. 03.80.62.39.20, fax 03.80.62.39.20 ☒

DOM. LIGNIER-MICHELOT
En la Rue de Vergy 2002 ★★

■ | 2 ha | 4 000 | ◗ 15 à 23 €

Longtemps le domaine a cédé sa récolte au négoce. Il s'est mis à la bouteille en 1992. Ce En la Rue de Vergy voisin du Clos de Tart (un peu plus haut sur le coteau) aurait presque l'accent belge. Les vendangeurs viennent de ce pays, en costumes folkloriques ! La forme et le fond font de ce vin une vraie réussite : à l'œil, au nez (framboise un peu cachée mais bientôt débusquée) et en bouche, très gourmand. N'oublions pas **Les Cheneverys 2002 en 1er cru** qui obtiennent une étoile. Deux vins de garde.

⊶ Dom. Lignier-Michelot,
11, rue Haute, 21220 Morey-Saint-Denis,
tél. 03.80.34.31.13, fax 03.80.58.52.16 ☑ 🍷 🚶 r.-v.

JEAN-PAUL MAGNIEN Les Faconnières 2002

■ 1er cru | 0,4 ha | 2 200 | ◗ **15 à 23 €**

« Ah ! Morey n'est pas un croquant de pays », déclarait le Vieux Garain, un personnage de Gaston Roupnel. Si ce 1er cru n'est pas hyper-puissant, son élégance compense cette discrétion. Rouge grenat, il suggère la framboise. Il a de la rondeur, une belle matière, une longueur satisfaisante : à déguster dans l'année. Installation en cours de Stéphane qui succède à Victor, Félix et Jean-Paul.

⊶ Jean-Paul Magnien,
5, ruelle de l'Eglise, 21220 Morey-Saint-Denis,
tél. 03.80.51.83.10, fax 03.80.58.53.27,
e-mail DomMagnien@aol.com ☑ 🍷 🚶 r.-v.

DOM. MARCHAND FRERES
Clos des Ormes 2002

■ 1er cru | 0,17 ha | 1000 | ◗ **23 à 30 €**

Le regroupement de deux domaines familiaux a donné naissance à Marchand Frères à Gevrey. Son Clos des Ormes porte une robe rubis classique. Le nez est assez aromatique sur un boisé déjà intégré (nuance cerise). Charnue, la bouche offre des tanins très serrés qui freinent un peu son élan. Mais la matière est élégante et l'évolution sera certainement positive (objectif 2008).

⊶ Dom. Marchand Frères,
1, pl. du Monument, 21220 Gevrey-Chambertin,
tél. 03.80.62.10.97, fax 03.80.62.11.01,
e-mail dmarc2000@aol.com ☑ 🏠 🍷 🚶 r.-v.

DOM. ROSSIGNOL-TRAPET
En la Rue de Vergy 2001 ★

■ | 0,38 ha | 1 200 | ◗ **15 à 23 €**

Issu en partie de la succession Louis Trapet à Gevrey en 1990 (les vignes de Mado, sœur de Jean), ce domaine signe ici un En la Rue de Vergy à la robe violine pleine de brillance et d'attrait. Kirsch et vanille, le bouquet est dans le style classique, précédant une attaque souple, un corps charnu et dépourvu d'astringence. Sa persistance est assez chaude en finale. A boire ou à attendre un peu, ce qu'on peut imaginer de mieux en ce millésime difficile. *Climat* situé juste au-dessus du Clos de Tart.

⊶ Dom. Rossignol-Trapet,
4, rue de la Petite-Issue, 21220 Gevrey-Chambertin,
tél. 03.80.51.87.26, fax 03.80.34.31.63,
e-mail info@rossignol-trapet.com ☑ 🍷 🚶 r.-v.

REMI SEGUIN 2001 ★

■ 1er cru | 0,54 ha | n.c. | ◗ 11 à 15 €

Fils d'un régisseur du Clos de Tart, Rémi est « tombé dans la cuve » dès son enfance. Son 1er cru affiche un rubis soutenu, bien limpide. Au nez, un boisé fin, élégant ne s'impose pas, puis la fraîcheur et le mordant du fruit rouge apparaît. La bouche repose davantage sur la souplesse que sur la matière, bien qu'elle possède du gras ; ce millésime devrait s'épanouir encore pendant deux ou trois ans.

⊶ Rémi Seguin,
19, rue de Cîteaux, 21640 Gilly-lès-Cîteaux,
tél. 03.80.62.89.61, fax 03.80.62.80.92 ☑ 🍷 🚶 r.-v.

DOM. TAUPENOT-MERME La Riotte 2001 ★

■ 1er cru | n.c. | 3 500 | ◗ **30 à 38 €**

Corps, couleur, bouquet, « on peut dire qu'il ne leur manque rien », écrit le docteur J. Lavalle des vins de Morey. Celui-ci a tout pour plaire, en effet. Rouge sombre et profond, il respire l'animal marié au brûlé du fût. La bouche charnue et réglissée est flatteuse. Le potentiel de garde paraît assuré sur les trois ans. La longueur n'exclut pas la fraîcheur, et on aime bien. Au niveau d'un 1er cru, et La Riotte cette année a le vent en poupe !

⊶ Dom. Taupenot-Merme,
33, rte des Grands-Crus, 21220 Morey-Saint-Denis,
tél. 03.80.34.35.24, fax 03.80.51.83.41,
e-mail domaine.taupenot-merme@wanadoo.fr
☑ 🍷 🚶 r.-v.

Clos-de-la-roche, clos-de-tart, clos-saint-denis, clos-des-lambrays

Le clos-de-la-roche – qui n'est pas un clos – est le plus important en surface (16 ha environ), et comprend plusieurs lieux-dits ; il a produit 377 hl en 2003 ; le clos-saint-denis, d'environ 6,5 ha, n'est pas non plus un clos, et regroupe aussi plusieurs lieux-dits (152 hl). Ces deux crus, assez morcelés, sont exploités par de nombreux propriétaires. Le clos-de-tart est, lui, entièrement ceint de murs et exploité en monopole. Il fait un peu plus de 7 ha et les vins sont vinifiés et élevés sur place ; la cave de deux niveaux mérite une visite. Le clos-des-lambrays est également d'un seul tenant ; mais il regroupe plusieurs parcelles et lieux-dits : les Bouchots, les Larrêts ou clos des Lambrays, le Meix-Rentier. Il représente un peu moins de 9 ha, dont 8,5 sont exploités par le même propriétaire. Il a produit 311,89 hl en 2002 et 219,36 hl en 2003.

Clos-de-la-roche

DOM. PIERRE AMIOT ET FILS 2002

■ Gd cru | 1,2 ha | 3 500 | ◗ **30 à 38 €**

Ce domaine exploite 1,21 ha en clos-de-la-roche. Il possède en propre des parcelles sur les *climats* Monts Luisants, Fremières, Chabiots et Mochamps, et il veille aussi sur les 16 ares du peintre dijonnais Pierre Albert et de son épouse, en Mochamps. D'où un vin opérant la synthèse des vertus du grand cru. Le fruit frais (framboise) se dessine sur le bois nature du fût. La couleur ? Coucher de soleil sur la combe. Souple et franc, le corps est longiligne avec suffisamment de matière pour enrober les tanins.

Dom. Pierre Amiot et Fils,
27, Grande-Rue, 21220 Morey-Saint-Denis,
tél. 03.80.34.34.28, fax 03.80.58.51.17,
e-mail domaine.amiot-pierre@wanadoo.fr r.-v.

DOM. ARLAUD 2002 **

■ Gd cru 0,43 ha 2 000 30 à 38 €

Le clos-de-la-roche personnifié. On le considère souvent et avec raison comme « l'homme de base » des vins de Morey, celui sur qui on s'aligne. Ici un 2002 rubis-violet s'exprimant par des notes de fraise, de framboise et un boisé bien fondu. Il n'a pas encore tout dit et on aura raison de l'attendre quatre à cinq ans. Cela n'enlève rien au plaisir d'une dégustation plus prompte car son gras et sa force sont merveilleusement attelés à des tanins élégants et longs.

Dom. Arlaud Père et Fils,
41, rue d'Epernay, 21220 Morey-Saint-Denis,
tél. 03.80.34.32.65, fax 03.80.34.10.11,
e-mail cyprien.arlaud@wanadoo.fr r.-v.

DOM. LIGNIER-MICHELOT 2002 *

■ Gd cru 0,3 ha 1 100 38 à 46 €

Replantée à 90 % en 1990, cette parcelle quitte la catégorie des jeunes vignes. Pourpre violine, son clos-de-la-roche joue sur le fruit rouge et la vanille, comme c'est souvent le cas. Sans doute la chair ne recouvre-t-elle pas encore la structure tannique de la finale, mais on note un vin bien fait et à sa place dans sa catégorie. L'attendre deux ou trois ans.

Dom. Lignier-Michelot,
11, rue Haute, 21220 Morey-Saint-Denis,
tél. 03.80.34.31.13, fax 03.80.58.52.16 r.-v.

DOM. MICHEL MAGNIEN ET FILS 2002 *

■ Gd cru 0,4 ha 2 000 46 à 76 €

Produite sans doute en Monts-Luisants (le *climat* situé sur le coteau quand on quitte Gevrey et entre dans Morey par la route des grands crus avec sa jolie « maison de quatre heures »), cette bouteille pourpre à reflets grenat a le nez de fruits mûrs entrebâillé sur un parfum de cuir. Un vin soyeux, gras, moyennement concentré mais agréable, désireux de plaire. Il est généreux et... très bon.

Dom. Michel Magnien et Fils,
4, rue Ribordot, 21220 Morey-Saint-Denis,
tél. 03.80.51.82.98, fax 03.80.58.51.76 r.-v.

DOM. MARCHAND FRERES 2002

■ Gd cru 0,7 ha 370 30 à 38 €

D'une teinte classique et appuyée, ce 2002 affiche des arômes de cuir, de pruneau cuit qui laissent clairement entendre une certaine maturité. Au palais, la nature s'avère identique, sans amertume des tanins toutefois puissants mais bien équilibrés. Bonne session de rattrapage, d'autant qu'un vin se boit plus qu'il ne se hume... Celui-ci devrait être prêt à passer à l'acte, en 2006, si le cœur vous en dit.

Dom. Marchand Frères,
1, pl. du Monument, 21220 Gevrey-Chambertin,
tél. 03.80.62.10.97, fax 03.80.62.11.01,
e-mail dmarc2000@aol.com r.-v.

DOM. J. ET M. SIMON 2001

■ Gd cru n.c. 600 15 à 23 €

Manque de place à la coopérative... Le grand-père vinifia donc lui-même sa récolte 1959, et l'habitude s'est prise. Vendu à un prix raisonnable, un 2001 rubis grenat. Son nez ouvre une gibecière bien remplie après une partie de chasse. Aux arômes animaux se mêlent quelques fruits noirs dans un décor vanillé. La bouche est solide mais arrondit bien les angles. A boire dans deux ans.

EARL Dom. J. et M. Simon, 6, Grande-Rue,
21220 Morey-Saint-Denis, tél. 03.80.34.15.19,
e-mail domainesimon@tiscali.fr r.-v.

Clos-saint-denis

DOM. PIERRE AMIOT ET FILS 2002

■ Gd cru 0,17 ha 900 30 à 38 €

Jean-Louis et Didier Amiot consacrent 17 a à ce grand cru dont la robe légère signe le millésime par sa teinte cerise à reflets grenat. Le nez, presque empyreumatique avec ses notes de café et d'épices, laisse cependant parler les fruits rouges. On les retrouve dans une bouche charnue et persistante.

Dom. Pierre Amiot et Fils,
27, Grande-Rue, 21220 Morey-Saint-Denis,
tél. 03.80.34.34.28, fax 03.80.58.51.17,
e-mail domaine.amiot-pierre@wanadoo.fr r.-v.

DOM. ARLAUD 2002 **

■ Gd cru 0,17 ha 600 30 à 38 €

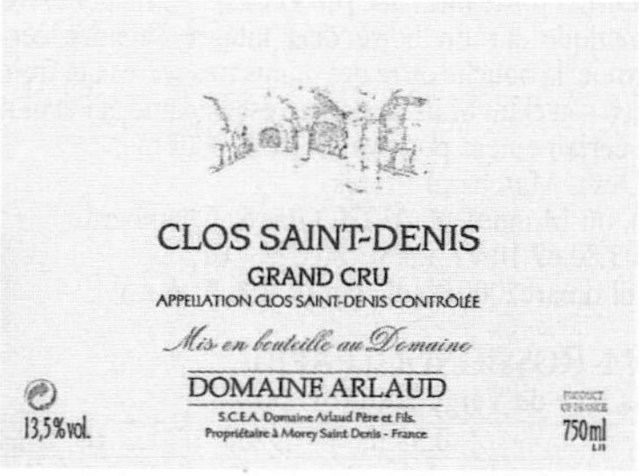

Achetée à la famille Moine en 1957, cette vigne fournit un vin d'excellente tenue. Structuré notamment par sa vigueur tannique, il n'en est pas moins porteur d'un charme affable et fruité (cassis) sous la plus belle des robes. Ce grand cru serait « le Mozart de la Côte-de-Nuits ». Mais quel Mozart ici ? Davantage celui de *La Flûte enchantée* que celui de *Don Giovanni*. Le millésime 93 reçut naguère le coup de cœur.

Dom. Arlaud Père et Fils,
41, rue d'Epernay, 21220 Morey-Saint-Denis,
tél. 03.80.34.32.65, fax 03.80.34.10.11,
e-mail cyprien.arlaud@wanadoo.fr r.-v.

JOSEPH DROUHIN 2001 *

■ Gd cru n.c. n.c. 38 à 46 €

Appartenant aux 68 ha possédés en propre par la grande Maison Joseph Drouhin, ces 23 ares achetés en 1961

à la famille Adrien ont donné ce 2001 à la robe plus pâle que la plupart de ses concitoyens. Laurence Jobard, avec raison, n'est pas trop portée sur les extractions très poussées. Des arômes de cerise griotte dominent un nez élégant. Veloutée, nerveuse en finale, la bouche confirme le fruit rouge sur des tanins équilibrés assez fins. Un grand classique.
Maison Joseph Drouhin, 7, rue d'Enfer,
21200 Beaune, tél. 03.80.24.68.88, fax 03.80.22.43.14,
e-mail maisondrouhin@drouhin.com ☑ Y ☆ r.-v.

DOM. HERESZTYN 2002 *

■ Gd cru 0,25 ha 1 100 46 à 76 €

Un quart d'hectare acheté à Mlle Liébault en 1978 et replanté en 1981. Cette vigne a déjà valu le coup de cœur au millésime 97. Haut en couleur, ce 2002 passe des arômes primaires aux arômes secondaires (fraise, framboise) d'une démarche assurée. Ampleur et volume, richesse persistante, il est très à son aise parmi les grands crus qu'il peut tutoyer. Il y a loin de Kalisz en Pologne à Gevrey-Chambertin, mais l'Europe est bien là, vous voyez bien...
EARL Dom. Heresztyn,
27, rue Richebourg, 21220 Gevrey-Chambertin,
tél. 03.80.34.30.86, fax 03.80.34.13.99,
e-mail domaine.heresztyn@wanadoo.fr ☑ Y ☆ r.-v.

JEAN-PAUL MAGNIEN 2002 *

■ Gd cru 0,32 ha 1 600 30 à 38 €

Vigne de 31 a 80 ca ayant appartenu jusqu'aux années 1930 aux Domaines Marey-Monge. Rubis foncé intense, son nez à l'attaque légèrement minérale traduit une bonne typicité des vins de Morey. Ce beau vin racé, distingué, dont les tanins se rappellent en finale à notre bon souvenir possède un réel potentiel (cinq à dix ans).
Jean-Paul Magnien,
5, ruelle de l'Eglise, 21220 Morey-Saint-Denis,
tél. 03.80.51.83.10, fax 03.80.58.53.27,
e-mail DomMagnien@aol.com ☑ Y ☆ r.-v.

DOM. MICHEL MAGNIEN ET FILS 2002 **

■ Gd cru 0,15 ha 600 46 à 76 €

Le meilleur clos-saint-denis, signé par un domaine qui a longtemps confié ses raisins à la coopérative de Morey (« celle du bas » dit-on au pays). De la couleur à profusion, très profonde. Des notes boisées s'accordant parfaitement aux fruits rouges bien mûrs et légèrement confits. Les tanins, l'acidité et la richesse alcoolique vivent en paix et contribuent ensemble, avec le volume et la longueur, à une bouteille glorieuse au destin incalculable en années. Fut coup de cœur déjà l'an dernier pour le 2001.
Dom. Michel Magnien et Fils,
4, rue Ribordot, 21220 Morey-Saint-Denis,
tél. 03.80.51.82.98, fax 03.80.58.51.76 ☑ ☆ r.-v.

Clos-des-lambrays

DOM. DES LAMBRAYS 2001 **

■ Gd cru 8,66 ha 34 200 46 à 76 €

79 81 **82** 83 **85** 88 **89** |**90**| 92 |**93**| 94 |**95**| 96 97 **98** **99** |**00**| **01**

Peu de grands crus ont connu une histoire aussi romanesque. Depuis que Thierry Brouin est à la barre, le clos-des-lambrays vit cependant des jours plus sereins. Il appartient aujourd'hui à la famille Freund, de Coblence. Limpide et rubis foncé, ce 2001 est d'une bonne intensité aromatique, jouant la complexité du fruit mûr et du végétal noble dans une atmosphère vanillée. Puis l'attaque se montre fraîche et franche, suivie d'une expression tannique veloutée, déjà enrobée et longue. Il se goûte bien mais il serait plus sage de le mettre en réserve pour la fin de cette décennie.
Dom. des Lambrays,
31, rue Basse, 21220 Morey-Saint-Denis,
tél. 03.80.51.84.33, fax 03.80.51.81.97 ☑ Y ☆ r.-v.
Freund

BOURGOGNE

Chambolle-musigny

Le nom de musigny à lui seul suffit à situer le pupitre dans la composition de l'orchestre. Commune de grande renommée malgré sa petite étendue, elle doit sa réputation à la qualité de ses vins et à la notoriété de ses premiers crus, dont le plus connu est le *climat* des Amoureuses. Tout un programme ! Mais chambolle a aussi ses Charmes, Chabiots, Cras, Fousselottes, Groseilles et autres Lavrottes... Le petit village aux rues étroites et aux arbres séculaires abrite des caves magnifiques (domaine des Musigny). La production n'a atteint que 2 996 hl en communale et 1 579 hl en premiers crus en 2003.

Les chambolle sont élégants et subtils. Ils allient la force des bonnes-mares à la finesse des musigny ; c'est un pays de transition dans la Côte de Nuits.

DOM. AMIOT-SERVELLE 2001 *

■ 2,2 ha 10 000 15 à 23 €

Lorsque vous serez à Chambolle-Musigny, allez admirer le très beau Christ de Pitié, derrière l'église. Rouge franc, la robe a encore la couleur de l'enfance ; son parfum de violette est dans l'appellation un passage presque obligé ; cette belle bouteille, assise sur une structure de qualité, mais encore astringente, est promise à quelques années de cave avant l'ultime rendez-vous avec son destin. Notez aussi **Les Charmes 2001 en 1er cru (23 à 30 €)** ; ils ont de l'allant et obtiennent une citation.

☛ Dom. Amiot-Servelle,
rue du Lavoir, 21220 Chambolle-Musigny,
tél. 03.80.62.80.39, fax 03.80.62.84.16,
e-mail domaine@amiot-servelle.com ☑ ⴹ ⴼ r.-v.

DOM. ROBERT ARNOUX 2001 ★

■	0,46 ha	2 900	ⴷ 30 à 38 €

Venu de Rully épouser Florence, Pascal Lachaux succède à son beau-père Robert Arnoux, une figure de Vosne-Romanée. Il propose un *village* plein de feu et d'éclat : le rouge est mis ! Cassis et vanille s'équilibrent au sein d'un bouquet qui s'épanouira encore. Ses tanins bien présents le destinent à la cave (deux à trois ans), car il lui faut s'affiner avec l'âge.
☛ Dom. Robert Arnoux,
3, RN 74, 21700 Vosne-Romanée,
tél. 03.80.61.08.41, fax 03.80.61.36.02 ☑ ⴹ ⴼ r.-v.

ALBERT BICHOT 2001 ★

■	n.c.	1 300	ⴷ 23 à 30 €

Le cep généalogique des Bichot s'enfonce depuis deux siècles dans le vignoble bourguignon. Ce chambolle, cerise rouge et brillante, s'exprime de façon un peu vanillée mais en ayant le respect du fruit (framboise). Sa bouche friande, lisse, caressante correspond tout a fait à l'idée qu'on se fait généralement de l'appellation : ce « vin de soie et de dentelle » qui émerveillait Gaston Roupnel.
☛ Maison Albert Bichot, 6 bis, bd Jacques-Copeau,
21200 Beaune, tél. 03.80.24.37.37, fax 03.80.24.37.38,
e-mail bourgogne@albert-bichot.com

BOISSEAUX-ESTIVANT 2001 ★

■	0,4 ha	1 400	ⴷ 38 à 46 €

Fondée en 1878, cette maison beaunoise est réputée. Son chambolle 2001 tire tout le parti possible des ressources colorantes de l'année. Son nez vous accueille comme si vous étiez de vieux amis : ouvert et chaleureux. Le fût est bien maîtrisé et le vin évolue vers des arômes de sous-bois, de réglisse, de fruits mûrs. Si sa structure est légère, les tanins se fondent en harmonie. Aucune dureté du début à la fin. On aimerait le regoûter dans deux à trois ans.
☛ Boisseaux-Estivant,
38, fb Saint-Nicolas, BP 107, 21200 Beaune,
tél. 03.80.22.26.84, fax 03.80.24.19.73 ☑

BOUCHARD PERE ET FILS 2001

■	n.c.	n.c.	ⴷ 23 à 30 €

Un chambolle estimable qui sort des sentiers battus et des idées reçues. Strict et sévère comme un garde champêtre, il possède une colonne vertébrale assez rigide. Il y a cependant de la structure, de la personnalité sous une robe vive et limpide. Le nez est confituré, à tendance chocolat (le fût). Avec ses 130 ha de vigne, Bouchard Père et Fils appartient depuis 1995 au champagne Henriot.
☛ Bouchard Père et Fils, Ch. de Beaune,
21200 Beaune, tél. 03.80.24.80.24, fax 03.80.22.55.88,
e-mail france@bouchard-pereetfils.com ⴹ ⴼ r.-v.

SYLVAIN CATHIARD Les Clos de l'Orme 2002 ★★

■	0,43 ha	2 400	ⴷ 23 à 30 €

Excellent viticulteur, coup de cœur pour ces mêmes Clos de l'Orme millésimés 97. Pourpre à reflets mauves très brillants, voici un 2002 minéral au premier coup de nez, puis évoluant vers des notes de sous-bois, de café (le fût) mais ce boisé est bien mené. Souple à l'attaque, le vin

dispose cependant d'une matière importante, de tanins élégants. La finale est longue et belle. Très typée, une bouteille qui vieillira jusqu'à dix ans.
☛ Sylvain Cathiard,
20, rue de la Goillotte, 21700 Vosne-Romanée,
tél. 03.80.62.36.01, fax 03.80.61.18.21 ☑ ⴹ ⴼ r.-v.

DOM. BRUNO CLAVELIER

La Combe d'Orveaux Vieilles Vignes 2001 ★

■ 1er cru	0,85 ha	3 200	ⴷ 30 à 38 €

Biodynamiste, Bruno Clavelier a pris en 1987 le flambeau du domaine créé par son grand-père durant les années 1940. La Combe d'Orveaux surplombe Echézeaux, Musigny et Clos de Vougeot : un site exceptionnel offrant ici un cru pourpre intense à reflets bleutés. On fait volontiers une halte sur ce nez de pruneau à l'eau-de-vie, de marc et de vanille. De jolis petits fruits rouges précèdent au palais une étape animale, tandis qu'à la finale c'est suave comme tout. Une bouteille à attendre deux ou trois ans.
☛ Dom. Bruno Clavelier,
6, RN 74, 21700 Vosne-Romanée,
tél. 03.80.61.10.81, fax 03.80.61.04.25 ☑ ⴹ ⴼ r.-v.

DOM. CHRISTIAN CLERGET 2001 ★

■	2 ha	3 000	ⴷ 15 à 23 €

Beau *village*. Le sujet est traité dans son entier avec un excellent soin du détail. Ses reflets vont du violet au bleuté. Son bouquet s'anime à l'aération (fruits frais). L'attaque est ample, soyeuse. Acidité et tanins s'équilibrent au profit d'une structure bien constituée. Le jury a cité par ailleurs **Les Charmes 2001 en 1er cru (23 à 30 €)** : ils demandent une longue garde pour se faire apprécier.
☛ SCEV Dom. Christian Clerget,
10, Ancienne RN, 21640 Vougeot,
tél. 03.80.62.87.37, fax 03.80.62.84.37 ☑ ⴹ ⴼ r.-v.

JOSEPH DROUHIN 2001 ★★

■ 1er cru	1 ha	n.c.	ⴷ 23 à 30 €

On sait que la Maison Joseph Drouhin se consacre à un seul dieu : le vin de Bourgogne ainsi que, sous son propre nom, à une implantation réussie en Oregon. Ce chambolle, à la robe classique et jeune, offre un nez intense et développé aux notes animales, mêlées de cassis, de vanille. Après une bonne attaque, le vin se montre structuré mais charnu et élégant. Ses tanins demandent quelques années de garde (trois ans sans doute). La longue finale est prometteuse.
☛ Maison Joseph Drouhin, 7, rue d'Enfer,
21200 Beaune, tél. 03.80.24.68.88, fax 03.80.22.43.14,
e-mail maisondrouhin@drouhin.com ⴹ ⴼ r.-v.

DUFOULEUR PERE ET FILS 2002

■	n.c.	4 800	ⴷ 23 à 30 €

Du gras, de la matière, de l'équilibre : des tanins qui dressent un peu le dos mais qui vont s'arrondir. Rubis intense, ce chambolle-musigny sait rester sagement à sa place ; le bouquet marie sur sa palette fruits rouges et notes boisées.
☛ Dufouleur Père et Fils,
17, rue Thurot, 21700 Nuits-Saint-Georges,
tél. 03.80.61.21.21, fax 03.80.61.10.65,
e-mail dufouleur@dufouleur.com ☑ ⴹ ⴼ t.l.j. 9h-19h

DUJAC FILS ET PERE 2001 ★★

■	0,8 ha	5 000	ⴷ 15 à 23 €

« Dujac Fils et Père » lit-on sur l'étiquette. La jeunesse reçoit rarement un tel hommage ! La deuxième

La côte de Nuits (Centre)

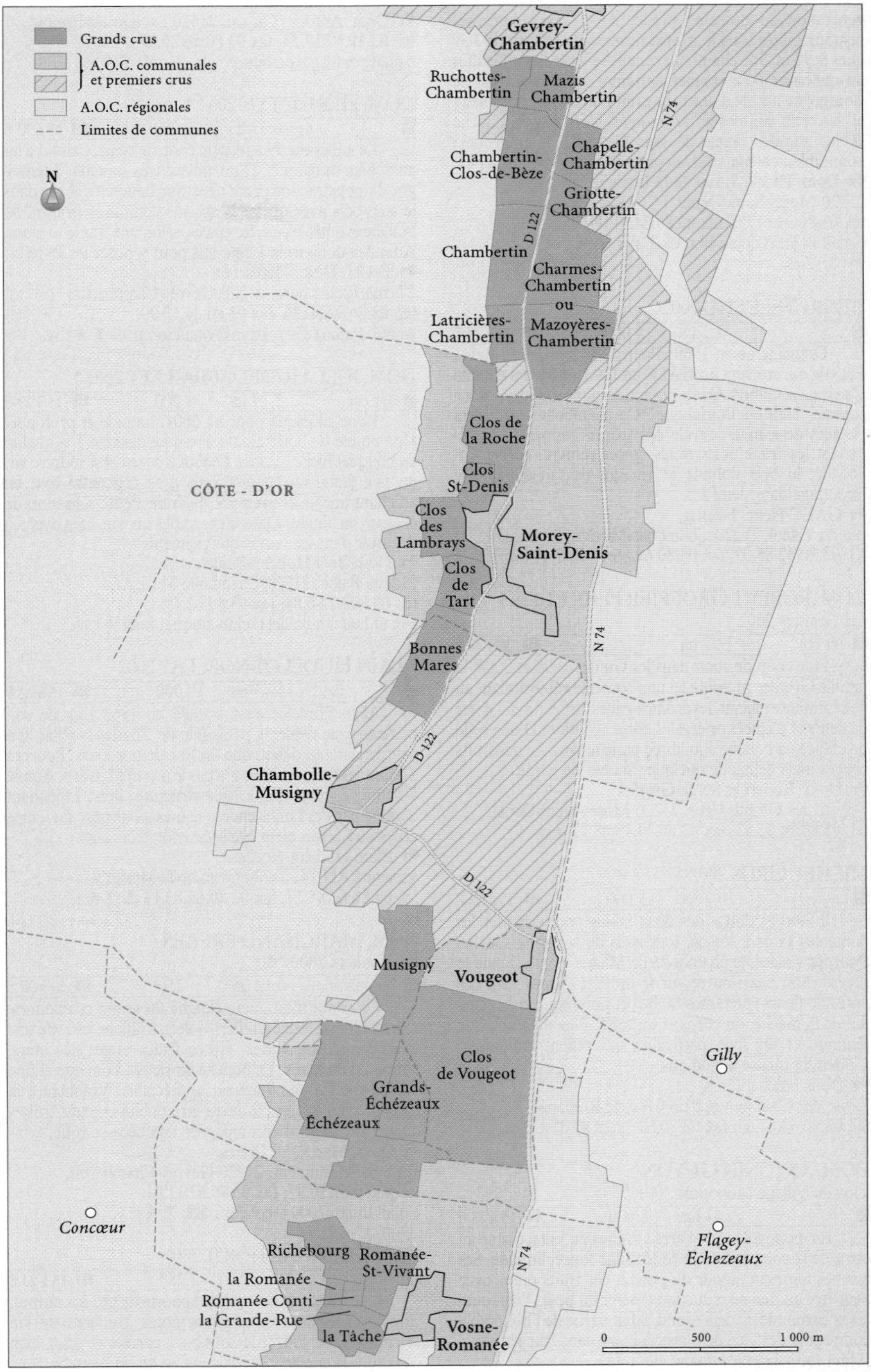
Grands crus
A.O.C. communales et premiers crus
A.O.C. régionales
Limites de communes
N
Gevrey-Chambertin
Ruchottes-Chambertin
Mazis Chambertin
N 74
Chambertin-Clos-de-Bèze
Chapelle-Chambertin
Griotte-Chambertin
D 122
Chambertin
Charmes-Chambertin ou Mazoyères-Chambertin
Latricières-Chambertin
Clos de la Roche
Clos St-Denis
CÔTE - D'OR
Clos des Lambrays
Morey-Saint-Denis
Clos de Tart
N 74
Bonnes Mares
D 122
Chambolle-Musigny
D 122
Musigny
Vougeot
Clos de Vougeot
Gilly
Grands-Échézeaux
Échézeaux
Concœur
Flagey-Echezeaux
N 74
Richebourg
Romanée-St-Vivant
la Romanée
Romanée Conti
la Grande-Rue
la Tâche
Vosne-Romanée
0
500
1 000 m

génération au domaine prend, il est vrai, toutes ses responsabilités sous le regard néanmoins attentif de Jacques Seysses. Son chambolle semble se jouer des difficultés du millésime pour donner naissance à un grand vin de Bourgogne habillé d'une robe profonde et vive. La violette et la cerise composent le bouquet alors que la bouche évolue sur des tanins de soie. Ce 2001 se goûte déjà admirablement mais il serait plus sage de l'attendre un peu.

🍇 Dom. Dujac, 7, rue de la Bussière,
21220 Morey-Saint-Denis,
tél. 03.80.34.01.00, fax 03.80.34.01.09,
e-mail dujac@dujac.com ☑ 🍷 🍴 r.-v.
🍇 Seysses

HENRI FELETTIG 2002

| ■ | 1,1 ha | 4 000 | 🍶 15 à 23 € |

Domaine né en 1969 ; l'œuvre d'Henri et de Reine Feléttig qui créèrent un GAEC en 1993 avec leurs enfants Christine et Gilbert. Quatorze appellations sur 10 ha : nous sommes bien en Bourgogne ! Ce chambolle aux reflets violacés de jeunesse révèle des arômes rappelant discrètement les fruits noirs et les épices (poivre, curry). En bouche, le bois domine le vin qui devrait s'exprimer davantage dans deux ans.

🍇 GAEC Henri Félettig,
rue du Tilleul, 21220 Chambolle-Musigny,
tél. 03.80.62.85.09, fax 03.80.62.86.41 ☑ 🍷 🍴 r.-v.

DOM. ROBERT GROFFIER PERE ET FILS
Les Sentiers 2002 ★

| ■ 1er cru | 1,07 ha | n.c. | 🍶 38 à 46 € |

Elue coup de cœur dans les Guides 1998 et 2000, la famille Groffier présente ici une bouteille rubis brillant au nez complexe mêlant des arômes grillés (le bois) à des notes de fleurs et d'épices orientales après agitation. D'une belle prestance, la bouche équilibrée parle le langage des fruits rouges mais demande quelques années de garde.

🍇 Dom. Robert et Serge Groffier,
3-5, rte des Grands-Crus, 21220 Morey-Saint-Denis,
tél. 03.80.34.31.53, fax 03.80.34.15.48 ☑ r.-v.

MICHEL GROS 2002

| ■ | 0,7 ha | 3 000 | 🍶 15 à 23 € |

Il faut les doigts des deux mains pour compter les domaines Gros à Vosne, tous issus de la même souche. Pourpre violacé, le chambolle de Michel impressionne le regard. Son nez s'ouvre sur le brûlé, évoluant vers des notes de fleurs entêtantes (le lys) et poivrées. En bouche, il a de la mâche, du corps et du fond. Plus masculin que féminin, et un style particulier qui retient l'attention. L'attendre quatre à cinq ans.

🍇 Dom. Michel Gros,
7, rue des Communes, 21700 Vosne-Romanée,
tél. 03.80.61.04.69, fax 03.80.61.22.29 ☑ 🍷 🍴 r.-v.

DOM. ANTONIN GUYON
Clos du Village Monopole 2001 ★

| ■ | 0,44 ha | 2 600 | 🍶 15 à 23 € |

En monopole sur 44 ares, un Clos du Village situé au cœur de la commune, à la robe rouge foncé, limpide. Ses arômes tournent autour du poivré, des fruits mûrs, avec peut-être un rien de réduction (l'aérer un peu). Très rond, assez harmonieux, déjà fondu, il fait partie de l'honorable compagnie des vins de plaisir à boire dans leur jeunesse. Il faut saisir la grâce quand elle passe.

🍇 Dom. Antonin Guyon, 21420 Savigny-lès-Beaune,
tél. 03.80.67.13.24, fax 03.80.66.85.87,
e-mail vins@guyon-bourgogne.com ☑ 🍷 🍴 r.-v.

DOM. HERESZTYN 2002 ★

| ■ | 0,37 ha | 2 000 | 🍶 15 à 23 € |

Le millésime 99 a reçu un coup de cœur. Celui-ci a lui aussi bien des atouts. D'un violacé très soutenu, il témoigne d'une extraction prononcée. Son bouquet s'abrite dans le sous-bois avec quelques accents confiturés (fraise). Sa bouche évoque le cuir, les épices, selon une trame soyeuse. Attendez donc trois à cinq ans pour y poser les lèvres.

🍇 EARL Dom. Heresztyn,
27, rue Richebourg, 21220 Gevrey-Chambertin,
tél. 03.80.34.30.86, fax 03.80.34.13.99,
e-mail domaine.heresztyn@wanadoo.fr ☑ 🍷 🍴 r.-v.

DOM. JOEL HUDELOT-BAILLET 2001 ★

| ■ 1er cru | 2,13 ha | 4 000 | 🍶 15 à 23 € |

Robe classique pour un 2001, limpide et profonde. Une pointe de boisé ajoute une note discrète à la qualité du bouquet fruité (cassis). D'entrée de jeu, il se montre vif, un peu jeune en bouche, puis il se concentre tout en affichant finesse et présence du fruit. Petite sensation de chaleur en finale. Dans l'ensemble un vin bien typé, à déguster dans les temps qui viennent.

🍇 Dom. Joël Hudelot-Baillet,
21, rue Basse, 21220 Chambolle-Musigny,
tél. 03.80.62.85.88, fax 03.80.62.49.83,
e-mail hudelot-baillet@club-internet.fr ☑ 🍴 r.-v.

ALAIN HUDELOT-NOELLAT 2002

| ■ | 1,75 ha | 10 000 | 🍶 15 à 23 € |

Alain Hudelot s'est installé en 1963 lors de son mariage avec Odile, la petite-fille de Charles Noëllat. Un petit hectare au début, une dizaine de nos jours. Pourpre à reflets violets, ce *village* n'a pas le nez très bavard. Ample à l'attaque, riche d'une belle structure, il est cependant dominé par des tanins encore jeunes ; il dispose du temps nécessaire à son plein éveil (deux ou trois ans).

🍇 Alain Hudelot-Noëllat,
ancienne RN 74, 21220 Chambolle-Musigny,
tél. 03.80.62.85.17, fax 03.80.62.83.13 ☑ 🍷 🍴 r.-v.

DOM. MARCHAND FRERES
Les Sentiers 2002 ★★

| ■ 1er cru | 0,12 ha | 750 | 🍶 23 à 30 € |

Ce *climat* n'est guère éloigné du grand cru bonnesmares. Grenat foncé à reflets violets, il affiche très vite une réelle complexité au nez : épices, fruits rouges bien mûrs, bourgeon de cassis. La bouche glorieuse, tannique et fine à la fois, offre une longueur appréciable. Vraiment à la hauteur d'un 1er cru, il devra être oublié en cave trois à quatre ans avant d'accompagner une bécasse rôtie.

🍇 Dom. Marchand Frères,
1, pl. du Monument, 21220 Gevrey-Chambertin,
tél. 03.80.62.10.97, fax 03.80.62.11.01,
e-mail dmarc2000@aol.com 📫 🍷 🍴 r.-v.

FRANCOIS MARTENOT 2001

| ■ | n.c. | 2 288 | 🍶 15 à 23 € |

La couleur est claire. Elle apporte de grosses larmes. Très aromatique avec quelques notes fruitières, un vin orienté vers le cuir et le sous-bois, correct et assez bien construit. Bouteille à servir dans un an ou deux.

🔑 HDV Distribution, ZI Beaune-Vignolles, rue du Dr-Barolet, 21209 Beaune Cedex, tél. 03.80.24.70.07, fax 03.80.22.54.31, e-mail pascale.taniere@hdv.fr r.-v.

DOM. PAUL MISSET 2002 *

■ 1,78 ha 9 300 15 à 23 €

Petit-fils de Paul Misset, Yves Chéron a repris le domaine familial bourguignon après vingt ans passés dans le vignoble de la vallée du Rhône (il demeure à la tête du Grand Montmirail à Gigondas). Il possède ici 5,2 ha fort bien situés en Côte de Nuits. Son chambolle apparaît très prometteur. Le fût est à ce stade un peu envahissant au nez. En revanche, tout est bien dosé et gentiment fruité en bouche. Structure et persistance sont d'un pinot bien conduit.

🔑 Dom. Paul Misset, 8, rue Félix-Tisserand, 21700 Nuits-Saint-Georges, tél. 06.10.44.02.98, fax 03.90.65.89.23 r.-v.

🔑 Yves Chéron

DOM. THIERRY MORTET Les Beaux Bruns 2002 *

■ 1er cru 0,22 ha 1 200 23 à 30 €

Ces Beaux Bruns appartiennent à la partie classée en 1er cru. Ils portent leur nom alors que leurs voisins Drazey, Chardannes ou Athets ne figurent sur aucune étiquette connue de nous... Dans une robe profonde et à la limite du noir, doté d'un nez de cerise confite, ce 2002 décrit un parcours très classique depuis l'attaque fraîche jusqu'à la finale, passant par le gras et le fruit rouge.

🔑 Dom. Thierry Mortet, 16, pl. des Marronniers, 21220 Gevrey-Chambertin, tél. 03.80.51.85.07, fax 03.80.34.16.80 r.-v.

DOM. LOUIS REMY Les Fremières Vieilles Vignes 2001

■ 0,26 ha 1 600 23 à 30 €

Cette famille appartient aux institutions de Morey, Gevrey et Chambolle. Près de deux siècles de présence dans la vigne, et le courage de continuer. Rouge clair légèrement tuilé, ce 2001 porte une robe légère. Le nez friand laisse percer un fruit discret. La bouche, d'une délicatesse soyeuse, se montre très chambollienne. Pinot fin, pour conclure, né sur un honnête terroir. Au milieu du finage ce *climat* est un peu « l'homme de base » du cru.

🔑 Dom. Louis Remy, 1, pl. du Monument, 21220 Morey-Saint-Denis, tél. 03.80.34.32.50, fax 03.80.34.32.50, e-mail domaine.louis.remy@wanadoo.fr r.-v.

LAURENT ROUMIER 2001

■ 1,4 ha 6 000 15 à 23 €

Laurent Roumier a créé *ex nihilo* sa petite exploitation en 1991 (vignes en location). Elle couvre 4,1 ha aujourd'hui. Vermillon léger à reflets légèrement tuilés, son 2001, au nez encore fermé, ne laisse apparaître qu'un peu de fruits rouges confits sur une dominante boisée ; il montre plus de rondeur et de vivacité au palais, donnant un sentiment de vin accompli dans cet esprit. L'attendre encore un an.

🔑 Dom. Laurent Roumier, rue de Vergy, 21220 Chambolle-Musigny, tél. 03.80.62.83.60, fax 03.80.62.84.10 r.-v.

ROUX PERE ET FILS 2001 **

■ n.c. n.c. 23 à 30 €

L'un des meilleurs de la dégustation, et à un doigt du coup de cœur. Le négoce sait se fournir. Complet et fondu, ce vin porte une robe profonde et affiche un nez intéressant, vanillé, chocolaté, sans excès et tout en mesure, ouvrant sur la framboise et les arômes du cépage. Tout est à la fois complexe et complet. L'évolution semble ne poser aucun problème. Ce qu'on pourrait appeler un beau toucher en bouche... Au fond, à déguster maintenant. Le **1er cru Les Charmes 2001 (30 à 38 €)** obtient une étoile. Il faudra l'attendre un an ou deux.

🔑 Dom. Roux Père et Fils, 21190 Saint-Aubin, tél. 03.80.21.32.92, fax 03.80.21.35.00, e-mail roux.pere.et.fils@wanadoo.fr r.-v.

BOURGOGNE

DOM. HERVE SIGAUT Les Fuées 2002 *

■ 1er cru 0,38 ha 2 300 23 à 30 €

On peut encore admirer, au village, un tilleul planté sous Henri IV... Ce domaine, fondé en 1887, en est à sa cinquième génération. Les efforts de rigueur aboutissent à ce vin joliment coloré, dont les nuances odorantes s'ouvrent sans se faire prier : la framboise, la mûre, sur fond épicé. Au palais, les tanins se montrent parfaitement civils. L'acidité et l'alcool trouvent le bon accord. *Climat* proche des bonnes-mares.

🔑 Hervé Sigaut, 12, rue des Champs, 21220 Chambolle-Musigny, tél. 03.80.62.80.28, fax 03.80.62.84.40, e-mail herve.sigaut@wanadoo.fr r.-v.

DOM. TAUPENOT-MERME La Combe d'Orveau 2001 *

■ 1er cru n.c. 2 500 30 à 38 €

Les pierres de la cave (récente) proviennent de la démolition du carmel de Dijon où vécut la bienheureuse Elisabeth de la Trinité. Aux confins du rouge et du noir, ce vin semble appeler le gibier (arômes de sous-bois, de gibecière). La bouche est encore timide, mais on la devine pleine, fruitée et longue. Elle révélera un équilibre sûr et une complexité digne d'un 1er cru, à deux pas du grand cru musigny.

🔑 Dom. Taupenot-Merme, 33, rte des Grands-Crus, 21220 Morey-Saint-Denis, tél. 03.80.34.35.24, fax 03.80.51.83.41, e-mail domaine.taupenot-merme@wanadoo.fr r.-v.

Musigny

Dominant le Clos de Vougeot, musigny repose sur un sol calcaire mêlé d'argile rouge. Ce grand cru s'étend sur 10 ha 85 a 55 ca et a produit 123,81 hl en 2002.

DOM. CHRISTIAN CONFURON ET FILS 2002

■ Gd cru 0,8 ha 400 46 à 76 €

Le musigny est aux rouges ce que le montrachet est aux blancs. Un pur coup d'archet. Ici, le bouquet joue entre vanille et framboise. Au palais, la complexité est encore

cachée mais l'approche aimable s'accompagne agréablement de fruits rouges confits que l'on retrouve dans une finale persistante. A ouvrir dans trois ans sur un salmis de pintade.
Dom. Christian Confuron et Fils,
rue du Vieux-Château, 21640 Vougeot,
tél. 03.80.62.86.80, fax 03.80.62.86.80
t.l.j. 9h30-11h30 14h30-17h30; sam. dim. sur r.-v.

DOM. DROUHIN-LAROZE 2002 ★★

■ Gd cru 0,12 ha 450 + de 76 €

Parcelle de musigny acquise en 1996 par ce domaine bien implanté dans les chambertin et en bonnes-mares. Tout à fait remarquable, la bouteille nous rappelle que ce grand cru est souvent considéré comme *the winiest wine*, que nous traduirons par le fin du fin. Sa robe somptueuse, sa richesse de sève et de bouquet embaumée de fruits confits et d'un boisé intelligent, l'équilibre entre tanins et délicatesse, sa bouche « qui se déroule sans fin comme un ruban de soie » (la formule bien trouvée est de Georges Lepré à propos d'un 69), en font dès aujourd'hui un vin magnifique qui offrira dans cinq à dix ans un moment d'émotion pure.
Dom. Drouhin-Laroze,
20, rue du Gaizot, 21220 Gevrey-Chambertin,
tél. 03.80.34.30.39, fax 03.80.51.83.70,
e-mail drouhinlaroze@aol.com
t.l.j. 9h-12h 13h30-18h

Bonnes-mares

Cette appellation, qui s'étend sur 13 ha 54 a 17 ca a produit 497,96 hl en 2002 et 340 hl en 2003. Elle déborde sur la commune de Morey, le long du mur du clos-de-tart, mais la plus grande partie est située sur Chambolle. C'est le grand cru par excellence. Les vins de bonnes-mares, pleins, vineux, riches, ont une bonne aptitude à la garde et accompagnent allégrement le civet ou la bécasse au bout de quelques années de vieillissement.

DOM. BART 2002 ★

■ Gd cru 1 ha 1 800 38 à 46 €

Marer la vigne signifiait autrefois la cultiver, et ce nom provient peut-être de pieds bien soignés. Ou des déesses mères ? On l'ignore. Toujours est-il que ce 2002 rouge profond et brillant réussit à fondre son boisé dans un ensemble fait de kirsch et de pétale de rose. Ce n'est pas un lyrisme excessif : Roupnel évoquait la délicatesse de cette fleur dans le bouquet de la Côte de Nuits. Quant au corps, il séduit par sa finesse et son élégance. Très « côté chambolle ».
Dom. Bart,
23, rue Moreau, 21160 Marsannay-la-Côte,
tél. 03.80.51.49.76, fax 03.80.51.23.43 r.-v.

DOM. FOUGERAY DE BEAUCLAIR 2002

■ Gd cru n.c. n.c. 46 à 76 €

88 89 90 92 93 94 **95** 96 **97** 98 99 00 01 02

Si vous souhaitez comparer les bonnes-mares de Morey et celles de Chambolle, cette bouteille peut défendre les couleurs du premier des deux villages. D'un rouge encore très jeune, ce 2002 élevé seize mois sous bois offre une bonne palette aromatique classique, supportée par le chêne. L'ouvrage est honorablement construit, toujours autour du fût. D'épaisseur moyenne, il ne sera cependant pas de très longue garde lorsque vous l'aurez goûté dans trois ans.
Dom. Fougeray de Beauclair,
44, rue de Mazy, BP 36, 21160 Marsannay-la-Côte,
tél. 03.80.52.21.12, fax 03.80.58.73.83,
e-mail fougeraydebeauclair@wanadoo.fr r.-v.
J.-L. Fougeray

DOM. ROBERT GROFFIER PERE ET FILS 2002

■ Gd cru 0,97 ha 4 500 46 à 76 €

(93) 94 96 **97** **98** **99** 00 01 02

Elu coup de cœur dans notre édition 1996, ce domaine possède des bonnes-mares chambolloises : un achat en 1933 sur la Maison Peloux. Bonne idée car le prix de la terre a quelque peu évolué depuis... D'une teinte moyennement intense, ce 2002 entoure son bouquet d'arômes complexes. On y perçoit la griotte très mûre, la confiserie. Très vif à l'entrée en bouche, il parvient assez vite à marier la rondeur et la puissance tannique. Masculin ou féminin ? Disons un peu des deux !
Dom. Robert et Serge Groffier,
3-5, rte des Grands-Crus, 21220 Morey-Saint-Denis,
tél. 03.80.34.31.53, fax 03.80.34.15.48 r.-v.

FREDERIC MAGNIEN 2002

■ Gd cru 0,25 ha 900 46 à 76 €

Pourpre brillant et limpide, son nez ressemble à une barquette de framboises vendues par Bruno au marché de Dijon. Belle extraction raisonnable : l'attaque obéit aux règles de la guerre en dentelle, et l'équilibre du milieu de bouche s'établit comme on l'espérait. Quelques tanins en finale ne l'arrêtent pas sur son élan car ils se feront en cave. Cependant pensez alors à le carafer deux heures avant de le servir.
EURL Frédéric Magnien, 35, rte des Grands-Crus,
21220 Morey-Saint-Denis, tél. 03.80.58.54.20,
fax 03.80.51.84.34, e-mail fredericmagnien.grandsvinsdebourgogne@wanadoo.fr r.-v.

PIERRE NAIGEON Vieilles Vignes 2002

■ Gd cru n.c. n.c. 38 à 46 €

« Vin non filtré », indique l'étiquette. Rouge soutenu à disque violet, ces bonnes-mares produites sur Chambolle affichent un parfum au caractère sauvage de l'animal, associé à la tonalité aromatique des fruits cuits. D'abord boisé, ce 2002 évolue à l'aération vers des senteurs de pinot

noir. Ses tanins sont mûrs et fondus, son gras assez riche. A déguster dans deux ans.
🔑 Pierre Naigeon, 4, rue du Chambertin, 21220 Gevrey-Chambertin, tél. 03.80.34.14.87, fax 03.80.58.51.18, e-mail pierre.naigeon@wanadoo.fr ☑ Y ★ t.l.j. 10h-12h 14h-18h; f. nov.-mars

Vougeot

C'est la plus petite commune de la côte viticole. Si l'on ôte de ses 80 ha les 50 ha 59 a 10 ca du clos, les maisons et les routes, il ne reste que quelques hectares de vignes en vougeot, dont plusieurs premiers crus, les plus connus étant le Clos blanc (vins blancs) et le Clos de la Perrière. Le volume de production s'élève à 463 hl en rouge en 2002 et 171 en blanc alors que le millésime 2003 n'a donné que 284 hl en rouge et 139 en blanc.

DOM. BERTAGNA
Clos de la Perrière Monopole 2001 *

■ 1er cru 1,25 ha 9 000 ⓫ 38 à 46 €

Acquise en 1982 par Gunther Reh, important producteur de vins effervescents à Trèves, cette marque est aujourd'hui dirigée par sa fille et son gendre. Coup de cœur l'an dernier pour le millésime 2000, ce domaine de 21 ha propose un **vougeot 1er cru blanc 2001** qui obtient une étoile, et ce cru monopole rouge cerise foncé. Certes, il est encore un peu engoncé dans son fût mais l'éveil fruité se dessine. A la plénitude de l'attaque succède une chair agréable. Celle-ci se développe tout en longueur et en finesse.
🔑 Dom. Bertagna, 16, rue du Vieux-Château, 21640 Vougeot, tél. 03.80.62.86.04, fax 03.80.62.82.58 ☑ Y ★ r.-v.
🔑 Reh - Siddle

DOM. CHRISTIAN CLERGET
Les Petits Vougeot 2001 *

■ 1er cru 0,47 ha 2 400 ⓫ 23 à 30 €

Empourpré dans ses reflets, grenat au cœur de la robe, un Petits Vougeot (admirez la complexité de l'orthographe bourguignonne et vineuse !) au nez net et franc. Il commence à diablement pinoter sur le cassis et le cuir. Il n'est pas encore tout à fait ouvert et épanoui en bouche, mais la matière ainsi que la structure lui garantissent un bon avenir.
🔑 SCEV Dom. Christian Clerget, 10, Ancienne RN, 21640 Vougeot, tél. 03.80.62.87.37, fax 03.80.62.84.37 ☑ Y ★ r.-v.

Clos-de-vougeot

Tout a été dit sur le Clos ! Comment ignorer que plus de soixante-dix propriétaires se partagent ses 50 ha 59 a 10 ca et les 1 180 hl déclarés en 2003 ? Un tel attrait n'est pas dû au hasard ; c'est bien parce qu'il est bon et que tout le monde en veut ! Il faut bien sûr faire la différence entre les vins « du dessus », ceux « du milieu » et ceux « du bas », mais les moines de l'abbaye de Cîteaux, lorsqu'ils ont élevé le mur d'enceinte, avaient tout de même bien choisi leur lieu...

Fondé au début du XIIe s., le Clos atteignit très rapidement sa dimension actuelle ; l'enceinte d'aujourd'hui est antérieure au XVe s. Plus que le Clos lui-même, dont l'attrait essentiel se mesure dans les bouteilles quelques années après leur production, le château, construit aux XIIe et XVIe s., mérite qu'on s'y attarde un peu. La partie la plus ancienne est constituée du cellier, de nos jours utilisé pour les chapitres de la Confrérie des Chevaliers du Tastevin, actuel propriétaire des lieux, et de la cuverie, qui abrite à chaque angle quatre magnifiques pressoirs d'époque.

BERTRAND AMBROISE 2002 *

■ Gd cru n.c. 900 ⓫ 46 à 76 €

Le clos-de-vougeot est un vin qu'il faut souvent pousser dans ses retranchements, du moins durant ses jeunes années. Celui-ci en fournit l'exemple. Aujourd'hui son acidité et ses tanins font un peu écran entre le vin et son public. Cependant, on ne peut guère revenir aux années 1870-1880 quand les grands millésimes étaient conservés au château en foudre ou en fût durant trente-six mois... Jolie robe et joli nez pour une ouverture dans quatre ans.
🔑 Maison Bertrand Ambroise, rue de l'Eglise, 21700 Premeaux-Prissey, tél. 03.80.62.30.19, fax 03.80.62.38.69, e-mail bertrand.ambroise@wanadoo.fr ☑ Y ★ r.-v.

DOM. CAPUANO-FERRERI ET FILS 2001 **

■ Gd cru n.c. n.c. ⓫ 46 à 76 €

Ce 2001 rubis intense a conservé une robe de jeunesse. Au premier abord, le nez est fermé. L'agitation dans le verre le réveille un peu. Les notes torréfiées des seize mois de fût se marient alors à un léger fruit rouge. Juste assez de mâche pour emplir la bouche sans l'alourdir, des tanins parfaitement fondus, une richesse harmonieuse, on retrouve cette sensation de jeunesse ardente et qui rêve d'un grand mariage gourmand avec qui saura l'apprécier. Toutefois les fiançailles en cave dureront cinq ans au moins et plus sûrement dix.
🔑 Dom. Capuano-Ferreri et Fils, 1, rue de la Croix-Sorine, 21590 Santenay, tél. 03.80.20.64.12, fax 03.80.20.65.75, e-mail john.capuano@wanadoo.fr ☑ Y ★ r.-v.

CHANSON PERE ET FILS 2002 *

■ Gd cru n.c. n.c. ⓫ 46 à 76 €

Pourpre violacé sur un ton appuyé, celui-ci n'a pas le nez très disert. Un peu monolithique, comme les piliers du cellier du château. Chocolaté et légèrement tendu vers une promesse de myrtille, on le sent capable de s'ouvrir. Un grain assez sévère accompagne une bouche longue, moins austère qu'il n'y paraît (du gras, des tanins de soie), fort prometteuse.

BOURGOGNE

🗝 Maison Chanson Père et Fils, 10, rue Paul-Chanson, 21200 Beaune, tél. 03.80.25.97.97, fax 03.80.24.17.42, e-mail chanson@vins-chanson.com

DOM. DU CLOS FRANTIN 2002 ★★

■ Gd cru 0,62 ha 1 700 ⅠⅡ + de 76 €

Une partie des parcelles achetées en 1964 par Albert Bichot à la famille Grivelet. Elles se trouvent côté sud du clos. Le Clos Frantin appartient en effet à cette maison. Celle-ci met sur orbite un clos-de-vougeot qui justifie l'exclamation de Hugh Johnson à propos de ce grand cru : « Voilà de la présence ! » Sa robe est de bon goût, sans surextraction. Son premier nez vise l'élégance, son second la complexité. Sa texture soyeuse, sa belle viscosité, sa grande persistance vont longtemps célébrer ce terroir.

🗝 Dom. du Clos Frantin, 6 bis, bd Jacques-Copeau, 21200 Beaune, tél. 03.80.24.37.37, fax 03.80.24.37.38, e-mail bourgogne@albert-bichot.com

DOM. DROUHIN-LAROZE 2002 ★

■ Gd cru 1,02 ha 4 500 ⅠⅡ 38 à 46 €

On peut dire de lui ce qu'Eugénie de Guérin écrivait de Barbey d'Aurevilly, que « c'est un beau palais, où il y a un labyrinthe ». Plaisir visuel, bonheur olfactif, voilà pour le palais. En bouche, il est charnu, charpenté et complexe. Son boisé est maîtrisé, son fruit généreux. Pour connaître la direction qu'il prendra entre la grâce et la puissance, l'heure sonnera en 2010, guère avant. Il est né sur la partie haute du clos sur une grande parcelle acquise notamment lors de la célèbre vente Bocquet en 1920. Coup de cœur pour le millésime 97 et déjà pour le 83.

🗝 Dom. Drouhin-Laroze, 20, rue du Gaizot, 21220 Gevrey-Chambertin, tél. 03.80.34.30.39, fax 03.80.51.83.70, e-mail drouhinlaroze@aol.com
☑ Ⲓ t.l.j. 9h-12h 13h30-18h

R. DUBOIS ET FILS 2001

■ Gd cru 0,3 ha 1 500 ⅠⅡ 38 à 46 €

Régis (le père) a beaucoup contribué au développement du lycée viticole de Beaune. Rouge griotte à reflets légèrement bleutés, un 2001 au nez moyennement complexe mais bien ouvert sur le fruit noir (mûre, cassis). Certes il a une pointe tannique en finale, mais auparavant l'attaque est enlevée et l'équilibre d'ensemble correctement assuré.

🗝 Dom. Régis Dubois et Fils, rte de Nuits-Saint-Georges, 21700 Premeaux-Prissey, tél. 03.80.62.30.61, fax 03.80.61.24.07, e-mail rdubois@wanadoo.fr
☑ Ⲓ 🚶 t.l.j. 8h-11h30 14h-17h30; sam. dim. sur r.-v.

ALEX GAMBAL 2001

■ Gd cru n.c. 604 ⅠⅡ 46 à 76 €

Quand un Bostonien tombe amoureux de la Bourgogne et de ses vins, que fait-il ? Il oublie le Cap Cod et met le cap sur Beaune où il prend une patente et une enseigne de négociant-éleveur. C'était en 1997-1999 et depuis il a fait du chemin. Son 2001 présente quelques reflets d'évolution mais on adore ses senteurs de jacinthe et de violette. La longueur va probablement venir durant le séjour en cave de la bouteille (trois ou quatre ans). Dans l'immédiat, on savoure un corps goûteux, des tanins modérés rayonnant de petits fruits, et une acidité prometteuse.

🗝 Maison Alex Gambal, 4, rue Jacques-Vincent, 21200 Beaune, tél. 03.80.22.75.81, fax 03.80.22.21.66, e-mail alexgambal@wanadoo.fr ☑ Ⲓ 🚶 r.-v.

DOM. FRANCOIS GERBET 2002 ★★

■ Gd cru 0,33 ha 1 541 ⅠⅡ 38 à 46 €

Quelques ares acquis dans la partie basse du clos en 1985 auprès de la SAFER de Bourgogne quand le groupe britannique *International Distillers & Vintners* prit le contrôle de Piat en Beaujolais. Ce 2002 est superbement paré. Il embaume la framboise et au palais on croit du velours égayé par une jolie vivacité. Il subsiste longtemps après qu'on l'a bu. Du bœuf, certes, mais de Salers !

🗝 Dom. François Gerbet, Maison des Vins, pl. de l'Eglise, 21700 Vosne-Romanée, tél. 03.80.61.07.85, fax 03.80.61.01.65, e-mail vins.gerbet@wanadoo.fr ☑ Ⲓ 🚶 r.-v.

DOM. MICHEL GROS Grand Maupertuis 2002

■ Gd cru 0,2 ha 900 ⅠⅡ 46 à 76 €

Parcelle de 20 a 85 ca acquise en 1970 par Jean Gros et issue de la lignée Dufouleur depuis 1903. Dans la partie haute du clos, elle a encastré dans le mur (côté intérieur) une borne en pierre marquée L.B. (Léonce Bocquet, le restaurateur du château). L'étiquette porte la mention du *climat* (Grand Maupertuis). Ce 2002 brille de tous ses feux. Son premier nez est fin, racé ; le deuxième plus sauvage. Remarques classiques à cet âge : dureté du contact initial, davantage de force que de souplesse, texture agréable, une note d'amertume en forme de points de suspension : attendre la suite, en effet !

🗝 Dom. Michel Gros, 7, rue des Communes, 21700 Vosne-Romanée, tél. 03.80.61.04.69, fax 03.80.61.22.29 ☑ Ⲓ 🚶 r.-v.

JEAN-MICHEL GUILLON 2002 ★

■ Gd cru 0,14 ha 1 160 ⅠⅡ 38 à 46 €

Septembre 2004 : Alexis Guillon entre dans l'exploitation. Pour fêter ça, un clos-de-vougeot entre rouge, noir et violine. Le fût domine encore l'assiette aromatique. La cerise à l'eau-de-vie est en embuscade. Une forte extraction confère une consistance bien réelle, ferme, l'acidité et les tanins ne jouant pas les seconds rôles. C'est une bouteille qui sera sensiblement plus harmonieuse dans quelques années, clos-de-vougeot oblige !

🗝 Jean-Michel Guillon, 33, rte de Beaune, 21220 Gevrey-Chambertin, tél. 03.80.51.83.98, fax 03.80.51.85.59, e-mail eurl.guillon@aol.com ☑ Ⲓ 🚶 r.-v.

ALAIN HUDELOT-NOELLAT 2002

■ Gd cru 0,69 ha 3 500 ⅠⅡ 46 à 76 €

Profonde et violacée, comme toute robe jeune, celle-ci est engageante. Mais le nez est fermé à double tour. En bouche ? De la puissance, de la charpente, des tanins, de la réserve, un certain boisé, de l'avenir...

🗝 Alain Hudelot-Noëllat, ancienne RN 74, 21220 Chambolle-Musigny, tél. 03.80.62.85.17, fax 03.80.62.83.13 ☑ Ⲓ 🚶 r.-v.

LEYMARIE 2001

■ Gd cru 0,53 ha 1 600 ⅠⅡ 38 à 46 €

Coup de cœur dans notre édition 1997 pour un 93, ce vin est issu d'une parcelle de 52 a 60 ca dans la partie haute du clos (près des grands-échézeaux). Elle a été achetée en 1935 à Eugène Liger-Belair. Quant à la famille Leymarie, elle a longtemps reposé sur trois pieds : un ici, le deuxième à Bordeaux et le troisième en Belgique. D'une teinte assez sombre, ce 2001 développe des arômes de fruits et se laisse même aller à une pointe animale.

Tannique, structuré, doté d'une bonne acidité, il rappelle ce mot de Camille Rodier : « Ce vin a une rondeur carrée. »
Dom. Leymarie-CECI, Clos du Village, 24, rue du Vieux-Château, 21640 Vougeot, tél. 03.80.62.86.06, fax 03.80.62.88.53, e-mail leymarie@skynet.be r.-v.

DOM. MONGEARD-MUGNERET 2002

Gd cru 0,62 ha 2 400 46 à 76 €

Né sur la partie haute du clos, ce vin n'est pas aussi profond que le puits du château du Clos de Vougeot (27 m !), mais il se présente sous une belle couleur de vitrail frappé par un rayon de soleil. Au nez, le bouquet s'ouvre à l'aération sur le fruit. La bouche offre un bel équilibre entre la matière et les tanins.
Dom. Mongeard-Mugneret, 14, rue de la Fontaine, 21700 Vosne-Romanée, tél. 03.80.61.11.95, fax 03.80.62.35.75, e-mail mongeard@reseauconcept.net r.-v.

DOM. HENRI REBOURSEAU 2001 *

Gd cru 2,21 ha 6 049 46 à 76 €

89 90 92 |93| 94 **95** 96 97 98 |99| 00 01

Lors du partage familial en 1915, la part du général Henri Rebourseau comportait deux parcelles (2,21 ha) situées exactement au centre du clos. Exploitées de nos jours par son arrière-petit-fils Jean de Surrel, elles sont restées dans la famille. Rouge rubis très peu évolué, ce 2001 affiche son boisé (dix-sept mois de fût) mais n'en abuse pas et laisse le fruit s'avancer. Très ferme comme l'était le général sur ses principes lors de la mise en place des AOC, il campe sur des bases solides et voit l'avenir avec optimisme.
NSE Dom. Henri Rebourseau, 10, pl. du Monument, 21220 Gevrey-Chambertin, tél. 03.80.51.88.94, fax 03.80.34.12.82, e-mail domaine@rebourseau.com r.-v.

DOM. ARMELLE ET BERNARD RION 2002 *

Gd cru 0,75 ha 2 000 38 à 46 €

Domaine aux dons multiples, passionné par la truffe bourguignonne, brune et succulente, ainsi que par l'élevage des chiens truffiers. D'une teinte framboisée, ce clos-de-vougeot n'en est plus à faire ses gammes. Il maîtrise son art grâce à une complexité aromatique recherchée du côté de la cerise noire réglissée. Excellente impression de jeunesse ignorant encore les périls de la vie. Ses tanins, sa touche d'amertume vont en effet évoluer dans le bon sens. La qualité est là.
Dom. Armelle et Bernard Rion, 8, rte Nationale, 21700 Vosne-Romanée, tél. 03.80.61.05.31, fax 03.80.61.34.60, e-mail rionab@wanadoo.fr r.-v.

DOM. TORTOCHOT 2001 *

Gd cru 0,21 ha 1000 38 à 46 €

20 a 33 ca : une bande verticale qui faisait partie d'une parcelle trois fois plus importante, achetée en 1955 à la famille Grivelet-Cusset par la famille Coquard et la veuve de Félix Tortochot, grand-père de cette viticultrice. Cela devrait donner un beau grand cru. Cerise noire à l'œil, framboisé au nez avec un bond animal jusqu'à l'attaque en bouche souple et fine, un peu marquée par les tanins en finale. Il faut se rappeler que le clos-de-vougeot est un vin introverti qui vous accueille rarement les bras ouverts. Il se mérite si l'on sait patienter.
Dom. Tortochot, 12, rue de l'Eglise, 21220 Gevrey-Chambertin, tél. 03.80.34.30.68, fax 03.80.34.18.80, e-mail chantam@aol.com r.-v.
Chantal Michel

CH. DE LA TOUR 2002 *

Gd cru 6 ha 20 000 46 à 76 €

85 86 87 |88| |89| |90| |93| 95 96 |97| |(98)| 99 01 02

La propriété la plus étendue au sein du clos (5,484 ha, soit 10,75 % de sa superficie) conduite par ce château datant de 1890 et rénové depuis. Filiation Beaudet puis Morin, puis Labet et Déchelette. En fait de couleur, la robe de ce 2002 ne se refuse rien. Le nez non plus, avec des notes de mûre et de myrtille. Le corps affiche beaucoup d'intensité et une vivacité qui fait vraiment vibrer le vin. En devenir pour que s'estompe le boisé et pour bénéficier des bienfaits de l'âge.
Ch. de la Tour, Clos de Vougeot, 21640 Vougeot, tél. 03.80.62.86.13, fax 03.80.62.82.72, e-mail contact@chateaudelatour.com t.l.j. sf mar. 10h-19h; f. 31 nov.-31 mars
François Labet

BOURGOGNE

DOM. DES VAROILLES 2001 *

Gd cru 6 ha n.c. 38 à 46 €

La maison Naigeon-Chauveau étant passée sous pavillon helvétique, c'est Gilbert Hammel, l'acquéreur, qui présente ce vin du domaine des Varoilles (copropriété naguère à 50/50 de Jean-Pierre Naigeon et de Denis Chéron). Rouge sombre et brillant, un 2001 rubis profond à reflets violets, sur des arômes de groseille assez expressifs. Sa bouche ne néglige aucun détail pour répondre à notre attente. Les tanins par exemple sont très présents mais nullement agressifs. Au niveau de son appellation.
Dom. des Varoilles, rue de l'Ancien-Hôpital, 21220 Gevrey-Chambertin, tél. 03.80.34.30.30, fax 03.80.51.88.99, e-mail contact@domaine-varoilles.com r.-v.

CHARLES VIENOT 2002 *

Gd cru n.c. n.c. 46 à 76 €

Charles Viénot fut un Falstaff bourguignon au début du XXe s., le roi des bons vivants. Ornement de toutes les tables, il eût volontiers vidé cette bouteille de clos-de-vougeot avec une bécasse flambée, des perdreaux sur canapé et un cuissot de marcassin... Il ne l'aurait cependant pas bue tout de suite, la laissant vieillir. Nuance griotte, bouqueté amande et poivre, un vin jeune, puissant, acide, tannique. Bref, il est équipé pour une longue maturation en cave.
Charles Viénot, 5, quai Dumorey, BP 102, 21703 Nuits-Saint-Georges, tél. 03.80.62.61.61, fax 03.80.62.61.57, e-mail despont.m@boisset.fr
Boisset SA

Echézeaux et grands-échézeaux

Au sud du Clos de Vougeot, la commune de Flagey-Echézeaux, dont le bourg est dans la plaine, tout comme celui de Gilly (les Cîteaux) en face du Clos de Vougeot, longe le mur de celui-ci pour faire, jusqu'à la montagne, une incursion dans le vignoble. La partie du piémont bénéficie de l'appellation vosne-romanée. Dans le coteau se succèdent deux grands crus : le grands-échézeaux et l'échézeaux. Le premier fait environ 9 ha de surface, sur plusieurs lieux-dits et n'a produit que 220,4 hl en 2003, alors que le second couvre plus de 36 ha pour un volume de 973 hl.

Les vins de ces deux crus, dont les plus prestigieux sont les grands-échézeaux, sont très « bourguignons » : solides, charpentés, pleins de sève mais aussi très chers. Ils sont essentiellement exploités par les vignerons de Vosne et de Flagey.

Echézeaux

DOM. ROBERT ARNOUX 2001

■ Gd cru 0,7 ha 3 800 46 à 76 €

Bon vin d'approche pour ce grand cru. Rouge écarlate, il offre un échantillon intéressant des arômes du pinot noir, du fruit rouge au fruit noir. Le boisé se montre bien conduit. Sa matière s'appuie sur des assises solides, un fond important qui devra se fondre pour atteindre sa maturité complète d'ici trois à quatre ans.

Dom. Robert Arnoux,
3, RN 74, 21700 Vosne-Romanée,
tél. 03.80.61.08.41, fax 03.80.61.36.02 r.-v.

BOUCHARD AINE ET FILS

Cuvée Signature 2002 *

■ Gd cru n.c. 2 500 38 à 46 €

Grenat intense, cet échézeaux nous fait les honneurs d'un bouquet rappelant la cerise à l'eau-de-vie, la confiture de vieux garçon. Ses tanins dressent encore le dos, mais son volume, son gras, sa consistance plaident avec succès la cause de ce grand cru. A ouvrir dans trois à cinq ans.

Bouchard Aîné et Fils, hôtel du Conseiller-du-Roy,
4, bd Mal-Foch, 21200 Beaune, tél. 03.80.24.24.00,
fax 03.80.24.64.12, e-mail bouchard@bouchard-aine.fr
t.l.j. 9h30-11h30 14h-17h30

Jean-Claude Boisset

DOM. PHILIPPE CHARLOPIN 2001 **

■ Gd cru n.c. n.c. + de 76 €

Philippe Charlopin vient de trouver au château de Pommard un défi à sa mesure. En attendant, ses échézeaux 2001 sont une sorte de paradoxe. Soyeux et veloutés, ils glissent sur la langue. Racés et pleins de chaleur, ils ont un grand potentiel, ce que la robe rubis foncé à reflets violets annonçait. En somme, un vin de plaisir aux parfums puissants de fruits rouges et d'épices, et un vin de garde qui aura forcément un caractère différent dans cinq à dix ans (pas davantage). Goûteux dans les deux cas : sa PAI (finale) est très, très longue...

Dom. Philippe Charlopin,
18, rte de Dijon, 21220 Gevrey-Chambertin,
tél. 03.80.91.81.18, fax 03.80.51.81.27,
e-mail charlopin.philippe@wanadoo.fr

DOM. CHRISTIAN CLERGET 2001 *

■ Gd cru 1,1 ha 4 500 30 à 38 €

Rouge griotte à reflets pourpres, développant des arômes de fruits rouges mûrs à confits, portant son boisé comme une plume à son chapeau, il attaque franchement. Témoignent en sa faveur les tanins gras, la charpente, l'équilibre entre l'alcool et l'acidité, la persistance, les notes réglissées. Un vin de belle matière à ouvrir dans trois à cinq ans pour accompagner un civet de lièvre.

SCEV Dom. Christian Clerget,
10, Ancienne RN, 21640 Vougeot,
tél. 03.80.62.87.37, fax 03.80.62.84.37 r.-v.

DOM. DU CLOS FRANTIN 2002 ***

■ Gd cru 0,99 ha 1 500 46 à 76 €

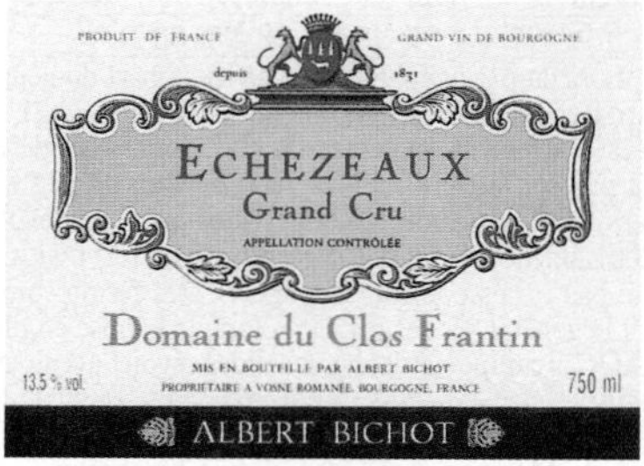

Lupé-Cholet, le Pavillon, Long Depaquit, Viviers... Albert Bichot ne met pas toutes ses bouteilles dans le même panier. Ses domaines gardent une personnalité propre. Ici le Clos Frantin qui appartient à l'histoire de Vosne-Romanée, avec J. Faure-Brac comme œnologue. Il faudra penser à le féliciter car ces échézeaux (99 a 80 ca aux Champs Traversins) arrivent bons premiers du grand jury. Rubis tirant sur le mauve, un 2002 dont les arômes cannelle-vanille font cause commune avec la chair de la cerise et son noyau. Une personnalité forte et attachante qui remporte tous les prix et qu'un dégustateur qualifie de « vin d'apparat ».

Dom. du Clos Frantin,
6 bis, bd Jacques-Copeau, 21200 Beaune,
tél. 03.80.24.37.37, fax 03.80.24.37.38,
e-mail bourgogne@albert-bichot.com

Albert Bichot

DOM. FRANCOIS GERBET 2002 **

■ Gd cru 0,2 ha 998 30 à 38 €

« On n'a pas besoin d'hommes ! » s'exclament en riant les « demoiselles Gerbet » qui sont néanmoins mariées l'une et l'autre et associées dans la gestion du domaine. Deux parcelles situées dans les Quartiers de Nuits et les Treux, des *climats* du grand cru sur 18 a 76 ca ont produit ce coup de cœur. Un vin très haut de gamme sous une robe en velours rouge intense et sombre. Le fruit est omniprésent : cerise à l'eau-de-vie côté bouquet, framboise en bouche. Structuré, d'une harmonie parfaite, il n'inspire que des compliments.

Dom. François Gerbet, Maison des Vins,
pl. de l'Eglise, 21700 Vosne-Romanée,
tél. 03.80.61.07.85, fax 03.80.61.01.65,
e-mail vins.gerbet@wanadoo.fr r.-v.

DOM. A.-F. GROS 2002 *

■ Gd cru n.c. 1 400 46 à 76 €

89 **90** 94 96 |97| 98 **99** 00 **01** 02

Elue coup de cœur l'an dernier, Anne-Françoise Parent-Gros présente un 2002 encore sombre. Le nez est beaucoup plus engageant. Il se laisse aborder simplement, sans complications ni détours, d'une manière chaleureuse et presque vineuse. Au palais, les tanins très immédiatement présents restent un peu serrés. Bouteille de bonne qualité, dont l'agrément et l'expression vont se parfaire en cave d'ici 2010. Sous l'étiquette **François Parent**, ce même millésime obtient une étoile et devra lui aussi vieillir en cave.

Dom. A.-F. Gros, La Garelle, 5, Grande-Rue,
21630 Pommard, tél. 03.80.22.61.85, fax 03.80.24.03.16,
e-mail af-gros@wanadoo.fr r.-v.

DOM. GROS FRERE ET SŒUR 2002 *

■ Gd cru 0,5 ha 2 780 38 à 46 €

« Le beau est supérieur au sublime parce qu'il est permanent et ne rassasie pas », écrivait Amiel dans son *Journal intime*. Une opinion que partage ce vin en s'efforçant d'en apporter la démonstration. Grenat de feu à reflets violacés, il s'applique à laisser croître des parfums de confiture de myrtilles. Sa plénitude en bouche confirme l'impression première : c'est l'une des bouteilles les plus épanouies de cette dégustation. Pourtant elle ne force pas ses talents. Elle vise les cinq à dix ans dans une bonne cave et là, peut-être, elle se préoccupera du sublime.

Dom. Gros Frère et Sœur,
6, rue des Grands-Crus, 21700 Vosne-Romanée,
tél. 03.80.61.12.43, fax 03.80.61.34.05,
e-mail Bernard.gros2@wanadoo.fr r.-v.
Bernard Gros

DOM. MONGEARD-MUGNERET 2002 **

■ Gd cru 1,72 ha 6 000 38 à 46 €

La première parcelle en échézeaux du domaine faisait 3 a 10 ca. Le grand-père l'avait achetée avec sa prime de démobilisation de la guerre de 14... D'un rouge cerise noire très profond, ce vin a besoin d'aération pour nous mettre le nez sur un pot de confiture de mûres. Après une belle attaque ronde, la présence tannique n'étouffe pas les arômes. C'est ferme mais équilibré, d'un beau style classique qui signe pour dix ans. On rêve déjà d'un pigeon farci au foie gras ou à la truffe sur un lit de champignons...

Dom. Mongeard-Mugneret,
14, rue de la Fontaine, 21700 Vosne-Romanée,
tél. 03.80.61.11.95, fax 03.80.62.35.75,
e-mail mongeard@reseauconcept.net r.-v.

DOMINIQUE MUGNERET 2002 **

■ Gd cru 0,43 ha 2 100 38 à 46 €

Dans les échézeaux, il y a divers *climats*. Parfois la réussite est admirable et digne du gigot d'agneau braisé aux oignons conseillé par Jacques Puisais comme accord culinaire. On en tient ici le riche exemple. Digne de l'appellation et conforme à son millésime, ce très beau vin réalise la synthèse du sensuel et du consensuel. A chouchouter en cave pendant pas mal d'années et pour une grande occasion. Bouteille retenue pour la finale du coup de cœur, qu'il a manqué de peu. Félicitons le producteur pour son étiquette.

Dominique Mugneret,
9, rue de la Fontaine, 21700 Vosne-Romanée,
tél. 03.80.61.00.97, fax 03.80.61.24.54 r.-v.

DOM. JACQUES PRIEUR 2001 *

■ Gd cru 0,36 ha 1 300 46 à 76 €

Rouge griotte à reflets violets, ce vin laisse paraître une pointe boisée (dix-sept mois de fût) au sein d'un bouquet de cassis en coulis. Voguant sur des tanins fins et soyeux, la bouche garde le cap durant une longue croisière sans escale. Le vent faiblit un peu en milieu de traversée, mais il se reprend vite. A ouvrir dans deux ans.

Dom. Jacques Prieur,
6, rue des Santenots, 21190 Meursault,
tél. 03.80.21.23.85, fax 03.80.21.29.19,
e-mail domaine.jprieur@wanadoo.fr r.-v.

REINE PEDAUQUE 2002

■ Gd cru n.c. 1 800 46 à 76 €

Un léger tuilé ou le trouble d'une mise toute récente ? On ne sait. Le nez est un peu fermé, mais ses épices (safran notamment) ont envie de se faire entendre (ou plutôt respirer). Nuances de petits fruits noirs (myrtille surtout). Une extraction dense confère une grande austérité aux tanins. Dans la vie cependant il n'y a pas que les plaisirs de la chair. Ce vin s'adresse plutôt à l'esprit et à l'âme. La Reine Pédauque fait désormais partie du groupe Ballande, connu pour son activité dans le nickel néo-calédonien et devenu un important propriétaire viticole, en Bordelais d'abord, puis ici maintenant.

Reine Pédauque, Le Village, 21420 Aloxe-Corton,
tél. 03.80.25.00.00, fax 03.80.26.42.00,
e-mail rpedauque@axnet.fr r.-v.

DOM. DE LA ROMANEE-CONTI 2002 **

■ Gd cru n.c. n.c. + de 76 €

99 (00) (01) **02**

Une jeune première, cette bouteille. Net et puissant, le vin acquiert maintenant son volume, son élan. A l'impression de finesse, de pureté s'ajoute une structure bien dessinée, mise en valeur par une saveur « noyau de cerise ». L'acidité est plutôt faible mais présente, les tanins assez démonstratifs, les arômes tirant presque sur le confit. Sans doute est-elle encore réservée, mais c'est un signe de bonne éducation.

SC du Dom. de la Romanée-Conti,
1, rue Derrière-le-Four, 21700 Vosne-Romanée,
tél. 03.80.62.48.80, fax 03.80.61.05.72

Grands-échézeaux

DOM. FRANCOIS LAMARCHE 2002 ★★

■ Gd cru 1,35 ha 1000 46 à 76 €

On évoque souvent Cîteaux à propos du Clos de Vougeot, mais les grands-échézeaux (alors appelés échézeaux-bas) faisaient également partie des domaines de l'abbaye. Sous une robe d'un violet épiscopal, ce vin est encore très marqué par son long séjour en fût, mais sa bouche soyeuse et charnue est celle d'un abbé de cour, lisse de caractère mais un peu ferme en finale lors de la dégustation. Sûr de ses qualités, il demande beaucoup de patience pour donner le plaisir qu'on en attend entre 2006 et 2010. Oui, c'est cela un grand cru.

Dom. François Lamarche,
9, rue des Communes, 21700 Vosne-Romanée,
tél. 03.80.61.07.94, fax 03.80.61.24.31,
e-mail domainelamarche@wanadoo.fr r.-v.

DOM. MARTENOT 2001

■ Gd cru 0,5 ha 2 000 38 à 46 €

HDV Distribution est une des filiales du groupe helvétique Schenk fortement implanté en Bourgogne (Henri de Villamont, F. Martenot). Rubis soutenu, ce 2001 tout en notes de kirsch et de framboise attaque en souplesse, puis cède à un élan tannique assez dur, à un rien d'amertume. Assez serein cependant, il a un tempérament solitaire, destiné aux érudits.

HDV Distribution, ZI Beaune-Vignolles,
rue du Dr-Barolet, 21209 Beaune Cedex,
tél. 03.80.24.70.07, fax 03.80.22.54.31,
e-mail pascale.taniere@hdv.fr r.-v.

DOM. MONGEARD-MUGNERET 2002 ★

■ Gd cru 1 ha 3 800 46 à 76 €

Coup de cœur dans notre édition 1995 : une distinction très rarement décernée dans ce grand cru dont Henri Vincenot avait fait sa bouteille préférée. Forte extraction de couleur, d'où un vin cerise si noire qu'on peut difficilement en explorer la profondeur. La fraise en confiture et le grillé toasté ordonnent le bouquet tandis qu'en bouche, après une attaque soyeuse, la matière s'affirme, selon la mode des extractions fortes ; deux années de garde permettront alors de définir sa durée de vie.

Dom. Mongeard-Mugneret,
14, rue de la Fontaine, 21700 Vosne-Romanée,
tél. 03.80.61.11.95, fax 03.80.62.35.75,
e-mail mongeard@reseauconcept.net r.-v.

Vosne-romanée

Là aussi, la coutume bourguignonne est respectée : le nom de romanée est plus connu que celui de Vosne. Quel beau tandem ! Comme Gevrey-Chambertin, cette commune est le siège d'une multitude de grands crus ; mais il existe à côté des *climats* réputés, tels les Suchots, les Beaux-Monts, les Malconsorts et bien d'autres. L'appellation vosne-romanée couvre 218 ha et a produit 6 614 hl en 2002 et 4 609 hl en 2003.

DOM. ROBERT ARNOUX Les Suchots 2001 ★★

■ 1er cru 0,43 ha 2 700 46 à 76 €

Ces Suchots sont nés de vignes âgées de soixante-six ans. L'an dernier, le millésime précédent obtenait trois étoiles et un coup de cœur ! Le 2001 dans une robe profonde, pourpre à reflets violets, affiche un nez remarquable de fruits confiturés, d'épices, d'un boisé bien mené. La bouche joue la continuité et signe un vin issu de beaux raisins bien élevés.

Dom. Robert Arnoux,
3, RN 74, 21700 Vosne-Romanée,
tél. 03.80.61.08.41, fax 03.80.61.36.02 r.-v.

BERNARD AUDIFFRED
Aux Champs Perdrix 2001 ★

■ 1 ha 3 000 15 à 23 €

Bernard et Henriette Audiffred gèrent l'exploitation familiale depuis quarante ans tout ronds (4 ha en tout – ce qu'on appelle en Californie une *boutique winery*). Rubis brillant et fruits confits, voilà pour l'annonce. La bouche, un peu serrée, est encore très jeune. Elle affiche une nuance kirschée, et ses tanins marqués sont dépourvus d'agressivité. Ce qu'on peut attendre d'un vin masculin, surtout expressif en milieu de dégustation, très réussi pour un 2001.

Bernard Audiffred,
19, rue de la Grand-Velle, 21700 Vosne-Romanée,
tél. 03.80.61.19.09, fax 03.80.61.19.09 r.-v.

SYLVAIN CATHIARD 2002 ★

■ 0,85 ha 5 000 23 à 30 €

Parti de quasiment rien, Sylvain Cathiard s'est fait un nom en quelques décennies. Rubis sombre intense et brillant, un vosne empli de fraîcheur, de rondeur et de gras. Le *village* tel qu'on le souhaite et l'attend, un léger boisé au premier nez, puis le fruit prononcé lui succède bientôt afin de revenir au vif du sujet. Le corps est d'une richesse moyenne, mais déjà complexe et d'une constitution élégante.

Sylvain Cathiard,
20, rue de la Goillotte, 21700 Vosne-Romanée,
tél. 03.80.62.36.01, fax 03.80.61.18.21 r.-v.

CHARDONNIER 2002

■ n.c. 3 000 15 à 23 €

Chardonnier ? Un nom à découvrir aux côtés de Falstaff et Rhodan, ses autres marques. D'autant que cette bouteille ne nous laisse pas dans l'indifférence. Pourpre à reflets mauves, elle s'exprime par des notes fumées où apparaît le cuir. Le corps est tannique. On pense qu'il s'assoupira en cave, au bout de pas mal de temps cependant.

Chardonnier, 44, RN 74, 21700 Vosne-Romanée,
tél. 03.80.61.26.76, fax 03.80.62.11.52,
e-mail chardonnier@wanadoo.fr

JEROME CHEZEAUX Les Suchots 2002

■ 1er cru 0,35 ha 2 000 30 à 38 €

Exploitation familiale d'une douzaine d'hectares reprise en 1993 par Jérôme Chezeaux. Ses Suchots (*climat* ayant pour voisins richebourg et romanée-saint-vivant) présentent quelques reflets tuilés sur une robe profonde. Le nez d'humus et de tabac est un peu chocolaté par le fût (quinze mois). La finesse du vin ne retire rien à une certaine structure, dans un contexte assez rond ; il conviendra mieux au brillat-savarin qu'à l'époisses !

🔑 Jérôme Chezeaux,
rte de Nuits-Saint-Georges, 21700 Premeaux-Prissey,
tél. 03.80.61.29.79, fax 03.80.62.37.72 r.-v.

DOM. BRUNO CLAVELIER
Les Hautes Maizières Vieilles Vignes 2001 *

■ 0,5 ha 2 300 15 à 23 €

Proches des échézeaux, les Hautes Maizières ne se situent pas au sommet du coteau. Elles sont Hautes parce qu'il y a des Basses Maizières. Biodynamiste, Bruno Clavelier a construit en 2003 une nouvelle cave avec croisée d'ogives, en béton toutefois ; les moines jadis avaient moins de difficultés de main-d'œuvre... La robe de ce 2001 est agréable avec une très légère pointe d'évolution. Epices et fruits se conjuguent tant au nez qu'en bouche. Celle-ci, assez ronde, équilibrée, demande deux ou trois ans pour accompagner des volailles grillées.

🔑 Dom. Bruno Clavelier,
6, RN 74, 21700 Vosne-Romanée,
tél. 03.80.61.10.81, fax 03.80.61.04.25 r.-v.

DOM. DU CLOS FRANTIN
Les Malconsorts 2001 *

■ 1er cru 1,76 ha 4 000 46 à 76 €

Domaine historique à Vosne, le Clos Frantin passa en 1964 de la famille Grivelet à la famille Bichot ; la maison, entourée de son clos, est située « en dessous » de la Tâche. Rouge cerise à beaux jambages, ce 1er cru séduit par ses arômes de confiture de fraises, de baies noires sur fin boisé. Persistance aromatique, ampleur, volume sont accompagnés d'une excellente acidité, et le fruité soutenu apparaît en rétro-olfaction. Le **village 2001 (30 à 38 €)** reçoit également une étoile. Il est harmonieux et délicat, prêt pour une viande blanche.

🔑 Dom. du Clos Frantin, 6 bis, bd Jacques-Copeau,
21200 Beaune, tél. 03.80.24.37.37, fax 03.80.24.37.38,
e-mail bourgogne@albert-bichot.com
🔑 A. Bichot

FRANCOIS CONFURON-GINDRE
Les Chaumes 2002 *

■ 1er cru 37,2 ha 1000 15 à 23 €

Climat côté Nuits, offrant ici un 2002 cerise limpide. Il a besoin d'un peu d'aération pour que s'expriment le fruit rouge confituré et un bon boisé toasté. Son architecture intérieure est élégante et sa matière consistante. Il va accroître sa richesse avec l'âge de façon à équilibrer parfaitement la relation entre l'alcool et les tanins. Disons deux à trois ans, ce qui n'est tout de même pas excessif... Bien dans la lignée d'un 1er cru.

🔑 François Confuron,
2, rue de la Tâche, 21700 Vosne-Romanée,
tél. 03.80.61.20.84, fax 03.80.62.31.29,
e-mail confuron.gindre@wanadoo.fr r.-v.

ALEX GAMBAL 2001

■ n.c. 754 23 à 30 €

Bostonien tombé amoureux de la Bourgogne, Alex Gambal a réussi à se faire un nom dans le négoce-éleveur en moins de dix ans. Il achète beaucoup, laisse les Bourguignons s'occuper de ses vins et parcourt le monde pour les vendre. Légèrement tuilé sur les bords, son 2001 a le nez tentateur. Un mélange de fruits un peu confits et de vanille boisée. Léger sans doute, mais plaisant et suave, il coule en bouche comme eau de source.

🔑 Maison Alex Gambal, 4, rue Jacques-Vincent,
21200 Beaune, tél. 03.80.22.75.81, fax 03.80.22.21.66,
e-mail alexgambal@wanadoo.fr r.-v.

DOM. FRANCOIS GERBET
Les Petits Monts 2002 **

■ 1er cru n.c. 3 000 23 à 30 €

Les sœurs Gerbet sont à nouveau distinguées. Coup de cœur pour leurs 95 et 88, elles proposent un remarquable 2002. Si le **Aux Réas 2002 (15 à 23 €)** a obtenu une étoile, les Petits Monts ont eu la préférence du jury. Rubis foncé, la robe est élégante. Le nez de fruits frais (framboise et surtout cassis) est le bonheur mis sous les narines. « Donnez-lui du temps à celui-là car il fera merveille d'ici trois ans », note un juré. La finesse et une harmonie subtile des tanins, présents sans agressivité, composent une bouteille équilibrée.

🔑 Dom. François Gerbet, Maison des Vins,
pl. de l'Eglise, 21700 Vosne-Romanée,
tél. 03.80.61.07.85, fax 03.80.61.01.65,
e-mail vins.gerbet@wanadoo.fr r.-v.

DOM. A.-F. GROS
Clos de la Fontaine Monopole 2002 **

■ 0,35 ha 2 300 23 à 30 €

Anne-Françoise Gros, épouse de François Parent : le mariage de la Côte de Nuits et de la Côte de Beaune. En monopole sur 35 a, ce Clos de la Fontaine rubis foncé à disque noir a un nez raffiné où se mêlent le musc et le fruit mûr. Equilibrée et fondue, la bouche est chaleureuse, constituée d'une matière puissante. Elle trouvera son équilibre dans trois à quatre ans. Rappelons que ce clos fut coup de cœur pour son 2001 l'an dernier. Le jury a attribué une citation aux **Réas 2002**, cheval de bataille de la famille Gros.

🔑 Dom. A.-F. Gros, La Garelle, 5, Grande-Rue,
21630 Pommard, tél. 03.80.22.61.85, fax 03.80.24.03.16,
e-mail af-gros@wanadoo.fr r.-v.
🔑 Anne-Françoise Parent-Gros

DOM. MICHEL GROS 2002

■ 1er cru 0,9 ha 4 000 15 à 23 €

Michel Gros est un fils de Jean. Il veille sur près de 20 ha. Pourpre violacé, voici un faune. Prélude à l'après-midi d'un vosne... Son bouquet exhale le cuir, la fourrure, l'animal en un mot. L'entrée de bouche est néanmoins plus humaine, suave, bien fondue et à l'acidité efficace. Il faudra cependant attendre deux à trois ans pour juger ce vin encore trop jeune.

🔑 Dom. Michel Gros,
7, rue des Communes, 21700 Vosne-Romanée,
tél. 03.80.61.04.69, fax 03.80.61.22.29 r.-v.

DOM. GROS FRERE ET SŒUR 2002 *

■ 2,66 ha 17 010 15 à 23 €

Né comme tous les domaines Gros de Vosne du partage en 1963 de la succession Louis Gros, Gros Frère et Sœur réunissait initialement les vignes de Colette et Gustave tous deux célibataires. Un neveu a pris la suite et l'on aurait pu dire Gros Tante et Neveu... Cela dit, voici un vin bien vosne de corps et d'esprit. Le léger boisé ne piétine pas le fruit en compote. Il est puissant, structuré mais soyeux. A ne pas aborder dès demain, mais dans quatre à cinq ans.

⊶ Dom. Gros Frère et Sœur,
6, rue des Grands-Crus, 21700 Vosne-Romanée,
tél. 03.80.61.12.43, fax 03.80.61.34.05,
e-mail Bernard.gros2@wanadoo.fr ☑ 🍷 🚶 r.-v.
⊶ Bernard Gros

ALAIN GUYARD Aux Réas 2001 ★★

■ 0,28 ha 1 500 🛢 15 à 23 €

En savourant cette bouteille qui rôde autour du coup de cœur, on croit entendre Gaston Roupnel : « La Bourgogne n'a rien fait de mieux que ce petit coin où elle a réuni tous ses enchantements. » Sa robe dense et profonde fait penser au velours. Les arômes de cassis et de vanille jouent la sécurité. Après une attaque soyeuse, en douceur, ce vin offre une remarquable montée en puissance dès le milieu de bouche. A boire dans l'éclat de sa jeunesse tant on y prend plaisir : un vin complet et d'un charme fou.

⊶ Alain Guyard,
10, rue du Puits-de-Têt, 21160 Marsannay-la-Côte,
tél. 03.80.52.14.46, fax 03.80.52.67.36 ☑ 🍷 🚶 r.-v.

ALAIN HUDELOT-NOELLAT
Les Beaumonts 2002 ★★

■ 1er cru 0,32 ha 1 600 🛢 30 à 38 €

Il n'y en a cette année que pour les Beaux Monts. Le palais confirme ici le nez : beaucoup de fruit, un boisé présent mais nullement véhément, des tanins fins qui sont à bonne école. On ne se contente pas seulement ici des promesses : ce sera un excellent accompagnement d'une canette aux légumes primeurs. **Les Suchots 1er cru 2002** méritent une étoile. Le millésime précédent avait obtenu un coup de cœur trois étoiles. Ce 2002 a le talent d'un 1er cru ; il sera destiné à des noisettes de chevreuil.

⊶ Alain Hudelot-Noëllat,
ancienne RN 74, 21220 Chambolle-Musigny,
tél. 03.80.62.85.17, fax 03.80.62.83.13 ☑ 🍷 🚶 r.-v.

S. JAVOUHEY Les Beauxmonts 2001 ★

■ 1er cru n.c. n.c. 🍾 38 à 46 €

D'une teinte assez soutenue, ce 2001 présente une grande vinosité. Il reste dans les limites du millésime mais avec un je-ne-sais-quoi qui incite à une espérance raisonnable : il s'ouvre peu à peu et il devrait faire mieux... quand vous lirez ces lignes.

⊶ S. Javouhey, 50, rue du Gal-de-Gaulle, BP 63,
21702 Nuits-Saint-Georges, tél. 03.80.61.10.30,
fax 03.80.24.77.16, e-mail domaine@javouhey.com
☑ 🍷 🚶 t.l.j. sf mer. 9h30-12h30 13h30-18h

DOM. DU VICOMTE LIGER-BELAIR
Les Chaumes 2001

■ 1er cru 0,11 ha 600 🛢 46 à 76 €

Fils du général-comte, neveu du chanoine Just, Louis-Michel Liger-Belair entreprend avec ardeur de redonner vie à cette lignée de producteurs historiques au sein de Vosne (La Romanée est le fleuron d'un tout petit domaine encore, sur 3,1 ha). Ses Chaumes ont de beaux jambages sous un rouge pâle transparent. L'humus, la terre mouillée cèdent le pas au petit fruit. La chair tendre et souple traduit ce qu'on peut espérer d'un millésime difficile. Il devrait s'ouvrir davantage d'ici l'an prochain. On le voit bien sur des ris de veau.

⊶ Dom. du Vicomte Liger-Belair,
Ch. de Vosne-Romanée, 21700 Vosne-Romanée,
tél. 03.80.62.13.70, fax 03.80.62.13.70,
e-mail ligerbelair@free.fr ☑

LOU DUMONT 2002

■ n.c. 2 700 🛢 15 à 23 €

A la vérité, Lou Dumont est une figure imaginaire. C'est une affaire de négoce qui associe trois nationalités : japonaise, coréenne et française. Disposant de moyens importants, elle achète beaucoup soit en raisins, en vins ou même en bouteilles. Son vosne à la teinte veloutée suggère le pruneau. On observe une recherche évidente d'extraction pour élaborer un vin riche et ferme qu'une petite verdeur due à l'acidité « réveille » en finale.

⊶ Maison Lou Dumont,
1, rue de Paris, 21220 Gevrey-Chambertin,
tél. 03.80.51.82.82, fax 03.80.51.82.84,
e-mail sales@loudumont.com ☑ 🍷 🚶 r.-v.
⊶ Nakada

DOM. MONGEARD-MUGNERET 2002 ★

■ 2,26 ha 10 900 🛢 15 à 23 €

Ce domaine de 25 ha fut marqué naguère par la personnalité de Jean Mongeard. Très coloré pour un pinot noir, ce vosne comble le nez d'épices, de poivre et de cassis. Le fût (dix-huit mois) demeure très présent. La patine viendra... Elégante, la bouche reste sur les mêmes sensations, y ajoutant un brin de violette et une pointe d'alcool en finale que la garde atténuera. Vin de forte extraction et qui doit impérativement mûrir quatre à cinq ans, voire plus, avant de passer à table comme l'y autorise sa constitution.

⊶ Dom. Mongeard-Mugneret,
14, rue de la Fontaine, 21700 Vosne-Romanée,
tél. 03.80.61.11.95, fax 03.80.62.35.75,
e-mail mongeard@reseauconcept.net ☑ 🍷 r.-v.

DOMINIQUE MUGNERET 2002 ★

■ 1,4 ha 8 400 🛢 15 à 23 €

Après une très belle carrière au service du vin de Bourgogne, Denis Mugneret a pris sa retraite en 2003. Son fils Dominique et son épouse Christine sont maintenant à la barre. Changement d'étiquette : une page se tourne, une autre apparaît. Et fort bien si l'on en juge par cette bouteille. Un vin de plaisir qui ne vieillira peut-être pas énormément, mais sa finesse et sa distinction l'honorent. Groseille, violette, les arômes sont au diapason. Quant à la robe d'un rouge bleuté, elle est nette et brillante. « Toute l'élégance d'un pinot noir de Bourgogne », note une dégustatrice.

⊶ Dominique Mugneret,
9, rue de la Fontaine, 21700 Vosne-Romanée,
tél. 03.80.61.00.97, fax 03.80.61.24.54 ☑ 🍷 🚶 r.-v.

NAUDIN TIERCIN 2002 ★

■ n.c. 4 200 11 à 15 €

Rubis sombre et jambes fines attirent le premier regard. Un bouquet chaleureux, balançant entre vanille et cerise précède une bouche ronde et grasse, pas très longue. Ce vin bénéficie de l'aménité de ses tanins, d'un équilibre bien assuré et d'une aptitude à la garde, jusqu'à quatre ou cinq ans.

⊶ Naudin Tiercin, av. Charles-de-Gaulle,
21200 Beaune, tél. 03.80.25.91.30, fax 03.80.25.91.29
🍷 🚶 t.l.j. sf sam. dim. 9h-12h 14h-18h; f. août

DOM. MICHEL NOELLAT ET FILS
Les Beaux Monts 2002 ★★

■ 1er cru 1,6 ha 4 500 🛢 23 à 30 €

Retour au coup de cœur pour ce domaine célébré déjà pour d'autres millésimes. Le grand jury a classé premier ces Beaux Monts rubis pourpre soutenu aux

superbes jambages. Le nez, il est vrai, n'est guère loquace. Mais quelle chair au palais ! Une matière bien mûre, ample, étayée par des tanins raisonnables, excitée par des notes de fruits noirs enrobées de nuances boisées. « Bravo ! », écrit l'un de nos jurés. **Les Suchots 1er cru 2002** obtiennent une étoile et accompagneront agréablement un petit gibier.

⊶ SCEA Dom. Michel Noëllat et Fils,
5, rue de la Fontaine, 21700 Vosne-Romanée,
tél. 03.80.61.36.87, fax 03.80.61.18.10 ☒ Y ⅄ r.-v.

DOM. DES PERDRIX 2001 ★★

■ n.c. 5 855 🛢 30 à 38 €

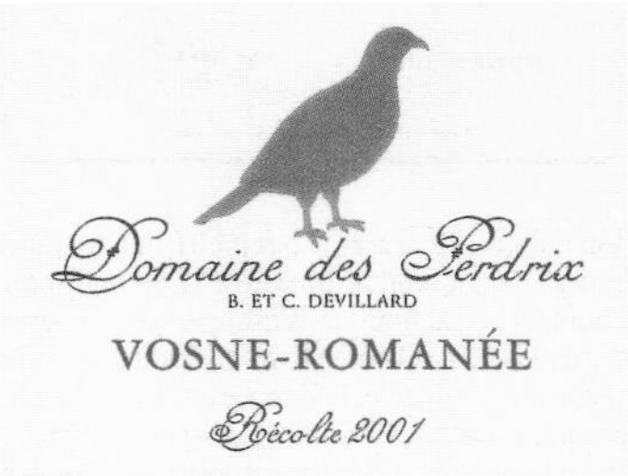

Ex-Mugneret-Gouachon, le domaine des Perdrix a été repris par la famille de Bertrand Devillard. Des vins élevés dans la cave gibriacoise où Jobert de Chambertin nichait en 1755 ses grands vins. Numéro un pour le grand jury du coup de cœur, ce vosne porte une robe de cardinal. Le nez complexe évoque le cuir, la violette et le bourgeon de cassis. La chair équilibrée a de l'ampleur et du gras. Le boisé bien dosé ne cache pas la note florale que l'on retrouve en bouche.

⊶ B. et C. Devillard, Dom. des Perdrix,
Ch. de Champ Renard, 71640 Mercurey,
tél. 03.85.98.12.12, fax 03.85.45.25.49,
e-mail rodet@rodet.com

HENRI ET GILLES REMORIQUET
Au-dessus des Malconsorts 2002 ★★

■ 1er cru 0,57 ha 3 200 🍾 🛢 ⚱ 23 à 30 €

A la tête de 9,50 ha de vigne, Gilles Remoriquet propose un remarquable Au-dessus des Malconsorts pourpre carmin. Son boisé fin repose sur un bon support fruité offrant chair et maturité, voilà le vosne-romanée tel qu'on le voudrait toujours : très prometteur, il n'est pas loin du coup de cœur.

⊶ Dom. Remoriquet,
25, rue de Charmois, 21700 Nuits-Saint-Georges,
tél. 03.80.61.08.17, fax 03.80.61.36.63,
e-mail domaine.remoriquet@wanadoo.fr ☒ Y ⅄ r.-v.

DOM. DANIEL RION ET FILS
Les Beaux-Monts 2002 ★★

■ 1er cru n.c. n.c. 🛢 30 à 38 €

Ces Beaux-Monts ont disputé la finale des coups de cœur. Leur couleur plaît d'emblée, délicatement carminée. On sent la framboise, finement associée au fût (seize mois). D'une texture serrée et d'un grain fin, ce vosne séduira les amateurs de vins modernes, d'un style pur mettant en valeur un authentique 1er cru. Patrice Rion, l'un des fils, disait un jour qu'un Japonais lui avait parlé de « lisibilité » à propos de ses vins. Celui-ci, en effet, est parfaitement lisible.

⊶ EARL Dom. Daniel Rion et Fils, RN 74,
21700 Premeaux,
tél. 03.80.62.31.28, fax 03.80.61.13.41,
e-mail contact@domaine-daniel-rion.com
☒ Y ⅄ t.l.j. sf dim. 8h30-12h 13h30-18h; sam. sur r.-v.

DOM. ROBERT SIRUGUE ET SES ENFANTS
2002 ★★

■ 4,65 ha 14 000 🛢 15 à 23 €

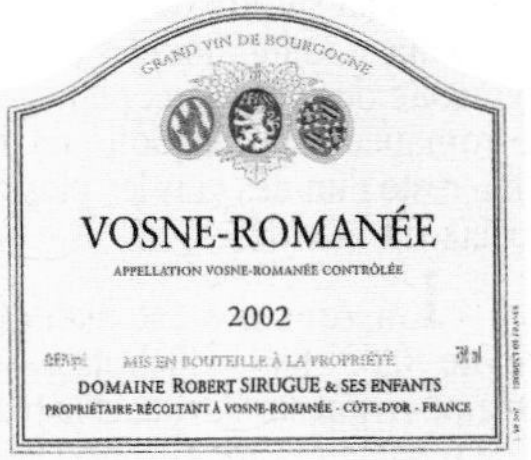

Un vin complet et que l'on verrait volontiers sur un gibier à poil dans cinq à sept ans. Rubis foncé à reflets violacés, il ne surprend pas. La vanille et le cassis entretiennent au nez un colloque singulier qu'on n'oubliera pas de sitôt. Si la bouche est un peu en retrait en 2004, elle se montre subtile et fine, avec un boisé bien fondu. De belle facture. A noter aussi (une étoile), **Les Petits Monts 2002 1er cru (23 à 30 €)** : une parcelle travaillée à la main car en travers du coteau le tracteur ne pénètre pas. Vin de charme, vosne jusqu'au bout des ongles.

⊶ Dom. Robert Sirugue et ses Enfants,
3, rue du Monument, 21700 Vosne-Romanée,
tél. 03.80.61.00.64, fax 03.80.61.27.57,
e-mail sirugue@ifrance.com ☒ Y ⅄ r.-v.

DOM. FABRICE VIGOT La Colombière 2001 ★★

■ 0,86 ha 2 100 🛢 **23 à 30 €**

Cette Colombière a fait partie des finalistes du coup de cœur. Elle a produit en effet une forte impression sur le jury. Robe somptueuse, bouquet poussant le fruité jusqu'au confit (myrtille) : un vin qui a beaucoup de classe. Racé, il franchit tous les obstacles, affichant un parfait équilibre de l'acidité, de l'alcool, des tanins. Fabrice Vigot signe par ailleurs en *village* une **Croix Blanche 2001 (38 à 46 €)** dotée de qualités analogues et également recommandée avec deux étoiles. La Colombière devrait être prête en 2005 et la Croix Blanche en 2006.

⊶ EARL Fabrice Vigot,
20, rue de la Fontaine, 21700 Vosne-Romanée,
tél. 03.80.61.13.01, fax 03.80.61.13.01,
e-mail fabrice.vigot@wanadoo.fr ☒ Y ⅄ r.-v.

Richebourg, romanée, romanée-conti, romanée-saint-vivant, grande-rue, tâche

Tous sont des crus plus prestigieux les uns que les autres, et il serait bien difficile d'en indiquer le plus grand... Certes, la romanée-conti jouit de la plus importante renommée, et l'on trouve dans l'histoire de nombreux témoignages de « l'exquise qualité » de ce vin. La célèbre pièce de vigne de la Romanée fut convoitée par les grands de l'Ancien Régime : ainsi madame de Pompadour ne réussit pas à l'emporter contre le prince de Conti, qui put l'acquérir en 1760. Jusqu'à la dernière guerre, la vigne de la romanée-conti et celle de la tâche restèrent non greffées, traitées au sulfure de carbone contre le phylloxéra. Mais il fallut alors les arracher, et la première récolte des nouveaux plants eut lieu en 1952. Ce romanée-conti, exploité en monopole sur 1,80 ha, reste l'un des vins les plus illustres et les plus chers du monde.

La romanée est plantée sur une superficie de 0,83 ha, richebourg sur 8 ha, romanée-saint-vivant sur 9,5 ha, et la tâche sur un peu plus de 6 ha, la grande-rue 1,65 ha. Comme dans tous les grands crus, les volumes produits sont de l'ordre de 20 à 30 hl par hectare selon les années. L'ensemble de ces grands crus n'a pas produit plus de 946 hl en 2002, dont 307 en richebourg, 57 hl en romanée-conti et 289 en romanée-saint-vivant. La grande-rue dernière née des grands crus a été reconnue par le décret du 2 juillet 1992.

Richebourg

DOM. A.-F. GROS 2002 ★★

■ Gd cru n.c. 3 300 + de 76 €

89 90 **91** 92 93 94 |96| |97| **98 99** 00 |01| **02**

Fille de Jean Gros, Anne-Françoise a choisi A. F. pour éviter les confusions avec le Domaine Anne et François Gros. Le vin fait ici bon ménage avec la généalogie... Rouge pivoine, son nez nous entraîne très loin sur un chemin bordé de fraise des bois, de mûre, de sous-bois. Gras et charnu, assez tendre, il a la bouche nette et pure d'un richebourg digne de ce nom. A déguster dans trois ans.

Dom. A.-F. Gros, La Garelle, 5, Grande-Rue, 21630 Pommard, tél. 03.80.22.61.85, fax 03.80.24.03.16, e-mail af-gros@wanadoo.fr r.-v.

Anne-Françoise Parent-Gros

DOM. GROS FRERE ET SŒUR 2002 ★★

■ Gd cru 0,69 ha 3 850 + de 76 €

89 90 **91** 92 93 94 |96| 97 |**98**| **99** 00 01 **02**

Rouge grenat, un richebourg né sous une bonne étoile, rayonnant de santé et d'opulence. Un vrai grand cru, parti pour une bonne dizaine d'années de navigation au long cours. Son bouquet riche et profond suggère le poivre blanc, la cannelle, la baie noire. Intense et incisif en attaque, plein de nerf, charpenté, doté de tanins de dentelle, il est d'une race folle.

Dom. Gros Frère et Sœur, 6, rue des Grands-Crus, 21700 Vosne-Romanée, tél. 03.80.61.12.43, fax 03.80.61.34.05, e-mail Bernard.gros2@wanadoo.fr r.-v.

Bernard Gros

DOM. DE LA ROMANEE-CONTI 2002 ★★★

■ Gd cru n.c. 6 520 + de 76 €

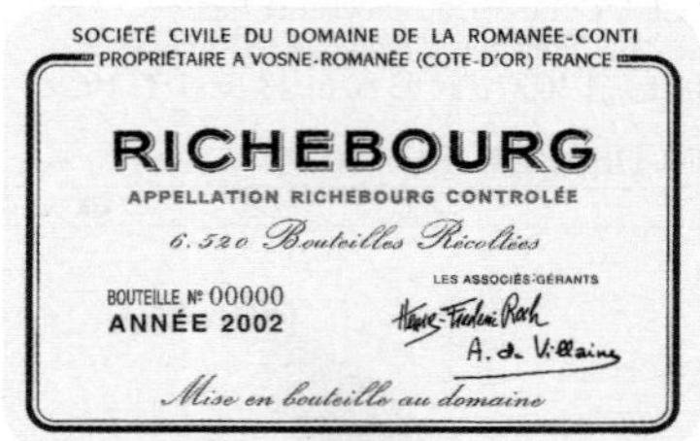
SOCIÉTÉ CIVILE DU DOMAINE DE LA ROMANÉE-CONTI
PROPRIÉTAIRE A VOSNE-ROMANÉE (COTE-D'OR) FRANCE
RICHEBOURG
APPELLATION RICHEBOURG CONTROLÉE
6.520 Bouteilles Récoltées
LES ASSOCIÉS-GÉRANTS
BOUTEILLE Nº 00000
ANNÉE 2002
Mise en bouteille au domaine

Vendangés les 21 et 22 septembre, les raisins du richebourg 2002 donnent un vin à la robe impériale et 6 520 bouteilles. Le bouquet s'esquisse sur un léger vert, une pointe végétale. De même qu'un auditorium magnifie la musique qu'il accueille, la bouche se fait ici l'écho d'une merveilleuse cerise noire tant en goût qu'en parfum. Il faut prendre un peu de recul par rapport à cette bouteille encore jeune et qui se concentre pour parvenir à la plénitude. Sa pureté, son potentiel de garde la désignent comme coup de cœur ; on notera par ailleurs que le domaine de La Romanée-Conti propose une **cuvée Duvault-Blochet 2002 de vosne-romanée 1er cru** (quelque 15 000 bouteilles, nées du second passage des vendangeurs dans les grands crus). Cette cuvée voit le jour pour la deuxième fois (la première en 1999).

SC du Dom. de la Romanée-Conti, 1, rue Derrière-le-Four, 21700 Vosne-Romanée, tél. 03.80.62.48.80, fax 03.80.61.05.72

Romanée-saint-vivant

DOM. ROBERT ARNOUX 2001 ★

■ Gd cru 0,34 ha 1 700 + de 76 €

Vigne acquise en 1984 sur 34,5 ares auprès d'André Galtié (une succession Moillard-Grivot), mais la famille Arnoux l'exploitait en métayage depuis 1928. Parcelle enclavée depuis le Moyen Age dans le clos des Quatre Journaux, qui en était distincte et qui fut logiquement intégrée à la romanée-saint-vivant durant les années 1930. D'un rouge violacé intense, ce vin est marqué par son millésime comme le montrent ses arômes de maturité (cuir, confiture de figues). Dès l'attaque et jusqu'aux ultimes ardeurs, il a le corps ferme et bien structuré, discrètement tannique. En un mot, une élégance en devenir. A goûter dans trois ans, pour voir s'il peut encore attendre...

Dom. Robert Arnoux,
3, RN 74, 21700 Vosne-Romanée,
tél. 03.80.61.08.41, fax 03.80.61.36.02 r.-v.

DOM. FOLLIN-ARBELET 2002 *

Gd cru 0,35 ha 1 200 + de 76 €

Il s'agit d'une parcelle du clos des Quatres Journaux au sein de ce grand cru : elle provient de la part d'héritage en 1902-1904 de Marie Poisot, sœur de Louis II Latour, léguée ensuite à Pierre Poisot puis à ses enfants. Une robe chatoyante habille un bouquet de violettes rehaussé de notes animales. Sur la réserve et la finesse, une romanée-saint-vivant aux tanins ciselés, vineuse et consistante, dont la maturité n'apparaîtra pas avant 2010. Rappelons que le millésime 2001 fut coup de cœur l'an dernier.

Dom. Follin-Arbelet,
Les Vercots, 21420 Aloxe-Corton,
tél. 03.80.26.46.73, fax 03.80.26.43.32 r.-v.

DOM. DE LA ROMANEE-CONTI 2003 ***

Gd cru 5,28 ha n.c. + de 76 €

67 72 73 75 76 78 |79| 80 81 |82| |87| |89| |91| |92| 95 |97| 98 99 00 01 (03)

D'elle on pourrait dire, comme Saint-Simon de Mme de Sabran : « Il n'y avait rien de si beau qu'elle, de plus régulier, de plus agréable, de plus touchant, de plus grand air et de plus noble. » On n'en attend pas moins d'une saint-vivant. Les peaux étaient épaisses, peu de jus et une robe magnifique. Son nez évolue vers des arômes confits tandis que la texture longue et soyeuse exprime une féminité accomplie. Très beau vin, avec du répondant.

SC du Dom. de la Romanée-Conti,
1, rue Derrière-le-Four, 21700 Vosne-Romanée,
tél. 03.80.62.48.80, fax 03.80.61.05.72

La grande-rue

DOM. FRANCOIS LAMARCHE Monopole 2002 *

Gd cru 1,65 ha 5 640 + de 76 €

|89| |90| 91 92 93 94 |95| |98| 99 00 01 02

Glissée entre la tâche et la romanée-conti, cette vigne est l'un des rares grands crus en monopole. Elle faisait partie du Domaine Liger-Belair et appartient depuis 1933 à la famille Lamarche. Celle-ci en tire un millésime 2002 rouge grenat très soutenu, au nez profond (cassis, épices douces de l'élevage). Son attaque est virile dans un environnement de girofle, puis cette puissance s'équilibre dans une excellente harmonie. De garde évidemment (pas avant cinq ans).

Dom. François Lamarche,
9, rue des Communes, 21700 Vosne-Romanée,
tél. 03.80.61.07.94, fax 03.80.61.24.31,
e-mail domainelamarche@wanadoo.fr r.-v.

La tâche

DOM. DE LA ROMANEE-CONTI 2003 ***

Gd cru 6,06 ha n.c. + de 76 €

72 73 75 78 (79) |80| |81| |82| |87| |89| |91| |92| (97) (98) (99) 00 02 (03)

« Les filles de la Côte ont du vin dans le sang », écrivait Marcel Martinet, poète bourguignon qui – bien évidemment – usait de la métaphore. Cette tâche a du pinot noir, du terroir dans le sang. « Tant qu'elle est jeune, une tâche garde les pieds froids », dit pour sa part Pierre Troisgros. C'est vrai, elle est alors un peu serrée. Mais quel gras ! Quelle longueur ! Quel socle et quelle statue ! Avec ce côté réglissé si caractéristique, un bouton de rose plein de promesses. Vendangé fin août 2003, ce raisin faisait dans la vigne ses 13 °. Remarque intéressante : contrairement à beaucoup de 2003, on sent l'acidité derrière, qui l'équilibre et la porte.

SC du Dom. de la Romanée-Conti,
1, rue Derrière-le-Four, 21700 Vosne-Romanée,
tél. 03.80.62.48.80, fax 03.80.61.05.72

Nuits-saint-georges

Petite bourgade de 5 500 habitants, Nuits-Saint-Georges n'engendre pas de grands crus comme ses voisines du nord ; l'appellation déborde sur la commune de Premeaux, qui la jouxte au sud. Ici aussi, les très nombreux premiers crus sont à juste titre réputés, et avec l'appellation communale la plus méridionale de la Côte de Nuits, nous trouvons un type de vins différent aux caractères de *climats* très accusés, où s'affirme généralement une richesse en tanin plus élevée, assurant une grande conservation.

Les Saint-Georges, dont on dit qu'ils portaient déjà des vignes en l'an mil, les Vaucrains aux vins robustes, les Cailles, les Champs-Perdrix, les Porets, de « poirets », au caractère de poire sauvage accusé, sur la commune de Nuits, et les clos de la Maréchale, des Argillières, des Forêts-Saint-Georges, des Corvées, de l'Arlot, sur Premeaux, sont les plus connus de ces premiers crus.

Petite capitale du vin de Bourgogne, Nuits-Saint-Georges a également son vignoble des Hospices, avec vente aux enchères annuelle de la production, le dimanche précédant les Rameaux. Elle est le siège de nombreux négoces de vin et de maints liquoristes qui produisent le cassis de Bourgogne, ainsi que d'élaborateurs de vins à mousse qui furent à l'origine du crémant de Bourgogne. C'est enfin ici que se trouve le siège administratif de la confrérie des Chevaliers du Tastevin.

BERTRAND AMBROISE 2002 ★

■ n.c. n.c. ▮ 11 à 15 €

Village tout à fait à la hauteur. Sans doute connaît-il tout du sujet et nous oblige-t-il à passer en revue la richesse, la matière, le fruit, les tanins, tous les chapitres de la question de cours... Il s'y prend d'ailleurs fort bien affichant une robe très classique, un nez assez boisé sous couvert d'épices douces. Plus frais en bouche, il se révèle bien complet. Fils de cheminot et n'ayant pas réussi à devenir berger, Bertrand Ambroise a su vraiment trouver sa bonne étoile en posant son baluchon à Premeaux.

⊶ Maison Bertrand Ambroise,
rue de l'Eglise, 21700 Premeaux-Prissey,
tél. 03.80.62.30.19, fax 03.80.62.38.69,
e-mail bertrand.ambroise@wanadoo.fr ☒ Y 🚶 r.-v.

DOM. DE L'ARLOT

Cuvée Jeunes Vignes du Clos de l'Arlot Blanc 2001 ★

□ n.c. 5 700 ▮ 23 à 30 €

Ancienne propriété Viénot puis Jules Belin, le domaine de l'Arlot a été acquis par Axa Millésimes aux vendanges 1986. On déguste ici la cuvée dédiée aux jeunes vignes du Clos Blanc (on parle plus souvent des vieilles vignes !). Autre intérêt : 4 % de pinot beurot dans l'encépagement. Le tout se présente sous des traits assez clairs. Au nez on décèle une pointe de minéralité sur fond de pêche blanche. La vivacité de l'attaque, puis le gras confortable, le renfort des agrumes et des fruits secs en font un vin agréable à boire dès à présent. Notez aussi le **Clos des Forêts Saint-Georges 1er cru rouge 2001 (30 à 38 €)** que l'on prendra soin de décanter, cité par le jury.

⊶ Dom. de l'Arlot, Premeaux,
21700 Nuits-Saint-Georges,
tél. 03.80.61.01.92, fax 03.80.61.04.22 ☒ Y 🚶 r.-v.
⊶ Axa Millésimes

DOM. ROBERT ARNOUX

Clos des Corvées Pagets 2001 ★

■ 1er cru 0,54 ha 3 300 ▯↓ 30 à 38 €

Ce *climat* est une pièce comprise dans les Argillières, sur Premeaux. Réputé pour ses vins assez gras, peu tanniques, dont le fondu bien rond n'admet aucune mollesse, il apparaît ici très légèrement ambré. Le nez, sauvage, tire sur la framboise. Finesse et maturité sont en harmonie mais cette sympathie doit être sollicitée dans les temps qui viennent : cela ne permettra pas une longue solitude en cave.

⊶ Dom. Robert Arnoux,
3, RN 74, 21700 Vosne-Romanée,
tél. 03.80.61.08.41, fax 03.80.61.36.02 ☒ Y 🚶 r.-v.

BOISSEAUX-ESTIVANT 2001

■ 0,4 ha 1 800 ▯▮↓ 23 à 30 €

Maison beaunoise déjà vénérable car fondée en 1878. Son nuits est charpenté, vif mais sachant se calmer, d'une couleur rubis léger. Le nez plaisant joue sur le fruit. De bonne longueur, cette bouteille devra attendre deux ou trois ans.

⊶ Boisseaux-Estivant, 38, fb Saint-Nicolas,
BP 107, 21200 Beaune,
tél. 03.80.22.26.84, fax 03.80.24.19.73 ☒

JEAN-PIERRE BONY Les Damodes 2002

■ 0,85 ha 2 000 ▮ 15 à 23 €

Son père a créé le domaine en 1963 et l'a transmis à Fabienne en 2000. Elle vinifie seule. Ces Damodes, par exemple, d'un rouge déterminé, soutenu, au nez vanillé saupoudré de cerise : on est dans un classique boisé-fruité. Le corps est encore un peu jeune mais il a des atouts, de la mâche. Le vin est bien constitué et on doit lui demander de faire ses griffes en cave.

⊶ EARL Dom. Jean-Pierre Bony,
5, rue de Vosne, 21700 Nuits-Saint-Georges,
tél. 03.80.61.16.02, fax 03.80.61.16.02,
e-mail fabiennebony@wanadoo.fr ☒ Y 🚶 r.-v.

SYLVAIN CATHIARD Aux Murgers 2002 ★★★

■ 1er cru 0,47 ha 2 700 ▮ 38 à 46 €

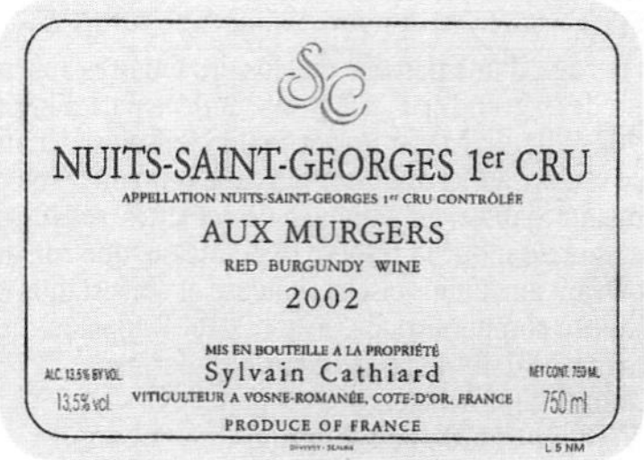

Parmi tous les nuits dégustés cette année, celui-ci arrive bon premier et obtient un coup de cœur unanime. Installé à Vosne dans l'ancienne propriété Roblot (où Jacques Brel fit une mémorable descente de cave), Sylvain Cathiard présente une bouteille à la robe profonde et au nez intense (cassis sur fond moka). L'harmonie en bouche est exceptionnelle : rondeur, ampleur, longueur, tout rime avec bonheur. *Climat* situé côté Vosne ; on prononce *Meurgers.*

⊶ Sylvain Cathiard,
20, rue de la Goillotte, 21700 Vosne-Romanée,
tél. 03.80.62.36.01, fax 03.80.61.18.21 ☒ Y 🚶 r.-v.

DOM. DU CHATEAU-GRIS Château-Gris 2001 ★★

■ 1er cru 2,47 ha 12 000 30 à 38 €

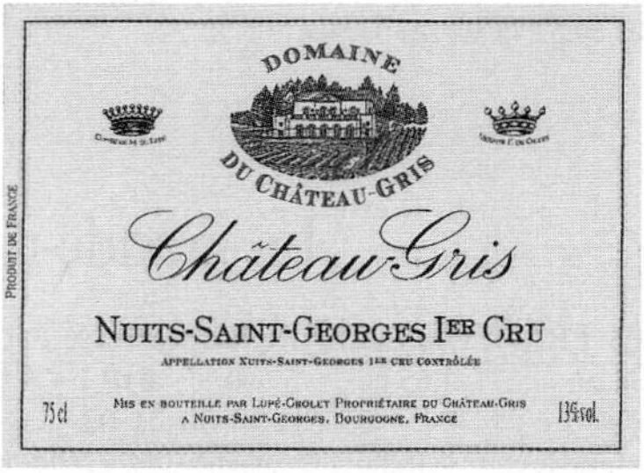

Dominant la ville, Château-Gris a été construit au début du XIXes. par Zéphyr de Lupé. En 1978, la famille Bichot a acquis la maison Lupé-Cholet ainsi que ses vignes, dont celle-ci qui s'offre un coup de cœur. Rubis classique, un 1er cru aux arômes de mûre, de cassis, à la puissance tannique prête à bondir mais cependant contenue. Une certaine austérité s'en dégage mais les comtes de Lupé et les vicomptes de Cholet (leurs couronnes figurent sur l'étiquette) étaient très « Vieille France » : ce vin leur ressemble. On vous conseille en outre les **Terrasses du Château 2002** : un blanc charmant, deux étoiles, et proche du coup de cœur.

⊶ Dom. du Château-Gris,
17, av. du Gal-de-Gaulle, 21700 Nuits-Saint-Georges,
tél. 03.80.61.25.02, fax 03.80.24.37.38

DOM. JEAN CHAUVENET Les Perrières 2002 ★★

■ 1er cru 0,23 ha 1 200 ⅢI 23 à 30 €

Coup de cœur pour ces mêmes Perrières 2001 nées d'anciennes carrières de la falaise calcaire de Premeaux. La réussite est encore au rendez-vous. De la couleur, un nez marqué par le fût, mais la vanille s'estompe à l'aération pour laisser place au vin. Puissance, moelleux, tanins mûrs et fondus, on se laisse emporter par la vague jusque dans une finale longue et prometteuse. **Les Damodes 2002, 1er cru rouge** ont obtenu une étoile tout comme le **1er cru rouge Rue de Chaux 2002**.

⊶ Dom. Jean Chauvenet,
3, rue de Gilly, 21700 Nuits-Saint-Georges,
tél. 03.80.61.00.72, fax 03.80.61.12.87 ☑ ፲ ⚲ r.-v.
⊶ Ch. Drag

FRANCOISE CHAUVENET 2001 ★

■ n.c. 10 000 15 à 23 €

Françoise Chauvenet fut au XIX^e^s. une grande figure nuitonne. « Elle goûte comme un homme », disait-on d'elle avec respect, en ces temps où la parité s'obtenait à la force du poignet. Cette bouteille lui fait honneur, un bon *village* dans son millésime. Grenat soutenu, le bouquet un peu empyreumatique, il est coulant, fruité, à savourer dans l'instant. Cette maison a été reprise par la famille Jean-Claude Boisset.

⊶ Françoise Chauvenet, 9, quai Fleury,
21700 Nuits-Saint-Georges, tél. 03.80.61.39.83,
fax 03.80.61.32.72, e-mail chauvenet@chauvenet.com

CHAUVENET-CHOPIN Aux Thorey 2002 ★★

■ 1er cru n.c. 3 000 ⅢI 15 à 23 €

Des vins dégustés (trois retenus, et c'est beaucoup), le meilleur est le Thorey. Celui-ci a tourné autour du coup de cœur et il fait partie des bouteilles sortant vraiment du lot. Rouge briqueté à reflets violacés, il a un nez un peu boisé au départ puis confit. La surmaturité définit un corps ample, fruité, long et opulent. Les **Murgers en 1er cru 2002 rouge**, les **Charmottes en village 2002 rouge** attirent le jury qui les a cités. Il faudra attendre que le boisé s'adoucisse.

⊶ Chauvenet-Chopin,
97, rue Félix-Tisserand, 21700 Nuits-Saint-Georges,
tél. 03.80.61.28.11, fax 03.80.61.20.02 ☑ ፲ ⚲ r.-v.

DOM. CHEVILLON-CHEZEAUX
Les Saint-Georges 2001

■ 1er cru 0,45 ha 2 800 ⅢI 15 à 23 €

Ce 1er cru de nuits, les Saint-Georges, a donné son nom à la cité : tous ses vins se sont attelés à cette locomotive. Rouge à reflets légèrement tuilés, ce 2001 a le nez fin et toasté, une bouche légère et ponctuée de cassis. Tanins, alcool, acidité s'accordent bien. Domaine créé en 2000, faisant suite (cinquième génération) au domaine Michel Chevillon.

⊶ Dom. Chevillon-Chezeaux,
41, rue Henri-de-Bahèzre, 21700 Nuits-Saint-Georges,
tél. 03.80.61.23.95, fax 03.80.61.13.57 ☑ ፲ ⚲ r.-v.

JEROME CHEZEAUX Aux Boudots 2002 ★

■ 1er cru 0,35 ha 2 100 ⅢI 15 à 23 €

Au-dessous des Damodes côté Vosne, les Boudots sont pentus et caillouteux. Leur robe rubis précède un bouquet réglissé, assez prometteur. Charnu, épicé, tannique, un vin d'avenir, réussi et racé. Jérôme a repris l'exploitation à la mort de son père Bernard en 1993. Il présente également un **village 2002 rouge (11 à 15 €)** qui pourrait soutenir la comparaison avec nombre de 1ers crus. Il obtient une étoile.

⊶ Jérôme Chezeaux,
rte de Nuits-Saint-Georges, 21700 Premeaux-Prissey,
tél. 03.80.61.29.79, fax 03.80.62.37.72 ☑ ፲ ⚲ r.-v.

A. CHOPIN ET FILS Les Bas de Combe 2002 ★

■ 1 ha 3 000 ⅢI 15 à 23 €

Coup de cœur dans notre édition 1998 pour des Murgers, ce domaine propose les mêmes **Murgers 2002 en 1er cru rouge (23 à 30 €)** qui obtiennent une citation. La préférence va à ces Bas de Combe en *village* : ce lieu-dit se trouve tout contre Vosne, sous les Boudots. D'une couleur violacée, doté d'arômes de sous-bois et de notes animales, il est plaisant dans un style tannique, nuiton pour tout dire. A oublier un peu en cave.

⊶ A. Chopin et Fils, RN 74, 21700 Comblanchien,
tél. 03.80.62.92.60, fax 03.80.62.70.78 ☑ 🏠 ፲ ⚲ r.-v.

DOM. C. CONFURON ET FILS 2002

■ 1,81 ha 6 800 ⅢI 11 à 15 €

Ce n'est peut-être pas la Garde impériale mais c'est assurément la grande garde. Rubis intense, un *village* au bouquet animal et boisé. Un nuits tannique et puissant, une jeunesse de type « âge ingrat », mais l'appellation se comporte ainsi lorsqu'elle demeure fidèle à ses traditions. Goûtez-le sur un lapin aux petits pois et aux carottes. Pas tout de suite : le lapin a encore le temps de dresser ses oreilles.

⊶ Dom. Christian Confuron et Fils,
rue du Vieux-Château, 21640 Vougeot,
tél. 03.80.62.86.80, fax 03.80.62.86.80
☑ ፲ ⚲ t.l.j. 9h30-11h30 14h30-17h30; sam. dim. sur r.-v.

FRANCOIS CONFURON-GINDRE 2002

■ n.c. 3 000 ⅢI 11 à 15 €

Pas énormément de robe mais cela ne dérange pas. L'hyper-extraction fut une mode aujourd'hui dépassée. La vanille ? Fondue, laissant le fruit rouge s'exprimer. On reste sur un bon équilibre fruit-fût, sur une architecture légère : la bouche est goûteuse, gourmande et se donnera sans façon dans les deux ans à venir.

⊶ François Confuron,
2, rue de la Tâche, 21700 Vosne-Romanée,
tél. 03.80.61.20.84, fax 03.80.62.31.29,
e-mail confuron.gindre@wanadoo.fr ☑ ፲ ⚲ r.-v.

R. DUBOIS ET FILS 2001

■ 3,3 ha 10 000 ⅢI 15 à 23 €

Cette famille tient une grande place dans la vie vitivinicole de la Côte. Son nuits vient sans doute de Premeaux. C'est là qu'elle habite et travaille. Grenat ambré, un 2001 dans la bonne moyenne pour le millésime. On y sent le noyau de cerise. Son tempérament assez vif, riche en alcool, est au service d'une structure charpentée et même un peu charnue.

⊶ Dom. Régis Dubois et Fils,
rte de Nuits-Saint-Georges, 21700 Premeaux-Prissey,
tél. 03.80.62.30.61, fax 03.80.61.24.07,
e-mail rdubois@wanadoo.fr
☑ ፲ ⚲ t.l.j. 8h-11h30 14h-17h30; sam. dim. sur r.-v.

DOM. GUY DUFOULEUR Les Poulettes 2002 *

■ 1er cru 0,49 ha 2 000 ◉ 23 à 30 €

Il y a en Bourgogne des « rites de passage » : quand on reçoit son premier tâtevin, quand on vinifie seul pour la première fois. Pour Yvan Dufouleur, fils aîné de Guy, ce fut en 1989. Depuis il a fait du chemin. Ses Poulettes en habit grenat ont le nez vanillé. Chaleureux et fruité, ce 2002 doit évoluer en progressant. Son équilibre et sa longueur garantissent quelques années de garde.

⊶ Dom. Guy Dufouleur,
19, pl. Monge, 21700 Nuits-Saint-Georges,
tél. 03.80.62.31.00, fax 03.80.62.31.00 ☒ 🏠 🍷 🚶 r.-v.

DUFOULEUR PERE ET FILS
Les Saint-Georges 2002 *

■ 1er cru n.c. 3 300 ◉ 23 à 30 €

Ces Saint-Georges rayonnent ici sous une robe rouge sombre à reflets violets. Le nez privilégie le moka, l'épice douce, le fruit noir. Cela persiste en bouche jusqu'à une finale chaleureuse. Vin d'une très grande jeunesse, à attendre quatre à six ans.

⊶ Dufouleur Père et Fils,
17, rue Thurot, 21700 Nuits-Saint-Georges,
tél. 03.80.61.21.21, fax 03.80.61.10.65,
e-mail dufouleur@dufouleur.com ☒ 🍷 🚶 t.l.j. 9h-19h

DUPONT-TISSERANDOT 2002

■ 0,29 ha n.c. ▮ ◉ ♁ 15 à 23 €

Très sombre et violacé, il rappelle la fameuse page de *Kaputt* où Curzio Malaparte décrit le vin de Nuits « profond et semé d'éclairs comme une nuit d'été en Bourgogne »... Au bouquet riche, fruité et vanillé s'ajoute une matière importante. Peu de persistance, mais on a le temps de saisir en rétro-olfaction des arômes de cerise et des notes animales.

⊶ Dupont-Tisserandot,
2, pl. des Marronniers, 21220 Gevrey-Chambertin,
tél. 03.80.34.10.50, fax 03.80.58.50.71
☒ 🍷 🚶 t.l.j. 9h-18h; sam. dim. sur r.-v.

HENRI FELETTIG 2002

■ 0,3 ha 1 800 ◉ 15 à 23 €

Henri et Reine Félettig ont construit leur domaine en 1969. Cette bouteille a le nez frais, assez subtil et boisé. On retrouve les mêmes caractères en bouche, assortis de fruits rouges. La structure n'est pas absente, le gras en perspective. Un vin de rôti comme on disait jadis pour saluer la bouteille dominicale.

⊶ GAEC Henri Félettig,
rue du Tilleul, 21220 Chambolle-Musigny,
tél. 03.80.62.85.09, fax 03.80.62.86.41 ☒ 🍷 🚶 r.-v.

DOM. MAURICE GAVIGNET 2002

■ 1 ha 3 000 ◉ 8 à 11 €

Vigneron au domaine de la Romanée-Conti, Honoré Gavignet fonda son propre « pré carré » en 1920. Etoffé depuis par des générations de Gavignet, le domaine fait face à l'église Saint-Symphorien. Ce nuits aux arômes de cassis, sous un rubis foncé, possède une grande force tannique compensée par un équilibre prometteur. Un vin de gibier, dans cinq à six ans.

⊶ SCEA Dom. Maurice Gavignet,
69, rue Félix-Tisserand, 21700 Nuits-Saint-Georges,
tél. 03.80.61.03.87, fax 03.80.62.14.69
☒ 🍷 🚶 t.l.j. sf dim. lun. 8h30-12h 13h30-18h

PHILIPPE GAVIGNET Les Argillats 2002 *

■ 0,63 ha 3 900 ◉ 15 à 23 €

On compte trois bouteilles retenues pour ce viticulteur. C'est bien et même très bien. En tête ces Argillats, nés au flanc de la combe de la Serrée et qui évoquent le gibier dans un environnement boisé. Bouche impeccable, ronde et franche. **Les Argillats 2002 en blanc** et **Les Bousselots 1er cru 2002 en rouge** obtiennent l'un et l'autre une étoile.

⊶ Dom. Philippe Gavignet, 36, rue Dr-Louis-Legrand,
21700 Nuits-Saint-Georges, tél. 03.80.61.09.41,
fax 03.80.61.03.56, e-mail contact@domaine-gavignet.fr
☒ 🍷 🚶 t.l.j. 8h-12h 14h-18h; sam. dim. sur r.-v.;
f. semaine du 15 août

DOM. ANNE-MARIE GILLE
Les Longecourts 2001

■ 0,62 ha 4 600 ◉ 15 à 23 €

Le domaine fait remonter son acte de naissance à 1570 et cela figure en majuscules au bord de la nationale 74. Les Longecourts vinifiés depuis peu par Anne-Marie et Pierre Gille se situent juste en dessous des Saint-Georges. Cet excellent terroir offre ici tout ce que peut donner ce millésime. Le boisé arrange les coups de nez. Cela reste lié au fût, mais assez agréable dans l'instant. Encore tannique, mais d'une matière plutôt élégante, une bouteille à attendre deux à cinq ans.

⊶ Dom. Anne-Marie Gille,
34, RN 74, 21700 Comblanchien,
tél. 03.80.62.94.13, fax 03.80.62.99.88,
e-mail domaine.gille@wanadoo.fr ☒ 🍷 🚶 r.-v.

DOM. MICHEL GROS 2002 *

■ 1er cru 0,3 ha 1 500 ◉ 30 à 38 €

Fils de Jeanine et de Jean, Michel Gros a fondé le cinquième domaine Gros à Vosne. Et quand on est à Vosne, on est quasiment à Nuits... Ce 1er cru sans nom (assemblage sans doute de plusieurs parcelles) s'habille presque de velours noir. Maturation fruitée, extraction et concentration ont donné ce vin généreux, un peu atypique, valorisant l'effet plaisir. Cela reste toutefois dans la norme.

⊶ Dom. Michel Gros,
7, rue des Communes, 21700 Vosne-Romanée,
tél. 03.80.61.04.69, fax 03.80.61.22.29 ☒ 🍷 🚶 r.-v.

DOM. GUYON Aux Herbues 2002 *

■ 0,22 ha 1 400 ◉ 15 à 23 €

On se rappelle que le millésime 99 fut naguère honoré d'un coup de cœur. Ce *climat* proche de Vosne produit un vin plus mauve que cerise rouge, au bouquet confituré. L'acidité est correcte, les tanins très fins, la bouche bien ronde. Petite sensation minérale : elle n'est pas rare dans cette appellation.

⊶ EARL Dom. Guyon,
11-16, RN 74, 21700 Vosne-Romanée,
tél. 03.80.61.02.46, fax 03.80.62.36.56 ☒ 🍷 🚶 r.-v.

S. JAVOUHEY Les Boudots 2001

■ 1er cru n.c. n.c. ◉ 30 à 38 €

Le cassis n'est pas étouffé sous la vanille du fût. La bouche normalement tannique reste élégante avec ce qu'il faut d'ampleur, de plénitude. Ce vin ici est conforme à l'appellation. Une cuvée dite **Vieilles Vignes en village 2001 rouge (23 à 30 €)** est honorable, mais elle évolue et ne sera pas éternelle.

⊶ S. Javouhey, 50, rue du Gal-de-Gaulle, BP 63, 21702 Nuits-Saint-Georges, tél. 03.80.61.10.30, fax 03.80.24.77.16, e-mail domaine@javouhey.com ☑ Ⲩ ⛹ t.l.j. sf mer. 9h30-12h30 13h30-18h

BERTRAND MACHARD DE GRAMONT
Les Hauts Pruliers 2001 ★★

■ 0,58 ha 3 000 ⏺ 15 à 23 €

Robe bigarreau marmotte (si vous connaissez cette cerise bourguignonne), bouquet flatteur où le fruit rouge l'emporte assez vite sur le merrain du fût. Au palais se dessine une grande maîtrise : un équilibre racé et délicat associé à une vocation de garde. Si vous le savourez maintenant, vous pouvez le carafer.

⊶ Bertrand Machard de Gramont, 13, rue de Vergy, 21700 Nuits-Saint-Georges, tél. 03.80.61.16.96, fax 03.80.61.16.96, e-mail bertrandmacharddegramont@tiscali.fr ☑ Ⲩ ⛹ r.-v.

JEAN-PHILIPPE MARCHAND
Les Argillats 2002 ★

■ n.c. n.c. ⏺ 15 à 23 €

Jean-Philippe Marchand a créé une maison de négoce. Voici donc un produit très réussi de son activité de négociant. Rubis foncé, ce nuits se présente bien. Rien que de le voir... Le bouquet ? Le bois est bien fondu. Les arômes commencent à évoluer dans le sens de la maturité. Sa bouche repose sur des tanins fermes conformes à l'appellation et à l'idée qu'on s'en fait. Equilibre et longueur assurent l'harmonie générale mais ne pas trop l'attendre, juste un an ou deux.

⊶ Jean-Philippe Marchand, 4, rue Souvert, BP 41, 21220 Gevrey-Chambertin, tél. 03.80.34.33.60, fax 03.80.34.12.77, e-mail marchand@axnet.fr ☑ Ⲩ ⛹ r.-v.

DOM. ALAIN MICHELOT Les Vaucrains 2001

■ 1er cru 0,69 ha 4 200 ⏺ 23 à 30 €

Les Vaucrains se situent au-dessus des Saint-Georges sur des sols plus calciques que calcaires où l'on trouve les « têtes de mouton », des blocs émoussés par l'érosion. Ce *climat* donne un vin qui ne laisse jamais insensible. Difficile d'accès dans sa jeunesse, très masculin, évoluant vers la venaison et le fruit rouge macéré, celui-ci répond à la définition habituelle. Il a du corps, du fond, de la mâche mais il doit absolument vieillir. Le **Champs-Perdrix en Villy 2001 rouge**, beau vin un peu atypique dans son millésime, puissant et tannique, est cité.

⊶ Dom. Alain Michelot, 6, rue Camille-Rodier, 21700 Nuits-Saint-Georges, tél. 03.80.61.14.46, fax 03.80.61.35.08, e-mail domalainmichelot@aol.com ☑ Ⲩ ⛹

DOM. PAUL MISSET Tribourg 2002 ★

■ 0,46 ha 2 200 ⏺ 15 à 23 €

Un pied en gigondas-vacqueyras, l'autre ici, Yves Cheron (petit-fils de Paul Misset) bénéficie de l'assistance de Rémy Briottet, excellent chef de culture formé à l'école de Denis Mortet à Gevrey. Son Tribourg, souple et harmonieux, plaît beaucoup. Pas trop de boisé et la finesse des arômes locaux, loyaux et constants. Frais, souple, tout en dentelle, en un mot, élégant.

⊶ Dom. Paul Misset, 8, rue Félix-Tisserand, 21700 Nuits-Saint-Georges, tél. 06.10.44.02.98, fax 03.90.65.89.23 ☑ Ⲩ ⛹ r.-v.
⊶ Yves Cheron

DOM. MOILLARD 2001 ★

■ 1,8 ha 9 800 ⏺ 15 à 23 €

Comme dans la chanson, Moillard et Nuits sont des noms qui « vont très bien ensemble ». D'intensité colorante très suffisante, ce *village* n'a pas un nez à décrocher la lune (on sait que Jules Verne fait boire à ses héros une bouteille de nuits quand ils parviennent à notre satellite) mais un charme profond, tenace, intime au palais, du fondu, du fruité. Il est encore un peu fermé mais on le voit capable de belles choses si on le laisse deux à trois ans dans une bonne cave.

⊶ Dom. Moillard, chem. rural 59, 21700 Nuits-Saint-Georges, tél. 03.80.62.42.00, fax 03.80.61.28.13, e-mail contact@moillard.fr ☑ Ⲩ ⛹ t.l.j. 10h-18h; f. jan.

BOURGOGNE

DOMINIQUE MUGNERET Les Fleurières 2002 ★

■ 0,42 ha 1 800 ⏺ 15 à 23 €

Elu coup de cœur pour ses Saint-Georges 94, Denis Mugneret a passé le relais à la génération suivante. Dominique et Christine font partager le bonheur d'excellentes Fleurières (un *village* dans la partie centrale de Nuits). Son joli nez de cerise noire et d'épices, légèrement boisé, va monter en puissance. Un soupçon de fermeté à l'attaque, puis l'équilibre s'affirme sur une structure efficace. Les tanins sont déjà bien intégrés, ce qui contribue au plaisir... de l'attente : deux à trois ans.

⊶ Dominique Mugneret, 9, rue de la Fontaine, 21700 Vosne-Romanée, tél. 03.80.61.00.97, fax 03.80.61.24.54 ☑ Ⲩ ⛹ r.-v.

DOM. DES PERDRIX Aux Perdrix 2001 ★

■ 1er cru n.c. 12 120 ⏺ 38 à 46 €

L'ancien domaine Mugneret-Gouachon repris par la famille Devillard (Mercurey). Ces Perdrix font maintenant leur nid dans les caves creusées par Jobert de Chambertin en 1755 à Gevrey. Un petit signe d'évolution à l'œil, un bouquet cassis-vanille, puis un corps velouté, soyeux, une texture fine, une féminité procurant un réel plaisir et une finale fruitée et d'un joli panache. Goûtez également le **1er cru Les Terres Blanches 2001 (46 à 76 €)** pour découvrir le nuits blanc d'une belle complexité ; et le **village 2001 (30 à 38 €)**, tous deux une étoile.

⊶ B. et C. Devillard, Dom. des Perdrix, Ch. de Champ Renard, 71640 Mercurey, tél. 03.85.98.12.12, fax 03.85.45.25.49, e-mail rodet@rodet.com

POULET PERE ET FILS Les Chaignots 2001 ★

■ n.c. 1 600 ⏺ 30 à 38 €

La maison Poulet (fondée en 1747) a quitté Beaune pour Nuits où elle fait partie des nombreuses œuvres vineuses de Laurent Max. C'est avec un coq que l'on dégusterait volontiers ce 1er cru dont la couleur porte une nuance orangée. Son nez associe le sous-bois et les fruits rouges. Ses tanins sont assez dominateurs, mais les Chaignots sont souvent étoffés : ils s'assouplissent avec le temps.

⊶ Poulet Père et Fils, 6, rue de Chaux, 21700 Nuits-Saint-Georges, tél. 03.80.62.43.02, fax 03.80.62.43.16

CH. DE PREMEAUX 2002 ★

■ 2 ha 10 000 ⏺ 11 à 15 €

Domaine familial depuis l'achat de la propriété au milieu des années 1930. Elle appartenait auparavant à la famille de Broca. Voici un *village* bien coloré et au nez boisé. Sa bouche un peu vive devrait se faire avec le temps. Elle a la rondeur et le goût de la cerise, une bonne fraîcheur sans rechercher à tout prix la complexité que l'on trouvera davantage dans **Le Clos des Argillières 2002, un 1er cru rouge (15 à 23 €)**, séveux sur des saveurs joliment fruitées et délicatement épicées. Même note.

Dom. du Ch. de Premeaux,
21700 Premeaux-Prissey,
tél. 03.80.62.30.64, fax 03.80.62.39.28,
e-mail chateau.de.premeaux@wanadoo.fr r.-v.
Pelletier

HENRI ET GILLES REMORIQUET
Les Allots 2002 ★

■	0,9 ha	5 000	15 à 23 €

Gilles Remoriquet est devenu l'une des personnalités les plus en vue du vignoble bourguignon en raison de ses responsabilités syndicales. Il s'exprime notamment lors de la conférence de presse, très suivie, qui accompagne la vente des vins des Hospices de Beaune. Ses Allots aux accents de truffe, de fruits à noyau, ne laissent pas insensibles. Encore un rien de fermeté, mais ce vin est à la fois tendre et tannique, nuiton jusqu'au bout des lèvres. De bons **Bousselots en 1er cru rouge 2002 (23 à 30 €)** obtiennent une citation. Bien construits, ils sont de garde.

Dom. Remoriquet,
25, rue de Charmois, 21700 Nuits-Saint-Georges,
tél. 03.80.61.08.17, fax 03.80.61.36.63,
e-mail domaine.remoriquet@wanadoo.fr r.-v.

DOM. DANIEL RION ET FILS
Les Vignes Rondes 2002 ★★

■ 1er cru	n.c.	n.c.	23 à 30 €

Elu coup de cœur en 2000, ce domaine propose deux vins remarquables grâce à ces Vignerondes (cela s'écrit aussi Vignes Rondes) rubis clair et au bouquet délicat (pruneau, cassis). Souple et soyeux, ce 1er cru est plein de chair et d'esprit. Il a disputé la finale du coup de cœur, qui le situe parmi les cinq meilleurs 2001-2002. Egalement deux étoiles pour des **Grandes Vignes en village rouge 2002 (15 à 23 €)** à attendre deux ans.

EARL Dom. Daniel Rion et Fils, RN 74,
21700 Premeaux,
tél. 03.80.62.31.28, fax 03.80.61.13.41,
e-mail contact@domaine-daniel-rion.com
t.l.j. sf dim. 8h30-12h 13h30-18h; sam. sur r.-v.

DOM. VINCENT SAUVESTRE
Les Saint-Georges 2002 ★

■ 1er cru	0,6 ha	3 400	15 à 23 €

Ce vin rouge griotte aux reflets violacés très jeunes s'enveloppe d'une mâche savoureuse. Le fût ne sort pas de son rôle et laisse s'exprimer le fruit rouge. Si la finale est encore un peu ferme, elle se porte garante d'une bonne évolution : à ouvrir dans deux ans.

Dom. Vincent Sauvestre, rte de Monthélie,
21190 Meursault, tél. 03.80.21.22.45, fax 03.80.21.28.05

PIERRE THIBERT
Rue de Chaux Vieilles Vignes 2002

■ 1er cru	0,28 ha	1 800	15 à 23 €

Une Rue de Chaux. Ce vin est un Janus, suave et souvent mêlé à la fourrure, à la résine. La couleur est moyenne, un peu évolutive et le nez joue sur la confiture de fraises : on s'accommode volontiers de sa fraîcheur. La griotte s'impose en bouche dans une configuration vive. Ce n'est pas un vin de longue attente. Citons encore le **village 2002 rouge (11 à 15 €)** qui pourra dormir plus longtemps en cave.

Pierre Thibert, 76, Grande-Rue, 21700 Corgoloin,
tél. 03.80.62.73.40, fax 03.80.62.94.65,
e-mail domainethibert@net-up.com r.-v.

LA TOUR BLONDEAU 2001 ★★

■	n.c.	n.c.	15 à 23 €

La maison Forgeot (La Tour Blondeau) est une annexe de Bouchard Père et Fils. Grenat vif, riche en arômes (noyau de cerise, fruits cuits), ce vin charpenté aux tanins discrets, nerveux sans excès, offre une bonne suite en bouche. Il devrait évoluer de façon satisfaisante mais on peut tout aussi bien en profiter dès à présent en accompagnement d'un gibier.

Grands Vins Forgeot, 15, rue du Château,
21200 Beaune, tél. 03.80.24.80.50, fax 03.80.22.55.88

DOM. FABRICE VIGOT 2002

■	0,58 ha	2 400	30 à 38 €

Cette bouteille semble avoir été élevée par l'une de ces gouvernantes anglaises si nombreuses à Nuits dans les années 1900. Elle garde une certaine austérité. La texture tannique est donc ferme, les notes boisées l'emportent sur le fruit. La jolie robe rubis complète un tableau prometteur (trois à quatre ans de garde).

EARL Fabrice Vigot,
20, rue de la Fontaine, 21700 Vosne-Romanée,
tél. 03.80.61.13.01, fax 03.80.61.13.01,
e-mail fabrice.vigot@wanadoo.fr r.-v.

Côte-de-nuits-villages

Après Premeaux, le vignoble s'amenuise pour se réduire à une longueur de vignes d'environ 200 m à Corgoloin. C'est l'endroit où la côte est la plus étroite. La « montagne » diminue d'altitude, et la limite administrative de l'appellation côte-de-nuits-villages, anciennement appelée « vins fins de la Côte de Nuits », s'arrête au niveau du clos des Langres, sur Corgoloin. Entre les deux, deux communes : Prissey, associée à Premeaux, et Comblanchien, réputée pour la pierre calcaire (appelée improprement marbre) que l'on tire des carrières du coteau. Toutes deux possèdent quelques terroirs aptes à porter une appellation communale. Mais les superficies de ces trois communes étant trop petites pour avoir une appellation individuelle, Brochon et Fixin y ont été associées pour constituer cette unique appellation côte-de-nuits-villages, qui a produit, en 2003, 4 650 hl en vin rouge et 302 hl en vin blanc. On y trouve d'excellents vins, à des prix abordables.

DOM. RENE BOUVIER 2001 ★

■ 0,6 ha 3 000 ◍ 8 à 11 €

Une jolie bouteille. Sa teinte violacée, appuyée, habille un bouquet vanillé et poivré, à nuances cassis. La bouche commence par une attaque ronde. La pointe d'amertume, l'acidité en finale, tout cela est dans l'ordre des choses. Tout à fait à la hauteur de certains villages de la Côte. On ne nous le dit pas, mais c'est probablement un côte-de-nuits-villages issu de la partie nord de l'appellation.

Dom. René Bouvier,
29 bis, rte de Beaune, 21220 Gevrey-Chambertin,
tél. 03.80.52.21.37, fax 03.80.59.95.96,
e-mail rene-bouvier@wanadoo.fr r.-v.

CHANSON PERE ET FILS 2002

■ n.c. 4 460 ◍ 11 à 15 €

Maison beaunoise reprise par des Champenois, Chanson a su se fournir car ce côte-de-nuits-villages rubis

La côte de Nuits (Sud)

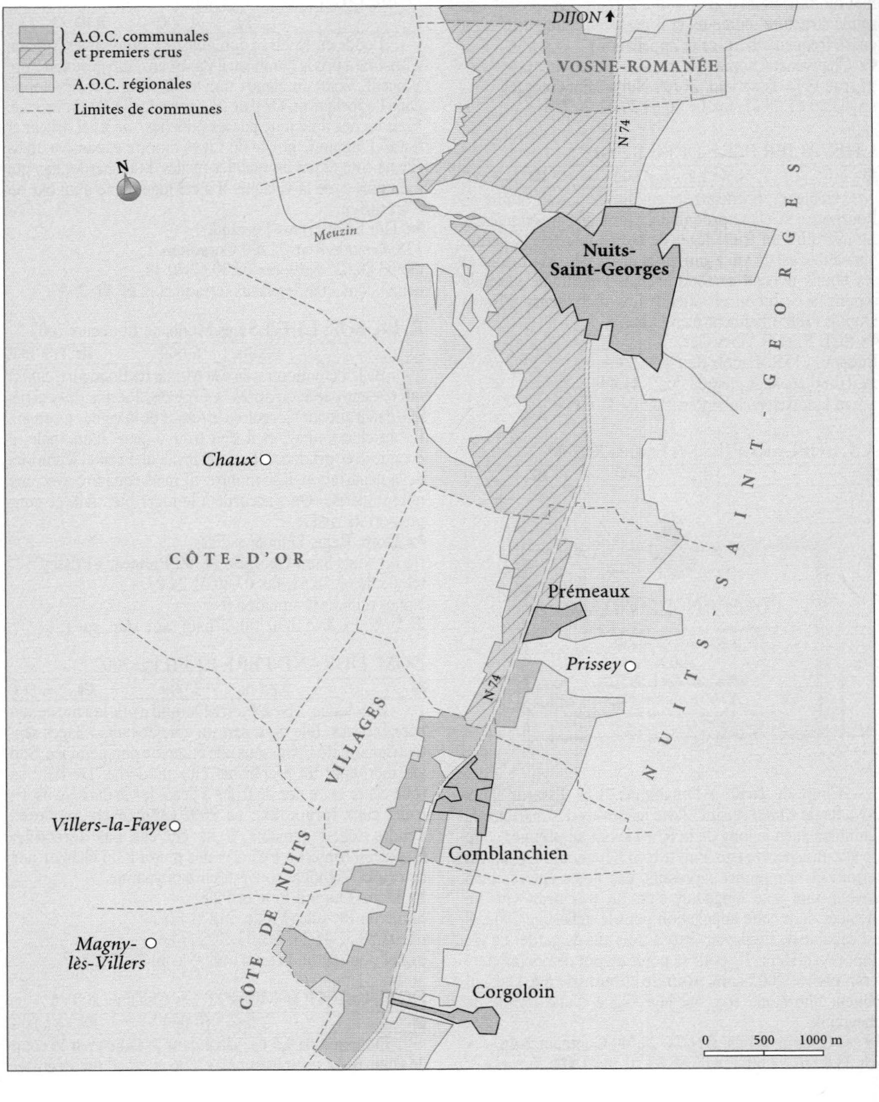

limpide s'affirme comme un vin fin et élégant. Le support boisé est déjà intégré à l'ensemble. L'attaque en bouche ne prend pas en défaut. Le gras et les tanins ont d'aimables accointances. A boire dans l'année 2005.
🔑 Maison Chanson Père et Fils, 10, rue Paul-Chanson, 21200 Beaune, tél. 03.80.25.97.97, fax 03.80.24.17.42, e-mail chanson@vins-chanson.com

CHAUVENET-CHOPIN 2002 *

■ 5 ha 12 000 🛢 8 à 11 €

Marcel Chauvenet épouse Evelyne Chopin, et voilà Chauvenet-Chopin sur 16 ha dont 5 en ce vin. Deux noms bien du pays en Côte de Nuits. Boisé certes, ce vin l'est parfaitement : rubis-grenat limpide, développant des arômes de fruits mûrs et d'épices, il attaque en force sur une solide structure tannique, et il persiste (la longueur n'est guère fréquente dans cette appellation).
🔑 Chauvenet-Chopin,
97, rue Félix-Tisserand, 21700 Nuits-Saint-Georges,
tél. 03.80.61.28.11, fax 03.80.61.20.02 ☑ Y 🚶 r.-v.

CHEVALIER PERE ET FILS 2001 **

■ 0,45 ha 2 000 🛢 11 à 15 €

Couleur... bordeaux. N'en faisons pas un drame en Bourgogne ! Cela se produit dans les meilleures familles... Le nez offre un fruité léger de bonne intensité. Charnu, puissant, c'est un vin à garder un an ou deux. Sa mâche et ses tanins doivent se fondre, mais l'harmonie générale répond à ce qu'on en attend. Les successeurs d'Emile Dubois (1885) tiennent bien la barre.
🔑 SCE P. et F. Chevalier,
Buisson, 21550 Ladoix-Serrigny,
tél. 03.80.26.46.30, fax 03.80.26.41.47,
e-mail ladoixch@club-internet.fr ☑ Y 🚶 r.-v.

A. CHOPIN ET FILS Les Essards 2002 **

■ 1 ha 3 000 🛢 11 à 15 €

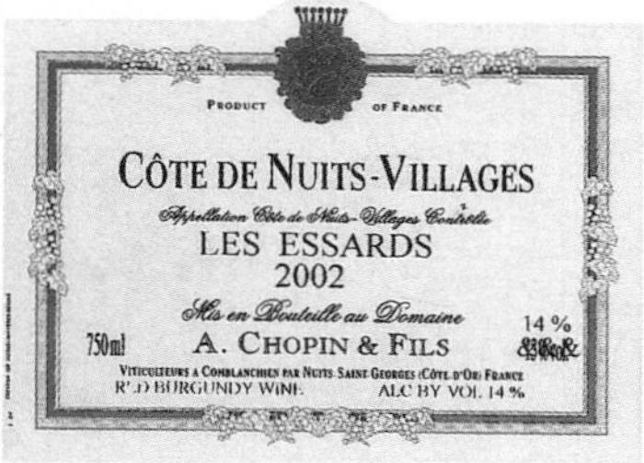

Coup de cœur à l'unanimité. Ces Essards flamboyants (le *climat* se situe juste au-dessus des maisons de Comblanchien le long de la RN 74) ont au premier coup de nez un aspect toasté. Puis le fruit s'épanouit. Des tanins fermes et néanmoins expressifs, des notes épicées bien dosées, une jolie longueur, c'est un très beau vin. Le meilleur dans cette appellation pour le millésime 2002. Il est capable de supporter deux à trois ans de garde. Le vin dont rêvait Henri IV pour sa poule au pot démocratique ! Voir aussi le **2002 sans nom de climat (de 8 à 11 €)**. Il obtient une étoile et a été jugé digne d'une terrine de chevreuil.
🔑 A. Chopin et Fils, RN 74, 21700 Comblanchien,
tél. 03.80.62.92.60, fax 03.80.62.70.78 ☑ 🏠 Y 🚶 r.-v.

C. CONFURON 2002 *

■ 0,91 ha 4 900 ▮🍷 8 à 11 €

D'un rouge soutenu à reflets violacés, il donne l'impression d'un vin à qui on n'en conte pas. Nets et francs, ses arômes terroitent, comme l'on dit parfois, très typés, entre l'animal et le petit fruit. Souple sinon soyeux avec une certaine chaleur et une charpente honorable, il est conforme au millésime et signe une bonne vinification et un élevage soigné. Un gibier à plumes lui conviendra.
🔑 Dom. Christian Confuron et Fils,
rue du Vieux-Château, 21640 Vougeot,
tél. 03.80.62.86.80, fax 03.80.62.86.80
☑ Y 🚶 t.l.j. 9h30-11h30 14h30-17h30; sam. dim. sur r.-v.

DOM. DESERTAUX-FERRAND 2002 *

□ 1,2 ha 4 500 ▮🛢 8 à 11 €

Fondé en 1899, ce domaine de Corgoloin est réputé. Christine a pris le flambeau il y a dix ans, suivie de son frère Vincent. Voici un blanc : une tendance qui se développe dans l'appellation. Or pâle, il a presque l'éclat du bronze. Mais au nez il ne joue pas les potiches : un miel délicat et floral. L'amande grillée du fût se montre expansive, mais elle ne couvre pas les qualités réelles d'un chardonnay qui a du gras et de la vivacité. Il a été jugé digne d'un bar ou d'un turbot.
🔑 Dom. Désertaux-Ferrand,
135, Grande-Rue, 21700 Corgoloin,
tél. 03.80.62.98.40, fax 03.80.62.70.32,
e-mail contact@desertaux-ferrand.com ☑ 🏠 Y 🚶 r.-v.

R. DUBOIS ET FILS Les Monts de Boncourt 2002 *

□ 0,8 ha 5 000 🛢 **11 à 15 €**

Belle définition racée des Monts de Boncourt, *climat* intéressant parce qu'après la Côte des Pierres (les carrières) il marque sur Corgoloin le retour de la vigne en coteau. Ici un chardonnay, et il s'en trouve bien. Jaune pâle, il évoque avec prudence le miel et le tilleul. Frais et jeune lors de la dégustation, il se montre vif mais équilibré avec une note minérale. On s'accorde à le juger bien fait, et pour poisson de rivière.
🔑 Dom. Régis Dubois et Fils,
rte de Nuits-Saint-Georges, 21700 Premeaux-Prissey,
tél. 03.80.62.30.61, fax 03.80.61.24.07,
e-mail rdubois@wanadoo.fr
☑ Y 🚶 t.l.j. 8h-11h30 14h-17h30; sam. dim. sur r.-v.

DOM. DURAND PERE ET FILLE 2002 *

■ 0,85 ha 2 000 🛢 8 à 11 €

Œnologue, Marie-Pierre Durand a pris la suite de son père Jacques. Elle nous sert un côte-de-nuits-villages septentrional, côté Fixin, sous une étiquette parcheminée. Son vin mériterait un graphisme plus moderne. Derrière sa robe claire et un nez de fruits à l'eau-de-vie dans un esprit fruits cuits (pruneaux), ce 2002 attaque en souplesse. Tendre, léger, agréable, il ne cherche pas à réveiller Napoléon (on est à Fixin !) mais plutôt à lui chanter une berceuse. Vignoble converti en biodynamie.
🔑 Dom. Durand Père et Fille,
5, rue du Pr.-Jules-Violle, 21220 Fixin,
tél. 03.80.52.45.28, fax 03.80.58.74.61,
e-mail dom.durandfixin@waika9.com ☑ Y 🚶 r.-v.

DOM. GACHOT-MONOT Les Chaillots 2001 *

■ 2 ha 10 000 🛢 8 à 11 €

Domaine de 9,5 ha, salué dans le Guide par le coup de cœur pour ses millésimes 87, 96 et 97. Il fait déguster un *climat* situé au sud de l'appellation, pas très loin du Clos des Langres marquant la limite des deux Côtes. De la couleur, il en a. Et des larmes ! Le bouquet, fin et profond, est assez prometteur. En effet, il a pas mal de mâche et beaucoup de présence au palais. Le tout, équilibré, constitue une réussite pour le millésime (2001).

☛ Dom. Gachot-Monot, 13, rue Humbert-de-Gillens, 21700 Gerland, tél. 03.80.62.50.95, fax 03.80.62.53.85, e-mail gachot-monot@wanadoo.fr ▨ ☍ 🗲 r.-v.

DOM. JEROME GALEYRAND
Vieilles Vignes 2002 ★

■	0,42 ha	2 400	⑪ 11 à 15 €

La plupart des domaines bourguignons ne comptent plus leurs générations. Jérôme, lui, est né à la vigne en 2001 et n'en est pas peu fier. Il a d'ailleurs raison car, si « ses terres » sont minuscules, elles donnent déjà du bon. Témoin ce vin à la couleur gaillarde (beaucoup de vignerons la portent sur leurs joues) et aux parfums expressifs (griotte et chocolat, en souvenir du fût). Tanins un peu serrés, mais le pinot noir tapisse bien la bouche et la finale est plaisante.

☛ Dom. Jérôme Galeyrand, 16, rue de Gevrey, Saint-Philibert, 21220 Gevrey-Chambertin, tél. 06.61.83.39.69, fax 03.80.34.39.69, e-mail jerome.galeyrand@wanadoo.fr ▨ ☍ 🗲 r.-v.

LOUIS JADOT Le Vaucrain 2001 ★

■	n.c.	n.c.	▤ ⑪ 11 à 15 €

Quand ils proviennent d'une origine unique, les côte-de-nuits-villages peuvent porter le nom de leur *climat*. Ici, en rouge, un terroir très proche du Clos de la Maréchale en nuits 1er cru. Carmin tirant sur le grenat, le nez porté sur le cuir, accompagné d'une note boisée, d'ampleur moyenne mais rond et concentré, un pinot noir de style assez ferme, bien représentatif de l'appellation et qui se plaira avec un bœuf bourguignon préparé selon les règles de l'art.

☛ Maison Louis Jadot, 21, rue Eugène-Spuller, 21200 Beaune, tél. 03.80.22.10.57, fax 03.80.22.56.03, e-mail contact@louisjadot.com ☍ 🗲 r.-v.

DOM. MOILLARD 2002 ★

■	3,6 ha	18 000	▤ ⑪ ⬧ 8 à 11 €

On ne présente pas Moillard, la Côte de Nuits personnifiée. Cette bouteille tient fort bien son rang au côté d'appellations plus prestigieuses. Rubis bourgogne, le nez fleuri, un vin qui s'ouvre progressivement en bouche. L'approche est veloutée, les tanins bien enrobés : il est vinifié pour plaire maintenant.

☛ Dom. Moillard, chem. rural 59, 21700 Nuits-Saint-Georges, tél. 03.80.62.42.00, fax 03.80.61.28.13, e-mail contact@moillard.fr ▨ ☍ 🗲 t.l.j. 10h-18h; f. jan.

DOM. HENRI NAUDIN-FERRAND
Vieilles Vignes 2001 ★

■	1,55 ha	9 312	⑪ 15 à 23 €

Elu coup de cœur en 1995, 1999, 2001, 2004, ce domaine ne compte plus les lauriers qui le coiffent... L'édition 2001 Vieilles Vignes est d'un rubis sombre, le nez assez fin mais encore secret, la bouche plutôt tendre et fondue, entre tanins et fruit. L'année 2003 a vu disparaître René, pilier de la maison, après vingt-huit ans de bons et loyaux services. Œnologue, Géraldine a rejoint l'équipe.

☛ Dom. Henri Naudin-Ferrand, rue du Meix-Grenot, 21700 Magny-lès-Villers, tél. 03.80.62.91.50, fax 03.80.62.91.77, e-mail dnaudin@ipac.fr ▨ ☍ 🗲 r.-v.

MICHEL PICARD 2002 ★

■	n.c.	4 440	▤ ⑪ ⬧ 11 à 15 €

D'intensité et de brillance très suffisantes, aux arômes animaux nuancés de fruits noirs, un vin offrant une matière intéressante. Sa richesse et sa longueur retiennent l'attention. On n'ira pas jusqu'à le décanter, mais une légère aération lui fera du bien. Présenté par un négociant-éleveur qui a un pied en Côte châlonnaise et le second en Côte de Beaune, indépendamment de quelques implantations ça et là en France et dans le monde.

☛ Maison Michel Picard, BP 49, 71150 Chagny, tél. 03.85.87.51.01, fax 03.85.87.51.12, e-mail commercial@m-p.fr

CH. DE PREMEAUX 2002 ★

■	1,25 ha	8 000	⑪ 8 à 11 €

L'ancien château de Premeaux a été rasé en 1826. Il s'agit ici d'une demeure bourgeoise du XIXᵉs., acquise avec des vignes et demeurée dans la famille depuis le milieu des années 1930. Ce vin charpenté, puissant, est à laisser tranquille en cave pendant deux à trois ans. Dans sa robe glorieuse, il affiche des arômes corsés, sauvages, un peu rustiques et qui ne surprennent pas en ce chapitre. Les viandes rouges lui seront acquises !

☛ Dom. du Ch. de Premeaux, 21700 Premeaux-Prissey, tél. 03.80.62.30.64, fax 03.80.62.39.28, e-mail chateau.de.premeaux@wanadoo.fr ▨ ☍ 🗲 r.-v.

☛ Pelletier

DOM. JEAN-PIERRE TRUCHETET 2002 ★

■	0,53 ha	3 000	⑪ 8 à 11 €

Ce domaine d'une dizaine d'hectares est situé à Premeaux dont l'église est particulièrement intéressante avec un chœur du XIIIᵉs., et des boiseries du XVIIIᵉs. Sous une robe peu intense mais brillante, il a besoin d'une aération. Souple, aimable, il apparaît d'abord encore un peu fermé, puis le fruit arrive en bouche à point nommé et on lui trouve du gras, de l'équilibre entre acidité et tanins, et une finale gourmande.

☛ Jean-Pierre Truchetet, RN 74, 21700 Premeaux-Prissey, tél. 03.80.61.07.22, fax 03.80.61.34.35 ▨ ☍ 🗲 r.-v.

La Côte de Beaune

Ladoix

Trois hameaux, Serrigny, près de la ligne de chemin de fer, Ladoix, sur la RN 74, et Buisson, au bout de la Côte de Nuits, composent la commune de Ladoix-Serrigny. L'appellation communale est ladoix. Le hameau de Buisson est situé exactement à la frontière géographique des Côtes de Nuits et de Beaune. La limite administrative s'est arrêtée à la commune de Corgoloin,

mais la colline, elle, continue un peu plus loin ; les vignes et les vins aussi. Au-delà de la combe de Magny, qui concrétise la séparation, commence la montagne de Corton, aux grandes pentes à intercalations marneuses, constituant avec toutes ses expositions, est, sud et ouest, l'une des plus belles unités viticoles de la Côte.

Ces différentes situations confèrent à l'appellation ladoix une variété de types auxquels s'ajoute une production de vins blancs mieux adaptés aux sols marneux de l'argovien ; c'est le cas des Gréchons, par exemple, situés sur les mêmes niveaux géologiques que les corton-charlemagne, plus au sud, mais jouissant d'une exposition moins favorable. Les vins de ce lieu-dit sont très typés. S'étendant sur près de 50 ha, l'appellation ladoix est peu connue ; c'est dommage !

Autre particularité : bien que jouissant d'une classification favorable donnée par le Comité de viticulture de Beaune en 1860, Ladoix ne possédait pas de premiers crus, omission qui a été régularisée par l'INAO en 1978 : la Micaude, la Corvée et le Clou d'Orge, aux vins de même caractère que ceux de la Côte de Nuits, les Mourottes (basses et hautes), aux allures sauvages, le Bois-Roussot, Sur la Lave, sont les principaux de ces premiers crus.

BERTRAND AMBROISE Les Gréchons 2002 ★

▦ 1er cru	0,68 ha	4 700	❙❙❙ 11 à 15 €

Situés près du sommet du coteau, les Gréchons voient forcément les choses de haut. Ils s'expriment ici en blanc, et le doré clair à reflets verts ne laisse pas l'œil sans émotion. Peu de bouquet mais on devine là-dessous un léger boisé un peu envahi d'agrumes. À l'attaque, le vin a presque de la mâche puis il se convertit et devient minéral et d'une grande fraîcheur, jouant à nouveau sur les agrumes. Très bon dans les deux à trois ans sur des crustacés ou poisson de mer.
👈 Maison Bertrand Ambroise,
rue de l'Eglise, 21700 Premeaux-Prissey,
tél. 03.80.62.30.19, fax 03.80.62.38.69,
e-mail bertrand.ambroise@wanadoo.fr ☑ ⟟ ⚲ r.-v.

PIERRE ANDRE Les Boisvelles 2002 ★

▦	0,9 ha	4 500	❙❙❙ 30 à 38 €

Acquis par le groupe Ballande France et Associé, l'ensemble formé par la Reine Pédauque et Pierre André est en cours de restructuration : grande distribution pour la R.P. et marché traditionnel pour P.A. Cette bouteille d'un beau jaune paille développe des arômes de menthe et de citron. La bouche est en deux phases : la première assez vive, la seconde plus large et d'une bonne minéralité. Légère amertume en conclusion. Mérite d'être un peu attendu.
👈 Pierre André,
Ch. de Corton-André, 21420 Aloxe-Corton,
tél. 03.80.26.44.25, fax 03.80.26.43.57,
e-mail pandre@axnet.fr ⚲t.l.j. 10h-13h 14h30-18h

DOM. D'ARDHUY 2002

■	5,12 ha	30 000	❙❙❙ 11 à 15 €

Après la cession de la Reine Pédauque, il subsiste un domaine familial d'Ardhuy dont on a ici un témoignage basé au Clos des Langres. D'un éclat pourpre à rubis, ce vin affiche un joli nez de bois à sous-bois. Il est léger, comme bien des 2002, et assez fruité pour plaire à une salade aux foies de volaille dans deux ans. Sa bonne longueur et sa structure assurent son avenir.
👈 Dom. d'Ardhuy, Clos des Langres,
21700 Corgoloin, tél. 03.80.62.98.73,
fax 03.80.62.95.15, e-mail domaine.ardhuy@wanadoo.fr
☑ ⟟ ⚲ t.l.j. sf dim. 8h-12h 14h-18h

DOM. CACHAT-OCQUIDANT ET FILS 2001 ★

■	1,34 ha	3 580	❙❙❙ 8 à 11 €

Rouge rubis violacé, ce ladoix vanille et framboise tire le meilleur parti du millésime. La relation entre l'acidité et l'alcool est bien maîtrisée. L'ensemble est tannique, mais le raisin est bien présent. Il est évident que l'on devra patienter afin de mettre toutes ses chances du bon côté. En **Vieilles Vignes et Village, les Madonnes 2002 rouge (11 à 15 €)** ont un charme plus accessible. Elles obtiennent une étoile. Un excellent dégustateur imagine un mariage parfait avec un pâté en croûte.
👈 Dom. Cachat-Ocquidant et Fils,
3, pl. du Souvenir, 21550 Ladoix-Serrigny,
tél. 03.80.26.45.30, fax 03.80.26.48.16 ☑ ⟟ ⚲ r.-v.

CAPITAIN-GAGNEROT
La Micaude Monopole 2002 ★

■ 1er cru	1,64 ha	8 000	❙❙❙ 11 à 15 €

Robe violine assez intense et brillante, premier nez de pinot fruité fin suivi de cerise mûre, attaque délicate, bonne petite acidité : le film défile sans arrêt sur l'image. On sent du volume en milieu de bouche, juste avant la conclusion bien ciselée. Une bouteille comme celle-ci peut séjourner en cave. En tout cas elle y a sa place. Rappelons que ce domaine a fêté son bicentenaire en 2002.
👈 Capitain-Gagnerot,
38, rte de Dijon, 21550 Ladoix-Serrigny,
tél. 03.80.26.41.36, fax 03.80.26.46.29,
e-mail contact@capitain-gagnerot.com ☑ ⟟ ⚲ r.-v.

CHEVALIER PERE ET FILS Les Corvées 2001 ★

■ 1er cru	1,44 ha	7 500	❙❙❙ 15 à 23 €

Ce vin reçut un coup de cœur pour le millésime 2000 : le domaine se tient bien ! Le jury a attribué une citation à son **ladoix village rouge 2001 (11 à 15 €)** qui remplit le contrat. Et davantage encore à ces Corvées qu'un gigot à l'ail emportera au 7e ciel. Une robe sombre, un nez discret, cela commence benoîtement. La suite « va à sauts et gambades » comme disait Montaigne : aimable, de bonne composition, l'attaque se fait en douceur puis les tanins s'installent et commandent deux années de garde pour permettre une bonne expression.
👈 SCE Chevalier Père et Fils,
Buisson, 21550 Ladoix-Serrigny,
tél. 03.80.26.46.30, fax 03.80.26.41.47,
e-mail ladoixch@club-internet.fr ☑ ⟟ ⚲ r.-v.

DOM. CORNU 2001 ★

■	0,96 ha	6 000	❙❙❙ 11 à 15 €

Ladoix ? Ce nom vient de *la Douâ*, une source vauclusienne comme la Bourgogne en compte beaucoup. Le vin remplace l'eau pour nous faire partager le plaisir d'un 2001 rouge brillant. Son nez assez complexe convole avec la framboise, mais l'épice douce du fût n'est pas insensible à la scène. La bouche prend de l'ampleur et se resserre ensuite sur le fruit. Acidité et fraîcheur sont à leur niveau attendu. Deux ou trois ans en cave sont conseillés.

🔑 Dom. Claude Cornu,
rue du Meix-Grenot, 21700 Magny-lès-Villers,
tél. 03.80.62.92.05, fax 03.80.62.72.22 ☒ 🍷 🚶 r.-v.

EDMOND CORNU ET FILS
Le Bois Roussot 2001 ★

■ 1er cru 0,7 ha 5 000 🛢 11 à 15 €

Peu éloigné du grand cru corton, ce *climat* répond ici au caractère un peu strict du millésime mais sans jeter l'éponge au 1er round. Rouge, il l'est autant qu'on peut l'être. Aérer s'il vous plaît pour y humer le cuir, la truffe... L'un de ces vins que nos dégustateurs aimeraient avaler. Mais c'est un 1er cru d'attente, tout à fait capable de gérer cette situation. Voir aussi en **Vieilles Vignes le village rouge 2001** qu'on pourra goûter sur un poisson au vin rouge, ou, plus traditionnellement, sur un gibier à plumes.

🔑 EARL Edmond Cornu et Fils,
Le Meix Gobillon, 21550 Ladoix-Serrigny,
tél. 03.80.26.40.79, fax 03.80.26.48.34 ☒ 🍷 🚶 r.-v.

JEAN-LUC DUBOIS La Combe 2001 ★

■ 0,83 ha 1 800 🛢 8 à 11 €

A jambages nombreux et fins, un 2001 à la couleur riche et profonde. Le nez sait s'y prendre. Comment résister à la fraise des bois ? Rien d'agressif au palais, ni l'acidité ni la puissance tannique. La longueur ? Normale. Il y a du potentiel mais il n'est pas nécessaire de l'attendre longtemps. Ce tout petit *climat* se trouve au milieu du finage.

🔑 EARL Dom. Jean-Luc Dubois,
9, rue des Brenôts, 21200 Chorey-lès-Beaune,
tél. 03.80.22.28.36, fax 03.80.22.83.08

DOM. DUBOIS-CACHAT 2001 ★

■ 0,28 ha 1 800 🛢 8 à 11 €

Quelques reflets pelure d'oignon pour ce ladoix. Framboise et vanille se disputent les faveurs d'un bouquet agréable et expressif. Dès l'attaque, l'acidité et les tanins sont à la fête, mais sans désordre : la mise en scène est bien réglée et l'on peut faire appel à cette bouteille sans attendre l'an prochain. Gendre de Maurice Cachat, Jean-Pierre aurait pu rester musicien dans l'Armée de l'Air, sa vocation première. Mais il a choisi les vignes.

🔑 Dom. Dubois-Cachat, 2, Grande-Rue,
21200 Chorey-lès-Beaune, tél. 03.80.22.27.83,
fax 03.80.22.27.83 ☒ 🍷 🚶 t.l.j. 9h-18h

DOM. ESCUTENAIRE-CACHAT
Vigne Adaim 2002

■ 0,11 ha 650 🛢 8 à 11 €

Vigne Adaim se trouve à la limite de Ladoix et de Corgoloin, tout près du Clos des Langres. Quant à ce domaine de soixante-sept ans, il faut une loupe pour le discerner. Cela dit, il réunit trois appellations et a bien le droit de faire apprécier ici son vin. Pourpre violine, ce 2002 framboisé est assez tannique sans perdre de vue son message fruité. La maturité nécessite un an d'attente.

🔑 Dom. Escutenaire-Cachat,
6, rue de Serrigny, 21550 Ladoix-Serrigny,
tél. 03.80.26.42.59, fax 03.80.26.42.59,
e-mail e.escutenaire@wanadoo.fr ☒ 🍷 🚶 r.-v.

FRANCOIS GAY ET FILS 2001 ★

■ 0,49 ha 3 000 🛢 11 à 15 €

Vieille famille vigneronne de Chorey. Elle produit un ladoix très honnête à la robe superbe de profondeur avec un liseré violacé. Poivre, Zan, café, le bouquet est intense. Acidité, alcool, tanins font un excellent mariage. Ce n'est pas un vin de longue garde mais on lui reconnaît de réels atouts à faire valoir.

🔑 EARL François Gay et Fils,
9, rue des Fiètres, 21200 Chorey-lès-Beaune,
tél. 03.80.22.69.58, fax 03.80.24.71.42 ☒ 🍷 🚶 r.-v.

DOM. JEAN GUITON La Corvée 2001

■ 1er cru 0,79 ha 3 000 🛢 11 à 15 €

Cette Corvée avait reçu le coup de cœur dans l'édition 2000 du Guide. Grenat limpide, ce millésime est à boire maintenant. Ses arômes sur le fruit sont assez aimables. Sa bouche ronde et consistante est bien dans le style 2001. Jean Guiton n'est pas un enfant du sérail. Il a pris des vignes en fermage ou métayage, et s'est fait rapidement un nom après avoir travaillé au Domaine Nudant.

🔑 Dom. Jean Guiton,
4, rte de Pommard, 21200 Bligny-lès-Beaune,
tél. 03.80.26.82.88, fax 03.80.26.85.05,
e-mail domaine.guiton@libertysurf.fr ☒ 🍷 🚶 r.-v.

DOM. ROBERT ET RAYMOND JACOB 2002 ★

□ 0,7 ha 4 735 🛢 11 à 15 €

De la polyculture à la monoculture, ou l'histoire de ce domaine de 10 ha depuis un demi-siècle. La robe de ce ladoix à reflets émeraude est très engageante sous un beau jaune paille. Le bouquet où l'on rencontre la sauge, la feuille de cerisier dans un contexte assez poivré, est élégant et subtil. Gras et richesse aromatique donnent à la bouche une sorte de sérénité, même si l'acidité reste sensible, gage d'un bon vieillissement.

🔑 Dom. Robert et Raymond Jacob,
hameau de Buisson,
Cidex 20 bis, 21550 Ladoix-Serrigny,
tél. 03.80.26.40.42, fax 03.80.26.49.34 ☒ 🍷 🚶 r.-v.

S. JAVOUHEY Les Gréchons 2002 ★

□ 1er cru n.c. 600 🛢 15 à 23 €

Vous pourrez le boire en 2005, celui-ci. Jaune à reflets vert d'eau, ce ladoix a le nez fermé à double tour. On en obtient quelques confidences faites d'aubépine et d'épices douces (l'élevage sous bois). Le palais ample et miellé garde une certaine fraîcheur. Ne pas se précipiter sur ce 2002 qui n'est pas à court de ressources.

🔑 S. Javouhey, 50, rue du Gal-de-Gaulle, BP 63,
21702 Nuits-Saint-Georges, tél. 03.80.61.10.30,
fax 03.80.24.77.16, e-mail domaine@javouhey.com
☒ 🍷 🚶 t.l.j. sf mer. 9h30-12h30 13h30-18h

DOM. MICHEL MALLARD ET FILS
Les Joyeuses 2001 ★

■ 1er cru 0,37 ha 2 200 🛢 15 à 23 €

Chacun, sans doute, prend son plaisir où il le trouve. N'allons pas le chercher à l'autre bout du monde. Prenons-le ici. Peu intense, cette robe vermillon ne déplaît pas. Sous-bois, truffe, fruits noirs surmûris : il y a de quoi rapporter un plein panier d'arômes. Original, particulier, un ladoix noir de caractère, suivant sa propre idée et la conduisant à son terme. Une démarche très intéressante.

🕏 Dom. Michel Mallard et Fils,
43, rte de Dijon, 21550 Ladoix-Serrigny,
tél. 03.80.26.40.64, fax 03.80.26.47.49 ☑ ⟁ 🕂 r.-v.

DOM. MARATRAY-DUBREUIL
Les Nagets 2001 ★

■	0,8 ha	3 500	⊞ 11 à 15 €

Maurice Maratray épousa la fille de Pierre Dubreuil et c'est ainsi que, petit à petit, on passa d'une entreprise de travaux publics à un domaine viticole. Le *climat* est situé tout en haut du coteau. Il donne un vin d'un rouge moyennement intense. Ses arômes ? La baie de genièvre et la chlorophylle. Cette sensation se prolonge en bouche. Si les tanins sont présents, ils n'apportent aucune amertume. Bon niveau.

🕏 Dom. Maratray-Dubreuil,
5, pl. du Souvenir, 21550 Ladoix-Serrigny,
tél. 03.80.26.41.09, fax 03.80.26.49.07,
e-mail maratray-dubreuil @ club-internet.fr ☑ 🕂 r.-v.

DOM. MARECHAL-CAILLOT
Côte de Beaune 2002 ★

■	1,81 ha	5 400	⊞ 11 à 15 €

« A boire au mariage de votre fille », suggère un dégustateur. Encore faut-il en avoir une dans les conditions requises... Cela dit, le rouge foncé est celui du gilet du marié et le bouquet très amoureux : jeune, expressif et tout en fruit. La bouche ne se préoccupe pas d'exploits. Ronde et souple, elle assure l'essentiel sur une ligne fruitée et quelque peu grillée. D'une bonne typicité, un vin flatteur.

🕏 Ghislaine et Bernard Maréchal-Caillot,
10, rte de Chalon, 21200 Bligny-lès-Beaune,
tél. 03.80.21.44.55, fax 03.80.26.88.21,
e-mail marechalcaillot @ aol.com ☑ ⟁ 🕂 r.-v.

DOM. PRINCE FLORENT DE MERODE
Les Chaillots 2002 ★

■	2,84 ha	6 000	⊞ 11 à 15 €

Les princes de Merode sont ici en leurs vignes depuis longtemps. Leur ladoix suggère à l'œil et au nez la violette, avec pour ce dernier des notes fumées et des nuances de fruits rouges. Ce millésime encore jeune se montre rigoureux : acidité et tanins l'emportent encore sur le fruit mais celui-ci est bien présent. Le mariage sera consommé dans trois ans.

🕏 Prince Florent de Mérode,
Ch. de Serrigny, 21550 Ladoix-Serrigny,
tél. 03.80.26.40.80, fax 03.80.26.49.37 ☑ ⟁ 🕂 r.-v.

DOM. CHRISTIAN PERRIN Les Joyeuses 2002

■ 1er cru	0,17 ha	900	⊞ 11 à 15 €

Contrairement à ce que nous avons écrit l'an dernier, les Joyeuses sont à Ladoix un *climat* bien reconnu en 1er cru. Elles se présentent ici sous un rubis éclatant. Leur bouquet de pain d'épice est très légèrement réglissé. En bouche, ce 2002 monte en puissance et redescend sur le fruit. On peut attendre un an ou deux avant de le servir à table, sur du canard par exemple.

🕏 Dom. Christian Perrin,
14, av. de Corton, 21550 Ladoix-Serrigny,
tél. 03.80.26.40.93, fax 03.80.26.48.40 ☑ ⟁ 🕂 r.-v.

DOM. JEAN PETITOT ET FILS
Côte de Beaune 2001 ★

■	0,62 ha	2 790	⊞ 8 à 11 €

Laissons-lui deux ans. Nathalie (l'œnologue) et son mari Hervé ont donné naissance à un 2001 d'une brillance

très réussie. L'œil perçoit des jambages fins et nombreux. Le nez demeure marqué par les treize mois de fût mais sans aucune agressivité, pas plus que parmi les tanins ou dans l'acidité. Equilibré, ce ladoix se goûte bien et semble disposé à franchir la barre dans un ou deux ans.

🕏 EARL Dom. Jean Petitot et Fils,
26, pl. de la Mairie, 21700 Corgoloin,
tél. 03.80.62.98.21, fax 03.80.62.71.64,
e-mail domaine.petitot @ wanadoo.fr
☑ ⟁ 🕂 t.l.j. sf dim. 8h-12h 13h30-19h

DOM. PRIN Les Joyeuses 2001

■ 1er cru	0,21 ha	1 300	⊞ 15 à 23 €

Heureux village qui possède parmi ses *climats* des Joyeuses et même des Coquines ! Plus facile à vendre que des Brouillards ou des Cercueils, ce qui existe ailleurs... Ces Joyeuses sont en effet d'un contact simple et direct, à déguster sans état d'âme. Suave, souple, durable sur le fruit et la cire d'abeille en finale. D'un rouge pivoine, elles ont le nez plutôt fin. Coup de cœur pour le millésime 98.

🕏 Dom. Prin, 12, rue de Serrigny, Cidex 10,
21550 Ladoix-Serrigny,
tél. 03.80.26.40.63, fax 03.80.26.46.16 ☑ ⟁ 🕂 r.-v.

ROUX PERE ET FILS 2002 ★

■	n.c.	n.c.	⊞ 11 à 15 €

Dans cette famille, la réussite est souvent au rendez-vous. Ainsi ce ladoix rouge cerise qui a le premier nez un peu paresseux, mais qui met ensuite les bouchées doubles : le bouquet réveillé évoque la framboise et la bouche assez veloutée sait offrir un rien de mâche dans un environnement fruité. A ne pas ouvrir avant un à deux ans.

🕏 Dom. Roux Père et Fils, 21190 Saint-Aubin,
tél. 03.80.21.32.92, fax 03.80.21.35.00,
e-mail roux.pere.et.fils@wanadoo.fr ☑ ⟁ 🕂 r.-v.

Aloxe-corton

Si l'on tient compte de la superficie classée en corton et corton-charlemagne, l'appellation aloxe-corton en occupe une faible part, sur la plus petite commune de la Côte de Beaune, et a produit en 2003, 3 770 hl de vin rouge et 19 hl de blanc. Les premiers crus y sont réputés : les Maréchaudes, les Valozières, les Lolières (grandes et petites) sont les plus connus.

La commune est le siège d'un négoce actif, et plusieurs châteaux aux magnifiques tuiles vernissées méritent le coup d'œil. La famille Latour y possède un superbe domaine dont il faut visiter la cuverie du siècle dernier, qui reste encore un modèle du genre pour les vinifications bourguignonnes.

ARNOUX PERE ET FILS 2002 ★★

■	0,8 ha	4 500	■ ⊞ ↓ 15 à 23 €

De belle facture, un vin qui sait mettre en valeur le fruit. Il rayonne et on aime ça. Grenat-vermillon, une nuance infinie, il joue sur la mûre, le cassis sur fond torréfié. Tanins et acidité s'équilibrent en bouche. Mais surtout ce goût de cerise qui demeure tout au long est si présent, si charmeur ! A boire dans les cinq ans lors d'une belle occasion.

Arnoux Père et Fils,
rue des Brenôts, 21200 Chorey-lès-Beaune,
tél. 03.80.22.57.98, fax 03.80.22.16.85 r.-v.

DOM. DE BRULLY Les Valozières 2001

■ 1er cru 0,5 ha 3 000 30 à 38 €

Situées juste en dessous des Bressandes, les Valozières n'ont pas à se plaindre du voisinage. Celles-ci portent une jolie parure et possèdent un nez de fruit mûr, épicé, qui demande à s'ouvrir. Le volume n'est pas considérable, mais on y trouve du gras et une jolie rétro, un équilibre bien conduit.

Dom. de Brully, 21190 Saint-Aubin,
tél. 03.80.21.32.92, fax 03.80.21.35.00,
e-mail roux.pere.et.fils@wanadoo.fr r.-v.
Christian Roux

DOM. CACHAT-OCQUIDANT ET FILS

Les Maréchaudes 2002 *

■ 1er cru 0,16 ha 880 15 à 23 €

Climat sur Aloxe côté Ladoix-Serrigny. Coup de cœur en 2000 pour le millésime 97. On est donc en pays de connaissance, pour un vin bien représentatif de l'appellation et de son année. De la couleur qui brille, un parfum généreux, un bon gras en bouche qui se poursuit sur des tanins passés par le rabot, équilibrés et longs.

Dom. Cachat-Ocquidant et Fils,
3, pl. du Souvenir, 21550 Ladoix-Serrigny,
tél. 03.80.26.45.30, fax 03.80.26.48.16 r.-v.

La côte de Beaune (Nord)

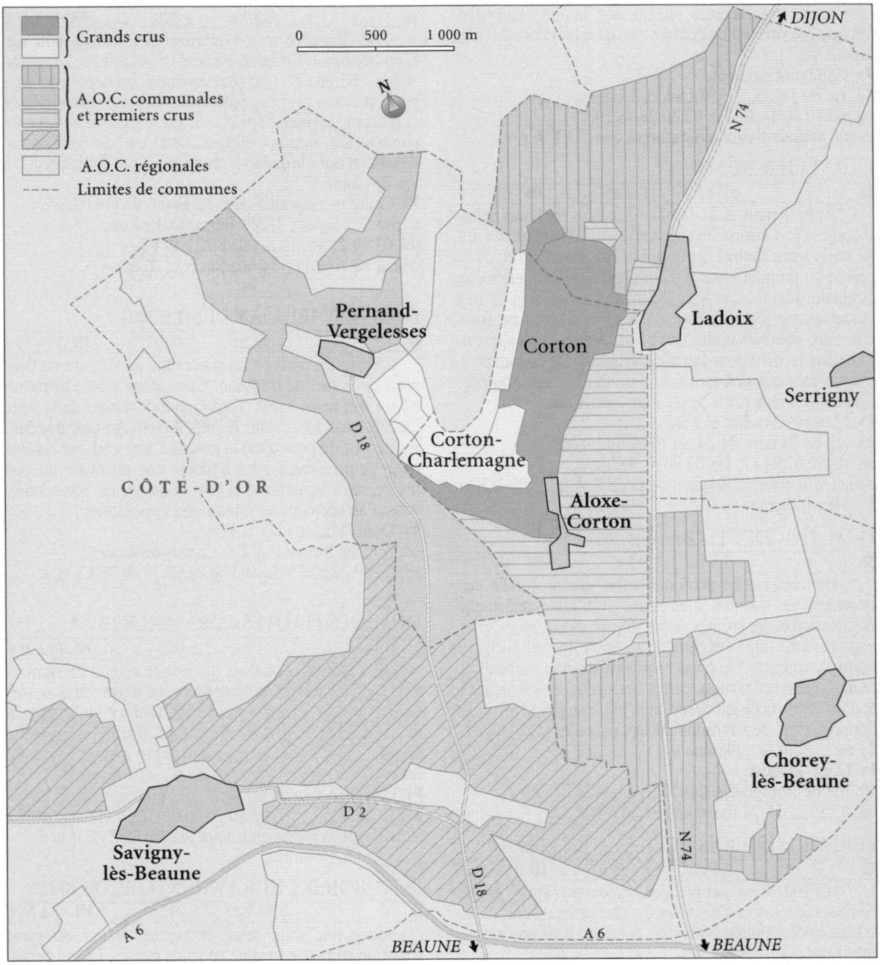

CAPITAIN-GAGNEROT Les Moutottes 2002 ★★

■ 1er cru	1,48 ha	6 000	ⅲ 15 à 23 €

« Loyauté fait ma force », telle est la devise de ce domaine qui vient de fêter son bicentenaire. C'est tout juste si on ne connaît pas ici chaque pied de vigne par son petit nom ! Ce 1er cru est d'un beau rubis. Son bouquet est partagé entre vanille, réglisse et fruits rouges. Cette sensation se prolonge dans une bouche équilibrée jusqu'à une finale très élégante offrant une bonne expression vineuse ; ce vin est d'un contact très agréable et promet une longue vie.
↱ Capitain-Gagnerot,
38, rte de Dijon, 21550 Ladoix-Serrigny,
tél. 03.80.26.41.36, fax 03.80.26.46.29,
e-mail contact@capitain-gagnerot.com ☑ ⵑ ⵌ r.-v.

CLAVELIER 2002 ★★

■	0,59 ha	1 200	ⅲ 11 à 15 €

Appartenant à la famille Thomas (à Nuits-Saint-Georges), la maison Clavelier a le respect de l'étiquette. La sienne n'a pas changé depuis un demi-siècle. Certes, on la repère au premier coup d'œil mais ce vin justifierait une étiquette adaptée au XXIᵉs. Rubis intense, il a le nez agréablement fourni (mûre, réglisse). L'attaque est franche. Sans doute les tanins très présents doivent-ils s'arrondir, mais la riche matière bien structurée et la longueur n'apportent que des certitudes : on tient là une bouteille superbe qui sera parfaite d'ici un à deux ans.
↱ Maison Clavelier et Fils,
49, rte de Beaune, N 74, 21700 Comblanchien,
tél. 03.80.62.94.11, fax 03.80.62.95.20,
e-mail vins.clavelier@wanadoo.fr ☑ ⵑ ⵌ t.l.j. 10h-18h30
↱ Henri Thomas

DOM. DOUDET Les Boutières 2002 ★★

■	0,5 ha	2 300	ⅲ 15 à 23 €

Une belle robe profonde rubis grenat habille ces Boutières au bouquet intéressant : un grillé nullement envahissant et des arômes de myrtille, de cassis. Sa superbe matière marie finesse et complexité. Seule une belle origine permet ce miracle. On est ici en présence d'une vinification remarquable (extraction, certes mais sans sur-extraction) et d'un vin de belle garde fort bien placé au grand jury. Ce domaine vient de s'agrandir de sept parcelles (5 ha). Coup de cœur pour le millésime 94.
↱ Dom. Doudet,
50, rue de Bourgogne, 21420 Savigny-lès-Beaune,
tél. 03.80.21.51.74, fax 03.80.21.50.69 ☑

BERNARD DUBOIS ET FILS Les Brunettes 2001

■	1,5 ha	9 400	ⅲ 15 à 23 €

Un 2001 léger, souple, conforme à son année et qui ne vous raconte pas d'histoires. La charpente est costaude, le fruit épicé, la finale assez vive. A mettre dans une bonne cave deux à trois ans.

↱ Bernard Dubois,
8, rue des Chobins, 21200 Chorey-lès-Beaune,
tél. 03.80.22.13.56, fax 03.80.24.61.43 ☑ ⵑ ⵌ r.-v.

DOM. FOLLIN-ARBELET Les Vercots 2001 ★

■ 1er cru	1 ha	4 500	ⅲ 15 à 23 €

Côté Pernand, ce *climat* réussit une belle percée grâce à une bouteille d'un excellent potentiel. D'une couleur classique, elle décline des arômes fauves : l'animal, le cuir. La bouche encore jeune, d'un goût cerisé, se montre assez tannique et demande à être aérée dans l'immédiat. Mais il serait plus sage de l'attendre trois à quatre ans : le pinot noir se révélera bien mieux. Notez aussi le **village 2001**, cité par le jury.
↱ Dom. Follin-Arbelet,
Les Vercots, 21420 Aloxe-Corton,
tél. 03.80.26.46.73, fax 03.80.26.43.32 ☑ ⵑ ⵌ r.-v.

DOM. DE LA GALOPIERE 2001 ★

■	0,8 ha	4 000	ⅲ 15 à 23 €

Ne demande qu'à s'ouvrir et fera un très bon vin. L'un de nos jurés résume la chose en ces termes. Un grand *village* ? Sûrement. Une robe éclatante, un nez qui délaisse peu à peu son fût pour passer à des choses plus sérieuses et intimes : le pain d'épice, la fraise... Charnu comme un aloxe-corton, sans astringence, voilà un bon compagnon de table et qui – le diable ! – ne manque pas d'élégance. Un vin de gibier.
↱ Claire et Gabriel Fournier, Dom. de la Galopière,
6, rue de l'Eglise, 21200 Bligny-lès-Beaune,
tél. 03.80.21.46.50, fax 03.80.21.49.93,
e-mail c.g.fournier@wanadoo.fr ☑ ⵑ ⵌ r.-v.

DOM. MICHEL GAY ET FILS 2001 ★

■	1,23 ha	5 000	ⅲ 11 à 15 €

Sébastien arrive ! La quatrième génération se tient prête en milieu de tradition. Cela donne pour l'heure un *village* très respectable. Tout le monde autour de la table l'admet sans discussion. A l'œil, il plaît. Au nez, il séduit, sur un peu de poivre, de la groseille, une certaine réserve riche de promesses... En bouche, une plénitude un peu sévère, mais la maturité et le volume ont un bon rendez-vous. Parfaitement au niveau de l'appellation.
↱ Dom. Michel Gay et Fils,
1b, rue des Brenôts, 21200 Chorey-lès-Beaune,
tél. 03.80.22.22.73, fax 03.80.22.95.78 ☑ ⵑ ⵌ r.-v.

DOM. DES HAUTES CORNIERES 2001 ★

■	1 ha	6 000	ⅲ 15 à 23 €

Il a toutes les qualités du monde en état naissant. Il a du fond et de la suite. Violet-noir, un aloxe (dites alosse) typé mûre-cassis qui vous récite tout ce qu'il sait. Il demande à s'ouvrir, à s'assouplir. Habituel en cette appellation. Verdict : pas avant trois à quatre ans de cave.
↱ Ph. Chapelle et Fils, Dom. des Hautes-Cornières,
21590 Santenay, tél. 03.80.20.60.09, fax 03.80.20.61.01,
e-mail contact@domainechapelle.com ☑ ⵑ ⵌ r.-v.

DOM. ROBERT ET RAYMOND JACOB 2002 ★

■	0,96 ha	5 972	ⅲ 15 à 23 €

Sous une robe dense et violine, le nez est plein d'entrain dans une tonalité de fruits rouges. D'une persis-

tance notable, le vin emplit bien la bouche et cède à une petite pointe de vivacité qui se porte garante de l'avenir. Chair et finesse, pas mal du tout !
☛ Dom. Robert et Raymond Jacob, hameau de Buisson, Cidex 20 bis, 21550 Ladoix-Serrigny, tél. 03.80.26.40.42, fax 03.80.26.49.34 ☑ ⵏ ⵜ r.-v.

DANIEL LARGEOT 2002 ★★

| ■ | 0,6 ha | 3 600 | ⅡⅡ 11 à 15 € |

Daniel Largeot a été rejoint par son fils aux vendanges 99 et tous deux signent ce vin de caractère. Haut en couleur (robe cerise noire), il a le nez encore fermé mais laissant deviner une matière phénoménale. Au palais : attaque très souple, beau milieu de bouche ample et équilibré, structure tannique bien dosée, finale goûteuse à souhait. Si l'on n'avait qu'un aloxe à choisir, ce serait celui-ci.
☛ Daniel Largeot, 5, rue des Brenôts, 21200 Chorey-lès-Beaune, tél. 03.80.22.15.10, fax 03.80.22.60.62 ☑ ⵏ r.-v.

MOILLARD 2002 ★

| ■ | n.c. | 20 000 | ▮Ⅱ⌁ 15 à 23 € |

Moillard rend une belle copie sur un sujet sans doute classique mais qui cette année n'est pas si facile à traiter. Rouge soutenu, à la limite du violet, la couleur est classique. Le bouquet hésite entre des notes de l'élevage et la fraîcheur spontanée de la griotte, une fraîcheur vive. La bouche est fruitée, persistante. Il faudra attendre trois ans.
☛ Moillard, 2, rue François-Mignotte, 21700 Nuits-Saint-Georges, tél. 03.80.62.42.22, fax 03.80.61.28.13, e-mail contact@moillard.fr ☑ ⵏ ⵜ t.l.j. 10h-18h; f. jan.

DOM. NUDANT Clos de la Boulotte 2001 ★

| ■ | 1,1 ha | 6 500 | ⅡⅡ 15 à 23 € |

Un beau domaine de 14,8 ha créé en 1947. Mais les ancêtres vignerons sont légion depuis le XVIIIᵉs. Rouge profond, pas trop brillant mais limpide, ce 2001 respire la fraise confite et le fût (douze mois). La bouche est encore très jeune. Bien construite, elle a de la réserve et s'affirmera dans deux ou trois ans.
☛ Dom. Nudant, 11, RN 74, 21550 Ladoix-Serrigny, tél. 03.80.26.40.48, fax 03.80.26.47.13, e-mail domaine.nudant@wanadoo.fr ☑ ⵏ r.-v.

LA MAISON PAULANDS 2002 ★

| ■ | n.c. | n.c. | ⅡⅡ 15 à 23 € |

Un vignoble, un négoce, un hôtel trois étoiles, un restaurant, la maison Paulands a quatre mains à l'ouvrage.

Son aloxe *village* brille comme il faut. Le nez a besoin d'un peu d'aération pour s'épanouir au-delà du végétal et de l'alcool. La bouche ronde et souple, fine et fruitée, laisse le terroir s'exprimer.
☛ Caves des Paulands, BP 12, RN 74, 21420 Aloxe-Corton, tél. 03.80.26.41.05, fax 03.80.26.47.56, e-mail paulands@wanadoo.fr ☑ ⵏ ⵜ t.l.j. 8h-12h 14h-18h; f. 20 déc.-10 jan.
☛ C. Fasquel

DOM. DU PAVILLON
Clos des Maréchaudes 2001 ★

| ■ 1er cru | 1,41 ha | 8 000 | ⅡⅡ 30 à 38 € |

La famille Bichot a fait son nid ici, en cette très belle propriété historique de Pommard. Aloxe n'est guère éloigné... On savoure ce Clos des Maréchaudes, monopole. Robe cerise noire, bouquet entre le toasté et le fruit confit, bouche bien claire, ferme en finale : bien constitué, structuré et solide, un vin de garde (dans les trois ans).
☛ Dom. du Pavillon, 6 bis, bd Jacques-Copeau, 21200 Beaune, tél. 03.80.24.37.37, fax 03.80.24.37.38
☛ A. Bichot

DOM. POULLEAU PERE ET FILS 2002 ★

| ■ | 0,26 ha | 1 500 | ⅡⅡ 15 à 23 € |

Il s'apparente davantage au style vin de plaisir qu'à la garde un peu guindée normalement attendue du cru. Rubis pourpre, la robe est aguichante. Le nez très expressif, fruité comme il n'est pas permis. Le bois n'écrase pas le fruit. Généreuse et mûre, la bouche est assez explosive et d'une femme... savante. La longueur s'achève sur une pointe de finesse. Fraîcheur ? On la suit à la trace du début à la fin. Le tout très flatteur.
☛ Dom. Poulleau Père et Fils, rue du Pied-de-la-Vallée, 21190 Volnay, tél. 03.80.21.26.52, fax 03.80.21.64.03, e-mail domaine.poulleau@wanadoo.fr ☑ ⵏ ⵜ r.-v.

DOM. RAPET PERE ET FILS 2002 ★

| ■ | 3 ha | 12 000 | ⅡⅡ 15 à 23 € |

Pas d'une folle concentration, mais d'une gentillesse extrême, ce vin rond, élégant, attrayant et sachant vous conduire en un recoin de bonheur : le noyau de cerise. Le rubis est brillant, le nez pas trop prononcé dans un premier temps, puis faisant dans la cerise. Pas beaucoup de gras ? mais c'est de la soie sur les lèvres ! Un vin bien mené et qui s'épanouira, n'en doutez pas. Si vous passez par Pernand, visitez la nouvelle cuverie bâtie en 2003.
☛ Dom. Rapet Père et Fils, 21420 Pernand-Vergelesses, tél. 03.80.21.59.94, fax 03.80.21.54.01 ☑ ⵏ ⵜ r.-v.

DOM. GEORGES ROY ET FILS 2001 ★★

| ■ | 0,5 ha | 2 500 | ⅡⅡ 11 à 15 € |

Un vin très entier. Il domine largement son sujet. D'une teinte cerise légèrement ocrée, il assemble des arômes variés. La pivoine, le pruneau, la framboise nous disent les dégustateurs. Des arômes qui tiennent bon par la suite, sur un fruit mûr tenace. Léger fût mais associé au velouté d'une bouche longue, profonde...
☛ Dom. Georges Roy et Fils, 20, rue des Moutots, 21200 Chorey-lès-Beaune, tél. 03.80.22.16.28, fax 03.80.24.76.38 ☑ ⵏ ⵜ r.-v.

Pernand-vergelesses

Situé à la réunion de deux vallées, exposé plein sud, le village de Pernand est sans doute le plus « vigneron » de la Côte. Rues étroites, caves profondes, vignes de coteaux, hommes de grand cœur et vins subtils lui ont fait une solide réputation, à laquelle de vieilles familles bourguignonnes ont largement contribué. En 2002, on a produit 4 051 hl de vins rouges dont le premier cru le plus réputé, à juste titre, est l'Ile des Vergelesses, tout en finesse ; et aussi d'excellents vins blancs (2 059 hl).

DOM. LUDOVIC BELIN Sous Frétille 2002

	1er cru	0,25 ha	1000		11 à 15 €

Si le domaine est récent, les vignes ont déjà près de quarante ans. Aussi ce 2002 a-t-il des atouts. Sous une robe légère et de printemps, le nez promet beaucoup. Aérien comme une montgolfière, sur le minéral, peut-être un peu de résine, certainement un boisé assez persistant que l'on retrouve fortement en bouche. D'un style original, très particulier, ce vin est destiné aux amateurs de curiosités et si la conversation flanche à table, elle va rebondir. Attendre cependant que le fût se fonde (deux ans ?).
⌐ Dom. Ludovic Belin,
Les Combottes, 21420 Pernand-Vergelesses,
tél. 03.80.22.77.51, e-mail belin.ludovic@wanadoo.fr
☑ ⵦ ⵏ r.-v.

CHAMPY PERE ET CIE 2001

		n.c.	6 300		15 à 23 €

La doyenne (authentique) de toutes les maisons de négoce-éleveur bourguignon n'a pris aucune ride. La famille Meurgey la traite avec grand soin depuis sa reprise il y a quinze ans. L'or paille ne surprend pas. Le nez ? Un ange passe et n'insiste pas, sur le silex et le fruit. La maturité s'exprime ensuite toutes voiles dehors, n'oubliant pas une acidité garante d'équilibre. On ouvrira cette bouteille dans l'année. Elle est prête pour accompagner le poisson du dimanche.
⌐ Maison Champy,
5, rue du Grenier-à-Sel, 21200 Beaune,
tél. 03.80.25.09.99, fax 03.80.25.09.95 ☑ ⵦ ⵏ r.-v.

DOM. CHANDON DE BRIAILLES
Les Vergelesses 2001 ★

	1er cru	1 ha	3 000		15 à 23 €

À 4 km de Beaune, ce domaine de 13,5 ha consacre plus d'un hectare à un très beau jardin à la française. D'un beau rubis bourguignon, ce vin arbore un nez expressif de cassis et fruits rouges. Corps, volume, fruit sont à la hauteur d'un 1er cru : un beau résultat dans le millésime. Bouteille à déboucher en 2005 ou dans quelques années pour accompagner un lapin.
⌐ Dom. Chandon de Briailles,
1, rue Sœur-Goby, 21420 Savigny-lès-Beaune,
tél. 03.80.21.52.31, fax 03.80.21.59.15,
e-mail contact@chandondebriailles.com ☑ ⵦ ⵏ r.-v.
⌐ de Nicolay

DOM. CHARACHE-BERGERET
Les Plantes des Champs et Combottes 2002

	1,5 ha	4 000		11 à 15 €

« Bienfaisante l'alchimie qui permet à nos racines de puiser la matière du monde... » Il est rare qu'une étiquette comporte un chant aussi lyrique. Pour honorer un 2002 or pâle brillant et fleurant bon l'écorce d'orange sous envoi grillé. La bouche est heureusement plus libérée du fût, mûre et équilibrée, assez chaude sur la fin. Le domaine prépare sûrement pour 2006 son trentenaire.
⌐ René Charache-Bergeret,
chem. de Dière, 21200 Bouze-lès-Beaune,
tél. 03.80.26.00.86, fax 03.80.26.00.86,
e-mail bourgogne-charache.bergeret@wanadoo.fr
☑ ⵦ ⵏ r.-v.

CHARTRON ET TREBUCHET 2001 ★

		2,2 ha	10 000		15 à 23 €

Un pernand à la robe claire, au nez assez riche et déjà ouvert. La bouche évoque le silex selon des modalités vives qui engagent à l'attendre ! Combien de temps ? De deux à trois ans. Coup de cœur pour le millésime 94.
⌐ Chartron et Trébuchet,
13, Grande-Rue, 21190 Puligny-Montrachet,
tél. 03.80.21.32.85, fax 03.80.21.36.35
☑ ⵦ t.l.j. 10h-12h 14h-18h; f. fin nov.-mi-mars

DOM. MARIUS DELARCHE Les Vergelesses 2001

	1er cru	0,78 ha	4 250		11 à 15 €

Peu de puissance mais une sorte de finesse et une honnête fin de bouche. Rubis clair, le nez moyennement expressif (plutôt fruits rouges), un 2001 plus pernand que vergelesses mais qui tient sa place à table sur un poulet rôti de Bresse, évidemment. Ce domaine comporte des vignes Moine, famille maternelle de Philippe Delarche, sur un total de 8,1 ha.
⌐ Dom. Delarche,
rue Jacques-Copeau, 21420 Pernand-Vergelesses,
tél. 03.80.21.57.70, fax 03.80.21.58.96,
e-mail philippe.delarche@wanadoo.fr ☑ ⌂ ⵦ ⵏ r.-v.

DOM. DENIS PERE ET FILS 2002 ★

		0,8 ha	3 600		11 à 15 €

Roland et Christophe Denis sont frères et exploitent ce domaine familial de 12,5 ha. Leur village est d'un or soutenu. Au nez, sa jolie maturité sans lourdeur a des accents de pierre à fusil. Bien typé pernand, il n'est pas trop boisé. Il entre en bouche comme s'il voulait vous faire plaisir. Au-delà de cette rondeur, il y a une concentration suffisante. Le 1er cru Sous Frétille blanc 2002, est également dans le sujet (une étoile), même s'il est encore un peu réservé.
⌐ Dom. Denis Père et Fils,
chem. des Vignes-Blanches, 21420 Pernand-Vergelesses,
tél. 03.80.21.50.91, fax 03.80.26.10.32,
e-mail denis.pere-et-fils@wanadoo.fr ☑ ⵏ r.-v.

DOM. P. DUBREUIL-FONTAINE PERE
ET FILS Ile des Vergelesses 2002 ★★

	1er cru	0,57 ha	3 000		15 à 23 €

On fait toujours escale avec plaisir sur l'Ile des Vergelesses... Celle-ci offre au regard un décor grenat aux reflets carmin, véritable velours pour les yeux. Le bouquet où se mêlent le pruneau et l'iris intéresse. En entrée de bouche, l'étoffe est moelleuse, le fruit pulpeux. S'il est un peu sec par la suite, c'est qu'il sort du fût. Toutes les grâces lui sont promises d'ici quelques années. Le **village 2002 rouge (8 à 11 €)** ne manque pas d'agrément lui non plus et obtient une étoile.

🔑 Dom. Dubreuil-Fontaine,
rue Rameau-Lamarosse, 21420 Pernand-Vergelesses,
tél. 03.80.21.55.43, fax 03.80.21.51.69 ☒ 🍷 🚶 r.-v.

DOM. JEAN FERY ET FILS 2001

■ 1er cru 0,41 ha 2 200 🛢 15 à 23 €

« C'est la nuit qu'il est beau de croire en la lumière » et ce vers de Rostand illustre admirablement la robe de ce pernand 1er cru. Mûre, cassis, le bouquet s'en tient à des arômes confirmés. L'attaque est franche, débusquant bientôt le fruit rouge, la framboise pour tout dire. Le boisé est judicieux, la finale plus agréable que le petit creux du milieu, les tanins assez présents mais non gênants.

🔑 Dom. Jean Fery et Fils, 21420 Echevronne,
tél. 03.80.21.59.60, fax 03.80.21.59.59,
e-mail fery.meunier@wanadoo.fr ☒ 🏠 🍷 🚶 r.-v.

DOM. ANTONIN GUYON Sous Frétille 2002 *

□ 1er cru 1,13 ha 6 000 🛢 15 à 23 €

Ce nouveau 1er cru donne un chardonnay pour volaille à la crème. La robe est d'une discrétion sensible et de bon ton. Le bouquet un peu beurré, délicat, vanillé comme beaucoup de nos jours. La bouche ne donne pas encore tout ce qu'elle sait, mais une acidité de qualité la porte expressément. Finesse et joliesse.

🔑 Dom. Antonin Guyon, 21420 Savigny-lès-Beaune,
tél. 03.80.67.13.24, fax 03.80.66.85.87,
e-mail vins@guyon-bourgogne.com ☒ 🍷 🚶 r.-v.

LOUIS JADOT

Clos de la Croix de Pierre En Caradeux 2001 **

■ 1er cru n.c. n.c. ▮ 🛢 15 à 23 €

L'un des meilleurs. Une robe tout en profondeur, pourpre à reflets légèrement roses qui nous changent du violacé. Au nez, cela sent la ronce, la terre, de façon un peu fauve. Pas de creux en milieu de bouche, bien au contraire. Souple mais sans mollesse, solide sans excès, d'un fruit généreux, il est tendre et soyeux. Ce Clos de la Croix de Pierre fait partie du 1er cru En Caradeux dont le nom est – il est vrai – moins poétique...

🔑 Maison Louis Jadot,
21, rue Eugène-Spuller, 21200 Beaune,
tél. 03.80.22.10.57, fax 03.80.22.56.03,
e-mail contact@louisjadot.com 🍷 🚶 r.-v.

DOM. JAFFELIN PERE ET FILS

Clos de Bully 2001 *

■ 0,5 ha 2 650 ▮ 🛢 8 à 11 €

Coup de cœur l'an dernier pour le Creux de la Net 2000, ce domaine attire l'attention. D'autant que cette bouteille n'est pas à renvoyer ! Bien vêtue et d'une limpidité parfaite, elle sait faire la part des choses entre le fût et le fruit. On débute en bouche sur la fraise écrasée et la suite donne envie d'en reboire tant le corps est soyeux et long. Pour le gigot d'agneau.

🔑 Roger Jaffelin et Fils, 21420 Pernand-Vergelesses,
tél. 03.80.21.52.43, fax 03.80.26.10.39
☒ 🍷 🚶 t.l.j. 9h-12h 14h-19h; dim. sur r.-v.

DOM. FRANCOISE JEANNIARD

Vieilles Vignes 2002

■ 0,36 ha 890 🛢 11 à 15 €

Rouge rubis soutenu, ce vin a le nez frais, assez jeune, donc pas très ouvert, entre la vanille et la mûre, la feuille morte. Après une attaque tendre et souple, il montre une légère nervosité qui n'enlève rien à un corps léger et friand. A consommer maintenant et sur son fruit. Une jolie petite cave voûtée contribue au charme de la dégustation si l'on se rend au domaine minuscule (2,45 ha) mais aimable comme tout.

🔑 Dom. Françoise Jeanniard,
rue de Pralot, 21420 Pernand-Vergelesses,
tél. 06.84.22.79.12, fax 03.80.26.54.92,
e-mail francoise.arpaillanges@wanadoo.fr ☒ 🍷 🚶 r.-v.

DOM. MICHEL JOANNET 2001 *

■ 1,5 ha 3 000 🛢 11 à 15 €

Ah ! la patine du temps... Rouge carmin à reflets vieux rose, celui-ci sait se présenter au monde. Le bouquet ne tergiverse pas : il ne connaît rien d'autre que la framboise et s'il s'entête il n'est pas entêtant. Le premier contact physique est frais, fruité, la matière bien en place et en phase avec le millésime. Si les tanins sont un peu verts, c'est qu'il faudra savoir attendre trois à quatre ans cette fameuse patine du temps.

🔑 Dom. Michel Joannet,
Grande-Rue, 21700 Marey-lès-Fussey,
tél. 03.80.62.90.58, fax 03.80.62.90.58 ☒ 🍷 🚶 r.-v.

DOM. LALEURE-PIOT Ile des Vergelesses 2002 **

■ 1er cru 0,5 ha 3 000 🛢 15 à 23 €

Nous avons aimé deux bouteilles : le **village blanc 2002 (11 à 15 €)**, une étoile. Et puis cette Ile des Vergelesses, coup de cœur au millésime 96, qui ne se laisse pas facilement oublier. La robe est sombre, accentuée pour un pinot, mais le bouquet montre un parfait équilibre entre la cerise noire et la vanille. Au palais, il est d'une tenue merveilleuse avec ce qu'il faut d'acidité, beaucoup de séduction et cette constitution qui lui apportera davantage de complexité au fil du temps.

🔑 Dom. Laleure-Piot, rue de Pralot,
21420 Pernand-Vergelesses, tél. 03.80.21.52.37,
fax 03.80.21.59.48, e-mail infos@laleure-piot.com
☒ 🍷 🚶 t.l.j. 8h-12h 14h-18h; sam. dim. sur r.-v.

JEAN-PHILIPPE MARCHAND 2002 *

■ n.c. n.c. 🛢 8 à 11 €

L'attaque voit les choses en grand : de l'ampleur et de la plénitude. Les tanins encore robustes apportent une légère amertume et cela n'a rien d'étonnant à cet âge. Ce vin d'assez bonne garde (dans les deux à trois ans) a des vertus. Plus violet que rouge, cerisé, tirant sur l'épice douce (venue du fût) et la prunelle, il n'inspire pas l'indifférence et on le croit apte à étonner un peu.

🔑 Jean-Philippe Marchand,
4, rue Souvert, BP 41, 21220 Gevrey-Chambertin,
tél. 03.80.34.33.60, fax 03.80.34.12.77,
e-mail marchand@axnet.fr ☒ 🍷 🚶 r.-v.

DOM. PAVELOT 2002 *

□ 0,7 ha 3 200 🛢 11 à 15 €

Beau *village* où l'on sent toute l'âme de Pernand, le souvenir des Copiaus dans une mise en scène vigoureuse : décor or jaune, parfum de raisin, de lys très marqué. Le gras et l'acidité se font mutuellement d'utiles concessions.

C'est relativement long et citronné en finale. Sur votre carnet n'oubliez pas **Sous Frétille 2002 blanc (15 à 23 €)**, inévitable depuis sa promotion en 1er cru. Mais attention au bois : il faut lui laisser le temps de se fondre (deux ans ?) avant de lui offrir une bouchée à la reine.

🔑 EARL Dom. Régis et Luc Pavelot,
rue du Paulant, 21420 Pernand-Vergelesses,
tél. 03.80.26.13.65, fax 03.80.26.13.65,
e-mail earl.pavelot@cerb.cernet.fr ☑ 🍸 🚶 r.-v.

RAPET PERE ET FILS Ile des Vergelesses 2002 ★

■ 1er cru 0,65 ha 3 000 🛢 **15 à 23 €**

Nouvelle cuverie en 2003, mais cette famille vigneronne se perd dans la nuit des temps bourguignons. Voici une île très abordable : la plage est d'un joli rouge intense tirant sur le grenat et la vague porte des effluves de vanille, de cerise noire. Le nez se prépare à la douceur. La bouche est veloutée sur un fruit discret, puis les tanins font leur retour pour signer la jeunesse de ce vin qui devrait se faire d'ici deux à trois ans. Quant au **1er cru Les Vergelesses 2002 rouge**, il est marqué par une forte extraction et devra vieillir. Il obtient une citation.

🔑 Dom. Rapet Père et Fils,
21420 Pernand-Vergelesses,
tél. 03.80.21.59.94, fax 03.80.21.54.01 ☑ 🍸 🚶 r.-v.

DOM. ROLLIN PERE ET FILS
Sous Frétille 2002 ★★

□ 1er cru 0,4 ha 2 300 🛢 15 à 23 €

« Qui voit Pernand n'est pas dedans », dit-on parfois. Là, on est en plein dedans ! Classé en 1er cru à partir de la récolte 2000, ce *climat* est très à l'honneur cette année. Coup de cœur dans le Guide 1996, Rollin Père et Fils nous livre un vin fin et distingué, mais aussi riche et opulent, porté en rétro sur le fruit à noyau. Son grillé reste raisonnable. Notez encore un excellent **village 2002 blanc (11 à 15 €)** qui obtient une étoile.

🔑 Rollin Père et Fils,
rte des Vergelesses, 21420 Pernand-Vergelesses,
tél. 03.80.21.57.31, fax 03.80.26.10.38 ☑ 🍸 🚶 r.-v.

DOM. NICOLAS ROSSIGNOL 2001 ★

□ 0,15 ha 600 🛢 **11 à 15 €**

Nicolas Rossignol est à la barre depuis 1997 mais il n'est plus tout à fait un débutant. Très agréable, son 2001 porte haut la couleur d'un vin jeune et un bouquet aux émois boisés et aux accents d'orange confite. Equilibré, gras et long, déjà de belle maturité, il est donc à boire maintenant.

🔑 Nicolas Rossignol, rue de Mont, 21190 Volnay,
tél. 03.80.21.62.43, fax 03.80.21.27.61,
e-mail rossignolnic@aol.com ☑ 🍸 🚶 r.-v.

DOM. JEAN-LOUIS ZECCHINI 2002

■ 0,9 ha 4 500 🛢 **8 à 11 €**

Vin encore très jeune, ayant besoin de temps pour assimiler le bois et les tanins : il en est tout à fait capable car le potentiel est fécond. Rouge violacé et limpide, il a un nez boisé, brûlé. La bouche ample, charpentée, ouvre des perspectives qui ne devraient pas décevoir. N'y touchez pas trop tôt.

🔑 Dom. Zecchini,
chemin-rural n° 29, 21700 Magny-lès-Villers,
tél. 03.80.62.42.00, fax 03.80.61.28.13,
e-mail nuicave@wanadoo.fr ☑ 🍸 🚶 t.l.j. 10h-18h; f. jan.

Corton

La « montagne de Corton » est constituée, du point de vue géologique et donc du point de vue des sols et des types de vins, de différents niveaux. Couronnées par le bois qui pousse sur les calcaires durs du rauracien (oxfordien supérieur), les marnes argoviennes laissent apparaître des terres blanches propices aux vins blancs (sur plusieurs dizaines de mètres). Elles recouvrent la « dalle nacrée » calcaire en plaquettes, avec de nombreuses coquilles d'huîtres de grande dimension, sur laquelle ont évolué des sols bruns propices à la production de vins rouges.

Le nom du lieu-dit est associé à l'appellation corton, qui peut être utilisée en blanc, mais est surtout connue en rouge. Les Bressandes sont produits sur des terres rouges et allient à la puissance la finesse que leur confère le sol. En revanche, dans la partie haute des Renardes, des Languettes et du Clos du Roy, les terres blanches donnent en rouge des vins charpentés qui, en vieillissant, prennent des notes animales, sauvages, que l'on retrouve dans les Mourottes de Ladoix. Le corton est le grand cru le plus important en volume : sur une centaine d'hectares il a produit 3 559 hl en rouge et 271 hl en blanc en 2002 et 2 510 hl en rouge et 92 hl en blanc en 2003.

BERTRAND AMBROISE Le Rognet 2002 ★★

■ Gd cru n.c. n.c. **38 à 46 €**

Le Rognet (il s'appelle en réalité Le Rognet et Corton) est le plus indiscutable des *climats* du grand cru sur Ladoix, le premier à avoir été reconnu comme corton lors des jugements des années 1930 qui précédèrent les AOC. Finaliste du grand jury, ce vin rubis très sombre, vanillé sur pain d'épice, plein d'élan en bouche, est généreux comme un corton sait l'être, quelque peu animal. Encore fermement tannique, il demande à dormir en cave.

🔑 Maison Bertrand Ambroise,
rue de l'Eglise, 21700 Premeaux-Prissey,
tél. 03.80.62.30.19, fax 03.80.62.38.69,
e-mail bertrand.ambroise@wanadoo.fr ☑ 🍸 🚶 r.-v.

DOM. D'ARDHUY Hautes Mourottes 2002 ★

■ Gd cru 0,63 ha 3 000 🛢 23 à 30 €

Le domaine de la famille Liogier d'Ardhuy qui a cédé sa Reine Pédauque. Les Hautes Mourottes se situent au sommet de la « montagne », sans doute le *climat* le plus masculin. Et de fait, nous sommes en présence d'un vin mâle, vineux et tannique, persistant. Il n'est pas parvenu à maturité – et c'est la règle à cet âge. Le fond est bon. Rubis à reflets violacés, il campe sur des arômes de terre sauvage et de petits fruits rouges sur fond toasté. Le garder trois à quatre ans dans une bonne cave.

🔑 Dom. d'Ardhuy,
Clos des Langres, 21700 Corgoloin, tél. 03.80.62.98.73,
fax 03.80.62.95.15, e-mail domaine.ardhuy@wanadoo.fr
☑ 🍸 🚶 t.l.j. sf dim. 8h-12h 14h-18h
🔑 M. Liogier d'Ardhuy

ARNOUX PERE ET FILS Rognet 2002

■ Gd cru 0,33 ha 1 500 ▮ 🛢 🌡 30 à 38 €

82 83 |89| |90| |91| 92 97 |98| 99 00 01 02

« Je ne puis souffrir d'autre vin », écrivait Voltaire au châtelain d'Aloxe dont il courtisait l'épouse et dont Greuze fit un très joli pastel. Il est vrai que le corton s'accorde bien à la passion. Noir profond, ce 2002 se partage entre un boisé subtil et un fruit discret. Dégusté ici très jeune encore, il doit apaiser sa vigueur, mais l'architecture est élégante.

⊶ Arnoux Père et Fils,
rue des Brenôts, 21200 Chorey-lès-Beaune,
tél. 03.80.22.57.98, fax 03.80.22.16.85 ☑ Y 🚶 r.-v.

DOM. HENRI ET GILLES BUISSON
Le Rognet-et-Corton 2001

■ Gd cru 0,33 ha 1 800 🛢 23 à 30 €

Il scintille comme des escarboucles. Car, si vous l'avez oublié, l'escarboucle est la couleur rouge grenat que l'on rencontre parfois en minéralogie. Son bouquet a besoin d'un brin d'air libre pour s'affirmer. On sent le corps riche et concentré. Doux et rond au départ, il est ensuite austère, un peu sévère dans son expression aromatique. Ses tanins restent dans la norme autorisée. Sans être un stradivarius, il nous joue cependant un morceau assez plaisant.

⊶ Dom. Henri et Gilles Buisson,
imp. du Clou, 21190 Saint-Romain,
tél. 03.80.21.27.91, fax 03.80.21.64.87,
e-mail contact@domaine.buisson.com ☑ 🏠 Y 🚶 r.-v.
⊶ Gilles Buisson

DOM. MARGUERITE CARILLON
Les Maréchaudes 2002 ★

■ Gd cru 1,5 ha 4 000 🛢 23 à 30 €

Lors des discussions préalables aux AOC on avait pensé exclure Les Maréchaudes du bénéfice du mot Corton. Puis on l'y associa. On eut raison car ce vin couleur griotte à reflets mauves est doublement intéressant : au nez (sous-bois, fougère mais aussi le fruit rouge à noyau) et en bouche (une constitution équilibrée, fruitée). A ouvrir dans deux ou trois ans.

⊶ Dom. Marguerite Carillon, 7, rte de Monthélie,
21190 Meursault, tél. 03.80.21.22.45, fax 03.80.21.28.05

CHEVALIER PERE ET FILS Rognet 2002 ★

■ Gd cru 1,16 ha 3 000 🛢 30 à 38 €

Constitué en 1885, ce domaine de 12 ha est resté familial. Rouge sombre, comme un charbon ardent, ce grand cru a des reflets framboisés qui montrent toutefois sa sensibilité. Délicat, le boisé reste sur la finesse alors que le fruit pointe son nez. Charnu à l'attaque, structuré à l'analyse, ce corton prend son envol en bouche, comme si la langue lui servait de piste de décollage. Long-courrier évidemment !

⊶ SCE Chevalier Père et Fils,
Buisson, 21550 Ladoix-Serrigny,
tél. 03.80.26.46.30, fax 03.80.26.41.47,
e-mail ladoixch@club-internet.fr ☑ Y 🚶 r.-v.

DOM. CORNU 2001

■ Gd cru 0,61 ha 3 000 🛢 30 à 38 €

La chanson doit beaucoup à ce corton. Grand-père de ce viticulteur, Alexandre Cornu expédiait en effet chaque année un quartaut (57 l) à un client célèbre : Maurice Chevalier. Robe vive, fruité et légèrement toasté, ce 2001 est agréable, équilibré. Sa finale encore astringente doit s'affiner avec le temps, d'autant que le vin peut tenir d'aplomb quelques années.

⊶ Dom. Claude Cornu,
rue du Meix-Grenot, 21700 Magny-lès-Villers,
tél. 03.80.62.92.05, fax 03.80.62.72.22 ☑ Y 🚶 r.-v.

DOM. DOUDET Maréchaudes Vieille Vigne 2002 ★★

■ Gd cru 0,6 ha 2 625 🛢 30 à 38 €

Un grand cru riche et harmonieux, rouge griotte soutenu, mariant agréablement les arômes de fruits rouges, de sous-bois et de champignon. Une charpente cistercienne abrite un corps légèrement suave, d'une plénitude accomplie. Les tanins sont souples, le boisé bien fondu. Un vin presque à maturité, qu'on savourera dans les deux à trois ans.

⊶ Dom. Doudet,
50, rue de Bourgogne, 21420 Savigny-lès-Beaune,
tél. 03.80.21.51.74, fax 03.80.21.50.69 ☑
⊶ Yves Doudet

DOM. P. DUBREUIL-FONTAINE PERE ET FILS Bressandes 2001

■ Gd cru 0,63 ha 2 600 🛢 23 à 30 €

Pinot vermeil comme au temps des grands ducs, des Bressandes 2001 aux senteurs épicées, fruitées aux entournures. Soyeuse et ronde, la bouche a quelque chose d'un nid douillet. Un peu léger, mais on le trouve calé sur une bonne longueur et sans trop d'effet tannique. A boire dans les deux ans.

⊶ Dom. Dubreuil-Fontaine,
rue Rameau-Lamarosse, 21420 Pernand-Vergelesses,
tél. 03.80.21.55.43, fax 03.80.21.51.69 ☑ Y 🚶 r.-v.

CLOS DES CORTONS FAIVELEY 2001 ★

■ Gd cru 3,01 ha 12 400 🛢 46 à 76 €

85 86 88 89 |90| 94 |(95)| 96 97 98 99 00 01

Coup de cœur dans notre édition 1999, le Clos des Cortons est une dénomination ancienne, depuis 1864 à tout le moins. En 1930, le tribunal de Dijon lui adjoignit le nom du propriétaire. Rare exemple dans la Côte d'un grand cru identifié à une famille vivante (Corton-Grancey est un nom d'usage et non une AOC, et la race des Conti s'est éteinte il y a deux siècles). Rubis foncé, ce 2001 passe du balsamique à la mûre sans quitter sa monture. Encore sur la réserve, il demeure marqué par les tanins, rentrant de la chasse la gibecière bien remplie. Typé, il attendra 2007 ou 2008 pour l'élégance.

⊶ Bourgognes Faiveley,
8, rue du Tribourg, 21700 Nuits-Saint-Georges,
tél. 03.80.61.04.55, fax 03.80.62.33.37,
e-mail info@bourgognes-faiveley.com ☑ r.-v.

DOM. MICHEL GAY ET FILS Renardes 2001 ★

■ Gd cru 0,22 ha 1000 🛢 23 à 30 €

Parcelle acquise en 1984 : ce domaine posait alors le pied dans le grand cru. Ce sont en Bourgogne des événements. La robe est ici très marquée. Le bouquet n'est pas seulement vanillé : il offre une jolie nuance pivoine. L'attaque se déroule en fanfare, sans trop d'acidité, avec une matière solide, des tanins assez fins et une finale sur la cerise. Bien vinifié, ce 2001 garde de la fraîcheur. On l'ouvrira dans trois ans.

⊶ Dom. Michel Gay et Fils,
1b, rue des Brenôts, 21200 Chorey-lès-Beaune,
tél. 03.80.22.22.73, fax 03.80.22.95.78 ☑ Y 🚶 r.-v.

DOM. ANTONIN GUYON Clos du Roi 2001

■ Gd cru   0,55 ha   2 700   ▥ 30 à 38 €

Le Clos du Roi est une authentique vigne ayant appartenue à la Couronne depuis 1500 jusqu'à la Révolution. Rouge cassis, bouqueté à la fraise puis évoluant vers le cuir, un vin qui lance une attaque massive bien épaulée par l'acidité. Saveurs tanniques et réglissées, petite note de sécheresse mais honnête et à déguster dans deux à trois ans. On peut aussi choisir **Les Bressandes 2001** : un vin de retour de chasse dont le millésime 2000 fut l'un des rares trois étoiles du Guide, l'an dernier.

⌐ Dom. Antonin Guyon, 21420 Savigny-lès-Beaune, tél. 03.80.67.13.24, fax 03.80.66.85.87, e-mail vins@guyon-bourgogne.com ☑ ⏀ ⋏ r.-v.

DOM. LALEURE-PIOT Bressandes 2002 ★★

■ Gd cru   0,21 ha   1000   ▥ 30 à 38 €

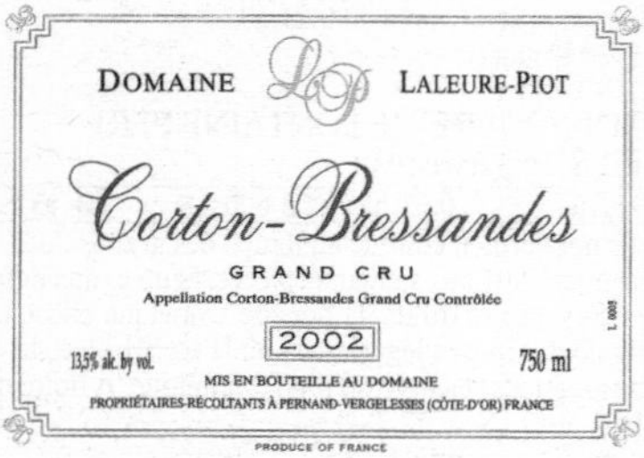

Le meilleur, déjà coup de cœur pour le millésime 98. Cette bouteille est dans les secrets des dieux. Sa robe profonde, son bouquet de cerise confite aux accents épicés et sauvages constituent l'heureux prologue d'un corps charpenté, corsé mais aussi soyeux à la façon des Bressandes. Quelle complexité ! Superbe, il culminera d'ici cinq à dix ans.

⌐ Dom. Laleure-Piot, rue de Pralot, 21420 Pernand-Vergelesses, tél. 03.80.21.52.37, fax 03.80.21.59.48, e-mail infos@laleure-piot.com ☑ ⏀ ⋏ t.l.j. 8h-12h 14h-18h; sam. dim. sur r.-v.

RENE LEQUIN-COLIN Le Languettes 2001 ★

■ Gd cru   0,09 ha   420   ▥ 23 à 30 €

Le sol marneux de ce *climat* convient bien au chardonnay. Le pinot noir y réussit également. Ce 2001 porte une robe de jeunesse, rubis légèrement bleuté. Ses parfums ? Les fruits rouges macérés, le sous-bois et la fougère. En bouche il se comporte en grand seigneur : corpulent, gras, étoffé, il ne donne pas encore tout. Tannique certes, mais sans astringence ni dureté. Parfait dans trois ou quatre ans.

⌐ René Lequin-Colin, 10, rue de Lavau, 21590 Santenay, tél. 03.80.20.66.71, fax 03.80.20.66.70, e-mail renelequin@aol.com ☑ ⏀ ⋏ r.-v.

LOU DUMONT 2002 ★

■ Gd cru   n.c.   900   ▥ 38 à 46 €

Koji Nakada peut se réjouir de son investissement bourguignon. Installé en 2000 avec ses amis comme négociant-éleveur à Gevrey, il n'achète pas les fonds de tiroir, mais sait dénicher les bonnes cuvées en y mettant le prix. Son corton cerise noire pèche un peu par excès de fût mais le fruit n'en est pas absent. Riche en alcool, modérément tannique, il témoigne de qualités bien réelles, notamment d'une longueur significative.

⌐ Maison Lou Dumont, 1, rue de Paris, 21220 Gevrey-Chambertin, tél. 03.80.51.82.82, fax 03.80.51.82.84, e-mail sales@loudumont.com ☑ ⏀ ⋏ r.-v.

DOM. MICHEL MALLARD ET FILS
Les Renardes 2001 ★

■ Gd cru   0,65 ha   3 400   ▥ 38 à 46 €

« Un vin accrocheur, carré, net, dont la solidité en bouche va presque jusqu'à la rugosité », écrit Claude Chapuis du Corton Les Renardes. Cette bouteille en est l'illustration parfaite. Rubis pourpre, son nez est déjà viril : sous-bois, champignon, le portrait-robot du *climat*. Structuré, les tanins serrés, il gagnera en aménité dans trois à quatre ans. Mais 20/20 pour la typicité.

⌐ Dom. Michel Mallard et Fils, 43, rte de Dijon, 21550 Ladoix-Serrigny, tél. 03.80.26.40.64, fax 03.80.26.47.49 ☑ ⏀ ⋏ r.-v.

MAISON MALLARD-GAULIN Renardes 2002

■ Gd cru   0,6 ha   1 900   ▥ 46 à 76 €

Classé en hors ligne par le docteur Lavalle en 1855 (la première hiérarchie raisonnée des crus de la Côte-d'Or), ce qu'on appelait alors Les Renardes-Corton. Pourpre grenat, celui-ci répond faiblement aux coups de nez, sans doute préoccupé par l'éveil de son corps tout entier. Ah ! ça, il « cortonne ». De la matière et du terroir, une virilité tannique annonçant les cinq ans de garde. Les espérances sont sérieuses.

⌐ Maison Mallard-Gaulin, 21420 Aloxe-Corton, tél. 03.80.26.46.10

DOM. PRINCE FLORENT DE MERODE
Les Renardes 2002 ★★

■ Gd cru   0,5 ha   2 200   ▥ 30 à 38 €

Le château et la terre de Serrigny ont appartenu depuis plus de deux cent cinquante ans aux familles Brunet et Chailly, du Tillet, Clermont-Montoison, Clermont-Tonnerre et Mérode (ces trois dernières en ligne directe). La plus ancienne propriété viticole à Aloxe-Corton, reconstituée ces dernières décennies par le prince Florent de Mérode. Ce demi-hectare de Renardes produit un vin au teint très sombre. Comme l'aurait écrit Saint-Simon, le nez est « élevé » : vanillé sur le fruit noir et nécessite un moment d'aération. Sa structure ne masque pas sa rondeur. A convier à sa table dans cinq à dix ans.

⌐ Prince Florent de Mérode, Ch. de Serrigny, 21550 Ladoix-Serrigny, tél. 03.80.26.40.80, fax 03.80.26.49.37 ☑ ⏀ ⋏ r.-v.

LUCIEN MUZARD ET FILS Grèves 2002 ★

■ Gd cru   n.c.   300   ▥ 30 à 38 €

Les Grèves sont un *climat* peu étendu, entre les Bressandes et le village d'Aloxe. Classé au XIX[e]s. en première cuvée. Très coloré au point qu'il laisse peu filtrer la lumière, il fait penser à ce corton qui subjugue un des personnages de *Bel-Ami* sous la plume de Maupassant : « Il se sentait envahi par un bien-être complet. » Fraise, cerise se partagent des arômes élégants. Les tanins plutôt aimables ont encore une touche d'amertume. Il s'agit d'un corton de style assez moderne mais bien maîtrisé. Le mieux serait de l'attendre quelques années.

⌐ Lucien Muzard et Fils, 11 bis, rue de la Cour-Verreuil, 21590 Santenay, tél. 03.80.20.61.85, fax 03.80.20.66.02, e-mail lucien-muzard-et-fils@wanadoo.fr ☑ ⋏ r.-v.

DOM. NUDANT Bressandes 2002 *

■ Gd cru 0,6 ha 3 000 🛢 30 à 38 €

Lorsque André Nudant vit le jour en 1929, son grand-père lui trempa les pieds dans une cuve en plein travail. On est ainsi dans la famille ! Bigarreau foncé, ces Bressandes correspondent bien à l'image qu'on s'en fait. Sous des arômes d'animal et de cuir, un vin qui coule en bouche. La souplesse en attaque laisse exploser le fruit. Aucune aspérité, même s'il se produit une légère amertume en milieu de bouche. La finale encore un peu ferme est signe d'acidité et d'heureuse vieillesse (jusqu'à 2010).

🔑 Dom. Nudant, 11, RN 74, 21550 Ladoix-Serrigny,
tél. 03.80.26.40.48, fax 03.80.26.47.13,
e-mail domaine.nudant@wanadoo.fr ☑ Y 🚶 r.-v.

DOM. PARENT 2001 *

□ Gd cru n.c. n.c. 🛢 30 à 38 €

Or clair, minéral et grillé, il délivre un message de grand cru sur un ton assez suave. L'élevage est bien calculé, la longueur correcte sans être impressionnante, le terroir amoureux du cépage. Sa finale demande encore à se faire : à goûter dans deux à trois ans sur une viande blanche de préférence. Quant aux **Renardes en rouge 2001**, « elles remontent le moral », note le jury qui leur attribue une étoile.

🔑 Dom. Parent, 9, pl. de l'Eglise, BP 8,
21630 Pommard, tél. 03.80.22.15.08, fax 03.80.24.19.33,
e-mail parent-pommard@axnet.fr ☑ Y 🚶 r.-v.

PATRIARCHE PERE ET FILS Renardes 2002 **

■ Gd cru n.c. 1 725 🛢 30 à 38 €

Un long fleuve tranquille. Ce 2002 ne cède à aucun excès. Sa puissance tannique ne présente aucune agressivité. Sa persistance dépasse ce qu'on a l'habitude de goûter. Quelle belle vinification ! D'une teinte choisie, cerise noire à reflets violets, son bouquet ne parle pas seulement une langue épicée de boisé. Le fruit rouge frais tire également parti de la situation.

🔑 Patriarche Père et Fils, 5, rue du Collège,
21200 Beaune, tél. 03.80.24.53.01, fax 03.80.24.53.03
Y 🚶 t.l.j. 9h30-11h30 14h-17h30

LOUISE PERRIN Les Bressandes 2002

■ Gd cru n.c. 1 200 🛢 30 à 38 €

Un hôtel à la manière bourguignonne. A Aloxe il s'appelle Villa Louise, et Véronique a créé également une maison de négoce-éleveur. Ses Bressandes représentent bien l'appellation selon la tradition. A l'enseigne du Bon Accueil, elles sont élégantes et soyeuses, gourmandes à souhait. Au bouquet le fût apporte l'épicé, équilibré par des touches de fruits mûrs. A boire maintenant ou un peu plus tard.

🔑 Louise Perrin, 9, rue Franche, 21420 Aloxe-Corton,
tél. 03.80.26.46.70, fax 03.80.26.47.16,
e-mail hotel-villa-louise@wanadoo.fr
☑ Y 🚶 t.l.j. 8h-22h; f. fév.

LA POUSSE D'OR Clos du Roi 2002 **

■ Gd cru 1,45 ha 5 600 🛢 30 à 38 €

Clos du Roi, roi du corton... Patrick Landanger a repris le domaine de La Pousse d'Or en 1998. Il est cette fois finaliste au grand jury. Grenat intense et brillant, ce 2002 est un attrape-lumière. Au nez paraît ce léger côté « terreux » caractéristique des corton, à côté du fruit rouge et d'un boisé bien dosé. Le palais auréolé de fruits s'appuie sur des tanins fondus, discrètement réglissés, où la densité et la plénitude vont de concert. Notez encore que les **Bressandes 2002** obtiennent une étoile.

🔑 Dom. de La Pousse d'Or,
rue de la Chapelle, 21190 Volnay, tél. 03.80.21.61.33,
fax 03.80.21.29.97, e-mail patrick@lapoussedor.fr ☑
🔑 Landanger

DOM. RAPET PERE ET FILS 2002

■ Gd cru 0,75 ha 2 800 🛢 30 à 38 €

Si vous passez par Pernand pour voir la maison de Jacques Copeau (fondateur de la NRF et du Vieux-Colombier), allez rendre visite à ce domaine qui a construit en 2003 une nouvelle cuverie. Puisque nous parlons théâtre, il faut qu'un vin soit ouvert ou fermé. Celui-ci porte une robe cerise noire. Le nez et la bouche sont d'un abord aimable mais discret. Un vin léger ? Sans doute un peu. A la vérité il lui faut s'ouvrir. Quand ? Dans deux ou quatre ans ?

🔑 Dom. Rapet Père et Fils,
21420 Pernand-Vergelesses,
tél. 03.80.21.59.94, fax 03.80.21.54.01 ☑ Y 🚶 r.-v.

DOM. MICHEL VOARICK Renardes 2002 *

■ Gd cru 0,5 ha 2 300 ▮🛢 15 à 23 €

Responsable de la fameuse cuvée Docteur Peste aux Hospices de Beaune, Pierre Voarick fonda ce domaine durant les années 1920. Son petit-fils est aujourd'hui à la tête de 9 ha. Un rubis brillant habille des Renardes vanille-cassis, qui doivent s'ouvrir encore. Leur acidité ne nuit pas à la rondeur et est gage d'équilibre. Deux à trois ans de garde conseillés.

🔑 Dom. Michel Voarick, 21420 Aloxe-Corton,
tél. 03.80.26.40.44, fax 03.80.26.41.22,
e-mail michelvoarick@aol.com ☑ Y 🚶 t.l.j. 9h-19h30

Corton-charlemagne

L'appellation charlemagne, dans laquelle jusqu'en 1948 pouvait entrer l'aligoté, n'est pas utilisée. Le grand cru corton-charlemagne s'étend sur 63 ha et a produit 1 979 hl en 2002 et 1 774 hl en 2003, dont la plus grande partie vient des communes de Pernand-Vergelesses et d'Aloxe-Corton. Les vins de cette appellation – dont le nom est dû à l'empereur Charles le Grand qui aurait fait planter des blancs pour ne pas tacher sa barbe – sont d'un bel or vert et atteignent leur plénitude après cinq à dix ans.

JEAN-CLAUDE BELLAND 2002 *

□ Gd cru 0,37 ha 1000 🛢 38 à 46 €

L'œil est ici gâté par un somptueux or jaune. Le nez, vif et frais, est d'une minéralité très marquée. Ce vin est à conjuguer au futur car son acidité (utile) a besoin de se fondre. Ces pieds de vigne (un tiers d'hectare) sont exploités en vertu d'un bail de longue durée.

⊶ Jean-Claude Belland,
45, Grande-Rue, 21590 Santenay,
tél. 03.80.20.61.90, fax 03.80.20.65.60 ☒

BERNARD-BONIN 2002

▒ Gd cru 0,15 ha 880 ◍ 46 à 76 €

Une jeune maison, créée en 2002. Son corton-charlemagne brille sur des notes déjà jaunes. Son bouquet hésite entre vanille et abricot. Riche et gras, sans excès de fût neuf, s'achevant sur une fraîcheur citronnée, le palais est de qualité convenable et disposé à la consommation d'ici un à deux ans.

⊶ Maison Bernard-Bonin, 8, rue du Moulin-Landin, 21190 Meursault, tél. 03.80.21.63.77 ☒ Y 🚶 r.-v.
⊶ Nicolas Bernard

MAURICE ET ANNE-MARIE CHAPUIS 2002 *

▒ Gd cru 1 ha 4 500 ◍ 30 à 38 €

Frère de Maurice, qui entendit l'appel de la vigne après des études de littérature anglaise, Claude Chapuis a publié la saga familiale ainsi que plusieurs livres sur le corton. D'une couleur parfaite, ce vin possède un bouquet accompagné d'un délicat vanillé et d'une certaine minéralité. Puissant et gras, il est de caractère vineux, assez impérial en bouche. Il aurait sans doute supporté une structure plus vive, mais il est fait ainsi et pourra être servi dans un ou deux ans. La seule étiquette du grand cru, à notre connaissance, à montrer... Charlemagne en majesté.

⊶ Maurice Chapuis,
3, rue Boulmeau, 21420 Aloxe-Corton,
tél. 03.80.26.40.99, fax 03.80.26.40.89 ☒ Y 🚶 r.-v.

DOM. DENIS PERE ET FILS 2001 *

▒ Gd cru 0,5 ha 1 500 ◍ 30 à 38 €

Cette famille veilla pendant trois générations successives sur les vignes des Hospices de Beaune à Pernand et à Savigny. Elle possédait 2 ha seulement lorsque Roland entreprit d'en faire un domaine, achetant notamment en 1973 une parcelle de corton-charlemagne du domaine Moine. Celle-ci inspire ce 2001 or blanc. Fougère, menthol, vanille, son bouquet est éclectique. Dynamique et tonique, la bouche donne l'impression de pouvoir gravir d'un seul souffle la « montagne » de Corton. La pierre à fusil, la cannelle contribuent au charme d'un vin bien né et qui reflète d'abord terroir et millésime.

⊶ Dom. Denis Père et Fils,
chem. des Vignes-Blanches, 21420 Pernand-Vergelesses,
tél. 03.80.21.50.91, fax 03.80.26.10.32,
e-mail denis.pere-et-fils@wanadoo.fr ☒ Y 🚶 r.-v.

FERY-MEUNIER 2002

▒ Gd cru 0,3 ha 1 700 ◍ 38 à 46 €

Une vigne située à Pernand-Vergelesses. La robe cristalline introduit le sujet. Le bouquet est traité de façon attentive et nuancée : amande, tilleul. Au palais l'attaque est un peu sévère en raison d'une acidité qui rend la bouche serrée. Ce caractère est porteur d'un vieillissement harmonieux (trois à cinq ans), probablement révélateur de qualités plus éveillées qu'aujourd'hui.

⊶ Maison Fery-Meunier,
2, rue Marey, 21420 Echevronne,
tél. 03.80.21.59.60, fax 03.80.21.59.59,
e-mail fery.meunier@wanadoo.fr ☒ ⌂ Y 🚶 r.-v.

CH. GENOT-BOULANGER 2001

▒ Gd cru 0,29 ha 1 500 ◍ 46 à 76 €

97 98 **00** 01

Limpide et citron clair, il a bonne mine. L'air ambiant l'aide à s'exprimer sur des notes de miel et d'épices. La bouche offre de larges perspectives. Un vin de bonne facture qui ne néglige ni le fond ni la forme. Belle acidité, gras discret, il reste à fignoler les détails, ce qui devrait se réaliser dans les deux à trois ans.

⊶ SCEV Ch. Génot-Boulanger,
25, rue de Cîteaux, 21190 Meursault,
tél. 03.80.21.49.20, fax 03.80.21.49.21,
e-mail genotboulanger@wanadoo.fr ☒ Y 🚶 r.-v.
⊶ Delaby

DOM. ANTONIN GUYON 2002 **

▒ Gd cru 0,55 ha 3 300 ◍ 46 à 76 €

Charlemagne a beaucoup malmené la Bourgogne, mais un simple geste répare tout. Voyez l'effet flamboyant de ses œuvres ! Ce grand cru réunit à son profit tous les bienfaits de la nature remarquablement vinifiés et élevés en son premier âge. Dès le début de la dégustation jusqu'à l'épanouissement final, de l'or vert à la cohérence des arômes, on répète ce que disait Voltaire en commentant chacun des vers d'une tragédie de Racine : « Admirable ! »

⊶ Dom. Antonin Guyon, 21420 Savigny-lès-Beaune,
tél. 03.80.67.13.24, fax 03.80.66.85.87,
e-mail vins@guyon-bourgogne.com ☒ Y 🚶 r.-v.

DOM. ROBERT ET RAYMOND JACOB 2002 *

▒ Gd cru 1,07 ha n.c. ◍ 30 à 38 €

Or à reflets verts, ce corton-charlemagne opte pour des arômes vanillés et grillés. Sa bouche chardonne beaucoup plus. Riche et florale, concentrée et complexe, elle a de la chair et du gras. Laissons à ce vin le temps de changer de braquet pour affronter la montagne : l'ascension durera trois à quatre ans selon nos pronostics.

⊶ Dom. Robert et Raymond Jacob,
hameau de Buisson,
Cidex 20 bis, 21550 Ladoix-Serrigny,
tél. 03.80.26.40.42, fax 03.80.26.49.34 ☒ Y 🚶 r.-v.

LOUIS JADOT 1999

▒ Gd cru n.c. n.c. ◍ + de 76 €

La première parcelle de corton-charlemagne de la famille Jadot fut achetée en 1913. Autant dire que cette maison, gérée par des Bourguignons et appartenant à des *sleeping partners* américains, a eu le temps de faire connaissance avec le grand cru. Sous un or soutenu, un 99 au bouquet flatteur et expressif (le nez est fleuri). Au palais les notes d'évolution apparaissent beurrées. Pas très puissant mais bien tenu, il est à déguster cette année ou la prochaine.

🕿 Maison Louis Jadot, 21, rue Eugène-Spuller, 21200 Beaune, tél. 03.80.22.10.57, fax 03.80.22.56.03, e-mail contact@louisjadot.com ⵏ ⵊ r.-v.

🕿 P.H. Gagey

DOM. MICHEL JUILLOT 2001 ★

| | Gd cru | 0,65 ha | 2 500 | 🍾 46 à 76 € |

Jaune léger à reflets dorés déjà très présents pour un 2001, il laisse d'épais jambages sur le verre. Ce tempérament se retrouve à l'étape suivante. A quoi nous fait-il penser, ce nez complexe et puissant ? Le raisin frais, la mirabelle sur un pain grillé prononcé (boisé intense). Charpenté et long, son corps est bien ouvert et d'une certaine élégance. De garde, mais pas trop et, à défaut de la cassolette de homard, les coquilles Saint-Jacques feront l'affaire.

🕿 Dom. Michel Juillot, 59, Grande-Rue, BP 10, 71640 Mercurey, tél. 03.85.98.99.89, fax 03.85.98.99.88, e-mail infos@domaine-michel-juillot.fr

☑ ⵏ ⵊ t.l.j. 9h-19h; groupes sur r.-v.

🕿 Laurent Juillot

LOUIS LATOUR 2001 ★

| | Gd cru | 7 ha | 35 000 | 🍾 46 à 76 € |

Latour et Corton offrent un exemple de consanguinité parfaite. En 1891 cette famille a acquis le Corton-Grancey : le château, le domaine et la cuverie (un palais de cinq étages). Depuis, cette lignée honore le vin de Bourgogne. Jaune-blanc scintillant, ce 2001 au nez de raisins mûrs est enchanteur ! A défaut d'avoir comme Charlemagne la barbe fleurie, sa bouche évoque la fleur blanche ainsi que la noisette et les épices. Classique, ponctué par une petite verdeur en finale, il n'en est pas moins moelleux. En tirer le bouchon vers 2006.

🕿 Maison Louis Latour, 18, rue des Tonneliers, 21204 Beaune, tél. 03.80.24.81.00, fax 03.80.22.36.21, e-mail louislatour@louislatour.com

OLIVIER LEFLAIVE 2001 ★

| | Gd cru | n.c. | 7 000 | 🍾 46 à 76 € |

De l'or de nuance claire. Le bouquet de fougère et d'herbe fraîche, voilà un vin qui vaut la peine d'être patient. Sa richesse en bouche, son gras ont une chair de fruit, un petit côté miellé très agréables au toucher. Le boisé en finale nécessite quelques années d'attente même pour un 2001.

🕿 Olivier Leflaive Frères, pl. du Monument, 21190 Puligny-Montrachet, tél. 03.80.21.37.65, fax 03.80.21.33.94, e-mail olivier-leflaive@dial.oleane.com ☑ ⵊ r.-v.

RENE LEQUIN-COLIN 2002 ★

| | Gd cru | 0,09 ha | 560 | 🍾 38 à 46 € |

Après avoir dégusté cette bouteille, on croit deviner pourquoi les fils de Charlemagne se sont disputés pour l'héritage ! Sous sa robe éclatante, un vin joliment vanillé puis nettement fruits secs. Même s'il apparaît élégant, concentré et long, il promet beaucoup. On ne devrait s'en approcher avec un tire-bouchon que d'ici cinq à dix ans...

🕿 René Lequin-Colin, 10, rue de Lavau, 21590 Santenay, tél. 03.80.20.66.71, fax 03.80.20.66.70, e-mail renelequin@aol.com ☑ ⵏ ⵊ r.-v.

DOM. MARATRAY-DUBREUIL 2002 ★

| | Gd cru | 0,4 ha | 1 600 | 🍾 30 à 38 € |

Lorsque Maurice Maratray épousa la fille de Pierre Dubreuil, deux familles du cru, la dot était justement cette parcelle de corton-charlemagne. Il fait bon se marier dans la Côte ! Jaune très clair, tout en rondeur, ce joli vin est bien dans son millésime. Peu d'ampleur, mais une acidité correcte et un boisé élégant. Son bouquet rappelle le silex. En bouche cette minéralité évolue vers une finale assez vive.

🕿 Dom. Maratray-Dubreuil, 5, pl. du Souvenir, 21550 Ladoix-Serrigny, tél. 03.80.26.41.09, fax 03.80.26.49.07, e-mail maratray-dubreuil@club-internet.fr ☑ ⵊ r.-v.

MARCHE AUX VINS 2002 ★

| | Gd cru | n.c. | 1 128 | 🍾 46 à 76 € |

« Mis en bouteilles dans la région de production », lit-on sur l'étiquette. André Boisseaux (Marché aux Vins et Patriarche) avait fait de ce combat l'ultime croisade de sa vie. Son corton-charlemagne produit une bonne impression. A l'œil, or clair brillant. Au nez, le fruit frais, les agrumes et une bonne minéralité. Consistant et persistant, il a une petite tonalité boisée qui va passer. Encore un peu fermé mais bien construit, un beau vin en devenir.

🕿 Marché aux vins, rue Nicolas-Rolin, 21200 Beaune, tél. 03.80.25.08.20, fax 03.80.25.08.21 ☑ ⵏ ⵊ t.l.j. 9h30-12h 14h-18h

DOM. NUDANT 2002 ★★

| | Gd cru | n.c. | 800 | 🍾 38 à 46 € |

On comprend pourquoi les chanoines de Saulieu ont précieusement conservé cette vigne pendant mille ans. Il ne devait guère rester de vin dans les burettes pour les enfants de chœur ! Coup de cœur, un 2002 jaune paille à reflets dorés comme la tranche des missels d'autrefois. Le nez est complexe et passionnant sur ses notes de coing. La bouche adorable : gras, puissant, son corps fait la queue de paon. Cette parcelle était en friche quand la famille Nudant l'acheta en 1968 !

🕿 Dom. Nudant, 11, RN 74, 21550 Ladoix-Serrigny, tél. 03.80.26.40.48, fax 03.80.26.47.13, e-mail domaine.nudant@wanadoo.fr ☑ ⵏ ⵊ r.-v.

DOM. DU PAVILLON 2002 ★

| | Gd cru | 1,09 ha | 5 100 | 🍾 + de 76 € |

Cette parcelle est située en Languettes, au-dessus d'Aloxe. On produit souvent le meilleur corton-charlemagne dans cette ancienne propriété Vergnette de Lamotte, une famille qui joua un grand rôle dans la Bourgogne vitivinicole au XIX[e]s. Quant au Domaine du

Pavillon, il s'agit de la maison Albert Bichot. Robe très chic, parfum discret, un vin tout en finesse minérale et porté par une acidité suffisante. Son corps est modeste mais la dégustation est plaisante. Le millésime 99 a reçu le coup de cœur.

⊶ Maison Albert Bichot, 6 bis, bd Jacques-Copeau, 21200 Beaune, tél. 03.80.24.37.37, fax 03.80.24.37.38, e-mail bourgogne@albert-bichot.com

REINE PEDAUQUE 2002 ★★

□ Gd cru	1,48 ha	1 800	🛢 46 à 76 €

La Reine Pédauque flirte... avec le coup de cœur et figure parmi les finalistes. Quand on présente un vin aussi somptueux, pourquoi écrire sur l'étiquette « depuis 1681 » ? Sans doute la maison a-t-elle été acquise par le groupe Ballande, mais c'est en 1937 que Pierre André fonda la Reine Pédauque... A la rigueur 1923, date de son arrivée. Quoi qu'il en soit ce 2002 au nez très pur, minéral et complexe, plein de fraîcheur malgré son ampleur et sa densité, est de grande classe et de longue garde. Digne d'un homard.

⊶ Reine Pédauque, Le Village, 21420 Aloxe-Corton, tél. 03.80.25.00.00, fax 03.80.26.42.00, e-mail rpedauque@axnet.fr 🍷 🚶 r.-v.

Savigny-lès-beaune

Savigny est aussi un village vigneron par excellence. L'esprit du terroir y est entretenu, et la confrérie de la Cousinerie de Bourgogne est le symbole de l'hospitalité bourguignonne. Les Cousins jurent d'accueillir leurs convives « bouteilles sur table et cœur sur la main ».

Les vins de Savigny, en dehors du fait qu'ils sont « nourrissants, théologiques et morbifuges », sont souples, tout en finesse, fruités, agréables, jeunes et vieillissent bien. Citons quelques premiers crus comme Aux Clous, Aux Serpentières, Les Hauts Jarrons, les Marconnets, les Narbantons. En 2003, l'AOC a produit 10 115 hl de vin rouge et 1 400 hl de vin blanc.

PIERRE ANDRE Le Champier 2002 ★

□	0,5 ha	2 600	🛢 23 à 30 €

C'est en 1927 que Pierre André acheta le château de Corton couronné de tuiles flamandes vernissées. Ce vin habille d'une robe légère à reflets verts un nez expressif et citronné. La bouche mentholée, douce et tendre, n'est pas dépourvue de caractère.

⊶ Pierre André, Ch. de Corton-André, 21420 Aloxe-Corton, tél. 03.80.26.44.25, fax 03.80.26.43.57, e-mail pandre@axnet.fr 🚶 t.l.j. 10h-13h 14h30-18h

ARNOUX PERE ET FILS 2002 ★

■	n.c.	n.c.	▮ 🛢 🌡 11 à 15 €

Domaine de Chorey contemple ses 24 ha avec le sentiment de ne pas avoir manqué sa vie. Cerise profond à reflets rose-violacé, il s'est mis sur son trente et un. Le nez ? Explosif sur le cassis et le boisé bien fondu. Bonne attaque sur le fruit rouge, dominante tannique, rétro bien mariée à la persistance en bouche, c'est un vin à boire dans les cinq ans à venir mais dès à présent si le cœur vous en dit.

⊶ Arnoux Père et Fils, rue des Brenôts, 21200 Chorey-lès-Beaune, tél. 03.80.22.57.98, fax 03.80.22.16.85 ☑ 🍷 🚶 r.-v.

JEAN-CLAUDE BOISSET
Les Hauts Jarrons 2002 ★★

■ 1er cru	0,3 ha	1 500	🛢 11 à 15 €

« On lèche trois fois ses lèvres et on en dit du bien » : ainsi vantait-on jadis les vins de Savigny. Portés par le mont Battois (côté Beaune), ces Hauts Jarrons dominent à la fois le coteau et le sujet. Couleur cerise profonde et limpide, le nez partagé entre le fruit et le grillé bien fondu, un vin ferme et structuré aux qualités très durables (au moins dix ans). On ne présente plus Jean-Claude Boisset dont l'activité couvre les cinq continents avec d'incontestables réussites. Il était ici coup de cœur l'an dernier avec Bouchard Aîné dont **Les Peuillets 1er cru Cuvée Signature 2002** obtiennent également deux étoiles.

⊶ Jean-Claude Boisset, 5, quai Dumorey, 21700 Nuits-Saint-Georges, tél. 03.80.62.61.61, fax 03.80.62.37.38, e-mail patriat.g@jcboisset.fr 🍷 🚶 r.-v.

DOM. CACHAT-OCQUIDANT ET FILS
Vieilles Vignes 2001 ★★

■	0,48 ha	2 870	🛢 11 à 15 €

Vin de garde à bon potentiel, ce *village* 2001 s'affirme sans hésiter d'un rouge pourpre et profond. Les fruits noirs, voire de noyau, accompagnent des notes vanillées. La souplesse et le gras, le corps bien fait, une certaine longueur avec un retour en bouche du boisé initial conseillent d'attendre deux ou trois ans bien qu'un dégustateur ait avoué avoir eu envie de le boire !

⊶ Dom. Cachat-Ocquidant et Fils, 3, pl. du Souvenir, 21550 Ladoix-Serrigny, tél. 03.80.26.45.30, fax 03.80.26.48.16 ☑ 🍷 🚶 r.-v.

DOM. CAMUS-BRUCHON Les Lavières 2001 ★

■ 1er cru	0,31 ha	1 800	🛢 11 à 15 €

Deux bonnes bouteilles. L'une de **Narbantons en 1er cru rouge 2002**, fort bien typée savigny côté mont Battois, et celle-ci qui respecte l'appellation avec soin. Sa jolie robe ne fait pas un pli. Son joli nez associe la violette et le cassis. La bouche, soyeuse, en rondeur du début à la fin, est légèrement réglissée et ses tanins ont un comportement impeccable.

⊶ Lucien Camus-Bruchon, Les Cruottes, 16, rue de Chorey, 21420 Savigny-lès-Beaune, tél. 03.80.21.51.08, fax 03.80.26.10.21 ☑ 🍷 🚶 r.-v.

DOM. DENIS CARRE 2002

■	n.c.	n.c.	🛢 8 à 11 €

De la couleur, un nez flatteur, aimable, entre le fruit à l'alcool et la vanille (quatorze mois d'élevage en fût). Le corps est bien construit, répondant au caractère engageant de l'attaque. Il faudra attendre que la finale se fonde.

⊶ Dom. Denis Carré, rue du Puits-Bouret, 21190 Meloisey, tél. 03.80.26.02.21, fax 03.80.26.04.64 ☑ 🍷 🚶 r.-v.

DOM. CHANDON DE BRIAILLES 2001 ★

■ 1 ha 3 000 🛢 11 à 15 €

L'un des plus beaux jardins de Bourgogne. L'un des plus beaux manoirs de Bourgogne. L'une des vieilles familles du cru. Ce savigny rubis clair ne peut vous laisser dans l'indifférence. Il faut solliciter son bouquet pour le sentir consentant (framboise). Nerveux et racé, c'est un vin « à l'ancienne » et on ne s'en étonnera pas connaissant son adresse. De la distinction de bon aloi. Il y aura quelques années à attendre pour prendre part à son couronnement.

🔑 Dom. Chandon de Briailles,
1, rue Sœur-Goby, 21420 Savigny-lès-Beaune,
tél. 03.80.21.52.31, fax 03.80.21.59.15,
e-mail contact@chandondebriailles.com ☑ 🍷 🚶 r.-v.

DOM. CHANSON PERE ET FILS
Hauts Marconnets 2002 ★★

□ 1er cru 2,18 ha 4 000 🛢 15 à 23 €

Messieurs Confuron et Cugney présentent ce Hauts Marconnets digne de tous les éloges ! Cela tourne autour du coup de cœur. Limpide, doté d'un nez légèrement sur sa réserve mais tendre comme il n'est pas permis avec une pointe d'agrumes, ce vin affiche un gras bien soutenu par la vivacité, la puissance et le fruit. Vraiment un beau vin (jusqu'à cinq ans de garde).

🔑 Maison Chanson Père et Fils, 10, rue Paul-Chanson, 21200 Beaune, tél. 03.80.25.97.97, fax 03.80.24.17.42,
e-mail chanson@vins-chanson.com

DOM. BRUNO CLAIR La Dominode 2001 ★★

■ 1er cru 1,71 ha 7 500 ▮🛢🌡 23 à 30 €

La Dominode ne figure pas toujours sur les atlas vitivinicoles. Il s'agit d'une section (tout à fait officielle) des Jarrons, côté Beaune. Rouge pourpre bien intense, le nez plein de prévenances (violette, framboise), ce vin robuste et consistant est apte à prendre de l'âge : sa belle matière, sans excès, et l'extraction habile qui préserve le fruit, lui permettront de satisfaire les plus exigeants.

🔑 SCEA Dom. Bruno Clair, 5, rue du Vieux-Collège,
BP 22, 21160 Marsannay-la-Côte,
tél. 03.80.52.28.95, fax 03.80.52.18.14,
e-mail brunoclair@wanadoo.fr ☑ 🍷 🚶 r.-v.

DOM. RODOLPHE DEMOUGEOT
Les Bourgeots 2002 ★★

■ 0,75 ha 4 000 🛢 11 à 15 €

Les Bourgeots se situent au bord de la route qui descend sur Chorey et Beaune. Cela produit ici un vin-roi, ample et riche à la fois. Il est suave, apaisant, velouté. Vin de plaisir dit-on, à ne pas trop garder en cave car sa structure n'est pas considérable. Bouquet vanillé et confit, un peu réservé. Robe griotte de bonne prestance. Ce domaine de Meloisey, dans les Hautes-Côtes de Beaune, a investi en 1998 dans une propriété à Meursault. Coup de cœur en 1998 pour ce même vin dans le même millésime 95.

🔑 Dom. Rodolphe Demougeot,
2, rue du Clos-de-Mazeray, 21190 Meursault,
tél. 03.80.21.28.99, fax 03.80.21.29.18 ☑ 🍷 🚶 r.-v.

DEVEVEY Les Lavières 2002

■ 1er cru n.c. 3 200 ▮🛢🌡 15 à 23 €

D'un rubis bien dosé à légers reflets bleutés, s'exprimant sur des notes cassissées et torréfiées, un 2002 ayant de la suite dans les idées : ses arômes persistent en bouche sur une impression première assez favorable et une finale chaleureuse mais bien étoffée. Viticulteur et négociant, Jean-Yves Devevey a acheté ici en raisins, vinifiant lui-même.

🔑 Jean-Yves Devevey, rue de Breuil, 71150 Demigny,
tél. 03.85.49.91.11, fax 03.85.49.91.59,
e-mail devevey-bois-guillaume@wanadoo.fr ☑ 🍷 🚶 r.-v.

DOM. DOUDET Les Guettes 2002 ★

■ 1er cru 0,8 ha 4 700 🛢 15 à 23 €

A la suite du rachat du Domaine Klein à Pernand-Vergelesses, Doudet (dont les vins sont distribués par Doudet-Naudin), s'est agrandi de 4 ha en décembre 2003 avec sept nouvelles parcelles. Rouge profond, le nez encore peu expansif, ce 1er cru corpulent et à la mâche importante est ferme dans un contexte assez boisé. A ne pas déboucher avant deux ou trois ans car il a besoin de se faire.

🔑 Dom. Doudet,
50, rue de Bourgogne, 21420 Savigny-lès-Beaune,
tél. 03.80.21.51.74, fax 03.80.21.50.69 ☑

DOUDET-NAUDIN Les Vermots 2002

□ 0,6 ha 3 600 🛢 8 à 11 €

Très très clair, il a la robe légère, le nez propre et net, citron vert. Pas trop de gras ni de puissance, mais une vivacité plaisante et assez fine pour un Vermots (cela se situe tout en haut du pays, vers Bouilland) qui a ses deux ans d'avenir pleinement assurés. Coup de cœur pour son 2000 rouge.

🔑 Doudet-Naudin,
3, rue Henri-Cyrot, 21420 Savigny-lès-Beaune,
tél. 03.80.21.51.74, fax 03.80.21.50.69,
e-mail doudet-naudin@wanadoo.fr ☑ 🍷 🚶 r.-v.

PHILIPPE DUBREUIL-CORDIER 2002 ★

□ 0,73 ha 4 500 🛢 8 à 11 €

Ce savigny blanc est riant et floral, sous or pâle limpide et luisant. Exactement le portrait-robot de ce bon compagnon du poisson de mer ou de rivière. L'attaque, la fraîcheur, la vivacité contribuent à sa franchise, et la longueur n'appelle aucune critique. A boire tout simplement et avec plaisir. Coup de cœur pour son 95 blanc.

🔑 Philippe Dubreuil,
4, rue Péjot, 21420 Savigny-lès-Beaune,
tél. 03.80.21.53.73, fax 03.80.26.11.46 ☑ 🍷 🚶 r.-v.

JEAN-MICHEL GIBOULOT 2002 ★

□ 1,3 ha 5 200 ▮🛢🌡 11 à 15 €

Or à reflets émeraude, un beau savigny blanc au nez fin et fruité, un peu mentholé. D'un équilibre agréable, malgré une longueur moyenne, c'est un *village* à conserver trois ou quatre ans en cave si vous en avez la patience. Mais vous verrez, l'heure de la récompense viendra... Dix mois de fût, dix mois de cuve, c'est bien balancé.

🔑 Jean-Michel Giboulot,
27, rue du Gal-Leclerc, 21420 Savigny-lès-Beaune,
tél. 03.80.21.52.30, fax 03.80.26.10.06,
e-mail earl.giboulot@terre-net.fr ☑ 🍷 r.-v.

DOM. JEAN-JACQUES GIRARD 2002 ★

□ 0,86 ha 6 000 🛢 11 à 15 €

Une des familles vigneronnes les plus anciennes de Savigny dont l'origine remonte à 1529. Qui dit mieux ? Son **savigny rouge 2001** est bien réussi pour le millésime, avec de l'onctuosité du fruit. Le blanc 2002 a un bon niveau d'attaque, de franchise, dans un climat brioché et une

BOURGOGNE

pointe d'acidité tout à fait à sa place. La robe est claire, le bouquet de miel et de noisette évolue sur les arômes du boisé.

🔑 Dom. Jean-Jacques Girard,
16, rue de Cîteaux, BP 17, 21420 Savigny-lès-Beaune,
tél. 03.80.21.56.15, fax 03.80.26.10.08,
e-mail jjacquesgirard@aol.com ☑ Y ⛹ r.-v.

DOM. PHILIPPE GIRARD Les Lavières 2002 *

■ 1er cru 0,33 ha 1 700 ⓘ 11 à 15 €

Les Lavières sont en dessous des Vergelesses sur le même versant. Elles se montrent ici pleines de réussite. Une robe pas trop noire, des parfums de framboise assez envoûtants, une bouche constante, équilibrée et une chaleur finale donnent envie de les boire déjà, mais elles gagneront encore dans les deux prochaines années. **Les Peuillets 2002 en 1er cru rouge**, bien construits et fruités, obtiennent également une étoile.

🔑 Dom. Philippe Girard,
37, rue du Gal-Leclerc, 21420 Savigny-lès-Beaune,
tél. 03.80.21.57.97, fax 03.80.26.14.84,
e-mail domaine-girard-philippe@wanadoo.fr ☑ Y ⛹ r.-v.

DOM. LES GUETTOTTES Aux Serpentières 2002 *

■ 1er cru 0,21 ha 1 200 ⓘ 15 à 23 €

Paul, Pierre, Jean-Baptiste, le vignoble est l'un des derniers endroits où la succession s'opère de génération en génération. Ces Serpentières (côté Pernand) à la robe limpide, brillante, soutenue, violacée et au nez sur la réserve sont pleines des promesses de l'aube : son fruit lui ouvre les portes de l'avenir. Un peu serré lors de la dégustation, ce vin doté de gras et de tanins aimables sera dans les trois ans d'une correction parfaite. **Aux Clous 2002 1er cru rouge (de 11 à 15 €)** obtiennent une étoile alors que **Les Grands Liards 2002 en village rouge (8 à 11 €)** sont à recommander chaleureusement pour une poularde (deux étoiles).

🔑 Pierre et Jean-Baptiste Lebreuil,
Dom. Les Guettottes,
17, rue Chanson-Maldant, 21420 Savigny-lès-Beaune,
tél. 03.80.21.52.95, fax 03.80.26.10.82,
e-mail jean-baptiste.lebreuil@wanadoo.fr
☑ Y ⛹ t.l.j. sf dim. 9h-11h30 14h-18h30

DOM. PIERRE GUILLEMOT Les Grands Picotins 2002 *

■ 0,73 ha 4 500 ⓘ 11 à 15 €

Quand Pierre Guillemot paraît, on peut être sûr qu'il va raconter sa Bourgogne tout en nous faisant faire le tour complet de sa cave. Et en coup de cœur, il s'y connaît : ses 89, 91 et 97 l'ont reçu. Cette fois, ses Grands Picotins sont brillants à tous égards : un nez de fruit jeune et frais, une attaque charmante, un style tout en équilibre et nuances, ne cherchant pas à rouler des épaules. Une promesse de plaisir pour 2006, **Les Jarrons rouges 2002** offrent de bonnes promesses, de même que **Serpentières rouges 2002** encore en 1ers crus, qui obtiennent également une étoile.

🔑 SCE du Dom. Pierre Guillemot,
1, rue Boulanger-et-Vallée, 21420 Savigny-lès-Beaune,
tél. 03.80.21.50.40, fax 03.80.21.59.98 ☑ Y ⛹ r.-v.

LOUIS JADOT Clos des Guettes 2001 *

□ n.c. n.c. ⓘ 15 à 23 €

Des Guettes Jadot, du domaine, ce n'est pas vraiment ce qu'on redoute en bouche ! Ce chardonnay très sec, encore vif, assez long, va continuer de bien évoluer durant deux à trois ans ; il sera alors à point. Sa finesse, son caractère s'affirmeront.

🔑 Maison Louis Jadot, 21, rue Eugène-Spuller,
21200 Beaune, tél. 03.80.22.10.57, fax 03.80.22.56.03,
e-mail contact@louisjadot.com Y ⛹ r.-v.

DANIEL LARGEOT 2002 **

■ 0,6 ha 3 600 ⓘ 11 à 15 €

Haut en couleur et tirant sur le noir violacé, un *village* dont le nez très complexe se définit par le cuir, le Zan, le café. Tout cela va se fondre et trouver sa synthèse. Gourmand, il est de soif et, s'il attaque avec brio, il sait rester en bouche assez longtemps. Aucune sécheresse : les tanins sont de la partie mais ils n'insistent pas trop. Coup de cœur pour son 99, le domaine bénéficie depuis 2000 de la présence du fils.

🔑 Daniel Largeot,
5, rue des Brenôts, 21200 Chorey-lès-Beaune,
tél. 03.80.22.15.10, fax 03.80.22.60.62 ☑ Y r.-v.

LOU DUMONT 2002 **

■ n.c. 600 ⓘ 11 à 15 €

... et autour du coup de cœur. « Lou Dumont » n'existe pas : il s'agit d'une aventure vineuse sino-coréenne basée à Gevrey. Elle achète le raisin en y mettant le prix. D'où ce savigny rangé parmi les meilleurs, d'un rouge noir absolu et d'un fût accompli. Peu de vrais arômes mais une bouche pleine de corps et de matière, ferme et riche, qui demande à vieillir (de cinq à dix ans sans problème, afin de se libérer de l'emprise du boisé).

🔑 Maison Lou Dumont,
1, rue de Paris, 21220 Gevrey-Chambertin,
tél. 03.80.51.82.82, fax 03.80.51.82.84,
e-mail sales@loudumont.com ☑ Y ⛹ r.-v.

DOM. MAILLARD PERE ET FILS 2002 **

■ n.c. n.c. ⓘ 11 à 15 €

Dix-huit ha de vignes sur sept villages et davantage d'appellations : ce domaine propose l'un des meilleurs savigny dégustés. Grenat presque noir, il n'est pas économe en couleur. Petite réduction nécessitant l'aération du verre, puis un nez de sous-bois sur fond grillé, pas désagréable du tout. En bouche, force et persistance dominent la question. Le fruit reste sous-jacent mais comme c'est un vin de garde, le plaisir est assuré. *Just 'round the corner.*

🔑 Dom. Maillard Père et Fils,
2, rue Joseph-Bard, 21200 Chorey-lès-Beaune,
tél. 03.80.22.10.67, fax 03.80.24.00.42 ☑ Y ⛹ r.-v.

DOM. MAURICE MARTIN ET FILS 2002 *

■ 3,2 ha 15 000 ▮ⓘ🌡 11 à 15 €

Nourrissant et morbifuge, certes. Théologique ? Tout dépend de notre pratique religieuse... On sait que les vins de Savigny passent pour posséder ces trois caractères ! Voici un 2002 massif, très extrait, volumineux, qui pour se poser là se pose là. En tout cas, il s'affirme et ce n'est pas un petit vin. Grenat soutenu, boisé, il est à aérer.

🔑 Dom. des Lilas,
rte d'Aloxe Corton, 21200 Chorey-lès-Beaune,
tél. 03.80.62.42.00, fax 03.80.61.28.13,
e-mail voix-du-vin@nuicave.com
☑ Y ⛹ t.l.j. 10h-18h; f. jan.

ALBERT MOROT
La Bataillère aux Vergelesses 2001 ★

■ 1er cru 1,81 ha 10 000 🛢 15 à 23 €

Rouge presque noir, ce vin s'ouvre sur le fruit rouge à noyau, puis s'épanouit de façon tannique et réglissée. Respectable, ce domaine beaunois est aujourd'hui dirigé par la famille Chopin de Janvry.

🔑 Albert Morot, Ch. de la Creusotte,
20, av. Charles-Jaffelin, 21200 Beaune,
tél. 03.80.22.35.39, fax 03.80.22.47.50,
e-mail albertmorot@aol.com ☑ Y 🚶 r.-v.

DOM. PARIGOT PERE ET FILS
Les Peuillets 2002 ★★★

■ n.c. n.c. 🛢 11 à 15 €

Côté Beaune, ces Peuillets sont inscrits au tableau d'honneur. Une robe très dense, intense, à reflets violacés. Cerise, cassis, le bouquet nous en fait voir de toutes les couleurs. Volume, longueur, la bouche mérite ici le nom de palais. Quant au fût, il est admirablement maîtrisé. L'œnologue, Kyriakos Kynigopoulos, a adopté avec bonheur la nationalité bourguignonne ! Petites nouvelles du domaine : le fils, Alexandre, est arrivé début 2004.

🔑 Dom. Parigot Père et Fils,
rte de Pommard, 21190 Meloisey,
tél. 03.80.26.01.70, fax 03.80.26.04.32 ☑ Y 🚶 r.-v.

JEAN-MARC ET HUGUES PAVELOT
Les Peuillets 2002 ★

■ 1er cru 0,45 ha 2 800 🛢 15 à 23 €

Leur dernier coup de cœur en savigny date de l'édition 97 pour des Guettes 93. Ces Peuillets, couleur cerise noire, ont séduit. Le fût sait rester à sa place. La myrtille cherche à se développer dans un nez discret. On devine que le gras et la rondeur vont se mettre en quatre pour offrir un beau feu d'artifice dans trois à quatre ans. En blanc ? Un bon **village 2002 (11 à 15 €)** sans trop de persistance mais moelleux à souhait obtient une citation.

🔑 Jean-Marc et Hugues Pavelot,
1, chem. des Guettottes, 21420 Savigny-lès-Beaune,
tél. 03.80.21.55.21, fax 03.80.21.59.73 ☑ Y 🚶 r.-v.

ALBERT PONNELLE Les Marconnets 2002 ★

■ 1er cru 0,65 ha 2 400 🍷🛢🌡 15 à 23 €

Rouge cerise foncé, respirant le fruit rouge très mûr, ce vin a sans doute des tanins encore fermes, mais le jury est sensible à sa rondeur charnue, à son gras qui lui donnent bien des attraits. Conforme au millésime et à garder deux à trois ans.

🔑 Albert Ponnelle, 38, fb Saint-Nicolas,
BP 107, 21200 Beaune,
tél. 03.80.22.00.05, fax 03.80.24.19.73 ☑ Y 🚶 r.-v.

DOM. DU PRIEURE Les Grands Picotins 2002 ★

■ 1 ha 5 000 🛢 11 à 15 €

Ces Grands Picotins ont obtenu le coup de cœur pour le millésime 99. Leur édition 2002 a de l'entrain dès le premier coup d'œil. Fruit rouge réglissé, beau boisé bien présent, la suite est élégante. Au palais, on retrouve les mêmes sensations, bien que la finale soit encore un peu sur la réserve. Normal à cet âge ; le raisin bien mûr engage un bon jugement. A boire dans les trois ans. Les **Lavières 2002 en 1er cru rouge** ont de l'étoffe et obtiennent une étoile.

🔑 Jean-Michel Maurice,
Dom. du Prieuré,
23, rte de Beaune, 21420 Savigny-lès-Beaune,
tél. 03.80.21.54.27, fax 03.80.21.59.77,
e-mail maurice.jean-michel@wanadoo.fr ☑ Y 🚶 r.-v.

DOM. RAPET PERE ET FILS 2002 ★

■ 1 ha 3 000 🛢 11 à 15 €

Nouvelle cuverie en 2003 : ce domaine fait corps avec Pernand depuis plusieurs siècles, mais il sait aussi vivre avec son temps. Son savigny est plaisant au regard sur des tonalités très classiques. Petits fruits rouges, le nez est en harmonie. Beaucoup d'extraction tannique et de puissance en font un vin très costaud qu'on attendra de pied ferme pendant deux à trois ans.

🔑 Dom. Rapet Père et Fils,
21420 Pernand-Vergelesses,
tél. 03.80.21.59.94, fax 03.80.21.54.01 ☑ Y 🚶 r.-v.

DOM. SEGUIN-MANUEL Les Goudelettes 2001

□ 0,5 ha 2 300 🛢 15 à 23 €

Coup de cœur naguère pour ses Lavières, le domaine présente le fruit d'une vigne acquise en 1958 par Pierre Seguin. On trouvera le *climat* Goudelettes en montant sur Bouilland, sur le beau coteau. D'un or brillant, ce vin blanc évolue sur le brioché en transitant par le pamplemousse. Friand, il sait marier l'acidité et le moelleux et se montre donc équilibré. A boire dans l'année qui vient.

🔑 Dom. Seguin-Manuel,
15, rue Paul-Maldant, 21420 Savigny-lès-Beaune,
tél. 03.80.21.50.42, fax 03.80.21.59.38,
e-mail domaineseguin.manuel@wanadoo.fr
☑ Y 🚶 t.l.j. 8h-12h 14h-19h; f. août
🔑 Pierre Seguin

DOM. FRANCINE ET MARIE-LAURE SERRIGNY 2002

□ 0,17 ha 1 150 🛢 8 à 11 €

Transmise de père en filles (Francine et Marie-Laure à la barre), cette exploitation élabore un savigny blanc à l'or limpide. Le nez est plus complexe car il est beurré, mais aussi un peu acidulé et porté sur le fruit mûr. L'attaque est franche, la persistance moyenne sur une note d'amertume. La tourte chaude à la bourguignonne saura accompagner cette bouteille à boire dans l'année.

🔑 Marie-Laure et Francine Serrigny,
4, rue Bouteiller, 21420 Savigny-lès-Beaune,
tél. 03.80.26.11.75, fax 03.80.26.14.15 ☑ Y 🚶 r.-v.

DOM. CHARLES THOMAS Les Planchots 2002 ★

■ 0,92 ha 5 800 🍷🛢🌡 11 à 15 €

Les Planchots sont avec les Ratausses le *climat* de Savigny le plus proche de Chorey. On distingue ceux de la Champagne et ceux du Nord. Ceux-ci proviennent d'une famille nuitonne profondément enracinée dans la vigne et le vin (Thomas, Moillard). Grenat toasté, un vin pour se faire plaisir, frais et long, absolument décomplexé dont il faudra attendre un peu que ses ardeurs boisées se calment.

🔑 Dom. Charles Thomas,
chem. rural 59, 21700 Nuits-Saint-Georges,
tél. 03.80.62.42.10, fax 03.80.61.28.13,
e-mail contact@charles-thomas.fr
☑ Y 🚶 t.l.j. 10h-18h; f. jan.

Chorey-lès-beaune

Situé dans la plaine, en face du cône de déjection de la combe de Bouilland, le village possède quelques lieux-dits voisins de Savigny. On y a produit en 2003, 4 405 hl d'appellation communale rouge et 201 hl de blanc.

ARNOUX PERE ET FILS Les Confrelins 2002 ★

■	3,5 ha	10 000	■ ⅠⅠ ♦ 11 à 15 €

Près du péage de l'A6 (Beaune Saint-Nicolas), vous ne pouvez pas vous tromper. Les Confrelins sont là. Nuance cerise soutenue, ce chorey séduit par ses parfums de fruits rouges macérés. Lors de l'attaque plutôt rustique, familière et ferme, les tanins s'affichent. Le fruit reste ensuite en réserve et se réveillera dans deux ou trois ans. Chorey était jadis un « vin médecin » pour remonter un peu le beaune en vigueur et en couleur. Il garde ici cette précieuse qualité.
🕿 Arnoux Père et Fils, rue des Brenôts, 21200 Chorey-lès-Beaune, tél. 03.80.22.57.98, fax 03.80.22.16.85 ☑ ⅠⅠ ⅄ r.-v.

DOM. LUDOVIC BELIN 2002 ★★

■	0,35 ha	1 600	ⅠⅠ 11 à 15 €

Ludovic Belin et son premier millésime sur ce domaine. Son chorey inspire de fort bons sentiments : belle robe pourpre grenat, cassis et mûre en renfort, attaque franche et nerveuse, tanins épaulant bien la matière, tout se livre à merveille et cela devrait rester d'aplomb jusqu'à cinq ans.
🕿 Dom. Ludovic Belin, Les Combottes, 21420 Pernand-Vergelesses, tél. 03.80.22.77.51, e-mail belin.ludovic@wanadoo.fr ☑ ⅠⅠ ⅄ r.-v.

CH. DE CHOREY 2001 ★

■	6 ha	26 691	ⅠⅠ 11 à 15 €

« C'est encore peu de vaincre, il faut savoir séduire », dit un personnage de Voltaire. Le mot s'applique bien à ce vin aux tanins encore fermes assurant un bon équilibre, au fût bien présent, qui doit observer un temps de garde. Au nez un mariage de fruits rouges et d'arômes torréfiés séduit. Comme séduit le château des XIIIe et XVIIes., dont les chambres d'hôtes ont été aménagées depuis plusieurs années.
🕿 Dom. du Château de Chorey, 21200 Chorey-lès-Beaune, tél. 03.80.24.06.39, fax 03.80.24.77.72, e-mail domaine-chateau-de-chorey@wanadoo.fr ☑ 🏠 ⅠⅠ ⅄ r.-v.
🕿 Germain

JOSEPH DROUHIN 2001 ★

■	0,53 ha	n.c.	ⅠⅠ 11 à 15 €

L'œil apprécie de jolies nuances grenat dans le verre. Le nez ne pèche pas par excès de modestie : on le pousse dans ses retranchements jusqu'à l'aération, et il avoue tout (la framboise, la feuille et la mousse, le poivre...). Charnu à l'attaque, ce 2001 est en train d'apaiser ses tanins et de calmer son fût (quatorze mois). Belle bouteille pour dans un an.
🕿 Maison Joseph Drouhin, 7, rue d'Enfer, 21200 Beaune, tél. 03.80.24.68.88, fax 03.80.22.43.14, e-mail maisondrouhin@drouhin.com ☑ ⅠⅠ ⅄ r.-v.

BERNARD DUBOIS ET FILS Clos Margot 2001 ★

■	0,6 ha	3 600	ⅠⅠ 8 à 11 €

Margot dans sa plus belle robe d'un rouge brillant et foncé. Un boisé plein de tact accompagne les effluves de sous-bois, les parfums animaux et réglissés mais aussi les fruits noirs. C'est assez tannique mais riche en structure et en moelleux tout au long d'une présence insistante.
🕿 Dom. Bernard Dubois et Fils, 8, rue des Chobins, 21200 Chorey-lès-Beaune, tél. 03.80.22.13.56, fax 03.80.24.61.43 ☑ ⅠⅠ ⅄ r.-v.

PHILIPPE DUBREUIL-CORDIER 2002 ★

■	0,32 ha	1 800	ⅠⅠ 8 à 11 €

Savant équilibre ! Grenat, un 2002 au bouquet important. Réglissé, il rappelle les épices, la cannelle. Des tanins pleins de grâce, un bon support acide, une conclusion fruitée et suffisamment vive, destinent ce vin à un fromage assez doux comme le reblochon ou le brie de Meaux.
🕿 Philippe Dubreuil, 4, rue Péjot, 21420 Savigny-lès-Beaune, tél. 03.80.21.53.73, fax 03.80.26.11.46 ☑ ⅠⅠ ⅄ r.-v.

FRANCOIS GAY ET FILS 2001 ★

■	2,75 ha	15 000	ⅠⅠ 8 à 11 €

Attaque franche et tannique puis fondu enchaîné sur une assise solide et un goût de griotte. Un peu de fût, mais la finale est intéressante en s'arrimant au fruit rouge. La robe ne pose pas problème. Quant au bouquet, il n'est pas insensible à nos sollicitations et confesse une seule religion : le cassis. Il est vrai que le défunt chanoine Kir en assure une efficace promotion au paradis !
🕿 EARL François Gay et Fils, 9, rue des Fiètres, 21200 Chorey-lès-Beaune, tél. 03.80.22.69.58, fax 03.80.24.71.42 ☑ ⅠⅠ ⅄ r.-v.

DOM. MICHEL GAY ET FILS 2001 ★

■	3,5 ha	14 300	ⅠⅠ 8 à 11 €

Rubis plutôt clair, légèrement toasté sur fond un peu sauvage de sous-bois et de fruits rouges mûrs, une bouteille qui pose le pied sur le fruit et reste ferme, très ferme. Cette structure la rend austère aujourd'hui mais on est dans le pinot classique.
🕿 Dom. Michel Gay et Fils, 1b, rue des Brenôts, 21200 Chorey-lès-Beaune, tél. 03.80.22.22.73, fax 03.80.22.95.78 ☑ ⅠⅠ ⅄ r.-v.

DOM. GUYON Les Bons Ores 2002 ★★

■	1,87 ha	12 000	ⅠⅠ 11 à 15 €

Rubis cerise à reflets sombres, épicé et fruité, un chorey au-dessus de tout. Pourquoi n'a-t-il pas le coup de cœur ? Les jurés sont souverains, mais il y a du tonus sur les fiches de dégustation ! On ne peut qu'en dire du bien quel que soit le côté par où on l'aborde. Souplesse dès la mise en bouche puis de l'ampleur et de la complexité, un boisé parfaitement dosé, un immense potentiel (trois à quatre ans). Naguère polyculteur, ce domaine a vraiment trouvé sa bonne étoile.
🕿 EARL Dom. Guyon, 11-16, RN 74, 21700 Vosne-Romanée, tél. 03.80.61.02.46, fax 03.80.62.36.56 ☑ ⅠⅠ ⅄ r.-v.

DOM. LALEURE-PIOT Les Champs longs 2002

■	1,9 ha	10 000	ⅠⅠ 8 à 11 €

Une bouteille qu'on n'attendra pas très longtemps (deux ans) mais qui n'est nullement au bout de ses forces.

Luisante, limpide, elle a le nez sauvage, partagé entre l'animal et le cuir. Un rien de chaleur entoure des tanins qui demandent à s'arrondir, ce qui est assez classique.
🍷 Dom. Laleure-Piot, rue de Pralot,
21420 Pernand-Vergelesses, tél. 03.80.21.52.37,
fax 03.80.21.59.48, e-mail infos@laleure-piot.com
☑ 🍷 ⚲ t.l.j. 8h-12h 14h-18h; sam. dim. sur r.-v.

DANIEL LARGEOT Les Beaumonts 2002 ★★

■	2 ha	12 000	⫼ 8 à 11 €

Un vin à saluer d'un grand coup de chapeau à défaut d'un coup de cœur (la question s'est posée). On sait que chorey pourrait ici s'appeler tout aussi bien savigny. D'où cette robe qui ne tombe pas et éclaire le regard, ce bouquet de vanille et de mûre, bien dosé et très frais. La rondeur de l'attaque définit une bouche dont le soutien tannique est dépourvu d'arrogance. Concentré et complexe, il est trop jeune pour être admis à table, et devra attendre trois ans : son potentiel est formidablement prometteur.
🍷 Daniel Largeot, 5, rue des Brenôts,
21200 Chorey-lès-Beaune,
tél. 03.80.22.15.10, fax 03.80.22.60.62 ☑ 🍷 r.-v.

DOM. MAILLARD PERE ET FILS 2002

■	n.c.	n.c.	⫼ 8 à 11 €

18 ha et 7 *villages*, le domaine fondé par Daniel Maillard en 1952 tient la route un demi-siècle plus tard. Grenat sombre, son chorey offre un nez mûr et appuyé (réglisse, musc, café). Tout en rondeur, inspiré par le fût, il fournit une belle prestation.
🍷 Dom. Maillard Père et Fils,
2, rue Joseph-Bard, 21200 Chorey-lès-Beaune,
tél. 03.80.22.10.67, fax 03.80.24.00.42 ☑ 🍷 r.-v.

LA MAISON BLEUE 2001 ★

■	n.c.	4 000	⫼ 11 à 15 €

La robe ne montre aucun signe d'évolution et porte une bonne couleur cerise. Cerise encore (mais noire), le nez est ouvert sur un fond boisé discret. La bouche confirme les qualités perçues à l'étape précédente. De complexité moyenne, les tanins et l'acidité campent néanmoins sur une belle matière. Bouteille produite par Pierre Janny à garder un ou deux ans car elle peut progresser.
🍷 Sté Pierre Janny, La Condemine, Cidex 1556,
71260 Péronne, tél. 03.85.23.96.20, fax 03.85.36.96.58,
e-mail pierre-janny@wanadoo.fr

GHISLAINE ET BERNARD MARECHAL-CAILLOT Côte de Beaune 2002 ★

■	0,8 ha	4 500	⫼ 11 à 15 €

D'une belle brillance, la robe est profonde. Le nez joue sur des senteurs de fruits au sirop avec de petites nuances vanillées. L'attaque ne fait pas défaut. Vif et tannique, un vin à attendre deux à trois ans pour qu'il ait le temps de se faire. Il a trois atouts : l'équilibre (bonne acidité), un bon fruit et une longueur fort honorable.
🍷 Ghislaine et Bernard Maréchal-Caillot,
10, rte de Chalon, 21200 Bligny-lès-Beaune,
tél. 03.80.21.44.55, fax 03.80.26.88.21,
e-mail marechalcaillot@aol.com ☑ 🍷 ⚲ r.-v.

DOM. POULLEAU PERE ET FILS 2002 ★

■	0,45 ha	2 600	⫼ 8 à 11 €

Quand on a du bon raisin bien mûr et bien trié, il est rare de décevoir. On disposait ici, c'est sûr, d'une excellente matière première. Rouge sombre, légèrement boisé,

un vin fortement architecturé et tannique jusqu'au bout des ongles. Très puissant et néanmoins complexe, il ira reposer en cave pendant trois à quatre ans.
🍷 Dom. Poulleau Père et Fils, rue du Pied-de-la-Vallée,
21190 Volnay, tél. 03.80.21.26.52, fax 03.80.21.64.03,
e-mail domaine.poulleau@wanadoo.fr ☑ 🍷 ⚲ r.-v.

MICHEL PRUNIER Les Beaumonts 2001

■	0,54 ha	3 000	⫼ 8 à 11 €

A l'ouest de la route nationale, ce *climat* cousine avec les crus de Savigny. Et cette moitié d'hectare est un héritage de Mme Prunier. La robe de ce millésime commence à évoluer mais elle reste rubis grenat. Il faut aérer le vin qui, après agitation, joue sur le bourgeon de cassis et un peu l'animal. Beaucoup d'extraction donnent de la robustesse, mais l'élevage lui a conservé sa fraîcheur et on y verra plus clair en 2006.
🍷 Michel Prunier,
rte de Beaune, 21190 Auxey-Duresses,
tél. 03.80.21.21.05, fax 03.80.21.64.73 ☑ 🍷 ⚲ r.-v.

DOM. GEORGES ROY ET FILS 2002 ★

▨	0,32 ha	2 100	■⫼⌕ 8 à 11 €

Le **village rouge 2001**, aux tanins costauds mais pas désagréables pour autant, obtient une citation. Celui-ci, c'est un blanc à la robe limpide et franche. Un peu de cuve, onze mois de fût donnent un nez légèrement boisé et déclinant aussi d'autres arômes : agrumes, pulpe de raisin... La bouche associe la fraîcheur de la pomme verte et une rondeur équilibrée : un charme réel. Cela sent la terre profonde !
🍷 Dom. Georges Roy et Fils,
20, rue des Moutots, 21200 Chorey-lès-Beaune,
tél. 03.80.22.16.28, fax 03.80.24.76.38 ☑ 🍷 ⚲ r.-v.

Beaune

En superficie, l'appellation beaune est l'une des plus importantes de la Côte. Mais Beaune, ville d'environ 20 000 habitants, est aussi et surtout la capitale vitivinicole de la Bourgogne. Siège d'un important négoce, centre d'un nœud autoroutier très important, c'est une des cités les plus touristiques de France. La vente des vins des Hospices est devenue un événement mondial, et représente certainement l'une des ventes de charité les plus illustres.

Les vins, essentiellement rouges, sont pleins de force et de distinction. La situation géographique a permis le classement en premiers crus d'une grande partie du vignoble, et, parmi les plus prestigieux, nous pouvons retenir les Bressandes, le Clos du Roy, les Grèves, les Teurons et les Champimonts. En 2002, l'AOC a produit 15 644 hl de vin rouge et 2 266 hl de vin blanc ; en 2003, 1 361 hl de blanc et 8 955 hl de rouge ont été agréés alors que nous mettons sous presse.

BERTRAND AMBROISE Les Tuvilains 2002

■ 1er cru n.c. n.c. 11 à 15 €

Ce n'est pas une bête de concours mais ces Tuvilains (nés sur la partie méridionale du coteau), pourpre grenat, soutiennent le regard. Les parfums ont à la fois de la finesse et de la fraîcheur. La suite fait bonne impression. Dans un style billet tendre plutôt que message d'amour fou. Ils respectent leur terroir.

Maison Bertrand Ambroise,
rue de l'Eglise, 21700 Premeaux-Prissey,
tél. 03.80.62.30.19, fax 03.80.62.38.69,
e-mail bertrand.ambroise@wanadoo.fr r.-v.

ARNOUX PERE ET FILS Les Cent Vignes 2002

■ 1er cru 0,5 ha 2 800 15 à 23 €

Ce *climat* passe pour le plus riche, le plus concentré de l'appellation. Son caractère ? Opulence et fruit. Sur un air de framboise, le bon fruité est ici confirmé. D'un beau rouge grenat à reflets violacés, un 2002 assez boisé. Ses tanins sont encore assez jeunes : c'est un vin à attendre deux ans car il n'a pas révélé tout son charme.

Arnoux Père et Fils,
rue des Brenôts, 21200 Chorey-lès-Beaune,
tél. 03.80.22.57.98, fax 03.80.22.16.85 r.-v.

LYCEE VITICOLE DE BEAUNE
Les Bressandes 2002 ★★

■ 1er cru 0,77 ha 3 650 11 à 15 €

Jolies Bressandes rubis sombre et fruit noir. Elles rendent une copie impeccable. Rond et puissant, complexe, ce 2002 n'abuse pas du fût et illustre parfaitement (pour les travaux pratiques) ce qu'on appelle ici « une bouche propre ». Heureux lycée qui possède près de 20 ha de vignes !

Dom. du Lycée viticole de Beaune,
16, av. Charles-Jaffelin, 21200 Beaune,
tél. 03.80.26.35.85, fax 03.80.26.37.68
t.l.j. sf dim. 8h-12h 14h-18h; sam. 8h-12h

BOUCHARD AINE ET FILS
Clos du Roi Cuvée Signature 2002 ★

■ 1er cru n.c. 4 500 8 à 11 €

Ce Clos du Roi possède une jolie structure et une matière bien équilibrée. Rouge cerise à reflets mauves, la robe est à la hauteur de la situation. Le bouquet animal et de sous-bois n'oublie pas les fruits rouges. Léger mais sans être petit, élégant et complexe, ce vin accompagnera la lecture de l'histoire de la maison Bouchard Aîné que Nathalie Boisset vient d'éditer.

Bouchard Aîné et Fils, hôtel du Conseiller-du-Roy,
4, bd Mal-Foch, 21200 Beaune, tél. 03.80.24.24.00,
fax 03.80.24.64.12, e-mail bouchard@bouchard-aine.fr
t.l.j. 9h30-11h30 14h-17h30

BOUCHARD PERE ET FILS 2002 ★★

1er cru n.c. n.c. 15 à 23 €

Joseph Henriot propose un assemblage remarquable de plusieurs *climats*. Le teint pâle, ce 2002 a le nez jeune d'un silex très prononcé. Un certain gras ne fait pas de mal en période d'austérité, associé à quelques notes de miel. Une merveille d'équilibre et la pureté du vin au-delà de tout artifice de vinification.

Bouchard Père et Fils, Ch. de Beaune,
21200 Beaune, tél. 03.80.24.80.24, fax 03.80.22.55.88,
e-mail france@bouchard-pereetfils.com r.-v.

PIERRE BOUREE FILS Les Epenottes 2001 ★

■ 1er cru 1,2 ha 5 400 15 à 23 €

En signant ce beaune 1er cru, la maison Pierre Bourée Fils montre que la Côte de Nuits n'ignore pas la Côte de Beaune. Ces Epenottes gaillardes à l'attaque affichent un boisé agréable sur un fond réglissé. Les tanins sont en train de se fondre. L'ensemble est tout de même assez corsé. Pourpre intense, le vin se situe sur un registre cassis-vanille.

Pierre Bourée Fils,
13, rte de Beaune, 21220 Gevrey-Chambertin,
tél. 03.80.34.30.25, fax 03.80.51.85.64,
e-mail pierre-bouree@wanadoo.fr r.-v.

DOM. BOUZERAND-DUJARDIN
Les Beaux Fougets 2001

■ 0,3 ha 1 500 11 à 15 €

Côté Pommard, ce *climat* n'est pas mal situé, juste en-dessous des Boucherottes. Grenat limpide, le bouquet partagé entre le fruit en compote et le cuir plus sauvage, ce vin est net et charnu, un peu léger (moyennement charpenté), agréable en rétro (groseille).

Dom. Bouzerand-Dujardin,
pl. de l'Eglise, 21190 Monthélie,
tél. 03.80.21.20.08, fax 03.80.21.28.16,
e-mail domaine.bouzerand.dujardin@wanadoo.fr
r.-v.

CHRISTOPHE BUISSON Clos Saint-Désiré 2001 ★

n.c. n.c. 15 à 23 €

Quand un courtier en vins devient producteur... Saint-Désiré se situe en haut de coteau sur le versant Pommard. Ce *climat* donne ici un blanc d'un doré très lumineux. Son bouquet d'aubépine, de sous-bois s'accompagne d'une touche vanillée. En bouche, l'approche est ronde, conviviale, portée par un soutien acide suffisant. Impressions minérales et longueur appréciable. Heureuse la volaille qui l'accompagnera.

Christophe Buisson,
rue de la Tartebouille, 21190 Saint-Romain,
tél. 03.80.21.63.92, fax 03.80.21.67.03,
e-mail domainechristophebuisson@wanadoo.fr
r.-v.

CHAMPY PERE ET CIE Champs Pimont 2001

■ 1er cru 0,64 ha 3 600 23 à 30 €

Ce millésime ne peut pas mieux s'habiller. Le nez répond présent à l'appel sur une tonalité animale mâtinée de griotte. Une petite touche de sévérité en finale est due aux tanins. Mais comme l'avenir lui sourira, il gagnera à rester trois ou quatre ans dans une bonne cave. Car la matière est là. Ce *climat* est classé par le Dr Lavalle (1855) en tête de cuvée à l'égal des Grèves.

Maison Champy,
5, rue du Grenier-à-Sel, 21200 Beaune,
tél. 03.80.25.09.99, fax 03.80.25.09.95 r.-v.
Pierre Meurgey

DOM. CHANSON PERE ET FILS
Bressandes 2002 ★★★

■ 1er cru 0,92 ha 3 870 23 à 30 €

Repris par Bollinger, Chanson Père et Fils peut se dire, comme naguère, « l'ambassadeur du vin en Bourgogne ». Voici en effet la plus belle de toutes les lettres de créance ! Elle devrait atteindre un niveau exceptionnel d'ici un à deux ans. La robe est soutenue, profonde. Le nez joue sur le pruneau tout en maintenant le contact avec la

vanille de l'élevage (quatorze mois). Riche et vineux, chaud sans être alcooleux, subtil en finale, il réunit tous les indices précurseurs d'un goût parfait. Coup de cœur évidemment. En **rouge** et en **blanc (30 à 38 €), le Clos des Mouches 2002** offre une belle image de ce célèbre 1er cru (une étoile).
🔑 Maison Chanson Père et Fils, 10, rue Paul-Chanson, 21200 Beaune, tél. 03.80.25.97.97, fax 03.80.24.17.42, e-mail chanson@vins-chanson.com

DOM. DU CHATEAU DE CHOREY
Les Teurons 2001 ★

■ 1er cru 2 ha 5 956 🛢 **23 à 30 €**

Un week-end à Beaune ? Le château propose ses chambres d'hôtes et en passant par la cave demandez à goûter la cuvée Tante Berthe en hommage à une grand-tante qui permit de conserver dans la famille ce prestigieux domaine. Mais nous n'avons pas testé cette cuvée. En revanche, ces Teurons, entre poupre et grenat, invitent le nez dans le sous-bois, le champignon. Encore jeunes, ils contiennent beaucoup de matière. Petite note tannique sur la fin qui conseille de déboucher dans un à deux ans. Les **Vignes Franches en 1er cru 2001 rouge (30 à 38 €)** obtiennent une étoile. Boisé et fruits rouges sont bien mariés.
🔑 Dom. du Château de Chorey, 21200 Chorey-lès-Beaune, tél. 03.80.24.06.39, fax 03.80.24.77.72, e-mail domaine-chateau-de-chorey@wanadoo.fr ☑ 🏠 Y 🚶 r.-v.

CLAVELIER Grèves 2001

■ 1er cru 2,6 ha 1 660 ▮🛢 **15 à 23 €**

Ces Grèves 2001 ont un œil magnifique. Rouge comme de Bastille à Nation. Le nez joue sur le champignon, le café, la mûre. Corpulent et gras, encore un peu fermé, ce vin va s'épanouir au vieillissement. Sa bonne mâche est faite pour les plats coquins. Clavelier est passé à la famille Thomas (Moillard).
🔑 Maison Clavelier et Fils, 49, rte de Beaune, N 74, 21700 Comblanchien, tél. 03.80.62.94.11, fax 03.80.62.95.20, e-mail vins.clavelier@wanadoo.fr ☑ Y 🚶 t.l.j. 10h-18h30

YVES DARVIOT Les Grèves 2002 ★

■ 1er cru 0,7 ha 3 200 🛢 **15 à 23 €**

Nous aimons le **Chaume Gaufriot rouge 2001 en village (11 à 15 €)**, encore jeune et un peu fermé mais qui s'annonce très bien. Nous aimons beaucoup ces Grèves flamboyantes, framboisées, plus caressantes que profondes mais d'un fruité séducteur en bouche. S'il faut savoir finir une grève, il vous faudra attendre de trois à cinq ans pour négocier l'ultime accord avec celles-ci.
🔑 Dom. Yves Darviot, 2, pl. Morimont, 21200 Beaune, tél. 03.80.24.74.87, fax 03.80.22.02.89, e-mail ydarviot@club-internet.fr ☑ 🏠 Y 🚶 r.-v.

DOM. RODOLPHE DEMOUGEOT
Clos Saint-Désiré 2002 ★

□ 0,45 ha 3 000 🛢 **15 à 23 €**

Le chardonnay se plaît volontiers sur les hauteurs du Clos Saint-Désiré. Celui-ci est jaune pâle brillant. Son bouquet est très plein, avec des nuances d'agrumes et de noisette dans une composition fine, élégante. En bouche, le grain est bien présent, l'acidité assurant le bon équilibre général. Tout est correct et ce vin a de l'avenir (trois à quatre ans).
🔑 Dom. Rodolphe Demougeot, 2, rue du Clos-de-Mazeray, 21190 Meursault, tél. 03.80.21.28.99, fax 03.80.21.29.18 ☑ Y 🚶 r.-v.

DOM. JEAN-LUC DUBOIS Bressandes 2001

■ 1er cru 0,77 ha 3 000 🛢 **11 à 15 €**

Loyal et marchand, comme on disait jadis. Un 2001 rubis moyen, en cours d'évolution (reflets tuilés), mais qui a bon nez (sous-bois). L'entrée de bouche est encore un peu rude, puis le paysage s'éclaire et s'adoucit. La conclusion est assez aromatique. Dans son millésime.
🔑 EARL Dom. Jean-Luc Dubois, 9, rue des Brenôts, 21200 Chorey-lès-Beaune, tél. 03.80.22.28.36, fax 03.80.22.83.08 ☑

DOM. DUBOIS D'ORGEVAL
Les Marconnets 2001

■ 1er cru n.c. 1 200 🛢 **15 à 23 €**

Côté Savigny, ce 1er cru s'exprime ici en bon bourguignon : sa robe pourpre garde une couleur de jeunesse et son bouquet tire sur la framboise. C'est pourtant un 2001. La matière reste fraîche elle aussi, assez concentrée sur un boisé bien fondu. Les tanins sont à leur place. Le tout est très correct.
🔑 Dom. Dubois d'Orgeval, 3, rue Joseph-Bard, 21200 Chorey-lès-Beaune, tél. 03.80.24.70.89, fax 03.80.22.45.02 ☑ Y 🚶 r.-v.

DOM. MICHEL GAY ET FILS
Les Toussaints 2001 ★

■ 1er cru 0,44 ha 2 000 🛢 **11 à 15 €**

Des Toussaints comme on les fête bien volontiers. Pourpre légèrement ambrée, cette bouteille a l'accent floral, fruité et de gibier. Si sa consistance n'est pas phénoménale, on y trouve de la finesse, de la distinction. Célébrez-la maintenant, ou encore **Les Grèves en 1er cru rouge 2001 (15 à 23 €)**, de qualité équivalente. Tout cela salue aussi l'arrivée sur le domaine de Sébastien, fils de Michel Gay.
🔑 Dom. Michel Gay et Fils, 1b, rue des Brenôts, 21200 Chorey-lès-Beaune, tél. 03.80.22.22.73, fax 03.80.22.95.78 ☑ Y 🚶 r.-v.

GERMAIN PERE ET FILS Les Aigrots 2002

■ 1er cru 0,6 ha 3 000 🛢 **11 à 15 €**

Un vin agréable et surprenant, mais il a sa place ici. Surprenant ? Sa robe très légère n'est tout de même pas œil-de-perdrix mais ne s'enfonce pas dans le noir violacé. Pourquoi pas ? L'extraction forcenée n'est pas un modèle à suivre. Le nez doux et subtil est délicat et ce n'est pas un défaut. La bouche est peu intense. Tout joue sur le même registre mais avec infiniment de doigté, de fraîcheur.

BOURGOGNE

🔑 EARL Dom. Germain Père et Fils,
rue de la Pierre-Ronde, 21190 Saint-Romain,
tél. 03.80.21.60.15, fax 03.80.21.67.87,
e-mail patrick.germain8@wanadoo.fr
☒ 🏠 🍸 🚶 t.l.j. 8h-20h; dim. sur r.-v.

DOM. A.-F. GROS Les Montrevenots 2002 *

■ 1er cru 0,26 ha 1 600 🛢 **23 à 30 €**

Ce domaine de Pommard présente un beaune 1er cru accolé à ce village. Il en est souvent ainsi dans la Côte, surtout en un temps où l'on travaillait au pas du cheval. Le pinot s'offre ici une jolie robe. Cassis, réglisse, épice, le bouquet trouve la rime. Au palais, les tanins font encore barrière de corail et il faut viser juste pour entrer dans le port. Mais il s'agit ici d'un vin à conserver trois ou quatre ans, dont l'extraction très soignée annonce l'excellence future.

🔑 Dom. A.-F. Gros, La Garelle, 5, Grande-Rue,
21630 Pommard, tél. 03.80.22.61.85, fax 03.80.24.03.16,
e-mail af-gros@wanadoo.fr ☒ 🍸 🚶 r.-v.

MAISON LOUIS JADOT Bressandes 2001 *

□ 1er cru n.c. n.c. 🛢 **30 à 38 €**

« Les blancs s'offrent ici assez jeunes », estime Serena Sutcliffe, auteur britannique d'ouvrages sur le vin de Bourgogne. Ce 2001 n'est plus très jeune et il reste fort agréable... sans avoir dit son dernier mot. Brillant à l'œil, complexe au nez (mousse, fleurs blanches), il est honnête en bouche. Sa finale est toutefois encore assez sévère. Laissez-le poursuivre son évolution deux à trois ans.

🔑 Maison Louis Jadot, 21, rue Eugène-Spuller,
21200 Beaune, tél. 03.80.22.10.57, fax 03.80.22.56.03,
e-mail contact@louisjadot.com 🍸 🚶 r.-v.

DOM. PIERRE LABET
Clos des Monsnières 2002 **

■ 0,7 ha 3 800 🛢 **15 à 23 €**

Un pied au clos de vougeot (la parcelle la plus étendue) et l'autre en beaune, un mariage qui semble réussi à en croire ce Clos des Monsnières dont la couleur rubis sombre donne soif et appétit. Fort heureusement le coco, la vanille des quatorze mois de fût ne couvrent pas tout. La cerise noire veut y prendre part. Avec des tanins soyeux et tout ce qu'il faut de gras, un 2002 moderne et quasiment luxueux, qu'on peut servir dès à présent ou dans les cinq ans. En **1er cru 2002 rouge les Coucherias** obtiennent une étoile et méritent une bonne table.

🔑 Dom. Pierre Labet, Clos de Vougeot,
21640 Vougeot, tél. 03.80.62.86.13, fax 03.80.62.82.72,
e-mail contact@chateaudelatour.com
☒ 🚶 t.l.j. sf mar. 10h30-19h; f. 15 nov.-1er avril
🔑 François Labet

DOM. MICHEL LAHAYE Les Bons Feuvres 2001

■ 0,44 ha 1 500 🛢 **11 à 15 €**

Climat situé le long de la N 74 quand on quitte Beaune vers Chalon, côté droit. La robe est ici en légère évolution. Les dix-huit mois de fût expliquent le vanillé, le terroir et le cépage les fruits rouges frais : fraise, framboise au retour du marché. Ce vin a du corps, une sensation kirschée, puis les tanins apparaissent en fin de bouche ; il sera bon fin 2005.

🔑 Michel Lahaye, pl. de l'Eglise, 21630 Pommard,
tél. 03.80.22.52.22 ☒ 🍸 🚶 r.-v.

DANIEL LARGEOT Les Grèves 2002

■ 1er cru 0,6 ha 3 500 🛢 **15 à 23 €**

Ce domaine obtenait en 1999 le coup de cœur pour son millésime 96. Le 2002 est d'un grenat puissant mais nuancé, et réserve ses confidences olfactives à de futurs dégustateurs. Il en a le droit car on est ici en pays de garde. Cassis et mûre pour l'impression première. Puis le scénario se déroule en bouche de façon généreuse, ronde et pleine jusqu'à une finale qui n'est pas encore satisfaisante. Ce n'est pas un vin pressé de passer à table.

🔑 Daniel Largeot,
5, rue des Brenôts, 21200 Chorey-lès-Beaune,
tél. 03.80.22.15.10, fax 03.80.22.60.62 ☒ 🍸 r.-v.

DOM. MAZILLY PERE ET FILS
Vignes Franches 2002 *

■ 1er cru 0,3 ha 1 800 🛢 11 à 15 €

« Le vin de Beaune ne perd sa cause que faute de comparer », prétend le dicton. Il est vrai que ces Vignes Franches rubis intense ont de quoi satisfaire. Au bouquet de griotte légèrement vanillé et réglissé succède une bouche toujours cerise, tendre et soyeuse. Ce *climat* doit son nom à la franchise... d'impôt ; les choses ont bien changé mais le nom est resté.

🔑 Dom. Mazilly Père et Fils,
rte de Pommard, 21190 Meloisey,
tél. 03.80.26.02.00, fax 03.80.26.03.67 ☒ 🍸 🚶 r.-v.

ALBERT MOROT Les Toussaints 2001 **

■ 1er cru 0,77 ha 4 500 🛢 15 à 23 €

Ce qu'on fait de mieux en 2001 et tous les saints du paradis semblent en effet s'être penchés sur cette bouteille grenat, rappellant la confiture de fraise mais aussi le Zan, le cuir. Merveilleux nez qui parle plusieurs langues ! Au palais on déroule le tapis rouge, et il est long ! Opulence et majesté, mais aussi un grain de tendresse. Cette maison en pleine renaissance signe également en **1er cru rouge des Aigrots 2001** en qui on peut avoir toute confiance (deux étoiles), sans parler des **Teurons 2001** (une étoile).

🔑 Albert Morot, Ch. de la Creusotte,
20, av. Charles-Jaffelin, 21200 Beaune,
tél. 03.80.22.35.39, fax 03.80.22.47.50,
e-mail albertmorot@aol.com ☒ 🍸 🚶 r.-v.

DOM. NEWMAN Grèves 2002 **

■ 1er cru 0,31 ha 1 700 🛢 15 à 23 €

Jusqu'au dernier moment, il est resté un sérieux candidat au coup de cœur. Autant dire qu'il se situe à un doigt des meilleurs. Et il prouve que la nationalité bourguignonne est l'une des plus faciles à acquérir : les Newman ont un pied en Autriche et l'autre aux Etats-Unis. Presque grenat, aromatique (fruits rouges, vanille), ce vin fait très bonne impression en bouche. Son volume est profond, ses nuances élégantes et sa légère astringence est simplement un péché de jeunesse. Jugement également flatteur pour le **1er cru 2002 rouge Clos des Avaux**. Ces deux 1ers crus pourront être servis dans deux à trois ans.

🔑 GFA Dom. Newman, 29, bd Clemenceau,
21200 Beaune, fax 03.80.24.29.14 ☒

DOM. PARIGOT PERE ET FILS Grèves 2002 *

■ 1er cru n.c. n.c. 🛢 **15 à 23 €**

Sans doute quelques reflets tuilés apparaissent dans le verre, mais une acidité plaisante et des qualités de finesse lui permettent d'être rond sans manquer de caractère, puissant sans être lourd. Ses arômes, encore discrets, penchent pour le fruit.

🔑 Dom. Parigot Père et Fils,
rte de Pommard, 21190 Meloisey,
tél. 03.80.26.01.70, fax 03.80.26.04.32 ☒ 🍸 🚶 r.-v.

DOM. DU PIMONT Montée Rouge 2001 ★

■ 0,92 ha 5 760 ◍ 15 à 23 €

Une Montée Rouge... Tout un programme ! Signé par la maison Picard ayant repris la maison Chandesais (mention de celle-ci sur l'étiquette), un beaune né sur la partie haute du coteau (le bas en 1er cru). Rouge carmin, porté sur le cuir et le musc, ce vin reste en bouche dans cet esprit. Charpenté, peu fruité, boisé sans excès malgré ses dix-huit mois de fût, il revendique sa propre parole. Pourquoi la lui refuser dès lors que sa sincérité ne fait pas de doute ?

🔑 Dom. du Pimont, ch. de Chassagne-Montrachet,
5, rue du Château, 21190 Chassagne-Montrachet,
tél. 03.85.87.51.17, fax 03.85.87.51.12,
e-mail marie-laure@m-p.fr
🔑 Maison Chandesais

DOM. PINQUIER-BROVELLI
Les Chaumes Gauffriot 2001

■ 0,3 ha 1 500 ▮◍ 8 à 11 €

Créé par le père de Thierry, ouvrier vigneron, ce domaine est un bel exemple de promotion sociale. Voulez-vous vous en rendre compte de plus près ? Il y a des chambres d'hôtes. Nuance groseille, ce 2001 a derrière lui trois mois de cuve et vingt mois de fût. Vanille, réglisse sont au balcon. On retrouve la groseille non plus en couleur mais en goût. Bien construit, charpenté, il devra attendre un ou deux ans en cave.

🔑 Dom. Pinquier-Brovelli, imp. des Belges,
5, rue Pierre-Mouchoux, 21190 Meursault,
tél. 03.80.21.24.87, fax 03.80.21.61.09
☑ 🏠 🍷 🚶 lun.-sam. 9h-12h 13h30-19h; dim. 9h-12h

ALBERT PONNELLE Les Bressandes 2001 ★

■ 1er cru 0,3 ha 1 200 ◍ 23 à 30 €

Les Bressandes rappellent une famille originaire de la Bresse venue s'établir ici... il y a très longtemps. Rouge fauve (l'école de peinture, bien sûr), un 2001 qui entre du bon pied dans le XXIe s. Il se gardera dix ans au moins. Nos jurés sont d'accord : un délicieux arôme de coing. L'attaque est moyenne mais on a dans le verre de la matière à déguster. Un peu d'astringence ne nuit pas à son charme et disparaîtra dans un an ou deux.

🔑 Albert Ponnelle,
38, fb Saint-Nicolas, BP 107, 21200 Beaune,
tél. 03.80.22.00.05, fax 03.80.24.19.73 ☑ 🍷 🚶 r.-v.

DOM. PRIEUR-BRUNET Clos du Roy 2001

■ 1er cru 0,4 ha 2 200 ◍ 15 à 23 €

Rouge rubis, sa robe est plus intense que profonde. Au nez, le fruit confituré se mêle à l'animal. Ses dix-huit mois de fût ne se font pas oublier mais ce Clos du Roy ne manque pas d'espérances et il doit encore atténuer l'impact de sa forte structure tannique. Depuis 1804, ce domaine familial sait de quoi il parle.

🔑 Dom. Prieur-Brunet, rue de Narosse,
21590 Santenay, tél. 03.80.20.60.56, fax 03.80.20.64.31,
e-mail uny-prieur@prieur-santenay.com ☑ 🚶 r.-v.

DOM. RAPET PERE ET FILS Clos du Roi 2002

■ 1er cru 0,5 ha 2 000 ◍ 15 à 23 €

Vous rappelez-vous que Maître Pathelin, dans le fabliau médiéval, choisit d'être enterré dans une cave sous un muid de vin de Beaune ? Il y a pire comme funérailles... Ce Clos du Roi n'inspire cependant pas des pensées aussi attristantes. Rouge cerise très intense, il est encore plein de vie et il faudra le revoir dans quelques années. Ses tanins accrocheurs signalent un 2002 qui n'est pas parvenu à son sommet. Il devrait s'ouvrir davantage dans deux ans.

🔑 Dom. Rapet Père et Fils,
21420 Pernand-Vergelesses,
tél. 03.80.21.59.94, fax 03.80.21.54.01 ☑ 🍷 🚶 r.-v.

DOM. ROSSIGNOL-TRAPET Teurons 2001

■ 1er cru 1,17 ha 6 100 ◍ 15 à 23 €

La sève apparaît ici emplie de cassis et de mûre. Limpide et assez intense, des Teurons assez légers, bien dans ce millésime qui n'offrait pas une matière considérable. On retrouve cependant un bon goût de pinot (cassis, mûre). La Côte de Nuits – ce domaine fait partie des vedettes du gevrey-chambertin –, on le voit, n'est pas dépaysée en Côte de Beaune.

🔑 Dom. Rossignol-Trapet,
4, rue de la Petite-Issue, 21220 Gevrey-Chambertin,
tél. 03.80.51.87.26, fax 03.80.34.31.63,
e-mail info@rossignol-trapet.com ☑ 🍷 🚶 r.-v.

CH. DE LA VELLE Les Marconnets 2001 ★★

□ 1er cru 0,15 ha 500 ◍ 15 à 23 €

Coup de cœur pour son millésime 96, Bertrand Darviot impressionne à nouveau avec des Marconnets 2001 d'une grande richesse aromatique. Sous une robe de circonstance (ce viticulteur accueille ses hôtes au château en costume médiéval le dernier week-end d'avril), cette bouteille pourrait prendre part à la fête. Son bouquet réunit les charmes de la noisette et de la mangue. Un vin de garde qui roule déjà très bien. On pense également beaucoup de bien de la **cuvée Vieilles Vignes en beaune 2001 rouge (11 à 15 €)** à conserver deux ou trois ans (une étoile).

🔑 Bertrand Darviot,
17, rue de la Velle, 21190 Meursault,
tél. 03.80.21.22.83, fax 03.80.21.65.60,
e-mail chateaudelavelle@darviot.com ☑ 🏠 🍷 r.-v.

THIERRY VIOLOT-GUILLEMARD
En Montagne Saint-Désiré 2001 ★

■ 0,56 ha 1 700 ▮◍🍾 11 à 15 €

Rouge limpide moyennement soutenu, ce beaune, produit en haut de coteau côté Pommard, ne garde pas un mauvais souvenir de ses quatorze mois de fût. Il les assimile bien, tout en jouant sur des arômes réglissés et fruités. L'attaque est charnue, la charpente honorable ; on ne s'étonnera pas d'un rien d'amertume, d'un soupçon d'astringence. Un 2001 qui veut être débouché dans un an lorsque tout sera fondu.

🔑 EARL Thierry Violot-Guillemard,
7, rue Sainte-Marguerite, 21630 Pommard,
tél. 03.80.22.49.98, fax 03.80.22.94.40,
e-mail thviolot@wanadoo.fr ☑ 🏠 🍷 🚶 r.-v.

Côte-de-beaune

A ne pas confondre avec le côte-de-beaune-villages, l'appellation côte-de-beaune ne peut être produite que sur quelques lieux-dits de la Montagne de Beaune. Elle a déclaré 1 114 hl de vin rouge et 537 hl de vin blanc en 2002.

JOSEPH DROUHIN 2002 ★★

■	0,5 ha	n.c.	11 à 15 €

D'un or très pâle, il a le nez très fin sur des notes de citron, d'herbe fraîche. On lui trouve une bouche harmonieuse et fraîche, assez vive, ornée d'une touche de minéralité sur fond de vanille bien mariée. Un vin plaisir, récolte du domaine, pour les crustacés.

Maison Joseph Drouhin, 7, rue d'Enfer, 21200 Beaune, tél. 03.80.24.68.88, fax 03.80.22.43.14, e-mail maisondrouhin@drouhin.com r.-v.

DOM. CHRISTOPHE NEWMAN
La Grande Châtelaine 2002 ★★

■	0,48 ha	3 300	8 à 11 €

La Grande Châtelaine ? Les vignes rencontrées en montant sur Bouze-lès-Beaune. Ce vin frôle le coup de cœur (historique pour l'appellation !). Américain d'origine autrichienne, Bob Newman créa un domaine en Bourgogne. Bonnes-mares, mazis, etc. Son fils Christopher (pétrole, bois, etc.) a réunifié les vignes détenues par plusieurs membres de sa famille, acquérant une maison à Beaune. Pourpre-grenat, cette cuvée allie au cassis une vanille bien tempérée. Rondeur et longueur caractérisent la bouche qui reste sur ces tonalités flatteuses. De deux à trois ans de garde concevables.

GFA Dom. Newman, 29, bd Clemenceau, 21200 Beaune, fax 03.80.24.29.14

DOM. POULLEAU PERE ET FILS
Les Mondes Rondes 2002

■	3,2 ha	8 000	5 à 8 €

S'il y a un sermon sur la montagne (de Beaune évidemment), c'est bien de cette voix-là qu'on l'entend. En hauteur, ce *climat* domine tout. Grenat limpide, un rouge parfumé au fruit mûr avec une sensation boisée au cours de l'ascension. Le discours est très sérieux en bouche, carré, appuyé sur l'évangile d'un pinot noir tannique, un peu sévère encore mais conforme aux principes.

Dom. Poulleau Père et Fils, rue du Pied-de-la-Vallée, 21190 Volnay, tél. 03.80.21.26.52, fax 03.80.21.64.03, e-mail domaine.poulleau@wanadoo.fr r.-v.

DOM. DE LA VOUGERAIE
Les Pierres blanches 2001 ★

■	1,07 ha	3 229	15 à 23 €

Les Pierres blanches forment un beau *climat* sur les hauteurs de Beaune. De là, la vue est magnifique sur le Jura et parfois les Alpes. Et pas seulement la vue ! Signé par La Vougeraie (domaine J.-C. Boisset), ce chardonnay or jaune respire la noisette, le pain d'épice (de Dijon, bien sûr). Vivacité et fraîcheur compensent un gras modéré. A boire dans l'année qui vient : il fera sortir de leurs coquilles une douzaine d'escargots !

Dom. de La Vougeraie, rue de l'Eglise, 21700 Premeaux-Prissey, tél. 03.80.62.48.25, fax 03.80.61.25.44, e-mail vougeraie@domainedelavougeraie.com r.-v.

Pommard

C'est l'appellation bourguignonne la plus connue à l'étranger, sans doute en raison de sa facilité de prononciation... Le vignoble de 238 ha a produit 13 875 hl en 2002. L'argovien marneux est ici remplacé par des calcaires tendres, et les vins produits sont solides, tanniques ; ils ont une bonne aptitude à la garde. Les meilleurs climats sont classés en premiers crus, dont les plus connus sont les Rugiens et les Epenots.

BALLOT-MILLOT ET FILS Pézerolles 2002 ★

■ 1er cru	0,52 ha	2 400	23 à 30 €

On en reparlera vers 2010, de celui-ci ! Texture et chair donnent dans le savoureux, en pleine maturité future. Le rouge et le noir : la robe est stendhalienne, ce qui ne nous surprend pas tellement de la part de ce viticulteur chargé à Meursault du prix littéraire de la Paulée ! Le nez n'est pas proustien. Il n'en dit pas trop, mais la myrtille et la mûre pourraient bientôt faire ici office de madeleine. Bien construit avec des tanins chaleureux, de la densité et du fruit, un Pézerolles pur et net.

Ballot-Millot et Fils, 9, rue de la Goutte-d'Or, 21190 Meursault, tél. 03.80.21.21.39, fax 03.80.21.65.92, e-mail ballotmilloteetfils@hotmail.com r.-v.

ROGER BELLAND Les Cras 2002 ★

■	1 ha	5 000	23 à 30 €

Ce domaine dirigé depuis 1981 par Roger Belland est situé à Santenay et contrôle 23 ha. Rubis sombre, ce pommard exprime une forte concentration tirant sur des arômes animaux qui emplissent le sujet, s'appuyant sur un beau volume au palais. Son fût est maîtrisé et ne déborde pas sur une bouche fraîche et franche. Un vin bien constitué, de garde, qui offre d'excellentes garanties pour l'avenir et qui fera merveille sur un fromage fait comme on les adore en Bourgogne.

Dom. Roger Belland, 3, rue de la Chapelle, BP 13, 21590 Santenay, tél. 03.80.20.60.95, fax 03.80.20.63.93, e-mail belland.roger@wanadoo.fr r.-v.

FRANCOIS BERGERET Les Chanlins Bas 2002 ★

■ 1er cru	0,06 ha	400	15 à 23 €

François Bergeret succède à son père Daniel qui créa le domaine en 1960. Guère plus d'une ouvrée de Chanlins Bas, mais quand on habite Nolay (ne manquez pas les halles de cette ravissante ville) cela vaut tous les trésors. La bouteille pourpre à reflets rubis évite les excès du violacé. Elle est odorante, sur une cerise poivrée. La bouche, très riche en arômes, calme et reposante, sans agressivité, racée se montre typée, classique. On aimerait l'avoir dans sa cave, c'est dire !

François Bergeret, 58, rue Saint-Pierre, 21340 Nolay, tél. 03.85.91.15.18, fax 03.85.91.15.18 t.l.j. 10h-12h30 17h-20h

PHILIPPE BERGERET 2001 ★★

■	1,96 ha	3 000	11 à 15 €

Petit domaine à la troisième génération (5,7 ha) mais Philippe Bergeret veille également sur des vignes des Hospices de Beaune. Ce qui constitue en Bourgogne un parfait brevet de noblesse ! Rubis clair à reflets mauves, son *village* évoque en l'humant de bien jolies choses : framboise, airelle peut-être. Kirschée, l'attaque s'emballe sur une texture magnifique, des tanins fondus, une structure appréciée et une persistance ensoleillée. Remarquable rapport qualité-prix.

🔑 Philippe Bergeret,
8, rue de Richebourg, 21630 Pommard,
tél. 03.80.22.63.45, fax 03.80.22.93.58
☑ 🍷 🚶 t.l.j. 8h-20h

DOM. ALBERT BOILLOT En Largillière 2002 *

■ 1er cru 0,49 ha 3 000 🛢 15 à 23 €

Entre Charmots et Pézerolles, un *climat* côté Beaune. Il donne ici un vin à déguster pas trop tôt, dans cinq à dix ans. Cerise burlat, très boisé au nez, il est sélectionné (moins d'un tiers des vins présentés sont retenus dans l'appellation) grâce à sa structure, sa richesse et ses promesses. Il va se faire, affirme le jury qui attribue une même note aux **Chanlins Bas 2002**, de bonne composition, à goûter dans deux ou trois ans.

🔑 SCE du Dom. Albert Boillot, ruelle Saint-Etienne, 21190 Volnay, tél. 03.80.21.61.21, fax 03.80.21.61.21, e-mail dom.albert.boillot@wanadoo.fr
☑ 🍷 🚶 t.l.j. sf dim. 10h-13h 15h-18h

LOUIS BOILLOT Les Chanlins Bas 2002 *

■ 1er cru 0,25 ha 1 200 🛢 15 à 23 €

Des Chanlins de pommard, côté volnay. On n'en a pas tant dégusté cette année. On se trouve ici parmi les spécialistes des deux *villages*, ignorant toute autre religion. D'un burlat soutenu, ce vin plaisir devra être carafé (nez de chocolat framboisé) en le débouchant cette année ou la suivante. Une étiquette pour collectionneur car elle est une des rares en Bourgogne à signaler : « Propriétaire à Pommard et Volnay ». On vous le disait bien : pas d'autre dieu sur Terre !

BOURGOGNE

La côte de Beaune (Centre-Nord)

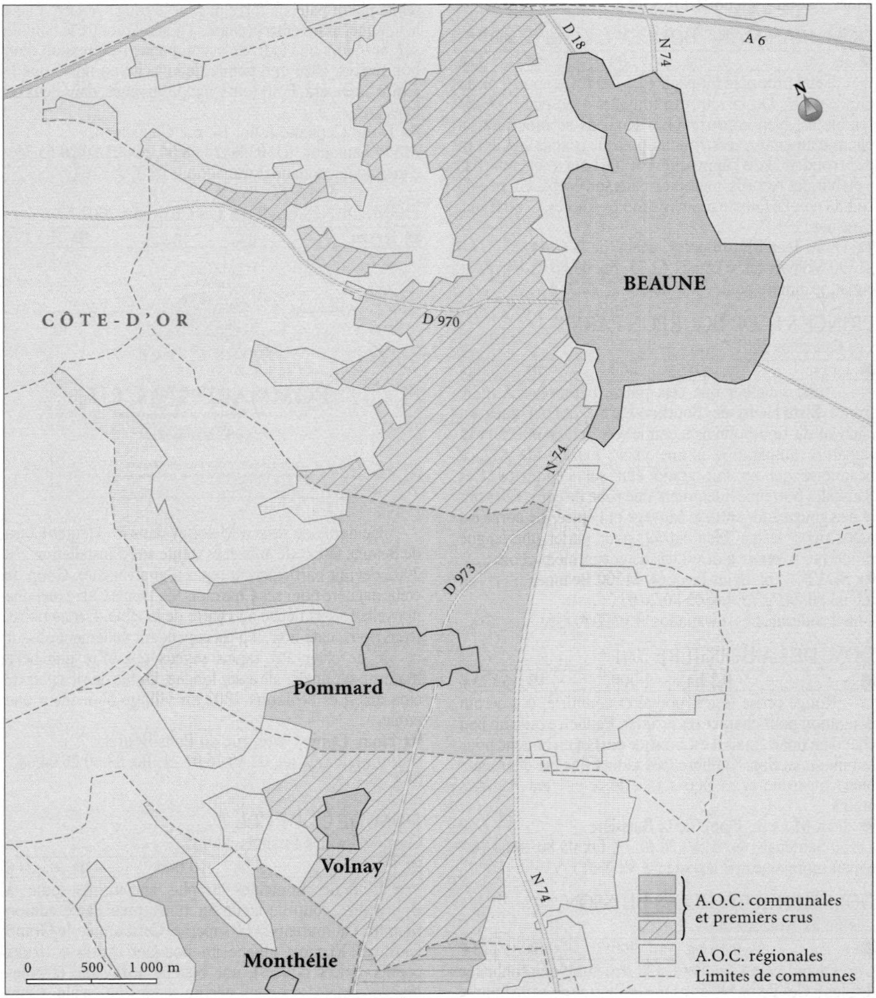

Louis Boillot, rue Saint-Etienne, 21190 Volnay,
tél. 03.85.55.28.49, fax 03.85.80.14.62,
e-mail louis.boillot@libertysurf.fr r.-v.

JEAN-CLAUDE BOISSET Clos de Verger 2002 ★★

1er cru 0,6 ha 3 000 15 à 23 €

Victor Hugo voyait dans le pommard « le combat du jour et de la nuit ». En effet ce Clos de Verger possède du souffle, de l'inspiration, le génie du cru. Couleur vive cerise noire, parfum de petits fruits frais que nuance un rien de torréfié, il concilie admirablement l'élégance très tendre, la finesse, le respect du cépage traité à la perfection. Il n'a pas trop de puissance : choisissez la caille rôtie plutôt que la gruotte de sanglier. Ce vin est arrivé troisième au grand jury des 1ers crus.

Jean-Claude Boisset,
5, quai Dumorey, 21700 Nuits-Saint-Georges,
tél. 03.80.62.61.61, fax 03.80.62.37.38,
e-mail patriat.g@jcboisset.fr r.-v.

DOM. JEAN-MARC BOULEY Les Rugiens 2001 ★

1er cru 0,3 ha 1 500 23 à 30 €

Cette propriété familiale (7,5 ha) fut grappe d'or du Guide 1994. On la retrouve toujours avec plaisir. L'ensemble est bien construit. Les Rugiens se montrent ici pleins d'aménité, racés, fondus, presque friands tant ils ont de la rondeur dans l'approche. Un 2001 qui ne cherche pas à établir des records, mais bien dans son corps. Un peu de cuir au nez, de fourrure, puis des notes épicées. C'est franc, c'est net.

Dom. Jean-Marc Bouley, chem. de la Cave,
21190 Volnay, tél. 03.80.21.62.33, fax 03.80.21.64.78,
e-mail jeanmarc.bouley@wanadoo.fr r.-v.

PRINCE S.H. DE BOURBON-PARME
Les Saussilles 2001 ★

1er cru n.c. 2 400 15 à 23 €

Aussi singulier que cela puisse paraître, S.A.R. le prince Sixte-Henri de Bourbon-Parme qui vit dans un château du Bourbonnais a confié son nom, son écu et sa signature autographe à une jeune maison de négoce beaunoise qui en fait grand état sur l'étiquette. Ces Saussilles portent évidemment une robe de cour. Elles ont le nez gourmand, entre le sauvage et l'épice. Le corps est assez riche, ferme, bien extrait, pour parler une langue moderne. A servir à des hôtes soigneusement choisis...

SDVF, 1, pl. Saint-Jacques, 21200 Beaune,
tél. 03.80.24.72.75, fax 03.80.24.03.76,
e-mail sodisvinsfins@wanadoo.fr r.-v.

DOM. DE LA BUISSIERE 2001 ★

0,3 ha 1 700 15 à 23 €

Rouge cerise foncé, poivré et confituré, il a besoin d'aération pour chanter ses arômes. Peut-être est-il un peu chaud en finale, mais il est presque parfait en bouche pour le millésime. Son équilibre, ses tanins fins, sa charpente bien construite et sa persistance lui confèrent de vrais atouts.

Jean Moreau, Dom. de la Buissière,
21590 Santenay, tél. 03.80.20.61.79, fax 03.80.20.64.76,
e-mail moreau.jean@laposte.net r.-v.

DOM. HENRI ET GILLES BUISSON
Les Petits Noizons 2001 ★

0,15 ha 900 15 à 23 €

Quand on a l'équilibre et la structure, que souhaiter de plus ? Ces Petits Noizons ont le charme de cette famille vigneronne : Edouard, Henri puis Gilles Buisson, depuis Saint-Romain, voient la Côte de haut ! Coloré, un 2001 au nez de sous-bois plaisant et de fruits rouges prononcés. L'attaque franche et l'équilibre ne promettent que du plaisir. Bien construit en un mot. N'oubliez pas, à Saint-Romain, de visiter le site archéologique.

Dom. Henri et Gilles Buisson,
imp. du Clou, 21190 Saint-Romain,
tél. 03.80.21.27.91, fax 03.80.21.64.87,
e-mail contact@domaine.buisson.com r.-v.
Gilles Buisson

DOM. CAPUANO-FERRERI ET FILS
La Chanière 2002 ★

n.c. n.c. 11 à 15 €

Jeune exploitant installé en 1999 seulement, dont l'objectif est d'exprimer la typicité des AOC qu'il vinifie ! On mesure sa chance et aussi ses qualités. Sa Chanière, de teinte plutôt pâle, ne force pas sur le rouge violacé. Elle a le bouquet assez entreprenant : l'animal montre le bout de son nez alors que le fruité accompagne l'expression d'un bon terroir, avec une pointe de vivacité en finale que le temps atténuera. Pour toute viande en sauce, dans deux ou trois ans.

Dom. Capuano-John, 14, rue Chauchien,
21590 Santenay, tél. 03.80.20.68.04, fax 03.80.20.65.75,
e-mail john.capuano@wanadoo.fr r.-v.

DOM. DENIS CARRE Les Charmots 2002 ★★

1er cru n.c. n.c. 15 à 23 €

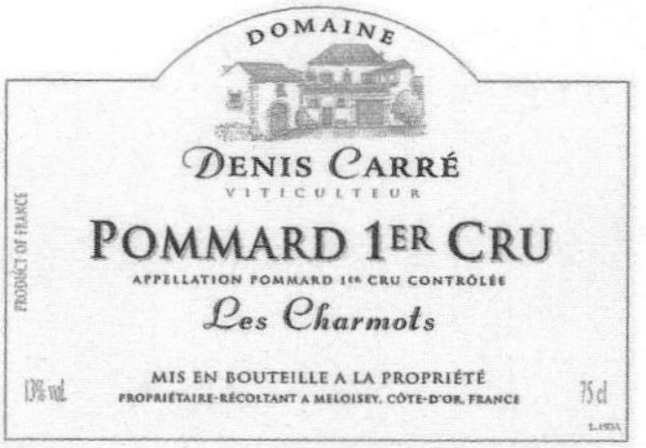

Ce domaine situé à Meloisey dans les Hautes-Côtes de Beaune fête cette année ses trente ans d'installation : ce 2002 devrait participer au repas d'anniversaire. Coup de cœur naguère pour ses Charmots 99, Denis Carré met une nouvelle fois sa flèche au centre de la cible. Cerise noire, fruits noirs, café noir, il n'est cependant nullement obscur ce vin de chair aux tanins soyeux qui offre une belle maturité sur une finale assez longue. Durée de vie : plus de cinq ans. Les **Noizons 2002 en village** obtiennent une étoile.

Dom. Denis Carré, rue du Puits-Bouret,
21190 Meloisey, tél. 03.80.26.02.21, fax 03.80.26.04.64
r.-v.

DOM. DE COURCEL
Grand Clos des Epenots 2001 ★

1er cru 5 ha 10 000 30 à 38 €

L'un des domaines les plus anciens de toute la Bourgogne, coup de cœur sur notre précédente édition pour un Vaumuriens 2000 superbe. Cette année, le Grand Clos des Epenots affiche un bouquet expressif (fruits confits, épices douces), une bouche attrayante et gourmande, mais des tanins encore jeunes en finale. Cette

bouteille est à attendre un peu avant d'être offerte à une bécasse rôtie. Citons encore **Les Croix noires 2001 en 1er cru (23 à 30 €)**, qui pourront se boire plus jeunes.
🔑 Dom. de Courcel, pl. de l'Eglise, 21630 Pommard, tél. 03.80.22.10.64, fax 03.80.24.98.73, e-mail courcel@domaine-de-courcel.com ☒ 🚶 r.-v.

DOM. CYROT-BUTHIAU Les Arvelets 2001 ★

■ 1er cru | 0,23 ha | 1 250 | 🛢 23 à 30 €

En lever de rideau, une robe magnifique, d'un rubis profond aux reflets violacés. Le nez est encore très réservé, révélant seulement quelques notes de petits fruits noirs. Jeunesse et fraîcheur s'affirment en bouche où l'on savoure le fruit frais, goûteux à souhait. Ce vin net et pur, sans artifice, au boisé bien maîtrisé a beaucoup de classe et on lui prévoit un bel avenir (d'ici trois à quatre ans).
🔑 Dom. Cyrot-Buthiau, rte d'Autun, 21630 Pommard, tél. 03.80.22.06.56, fax 03.80.24.00.86, e-mail cyrot.buthiau@wanadoo.fr ☒ Y 🚶 r.-v.

DOM. RODOLPHE DEMOUGEOT Les Vignots 2002

■ | n.c. | n.c. | 🛢 15 à 23 €

Pour mémoire, les Vignots 94 avaient décroché le coup de cœur. Les 2002 ont tout ce qu'il faut pour plaire à l'œil. Réglisse, cassis, sous influence boisée, le nez fait de son mieux. Après une attaque tannique, généreusement en rafle (le bois de la grappe – ici égrappage par moitié et vinification probablement longue). Ce vin, très extrait, s'exprime peu : il faut savoir être patient ; mais le bonheur n'est généralement pas précoce !
🔑 Dom. Rodolphe Demougeot, 2, rue du Clos-de-Mazeray, 21190 Meursault, tél. 03.80.21.28.99, fax 03.80.21.29.18 ☒ Y 🚶 r.-v.

DOM. DE LA GALOPIERE 2001 ★

■ | 0,8 ha | 4 500 | 🛢 15 à 23 €

« Les vins de Pommard sont la fleur des vins du Beaunois », écrivait au Moyen Age Guillaume Paradin. Sans faire de tort aux voisins, on peut dire en effet qu'ils ont une notoriété bien méritée. Grenat limpide, voici venir un bon échantillon du cru. Agitez le verre, le vin ne s'en portera que mieux : arômes de fruits mûrs, torréfiés, puis la bouche monte en puissance de façon assez épicée jusqu'à une note d'amertume sur des tanins très fins. Le fruit vire alors au confit dans une bonne longueur.
🔑 Claire et Gabriel Fournier, Dom. de la Galopière, 6, rue de l'Eglise, 21200 Bligny-lès-Beaune, tél. 03.80.21.46.50, fax 03.80.21.49.93, e-mail c.g.fournier@wanadoo.fr ☒ Y 🚶 r.-v.

PATRICK GIRARDIN Grands Epenots 2002 ★

■ 1er cru | n.c. | 600 | 🛢 23 à 30 €

Vin de garde dont la concentration et la charpente devraient garantir le destin. Sa robe sombre est classique. Le bouquet de type vanille, clou de girofle évoque un début de fruit. La bouche impressionnante, assez tannique et pourvue d'une bonne acidité laisse s'exprimer la mûre et la cerise noire jusque dans une longue finale accompagnée par le fût.
🔑 Dom. Girardin, 14, ancienne rte d'Autun, BP 14, 21630 Pommard, tél. 03.80.22.61.21, fax 03.80.24.29.23, e-mail girardinpat@wanadoo.fr ☒ Y 🚶 r.-v.

DOM. A.-F. GROS Les Pézerolles 2002 ★★

■ 1er cru | n.c. | 2 100 | 🛢 30 à 38 €

Le domaine Anne-Françoise Gros est confié à François Parent qui n'est autre que son mari. Non seulement coup de cœur, mais encore classé numéro un par le grand jury ! Une robe haute couture, un bouquet où se marient le cassis, la myrtille et la mûre, évoluant vers des arômes plus épicés. Au palais les tanins gras et mûrs, le fruité savoureux, la perfection de l'enrobé, le subtil velouté... Il faudrait être saint Simon pour faire le portrait d'un si haut comte de Pézerolles.
🔑 Dom. A.-F. Gros, La Garelle, 5, Grande-Rue, 21630 Pommard, tél. 03.80.22.61.85, fax 03.80.24.03.16, e-mail af-gros@wanadoo.fr ☒ Y 🚶 r.-v.

DOM. HUBER-VERDEREAU Les Bertins 2002 ★

■ 1er cru | 0,2 ha | 1000 | 🛢 23 à 30 €

Ancien sommelier de l'école hôtelière de Strasbourg, Thiébault Huber a recréé ce domaine en 1994 après avoir été formé par Jean-Marc Bouley ; il travaille en agriculture biologique. On est ici en Côte de Beaune, aucun doute là-dessus ! Rouge rubis sombre, ce vin, sans défaut, laisse parler le fruit : son joli nez un peu complexe, où l'animal et le fruit mûr dialoguent, annonce une bouche ample un peu sur la réserve. Le filet de bœuf attendra trois à quatre ans.
🔑 Dom. Huber-Verdereau, 11, rue Mareau, 21630 Pommard, tél. 03.80.22.51.50, fax 03.80.22.48.32, e-mail huber.verdereau@huber-verdereau.com ☒ Y 🚶 r.-v.

JEAN-LUC JOILLOT Les Petits Epenots 2002 ★★

■ 1er cru | 0,5 ha | 3 000 | 🛢 30 à 38 €

Coup de cœur pour ses Charmots 2000, ce domaine était à deux doigts de réitérer pour ses Petits Epenots 2002 puisqu'il fut finaliste au grand jury. Tous ont beaucoup apprécié l'éclat de la robe très profonde de même que l'élégance fruitée du bouquet. Dotée de gras, de parfums de fruits très prononcés, d'équilibre et de longueur, la dégustation se poursuit dans un bonheur légèrement réglissé. On sent le raisin bien mûr. Notez en outre **Les Charmots 2002** ; ils méritent une étoile, de même que **Les Rugiens 2002 (23 à 30 €)**. A signaler : la création récente d'un petit négoce (alcool, liqueurs) au sein d'un petit magasin.
🔑 Jean-Luc Joillot, rue Marey-Monge, BP 11, 21630 Pommard, tél. 03.80.24.20.26, fax 03.80.24.67.54, e-mail joillot@vin-pommard.com ☒ Y 🚶 r.-v.

DOM. LAHAYE PERE ET FILS Les Arvelets 2001 ★★

■ 1er cru | 0,52 ha | 2 600 | 🛢 15 à 23 €

« Bravo, c'est bien du pommard et de grande classe », lit-on sur la fiche d'une dégustatrice. Des Arvelets (le long

BOURGOGNE

de la route qui conduit aux Hautes-Côtes, un *climat* bien exposé au *médiot* – le midi en bourguignon) à la robe si rouge qu'elle en devient noire. Superbe ! Trois coups de nez ne sont pas de trop pour se faire une idée de la complexité du bouquet où l'on perçoit l'humus, le tabac, des notes épicées et réglissées. Le corps est dense, riche, charnu, chaleureux, porté sur le plaisir et ayant le bon goût de le faire partager. **Les Vignots 2001** obtiennent une étoile.

🔑 Lahaye Père et Fils, pl. de l'Eglise, 21630 Pommard, tél. 03.80.24.10.47, fax 03.80.24.07.65
☑ 🍷 🚶 t.l.j. sf dim. 9h-12h 14h-18h

DOM. RAYMOND LAUNAY
Les Perrières Vigne centenaire 2002 ★

■ 2,2 ha 3 600 ▮🛢 30 à 38 €

Combien reste-t-il ici de ceps du début du XX^{e}s. ? Ce domaine, en conversion à la biodynamie depuis 2002 change d'étiquette pour ce millésime. Ces Perrières à la teinte et au nez assez corsés, sont excellemment faites en bouche. Ample, gras et concentré, ce vin possède un bon potentiel. Le **1er cru Les Chaponnières 2002** obtiennent également une étoile. Elles ont du fruit, de la puissance, mais aussi de l'élégance.

🔑 EARL Dom. Raymond Launay,
1, rue des Charmots, 21630 Pommard,
tél. 03.80.24.08.03, fax 03.80.24.12.87,
e-mail domaine-launay@wanadoo.fr
☑ 🍷 t.l.j. 8h30-12h 14h-19h

OLIVIER LEFLAIVE 2001 ★

■ n.c. 8 000 🛢 23 à 30 €

Pommard au mieux de sa forme : pourpre sombre avec de l'éclat, il affiche un beau nez de mûre et de cuir ; l'attaque, plutôt aimable, précède une bouche ronde aux tanins souples et soyeux. Et quel retour en finale ! Aromatique et longue, elle se fait séductrice.

🔑 Olivier Leflaive Frères,
pl. du Monument, 21190 Puligny-Montrachet,
tél. 03.80.21.37.65, fax 03.80.21.33.94,
e-mail olivier-leflaive@dial.oleane.com ☑ 🚶 r.-v.

DOM. LEJEUNE Rugiens 2001 ★

■ 1er cru 0,26 ha 1 300 🛢 30 à 38 €

François Jullien de Pommerol met en pratique son enseignement car il est un éminent professeur des sciences de la vigne et du vin. Ne manquez pas de visiter son cellier qui possède la plus vieille cuve en bois conservée en Bourgogne. Cela dit, goûtez aussi ces Rugiens aisément accessibles. Le nez très fin évolue de l'eucalyptus au fruit. La structure repose sur des tanins enrobés, mais il faudra attendre quelques années pour obtenir un bon fondu, puis le servir sur un chevreuil.

🔑 Dom. Lejeune, 1, pl. de l'Eglise, 21630 Pommard,
tél. 03.80.22.90.88, fax 03.80.22.90.88,
e-mail domaine-lejeune@wanadoo.fr ☑ 🍷 🚶 r.-v.

GHISLAINE ET BERNARD MARECHAL-CAILLOT 2002 ★

■ 0,53 ha 3 000 🛢 15 à 23 €

Créé en 1984, mais disposant de vignes d'une quarantaine d'années, ce domaine très régulier fête ses vingt ans. Ce 2002 est un bon support de dégustation agréable d'ici quelques années, en restant raisonnable (deux à quatre ans). Rouge sombre à grenat, un pommard tout animal et en fourrure, un peu vanillé, n'excluant pas des réminiscences de fruit. Il garde ce style en bouche et l'excite volontiers, bénéficiant d'une bonne structure.

🔑 Ghislaine et Bernard Maréchal-Caillot,
10, rte de Chalon, 21200 Bligny-lès-Beaune,
tél. 03.80.21.44.55, fax 03.80.26.88.21,
e-mail marechalcaillot@aol.com ☑ 🍷 🚶 r.-v.

CHRISTIAN MENAUT 2002 ★

■ 1,06 ha 5 600 🛢 11 à 15 €

Très pommard terre froide, selon une expression bourguignonne, un *village* qui séduit d'emblée tant le pinot sait jouer de sa couleur. Fin, franc, fruité, son nez ne cherche pas d'effets inutiles. Aujourd'hui assez linéaire en bouche, il va s'épanouir avec le temps. Déjà ses tanins se sont libérés et adoucis : aucune sécheresse en bouche. Un bon point pour la typicité qui semble ici sortir du puits.

🔑 Christian Menaut, rue Chaude, 21190 Nantoux,
tél. 03.80.26.07.72, fax 03.80.26.01.53 ☑ 🍷 🚶 r.-v.

MOILLARD 2002 ★

■ 3,4 ha 15 000 🛢 15 à 23 €

Il a quelque chose du portrait-robot de l'appellation telle que l'enseignent les bons auteurs classiques. Un beau brillant de noir, les arômes en goguette, tournant autour de la fraise qui lui font effrontément la cour. En bouche, l'affaire commence de façon assez ronde, pas trop tannique, sur des arômes de poivre et de cassis. Cela se goûte très bien, d'autant qu'au-delà de cette image de « vin marchand » la finale est intéressante.

🔑 Moillard, 2, rue François-Mignotte,
21700 Nuits-Saint-Georges,
tél. 03.80.62.42.22, fax 03.80.61.28.13,
e-mail contact@moillard.fr ☑ 🍷 🚶 t.l.j. 10h-18h; f. jan.

DOM. MOISSENET-BONNARD
Les Cras 2002 ★

■ 0,41 ha 1 800 🛢 15 à 23 €

Si vous êtes bon lecteur du Guide, vous vous rappelez sûrement que les Pézerolles 2000 de ce domaine ont eu le coup de cœur dans l'édition 2003. Et les Epenots 2001 dans le Guide 2004. Que dire des Cras 2002 dégustés cette année ? On a tiré la couleur jusqu'à l'impossible ou presque. Le boisé, sans excès, conduit à la complexité de la cerise noire réglissée. A bonne maturité, les tanins bien mûrs mais nullement absents de la scène, ce pommard vogue vers ses cinq à huit ans de garde, peu sensible au temps présent. **Les Epenots 2002 (23 à 30 €)** à signaler expressément obtiennent la même note.

🔑 Dom. Moissenet-Bonnard,
5, rte d'Autun, 21630 Pommard,
tél. 03.80.24.62.34, fax 03.80.22.30.04 ☑ 🍷 🚶 r.-v.

DOM. DE MONTILLE Les Rugiens 2001 ★

■ 1er cru 1,1 ha 5 000 🛢 46 à 76 €

Comme dans la chanson célèbre, Rugiens et de Montille sont « des noms qui vont très bien ensemble ». Etienne a repris le flambeau pour ce 2001 issu de la biodynamie. Rubis grenat, le nez racé mais discret (sous-bois, poivre), ce vin a la vivacité de la jeunesse mais saura se montrer aimable à table et en société dans deux ou trois ans. Sa bonne attaque, sa structure et sa finale réussie en font une très honnête bouteille dans son millésime.

🔑 Dom. de Montille,
12, rue du Pied-de-la-Vallée, 21190 Volnay,
tél. 03.80.21.62.67, fax 03.80.21.67.14,
e-mail e.demontille@wanadoo.fr ☑ 🍷 r.-v.

LUCIEN MUZARD ET FILS
Les Cras Vieilles Vignes 2002 *

■	0,31 ha	1000	◐ 15 à 23 €

Grenat à reflets rubis, intense et profond, un vin issu d'une vigne située du côté de Volnay. Le premier nez est très expressif : l'animal, le cuir, le sous-bois. Un peu de menthol complète ensuite le tableau. Tannique, encore un peu jeune, réglissé en fin de bouche, il semble avoir les moyens de mettre en place et en forme une structure capable de relancer pour lui l'intérêt d'ici deux à trois ans.

Lucien Muzard et Fils,
11 bis, rue de la Cour-Verreuil, 21590 Santenay,
tél. 03.80.20.61.85, fax 03.80.20.66.02,
e-mail lucien-muzard-et-fils@wanadoo.fr r.-v.

FRANCOIS PARENT Les Rugiens 2002 **

■ 1er cru	n.c.	600	38 à 46 €

Viticulteur et négociant, mari d'Anne-Françoise Gros-Parent, François Parent propose ces Rugiens d'une parfaite harmonie. Sa robe grenat soutenu séduit d'emblée, tandis que son nez affiche la cerise et le fût. Ronde et ample, la bouche marie le fruit et les tanins fins jusque dans une finale longue et agréable. A boire pendant dix ans.

François Parent, La Garelle, 5, Grande-Rue,
21630 Pommard, tél. 03.80.22.61.85, fax 03.80.24.03.16,
e-mail francois@pommard.com r.-v.

DOM. PARIGOT PERE ET FILS
Les Vignots 2002 **

■	n.c.	n.c.	◐ 15 à 23 €

On en a parlé à l'heure des coups de cœur : d'ailleurs ce domaine a déjà reçu cette distinction. Sous sa jolie robe, voici un *village* à la hauteur d'un 1er cru : son bouquet insiste sur le fruit (fraise, framboise), tandis que la bouche assez ample et bien structurée, tannique mais pas trop, confirme cette impression. A ne pas déboucher avant deux à trois ans : ce serait lui faire injure. Le **Clos de La Chanière 2002 (23 à 30 €)** est en 1er cru une véritable splendeur, nichée également aux abords du coup de cœur. Déjà chez vous !

Dom. Parigot Père et Fils,
rte de Pommard, 21190 Meloisey,
tél. 03.80.26.01.70, fax 03.80.26.04.32 r.-v.

MAX ET ANNE-MARYE PIGUET-CHOUET
2002

■	0,56 ha	1 200	◐ 11 à 15 €

« Tu n'es pas à la Croix de Pommard ! », pourrait-on dire à ce vin comme on le dit à celui qui est encore loin du but ! Avec des tanins dominants et une maturité en devenir, ce bon vin est à laisser vieillir de quatre à huit ans. La robe est intense et limpide, le nez très suffisant ; cette bouteille offre une bouche légèrement poivrée où se discernent les fruits des bois. Mais comme on l'a dit, cela gagnera à vieillir.

Max et Anne-Marye Piguet-Chouet,
rte de Beaune, 21190 Auxey-Duresses,
tél. 03.80.21.25.78, fax 03.80.21.68.31,
e-mail piguet.chouet@wanadoo.fr r.-v.

MAISON G. PRIEUR Platières 2001

■ 1er cru	n.c.	3 200	◐ 30 à 38 €

Cette maison de négoce-éleveur s'appelait Louis Charles du temps de Georges Prieur. Son fils Guy l'a rebaptisée (à son nom) en 1978. Bel œil, nez d'un boisé élégant mais nullement futile, tout est engageant. Au palais on constate une assez belle concentration, du volume. Les tanins sont toutefois encore très jeunes et il faut absolument oublier cette bouteille pendant quelque temps. On ne devrait pas être déçu.

Maison G. Prieur, 21590 Santenay-le-Haut,
tél. 03.80.20.60.56, fax 03.80.20.64.31 r.-v.

MICHEL PRUNIER Les Vignots 2001 **

■	0,25 ha	1 250	◐ 15 à 23 €

Situés tout en haut de coteau, ces Vignots sont un investissement récent du domaine né en 1968 et qui est passé en peu de temps de 2 à 12 ha. Sachez encore que Michel Prunier s'est adjoint récemment le restaurant La Crémaillère (bonne cuisine et bons vins). Quant à ce 2001 rouge foncé, profond, il joue le bourgeon de cassis sur une pointe de feuillage et pas mal de pain grillé. Oh, de la chair, il en a autant qu'on peut en donner. La finale sympathique joue sur la prunelle. La côte de bœuf sera bienvenue dans quatre à cinq ans.

Michel Prunier,
rte de Beaune, 21190 Auxey-Duresses,
tél. 03.80.21.21.05, fax 03.80.21.64.73 r.-v.

BOURGOGNE

MICHEL REBOURGEON
Cuvée William Elevé en fût de chêne neuf 2001

■	1,23 ha	851	◐ 15 à 23 €

Cuvée William ? En l'honneur du fils de la maison né en octobre 1998. Le fût est neuf, dix-huit mois d'attelage à ce pommard qui n'en porte pas trop la trace et on ne s'en plaint pas. D'une intensité colorante significative, ce 2001 attaque bien dans un style vif. Sa structure est décente, son astringence modérée demandant trois à quatre ans de garde. On prendra soin de l'aérer ; déjà, lors des coups de nez, le fruit rouge s'éveille au troisième rappel.

Dom. Michel Rebourgeon, 7, pl. de l'Europe,
21630 Pommard, tél. 03.80.22.22.83, fax 03.80.22.90.64,
e-mail michel.rebourgeon@wanadoo.fr r.-v.

DOM. REBOURGEON-MURE
Grands Epenots 2002 **

■ 1er cru	0,28 ha	1 500	◐ 15 à 23 €

Ces Grands-Epenots sont vraiment grands. On comprend pourquoi Flaubert vantait les vertus du pommard dans *Madame Bovary* ! Profond et limpide, ce vin dont les arômes se développent peu à peu et sont déjà convaincants possède une bouche agréable, délicate, sensuelle. Elle s'achève de façon très riche. Il y a là à n'en pas douter un potentiel de dix à quinze ans. Une étoile pour le **Clos des Arvelets en 1er cru 2002**, sur une note plus austère, plus rustique (au bon sens du mot).

Dom. Rebourgeon-Mure,
6 a, Grande-Rue, 21630 Pommard,
tél. 03.80.22.75.39, fax 03.80.22.71.00 r.-v.

DOM. NICOLAS ROSSIGNOL Jarolières 2001 *

■ 1er cru	0,12 ha	300	◐ 38 à 46 €

On peut être vigneron à Volnay et réussir un bon pommard. La preuve ! Trois ouvrées seulement dans ce 1er cru proche voisin, il est vrai, de Volnay... Presque noire, offrant une sensation de fraîcheur, la robe invite à pencher le nez sur un parfum au boisé tendre. L'impression subsiste au palais, associée à la violette et à des nuances réglissées. La finale, encore jeune, conseille une garde de trois ou quatre ans. Rien n'empêche de dire que ce vin vaudra alors deux étoiles...

↳ Nicolas Rossignol, rue de Mont, 21190 Volnay,
tél. 03.80.21.62.43, fax 03.80.21.27.61,
e-mail rossignolnic@aol.com ☑ ⴲ ⴰ r.-v.

DOM. REGIS ROSSIGNOL-CHANGARNIER
2001 ★

| ■ | 0,51 ha | 1 800 | ⫴ 15 à 23 € |

Ce *village* aux traits sombres brille d'un bel éclat. Un de nos dégustateurs croit respirer un arôme d'anthologie, mais fort peu rencontré : le ventre du lièvre. Les autres parlent plus simplement de vanille et de fruits mûrs. Concentré, riche et puissant, le corps ne se laissera pas approcher avant trois à quatre ans mais le pari sera tenu, la table s'en porte garante.
↳ Régis Rossignol, rue d'Amour, 21190 Volnay,
tél. 03.80.21.61.59, fax 03.80.21.61.59 ☑ ⴰ r.-v.

DOM. VINCENT SAUVESTRE
Clos de La Platière 2002 ★★

| ■ | n.c. | 13 000 | ⫴ 23 à 30 € |

Arvelets et Platière partagent le même coteau. Ce 2002 présenté par un voisin de Meursault offre aimablement ses reflets rubis sur une tonalité grenat. Epices douces et fruits noirs presque cuits donnent la tendance odorante. Bien vinifié, bien élevé, un tout jeune pommard aux élans ronds et souples, déjà gourmand ; il sera attendu avec impatience au moins deux ans.
↳ Dom. Vincent Sauvestre, rte de Monthélie,
21190 Meursault, tél. 03.80.21.22.45, fax 03.80.21.28.05

VAUDOISEY-CREUSEFOND 2001 ★

| ■ | 1,3 ha | 5 600 | ⫴ 11 à 15 € |

Sa Croix Blanche 2001 lui valait l'an passé le coup de cœur. Cette année le *village* sans autre parure porte une robe rubis qui semble sortir de la place Vendôme ! Ses parfums se portent nettement sur la groseille et le fût reste à sa place. Quant à la bouche, elle est vive, bien faite, encore un peu fermée. Un 2001 qui n'est pas mécontent de son millésime. **La Croix Blanche 2002** et **Les Poutures 2002 (15 à 23 €)** obtiennent chacun une étoile. Trois bouteilles à avoir dans sa cave pour les cinq ans à venir.
↳ Vaudoisey-Creusefond,
16, rte d'Autun, 21630 Pommard,
tél. 03.80.22.48.63, fax 03.80.24.16.81 ☑ ⴰ r.-v.

THIERRY VIOLOT-GUILLEMARD
Les Pézeroles 2001 ★

| ■ 1er cru | 0,1 ha | 500 | ■⫴ 23 à 30 € |

Conduit en agriculture biologique, ce domaine est familial depuis des générations. Il propose ici un vin de plaisir, à l'ancienne, d'un rubis classique à reflets un peu

cuivrés ; le nez très empyreumatique, croûte de pain chaud, n'oublie pas la cerise. Ces saveurs se retrouvent au palais, d'où une certaine suavité autour de tanins mûrs et plutôt fins. La texture de bouche est parfaitement enveloppée, la finale harmonieuse. On s'y plaît bien. A voir également les **Platière 2002** dont la très belle bouche justifie l'étoile.
↳ EARL Thierry Violot-Guillemard,
7, rue Sainte-Marguerite, 21630 Pommard,
tél. 03.80.22.49.98, fax 03.80.22.94.40,
e-mail thviolot@wanadoo.fr ☑ ⴲ ⴰ r.-v.

Volnay

Blotti au creux du coteau, le village de Volnay évoque une jolie carte postale bourguignonne. Moins connue que sa voisine, l'appellation n'a rien à lui envier, et les vins sont tout en finesse ; ils vont de la légèreté des Santenots, situés sur la commune voisine de Meursault, à la solidité et à la vigueur du Clos des Chênes ou des Champans. Nous ne les citerons pas tous ici, de peur d'en oublier... Le Clos des Soixante Ouvrées y est également très connu et donne l'occasion de définir l'ouvrée : quatre ares et vingt-huit centiares, unité de base des terres viticoles, correspondant à la surface travaillée à la pioche par un ouvrier dans sa journée, au Moyen Age.

De nombreux auteurs du siècle dernier ont cité le vin de Volnay. Nous rappellerons le vicomte de Vergnette qui, en 1845, au congrès des Vignerons français, terminait ainsi son savant rapport : « Les vins de Volnay seront encore longtemps comme ils étaient au XIVᵉs., sous nos ducs, qui y possédaient les vignobles de Caille-du-Roy (Cailleray, devenu Caillerets) : les premiers vins du monde. » Signalons que 9 221 hl de volnay ont été produits en 2002 et 5 972 hl en 2003.

BITOUZET-PRIEUR Caillerets 2001 ★★

| ■ 1er cru | 0,15 ha | 750 | ⫴ 15 à 23 € |

Vous savez ce qu'on dit : qui n'a pas de vigne en Caillerets ne sait pas ce que vaut le volnay... D'un rouge net et franc, un vin aux arômes de fraise écrasée. Il domine son fût dans un bon équilibre entre l'élégance et la puissance. Les tanins fins laissent de la place aux fruits rouges. Ce qu'on appelle un vin gourmand mais on pourra résister à ses avances pendant plusieurs années.
↳ Bitouzet-Prieur, rue de la Combe, 21190 Volnay,
tél. 03.80.21.62.13, fax 03.80.21.63.39 ☑ ⴰ r.-v.

LOUIS BOILLOT Clos de la Chapelle 2002

| ■ 1er cru | 0,55 ha | 1 800 | ⫴ 15 à 23 € |

Jolie étiquette montrant la chapelle de Volnay qui inspire souvent les peintres. Pour un Clos de la Chapelle, on ne pouvait faire moins. Ici, l'éraflage est partiel. La robe pourpre lumineux annonce un bouquet discret où la framboise et le cassis s'efforcent successivement de traiter la question. La rondeur des tanins marque une bouche empreinte du fruit : c'est une bouteille honorable même si la matière reste modérée.

🔑 Louis Boillot, rue Saint-Etienne, 21190 Volnay, tél. 03.85.55.28.49, fax 03.85.80.14.62, e-mail louis.boillot@libertysurf.fr ☑ 🍷 🚶 r.-v.

DOM. BOUCHEZ-CRETAL 2001

■ 0,15 ha 900 🛢 11 à 15 €

Petit domaine (5,5 ha) dont le vin jugé ici est rubis profond, ouvert sur le bois et le sous-bois en y joignant une pointe de fruits noirs. Agréable, équilibré, bien fruité en début de bouche, un peu sévère vers le milieu, il semble encore fermé et à attendre deux ans. A servir plutôt sur une viande rouge.

🔑 Dom. Bouchez-Crétal, 21190 Monthélie, tél. 03.85.87.17.40, fax 03.85.87.17.40 ☑ 🏠 🍷 🚶 r.-v.

REYANE ET PASCAL BOULEY 2002 *

■ 3 ha 7 500 🛢 11 à 15 €

Le **1er cru Robardelle 2002 (15 à 23 €)**, cité par le jury, peut compléter la commande. Ce *village*, très joliment coloré, n'a pas beaucoup de nez en revanche. Assez animale, la bouche adopte ce caractère sur des tanins sympathiques. En résumé : jeune, net, friand, pour canard aux airelles.

🔑 Réyane et Pascal Bouley, pl. de l'Eglise, 21190 Volnay, tél. 03.80.21.61.69, fax 03.80.21.66.44, e-mail bouleypascal@wanadoo.fr ☑ 🍷 🚶 r.-v.

DOM. JEAN-MARC BOULEY 2002 *

■ 1 ha 4 300 🛢 11 à 15 €

Agréable et très bien vinifié, ce volnay rouge profond offre à l'œil un joli gras. Son parfum suggère les fruits mûrs. Si la structure tannique demeure ferme, en particulier sur la fin, cela va s'arrondir en bouteille. La grappe d'or du Guide Hachette 1994 a été suivie, pour ce viticulteur, par un coup de cœur l'an dernier en Carelles 2000. Enfin, le **1er cru Caillerets 2001 (15 à 23 €)** est à son niveau et bien représentatif. Il obtient une étoile.

🔑 Dom. Jean-Marc Bouley, chem. de la Cave, 21190 Volnay, tél. 03.80.21.62.33, fax 03.80.21.64.78, e-mail jeanmarc.bouley@wanadoo.fr ☑ 🍷 🚶 r.-v.

DOM. FRANCOIS BUFFET
Clos de la Rougeotte Monopole 2001 *

■ 1er cru 0,5 ha 1000 🛢 23 à 30 €

Rouge franc brillant, ce Clos de la Rougeotte (50 ares) est un monopole situé côté pommard. Pour le moment, son nez n'est pas du genre bavard. Poussé dans ses retranchements, il laisse parler la fraise. Les fruits rouges apparaissent ensuite dans une bouche prometteuse : le corps est équilibré, structuré. Un verre qu'on aimerait servir avec un coq au vin. Coup de cœur pour son Clos des Chênes 94, cette famille est implantée ici depuis le XVII[e]s.

🔑 Dom. François Buffet, petite place de l'Eglise, 21190 Volnay, tél. 03.80.21.62.74, fax 03.80.21.65.82, e-mail dfbuffet@aol.com ☑ 🍷 🚶 r.-v.

MAISON CHANDESAIS 2001 *

■ n.c. 12 333 🛢 15 à 23 €

La maison Chandesais a été acquise par Michel Picard il y a quelques années. Son volnay présente une bonne couleur rouge. Fruits rouges et boisé, le bouquet est récurrent. Aucune agressivité en bouche, même au chapitre des tanins. Equilibré et frais, un peu léger cependant, il peut déjà se goûter sur un poulet en sauce mais gagnera à attendre un à deux ans son chant du cygne.

🔑 Maison Chandesais, Château Saint-Nicolas, 71150 Fontaines, tél. 03.85.87.51.17, fax 03.85.87.51.12, e-mail marie-laure@m-p.fr

DOM. FRANCOIS CHARLES ET FILS
Clos de la Cave 2002 **

■ 0,44 ha 2 000 🛢 11 à 15 €

La Cave n'est pas à Volnay une cave comme on pourrait le croire, mais le lieu-dit signalant un cratère formé par l'érosion et les ruisseaux. Une poularde au vin rouge ne sera pas indigne de ce *village* riche en personnalité. A demi-ouvert à ce jour et doté de tanins très fins, il se présente dans une robe classique, entouré d'un bouquet du type confiture de framboises vanillée. Une bouteille très harmonieuse à ouvrir dans deux ou trois ans.

🔑 EARL François Charles et Fils, rue de Pichot, 21190 Nantoux, tél. 03.80.26.01.20, fax 03.80.26.04.84, e-mail charles.francois@terre-net.fr ☑ 🏠 🍷 🚶 r.-v.

HENRI DELAGRANGE ET FILS
Clos des Chênes 2002

■ 1er cru 0,65 ha 3 900 🛢 23 à 30 €

Repris par Didier Delagrange, le domaine figure cette année pour son Clos des Chênes (en allant vers Meursault). Rouge foncé, celui-ci a le nez encore fermé (un soupçon d'animal, un rien de framboise) ; une certaine fraîcheur en émane. Puis la vinosité l'emporte. Ensuite les tanins prennent le pouvoir. Un vrai roman à épisodes ! Doté d'une matière franche et persistante, ce vin doit demander l'appui du temps. Pas moins de deux à trois ans.

🔑 Dom. Henri Delagrange et Fils, cours François Blondeau, 21190 Volnay, tél. 03.80.21.64.12, fax 03.80.21.65.29 ☑ 🍷 🚶 r.-v.

BRUNO FEVRE En L'Ormeau 2002

■ 1er cru 0,31 ha 900 🛢 15 à 23 €

Un Ormeau qui nous fait penser au livre d'Alain Peyrefitte : *Quand la Chine s'éveillera...* Quand il s'éveillera, celui-là, il pourra être vraiment très bon. Le rubis noir de sa robe est intense. L'extraction poussée assez loin procure ce bouquet puissant de fût et de groseille, puis cette bouche très tannique mais de bonne longueur. En réalité, le sujet est encore fermé mais on peut tenir le pari qu'il s'ouvrira dans trois à cinq ans.

🔑 Bruno Fèvre, 27, rue de Martray, 21190 Meursault, tél. 03.80.21.63.16 ☑ 🍷 r.-v.

CH. GENOT-BOULANGER Les Aussy 2001

■ 1er cru 0,4 ha 1 850 🛢 15 à 23 €

Proche des Champans, les Aussy donnent ici un 1er cru qui possède l'un des traits caractéristiques de l'appellation : un vin précoce, déjà fondu, équilibré sur le fruit et qui a déjà des bontés à faire partager... Couleur réussie ; bouquet grillé, épicé, un peu floral ; bouche franche. On conseille de l'aérer, voire de le servir en carafe. Mais il sera préférable de l'attendre un an.

🔑 SCEV Ch. Génot-Boulanger, 25, rue de Cîteaux, 21190 Meursault, tél. 03.80.21.49.20, fax 03.80.21.49.21, e-mail genotboulanger@wanadoo.fr ☑ 🍷 🚶 r.-v.

🔑 Delaby

BOURGOGNE

DOM. ANTONIN GUYON Clos des Chênes 2001

■ 1er cru 0,87 ha 3 100 🛢 23 à 30 €

Le consul de Finlande à Dijon siège ici en bonne compagnie. Un Clos des Chênes pas trop boisé, ce qui est méritoire, une robe d'un joli pourpre, homogène et de bonne densité, un bouquet honnête et assez délicat (sous-bois, feuille morte, humus). La matière est solide, le profil est droit. « L'air est pur, la route est large », comme on dit dans la chanson. C'est franc et bien d'aplomb.

🔑 Dom. Antonin Guyon, 21420 Savigny-lès-Beaune,
tél. 03.80.67.13.24, fax 03.80.66.85.87,
e-mail vins@guyon-bourgogne.com ☑ 🍷 🚶 r.-v.

DOM. HUBER-VERDEREAU
Les Robardelles 2002 *

■ 0,6 ha 3 000 🛢 15 à 23 €

Ancien sommelier, Thiébault Huber a repris le domaine qui s'était éteint à la mort du grand-père Raoul Verdereau en 1976. Robardelle est un *climat* voisin des Santenots. Rubis mauve, celui-ci est en train de peaufiner un bouquet assez complexe à base de cassis et de mûre. Très long et généreux, il tapisse bien la bouche. Sa conclusion tannique conduit à lui fixer un nouveau rendez-vous d'ici deux à trois ans avec un filet de veau aux morilles.

🔑 Dom. Huber-Verdereau, 11, rue Mareau,
21630 Pommard, tél. 03.80.22.51.50, fax 03.80.22.48.32,
e-mail huber.verdereau@huber-verdereau.com
☑ 🍷 🚶 r.-v.

JAFFELIN Santenots 2000

■ 1er cru n.c. 1 800 🛢 15 à 23 €

Acquises par Jean-Claude Boisset, les maisons Jaffelin et Ropiteau sont placées sous la même direction (F. Lemstra qui a fort bien réussi à devenir bourguignon). Voici des Santenots rouge griotte de tonalité claire, au nez assez fruité et un peu boisé. Un style léger, onctueux, porté par le gras et d'une relative complexité. Pour une volaille.

🔑 Maison Jaffelin, 2, rue Paradis, 21200 Beaune,
tél. 03.80.22.12.49, fax 03.80.24.91.87,
e-mail jaffelin@maisonjaffelin.com

DOM. JESSIAUME PERE ET FILS
Brouillards 2002 *

■ 1er cru 0,26 ha 1 150 🛢 23 à 30 €

Pourpre assez dense, un vin qui exprime correctement ses arômes fruités (mûre notamment) et torréfiés (café, girofle). Un corps assez charnu et ferme. A ce stade de son évolution, le fruit est encore un rien austère. Sans doute réclame-t-il de la patience pour consentir à s'amadouer tout à fait (deux à quatre ans). Sa bonne longueur est prometteuse.

🔑 Dom. Jessiaume Père et Fils,
10, rue de la Gare, 21590 Santenay,
tél. 03.80.20.60.03, fax 03.80.20.62.87 ☑ 🍷 🚶 r.-v.

DOM. MICHEL LAFARGE 2001

■ 2 ha 10 000 🛢 15 à 23 €

André Jullien notait déjà, il y a près de deux siècles, que « Volnay est le plus léger des vins de la Côte de Beaune ». On en a ici l'exemple avec cette robe claire de « pinot vermeil », ce nez pétale de rose, cette mise en bouche fraîche sur de petites notes fruitées. A boire maintenant sachant par avance qu'il est simple et de bon goût mais qu'il ne prétend pas vivre éternellement.

🔑 Dom. Michel Lafarge,
rue de la Combe, 21190 Volnay,
tél. 03.80.21.61.61, fax 03.80.21.67.83 ☑ 🍷 🚶 r.-v.

DOM. MATROT WITTERSHEIM Santenots 2002

■ 1er cru 0,51 ha 3 200 🛢 15 à 23 €

Domaine exclusivement féminin mis sur pied en 1999 (3,36 ha). Ses Santenots ont un boisé bien marié sous une robe intense mais assez claire. L'acidité présente donne au vin beaucoup de punch alors que les tanins apportent une certaine sévérité mais aussi un potentiel certain. Le fruit l'emportera-t-il sur le boisé ?

🔑 SCE Dom. Matrot-Wittersheim,
2, pl. de l'Europe, 21190 Meursault,
tél. 03.80.21.21.13, fax 03.80.21.21.14,
e-mail matrot.wittersheim@wanadoo.fr
☑ 🍷 🚶 t.l.j. sf dim. 8h30-12h 13h30-17h30

CAVES DES MOINES 2001 *

■ n.c. 900 🛢 15 à 23 €

Cette maison dépend de la maison Prosper Maufoux. Un vin d'un beau brillant, au nez très riche et expansif (sous-bois, fleuri), bien ouvert. Nettement tannique en première approche mais offrant une belle fin aromatique, il se montre corsé. De moyenne garde, il pourra tenir debout et probablement s'arrondir au bout de deux à trois ans.

🔑 Naudin-Varrault, 1, pl. du Jet-d'Eau,
21590 Santenay, tél. 03.80.20.60.40, fax 03.80.20.63.26,
e-mail maisondesgrandscrus@wanadoo.fr ☑
🔑 Robert Fairchild

PIERRE OLIVIER 2001 **

■ 1 ha 5 000 🛢 15 à 23 €

Variante de la maison Moillard, Pierre Olivier propose un 2001 très « force tranquille ». Ceci pour le cépage. Quant à sa délicatesse très volnaysienne, elle procède du terroir. Rubis sombre et limpide, le nez presque fauve (animal et humus) est accompagné d'un joli boisé ; cette bouteille garde le fruit rouge pour l'attaque. Longue, la finale apparaît légèrement réglissée et cela peut se conserver sans souci.

🔑 Pierre Olivier, 2, rue François Mignotte,
21700 Nuits-Saint-Georges,
tél. 03.80.62.42.22, fax 03.80.61.28.13,
e-mail olivier@nuicave.com ☑ 🍷 🚶 t.l.j. 10h-18h; f. jan.

FRANCOIS PARENT Frémiets 2002 *

■ 1er cru n.c. 1 200 30 à 38 €

Avec sa curieuse étiquette où trône une... truffe noire de Bourgogne, François Parent ne passe pas inaperçu. Cette bouteille de Frémiets (coup de cœur en 2003 sous la signature d'Annick Parent) ne risque pas, elle non plus, de passer inaperçue. Rubis très profond à reflets presque bleutés, elle s'entoure d'arômes de cassis, de mûre sur un élan animal, un peu sauvage. Son beau volume paraît dès l'attaque de bouche où s'affirment de bons tanins. De l'élégance. La typicité est parfaitement respectée.

🔑 François Parent, La Garelle, 5, Grande-Rue,
21630 Pommard, tél. 03.80.22.61.85, fax 03.80.24.03.16,
e-mail francois@pommard.com ☑ 🍷 🚶 r.-v.

VINCENT ET MARIE-CHRISTINE PERRIN
Gigotte 2001

■ 1er cru 0,3 ha 1 800 ▮ 🛢 🌡 30 à 38 €

Gigotte ? Drôle de nom, mais ce *climat* existe bel et bien, glissé parmi les Carelles. Ce 2001 présente une robe déjà tuilée, entourée de nuances odorantes d'eau-de-vie blanche. Le corps sans doute fermé est à attendre une paire d'années.

⊶ Vincent et Marie-Christine Perrin, 21190 Volnay, tél. 03.80.21.62.18, fax 03.80.21.68.09 ☒ Y 🚶 r.-v.

DOM. PONSARD-CHEVALIER
Cros Martin 2002 ★

■ 0,39 ha 2 000 ▮◘🌡 11 à 15 €

Domaine de 10 ha. Pourpre vif avec un bouquet à dominante griotte, c'est un vin racé mais discret, reposant sur un boisé fin. Un 2002 homogène dans l'ensemble. Ses tanins sont un peu jeunes, certes. Le fruit rouge confit est toutefois plaisant en bouche. Celle-ci est équilibrée, de bonne typicité.

⊶ Dom. Ponsard-Chevalier, 2, Les Tilles, 21590 Santenay, tél. 03.80.20.60.87, fax 03.80.20.61.10, e-mail ponsardchevalier@aol.com ☒ Y 🚶 r.-v.

DOM. POULLEAU PERE ET FILS 2002 ★

■ 1er cru 0,2 ha 900 ◘ 15 à 23 €

Lors de son fameux voyage en 1787, Thomas Jefferson remarqua les qualités du volnay et il en commanda souvent par la suite. Pourpre assez soutenu, ce 2002 montre amplement que ce cru n'a rien perdu de ses charmes soyeux, de son palais onctueux, de ses arômes persistants (cassis et grillé avec une touche animale). Tout à fait le volnay tel qu'on se le représente habituellement. Aucun problème sans doute jusqu'à cinq ans de garde.

⊶ Dom. Poulleau Père et Fils, rue du Pied-de-la-Vallée, 21190 Volnay, tél. 03.80.21.26.52, fax 03.80.21.64.03, e-mail domaine.poulleau@wanadoo.fr ☒ Y 🚶 r.-v.

LA POUSSE D'OR
Clos de la Bousse d'or Monopole 2002 ★★★

■ 1er cru 2,13 ha 9 083 ◘ 30 à 38 €

Coup de cœur pour cette bouteille classée en tête des 1ers crus. Œuvre de la famille Potel, le domaine de la Pousse d'Or a le monopole de ce clos presque homonyme (pour des raisons juridiques) et qui couvre 2,13 ha. Le vin est glorieux sous sa robe étincelante. Friand, subtil, le bouquet se partage entre la cerise noire et le grillé. Au palais tout est à sa place et bien proportionné, dans une belle continuité aromatique. Finesse et richesse peuvent faire bon ménage ! Notez aussi le **Caillerets Clos des 60 Ouvrées 2002** tout en finesse, une étoile.

⊶ Dom. de La Pousse d'Or, rue de la Chapelle, 21190 Volnay, tél. 03.80.21.61.33, fax 03.80.21.29.97, e-mail patrick@lapoussedor.fr ☒

⊶ P. Landanger

DOM. PRIEUR-BRUNET Santenots 2001 ★★

■ 1er cru 0,35 ha 1 980 ◘ 23 à 30 €

Cum priore vino prior deum laudat, telle est la devise du domaine Prieur-Brunet dont les Santenots sont en effet adorables. Un vin grenat élevé dix-huit mois en fût, ce qui lui confère un bouquet encore torréfié qui s'ouvre délicatement sur la griotte. Rond et gras, présentant une bonne concentration et déjà une certaine complexité, c'est un 2001 qui va s'épanouir davantage. Coup de cœur pour ses Santenots 97, il est arrivé troisième au grand jury des premiers crus.

⊶ Dom. Prieur-Brunet, rue de Narosse, 21590 Santenay, tél. 03.80.20.60.56, fax 03.80.20.64.31, e-mail uny-prieur@prieur-santenay.com ☒ 🚶 r.-v.

DOM. REBOURGEON-MURE Caillerets 2002 ★★

■ 1er cru 0,32 ha n.c. ◘ 15 à 23 €

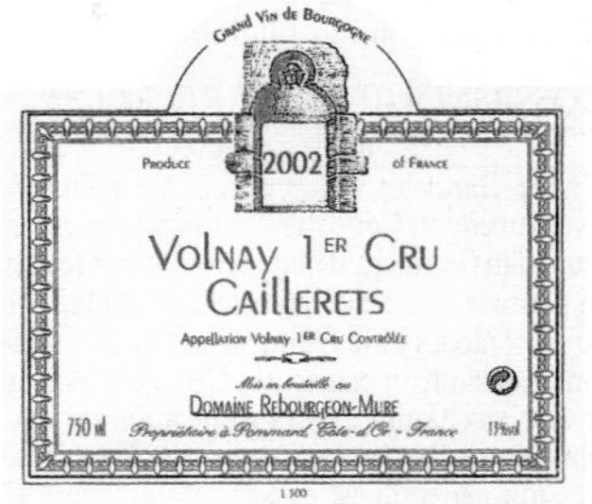

Coup de cœur en 2002 pour ces mêmes Caillerets version 99, ce domaine le fut auparavant pour le millésime 91. Nous nous trouvons dans le cellier d'un orfèvre du cru : reflets allant du violet au noir. Le nez de framboise et de groseille se lève du bon pied. Séductrice, féminine, la bouche laisse l'empreinte d'un corps soyeux, fondu, équilibré, fruité et long.

⊶ Dom. Rebourgeon-Mure, 6 a, Grande-Rue, 21630 Pommard, tél. 03.80.22.75.39, fax 03.80.22.71.00 ☒ Y 🚶 r.-v.

DOM. REGIS ROSSIGNOL-CHANGARNIER 2001

■ 1,7 ha 4 400 ◘ 11 à 15 €

La vendange est égrappée à 80 % après le tri. Ce vin rouge clair a besoin d'aération pour délivrer des arômes assez mûrs (pruneau par exemple). En bouche le fruité pencherait plutôt pour la groseille. Les tanins sont présents mais aimables et le bois n'insiste pas. Vif et frais en ouverture, ce 2001 s'équilibre ensuite sur une longueur bien suffisante.

⊶ Régis Rossignol, rue d'Amour, 21190 Volnay, tél. 03.80.21.61.59, fax 03.80.21.61.59 ☒ Y 🚶 r.-v.

DOM. ROSSIGNOL-FEVRIER PERE ET FILS 2002 ★★

■ 0,7 ha 3 000 ◘ 11 à 15 €

Si l'étiquette est bavarde (« on ne saurait être gai sans boire du volnay », lit-on notamment), le nez l'est aussi : mûre, poivre, vanille pour le moins. D'une structure intérieure ample et concentrée, ce 2002 possède une belle acidité. Les tanins sont accommodants. Il est vrai que ce vin a grandi, mûri et vieilli aux pieds de Notre-Dame des Vignes, la Vierge protectrice du village depuis la guerre de 70.

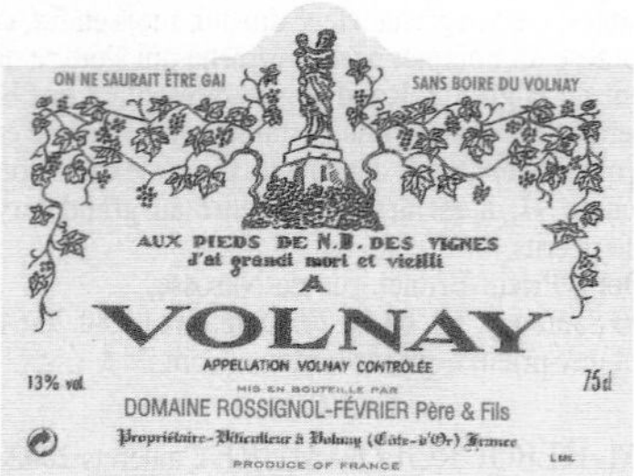

♏ EARL Rossignol-Février, rue du Mont,
21190 Volnay, tél. 03.80.21.64.23, fax 03.80.21.67.74
☑ ⵙ 🕺 t.l.j. sf dim. 8h-12h 14h-18h

CH. ROSSIGNOL-JEANNIARD 2001 ★★

■	n.c.	n.c.	Ⅲ	23 à 30 €

L'abbé Gandelot voyait en 1772 à Volnay les traces
d'un... volcan éteint. Cette thèse est sans fondement et c'est
sans doute dans le vin qu'il faut rechercher le feu de la terre.
Celui-ci possède une belle intensité colorante. Son nez est
marqué par l'alcool et le fruit rouge, par la vanille du fût,
de façon imposante et capiteuse. Un peu d'astringence au
départ, due aux tanins : ils doivent atténuer leur ardeur
pour permettre au terroir de s'exprimer pleinement.
L'impression générale est corsée. Un excellent **Clos des
Angles 2001 (30 à 38 €)** obtient une étoile.
♏ Ch. Rossignol-Jeanniard,
rue de Mont, 21190 Volnay,
tél. 03.80.21.62.43, fax 03.80.21.27.61,
e-mail domaine-rossignol-jeanniard@wanadoo.fr
☑ ⵙ 🕺 r.-v.

Monthélie

La combe de Saint-Romain sépare
les terroirs à rouge des terroirs à blanc ; Monthélie
est exposé sur le versant sud de cette combe. Dans
ce petit village moins connu que ses voisins, les
vins sont d'excellente qualité. 2002 a produit
5 096 hl de vin rouge et 564 hl de vin blanc.

ERIC BOIGELOT 2001 ★

■	3 ha	16 000	Ⅲ	11 à 15 €

Eric a rejoint son père en 1990, lequel avait obtenu
un coup de cœur pour ses Champs Fulliots 82 ! Agréable,
voici un bon *village* vermillon clair, au second nez très
démonstratif. Suave et délicat, il caresse le palais. Sur votre
carnet notez encore **Sur la Velle 2001 en 1er cru rouge** :
sévère à cette heure mais ne voyageant pas sans bagage, il
obtient une citation.
♏ Eric Boigelot, 21, rue des Forges, 21190 Meursault,
tél. 03.80.21.65.85, fax 03.80.21.66.01 ☑ ⵙ 🕺 r.-v.

DOM. DENIS BOUSSEY Les Hauts-Brins 2002 ★★

■	1,16 ha	4 000	Ⅲ	8 à 11 €

Ce *climat* se situe côté Volnay. Il donne ici un vin « à
l'ancienne » comme on n'en rencontre plus guère ; le

charme du bourgogne d'autrefois, un peu tannique, et de
longue garde. Il a des reflets violacés et des arômes de mûre
écrasée. Il respire la bonne santé, et on vivra un bon
moment avec lui. **Les Champs Fulliots en 1er cru 2002
(11 à 15 €)** ont aussi de beaux jours en perspective. Ils
reçoivent une étoile.
♏ Dom. Denis Boussey,
1, rue du Pied-de-la-Vallée, 21190 Monthélie,
tél. 03.80.21.21.23, fax 03.80.21.62.46 ☑ ⵙ 🕺 r.-v.

ERIC BOUSSEY 2001 ★

■	3 ha	6 000	Ⅲ	8 à 11 €

Le fils d'Eric Boussey se prépare à prendre la relève sur
ce domaine de longue tradition familiale. Ce vin est d'un joli
framboisé pâle ; le nez joue sur le petit fruit que l'on attend
de bon cœur. L'attaque est plaisante, la suite plus sévère car
les tanins sont serrés. Mais l'acidité montre que le bonheur
s'accomplira. Jolie évolution à venir ? Certainement.
♏ EARL du Dom. Eric Boussey,
Grande-Rue, 21190 Monthélie,
tél. 03.80.21.60.70, fax 03.80.21.26.12 ☑ ⵙ 🕺 r.-v.

DOM. CHANGARNIER 2002

■	0,5 ha	3 000	Ⅲ	11 à 15 €

Dix générations, nous dit-on, ont conduit ce domaine, aujourd'hui en lutte intégrée et labouré. Un chardonnay à la robe soutenue, aux larmes importantes. Le
nez, encore sous le bois, ne s'est pas trouvé, mais la bouche
est déjà aromatique. Dans un à deux ans, servir cette
bouteille sur une tourte de ris de veau.
♏ Dom. Changarnier, pl. du Puits, 21190 Monthélie,
tél. 03.80.21.22.18, fax 03.80.21.68.21,
e-mail changarnier@aol.com
☑ ⵙ 🕺 t.l.j. sf dim. 9h-12h 14h-19h

ALAIN COCHE-BIZOUARD Les Duresses 2002 ★

■ 1er cru	0,28 ha	1 800	Ⅲ	11 à 15 €

Mais oui, Monthélie possède en partie le trésor des
Duresses... Les voici 2002, rubis grenat, le bouquet peu
loquace mais nous donnant quelques idées de ses
onze mois de fût. Un destin de fruits rouges ! Présence,
prestance, la bouche coopère à merveille. Un authentique
jeune talent, jouant davantage le détail que le volume. C'est
bien fait et bien équilibré.
♏ EARL Alain Coche-Bizouard,
5, rue de Mazeray, 21190 Meursault,
tél. 03.80.21.28.41, fax 03.80.21.22.38 ☑ ⵙ 🕺 r.-v.
♏ Alain Coche

RODOLPHE DEMOUGEOT
La Combe Danay 2002 ★

■	0,3 ha	1 800	Ⅲ	11 à 15 €

La concentration ne masque pas la finesse de cette
Combe Danay (en allant vers Volnay). Grenat violacé, elle
brille ! Le nez s'insinue lentement, la bouche n'est pas plus
pressée. Mais l'assise tannique est confortable sur un gentil
petit boisé qui ne cache pas le développement sur le fruit.
Une bouteille à retenir, à attendre un peu. Le millésime 98
fut doté d'un coup de cœur.
♏ Dom. Rodolphe Demougeot,
2, rue du Clos-de-Mazeray, 21190 Meursault,
tél. 03.80.21.28.99, fax 03.80.21.29.18 ☑ ⵙ 🕺 r.-v.

DOM. MICHEL DESCHAMPS 2002 ★

■	4 ha	6 000	Ⅲ	8 à 11 €

Situé à 150 m de l'église de Monthélie (XIIᵉs.), ce
domaine propose un vin rubis à reflets violacés recueillant

quelques effluves de cassis ou de mûre pour les faire partager. Beaucoup de choses en bouche et, si les tanins sont encore assez fermes, la trame est excellente, la finale fascinante sur le petit fruit. Un peu d'austérité peut-être... C'est le style du pays. L'attendre sagement deux à cinq ans.
☞ Michel Deschamps, rue du Château-Gaillard, 21190 Monthélie, tél. 03.80.21.28.60, fax 03.80.21.65.77 ☑ ⍮ ⚐ r.-v.

CH. DE DRACY 2001

■	0,5 ha	2 400	⏛ 15 à 23 €

La Bourgogne, elle aussi, possède sa famille de Charette, dont le baron dirige la Maison Albert Bichot, faisant équipe avec la descendance Bichot. Ce vin porte une robe vive et pourpre et un nez élégant jouant sur le fruit frais ; il sait se conduire en société. Structuré, charpenté, il devra attendre deux à trois ans avant d'accompagner des viandes en sauce.
☞ SCA Ch. de Dracy, 71490 Dracy-lès-Couches, tél. 03.85.49.62.13, fax 03.80.24.37.38 ⍮ ⚐ r.-v.
☞ Benoît de Charette

GUY DUBUET 2002 ★

■	1 ha	3 000	⏛ 8 à 11 €

Typée bourgogne, la couleur. Un nez à solliciter, tirant sur l'animal. Dès l'attaque, l'impression est favorable. On sent la bouteille qui se donne et remplit le palais ; la texture est ravissante. « Bon travail, beau produit », c'est ce qu'on lit sur les fiches. Tourte de veau ou gibier, selon les dégustateurs.
☞ Guy Dubuet, rue Bonne-Femme, 21190 Monthélie, tél. 03.80.21.26.22, fax 03.80.21.29.79 ☑ ⍮ ⚐ r.-v.

GILBERT ET PHILIPPE GERMAIN 2002 ★

■	2 ha	10 000	⏛ 8 à 11 €

Nantoux est un charmant village des Hautes-Côtes de Beaune, pas très éloigné de Monthélie. Il offre ce 2002 rubis clair aux arômes épicés et fruités. L'entrée en bouche ne se pose pas de questions, le fruit revient au bon moment, les tanins assez virils portent la finale. Pour les amateurs de vin chaleureux.
☞ Gilbert et Philippe Germain, 21190 Nantoux, tél. 03.80.26.05.63, fax 03.80.26.05.12, e-mail germain.vins@wanadoo.fr ☑ ⌂ ⍮ ⚐ r.-v.

JAFFELIN 1999

■	n.c.	20 000	⏛ 8 à 11 €

Jaffelin est l'une des filles de Jean-Claude Boisset, volant cependant de ses propres ailes. On nous fait une surprise, un 99 ! La couleur ne bouge pas trop, sur un disque légèrement ambré. Calés sur la griotte, les arômes évoluent un peu. Le corps montre encore un tempérament vigoureux et robuste, mais il faut le saisir maintenant.
☞ Maison Jaffelin, 2, rue Paradis, 21200 Beaune, tél. 03.80.22.12.49, fax 03.80.24.91.87, e-mail jaffelin@maisonjaffelin.com

PIERRE MOREY 2001 ★

■	1,3 ha	7 300	⏛ 11 à 15 €

Bras droit d'Anne-Claude Leflaive à Puligny, biodynamiste convaincu, Pierre Morey assemble ici différents lieux-dits au cœur du village. Rouge vermillon, cela sent le sous-bois, l'humus, la feuille. Ses seize à dix-huit mois de fût laissent des souvenirs. L'attaque est agréable, la continuité honorable. Cette constitution rencontrera des amateurs, car c'est un vin sincère.

☞ Dom. Pierre Morey, 9, rue Comte-Lafon, 21190 Meursault, tél. 03.80.21.21.03, fax 03.80.21.66.38, e-mail morey-blanc@wanadoo.fr ☑ ⍮ ⚐ r.-v.

DOM. ANNICK PARENT Les Duresses 2001

■ 1er cru	0,37 ha	1 600	⏛ 11 à 15 €

Vieille famille vigneronne de Bourgogne. Une femme est à la barre : elle s'en tire fort bien si l'on en juge par ces Duresses au nez compoté, suggérant le champignon. Le bois n'est pas absent, mais cela se déguste sans déplaisir. En outre, d'aimables **Champs Fulliots 2001 rouges** sont proposés dans un esprit assez voisin.
☞ Annick Parent, rue du Château-Gaillard, 21190 Monthélie, tél. 03.80.21.21.98, fax 03.80.21.21.98, e-mail annick.parent@wanadoo.fr ☑ ⍮ ⚐ r.-v.
☞ Jean Parent

VINCENT ET MARIE-CHRISTINE PERRIN 2001

■	0,2 ha	1 200	⏷ ⏛ ↓ 11 à 15 €

Marie-Christine et Vincent ont repris en 2000 la totalité de l'exploitation familiale (8 ha). Leur monthélie impressionne le regard : intensité, profondeur, larmes très présentes. Le bouquet plus discret est délicatement fruité, distingué sans insister. La bouche réglissée est marquée par une bonne acidité. A laisser dormir un à deux ans en cave.
☞ Vincent et Marie-Christine Perrin, 21190 Volnay, tél. 03.80.21.62.18, fax 03.80.21.68.09 ☑ ⍮ ⚐ r.-v.

VINCENT PONT 2002 ★

■	0,22 ha	1 500	⏛ 11 à 15 €

Blanc, jaune pâle très limpide, le nez donnant dans l'abricot, le pamplemousse, ce monthélie attaque de façon citronnée. Sa finesse n'est pas dépourvue de complexité, mais l'élevage doit encore se parfaire. La Saint-Vincent tournante 2004 a montré que ce *village* honore la Côte des grands crus.
☞ Vincent Pont, rue des Etoiles, 21190 Auxey-Duresses, tél. 03.80.21.27.00, fax 03.80.21.24.49 ☑ ⍮ ⚐ r.-v.

POULET PERE ET FILS 2002 ★

■	n.c.	2 200	⏛ 23 à 30 €

Vieille maison beaunoise devenue nuitonne sous la houlette de Laurent Max. Pour un blanc destiné à un filet de perche. Mangue, ananas, le bouquet évoque les vacances exotiques. Gras et gourmand, le corps se prête bien à ce qu'on en attend, mais il devient bourguignon dans sa simplicité.
☞ Poulet Père et Fils, 6, rue de Chaux, 21700 Nuits-Saint-Georges, tél. 03.80.62.43.02, fax 03.80.62.43.16

DOM. PRUNIER 2002 ★

■	0,41 ha	2 400	⏛ 8 à 11 €

Rouge rubis moyennement intense, un 2002 peu odorant et qui se montre discret à l'attaque, puis plus ouvert avec un bon développement en bouche. Il y a de la matière derrière et une finale fruitée, élégante, assez longue. « Bon travail à la cave », note un juré. Ce vin peut attendre deux à trois ans.
☞ Dom. Jean-Pierre et Laurent Prunier, rue Traversière, 21190 Auxey-Duresses, tél. 03.80.21.27.51, fax 03.80.21.27.51 ☑ ⍮ ⚐ r.-v.

PASCAL PRUNIER-BONHEUR
Les Vignes Rondes 2002 ★

■ 1er cru 0,49 ha 2 800 ◍ 11 à 15 €

Ces Vignes Rondes sont presque en plein village. Il y a du vin dans cette bouteille, nous dit-on, mais il faudra l'attendre. D'un bon rubis bourguignon, un monthélie dont le nez ne dit pas encore grand-chose (le fruit noir est partout présent). Attendons, tout en prenant part à l'appréciation d'une jolie texture. L'acidité, les tanins, le moelleux sont bien pondérés. A garder de deux à trois ans.

🔑 Pascal Prunier-Bonheur,
23, rue des Plantes, 21190 Meursault,
tél. 03.80.21.66.56, fax 03.80.21.67.33,
e-mail pascal.prunier-bonheur@wanadoo.fr ☒ Y ♟ r.-v.

Auxey-duresses

Auxey (prononcer « aussey ») possède des vignes sur les deux versants. Les premiers crus rouges des Duresses et du Val sont très réputés. Sur le versant « Meursault », on produit d'excellents vins blancs qui, sans avoir la réputation des grandes appellations, sont également très intéressants. L'appellation a produit, en 2002, 2 017 hl en blanc et 4 573 hl en rouge.

DOM. BOULARD Les Duresses 2001

■ 1er cru 1,5 ha 7 500 ◍ 15 à 23 €

Pour étendre son activité à l'arrivée de la nouvelle génération, la famille Bouzereau (château de Cîteaux à Meursault) a repris ici le domaine Boulard. Ces Duresses rouges, à la couleur très foncée, s'expriment au nez sur des notes végétales qui conviendront aux produits de la chasse. Tanniques, assez fermes, chaleureuses, elles ont du temps devant elles et ne souhaitent qu'une chose : dormir en cave au moins trois à quatre ans.

🔑 Philippe Bouzereau et ses Fils,
15, rue de Mazeray, 21190 Meursault,
tél. 03.80.21.20.32, fax 03.80.21.64.34 ☒ Y r.-v.

CHRISTIAN CHOLET-PELLETIER 2002 ★

□ 0,25 ha 1 800 ◍ 8 à 11 €

Or pâle léger traversé d'un or vert discret, ce 2002 s'annonce tout en nuance. De l'éclat ? Certainement. Aubépine et pain frais grillé, ses arômes inspirent ce rien d'émotion qui ne laisse pas insensible. Super-riche au palais, presque opulent, bien fait, il est destiné aux poissons.

🔑 Christian Cholet, 21190 Corcelles-les-Arts,
tél. 03.80.21.47.76, fax 03.80.21.47.76
☒ Y ♟ t.l.j. 8h-12h 14h-18h

CLOS DU MOULIN AUX MOINES
Monopole 2002 ★

■ 2,5 ha 12 500 ◍ 8 à 11 €

Le Moulin aux Moines appartient à l'histoire bourguignonne sous ses diverses formes : religieuse, galante, laborieuse, conviviale... Sa robe est ici mordorée. Elle se teint légèrement des nuances du passé. Rien d'étonnant avec une telle histoire ! De même au nez. L'attaque est brillante, les tanins expressifs et raisonnables, le boisé bien mené, l'ensemble représentatif du *village* dans l'esprit d'une précoce maturité. A servir pendant les trois prochaines années.

🔑 Emile Hanique, Dom. du Moulin aux Moines,
21190 Auxey-Duresses, tél. 03.80.21.60.79,
fax 03.80.21.60.79, e-mail contact@laterrasse.fr
☒ 🏠 🏠 Y ♟ t.l.j. 9h-12h 14h-19h

ALAIN COCHE-BIZOUARD Les Fosses 2001 ★★

□ 0,2 ha 1 200 ◍ 11 à 15 €

Domaine de 9 ha, lauréat d'un coup de cœur pour son meursault Charmes 99 dans le Guide 2003. Il présente un joli *village* floral et minéral, encore un peu marqué par ses dix-huit mois de fût, mais avec suffisamment d'acidité pour se garder un à deux ans. Sa longueur est agréable. Obtenant une étoile, le **village 2002 rouge (8 à 11 €)**, aux arômes de bourgeon de cassis et de boisé se révèle solide et signifiant. L'attendre deux ans.

🔑 EARL Alain Coche-Bizouard,
5, rue de Mazeray, 21190 Meursault,
tél. 03.80.21.28.41, fax 03.80.21.22.38 ☒ Y ♟ r.-v.

JEAN-PIERRE DICONNE 2002 ★

■ 1,4 ha 3 700 ▮◍🌢 8 à 11 €

Paul, Jean-Pierre et bientôt Christophe : la troisième génération de Diconne arrive sur ce domaine qui atteint aujourd'hui 8,5 ha. Douze mois d'élevage pour ce joli vin à la robe grenat très sombre, au nez largement boisé mais également riche et fruité (cerise) : ce 2002 est équilibré, bien construit, et l'on retrouve en bouche un fruité élégant. Il est long, et son potentiel est important (dans les cinq ans de garde). Quant à l'**auxey-duresses blanc 2001 (11 à 15 €)**, il obtient une citation pour son caractère minéral, miellé et sa pointe de fleur d'acacia.

🔑 Jean-Pierre Diconne,
rue de la Velle, 21190 Auxey-Duresses,
tél. 03.80.21.25.60, fax 03.80.21.26.80 ☒ Y ♟ r.-v.

DOM. DUPONT-FAHN Les Vireux 2002 ★★

■ 0,7 ha 1 500 ◍ 8 à 11 €

Ce *climat* proche de Meursault donne un auxey-duresses au teint intense, très profond. Son nez évoque les épices mais le cassis ne se découvre pas trop encore. Riche et ardent, le corps est gras et son fruit mûr s'exprime de façon suave. Très beau, ce vin est doté d'un grand potentiel.

🔑 Dom. Michel Dupont-Fahn,
Les Toisières, 21190 Monthélie,
tél. 03.80.21.26.78, fax 03.80.21.21.22 ☒ r.-v.

BRUNO FEVRE Les Duresses 2002

■ 1er cru 0,26 ha 1 500 ◍ 11 à 15 €

Presque plus noir que pinot noir, ces Duresses 2002 sentent la framboise. En bouche l'ambiance est assez fraîche ; il y a de la matière et du volume. Très fin, très jeune encore et donc un tantinet fermé, ce vin devrait être excitant d'ici une paire d'années.

🔑 Bruno Fèvre, 27, rue de Martray, 21190 Meursault,
tél. 03.80.21.63.16 ☒ Y r.-v.

LES VILLAGES DE JAFFEFIN 2001

■ n.c. 10 000 ◍ 11 à 15 €

Rubis limpide à cercle clair, un vin dont le bouquet n'est pas de ceux qu'on trouve à l'improviste. Non, cerise

et réglisse y chantent à pleins poumons. L'attaque est sympathique. Les tanins suscitent une amertume assez classique, une austérité cistercienne qui demande du fini. Pour viande rôtie, mais ce 2001 doit absolument dormir en cave de deux à trois ans.
Maison Jaffelin, 2, rue Paradis, 21200 Beaune,
tél. 03.80.22.12.49, fax 03.80.24.91.87,
e-mail jaffelin@maisonjaffelin.com

DOM. JESSIAUME PERE ET FILS
Les Ecusseaux 2002 *

■ 1er cru 0,41 ha 1 650 15 à 23 €

Installés à Santenay dans une belle maison de maître, les Jessiaume proposent un 1er cru à la robe très soutenue, aux arômes discrets puis assez mûrs et empyreumatiques à l'aération : ces Ecusseaux rouges, tanniques mais dépourvus de violence, possèdent un fruit très intense. On sent la qualité de la vendange et le travail dans la cuverie. A attendre avant de mettre la bouteille sur la table.
Dom. Jessiaume Père et Fils,
10, rue de la Gare, 21590 Santenay,
tél. 03.80.20.60.03, fax 03.80.20.62.87 r.-v.

JEAN ET GILLES LAFOUGE Les Hautés 2001 *

1 ha n.c. 8 à 11 €

Limpide et clair, un auxey (prononcer aussey) aux parfums de fleur blanche légèrement vanillée. Franc, net et frais, il cède à une jolie rétro de pain grillé. Son corps rond et franc, sa note beurrée et sa pointe d'acidité en fin de bouche lui apportent de la vigueur. Il est conseillé de le boire dans l'année qui vient sur un vol-au-vent ou un poisson à la crème.
EARL Jean et Gilles Lafouge,
rue du Dessous, 21190 Auxey-Duresses,
tél. 03.80.21.20.92, fax 03.80.21.60.43 r.-v.

AGNES ET SEBASTIEN PAQUET 2002

3 ha 5 500 11 à 15 €

Agnès et Sébastien Paquet habitent une maison du XVIIes. avec pigeonnier ; ils signent ensemble ce *village* qui représente leurs secondes vendanges. On est encore en pleine lune de miel avec un terroir bien exprimé : or clair, ce 2002 a le nez mi-floral mi-végétal, sans oublier un rien de grillé. Vif et boisé, il est plaisant à boire, dans un style minéral. Il ne manque pas de caractère et fera un excellent vin d'ouverture dans dix-huit mois.
EARL Agnès et Sébastien Paquet,
rue du Puits-Bouret, 21190 Meloisey,
tél. 03.80.26.07.41, fax 03.80.26.06.41,
e-mail sebpaquet@club-internet.fr r.-v.

MAX ET ANNE-MARYE PIGUET-CHOUET
Cuvée Stéphane 2002

■ 0,96 ha 1000 8 à 11 €

Cette cuvée Stéphane, en l'honneur des vingt ans du fils de la famille, qui travaille au domaine. La robe présente quelques reflets d'évolution, mais le nez balsamique, pain d'épice, un peu fruit confit a quelque chose de mordant, de très présent. Tannique sans astringence, un *village* chargé de mâche et qui a bon fond.
Max et Anne-Marye Piguet-Chouet,
rte de Beaune, 21190 Auxey-Duresses,
tél. 03.80.21.25.78, fax 03.80.21.68.31,
e-mail piguet.chouet@wanadoo.fr r.-v.

DOM. JEAN-PIERRE ET LAURENT PRUNIER
Les Duresses 2002 *

■ 1er cru 0,47 ha 2 800 11 à 15 €

Une étiquette parcheminée à bords roulés, ô combien traditionnelle ; le vin, lui, est de qualité, 1er cru digne de ce nom. Rubis violacé intense, il est bien dans le ton. L'agitation dans le verre fait naître du noyau de cerise. Si ce 2002 est encore ferme, et cela est normal à cet âge, ses arômes de type cerise n'en finissent plus de solliciter le dégustateur. Joli vin pas très long, mais de belle structure. « On en redemande », écrit un juré. C'est assez dire.
Dom. Jean-Pierre et Laurent Prunier,
rue Traversière, 21190 Auxey-Duresses,
tél. 03.80.21.27.51, fax 03.80.21.27.51 r.-v.

DOM. JEAN-PIERRE ET LAURENT PRUNIER 2002

1,6 ha 5 000 8 à 11 €

Jaune pâle très clair, discret, un chardonnay minéral et floral qui s'accommode d'arômes grillés (dix mois de fût). Son acidité n'est pas trop marquée, sa longueur est aussi honorable que son gras. La vivacité et la minéralité cherchent l'une et l'autre à obtenir la cause et c'est le vif qui l'emporte. A ouvrir fin 2005 sur des fruits de mer.
Dom. Jean-Pierre et Laurent Prunier,
rue Traversière, 21190 Auxey-Duresses,
tél. 03.80.21.27.51, fax 03.80.21.27.51 r.-v.

DOM. VINCENT PRUNIER
Les Grands Champs 2002 **

■ 1er cru 0,35 ha 1 400 11 à 15 €

Vincent Prunier a créé son domaine sur 2,5 ha en 1988 puis a repris 5 ha en 1992, s'étendant peu à peu jusqu'à la douzaine d'hectares qui est la dimension moyenne d'un domaine bourguignon. Ces Grands Champs : la meilleure bouteille dégustée dans l'appellation. Elle avait d'ailleurs eu le coup de cœur en 2001. Violacée, dotée d'un nez de fruits noirs et de chocolat, elle offre une saveur onctueuse sous des tanins de soie. Le boisé ? Bien fondu. Le gras ? Bien suffisant. Un pur plaisir qu'on peut attendre deux à trois ans.
Vincent Prunier,
rte de Beaune, 21190 Auxey-Duresses,
tél. 03.80.21.27.77, fax 03.80.21.68.87 r.-v.

PASCAL PRUNIER-BONHEUR 2002 *

■ 0,48 ha 2 800 8 à 11 €

Coup de cœur pour son millésime 99, le domaine a changé d'adresse et de nom en 2000 : passant d'Auxey à Meursault et devenant Prunier-Bonheur. Il y a pire comme destin ! Cerise violacé, ce vin aux accents de pruneau épicé a le charme d'un bon *village*. Un peu fermé encore, bien structuré et persistant, il possède un honorable potentiel. Le **1er cru Les Duresses 2002 (11 à 15 €)** obtient une étoile pour sa belle matière. A attendre deux à trois ans.
Pascal Prunier-Bonheur,
23, rue des Plantes, 21190 Meursault,
tél. 03.80.21.66.56, fax 03.80.21.67.33,
e-mail pascal.prunier-bonheur@wanadoo.fr r.-v.

PRUNIER-DAMY 2002

■ 2,6 ha 9 000 8 à 11 €

Si vous passez par ici, visitez ce caveau bourguignon proche de l'église. Ce domaine (15 ha) couvre bien tout le coin. Rouge sombre ocré, cet auxey est un charmant petit *village*. Pruneau cuit, sous-bois, il conduit ainsi l'attelage. La bouche est élégante, fruitée groseille sur de bons tanins.

BOURGOGNE

🔑 Philippe Prunier-Damy,
rue du Pont-Boillot, 21190 Auxey-Duresses,
tél. 03.80.21.60.38, fax 03.80.21.26.64 ☑ Ɪ ⛹ r.-v.

PIERRE TAUPENOT Côte de Beaune 2001 *

■ 1,9 ha 6 479 8 à 11 €

Un an de cuve, quatre mois de fût : c'était sage pour ce millésime. La robe est profonde et le nez mêle cerise noire, cassis et note finement boisée. Généreux, alliant gras et tanins dans un bel équilibre, ce vin saura attendre sagement quatre à cinq ans.

🔑 Dom. Pierre Taupenot,
rue du Chevrotin, 21190 Saint-Romain,
tél. 03.80.21.24.37, fax 03.80.21.68.42 ☑ Ɪ ⛹ r.-v.

Saint-romain

Le vignoble de 135 ha est situé dans une position intermédiaire entre la Côte et les Hautes-Côtes. Les vins de Saint-Romain 2 594 hl en rouge et 1 810 en blanc, sont fruités et gouleyants, et toujours prêts à donner plus qu'ils n'ont promis, selon les viticulteurs eux-mêmes. Le site est magnifique et mérite une petite excursion.

FRANCOIS D'ALLAINES 2001 *

□ 3 ha 4 500 11 à 15 €

Sa robe d'un or discret convient bien à ce vin dont le bouquet se partage entre des parfums de beurre, de miel, d'amande grillée. Avec un peu de bouteille (à boire en 2005), le nez va choisir plus clairement son arôme de rattachement... Equilibré et d'une persistance correcte, il prend ensuite le style cire d'abeille, également classique. On se fera plaisir.

🔑 François d'Allaines, La Corvée du Paquier,
71150 Demigny, tél. 03.85.49.90.16, fax 03.85.49.90.19,
e-mail francois@dallaines.com ☑ Ɪ ⛹ r.-v.

DOM. BILLARD ET FILS La Combe Bazin 2002

□ 1 ha 4 500 8 à 11 €

Sur fond d'acacia et de noisette grillée, on retrouve ici un saint-romain d'un or affirmé, très vif en bouche et qu'on doit attendre un an ou deux. **La Perrière rouge 2001** est également citée.

🔑 Dom. Billard Père et Fils,
rte de Chambéry, 21340 La Rochepot,
tél. 03.80.21.87.94, fax 03.80.21.72.17,
e-mail billardetfils@aol.com ☑ Ɪ ⛹ r.-v.

DOM. GABRIEL BOUCHARD Perrière 2002 *

□ 0,39 ha 2 200 8 à 11 €

Une Perrière en blanc, limpide et d'une teinte élégante. Noisette et beurre frais, le bouquet a quelque chose d'un parfum d'enfance : celui du petit chaperon rouge... Au palais l'attaque est franche, la pureté indiscutée, avec des notes de fleurs blanches, de tilleul en arômes secondaires. Il n'est pas très concentré, mais fort bien vinifié. Pour poisson de rivière ou viande blanche.

🔑 Dom. Gabriel Bouchard,
4, rue du Tribunal, 21200 Beaune,
tél. 03.80.22.68.63, fax 03.80.24.78.43 ☑ Ɪ ⛹ r.-v.
🔑 Alain Bouchard

CHRISTOPHE BUISSON Sous le château 2002 *

■ n.c. n.c. 11 à 15 €

Coup de cœur en 2003 pour ce même vin millésimé 2000, ce vigneron est parti de rien en 1990. Courtier en vins, il a acheté, loué, planté des vignes. Puis il a cessé le courtage pour vivre sa vraie passion, sur 8 ha. Son 2002 s'habille avec élégance. Au nez, il sait recevoir : violette, framboise, épices sont là pour le prouver. Souple et fruité, il n'est ni très structuré ni très long mais se goûte bien. Bouteille disposée à passer à table dès cette année avec toute pièce de bœuf.

🔑 Christophe Buisson,
rue de la Tartebouille, 21190 Saint-Romain,
tél. 03.80.21.63.92, fax 03.80.21.67.03,
e-mail domainechristophebuisson@wanadoo.fr
☑ Ɪ ⛹ r.-v.

DOM. HENRI ET GILLES BUISSON
Sous-la-Velle 2001 *

□ 1,62 ha 10 000 11 à 15 €

« Le sens de l'art, ce flair si délicat, si subtil, si insaisissable... » Cette bouteille nous rappelle Maupassant, tant la subtilité l'emplit. On y sent la légèreté sans compromis avec la facilité, l'éveil délicat du fruit. Robe normale, nez composite (agrumes, silex, grillé) et une bouche en... cœur. A ce vin de charme et de plaisir s'ajoute ici le **Sous-Roche 2001 rouge** qui ne prétend pas rivaliser en force avec Hercule mais passe la barre au premier essai avec une citation.

🔑 Dom. Henri et Gilles Buisson,
imp. du Clou, 21190 Saint-Romain,
tél. 03.80.21.27.91, fax 03.80.21.64.87,
e-mail contact@domaine.buisson.com ☑ 🏠 Ɪ ⛹ r.-v.

DOM. DE LA CREA Sous Roche 2001

□ 1,6 ha 11 000 8 à 11 €

Cette appellation n'a pas de 1ers crus mais certains *climats* se sont fait une notoriété flatteuse. Celui-ci par exemple. Cécile Chenu connaît assurément le vin. D'un or jaune foncé et puissant, ce saint-romain a le nez porté sur la pomme puis sur l'exotique (ananas). Sa rondeur et son gras n'empêchent pas de le juger agréable mais technologique et conçu pour le dépaysement. Un dégustateur conseille de le servir sur une cuisine australienne...

🔑 Dom. de la Créa, Cave de Pommard,
3, rte de Beaune, 21630 Pommard,
tél. 03.80.24.99.00, fax 03.80.24.62.42,
e-mail cavedepommard@wanadoo.fr
☑ Ɪ ⛹ t.l.j. 10h-19h

GERMAIN PERE ET FILS 2002 *

□ 3,7 ha 6 000 11 à 15 €

Ce domaine de 14 ha, dont près de 4 pour ce *village* blanc, a son siège dans le très beau village de Saint-Romain. Jaune paille, un 2002 dont le nez avance à pas comptés. Acacia, agrumes dans un environnement grillé. Le gras et l'acidité forment un couple assez bien assorti. De longueur moyenne et à déboucher dans l'année qui vient.

🔑 EARL Dom. Germain Père et Fils,
rue de la Pierre-Ronde, 21190 Saint-Romain,
tél. 03.80.21.60.15, fax 03.80.21.67.87,
e-mail patrick.germain8@wanadoo.fr
☑ 🏠 Ɪ ⛹ t.l.j. 8h-20h; dim. sur r.-v.

CAMILLE GIROUD 2000

□ n.c. 2 000 ◍ 15 à 23 €

Vieille affaire de négoce beaunoise rachetée il y a quelques années par des Américains et dirigée par Ann Colgin. Il s'agit ici d'achat de raisins vinifiés par la Maison C. Giroud. Jaune doré, un 2000 (coup de chapeau au millésime) au bouquet assez toasté (beurre, amande). Ce style se prolonge en bouche de façon expressive et aromatique. La texture est bonne et si l'ampleur est moins spectaculaire que celle de la falaise de Saint-Romain, c'est un bon vin à boire dans l'année.

⊶ Maison Camille Giroud,
3, rue Pierre-Joigneaux, 21200 Beaune,
tél. 03.80.22.12.65, fax 03.80.22.42.84 ☒ 🍷 🚶 r.-v.

ALAIN GRAS 2002

■ 2,78 ha 15 000 ◍ 8 à 11 €

Ce saint-romain rouge assemble des raisins provenant de Sous-la-Velle et de Combe Bazin. Egrappé à 100 %. Rouge foncé à reflets violacés, ce 2002 ne montre pas encore un nez très entreprenant. La cerise se dessine à l'horizon. Plus tendre que puissant, fin et souple, de longueur moyenne, c'est un vin agréable. Il peut plaire dans les temps présents, mais ne vise pas la longue garde. Le **saint-romain 2002 blanc (11 à 15 €)**, cité, est assez incisif mais ce n'est pas pour déplaire sur certains plateaux de la mer.

⊶ Alain Gras, rue Sous-la-Velle, 21190 Saint-Romain,
tél. 03.80.21.27.83, fax 03.80.21.65.56 ☒ 🍷 🚶 r.-v.

HENRI LATOUR ET FILS 2001 *

□ 1,71 ha 5 600 ◍ 8 à 11 €

« Joli vin », « très sympa », lit-on sur les fiches de dégustation. Or pâle, il pratique le jeu collectif : notes de pain grillé, d'aubépine, de miel... Bonne minéralité dans un contexte de fraîcheur et d'équilibre. Autre suggestion : le **village 2001 rouge** encore un peu ferme et capable de bons sentiments ; il obtient une citation.

⊶ Henri Latour et Fils,
rte de Beaune, 21190 Auxey-Duresses,
tél. 03.80.21.65.49, fax 03.80.21.63.08,
e-mail h.latour.fils@wanadoo.fr ☒ 🍷 🚶 r.-v.

OLIVIER LEFLAIVE 2001 **

□ 2 ha 12 000 ▮◍ 11 à 15 €

Jaune pâle, très brillant, un vin enthousiasmant. Sacré coup de cœur et ce n'est pas si fréquent dans cette appellation. Agrumes et épices conjuguent leurs arômes tandis qu'au palais on comprend qu'on a affaire au premier de la classe. Puissance et longueur contribuent à un vrai plaisir que sublime une belle minéralité en accord avec le paysage. Compliments au viticulteur et au négociant-éleveur. On peut le déguster dès à présent avec des noix de Saint-Jacques, mais on peut aussi l'attendre.

⊶ Olivier Leflaive Frères,
pl. du Monument, 21190 Puligny-Montrachet,
tél. 03.80.21.37.65, fax 03.80.21.33.94,
e-mail olivier-leflaive@dial.oleane.com ☒ 🚶 r.-v.

VINCENT PERRIN 2001 *

□ 1,8 ha 10 000 ◍ 11 à 15 €

Ce viticulteur a repris entièrement l'exploitation en 2000, sur 8 ha. Jaune pâle très brillant, ce 2001 met en avant des arômes de citron et de vanille, comme beaucoup le font. L'entrée de bouche est fraîche et agréable, avec un joli côté crémeux. De longueur moyenne, il n'est pas dépourvu d'une certaine complexité et il est plutôt à boire maintenant.

⊶ Vincent et Marie-Christine Perrin, 21190 Volnay,
tél. 03.80.21.62.18, fax 03.80.21.68.09 ☒ 🍷 🚶 r.-v.

JEAN POULET Côte de Beaune Les Poillanges 2002

■ n.c. 1 800 ◍ 11 à 15 €

Exploitation détruite par le phylloxéra et replantée à partir de 1945. *Climat* méridional de Saint-Romain. On est aussi dans l'appellation côte de beaune, ce qui n'est pas toujours intelligible. Intelligible en revanche, ce pinot l'est parfaitement. Une heureuse cuvée entre le rouge et le violet, discrète en arômes (cerise) : si les tanins ne lâchent pas prise, on n'a guère envie de s'en délivrer. L'attaque est enlevée ; le fruit s'installe en bouche. La finale divise le jury mais la balance penche du bon côté. A servir sur des noisettes de lapin à la crème d'estragon et aux girolles !

⊶ Jean Poulet, Le Clos Sainte-Marie,
21190 Saint-Romain,
tél. 03.80.21.21.63, fax 03.80.21.66.93,
e-mail info@hotel.les.roches.com ☒ 🏠 🍷 🚶 r.-v.

POULET PERE ET FILS Clos de la Branière 2001

□ n.c. n.c. ◍ 23 à 30 €

Poulet est l'une des marques du groupe Laurent Max qui a repris par ailleurs Jaboulet-Vercherre. L'œil a la riche allure et semble cousu d'or. Le bouquet est assez citronné, puis il part en vacances : fruits de la Passion, ananas et vanille... Bien fait, encore vert, très minéral en bouche, ce 2001 n'est pas d'une typicité extrême mais apparaît correct en raison notamment de sa belle texture.

⊶ Poulet Père et Fils,
6, rue de Chaux, 21700 Nuits-Saint-Georges,
tél. 03.80.62.43.02, fax 03.80.62.43.16

DOM. VINCENT PRUNIER 2002 *

■ 0,82 ha 5 400 ◍ 8 à 11 €

Pourpre intense, ce 2002 offre au nez une petite sensation de réduction que l'on prendra soin de combattre par l'aération. Le nez apporte des notes de fruits rouges et de café (le fût). Pas mal de consistance et une bouche gourmande. L'ensemble est à laisser de côté pendant au moins deux ans, bien que les tanins soient déjà fondus et la finale bien orchestrée.

⊶ Vincent Prunier,
rte de Beaune, 21190 Auxey-Duresses,
tél. 03.80.21.27.77, fax 03.80.21.68.87 ☒ 🍷 🚶 r.-v.

FRANCOIS RAPET ET FILS 2002 *

□ 4 ha 1000 ▮ 8 à 11 €

Ce *village* se présente bien et pourra tout autant accompagner les crustacés que des quenelles de brochet.

Or brillant, il associe les fleurs blanches et les agrumes. Après une attaque franche et fraîche s'installe une minéralité délicieuse relayée par une acidité qui lui permettra d'être servi en 2005.

🐓 EARL François Rapet et Fils, rue Sous-le-Château, 21190 Saint-Romain, tél. 03.80.21.22.08, fax 03.80.21.60.19 ☑ 🍷 ⚔ t.l.j. 9h30-12h 14h-19h

DOM. DE LA ROCHE AIGUE 2002

	0,45 ha	1 980	ⅲ 8 à 11 €

Eric et Florence Guillemard viennent de franchir le cap de leurs dix ans d'installation. Or soutenu, la fleur blanche compose un bouquet classique et de saison pour un vin aux allures printanières. Le pas est décidé, le gras satisfaisant, l'équilibre suffisant. Peu de matière toutefois. On en fera dans l'année un vin à servir à l'apéritif sur des gougères.

🐓 Eric et Florence Guillemard, EARL La Roche Aigüe, Melin, 21190 Auxey-Duresses, tél. 03.80.21.28.33, fax 03.80.21.63.55 ☑ 🍷 ⚔ r.-v.

ROUX PERE ET FILS Clos de la Brannière 2002 ★

	n.c.	n.c.	ⅲ 11 à 15 €

S'il demande à s'épanouir, ce jeune Clos de la Brannière (tantôt un n et tantôt deux) ne pratique pas la langue de bois. Léger en couleur, il reste dans sa teinte naturelle sans chercher à vous coller partout de l'or soutenu. La fleur blanche forme son bouquet, avec un rien de miel du meilleur effet. La suite est minérale, franche et vive, suffisamment longue : cette fraîcheur de silex doit être complétée en cave (un à deux ans) par un éveil de maturité.

🐓 Dom. Roux Père et Fils, 21190 Saint-Aubin, tél. 03.80.21.32.92, fax 03.80.21.35.00, e-mail roux.pere.et.fils@wanadoo.fr ☑ 🍷 ⚔ r.-v.

Meursault

Avec Meursault commence la véritable production de grands vins blancs (20 150 hl en 2002). Certains premiers crus sont mondialement réputés : les Perrières, les Charmes, les Poruzots, les Genevrières, les Gouttes d'Or, etc. Tous allient la subtilité à la force, la fougère à l'amande grillée, l'aptitude à être consommés jeunes aux possibilités de longévité. Meursault est bien la « capitale des vins blancs de Bourgogne ». Notons une petite production de vin rouge en appellation *village*, 534 hl en 2002.

Les « petits châteaux » qui restent à Meursault sont les témoins d'une opulence ancienne, attestant une notoriété certaine des vins produits. La Paulée, qui a pour origine le repas pris en commun à la fin des vendanges, est devenue une manifestation traditionnelle qui se déroule le troisième jour des « Trois Glorieuses ».

BALLOT-MILLOT ET FILS Genevrières 2002 ★

1er cru	0,44 ha	2 600	ⅲ 23 à 30 €

Philippe Ballot dirige l'équipe chargée du prix littéraire de la Paulée de Meursault. De nombreux grands écrivains sont devenus ses amis, et la bibliothèque est ici presque aussi riche que la cave... Or vif à reflets émeraude, offrant au verre de beaux jambages, un Genevrières dont le nez mêle fleurs, cannelle, réglisse, agrumes, vanille... La beauté même, comme on dit d'un grand meursault équilibré et long. On le dégustera d'ici un an ou deux en belle compagnie culinaire.

🐓 Ballot-Millot et Fils, 9, rue de la Goutte-d'Or, 21190 Meursault, tél. 03.80.21.21.39, fax 03.80.21.65.92, e-mail ballotmilloteetfils@hotmail.com ☑ 🍷 ⚔ r.-v.

CHRISTIAN BELLANG ET FILS Les Tillets 2001

	0,5 ha	2 000	🍾 ⅲ 15 à 23 €

Depuis 1995, le fils de Christian Bellang travaille avec son père sur leur domaine de 11 ha. Voici, à déboucher assez vite, une bouteille parvenue à sa maturité ; elle a les pieds sur terre, tout l'or à reflets verts que l'on peut espérer, un grillé assez frais et suffisamment d'équilibre pour tenir honorablement sa place à table.

🐓 Dom. Christian Bellang et Fils, 2, rue de Mazeray, 21190 Meursault, tél. 03.80.21.22.61, fax 03.80.21.68.50, e-mail christophe.bellang@wanadoo.fr ☑ 🍷 r.-v.

BERTRAND DE MONCENY Bellevue 2002

	n.c.	32 000	ⅲ 15 à 23 €

Bellevue n'est pas le nom d'un *climat*, mais une dénomination choisie par ce négociant. Jean-Pierre Nié propose un meursault revêtu d'une robe élégante et classique. Sous des abords discrètement boisés, le nez montre un penchant pour les arômes beurrés, les fruits secs. En bouche, ce vin peu acide chuchote quelques confidences. Son gras contribue à sa bonne typicité. Il est à boire dès à présent.

🐓 La Compagnie des Vins d'Autrefois, 3, pl. Notre-Dame, 21200 Beaune, tél. 03.80.26.33.00, fax 03.80.24.14.84, e-mail nie.jp@cvabeaune.fr

BITOUZET-PRIEUR Clos du Cromin 2001 ★

	0,85 ha	4 000	ⅲ 15 à 23 €

Le Cromin tend vers Volnay, mais est considéré comme l'homme de base du village. Jaune paille clair, il attaque au nez tout en finesse briochée, insistant logiquement sur les agrumes. Encore un peu de verdeur, mais c'est un vin typé au bois bien mesuré ; il rêve d'accéder à la maturité sereine dans deux ans.

🐓 Bitouzet-Prieur, rue de la Combe, 21190 Volnay, tél. 03.80.21.62.13, fax 03.80.21.63.39 ☑ 🍷 ⚔ r.-v.

DOM. BOUZERAND-DUJARDIN 2001

	0,22 ha	1 200	ⅲ 15 à 23 €

Robe dorée et limpide, bouquet assez torréfié au sein d'un décor encore très jeune mais complexe. La bouche se fait attendre mais, lorsqu'elle se décide, on constate une bonne évolution et une longueur aromatique sur des notes d'agrumes.

🐓 Dom. Bouzerand-Dujardin, pl. de l'Eglise, 21190 Monthélie, tél. 03.80.21.20.08, fax 03.80.21.28.16, e-mail domaine.bouzerand.dujardin@wanadoo.fr ☑ 🍷 ⚔ r.-v.

DOM. JEAN-MARIE BOUZEREAU

Goutte d'Or 2002 *

1er cru	0,1 ha	600	23 à 30 €

Bouzereau à Meursault ? Il faut connaître le petit nom car ils sont nombreux sur la place. Voici une Goutte d'Or qui pèse son juste poids. Jolie prestation au chapitre visuel tout comme au nez assez ouvert sur la pêche, le pamplemousse, la muscade, les épices douces. Sur un fond minéral et subtil, une bouteille typée, équilibrée, à boire dans les temps présents.

Jean-Marie Bouzereau,
5, rue de la Planche-Meunière, 21190 Meursault,
tél. 03.80.21.62.41, fax 03.80.21.24.39,
e-mail jmbouzereau@wanadoo.fr r.-v.

DOM. VINCENT BOUZEREAU

Les Charmes 2002 *

1er cru	0,4 ha	1 500	23 à 30 €

Ces Charmes sont destinés à la lotte au beurre blanc ! La couleur est dans le ton habituel, avec le reflet vert tant recherché. Le nez fin, frais et beurré, est marqué d'une note originale de marc évoluant vers la fleur blanche. Flatteur, moelleux, ce 2002 ne recherche pas en bouche les effets de manche, mais il va à l'essentiel dans un excellent équilibre. On fera bien de l'attendre deux à trois ans. Le **meursault 2001 (15 à 23 €)** obtient la même note, mais il est davantage marqué par le fût sans cacher toutefois ses arômes frais de fleurs blanches, de fruits secs, de miel et de beurre frais...

BOURGOGNE

La côte de Beaune (Centre-Sud)

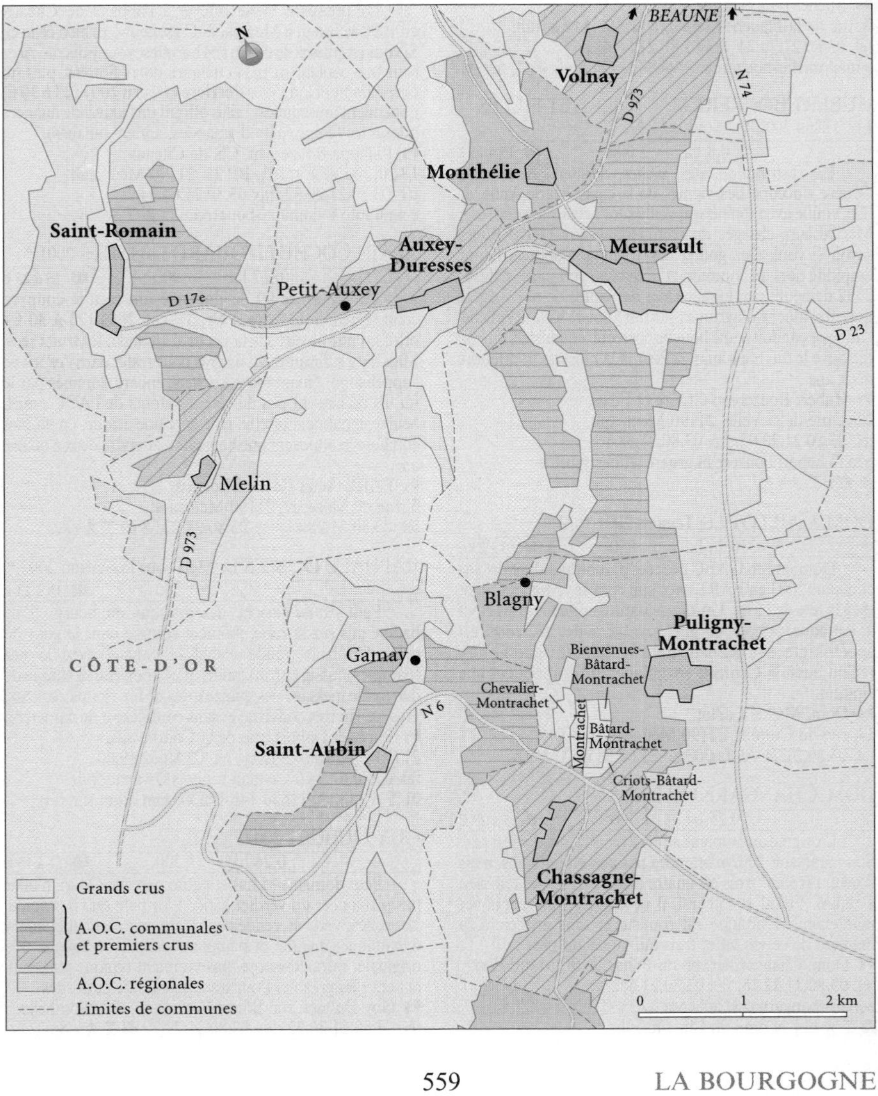

🔑 Vincent Bouzereau, 7, rue Labbé, 21190 Meursault, tél. 03.80.21.61.08, fax 03.80.21.65.97, e-mail vincent.bouzereau@wanadoo.fr ☑ 🍷 🚶 r.-v.

MICHEL BOUZEREAU ET FILS
Les Charmes Dessus 2002 ★★

1er cru	0,5 ha	2 500	30 à 38 €

Coup de cœur pour ses millésimes 97 et 99, ce domaine mise cette année sur les Charmes Dessus. A prix équivalent, les **Genevrières 2002** sont représentatives d'un 1er cru et obtiennent une citation. Revenons à nos Charmes ; l'or les habille. Miel, aubépine, vanille, le bouquet est complet. Equilibré du début à la fin, flatté en bouche par une note de fût de chêne qui ne domine pas le chardonnay, ce vin montre ici de hautes ambitions. Pur et généreux !

🔑 Michel Bouzereau et Fils, 3, rue de la Planche-Meunière, 21190 Meursault, tél. 03.80.21.20.74, fax 03.80.21.66.41, e-mail michel-bouzereau.et-fils@wanadoo.fr ☑ 🍷 🚶 r.-v.

HUBERT BOUZEREAU-GRUERE ET FILLES
Les Tillets 2002

	0,8 ha	2 000	15 à 23 €

La distribution des tâches. Hubert Bouzereau-Gruère s'occupe des vignes, de la cave. Marie-Anne, sa fille, vinifie avec son père et veille sur l'accueil avec sa sœur Marie-Laure chargée du commercial. Sur 11 ha. Bon à savoir si vous allez goûter ces Tillets à la source. D'une limpidité hors du commun et d'un beau vert-jaune pâle, ce 2002 demeure peu loquace lors des coups de nez. Légère noisette, touche d'agrumes sur fond boisé. Vive et fraîche, l'attaque conduit à une bouche correcte, équilibrée, où l'on retrouve le fût, mais aussi la fleur et la noisette. L'attendre deux ans.

🔑 Hubert Bouzereau-Gruère et Filles, 22 a, rue de la Velle, 21190 Meursault, tél. 03.80.21.20.05, fax 03.80.21.68.16, e-mail hubert.bouzereau.gruere@libertysurf.fr ☑ 🏠 🍷 🚶 r.-v.

DOM. CAILLOT Les Tessons 2001 ★

	0,25 ha	850	15 à 23 €

Domaine en GAEC avec ses parents pendant dix ans et depuis 2003 en EARL avec son épouse : Michel Caillot est à la tête de 15 ha. Un *village* impressionnant, frais et vif à l'attaque, ample et gras par la suite. Sa robe est appétissante ; son nez flatteur sur la pêche de vigne. Le jury retient aussi le **Cromin en village 2001** : il obtient une citation.

🔑 Dom. Michel Caillot, 14, rue du Cromin, 21190 Meursault, tél. 03.80.21.21.70, fax 03.80.21.69.58 ☑ 🍷 🚶 r.-v.

DOM. CHANGARNIER 2002 ★

	0,25 ha	1 700	15 à 23 €

L'origine du domaine se perd dans la nuit des temps... Son meursault 2002 n'attendra pas aussi longtemps, mais il peut affronter trois ou quatre ans d'avenir. A l'œil, rien à redire. Floral et minéral, il ne cherche pas à innover inutilement. L'attaque est franche et sans artifice, à la manière de ce vin vif et frais qui ne déçoit pas.

🔑 Dom. Changarnier, pl. du Puits, 21190 Monthélie, tél. 03.80.21.22.18, fax 03.80.21.68.21, e-mail changarnier@aol.com ☑ 🍷 🚶 t.l.j. sf dim. 9h-12h 14h-19h

CHANSON PERE ET FILS 2002 ★

	n.c.	3 118	15 à 23 €

De coloration assez vive et nette, un *village* d'abord sur sa réserve. Puis il consent à répondre à l'appel du nez, vivant et faisant partager des sensations pleines de finesse (anis léger, nuances miellées). L'acidité sous-jacente assure au corps un soutien de bon aloi, le fruit étant présent avec une distinction certaine. Sera plus explicite encore dans deux à quatre ans.

🔑 Maison Chanson Père et Fils, 10, rue Paul-Chanson, 21200 Beaune, tél. 03.80.25.97.97, fax 03.80.24.17.42, e-mail chanson@vins-chanson.com

CH. DE CITEAUX
Vieux Clos du château de Cîteaux Monopole 2001

	1,98 ha	6 000	15 à 23 €

La première vigne offerte à l'abbaye de Cîteaux en 1098 se situait à Meursault. C'est peut-être bien celle-ci. Si vous emplissez de ce vin vos burettes, vous y découvrirez sous une couleur or pâle quelques notes florales, puis un corps ample et long. Les **Perrières 1er cru 2001 (23 à 30 €)** obtiennent une citation ; elles offrent un festival de nuances odorantes (coing, pâte d'amandes, abricot, ananas).

🔑 Philippe Bouzereau, Ch. de Cîteaux, 18-20, rue de Cîteaux, BP 25, 21190 Meursault, tél. 03.80.21.20.32, fax 03.80.21.64.34, e-mail info@domaine-bouzereau.fr ☑ 🍷 🚶 r.-v.

ALAIN COCHE-BIZOUARD Les Luchets 2001 ★

	0,17 ha	900	15 à 23 €

Les Charmes 99 du domaine ont reçu le coup de cœur. Citée, la **Goutte d'Or, 1er cru 2001 (23 à 30 €)**, offre un nez ouvert sur la pêche, l'amande, les fruits secs. Mais il y a suffisamment de gras pour rester dans l'esprit de l'appellation. Quant à ces Luchets, encore dominés par le fût, ils ne laissent pas de côté les atouts de l'AOC ; miel, beurre, amande, noisette, gras et bonne acidité, en un mot équilibre, composent une bouteille à attendre deux à quatre ans.

🔑 EARL Alain Coche-Bizouard, 5, rue de Mazeray, 21190 Meursault, tél. 03.80.21.28.41, fax 03.80.21.22.38 ☑ 🍷 🚶 r.-v.

RAPHAEL DUBOIS Le Meix sous le château 2002 ★

	0,25 ha	1 200	15 à 23 €

Petit *climat* proche des maisons du bourg. Il ne badine pas sur la robe, joliment colorée dans le goût du pays. Un fruit timide établit le contact avec le nez (pamplemousse, citron) tandis que la noisette se charge de délivrer le message des quinze mois de fût. Souple, soyeux, gras, ce vin très convivial et sans complexe a du caractère.

🔑 Raphaël Dubois, rue de la Courtavaux, 21700 Premeaux-Prissey, tél. 03.80.62.19.40, fax 03.80.61.24.07, e-mail rdubois@wanadoo.fr ☑ 🍷 🚶 t.l.j. 8h-11h30 14h-17h30; sam. dim. sur r.-v.

GUY DUBUET 2002

	0,24 ha	1 500	11 à 15 €

Petit domaine (5 ha) et petite parcelle (24 a), n'allez pas prononcer un verdict hâtif ! L'or pâle est ici limpide. Les reflets verts au rendez-vous. Un nez particulièrement dynamique, menthe et pamplemousse. Une bouche très originale, rafraîchissante, pas vraiment typique mais nullement désagréable. Pour les amateurs de curiosités.

🔑 Guy Dubuet, rue Bonne-Femme, 21190 Monthélie, tél. 03.80.21.26.22, fax 03.80.21.29.79 ☑ 🍷 🚶 r.-v.

DUFOULEUR PERE ET FILS 2002 ★

▪ n.c. 3 500 ◙ 23 à 30 €

Le maire de Nuits en Côte de Beaune ! Ces choses-là font figure d'événements en Bourgogne... Or blanc à reflets verts, ce meursault affiche un nez aromatique, entre l'acacia et la tartine beurrée. Souple, frais, porté ensuite sur la pêche blanche, il est plutôt puissant, imposant en seconde bouche, mais sur une acidité suffisante pour lui permettre d'affronter quelques années de garde... s'il vous en reste.

🔑 Dufouleur Père et Fils,
17, rue Thurot, 21700 Nuits-Saint-Georges,
tél. 03.80.61.21.21, fax 03.80.61.10.65,
e-mail dufouleur@dufouleur.com ☑ 🍷 🚶 t.l.j. 9h-19h

BRUNO FEVRE
Moulin Landin Vieilles Vignes 2001 ★

▪ 0,94 ha 1 300 ◙ 15 à 23 €

Un meursault qui vous fait perdre toute idée de morosité. Sa robe sait demeurer discrète sur un bel éclat. Les arômes de miel, de beurre frais se donnent la réplique, sur une légère touche mentholée. Un peu vif à l'attaque, il montre ensuite de bons sentiments (rondeur, construction).

🔑 Bruno Fèvre, 27, rue de Martray, 21190 Meursault,
tél. 03.80.21.63.16 ☑ 🍷 r.-v.

PAUL GARAUDET Vieilles Vignes 2002 ★

▪ 2,02 ha 8 500 ◙ 15 à 23 €

Or pâle lumineux, un meursault très Club Med' : les fruits exotiques y règnent (litchie, mangue) cajolés par un fût plein de prévenances. C'est très agréable, rond et parfumé de l'attaque à la finale. Ce beau travail de vinification livre un produit charmant et généreux, un *village* à l'harmonie rayonnante.

🔑 Paul Garaudet, imp. de l'Eglise, 21190 Monthélie,
tél. 03.80.21.28.78, fax 03.80.21.66.04 ☑ 🍷 🚶 r.-v.

DOM. VINCENT GIRARDIN Les Narvaux 2002 ★

▪ 0,75 ha 5 200 ◙ 15 à 23 €

Vincent Girardin compte ses coups de cœur sur les doigts des deux mains : sept fois lauréat ! On lui souhaite le prochain ! Ses Narvaux, situés au-dessus du 1er cru des Genevrières, portent un bel éclat jaune vif et lumineux. Au nez, la complexité même, presque un sujet de thèse. Bouquet garni avec épices, fruits secs, notes de silex et de beurre. Le jury s'est fait plaisir. D'une belle continuité en bouche avec un retour élégant et une acidité présente et contenue, le boisé restant dans les convenances, ce vin de garde (trois à quatre ans) devra être décanté.

🔑 Vincent Girardin,
Les Champs Lins, 21190 Meursault,
tél. 03.80.20.81.00, fax 03.80.20.81.10 ☑ r.-v.

ALBERT GRIVAULT 2002 ★★

▪ 1,43 ha 11 000 ◙ 15 à 23 €

Coup de cœur l'an passé et déjà en 1999, on fait ici escale dans l'aristocratie du cru : très ancien domaine, très vieille famille. Une robe dorée sur tranche, un nez expressif témoignant de la maturité de la vendange et de la qualité de l'élevage (brioche, miel, noisette)... On se demande si la bouche va suivre. Eh bien ! Oui. Consistante et aromatique, riche en alcool mais sans déséquilibre, elle se livre au plaisir et ne néglige rien de l'essentiel. Parmi les meilleurs 2002 de Bourgogne.

🔑 SC du Dom. Albert Grivault,
7, pl. du Murger, 21190 Meursault,
tél. 03.80.21.23.12, fax 03.80.21.24.70 ☑ 🚶 r.-v.

DOM. REMI JOBARD Le Poruzot-Dessus 2001 ★

▪ 1er cru 0,5 ha 3 000 ▮ ◙ 🌡 30 à 38 €

Assez boisé, la bouche galante et flatteuse, il est riche en gras comme tout meursault « à l'ancienne ». Jaune clair, il répartit ses parfums entre le grillé, les agrumes et les fleurs blanches. L'acidité et la matière ont de quoi satisfaire. Cette bouteille ne dormira pas en cave : elle est bonne pour le service. Mentionnons encore les **Chevalières 2001 (15 à 23 €)** qui donnent dans l'ensemble satisfaction et obtiennent une étoile.

🔑 Rémi Jobard, 12, rue Sudot, 21190 Meursault,
tél. 03.80.21.20.23, fax 03.80.21.67.69,
e-mail remi.jobard@libertysurf.fr ☑ 🍷 🚶 r.-v.

BOURGOGNE

DOM. JOBARD-MOREY Poruzot 2001 ★

▪ 1er cru 0,51 ha 1 950 ▮ ◙ 15 à 23 €

Le meursault est un chat de race qui s'étire voluptueusement et ronronne. Ainsi a-t-on envie de caresser cette bouteille dans le sens du poil. Or jaune intense, elle se consacre à des arômes d'aubépine et de tilleul un rien toastés : belle interprétation du fût dans un style fin et droit à la fois. La bouche équilibrée et riche est élégante. On pense à une salade au chèvre chaud pour l'accompagner en une superbe entrée, aujourd'hui ou dans dix ans !

🔑 Dom. Jobard-Morey,
1, rue de la Barre, 21190 Meursault,
tél. 06.72.34.76.38, fax 03.80.21.60.91 ☑ 🍷 🚶 r.-v.

LABOURE-ROI 2002 ★

▪ n.c. n.c. ◙ 15 à 23 €

D'une teinte chaudement dorée, le bouquet brioché, il sort de chez Labouré-Roi, la maison nuitonne des frères Cottin. Il a de la prestance et du volume, et donne une impression de raisin vendangé très mûr. Presque charnu, d'un tempérament assez chaud, il rappelle en bouche la vanille et le miel. Ce n'est pas une bouteille à jeter à la mer : à boire dans l'année. On nous conseille un feuilleté d'escargots pour lui tenir compagnie.

🔑 Labouré-Roi, rue Lavoisier, BP 14,
21700 Nuits-Saint-Georges, tél. 03.80.62.64.00,
fax 03.80.62.64.10, e-mail contact@laboure-roi.com

DOM. MICHEL LAHAYE
Les Meix Chavaux 2001 ★★

▪ 0,36 ha 1 200 ◙ 11 à 15 €

On rencontre ce lieu-dit en montant vers Auxey-Duresses. Or jaune assez gras dans le verre, ce vin possède un nez peu expansif et seulement porté sur de discrets arômes de fleurs blanches. La bouche confirme ces impressions premières, mais ce 2001 qui a passé dix-huit mois en fût n'a pas tout dit. Laissons-lui quelques années pour qu'il s'exprime pleinement car il a de l'ampleur, du gras et de la longueur, toutes choses promettant une grande bouteille.

🔑 Michel Lahaye, pl. de l'Eglise, 21630 Pommard,
tél. 03.80.22.52.22 ☑ 🍷 🚶 r.-v.

MICHEL LAMANTHE Les Ravelles 2001 ★

▪ 1er cru 0,6 ha 2 000 15 à 23 €

Climat niché tout en haut de Blagny, au-dessus de la Jeunelotte. La robe est déjà dorée à souhait. Le nez, minéral et pain grillé, évolue vers la truffe et un caractère assez mûr. Sa bouche est très vivante jusqu'en finale, passant en revue le gras, l'acidité, les arômes en rétro (une sensation pierreuse) sans observer le moindre défaut. Un poisson de rivière lui conviendrait.

⊶ Michel Lamanthe,
21, rue des Perrières, 21190 Saint-Aubin,
tél. 03.80.21.33.23, fax 03.80.21.93.93 ☒ Y 🚶 r.-v.

JEAN LATOUR-LABILLE ET FILS
Les Cras 2002 ★★

■ 1er cru | 0,2 ha | 900 | ● 15 à 23 €

Des caves voûtées remontant au XVIII[e]s., un vignoble de 11 ha, plus d'un siècle de savoir-faire familial, ce domaine propose ce qui se fait de mieux en meursault rouge. Grenat à reflets pourpres, celui-ci affiche un bouquet encore un peu sur la vendange avec de beaux accents de cassis et de mûre. Elégant et flatteur, il n'en est pas moins très gras et concentré, d'une adorable complexité en évoluant vers des arômes végétaux. On reconnaît sans peine Les Cras, un *climat* tout proche de Volnay. Signalons aussi que le **meursault rouge 2002 (8 à 11 €)** obtient la même note. Le réserver pour un civet de lièvre entre 2006 et 2010.

⊶ Dom. Jean Latour-Labille et Fils,
6, rue du 8-Mai, 21190 Meursault,
tél. 03.80.21.22.49, fax 03.80.21.67.86,
e-mail latourlabillefils@wanadoo.fr ☒ Y 🚶 r.-v.
⊶ Vincent Latour

OLIVIER LEFLAIVE Les Poruzots 2001 ★

□ 1er cru | 0,5 ha | 2 400 | ● 38 à 46 €

On connaît l'histoire d'Olivier Leflaive et de sa cave où l'on peut déjeuner (réservez). Il propose ici des Poruzots doré pâle qui se montrent conformes à leur réputation la plus fréquente : vifs et tranchants comme le silex. S'y ajoutent vanille, citron, tilleul et miel. Franc, complexe et long en bouche, nerveux à l'attaque dans sa minéralité, ce meursault illustre parfaitement son millésime quand il est très réussi. Le **village 2001 (23 à 30 €)**, rond et moelleux, est retenu lui aussi avec une étoile.

⊶ Olivier Leflaive Frères,
pl. du Monument, 21190 Puligny-Montrachet,
tél. 03.80.21.37.65, fax 03.80.21.33.94,
e-mail olivier-leflaive@dial.oleane.com ☒ 🚶 r.-v.

DOM. MATROT-WITTERSHEIM Charmes 2001 ★

□ 1er cru | 0,2 ha | 1 400 | ● 23 à 30 €

Créé en 1999, un domaine « exclusivement féminin », nous dit-on. Ses Charmes font de leur mieux pour préciser le sujet. Pureté de la couleur sur un registre classique, pâtisserie au beurre dès le premier coup de nez, ce meursault a une certaine dureté due à sa jeunesse, mais du gras, de la matière, de l'*affectio societatis*. Cité, le **meursault-blagny 2001** est également conseillé si l'on ne tarde pas trop à le boire, alors que **La Pièce sous le bois en 1er cru rouge 2002 (15 à 23 €)** obtient une étoile ; c'est un vin d'esthète, un beau style qui se fait rare.

⊶ SCE Dom. Matrot-Wittersheim,
2, pl. de l'Europe, 21190 Meursault,
tél. 03.80.21.21.13, fax 03.80.21.21.14,
e-mail matrot.wittersheim@wanadoo.fr
☒ Y 🚶 t.l.j. sf dim. 8h30-12h 13h30-17h30

CH. DE MEURSAULT 2001 ★

□ 1er cru | 5 ha | 15 000 | ● 30 à 38 €

C'est au château de Meursault qu'a lieu chaque année en novembre la célèbre Paulée. Préservé grâce à André Boisseaux, ce domaine produit ici un vin étincelant au regard, minéral à l'aération sur fond de noisette et de pain grillé. Très gras à l'attaque, il reste minéral mais orné de fruits (mirabelle, poire selon nos dégustateurs) et de fleurs blanches. A boire, car déjà dans la plénitude de sa maturité, sur un poisson à la crème.

⊶ Ch. de Meursault SNC, 21190 Meursault,
tél. 03.80.26.22.75, fax 03.80.26.22.76,
e-mail chateau.meursault@keiter.com ☒ Y 🚶 r.-v.

DOM. MICHELOT MERE ET FILLE
Le Limozin 2001 ★

□ | 0,47 ha | 3 000 | ● 23 à 30 €

Geneviève Michelot crée son domaine en 1999 associant sa fille Véronique Bernard. Ses vignes n'en sont pas moins âgées d'un quart de siècle. Elevé dix-huit mois en fût, ce meursault *village* à la teinte or jaune à reflets verts possède un nez aromatique bien rempli de noisette et d'aubépine. Est-il besoin de signaler une attaque sans concession, toujours sur la fleur blanche ? Le boisé est discret, la finale complexe. Le jury salue une belle vinification pour une bouteille très proche du deux étoiles.

⊶ Dom. Michelot Mère et Fille,
24, rue de la Velle, 21190 Meursault,
tél. 03.80.21.68.99, fax 03.80.21.27.65 ☒ Y 🚶 r.-v.

DOM. JEAN MONNIER ET FILS
Les Malpoiriers 2002 ★

■ | 1 ha | 6 000 | ● 11 à 15 €

Appréciez ces Malpoiriers 2002 (*village* rouge) : un vin ayant du caractère ainsi que du potentiel. Cassis et mûre se partagent le nez tandis que la bouche se montre encore puissante. Le choisir pour une épaule de sanglier rôtie. En blanc, goûtez **Les Chevalières 2001 (15 à 23 €)** que le jury a cité. Ce *climat* s'aperçoit en montant vers Auxey-Duresses. Il a donné naissance à un chardonnay murisaltien à la robe éblouissante. Le bouquet se cherche encore un peu, présentant toutefois une préférence très nette pour le minéral, la pierre à fusil. Un accent de terroir car, là-haut, se plaît la rocaille, et l'un de nos dégustateurs l'a parfaitement deviné. Bouche bien mariée, sans trop de persistance et s'achevant sur une finale citronnée.

⊶ Dom. Jean Monnier et Fils,
20, rue du 11-Novembre, 21190 Meursault,
tél. 03.80.21.22.56, fax 03.80.21.29.65,
e-mail contact@domaine-jeanmonnier.com
☒ Y t.l.j. 10h-19h
⊶ Nicolas Monnier

MOREY-BLANC 2001

□ | n.c. | 5 600 | ● 23 à 30 €

Négoce créé par Pierre Morey à la fin de contrats de métayage, pour continuer à produire de l'AOC meursault. Il s'agit ici de l'assemblage de plusieurs lieux-dits pour un vin où se mêlent or et reflets jaune pâle, au nez assez fermé où l'on discerne la cannelle et les fleurs séchées. Sérieux en attaque, très régulier en bouche, il est plus sec que gras, minéral et d'un accès facile.

⊶ Morey-Blanc,
13, rue Pierre-Mouchoux, 21190 Meursault,
tél. 03.80.21.21.03, fax 03.80.21.66.38,
e-mail morey-blanc@wanadoo.fr ☒ 🚶 r.-v.

DOM. ALAIN PATRIARCHE Les Tillets 2001 ★★

□ | 0,5 ha | 3 000 | ● 23 à 30 €

Remarquable doublé : une **Pièce-sous-Bois 1er cru en meursault-blagny (38 à 46 €)** opulente et complexe, et ces Tillets que deux des cinq dégustateurs auraient bien élus coup de cœur. D'un doré ostentatoire (c'est autorisé !), ils ont le bouquet plein d'allant. Pas trop de grillé, mais le miel, l'œillet... En bouche ils sont bien en chair, en parfait équilibre, et témoignent d'une typicité à prendre pour modèle. A déguster dans les deux à trois ans.

Dom. Alain Patriarche,
12, rue des Forges, 21190 Meursault,
tél. 03.80.21.24.48, fax 03.80.21.63.37 r.-v.

MICHEL PICARD 2002

n.c. | 684 | 23 à 30 €

La maison Michel Picard s'est ancrée en Côte de Beaune en prenant pied au château de Chassagne-Montrachet. Son meursault passe sans difficulté l'épreuve du regard : sa couleur jaune doré soutenu, limpide et brillante, est de bon ton. Le bouquet comprend un fond beurré agrémenté d'agrumes, sur un boisé léger. L'acidité ne nuit pas à la rondeur d'un caractère qui demande à s'affirmer (guère au-delà de la fin 2005).

Maison Michel Picard, BP 49, 71150 Chagny,
tél. 03.85.87.51.01, fax 03.85.87.51.12,
e-mail commercial@m-p.fr

MAX ET ANNE-MARYE PIGUET-CHOUET

Le Pré de Manche 2002 ★

0,14 ha | 900 | 11 à 15 €

Max a repris le domaine familial en 1979. Sa femme lui apporte en 1999 ces meursault dont elle hérite. Tous deux espèrent que leurs trois fils reprendront leurs 12 ha. Jaune d'or pâle, ce Pré de Manche (côté monthélie, volnay) au nez de pain d'épice, de fruits secs vanillés, attaque en beauté, d'un élan net et franc. Le gras, l'acidité s'accordent bien dans une atmosphère discrète, feutrée, plaisante, qui s'accordera avec les plats classiques (viande blanche et poisson en sauce).

Max et Anne-Marye Piguet-Chouet,
rte de Beaune, 21190 Auxey-Duresses,
tél. 03.80.21.25.78, fax 03.80.21.68.31,
e-mail piguet.chouet@wanadoo.fr r.-v.

DOM. JACQUES PRIEUR Clos de Mazeray 2001 ★

2 ha | 6 300 | 23 à 30 €

On sait que ce domaine dépend pour partie d'Antonin Rodet. Il signe un Clos de Mazeray (parcelle située très près du bourg) d'une teinte or vert appuyée. Ses arômes vanillés et beurrés persistent au palais où l'acidité assure l'équilibre. D'une bonne longueur, un intéressant *village* que l'on prendra soin d'aérer sinon de carafer juste avant le service.

Dom. Jacques Prieur,
6, rue des Santenots, 21190 Meursault,
tél. 03.80.21.23.85, fax 03.80.21.29.19,
e-mail domaine.jprieur@wanadoo.fr r.-v.

CH. DE PULIGNY-MONTRACHET

Les Poruzots 2002

1er cru | 0,7 ha | 4 000 | 30 à 38 €

Passé en diverses mains avant d'être acquis et développé par le Crédit foncier de France, ce domaine se trouve maintenant sous la responsabilité d'E. de Montille. Ces Poruzots se présentent sous une robe cristalline, claire à reflets verdâtres. Le bouquet de fruits blancs évolue vers la mie de pain. La fermeté domine en bouche : portée par l'acidité, cette harmonie sévère n'est pas un mauvais signe d'évolution dans le temps (de trois à cinq ans).

Ch. de Puligny-Montrachet,
21190 Puligny-Montrachet, tél. 03.80.21.39.14,
fax 03.80.21.39.07, e-mail e.demontille@wanadoo.fr

FRANCOIS RAPET ET FILS 2002

0,5 ha | n.c. | 11 à 15 €

Une truite aux amandes ne repoussera pas les avances de ce *village* 2002 dont l'or clair est fin et limpide. Si le bouquet garde encore quelques secrets, on y perçoit de l'élégance (fruit de la Passion, nuances citronnées). Le corps possède son acidité de jeunesse. Cette impression se marie à une finale enveloppée, soyeuse et, en fin de compte, assez gourmande. On l'appréciera à l'apéritif.

EARL François Rapet et Fils, rue Sous-le-Château,
21190 Saint-Romain, tél. 03.80.21.22.08,
fax 03.80.21.60.19 t.l.j. 9h30-12h 14h-19h

BOURGOGNE

ROPITEAU 2002 ★

n.c. | 20 000 | 15 à 23 €

Maison devenue en 1994 l'une des branches de la famille des Grands Vins Jean-Claude Boisset, tout en conservant son identité propre. Dans une robe dorée à reflets verts, un meursault vanillé par ses seize mois de fût mais qui ne néglige pas pour autant ses arômes plus intimes à tendance minérale. Le gras s'exprime de façon assez douce sur un corps léger et agréable, toujours influencé par son élevage. Ce n'est pas n'importe quel vin qui peut se dire issu des anciennes caves des Hospices de Beaune acquises naguère par Auguste Ropiteau.

Ropiteau Frères,
13, rue du 11-Novembre, 21190 Meursault,
tél. 03.80.21.69.20, fax 03.80.21.69.29,
e-mail ropiteau@ropiteau.fr t.l.j. 9h30-19h
J.-Cl. Boisset

ROUX PERE ET FILS 2002 ★

n.c. | n.c. | 23 à 30 €

Plaisant, jeune, encore un peu sur sa réserve, un *village* bien fait et très agréable, marquant des points à chaque étape : dorée, sa robe évoque la grume d'un raisin très mûr. Au nez, on devine une certaine complexité en train de se construire : fleurs et grillé jouent les principaux rôles. Le corps est ample et gras. Notez le **Clos des Poruzots 2002 1er cru (30 à 38 €)** très travaillé à l'élevage, puissant mais encore sous le bois ; il obtient une citation.

Dom. Roux Père et Fils, 21190 Saint-Aubin,
tél. 03.80.21.32.92, fax 03.80.21.35.00,
e-mail roux.pere.et.fils@wanadoo.fr r.-v.

DOM. VIRELY-ROUGEOT 2001 ★

1,39 ha | 1 600 | 15 à 23 €

Anne-Marie Rougeot eut la bonne fortune d'épouser un vigneron qui consentit à abjurer sa religion rouge (il venait de Pommard) pour adopter la foi blanche. Son grand-père fut régisseur au château de Meursault avant la Guerre de 14-18 : de qui tenir dans la famille ! Voilà pour les présentations. Quant à ce 2001, jaune paille clair à reflets argentés, il communique sur la noisette et l'amande (léger miel). En bouche, après une attaque très agréable, il se montre équilibré, doté d'une belle matière et d'une persistance honorable.

Dom. Virely-Rougeot,
pl. de l'Europe, 21630 Pommard,
tél. 03.80.22.34.34, fax 03.80.22.38.07 r.-v.

Blagny

Situé à cheval sur les communes de Meursault et de Puligny-Montrachet, un vignoble homogène s'est développé autour du hameau de Blagny. On y produit des vins rouges remarquables portant l'appellation blagny (154,96 hl en 2003), mais la plus grande superficie est plantée en chardonnay pour donner, selon la commune, du meursault 1er cru ou du puligny-montrachet 1er cru.

DOM. DE BLAGNY La Pièce sous le dos d'âne 2001 *

■ 1er cru 0,93 ha 1 900 ▮◍ 11 à 15 €

Dans cette famille depuis 1830, le domaine éponyme de l'appellation est l'image même de Blagny, le hameau et ses vins : une belle demeure ancienne construite sur la cuverie des moines de Maizières qui exploitaient ici la vigne avant la Révolution. Rubis clair, le bouquet distingué (framboise en avant-garde), ce vin tendre et fruité, tout en finesse, plus persuasif que démonstratif, pourvu d'une acidité suffisante, fera le bonheur de cailles rôties d'ici un à deux ans.

🔑 SCEV Dom. de Blagny,
hameau de Blagny, 21190 Meursault,
tél. 03.80.21.30.35, fax 03.80.21.30.35,
e-mail jean-louis.de-montlivault@wanadoo.fr
🅥 Y 🚶 r.-v.

DOM. LARUE Sous le Puits 2001

■ 1er cru 0,2 ha 1 200 ◍ 15 à 23 €

Domaine fondé par Guy Larue au retour de la guerre de 1939-1945 après des années d'absence ! Aujourd'hui les deux fils, Didier et Denis, exploitent 14 ha placés sous l'emblème du bel oratoire Saint-Charles au hameau de Blagny. Ce 1er cru rouge très limpide, au nez assez léger (fruits cuits), possède une bouche d'un abord facile. Seuls ses tanins montrent encore un peu de dureté, mais cela fait partie du cahier des charges.

🔑 Dom. Larue,
32, rue de la Chatenière, 21190 Saint-Aubin,
tél. 03.80.21.30.74, fax 03.80.21.91.36,
e-mail dom.larue@wanadoo.fr 🅥 Y 🚶 r.-v.

Puligny-montrachet

Centre de gravité des vins blancs de Côte-d'Or, serrée entre ses deux voisines Meursault et Chassagne, cette petite commune tranquille ne fait en surface de vignes que la moitié de meursault, ou les deux tiers de chassagne, mais se console de cette modestie apparente en possédant les plus grands crus blancs de Bourgogne, dont le montrachet, en partage avec Chassagne.

La position géographique de ces grands crus, selon les géologues de l'université de Dijon, correspond à une émergence de l'horizon bathonien, qui leur confère plus de finesse, plus d'harmonie et plus de subtilité aromatique qu'aux vins récoltés sur les marnes avoisinantes. L'AOC a produit 6 300 hl de vin blanc en 2003 sur 200 ha.

Les autres *climats* et premiers crus de la commune exhalent fréquemment des senteurs végétales à nuances résineuses ou terpéniques, qui leur donnent beaucoup de distinction.

BORGEOT Les Charmes 2002 **

□ 0,9 ha 6 000 ▮◍⌀ 15 à 23 €

Les Charmes sont situés en bordure de Meursault. Ils produisent ici l'une des meilleures bouteilles de la dégustation. Or léger, ce puligny, parfaitement équilibré, vibre intensément. Ses arômes d'acacia, de sous-bois, témoignent d'une séduction spontanée, naturelle : il a du caractère, de la personnalité, et repose sur une belle matière première.

🔑 Dom. Borgeot, rte de Chassagne, 71150 Remigny,
tél. 03.85.87.19.92, fax 03.85.87.19.95 🅥 Y 🚶 r.-v.

GILLES BOUTON La Garenne 2002 *

□ 1er cru 0,58 ha 4 500 ◍ 15 à 23 €

Le bouton vaut la rose : jolie devise de la famille Bouton partie d'1 ha de vigne sur Saint-Aubin en 1927, et qui en exploite 13 aujourd'hui. Or brillant, parfums d'agrumes, une bouteille qui va progresser, monter en puissance. L'approche est assez minérale dans un contexte de sous-bois et de fleur blanche. Nuance exotique en finale (kiwi).

🔑 Gilles Bouton,
24, rue de la Fontenotte, 21190 Saint-Aubin,
tél. 03.80.21.32.63, fax 03.80.21.32.63,
e-mail domaine.bouton.gilles@wanadoo.fr 🅥 Y 🚶 r.-v.

PIERRE BOUZEREAU-EMONIN Les Folatières 2002 *

□ 1er cru 0,3 ha 1 500 ◍ 23 à 30 €

Les Folatières se trouvent à mi-chemin entre le montrachet et le hameau de Blagny. Une sensibilité à fleur de terre et Dieu sait si celle-ci doit être constamment gagnée sur la roche tant elle est rare ! Jaune à reflets verts, ce 2002 offre un bouquet où l'on sent la vanille et le silex. Au palais l'impression est forte, puissante : il y a du gras, puis l'on retrouve les fruits mûrs, une pointe de cannelle, et le fût. Quelques années de garde lui feront le plus grand bien.

🔑 Pierre Bouzereau-Emonin,
7, rue Labbé, 21190 Meursault,
tél. 03.80.21.23.74, fax 03.80.21.24.39 🅥 Y 🚶 r.-v.

DOM. MICHEL CAILLOT Les Pucelles 2001 *

□ 1er cru 0,18 ha 600 ▮◍ 38 à 46 €

Des Pucelles comme on les aime ! Paille dorée, elles se parfument à l'écorce d'orange, à la noisette grillée. La bouche est très charnue, dans un élan puissant assez exotique. L'ensemble doit être attendu un à deux ans. **Les Folatières 2001 en 1er cru blanc (30 à 38 €)**, obtenant une citation, ont également de solides arguments à faire valoir pour figurer dans votre cave.

🔑 Dom. Michel Caillot,
14, rue du Cromin, 21190 Meursault,
tél. 03.80.21.21.70, fax 03.80.21.69.58 🅥 Y 🚶 r.-v.

DOM. JEAN CHARTRON
Clos de la Pucelle Monopole 2001 ★★

■ 1er cru 1,16 ha 4 800 🛢 46 à 76 €

Un *must*. Or pâle et limpide, le nez frais et miellé, associant aussi la pêche, ce Clos monopole évolue vers la noisette, l'amande grillée. Sa bouche est équilibrée et ne se révèle que dans un second temps sur une bonne persistance. L'attendre deux ans. Le **1er cru Clos du Cailleret 2001 blanc** mérite également d'être signalé dans un style plus minéral. Il obtient une étoile.

🔑 Jean Chartron,
13, Grande-Rue, 21190 Puligny-Montrachet,
tél. 03.80.21.32.85, fax 03.80.21.36.35
☑ Y t.l.j. 10h-12h 14h-18h; f. de fin nov. à mi-mars

DUPERRIER-ADAM Au Paupillot 2002 ★

■ 0,08 ha 500 🛢 15 à 23 €

Climat peu connu, situé tout près des maisons du village côté meursault. Il appelle ici les noix de Saint-Jacques, tant il montre netteté et finesse. Sa robe est tout ce qu'il y a de plus classique et son bouquet discret égrène des notes de cire d'abeille, de beurre, de fleurs... En bouche, la structure est solide, la tenue impeccable, la fraîcheur bienvenue. Deux ouvrées seulement, mais elles méritent le compliment !

🔑 SCA Duperrier-Adam,
3, pl. des Noyers, 21190 Chassagne-Montrachet,
tél. 03.80.21.31.10, fax 03.80.21.31.10
☑ Y 🚶 t.l.j. 9h-12h 14h-17h; sam. dim. et août sur r.-v.

DOM. DUPONT-FAHN
Les Grands Champs 2002 ★

■ 0,2 ha 1 500 🛢 15 à 23 €

Dorée, la robe présente une couleur assez chaude. Le nez s'oriente vers l'empyreumatique. Surmaturation de la vendange ? Cela expliquerait cette sensation d'eau de rose, de fleur d'oranger. En bouche, c'est agréable et toujours dans cet esprit, soyeux, gras, rond et long. Pour amateurs de curiosités (ils ne seront pas déçus car la bouteille est intéressante). Le millésime 2000 de ces Grands Champs a reçu le coup de cœur.

🔑 Dom. Michel Dupont-Fahn,
Les Toisières, 21190 Monthélie,
tél. 03.80.21.26.78, fax 03.80.21.21.22 ☑

VINCENT GIRARDIN Vieilles Vignes 2002 ★

■ 2 ha 10 000 🛢 15 à 23 €

Bouteille issue de l'assemblage de plusieurs *climats* en appellation village : Enseignères, Charmes, Levrons, Rue Rousseau. Vincent Girardin a déjà obtenu sept coups de cœur dans les appellations bourguignonnes. Son 2002, issu de vieilles vignes, se présente jaune paille à reflets verts avec un nez vanillé et floral. En bouche s'affichent un sentiment minéral et tendre, un corps assez radieux et une finale longue et harmonieuse, un peu épicée.

🔑 Vincent Girardin,
Les Champs Lins, 21190 Meursault,
tél. 03.80.20.81.00, fax 03.80.20.81.10 ☑ r.-v.

SYLVAIN LANGOUREAU
Les Chalumaux 2002 ★★

■ 1er cru 0,13 ha 1 200 🛢 15 à 23 €

Issus d'un *climat* proche de Blagny, ces Chalumaux tiennent avec fierté leur rang de 1er cru. Une superbe bouteille. Jaune discret à reflets verts, porté sur le fruit exotique, ce vin se montre en bouche légèrement citronné sur un gras voluptueux, un toasté avantageux. Plus ample que long, il offre une certaine complexité. Les arrière-grand-parents de Sylvain Langoureau se sont établis à Saint-Aubin il y a une centaine d'années. Quel chemin depuis !

🔑 Sylvain Langoureau, hameau de Gamay,
20, rue de la Fontenotte, 21190 Saint-Aubin,
tél. 03.80.21.39.99, fax 03.80.21.39.99 ☑ Y 🚶 r.-v.

DOM. LARUE La Garenne 2002 ★

■ 1er cru 1 ha 4 000 🛢 23 à 30 €

L'oratoire Saint Charles du XVIIIe s., situé à Blagny, figure sur l'étiquette de ce domaine. Ce 1er cru est fort bien fait. Sa robe fraîche est presque plus verte que dorée ! Aubépine, mousse, silex, le bouquet s'en tient à des arômes sincères et sans artifice. Au palais s'affirment des sentiments simples et purs, une bonne minéralité et un soutien d'agrumes (pamplemousse). Jeune, ce 2002 demande encore à s'ouvrir. Même s'il ne dispose pas d'une carrure exceptionnelle, il est de très bon aloi. Le **1er cru Sous le Puits 2002 blanc** peut également vous plaire. Il obtient une étoile.

🔑 Dom. Larue,
32, rue de la Chatenière, 21190 Saint-Aubin,
tél. 03.80.21.30.74, fax 03.80.21.91.36,
e-mail dom.larue@wanadoo.fr ☑ Y 🚶 r.-v.

LOUIS LATOUR Sous le Puits 2001 ★

■ 1er cru n.c. 9 000 🛢 23 à 30 €

Fondée en 1797, cette maison beaunoise a exporté son talent et ses cépages bourguignons en Ardèche et dans le Var, sans négliger ses vins de Bourgogne. Jaune pâle à beaux jambages, ce puligny-montrachet possède un nez très jeune de raisins bien mûrs : notes de noisette, d'herbes coupées, de miel d'acacia... La bouche est avenante ; « un grain qui roule de façon plaisante », note un dégustateur. La conclusion est un peu sévère, mais le potentiel est réel (quatre ou cinq ans).

🔑 Maison Louis Latour, 18, rue des Tonneliers,
21204 Beaune, tél. 03.80.24.81.00, fax 03.80.22.36.21,
e-mail louislatour@louislatour.com

OLIVIER LEFLAIVE 2001 ★

■ 8 ha 42 000 🛢 23 à 30 €

Quand on s'appelle Leflaive (la maison est distincte du domaine), on ne peut pas échouer en puligny ! Celui-ci attaque en fanfare sur des accents gras et riches, puis adopte un ton plus tendre, minéral, avant de finir dans la fraîcheur légèrement épicée du fût. L'ensemble plaît beaucoup, depuis la robe très classique jusqu'à la belle finale en passant par un nez intéressant de fruits jaunes et d'agrumes.

🔑 Olivier Leflaive Frères,
pl. du Monument, 21190 Puligny-Montrachet,
tél. 03.80.21.37.65, fax 03.80.21.33.94,
e-mail olivier-leflaive@dial.oleane.com ☑ 🚶 r.-v.

DOM. MAROSLAVAC-LEGER
Les Combettes 2001 ★

■ 1er cru 0,16 ha 900 🛢 23 à 30 €

Il y a des amateurs qui ne jurent que par les Combettes et qui les voient grand cru. Celles-ci sont de qualité, représentatives d'un 1er cru. Jaune paille à reflets mordorés, ce 2001 au bouquet très frais de fleurs et de fruits blancs, au corps équilibré, aux notes de noisette, d'amande avec une pointe beurrée, est encore loin de son expression d'apogée. Autre belle bouteille : les **Corvées des Vignes 2001 en village blanc (15 à 23 €)** obtiennent une citation.

🕭 Dom. Maroslavac-Léger,
43, Grande-Rue, 21190 Puligny-Montrachet,
tél. 03.80.21.31.23, fax 03.80.21.91.39,
e-mail maroslavac-leger@wanadoo.fr ☑ ⏀ 🕆 r.-v.

AURELIE ET CHRISTOPHE MARY
Les Referts 2002

▪ 1er cru	0,12 ha	n.c.	ⅲ 15 à 23 €

Sa robe très soutenue, vieil or, son nez de miel et de pain d'épice ne semblent pas typés. En bouche, on retrouve ce goût surmaturé, sur le miel, le laurier, les fruits exotiques (litchi) et le raisin de Corinthe. Ce n'est pas désagréable, réussi dans son genre, et fait penser à une vendange tardive, surmûrie. Si vous aimez surprendre vos amis.

🕭 Christophe Mary,
rue de la Garenne, 21190 Corcelles-les-Arts,
tél. 03.80.21.48.98, fax 03.80.21.48.98 ☑ ⏀ 🕆 r.-v.

PROSPER MAUFOUX 2001

▪	n.c.	1 500 ⅲ 23 à 30 €

Maison fondée à Santenay en 1860 et qui occupe depuis 1970 la belle demeure de la place du Jet-d'Eau dont les caves voûtées datent des XVIIᵉ et XVIIIᵉs. Son puligny 2001, limpide et intense, sacrifie aux arômes du pays : du beurré au toasté, avec un rien de miel. Une légère pointe d'acidité vivifie la bouche assez classique, sans lourdeur ni vivacité excessives.

🕭 Prosper Maufoux, pl. du Jet-d'Eau, 21590 Santenay,
tél. 03.80.20.60.40, fax 03.80.20.63.26,
e-mail prosper.maufoux@wanadoo.fr ☑ ⏀ 🕆 r.-v.
🕭 Robert Fairchild

DOM. MICHELOT MERE ET FILLE
La Garenne 2001 ★

▪ 1er cru	0,9 ha	650	ⅲ 30 à 38 €

Geneviève Michelot et sa fille Véronique ont créé en 1998 le Domaine Michelot Mère et Fille. Sans doute le seul à porter ce nom en Bourgogne. Leur Garenne ne pose pas de lapin : robe lumineuse mais pas trop vive, nez complexe (peau de mandarine, feuille de chêne à l'aération), corps équilibré, vif, encore nerveux et semble-t-il prometteur (un à deux ans).

🕭 Dom. Michelot Mère et Fille,
24, rue de la Velle, 21190 Meursault,
tél. 03.80.21.68.99, fax 03.80.21.27.65 ☑ ⏀ 🕆 r.-v.

DOM. DE MONTILLE Le Cailleret 2001 ★

▪ 1er cru	0,85 ha	4 000	ⅲ 46 à 76 €

Le Cailleret a le montrachet comme voisin de palier. Autant dire que ce 1ᵉʳ cru est très proche d'un grand cru. Réputée pour ses rouges, la famille de Montille fait ici une incursion en blanc. Jaune doré, exprimant des arômes de noisette et de fleur blanche, ce vin aux saveurs d'agrumes (citron, pamplemousse) est constitué d'une excellente matière. Son volume, ses arômes de fruits exotiques en bouche, le boisé bien tempéré et sa persistance sont gage de bonne garde tout comme de plaisir immédiat.

🕭 Dom. de Montille, 12, rue du Pied-de-la-Vallée,
21190 Volnay, tél. 03.80.21.62.67, fax 03.80.21.67.14,
e-mail e.demontille@wanadoo.fr ☑ ⏀ r.-v.

PIERRE OLIVIER 2002 ★

▪	n.c.	9 000	▪ⅲ↓ 23 à 30 €

Maison de négoce liée à Moillard à Nuits-Saint-Georges. Or pâle, son puligny présente un bouquet où la pomme verte se marie à des agrumes confits. Né d'une jolie vendange et fort bien élevé, il pourra vieillir en beauté, au moins cinq ans. Si le homard est inaccessible, tentez la truite...

🕭 Pierre Olivier,
2, rue François Mignotte, 21700 Nuits-Saint-Georges,
tél. 03.80.62.42.22, fax 03.80.61.28.13,
e-mail olivier@nuicave.com ☑ ⏀ 🕆 t.l.j. 10h-18h; f. jan.

PAUL PERNOT ET SES FILS 2002 ★

▪	n.c.	n.c. ⅲ 15 à 23 €

Or blanc cristallin, un village au nez fin et fruité (agrumes), orné d'une petite touche grillée. Son attaque est vive, ouvrant sur un corps pur et riche à la fois. Le minéral donne du relief au gras ; la typicité est excellente. Inutile d'attendre longtemps pour lui offrir la compagnie d'un bon poisson (bar grillé, suggère le jury).

🕭 EARL Paul Pernot et ses Fils,
7, pl. du Monument, 21190 Puligny-Montrachet,
tél. 03.80.21.32.35, fax 03.80.21.94.51 ☑ ⏀ 🕆 r.-v.

CH. DE PULIGNY-MONTRACHET
Les Folatières 2002

▪ 1er cru	0,52 ha	3 000	ⅲ 38 à 46 €

Le château de Puligny a appartenu successivement au vigneron-poète Roland Thévenin, à la famille Laroche (Chablis), aujourd'hui au Crédit foncier de France. La jeune génération de Montille veille désormais sur ce domaine important. Or paille à reflets verts, encore assez fermé lors des coups de nez (quelques notes boisées et florales), ce 2002 est d'une vinosité extrême. Un vin original, un peu musqué. Il donne tout sans prendre deux fois son élan.

🕭 Ch. de Puligny-Montrachet,
21190 Puligny-Montrachet, tél. 03.80.21.39.14,
fax 03.80.21.39.07, e-mail e.demontille@wanadoo.fr ☑

ROPITEAU FRERES 2001 ★

▪	n.c.	n.c. ⅲ 11 à 15 €

Orfèvre en blanc, Ropiteau (groupe Jean-Claude Boisset) joue un rouge en puligny-montrachet. On ne s'attendait pas à lui voir sortir cette carte ! D'une teinte cerise très franche, ce vin éveille des notes fumées et de fruits mûrs. Son corps est charpenté, assez charnu, mais la souplesse et la rondeur s'appuient sur une bonne matière. La finale sur une nuance réglissée est du meilleur goût. A déboucher dans les deux ans.

🕭 Ropiteau Frères,
13, rue du 11-Novembre, 21190 Meursault,
tél. 03.80.21.69.20, fax 03.80.21.69.29,
e-mail ropiteau@ropiteau.fr ☑ ⏀ 🕆 t.l.j. 9h30-19h

DOM. ROUX PERE ET FILS
Les Enseignères 2002 ★

▪	0,5 ha	3 500	ⅲ 23 à 30 €

Un coup de cœur en 2000 pour ces mêmes Enseignères, cheval de bataille de la famille Roux. Il est vrai que le *climat* touche le bâtard-montrachet et les bienvenues-bâtard-montrachet. Or doré, sa couleur est assez affirmée. Le nez secret laisse deviner le miel. Le bon équilibre général du palais, dans une configuration imposante, conviendra à une volaille.

Dom. Roux Père et Fils, 21190 Saint-Aubin,
tél. 03.80.21.32.92, fax 03.80.21.35.00,
e-mail roux.pere.et.fils@wanadoo.fr ☑ Y ✦ r.-v.

DOM. GERARD THOMAS La Garenne 2002

1er cru 0,61 ha 3 800 15 à 23 €

Isabelle et Anne-Sophie travaillent avec leur père. Ce *climat* donne un rouge assez corsé mais la vogue du chardonnay en fait désormais et le plus souvent un blanc. Limpide à reflets or vert, celui-ci évoque des senteurs d'agrumes et de pain d'épice. La bouche est plaisante sur des accents de citronnelle. Blanquette de lotte aux légumes ? Pourquoi pas. En vous rendant sur ce domaine, n'oubliez pas de visiter l'église romane de Saint-Aubin.

EARL Dom. Gérard Thomas,
6, rue des Perrières, 21190 Saint-Aubin,
tél. 03.80.21.32.57, fax 03.80.21.36.51 ☑ Y ✦ r.-v.

VEUVE HENRI MORONI Les Pucelles 2002

1er cru 0,44 ha 2 255 30 à 38 €

Or très clair, aubépine et tabac blond, un puligny qui se cherche encore et que l'on attendra patiemment. Au palais, la finesse s'accompagne de fermeté laissant cependant s'exprimer ses arômes, véritable corbeille de fruits blancs à bonne maturité. L'harmonie générale est satisfaisante, la persistance entremêlée d'épices douces. Vin du futur pour l'année 2010.

Veuve Henri Moroni,
1, rue de l'Abreuvoir, 21190 Puligny-Montrachet,
tél. 03.80.21.30.48, fax 03.80.21.33.08,
e-mail info@vins-moroni.com ☑ Y ✦ r.-v.

Montrachet, chevalier, bâtard, bienvenues-bâtard, criots-bâtard

La particularité la plus étonnante de ces grands crus est de se faire attendre plus ou moins longtemps avant de manifester dans sa plénitude la qualité exceptionnelle que l'on attend d'eux. Dix ans, c'est le délai accordé au « grand » montrachet pour atteindre sa maturité, cinq ans pour le bâtard et son entourage ; seul le chevalier-montrachet semble manifester plus rapidement une ouverture communicative.

Ces crus d'immense notoriété ne représentent que de très faibles volumes et de toutes petites superficies. Ainsi en est-il en 2003, du montrachet avec 7,89 ha, du chevalier-montrachet avec 7,62 ha, du bâtard-montrachet avec 11,11 ha, du criots-bâtard-montrachet avec 1,57 ha et du bienvenues-bâtard-montrachet avec 3,73 ha. L'ensemble des grands crus de montrachet a représenté 1 003,14 hl en 2003 contre 1 470 hl en 2002.

Montrachet

DOM. JACQUES PRIEUR 2001

Gd cru 0,59 ha 1 700 + de 76 €

Le domaine est partagé depuis 1988 entre la famille Prieur et un groupe d'amateurs en Saône-et-Loire. Quant à ces 58 a 63 ca, ils proviennent de l'achat de plusieurs parcelles, notamment dans les Dents de Chien réunies au montrachet par le jugement de 1921. Vieil or et chantant la noisette, ce 2001 très gras, très mûr franchit les marches du palais d'un pas imposant. Tendance oxydative du millésime, contribuant à son ampleur. Il sera dégusté en 2005 ou 2006, avec respect.

Dom. Jacques Prieur,
6, rue des Santenots, 21190 Meursault,
tél. 03.80.21.23.85, fax 03.80.21.29.19,
e-mail domaine.jprieur@wanadoo.fr ☑ Y ✦ r.-v.

DOM. DE LA ROMANEE-CONTI 2002 ★★★

Gd cru 0,67 ha n.c. + de 76 €

|83| |86| (90) |91| |93| **97 98** (99) **00 01** (02)

Au domaine, ce sont les derniers raisins coupés parmi les grands crus (24 septembre 2002). Ce montrachet rappelle la définition que saint Bernard donnait de Dieu : « Il est longueur, largeur, hauteur et profondeur. » En effet, si certaines qualités se mesurent, d'autres (la profondeur, la complexité) se ressentent. Moins vif et expansif que le 2001, un vin physiquement minéral, moralement limpide, s'ouvrant légèrement sur le miel et vibrant comme un diapason. Qu'il fait bon le boire jeune ! Mais il sera de très longue garde.

SC du Dom. de la Romanée-Conti,
1, rue Derrière-le-Four, 21700 Vosne-Romanée,
tél. 03.80.62.48.80, fax 03.80.61.05.72

Chevalier-montrachet

DOM. BOUCHARD PERE ET FILS 2001

Gd cru 2,54 ha n.c. + de 76 €

Pas plus que Lohengrin, ce chevalier ne dissimulera ses origines. A la dégustation du moins. Sa note oxydative, sa surmaturation sont caractéristiques des 2001 dans cette partie de la Côte et en chardonnay. Cela dit, un vin doit exprimer son millésime avec franchise. C'est le cas ici. Couleur très limpide et presque cristalline, le nez tout miel, il a la bouche bien enveloppée et ce qu'il faut d'acidité pour maintenir ses droits durant deux bonnes années. La plus importante propriété dans le grand cru. Coup de cœur pour le millésime 98.

Bouchard Père et Fils, Ch. de Beaune,
21200 Beaune, tél. 03.80.24.80.24, fax 03.80.22.55.88,
e-mail france@bouchard-pereetfils.com Y ✦ r.-v.

DOM. JEAN CHARTRON
Clos des Chevaliers 2002 ★★

Gd cru 0,47 ha 1000 + de 76 €

91 92 93 94 |95| |96| 97 |98| |99| 00 01 **02**

Murs et portail signalent un clos mis en valeur par Jean Chartron. Quant à cette bouteille, elle porte un

fourreau lamé d'or. Elle a choisi pour cette soirée de gala un parfum envoûtant où l'on croit discerner l'aubépine, les agrumes, la brioche... discrètement relevés par l'épice douce. Un corps de rêve, tout ce que Puligny peut offrir : une star ! On peut bien sûr saisir *cheek to cheek* le bonheur du moment présent. Mais comme elle fera une longue carrière, prenez donc rendez-vous pour plus tard. **Bâtard et bienvenues 2002**, excellents eux aussi.
🔑 Jean Chartron,
13, Grande-Rue, 21190 Puligny-Montrachet,
tél. 03.80.21.32.85, fax 03.80.21.36.35
☒ ⵊ t.l.j. 10h-12h 14h-18h; f. de fin nov. à mi-mars

Bâtard-montrachet

DOM. BACHELET-RAMONET PERE ET FILS 2002 ★★

Gd cru 0,5 ha 1 500 ⓘ 46 à 76 €

Ce domaine exploite deux parcelles : 16 a 75 ca et 39 a 68 ca. Son bâtard est un véritable enfant de l'amour. Sa robe jaune pastel, ses arômes de terroir au boisé bien intégré, sa bouche très mûre et racée en font la plus belle bouteille de la dégustation. Un vin magnifique que plusieurs de nos jurés (et non des moindres !) ont jugé digne du coup de cœur. *Well balanced and lovely*, comme disent les Anglais.
🔑 Dom. Bachelet-Ramonet Père et Fils,
11, rue du Parterre, 21190 Chassagne-Montrachet,
tél. 03.80.21.32.49, fax 03.80.21.91.41
☒ ⵊ t.l.j. sf dim. 8h-11h30 14h-18h30;
sam. sur r.-v.; f. 1er-16 août

CHARTRON ET TREBUCHET
Vinifié en fût de chêne 2002 ★

Gd cru 0,35 ha 1 600 ⓘ + de 76 €

Trois à quatre ans en cave pour ce brillant sujet qui sait se présenter. Le nez se tait, le boisé parlant seul avec des touches beurrées, vanillées. La bouche est pleine de charme et d'élégance. Elle ne sera pas centenaire, millésime oblige, mais elle s'accordera à bien des gourmandises.
🔑 Chartron et Trébuchet,
13, Grande-Rue, 21190 Puligny-Montrachet,
tél. 03.80.21.32.85, fax 03.80.21.36.35
☒ ⵊ t.l.j. 10h-12h 14h-18h; f. fin nov.-mi-mars

JOSEPH DROUHIN 2001 ★

Gd cru n.c. n.c. ⓘ + de 76 €

Jaune doré légèrement ambré (millésime 2001), il offre un bouquet « à l'ancienne » : fruits secs et pointe d'alcool que l'on retrouve au palais. Ample, gras et vif à la fois, il a un côté soyeux qui le met en valeur. Son tempérament entier le destine à un poisson en sauce, dans deux ou trois ans.
🔑 Maison Joseph Drouhin, 7, rue d'Enfer,
21200 Beaune, tél. 03.80.24.68.88, fax 03.80.22.43.14,
e-mail maisondrouhin@drouhin.com ☒ ⵊ 🚶 r.-v.

OLIVIER LEFLAIVE 2001 ★

Gd cru n.c. n.c. ⓘ + de 76 €

Comme on disait à la cour des grands-ducs d'Occident, voici un grand bâtard de Bourgogne. Il est naturellement cousu d'un or où miroitent de magiques reflets verdâtres. Ses parfums fins et complexes orientent la réflexion vers le floral, avec cette nuance de pâtisserie fréquente en Côte de Beaune blanche. Elégant et racé, il sait se libérer du fût, et son caractère aérien le rendra insaisissable avant 2010... à tout le moins. Lui destiner un grand poisson en sauce, évidemment.
🔑 Olivier Leflaive Frères,
pl. du Monument, 21190 Puligny-Montrachet,
tél. 03.80.21.37.65, fax 03.80.21.33.94,
e-mail olivier-leflaive@dial.oleane.com ☒ 🚶 r.-v.

LOUIS LEQUIN 2002

Gd cru 0,12 ha 730 ⓘ 46 à 76 €

94 (96) 98 **99 00** 01 |02|

Parcelle de 24 a 33 ca située sur Chassagne et acquise par Jean Lequin en 1938. Aujourd'hui les frères René et Louis en ont chacun la moitié. Soit 12 a 16,5 ca par domaine. C'est ainsi qu'on compte en Bourgogne ! Jaune d'or, ce 2002 a bel œil. Plus fruits secs que floral, le nez demeure sur la réserve. Riche, affirmé, ce bâtard joue la puissance et la chaleur sur une petite note de surmaturation. A servir sur un foie gras à Noël.
🔑 Louis Lequin, 1, rue du Pasquier-du-Pont,
21590 Santenay, tél. 03.80.20.63.82, fax 03.80.20.67.14,
e-mail louis.lequin@wanadoo.fr ☒ ⵊ 🚶 r.-v.

RENE LEQUIN-COLIN 2002 ★

Gd cru 0,12 ha 768 ⓘ 46 à 76 €

|96| |(98)| |**99**| |00| 01 02

A peine jaune, d'une pâleur transparente, c'est exactement la couleur que l'on attend. Vanille, agrumes, végétal plus que floral, son bouquet ne laisse pas indifférent. Tout en subtilité (un de nos dégustateurs le juge « féminin ») ce 2002 est d'une réelle distinction. Garde : un à deux ans. A boire seul pour un luxueux apéritif, ou sur une entrée légère, un vol-au-vent.
🔑 René Lequin-Colin, 10, rue de Lavau,
21590 Santenay, tél. 03.80.20.66.71, fax 03.80.20.66.70,
e-mail renelequin@aol.com ☒ ⵊ 🚶 r.-v.

Bienvenues-bâtard-montrachet

JEAN-CLAUDE BACHELET 2001 ★

Gd cru 0,9 ha n.c. ⓘ 46 à 76 €

Parcelle de 9 a 42 ca achetée en 1960 à la famille Dupaquier. Ce bienvenues porte bien son nom car il est très réussi. Certes, sa couleur légèrement ambrée commence à évoluer (un 2001). Nos dégustateurs y respirent le coing, la mousse, le bon fût. Onctueux et sec, ferme et caressant, gras puis rafraîchissant, il a beaucoup de grâce sous un caractère qu'on devine inflexible et typé. A déboucher maintenant ou dans les deux ans pour profiter de ses bonnes dispositions. Coup de cœur pour un 1998.

🔑 Jean-Claude Bachelet,
1, rue de la Fontaine, 21190 Saint-Aubin,
tél. 03.80.21.31.01, fax 03.80.21.91.71,
e-mail jcbachelet@aol.com ☒ 🍷 🚶 r.-v.

DOM. BACHELET-RAMONET PERE ET FILS 2002

▒ Gd cru 0,13 ha 530 🛢 46 à 76 €

Une belle couleur citron avec tout l'éclat attendu et un nez fermé comme il se doit à cet âge. La bouche est plus avenante, fraîche, vive, équilibrant à la juste mesure de l'AOC le gras et l'acidité. Le fût est là, et demande trois à quatre ans de garde.

🔑 Dom. Bachelet-Ramonet Père et Fils,
11, rue du Parterre, 21190 Chassagne-Montrachet,
tél. 03.80.21.32.49, fax 03.80.21.91.41
☒ 🍷 t.l.j. sf dim. 8h-11h30 14h-18h30; sam. sur r.-v.;
f. 1er-16 août

CHARTRON ET TREBUCHET 2002 *

▒ Gd cru 0,04 ha 400 🛢 + de 76 €

Une année en fûts de chêne, dont 30 % neufs. Cela était raisonnable dans ce millésime. Or paille à reflets verts, la robe est parfaite. Le nez est encore discret bien qu'on discerne quelques nuances fruitées, une touche de noisette, d'épices. La bouche s'exprime nettement, le bois se faisant discret, l'agrume (citron vert) l'emportant en finale. Un vin de belle facture.

🔑 Chartron et Trébuchet,
13, Grande-Rue, 21190 Puligny-Montrachet,
tél. 03.80.21.32.85, fax 03.80.21.36.35
☒ 🍷 t.l.j. 10h-12h 14h-18h; f. fin nov.-mi-mars

GUILLEMARD-CLERC 2002

▒ Gd cru 0,18 ha 1 200 🛢 46 à 76 €

Jean-Baptiste Philibert puis Passerotte-Garnier (1881), Joseph Patriarche (1923)... Les parcelles de vigne ont elles aussi une généalogie. Celle-ci est d'une nuance qu'on découvre certains soirs sur la colline de Vézelay : cette couleur lumineuse, ce parfum de miel. Beurre, noisette, vanille apportent des compléments aromatiques à une physionomie fort joliment faite. Cette bouche très copieuse s'accompagne de quelques notes évolutives, d'un soupçon d'amertume. Dégustez-le en 2006 sur un sandre à la crème.

🔑 EARL Guillemard-Clerc,
19, rue Drouhin, 21190 Puligny-Montrachet,
tél. 03.80.21.34.22, fax 03.80.21.94.84,
e-mail guillemard-clerc.domaine@wanadoo.fr
☒ 🏠 🍷 🚶 r.-v.

LOUIS LATOUR 2001 *

▒ Gd cru 0,4 ha 2 500 🛢 + de 76 €

Achat en moûts auprès de viticulteurs pour une superficie de 40 ares environ. Un vin légèrement miellé et épicé, très riche en arômes et suggérant la cire d'abeille au troisième coup de nez. Sa petite acidité citronnée lui donne de la vivacité dans une atmosphère distinguée, sérieuse, respectueuse des usages. Il n'a pas les dimensions du Colisée, mais sa finesse bien concentrée conduit à le recommander parmi les 2001. On oubliait la robe : c'est comme si ces raisins avaient absorbé plus de soleil que les autres...

🔑 Maison Louis Latour, 18, rue des Tonneliers,
21204 Beaune, tél. 03.80.24.81.00, fax 03.80.22.36.21,
e-mail louislatour@louislatour.com

Criots-bâtard-montrachet

ROGER BELLAND 2002 *

▒ Gd cru 0,61 ha 3 200 🛢 + de 76 €

89 94 |95| 96 **|98|** **|99|** |00| 01 02

Offerts à chassagne pour équilibrer les bienvenues sur puligny, les criots sont mis en valeur pour un tiers par ce domaine. Avant les AOC, ils étaient vendus comme bâtard-montrachet. A la vérité, ils ne s'en distinguent guère. Belle brillance sur cet or pâle. Le nez s'élargit à l'aération. Il s'étoffe sur les agrumes et quelques accents minéraux en accord avec le nom du cru : crais, terrain caillouteux. En bouche, l'approche est agréable, le grain opportun. Assez gras et rond, il a de la ressource. Encore jeune, il doit faire ses classes durant trois ou quatre ans.

🔑 Dom. Roger Belland, 3, rue de la Chapelle, BP 13, 21590 Santenay, tél. 03.80.20.60.95, fax 03.80.20.63.93, e-mail belland.roger@wanadoo.fr ☒ 🍷 🚶 r.-v.

ALBERT BICHOT 2002

▒ Gd cru n.c. 300 🛢 + de 76 €

On produit environ 9 000 bouteilles de criots chaque année. On a donc rarement l'occasion d'en boire. Dommage ! D'une bonne brillance, ce 2002 aux arômes printaniers (acacia, chèvrefeuille) s'ouvre à deux battants. D'une belle acidité et sévère, la bouche prend le parti de la vivacité, de la minéralité. L'alcool est très présent à l'heure actuelle : ce n'est pas un grand péché au pays du montrachet... Dans trois à quatre ans, il aura calmé ses ardeurs adolescentes et pris du corps.

🔑 Maison Albert Bichot, 6 bis, bd Jacques-Copeau, 21200 Beaune, tél. 03.80.24.37.37, fax 03.80.24.37.38, e-mail bourgogne@albert-bichot.com

Chassagne-montrachet

Une nouvelle combe, celle de Saint-Aubin, parcourue par la RN 6, forme à peu près la limite méridionale de la zone des vins blancs, suivie par celle des vins rouges ; les Ruchottes marquent la fin. Les Clos Saint-Jean et Morgeot, vins solides et vigoureux, sont les plus réputés des chassagne. Les blancs représentent 6 823 hl et les rouges 3 536 hl en 2003.

FRANCOIS D'ALLAINES 2001 *

▒ 1,5 ha 1 500 🛢 15 à 23 €

Cette maison a été créée en 1990 avec des achats en bouteilles puis s'est mise à vinifier elle-même en 1996. Voici un chassagne franc de contact, long de bouche, frais et bien disposé, débutant sur la pierre à fusil et continuant sur le fruit à chair blanche. Ses arômes sont expressifs et classiques, son or très limpide.

🔑 François d'Allaines, La Corvée du Paquier, 71150 Demigny, tél. 03.85.49.90.16, fax 03.85.49.90.19, e-mail francois@dallaines.com ☒ 🍷 🚶 r.-v.

DOM. GUY AMIOT ET FILS 2001 *

□ 0,62 ha 4 000 🛢 11 à 15 €

Un vin parfaitement typé de l'appellation. D'un or vert, il flirte avec le bois mais joue également le minéral, la fleur blanche. Il affirme sa présence en bouche et offre une jolie finale fruitée et florale allant jusqu'au jasmin sans négliger une petite note boisée de bon aloi.

⚷ Dom. Guy Amiot et Fils,
13, rue du Grand-Puits, 21190 Chassagne-Montrachet,
tél. 03.80.21.38.62, fax 03.80.21.90.80,
e-mail domaine.amiotguyetfils@wanadoo.fr ☑ 🍷 🚶 r.-v.

DOM. BACHELET Les Benoîtes 2001 *

■ 2 ha 6 000 🛢 8 à 11 €

Des Benoîtes 2000 ont reçu le coup de cœur l'an dernier. Ce nouveau millésime, pas très loin du morgeot, d'un rouge profond, opte d'emblée pour le cassis. Un peu boisé, il montre une excellente tenue en bouche. Son acidité est bien intégrée à une constitution légère, sans longueur excessive mais agréable et d'une bonne typicité. Un rien de complexité ajoute à la satisfaction. En **village, le blanc 2002 (15 à 23 €)** peut également vous plaire. Il obtient une étoile et accompagnera volontiers un poisson cuisiné dans un an... ou dans cinq !

⚷ Dom. Bernard Bachelet et Fils,
rue Maranges, 71150 Dezize-lès-Maranges,
tél. 03.85.91.16.11, fax 03.85.91.16.48,
e-mail bacheletbetfils@wanadoo.fr ☑ 🍷 🚶 r.-v.

DOM. BACHELET-RAMONET PERE ET FILS
La Grande Montagne Vieilles Vignes 2002 *

□ 1er cru 1,9 ha 3 600 🛢 15 à 23 €

Si l'on en croit les bons auteurs, la Grande Montagne appartiendrait aux Grandes Ruchottes. Exceptionnellement limpide, un 1er cru au bouquet d'amande et de pêche, vif et expressif mais qui ne développe pas encore entièrement son sujet. Le poisson en sauce attendra deux à trois ans.

⚷ Dom. Bachelet-Ramonet Père et Fils,
11, rue du Parterre, 21190 Chassagne-Montrachet,
tél. 03.80.21.32.49, fax 03.80.21.91.41
☑ 🍷 t.l.j. sf dim. 8h-11h30 14h-18h30; sam. sur r.-v.;
f. 1er-16 août

DOM. BACHEY-LEGROS
Morgeot Les Petits Clos 2002 *

□ 1er cru n.c. 3 500 🛢 23 à 30 €

C'est un 1er cru Morgeot sur l'étiquette duquel le mot est indiqué entre guillemets et sa propriétaire s'honore de le faire. Car Morgeot est un 1er cru qui fédère plusieurs lieux-dits dont celui-ci, Les Petits Clos (5 ha 9 a 49 ca). Cette petite parcelle a donné un vin or clair au nez d'agrumes, au palais soyeux et délicieux. Voyez encore le **village 2002 rouge (11 à 15 €)** qui fait une bonne bouteille (une étoile).

⚷ Dom. Christiane Bachey-Legros,
12, rue de la Charrière, 21590 Santenay-le-Haut,
tél. 03.80.20.64.14, fax 03.80.20.64.14,
e-mail christiane.bachey-legros@wanadoo.fr ☑ 🍷 🚶 r.-v.

ROGER BELLAND
Morgeot Clos Pitois Monopole 2002 **

□ 1er cru 1,21 ha 6 000 🛢 30 à 38 €

Ce vin a eu le coup de cœur dans son millésime 98. Monopole du domaine, le Clos Pitois était l'un des vins de Chassagne les mieux goûtés au XIXes. Il n'a rien perdu de son ardeur à plaire. Brillant, limpide, ce 2002 n'abuse pas de la couleur, ni même du nez, demeurant très fin sur le miel, la cire d'abeille. Ample, riche et longue, la bouche fait ce qu'il faut pour être à la hauteur de la situation. **Le Clos Pitois 1er cru 2002 en rouge (15 à 23 €)**, une étoile, est en plein essor. Attendre deux à quatre ans avant de lui offrir une excellente viande rouge grillée.

⚷ Dom. Roger Belland, 3, rue de la Chapelle, BP 13,
21590 Santenay, tél. 03.80.20.60.95, fax 03.80.20.63.93,
e-mail belland.roger@wanadoo.fr ☑ 🍷 🚶 r.-v.

JEAN-CLAUDE BOISSET 2002 **

■ n.c. n.c. 🛢 11 à 15 €

Jean-Claude Boisset n'y va pas par quatre chemins. Alors qu'il s'implante un peu partout sur la planète et notamment au Canada dans une cuverie signée par l'un des plus célèbres architectes mondiaux (Frank Goery), il présente un chassagne anthologique. Rouge cerise, épicé, abyssal, minéral, long, complexe, élégant. « De la belle ouvrage », comme on disait dans le temps.

⚷ Jean-Claude Boisset,
5, quai Dumorey, 21700 Nuits-Saint-Georges,
tél. 03.80.62.61.61, fax 03.80.62.37.38,
e-mail patriat.g@jcboisset.fr 🍷 🚶 r.-v.

JEAN BOUCHARD 2002 *

■ n.c. 28 000 🛢 11 à 15 €

Bouchard à Beaune. Aîné ? Père ? Fils ? Petit-fils ? Neveu ? Parrain ? On pourrait s'y perdre. Celui-ci est Jean Bouchard, sous la devise : « Si tu veux garder ta renommée, sache la servir. » Fort bien, le numéro de téléphone nous fait penser à la maison Albert Bichot. La robe de ce vin est merveilleuse, le nez mûr et réglissé, la bouche ferme et chaude et ne vous lâchant pas. Distinguée, cette bouteille devra confirmer sa performance dans deux à cinq ans.

⚷ Jean Bouchard, BP 47, 21200 Beaune,
tél. 03.80.24.37.37, fax 03.80.24.37.38

GILLES BOUTON Les Voillenots Dessus 2002 **

□ 0,69 ha 3 000 🛢 11 à 15 €

Ce domaine de 13 ha est situé à 50 m du château de Gamay dont le donjon date du XIIIes. Il y a des bouteilles avec lesquelles on aimerait partir en week-end... Celle-ci par exemple. Une jolie robe or pâle, un parfum miel et fleur, un charme non dénué de caractère. Elle est du pays, cela se sent. Le fût et le fruit s'équilibrent. La bouche ne demande qu'à s'ouvrir.

⚷ Gilles Bouton,
24, rue de la Fontenotte, 21190 Saint-Aubin,
tél. 03.80.21.32.63, fax 03.80.21.32.63,
e-mail domaine.bouton.gilles@wanadoo.fr ☑ 🍷 🚶 r.-v.

HUBERT BOUZEREAU-GRUERE ET FILLES
Les Blanchots Dessous 2002 **

□ 0,23 ha 1 500 🛢 15 à 23 €

On pratique ici la vigne et le vin de père en filles. Et on va même jusqu'à Corton. D'une teinte très brillante, ces Blanchots Dessous, voisins du criot-bâtard-montrachet, sont réellement très proches du grand cru : c'est un vin pour de vrais amateurs qui expliqueront le cadastre en dégustant cette cuvée. Il a d'ailleurs été question naguère de classer cette vigne en grand cru. Miel, pain d'épice, tilleul, fleurs blanches, cannelle, vanille, le nez est intense. Riche et tout en finesse, la bouche procure un vrai bonheur, jouant sur les agrumes et la minéralité, jusque

dans une longue finale. Ah ! Pourquoi les grands vins de Bourgogne sont-ils produits en si faible quantité ? Seulement cent vingt-cinq caisses à se partager...
⊶ Hubert Bouzereau-Gruère et Filles,
22 a, rue de la Velle, 21190 Meursault,
tél. 03.80.21.20.05, fax 03.80.21.68.16,
e-mail hubert.bouzereau.gruere@libertysurf.fr
☑ 🏠 Y 🚶 r.-v.

CHANSON PERE ET FILS Clos Saint-Jean 2002 *

▫ 1er cru n.c. n.c. 🛢 30 à 38 €

La maison Chanson possède des bulles champenoises dans son capital, mais elle garde à Beaune l'âme tranquille. Son Clos Saint-Jean a de la robe et du bouquet. Après une attaque sans concession, nette et franche, on rencontre des sensations vanillées, briochées, sur un gras significatif. Racé, il parvient à la maturité et sera parfait en 2005.
⊶ Maison Chanson Père et Fils, 10, rue Paul-Chanson, 21200 Beaune, tél. 03.80.25.97.97, fax 03.80.24.17.42, e-mail chanson@vins-chanson.com

CH. DE CHASSAGNE-MONTRACHET 2001 *

▫ 1,28 ha 8 000 🛢 15 à 23 €

La famille Bader-Mimeur possède et exploite depuis 1919 les vignes du clos du château de Chassagne-Montrachet, château appartenant aujourd'hui à la famille Picard. Voici un chassagne or paille à aérer un peu. Il a une fraîcheur d'agrumes et la douceur d'un ange. Sa finale assez minérale offre une longueur honorable.
⊶ Bader-Mimeur,
1, chem. du Château, 21190 Chassagne-Montrachet,
tél. 03.80.21.30.22, fax 03.80.21.33.29,
e-mail info@bader-mimeur.com ☑ Y 🚶 r.-v.

CH. DE CITEAUX Les Meix Goudard 2001 *

▫ 0,27 ha 1 800 🛢 15 à 23 €

Vous voyez les Bondues, les Macherelles... Eh bien ! Les Meix Goudard sont par là, au centre du village. Liliane et Philippe Bouzereau ont pris en 1995 à Meursault la suite des moines de Cîteaux (après une longue parenthèse). Ils font déguster un chassagne brillant de tous ses feux. Le premier nez joue entre l'épice douce et les agrumes, puis on monte d'un cran : vif et minéral, il a un tempérament qui résume à merveille la typicité du cru dans son appellation. C'est bien construit, c'est élégant, c'est bon ! Et pour quelques années.
⊶ Philippe Bouzereau, Ch. de Cîteaux,
18-20, rue de Cîteaux, BP 25, 21190 Meursault,
tél. 03.80.21.20.32, fax 03.80.21.64.34,
e-mail info@domaine-bouzereau.fr ☑ Y 🚶 r.-v.

DOM. COFFINET-DUVERNAY Les Fairendes 2002 *

▫ 1er cru 0,25 ha 1 200 🛢 23 à 30 €

Créé vers 1860, ce domaine occupe un ancien relais de chasse royal en forme de U. Il propose ces Fairendes, complexes et longues : tout y est ! De la jolie robe au nez où agrumes et notes florales se mêlent à des nuances vanillées. La rondeur et l'acidité sont prometteuses. Autre bon conseil : le **1er cru Champs-Gains blanc 2002**, merveilleusement aimable, obtient la même note.
⊶ Dom. Coffinet-Duvernay,
7, pl. Saint-Martin, 21190 Chassagne-Montrachet,
tél. 03.80.21.32.12, fax 03.80.21.91.69,
e-mail dom.coffinet.duvernay@cario.fr ☑ Y 🚶 r.-v.

BERNARD COLIN ET FILS 2001 **

▫ 1,12 ha n.c. 🍷🛢🌡 11 à 15 €

« Beaucoup d'esprit sans sécheresse », écrivait jadis le docteur Morelot à propos du vin blanc de Chassagne. Teinte paille or, nez de miel et d'abricot (et cela lui convient très bien), ce 2001 s'avère particulièrement long, à la fois fruité et minéral. Coup de cœur en 2002 pour son Cailleret 98 blanc. Notez en outre le **1er cru Clos Saint-Jean 2001 blanc (15 à 23 €)**, séducteur lui aussi, qui obtient une étoile.
⊶ Bernard Colin et Fils,
22, rue Charles-Paquelin, 21190 Chassagne-Montrachet,
tél. 03.80.21.92.40, fax 03.80.21.93.23
☑ Y t.l.j. 9h-12h 14h-18h; dim. sur r.-v.

BOURGOGNE

VINCENT GIRARDIN Morgeot 2002 *

■ 1er cru 0,8 ha 5 000 🛢 15 à 23 €

Morgeot rouge foncé au parfum de myrtille. En bouche, les avis diffèrent. Si l'accord se fait sur l'élégance, la présence des tanins encore très jeunes ne permet pas l'unanimité : le boisé cache encore la structure. Ce vin, issu des dernières vieilles vignes rouges de ce *climat* que l'on replante souvent en blanc, devra se faire en cave : ce domaine est, au fil des éditions du Guide, souvent en très bonne place ; on peut lui faire confiance.
⊶ Vincent Girardin,
Les Champs Lins, 21190 Meursault,
tél. 03.80.20.81.00, fax 03.80.20.81.10 ☑ r.-v.

ANDRE GOICHOT Morgeot 2002 *

▫ 1er cru n.c. 600 23 à 30 €

Ce négociant-éleveur présente un Morgeot blanc qui débute au nez sur la pomme et joue ensuite la complexité sur des arômes de miel. Sobre d'expression, simple et franc, il réunit beaucoup de qualités. La **version village 2002 également en blanc** est assez boisée mais de bonne compagnie (même note).
⊶ SA André Goichot, av. Charles-de-Gaulle,
21200 Beaune, tél. 03.80.25.91.30, fax 03.80.25.91.29

DOM. DES HAUTES-CORNIERES Morgeot 2001

■ 1er cru 2 ha 12 000 🛢 15 à 23 €

La robe est assez soutenue, avec des reflets d'évolution légèrement apparents. Le bouquet prend lui aussi de l'âge. En revanche, l'écart est considérable entre le nez et la bouche, franche et vineuse, d'un bon volume, éclatante de jeunesse et de santé. Au fond, c'est ce qui compte car le vin est d'abord fait pour être bu. Laisser deux ou trois ans les tanins se fondre, car la groseille rêve de prendre toute sa place.
⊶ Ph. Chapelle et Fils,
Dom. des Hautes-Cornières, 21590 Santenay,
tél. 03.80.20.60.09, fax 03.80.20.61.01,
e-mail contact@domainechapelle.com ☑ Y 🚶 r.-v.

GABRIEL ET PAUL JOUARD Les Baudines 2002 **

▫ 1er cru 1,4 ha 3 600 🍷🛢🌡 15 à 23 €

Coup de cœur pour un 99 en rouge, Gabriel et Paul Jouard réussissent à impressionner avec ces Baudines en blanc. Ce *climat* se situe en limite de Santenay, au-dessus de Morgeot. Or brillant, minéral et fruité, ce 2002 pourrait être cité en modèle tant il est naturel, spontané, jeune et frais. Intéressante rétro d'arômes dès le milieu de bouche et beau potentiel. En **village 2001 rouge, les Vieilles Vignes (11 à 15 €)** ont une simplicité charmante et obtiennent une étoile, tout comme le **village blanc 2002 (11 à 15 €)** ; choisir le premier pour une queue de lotte en matelote, le second pour un bœuf bourguignon et le troisième pour un boudin blanc truffé.

🔑 Dom. Gabriel et Paul Jouard,
3, rue du Petit-Puits, 21190 Chassagne-Montrachet,
tél. 03.80.21.94.73, fax 03.80.21.31.94,
e-mail domgetpauljouard@club-internet.fr ☑ Y 🚶 r.-v.

DOM. VINCENT ET FRANCOIS JOUARD
Les Chaumées Clos de La Truffière
Vieilles Vignes 2002 ★★

□ 1er cru 0,7 ha 2 700 🛢 15 à 23 €

Pas de jaloux chez les Jouard ! Les deux domaines franchissent ensemble la ligne d'arrivée. Les Chaumées sont du côté de Saint-Aubin, à l'opposé des Baudines. D'une belle couleur, ce chassagne a le bouquet expressif, bien ouvert, sur des notes d'abricot et de pamplemousse. D'une discrétion subtile, le corps est juste assez vif, mais sans excès pour savoir vieillir. Très complexe, superbe dans quatre ans sur un foie gras poêlé, c'est un travail de bijoutier ! On peut aussi vivre une histoire d'amour avec **Les Champs-Gain 2002 en 1er cru blanc** qui obtiennent une étoile, tout comme le **Morgeot 1er cru blanc 2001** dont on affirme qu'il dispose d'un bon potentiel.

🔑 Dom. Vincent et François Jouard,
2, pl. de l'Eglise, 21190 Chassagne-Montrachet,
tél. 03.80.21.30.25, fax 03.80.21.96.27 ☑ Y 🚶 r.-v.

OLIVIER LEFLAIVE 2001 ★

□ 3 ha 18 000 🛢 23 à 30 €

Un chassagne or jaune, aux arômes de fruits à chair blanche, un peu boisé sur la vanille et l'amande grillée. Un Rubens ! La chair et le gras ne pratiquent pas l'abstinence. On retient une belle ligne, homogène, harmonieuse dans ce mode d'expression chardonnant en diable. De même, un bon **morgeot blanc en 1er cru 2001 (38 à 46 €)** obtient une citation.

🔑 Olivier Leflaive Frères,
pl. du Monument, 21190 Puligny-Montrachet,
tél. 03.80.21.37.65, fax 03.80.21.33.94,
e-mail olivier-leflaive@dial.oleane.com ☑ 🚶 r.-v.

LOUIS LEQUIN Morgeot 2002 ★★

□ 1er cru 0,3 ha 1 800 🛢 15 à 23 €

Cet ancien domaine Lequin-Roussot produit des grands crus en corton-charlemagne et en bâtard-montrachet. Son 1er cru Morgeot, or pâle, le nez de fruit frais légèrement anisé (l'un de nos dégustateurs, venu d'outre-Rhin, y sent la mirabelle), a des allures de vin jeune qui s'emplit ensuite d'arômes réglissés (ce qu'on appelle le Zan). D'une excellente constitution, ample et soyeux, puissant et long, on l'oubliera deux à trois ans en cave.

🔑 Louis Lequin, 1, rue du Pasquier-du-Pont,
21590 Santenay, tél. 03.80.20.63.82, fax 03.80.20.67.14,
e-mail louis.lequin@wanadoo.fr ☑ Y 🚶 r.-v.

RENE LEQUIN-COLIN Morgeot 2001 ★

■ 1er cru 0,31 ha 1 900 🛢 15 à 23 €

Un domaine né au XVIIes., qui n'a vécu depuis que pour la vigne ! Et un Morgeot rouge dans la grande tradition. Rubis violacé, le fût bien fondu, le fruit mûr démonstratif, il offre une vinosité très affirmée. Framboise et fraise débouchent sur des tanins qui exigent encore un coup de rabot. Vin de garde capable de tenir une longue distance (cinq ans ou plus) et qui prendra de la rondeur avec le temps.

🔑 René Lequin-Colin, 10, rue de Lavau,
21590 Santenay, tél. 03.80.20.66.71, fax 03.80.20.66.70,
e-mail renelequin@aol.com ☑ Y 🚶 r.-v.

CH. DE LA MALTROYE
Clos du Château de La Maltroye Monopole 2002 ★★

■ 1er cru 1,37 ha 8 400 🛢 15 à 23 €

La famille Cournut réalise un véritable exploit : coup de cœur l'an dernier pour son Morgeot Vigne blanche 2001, elle place cette année un blanc et un rouge au sommet du podium ! Il faut y parvenir... Ce Clos du Château de La Maltroye est issu d'un pinot à la fois très typé et d'une complexité passionnante. Ce même *climat* en **version blanche 2002 (23 à 30 €)** bénéficie d'un égal succès, obtenant également un coup de cœur ! Cela montre que le même terroir peut faire épanouir de façon éclatante les deux cépages. À Chassagne du moins... La **Vigne blanche 2002 (23 à 30 €)** joue l'opulence et obtient une étoile, tout comme le **1er cru blanc Grandes Ruchottes 2002 (38 à 46 €)**. Quatre raisons de vous rendre dans ce château du XVIIIes. aux tuiles vernissées.

🔑 Ch. de la Maltroye,
16, rue de la Murée, 21190 Chassagne-Montrachet,
tél. 03.80.21.32.45, fax 03.80.21.34.54,
e-mail chateau.maltroye@wanadoo.fr ☑
🔑 Cournut

DOM. PATRICK MIOLANE La Canière 2002 ★★

■ 0,75 ha 4 000 🛢 8 à 11 €

Cette même Canière rouge (en dessous des Champs-Gain, en milieu de village) a reçu le coup de cœur il y a deux ans. Rubis à bords violacés, un chassagne rouge au bouquet de fruits mûrs (framboise) agrémenté d'une touche de pain grillé due à son élevage. Beaucoup de race en bouche où s'affirme une matière souple et ample. Ce vin a de l'élégance. La perfection ou peu s'en faut. Agréable également, **La Canière blanc 2002 (15 à 23 €)** obtient une étoile.

🔑 Dom. Patrick Miolane,
Derrière chez Edouard, 21190 Saint-Aubin,
tél. 03.80.21.31.94, fax 03.80.21.30.62,
e-mail domainepatrick.miolane@wanadoo.fr
☑ Y 🚶 r.-v.

DOM. BERNARD MOREAU ET FILS
Les Chenevottes 2002 ★

□ 1er cru 0,2 ha 1 350 🛢 23 à 30 €

Robe claire, nez gentiment grillé et porté sur la pêche, un vin souple, net, complet et aromatiquement comblé.

Réputé pour son côté odorant, ce *climat* se situe assez près du montrachet dont il est séparé par la RN 6. L'appréciation sur le **village 2002 blanc (15 à 23 €)** et le **rouge 2002 (11 à 15 €)** est, elle aussi, positive.
🔑 Dom. Bernard Moreau et Fils,
3, rte de Chagny, 21190 Chassagne-Montrachet,
tél. 03.80.21.33.70, fax 03.80.21.30.05 ☒ Y 🚶 r.-v.

DOM. MOREY-COFFINET Morgeot 2002 ★

■ 1er cru 0,45 ha 2 300 ⏸ 15 à 23 €

Original et plaisant, ce Morgeot rouge possède des tanins intéressants. Sans doute le bois bien marqué doit-il se fondre, mais la bonne acidité et la tenue en bouche très honnête sont gage de bonne évolution. La couleur appuyée ne ment pas. Fruits noirs et notes grillées se partagent les arômes.
🔑 Dom. Michel Morey-Coffinet,
6, pl. du Grand-Four, 21190 Chassagne-Montrachet,
tél. 03.80.21.31.71, fax 03.80.21.90.81 ☒ Y 🚶 r.-v.

PATRIARCHE PERE ET FILS Les Vergers 2002 ★

□ 1er cru n.c. 1 200 ⏸ 30 à 38 €

Patriarche Père et Fils, l'œuvre d'André Boisseaux qui, de son vivant, fit tant et tant pour la Bourgogne. La famille maintient le flambeau et voici un 1er cru d'une teinte légère mais d'un bouquet volubile : floral, vanillé, minéral, il parle toutes les langues. Au palais, l'acidité est enrobée. La finale, sur la noisette, est d'une persistance exceptionnelle. Courez chez le poissonnier et n'ayez pas le porte-monnaie en peau de hérisson...
🔑 Patriarche Père et Fils, 5, rue du Collège,
21200 Beaune, tél. 03.80.24.53.01, fax 03.80.24.53.03
Y 🚶 t.l.j. 9h30-11h30 14h-17h30

FERNAND ET LAURENT PILLOT
Les Vergers 2002

□ 1er cru 0,87 ha 5 200 ⏸ 23 à 30 €

Sur la gauche en quittant Chassagne sur la route de Paris, vous pensez déjà à l'étape de Saulieu, au jambon à la crème, car ce vin transparent et luisant, au jambage très épais, au nez boisé, fumé, lui conviendrait. Sans déséquilibre, il est encore un peu vif en bouche. Il n'est pas trop chaud et on peut fonder des espoirs raisonnables sur son vieillissement en bouteille. Ce domaine s'est étendu sur pommard en reprenant les vignes Pothier-Rieusset. Il approche aujourd'hui les 15 ha.
🔑 EARL Fernand et Laurent Pillot,
2, pl. des Noyers, 21190 Chassagne-Montrachet,
tél. 03.80.21.99.83, fax 03.80.21.92.60,
e-mail lfpillot@club-internet.fr ☒ Y 🚶 r.-v.

PAUL PILLOT Clos Saint-Jean 2002 ★

□ 1er cru 1,2 ha 6 000 ⏸ 23 à 30 €

Thierry et Christelle sont aux côtés de leur père. Ils mettent cette année quatre bouteilles blanches dans la cible. Voici le Clos Saint-Jean, le doyen de tous les crus de Chassagne, jadis presque entièrement dédié au rouge ! Doré, il développe un bouquet mi-tilleul mi-grillé, un bon équilibre acidité-alcool et une gentille fraîcheur. Mention aussi flatteuse pour les **1ers crus Caillerets, Grandes Ruchottes 2000** et **Romanée 2002 (30 à 38 €)** également.
🔑 Paul Pillot, 3, rue du Clos Saint-Jean,
21190 Chassagne-Montrachet, tél. 03.80.21.31.91,
fax 03.80.21.90.92, e-mail paul-pillot@wanadoo.fr ☒

MAISON G. PRIEUR Les Embazées 2001 ★

□ 1er cru n.c. 1 200 ⏸ 30 à 38 €

Une *villa* gallo-romaine aurait donné son nom à ce *climat* curieusement baptisé. Il serait dommage d'arracher la vigne pour faire des fouilles, car les pieds n'ont que trente-cinq ans et ils ont l'air inspiré. Or vif, ce 2001 au nez assez monolithique (vanille florale, dirait-on) possède un gras discret, des arômes entreprenants et quelques bonnes espérances. Le **Morgeot 1er cru rouge 2001 (15 à 23 €)**, rustique mais sympathique, obtient la même note.
🔑 Maison G. Prieur, 21590 Santenay-le-Haut,
tél. 03.80.20.60.56, fax 03.80.20.64.31 ☒ Y 🚶 r.-v.

DOM. VINCENT PRUNIER 2002 ★★

■ 0,25 ha 1 500 ⏸ 11 à 15 €

Le domaine a beaucoup grandi depuis sa fondation en 1988 sur 2,5 ha ; il atteint maintenant 12,10 ha. Il signe ici un chassagne rouge rubis sombre, riche en fruit mais encore dominé par la vanille du fût. L'acidité, la structure tannique, la persistance, tout est au rendez-vous devant l'église de Chassagne pour un beau mariage. Le bois s'est invité. Nos jurés lui prédisent un bel avenir.
🔑 Vincent Prunier,
rte de Beaune, 21190 Auxey-Duresses,
tél. 03.80.21.27.77, fax 03.80.21.68.87 ☒ Y 🚶 r.-v.

ROUX PERE ET FILS Les Macherelles 2002 ★

□ 1er cru n.c. n.c. ⏸ 30 à 38 €

Coup de cœur pour son 95 blanc, ce domaine a élevé douze mois en fût ce 1er cru jaune soutenu à légers reflets verts respectant les usages. Au nez, il se montre discret, exprimant son cépage sur des notes finement boisées. En bouche, l'attaque conduit au gras, au boisé fondu, à une finale de fleurs blanches. Ample et équilibré, il est à attendre deux à trois ans.
🔑 Dom. Roux Père et Fils, 21190 Saint-Aubin,
tél. 03.80.21.32.92, fax 03.80.21.35.00,
e-mail roux.pere.et.fils@wanadoo.fr ☒ Y 🚶 r.-v.

SORINE ET FILS Vieilles Vignes 2002 ★

■ 0,45 ha 2 700 ⏸ 8 à 11 €

Le vin est dit féminin lorsqu'il est plein de charme, de tendresse, d'élégance. Eh bien ! Nous y sommes. Le corps, l'âme et l'esprit, la robe évidemment, le parfum délicat associant cerise et boisé (vanille). Fraîcheur, classe, sous une bonne acidité : l'attendre un an et le servir pendant quatre ou cinq ans.
🔑 Dom. Sorine et Fils, 4, rue Petit,
Le Haut-Village, 21590 Santenay,
tél. 03.80.20.61.65, fax 03.80.20.61.65 ☒ Y 🚶 r.-v.

Saint-aubin

Saint-Aubin est dans une position topographique voisine des Hautes-Côtes ; mais une partie de la commune joint Chassagne au sud et Puligny et Blagny à l'est. Les Murgers des Dents de Chien, premier cru de saint-aubin, se trouvent même à faible distance des chevalier-montrachet et des Caillerets. Il faut dire que les vins sont également de grande qualité. Le vignoble s'est un peu développé en rouge, mais c'est en blanc (4 384 hl) qu'il atteint le meilleur.

ALBERT BICHOT 2002

▒ n.c. 9 000 ▮ ◍ ⚲ 11 à 15 €

Jaune pâle à reflets verts, ce vin porte les couleurs du chardonnay bourguignon. Une élégance vanillée s'exprime au nez. Rond et fruité, il se trouve bien en bouche ; tendre et léger, il a quelques réserves (un à deux ans).

⊶ Maison Albert Bichot, 6 bis, bd Jacques-Copeau, 21200 Beaune, tél. 03.80.24.37.37, fax 03.80.24.37.38, e-mail bourgogne@albert-bichot.com

GILLES BOUTON En Remillly 2002 ★

▒ 1er cru 0,8 ha 5 800 ◍ 11 à 15 €

Coup de cœur pour son 95, Gilles Bouton prend place cette fois avec un En Remilly blanc très convaincant même si sa complexité n'est pas au-delà du raisonnable. Sa robe assez cristalline s'orne de reflets verts, entourant un bouquet de noisette et de fleurs blanches sous caution boisée. Citronné, vif et long, il est bien dans son style et ne repousse pas les avances de votre verre. On cite aussi **Les Champlots 2002 en 1er cru blanc** qui sont dans le même esprit, c'est-à-dire encore très jeunes.

⊶ Gilles Bouton,
24, rue de la Fontenotte, 21190 Saint-Aubin,
tél. 03.80.21.32.63, fax 03.80.21.32.63,
e-mail domaine.bouton.gilles@wanadoo.fr ☒ Y 🚶 r.-v.

CHARTRON ET TREBUCHET
La Chatenière 2001 ★

▒ 1er cru 2,4 ha 10 000 ◍ 15 à 23 €

Cette bouteille est d'un doré limpide qui obtient des suffrages. Vanillé, séveux, le bouquet étonne un peu : confiserie, fleurs blanches. Il s'exprime bien en bouche : le fondu est distingué, l'équilibre assuré, le potentiel non négligeable. Vin droit et à ouvrir dans deux ou trois ans.

⊶ Chartron et Trébuchet,
13, Grande-Rue, 21190 Puligny-Montrachet,
tél. 03.80.21.32.85, fax 03.80.21.36.35
☒ Y t.l.j. 10h-12h 14h-18h; f. fin nov.-mi-mars

FRANCOISE ET DENIS CLAIR
Sur le sentier du clou 2002

▒ 1er cru 0,6 ha n.c. ◍ 11 à 15 €

La famille se souviendra de l'an 2000 : ses Frionnes millésimées ainsi reçurent le coup de cœur. Comme la mer dans la chanson de Trénet, elle a des reflets d'argent, cette bouteille or clair. Le nez perçoit un bouquet printanier de fleurs blanches. Les 2002 ont peu de structure : celui-ci est frais et léger. Le vin s'ouvre peu à peu dans le verre. Un dégustateur regrette qu'on ne lui ait pas servi des escargots !

⊶ Françoise et Denis Clair,
14, rue de la Chapelle, 21590 Santenay,
tél. 03.80.20.61.96, fax 03.80.20.65.19 ☒ Y 🚶 r.-v.

BERNARD COLIN ET FILS En Remilly 2001 ★★

▒ 1er cru 0,43 ha n.c. ▮ ◍ ⚲ 11 à 15 €

Une appellation secrète, réservée au *happy few*, aux vrais connaisseurs. Le terroir, le *climat* ne sont guère éloignés de ceux de puligny et de chassagne... pour un prix sensiblement plus modique. Ainsi cet En Remilly, d'un jaune doré appétissant, sait tenter par ses arômes de miel, d'amande et de pamplemousse : avec un nez comme ça on peut jouer Cyrano. Au palais on se trouve toujours en présence d'un chardonnay bien travaillé, très soigné.

⊶ Bernard Colin et Fils,
22, rue Charles-Paquelin, 21190 Chassagne-Montrachet,
tél. 03.80.21.92.40, fax 03.80.21.93.23
☒ Y t.l.j. 9h-12h 14h-18h; dim. sur r.-v.

JEAN-LOUIS DUCHEMIN-CONTANT
Les Cortons 2002

■ 1er cru 0,42 ha 2 640 ▮ 8 à 11 €

Un 1er cru Cortons qui cartonne au premier coup d'œil : beaucoup de robe, limpide et brillante. Au nez, le fruit est fin, frais, encore réservé ; une note grillée anime un peu la scène (élevé en cuve-bois). Rustique et appuyé sur des tanins encore présents, un vin aux épaules larges, ayant du fond. A attendre deux à quatre ans.

⊶ Jean-Louis Duchemin-Contant, Le Bas du Clos,
11, Grande-Rue, 71150 Sampigny-lès-Maranges,
tél. 03.85.91.14.03, fax 03.85.91.14.03,
e-mail duchemin-contant.jean-louis@wanadoo.fr
☒ Y 🚶 r.-v.

JAFFELIN 2001 ★

▒ n.c. 2 300 ◍ 11 à 15 €

Cette maison beaunoise fait partie de la famille Jean-Claude Boisset depuis 1992. Jaune paille doré, d'un bel éclat, un saint-aubin très aromatique. Vanillé pour commencer puis chardonnant joyeusement entre le miel et le floral. Peu d'acidité mais une opulence de pacha riche et gras. Ce qu'on appelle un vin plaisir, très mûr.

⊶ Maison Jaffelin, 2, rue Paradis, 21200 Beaune,
tél. 03.80.22.12.49, fax 03.80.24.91.87,
e-mail jaffelin@maisonjaffelin.com

HUBERT LAMY
Derrière chez Edouard Vieilles Vignes 2002 ★★

■ 1er cru 1 ha 4 000 ◍ 15 à 23 €

Le coup de cœur n'est pas passé loin de cette bouteille mettant très bien en valeur ce 1er cru. Le coup de cœur, Hubert Lamy l'a d'ailleurs obtenu dans les Guides 1999, 2001 et 2003. Pour des blancs alors qu'on se situe ici en rouge. Dans une robe burlat, ce vin est bouqueté, fruité et légèrement boisé, puis il fait le grand écart en bouche. Charnu, ample, charpenté, il offre un joli fruit. Il demande un peu de temps pour s'épanouir mais ce sera un superbe convive. **Frionnes** et **Clos du Meix en 1ers crus 2002 blancs** obtiennent chacun une étoile.

⊶ Dom. Hubert Lamy, Le Paradis, 21190 Saint-Aubin,
tél. 03.80.21.32.55, fax 03.80.21.38.32 ☒
⊶ Olivier Lamy

SYLVAIN LANGOUREAU Le Champlot 2002 ★

▒ 1er cru 0,26 ha 1 800 ◍ 11 à 15 €

On dirait un académicien tant il porte l'habit vert. Les coups de nez ne sont pas décevants : fruits blancs, fleurs blanches, le mariage est en blanc. Au premier abord, la bouche est franche et nette. On reste sur l'impression initiale en rétro d'arômes. Le boisé est présent, la finale un peu fermée, mais le sentiment général reste favorable. **L'En Remilly 2002 en 1er cru blanc**, long et frais, est cité par le jury.

⊶ Sylvain Langoureau, hameau de Gamay,
20, rue de la Fontenotte, 21190 Saint-Aubin,
tél. 03.80.21.39.99, fax 03.80.21.39.99 ☒ Y 🚶 r.-v.

DOM. LARUE Les Cortons 2002

■ 1er cru 0,75 ha 5 000 ◍ 11 à 15 €

Domaine familial, créé en 1945, entre les mains des fils du fondateur, Didier et Denis Larue, sur 14 ha. Un vin qui n'en fait ni trop ni pas assez. Or pâle, il préfère les parfums de l'acacia, du chèvrefeuille. Il n'a pas ici le corps d'un « monsieur Univers » mais c'est franc, chaleureux, un peu vif et accessible à tous.

🔑 Dom. Larue,
32, rue de la Chatenière, 21190 Saint-Aubin,
tél. 03.80.21.30.74, fax 03.80.21.91.36,
e-mail dom.larue@wanadoo.fr ☒ Y 🚶 r.-v.

DOM. PATRICK MIOLANE Les Perrières 2002 *

■ 1er cru 0,25 ha 1 800 ◍ 11 à 15 €

Ce viticulteur habite Derrière chez Edouard : le nom pittoresque d'un des *climats* de l'AOC saint-aubin. Où donc se trouvent ces Perrières ? Dans les Frionnes dont elles sont l'une des composantes. Elles produisent ici un chardonnay entre l'or et la paille, aux arômes de fruits blancs avec une touche boisée, mais il se distingue par sa minéralité et sa finale légèrement citronnée. A son niveau et à déboucher dans l'année qui vient.

🔑 Dom. Patrick Miolane,
Derrière chez Edouard, 21190 Saint-Aubin,
tél. 03.80.21.31.94, fax 03.80.21.30.62,
e-mail domainepatrick.miolane@wanadoo.fr
☒ Y 🚶 r.-v.

PAUL PILLOT Les Charmois 2002 **

■ 1er cru 1,23 ha 6 000 ◍ 15 à 23 €

Paul Pillot et ses enfants, Christelle et Thierry, ont très bien élevé ce millésime. Or vert, le bouquet complexe est porté sur les agrumes, le silex. Un vin qui pourrait faire fortune au casino de Santenay tant il a d'atouts en main. Gras, plénitude, minéralité subtile, acidité convenable, fût bien maîtrisé ; on lui trouve seulement une finale un peu austère mais promettant un grand avenir.

🔑 Paul Pillot, 3, rue du Clos Saint-Jean,
21190 Chassagne-Montrachet, tél. 03.80.21.31.91,
fax 03.80.21.90.92, e-mail paul-pillot@wanadoo.fr ☒

DOM. DU PIMONT Le Charmois 2002

■ 1er cru 5,36 ha 30 067 ◍ 15 à 23 €

La généalogie vitivinicole de la Bourgogne est parfois un aimable casse-tête. Pimont, c'est Chandesais, donc Picard et le château de Chassagne-Montrachet... La robe de ce vin évolue légèrement. Ses arômes où l'on sent la poire et un accent réglissé sont intéressants. Citronné à l'attaque, il reste frais et vif en bouche, bien fruité, et cela donne un 1er cru honorable dans cette appellation méritant beaucoup plus d'attention.

🔑 Dom. du Pimont, ch. de Chassagne-Montrachet,
5, rue du Château, 21190 Chassagne-Montrachet,
tél. 03.85.87.51.17, fax 03.85.87.51.12,
e-mail marie-laure@m-p.fr
🔑 Maison Chandesais

HENRI PRUDHON ET FILS
Les Murgers des dents de chien 2002 *

■ 1er cru 0,27 ha 1 600 ◍ 8 à 11 €

Les amateurs les connaissent bien, ces Murgers des dents de chien, situés sur saint-aubin mais tout près de puligny... et du chevalier-montrachet. Excellent rapport qualité-prix pour ce vin au doré légèrement évolué. Ses arômes évoquent le grillé et le fruit exotique. Tilleul, menthol composent une attaque nette, suivie d'une certaine acidité, gage de bonne vie. Un vrai 1er cru. En **rouge, Sur le sentier du clou 2001 en 1er cru**, léger mais bien fruité, obtient une étoile : on pourra déjà se faire plaisir. Deux bouteilles complémentaires pour tout un repas.

🔑 Henri Prudhon et Fils,
32, rue des Perrières, 21190 Saint-Aubin,
tél. 03.80.21.36.70, fax 03.80.21.91.55 ☒ Y 🚶 r.-v.
🔑 Gérard Prudhon

CH. DE PULIGNY-MONTRACHET
En Remilly 2002 *

■ 1er cru 1,4 ha 6 000 ◍ 23 à 30 €

Un saint-aubin or pâle au nez tropical, vanille et citron. Après une attaque assez enlevée, s'affirment une minéralité et une structure acide très marquées. Tout joue sur le registre de la fraîcheur. Le bois sait se tenir à bonne distance du vin, respectant la trame.

🔑 Ch. de Puligny-Montrachet,
21190 Puligny-Montrachet, tél. 03.80.21.39.14,
fax 03.80.21.39.07, e-mail e.demontille@wanadoo.fr ☒

JOEL REMY Le Sentier du clou 2002

■ 1er cru n.c. 1 800 ◍ 11 à 15 €

Sentier du clou signifie sentier du clos. Il conduit ici à un chardonnay à l'âme tranquille sous ses reflets dorés. Un petit parfum vanillé escorte le fruit jaune tandis qu'à l'attaque on sent la franchise, le charme. Une touche florale et nous voilà arrivés au bout de ce sentier.

🔑 Joël Rémy,
4, rue du Paradis, 21200 Sainte-Marie-la-Blanche,
tél. 03.80.26.60.80, fax 03.80.26.53.03,
e-mail domaine.remy@wanadoo.fr ☒ Y 🚶 r.-v.

ROUX PERE ET FILS La Chatenière 2002 **

■ 1er cru 1 ha 7 000 ◍ 15 à 23 €

Déjà coup de cœur pour ses Pucelles 97 en blanc, Roux Père et Fils réédite l'exploit avec une Chatenière d'un maintien royal. Or brillant et le nez très intense (raisins secs, miel, coing comme à la parade), un saint-aubin qui vous serre sur son cœur de façon ample et généreuse. Complexe, bien travaillé, il peut séduire dès à présent ou bien attendre pas mal de temps en cave. *Climat* proche du hameau de Gamay, surplombant la RN 6. Une bonne bouteille : **La Pucelle 2002 en village blanc (11 à 15 €)** dans un style suave et un peu muscaté obtient une étoile. Et sous la marque **Domaine de Brully en village blanc 2002 (11 à 15 €)**, Christian Roux gagne une étoile.

🔑 Dom. Roux Père et Fils, 21190 Saint-Aubin,
tél. 03.80.21.32.92, fax 03.80.21.35.00,
e-mail roux.pere.et.fils@wanadoo.fr ☒ Y 🚶 r.-v.

CH. DE SANTENAY En Vesvau 2002 ★

	4,11 ha	15 520	11 à 15 €

Le château dit de Philippe le Hardi est passé entre diverses mains avant de tomber dans l'escarcelle de Grand Crus Investissements (Crédit Agricole) en 1997. La bagatelle de 94 ha, datant de Paul Pidault resté célèbre pour sa mention « Vin élevé sur palette de chêne » ! Cela dit, voici un fort bon En Vesvau (*climat* sur le village de Gamay), or brillant comme il se doit. Minéral et floral, il joue habilement sur les deux tableaux avant de séduire en bouche dans une rondeur fruitée qui s'accompagne d'une heureuse acidité. Plutôt à boire qu'à attendre.

☛ Ch. de Santenay, 1, rue du Château, 21590 Santenay, tél. 03.80.20.61.87, fax 03.80.20.63.66, e-mail contact@chateau-de-santenay.com ☑ ⼂ ⼂ r.-v.

MICHEL SERVEAU En l'Ebaupin 2002 ★

	0,2 ha	1000	8 à 11 €

Tout est bien qui finit bien, peut-on dire de ce *village* produit sur un terroir rencontré en montant sur La Rochepot. Rond et gras, il passe honnêtement en bouche où sa structure tannique n'enlève rien à sa vinosité. La longueur est appréciable. La robe est très franche. Quant au nez, il s'ouvre lentement sur la cerise et pinote bien.

☛ Michel Serveau, rte de Beaune, 21340 La Rochepot, tél. 03.80.21.70.24, fax 03.80.21.71.87
☑ ⼂ ⼂ ⼂ t.l.j. 8h-19h

DOM. DE VALLIERE Les Cortons 2002 ★

1er cru	1 ha	7 000	15 à 23 €

Vignoble de poche (3 ha) entre les mains de Régis Roux, du Domaine Roux Père et Fils. Jaune paille à reflets dorés, ce vin porte très joliment l'uniforme. Le bouquet se répartit entre la noisette et le fruit jaune. La bouche a ce qu'il faut de vivacité, puis de chair offerte sur un boisé bien fondu. L'ensemble est équilibré.

☛ Dom. de Vallière, 21190 Saint-Aubin, tél. 03.80.21.32.92, fax 03.80.21.35.00, e-mail roux.pere.et.fils@wanadoo.fr ☑ ⼂ ⼂ r.-v.
☛ Régis Roux

Santenay

Dominé par la montagne des Trois-Croix, le village de Santenay est devenu, grâce à sa « fontaine salée » aux eaux les plus lithinées d'Europe, une ville d'eau réputée... C'est donc un village polyvalent, puisque son terroir produit également d'excellents vins rouges. Les Gravières, la Comme, Beauregard en sont les crus les plus connus. Comme à Chassagne, le vignoble présente la particularité d'être souvent conduit en cordon de Royat, élément qualitatif non négligeable. Enfin, les deux appellations de chassagne et santenay débordent légèrement sur la commune de Remigny, en Saône-et-Loire, où l'on trouve aussi les appellations de cheilly, sampigny et dezize-lès-maranges, maintenant re-groupées sous l'appellation maranges. L'AOC santenay a produit 1 666 hl de vin blanc et 8 618 hl de vin rouge en 2003.

FRANCOIS D'ALLAINES 2001 ★

	3,2 ha	3 600	11 à 15 €

De la nymphe des eaux au dieu du vin, Santenay a longtemps hésité entre son destin thermal et le culte de ses terroirs. En fin de compte, le tâte-vin offre plus de bonheur que le verre d'eau... Ainsi de cette bouteille florale et minérale encore un peu vive en entrée de bouche, mais qui négocie la suite en douceur : bien sympathique, classique, peut-être sur la réserve car son citron vert va probablement évoluer. « Rien à redire », comme disent les Bourguignons.

☛ François d'Allaines, La Corvée du Paquier, 71150 Demigny, tél. 03.85.49.90.16, fax 03.85.49.90.19, e-mail francois@dallaines.com ☑ ⼂ ⼂ r.-v.

ROGER BELLAND Beauregard 2002 ★★

1er cru	3,22 ha	15 000	15 à 23 €

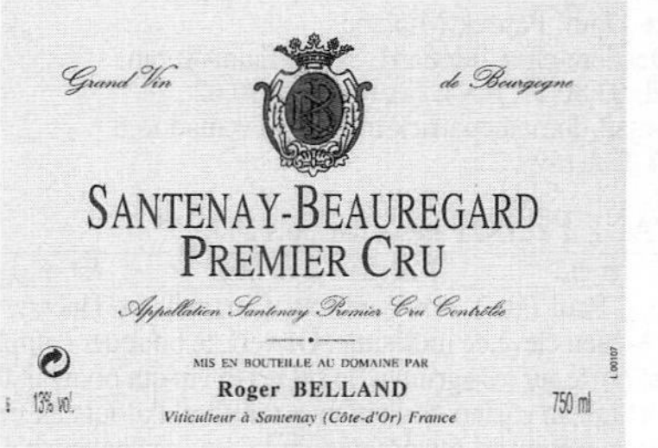

Coup de cœur pour son Beauregard 99 rouge et déjà pour ce même cru 95, Roger Belland est le premier violon de ce 1er cru ; il en tire de merveilleux accords. Sa robe pourpre mauve attire, son nez de confiture de vieux garçon séduit. Encore tannique et boisé, ce vin net et puissant pourra atteindre les dix ans sans changer de partition, car il a énormément de moyens. Vous pouvez en outre porter intérêt au **1er cru Commes 2002 rouge**, qui obtient une étoile.

☛ Dom. Roger Belland, 3, rue de la Chapelle, BP 13, 21590 Santenay, tél. 03.80.20.60.95, fax 03.80.20.63.93, e-mail belland.roger@wanadoo.fr ☑ ⼂ ⼂ r.-v.

ALBERT BICHOT Clos Rousseau 2001 ★

1er cru	n.c.	2 400	15 à 23 €

D'un rubis déterminé, un vin qui ne s'en laisse pas conter : un fin boisé respecte le kirsch, le pruneau. L'attaque joue sur la fraîcheur un peu vive, puis les cuivres donnent de la voix. Etoffe, charpente, longueur... l'ensemble est symphonique. Sera de garde assez durable et en pleine forme entre 2006 et 2010.

☛ Maison Albert Bichot, 6 bis, bd Jacques-Copeau, 21200 Beaune, tél. 03.80.24.37.37, fax 03.80.24.37.38, e-mail bourgogne@albert-bichot.com

PRINCE S. H. DE BOURBON-PARME
Sous la Roche 2002 ★

	n.c.	1 800	11 à 15 €

S.A.R. le prince Sixte-Henri de Bourbon-Parme n'est naturellement pas « négociant-éleveur, vinificateur à

Beaune » : il accorde son nom à une jeune société de négoce et, qu'on le veuille ou non, c'est bien né. Un santenay blanc qui figurerait sans difficulté sur l'*Annuaire du Gotha*. Or blanc, fruit exotique et miel à l'aération, un vin tout de grâce et d'élégance, faisant ses premiers pas. Espérance est sa devise. Elle n'est pas hors sujet.

🔑 SDVF, 1, pl. Saint-Jacques, 21200 Beaune,
tél. 03.80.24.72.75, fax 03.80.24.03.76,
e-mail sodisvinsfins@wanadoo.fr ☑ Y 🚶 r.-v.

DOM. BRENOT Les Pérolles 2001

■ 1 ha 3 000 ⏺ 8 à 11 €

Les Pérolles ne sont pas situées très loin du Clos Genet, sous Maladière. Ce petit domaine (5 ha) propose un 2001 d'une teinte classique. Le nez discret sur sa réserve (léger framboisé), l'attaque souple, les tanins bien présents, la finale sur le noyau de cerise, tout concourt à une garde de deux ou trois ans.

🔑 Dom. Brenot, 17, rue de Lavau, 21590 Santenay,
tél. 03.80.20.61.27, fax 03.80.20.65.36 ☑ Y 🚶 r.-v.

DOM. DE LA BUISSIERE Beauregard 2001 *

■ 1er cru 0,3 ha 1 500 ⏺ 11 à 15 €

Sa teinte cerise noire annonce en effet un Beauregard. Le nez en revanche est réservé, sinon fermé. En bouche, ses tanins souples lui procurent une belle longueur et une structure plaisante, agrémentée de baies noires (myrtille, cassis) au tempérament généreux. « Pas si mal », note un

BOURGOGNE

La côte de Beaune (Sud)

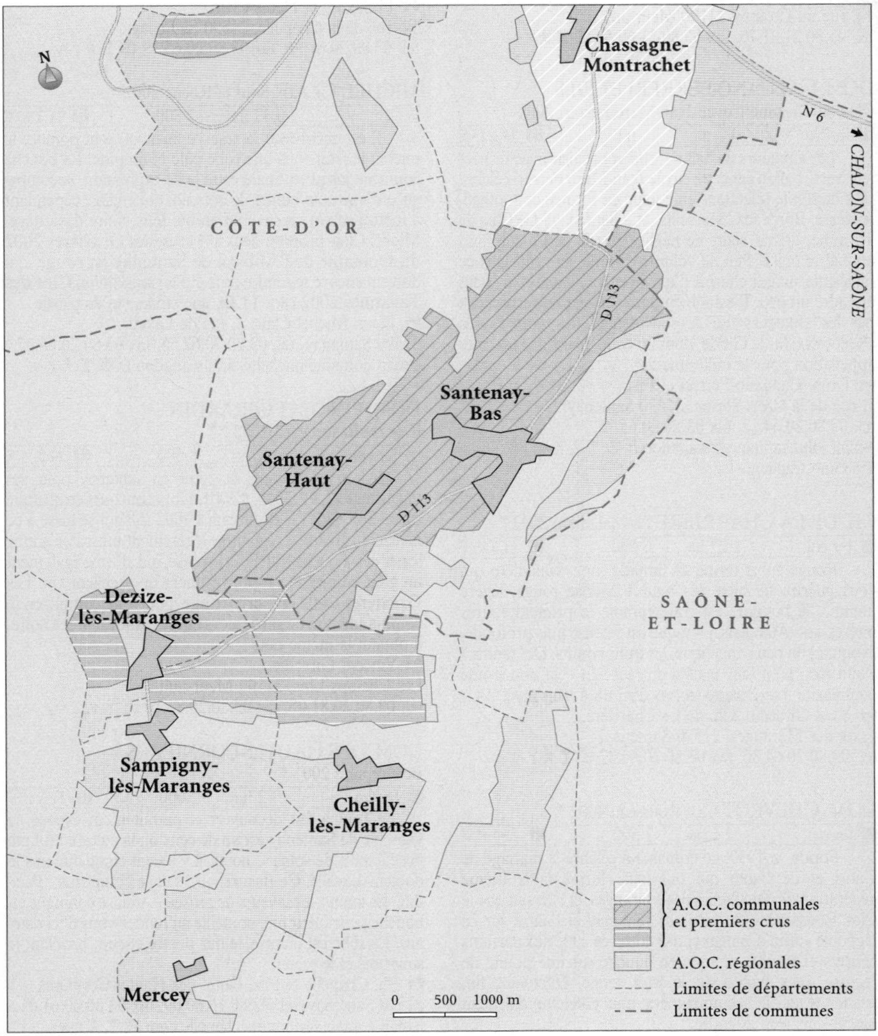

juré sur sa fiche, et l'on sait qu'en Bourgogne on a le sens de la litote.
🔑 Jean Moreau,
Dom. de la Buissière, 21590 Santenay,
tél. 03.80.20.61.79, fax 03.80.20.64.76,
e-mail moreau.jean@laposte.net ☑ 🍷 🚶 r.-v.

DOM. MICHEL CAILLOT 2001 *

□ 1 ha 7 000 ▮🛢 8 à 11 €

Sur une tonalité très minérale, un santenay blanc à la robe éclatante. Sans complexe ! Encore un peu jeune, il est cependant agréable à goûter et on l'imagine bien près d'une assiette de charcuteries fines. La fin de bouche joue les prolongations. Sa maturité devrait être pleine et entière à la lecture du Guide.
🔑 Dom. Michel Caillot,
14, rue du Cromin, 21190 Meursault,
tél. 03.80.21.21.70, fax 03.80.21.69.58 ☑ 🍷 🚶 r.-v.

DOM. CAPUANO-FERRERI ET FILS
Clos de Tavanne Cuvée Jean-Marc Ferreri 2002

■ 1er cru n.c. n.c. 🛢 11 à 15 €

Les amateurs de ballon rond vont saisir avec respect leur verre ballon car cette cuvée Jean-Marc Ferreri célèbre plus de trente sélections en équipe de France de football. Auxerre, Bordeaux, Marseille, et... Santenay ! Ce Clos de Tavanne, grenat clair, ne néglige pas la cerise sur fond animal et boisé. Peu de volume comme souvent dans ce millésime, mais le charme d'un vin encore jeune et qui peut attendre un peu. Il est « bien fait », et cela ne surprendra pas les amateurs qui se souviennent des nombreuses sélections dans le Guide, dont un coup de cœur dans cette appellation pour le millésime 90.
🔑 Dom. Capuano-Ferreri et Fils,
1, rue de la Croix-Sorine, 21590 Santenay,
tél. 03.80.20.64.12, fax 03.80.20.65.75,
e-mail john.capuano@wanadoo.fr ☑ 🍷 🚶 r.-v.
🔑 Gino Capuano

CH. DE LA CHARRIERE La Maladière 2002 *

■ 1er cru 1,27 ha 6 000 🛢 11 à 15 €

Rouge rubis ferme et limpide, une Maladière qui vous guérira de bien des maux ! Merise rouge, légère menthe, le bouquet est frais comme le printemps, très intéressant. Au palais, l'attaque est intense puis profonde, évoquant un peu l'angélique, les fruits confits. Des tanins ? Point trop n'en faut mais il en faut ! Et cela donne une complexité intéressante (servir d'ici un à trois ans).
🔑 Yves Girardin, Ch. de La Charrière,
1, rte des Maranges, 21590 Santenay,
tél. 03.80.20.64.36, fax 03.80.20.66.32 ☑ 🍷 🚶 r.-v.

DOM. CHEVROT Clos Rousseau 2002 *

■ 1er cru 1,6 ha 7 500 🛢 11 à 15 €

Fondé en 1930, ce domaine à célébré le mariage de Kaori et de Pablo qui ont ainsi formé la troisième génération de viticulteurs des Maranges, et l'on sait que le Clos Rousseau a un pied sur santenay et l'autre sur ce vignoble voisin. Couleur cerise noire, ce 2002 aux parfums beurrés et vanillés attaque en bouche sur une pointe de réglisse, puis évolue sur le fruit rouge. Onctueux, fin, friand, léger, il accompagnera une côtelette d'agneau pascal sans trop attendre.
🔑 Fernand Chevrot,
19, rte de Couches, 71150 Cheilly-lès-Maranges,
tél. 03.85.91.10.55, fax 03.85.91.13.24,
e-mail contact@chevrot.fr ☑ 🏠 🍷 🚶 r.-v.

FRANCOISE ET DENIS CLAIR
Clos Genet 2002 **

■ 1,2 ha 6 000 🛢 11 à 15 €

Les millésimes 1999 et 2000 de cette propriété ont reçu le coup de cœur. A Françoise et Denis Clair il faut ajouter Jean-Baptiste. Le tri des raisins porte ses fruits. Grenat foncé et brillant, un Clos Genet au bouquet très franc (framboise surtout), évoluant ensuite vers la myrtille. Ses tanins discrets composent un corps souple. Boisé réussi et fondu, ce qui n'est pas si fréquent. La longueur est à la hauteur d'un grand vin.
🔑 Françoise et Denis Clair,
14, rue de la Chapelle, 21590 Santenay,
tél. 03.80.20.61.96, fax 03.80.20.65.19 ☑ 🍷 🚶 r.-v.

MICHEL CLAIR Sous la Roche 2002 *

□ 0,43 ha 1 800 🛢 11 à 15 €

Il est encore sur la réserve, mais on sent poindre le miel et le fruit sous une robe pâle et limpide. La bouche confirme jusqu'en finale cette belle expression, accompagnée d'une note boisée de bon aloi qui engage cependant à mettre ce vin en cave un an ou deux, voire davantage. Michel Clair propose deux 1ers crus, des **Gravières 2002 du Domaine de l'Abbaye de Santenay en rouge**, qui doivent encore se fondre (une étoile) ainsi qu'un **Clos des Tavannes 2002 (8 à 11 €)**, une étoile, vin de plaisir.
🔑 Dom. Michel Clair, 2, rue de Lavau,
21590 Santenay, tél. 03.80.20.62.55, fax 03.80.20.65.37,
e-mail domaine.michel.clair@wanadoo.fr ☑ 🍷 🚶 r.-v.

DOM. VINCENT GIRARDIN
Clos du Beauregard 2002 **

□ 1er cru 1 ha 5 500 🛢 11 à 15 €

Il a reçu le coup de cœur en santenay pour ses millésimes 92, 99, 2000 et 2001. Hors-concours en quelque sorte. Son Clos du Beauregard 2002 (blanc) se hisse à ce niveau de qualité. L'églantine légèrement muscatée anime le nez et la bouche fraîche et joyeuse, qui affirme également un goût de pierre à fusil ; vraiment un excellent vin. Les **Gravières 2002 1er cru rouge** pourront compléter la commande. Vin de garde alors que le blanc est prêt à boire, il obtient la même note !
🔑 Vincent Girardin,
Les Champs Lins, 21190 Meursault,
tél. 03.80.20.81.00, fax 03.80.20.81.10 ☑ r.-v.

DOM. DES HAUTES-CORNIERES
Beaurepaire 2001 *

■ 1er cru 2 ha 12 000 🛢 11 à 15 €

« Tout à fait découvert et parfaitement exposé, le vignoble de Santenay est un de ceux où la culture est faite avec le plus de soins », notait il y a cent cinquante ans le docteur Lavalle. Ce Beaurepaire sait se comporter : l'acidité, les tanins, les saveurs de groseille, tout se conjugue en bouche pour offrir une bouteille au rendez-vous d'ici deux ans. La robe est intense, le nez poivre et cuir, profilant le sous-bois et le gibier.
🔑 Ph. Chapelle et Fils, Dom. des Hautes-Cornières,
21590 Santenay, tél. 03.80.20.60.09, fax 03.80.20.61.01,
e-mail contact@domainechapelle.com ☑ 🍷 🚶 r.-v.

DOM. JESSIAUME PERE ET FILS
Gravières 2002 ★

■ 1er cru 4,8 ha 16 100 ◍ 15 à 23 €

Il attire le regard. Si le premier nez n'est pas très expressif, la suite se révèle plus aguichante (cassis, violette). Son acidité est un gage d'heureuse vieillesse ce que garantit son équilibre. Ne pas hésiter à décanter, ou à bien aérer.
Dom. Jessiaume Père et Fils,
10, rue de la Gare, 21590 Santenay,
tél. 03.80.20.60.03, fax 03.80.20.62.87 ☑ Y ⚲ r.-v.

LABOURE-ROI 2002 ★★

■ n.c. n.c. ◍ 8 à 11 €

Labouré-Roi est l'une des marques de la maison Cottin à Nuits-Saint-Georges. C'est assurément un 2002 qui a toute sa place ici. Sa robe est sans défaut, son nez plein de finesse, net, avec une petite nuance de fruits confits. Au palais, il se montre tendre, suave, capiteux ; son corps très agréable ne vous abandonne pas trop vite. On le trouve capable de choses fascinantes pendant cinq ans... A ce prix, c'est donné.
Labouré-Roi,
rue Lavoisier, BP 14, 21700 Nuits-Saint-Georges,
tél. 03.80.62.64.00, fax 03.80.62.64.10,
e-mail contact@laboure-roi.com

DOM. RAYMOND LAUNAY
Clos de Gatsulard Monopole 2002 ★★

■ 2,95 ha 7 400 ▮◍ 23 à 30 €

Du haut du paradis, Raymond Launay peut être heureux. Son Clos de Gatsulard, son enfant chéri situé sur les hauteurs de Saint-Jean, reçoit en 2002 une pleine hotte de compliments : robe très appuyée, fruits cuits épicés, bouche charnue. Remarquablement gourmand, ce sera en outre un bon produit de garde. Conversion en biodynamie entreprise en 2002.
EARL Dom. Raymond Launay,
1, rue des Charmots, 21630 Pommard,
tél. 03.80.24.08.03, fax 03.80.24.12.87,
e-mail domaine-launay@wanadoo.fr
☑ Y t.l.j. 8h30-12h 14h-19h

LENAIC LEGROS Clos Rousseau 2002 ★★

■ 1er cru 0,4 ha 1 500 ◍ 11 à 15 €

Vieux domaine familial relancé par ce viticulteur qui travaille avec le domaine Bachey-Legros et a signé son premier vin sous son nom en 1999. Lénaïc Legros ne se fait pas seulement remarquer par l'atypicité de son prénom... Il présente un Clos Rousseau d'une intensité parfaite, d'une riche personnalité. Rubis violacé, son nez rappelle les pétales de rose fanée, la pivoine, un peu la confiserie. En quittant la fraîcheur de l'attaque, on aborde les choses sérieuses : un fond solide et vineux, sur des tanins resserrés. Intéressant et d'une certaine originalité, il est arrivé second au grand jury des 1ers crus.
Lénaïc Legros,
6 et 12, rue de la Charrière, 21590 Santenay,
tél. 06.82.90.34.54, fax 03.80.20.69.21 ☑ Y ⚲ r.-v.

RENE LEQUIN-COLIN Les Hates 2002 ★★

□ 0,27 ha 1 700 ◍ 11 à 15 €

Situé à 2 km de l'église Saint-Jean-de-Narosse du XIIes., ce domaine a reçu l'an passé un coup de cœur. Ces Hates ont de vrais arguments nés du terroir et du chardonnay. Limpide et brillant, minéral et floral, équilibré, gras et long, mariant le fruit et le bois avec élégance, ce vin est au plus haut niveau, digne des meilleurs accords gourmands. En **rouge, les Vieilles Vignes 2001 (8 à 11 €)** et le **1er cru La Comme 2001** obtiennent chacun une étoile.
René Lequin-Colin,
10, rue de Lavau, 21590 Santenay,
tél. 03.80.20.66.71, fax 03.80.20.66.70,
e-mail renelequin@aol.com ☑ Y ⚲ r.-v.

MESTRE PERE ET FILS
Elevé en fût de chêne 2002 ★★

□ 0,81 ha 3 500 ◍ 11 à 15 €

Un sujet de choix, jaune paille enflammé, récitant ses arômes comme une leçon bien apprise : la pierre à fusil, l'acacia. La bouche n'est pas inactive, un peu vive, restant sur le calcaire mais offrant au gras un fauteuil confortable. A défaut, prenez le **Passetemps 2001, 1er cru blanc (15 à 23 €)**, charmant en bouche (une étoile).
Mestre Père et Fils, 12, pl. du Jet-d'Eau, BP 24, 21590 Santenay, tél. 03.80.20.60.11, fax 03.80.20.60.97, e-mail gilbert-mestre@wanadoo.fr ☑ Y ⚲ r.-v.

CAVES DES MOINES 2001 ★

■ n.c. 2 700 ◍ 8 à 11 €

Ancienne maison beaunoise rachetée par Prosper Maufoux en 1985. Pour un *village* pourpre soutenu, concentré sur le fruit mûr et la vanille. Bonne structure, tanins fins, sentiment de plénitude et persistance correcte lui donnent sans difficulté et du premier coup son permis de se bien conduire à table. En **1er cru rouge 2001 Beauregard (11 à 15 €)**, une étoile, marquera des points pendant plusieurs années.
Naudin-Varrault, 1, pl. du Jet-d'Eau,
21590 Santenay, tél. 03.80.20.60.40, fax 03.80.20.63.26,
e-mail maisondesgrandscrus@wanadoo.fr ☑
Robert Fairchild

LUCIEN MUZARD ET FILS Charmes 2002 ★

■ 1,03 ha 4 000 ◍ 11 à 15 €

Ample et structuré, ce santenay légèrement violacé suggère le cassis sur une nuance boisée assez présente. L'entrée en bouche est agréable. Les sensations de fruits mûrs se poursuivent longtemps. Ce *climat* est situé près du Clos Rousseau. Autre **1er cru, le Clos de Tavannes rouge 2002** obtient une citation. Il est conseillé de l'attendre trois ou quatre ans.
Lucien Muzard et Fils,
11 bis, rue de la Cour-Verreuil, 21590 Santenay,
tél. 03.80.20.61.85, fax 03.80.20.66.02,
e-mail lucien-muzard-et-fils@wanadoo.fr ☑ Y ⚲ r.-v.

DOM. OLIVIER PERE ET FILS
Beaurepaire 2002 ★★

■ 1er cru 1 ha 6 000 ◍ 11 à 15 €

Hervé Olivier a pris sa retraite en 2003, laissant Rachel et Antoine diriger le domaine créé en 1967. Voici donc son dernier millésime, à la fois sélectionné pour un **village blanc Le Biévaux 2002**, cité par le jury, et pour ce remarquable 1er cru à la robe intense et au nez de fruits mûrs sur un beau support boisé. La matière est solide, équilibrée, bien qu'assez volumineuse. Sa puissance, sa richesse, sa longueur incitent l'amateur à l'attendre deux à trois ans avant de le servir sur un gibier à poil.

BOURGOGNE

🔑 Olivier Père et Fils, 5, rue Gaudin, 21590 Santenay, tél. 03.80.20.61.35, fax 03.80.20.64.82, e-mail antoine.olivier2@wanadoo.fr ☑ Y ⛹ r.-v.

ALBERT PONNELLE La Maladière 2001

■ 1er cru 0,6 ha n.c. 15 à 23 €

D'une belle brillance, un 1er cru au nez assez austère : noyau de cerise, cuir, notes animales. De constitution moyenne mais équilibrée, autour de tanins présents mais qui n'abusent pas de la situation, légèrement boisé, ce vin est d'une honnête typicité. A boire dans les deux ans.

🔑 Albert Ponnelle, 38, fb Saint-Nicolas, BP 107, 21200 Beaune, tél. 03.80.22.00.05, fax 03.80.24.19.73 ☑ Y ⛹ r.-v.

DOM. PONSARD-CHEVALIER Les Daumelles 2001 *

0,22 ha 1 600 8 à 11 €

Or pâle brillant, ce vin mêle des parfums de miel et de boisé à une note minérale intéressante ; la bouche joue sur le bois et offre une note de miel pamplemoussé si l'on ose dire. Bien dans son appellation, sur une finale vive, ce joli vin pourra être servi à l'apéritif.

🔑 Dom. Ponsard-Chevalier, 2, Les Tilles, 21590 Santenay, tél. 03.80.20.60.87, fax 03.80.20.61.10, e-mail ponsardchevalier@aol.com ☑ Y ⛹ r.-v.

LA POUSSE D'OR Clos Tavannes 2002 **

■ 1er cru 2,09 ha 5 600 15 à 23 €

Patrick Landanger a succédé en 1997 à la famille Potel qui avait donné à ce domaine un important rayonnement. Son Clos Tavannes figure parmi les jolis vins de cette dégustation. Rond et gras, très friand, il fait penser en bouche à un coulis de fruits rouges. Il s'achève sur une note réglissée. Robe grenat et bouquet de cassis, de mûre et de vanille participent à son charme.

🔑 Dom. de La Pousse d'Or, rue de la Chapelle, 21190 Volnay, tél. 03.80.21.61.33, fax 03.80.21.29.97, e-mail patrick@lapoussedor.fr ☑

🔑 P. Landanger

DOM. PRIEUR-BRUNET Maladière 2001 *

■ 1er cru 4,8 ha 25 000 15 à 23 €

Ce domaine qui a fêté ses deux cents ans en mars dernier (huit générations et près de 20 ha de nos jours) fut coup de cœur pour sa Comme 99 en rouge. Un 2001 à la robe soutenue, grenat profond. Le bouquet n'en dit pas trop, mais ce Maladière est de bonne composition, assez minéral et tirant sur la prune. Le fond est solide, vigoureux. Un vin typé à déboucher dans les deux à trois ans.

🔑 Dom. Prieur-Brunet, rue de Narosse, 21590 Santenay, tél. 03.80.20.60.56, fax 03.80.20.64.31, e-mail uny-prieur@prieur-santenay.com ☑ ⛹ r.-v.

🔑 Dominique Prieur

MAISON G. PRIEUR Boichot 2001 **

0,55 ha 3 800 15 à 23 €

Boichot est un petit *climat* situé à côté des Gravières et du Passetemps, cité dès 1285 ! Il tutoie les 1ers crus et il confirme ici ses grandes qualités. Jaune pâle et limpide, il évoque le minéral, la pomme dans une atmosphère élégante. Quand on passe au palais, tout est en harmonie, et une touche de miel s'ajoute à un gras délicieux. Meilleure bouteille en blanc : c'est un *village* de haut de gamme.

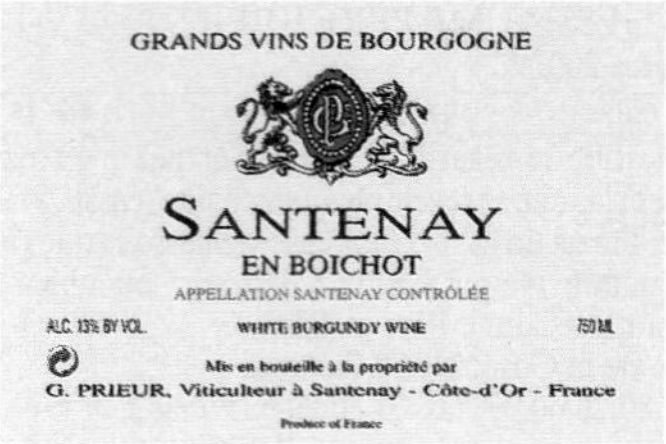

🔑 G. Prieur, Santenay-le-Haut, 21590 Santenay, tél. 03.80.21.23.92 ☑

BERNARD REGNAUDOT 2002

■ 1 ha 1 800 8 à 11 €

Vin typique de son appellation, à carafer... sans modération. Doté d'une belle robe d'un rouge lumineux et de jambes fines, il offre en effet au nez des notes de fruits rouges et un léger boisé. La bouteille met sur orbite une jolie rondeur et de la fraîcheur. A boire dans deux à trois ans.

🔑 Bernard Regnaudot, rte de Nolay, 71150 Dezize-lès-Maranges, tél. 03.85.91.14.90, fax 03.85.91.14.90 ☑ Y ⛹ r.-v.

SORINE ET FILS Clos Rousseau 2002 *

■ 1er cru 0,4 ha 2 000 8 à 11 €

Jugements très homogènes pour ce vin dont on ne discute pas l'honorable réussite. A l'œil, la baie est bien mûre. Au nez, le support boisé est présent, mais il n'étouffe pas le cassis. Le bouquet prometteur le poursuit en bouche sur une structure tannique sans excès. La puissance est fort bien maîtrisée. Cela demande à se fondre, mais on peut se faire plaisir tout de suite. Pintade ou époisses, à vous de choisir !

🔑 Dom. Sorine et Fils, 4, rue Petit, Le Haut-Village, 21590 Santenay, tél. 03.80.20.61.65, fax 03.80.20.61.65 ☑ Y ⛹ r.-v.

DOM. DE VALLIERE Sous La Roche 2002 *

0,8 ha 1 200 15 à 23 €

Climat situé juste au-dessus des Maladière et Beaurepaire sur le coteau qui occupe le milieu du cru. Pour un vin un peu doré, brillant clair, au fruit mûr relativement expressif. La bouche opte pour le gras et ne manifeste aucune agressivité. Il n'y a pas un relief fou, mais une sorte de subtilité qui retient l'attention. Prêt à boire sur un jambon persillé.

🔑 Dom. de Vallière, 21190 Saint-Aubin, tél. 03.80.21.32.92, fax 03.80.21.35.00, e-mail roux.pere.et.fils@wanadoo.fr ☑ Y ⛹ r.-v.

🔑 Régis Roux

DOM. DES VIGNES DES DEMOISELLES 2002

■ 1,08 ha 6 036 11 à 15 €

Coup de cœur pour son 98, ce domaine s'est seulement déplacé de 4 km en quatre siècles... La marque Vignes des Demoiselles résulte d'un lieu-dit appelé ainsi à Change près de Nolay. Rouge sombre, un santenay dont les arômes tardent un peu à s'exprimer. Mais le corps est puissant, capiteux, plus concentré que fruité : à laisser dormir en cave de trois à quatre ans. Le **village 2002 blanc** correct dans l'ensemble, doit attendre un à deux ans, il est cité.

⊶ SCE du Dom. Gabriel Demangeot et Fils, rue de Santenay, 21340 Change, tél. 03.85.91.11.10, fax 03.85.91.16.83, e-mail domaine.demangeot@wanadoo.fr ☑ Y ⚲ r.-v.

A.-MARIE ET J.-MARC VINCENT
Les Gravières 2002 ★★

■ 1er cru 1,25 ha 2 700 ▮◖◗ 11 à 15 €

Le coup de cœur l'an dernier, et on en est cette fois-ci à deux doigts (présence en finale). Résultat d'autant plus flatteur que **Beaurepaire 2002 rouge**, une étoile, tout comme le **blanc 2002 (15 à 23 €)** ainsi que **Passetemps en 1er cru rouge**, deux étoiles, suscitent également l'enthousiasme du jury. Beau tir goupé ! Quant aux Gravières, elles ont la préférence : robe superbe, un fût tout en finesse, un coffre de vrai bourgogne dans un fondu soyeux. Vin de garde bien entendu, mais déjà très aimable.

⊶ Anne-Marie et Jean-Marc Vincent, 3, rue Sainte-Agathe, 21590 Santenay, tél. 03.80.20.67.37, fax 03.80.20.67.37, e-mail vincent.j-m@wanadoo.fr ☑ Y ⚲ r.-v.

Maranges

Le vignoble de maranges situé en Saône-et-Loire (Chailly, Dezize, Sampigny) bénéficie depuis 1989 d'un regroupement en une AOC unique, comportant six premiers crus. Il s'agit de vins rouges et blancs, les premiers ayant droit également à l'AOC côte-de-beaune-villages et étant naguère vendus ainsi. Fruités, ayant du corps et bien charpentés, ils peuvent vieillir de cinq à dix ans. En 2002, l'AOC maranges a produit 7 585 hl de vin rouge et 244 hl en blanc.

DOM. ALEXANDRE Les Clos Roussots 2002 ★

■ 1er cru 0,3 ha 1 600 ◖◗ 8 à 11 €

Ce domaine couvre 14 ha. Violine, féminine, la robe de ce maranges précède un nez puissant de bourgeon de cassis, complété par une nuance florale. Le mariage se produit agréablement en bouche (franchise, fruit, matière et persistance). Encore un peu serré comme doit l'être tout bon 1er cru.

⊶ Dom. Alexandre Père et Fils, pl. de la Mairie, 71150 Remigny, tél. 03.85.87.22.61, fax 03.85.87.29.63, e-mail domalexandre@aol.com Y ⚲ r.-v.

FRANCOIS D'ALLAINES 2002 ★

■ 2 ha n.c. ▮◖◗ 8 à 11 €

Depuis une dizaine d'années, ce négociant vinifie à Demigny (tout près de Santenay en Saône-et-Loire). Voilà un maranges de teinte framboise pourpre, aux arômes assez végétaux qui demandent à s'ouvrir. Cette bouteille devra être débouchée une bonne demi-heure avant le repas. Réglissée, l'attaque glisse bien et une petite pointe d'acidité en gage de fraîcheur assurera son avenir (trois ou quatre ans).

⊶ François d'Allaines, La Corvée du Paquier, 71150 Demigny, tél. 03.85.49.90.16, fax 03.85.49.90.19, e-mail francois@dallaines.com ☑ Y ⚲ r.-v.

DOM. BACHELET
La Fussière Vieilles Vignes 2002 ★

□ 1er cru 0,5 ha 2 500 ◖◗ 8 à 11 €

Fussière en blanc, coup de cœur en rouge 94. D'un or un peu cuivré, ce chardonnay parle le miel comme sa langue maternelle. Un peu de fraîcheur, une note de pierre à fusil qui lui donne un délicieux caractère minéral. La bouche a besoin de se fondre, mais elle a de vastes dimensions, avec de l'acidité, du gras bien comme il faut, un boisé assez présent. Bilan intéressant. **La Fussière Vieilles Vignes en 1er cru rouge 2001** est citée : à boire maintenant ou à attendre deux ou trois ans.

⊶ Dom. Bernard Bachelet et Fils, rue Maranges, 71150 Dezize-lès-Maranges, tél. 03.85.91.16.11, fax 03.85.91.16.48, e-mail bacheletbetfils@wanadoo.fr ☑ Y ⚲ r.-v.

ALBERT BICHOT Clos Roussots 2001 ★★

■ 1er cru n.c. 4 900 ◖◗ 15 à 23 €

Ce vin, signé par la sixième génération de Bichot, a des atouts. Rouge foncé à violacé, avec un bouquet partagé entre la fleur et le fruit, il tapisse le palais de gras et de douceurs épicées. Vinification très soignée et 1er cru authentique, d'une typicité impeccable : un maranges de la tête aux pieds.

⊶ Maison Albert Bichot, 6 bis, bd Jacques-Copeau, 21200 Beaune, tél. 03.80.24.37.37, fax 03.80.24.37.38, e-mail bourgogne@albert-bichot.com

DOM. JEAN-FRANCOIS BOUTHENET
Clos Roussots 2002 ★

■ 1er cru 0,51 ha 2 600 ◖◗ 8 à 11 €

Bouche fraîche et réglissée au service d'un vin encore jeune à mettre en cave (un à deux ans). La couleur est magnifique ; le bouquet, un peu caché, mais annonçant le fruit rouge ; le corps vineux et puissant possède des tanins bien construits. Un vrai maranges.

⊶ Jean-François Bouthenet, 4, rue du Four, Mercey, 71150 Cheilly-lès-Maranges, tél. 03.85.91.14.29, fax 03.85.91.18.24 ☑ Y ⚲ r.-v.

DOM. MAURICE CHARLEUX ET FILS
La Fussière 2002 ★

■ 1er cru 2 ha 5 000 ◖◗ 8 à 11 €

Le coup de cœur, ils connaissent, Maurice et Vincent. Et il n'y a pas si longtemps... Leur **Clos des Rois 2002** obtient une citation et la Fussière l'emporte, tant sa robe sombre séduit. Le nez est plus ferme, mais la cerise noire mûre et les épices paraissent derrière le boisé. La bouche un peu torréfiée, cerisée, est complexe, équilibrée, d'une longueur intéressante. Un coq au vin – plat à remettre à l'honneur – lui conviendra dans trois à cinq ans.

⊶ Dom. Maurice Charleux et Fils, Petite-Rue, 71150 Dezize-lès-Maranges, tél. 03.85.91.15.15, fax 03.85.91.11.81 ☑ Y ⚲ r.-v.

DOM. CHEVROT Sur le chêne 2002 ★

■ 3,17 ha 12 000 ◖◗ 8 à 11 €

Kaori et Pablo Chevrot se sont mariés à la veille des vendanges 2003. Ils poursuivront l'œuvre de leurs ancêtres sur un domaine de 13,65 ha. Rubis framboise, ce *village* développe au nez et à l'aération des arômes analogues, portés un peu sur la fraise, et un bon boisé. La jolie bouche se resserre légèrement sur le milieu, avec des tanins qui ont envie de se fondre. Ce maranges a suffisamment de race et de fruits, une aménité suivie, pour se garder de trois à quatre ans sans problème.

Fernand Chevrot,
19, rte de Couches, 71150 Cheilly-lès-Maranges,
tél. 03.85.91.10.55, fax 03.85.91.13.24,
e-mail contact@chevrot.fr r.-v.

DOM. CYROT-BUTHIAU
Les Clos Roussots 2002 ★★

■ 1er cru 0,42 ha 2 100 11 à 15 €

Ces Clos Roussots, fignolés dans le moindre détail, éclatent en couleur. Bourgeon de cassis, fruit rouge épicé, ce vin entretient une certaine complexité olfactive. Du fruit, du tanin, du fût ; il possède l'étoffe d'un grand que l'on devra attendre deux à cinq ans.

Dom. Cyrot-Buthiau, rte d'Autun, 21630 Pommard,
tél. 03.80.22.06.56, fax 03.80.24.00.86,
e-mail cyrot.buthiau@wanadoo.fr r.-v.

JEAN-LOUIS DUCHEMIN-CONTANT
Les Clos Roussots 2001

■ 1er cru 0,25 ha 1 300 5 à 8 €

L'œil de ce 2001 est brillant, intense, d'un rubis clair assez riche ; beau glycérol et quelques larmes aimables. Le nez s'exprime avec discrétion, mais il ne reste pas indifférent à l'intérêt qu'on lui porte. Ce vin est bien présent, plein d'allant. L'attendre un à deux ans.

Jean-Louis Duchemin-Contant, Le Bas du Clos,
11, Grande-Rue, 71150 Sampigny-lès-Maranges,
tél. 03.85.91.14.03, fax 03.85.91.14.03,
e-mail duchemin-contant.jean-louis@wanadoo.fr
r.-v.

DUVERGEY-TABOUREAU Clos Roussots 2001

■ 1er cru n.c. 3 611 15 à 23 €

Duvergey-Taboureau, c'est Prieur et Antonin Rodet. Cette vieille maison propose un 1er cru rouge grenat clair, au nez moyennement puissant jouant sur les petits fruits rouges. Acidité et tanins sont à la fête. Cela décoiffe un peu. Ne pas conserver pour une garde éternelle, mais, quand le vin s'assouplira et montrera le vrai bout de son nez, il y aura du bonheur sur cette terre.

Duvergey-Taboureau,
6, rue des Santenots, 21190 Meursault,
tél. 03.80.21.63.00, fax 03.80.21.29.19 r.-v.

DOM. EDMOND MONNOT ET FILS
Le Clos des Rois 2002

■ 1er cru 0,27 ha 800 11 à 15 €

Stéphane Monnot, installé en 2000, poursuit l'œuvre d'Edmond, André et Paul Monnot sur 14,4 ha. Leur Clos des Rois, à la robe cerise noire, est plus carré que rond. Cependant, tanins et fruits montrent une certaine connivence : on est dans l'esprit de l'appellation. Attendre un peu le fondu.

Dom. Edmond Monnot et Fils,
rue de Borgy, 71150 Dezize-lès-Maranges,
tél. 03.85.91.16.12, fax 03.85.91.15.99 r.-v.

DOM. CLAUDE NOUVEAU 2002 ★

■ 1,3 ha 7 500 8 à 11 €

Un joli vin bien travaillé et à laisser vieillir un peu, rond en bouche dès l'attaque, cultivant son côté boisé, posé sur ses tanins, d'un aimable milieu de bouche. C'est agréable, rubis, fruits rouges et de bonne longueur.

EARL Dom. Claude Nouveau,
Marchezeuil, 21340 Change,
tél. 03.85.91.13.34, fax 03.85.91.10.39 r.-v.

DOM. PERRAULT ET FILS
Le Clos des Loyères 2002 ★

■ 1er cru 0,95 ha 4 800 8 à 11 €

Un Clos des Loyères d'un rubis foncé, au bouquet fermé (s'ouvrant un peu sur le fruit et le fût, au troisième coup de nez). Quelle attaque, ensuite : le vin est bien fondu, excellemment élaboré sur une matière riche et profonde. La finale qui arrive à point nommé est satisfaisante. Notez aussi **Le Clos des Rois en 1er cru rouge 2002** très raisonnable, un peu dur mais intéressant et qui, comme le précédent, se plaira avec un « plat canaille » comme l'andouille aux haricots. Il obtient une citation.

EARL Perrault et Fils, 71150 Dezize-lès-Maranges,
tél. 03.85.91.15.83, fax 03.85.91.14.67

DOM. PONSARD-CHEVALIER
Clos des Rois 2001 ★

■ 1er cru 0,35 ha 1 800 8 à 11 €

Robe très légèrement ambrée, nez de sous-bois et de cassis tirant vers le confit, ce vin montre une certaine harmonie tout en respectant un sentiment de réserve. Vivacité, fraîcheur et fruit sont à porter à son crédit. A boire sur un bœuf bourguignon.

Dom. Ponsard-Chevalier, 2, Les Tilles,
21590 Santenay, tél. 03.80.20.60.87, fax 03.80.20.61.10,
e-mail ponsardchevalier@aol.com r.-v.

SERGE PROST ET FILS Côte-de-Beaune 2001 ★

■ 1 ha 4 000 5 à 8 €

A 2 km du château de Marguerite de Bourgogne, ce domaine familial propose un bon *village* d'une couleur rubis. Fruit et vanille s'expriment au nez. Fruité et tendre, le corps est accommodant. On en fera son profit sans attendre demain.

EARL Serge Prost et Fils,
Les Foisons, 71490 Couches,
tél. 03.85.49.64.00, fax 03.85.49.64.00 r.-v.

BERNARD REGNAUDOT Clos des Rois 2002 ★★

■ 1er cru 1 ha 5 000 8 à 11 €

Grand Vin de Bourgogne
Maranges 1er Cru
«Clos des Rois»
APPELLATION MARANGES 1er CRU CONTRÔLÉE
13,5% vol.
750 ml
Mis en bouteille à la Propriété par
Bernard REGNAUDOT
VITICULTEUR A DEZIZE-LES-MARANGES - SAÔNE-ET-LOIRE - FRANCE
PRODUCT OF FRANCE

Ce Clos des Rois tient son rang. Grenat sombre, il affiche un nez complexe (framboise, épices) et boisé, bien tempéré : jusqu'en bouche les arômes du fût n'encombrent pas le fruit et le laissent s'exprimer. En bouche, la charpente se révèle très efficace et très sûre. D'ailleurs, cette bouteille vient en numéro 1 du grand jury des maranges. Et le millésime 2000 a déjà été coup de cœur en 2003 !

Bernard Regnaudot,
rte de Nolay, 71150 Dezize-lès-Maranges,
tél. 03.85.91.14.90, fax 03.85.91.14.90 r.-v.

JEAN-CLAUDE REGNAUDOT ET FILS
Les Clos Roussots 2002 ★★

■ 1er cru 0,52 ha 2 300 🍷 8 à 11 €

Coup de cœur pour le millésime 94 en Fussière. Cette année, les Clos Roussots portent une robe arborant un beau concentré de couleur au service d'un bouquet mi-fruit mi-bois. D'une constitution remarquable, ce vin a tout pour vieillir. En **village, les maranges rouge 2002 (5 à 8 €)** obtiennent une étoile. Une bouteille à réserver à une pièce de bœuf sauce roquefort.

Jean-Claude Regnaudot et Fils, Grande-Rue, 71150 Dezize-lès-Maranges, tél. 03.85.91.15.95, fax 03.85.91.16.45 ☑ Ɏ ⋔ r.-v.

MICHEL SARRAZIN ET FILS
Côte de Beaune 2002 ★★

■ 1,7 ha 7 600 🍷 8 à 11 €

Coup de cœur en 2000 pour son 97, ce domaine reste dans le haut de gamme. Son maranges 2002 est d'un pourpre limpide, brillant, éclairant. Tout en fruits rouges sur une note boisée, son expression est forte. L'attaque est ronde et fine. Remarquable dans le fondu, dans la longueur, ce vin de tempérament assez élégant sera à l'aise du début à la fin du repas. On le préférera avec l'assiette de fromages : son meilleur point d'appui.

Dom. Michel Sarrazin et Fils, Charnailles, 71640 Jambles, tél. 03.85.44.30.57, fax 03.85.44.31.22, e-mail sarrazin2@wanadoo.fr ☑ 🏠 Ɏ ⋔ r.-v.

DOM. DU VIEUX PRESSOIR
Les Clos Roussots 2002 ★★

■ 1er cru 0,6 ha 3 800 🍷 8 à 11 €

Eric Duchemin possède un pressoir à perroquets datant de 1750. Avec ce millésime, il n'est pas très loin du coup de cœur. Son 1er cru porte une robe remarquable. On y sent le gras. Le nez n'est pas très bavard : il se plaît dans une intimité feutrée de fruits rouges. Mais, en bouche, l'attaque explose, d'une vinosité extrême. Tanins, matière, potentiel, on est dans le superlatif et on lui donne rendez-vous dans cinq ans.

Eric Duchemin, Dom. du Vieux-Pressoir, 16, Grande-Rue, 71150 Sampigny-lès-Maranges, tél. 03.85.87.32.02, fax 03.85.91.15.76 ☑ r.-v

Côte-de-beaune-villages

A ne pas confondre avec l'appellation côte-de-nuits-villages qui possède une aire de production particulière, l'appellation côte-de-beaune-villages n'est en elle-même pas délimitée. C'est une appellation de substitution pour tous les vins rouges des appellations communales de la Côte de Beaune, à l'exception des beaune, aloxe-corton, pommard et volnay. 148 hl ont été déclarés en 2003.

FRANCOISE ET DENIS CLAIR 2002 ★

■ 0,4 ha 1 800 🍷 8 à 11 €

Bouteille à déboucher un moment avant la dégustation de façon à lui permettre de s'ouvrir. Carmin foncé, elle est très aromatique (bourgeon de cassis, gelée de groseille) et elle cajole agréablement la bouche. Si ses tanins sont roboratifs, ils n'assèchent pas. Une réussite dans l'appellation. On verrait bien ce côte-de-beaune-villages sur un jambon à la... nuitonne.

Françoise et Denis Clair, 14, rue de la Chapelle, 21590 Santenay, tél. 03.80.20.61.96, fax 03.80.20.65.19 ☑ Ɏ ⋔ r.-v.

DOM. CYROT-BUTHIAU 2002 ★

■ 2,1 ha 2 900 🍷 11 à 15 €

Brillante et d'une couleur très forte, cette bouteille au nez assez végétal et légèrement boisé s'oriente en bouche vers le bourgeon de cassis. L'attaque est réussie et des tanins bien présents ne l'empêchent pas d'avoir un petit côté gouleyant. Jusqu'à deux ans de garde, et à servir sur un magret de canard au cassis.

Dom. Cyrot-Buthiau, rte d'Autun, 21630 Pommard, tél. 03.80.22.06.56, fax 03.80.24.00.86, e-mail cyrot.buthiau@wanadoo.fr ☑ Ɏ ⋔ r.-v.

MOILLARD 2002

■ 4,4 ha 20 000 🍷 8 à 11 €

Rubis pourpre, elle prend part à son premier bal cette côte-de-beaune-villages. Un tout petit parfum discret, de bonne famille. Framboisé ? Peut-être bien. Elle est un peu vive, presque acidulée, et ses tanins apparaissent dès l'attaque. Mais ils sauront se fondre. En 2005, vous verrez comme les choses auront changé...

Moillard, 2, rue François-Mignotte, 21700 Nuits-Saint-Georges, tél. 03.80.62.42.22, fax 03.80.61.28.13, e-mail contact@moillard.fr ☑ Ɏ ⋔ t.l.j. 10h-18h; f. jan.

DOM. VINCENT SAUVESTRE 2002 ★

■ 2,6 ha 13 600 🍷 11 à 15 €

Robe foncée, à la limite du violacé, arômes discrets de framboise qui demandent à se développer, un vin riche en matière. Déjà assez fondu, il se teinte de saveurs, de senteurs animales, sauvages, de cuir et de fourrure dans une persistance correcte. Si un bœuf bourguignon passe dans les environs, n'hésitez pas : l'accord sera parfait.

Dom. Vincent Sauvestre, rte de Monthélie, 21190 Meursault, tél. 03.80.21.22.45, fax 03.80.21.28.05

La Côte chalonnaise

Bourgogne-côte-chalonnaise

Située entre Chagny et Saint-Gengoux-le-National (Saône-et-Loire), la Côte chalonnaise possède une identité qui est reconnue à juste titre. Née le 27 février 1990, l'AOC bourgogne-côte-chalonnaise a donné 11 977 hl en rouge, et 4 685 hl en blanc en 2003. Selon la méthode appliquée déjà dans les Hautes-Côtes, un agrément résultant d'une seconde dégustation complète la dégustation obligatoire qui a lieu partout.

CAVE DE BISSEY Tradition 2002

■ 15,33 ha 32 781 ▮🌡 5 à 8 €

Un vin produit par une petite coopérative de ce vignoble chalonnais (100 ha) créée en 1928. Dans une robe rubis bien marqué, il s'ouvre peu à peu sur des arômes fruités. Souple, il offre en bouche un bon compromis entre l'expression tannique et la rondeur du corps.

⊶ Cave de Bissey,
Les Millerands, 71390 Bissey-sous-Cruchaud,
tél. 03.85.92.12.16, fax 03.85.92.08.71,
e-mail cave.bissey@wanadoo.fr ☑ Y 🚶 r.-v.

LA BUXYNOISE 2002 ★★

■ 60 ha 45 000 ▮◍🌡 5 à 8 €

La cave de Buxy, créée en 1931, a proposé quatre vins. En **blanc, La Buxynoise 2002** obtient une étoile. Sous le nom des **Vignerons Réunis le blanc 2002** obtient une étoile tout comme le **rouge Tour rouge 2002**. Celui-ci ? Son rubis est... bourguignon et le bouquet assez boisé. Une attaque fine sur un fût cette fois fondu caractérise une bouche soutenue par la finesse de son acidité. La texture est celle d'un grand vin et on n'est pas très loin d'un givry par exemple.

⊶ Cave des Vignerons de Buxy,
La Buxynoise, les Vignes de La Croix, BP 6,
71390 Buxy, tél. 03.85.92.03.03, fax 03.85.92.08.06,
e-mail labuxynoise@cave-buxy.fr
☑ Y 🚶 t.l.j. sf dim. 9h-12h 14h-18h30; groupes sur r.-v.

LA DIGOINE 2002 ★★

■ 4,28 ha 19 500 ◍ 11 à 15 €

En 1972, Aubert de Villaine et son épouse Pamela sont tombés amoureux de Bouzeron en Côte chalonnaise et ils y ont créé leur domaine sur une vingtaine d'hectares. Cette *boutique winery* est beaucoup plus qu'un passe-temps pour le cogérant du Domaine de la Romanée-Conti. Il signe ici un pinot noir rond et croquant comme une cerise. Le bouquet se partage entre kirsch et vanille. A déguster sur la fraîcheur du fruit durant l'année qui vient.

⊶ GFA Dom. A. et P. de Villaine,
2, rue de la Fontaine, 71150 Bouzeron,
tél. 03.85.91.20.50, fax 03.85.87.04.10,
e-mail dom.devillaine@wanadoo.com ☑ Y 🚶 r.-v.

DOM. MICHEL GOUBARD ET FILS
Mont-Avril 2002 ★

■ 7 ha 50 000 ▮◍🌡 5 à 8 €

A égalité de prix et de qualité, le **2002 blanc** (tendre et doux comme un agneau) ou sa version rubis d'une bonne brillance. Cassis et groseille constituent un vrai cocktail aromatique. Souple et aimable, la bouche est un peu rapide toutefois et dans l'esprit de l'appellation. Les amateurs d'histoire bourguignonne apprécieront la présence de l'abbé Courtépée sur l'étiquette. Il a dit tant de bien de ce terroir (Mont-Avril) il y a plus de deux cents ans...

⊶ Dom. Michel Goubard et Fils,
Bassevelle, 71390 Saint-Désert,
tél. 03.85.47.91.06, fax 03.85.47.98.12
☑ Y 🚶 t.l.j. 8h-12h 14h-19h; dim. sur r.-v.

DOM. MICHEL ISAIE 2001 ★★

□ 0,8 ha 4 730 ▮◍🌡 5 à 8 €

Le premier coup de cœur de ce viticulteur au sein de l'appellation. Un chardonnay éblouissant dans un or vert très soutenu. On le hume avec délectation pour ses notes de fruits blancs, d'acacia. Dès l'attaque, il retient l'attention

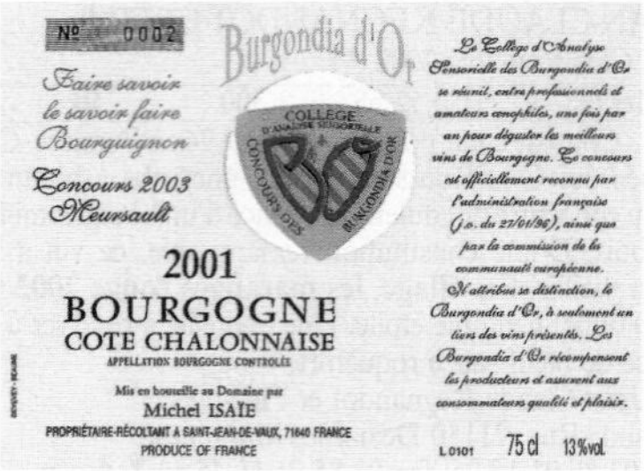

par son gras, sa richesse. Le sous-bois, la truffe arrivent ensuite en renfort d'arômes. Superbe pour un 2001.

⊶ Michel Isaïe,
chem. de l'Ouche, 71640 Saint-Jean-de-Vaux,
tél. 03.85.45.23.32, fax 03.85.45.29.38,
e-mail michel.isaie@wanadoo.fr ☑ Y 🚶 r.-v.

DOM. FRANCE LECHENAULT 2003 ★

□ 0,8 ha 700 ◍ 5 à 8 €

Le jeune régisseur du domaine, Julien Cruchandeau (vingt-quatre ans), s'efforce de tirer le meilleur parti de ces vignes attachées à la mémoire d'un ancien sénateur de Saône-et-Loire. Nos jurés votent bien volontiers pour cette bouteille dorée. Le miel et le pain grillé trouvent place dans le bouquet. Gras et puissance caractérisent la bouche mais ces qualités bien réelles ne peuvent pas encore s'exprimer pleinement tant le boisé est présent.

⊶ Dom. France Léchenault,
11, rue des Dames, 71150 Bouzeron,
tél. 03.85.87.17.56, fax 03.85.91.27.17 ☑ Y 🚶 r.-v.

DOM. LE MEIX DE LA CROIX 2002

■ 1 ha 5 000 ◍ 5 à 8 €

D'un rouge framboisé à disque clair, ce 2002 est encore peu ouvert bien qu'apparaissent des notes de noyau de cerise lorsqu'on le pousse dans ses retranchements. Les tanins rendent l'attaque très ferme, puis le fruit noir assure le relais. Musclé, ce vin demande à être gardé en cave une bonne année.

⊶ Fabienne et Pierre Saint-Arroman,
71640 Saint-Denis-de-Vaux,
tél. 03.85.44.34.33, fax 03.85.44.59.86,
e-mail pierre@saint-arroman.com ☑ 🚶 r.-v.

CH. DE SASSANGY Clos du Prieuré-Monopole 2001

■ 2,86 ha 19 000 ▮◍🌡 5 à 8 €

En bio depuis 1981, dans le cadre du château édifié en 1740 par un chevalier de Malte, Damas de Marcilly. Haut en couleur, discret au nez, ce vin a un peu de caractère. Sa structure est fine, mais les tanins sont de bon aloi sans jamais cacher le fruit. D'une longueur respectable, il se présente bien pour toutes les cuisines.

⊶ Ch. de Sassangy, Le Château, 71390 Sassangy,
tél. 03.85.96.18.61, fax 03.85.96.18.62,
e-mail musso.jean@wanadoo.fr ☑ 🏠 Y 🚶 r.-v.
⊶ Jean et Geno Musso

VENOT La Corvée Elevé en fût de chêne 2002 ★★

■ 6,5 ha 7 800 ◍ 5 à 8 €

A deux doigts du coup de cœur, un pinot noir de grande classe. D'un grenat bien extrait, bénéficiant d'une bonne complicité entre le fruit et le fût (douze mois), il

s'installe en bouche sur un fruit massif (mûre, cassis). Sa texture est fine, son intensité profonde. Heureux Bourguignons qui ont fondé en 1983 et en famille ce beau domaine « avec diverses successions »...
🔑 GAEC Venot, La Corvée, 71390 Moroges,
tél. 06.73.25.57.33, fax 03.85.47.90.20 ☑ 𝕐 ⛹ r.-v.

Bouzeron

Petit village situé entre Chagny et Rully, Bouzeron est de longue date réputé pour ses vins d'aligoté. Cette variété occupe la plus grande partie du vignoble communal, soit 62 ha environ. Planté sur des coteaux d'orientation est-sud-est, sur des sols à forte proportion calcaire, ce cépage à l'origine de vins blancs vifs s'exprime particulièrement bien, donnant naissance à des vins complexes et d'une « rondeur pointue ». Les vignerons du lieu, après avoir obtenu l'appellation bourgogne aligoté bouzeron en 1979, ont réussi à hisser l'aire de production au rang d'AOC communale. La production a été de 2 102 hl sur 57 ha revendiqués en 2003.

CHANZY FRERES Les Clous 2002 ★

n.c. 18 000 5 à 8 €

Il y a trente ans, Daniel Chanzy se lançait dans une aventure un peu folle : faire renaître la vigne disparue sur ces coteaux accueillants, délaissés depuis longtemps. Il a réussi et cette bouteille en porte témoignage. Or pâle, elle développe des arômes plus puissants que complexes, tirant sur l'aubépine, le chèvrefeuille. Au palais, la finesse s'accompagne d'un parcours bien net.
🔑 SARL CD Chanzy, rue du Moulin-de-la-Ville,
71150 Chagny, tél. 03.85.87.23.69, fax 03.85.87.62.12,
e-mail daniel.chanzy@wanadoo.fr 𝕐 ⛹ r.-v.

ANNE-SOPHIE DEBAVELAERE 2002 ★★

1 ha 5 000 5 à 8 €

Bouzeron a décidé d'unir en 2004 son destin à celui du jambon persillé et d'en faire une fête mémorable. Cette bouteille, la meilleure de la dégustation de l'AOC, peut en célébrer les noces. La couleur reste raisonnable, et le gentil nez, discret, demeure sur le fruit blanc. L'attaque est déterminée et le développement intéressant : cette longueur n'est pas si fréquente dans l'appellation. A boire ou à attendre un peu.
🔑 Anne-Sophie Debavelaere, 21, rue des Buis,
71150 Rully, tél. 03.85.48.65.64, fax 03.85.93.13.29,
e-mail as.debavelaere@club-internet.fr ☑ 𝕐 ⛹ r.-v.

FORGEOT PERE ET FILS 2002 ★

n.c. n.c. 5 à 8 €

Jaune pâle, le premier nez un peu fermé et le second plus ouvert (acacia très frais), un vin qui aligote correctement en bouche. Typicité satisfaisante. La finale n'atteint sans doute pas la queue de paon mais elle est bien aimable. Forgeot Père et Fils ? C'est Bouchard Père et Fils qui, à travers notamment l'ancien et historique Domaine Carnot, a de fortes accointances de ce côté-ci de la Bourgogne.
🔑 Grands Vins Forgeot, 15, rue du Château,
21200 Beaune, tél. 03.80.24.80.50, fax 03.80.22.55.88

DOM. FRANCE LECHENAULT Les Clous 2002 ★

0,5 ha 900 5 à 8 €

Un dégustateur inspiré suggère la brochette de lotte au lard fumé pour escorter ces Clous jusqu'à l'heure finale. Ce sera en beauté. L'aligoté chardonne un peu, tant en robe qu'en arômes briochés. Mais il se montre radical dans l'âme, pour une République accommodante et sociale. Claudette (comme tout le monde l'appelle) est une figure de la vie politique bourguignonne. Fille de sénateur, radical bien sûr.
🔑 Mme Reine Léchenault,
11, rue des Dames, 71150 Bouzeron,
tél. 03.85.87.17.56, fax 03.85.91.27.17 ☑ 𝕐 ⛹ r.-v.

PAUL REITZ 2002

n.c. 40 000 8 à 11 €

Présenté par une maison de négoce-éleveur en Côte de Nuits, ce bouzeron s'offre le luxe de quelques reflets verdâtres. Le nez tient le milieu entre le floral et l'herbacé, sans être volubile. Structure correcte, bouche agréable dans l'ensemble avec une petite pointe d'amertume en finale.
🔑 SA Paul Reitz,
122-124, Grande-Rue, 21700 Corgoloin,
tél. 03.80.62.98.24, fax 03.80.62.96.83,
e-mail maison-paul.reitz@laposte.net ☑

DOM. DE LA RENARDE Les Cordères 2002 ★

1,7 ha 11 000 5 à 8 €

Quand on préside le Bureau interprofessionnel des vins de Bourgogne, on est forcément regardé... On sait que Jean-François Delorme est un pape en crémant et un évangéliste en rully. Mais en bouzeron ? Cuve et fût pour ce 2002 à la belle présence olfactive : pain grillé brioché, fruits blancs. Ample et vif en bouche, le cépage s'exprime fidèlement. Sans excès de durée, mais chaque appellation prend part à la course dans sa catégorie.
🔑 André Delorme, 2, rue de la République,
71150 Rully, tél. 03.85.87.10.12, fax 03.85.87.04.60,
e-mail andre-delorme@wanadoo.fr ☑ 𝕐 ⛹ r.-v.
🔑 Anne et Jean-François Delorme

A. ET P. DE VILLAINE 2002 ★

4,26 ha 69 000 8 à 11 €

D'un or pâle à reflets verts, un bouzeron produit depuis 1973 par Pamela et Aubert de Villaine dans leur jardin secret en mode biologique. Car Aubert veille le reste du temps sur la romanée-conti ! Présent mais en devenir, le bouquet se dirige vers le floral. La bouche est équilibrée et bien typée de son cépage. Ce 2002 est disposé à passer à table dès cette année. On fait d'excellents fromages de chèvre en Saône-et-Loire : la suggestion peut retenir l'attention.
🔑 GFA Dom. A. et P. de Villaine,
2, rue de la Fontaine, 71150 Bouzeron,
tél. 03.85.91.20.50, fax 03.85.87.04.10,
e-mail dom.devillaine@wanadoo.com ☑ 𝕐 ⛹ r.-v.

Rully

La Côte chalonnaise assure la transition entre le vignoble de Côte-d'Or et celui du Mâconnais. L'appellation rully déborde de sa commune d'origine sur celle de Chagny, petite capitale gastronomique. On y produit plus de vins blancs (11 527 hl) que de vins rouges (5 935 hl en 2002). Nés sur le jurassique supérieur, ils sont aimables et généralement de bonne garde. Certains lieux-dits classés en 1er cru ont déjà accédé à la notoriété.

FRANCOIS D'ALLAINES La Fosse 2002 ★

□ 1er cru 1 ha 1 200 ◍ 11 à 15 €

Une robe dédiée à la lumière et à la vie, un nez à découvrir de fleurs blanches, de miel, de fruits secs. En bouche, une petite note d'amertume si habituelle qu'on n'y fait plus guère attention, ou du moins qui garantit un équilibre merveilleux dans la puissance et, ici, presque l'opulence. L'acidité remplit son office. Assez jeune maison de négoce qui ne déçoit pas.

⊶ François d'Allaines, La Corvée du Paquier,
71150 Demigny, tél. 03.85.49.90.16, fax 03.85.49.90.19,
e-mail francois@dallaines.com V Y 🚶 r.-v.

DOM. CHRISTIAN BELLEVILLE 2002 ★

□ 1er cru 3,6 ha 5 000 ▮ ◍ ↓ 8 à 11 €

Des caves voûtées datant de 1828, une table d'hôtes, et un 1er cru 2002 limpide et brillant d'un élégant reflet vert. Le fût s'exprime au premier nez puis sur un fond grillé s'affirment des notes de fleurs et d'agrumes. La bouche est équilibrée, encore jeune, marquée par la célèbre note minérale du rully. Ce vin a de la réserve.

⊶ Dom. Christian Belleville, 1, rue des Bordes,
71150 Rully, tél. 03.85.91.06.00, fax 03.85.91.06.01,
e-mail dombellevi@aol.com V Y r.-v.

JEAN-CLAUDE BRELIERE Les Préaux 2002 ★

■ 1er cru 2,35 ha 12 000 ◍ 11 à 15 €

Coup de cœur naguère pour ses Préaux 91 puis 92, ce domaine réussit souvent ce cru. Toujours en rouge. Jean-Claude Brelière peut, lors de votre venue, vous chanter ses vins en espagnol, en anglais et en allemand ! Revenons à notre affaire. Rubis à grenat, ce 1er cru est racé et gourmand. Fraise et pain grillé, le nez est classique. La bouche ne perd pas de temps pour argumenter sérieusement. Les **Margotés en 1er cru blanc 2002** ont aussi pas mal de choses intéressantes à vous raconter pour justifier leur étoile.

⊶ Jean-Claude Brelière, 1, pl. de l'Eglise, 71150 Rully,
tél. 03.85.91.22.01, fax 03.85.87.20.64,
e-mail domainebreliere@wanadoo.fr V Y r.-v.

DOM. MICHEL BRIDAY La Pucelle 2002 ★★

□ 1er cru 0,5 ha 3 000 ◍ 11 à 15 €

Remarquable Pucelle à la jolie robe claire à reflets verts ; son parfum minéral impressionne par sa netteté. A l'aération, ce 2002 se diversifie jusqu'aux agrumes exotiques. La bouche fait la partie belle à une fraîcheur florale. L'élevage sous bois reste dans les limites raisonnables. Très désaltérante et d'une pétulante jeunesse, une bouteille à déboucher d'ici un à deux ans.

⊶ Dom. Michel Briday, 31, Grande-Rue, 71150 Rully,
tél. 03.85.87.07.90, fax 03.85.91.25.68,
e-mail stephane.briday@wanadoo.fr V 🏠 Y r.-v.
⊶ Stéphane Briday

DOM. CHANZY L'Hermitage 2002 ★

□ 4,67 ha 19 500 ▮ ◍ 8 à 11 €

Daniel Chanzy évoque volontiers ce « brin d'inconscience » qui lui fit quitter en 1974 une vocation hôtelière toute tracée pour épouser la vigne à Bouzeron. D'une teinte claire, son rully s'éveille après quelques coups de nez. On y sent l'écorce d'orange et des accents beurrés. En bouche, les éléments les plus positifs sont la franchise de l'attaque, une pointe d'acidité bien placée, la solidité de la charpente et une longueur intéressante. Quant au fruité, il s'ouvrira encore davantage dans deux ans. Le **village blanc 2001** obtient une citation. Le jury a apprécié sa finesse et ses arômes complexes et intenses.

⊶ Dom. Chanzy, 1, rue de la Fontaine,
71150 Bouzeron, tél. 03.85.87.23.69, fax 03.85.87.62.12,
e-mail daniel.chanzy@wanadoo.fr V Y r.-v.

DOM. DE LA CROIX JACQUELET 2001 ★

□ 2,49 ha 19 521 ◍ 8 à 11 €

Le domaine Faiveley dans ses œuvres rulliottines. La couleur est fidèle à l'idée qu'on s'en fait. Citron, agrumes sur fond vanillé, les présentations sont bientôt faites. Le fût entre en bouche de façon conquérante mais le vin s'exprime librement. Et là, c'est bon, dans le fruit, d'autant que le décor est bien planté et que l'action ne manque pas de rebondissements.

⊶ Dom. de la Croix Jacquelet, Cidex 892,
71640 Mercurey,
tél. 03.85.45.12.23, fax 03.85.45.26.42 V Y 🚶 r.-v.

ANNE-SOPHIE DEBAVELAERE
Clos du Moulin à Vent 2001 ★

□ n.c. 2 400 ▮ ◍ ↓ 8 à 11 €

Anne-Sophie a acquis en 2002 une cuverie à Rully et la première cave construite en Bourgogne pour la « champagnisation » au début du XIXe s. L'historien cherchera à savoir si Lausseure à Nuits n'est pas antérieur aux Petitot-Hubert à Rully... Peu importe, nous sommes ici en plein vin tranquille et il est bon. Agrumes exotiques, vivacité, longueur remarquable, c'est brillant et intense.

⊶ Anne-Sophie Debavelaere, 21, rue des Buis,
71150 Rully, tél. 03.85.48.65.64, fax 03.85.93.13.29,
e-mail as.debavelaere@club-internet.fr V Y 🚶 r.-v.

JOSEPH DROUHIN 2002 ★★

□ n.c. n.c. ◍ 11 à 15 €

Jaune pâle limpide et brillant, ce rully libère progressivement ses arômes sur des notes de fruits secs et de fruits jaunes. Fraîcheur et équilibre s'affirment dès l'entrée de bouche : on est bien dans l'esprit de l'appellation. Ce vin assez joliment ciselé, équilibré, possède un grand potentiel. Notez déjà la qualité de l'élevage, le fût respectant le fruit. Digne d'un grand poisson blanc à la crème. Coup de cœur pour le millésime 96.

⊶ Maison Joseph Drouhin, 7, rue d'Enfer,
21200 Beaune, tél. 03.80.24.68.88, fax 03.80.22.43.14,
e-mail maisondrouhin@drouhin.com V Y 🚶 r.-v.

RAYMOND DUREUIL-JANTHIAL 2002

□ 1,43 ha 10 000 ◍ 11 à 15 €

Les Janthial sont l'une des familles les plus anciennes de Rully. L'harmonie générale de ce vin est assez réussie.

Le Chalonnais et le Mâconnais

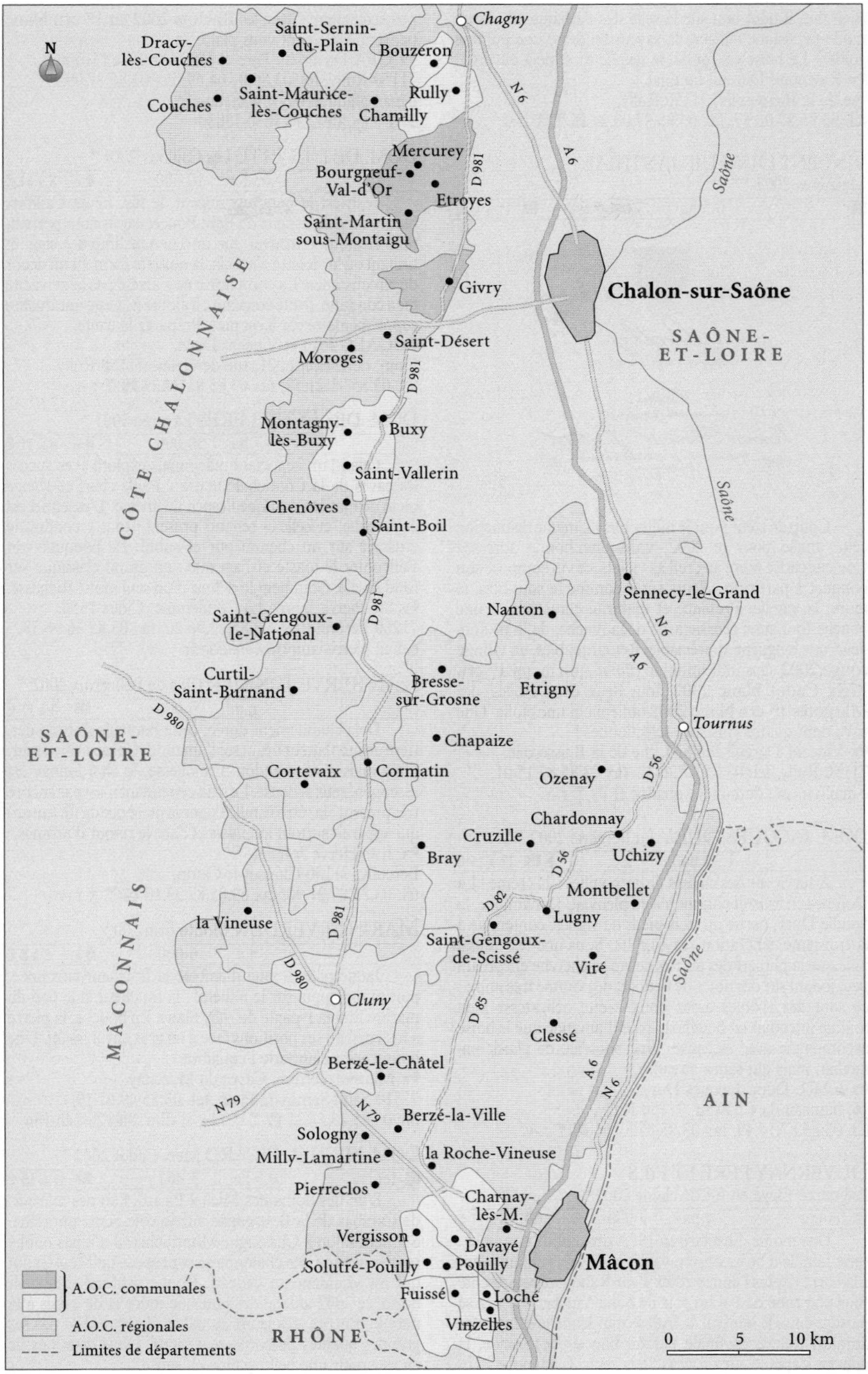

N
Chagny
Dracy-lès-Couches
Saint-Sernin-du-Plain
Bouzeron
Couches
Saint-Maurice-lès-Couches
Rully
Chamilly
Mercurey
Bourgneuf-Val-d'Or
Etroyes
Saint-Martin sous-Montaigu
Givry
Chalon-sur-Saône
Saint-Désert
Moroges
SAÔNE-ET-LOIRE
CÔTE CHALONNAISE
Montagny-lès-Buxy
Buxy
Saint-Vallerin
Chenôves
Saint-Boil
Sennecy-le-Grand
Nanton
Saint-Gengoux-le-National
Curtil-Saint-Burnand
Bresse-sur-Grosne
Etrigny
Tournus
SAÔNE-ET-LOIRE
Chapaize
Cortevaix
Cormatin
Ozenay
Chardonnay
Cruzille
Uchizy
Bray
Montbellet
Lugny
la Vineuse
Saint-Gengoux-de-Scissé
Viré
MÂCONNAIS
Cluny
Clessé
Berzé-le-Châtel
AIN
Berzé-la-Ville
Sologny
Milly-Lamartine
la Roche-Vineuse
Pierreclos
Charnay-lès-M.
Vergisson
Davayé
Solutré-Pouilly
Pouilly
Mâcon
Fuissé
Loché
Vinzelles
RHÔNE
A.O.C. communales
A.O.C. régionales
Limites de départements
0
5
10 km
N6
A6
D 981
D 980
D 56
D 82
D 85
N 79
Saône

Bien fait, il tient bon sur la selle dès l'attaque et, sur un mode persistant, suggère la saveur tendre d'une pomme golden. Le boisé est fondu, le nez fleuri et déjà ouvert.
🔑 Raymond Dureuil-Janthial,
rue de la Buisserolle, 71150 Rully,
tél. 03.85.87.02.37, fax 03.85.87.00.24 ☒ 🍷 🚶 r.-v.

VINCENT DUREUIL-JANTHIAL
Maizières 2002 ★★

■ 0,5 ha 3 000 ◍ 11 à 15 €

Coup de cœur pour le millésime 98, même distinction cette année pour le 2002, voilà une bonne adresse ! Couleur cerise noire aux reflets violets, ce vin compose son bouquet à partir de valeurs sûres comme le sous-bois, la mûre, la vanille. Présence et maturité caractérisent une bouche tout aussi réussie avec de la mâche, de la profondeur, une longueur appréciable. Remarquables, un **village rouge 2002** sans indication de *climat* ainsi qu'un **1er cru Meix Cadot blanc 2002**, tous deux deux étoiles ; les **Margotés 1er cru blanc 2002** obtiennent une étoile. Une cave dont quatre vins sont sélectionnés !
🔑 Vincent Dureuil-Janthial, rue de la Buisserolle,
71150 Rully, tél. 03.85.87.26.32, fax 03.85.87.15.01,
e-mail vincent.dureuil@wanadoo.fr ☒ 🍷 r.-v.

DOM. JACQUES DURY La Bergerie 2002 ★★

▒ 1,32 ha n.c. ▮◍ 11 à 15 €

A servir sur des cuisses de grenouilles à la crème ! La Dombes en fournit comme s'il en pleuvait. Dynamique, la famille Dury, partie de trois pieds de vignes, contemple à la troisième génération ses 14,5 ha. Sous une robe aussi jolie que la plupart des autres, ce vin se cherche encore un peu, jouant sur des notes de fleurs et de pomme très mûre : ce sont des arômes assez doux. Cette délicatesse bien fondue introduit en bouche la pâte d'amande que le boisé accompagne avec élégance. Une bouteille de plaisir immédiat, mais qui saura attendre.
🔑 EARL Dom. Jacques Dury,
16, hameau du Château, 71150 Rully,
tél. 03.85.87.14.49, fax 03.85.87.37.54 ☒ 🍷 r.-v.

DUVERNAY PERE ET FILS
Rabourcé Elevé en fût de chêne 2002 ★

▒ 1er cru 4 ha 9 000 ◍ 8 à 11 €

Une moitié d'hectare en 1973, dix-sept de nos jours : cette famille a beaucoup travaillé, et les trois enfants sont à la barre depuis l'année 2000. Leur Rabourcé se présente sous une robe de bal un soir de Saint-Vincent. Le nez se partage entre le minéral, le fruit à chair blanche et les notes florales. Relevé en finale par un bon support acide, la bouche s'appuie sur un gras bien venu. L'attendre ? Un peu seulement. Cités, les **Raclots 2002 en 1er cru blanc** peuvent également vous plaire.
🔑 GFA Duvernay Père et Fils, 4, rue de l'Hôpital,
71150 Rully, tél. 03.85.87.04.69, fax 03.85.87.09.17,
e-mail gfaduvernay@wanadoo.fr
☒ 🍷 t.l.j. 8h-12h 13h30-18h30

DOM. DE L'ECETTE Les Cailloux 2001 ★

▒ 1,65 ha 10 500 ▮♁ 8 à 11 €

Jean est le père, et Vincent, le fils. Leurs Cailloux blancs rappellent ceux du Petit Poucet car ils nous permettent de nous retrouver sur un chemin limpide, clair et brillant où la violette, l'acacia, la noisette forment un décor de circonstance. La complexité ne s'arrête pas là : vivacité bien conduite, fruité constant ; il ajoute à la liste une qualité supplémentaire car il est prêt. Préparez la truite.
🔑 GAEC Jean et Vincent Daux,
Dom. de L'Ecette, 21, rue de Geley, 71150 Rully,
tél. 03.85.91.21.52, fax 03.85.91.24.33 ☒ 🍷 r.-v.

DOM. DES ECUILLERES La Crée 2001 ★

▒ 7 ha 50 000 ▮♁ 8 à 11 €

Quand un négociant mâconnais explore avec succès les caves de la Côte chalonnaise... Paille clair, ce *village* plein de matière pratique l'esprit de finesse. L'essentiel est en bouche, et celle-ci répond présent : tout y conduit le crustacé sur un chemin pur et subtil. Le bouquet voit s'affronter le toasté et l'agrume : un grand classique sur fond miellé. Comment le définir d'un seul mot ? Richesse.
🔑 Sté Pierre Janny, La Condemine, Cidex 1556,
71260 Péronne, tél. 03.85.23.96.20, fax 03.85.36.96.58,
e-mail pierre-janny@wanadoo.fr

JEAN-HERVE JONNIER Clos de Bellecroix 2002 ★

▒ n.c. 5 000 ◍ 8 à 11 €

Déjà chaudement dorée, cette bouteille s'abrite derrière un nez flatteur tirant sur l'amande et le raisin bien mûr. Gras mais sans abandon ni mollesse, le chardonnay est assez généreux et dense. Le fruit cependant n'est pas encore très présent : la rétro vanillée signe la présence du fût (un an) qui apparaît surtout au palais et dans le retour d'arômes.
🔑 Jean-Hervé Jonnier,
Bercully, 71150 Chassey-le-Camp,
tél. 03.85.87.21.90, fax 03.85.87.23.63 ☒ 🍷 🚶 r.-v.

MARINOT-VERDUN Montmorin 2002

▒ n.c. 6 000 ▮♁ 5 à 8 €

Jaune pâle, il joue d'emblée la fraîcheur citronnée, puis prend appui sur le minéral : la fraîcheur et le poli du marbre font la typicité du rully blanc. En bouche, la pierre à fusil défend ses positions face à un gras envahissant. Une bonne acidité apporte l'équilibre.
🔑 Marinot-Verdun, Caves de Mazenay,
71510 Saint-Sernin-du-Plain, tél. 03.85.49.67.19,
fax 03.85.45.57.21 ☒ 🍷 🚶 t.l.j. sf dim. 8h-12h 14h-18h

DOM. MICHEL PICARD Meix Cadot 2002 ★

■ 1er cru 0,5 ha 3 467 ◍ 11 à 15 €

L'un des domaines Michel Picard, l'un des marquis de Carabas de la Bourgogne vitivinicole contemporaine. S'il tient salon à Chassagne-Montrachet, il n'a pas oublié ses racines en Côte chalonnaise et propose un Meix Cadot qui est vraiment un cadeau. Rouge profond, finement boisé, ce 2002 affiche des notes de mûre et de cassis à la parade. Encore très jeune au palais, il séduit déjà par ses grandes qualités de corps et d'esprit. Dans deux ans, le choisir pour une belle viande en sauce.

☛ Maison Michel Picard, BP 49, 71150 Chagny,
tél. 03.85.87.51.01, fax 03.85.87.51.12,
e-mail commercial@m-p.fr

DOM. DE LA RENARDE 2002 ★

	22,43 ha	14 000	▨ ◐ ♦	8 à 11 €

Jean-François Delorme est M. Vin de Bourgogne,
président de l'Interprofession. Il a eu dans le passé des coups
de cœur en son jardin secret, les Varots. On se trouve ici en
village limpide ; or avec quelques reflets verts, le bouquet
assez exotique (mangue, litchi), ce vin est d'une tendre
vivacité du début à la fin de bouche. Il mise sur la fraîcheur.
Bouteille à mettre sur table pour tous les poissons de la mer.
☛ André Delorme, 2, rue de la République,
71150 Rully, tél. 03.85.87.10.12, fax 03.85.87.04.60,
e-mail andre-delorme@wanadoo.fr ☑ Ⴁ ⚲ r.-v.
☛ Anne et Jean-François Delorme

ROPITEAU FRERES 2002

	n.c.	30 000	◐	8 à 11 €

Un vin or pâle, consacrant ses forces à perfectionner
l'alchimie d'un bouquet fait de fougère, d'eucalyptus, de
citron vert. Plénitude d'une bouche iodée, attachée à
garder le fruit, à ne rien négliger de la franchise. Petite
pointe de vivacité en finale. Par une grande signature de
Meursault devenue Boisset.
☛ Ropiteau Frères,
13, rue du 11-Novembre, 21190 Meursault,
tél. 03.80.21.69.20, fax 03.80.21.69.29,
e-mail ropiteau@ropiteau.fr Ⴁ ⚲ t.l.j. 9h30-19h
☛ J.-C. Boisset

CH. DE RULLY 2002 ★

	n.c.	13 790	◐	11 à 15 €

Emblématique de son appellation, le château de
Rully est propriété de la même famille depuis huit siècles.
La forteresse se dresse dans un paysage splendide et mérite
votre regard. Les vins, eux, se découvrent dans les caves
d'Antonin Rodet. Celui-ci est dans une grande jeunesse
comme le montre sa robe grenat à reflets violacés. Le nez
est tout en cerise. L'attaque est franche, sur des tanins
puissants mais la matière se révèle assez légère. Ne
l'attendre que deux ou trois ans. Quant au **rully blanc
2001**, ses parfums exotiques de citron vert, d'ananas, de
miel et de pain d'épice lui valent une citation.
☛ Dom. de la Bressande, 71640 Mercurey,
tél. 03.85.98.12.12, fax 03.85.45.25.49,
e-mail rodet@rodet.com
☛ Comte R. de Ternay

DOM. SAINT-FIACRE Chaponnière 2001

	0,3 ha	1 600	◐	8 à 11 €

Mère et fils (Aline et Joël) conduisent ce domaine
depuis la retraite du père. La robe de ce millésime est sans
défaut, le bouquet marie les agrumes et les fleurs blanches ;
l'attaque est franche, l'acidité présente... Les tanins du fût
demandent à se fondre mais le tout est prometteur :
l'attendre un an.
☛ Aline et Joël Patriarche,
SCEA Dom. Saint-Fiacre, 21190 Tailly,
tél. 03.80.26.84.38, fax 03.80.26.87.97 ☑ Ⴁ r.-v.

ALBERT SOUNIT Grésigny 2002 ★★

	1er cru	1 ha	1 200	◐	11 à 15 €

Reprise en 1993 par son importateur danois, la maison Albert Sounit occupe en partie une ancienne carrière.

D'où ses vastes caves voûtées de 4 m de hauteur ! Ce vin
n'y vieillira guère tant on se plaît à le complimenter. Jaune
paille à reflets argentés, le boisé bien intégré et dépourvu
de prétentions superfétatoires, la bouche fondante, crémeuse, il s'anime sur une petite pointe de vivacité qui
convient à sa jeunesse. A déguster vers 2006-2007.
☛ Albert Sounit, 5, pl. du Champ-de-Foire,
71150 Rully, tél. 03.85.87.20.71, fax 03.85.87.09.71,
e-mail albert.sounit@wanadoo.fr ☑ Ⴁ ⚲ r.-v.

ERIC DE SUREMAIN 2001

	1er cru	2,5 ha	6 100	◐	8 à 11 €

En biodynamie depuis 1996, Eric de Suremain appartient à l'une des vieilles familles du vin de Bourgogne.
Son 1er cru 2001 évolue entre le jaune paille et le doré. Le
bouquet offre un léger boisé puis, en agitant le verre,
quelques pétales de fleurs blanches. La bouche n'oublie pas
le pain grillé mais elle est plutôt portée sur le fruit. On peut
déjà servir cette bouteille à table.
☛ Eric de Suremain,
Ch. de Monthélie, 21190 Monthélie,
tél. 03.80.21.23.32, fax 03.80.21.66.37 ☑ ⌂ Ⴁ r.-v.

CHARLES THOMAS 2002 ★

	3 ha	16 000	▨ ◐ ♦	8 à 11 €

La robe jaune et transparente dissimule peu le vif du
sujet. Le premier nez est secret, on succombe au second,
mieux disposé : citron vert, miel. Ce 2002 a du corps et de
la structure. La finale le trouve dans les mêmes sentiments
qu'au début. A boire dans les deux ans. Charles Thomas
reçoit les soins de la maison Moillard dirigée par la famille
Thomas. On ne sait peut-être pas qu'elle fait partie des
copropriétaires réels et désintéressés du château du Clos de
Vougeot.
☛ Dom. Charles Thomas,
chem. rural 59, 21700 Nuits-Saint-Georges,
tél. 03.80.62.42.10, fax 03.80.61.28.13,
e-mail contact@charles-thomas.fr
☑ Ⴁ ⚲ t.l.j. 10h-18h ; f. jan.

Mercurey

Mercurey, situé à 12 km au nord-
ouest de Chalon-sur-Saône, en bordure de la route
Chagny-Cluny, jouxte au sud le vignoble de Rully.
C'est l'appellation communale la plus importante
en volume de la Côte chalonnaise : 24 334 hl de
vins rouges et 3 673 hl en blanc en 2002. Elle
s'étend sur trois communes : Mercurey, Saint-
Martin-sous-Montaigu et Bourgneuf-Val-d'Or.

Quelques lieux-dits tels Champ Martin, Clos des Barrault ou encore Clos l'Evêque bénéficient de la dénomination « premier cru ». Les vins sont en général solides, voire un peu rustiques mais d'une bonne aptitude au vieillissement.

DOM. BRINTET Les Crêts 2002 ★

1er cru 0,23 ha 700 15 à 23 €

Deux très bons blancs : des **Vieilles Vignes 2002 (11 à 15 €)** et ces Crêts sans excès de couleur, au joli boisé discret : vanille, pamplemousse, citron animent le nez alors que la bouche campe sur le fruit. On peut espérer un bonus en finale dans un an.

Dom. Luc Brintet, 105, Grande-Rue,
71640 Mercurey, tél. 03.85.45.14.50, fax 03.85.45.28.23,
e-mail domaine.brintet@wanadoo.fr r.-v.

DOM. DE CHAMEROSE Les Crêts 2001

1er cru 0,5 ha 2 640 11 à 15 €

Propriété familiale depuis 1844. Ses caves et sa cuverie datent du Roi-Soleil. Si vous vous intéressez aux vieux outils des vignerons, des tonneliers, il y en a ici une pleine collection. Ce 1er cru 2001 a mis une jolie robe. L'épreuve du nez est subie avec brio sur fond de cassis. Si l'attaque est délicate et la matière adaptée au sujet, ses tanins montent encore sur leurs grands chevaux. Il vous faut patienter une paire d'années.

EARL Modrin Père et Fils, dom. de Chamerose,
BP 13, 18, rue du Pont-Latin, 71640 Mercurey,
tél. 03.85.45.13.94, fax 03.85.45.10.39 r.-v.

CH. DE CHAMILLY 2001 ★

0,78 ha 5 500 11 à 15 €

En cette demeure où vécut un maréchal de France au XVIIes., on peut dire que le mercurey 2001 a le bâton de maréchal dans sa giberne. Vinifié et élevé à l'ancienne, il porte avec distinction l'or de son blason. Un bouquet de rêve, entre le beurre et l'amande. L'attaque est souple, puis la vivacité anime le milieu de bouche. Flatteur, il peut être servi dès maintenant ou dans deux ans.

Véronique Desfontaine,
EARL Château de Chamilly, 71510 Chamilly,
tél. 03.85.87.22.24, fax 03.85.91.23.91,
e-mail chateau.chamilly@wanadoo.fr r.-v.

CH. DE CHAMIREY 2001 ★★

n.c. 61 031 15 à 23 €

Le château de Chamirey (commercialisé par Antonin Rodet) réussit un beau doublé pour ses 2001 blancs. La **Mission en 1er cru** a frôlé le coup de cœur et le village l'obtient. Son or est superbe, son nez émouvant grâce à des notes de mousse, de sous-bois, de noisette grillée. En bouche, richesse et plénitude s'appuient sur un excellent support d'acidité qui fera office de colonne vertébrale. D'une typicité parfaite, ce vin offre un bouquet rare. On peut le laisser dormir un an ou deux ou le servir dès à présent sur une viande blanche. Signalons également le **Mercurey 2001 rouge, Château de Chamirey** qui obtient une étoile.

Dom. du Château de Chamirey, 71640 Mercurey,
tél. 03.85.98.12.12, fax 03.85.45.25.49,
e-mail rodet@rodet.com r.-v.
B. Devillard

DOM. DE CHARMY Les Champs Martin 2001

1er cru n.c. 5 000 15 à 23 €

Coron Père et Fils est une vieille maison beaunoise rachetée en 1989 par Claude Lanvin à Nuits-Saint-Georges puis récemment par Laurent Max. Sous une robe limpide et brillante, ce mercurey a le nez fin (fruits rouges un peu confits). Une acidité correcte, une attaque souple, des tanins assez doux composent un vin qui se laisse boire sans complications sur une terrine de gibier.

Maison Coron Père et Fils,
6, rue de Chaux, BP 4, 21700 Nuits-Saint-Georges,
tél. 03.80.62.43.40, fax 03.80.62.68.02 r.-v.

JEAN-PIERRE CHARTON Vieilles Vignes 2002 ★

2,22 ha 10 000 8 à 11 €

En **1er cru rouge 2002, le Clos du Roy (11 à 15 €)** est une bouteille de bonne tenue qui mérite une étoile. Mais en *village*, cette cuvée Vieilles Vignes séduit également beaucoup. D'un rubis bien fourni, boisée mais de façon discrète, elle met en valeur un corps charnu et fruité. C'est très agréable : excellents tanins, équilibre, persistance aromatique... Attendre un peu.

Dom. Jean-Pierre Charton,
29, Grande-Rue, 71640 Mercurey,
tél. 03.85.45.22.39, fax 03.85.45.22.39 r.-v.

CHARTRON ET TREBUCHET
Clos Marcilly 2001 ★

1er cru 0,38 ha 1 500 15 à 23 €

Superbe couleur et intensité soutenue : cela démarre bien. Après quelques instants, le bouquet se stabilise pour donner du pain grillé et un peu de fruits rouges. Les tanins sont présents, au sein d'une composition franche et longue. Le gras apparaît sur la fin et, dira-t-on, au bon moment. A mettre de côté au moins un an.

Chartron et Trébuchet,
13, Grande-Rue, 21190 Puligny-Montrachet,
tél. 03.80.21.32.85, fax 03.80.21.36.35
t.l.j. 10h-12h 14h-18h; f. fin nov.-mi-mars

DEMESSEY 2002 ★

n.c. 1 500 8 à 11 €

Un or presque blanc ; le nez bondit sur le minéral mais aussi sur la fougère ! Il faudra sans doute quelques années pour fondre tout cela, mais ce gras bien concentré, cette touche citronnée en finale et le potentiel ont quelque chose à voir avec notre sujet. Affaire de négoce-éleveur helvético-bourguignonne.

Marc Dumont, Ch. de Messey, 71700 Ozenay,
tél. 03.85.51.33.83, fax 03.85.51.33.82,
e-mail vin@demessey.com r.-v.

CH. D'ETROYES
Les Ormeaux Vieilles Vignes 2002 *

■	2,4 ha	5 600	ⓘ	8 à 11 €

Depuis 2003, le domaine Maurice Protheau (Mercurey) et le domaine des Fromanges (Rully), tous deux propriétés familiales, ont fusionné sous le nom de SCEA du Château d'Etroyes-Domaine Maurice Protheau. Or vert, ce *village* affiche un nez assez fin jouant sur le minéral, et un corps gras et onctueux. Ce vin peu acide n'est pas destiné à la garde mais on ne verra aucun inconvénient à le déguster lorsque la finale grillée aura laissé plus de place au fruit.

🔑 Dom. Maurice Protheau et Fils,
SCEA Ch. d'Etroyes, 71640 Mercurey,
tél. 03.85.45.10.84, fax 03.85.45.26.05,
e-mail contact@domaine-protheau-mercurey.fr
☑ Y ⚘ t.l.j. sf dim. 9h-12h 14h-19h

DOM. DE L'EUROPE Les Chazeaux 2002 *

■	1 ha	5 000	ⓘ	8 à 11 €

Elle est belge et artiste peintre, lui, viticulteur. Ils créent un tout petit domaine (2,3 ha) souvent cité ici dans le passé et encore cette année. Ce *village* donne en fin de dégustation le sentiment d'un joli vécu. La robe est attrayante, le nez vineux, vanille-framboise, légèrement animal. La bouche offre un baptême de l'air en montgolfière. Rien d'étonnant : Guy est un ancien champion de France. Les tanins n'empêchent pas le vin de s'élever de façon suave et harmonieuse. Peu de complexité mais que c'est gourmand !

🔑 Chantal Côte et Guy Cinquin,
Dom. de l'Europe, 7, rue du Clos Rond,
71640 Mercurey, tél. 06.08.04.28.12, fax 03.85.45.23.82,
e-mail cote-cinquin@wanadoo.fr ☑ Y ⚘ r.-v.

FAIVELEY Clos des Myglands 2001 *

■ 1er cru	6,31 ha	38 740	ⓘ	15 à 23 €

La famille Faiveley possède de vastes domaines viticoles en Côte chalonnaise, particulièrement sur Mercurey où (chose rare en Bourgogne) un remembrement a eu lieu à la fin des années 1980 et sur 4 500 parcelles ! Revenons à ces Myglands 2001. Leur couleur rouge cerise à reflets mauves sort de chez un grand couturier. Le nez se montre un peu sauvage tout en ayant soin de rappeler ses seize mois de fût et l'aspiration au cassis. Au palais, aucun élément ne prend le pas sur les autres. Ainsi, l'acidité ne sort pas de sa fonction. Un peu court en ce moment, mais il sera davantage en situation d'ici un à deux ans.

🔑 Bourgognes Faiveley,
8, rue du Tribourg, 21700 Nuits-Saint-Georges,
tél. 03.80.61.04.55, fax 03.80.62.33.37,
e-mail info@bourgognes-faiveley.com ☑ r.-v.

FORGEOT PERE ET FILS 2002

■	n.c.	n.c.	ⓘ	11 à 15 €

On croit voir du mercurey. On croit humer un mercurey. Et ce n'est pas une nouvelle version du *Canada Dry*... Non, un vrai mercurey qui en possède tous les signes distinctifs. Au nez par exemple, cet assortiment de fruits rouges, de senteurs animales, ou encore ces arômes de violette en finale. Forgeot Père et Fils est une marque de Bouchard Père et Fils.

🔑 Grands Vins Forgeot, 15, rue du Château,
21200 Beaune, tél. 03.80.24.80.50, fax 03.80.22.55.88

DOM. PHILIPPE GARREY La Chassière 2002 *

■ 1er cru	0,3 ha	1 400	ⓘ	11 à 15 €

Philippe Garrey a repris le domaine familial il y a cinq ans. Sa Chassière en robe de parade porte un parfum élégant : boisé fin, épices douces, nuances végétales. En bouche, les tanins jouent leur rôle avec naturel et discrétion. Ce vin complet, carré n'est pas encore pleinement fondu. Tout vient à point à qui sait attendre... disons deux ou trois ans.

🔑 Dom. Philippe Garrey,
Au bourg, 71640 Saint-Martin-sous-Montaigu,
tél. 06.30.40.42.21, fax 03.85.45.15.94,
e-mail d-pg@wanadoo.fr ☑ Y ⚘ r.-v.

BOURGOGNE

DOM. PATRICK GUILLOT Les Veley 2002

■ 1er cru	0,58 ha	3 300	ⓘ	8 à 11 €

Peu intense à reflets très légèrement tuilés, il donne également au nez des parfums de maturité, le pruneau cuit par exemple. Un pinot noir traité de façon classique et qui recouvre la langue d'un tapis rouge très soyeux.

🔑 Dom. Patrick Guillot,
9 A, rue de Vaugeailles, 71640 Mercurey,
tél. 03.85.45.27.40, fax 03.85.45.28.57 ☑ Y r.-v.

DOM. MICHEL ISAIE Clos du Paradis 2001 *

■ 1er cru	n.c.	3 300	ⓘ	8 à 11 €

Ce Clos du Paradis signé Isaïe ne peut être que prophétique. Et il l'est ! Un vin tout de grâce et d'harmonie, rouge comme le manteau de saint Michel aux Hospices de Beaune, généreux en arômes (cerise, grillé) et dont les tanins sont de bons apôtres. Le gras ne mérite pas le purgatoire. Il finit sur le fruit mûr et ce n'est pas désagréable du tout. Beau 2001 que l'on peut servir sur une tourte aux champignons dans un à deux ans.

🔑 Michel Isaïe,
chem. de l'Ouche, 71640 Saint-Jean-de-Vaux,
tél. 03.85.45.23.32, fax 03.85.45.29.38,
e-mail michel.isaie@wanadoo.fr ☑ Y ⚘ r.-v.

JEANNIN-NALTET PERE ET FILS
Clos des Grands Voyens 2001 *

■ 1er cru	4,91 ha	28 000	ⓘ	11 à 15 €

Les Jeannin-Naltet n'ont pas été seulement d'importants épiciers en gros à Dijon. Voici longtemps qu'ils célèbrent les vertus du mercurey et c'est d'ailleurs un membre de la famille qui en a écrit l'histoire. Ce Clos des Grands Voyens est un monopole sur près de 5 ha. Il donne ici un 2001 haut de gamme en robe et en bouquet à l'aération (dix-huit mois de fût, cela appuie les convictions). Le corps reste dans les limites du millésime, tout en se montrant rond et tendre, disponible dans un an ou deux.

🔑 Jeannin-Naltet Père et Fils, 4, rue de Jamproyes,
71640 Mercurey, tél. 03.85.45.13.83, fax 03.85.45.18.24,
e-mail jeannin-naltet-pere-et-fils@wanadoo.fr
☑ Y ⚘ r.-v.

JEAN-HERVE JONNIER 2002

■	2,94 ha	9 000	8 à 11 €

Chassey-le-Camp est un site néolithique bien connu des préhistoriens : la civilisation chasséenne. Installé ici, ce viticulteur présente un mercurey d'un rubis assez clair et d'une limpidité parfaite. Si le premier nez est assez fermé, la suite – à l'aération – est plus coopérative, sur des notes de groseille. Peu de structure mais on aime le plaisir de l'instant que procure ce vin fruité, léger, gouleyant qu'excite en finale une pointe vive.

🔑 Jean-Hervé Jonnier,
Bercully, 71150 Chassey-le-Camp,
tél. 03.85.87.21.90, fax 03.85.87.23.63 ☒ Ꮖ 🚶 r.-v.

DOM. EMILE JUILLOT Champs Martins 2002 *

□ 1er cru 0,23 ha 1 500 🛢 11 à 15 €

Jaune clair limpide, un 1er cru qui vous accapare le nez : écorce d'orange, abricot sec, fleur blanche, on en est tout ému. Frais, droit, sans lourdeur, conciliant par la suite la noisette et l'herbe sèche, c'est un vin bien fait et du plus aimable commerce. Voir aussi en **blanc le mercurey Vieilles Vignes 2002 (8 à 11 €)** ; en **rouge, les Champs Martins 1er cru 2002** et les **Combins 1er cru 2002**. Tous obtiennent une étoile.

🔑 Nathalie et Jean-Claude Theulot,
4, rue de Mercurey, 71640 Mercurey,
tél. 03.85.45.13.87, fax 03.85.45.28.07,
e-mail e.juillot.theulot@wanadoo.fr
☒ Ꮖ 🚶 t.l.j. 8h-12h 13h30-18h; sam. dim. sur r.-v.

DOM. MICHEL JUILLOT
Clos des Barraults 2001 **

□ 1er cru n.c. 4 500 🛢 15 à 23 €

Or clair, brillantissime, un vin dont le nez très frais demande à s'ouvrir, déjà très spontané sur les agrumes et sur le fruit à noyau (pêche, prune). La bouche est pleine d'élan, vive à l'attaque puis le gras n'hésite pas et prend le relais dans une probable explosion d'arômes. D'ici deux à trois ans, la patience sera récompensée. Ont obtenu chacun une étoile, ce **même climat 2002 rouge** et le **Clos Tonnerre 1er cru 2002 rouge.**

🔑 Dom. Michel Juillot, 59, Grande-Rue, BP 10,
71640 Mercurey, tél. 03.85.98.99.89, fax 03.85.98.99.88,
e-mail infos@domaine-michel-juillot.fr
☒ Ꮖ 🚶 t.l.j. 9h-19h; groupes sur r.-v.

MANOIR DE MERCEY Chateaubeau 2002

■ 3,6 ha 15 000 🛢 8 à 11 €

Le domaine Berger-Rive est situé au manoir de Mercey, belle propriété du XVIIIe s. Son mercurey très puissant bénéficie d'une constitution amplement suffisante mais qui s'exprime encore avec sévérité. Le fût est assez présent. Quant à la robe, *rien à y redire*, pour parler bourguignon.

🔑 Dom. Gérard Berger-Rive et Fils,
Manoir de Mercey, 2, rue Saint-Louis,
71150 Cheilly-lès-Maranges,
tél. 03.85.91.13.81, fax 03.85.91.17.06,
e-mail contact@berger-rive.com ☒ Ꮖ 🚶 r.-v.

JEAN-MICHEL ET LAURENT PILLOT 2002 *

□ 1 ha 4 000 🛢 11 à 15 €

Un filet de sandre fera bon ménage avec ce mercurey or jaune à reflets clairs, vanillé et porté sur le fruit de la Passion. Les agrumes tiennent leur congrès en bouche. Ce que les professionnels appellent un vin technologique. Cela dit, la continuité du nez au palais est joliment réussie et on aime bien cette sensation de jeunesse qui ne veut rien devoir à personne, simple mais assez vive en finale. A ouvrir sur une cuisine asiatique.

🔑 Dom. Jean-Michel et Laurent Pillot,
rue des Vendangeurs, 71640 Mellecey,
tél. 03.85.45.21.39, fax 03.85.45.20.48 ☒ Ꮖ 🚶 r.-v.

FRANCOIS RAQUILLET Vieilles Vignes 2002 **

■ 3 ha 12 000 🛢 8 à 11 €

Très belle bouteille sans peur et sans reproche. Sa robe n'a rien perdu de l'éclat de sa jeunesse. Son bouquet est encore assez boisé, mais il ne bloque pas les ardeurs pressantes du cassis : il a beaucoup d'expression olfactive. Attaque vive, milieu de bouche plutôt gras, finale sur le fruit : les trois mouvements de la symphonie s'enchaînent admirablement. Le dernier coup de baguette du chef d'orchestre est peut-être encore un peu sec. Doté d'un potentiel important pour ce millésime, ce vin réjouira les convives, d'autant que l'étiquette est élégante et novatrice.

🔑 François Raquillet,
19, rue de Jamproyes, 71640 Mercurey,
tél. 03.85.45.14.61, fax 03.85.45.28.05 ☒ Ꮖ 🚶 r.-v.

CH. DE SANTENAY 2002 *

□ 5,69 ha 38 395 🛢 8 à 11 €

Le Crédit agricole sur ses terres à vigne. Le capital ? Un bouquet moyennement intense au boisé bien fondu, tirant sur l'agrume. L'or pâle fait un joli lingot à mettre au coffre. En bouche, un compte-courant de bonne vivacité, d'un gras porteur d'intérêts. Du fruit et une finale solide. Cela dit, on peut placer plus mal ses économies car ici, il en reste quelque chose : le plaisir.

🔑 Ch. de Santenay, 1, rue du Château,
21590 Santenay, tél. 03.80.20.61.87, fax 03.80.20.63.66,
e-mail contact@chateau-de-santenay.com ☒ Ꮖ 🚶 r.-v.

ALBERT SOUNIT Clos du Roy 2002

□ 1er cru 0,4 ha 1 200 🛢 11 à 15 €

Un léger jaune doré agrémente une robe claire et limpide à reflets verts. Les douze mois de fût laissent un souvenir grillé, mais pas au point d'effacer la menthe et la fleur blanche. On reste en bouche sur une tonalité boisée aux effets végétaux. C'est frais, plaisant et la note d'amertume en finale n'a rien de surprenant. Conviendra à des noix de Saint-Jacques.

🔑 Albert Sounit, 5, pl. du Champ-de-Foire,
71150 Rully, tél. 03.85.87.20.71, fax 03.85.87.09.71,
e-mail albert.sounit@wanadoo.fr ☒ Ꮖ 🚶 r.-v.

HUGUES ET YVES DE SUREMAIN
Les Croichots 2001 *

■ 1er cru 1,5 ha 6 000 ▮🛢 11 à 15 €

L'une des rares familles vigneronnes à pouvoir reproduire son blason réel sur l'étiquette. Voici un Croichots bien fait, à conserver un an ou deux. Sa robe est typée 2001. Il pinote sur le fruit rouge et sa fraîcheur encore assez souple ne lui interdit pas un comportement étoffé, presque corpulent. Il conviendra à du petit gibier.

🔑 Hugues et Yves de Suremain,
Dom. du Bourgneuf, BP 14, 71640 Mercurey,
tél. 03.85.45.20.87, fax 03.85.45.17.88,
e-mail contact@domaine-de-suremain.com ☒ Ꮖ 🚶 r.-v.

DOM. TUPINIER-BAUTISTA
Les Vellées Vieilles Vignes 2002

□ 1er cru 0,17 ha 1 200 🛢 11 à 15 €

Le hameau de Touches peut s'enorgueillir de posséder une intéressante église fondée au XIIIe s. C'est aussi un vrai village vigneron. Ce vin est élevé dans des caves creusées dans la roche. Sous sa robe déjà dorée, le nez assez gras évoque le miel, l'aubépine et la vanille du fût. Peu de longueur en bouche mais de la finesse ainsi que de la vivacité. A boire dans le temps présent car on sent ce vin à maturité.

⚷ EARL Dom. Tupinier-Bautista,
Touches, 71640 Mercurey,
tél. 03.85.45.26.38, fax 03.85.45.27.99 ☒ Ƴ 🚶 r.-v.

DOM. VOARICK Clos Paradis 2002 ★

▒ 1er cru 0,82 ha 5 600 ⏸ 11 à 15 €

Or paille, ce Domaine Voarick fait partie des nombreuses acquisitions de Michel Picard qui, grand seigneur, s'est établi au château de Chassagne-Montrachet. Jadis, c'étaient les vignes de Chassagne qui avaient pour seigneurs les notabilités de Chagny. Le monde change. En revanche, ce Clos Paradis n'en est pas trop éloigné. Le bouquet s'avère complexe bien qu'encore retenu : le fût joue un grand rôle dans la pièce. Mais c'est un vin digne d'intérêt, de même que le **1er cru Clos du Roy rouge 2001 (15 à 23 €)**, destiné à du veau aux morilles.

⚷ Maison Michel Picard, BP 49, 71150 Chagny,
tél. 03.85.87.51.01, fax 03.85.87.51.12,
e-mail commercial@m-p.fr

Givry

A 6 km au sud de Mercurey, cette petite bourgade typiquement bourguignonne est riche en monuments historiques. Le givry rouge, la production principale (10 709 hl en 2002), aurait été le vin préféré d'Henri IV. Mais le blanc (2 107 hl) intéresse aussi. Les prix sont très abordables. L'appellation s'étend principalement sur la commune de Givry, mais « déborde » légèrement sur Jambles et Dracy-le-Fort.

FRANCOIS D'ALLAINES Les Grognots 2002 ★★

▒ 0,15 ha 900 ⏸ 8 à 11 €

Très proche du coup de cœur, cette bouteille de Grognots ne grogne pas du tout ! Sous sa robe jaune paille lumineux et doré, elle tient le plus charmant des discours. Noisette, raisin sec, miel, on pourrait se contenter du nez, d'autant qu'il glisse sur la cire d'abeille : on se croirait dans un couvent de clarisses. En bouche, le fût (dix mois) se montre aujourd'hui un peu sévère mais il y a du corps, de l'équilibre, de la longueur. Le mieux serait de laisser à ce vin le temps (un à deux ans) de mûrir encore en cave, mais le jury rêve de le servir dès maintenant sur un poisson en sauce.

⚷ François d'Allaines, La Corvée du Paquier,
71150 Demigny, tél. 03.85.49.90.16, fax 03.85.49.90.19,
e-mail francois@dallaines.com ☒ Ƴ 🚶 r.-v.

GUILLEMETTE ET XAVIER BESSON
La Matrosse 2002 ★★

▒ 0,3 ha 2 000 ⏸ 8 à 11 €

Ne manquez pas de visiter cette cave, d'autant qu'elle est inscrite comme Monument historique (XVIIe s.). Guillemette et Xavier Besson ont eu en 2002 la main particulièrement heureuse. Leur **Petit Prétant en 1er cru rouge 2002** a passionné le jury (une étoile) qui, dans le même temps, offrait à ce merveilleux blanc la palme du coup de cœur. Paille dorée, assez grillé, il possède une belle

acidité de constitution qui lui donne de la vivacité. Aux notes de noisette s'ajoute à l'aération dans le verre une sensation plus minérale.

⚷ Dom. Guillemette et Xavier Besson,
9, rue des Bois-Chevaux, 71640 Givry,
tél. 03.85.44.42.44, fax 03.85.94.88.21 ☒ Ƴ 🚶 r.-v.

RENE BOURGEON 2002 ★

■ n.c. n.c. 8 à 11 €

Rouge sombre un tantinet violacé, il est à ouvrir à l'avance ou à carafer. Effluves d'églantine, de cassis, beaucoup de vigueur en attaque : cela couvre du champ ! Vivacité et vinosité se conjuguent pour un vin bien complet, charpenté et qui a du potentiel. Le millésime 95 reçut le coup de cœur.

⚷ GAEC René Bourgeon,
2, rue du Chapitre, 71640 Jambles,
tél. 03.85.44.35.85, fax 03.85.44.57.80 ☒ Ƴ 🚶 r.-v.

DOM. CHOFFLET-VALDENAIRE
Clos Jus 2002 ★

■ 1er cru 1 ha 6 000 ▮⏸⫯ 11 à 15 €

Coup de cœur pour son Clos de Choue 93, ce domaine propose cette année encore deux belles bouteilles. Le jury a aimé **Les Galaffres 2002 en blanc (8 à 11 €)**, une étoile, tout autant que ce Clos Jus rouge. Ce *climat* est à Givry l'homme de base. Une couleur sans parcimonie, un fruit plus pressenti qu'avoué, mais la vanille va s'estomper, une chair moelleuse à souhait, un bon soutien acide et tannique, tout cela permet d'être optimiste. Mais de grâce, n'ouvrez pas trop tôt.

⚷ Dom. Chofflet-Valdenaire, Russilly, 71640 Givry,
tél. 03.85.44.34.78, fax 03.85.44.45.25,
e-mail chofflet.valdenaire@wanadoo.fr ☒ Ƴ 🚶 r.-v.

DOM. DU CLOS SALOMON
Clos Salomon Monopole 2002 ★★

■ 1er cru 7 ha 27 000 ⏸ 11 à 15 €

Notre coup de cœur de l'an dernier ne s'endort pas sur ses lauriers. Le Clos Salomon rouge 2002 est quasiment au niveau du précédent. D'un rubis noir à reflets bleutés, le nez tout en compote de fruits rouges avec une élégante pointe de cassis, il est très structuré et puissant. Les tanins ? Serrés mais pas agressifs. « La matière dense est bien travaillée », complimente le jury. Il faut savoir l'attendre, puis le servir en carafe.

⚷ EARL Clos Salomon,
16, rue du Clos-Salomon, 71640 Givry,
tél. 03.85.44.32.24, fax 03.85.44.49.79 ☒ Ƴ
⚷ Du Gardin-Perrotto

BOURGOGNE

DOM. DE LA CROIX JACQUELET 2001 ★

■   1,1 ha   8 603   ◫ 8 à 11 €

Il s'agit du très vaste domaine (plus de 80 ha) possédé en Côte chalonnaise par les Faiveley (Nuits-Saint-Georges). Un 2001 ayant gardé toute sa couleur ou vert. La minéralité apparaît dominante mais le nez légèrement citronné évoque aussi le fût. En bouche, pas d'obstacle. En 2005 il commencera à satisfaire l'amateur de vin au caractère minéral.

☛ Dom. de la Croix Jacquelet, Cidex 892, 71640 Mercurey,
tél. 03.85.45.12.23, fax 03.85.45.26.42 ☑ ⊺ ⚹ r.-v.

DANIEL DAVANTURE ET FILS 2002 ★★

■   0,47 ha   3 000   ◫ 5 à 8 €

Si d'aventure vous cherchez un givry blanc à un prix très raisonnable et d'une qualité remarquable, allez chez Davanture en lui demandant son 2002. Vous ne serez pas déçu... s'il en reste comme on l'espère. Or vif brillant, faisant la part belle au minéral tout en charmant le nez par un léger grillé (dix mois de fût), ce vin séduit par sa matière dense et profonde, sa chair encore assez vive, son caractère racé. Elevage très réussi. A ne pas déboucher tout de suite.

☛ Daniel Davanture et Fils,
rue de la Montée, 71390 Saint-Désert,
tél. 03.85.47.90.42, fax 03.85.47.95.57 ☑ ⊺ ⚹ r.-v.
☛ GAEC des Murgers

PROPRIETE DESVIGNES La Grande Berge 2002

■ 1er cru   1,66 ha   10 000   ▐◫⬇ 8 à 11 €

Heureuse famille qui, depuis plus d'un siècle, a pu agrandir le domaine de génération en génération. Pourpre légèrement rose, ce givry fleure bon la myrtille et cela donne envie de faire un bout de chemin avec lui. Quelques nuances herbacées aussi. La matière s'abrite derrière des tanins protecteurs mais peu guerriers accompagnant un fruit consistant. Un vin qui se boit sans aller chez son psy.

☛ Propriété Desvignes, 36, rue de Jambles,
Poncey, 71640 Givry,
tél. 03.85.44.51.23, fax 03.85.44.43.53 ☑ ⌂ ⊺ ⚹ r.-v.

DIDIER ERKER Les Bois Chevaux 2002 ★

■ 1er cru   1 ha   5 000   ◫ 8 à 11 €

Grenat à reflets rubis, il porte une robe de bon niveau sans extraction. Au nez s'expriment des arômes de pâtisserie, de cerise restée sur l'arbre, puis de ganache. Les tanins sont bien fondus dans le gras. La longueur est correcte sur une note de cerise mûre. Intéressants pendant deux ou trois ans sur une viande rouge, ces Chevaux sont de manège plutôt que de bataille.

☛ Didier Erker, 7 bis, bd Saint-Martin, 71640 Givry,
tél. 03.85.44.39.62, fax 03.85.44.39.62,
e-mail erker@givry.net
☑ 🏠 ⊺ ⚹ t.l.j. sf dim. 8h30-20h

DOM. DE LA FERTE 2001 ★

■   n.c.   9 266   11 à 15 €

Est-ce de Dante ? Au cas où vous auriez perdu votre latin, traduisons la devise figurant sur l'étiquette : « Béatrice resta jeune fille pour la vie éternelle », devise étonnante en cette ancienne abbaye cistercienne ! La Ferté est un autre domaine Thénard, confié à Antonin Rodet. A en juger par cette bouteille pleine de gras et onctueuse de plaisir, les abbés de La Ferté ne devaient pas s'ennuyer à table. Couleur profonde, boisé subtil et parfums légers,

tanins adorables, équilibre de l'acidité et de l'alcool, un vin à saisir dès maintenant sur une pintade. Coup de cœur pour le millésime 99.

☛ Dom. du Château de Chamirey, 71640 Mercurey,
tél. 03.85.98.12.12, fax 03.85.45.25.49,
e-mail rodet@rodet.com ⚹r.-v.
☛ B. Devillard

CHRISTOPHE GONOT 2002

■   4 ha   8 000   ▐◫ 5 à 8 €

Vin de style assez friand et précoce, à boire jeune car il s'y est préparé. Grenat sombre, cerise sur le pourtour, il cède inévitablement aux ardeurs de son fût (mi-cuve, mi-bois) mais il a l'astuce d'y mêler l'iris et la pivoine. Si le fond est léger, on apprécie ce côté tendre qui ne manque pourtant pas de nerf. Festif en un mot.

☛ Christophe Gonot, Russilly, 71640 Givry,
tél. 06.08.68.95.00, fax 03.85.44.43.38 ☑ ⊺ ⚹ r.-v.

DOM. MICHEL GOUBARD ET FILS
La Grande Berge 2002 ★

■ 1er cru   2,64 ha   20 000   ▐◫ 8 à 11 €

Tel père, tels fils : la devise du domaine. Figure de la Côte chalonnaise, Michel Goubard passe le relais à ses garçons Pierre-François et Vincent. D'un rouge carminé, net et brillant, ce givry associe des arômes de réglisse, de fumé, de vanille. Il confesse dès le départ sa vinosité sur un mode ferme, équilibré, et sa franchise n'est pas dénuée d'élégance.

☛ Dom. Michel Goubard et Fils,
Bassevelle, 71390 Saint-Désert,
tél. 03.85.47.91.06, fax 03.85.47.98.12
☑ ⊺ ⚹ t.l.j. 8h-12h 14h-19h; dim. sur r.-v.

PIERRE JANNY 2001

■   3,5 ha   21 000   8 à 11 €

Même si elle est légèrement ambrée, jolie robe pour le millésime ! Le bouquet développe des arômes primaires à nuances végétales, puis évoque la groseille. Un boisé délicat orne une bouche ronde et fruitée, à finale acidulée. Sans doute aurait-il mérité une meilleure maturité, mais ce vin est bien élevé. A attendre un à deux ans.

☛ Sté Pierre Janny, La Condemine, Cidex 1556,
71260 Péronne, tél. 03.85.23.96.20, fax 03.85.36.96.58,
e-mail pierre-janny@wanadoo.fr

DOM. MASSE PERE ET FILS Champ Lalot 2002 ★

■   0,5 ha   3 000   ◫ 8 à 11 €

Bon vin ayant besoin de garde pour se révéler, au boisé un peu marqué en ce moment. Rubis grenat, il a le nez ouvert et complexe (pruneau, raisin sec, fruits noirs et épices douces) ; le corps velouté, long et sachant très bien tirer sa révérence en finale. Il est gourmand pour le résumer en un mot. Ce givry sera probablement à son optimum dans deux à trois ans.

☛ Dom. Masse Père et Fils, Theurey, 71640 Barizey,
tél. 03.85.44.36.73, fax 03.85.44.36.73
☑ ⊺ ⚹ t.l.j. 8h-19h; dim. 9h-12h; f. 15 août-1er sep.

DOM. DU MOULIN NEUF La Plante 2002 ★★

■ 1er cru   1 ha   8 000   ▐⬇ 5 à 8 €

Si l'envie vous prend soudain de croquer du raisin bien mûr, débouchez cette bouteille qui flirte avec le coup de cœur. Paille pâle à reflets citronnés, elle offre un bouquet qui chardonne comme en Côte de Beaune : miel, mie de pain, brioche, un vrai casse-croûte ! Avenante et suave, la bouche est accommodante. Elle veut plaire, un point c'est tout. Une petite pointe de silex conclut l'affaire. Quant au **givry rouge 2002**, il obtient une étoile ; l'empreinte du chêne s'atténuera avec un à deux ans de garde.

⏚ Pascal Danjean-Berthoux,
Le Moulin Neuf, 71640 Jambles,
tél. 03.85.44.54.74, fax 03.85.44.33.46 ☑ ϒ ⅄ r.-v.

DOM. MOUTON Clos Jus 2002

■ 1er cru	2 ha	11 000	⦙⊞⦙	8 à 11 €

Mai 2002 voit le fils, Laurent, intégrer le domaine. Ce premier millésime ? Pourpre rose, une bouteille qu'un rien habille. Au nez s'affiche le juste accord du bois et du fruit : on pense à la groseille, à la framboise. A boire maintenant car si sa densité est moyenne, le fruit a bien du charme en bouche.

⏚ SCEA Dom. Mouton, 6, rue de l'Orcène, Poncey, 71640 Givry, tél. 03.85.44.37.99, fax 03.85.44.48.19, e-mail domaine-mouton@vin-givry.com ☑ ϒ ⅄ r.-v.

DOM. RAGOT Champ Pourot 2002 ★

▦	1,8 ha	10 000	⦙⊞⦙	8 à 11 €

« Suivez mon panache blanc ! », eût dit Henri IV (Givry en a fait son grand homme et on attend sa statue) en dégustant ce chardonnay capable de lui faire oublier le jurançon. Sa brillance, son bouquet de chèvrefeuille et de sous-bois humide suggèrent le raisin bien mûr dans une impression de jeunesse. Il est délicieux au palais grâce à sa discrétion minérale. En **1er cru rouge 2002, le Clos Jus (11 à 15 €)** obtient une citation.

⏚ Dom. Jean-Paul Ragot,
4, rue de l'Ecole, Poncey, 71640 Givry,
tél. 03.85.44.35.67, fax 03.85.44.38.84 ☑ ⌂ ϒ ⅄ r.-v.

MICHEL SARRAZIN ET FILS 2002 ★★

▦ 1er cru	0,3 ha	2 500	⦙⊞⦙	8 à 11 €

Coup de cœur pour ses millésimes 2000, 99, 95, 90, ce domaine pourrait appartenir aux « hors concours ». Deux bouteilles sont remarquables : **Les Grands Prétants en 1er cru 2002 rouge** et ce blanc or pâle à reflets verts. Son bouquet très attirant marie le miel, la fleur blanche, la pierre à fusil. La bouche, souple et ronde, offre une intéressante minéralité qui contribue à sa fraîcheur. Quant aux **Champs Lalot rouge 2002**, ils ont été goûtés trop jeunes ; le jury en aime le fruit et lui accorde une citation.

⏚ Dom. Michel Sarrazin et Fils, Charnailles, 71640 Jambles, tél. 03.85.44.30.57, fax 03.85.44.31.22, e-mail sarrazin2@wanadoo.fr ☑ ⌂ ϒ ⅄ r.-v.

LA SAULERAIE Champ Nalot 2002 ★

■	1,5 ha	10 000	⦙⊞⦙	8 à 11 €

Des Champ Nalot dégustés en rouge et en blanc. En gros, ils se valent. Du **Champ Nalot blanc 2002** on apprécie l'indéniable et cohérente réussite. De ce pinot on aime l'originalité. Si la robe ne surprend pas, restant dans le ton de l'AOC, le bouquet inspire les dégustateurs : violette suivie d'accents animaux, la vanille en arrière-plan. La bouche, fraîche et joyeuse, est moins complexe mais se montre charnue, vineuse et charpentée. Ce domaine, souvent honoré du coup de cœur (millésimes 2000 pour ce même vin, 2001 également mais en blanc, sans compter 99,

etc.), propose une autre belle bouteille : le **Clos Les Grandes Vignes rouge 2002 (11 à 15 €)**, également une étoile.

⏚ Gérard et Laurent Parize, 18, rue des Faussillons, 71640 Givry, tél. 03.85.44.38.60, fax 03.85.44.43.54, e-mail laurent.parize@wanadoo.fr ☑ ϒ ⅄ t.l.j. 9h-19h

DOM. BERNARD TATRAUX-JUILLET
Les Grandes Berges 2002

■ 1er cru	0,45 ha	3 000	⦙⊞⦙	8 à 11 €

Intense en couleur, un 2002 dont le bois et le fruit (pruneau cuit) sont en harmonie. Ses arômes persistent en bouche dans un contexte souple. Bien sûr, la réaction des tanins ne se fait pas attendre, mais sans brutalité. A boire dans deux ou trois ans.

⏚ Dom. Bernard Tatraux-Juillet, 33, rue de la Planchette, 71640 Givry, tél. 03.85.44.57.41, fax 03.85.44.57.20, e-mail bernard-tatraux-juillet@libertysurf.fr ☑ ϒ ⅄

MARTINE TESSIER Champ La Dame 2002

■	0,8 ha	2 000	⦙⊞⦙	5 à 8 €

Au sein de ce petit domaine de 3 ha, Martine Tessier et son Champ La Dame ; les féministes seront comblées. D'un rouge grenat qui n'insiste pas, ce vin au nez très fin et classique (les baies rouges, la cerise) est bien typé. Frais, friand, il passe agréablement. Espérons qu'un peu d'âge lui donnera du fond.

⏚ Martine Tessier, 16, rue de l'Ecole, Poncey, 71640 Givry, tél. 03.85.44.40.62, fax 03.85.44.40.62, e-mail mj.tessier@wanadoo.fr ☑ ϒ ⅄ r.-v.

DOM. THENARD Les Bois Chevaux 2001

■ 1er cru	7,66 ha	41 000	⦙⊞⦙	5 à 8 €

Domaine historique : resté familial depuis près de deux cents ans, celui du baron Paul Thénard qui remporta la première victoire contre le phylloxéra grâce au sulfure de carbone. D'un rubis clair bien typé 2001, ce vin évoque le fruit rouge (groseille) et le sous-bois. Il n'est pas corpulent, mais sa légèreté contentera les convives pendant un an ou deux.

⏚ Dom. Thénard, 7, rue de l'Hôtel-de-Ville, 71640 Givry, tél. 03.85.44.31.36, fax 03.85.44.47.83 ☑ ϒ ⅄ r.-v.

Montagny

Entièrement voué aux vins blancs, Montagny, village le plus méridional de la région, annonce déjà le Mâconnais. L'appellation peut être produite sur quatre communes : Montagny, Buxy, Saint-Vallerin et Jully-lès-Buxy. Plusieurs premiers crus : les Coères, les Burnins, les Platières... sont délimités sur la commune de Montagny. Les vins produits sont assez subtils, avec des arômes d'agrumes et une touche de minéralité. D'une bonne garde, ces vins mériteraient d'être mieux connus. La production a atteint 12 548 hl en 2003.

BOURGOGNE

DOM. ARNOUX PERE ET FILS 2001

■ 0,4 ha 2 500 ▮🌡 5 à 8 €

Or vert, clair, floral et orienté vers le fruit à chair blanche, un montagny qui allie finesse et concentration. Il a du relief et il est bien typé. Voici un vin à dénicher, naguère peu connu mais il l'est davantage depuis la Saint-Vincent tournante 2002 !

🔑 Dom. Arnoux Père et Fils,
7, rue du Lavoir, 71390 Buxy,
tél. 03.85.92.11.06, fax 03.85.92.19.28 ☑ 🚶 r.-v.

DOM. BERTHENET Les Montcuchots 2002 ★

■ 1er cru 0,6 ha 4 500 ▮🌡 11 à 15 €

Le jaune paille l'habille de pied en cap. Fleurs et fruits blancs, le nez est dans les convenances, avec une touche de citron vert qui le bouscule un peu. On débute sur la souplesse. Les arômes y vont de bon cœur puis la bouche se montre ample, avec une acidité mesurée qui lui permettra de bien vieillir en cave. Quatre siècles ici, chez Berthenet, et cela nous donne encore un plaisir sans façon dans un village entouré de vignes.

🔑 Dom. Jean-Pierre Berthenet,
Le Bourg, 71390 Montagny-les-Buxy,
tél. 03.85.92.17.06, fax 03.85.92.06.98,
e-mail domaine.berthenet@free.fr ☑ 🍷 🚶 r.-v.

LA BUXYNOISE
Vieilles Vignes Elevé en fût de chêne 2001 ★

■ n.c. 100 000 🛢 8 à 11 €

Cette cave créée en 1929 durant la crise est devenue un empire bourguignon : 950 ha et plus de 600 producteurs ! Sa visite vaut le coup d'œil. Cette cuvée de vieilles vignes mitonnées sur 15 ha donne un 2001 un peu vif. Mais ne disait-on pas jadis « vin vert, riche Bourgogne »... Jaune doré profond, il s'ouvre sur les fruits secs et le minéral. La bouche suit sur le même registre. Notez encore : la **Tour rouge en 1er cru 2002** obtient une étoile et le fameux **1er cru les Coères 2001**, souvent considéré comme le fleuron du montagny, est cité.

🔑 Cave des Vignerons de Buxy,
La Buxynoise, les Vignes de La Croix, BP 6,
71390 Buxy, tél. 03.85.92.03.03, fax 03.85.92.08.06,
e-mail labuxynoise@cave-buxy.fr
☑ 🍷 🚶 t.l.j. sf dim. 9h-12h 14h-18h30; groupes sur r.-v.

CHARTRON ET TREBUCHET
Les Grandes Vignes 2001 ★

■ 2,4 ha 12 000 🛢 11 à 15 €

Ce bon blanc fruité semble à son apogée et on conseille de le remonter de la cave. Limpide, légèrement sur l'or vert, il exprime de puissants parfums floraux. Son acidité est bien contrôlée en accompagnement d'une bouche fraîche et généreuse. Les négociants-éleveurs savent trouver ici de belles cuvées.

🔑 Chartron et Trébuchet,
13, Grande-Rue, 21190 Puligny-Montrachet,
tél. 03.80.21.32.85, fax 03.80.21.36.35
☑ 🍷 t.l.j. 10h-12h 14h-18h; f. fin nov.-mi-mars

CAVE DE GENOUILLY
Les Vignes du Soleil 2002 ★

■ 1er cru 0,7 ha 6 000 🛢 5 à 8 €

La cave de Genouilly gère 80 ha et son 1er cru n'a pas à se plaindre de la vie. Légèrement boisé (huit mois de fût), il présente une bonne acidité, une texture honnête, une souplesse qui dure jusqu'au bout. Sa couleur est dans le ton habituel. Ses arômes ? Choisis, autour de la cannelle et du chèvrefeuille. A boire dans les deux ans à venir.

🔑 Cave des vignerons de Genouilly, 71460 Genouilly,
tél. 03.85.49.23.72, fax 03.85.49.23.58
☑ 🍷 🚶 t.l.j. sf dim. 8h-12h 14h-18h

CH. DE LA GUICHE 2001 ★

■ 0,79 ha 4 200 ▮🛢 8 à 11 €

Limpide, intense, profond : on ne tarit pas d'éloges face à l'œil. Le nez est bienveillant, léger sur la noisette, un tantinet exotique. A boire demain si l'on aime la vivacité fruitée, un peu plus tard si l'on préfère l'harmonie dans la complexité. Il soutient bien son appellation dans un esprit fruité. Notez qu'il y a plusieurs châteaux attachés à la famille de Laguiche, celui-ci n'étant pas en montrachet.

🔑 André Goichot,
Ch. de la Guiche, 71000 Jully-les-Buxy,
tél. 03.80.26.88.70, fax 03.80.26.80.69

DOM. MICHEL-ANDREOTTI Les Guignottes 2002

■ 2,5 ha 6 000 ▮🛢🌡 8 à 11 €

A Saint-Vallerin, vous découvrirez une église romane plusieurs fois remaniée. Ce domaine familial présente une cuvée dont la robe est de bon goût. Le nez ne s'ouvre pas trop mais serait-ce si grave ? Un 2002 a encore du temps à vivre et des espoirs à confirmer. La suite est d'intensité moyenne, mais, à y bien regarder, le corps n'est pas mince, le gras nullement indifférent, la chaleur bien à sa place, la fin de bouche honorable. A servir avec viande blanche et fromage de chèvre.

🔑 Arlette et Philippe Andreotti,
Dom. Michel-Andreotti,
Les Guignottes, 71390 Saint-Vallerin,
tél. 03.85.92.11.16, fax 03.85.92.09.60,
e-mail philippe.andreotti@freesbee.fr ☑ 🍷 🚶 r.-v.

DOM. DES MOIROTS Le Vieux Château 2002 ★

■ 1er cru 3,6 ha 19 000 ▮🛢🌡 8 à 11 €

Domaine né de l'association de Lucien et de Christophe Denizot en 1990. Il propose un 1er cru doré clair. Sous le nez, un bouquet d'agrumes teinté de fût – discret, les trois quarts de l'élevage y ont été réalisés en cuve. On a beaucoup de vin en bouche après une attaque digne des plus belles charges de cavalerie. L'ensemble est puissant et d'une bonne longueur. Quelques années de garde sont dans ses moyens. A servir sur une blanquette de veau.

🔑 Lucien et Christophe Denizot, Dom. des Moirots,
14, rue des Moirots, 71390 Bissey-sous-Cruchaud,
tél. 03.85.92.16.93, fax 03.85.92.09.42,
e-mail lucien.denizot@wanadoo.fr ☑ 🍷 🚶 r.-v.

CH. DE LA SAULE 2002 ★

■ 1er cru 7 ha 45 000 ▮🌡 11 à 15 €

Sous sa robe claire à reflets paille, ce montagny confirme le dicton qui assure que par ici le vin laisse « haleine fraîche et idées claires ». Son bouquet aux tendances florales et minérales va tout à fait dans ce sens. D'une sensualité à fleur de peau, il est de longueur moyenne mais doté d'un potentiel intéressant (deux à trois ans) ; il aimera les poissons grillés.

🔑 Alain Roy, La Saule, 71390 Montagny,
tél. 03.85.92.11.83, fax 03.85.92.08.12 ☑ 🍷 r.-v.

ALBERT SOUNIT Les Bassets 2002 ★

1er cru	1 ha	3 000	⑪ 11 à 15 €

Comme à chaque parution du Guide, on va se réjouir et allumer des lampions à Copenhague. Cette ancienne maison (fondée en 1851) a été en effet rachetée en 1993 par son importateur danois K. Kjellerup qui en prend grand soin avec son équipe bourguignonne. Une bouteille à reflets dorés et au nez assez explosif, sur l'aubépine et la pierre à fusil. Au palais, les notes vanillées succèdent en finale à une saveur plaisante mettant le cru en évidence.
🍷 Albert Sounit, 5, pl. du Champ-de-Foire, 71150 Rully, tél. 03.85.87.20.71, fax 03.85.87.09.71, e-mail albert.sounit@wanadoo.fr ☑ 🍷 🗡 r.-v.

CORINNE TOURNIER ET THIERRY GAUTIER
Elevé en fût de chêne 2001 ★

	0,44 ha	2 500	▮⑪ 5 à 8 €

Propriété acquise en 2001 par Corinne Tournier et Thierry Gautier qui ne sont pas issus du monde viticole ni même rural mais sont passionnés de vin. 2001 a vu 60 % de la récolte détruite par la grêle. Les grappes rescapées sont à l'origine de cette bouteille à la robe discrète. Bouquet en forme de poire, avec de l'élan. Du corps, de la structure, voici un bon sujet. Pour une vinification de débutants dans le métier, pas mal du tout. D'autant que le 1er cru élevé en fût de chêne 2001 (8 à 11 €) obtient la même note. Il devra vieillir deux ans encore.
🍷 Corinne Tournier et Thierry Gautier, GAEC Dionysos, quartier de la Gare, 71460 Culles-les-Roches, tél. 03.85.44.01.90, fax 03.85.44.08.61, e-mail gaecdionysos@tiscali.fr ☑ 🍷 🗡 r.-v.

Le Mâconnais

Mâcon, mâcon supérieur et mâcon-villages

Les appellations mâcon, mâcon supérieur ou mâcon suivi de la commune d'origine sont utilisées pour les vins rouges, rosés et blancs. Les vins blancs peuvent s'appeler aussi mâcon-villages. L'aire de production est relativement vaste et, de la région de Tournus jusqu'aux environs de Mâcon, la diversité des situations se traduit par une grande variété dans la production. En 2002, celle-ci a atteint 206 675 hl de vin blanc et 42 413 de rouge.

Le secteur de Lugny, Chardonnay et Viré, propice à la production de vins blancs légers et agréables, est le plus connu, et de nombreux viticulteurs se sont groupés en caves coopératives pour vinifier et faire connaître leurs vins. C'est d'ailleurs dans ce secteur que la production s'est développée.

Mâcon

JEAN-MARC ET CEDRIC BALANDRAS
Serrières Les Gravières Cuvée Vieilles Vignes 2002

▪	2 ha	3 000	▮↓ 5 à 8 €

Perchée sur les hauteurs de Serrières, aux Guérins, la famille Balandras perpétue sa tradition viticole en élaborant des vins rouges de caractère, tel ce 2002 dont la robe rouge à reflets violacés annonce une bouteille de qualité. Cette impression se confirme par un bouquet discret évoquant le sous-bois et les fruits mûrs et par une bouche ronde aux tanins puissants, encore accrocheurs. Ce vin devrait bien traverser les deux prochaines années.
🍷 Jean-Marc et Cédric Balandras, EARL Les Guérins, 71960 Serrières, tél. 03.85.35.72.94, fax 03.85.35.70.82, e-mail jmcbalandras@aol.com ☑ 🏠 🍷 🗡 r.-v.

CH. DE LA BRUYERE Igé Vieilles Vignes 2002 ★★

	0,95 ha	6 500	⑪ 5 à 8 €

Havre de paix, niché au creux d'un vallon verdoyant, le château de la Bruyère produit toujours d'excellents vins. Ce 2002 a ravi le jury et remporte tous les suffrages. Rouge à reflets violacé soutenu, cette cuvée a été élevée en fût de chêne pendant dix mois. Le nez mêle les fruits noirs à des notes vanillées et torréfiées. La bouche ample dès l'attaque n'en finit plus d'impressionner par sa profondeur et ses tanins soyeux. D'une longueur exceptionnelle, c'est un vin proche du coup de cœur qui doit encore attendre un an ou deux pour être servi sur une belle viande charolaise. Une étoile pour la **cuvée classique 2002 (3 à 5 €)**.
🍷 Paul-Henry Borie, Ch. de La Bruyère, 71960 Igé, tél. 03.85.33.30.72, fax 03.85.33.40.65, e-mail mph.borie@wanadoo.fr ☑ 🍷 🗡 t.l.j. 8h-12h 14h-19h

CAVE DE CHARNAY Charnay 2003 ★

▪	n.c.	13 000	▮↓ 5 à 8 €

Un joli 2003 né sur les terroirs les plus proches de Mâcon, où la vigne résiste tant bien que mal à l'urbanisation. De couleur rouge rubis profond à reflets violets, il offre un nez intense et fin de cassis et de pivoine. L'attaque est ronde et équilibrée, puis le corps léger se développe sur des sensations fraîches et désaltérantes. Il sera bon à boire dans un an ou deux, lors d'un mâchon (composé de charcuterie, le casse-croûte préféré du gamay) entre copains.
🍷 Cave de Charnay, En Condemine, 54, chem. de la Cave, 71850 Charnay-lès-Mâcon, tél. 03.85.34.54.24, fax 03.85.34.86.84 ☑ 🍷 🗡 r.-v.

DOM. CHENE
La Roche Vineuse Vieilles Vignes 2002 ★

▪	4 ha	13 000	▮ 5 à 8 €

Ce vignoble s'étend sur les pentes argilo-calcaires de la Roche-Vineuse ; il est conduit avec passion par la famille Chêne depuis trente ans. Ce 2002, vêtu de rubis à reflets pourpres, dégage de multiples flaveurs allant du fruit rouge au genièvre en passant par la croûte de pain. La bouche est agréable et structurée, notamment grâce à la présence de tanins souples. Une harmonieuse sensation fruitée et fraîche allonge la finale.
🍷 Dom. Chêne, Ch. Chardon, 71960 Berzé-la-Ville, tél. 03.85.37.65.30, fax 03.85.37.75.39, e-mail gaecchene@aol.com ☑ 🍷 🗡 r.-v.

BOURGOGNE

DOM. DU CLOS DES ROCS 2002 ★

	0,6 ha	5 000	▮↓ 5 à 8 €

Récemment revenu au pays, Olivier Giroux présente ici sa deuxième récolte. Et c'est plutôt réussi : or à reflets jaune brillant, ce 2002 s'ouvre sur des notes florales et de poire au sirop. Jolie entrée en matière. Au palais, on retrouve les arômes perçus au nez. L'équilibre est bon, bien construit, et la finale est réveillée. Un vin représentatif de l'appellation que l'on pourra servir à l'apéritif ou sur des entrées.

↬ Olivier Giroux,
SCEA Vignoble du Clos des Rocs, 71960 Fuissé,
tél. 03.85.35.63.64, fax 03.85.32.90.08 ☑ ⵞ ⵌ r.-v.

DOM. DE LA COMBE Bray 1999 ★

▪	4 ha	10 000	▮ 5 à 8 €

Rares sont les vignerons du Mâconnais qui élèvent leurs vins jusqu'à pleine maturité. Henri Lafarge, à Bray, est de ceux-là. De ces magnifiques coteaux argilo-calcaires dominant Cluny, il apprivoise le gamay comme personne. Après avoir récolté les raisins manuellement et les avoir fait macérer longuement, il élève ses vins soigneusement avant de les proposer à la vente (d'ailleurs à prix intéressant). Il présente un 1999 qui a enchanté le jury : rubis brillant, la robe est jeune, les arômes du nez sont sur le registre secondaire : cerise à l'eau-de-vie, épices... C'est un vin extrêmement plaisant qui a délié les langues des dégustateurs : ample, plein, nerveux, structuré, profond, fruité. Il est à boire dès à présent, mais peut supporter une garde d'une à deux années encore.

↬ Henri Lafarge,
EARL Dom. de La Combe, le Bourg, 71250 Bray,
tél. 03.85.50.02.18, fax 03.85.50.05.37,
e-mail henri.lafarge@wanadoo.fr ☑ ⵞ r.-v.

DOM. CORDIER PERE ET FILS
Aux Bois d'Allier 2002

▪	2,6 ha	20 000	⬭ 8 à 11 €

Ce mâcon blanc a interpellé le jury par son originalité. Elevé en fût durant douze mois, pratique peu courante sur l'appellation, c'est un vin à découvrir, venu de Fuissé. A l'œil, il est couleur paille à reflets ambrés. Le nez marqué par le bois semble soutenu par une belle matière. La prise en bouche est franche et nette et se révèle, après rétro-olfaction, emplie de grillé, de tabac et de miel. Une belle bouteille pour qui aime ce style.

↬ Dom. Cordier Père et Fils, 71960 Fuissé,
tél. 03.85.35.62.89, fax 03.85.35.64.01,
e-mail domaine.cordier@wanadoo.fr ☑ ⵞ ⵌ r.-v.

DOM. DE LA CROIX SENAILLET 2002

▪	3 ha	21 000	▮↓ 5 à 8 €

La notoriété des frères Martin en matière de vins blancs n'est plus à faire. Cette année encore, ce simple mâcon blanc habillé d'or révèle des arômes de pêche de vigne, d'acacia et de beurre frais ; la bouche soyeuse, rehaussée d'une pointe acidulée, s'achève sur des saveurs florales. Un bien agréable à boire dans l'année pour lui-même ou sur des plats exotiques.

↬ Richard et Stéphane Martin,
Dom. de La Croix Senaillet, En Coland, 71960 Davayé,
tél. 03.85.35.82.83, fax 03.85.35.87.22,
e-mail domainedelacroixsenaillet@club-internet.fr
☑ ⵞ ⵌ r.-v.

DOM. DE LA FEUILLARDE Prissé 2003 ★★

▪	1,7 ha	12 000	▮↓ 5 à 8 €

Un sol argilo-calcaire en coteau, des vignes de gamay d'une moyenne d'âge de quarante ans, un millésime exceptionnel de précocité (vendanges le 18 août) ont donné ce joli vin. Dense, la robe est profonde et violacée. Les parfums empyreumatiques caractéristiques accompagnent des notes de truffe et d'épices. Doté d'un bel équilibre gras-tanin, le palais est long et s'achève sur des notes de violette très fraîches. Ce 2003 bien en chair et particulièrement aromatique gagnera à être attendu deux à trois ans.

↬ Lucien Thomas, Dom. de La Feuillarde,
71960 Prissé, tél. 03.85.34.54.45, fax 03.85.34.31.50,
e-mail contact@domaine-feuillarde.com
☑ ⵞ t.l.j. 8h-12h 13h-19h

DOM. FICHET Igé La Montpellière 2003 ★

▪	4 ha	10 000	▮↓ 5 à 8 €

Village typique du Mâconnais, Igé se niche entre vignes et forêts. Le domaine Fichet confirme son talent avec ce 2003 à la robe pourpre très profond. Au nez, s'expriment des notes de chocolat (fève de cacao), de fruits frais et macérés (cassis, framboise). En bouche, son attaque puissante, sa structure et sa concentration aromatique en font un vin prometteur. Encore fougueux, il demande plusieurs années de garde pour s'harmoniser.

↬ Dom. Fichet, Le Martoret, 71960 Igé,
tél. 03.85.33.30.46, fax 03.85.33.44.45,
e-mail contact@domaine-fichet.com ☑ ⵞ ⵌ r.-v.

ERIC FOREST Vergisson 2002

▪	0,2 ha	570	⬭ 5 à 8 €

Ce rouge 2002 couleur cerise burlat brillant est particulièrement équilibré. Le bouquet très fin aux nuances de fruits mûrs (mûre, fraise) et aux notes végétales (buis) annonce un vin représentatif du millésime. Une cuvée confidentielle, à boire sur une canette rôtie aux olives.

↬ Eric Forest, Le Martelet, 71960 Vergisson,
tél. 06.22.41.42.55, fax 03.85.35.88.67,
e-mail eric-forest@fr.st ☑ ⵞ ⵌ r.-v.

DOM. LAROCHETTE-MANCIAT
Bussières Cuvée Jane Poncet 2003 ★

▪	0,55 ha	2 800	⬭ 8 à 11 €

Robe d'un rouge grenat prononcé, fruits mûrs, notes chocolatées et vanillées, parfum de caramel, bonne tenue en bouche où tous ces arômes se retrouvent, soutenus par des tanins encore un peu bruts, voilà un vin bien travaillé, à fort potentiel, mais qui demande un vieillissement de deux à trois années.

↬ Dom. Larochette-Manciat, rue du Lavoir,
71570 Chaintré, tél. 03.85.35.61.50, fax 03.85.35.67.06,
e-mail o-larochette@club-internet.fr ☑ ⵞ ⵌ r.-v.
↬ O. et M.-P. Larochette

DOM. NICOLAS MAILLET Verzé 2002

▪	0,2 ha	1000	▮↓ 3 à 5 €

Nicolas Maillet est sorti de la cave coopérative en 1999. Il propose un 2002 de bonne tenue, au vu de la difficulté de ce millésime. Rouge rubis léger mais brillant à l'œil, celui-ci s'entoure de multiples senteurs, tels le cassis et le raisin frais. Doté d'un bel équilibre, le palais est désaltérant et fruité. Un vin à boire dès cet automne sur des charcuteries fines.

🗝 Dom. Nicolas Maillet,
La Cure, 71960 Verzé,
tél. 03.85.33.46.76, fax 03.85.33.46.76 ☑ 🚶 r.-v.

VIGNERONS DE MANCEY 2003

▨ n.c. 15 000 ▮🍾 5 à 8 €

Ce rosé a fière allure dans sa robe framboise étincelante. De plus, il est élégamment habillé d'une étiquette blanche sur laquelle on distingue, en filigrane, une accolade rose, symbolisant l'union. En effet, cette cuvée est produite par la Cave des vignerons de Mancey, petite entité coopérative par le nombre de ses adhérents, mais grande par la qualité de sa production. Tendre, flatteur, bien fait, c'est le rosé qui accompagnera vos déjeuners.

🗝 Cave des vignerons de Mancey,
BP 100, RN 6, 71700 Tournus,
tél. 03.85.51.00.83, fax 03.85.51.71.20 ☑ 🍷 🚶 r.-v.

DOM. MATHIAS Chaintré 2003 *

■ 0,3 ha 2 500 ▮🍾 5 à 8 €

Produite sur un sol argileux au cœur de Chaintré (réputé pour ses vins blancs), cette cuvée rouge grenat fleure bon la griotte et les épices (noix muscade, clou de girofle). En bouche, on notera l'excellent équilibre acidité-gras (si difficile à réaliser sur 2003) et la présence de tanins garants d'un bon vieillissement. On servira ce vin dans quelque temps sur une andouillette vigneronne. Le **mâcon blanc 2003** est cité pour son expression aromatique mêlant la pêche et la poire aux fleurs blanches. Idéal à l'apéritif.

🗝 Béatrice et Gilles Mathias,
Dom. Mathias, rue Saint-Vincent, 71570 Chaintré,
tél. 03.85.27.00.50, fax 03.85.27.00.52,
e-mail domaine-mathias@wanadoo.fr ☑ 🏠 🍷 🚶 r.-v.

DOM. DE MONTERRAIN Serrières 2003 *

■ 5 ha 33 000 ▮ 5 à 8 €

A la tête de près de 10 ha de vignes escarpées, Patrick et Martine Ferret élèvent également un troupeau de chèvres dont ils tirent un excellent fromage de la future AOC mâconnais. Ils possèdent en outre un gîte d'étape et un gîte rural. Est-ce pour ces raisons que Jean-Pierre Pernot leur a consacré un reportage sur TF1 en novembre dernier ? A moins que ce ne soit pour annoncer la naissance de ce mâcon Serrières 2003 à la robe rubis profond à reflets grenat. Après une légère aération, des arômes de fruits écrasés se mêlent aux notes truffées et épicées. L'attaque est franche, puissante avec toutefois des tanins souples. « Très gamay, du bon travail ! » note un dégustateur.

🗝 Patrick et Martine Ferret, Dom. de Monterrain,
Les Monterrains, 71960 Serrières,
tél. 03.85.35.73.47, fax 03.85.35.75.36 ☑ 🏘 🏠 🚶 r.-v.

CAVE DU PERE TIENNE Elevé en fût 2002 *

■ 1 ha 6 500 ⬮ 5 à 8 €

Issu de sols sableux et de vignes trentenaires, ce mâcon est vinifié comme en Beaujolais, c'est-à-dire en macération carbonique ; élevé durant une année en fût, il se présente vêtu d'une robe rouge brillant à reflets pourpres. Il possède un registre aromatique autour des fruits rouges et de la vanille. Discrètement boisé, le palais se montre équilibré, soyeux et long. Un vin de garde, qui accompagnera un civet de lièvre mitonné. Une citation pour le **mâcon rouge 2002**, qui n'a pas connu le fût, au fruité à dominante cerise tel qu'on l'aime. Agnès et Eric Panay ont très bien réussi ce difficile millésime 2002.

🗝 Cave du Père Tienne, La Place, 71960 Sologny,
tél. 03.85.37.78.05, fax 03.85.37.75.95,
e-mail caveduperetienne@wanadoo.fr
☑ 🏠 🍷 🚶 t.l.j. 8h-20h
🗝 E. et A. Panay

DOM. DES PITOUX Bussières 2002 *

■ 1 ha 6 000 ▮ 5 à 8 €

Un kilomètre sépare ce domaine du château de Pierreclos. Son gamay à la robe rouge brique affiche déjà une certaine évolution. Après un nez fin et complexe mêlant les fruits cuits, la confiture et la rose fanée, il révèle des nuances de fruits rouges dans une bouche ronde et souple, bien construite. Vin de style patiné qui s'accordera parfaitement à un plateau de fromages.

🗝 Jean-Yves Guyard, rue du Grand-Bussières,
71960 Bussières, tél. 03.85.37.74.74, fax 03.85.37.74.74
☑ 🍷 🚶 t.l.j. 9h-19h

BOURGOGNE

DOM. DES RIOTS
Pierreclos Cuvée Vieilles Vignes 2002

■ 1,5 ha 3 000 ▮ 3 à 5 €

Thierry Moreau a succédé à son père en novembre 2000. Il réalise avec ce difficile millésime 2002 une cuvée fort honnête. Rubis chatoyant à l'œil, ce vin se révèle discret à l'olfaction. En revanche, il possède une bonne structure imprégnée de tanins profonds et suaves. Une jolie bouteille pour maintenant.

🗝 Thierry Moreau, Le Pré du Poirier,
71960 Pierreclos, tél. 06.23.03.17.66 ☑ 🍷 🚶 r.-v.
🗝 René Moreau

DOM. DE ROCHEBIN Azé 2002

■ 12 ha 20 000 ▮🍾 3 à 5 €

Perché en Normont, sur les hauteurs d'Azé, village célèbre pour ses grottes préhistoriques, le domaine de Rochebin s'étend aujourd'hui sur 42 ha. Une robe rubis brillant, avec des senteurs de petits fruits rouges et de cassis alléchantes. Franc, souple et léger, ce 2002 manque toutefois d'un peu d'ampleur. Ce n'en est pas moins un vin de soif à petit prix, à servir en toutes occasions.

🗝 Dom. de Rochebin, En Normont, 71260 Azé,
tél. 03.85.33.33.37, fax 03.85.33.34.00 ☑ 🍷 🚶 r.-v.

DOM. ROLLET 2002

■ n.c. n.c. ▮ 5 à 8 €

Puissant dans sa couleur et dans ses arômes (à dominante de fruits rouges), ce 2002 vêtu de rouge à reflets violets est un vin agréable dont les tanins devraient être assouplis à l'automne 2004.

🗝 Sté Pierre Janny, La Condemine, Cidex 1556,
71260 Péronne, tél. 03.85.23.96.20, fax 03.85.36.96.58,
e-mail pierre-janny@wanadoo.fr

DOM. SAUMAIZE-MICHELIN Les Bruyères 2002

■ 0,2 ha 1 500 ⬮ 5 à 8 €

D'un grenat soutenu, cette cuvée Les Bruyères s'ouvre sur des arômes de mûre et de fruits compotés. La bouche charnue, équilibrée, s'achève sur des notes fruitées. Issu de gamay de quarante-cinq ans planté sur sol granitique, ce vin, élaboré par le tandem Saumaize-Michelin, est prêt à boire sur une terrine maison.

🗝 Roger et Christine Saumaize,
Dom. Saumaize-Michelin, Le Martelet,
71960 Vergisson, tél. 03.85.35.84.05, fax 03.85.35.86.77,
e-mail saumaize-michelin@wanadoo.fr ☑ 🍷 🚶 r.-v.

LES TEPPES MARIUS 2003 ★★

■ 18 ha 100 000 ▮♁ 5 à 8 €

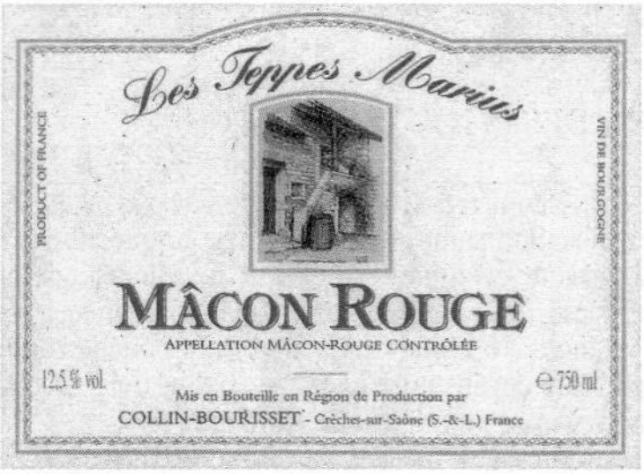

Après avoir été mentionnée dans les précédentes éditions du Guide, cette cuvée Les Teppes Marius obtient la distinction suprême avec le millésime 2003, d'un rouge rubis profond aux reflets violines. Le nez intense et complexe offre des fragrances telles que la groseille, la griotte, la mûre et le cassis. L'attaque savoureuse annonce une belle matière et des tanins fins. Du corps et du caractère. Une bouteille comme l'on voudrait en trouver souvent, surtout dans cette appellation. Compliments à Edward Steeves et à ses collaborateurs pour ce travail d'excellence.

🔑 Collin-Bourisset Vins Fins,
rue de la Gare, 71680 Crèches-sur-Saône,
tél. 03.85.36.57.25, fax 03.85.37.15.38,
e-mail cbourisset@gofornet.com ☑ Y ⚘ r.-v.

JEAN-CLAUDE THEVENET ET FILS
Pierreclos 2003 ★

■ 3,2 ha 10 000 ▮♁ 5 à 8 €

Jean-Claude Thévenet dispose d'un vignoble de 22 ha, principalement implanté sur sol argilo-calcaire. Mais ce gamay, à la robe grenat foncé, est né sur un sol à dominante de silice et d'argile. Le nez de ce 2003 évoque les épices et la truffe. L'attaque est ample, la structure équilibrée quoiqu'encore un peu dure, et la finale longue et fraîche. Ce vin devra s'arrondir en vieillissant.

🔑 Jean-Claude Thévenet et Fils, Le Bourg,
71960 Pierreclos, tél. 03.85.35.72.21, fax 03.85.35.72.03,
e-mail vignoblethevenet.jeanclaude@wanadoo.fr
☑ Y ⚘ t.l.j. sf dim. 7h30-12h 13h30-18h

DIDIER TRIPOZ Clos des Tournons 2003

■ 2 ha 10 000 ▮♁ 3 à 5 €

Profitez de votre visite au caveau récemment rénové de ce domaine pour admirer la vue panoramique sur la Roche de Solutré. Récoltés le 21 août 2003, ces raisins de gamay de belle maturité ont donné cette cuvée rubis intense à fort potentiel mais encore sur la réserve. Le nez se fait discret mais fruité. L'attaque franche révèle une richesse et des tanins puissants, encore sévères. Myrtille et cassis marquent la finale. A attendre un an ou deux.

🔑 Didier Tripoz,
450, chem. des Tournons, 71850 Charnay-lès-Mâcon,
tél. 03.85.34.14.52, fax 03.85.20.24.99,
e-mail didier.tripoz@wanadoo.fr ☑ Y ⚘ r.-v.

DOM. DES VIGNES DU MAYNES
Cruzille Manganite 2002 ★★

■ n.c. 4 500 ⓘ 15 à 23 €

Alain Guillot est bien connu dans le milieu viticole, car il est un des pionniers de la viticulture biologique (1954) ; il en a même été le responsable national pendant de nombreuses années. Reconverti depuis 1998 à la biodynamie, il propose avec Julien, son fils, récemment installé, des vins de grande finesse et élégance. En témoigne celui-ci, de couleur rubis à frange violette, qui exprime des senteurs de fruits mûrs sur fond de vanille et de café grillé. Le palais est puissant grâce à une charpente solide mais soyeuse. La finale longue enchante les jurés qui s'exclament ensemble : « Quel plaisir ! » Une bouteille qui a manqué de peu le coup de cœur et qui attendra entre deux et cinq ans en cave.

🔑 Julien Guillot, Dom. des Vignes-du-Maynes,
Sagy-le-Haut, 71260 Cruzille,
tél. 03.85.33.20.15, fax 03.85.33.01.91,
e-mail info@vignes-du-maynes.com ☑ Y ⚘ r.-v.
🔑 Alain Guillot

Mâcon supérieur

E. LORON ET FILS 2002 ★★

■ n.c. n.c. ▮♁ 5 à 8 €

Pourpre intense et brillant, ce mâcon offre mille parfums de fruits rouges très mûrs et de cassis. La mise en bouche révèle une matière exceptionnelle agrémentée de notes de fruits exotiques. Complexe, équilibré et riche, ce vin est un seigneur de l'appellation. Une cuvée agréée Loron et Fils, négociant de renom du Beaujolais. Très conviviale, elle doit être réservée à vos meilleurs amis.

🔑 Ets Loron et Fils, Pontanevaux,
71570 La Chapelle-de-Guinchay, tél. 03.85.36.81.20,
fax 03.85.33.83.19, e-mail vinloron@loron.fr

DOM. DES PIERRES ROUGES 2002

■ n.c. 2 500 ▮♁ 5 à 8 €

Paré d'une robe rouge clair à reflets orangés, ce vin possède un nez discret mais subtil de cerise et de rose fanée. La bouche agréable et fruitée laisse une impression de vieux bourgogne ; on dirait qu'elle pinote. A savourer dès à présent sur des mets délicats.

🔑 Dom. des Pierres Rouges, La Place,
71570 Chasselas, tél. 03.85.35.12.25, fax 03.85.35.10.96,
e-mail dom.pierres.rouges@terre-net.fr ☑ Y ⚘ r.-v.
🔑 Jullin

TERRES ROUGES 2003

■ n.c. 15 000 ▮♁ 3 à 5 €

Déjà dans l'apparence, rouge profond à reflets violets, il a de la séduction. Le nez puissant, très fruité (cassis,

myrtille) s'ouvre après aération. La bouche est riche et équilibrée, avec une présence de tanins très fins et bien fondus. Frais ou compotés, ce sont les fruits rouges qui dominent la finale. Un joli mâcon à petit prix, à servir sur une côte de bœuf charolaise.
🕭 Paul Beaudet, rue Paul-Beaudet,
71570 Pontanevaux, tél. 03.85.36.72.76,
fax 03.85.36.72.02, e-mail contact@paulbeaudet.com
▼ ⵊ 🖈 t.l.j. sf sam. dim. 8h-12h 13h30-17h30; f. août
🕭 Jean Beaudet

Mâcon-villages

DOM. ABELANET-LANEYRIE Vinzelles 2003 ★★

| | 1,36 ha | 6 400 | ▮⬤ | 5 à 8 € |

Installé à la tête de la propriété familiale de sa femme depuis 1982, Eric Abelanet, originaire du Sud de la France, a quitté la cave coopérative de Chaintré en 1993. Il propose au jury cette remarquable cuvée récoltée le 21 août (eh oui, canicule oblige !). Habillé d'une belle robe jaune pâle, ce vin offre des senteurs d'épices et d'herbes aromatiques. En bouche, il se distingue par un équilibre parfait, une présence fruitée agréable et une bonne longueur. Racé, il peut d'ores et déjà être savouré sur des crustacés. Le **mâcon-Chaintré 2003** obtient une citation pour ses arômes de fruits secs et de cannelle.
🕭 Dom. Abélanet-Laneyrie, Les Buissonnats,
71570 Chaintré, tél. 03.85.35.61.95, fax 03.85.35.66.43,
e-mail ericabel@club-internet.fr ▼ ⵊ 🖈 r.-v.

HERITIERS AUVIGUE
Solutré Cuvée naturelle 2002 ★★

| | 0,19 ha | 1 600 | ⬤ | 5 à 8 € |

D'un superbe éclat, cette cuvée a séduit les dégustateurs dès le premier regard, avant de les enchanter par ses arômes d'écorce d'orange et de vanille, mêlés à un boisé encore un peu dominant. Riche en bouche, le vin joue avec le bois, pour s'achever sur des notes citronnées rafraîchissantes. De grande classe, il tiendra son rang sur une table de fête.
🕭 Héritiers Auvigue,
3131, rte de Davayé, 71850 Charnay-lès-Mâcon,
tél. 03.85.34.17.36, fax 03.85.34.75.88,
e-mail jpel.auvigue@wanadoo.fr ▼ ⵊ 🖈 r.-v.

DOM. DU BICHERON
Péronne Cuvée Vieilles Vignes 2002

| | n.c. | 4 000 | ▮⬤ | 5 à 8 € |

De cette cuvée Vieilles Vignes, marquée par le chardonnay, s'échappent des notes florales intenses qui la prédisposent à un mariage avec des petits fromages de chèvre locaux. Le mâcon **Elevé en fût de chêne 2002** obtient également une citation pour sa structure et ses arômes de torréfaction. Il est conseillé aux amateurs de vins boisés.
🕭 Daniel Rousset,
Saint-Pierre-de-Langues, 71260 Péronne,
tél. 03.85.36.94.53, fax 03.85.36.99.80 ▼ ⵊ 🖈 r.-v.

LES BRUYERES Pierreclos 2002

| | 6 ha | 20 000 | ▮⬤ | 5 à 8 € |

Le domaine a connu ces dernières années de profonds changements, notamment en 2000, avec la cons-

truction d'un nouveau chai spacieux, moderne et fonctionnel. Elevée huit mois, cette cuvée est parée d'une robe or pâle à légers reflets cuivrés. Elle développe un bouquet intense et complexe de fleurs et de fruits, enrichi d'une touche beurrée agréable. Le palais rond, souple et frais signe un vin prêt pour cet automne, juste pour le plaisir.
🕭 Maurice Lapalus et Fils,
Dom. Les Bruyères, 71960 Pierreclos,
tél. 03.85.35.71.90, fax 03.85.35.71.79 ▼ ⵊ 🖈 r.-v.

DOM. DU CAPUCIN 2002

| | 1,08 ha | 740 | ▮⬤ | 5 à 8 € |

Ce domaine, acquis par l'arrière-grand-père de Chloé Bayon, l'actuelle propriétaire, a été confié pendant près d'un siècle à des métayers. A sa tête depuis 2002, cette jeune femme propose pour son premier millésime un mâcon-villages de belle facture. Paré d'une robe or bronze intense, ce vin est très expressif, avec des arômes rappelant l'orange confite et la pâte de coings. Muscatée à l'attaque, la bouche est puissante et robuste et s'achève sur une légère pointe d'acidité qui devra se fondre.
🕭 Chloé Bayon, Manoir du Plan, 71960 Fuissé,
tél. 03.85.35.87.74, fax 03.85.35.87.74,
e-mail domaineducapucin@yahoo.fr ▼ r.-v.

CAVE DE CHAINTRE Chaintré 2003 ★★

| | 7,62 ha | 15 000 | ▮⬤ | 3 à 5 € |

Sa robe est jaune à nuances vertes. Au nez, elle offre des senteurs de fruits secs et de coing caractéristiques des vendanges très mûres. L'attaque est souple, la bouche ample et enveloppée de doux arômes de fruits compotés. La finale assez chaude est spécifique de ce millésime 2003. Cette cuvée gorgée de soleil possède en outre un avantage non négligeable : elle est vendue à petit prix. Une bonne affaire à ne pas manquer.
🕭 Cave de Chaintré, Cidex 418, 71570 Chaintré,
tél. 03.85.35.61.61, fax 03.85.35.61.48,
e-mail cavedechaintre@wanadoo.fr ▼ ⵊ 🖈 r.-v.

CAVE DE CHARNAY Charnay Vieilles Vignes 2002

| | 1,25 ha | 9 700 | | 8 à 11 € |

Né de vieilles vignes, élevé durant neuf mois dans des cuves en bois de chêne, ce vin s'habille d'un drapé doré à reflets verts. Vanille, beurre frais, noisette et pain grillé sont au rendez-vous dans le verre. La bouche, agréable à l'attaque, se laisse dépasser par le bois, et la finale s'en trouve légèrement amère. Cependant ce 2002 reste prometteur.
🕭 Cave de Charnay, En Condemine,
54, chem. de la Cave, 71850 Charnay-lès-Mâcon,
tél. 03.85.34.54.24, fax 03.85.34.86.84 ▼ ⵊ 🖈 r.-v.

DOM. CHENE La Roche Vineuse 2002

| | 3 ha | 7 500 | ▮⬤ | 5 à 8 € |

Non loin de la maison où Alphonse de Lamartine vécut enfant, vous trouverez le domaine Chêne. Habitué du Guide, il propose cette année un 2002 réussi. Jaune d'or intense, le nez est flatteur et mêle les fruits jaunes aux arômes du fût (pain grillé, vanille). En bouche, le vin développe une belle structure à la fois souple et charnue. Puissant, il s'accordera à un poulet de Bresse aux morilles.
🕭 Dom. Chêne, Ch. Chardon, 71960 Berzé-la-Ville,
tél. 03.85.37.65.30, fax 03.85.37.75.39,
e-mail gaecchene@aol.com ▼ ⵊ 🖈 r.-v.

BOURGOGNE

DOM. DES CHENEVIERES
Les Poncemeugnes 2002

	0,7 ha	2 600	▤▾	5 à 8 €

80 % de la production de ce domaine familial de 26 ha sont exportés vers les pays anglo-saxons, Etats-Unis et Grande-Bretagne en tête. Souple et rond, un mâcon-villages de belle maturité comme le révèle sa couleur jaune d'or. Au nez et même en bouche, les fruits mûrs (coing), les fleurs blanches et les amandes grillées s'installent. On aurait aimé un peu plus de vivacité, mais l'équilibre est présent. A boire sur un fromage de chèvre local.

🕽 Dom. des Chenevières,
71260 Saint-Maurice-de-Satonnay, tél. 03.85.33.31.27,
fax 03.85.33.31.71 ☑ ⵣ ⴶ t.l.j. 9h-12h 14h-19h

CLOS DE MONT-RACHET 2002 ★

	5,92 ha	55 000	▥	5 à 8 €

Le Clos de Mont-Rachet, dit le Mont Chauve, sur la commune de Savigny-sur-Crosne, est l'un des plus vieux vignobles exploités par les moines de Cluny. Son nom témoigne de l'aridité originelle du terroir. Or vert brillant et limpide, ce mâcon-villages offre un nez complexe de fruits frais et de fleurs blanches bien mariés aux notes grillées du fût. La bouche est parfaitement équilibrée : l'attaque est serrée, la matière ronde et la finale marquée par le citron confit. Une bouteille à attendre un an ou deux.

🕽 Cave des Vignerons de Buxy, La Buxynoise,
les Vignes de La Croix, BP 6, 71390 Buxy,
tél. 03.85.92.03.03, fax 03.85.92.08.06,
e-mail labuxynoise@cave-buxy.fr
☑ ⵣ ⴶ t.l.j. sf dim. 9h-12h 14h-18h30; groupes sur r.-v.

DEMESSEY
Cruzille Les Avoueries Grande Cuvée 2002

	n.c.	n.c.	▥	8 à 11 €

Magnifique propriété lovée dans un vallon du Mâconnais, le château de Messey est le siège de cette petite société de négoce. Elle propose un mâcon-Cruzille issu de terroirs argilo-calcaires où le chardonnay aime à grandir. D'un or pâle presque cristallin, ce 2002 séduit par un nez intense et complexe mariant les fruits frais et secs. Tout aussi complexe, le palais est puissant et éclatant. Un vin plaisant, tout en fraîcheur.

🕽 Marc Dumont, Ch. de Messey, 71700 Ozenay,
tél. 03.85.51.33.83, fax 03.85.51.33.82,
e-mail vin@demessey.com ☑ 🏠 🏡 ⴶ r.-v.

DOM. DES DEUX ROCHES 2002 ★★

	n.c.	20 000	▤▥▾	8 à 11 €

Le chai du domaine des Deux Roches, situé à Davayé, est un modèle du genre : vaste, moderne, il est équipé d'une cave à fûts où a séjourné quelque temps ce mâcon-villages. Vêtue d'une robe couleur soleil étincelante, cette cuvée possède un nez puissant, grillé et vanillé. Après une attaque soyeuse s'affirme une bouche volumineuse aux arômes de torréfaction, soutenue par une belle acidité mais encore dominée par le bois. Un vin qui doit digérer le fût, et que l'on pourra servir dans deux à cinq ans sur un poisson noble.

🕽 Dom. des Deux Roches, 71960 Davayé,
tél. 03.85.35.86.51, fax 03.85.35.86.12
☑ ⵣ t.l.j. sf dim. 8h-11h30 13h30-17h30

GEORGES DUBŒUF 2002

	n.c.	40 000	▤▾	3 à 5 €

Dans diverses appellations, les sélections de Georges Dubœuf sont régulièrement retenues dans le Guide. Cette année, ce négociant de renommée internationale propose une cuvée de mâcon-villages à petit prix. Jaune d'or étincelant, ce vin offre un nez de bonne intensité rappelant les fleurs blanches et les fruits mûrs. Souple à la mise en bouche, il est équilibré et révèle en finale des saveurs de noisette lui conférant presque une sensation tannique.

🕽 SA Les Vins Georges Dubœuf, La Gare,
71570 Romanèche-Thorins, tél. 03.85.35.34.20,
fax 03.85.35.34.25, e-mail gduboeuf@duboeuf.com
☑ ⵣ ⴶ t.l.j. 9h-18h au Hameau-de-Beaujolais;
f. 1er-15 jan.

DOM. FERRAND Solutré-Pouilly 2002

	0,4 ha	2 500	▤	5 à 8 €

Très claire et brillante, cette cuvée développe de bons arômes de fruits mûrs et de fleurs blanches. Souple, bien équilibrée, légèrement perlante, elle est représentative de l'appellation. A boire dès cet automne sur un fromage de chèvre.

🕽 Nadine Ferrand, 71960 Solutré-Pouilly,
tél. 06.09.05.19.74, fax 03.85.35.88.01 ☑ ⵣ ⴶ r.-v.

DOM. FICHET Igé La Cra Cuvée Prestige 2002 ★

	1 ha	7 000	▥	11 à 15 €

Le domaine Fichet, grâce à de nombreux efforts consentis ces dernières années aussi bien à la vigne qu'à la cave, est en passe de devenir une référence dans le Mâconnais. Issue d'un sol crayeux, élevée dix mois en fût, cette cuvée La Cra aux reflets or vert développe des arômes floraux (chèvrefeuille) et boisés (vanille, torréfaction). Derrière une attaque encore vive, on retrouve le fût, mêlé à la minéralité du terroir. Bel ensemble, plaisant à boire dès aujourd'hui mais qui supportera volontiers quelques années de vieillissement.

🕽 Dom. Fichet, Le Martoret, 71960 Igé,
tél. 03.85.33.30.46, fax 03.85.33.44.45,
e-mail contact@domaine-fichet.com ☑ ⵣ ⴶ r.-v.

DOM. DU GRAND PRE Solutré 2002

	0,45 ha	4 000	▤▾	3 à 5 €

Au pied de la Roche de Solutré, récemment classée Grand Site de France, se trouve le domaine du Grand Pré. Son 2002 possède une jolie robe or pâle à reflets verts et offre un nez peu intense de fleurs et d'herbe fraîche. La prise en bouche confirme sa discrétion aromatique. Un vin qui devrait s'ouvrir d'ici un an.

🕽 Philippe Desroches,
lot. Le Grand-Pré, 71960 Solutré-Pouilly,
tél. 03.85.35.86.94, fax 03.85.35.86.62,
e-mail ph.desroches@wanadoo.fr ☑ ⵣ ⴶ r.-v.

CAVE DES GRANDS CRUS BLANCS
Vinzelles 2003 ★★

	18,62 ha	26 000	▤▾	5 à 8 €

Au pied du symbolique rond-point de Vinzelles, sur lequel trônent fièrement des verres de vin soufflés par le regretté et talentueux Alain Girel, se trouve la Cave des Grands Crus Blancs. Ce 2003 en est un bel ambassadeur. D'une couleur pâle qui révèle sa jeunesse, ce vin exhale des arômes complexes d'épices et de noisette. Après une attaque vive et presque mordante, il s'épanouit en bouche pour finir langoureusement sur des notes de fruits secs. Proche du coup de cœur, il est tellement plaisant qu'il mérite bien une petite place dans votre cave.

🕽 Cave des Grands Crus Blancs, 71680 Vinzelles,
tél. 03.85.27.05.70, fax 03.85.27.05.71,
e-mail contact@cavevinzellesloche.com ☑ r.-v.

LAURENT HUET 2002

▒ 0,4 ha 3 500 ■ 3 à 5 €

Dix ans déjà que Laurent Huet conduit avec enthousiasme ce petit domaine de 3 ha à Clessé. Sa cave et son gîte rural, situés à 200 m de la petite église romane, sont une halte appréciée des épicuriens. Il nous propose un mâcon-villages comme l'on souhaiterait en trouver souvent : mûr et gouleyant. D'une couleur dorée intense à reflets orangés, ce vin s'ouvre sur des notes de fruits mûrs et de fleurs séchées, puis apparaît le menthol, si rafraîchissant. Après une attaque suave, la bouche longue et vineuse développe des arômes de poire et de miel.

⊶ Laurent Huet, La Croix de Fer, 71260 Clessé,
tél. 03.85.36.96.99, fax 03.85.36.98.87 ☒ ⌂ Y 🚶 r.-v.

LES VIGNERONS D'IGE Igé Vieilles Vignes 2003

▒ 2 ha 3 000 ■ 🌡 5 à 8 €

Proposé par les Vignerons d'Igé, union de producteurs regroupant 280 ha, ce mâcon-villages a été vinifié par Gilles Charlot, l'excellent maître de chai. Facile à boire, ce 2003 se révèle vif et printanier. De jolis reflets éclairent le verre, d'où s'échappe une corbeille de fleurs et de fruits. La bouche donne bien la réplique au nez dans une tonalité minérale. Une bouteille à boire dans sa prime jeunesse.

⊶ Cave des vignerons d'Igé, rue du Tacot, 71960 Igé,
tél. 03.85.33.33.56, fax 03.85.33.41.85,
e-mail lesvigneronsdige@lesvigneronsdige.com
☒ ⌂ Y 🚶 t.l.j. sf dim. 9h-12h 14h-18h

DOM. MARC JAMBON ET FILS
Pierreclos Cuvée Fût de chêne 2002 ★

▒ 2 ha 6 000 ⊕ 5 à 8 €

Situé sur une croupe argilo-calcaire dominant le château de Pierreclos, ce domaine a donné un 2002 or pâle, au nez puissant et profond évoquant les fruits secs et les épices douces. L'attaque souple et très ronde, imprégnée de fruits mûrs, fait place à des saveurs vanillées et à une finale délicatement boisée. Une bonne bouteille à boire dès à présent accompagnée d'une volaille de Bresse à la crème.

⊶ Dom. Marc Jambon et Fils, La Roche,
71960 Pierreclos, tél. 03.85.35.73.15, fax 03.85.35.75.62,
e-mail marc.jambon@wanadoo.fr ☒ Y 🚶 r.-v.

DOM. LACHARME ET FILS
La Roche Vineuse Sélection de vieilles vignes
Elevé en fût de chêne 2002

▒ 1,1 ha 2 500 ⊕ 5 à 8 €

Située à 12 km de Cluny, à La Roche-Vineuse, cette exploitation familiale jouit d'une bonne notoriété. Pratiquant le labour intégral des vignes, elle propose toujours des vins à forte personnalité, où l'expression du terroir n'est pas un vain mot. Or dans le verre, ce mâcon-villages a un bouquet intense mêlant les notes fruitées (agrumes) aux nuances minérales. Vive et racée, l'attaque débouche sur un palais puissant et long aux saveurs tropicales.

⊶ Dom. Lacharme et Fils,
Le Pied du Mont, 71960 La Roche-Vineuse,
tél. 03.85.36.61.80, fax 03.85.37.77.02,
e-mail domlacharme@hotmail.com ☒ 🚶 r.-v.

DOM. DE LALANDE
Chânes Les Serreudières 2002 ★

▒ n.c. 8 000 ■ 5 à 8 €

Encore une fois, Dominique Cornin revient en force avec un mâcon-Chânes très réussi. Dès l'approche, l'or et le bronze accompagnent un nez très mûr de coing, de miel et de fleurs blanches. La bouche est accomplie, avec une attaque nette et souple, une matière ample et équilibrée. Un vin à boire dès Noël prochain – pourquoi pas sur du foie gras. Une citation pour le **mâcon-Chaintré 2002**, tendre et fruité, qui se placera avec succès à l'apéritif.

⊶ Dominique Cornin, chem. du Roy-de-Croix,
71570 Chaintré, tél. 03.85.37.43.58, fax 03.85.37.43.58,
e-mail dominique@cornin.net ☒ Y 🚶 r.-v.

DOMAINES LANEYRIE Solutré 2002

▒ 0,6 ha 1 500 ■ 🌡 5 à 8 €

Jaune doré, voici un mâcon au nez encore un peu fermé, mais cependant prometteur. Vineux dès l'attaque, le palais se révèle équilibré. Tout en relief, ce vin rustique a besoin d'un peu de temps pour se livrer. On le servira dans quelques mois sur une assiette de charcuterie.

⊶ Domaines Edmond Laneyrie,
Le Bourg, 71960 Solutré-Pouilly,
tél. 03.85.35.87.26, fax 03.85.35.80.67 ☒ Y 🚶 r.-v.

DOM. DE LANQUES
Péronne Les Berthelots 2002 ★

▒ 2 ha 2 500 ■ 🌡 5 à 8 €

Cette propriété familiale s'est lancée en 2000 dans l'aventure de la vinification et de la commercialisation de son vin, alors que les raisins étaient auparavant livrés à la cave coopérative. Ce mâcon-Péronne porte une magnifique robe à reflets dorés et verts. Ses arômes bien typiques de fruits et de fleurs sont à l'unisson d'une bouche franche, équilibrée et persistante. Du beau travail pour ce jeune domaine.

⊶ GAEC Papillon, Dom. de Lanques,
Saint-Pierre-de-Lanques, 71260 Péronne,
tél. 03.85.23.95.70, fax 03.85.23.95.74,
e-mail earl.papillon@free.fr ☒ ⌂⌂ ⌂ Y 🚶 r.-v.

LOUIS LATOUR Lugny Les Genièvres 2002

▒ 80 ha 600 000 ■ 🌡 5 à 8 €

Née à Lugny en terres mâconnaises, cette cuvée a ensuite été élevée à Beaune par la prestigieuse maison de négoce Louis Latour. Or pâle limpide, elle possède de jolies jambes fines et langoureuses. Discrète au nez, c'est en bouche qu'elle s'affirme, notamment par son équilibre, sa matière dense et profonde. Valeur sûre à consommer sur une volaille rôtie.

⊶ Maison Louis Latour, 18, rue des Tonneliers,
21204 Beaune, tél. 03.80.24.81.00, fax 03.80.22.36.21,
e-mail louislatour@louislatour.com

CH. DE LOCHE Loché 2001

▒ n.c. 25 000 ■ 🌡 8 à 11 €

Issu de vignes appartenant au château de Loché et confié à la maison Misserey de Nuits-Saint-Georges, ce 2001 revêtu d'or évoque au nez le chèvrefeuille, l'acacia et le miel. En bouche, on sent un tempérament encore fougueux : équilibré, de bonne tenue, ce vin est toujours frais malgré son âge. Bien conservé, il pourra néanmoins vieillir un à deux ans.

⊶ Maison P. Misserey,
6, rue de Chaux, BP 4, 21700 Nuits-Saint-Georges,
tél. 03.80.62.43.40, fax 03.80.62.68.02 Y 🚶 r.-v.

CAVE DE LUGNY Péronne En Chassigny 2003 ★★

▒ 9 ha 60 000 ■ 🌡 5 à 8 €

Depuis 1994, date de la fusion avec la cave de Chardonnay sa voisine, la coopérative de Lugny forme une

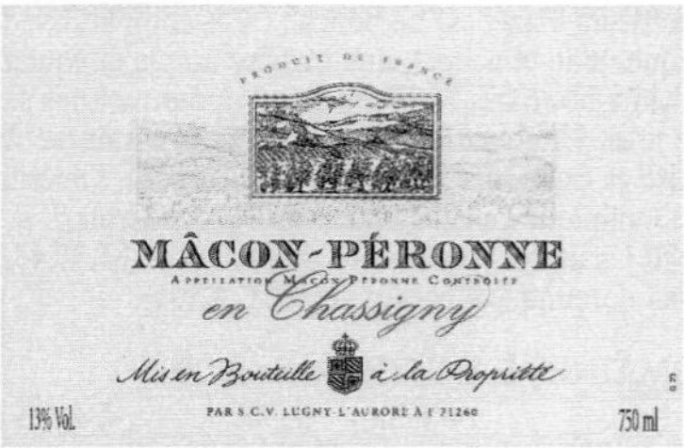

puissante structure de 1 450 ha. A la pointe du progrès technique, tant pour ce qui est des vinifications que du travail dans les vignes (démarche qualité), elle offre une remarquable cuvée de mâcon-Péronne 2003. Le jury s'est laissé séduire par sa robe or vif clair et limpide. Au nez se mêlent dans un parfait équilibre la vanille, les fleurs blanches, les épices et quelques subtiles notes de fruits secs. Après une attaque franche et vive, la bouche se développe avec tout autant de complexité. Une personnalité charmeuse qui ravira tout le monde à l'apéritif. Le **mâcon-villages 2003**, agréable et typé, profitera des fromages de chèvre locaux pour briller de son étoile.

🔑 SCV Cave de Lugny, rue des Charmes, BP 6,
71260 Lugny, tél. 03.85.33.22.85, fax 03.85.33.26.46,
e-mail commercial@cave-lugny.com
🍷 ⛹ t.l.j. sf dim. 8h30-12h30 13h30-18h; groupes sur r.-v.

DOM. NICOLAS MAILLET
Verzé Le Chemin blanc 2002

■ 0,4 ha 3 000 ▮ ⚲ 5 à 8 €

Propriété familiale depuis 1880, dont les raisins étaient livrés à la cave coopérative du village. Depuis l'arrivée de Nicolas Maillet en 1999, les raisins sont aujourd'hui vinifiés au domaine. Beaucoup de franchise et de pureté caractérisent ce blanc bien typé, qui évoque une corbeille de fruits exotiques et enchaîne fraîcheur et consistance au palais. Sa finale acidulée augure un bel avenir.

🔑 Dom. Nicolas Maillet, La Cure, 71960 Verzé,
tél. 03.85.33.46.76, fax 03.85.33.46.76 ☒ ⛹ r.-v.

DOM. DES PERELLES Chaintré 2002

■ 1,89 ha 3 000 ▮ ⦶ 5 à 8 €

Chaintré est un village viticole situé au sommet d'une colline. Jaune pâle à reflets verts, ce vin laisse apparaître des notes de fruits secs (noisette), de vanille et de fleurs blanches. Son palais à l'attaque boisée est équilibré et long. A servir à l'apéritif.

🔑 Jean-Marc Thibert,
Les Pérelles, 71680 Crèches-sur-Saône,
tél. 03.85.37.14.56, fax 03.85.37.46.02 ☒ 🍷 ⛹ r.-v.

LES VINS DES PERSONNETS 2002

■ n.c. n.c. ▮ ⚲ 11 à 15 €

Christian Collovray et Jean-Luc Terrier, les deux fondateurs de cette marque, sélectionnent avec beaucoup de soin les achats de raisins, qu'ils vinifient ensuite. Ce 2002 habillé d'or paille présente un nez floral. Après une attaque sans agressivité, la bouche se développe tout en souplesse et en fruité. Bien équilibrée, c'est une bouteille qui pourra vieillir un à deux ans.

🔑 Collovray et Terrier, Vins des Personnets,
71960 Davayé, tél. 03.85.35.86.51, fax 03.85.35.86.12,
e-mail vinsdespersonnets@club-internet.fr
☒ 🍷 t.l.j. sf sam. dim. 8h-11h 13h30-17h30

CH. DE PIERRECLOS Pierreclos 2002

■ 0,47 ha n.c. ▮ ⦶ 5 à 8 €

Ce magnifique château du XIIe s., situé au cœur du triangle d'or, a traversé les siècles tant bien que mal, pour, aujourd'hui, retrouver de sa grandeur et de sa splendeur, grâce à son actuelle propriétaire, Monique Pidault. Il est ouvert tous les jours au public, et vous pourrez y déguster ce 2002 après la visite des caves romanes et des cuisines moyenâgeuses. Jaune limpide, il révèle des senteurs de fruits secs et de fleurs blanches. Au palais, le bon équilibre et la concentration d'arômes lui donnent un caractère sympathique.

🔑 Ch. de Pierreclos,
71960 Pierreclos, tél. 03.85.35.73.73,
e-mail chateaudepierreclos@wanadoo.fr
☒ 🍷 ⛹ t.l.j. 9h-18h; f. sam. dim. en hiver
🔑 Monique Pidault

DOM. DES ROCHES Igé Chabotte 2002

■ 18 ha 50 000 ▮ 3 à 5 €

Une maison mâconnaise du début du XIXe s., et un domaine résultant de l'union de deux familles, en 1952. Notre jury a retenu ce mâcon-Igé pour sa jolie robe dorée, pour son large éventail aromatique, qui va de l'acacia à l'abricot, et pour sa belle présence en bouche. Un vin que l'on pourra servir sur un poisson poché ou, plus simplement, à l'apéritif.

🔑 Carpi-Gobet, Dom. des Roches, Le Martoret,
71960 Igé, tél. 03.85.33.32.47, fax 03.85.33.43.60,
e-mail carpigobet@wanadoo.fr ☒ 🍷 ⛹ r.-v.

DOM. ROMANIN Fuissé 2002

■ 0,35 ha 2 500 ▮ ⚲ 5 à 8 €

Née sur le sol argilo-calcaire de Fuissé, cette cuvée offre des parfums primesautiers de fruits frais et de fleurs blanches. Une vivacité bien mâconnaise, des rondeurs bourguignonnes : épanoui et séducteur, c'est un vin qui nous raconte une histoire... mais un peu courte.

🔑 Vervier, Dom. Romanin, le bourg, 71960 Fuissé,
tél. 03.85.35.63.89, fax 03.85.32.90.22,
e-mail vervier@free.fr ☒ 🍷 ⛹ r.-v.

DOM. DE RUERE 2002

■ 1 ha 3 490 ▮ ⚲ 3 à 5 €

Perché sur les hauteurs de Pierreclos, au hameau de Ruère, ce domaine propose toujours des vins de forte personnalité, mais à prix doux. Il est cité pour ce 2002 doré, au nez généreux et fruité. Son attaque souple et racée, son caractère de terroir, sa structure prometteuse séduiront ceux qui recherchent un « vrai » mâcon. A servir sur des fromages de chèvre de Cerves.

🔑 Didier Eloy, en Ruère, 71960 Pierreclos,
tél. 03.85.35.76.65, fax 03.85.35.70.19 ☒ 🍷 ⛹ r.-v.

DOM. SAINT-DENIS Chardonnay 2002 ★

■ 2 ha 9 500 ▮ ⚲ 8 à 11 €

Le domaine Saint-Denis s'impose par la qualité constante de sa production. Rien n'est laissé au hasard : labours profonds, vendanges manuelles triées effectuées à grande maturité, fermentations longues avec levures indigènes. Atouts maîtres certainement puisque ce vin est jugé très réussi. D'emblée il séduit par sa couleur or pâle à reflets verts. Le nez évoque les fleurs blanches, la noisette et l'amande fraîche. La bouche riche, soutenue par une acidité qui équilibre la douceur, s'achève sur une note florale agréable. Voici une bouteille à boire pour un plaisir immédiat et garanti.

☞ Hubert Laferrère, Dom. Saint-Denis,
rte de Péronne, 71260 Lugny,
tél. 03.85.33.24.33, fax 03.85.33.25.02,
e-mail saintdenis@free.fr ▣ ⍳ ⳻ r.-v.

RAPHAEL ET GERARD SALLET
Chardonnay 2002

0,54 ha	4 800	▮⳹	5 à 8 €

Ce domaine mérite le détour pour ses vins comme pour son accueil. D'ailleurs quelques chambres d'hôte sont à disposition des visiteurs qui sauront apprécier l'église romane d'Uchizy. La robe jaune d'or de ce vin, né à Chardonnay, brille de reflets verts ; le bouquet se développe sur des notes de poire, de foin et de vanille. La bouche est d'abord souple, avec un beau volume et du gras, puis évolue vers une finale qui demande à se fondre.
☞ EARL Raphaël et Gérard Sallet,
rte de Chardonnay, 71700 Uchizy,
tél. 03.85.40.50.45, fax 03.85.40.59.86,
e-mail earl-sallet@club-internet.fr ▣ 🏠 ⍳ ⳻ r.-v.

DOM. DE LA SARAZINIERE
Bussières Cuvée Claude Seigneuret Vieilles Vignes 2002

1 ha	5 000	▥	5 à 8 €

Terroir argilo-calcaire, vinification sans levurage, élevage à la Bourguignonne en fût, voici un 2002 de caractère. La couleur paille intense, le nez fleuri et grillé, le palais concentré et puissant témoignent d'une belle maturité des raisins. Encore un peu sous l'emprise du bois aujourd'hui, ce vin demande quelques mois de garde.
☞ Philippe Trébignaud, Dom. de La Sarazinière,
71960 Bussières, tél. 03.85.37.76.04, fax 03.85.37.76.23,
e-mail philippe.trebignaud@wanadoo.fr
▣ ⳻ t.l.j. 8h-12h 14h-18h

LA SOUFRANDISE Fuissé Le Ronté 2002 ★

1 ha	8 500	▮⳹	8 à 11 €

Sur les hauteurs de la commune de Fuissé, célèbre pour son pouilly-fuissé, on trouve cette parcelle classée en AOC mâcon-villages, qui chaque année produit un vin de qualité. Le 2002 ne faillit pas à sa réputation. Or intense à l'œil, il libère des parfums complexes et amples de fruits mûrs, de sous-bois et d'amande fraîche. L'équilibre en bouche naît d'une vivacité bien compensée par le gras et la rondeur. Puissant et aromatique, c'est un vin racé qui s'accommodera fort bien d'un poisson noble.
☞ Françoise et Nicolas Melin,
EARL Dom. La Soufrandise, 71960 Fuissé,
tél. 03.85.35.64.04, fax 03.85.35.65.57,
e-mail la-soufrandise@wanadoo.fr ⍳ ⳻ r.-v.

GERALD ET PHILIBERT TALMARD
Uchizy 2002 ★

9 ha	81 000	▮⳹	3 à 5 €

Belle réussite que cette bouteille au nez intense où se mêlent la rose, le litchi dans une trame muscatée. Sa tenue en bouche est excellente, réalisant un ensemble harmonieux alliant la vivacité et le fruité d'un chardonnay de grande finesse. Elegant, nerveux et souple à la fois, ce vin pourra festoyer avec des langoustines ou autres délicatesses marines.
☞ EARL Gérald et Philibert Talmard, rue des Fosses,
71700 Uchizy, tél. 03.85.40.53.18, fax 03.85.40.53.52,
e-mail gerald.talmard@wanadoo.fr ▣ ⍳ ⳻ r.-v.

TERRES SECRETES 2002 ★

15 ha	100 000	▮⳹	5 à 8 €

Depuis de nombreuses années, cette cave coopérative fait connaître son savoir-faire par des saint-véran réputés. Elle se distingue aujourd'hui avec deux cuvées de mâcon-villages. Le **Clos de Pise 2002** obtient une citation pour son fruité expressif, qui s'accordera aux petits chèvres du Mâconnais. Terres secrètes, cuvée issue d'une sélection des meilleurs terroirs, s'annonce élégamment par un nez fin, floral et épicé. La bouche révèle par une attaque réveillée une matière puissante et une persistance importante. Un vin de caractère à apprécier d'ici un an ou deux.
☞ Caves de Prissé-Sologny-Verzé, Les Grandes-Vignes,
71960 Prissé, tél. 03.85.37.88.06, fax 03.85.37.61.76,
e-mail caves.prisse@wanadoo.fr 🏠 ⍳ ⳻ r.-v.

DOM. THIBERT PERE ET FILS Fuissé 2002

4 ha	35 000	▮⳹	8 à 11 €

D'une famille de vignerons depuis sept générations, Andrée et René Thibert ont créé leur domaine en 1967, pour ensuite partager leur travail et leur passion avec leurs deux enfants et leur gendre. Produit sur un sol argilo-limoneux, typique des bas de coteaux mâconnais, ce vin d'un vert brillant développe un nez vif jouant plutôt sur l'agrume. Rehaussé par une pointe de CO_2, il montre en bouche finesse, persistance et équilibre. Prêt dès aujourd'hui, il supportera néanmoins une garde plus longue.
☞ GAEC Dom. Thibert Père et Fils, le Bourg,
71960 Fuissé, tél. 03.85.27.02.66, fax 03.85.35.66.21,
e-mail domthibe@club-internet.fr ▣ ⍳ ⳻ r.-v.

DOM. DE LA TOUR VAYON
Pierreclos Clos de la Condemine 2002

2 ha	17 900	▮	5 à 8 €

Soucieux d'allier la tradition avec ce qu'il faut de modernité, ce jeune vigneron, régulièrement mentionné dans le Guide, se dote d'un nouveau cuvage pour la prochaine récolte. En attendant, ce 2002 offre plaisir et harmonie. Fleuri et épicé au nez, il possède une attaque souple, du corps, de la puissance et une certaine vivacité engendrée par la minéralité de son terroir. Gourmand, il pourra être associé aux poissons de rivière.
☞ Jean-Marie Pidault, La Condemine,
71960 Pierreclos, tél. 03.85.35.71.78, fax 03.85.35.78.03,
e-mail domaine-la-tour-vayon@wanadoo.fr ▣ ⍳ ⳻ r.-v.

DOM. TRIBOULET 2002 ★

n.c.	n.c.	▮	5 à 8 €

Pierre Janny sélectionne avec beaucoup de soin et de rigueur les propriétés avec lesquelles il travaille. Récoltée, vinifiée et embouteillée sur la commune de Pierreclos, au domaine Triboulet, cette cuvée a séduit le jury. Habillée d'un or assez intense avec d'étonnants reflets pistache, elle laisse s'échapper des nuances florales telles que la rose, mais aussi des notes de litchi. La bouche est à la fois onctueuse et acidulée, pleine d'arômes rappelant la minéralité du terroir.
☞ Sté Pierre Janny, La Condemine, Cidex 1556,
71260 Péronne, tél. 03.85.23.96.20, fax 03.85.36.96.58,
e-mail pierre-janny@wanadoo.fr

CELINE ET LAURENT TRIPOZ Loché 2002

4 ha	17 000	▮	5 à 8 €

Ce domaine en phase de conversion en biodynamie est établi au cœur de Loché, commune de Mâcon. A sa tête, Céline et Laurent Tripoz sont installés depuis 1990.

Ce mâcon-Loché aromatique aux nuances de fruits frais est équilibré et plaisant. Vous le dégusterez bien frais à l'apéritif. Egalement citée, la cuvée **Les Chênes 2002 (8 à 11 €)** mérite un vieillissement afin d'harmoniser le bois à la structure du vin.

Céline et Laurent Tripoz, pl. de la Mairie, Loché, 71000 Mâcon, tél. 03.85.35.66.09, fax 03.85.35.64.23, e-mail celine_laurent.tripoz@libertysurf.fr r.-v.

DIDIER TRIPOZ
Charnay Clos des Tournons 2002 ★★

4 ha 30 000 5 à 8 €

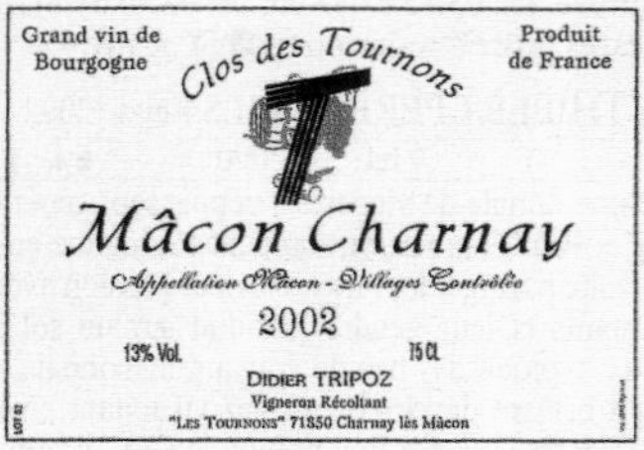

Ce coup de cœur : une distinction méritée pour Didier Tripoz qui, il y a quinze ans, a repris le Clos des Tournons, joli terroir à sol argilo-calcaire. Cité dans le Guide pour son 2000, deux étoiles pour le 2001, il obtient enfin la consécration grâce à ce magnifique 2002 à la robe jaune paille étincelante. Le nez s'ouvre sur de fines notes florales et fruitées ; il est suivi d'une bouche riche et ample aux saveurs gourmandes de citron et d'orange. Encore sur la vivacité aujourd'hui, il possède une telle matière et une telle puissance qu'il saura attendre sagement dans votre cave quelques années... si vous savez résister à la tentation du plaisir immédiat.

Didier Tripoz,
450, chem. des Tournons, 71850 Charnay-lès-Mâcon,
tél. 03.85.34.14.52, fax 03.85.20.24.99,
e-mail didier.tripoz@wanadoo.fr r.-v.

PIERRE VESSIGAUD Solutré 2002

0,27 ha 2 500 8 à 11 €

Etabli sur les coteaux argilo-calcaires de Solutré, ce domaine de grande notoriété présente un bon 2002. On sent le raisin mûr dans ce vin : robe dorée intense, parfums puissants de fruits jaunes, de beurre, et bouche riche mais encore austère, qui demande un peu de temps pour s'harmoniser.

Dom. Pierre Vessigaud,
Hameau de Pouilly, 71960 Solutré-Pouilly,
tél. 03.85.35.81.18, fax 03.85.35.84.29,
e-mail contact@domainevessigaud.com r.-v.

DOM. DU VIEUX PUITS Bussières 2002

1,8 ha 8 000 5 à 8 €

Né de vignes âgées de vingt ans et plantées sur un sol typique de la région (argilo-calcaire), ce vin or limpide offre des parfums friands de fruits mûrs mêlés à quelques notes boisées. Après une attaque franche et vive, la bouche développe une structure équilibrée, ainsi qu'une palette aromatique complexe. Ce résultat témoigne du savoir-faire de Corinne et Thierry Drouin, vignerons sympathiques et passionnés.

Corinne et Thierry Drouin, Le Grand Pré, 71960 Vergisson, tél. 03.85.35.84.36, fax 03.85.35.86.84, e-mail corinneetthierrydrouin@wanadoo.fr r.-v.

Viré-clessé

Appellation communale récente née le 4 novembre 1998, viré-clessé a de solides ambitions en matière de vins blancs. La délimitation porte sur 552 ha dont les quatre cinquièmes sont actuellement plantés ; ils ont produit 13 340 hl en 2002 et 12 667 hl en 2003. Les dénominations mâcon-viré et mâcon-clessé ont disparu avec le millésime 2002.

DOM. ANDRE BONHOMME
Vieilles Vignes 2001 ★★

2 ha 10 000 8 à 11 €

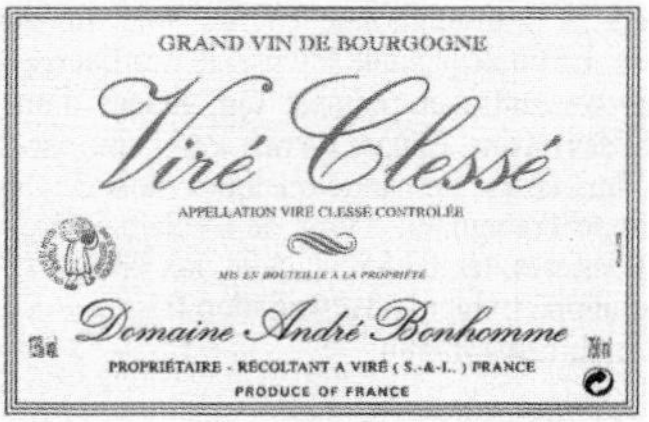

Comme à son habitude, André Bonhomme sait tirer la quintessence de ses vieilles vignes septuagénaires. Habillée d'or vert, cette cuvée enchante dès le premier regard. Sa palette aromatique complexe marie les fleurs blanches, les fruits frais et les agrumes dans une spirale étonnante. La bouche riche et dense est enrobée de douces notes boisées et épicées. Le duo réglisse et menthol allonge le vin et laisse augurer une belle évolution. A garder plus de deux ans... si vous en avez la patience.

André Bonhomme,
Cidex 2108, rue Jean-Large, 71260 Viré,
tél. 03.85.27.93.93, fax 03.85.27.93.94 r.-v.

DOM. PASCAL BONHOMME 2002

0,75 ha 4 000 5 à 8 €

Un 2002 joliment ciselé que ce viré-clessé. Limpide, jaune éclatant, il exhale de riches parfums évoquant les fruits mûrs et le citron confit. Souple et gras à l'attaque, il se montre équilibré. A ouvrir dans un an sur une cassolette d'escargots.

Pascal Bonhomme, Le Grand Molard,
Cidex 2222, Vérizet, 71260 Viré, tél. 03.85.33.10.27,
fax 03.85.33.10.27 t.l.j. 9h-19h sf dim. 9h-12h

DOM. DES CHAZELLES
Le Creusseromme 2002 ★★

0,68 ha 2 000 11 à 15 €

Le Creusseromme est un magnifique coteau exposé au sud-est, à dominante argilo-calcaire, qui permet une maturité exceptionnelle des raisins. Il est bien mis en valeur par Jean-Noël Chaland. D'un or vert brillant, ce 2002 est encore fermé au nez mais « on sent le terroir qui demande à se développer », note un juré. Au palais, il se distingue par un équilibre parfait, une concentration énorme et en finale par des saveurs minérales, très désaltérantes. Cette bouteille saura pleinement s'exprimer dans le temps. **La Forétille 2002 (8 à 11 €)**, fruitée et charpentée, obtient une citation.

⊶ Jean-Noël Chaland, En Jean-Large, Cidex 2109, 71260 Viré, tél. 03.85.33.11.18, fax 03.85.33.15.58, e-mail chazellesdom@aol.com ☑ 🏠 Y 🚶 r.-v.

LAURENT HUET 2002 ★

▒ 0,8 ha 6 000 ▮ 5 à 8 €

Passant à Clessé, le visiteur découvrira, outre les magnifiques coteaux de vignes, la petite église romane. A quelques mètres de celle-ci, il pourra faire une halte chez Laurent Huet qui propose ce 2002. Jaune d'or soutenu, ce vin possède un nez intense mêlant le tilleul aux agrumes et la vanille au miel. L'attaque vive est vite relayée par la rondeur et l'opulence. La minéralité de la finale lui confère une certaine fraîcheur et un potentiel de garde de deux à trois ans.

⊶ Laurent Huet, La Croix de Fer, 71260 Clessé, tél. 03.85.36.96.99, fax 03.85.36.98.87 ☑ 🏠 Y 🚶 r.-v.

MAITRE BONHOME 2002

▒ n.c. n.c. ▮🌡 11 à 15 €

Un nez exotique nuancé de bonbon anglais, puis un palais rond et mûr font de ce 2002 un vin d'apéritif.

⊶ Vins Henry Fessy, 644, rte de Bel-Air, 69220 Saint-Jean-d'Ardières, tél. 04.74.66.00.16, fax 04.74.69.61.67, e-mail vins.fessy@wanadoo.fr ☑ Y 🚶 r.-v.

RIJCKAERT L'Epinet 2002

▒ 1,3 ha 6 700 ◍ 8 à 11 €

Jean Rijckaert, d'origine belge, est un passionné ; homme de caractère, il est courageux et persévérant. Rien ne l'arrête : à la tête d'un petit domaine de 4,5 ha, il a développé une activité de négoce en achetant du raisin qu'il vinifie. Et comme si cela ne suffisait pas, il possède des vignes dans le Jura, qu'il travaille lui-même ! Cet Epinet 2002 annonce son élégance d'emblée, d'un or brillant aux reflets verts. Le nez révèle une complexité d'arômes : cacahuète grillée, chèvrefeuille et vanille. La bouche, d'un équilibre ample, demande du temps pour digérer son bois. Deux ans de cave devraient lui permettre d'affirmer son harmonie.

⊶ SARL Rijckaert, En Correaux, 71570 Leynes, tél. 03.85.35.15.09, fax 03.85.35.15.09 ☑ Y 🚶 r.-v.

DOM. SAINTE-BARBE Thurissey 2002 ★★

▒ 0,5 ha 3 500 ◍ 11 à 15 €

Jeune vigneron de talent, sélectionné par les jurys du Guide dès son installation en 2001, Jean-Marie Chaland a la trempe d'un grand. En progression, il propose cette année deux cuvées : **L'Epinet 2002 (8 à 11 €)**, minéral et étoffé, obtient une étoile alors que ce Thurissey à la robe dorée éclatante se révèle remarquable. Franc et net à l'olfaction, il laisse deviner des notes fruitées derrière un imposant boisé. La bouche, souple à l'attaque, s'affirme structurée, harmonieuse et offre une finale longue et concentrée. Une bouteille à déguster dans un an ou deux sur les poissons de rivière.

⊶ Jean-Marie Chaland, En Chapotin, 71260 Viré, tél. 03.85.33.96.72, fax 03.85.33.15.58, e-mail chazellesdom@aol.com ☑ Y 🚶 t.l.j. 8h-19h; sam. dim. sur r.-v.

JEAN-CLAUDE TERRIER Vieilles Vignes 2001 ★★

▒ 3 ha 6 000 ▮🌡 5 à 8 €

Jean-Claude Terrier propose un viré-clessé de classe, élevé avec grand soin durant dix-huit mois. Vêtu d'une lumineuse robe dorée à reflets argentés, ce vin offre des arômes intenses et fins de belle maturité : fleurs blanches, beurre et noisette. La bouche séduit par son ampleur et sa richesse. La fraîcheur est préservée et la finale s'allonge longuement sur des saveurs fruitées. Bien équilibré, ce 2001 pourra être servi dès aujourd'hui mais aussi bien dans deux à trois ans.

⊶ Jean-Claude Terrier, Briconnat, 71260 Clessé, tél. 03.85.36.93.85, fax 03.85.36.98.78 ☑ Y 🚶 r.-v.

CAVE DE VIRE Vieilles Vignes 2001

▒ n.c. 25 000 ▮🌡 5 à 8 €

Issue d'une sélection des plus vieilles vignes des adhérents de la cave, cette cuvée parée d'une robe claire or vert affiche des parfums expressifs d'agrumes liés à une touche minérale. La mise en bouche est souple, la saveur plutôt sur les fruits secs et la finale aérienne. Un joli vin à garder encore un an afin qu'il s'affirme davantage : il en a le potentiel.

⊶ Cave de Viré, En Vercheron, 71260 Viré, tél. 03.85.32.25.50, fax 03.85.32.25.55, e-mail cavedevire@wanadoo.fr ☑ Y 🚶 r.-v.

Pouilly-fuissé

Le profil des roches de Solutré et de Vergisson s'avance dans le ciel comme la proue de deux navires ; à leur pied, le vignoble le plus prestigieux du Mâconnais, celui de pouilly-fuissé, se développe sur les communes de Fuissé, Solutré-Pouilly, Vergisson, et Chaintré. La production a atteint 43 622 hl en 2002 et 37 512 hl en 2003.

Les vins de Pouilly ont acquis une très grande notoriété, notamment à l'exportation, et leurs prix ont toujours été en compétition avec ceux des chablis. Ils sont vifs, pleins de sève et parfumés. Lorsqu'ils sont élevés en fût de chêne, ils acquièrent en vieillissant des arômes caractéristiques d'amande grillée ou de noisette.

CH. DE BEAUREGARD Les Cras 2002 ★

▒ 3 ha 7 000 ◍ 15 à 23 €

Succès qui se confirme pour Frédéric-Marc Burrier, nouvellement élu par ses pairs à la présidence de l'appellation. Revenu en terres mâconnaises en 1999, il a hissé le Château de Beauregard au niveau des incontournables de la région. Beaucoup de rigueur et de travail ont permis l'élaboration de ces Cras 2002 : labours des sols, vendanges manuelles triées, pressurage doux, fermentations lentes en barrique. Pêle-mêle, on retrouve dans le verre des notes de café grillé, d'acacia et de citron confit, le tout drapé d'une étincelante robe bronze. A l'attaque fraîche succède une bouche ronde, ample, où les saveurs fruitées dominent. La finale, soulignée d'une belle minéralité, s'étire longuement.

⊶ Maison Joseph Burrier, Ch. de Beauregard, 71960 Fuissé, tél. 03.85.35.60.76, fax 03.85.35.66.04, e-mail joseph.burrier@mageos.com ☑ Ϫ ⅄ r.-v.

⊶ F.-M. Burrier

NATHALIE BRESSAND

Vieilles Vignes Elevé en fût de chêne 2002 *

	1,5 ha	3 500	⏸ 11 à 15 €

Installée dans les anciennes dépendances du château de Chevigné en 1999, Nathalie Bressand exploite aujourd'hui 4,50 ha de très vieux ceps. Elle sait exprimer la typicité de ses terroirs par un travail rigoureux à la vigne. Elle a très bien réussi ce 2002 bouton d'or aux arômes briochés et vanillés. Equilibré et long, le palais montre une grande richesse sur un boisé discret. Il serait préférable de conserver cette bouteille, bien qu'elle soit déjà très agréable.

⊶ Dom. Nathalie Bressand, Hameau de Chevigné, 71960 Davayé, tél. 03.85.35.84.32, fax 03.85.35.84.32, e-mail nathalie.bressand@club-internet.fr ☑ Ϫ ⅄ r.-v.

BRET BROTHERS En Carementrant 2002 **

	n.c.	4 200	⏸ 15 à 23 €

A la tête d'un domaine classé en pouilly-vinzelles, Jean-Guillaume et Jean-Philippe Bret ont diversifié leur production en créant, en 2001, une petite structure de négoce. En partenariat avec les vignerons, ils suivent la vigne, récoltent manuellement les raisins et élèvent ces vins en fût. Cette cuvée, En Carementrant, est issue d'un des meilleurs terroirs de Vergisson. Les vieilles vignes exposées plein sud extraient la quintessence de ce très grand terroir : finesse et complexité. Vieil or à l'œil, ce 2002 est aromatique et délicat ; d'abord fleuri, il évolue vers les fruits secs. Gras et structuré, il révèle une bouche bien construite, puissante sous la dentelle de sa minéralité. L'idéal pour accompagner une lotte ou un brochet.

⊶ SARL Bret Brothers, La Soufrandière, 71680 Vinzelles, tél. 03.85.35.67.72, fax 03.85.35.67.72, e-mail lasoufrandiere@libertysurf.fr ☑ Ϫ ⅄ r.-v.

DOM. DE LA CHAPELLE 2002 **

	1,65 ha	10 000	▮⏸⫰ 15 à 23 €

Cette maison de négoce, sise à Puligny-Montrachet, a sélectionné avec grand soin cette cuvée au domaine de la Chapelle à Pouilly. Issue de vignes de quarante-cinq ans, implantées sur un sol argilo-calcaire, elle a été élevée pour partie (30 %) en fût de chêne. Paré d'une robe jaune clair brillant, ce 2002 offre une belle expression du chardonnay avec des fleurs blanches agrémentées d'une touche minérale. Mais c'est en bouche que ce vin montre sa magnificence : gras, riche, structuré et équilibré, il a des saveurs de rose et de fruits confits. Un vin de garde à réserver aux festins.

⊶ Chartron et Trébuchet, 13, Grande-Rue, 21190 Puligny-Montrachet, tél. 03.80.21.32.85, fax 03.80.21.36.35 ☑ Ϫ t.l.j. 10h-12h 14h-18h; f. fin nov.-mi-mars

DOM. CHATAIGNERAIE-LABORIER

Bélemnites 2002 *

	1 ha	3 500	⏸ 11 à 15 €

Depuis 1997, à la tête de ce petit domaine de 5 ha très morcelé, Gilles Morat a su tirer parti des magnifiques terroirs de Vergisson, notamment en travaillant ses sols. D'emblée la cuvée Bélemnites séduit par sa teinte or clair, par la finesse de ses arômes floraux mêlés à de douces notes vanillées. La bouche ample et riche est harmonieuse. A apprécier dans deux ou trois ans sur une volaille à la crème. La **Roche 2002,** encore fermée au nez, possède une belle densité en bouche qui lui permettra de traverser les trois prochaines années sans encombre. Elle obtient également une étoile.

⊶ Gilles Morat, Dom. Châtaigneraie-Laborier, Les Bruyères, 71960 Vergisson, tél. 03.85.35.85.51, fax 03.85.35.82.42, e-mail gil.morat@wanadoo.fr ☑ Ϫ ⅄ r.-v.

CLOS DE LA CHAPELLE 2002 *

	0,42 ha	1 200	⏸ 15 à 23 €

Au cœur du hameau de Pouilly, cette charmante demeure, dont les fondations datent du XIV^e^s., donne un sentiment de plénitude. Attenant au domaine, le Clos de la Chapelle, d'une superficie de 42 ares, planté en chardonnay en 1924, a donné ce 2002 d'un beau doré limpide. Il offre un nez intense, bien ouvert sur les fruits mûrs, la verveine et la vanille. Après une attaque vive, la bouche révèle beaucoup de rondeur et d'ampleur. Un joli boisé et une pointe d'agrumes animent la finale. Excellente dès aujourd'hui, cette bouteille pourra également accompagner une volaille de Bresse à la crème dans deux ou trois ans.

⊶ Pascal Rollet, hameau de Pouilly, 71960 Solutré-Pouilly, tél. 03.85.35.81.51, fax 03.85.35.86.43, e-mail rolletp@aol.com ☑ Ϫ ⅄ t.l.j. 8h-19h; f. du 15 au 30 juil.

DOM. CORDIER PERE ET FILS

Vieilles Vignes 2002 *

	2 ha	10 000	⏸ 15 à 23 €

Roger et Christophe Cordier élaborent de nombreuses cuvées. Ces Vieilles Vignes ont été élevées sous bois ; elles ne peuvent le cacher car c'est le fût qui parle le plus fort aujourd'hui. Un vin jaune paille, où le miel et les fleurs blanches tentent de se fondre au boisé. Au palais, richesse et nervosité s'ébattent dans un environnement torréfié, puissant et concentré. Il va falloir s'armer de patience, trois à cinq ans, pour permettre à ce vin de se livrer totalement.

⊶ Dom. Cordier Père et Fils, 71960 Fuissé, tél. 03.85.35.62.89, fax 03.85.35.64.01, e-mail domaine.cordier@wanadoo.fr ☑ Ϫ ⅄ r.-v.

DOM. CORSIN 2002 ***

	3,5 ha	15 900	▮⏸⫰ 11 à 15 €

Issu d'un des plus beaux terroirs de Solutré-Pouilly, ce pouilly-fuissé a enchanté le jury. Jean-Jacques et Gilles Corsin obtiennent en 2002 ce qu'ils cherchent chaque année : un vin exceptionnel. Les senteurs florales (acacia et aubépine), auxquelles s'ajoutent des notes de fruits exotiques et de noisette, sont intenses. La bouche se révèle riche, pleine et savoureuse. Un juré s'exclame : « Je suis heureux de déguster un vin plein de finesse qui reste racé et frais ! » N'est-ce pas là, la première mission du vin : rendre les gens heureux !

🔑 Dom. Corsin, Les Plantes, 71960 Davayé,
tél. 03.85.35.83.69, fax 03.85.35.86.64,
e-mail jjcorsin@domaine-corsin.com ☒ Y r.-v.

DOM. MICHEL DELORME Vieilles Vignes 2002

▢ 0,9 ha 6 000 🛢 11 à 15 €

C'est en 1985 que Michel Delorme a repris ce vignoble. Sa cuvée Vieilles Vignes 2002, or vert pâle, présente des arômes typiques de fleurs blanches, mêlés aux notes minérales, presque crayeuses, du terroir de Vergisson. La structure d'ensemble est bien équilibrée jusqu'à une finale fruitée gourmande. La cuvée **La Maréchaude 2002 (15 à 23 €)** est également citée.

🔑 Dom. Michel Delorme, Le Bourg, 71960 Vergisson,
tél. 03.85.35.84.50, fax 03.85.35.84.50,
e-mail micheldelorme@club-internet.fr ☒ Y 🚶 r.-v.

CORINNE ET THIERRY DROUIN En Buland 2002

▢ 5 ha 3 000 🛢 11 à 15 €

Les coteaux pentus de Vergisson, surmontés d'un promontoire de calcaire jurassique, offrent un paysage grandiose. De couleur jaune serin relevée de pistache, cette cuvée décline une palette aromatique complexe, où les nuances de noisette, d'amande grillée et de fleurs blanches s'effacent légèrement derrière des notes boisées. Elle est riche et puissante. On trouve, en rétro-olfaction, les fruits secs et les agrumes. Aimable dès à présent, ce 2002 peut supporter deux ans de cave.

🔑 Corinne et Thierry Drouin, Le Grand Pré,
71960 Vergisson, tél. 03.85.35.84.36, fax 03.85.35.86.84,
e-mail corinneetthierrydrouin@wanadoo.fr ☒ Y 🚶 r.-v.

GEORGES DUBŒUF Elevé en fût de chêne 2002 ★

▢ n.c. 30 000 🛢 8 à 11 €

Ce 2002 est riche, bien construit, aujourd'hui un peu dominé par le boisé qui masque légèrement les arômes de fruits. En bouche, l'équilibre gras-acidité est intéressant et la finale encore séveuse. Bien encadré par un élevage en fût, un vin puissant à garder en cave deux à trois ans afin que l'ensemble se fonde.

🔑 SA Les Vins Georges Dubœuf, La Gare,
71570 Romanèche-Thorins, tél. 03.85.35.34.20,
fax 03.85.35.34.25, e-mail gduboeuf@duboeuf.com
☒ Y 🚶 t.l.j. 9h-18h au Hameau-en-Beaujolais;
f. 1er-15 jan.

NADINE FERRAND Prestige 2002 ★

▢ 4 ha 2 600 ▮🛢 11 à 15 €

Coup de cœur l'an dernier, cette cuvée Prestige est plus modeste sur le millésime 2002. Néanmoins, elle satisfera l'amateur le plus exigeant car elle possède de nombreux atouts. Ample, aromatique (grillé, fumée, vanille...), elle est aussi séduisante à déguster qu'à regarder, dans sa robe ambrée. Le **pouilly-fuissé 2002** est cité pour sa finesse et sa légèreté : de la dentelle !

🔑 Nadine Ferrand, 71960 Solutré-Pouilly,
tél. 06.09.05.19.74, fax 03.85.35.88.01 ☒ Y 🚶 r.-v.

DOM. J. A. FERRET Tournant de Pouilly Cuvée spéciale 2001 ★★

▢ 0,96 ha 7 700 ▮🛢🌡 15 à 23 €

Créé en 1840, ce vignoble est le fer de lance de l'appellation. Mondialement connu et apprécié de tous les amateurs, il est l'un des domaines qui ont le plus contribué au prestige du pouilly-fuissé, grâce notamment à ses fabuleux terroirs et à la personnalité de Jeanne Ferret. Les 15 ha du domaine sont aujourd'hui exploités par Colette Ferret, sa fille qui, en digne héritière, propose deux cuvées de belle facture. **Le Clos 2001,** cité pour sa palette aromatique fruitée et son caractère bien dans le type de l'AOC, est à boire dès à présent. La cuvée Tournant de Pouilly, d'une couleur or vert lumineuse, distille des arômes frais et francs, d'abord dans le registre floral (aubépine, tilleul) puis dans le registre fruité (pêche, poire), pour finir sur des notes minérales. Souple et fraîche à l'attaque, la bouche déploie une matière ample et ronde sur un fond délicatement boisé. « Vin de belle origine qui possède des ressources », conclut un dégustateur.

🔑 EARL Ferret-Lorton, Le Plan, 71960 Fuissé,
tél. 03.85.35.61.56, fax 03.85.35.62.74,
e-mail earlferretlorton@terre-net.fr ☒ Y r.-v.
🔑 Colette Ferret

ERIC FOREST Haut de Crays Vieille Vigne 2002

▢ 0,2 ha 1 100 🛢 15 à 23 €

Ce petit domaine, d'une superficie totale de 2,40 ha, produit des cuvées confidentielles. Haut de Crays a été obtenu après une fermentation et un élevage de douze mois en barrique. Sous une teinte vieil or soutenu se profilent des arômes confits, grillés et miellés. La matière bien présente en bouche lui confère de la puissance et une certaine chaleur en finale. A boire dès maintenant sur des mets épicés.

🔑 Eric Forest, Le Martelet, 71960 Vergisson,
tél. 06.22.41.42.55, fax 03.85.35.88.67,
e-mail eric-forest@fr.st ☒ Y 🚶 r.-v.

MICHEL FOREST Les Crays 2002

▢ 0,93 ha 3 000 🛢 11 à 15 €

Deux pouilly-fuissé prometteurs produits par Michel Forest. La cuvée **Sur La Roche 2002** est citée pour son fruit (pêche blanche, poire), sa franchise et sa rondeur. Les Crays se distinguent par leur intensité et leur profondeur, à l'œil comme au nez. Un superbe bouquet s'élève du verre : fleur d'acacia, genêt, ananas confit et pierre à fusil, tandis que la bouche s'annonce fraîche, équilibrée et généreuse. Des notes fleuries prolongent longuement la finale. Deux jolis vins à déguster d'ici six mois sur des fromages mâconnais, par exemple.

🔑 Michel Forest, Les Crays, 71960 Vergisson,
tél. 03.85.35.84.79, fax 03.85.35.86.14 ☒ Y 🚶 r.-v.
🔑 André Forest

CH. FUISSE 2002 ★★★

▢ 12 ha 50 000 🛢 15 à 23 €

Jean-Jacques Vincent et ses enfants exploitent 30 ha dans les meilleurs terroirs du pouilly-fuissé. Elevée neuf mois en fût, cette cuvée a conquis le jury. D'un jaune légèrement doré montrant quelques étincelants reflets verts, elle offre un nez à la fois fruité (amande, noisette), vanillé et boisé. La bouche est complexe et équilibrée avec des notes d'agrumes rafraîchissantes. Ce vin exprime le mariage parfait du chardonnay, du terroir, du bois et du savoir-faire des vignerons. **Les Brûlés 2002**, une étoile, issus de vendanges très mûres sont encore sous l'emprise du bois, mais possèdent une telle matière qu'ils seront délicieux dans trois à quatre ans.

🔑 Famille Vincent, Ch. de Fuissé, 71960 Fuissé,
tél. 03.85.35.61.44, fax 03.85.35.67.34,
e-mail domaine@chateau-fuisse.fr
☒ Y 🚶 t.l.j. 8h-12h 13h30-17h30; sam. et dim. sur r.-v.

DOM. DES GERBEAUX Les Champs roux 2002 ★★

0,36 ha 2 500 11 à 15 €

2002 est un bon millésime chez Jean-Michel Drouin : ce Champs roux, jaune d'or aux reflets bronze, exprime puissamment la brioche et la vanille. Son palais, ample et gras, maintient un subtil équilibre et dévoile des épices en finale. Un vin d'une grande finesse savamment dosé en bois. La cuvée **Vieilles Vignes des terroirs de Pouilly et Fuissé 2002 (8 à 11 €)** est un assemblage judicieux de vin élevé en cuve (40 %) et en fût (60 %). Fleurs séchées et agrumes caractérisent ce vin qui obtient une étoile.

Jean-Michel Drouin,
Les Gerbeaux, 71960 Solutré-Pouilly,
tél. 03.85.35.80.17, fax 03.85.35.87.12 r.-v.

DOM. GIROUX Cuvée Tradition 2002 ★

2 ha 10 000 11 à 15 €

Le vignoble de Fuissé s'étend sur les collines argilo-calcaires qui dominent la vallée de la Saône. C'est sur la plus haute d'entre elles, au lieu-dit Les Molards, qu'Yves Giroux s'est installé, bénéficiant ainsi d'un panorama exceptionnel. Une dominante florale et fruitée, au nez comme en bouche, pour ce millésime habillé d'une robe or clair. Vif et net, c'est un vin que l'on prendra plaisir à boire cet hiver sur une viande blanche. La cuvée **Elevée en fût de chêne 2001** est citée pour sa typicité aromatique alliant la poire à l'abricot, le beurre frais à la vanille et le foin au minéral.

Dom. Yves Giroux, Les Molards, 71960 Fuissé,
tél. 03.85.35.63.64, fax 03.85.32.90.08,
e-mail domainegiroux@wanadoo.fr r.-v.

DOM. JEAN GOYON 2002 ★

1 ha 5 000 11 à 15 €

Jean Goyon réussit cette année encore un joli pouilly-fuissé or vert, élevé pour partie en fût de chêne. Le nez de ce 2002 mêle généreusement l'abricot confit, l'aubépine et le miel sur un fond praliné-noisette. Haute en saveurs et parfaitement équilibrée, la bouche finit sur la note minérale si typique de Solutré. Un vin prometteur.

Dom. Jean Goyon,
Au Bourg, 71960 Solutré-Pouilly,
tél. 03.85.35.81.15, fax 03.85.35.87.03,
e-mail goyon.jean@wanadoo.fr r.-v.

DOM. DU GRAND PRE Cuvée Prestige 2002 ★

0,3 ha 2 000 11 à 15 €

Installé au pied de la Roche de Solutré où il exploite son vignoble ancré dans les éboulis argilo-calcaires, Philippe Desroches s'attache à produire des vins de qualité. Marquée par des notes florales, la palette aromatique de ce 2002 s'enrichit de nuances boisées délicates. La bouche s'avère épanouie, légère et bien soutenue par une acidité encore présente. On aurait aimé une finale un peu enrobée. Laissons deux à trois ans à cette jolie bouteille pour s'harmoniser.

Philippe Desroches,
lot. Le Grand-Pré, 71960 Solutré-Pouilly,
tél. 03.85.35.86.94, fax 03.85.35.86.62,
e-mail ph.desroches@wanadoo.fr r.-v.

NADINE ET MAURICE GUERRIN
Vieilles Vignes Elevé en fût de chêne 2002 ★

0,8 ha 3 000 11 à 15 €

Bâtonné pendant huit mois dans sa pièce bourguignonne en chêne, ce pouilly-fuissé a acquis de la richesse et de la sagesse. Jaune serin éclatant à l'œil, il propose une palette aromatique intense, complexe et riche : grillé, noisette, miel, fleurs blanches, beurre. Gras, long et puissant, le palais se maintient dans un parfait équilibre. La finale minérale et acidulée lui confère une fraîcheur désaltérante. Un grand vin qui se bonifiera encore avec le temps.

Maurice Guerrin, Les Bruyères, 71960 Vergisson,
tél. 03.85.35.80.25, fax 03.85.35.82.75 r.-v.

DOM. JEANDEAU Les Prouges 2002 ★

2 ha 4 500 15 à 23 €

Cette petite exploitation de Fuissé possède 3,50 ha des meilleurs crus de l'appellation. Cultivée en biodynamie, cette vigne des Prouges a donné de beaux raisins dorés. Jaune brillant, ce vin ne manque pas d'intensité avec ses notes fleuries et surtout citronnées. L'attaque franche introduit une bouche généreuse et équilibrée. Une trame acidulée lui confère de la fraîcheur tout au long de la dégustation. A boire pendant deux ou trois ans pour le plaisir.

Dom. Jeandeau, Les Prouges, 71960 Fuissé,
tél. 03.85.29.20.46, fax 03.85.29.20.46,
e-mail madeleine@domainejeandeau.com r.-v.

DOM. DE LALANDE Clos Reyssié 2002 ★★★

0,45 ha 3 200 11 à 15 €

Vigneron passionné, Dominique Cornin se voit enfin consacré dans le Guide. Il obtient une citation pour les **Vieilles Vignes 2002,** raffinées à souhait et agréables dès aujourd'hui. Remarquable, la cuvée **Les Chevrières 2002** reçoit deux étoiles ; d'une grande puissance, elle possède un caractère bien trempé qui la destine à la garde. Et enfin, le coup de cœur unanime du grand jury revient à la cuvée Clos Reyssié, parée d'une robe d'or à reflets paille. Les arômes du nez à dominante boisée s'accompagnent de multiples notes tels le tilleul, l'amande, la pêche blanche et le minéral. L'attaque ronde et riche est suivie d'une bouche volumineuse, fraîche, pleine de fruits, gentiment citronnée. Pulpeuse, la finale est tonique mais délicate. Une bouteille mémorable à réserver aux grandes occasions de la vie.

Dominique Cornin, chem. du Roy-de-Croix,
71570 Chaintré, tél. 03.85.37.43.58, fax 03.85.37.43.58,
e-mail dominique@cornin.net r.-v.

ROGER LASSARAT Cuvée Prestige 2002

1,2 ha 5 000 15 à 23 €

Une curiosité, cette cuvée Prestige : en effet, derrière une robe or pâle brillante des plus classiques, on distingue des arômes de rose, de pivoine et de fruits rouges, senteurs plutôt caractéristiques du vin rouge. L'attaque surprend agréablement par sa souplesse et sa rondeur. Surprenante également, la présence des tanins qui lui apportent une structure solide dans un ensemble boisé élégamment fondu. Un vin original, qui possède néanmoins tous les atouts pour traverser bon nombre d'années.

Roger Lassarat, Le Martelet, 71960 Vergisson, tél. 03.85.35.84.28, fax 03.85.35.86.73, e-mail info@roger-lassarat.com r.-v.

CH. DE LOCHE 2002 *

n.c. n.c. 15 à 23 €

Sélectionné par la maison Louis Jadot au Château de Loché, ce pouilly-fuissé, certes encore jeune, est jugé très réussi. La robe présente une juvénile teinte or pâle à reflets verts. Les fleurs d'acacia, d'aubépine et de pivoine dominent le nez mais l'on sent poindre les notes minérales du terroir. Très fleuri aussi en bouche, ce 2002 se caractérise par sa finesse et son élégance. Agréable à boire dès cet hiver, ce vin pourra aussi bien vieillir quelques années (deux à quatre ans).

Maison Louis Jadot, 21, rue Eugène-Spuller, 21200 Beaune, tél. 03.80.22.10.57, fax 03.80.22.56.03, e-mail contact@louisjadot.com r.-v.

LES PETITES BRUYERES
Elevé en fût de chêne 2001 *

2 ha 4 500 8 à 11 €

Sélectionné avec beaucoup de soin par la maison Collin-Bourisset, ce 2001 se présente paré d'une jolie robe or vert. Le nez très généreux délivre de fines notes d'églantine et de vanille. Après une attaque aérienne, le palais poursuit sur une trame minérale très pure, agrémentée d'une matière dense. Ce vin de terroir par excellence a encore besoin de temps pour atteindre son apogée et contenter un saumon en croûte.

Collin-Bourisset Vins Fins, rue de la Gare, 71680 Crèches-sur-Saône, tél. 03.85.36.57.25, fax 03.85.37.15.38, e-mail cbourisset@gofornet.com r.-v.

DOM. DU ROURE DE PAULIN
Les Châtaigniers 2002 *

0,46 ha 1 800 11 à 15 €

Cette cuvée Les Châtaigniers, cueillie à pleine maturité, a été élevée en fût, mais bien évidemment de chêne. Une teinte jaune d'or pure attire l'œil. A l'olfaction, elle présente une expression aromatique intense (fleurs blanches, grillé, noisette), et en bouche elle laisse une impression d'équilibre et de fraîcheur. Encore un peu sur la réserve, elle a besoin de temps pour s'affiner (deux à trois ans).

Dom. du Roure de Paulin, 71960 Fuissé, tél. 03.85.35.65.48, fax 03.85.35.68.50, e-mail domaine.duroure@wanadoo.fr r.-v.

JACQUES ET NATHALIE SAUMAIZE
Les Courtelongs 2002 *

0,5 ha 2 200 11 à 15 €

Ciselé d'or, ce pouilly-fuissé livre un nez fin et délicat de coing, de citron confit et de vanille, tandis que la bouche concentrée révèle un gras intense bien équilibré par une pointe d'acidité. La finale tend vers des notes chaleureuses que le temps devrait assagir.

Jacques et Nathalie Saumaize, Les Bruyères, 71960 Vergisson, tél. 03.85.35.82.14, fax 03.85.35.87.00, e-mail nathalie.saumaize@wanadoo.fr r.-v.

DOM. SAUMAIZE-MICHELIN
Les Ronchevats 2002 *

1,2 ha 3 000 11 à 15 €

Les Saumaize-Michelin, ardents défenseurs des terroirs et de l'appellation, élaborent des cuvées de grande qualité, au caractère bien trempé. Celle-ci, issue des Ronchevats, *climat* réputé au sol argilo-calcaire, est cousue d'or. Le nez intense associe le pain grillé et le café aux fleurs blanches et à la vanille. Après une attaque à la fois souple et vive, le palais se montre puissant, équilibré et savoureux. La longue finale est soutenue par une forte présence boisée. Un vin concentré et typé que l'on peut attendre une petite dizaine d'années. Les **Vignes blanches 2002**, marquées par l'élevage sous bois, semblent aujourd'hui en deçà de leur potentiel. Elles devraient progresser les années prochaines quand le fût sera fondu à la matière déjà dense. Elles obtiennent une étoile.

Roger et Christine Saumaize, Dom. Saumaize-Michelin, Le Martelet, 71960 Vergisson, tél. 03.85.35.84.05, fax 03.85.35.86.77, e-mail saumaize-michelin@wanadoo.fr r.-v.

JACQUES SIMONIN Vieilles Vignes 2002

5 ha 5 000 11 à 15 €

Jacques Simonin, dynamique vigneron de Vergisson, fait preuve d'une régularité impressionnante : en effet, il est tous les ans présent dans le Guide pour cette cuvée Vieilles Vignes. Le 2002 revêt une robe paille brillante à reflets dorés. Le nez expressif, à dominante boisée, évoque les fruits mûrs et la confiture de vieux garçon. La bouche est riche et ronde, bien balancée par une acidité fraîche. Les notes de torréfaction de l'élevage sous bois restent encore perceptibles en finale. A servir dans un an ou deux sur un brochet au beurre blanc.

Jacques Simonin, Le Bourg, 71960 Vergisson, tél. 03.85.35.84.72, fax 03.85.35.85.34, e-mail domsimonin-ja@wanadoo.fr r.-v.

DOM. LA SOUFRANDISE Levrouté 2001 *

0,75 ha 3 000 15 à 23 €

Un pouilly-fuissé peu académique mais régulièrement étoilé dans le Guide. Des schistes et des ceps de soixante-dix ans ont produit des raisins botrytisés à 35 %, récoltés le 5 octobre 2001. La robe dorée de ce vin brille de reflets bronze. Le nez assez ouvert évoque la surmaturité : encaustique, coing, miel... En bouche, il parle avec force et puissance dans une matière dense, riche et suave. La petite pointe d'orange confite finale est agréable. On attendra ce vin deux à trois ans.

Françoise et Nicolas Melin, EARL Dom. La Soufrandise, 71960 Fuissé, tél. 03.85.35.64.04, fax 03.85.35.65.57, e-mail la-soufrandise@wanadoo.fr r.-v.

DOM. THIBERT PERE ET FILS
Vignes blanches 2002 ***

1,11 ha 4 000 15 à 23 €

Le domaine Thibert est une nouvelle fois au rendez-vous avec deux cuvées exceptionnelles. **Les Vieilles Vignes 2002** âgées de soixante-quinze ans, amoureusement travaillées, récoltées et élevées sous bois ont enchanté le jury. Or pâle, ce vin séduit par la finesse de ses arômes floraux et minéraux. On retrouve en bouche toute la délicatesse de l'olfaction associée à une puissance et à une richesse de la matière. Un ensemble élégant et naturel. Etincelante dans sa robe dorée à reflets bronze, la cuvée Vignes blanches s'adjuge le coup de cœur. Ce pouilly-fuissé est à la hauteur de son remarquable terroir : il associe la sensation de légèreté apportée par le calcaire à celle de

richesse et de concentration aromatique du fût. A la fois opulent et frais, rond et vif, il donne du plaisir tout au long de la dégustation. Un grand vin à mettre à l'abri des convoitises quelques années.

⊶ GAEC Dom. Thibert Père et Fils, le Bourg,
71960 Fuissé, tél. 03.85.27.02.66, fax 03.85.35.66.21,
e-mail domthibe@club-internet.fr ☒ Y 🚶 r.-v.

CHANTAL ET DOMINIQUE VAUPRE 2002 ★

■ 0,44 ha 3 500 ◍ 8 à 11 €

Originaire des sols calcaires de Solutré, ce vin laisse une impression de légèreté et d'harmonie. Celle-ci naît d'une robe étincelante, d'un bouquet complexe et séducteur (fleurs blanches, fruits mûrs et beurre frais), d'un palais puissant et chaleureux et d'une finale abricotée délicieuse. A choisir en apéritif.

⊶ Dominique et Chantal Vaupré,
Au Bourg, 71960 Solutré-Pouilly,
tél. 03.85.35.85.67, fax 03.85.35.86.63 ☒ Y 🚶 r.-v.

PIERRE VESSIGAUD Vieilles Vignes 2002

■ 4,5 ha 25 000 ◍ 15 à 23 €

Deux pouilly-fuissé à réserver aux amateurs de vins boisés. Elevées en fût de chêne pendant douze mois, ces Vieilles Vignes n'ont pas encore digéré le bois. Pourtant, ce vin possède une bouche dense, prête à s'exprimer, car on sent quelques effluves de raisin mûr. Prometteur, il devra être attendu un à deux ans. On aurait également aimé moins de bois dans la cuvée **Vers Pouilly 2002**, afin que puissent éclater les notes de fruits mûrs que l'on distingue en retrait. Il faudra donc être patient car la matière est présente, tout en richesse et en rondeur.

⊶ Dom. Pierre Vessigaud,
Hameau de Pouilly, 71960 Solutré-Pouilly,
tél. 03.85.35.81.18, fax 03.85.35.84.29,
e-mail contact@domainevessigaud.com ☒ Y 🚶 r.-v.

Pouilly-loché et pouilly-vinzelles

Beaucoup moins connues que leur voisine, ces petites appellations situées sur les communes de Loché et Vinzelles produisent des vins de même nature que le pouilly-fuissé, avec peut-être un peu moins de corps. En 2003, la production a atteint 1 563 hl en loché et 2 579 hl en vinzelles, uniquement en vins blancs.

Pouilly-loché

DOM. DU CLOS DES ROCS Monopole 2002 ★★

■ 3 ha 8 000 ▮ ◍ ⚲ 11 à 15 €

Magnifique propriété acquise en 2001 par Olivier Giroux, revenu à ses terres natales. Pour sa deuxièmee récolte, ce jeune vigneron de vingt-cinq ans réalise une prouesse en décrochant déjà un coup de cœur. Cristallin mais doré, son vin se dévoile lentement sur des notes de vanille, d'agrumes et de pain grillé, accompagnées d'effluves de fleurs blanches très fins. Au palais, il affiche un équilibre parfait, une matière dense et généreuse, et sa finale très fraîche fait alliance avec le subtil merrain. Une belle bouteille de garde et un domaine à suivre de très près.

⊶ Olivier Giroux,
SCEA Vignoble du Clos des Rocs, 71960 Fuissé,
tél. 03.85.35.63.64, fax 03.85.32.90.08 ☒ Y 🚶 r.-v.

ALAIN DELAYE 2002 ★

■ 0,99 ha 7 800 ▮ ◍ 8 à 11 €

Un joli vin né sur les coteaux argilo-calcaires de Loché, qui dominent la vallée de la Saône. Du caveau d'Alain Delaye, récemment rénové, on peut parfois, par temps très clair, apercevoir le Mont-Blanc et ses neiges éternelles. Ce blanc doré à l'or fin, aux arômes intenses et frais de pêche et de poire, mêlés à des notes de fruits secs (raisins de Corinthe) offre une bouche ronde et longue. La finale citronnée évoque la tarte au citron, dessert qui pourra être servi en sa compagnie.

⊶ Alain Delaye, Les Mûres, 429, rte de Fuissé,
71000 Loché, tél. 03.85.35.61.63, fax 03.85.35.61.63,
e-mail michele.delaye@wanadoo.fr ☒ 🚶 r.-v.

DOM. GIROUX Au Bucher 2002

■ 1,12 ha 6 500 ▮ 8 à 11 €

S'il manque un peu de longueur et de matière, ce vin aux reflets or gris, n'en reste pas moins agréable par sa souplesse, son équilibre et son bouquet aux notes florales et épicées. Un pouilly-loché plaisant, à boire rapidement.

⊶ Dom. Yves Giroux, Les Molards, 71960 Fuissé,
tél. 03.85.35.63.64, fax 03.85.32.90.08,
e-mail domainegiroux@wanadoo.fr ☒ Y 🚶 r.-v.

CAVE DES GRANDS CRUS BLANCS 2002 ★

■ 13,46 ha 21 600 ▮ 8 à 11 €

Ce vin blanc or pâle a séduit par son nez aromatique et complexe qui mêle fleurs blanches et poire de façon très élégante. Un bon équilibre acidité-gras caractérise la bouche, qui s'achève sur des notes d'abricots secs agréables. Bien typé, ce 2002 s'accordera avec des quenelles lyonnaises.

🔑 Cave des Grands Crus Blancs, 71680 Vinzelles,
tél. 03.85.27.05.70, fax 03.85.27.05.71,
e-mail contact@cavevinzellesloche.com ☑ r.-v.

DOM. DE LA GUINCHULE 2002 ★★

■ 0,99 ha 3 800 ▮◉♁ 5 à 8 €

Belle performance pour Félix Dailly dont le domaine se partage équitablement entre vins rouges (beaujolais, saint-amour) et vins blancs du Mâconnais. Celui-ci, vêtu d'une robe dorée, sait montrer sa forte personnalité par la complexité aromatique de son nez : tilleul, raisins secs et vanille. Ronde et droite, la bouche révèle un bon équilibre entre l'acidité et le gras et s'achève par une finale citronnée. Cette bouteille accompagnera heureusement une petite friture de la Saône... ou d'ailleurs.

🔑 EARL Martine et Félix Dailly,
Les Vignes du Puits, 71570 Chânes,
tél. 03.85.36.52.10, fax 03.85.37.44.87 ☑ 🍷 🚶 r.-v.

CH. DE LOCHE 2002 ★

■ n.c. n.c. ▮◉ **15 à 23 €**

Jaune à reflets ambrés, ce 2002 a séjourné en fût de chêne et en garde encore l'empreinte. Boisé dès l'approche, le nez s'ouvre après aération sur des notes fraîches d'agrumes et de mie de pain. Après une attaque souple et ample, le palais se trouve encore sous la domination du bois. Mais le retour du fruit en finale promet une belle évolution. Une bouteille signée Jadot à attendre deux à trois ans.

🔑 Maison Louis Jadot, 21, rue Eugène-Spuller,
21200 Beaune, tél. 03.80.22.10.57, fax 03.80.22.56.03,
e-mail contact@louisjadot.com 🍷 🚶 r.-v.

Pouilly-vinzelles

DOM. DE FUSSIACUS 2002 ★

■ 0,35 ha 2 600 ◉ 8 à 11 €

Créé en 1978 par Jean-Paul Paquet, ce domaine se caractérise par une qualité remarquable et constante de ses productions au fil des ans. Or vert à l'approche, ce 2002 évoque la fleur blanche au premier nez, puis évolue sur le minéral et le miel. La bouche est ronde et généreuse, la finale acidulée. C'est une bouteille solide, équilibrée, à garder au minimum trois à quatre ans.

🔑 Jean-Paul Paquet, 71960 Fuissé,
tél. 03.85.27.01.06, fax 03.85.27.01.07,
e-mail fussiacus@wanadoo.fr ☑ 🍷 🚶 r.-v.

CAVE DES GRANDS CRUS BLANCS 2002 ★★

■ 26,75 ha 21 600 ▮♁ 8 à 11 €

Fondée en 1929, cette coopérative réunit aujourd'hui 138 ha principalement plantés de chardonnay. Elle propose avec ce 2002 un des modèles de l'appellation. Sa robe jaune éclatant n'a d'égal que son nez où acacia et aubépine s'allient aux notes de beurre frais. Grasse et équilibrée, la bouche se construit sur un canevas minéral très fin caractéristique de ce terroir. A servir pendant deux ou trois ans sur une côte de veau aux girolles. **Les Quarts 2002** sont cités pour leur élégance ; ils procureront un plaisir plus immédiat.

🔑 Cave des Grands Crus Blancs, 71680 Vinzelles,
tél. 03.85.27.05.70, fax 03.85.27.05.71,
e-mail contact@cavevinzellesloche.com ☑ r.-v.

CH. DE LOCHE 2002 ★★★

■ n.c. n.c. ▮◉ 15 à 23 €

Si l'appellation pouilly-vinzelles a toujours eu des complexes par rapport à sa voisine pouilly-fuissé, il semble bien que ce temps-là soit révolu. Grâce à cette exceptionnelle cuvée sélectionnée avec grand art au Château de Loché pour la maison Jadot, le pouilly-vinzelles reprend ses lettres de noblesse et son rang dans la hiérarchie des AOC, c'est-à-dire le premier. Une robe or vert lumineuse précède un nez complexe où se mêlent l'acacia, l'églantine, la pivoine et la vanille. L'attaque est ample, riche et montre de la solidité par une acidité rémanente qui soutient de doux arômes de fruits confits et de miel. Le boisé de l'élevage, présent, s'efface devant le vin. Cette bouteille saura pleinement s'exprimer dans le temps, accompagnée d'un homard breton. Rappelons que la maison Jadot avait reçu un coup de cœur l'an dernier pour le Château de Loché pouilly-loché 2001.

🔑 Maison Louis Jadot, 21, rue Eugène-Spuller,
21200 Beaune, tél. 03.80.22.10.57, fax 03.80.22.56.03,
e-mail contact@louisjadot.com 🍷 🚶 r.-v.

DOM. MATHIAS 2002

■ 1,1 ha 8 000 ▮♁ **8 à 11 €**

Un pouilly-vinzelles, très floral et typé, que l'on réservera à des plats familiaux tels que la blanquette de veau ou même la tête de veau sauce gribiche. De sa robe dorée éclatante émanent des arômes intenses de pivoine, de chèvrefeuille mêlés à des notes d'amandes grillées. Rondeur, richesse et minéralité caractérisent la bouche. C'est un vin sympathique à boire dès aujourd'hui.

🔑 Béatrice et Gilles Mathias,
Dom. Mathias, rue Saint-Vincent, 71570 Chaintré,
tél. 03.85.27.00.50, fax 03.85.27.00.52,
e-mail domaine-mathias@wanadoo.fr ☑ 🏠 🍷 🚶 r.-v.

DOM. DES PERELLES 2002 ★

■ n.c. 2 000 ▮◉ 8 à 11 €

Non loin de la Roche de Solutré dont l'intérêt archéologique est incontestable, ce domaine propose des vins de qualité. Bien habillé dans sa robe jaune d'or à reflets gris, ce 2002 est encore un peu timide au nez, mais déjà prometteur. Après une attaque chaleureuse, sa bouche présente un bel équilibre et des saveurs de caramel et de miel en finale signant une bonne alliance du chardonnay et du fût de chêne. Une bouteille que l'on appréciera dans deux ou trois ans sur un poulet à la crème.

⊶ Jean-Marc Thibert,
Les Pérelles, 71680 Crèches-sur-Saône,
tél. 03.85.37.14.56, fax 03.85.37.46.02 ☑ Y ⚘ r.-v.

LA SOUFRANDIERE 2002 *

□ 1 ha 5 400 ▮◍⊥ 8 à 11 €

Vendangé manuellement en caisse de 25 kg, pressuré lentement et élevé à 90 % en pièces bourguignonnes, ce vin possède un énorme potentiel mais reste sur sa réserve aujourd'hui. Riche, bien structuré mais légèrement amer, il offre déjà des notes agréables de rose, de pivoine et de prune. Une cuvée réservée aux amateurs patients.

⊶ SARL Bret Brothers, La Soufrandière,
71680 Vinzelles, tél. 03.85.35.67.72, fax 03.85.35.67.72,
e-mail lasoufrandiere@libertysurf.fr ☑ Y ⚘ r.-v.

DOM. THIBERT PERE ET FILS
Les Longeays 2002 **

□ 2 ha 14 000 ◍ 11 à 15 €

Ces parcelles des Longeays, acquises récemment par la famille Thibert, donnent déjà d'excellents résultats. Pour preuve, ce 2002 à l'allure séduisante, au nez complexe d'aubépine, de vanille, de sous-bois rehaussé par des touches minérales, si typiques de ce terroir. Riche, gras, il est dynamique et évolue en finale sur des notes de douceur. Equilibré, ce grand vin sera un excellent compagnon des fruits de mer.

⊶ GAEC Dom. Thibert Père et Fils, le Bourg,
71960 Fuissé, tél. 03.85.27.02.66, fax 03.85.35.66.21,
e-mail domthibe@club-internet.fr ☑ Y ⚘ r.-v.

CH. DE VINZELLES 2000 **

□ 2,5 ha 15 000 ▮ 8 à 11 €

Claude de Bullion, surintendant des finances de Louis XIII, à qui l'on doit la restauration du château, servait, en guise de dessert à ses invités, non pas du pouilly-vinzelles, mais des louis d'or ! Or est la couleur de ce 2000 dans le verre, éclairée de nombreux reflets pistache. Il offre des parfums intenses et chaleureux de fleurs blanches et de fruits mûrs. Même richesse au palais, avec une belle trame acide lui conférant de la fraîcheur. Plaisant dès aujourd'hui – pourquoi pas sur un rôti de lotte –, il possède néanmoins un réel potentiel de vieillissement.

⊶ Françoise de Lostende, Ch. de Vinzelles,
71680 Vinzelles, tél. 06.07.11.43.88, fax 03.85.35.60.97,
e-mail contact@chateau-de-vinzelles.com ☑ Y r.-v.

Saint-véran

Réservée aux vins blancs produits sur huit communes de la Saône-et-Loire, saint-véran a été reconnue en 1971. La production (32 778 hl en 2003) peut être située dans la hiérarchie entre le pouilly et les mâcons suivis d'un nom de village. Ces vins sont légers, élégants, fruités, et accompagnent à merveille les débuts de repas.

Produite surtout sur des terroirs calcaires, l'appellation constitue la limite sud du Mâconnais.

JEAN BARONNAT 2002 *

□ n.c. n.c. ▮⊥ 5 à 8 €

Maison familiale créée au début du XX[e]s., aujourd'hui dirigée par Jean-Jacques Baronnat, petit-fils du fondateur. Elle propose une bouteille d'une belle facture agrémentée d'une étiquette assez esthétique. Vêtu d'une robe paille, ce 2002 fleure bon les agrumes et les fruits jaunes. Assez intense, avec un fruit déjà épanoui, la bouche est équilibrée et fraîche. D'une bonne persistance aromatique, ce vin fera sensation sur un poulet aux écrevisses.

⊶ Maison Jean Baronnat,
Les Bruyères, 491, rte de Lacenas, 69400 Gleizé,
tél. 04.74.68.59.20, fax 04.74.62.19.21,
e-mail info@baronnat.com ☑

CAVE DE CHARNAY Vieilles Vignes 2002 *

□ 1,54 ha 10 900 ▮⊥ 8 à 11 €

Cette cuvée issue de vignes quadragénaires a reçu un soin tout particulier de la part de Christian Carry, chef caviste et pilier de la cave coopérative de Charnay. Or pâle à reflets argentés dans le verre, ce 2002 offre une multitude de fragrances subtiles associant les fleurs (tilleul, aubépine, camomille) au beurre frais. Sa très belle attaque corsée le classe parmi les grands, et sa finale pulpe de pamplemousse appelle une seconde gorgée. Un beau vin à goûter sur une tarte bressanne.

⊶ Cave de Charnay, En Condemine,
54, chem. de la Cave, 71850 Charnay-lès-Mâcon,
tél. 03.85.34.54.24, fax 03.85.34.86.84 ☑ Y ⚘ r.-v.

DOM. CHENE Cuvée Prestige 2002

□ 0,5 ha 3 300 ▮◍ 8 à 11 €

La couleur or de ce vin est une invitation au plaisir des sens. Après un nez où se mêlent fleurs, fruits confits et vanille, l'attaque est franche et vive. Les arômes subtils d'agrumes sont élégants et persistants, la finale douce et délicate. Vin agréable aujourd'hui mais qui demande à évoluer encore deux ou trois ans.

⊶ Dom. Chêne,
Ch. Chardon, 71960 Berzé-la-Ville,
tél. 03.85.37.65.30, fax 03.85.37.75.39,
e-mail gaecchene@aol.com ☑ Y ⚘ r.-v.

DOM. CORSIN 2002 ***

□ 4,3 ha 30 900 ▮◍⊥ 8 à 11 €

Gilles et Jean-Jacques Corsin, vignerons de talent, veulent tirer la quintessence du chardonnay et de son sol calcaire. Ils obtiennent un indiscutable coup de cœur pour leur cuvée principale, vin éclatant, habillé d'or vert. Une palette aromatique à l'équilibre enchanteur offre des parfums de poire, de raisin frais et de chèvrefeuille. La bouche est à la fois puissante par sa matière et légère par sa fraîcheur. « Toute la typicité d'un grand saint-véran ! », « Parfait », concluent les dégustateurs émerveillés. Une étoile distingue la cuvée **Tirage précoce 2002 (5 à 8 €)**, issue de jeunes vignes et mise en bouteille après cinq mois d'élevage. Vert tendre, subtil et délicat, ce vin est à boire dans sa prime jeunesse.

Vin de Bourgogne

Saint-Véran

Appellation Saint-Véran Contrôlée

750ml   Domaine Corsin   13,5 % vol.

mise en bouteilles par
Domaine Corsin, Viticulteur-Récoltant à
F 71960 Davayé - Tél. 03 85 35 83 69
Product of France

🐦 Dom. Corsin, Les Plantes, 71960 Davayé,
tél. 03.85.35.83.69, fax 03.85.35.86.64,
e-mail jjcorsin@domaine-corsin.com ☑ ☕ r.-v.

DOM. DE LA CROIX SENAILLET
La Grande Bruyère 2002 ★

	1,5 ha	4 900	🍴🔆	8 à 11 €

Sur le *climat* La Grande Bruyère, Richard Martin, le
nouveau président de l'appellation, et son frère Stéphane
exploitent 1,50 ha. Le caractère du terroir est très présent
dans cette bouteille qui demande quelques années de
patience pour atteindre sa plénitude. Le regard est tout de
suite attiré par le jaune d'or éclatant de la robe. D'une belle
complexité aromatique, le nez laisse apparaître des nuances briochées, beurrées et épicées, bien mariées aux arômes
de fruits mûrs. Aussi généreux en bouche, le vin évolue sur
une longue finale.
🐦 Richard et Stéphane Martin,
Dom. de La Croix Senaillet, En Coland, 71960 Davayé,
tél. 03.85.35.82.83, fax 03.85.35.87.22,
e-mail domainedelacroixsenaillet@club-internet.fr
☑ ☕ ⚡ r.-v.

DOM. MICHEL DELORME 2002 ★★★

	0,25 ha	2 400	🍴	5 à 8 €

Michel Delorme a repris en main cette exploitation,
il y a maintenant dix-huit ans, et l'a transformée, notamment en modernisant le chai de vinification en 2003. Son
saint-véran issu de jeunes vignes est une surprise : bouquet
composé de gingembre, de safran et de frangipane, bouche
au joli fruité, caressante, gracieuse, élégante et pleine de
charme ; la dégustation s'achève sur des notes florales et
d'agrumes sans acidité superflue. Un excellent vin qui
pourra être servi sur un jambon persillé, comme le
conseille le jury.
🐦 Dom. Michel Delorme, Le Bourg, 71960 Vergisson,
tél. 03.85.35.84.50, fax 03.85.35.84.50,
e-mail micheldelorme@club-internet.fr ☑ ☕ ⚡ r.-v.

DOM. DES DEUX ROCHES 2003 ★★

	15 ha	80 000	🍴🔆	8 à 11 €

Le domaine des Deux Roches, situé dans la partie
septentrionale de l'AOC, est l'un des plus grands tant par
sa taille que par sa réputation. Pas moins de 80 000
bouteilles résultent de cette cuvée de l'exceptionnel millésime 2003. Tout est remarquable dans ce vin : la robe
dorée à souhait, le nez fruité (agrumes et ananas), l'attaque
onctueuse, le développement harmonieux et la finale d'une
bonne tenue. « On peut l'attendre mais quel plaisir dès
maintenant » témoigne un dégustateur. La cuvée **Vieilles
Vignes 2002 (11 à 15 €)** obtient une étoile mais devra
vieillir afin d'harmoniser le mariage bois-vin.

🐦 Dom. des Deux Roches, 71960 Davayé,
tél. 03.85.35.86.51, fax 03.85.35.86.12
☑ ☕ t.l.j. sf dim. 8h-11h30 13h30-17h30

GEORGES DUBŒUF 2002 ★

	n.c.	30 000	🍴🔆	5 à 8 €

G. Dubœuf, célébrissime négociant, n'est jamais à
court d'idées géniales. Après « Le Hameau en Beaujolais », ouvert il y a quelques années déjà, il a créé « Plaisirs
en Beaujolais », un espace consacré à la vigne et au vin,
agrémenté d'un magnifique jardin. A visiter absolument.
Mais revenons à notre saint-véran 2002, à la robe claire et
dorée. Son nez encore discret est élégant et racé avec des
notes minérales et des nuances de sous-bois. D'une jolie
présence fruitée, le palais est dense, ample, sans lourdeur.
Un très beau vin à déguster en toute occasion, sans
arrière-pensée.
🐦 SA Les Vins Georges Dubœuf, La Gare,
71570 Romanèche-Thorins, tél. 03.85.35.34.20,
fax 03.85.35.34.25, e-mail gduboeuf@duboeuf.com
☑ ☕ ⚡ t.l.j. 9h-18h au Hameau-en-Beaujolais;
f. 1er-15 jan.

DUVERGEY-TABOUREAU 2002

	n.c.	n.c.		8 à 11 €

Maison de négoce implantée à Meursault, Duvergey-
Taboureau présente un vin du Mâconnais. A l'image de sa
robe or pâle, son nez discret mais appétissant. Une
bouche légère égrène quelques notes fruitées et la finale est
rafraîchissante. « Un savoureux vin de copains », conclut
un dégustateur.
🐦 Duvergey-Taboureau,
6, rue des Santenots, 21190 Meursault,
tél. 03.80.21.63.00, fax 03.80.21.29.19 ⚡r.-v.

DOM. L'ERMITE DE SAINT-VERAN
En Combe 2002 ★

	1,24 ha	7 000	🍴	5 à 8 €

Au pied du coteau sud de Saint-Vérand, magnifique
village qui a donné son nom à l'appellation (sans le « d »),
vous pourrez faire une halte au domaine de l'Ermite de
Saint-Véran. A sa tête, Gérard Martin vous réservera le
meilleur accueil. Vous laisserez-vous tenter par la dégustation de ce 2002 doré ? Le nez sur le verre, vous y
trouverez pêle-mêle des arômes de fruits secs (si typiques
de ce secteur), de fruits blancs et même des notes exotiques. Harmonieux, le palais se montre équilibré et long. Il
sera le compagnon parfait d'une andouillette du boucher
de Leynes.
🐦 Gérard Martin, Les Truges, 71570 Saint-Vérand,
tél. 03.85.36.51.09, fax 03.85.37.47.89,
e-mail gemartin3@wanadoo.fr ☑ ☕ ⚡ r.-v.

PIERRE FERRAUD ET FILS 2002 ★

	n.c.	7 000	🍴	8 à 11 €

La maison Ferraud propose une cuvée à la robe jaune
d'or éclatant. On apprécie la complexité des arômes
arrivés à bonne maturité comme le prouvent les notes de
fruits légèrement compotés et de miel. Après une attaque
fraîche, le développement est ample et gras, avec des
flaveurs rappelant le pain d'épice. Un vin enjôleur à boire
dès aujourd'hui.
🐦 Pierre Ferraud et Fils, 31, rue du Mal-Foch,
69220 Belleville-sur-Saône, tél. 04.74.06.47.60,
fax 04.74.66.05.50, e-mail ferraud@ferraud.com
☑ ☕ ⚡ t.l.j. sf dim. 8h-12h 14h-18h

BOURGOGNE

DOM. DE FUSSIACUS 2001

■ 1,1 ha 9 800 ■ ◎ ♁ 8 à 11 €

Les raisins de chardonnay ont été récoltés manuellement, une fois bien dorés par le soleil mâconnais, à la limite de la surmaturité. C'est pour cette raison que l'on se trouve face à un verre empli d'or, dégageant d'intenses arômes de fruits exotiques et de poire. Franc à l'attaque, il libère à l'aération des notes minérales agréables. Malgré son gras et sa rondeur, il laisse une impression de chaleur en finale. « A essayer sur une viande blanche à la crème », suggère un juré.

⊶ Jean-Paul Paquet, 71960 Fuissé,
tél. 03.85.27.01.06, fax 03.85.27.01.07,
e-mail fussiacus@wanadoo.fr ☑ Y ⚲ r.-v.

ROGER GAILLARD Elevé en fût de chêne 2001 *

■ 3 ha 2 600 ◎ 8 à 11 €

Au cœur du village de Davayé, vous trouverez la cave de Roger Gaillard et, non loin, ses vignes de chardonnay plantées sur sol argilo-calcaire. Au fond de cette cave sommeillent encore quelque 2 000 bouteilles de ce 2001 très réussi. D'une couleur or soutenu à l'œil, ce vin possède un nez expressif alliant les arômes du bois (noisette, vanille) à ceux du vin (miel, fruits). Harmonieux en bouche, il pourra être bu dès aujourd'hui mais saura vieillir un an ou deux. La cuvée principale qui ne connaît pas le fût, le **saint-véran 2002 (5 à 8 €)**, obtient également une étoile. A servir sur un poulet de Bresse à la crème, dès cet automne.

⊶ Roger Gaillard, Les Plantes, 71960 Davayé,
tél. 03.85.35.83.31, fax 03.85.35.80.81,
e-mail domaine.gaillard@wanadoo.fr ☑ ⚲ r.-v.

CH. DE LA GREFFIERE 2002 **

■ 1,1 ha 5 000 ■ ◎ ♁ 5 à 8 €

A la tête du château de la Greffière depuis 1981, Isabelle et Vincent Greuzard ont réussi un remarquable 2002, élevé en fût, or blanc à l'œil. Le nez d'une grande complexité s'ouvre sur des notes à la fois fruitées, florales et minérales. Après une attaque boisée, on retrouve en bouche une multitude d'arômes d'une rare persistance. Un vin racé à attendre quelques années afin de lui laisser le temps de révéler son grand potentiel. A découvrir en même temps que le musée des anciens métiers campagnards installé au domaine.

⊶ Isabelle et Vincent Greuzard, Ch. de La Greffière,
71960 La Roche-Vineuse, tél. 03.85.37.79.11,
fax 03.85.36.62.88, e-mail chateaudelagreffiere@free.fr
☑ ⌂ Y ⚲ t.l.j. 9h-12h 14h-18h30

THIERRY GUERIN En Crèche 2002 *

■ 0,32 ha 2 500 ■ 5 à 8 €

En Crèche est l'un des *climats* les plus réputés de l'appellation, sis sur la commune de Davayé. Jaune d'or à reflets cuivre, un saint-véran sans complexes, qui évoque les fruits secs et le miel. Solide et puissant dès l'attaque, il offre en rétro-olfaction des arômes de fruits compotés. Un vin plaisir, conseillé dès maintenant à l'apéritif.

⊶ Thierry Guérin, Le Sabotier, 71960 Vergisson,
tél. 03.85.35.84.06, fax 03.85.35.87.38 ☑ Y ⚲ r.-v.

NADINE ET MAURICE GUERRIN 2002

■ 0,4 ha 3 600 **5 à 8 €**

D'une vigne trentenaire implantée sur sol calcaire et d'une technique irréprochable naît ce vin à reflets dorés, au nez agréablement fleuri. En bouche, les arômes de fruits secs et d'acacia s'appuient sur une minéralité rafraîchissante. Un saint-véran prometteur qui devrait s'épanouir avec le temps.

⊶ Maurice Guerrin, Les Bruyères, 71960 Vergisson,
tél. 03.85.35.80.25, fax 03.85.35.82.75 ☑ Y ⚲ r.-v.

DOM. GUEUGNON-REMOND 2002 *

■ 1 ha 7 500 ■ ♁ 5 à 8 €

En empruntant la voie verte à pied, à cheval, à vélo ou à roller... arrêtez-vous au domaine Gueugnon-Remond. Jean-Christophe, le gendre, propose ce saint-véran aux saveurs de coing et de fleurs blanches. Très aromatique en bouche, ce vin s'anime d'une légère pointe citronnée de bonne longueur. Un *must* pour le petit fromage de chèvre du Mâconnais.

⊶ Dom. Gueugnon-Remond,
chem. de la Cave, 71850 Charnay-lès-Mâcon,
tél. 03.85.29.23.88, fax 03.85.20.20.72,
e-mail vinsgueugnonremond@free.fr ☑ Y ⚲ r.-v.
⊶ J-Chr. Remond

DOM. ROGER LUQUET
Les Grandes Bruyères 2002 *

■ 1,4 ha 9 000 ■ ♁ 5 à 8 €

Roger Luquet s'installe en 1966 sur 4,5 ha. En 1992, ses enfants viennent le seconder sur 24 ha. Quelle progression ! Voici une bouteille de maturité où le chèvrefeuille côtoie l'agrume sur des notes de mangue et d'ananas. Au palais, on trouve beaucoup de matière avec une pointe citronnée qui rafraîchit la finale. Vin très plaisant à boire à l'apéritif.

⊶ Dom. Roger Luquet, 71960 Fuissé,
tél. 03.85.35.60.91, fax 03.85.35.60.12,
e-mail domaine.roger-luquet@club-internet.fr
☑ Y ⚲ t.l.j. sf dim. 8h-19h

DOM. LA MAISON
Les Condemines Vieilles Vignes 2002 *

■ 1,2 ha 3 000 ■ ♁ 5 à 8 €

Né d'un terroir argilo-calcaire, situé à l'extrémité sud de l'appellation, et de vignes septuagénaires, ce saint-véran s'exprime par des notes citronnées et des nuances d'amande fraîche. Plaisante et sympathique, la bouche possède de jolies rondeurs qui s'accorderont parfaitement à une côte de veau de lait. Une étoile également pour la cuvée **Les Jully 2001**, élégante et fine, qui a su séduire le jury. Pensez à elle pour une sole grillée.

⊶ Jean Chagny, Au bourg, 71570 Leynes,
tél. 03.85.35.10.16, fax 03.85.35.12.09,
e-mail domaine.la.maison@free.fr ☑ Y ⚲ r.-v.

DOM. DES PERELLES 2002 *

■ 2 ha 7 000 ■ 5 à 8 €

Ce domaine de 8,5 ha est situé dans la partie méridionale de l'appellation, là où se côtoient saint-véran

et beaujolais. Jean-Yves Larochette obtient une étoile pour ce 2002 à l'allure brillante, or clair, au nez intense et fin de fruits blancs, de miel et de poivre. Sa bouche est ample, équilibrée et laisse une sensation de fraîcheur due à une belle minéralité. Vin de plaisir par excellence, il saura également séduire par son petit prix.
⊶ EARL Jean-Yves Larochette, Les Pérelles,
71570 Chânes, tél. 03.85.37.41.47, fax 03.85.37.15.25,
e-mail j.y.larochette@wanadoo.fr Y 🚶 r.-v.

LES VINS DES PERSONNETS 2002 *

▒ n.c. 20 000 ▮ 11 à 15 €

Or limpide à reflets verts, c'est une belle robe de chardonnay. Puissantes, les nuances odorantes vont de la noisette aux fruits frais en passant par le beurre et le miel. C'est par sa structure et sa complexité que ce saint-véran surprend : gras et souple, il possède une pointe d'acidité qui lui confère un bel équilibre. Vinifiée par une jeune société de négoce, cette cuvée est issue de sélections de vignes et d'achats de raisins.
⊶ Collovray et Terrier, Vins des Personnets,
71960 Davayé, tél. 03.85.35.86.51, fax 03.85.35.86.12,
e-mail vinsdespersonnets@club-internet.fr
☒ Y t.l.j. sf sam. dim. 8h-11h 13h30-17h30

DOM. DES PONCETYS Cuvée Terroir 2002 **

▒ 1,46 ha 8 000 ▮🌡 8 à 11 €

Possession de l'évêché d'Autun, c'est en 1905 que le domaine devient propriété du département de Saône-et-Loire, qui en fait donation à l'Etat en 1963 pour un franc symbolique. Les vignes et les bâtiments sont alors dédiés à un lycée viticole. Cette cuvée au nom évocateur est une sélection de trois parcelles de vieilles vignes, vendangées à la main et vinifiées en foudre, avec un élevage sur lies de huit mois. Jaune pâle brillant à l'approche, elle montre un nez discret mais élégant. C'est en bouche que l'on mesure pleinement sa dimension. Après une attaque minérale et tonique, elle s'affirme par une structure imposante, du gras et un équilibre parfait. Sa finale, de belle densité, offre des arômes floraux. Un vin racé et typé que l'on pourra garder trois ou quatre ans en cave.
⊶ Lycée viticole de Mâcon-Davayé,
Dom. des Poncetys, 71960 Davayé,
tél. 03.85.33.56.20, fax 03.85.35.86.34,
e-mail domaineponcetys@macon-davaye.com
☒ Y 🚶 r.-v.

PASCAL RENOUD-GRAPPIN
Vieilles Vignes 2002 *

▒ 1,6 ha 4 000 ▮ 5 à 8 €

Pascal Renoud-Grappin est un jeune vigneron installé en 1996 après avoir appris le métier chez d'autres viticulteurs bourguignons. A la tête de plus de 6 ha aujourd'hui, il propose un saint-véran de grande finesse. Ce 2002 attire tout de suite l'œil par sa robe or et ses reflets verts. Le nez est expressif : fleurs blanches, brioche et abricot sec rivalisent dans le verre. Souple, gras, séducteur et long, le palais est parsemé de miel et d'épices. Un beau représentant de l'appellation qui peut encore attendre un an ou deux.
⊶ Pascal Renoud-Grappin,
Les Plantes, 71960 Davayé, tél. 03.85.35.81.35,
fax 03.85.35.87.82 ☒ 🏠 🏠 Y 🚶 r.-v.

MICHEL REY A Lessard 2002 *

▒ 0,5 ha 2 200 ⦶ 5 à 8 €

Une fermentation et un élevage en fût soignés ont donné à ce vin une belle personnalité. A l'approche dorée fait suite un nez complexe de fleurs blanches mêlées à la vanille et à l'abricot sec. Ample et vif à la fois, ce vin possède une structure équilibrée et une longue finale. Saint-véran élégant à garder trois ou quatre ans en cave.
⊶ Michel Rey, Le Repostère, 71960 Vergisson,
tél. 03.85.35.85.78, fax 03.85.35.87.91,
e-mail michel.rey19@wanadoo.fr ☒ Y 🚶 r.-v.
⊶ Burrier

JACQUES SAUMAIZE-MICHELIN
Les Vieilles Vignes 2002 **

▒ n.c. 7 500 ⦶ 8 à 11 €

Le saint-véran, chez Saumaize-Michelin, est à la hauteur de la réputation de ce domaine habitué du Guide, qui pratique les vendanges manuelles. La franchise et l'élégance de cette cuvée Vieilles Vignes lui ont valu l'enthousiasme du jury. Sa teinte or blanc est lumineuse. Son nez associe des notes fruitées à celles de l'élevage en fût. Enrobé, riche et gras, le palais est structuré, et derrière les arômes du bois on perçoit des épices et de la noisette. Belle harmonie générale. La cuvée **Les Crèches 2002 (5 à 8 €)** est citée : il faut lui laisser encore quelques mois afin qu'elle donne le meilleur d'elle-même.
⊶ Roger et Christine Saumaize,
Dom. Saumaize-Michelin, Le Martelet,
71960 Vergisson, tél. 03.85.35.84.05, fax 03.85.35.86.77,
e-mail saumaize-michelin@wanadoo.fr ☒ Y 🚶 r.-v.

DOM. DES VALANGES
Cuvée hors classe Vieilles Vignes 2002 **

▒ 2 ha 6 000 ▮⦶🌡 8 à 11 €

Un saint-véran de belle facture, issu de vieilles vignes de chardonnay de soixante ans implantées sur un superbe terroir argilo-calcaire. Beaucoup de travail, d'attention et un élevage en fût de neuf mois. Une fois de plus, Michel Paquet réussit à marier un boisé très fin au nez (une note de réglisse) à des parfums d'agrumes et de pain d'épice. Le palais est gras et intense. Le toasté du fût est présent, avec des arômes beurrés et vanillés. Harmonieux et long, ce vin frôle le coup de cœur. Une étoile pour la cuvée **Les Cras 2002**, nom d'un magnifique coteau orienté sud-sud-est, permettant l'élaboration de grands vins à fort potentiel. A garder trois à quatre ans minimum.
⊶ Michel Paquet, Dom. des Valanges, 71960 Davayé,
tél. 03.85.35.85.03, fax 03.85.35.86.67,
e-mail domaine-des-valanges@wanadoo.fr ☒ Y 🚶 r.-v.

LA CHAMPAGNE

Vin des rois et des princes devenu celui de toutes les fêtes, le champagne s'auréole de la gloire et du prestige de porter dans le monde entier l'élégance et la séduction françaises. Son illustre réputation, il la doit autant à son histoire qu'à ses traits spécifiques qui font que, pour beaucoup, il n'est vin de Champagne que le champagne ; ce n'est pourtant pas si simple...

En effet, la région champenoise, située à moins de 200 km au nord-est de Paris, constitue l'aire délimitée de trois appellations d'origine contrôlée : le champagne, les coteaux champenois et le rosé-des-riceys, les deux dernières AOC ne donnant naissance qu'à une centaine de milliers de bouteilles. Cette zone, la plus septentrionale des régions vinicoles de France, s'étend principalement sur les départements de la Marne et de l'Aube, avec de modestes extensions dans l'Aisne, la Seine-et-Marne et la Haute-Marne. La surface plantée est de 33 000 ha.

De part et d'autre de la Marne, Reims et Epernay se partagent le rôle de capitale du champagne ; la première bénéficie en outre de l'attrait de ses monuments et de ses musées pour attirer la foule des visiteurs qui peuvent découvrir également l'univers surprenant des caves, parfois fort anciennes, des « grandes maisons ».

Un même paysage vallonné se révèle dans tout le vignoble, où l'on distingue cependant traditionnellement plusieurs régions : la Montagne de Reims, (6 814 ha) où certaines vignes sont orientées au nord, avec des sols sablonneux ; la Côte des Blancs (3 150 ha) bénéficiant, aux portes d'Epernay, d'une relative régularité climatique ; la Grande Vallée de la Marne (1 876 ha) et les deux rives de la vallée de la Marne (5 152 ha), prolongées par le vignoble de l'Aisne et de la vallée du Surmelin (2 989 ha), dont les pentes sont couvertes de vignes, la qualité de la production ne variant guère, contrairement à ce que l'on pourrait croire, selon l'orientation au nord ou au sud ; le vignoble de l'Aube (7 099 ha), enfin, à l'extrême sud-est de l'aire d'appellation et séparé des autres secteurs par une zone de 75 km où la vigne n'est pas cultivée. Plus élevé et davantage exposé aux gelées de printemps, il n'en produit pas moins des vins de qualité ; c'est là que se trouve la seule appellation communale : celle du rosé-des-riceys. On distingue également d'autres entités géographiques : la région d'Epernay (1 240 ha), les vallées de la Vesle (986 ha) et de l'Ardre (900 ha), les régions de Congy (1 013 ha), de Sézanne (1 382 ha) et de Vitry-le-François (343 ha).

Le retrait de la mer, il y a quelque 70 millions d'années, puis les bouleversements dus aux secousses telluriques ont formé un socle crayeux dont la perméabilité et la richesse en principes minéraux apportent leur finesse aux vins de la Champagne ; une couche superficielle argilo-calcaire recouvre ce socle sur près de 60 % des terroirs actuellement plantés. Dans l'Aube, la composition des sols les rapproche de ceux de la Bourgogne voisine (marnes).

Si le gel – à une telle latitude, les gelées de printemps sont fréquentes – rend difficile la régularité de la production, les écarts climatiques sont cependant tempérés par la présence d'importants massifs forestiers ; ils équilibrent la douceur atlantique et la rigueur continentale, en entretenant une relative humidité. L'absence d'excès de chaleur – 2003 est une année atypique – est également un élément déterminant de la finesse des vins. Le choix des cépages, bien sûr, s'adapte aux variations pédologiques et climatiques. Pinot noir (12 254 ha), pinot meunier (10 877 ha), chardonnay (8 952 ha) ainsi que les autres variétés – pinot blanc, pinot gris, petit meslier, arbane (91 ha) – se partagent les surfaces plantées. La viticulture et l'élaboration des vins occupent environ 31 000 personnes, dont 14 800 vignerons exploitants.

L'élaboration particulière du champagne sur plusieurs années (en moyenne trois ans et beaucoup plus pour les millésimés) oblige à un stockage supérieur à 1 milliard de bouteilles. Selon le CFCE, l'exportation du champagne (1,667 milliard d'euros, soit + 6,5 % par rapport aux valeurs de 2002) représente une part importante du chiffre d'affaires des exportations françaises de vin.

On fait du vin en Champagne au moins depuis l'invasion romaine. Il fut blanc, puis rouge et enfin gris, c'est-à-dire blanc ou presque, issu de pressurage de raisins noirs. Déjà, il avait la fâcheuse habitude de « bouillonner dans ses vaisseaux », c'est-à-dire de mousser dans les tonneaux. Ce fut sans doute en Angleterre que l'on inventa la mise en bouteilles systématique de ces vins instables qui, jusqu'en 1700 environ, étaient livrés en fût ; cela eut pour effet de permettre au gaz carbonique de se dissoudre dans le vin : le vin effervescent était né. Procureur de l'abbaye de Hautvillers et technicien avant la lettre, dom Pérignon produira dans son abbaye les meilleurs vins ; c'est aussi lui qui les vendra le plus cher...

En 1728, le conseil du roi autorise le transport du vin en bouteilles ; un an plus tard, la première maison de vin de négoce est fondée : Ruinart. D'autres suivront (Moët en 1743), mais c'est au XIXe s. que la plupart des grandes maisons se créent ou s'affirment. En 1804, Mme Clicquot lance le premier champagne rosé, et, dès 1830, apparaissent les premières étiquettes collées sur les bouteilles. A partir de 1860, Mme Pommery boit des « bruts », tandis que, vers 1870, sont proposés les premiers champagnes millésimés. Raymond Abelé invente, en 1884, le banc de dégorgement à la glace, avant que le phylloxéra puis les deux guerres ne ravagent les vignobles. Depuis 1945, les fûts de bois ont cédé la place, le plus souvent, aux cuves en acier inoxydable, dégorgement et finition sont automatisés, alors que le remuage lui-même se mécanise.

Une grande partie des vignerons champenois appartient aujourd'hui à la catégorie des producteurs de raisins : ce sont les « vendeurs au kilo ». Ils cèdent tout ou partie de leur production aux grandes marques qui vinifient, élaborent et commercialisent. Cette pratique a conduit l'Interprofession à proposer – les lois de la concurrence interdisent de fixer un prix obligé – un prix recommandé des raisins et à attribuer à chaque commune une cotation en fonction de la qualité de sa production : c'est l'échelle des crus. Les vins issus des communes viticoles sont classés dans une échelle des crus, apparue dès la fin du XIX^e^s. Cotés 100 %, ils ont droit au titre de « grand cru », ceux cotés de 99 à 90 % bénéficient de la mention « premier cru », la cotation des autres s'échelonne de 89 à 80 %. Le prix des raisins varie selon le pourcentage communal. Le rendement maximum à l'hectare est modulé chaque année, alors que 160 kg de raisins ne permettent pas d'obtenir plus d'un hectolitre de moût apte à être vinifié en champagne.

Champagne

La singularité du champagne apparaît dès les vendanges. La machine à vendanger est interdite ; toute la cueillette est manuelle car il est essentiel que les baies (grains) de raisin parviennent en parfait état au lieu de pressurage. Pour cela, on remplace les hottes par de petits paniers, afin que le raisin ne soit pas écrasé. Il a fallu aussi créer des centres de pressurage disséminés au cœur du vignoble afin de raccourcir le temps de transport du raisin. Pourquoi tous ces soins ? Parce que le champagne étant un vin blanc issu en majeure partie d'un raisin noir – le pinot –, il convient que le jus incolore ne soit pas taché au contact de l'extérieur de la peau.

Le pressurage, lui, doit se faire sans délai et permettre de recueillir successivement et séparément le jus issu des zones concentriques du grain ; d'où la forme particulière des pressoirs traditionnels champenois : on y entasse le raisin sur une vaste surface mais à une faible hauteur, pour ne pas abîmer les baies et pour faciliter la circulation du jus ; la vendange n'est jamais éraflée.

Le pressurage est sévèrement réglementé. On compte 1 929 centres de pressurage, et chacun doit recevoir un agrément pour avoir le droit de fonctionner. De 4 000 kg de raisins, on ne peut extraire que 25,5 hl de moût. Cette unité s'appelle un marc. Le pressurage est fractionné entre la cuvée (20,5 hl) et la taille (5 hl).

La Champagne

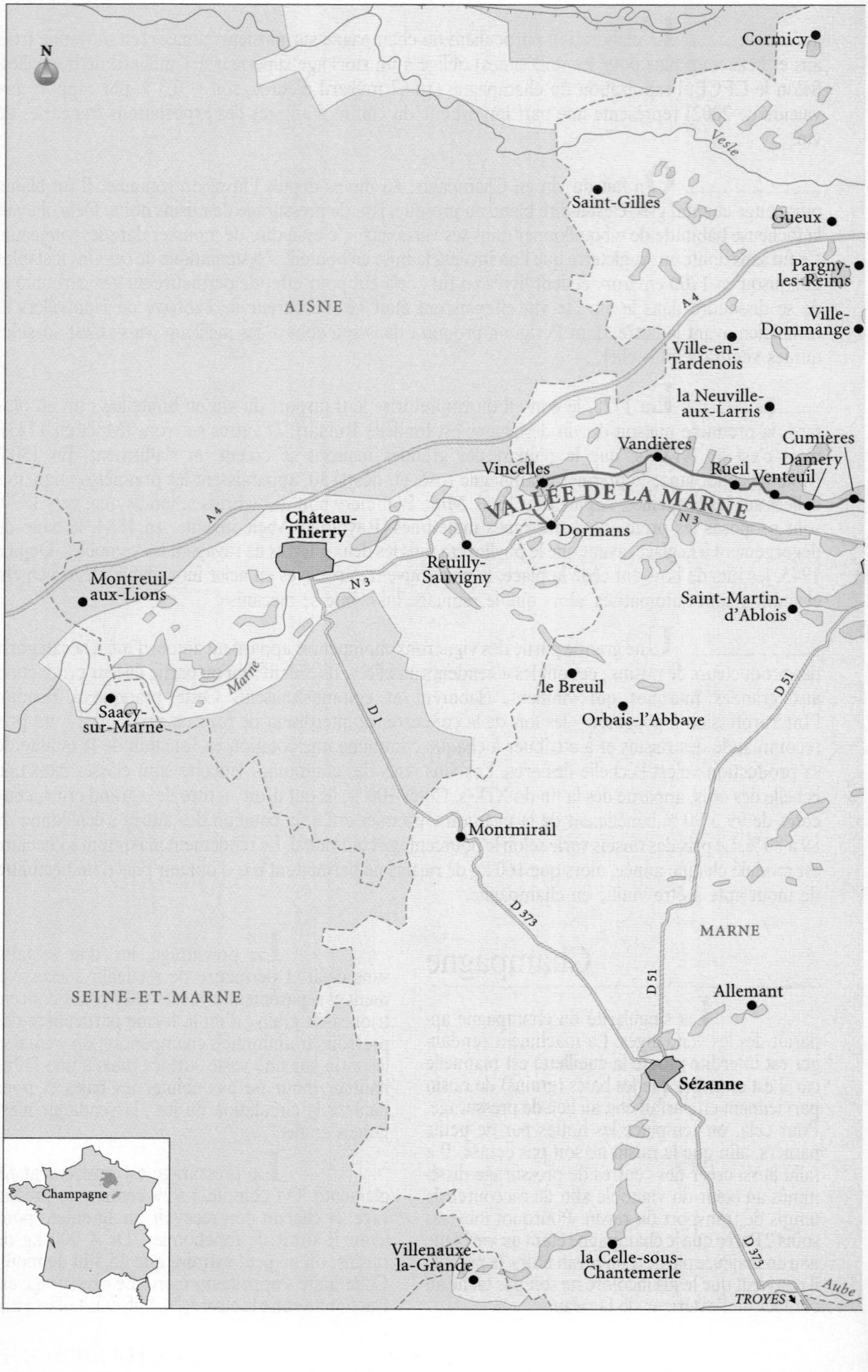

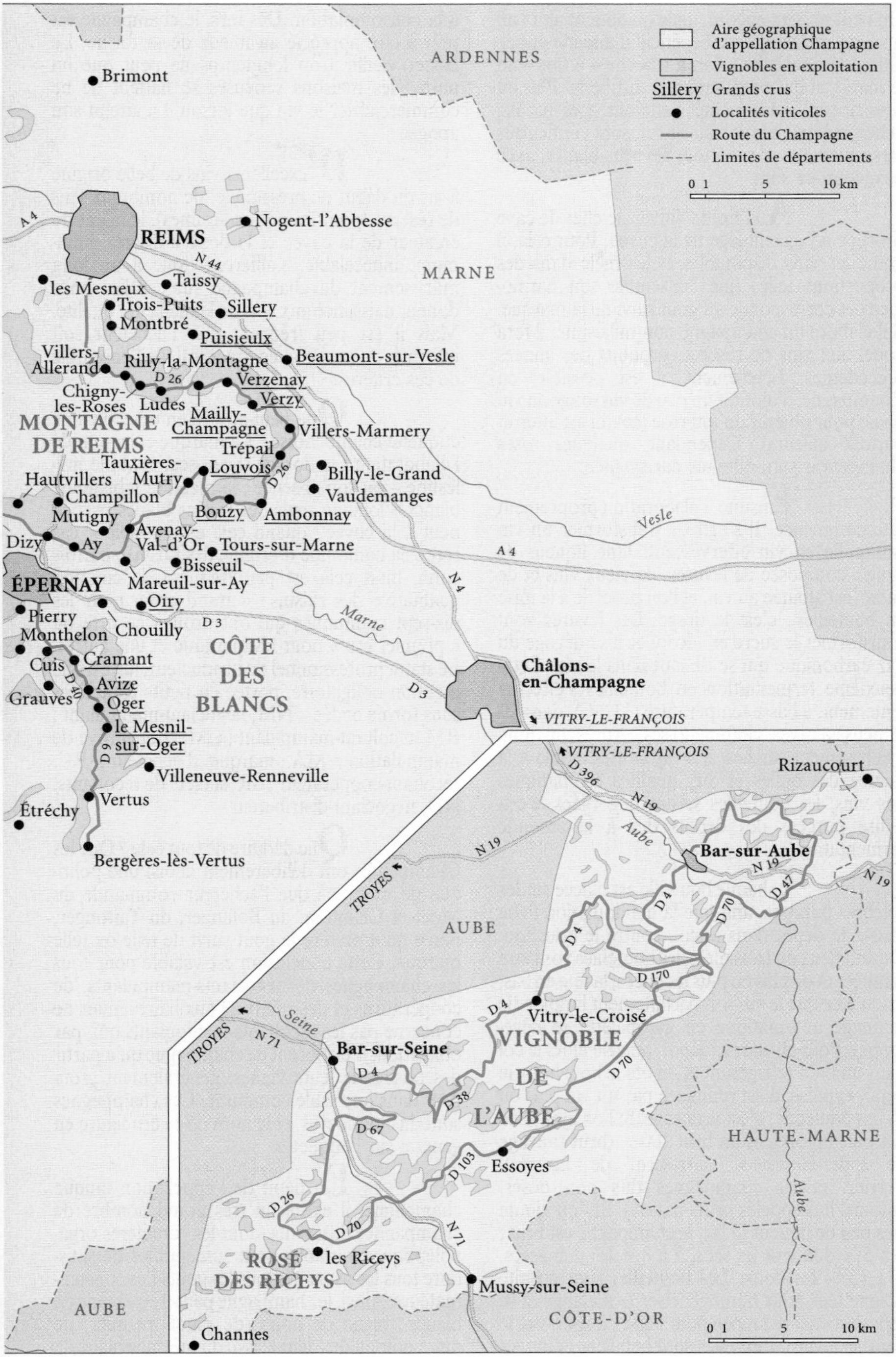
Aire géographique d'appellation Champagne
Vignobles en exploitation
Sillery Grands crus
Localités viticoles
Route du Champagne
Limites de départements
0 1 5 10 km
ARDENNES
MARNE
AUBE
HAUTE-MARNE
CÔTE-D'OR
MONTAGNE DE REIMS
CÔTE DES BLANCS
VIGNOBLE DE L'AUBE
ROSÉ DES RICEYS
REIMS
ÉPERNAY
Châlons-en-Champagne
Bar-sur-Aube
Bar-sur-Seine
Brimont
Nogent-l'Abbesse
les Mesneux
Taissy
Trois-Puits
Sillery
Montbré
Puisieulx
Villers-Allerand
Rilly-la-Montagne
Beaumont-sur-Vesle
Chigny-les-Roses
Ludes
Verzenay
Mailly-Champagne
Verzy
Villers-Marmery
Trépail
Tauxières-Mutry
Louvois
Billy-le-Grand
Vaudemanges
Hautvillers
Champillon
Mutigny
Bouzy
Ambonnay
Dizy
Ay
Avenay-Val-d'Or
Tours-sur-Marne
Bisseuil
Mareuil-sur-Ay
Oiry
Pierry
Chouilly
Monthelon
Cuis
Cramant
Grauves
Avize
Oger
le Mesnil-sur-Oger
Villeneuve-Renneville
Vertus
Étréchy
Bergères-lès-Vertus
VITRY-LE-FRANÇOIS
Rizaucourt
TROYES
Vitry-le-Croisé
Essoyes
les Riceys
Mussy-sur-Seine
Channes
A 4
N 44
D 26
N 4
D 3
D 40
D 9
D 396
N 19
N 71
D 4
D 47
D 70
D 170
D 38
D 67
D 103
Vesle
Marne
Aube
Seine
0 1 5 10 km

On peut presser encore, mais on obtient alors un jus sans intérêt qui ne bénéficie d'aucune appellation, la « rebêche » (on a « bêché » à nouveau le marc), et qui est destiné à la distillerie. Plus on pressure, plus la qualité s'affaiblit. Les moûts, acheminés par camion au cuvier, sont vinifiés très classiquement comme tous les vins blancs, avec beaucoup de soin.

A la fin de l'hiver, le chef de cave procède à l'assemblage de la cuvée. Pour cela, il goûte les vins disponibles et les mêle dans des proportions telles que l'ensemble soit harmonieux et corresponde au goût suivi de la marque. S'il élabore un champagne non millésimé, il fera appel aux vins de réserve, produits des années précédentes. Légalement, il est possible, en Champagne, d'ajouter un peu de vin rouge au vin blanc pour obtenir un ton rosé (ce qui est interdit partout ailleurs). Cependant, quelques rosés champenois sont obtenus par saignée.

Ensuite, l'élaboration proprement dite commence. Il s'agit de transformer un vin tranquille en vin effervescent. Une liqueur de tirage, composée de levures, de vieux vins et de sucre, est ajoutée au vin, et l'on procède à la mise en bouteilles : c'est le tirage. Les levures vont transformer le sucre en alcool et il se dégage du gaz carbonique qui se dissout dans le vin. Cette deuxième fermentation en bouteilles s'effectue lentement, à basse température (11 °C), dans les fameuses caves champenoises. Après un long vieillissement sur lies, qui est indispensable à la finesse des bulles et aux qualités aromatiques des vins, les bouteilles seront dégorgées, c'est-à-dire purgées des dépôts dus à la seconde fermentation.

Chaque bouteille est placée sur les célèbres pupitres, afin que la manipulation fasse glisser le dépôt dans le col, contre le bouchon. Durant deux ou trois mois, les bouteilles vont être remuées et de plus en plus inclinées, la tête en bas, jusqu'à ce que le vin soit parfaitement limpide (le remuage automatique en gyropalette se développe). Pour chasser le dépôt, on gèle alors le col dans un bain réfrigérant et on ôte le bouchon ; le dépôt expulsé, il est remplacé par un vin plus ou moins édulcoré : c'est le dosage. Si l'on ajoute du vin pur, on obtient un brut 100 % (brut sauvage de Piper-Heidsieck, ultra-brut de Laurent-Perrier, et les champagnes dits non dosés, aujourd'hui appelés bruts nature). Si l'on ajoute très peu de liqueur (1 %), le champagne est brut ; 2 à 5 % donnent les secs, 5 à 8 % les demi-secs, 8 à 15 % les doux. Les bouteilles sont ensuite poignettées pour homogénéiser le mélange et se reposent encore un peu pour laisser disparaître le goût de levure. Puis elles sont habillées et livrées à la consommation. Dès lors, le champagne est prêt à être apprécié au mieux de sa forme. Le laisser vieillir trop longtemps ne peut que lui nuire : les maisons sérieuses se flattent de ne commercialiser le vin que lorsqu'il a atteint son apogée.

D'excellents vins de belle origine issus du début de pressurage, de nombreux vins de réserve (pour les non-millésimés), le talent du créateur de la cuvée et le dosage discret, minimum, indécelable, s'allieront donc à un long mûrissement du champagne sur ses lies pour donner naissance aux vins de la meilleure qualité. Mais il est peu fréquent que l'acheteur soit informé, du moins avec précision, de l'ensemble de ces critères.

Que peut-on lire en effet sur une étiquette champenoise ? La marque et le nom de l'élaborateur ; le dosage (brut, sec, etc.) ; le millésime – ou son absence ; la mention « blanc de blancs » lorsque seuls des raisins blancs participent à la cuvée ; quand cela est possible – cas rare – la commune d'origine des raisins ; parfois enfin, mais cela est peu fréquent, la cotation qualitative des raisins : « grand cru » pour les dix-sept communes qui ont droit à ce titre ou « premier cru » pour les quarante et une autres. Le statut professionnel du producteur, lui, est une mention obligatoire, portée en petits caractères sous forme codée : NM, négociant-manipulant ; RM, récoltant-manipulant ; CM, coopérative de manipulation ; MA, marque d'acheteur ; RC, récoltant-coopérateur ; SR, société de récoltants, ND, négociant-distributeur.

Que déduire de tout cela ? Que les Champenois ont délibérément choisi une politique de marque ; que l'acheteur commande du Moët et Chandon, du Bollinger, du Taittinger, parce qu'il préfère le goût suivi de telle ou telle marque. Cette conclusion est valable pour tous les champagnes de négociants-manipulants, de coopératives et des marques auxiliaires, mais ne concerne pas les récoltants-manipulants qui, par obligation, n'élaborent de champagne qu'à partir des raisins de leurs vignes, généralement groupées dans une seule commune. Ces champagnes sont dits monocrus, et le nom de ce cru figure en général sur l'étiquette.

En dépit de l'appellation unique champagne, il existe un très grand nombre de champagnes différents, dont les caractères organoleptiques variables sont susceptibles de satisfaire tous les usages et tous les goûts des consommateurs. Ainsi, le champagne peut-il être blanc de blancs ; blanc de noirs (de pinot meunier, de pinot noir ou des deux) ; issu du mélange blanc de blancs/blanc de noirs, dans toutes les proportions imaginables ; d'un seul cru ou de plusieurs ; originaire d'un grand cru, d'un premier cru ou de communes de moindre prestige ; millésimé ou non (les non-millésimés peuvent être composés de vins jeunes, ou faire appel à plus ou moins de vins de réserve ; parfois ils sont le produit de l'assemblage d'années millésimées) ; non dosé ou dosé très variablement ; mûri brièvement ou longuement sur ses lies ; dégorgé depuis un temps plus ou moins long ; blanc ou rosé (rosé obtenu par mélange ou par saignée)... La plupart de ces éléments pouvant se combiner entre eux, il existe donc une infinité de champagnes. Quel que soit son type, on s'accorde à penser que le meilleur est celui qui a mûri le plus longtemps sur ses lies (cinq à dix ans), consommé dans les six mois suivant son dégorgement.

En fonction de ce qui précède, on s'explique mieux que le prix des bouteilles puisse varier de un à huit, et qu'il existe des hauts de gamme ou des cuvées spéciales. Il est malheureusement certain que, dans les grandes marques, les champagnes les moins chers sont les moins intéressants. En revanche, la grande différence de prix qui sépare la gamme intermédiaire (millésimés) de la plus élevée ne traduit pas toujours rigoureusement un saut qualitatif.

Le champagne se boit entre 7 et 9 °C, frais pour les blancs de blancs et les champagnes jeunes, moins rafraîchi pour les millésimés et les champagnes vineux. Outre la bouteille classique de 75 cl, le champagne est proposé en quart, demi, magnum (2 bout.), jéroboam (4 bout.), mathusalem (8 bout.), salmanazar (12 bout.)... La bouteille sera refroidie progressivement par immersion dans un seau à champagne contenant de l'eau et de la glace. Pour la déboucher, enlever ensemble muselet et habillage. Si le bouchon tend à être expulsé par la pression, on le laissera venir avec habillage et muselet. Lorsque le bouchon résiste, on le maintient d'une main alors que l'on fait tourner la bouteille de l'autre. Le bouchon est extrait lentement, sans bruit, sans décompression brutale.

Le champagne ne doit pas être servi dans des coupes, mais dans des verres de cristal, étroits et élancés, secs, non refroidis par des glaçons, exempts de toute trace de détergent qui tuerait les bulles et la mousse. Il se boit aussi bien en apéritif, qu'avec les entrées et les poissons maigres. Les vins vineux, à majorité blancs de noirs, et les grands millésimés sont souvent servis avec les viandes en sauces. Au dessert et avec les mets sucrés, on boira un demi-sec plutôt qu'un brut, le sucre renforçant trop la sensibilité du palais aux structures acides.

Les derniers millésimes : 1982, grand millésime complet ; 1983, droit, sans artifices ; 1984 n'est pas un millésime, n'en parlons pas ; 1985, grandes bouteilles ; 1986, qualité moyenne, rarement millésimé ; 1987, un mauvais souvenir ; 1988, 1989, 1990, trois belles années à savourer ; 1991 : faible, généralement non millésimé ; 1992, 1993, 1994 : années moyennes ; quelques grandes maisons ont millésimé 92 ou 93 ; 1995 : la meilleure année depuis 1990 ; 1996 : grande année millésimée en janvier 2000.

HENRI ABELE Soirées parisiennes 1998 ★

○ n.c. n.c. ▮ ♁ **23 à 30 €**

La gestion des maisons de champagne a souvent été mondialisée : fondée par un Belge en 1757, cette vénérable affaire est maintenant dans le giron du catalan Freixenet, le plus gros producteur de cava, l'effervescent ibérique. La cuvée Soirées parisiennes assemble deux tiers de chardonnay et un tiers de pinot noir. Son fruité frais et sa finesse légère en font un joli vin d'apéritif. Une étoile encore pour la cuvée de prestige **Sourire de Reims (46 à 76 €)**, née de la récolte 1991 et dégorgée en octobre 2003. Très marquée par le chardonnay qui constitue les quatre cinquièmes de l'assemblage, elle offre des arômes complexes où le miel côtoie les fruits secs et pourra donner la réplique à du foie gras. (NM)

⊶ Henri Abelé,
50, rue de Sillery, 51100 Reims,
tél. 03.26.87.79.80, fax 03.26.87.79.81,
e-mail mf.lagarde@champagne-abele.com ☑ Y r.-v.

AGRAPART Blanc de blancs Réserve ★

○ 9,6 ha 15 000 ▮ ⦶ ♁ **15 à 23 €**

Cette famille cultive 9,6 ha de vignes dans la Côte des Blancs, et élabore exclusivement du blanc de blancs. Pour le travail du sol, elle fait de nouveau appel au cheval de labour. Un tiers des récoltes séjourne en demi-muid. Cette Réserve naît de vins de 1997 et de 1998. Elle doit son étoile à la finesse de ses arômes (pêche blanche, tilleul, fougère...), à sa fraîcheur et à sa longueur. La cuvée spéciale **L'Avizoize 96 (23 à 30 €)** est citée. Elle mêle au nez des arômes d'agrumes et de fleurs blanches ; fine et longue, elle se distingue par sa vivacité. (RM)

⊶ Agrapart, 57, av. Jean-Jaurès, 51190 Avize,
tél. 03.26.57.51.38, fax 03.26.57.05.06,
e-mail champagne.agrapart@wanadoo.fr ☑ Y r.-v.

ALBERT LE BRUN Vieille France ★

● n.c. 20 000 ▮ ♁ **15 à 23 €**

Fondée en 1860, cette maison, aujourd'hui établie à Epernay, a été pour un temps l'une des rares à avoir leur siège à Châlons-en-Champagne. Une de ses autres caractéristiques est la forme du flacon renfermant sa cuvée Vieille France : une bouteille trapue, à l'image de celles utilisées au XVII^e^s. Ce rosé doit presque tout aux raisins noirs (80 % de pinot noir, 15 % de vin rouge et un soupçon de chardonnay). Elégant et charmeur par ses arômes floraux et fruités, souple et ample, il est aussi marqué par un dosage indiscret. Le dosage est tout aussi sensible dans la **cuvée Vieille France brut**, dominée elle aussi par les raisins noirs (80 % de pinot noir et 20 % de chardonnay),

assemblage des années 1998 et 1999. Un champagne cité pour sa rondeur et son équilibre. (NM)
🔑 Albert Le Brun, BP 1011, 51318 Epernay, tél. 03.26.51.06.33, fax 03.26.54.41.52 ☑

DE L'ARGENTAINE ★

● n.c. n.c. 11 à 15 €

De l'Argentaine est la marque de la coopérative de Vandières (vallée de la Marne). Fondée en 1957, elle vinifie 180 ha de vignes. Ce rosé est issu à 90 % de meunier, le chardonnay et le pinot noir se partageant les 10 % restants. Il séduit par son fruité de groseille, la fraîcheur de son attaque et sa rondeur. Il pourra être servi à l'apéritif. Une étoile également pour la **Réserve spéciale** de la cave. Composée de 65 % de pinot noir et de 35 % de chardonnay, elle délivre un fruité fin qui se prolonge dans une bouche franche et vive à l'attaque, puis souple et charnue. (CM)
🔑 Coopérative vinicole l'Union Vandières, Cidex 318, 51700 Vandières, tél. 03.26.58.68.68, fax 03.26.58.68.69, e-mail delargentaine@wanadoo.fr ☑ Y ⩚ r.-v.

JEAN-ANTOINE ARISTON

Blanc de blancs Vieilles Vignes 1998 ★

○ 1 ha 8 000 15 à 23 €

Depuis cinq générations, cette propriété est transmise par les femmes. Elle a son siège dans une maison champenoise de la fin du XVIIIᵉs., typique de la vallée de l'Ardre. L'exploitation compte aujourd'hui 6,5 ha. Son blanc de blancs Vieilles Vignes 98 est finement beurré, souple, et brille par son équilibre. Quant au **rosé (11 à 15 €)** de couleur saumonée, il assemble des récoltes de 1999, 2000 et 2001 : 25 % de chardonnay et 50 % des deux pinots, complétés par 25 % de vin rouge. Sa rondeur et ses arômes de fraise des bois lui valent d'être cité. (RM)
🔑 Jean-Antoine Ariston, 4, rue Haute, 51170 Brouillet, tél. 03.26.97.47.02, fax 03.26.97.49.75, e-mail champagne.ariston@wanadoo.fr ☑ Y ⩚ r.-v.

ARISTON FILS Aspasie

○ 1 ha 1 500 23 à 30 €

Etablis à une vingtaine de kilomètres à l'ouest de Reims, les Ariston sont propriétaires de vignobles depuis 1794. Dans leur demeure cossue qui date du XVIIIᵉs., ils ont aménagé des chambres d'hôtes. Le domaine a une spécialité, cette cuvée Aspasie élevée dix-huit mois en fût, et qui affiche une robe or chaud. Complexe, avec des notes miellées et torréfiées, vineux et long, ce vin a de la personnalité. Pour les amateurs de champagnes boisés. (RM)
🔑 EARL Rémi Ariston, 4 et 8, Grande-Rue, 51170 Brouillet, tél. 03.26.97.43.46, fax 03.26.97.49.34, e-mail contact@champagne-aristonfils.com
☑ Y ⩚ t.l.j. 9h-12h 14h-17h; dim. mat. sur r.-v.; f. 3ᵉ sem. août

MICHEL ARNOULD ET FILS Réserve

○ Gd cru 3 ha 20 000 11 à 15 €

En cinq générations, la famille Arnould a constitué un vignoble de 12 ha situé à Verzenay, commune de la Montagne de Reims classée en grand cru. Deux de ses champagnes sont cités cette année ; l'un comme l'autre naissent de 70 % de pinot noir et de 30 % de chardonnay ; cette Réserve, des vendanges de 1999 et de 2000, la **Grande Cuvée (15 à 23 €)** de celles de 1998. La première, aux fragrances de fruits blancs, attaque avec souplesse ; équilibrée, elle fait beaucoup plus jeune que la Grande Cuvée, un champagne puissant aux arômes d'agrumes. (RM)
🔑 Michel Arnould et Fils, 28, rue de Mailly, 51360 Verzenay, tél. 03.26.49.40.06, fax 03.26.49.44.61, e-mail info@champagne-michel-arnould.com
☑ Y ⩚ t.l.j. 9h-11h30 14h-16h30; dim. sur r.-v.

ASSAILLY-LECLAIRE ET FILS

Blanc de blancs Cuvée de réserve ★

○ Gd cru 5 ha 56 848 11 à 15 €

Ce petit domaine familial compte aujourd'hui 10,6 ha. Les vignes s'étendent dans la Côte des Blancs et les deux cuvées sélectionnées doivent tout au chardonnay. Trois vendanges (2000, 2001 et 2002) se marient dans cette Cuvée de réserve fine, nerveuse et ample. Une étoile encore pour la **Cuvée spéciale blanc de blancs grand cru 96 (15 à 23 €)** aux arômes floraux et briochés, nuancés de café, d'un bel équilibre en bouche. (RM)
🔑 SAS Assailly-Leclaire et Fils, 4-6, rue de Lombardie, 51190 Avize, tél. 03.26.57.51.20, fax 03.26.57.14.51
☑ Y ⩚ t.l.j. sf dim. 9h-12h 14h-18h

AUBRY Ivoire et ébène 1998 ★

○ 1er cru 1,3 ha 3 200 23 à 30 €

Deux curiosités à Jouy-lès-Reims (massif de Saint-Thierry) : un vitrail du XVᵉs. représentant la Vierge enceinte et cette propriété qui, sur une partie de ses 16,3 ha, cultive les « cépages anciens de la Champagne » – *Campanae veteres vites*, comme le proclame une de ses étiquettes dans une langue internationale. Cette Ivoire et ébène s'en tient aux classiques : l'Ivoire, c'est le chardonnay (70 %), l'ébène, le meunier. Son originalité réside dans son élevage dans le bois. Cela donne du gras et de la complexité à ce champagne aux arômes floraux, accompagnés de notes minérales et grillées. Il pourra être servi à table. Les variétés anciennes se trouvent dans la cuvée **Le Nombre d'or Sablé blanc de blancs 98**, né de plusieurs variétés blanches : l'arbane (22 %) et le petit meslier (37 %) s'y marient au chardonnay (41 %). Autre particularité de cette cuvée : elle est tirée à demi-mousse. Amande et agrumes au nez, fraîcheur, élégance, ampleur, équilibre : une étoile encore. (RM)
🔑 SCEV Champagne L. Aubry Fils, 4-6, Grande-Rue, 51390 Jouy-lès-Reims, tél. 03.26.49.20.07, fax 03.26.49.75.27 ☑ Y ⩚ r.-v.

AUTREAU DE CHAMPILLON

Les Perles de la Dhuy 1998 ★★

○ Gd cru 10 ha 8 700 15 à 23 €

Les Autréau sont établis à Champillon, sur la rive droite de la Marne, en face d'Epernay. Ils disposent d'un important vignoble (28 ha). Les Perles de la Dhuy représentent leur cuvée de prestige. Un champagne nettement dominé par le chardonnay qui constitue 85 % de l'assemblage, complété par le pinot noir. Floral au nez comme en bouche, il attaque franchement et révèle une structure puissante. Long et très agréable, il offre un certain potentiel (cinq ans). Pour l'apéritif ou le poisson. (NM)
🔑 Autréau de Champillon, 15, rue René-Baudet, 51160 Champillon, tél. 03.26.59.46.00, fax 03.26.59.44.85 ☑ Y ⩚ r.-v.

AUTREAU-LASNOT ★

● 1,5 ha 5 000 11 à 15 €

Gérard Autréau et ses deux fils exploitent 11 ha de vignes dans la vallée de la Marne. Comme dans les éditions précédentes, sont retenus sa cuvée Prestige millésimée et son brut rosé. Ce dernier provient cette année des récoltes

1998, 1999 et 2000. Le chardonnay intervient pour 40 % dans l'assemblage, dominé par les pinots (noir 40 %, meunier 20 %). Avec ses senteurs de vin rouge, sa complexité, sa bonne structure et sa longueur, il pourra être servi au repas. La **cuvée Prestige 96 (15 à 23 €)** est citée. C'est un champagne mi-noirs mi-blancs aux arômes beurrés, briochés et fruités, vif à l'attaque, vineux et frais, destiné lui aussi aux repas. (RM)

⊶ Autréau-Lasnot, 6, rue du Château, 51480 Venteuil,
tél. 03.26.58.49.35, fax 03.26.58.65.44,
e-mail info@champagne-autreau-lasnot.com
☒ Y 🚶 t.l.j. 9h-12h 13h30-18h;
dim. mat. et groupes sur r.-v.

AYALA Blanc de blancs 1996 *

○ 2 ha 16 000 **23 à 30 €**

Lancé en 1860, ce champagne porte le nom de son fondateur colombien, Edmond de Ayala. La maison est aujourd'hui gérée par la famille Ducellier, en partenariat avec le groupe Frey depuis 2001. Elle a toujours son siège dans le somptueux château de Mareuil-sur-Aÿ. On retrouve son Blanc de blancs 96, qui avait été jugé jeune et d'un beau potentiel il y a deux ans. Typique du millésime, il est nerveux, puissant et long. Issu en majorité de raisins noirs (50 % de pinot noir et 25 % de meunier), le **brut sans année (15 à 23 €)** est équilibré, franc, frais et minéral. Il est cité. (NM)

⊶ Ayala, 2, bd du Nord, 51160 Aÿ,
tél. 03.26.55.15.44, fax 03.26.51.09.04 ☒ 🚶 r.-v.

A. BAGNOST Cuvée Sélection *

○ 1er cru 0,8 ha 7 500 ▮▯ **11 à 15 €**

Arnaud Bagnost est exploitant sur le domaine Bagnost père et fils à Pierry, 1er cru situé à 2 km au sud d'Epernay. Il y a quatre ans, à vingt-cinq ans, il a lancé son affaire de négoce et sa marque. Il a fait une brillante entrée dans le Guide 2004. Sa Cuvée Sélection, assemblage de 60 % de pinot noir et de 40 % de chardonnay, provient de raisins récoltés en 2000. Le nez intense et complexe mêle les fleurs, la poire et le coing, arômes que l'on retrouve en bouche avec des notes compotées. Le palais est frais et long. (NM)

⊶ SARL Arnaud Bagnost, 24, rue du Gal-de-Gaulle,
51530 Pierry, tél. 03.26.54.10.59, fax 03.26.55.67.17,
e-mail marie_astrid@club-internet.fr ☒ Y 🚶 r.-v.

BAGNOST PERE ET FILS Carte d'or *

○ 3,1 ha 28 500 ▮▯ **11 à 15 €**

Cette exploitation créée à la fin du XIXes. a son siège à 100 m de l'église de Pierry, où repose le frère Jean Oudard qui, avec dom Pérignon, contribua à la mise au point de la méthode champenoise. Elle s'étend sur 8 ha. Sa cuvée Carte d'or naît des trois cépages champenois à parts égales, et de la récolte 2001. Discrète et fraîche au nez, elle est souple et bien construite. La vendange 2000 a donné naissance à la **Cuvée de réserve** qui est citée. Un champagne mi-noirs mi-blancs beurré et brioché au nez, vineux, vif et persistant en bouche. (RM)

⊶ EARL Claude Bagnost,
30, rue du Gal-de-Gaulle, 51530 Pierry,
tél. 03.26.54.04.22, fax 03.26.55.67.17 ☒ Y 🚶 r.-v.

JEAN BAILLETTE-PRUDHOMME Ultra-brut **

○ 1er cru 3 ha 1000 ▮ 15 à 23 €

Situé au sud de Reims, Trois-Puits est l'un des villages viticoles les plus proches de la Ville des sacres. « Vigneron indépendant de Champagne » (comme le proclame l'étiquette), Jean Baillette exploite 5 ha de vignes aux environs. Son Ultra-brut est un blanc de noirs (80 % de pinot noir) né des vendanges 1999 et 2000. C'est un champagne sans dosage remarquablement réussi, et pourtant l'exercice est difficile. De couleur jaune d'or, il présente un nez puissant et évolué, fait de notes de fruits secs et de senteurs miellées. En bouche, on retrouve les fruits secs (amande, noisette...) et des arômes empyreumatiques dans une palette complexe. Un ensemble riche, fondu et long, pour le repas. (RM)

⊶ Jean Baillette, 4, rue de la Gare, 51500 Trois-Puits,
tél. 03.26.82.37.14, fax 03.26.82.91.35,
e-mail jean@champagne-baillette.com ☒ Y 🚶 r.-v.

ALAIN BAILLY Tradition *

○ 8 ha 61 413 ▮▯ **11 à 15 €**

Le berceau de la famille Bailly est à Villedommange, dans la Montagne de Reims. En 1962, Alain Bailly s'est établi un peu plus à l'ouest, dans la vallée de l'Ardre. A la tête du domaine depuis 1993, Franck Bailly exploite près de 12 ha. Issue des vendanges 1999 et 2000, sa cuvée Tradition est dominée par le pinot meunier (72 % complétés par 8 % de pinot noir et 20 % de chardonnay). Ample et puissante, avec un dosage sensible, elle pourra accompagner un repas. Le **rosé** obtient la même note. Il est né des années 1998 et 1999 et comprend également une majorité de raisins noirs (meunier 54 %, pinot noir 36 %), et chardonnay 10 %. Souple et long, il pourra être servi à l'apéritif comme au repas. (RM)

⊶ Alain Bailly,
7, rue du Tambour, 51170 Serzy-et-Prin,
tél. 03.26.97.41.58, fax 03.26.97.44.53,
e-mail bailly.franck@wanadoo.fr ☒ Y 🚶 r.-v.
⊶ Franck Bailly

BANDOCK-MANGIN *

● Gd cru 6,3 ha 5 000 ▮ **11 à 15 €**

Cette exploitation, résultant de l'alliance de deux familles, dispose de deux niveaux de caves souterraines et de plus de 6 ha de vignes autour de Bouzy, commune classée en grand cru. Son rosé naît de 75 % de pinot noir et de 25 % de chardonnay des années 1999 à 2001. Il exprime au nez de délicats parfums de framboise. Toujours fruité en bouche, il est à la fois souple et structuré, de bonne longueur. Un ensemble très agréable, adapté à la table. (RC)

⊶ Yannick Bandock, 3, rue Victor-Hugo,
51150 Bouzy, tél. 03.26.57.09.09, fax 03.26.51.65.19,
e-mail bandock.mangin@wanadoo.fr ☒ Y 🚶 r.-v.

PAUL BARA Réserve *

○ Gd cru 11 ha n.c. ▮▯ **11 à 15 €**

Cette famille est établie depuis plus d'un siècle et demi à Bouzy, célèbre village du sud de la Montagne de Reims classé en grand cru. Le pinot noir, cépage roi de la commune, domine dans ses cuvées. Il constitue ainsi 80 % de cette Réserve. Miel et fruits confits s'allient dans un nez très agréable. On retrouve le miel dans une bouche franche à l'attaque et harmonieuse en finale. Un ensemble élégant. Elaborée pour une marque auxiliaire, la cuvée **Comtesse Marie de France 96 (23 à 30 €)** est un blanc de noirs de pinot noir. Nerveux, aérien et jeune, il est cité, tout comme le **Spécial Club 98 (23 à 30 €)**, assemblage de 70 % de pinot noir et de 30 % de chardonnay, souple et fruité. (RM)

⊶ Paul Bara, 4, rue Yvonnet, 51150 Bouzy,
tél. 03.26.57.00.50, fax 03.26.57.81.24 ☒ Y 🚶 r.-v.

BARBIER-LOUVET Tradition *

● 1er cru 1 ha n.c. ▮ 11 à 15 €

Depuis 1835, les Barbier-Louvet sont à la tête d'un vignoble qui s'étend aujourd'hui sur 6,5 ha. Tauxières, commune du flanc sud de la Montagne de Reims, est proche de Bouzy. Sa cuvée Tradition est, à 5 % près, un blanc de noirs de pinot noir. Les dégustateurs ont apprécié son nez frais, ses arômes complexes, sa rondeur et son équilibre tout en finesse. La **cuvée Chardonnay 1er cru** est citée pour son nez d'agrumes et son bon équilibre sucre-acidité. (RM)

⊶ Barbier-Louvet,
8, rue de Louvois, 51150 Tauxières-Mutry,
tél. 03.26.57.04.79, fax 03.26.52.60.18,
e-mail barbierserge@wanadoo.fr ☑ Ⲧ 🚶 r.-v.

BARDOUX PERE ET FILS Réserve *

● 1er cru 3,9 ha 13 871 ▮🌡 15 à 23 €

A la tête de quelque 4 ha de vignes au nord-ouest de la Montagne de Reims, Pascal Bardoux est l'héritier d'une lignée de vignerons remontant au XVII^e^s. Son domaine est situé à Villedommange, à 800 m de la chapelle Saint-Lié d'où l'on découvre un joli panorama sur la Ville des sacres. Il a proposé trois cuvées assemblant les trois cépages champenois dans des proportions comparables : environ quatre cinquièmes de noirs (avec 50 à 60 % de meunier) pour 20 % de blancs. La Réserve est née des années 1997 à 1999. Plutôt florale au nez avec une touche d'agrumes, elle est fraîche, agréable, bien dosée. Le **1996** est évolué au nez mais encore frais en bouche. Il est cité, tout comme la **Cuvée de l'An 2000,** assemblage des années 1993 à 1996, à la robe d'or foncé, évoluée elle aussi, grillée au nez, fruitée et franche en bouche. (RM)

⊶ Pascal Bardoux,
5-7, rue Saint-Vincent, 51390 Villedommange,
tél. 03.26.49.25.35, fax 03.26.49.23.15,
e-mail contact@champagne-bardoux.com
☑ 🏠 Ⲧ 🚶 r.-v.

E. BARNAUT Blanc de noirs **

● Gd cru n.c. 15 000 ▮🌡 15 à 23 €

Les champagnes Edmond Barnaut sont élaborés par Philippe Secondé, son successeur, à la tête de 14,5 ha de vignes autour de Bouzy. L'exploitation s'est distinguée l'an dernier par un coup de cœur. Sa production intéresse une fois de plus. Ce blanc de noirs de Bouzy est né évidemment de pinot noir. Les fruits rouges et les épices se partagent les qualités aromatiques jusque dans une bouche complexe, ample et longue. Un dégustateur le verrait bien accompagner un faisan. Deux étoiles encore pour le **grand cru 95 (23 à 30 €)**. Mi-noirs mi-blancs, il décline au nez comme en bouche des notes de miel, de cire et de fruits secs (abricot). Encore vif, d'une belle finesse, il est aussi gras et long. Une citation enfin pour le **Rosé authentique,** dominé par le pinot noir (90 % pour 10 % de chardonnay) : un rosé foncé aux arômes de cassis, puissant et long, bien adapté à la table. (RM)

⊶ Edmond Barnaut, 2, rue Gambetta, BP 19,
51150 Bouzy, tél. 03.26.57.01.54, fax 03.26.57.09.97,
e-mail contact@champagne-barnaut.com
☑ Ⲧ t.l.j. 10h-12h 14h-17h; dim. sur r.-v.; f. 23 déc.-3 jan.
⊶ P. et E. Secondé

BARON ALBERT La Préférence 1997 *

● n.c. 11 000 ▮🛢🌡 11 à 15 €

Les fils d'Albert Baron exploitent un domaine de 35 ha dans la vallée de la Marne, près de Château-Thierry. Leurs champagnes ne font pas de fermentation malolactique. Ce 97 a surpris agréablement le jury, car il s'agit d'un millésime difficile. Il assemble 75 % de chardonnay, 20 % de meunier, un rien de pinot noir et passe partiellement par le bois. Complexe et élégant avec des notes de fruits jaunes, des nuances minérales et miellées, il est resté frais en dépit de son âge. La cuvée **Carte d'or demi-sec 98** est citée. Un assemblage proche du précédent, une même vinification mais un dosage trois fois plus généreux (35 g) pour des parfums d'agrumes et de fruits exotiques et une bouche élégante. (NM)

⊶ Baron Albert, 1, rue des Chaillots,
Le Grand-Porteron, BP 12, 02310 Charly-sur-Marne,
tél. 03.23.82.02.65, fax 03.23.82.02.44,
e-mail champagnebaronalbert@wanadoo.fr ☑ Ⲧ 🚶 r.-v.

BARON-FUENTE Grande Réserve

● 30 ha 230 000 ▮🌡 11 à 15 €

Autre branche de la famille Baron, également établie à Charly-sur-Marne. Fondée en 1961, la maison dispose d'un important vignoble (50 ha). Les pinots (meunier 56 %, pinot noir 10 %) dominent dans cette Grande Réserve légèrement évoluée au nez mais restée fraîche en bouche. Cité également, le **Grand Millésime 98 (15 à 23 €)**, où les noirs l'emportent à peine sur les blancs (meunier 35 %, pinot noir 20 %) : un nez assez fin évoquant les fruits secs, une attaque franche et une bouche plutôt ronde aux arômes évolués de cire et de pain d'épice. (NM)

⊶ Baron-Fuenté,
21, av. Fernand-Drouet, 02310 Charly-sur-Marne,
tél. 03.23.82.01.97, fax 03.23.82.12.00,
e-mail champagne.baron-fuente@wanadoo.fr
☑ Ⲧ t.l.j. sf dim. 7h30-18h30

BAUCHET PERE ET FILS
Blanc de blancs Saint-Nicaise Prestige 1998 *

● 1er cru 0,5 ha 5 000 15 à 23 €

Bisseuil, en amont d'Epernay, est situé au carrefour de la Montagne de Reims, de la vallée de la Marne et de la Côte des Blancs. Les Bauchet y sont établis depuis 1960 et ont constitué en peu d'années un domaine très important pour des particuliers : 37 ha. La cuvée Saint-Nicaise est un blanc de blancs millésimé. Après un 97 très réussi l'an dernier, voici le 98 fort bien venu lui aussi. Le nez s'ouvre sur le coing et la cire ; on retrouve le coing dans une bouche complexe, ample et agréable. Un champagne évolué, à son apogée, que l'on pourra boire au repas. (RM)

⊶ Sté Bauchet Frères,
rue de la Crayère, 51150 Bisseuil,
tél. 03.26.58.92.12, fax 03.26.58.94.74,
e-mail bauchet.champagne@wanadoo.fr ☑ 🚶 r.-v.

BAUDRY Privilège *

● 4 ha 34 369 ▮🌡 11 à 15 €

Cette exploitation auboise de 12 ha a lancé son champagne il y a moins de dix ans. Issue des vendanges de 2001 et de 2002, sa cuvée Privilège assemble 80 % de pinot noir avec du chardonnay. Un nez discret de fruits compotés, une attaque souple et une bouche équilibrée et de bonne longueur composent un champagne harmonieux. (RM)

⊶ Baudry, 70, Grande-Rue, 10250 Neuville-sur-Seine,
tél. 03.25.38.20.59, fax 03.25.38.23.15,
e-mail champagne.baudry@wanadoo.fr ☑ Ⲧ 🚶 r.-v.

BAUGET-JOUETTE Carte blanche ★★

9,8 ha 100 000 15 à 23 €

Suzanne Bauget, née Jouette en 1911, a pris une retraite bien méritée à quatre-vingt-deux ans après avoir œuvré de longues années à la prospérité de l'affaire familiale. La maison dispose aujourd'hui d'un vignoble de 14,5 ha. Sa cuvée Carte blanche comprend 60 % de chardonnay pour 40 % de pinots (5 % de pinot noir) ; elle associe des raisins récoltés en 2001 à des vins de réserve de 2000. Fleurs blanches et agrumes, le nez est d'une agréable légèreté ; il annonce une bouche tout en finesse et néanmoins généreuse, d'une grande fraîcheur aussi. Née de la récolte de 1999 mais non millésimée, mi-noirs mi-blancs, la **Cuvée Jouette (23 à 30 €)** est citée pour son nez complexe d'agrumes et sa fraîcheur en bouche. (NM)

Bauget-Jouette, 1, rue Champfleury, 51200 Epernay, tél. 03.26.54.44.05, fax 03.26.55.37.99, e-mail champagne.bauget@wanadoo.fr

ANDRE BEAUFORT 1994 ★

Gd cru 1,6 ha 10 000 23 à 30 €

Le champagne André Beaufort est élaboré par Jacques Beaufort, qui pratique les principes de l'agriculture biologique depuis le début de la décennie 1970. Après un superbe brut sans année présenté l'an dernier, voici deux vins millésimés. Ce 1994 assemble 80 % de pinot noir au chardonnay. Complexe sur des notes empyreumatiques (grillé), vineux, il a du caractère. Le **rosé doux grand cru 88 (46 à 76 €),** un grand millésime, obtient une étoile : il est né d'un assemblage analogue au précédent. C'est un champagne très particulier, doux et qui a connu le bois. Son nez complexe décline la jacinthe, le coing et la figue. Pour le dessert des amateurs avertis. (RM)

Jacques Beaufort, 1, rue de Vaudemange, 51150 Ambonnay, tél. 03.26.57.01.50, fax 03.26.52.83.50 r.-v.

HERBERT BEAUFORT Carte or Tradition ★★

Gd cru 10 ha 50 000 15 à 23 €

Henri, Hugues et Ludovic Beaufort sont les héritiers d'une lignée de vignerons qui se perd dans la nuit des temps. Etabli à Bouzy, sur le flanc sud de la Montagne de Reims, le domaine s'est lancé dans la manipulation entre les deux guerres. Dominé par les raisins noirs (90 % de pinot noir), son champagne Carte or Tradition ne fait pas sa fermentation malolactique. Sa fraîcheur florale, sa franchise, sa finesse et son élégance tout au long de la dégustation sont très appréciées. Un dégustateur le mettrait bien dans sa cave. Le **blanc de blancs grand cru Cuvée du Mélomane** mérite une citation pour sa complexité, sa rondeur et son harmonie fondue. (RM)

Herbert Beaufort, 32, rue de Tours-sur-Marne, BP 7, 51150 Bouzy, tél. 03.26.57.01.34, fax 03.26.57.09.08, e-mail beaufort-herbert@wanadoo.fr r.-v.

BEAUMET Blanc de blancs Cuvée Malakoff 1996 ★

n.c. n.c. 23 à 30 €

Cette maison d'Epernay fondée en 1878, reprise un siècle plus tard par Jacques Trouillard, est passée en 2004 sous le contrôle du groupe Laurent-Perrier. Elle a son siège à Epernay, au château Malakoff, doté de caves traditionnelles et d'une cuverie ultramoderne. Son blanc de blancs 1996 a séduit par sa fraîcheur, sa finesse, sa bonne structure et son dosage parfait. Il trouvera sa place à l'apéritif ou sur les entrées. (NM)

Beaumet, Ch. Malakoff, 3, rue Malakoff, 51200 Epernay, tél. 03.26.59.50.10, fax 03.26.54.78.52, e-mail contact@chateau.malakoff.com

BEAUMONT DES CRAYERES Grand Rosé ★

6 ha 10 030 15 à 23 €

Marque du groupement de producteurs d'Epernay vinifiant quelque 80 ha de vignes. Son Grand Rosé est né des récoltes de 1999 à 2001 et des trois cépages champenois (meunier 40 %, pinot noir 35 %, chardonnay 25 %). Son joli fruité dominé par les fruits rouges, son attaque franche et sa longueur en font une bouteille harmonieuse. Une étoile encore pour le **Grand Prestige,** légèrement dominé par les raisins noirs (pinot noir 40 %, meunier 20 %) et issu des vendanges de 1997 à 1999. Fleurs légères au nez, fruits secs en bouche, il présente un dosage sensible. (CM)

Beaumont des Crayères, BP 1030, 51318 Epernay Cedex, tél. 03.26.55.29.40, fax 03.26.54.26.30, e-mail contact@champagne-beaumont.com t.l.j. sf dim. 9h-12h 14h-17h; f. week-end de Pâques, à Noël et en août

LE BERCEAU DU CHAMPAGNE Cuvée Tradition ★★

n.c. 25 000 11 à 15 €

Dom Pérignon, « inventeur du champagne », fut cellérier de l'abbaye de Hautvillers, d'où la marque de la coopérative de cette commune, qui exploite environ 75 ha de vignes. Sa Cuvée Tradition assemble 75 % de raisins noirs (45 % de meunier) au chardonnay. C'est un champagne agréable, équilibré, au dosage juste, dont la légèreté convient à l'heure apéritive. (CM)

Coop. des Vignerons d'Hautvillers, BP 15, 51160 Hautvillers, tél. 03.26.59.40.06, fax 03.26.59.44.13 r.-v.

BERECHE ET FILS Reflet d'antan ★★

0,8 ha 2 000 15 à 23 €

Jean-Pierre Bereche est l'héritier d'une lignée de vignerons qui remonte à 1847. La famille élabore du champagne depuis plus d'un siècle. Elle est établie au Craon-de-Ludes, sur le flanc nord de la Montagne de Reims, à mi-distance d'Epernay et de Reims, et cultive 9 ha de vignes. Assemblant à parts égales les trois cépages champenois, des raisins des récoltes de 1998 à 2000, cette cuvée résulte d'une vinification complexe, les vins étant élevés deux ans en fût de chêne, sans avoir fait de fermentation malolactique. Le tirage se fait sous liège, selon une ancienne technique, d'où le nom de ce champagne qui comble les dégustateurs. Son nez expressif fait de fruits confits, de notes beurrées et briochées, sa bouche ample et souple suggèrent cette conclusion à un dégustateur : « harmonie et plaisir ». (RM)

🔑 Bereche et Fils, Le Craon-de-Ludes, BP 18, 51500 Ludes, tél. 03.26.61.13.28, fax 03.26.61.14.14, e-mail info@champagne-bereche-et-fils.com ☑ 🍷 🚶 r.-v.

BERECHE ET FILS Réserve ★★★

	6 ha	40 000	▮ 11 à 15 €

Excellente année pour ce domaine, dont une grande partie de la production a été retenue, et avec quelles notes ! Cette Réserve a été au nombre des finalistes du coup de cœur, distinction qui a finalement couronné le Reflet d'antan. Elle lui est identique par la composition des cépages et les années de récolte, mais les vins n'ont pas connu le bois. Briochée, fruitée et florale au nez, elle mêle au palais la poire et se montre aussi fraîche que longue. Un équilibre idéal. Quant au **blanc de blancs (15 à 23 €),** né des années 98 et 99, un peu fugace, il est cité pour ses arômes grillés et sa franchise. (RM)

🔑 Bereche et Fils, Le Craon-de-Ludes, BP 18, 51500 Ludes, tél. 03.26.61.13.28, fax 03.26.61.14.14, e-mail info@champagne-bereche-et-fils.com ☑ 🍷 🚶 r.-v.

BERGERONNEAU-MARION Blanc de blancs ★★

1er cru	2,5 ha	4 500	▮ 15 à 23 €

Florent Bergeronneau est récoltant-manipulant depuis une vingtaine d'années à Villedommange, charmant village situé sur le versant nord de la Montagne de Reims et proche de la Cité des sacres. Né de la récolte de 2001 complétée par des vins de 2000, son blanc de blancs a frôlé le coup de cœur. Au nez, il apparaît intense, complexe et gourmand, avec des notes beurrées, épicées, florales, grillées, des nuances de fruits secs. Cette richesse aromatique se prolonge dans une bouche ample, élégante et longue. (RM)

🔑 Florent Bergeronneau,
22, rue de la Prévoté, 51390 Villedommange,
tél. 03.26.49.75.26, fax 03.26.49.20.85 ☑ 🍷 🚶 r.-v.

CH. BERTHELOT Blanc de blancs ★

Gd cru	n.c.	n.c.	▮ 11 à 15 €

Les étiquettes de Christian Berthelot sont noires, mais les champagnes sélectionnés dans le Guide naissent régulièrement du chardonnay. Il faut dire que l'exploitation est installée à Avize, commune de la Côte des Blancs classée en grand cru. Né de la vendange de 2000, mais sans année, ce blanc de blancs exprime des arômes complexes et fins, plutôt évolués, aux nuances beurrées, briochées, florales et épicées. Introduite par une attaque franche, la bouche est soutenue par une belle fraîcheur. Bien structuré, équilibré et assez long, un champagne mûr et de caractère. (RM)

🔑 Christian Berthelot,
32, rue Ernest-Valle, 51190 Avize,
tél. 03.26.57.58.99, fax 03.26.51.87.26 ☑ 🍷 🚶 r.-v.

PAUL BERTHELOT Réserve

	n.c.	n.c.	▮ 11 à 15 €

Cette maison de négoce est établie à Dizy, commune jouxtant Epernay au nord, en bordure du canal latéral à la Marne. Elle dispose d'un important vignoble de 22 ha. Dominée par les noirs (90 %, dont 70 % de pinot noir), sa Réserve, or soutenu, est tout en fruit confit. Un champagne franc, puissant et dense, destiné à la table. Mi-noirs mi-blancs, la cuvée **Blason d'or** obtient la même note. Sa palette aromatique déclinant les fruits cuits, les fruits mûrs et la cire révèle une certaine évolution. La bouche a cependant gardé de la fraîcheur. Sa longue finale est marquée de nuances de fruits jaunes. (NM)

🔑 Paul Berthelot, 889, av. du Gal-Leclerc, 51530 Dizy, tél. 03.26.55.23.83, fax 03.26.54.36.31 ☑ 🚶 r.-v.

PIERRE BERTRAND Prestige ★

	0,5 ha	5 000	▮ 15 à 23 €

En 1946, Pierre Bertrand crée son domaine dans la vallée de la Marne. Il a sept garçons, mais c'est sa fille Thérèse qui a repris les quelque 7 ha de l'exploitation au début des années 1980. Celle-ci a élaboré deux champagnes mi-noirs mi-blancs assez différents mais très réussis (une étoile). La cuvée Prestige est née de pinot noir et de chardonnay récoltés en 1996. Ronde et ample, elle est très équilibrée. La cuvée **Sélection (11 à 15 €)** provient des vendanges de 1996 à 1998 et assemble 34 % de pinot noir, 19 % de meunier et 47 % de chardonnay. Ses arômes de pain grillé beurré s'accordent bien à la vivacité de la bouche. (RM)

🔑 Thérèse Bertrand,
166, rue Louis-Dupont, 51480 Cumières,
tél. 03.26.54.08.24, fax 03.26.55.22.08 ☑ 🍷 🚶 r.-v.

BERTRAND DES MARNIERES Carte blanche ★

	1 ha	5 000	▮ 15 à 23 €

Cette marque appartient au Champagne Raymond Boulard. Sa cuvée Carte blanche, brut sans année, est née majoritairement de la vendange de 2001 complétée de vins des deux années précédentes. Issu exclusivement de chardonnay, elle est citronnée, vive et fine. Provenant des récoltes de 1999 à 2001 elle aussi, la **Carte noire**, dominée par les pinots (80 %, dont 50 % de meunier), est citée. (NM)

🔑 Raymond Boulard,
1, rue du Tambour, 51480 La Neuville-aux-Larris,
tél. 03.26.58.12.08, fax 03.26.61.54.92,
e-mail info@champagne-boulard.fr ☑ 🚶 r.-v.

BESSERAT DE BELLEFON
Blanc de blancs Cuvée des Moines

	n.c.	n.c.	▮🌡 30 à 38 €

Fondée en 1843 par Edmond Besserat, cette maison devient dans les années 1920 Besserat de Bellefon lorsque Yvonne de Méric de Bellefon devient Madame Besserat. En 1990, la marque est reprise par Marne et Champagne. Ce blanc de blancs, issu de chardonnay récolté en 2000, ne fait pas sa fermentation malolactique. Il est tiré à demi-mousse. Son nez évoque le sous-bois, sa bouche les agrumes. Sa légèreté le destine à l'apéritif. (NM)

🔑 Besserat de Bellefon,
19, av. de Champagne, 51200 Epernay,
tél. 03.26.78.50.50, fax 03.26.78.50.99 ☑

BERNARD BIJOTAT

	6,5 ha	45 000	▮ 11 à 15 €

Bernard Bijotat a lancé son champagne au début des années 1980. Il est établi à Romeny-sur-Marne, à seulement 80 km de Paris. Dans ce vignoble de la vallée de la Marne, le pinot meunier est majoritaire. Il entre à 82 % dans ce brut sans année, qui est presque un blanc de noirs puisqu'il ne comprend que 6 % de chardonnay. Les raisins proviennent des années 2001 et 2002. Empyreumatique au nez, ce champagne équilibré révèle en bouche une complexité florale de bon aloi. (RM)

🔑 BBS Bernard Bijotat,
2, rte Nationale, 02310 Romeny-sur-Marne,
tél. 03.23.70.12.51, fax 03.23.70.61.03,
e-mail bbs.champagne.bijotat@wanadoo.fr
☑ 🏠 🍷 🚶 r.-v.

BILLECART-SALMON ★★

● n.c. n.c. 38 à 46 €

Cette maison, qui a vu le jour en 1818, porte le nom de ses fondateurs Nicolas-François Billecart et de son épouse Elisabeth Salmon. Leurs descendants la dirigent toujours, avec brio, à en juger par les quatre coups de cœur reçus par le passé et celui obtenu par ce rosé mi-blanc mi-noirs (40 % de pinot noir), issu des années 1998 à 2000. Subtilement saumoné, ce champagne offre un nez très fin associant les baies rouges et des notes toastées. Tout aussi délicat en bouche, avec des nuances vanillées, il est aussi long qu'élégant. (NM)

Billecart-Salmon,
40, rue Carnot, 51160 Mareuil-sur-Aÿ,
tél. 03.26.52.60.22, fax 03.26.52.64.88,
e-mail billecart@champagne-billecart.fr ☒ Y ✶ r.-v.

CH. DE BLIGNY Chardonnay

● 1,5 ha 15 000 ■ 11 à 15 €

Le seul château de la Champagne auboise, figurant avantageusement sur l'étiquette. Il commande un domaine de 18 ha. Sa cuvée chardonnay provient de la seule année 1999. Citronné, équilibré, c'est un blanc de blancs classique, un peu trop dosé. Egalement cité, le **rosé Grande Réserve**, né de la vendange de 2000, affiche une robe soutenue qui reflète la part de vin rouge contenue dans l'assemblage (15 % en sus des 70 % de pinot noir et des 15 % de chardonnay). Ce vin rouge marque avec insistance la dégustation d'arômes de fruits rouges. L'attaque est cependant franche et le champagne équilibré. (RM)

Ch. de Bligny, 10200 Bligny,
tél. 03.25.27.40.11, fax 03.25.27.04.52 ☒ Y ✶ r.-v.

H. BLIN ET CIE Tradition ★

● 29 ha 379 000 15 à 23 €

Cette coopérative porte le nom de son fondateur. Elle a son siège à Vincelles, sur la rive droite de la Marne, regroupe une centaine de vignerons et vinifie quelque 110 ha. Sa cuvée Tradition fait appel à 80 % de pinot meunier et à 20 % de chardonnay récoltés en 2000 et 2001. C'est un brut sans année puissant et vineux. (CM)

H. Blin et Cie, 5, rue de Verdun, 51700 Vincelles,
tél. 03.26.58.20.04, fax 03.26.58.29.67,
e-mail contact@champagne-blin.com ☒ Y ✶ r.-v.

R. BLIN ET FILS Sélection ★

● n.c. 40 000 11 à 15 €

Ce récoltant-manipulant exploite un vignoble de 11 ha à Trigny, près de Saint-Thierry, au nord-ouest de Reims. Un secteur considéré par certains experts comme le berceau du champagne. Cette Sélection avait eu un coup de cœur dans l'édition 2002 pour son ampleur harmonieuse. En 2004, elle assemble les années 2000 et 2001. Elle est toujours dominée par le pinot noir (90 %, avec 10 % de chardonnay), ce qui lui donne vinosité et puissance. (RM)

R. Blin et Fils, 11, rue du Point-du-Jour,
51140 Trigny, tél. 03.26.03.10.97, fax 03.26.03.19.63,
e-mail contact@champagne-blin-et-fils.fr ☒ Y ✶ r.-v.

BLONDEL

● 1er cru 5 ha 10 000 ■ 11 à 15 €

Maison disposant d'un vignoble de 9,5 ha d'un seul tenant, située à quelques kilomètres au sud-est de Reims. Le domaine ne s'est lancé dans la vente directe qu'en 1985. Son brut rosé doit tout au pinot noir. De couleur pâle, il exprime un fruité de framboise et de mûre et se montre équilibré et long. Quant au **Vieux Millésime 96 (15 à 23 €),** il obtient la même note pour ses arômes mûrs de pomme caramélisée. Il doit sa fraîcheur au chardonnay, car c'est un blanc de blancs. (NM)

Blondel, Dom. des Monts-Fournois, 51500 Ludes,
tél. 03.26.03.43.92, fax 03.26.03.44.10,
e-mail contact@champagneblondel.com ☒ Y ✶ r.-v.

BOIZEL Réserve ★★

● n.c. 400 000 ■ 15 à 23 €

Fondée en 1834, cette maison est toujours conduite par une Boizel, avec la participation du groupe BCC. Elle réalise une belle prestation avec trois cuvées sélectionnées. Cette Réserve est la préférée. Elle assemble 70 % de pinots (dont 55 % de pinot noir) au chardonnay. Fin et beurré au nez, c'est un champagne à la fois délicat et riche, qui devrait convenir aussi bien à l'apéritif qu'au repas. A peine dominée par le pinot noir (55 %, le reste en chardonnay), la cuvée **Joyau de France 95 (38 à 46 €)** a connu le bois ; elle mêle les fleurs et un fruité d'agrumes à des notes grillées plus évoluées ; elle obtient une étoile pour sa fraîcheur ample et son équilibre. Même élevage partiellement sous bois pour le **Grand Vintage 96 (23 à 30 €),** un champagne privilégiant aussi les noirs (70 %). Il est cité. (NM)

Boizel, 46, av. de Champagne, 51200 Epernay,
tél. 03.26.55.21.51, fax 03.26.54.31.83,
e-mail boizelinfo@boizel.fr
BCC

BOLLINGER RD 1990 ★★

● n.c. n.c. + de 76 €

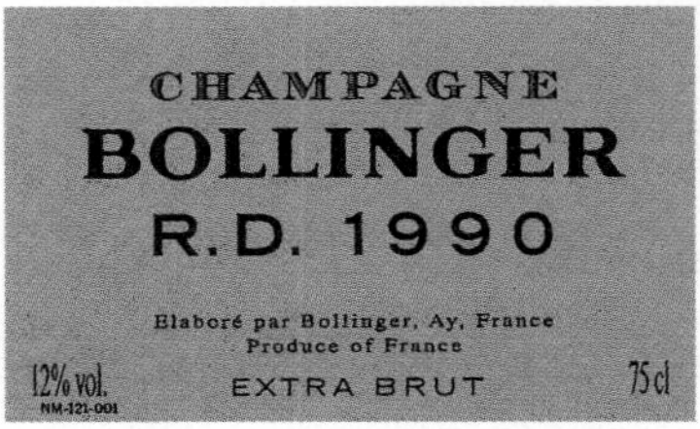

Fondée en 1829, cette célèbre maison d'Aÿ a gardé son caractère familial. Elle dispose de 160 ha de vignes. Son champagne RD est une coûteuse cuvée spéciale millésimée qui, mûrie de longues années en cave, a été récemment dégorgée (RD), ce qui permet de maintenir sa fraîcheur. L'assemblage comprend environ 69 % de pinot noir pour 31 % de chardonnay, et les vins ont fermenté en fût. Ce 90 est un grand champagne de caractère, miellé, brioché, puissant, équilibré et long. Pour amateur averti.

Cuvée de prestige millésimée, la **Grande Année 96 (46 à 76 €)** est vinifiée aussi dans le bois. L'assemblage des cépages est presque identique au précédent. Ses riches arômes floraux et sa bouche complexe, aussi complexe que fine, lui valent aussi deux étoiles. (NM)

Bollinger, 16, rue Jules-Lobet, 51160 Aÿ, tél. 03.26.53.33.66, fax 03.26.54.85.59, e-mail contact@champagne-bollinger.fr

BONNAIRE

Cramant Blanc de blancs Cuvée Prestige ★

Gd cru	n.c.	n.c.	15 à 23 €

C'est Fernand Bouquemont, grand-père de Jean-Louis Bonnaire, qui a fait les premières mises en bouteilles au début des années 1930. Le berceau du domaine, qui s'est ensuite étendu dans la vallée de la Marne autour de Fossoy, est situé à Cramant et dans les communes limitrophes, en Côte des Blancs. C'est de ce grand cru que provient cette cuvée beurrée et grillée, bien typée blanc de blancs avec rondeur et élégance. Le dosage est perceptible, tout comme dans le **blanc de blancs grand cru Variance,** passé partiellement par le bois. Floral, presque anisé, miellé, un champagne agréable et qui obtient lui aussi une étoile. (RM)

Bonnaire, 120, rue d'Epernay, 51530 Cramant, tél. 03.26.57.50.85, fax 03.26.57.59.17, e-mail info@champagne-bonnaire.com
t.l.j. 9h-11h30 14h-17h; sam. dim. sur r.-v.

ALEXANDRE BONNET Madrigal 1995 ★

	n.c.	3 000	15 à 23 €

Cette maison familiale fondée dans les années 1930 dispose d'un vaste vignoble (plus de 40 ha). En 1998, elle est passée sous le contrôle du groupe BCC. Sa cuvée Madrigal est un champagne mi-blancs mi-noirs (pinot noir). Fraîche au nez, franche à l'attaque, beurrée et briochée en bouche, elle est vineuse, puissante et longue : un Madrigal athlétique ! Une étoile encore pour le **blanc de noirs (11 à 15 €),** assemblage de pinot noir (80 %) et de meunier des années 2000 et 2001 : un champagne corpulent et gras aux arômes de fruits à chair blanche (pêche), qui pourra accompagner un repas. Même note enfin pour la **Grande Réserve (11 à 15 €),** dominée par les raisins noirs (pinot noir 70 %, meunier 20 %) : un brut sans année classique, équilibré et long. (NM)

Alexandre Bonnet, 138, rue du Gal-de-Gaulle, 10340 Les Riceys, tél. 03.25.29.30.93, fax 03.25.29.38.65, e-mail info@alexandrebonnet.com r.-v.
BCC

FRANCK BONVILLE

Blanc de blancs Les Belles Voyes ★★★

Gd cru	0,75 ha	1 500	30 à 38 €

Etabli dans la Côte des Blancs, ce domaine d'une quinzaine d'hectares a été constitué en 1938 et commercialise du champagne depuis 1945. Il est aujourd'hui conduit par Gilles et Olivier Bonville. Cuvée de prestige, ces Belles Voyes portent le nom d'une parcelle. Non millésimées, elles proviennent cependant de la seule année 1998. Le vin a passé dix-huit mois en fût. Le résultat ? Un champagne hors du commun, qui s'est placé parmi les finalistes du coup de cœur. La complexité de sa palette aromatique où se côtoient des notes florales, beurrées, miellées, exotiques et des touches boisées bien fondues, captive les dégustateurs. Au nez comme en bouche, sa fraîcheur, son ampleur et son élégance sont unanimement saluées. (RM)

Franck Bonville, 9, rue Pasteur, 51190 Avize, tél. 03.26.57.52.30, fax 03.26.57.59.90, e-mail franck-bonville@wanadoo.fr r.-v.

BOONEN-MEUNIER FILS

Cuvée Albert Mary 1998 ★★

	1,5 ha	6 500	15 à 23 €

Francis Boonen évoque la mémoire de son arrière-grand-père qui a constitué un domaine viticole à l'aube du XXᵉs. L'exploitation, qui s'est lancée dans la commercialisation en bouteilles dans les années 1930, dispose aujourd'hui de 7,5 ha répartis en quarante-huit parcelles dans la vallée de la Marne. Elle signe une cuvée spéciale composée de 70 % de chardonnay, complété par les deux pinots à parts égales. Un champagne équilibré, floral et miellé, rond, vineux et assez long. Cité par le jury, le **rosé,** né des deux pinots à parts égales, n'a qu'un seul défaut, sa jeunesse (il provient de la vendange de 2002). Il est déjà fin, vineux et délicat. (RM)

Francis Boonen, 4, rue du Flagot, 51700 Festigny, tél. 03.26.58.36.83, fax 03.26.58.36.83 r.-v.

BOREL-LUCAS ★★

	11,93 ha	11 000	11 à 15 €

Christophe Crépaux est l'héritier de ce domaine constitué en 1780 ; il cultive près de 14 ha de vignes et propose un rosé de noirs (80 % de pinot meunier) des années 2000 et 2001. Framboise et cassis au nez, ce champagne ample, généreux et épicé, pourra paraître à table. Le **blanc de blancs Soleil d'or 98 (15 à 23 €)** est un grand cru de Cramant. Citronné et frais, il est cité. La **Cuvée de réserve,** née des récoltes 2000 et 2001 et des trois cépages champenois (pinot meunier 80 %, pinot noir et chardonnay 10 % chacun) est souple, avec un dosage perceptible. Elle obtient la même note. (RM)

Borel-Lucas, 3, rue Richebourg, 51270 Etoges, tél. 03.26.59.30.46, fax 03.26.59.69.65
t.l.j. 9h-12h 14h-19h; dim. 9h-12h; f. 15-31 août

BOUCANT-THIERY Cuvée de réserve ★★

	2 ha	11 275	11 à 15 €

Au début des années 1970, Daniel Boucant a constitué un vignoble de 6 ha à 10 km de Château-Thierry, dans la vallée de la Marne. Après avoir été coopérateur pendant vingt ans, il a décidé, en 1993, d'élaborer lui-même son champagne. Sa Cuvée de réserve est un blanc de noirs (90 % de pinot meunier) né de la vendange de 2000. Florale et fruitée au nez, elle attaque avec élégance. Fraîche et ronde, avec des arômes de pâte de coings, elle pourra paraître à table, sur des viandes blanches par exemple. (RM)

Daniel Boucant, 9, rte de Moucherelle, 02400 Bonneil, tél. 03.23.82.90.15, fax 03.23.82.31.17 r.-v.

BOUCHE PERE ET FILS Grande Réserve 1996

	3 ha	25 000	15 à 23 €

Créée par Pierre Bouché en 1945, cette maison est aujourd'hui dirigée par son fils José Bouché, qui se trouve à la tête d'un vignoble de 30 ha s'étendant sur onze crus, dont cinq grands crus. Ce 1996 est légèrement dominé par les raisins noirs (pinot noir 45 %, meunier 10 %). S'il apparaît évolué à l'œil, il ne l'est ni au nez ni en bouche.

Un peu fugace, il est miellé, mentholé et ample. Le **blanc de blancs,** issu des années 1999 et 2000, est également cité pour ses arômes de tilleul et la franchise de son palais. (NM)

🔑 Bouché Père et Fils, 10, rue du Gal-de-Gaulle, 51530 Pierry, tél. 03.26.54.12.44 ☒ Y 🚶 r.-v.

RAYMOND BOULARD Millésimé 1998 ★★★

● 2 ha 5 000 ▮ 23 à 30 €

Un vignoble de plus de 10 ha comprenant un grand cru de la Montagne de Reims (Mailly-Champagne), une activité de récoltant mais aussi de négociant : Raymond Boulard est largement diffusé sur trois continents. A l'instar de Chapoutier, dans le Rhône, il fait graver en braille ses étiquettes. Mi-noirs mi-blancs, ce 98 a été élevé sept mois dans le bois. Or soutenu, il s'impose d'emblée par son nez complexe, où se mêlent des notes fruitées (poire, abricot, agrumes), beurrées et épicées. Cette richesse aromatique se prolonge en bouche, avec des nuances d'agrumes et de fruits secs. Rond, équilibré, harmonieux et long, ce champagne de caractère fait l'unanimité. Est cité, le **Grand cru Mailly-Champagne** issu des années 1997 à 2000, presque tout noirs (95 %). (NM)

🔑 Raymond Boulard,
1, rue du Tambour, 51480 La Neuville-aux-Larris,
tél. 03.26.58.12.08, fax 03.26.61.54.92,
e-mail info@champagne-boulard.fr ☒ 🚶 r.-v.

BOULARD-BAUQUAIRE Grande Réserve ★

● 1 ha 2 500 11 à 15 €

Cette exploitation de 7,5 ha est née au début des années 1980. Assemblant les trois cépages champenois à parts égales, sa Grande Réserve présente un nez discret mais complexe, et se montre ronde et équilibrée en bouche. Une étoile distingue aussi le **rosé,** très influencé par le chardonnay (85 %). Amylique au nez, cerise et grenadine en bouche, il est rond, souple, plein de fruits. « Pour un pique-nique élégant », suggère un dégustateur. (RM)

🔑 EARL Boulard-Bauquaire,
30, rue du Petit-Guyencourt, BP 6, 51220 Cormicy,
tél. 03.26.61.30.79, fax 03.26.61.34.40,
e-mail info@champagne.boulard-bauquaire.fr
☒ Y 🚶 t.l.j. sf sam. dim. 9h-12h 14h-17h; f. 1er-25 août
🔑 Ch. Boulard

JEAN-PAUL BOULONNAIS Blanc de blancs

● 1er cru 5 ha 15 000 ▮ 11 à 15 €

Les Boulonnais sont établis à Vertus, au sud de la Côte des Blancs. Depuis plus d'un siècle, ils cultivent un vignoble qui s'étend aujourd'hui sur 5 ha. Le chardonnay l'emporte dans leur production. Ce blanc de blancs naît de l'assemblage des années 1999 et 2000. Son nez citronné, très frais, annonce une attaque vive et une bouche pleine de jeunesse. (NM)

🔑 Jean-Paul Boulonnais,
14, rue de l'Abbaye, 51130 Vertus,
tél. 03.26.52.23.41, fax 03.26.52.27.55 ☒ Y 🚶 r.-v.

BOURDAIRE-GALLOIS Tradition ★

● 3,08 ha 13 000 ▮ 11 à 15 €

C'est dans les années 1950 que le grand-père de David Bourdaire a fondé son vignoble. Ce dernier, installé en 1995, a d'abord confié sa production à la coopérative. Depuis 2001, il élabore lui-même son champagne. Sa cuvée Tradition est, à 1 % de chardonnay près, un blanc de noirs (du pinot meunier à 98 %) des années 2001 et 2002. Ses senteurs de sous-bois précèdent une attaque franche et une bouche fraîche et équilibrée. Elle pourra être servie à table. Un assemblage identique (mêmes cépages, mêmes années) est à l'origine d'un **rosé** assez coloré : rose bonbon à l'œil, bonbon anglais au nez, fruité en bouche, vineux et souple, ce champagne pourra accompagner viandes blanches ou desserts. Une étoile également. (RM)

🔑 Bourdaire-Gallois,
15, rue Haute, 51220 Pouillon, tél. 03.26.03.02.42,
e-mail bourdaire-gallois@cder.fr ☒ Y 🚶 r.-v.

R. BOURDELOIS Cuvée du Centenaire Adonis 1999

● n.c. 10 000 ▮ 15 à 23 €

Créé il y a un siècle à Dizy, ce domaine s'étend sur près de 6 ha. Les trois cépages champenois (60 % des deux pinots à parts égales, 40 % de chardonnay) concourent à cette cuvée spéciale 1999, complexe au nez avec les notes aromatiques venues du chardonnay (aubépine, tabac blond, citronnelle...). La bouche est plus simple (RM)

🔑 Raymond Bourdelois,
737, av. du Gal-Leclerc, 51530 Dizy,
tél. 03.26.55.23.34, fax 03.26.55.29.81 ☒ 🚶 r.-v.

BOURGEOIS Sélection ★★

● n.c. n.c. ▮ 11 à 15 €

Viticulteurs depuis trois générations, les Bourgeois ont pris le statut de négociant en 1987. Ils possèdent en propre 10 ha dans la vallée de la Marne. Michel Bourgeois veille à l'élaboration des cuvées, avec talent, à en juger par les notes obtenues récemment. Cette Sélection est née à 80 % de raisins noirs (dont 60 % de pinot noir). La complexité de ses arômes (fruits, sous-bois et herbe fraîche au nez, fruits cuits, cire et biscuit en bouche), son harmonie et sa longueur lui valent un coup de cœur. Cette distinction, la **Cuvée du Dernier Siècle 95 (15 à 23 €)** l'a frôlée, avec deux étoiles également. Elle assemble 40 % de chardonnay aux deux pinots (40 % de pinot noir) et a été saluée pour son nez fruité et fumé et sa bouche vanillée, harmonieuse et longue. A noter qu'un 95 avait obtenu le coup de cœur il y a deux ans. (NM)

CHAMPAGNE

🔑 Bourgeois,
43, Grande-Rue, 02310 Crouttes-sur-Marne,
tél. 03.23.82.51.71, fax 03.23.82.55.11,
e-mail champagne-bourgeois@wanadoo.fr
☑ Y t.l.j. sf dim. 9h-18h

BOURGEOIS-BOULONNAIS Grande Réserve ★

1er cru 5 ha n.c. 15 à 23 €

Cette exploitation familiale dispose d'un vignoble de 5,5 ha situé sur le territoire de Vertus, commune du sud de la Côte des Blancs classée en 1er cru. Sa Grande Réserve doit tout au chardonnay. Intense au nez, elle mêle des notes florales, minérales et fruitées (coing). D'une belle fraîcheur en bouche mais un peu brève, elle mérite d'attendre un an. Complétés par le pinot noir, les raisins blancs entrent pour les trois quarts dans l'assemblage du **rosé (11 à 15 €).** Rose à reflets violets, c'est un champagne au nez amylique, frais, jeune et équilibré. Il est cité. (RM)

🔑 Bourgeois-Boulonnais, 8, rue de l'Abbaye,
51130 Vertus, tél. 03.26.52.26.73, fax 03.26.52.06.55,
e-mail bourgeoi@hexanet.fr ☑ Y ⛹ r.-v.

CHRISTIAN BOURMAULT
Blanc de blancs Cuvée Grand Eloge

1 ha 3 640 15 à 23 €

Une vieille famille de vignerons et un jeune domaine, constitué en 1981 autour d'Avize, dans la Côte des Blancs. Déjà retenue dans la dernière édition, sa cuvée Grand Eloge est un blanc de blancs non millésimé, dans lequel entrent cette année des raisins récoltés en 2000 et 2001. Les vins sont fermentés et élevés en fût. Ce champagne étonne les dégustateurs qui le considèrent comme « atypique », « sauvage », tout en notant qu'il est « très bien fait » et qu'il faut l'essayer. (RM)

🔑 EARL Christian Bourmault, 41, Rempart-du-Midi,
51190 Avize, tél. 03.26.59.79.41, fax 03.26.58.67.74,
e-mail christian.bourmault@wanadoo.fr ☑ Y r.-v.

CH. DE BOURSAULT Tradition ★

15 ha 50 726 15 à 23 €

Le seul château de la Marne à donner son nom à un champagne. Il campe majestueusement sur le coteau de la rive gauche de la rivière. On l'aperçoit avant d'arriver à Epernay, mais il ne se visite pas. Cette imposante bâtisse de style néo-Renaissance a été construit pour Mme Vve Clicquot, qui fit arracher les vignes environnantes afin d'aménager un parc. La vigne a aujourd'hui repris ses droits et s'étend sur 15 ha. Les trois cépages champenois (43 % de chardonnay, 29 % de pinot noir et 28 % de meunier) sont à l'origine de cette cuvée Tradition qui provient des années 1998 à 2000. Ses parfums de citronnelle et d'agrumes précèdent une bouche franche à l'attaque, bien équilibrée, au fruité de pêche. (NM)

🔑 Ch. de Boursault, 2, rue Maurice-Gilbert,
51480 Boursault, tél. 03.26.58.42.21, fax 03.26.58.66.12,
e-mail info@champagnechateau.com ☑ Y r.-v.

BOUTILLEZ-GUER Tradition ★

1er cru 2 ha 13 000 11 à 15 €

Les Boutillez sont vignerons depuis cinq siècles à Villers-Marmery, commune de la Montagne de Reims réputée pour ses chardonnays. Ce cépage est fortement représenté dans cette cuvée Tradition qui fait appel aux vendanges de 1999, 2000 et 2001. Avec son attaque souple, ses arômes briochés et sa vinosité, c'est un brut sans année élégant. (RM)

🔑 Boutillez-Guer,
38, rue Pasteur, 51380 Villers-Marmery,
tél. 03.26.97.91.38, fax 03.26.97.94.95 ☑ Y ⛹ r.-v.

G. BOUTILLEZ-VIGNON Blanc de blancs ★

1er cru 1 ha 3 000 15 à 23 €

On repère des Boutillez dès 1524 à Villers-Marmery. Gérard Boutillez s'est lancé dans la manipulation en 1976. L'exploitation compte aujourd'hui 5 ha de vignes. Dans ce blanc de blancs se marient des vins de 1997 et 1998. Jaune d'or dans le verre, il apparaît évolué, mûr, sans avoir perdu sa vivacité. Quant au **1er cru 96 (23 à 30 €),** cité par le jury, c'est un blanc de blancs, à 5 % de pinot noir près. Comme de nombreux 96, il apparaît évolué au nez, où se mêlent des notes confites, torréfiées et des nuances de fruits secs. En bouche, il se montre ample, structuré, nerveux et persistant. (RM)

🔑 G. Boutillez-Vignon, 26, rue Pasteur,
51380 Villers-Marmery, tél. 03.26.97.95.87
☑ Y ⛹ t.l.j. 10h-12h 14h-15h;
sam. dim. sur r.-v.; f. 15 août-5 sep.

LAURENT BOUY 1996

0,6 ha 5 000 11 à 15 €

Héritier d'une lignée de vignerons, Laurent Bouy est établi à Verzy, dans la Montagne de Reims, village célèbre par sa forêt de hêtres (faux) aux troncs et branches tourmentés. Il a lancé son champagne au début des années 1980. Son 96 naît de 80 % de chardonnay complété par le pinot noir. Il est typique du millésime avec ses arômes grillés et beurrés, nuancés de fruits confits, et son palais nerveux et ample. (RM)

🔑 Laurent Bouy, 7, rue de l'Ancienne-Eglise,
51380 Verzy, tél. 03.26.97.93.23 ☑ Y ⛹ r.-v.

L. ET F. BOYER Cuvée Jeanne ★

0,1 ha 888 15 à 23 €

Constituée à la fin des années 1950, cette propriété s'étend sur plus de 5 ha, autour de Chouilly, dans la Côte des Blancs, de Hautvillers et dans la vallée de la Marne. Elle a été reprise en 1994 par Lydie et Francis Boyer. Leur Cuvée Jeanne est issue des trois cépages champenois des récoltes de 1998 et 1999 ; elle comprend 70 % de chardonnay de Chouilly grand cru qui passe par le bois. Cela donne des senteurs biscuitées et grillées, puis, en bouche, des notes de pain d'épice, de vanille et de zeste d'orange. Une belle harmonie. Issu des années 1999 et 2000, le **blanc de blancs Chouilly grand cru (11 à 15 €)** a partiellement séjourné en fût. Ses arômes frais évoquent le citron et le pamplemousse, ce qui ne l'empêche pas d'avoir un caractère vineux. Il est cité. (RM)

🔑 L. et F. Boyer, 27, rue Dom-Pérignon,
51530 Chouilly, tél. 03.26.55.41.06, fax 03.26.55.01.78,
e-mail francis.boyer@free.fr ☑ Y ⛹ r.-v.

BERNARD BREMONT 1996

Gd cru 1 ha 5 400 15 à 23 €

Fondé en 1965, ce domaine a son siège à Ambonnay, commune de la Montagne de Reims classée en grand cru. Il s'étend sur 15 ha. Son 96 est un assemblage classique de 60 % de pinot noir et de 40 % de chardonnay. Il présente au nez des caractères d'évolution, les fruits secs se mariant aux agrumes. La bouche est miellée et structurée. (RM)

🔑 SCE Bernard Brémont,
1, rue de Reims, 51150 Ambonnay,
tél. 03.26.57.01.65, fax 03.26.57.80.65 ☑ Y ⛹ r.-v.

BRESSION-SALMON ★★

● 0,4 ha 1 240 ▮ 11 à 15 €

Créée en 1970, cette exploitation familiale s'étend sur 4 ha environ. Son rosé a frôlé le coup de cœur. Mi-blancs mi-noirs (40 % de pinot meunier), il provient des vendanges de 2000 et 2001. D'un rose cuivré, il présente un nez intense de fruits confits. Puissant, vineux et persistant, il accompagnera un dessert aux fruits, une tarte aux prunes par exemple. Citée par le jury, la cuvée **Carte d'or** est née des mêmes années que le précédent ; elle assemble 60 % de chardonnay et 40 % de pinot meunier. Discrète au nez, elle finit par s'ouvrir sur des notes d'agrumes et de fruits blancs, tandis qu'en bouche apparaît une agréable touche vanillée. (RM)

⊶ Bression-Salmon,
8, rue Saint-Antoine, 51270 Etoges,
tél. 03.26.59.34.51, fax 03.26.59.36.30 ▣ Y ✶ r.-v.

BRETON FILS

● n.c. 15 000 ▮♁ 15 à 23 €

Fondée au début des années 1950, cette exploitation familiale dispose d'un coquet vignoble de 17 ha. Son rosé est de nouveau cité. Il assemble 56 % de raisins noirs (dont 40 % de pinot meunier) au chardonnay. On y découvre un fruité compoté de fruits rouges. Tout aussi fruitée, la bouche est souple à l'attaque, puissante et ronde. (RM)

⊶ SCEV Breton Fils, 12, rue Courte-Pilate,
51270 Congy, tél. 03.26.59.31.03, fax 03.26.59.30.60,
e-mail contact@champagne-breton-fils.fr
▣ Y ✶ t.l.j. 8h30-12h 13h30-17h30

BRICE Cramant ★★

○ Gd cru 1 ha 10 000 ▮ 23 à 30 €

Descendant d'une famille de vignerons établie à Bouzy depuis le XVII^e^s., Jean-Paul Brice a fondé en 1994 une maison spécialisée dans l'élaboration de champagnes de grands crus. Une formule qui a fait ses preuves. Le champagne de Cramant, évidemment un blanc de blancs, a obtenu ainsi plus d'un coup de cœur, la dernière fois dans l'édition précédente. Cette année entrent dans sa composition les récoltes 1999 et 2000. Ses arômes discrets, mais délicats et complexes, sont toastés et vanillés, sa bouche séduit par son équilibre et sa finesse. Nés des mêmes années, les grands crus **Aÿ** et **Bouzy**, largement dominés par le pinot noir (respectivement 90 et 80 %), obtiennent une étoile chacun. Le premier est floral, le second miellé, tous deux sont équilibrés et élégants. (NM)

⊶ Jean-Paul Brice, 3, rue Yvonnet, 51150 Bouzy,
tél. 03.26.52.06.60, fax 03.26.57.05.07,
e-mail contact@champagne-brice.com ▣ Y ✶ r.-v.

LOUISE BRISON

Blanc de blancs Cuvée Tendresse 1998

○ 0,3 ha 2 590 ◍ 15 à 23 €

Implanté dans la Côte des Bars (Aube), un vignoble conduit en lutte raisonnée. Les vins ne font pas leur fermentation malolactique et sont élevés en fût de chêne durant quatre à six mois. La Cuvée Tendresse mêle des senteurs d'agrumes et de pêche blanche à des notes vanillées. En bouche, de la finesse et de la franchise, une touche boisée et un dosage perceptible. (RM)

⊶ GAEC Brulez, Champagne Louise Brison,
14, Grande-Rue, 10360 Noé-les-Mallets,
tél. 03.25.29.66.62, fax 03.25.29.14.59,
e-mail champagne@louise-brison.fr ▣ Y ✶ r.-v.

BROCHET-HERVIEUX HBH 1995 ★★

○ 1er cru n.c. n.c. ▮ 15 à 23 €

Ce domaine et son champagne sont nés d'un mariage, celui d'Henri Brochet et d'Yvonne Hervieux. Le vignoble s'étend autour d'Ecueil, village proche de Reims. La cuvée HBH 95 provient d'une grande année ; elle assemble 60 % de pinot noir au chardonnay. Un nez délicat, miellé, brioché, nuancé de caramel au lait annonce une superbe bouche, ample, fraîche et complexe. Un « grand moment », conclut un dégustateur, qui lui aurait bien donné un coup de cœur. Ce champagne pourra accompagner un feuilleté de langoustine. (RM)

⊶ EARL Brochet-Prevost,
12, rue de Villers-aux-Nœuds, 51500 Ecueil,
tél. 03.26.49.77.44, fax 03.26.49.77.17 ▣ Y ✶ r.-v.

BRUGNON 1999 ★

○ 3 ha 15 000 ▮♁ 11 à 15 €

C'est le grand-père de l'exploitant actuel qui a commercialisé les premières bouteilles de champagne en 1947. Le vignoble est implanté sur trois terroirs différents : petite Montagne de Reims, près d'Ecueil, Montagne de Reims autour de Rilly et vallée de la Marne. Elaboré par Alain Brugnon, le millésimé 99 assemble deux tiers de chardonnay à un tiers de pinot noir. C'est un champagne fruité, où se mêlent la pomme, la pêche et la cerise, souple et gras en bouche. (RM)

⊶ Alain Brugnon, 1, rue Brûlée, 51500 Ecueil,
tél. 03.26.49.25.95, fax 03.26.49.76.59,
e-mail brugnon@cder.fr ▣ Y ✶ r.-v.

EDOUARD BRUN & CIE

● n.c. 4 000 ▮◍ 15 à 23 €

Ce champagne porte le nom du fondateur de la maison, fils de tonnelier, qui a lancé son affaire en 1898. La société a gardé un caractère familial. Ses champagnes fermentent en partie dans de vieux fûts. Issu des récoltes de 1998 à 2000, ce rosé est mi-noirs mi-blancs, et tire sa couleur de l'adjonction de vin rouge. D'un rose orangé, il est floral et fruité, équilibré et assez long. Egalement citée, la cuvée grand cru **L'Elégante d'Edouard Brun (23 à 30 €)** provient des années 1997 à 1999 et assemble 80 % de chardonnay à 20 % de pinot noir. La fermentation a lieu en fût, et la malo en cuve. Cela donne un champagne discret au nez, puissant et équilibré en bouche. (NM)

⊶ SA Edouard Brun et Cie, 14, rue Marcel-Mailly,
51160 Aÿ, tél. 03.26.55.20.11, fax 03.26.51.94.29,
e-mail contact@champagne-edouard-brun.com
▣ Y ✶ t.l.j. 8h-12h 14h-18h; sam. dim. sur r.-v.
⊶ Delescot

ERIC BUNEL 1996 ★

○ 4,4 ha 6 496 ▮ 15 à 23 €

Eric Bunel a constitué son vignoble et lancé son champagne en 1970. Toujours aux commandes de son domaine, c'est un homme-orchestre qui conduit ses 8 ha de vignes et réalise ses cuvées. Mi-noirs mi-blancs, ce 96 est typique de ce millésime particulier : le nez de fruits secs et d'agrumes montre de l'évolution tout en gardant de la fraîcheur. En bouche, il se révèle ample, nerveux et généreux. (RM)

⊶ Eric Bunel, 32, rue Michel-Letellier, 51150 Louvois,
tél. 03.26.57.03.06, fax 03.26.52.31.66,
e-mail champagne.bunel@wanadoo.fr ▣ Y ✶ r.-v.

JACQUES BUSIN Carte d'or

Gd cru 8 ha 30 000 15 à 23 €

La famille de Jacques Busin a constitué en cinq générations un vignoble de 8,5 ha exclusivement situé dans des grands crus de la Montagne de Reims. Sa cuvée Carte d'or assemble 60 % de pinot noir et 40 % de chardonnay, des raisins des années 1999 et 2000. Son nez fin et discret précède une bouche charpentée, vineuse et généreusement dosée. (RM)

Jacques Busin, 17, rue Thiers, 51360 Verzenay,
tél. 03.26.49.40.36, fax 03.26.49.81.11 r.-v.

PIERRE CALLOT Vignes anciennes 1997 *

Gd cru 0,5 ha 1000 23 à 30 €

Depuis Louis Callot, né à Avize en 1784, les Callot sont vignerons. L'exploitation a acheté ses vignes à Piper Heidsieck en 1970. Son blanc de blancs 97 séduit d'entrée par son nez mêlant pain d'épice et notes grillées. On retrouve des nuances empyreumatiques dans un palais bien structuré et long. Le **blanc de blancs grand cru Clos Jacquin** assemble les années 1995 et 1996 ; il a séjourné dans le bois ; au nez, il libère des parfums complexes où l'agrume confit s'accompagne de nuances léguées par l'élevage. « Il a de la matière et de la légèreté », « c'est un vin de plaisir », écrivent les jurés qui lui donnent aussi une étoile. Pour l'apéritif ou des coquilles Saint-Jacques. (RM)

Pierre Callot et Fils,
100, av. Jean-Jaurès, 51190 Avize,
tél. 03.26.57.51.57, fax 03.26.57.99.15 r.-v.

CANARD-DUCHENE
Blanc de noirs Charles VII Grande Cuvée 1993 *

n.c. 25 000 15 à 23 €

Fondée en 1868, Canard-Duchêne a été reprise par Veuve Clicquot, puis par LVMH et enfin, en 2003, par Alain Thiénot. Lancée en 1968 pour célébrer le centenaire de la maison, la cuvée Charles VII est le champagne de prestige de la gamme. Sa version blanc de noirs assemble 70 % de pinot noir et 30 % de pinot meunier. De fines bulles montent dans la robe jaune soutenu. On découvre ensuite un champagne ample, à la fois riche et élégant, d'une bonne longueur. Sa palette aromatique mêle aux fruits rouges du pinot des notes complexes, un peu grillées. On pourra le savourer à table, par exemple avec une poule faisane, ou le déguster au coin du feu. Une étoile encore pour le **93** qui marie une majorité de pinot (72 % dont 46 % de pinot noir) au chardonnay. Un champagne de repas, évolué mais qui se maintient. Complexe, il associe les fruits mûrs ou compotés à des touches grillées et fait preuve de persistance. Même note enfin pour le **brut sans année** (80 % des deux pinots à parts égales, 20 % de chardonnay). Fruité (abricot) et empyreumatique, il est puissant et long. (NM)

Canard-Duchêne, 1, rue Edmond-Canard,
51500 Ludes, tél. 03.26.61.10.96, fax 03.26.61.13.90,
e-mail info@canard-duchene.fr
t.l.j. sf dim. 10h-18h; f. oct.-mars
Alain Thiénot

JEAN-YVES DE CARLINI
Blanc de noirs Cuvée de la Montgolfière *

Gd cru 3 ha 7 800 11 à 15 €

Jean-Yves de Carlini exploite 6,5 ha de vignes autour de Verzenay, commune de la Montagne de Reims classée en grand cru. Il propose une cuvée composée exclusivement de pinot noir, des raisins de quatre récoltes différentes (1999 à 2002). Cette Montgolfière serait montée encore plus haut si elle n'avait été un rien alourdie par un dosage souligné par certains membres du jury. Elle n'en est pas moins très appréciée pour son nez expressif, fruité et floral, et pour son harmonie générale. « Un vin gourmand. » (RM)

Jean-Yves de Carlini, 13, rue de Mailly,
51360 Verzenay, tél. 03.26.49.43.91, fax 03.26.49.46.46
t.l.j. 9h-12h 14h-19h; sam. dim. sur r.-v.;
f. 13-20 août

VICOMTE DE CASTELLANE Croix rouge *

170 ha 1 500 000 15 à 23 €

Fondée en 1895, cette célèbre maison sparnacienne est aujourd'hui associée à Laurent-Perrier. Son emblème, la croix rouge, figurait sur le drapeau du régiment de Champagne. Ce brut sans année assemble 60 % des deux pinots à parts égales et 40 % de chardonnay des années 1998 à 2000. Il comprend 16 % de vins de réserve, assemblage différent du Croix rouge coup de cœur trois étoiles l'an dernier. Bien équilibré, il révèle des arômes de fruits blancs. La cuvée **Croix rouge 98** naît de 65 % de pinot noir et de 35 % de chardonnay. Son nez libère des notes minérales et fumées. Ces nuances fumées se prolongent, accompagnées d'arômes grillés, dans un palais franc à l'attaque et assez long. Une étoile également. (NM)

de Castellane, 63, av. de Champagne, BP 136,
51200 Epernay, tél. 03.26.51.19.19, fax 03.26.54.24.81
t.l.j. 10h-12h 14h-18h; f. jan.-mars

DE CASTELNAU

n.c. 20 000 15 à 23 €

Lancée en 1916, cette marque a été reprise par la Coopérative régionale des vins de Champagne, une très importante structure rémoise créée en 1962 : elle vinifie plus de 800 ha de vignes réparties dans 130 crus et ses caves sur trois niveaux peuvent accueillir 23 millions de cols. Ce rosé sans année marie 60 % des deux pinots à parts égales et 40 % de chardonnay ; cet assemblage comporte 15 % de pinot noir vinifié en rouge. Cela donne une robe saumonée, un nez discret et fin et une bouche équilibrée, ronde et douce. (CM)

CRVC, 5, rue Gosset, BP 467, 51100 Reims,
tél. 03.26.77.89.00, fax 03.26.77.89.01

CATTIER 1998 *

1er cru n.c. 50 000 23 à 30 €

Sous Louis XV, les Cattier cultivaient déjà la vigne, mais ils ont attendu les années 1920 pour proposer leur propre champagne. L'exploitation, située à Chigny-les-Roses (Montagne de Reims), s'étend sur 20 ha. Son Vintage 98 assemble 70 % de raisins noirs (dont 30 % de pinot noir) au chardonnay. Fruits confits au nez, il est dominé par des notes citronnées en bouche. Un champagne puissant et riche, pour le repas. Cité, le **blanc de blancs 1er cru** est jeune, léger et vif : « Pour l'apéritif un jour de canicule », conclut un dégustateur. (NM)

Cattier,
6-11, rue Dom-Pérignon, 51500 Chigny-les-Roses,
tél. 03.26.03.42.11, fax 03.26.03.43.13,
e-mail champagne@cattier.com r.-v.

CLAUDE CAZALS Extra-brut Cuvée vive

Gd cru 0,7 ha 5 000 15 à 23 €

Delphine Cazals est l'héritière d'une longue lignée de vignerons établis au Mesnil-sur-Oger (Côte des Blancs). Sa

Cuvée vive est un blanc de blancs ; elle mérite bien son nom, car c'est un extra-brut élaboré sans dosage. Corpulente, elle possède tous les caractères de ce style de champagne : des arômes d'agrumes, au nez comme en bouche, et une vivacité qui effarouche certains dégustateurs. Une bouteille pour initiés, à moins que l'on ne la serve sur huîtres et autres fruits de mer. On devrait pouvoir la garder plusieurs années. (RC)
⊶ Claude Cazals,
28, rue du Grand-Mont, 51190 Le Mesnil-sur-Oger,
tél. 03.26.57.52.26, fax 03.26.57.78.43,
e-mail cazals.delphine@wanadoo.fr ☒ Y ⚲ r.-v.
⊶ Delphine Cazals

CHARLES DE CAZANOVE Stradivarius *

○ n.c. 5 000 ▮♁ 15 à 23 €

Fondée en 1811, cette maison de négoce a récemment changé de mains. Sa cuvée Stradivarius assemble deux tiers de raisins blancs au pinot noir. Intense au nez, elle mêle des notes beurrées et des nuances de caramel. En bouche, elle se montre équilibrée et vineuse. Le **Brut Azur 1er cru (11 à 15 €)** est également dominé par le chardonnay (60 % complété par 30 % de pinot noir et 10 % de meunier). Avec ses arômes de fruits blancs, sa bouche vive, c'est un champagne de bon aloi, pour l'apéritif. (NM)
⊶ Charles de Cazanove, BP 1011, 51318 Epernay,
tél. 03.26.51.06.33, fax 03.26.54.41.52 ☒

CHANOINE *

○ 1er cru n.c. n.c. 15 à 23 €

Seule la marque Ruinart est plus ancienne que Chanoine, qui a vu le jour en 1730. Après une quasi-disparition pendant quelques années, le groupe BCC lui a redonné vie. Décrits ci-après, trois champagnes de la maison ont obtenu une étoile. Ce 1er cru assemble 65 % de pinot noir à 35 % de chardonnay. Il est puissant et très équilibré. Née de la vendange 2000, la **cuvée Tsarine 1er cru (23 à 30 €)** résulte d'un assemblage proche : 64 % de pinot noir et 36 % de chardonnay. Le jury apprécie l'élégance et la complexité de sa palette aromatique fruitée, sa fraîcheur et sa persistance. Quant à la **Grande Réserve (11 à 15 €)**, dominée par les raisins noirs (70 % de pinot noir et 15 % de meunier), elle est miellée et briochée, souple et longue. (NM)
⊶ Chanoine Frères, allée du Vignoble, 51100 Reims,
tél. 03.26.36.61.60, fax 03.26.36.66.62,
e-mail chanoine-freres@wanadoo.fr

CHAPUY Carte noire Tradition

○ 6,25 ha 36 000 ▮♁ 15 à 23 €

Le premier maire d'Oger après la Révolution fut un Chapuy, sans doute un ancêtre de ce producteur, dont le père a été premier magistrat de la commune pendant dix-huit ans et a fondé la coopérative locale. Classé parmi les plus beaux villages fleuris de France, Oger est situé dans la Côte des Blancs. Le chardonnay, complété par le pinot noir, entre pour 68 % dans l'assemblage de cette cuvée qui ne fait pas sa fermentation malolactique. Un champagne cité pour son nez expressif aux senteurs de fruits blancs et pour sa bouche équilibrée, où la pêche blanche s'accompagne d'arômes citronnés. (NM)
⊶ SA Chapuy, 8 bis, rue de Flavigny, BP 14,
51190 Oger, tél. 03.26.57.51.30, fax 03.26.57.59.25,
e-mail champagne.chapuy@web-agri.fr ☒ Y ⚲ r.-v.

ROLAND CHARDIN Cuvée Prestige 1998

○ 1 ha 6 000 ▮♁ 11 à 15 €

Constituée en 1970, cette exploitation de 6,5 ha proche des Riceys (Aube) est dirigée par son fondateur. Dans sa cuvée Prestige 98, Roland Chardin a fait jouer au chardonnay la partie principale (15 % seulement de pinot noir). Le nez est brioché, un peu fruité, la bouche équilibrée et assez longue. Un champagne jeune qui peut attendre un an et même davantage. (RM)
⊶ Roland Chardin,
25, rue de l'Eglise, 10340 Avirey-Lingey,
tél. 03.25.29.33.90, fax 03.25.29.14.01 ☒ Y ⚲ r.-v.

CHARDONNET ET FILS Tradition

○ 3 ha 10 000 ▮ 11 à 15 €

Le grand-père Gabriel, le père Michel et, depuis 1995, le petit-fils Lionel : trois générations de Chardonnet établies dans la Côte des Blancs. Le vignoble (5 ha) comprend des parcelles autour d'Avize, de Cramant, de Chouilly et dans la vallée de la Marne. Les raisins blancs, complétés par le pinot noir, composent 70 % de cette cuvée née des années 1998 à 2000. Citronné et minéral, léger et lisse, ce champagne a l'harmonie d'une Tanagra. Pour l'apéritif. (RM)
⊶ EARL Lionel Chardonnet, 51190 Avize,
tél. 03.26.57.78.30, fax 03.26.57.84.46 ☒ Y ⚲ r.-v.

GUY CHARLEMAGNE
Blanc de blancs Cuvée Charlemagne 1999 *

○ Gd cru 1,5 ha 9 000 ▮♁ 15 à 23 €

A la tête de 14 ha de vignes, les Charlemagne sont vignerons dans la Côte des Blancs depuis 1892. Blanc de blancs millésimé, leur cuvée Charlemagne séduit par l'extrême complexité de son nez où se côtoient les fleurs blanches, des notes de torréfaction et de pêche blanche. La bouche vive est moins expressive : sans doute ce champagne est-il trop jeune. A redécouvrir dans deux ou trois ans. (RM)
⊶ Guy Charlemagne, 4, rue de La Brèche-d'Oger,
BP 15, 51190 Le Mesnil-sur-Oger,
tél. 03.26.57.52.98, fax 03.26.57.97.81,
e-mail info@champagne-guy-charlemagne.com
☒ Y ⚲ r.-v.
⊶ Philippe Charlemagne

ROBERT CHARLEMAGNE
Blanc de blancs Réserve *

○ Gd cru 3,8 ha 30 000 ▮♁ 15 à 23 €

Une autre famille Charlemagne du Mesnil-sur-Oger. La troisième génération est depuis six ans aux commandes des 4,3 ha de vignes. Cette Réserve assemble 80 % de chardonnay de la récolte 2000 à des vins de réserve des années 1997 à 1999. Sa palette aromatique mêle le miel, les fleurs et les agrumes. Franche à l'attaque, elle est puissante et longue. On pourra la déboucher à l'apéritif et la servir ensuite sur du poisson et des crustacés. (RM)
⊶ Robert Charlemagne, av. Eugène-Guillaume,
51190 Le Mesnil-sur-Oger, tél. 03.26.57.51.02,
fax 03.26.57.58.05, e-mail info@champagne-robert-charlemagne.com ☒ Y ⚲ r.-v.

CHARLIER ET FILS Spécial Club 1999

○ n.c. n.c. ⦀ 15 à 23 €

A la tête de 14 ha dans la vallée de la Marne, ce vigneron vinifie ses cuvées dans le bois. C'est le cas de ce Spécial Club, qui y a séjourné un an. Il naît de 80 % de chardonnay assemblé aux deux pinots à parts égales. Le chêne a contribué à sa palette aromatique évoluée, où les fruits cuits, à coque, voire le pruneau, se mêlent à des touches d'agrumes. On retrouve ces caractères dans une bouche ample et fondue. (RM)

🏮 Charlier et Fils, Aux foudres de chêne,
4, rue des Pervenches, 51700 Montigny-sous-Châtillon,
tél. 03.26.58.35.18, fax 03.26.58.02.31,
e-mail contact@champagne-charlier.com
☑ 🏠 ⊺ 🏃 r.-v.

J. CHARPENTIER Prestige *

	n.c.	20 000		∎ 🍴 11 à 15 €

Viticulteurs depuis le début du XXᵉs., les Charpentier exploitent 12 ha de vignes dans la vallée de la Marne. Une nouvelle génération est venue récemment s'occuper des vinifications, qui font parfois désormais appel à des pièces de chêne. Cette cuvée Prestige assemble 80 % de pinots (dont 60 % de pinot noir) au chardonnay. Elle développe un fruité complexe (fruits rouges, fruits confits, noyau, figue...) et se montre fondue, ronde et longue. Une étoile également pour la **cuvée Pierre-Henri (15 à 23 €)**, un blanc de noirs de pinot meunier vinifié et élevé un an en fût. On y découvre des notes confites (coing, poire), boisées, et une structure équilibrée. (RM)

🏮 J. Charpentier,
88, rue de Reuil, 51700 Villers-sous-Châtillon,
tél. 03.26.58.05.78, fax 03.26.58.36.59,
e-mail champagnejcharpentier@wanadoo.fr
☑ 🏠 ⊺ 🏃 r.-v.

JEAN-MARC ET CELINE CHARPENTIER 1999 *

	1 ha	5 000		∎ 🍴 15 à 23 €

Une calèche ornant certaines étiquettes rappelle qu'un ancêtre de ces récoltants tenait un relais de poste où il vendait le produit de ses vignes aux cochers et aux bateliers qui descendaient la Marne vers Paris. Ce vin de Champagne n'était pas encore effervescent. Aujourd'hui, les Charpentier élaborent du champagne avec talent et logent des touristes dans quatre chambres d'hôtes. Dominé par les pinots (70 %, dont 65 % de meunier), ce 99 est plutôt minéral au nez, assez doux à l'attaque et tout en rondeur. Les raisins noirs l'emportent encore davantage (80 % dont 70 % de meunier dans la **Réserve**, née des années 1997 à 1999. Beurrée et miellée, grasse et ronde elle aussi, elle est citée, tout comme la cuvée **Prestige Terre d'émotion**, issue des récoltes de 1998 et 1999 : 60 % de pinots (dont 50 % de meunier) au service d'un champagne souple, vineux et équilibré, pour le repas. (RC)

🏮 Jean-Marc et Céline Charpentier,
11, rte de Paris, 02310 Charly-sur-Marne,
tél. 03.23.82.10.72, fax 03.23.82.31.80,
e-mail jean-marc@champagne-charpentier.com
☑ 🏠 ⊺ 🏃 r.-v.

CHARTOGNE-TAILLET Cuvée Sainte-Anne ★★

	n.c.	40 000		∎ 🍴 11 à 15 €

Les Chartogne sont fidèles à leur métier et à leur sol puisqu'ils sont vignerons depuis des siècles à Merfy, dans le massif de Saint-Thierry, berceau du vignoble champenois, connu dès le VIᵉs. Depuis 1700, ils tiennent un registre quantitatif et qualitatif de chaque millésime. Née des années 1998 et 1999, la cuvée Sainte-Anne est remarquable. C'est un champagne mi-blancs mi-noirs (pinot noir), salué pour ses arômes expressifs et plaisants, torré-

fiés, un rien mentholés, et pour son palais rond, harmonieux et persistant. Le **96 (15 à 23 €)** obtient une étoile. Légèrement dominé par les noirs (60 % de pinot noir), il séduit par son nez profond et riche évoquant la pomme cuite et par l'élégante maturité de sa bouche. (RM)

🏮 Chartogne-Taillet, 37-39, Grande-Rue, 51220 Merfy,
tél. 03.26.03.10.17, fax 03.26.03.19.15,
e-mail chartogne.taillet@wanadoo.fr ☑ ⊺ 🏃 r.-v.

CHASSENAY D'ARCE Demi-sec Cuvée Apolline ★★

	3 ha	20 000		∎ 🍴 11 à 15 €

La vallée de l'Arce, dans l'Aube, offre aux amateurs de tourisme vert de plaisants paysages entre vignes, forêts et prairies. Elle abrite aussi des producteurs de champagne, dont cent trente adhèrent à cette coopérative fondée en 1956. Sa cuvée Apolline est un demi-sec, l'un des rares à avoir été sélectionnés par le jury. Associant 60 % de pinot noir au chardonnay, des raisins des années 1996 à 1998, elle réussit – excercice difficile – à conjuguer souplesse, gras et douceur à une belle fraîcheur. Sa palette aromatique est élégante et variée (miel, cire, fleurs, notes beurrées, fruitées, pain d'épice...). Un modèle du genre, à marier à des desserts aux fruits et même au foie gras. La cuvée **Sélection** (citée) est dominée par le pinot noir (90 % pour 10 % de chardonnay) et assemble quatre années (1996 à 1999). Empyreumatique et légère, une bouteille à servir à l'apéritif. (CM)

🏮 Chassenay d'Arce,
11, rue du Pressoir, 10110 Ville-sur-Arce,
tél. 03.25.38.30.70, fax 03.25.38.79.17,
e-mail champagne-chassenay-darce@wanadoo.fr
☑ ⊺ 🏃 r.-v.

CHAUDRON ET FILS Cuvée Capucine

1er cru		n.c.		n.c.		∎ 11 à 15 €

C'est vers 1820 que la famille Chaudron s'est établie à Verzenay, célèbre commune de la Montagne de Reims classée en grand cru. Le pinot noir est majoritaire dans leurs champagnes, comme cette cuvée Capucine où il représente 70 %, complété par le chardonnay. Puissant, structuré et équilibré, ce vin offre une belle longueur. (NM)
🏮 Chaudron, 2, rue de Beaumont, 51360 Verzenay,
tél. 03.26.50.08.68, fax 03.26.50.08.71,
e-mail champagnechaudron@wanadoo.fr ⊺ 🏃 r.-v.

A. CHAUVET Carte blanche

	n.c.	35 000		∎ 11 à 15 €

Etablie à Tours-sur-Marne, à l'est d'Epernay, cette maison de négoce fondée en 1848 exploite en propre 10 ha de vignes. Sa cuvée Carte blanche est dominée par les noirs (62 % de pinot noir) et provient pour les deux tiers de raisins vendangés en 1999, complétés par des vins de réserve de 1996 à 1999. Pas de fermentation malolactique pour cette cuvée aux accents de sous-bois, fruitée en bouche ; un champagne qui conjugue rondeur et nervosité. Cité, le **Cachet vert** est un blanc de blancs issu pour 58 % de la récolte de 1999, complétée par des vins de réserve de 1997 et de 1998. Un champagne léger, offrant une bonne expression du chardonnay avec ses notes d'agrumes, de fleurs blanches et ses nuances briochées. Le **Grand Rosé (15 à 23 €)** donne une courte majorité aux raisins noirs (54 %) et contient 15 % de vin rouge de Bouzy. Cité lui aussi, il offre des arômes de cassis et de mûre et se montre rond et persistant. (NM)
🏮 Chauvet, 41, av. de Champagne,
51150 Tours-sur-Marne,
tél. 03.26.58.92.37, fax 03.26.58.96.31,
e-mail champagnechauvet@yahoo.fr ☑ ⊺ 🏃 r.-v.
🏮 Famille Paillard-Chauvet

HENRI CHAUVET Cuvée blanche 2000

0,8 ha 5 000 ■ 15 à 23 €

Damien Chauvet est installé depuis 1987 sur ce domaine créé par un arrière-grand-père viticulteur et pépiniériste. L'exploitation, située en Montagne de Reims, compte 8 ha de vignes. Cette Cuvée blanche doit tout au chardonnay. Elle mêle au nez les agrumes et la pêche blanche et apparaît vive et citronnée en bouche. Un champagne très jeune. (RM)

Damien Chauvet,
6, rue de la Liberté, 51500 Rilly-la-Montagne,
tél. 03.26.03.42.69, fax 03.26.03.45.14,
e-mail contact@champagne-chauvet.com r.-v.

MARC CHAUVET 1998 *

1er cru 2 ha 16 000 ■ 15 à 23 €

Une autre famille Chauvet établie à Rilly-la-Montagne et au service du vin depuis le XVI^{e}s. Depuis 1996, un frère et une sœur sont à sa tête : Nicolas le viticulteur et Clotilde, l'œnologue. Ils proposent un 98 dominé par les noirs (70 % dont 30 % de pinot noir). Frais et beurré, ce champagne séduit par son équilibre. Une étoile encore pour la cuvée **Spécial Club 96**, mariant 60 % de chardonnay aux deux pinots, légère et fraîche au nez, souple et équilibrée elle aussi. (RM)

SCEV Marc Chauvet, 1-3, rue de la Liberté,
51500 Rilly-la-Montagne, tél. 03.26.03.42.71,
fax 03.26.03.42.38, e-mail chauvet@cder.fr
t.l.j. 8h-12h 13h30-17h30; sam. dim. sur r.-v.

RICHARD CHEURLIN Carte d'or *

2 ha 14 000 ■ 11 à 15 €

Viticulteurs aubois, les Cheurlin ont agrandi peu à peu leur domaine après leur installation en 1978. Ils exploitent à présent 7 ha de vignes. Trois de leurs champagnes obtiennent une étoile. Cette Carte d'or assemble 70 % de pinot noir au chardonnay et naît des récoltes de 2000 et de 2001 : un vin au nez fin, discrètement floral et mentholé, harmonieux et long au palais ; le **brut H 98 (15 à 23 €)**, qui assemble pinot noir et chardonnay dans les mêmes proportions que le précédent : un ensemble empyreumatique, ample, généreux et dosé ; enfin le **blanc de blancs 99 (15 à 23 €)**, un peu atypique au nez (des notes de poivre blanc à côté des plus classiques arômes de pain beurré et d'amande), plein et gras, pour viande blanche, poisson et crustacés. (RM)

Richard Cheurlin,
16, rue des Huguenots, 10110 Celles-sur-Ource,
tél. 03.25.38.55.04, fax 03.25.38.58.33,
e-mail richard.cheurlin@wanadoo.fr r.-v.

GASTON CHIQUET Spécial Club 1997 **

3 ha 17 000 ■ 23 à 30 €

Ce domaine possède plusieurs atouts : son ancienneté, puisque les Chiquet sont vignerons depuis le XVIII^{e}s., l'étendue de son vignoble (22,5 ha) et une assez longue expérience dans l'élaboration du champagne. Cette cuvée marie 70 % de chardonnay au pinot noir. Avec son nez intense et complexe, son attaque franche et vive, sa bouche citronnée, elle offre une remarquable expression d'un millésime difficile. (RM)

Gaston Chiquet, 912, av. du Gal-Leclerc,
51530 Dizy, tél. 03.26.55.22.02, fax 03.26.51.83.81,
e-mail info@gastonchiquet.com r.-v.

CHARLES CLEMENT *

n.c. n.c. ■ 11 à 15 €

Créée en 1956, cette coopérative est située dans l'Aube, non loin de Colombey-les-Deux-Eglises et de Clairvaux. Sa marque perpétue le nom de son fondateur et ses vignobles s'étendent sur 155 ha. Son brut sans année est né des vendanges de 1996 et de 1997. Il assemble 83 % de raisins noirs (65 % de pinot noir) au chardonnay. Miellé au nez, plus fruité en bouche, il est ample et vineux. Cité, le **96 (15 à 23 €)** assemble les trois cépages champenois à parts égales. Typique de ce millésime, il est beurré, un peu évolué au nez, nerveux et puissant en bouche. Il pourra accompagner un poisson en sauce. (CM)

SCV Charles Clément,
rue Saint-Antoine, 10200 Colombé-le-Sec,
tél. 03.25.92.50.71, fax 03.25.92.50.79,
e-mail champagne-charles-clement@wanadoo.fr
t.l.j. sf dim. 8h-12h 13h30-17h30;
dim. ouv. 15 juin-1^{er}sept.

CLEMENT ET FILS *

5,5 ha 30 000 ■ 11 à 15 €

Le vignoble de Congy prolonge celui de la Côte des Blancs en direction du Sézannais. Mi-blancs mi-noirs (45 % de meunier), ce brut sans année assemble les récoltes de 2000 et de 2001. C'est un champagne au fruité confit, nuancé de figue, rond, persistant et dosé. La cuvée **Réserve** est née des trois cépages champenois et des vendanges de 1999 et 2000. Son attaque souple, ses arômes de pomme et de pêche de vigne, la belle harmonie entre le nez et la bouche lui valent une citation. (RM)

Clément et Fils, 15, rue des Prés, 51270 Congy,
tél. 03.26.59.31.19, fax 03.26.59.22.63 r.-v.

CLERAMBAULT Carte or Grand Millésime 1995 *

n.c. n.c. 15 à 23 €

Marque d'un groupement de producteurs de Neuville-sur-Seine, dans la Côte des Bars. L'étiquette ne ment pas, 1995 est un grand millésime. Mi-blancs mi-noirs (pinot noir), cette cuvée mêle au nez l'abricot, le coing et le miel, avec des nuances de torréfaction. On y découvre en outre de la pêche blanche et de la vanille en bouche. Un champagne ample et gourmand. Issue d'un autre beau millésime, la cuvée **Grande Epoque 96** obtient la même note. Elle comprend 60 % des deux pinots (40 % de pinot noir) pour 40 % de chardonnay. Ses parfums complexes se prolongent dans une bouche équilibrée et fraîche. (CM)

Clérambault,
122, Grande-Rue, 10250 Neuville-sur-Seine,
tél. 03.25.38.38.60, fax 03.25.38.24.36,
e-mail champagne-clerambault@wanadoo.fr r.-v.

JOEL CLOSSON Cuvée Prestige *

5,13 ha 44 000 ■ 11 à 15 €

Enracinée à Saulchery (vallée de la Marne) depuis le XVI^{e}s., la famille Closson ne s'est lancée dans l'élaboration du champagne que dans les années 1980. Elle exploite un vignoble de quelque 5 ha. Sa cuvée Prestige donne la primauté aux raisins noirs (90 % dont 60 % de pinot meunier) et provient des années 2000 et 2001. Assez complexe, souple à l'attaque, équilibrée, elle laisse un très bon souvenir. Son dosage juste contribue à son harmonie. (RM)

Joël Closson, 155, rte Nationale, 02310 Saulchery,
tél. 03.23.70.17.34, fax 03.23.70.15.24 r.-v.

PAUL CLOUET Sélection *

2,5 ha n.c. 11 à 15 €

Une étiquette Belle Epoque pour les champagnes Paul Clouet qui portent le nom du grand-père de Marie-Thérèse Bonnaire. L'exploitation a réalisé une réelle performance, puisque trois de ses champagnes obtiennent une étoile. Minéral et fin au nez, le brut Sélection concilie un fruité évolué et une belle fraîcheur. le **brut grand cru (15 à 23 €)**, d'abord discret, est équilibré, fin, et laisse une agréable impression en finale. Quant au **rosé (15 à 23 €)**, d'un rose saumoné tirant sur l'orange, il offre un nez expressif bien fruité et une bonne richesse en bouche. (RM)

Paul Clouet, 10, rue Jeanne-d'Arc, 51150 Bouzy, tél. 03.26.57.07.31, fax 03.26.52.64.65, e-mail champagne-paulclouet-@wanadoo.fr

t.l.j. 9h-11h30 14h-17h; sam. dim. sur r.-v.

COLLARD-CHARDELLE 1986 *

n.c. 10 000 23 à 30 €

Un domaine de la vallée de la Marne, qui compte aujourd'hui un peu plus de 8 ha dont la marque date de 1974. L'exploitation a proposé un vin d'un millésime ancien et difficile, à réserver aux amateurs de vieux champagne. Ce 1986 doré soutenu est né presque exclusivement de raisins noirs (90 %, dont 70 % de meunier). Sa palette aromatique décline les fruits confits ou macérés, le coing, l'amande verte. « Un monument historique », conclut un dégustateur ; « source de conversation », ajoute un autre membre du jury. Une étoile encore pour le **rosé (15 à 23 €)**, un rosé de noirs issu des deux pinots (60 % de meunier) et des années 1999 et 2000. De teinte affirmée, il est discret mais fin au nez, fruité et équilibré en bouche, avec un dosage perceptible. (RM)

Collard-Chardelle, 68, rue de Reuil, 51700 Villers-sous-Châtillon, tél. 03.26.58.00.50, fax 03.26.58.34.76 r.-v.

COLLARD-PICARD Cuvée Prestige

n.c. 15 000 15 à 23 €

Un autre domaine de la vallée de la Marne, couvrant 6,5 ha de vignes. Ici, on change de marque à chaque génération : Olivier Collard a lancé la sienne en 1996. Sa cuvée Prestige est aux trois quarts composée de raisins noirs (50 % de meunier) et provient de trois années, 1998 à 2000. Elevée un an en foudre de chêne, elle est moelleuse, grasse, confite et s'accorderait bien avec les petits pruneaux lardés de l'apéritif. (RM)

Collard-Picard, 61, rue du Château, 51700 Villers-sous-Châtillon, tél. 03.26.52.36.93, fax 03.26.59.90.82, e-mail champcp51@aol.com r.-v.

RAOUL COLLET Grande Réserve Carte rouge **

70 ha 100 000 15 à 23 €

Créée en 1921 cette coopérative établie dans une commune célèbre est la plus ancienne de Champagne. Sa Grande Réserve Carte rouge naît d'un assemblage classique : 60 % de pinot noir pour 40 % de chardonnay. Sa palette aromatique complexe et élégante rend les dégustateurs diserts, qui énumèrent ses arômes de fleurs blanches, de thym, d'agrumes, de brioche, de menthol. La bouche harmonieuse laisse une belle impression en finale. (CM)

Raoul Collet, 14, bd Pasteur, 51160 Aÿ, tél. 03.26.55.15.88, fax 03.26.54.02.40, e-mail info@champagne-raoul-collet.com r.-v.

CHARLES COLLIN 1996 *

n.c. 6 600 15 à 23 €

Entre vallées de l'Arce et de l'Ource (Aube), Fontette est située à 6 km d'Essoyes, village qui garde le souvenir de Renoir. C'est dans cette commune qu'est implanté Charles Collin, important groupement de producteurs : une centaine d'adhérents et 300 ha de vignes. La marque a été lancée en 1994. Ce 96 fait appel au pinot noir et au chardonnay. Il fleure le miel, la cire, la gelée de coing et le pain d'épice. La bouche, où apparaissent des arômes d'agrumes confits et compotés, reste fraîche. Une étoile encore pour la **cuvée Charles**, dominée par le chardonnay (20 % de pinot noir), issue des années 1997 et 1998. Très ouverte au nez, elle est équilibrée et persistante. (CM)

Charles Collin, 27, rue des Pressoirs, 10360 Fontette, tél. 03.25.38.31.00, fax 03.25.38.31.07, e-mail champagne-charles-collin@wanadoo.fr

r.-v.

COLLON Cuvée de réserve *

4 ha 30 000 11 à 15 €

L'une des premières marques de l'Aube, lancée dans les années 1930 par le père de Michel Collon. La Cuvée de réserve naît de 80 % de pinot noir et de 20 % de chardonnay et provient de trois années (1999 à 2001). Elle est expressive, fruitée et miellée, franche à l'attaque, souple en bouche et élégante en finale. (RM)

Michel Collon, 27, Grande-Rue, 10110 Landreville, tél. 03.25.38.53.04, fax 03.25.38.53.04, e-mail champ.collon@wanadoo.fr r.-v.

PHILIPPE COPIN *

0,2 ha n.c. 11 à 15 €

Philippe Copin exploite un vignoble de 3 ha sur la commune de Vandières, joli village dont l'église donne à voir un porche du XIe s. Il signe un brut sans année dont les fines bulles parsèment une robe éclatante d'or paille. Ses arômes sont puissants et sa bouche vive, fine et longue. (RC)

Philippe Copin, 11, rue Principale, 51700 Vandières, tél. 03.26.52.67.29, fax 03.26.52.18.23, e-mail champagne.copinphilippe@wanadoo.fr

r.-v.

JACQUES COPINET Blanc de blancs Sélection **

1 ha 10 000 11 à 15 €

La nouvelle génération commence à travailler sur ce domaine du Sézannais, fondé dans les années 1970 par Jacques Copinet. Les vignes couvrent aujourd'hui 8 ha. Ce blanc de blancs assemble des vins de 1999 à 2001. Vif et fin au nez, il séduit par son équilibre en bouche, fait de notes miellées et d'une belle fraîcheur. Un dosage judicieux contribue à son harmonie. Née des mêmes années, la **cuvée Marie-Etienne** doit elle aussi tout au chardonnay. Son nez très fin est brioché et minéral. On retrouve cette minéralité dans une bouche un peu alourdie par le dosage : une étoile pour ce champagne de repas. (RM)

Jacques Copinet, 11, rue de l'Ormeau, 51260 Montgenost, tél. 03.26.80.49.14, fax 03.26.80.44.61, e-mail info@champagne-copinet.com r.-v.

STEPHANE COQUILLETTE Carte or *

2 ha 14 900 15 à 23 €

Les Coquillette cultivent la vigne à Chouilly depuis des lustres. Fils et petit-fils de récoltants-manipulants, à la tête d'un vignoble de 6 ha, Stéphane est à la barre depuis 1993. Sa Carte or, non millésimée, provient de la seule année 2000 ; elle assemble deux tiers de pinot noir à un tiers de chardonnay. Fruités et floraux, ses parfums sont élégants et complexes. On retrouve cette finesse en bouche, où fleurs blanches et fruits secs se marient longuement. (RM)

⊶ Stéphane Coquillette, 15, rue des Ecoles,
51530 Chouilly, tél. 03.26.51.74.12, fax 03.26.54.90.97,
e-mail stephanecoquillette@club-internet.fr ☑ Y 🚶 r.-v.

CORDEUIL PERE ET FILS ★

● n.c. 27 000 ■ 🌡 11 à 15 €

Cette exploitation auboise constituée il y a quelque cinquante ans a lancé son champagne dans les années 1970. Son brut sans année, un vin né des récoltes de 1999 et 2000, fait la part belle au pinot noir (85 %, complété par du chardonnay). Les vins ne font pas leur fermentation malolactique. Fleurs blanches et fruits blancs se marient agréablement dans ce champagne équilibré et long, que l'on pourra servir à l'apéritif, sur les entrées et les crustacés. (RM)

⊶ Cordeuil Père et Fils,
2, rue de Fontette, 10360 Noé-les-Mallets,
tél. 03.25.29.65.37, fax 03.25.29.65.37 ☑ 🏠 Y 🚶 r.-v.

ROGER COULON Les Champs de Vallier Prestige ★

● 10,5 ha 6 000 ■ ⦶ 🌡 15 à 23 €

Eric et Isabelle Coulon dirigent ce domaine fondé en 1806 à l'ouest de Reims. Le vignoble de 10,5 ha se répartit sur soixante-dix parcelles, dont l'une des plus anciennes est franche de pied. Cette cuvée Prestige porte le nom d'un lieu-dit de Vrigny. Elle assemble 80 % de chardonnay et 20 % de pinot noir, des raisins récoltés en 1993 et 1994. Les dégustateurs ont apprécié ses parfums discrets de pain grillé et sa bouche souple, confite et longue. (RM)

⊶ Roger Coulon, 12, rue de la Vigne-du-Roy,
51390 Vrigny, tél. 03.26.03.61.65, fax 03.26.03.43.68,
e-mail contact@champagne-coulon.com ☑ Y 🚶 r.-v.
⊶ Eric Coulon

DOMINIQUE CRETE ET FILS
Cuvée Emeraude 1996 ★★

● 0,5 ha 1 700 ■ 15 à 23 €

Situé au sud d'Epernay, ce domaine fondé dans les années 1920 se transmet de père en fils. Mi-blancs mi-noirs (pinot meunier), son 96 séduit par son nez expressif et fin de fleurs blanches et d'agrumes confits et par sa bouche en harmonie avec l'olfaction, puissante et longue. Une étoile pour la **Réserve (11 à 15 €)** qui marie 80 % de meunier au chardonnay, des raisins issus des années 2000 et 2001 ; ses arômes évoquent les fleurs au nez, les fruits confits en bouche. Née des mêmes années, la cuvée **Sélection (11 à 15 €)** inverse la proportion des cépages : 85 % de chardonnay complété par le meunier. Discret et subtil au nez, structuré et très frais, il obtient une citation. (RM)

⊶ Dominique Crété et Fils,
99, rue des Prieurés, 51530 Moussy,
tél. 03.26.54.52.10, fax 03.26.52.79.93 ☑ 🏠 Y 🚶 r.-v.

LYCEE DE CREZANCY
Euphrasie Guynemer 1996 ★

● 0,4 ha 3 000 ■ 15 à 23 €

Situé dans la vallée de la Marne (Aisne), le lycée agricole et viticole de Crézancy dispose d'un vignoble de 3 ha. Cette cuvée de l'excellente année 1996 naît d'un assemblage classique : 60 % de chardonnay et 40 % de pinot meunier. La puissance du millésime s'exprime au nez comme en bouche, par des parfums complexes et riches de fruits jaunes et exotiques, de coing en compote et de citron. Le palais est volumineux et assez long. (RM)

⊶ Lycée agricole et viticole de Crézancy,
rue de Paris, 02650 Crézancy,
tél. 03.23.71.50.70, fax 03.23.71.45.68 ☑ Y 🚶 r.-v.

LUCIEN DAGONET ET FILS Tradition ★

● 4 ha 28 000 ■ 🌡 11 à 15 €

Ce domaine familial a son siège à Boursault, sur la rive gauche de la Marne. Le pinot meunier prospère sur les bords de la rivière. Il entre pour 65 % dans cette cuvée Tradition, un blanc de noirs. Au nez, ce champagne fait songer à la pâtisserie beurrée et vanillée, arôme auquel s'ajoute le fruit blanc dans une bouche ronde et grasse. (RM)

⊶ SCEV Lucien Dagonet et Fils,
7, rue Maurice-Gilbert, 51480 Boursault,
tél. 03.26.58.60.38, fax 03.26.58.48.34,
e-mail champagne.dagonet@wanadoo.fr
☑ Y 🚶 t.l.j. 10h-17h

PAUL DANGIN ET FILS
Tradition Cuvée élaborée en fût de chêne 1999 ★

● n.c. 6 000 ⦶ 11 à 15 €

Etablis dans la Côte des Bars (Aube), les Dangin bénéficient d'une expérience de plus d'un demi-siècle dans l'élaboration du champagne ; ils disposent d'un important vignoble (33 ha). Ils ont proposé une cuvée de chardonnay 1999, dont l'étiquette vante avant tout le passage en fût, ce qui est rare dans la région. De fait, l'apport du chêne à la palette aromatique est évident, tant au nez qu'en bouche, avec des notes boisées nuancées de noix de coco et de chocolat ; le raisin en est un peu masqué. Un style qui trouvera ses amateurs. Même note pour la **cuvée Prestige (15 à 23 €)**, non millésimée mais née de l'an 2000, assemblage de 65 % de chardonnay et de 35 % de pinot noir : un champagne discret au nez, net à l'attaque et de bonne longueur. (NM)

⊶ SARL Paul Dangin et Fils,
11, rue du Pont, 10110 Celles-sur-Ource,
tél. 03.25.38.50.27, fax 03.25.38.58.08 ☑ Y 🚶 r.-v.

HENRI DAVID-HEUCQ Cuvée de réserve ★

● 6 ha 26 000 ■ 11 à 15 €

Cette exploitation s'étend sur 8,50 ha. Elle a son siège dans un village de la rive droite de la Marne. Issue de la récolte de 2000, sa Cuvée de réserve est un blanc de noirs dominé par le meunier (90 %). Ses arômes complexes évoquent les fruits rouges. Le palais est ample, structuré, corpulent. Une étoile aussi pour la cuvée **Complicité 99**, millésimé au prix raisonnable, assemblage de 60 % de chardonnay et de 40 % de meunier. Son nez est fait de notes de torréfaction et d'un fruité complexe, à la fois frais et compoté. Aromatique, la bouche est ample et vive, équilibrée et longue. Deux champagnes de gastronomie. (RM)

⊶ SARL Henri David-Heucq,
rte de Romery, 51480 Fleury-la-Rivière,
tél. 03.26.58.47.19, fax 03.26.52.36.25,
e-mail champ.davidheucq@wanadoo.fr Y 🚶 r.-v.
⊶ Henri et Odile David

CHAMPAGNE

JACQUES DEFRANCE Prestige *

n.c. 4 000 11 à 15 €

Cette exploitation de 10 ha est établie aux Riceys, dans l'Aube. Sa cuvée Prestige, issue des années 1998 à 2000, assemble 80 % de chardonnay au pinot noir. Florale au nez, citronnée en bouche, elle présente une vivacité bien équilibrée par un dosage juste. Un champagne d'apéritif ou de début de repas. (RM)

Jacques Defrance,
28, rue de la Plante, 10340 Les Riceys,
tél. 03.25.29.32.20, fax 03.25.29.77.83 r.-v.

DEHOURS Grande Réserve

7 ha 68 200 11 à 15 €

Fondée dans les années 1930, cette maison a son siège sur la rive gauche de la Marne dans un village qui donne à voir une église romane du XII^e^s. Disposant d'un vignoble extrêmement morcelé, elle vinifie par parcelle, en cuve ou dans le bois, avec ou sans fermentation malolactique. Cette Grande Réserve assemble les deux pinots à 35 % de chardonnay. Elle retient l'attention par son nez complexe, minéral, brioché et floral. Ce caractère floral se prolonge en bouche, où l'on trouve aussi des nuances fruitées (abricot et fruits secs). Un champagne agréable. (NM)

Dehours et Fils, 2, rue de la Chapelle,
Cerseuil, 51700 Mareuil-le-Port,
tél. 03.26.52.71.75, fax 03.26.52.73.83,
e-mail champagne.dehours@wanadoo.fr r.-v.

DELABARRE Tradition

2,5 ha 20 000 11 à 15 €

Depuis les années 1920, les Delabarre exploitent un vignoble qui s'étend sur 6 ha. Leur cuvée Tradition est presque un blanc de noirs (seulement 5 % de chardonnay, pour 70 % de pinot meunier et 25 % de pinot noir). Elle assemble les années 1999 et 2000. Elle est florale, minérale, discrète et fine, prête à être servie en apéritif ; elle mettra en appétit. (RM)

Christiane Delabarre, 26, rue de Châtillon,
51700 Vandières, tél. 03.26.58.02.65, fax 03.26.57.10.94,
e-mail delabarre.christiane@wanadoo.fr r.-v.

DELAHAIE Brut premier *

n.c. 40 000 11 à 15 €

Les champagnes Delahaie, marque de négoce d'Epernay, sont élaborés par Jacques Brochet. Trois de ses cuvées sont retenues. Avec une étoile, ce Brut premier, issu des trois cépages champenois (80 % de noirs, dont 45 % de meunier). Ses arômes sont variés et originaux : tarte au citron, crumble, notes beurrées, notes fruitées et épicées (vanille, cannelle) en bouche. Puissant au palais, c'est un vin de gastronomie. Deux autres champagnes ont été cités : le **brut Prestige** (70 % de noirs dont 45 % de pinot noir), brioché, floral, fruité, souple et assez long, le **rosé**, un blanc de noirs (70 % de pinot noir), souple lui aussi et aux arômes de vins rouges. (NM)

Jacques Brochet, av. Gal-Margueritte,
51200 Epernay, tél. 03.26.54.08.74, fax 03.26.54.34.45,
e-mail champagne.delahaie@wanadoo.fr
t.l.j. sf dim. 9h-12h 14h30-17h

DELAMOTTE

n.c. n.c. 15 à 23 €

Créée par François Delamotte en 1760, une des plus vénérables maisons de Champagne : la cinquième par ordre d'ancienneté. Elle appartient aujourd'hui à Laurent-Perrier. Né des récoltes de 1999 et 2000, son brut sans année est mi-blancs mi-noirs (30 % de pinot noir). Une touche de noisette au nez, des saveurs exotiques au palais, c'est un vin pur et persistant qui conviendra pour l'apéritif. (NM)

Delamotte, 7, rue de la Brèche-d'Oger,
51190 Le Mesnil-sur-Oger,
tél. 03.26.57.51.65, fax 03.26.57.79.29,
e-mail champagne@salondelamotte.com r.-v.

ANDRE DELAUNOIS Cuvée du Fondateur *

1er cru 1,8 ha 4 500 15 à 23 €

A Rilly-la-Montagne, on peut voir dans l'église Saint-Nicolas (XII^e^s.), les travaux à la vigne représentés sur les stalles du chœur. C'est dans ce petit bourg adossé à la Montagne de Reims qu'est établie cette exploitation de 7,5 ha. Elle propose une cuvée dédiée au fondateur, probablement Edmond Delaunois, qui, viticulteur, s'est fait manipulant dès les années 1920. Un vin dominé par les raisins blancs des années 1999, 2000 et 2001. Discrètement minéral et floral au nez, très équilibré, c'est le champagne de toutes les occasions. (RM)

SCEV André Delaunois,
17, rue Roger-Salengro, 51500 Rilly-la-Montagne,
tél. 03.26.03.42.87, fax 03.26.03.45.40,
e-mail champagne.a.delaunois@wanadoo.fr r.-v.

DELAVENNE PERE ET FILS 1996 *

Gd cru 1,5 ha 7 500 15 à 23 €

Une exploitation située dans la célèbre commune de Bouzy classée en grand cru. Mi-blancs mi-noirs (pinot noir), ce 96 attire l'attention par la profusion de ses arômes : cire, miel, agrumes confits, notes beurrées, touches fumées se bousculent au nez comme en bouche – une richesse un rien évoluée. Citée, la **Cuvée de réserve grand cru (11 à 15 €)** assemble 60 % de pinot noir au chardonnay et provient des années 1998 et 1999. Généreuse et persistante, elle apparaît fort dosée. (RM)

Delavenne Père et Fils,
6, rue de Tours, 51150 Bouzy,
tél. 03.26.57.02.04, fax 03.26.58.82.93 r.-v.

DELBECK 1999 *

n.c. n.c. 15 à 23 €

Aux origines de cette maison, créée en 1832, un banquier flamand marié à une Ponsardin, la nièce de la célèbre veuve Clicquot. L'affaire, qui connut un destin glorieux puis chaotique, a été finalement acquise par Paul-François Vranken. Issu de 70 % de pinots (dont 60 % de pinot noir) et de 30 % de chardonnay, ce 1999 exprime au nez un fruité discret. Ce fruité prend un caractère compoté dans une bouche ronde et ample. (NM)

Vranken, 42, av. de Champagne, 51200 Epernay,
tél. 03.26.59.50.50, fax 03.26.59.51.39 r.-v.
P.-F. Vranken

DELOUVIN NOWACK Extra Sélection 1998 **

1,5 ha 10 600 15 à 23 €

Au service du vin depuis le XVI^e^s, dans la vallée de la Marne, les Delouvin sont manipulants depuis les années 1930. Leur 98 assemble 60 % de chardonnay au pinot meunier. Il séduit d'emblée par l'intensité et la complexité de ses parfums épicés, grillés, fumés et fruités. Cette harmonie se poursuit en bouche, franche à l'attaque, élégante et longue, d'une belle cohérence aromatique avec

le nez. Citée, la cuvée **Carte d'or (11 à 15 €)** un blanc de noirs de pinot meunier, est née des années 2000 et 2001. Un peu alourdie par son dosage, elle est ronde et miellée. (RM)
⊶ Delouvin-Nowack, 29, rue Principale,
51700 Vandières, tél. 03.26.58.02.70, fax 03.26.57.10.11,
e-mail info@champagne-delouvin-nowack.com
☒ Y ⚲ r.-v.
⊶ Bertrand Delouvin

YVES DELOZANNE 1997 ★

● 8,85 ha 4 000 ▮🌡 15 à 23 €

Vignerons dans la vallée de l'Ardre, les Delozanne disposent d'un vignoble de près de 9 ha. Ils proposent un 97 né des trois cépages champenois à parts égales. Ce vin possède l'acidité caractéristique de son millésime, gage de fraîcheur. Quant au brut **Tradition (11 à 15 €)**, qui assemble les années 1999 et 2000, c'est, à 5 % près, un blanc de noirs (meunier 80 %, pinot noir 15 %). Ses arômes fumés et son équilibre lui valent d'être cité. (RM)
⊶ Yves Delozanne,
67, rue de Savigny, 51170 Serzy-et-Prin,
tél. 03.26.97.40.18, fax 03.26.97.49.14,
e-mail info@champagne-yvesdelozanne.com ☒ Y ⚲ r.-v.

SERGE DEMIERE Blanc de blancs

● 1er cru 1,3 ha 12 000 11 à 15 €

Un domaine assez récent, puisqu'il a été constitué dans les années 1970. Il a son siège à Ambonnay, célèbre commune classée en grand cru. Il a proposé un blanc de blancs très jeune, issu de la récolte de 2001. Léger, vif et bien construit, ce champagne aux arômes floraux trouvera sa place à l'apéritif. (RM)
⊶ Serge Demière,
7, rue de la Commanderie, 51150 Ambonnay,
tél. 03.26.57.07.79, fax 03.26.57.82.15 ☒ Y ⚲ r.-v.

MICHEL DEMIERE ET FILS Blanc de blancs ★

● 1 ha n.c. ▮ 11 à 15 €

Etabli à Trépail, sur le flanc sud-est de la Montagne de Reims, Michel Demière exploite un vignoble de 6 ha. Deux de ses champagnes ont été sélectionnés ; non millésimés, ils ont en commun leur grande jeunesse, puisqu'ils proviennent de la vendange de 2002. Ce blanc de blancs est le préféré. Frais, floral, léger, c'est un vin d'apéritif. Le chardonnay domine également (70 %) dans le **brut sans année**, assemblé au pinot noir. Plus fleurs blanches que fruits rouges, un champagne spirituel et léger, lui aussi. (RM)
⊶ Michel Demière, 2, allée du Jardinot, 51380 Trépail,
tél. 03.26.57.06.23, fax 03.26.57.83.04 ☒

DEROT-DELUGNY Sec

● 0,5 ha 2 000 ▮ 11 à 15 €

Les deux noms sont ceux des grands-parents de François Dérot, fondateurs du domaine en 1929, qui vendaient aussi des charrues vigneronnes puis des tracteurs ; le père de François Dérot a creusé lui-même la cave voûtée pour recevoir le produit des 11 ha de vignes situées dans la vallée de la Marne. Mi-blancs mi-noirs (pinot meunier), le champagne retenu est l'un des rares secs du Guide (un style entre le brut et le demi-sec). Des arômes de miel et une bouche ronde contribuent à un équilibre réussi. Pour un dessert aux fruits. (RM)
⊶ François Dérot,
15, Grande-Rue, 02310 Crouttes-sur-Marne,
tél. 03.23.82.18.18, fax 03.23.82.08.78 ☒ Y ⚲ r.-v.

MICHEL DERVIN Cuvée MD ★

● 4 ha 29 000 ▮🌡 11 à 15 €

De création assez récente (1983), cette maison dispose d'un vignoble de 4,5 ha, qui était auparavant un verger. Elle a son siège à Cuchery, village implanté auprès d'un petit cours d'eau, affluent de la rive droite de la Marne. Elle a proposé deux champagnes qui n'ont pas fait leur fermentation malolactique. Née de trois années (1998 à 2000), cette cuvée MD est un blanc de noirs dominé par le meunier (75 %). Son nez charmeur, suave et riche, aux notes confites, caramélisées, miellées, en harmonie avec sa bouche ronde et dosée, lui vaut une étoile. Un champagne de repas. Même note pour le **98 (15 à 23 €)** présenté en bouteille spéciale. Dominé par les noirs (80 % dont 50 % de meunier), il séduit par ses arômes complexes (pruneau, fruits rouges confits, miel...), sa fraîcheur et sa longueur. (NM)
⊶ Michel Dervin, rte de Belval, 51480 Cuchery,
tél. 03.26.58.15.22, fax 03.26.58.11.12,
e-mail dervin.michel@wanadoo.fr ☒ Y ⚲ r.-v.

DESBORDES-AMIAUD Grande Réserve ★

● 1er cru n.c. n.c. ▮ 11 à 15 €

Marie-Christine Desbordes exploite 9 ha de vignes à quelques kilomètres de Reims. Sa Grande Réserve fait la part belle au pinot noir (90 %), assemblé au chardonnay. Elle a atteint sa maturité sans perdre sa fraîcheur. Un champagne à servir à l'apéritif ou au début du repas. (RM)
⊶ Marie-Christine Desbordes,
2, rue de Villers-aux-Nœuds, 51500 Ecueil,
tél. 03.26.49.77.58, fax 03.26.49.27.34 ☒ Y ⚲ r.-v.

A. DESMOULINS ET CIE Grande Cuvée ★

● n.c. n.c. ▮ 15 à 23 €

Cette maison centenaire privilégie les vinifications traditionnelles qui donnent des champagnes classiques. Cette Grande Cuvée séduit par son nez discret mais fin mêlant des senteurs de confiserie à des nuances florales. Equilibrée, intense et justement dosée, elle laisse une très bonne impression. Une étoile encore pour la **cuvée Prestige** pour ses arômes de fleurs et de fruits blancs, sa fraîcheur et son équilibre. (NM)
⊶ A. Desmoulins et Cie,
44, av. Foch, BP 10, 51201 Epernay Cedex,
tél. 03.26.54.24.24, fax 03.26.54.26.15 ☒ Y ⚲ r.-v.

PAUL DETHUNE
Cuvée Prestige Princesse des Thunes ★

● Gd cru 1 ha 2 500 ⦀ 23 à 30 €

Cette exploitation, transmise et agrandie de génération en génération depuis 1840, dispose aujourd'hui de 7 ha de vignes. Le pinot noir et le chardonnay contribuent à égalité à cette cuvée spéciale élevée huit mois en foudre de chêne. Brioché au nez, franc à l'attaque, harmonieux et puissant, ce champagne possède un bon potentiel. Mariant quatre années (1997 à 2000), le **brut grand cru (15 à 23 €)** privilégie les raisins noirs (pinot noir 70 %, chardonnay 30 %). Sa grande délicatesse et son élégance lui valent aussi une étoile. (RM)
⊶ Paul Déthune, 2, rue du Moulin, 51150 Ambonnay,
tél. 03.26.57.01.88, fax 03.26.57.09.31,
e-mail info@champagne-dethune.com ☒ Y ⚲ r.-v.

DEUTZ Cuvée William Deutz 1996 ★

● n.c. n.c. ▮ + de 76 €

Fondée en 1838, cette maison est restée dans la famille Lallier pendant cinq générations. Roederer, autre grande maison familiale, l'a reprise en 1993 tout en lui laissant son autonomie. Son vignoble s'étend sur plus de 40 ha. La cuvée William Deutz, dont le 95 avait obtenu un coup de cœur trois étoiles, est le fleuron de la gamme. Le 96 assemble 65 % des deux pinots (55 % de pinot noir) au chardonnay. Il est typique de ce millésime : évolué au nez, alors que la bouche demeure vive. De même qualité, la cuvée **Amour de Deutz blanc de blancs 97** marie des chardonnays du Mesnil et d'Avize. Un champagne subtil, à la fois nerveux et évolué. Quant au **Brut Classic (23 à 30 €)**, issu des trois cépages champenois à parts égales, il a obtenu la même note. Il atteint son apogée, avec une corpulence qui convient à la table. (NM)

Deutz, 16, rue Jeanson, 51160 Aÿ-Champagne, tél. 03.26.56.94.00, fax 03.26.56.94.13, e-mail france@champagne-deutz.com

FRANCOIS DILIGENT Carte blanche ★

14,4 ha 100 000 11 à 15 €

Héritier de cette lignée de vignerons aubois que l'on retrouve au XVIIe s. et qui cultivaient onze cépages différents au XIXe s., François Diligent a engagé l'exploitation familiale dans la manipulation dès 1927. Sa fille a épousé un Moutard, alliance qui a donné naissance à la structure Moutard-Diligent qui élabore les champagnes. Celui-ci est un blanc de noirs (pinot noir) des années 2000 et 2001. Avec son nez complexe (agrumes, cerise confite, fruits secs, bergamote, vanille en bouche) et son palais plein, c'est un champagne de charme, au dosage sensible. Issue des mêmes années que le précédent, la **cuvée Au Soleil d'or** est un blanc de blancs. Un champagne flatteur mêlant l'agrume et le miel : une citation. (NM)

SARL Champagne Moutard-Diligent, 6, rue des Ponts, 10110 Buxeuil, tél. 03.25.38.50.73, fax 03.25.38.57.72, e-mail champagne.moutard@wanadoo.fr r.-v.

DOM BASLE Réserve ★

Gd cru 1 ha 8 000 11 à 15 €

A 1 km du domaine, la forêt de Verzy, célèbre par ses extraordinaires hêtres tortueux, mérite le détour. Un ermite de l'époque mérovingienne, dom Basle, s'y serait retiré. Il a donné son nom à ce champagne élaboré par Damien Lallement. Né de quatre années (1997 à 2000), mi-blancs mi-noirs (pinot noir), il offre un nez accueillant et fin, et sa matière tend vers une rondeur élégante. (RM)

Damien Lallement, Dom Basle, 28, rue Gass, BP 29, 51380 Verzy, tél. 03.26.97.95.90, fax 03.26.97.98.25, e-mail dombasle@wanadoo.fr r.-v.

DOM RUINART 1990 ★

n.c. n.c. + de 76 €

1729 : fondation de la première maison de champagne alors que Louis XV règne sur la France. Ce rosé est élaboré à partir de 83 % de chardonnay des grands crus de la Côte des Blancs et de la Montagne de Reims complétés par 17 % de pinot noir vinifié en rouge. Au nez, ce sont des notes de fruits mûrs et d'agrumes qui dominent les évocations épicées. La bouche est puissante, équilibrée. La robe affiche son âge. Un rosé de repas. Le **R de Ruinart millésimé 96 (30 à 38 €)**, 49 % de chardonnay et 51 % de pinot noir, est aussi une référence : or pâle à reflets verts, il se montre grillé, beurré, ample et gras, fort persistant. Rappelons le magnifique coup de cœur trois étoiles l'an dernier pour le Dom Ruinart 93 blanc de blancs. (NM)

Ruinart, 4, rue des Crayères, BP 85, 51053 Reims Cedex, tél. 03.26.77.51.51, fax 03.26.77.51.00, e-mail jpmoulin@ruinart.com r.-v.

DOQUET-JEANMAIRE Blanc de blancs Tradition ★

1er cru 7,5 ha 52 000 11 à 15 €

Fondé en 1974, ce domaine est dirigé depuis une dizaine d'années par Pascal Doquet, qui pratique l'agriculture raisonnée et l'enherbement. Assemblage de quatre années (1996 à 1999), son blanc de blancs Tradition est expressif au nez comme en bouche, marqué par des notes florales (tilleul) un rien miellées. Il est équilibré, vif en finale. Le **blanc de blancs Carte d'or**, issu des années 1997, 1999 et 2000, est cité pour l'harmonie discrète de son nez d'agrumes, sa bouche bien structurée et assez longue. (SR)

Doquet-Jeanmaire, 44, chem. du Moulin-Cense-Bizet, 51130 Vertus, tél. 03.26.52.16.50, fax 03.26.59.36.71, e-mail info@champagne-doquet-jeanmaire.com r.-v.

ETIENNE DOUE Cuvée Tradition

0,5 ha 2 500 15 à 23 €

Etienne Doué a fondé son domaine et lancé sa marque à la fin des années 1970. Il cultive un vignoble de 5,5 ha dans l'excellente commune de Montgueux, un îlot viticole proche de Troyes. Deux de ses champagnes privilégient le chardonnay (60 %, pour 40 % de pinot noir). Cette cuvée Tradition provient de trois vendanges (1994 à 1996). Florale au nez, elle n'est pas des plus puissantes mais séduit par son équilibre et sa longueur. La cuvée **Sélection (11 à 15 €)**, issue des années 1999 à 2001, demande à être aérée. Sa bouche est fraîche et élégante. (RM)

Etienne Doué, 11, rte de Troyes, 10300 Montgueux, tél. 03.25.74.84.41, fax 03.25.79.00.47 t.l.j. 8h-12h 14h-18h; dim. sur r.-v.

DOYARD Cuvée Vendémiaire Blanc de blancs ★★

1er cru 7 ha 30 000 15 à 23 €

Créateur du domaine à la fin des années 1920, Maurice Doyard fut l'un des membres fondateurs de l'Organisation interprofessionnelle du champagne. L'exploitation, qui a son siège au sud de la Côte des Blancs, dispose de 7 ha de vignes. Les millésimes 90, 95, 96 et 97 collaborent à cette cuvée Vendémiaire, un blanc de blancs vinifié avec le plus grand soin, pour moitié en barrique de chêne. La fermentation malolactique n'est effectuée qu'à 50 %. Avec un nez expressif et complexe, fait de chèvrefeuille et de pain d'épice, une touche de boisé en bouche, un palais harmonieux et long, c'est un excellent champagne. Quant à la cuvée **Collection de l'An I Œil de perdrix 1er cru**, elle obtient une étoile. C'est un rosé de pressée, qui assemble du moût « taché » de pinot noir (75 %) à du chardonnay et fermente en barrique : arômes de réglisse, de coing et de poire, bouche ronde, dosage perceptible. (RM)

Robert Doyard et Fils, 63, av. Bammental, BP 3, 51130 Vertus, tél. 03.26.52.14.74, fax 03.26.52.24.02, e-mail champagne.doyard@wanadoo.fr r.-v.

DOYARD-MAHE Blanc de blancs Carte d'or ★

1er cru n.c. n.c. 15 à 23 €

Un autre petit-fils de Maurice Doyard établi au moulin de l'Argensole où l'on fabriquait autrefois des paillons de champagne. Issu des années 1999 et 2001, ce blanc de blancs de Vertus s'annonce par un nez floral discret et fin ; des notes beurrées apparaissent dans une bouche vive. A essayer sur des canapés au saumon. Le chardonnay est majoritaire dans le **rosé 1er cru** (88 %) qui tire sa couleur saumonée de 12 % de vin rouge de pinot noir : discret au nez, plus fruité en bouche, équilibré et franc, il est cité. (RM)

⊶ Philippe Doyard-Mahé, Moulin d'Argensole,
51130 Vertus, tél. 03.26.52.23.85, fax 03.26.59.36.69,
e-mail champagne.doyard.mahe@hexanet.fr ☑ Y 🚶 r.-v.

DRAPPIER Grande Sendrée 1996 ★★

● n.c. 60 000 🌡 23 à 30 €

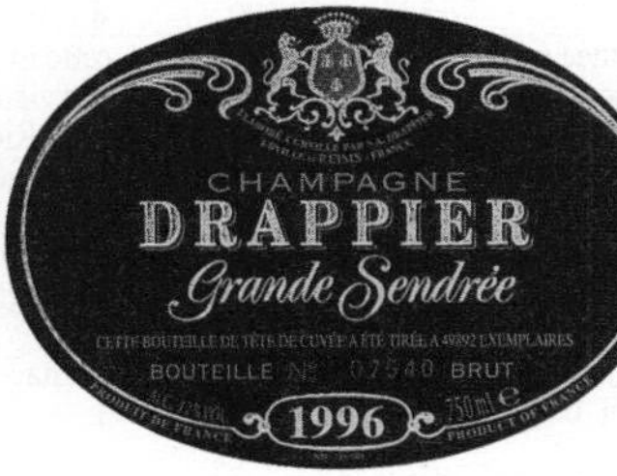

Cette maison auboise, fondée en 1808, dispose d'un vaste vignoble (plus de 40 ha). Proche de l'abbaye de Clairvaux, elle possède de vastes caves voûtées probablement construites à l'initiative des moines cisterciens, ce qui n'exclut pas la modernité, puisque la cave de vinification a été rénovée il y a deux ans. Les raisins noirs sont légèrement majoritaires (55 % de pinot noir) dans cette Grande Cendrée 96 qui exprime au nez des notes torréfiées nuancées de sous-bois. Cette élégance aromatique se retrouve dans une bouche ample, généreuse, à l'acidité fondue. Une remarquable expression du millésime. Quant au **blanc de blancs Signature 1999 (15 à 23 €)**, beurré et miellé au nez, vif à l'attaque et élégant, il obtient une étoile. (NM)

⊶ Drappier, rue des Vignes, 10200 Urville,
tél. 03.25.27.40.15, fax 03.25.27.41.19,
e-mail info@champagne-drappier.com
☑ Y 🚶 t.l.j. sf dim. 8h-12h 14h-18h

DRIANT-VALENTIN Grande Réserve Extra Brut

● 1er cru 1 ha 6 000 ▮🌡 15 à 23 €

Constitué dans les années 1920 à Grauves, près d'Avize, ce domaine exploite 5,5 ha de vignes. Sa Grande Réserve extra-brut assemble 80 % de chardonnay au pinot noir. Elle a évolué depuis l'an dernier : au nez, elle évoque le miel et le coing. Son équilibre lui permet d'accepter le faible dosage. (RM)

⊶ Jacques Driant, 4, imp. de la Ferme,
51190 Grauves, tél. 03.26.59.72.26, fax 03.26.59.76.55,
e-mail champagne.driant-valentin@laposte.net
☑ Y 🚶 r.-v.

DROUILLY LV Tradition ★

● 0,7 ha 4 000 ▮🛢 15 à 23 €

A la fin des années 1990, Vincent Drouilly, œnologue, a pris les rênes du domaine familial de 8 h, établi dans un petit village aubois, entre vallées de l'Ource et de l'Arce. Née de la seule année 1999, sa cuvée Tradition privilégie le pinot noir (75 %). Les vins passent partiellement par le bois. Agréable et expressif au nez avec des notes de fruits blancs et de mangue, charnu et fruité à l'attaque, bien équilibré et assez long, c'est un bon brut sans année. (RM)

⊶ Roland Drouilly LV,
1, rte de Chacenay, 10360 Noé-les-Mallets,
tél. 03.25.29.65.35, fax 03.25.38.25.30,
e-mail champagnedlv@wanadoo.fr ☑ Y r.-v.

GERARD DUBOIS Blanc de blancs Réserve

● 3,3 ha 10 000 ▮ 11 à 15 €

Etabli à Avize, village de la Côte des Blancs dont l'église du XIIe s. offre un grand intérêt, Gérard Dubois exploite un vignoble de 6 ha constitué par son grand-père en 1920. Son blanc de blancs Réserve naît de la vendange de 1997. S'il n'est pas des plus longs, il intéresse par son nez mêlant les agrumes et les fruits secs, et sa bouche légère et très fraîche. Un champagne d'apéritif. Cité également le **blanc de blancs grand cru 93 (15 à 23 €)** est fin, équilibré ; très frais, il ne fait pas son âge. (RM)

⊶ Gérard Dubois, 67, rue Ernest-Vallé, 51190 Avize,
tél. 03.26.57.58.60, fax 03.26.57.41.94,
e-mail info@champagne-gerard-dubois.com Y 🚶 r.-v.

HERVE DUBOIS Blanc de blancs 1999 ★

● Gd cru 2 ha 3 000 ▮ 11 à 15 €

Depuis 1980, Hervé Dubois exploite un vignoble de 4,5 ha. Ses parcelles sont situées autour d'Avize, grand cru de la Côte des Blancs. Le chardonnay est à l'origine de ce champagne millésimé, qui n'a pas fait sa fermentation malolactique. Fin et floral au nez, il est vif et citronné en bouche. Délicieux pour les cocktails de cet hiver. (RM)

⊶ Hervé Dubois, 67, rue Ernest-Vallé, 51190 Avize,
tél. 03.26.57.52.45, fax 03.26.57.99.26 ☑ 🚶 r.-v.

DUMENIL 1998 ★

● n.c. 23 710 ▮ 15 à 23 €

Situé à flanc de coteau entre forêt et vignes, Chigny-les-Roses est un village typique de la Montagne de Reims. Les Rebeyrolle exploitent aux alentours un domaine de 10 ha constitué il y a près de cent ans. Ils vendent leur champagne sous la marque Duménil. Leur millésimé 98 est issu des trois cépages champenois ; sa palette aromatique est marquée par le chardonnay, avec des notes briochées, florales et miellées. Il est élégant et frais en bouche, et présente un retour du miel en finale. Quant au **brut 1er cru (11 à 15 €)**, il naît aussi des trois cépages champenois, récoltés en 1998 et 1999 ; discret et fin au nez, vif et franc en bouche, il fera un bon champagne d'apéritif. Il est cité. (RM)

⊶ Duménil, rue des Vignes, 51500 Chigny-les-Roses,
tél. 03.26.03.44.48, fax 03.26.03.45.25,
e-mail info@champagne-dumenil.com ☑ Y 🚶 r.-v.
⊶ Michel Rebeyrolle

DANIEL DUMONT Grande Réserve ★

● 1er cru 7 ha 60 000 ▮ 11 à 15 €

Fondé dans les années 1960, agrandi par la deuxième génération à partir de 1970, ce domaine proche de Reims s'étend sur 10 ha. Les Dumont sont également pépiniéristes viticoles. Un assemblage de 60 % des deux pinots (40 % de pinot noir) et de 40 % de chardonnay, des raisins récoltés pour l'essentiel en 2001 (30 % de 2000) sont à l'origine de ce champagne floral au nez. Sa finesse, sa rondeur, son équilibre et sa longueur lui valent une étoile. Pour l'apéritif. (RM)

CHAMPAGNE

Daniel Dumont,
11, rue Gambetta, 51500 Rilly-la-Montagne,
tél. 03.26.03.40.67, fax 03.26.03.44.82,
e-mail info@champagne-danieldumont.com r.-v.

PHILIPPE DUMONT Réserve

1er cru 0,52 ha 4 500 11 à 15 €

Philippe Dumont a pris en 1997 les rênes de l'exploitation familiale établie à Chigny-les-Roses, dans la Montagne de Reims. Il est installé dans une maison du XVIe s. Sa Réserve naît du mariage des trois cépages champenois récoltés en 2001 ; les noirs l'emportent avec 70 % (pinot noir 40 %). Discret au nez, un champagne cité pour sa fraîcheur élégante au palais. (NM)

Philippe Dumont,
30, rue Sainte-Agathe, 51500 Chigny-les-Roses,
tél. 03.26.03.49.48, fax 03.26.03.53.43,
e-mail champagne.ph.dumont@club-internet.fr
t.l.j. 9h-13h 14h-20h

R. DUMONT ET FILS *

3 ha n.c. 11 à 15 €

A la tête d'un coquet vignoble de 22 ha, les Dumont sont établis depuis deux siècles à Champignol-lez-Mondeville, village aubois situé aux confins de la Haute-Marne. Habillé d'une robe saumon soutenu, leur rosé libère de fraîches senteurs de griotte. En bouche, des saveurs miellées lui donnent du corps. Un ensemble agréable, complexe et long. (RM)

R. Dumont et Fils,
rue de Champagne, 10200 Champignol-lez-Mondeville,
tél. 03.25.27.45.95, fax 03.25.27.45.97 r.-v.

DUVAL-LEROY Extra-brut 1997 **

n.c. 20 000 23 à 30 €

Dirigé par Carol Duval-Leroy depuis 1991, cette maison dispose d'un vaste vignoble. Ses 170 ha en font l'une des plus importantes entreprises familiales de la région et la première de la Côte des Blancs. Les volumes considérables produits ne l'empêchent pas de s'imposer des normes qualitatives élevées. En témoignent les quatre cuvées retenues : plus de 600 000 bouteilles... Cet extra-brut 97, dominé par le chardonnay (80 % pour 20 % de pinot noir) est salué pour sa palette aromatique complexe beurrée et briochée, son attaque franche, sa bouche puissante, équilibrée, fraîche et très persistante. Le **blanc de chardonnay 96** a bien évolué. Intense, riche et profond, il obtient une étoile. Deux citations enfin : pour la **Collection Paris (15 à 23 €)** et pour la **cuvée Femme de Champagne 95 (46 à 76 €).** La première (60 % de pinot noir et 40 % de chardonnay) est logée dans une bouteille bleue sérigraphiée. Elle est fruitée (poire), ronde et longue. La seconde (76 % de chardonnay et 24 % de pinot noir) est florale, équilibrée et persistante. (NM)

Duval-Leroy, 69, av. de Bammental, 51130 Vertus,
tél. 03.26.52.10.75, fax 03.26.52.37.10,
e-mail champagne@duval-leroy.com r.-v.

XAVIER DUVAT ET FILS
Tête de cuvée Prestige 1999 *

10 ha 15 000 23 à 30 €

Etabli à Fèrebrianges, commune située dans le prolongement de la Côte des Blancs en direction du Sézannais, Xavier Duvat dispose d'un vignoble de 10 ha répartis dans trois départements : son pinot meunier vient de l'Aisne, son pinot noir de l'Aube et son chardonnay de la Marne. Ce 99 comporte 70 % de blancs pour 30 % de noirs (20 % de pinot noir). Les vins ont été élevés trois mois dans le bois. Torréfaction au nez, rondeur et vivacité : une étoile. Mi-blancs mi-noirs (30 % de meunier), élevé quatre mois dans le bois, le **2000 Albéric Duvat** recueille lui aussi une étoile pour sa fraîcheur florale, sa belle attaque et sa persistance fruitée. Enfin, le **brut Albéric Duvat (11 à 15 €)**, assemblage de 60 % de pinots (40 % de meunier) et de 40 % de chardonnay des années 2000 et 2001, est cité pour sa complexité. (RM)

Xavier Duvat, 20, Grande-Rue, 51270 Fèrebrianges,
tél. 03.26.59.35.69, fax 03.26.59.34.04,
e-mail xduvat@wanadoo.fr r.-v.

ELEXIUM Brut Brillant *

13 ha 130 000 15 à 23 €

Fondée en 1896 par Lucien Trouillard, cette maison a gardé son caractère familial. Elle dispose d'un vignoble de 15 ha situé à Champillon, à Bar-sur-Aube et aux Riceys. L'assemblage de sa cuvée Elexium, née des vendanges de 1999 et de 2000, donne une courte majorité aux noirs (55 % de pinot noir). Puissant au nez comme en bouche, ce champagne est soutenu par une acidité dénuée d'agressivité et montre une bonne persistance. (NM)

Trouillard, 2, av. Foch, BP 272, 51208 Epernay Cedex, tél. 03.26.55.37.55, fax 03.26.55.46.33

CHARLES ELLNER Séduction 1995 *

n.c. 17 670 15 à 23 €

A la fin du XIXe s., les Ellner constituent un vignoble autour d'Epernay. Récoltants-manipulants dès les origines, ils ont considérablement agrandi leur domaine, qui s'étend sur 54 ha. L'entreprise est devenue maison de négoce en 1972. Elevé six mois dans le bois, ce 95 assemble 70 % de chardonnay au pinot noir. Le chêne lui a légué une touche boisée, vanillée, torréfiée, soulignée par la franchise de son attaque. (NM)

Charles Ellner, 6, rue Côte-Legris, BP 223,
51200 Epernay, tél. 03.26.55.60.25, fax 03.26.51.54.00,
e-mail info@champagne-ellner.com r.-v.

ESTERLIN Sélection *

n.c. 200 000 11 à 15 €

Créée en 1948, cette coopérative accueille les visiteurs à Epernay et vinifie à Mancy la production de 120 ha de vignes. Sa cuvée Sélection assemble à parts égales le chardonnay et le pinot meunier. Fine, fraîche et élégante avec des arômes de fruits secs, elle convient bien à l'apéritif. (CM)

Esterlin, 25, av. de Champagne,
BP 342, 51334 Epernay Cedex,
tél. 03.26.59.71.52, fax 03.26.59.77.72,
e-mail contact@champagne-esterlin.com
t.l.j. 9h-12h 14h-17h

CHRISTIAN ETIENNE Cuvée Prestige *

3 ha 6 000 11 à 15 €

Christian Etienne est établi à Meurville, situé à 9 km de Bar dans la vallée du Landion, petit affluent de l'Aube. Il a constitué son domaine dans les années 1970 et creusé des caves pour élaborer lui-même son champagne. Aujourd'hui à la tête de 9,5 ha de vignes, il propose une cuvée mi-blancs mi-noirs (pinot noir) née de la vendange de 1996. Floral au nez, avec un soupçon de noisette fraîche, structuré, frais et long, ce champagne sera excellent à l'apéritif. (RM)

🔑 Christian Etienne,
12, rue de la Fontaine, 10200 Meurville,
tél. 03.25.27.46.66, fax 03.25.27.45.84 ☒ 🍷 🚶 r.-v.

JEAN-MARIE ETIENNE

○ 1er cru 3,1 ha 25 000 ▮ 11 à 15 €

Daniel et Pascal Etienne sont installés à Cumières, plaisant village des bords de Marne, proche d'Epernay mais sur la rive droite. Ils ont repris le domaine constitué par leur père Jean-Marie. Leur brut 1er cru assemble 80 % des deux pinots (45 % de meunier) au chardonnay et provient pour les trois quarts de la vendange de 1999, assistée des récoltes de 1997 et 1998. Elégant et floral au nez, il est équilibré et rafraîchissant. Citée également, la **cuvée spéciale 1er cru** est née des années 1996 à 1998 et donne une courte majorité aux raisins blancs (chardonnay 55 %, pinot noir 35 %, meunier 10 %) : noisette au nez, avec des notes beurrées et miellées, vivacité en bouche. (RM)

🔑 Etienne, 33, rue Louis-Dupont, 51480 Cumières,
tél. 03.26.51.66.62, fax 03.26.55.04.65 ☒ 🍷 🚶 r.-v.

EUSTACHE DESCHAMPS Cuvée de réserve *

○ n.c. n.c. 11 à 15 €

Originaire de Vertus, Eustache Deschamps fut un puissant personnage de la cour de Charles V et de Charles VI et l'auteur du premier *Art poétique français* (XIVe s.). Il a légué son nom aux champagnes élaborés par la coopérative de son village natal. Aussi pléthorique que l'œuvre de l'auteur champenois, cette Cuvée de réserve, issue des années 1998 et 1999, fait jouer au chardonnay la partie majeure (seulement 10 % de pinot noir). Son nez fin et floral, son attaque fraîche, sa bouche ronde, onctueuse et précise font très bonne impression. (CM)

🔑 Eustache Deschamps, 38, av. Bammental,
51130 Vertus, tél. 03.26.52.18.95, fax 03.26.58.39.47,
e-mail coop.lavigneronne@wanadoo.fr ☒ 🍷 🚶 r.-v.

FANIEL-FILAINE Réserve **

○ n.c. n.c. 11 à 15 €

Si les Filaine cultivent la vigne depuis la fin du XVIIe s., le champagne Faniel-Filaine n'a été lancé que trois siècles plus tard, après le mariage de Jean-Louis Faniel, viticulteur lui aussi, avec Patricia Filaine. L'exploitation dispose de 5,5 ha et a son siège à Damery, village des bords de la Marne. Sa cuvée Réserve assemble 80 % de pinot noir au pinot meunier et naît des années 1997 et 1998. Intense au nez, elle mêle la pêche, la prune, les fruits blancs et de multiples nuances fruitées. Franc à l'attaque, puissant et long, c'est un champagne de caractère, pour le repas. Le **brut** comporte lui aussi 80 % de raisins noirs, mais le meunier se substitue au pinot noir et la cuvée est plus jeune (années 2000 et 2001). Ses arômes de fleurs sauvages, de giroflée et de fruits, son palais nerveux, vineux et long lui valent une étoile. (NM)

🔑 J.-L. Faniel-Filaine, 77, rue Paul-Douce,
51480 Damery, tél. 03.26.58.62.67, fax 03.26.58.03.26,
e-mail champagne-faniel.filaine@wanadoo.fr
☒ 🍷 🚶 r.-v.

LUDOVIC FAUVET Fût de chêne **

○ Gd cru 0,45 ha 2 000 ▮▮ 15 à 23 €

Ludovic Fauvet fait une entrée remarquée dans le Guide. Il a lancé un champagne à son nom en 2001 après avoir hérité dix ans plus tôt du petit vignoble familial, sis à Ambonnay. Un domaine à suivre, car ce champagne a été très bien accueilli par le jury. Mi-blancs mi-noirs, c'est une cuvée « fût de chêne », proclame l'étiquette en gros caractères. De fait, le chêne confère un boisé bien intégré à ce vin puissant, très fruité, équilibré et long. A apprécier au cours d'un repas – « en échangeant des idées », suggère un dégustateur. (RM)

🔑 Ludovic Fauvet,
5, rue d'Epernay, 51150 Ambonnay,
tél. 03.26.57.09.44, fax 03.26.58.40.35
☒ 🍷 🚶 t.l.j. sf dim. 10h-12h 15h-18h30; f. août

SERGE FAYE Réserve

○ 1er cru 1 ha 5 000 ▮ 15 à 23 €

Une histoire simple : Robert Faÿe crée un domaine de 4 ha en 1955 ; son fils Serge le reprend en 1984. Quant au village de Louvois, où l'exploitation a son siège, il se rattache à la grande Histoire : François-Michel le Tellier, puissant ministre de Louis XIV, y fit construire un château dont il ne reste malheureusement rien. Cette Réserve ? Des raisins noirs en majorité (70 % de pinot noir), vendangés en 1998 et en 1999. Pas de fermentation malolactique. Une cuvée qui intéresse par ses arômes : fruits épicés au nez, fruits secs, pomme cuite un rien poivrée en bouche. (RM)

🔑 Serge Faÿe,
2 bis, rue André-Lenôtre, 51150 Louvois,
tél. 03.26.57.81.66, fax 03.26.59.45.12 ☒ 🍷 🚶 r.-v.

FENEUIL-POINTILLART Cuvée Louis 1997

○ 1er cru 0,3 ha 2 500 ▮ 15 à 23 €

Cette marque résulte de l'union de deux familles établies de longue date à Chamery, village groupé autour de son clocher effilé, sur le flanc nord de la Montagne de Reims. Le domaine s'étend sur 7,5 ha. Il propose une cuvée née du difficile millésime 97, assemblage de deux tiers de chardonnay et d'un tiers de pinot noir. Les vins n'ont fait que partiellement leur fermentation malolactique. Le nez mûr, assez intense et complexe, est floral, fruité et torréfié. Souple à l'attaque, la bouche se montre ensuite à la fois évoluée, vive et nerveuse. Pour l'apéritif et les entrées. (RM)

🔑 Feneuil-Pointillart, 21, rue du Jard, 51500 Chamery,
tél. 03.26.97.62.35, fax 03.26.97.67.70,
e-mail champagne.fp@wanadoo.fr ☒ 🏠 🍷 🚶 r.-v.
🔑 Daniel Feneuil

NICOLAS FEUILLATTE Grand cru d'Aÿ 1996

○ Gd cru n.c. n.c. ▮ 🌡 23 à 30 €

Le centre de Chouilly est si gigantesque qu'il se visite. On y vinifie les raisins récoltés sur plus de 2 000 ha, des vendanges apportées par plus de 4 000 coopérateurs. Une partie de sa production est commercialisée sous la marque Nicolas Feuillatte. Ce champagne de la série des grands crus est un blanc de noirs d'Aÿ. Pinot noir évidemment. Ses arômes sont complexes, assez évolués. Frais à l'attaque, plein, dense, avec un dosage sensible, c'est un champagne de repas. (CM)

🔑 Nicolas Feuillatte, BP 210, Chouilly,
51206 Epernay, tél. 03.26.59.64.67, fax 03.26.59.55.82,
e-mail k.lambinet@feuillatte.com ☒ 🍷 🚶 r.-v.

FIEVET COMTE DE MARNE Grande Cuvée *

○ n.c. 26 000 ▮ 🌡 15 à 23 €

Fiévet Comte de Marne est une marque de la maison sparnacienne Charles Mignon, comme Léon Launois. Cette Grande Cuvée privilégie les noirs (75 % dont 40 % de meunier). Fraîche au nez, avec des senteurs d'agrumes, franche à l'attaque, elle est fruitée et miellée en bouche, ample et équilibrée. Une belle étoile pour ce champagne fort agréable, qui peut accompagner un repas. Même note pour la **Grande Cuvée blanc de blancs**, complexe, harmonieuse et persistante. Elle donne à un membre du jury des envies de poulet au champagne, mais se prêtera à bien des occasions. (NM)

Charles Mignon, 7, rue Joliot-Curie, 51200 Epernay, tél. 03.26.58.33.33, fax 03.26.51.54.10, e-mail bmignon@champagne-mignon.fr r.-v.

ALEXANDRE FILAINE Cuvée spéciale *

0,5 ha 3 300 11 à 15 €

Fabrice Gass a l'esprit de famille : il est établi au centre de Damery, dans la maison de ses aïeux, et il a donné à son champagne le nom de son grand-père. Ses principes d'élaboration ? Des vinifications en fût d'acacia, jamais de filtration ni de passage au froid. Une majorité de pinots (pinot noir 45 %, meunier 20 % pour 35 % chardonnay) compose sa Cuvée spéciale, issue des années 1999 et 2000. C'est le bois qui domine au nez, accompagné en bouche de notes de pomme et de caramel. La **cuvée Confidence (15 à 23 €)**, qui assemble les trois cépages champenois dans les mêmes proportions, mais naît de la seule vendange de 1999, éveille un plus grand intérêt encore : « Quel est ce boisé très particulier ? » s'interroge un dégustateur ; « J'aimerais percer ses secrets de fabrication », renchérit un autre expert. Et de conclure : « un champagne original, à réserver aux amateurs, et qui doit attendre. » Une citation. (RM)

Fabrice Gass, 17, rue Poincaré, 51480 Damery, tél. 03.26.58.88.39, e-mail fgass@wanadoo.fr r.-v.

FLEURY PÈRE ET FILS Fleur de l'Europe *

6 ha 50 000 15 à 23 €

Jean-Pierre Fleury est un homme de foi : voilà plus de dix ans qu'il conduit ses 13 ha de vignes en biodynamie ! Sa cuvée Fleur de l'Europe comporte 85 % de pinot noir et 15 % de chardonnay, récoltés pour les deux tiers en 1999 et pour le reste en 1998. C'est un champagne d'apéritif, fin au nez, franc à l'attaque, simple et assez long. Une étoile encore pour la **cuvée Robert Fleury (23 à 30 €)**, née elle aussi des deux cépages nobles de Champagne, issue de la vendange de 1998, élevée dans le bois et vinifiée sous liège. Son fruité d'agrumes se double d'une très légère touche boisée. Sa bouche, souple à l'attaque, est puissante. Une citation enfin pour l'importante cuvée **Tradition Carte rouge (11 à 15 €)**, un champagne 100 % pinot noir né des deux années 2000 et 2001 ; souple à l'attaque, il mêle à des arômes de pomme des notes plus évoluées. (NM)

Fleury, 43, Grande-Rue, 10250 Courteron, tél. 03.25.38.20.28, fax 03.25.38.24.65, e-mail champagne-fleury@wanadoo.fr r.-v.

G. FLUTEAU Cuvée Prestige 1999

n.c. 10 000 11 à 15 €

Créée en 1934, cette maison de négoce auboise est toujours dirigée par les descendants des fondateurs. Alors que de nombreux récoltants-manipulants se transforment en négociants, Thierry Fluteau envisage d'adopter le statut de récoltant-manipulant ! Sa cuvée Prestige 99 doit tout au chardonnay. Le nez intense évolue des agrumes à la noisette et à l'amande grillées. Fraîche à l'attaque, équilibrée, un rien trop dosée, la bouche est toujours rythmée par des arômes de fruits secs. Une belle harmonie. (NM)

SARL Hérard et Fluteau, 5, rue de la Nation, 10250 Gyé-sur-Seine, tél. 03.25.38.20.02, fax 03.25.38.24.84, e-mail champagne.fluteau@wanadoo.fr r.-v.

MICHEL FORGET

1er cru 14 ha 3 000 15 à 23 €

Michel Forget possède un vignoble de 14 ha situé dans la Montagne de Reims ; ses champagnes sont commercialisés sous les marques Michel Forget et Forget-Brimont. Ce rosé naît à 80 % de raisins noirs (pinot noir 50 %, meunier 30 %) et des années 1999, 2000 et 2001. Sa robe tuilée est un peu légère, une légèreté que l'on retrouve en bouche après un nez épicé. Egalement citée, la **cuvée Prestige 98 (15 à 23 €)** marie 60 % de chardonnay au pinot noir. Ouverte au nez, avec des nuances fruitées, beurrées et briochées, elle est plus simple au palais, équilibrée et ronde. (NM)

Forget-Brimont, 11, rte de Louvois, 51500 Craon-de-Ludes, tél. 03.26.61.10.45, fax 03.26.61.11.58, e-mail contact@champagne-forget-brimont.fr t.l.j. 8h-12h 14h-18h; sam. dim. sur r.-v.

FORGET-CHAUVET ET FILS Sélection *

1er cru 9,99 ha 35 000 11 à 15 €

Un Forget de Ludes (Montagne de Reims), propriétaire d'une dizaine d'hectares de vignes. Sa cuvée Sélection mêle au nez le beurre frais, la noisette et des nuances fruitées. Elle présente en bouche un caractère épicé et long. Un champagne de repas. (RM)

SCEV Forget-Chauvet, 1, rue Victor-Hugo, 51500 Ludes, tél. 03.26.61.11.73, fax 03.26.61.11.95, e-mail forget.chauvet@wanadoo.fr r.-v.

FORGET-CHEMIN

12 ha 60 000 11 à 15 €

Etabli à Ludes, Thierry Forget représente la quatrième génération sur le domaine familial qui s'étend sur 12 ha. Il s'implique dans des opérations touristiques, comme « A la découverte du champagne ». Son rosé est largement dominé par les raisins noirs : 50 % de pinot noir et 40 % de meunier, dont 15 % de vin rouge de pinot noir qui lui donne sa teinte cerise. Après une attaque douce, un fruité épicé se développe longuement. Un rosé intéressant, pour le repas. (RM)

Forget-Chemin, 15, rue Victor-Hugo, 51500 Ludes, tél. 03.26.61.12.17, fax 03.26.61.14.51, e-mail champagne.forget-chemin@voila.fr r.-v.

FOURNAISE-THIBAUT 1998 *

0,5 ha 4 000 11 à 15 €

Place forte au Moyen Age, Châtillon fut ruinée par les guerres qui dévastèrent au cours des siècles la Champagne. A la place du donjon, une structure monumentale du pape Urbain II fut érigée en 1887... Des vignes qui couvrent les pentes aujourd'hui, Daniel Fournaise a tiré un champagne mi-blancs mi-noirs (pinot noir) qui offre un nez expressif, brioché et torréfié. C'est un millésimé souple et direct, de bonne longueur. (RM)

Daniel Fournaise, 2, rue des Boucheries, 51700 Châtillon-sur-Marne, tél. 03.26.58.06.44 r.-v.

TH. FOURNIER Cuvée de Réserve **

5 ha 50 000 11 à 15 €

En 1983, après ses études au lycée viticole d'Avize, Thierry Fournier a repris le vignoble de 4 ha créé par ses grands-parents. Il l'a porté à 10 ha répartis dans quatre communes de la vallée de la Marne. Provenant des vendanges de 1999 et de 2000, sa Cuvée de réserve privilégie les raisins noirs (pinot meunier 50 %, pinot noir 20 %). Souple à l'attaque, ample, généreuse et longue, elle développe des arômes affirmés de fruits rouges. La **cuvée Prestige (15 à 23 €)**, née des années 1998 et 1999, apparaît à son apogée. Mi-blancs mi-noirs (meunier), elle exprime des nuances torréfiées (cacahuète et pain grillés) qui se prolongent dans une bouche fraîche et équilibrée : une étoile. (RM)

🕯 Thierry Fournier, 8, rue du Moulin, Neuville, 51700 Festigny, tél. 03.26.58.04.23, fax 03.26.58.09.91, e-mail thierry.fournier7@wanadoo.fr ☑ Ⅰ ⚔ r.-v.

PHILIPPE FOURRIER Cuvée Prestige

	3 ha	n.c.	🍾 15 à 23 €

Etabli dans l'Aube, Philippe Fourrier a hérité du vignoble familial et a lancé son champagne en 1981. Sa cuvée Prestige est un blanc de blancs. Discret mais agréable au nez, il mêle les fleurs blanches et des touches minérales. Un champagne d'apéritif. (NM)

🕯 Philippe Fourrier, rte de Bar-sur-Aube, 10200 Baroville, tél. 03.25.27.13.44, fax 03.25.27.12.49, e-mail champagne.fourrier@wanadoo.fr ☑ Ⅰ ⚔ r.-v.

FRANCOIS-BROSSOLETTE Cuvée de réserve

	7 ha	3 000	🍾⬇ 11 à 15 €

Cette exploitation familiale s'étend sur 12 ha dans l'Aube. Sa Cuvée de réserve fait la part belle aux pinots : 83 % de pinot noir et... 3 % de pinot meunier. Les vins proviennent des années 1997, 1998 et 2000. Frais, jeune, direct, ce champagne convient à l'apéritif. Cité également, le **blanc de blancs** est né des millésimes 1999 à 2001. Très doux à l'attaque, fort dosé, il est souple et rond. (RM)

🕯 François-Brossolette, 42, Grande-Rue, 10110 Polisy, tél. 03.25.38.57.17, fax 03.25.38.51.56, e-mail francois-brossolette@wanadoo.fr ☑ ⚔ r.-v.

GABRIEL FRESNE Réserve

	4,22 ha	5 000	🍾 11 à 15 €

Créé à la fin des années 1960, le domaine est dirigé depuis 2000 par Corinne Fresne. Ses quelque 4 ha de vignes s'étendent sur les coteaux d'Epernay et dans la vallée de l'Ardre. Le pinot meunier majoritaire (65 %), assisté du chardonnay (30 %) et d'un soupçon de pinot noir, est à l'origine de cette cuvée, qui assemble des vins de 1997 et de 1998. Un champagne expressif, fruité, confit et épicé, charnu et équilibré, qui évoque les raisins très mûrs. (RM)

🕯 EARL Gabriel Fresne, 7, rte Nationale, 51530 Brugny-Vaudancourt, tél. 03.26.59.98.09, fax 03.26.58.49.02, e-mail gafresne@club-internet.fr ☑ Ⅰ ⚔ r.-v.

FRESNET-JUILLET Spécial Club 1995 ★

1er cru	1 ha	8 000	🍾⬇ 15 à 23 €

Etabli dans la Montagne de Reims, un domaine familial créé dans les années 1950 : 8 ha de vignes et des caves creusées à la main par les Fresnet et que l'on visite à la bougie au mois d'octobre. La propriété est dirigée par Vincent Fresnet depuis 1999. Sa cuvée Spécial Club 95 assemble 60 % de chardonnay au pinot noir. Ses arômes associent fleurs blanches, miel d'acacia, cire et amande. Exubérant, riche, ample, un grand millésime à son apogée et un vin de gastronomie (coquilles Saint-Jacques, fricassée

d'écrevisses...). Quant à la cuvée **Carte d'or (11 à 15 €)**, elle marie 75 % de pinot noir au chardonnay des années 2000 à 2002. Briochée et vineuse, miellée et équilibrée, elle obtient une cotation. (NM)

🕯 Fresnet-Juillet, 10, rue de Beaumont, 51380 Verzy, tél. 03.26.97.93.40, fax 03.26.97.92.55, e-mail info@champagne-fresnetjuillet.fr ☑ Ⅰ ⚔ t.l.j. 9h-12h 14h-17h; dim. sur r.-v.; f. 1er au 22 août

R. FREZIER-ROGELET Chardonnay ★★

Gd cru	0,86 ha	7 293	🍾 11 à 15 €

Le vignoble n'est pas grand – 2,15 ha – mais il est situé à Cramant, célèbre commune de la Côte des Blancs classée en grand cru. Depuis les années 1950, deux générations ont conduit l'exploitation. Marcel Frézier, puis son fils Roland ; en 2003, le gendre de ce dernier, Gérald Pierrard a repris le domaine. Né de quatre années (1997 à 2000), son blanc de blancs reçoit beaucoup de compliments : son nez élégant mêle l'amande et la noisette. Ample, gras et opulent au palais tout en restant frais, d'une bonne longueur, c'est un vin de caractère. (RM)

🕯 EARL Frézier-Rogelet, 411, rue Ferdinand-Moret, 51530 Cramant, tél. 03.26.57.57.53, fax 03.26.51.90.25 ☑ ⚔ r.-v.

MICHEL FURDYNA ★

	1 ha	n.c.	🍾 15 à 23 €

Ce champagne porte le nom du créateur du vignoble, qui s'est très vite lancé dans l'élaboration de son champagne. Le domaine, situé dans l'Aube, voit cette année trois champagnes retenus. Ce rosé 100 % pinot noir, provient de l'année 2002. Floral et fruité au nez, il est équilibré, rond et fort élégant. On pourra aussi bien le servir à table, sur un filet de saumon farci par exemple, qu'au dessert, sur une tarte aux fruits ou une salade de framboise et de pêche à la mélisse. Bien réussi pour le millésime, le **Brut Prestige 99** est cité. Assemblage classique de 60 % de pinot noir et de 40 % de chardonnay, il est discrètement floral, un rien minéral, structuré et finement épicé. On suggère de le servir sur des huîtres chaudes au coulis de cresson au beurre fondu citronné. Citée également, la cuvée **Carte blanche (11 à 15 €)**, issue des années 2001 et 2002 ; elle marie 80 % de pinot noir, 10 % de chardonnay au rare pinot blanc. Equilibré, vif et d'une simplicité de bon aloi, ce vin conviendra à l'apéritif et aux crustacés. (RM)

🕯 Michel Furdyna, 13, rue du Trot, 10110 Celles-sur-Ource, tél. 03.25.38.54.20, fax 03.25.38.25.63, e-mail champagne.furdyna@wanadoo.fr ☑ Ⅰ ⚔ r.-v.

G. DE BARFONTARC Extra Quality ★

	n.c.	100 000	🍾⬇ 11 à 15 €

G. de Barfontarc est la marque de la coopérative de la région de Baroville, dans l'Aube. Fondée en 1964, elle vinifie la production d'une centaine d'hectares, dans la Côte des Bars. L'Extra Quality comprend 85 % de pinots, du pinot noir avec un soupçon de meunier. Fin au nez, discrètement fruité, il est charnu à l'attaque et bien équilibré. (CM)

🕯 G. de Barfontarc, Sté coopérative de Baroville, rte de Bar-sur-Aube, 10200 Baroville, tél. 03.25.27.07.09, fax 03.25.27.23.00, e-mail g.debarfontarc@wanadoo.fr ☑ Ⅰ ⚔ t.l.j. sf dim. 9h-12h 13h30-17h30

GEORGES GARDET Brut spécial ★

	n.c.	130 000		15 à 23 €

Fondée en 1895, cette maison de négoce signe un brut sans année issu des trois cépages champenois à parts égales ; il provient de la récolte de 1998 et de vins de réserve de 1997 logés en foudre de chêne. Complexe, généreux et engageant au nez, avec des notes florales, fruitées et des nuances de noisette, il se montre équilibré, complet, d'une bonne corpulence et agréablement persistant. Il pourra accompagner un repas. (NM)
☛ Georges Gardet,
13, rue Georges-Legros, 51500 Chigny-les-Roses,
tél. 03.26.03.42.03, fax 03.26.03.43.95,
e-mail info@champagne-gardet.com ☑ ⏀ ☈ r.-v.

GATINOIS 1998 ★★

Gd cru	n.c.	n.c.		15 à 23 €

Fondé il y a quatre siècles, ce domaine s'étend sur plus de 7 ha autour d'Aÿ, commune classée en grand cru. Avec ses parfums de cerise et de framboise épicés que l'on retrouve dans une bouche franche et nerveuse, ce 98 est plein de charme et de promesses. (RM)
☛ Gatinois, 7, rue Marcel-Mailly, 51160 Aÿ,
tél. 03.26.55.14.26, fax 03.26.52.75.99,
e-mail champ-gatinois@hexanet.fr ☑ ⏀ ☈ r.-v.

GAUDINAT-BOIVIN Grande Réserve

	0,8 ha	6 000	⏹⏸	11 à 15 €

Ce domaine implanté dans la vallée de la Marne dispose de quelque 5 ha de vignes. Mi-blancs mi-noirs (35 % de meunier) des années 2000 et 2001, cette Grande Réserve est vineuse et riche au nez, avec des parfums de fruits rouges et des notes grillées. Cette complexité se prolonge dans une bouche puissante et vive. (RM)
☛ EARL Gaudinat-Boivin,
6, rue des Vignes, Le Mesnil-le-Huttier, 51700 Festigny,
tél. 03.26.58.01.52, fax 03.26.58.97.46,
e-mail ch.gaudinat.boivin@wanadoo.fr ☑ ⏀ ☈ r.-v.

GAUTHEROT Cuvée de réserve

	7,8 ha	78 114	⏹⏷	11 à 15 €

Dans cette famille auboise, on est vigneron de père en fils depuis 1695 ! Ce sont les deux grands-pères de François Gautherot qui sont devenus récoltants manipulants entre les deux guerres. L'exploitation s'étend aujourd'hui sur une douzaine d'hectares. Cette Cuvée de réserve assemble 75 % de pinot noir et 25 % de chardonnay récoltés en 2000 et 2001. Elle a un titre de gloire : on la sert sur le porte-avions *Charles-de-Gaulle* ! Discrète au nez, avec des senteurs d'agrumes, elle est vive, agréable et équilibrée en bouche. (RM)
☛ François Gautherot,
29, Grande-Rue, 10110 Celles-sur-Ource,
tél. 03.25.38.50.03, fax 03.25.38.58.14 ☑ ⏀ ☈ r.-v.

GAUTHIER Grande Réserve ★★

	n.c.	n.c.		15 à 23 €

Créée en 1858 par Charles-Alexandre Gauthier, cette maison a été rachetée cent ans plus tard par Gaston Burtin, le fondateur de l'important groupe Marne et Champagne. Son rosé Grande Réserve marie les trois cépages champenois (meunier 41 %, pinot noir 34 %, chardonnay 25 %). Ses parfums délicats mêlent le cassis, la violette, l'aubépine, le sous-bois et des notes briochées. Cette palette subtile et riche se prolonge dans une bouche équilibrée et longue. Une étoile pour le **blanc Grande Réserve**,

produit d'un assemblage assez proche (meunier 36 %, pinot noir 34 %, chardonnay 30 %). Un champagne fruité, vif et jeune. Une fraîcheur juvénile d'autant plus sensible que les champagnes Gauthier ne font pas leur fermentation malolactique. (NM)
☛ Marne et Champagne,
22, rue Maurice-Cerveaux, 51200 Epernay,
tél. 03.26.78.50.50, fax 03.26.78.50.52 ☑

MICHEL GENET
Blanc de blancs Grande Réserve 1999

Gd cru	2,5 ha	15 000	⏹	15 à 23 €

Antoine et Vincent Genet ont pris dans les années 1990 les rênes du domaine créé par leur père Michel en 1960. Les trente et une parcelles de leur vignoble sont presque toutes situées sur le territoire de Chouilly et de Cramant, communes de la Côte des Blancs classées en grand cru. Trois champagnes de la propriété sont cités. Les deux blancs doivent tout au chardonnay. Ce 99 est frais au nez comme en bouche, floral et brioché, avec un dosage sensible. Le **blanc de blancs Esprit grand cru** assemble quatre récoltes (1998 à 2001). Il est discret et fin, équilibré. Deux champagnes d'apéritif. Quant au **rosé**, issu des mêmes années que le précédent, il provient lui aussi presque exclusivement de raisins blancs (9 % de meunier vinifiés en rouge). Rond et puissant, il finit sur une note d'écorce d'agrumes. (RM)
☛ Michel Genet,
22, rue des Partelaines, 51530 Chouilly,
tél. 03.26.55.40.51, fax 03.26.59.16.92,
e-mail champagne.genet.michel@wanadoo.fr
☑ ⏀ ☈ r.-v.

PIERRE GERBAIS Tradition ★★

	6,2 ha	50 000	⏹⏷	11 à 15 €

Cette société auboise dispose de 13,5 ha de vignes. Provenant de la seule année 2000, la cuvée Tradition assemble à une majorité de pinot noir (85 %) deux cépages blancs ! Le chardonnay (10 %) et un soupçon de pinot blanc, variété presque inconnue en Champagne et chérie de la maison. Ce vin s'attire une pluie de compliments. Ses arômes fins et délicats mêlent la pêche et les fruits secs. C'est un « modèle d'équilibre et d'harmonie, avec une belle vivacité, du corps et une bonne longueur ». Une réelle élégance. (NM)
☛ Pierre Gerbais,
13, rue du Pont, BP 17, 10110 Celles-sur-Ource,
tél. 03.25.38.51.29, fax 03.25.38.55.17,
e-mail champ.gerbais@wanadoo.fr ☑ ⏀ ☈ r.-v.

GERMAIN Réserve

	n.c.	n.c.		11 à 15 €

Le président Germain, à la tête du club de football de Reims du temps de sa gloire, avait sa marque de champagne. Celle-ci, à l'instar de plusieurs autres, a été reprise par P.-F. Vranken. Ce brut Réserve assemble 80 % de raisins noirs (dont 60 % de pinot noir) au chardonnay. Ses arômes de fruits blancs, son attaque et sa tenue en bouche le destinent à l'apéritif. (NM)
☛ Vranken, 42, av. de Champagne, 51200 Epernay,
tél. 03.26.59.50.50, fax 03.26.59.51.39 ☑ ⏀ ☈ r.-v.

JEAN GIMONNET Blanc de blancs ★

1er cru	n.c.	n.c.		15 à 23 €

Il y a trois siècles, des Gimonnet cultivaient déjà la vigne à Cuis. Ils ont engendré plusieurs branches qui perpétuent leur activité dans la même commune de la Côte des Blancs. Jean Gimonnet propose un blanc de blancs sans année, puissant, fruité et au caractère bien trempé. Discrètement minéral et floral au nez, le **blanc de blancs 1er cru 95** a été cité pour son ampleur charnue, sa souplesse et sa longueur. (RM)

➤ Jean Gimonnet, 16, rue Jean-Mermoz, 51530 Cuis, tél. 03.26.59.78.39, fax 03.26.51.05.07 ☑ ⊺ ⋏ r.-v.

PIERRE GIMONNET ET FILS
Blanc de blancs Gastronome 2000 ★

	1er cru	n.c.	30 000	▮ ♦ 15 à 23 €

Cette exploitation implantée en Côte des Blancs s'étend sur 25 ha. Elle est conduite par Olivier et Didier Gimonnet qui vinifient avec précision des champagnes de caractère, généralement à base de chardonnay grand cru (de Cramant, de Chouilly) et 1er cru (de Cuis). Sous le nom de cuvée Gastronome sont commercialisés des millésimes jeunes, comme ce 2000. C'est un champagne tiré en petite mousse, mais cela est peu sensible. Le dosage, 7 g/l, est juste, peut-être un peu récent. Le jury apprécie beaucoup cette bouteille. Au nez comme en bouche, elle est expressive et complexe, florale, miellée, grillée, fruitée... Elle offre une belle matière, une finale fraîche et longue. Une réelle personnalité. Quant au **blanc de blancs 1er cru Fleuron 96**, il gagne une étoile. Un vin élégant et frais au nez, souple à l'attaque, équilibré. (RM)

➤ SA Pierre Gimonnet et Fils,
1, rue de la République, 51530 Cuis,
tél. 03.26.59.78.70, fax 03.26.59.79.84,
e-mail info@champagne-gimonnet.com
☑ ⊺ t.l.j. sf dim. 8h30-12h 14h-18h; sam. sur r.-v.;
f. 10-31 août
➤ Famille Olivier et Didier Gimonnet

GIMONNET-GONET Blanc de blancs Brut Or

	5 ha	15 000	▮ 11 à 15 €

Les deux familles les plus connues de la Côte des Blancs se sont unies en 1986 et ont constitué un vignoble de 11 ha. Le chardonnay provient du Mesnil-sur-Oger, de Cramant et de Chouilly, trois communes classées en grand cru, tandis que les raisins noirs proviennent de la vallée de la Marne. Ce Brut or issu des années 2000 et 2001 évoque les agrumes et conjugue souplesse et vivacité. Citée également, la **cuvée Prestige (15 à 23 €)** est aussi un blanc de blancs. Sans année, elle ne provient que d'une seule vendange, celle de 1999. Elle est retenue pour sa finesse, sa fraîcheur et son fruité souligné par le dosage. (RM)

➤ Gimonnet-Gonet, Le Bas-des-Auges,
BP 35, 51190 Le Mesnil-sur-Oger,
tél. 03.26.57.51.44, fax 03.26.58.00.03 ☑ ⊺ ⋏ r.-v.
➤ Ph. Gimonnet

GIMONNET-OGER
Blanc de blancs Cuvée Prestige ★★★

	1er cru	n.c.	7 000	15 à 23 €

Un autre membre de la famille Gimonnet de Cuis, également récoltant-manipulant et lui aussi spécialisé dans les blancs de blancs. Celui-ci fait rêver les dégustateurs qui l'ont placé au nombre des finalistes du coup de cœur. Ils ont admiré son fruité intense et mûr, qui s'accompagne en bouche de notes beurrées, briochées et de nuances de pain d'épice. Sa fraîcheur, son harmonie et sa persistance lui valent également bien des suffrages. Pour des noix de Saint-Jacques. Quant au **blanc de blancs 97**, il est frais, nerveux et léger, avec des arômes floraux (tilleul, fleurs blanches) : une citation. (RM)

➤ Jean-Luc Gimonnet, 7, rue Jean-Mermoz, 51530 Cuis, tél. 03.26.59.86.50, fax 03.26.59.86.53, e-mail chg-o@wanadoo.fr ☑ ⊺ ⋏ r.-v.

GERVAIS GOBILLARD Blanc de blancs ★

	2,5 ha	20 000	▮ ♦ 11 à 15 €

Autre marque de l'équipe J.-M. Gobillard. Issu des années 2000 et 2001, ce blanc de blancs est salué pour sa finesse florale et son élégance. Son dosage de 9 g/l laisse la bouche nette. Fruit des mêmes années, le **rosé** assemble 70 % des deux pinots à parts égales à 30 % de chardonnay. Discrètement fruité, il attaque fermement puis évolue harmonieusement, sans agressivité : une étoile. Le **rosé cuvée Prestige 2000 (15 à 23 €)** reçoit la même note. Mariant 60 % de chardonnay au pinot noir, il est fruité et floral, puissant, équilibré, long et parfaitement dosé (7 g/l). (NM)

➤ Gervais Gobillard,
38, rue de l'Eglise, 51160 Hautvillers,
tél. 03.26.51.00.24, fax 03.26.51.00.18,
e-mail champagne-gobillard@wanadoo.fr ☑ ⊺ ⋏ r.-v.

PAUL GOBILLARD ★

	n.c.	15 000	▮ ♦ 15 à 23 €

Paul Gobillard a vendu sa marque à Jean-Louis Malard. Ce dernier, créateur de sa propre marque, appartient à une nouvelle génération d'entrepreneurs champenois. Une étoile pour ce rosé qui privilégie les raisins noirs (90 %). Un champagne facile à boire, équilibré et léger. Même note pour le **96**, mi-blancs mi-noirs. Ses arômes sont riches, évolués, avec des notes de miel, de cire, de fruits jaunes et de fruits confits. Une évolution propre au millésime. En bouche, on trouve de la puissance et cette même impression de richesse accentuée par un dosage généreux. (NM)

➤ Paul Gobillard, Ch. de Pierry, BP 1, 51530 Pierry,
tél. 03.26.54.05.11, fax 03.26.54.46.03,
e-mail paulgobillard@wanadoo.fr ☑ ⊺ ⋏ r.-v.
➤ Jean-Louis Malard

PIERRE GOBILLARD ★

	1er cru	0,5 ha	4 000	▮ 15 à 23 €

Etablie à Hautvillers, la famille d'Hervé Gobillard se consacre au champagne depuis trois générations. De la propriété, située en plein cœur du vignoble, on domine les villages environnants. Son rosé 1er cru privilégie les raisins noirs, puisqu'il ne comprend que 15 % de chardonnay (meunier 40 %, pinot noir 32 %, vin rouge 13 %). Au nez, il mêle les fleurs et les fruits rouges. Les fruits rouges à noyau marquent la bouche gourmande et fraîche. A déguster bien frais à l'apéritif ou au repas, à 12 ° C. (RM)

➤ Pierre Gobillard,
341, rue des Côtes-de-l'Héry, 51160 Hautvillers,
tél. 03.26.59.45.66, fax 03.26.52.04.43,
e-mail champagne-pierre.gobillard@wanadoo.fr
☑ ⊺ ⋏ r.-v.
➤ Hervé Gobillard

J.-M. GOBILLARD ET FILS Tradition ★

	11 ha	15 000	▮ ♦ 11 à 15 €

Fondée en 1955 par Jean-Marie Gobillard, cette maison a installé son caveau de dégustation en face de l'abbaye d'Hautvillers où vécut Dom Pérignon. Sa cuvée Tradition naît des trois cépages champenois (35 % des deux pinots et 30 % de chardonnay) et des années 2000 et 2001 complétées par 30 % de vins de réserve. Discrète au nez, elle séduit au palais par sa richesse aromatique, son ampleur et son gras.

Un beau champagne classique. Provenant des années 2000 et 2001, la **Grande Réserve 1er cru** est citée. Mi-noirs, mi-blancs, un vin léger et jeune, pour l'apéritif. Même note pour la cuvée **Privilège des moines (15 à 23 €)** fermentée et élevée un an sous bois. Elle assemble 70 % de chardonnay au pinot noir des années 1999 et 2000. Ses arômes sont très fins, à dominante florale et son dosage, pourtant faible (7 g/l), est perceptible. (NM)

⊶ J.-M. Gobillard et Fils,
38, rue de l'Eglise, 51160 Hautvillers,
tél. 03.26.51.00.24, fax 03.26.51.00.18,
e-mail champagne-gobillard@wanadoo.fr ▣ Y ⚘ r.-v.

GODME PERE ET FILS *

● Gd cru 1,5 ha 10 000 ▮ 15 à 23 €

Les Godmé exploitent une douzaine d'hectares de vignes répartis dans des communes réputées : Verzenay, Verzy et Beaumont-sur-Vesle (grands crus) ; Villiers-Marmery, renommée pour ses chardonnays, et Villedommange (1er cru). Leur rosé grand cru, né de la vendange de 2000 et de vins de réserve, assemble 85 % de pinot noir au chardonnay ; 40 % du pinot passe par le bois ; le champagne tire sa couleur de vin de Verzenay vinifié en rouge. Une attaque vive et une belle rondeur composent une bouteille équilibrée et harmonieuse. (RM)

⊶ Godmé Père et Fils, 10, rue de Verzy,
51360 Verzenay, tél. 03.26.49.48.70, fax 03.26.49.45.30,
e-mail contact@champagne-godmé.fr ▣ Y ⚘ r.-v.

PAUL GOERG Tradition

○ 1er cru 90 ha 15 000 ▮ 11 à 15 €

Paul Goerg est la marque d'un groupement de producteurs de Vertus qui vinifie 120 ha. Sa cuvée Tradition marie 40 % de pinot noir à 60 % de chardonnay, des raisins récoltés en 1998, 1999 et 2000. Minérale au nez, puis à l'attaque, elle est ensuite dominée par des notes citronnées. Cité également, le **blanc de blancs 1er cru 98 (15 à 23 €) est vif, léger et de bonne longueur**. On pourra le servir sur un poisson au beurre blanc. Même note enfin pour la **cuvée Lady C 1er cru 98 (23 à 30 €)**, assemblant 85 % de chardonnay au pinot noir. Un champagne puissant et floral au nez, nerveux à l'attaque, empyreumatique au palais. (CM)

⊶ Paul Goerg, 30, rue du Gal-Leclerc, BP 10,
51130 Vertus, tél. 03.26.52.15.31, fax 03.26.52.23.96,
e-mail info@champagne-goerg.com ▣ Y ⚘ r.-v.

GONET-SULCOVA *

● 1 ha 5 000 ▮ 15 à 23 €

Charles Gonet constitue le vignoble (15 ha aujourd'hui), son petit-fils Vincent épouse une vendangeuse tchèque et produit en 1985 son champagne, Gonet-Sulcova. Ce rosé est un rosé de noirs 100 % pinot noir. Il révèle des arômes de fleurs, de fraise et de groseille d'une belle finesse et fait preuve d'un bon équilibre. La cuvée **Gaia grand cru (23 à 30 €)** doit tout au chardonnay. Elle est citée pour l'élégance de ses senteurs de fleurs blanches. Une harmonie délicate, tout en dentelle. (RM)

⊶ Gonet-Sulcova, 13, rue Henri-Martin,
51200 Epernay, tél. 03.26.54.37.63, fax 03.26.54.87.73,
e-mail gonet-sulcova@wanadoo.fr ▣ Y ⚘ r.-v.
⊶ Vincent Gonet

GOSSET Celebris 1995 **

○ n.c. 40 000 ▮ 46 à 76 €

En 1584 – avant l'invention du champagne –, Pierre Gosset, échevin d'Aÿ, était vigneron. Le village écoulait

déjà ses vins réputés à la cour. La maison est restée aux mains de la famille jusqu'à sa cession en 1994 à Béatrice Cointreau. La cuvée Celebris fait encore parler d'elle après avoir obtenu un coup de cœur l'an dernier pour un rosé 98. Celebris 95 en blanc atteint elle aussi des sommets. Ce champagne est pratiquement mi-blancs mi-noirs (pinot noir 54 %, chardonnay 46 %). Jaune paille à reflets or, il offre un nez expressif et mûr, aux notes de miel et d'abricot sec, évoluant en bouche vers des nuances de torréfaction. L'attaque est vive, la finale agréable et longue. Une belle évolution. Assemblage de 62 % de chardonnay et de 38 % de pinot noir, le **Grand Millésime 96** obtient une étoile. Très caractéristique du millésime, il mêle au nez des arômes briochés, torréfiés, des nuances de fruits confits, et montre une vivacité mordante dans un palais ample. Citée, la **Grande Réserve (30 à 38 €)** marie 54 % des deux pinots au chardonnay et les années 1996 à 1998. D'une rondeur acidulée, elle inspire cette métaphore à un dégustateur : « Joli petit oiseau sur le rebord de la fenêtre ». (NM)

⊶ Gosset, 69, rue Jules-Blondeau, BP 7, 51160 Aÿ,
tél. 03.26.56.99.56, fax 03.26.51.55.88,
e-mail info@champagne-gosset.com ▣ r.-v.

GOSSET-BRABANT Tradition *

○ 1er cru 4 ha 26 000 ▮ 11 à 15 €

Michel et Christian Gosset sont vignerons à Aÿ. Leur cuvée Tradition, issue des années 2000 et 2001, comprend 80 % des deux pinots (70 % de pinot noir) pour 20 % de chardonnay : son attaque est franche et ses arômes évoquent les fruits rouges. La **Cuvée de réserve grand cru (15 à 23 €)** assemble les trois cépages champenois dans les mêmes proportions que le précédent, mais elle provient des vendanges de 1999 et de 2000. Elle est citée pour ses arômes floraux et fruités et son attaque vive et nette. (RM)

⊶ Gosset-Brabant, 23, bd du
Mal-de-Lattre-de-Tassigny, 51160 Aÿ,
tél. 03.26.55.17.42, fax 03.26.54.31.33,
e-mail gosset-brabant@wanadoo.fr ▣ Y ⚘ r.-v.
⊶ Michel et Christian Gosset

J.-M. GOULARD Tradition

○ 7 ha 45 400 ▮ 11 à 15 €

Le village de Prouilly est situé dans la vallée de la Vesle, à l'ouest de Reims. Ce vignoble familial s'y est développé dans les années 1960. Sa cuvée Tradition, un blanc de noirs des deux pinots (60 % de meunier) provient des récoltes de 2000 et de 2001. Généreuse et fruitée, elle sera excellente à l'apéritif. (RM)

⊶ EARL Goulard, 13, Grande-Rue, 51140 Prouilly,
tél. 03.26.48.21.60, fax 03.26.48.23.67,
e-mail goulard@club-internet.fr ▣ ⌂ ⚘ r.-v.

GOUSSARD ET DAUPHIN
Cuvée Grand Millésime 1997 *

○ 2 ha 1000 ▮ 15 à 23 €

Cette exploitation ne s'est lancée dans l'élaboration du champagne que récemment, en 1990, lorsque Didier

Goussard, œnologue, s'est associé avec son beau-frère Jean-Claude Dauphin. Le domaine est situé dans l'Aube, près des Riceys. Leur 97 naît de 60 % de chardonnay et de 40 % de pinot noir. Evolué au nez, avec des notes de noix, de torréfaction et de fruits cuits, il est vineux, plein et gras en bouche. Un champagne de repas qui a atteint son apogée. Le **brut Prestige (11 à 15 €)** assemble chardonnay et pinot noir dans les mêmes proportions que le précédent, en mariant les années 1997 à 1999. Ses arômes discrets, son palais équilibré, structuré et vif en finale lui valent une citation. (RM)

🕿 Goussard et Dauphin, GAEC du Val de Sarce,
2, chem. Saint-Vincent, 10340 Avirey-Lingey,
tél. 03.25.29.30.03, fax 03.25.29.85.96,
e-mail goussard-dauphin@wanadoo.fr ▨ ⊥ ⚔ r.-v.

GOUTORBE 1998 ★★

Gd cru	n.c.	8 000	▮ 15 à 23 €

Pépiniéristes viticoles avant guerre, les Goutorbe se sont faits élaborateurs de champagne en 1945 ; leur vignoble s'étend sur 20 ha. Ils proposent un 98 dominé par le pinot noir (75 %, pour 25 % de raisins blancs). Un vin distingué, équilibré, complet, fondu et persistant. Une étoile pour le champagne **Henri Goutorbe cuvée Tradition**, qui marie les noirs et les blancs dans les mêmes proportions que le précédent (seule différence : 5 % de meunier, ici). Discret, aérien au nez, légèrement beurré, il est équilibré et élégant en bouche. Une citation pour la **cuvée Prestige 1er cru**, toujours dominée par le pinot noir (75 %), fraîche, réglissée au nez comme au palais, avec une touche anisée. (RM)

🕿 SARL Goutorbe Père et Fils,
9, bis rue Jeanson, 51160 Aÿ,
tél. 03.26.55.21.70, fax 03.26.54.85.11 ▨ ⊥ ⚔ r.-v.

GRANZANY PERE ET FILS ★★

	0,3 ha	2 000	11 à 15 €

Créée en 1907, cette exploitation s'est lancée dans la manipulation quarante ans plus tard. Le domaine a son siège dans la vallée de la Marne, et le pinot meunier, très planté dans ce secteur, compose exclusivement ce rosé sans année mais issu de la vendange de 2002 (87 % vinifié en blanc et 13 % en rouge). Les dégustateurs « en redemandent », si bien que ce champagne s'est placé parmi les finalistes du coup de cœur. Présents au nez comme en bouche, ses arômes de fruits rouges (fraise) confiturés, sa richesse au palais, son côté soyeux, sa longueur remarquable composent un ensemble gourmand qui s'accordera avec des desserts aux fruits. La **cuvée Prestige**, née de la récolte de 2001, assemble les trois cépages champenois à parts égales. Complexe, ronde, équilibrée avec une finale citronnée, elle est citée. (RM)

🕿 Granzany Père et Fils,
15, rue de Champagne, 51480 Venteuil,
tél. 03.26.58.60.62, fax 03.26.51.10.21 ▨ ⊥ ⚔ r.-v.

ALFRED GRATIEN Cuvée Paradis ★

	n.c.	n.c.	▯▯ 46 à 76 €

Maison fondée en 1864 et demeurée familiale jusqu'en 2000, année de son acquisition par le groupe Henkell et Söhnlein. La cuvée Paradis marie 65 % de chardonnay aux deux pinots à parts à peu près égales. Elle est fermentée et élevée huit mois en barrique. Une vinification qui lui confère de la complexité et une touche toastée. La bouche est équilibrée et longue, le dosage perceptible. La **cuvée Paradis en rosé** obtient également

une étoile. Un assemblage proche du précédent (58 % de chardonnay) au service d'un champagne équilibré, tendre et dosé. (NM)

🕿 Alfred Gratien, 30, rue Maurice-Cerveaux,
51200 Epernay, tél. 03.26.54.38.20, fax 03.26.54.53.44,
e-mail contact@alfredgratien.com ▨ ⊥ ⚔ r.-v.

GRONGNET Spécial Club 1997

2 ha	6 300	▮⚬ 15 à 23 €

Les Grongnet sont établis à Etoges, commune située entre la Côte des Blancs et les coteaux du Sézannais, célèbre par son château du début du XVIIᵉs. Leur ancien pressoir, qui date de 1885, est toujours visible dans la propriété. La cuvée Spécial Club 97 assemble 60 % des deux pinots (40 % de meunier) au chardonnay. Un tiers des vins ne font pas leur fermentation malolactique. Un champagne fruité, épicé, vineux, gras, encore vif. Mi-blancs mi-noirs, la cuvée **Carpe diem** marie les trois cépages champenois récoltés en 1999 et 2000. Produit d'une fermentation et d'un élevage en foudre, sans fermentation malolactique, elle est puissante et longue : une citation. (RM)

🕿 Guy Grongnet, 41, Grande-Rue, 51270 Etoges,
tél. 03.26.59.30.50, fax 03.26.59.30.98,
e-mail champagnegrongnet@wanadoo.fr ▨ ⊥ r.-v.

GRUET Blanc de blancs 1999 ★

10 ha	22 120	▮⚬ 11 à 15 €

A la tête d'un vignoble de 10 ha, Claude Gruet bénéficie de l'expérience de dix générations de vignerons : sa famille s'enracine à Buxeuil, petit village de la Côte des Bars situé au bord de la Seine. Jaune clair à reflets verts, son blanc de blancs 99 est typique, avec son nez d'agrumes (pamplemousse) et de pain d'épice, et sa fraîcheur en bouche. Un champagne très plaisant, tout comme le **rosé**, assemblage de 65 % de pinot noir (dont 15 % de vin rouge) et de 35 % de chardonnay. Puissant et vif, il évoque la fraise, avec une touche vanillée : une étoile également. (NM)

🕿 SARL Gruet, 48, Grande-Rue, 10110 Buxeuil,
tél. 03.25.38.54.94, fax 03.25.38.51.84,
e-mail champagne-gruet@wanadoo.fr
▨ ⊥ ⚔ t.l.j. 8h30-12h 14h-18h; sam. dim. sur r.-v.,
f. 15-22 août

G. GRUET ET FILS Grande Réserve

5 ha	50 000	15 à 23 €

Marque d'un groupement de producteurs de Béthon, un secteur excentré du vignoble situé au sud de l'appellation, entre Sézanne et Nogent-sur-Seine. La Grande Réserve est un champagne mi-blancs mi-noirs (pinot noir) issu de la récolte de 2000. Franc au nez, tout de fraîcheur citronné, il est bien plaisant. Une citation encore pour le **blanc de blancs non millésimé**, mais qui provient de la même année que le précédent. Il est citronné lui aussi, avec une touche miellée. (CM)

🕿 G. Gruet et Fils, 5, rue des Pressoirs, 51260 Béthon,
tél. 03.26.80.48.19, fax 03.26.80.44.57,
e-mail champagne.g.gruetetfils@ebc.net ▨ ⊥ r.-v.
🕿 UVCB

P. GUERRE ET FILS Réserve ★★

2 ha	n.c.	▮ 11 à 15 €

Etabli à Venteuil, sur la rive droite de la Marne, Michel Guerre exploite 8 ha de vignes. Son brut Réserve,

mi-blancs mi-noirs (pinot noir), libère de multiples parfums : notes grillées, ananas confit, miel, agrumes. La bouche est ronde et souple, d'une élégance discrète. (RM)
⊶ Michel Guerre,
3, rue de Champagne, 51480 Venteuil,
tél. 03.26.58.62.72, fax 03.26.58.64.06 ☑ Y ⚲ r.-v.

ROMAIN GUISTEL Chardonnay ★★

● Gd cru 1 ha 8 000 ▮ 15 à 23 €

Etablis à Damery, commune de la rive droite de la Marne, les Guistel exploitent 5 ha de vignes. Leur chardonnay grand cru, non millésimé mais né de la vendange de 2000, suscite un enthousiasme général. Fin et frais au nez, avec des notes florales et grillées, il fait preuve d'une puissance, d'une fraîcheur, d'une richesse et d'un gras peu communs. Le dosage est parfait. Une étoile pour le **rosé (11 à 15 €)**, assemblage de 70 % des deux pinots (60 % de meunier) et de 30 % de chardonnay. Ses arômes de fruits rouges confits, sa fraîcheur et sa longueur composent un champagne très plaisant. Quant à la cuvée **Réserve (11 à 15 €)**, dominée par les noirs (85 %, dont 60 % de meunier), elle est citée pour sa richesse et ses jolis arômes de poire accompagnés de notes miellées. (NM)
⊶ Romain Guistel, 1, Rempart de l'Ouest,
51480 Damery, tél. 03.26.58.40.40, fax 03.26.52.04.28,
e-mail r.guistel@wanadoo.fr
☑ Y ⚲ t.l.j. 8h-12h 14h-19h

HAMM Réserve

● 1er cru n.c. 40 000 15 à 23 €

Le domaine, qui remonte aux années 1880, s'est lancé dans la manipulation en 1910 et a pris le statut de négociant en 1930. L'affaire est toujours dirigée par les descendants du fondateur. Assemblage classique de 60 % de pinot noir et de 40 % de chardonnay, sa cuvée Réserve intéresse par ses senteurs de petits fruits rouges et noirs (cassis, groseille) accompagnées d'une touche de tabac. Equilibrée en bouche, elle finit sur une pointe d'amertume qui n'est pas désagréable. La cuvée **Sélection (11 à 15 €)** est dominée par les raisins noirs (80 % des deux pinots à parts égales). Florale, fine et élégante, elle obtient également une étoile. (NM)
⊶ Hamm et Fils, 16, rue N.-Philipponnat, 51160 Aÿ,
tél. 03.26.55.44.19, fax 03.26.51.98.68
☑ Y ⚲ t.l.j. 9h-12h 14h-18h; sam. dim. sur r.-v.

HARLIN Grand Rosé ★

● 1 ha 8 000 ▮⚲ 11 à 15 €

Fondée en 1848, cette maison dispose de 10 ha de vignes. Son Grand Rosé assemble 62 % de chardonnay, 26 % de pinot noir et 12 % de vin de Bouzy rouge qui lui donne sa couleur rose saumoné soutenu. Les dégustateurs sont sensibles à sa richesse miellée et épicée ainsi qu'à son ampleur. Cité par le jury, le **Grand Chardonnay** n'a pas fait sa fermentation malolactique. Empyreumatique au nez, il tient bien en bouche.(NM)
⊶ Harlin, 41, av. de Champagne,
51150 Tours-sur-Marne,
tél. 03.26.51.88.95, fax 03.26.58.96.31,
e-mail champagneharlin@yahoo.fr ☑ Y ⚲ r.-v.
⊶ Famille Paillard

HARLIN PERE ET FILS Prestige 1998 ★

● 2 ha 3 000 ▮⚲ 15 à 23 €

A Port-à-Binson, on peut pique-niquer et taquiner la perche au bord de la Marne ; on y trouvera aussi des vignerons, comme la famille Harlin, branche des Harlin de Tours-sur-Marne qui s'est fixée à quelques kilomètres en aval de ce bourg et exploite aujourd'hui 8,50 ha de vignes. Un assemblage classique de 60 % de pinot noir et de 40 % de chardonnay est à l'origine de sa cuvée Prestige 98, un champagne tout aussi classique, floral au nez, équilibré et frais. (RM)
⊶ SCEV Harlin Père et Fils, 8, rue de la Fontaine,
Port-à-Binson, 51700 Mareuil-le-Port,
tél. 03.26.58.34.38, fax 03.26.58.63.78 ☑ Y ⚲ r.-v.

JEAN-NOEL HATON Cuvée de réserve ★

● n.c. n.c. ▮⚲ 11 à 15 €

Il y a plus d'un Haton à Damery, sur la rive droite de la Marne, Jean-Noël a pris la succession d'Octave et de René et exploite 13 ha de vignes. Sa Cuvée de réserve assemble 60 % des deux pinots à parts égales au chardonnay. Son caractère aromatique (fruité frais), sa bouche vive, bien structurée et longue, en font un champagne très flatteur. (NM)
⊶ Jean-Noël Haton, 5, rue Jean-Mermoz,
51480 Damery, tél. 03.26.58.40.45, fax 03.26.58.63.55,
e-mail contact@champagne-haton.com ☑ Y ⚲ r.-v.

HATON ET FILS Grande Réserve ★

● 1 ha 7 000 ▮ 11 à 15 €

Philippe Haton est établi à Damery, village de la vallée de la Marne situé au nord-ouest d'Epernay, sur l'autre rive. Il a repris en 1983 l'exploitation familiale. Son rosé Grande Réserve privilégie les pinots (75 % de meunier, 5 % de pinot noir pour 20 % de chardonnay). Pelure d'oignon à l'œil, il délivre d'agréables senteurs de fruits rouges où l'on reconnaît la cerise. Fraîcheur et équilibre ajoutent à son agrément. Floral au nez avec une pointe végétale, équilibré en bouche, le **blanc de blancs Grande Réserve** est cité. (NM)
⊶ Haton et Fils, 3, rue Jean-Mermoz, 51480 Damery,
tél. 03.26.58.41.11, fax 03.26.58.45.98,
e-mail contact@champagnehatonetfils.com ☑ Y ⚲ r.-v.

LUDOVIC HATTE Grande Réserve

● 3 ha 5 000 ▮ 11 à 15 €

Implantée à Verzenay, dans la Montagne de Reims, cette exploitation familiale possède des vignes dans quatre grands crus. Sa cuvée Grande Réserve est née de 70 % de pinot noir et de 30 % de chardonnay des années 1997 et 1998. Un nez agréable, évolué, avec des arômes de fruits secs, une bouche équilibrée, au dosage sensible lui vaut une citation. Egalement cité, le brut **Tradition** inverse les pourcentages du pinot noir et du chardonnay et provient des vendanges de 1999 et 2000. Il est un peu fugace mais son nez complexe, beurré, empyreumatique (noisette...) est apprécié. (RM)

⊶ Ludovic Hatté, 3, rue Thiers, 51360 Verzenay, tél. 03.26.49.43.94, fax 03.26.49.81.96 ☑ Y ⩚ r.-v.

MARC HEBRART Blanc de blancs

○ 1er cru 1 ha 6 000 ■ 11 à 15 €

Marc Hébrart et son fils Jean-Paul exploitent soixante-cinq parcelles dans sept communes : Aÿ, Oiry, Chouilly (grand cru), Mareuil-sur-Aÿ, Avenay-Val-d'Or, Mutigny et Bisseuil (1er cru). Ils proposent un blanc de blancs né des vendanges de 1999 et 2000. Un champagne qui s'exprime avec puissance dans une bouche ronde. Cité également, le **Spécial Club 1er cru 99 (15 à 23 €)** assemble 60 % de pinot noir au chardonnay. Un champagne jeune, frais, voire nerveux, au dosage sensible. (RM)

⊶ EARL Hébrart,
18, rue du Pont, 51160 Mareuil-sur-Aÿ,
tél. 03.26.52.60.75, fax 03.26.52.92.64 ☑ Y ⩚ r.-v.

CHARLES HEIDSIECK 1995 ★★

○ n.c. n.c. ■ 38 à 46 €

Fondée en 1851 par Charles Heidsieck, cette maison a perdu son caractère familial, mais gardé sa renommée. Assemblage de 70 % de chardonnay et de 30 % de pinot noir, son 95 affiche une robe doré soutenu. Grillé, torréfié et fruité au nez, puissant et riche en bouche, c'est un remarquable représentant d'un beau millésime. Le **rosé 96** obtient une étoile. Dominé par les noirs (70 % de pinot noir, dont 5 % vinifiés en rouge), complexe au nez (cassis, notes briochées et une touche iodée), il offre une harmonie légère. Cité, le **brut Réserve mis en cave en 1998 (23 à 30 €)** est une originalité de la maison : 1998 n'est pas un millésime, puisqu'il s'agit d'un brut sans année ; cette date permet de connaître le temps de vieillissement du champagne en cave. Né des trois cépages champenois à parts égales, ce vin est aromatique, fruité et épicé, équilibré et assez long. Même note enfin pour la rare cuvée **Charlie 85 (plus de 76 €)**. Un vin intéressant, empyreumatique et rond, à la finale persistante sur des notes de biscotte grillée. A réserver aux amateurs de vieux champagnes. (NM)

⊶ Charles Heidsieck,
4, bd Henry-Vasnier, 51100 Reims,
tél. 03.26.84.43.50, fax 03.26.84.43.86 ☑ ⩚ r.-v.

HEIDSIECK & CO MONOPOLE Rosé Top ★

● n.c. n.c. 15 à 23 €

Aux origines lointaines de cette société (comme de la précédente), Florens Louis Heidsieck, qui naît en Westphalie en 1749, se fait négociant, se marie avec la fille d'un riche marchand de laine rémois et fonde sa maison avant la Révolution. Celle-ci a été reprise par Vranken. Assemblant 80 % des deux pinots (70 % de pinot noir) au chardonnay, son rosé Top s'habille d'une robe un rien évoluée, saumonée à nuances orangées. Complexe au nez comme en bouche, fruité et épicé, fin et harmonieux, il offre tout ce que l'on attend d'un champagne rosé et trouvera sa place de l'apéritif au dessert. (NM)

⊶ Heidsieck & Co Monopole, 42, av. de Champagne, 51200 Epernay, tél. 03.26.59.50.50, fax 03.26.59.50.50 ☑ Y ⩚ t.l.j. 10h-18h; sam. dim. sur r.-v.
⊶ P. F.Vranken

D. HENRIET-BAZIN Blanc de noirs ★★

○ Gd cru 3 ha 10 000 ■ 15 à 23 €

Etabli à Villers-Marmery, sur le flanc nord-est de la Montagne de Reims, ce vignoble, constitué vers 1890, s'étend sur 7,50 ha. Il est conduit depuis 1968 par Daniel Henriet, aujourd'hui rejoint par sa fille Marie-Noëlle. Le jury a de nouveau apprécié le blanc de noirs de la propriété, 100 % pinot noir, provenant des années 2000 et 2001. Ample, riche et gourmand, avec un fruité varié et des notes briochées, très persistant, il sera à l'aise durant tout le repas. Autre champagne de table, la cuvée **Carte d'or 1er cru 98**, assemblage classique de 60 % de pinot noir et de 40 % de chardonnay : un vin généreux et corsé, encore vif pour son âge. (RM)

⊶ Henriet-Bazin,
9 bis, rue Dom-Pérignon, 51380 Villers-Marmery,
tél. 03.26.97.96.81, fax 03.26.97.97.30,
e-mail henriet.bazin@wanadoo.fr ☑ Y ⩚ r.-v.

HENRIOT Cuvée des Enchanteleurs 1989 ★★

○ n.c. n.c. 46 à 76 €

Maison fondée en 1808. Les ancêtres : des négociants en laines et vins ; la veuve de choc : Appoline Godinot, qui assure le succès de la maison après la mort de son mari, avec pour illustres clients les rois de Hollande puis les empereurs austro-hongrois. Les Henriot sont toujours aux commandes de la maison et de son vaste vignoble. Ils sont également implantés en Bourgogne. Cette année, la cuvée des Enchanteleurs 89 enchante le jury. Les enchanteleurs ? Un nom poétique donné à ceux qui maniaient les tonneaux. Assemblage de pinot noir et de chardonnay, cette rare cuvée jaune d'or à la mousse fine captive par la complexité de sa palette aromatique, mêlant brioche beurrée, café, tabac blond, vanille, notes grillées, réglissées ; un vin riche, à la fois rond et vif, chaleureux et tout en finesse. Une évolution des plus harmonieuses : coup de cœur. Une étoile pour le **96 (23 à 30 €)** auquel pinot noir (52 %) et chardonnay contribuent à parts presque égales : un nez légèrement évolué et confit, un palais dense, nerveux et long : pour la table. Une citation enfin pour le **Blanc souverain (23 à 30 €)**, né de chardonnay des années 1998 à 2000, pour ses arômes de pâtisserie, sa finesse et sa légèreté. (NM)

⊶ Henriot, 81, rue Coquebert, 51066 Reims,
tél. 03.26.89.53.00, fax 03.26.89.53.10 ☑ ⩚ r.-v.

DIDIER HERBERT Mailly-Champagne

○ Gd cru 2 ha 17 000 ■ 11 à 15 €

Un vignoble constitué dans les années 1920. Etabli à Rilly-la-Montagne, à 10 km de Reims, Didier Herbert exploite 7 ha autour de ce bourg (1er cru) et de Mailly (grand cru). Négociant, il achète aussi des raisins, essentiellement de son village. Son brut de Mailly-Champagne naît de 35 % de chardonnay et de 65 % de pinot noir récoltés en 2001 et 2002. Son nez de fruits mûrs, sa bouche équilibrée mais au dosage sensible lui valent une citation ; également cité, le **rosé 1er cru** provient des années 2000 et 2001. Son nez de fruits noirs (airelle, cassis...), son attaque fraîche, sa légèreté en font un élégant champagne d'apéritif. (NM)

🔑 Didier Herbert,
32, rue de Reims, 51500 Rilly-la-Montagne,
tél. 03.26.03.41.53, fax 03.26.03.44.64,
e-mail infos@champagneherbert.fr ☑ 🍷 🚶 r.-v.

HEUCQ PERE ET FILS Tradition ★

● 3,7 ha 35 000 ▮🌡 11 à 15 €

A la tête de 5,6 ha de vignes, André Heucq dirige un domaine fondé dans les années 1920 à Cuisles, village proche de la vallée de la Marne. Blanc de noirs dominé par le pinot meunier (80 %), sa cuvée Tradition provient des années 1998 à 2000. Plaisante au nez, avec des effluves floraux, beurrés et des arômes de fruits mûrs, elle se distingue par son équilibre, sa souplesse, son élégance et sa finesse. (RM)

🔑 André Heucq, 6, rue Eugène-Moussé, 51700 Cuisles,
tél. 03.26.58.10.08, fax 03.26.58.12.00 ☑ 🍷 🚶 r.-v.

M. HOSTOMME ET SES FILS

● Gd cru 1,8 ha 12 000 ▮◖🌡 11 à 15 €

Cette maison possède un vignoble en propre de 10 ha. Elle a son siège à Chouilly, dans la Côte des Blancs, mais le rosé retenu par le jury, issu de macération, doit tout aux raisins noirs (les deux pinots à parts égales, récoltés en 2001 avec 20 % de réserve de 1999 et 2000). Petit raffinement supplémentaire, 10 % des vins passent par le bois. Ce vin de caractère s'habille d'une robe soutenue. Une couleur qui annonce un fruité rouge intense. Puissant, fondu, harmonieux, justement dosé (6 g/l), c'est un rosé de repas. (NM)

🔑 Laurent Hostomme, 5, rue de l'Allée,
51530 Chouilly, tél. 03.26.55.40.79, fax 03.26.55.08.55,
e-mail champagne.hostomme@wanadoo.fr ☑ 🍷 🚶 r.-v.

F. HUTASSE ET FILS Tradition

● 4 ha n.c. 11 à 15 €

Ce récoltant-manipulant de Bouzy a assemblé 60 % de pinot noir et 40 % de chardonnay dans sa cuvée Tradition. D'une fraîcheur florale au nez, c'est un champagne équilibré. Léger et facile à boire, il trouvera sa place à l'apéritif. (RM)

🔑 Rudy et Nathalie Hutasse Tornay,
rue du Haut Petit-Chemin, 51150 Bouzy,
tél. 03.26.57.08.58, fax 03.26.57.06.62 ☑ 🚶 r.-v.

ERIC ISSELEE Blanc de blancs 1999 ★

● Gd cru 0,5 ha 4 000 ▮ 15 à 23 €

Un vignoble familial fondé en 1962 à Cramant, village de la Côte des Blancs classé en grand cru, et des caves creusées par le père d'Eric Isselée. Ce grand cru est évidemment un blanc de blancs. Sa palette aromatique, faite de notes beurrées et briochées et d'un fruité jaune pêche-abricot, sa bouche vive et persistante ont été fort appréciées. (RM)

🔑 EARL Eric Isselée, 350, rue des Grappes-d'Or,
51530 Cramant, tél. 03.26.57.54.96,
e-mail champagneissele.e@wanadoo.fr
☑ 🍷 🚶 t.l.j. 9h-19h30

JACQUART Mosaïque ★★

● n.c. 1 400 000 ▮🌡 15 à 23 €

Fondée en 1962 par une trentaine de viticulteurs, cette coopérative est devenue une importante structure

vinifiant un millier d'hectares de vignes réparties dans cent trente communes de la Montagne, de la Côte des Blancs et de la vallée de la Marne. La cave a son siège à Reims et ses bâtiments sont ornés d'une célèbre mosaïque illustrant l'élaboration du champagne, œuvre d'art qui a donné son nom à un champagne emblématique de la coopérative : ce brut Mosaïque. Une cuvée pléthorique et l'on s'en réjouira, car les jurés l'ont fort complimentée. Mi-blancs mi-noirs (35 % de pinot noir, 15 % de meunier) issus des vendanges de 1997 et de 1998, elle est aussi florale que minérale, aussi ronde que charpentée. Deux autres champagnes obtiennent une étoile, tous deux mi-blancs mi-noirs : le **brut de Nominée (23 à 30 €)** et le **brut Mosaïque 98 (30 à 38 €)**, le premier équilibré et fin, pour l'apéritif, le second floral et brioché, riche et complexe. (CM)

🔑 Jacquart et Associés Distribution, 6, rue de Mars,
51057 Reims, tél. 03.26.07.88.40, fax 03.26.07.12.07,
e-mail jacquart@jad.fr

A. JACQUART ET FILS

Blanc de blancs Cuvée spéciale ★

● Gd cru 3,3 ha n.c. ▮🌡 11 à 15 €

Au Mesnil-sur-Oger, on trouvera une très belle église et une grotte, réplique de celle de Lourdes – mais pas d'eau miraculeuse. On se tournera vers le champagne, qui naît souvent de chardonnay dans cette commune classée en grand cru de la Côte des Blancs. André Jacquart, rejoint par Chantal et Pierre, est établi dans ce village et dispose d'un coquet vignoble de 18 ha. Issue de la vendange de 2000, sa cuvée spéciale est un archétype de blanc de blancs avec ses fins arômes pâtissiers, briochés, accompagnés de notes de fruits blancs. Au palais, elle est fine et nerveuse, avec un dosage sensible. Même note pour le **blanc de blancs Spécial Club grand cru 96 (15 à 23 €)**, proche du précédent à une touche d'évolution près, puissant et vif en bouche. (RM)

🔑 André Jacquart et Fils,
23, rue des Zalieux, 51190 Le Mesnil-sur-Oger,
tél. 03.26.57.52.29, fax 03.26.57.78.14,
e-mail info@champagne-a-jacquart-et-fils.com
☑ 🍷 🚶 r.-v.

YVES JACQUES ★★★

● 1 ha 13 000 ▮🌡 11 à 15 €

Les ancêtres d'Yves Jacques labouraient la terre en Brie. En 1932, la famille s'installe à Baye, entre la Côte des Blancs et le Sézannais. Elle plante ses premières vignes et se lance dans la manipulation en 1960. Yves Jacques est, depuis 1985, à la tête d'une exploitation de 15 ha. Son rosé fait l'objet de tous les compliments. Provenant des années 1999 à 2001, ce champagne marie 80 % de raisins noirs (dont 50 % de meunier) au chardonnay. D'un rose franc à reflets violets, la robe est belle et jeune. Fraise des bois, griotte : un fruité rouge, un rien acidulé, égaie le nez

et se prolonge au palais. La bouche est généreuse, équilibrée, parfaitement dosée. « Un rosé de classe ». Les trois cépages champenois, assemblés dans les mêmes proportions, donnent naissance à la cuvée **Tradition 2000**, équilibrée, florale, épicée : une étoile. (RM)
🗝 Yves Jacques, 1, rue de Montpertuis, 51270 Baye, tél. 03.26.52.80.77, fax 03.26.52.83.97 ☑ Y 🚶 r.-v.

JACQUINET-DUMEZ Les Caprices de Diane ★★

● 1er cru 0,3 ha 2 000 ▮◫♁ 23 à 30 €

Etabli aux Mesneux, aux lisières de Reims, Olivier Jacquinet exploite 7 ha de vignes. Issue de 70 % de pinot noir et de 30 % de chardonnay, sa cuvée Les Caprices de Diane a séjourné dans le chêne. Le boisé est décelé par les dégustateurs, mais comme il est léger, fin, bien fondu et laisse leur place à des arômes fruités et floraux, il est fort apprécié. Un champagne équilibré, riche, complexe, élégant et long. (RM)
🗝 Jacquinet-Dumez,
26, rue de Reims, 51370 Les Mesneux,
tél. 03.26.36.25.25, fax 03.26.36.58.92,
e-mail jacquinet-dumez@wanadoo.fr ☑ Y 🚶 r.-v.

PIERRE JAMAIN ★★

● 2,5 ha 20 450 ▮ 11 à 15 €

La Celle-sous-Chantemerle ? Nous sommes dans cette partie de la Marne qui confine à la vallée de la Seine. Une petite exploitation familiale (un peu plus de 3 ha) fondée par Pierre Jamain dans les années 1950 et reprise par sa fille Elisabeth en 1985. Issu des années 1998 à 2000, ce brut privilégie largement le chardonnay (90 % et 10 % de pinot noir). Avec son nez intense, fin et complexe (fruité, grillé, brioché, fumé et épicé), sa bouche vineuse, fraîche, citronnée, élégante et longue, il est chaudement recommandé. Le **rosé**, lui aussi dominé par les raisins blancs (75 % de chardonnay mariés aux deux pinots), provient des années 2000 et 2001 : son nez frais, son attaque souple, ses arômes fruités et torréfiés, sa persistance lui valent une étoile. (RM)
🗝 EARL Pierre Jamain,
1, rue des Tuileries, 51260 La Celle-sous-Chantemerle,
tél. 03.26.80.21.64, fax 03.26.80.29.32 ☑ Y 🚶 r.-v.
🗝 E. Jamain Dona

CHRISTOPHE JANISSON Tradition

● Gd cru 1,5 ha 12 000 ▮ 11 à 15 €

Etabli à Mailly, commune de la Montagne de Reims classée en grand cru, Christophe Janisson a pris en 1984 la suite d'une lignée au service du vin depuis deux siècles. Sa cuvée Tradition fait la part belle aux raisins noirs (pinot noir à 90 %). Fine, légère et élégante au nez, avec des arômes floraux, elle se fait volumineuse en bouche. Son dosage est sensible. (RM)
🗝 Christophe Janisson,
20, rue Kellermann, 51500 Mailly-Champagne,
tél. 03.26.49.46.82, fax 03.26.83.16.54,
e-mail janisson.christophe@libertysurf.fr ☑ Y r.-v.

PH. JANISSON Prestige

● 1er cru 4 ha 10 000 ▮♁ 15 à 23 €

Cette maison a son siège à Chigny-les-Roses, dans la Montagne de Reims. Son vignoble s'étend sur quatre grands crus et trois premiers crus. Son brut Prestige assemble 60 % de chardonnay au pinot noir et provient des années 1999 à 2001. Au nez, il apparaît complexe, fruité (abricot, poire), grillé, légèrement évolué. Au palais, il est riche et gras, dominé par des arômes de fruits mûrs, mais alourdi par le dosage. (NM)
🗝 Philippe Janisson, 17, rue Gougelet,
51500 Chigny-les-Roses, tél. 03.26.03.46.93,
fax 03.26.03.49.00, e-mail champagne@janisson.fr
☑ Y 🚶 r.-v.

JANISSON-BARADON Sélection ★

● 4 ha 30 000 ▮◫♁ 15 à 23 €

Georges Baradon, tonnelier, et son gendre Maurice Janisson, remueur, se lancent dans l'aventure du champagne en 1922. Aujourd'hui, leurs descendants exploitent 9 ha de vignes et vendent leurs champagnes aux Japonais. Issue des années 1998 à 2001, cette cuvée Sélection est un champagne mi-blancs mi-noirs (pinot noir). Ses arômes beurrés, fumés, caramélisés, sa bouche persistante sont très appréciés. Même note pour un **extra brut**. Avec ses arômes complexes, empyreumatiques, beurrés, assortis de nuances de tilleul, sa bouche équilibrée et nette, c'est un vin à son apogée. (RM)
🗝 Janisson-Baradon et Fils, 2, rue des Vignerons,
51200 Epernay, tél. 03.26.54.45.85, fax 03.26.54.25.54,
e-mail info@champagne-janisson.com ☑ Y 🚶 r.-v.

JANISSON ET FILS Tradition ★★

● 2 ha 60 000 ▮♁ 11 à 15 €

Installée à Verzenay, village grand cru de la Montagne de Reims, Manuel Janisson a pris les rênes de la maison familiale créée dans les années 1920. Il dispose de 7,50 ha de vignes. Sa cuvée Tradition assemble 70 % de pinot noir au chardonnay et provient des années 1999 et 2000. Très fruitée, intense, élégante et puissante, elle trouvera sa place à l'apéritif comme avec des entrées, des langoustines par exemple. (NM)
🗝 Manuel Janisson, 6 bis, rue de la Procession,
51360 Verzenay, tél. 03.26.49.40.19, fax 03.26.49.43.58,
e-mail champagne.janisson@libertysurf.fr ☑ Y 🚶 r.-v.

RENE JARDIN Blanc de blancs Prestige 1990 ★★

● Gd cru 3 ha 827 ▮ 38 à 46 €

Créée en 1889 par Louis Jardin, cette maison de négoce est forte d'un vignoble assez étendu (22 ha) et diversifié, avec des vignes dans la Côte des Blancs, à Bouzy, dans la Montagne de Reims et aux Riceys dans l'Aube. Elle a présenté une cuvée Prestige d'un grand millésime qui se fait rare. Un blanc de blancs fort apprécié pour son nez complexe de pain grillé beurré et d'amande comme pour son équilibre exemplaire au palais. Le **rosé Cendre de rose (15 à 23 €)** obtient une étoile. De teinte soutenue, c'est un champagne dominé par les fruits rouges au nez comme en bouche ; frais et vineux, il trouvera sa place à table. Quant au **Millésime rare blanc de blancs grand cru 96 (23 à 30 €)**, empyreumatique, grillé, puissant mais assez élégant, il est cité. Un champagne de repas, lui aussi. (NM)
🗝 René Jardin,
3, rue Charpentier-Laurain, 51190 Le Mesnil-sur-Oger,
tél. 03.26.57.50.26, fax 03.26.57.98.22,
e-mail contact@champagne-jardin.fr ☑ Y 🚶 r.-v.
🗝 M. Epton

JEANMAIRE ★

● n.c. 800 000 ▮♁ 15 à 23 €

Fondée en 1933, cette maison, reprise en 1981 par la société Trouillard, est passée en 2004 sous le contrôle du groupe Laurent-Perrier. Elle dispose de caves tradition-

nelles et d'une cuverie ultramoderne au château Malakoff, à Epernay. Issu des années 2000 et 2001, son brut marie 70 % des deux pinots (40 % de pinot noir) au chardonnay. Beurré, ample, frais, il est classique avec élégance. Une étoile également pour le **98**, qui assemble 60 % de pinot noir au chardonnay, vineux, torréfié, imposant et long. Quant à la cuvée **Elysée 96 (46 à 76 €)**, elle est citée. Logée dans une bouteille spectaculaire encagée par un maillage doré, c'est un blanc de blancs dosé en extra-brut (3,6 g/l), issu de vins qui ont séjourné trois mois en barrique. Un champagne miellé et évolué au nez, vif en bouche. (NM)

⚷ Jeanmaire, Ch. Malakoff, 3, rue Malakoff,
51200 Epernay, tél. 03.26.59.50.10, fax 03.26.54.78.52,
e-mail contact@chateau-malakoff.com

JEAUNAUX-ROBIN Prestige ★

● 1 ha 5 000 ▮ 15 à 23 €

Michel Jeaunaux est installé depuis 1964 à Talus-Saint-Prix, village situé au bord du Petit Morin, à l'ouest des marais de Saint-Gond. Rejoint par son fils en 2000, il exploite 5 ha de vignes. Issue des années 1998 et 1999, sa cuvée Prestige marie quatre cinquièmes de chardonnay au pinot noir. Discrètement florale au nez, elle offre un léger fruité dans une bouche équilibrée. Un joli champagne d'apéritif. La cuvée **Grande Tradition** privilégie les noirs (90 % dont 60 % de meunier) et assemble les années 1999 à 2001. Ronde et mûre, elle propose un fruité confit, miellé, beurré : une citation. (RM)

⚷ Michel Jeaunaux,
1, rue de Bannay, 51270 Talus-Saint-Prix,
tél. 03.26.52.80.73, fax 03.26.51.63.78,
e-mail cjeaunaux@ifrance.com ☒ Y ✦ r.-v.

ABEL JOBART Sélection ★

● 2 ha 20 000 ▮ 11 à 15 €

Les Jobart sont vignerons à Sarcy, dans la vallée de l'Ardre, à une douzaine de kilomètres à l'ouest de Reims. L'étiquette porte le nom du père qui a lancé son champagne en 1975. Cette Sélection est un blanc de noirs de meunier, des vendanges 2000 et 2001. Le jury a apprécié son nez de fleurs blanches, sa bouche fraîche à l'attaque, équilibrée et fruitée. Deux autres champagnes du domaine sont cités : le **99**, assemblage de pinots noir et meunier et de chardonnay en égales proportions, aux arômes un peu grillés, d'une légèreté agréable ; la cuvée **Réserve** (assemblage de 60 % de meunier et de 40 % de chardonnay de la récolte 2001), puissante et fruitée, pour le repas. (RM)

⚷ Albert Jobart, 4, rue de la Sous-Préfecture,
51170 Sarcy, tél. 03.26.61.89.89, fax 03.26.61.89.90,
e-mail contact@champagne-abeljobart.com
☒ Y ✦ t.l.j. 9h-12h 14h-17h; sam. dim. sur r.-v.

RENE JOLLY Blanc de noirs ★

● 8 ha 20 000 ▮ 11 à 15 €

Un grand porche de pierre ouvre sur la propriété des Jolly, vignerons depuis le XVIIIe s. dans la côte des Bar (Aube). Un domaine qui comblera aussi les placomusophiles, car ses plaques de muselets sont l'œuvre d'un peintre de Roubaix. Son blanc de noirs et son **blanc de blancs** obtiennent tous deux une étoile. Le premier, 100 % pinot noir, provient des années 1997 à 1999. Quetsche beurrée au nez, il reste aromatique en bouche, volumineux et assez persistant. Un champagne de repas. Le second naît des récoltes de 1998 à 2000. Fleurs blanches et agrumes se mêlent, composant sa palette aromatique. Après une attaque franche et vive, sur des notes citronnées, la bouche se développe longuement, avec onctuosité et dans un bel équilibre. (RM)

⚷ René Jolly, 10, rue de la Gare, 10110 Landreville,
tél. 03.25.38.50.91, fax 03.25.38.30.51 ☒ Y ✦ r.-v.

JOLY-CHAMPAGNE

● 6 ha 30 000 ▮🌡 11 à 15 €

Installés à Troissy sur la rive gauche de la Marne, les Joly cultivent la vigne depuis les années 1930. Leur brut sans année est composé à 90 % de pinot noir, complété par le chardonnay. Au nez, il évoque les fruits confits et le cassis ; en bouche, il se montre vineux et puissant. (RM)

⚷ Joly-Champagne, 16, rte de Paris, 51700 Troissy,
tél. 03.26.52.70.28, fax 03.26.52.97.93,
e-mail info@champagne-joly-champagne.com
☒ ✦ t.l.j. sf dim. 8h-12h 14h-18h
⚷ Joly

JEAN JOSSELIN Blanc de blancs 1999

● 0,84 ha 3 718 ▮ 15 à 23 €

Etabli à Gyé-sur-Seine, non loin des Riceys, Jean-Pierre Josselin a pris en 1980 la suite d'une lignée au service du vin depuis le milieu du XIXe s. Il dispose d'un vignoble de 10 ha, d'une maison du XVIIe s. avec des caves voûtées et d'équipements tout récents pour la vinification. Son blanc de blancs 99 libère des arômes floraux accompagnés de nuances d'agrumes (pamplemousse) que l'on retrouve en bouche. Vif à l'attaque, il est plus onctueux ensuite. (RM)

⚷ Jean-Pierre Josselin,
14, rue des Vannes, 10250 Gyé-sur-Seine,
tél. 03.25.38.21.48, fax 03.25.38.25.00,
e-mail champagne-josselin@wanadoo.fr ☒ ✦ r.-v.

ALEXANDRE KOWAL Expression de cuvée 1998

● 0,2 ha 2 500 15 à 23 €

Installé depuis 1998 sur les quelque 3 ha de vignes héritées de ses grands-parents, Alexandre Kowal a lancé son champagne en 2003. Celui-ci pourrait s'appeler, pour être précis, « Expression de pinot noir vinifié en foudre pendant six mois ». Ce blanc de noirs attire l'attention par son nez ouvert, fait de fruits jaunes et de notes vanillées. Il attaque, se développe et finit avec vivacité et sur des nuances d'épices poivrées. (RM)

⚷ Alexandre Kowal, 17, rue du Moulin,
51260 Montgenost, tél. 06.07.41.12.01 ☒ Y ✦ r.-v.

KRUG Collection 1981 ★★

● n.c. n.c. ▮▮ + de 76 €

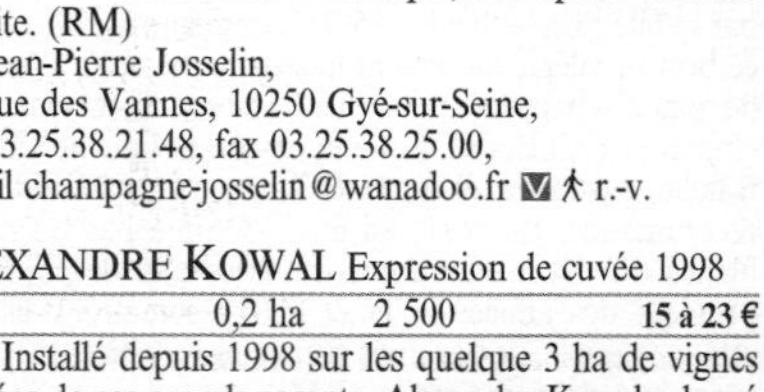

Prestigieuse maison, grande par sa réputation, petite par sa production (environ 500 000 cols par an). Fondée en 1843 par Joseph Krug, elle a été reprise en 1999 par le groupe LVMH, déjà détenteur, entre autres, de Moët & Chandon, mais la famille est restée aux commandes. Les vins décrits ci-dessous sont l'œuvre d'Henri Krug qui a récement pris sa retraite, passant le relais à Olivier et Caroline. Rémy Krug est resté, lui aussi. Les bouteilles Krug Collection, qu'il faut commander chez Krug, portent des millésimes anciens et donnent droit à un certificat d'achat. Le sublime 81 dégusté par le jury portait ainsi le n° 2431. Habillé d'or soutenu, empyreumatique au nez comme en bouche, il s'éternise en finale sur des notes de miel citronné, appelant un ris de veau. Un coup de cœur unanime et respectueux, inspiré par un champagne âgé d'un quart de siècle. La rareté a un prix, pas loin de 450 € pour cette bouteille. Deuxième coup de cœur avec deux étoiles (mais le Guide ne reproduit qu'une étiquette par producteur et par appellation), le **Clos du Mesnil 90**, déjà distingué dans la précédente édition, toujours aussi expressif et racé, à peine moins coûteux que le précédent... (NM)

⚷ Krug Vins fins de Champagne, 5, rue Coquebert, 51100 Reims, tél. 03.26.84.44.20, fax 03.26.84.44.49, e-mail krug@krug.fr ☒ Y 🚶 r.-v.

KRUG ★★★

● n.c. n.c. ◫ **+ de 76 €**

De même que le Clos du Mesnil, le rosé n'appartenait pas à la « tradition Krug » : on doit ces champagnes à Henri Krug. Ce rosé qui a vieilli plus de six ans en bouteilles atteint aujourd'hui des sommets. Il n'est pas évolué mais idéalement à point. Sa touche boisée surprend mais lui donne de l'étoffe, et sa nervosité n'a rien d'agressif. Un grand caractère et un modèle. Deux étoiles encore pour la classique **Grande Cuvée**, citronnée, distinguée et d'une rare longueur, et pour le **Krug 90** or jaune, au fruité confit plantureux, que l'on accompagnera de mets riches. (NM)

⚷ Krug Vins fins de Champagne, 5, rue Coquebert, 51100 Reims, tél. 03.26.84.44.20, fax 03.26.84.44.49, e-mail krug@krug.fr ☒ Y 🚶 r.-v.

MICHEL LABBE ET FILS Prestige ★★

● 2 ha 2 000 15 à 23 €

Didier Labbé est installé à Chamery, petit village situé sur le flanc nord de la Montagne de Reims. Deux de ses champagnes ont séduit. Leur particularité est de ne pas avoir fait leur fermentation malolactique. Mi-blancs mi-noirs (pinot noir) et née des vendanges de 1999 et 2000, cette cuvée Prestige a frôlé le coup de cœur. Complexe et délicate au nez, avec des notes beurrées, briochées, des nuances de fruits secs et macérés, des senteurs de fleurs blanches, elle attaque avec élégance et finit longuement sur un fruité nerveux. Quant à la **cuvée Ambre**, citée par le jury, elle assemble 70 % de pinot noir au chardonnay. Vineuse et ronde, « c'est un beau vin assez noble », pour reprendre la formule d'un dégustateur. (RM)

⚷ Michel Labbé et Fils, 5, chem. du Hasat, 51500 Chamery, tél. 03.26.97.65.45, fax 03.26.97.67.42 ☒ Y 🚶 t.l.j. sf dim. 9h-12h 14h-19h; f. 5-31 août

⚷ Didier Labbé

CHARLES LAFITTE Tête de cuvée ★★

● n.c. n.c. ▮ ⫰ **15 à 23 €**

L'une des marques de P.-F. Vranken. Elle appartenait à l'origine à la maison Georges Goulet, fondée en 1834. Mi-blancs mi-noirs (30 % de pinot noir, 20 % de meunier), cette Tête de cuvée offre un nez intense, minéral et biscuité. Sa belle attaque, sa puissance, son élégance emportent l'adhésion. La cuvée **Orgueil de France (23 à 30 €)** est un blanc de noirs issu des deux pinots à parts égales. Elle obtient une étoile pour ses arômes complexes et élégants, plutôt floraux, et pour sa bouche charnue et mûre. Le **rosé Grande Cuvée** assemble de façon classique 60 % de pinots (dont 40 % de pinot noir) au chardonnay. Son étiquette intéressera les collectionneurs : on peut y lire « appellation d'origine champagne contrôlée », ce qui est fort rare. Son attaque vive et son fruité rouge léger lui valent une citation. (NM)

⚷ Charles Lafitte, Le Champ Chapon, 51150 Tours-sur-Marne, tél. 03.26.61.62.63, fax 03.26.61.61.35

⚷ P.F. Vranken

RENE JAMES LALLIER Grande Réserve

● Gd cru n.c. n.c. ▮ ⫰ **15 à 23 €**

Proposée par une maison de négoce d'Aÿ, cette Grande Réserve est à 5 % près un blanc de noirs (95 % de pinot noir et un soupçon de chardonnay). Elle apparaît citronnée au nez comme en bouche, un caractère en cohérence avec sa fraîcheur nerveuse. (NM)

⚷ SA René-James Lallier, 4, pl. de la Libération, 51160 Aÿ, tél. 03.26.55.32.87, fax 03.26.55.79.93, e-mail champagne.lallier@henanet.fr ☒ Y 🚶 r.-v.

LAMIABLE Extra-brut

● Gd cru 5,7 ha 10 000 ▮ **11 à 15 €**

Le champagne Lamiable existe depuis les années 1950. L'exploitation dispose de 7,70 ha de vignes en grand cru. Provenant des années 1999 à 2001, son extra-brut assemble trois quarts de pinot noir et un quart de chardonnay. Discrètement floral au nez, ce champagne citronné et léger supporte très bien son faible dosage. Il paraîtra à son avantage lors d'un cocktail, sur un buffet salé. (RM)

⚷ Jean-Pierre Lamiable, 8, rue de Condé, 51150 Tours-sur-Marne, tél. 03.26.58.92.69, fax 03.26.58.76.67, e-mail champagne.lamiable@wanadoo.fr ☒ Y 🚶 r.-v.

JEAN-JACQUES LAMOUREUX

Blanc de blancs Cuvée Alexandrine 1999

● 1,3 ha 2 304 ▮ ⫰ 11 à 15 €

Viticulteur depuis les années 1970, Jean-Jacques Lamoureux a élaboré son premier champagne en 1985. Il exploite un vignoble de 10 ha aux Riceys, dans l'Aube. Sa cuvée Alexandrine offre un nez timide et une bouche équilibrée, dominée par le pamplemousse. (RM)

⚷ EARL Jean-Jacques Lamoureux, 27, rue du Gal-de-Gaulle, 10340 Les Riceys, tél. 03.25.29.11.55, fax 03.25.29.69.22 ☒ Y 🚶 t.l.j. sf dim. 8h30-12h 14h-18h30

CLAUDE LANCELOT Réserve ★

● 2 ha 17 000 ▮ **11 à 15 €**

Claude Lancelot détient 5 ha de vignes. Son exploitation est implantée à Avize, dans la Côte des Blancs. De fait, sa cuvée Réserve doit tout au chardonnay. Elle provient de la seule année 1999. Elle plaît par ses arômes de pain d'épice et sa bouche légère. (RM)

⚷ Lancelot-Goussard, 30, rue Ernest-Vallé, 51190 Avize, tél. 03.26.57.94.68, fax 03.26.57.79.02, e-mail nadinelancelot@hotmail.com ☒ Y 🚶 r.-v.

⚷ Claude Lancelot

LANCELOT-PIENNE

Blanc de blancs Cuvée Marie Lancelot 1996 *

Gd cru 2 ha 2 500 15 à 23 €

Né de l'alliance de deux familles, ce domaine, développé dans les années 1970 par Albert Lancelot, est conduit depuis quelques années par son fils Gilles, œnologue. De la propriété, établie à Cramant, la vue embrasse la Côte des Blancs. C'est de cette célèbre commune, classée en grand cru, que provient cette cuvée millésimée. Mêlant au nez les fruits frais (agrumes) et des notes briochées, elle attaque franchement puis développe une belle fraîcheur acidulée. A ouvrir à l'apéritif et, pourquoi pas, sur des huîtres. (RM)

Lancelot-Pienne, 1, allée de la Forêt,
51530 Cramant, tél. 03.26.57.55.74, fax 03.26.57.53.02,
e-mail champagne@lancelot.fr r.-v.

P. LANCELOT-ROYER

Blanc de blancs Cuvée de réserve R.R. *

2,3 ha 15 000 11 à 15 €

Une autre exploitation Lancelot à Cramant. Créée en 1960 par Pierre Lancelot, elle a été reprise en 1996 par sa fille Sylvie et son gendre Michel Chauvet. Les vignes s'étendent sur 4,60 ha. Née des années 2000 et 2001 et de vins de réserve, vieillie un an en foudre de chêne, cette Réserve, un blanc de blancs, mêle au nez le bonbon anglais et la réglisse. Elle confirme en bouche son originalité : on y découvre en effet des saveurs de violette. Un ensemble équilibré et fin. (RM)

EARL P. Lancelot-Royer,
540, rue du Gal-de-Gaulle, 51530 Cramant,
tél. 03.26.57.51.41, fax 03.26.57.12.25,
e-mail champagne.lancelot.royer@cder.fr r.-v.
Sylvie Lancelot

YVES LANCELOT-WANNER Chardonnay Réserve

Gd cru 2 ha n.c. 11 à 15 €

Encore des Lancelot de Cramant : Yves et François, installés dans les années 1970, et à la tête de 4,25 ha de vignes. Encore un blanc de blancs. Légèrement évolués, ses arômes de fruits secs (amande) se font miellés en bouche. Assez légère, celle-ci n'en est pas moins agréablement souple. (RM)

Yves Lancelot-Wanner,
155, rue de la Garenne, 51530 Cramant,
tél. 03.26.57.58.95, fax 03.26.57.00.30 r.-v.

LANSON Black Label *

n.c. 5 000 000 23 à 30 €

Fondée en 1760, cette célèbre maison a été reprise en 1991 par le groupe Marne et Champagne. Chez Lanson, les vins ne font pas leur fermentation malolactique. Assemblage de 65 % de noirs (dont 50 % de pinot noir) et de 35 % de blancs, cette cuvée Black Label présente un nez franc, fruité, avec une pointe végétale. Fraîche, équilibrée et longue en bouche, elle conviendra à l'apéritif. Citée, la **Noble Cuvée 95 (46 à 76 €)** est le champagne haut de gamme de Lanson. Elle est dominée par le chardonnay (71 %), avec 29 % de pinot noir en complément. Ses arômes évolués d'abricot, de coing et de vanille suggèrent un vin à son apogée. (NM)

Lanson, 12, bd Lundy, 51100 Reims,
tél. 03.26.78.50.50, fax 03.26.78.50.99,
e-mail info@lanson.fr r.-v.
M. L. Mora

P. LARDENNOIS Sélection *

0,4 ha 1 500 15 à 23 €

Enracinés dans leur vignoble comme les faux, ces hêtres singuliers, dans le bois de Verzy, les Lardennois sont au service du vin depuis onze générations. Ils cultivent 3,30 ha. Leur cuvée Sélection marie 65 % de pinot noir au chardonnay, des raisins provenant des années 1994 à 1997. Elle s'exprime élégamment sur des notes de fleurs blanches, de fruits, de brioche, de miel d'acacia, et fait preuve de fraîcheur et de légèreté. Le **brut sans année (11 à 15 €)** assemble les deux cépages dans des proportions presque identiques au précédent, mais les raisins ont été vendangés de 1998 à 2001. Il est puissant, fruité, équilibré, avec simplicité : une citation. (RM)

Pierre Lardennois, 33, rue Carnot, 51380 Verzy,
tél. 03.26.97.91.23, fax 03.26.97.97.69 r.-v.

GUY LARMANDIER Cuvée GL *

1er cru 3,8 ha 28 000 11 à 15 €

Cette exploitation familiale bénéficie d'une longue expérience. Ses 9 ha de vignes sont situés exclusivement dans la Côte des Blancs, à Cramant, Chouilly et Vertus. La cuvée GL naît des années 1999 et 2000. Elle mêle les fleurs et les agrumes, arômes auxquels s'ajoute le fruit blanc en bouche. Fraîche, équilibrée et persistante, elle fera un bon champagne d'apéritif. Provenant des mêmes années que le précédent, le **blanc de blancs Cramant grand cru** est cité pour son nez d'agrumes citron-orange, son équilibre, sa longueur et son dosage juste. (RM)

EARL Guy Larmandier,
30, rue du Gal-Koenig, 51130 Vertus,
tél. 03.26.52.12.41, fax 03.26.52.19.38 r.-v.

LARMANDIER-BERNIER

Vieilles Vignes de Cramant 1999 *

1er cru 2 ha 10 000 23 à 30 €

Une autre branche des Larmandier de la Côte des Blancs. Elle se tourne vers la biodynamie. Pierre Larmandier privilégie les levures indigènes, l'élevage sur lie et les faibles dosages. Trois de ses champagnes ont reçu le même accueil du jury : une étoile. Cette Vieille Vigne de Cramant naît de ceps de quarante-cinq ans. Vu son village d'origine, il s'agit évidemment d'un blanc de blancs. Beurré, grillé, épicé, floral, c'est un vin franc à l'attaque, ample, équilibré et long. Le **1er cru 96 (30 à 38 €)** doit également tout au chardonnay. Evolué au nez, il mêle en bouche le tilleul, la mangue, les fleurs séchées et reste nerveux. Quant au **blanc de blancs 1er cru (15 à 23 €)**, issu des années 1999 à 2001, il séduit par la complexité de ses arômes d'amande, d'agrumes, de beurre et d'épices, et par sa rondeur. (RM)

Larmandier-Bernier, 43, rue du 28-Août,
51130 Vertus, tél. 03.26.52.13.24, fax 03.26.52.21.00,
e-mail larmandier@terre-net.fr r.-v.

LARMANDIER PERE ET FILS

Blanc de blancs Perlé 2000

1er cru n.c. n.c. 15 à 23 €

Un nom connu dans la Côte des Blancs : Larmandier. La propriété est conduite par Françoise Larmandier, aidée maintenant par ses fils Olivier et Didier Gimonnet. Cette cuvée a été « inventée » dans les années 1920 par Jules Larmandier, le fondateur du domaine. Il s'agit d'un blanc de blancs millésimé de Cramant, Chouilly et Cuis, tiré à petite mousse, jeune et faiblement dosé (6-7 g/l). Il faut le boire à l'apéritif, sur sa fraîcheur de poire et de miel ; on appréciera alors la vivacité de sa bouche. Cité également,

le **blanc de blancs 1er cru** assemble 70 % de 2001 à des vins de réserve de 1998 à 2000, avec un dosage identique au précédent. Il est beurré, brioché et puissant. (RM)
🍾 Larmandier Père et Fils, 1, rue de la République, 51530 Cuis, tél. 03.26.57.52.19, fax 03.26.59.79.84, e-mail champagne.larmandier@wanadoo.fr ☑ ⍾ r.-v.

JEAN LARREY ★★

	n.c.	n.c.	▮ ♨ 11 à 15 €

Un rosé élaboré par Jacques Copinet, récoltant-manipulant installé à une quinzaine de kilomètres de Sézanne. Provenant des années 2000 à 2002, ce champagne assemble 60 % de pinot noir au chardonnay. Il suscite d'emblée l'intérêt grâce à son nez complexe de framboise, de fraise et de fleurs. La framboise insiste pour notre plus grand plaisir dans un palais équilibré et long. (RM)
🍾 Jacques Copinet,
11, rue de l'Ormeau, 51260 Montgenost, tél. 03.26.80.49.14, fax 03.26.80.44.61, e-mail info@champagne-copinet.com ☑ ⍾ ⚹ r.-v.

J. LASSALLE ★★

1er cru	5 ha	40 000	▮ 15 à 23 €

Créée par Jules Lassalle dans les années 1940, cette exploitation située dans la Montagne de Reims s'étend sur plus de 11 ha. Trois quarts de noirs (dont 60 % de meunier) sont assemblés au chardonnay dans ce brut 1er cru né des récoltes de 1997 et de 1998. Intense, mûr, vineux au nez comme en bouche, équilibré et long, c'est un excellent champagne classique qui pourra paraître à table. Une étoile pour le **blanc de blancs 1er cru 99 (23 à 30 €)** au nez de poire miellée, franc à l'attaque, persistant et prometteur. Une étoile aussi pour le **rosé 1er cru** provenant de la récolte de 1998 : un champagne qui fait la part belle aux pinots (90 %, dont 70 % de pinot noir), apprécié pour sa souplesse et sa persistance. (RM)
🍾 J. Lassalle,
21, rue du Châtaignier, 51500 Chigny-les-Roses, tél. 03.26.03.42.19, fax 03.26.03.45.70, e-mail champagne.j.lassalle@wanadoo.fr ☑ ⍾ ⚹ r.-v.

MAURICE LASSALLE 1999 ★

1er cru	1,2 ha	10 000	▮ 15 à 23 €

Eric Lassalle dirige ce domaine fondé dans les années 1930. Il exploite 7,50 ha de vignes autour de Chigny-les-Roses, village de la Montagne de Reims classé en 1er cru. Ses champagnes ne font pas leur fermentation malolactique. Ce 99 assemble trois quarts de raisins noirs (dont 50 % de meunier) et un quart de raisins blancs. Il séduit par ses arômes d'amande, de brioche et de fleurs, par son équilibre et son élégance. (RM)
🍾 Maurice Lassalle,
24, rue Georges-Legros, 51500 Chigny-les-Roses, tél. 03.26.03.42.20, fax 03.26.03.45.96, e-mail reception@champagne-maurice-lassalle.com ☑ ⍾ ⚹ r.-v.

P. LASSALLE-HANIN 1995 ★★

	0,3 ha	1 800	▮ 15 à 23 €

Constitué dans les années 1950, ce vignoble de 10 ha est exploité par deux frères et le fils de l'un d'eux. Après un 90 jugé remarquable l'an dernier, voici un autre grand millésime, tout aussi apprécié. Mi-blancs mi-noirs (pinot noir), il s'annonce par un nez évolué mais séduisant, mêlant les fruits confits, les fruits à noyau et des nuances grillées. En bouche, son ampleur, son équilibre et sa longueur réjouissent les dégustateurs. (RM)

🍾 P. Lassalle-Hanin,
2, rue des Vignes, 51500 Chigny-les-Roses, tél. 03.26.03.40.96, fax 03.26.03.42.10, e-mail gaec.lassalle-hanin@wanadoo.fr ☑ ⍾ ⚹ r.-v.

LEON LAUNOIS Blanc de blancs Blue Prestige ★

Gd cru	n.c.	n.c.	15 à 23 €

Marque de la maison Charles Mignon d'Epernay, réservée à des blancs de blancs grand cru. Discrètement marqué par les agrumes au nez, celui-ci séduit par sa présence en bouche, sa minéralité, sa persistance et son dosage discret. La maison Charles Mignon vient d'aménager pour ses clients un espace de dégustation. (NM)
🍾 Léon Launois et Cie, 6, rue Irène-Joliot-Curie, 51200 Epernay, tél. 03.26.58.16.16, fax 03.26.58.29.29, e-mail llaunois@wanadoo.fr ☑ ⍾ ⚹ r.-v.
🍾 Mignon

LAUNOIS PERE ET FILS
Blanc de blancs Cuvée réservée ★

Gd cru	6 ha	40 000	▮ 11 à 15 €

Etablis au cœur de la Côte des Blancs depuis les années 1870, les Launois exploitent aujourd'hui 20 ha de vignes. Leur Cuvée réservée assemble les années 1999 et 2000. Ses arômes subtils et complexes, floraux, beurrés, cacaotés, citronnés, sa bouche équilibrée, harmonieuse et fraîche seront appréciés à l'apéritif. Une citation pour le **blanc de blancs grand cru 97 (15 à 23 €)**. Un champagne mûr dont le nez complexe et riche associe les fruits secs, l'abricot, le miel, le pain d'épice, le grillé, et dont le palais se montre rond, équilibré et long. (RM)
🍾 Launois Père et Fils,
2, av. Eugène-Guillaume, 51190 Le Mesnil-sur-Oger, tél. 03.26.57.50.15, fax 03.26.57.97.82 ☑ ⍾ r.-v.
🍾 Bernard Launois

LAURENT-PERRIER Brut L-P ★

	n.c.	n.c.	▮ ♨ 23 à 30 €

Cette maison de Tours-sur-Marne voit le jour en 1812 et prend son nom actuel en 1881. Après une tentative de diversification inaboutie, ce groupe est en pleine expansion. Fer de lance de Laurent-Perrier, le Brut L-P, un peu plus noirs (55 %) que blancs, est frais, floral, léger, conçu pour l'apéritif. Cité, l'**Ultra Brut (30 à 38 €)** est issu des mêmes cépages, mais en proportions inverses. Il est vif, citronné avec un soupçon d'amertume, si bien qu'on le réservera à l'apéritif et aux fruits de mer. Le **Grand Siècle La Cuvée (plus de 76 €)**, mi-chardonnay, mi-pinot noir, conserve tout son prestige. Le chardonnay semble l'emporter au nez, la bouche se montrant équilibrée.
🍾 Laurent-Perrier,
Dom. de Tours-sur-Marne, 51150 Tours-sur-Marne, tél. 03.26.58.91.22, fax 03.26.58.77.29 ☑ ⚹ r.-v.

LE BRUN DE NEUVILLE 1997 ★★

	n.c.	19 500	▮ ♨ 15 à 23 €

Créée en 1963, cette coopérative du Sézannais a démarré avec une vingtaine de viticulteurs. Elle regroupe maintenant cent cinquante associés. Son 97 est un blanc de blancs. Très expressif, avec des notes de fleurs, de miel et de foin, il est riche, complexe, souple et rond. « Un champagne d'hiver pour un apéritif qui se prolongerait au coin du feu », suggère le jury. Quant à la **Cuvée chardonnay**, elle mêle au nez les fleurs et la poire, puis apparaît franche, citronnée et équilibrée en bouche. Elle est citée. (CM)

🔑 Le Brun de Neuville, rte de Chantemerle, 51260 Bethon, tél. 03.26.80.48.43, fax 03.26.80.43.28, e-mail lebrundeneuville@wanadoo.fr ☑ Y ⚲ r.-v.

LE BRUN SERVENAY Cuvée chardonnay 1995 *

○ 1,5 ha 7 000 ■ 🌡 15 à 23 €

Cette exploitation familiale implantée à Avize, dans la Côte des Blancs, propose un 95 né sans surprise de chardonnay. Il provient des plus vieilles vignes de la propriété, âgées en moyenne de soixante-cinq ans, et n'a pas fait sa fermentation malolactique. On y découvre la poire, le miel d'acacia, la finesse, le gras. Une harmonie faite de légèreté. (RM)

🔑 SCEV Le Brun-Servenay, 14, pl. Léon-Bourgeois, 51190 Avize, tél. 03.26.57.52.75, fax 03.26.57.02.71 ☑ Y ⚲ r.-v.

LECLERC BRIANT Rubis de noirs 1999 *

● 1,5 ha 10 500 ■ 🌡 **23 à 30 €**

Pascal Leclerc-Briant cultive un important vignoble de 30 ha pour alimenter une des marques les plus anciennes ayant le statut de récoltant-manipulant (1872). Il exerce également une activité de négoce. Il a l'habitude de vinifier des rosés très colorés ; celui-ci ne fait pas exception. Il est riche, intense, franc, fumé et épicé. (NM)

🔑 Leclerc-Briant, 67, rue Chaude-Ruelle, BP 108, 51204 Epernay Cedex, tél. 03.26.54.45.33, fax 03.26.54.49.59, e-mail plb@leclercbriant.com ☑ Y ⚲ t.l.j. 9h-11h30 13h30-17h30; sam. dim. sur r.-v.; f. 5-25 août

LECLERC-MONDET Grande Réserve *

○ 1,5 ha 2 000 ■ **11 à 15 €**

Un domaine de la vallée de la Marne constitué dans les années 1950 par Henri Leclerc et transmis à ses petits-fils. Les vignes s'étendent sur plus de 8 ha. Née des trois cépages champenois (meunier 40 % ; pinot noir 25 % ; chardonnay 35 %), cette Grande Réserve a demeuré sept ans en cave. C'est un champagne évolué, intéressant par ses arômes de pruneau, de figue, de fruits confits, d'abricot sec et par sa bouche ronde, en harmonie avec le nez. A servir au repas et pourquoi pas, comme le suggère un dégustateur, après une partie de chasse. (RM)

🔑 Leclerc-Mondet, 5, rue Beethoven, Chassins, 02850 Trélou-sur-Marne, tél. 03.23.70.23.39, fax 03.23.70.10.59 ☑ Y ⚲ r.-v.

EMILE LECLERE Cuvée de réserve *

○ 5 ha 40 000 **11 à 15 €**

La demeure, avec son porche et sa cour, est typiquement champenoise. Ici, les moines d'Hautvillers avaient une laiterie au XVIII[e]s. : le « berceau du champagne » n'est qu'à 3 km. Les aïeux de Guy Delouvin ont acquis la propriété à la fin du XIX[e]s. et l'ont plantée de vignes. Le pinot meunier, à 80 %, complété par le chardonnay, est à l'origine de cette Cuvée de réserve issue de la vendange de 2000. Ses arômes de fruits mûrs, son attaque charnue, son équilibre et sa puissance en font un très bon brut sans année. (RM)

🔑 Emile Leclère, 15, rue Victor-Hugo, 51530 Mardeuil, tél. 03.26.55.24.45, fax 03.26.55.24.45, e-mail scea.delouvin@wanadoo.fr ☑ Y ⚲ r.-v.

🔑 Guy Delouvin

XAVIER LECONTE Alexis *

○ 1 ha 3 000 ■ ⊞ 🌡 11 à 15 €

Si trois générations ont cultivé la vigne avant lui, Xavier Leconte est le premier à s'être lancé dans l'élaboration du champagne. Il est installé dans la vallée de la Marne, non loin de Dormans, et exploite environ 10 ha de vignes. Sa cuvée Alexis assemble 65 % de meunier au chardonnay et provient de la seule récolte de 2001. Fruitée et miellée, elle est saluée pour son équilibre, sa vinosité et sa persistance. (RM)

🔑 Xavier Leconte, 7, rue des Berceaux, 51700 Troissy, tél. 03.26.52.73.59, fax 03.26.52.71.81 ☑ Y ⚲ r.-v.

ERIC LEGRAND

● 0,4 ha 4 000 ■ ⊞ 🌡 **11 à 15 €**

Installé au début des années 1980 sur l'exploitation familiale, Eric Legrand cultive 7 ha dans l'Aube. Il a proposé un rosé de noirs (pinot noir) issu de la vendange de 2001 épaulée par des vins de 2000. Un champagne qui doit sa couleur à un apport de vin rouge élevé en fût. Il attire l'attention par ses arômes de fleur d'oranger et de mandarine comme par sa bouche structurée et équilibrée. (RM)

🔑 Eric Legrand, 39, Grande-Rue, 10110 Celles-sur-Ource, tél. 03.25.38.55.07, fax 03.25.38.56.84, e-mail champagne.legrand@wanadoo.fr ☑ Y ⚲ t.l.j. sf dim. 9h-12h30 14h-17h30; f. 30 juil.-29 août

LEGRAS ET HAAS Tradition *

○ 7 ha 30 000 ■ 🌡 **15 à 23 €**

Installé dans une maison champenoise en briques et carreaux de terre avec cour intérieure, François Legras est l'héritier d'une lignée de vignerons qui ont peu à peu constitué un coquet vignoble : plus de 25 ha, dont 13 ha à Chouilly, grand cru de la Côte des Blancs. Mi-blancs mi-noirs (les deux pinots à parts égales), ce brut Tradition provient des années 1999 et 2000. Au nez, il mêle la brioche, des nuances fruitées et le pain d'épice. Equilibré, plein et long, c'est un vin gourmand, qui pourra accompagner une volaille. Sont cités le **blanc de blancs grand cru sans année** (assemblage des années 1998 à 2000) et le **blanc de blancs grand cru 99 (23 à 30 €)**. Le premier est citronné, mentholé, rond ; le second frais au nez, avec des arômes d'agrumes et des notes beurrées, vif à l'attaque, très jeune. (NM)

🔑 Legras et Haas, 7, Grande-Rue, 51530 Chouilly, tél. 03.26.54.92.90, fax 03.26.55.16.78, e-mail legras-haas@wanadoo.fr ☑ Y ⚲ r.-v.

LELARGE-PUGEOT Cuvée Prestige

○ 0,5 ha 3 000 ■ **15 à 23 €**

Signée par un récoltant-manipulant installé depuis une quinzaine d'années à Vrigny près de Reims, cette cuvée Prestige est née de la seule récolte de 1998. De façon classique, elle assemble 60 % de chardonnay aux deux pinots à parts égales. Au nez comme en bouche, elle associe à des nuances briochées des notes évoluées, empyreumatiques (noisette, café, cacao). Parce qu'elle est harmonieuse et vive, un dégustateur suggère de la servir avec des ris de veau à la crème ou un poisson en sauce. (RM)

🔑 Dominique Lelarge, 30, rue Saint-Vincent, 51390 Vrigny, tél. 03.26.03.69.43, fax 03.26.03.68.93, e-mail champagnelelarge-pugeot@wanadoo.fr ☑ Y ⚲ r.-v.

PATRICE LEMAIRE 1998 ★

● n.c. n.c. ⊕ 11 à 15 €

Installé à Boursault, dans la vallée de la Marne, Patrice Lemaire a succédé à son père en 1988. Son 98 doit tout au chardonnay et a été élevé six mois en fût. Ce sont surtout des notes citronnées qui marquent sa palette aromatique. Le vin est vif de l'attaque jusqu'en finale, et persistant. Un champagne jeune et prometteur. (RM)

🔑 Patrice Lemaire, 9, rue Croix-Saint-Jean,
51480 Boursault, tél. 03.26.58.40.58, fax 03.26.52.30.67,
e-mail champagne-lemaire@wanadoo.fr ☒ 🚶 r.-v.

PHILIPPE LEMAIRE Dame de Louis ★

● 2 ha 10 000 ■ ⊕ 🍾 11 à 15 €

Philippe Lemaire élève souvent ses vins quatre ou cinq mois en foudre, avec bâtonnage sur lie. Les trois cépages champenois (65 % des deux pinots, dont 35 % de pinot noir) collaborent à cette cuvée Dame de Louis, née des vendanges de 2000 à 2002. Sa palette aromatique associe des nuances miellées à des notes de pain grillé et de vanille qui suggèrent un léger boisé. Un champagne ample et puissant qui trouvera sa place au repas. Issue des années 2000 et 2001, la **cuvée Sélection** porte davantage la marque des raisins noirs (75 %, dont 50 % de meunier). Vineuse et gourmande, elle exprime les fruits mûrs, confits et compotés : une étoile également, tout comme le **millésime 98** de pur chardonnay, rond, ample et long. (RM)

🔑 Philippe Lemaire, 40, rue du 8-Mai, 51480 Œuilly,
tél. 03.26.58.30.82, fax 03.26.52.92.44 ☒ 🚶 r.-v.

R.C. LEMAIRE Chardonnay 1997 ★★

● 1er cru 1 ha n.c. ⊕ 23 à 30 €

Situé sur la rive droite de la Marne, ce domaine de 12 ha signe un 97 de pur chardonnay, élevé neuf mois en fût de chêne. Est-ce pour cela que ce champagne exprime, à côté d'agrumes citronnés, des nuances vanillées qui font dire à un dégustateur qu'il « meursaulte » ? Fondu et subtil, le chêne laisse pleinement s'exprimer le vin, équilibré et frais. Une étoile pour le **Sélect Réserve (11 à 15 €)**. Né exclusivement de meunier récolté en 2000 et 2001, il n'a pas fait sa fermentation malolactique. Sa robe « fait l'œil », c'est-à-dire qu'elle prend une teinte presque rosée. Floral et frais au nez, un vin fruité et long en bouche, caractéristique d'un blanc de noirs. Une citation enfin pour la **cuvée Trianon (11 à 15 €)**, assemblage de 60 % de pinot noir et de 40 % de chardonnay des mêmes années que le précédent, et comme lui sans « malo ». Souple, charnue, vineuse, elle est à boire sans attendre. (RM)

🔑 Gilles Tournant,
rue de la Glacière, 51700 Villers-sous-Châtillon,
tél. 03.26.58.36.79, fax 03.26.58.39.28,
e-mail tournant@club-internet.fr ☒ 🍷 🚶 r.-v.

LEMAIRE RASSELET Cuvée Tradition ★

● n.c. 20 000 ■ 🍾 11 à 15 €

Située à 1 km du château de Boursault, dans la vallée de la Marne, cette exploitation propose une cuvée dominée par les raisins noirs (85 %, dont 70 % de meunier). Expressive, fruitée, souple, puissante et persistante, elle appréciera une poularde ou tout autre plat en sauce, ou – autre suggestion – un canard aux pêches de vigne. Bref, elle trouvera sa place au repas. (RM)

🔑 EARL Lemaire-Rasselet,
5, rue de la Croix-Saint-Jean, Villesaint,
51480 Boursault, tél. 03.26.58.44.85, fax 03.26.58.09.47,
e-mail champ.lemaire.rasselet@wanadoo.fr ☒ 🍷 🚶 r.-v.

MICHEL LENIQUE Sélection ★

● 5 ha 35 000 ■ 🍾 11 à 15 €

Vignerons en Champagne depuis la deuxième moitié du XVIIIes., les Lenique, à l'origine établis à Cumières, sont maintenant installés à Pierry. Depuis 2002, la maison est dirigée par le gendre de Michel Lenique, Bertrand Robinet, et les vinifications sont assurées par son fils Alexandre. Née des vendanges de 2001 et 2002, la cuvée Sélection assemble 50 % de chardonnay, 35 % de meunier et 15 % de vins de réserve. Sa palette aromatique fait songer à l'orange et au citron, ce qui n'empêche pas le palais d'être rond. Un bel équilibre. (NM)

🔑 SA Lenique et Fils, 20, rue du Gal-de-Gaulle,
51530 Pierry, tél. 03.26.54.03.65, fax 03.26.51.57.14,
e-mail salenique@wanadoo.fr
☒ 🍷 🚶 t.l.j. sf dim. 9h-12h 13h30-18h; sam. sur r.-v.

AR LENOBLE Blanc de blancs 1996 ★

● Gd cru 4 ha 35 000 38 à 46 €

Fondée dans les années 1920, cette maison, aujourd'hui dirigée par la quatrième génération, dispose de 18 ha de vignes, dont une partie dans le grand cru de Chouilly. Elle propose un coûteux 96 : un blanc de blancs complexe, fruité et brioché, frais, équilibré et puissant qui représente dignement le millésime. (NM)

🔑 AR Lenoble, 35, rue Paul-Douce, 51480 Damery,
tél. 03.26.58.42.60, fax 03.26.58.65.57,
e-mail contact@champagne-lenoble.com ☒ 🍷 🚶 r.-v.
🔑 Malassagne

CHARLES LEPRINCE Grande Réserve 1998 ★

● 8 ha 37 101 ■ 🍾 11 à 15 €

Marque d'une coopérative fondée en 1955, rassemblant plus de deux cents adhérents et vinifiant quelque 80 ha dans la région d'Epernay. Cette Grande Réserve est un assemblage classique de 60 % des deux pinots (40 % de pinot noir) et de 40 % de chardonnay. Au nez, elle marie l'aubépine et des effluves briochés. Elle est fraîche et puissante, justement dosée. (CM)

🔑 Beaumont des Crayères, BP 1030, 51318 Epernay Cedex, tél. 03.26.55.29.40, fax 03.26.54.26.30,
e-mail contact@champagne-beaumont.com
☒ 🍷 🚶 t.l.j. sf dim. 9h-12h 14h-17h;
f. week-end de Pâques à Noël et en août

LETE-VAUTRAIN Traditionnel

● 6,2 ha 45 000 ■ 🍾 11 à 15 €

Un pacifique coteau, proche de Château-Thierry. Il connut pourtant le fracas de la Grande Guerre : les vignes poussent sur la cote 204, haut lieu de la seconde bataille de la Marne en 1918. L'exploitation, créée à la fin des années 1960, est aujourd'hui conduite par la deuxième génération. Dominé par les raisins noirs (85 %, dont 60 % de meunier), ce brut traditionnel, né des années 2000 et 2001, n'a que partiellement fait sa fermentation malolactique. Vif et franc au nez, sur des notes de citron et de pamplemousse, il révèle des nuances toastées dans une bouche équilibrée et fraîche, un peu discrète en finale. (RM)

🔑 Lété-Vautrain, 11, rue Semars, hameau de Courteau,
02400 Château-Thierry, tél. 03.23.83.05.38,
fax 03.23.83.87.45, e-mail lete.vautr@quid-info.fr
☒ 🍷 🚶 t.l.j. sf dim. 8h30-12h30 13h30-18h30

LIEBART-REGNIER Cuvée Excelia 1999 ★

● 4 ha 5 000 ■ 🍾 15 à 23 €

Laurent Liébart exploite un vignoble de 9 ha sur la rive droite de la Marne. Sa cuvée Excelia 99 assemble 65 %

des deux pinots (dont 50 % de meunier) au chardonnay. Franche et fruitée au nez, corpulente et longue, elle conviendra pour le repas. Encore plus marqué par les noirs (90 %, dont 60 % de meunier), le **brut (11 à 15 €)** naît des récoltes de 2000 et 2001. Il est cité pour son élégance discrète et son attaque souple. (RM)

🐦 Liébart-Régnier,

6, rue Saint-Vincent, 51700 Baslieux-sous-Châtillon, tél. 03.26.58.11.60, fax 03.26.52.34.60, e-mail info@champagne-liebart-regnier.com ☑ ⊤ ⚔ r.-v.

🐦 Laurent Liébart

LOCRET-LACHAUD

	1er cru	8 ha	63 864	🍾 15 à 23 €

On trouve des Locret vignerons à Hautvillers, le village de dom Pérignon, en 1620. C'est Gaston Locret qui, en 1920, s'est lancé dans l'aventure du champagne. Cette cuvée, mi-blancs mi-noirs (les deux pinots), provient de la vendange de 2000. Avec son nez d'agrumes, sa bouche un peu fugace et dosée mais nette, c'est un champagne d'apéritif. Egalement cité, le **rosé Cuvée spéciale 1er cru** assemble 60 % des deux pinots au chardonnay. Il est tout en fraîcheur et en légèreté. (RM)

🐦 SARL Locret-Lachaud,

40, rue Saint-Vincent, 51160 Hautvillers, tél. 03.26.59.40.20, fax 03.26.59.40.92, e-mail champagne.locret.lachaud@wanadoo.fr ☑ ⊤ ⚔ r.-v.

🐦 Locret

LOMBARD ET CIE ★

	n.c.	n.c.	15 à 23 €

Ayant cédé la marque Charles de Cazanove, Thierry Lombard poursuit la même activité de négociant sous le nom de Lombard et Cie. Il est installé dans des bâtiments typiques de l'architecture régionale, faits de crépi clair et de brique. Son brut séduit par son nez élégant et gourmand aux arômes de fruits blancs (pêche) et par sa bouche ronde et fraîche. Quant au **1er cru 97**, il est cité pour ses notes fruitées et fumées, son harmonie et sa longueur. (NM)

🐦 Lombard et Cie, 1, rue des Cotelles, 51200 Epernay, tél. 03.26.59.57.40, fax 03.26.54.16.38 ☑

BERNARD LONCLAS Blanc de blancs ★

	3,5 ha	27 000	🍾 ⬇ 11 à 15 €

Bernard Lonclas a planté son premier cep en 1976 et constitué un vignoble de 7 ha dans une région excentrée de l'aire d'appellation, proche de Vitry-le-François. Issu des années 2000 et 2001, son blanc de blancs apparaît floral, fruité et complexe au nez. Franc à l'attaque, il se développe harmonieusement au palais. Un joli champagne d'apéritif. (RM)

🐦 Bernard Lonclas, chem. de Travent, 51300 Bassuet, tél. 03.26.73.98.20, fax 03.26.73.16.17 ☑ ⊤ ⚔ r.-v.

GERARD LORIOT Tradition ★★★

	5,5 ha	40 000	🍾 11 à 15 €

Etablis dans la vallée de la Marne, les Loriot se sont lancés dans la manipulation au début des années 1920. Ils disposent d'une cuverie et d'un pressoir flambant neufs. Leur cuvée Tradition est un étonnant blanc de noirs de meunier, provenant des années 2000 et 2001. Tous les dégustateurs couvrent ce champagne de compliments, certains suggérant même le coup de cœur. Ils saluent son nez franc, sa palette aromatique faite de miel, de beurre de noisette, d'amande et de pain, sa profondeur, son parfait

équilibre, sa longueur. Ils proposent de le servir sur du foie gras au pain d'épice et aux figues. Quant à la cuvée **Sélection**, née de la récolte de 2000, c'est un champagne mi-blancs mi-noirs (meunier), fruité et brioché au nez, puissant au palais, avec des arômes de fruits rouges : une citation. (RM)

🐦 Gérard Loriot, rue Saint-Vincent, Le Mesnil-le-Huttier, 51700 Festigny, tél. 03.26.58.35.32, fax 03.26.51.93.71 ☑ ⊤ ⚔ r.-v.

MICHEL LORIOT ★

	0,9 ha	5 000	15 à 23 €

Le premier pressoir de Festigny (vallée de la Marne) a été installé en 1908 par Léopold Loriot, arrière-grand-père du propriétaire actuel. Les premières bouteilles ont été commercialisées au début des années 1930 et le vignoble couvre aujourd'hui 6,40 ha. Dominé par les noirs (85 %, dont 70 % de meunier) et issu des années 1999 à 2001, ce rosé séduit par sa finesse, son élégance et sa persistance. La **cuvée Marie-Léopold**, née de la seule vendange de 2000, résulte d'un assemblage proche (80 % de pinot meunier, 20 % de chardonnay), mais il s'agit d'un sec. Un champagne frais au nez, au fruité souligné par un dosage sensible. Il est cité. (RM)

🐦 Michel Loriot, 13, rue de Bel-Air, 51700 Festigny, tél. 03.26.58.34.01, fax 03.26.58.03.98, e-mail info@champagne-michelloriot.com ☑ ⊤ ⚔ r.-v.

JOSEPH LORIOT-PAGEL Carte d'or

	4 ha	30 000	🍾 11 à 15 €

Une autre branche vigneronne des Loriot à Festigny (vallée de la Marne). Le double nom sur l'étiquette provient, comme de coutume, d'un mariage. L'exploitation s'étend sur un peu plus de 8 ha. Une majorité de pinots (85 %, dont 75 % de meunier) et quatre années (1998 à 2001) contribuent à cette Carte d'or structurée, un peu fugace mais fraîche, qui fera l'affaire à l'apéritif. Quant au **blanc de blancs 98 (15 à 23 €)**, il est cité pour sa légèreté florale, pour ses saveurs abricotées et citronnées. (RM)

🐦 Joseph Loriot,

33 et 40, rue de la République, 51700 Festigny, tél. 03.26.58.33.53, fax 03.26.58.05.37 ☑ ⚔ r.-v.

LOUIS-MAITREJEAN Blanc de blancs ★

	0,7 ha	6 869	🍾 11 à 15 €

Située au sud-ouest du département de la Marne, en direction de la vallée de la Seine, cette petite exploitation (1,27 ha) s'est lancée dans l'élaboration du champagne dans les années 1980. Elle propose un blanc de blancs issu des années 1999 à 2001. Complexe au nez, ce champagne mêle les fleurs blanches, le coing et le nougat. En bouche, il est citronné, frais, équilibré. Un ensemble fin et élégant. (RM)

🐦 Louis-Maîtrejean, 6, rue des Tuileries, 51260 La Celle-sous-Chantemerle, tél. 03.26.80.20.44, fax 03.26.80.20.44 ☑ ⊤ ⚔ r.-v.

YVES LOUVET Cuvée de sélection ★

	3 ha	20 000	🍾 11 à 15 €

A la tête de 7 ha de vignes, Yves Louvet a assemblé dans sa Cuvée de sélection trois quarts de pinot noir et un quart de chardonnay des années 1999 et 2000. Vanillé et grillé, ce champagne n'est pas des plus longs, mais il retient l'attention par sa puissance et son harmonie. Les mêmes cépages se combinent de façon identique dans le **95 (15 à 23 €)**, cité pour son fruité exotique, sa bonne attaque et sa longueur. (RM)

🔑 Yves Louvet,
21, rue du Poncet, 51150 Tauxières-Mutry,
tél. 03.26.57.03.27, fax 03.26.57.67.77 ☒ Y 🚶 r.-v.

LUCAS CARTON ⋆

● n.c. n.c. ▮🌡 15 à 23 €

Un champagne élaboré par Vranken pour le célèbre restaurant de la place de la Madeleine. Il assemble 70 % de chardonnay au pinot noir. Intense au nez comme en bouche, il atteint son apogée, à en juger par ses arômes évolués de pâte de coings. Riche et ample, il plaît par sa longueur. (NM)

🔑 Lucas Carton,
Ch. des Castaignes, 51270 Montmort-Lucy,
tél. 03.26.61.61.42, fax 03.26.61.63.88
🔑 P.F. Vranken

MACQUART-LORETTE Cuvée de réserve ⋆

● 1er cru 4,8 ha 12 200 11 à 15 €

Nouveau venu dans le Guide, un récoltant-manipulant établi tout près de Reims, à Ecueil. Issue de la récolte de 2001, sa Cuvée de réserve privilégie le pinot noir (85 %), complété par le chardonnay. Mêlant notes minérales et arômes d'agrumes (citron), elle est bien présente en bouche, équilibrée et longue. Une citation pour la **cuvée Prestige (15 à 23 €)**, champagne classique mariant 60 % de pinot noir au chardonnay, franc, équilibré et bien structuré. (RM)

🔑 André Macquart, 6, chem. des Glaises,
51500 Ecueil, tél. 03.26.49.74.42, fax 03.26.49.77.42,
e-mail contact@champagne-macquart.fr ☒ Y r.-v.

MICHEL MAILLIARD Cuvée 2000 ⋆⋆

● 1er cru n.c. n.c. 15 à 23 €

Installé à Vertus, dans la Côte des Blancs, Michel Mailliard a un faible pour la vinification parcellaire, sans assemblage : une originalité dans ce vignoble. Ses champagnes sont souvent des blancs de blancs 1er cru, comme cette cuvée tenue en haute estime par les jurés. Tous les commentaires soulignent sa « finesse incroyable », l'élégance de ses notes beurrées, briochées, de ses arômes de poire confite. Pour l'apéritif ou, selon l'un de ses partisans, pour les réveils tardifs... Une citation pour la cuvée **Mont Vergon 1er cru**, issue d'une sorte de clos de 1,80 ha planté en chardonnay. Un champagne équilibré, discret, peut-être encore fermé, pour les fruits de mer. (RM)

🔑 Michel Mailliard, 52, av. de Bammental,
51130 Vertus, tél. 03.26.52.15.18, fax 03.26.52.24.05,
e-mail info@champagne-michel-mailliard.com
🏠 Y r.-v.

MAILLY GRAND CRU
Cuvée Les Echansons 1996 ⋆

● Gd cru n.c. 11 262 ▮🌡 46 à 76 €

Ce groupement de producteurs fête ses soixante-quinze ans en 2004. Vinifiant 70 ha, il constitue une sorte de club réservé aux vignerons de Mailly, dans la Montagne de Reims. Ses champagnes ignorent le pinot meunier qui n'a pas droit de cité ici comme dans tous les grands crus. Cuvée haut de gamme, Les Echansons assemblent 75 % de pinot noir au chardonnay. Au nez, un fruité très mûr, du pain d'épice, du fruit à noyau. Au palais, une certaine vivacité. Une attaque franche, une bouche volumineuse et puissante en font un champagne de repas. C'est aussi la vocation de la cuvée **Réserve grand cru (15 à 23 €)**, qui assemble pinot noir et chardonnay dans les mêmes proportions que la précédente. Une bouteille corpulente, très marquée par le pinot, destinée à la table. Elle est citée, tout comme le **rosé grand cru (23 à 30 €)**, qui offre des arômes de fruits rouges et de pêche et fait preuve d'une belle nervosité. (CM)

🔑 Mailly Grand Cru,
28, rue de la Libération, 51500 Mailly-Champagne,
tél. 03.26.49.41.10, fax 03.26.49.42.27,
e-mail contact@champagne-mailly.com ☒ Y 🚶 r.-v.

MALARD Tradition ⋆

● 1er cru n.c. 350 000 ▮ 15 à 23 €

Beau tir groupé de cette jeune maison créée en 1996 par Jean-Louis Malard et qui ne propose que des 1ers et grands crus. Quatre de ses champagnes obtiennent chacun une étoile. La cuvée tradition 1er cru et l'**Excellence 1er cru** assemblent 60 % des deux pinots à parts égales au chardonnay. La première est marquée par la vinosité, la seconde par la fraîcheur. La cuvée **Tradition grand cru** marie 80 % de pinot noir au chardonnay. C'est un vin puissant et long, aux saveurs de fruits rouges. L'**Excellence grand cru**, blanc de blancs, charme par ses parfums de fleurs blanches et sa fraîcheur. (NM)

🔑 Malard,
65, av. de Champagne, BP 95, 51203 Epernay Cedex,
tél. 03.26.57.84.00, fax 03.26.52.75.54,
e-mail info@champagnemalard.com ☒

B. MALLOL-GANTOIS
Blanc de blancs Grande Réserve ⋆

● Gd cru 6,8 ha 4 700 ▮ 11 à 15 €

Bernard Mallol est aux commandes de l'exploitation familiale depuis 1981. Il a la chance d'avoir la totalité de son vignoble (6,80 ha) sur le territoire de Cramant et de Chouilly, deux villages de la Côte des Blancs classés en grands crus. Sa Grande Réserve marie les années 1996 à 1998. Complexe, avec des notes fruitées, beurrées, épicées, des nuances de noisette, elle est équilibrée, ronde et ample, et pourra être dégustée pour elle-même, à l'apéritif. (RM)

🔑 Bernard Mallol,
290, rue du Gal-de-Gaulle, 51530 Cramant,
tél. 03.26.57.96.14, fax 03.26.59.22.57 ☒ Y 🚶 r.-v.

HENRI MANDOIS Cuvée de réserve

● 12 ha 100 000 ▮🌡 15 à 23 €

Cette maison, conduite par la cinquième génération, a son siège à Pierry, près d'Epernay. Elle dispose d'un vaste vignoble (34 ha) et de caves du XVIII[e]s. situées sous l'église de Pierry où frère Oudart, un des pionniers du champagne, est enterré. Les trois cépages champenois (40 % de chardonnay et 60 % des deux pinots à parts égales) contribuent à cette Cuvée de réserve florale, fraîche et puissante. Un brut sans année bien agréable. (NM)

🔑 Henri Mandois, 66, rue du Gal-de-Gaulle,
51530 Pierry, tél. 03.26.54.03.18, fax 03.26.51.53.66,
e-mail info@champagne-mandois.fr ☒ Y 🚶 r.-v.

CHAMPAGNE

TRADITION DE MANSARD Grande Cuvée

● n.c. n.c. ■🌡 11 à 15 €

Signé par une maison de négoce d'Epernay, un champagne mi-blancs mi-noirs (pinot noir) des années 1998 et 1999. Son attaque vive annonce une bouche citronnée, vineuse, puissante et longue. (NM)

⊶ Mansard-Baillet,
14, rue Chaude-Ruelle, 51200 Epernay,
tél. 03.26.54.18.55, fax 03.26.51.99.50 ☒ Y 🚶 r.-v.

DIDIER MARC Grande Réserve ★

● 1 ha 5 000 ■ 11 à 15 €

Installé à Fleury-la-Rivière, non loin d'Hautvillers, le « berceau du champagne », Didier Marc a pris en 1982 la suite d'une lignée de vignerons remontant au début du XVII^e^s. En 1992, il a remplacé par un pressoir pneumatique moderne le vieux pressoir après cent deux ans de bons et loyaux services. Sa Grande Réserve privilégie les raisins noirs (80 %, dont 70 % de meunier) et assemble les années 1998 et 1999. Vineuse, souple à l'attaque, puissante et longue, elle accompagnera un repas. Le **99 (15 à 23 €)**, mariant les trois cépages champenois à parts égales, a été cité pour sa minéralité, son fruité nerveux d'agrumes et sa persistance. (RM)

⊶ Didier Marc, 11, rue Dom-Pérignon,
51480 Fleury-la-Rivière, tél. 03.26.58.60.69,
fax 03.26.52.84.20, e-mail dimadima@club-internet.fr
☒ Y 🚶 t.l.j. 8h-19h; f. du 15 au 30 août

PATRICE MARC ★

● 0,3 ha 2 000 ■🌡 11 à 15 €

A la tête d'un vignoble d'un peu plus de 3 ha depuis 1975, Patrice Marc signe un rosé dominé par les pinots (70 %, dont 40 % de pinot noir) et issu des années 1999 et 2001. D'une élégante pâleur dans le verre, ce champagne est complexe et fin au nez, marqué par la violette et la pivoine, puis les fruits rouges envahissent la bouche. Un bel équilibre. (RM)

⊶ Patrice Marc,
1, rue du Creux-Chemin, 51480 Fleury-la-Rivière,
tél. 03.26.58.46.88, fax 03.26.59.48.21,
e-mail champagne-marc@orange.fr ☒

A. MARGAINE Cuvée traditionnelle ★

● 1er cru 6 ha 52 000 ■ 11 à 15 €

A la tête de 6 ha de vignes, Arnaud Margaine perpétue une longue tradition familiale sur cette exploitation créée en 1910 et située à Villers-Marmery, dans la Montagne de Reims. Cette commune est réputée pour la qualité de ses chardonnays, cépage qui entre à 90 % dans cette cuvée assemblant 56 % de vins de la récolte 2000 à 44 % de vins de réserve de quatre années (1994, 1997, 1998, 1999). Un champagne équilibré, citronné et frais, pour l'apéritif. (RM)

⊶ A. Margaine,
3, av. de Champagne, 51380 Villers-Marmery,
tél. 03.26.97.92.13, fax 03.26.97.97.45,
e-mail champagne-margaine@terre-net.fr ☒ Y 🚶 r.-v.

MARGUET-BONNERAVE Vintage 1999 ★

● Gd cru 1 ha 5 000 ■🌡 15 à 23 €

Implantée à Ambonnay, village classé en grand cru, cette exploitation s'est fait une spécialité du rosé qui représente envion 30 % de sa production, une proportion qui serait quatre fois supérieure à la moyenne. Ce 99 assemble un rosé de saignée de pinot noir à 40 % de chardonnay. Sa robe est soutenue, de couleur brique ; son nez complexe associe le cassis, l'airelle et la myrtille. L'attaque nette introduit un palais ample, charnu et long. (RM)

⊶ Marguet-Bonnerave,
14, rue de Bouzy, 51150 Ambonnay,
tél. 03.26.57.01.08, fax 03.26.57.09.98,
e-mail benoit@champagne-bonnerave.com
☒ Y 🚶 t.l.j. 9h-12h 14h-18h; sam. et dim. sur r.-v.

MARGUET PERE ET FILS Blanc de noirs ★

● 3 ha 35 000 ■🌡 11 à 15 €

Disposant en propre d'un minuscule vignoble (moins de 1 ha) près d'Epernay, les Marguet ont pris le statut de négociant pour élaborer du champagne. Leur blanc de noirs assemble 80 % de pinot noir au meunier. Expressif au nez, il évoque les fruits mûrs. Une attaque charnue introduit une bouche nerveuse et assez longue. (NM)

⊶ Marguet Père et Fils,
2, pl. Barancourt, 51150 Ambonnay,
tél. 03.26.57.01.08, fax 03.26.57.09.98,
e-mail benoit@champagne-bonnerave.com ☒ Y 🚶 r.-v.

MARIE STUART Cuvée Sommelière ★★

● n.c. n.c. ■🌡 23 à 30 €

Fondée en 1867, cette maison a été reprise en 1994 par Alain Thiénot, qui a beaucoup investi en Champagne, dans le Bordelais et, plus récemment, en Languedoc. La Cuvée Sommelière fait honneur au chardonnay (90 %), complété par le pinot noir. Subtile et briochée au nez, elle est légère, tendre, harmonieuse. La **Cuvée de la Reine** assemble chardonnay et pinot noir dans les mêmes proportions que la précédente. Elle est citée pour son nez mêlant l'aubépine et la vanille et pour son équilibre velouté. (NM)

⊶ Marie Stuart, 8, pl. de la République, 51100 Reims,
tél. 03.26.57.84.00, fax 03.26.52.75.54
⊶ Thiénot

JEAN-PIERRE MARNIQUET Cuvée Eclat 1989 ★★

● n.c. 3 000 ■ 23 à 30 €

Le vignoble, constitué dans les années 1920, s'étend sur 7 ha. L'exploitation a son siège dans la vallée de la Marne. Elle est dirigée depuis 1974 par Jean-Pierre Marniquet. Assemblage de 60 % de chardonnay et de 40 % de pinot noir, sa cuvée Eclat 89 brille encore. Intense et complexe, le nez décline des notes beurrées, briochées, miellées, fruitées et des nuances de tabac blond. Franche à l'attaque, la bouche est bien structurée, puissante, harmonieuse et longue. Un beau champagne de repas. Autre grand millésime, le **95 Cuvée de réserve (11 à 15 €)** marie 65 % des deux pinots (50 % de meunier) au chardonnay. Fruits confits au nez comme en bouche, il est équilibré et persistant : une étoile. La **cuvée Tradition (11 à 15 €)** assemble les trois cépages champenois dans les mêmes proportions que la précédente mais provient des années 2000 et 2001. Elle est citée pour sa légèreté printanière et son équilibre. (RM)

⊶ Jean-Pierre Marniquet, 8, rue des Crayères,
51480 Venteuil, tél. 03.26.58.48.99, fax 03.26.58.45.21,
e-mail jp.marniquet@cder.fr ☒ Y 🚶 r.-v.

MARTEAUX-GUYARD Réserve ★

● 3 ha 30 000 ■🌡 11 à 15 €

Exploitation située dans la vallée de la Marne. A partir d'une majorité de raisins noirs (90 %, dont 60 % de meunier) et des récoltes de 1999 à 2001, elle a élaboré un champagne vineux, souple, rond et jeune. (RM)

🗝 Joël Marteaux, 63, Grande-Rue, 02400 Bonneil, tél. 03.23.82.90.04, fax 03.23.82.05.69 ☑ 🍷 🚶 r.-v.

G. H. MARTEL & Cº Prestige ★

○ n.c. 300 000 ■🌡 15 à 23 €

Cette maison fondée en 1869 a été reprise en 1970 par la famille Rapeneau. Elle dispose d'un important vignoble (80 ha). Sa cuvée Prestige assemble 70 % de pinot noir au chardonnay et provient des années 2000 et 2001. Au nez comme en bouche, elle est marquée par des notes empyreumatiques, accompagnées d'un fruité d'agrumes. Fraîche à l'attaque, elle fait preuve d'un équilibre exemplaire. (NM)

🗝 G.H. Martel, 69, av. de Champagne, BP 1011, 51318 Epernay Cedex, tél. 03.26.51.06.33, fax 03.26.54.41.52, e-mail contact@champagnemartel.com ☑

PAUL-LOUIS MARTIN ★

● Gd cru 3 ha n.c. ■🌡 11 à 15 €

Cette exploitation dispose d'un vignoble de plus de 8 ha autour de Bouzy, commune classée en grand cru. Son rosé privilégie les raisins noirs : seulement 10 % de chardonnay pour 75 % de pinot noir et 15 % de vin rouge qui lui donne sa couleur. Rose pâle dans le verre, il offre des saveurs de fraise écrasée. Un champagne gourmand. Une étoile encore pour la **cuvée Vincent chardonnay grand cru 99**. Ses arômes tout en finesse, un rien évolués, rappellent les fruits secs, le tilleul. Issu des années 2000 et 2001, le **brut grand cru** est cité. Ses 70 % de pinot noir lui apportent puissance et arômes confits, ses 30 % de chardonnay élégance et notes d'abricot sec. (RM)

🗝 Paul-Louis Martin, 3, rue d'Ambonnay, BP 4, 51150 Bouzy, tél. 03.26.57.01.27, fax 03.26.57.83.25 ☑ 🍷 🚶 r.-v.

DENIS MARX Tradition

○ n.c. 50 000 ■ 11 à 15 €

Depuis une trentaine d'années, Denis Marx vend sous sa marque le champagne issu de son vignoble qui s'étend sur un peu plus de 10 ha répartis sur sept terroirs. Sa cuvée Tradition privilégie les raisins noirs (90 %, dont 60 % de meunier). Elle est puissante, ronde et longue. Ses saveurs de fruits mûrs et de fruits secs donnent à penser qu'elle a atteint son apogée. (RM)

🗝 Denis Marx, 31, rue de la Chapelle, 51700 Cerseuil, tél. 03.26.52.71.96, fax 03.26.52.72.65 ☑ 🍷 🚶 r.-v.

THIERRY MASSIN Réserve ★

○ n.c. 20 000 ■ 11 à 15 €

Frère et sœur, Thierry et Dominique Massin exploitent ensemble le vignoble familial situé dans l'Aube. Ils l'ont agrandi, portant sa superficie à 10 ha et ont lancé leur marque en 1977. Leur cuvée Réserve doit presque tout au pinot noir (90 %) ; les raisins ont été récoltés de 1999 à 2001. Un champagne puissant, complexe, vif et surtout fruité. Mi-blancs mi-noirs (pinot noir), la cuvée **Prestige** naît des récoltes de 2000 et 2001. Elle obtient elle aussi une étoile pour ses arômes complexes (fruits blancs et jaunes, noisette, brioche), pour sa belle attaque, sa fraîcheur élégante et son harmonie. (RM)

🗝 Thierry Massin, 6, rte des Deux-Bar, 10110 Ville-sur-Arce, tél. 03.25.38.74.01, fax 03.25.38.79.10, e-mail champagne.thierry.massin@wanadoo.fr ☑ 🍷 🚶 t.l.j. sf dim. 9h-12h 13h30-18h30; sam. sur r.-v.

REMY MASSIN ET FILS Cuvée Prestige ★

○ 2 ha 12 400 ■🌡 11 à 15 €

Etablis dans l'Aube, les Massin sont vignerons depuis cinq générations. L'exploitation s'étend sur 20 ha. Depuis 1981, c'est Sylvère, le fils de Rémy, qui élabore les cuvées. Mi-blancs mi-noirs (pinot noir), celle-ci provient des années 1999 à 2001. Elle livre des arômes complexes de sous-bois et de café grillé. La bouche charnue bénéficie d'un dosage juste. (RM)

🗝 Rémy Massin et Fils, 34, Grande-Rue, 10110 Ville-sur-Arce, tél. 03.25.38.74.09, fax 03.25.38.77.67, e-mail remy.massin.fils@wanadoo.fr ☑ 🍷 🚶 t.l.j. 9h-12h 13h30-18h; sam. dim. sur r.-v.

LOUIS MASSING Cuvée Prestige

○ Gd cru 2 ha 10 000 ■🌡 15 à 23 €

Signée par une maison de négoce d'Avize, cette cuvée grand cru doit tout au chardonnay et provient de la vendange de 1998. Notes miellées, épicées, abricot sec : sa palette aromatique bien fondue révèle une certaine évolution. Sa bouche reste vive mais mieux vaut la boire sans attendre. (NM)

🗝 SA Deregard-Massing, La Haie Maria, D 9, 51190 Avize, tél. 03.26.57.52.92, fax 03.26.57.78.23, e-mail champagne.louismassing@clubadsl.fr ☑ 🍷 🚶 r.-v.

HERVE MATHELIN Cuvée Privilège ★

○ 0,5 ha 4 400 ■ 15 à 23 €

Amateurs de mystère, sachez que la maison du XVIIIᵉs. où demeurent les Mathelin était reliée à la crypte du village par des souterrains. Située dans la vallée de la Marne, la propriété dispose d'un vignoble de 14 ha, conduit depuis 1999 par Nicolas qui représente la troisième génération. La cuvée Privilège est née de la vendange de 2001. A 5 % près (pinot noir), c'est un blanc de blancs. Le chardonnay lui a légué finesse, légèreté et fraîcheur. (RM)

🗝 Hervé Mathelin, 2, rte de Paris, 51700 Troissy, tél. 03.26.52.74.42, fax 03.26.57.16.54, e-mail herve.mathelin@wanadoo.fr ☑ 🍷 r.-v.

🗝 Nicolas Mathelin

SERGE MATHIEU Blanc de noirs Cuvée Tradition ★

○ 4 ha 30 000 ■🌡 11 à 15 €

Situé près des Riceys dans l'Aube, ce vignoble a été constitué à la fin des années 1950 et s'étend sur 11 ha. Ses propriétaires élaborent leur champagne depuis 1976. Celui-ci, 100 % pinot noir, livre des arômes floraux et fruités (pêche). Charnu à l'attaque, il séduit par sa persistance. (RM)

🗝 Serge Mathieu, 6, rue des Vignes, 10340 Avirey-Lingey, tél. 03.25.29.32.58, fax 03.25.29.11.57, e-mail information@champagne-serge-mathieu.fr ☑ 🍷 🚶 t.l.j. sf sam. dim. 9h-12h 14h-17h; f. août

MATHIEU-PRINCET ★

○ 1er cru 6 ha 40 000 ■ 11 à 15 €

Implantée à Grauves, commune classée en 1er cru non loin d'Epernay, cette exploitation signe un champagne issu des années 1998 à 2001. Le chardonnay (60 %) et le pinot noir collaborent à cette cuvée au fruité frais, ample, équilibrée et longue. (RM)

🗝 SARL Mathieu-Princet, 16, rue Bruyère, 51190 Grauves, tél. 03.26.59.73.72, fax 03.26.59.77.75, e-mail mathieu.princet@cder.fr ☑ 🍷 🚶 r.-v.

PASCAL MAZET Tradition

| 1er cru | 2 ha | n.c. | ⑪ 11 à 15 € |

Récoltant-manipulant à Chigny-les-Roses, dans la Montagne de Reims, Pascal Mazet utilise volontiers foudre et fût de chêne. Ainsi cette cuvée Tradition assemble-t-elle des vins des années 1997 à 1999 à des vins vieillis dans le bois. Elle privilégie les raisins noirs (70 %, dont 50 % de meunier). Fine au nez, elle mêle des notes fruitées et florales à des nuances anisées, mentholées. Vive à l'attaque, elle est franche au palais. Pour le repas. (RM)
🕿 Pascal Mazet,
8, rue des Carrières, 51500 Chigny-les-Roses,
tél. 03.26.03.41.13, fax 03.26.03.41.74,
e-mail champagne.mazet@free.fr ☑ 🍷 🏃 r.-v.

GUY MEA ★★

| 1er cru | 0,5 ha | n.c. | 🍾 11 à 15 € |

Situé sur le flanc sud de la Montagne de Reims, Louvois, environné de la vaste forêt qui domine le vignoble, s'appelait jadis Loup-Vois, d'où le nom de cette exploitation, fondée dans les années 1950 : la Voie des Loups. Provenant des années 1998 à 2000, son rosé doit sa teinte à 11 % de vin rouge du proche village de Bouzy, incorporé à 70 % de pinot noir et à 19 % de chardonnay. Sa robe saumon soutenu annonce un fruité fin et élégant évoquant la framboise. Une belle attaque introduit une bouche souple et fraîche à la fois. Le brut 1er cru est issu des années 1999 à 2001 et assemble 65 % de pinot noir au chardonnay. Les jurés apprécient son nez léger, fait de fleurs, de fruits blancs et de tabac, ainsi que sa bouche équilibrée, harmonieuse et longue : une étoile. (RM)
🕿 Guy Méa, SCE La Voie des Loups,
2, rue de l'Eglise, 51150 Louvois,
tél. 03.26.57.03.42, fax 03.26.57.66.44 ☑ 🍷 🏃 r.-v.

MERCIER Demi-sec ★

| n.c. | n.c. | 🍾 15 à 23 € |

« Comptez par kilomètres et non par mètres », aurait dit Eugène Mercier, le fondateur de la maison, aux hommes chargés de percer ses gigantesques caves. Les 18 km de galeries creusées dans les années 1870 constituent toujours une attraction touristique. Quant à la maison, créée en 1858 et aujourd'hui intégrée au groupe LVMH, elle a contribué à une certaine démocratisation du champagne. Très courants autrefois, les demi-secs bénéficient d'un regain d'intérêt. A base de raisins noirs, celui-ci est miellé, riche, complexe et évite toute lourdeur. Une étoile également pour la cuvée du Fondateur, un vin intense au nez, charnu, charpenté et long. (NM)
🕿 Mercier, 75, av. de Champagne, 51200 Epernay,
tél. 03.26.54.71.11, fax 03.26.54.84.23
☑ 🍷 🏃 t.l.j. 9h30-11h30 14h-16h30; groupe sur r.-v.

DE MERIC Blanc de blancs sous bois

| 1er cru | n.c. | 4 400 | 🍾⑪ 15 à 23 € |

Cette marque créée en 1959 par la famille Besserat appartient à une société cosmopolite, franco-germano-américaine. La maison promeut l'élevage sous bois pour une partie de ses cuvées. C'est le cas de ce blanc de blancs qui a séjourné en partie dans le chêne. Assez réservé au nez, il libère des senteurs de noisette et des notes beurrées qui s'accompagnent en bouche d'arômes d'agrumes (citron vert). Le boisé est fondu et subtil, contrairement au dosage. Quant au Vintage 96, il est dominé par le pinot noir (70 %), complété par le chardonnay. Discrètement confit, toasté et vineux, il obtient la même note. (NM)

🕿 de Méric, 17, rue Gambetta, BP 24, 51160 Aÿ,
tél. 03.26.55.20.72, fax 03.26.55.69.23,
e-mail de-meric@wanadoo.fr ☑ 🍷 🏃 r.-v.

LE MESNIL Blanc de blancs

| Gd cru | 10 ha | 90 000 | 🍾 11 à 15 € |

Créée en 1937, l'Union des propriétaires-récoltants du Mesnil-sur-Oger propose un blanc de blancs de cette commune, donc un grand cru, provenant des années 1998 et 1999. Classique, d'une grande finesse, frais et fruité, c'est un vin parfaitement représentatif des champagnes nés du chardonnay. (CM)
🕿 Le Mesnil, 19, rue Charpentier-Laurain,
BP 17, 51190 Le Mesnil-sur-Oger,
tél. 03.26.57.53.23, fax 03.26.57.79.54,
e-mail lemesnil@wanadoo.fr ☑ 🍷 🏃 r.-v.

JEAN MICHEL Blanc de blancs ★

| | 0,2 ha | 2 000 | 🍾 11 à 15 € |

Installé à Moussy, dans les coteaux au sud d'Epernay, Jean Michel dispose d'un vignoble de 11,50 ha de vignes. Né de la récolte de 1998, son blanc de blancs apparaît comme un classique avec ses arômes de fleurs blanches nuancés de légères notes briochées, sa bouche vive et légère. (RM)
🕿 Champagne Jean Michel,
15, rue Jean-Jaurès, BP 14, 51530 Moussy,
tél. 03.26.54.03.33, fax 03.26.51.62.66 ☑ 🍷 🏃 r.-v.

J. B. MICHEL 1996 ★★

| | n.c. | 3 000 | 23 à 30 € |

Installé à Pierry, près d'Epernay, Bruno Michel exploite, avec sa femme Catherine, 15 ha de vignes répartis en trente-cinq parcelles. Les ceps ont souvent plus de trente ans et sont plantés sur des coteaux bien exposés. Cette cuvée 96 assemble 80 % de chardonnay et 20 % de pinot meunier. Intense, fruité, grillé, mûr, vineux, le nez est parfait. Franche et pleine, volumineuse, ample et soyeuse, très bien dosée, la bouche est superbe : coup de cœur ! La Cuvée blanche (11 à 15 €) provient du pinot meunier (60 %) et du chardonnay (40 %), récoltés en 1999 et 2000. Elle est citée pour ses arômes floraux, sa fraîcheur et sa souplesse. (RM)
🕿 Bruno Michel, 4, allée de la Vieille-Ferme,
51530 Pierry, tél. 03.26.55.10.54, fax 03.26.54.75.77,
e-mail champagne.j.b.michel@cder.fr ☑ 🍷 🏃 r.-v.

PAUL MICHEL
Grande Réserve Blanc de blancs 1996

| 1er cru | 4 ha | 8 000 | 🍾 15 à 23 € |

Créée dans les années 1950, cette propriété familiale a son siège à Cuis, à l'orée de la Côte des Blancs. Elle dispose d'un coquet vignoble de 18 ha. Son blanc de blancs

associe au nez l'aubépine, des notes briochées et de pain grillé et une touche de fruits secs. En bouche, il est vif, plein, équilibré. Un classique. (RM)
🔑 Paul Michel, 20, Grande-Rue, 51530 Cuis,
tél. 03.26.59.79.77, fax 03.26.59.72.12
☑ 🍷 t.l.j. sf sam. dim. 9h-12h 14h-17h; f. août

MICHEL-GENTILHOMME

| 0,53 ha | 3 688 | 15 à 23 € |

L'exploitation est récente (1993), mais elle s'est installée dans une ancienne maison vigneronne avec porte cochère et cour intérieure. Elle s'étend sur 8 ha. Elle a proposé un brut sans année issu de la seule vendange de 1999. L'assemblage privilégie légèrement les raisins noirs (55 %, dont 40 % de meunier) et le vin ne fait pas sa fermentation malolactique. Pain grillé au nez, souple à l'attaque, c'est un champagne d'une agréable vinosité. (RM)
🔑 Michel-Gentilhomme, 3, rue Jules-Lobet,
BP 64, 51160 Aÿ, tél. 03.26.55.69.08,
e-mail michel-gentilhomme@wanadoo.fr ☑ 🚶 r.-v.

CHARLES MIGNON Grande Réserve ★★

| 1er cru | n.c. | n.c. | 11 à 15 € |

Dirigée par Bruno Mignon, la maison Charles Mignon a moins de dix ans, mais la famille Mignon est au service du vin depuis plusieurs générations. Assemblage de 75 % de pinot noir et de 25 % de chardonnay, cette Grande Réserve a été couverte de compliments. Les jurés apprécient son nez expressif, complexe et délicat où se mêlent la pêche, les fleurs et des nuances briochées. La bouche ne déçoit pas, d'une belle vivacité, équilibrée, harmonieuse. Du caractère et de l'élégance. (NM)
🔑 Charles Mignon, 7, rue Joliot-Curie, 51200 Epernay,
tél. 03.26.58.33.33, fax 03.26.51.54.10,
e-mail bmignon@champagne-mignon.fr ☑ 🍷 🚶 r.-v.

PIERRE MIGNON Cuvée de Madame 1995 ★★

| 1,5 ha | 12 000 | 15 à 23 € |

Transmise de père en fils depuis quatre générations, cette maison a son siège au Breuil, commune de la vallée du Surmelin, affluent de la rive gauche de la Marne. Elle dispose de 12,50 ha de vignes. Depuis la première édition, ses champagnes sont régulièrement mentionnés dans le Guide. La cuvée de Madame, de l'excellent millésime 95, naît de 60 % de chardonnay et de 40 % des deux pinots (30 % de pinot meunier). Complexe au nez, elle est légèrement miellée, avec des nuances de citron et de pêche blanche. Cette complexité se retrouve dans une bouche équilibrée, élégante et longue. Un champagne qui s'accordera avec le poisson et les viandes blanches. Le **rosé Prestige** privilégie les noirs (60 % de meunier, 15 % de pinot noir). Son fruité, son équilibre et son ampleur lui valent une étoile. (NM)
🔑 Pierre Mignon, 5, rue des Grappes-d'Or,
51210 Le Breuil, tél. 03.26.59.22.03, fax 03.26.59.26.74,
e-mail p.mignon@lemel.fr ☑ 🍷 🚶 r.-v.

MILAN Blanc de blancs 3e millénaire

| Gd cru | n.c. | n.c. | 15 à 23 € |

En 1864, Charles Milan, l'un des premiers récoltants-manipulants de la Côte des Blancs, crée sa maison à Oger. Conduite par la quatrième et la cinquième génération, celle-ci dispose aujourd'hui d'un vignoble de 6 ha. Son blanc de blancs grand cru provient des récoltes de 1999 et 2000. Discrètement floral au nez, il conjugue rondeur et fraîcheur en bouche. (NM)
🔑 Milan, 6, rue d'Avize, 51190 Oger,
tél. 03.26.57.50.09, fax 03.26.57.78.47,
e-mail info@champagne-milan.com ☑ 🍷 🚶 r.-v.
🔑 Henry-Pol Milan

ALBERT DE MILLY Réserve ★

| 15 ha | n.c. | 11 à 15 € |

Albert Demilly est établi à Bisseuil, commune des bords de la Marne située à la croisée des vignobles de la Montagne de Reims, de la Côte des Blancs et de la vallée de la Marne. Fils de petit viticulteur, il a créé dans la dernière décennie une entreprise de service en vinification dotée d'un matériel moderne, ce qui lui a permis d'étendre son vignoble (15 ha aujourd'hui). Son brut Réserve assemble 60 % des deux pinots au chardonnay. Ses parfums puissants, à dominante empyreumatique (pain grillé) annoncent une bouche charpentée, complexe et persistante. (NM)
🔑 Albert de Milly, lieu-dit La Maladrie, 51150 Bisseuil,
tél. 03.26.52.33.44, fax 03.26.58.94.00,
e-mail demilly@wanadoo.fr ☑ 🚶 r.-v.

MOET ET CHANDON Dom Pérignon 1996 ★★★

| n.c. | n.c. | + de 76 € |

Fondée en 1743, Moët & Chandon est une maison géante, riche d'un vaste vignoble (des centaines d'hectares sur des terroirs de qualité). Elle a choisi le nom du père du champagne pour sa célébrissime marque de prestige millésimée. Or pâle très brillant, le Dom Pérignon 96 est très jeune d'aspect. Elégant, avec des notes de fruits blancs, minéral, il se distingue à l'olfaction par une fraîcheur peu commune dans ce millésime. Tout aussi fraîche, l'attaque introduit une bouche parfaitement équilibrée, en harmonie avec le nez et d'une rare longueur. (NM)
🔑 Moët et Chandon, 20, av. de Champagne,
51200 Epernay, tél. 03.26.51.20.00, fax 03.26.54.84.23
☑ 🍷 🚶 t.l.j. 9h30-11h30 14h-16h30; groupes sur r.-v.

MOET ET CHANDON Brut Impérial ★

| n.c. | n.c. | 23 à 30 € |

Dans la gamme des champagnes Moët & Chandon, le jury a distingué trois cuvées très réussies (une étoile). Ce Brut Impérial, franc, plein et aromatique, au sujet duquel un membre du jury écrit « très bel assemblage, excellent sans année » ; le **Brut impérial rosé** à la palette complexe mêlant la cerise, la fraise et des touches réglissées, assez généreusement dosé, qui pourra accompagner un repas ; enfin, le **Nectar impérial**, un champagne de type sec, floral, rond, fondu et qui laisse la bouche nette. (NM)
🔑 Moët et Chandon, 20, av. de Champagne,
51200 Epernay, tél. 03.26.51.20.00, fax 03.26.54.84.23
☑ 🍷 🚶 t.l.j. 9h30-11h30 14h-16h30; groupes sur r.-v.

PIERRE MONCUIT
Blanc de blancs Demi-sec Cuvée Hugues de Coulmet ★★

| 4 ha | 3 000 | 11 à 15 € |

Fondé en 1889, ce domaine familial situé dans la Côte des Blancs dispose d'un vignoble important : plus de 19 ha. Son chef de cave est Nicole Moncuit, une des rares femmes à exercer cette activité en champagne. Voici un demi-sec, un style de champagne qui a le vent en poupe. Celui-ci est rond et souple. Ses arômes acidulés d'ananas sont équilibrés par le dosage en demi-sec. On pourra l'essayer avec une tarte au citron. Le **blanc de blancs grand cru 96 (23 à 30 €)** est beurré et brioché, vif à l'attaque, avec des nuances d'oranges qui soulignent sa nervosité. (RM)

🕎 Pierre Moncuit, 11, rue Persault-Maheu,
51190 Le Mesnil-sur-Oger,
tél. 03.26.57.52.65, fax 03.26.57.97.89,
e-mail contact@pierre-moncuit.fr ☑ ⵣ ⚔ r.-v.

MONDET Prestige 1997

	1 ha	6 000		⬛ 15 à 23 €

Etabli à Cormoyeux, village de la rive droite de la
Marne, proche d'Hautvillers, Francis Mondet exploite
plus de 10 ha de vignes. Il propose un 97 mi-blancs mi-noirs
(les deux pinots à parts égales). Vineux, charpenté, avec
une finale souple et épicée, c'est un champagne de repas.
(NM)
🕎 Mondet, 2, rue Dom-Pérignon, 51480 Cormoyeux,
tél. 03.26.58.64.15, fax 03.26.58.44.00,
e-mail champagne.mondet@cder.fr
☑ ⵣ ⚔ t.l.j. sf dim. 9h-12h 14h-18h; sam. sur r.-v.;
f. 10-25 août

MONMARTHE Cuvée Coup de Cœur ★

1er cru	1 ha	5 000		⬛⬇ 15 à 23 €

Guy, Léon, Ernest, Léon, Sébastien et, avant eux,
quelques ancêtres puisque la famille fournissait déjà du
raisin aux maisons de Champagne à l'époque de
Louis XV : Jean-Guy Monmarthe est l'héritier de toute
une lignée au service du vin. C'est Ernest qui s'est lancé
dans la manipulation dans les années 1930. Le domaine
s'étend sur 17 ha à Ludes et aux environs (Montagne de
Reims), sur des parcelles classées en 1er cru. Assemblant
pinot noir et chardonnay à parts égales et les années 1997
à 1999, cette cuvée ne décroche pas le coup de cœur
Hachette, mais reçoit une étoile. C'est un champagne
brioché, vineux, riche et structuré qui pourra accompagner
une volaille. (RM)
🕎 Jean-Guy Monmarthe, 38, rue Victor-Hugo,
51500 Ludes, tél. 03.26.61.10.99, fax 03.26.61.12.67,
e-mail champagne-monmarthe@wanadoo.fr ☑ ⵣ ⚔ r.-v.

MONTAUDON Grande Rose ★

	n.c.	40 000		⬛⬇ 15 à 23 €

Fondée en 1891, cette maison est dirigée par la
quatrième génération. Elle a le statut de négociant tout en
disposant d'un vignoble. Son siège est situé à 500 m de la
cathédrale de Reims, dont la rosace orne l'étiquette de
cette Grande Rose. Assemblant 60 % de pinot noir et 40 %
de chardonnay de la vendange de 2000, ce rosé en robe
soutenue offre un nez de fruits rouges. Framboise et fraise
se marient dans une bouche légère. (NM)
🕎 Montaudon, 6, rue Ponsardin,
BP 2742, 51061 Reims Cédex,
tél. 03.26.79.01.01, fax 03.26.47.88.82,
e-mail info@champagnemontaudon.com ☑ ⵣ r.-v.

DANIEL MOREAU Cuvée Equilibre ★★

	1 ha	2 000		⬛ 15 à 23 €

Installé en 1969 sur le domaine familial situé à
Vandières, dans la vallée de la Marne, Daniel Moreau s'est
retiré de la coopérative en 1978 pour élaborer et signer ses
champagnes. Justement baptisé Equilibre, celui-ci provient des trois cépages champenois à parts égales, vendangés en 1997. Il a conquis le jury par ses arômes beurrés,
briochés et grillés, par son palais à la fois souple et frais,
au développement harmonieux jusqu'à la superbe finale.
Une remarquable bouteille pour l'apéritif ou un repas
léger. (RM)

🕎 Daniel Moreau, rte de Verneuil, 51700 Vandières,
tél. 03.26.58.01.64, fax 03.26.58.15.64 ☑ ⵣ ⚔ r.-v.

MORIZE PERE ET FILS ★

	2 ha	14 534		⬛ 11 à 15 €

Si les Morize sont installés aux Riceys depuis 1830,
ce n'est qu'à partir des années 1960 qu'ils ont constitué leur
exploitation, après avoir travaillé comme constructeurs de
charrues à vignes. Ils proposent un rosé 100 % pinot noir
issu de la récolte de 2001. De couleur soutenue, ce
champagne exhale des parfums puissants de fruits rouges
(framboise, fraise, cerise) qui se prolongent dans une
bouche harmonieuse, dense et nette. Sa riche matière le
destine à accompagner un repas. Cité, le **brut Réserve**
privilégie le pinot noir (85 %). Il naît de la vendange
de 1998 assistée par des vins de réserve de 1995, 1996
et 1997. C'est un champagne classique, de style léger,
destiné à l'apéritif. (RM)
🕎 Morize Père et Fils,
122, rue du Gal-de-Gaulle, 10340 Les Riceys,
tél. 03.25.29.30.02, fax 03.25.38.20.22 ☑ ⵣ ⚔ r.-v.

PIERRE MORLET ET FILS Grande Réserve ★

1er cru	4,9 ha	40 000		⬛⬛ ⬇ 15 à 23 €

Constitué dans les années 1920, ce domaine est
installé à Avenay-Val-d'Or, à 50 m de l'église Saint-Trésain
au joli portail gothique flamboyant. Ce village jouxte Aÿ à
l'est et le vignoble comprend des parcelles dans cette
commune classée en grand cru, ainsi qu'à Mutigny
(1er cru). La cuvée Grande Réserve privilégie le pinot noir
(75 %) marié au chardonnay. Elle assemble les années 1997
à 1999 et a séjourné douze mois dans le bois. Au nez, elle
mêle le beurre et l'amande grillée. Puissante, corsée et
longue, elle est faite pour la table et pourrait accompagner
du foie gras. (NM)
🕎 Pierre Morlet et Fils,
7, rue Paulin-Paris, 51160 Avenay-Val-d'Or,
tél. 03.26.52.32.32, fax 03.26.59.77.13 ☑ ⵣ ⚔ r.-v.

CLAUDE MOUSSE Cuvée spéciale ★

	1 ha	5 100		⬛⬇ 11 à 15 €

Etabli à Monthelon, village à flanc de coteau, au sud
d'Epernay, Claude Moussé s'est retiré de la coopérative au
début des années 1970. Après son départ à la retraite
en 1999, son fils David a pris le relais et conduit les 6 ha
du domaine familial. Sa Cuvée spéciale assemble 75 % de
chardonnay et 25 % de meunier des années 1999 et 2000.
Expressive et fine au nez, elle associe les fruits exotiques et
la bergamote. La bouche ne déçoit pas, ample, fraîche et
longue. Une étoile encore pour le **rosé**, issu des années 2000 et 2001, et qui privilégie les noirs : 75 %, dont
60 % de meunier. Il offre des parfums de violette et pinote
puissamment et longuement en bouche, avec ses arômes de
fruits rouges. (RM)

🔑 Claude Moussé,
13, rue de Chavol, 51530 Monthelon,
tél. 03.26.59.70.65, fax 03.26.51.64.54 ☑ Y 🚶 r.-v.

CORINNE MOUTARD Cuvée Elégance

● n.c. 20 000 ▮ 11 à 15 €

Descendant d'une lignée implantée dans l'Aube depuis des siècles, Corinne Moutard a lancé son champagne en 1998. Mi-blancs mi-noirs (pinot noir), sa cuvée Elégance mêle des fragrances florales variées (aubépine, tilleul, fleur de vigne, rose) à une touche grillée. La bouche est nette, fraîche et longue. Sa légèreté conviendra à l'apéritif. (NM)

🔑 Corinne Moutard, 51, Grande-Rue, 10110 Polisy,
tél. 03.25.38.52.47, fax 03.25.29.37.46,
e-mail champagnecorinnemoutard@wanadoo.fr
☑ 🏠 Y 🚶 r.-v.

JEAN MOUTARDIER Sélection *

● n.c. 25 000 ▮ 🌡 15 à 23 €

Cette maison est installée au Breuil, dans la vallée du Surmelin, affluent de rive gauche de la Marne. Fondée en 1926, elle est dirigée par la troisième génération. Le chardonnay et le pinot noir font jeu égal dans sa cuvée Sélection pour donner un champagne miellé, toasté, brioché, de bonne longueur, au dosage perceptible. Quant au **rosé (11 à 15 €)**, il est cité pour son équilibre et sa longueur. Il a atteint son apogée : il faut le boire. (NM)

🔑 SAS Jean Moutardier, chem. des Ruelles,
51210 Le Breuil, tél. 03.26.59.21.09, fax 03.26.59.21.25,
e-mail moutardi@ebc.net ☑ r.-v.

MOUTARD PERE ET FILS Prestige *

● 3 ha 20 000 ▮ 🌡 15 à 23 €

Installé dans l'Aube, la famille Moutard cultive la vigne depuis la première moitié du XVIIes. et dispose aujourd'hui d'un vignoble de 21 ha. Son rosé Prestige donne une courte majorité au pinot noir (55 %), complété par le chardonnay. Ses points forts sont la finesse et l'équilibre. On le réservera pour l'apéritif. (NM)

🔑 SARL Champagne Moutard-Diligent,
6, rue des Ponts, 10110 Buxeuil,
tél. 03.25.38.50.73, fax 03.25.38.57.72,
e-mail champagne.moutard@wanadoo.fr ☑ r.-v.

PH. MOUZON-LEROUX Grande Réserve

● Gd cru n.c. 80 000 ▮ 🌡 11 à 15 €

Depuis neuf générations, la famille Mouzon cultive la vigne sur le terroir de Verzy, commune de la Montagne de Reims classée en grand cru. Son vignoble s'étend sur plus de 10 ha. La cuvée Grande Réserve provient de l'année 2000 complétée par des vins de réserve de 1997 à 1999. Elle privilégie le pinot noir (70 %), cépage parfaitement adapté au terroir de Verzy. Autre caractéristique, une fermentation malolactique partielle. Florale, minérale avec une touche exotique, elle est un peu fardée par un dosage généreux. (RM)

🔑 EARL Mouzon-Leroux, 16, rue Basse-des-Carrières,
51380 Verzy, tél. 03.26.97.96.68, fax 03.26.97.97.67,
e-mail champagne-mouzon-leroux@wanadoo.fr
☑ Y 🚶 r.-v.

MUMM DE CRAMANT Blanc de blancs *

● 11 ha 150 000 ▮ 🌡 30 à 38 €

Ce sont des Allemands qui sont à l'origine de cette maison créée en 1827 ; depuis la guerre de 1914, elle a connu bien des propriétaires jusqu'à ce que le groupe Allied Domecq en prenne le contrôle en 2000. Cette cuvée réputée porte une robe de chardonnay or pâle à reflets verts ; ses parfums intenses restent fidèles au cépage. La bouche tout en finesse et en équilibre offre une belle longueur. Le jury a cité la cuvée brut **Cordon Rouge (15 à 23 €)**, non millésimée mais issue du millésime 2001 (sept millions de bouteilles !) ainsi que le **Mumm grand cru (23 à 30 €)**, né de l'assemblage de cinq grands crus de l'année 1998, de 58 % de pinot noir et de 42 % de chardonnay. Ce dernier, brioché au nez, joue sur les agrumes (citron et pamplemousse) en attaque, puis sur des notes de pêche-abricot, tout en restant de grande fraîcheur. (NM)

🔑 G.-H. Mumm, 29, rue du Champ-de-Mars,
51100 Reims, tél. 03.26.49.59.69, fax 03.26.77.40.69,
e-mail mumm@mumm.fr ☑ Y 🚶 r.-v.

NICOLAS D'OLIVET Cuvée réservée *

● Gd cru 1 ha 4 000 ▮ 11 à 15 €

Créée en 1956, cette exploitation familiale est établie à Louvois, commune du flanc sud de la Montagne de Reims classée en grand cru. Elle dispose d'un vignoble de 9,5 ha. Sa Cuvée réservée Nicolas d'Olivet provient de la seule année 1998. Légèrement dominée par les raisins noirs (55 % de pinot noir), elle apparaît discrète au nez, un rien briochée, mais s'affirme avec générosité et longueur en bouche. (RM)

🔑 Guy de Chassey, 1, pl. de la Demi-Lune,
51150 Louvois, tél. 03.26.57.04.45, fax 03.26.57.82.08,
e-mail info@champagne-guy-de-chassey.com
☑ Y 🚶 t.l.j. 10h-12h30 14h-18h

CHARLES ORBAN Chardonnay Carte d'or *

● 0,5 ha 4 000 ▮ 🌡 11 à 15 €

Appartenant à la famille Rapeneau (groupe G.H. Martel & Co), ce domaine de 9 ha est situé à Troissy, dans la vallée de la Marne. Sa cuvée Carte d'or est un blanc de blancs issu des années 1998 et 1999. Expressive au nez, plutôt beurrée, elle évoque en bouche le citron et le pamplemousse. Un ensemble agréable qui obtient une étoile tout comme le **blanc de noirs cuvée Carte blanche** né des vendanges de 1999 et de 2000. Un champagne gras et pourtant fin, aux arômes floraux et fruités. (SR)

🔑 Charles Orban, 44, rte de Paris, 51700 Troissy,
tél. 03.26.52.70.05, fax 03.26.52.74.66 ☑ Y 🚶 r.-v.

LUCIEN ORBAN Demi-sec Carte d'or

● 0,5 ha 2 000 11 à 15 €

A la tête de 6 ha dans la vallée de la Marne, Hervé Orban a succédé à son père Lucien en 1991, tout en gardant sa marque. Issu des années 2000 et 2001, son Carte d'or est un blanc de noirs, très marqué par le pinot meunier qui compose la majeure partie de la cuvée (90 %). Plutot floral, il est équilibré et reste frais, qualité rare pour un demi-sec. (RM)

🔑 Hervé Orban,
8, rue du Gal-de-Gaulle, 51700 Cuisles,
tél. 03.26.58.10.51, fax 03.26.52.84.82 ☑ 🏠 Y 🚶 r.-v.

OUDINOT *

● n.c. 900 000 ▮ 🌡 15 à 23 €

Maison créée en 1889, reprise par la famille Trouillard en 1981 et entrée dans le groupe Laurent-Perrier en 2004. La cuvée brut privilégie les blancs (80 %, pour 20 % de pinot noir) et assemble les années 2000 et 2001. Le chardonnay y joue fort bien sa partie en apportant vivacité et fraîcheur. (NM)

☛ Oudinot, Ch. Malakoff, 3, rue Malakoff,
51207 Epernay, tél. 03.26.59.50.10, fax 03.26.54.78.52,
e-mail contact@chateau-malakoff.com

BRUNO PAILLARD Blanc de blancs 1995 ★

| | n.c. | n.c. | 38 à 46 € |

Une des plus récentes maisons de négoce, fondée en 1981 à Reims dans des bâtiments contemporains de pierre, de verre et d'acier. Dirigée par son fondateur, qui a fait ses premières armes comme courtier, elle est spécialisée dans les champagnes haut de gamme. Chaque bouteille indique la date de dégorgement. Les millésimés sont ornés d'une étiquette illustrée par un artiste : celle du 95 est l'œuvre de Roland Roure. Ce millésime est un blanc de blancs au nez typique de genêt et de fleurs blanches. La bouche, élégante et bien fondue, conjugue vivacité et rondeur. La cuvée **NPU 90 (plus de 76 €)** est citée. NPU pour *nec plus ultra* : comme son nom l'indique, une cuvée de prestige d'un grand millésime, assemblant sept grands crus vinifiés et élevés en barrique. Mi-blancs mi-noirs, elle est faite pour les amateurs de millésimes anciens, qui apprécieront sa touche d'évolution rappelant la noix. (NM)
☛ Bruno Paillard, 1, av. de Champagne, 51100 Reims, tél. 03.26.36.20.22, fax 03.26.36.57.72,
e-mail brunopaillard@aol.com ▣

PIERRE PAILLARD 1996 ★

| Gd cru | 10 ha | 11 180 | ▣♨ 15 à 23 € |

Etabli à Bouzy, Pierre Paillard a la chance d'exploiter 10 ha classés en grand cru. Il propose un champagne du millésime 96, issu d'un assemblage classique puisque pinot noir et chardonnay se partagent à égalité la cuvée. Equilibré, judicieusement dosé, c'est un champagne puissant. Le **brut grand cru** marie 60 % de pinot noir au chardonnay et provient des années 1999 et 2000. Il est cité pour ses arômes d'agrumes et sa vivacité. (RM)
☛ Pierre Paillard, 2, rue du XXᵉ Siècle, 51150 Bouzy, tél. 03.26.57.08.04, fax 03.26.57.83.03,
e-mail benoit.paillard@wanadoo.fr ▣ ✲ ⊀ r.-v.

PALMER Blanc de blancs 1996 ★★

| | n.c. | n.c. | ▣♨ 15 à 23 € |

Marque d'un groupement de producteurs créé en 1947. Avec 300 sociétaires, 372 ha de vignes et une production annuelle de quelque trois millions de cols, Palmer est en expansion continue. Son blanc de blancs 96 s'est placé parmi les finalistes du coup de cœur. Ce « vin charmeur » rend lyrique l'un des jurés, qui croit « marcher sur un tapis de mousse pieds nus ». Printanier et élégant au nez, il libère des fragrances de fleurs blanches, avec une touche grillée et mentholée. Franc et vif à l'attaque, complexe et harmonieux au palais, il tire sa révérence sur une longue finale. Mi-blancs mi-noirs (pinot noir), le **95** est aussi un séducteur : senteurs et saveurs de pâtisserie, de brioche, bouche fraîche et harmonieuse. Une étoile. (CM)
☛ Palmer et Co, 67, rue Jacquart, 51100 Reims, tél. 03.26.07.35.07, fax 03.26.07.45.24 ▣ ✲ ⊀ r.-v.

PANNIER 1998

| | n.c. | 22 800 | ▣♨ 15 à 23 € |

Une marque lancée en 1899 par Louis-Eugène Pannier et reprise par un groupement de producteurs de Château-Thierry. Cette importante structure dispose de 600 ha de vignes et de vastes caves creusées au Moyen Age. Elle présente un 98 assemblant 65 % de noirs (40 % de pinot

noir) au chardonnay. Au nez, ce champagne mêle la noisette et des nuances beurrées. En bouche, son évolution est sensible. Son dosage aussi. Une bouteille pour la table. (CM)
☛ SCVM Covama, 25, rue Roger-Catillon, BP 55, 02403 Château-Thierry Cedex, tél. 03.23.69.51.30, fax 03.23.69.51.31,
e-mail champagnepannier@champagnepannier.com ▣ ✲ ⊀ r.-v.

PAQUES ET FILS Grande Réserve ★

| 1er cru | 0,8 ha | 5 000 | ▣♨ 15 à 23 € |

Bientôt un siècle d'existence pour cette propriété familiale établie à Rilly-la-Montagne, petit bourg situé au pied de la Montagne de Reims. Elle dispose de 10 ha de vignes. Sa Grande Réserve privilégie les blancs (70 % de chardonnay et 30 % de pinot noir). Au nez, elle évoque l'herbe sèche, tandis que des flaveurs miellées apparaissent dans une bouche équilibrée, généreuse et longue. Citée, la **Cuvée Aurore** doit tout au chardonnay. Elle est née de la vendange de 1997, complétée par des vins de 1996. Un blanc de blancs classique, beurré et brioché, élégant et flatteur. Pour l'apéritif ou un poisson en sauce. (RM)
☛ SA Paques et Fils,
1, rue Valmy, 51500 Rilly-la-Montagne, tél. 03.26.03.42.53, fax 03.26.03.40.29,
e-mail phil.paques@wanadoo.fr ▣ ✲ ⊀ r.-v.
☛ Ph. Paques

PASCAL-DELETTE ET FILS Cuvée de réserve

| | 4,1 ha | 39 137 | ▣ 11 à 15 € |

A 3 km de la cave, le château de Cuisles où la famille a aménagé des chambres d'hôte. Fondé par le grand-père des exploitants actuels, le domaine viticole est situé dans la vallée de la Marne. Sa Cuvée de réserve, non millésimée, est née de la seule année 2000. C'est un blanc de noirs (70 % de pinot meunier). Ses arômes légers d'agrumes, sa vivacité le destinent à l'apéritif. Provenant de la récolte de 1998, le **rosé** doit aussi tout aux raisins noirs (88 % de pinot meunier, le reste en vin rouge). Cité pour ses arômes de fruits rouges, il est fort dosé : il pourrait accompagner un dessert fruité. (RM)
☛ Pascal-Delette, 48, rue Valentine-Régnier, 51700 Baslieux-sous-Châtillon, tél. 03.26.58.11.35, fax 03.26.57.11.93 ▣ 🏠 ✲ ⊀ t.l.j. 8h-12h30 14h-19h

CHRISTIAN PATIS Grande Réserve ★★

| | 1 ha | 8 000 | ▣♨ 11 à 15 € |

Etabli au pied de la Montagne de Reims, non loin de la cité des Sacres, ce récoltant-manipulant signe une cuvée des trois cépages champenois récoltés en 1997. L'assemblage est classique : 60 % des deux pinots à parts égales, 40 % de chardonnay. Le nez fruité, miellé, avec une touche de minéralité, annonce une bouche ronde, puissante et longue. Citée, la cuvée **Tradition** provient des années 1999 et 2000. Elle privilégie le pinot meunier (70 %) complété par le pinot noir et le chardonnay (15 % chacun). C'est un champagne fruité (fruits cuits, tarte Tatin, abricot) et brioché, volumineux et puissant. (RM)
☛ Christian Patis, 19, rue du Pré-des-Bourgs, Montaneuf, 51500 Sermiers,
tél. 03.26.97.60.05, fax 03.26.97.61.94 ▣ ✲ ⊀ r.-v.

DENIS PATOUX ★

| | n.c. | n.c. | ▣♨ 11 à 15 € |

Exploitant dans la vallée de la Marne, Denis Patoux a pris la suite d'une lignée vouée à la vigne depuis plus d'un siècle. C'est son grand-père qui s'est lancé dans la manipulation après la Seconde Guerre mondiale. La propriété, agrandie depuis une quinzaine d'années, s'étend aujourd'hui sur plus de 8 ha. Son brut sans année est, à 5 % près, un blanc de noirs (90 % de meunier et 5 % de pinot noir). Au nez, complexe et élégant, évocateur de fruits jaunes répond une bouche équilibrée et de bonne longueur, qui conjugue vinosité et nervosité. (RM)

⊶ Denis Patoux, 1, rue Bailly, 51700 Vandières,
tél. 03.26.58.36.34, fax 03.26.59.16.10 ☑ Ɪ ⚲ r.-v.

PEHU-SIMONET Brut de brut ★

● Gd cru n.c. 1000 ▮ ◫ 11 à 15 €

C'est en 2000 que David Péhu a pris les rênes de la propriété familiale : 5 ha comprenant des parcelles en grand cru à Verzenay, Verzy et Sillery. La vinification est raffinée : passage en fût, absence de fermentation malolactique. Composé de 70 % de pinot noir et de 30 % de chardonnay, ce Brut de brut, non dosé, assemble la récolte de 2000 avec des vins de réserve de 1993, 1998, 1999 – des vins non chaptalisés. Il n'est pas à proprement parler boisé, mais plutôt fumé, un peu grillé (café), avec des notes fruitées et briochées. L'absence de dosage ne nuit pas à son équilibre, au contraire : c'est un beau vin, subtil et pourtant vineux et long. Cité, le brut **Sélection grand cru** provient des années 1999 à 2001 et marie pinot noir et chardonnay dans les mêmes proportions que le précédent. Un champagne souple, puissant et élégant. (RM)

⊶ David Péhu,
7, rue de la Gare, BP 22, 51360 Verzenay,
tél. 03.26.49.43.20, fax 03.26.49.45.06 ☑ ⚲ r.-v.

JEAN PERNET Tradition ★

● 6,5 ha 37 000 ▮ ♁ 15 à 23 €

Cette maison créée dans les années 1960 exploite un vignoble de 17 ha. Sa cuvée Tradition a connu son heure de gloire dans la dernière édition, obtenant un coup de cœur. L'assemblage n'a pas changé – 60 % de noirs (dont 50 % de pinot noir), 40 % de blancs – mais les raisins ont été récoltés en 2000 et 2001. Ce champagne séduit par ses arômes intenses, son attaque franche et sa persistance. « On s'en souvient », conclut un dégustateur. Le **blanc de blancs Réserve grand cru** provient des années 1999 et 2000. Cité pour ses arômes de fruits blancs et pour son équilibre, il trouvera sa place à l'apéritif. (NM)

⊶ Jean Pernet,
6, rue de la Brèche-d'Oger, 51190 Le Mesnil-sur-Oger,
tél. 03.26.57.54.24, fax 03.26.57.96.98,
e-mail champagne.pernet@wanadoo.fr ☑ Ɪ ⚲ r.-v.

PERNET-LEBRUN Cuvée Authentick 1997

● n.c. 1 704 ▮ 15 à 23 €

Cultivé depuis cinq générations, un vignoble familial de 12 ha implanté dans les coteaux d'Epernay. Les trois cépages champenois à parts égales sont à l'origine de ce 97 brioché et fin au nez, souple et équilibré en bouche. (RM)

⊶ Pernet-Lebrun, Ancien Moulin, 51530 Mancy,
tél. 03.26.59.71.63, fax 03.26.57.10.42 ☑ Ɪ ⚲ r.-v.

JOSEPH PERRIER Cuvée royale ★

● n.c. 500 000 ▮ ♁ 15 à 23 €

Fondée en 1825, la seule maison de champagne qui subsiste à Châlons-en-Champagne. A l'époque de sa création, le chef-lieu de la Marne possédait encore des vignobles. Si la société a été reprise par Alain Thiénot, Jean-Claude Fourmon en est toujours le président. La Cuvée royale naît de 65 % de noirs (35 % de pinot noir, 30 % de meunier) et de 35 % de blancs. Elle s'annonce par de discrets parfums de fruits secs et se montre souple, charnue et équilibrée. Un ensemble élégant et bien fait. Deux autres vins obtiennent une étoile ; la **Cuvée royale blanc de blancs (23 à 30 €)**, au nez complexe et mûr, fait de miel, de fleurs séchées, de fruits secs ou confits, un champagne ample et riche, généreusement dosé ; la **Cuvée royale 96 (23 à 30 €)**, aux arômes grillés et compotés, à la fois vineuse et fraîche. (NM)

⊶ SA Joseph Perrier, 69, av. de Paris,
BP 31, 51000 Châlons-en-Champagne,
tél. 03.26.68.29.51, fax 03.26.70.57.16,
e-mail josephperrier@wanadoo.fr ☑ Ɪ ⚲ r.-v.

PERRIER-JOUËT Belle Epoque 1996 ★★★

● n.c. n.c. ▮ ♁ + de 76 €

Un hasard : dégusté dans l'anonymat, comme les autres, voici la cuvée Belle Epoque à la fête pour l'année Gallé. C'est en 1904, en effet, que disparut le maître de l'Art nouveau à qui l'on doit la décoration florale de la bouteille emblématique de Perrier-Jouët. Une maison fondée en 1811 par un bouchonnier d'Epernay et aujourd'hui dans le giron d'un groupe multinational. Mi-blancs mi-noirs (45 % de pinot noir), ce 96 avait été goûté il y a deux ans dans la vivacité de sa jeunesse ; il demandait alors à vieillir. Ce coup de cœur témoigne de son harmonieux épanouissement. Des fragrances de fleurs à la fois délicates et intenses, une attaque nette, une bouche puissante et tout en finesse, soutenue par une belle acidité, une rare longueur : ce champagne a toutes les qualités des 96 sans que son bouquet soit affecté des notes évoluées qui caractérisent parfois ce millésime. « Une vrai merveille », conclut un juré. Quant au **rosé Belle Epoque 97**, qui assemble 55 % de pinot noir, 40 % de chardonnay et un soupçon de meunier, il obtient une étoile. Frais, équilibré, complexe, discrètement vanillé, c'est un vin de caractère. (NM)

⊶ Perrier-Jouët, 28, av. de Champagne,
51200 Epernay, tél. 03.26.53.38.00, fax 03.26.54.54.55,
e-mail champagne@perrier-jouet.com
☑ Ɪ ⚲ t.l.j. sf sam. dim. 9h-11h15 14h-16h15;
groupes sur r.-v.
⊶ Allied Domecq

DANIEL PERRIN 1996 ★

● 2 ha 13 000 ▮ ♁ 15 à 23 €

Cette ancienne famille vigneronne de la Côte des Bars élabore son champagne depuis 1957. Son domaine (12 ha) est implanté sur un coteau de la formation marno-calcaire du Kimméridgien, aussi propice à la viticulture dans cette contrée méridionale de la Champagne que dans l'Yonne. La vinification est menée par Christian Perrin dans des installations récemment rénovées. Le pinot noir fait jeu égal avec le chardonnay dans ce 96 au nez ouvert, légèrement évolué, marqué par les fruits confits. Puissant, corpulent et long, un champagne de repas. (RM)

☛ EARL Daniel Perrin, rue des Vignes, 10200 Urville, tél. 03.25.27.40.36, fax 03.25.27.74.57 ☑ ⏐ ⚹ r.-v.

GASTON PERRIN ★

	4,8 ha	34 000	▮ 11 à 15 €

Cette exploitation située dans la vallée de la Marne, sur la rive gauche, commercialise du champagne depuis la fin des années 1950. Son brut sans année privilégie les raisins noirs : 60 % de pinot meunier et 10 % de pinot noir pour 30 % de chardonnay. C'est un champagne agréable, équilibré, vif et de bonne longueur. (RM)

☛ Gaston Perrin, 5, rue de la République, 51700 Festigny, tél. 03.26.59.48.49, fax 03.26.57.12.09, e-mail jackie.illis@wanadoo.fr ☑ ⏐ ⚹ r.-v.

☛ Jackie et Annie Illis

PERSEVAL-FARGE Blanc de noirs

	1er cru	2 ha	3 000	▮ ⚬ 15 à 23 €

Le blanc de noirs de cette exploitation de Chamery, dans la Montagne de Reims, a été mentionné plus d'une fois dans le Guide. Jaune paille dans le verre, il libère des senteurs de fruits blancs accompagnées de notes briochées. Ample, frais et long, c'est un champagne élégant qui trouvera sa place aussi bien à l'apéritif qu'à table, avec une viande blanche par exemple. (RM)

☛ Isabelle et Benoist Perseval, 12, rue du Voisin, 51500 Chamery, tél. 03.26.97.64.70, fax 03.26.97.67.67, e-mail champagne.perseval-farge@wanadoo.fr ☑ ⏐ ⚹ r.-v.

PERTOIS-MORISET Blanc de blancs 1998 ★

	Gd cru	3 ha	5 000	▮ 15 à 23 €

Une entreprise de récoltants-manipulants commence souvent par un mariage : ici, celui d'Yves Pertois et Janine Morizet. Les vignobles fusionnent, l'étiquette suit. Depuis 1978, c'est Dominique Pertois qui conduit les 18 ha de l'exploitation. Une exploitation située en pleine Côtes des Blancs, ce qui explique que les cuvées sélectionnées doivent tout au chardonnay. Celle-ci possède le côté beurré et miellé caractéristique ; elle est onctueuse et persistante, mais son dosage est perceptible. Elle accompagnera viandes blanches ou poissons en sauce. Le **blanc de blancs grand cru Grande Réserve (11 à 15 €)** est cité pour son fondu, son fruité exotique et son évolution soulignée par le dosage. (RM)

☛ Dominique Pertois, 13, av. de la République, 51190 Le Mesnil-sur-Oger, tél. 03.26.57.52.14, fax 03.26.57.78.98

☑ ⏐ t.l.j. 9h-12h 14h-18h; sam. dim. sur r.-v.; f. août

PIERRE PETERS Blanc de blancs Perle du Mesnil ★

	Gd cru	2,5 ha	10 000	11 à 15 €

Originaires d'un autre pays de vignes blanches, le Luxembourg, les Peters ont fait souche il y a bien longtemps en Côte des Blancs. Le champagne n'a pas de secret pour cette famille ayant participé activement à la vie locale et qui s'est fait une spécialité du blanc de blancs. Aujourd'hui, François Peters cultive 17,5 ha. Trois de ses champagnes sont sélectionnés. Avec une étoile, cette Perle du Mesnil qui a atteint son apogée sans perdre sa fraîcheur, ainsi que l'**Extra-brut (15 à 23 €)**, un vin équilibré et long,

qui bénéficie de son faible dosage. Sans étoile, la **Cuvée de réserve grand cru** est citée pour sa vivacité harmonieuse. (RM)

☛ Pierre Peters, 26, rue des Lombards, 51190 Le Mesnil-sur-Oger, tél. 03.26.57.50.32, fax 03.26.57.97.71, e-mail champagne-peters@wanadoo.fr ☑ ⏐ ⚹ r.-v.

MAURICE PHILIPPART ★

	1er cru	5 ha	3 209	▮ 11 à 15 €

Maurice Philippart a lancé son champagne en 1930 ; un siècle plus tôt, l'ancêtre Nicaise cultivait déjà la vigne. L'exploitation, située dans la Montagne de Reims, à une dizaine de kilomètres de la ville des Sacres, s'étend sur 6 ha. Elle est conduite depuis 1996 par Franck Philippart. Né de la récolte de 1999 et de raisins noirs exclusivement (60 % de meunier, 40 % de pinot noir), ce rosé couleur saumon pâle mêle des arômes de fruits rouges (fraise et framboise). Franc à l'attaque, bien fondu, il s'impose par sa finale onctueuse. Une étoile également pour le **blanc de blancs Tête de cuvée 1er cru**, issu de la vendange de 2000. Fraîcheur des fleurs blanches au nez, des fruits blancs et des agrumes en bouche, vivacité, longueur et légèreté : il sera excellent à l'apéritif. (RM)

☛ Maurice Philippart, 16, rue de Rilly, 51500 Chigny-les-Roses, tél. 03.26.03.42.44, fax 03.26.03.46.05, e-mail philippart.f@wanadoo.fr ☑ ⏐ ⚹ r.-v.

PHILIPPONNAT Royale Réserve ★

	n.c.	350 000	15 à 23 €

Contrôlée depuis 1997 par le groupe BCC, cette maison a été fondée en 1910 par Auguste et Pierre Philipponnat. Le blason qui figure sur les étiquettes remonte à 1697, époque à laquelle des ancêtres possédaient déjà des vignes. Le domaine propre de Philipponnat s'étend sur 17 ha. Son fleuron : le Clos des Goisses, coteau pentu exposé au Midi, dont le millésime 91 a été salué d'un coup de cœur l'an dernier. La Royale Réserve est issue des trois cépages champenois. Plutôt empyreumatique, elle est puissante et expressive. (NM)

☛ Philipponnat, 13, rue du Pont, 51160 Mareuil-sur-Aÿ, tél. 03.26.56.93.00, fax 03.26.56.93.18, e-mail info@champagnephilipponnat.com ☑ ⏐ ⚹ r.-v.

☛ BCC

PHILIZOT ET FILS Alquente ★

	n.c.	5 000	▮ ⚬ 15 à 23 €

Etablis à Reuil, dans la vallée de la Marne, les Philizot sont viticulteurs depuis quatre générations. En 2002, ils ont pris le statut de négociants et lancé leur champagne, qui a fait son entrée dans le Guide l'an dernier. Issue de la récolte de 1998, la cuvée Alquente est un assemblage classique : 60 % de chardonnay pour 40 % de pinot noir. Ses arômes de fleurs blanches s'accompagnent de notes plus évoluées. Un champagne à son apogée. La cuvée **Eléonor Philizot 95** privilégie également le chardonnay (80 %), complété par les deux pinots à parts égales. Elle est citée pour ses arômes de pomme cuite, de pain grillé et pour sa fraîcheur préservée. (NM)

☛ Philizot et Fils, 49, Grande-Rue, 51480 Reuil, tél. 03.26.51.02.96, fax 03.26.51.02.96, e-mail champagne.philizot.fils@wanadoo.fr ☑ ⏐ ⚹ r.-v.

JACQUES PICARD Art de vigne 1998 ★★

○ 0,35 ha 2 000 ■ 🌡 23 à 30 €

Implanté à Berru, à l'est de Reims, un domaine de 17 ha constitué à partir de 1950. Aux commandes, les deux gendres de Jacques Picard, Patrick Lefebvre, directeur des vignes, et José Lievens, œnologue, qui proposent une cuvée composée à 60 % de chardonnay, complété par 40 % des deux pinots à parts égales. Les secrets de l'Art de vigne : levurage naturel, bâtonnage (en cuve), absence de fermentation malolactique, de filtration et de collage. Les arômes sont complexes, empyreumatiques, miellés, la bouche vineuse et fondue. Un séducteur. La **cuvée Prestige 98 (15 à 23 €)** assemble les noirs et les blancs dans les mêmes proportions que le précédent, mais sans meunier. Elle obtient une étoile pour son attaque douce et son riche bouquet, fait de poire et de notes florales, beurrées, miellées et mentholées. (RM)

🔑 SCEV Jacques Picard, 12, rue de Luxembourg, 51420 Berru, tél. 03.26.03.22.46, fax 03.26.03.26.03, e-mail info@champagnepicard.com ☒ Y 🚶 r.-v.

PICARD ET BOYER Réserve ★★

○ 1,5 ha n.c. ■ 🛢 15 à 23 €

Les vignes plantées par Mme Boude-Huet, fondatrice du domaine en 1928, produisent toujours. La propriété (près de 5 ha) a été reprise par A. Picard en 1993. Cette cuvée Réserve est un blanc de noirs de pinot meunier, élevé quatre mois dans des pièces bourguignonnes de trois vins en provenance de Meursault. Au nez, il suscite déjà l'intérêt : « Il a une âme », écrit un juré. Les dégustateurs ont détecté l'apport du bois, au demeurant des plus discrets. Un champagne riche et puissant, finaliste du coup de cœur, à marier par exemple à une sole. (RM)

🔑 SCEV Picard et Boyer,
chem. de Vrilly, 51100 Reims,
tél. 03.26.85.11.69, fax 03.26.82.60.88 ☒ 🚶 r.-v.
🔑 A. Picard

PIERREL Grande Cuvée Tradition 1996

○ 1er cru n.c. n.c. 23 à 30 €

Une des marques d'une maison de négoce récente, fondée en 1990 par Dominique Pierrel. Les champagnes se signalent par un conditionnement moderne, des étiquettes petites et sobres aux formes géométriques. Cette Grande Cuvée Tradition 96 est un blanc de blancs. Bien typée du millésime, elle est évoluée au nez, une touche rancio accompagnant des nuances briochées et empyreumatiques. Tout aussi caractéristique, le palais est riche. Le dosage est sensible. Le **chardonnay cuvée Tradition 1er cru (15 à 23 €)**, non millésimé, est grillé et miellé au nez, plein, vif et long au palais. Biscuité et grillé, le **chardonnay cuvée Oressence (15 à 23 €)** est présent en bouche, souple et gras. Tous ces champagnes sont cités. (NM)

🔑 SA Pierrel et Associés, 26, rue Henri-Dunant, 51200 Epernay, tél. 03.26.51.00.90, fax 03.26.51.69.40, e-mail champagne@pierrel.fr ☒ r.-v.

PIERSON-CUVELIER Cuvée Tradition

○ Gd cru 5 ha 30 000 ■ 🌡 11 à 15 €

Un vignoble constitué à l'orée du XXe s. et agrandi au fil du temps (9 ha aujourd'hui), trois générations de récoltants-manipulants depuis 1928. L'exploitation a son siège à Louvois, commune du flanc sud-est de la Montagne de Reims classée en grand cru. Le pinot noir joue les premiers rôles dans sa cuvée Tradition (87 %), complété par le chardonnay. Les raisins proviennent des années 1998 à 2000. Un champagne jeune et bien équilibré. (RM)

🔑 Pierson-Cuvelier, 4, rue de Verzy, 51150 Louvois, tél. 03.26.57.03.72, fax 03.26.51.83.84 ☒ Y 🚶 r.-v.

PIPER-HEIDSIECK Rare ★

○ n.c. n.c. ■ 🌡 46 à 76 €

L'une des sociétés issues de la maison fondée en 1785 par Florens Louis Heidsieck. Pendant un peu plus de deux siècles, elle est restée dans la famille, avant de passer, en 1989, sous le contrôle de Rémy Cointreau. La cuvée Rare assemble 70 % de chardonnay et 30 % de pinot noir. Complexe et fine au nez, elle évoque les fruits secs grillés. Cette finesse se prolonge dans une bouche aromatique (agrumes) et persistante. Le **blanc de blancs brut Divin (30 à 38 €)** obtient lui aussi une étoile pour sa rondeur beurrée et miellée, son équilibre et son amabilité. (NM)

🔑 Piper-Heidsieck,
51, bd Henry-Vasnier, 51100 Reims,
tél. 03.26.84.43.00, fax 03.26.84.43.49 ☒ Y 🚶 r.-v.

POINTILLART ET FILS ★

○ 1er cru 3 ha 35 000 ■ 11 à 15 €

Philippe et Anthony Pointillart exploitent 6 ha de vignes autour d'Ecueil, village très proche de Reims. Leur brut sans année provient des récoltes de 2000 et 2001 et, très majoritairement, de pinot noir (90 %, complété par le chardonnay). D'une belle finesse au nez, il libère des nuances florales d'acacia qui se mêlent à des notes fruitées dans une bouche bien proportionnée. Un ensemble plutôt discret, mais élégant. (RM)

🔑 Philippe et Anthony Pointillart,
10, Grande-Rue, 51500 Ecueil,
tél. 03.26.49.74.95, fax 03.26.49.75.02 ☒ Y 🚶 r.-v.

REGIS POISSINET Cuvée Prestige ★

○ n.c. 3 900 ■ 11 à 15 €

Proche de Châtillon-sur-Marne, le village de Cuchery est situé au nord d'un ruisseau affluent de la Marne, le ru de Belval. Régis Poissinet exploite dans les environs un peu plus de 8 ha de vignes. Le meunier et le chardonnay, récoltés en 1999, collaborent à parts égales à sa cuvée Prestige de couleur vieil or soutenu. Discrètement grillé avec des notes de fruits macérés, le nez semble évolué. Cette palette se complète de saveurs de fruits confits dans une bouche ample et ronde. (RM)

🔑 Poissinet-Ascas, 8, rue du Pont, 51480 Cuchery,
tél. 03.26.58.12.93, fax 03.26.52.03.55,
e-mail regis.poissinet@wanadoo.fr ☒ Y 🚶 r.-v.

GASTON POITTEVIN

○ 1er cru 2 ha 5 900 ■ 11 à 15 €

A Cumières, village de la vallée de la Marne proche d'Hautvillers, vous pourrez faire une promenade en bateau sur la rivière ou rendre visite aux vignerons du village, comme à Gaston Poittevin qui exploite 6 ha aux environs. Issu des années 1997 et 1998, son brut 1er cru assemble 90 % des deux pinots (dont 50 % de pinot noir) au chardonnay. L'intensité de son expression briochée, beurrée, miellée et doucement fruitée séduit, ainsi que sa puissance et sa longueur. Le dosage est perceptible. (RM)

🔑 Gaston Poittevin,
129, rue Louis-Dupont, 51480 Cumières,
tél. 03.26.55.38.37, fax 03.26.54.30.89 ☒ Y 🚶 r.-v.

POL ROGER Cuvée de réserve 1996 *

n.c. n.c. 30 à 38 €

Fondée en 1849 par Pol Roger, cette maison est l'une des rares affaires de négoce à avoir conservé son caractère familial. Elle dispose d'un vignoble de 85 ha. Sa cuvée **Sir Winston Churchill 95 (plus de 76 €)**, dédiée à l'homme politique anglais le plus célèbre du XXᵉs., n'est pas destinée à être bue avec un cigare, mais à table avec une caille farcie au foie gras. Assemblage classique de pinot noir (60 %) et de chardonnay (40 %), la Cuvée de réserve 96 affiche une couleur or soutenu. Comme nombre de champagnes de ce millésime, elle apparaît légèrement évoluée, tant au nez qu'en bouche, avec une palette aromatique réglissée et briochée. Elle se développe avec puissance et son dosage est sensible. (NM)

SA Pol Roger, 1, rue Henri-Lelarge, 51200 Epernay, tél. 03.26.59.58.00, fax 03.26.55.25.70, e-mail polroger@polroger.fr r.-v.

POMMERY Cuvée Louise 1995 *

Gd cru 45 ha n.c. + de 76 €

Chef de cave de cette grande maison rachetée par Vranken en 2002, Thierry Gasco vient d'être élu président de l'Union des Œnologues de France. A côté de sa cuvée **Maxi Pop (30 à 38 €)** inventée en 1999 et déjà célèbre pour son design (citée), la cuvée Louise revient en lice, constituée de 64 % de chardonnay complété par le pinot noir. Elle égrène un chapelet de bulles fines dans une robe cristalline qui n'a pas pris une ride. La palette de fleurs blanches, légèrement grillée, fumée, est élégante. Une petite note de fruits secs est perçue par un dégustateur. La bouche est aujourd'hui ample et vineuse, davantage évoluée que ne le laissait deviner le nez. (NM)

Pommery,
5, pl. du Gal-Gouraud, BP 1049, 51689 Reims Cedex 2, tél. 03.26.61.62.63, fax 03.26.61.61.60 r.-v.

Vranken

POTEL-PRIEUX

4,5 ha 2 000 11 à 15 €

Patrick et François Potel exploitent le domaine familial dans la vallée de la Marne. Avant eux, toute une lignée au service du vin – jusqu'à Charles Potel qui cultivait déjà la vigne en 1640. Une majorité de raisins noirs (70 %, dont 40 % de pinot noir) est à l'origine de ce rosé provenant des années 1996 à 2001. Discrètement floral au nez, il est un peu fugace mais équilibré. (RM)

Potel-Prieux, 10, rue de Champagne, 51480 Venteuil, tél. 03.26.58.48.59, fax 03.26.58.68.11 t.l.j. sf dim. 9h-12h 14h-18h

P. et F. Potel

N. POTIE Le Grand Condé Prestige d'or 1998 *

n.c. 7 000 15 à 23 €

Situé en amont d'Epernay et de Tours-sur-Marne, le village de Condé-sur-Marne possède une église romane du XIIᵉs. au curieux clocher en forme de pain de sucre. Vous y trouverez les Potié qui exploitent quelque 5 ha dans les environs. Chardonnay et pinot noir font jeu égal dans cette cuvée spéciale 98, à la palette aromatique faite d'amande, de miel et de pain brioché. Un champagne dont les jurés apprécient la finesse. (RM)

N. Potié, 6, rue de Reims, 51150 Condé-sur-Marne, tél. 03.26.67.99.08, fax 03.26.64.13.27 r.-v.

CHARLES POUGEOISE Prestige Perle noire

n.c. n.c. 11 à 15 €

Implanté à Vertus, au sud de la Côte des Blancs, ce domaine dispose de 9 ha de vignes toutes situées sur le territoire de cette commune classée en 1ᵉʳ cru. Issue des années 2001 et 2002, la cuvée Prestige Perle noire assemble 60 % de chardonnay au pinot noir. Assez discrète au nez, elle attaque franchement et se développe avec fraîcheur. Egalement cité, le blanc de blancs **Côte des Blancs 1ᵉʳ cru** est beurré, citronné, vif, avec une pointe d'amertume. (RM)

EARL Charles Pougeoise, 23, bd Paul-Goerg, 51130 Vertus, tél. 03.26.52.26.63, fax 03.26.52.19.66, e-mail charles.pougeoise@wanadoo.fr

t.l.j. 9h-12h 13h30-18h30; sam. et dim. sur r.-v.

ROGER POUILLON ET FILS Carte blanche *

1er cru n.c. 10 000 11 à 15 €

Roger Pouillon a lancé son champagne en 1947 ; son fils James l'a rejoint en 1965. En 1998, Fabrice, le petit-fils, s'est installé à son tour sur le domaine : 7 ha de vignes, avec des parcelles au Mesnil-sur-Oger et à Aÿ, en grand cru, et d'autres dans plusieurs villages 1ᵉʳ cru. La cuvée Carte blanche doit tout au chardonnay. Ses arômes jeunes évoquent la fleur blanche. Sa bouche structurée, au dosage équilibré et à la belle finale est fort appréciée. « Vin bien fait, riche et harmonieux », conclut un dégustateur. Parée d'une étiquette à l'ancienne, la **Fleur de Mareuil 1ᵉʳ cru (15 à 23 €)** est la cuvée haut de gamme, vinifiée douze mois en fût. Elle assemble pinot noir et chardonnay à parts égales. Un champagne vanillé, boisé, épicé et ample : une étoile également. (RM)

Roger Pouillon et Fils,
3, rue de la Couple, 51160 Mareuil-sur-Aÿ,
tél. 03.26.52.60.08, fax 03.26.59.49.83,
e-mail contact@champagne-pouillon.com r.-v.

POUL-JUSTINE Eternel

1er cru n.c. 4 000 23 à 30 €

A la tête de cette exploitation, Michel Poul est le petit-fils de Pierre Justine, fondateur du domaine en 1927. La propriété, qui a son siège à Avenay-Val-d'Or, près d'Aÿ, s'étend sur 8 ha. La cuvée Eternel privilégie le pinot noir (70 %), complété par le chardonnay. Le vin n'est pas filtré, ne passe pas au froid et ne fait pas sa fermentation malolactique. Il en résulte un champagne minéral et frais au nez, miellé en bouche, avec des flaveurs de pain d'épice. Une bouteille équilibrée et longue. (RM)

EARL Poul-Justine,
6, rue Gambetta, 51160 Avenay-Val-d'Or,
tél. 03.26.52.32.58, fax 03.26.52.65.92,
e-mail poul.michel@wanadoo.fr r.-v.

Michel Poul

PRESTIGE DES SACRES Réserve spéciale **

n.c. 150 000 11 à 15 €

Marque lancée en 1970 par un groupement de producteurs créé en 1961. La coopérative, qui a son siège à Janvry, à l'ouest de Reims, vinifie la récolte de 128 ha. Issue des années 2000 à 2002, la Réserve spéciale fait appel aux trois cépages champenois à parts égales. Expressive et élégante au nez, elle séduit d'emblée les dégustateurs par ses parfums à dominante exotique, évoquant l'ananas. Ces arômes flatteurs se prolongent dans une bouche fraîche, équilibrée et complexe. Le pinot noir et le chardonnay contribuent à égalité au **Prestige des Sacres 99 (15 à 23 €)**, cité pour sa rondeur harmonieuse. (CM)

⊶ Prestige des Sacres, rue de Germigny, 51390 Janvry,
tél. 03.26.03.63.40, fax 03.26.03.66.93,
e-mail info@champagne-prestige-des-sacres.com
☒ Y 🚶 r.-v.

YANNICK PREVOTEAU La Perle des Treilles ★

○ 0,8 ha 6 000 ■ 15 à 23 €

Vignerons depuis cinq générations, les Prévoteau exploitent plus de 10 ha autour de Damery, sur la rive droite de la Marne. Ici, la vinification obéit à certains principes rigoureux : pas de fermentation malolactique, pas de traitement par le froid. Cette Perle des Treilles, assemblage classique de 60 % de pinot noir et de 40 % de chardonnay, marie les années 1998 à 2000. Franche de goût, elle évoque les fruits jaunes mûrs. Si son dosage semble un peu généreux, elle n'en reste pas moins agréable et longue. Les raisins noirs l'emportent également dans la **Carte d'or (11 à 15 €)** qui comprend 70 % des deux pinots (40 % de pinot noir). Un champagne issu des récoltes de 2000 et 2001, qui fait preuve de finesse et de nervosité : une citation. (RM)

⊶ EARL Prévoteau Père et Fils,
4 bis, av. de Champagne, 51480 Damery,
tél. 03.26.58.41.65, fax 03.26.58.61.05,
e-mail yannick.prevoteau@wanadoo.fr
☒ Y 🚶 t.l.j. 8h-12h 13h30-19h, dim. sur r.-v.

PREVOTEAU-PERRIER
Cuvée Adrienne Lecouvreur ★

○ n.c. 20 000 15 à 23 €

Un vignoble constitué après la Première Guerre mondiale, et une marque lancée en 1947 à la suite du mariage d'une demoiselle Perrier avec un monsieur Prévoteau. Leur fils Patrice, rejoint par son gendre Christophe Boudard, gère la maison de négoce qui dispose d'un vignoble en propre de 14 ha. La famille est propriétaire à Damery de la maison natale d'Adrienne Lecouvreur, célèbre tragédienne du XVIII[e]s., d'où le nom de cette cuvée issue des années 1997 à 1999. Pinot noir et chardonnay assemblés à parts égales collaborent à ce champagne harmonieux et tout en finesse, aux arômes de pain frais et d'amande. Une étoile encore pour la cuvée **Tradition (11 à 15 €)**, qui privilégie les noirs (85 % des deux pinots à parts égales) et assemble les années 1999 à 2001. Une attaque douce, sur fond d'agrumes, précède une finale vive et longue. Un bel équilibre. (NM)

⊶ Prévoteau-Perrier,
15, rue André-Maginot, 51480 Damery,
tél. 03.26.58.41.56, fax 03.26.58.65.88 ☒ Y 🚶 r.-v.
⊶ P. Prévoteau et C. Boudard

PRIN PERE ET FILS ★★

● n.c. n.c. 15 à 23 €

Fondée en 1977, cette maison de négoce a son siège à Avize, en pleine Côte des Blancs. Son brut rosé ne doit pourtant rien au chardonnay : né de pur pinot noir, il résulte d'une saignée, méthode assez peu fréquente en Champagne. Habillé d'une robe légère, saumonée, il fait songer à la fraise confite ou confiturée. La bouche est ronde et vive à la fois, avec un beau retour fruité. « Un vrai rosé », conclut un dégustateur. La **Grande Réserve 95** obtient une étoile. Elle assemble 60 % de chardonnay au pinot noir. Sa rondeur, sa richesse et son évolution réussie plairont aux amateurs de millésimes mûrs. (NM)

⊶ Prin Père et Fils, 28, rue Ernest-Vallé, 51190 Avize,
tél. 03.26.53.54.55, fax 03.26.53.54.56 ☒ Y 🚶 r.-v.

QUATRESOLS-GAUTHIER ★

○ 1er cru 5 ha 13 568 ■ 11 à 15 €

Une ancienne ferme de Ludes, dans la Montagne de Reims, transformée progressivement en domaine viticole. Régis Quatresols dispose aujourd'hui de plus de 7 ha de vignes. Les raisins noirs l'emportent dans son brut 1er cru : 70 % (dont 40 % de meunier) provenant de la récolte de l'an 2000. Fruits confits au nez, touche grillée en bouche, c'est un champagne frais et primesautier, expressif et long. (RM)

⊶ Régis Quatresols-Gauthier,
4, rue de Reims, 51500 Ludes,
tél. 03.26.61.10.13, fax 03.26.61.12.71,
e-mail regis.quatresols@wanadoo.fr ☒ Y 🚶 r.-v.

SERGE RAFFLIN Extra-Réserve ★★

○ n.c. n.c. ■🌡 15 à 23 €

Denis Rafflin est établi à Ludes (Montagne de Reims). En 1985, il a pris la suite d'une lignée de vignerons qui remonte à la première moitié du XVIII[e]s. Sa famille élabore du champagne depuis les années 1920. La cuvée Extra-Réserve a été plébiscitée. Ce brut sans année fait la part belle aux raisins noirs (80 %), en particulier le meunier (60 %). Dans sa robe aux reflets or monte un cordon persistant. Le nez, expressif et complexe, mêle le miel, le pain d'épice et la confiture de fraises (« un nez de meunier », dit un dégustateur). La bouche séduit par son très bel équilibre, sa fraîcheur et sa longueur. Une étoile pour le **rosé**, également dominé par les pinots (45 % de pinot noir, 27 % de meunier, 20 % de vin rouge, 8 % de chardonnay) : élégant, imprégné d'arômes de fruits rouges et noirs, il trouvera sa place à l'apéritif ou sur un dessert aux fruits. (RM)

⊶ Denis Rafflin,
10, rue Nationale, BP 25, 51500 Ludes,
tél. 03.26.61.12.84, fax 03.26.61.14.07,
e-mail champagnesergerafflin@wanadoo.fr ☒ Y 🚶 r.-v.

DIDIER RAIMOND Tradition ★

◍ 1,9 ha 7 500 ■⏸ 11 à 15 €

Didier Raimond élabore du champagne depuis dix ans et fait preuve d'un réel savoir-faire dont témoignent des mentions régulières dans le Guide. Issue des années 1999 et 2000, sa cuvée Tradition privilégie le chardonnay (65 %), complété par les deux pinots (pinot noir 25 %). Au nez comme en bouche, elle décline des notes beurrées, grillées (fruits secs) et des nuances d'agrumes, ces dernières très présentes au palais. De la jeunesse et de la vivacité. (RM)

⊶ Didier Raimond, 39, rue des Petits-Prés,
51200 Epernay, tél. 03.26.54.39.05, fax 03.26.54.51.70,
e-mail champagnedidier.raimond@wanadoo.fr
☒ Y 🚶 r.-v.

RAINBOW Réserve ★

● 1 ha 8 000 ▮ 15 à 23 €

Rainbow est une marque récente du champagne Romain Guistel. Les trois cépages champenois collaborent à cette Réserve au nez délicat de cédrat et de nougat, vif à l'attaque et équilibré. (NM)

🔑 Rainbow, 5-7, rue Alphonse-Perrin, 51480 Damery, tél. 03.26.59.48.46, fax 03.26.52.04.28 ☑

🔑 R. Guistel

CUVEE DU REDEMPTEUR 1994 ★

● 1 ha 10 000 ◍ 15 à 23 €

En 1911, la champagne viticole est en pleine crise. Un mouvement de révolte anime ses vignerons. Grand-père de Claude Dubois, Edmond Dubois s'engage avec tant d'ardeur dans la défense de la profession qu'on le surnomme le « Rédempteur de la Champagne ». Un beau nom pour une marque... Aujourd'hui, Claude Dubois exploite 7 ha de vignes autour de Venteuil, dans la vallée de la Marne. Mi-blancs mi-noirs (pinot noir), ce 94 a été élevé un an en foudre de chêne. Il libère au nez des notes beurrées, évoluées, qui se prolongent en bouche. La finale est marquée par une pointe d'amertume. Deux autres champagnes sont cités, qui ont également séjourné dans le bois : le **Champagne du Rédempteur (11 à 15 €)** et la **cuvée Claude Dubois (11 à 15 €)**. Le premier assemble les trois cépages champenois à parts égales et les années 1999 et 2000 ; il est rond, vanillé, équilibré. Le second donne la priorité aux noirs (meunier 50 %, pinot noir 40 %) et provient de la seule année 2001 ; il est frais au nez, très vif en bouche. (RM)

🔑 Dubois Père et Fils, EARL du Rédempteur, rte d'Arty, 51480 Venteuil, tél. 03.26.58.48.37, fax 03.26.58.63.46, e-mail redempteur@wanadoo.fr ☑ Y 🚶 t.l.j. 9h-12h 13h30-17h30; sam. dim. sur r.-v.

LOUIS REGNIER Grande Cuvée 1996 ★★

● n.c. n.c. ▮🌡 23 à 30 €

Marque de négoce récente (2002), créée en association avec le champagne J.-N. Haton. Elle a brillé l'an dernier, avec un rosé coup de cœur, et fait encore parler d'elle cette année, avec cette Grande Cuvée qui assemble pinot noir et chardonnay à parts égales. « Puissance et longueur, complexité et richesse », résume un dégustateur. Un champagne de repas. (NM)

🔑 SAS Louis Régnier, 10, av. de Champagne, 51480 Damery, tél. 03.26.52.39.35, fax 03.26.52.39.35

R. RENAUDIN Grande Réserve 2000 ★

● 1er cru n.c. 11 400 ▮🌡 23 à 30 €

Antérieur à la Révolution, ce domaine couvre 24 ha dans les coteaux d'Epernay et la Côte des Blancs. Les raisins noirs (les deux pinots) et blancs sont assemblés à parts égales dans cette Grande Réserve au nez intense et riche mêlant les fruits compotés et le tabac, avec une touche mentholée. Après une attaque impétueuse, le palais se fait rond, gras et dense. (RM)

🔑 R. Renaudin, 31, rue de la Liberté, 51530 Moussy, tél. 03.26.54.03.41, fax 03.26.54.31.12, e-mail champagne@r-renaudin.com ☑ Y 🚶 r.-v.

🔑 Tellier

VINCENT RENOIR Tradition ★

● Gd cru 2 ha 15 000 ▮ 11 à 15 €

Proche de la forêt de Verzy, célèbre pour ses faux, étranges hêtres tortillards, ce domaine exploite 5 ha autour de ce village classé en grand cru. Vincent Renoir conduit l'exploitation depuis 1983. Pinot noir et chardonnay à parts égales contribuent à sa cuvée Tradition, biscuitée et beurrée au nez. Du corps, de l'élégance et de la jeunesse : un ensemble prometteur. (RM)

🔑 Vincent Renoir,
19, rue de la Gare, 51380 Verzy,
tél. 03.26.97.95.59, fax 03.26.97.94.67,
e-mail vincent.renoir@wanadoo.fr ☑ Y 🚶 r.-v.

ANDRE ROBERT Blanc de blancs Cuvée de réserve

● Gd cru 5 ha 50 000 ▮ 15 à 23 €

Bertrand Robert est à la tête d'un vignoble situé dans la Côte des Blancs, autour du Mesnil-sur-Oger, commune classée en grand cru. Sa Cuvée de réserve s'annonce par un nez intense et riche, à dominante florale, et se montre vineuse, franche et équilibrée en bouche. (RM)

🔑 André Robert,
15, rue de l'Orme, BP 5,
51190 Le Mesnil-sur-Oger,
tél. 03.26.57.59.41, fax 03.26.57.54.90,
e-mail champagne-andre.robert@wanadoo.fr
☑ Y 🚶 r.-v.

🔑 Bertrand Robert

ERIC RODEZ Blanc de blancs ★★

● Gd cru 6,12 ha n.c. ◍ 15 à 23 €

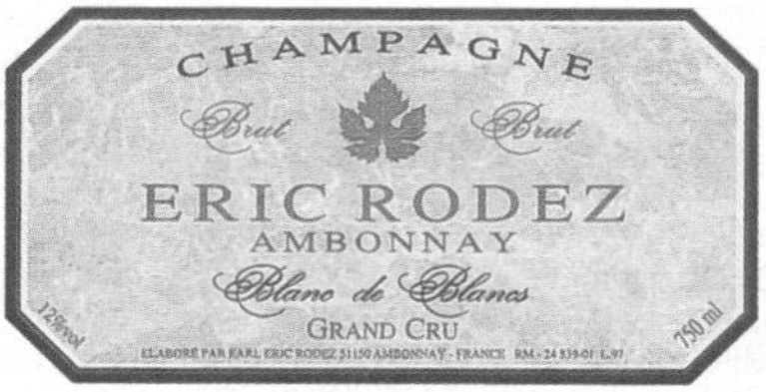

Eric Rodez exploite plus de 6 ha de vignes autour d'Ambonnay. Ce grand cru est réputé pour son pinot noir. Cela ne l'a pas empêché d'engendrer un grand blanc de blancs, grâce au savoir-faire d'Eric Rodez qui pratique des vinifications raffinées, adaptées à chaque type de champagne. Celui-ci assemble 45 % de vins de 1999 à des vins de réserve de nombreuses années ; 80 % séjournent dans le bois et 65 % n'ont pas fait leur fermentation malolactique. Cela donne un champagne complexe, d'une grande finesse et d'un remarquable équilibre, où les notes vanillées et fumées de l'élevage s'associent à des arômes de fruits blancs. Une étoile pour le **blanc de noirs**, né de pinot noir et, lui aussi, d'un savant assemblage : 42 % de la récolte de 1999 et le reste en vins de réserve des années 1998 à 1995, voire antérieures ; 75 % de vins élevés en fût et 60 % de vins sans fermentation malolactique. Notes boisées et saveurs de fruits rouges se mêlent dans ce champagne équilibré, frais et persistant qui sera excellent à table. La **cuvée des Crayères (11 à 15 €)** est citée. Pinot noir et chardonnay à parts égales, récolte de 2000 et vins de réserve de 1997 à 1999 surtout, élevage en cuve et « malo » majoritaires contribuent à ce champagne minéral, floral, frais et agréable en finale. (RM)

🔑 Eric Rodez,
4, rue de Isse, 51150 Ambonnay,
tél. 03.26.57.04.93, fax 03.26.57.02.15,
e-mail c.rodez@champagne-rodez.fr ☑ Y 🚶 r.-v.

LOUIS ROEDERER Brut Premier ★

● n.c. n.c. **30 à 38 €**

Au XIX[e]s., les principaux marchés de Louis Roederer étaient la cour de Russie et les Etats-Unis. Malgré la révolution de 1917 et la Prohibition de 1919, la société s'est rétablie et reste gérée par les descendants des fondateurs. C'est aujourd'hui la plus importante et la plus prospère maison de champagne familiale, riche de 200 ha de vignes répartis dans les principaux secteurs de la région viticole. Cheval de bataille de Jean-Claude Rouzaud, le Brut Premier assemble deux tiers de noirs (50 % de pinot noir) à un tiers de blancs et comporte environ 10 % de vins de réserve. Floral et fruité au nez, c'est un champagne vif et frais en bouche, marqué toutefois par le dosage (11 g/l). Le **brut Théophile Roederer (15 à 23 €)**, assemblage proche du précédent (70 % des deux pinots, dont 20 % de meunier), obtient également une étoile pour ses arômes fruités, son équilibre et sa longueur. Il trouvera sa place à l'apéritif. (NM)

⊶ Louis Roederer, 21, bd Lundy, 51100 Reims,
tél. 03.26.40.42.11, fax 03.26.61.40.35,
e-mail com@champagne-roederer.com

ALFRED ROTHSCHILD & CIE Grande Réserve

● n.c. n.c. **15 à 23 €**

Créée en 1858 par Charles Alexandre Gauthier, la maison a été rachetée par Gaston Burtin en 1958. Elle fait donc partie du gigantesque groupe Marne et Champagne. Les champagnes Alfred Rothschild & Cie ont la particularité de ne pas faire leur fermentation malolactique. Celui-ci, né des trois cépages champenois, se distingue par un palais assez gras et des arômes de viennoiserie. (NM)

⊶ Marne et Champagne, 22, rue Maurice-Cerveaux,
51200 Epernay, tél. 03.26.78.50.50, fax 03.26.78.50.52

JACQUES ROUSSEAUX Cuvée de réserve ★

● Gd cru 1,6 ha 11 000 ▮ **11 à 15 €**

Prenant la suite de quatre générations, Céline et Eric Rousseaux se sont installés il y a trois ans sur le domaine familial. Ils disposent de 8 ha de vignes en grand cru, autour de Verzenay. Deux champagnes obtiennent une étoile, tous deux nés des vendanges de 1999 à 2001. Cette Cuvée de réserve privilégie le pinot noir (70 %), complété par le chardonnay. Intense au nez, elle évolue de nuances florales vers des senteurs fruitées, confiturées (prune, fruits jaunes). Souple à l'attaque, elle révèle une rondeur soulignée par le dosage. Quant à la **cuvée de la Montgolfière**, mi-blancs mi-noirs (pinot noir), elle s'impose par son fruité, sa finesse et sa longueur. (RM)

⊶ Jacques Rousseaux, 5, rue de Puisieulx,
51360 Verzenay, tél. 03.26.49.42.73, fax 03.26.49.40.72,
e-mail champagne.jacques.rousseaux@coler.fr
☑ Y 🚶 r.-v.

ROUSSEAUX-FRESNET ★

● 0,2 ha 1000 ▮ **11 à 15 €**

Disposant de 5,50 ha autour de Verzenay dans la Montagne de Reims, Jean-Brice Rousseaux-Fresnet s'est lancé dans la manipulation en 1983. Son rosé assemble 80 % de pinot noir et 20 % de chardonnay. Habillé d'une robe saumonée un peu tuilée, il s'annonce par d'agréables arômes de fruits rouges, avec une touche de bonbon anglais, qui se prolongent dans une bouche intense. (RM)

⊶ Jean-Brice Rousseaux-Fresnet,
45, rue Chanzy, BP 12, 51360 Verzenay,
tél. 03.26.49.45.66, fax 03.26.49.40.09 ☑ Y 🚶 r.-v.

LE ROYAL COTEAU
De Roualles Spécial Réserve ★

● n.c. n.c. **11 à 15 €**

Présenté par la coopérative de Grauves, au sud d'Epernay, ce brut sans année libère des arômes complexes et frais, floraux et beurrés, qui se prolongent au palais. Il est équilibré et généreux. Une belle présence. (CM)

⊶ Le Royal Coteau,
11, rue de la Coopérative, 51190 Grauves,
tél. 03.26.59.71.12, fax 03.26.59.77.66 ☑ r.-v.

ROYER PERE ET FILS 1998 ★

● 0,7 ha 4 200 ▮ 11 à 15 €

La famille Royer est installée à Landreville, village au bord de l'Ource dans la Côte des Bars (Aube). Son 98 assemble pinot noir et chardonnay à parts égales. Intense et agréable au nez, il mêle des senteurs de fruits mûrs à des nuances évoluées. Plein, riche et complexe, il a atteint son apogée. Citée, la **cuvée Prestige** est un blanc de blancs légèrement fumé et mentholé, rond et souple en bouche. (RM)

⊶ Royer Père et Fils,
120, Grande-Rue, BP 6, 10110 Landreville,
tél. 03.25.38.52.16, fax 03.25.38.37.17,
e-mail infos@champagne-royer.com ☑ Y 🚶 r.-v.

RUFFIN ET FILS ★

● 1,5 ha 12 000 ▮ 🌡 **11 à 15 €**

On travaille en famille au Champagne Ruffin : Jean Ruffin, qui a lancé sa marque en 1947, est encore aux côtés de son fils Dominique – qui l'a rejoint en 1973 et assure la fonction de chef de cave – et de son petit-fils Alexandre, directeur des ventes depuis 1995. L'exploitation a son siège à Etoges, entre Epernay et les coteaux du Sézannais, et s'étend sur 11 ha. Issu des récoltes de 2000 et 2001, son rosé marie 50 % de chardonnay, 37 % de meunier à 13 % de vin rouge de pinot noir qui lui donne sa couleur. Une teinte légère qui contraste avec la vivacité de l'attaque et la rondeur de la bouche. (NM)

⊶ Ruffin et Fils, 20, Grande-Rue, 51270 Etoges,
tél. 03.26.59.30.14, fax 03.26.59.34.96,
e-mail contact@champagnes-ruffin.com ☑ Y 🚶 r.-v.

RENE RUTAT Grande Réserve

● 1er cru n.c. 25 000 ▮ **11 à 15 €**

Etabli à Vertus, au sud de la Côte des Blancs, René Rutat a pris le statut de récoltant-manipulant au début des années 1960. L'exploitation est conduite depuis 1985 par Michel Rutat. Les deux champagnes sélectionnés sont des blancs de blancs. Cette Grande Réserve provient des années 1999 et 2000. C'est un champagne souple, discret et jeune. Egalement cité, le **1er cru 98 (15 à 23 €)** s'habille d'or jaune et mêle au nez des senteurs beurrées et briochées, des notes de pamplemousse et de poire. Sa vivacité ne l'empêche pas de révéler des nuances d'évolution. (RM)

⊶ René Rutat, 27, av. du Gal-de-Gaulle, 51130 Vertus,
tél. 03.26.52.14.79, fax 03.26.52.97.36,
e-mail champagne-rutat@wanadoo.fr ☑ Y 🚶 r.-v.

LOUIS DE SACY ★★

● Gd cru n.c. n.c. ▮ ◍ 🌡 **23 à 30 €**

La vigne est attestée à Verzy depuis le début du VIII[e]s. et des Sacy étaient déjà installés dans ce village de la Montagne de Reims en 1633. Aujourd'hui Alain Sacy est à la tête de 25 ha de vignes. Né des vendanges de 1999 et 2000, son rosé grand cru doit tout aux raisins noirs, de pinot noir principalement (90 %). Un tiers environ des vins de base a séjourné dans le bois. Le fruité fin s'accompagne ainsi de notes vanillées. La bouche est expressive et persistante. Un champagne mûr. (NM)

⊶ Louis de Sacy, 6, rue de Verzenay, 51380 Verzy,
tél. 03.26.97.91.13, fax 03.26.97.94.25,
e-mail contact@champagne-louis-de-sacy.fr ☑ Y 🚶 r.-v.

SAINT-CHAMANT Cuvée de chardonnay 1996 *

● n.c. 12 769 ▮ 23 à 30 €

Les Coquillette cultivent 11 ha de vignes autour d'Epernay et tout à côté, à Chouilly, grand cru de la Côte des Blancs. Aussi le chardonnay est-il à l'origine des deux cuvées sélectionnées. Ce 96 révèle quelques touches d'évolution au nez, comme de nombreux champagnes de ce millésime. Ample et long, il est complexe, biscuité, brioché, vanillé, miellé et grillé. Il aimera un poisson cuisiné. Une étoile également pour le **blanc de blancs Carte crème (15 à 23 €)** qui assemble à la vendange de 1998 des vins de réserve. Un blanc de blancs classique, puissant, dont la vivacité dit la jeunesse. (RM)

⊶ Christian Coquillette, Saint-Chamant,
50, av. Paul-Chandon, 51200 Epernay,
tél. 03.26.54.38.09, fax 03.26.54.96.55 ☑ r.-v.

DE SAINT-GALL Cuvée Orpale 1995 **

● Gd cru n.c. 60 000 ▮ 38 à 46 €

Union Champagne est un gigantesque groupement de coopératives qui rassemble la production de douze centres, vinifie les apports de 1 860 vignerons (1 200 ha). Il a son siège à Avize, et c'est de la Côte des Blancs que provient une large part de ses approvisionnements. L'entreprise travaille à façon pour des marques ; elle a aussi sa propre marque : de Saint-Gall. La cuvée prestige de Saint-Gall est Orpale, nom qui évoque la couleur de ce blanc de blancs. Ce 95 est un grand champagne. Son évolution lui a donné de la complexité et la fougère, la noisette, la bergamote sont venues nuancer les arômes floraux et briochés. Cela ne l'a pas empêché de garder sa fraîcheur. Un des finalistes du coup de cœur. Le **blanc de blancs 1er cru**, une étoile, a des qualités proches : de jolis arômes d'abricot cuit et de brioche, une finale citronnée, de l'équilibre et de la fraîcheur. Le **brut 1er cru (15 à 23 €)** est un assemblage dominé par les blancs (69 % pour 31 % de pinot noir), né des vendanges de 1998 à 2000. Vif, aromatique, avec une touche d'amertume en finale, il est cité. (CM)

⊶ Union Champagne, 7, rue Pasteur, 51190 Avize,
tél. 03.26.57.94.22, fax 03.26.57.57.98,
e-mail info@union-champagne.fr ☑

SALMON Prestige

● 2 ha 3 600 ▮ 15 à 23 €

Cette ancienne famille de vignerons est établie dans la vallée de l'Ardre, à l'ouest de la Montagne de Reims. Elle élabore son champagne depuis la fin des années 1950 et dispose de plus de 10 ha de vignes. Pinot meunier et chardonnay, récoltés en 1999 et 2000, contribuent à égalité à sa cuvée Prestige. Délicat au nez, c'est un champagne léger, à l'aimable fruité, qui trouvera sa place à l'apéritif. (RM)

⊶ EARL Salmon,
21-23, rue du Capitaine-Chesnais, 51170 Chaumuzy,
tél. 03.26.61.82.36, fax 03.26.61.80.24 ☑ Y 🚶 r.-v.

SALON Blanc de blancs 1995 **

● n.c. 45 000 ▮ ⚲ + de 76 €

Si personne ne peut revendiquer l'invention du blanc de blancs, Aimé Salon figure parmi les premiers à avoir établi la notoriété de sa marque sur ce style de champagne. La maison, fondée au début du XX^e^s. et reprise par le groupe Laurent-Perrier en 1988, ne produit que du blanc de blancs originaire du grand cru du Mesnil-sur-Oger, et uniquement lorsque l'année est jugée millésimable. Que dire du 95 ? On sent que le vin de base était déjà grand. Le champagne est complexe (amande, noisette, beurre et brioche), élégant et onctueux. Atteint-il son apogée ? (NM)

⊶ Salon,
5, rue de la Brèche-d'Oger, 51190 Le Mesnil-sur-Oger,
tél. 03.26.57.51.65, fax 03.26.57.79.29,
e-mail champagne@salondelamotte.com 🚶r.-v.

SANCHEZ-LE GUEDARD Grande Réserve *

● 4 ha 20 692 ▮ ⚲ 11 à 15 €

En 1953, un salarié viticole, B. Le Guédard, constitue, avec 1,50 ha, une petite exploitation autour de Cumières, près d'Hautvillers. Petit à petit, il l'agrandit, et la transmet en 1983 à sa fille et son gendre. Le domaine s'étend sur un peu moins de 5 ha dans la vallée de la Marne. Née des récoltes de 1998 et 1999, sa Grande Réserve est un blanc de noirs (80 % de pinot noir, 20 % de meunier). La palette aromatique surprenante mêle la cannelle et une pointe mentholée. Une attaque fraîche introduit une bouche fruitée et souple. (RM)

⊶ Sanchez-Le Guédard,
106, rue Gaston-Poittevin, 51480 Cumières,
tél. 03.26.51.66.39, fax 03.26.51.66.39 ☑ Y 🚶 r.-v.
⊶ José Sanchez

SANGER Blanc de blancs **

● Gd cru n.c. n.c. ▮ ⚲ 11 à 15 €

Sur l'étiquette de ce champagne, on lit : « Elaboré par la coopérative des anciens élèves de la viticulture », autrement dit du lycée viticole d'Avize qui forme les futurs vignerons champenois. Un blanc de blancs fort apprécié pour ses parfums d'agrumes intenses et complexes et pour son palais équilibré, vif, minéral, citronné, un rien iodé. Il peut trouver sa place à l'apéritif, mais les fruits de mer devraient aussi lui faire une bonne escorte, et pourquoi pas une viande blanche ? Le **97 grand cru (15 à 23 €)** assemble 67 % de pinot noir au chardonnay. Il est cité pour son nez beurré, grillé, miellé et pour sa bouche riche et élégante. (CM)

⊶ Coopérative des Anciens, Lycée viticole,
51190 Avize, tél. 03.26.57.79.79, fax 03.26.57.78.58
☑ Y 🚶 t.l.j. sf sam. dim. 8h-12h 14h-18h

CAMILLE SAVES Carte blanche *

● 1er cru 9 ha 47 165 ▮ ⚲ 15 à 23 €

En 1894, Anaïs Jolicœur, fille d'un vigneron de Bouzy, épouse Eugène Savès, ingénieur agronome : début d'une lignée vigneronne. En 1982, Hervé Savès a pris la suite de Louis et de Camille. Les 9 ha de l'exploitation sont classés uniquement en grand cru ou en 1er cru. Les champagnes de la maison ne font pas leur fermentation malolactique. Mariant les années 1999 à 2001, cette Carte blanche assemble 80 % de pinot noir au chardonnay. Elle n'est pas très longue, mais séduit au palais par son fruité. Egalement citée, la **Cuvée de réserve grand cru** privilégie au contraire les blancs (65 % de chardonnay, 35 % de pinot noir) et associe les années 1998 et 1999. Florale au nez, elle attaque rondement puis révèle une finale puissante. (RM)

⊶ Camille Savès, 4, rue de Condé, 51150 Bouzy, tél. 03.26.57.00.33, fax 03.26.57.03.83, e-mail champagne.saves@hexanet.fr ☒ Y ⚘ r.-v.
⊶ Hervé Savès

GUY SAVOY Blanc de blancs

○ 14 ha n.c. ■ ♦ 15 à 23 €

Un blanc de blancs élaboré dans la Côte des Blancs pour Guy Savoy, et une étiquette intéressante, sortant de l'esthétique souvent rococo des bouteilles de champagne pour rappeler le célèbre restaurant. Discret au nez, ce vin mêle des notes fruitées à une touche de zan. Il est frais et parfaitement équilibré. (NM)

⊶ R. et L. Legras, 10, rue des Partelaines, 51530 Chouilly, tél. 03.26.54.88.79, fax 03.26.54.88.74, e-mail champagne.r.l.legras@wanadoo.fr ☒ Y ⚘ r.-v.

FRANCOIS SECONDE

○ Gd cru 5 ha 30 000 ■ 11 à 15 €

Situé à 10 km de Reims, sur la rive gauche de la Vesle, Sillery, au pied de la Montagne de Reims, connut une notoriété précoce, dès le début du XVII^{e}s., grâce à ses seigneurs, les Brûlart. Aujourd'hui, les grandes maisons y détiennent de nombreux vignobles ; on y rencontre aussi quelques récoltants-manipulants, comme François Secondé, à la tête de plus de 5 ha de ce grand cru. Celui-ci propose un brut sans année agréable, mêlant l'agrume et le sucre d'orge. Une touche légèrement citronnée contribue à la fraîcheur de la finale. (RM)

⊶ François Secondé, 6, rue des Galipes, 51500 Sillery, tél. 03.26.49.16.67, fax 03.26.49.11.55 ☒ Y ⚘ r.-v.

CRISTIAN SENEZ 1998 *

○ 2 ha 14 000 ■ ♦ 15 à 23 €

Un vignoble aubois assez récent, constitué dans les années 1950, mais d'une superficie enviable : une trentaine d'hectares. La marque a été lancée en 1973. Les champagnes Cristian Senez ne font pas leur fermentation malolactique. Du millésime 98, la maison a tiré trois vins dignes d'intérêt. Celui-ci assemble 75 % de chardonnay au pinot noir. Aromatique et complexe, il mêle les fruits blancs vanillés (poire) à des notes confites (figue) et même à la cerise, des arômes que l'on retrouve dans une bouche fraîche. Le **rosé 98** fait au contraire la part belle au pinot noir (80 % pour 20 % de chardonnay). Pas très vif mais puissant et onctueux, il offre des saveurs gourmandes de fruits rouges. Une étoile également. La **Grande Réserve 98** privilégie aussi le pinot noir (75 % pour 25 % de chardonnay). Elle est citée pour ses arômes de fruits rouges, d'abricot confit et pour son équilibre. (NM)

⊶ Cristian Senez, 6, Grande-Rue, 10360 Fontette, tél. 03.25.29.60.62, fax 03.25.29.64.63, e-mail champagne.senez@wanadoo.fr ☒ Y ⚘ r.-v.

SERVEAUX FILS 1998 **

○ 0,6 ha 5 020 ■ ♦ 15 à 23 €

Si le vignoble de l'Aisne peut paraître excentré, on trouve dans ce tronçon de la vallée de la Marne d'excellents champagnes, comme le 98 de Pascal Serveaux, récoltant qui conduit depuis 1993 les 12 ha du vignoble créé par son père. Ce champagne assemble 60 % de chardonnay aux deux pinots (30 % de pinot noir). Expressif, vineux et élégant au nez, il décline des notes beurrées, briochées et grillées. Le fruité complète cette palette dans une bouche équilibrée. Une harmonie et une finesse remarquables. Issue des années 2000 et 2001, la **Carte noire (11 à 15 €)**,

laisse dominer les pinots (90 %, dont 60 % de meunier). Son fruité pêche-framboise à la fois intense et délicat, sa bouche souple, conjuguant puissance et finesse lui valent une étoile. (RM)

⊶ Pascal Serveaux, 2, rue de Champagne, 02850 Passy-sur-Marne, tél. 03.23.70.35.65, fax 03.23.70.15.99, e-mail serveaux.p@wanadoo.fr ☒ Y ⚘ r.-v.

SIMART-MOREAU Cuvée des Crayères 1998

○ Gd cru 0,35 ha 3 500 ■ 15 à 23 €

Fort d'un vignoble familial situé dans la Côte des Blancs, Pascal Simart s'est lancé en 1974 dans l'élaboration du champagne. Il exploite aujourd'hui 4 ha. Sa Cuvée des Crayères revendique davantage son cru que son cépage : elle est née à Chouilly grand cru. Bien entendu, il s'agit d'un blanc de blancs. Miellée, vanillée, elle est à la fois puissante et délicate au palais, et fait preuve d'une belle vivacité. (RM)

⊶ Pascal Simart, 9, rue du Moulin, 51530 Chouilly, tél. 03.26.55.42.06, fax 03.26.55.95.92, e-mail simart.moreau@wanadoo.fr ☒ Y ⚘ r.-v.

GABRIEL SIMON Réserve **

○ Gd cru n.c. 100 000 ■ ♦ 15 à 23 €

Marque d'un groupement de producteurs de Mailly-Champagne. Ce champagne grand cru assemble 75 % de pinot noir et 25 % de chardonnay. Il fait grande impression. Un dégustateur écrit : « Tout y est : la fraîcheur, le fruit, la complexité. » Et il y en a beaucoup ! (CM)

⊶ Cave des vignerons de la Montagne de Reims, BP 1, 51500 Mailly-Champagne, tél. 03.26.49.41.10, fax 03.26.49.42.27

SIMON-SELOSSE
Blanc de blancs Extra-brut Premières Saveurs *

○ Gd cru 0,25 ha 2 500 ■ 15 à 23 €

Installé en pleine Côte des Blancs, Philippe Simon exploite 4,5 ha de chardonnay. Il propose un extra-brut, un champagne qui se caractérise par son dosage très faible, voire totalement absent. Les vins proviennent essentiellement de la récolte de 2001, avec un appoint des deux années antérieures, et pourtant, cette cuvée révèle des notes plutôt évoluées. Elle est puissante au nez, avec des nuances minérales, et de bonne harmonie au palais. Le **blanc de blancs grand cru** assemble les mêmes années. Il est cité pour sa vivacité qui contribue à son élégance. (RM)

⊶ Simon-Selosse, 20, rue d'Oger, 51190 Avize, tél. 03.26.57.52.40, fax 03.26.52.85.16, e-mail champ.simon-selosse@wanadoo.fr ☒ Y ⚘ r.-v.

PATRICK SOUTIRAN Précieuse d'Argent 1995 ★★

○ Gd cru 0,6 ha 3 000 ▮ 🌡 15 à 23 €

Les Soutiran sont vignerons à Ambonnay depuis cinq générations, mais ils n'ont développé la commercialisation en bouteilles qu'avec Gérard, le père de Patrick. Installé en 1970, ce dernier exploite 3 ha de vignes autour du village classé en grand cru. Sa Précieuse d'Argent est un blanc de blancs du grand millésime 95. Or blanc dans le verre, ce champagne offre un nez raffiné et complexe, avec des notes d'agrumes et de pomme mûre. Au palais, il est puissant, rond et d'une belle longueur. Né des vendanges de 2000 et 2001, le **blanc de noirs grand cru** (un pur pinot noir) est cité pour sa richesse et ses arômes de fruits rouges. (RM)

🔑 Patrick Soutiran,
3, rue des Crayères, 51150 Ambonnay,
tél. 03.26.57.08.18, fax 03.26.57.81.87,
e-mail patrick.soutiran@wanadoo.fr ☑ 🏠 🍷 🚶 r.-v.

STEPHANE ET FILS Grande Réserve ★★

○ n.c. n.c. ▮ 11 à 15 €

Ce vignoble de la vallée de la Marne, exploité par Xavier Foin depuis 1990, a été patiemment constitué par son arrière-grand-père Auguste, modeste ouvrier vigneron. Le vignoble s'étend aujourd'hui sur 6,5 ha. Provenant des années 1998 et 1999, la cuvée Grande Réserve est presque un blanc de noirs puisqu'elle ne comprend que 5 % de chardonnay, pour 48 % de meunier et 47 % de pinot noir. Les dégustateurs louent à l'envi sa complexité, la richesse de ses arômes de fruits compotés (fruits rouges et quetsche), sa structure et sa finale harmonieuse. (RM)

🔑 EARL Stéphane et Fils, 1, pl. Berry,
51480 Boursault, tél. 03.26.58.40.81, fax 03.26.51.03.79,
e-mail champ.stephane@wanadoo.fr ☑ 🍷 🚶 r.-v.
🔑 Xavier Foin

SUGOT-FENEUIL Blanc de blancs 1998 ★

○ Gd cru 1 ha 5 250 ▮ 🌡 15 à 23 €

Cramant, village de la Côte des Blancs possède en son sein des chambres d'hôtes qui permettent de prendre son temps pour découvrir ses paysages, ses églises, ses vins. Voici le millésimé de Robert Sugot, né sur un vignoble de 10 ha constitué dans les années 1920. Ce blanc de blancs or à reflets verts attire l'attention par son nez légèrement évolué. Le palais ne déçoit pas, soyeux, équilibré et long. (RM)

🔑 Sugot-Feneuil,
40, imp. de la Mairie, 51530 Cramant,
tél. 03.26.57.53.54, fax 03.26.57.17.01 ☑ 🍷 🚶 r.-v.

ARNAUD TABOURIN Blanc de blancs Cuvée or

○ 0,25 ha 1 626 🛢 15 à 23 €

Arnaud Tabourin s'est installé en 1994 sur le vignoble familial constitué à partir des années 1920. La propriété compte 5 ha, non seulement autour des Riceys, commune où l'exploitation a son siège, mais aussi en Côte des Blancs. Issu de la récolte de 2000, ce blanc de blancs a passé dix mois en fût de trois ou quatre vins avant d'être tiré en septembre. Des arômes de fruits secs, de pain beurré et brioché se mêlent au vanillé légué tant par le chardonnay que par le bois. Le résultat est harmonieux. (RM)

🔑 Arnaud Tabourin,
3, rue du Sénateur-Lesaché, 10340 Les Riceys,
tél. 03.25.29.74.33, fax 03.25.29.74.33,
e-mail champarno@aol.com ☑ 🍷 🚶 r.-v.

TAITTINGER
Comtes de Champagne Blanc de blancs 1995 ★★

○ n.c. n.c. 🛢 + de 76 €

Taittinger est l'une des grandes entreprises familiales françaises synonymes de luxe. Cette marque a parfaitement réussi – et cela est plutôt rare – sa diversification. Pour ce qui est du champagne, elle possède un important vignoble de 280 ha. Sa cuvée de prestige Comtes de Champagne est un blanc de blancs dont une faible partie passe par le bois neuf. C'est un modèle d'équilibre, frais, gourmand, élégant. Deux autres vins sont couronnés d'une étoile ; le **brut Réserve (23 à 30 €)** fait appel à autant de chardonnay que de pinot noir et à 20 % de pinot meunier de 1999 et de vins de réserve : le nez fin, floral, complexe précède une bouche équilibrée et longue. « Très bon champagne », conclut un dégustateur. Le **Prestige rosé (30 à 38 €)**, assemblage semblable au brut Réserve, est dominé par les fruits rouges, avec puissance et longueur. (NM)

🔑 Taittinger, 9, pl. Saint-Nicaise, 51100 Reims,
tél. 03.26.85.45.35, fax 03.26.50.14.30 ☑ 🚶 r.-v.

TANNEUX-MAHY Cuvée Prestige ★

○ 1 ha 12 000 ▮ 🛢 🌡 15 à 23 €

Jacques Tanneux exploite 6 ha autour de Mardeuil, près d'Epernay. Provenant des années 2001 et 2002, sa cuvée Prestige est dominée par le chardonnay qui entre à 90 % dans l'assemblage, complété par le meunier. Jaune à reflets verts, elle associe au nez les fleurs et le pain d'épice. La bouche, vive dès l'attaque, est marquée par des notes grillées, empyreumatiques. (RM)

🔑 Jacques Tanneux,
7, rue Jean-Jaurès, 51530 Mardeuil,
tél. 03.26.55.24.57, fax 03.26.52.84.59 ☑ 🍷 🚶 r.-v.

TARLANT Brut Zéro

○ 2 ha 15 000 ▮ 🛢 🌡 15 à 23 €

Héritier d'une lignée de vignerons remontant à l'époque du Roi-Soleil, Benoît Tarlant vient de s'installer sur les 13 ha de l'exploitation familiale. Issu des trois cépages champenois à parts égales, son Brut Zéro assemble les années 1997 à 1999. Il a passé six mois dans le bois et exprime des notes de vanille, de café et de noisette à côté de nuances briochées et fruitées. Ce champagne surprend car, non dosé, il révèle une touche ronde et miellée, et allie fraîcheur et évolution. (RM)

🔑 Tarlant, 51480 Œuilly, tél. 03.26.58.30.60,
fax 03.26.58.37.31, e-mail champagne@tarlant.com
☑ 🏠 🍷 🚶 t.l.j. sf dim. 9h-12h 14h-17h; f. jan.

EMMANUEL TASSIN Cuvée Tradition

○ 3 ha 20 000 ▮ 11 à 15 €

Installé dans l'Aube, Emmanuel Tassin a pris les rênes du domaine familial en 1987. L'exploitation compte 7 ha de vignes et élabore son champagne depuis les années 1930. Sa cuvée Tradition provient des vendanges de 2000 et 2001. C'est un blanc de noirs (pinot noir), et pourtant sa robe est très pâle. Son nez fermé dit sa jeunesse ; une discrétion que l'on retrouve en bouche. Un champagne direct et frais, pour l'apéritif. (RM)

🔑 Emmanuel Tassin,
104, Grande-Rue, 10110 Celles-sur-Ource,
tél. 03.25.38.59.44, fax 03.25.29.94.59 ☑ 🍷 🚶 r.-v.

J. DE TELMONT Blanc de blancs Consécration 1993

○ 1,6 ha 20 000 ▮ 🛢 🌡 23 à 30 €

Cette marque qui a son siège à Damery, en face d'Epernay, dispose d'un important vignoble (32 ha) et pratique des vinifications raffinées. Sa cuvée Consécration, un blanc de blancs, introduit ainsi dans l'assemblage 20 % de vins élevés douze mois en fût. Les dégustateurs lui trouvent d'ailleurs des arômes boisés, un peu caramélisés (tarte Tatin), à côté du classique beurré-brioché. Un champagne qui a atteint son apogée. (NM)

J. de Telmont, 1, av. de Champagne, 51480 Damery, tél. 03.26.58.40.33, fax 03.26.58.63.93, e-mail info@champagne-de-telmont.com r.-v.

V. TESTULAT Cuvée de réserve

n.c. 30 000 11 à 15 €

Cette maison fondée en 1862 a gardé son caractère familial. Elle dispose de caves du XVIIe s. et d'un coquet vignoble de 17 ha. Assemblant les années 1999 et 2000, sa Cuvée de réserve est dominée par les raisins noirs (90 %, dont 70 % de meunier). Un peu trop dosée pour certains dégustateurs, elle est florale et miellée, assez longue et fort agréable. (NM)

Testulat, 23, rue Léger-Bertin, 51201 Epernay, tél. 03.26.54.10.65, fax 03.26.54.61.18, e-mail vtestulat@champagne-testulat.com r.-v.

JACKY THERREY Carte blanche ★★

2,5 ha 20 000 11 à 15 €

Jacky Therrey exploite 5,50 ha de vignes dans l'Aube. Apporteur de raisins pour de prestigieuses maisons, il s'est fait récoltant-manipulant en 1980. Avec raison, à en juger par les vins sélectionnés, en particulier cette Carte blanche, issue des récoltes de 2000 et 2001. Elle est née autour de Montgueux, commune formant un îlot viticole excentré à l'ouest de Troyes. Le terroir y est très favorable au chardonnay, cépage qui domine dans cette cuvée (80 %), complété par le pinot noir. Aérienne et délicate au nez, elle est florale, avec un peu de citronnelle et de pomelo. Briochée, fraîche et droite en bouche, elle est pleine de charme. « J'aime beaucoup », conclut l'un des dégustateurs. La **Cuvée spéciale**, provenant des mêmes années que la précédente et dans laquelle les raisins blancs sont encore plus hégémoniques (90 %), a obtenu une étoile pour son intensité et sa persistance. Une étoile encore pour la **Cuvée François chardonnay 99 (15 à 23 €)**, un champagne riche, peut-être un peu trop généreusement dosé, mais agréable. (RM)

Jacky Therrey, 8, rte de Montgueux, La Grange-au-Rez, 10300 Montgueux, tél. 03.25.70.30.87, fax 03.25.70.30.84 r.-v.

THEVENET-DELOUVIN Réserve ★★

0,7 ha 6 000 11 à 15 €

Située dans la vallée de la Marne, une exploitation récente, créée en 1989 et disposant de 5 ha de vignes. Issu des récoltes de 1999 et 2000, son brut Réserve privilégie les noirs (70 % dont 50 % de pinot meunier). L'élégance est le maître-mot de la dégustation. Un juré parle même de noblesse. Tous soulignent la richesse délicate de son nez floral et fruité, sa fraîcheur soyeuse, sa finesse et son équilibre. Un des finalistes du coup de cœur. (RM)

Xavier Thévenet, 28, rue Bruslard, 51700 Passy-Grigny, tél. 03.26.52.91.64, fax 03.26.52.97.63, e-mail xavier.thevenet@wanadoo.fr r.-v.

THIBAULT DE VILLEJAMES Cuvée Prestige ★

n.c. n.c. 15 à 23 €

Elaborés par Jean-Noël Haton, les champagnes de cette marque sont écoulés par la société Cavavin, réseau spécialisé de vente en ligne. Complété par le pinot noir, le chardonnay l'emporte à une courte majorité (55 %) dans cette cuvée Prestige discrète au nez, souple, fine et longue en bouche. Le **brut sans année** assemble 65 % de raisins blancs au pinot noir. Le chardonnay imprime sa marque à ce champagne flatteur, cité par le jury. (MA)

Jean-Noël Haton, 5, rue Jean-Mermoz, 51480 Damery, tél. 03.26.58.40.45, fax 03.26.58.63.55, e-mail contact@champagne-haton.com r.-v.

J. M. TISSIER Apollon 1996 ★★★

2,5 ha 500 11 à 15 €

Etabli dans les coteaux au sud d'Epernay, Jean-Marie Tissier s'est installé en 1993, prenant la suite de son père et de son grand-père qui commercialisaient leurs cuvées sous le nom de Diogène Tissier. Il propose un champagne du grand millésime 96, qui fait la part belle au chardonnay (60 %), assemblé au pinot noir (30 %) et au meunier (10 %). Un Apollon vraiment. Mûr, mais alerte. Epicé et brioché au nez, floral en bouche (acacia), frais, aérien et tout en finesse, il tire de sa lyre des accents les plus harmonieux. Le coup de cœur n'est pas loin. Etiquette kitsch, style péplum, à signaler aux collectionneurs. (RM)

Jacques Tissier, 9, rue du Gal-Leclerc, 51530 Chavot-Courcourt, tél. 03.26.54.17.47, fax 03.26.59.01.43 r.-v.

DIOGENE TISSIER ET FILS Carte blanche ★

6 ha 60 000 11 à 15 €

Au sud d'Epernay, cette exploitation de près de 9 ha est établie à 1 km de la belle et rustique église de Chavot (XIIe s.), environnée de vignes ; elle a été fondée au début des années 1930 par Diogène Tissier, grand-père de Vincent qui a pris la succession du domaine en 1998. Cheval de bataille de la propriété, la cuvée Carte blanche est mi-blancs mi-noirs (meunier 30 %, pinot noir 20 %) ; elle assemble les années 2001 et 2002. Son nez au fruité confit précède une bouche ample et fraîche aux saveurs d'agrumes. Une étoile encore pour la **Cuvée de réserve**, née des années 2000 et 2001 et du chardonnay (60 %) marié aux deux pinots (meunier 25 %, pinot noir 15 %) ; franche, équilibrée, elle offre un fruité subtil d'agrumes et d'ananas. (NM)

Diogène Tissier et fils, 10, rue du Gal-Leclerc, 51530 Chavot-Courcourt, tél. 03.26.54.32.47, fax 03.26.54.32.48, e-mail diogenetissier@hexanet.fr r.-v.

GUY TIXIER ★

0,4 ha 2 000 11 à 15 €

En 1989, Olivier Tixier a succédé à son père Guy sur le domaine familial situé dans la Montagne de Reims. Constitué après la Première Guerre mondiale, le vignoble compte aujourd'hui 5 ha. Les pinots (50 % de pinot noir et 40 % de meunier) l'emportent dans ce rosé né de la vendange de l'an 2000. Un apport de 20 % de vin rouge lui a donné sa teinte saumonée. Au nez finemenet framboisé répond une bouche souple, ronde et vineuse, heureusement équilibrée par une bonne fraîcheur. La **Cuvée de réserve**, issue de la récolte 2001 complétée par des vins de réserve d'années antérieures, fait elle aussi la part belle aux raisins noirs (40 % de pinot noir et de meunier, 20 % de chardonnay). Avec ses arômes intenses de fruits confits et de fruits blancs, sa bouche épicée, structurée, fraîche et longue, c'est un champagne élégant : une étoile également. (RC)

Olivier Tixier,
12, rue Jobert, 51500 Chigny-les-Roses,
tél. 03.26.03.42.51, fax 03.26.03.43.00,
e-mail guy-tixier@isasite.net r.-v.

MICHEL TIXIER Cuvée réservée ★

2 ha 15 000 **11 à 15 €**

Une autre famille Tixier de Chigny-les-Roses (Montagne de Reims). L'exploitation (4 ha) est conduite depuis 1988 par Benoît Tixier, fils de Michel. Mariant les années 1998 et 1999, sa Cuvée réservée privilégie les noirs, qui constituent 80 % de l'assemblage (dont 60 % de meunier). Fruitée, elle attaque franchement sur la pêche et révèle un bel équilibre. Des arômes de praline et de noisette persistent longuement en finale. (RM)

Benoît Tixier,
8, rue des Vignes, 51500 Chigny-les-Roses,
tél. 03.26.03.42.61, fax 03.26.03.41.80,
e-mail champ-michel.tixier@wanadoo.fr r.-v.

LOUIS TOLLET La Grande Cuvée ★★

1er cru n.c. n.c. 15 à 23 €

Elaborés par la maison Charles Mignon, les champagnes Louis Tollet portent le nom d'un restaurateur parisien d'autrefois. La Grande Cuvée assemble 65 % de noirs (40 % de meunier) et 35 % de chardonnay. Vanillée et fumée au nez, ronde et fondue en bouche, elle fait preuve d'un superbe équilibre et procure une grande sensation d'harmonie. Un coup de cœur salue le classicisme et la sobriété de ce champagne qui trouvera sa place en toutes occasions. Quant à la **cuvée Prestige 1er cru (11 à 15 €)**, qui marie 75 % de pinot noir au chardonnay, elle obtient une étoile pour son équilibre, sa finesse et la justesse de son dosage. (NM)

Charles Mignon, 7, rue Joliot-Curie, 51200 Epernay,
tél. 03.26.58.33.33, fax 03.26.51.54.10,
e-mail bmignon@champagne-mignon.fr r.-v.

G. TRIBAUT 1996 ★

n.c. 14 000 **15 à 23 €**

Située à 300 m de l'abbaye où dom Pérignon fut cellerier, cette exploitation a été fondée en 1935 par Gaston Tribaut et développée par ses deux fils qui l'ont engagée en 1976 dans l'élaboration du champagne. Pinot noir et chardonnay collaborent à égalité à ce 96 qui décline des senteurs florales puis fruitées (mirabelle et coing) et fait preuve d'une vivacité qui ne nuit pas à son équilibre. Citée, la **Cuvée de réserve (11 à 15 €)** assemble 70 % de noirs (dont 40 % de pinot noir) au chardonnay. Elle est vive, équilibrée, agréable. Même note pour le **blanc de blancs de réserve (11 à 15 €)**, issu des années 1998 et 1999. Discrètement floral, nerveux, il finit sur une pointe d'amertume. (RM)

G. Tribaut,
88, rue d'Eguisheim, BP 5, 51160 Hautvillers,
tél. 03.26.59.40.57, fax 03.26.59.43.74,
e-mail champagne.tribaut@wanadoo.fr
t.l.j. 9h-12h 14h-18h

TRIBAUT-SCHLŒSSER Cuvée René ★★

10,47 ha 20 000 15 à 23 €

Fondée en 1929, cette maison familiale a son siège à Romery, près d'Hautvillers. Elle dispose de quelque 16 ha de vignes. Le chardonnay domine (60 %), complété par le pinot noir, dans cette cuvée René, contribuant à son nez floral et fruité (agrumes et fruits blancs), ainsi qu'à sa fraîcheur en bouche. Un champagne charnu et long. Les noirs l'emportent au contraire dans le brut **Tradition (11 à 15 €)**, les deux pinots représentant 70 % de l'assemblage. Un ensemble ample, flatteur et élégant : une étoile. (NM)

Tribaut-Schlœsser, 21, rue Saint-Vincent,
51480 Romery, tél. 03.26.58.64.21, fax 03.26.58.44.08,
e-mail tribaut.romery@wanadoo.fr r.-v.

TRICHET-DIDIER Réserve

1er cru 2 ha 22 000 **11 à 15 €**

Le village de Trois-Puits jouxte la ville de Reims, et cette propriété n'est distante que de 5 km de la cathédrale. Pierre Trichet a hérité en 1989 des 3,5 ha de vignes plantées par sa grand-mère. Ce sont ses parents qui ont commencé à élaborer les premières bouteilles de champagne en 1970. Les raisins noirs l'emportent dans sa Réserve : 76 %, dont 53 % de meunier. Expressive au nez, briochée et fruitée, elle est souple et légère. (NM)

Pierre Trichet, 11, rue du Petit-Trois-Puits,
51500 Trois-Puits, tél. 03.26.82.64.10,
fax 03.26.97.80.99, e-mail trichet-didier@terre-net.fr
t.l.j. 8h-12h 13h-18h

ALFRED TRITANT Cuvée Prestige ★★

Gd cru 3 ha 10 000 **15 à 23 €**

L'origine de cette petite exploitation familiale (3 ha) se perd dans la nuit des temps. Son vignoble occupe une position privilégiée, sur le coteau de Bouzy, village grand cru du flanc sud-est de la Montagne de Reims. Deux de ses champagnes ont reçu un fort bon accueil ; chacun assemble 65 % de pinot noir au chardonnay. Cette cuvée Prestige séduit par ses arômes complexes, miellés, floraux et citronnés, que l'on retrouve dans une bouche vive. « Elle a de la personnalité », conclut un dégustateur. Quant au **grand cru 96**, il reçoit une étoile pour la finesse de ses arômes évolués et la fraîcheur élégante de sa bouche. (RM)

Alfred Tritant, 23, rue de Tours, 51150 Bouzy,
tél. 03.26.57.01.16, fax 03.26.58.49.56,
e-mail champagne-tritant@wanadoo.fr
t.l.j. 9h-12h 14h-18h, sam. et dim. sur r.-v.

JEAN VALENTIN ET FILS Tradition ★

1er cru 3 ha 26 000 **11 à 15 €**

Situé à l'ouest de la Montagne de Reims, non loin de la cité des Sacres, le village de Sacy possède une intéressante église romane. La famille Valentin exploite aux alentours un vignoble de 6 ha constitué dans les années 1920. Elle a lancé son champagne en 1946. Les trois cépages champenois collaborent à sa cuvée Tradition, avec une forte dominante des noirs (50 % de meunier, 35 % de pinot noir). Un champagne vineux, couleur or soutenu, dont les arômes puissants de cire, de miel et de fruits secs (amande) indiquent qu'il a atteint son apogée. Le **blanc de blancs Saint-Avertin**, issu du terroir de Sacy, obtient la même note pour sa douceur et la finesse de ses accents de fleurs blanches : un champagne tout en dentelle. (RM)

Jean Valentin et fils, 9, rue Saint-Rémi, 51500 Sacy, tél. 03.26.49.21.91, fax 03.26.49.27.68, e-mail givalentin@wanadoo.fr r.-v.

VALLOIS-PETRET Cuvée Tradition ★

0,4 ha 3 500 **11 à 15 €**

Cette propriété familiale existe depuis un siècle environ. Elle est située à Chouilly dans la Côte des Blancs, et la cuvée sélectionnée doit tout au chardonnay. Ses parfums d'agrumes et de fruits à pépins annoncent une bouche fraîche, jeune et assez longue. (RM)

Francis Vallois-Petret, 8, rue de la Croix-Bleue, 51530 Chouilly, tél. 03.26.55.15.09, fax 03.26.55.15.09 r.-v.

VARNIER-FANNIERE

Gd cru 0,3 ha 2 500 **15 à 23 €**

Sous le Second Empire, les Fannière étaient apporteurs de raisins. C'est en 1950 que Jean Fannière, fort du vignoble familial situé dans le grand cru d'Avize, s'est lancé dans l'élaboration du champagne. Son gendre Guy Varnier puis, en 1989, Denis Varnier, ont pris sa suite. Située au cœur de la Côte des Blancs, l'exploitation vinifie principalement du chardonnay. Aussi ne s'étonnera-t-on pas du caractère hégémonique de ce cépage dans ce rosé saumoné ; complété par du vin rouge de pinot noir, il représente 85 % de l'assemblage. Un discret fruit rouge s'exprime au nez, puis la fraise s'affirme dans une bouche nerveuse. (RM)

Varnier-Fannière, 23, rempart du Midi, 51190 Avize, tél. 03.26.57.53.36, fax 03.26.57.17.07, e-mail contact@varnier-fanniere.com r.-v.

MARCEL VAUTRAIN
Chardonnay Les Pierres Robert ★

Gd cru 0,55 ha 5 000 **15 à 23 €**

Proche d'Epernay, ce domaine fondé dans les années 1930 a été détruit pendant la dernière guerre et s'est relevé ; il a lancé son champagne en 1946 et dipose de 6 ha de vignes. Sa cuvée Les Pierres Robert est un blanc de blancs d'Aÿ, commune grand cru réputée pour ses pinots noirs. L'assemblage fait principalement appel à des 2002, complétés par des vins de réserve de 2000 et 2001. Fleurs blanches, fruits secs et brioche, la palette aromatique est classique. Un champagne jeune et harmonieux. Mi-blancs mi-noirs (30 % de pinot noir, 20 % de meunier), la **Grande Réserve 1er cru** marie les années 1998, 2000 et 2002. Son nez de beurre et de fruits confits, évoquant le cake, son palais puissant au dosage perceptible lui valent une citation. (RM)

Marcel Vautrain, 207, rte de Reims, 51530 Dizy, tél. 03.26.55.29.89, fax 03.26.52.87.61, e-mail christianvautrain@yahoo.fr r.-v.

F. VAUVERSIN Blanc de blancs ★

Gd cru 1,3 ha 12 000 **11 à 15 €**

Héritier d'une lignée de vignerons remontant à 1640, Bruno Vauversin exploite 3 ha de vignes autour d'Oger, grand cru de la Côte des Blancs. C'est le chardonnay qui compose cette cuvée assemblant les années 2000 et 2001. Son nez est délicat, son palais légèrement citronné, frais et élégant. (RM)

F. Vauversin, 9 bis, rue de Flavigny, 51190 Oger, tél. 03.26.57.51.01, fax 03.26.51.64.44, e-mail bruno.vauversin@wanadoo.fr r.-v.

RENE VAZART Blanc de blancs

Gd cru 1 ha 2 800 **11 à 15 €**

C'est Nicole Vazart qui élabore les champagnes René Vazart. L'exploitation familiale est située dans la Côte des Blancs. Ce vin a pour particularité de n'avoir pas fait sa fermentation malolactique. Doré à reflets verts, il reste très réservé au nez, laissant percer quelques effluves floraux, fruités et grillés. Après une attaque franche, un côté minéral s'affirme. La finale fraîche s'accompagne d'une touche d'amertume. (RM)

René Vazart, 29, rue des Bergers, 51530 Chouilly, tél. 03.26.54.22.45, fax 03.26.54.22.45 r.-v.

JEAN VELUT Tradition ★★

2 ha 17 000 **11 à 15 €**

Troyes et son riche patrimoine médiéval ne sont qu'à une douzaine de kilomètres de ce domaine situé dans l'îlot viticole de Montgueux, à l'ouest du chef-lieu de l'Aube. Constitué dans les années 1970, ce vignoble a su ici tirer le meilleur parti d'un terroir argilo-calcaire favorable au chardonnay. Ce cépage l'emporte en effet largement (80 %) dans cette cuvée, complété par le pinot noir. Il s'agit d'un brut sans année assemblant des vins de 1999 à 2001. Beurré et citronné au nez, il est vif et d'un très bel équilibre. Un dégustateur conclut : « C'est du champagne et du bon ! » (RM)

EARL Velut, 9, rue du Moulin, 10300 Montgueux, tél. 03.25.74.83.31, fax 03.25.74.17.25, e-mail champ.velut@wanadoo.fr r.-v.

DE VENOGE Grand Vin des Princes 1993 ★

n.c. n.c. **46 à 76 €**

Maison de champagne fondée en 1837 par Henri-Marc de Venoge, originaire de Suisse. Ses ancêtres étaient bourgeois de Morges, une commune viticole du canton de Vaud. La société a été reprise par le groupe BCC en 1998. Logé dans une bouteille en forme de carafe, le Grand Vin des Princes est un blanc de blancs de prestige, qui a obtenu maints coups de cœur au fil des éditions du Guide. Ce 93 avait ainsi été distingué il y a deux ans. Ses arômes miellés et grillés traduisent aujourd'hui son évolution, sa bouche charpentée reste vive, avec un côté poivré. « Un très bon champagne », conclut un dégustateur. Il trouvera sa place au repas, tout comme le **95 (30 à 38 €)**. Ce dernier privilégie les noirs (85 %, dont 70 % de pinot noir). Empyreumatique, minéral, puissant et long, il obtient également une étoile. (NM)

de Venoge, 46, av. de Champagne, 51200 Epernay,
tél. 03.26.53.34.34, fax 03.26.53.34.35

BCC

J.L. VERGNON Blanc de blancs Extra-brut ★★

Gd cru 5 ha 30 000 15 à 23 €

Ce domaine familial de 5 ha remonte aux années 1950. Etabli au cœur de la Côte des Blancs, il s'est évidemment fait une spécialité des blancs de blancs. Ce n'est pas la première fois que cet Extra-brut est remarqué par le jury, mais cette année, les amateurs trouveront dans cette bouteille un modèle du genre. Elaborer un champagne non dosé est un exercice difficile, dont la maison s'est tirée avec brio. Agrumes, notes briochées, fleurs et fruits cuits se bousculent au nez. Après une attaque vive et sympathique, on découvre une bouche bien structurée et parfaitement équilibrée aux saveurs de pamplemousse rose. Le jury a également accordé deux étoiles au **blanc de blancs grand cru** pour son nez confit, sa rondeur miellée et sa finale fraîche et harmonieuse. (RM)

SCEV J.-L. Vergnon,
1, Grande-Rue, 51190 Le Mesnil-sur-Oger,
tél. 03.26.57.53.86, fax 03.26.52.07.06,
e-mail champagne.jl.vergnon@wanadoo.fr
t.l.j. sf sam. dim. 8h-12h 13h30-18h

ALAIN VESSELLE Cuvée Saint-Eloi ★

Gd cru n.c. n.c. 11 à 15 €

Enraciné à Bouzy, la famille Vesselle compte plusieurs branches et l'on trouve plus d'une maison portant ce nom dans cette commune de la Montagne de Reims classée en grand cru : on les distingue par les prénoms. Ce vignoble a été constitué à la fin du XIX[e]s., la marque lancée en 1930. Depuis 1989, Eloi Vesselle conduit les 18 ha de l'exploitation. Le pinot noir et le chardonnay contribuent à égalité à sa cuvée Saint-Eloi qui provient de la vendange de 2000. Elle est fruitée, biscuitée, intense et longue. (RM)

SCEV Alain Vesselle, 8, rue de Louvois,
51150 Bouzy, tél. 03.26.57.00.88, fax 03.26.57.09.77,
e-mail champagneavesselle@wanadoo.fr r.-v.

Eloi Vesselle

B. VESSELLE

Gd cru n.c. 40 000 **15 à 23 €**

Fils de Georges Vesselle, Bruno a lancé sa marque en 1994. Son brut grand cru est très marqué par le pinot noir, qui compose 90 % de la cuvée, complété par le chardonnay. Son fruité rond et pulpeux le destine au repas. (NM)

Bruno Vesselle, 16, rue des Postes, 51150 Bouzy,
tél. 03.26.57.00.15, fax 03.26.57.09.20

JEAN VESSELLE Réserve ★★

2,8 ha 20 000 11 à 15 €

C'est l'arrière-grand-père de Delphine Vesselle qui s'est lancé dans la manipulation. Cette dernière a pris en 1995 la succession de son père Jean, aujourd'hui disparu. Le domaine compte 11 ha complantés en pinot noir et en chardonnay. Les raisins noirs l'emportent à 80 % dans cette cuvée assemblant 85 % de vins de 2001 à des vins de réserve de 1992, 1996 et 1998. C'est en bouche que ce champagne s'impose, par sa puissance, sa rondeur et sa longueur. Il pourra paraître à table. La **cuvée Prestige (15 à 23 €)** assemble 70 % de pinot noir à 30 % de chardonnay de la récolte de 2000. Elle obtient une étoile pour son ampleur et sa fraîcheur équilibrée. (RM)

Jean Vesselle, 4, rue Victor-Hugo, 51150 Bouzy,
tél. 03.26.57.01.55, fax 03.26.57.06.95,
e-mail champagne.jean.vesselle@wanadoo.fr
r.-v.

MAURICE VESSELLE 1988 ★

Gd cru 2 ha 14 000 23 à 30 €

Cette autre famille Vesselle de Bouzy exploite depuis les années 1950 un vignoble en grand cru. Ses champagnes ne font pas leur fermentation malolactique et gardent ainsi une certaine acidité. Celui-ci est né d'un grand millésime qui commence à se raréfier – et c'est dommage car il est certainement meilleur aujourd'hui qu'il y a dix ans. Jaune doré, opulent et miellé, équilibré et long, il est fort bien conservé, pour preuve la netteté de son attaque et sa fraîcheur. Une vivacité qui a permis sa bonne évolution. (RM)

Maurice Vesselle, 2, rue Yvonnet, 51150 Bouzy,
tél. 03.26.57.00.81, fax 03.26.57.83.08
t.l.j. 10h-12h 14h-18h

VEUVE A. DEVAUX Grande Réserve ★★

n.c. n.c. 15 à 23 €

Une ancienne marque, lancée à Epernay par Jules et Auguste Devaux en 1846. Elle a été rachetée en 1986 par l'Union auboise, importante coopérative qui vinifie les vendanges de 1 400 ha. Cette Grande Réserve naît d'un assemblage classique – 61 % de pinot noir, 39 % de chardonnay – et de raisins récoltés de 1996 à 1998. Elle est florale, équilibrée, élégante et longue. Deux autres champagnes reçoivent chacun une étoile : la **Cuvée D (23 à 30 €)** et la **Cuvée D 96 (30 à 38 €)**. La première, qui marie 70 % de pinot noir et 30 % de chardonnay, est née de deux grandes années, 1995 et 1996. Equilibrée, elle développe un agréable fruité d'agrumes. La seconde, pratiquement mi-noirs mi-blancs (53 % de chardonnay), est typique de son millésime, avec un nez évolué et une bouche ample et miellée. (CM)

Union Auboise, Chmpagne Devaux,
Dom. de Villeneuve, 10110 Bar-sur-Seine,
tél. 03.25.38.30.65, fax 03.25.29.73.21,
e-mail info@champagne-devaux.fr

VEUVE CHEURLIN Prestige ★

5,5 ha 45 000 **15 à 23 €**

Les Cheurlin sont nombreux dans l'Aube. Ce champagne est élaboré par Alain Cheurlin qui exploite un

domaine de 10 ha. Son vignoble a pour originalité d'être complanté de pinot noir, de chardonnay et de pinot blanc, ce dernier cépage étant autorisé mais rare en Champagne. Issu des années 2001 et 2002, cette cuvée Prestige est mi-noirs mi-blancs, et comprend 30 % de pinot blanc. Un champagne un peu fugace, mais complexe, avec des notes de fleurs blanches, d'agrumes et une touche mentholée. L'attaque est franche et la bouche assez ronde. (NM)
Veuve Cheurlin,
100, Grande Rue, 10110 Celles-sur-Ource,
tél. 03.25.38.56.49, fax 03.25.38.58.01 r.-v.
Alain Cheurlin

VEUVE CLICQUOT PONSARDIN Vintage Réserve 1996 ★★

n.c. n.c. **38 à 46 €**

Maison fondée en 1772 et développée par la célèbre veuve Clicquot qui constitua le noyau d'un superbe vignoble s'étendant aujourd'hui sur 382 ha. Deux tiers noirs, un tiers blancs, le Vintage 96 habillé d'or vert éclatant et exhalant le fruit confit est nerveux, citronné, très long et idéalement dosé. Une étoile pour le **rosé Réserve 97**, un assemblage proche du précédent, teinté par 16 % de vin rouge, dont la rondeur parfumée de fraise persiste longuement. Encore une étoile pour le **brut Carte jaune (23 à 30 €)** issu d'un assemblage voisin des précédents, avec à peine plus de pinot meunier, qui s'exprime sur des notes de fruits secs épicés dans une bouche tout en rondeur. Deux demi-secs sont cités pour leur flaveurs d'orange confite et de cacao mentholé, ce sont le **Rich Réserve 96** et le **demi-sec (23 à 30 €)**. Redégustée cette année, **La Grande Dame 95 (plus de 76 €)** joue sur une bouche vineuse, pleine, équilibrée, longue. Elle obtient une étoile. (NM)
Veuve Clicquot Ponsardin,
12, rue du Temple, 51100 Reims,
tél. 03.26.89.54.40, fax 03.26.89.54.46 r.-v.

VEUVE DOUSSOT Extra-brut Grande Cuvée

n.c. n.c. **11 à 15 €**

C'est dans le village de Noé-les-Mallets, blotti au milieu des vignes, qu'est établie cette propriété familiale. Tout près, la commune d'Essoyes où vivait et peignait Renoir. Le champagne tire son nom d'une femme de caractère, morte presque centenaire en 1993. Aujourd'hui, c'est son arrière-petit-fils, Stéphane Joly, qui dirige l'exploitation. Coup de cœur l'an dernier, son extra-brut provient cette année de la vendange de 2000 ; il est légèrement dosé avec 4,9 g/l. Un dosage perçu par les dégustateurs qui le jugent franc et équilibré. Cité également, le **demi-sec** est dosé à 35 g/l. Il marie les années 2000 et 2001 et privilégie les noirs : 85 % de pinot noir complété par le chardonnay. Il est ample, vineux et rond. (RM)
SCEV des Monts de Noé,
1, rue de Chatet, 10360 Noé-les-Mallets,
tél. 03.25.29.60.61, fax 03.25.29.11.78,
e-mail champagne.veuve.doussot@wanadoo.fr r.-v.
Joly

VEUVE FOURNY ET FILS Blanc de blancs

1er cru 3,5 ha 30 000 **15 à 23 €**

La veuve Fourny a conduit un temps ce domaine constitué en 1856 et maintenant exploité par ses deux fils. Les vignes s'étendent sur la commune de Vertus, village de la Côte des Blancs classé en 1er cru. Les vendanges des années 1999 et 2001 ont donné ce blanc de blancs, produit d'un bâtonnage partiel. Son nez caractéristique, floral et citronné, son attaque toujours sur le citron, sa bouche équilibrée lui valent une citation. Même note pour le **rosé 1er cru**, né des mêmes années que le précédent. Il assemble 85 % de chardonnay et 15 % de vin rouge (pinot noir) de Vertus qui lui donne sa couleur. Les vins n'ont pas fait leur fermentation malolactique et ont séjourné dans le bois. Le chardonnay confère de la finesse, des notes de fleurs blanches à ce champagne dont la vivacité explique peut-être le dosage sensible. (NM)
Veuve Fourny et Fils, 2-5, rue du Mesnil,
51130 Vertus, tél. 03.26.52.16.30, fax 03.26.52.20.13,
e-mail info@champagne-veuve-fourny.com
t.l.j. sf dim. 9h-12h 14h-18h

VEUVE MAURICE LEPITRE Grand Brut ★

1er cru 2 ha 7 000 **11 à 15 €**

Etabli dans la Montagne de Reims, Maurice Lepitre s'est lancé dans l'élaboration du champagne dès 1905. Après sa disparition, sa veuve, puis les deux générations suivantes, ont poursuivi son activité. Le vignoble familial s'étend sur 7 ha. Les vendanges de 1999 et 2000 sont mises à contribution dans ce Grand Brut où domine le chardonnay (60 %), complété par le pinot noir (25 %) et le meunier (15 %). Un champagne rond, puissant au nez comme en bouche, ce qui n'empêche pas une belle finesse. Un vin de repas. (RM)
Veuve Maurice Lepitre, 26, rue de Reims,
51500 Rilly-la-Montagne, tél. 03.26.03.40.27,
fax 03.26.03.45.76, e-mail mlepitre@free.fr r.-v.
B. Milliex

MARCEL VEZIEN Blanc de blancs

0,5 ha 4 000 **11 à 15 €**

Celles-sur-Ource est une importante commune viticole de la Côte des Bars. Elle abrite de nombreux récoltants comme Marcel Vézien, qui a constitué dans les années 1970 un vignoble de 15 ha, aujourd'hui exploité par son fils Jean-Pierre. Ce blanc de blancs est né de la récolte de 1998. Il est souple et fin, fruité et élégant. (NM)
SCEV Marcel Vézien et Fils,
68, Grande-Rue, 10110 Celles-sur-Ource,
tél. 03.25.38.50.22, fax 03.25.38.56.09,
e-mail contact@champagne-vezien.com
t.l.j. 8h30-18h, sam. dim. sur r.-v.;
f. du 15 au 31 août

VILMART ET CIE Cuvée création 1996

1er cru 0,6 ha 4 000 **30 à 38 €**

C'est Désiré Vilmart qui s'est lancé dans l'élaboration du champagne dès 1890. Depuis 1990, la cinquième génération est aux commandes de ce domaine installé au pied de la Montagne de Reims : 11 ha de vignes en 1er cru. Dans cette propriété, on pratique la vinification en foudres et pièces de chêne, et la fermentation malolactique est bloquée. Née de 80 % de chardonnay et de 20 % de pinot noir, ce 96 délivre des arômes de coing assortis de touches boisées et vanillées. Puissant et persistant, c'est un champagne de repas. (RM)
Vilmart et Cie,
4, rue de la République, 51500 Rilly-la-Montagne,
tél. 03.26.03.40.01, fax 03.26.03.46.57 r.-v.
Laurent Champs

REMI VINCENT Tradition

4 ha 25 000 **11 à 15 €**

Située dans la Montagne de Reims, cette exploitation a été rachetée en 2002 par Richard Charpentier. Le

CHAMPAGNE

vignoble s'étend sur 16 ha. Assemblant 80 % de chardonnay au pinot noir, ce brut provient des années 2000 et 2001. Il développe de discrets arômes floraux et mentholés et s'exprime vivement en bouche, avec une pointe d'amertume en finale. (NM)

⊶ Rémi Vincent,
6, rue Dom Pérignon, 51380 Villers-Marmery,
tél. 03.26.97.94.32, fax 03.26.97.93.21,
e-mail remi.vincent@hexanet.fr ☒ Y ⛹ r.-v.
⊶ Charpentier

VINCENT-LAMOUREUX Réserve

● 0,5 ha 2 500 ▮ 11 à 15 €

Cette propriété auboise a été constituée dans les années 1980 par la réunion des vignobles de deux familles, les Vincent et les Lamoureux : seize parcelles totalisant 7,50 ha sur le territoire de quatre communes. Assemblage classique de 60 % de pinot noir et de 40 % de chardonnay récoltés en 1998 et 1999, cette cuvée Réserve... garde sa réserve. Un fruité discret, un peu confit, suggère-t-on. En bouche, elle est fine, de bonne longueur. (RM)

⊶ Vincent-Lamoureux,
2, rue du Sénateur-Lesaché, 10340 Les Riceys,
tél. 03.25.29.39.32, fax 03.25.29.80.30,
e-mail lamoureux-vincent@wanadoo.fr ☒ Y ⛹ r.-v.

VOIRIN-DESMOULINS *

● 9 ha 3 000 ▮ 11 à 15 €

Enfants de vignerons, Bernard Voirin et Nicole Desmoulins fondent leur marque en 1960. Leur fille Pascale a repris l'exploitation de 9 ha en 1997. Les deux pinots à parts égales dominent dans son rosé (80 %, complétés par le chardonnay) issu des années 2000 et 2001. Discret au nez, il est franc, équilibré et long. Les mêmes cépages, assemblés dans des proportions identiques et provenant des mêmes années, contribuent à la **cuvée Tradition** qui s'ouvre lentement sur les agrumes et se montre fraîche et longue. (RM)

⊶ Voirin-Desmoulins,
24, rue des Partelaines, 51530 Chouilly,
tél. 03.26.54.50.30, fax 03.26.52.87.87,
e-mail champagne.voirin.desmoulins@wanadoo.fr
☒ Y ⛹ r.-v.

VOIRIN-JUMEL Blanc de blancs *

○ Gd cru 3 ha 24 000 11 à 15 €

Les Voirin de Chouilly et les Jumel de Cramant, dans la Côte des Blancs, se sont unis. Depuis cinq ans, leur vignoble de 11 ha est conduit par le frère et la sœur Voirin-Jumel. Leur blanc de blancs fait appel aux années 1999 et 2000, épaulées par des vins de réserve. Au nez de l'agrume, en bouche de l'abricot. De la finesse et de la persistance. (RM)

⊶ Voirin-Jumel, 555, rue de la Libération,
51530 Cramant, tél. 03.26.57.55.82, fax 03.26.57.56.29,
e-mail info@champagne-voirin-jumel.com
☒ ⌂ Y ⛹ r.-v.

VOLLEREAUX *

● 3,4 ha 30 000 ▮ 11 à 15 €

Fondée en 1920, cette maison dispose de bâtiments et de caves du XVIII^e^s. et de 40 ha de vignes. Son rosé est un rosé de saignée : il est né d'une cuvaison courte de pur pinot noir. Egayé par des arômes de groseille et de fruits rouges, équilibré, il finit par une touche d'astringence. Provenant des années 1998 à 2000, le **blanc de blancs** est cité pour son élégance florale raffinée et sa bouche fraîche et légère. (NM)

⊶ SA Vollereaux,
48, rue Léon-Bourgeois, 51530 Pierry,
tél. 03.26.54.03.05, fax 03.26.54.88.36
☒ Y ⛹ t.l.j. 10h30-12h 15h-18h; dim. 10h30-12h

VRANKEN Grande Réserve Millésimé 1998

○ n.c. n.c. 15 à 23 €

Créée en 1976, la maison Vranken est devenue l'un des géants de la Champagne à la suite de nombreuses acquisitions de grandes marques dont les plus renommées sont Pommery ou Heidsieck Monopole. Sous son nom, elle a déposé la marque Demoiselle en 1985, dont la Grande Cuvée obtint un coup de cœur dans le Guide 2003. Cette année, c'est le millésime 98 qui est retenu. L'or de la robe est marqué par l'âge. Le nez, en revanche, affiche une fraîcheur végétale, fruitée. Souple et franche, une bouteille qui plaira au plus grand nombre. (NM)

⊶ Vranken, 42, av. de Champagne, 51200 Epernay,
tél. 03.26.59.50.50, fax 03.26.59.51.39 ☒ Y ⛹ r.-v.

JAMES VRAYET Tradition

○ n.c. 30 000 ▮ 11 à 15 €

Un domaine de 5 ha situé dans la vallée de la Marne. Les noirs l'emportent largement dans l'assemblage de ce brut sans année (85 %, dont 65 % de pinot meunier de 2002). Au nez, la fraîcheur des fleurs et du pamplemousse. En bouche, une attaque souple, des saveurs citronnées et un dosage perceptible. (RM)

⊶ James Vrayet,
58, rte du Champagne, 02850 Passy-sur-Marne,
tél. 03.23.70.02.74, fax 03.23.70.97.10 ☒ Y ⛹ r.-v.

WARIS-HUBERT Blanc de blancs *

○ 1er cru 1,5 ha 6 000 ▮ 15 à 23 €

Jeune vigneron installé en 1998, Olivier Waris exploite un vignoble de 5,50 ha dans la Côte des Blancs. Son blanc de blancs 1er cru présente des arômes floraux, un rien miellés. On y trouve beaucoup de matière et un bon équilibre. Quant au **blanc de blancs grand cru**, né de la récolte de 2000, il reste sur sa réserve au nez, signe de jeunesse, mais sa bouche minérale et vive est garante d'un bel avenir. Il aimera poissons et fruits de mer. (RM)

⊶ Olivier Waris, 227, rue du Moutier, 51530 Cramant,
tél. 03.26.58.29.93, fax 03.26.51.26.57
☒ Y ⛹ t.l.j. 8h-12h 13h-18h; f. 16-31 août

WARIS-LARMANDIER **

● 1er cru n.c. n.c. ▮ 11 à 15 €

Marie-Hélène Waris exploite 5,53 ha de vignes dans la Côte des Blancs avec maîtrise, à en juger par ce rosé. Né de 80 % de chardonnay et de 20 % de pinot noir, celui-ci assemble les années 2000 et 2001. Il a conquis les dégustateurs par la complexité de ses arômes de fruits rouges et de pêche, par son élégance et sa persistance. Provenant des mêmes années, la cuvée **Tradition grand cru** est un blanc de blancs ; jeune et vive, avec des arômes de fleurs blanches et de citron vert, elle est citée. (RM)

⊶ EARL Waris-Larmandier,
608, rempart du Nord, 51190 Avize,
tél. 03.26.57.79.05, fax 03.26.52.79.52,
e-mail earlwarislarmandier@terre-net.fr ☒ Y ⛹ r.-v.

Coteaux-champenois

Appelés vins nature de Champagne, ils devinrent AOC en 1974 et prirent le nom de coteaux-champenois. Tranquilles, ils sont rouges, plus rarement rosés ; on boira les blancs avec respect et curiosité historique, en songeant qu'ils sont la survivance de temps anciens, antérieurs à la naissance du champagne. Comme lui, ils peuvent naître de raisins noirs vinifiés en blanc (blanc de noirs), de raisins blancs (blanc de blancs) ou encore d'assemblages.

Le coteaux-champenois rouge le plus connu porte le nom de la célèbre commune de Bouzy (grand cru de pinot noir). Dans cette commune, on peut admirer l'un des deux vignobles les plus étranges au monde (l'autre est situé à Aÿ) : un vaste panneau indique « vieilles vignes françaises préphylloxériques » ; on ne les distinguerait pas des autres si elles n'étaient conduites en foule, selon une technique immémoriale abandonnée partout ailleurs. Tous les travaux sont exécutés artisanalement, à l'aide d'outils anciens. C'est la maison Bollinger qui entretient ce joyau destiné à l'élaboration du champagne le plus rare et le plus cher.

Les coteaux-champenois se boivent jeunes, à 7-8 °C et avec les plats convenant aux vins très secs pour les blancs, à 9-10 °C et avec des mets légers (viandes blanches et... huîtres) pour les rouges que l'on pourra, pour quelques années exceptionnelles, laisser vieillir.

PAUL BARA Bouzy 1996 ★

■ Gd cru 2 ha 15 000 ▮ **15 à 23 €**

Couvrant le flanc sud de la Montagne de Reims, le vignoble de Bouzy bénéficie de sa bonne exposition et donne naissance au vin rouge le plus connu de Champagne. Celui de Paul Bara provient d'une année très favorable à la bonne maturation des raisins. Il n'a pas connu le bois, mais a séjourné cinq ans en cuve avant d'être mis en bouteilles. Rouge rubis, ce 96 affiche une robe jeune pour son âge. Une bouteille riche, équilibrée, charnue et longue, que l'on peut déboucher dès maintenant.

⊶ Paul Bara, 4, rue Yvonnet, 51150 Bouzy, tél. 03.26.57.00.50, fax 03.26.57.81.24 ☑ Ｙ ⛹ r.-v.

LAURENT BOUY Verzy ★

■ 0,3 ha 1 500 ⓾ 11 à 15 €

Le pinot noir prospère dans la Montagne de Reims et Laurent Bouy, qui exploite 4,50 ha autour de Verzy, en a réservé une parcelle pour l'élaboration de cette petite cuvée de coteaux rouge. Né de la récolte de 1998, ce vin a été élevé deux ans en fût. Sa robe rubis vif annonce son caractère ouvert et léger, son fruité gai, accompagné de notes minérales et des nuances grillées et vanillées de l'élevage. Une aimable bouteille à boire dans les temps qui viennent.

⊶ Laurent Bouy, 7, rue de l'Ancienne-Eglise, 51380 Verzy, tél. 03.26.97.93.23 ☑ Ｙ ⛹ r.-v.

DOQUET-JEANMAIRE Vertus La Bare ★

■ 1er cru 0,15 ha 400 ⓾ 11 à 15 €

Etabli à Vertus, Pascal Doquet cultive 15,50 ha dans la Côte des Blancs. Dans son village, il détient pourtant une petite parcelle de pinot noir qui a permis l'élaboration de cette microcuvée de coteaux rouge. Ce vin a été élevé deux ans en fût, ce qui n'a nullement altéré sa robe grenat intense mais a imprimé un léger boisé vanillé dans sa palette aromatique fruitée. En bouche, des tanins de qualité contribuent à la puissance de cette bouteille corsée.

⊶ Doquet-Jeanmaire, 44, chem. du Moulin-Cense-Bizet, 51130 Vertus, tél. 03.26.52.16.50, fax 03.26.59.36.71, e-mail info@champagne-doquet-jeanmaire.com ☑ Ｙ r.-v.

J.-M. ETIENNE Cumières ★

■ 0,3 ha 1 200 ▮⓾ 11 à 15 €

Daniel et Pascal Etienne, les fils de Jean-Marie, tiennent aujourd'hui les rênes du vignoble familial situé à Cumières, village de la rive droite de la Marne. Vendangé en 2002, le pinot noir a fait l'objet d'une macération à froid en cuve avec chapeau immergé et quatre remontages par jour, avant de séjourner neuf mois dans le chêne. Le résultat ? Un coteaux champenois où fraise, framboise, cassis et fruits confits s'associent dans un univers rond, souple et harmonieux. Une pièce de bœuf attend cette bouteille qui devrait pouvoir passer à table d'ici quelques mois.

⊶ Etienne, 33, rue Louis-Dupont, 51480 Cumières, tél. 03.26.51.66.62, fax 03.26.55.04.65 ☑ Ｙ ⛹ r.-v.

GATINOIS Aÿ 2002

■ 0,3 ha n.c. ⓾ **15 à 23 €**

Sur le flanc sud de la Montagne de Reims, Aÿ est l'un des premiers villages à avoir porté loin le renom des vins de Champagne. Son pinot noir a fait sa réputation, et cette famille, établie dans la région depuis la fin du XVII^e^s., ne manque pas d'élaborer des coteaux rouges. Toute la teinte du pinot est passée dans la robe rubis soutenu de ce 2002. Discrètement aromatique, il se montre souple, puis nettement tannique – influence d'un élevage de quatorze mois dans le bois. On l'attendra au moins un an.

⊶ Gatinois, 7, rue Marcel-Mailly, 51160 Aÿ, tél. 03.26.55.14.26, fax 03.26.52.75.99, e-mail champ-gatinois@hexanet.fr ☑ Ｙ ⛹ r.-v.

RENE GEOFFROY Cumières 1999 ★

■ 0,6 ha 2 200 ⓾ **15 à 23 €**

Les Geoffroy cultivent de longue date la vigne dans la vallée de la Marne, sur les coteaux de Cumières exposés au midi. Le pinot noir qui compose cette cuvée a été vinifié en cuves de chêne ouvertes puis élevé à la bourguignonne dix mois en demi-muids. La robe est intense et limpide, le nez fleure les épices (poivre, clou de girofle et vanille), le palais est souple, ample et équilibré, avec des arômes de fruits rouges confits. Un ensemble très plaisant.

⊶ René Geoffroy, 150, rue du Bois-des-Jots, 51480 Cumières, tél. 03.26.55.32.31, fax 03.26.54.66.50, e-mail info@champagne-geoffroy.com ☑ Ｙ ⛹ r.-v.

DIDIER HERBERT Pinot noir Barrique

■ 0,2 ha 1000 11 à 15 €

Didier Herbert a pris en 1982 les rênes de la maison familiale avec le statut de négociant. Il complète la production de ses 7 ha de vignes au pied du flanc nord de la Montagne de Reims par l'achat de raisins des terroirs proches. Issu des années 2001 et 2002, ce coteaux-champenois élevé un an sous bois cherche à séduire par une étiquette de format vertical et sans fioritures, libérée des canons esthétiques de la région. Il s'annonce par un nez intense de fruits rouges et noirs. Une attaque souple précède une bouche tannique qui assurera une longue garde. A attendre deux ou trois ans.

⚷ Didier Herbert,
32, rue de Reims, 51500 Rilly-la-Montagne,
tél. 03.26.03.41.53, fax 03.26.03.44.64,
e-mail infos@champagneherbert.fr ☒ Y 🚶 r.-v.

OLIVIER HORIOT Riceys En Valingrain 2002 *

■ 0,6 ha 1 300 11 à 15 €

Installé en 1999 sur le domaine familial, Olivier Horiot a fait ses classes en Bourgogne, dans le Bordelais et aux Etats-Unis avec l'idée de valoriser son expérience pour élaborer des vins tranquilles dans son terroir aubois des Riceys. Il vinifie ses coteaux en macération semi-carbonique et choisit le mode d'élevage en fonction des potentialités du millésime. Ainsi, ce 2002 issu de pur pinot noir a séjourné dix mois pour moitié en cuve et pour moitié en fûts de deux à trois vins. Son fruité est très présent (framboise et cassis), ses tanins aussi, mais avec rondeur. Une bouteille à attendre de un à trois ans.

⚷ Olivier Horiot, 25, rue de Bise, 10340 Les Riceys,
tél. 03.25.29.32.16, fax 03.25.29.17.99,
e-mail champagne.horiot@libertysurf.fr ☒ Y 🚶 r.-v.

VIRGILE PORTIER Beaumont

■ 0,7 ha 1 600 8 à 11 €

Cette exploitation qui fête en 2004 son quatre-vingtième anniversaire a son siège à Beaumont-sur-Vesle, village situé au pied du flanc nord de la Montagne de Reims et proche d'illustres grands crus comme Sillery et Verzenay. Son coteaux rouge provient de pur pinot noir récolté en 1999 et élevé dix-huit mois en pièces champenoises. Vanillé et évolué au nez, il offre une structure légère, des tanins discrets et une bonne longueur.

⚷ Virgile Portier,
21, rte Nationale, 51360 Beaumont-sur-Vesle,
tél. 03.26.03.90.15, fax 03.26.03.99.31,
e-mail virgile.portier@wanadoo.fr ☒ Y 🚶 r.-v.

FRANCOIS SECONDE Sillery

■ Gd cru 1 ha 3 000 11 à 15 €

La commune où est établi François Secondé produisait à la fin du XVIIe s. des vins tellement réputés que « vins de Sillery » et « vins de Champagne » étaient synonymes. On parlait aussi, il y a deux siècles, de « tisane de Sillery ». Une expression guère appropriée pour désigner ce coteaux rouge né de pinot noir récolté en 2002 et élevé dix-huit mois dans le bois. Un vin flatteur, épicé et poivré au nez, souple et léger en bouche.

⚷ François Secondé, 6, rue des Galipes, 51500 Sillery,
tél. 03.26.49.16.67, fax 03.26.49.11.55 ☒ Y 🚶 r.-v.

PATRICK SOUTIRAN Ambonnay 1996 **

■ Gd cru 0,5 ha 2 000 15 à 23 €

Un grand millésime, un grand terroir, du pinot noir parfaitement mûr, une vinification de style bourguignon et

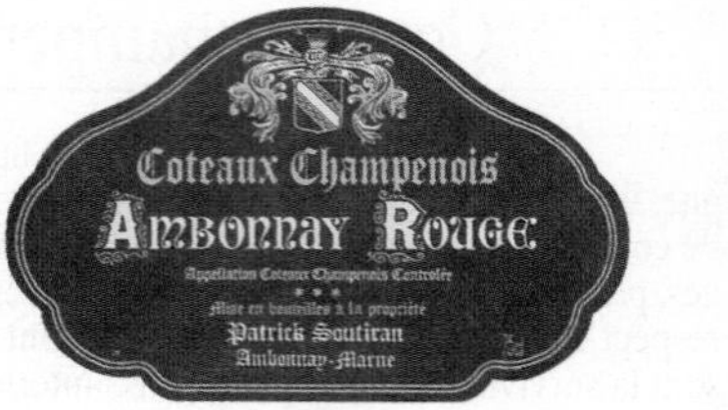

un séjour de six mois dans le bois ont donné naissance à ce vin de teinte soutenue, au nez à la fois puissant et fin sur le fruit rouge accompagné d'un léger grillé, de nuances épicées et d'une touche minérale. Concentré, structuré, complexe, ample, soyeux, c'est un excellent coteaux que l'on pourra déboucher dès maintenant ou oublier en cave, car il possède un bon potentiel de garde. Le champion de l'appellation pour cette édition.

⚷ Patrick Soutiran,
3, rue des Crayères, 51150 Ambonnay,
tél. 03.26.57.08.18, fax 03.26.57.81.87,
e-mail patrick.soutiran@wanadoo.fr ☒ 🏠 Y 🚶 r.-v.

TARLANT Œuilly 1996 **

■ 0,5 ha 1 500 15 à 23 €

Installés à Œuilly, village de la vallée de la Marne, entre Epernay et Dormans, les Tarlant disposent d'une cave très ancienne qu'ils viennent de compléter par de nouveaux aménagements. Le pinot noir (80 %), assemblé au meunier, est à l'origine de ce coteaux rouge élevé dix-huit mois dans le bois. De couleur soutenue, il délivre des parfums intenses et chaleureux de fruits rouges et de pruneau accompagnés des notes vanillées de l'élevage. Sa rondeur puissante est soutenue par des tanins soyeux. « Un vin racé et élégant », conclut un dégustateur. Pour viande rouge et gibier.

⚷ Tarlant, 51480 Œuilly, tél. 03.26.58.30.60,
fax 03.26.58.37.31, e-mail champagne@tarlant.com
☒ 🏠 Y 🚶 t.l.j. sf dim. 9h-12h 14h-17h; f. jan.

EMMANUEL TASSIN Les Fioles 2000 **

■ 0,25 ha 1000 8 à 11 €

Installé en 1987, Emmanuel Tassin exploite 7 ha de vignes dans l'Aube. Sa famille élabore champagnes et coteaux depuis les années 1930. Issu de pinot noir, son coteaux rouge est le fruit d'une cuvaison de dix jours et d'un élevage de quinze mois en fûts, dont 25 % sont neufs. L'élevage se traduit par un boisé vanillé et torréfié qui se mêle aux notes de fruits rouges. La bouche est chaleureuse, bien structurée et très équilibrée, mais pas trop tannique, dans la tradition champenoise.

⚷ Emmanuel Tassin,
104, Grande-Rue, 10110 Celles-sur-Ource,
tél. 03.25.38.59.44, fax 03.25.29.94.59 ☒ Y 🚶 r.-v.

JEAN VESSELLE Bouzy 1998

■ Gd cru 1 ha 5 000 15 à 23 €

Déjà vignerons à Bouzy il y a plus de trois siècles, les ancêtres de Delphine Vesselle produisaient probablement du vin rouge. Celui-ci n'a pas connu le bois. Intense à l'œil, il offre un nez puissant de fruits rouges (cerise noire et framboise). La bouche est bien construite, riche et très chaleureuse. Pour viande rouge et gibier.

🔑 Jean Vesselle, 4, rue Victor-Hugo, 51150 Bouzy,
tél. 03.26.57.01.55, fax 03.26.57.06.95,
e-mail champagne.jean.vesselle@wanadoo.fr
☒ 🍸 🚶 r.-v.

Rosé-des-riceys

Les trois villages des Riceys (Haut, Haute-Rive et Bas) sont situés à l'extrême sud de l'Aube, non loin de Bar-sur-Seine. La commune des Riceys accueille les trois appellations : champagne, coteaux-champenois et rosé-des-riceys. Ce dernier est un vin tranquille, d'une grande rareté et d'une grande qualité, l'un des meilleurs rosés de France. C'est un vin que buvait déjà Louis XIV : il aurait été apporté à Versailles par les canats, spécialistes réalisant les fondations du château, originaires des Riceys.

Ce rosé est issu de la vinification par macération courte de pinot noir, dont le degré alcoolique naturel ne peut être inférieur à 10 °. Il faut interrompre la macération – saigner la cuve – à l'instant précis où apparaît le « goût des Riceys » qui, sinon, disparaît. Ne sont labellisés que les rosés marqués par ce goût spécial. Elevé en cuve, le rosé-des-riceys se boit jeune, à 8-9 °C ; élevé en pièce, il attendra entre trois et dix ans, et on le servira alors à 10-12 °C pendant le repas. Jeune, il se boira à l'apéritif ou au début du repas.

ALEXANDRE BONNET 1999 ★★

■ 1,8 ha 14 768 ▮🌡 15 à 23 €

Créée au début du XXᵉs., cette maison dispose de plus de 40 ha de pinot noir. Les Bonnet furent à peu près les seuls, avec les Morel, à élaborer du rosé-des-riceys dans les années 1970. Le groupe BCC, qui a repris la société en 1998, continue à être un important producteur. Ce 99 affiche une robe soutenue, rouge à reflets orangés. Au nez, des arômes complexes, des senteurs douces, fruitées, caramélisées. En bouche, de l'ampleur, de la souplesse, de la vinosité. Une belle maturité pour cette bouteille à ouvrir maintenant. « J'espère qu'elle est en stock », écrit un dégustateur.

🔑 Alexandre Bonnet,
138, rue du Gal-de-Gaulle, 10340 Les Riceys,
tél. 03.25.29.30.93, fax 03.25.29.38.65,
e-mail info@alexandrebonnet.com ☒ 🍸 🚶 r.-v.
🔑 BCC

OLIVIER HORIOT En Barmont 2002 ★★

■ 0,3 ha 700 (I) 11 à 15 €

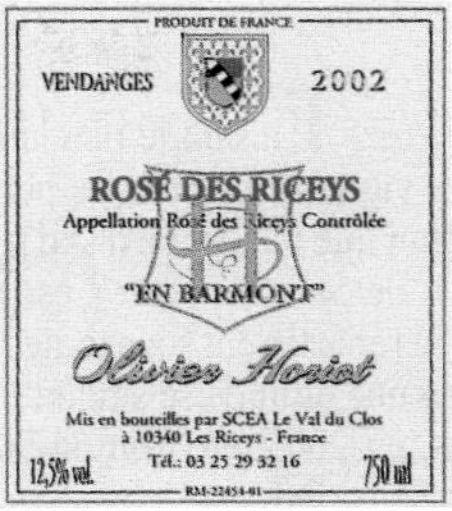

Ce jeune vigneron des Riceys, installé en 1999, a été très remarqué. Il élabore ses vins par terroir, comme les Bourguignons, ses voisins (l'Yonne et la Côte-d'Or ne sont pas si loin de cette partie de l'Aube), et ses étiquettes portent des noms de lieux-dits. Le jury a découvert un superbe vin dont il salue la subtilité de la vinification. Ce rosé a été totalement élevé en fût, sans collage ni filtration. Il s'habille d'une robe rose éclatant. Au nez comme en bouche, il impose son goût si caractéristique des Riceys, mêlant la griotte à des touches balsamiques et épicées. Son onctuosité, sa vinosité, sa richesse et son équilibre font l'unanimité. Seule réserve : sa confidentialité. Elaboré par macération semi-carbonique, le **rosé En Valingrain 2002** a par ailleurs été cité : un rosé de repas, puissant, charpenté, aux arômes vanillés, framboisés et très épicés. A comparer au coteaux-champenois tiré de la même parcelle (voir ci-dessus AOC coteaux-champenois).

🔑 Olivier Horiot, 25, rue de Bise, 10340 Les Riceys,
tél. 03.25.29.32.16, fax 03.25.29.17.99,
e-mail champagne.horiot@libertysurf.fr ☒ 🍸 🚶 r.-v.

PASCAL WALCZAK 2002 ★★

■ 0,9 ha 2 100 ▮(I) 11 à 15 €

Il n'est cuvé que trois ou quatre jours en grains entiers et pourtant, c'est un rosé coloré, cerise à reflets violacés. Son fruité varié, framboisé et épicé, s'affirme au nez et se prolonge dans une bouche ample, grasse, ronde. Sa persistance hors du commun est unanimement saluée. Un vin très plaisant, excellent ambassadeur de l'appellation.

🔑 Pascal Walczak,
Parc Saint-Vincent, 10340 Les Riceys,
tél. 03.25.29.39.85, fax 03.25.29.62.05,
e-mail champagne.walczak@wanadoo.fr ☒ 🍸 🚶 r.-v.

LE JURA, LA SAVOIE ET LE BUGEY

Le Jura

Faisant le pendant de celui de la haute Bourgogne, de l'autre côté de la vallée de la Saône, ce vignoble occupe les pentes qui descendent du premier plateau des monts du Jura vers la plaine, selon une bande nord-sud traversant tout le département, depuis la région de Salins-les-Bains jusqu'à celle de Saint-Amour. Ces pentes, beaucoup plus dispersées et irrégulières que celles de la Côte-d'Or, se répartissent sous toutes les expositions, mais ce ne sont que les plus favorables qui portent des vignes, à une altitude se situant entre 250 et 400 m. Le vignoble couvre 1 883 ha sur lesquels ont été produits, en 2003, environ 64 900 hl.

Nettement continental, le climat voit ses caractères accusés par l'orientation générale en façade ouest et par les traits spécifiques du relief jurassien, notamment l'existence des « reculées » ; les hivers sont très rudes et les étés très irréguliers, mais avec souvent beaucoup de journées chaudes. La vendange s'effectue pendant une période assez longue, se prolongeant parfois jusqu'à novembre en raison des différences de précocité qui existent entre les cépages. Les sols sont en majorité issus du trias et du lias, surtout dans la partie nord, ainsi que des calcaires qui les surmontent, surtout dans le sud du département. Les cépages locaux sont parfaitement adaptés à ces terrains argileux et sont capables de réaliser une remarquable qualité spécifique. Ils nécessitent toutefois un mode de conduite assez élevé au-dessus du sol, pour éloigner le raisin d'une humidité parfois néfaste à l'automne. C'est la taille dite « en courgées », longs bois arqués que l'on retrouve sur les sols semblables du Mâconnais. La culture de la vigne est ici très ancienne : elle remonte au moins au début de l'ère chrétienne si l'on en croit les textes de Pline ; et il est sûr que le vin du Jura, qu'appréciait tout particulièrement Henri IV, était fort en vogue dès le Moyen Age.

Pleine de charme, la vieille cité d'Arbois, si paisible, est la capitale de ce vignoble ; on y évoque le souvenir de Pasteur qui, après y avoir passé sa jeunesse, y revint souvent. C'est là, de la vigne à la maison familiale, qu'il mena ses travaux sur les fermentations, si précieux pour la science œnologique ; ils devaient, entre autres, aboutir à la découverte de la « pasteurisation ».

Des cépages locaux voisinent avec d'autres, issus de la Bourgogne. L'un d'entre eux, le poulsard (ou ploussard), est propre aux premières marches des monts du Jura ; il n'a été cultivé, semble-t-il, que dans le Revermont, ensemble géographique incluant également le vignoble du Bugey, où il porte le nom de mècle. Ce très joli raisin à gros grains oblongs, délicieusement parfumé, à pellicule fine peu colorée, contient peu de tanin. C'est le cépage type des vins rosés, qui sont en fait vinifiés ici le plus souvent comme des rouges. Le trousseau, autre cépage local, est en revanche riche en couleur et en tanin, et c'est lui qui donne les vins rouges classiques très caractéristiques des appellations d'origine du Jura. Le pinot noir, venu de la Bourgogne, lui est souvent associé en petites proportions pour l'élaboration des vins rouges. Il a par ailleurs un avenir important pour la vinification de vins blancs de noirs destinés à des assemblages avec le blanc de blancs, pour élaborer des mousseux de qualité. Le chardonnay, comme en Bourgogne, réussit ici parfaitement sur les terres argileuses, où il apporte aux vins blancs leur bouquet inégalable. Le savagnin, cépage blanc local, cultivé sur les marnes les plus ingrates, donne, après plus de six ans d'élevage spécial dans des fûts en vidange, le magnifique vin jaune de très grande classe. Le vin de paille est également l'une des grandes productions du Jura.

La région paraît spécialement favorable à l'obtention d'un type d'excellents mousseux de belle classe, issus, comme on l'a dit, d'un assemblage de blanc de noirs (pinot) et de blanc de blancs (chardonnay). Ces mousseux sont de grande qualité, depuis que les vignerons ont compris qu'il fallait les élaborer avec des raisins d'un niveau de maturité assurant la fraîcheur nécessaire.

Les vins blancs et rouges sont de style classique, mais, du fait semble-t-il d'une attraction pour le vin jaune, on cherche à leur donner un caractère très évolué, presque oxydé. Il y a un demi-siècle, il existait même des vins rouges de plus de cent ans, mais on est maintenant revenu à des évolutions plus normales.

Le rosé, quant à lui, est en fait un vin rouge peu coloré et peu tannique, qui se rapproche souvent plus du rouge que du rosé des autres vignobles. De ce fait, il est apte à un certain vieillissement. Il ira très bien sur les mets assez légers, les vrais rouges – surtout issus de trousseau – étant réservés aux mets puissants. Le blanc a les usages habituels, viandes blanches et poissons ; s'il est vieux, il sera un bon partenaire du fromage de comté. Le vin jaune excelle sur le comté mais aussi sur le roquefort et sur certains plats difficiles à accorder aux vins tels le canard à l'orange ou les préparations en sauce américaine.

Arbois

La plus connue des appellations d'origine du Jura s'applique à tous les types de vins produits sur douze communes de la région d'Arbois, soit environ 885 ha ; la production a atteint 31 350 hl en 2003, dont 17 716 hl de rouges et rosés, 13 018 hl de blancs ou jaunes, 616 hl de vins de paille. Il faut rappeler l'importance des marnes triasiques dans cette zone, et la qualité toute particulière des « rosés » de poulsard qui sont issus des sols correspondants.

FRUITIERE VINICOLE D'ARBOIS
Chardonnay 2002 *

░ 85 ha 200 000	▮ ⬮ ♁ 5 à 8 €

Bientôt centenaire, la cave coopérative d'Arbois, présidée par M. Morin et dirigée par M. Galmard, possède tout le savoir-faire et la sagesse des anciens, auxquels vient s'ajouter le dynamisme de la jeunesse. Cet arbois blanc est le fruit de cette alliance. Il porte la fraîcheur en lui, entre son nez de fruits frais, d'agrumes, de bourgeon de cassis et une bouche très florale. Friand, il peut être bu dès maintenant ou laissé en cave quelques années. Aux antipodes, mais jugé également très réussi, le **vin jaune 1997 (15 à 23 €)** est puissant au nez, dans le registre habituel de la noix verte, tandis que la vivacité en bouche lui assure un bon potentiel de garde.

🔑 Fruitière vinicole d'Arbois,
2, rue des Fossés, 39600 Arbois,
tél. 03.84.66.11.67, fax 03.84.37.48.80 ▣ 🍷 🚶 r.-v.

CAVEAU DE BACCHUS
Réserve du Caveau Cuvée des géologues 2002

■ 0,6 ha 4 600	⬮ 8 à 11 €

Toujours cette fameuse Cuvée des géologues, issue du seul cépage trousseau. C'est bien un vin rouge, mais à la robe peu intense, cerise à reflets roses. Au nez, une belle expression sur les fruits rouges monte progressivement, égrenant à tour de rôle framboise, fraise et pointe de cassis. Si la bouche n'est pas très longue, la structure est équilibrée et la fraîcheur fruitée avenante. Un vin déjà prêt à boire.

🔑 Lucien Aviet et Fils,
Caveau de Bacchus, 39600 Montigny-lès-Arsures,
tél. 03.84.66.11.02, fax 03.84.66.11.02 ▣ 🍷 r.-v.

PAUL BENOIT ET FILS Trousseau 2002

■ 1,3 ha 7 000	⬮ 5 à 8 €

Rejoint récemment par son fils sur l'exploitation, Paul Benoit cultive un peu plus d'un hectare de trousseau. L'arbois qui en est issu est de couleur rouge clair aux reflets orangés. La bouche est souple, avec une structure qui pourrait s'apparenter à celle d'un rosé. Il y a de la mâche et une belle finale de fruits à l'alcool. A boire sur de la charcuterie, par exemple.

🔑 Paul Benoit et Fils,
La Chenevière, rue du Chardonnay, 39600 Pupillin,
tél. 03.84.37.43.72, fax 03.84.66.24.61
▣ 🍷 🚶 t.l.j. 9h-19h

COLETTE ET CLAUDE BULABOIS
Melon Vieilles Vignes 2002

░ 2 ha 3 500	▮ ⬮ ♁ 5 à 8 €

Claude Bulabois aime appeler le chardonnay par son synonyme local qui est melon d'Arbois. Elevé sur lie sans sulfitage et avec bâtonnage pendant douze mois jusqu'à la mise en bouteilles, cet arbois offre un nez intense et assez complexe, mais déjà évolué. La bouche, équilibrée, possède un caractère jurassien marqué. Noisette et noix côtoient un peu d'agrumes dans une belle longueur.

🔑 Claude et Colette Bulabois, 1, Petite-Rue,
39600 Villette-lès-Arbois, tél. 03.84.66.01.93,
fax 03.84.66.01.93 ▣ 🍷 🚶 t.l.j. 17h-19h; dim. 11h-19h

CH. DE CHAVANES Chardonnay 2001 *

░ 0,45 ha 2 500	⬮ 8 à 11 €

Une nouvelle entrée dans le Guide avec cette exploitation qui a commencé son activité il y a moins de cinq ans. Ce vin de pur chardonnay affiche une belle robe dorée agrémentée de jolis reflets verts. Son intensité aromatique au nez est soulignée d'un léger trait de boisé. L'acidité encore soutenue donne un équilibre sur la fraîcheur. Le mélange de notes biscuitées et de nuances de confiture de mirabelles assure un bon fond aromatique.

🔑 SCEA Ch. de Chavanes, Ch. de Chavanes
Saint-Laurent, 39600 Montigny-lès-Arsures,
tél. 03.84.37.47.95, fax 03.84.37.47.65,
e-mail francois.dechavanes@wanadoo.fr
▣ 🏠 🍷 🚶 r.-v.

JOSEPH DORBON
Cuvée spéciale Vieilles Vignes 2001

□ 0,8 ha 3 000 🛢 5 à 8 €

C'est un vin d'assemblage, chardonnay (60 %) et savagnin (40 %), élevé en fût, que propose ce viticulteur installé depuis 1996 à Vadans, au nord-ouest d'Arbois. Au nez, il s'ouvre sur des notes de grillé et de fruits secs, avec l'amande comme dominante. Il s'avère plaisant en bouche. Dans la gamme des vins rouges, l'**arbois pur ploussard 2002** est également cité. C'est un vin assez léger qui distille un fruité tranquille au nez tandis que la bouche, souple, ajoute des touches de gibier. Il est prêt à boire.

🔑 Joseph Dorbon,
pl. de la Liberté, 39600 Vadans,
tél. 03.84.37.47.93, fax 03.84.37.47.93
☑ 🍷 🚶 t.l.j. 10h-19h

DANIEL DUGOIS Vin jaune 1996 ★

□ 1,4 ha 2 500 🛢 23 à 30 €

C'est un vin jaune caractéristique et parfaitement représentatif du millésime. La robe est d'un jaune très soutenu, presque ambré. Beaucoup plus en retrait, le nez se montre néanmoins subtil, entre miel et noisette. L'acidité est marquée en bouche, mais c'est un gage de conservation. On y trouve la puissance et la persistance de la noix. Il faudra attendre bien sûr cette bouteille quelques années. Dans un registre totalement différent, l'**arbois rouge 2002 cuvée Grevillière (8 à 11 €)** est cité : issu de trousseau, cépage typiquement jurassien, il s'exprime tout en finesse au nez, entre fruits rouges bien mûrs et pointe d'agrumes. La bouche révèle une belle fraîcheur en bouche, une dominante de fruits rouges, puis la structure s'impose en finale. Dégustation optimale dans un an.

🔑 Daniel Dugois,
4, rue de la Mirode, 39600 Les Arsures,
tél. 03.84.66.03.41, fax 03.84.37.44.59 ☑ 🏠 🍷 🚶 r.-v.

RAPHAEL FUMEY ET ADELINE CHATELAIN
Chardonnay 2001 ★

□ 1 ha 5 000 ▮ 🛢 5 à 8 €

Montigny-lès-Arsures, charmant petit village situé juste à côté d'Arbois, abrite plusieurs vignerons parmi lesquels Raphaël Fumey et Adeline Chatelain. Du minéral, de l'iode, des agrumes : que de fraîcheur dans ce nez ! L'attaque en bouche est dans la même veine et cette impression va suivre jusqu'en finale. Ce serait un brin austère si l'intensité aromatique ne s'amplifiait en cours de dégustation pour persister longtemps sur les agrumes et les notes grillées (noisette, amande). Un vin vif, mais beau comme le large : les fruits de mer sont incontournables.

🔑 Raphaël Fumey et Adeline Chatelain,
39600 Montigny-lès-Arsures,
tél. 03.84.66.27.84, fax 03.84.66.27.84 ☑ 🍷 r.-v.

DOM. GRANGE CANOZ Vin jaune 1996

□ 1 ha 1 000 🛢 23 à 30 €

Arbois n'est qu'à 5 km et mérite une visite, notamment pour la maison de Pasteur, père de l'œnologie moderne, mais aussi pour le château Pecauld, haut lieu de formation et d'information sur les vins du Jura. Voici un vin né sur une petite exploitation de 2,5 ha mais qui a toute la gamme des AOC du Jura dont ce vin jaune qui pleure, dans un fond vieil or, de lourdes larmes sur le verre. Le nez est minéral, avec un peu de cacao et de noix ; la bouche agréable, entre noix et épices.

🔑 Patrick et Michèle Johann, Grange Canoz,
rte de Dole, 39600 Arbois,
tél. 03.84.66.13.82, fax 03.84.37.48.81,
e-mail patrick.johann@wanadoo.fr ☑ 🍷 🚶 r.-v.

DOM. DE GRANGE GRILLARD 2002 ★

□ 30 ha 53 000 ▮ 🛢 🌡 15 à 23 €

Un des domaines de la Société civile des domaines Henri Maire, acquis au début des années 1950. La Grange, ancien fief de la paierie des vins d'Arbois, se dresse somptueusement au milieu des vignes plantées essentiellement de chardonnay. Le 2002 issu de ce cépage est puissant au nez, avec un côté fruits très mûrs imposant. Il est également solide en bouche et devrait bien accompagner une volaille.

🔑 SC des Domaines Henri Maire, 39600 Arbois,
tél. 08.11.45.39.39, fax 03.84.66.42.42 ☑ 🚶 r.-v.

DOM. LIGIER PERE ET FILS
Chardonnay Vieilles Vignes 2002 ★★★

□ 0,5 ha 2 600 🛢 5 à 8 €

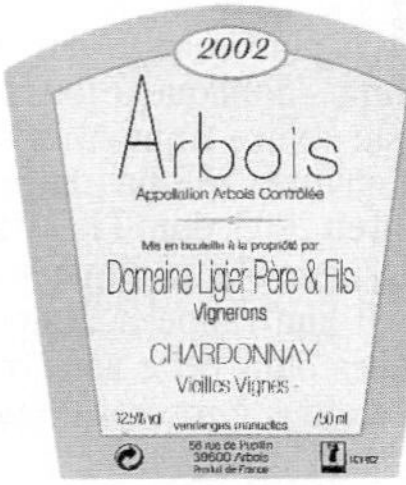

Le domaine Ligier devient collectionneur de coups de cœur : les éditions 2002, 2003 et 2005 du Guide célèbrent cette maison créée il y a moins de vingt ans et qui a su rapidement s'imposer. Or clair à reflets verts, cet arbois de pur chardonnay attire d'entrée au nez. D'abord minéral puis floral, il fait preuve d'une très belle puissance aromatique. La bouche est splendide. L'acidité fine et franche donne une élégante fraîcheur qui met superbement en valeur une grande matière. Arômes floraux et agrumes sont soutenus par un boisé bien fondu. Merveilleux à l'apéritif ou en compagnie de Saint-Jacques poêlées, c'est le vin plaisir par excellence. Et d'ici trois à quatre ans, il sera encore mieux. Une autre cuvée de blanc, mais à base de **savagnin dans le millésime 2000 (11 à 15 €)**, a été considérée comme très réussie. Elevée trois ans sous voile de levures, elle est plus typique que le précédent, comme l'illustrent ses arômes de noix verte et de curry.

🔑 Dom. Ligier Père et Fils, 56, rue de Pupillin,
39600 Arbois, tél. 03.84.66.28.06, fax 03.84.81.59.82,
e-mail ligier@netcourrier.com ☑ 🍷 🚶 r.-v.

DOM. MARTIN-FAUDOT Pinot 2002 ★

■ 0,8 ha 4 000 ▮ 🛢 🌡 8 à 11 €

Cette exploitation a décroché un coup de cœur l'an dernier pour un arbois blanc. Ce rouge issu du pinot noir est aussi une belle réussite. La couleur pourpre est profonde, le nez élégant évoque le bourgeon de cassis un peu épicé. Si la bouche apparaît ronde à l'attaque, les tanins se font sentir en deuxième partie de dégustation, mais soutiennent une matière soyeuse. Le cassis domine en bouche avec une impression sucrée peu commune. Le mieux est d'attendre encore trois à quatre ans pour déguster ce vin avec une viande rouge.

Le Jura

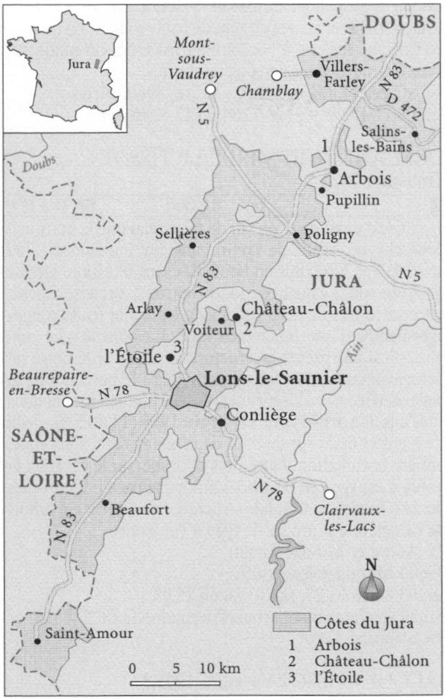

🔑 Dom. Martin-Faudot,
1, rue Bardenet, 39600 Mesnay,
tél. 03.84.66.29.97, fax 03.84.66.29.84,
e-mail info@domaine-martin.fr ☑ Y 🚶 r.-v.

DESIRE PETIT Pupillin Vin de paille 2000 ★★

▒ 1,1 ha 5 300 🛢 15 à 23 €

Petit... mais immense. Voilà quatre années de suite que la maison Désiré Petit fait chavirer les jurys avec son vin de paille. L'étiquette a changé avec le siècle mais, à l'intérieur du flacon (37,5 cl), vous retrouverez toujours nos références. Prenez un tiers de ploussard, un tiers de savagnin, un tiers de chardonnay, laissez sécher trois à quatre mois, pressurez, laissez vieillir en fût pendant trois ans et voyez le résultat : un vin de paille ambré où fruits secs et coing annoncent au nez la splendeur de la bouche puissante, mais dans un superbe équilibre. Cette ampleur conjugue les mérites du sucre, de l'acidité et de l'alcool dans une longueur infinie. Du talent, beaucoup de talent. Cette merveille ne doit pas nous faire oublier l'**arbois pupillin pur ploussard 2002 (5 à 8 €)**, cité, bien typé et fruité.

🔑 Dom. Désiré Petit, rue du Ploussard,
39600 Pupillin, tél. 03.84.66.01.20, fax 03.84.66.26.59,
e-mail domaine-desire-petit@wanadoo.fr
☑ Y 🚶 t.l.j. 9h-12h 14h-19h; groupes sur r.-v.
🔑 Gérard et Marcel Petit

JACQUES PUFFENEY Vin jaune 1996 ★

▒ 2 ha 4 000 🛢 30 à 38 €

A Montigny-lès-Arsures, on célèbre le trousseau l'avant dernier week-end d'août, en alternance avec la fête du ploussard à Pupillin. Mais intéressons-nous ici au savagnin. Implanté dans les marnes, il a donné un vin jaune au nez de pomme verte et de noix fraîche, que quelques notes florales viennent compléter. Il est équilibré en bouche, puissant et persistant. Un vin qu'il conviendra d'attendre.

🔑 Jacques Puffeney, quartier Saint-Laurent,
39600 Montigny-lès-Arsures,
tél. 03.84.66.10.89, fax 03.84.66.08.36 ☑ Y 🚶 r.-v.

LA CAVE DE LA REINE JEANNE
Chardonnay 2002 ★

▒ 5,5 ha 28 000 ▮🛢🌡 5 à 8 €

Petite affaire de négoce gérée par des vignerons réputés de Montigny-lès-Arsures, la Cave de la Reine Jeanne achète des raisins et non du vin, ce qui lui permet de façonner ses produits selon ses souhaits et d'y apporter la marque de la maison. Vinifié pour moitié en cuve et pour moitié en pièces dont 20 % sont neuves, ce vin de chardonnay n'a pas peur de se montrer dans sa belle robe d'or. Si le nez est encore fermé, des notes vanillées associées à des nuances florales sont prêtes à s'échapper. La fraîcheur de la bouche décoiffe, mais quelques années de vieillissement sauront faire de ce vin juvénile un bien agréable parti. Issu de l'assemblage de trois cépages (trousseau, poulsard et pinot noir), l'**arbois rouge 2001 Tradition** est cité. Déjà évolué, il est prêt à boire.

🔑 Le Cellier des Tiercelines, 54, Grande-Rue,
39600 Arbois, tél. 03.84.66.08.27, fax 03.84.66.25.08,
e-mail stephane-tissot.arbois@wanadoo.fr ☑ Y 🚶 r.-v.
🔑 Bénédicte et Stéphane Tissot

DOM. DE LA RENARDIERE
Pupillin Trousseau 2002

■ 0,4 ha 2 000 ▮🛢 5 à 8 €

Pour trouver Jean-Michel Petit dans le village de Pupillin, scrutez les murs : une fresque de 35 m^2 orne l'extérieur du chai depuis 2002. L'œil, ça compte, et ce n'est pas ce vin de trousseau qui le démentira : rouge à reflets rosés, il sait attirer. Frais et floral, le nez est élégant, tout comme la bouche qui joue la carte des fruits rouges dans une belle persistance. Un vin peut-être léger pour ce cépage et ce millésime, mais très agréable.

🔑 Jean-Michel Petit, rue du Chardonnay,
39600 Pupillin, tél. 03.84.66.25.10, fax 03.84.66.25.70,
e-mail renardiere@libertysurf.fr
☑ Y 🚶 t.l.j. 10h-12h 13h30-19h; dim. sur r.-v.

JEAN ET REGINE RIJCKAERT
Chante-Merle Chardonnay 2002

▒ 0,9 ha 5 000 🛢 11 à 15 €

Ces viticulteurs, également installés en Saône-et-Loire, exportent 90 % de leur production. Le nez de ce vin pur chardonnay est tout en finesse. Vanille et pain d'épice lui donnent une élégance dans la légèreté qui est remarquée. La bouche est plutôt vive et saura satisfaire ceux qui recherchent la fraîcheur.

🔑 SARL Rijckaert, En Correaux, 71570 Leynes, tél. 03.85.35.15.09, fax 03.85.35.15.09 ☑ 🍸 🚶 r.-v.

DOM. ROLET PERE ET FILS Vin de paille 2000 *

▨ 3 ha 8 000 🛢 15 à 23 €

Avec une surface en vignes de plus de 60 ha, la maison Rolet est une des rares exploitations à être présente dans trois AOC du vignoble jurassien : arbois, côtes-du-jura et l'étoile ; ceci lui permet de proposer une très large gamme de vins, dont des magnums de vieux millésimes. Le vin de paille est dans un petit flaconnage (37,5 cl), mais quel éclat ! Robe ambrée intense, nez de chocolat et de pâte de coings, bouche puissante et complexe où se pressent les notes de cacao et de torréfaction. Rien ne sert d'attendre, il est prêt à vous séduire. La cuvée **Mémorial rouge 2002 (8 à 11 €)**, assemblage de trousseau et de pinot noir, qui se pare de reflets violets, obtient une citation. Un beau spécimen aux tanins solides, pour gibier à poil.

🔑 Dom. Rolet Père et Fils, Montesserin,
rte de Dole, 39600 Arbois,
tél. 03.84.66.00.05, fax 03.84.37.47.41,
e-mail rolet@wanadoo.fr ☑ 🍸 🚶 r.-v.

CELLIER SAINT-BENOIT Pupillin 2002 *

■ 0,2 ha 700 ▮ 8 à 11 €

Denis Benoit est à la tête de son exploitation depuis déjà plusieurs années, mais c'est seulement dans cette édition qu'il fait son entrée dans le Guide, car il était jusqu'à présent coopérateur après avoir été salarié vitivinicole. Cette première récolte indépendante est un assemblage de pinot à 80 % et de ploussard à 20 %. Dotée d'une jolie couleur rouge aux reflets violacés, voilà une cuvée encore timide au nez mais qui recèle un fond de petits fruits rouges avenant. L'attaque en bouche est souple malgré un volume certain soutenu par une très belle structure tannique. Encore peu ouvert, ce vin demande trois à cinq ans de garde.

🔑 Denis Benoit, rue du Chardonnay, 39600 Pupillin, tél. 03.84.66.06.07, fax 03.84.66.06.07 ☑ 🍸 🚶 r.-v.

DOM. DE SAINT-PIERRE
Savagnin Cuvée du Lion 1999 *

▨ 0,6 ha 3 500 ▮ 🛢 🌡 11 à 15 €

Ce vin de pur savagnin, élevé dix mois en cuve et trente-six mois en fût, est discret mais élégant au nez : noix et noisette se mêlent avec bonheur à des odeurs de cire et de miel. La finesse est également au rendez-vous dans une bouche bien structurée, qui offre une finale typée entre fruits secs et cacao. Cette Cuvée du Lion est sans nul doute un vin de roi. Pour les amateurs de vins boisés, une cuvée de **chardonnay, Les Brûlées 2002 (8 à 11 €)**, est citée. Une réalisation intéressante, mais le bois s'invite avec insistance. Cette bouteille n'est pas des plus typiques ; on l'attendra deux ou trois ans.

🔑 Hubert et Renaud Moyne,
Dom. de Saint-Pierre, rue du Moulin, 39600 Mathenay, tél. 03.84.73.97.23, fax 03.84.37.56.80 ☑ 🍸 🚶 r.-v.
🔑 Philippe Moyne

DOM. DU SORBIEF 2001

▩ 40 ha 60 000 15 à 23 €

Acquis par Henri Maire dans les années 1960, et réparti sur les communes d'Arbois et de Pupillin, ce domaine est surtout planté en cépages rouges. Le poulsard, associé à un peu de trousseau, a donné un vin à la belle couleur tuilée et au nez élégant de fruits rouges. La bouche est fine : ce rosé est à consommer frais, dès cet automne, avec des salades ou de la charcuterie.

🔑 SC des Domaines Henri Maire, 39600 Arbois, tél. 08.11.45.39.39, fax 03.84.66.42.42 ☑ 🚶 r.-v.

DOM. ANDRE ET MIREILLE TISSOT
Trousseau 2002 *

■ 3,8 ha 10 000 🛢 11 à 15 €

C'est aussi pour un vin de trousseau que la maison a décroché un coup de cœur dans les millésimes 1999 et 2000. Le 2002, mis en bouteilles sans filtration, affiche une robe rouge à nuances pourprées, très avenante. Le nez est encore fermé, mais on devine les petits fruits rouges agrémentés d'une touche sauvage. La bouche, elle non plus, n'est pas prête : la structure tannique et le boisé un peu envahissant doivent s'assagir, mais le potentiel de la belle matière saura s'exprimer plus harmonieusement dans trois ans. Un **arbois pur savagnin 1999 (11 à 15 €)**, vieilli trois ans et demi sur lie dont deux ans et demi sous voile, obtient une citation. Doré, très odorant (sur le cacao et la noix), il est typé en bouche. La noix, le cacao, les arômes de torréfaction et la solide structure constituent un arbois de caractère qui tire sur le type « vin jaune ».

🔑 André et Mireille Tissot,
39600 Montigny-lès-Arsures,
tél. 03.84.66.08.27, fax 03.84.66.25.08,
e-mail stephane-tissot.arbois@wanadoo.fr ☑ 🍸 🚶 r.-v.
🔑 Stéphane Tissot

JACQUES TISSOT Vin jaune 1995 *

▨ 2 ha 5 000 🛢 23 à 30 €

Au départ adhérent d'une cave coopérative, Jacques Tissot a eu envie d'aller plus loin. Avec 30 ha de vignes, 1 000 m^2 de caves voûtées, 3 000 m^2 de nouveaux chais que l'on ne peut ignorer à la sortie d'Arbois, il a fait de son exploitation un domaine de toute première importance dans le Jura. Le vin jaune, il connaît bien et sait en parler. Son 1995 est un peu fermé en premier nez, puis s'ouvre sur la noix et le cacao. Un dégustateur le qualifie de « cossu » en bouche. Il est bien armé sur le plan aromatique (pomme, curry), dans une bonne persistance. Un vin à attendre.

🔑 Dom. Jacques Tissot, 39, rue de Courcelles,
39600 Arbois, tél. 03.84.66.14.27, fax 03.84.66.24.88,
e-mail courrier@domaine-jacques-tissot.fr
☑ 🏠 🍸 🚶 r.-v.

JEAN-LOUIS TISSOT Trousseau 2002 *

■ n.c. 8 000 ▮ 8 à 11 €

Deux points de dégustation pour découvrir les vins de Jean-Louis Tissot : un à Montigny-lès-Arsures, le caveau de Vauxelles, et l'autre aux Arsures, le domaine de La Mirode. Ce vin de trousseau, à la robe légère et au nez élégant, décline des notes de fruits rouges et de sous-bois. La bouche est particulièrement harmonieuse. En attendant un à deux ans, ce sera encore mieux. Comme chez tout bon producteur de vin du Jura, il y a aussi un **vin jaune du millésime 96 (23 à 30 €)** qui est cité. Entre fleurs et noix, le nez se montre discret ; la bouche vive demande quelques années pour se faire.

🔑 Jean-Louis Tissot,
Vauxelles, 39600 Montigny-lès-Arsures,
tél. 03.84.66.13.08, fax 03.84.66.08.09 ☑ 🍸 r.-v.

JEAN TRESY ET FILS Trousseau Cul du Bré 2002 *

■ 0,3 ha 2 100 5 à 8 €

Le siège de l'exploitation est situé dans l'aire de l'AOC côtes-du-jura, mais quelques vignes se trouvent dans l'AOC arbois, dont celles qui ont donné ce vin de pur trousseau, couleur cerise. Le nez vineux évolue sur les fruits rouges. L'expression est progressive : d'une attaque ample et souple à une finale tout en fraîcheur, voilà un arbois qui a de la personnalité. Quelques années de vieillissement mettront en valeur une belle typicité.

Jean Trésy et Fils, rte des Longevernes, 39230 Passenans, tél. 03.84.85.22.40, fax 03.84.44.99.73, e-mail tresy.vin@wanadoo.fr ☑ r.-v.

Château-chalon

Le plus prestigieux des vins du Jura, produit sur 49 ha, est exclusivement du vin jaune, le célèbre vin de voile élaboré selon des règles strictes. Le raisin est récolté dans un site remarquable, sur les marnes noires du lias ; les falaises, au-dessus desquelles est établi le vieux village, le surplombent. La production est limitée mais a atteint, en 2003, 1 485 hl sur 61 ha déclarés ; la mise en vente s'effectue six ans et trois mois après la vendange. Il est à noter que, dans un souci de qualité, les producteurs eux-mêmes ont refusé l'agrément en AOC pour les récoltes de 1974, 1980, 1984 et 2001.

BAUD PERE ET FILS 1996 **

□ 1,8 ha 3 600 23 à 30 €

Jean-François Baud, arrivé au Vernois en 1642 comme vigneron tâcheron, pourrait être fier du travail accompli par sa descendance. Curieux, mais pas déplaisant, le nez de ce château-chalon : les fruits exotiques – ananas, mangue, fruit de la Passion, litchi – lui donnent un côté... exotique. La bouche est chaude, puissante, sans que cela porte atteinte à l'équilibre. Il est recommandé d'attendre cette bouteille.

Baud Père et Fils, rte de Voiteur, 39210 Le Vernois, tél. 03.84.25.31.41, fax 03.84.25.30.09, e-mail abaud@domainebaud.com ☑ r.-v.

DOM. BERTHET-BONDET 1997

□ 4 ha 8 000 23 à 30 €

De Voiteur ou de Menétru, il ne faut pas hésiter à monter à Château-Chalon pour dominer le vignoble qui porte le nom de ce splendide village. Une belle présentation pour ce vin aussi : robe d'or brillante et limpide, belles jambes. Le nez n'est pas explosif, mais son petit côté épicé est convaincant. Ce 2003 possède une forte capacité de vieillissement. Il faut attendre qu'il se réveille...

Dom. Berthet-Bondet, chem. de La Tour, 39210 Château-Chalon, tél. 03.84.44.60.48, fax 03.84.44.61.13, e-mail domaine.berthet.bondet@wanadoo.fr ☑ r.-v.

CAVEAU DU TERROIR 1996 *

□ 1 ha 2 000 23 à 30 €

Situé au cœur du village de Menétru, le caveau du terroir de Philippe Peltier fait partie de l'imposante maison familiale de type franc-comtois. Une impression de puissance que l'on retrouve aussi dans ce château-chalon aux notes de miel et d'épices. Comme tout bon représentant de cette appellation, il devra attendre au moins quatre à cinq ans avant de paraître sur la table.

Philippe Peltier, rue Bas, 39210 Menétru-le-Vignoble, tél. 03.84.85.26.67, fax 03.84.85.26.67 ☑ t.l.j. 9h-12h 14h-19h; dim. sur r.-v.

DOM. GRAND FRERES En Beaumont 1997 **

□ 0,7 ha 3 200 23 à 30 €

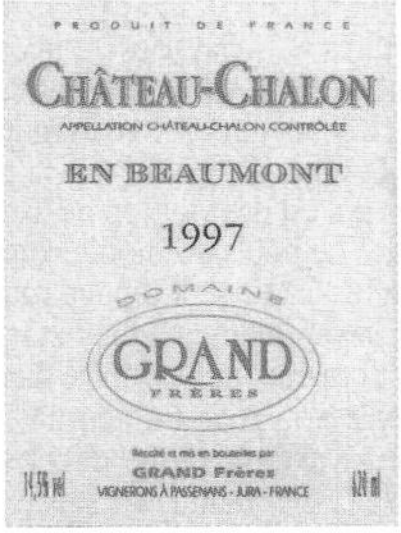

Les frères Grand, viticulteurs dans l'AOC côtes-du-jura, signent là leur premier château-chalon. Un coup de maître. Nous connaissions la qualité des vins de cette maison ; nous pourrons désormais compter sur cette nouvelle appellation qui enrichit la collection des coups de cœur. Jaune d'or à l'œil, c'est un vin de bonne intensité et d'une grande finesse qui se dévoile au nez : des notes d'épices, de noisette et un côté de tourbe ainsi que de fumé. Même ton racé en bouche, avec des fruits secs qui arrivent en rétro-olfaction. Possédant suffisamment d'acidité pour apporter de la fraîcheur et tenir des années, du gras pour envelopper, c'est un modèle d'équilibre, splendide et très représentatif de l'appellation. On peut l'apprécier tout seul à l'apéritif, mais aussi en accompagnement de homard aux noix de Saint-Jacques au curry.

Dom. Grand Frères, rue du Savagnin, 39230 Passenans, tél. 03.84.85.28.88, fax 03.84.44.67.47, e-mail grandfreres@wanadoo.fr ☑ t.l.j. 9h-12h 14h-18h; f. sam. dim. en jan., fév. et mars

DOM. DESIRE PETIT 1996 *

□ 0,3 ha 1 200 23 à 30 €

Des Arboisiens en terre de Château-Chalon. 1996 est le 5e millésime dans cette AOC que Gérard et Marcel Petit commercialisent. Puissance et complexité cohabitent dans le nez de ce vin : on y retrouve des notes torréfiées, épicées, mais aussi des fruits secs et du noyau. La bouche possède une belle acidité, du volume, mais aussi de la finesse, style château-chalon ! A attendre au moins cinq ans.

⊶ Dom. Désiré Petit, rue du Ploussard,
39600 Pupillin, tél. 03.84.66.01.20, fax 03.84.66.26.59,
e-mail domaine-desire-petit@wanadoo.fr ☑ Ƴ 🚶 r.-v.
⊶ Gérard et Marcel Petit

Côtes-du-jura

L'appellation englobe toute la zone du vignoble de vins fins. En 2003, la surface en production est de 654 ha et a donné 19 129 hl (13 337 hl en vins blancs ou jaunes, 5 246 hl en rouges et rosés, 546 hl en vins de paille).

CH. D'ARLAY 2000

■ 11 ha 35 000 ▮ ◍ ♁ 8 à 11 €

Venir au château d'Arlay, c'est pouvoir assouvir deux passions à la fois : celle du vin et celle des belles pierres. Le château, du XVIII[e]s., est en effet un monument historique classé, ouvert à la visite l'été, ainsi que le parc et le jardin potager. Pour ce qui est des vins, on ne trouvera pas ici de cuvées spécifiques de poulsard ou de trousseau, mais des produits d'assemblage. Le seul cépage rouge qu'Alain de Laguiche vinifie séparément, c'est le pinot noir, une sorte de spécialité du domaine, qui est entré dans ce millésime. C'est une bouteille à la robe un peu tuilée et au nez de kirsch. Chaleureuse, avec un rappel de cerise à l'alcool, elle est prête à boire. Une viande en sauce, de type bœuf bourguignon, lui conviendrait.

⊶ Alain de Laguiche, Ch. d'Arlay, 39140 Arlay,
tél. 03.84.85.04.22, fax 03.84.48.17.96,
e-mail alaindelaguiche@aol.com
☑ Ƴ 🚶 t.l.j. sf dim. 9h-12h 14h-18h

BENOIT BADOZ Vin de paille 2000

□ 1 ha 2 600 15 à 23 €

Benoît Badoz a repris l'exploitation de ses parents (Bernard Badoz) depuis le 1er janvier 2003. Ce millésime est donc celui de son père. La robe de ce vin de paille est d'un doré tirant sur le rouge. Le côté miellé du nez tend vers un type de miel sombre, puissant, un peu résiné, comme le miel de sapin. Cela donne des arômes aux antipodes de ceux d'un vin technologique. En bouche, le sucré domine, conférant à cette bouteille un ton assez capiteux.

⊶ Benoît Badoz, 3, av. de la Gare, 39800 Poligny,
tél. 03.84.37.11.85, fax 03.84.37.11.18,
e-mail infos@badoz.fr ☑ Ƴ 🚶 t.l.j. 8h-12h 14h-20h

BAUD Cuvée Tradition 1999

□ 4,5 ha 12 000 ▮ ◍ ♁ 8 à 11 €

Moitié chardonnay, moitié savagnin pour cette cuvée jaune paille qui a été élevée en cuve pendant six mois puis en fût trois ans. Ce nez-là est bien agréable. La bouche franche et rafraîchissante appelle un poulet à la crème.

⊶ Baud Père et Fils, rte de Voiteur,
39210 Le Vernois,
tél. 03.84.25.31.41, fax 03.84.25.30.09,
e-mail abaud@domainebaud.com ☑ Ƴ 🚶 r.-v.

CELLIER DE BELLEVUE Pinot 2002 ★★★

■ 0,6 ha 3 000 ▮ 5 à 8 €

Considérée comme très réussie dans le millésime 2001, cette cuvée de pinot reçoit un coup de cœur pour son 2002. Une belle consécration pour Daniel Crédoz qui exploite seul une partie de l'ancien domaine Victor Crédoz. La robe est fort colorée, avec de jolis reflets violacés. Des petits fruits rouges caractérisent un nez très expressif, tandis qu'en bouche l'ampleur ne se manifeste pas au détriment de l'équilibre. Des tanins présents mais sans excès assurent la charpente. Des arômes de mûre et de cassis agrémentés en finale de tons de chocolat signent un superbe vin de garde qui mettra en valeur un filet de bœuf et réciproquement.

⊶ Daniel Crédoz, Cellier de Bellevue,
rte des Granges, 39210 Menétru-le-Vignoble,
tél. 03.84.85.26.98, fax 03.84.44.62.41,
e-mail cellier-de-bellevue@wanadoo.fr ☑ Ƴ 🚶 r.-v.

DOM. BERTHET-BONDET Alliance 2002

□ 1 ha 4 000 ▮ ◍ ♁ 5 à 8 €

Un assemblage de 50 % de savagnin et de 50 % de chardonnay, élevé pour moitié en fût avec ouillage et pour moitié en cuve : c'est l'alliance que propose Jean Berthet-Bondet. Un mariage entre différentes techniques de vinification et deux cépages qui cohabitent dans le Jura depuis toujours. Tout en légèreté, ce vin offre de délicates nuances de miel, d'agrumes et d'aubépine tant au nez qu'en bouche, dans une rondeur de bon aloi. Pour un poisson.

⊶ Dom. Berthet-Bondet,
chem. de La Tour, 39210 Château-Chalon,
tél. 03.84.44.60.48, fax 03.84.44.61.13,
e-mail domaine.berthet.bondet@wanadoo.fr ☑ Ƴ 🚶 r.-v.

LA CAVE DU BON PAYS Chardonnay 2002

□ 1,5 ha 4 000 ◍ 5 à 8 €

Une nouvelle entrée dans le Guide. Michel Mazier est le président de cette SARL, avec le statut de négociant, qui regroupe la production de quatorze vignerons établis au sud du Revermont. Ce pur chardonnay possède un nez intense à dominante de boisé. L'attaque est vive mais généreuse. Très boisé aussi en bouche, c'est un vin agréable dans l'ensemble, qui ira bien sur un buffet froid de poissons.

⊶ Les Vignerons du Sud Revermont,
imp. du Rochet, 39190 Orbagna,
tél. 03.84.25.09.76, fax 03.84.25.09.76 ☑
⊶ Michel Mazier

CLAUDE BUCHOT Vin jaune 1996 ★

□ 0,5 ha 1 500 ◍ 23 à 30 €

Soucieux de la protection de l'environnement, Claude Buchot pratique l'agriculture biologique au sud du

Revermont, la partie méridionale du vignoble. Couleur bouton d'or, son vin jaune est très puissant au nez, avec une dominante de noix. Il a toujours beaucoup d'ampleur en bouche, mais dans l'équilibre, avec une persistance aromatique intéressante dans le sillage du nez. Il peut attendre au moins quinze ans. Rien ne presse donc... Le nez du **côtes-du-jura 2000 pur chardonnay Terroir du Bry (5 à 8 €)** est déjà bien évolué, « comme on aime ». Avec des notes de fruits macérés et de noix fraîche, et une bouche généreuse, structurée et aromatique, c'est une bouteille élégante. Pensez à l'ouvrir quelques heures avant le service.
🔑 Claude Buchot, 39190 Maynal,
tél. 03.84.85.94.27, fax 03.84.85.94.27 ☑ Y 🚶 r.-v.

PEGGY ET JEAN-PASCAL BURONFOSSE
Chardonnay 2002

□ 0,36 ha 1 806 ◍ 5 à 8 €

C'est la première fois que ces deux vignerons apparaissent dans le Guide : ils se sont installés en l'an 2000, une date qui ne s'oublie pas ! Floral et fruité, le nez laisse entrevoir de belles promesses gustatives. Celles-ci ne se réalisent pas totalement en bouche, mais l'ensemble reste élégant et d'une grande fraîcheur. A destiner à l'apéritif.
🔑 Peggy et Jean-Pascal Buronfosse,
La Combe, 39190 Rotalier,
tél. 03.84.25.05.09, fax 03.84.25.05.09 ☑ Y 🚶 r.-v.

PHILIPPE BUTIN Vin de paille 1999

□ 0,4 ha 1 400 ◍ 15 à 23 €

On trouvera Philippe Butin à Lavigny, petit village situé à quelques kilomètres au nord de Lons-le-Saunier, préfecture du Jura. C'est là qu'il a élaboré, à partir de vendanges récoltées début septembre 1999, ce vin de paille à la robe cuivrée. Le nez développe de manière modérée des notes de torréfaction, de fruits secs et de pain d'épice. Un certain équilibre en bouche le rend agréable.
🔑 Philippe Butin,
21, rue de La Combe, 39210 Lavigny,
tél. 03.84.25.36.26, fax 03.84.25.39.18 ☑ Y 🚶 r.-v.

CAVEAU DES BYARDS Réserve du Jubilé 1999 *

□ 1,5 ha 7 000 ◍ 8 à 11 €

Le caveau des Byards se devait de fêter dignement le jubilé. C'est chose faite avec ce côtes-du-jura, 60 % chardonnay et 40 % savagnin, vieilli trente-six mois en fût de chêne. Les avis sont partagés sur la structure en bouche, certains louant son équilibre et son harmonie, d'autres souhaitant davantage d'ampleur. En revanche, tous apprécient l'ensemble bien construit et le nez riche et complexe. Servez-le en carafe sur des viandes blanches.
🔑 Caveau des Byards, 39210 Le Vernois,
tél. 03.84.25.33.52, fax 03.84.25.38.02 ☑ Y 🚶 r.-v.

DENIS ET MARIE CHEVASSU
Chardonnay 2000 **

□ 2 ha 4 000 ◍ 5 à 8 €

Un rendez-vous est pris aux Granges Bernard : la famille Chevassu ouvre toutes grandes les portes de sa maison le premier dimanche d'août. Au programme : dégustation, visite, repas, jeux et expositions. Ouvert, ce côtes-du-jura l'est totalement. Jaune doré, il vous accueille au nez avec des parfums de fleurs blanches et de noisette très élégants. L'attaque est vive, mais ce trait de jeunesse glisse tranquillement vers une évolution tendre et une finale équilibrée. De la densité mais aussi de la fraîcheur, avec la pomme verte comme porte-fanion. C'est un vin à la fois très typique et d'une grâce exceptionnelle, qui trouvera dans un risotto de champignons et de truffes blanches un accord gourmand de grande classe.

🔑 Denis Chevassu, Granges Bernard,
39210 Menétru-le-Vignoble,
tél. 03.84.85.23.67, fax 03.84.85.23.67 ☑ Y 🚶 r.-v.

DOM. COURBET Trousseau 2002 *

■ 0,9 ha 5 500 ▮ 5 à 8 €

Du nouveau à la maison Courbet : avec l'arrivée du fils, un GAEC a été créé, comprenant Jean-Marie, Brigitte et Damien. Parti voir ailleurs comment cela se passait, ce dernier intègre la structure familiale de 7 ha. Ce trousseau, dont 50 % est passé en barrique, présente une belle robe pourpre soutenu. Fruits rouges, épices, sous-bois : le nez ne passe pas inaperçu. La bouche est ample et ronde, avec un côté fruits rouges toujours très marqué. Harmonieux, équilibré, ce vin gagnera à vieillir en cave pour retrouver d'ici deux à trois ans un gibier à plumes.
🔑 Dom. Courbet,
rue du Moulin, 39210 Nevy-sur-Seille,
tél. 03.84.85.28.70, fax 03.84.44.68.88,
e-mail dcourbet@hotmail.com ☑ ⌂ Y 🚶 r.-v.

DOM. JEAN-CLAUDE CREDOZ Savagnin 1999 *

□ 1,8 ha 6 000 ◍ 8 à 11 €

Associé à son frère Daniel jusqu'en 2001 dans le domaine Victor Crédoz, Jean-Claude poursuit son activité de manière indépendante. Ce côtes-du-jura pur savagnin n'est pas encore très ouvert au nez, mais les effluves de pomme sont déjà bien élégants. La bouche montre un vin plus affirmé. La finesse n'est pas en reste, mais c'est la puissance qui ressort. Rien d'anormal, au contraire, dans ce type de vin à base de savagnin. Il faut qu'il se fasse.
🔑 Dom. Jean-Claude Crédoz,
rue des Chèvres, 39210 Château-Chalon,
tél. 03.84.44.64.91, fax 03.84.44.98.76,
e-mail domjccredoz@aol.com
☑ Y 🚶 t.l.j. 8h-12h 13h30-19h

RICHARD DELAY Vin de paille 2000

□ 0,4 ha 1 100 ◍ 11 à 15 €

Pour l'essentiel, les raisins composant ce vin de paille sont issus de chardonnay, mais il y a aussi du poulsard et un tout petit peu de savagnin. La robe est très cuivrée. Le nez développe des nuances de fruits secs, de miel et de pain d'épice. Un côté un peu rustique caractérise la bouche où les notes de torréfaction et de cacao dominent.
🔑 Richard Delay,
37, rue du Château, 39570 Gevingey,
tél. 03.84.47.46.78, fax 03.84.43.26.75,
e-mail delay@freesurf.fr ☑ Y 🚶 r.-v.

JURA

SYLVAIN FAUDOT Trousseau 2002 ★★

■ 0,5 ha 2 200 🛢 5 à 8 €

Un domaine dirigé par un jeune viticulteur qui produit à la fois en AOC arbois et en AOC côtes-du-jura. Les dégustateurs ont vraiment apprécié ce vin d'une couleur framboise, caractéristique du trousseau. Le nez est lui aussi très révélateur du cépage, quoiqu'encore fermé. De belles nuances épicées taquinent les petits fruits rouges : c'est un vin harmonieux, élégant, au goût agréable. Une bonne mise en valeur du terroir et du cépage grâce à une vinification bien menée.

⊶ Sylvain Faudot,
13, rte de Salins, 39600 Saint-Cyr-Montmalin,
tél. 03.84.37.41.03, fax 03.84.37.41.03 ☑ 🍷 🚶 r.-v.

DOM. GANEVAT Pinot noir Cuvée Julien 2002 ★

■ 0,85 ha 3 000 🛢 8 à 11 €

Souvenez-vous de cette cuvée dans le millésime précédent, elle avait été distinguée d'un coup de cœur. Le 2002 est encore réservé au nez mais il révèle des notes délicates de fruits rouges et de feuille de cassis. La bouche solide, assez chaude, évolue entre fruits rouges et notes boisées. Une certaine rusticité n'empêche pas ce vin d'être bien apprécié.

⊶ Dom. Ganevat, La Combe, 39190 Rotalier,
tél. 03.84.25.02.69, fax 03.84.25.02.69 ☑ 🍷 🚶 r.-v.

DOM. GRAND FRERES Chardonnay 2002 ★

□ 3,5 ha 25 000 🛢 5 à 8 €

Après la restructuration du GAEC, les grands travaux. La cuverie doit être complètement rénovée en 2004. Discret de prime abord au nez, ce chardonnay s'ouvre lentement mais sûrement sur le fruité. On appréciera sur une entrée de poisson le côté minéral de la bouche. Cité, le **vin de paille 2000 (15 à 23 €)** mêle le miel et les fleurs blanches au nez : une agréable rencontre.

⊶ Dom. Grand Frères,
rue du Savagnin, 39230 Passenans, tél. 03.84.85.28.88,
fax 03.84.44.67.47, e-mail grandfreres@wanadoo.fr
☑ 🏠 🍷 🚶 t.l.j. 9h-12h 14h-18h;
f. sam. dim. en jan., fév. et mars

CAVEAU DES JACOBINS
Cuvée Saint-Avoye 1998 ★★

□ 2,2 ha 17 300 ▮🛢 5 à 8 €

Cette cuvée, assemblage de chardonnay (70 %) et de savagnin (30 %), vaut le détour. Le lieu lui aussi vaut le coup d'œil : déguster dans une église du XIIIe s., c'est déjà peu commun, mais pouvoir s'offrir le plaisir d'un tel vin, c'est grandiose. La robe est d'un jaune doré profond tandis qu'au nez, l'attaque est beurrée puis grillée. Finesse et complexité sont au rendez-vous. Encore bien vif, ce 1998 a gardé toute son âme, dans la puissance et l'équilibre. Une typicité très franc-comtoise, avec ces notes de noix, de miel, d'épices et un côté minéral déjà évolué. Quelle richesse ! L'un des dégustateurs le qualifie de vin pour les Franc-Comtois, mais nul doute que tous les amateurs de grands vins du Jura sauront reconnaître ici l'excellence. Et à tous ceux qui en douteraient encore, cette bouteille peut attendre longtemps.

⊶ Caveau des Jacobins, rue Nicolas-Appert,
39800 Poligny, tél. 03.84.37.01.37, fax 03.84.37.30.47,
e-mail caveaudesjacobins@free.fr
☑ 🍷 🚶 t.l.j. 9h30-12h 14h-18h30

CLAUDE ET CEDRIC JOLY Pinot noir 2002 ★★

■ 0,9 ha 4 000 🛢 5 à 8 €

Le pinot noir est un cépage bien implanté dans le Jura, notamment dans cette partie du vignoble que l'on appelle le Sud-Revermont. Claude et Cédric Joly l'ont travaillé pour donner ce vin rouge pourpre très expressif au nez : un léger boisé vanillé enrobe de beaux élans fruités. Equilibrée, la bouche retrouve des accents vanillés, voire de caramel ou de café. Une élégance et une harmonie que l'on pourra apprécier tout de suite ou pendant deux à cinq ans.

⊶ EARL Claude et Cédric Joly,
chem. des Patarattes, 39190 Rotalier,
tél. 03.84.25.04.14, fax 03.84.25.14.48 ☑ 🍷 🚶 r.-v.

FREDERIC LAMBERT Chardonnay 2001

□ 0,4 ha 1 000 🛢 5 à 8 €

Petit à petit, l'exploitation de Frédéric Lambert s'est agrandie pour arriver à 3 ha ; les cinq cépages jurassiens y sont représentés. Ici, c'est le chardonnay, élevé sous voile sans ouillage ; il a donné un vin à la robe d'or brillante et limpide. De la noisette franche et cette fameuse « odeur de voile » s'expriment au nez. Le côté oxydatif se confirme en bouche (et non oxydé, ce qui serait un défaut) avec une belle acidité. C'est bien un vin du Jura, idéal pour une bonne fondue comtoise. Egalement cité, le **vin rouge issu de trousseau 2002**, discret au nez et marqué par sa jeunesse. Il faudra donc l'attendre.

⊶ Frédéric Lambert,
14, Pont du bourg, 39230 Le Chateley,
tél. 03.84.25.97.83, fax 03.84.25.97.83,
e-mail cellierdesterroirs@wanadoo.fr ☑ 🍷 🚶 r.-v.

LA MAISON DE ROSE Vin de paille 2000 ★

□ 0,2 ha 500 🛢 15 à 23 €

Un vin de paille tout de cépages blancs constitué : moitié savagnin, moitié chardonnay. La robe jaune mordoré est splendide. Au nez, il a tout pour lui ; ce n'est pas la complexité aromatique qui l'emporte, plutôt une pureté dans l'expression qui le rend particulièrement charmant. Les notes miellées nous emportent dans une puissance envoûtante. Cette intensité se prolonge en bouche, avec un léger déséquilibre sur le sucre aujourd'hui, mais l'expression générale est très bonne. Ce sera plus un vin de dessert que d'apéritif.

⊶ Dominique Grand, 8, rue de l'Eglise,
39230 Saint-Lothain, tél. 03.84.37.01.32 ☑ 🍷 🚶 r.-v.

DOM. MOREL-THIBAUT Vin jaune 1997 ★

□ 1,5 ha 1 500 🛢 15 à 23 €

Savez-vous qu'un vin jaune se sert entre 15 et 17 °C après être resté ouvert plusieurs heures ? Servi froid, il devient muet. Ce serait donc un crime de lèse-majesté que de ne pas laisser s'exprimer les arômes de noix, de coing, de curry que dégage, par exemple, le jaune du domaine Morel-Thibaut. Un équilibre qualifié de « sympathique » en bouche où la noix domine les agrumes. Les écrevisses n'ont qu'à bien se tenir...

⊶ Dom. Morel-Thibaut, 8, rue Coittier, 39800 Poligny,
tél. 03.84.37.07.61, fax 03.84.37.07.61 ☑ 🍷 🚶 r.-v.

DOM. PIGNIER Trousseau 2002 ★★

■ 1,2 ha 3 500 🛢 8 à 11 €

Marie-Florence, Antoine et Jean-Etienne Pignier, engagés voilà deux ans vers l'agriculture biologique, se convertissent désormais à la biodynamie. Que de conversions pour cet ancien domaine monacal ! Et cette démarche semble être pleine de promesses : ce côtes-du-jura pur trousseau en est le témoin. Très belle robe pourpre, nez délicat sur le fruit cuit, la feuille de cassis, la griotte, avec même un peu de cuir. C'est un vin charnu que l'on découvre en bouche, doté de solides tanins qui donnent une impression de volume. Au sein de cette matière ample, le développement aromatique, fruité et épicé, est harmonieux. Attendre doit être la règle, la contemplation étant facultative... Apprécié lui aussi, le **côtes-du-jura pur chardonnay 2002 (5 à 8 €)**, tout en fruit, obtient une citation.

🕿 Dom. Pignier, Cellier des Chartreux,
39570 Montaigu, tél. 03.84.24.24.30, fax 03.84.47.46.00,
e-mail pignier-vignerons@wanadoo.fr ☑ 🕏 r.-v.

XAVIER REVERCHON Vin jaune 1997 ★★

	0,95 ha	1 150	🍷 23 à 30 €

Pour le vin jaune, il faut être patient, très patient. Les six ans de fût ont fait l'objet de soins attentifs et de surveillance de tous les instants, donnant naissance à un vin jaune de grande lignée. Le nez est le lieu d'un mariage intéressant de notes de curry, de noix et d'agrumes. Ce développement aromatique se poursuit au sein d'une bouche ample où une note de fraîcheur apporte beaucoup d'équilibre. L'élégance est le caractère dominant de ce jaune qui tiendra au moins quinze ans... C'est aussi la récompense de tant d'attente. Réussie, la **cuvée Saint-Savin 2002 (5 à 8 €)** est un vin de pur chardonnay dont la bouche est vive. Mais l'harmonieuse finesse qui s'en dégage fait dire à un dégustateur qu'il est « bien dans sa tête et bien dans son corps ». C'est une sainte cuvée, ne l'oublions pas ! Ne manquez pas de visiter, à 100 m du domaine, l'église des IXᵉ et XIᵉs., avec ses statues polychromes de l'Ecole flamande.

🕿 Xavier Reverchon, 2, rue du Clos, 39800 Poligny,
tél. 03.84.37.02.58, fax 03.84.37.00.58,
e-mail reverchon.vinsjura@libertysurf.fr ☑ 🍸 🕏 r.-v.

PIERRE RICHARD Trousseau 2002

▪	0,5 ha	2 000	🍶 5 à 8 €

C'est le grand-père qui a acheté la propriété au début du siècle dernier. Le choix assumé de Pierre Richard pour ce vin de trousseau était d'obtenir un rouge léger et fruité à partir d'une vinification courte et d'un bref élevage en cuve. Objectif atteint, mais les dégustateurs le trouvent justement presque un peu trop léger pour ce type de vin. Le côté aromatique, très frais et fruité, surtout au nez, a été apprécié. Le **vin de paille 1999 (15 à 23 €)** est lui aussi cité. Avec sa belle robe ambrée, il offre en bouche beaucoup de finesse malgré une relative simplicité aromatique. Un vin délicat.

🕿 Pierre Richard, rue Florentine, 39210 Le Vernois,
tél. 03.84.25.33.27, fax 03.84.25.36.13 ☑ 🕏 r.-v.

JEAN RIJCKAERT Chardonnay Les Sarres 2002 ★

n.c.	6 200	🍷 8 à 11 €

Jean Rijckaert est vigneron à Leynes, en Saône-et-Loire, mais également négociant. Cépage bourguignon emblématique, le chardonnay a donné ici un vin d'une belle intensité au nez. Si l'attaque est vive, la bouche évolue bien, dans un charmant ensemble aromatique : de l'ananas, de la pomme, de l'abricot. Que de fruit ! On suggère de le servir avec des huîtres chaudes dès cet hiver.

🕿 SARL Rijckaert, En Correaux, 71570 Leynes,
tél. 03.85.35.15.09, fax 03.85.35.15.09 ☑ 🍸 🕏 r.-v.

DOM. DES RONCES Cuvée Georges 1998

1,5 ha	2 000	🍶 5 à 8 €

Assemblage de 70 % de chardonnay et de 30 % de savagnin, ce côtes-du-jura à la robe jaune pâle a été élevé en cuve. Le nez est discret, mais pomme verte et tabac blond sont bien là. Vif en bouche, ce vin conviendra à une entrée de poisson.

🕿 Michel Mazier, imp. du Rochet, 39190 Orbagna,
tél. 03.84.25.09.76, fax 03.84.25.09.76 ☑ 🏠 🍸 r.-v.

LES SARMENTELLES Trousseau 2002

▪	0,4 ha	1 800	🍶🍷 5 à 8 €

L'exploitation de 5 ha se répartit pour les deux tiers de son encépagement en rouge et pour un tiers en blanc. Ce vin de trousseau est très marqué par le fruit (fraise, cassis) dans une belle expression. La bouche, légère, tient plus du rosé que du rouge, et le côté bonbon anglais prédomine. Un 2002 prêt à boire.

🕿 Patrick et Elisabeth Grandmaison,
7, rue des Oricières, 39110 Aiglepierre,
tél. 03.84.73.26.16, fax 03.84.73.26.16 ☑ 🍸 r.-v.

CAVEAU DU TERROIR 2001 ★★

2,5 ha	5 000	🍷 5 à 8 €

Le grand-père de Philippe Peltier devait se destiner au dessin industriel mais il a choisi la vigne. Les générations suivantes font fructifier cet héritage issu de la passion d'un homme. Le nez de ce blanc issu de chardonnay allie intensité et finesse sur un déferlement aromatique évoquant notamment les fleurs blanches et le miel. De la vivacité et une agréable minéralité procurent une réelle fraîcheur en bouche. La noisette fraîche et l'abricot donnent une grande expression dans une remarquable longueur. C'est droit et beau. Toujours en blanc, le **côtes-du-jura Tradition, non millésimé (8 à 11 €)**, issu d'un assemblage de chardonnay (60 %) et de savagnin (40 %), est très réussi : généreux, puissant et long, il peut être bu dès à présent ou attendu.

🕿 Philippe Peltier,
rue Bas, 39210 Menétru-le-Vignoble,
tél. 03.84.85.26.67, fax 03.84.85.26.67
☑ 🍸 🕏 t.l.j. 9h-12h 14h-19h; dim. sur r.-v.

FRUITIERE VINICOLE DE VOITEUR
Savagnin 2000 ★

3 ha	15 000	🍶🍷 8 à 11 €

Depuis sa création à la fin des années 1950, cette cave coopérative investit régulièrement en équipements. Les vins blancs sont déclinés en quatre cuvées. Le pur savagnin, fermenté en cuve inox, a été élevé en fût de chêne sans ouillage. Jaune pâle brillant, il a le nez si envoûtant de ces vins de savagnin jeunes, entre noisette et pomme, agrémenté de touches de vanille et d'aubépine. On retrouve cette même délicate déclinaison aromatique en bouche, dans une structure où l'alcool est bien présent sans que cela génère de déséquilibre. Il faut l'attendre car il va encore évoluer favorablement. Partez à la chasse à l'escargot... C'est ce que l'on peut trouver de mieux pour accompagner ce vin délicieux. Pouvant aussi attendre, le **côtes-du-jura cuvée Prestige 2000 (5 à 8 €)** est un assemblage à la mise en bouteille de 80 % de chardonnay et de 20 % de savagnin, élevés en fût séparément et sans ouillage. La noisette est son credo, avec une bouche ample mais fraîche. Très réussi, il est typique, équilibré et délicat.

Fruitière vinicole de Voiteur,
60, rue de Nevy-sur-Seille, 39210 Voiteur,
tél. 03.84.85.21.29, fax 03.84.85.27.67,
e-mail voiteur@fruitiere-vinicole-voiteur.fr r.-v.

DOM. VOORHUIS-HENQUET La Poirière 2001

1 ha 1 800 11 à 15 €

La Poirière a été la première acquisition de Jean Voorhuis, ancien avocat aux Pays-Bas et passionné de vins. La fermentation et l'élevage se réalisent en fût de 228 l. La robe de cette Poirière est jaune soutenu à reflets dorés. On y trouve de l'intensité aromatique, tant au nez qu'en bouche, sur des notes de miel et de pomme cuite ; du volume aussi, avec un gras enveloppant. Un ensemble un peu déconcertant car son évolution semble rapide pour un 2001 : il faut donc le boire maintenant, sur des grenouilles persillées, par exemple.

Dom. Voorhuis-Henquet,
35-37, rue Neuve, 39570 Conliège,
tél. 03.84.24.34.41, fax 03.84.24.36.11 r.-v.

Crémant-du-jura

Reconnue par décret du 9 octobre 1995, l'AOC crémant-du-jura s'applique à des mousseux élaborés selon les règles strictes des crémants, à partir de raisins récoltés à l'intérieur de l'aire de production de l'AOC côtes-du-jura. Les cépages rouges autorisés sont le poulsard (ou ploussard), le pinot noir appelé localement gros noirien, le pinot gris et le trousseau ; les cépages blancs sont le savagnin (appelé localement naturé), le chardonnay (appelé melon d'Arbois ou gamay blanc). Notez qu'en 2003 ont été déclarés 7 757 hl de crémant.

FRUITIERE VINICOLE D'ARBOIS 2001 ★★★

18 ha 170 000 5 à 8 €

On ne prend pas le même... mais on recommence ! Après un coup de cœur pour le millésime 2000, il faut admettre l'évidence : la Fruitière vinicole d'Arbois est une presque centenaire qui en veut encore. Robe éclatante d'un jaune pâle brillant que seule la mousse abondante et persistante arrive à troubler. De la pomme verte, une pointe de menthol : les bulles ne nous emporteraient-elles pas au ciel ? Non, la bouche nous fait reprendre raison tant elle accapare : au cœur du palais naît un délicat parfum fruité sur une base de pomme verte qu'une fine acidité

transporte. Un crémant de très grande classe. « Une sorte d'évidence », note un dégustateur, tandis qu'un autre pense qu'en terme d'accord gourmand, « il se suffit à lui-même ». Si ce n'est pas le cœur qui parle...

Fruitière vinicole d'Arbois,
2, rue des Fossés, 39600 Arbois,
tél. 03.84.66.11.67, fax 03.84.37.48.80 r.-v.

DANIEL BROCARD 2001

2 ha 5 000 5 à 8 €

Un blanc de blancs qui a de la mousse. Très effervescent, il affiche une belle robe couleur jaune pâle. Les agrumes donnent au nez un ton très frais qui se retrouve tout au long de la dégustation. Bien équilibré, un ensemble réussi dans un millésime réputé difficile.

Daniel Brocard,
7, rue de l'Eglise, 39570 Pannessières,
tél. 03.84.43.04.67, fax 03.84.86.28.99
t.l.j. sf dim. 8h-20h

CAVEAU DES BYARDS Sélection du Jubilé 2000

0,9 ha 6 500 5 à 8 €

Cinquante ans de vie commune, ça s'arrose ! Les coopérateurs de cette toute petite unité ont dû dignement fêter l'événement avec ce crémant qui n'est pas avare de mousse. Le nez frais présente des notes d'agrumes et de fruits confits. La bouche affiche beaucoup de fraîcheur, dans une structure qui allie souplesse et acidité. L'impression de fondu est très agréable. Rien ne sert d'attendre.

Caveau des Byards, 39210 Le Vernois,
tél. 03.84.25.33.52, fax 03.84.25.38.02 r.-v.

MARCEL CABELIER 2002

51 ha 434 000 5 à 8 €

Il ne sera pas dit que c'est un blanc de blancs. Le pinot noir entre en effet dans la composition de cette cuvée à hauteur de... 2 %. C'est une réalisation de la Compagnie des Grands Vins du Jura, opérateur majeur de l'appellation. De jolies bulles fines dans une robe très pâle, un nez fruité, une bouche curieusement un peu fumée, et bien équilibrée : un vin d'apéritif.

Dom. de Savagny,
rte de Champagnole, 39570 Crançot,
tél. 03.84.87.61.30, fax 03.84.48.21.36
t.l.j. 9h-12h 14h-18h

RICHARD DELAY 2001 ★

n.c. 7 000 5 à 8 €

Ça mousse, ça mousse. Moins exubérant, le nez est assez complexe, entre notes florales, anis et pomme mûre. Après tant d'effervescence, la bouche semble plus calme. C'est une question de goût.

🖐 Richard Delay,
37, rue du Château, 39570 Gevingey,
tél. 03.84.47.46.78, fax 03.84.43.26.75,
e-mail delay@freesurf.fr ☑ ⟩ ⚭ r.-v.

DANIEL DUGOIS ★★

	n.c.	9 000	📖↓	5 à 8 €

Cépages rouges et chardonnay se partagent l'origine de ce crémant à la mousse chantante, qui crépite abondamment dans le verre. C'est la pomme verte qui domine au nez, tandis que la bouche offre des tons de pomme plus mûre. L'accroche reste fraîche, donnant une bonne mesure de la pleine harmonie de ce crémant. Il y a la générosité du fruité et la vivacité qui n'appellent qu'une seule chose : l'apéritif.
🖐 Daniel Dugois,
4, rue de la Mirode, 39600 Les Arsures,
tél. 03.84.66.03.41, fax 03.84.37.44.59 ☑ 🏠 ⟩ ⚭ r.-v.

CLAUDE JOLY 2001 ★

	2,5 ha	12 000		5 à 8 €

Les bulles fines et nombreuses se pressent dans la robe jaune pâle. Les touches d'agrumes du nez sont une invitation au plaisir. Que de fraîcheur et d'élégance ! La bouche suit, dans un bel équilibre et une impression de fraîcheur renouvelée à chaque instant. Apéritif ou fin de repas, comme il vous plaira.
🖐 EARL Claude et Cédric Joly,
chem. des Patarattes, 39190 Rotalier,
tél. 03.84.25.04.14, fax 03.84.25.14.48 ☑ ⟩ ⚭ r.-v.

LIGIER PERE ET FILS 2001 ★

	1,5 ha	8 000	📖	5 à 8 €

Initialement installée à Mont-sous-Vaudrey, la cave a été transférée pour l'essentiel à Arbois en 2002. Ce crémant est un vin d'assemblage (80 % chardonnay, 20 % pinot), et on jurerait pourtant que c'est un blanc de blancs. La mousse qui s'en dégage est crémeuse. Discret, le nez exprime le fruité avec une dominante de poire et de pomme verte. La bouche foisonne ; si elle débute dans l'ampleur, elle finit sur la vivacité. Cela secoue un peu l'harmonie générale, mais il vaut mieux que ce soit dans ce sens que dans l'autre. Avec le temps, cette finale évoluera un peu. L'ensemble est bien fait.
🖐 Dom. Ligier Père et Fils,
56, rue de Pupillin, 39600 Arbois,
tél. 03.84.66.28.06, fax 03.84.81.59.82,
e-mail ligier@netcourrier.com ☑ ⟩ ⚭ r.-v.

FREDERIC LORNET

	1,5 ha	10 000		5 à 8 €

Frédéric Lornet est installé dans l'ancienne abbaye de Genne. Il vend une petite partie de sa production à l'étranger, dont ce crémant-du-jura. De fines bulles s'échappent régulièrement d'une belle robe jaune clair. Le nez est assez simple et la bouche fraîche mais souple. Un ensemble léger, à boire frais, à l'apéritif.
🖐 Frédéric Lornet, L'Abbaye,
39600 Montigny-lès-Arsures,
tél. 03.84.37.44.95, fax 03.84.37.40.17,
e-mail frederic-lornet@club-internet.fr ☑ ⟩ ⚭ r.-v.

DOM. MARTIN-FAUDOT ★

	0,6 ha	3 200		5 à 8 €

Ce blanc de blancs à la robe pâle dévoile une mousse fine et légère. La délicatesse est aussi de mise au nez : une

pointe de noisette par ci, un effluve de poire par là, un soupçon de fleurs blanches pour finir. La bouche est vive, mais la matière très présente. C'est un vin de plaisir, bien fait, à partager à l'apéritif.
🖐 Dom. Martin-Faudot,
1, rue Bardenet, 39600 Mesnay,
tél. 03.84.66.29.97, fax 03.84.66.29.84,
e-mail info@domaine-martin.fr ☑ ⟩ ⚭ r.-v.

DOM. DE MONTBOURGEAU 2000 ★

	9 ha	12 000	📖↓	5 à 8 €

Nicole Deriaux vinifie son crémant de façon à tirer le maximum de fraîcheur. Objectif atteint ! De nombreuses bulles, mais une fine mousse. Le côté vif emplit le nez avec de jolis parfums fruités, plutôt sur les agrumes, et floraux. Intense, la bouche suit sur tous les plans. Une belle matière, traitée avec soin, qui donne un crémant frais et fondu pour l'apéritif.
🖐 Dom. de Montbourgeau, 39570 L'Etoile,
tél. 03.84.47.32.96, fax 03.84.24.41.44,
e-mail domaine.montbourgeau@wanadoo.fr ☑ ⟩ ⚭ r.-v.
🖐 Jean Gros

JEAN-LUC MOUILLARD 2001 ★

	0,5 ha	4 000		5 à 8 €

L'étiquette de ce crémant est d'un bleu nuit profond. C'est justement le parfait compagnon d'une soirée entre amis. Sa jolie mousse n'est pas exubérante mais suffisamment intense, alors que le nez est, lui, très présent dans une belle fraîcheur d'agrumes et de notes beurrées. De la souplesse, du gras en bouche, sans qu'il y ait lourdeur : on se régale avec les notes de coing, de citron ou d'orange. Il ira jusqu'au bout de la nuit avec vous.
🖐 Jean-Luc Mouillard, rue du Parron, 39230 Mantry,
tél. 03.84.25.94.30, fax 03.84.25.97.29 ☑ 🏠 ⟩ ⚭ r.-v.

LA CAVE DE LA REINE JEANNE 2002 ★★

	n.c.	12 000	📖↓	5 à 8 €

Un vin issu de l'assemblage de raisins de chardonnay et de pinot noir, achetés en vendange fraîche par Bénédicte et Stéphane Tissot, puis vinifiés par eux-mêmes. La robe est claire et limpide. De fines bulles s'en dégagent, tandis qu'au nez un très frais et subtil parfum floral et grillé charme les sens. On retrouve cette fraîcheur en bouche, dans une attaque franche et pure. C'est un crémant d'apéritif, à servir sur des saveurs méditerranéennes, olives ou tomates séchées.
🖐 Le Cellier des Tiercelines,
54, Grande-Rue, 39600 Arbois,
tél. 03.84.66.08.27, fax 03.84.66.25.08,
e-mail stephane-tissot.arbois@wanadoo.fr ☑ ⟩ ⚭ r.-v.
🖐 Bénédicte et Stéphane Tissot

PIERRE RICHARD 2001 ★

	2 ha	12 000		8 à 11 €

Dans le millésime 1999, Pierre Richard avait proposé un crémant très original qui avait ravi le jury. Ce 2001 affiche une effervescence convaincante. Le nez n'est pas très puissant, mais son caractère fruité laisse augurer une belle fraîcheur. De l'équilibre en bouche, une vivacité confirmée, et une envie certaine d'ouvrir cette bouteille aussi bien à l'apéritif qu'au dessert.
🖐 Pierre Richard, rue Florentine, 39210 Le Vernois,
tél. 03.84.25.33.27, fax 03.84.25.36.13 ☑ ⟩ ⚭ r.-v.

DOM. DES RONCES 2001 ★

● 1 ha 4 000 ▮ 5 à 8 €

Chaque médaille a son revers : les ronces, en général, on n'aime pas trop, sauf pour ses délicieuses baies qui nous permettent de faire cette si bonne confiture. Cela méritait donc bien un acte de reconnaissance. Michel Mazier l'a fait. Si les ronces peuvent piquer, ce n'est pas le cas de ce crémant, tout en équilibre et en finesse. La bulle est légère, la fraîcheur agréable et le goût heureux. Un vin bien fait.

🔑 Michel Mazier, imp. du Rochet, 39190 Orbagna, tél. 03.84.25.09.76, fax 03.84.25.09.76 ☑ 🏠 Y 🚶 r.-v.

ANDRE ET MIREILLE TISSOT 2002 ★

● 4 ha 20 000 ▮🌡 5 à 8 €

En agriculture biologique depuis... la fin du siècle dernier, le domaine André et Mireille Tissot fait preuve d'un grand dynamisme. Tout comme ce crémant à la mousse volcanique. Un joli fruité au nez, une bouche assez vive, l'ensemble est agréable.

🔑 André et Mireille Tissot,
39600 Montigny-lès-Arsures,
tél. 03.84.66.08.27, fax 03.84.66.25.08,
e-mail stephane-tissot.arbois@wanadoo.fr ☑ Y 🚶 r.-v.

JEAN-LOUIS TISSOT 2001 ★

● 1 ha 6 000 ▮ 5 à 8 €

Il n'y a pas que l'étiquette qui a du relief dans ce crémant. Son effervescence est fine, le nez voyage autour du tilleul. La bouche est souple, harmonieuse, équilibrée. Un type de vin qui ne laisse pas indifférent. Comme une partie du jury, certains le trouveront peut-être un peu trop souple, mais d'autres apprécieront cette douceur, qui permettra d'associer cette bouteille à un dessert : une tarte Tatin, par exemple.

🔑 Jean-Louis Tissot,
Vauxelles, 39600 Montigny-lès-Arsures,
tél. 03.84.66.13.08, fax 03.84.66.08.09 ☑ Y r.-v.

DOM. DE LA TOURNELLE ★★

● n.c. 10 000 ▮ 5 à 8 €

Voilà de quoi trinquer à la réussite de celui qui, nouveau venu il y a quelques années, s'est fait un nom sur la place d'Arbois. Nul doute que ce coup de cœur viendra conforter le capital de sympathie dont jouit déjà Pascal Clairet. Les bulles de ce crémant montent dans le verre dans un cordon léger et persistant. La pomme verte donne un ton fruité et frais au nez, et cette fraîcheur va se poursuivre en bouche. On pourrait percevoir une certaine verdeur, mais le côté vineux tempère parfaitement cette tendance vive. La mousse tapisse finalement la bouche dans un bel équilibre. Si certains vins effervescents peuvent agresser, celui-ci attire incontestablement, au point de ne pouvoir s'en séparer de l'apéritif à la fin du repas.

🔑 Evelyne et Pascal Clairet,
Dom. de la Tournelle, 5, Petite-Place, 39600 Arbois,
tél. 03.84.66.25.76, fax 03.84.66.27.15,
e-mail domainedelatournelle@wanadoo.fr ☑ Y 🚶 r.-v.

TROYES DE MESLAY

● n.c. 5 000 ▮ **5 à 8 €**

A Pupillin, cherchez Paul Benoit rue du Chardonnay, du nom du cépage constituant ce crémant à la mousse imposante. Le nez offre une belle fraîcheur sur une note grillée. De la nervosité en bouche, mais aussi de la puissance. Une structure qui n'affecte pas le plaisir procuré.

🔑 Paul Benoit et Fils, La Chenevière,
rue du Chardonnay, 39600 Pupillin,
tél. 03.84.37.43.72, fax 03.84.66.24.61
☑ Y 🚶 t.l.j. 9h-19h

DOM. PHILIPPE VANDELLE 2001 ★

● 4 ha 20 000 ▮🌡 5 à 8 €

Un brut qui ne joue pas la brute ! De petites bulles fines s'expriment tranquillement dans une robe claire et limpide. Puis la fraîcheur et l'élégance s'expriment au nez, avec des notes discrètes de pomme verte. La bouche est pleine, mais le caractère vineux est atténué par une bonne acidité. Les tons de pomme rehaussent aussi la fraîcheur : équilibre et harmonie sont bien présents. Pour un apéritif entre gens de bonne composition.

🔑 Dom. Philippe Vandelle, 186, rue Bouillod,
39570 L'Etoile, tél. 03.84.86.49.57, fax 03.84.86.49.58,
e-mail info@vinsphilippevandelle.com ☑ Y 🚶 r.-v.

FRUITIERE VINICOLE DE VOITEUR ★

● 5 ha 20 000 5 à 8 €

Ce crémant n'a pas laissé indifférents les dégustateurs. A l'œil, la robe jaune paille et une belle mousse fine ont fait l'objet d'un commentaire unanime. Une même perception aussi en ce qui concerne le nez, bien noté. La bouche a, quant à elle, divisé le jury : tous l'ont trouvée vineuse, mais certains ont jugé cette vinosité excessive, alors que d'autres l'ont appréciée, car elle permettra à ce vin d'accompagner un repas fait de choucroute ou de potée. Deux visions du crémant-du-jura.

🔑 Fruitière vinicole de Voiteur,
60, rue de Nevy-sur-Seille, 39210 Voiteur,
tél. 03.84.85.21.29, fax 03.84.85.27.67,
e-mail voiteur@fruitiere-vinicole-voiteur.fr ☑ Y 🚶 r.-v.

L'étoile

Le village doit son nom à des fossiles, segments de tiges d'encrines (échinodermes en forme de fleurs), petites étoiles à cinq branches. Son vignoble (61 ha) a produit 2 161 hl de vins blancs, jaunes, de paille et mousseux en 2003.

LE CHARIOT D'OR 1997

▢ n.c. 15 000 ▮ ⬮ 🌡 **11 à 15 €**

Constituée de chardonnay (80 %) et de savagnin (20 %), cette cuvée a été vinifiée classiquement, puis élevée

avec un faible ouillage un an en cuve et cinq ans en fût. Le jury a été un peu dérouté par cet étoile, qu'il a trouvé intéressant néanmoins. Le côté pâte de coings au nez se retrouve en bouche avec des nuances de fruits mûrs, de compote, de confiture. C'est un vin souple, assez évolué, qu'il faut boire maintenant. Un dégustateur conseille de le servir sur une terrine de poisson.
⊶ Henri Maire, Ch. Boichailles, 39600 Arbois,
tél. 03.84.66.12.34, fax 03.84.66.42.42,
e-mail info@henri-maire.fr ▣ Y ⚲ r.-v.

CH. L'ETOILE Cuvée des Ceps d'or 2001 *

▢ 6 ha 20 000 ◉ 8 à 11 €

La Cuvée des Ceps d'or est toujours au rendez-vous du Guide depuis de nombreuses années. Elle n'est constituée que de chardonnay provenant de vignes d'une quarantaine d'années. La robe est jaune pâle, brillante et limpide. C'est la pomme bien mûre qui domine au nez, avec quelques nuances de noix. Cette même gamme aromatique se développe dans une bouche structurée, équilibrée et persistante. Un vin classique pour l'apéritif ou le poisson. Très réussi aussi, le **vin jaune 1996 (23 à 30 €)** se montre puissant au nez et vif en bouche. Comme tout bon « jaune », il devra attendre un minimum de trois ans, sachant qu'il sera mieux encore dans dix à quinze ans. Un dégustateur affirme même que dans cinquante ans, il aura toujours bon pied, bon œil. De l'intérêt d'être, très jeune, amateur de vins jaunes !
⊶ G. Vandelle et Fils,
GAEC Ch. de L'Etoile, 994, rue Bouillod,
39570 L'Etoile, tél. 03.84.47.33.07, fax 03.84.24.93.52,
e-mail info@chateau-etoile.com ▣ Y ⚲ r.-v.

DOM. GENELETTI Vin de paille 2000 **

▢ 0,5 ha 2 500 ◉ 15 à 23 €

On peut toujours trouver les vins du domaine à L'Etoile chez Michel Geneletti et maintenant aussi chez son fils, rue Saint-Jean, à Château-Chalon. La jeunesse de ce millésime est bien présente, et c'est pourtant un très beau vin de paille, à l'ancienne. Le vin de paille « du grand-père », écrit un dégustateur dans un sens tout à fait positif. Vanille, abricot, pain d'épice, pâte de fruits, coing : c'est l'explosion aromatique. L'acidité discrète apporte la fraîcheur nécessaire au couple sucre-alcool dans un très bel équilibre. Harmonie, typicité, tout y est. Pour le dessert, on a donc choisi ce vin. Pour une entrée, comme des coquilles Saint-Jacques au safran, l'**Etoile blanc 2000 (8 à 11 €)**, assemblage de chardonnay et d'un peu de savagnin (une étoile), est lui aussi bien structuré et plaisant avec son côté épicé.
⊶ Dom. Geneletti Père et Fils,
373, rue de l'Eglise, 39570 L'Etoile,
tél. 03.84.47.46.25, fax 03.84.47.38.18 ▣ Y ⚲ r.-v.

CLAUDE ET CEDRIC JOLY 1999 *

▢ 0,7 ha 3 000 ◉ 8 à 11 €

Installés dans le Sud-Revermont, les Joly possèdent également des vignes dans l'AOC l'étoile. Elevé trois ans en fût, ce vin de pur chardonnay se présente bien avec sa belle robe jaune paille et ses reflets verts. L'expression au nez est discrète mais subtile : fleurs blanches, fruits secs et touche briochée. C'est une forte personnalité qui s'annonce ; l'attaque est puissante, la structure solide, mais la discrétion est toujours de mise sur le plan aromatique.
⊶ EARL Claude et Cédric Joly,
chem. des Patarattes, 39190 Rotalier,
tél. 03.84.25.04.14, fax 03.84.25.14.48 ▣ Y ⚲ r.-v.

DOM. DE MONTBOURGEAU 2000 *

▢ n.c. 20 000 ▮◉♁ 5 à 8 €

Si Nicole Deriaux, fille de Jean Gros, est toujours attachée à garder au domaine son authenticité et à faire valoir la notion de terroir, elle se place résolument dans le monde d'aujourd'hui. La propriété a ainsi ouvert son site internet à l'automne 2003. Du minéral, de la fleur d'acacia, des épices, ce vin issu de chardonnay affiche un beau nez. La bouche est très fraîche, voire mordante, mais le fond est assez typique. A attendre deux à cinq ans. Le **vin de paille 1999 (15 à 23 €)** est cité ; plaisant, équilibré, il délivre d'agréables notes de miel.
⊶ Dom. de Montbourgeau, 39570 L'Etoile,
tél. 03.84.47.32.96, fax 03.84.24.41.44,
e-mail domaine.montbourgeau@wanadoo.fr ▣ Y ⚲ r.-v.
⊶ Jean Gros

CH. DE PERSANGES 2000 *

▢ 1 ha 6 500 ▮◉ 5 à 8 €

Gîte rural et chambres d'hôte sur le domaine vous permettront d'apprécier les vins en toute tranquillité, dont cet étoile jaune pâle aux reflets verts. Légèrement fumé, le nez développe aussi des notes de noisette et d'épices. Encore un peu rustique, c'est un vin néanmoins prometteur : il lui faudra deux à cinq ans pour évoluer. En attendant, on peut déguster à l'apéritif le **vin de paille 2000 (15 à 23 €)**, très réussi, qui donne une impression de fraîcheur du nez jusqu'en fin de bouche.
⊶ Ch. de Persanges,
rte de Saint-Didier, 39570 L'Etoile,
tél. 03.84.47.46.56, fax 03.84.47.46.56
▣ ♜ ♜ Y ⚲ t.l.j. 9h30-12h 14h30-19h;
lun. dim. sur r.-v.
⊶ Marie-Lionel d'Arc

DOM. PHILIPPE VANDELLE
Vieilles Vignes 2000 **

▢ 4 ha 13 000 ▮◉♁ 5 à 8 €

Pour aller chez Philippe Vandelle en venant de Lons-le-Saunier, il faut, au pont-bascule et en face du pressoir, prendre la route qui monte vers le haut du village. Cet étoile monte, lui aussi. Un peu fermé au départ, il évolue favorablement à la dégustation, pour finir sur la noix et les épices dans une belle ampleur. Remarquablement structuré, il doit pouvoir bien vieillir.
⊶ Dom. Philippe Vandelle,
186, rue Bouillod, 39570 L'Etoile,
tél. 03.84.86.49.57, fax 03.84.86.49.58,
e-mail info@vinsphilippevandelle.com ▣ Y ⚲ r.-v.

Les vins de liqueur

Macvin-du-jura

Tirant probablement son origine d'une recette des abbesses de l'abbaye de Château-Chalon, le macvin – anciennement maquevin ou marc-vin – a été reconnu en AOC 1991. C'est en 1976 que la Société de Viticulture engagea pour la première fois une démarche de reconnaissance en AOC pour ce produit très original. L'enquête fut longue. En effet, au cours du temps, le macvin, d'abord vin cuit additionné d'aromates ou d'épices, est devenu mistelle, élaboré à partir du moût concentré par la chaleur (cuit), puis vin de liqueur muté soit au marc, soit à l'eau-de-vie de vin de Franche-Comté. La méthode la plus courante a été finalement retenue ; il s'agit pour l'AOC d'un vin de liqueur mettant en œuvre du moût ayant subi un tout léger départ en fermentation, muté avec l'eau-de-vie de marc de Franche-Comté à appellation d'origine, issue de la même exploitation que les moûts. Le moût doit provenir des cépages et de l'aire de production ouvrant droit à l'AOC. L'eau-de-vie doit être « rassise », c'est-à-dire vieillie en fût de chêne pendant dix-huit mois au moins.

Après cette ultime association qui se fait sans filtration, le macvin doit « reposer » pendant un an en fût de chêne, puisque sa commercialisation ne peut se faire avant le 1er octobre de l'année suivant la récolte.

La production, en évolution, se situe à 3 018 hl en 2003 (sur 61 ha). C'est un apéritif d'amateur qui rappelle les produits jurassiens à forte influence du terroir.

LA FRUITIERE D'ARBOIS

	5 ha	30 000		11 à 15 €

C'est trente ans après que les vignerons d'Arbois se sont regroupés en cave coopérative que la première appellation d'origine contrôlée du secteur a vu le jour. Ils faisaient vraisemblablement déjà du macvin, mais il aura fallu attendre 1991 pour que ce produit puisse lui aussi en bénéficier. C'est sans doute parce que le poulsard entre dans la composition du moût que ce macvin affiche une robe très foncée. La bouche est chaude, avec une forte présence d'alcool, dans des tons de café. Justement, après le café et avec un morceau de chocolat, ce sera bon.
🍷 Fruitière vinicole d'Arbois,
2, rue des Fossés, 39600 Arbois,
tél. 03.84.66.11.67, fax 03.84.37.48.80 ☑ ⵏ ⫽ r.-v.

CH. D'ARLAY

	0,5 ha	2 000		15 à 23 €

Une singularité : ce macvin est issu du mutage d'un moût composé uniquement de pinot noir. La robe rubis et ses reflets saumon ne trompent pas. Le nez semble fermé, mais déjà percent des notes plaisantes de griotte, de pruneau et de fruits mûrs. Une belle homogénéité en bouche entre acidité et alcool donne un fondu harmonieux. La structure, légère, est agréable. A privilégier sur un dessert.
🍷 Alain de Laguiche, Ch. d'Arlay, 39140 Arlay,
tél. 03.84.85.04.22, fax 03.84.48.17.96,
e-mail alaindelaguiche@aol.com
☑ ⵏ ⫽ t.l.j. sf dim. 9h-12h 14h-18h

CELLIER DE BELLEVUE ★★

	0,25 ha	1 600		11 à 15 €

L'ancien domaine Victor Crédoz a été partagé, et Daniel Crédoz poursuit l'œuvre au sein du cellier de Bellevue. L'alcool est bien présent au nez, avec aussi quelques notes fruitées. Si l'attaque est vive, la bouche développe une grande richesse, de la fraîcheur, une complexité naissante sur des nuances de café, de vanille et d'amande, une belle persistance : tout est prêt pour faire un très beau macvin d'ici quelque temps.
🍷 Daniel Crédoz, Cellier de Bellevue,
rte des Granges, 39210 Menétru-le-Vignoble,
tél. 03.84.85.26.98, fax 03.84.44.62.41,
e-mail cellier-de-bellevue@wanadoo.fr ☑ ⵏ ⫽ r.-v.

BERNARD FRERES ★★

	n.c.	600		11 à 15 €

Les frères Bernard affirment faire de la « bio » depuis toujours, mais ils ne sont pas certifiés. Elevé quatre ans en fût, ce « vieux » macvin est bien beau dans sa robe dorée et ses reflets orangés. Le nez se rapprocherait presque de celui d'un cognac, avec un côté très pur, riche et délicat à la fois. La bouche est soyeuse, d'une finesse remarquable. Chaleureuse et fondue, elle joue sur les arômes de miel, d'orange et de chocolat. Quelle harmonie et quelle longueur ! Un macvin très typé, pour esthètes.
🍷 Bernard Frères, 15, rue Principale, 39570 Gevingey,
tél. 03.84.47.33.99, e-mail claudebernard@freesurf.fr
☑ ⵏ ⫽ r.-v.

DANIEL BROCARD ★★

	0,25 ha	1 500		11 à 15 €

Jaune citron et reflets dorés à l'œil. La compagnie des épices et de la vanille au nez est des plus plaisantes. La bouche est assez vive, mais cela ne trouble ni l'équilibre, ni l'harmonie de ce macvin en devenir. Le registre aromati-

que (agrumes et pomme verte), fort agréable, laisse une impression décidément très fraîche, tout à fait adaptée à l'apéritif.
Daniel Brocard,
7, rue de l'Eglise, 39570 Pannessières,
tél. 03.84.43.04.67, fax 03.84.86.28.99
t.l.j. sf dim. 8h-20h

PHILIPPE BUTIN *

0,2 ha 1 150 11 à 15 €

L'étiquette de ce macvin porte la mention « vieilli en fût de chêne ». Il faut savoir que c'est une obligation pour l'AOC. Le marc est ici bien présent au nez, mais des notes d'agrumes, de réglisse, de menthol et de pruneau s'y pressent aussi. La bouche fondue est un peu sucrée, avec un côté fruit de la Passion assez net. C'est un joli macvin, qu'il faut laisser un peu tranquille pour ne l'ouvrir que dans un moment avec un gâteau aux fruits.
Philippe Butin,
21, rue de La Combe, 39210 Lavigny,
tél. 03.84.25.36.26, fax 03.84.25.39.18 r.-v.

MARCEL CABELIER *

n.c. n.c. 11 à 15 €

Cette maison, spécialiste du crémant-du-jura, montre avec ce macvin qu'elle a plusieurs cordes à son arc. Le nez est avenant, entre notes grillées, anisées, épicées et fruits exotiques. Si l'attaque est vive, le gras arrive vite à emplir la bouche dans un beau volume jusqu'à une belle persistance aromatique sur les fruits secs et le confit.
Dom. de Savagny,
rte de Champagnole, 39570 Crançot,
tél. 03.84.87.61.30, fax 03.84.48.21.36
t.l.j. 9h-12h 14h-18h

DENIS CHEVASSU ***

n.c. 1 000 11 à 15 €

Il y a du charme dans cette maison, et ce macvin n'en est naturellement pas dénué avec cette robe d'un beau doré brillant. Alliant puissance, complexité et élégance, le nez offre des notes de pomme cuite, de vanille et de caramel. Quel plaisir en bouche, dans cette ampleur, tout juste rafraîchie par une belle acidité. Le vieux marc est là, en point dominant, mais laisse aussi s'exprimer des arômes de vanille et de cacao. La tarte Tatin devrait chanter en toute harmonie en notre palais.
Denis Chevassu,
Granges Bernard, 39210 Menétru-le-Vignoble,
tél. 03.84.85.23.67, fax 03.84.85.23.67 r.-v.

COURBET *

0,25 ha 2 800 11 à 15 €

Une histoire d'alliances : d'une part entre les parents Courbet et leur fils, réunis désormais en GAEC, et d'autre part entre l'eau-de-vie de marc de Franche-Comté et le moût de savagnin-chardonnay. Que ferions-nous sans ces assemblages aussi complexes qu'enrichissants ? Au nez, le macvin est frais et racé. Un peu chocolaté, mentholé, il développe aussi de jolies notes de coing. La bouche est puissante et intense, avec une forte présence du marc mais également une touche sucrée.
Dom. Courbet,
rue du Moulin, 39210 Nevy-sur-Seille,
tél. 03.84.85.28.70, fax 03.84.44.68.88,
e-mail dcourbet@hotmail.com r.-v.

DANIEL DUGOIS *

0,25 ha 4 000 11 à 15 €

Henri IV plastronne sur l'étiquette de ce macvin qui se montre à nos yeux avec autant d'éclat, dans une robe jaune citron d'une étonnante brillance. D'abord floral au nez, puis lacté, il évolue sur le fruit. La bouche est ample, peut-être pas encore tout à fait fondue, mais d'une belle longueur. C'est un vin très classique, au bon sens du terme.
Daniel Dugois,
4, rue de la Mirode, 39600 Les Arsures,
tél. 03.84.66.03.41, fax 03.84.37.44.59 r.-v.

DOM. FORET *

n.c. 2 000 11 à 15 €

« Du soleil dans le verre », note un dégustateur pour parler de la robe jaune orangé de ce macvin. C'est sans compter le reste de la dégustation qui, en effet, n'apporte que bienfaits dans une douce chaleur. Toutes les nuances d'agrumes s'offrent au nez : fleur d'oranger, orange sèche, orange confite. Et on ne s'étonnera pas qu'en bouche ce soit la liqueur d'orange qui marque le fond aromatique de ce macvin équilibré et franc. Gâteau au chocolat recommandé.
Dom. Foret, 13, rue de la Faïencerie, 39600 Arbois,
tél. 03.84.66.23.01, fax 03.84.66.10.98 r.-v.

JURA

DOM. GENELETTI *

0,3 ha 1 800 11 à 15 €

Père et fils se sont associés dans ce domaine. Fruit également d'une association, celle du marc et d'un moût de chardonnay, ce macvin oscille entre miel et fruité au nez. La première bouche est assez liquoreuse, mais l'acidité soutient bien le gras dans un fruité plaisant. Aguicheur, il offre une bonne harmonie générale. La finale, sur le fruit presque passerillé, est d'une belle élégance. A l'apéritif ou sur une tarte aux mirabelles, il sera parfait dans quelques mois.
Dom. Geneletti Père et Fils,
373, rue de l'Eglise, 39570 L'Etoile,
tél. 03.84.47.46.25, fax 03.84.47.38.18 r.-v.

DOM. GRAND FRERES *

2 ha 16 000 11 à 15 €

Dans beaucoup de villages du Revermont, les rues portent des noms de cépages. Le domaine est situé rue du Savagnin. Pour ce macvin, c'est un moût de chardonnay qui a été muté. Si l'alcool est bien présent au nez, cela n'empêche pas un joli fruité sur fond de noix de se développer. Le jury aime la rondeur et l'élégance de la bouche aux arômes de raisin frais. Un joli produit, assez moderne.
Dom. Grand Frères,
rue du Savagnin, 39230 Passenans, tél. 03.84.85.28.88,
fax 03.84.44.67.47, e-mail grandfreres@wanadoo.fr
t.l.j. 9h-12h 14h-18h;
f. sam. dim. en jan., fév. et mars

ALAIN LABET *

n.c. 1 500 11 à 15 €

Un premier nez sur la menthe et l'amande évolue rapidement sur l'écorce d'orange. La bouche ne manque pas de complexité elle non plus. L'alcool, encore un peu marqué, soutient plus qu'il n'épouse, mais la fraîcheur persiste néanmoins. C'est un macvin qui conviendra sans doute mieux au dessert qu'à l'apéritif, avec un gâteau au chocolat, par exemple.
Alain Labet, pl. du Village, 39190 Rotalier,
tél. 03.84.25.11.13, fax 03.84.25.06.75 r.-v.

HENRI MAIRE

■ n.c. 15 000 15 à 23 €

Le macvin est généralement issu de cépages blancs. Ici, c'est un assemblage de poulsard et de trousseau qui a donné naissance à un macvin à la robe saumon ambré ; le joli nez de griotte et de prune est relayé par une bouche toujours sur les fruits rouges à l'eau-de-vie (fraise, cerise, framboise). Avec cette structure très fondue et une grande douceur, c'est plutôt un vin de dessert, prêt à boire.

⚷ Henri Maire, Ch. Boichailles, 39600 Arbois, tél. 03.84.66.12.34, fax 03.84.66.42.42, e-mail info@henri-maire.fr ☑ Y 🚶 r.-v.

LA MAISON DE ROSE ★★

■ 0,15 ha 1 200 ● 8 à 11 €

Le nez de ce macvin, que certains qualifient d'un peu atypique, est néanmoins très expressif. Le côté rancio, cacao, fait penser à de vieux liquoreux. Une complexité que l'on retrouve dans une bouche particulièrement fondue. Original, ce style confit et évolué fait entrer ce macvin dans « un monde à part », comme le note un dégustateur.

⚷ Dominique Grand, 8, rue de l'Eglise, 39230 Saint-Lothain, tél. 03.84.37.01.32 ☑ Y 🚶 r.-v.

JEAN-LUC MOUILLARD ★

■ 0,5 ha 2 000 ● 11 à 15 €

Beaucoup d'éclat dans cette robe dorée. Le nez de ce macvin est pour le moins typé : la gentiane est très présente, et les tons de vanille et de mirabelle ont bien du mal à se frayer un passage. Il eût été étonnant qu'un arôme aussi prégnant que celui-ci ne se retrouve pas en bouche. C'est bien le cas. L'équilibre de la structure rend ce macvin plaisant, mais quelle originalité sur le plan aromatique ! Un vin « découverte » mais peu représentatif.

⚷ Jean-Luc Mouillard, rue du Parron, 39230 Mantry, tél. 03.84.25.94.30, fax 03.84.25.97.29 ☑ 🏠 Y 🚶 r.-v.

DOM. DESIRE PETIT ★★★

■ 1 ha 6 000 ● 11 à 15 €

Devise de la maison : petit de nom, grand de renom. Avec deux coups de cœur consécutifs pour le macvin, ce n'est sans doute pas usurpé. La robe vieil or est qualifiée de magnifique. La complexité du nez l'est autant : la noix fraîche rivalise avec des notes fumées ou encore des tons de caramel au lait et de miel. La bouche, d'un grand équilibre, commence dans l'ampleur et le gras mais ne plonge jamais dans la lourdeur car il a un beau fond d'acidité. Longueur, complexité aromatique, harmonie, tout y est. Une superbe représentativité de l'AOC que l'on peut savourer tout de suite ou bien attendre. Un gâteau praliné serait une bonne base d'accord gourmand, mais on peut aussi le boire tout seul, n'importe quand, avec l'assurance d'un grand plaisir.

⚷ Dom. Désiré Petit, rue du Ploussard, 39600 Pupillin, tél. 03.84.66.01.20, fax 03.84.66.26.59, e-mail domaine-desire-petit@wanadoo.fr

☑ Y 🚶 t.l.j. 9h-12h 14h-19h; groupes sur r.-v.

⚷ Gérard et Marcel Petit

DOM. PIGNIER ★★

■ 1 ha 5 500 ● 11 à 15 €

Une robe très pâle pour ce macvin qui joue la carte de la légèreté sur toute la longueur. La fraîcheur du nez est très agréable : menthol, verveine, foin coupé forment un tableau olfactif des plus séduisants. Une fine note de marc apparaît en attaque, mais très vite l'équilibre se fait entre fruité et alcool, dans une belle rondeur. La matière est bien fondue et s'exprime entre nuances florales et fruitées. Un macvin de communiant.

⚷ Dom. Pignier, Cellier des Chartreux, 39570 Montaigu, tél. 03.84.24.24.30, fax 03.84.47.46.00, e-mail pignier-vignerons@wanadoo.fr ☑ Y 🚶 r.-v.

FRUITIERE VINICOLE DE PUPILLIN

■ 1,7 ha 7 500 ● 11 à 15 €

Installée depuis 1909 à Pupillin, devenue ni plus ni moins la capitale mondiale du ploussard, la Fruitière vinicole ne pouvait faire autrement qu'honorer ce cépage, à la base du moût muté pour ce macvin rubis violacé. Quelques notes de pruneau et de violette s'échappent au nez, mais la fraîcheur de l'alcool domine encore. Le caractère de l'eau-de-vie est encore également très présent en bouche. Il va falloir attendre que tout cela se fonde, mais le potentiel existe.

⚷ Fruitière vinicole de Pupillin, rue du Ploussard, 39600 Pupillin, tél. 03.84.66.12.88, fax 03.84.37.47.16, e-mail fvp39@wanadoo.fr ☑ Y 🚶 r.-v.

LA CAVE DE LA REINE JEANNE ★★

■ n.c. 2 000 ● 11 à 15 €

Si les caves datent du XIVes., l'entreprise a été créée par Bénédicte et Stéphane Tissot il y a moins d'une dizaine d'années, au cœur d'Arbois. Tout comme par les voûtes en croisée d'ogives, l'œil est attiré par la robe d'or de ce macvin. La puissance du marc associée aux notes de jus de raisin frais donnent un nez captivant, que seule la finesse de la bouche vient égaler : la pâte de coings se mêle aux arômes de cacao, d'orange et, bien sûr, de marc, le tout dans une superbe maturité. L'apéritif est servi !

⚷ Le Cellier des Tiercelines, 54, Grande-Rue, 39600 Arbois, tél. 03.84.66.08.27, fax 03.84.66.25.08, e-mail stephane-tissot.arbois@wanadoo.fr ☑ Y 🚶 r.-v.

⚷ Bénédicte et Stéphane Tissot

DOM. DE LA RENARDIERE ★

■ 0,5 ha 3 000 ● 11 à 15 €

Du raisin frais, le marc en retrait : quel nez flatteur pour ce macvin jaune d'or ! La bouche, très nette, possède un joli gras ; l'alcool se fait plus présent mais avec toujours une impression de fraîcheur. De la persistance, un joli fondu, on est dans le vrai.

⚷ Jean-Michel Petit, rue du Chardonnay, 39600 Pupillin, tél. 03.84.66.25.10, fax 03.84.66.25.70, e-mail renardiere@libertysurf.fr

☑ Y 🚶 t.l.j. 10h-12h 13h30-19h; dim. sur r.-v.

PIERRE RICHARD ★

	0,5 ha	3 000		⊞ 11 à 15 €

Pierre Richard fait vieillir son macvin quatre ans en petits foudres de 10 hl. Une robe jaune doré d'une belle limpidité entoure un nez assez chaud, jouant sur des arômes de marc frais, de mirabelle et d'abricot sec. La bouche, souple, se révèle d'une bonne longueur. Un macvin harmonieux, de bonne facture.
➤ Pierre Richard, rue Florentine, 39210 Le Vernois, tél. 03.84.25.33.27, fax 03.84.25.36.13 ☑ ⵏ 𝝌 r.-v.

DOM. ROLET ★

	2 ha	12 000		⊞ 11 à 15 €

Le savagnin, c'est le cépage roi du Jura, celui qui est à l'origine du vin jaune. La famille Rolet l'a aussi mis à contribution pour élaborer un macvin qui présente une belle robe jaune paille. Les épices dominent au nez tandis qu'en bouche, l'alcool prend le dessus, laissant néanmoins ressortir le fruité. Une belle persistance.
➤ Dom. Rolet Père et Fils, Montesserin, rte de Dole, 39600 Arbois, tél. 03.84.66.00.05, fax 03.84.37.47.41, e-mail rolet @ wanadoo.fr ☑ ⵏ 𝝌 r.-v.

JACQUES TISSOT

	1 ha	5 000		⊞ 11 à 15 €

Jacques Tissot fait partie de ces vignerons qui aiment faire partager leur métier. Il sera sans doute très heureux de vous faire découvrir ce macvin, marqué par l'empreinte du marc, tant au nez qu'en bouche dont le volume n'est pas dénué de fraîcheur. Belle persistance.
➤ Dom. Jacques Tissot, 39, rue de Courcelles, 39600 Arbois, tél. 03.84.66.14.27, fax 03.84.66.24.88, e-mail courrier @ domaine-jacques-tissot.fr ☑ ⌂ ⵏ 𝝌 r.-v.

JEAN TRESY ET FILS ★

	0,5 ha	3 200		⊞ 11 à 15 €

Chez les Trésy, on cultive la vigne à Passenans depuis le XVIIIᵉs. De quoi acquérir une certaine compétence dans l'art d'élaborer le macvin. Au nez de marc se mêlent des arômes d'eau-de-vie de fruits à noyau, tels que le kirsch ou la mirabelle, ainsi que la gentiane. Curieux mais pas désagréable. La bouche montre la puissance mais aussi l'équilibre et la finesse.
➤ Jean Trésy et Fils, rte des Longevernes, 39230 Passenans, tél. 03.84.85.22.40, fax 03.84.44.99.73, e-mail tresy.vin @ wanadoo.fr ☑ ⵏ 𝝌 r.-v.

La Savoie

_____ Du lac Léman à la vallée de l'Isère, dans les deux départements de la Savoie et de la Haute-Savoie, le vignoble occupe les basses pentes favorables des Alpes. En constante extension (près de 1 960 ha), il produit bon an mal an environ 130 000 hl. Il forme une mosaïque complexe au gré des différentes vallées dans lesquelles il est établi en îlots plus ou moins importants. Cette diversité géographique se retrouve dans les variantes climatiques, les caractères montagnards étant accentués par le relief ou tempérés par le voisinage des lacs Léman et du Bourget.

_____ Vin-de-savoie et roussette-de-savoie sont les appellations régionales, utilisées dans toutes les zones ; elles peuvent être suivies de la mention d'un cru, mais ne s'appliquent alors en général qu'à des vins tranquilles, uniquement blancs pour les roussettes. Les vins des secteurs de Crépy et de Seyssel ont droit chacun à leur propre appellation.

_____ Les cépages, du fait de la grande dispersion du vignoble, sont assez nombreux mais, en réalité, un certain nombre n'existent qu'en très faible quantité : le pinot et le chardonnay, notamment. Quatre blancs et deux noirs sont les principaux, en même temps que ceux qui donnent des vins originaux spécifiques. Le gamay, importé du Beaujolais voisin après la crise phylloxérique, est celui des vins frais et légers, à consommer dans l'année. La mondeuse, cépage local, donne des vins rouges bien charpentés, notamment à Arbin, dont elle est la variété exclusive ; c'était, avant le phylloxéra, le cépage le plus important de la Savoie ; il est souhaitable qu'elle reprenne sa place, car ses vins sont de belle qualité et ont beaucoup de caractère. La jacquère est le cépage blanc le plus répandu ; elle donne des vins blancs frais et légers, à consommer jeunes. L'altesse est un cépage très fin, typiquement savoyard, celui des vins blancs vendus sous le nom de roussette-de-savoie. La roussanne, portant le nom local de bergeron, donne également des vins blancs de haute qualité, spécialement à Chignin, avec le chignin-bergeron. Enfin, le chasselas, présent sur les rives du lac Léman, est utilisé dans la partie haut-savoyarde de l'AOC.

Crépy

Comme sur toute la rive du lac Léman, c'est le chasselas qui est planté dans le vignoble de Crépy (80 ha, dont 63 revendiqués en 2003) ; il est le cépage unique. Il a donné 3 410 hl de vin blanc léger en 2003. Cette petite région a obtenu l'AOC en 1948.

GOUTTE D'OR Cuvée des Fondateurs 2002 *

■ 5 ha 20 000 ■ ◖◗ ⊥ 5 à 8 €

Ancienne possession monastique, le vignoble de Crépy a bénéficié d'une AOC en 1948. Léon Mercier et Louis Mercier, grand-père et père de l'exploitant actuel, ont œuvré à cette consécration. Cette cuvée, élevée six mois sous bois, leur est dédiée. Elle représente très bien l'appellation, tant elle exprime, au nez comme au palais, les qualités aromatiques du chasselas. A un fruité d'agrumes se mêlent des notes torréfiées douces et délicates rappelant l'amande grillée et la viennoiserie. La bouche ample renoue avec les arômes d'agrumes en finale. Un vin de classe.

⚲ Héritiers Louis Mercier,
Dom. de La Grande Cave, 74140 Loisin,
tél. 04.50.94.00.01, fax 04.50.94.24.66,
e-mail clmercier74@aol.com ☑ Ⲩ ♂ r.-v.

Vin-de-savoie

Le vignoble donnant droit à l'appellation vin-de-savoie est installé le plus souvent sur les anciennes moraines glaciaires ou sur les éboulis, ce qui, joint à la dispersion géographique, conduit à une diversité souvent consacrée par l'adjonction d'une dénomination locale à celle de l'appellation régionale. Au bord du Léman, c'est, comme sur la rive suisse, le chasselas qui, à Marin, Ripaille, Marignan, donne des vins blancs légers, à boire jeunes, et que l'on élabore souvent perlants. Les autres zones ont des cépages différents et, selon la vocation des sols, produisent des vins blancs ou des vins rouges. On trouve ainsi, du nord au sud, Ayze, au bord de l'Arve, avec des vins blancs pétillants ou mousseux, puis, au bord du lac du Bourget (et au sud de l'appellation seyssel), la Chautagne, dont les vins rouges en particulier ont un caractère affirmé. Au sud de Chambéry, les bords du mont Granier recèlent des vins blancs frais, comme l'apremont et le cru des Abymes, vignoble établi sur le site d'un effondrement qui, en 1248, fit des milliers de victimes. En face, Monterminod, envahi par l'urbanisation, a malgré tout conservé un vignoble qui donne des vins remarquables ; il est suivi de ceux de Saint-Jeoire-Prieuré, de l'autre côté de Challes-les-Eaux, puis de Chignin, dont le bergeron qui a une renommée parfaitement justifiée. En remontant l'Isère par la rive droite, les pentes sud-est sont occupées par les crus de Montmélian, Arbin, Cruet et Saint-Jean-de-la-Porte.

Produits en faible quantité (81 950 hl en 2003) dans une région très touristique, les vin-de-savoie sont surtout consommés dans leur jeunesse, sur place, avec un marché où la demande dépasse parfois l'offre. Les vin-de-savoie blancs vont bien sur les produits des lacs ou de la mer, et les rouges issus de gamay s'accordent avec beaucoup de mets. Il est cependant dommage de consommer jeunes les vins rouges de mondeuse, qui ont besoin de plusieurs années pour s'épanouir et s'assouplir : ces bouteilles de haut niveau conviendront aux plats puissants, au gibier, à l'excellente tomme de Savoie et au fameux reblochon.

DOM. DES ANGES Aligoté 2003

■ 1,8 ha 13 000 ■ **5 à 8 €**

Ce vin a été apprécié pour son nez de fruits jaunes (mirabelle, pêche), la vivacité de sa bouche, légèrement perlante et agrémentée d'arômes d'agrumes (citron, orange) et de cire. Un ensemble flatteur qui s'accordera avec les entrées au fromage.

⚲ GAEC Angelier Frères,
hameau de Mure, 73800 Les Marches,
tél. 04.79.28.03.41, fax 04.79.71.52.59,
e-mail domainedesanges@wanadoo.fr ☑ Ⲩ ♂ r.-v.

DOM. BELLUARD FILS
Ayze Méthode traditionnelle 2002 *

● 11 ha 30 000 ■ ⊥ 5 à 8 €

Le gringet est un cépage rare que l'on rencontre surtout en Haute-Savoie, dans la vallée de l'Arve. Proche du savagnin jurassien, il possède un potentiel aromatique intéressant que le savoir-faire des Belluard a permis de révéler. Ce domaine a fait coup double en en tirant deux vins jugés tous deux très réussis (une étoile). Vous servirez d'abord, à l'apéritif, cet Ayze effervescent qui fait monter un fin cordon de bulles dans une robe or pâle limpide. Un vin plein de fraîcheur et de fruité. Ensuite, vous déboucherez le **vin-de-savoie cépage gringet 2002** sur l'entrée, de préférence des noix de Saint-Jacques. Elles s'accorderont avec ce vin très rond, dominé par d'intenses arômes d'agrumes.

⚲ Dom. Belluard, Les Chenevaz, 74130 Ayze,
tél. 04.50.97.05.63 ☑ Ⲩ ♂ t.l.j. sf dim. 8h-12h 14h-18h

PIERRE BONIFACE
Apremont Prestige des Rocailles 2003

■ 12 ha 100 000 ■ ⊥ **5 à 8 €**

Propriétaire et négociant, Pierre Boniface exploite 22 ha de vignes. Il propose un Apremont élégant et typique, né de vignes de quarante ans. Fleurs blanches au nez, fruité en attaque, équilibré et de belle harmonie, un vin bien né.

⚲ Pierre Boniface, Les Rocailles,
Saint-André, 73800 Les Marches,
tél. 04.79.28.14.50, fax 04.79.28.16.82,
e-mail pierre.boniface@wanadoo.fr ☑ Ⲩ r.-v.

GILBERT BOUCHEZ Cruet 2003

1,8 ha 8 000 3 à 5 €

Gilbert Bouchez est établi à Cruet, sur la rive droite de l'Isère, commune connue aussi pour ses vins rouges. Mais c'est un vin blanc de jacquère qui a attiré l'attention du jury. Florale au nez, cette bouteille « chardonne », alors qu'en bouche, elle prend un caractère nettement minéral en accord avec son type. Un changement de registre qui n'altère en rien l'agrément qu'elle procure.

Gilbert Bouchez, Saint-Laurent, 73800 Cruet, tél. 04.79.84.30.91, fax 04.79.84.30.50 r.-v.

DOM. G. & G. BOUVET

Mondeuse Prestige Elevé en fût de chêne 2003 ★

1,56 ha 8 500 11 à 15 €

Etablis à Fréterive sur la rive droite de l'Isère, les Bouvet, pépiniéristes depuis plusieurs générations, se sont faits vignerons en 1991. Leur premier métier leur permet de cultiver l'ensemble des cépages de la région. C'est la mondeuse qui recueille cette année des compliments. Elevé en fût selon la tradition de la maison, le vin exprime toutes les qualités du contenant, notamment un boisé vanillé, sans masquer celles du fruit. Il montre en effet une belle rondeur et une persistance aromatique intéressante. Dans quelques années, il accompagnera un fromage savoyard de caractère.

Dom. G. et G. Bouvet, Le Villard, 73250 Fréterive, tél. 04.79.28.54.11, fax 04.79.28.51.97, e-mail info@domainebouvet.com

t.l.j. 8h-12h 13h30-19h; dim. sur r.-v.

D. Garanjoud

ERIC ET FRANCOIS CARREL

Jongieux Pinot 2003

n.c. 4 000 5 à 8 €

Ce pinot noir est de la même facture que le précédent millésime cité dans la dernière édition. Revêtu d'une robe à reflets violets brillants, il libère de délicieux parfums de

La Savoie

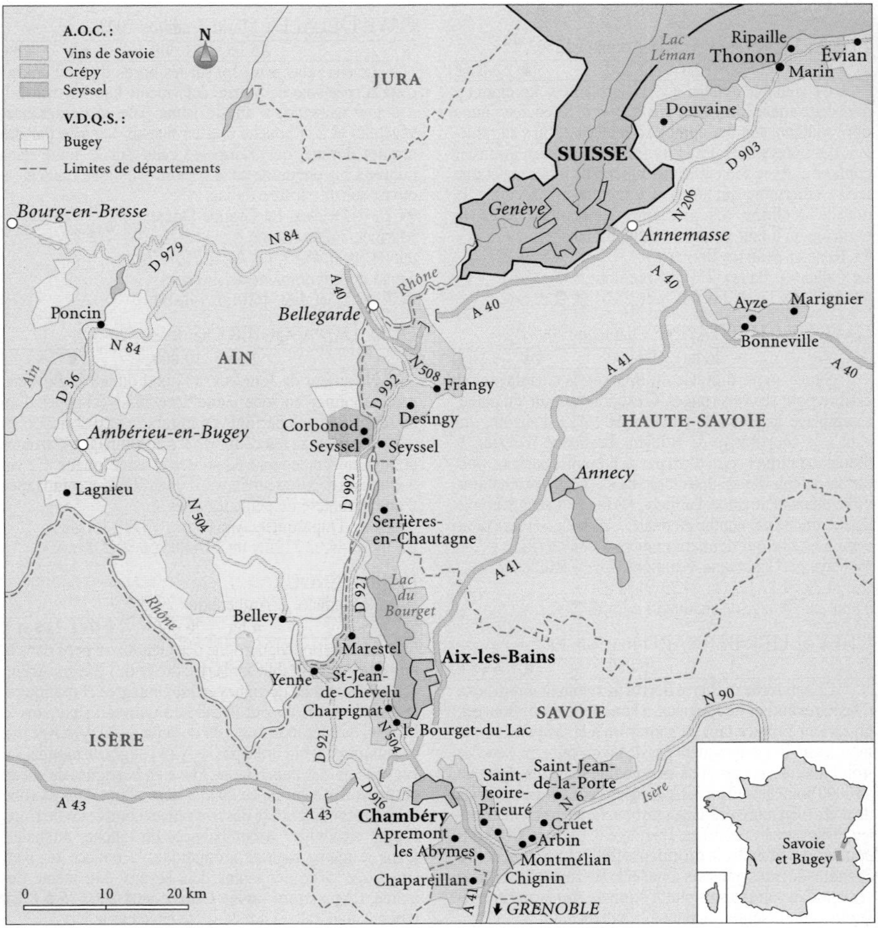

fruits rouges bien mûrs. Franc et fruité en attaque, il est soutenu par des tanins qui se montrent quelque peu revêches en finale tout en révélant un potentiel intéressant. Oublié quelques années en cave, ce vin donnera la réplique à des fromages de la région bien affinés.

François et Eric Carrel, GAEC de la Rosière, 73170 Jongieux, tél. 04.79.44.02.20, fax 04.79.44.03.73 r.-v.

MIREILLE ET MICHEL CARTIER
Abymes Jaquère Cuvée Prestige 2002

1 ha 6 000 8 à 11 €

Etablis à Chapareillan – la seule commune d'Isère autorisée à produire des vin-de-savoie –, les Cartier exploitent le vignoble familial implanté sur les éboulis du mont Granier. La jacquère a donné naissance à un vin au nez discret mais tout en finesse, et qui exprime en bouche de surprenants arômes de cannelle et de grillé. Une singularité peut-être liée au millésime. Un ensemble atypique à marier à un poisson en sauce.

Michel et Mireille Cartier,
EARL du Château, rue du Puits, 38530 Chapareillan,
tél. 04.76.45.21.26, fax 04.76.45.21.67 r.-v.

LE CELLIER DU PALAIS Apremont 2003 **

1,3 ha 11 200 5 à 8 €

Ce vignoble familial de 7 ha implanté à Apremont a livré cette année le meilleur vin de ce cru. Sa couleur jaune doré soutenu, son nez complexe et élégant, où s'entremêlent des notes minérales et un fruité d'agrumes, inspirent confiance. Avec son caractère minéral bien trempé et une légère amertume qui soutient à merveille l'ensemble, la bouche confirme ces premières impressions. C'est la bouteille qu'il faut pour une truite du lac.

René et Béatrice Bernard,
Le Cellier du Palais, 73190 Apremont,
tél. 04.79.28.33.30, fax 04.79.28.28.61 r.-v.

CAVE DE CHAUTAGNE Chautagne 2003 *

26 ha 100 000 5 à 8 €

Située au nord du lac du Bourget, la Chautagne est célèbre pour ses vins rouges. C'est pourtant un vin blanc, assemblage de jacquère (environ 80 %) et d'aligoté, qui vaut à la coopérative de Ruffieux beaucoup d'éloges. Il séduit au premier coup d'œil par sa limpidité parfaite, puis par la complexité et l'harmonie de sa palette aromatique où se mêlent l'amande, l'abricot, les fleurs blanches et une légère touche de menthe en finale. Une belle matière pour cette bouteille qui donnera matière à conversation !

Cave de Chautagne, Saumont, 73310 Ruffieux,
tél. 04.79.54.27.12, fax 04.79.54.51.37,
e-mail info@cave-de-chautagne.com r.-v.

CHEVALLIER-BERNARD Jongieux 2003

3,37 ha 20 000 5 à 8 €

Chantal et Jean-Pierre Bernard exploitent une dizaine d'hectares autour de Jongieux, à l'ouest du lac du Bourget, un secteur propice tant au gamay qu'à la jacquère et à la mondeuse. Ils ne manquent pas de savoir-faire, puisque les trois types de vins produits au domaine sont cités : près de 45 0000 bouteilles au total. Ce Jongieux aux effluves discrets de poire bien mûre présente une bouche légèrement acidulée en harmonie avec le nez. En rouge, le **gamay 2003** vous permettra d'attendre la **mondeuse 2003**. Le premier offre des notes de fruits rouges et joue sur la fraîcheur ; la seconde se tient dans un registre plutôt animal ; son austérité présente et son potentiel incitent à la patience.

EARL Bernard-Chevallier, Le Haut,
73170 Jongieux, tél. 04.79.36.86.90 r.-v.

DOM. LA COMBE DES GRAND'VIGNES
Chignin-Bergeron 2003

2,17 ha 4 530 8 à 11 €

Installé sur le domaine familial en 1996, Denis Berthollier et Didier – qui l'a rejoint en 2000 – représentent la quatrième génération de vignerons. Ils exploitent 10,5 ha sur les coteaux dominant la Combe de Savoie. Depuis 2001, ils défrichent et plantent des pentes orientées plein sud que les viticulteurs avaient abandonnées depuis cinquante ans. La canicule a malheureusement détruit la récolte de ces jeunes vignes. Reste la vendange des ceps plus anciens. Elevé pour partie en fût, ce Chignin-Bergeron révèle des arômes boisés et beurrés qui n'écrasent pas trop les notes abricotées caractéristiques du cépage. Un vin ample et riche, à servir avec viande blanche et poisson de rivière.

Denis et Didier Berthollier,
Dom. La Combe des Grand'Vignes, Le Viviers,
73800 Chignin, tél. 04.79.28.11.75, fax 04.79.28.16.22,
e-mail berthollier@chignin.com r.-v.

CAVE DELALEX Marin Tradition 2003

2,5 ha 21 300 3 à 5 €

Le chasselas prospère sur les bords du lac Léman : c'est la spécialité de Marin, îlot viticole haut-savoyard. Il a donné naissance à un vin jaune pâle, aux fragrances végétales et à la bouche tout en finesse dominée par des arômes floraux, qui transporte celui qui le goûte dans l'univers bucolique de cette région. Une jolie bouteille à ouvrir sur une friture du lac.

Cave Delalex, La Grappe Dorée,
Marinel, 74200 Marin,
tél. 04.50.71.45.82, fax 04.50.71.06.74,
e-mail infos@domaine-delalex.com
t.l.j. sf dim. 10h-12h 14h-19h

DOM. DUPASQUIER Chardonnay 2003 *

2 ha 10 000 5 à 8 €

Né autour de Jongieux, à l'ouest du lac du Bourget, ce chardonnay en robe jaune doré laisse échapper d'intenses et élégants parfums de mirabelle et d'abricot bien mûrs. Le fruité se fait confituré et s'accompagne d'arômes grillés dans une bouche équilibrée et assez longue. Ce vin donne à un dégustateur l'envie d'une volaille accompagnée d'une jardinière de petits légumes.

Dom. Dupasquier, Aimavigne, 73170 Jongieux,
tél. 04.79.44.02.23, fax 04.79.44.03.56 r.-v.

DOM. GENOUX
Arbin Mondeuse L'Authentique 2003 *

4 ha 20 000 8 à 11 €

La vocation vigneronne des Genoux se perd dans la nuit des temps. Etablis sur la rive droite de l'Isère, à Arbin, ils exploitent 8 ha de vignes en lutte intégrée et pratiquent le travail du sol. Ils ont installé un nouveau chai dans le château de Mérande, qui date de la fin du Moyen Age. La commune d'Arbin brille par ses vins rouges de mondeuse. En voici un des plus réussis. Elevé en barriques de chêne partiellement neuves, ce 2003 a belle allure dans sa robe rubis profond. Il libère des fragrances complexes de fruits rouges bien mûrs, accompagnées de touches animales. Dans le même registre aromatique, la bouche est bien structurée, avec des tanins déjà soyeux. Du même domaine, l'**Apremont cuvée Comte vert 2003 (5 à 8 €)**, typique, minérale et florale, a été citée par le jury.

GAEC Dom. Genoux,
Ch. de Mérande, 73800 Arbin,
tél. 06.83.15.05.88, fax 04.79.65.24.32 r.-v.

FREDERIC GIACHINO Abymes 2003

1,5 ha 10 000 3 à 5 €

Retenu pour la troisième fois en cinq ans, cet Abymes de Frédéric Giachino est assurément typique, même s'il n'a pas l'intensité du remarquable 2002. Son équilibre, ses arômes expressifs de fleurs blanches qui charment le nez comme le palais, en font une jolie bouteille à déboucher dès maintenant.

Frédéric Giachino, chem. du Mimoray, La Pallud, 38530 Chapareillan, tél. 04.76.45.57.11 r.-v.

CHARLES GONNET Chignin-Bergeron 2003

2 ha 12 000 11 à 15 €

Ingénieur en agriculture, Charles Gonnet a repris l'exploitation familiale en 1989. Son vignoble d'une douzaine d'hectares comprend beaucoup de vieilles vignes. Il est bien connu des lecteurs du Guide, où il figure très souvent grâce à des vins blancs du cru Chignin. Celui-ci, issu de la roussanne (bergeron), mêle au nez des parfums fruités et végétaux (bourgeon de cassis) alors que la bouche joue sur les agrumes confits. Le **Chignin 2003 (5 à 8 €)** né de la jacquère est fort différent. Très fruité au nez, il se montre plus discret, plutôt minéral en bouche, et offre un caractère légèrement perlant. Il est cité, lui aussi.

Charles Gonnet, Chef-lieu, 73800 Chignin,
tél. 04.79.28.09.89, fax 04.79.71.55.91,
e-mail charles.gonnet@wanadoo.fr

EDMOND JACQUIN ET FILS
Mondeuse 2003 ★★

1,6 ha 8 000 5 à 8 €

Cette mondeuse rouge à reflets violets est née à Jongieux, à l'ouest du lac du Bourget. Difficile de résister à son fruité rouge intense, dominé par la framboise, qui se diffuse au premier coup de nez et s'attarde longuement en bouche, accompagné d'épices et de touches empyreumatiques. Quant à la structure, elle est faite de tanins denses et enrobés, qui laissent une impression de richesse et de rondeur soyeuse. A boire ou à oublier en cave, comme il vous plaira. Une étoile pour le **jacquère 2003**, pour son nez aromatique et printanier (fleurs blanches) et pour sa bouche vivifiante et élégante.

Edmond Jacquin et Fils, Le Haut, 73170 Jongieux,
tél. 04.79.44.02.35, fax 04.79.44.03.05,
e-mail jacquin4@wanadoo.fr
t.l.j. 9h-12h 15h-19h; groupes sur r.-v.

DOM. MAGNE Apremont Tête de cuvée 2003

1,18 ha 8 666 5 à 8 €

Michel Magne exploite une douzaine d'hectares autour de Saint-André, sur les éboulis du mont Granier. Il propose un vin assez jeune mais déjà prêt à boire. La robe est claire avec des reflets dorés, le nez expressif associe des nuances fruitées et minérales. Vif à l'attaque, agrémenté d'arômes de noisette et de fleurs blanches, le palais révèle une pointe d'amertume qui n'altère pas son équilibre. Un ensemble friand.

Michel Magne,
Saint-André, 38530 Chapareillan,
tél. 04.79.28.07.91, fax 04.79.28.17.96
t.l.j. 15h-19h

DOM. DE MEJANE Pinot 2003 ★★

2,58 ha 19 600 3 à 5 €

C'est en 2000, trente ans après la création du vignoble, que la famille Henriquet a décidé de se détacher de la coopérative pour redonner vie à une solide bâtisse viticole du XVIII^e^s. campée au cœur de la Combe de Savoie. Elle a eu raison de voler de ses propres ailes, à en juger par ce pinot noir rubis foncé aux fragrances de fruits rouges et de sous-bois. Ce registre aromatique complexe se retrouve dans une bouche équilibrée et ronde, d'une longueur remarquable. Ses tanins bien fondus permettront d'apprécier cette bouteille dès maintenant.

Jean-Georges Henriquet, Dom. de Méjane,
Chef-lieu, 73250 Saint-Jean-de-la-Porte,
tél. 04.79.71.48.51, fax 04.79.28.66.94
t.l.j. sf dim. 9h-12h 14h-18h

SAVOIE

DOM. PERRIER PERE ET FILS
Mondeuse Vieilles Vignes 2003 ★

2,6 ha 12 000 5 à 8 €

Cette propriété familiale d'une trentaine d'hectares est éparpillée sur quatre-vingt-huit parcelles. Elle s'est distinguée plus d'une fois grâce à des cuvées de mondeuse. C'est encore le cas cette année. Ce 2003 présente nombre de caractéristiques attendues des vins issus de ce cépage, en particulier une robe profonde, rouge violacé, et un fruité appétissant, marqué par le cassis. Fringant en bouche, il fait preuve d'une légèreté qui incite à ouvrir cette bouteille l'année même de la sortie du Guide, à l'ouverture de la chasse.

Dom. Perrier Père et Fils,
Saint-André, 73800 Les Marches,
tél. 04.79.28.11.45, fax 04.79.28.09.91,
e-mail vperrier@vins-perrier.com r.-v.

DOM. MARC PORTAZ
Abymes Tête de cuvée 2003 ★★

1,98 ha 17 000 3 à 5 €

Jean-Marc Portaz a repris en 2000 le domaine familial d'une dizaine d'hectares, situé en Isère, aux confins méridionaux de l'appellation. Déjà mentionné plusieurs fois, il montre la mesure de son talent avec ce 2003 unanimement salué. Tout est enjôleur dans ce vin : son nez franc et intense, mêlant aux agrumes une touche muscatée qui annonce une matière mûre. On retrouve la fraîcheur des agrumes dans une bouche aromatique, d'un très bel équilibre, d'une rare persistance, qui finit sur des nuances mentholées. Une remarquable expression de la jacquère sur le cru Abymes.

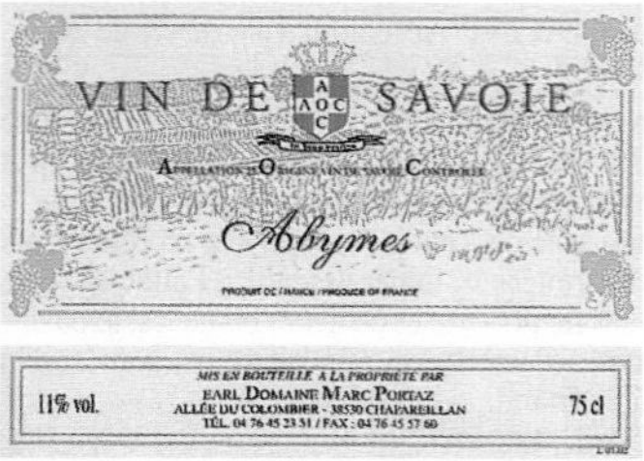

🔑 Jean-Marc Portaz,
allée du Colombier, 38530 Chapareillan,
tél. 04.76.45.23.51, fax 04.76.45.57.60,
e-mail domaine.marc.portaz@cario.fr ☑ 🍷 🚶 r.-v.

LA CAVE DU PRIEURE Jongieux Mondeuse 2003

■ 2 ha 9 000 ■ 🍾 5 à 8 €

Souvent présente dans le Guide, la Cave du Prieuré dispose de 22 ha de vignes. Sa mondeuse de Jongieux est citée pour la troisième année consécutive. Fruité, d'une belle intensité et d'une grande finesse, le nez intéresse. Tout aussi fruitée, pleine, l'attaque introduit une bouche aux tanins déjà enrobés, plus austères ensuite. La finale est marquée par une touche cholocatée originale. On servira sur une viande grillée ce vin généreux qui devrait gagner en amabilité avec le temps.

🔑 Raymond Barlet et Fils,
La Cave du Prieuré, 73170 Jongieux,
tél. 04.79.44.02.22, fax 04.79.44.03.07,
e-mail cavedupprieure@wanadoo.fr
☑ 🍷 🚶 t.l.j. sf dim. 14h-19h

ANDRE ET MICHEL QUENARD

Mondeuse Coteau de Torméry Vieilles Vignes 2003 ★★

■ 1,5 ha 10 000 ■ 🛢 🍾 8 à 11 €

Au sud-est de Chambéry, le vignoble de Chignin, protégé des influences du nord par le massif des Bauges, s'accroche au versant méridional de la montagne La Savoyarde. Il était jadis aux mains de grands propriétaires qui s'en sont défait après la Première Guerre mondiale, la revendant par petits lots à leurs fermiers. C'est ainsi que le grand-père de Michel Quénard a acquis les vignes familiales. Champion des coups de cœur en Savoie, le domaine en a collectionné une demi-douzaine au fil des éditions du Guide, notamment grâce à sa mondeuse. Ce millésime ne monte pas sur le podium, mais figure parmi les meilleurs. Des vendanges en vert ont favorisé l'expression aromatique de ce vin qui libère au nez des notes de surmaturité avec des nuances cacaotées. Le palais gras, puissant, aux tanins veloutés, signe un vin civilisé ; il a été bien élevé, tout comme, en blanc, le **Chignin Coteau de Torméry 2003 (5 à 8 €)** issu de jacquère, cité pour son nez élégant et pour son ampleur.

🔑 André et Michel Quénard, Torméry, 73800 Chignin,
tél. 04.79.28.12.75, fax 04.79.28.19.36,
e-mail am.quenard@cario.fr ☑ 🍷 🚶 r.-v.

JEAN-PIERRE ET JEAN-FRANCOIS QUENARD

Chignin Anne de la Biguerne 2003 ★★

□ 1,5 ha 8 000 ■ 🍾 5 à 8 €

Coup double pour ce domaine installé au pied des tours de l'ancien château de Chignin et dirigé depuis 1987 par Jean-François Quénard, le fils, œnologue : deux vins de la propriété ont obtenu chacun deux étoiles. Ce Chignin, né de jacquère cultivée en taille courte avec des rendements maîtrisés, séduit d'emblée par son nez complexe, dominé par des notes végétales et florales (tilleul, aubépine). Une même complexité se retrouve en bouche, avec une palette variée déclinant les fruits jaunes, la noisette, le beurre... Légèrement perlante, ample, riche et fraîche. Quant au **Chignin-bergeron Vieilles Vignes 2003 (11 à 15 €)**, il est fringant, typique, riche et complexe. Ses arômes d'abricot, d'amande grillée et de fruits exotiques sont très appréciés.

🔑 Dom. J.-Pierre et J.-François Quénard,
caveau de la Tour-Villard, 73800 Chignin,
tél. 04.79.28.08.29, fax 04.79.28.18.92 ☑ 🏠

LES FILS DE RENE QUENARD

Chignin-Bergeron La Bergeronnelle 2003 ★

□ 4 ha 17 000 ■ 🍾 8 à 11 €

Les Quénard sont légion à Chignin. Les fils de René exploitent 18 ha autour du village. Leur cuvée Bergeronnelle, issue de roussanne (bergeron) a déjà été appréciée dans certains millésimes antérieurs. Ce 2003 en robe jaune doré possède les caractères des vins du cru. Son bouquet expressif est dominé par des notes de noisette et de café grillé. Riche, ample et ronde, la bouche révèle beaucoup de matière et développe la même gamme aromatique qu'à l'olfaction. Retenu également, le **pinot noir Chignin 2003 (5 à 8 €)**. Son fruité typique, accompagné de notes grillées, et sa bonne structure lui valent également une étoile.

🔑 Les Fils de René Quénard,
Les Tours-Le-Villard, Cidex 4707, 73800 Chignin,
tél. 04.79.28.01.15, fax 04.79.28.18.98 ☑ 🍷 🚶 r.-v.

HERVE ET PATRICE RAT-PATRON

Les Abymes 2003 ★

□ 5,48 ha 13 300 ■ 🍾 5 à 8 €

L'effondrement du mont Granier, qui dévasta les villages de son piémont, fit des milliers de victimes en 1248. Les énormes rochers ont épargné la chapelle de Myans, devenue depuis lors un lieu de pèlerinage et coiffée par les époques postérieures d'une Vierge dorée. Situé à 500 m du sanctuaire, le domaine, exploité depuis 1997 par Hervé et Patrice Rat-Patron, couvre près de 9 ha. Il propose un vin de jacquère jugé très typique par les jurés. Celui que l'on peut choisir pour découvrir les vins blancs de Savoie. Son nez franc et intense marie agrumes et fruits secs tandis que la bouche, d'un très bel équilibre, prend une note minérale de pierre à fusil.

🔑 Hervé et Patrice Rat-Patron,
chem. des Abymes, 73800 Myans,
tél. 04.79.28.09.52, fax 04.79.28.09.52 ☑ 🍷 🚶 r.-v.

DOM. DE ROUZAN

Apremont Cuvée Prestige 2003 ★

□ 3,6 ha n.c. ■ 🍾 5 à 8 €

Très souvent mentionné dans le Guide, en rouge ou en blanc, le domaine de Rouzan est situé à 5 km de Chambéry. Après un très joli gamay dans l'édition précédente, on retrouve un vin d'Apremont déjà cité dans le millésime 2001. D'une couleur claire et limpide, ce 2003 libère des notes d'agrumes qui laissent la place à des nuances de mangue. La bouche séduit par sa bonne structure et la délicatesse de ses arômes. Une touche de bonbon anglais marque la finale d'une notable longueur.

Denis Fortin,
152, chem. de la Mairie, 73190 Saint-Baldoph,
tél. 04.79.28.25.58, fax 04.79.28.21.63,
e-mail denis.fortin@wanadoo.fr r.-v.

DOM. SAINT-GERMAIN
Coutaz Saint-Germain 2003

1 ha 8 000 3 à 5 €

Quatrième année de présence dans le Guide pour ce domaine familial repris en 1997 par Etienne Saint-Germain, rejoint par Raphaël. Avec une jacquère qui présente les caractéristiques du caniculaire millésime 2003 : l'acidité n'est pas son point fort. En revanche, le soleil a légué à ce vin de belles qualités aromatiques. Le savoir-faire des vinificateurs a su préserver l'essentiel : l'agrément de cette bouteille.

Dom. Saint-Germain,
rte du Col-du-Frêne, 73250 Saint-Pierre-d'Albigny,
tél. 04.79.28.61.68, fax 04.79.28.61.68

CH. LA TOUR DE MARIGNAN
Marignan Vieilli en fût de chêne 2001 ★★

1,3 ha 8 000 8 à 11 €

Ne pas confondre : ce n'est pas le Marignan où François Ier a battu les Suisses (situé dans le Milanais). Ce Marignan-ci est situé en Haute-Savoie, non loin du Léman. Le chasselas prospère dans ces contrées proches du lac. Issu d'agriculture biologique, patiemment élevé en fût de chêne pendant vingt-quatre mois dans des caves médiévales, celui-ci sort du lot. Battrait-il les Suisses ? Les temps guerriers sont révolus... Généreux et d'une grande suavité, il libère au nez d'élégantes notes de cire. Ample, ronde et très longue, la bouche est imprégnée d'arômes floraux et de nuances d'orange. Cette bouteille aimera un poisson en sauce. Autre vin à retenir, **La Perle 2001 (11 à 15 €)**, une méthode traditionnelle née du même cépage. Citée par le jury, elle pourra accompagner des crustacés en sauce.

Bernard Canelli-Suchet, Ch. La Tour de Marignan,
74140 Sciez, tél. 04.50.72.70.30, fax 04.50.72.36.02
t.l.j. 9h30-12h30 13h30-19h; groupes sur r.-v.

CHANTAL ET GUY TOURNOUD Apremont 2003

1,86 ha 10 000 5 à 8 €

Il a séduit l'an dernier. Il est encore retenu cette année dans ce nouveau millésime. Ses fins arômes citronnés, assortis de nuances de pomme, sa bonne attaque, son équilibre, composent une bouteille agréable. « Bonne jacquère, sympa », conclut un dégustateur. Cela suffit à notre bonheur.

Guy Tournoud, Bellecombe, 38530 Chapareillan,
tél. 04.76.45.22.05, fax 04.76.45.22.05 r.-v.

LES FILS DE CHARLES TROSSET
Arbin Mondeuse 2003 ★★★

4 ha 30 000 5 à 8 €

Une mondeuse éblouissante, à l'image du millésime précédent : deux coups de cœur consécutifs pour le domaine Trosset, implanté à Arbin, village du parc naturel des Bauges. Une exploitation à suivre, décidément... La robe est magnifique, intense et profonde. Le nez, encore discret, laisse deviner une grande concentration. Le palais confirme ces premières impressions, révélant une matière d'une densité peu commune, déjà bien arrondie, des arômes fruités et grillés. « Un diamant brut », selon un membre du jury. Les impatients pourront déguster ce vin dès la sortie du Guide, mais cette bouteille possède suffisamment de réserves pour se bonifier plusieurs années.

SCEA Les Fils de Charles Trosset,
chem. des Moulins, 73800 Arbin,
tél. 04.79.84.30.99, fax 04.79.84.30.99
sam. 9h-12h 14h-18h

ADRIEN VACHER
Apremont La Sasson Réserve gastronomique 2003 ★

n.c. 12 000 3 à 5 €

Fondée en 1950, cette maison familiale de négoce-éleveur est établie aux Marches, près de Chambéry, et produit des vins de nombreux crus de Savoie. On a vu récemment dans le Guide ses blancs nés de jacquère. Cette année, le préféré est né à Apremont. Son nez fait de citron et de buis peut surprendre. On retrouve les agrumes, mêlés de notes florales, dans une bouche délicate et fraîche. Le vin des **Abymes La Sasson Réserve 2003** obtient une citation pour son élégante typicité.

Maison Adrien Vacher,
plan Cumin, 73800 Les Marches,
tél. 04.79.28.11.48, fax 04.79.28.09.26,
e-mail vacher.adrien@wanadoo.fr r.-v.

SAVOIE

DOM. DE VERONNET
Chautagne Mondeuse 2003 ★

1,46 ha 10 000 5 à 8 €

Certaines mondeuses sont d'abord assez sauvages dans leur jeunesse, et demandent plusieurs années de garde. Ce n'est pas le cas de celle-ci, née de sables de molasse en Chautagne, au nord du lac du Bourget. On pourra apprécier dès la sortie du Guide, sur une viande grillée, ses beaux arômes de fruits rouges et de sous-bois, sa bonne attaque, sa rondeur aimable. Un vin franc et sans fioritures.

Alain Bosson,
Dom. de Veronnet, 73310 Serrières-en-Chautagne,
tél. 04.79.63.73.11, fax 04.79.63.73.11,
e-mail alain.bosson@wanadoo.fr r.-v.

DOM. VIALLET Abymes Jacquère 2003 ★

n.c. 40 000 3 à 5 €

Si vous vous promenez sur les pentes du mont Granier et que vous êtes en quête d'un vin blanc typique de cette contrée, vous pouvez faire halte au domaine Viallet. Vous goûterez cette jacquère du cru Abymes, qui séduit d'entrée par sa couleur jaune pâle aux reflets dorés. Le reste ne déçoit pas, de ses arômes de fruits secs, légèrement biscuités, à la bouche bien équilibrée, ample et ronde sans mollesse. Par ailleurs, la roussanne a donné naissance à un **Chignin-bergeron 2003 (5 à 8 €)** cité par le jury.

GAEC Dom. Viallet,
rte de Myans, 73190 Apremont,
tél. 04.79.28.33.29, fax 04.79.28.20.68,
e-mail viallet@aol.com

LE VIGNERON SAVOYARD Mondeuse 2003 ★★

■ 1,03 ha 7 400 ▮🌡 3 à 5 €

Une petite coopérative : sept vignerons, 53,5 ha vinifiés. Qu'elle ait son siège à Apremont, célèbre pour ses vins blancs, ne l'a pas empêchée de briller en rouge, avec cette mondeuse. D'une teinte profonde, presque noire, ce 2003 libère des effluves du cépage : notes poivrées et animales. La bouche révèle un réel potentiel, et des touches de noix verte caractéristiques. Son caractère tannique dénote un vin de garde qu'il faudra oublier trois ou quatre ans. En attendant, on dégustera le **vin-de-savoie Abymes 2003** de la cave, issu de jacquère, typique et d'une belle harmonie (une citation).

🔑 Le Vigneron Savoyard,
rte du Crozet, 73190 Apremont,
tél. 04.79.28.33.23, fax 04.79.28.26.17 ☒ Y 🚶 r.-v.

CH. DE LA VIOLETTE Mondeuse 2003 ★★

■ 0,8 ha 6 500 ▮🌡 3 à 5 €

Exploité alors par D. Fustinoni, le château de La Violette figurait au nombre des domaines présents dans la première édition du Guide. Repris en 2000 par Charles-Henri Gayet, il tient toujours son rang, à en juger par cette mondeuse pleine de générosité. Elle s'impose d'emblée par un nez intense sur les fruits rouges. Ce fruité s'accompagne en bouche de notes grillées. Une matière dense, riche, aux tanins déjà enrobés, une belle persistance laissent augurer plusieurs années d'heureuses dégustations. Prêt à paraître à table, le **gamay 2003** du domaine est plus fruité et tout aussi bien fait. Séduit par sa rondeur et sa franchise, le jury lui a accordé une étoile.

🔑 Charles-Henri Gayet,
Ch. de La Violette, 73800 Les Marches,
tél. 04.79.28.13.30, fax 04.79.28.09.26
☒ Y t.l.j. sf dim. 9h-12h 15h-18h30

DOM. JEAN VULLIEN ET FILS
Mondeuse Cuvée particulière
Elevé en fût de chêne 2003 ★★

■ 1 ha 9 000 ⦀ 5 à 8 €

La rubrique vin-de-savoie se termine par une valeur sûre du Guide : le domaine de Jean Vullien, rejoint par ses fils David et Olivier en 1999. Une coquette propriété de 24 ha de vignes qui couvrent les contreforts des Bauges. Ses cuvées de mondeuse élevées en fût de chêne sont souvent remarquées. C'est encore le cas cette année, avec ce 2003. Le bois a légué à ce vin des notes bien fondues de vanille et de café. Sa matière ronde et longue lui vaut deux étoiles. Deux autres vins de l'exploitation obtiennent une étoile : le **pinot noir cuvée Jeannine 2003**, élevé en fût de chêne, belle expression du cépage au joli fruité ; le **Chignin-bergeron 2003**, fort harmonieux, que l'on pourra servir à l'apéritif.

🔑 EARL Jean Vullien et Fils,
La Grande Roue, 73250 Fréterive,
tél. 04.79.28.61.58, fax 04.79.28.69.37,
e-mail domaine.jean.vullien.et.fils@wanadoo.fr
☒ Y 🚶 t.l.j. sf dim. 9h-12h 14h-18h30; sam. 9h-12h

Roussette-de-savoie

Issue du seul cépage altesse (depuis le nouveau décret du 18 mars 1998), la roussette-de-savoie se trouve essentiellement à Frangy, le long de la rivière des Usses, à Monthoux et à Marestel, au bord du lac du Bourget. L'usage qui veut que l'on serve jeunes les roussettes de ce cru est regrettable, puisque, bien épanouies avec l'âge, elles font merveille avec des préparations de poisson ou de viandes blanches ; ce sont elles qui accompagnent le beaufort local. 1 743 hl ont été produits en 2003.

DOM. G. BLANC ET FILS 2003 ★

□ 0,4 ha 3 300 ▮🌡 **5 à 8 €**

Un domaine de 8,5 ha exploité par Gilbert Blanc et son fils Willy, qui l'a rejoint en 1996. Depuis lors, d'importants investissements ont été réalisés : aménagement du Cellier des Chênes, lieu de vente pour les particuliers, et surtout, en 2002, réaménagement complet de la cuverie. Cette modernisation n'a pas nui à la qualité du vin, bien au contraire : les dégustateurs ne sont pas avares de l'adverbe « très » dans leurs fiches : une roussette très nette, très équilibrée, des arômes très fins, plutôt miellés, un bon fruité. Bref, un ensemble harmonieux.

🔑 Dom. Gilbert Blanc et Fils,
73, chem. de Revaison, 73190 Saint-Baldoph,
tél. 04.79.28.36.90, fax 04.79.28.36.90,
e-mail domaine.blanc@wanadoo.fr
☒ Y 🚶 t.l.j. sf mar. dim. 9h-12h 15h-19h

PIERRE BONIFACE Les Rocailles 2003 ★

□ 2 ha 16 000 ▮🌡 **5 à 8 €**

Vigneron et négociant, Pierre Boniface est un partisan de l'enherbement. Il en a résulté dans le millésime 2003 une roussette très flatteuse, florale au palais, miellée en bouche, avec des nuances de fruits mûrs. Equilibré, bien structuré, élégant et long, ce vin ne manquera pas d'amateurs.

🔑 Pierre Boniface,
Les Rocailles, Saint-André, 73800 Les Marches,
tél. 04.79.28.14.50, fax 04.79.28.16.82,
e-mail pierre.boniface@wanadoo.fr ☒ Y r.-v.

GILBERT BOUCHEZ 2003 ★

□ 0,99 ha 6 000 ▮ 3 à 5 €

Gilbert Bouchez est établi à Cruet, sur la rive droite de l'Isère. Ce n'est pas la première fois que sa roussette est appréciée par le jury. Celle-ci a séduit par son nez de fruits jaunes très mûrs, voire confits, sa bouche souple, pleine de fruits, un peu miellée, son équilibre et sa longueur. Les commentaires des jurés mettent le vin à la bouche...

🔑 Gilbert Bouchez, Saint-Laurent, 73800 Cruet,
tél. 04.79.84.30.91, fax 04.79.84.30.50 ☒ Y 🚶 r.-v.

FRANCOIS CARREL ET FILS
Marestel Cuvée Théa
Elevé et vinifié en fût de chêne 2001 ★★

□ n.c. 1 500 ⦀ **11 à 15 €**

Eric Carrel a rejoint son père en 1999 sur une exploitation qui compte aujourd'hui 12 ha. La cave de vinification a été rénovée en 2002. Le tandem a présenté deux roussettes de Marestel qui ont reçu beaucoup d'éloges. Cette cuvée Théa surtout, née en partie de raisins récoltés tardivement, fermentée et élevée un an en fût de chêne. Sa palette aromatique complexe décline des notes boisées et vanillées qui n'écrasent pas le vin. Le fruité très mûr s'agrémente en finale d'une touche de poire des plus craquantes. Un ensemble élégant et harmonieux. L'autre

roussette, **La Marété 2003 (5 à 8 €)**, n'a pas connu le bois. Elle obtient une étoile pour ses parfums riches et mûrs d'abricot, de pêche jaune, de banane, et son équilibre prometteur. A attendre un an.
🐓 François et Eric Carrel,
GAEC de la Rosière, 73170 Jongieux,
tél. 04.79.44.02.20, fax 04.79.44.03.73 ☑ ⊤ ⅄ r.-v.

DOM. GENOUX 2003

	n.c.	4 000	Ⅲ	5 à 8 €

Macération pelliculaire, fermentation en barrique sous l'action de levures indigènes, élevage et bâtonnage sur lie sont à l'origine de ce vin discret au nez, plus expressif en bouche, avec des nuances d'agrumes. Une roussette rafraîchissante, tout en légèreté.
🐓 GAEC Dom. Genoux,
Ch. de Mérande, 73800 Arbin,
tél. 06.83.15.05.88, fax 04.79.65.24.32 ☑ ⊤ ⅄ r.-v.

BRUNO LUPIN Frangy 2003

	4 ha	30 000	▮⬥	3 à 5 €

Bruno Lupin s'est installé en 1998 sur le domaine familial. Le vignoble est implanté sur une ancienne moraine glaciaire aux sols de molasse, et l'altesse domine l'encépagement. Dans l'auberge du domaine, vous pourrez découvrir ce vin de Frangy, que Jean-Jacques Rousseau apprécia au cours de ses pérégrinations alpestres. Son nez mêle des nuances florales et exotiques. La bouche révèle une bonne matière et finit sur une touche minérale plaisante. A marier avec un plateau de fromages de Savoie.
🐓 Bruno Lupin, rue du Grand-Pont, 74270 Frangy,
tél. 04.50.32.29.12, fax 04.50.32.29.12 ☑ 🏠 ⊤ ⅄ r.-v.

LA CAVE DU PRIEURE Marestel 2003 ★

	2,5 ha	10 000	▮⬥	8 à 11 €

Ce domaine de Marestel figure assez souvent sous la rubrique roussette-de-savoie. D'une fraîcheur juvénile, celle-ci s'annonce par de délicats parfums de pêche blanche, tandis que le fruit jaune (abricot) et la banane s'affirment en bouche. Bien équilibré, élégant et long, ce vin possède suffisamment d'acidité pour vieillir jusqu'à trois ans. Mieux vaut l'attendre un an ou deux, il devrait encore gagner en aménité.
🐓 Raymond Barlet et Fils,
La Cave du Prieuré, 73170 Jongieux,
tél. 04.79.44.02.22, fax 04.79.44.03.07,
e-mail caveduprieure@wanadoo.fr
☑ ⊤ ⅄ t.l.j. sf dim. 14h-19h

Le Bugey

Bugey AOVDQS

Dans le département de l'Ain, le vignoble du Bugey occupe les basses pentes des monts du Jura, dans l'extrême sud du Revermont, depuis le niveau de Bourg-en-Bresse jusqu'à Ambérieu-en-Bugey, ainsi que celles qui, de Seyssel à Lagnieu, descendent sur la rive droite du Rhône. Autrefois important, il est aujourd'hui réduit et dispersé sur 248 ha. En 2003, 21 190 hl ont été déclarés.

Il est établi le plus souvent sur des éboulis calcaires de pentes assez fortes. L'encépagement reflète la situation de carrefour de la région : en rouge, le poulsard jurassien – limité à l'assemblage des effervescents de Cerdon – y voisine avec la mondeuse savoyarde et le pinot et le gamay de Bourgogne ; de même, en blanc, la jacquère et l'altesse sont en concurrence avec le chardonnay – majoritaire – et l'aligoté, sans oublier la molette, cépage local surtout utilisé dans l'élaboration des vins mousseux.

MAISON ANGELOT Mondeuse 2003

	1 ha	5 200	▮⬥	5 à 8 €

Charmant petit village fleuri, aux maisons de pierre, Marignieu est dominé par un châtaignier vieux de cinq siècles. Philippe et Eric Angelot ont repris dans les années 1980 le domaine familial ; ils exploitent une vingtaine d'hectares de vignes, dont ils tirent une large gamme de vins du Bugey. Les lecteurs du Guide ont eu l'occasion de découvrir certains de leurs vins dans les éditions précédentes. Voici aujourd'hui une mondeuse. Une robe rouge grenat soutenu, brillante et limpide, un nez de fruits rouges, une bouche plus végétale et assez souple composent une bouteille que l'on pourra servir dès l'automne 2004 sur du gibier.
🐓 GAEC Maison Angelot, 01300 Marignieu,
tél. 04.79.42.18.84, fax 04.79.42.13.61,
e-mail maison.angelot@free.fr ☑ 🏠 ⊤ ⅄ r.-v.

CAVEAU SYLVAIN BOIS
Pinot noir Coteau de Chambon 2003 ★

	1,04 ha	4 600	▮⬥	3 à 5 €

Sylvain Bois a repris en 2001 la vigne de son grand-père, l'a agrandie, a construit un chai. Il a fait son entrée dans le Guide dans l'édition 2003. On le retrouve cette année avec une cuvée de pinot noir. Le volume est réduit, car le coteau de Chambon où ce vin est né a particulièrement souffert de la canicule estivale (il manque 60 % des quantités espérées), mais la qualité est au rendez-vous. Rouge grenat intense, la robe étincelle de reflets. Si le nez évolué peut surprendre, la bouche, équilibrée, fraîche et aromatique (fruits rouges), est très convaincante.
🐓 Sylvain Bois, Les Mortiers, 01350 Béon,
tél. 04.79.87.23.26, fax 04.79.87.23.26 ☑ ⅄ r.-v.

PATRICK CHARLIN 2002 ★★

	2,31 ha	23 480	▮⬥	8 à 11 €

Proche des bords du Rhône, le vignoble de Montagnieu est réputé pour ses vins effervescents. Patrick

Charlin en a présenté de fort beaux, en particulier un 99 salué d'un coup de cœur. Ce blanc de blancs issu de chardonnay est dans la même lignée : une mousse élégante et fine, avec un cordon persistant, de fins effluves floraux agrémentés de notes de poire font bonne impression. Harmonieuse de l'attaque à la finale, fraîche et franche, toujours florale et fruitée, la bouche achève de convaincre. Une bouteille séduisante, non seulement pour l'apéritif, mais aussi pour le repas. Elle pourra accompagner une volaille à la crème.

🐓 Patrick Charlin, Le Richenard, 01680 Groslée, tél. 04.74.39.73.54, fax 04.74.39.75.16 ☑ 🏠 ⵟ ⵘ r.-v.

PIERRE DUCOLOMB Mondeuse 2003 ★

⬛	0,63 ha	4 000	⬛	3 à 5 €

Ce domaine est situé à 400 m de l'église aux beaux chapiteaux romans. Il a fait son entrée dans le Guide 2002 avec une remarquable mondeuse, et c'est encore cette variété qui lui vaut sa meilleure note dans cette édition. Il en a tiré deux cuvées qui trouveront chacune leurs amateurs. Celle-ci n'a pas connu le bois. Elle offre un nez expressif et caractéristique du cépage, où les touches épicées se mêlent aux fruits rouges. En bouche, elle révèle une grande matière soutenue par des tanins veloutés. La **mondeuse 2003 élevée en fût de chêne (5 à 8 €)** est plus tannique et marquée par le chêne. Elle est citée, tout comme la **roussette du Bugey 2003**, appréciée pour son nez de fruits surmûris, la franchise et la complexité de sa bouche. Une belle maîtrise du millésime 2003.

🐓 Pierre Ducolomb, 01680 Lhuis, tél. 04.74.39.82.58, fax 04.74.39.82.58 ☑ ⵟ ⵘ r.-v.

LAURENT ET GERARD DUFOUR
Gamay 2003 ★

⬛	0,8 ha	5 000		3 à 5 €

Le domaine viticole remonte au début des années 1950, mais ce n'est que depuis 1996 que les Dufour élaborent leurs cuvées. Les 9,5 ha de l'exploitation produisent autant de vins blancs que de vins rouges. Ce gamay mêle aux fruits rouges caractéristiques du cépage des notes épicées, tant au nez qu'en bouche. La matière est bien là ; sa souplesse et sa rondeur permettront d'ouvrir cette jolie bouteille dès la sortie du Guide.

🐓 GAEC Laurent et Gérard Dufour, le bourg, 01300 Massignieu-de-Rives, tél. 04.79.42.10.48, fax 04.79.42.19.98 ☑ ⵟ r.-v.

MAISON DUPORT
Mondeuse Elevé en fût de chêne 2003 ★

⬛	0,6 ha	3 000	ⲛ	5 à 8 €

Yves et Denis Duport ont repris le domaine familial au début des années 1990. Ils ont investi en 1996 dans une cave moderne et bien équipée, ce qui leur permet de réussir de belles cuvées. Cette mondeuse a été fort bien élevée – en fût de chêne. La robe de couleur soutenue s'anime de reflets violets. Caractéristique du cépage, le nez mêle des nuances de fruits rouges à des notes grillées. Des arômes épicés apparaissent dans une bouche marquée par des tanins déjà enrobés. On pourra déboucher cette bouteille dès la fin de l'année. A retenir encore, la cuvée **Bancet chardonnay Vieilles Vignes 2003**, citée pour ses parfums subtils et originaux (on trouve du litchi) et pour sa franchise.

🐓 Maison Duport, Le Lavoir, 01680 Groslée, tél. 04.74.39.74.33, fax 04.74.39.74.33, e-mail maison.duport@wanadoo.fr ☑ ⵟ ⵘ r.-v.

DUPORT ET DUMAS Mondeuse 2003 ★

⬛	1,01 ha	6 000	⬛ⵘ	8 à 11 €

On s'intéresse à cette mondeuse de Duport et Dumas, car elle a valu à ce domaine deux coups de cœur (millésimes 1999 et 2001). Dans le millésime 2003, elle est appréciée pour son côté aromatique : dominés par la fraise, ses parfums de fruits rouges se prolongent dans une bouche équilibrée. Un ensemble typique que les impatients pourront commencer à apprécier dès la fin de l'année. Quant au **pinot noir 2003 (5 à 8 €)**, on ne sera pas surpris d'apprendre qu'il « pinote » : c'est la cerise qui marque le nez, accompagnée d'une touche de pruneau. Le palais révèle une belle matière, grasse et ronde, assez tannique. Une bouteille que l'on peut déjà déboucher, mais qui possède quelques réserves.

🐓 SARL Duport-Dumas, Pont-Bancet, 01680 Groslée, tél. 04.74.39.75.19, fax 04.74.39.70.95 ☑ ⵟ ⵘ r.-v.

MICHEL ET STEPHANE GIRARDI
Blanc de blancs 2002 ★

⚪	0,47 ha	4 900	⬛ⵘ	5 à 8 €

Un domaine de 5 ha environ, conduit par un oncle et son neveu. Son siège est situé dans une maison de pierre au centre de Cerdon, village célèbre pour ses vins effervescents. Issu de chardonnay, celui-ci est une méthode traditionnelle. Tout plaît dans ce vin, de sa bulle fine et persistante à sa finale, dont la fraîcheur souligne de beaux arômes de fleurs blanches, de pomme et de citron. Son agréable vivacité le destine à l'apéritif.

🐓 GAEC Girardi, rue de la Gumarde, 01450 Cerdon, tél. 04.74.39.95.90, fax 04.74.39.93.47 ☑ ⵟ ⵘ r.-v.

CELLIER LINGOT-MARTIN
Cerdon Méthode ancestrale
Cuvée Jean-Claude Martin 2003 ★

⚪		4 ha	30 000	5 à 8 €

En 1970, les Martin se sont associés aux Lingot, dans la viticulture depuis quatre générations. L'exploitation compte aujourd'hui 18 ha de vignes implantées sur des coteaux pentus. Comme elle est installée à Cerdon, on ne s'étonnera pas de la voir retenue pour un vin effervescent : un rosé né majoritairement de gamay, complété par un soupçon du jurassien poulsard. Dans une robe rose à reflets violets montent de fines bulles qui font jaillir de délicats arômes de framboise et de cassis ; on retrouve ce fruité dans une bouche d'une belle harmonie. Cette bouteille aimable n'attend qu'un gratin de fruits, une salade ou un entremets aux framboises.

🐓 Cellier Lingot-Martin, Grande-Rue, 01450 Cerdon, tél. 04.74.39.97.77, fax 04.74.39.94.55 ☑ ⵟ ⵘ r.-v.

DOM. MONIN Manicle 2003 ★

⬛	0,6 ha	2 500	⬛ⵘ	8 à 11 €

Le coup de cœur de l'an dernier en bugey. Le domaine est situé dans un tout petit village plein de charme, avec ses maisons de pierre, sa chapelle romane. Au loin se découpe la silhouette du Grand Colombier. Construit au XIXes. par les compagnons, le caveau ne manque pas non plus d'intérêt. La **mondeuse Les Griots 2003 (5 à 8 €)** n'a pas le niveau du magnifique 2002, mais a été citée pour son équilibre. Dans ce millésime, les jurés ont préféré ce pinot noir. Rubis à l'œil, il libère des arômes de surmaturation : fruits rouges cuits, confiturés, que l'on retrouve dans une bouche équilibrée, qui devrait gagner en complexité avec le temps.

Dom. Monin,
01350 Vongnes, tél. 04.79.87.92.33, fax 04.79.87.93.25,
e-mail domaine.monin@wanadoo.fr
t.l.j. 9h-12h30 14h30-19h

FRANCK PEILLOT Mondeuse 2003 ★

■	1,1 ha	3 000	▮	**8 à 11 €**

Cette exploitation familiale s'est spécialisée dans la viticulture dans les années 1960. Elle a été reprise en 1995 par le petit-fils du fondateur, qui défend avec ardeur le vignoble de Montagnieu. Balcon sur la vallée du Rhône, ce cru de Bugey est adossé à l'un des derniers contreforts du Jura et regarde le sud-ouest. Franck Peillot est attaché à la production de vins tranquilles et aux cépages traditionnels de la région, comme la mondeuse. Cultivée sur échalas avec de petits rendements, elle a donné un vin rouge grenat soutenu, très aromatique au nez comme en bouche, avec ses parfums de fruits rouges, de cassis et d'épices. Une bouteille qui séduit également par le bon équilibre entre tanins et acidité. On la débouchera dans un an.

Franck Peillot, Au village, 01470 Montagnieu,
tél. 04.74.36.71.56, fax 04.74.36.14.12,
e-mail franckpeillot@aol.com r.-v.

PHILIPPE PERDRIX Pinot 2003

■	0,26 ha	880		**5 à 8 €**

Corinne et Philippe Perdrix ont succédé à leur père sur la petite exploitation (un peu plus de 4 ha) qu'il avait créée en 1986. Les jurés avaient retenu leur roussette dans deux éditions antérieures. Voici une microcuvée de pinot noir. La robe rouge cerise invite à le découvrir, tout comme son nez porté sur la griotte épicée, et sa bouche tournée vers le cassis et la fraise, assez chaleureuse.

Philippe Perdrix, Villeneuve, 01300 Saint-Benoît,
tél. 04.74.39.74.24, fax 04.74.39.74.24 r.-v.

CAVEAU QUINARD
Chardonnay Vieilles Vignes 2003

□	2 ha	7 000		**3 à 5 €**

Une exploitation familiale par excellence, puisque trois générations y travaillent ! Les vignes s'étendent sur 13 ha : un petit tiers des superficies a produit les vins retenus dans le Guide : un blanc et un rouge. Le premier est né de chardonnay. Son nez, associant notes florales et nuances de pain grillé, est caractéristique du cépage, et la bouche puissante et aromatique révèle la maturité du raisin. Le vin rouge est un **gamay Vieilles vignes 2002**. Il est cité pour ses parfums de fruits rouges et sa matière souple et ronde, un peu austère en finale.

Maurice Quinard, le bourg,
01300 Massignieu-de-Rives,
tél. 04.79.42.10.18, fax 04.79.42.12.84,
e-mail qjacqueli@aol.com
t.l.j. 10h-12h 15h-19h; dim. sur r.-v.

MARJORIE ET BERNARD RONDEAU
Cerdon Méthode ancestrale 2003 ★★

●	3,2 ha	30 000		5 à 8 €

Cerdon s'est fait une spécialité des vins effervescents. Les Rondeau figurent au nombre des vignerons attachés à la méthode ancestrale et ont montré depuis leur installation, en 1998, une grande maîtrise dans l'élaboration de ce style de vin : n'ont-ils pas obtenu deux coups de cœur consécutifs pour des millésimes 1999 et 2000 ? Avec cette bouteille née de gamay, ils reviennent au sommet. Les jurés unanimes louent la finesse de sa bulle, avec un joli cordon qui monte dans une robe rose pâle, son agréable fruité framboisé au nez comme en bouche, son attaque franche et vive, et sa plaisante finale. On l'appréciera à l'apéritif ou au dessert, sur une génoise ou sur une tarte aux fruits.

Marjorie et Bernard Rondeau,
hameau de Cornelle, 01640 Boyeux-Saint-Jérôme,
tél. 04.74.37.12.34, fax 04.74.37.12.34,
e-mail rondeau.bernard@free.fr r.-v.

THIERRY TISSOT Mataret Mondeuse 2003 ★

■	0,75 ha	3 500		5 à 8 €

Diplôme d'ingénieur-œnologue en poche, Thierry Tissot s'est installé en 2001 sur la propriété familiale, née dans les années 1880, et part à la reconquête des anciens coteaux viticoles de Vaux-en-Bugey, tel ce Mataret. Abandonné en raison de son caractère pentu, il a été replanté en mondeuse, et voici la première récolte de ces jeunes vignes. Le résultat est des plus encourageants : le nez très fin associe la cerise et la fraise des bois. Pleine de tempérament, équilibrée, la bouche garde ce registre aromatique, avec des nuances épicées caractéristiques du cépage. Un vin typique. Même note pour le **gamay 2003 (3 à 5 €)**, qui offre aussi tout ce qu'on attend de ce type de produit : des arômes de fruits rouges, un rien épicés, une bouche équilibrée et fraîche.

Thierry Tissot,
quai du Buizin, 01150 Vaux-en-Bugey,
tél. 06.81.14.02.17, fax 04.74.35.80.55,
e-mail thierrytissot@hotmail.com r.-v.

LE LANGUEDOC ET LE ROUSSILLON

Entre la bordure méridionale du Massif central et les régions orientales des Pyrénées, c'est une mosaïque de vignobles et une large palette de vins qui s'offrent à travers quatre départements côtiers : le Gard, l'Hérault, l'Aude, les Pyrénées-Orientales, grand cirque de collines aux pentes parfois raides se succédant jusqu'à la mer, constituant quatre zones successives : la plus haute, formée de régions montagneuses, notamment de terrains anciens du Massif central ; la deuxième, région des soubergues (coteaux pierreux) et des garrigues, la partie la plus ancienne du vignoble ; la troisième, la plaine alluviale assez bien abritée présentant quelques coteaux peu élevés (200 m) ; et la quatrième, zone littorale formée de plages basses et d'étangs dont les récents aménagements ont fait l'une des régions de vacances les plus dynamiques d'Europe. Ici encore, c'est aux Grecs que l'on doit sans doute l'implantation de la vigne, dès le VIII^{e}s. av. J.-C., au voisinage des points de pénétration et d'échanges. Avec les Romains, le vignoble se développa rapidement et concurrença même le vignoble romain, si bien qu'en l'an 92 l'empereur Domitien ordonna l'arrachage de la moitié des surfaces plantées ! La culture de la vigne resta alors une spécificité de la Narbonnaise pendant deux siècles. En 270, Probus redonna au vignoble du Languedoc-Roussillon un nouveau départ, en annulant les décrets de 92. Celui-ci se maintint sous les Wisigoths, puis dépérit lorsque les Sarrasins intervinrent dans la région. Le début du IX^{e}s. marqua une renaissance du vignoble, dans laquelle l'Eglise joua un rôle important grâce à ses monastères et à ses abbayes. La vigne est alors placée surtout sur les coteaux, les terres de plaine étant réservées aux cultures vivrières.

Le commerce du vin s'étendit surtout aux XIVe et XV^{e}s., de nouvelles technologies voyant le jour, tandis que les exploitations se multipliaient. Aux XVIe et XVII^{e}s. se développa aussi la fabrication des eaux-de-vie.

Aux XVIIe et XVIII^{e}s., l'essor économique de la région passe par la création du port de Sète, l'ouverture du canal des Deux Mers, la réfection de la voie romaine, le développement des manufactures de tissage de draps et de soieries. Il donne une nouvelle impulsion à la viticulture. Facilitée par les nouvelles infrastructures de transport, l'exportation du vin et des eaux-de-vie est encouragée.

On assiste alors au développement d'un nouveau vignoble de plaine, et l'on voit apparaître dès cette période la notion de terroir viticole, où les vins liquoreux occupent déjà une grande place. La création du chemin de fer, entre les années 1850 et 1880, diminue les distances et assure l'ouverture de nouveaux marchés dont les besoins seront satisfaits par l'abondante production de vignobles reconstitués après la crise du phylloxéra.

Grâce à ses terroirs situés sur les coteaux, dans le Gard, l'Hérault, le Minervois, les Corbières et le Roussillon, un vignoble planté de cépages traditionnels (voisin des vignobles qui avaient fait la gloire du Languedoc-Roussillon au siècle précédent) va se développer à partir des années 1950. Un grand nombre de vins deviennent alors AOVDQS et AOC, tandis que l'on constate une orientation vers une viticulture de qualité.

Les différentes zones de production du Languedoc-Roussillon se trouvent dans des situations très variées quant à l'altitude, à la proximité de la mer, à l'établissement en terrasses ou en coteaux, aux sols et aux terroirs.

Les sols et les terroirs peuvent être ainsi des schistes de massifs primaires comme à Banyuls, à Maury, en Corbières, en Minervois et à Saint-Chinian ; des grès du lias et du trias alternant souvent avec des marnes comme en Corbières et à Saint-Jean-de-Blaquière ; des terrasses et cailloux roulés du quaternaire, excellent terroir à vignes comme à Rivesaltes, Val-d'Orbieu, Caunes-Minervois, dans la Méjanelle ou les Costières de Nîmes ; des terrains calcaires à cailloutis souvent en pente ou situés sur des plateaux, comme en Roussillon, en Corbières, en Minervois ; ou, dans les coteaux du Languedoc, des terrains d'alluvions récentes (sans oublier les arènes granitiques et gneiss des Albères et Fenouillèdes).

Le climat méditerranéen assure l'unité du Languedoc-Roussillon, climat fait parfois de contraintes et de violence. C'est en effet la région la plus chaude de France (moyenne annuelle voisine de 14 °C, avec des températures pouvant dépasser 30 °C en juillet et en août) ; les pluies sont rares, irrégulières et mal réparties. La belle saison connaît toujours un manque d'eau important du 15 mai au 15 août. Dans beaucoup d'endroits du Languedoc-Roussillon, seule la culture de la vigne et de l'olivier est possible. Il tombe 350 mm d'eau au Barcarès, la localité la moins arrosée de France. Mais la quantité d'eau peut varier du simple au triple suivant l'endroit (400 mm au bord de la mer, 1 200 mm sur les massifs montagneux). Les vents viennent renforcer la sécheresse du climat lorsqu'ils soufflent de la terre (mistral, cers, tramontane) ; au contraire, les vents provenant de la mer modèrent les effets de la chaleur et apportent une humidité bénéfique à la vigne.

Le réseau hydrographique est particulièrement dense ; on compte une vingtaine de rivières, souvent transformées en torrents après les orages, souvent à sec à certaines périodes de sécheresse. Elles ont contribué à l'établissement du relief et des terroirs depuis la vallée du Rhône jusqu'à la Têt, dans les Pyrénées-Orientales.

Sols et climat constituent un environnement très favorable à la vigne en Languedoc-Roussillon, ce qui explique qu'y soient localisées près de 40 % de la production nationale, dont annuellement environ 2 700 000 hl en AOC et 30 000 hl en AOVDQS.

Dans le vignoble de vins de table, on constate depuis 1950 une évolution de l'encépagement : régression très importante de l'aramon, cépage de vins de table légers planté au XIX^e^s., au profit des cépages traditionnels du Languedoc-Roussillon (carignan, cinsault, grenache noir, syrah et mourvèdre) ; et implantation d'autres cépages plus aromatiques (cabernet-sauvignon, cabernet franc, merlot et chardonnay).

Dans le vignoble de vins fins, les cépages rouges sont le carignan qui apporte au vin structure, tenue et couleur ; le grenache, cépage sensible à la coulure, qui donne au vin sa chaleur, participe au bouquet mais s'oxyde facilement lors du vieillissement ; la syrah, cépage de qualité, qui apporte ses tanins et un arôme se développant avec le temps ; le mourvèdre, qui vieillit bien et donne des vins élégants, résistants à l'oxydation ; le cinsault enfin, qui, cultivé en terrain pauvre, donne un vin souple présentant un fruité agréable et surtout entrant dans l'assemblage des vins rosés.

Les blancs sont produits à base de grenache blanc pour les vins tranquilles, de picpoul, de bourboulenc, de macabeu, de clairette – donnant une certaine chaleur mais madérisant assez rapidement. Depuis peu, marsanne, roussanne et vermentino agrémentent cette production. Pour les vins effervescents, on fait appel au mauzac, au chardonnay et au chenin.

Le Languedoc

Blanquette-de-limoux

Ce sont les moines de l'abbaye Saint-Hilaire, commune proche de Limoux, qui, découvrant que leurs vins repartaient en fermentation, ont été les premiers élaborateurs de blanquette-de-limoux. Trois cépages sont utilisés pour son élaboration : le mauzac (90 % minimum), le chenin et le chardonnay, ces deux derniers cépages étant introduits à la place de la clairette et apportant à la blanquette acidité et finesse aromatique.

La blanquette-de-limoux est élaborée suivant la méthode de fermentation en bouteille et se présente sous dosages brut, demi-sec ou doux.

Le Languedoc

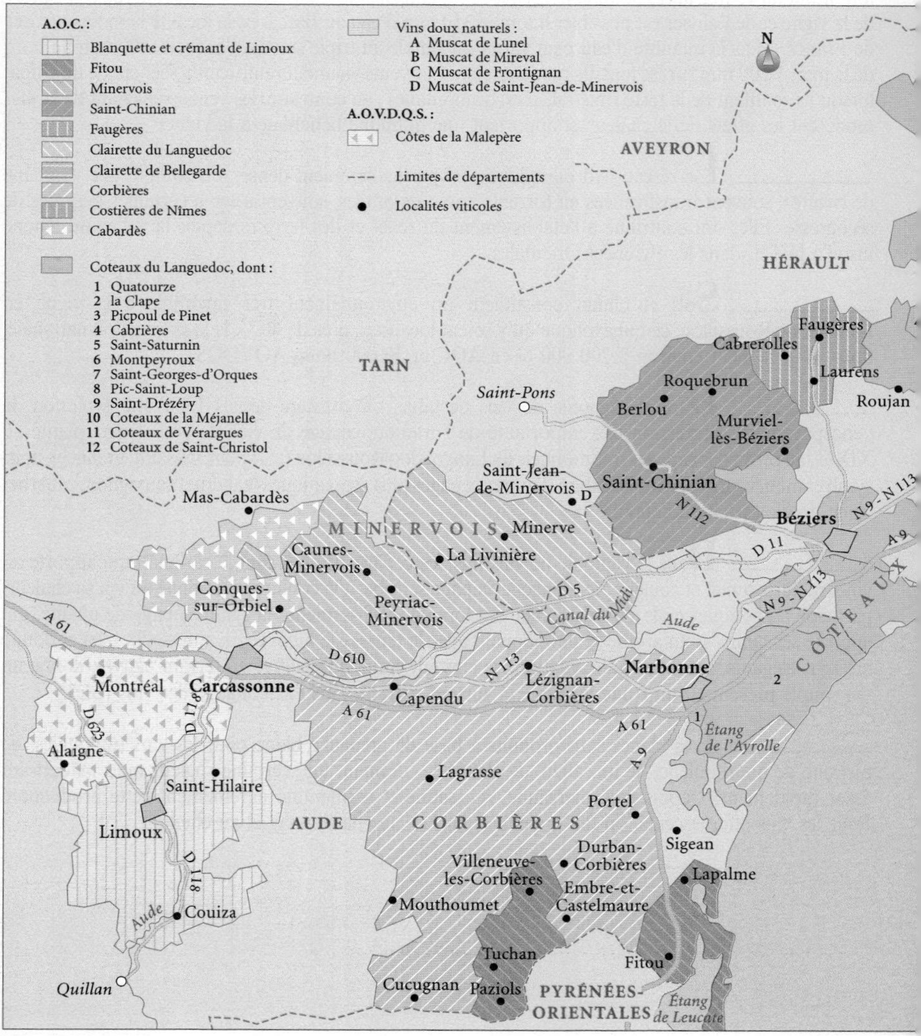

AIMERY *

500 ha 150 000 5 à 8 €

En 2000, la cave des Vignerons du Sieur d'Arques dévoilait sa nouvelle botte secrète : elle est jeune, elle est belle, elle est œnologue d'origine champenoise, elle est spécialisée dans les vins effervescents après avoir fait ses premières armes chez Moët et Chandon, elle s'appelle Céline Gasco et présente cette blanquette aux arômes intenses d'aubépine et de pêche ; l'expression du fruit perdure en bouche où dominent fraîcheur et élégance.

Aimery-Sieur d'Arques,
av. de Carcassonne, BP 30, 11300 Limoux Cedex,
tél. 04.68.74.63.00, fax 04.68.74.63.13 r.-v.

PIERRE CHANAU Brut Grande Réserve 2002 **

n.c. 100 000 5 à 8 €

Cette cuvée Grande Réserve signée Pierre Chanau (Auchan) est un produit de la famille Antech. Après avoir modernisé le quai de réception de la vendange, ce négociant a opté pour des récoltes issues de la conduite raisonnée par respect pour l'environnement et pour limiter au maximum pesticides et insecticides. Sous une mousse fine et une robe jaune pâle s'exhale un nez fruité, discret mais élégant. Bel équilibre en bouche où le fruité persiste longuement dans une agréable vivacité. Appréciée également, la cuvée **Antech Tradition 2002** obtient une étoile.

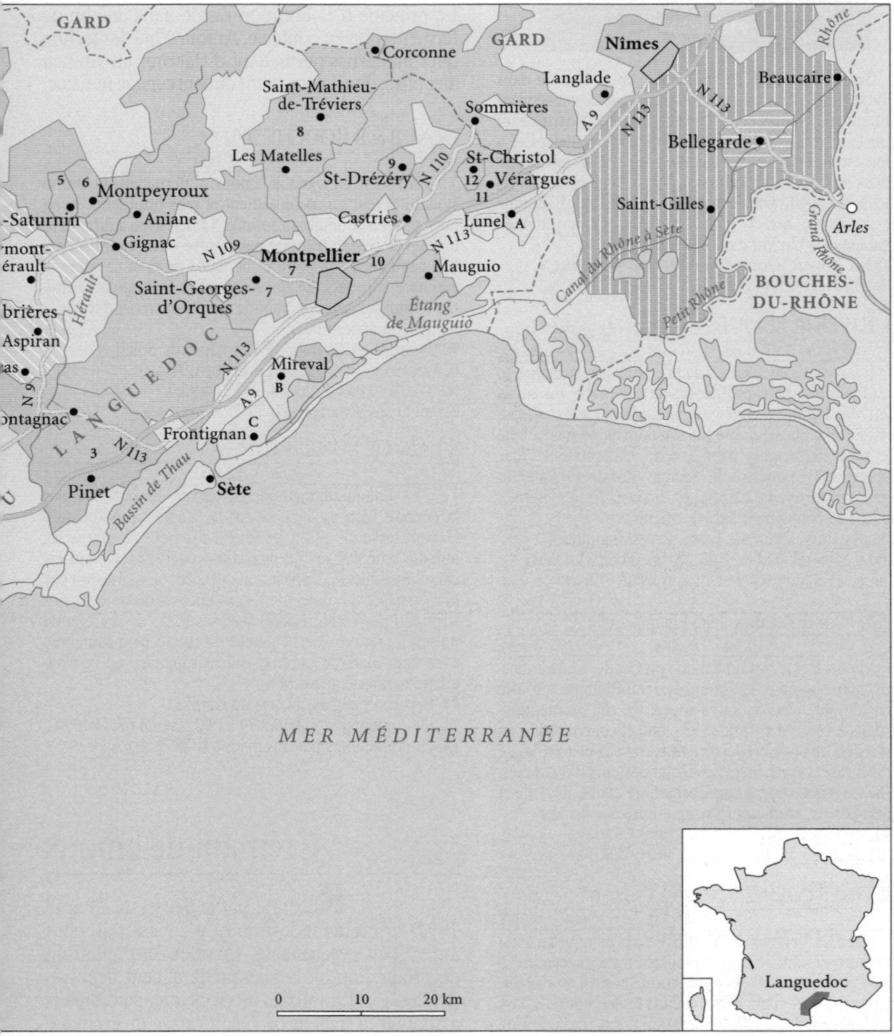

● Georges et Roger Antech, Dom. de Flassian,
11300 Limoux, tél. 04.68.31.15.88, fax 04.68.31.71.61,
e-mail courriers@antech-limoux.com
Ⅱ ⚒ t.l.j. sf sam. dim. 8h-12h 14h-18h

DOM. DE FOURN Brut Carte noire 2000 ★★

	5 ha	30 000	8 à 11 €

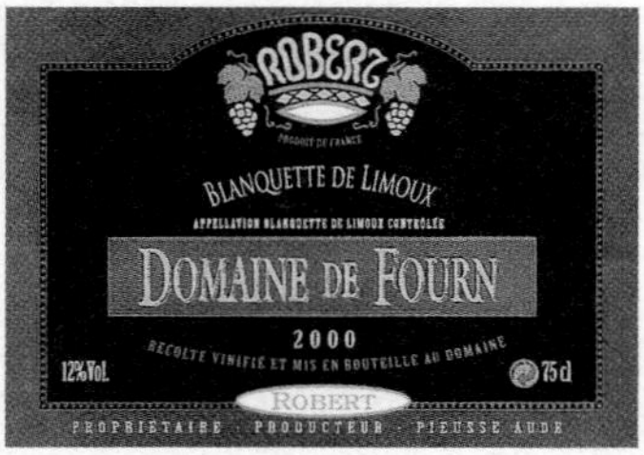

Trois étoiles dans l'édition 1997, coup de cœur dans le Guide 1999 ; ce n'est pas un hasard si ce domaine vient d'obtenir un nouveau coup de cœur, mais bien le fruit d'un savoir-faire indiscutable. Cette blanquette jaune pâle, à l'effervescence fine et abondante, offre d'agréables fragrances printanières, dominées par la fleur blanche. En bouche, la touche florale évolue vers le fruité. L'attaque vive donne un caractère de fraîcheur qui se prolonge agréablement. Un vin dans sa plénitude.
● GFA Robert, Dom. de Fourn, 11300 Pieusse,
tél. 04.68.31.15.03, fax 04.68.31.77.65 ☑ Ⅱ ⚒ r.-v.

CH. RIVES-BLANQUES 2001 ★

	8 ha	30 000	5 à 8 €

Il faut venir en hiver ou au printemps au domaine de Rives-Blanques, pour profiter de cette superbe vue sur la chaîne des Pyrénées enneigées, notamment sur le massif des Rives Blanques qui a donné son nom au domaine. Une belle robe jaune pâle habille cette blanquette au nez complexe où se mêlent la senteur florale typique du mauzac et une touche d'agrumes. En bouche, équilibre et longueur se conjuguent agréablement.
● Jan et Caryl Panman, Dom. Rives-Blanques,
11300 Cépie, tél. 04.68.31.43.20, fax 04.68.31.43.20,
e-mail rives-blanques@wanadoo.fr ☑ ⌂ Ⅱ r.-v.

DOM. ROSIER Cuvée Jean-Philippe 2002 ★★

	10 ha	80 000	3 à 5 €

Michel Rosier est un habitué du Guide. Cette année, tel un métronome, c'est sa cuvée Jean-Philippe qui a la faveur du jury. Toujours très appréciée, elle fut mentionnée dans les éditions 1995, 1999, 2000 et coup de cœur en 2001. C'est un produit tout en dentelle avec une robe jaune pâle aux reflets verts, un nez puissant de fleurs d'amandier. Il affiche un beau corps ample, équilibré et une élégante et intense palette aromatique à prédominance florale.
● Dom. Rosier, rue Farman, 11300 Limoux,
tél. 04.68.31.48.38, fax 04.68.31.34.16 ☑ ⚒ r.-v.

VERGNES Carte noire 2000 ★

	7 ha	40 000	5 à 8 €

Chez les Vergnes de Martinolles, la blanquette, c'est une affaire de famille avec l'implication de chacun et un savoir-faire reconnu. De la plantation à l'accueil du visiteur, en passant par la vinification, aucune fausse note ! A base principalement de mauzac (cépage traditionnel de la région),

cette blanquette aux notes grillées de fruits secs et de fruits mûrs offre beaucoup de rondeur et une finale nerveuse.
● Vignobles Vergnes,
Dom. de Martinolles, 11250 Saint-Hilaire,
tél. 04.68.69.41.93, fax 04.68.69.45.97,
e-mail martinolles@wanadoo.fr ⌂ Ⅱ ⚒ r.-v.

Blanquette méthode ancestrale

AOC à part entière, la blanquette méthode ancestrale reste un produit confidentiel. Le principe d'élaboration réside dans une fin de fermentation en bouteille. Aujourd'hui, les techniques modernes permettent d'élaborer un vin peu alcoolisé, doux, provenant du seul cépage mauzac.

DOM. B & B BOUCHE 2002 ★★

	1 ha	3 000	5 à 8 €

Au cœur du vignoble limouxin, Bernadette et Bruno Bouché gèrent scrupuleusement et sans bruit leurs 30 ha de vignes en conduite raisonnée. Cette cuvée a flirté avec le coup de cœur, séduisant par sa robe jaune clair brillant, son nez intense de poire et de fruits mûrs et ce superbe équilibre sucre-acidité qui lui confère une agréable fraîcheur, sur des notes de pomme verte caractéristiques de la blanquette ancestrale.
● Dom. B. et B. Bouché, Les Chais du Soleil,
6, av. de Limoux, 11300 La Digne-d'Aval,
tél. 06.08.70.04.63, fax 04.68.31.64.95,
e-mail l-c-d-s@wanadoo.fr ☑ Ⅱ ⚒ r.-v.

CLAIR DE LUNE 2002 ★★

	3 ha	12 000	5 à 8 €

La blanquette méthode ancestrale, Bernard Delmas la connaît bien puisque ce fut le premier produit qu'il élabora lorsqu'il quitta les fourneaux pour revenir à ses amours viticoles sur l'exploitation paternelle. Ce vin est caractéristique de l'appellation : peu alcoolisé, il séduit par sa robe pâle et limpide. L'effervescence est discrète. Le nez surprend par son intensité, avec ses notes de poire et de noisette. Très typique, la bouche est ronde, bien équilibrée avec une finale de pomme fraîche, apanage de la blanquette méthode ancestrale.
● Bernard Delmas, 11, rte de Couiza,
11190 Antugnac, tél. 04.68.74.21.02, fax 04.68.74.19.90,
e-mail domainedelmas@wanadoo.fr ☑ Ⅱ ⚒ r.-v.

Crémant-de-limoux

Reconnu par le décret du 21 août 1990, le crémant-de-limoux n'en est pas pour autant peu expérimenté. En effet, les conditions de production de la blanquette étaient déjà très strictes. Les Limouxins n'ont eu aucune difficulté à adopter la rigueur de l'élaboration du crémant.

Depuis déjà quelques années s'affinaient dans les chais des cuvées issues de subtils mariages entre la personnalité et la typicité du mauzac, l'élégance et la rondeur du chardonnay, la jeunesse et la fraîcheur du chenin.

ANTECH Cuvée Saint-Laurent 2002 ★

n.c. 26 648 5 à 8 €

Propriétaire et négociant depuis six générations, la famille Antech est mentionnée régulièrement dans le Guide. La rénovation récente de la cave, du quai d'apport et la sélection rigoureuse de la vendange sont à l'origine de l'étoile de ce crémant. Tout d'abord floral au nez avec une légère touche de pain grillé, il s'oriente ensuite vers des notes de fruits rouges. La bouche, ample, s'achève sur une note de pêche abricot et une belle fraîcheur.

Georges et Roger Antech, Dom. de Flassian,
11300 Limoux, tél. 04.68.31.15.88, fax 04.68.31.71.61,
e-mail courriers@antech-limoux.com
t.l.j. sf sam. dim. 8h-12h 14h-18h

DELMAS 2000 ★★

3 ha 24 000 5 à 8 €

Pour un bon vin, il fallait une belle cave, c'est fait. Bernard Delmas a construit un superbe bâtiment à l'image des produits qu'il élabore. Pratiquant la culture biologique, il présente un vin brillant, jaune paille, aux arômes de fleurs jaunes et de poire williams que l'on retrouve en bouche, associés à la pêche blanche et à une pointe de clou de girofle. Après une attaque ample, l'ensemble se révèle fondu et bien équilibré. La longue finale signe un vin dans sa plénitude.

Bernard Delmas, 11, rte de Couiza,
11190 Antugnac, tél. 04.68.74.21.02, fax 04.68.74.19.90,
e-mail domainedelmas@wanadoo.fr r.-v.

IMPERIAL GUINOT Brut Tendre ★

8,8 ha 30 000 8 à 11 €

Cette vénérable maison mérite le détour pour sa vieille cave souterraine où vous pourrez admirer une très ancienne bouteille de vin effervescent, peut-être la plus ancienne puisqu'elle date du XVII[e]s. Intense et complexe (épices, fruits exotiques), le bouquet de ce vin s'harmonise avec le palais pour donner un ensemble de qualité, dans la lignée impériale des crémants.

Maison Guinot, 3, av. Chemin-de-Ronde,
BP 74, 11300 Limoux, tél. 04.68.31.01.33,
fax 04.68.31.60.05, e-mail guinot@cremant.fr
t.l.j. sf sam. dim. 9h-12h 14h-17h

DOM. J. LAURENS Les Graimenous 2002 ★★

10 ha 50 000 5 à 8 €

Rachetée en 2002 à Michel Dervin, cette propriété vient de subir une véritable métamorphose. De simple bâtiment isolé au milieu des vignes, c'est devenu un domaine agréable, véritable havre de verdure où il fait bon se prélasser au soleil... L'accueil de ce crémant, c'est cette note olfactive intense et complexe faite d'agrumes, de fruits secs, de miel et d'une touche de pomme verte. Ensuite s'exprime ment en bouche toute la puissance d'un vin rond aux notes toastées et une finale de petits fruits aigrelets et de lime. A conseiller avec une tarte au citron meringuée.

SCEA Dom. J. Laurens,
rte de La Digne-d'Amont, 11300 La Digne-d'Aval,
tél. 04.68.31.54.54, fax 04.68.31.61.61,
e-mail domaine.jlaurens@wanadoo.fr
t.l.j. sf sam. dim. 8h-12h 13h30-18h

TOQUES ET CLOCHERS ★★

500 ha 150 000 15 à 23 €

Organisée par les Vignerons du Sieur d'Arques, Toques et Clochers est une vente aux enchères exceptionnelle, parrainée par les meilleures toques et dont les bénéfices contribuent à préserver le patrimoine architectural du Limouxin par la rénovation des clochers des villages de l'appellation. Voici un produit qui mérite bien un coup de cœur. Au nez, il explose entre fleur et minéral, peut-être les deux ! La bouche est souple, très présente, agrémentée de brioche, de pain de mie et de miel. Tellement long qu'il ne semble pas vouloir nous quitter, offrant un plaisir qu'il faudra savoir partager. Dans le même style, le jury a retenu le **Sieur d'Arques Grande cuvée 1531 (8 à 11 €)** qui obtient une étoile.

Aimery-Sieur d'Arques, av. de Carcassonne,
BP 30, 11300 Limoux Cedex,
tél. 04.68.74.63.00, fax 04.68.74.63.13 r.-v.

VEUVE TAILHAN ★★

7,5 ha 60 000 5 à 8 €

Coup de cœur dans l'édition 2004, cette cuvée est propriété de Jean-Claude Boisset, que l'on trouve désormais dans bien des vignobles de France et d'ailleurs. La maison Veuve Tailhan fut fondée en 1855. Ce crémant de caractère présente une palette aromatique associant la fleur blanche, la brioche et une touche surprenante de fraise. La finale longue est marquée par les fruits secs. Un excellent compagnon de fin de repas.

Jean-Claude Boisset,
5, quai Dumorey, 21700 Nuits-Saint-Georges,
tél. 03.80.62.61.61, fax 03.80.62.37.38,
e-mail patriat.g@jcboisset.fr r.-v.

Limoux

L'appellation limoux nature reconnue en 1938 désignait en réalité le vin de base destiné à l'élaboration de l'appellation blanquette-de-limoux et toutes les maisons de négoce en commercialisaient quelque peu.

En 1981, cette AOC s'est vu interdire à son grand regret l'utilisation du terme nature et elle est devenue limoux. Resté à 100 %

mauzac, le limoux a décliné lentement, les vins de base de la blanquette-de-limoux étant alors élaborés avec du chenin, du chardonnay et du mauzac.

Cette appellation renaît depuis l'intégration, pour la première fois à la récolte 1992, des cépages chenin et chardonnay, le mauzac restant toutefois obligatoire. Une particularité : la fermentation et l'élevage jusqu'au 1er mai, à réaliser obligatoirement en fût de chêne. La dynamique équipe limouxine voit ainsi ses efforts récompensés.

J.-L. DENOIS Sainte-Marie 2002 ★

▒ 1 ha 5 000 🛢 11 à 15 €

L'accueil est jaune d'or, le nez riche et puissant, très épicé avec des notes empyreumatiques et de moka : c'est un vin concentré, frais, gras et d'une belle persistance. Prêt à boire mais pouvant attendre un à trois ans. Du même élaborateur, le jury a également retenu le **limoux cuvée La Rivière 2002**, qui obtient une étoile.

🔑 Jean-Louis Denois,
Borde-Longue, 11300 Roquetaillade,
tél. 04.68.31.39.12, fax 04.68.31.39.14 ☑ 🍷 🚶 r.-v.

ORCHYS 2002 ★

▒ 1,2 ha 5 000 🛢 8 à 11 €

Acheté en 1997 par deux vignerons bourguignons, Christian Collovray et Jean-Luc Terrier, le château d'Antugnac, situé dans la haute vallée de l'Aude, a tous les atouts pour réussir. Cette cuvée Orchys à la robe or parée de reflets dorés, bien équilibrée, tout en finesse, révèle toute l'expression du terroir d'altitude dont elle provient. Remarqué également par le jury, le **Château d'Antugnac limoux 2002 (11 à 15 €)**, vin ample et équilibré, aux arômes de fruits confits et d'agrumes sur une finale miellée, obtient une étoile.

🔑 Collovray et Terrier, Vins des Personnets,
71960 Davayé, tél. 03.85.35.86.51, fax 03.85.35.86.12,
e-mail vinsdespersonnets@club-internet.fr 🍷 🚶 r.-v.

PRIMO PALATUM 2002 ★

▒ 1 ha 600 🛢 15 à 23 €

De l'Atlantique à la Méditerranée, les vins de la gamme Primo Palatum sont le fruit d'un partenariat entre Xavier Copel, œnologue, et des vignerons. Issu de la haute vallée de l'Aude, ce vin limpide et brillant aux reflets verts hésite entre le fruit surmûri et le citron. C'est en bouche qu'il excelle sur une attaque vive et fraîche ; généreux et ample, il offre en finale le plaisir d'une touche vanillée.

🔑 Primo Palatum, 1, Cirette, 33190 Morizès,
tél. 05.56.71.39.39, fax 05.56.71.39.40,
e-mail xavier-copel@primo-palatum.com ☑ 🍷 🚶 r.-v.

CH. RIVES-BLANQUES Cuvée de l'Odyssée 2002 ★

▒ 9 ha 9 000 🛢 5 à 8 €

Acheté au début du XXes. par Jan et Théa Panman, rénové entièrement en 2002, géré par l'ancien propriétaire Eric Valade, ce domaine n'a pas fini de nous étonner comme le montre cette excellente cuvée or pâle brillant à base de chardonnay. Les arômes d'agrumes et de noisettes grillées se prolongent en bouche avec beaucoup de vivacité et de gras. A noter également, la deuxième cuvée de la Trilogie, la cuvée **Dédicace 2002**, une étoile, avec une base de chenin, vendue au même prix que sa sœur ; les arômes de pêche et de fruits confits s'y épanouissent agréablement.

🔑 Jan et Caryl Panman, Dom. Rives-Blanques,
11300 Cépie, tél. 04.68.31.43.20, fax 04.68.31.43.20,
e-mail rives-blanques@wanadoo.fr ☑ 🏠 🍷 r.-v.

Clairette-de-bellegarde

Reconnue AOC en 1949, la clairette-de-bellegarde est produite dans la partie sud-est des Costières de Nîmes, dans une petite région comprise entre Beaucaire et Saint-Gilles, et entre Arles et Nîmes, sur des sols rouges caillouteux. Produite à partir du cépage clairette, elle présente un bouquet caractéristique. En 2003, 2 243 hl de vin ont été produits.

MAS CARLOT Cuvée Tradition 2003

▒ 6 ha 35 000 ▮ 🌡 3 à 5 €

Clairette-de-bellegarde classique mais non moins réussie et élégante, à la robe jaune pâle. Le nez fin est fleuri (fleurs blanches, aubépine), puis s'ouvre sur la pêche blanche. Fruit que l'on retrouve en bouche avec l'ananas bien mûr. La bouche présente un bel équilibre entre acidité et moelleux, rehaussant le côté chaleureux du millésime en finale. A apprécier sur un poisson grillé.

🔑 Nathalie Blanc-Marès, Mas Carlot,
rte de Redessan, 30127 Bellegarde,
tél. 04.66.01.11.83, fax 04.66.01.62.74,
e-mail mascarlot@aol.com ☑ 🍷 🚶 r.-v.

Clairette-du-languedoc

Les vignes du cépage clairette sont cultivées sur 57 ha déclarés en 2003 dans huit communes de la vallée moyenne de l'Hérault et ont produit 2 104 hl . Après vinification à basse température avec le minimum d'oxydation, on obtient un vin blanc généreux, à la robe jaune soutenu. Il peut être sec, demi-sec ou moelleux. En vieillissant, il acquiert un goût de rancio qui plaît à certains consommateurs. Il s'allie bien à la bourride sétoise et à la baudroie à l'américaine.

ADISSAN Moelleux 2003 ★★

▒ 3 ha 17 000 5 à 8 €

A côté de la **clairette Adissan sec 2003**, une étoile, voici un grand classique du moelleux. Derrière la robe de couleur or superbe, la complexité des arômes de fruits très mûrs écrasés est alléchante. Du cacao et des fruits secs se profilent ensuite dans une bouche riche et concentrée où la sucrosité s'impose avec délicatesse. Ce vin devrait s'épanouir encore dans les deux prochaines années.

La Clairette d'Adissan, 34230 Adissan, tél. 04.67.25.01.07, fax 04.67.25.37.76, e-mail clairette-adissan@wanadoo.fr
t.l.j. sf dim. 9h-12h 15h-18h

LES HAUTS DE SAINT-ROME
Cabrières Moelleux 2003 ★★

	10 ha	20 000	3 à 5 €

Cabrières et ses terroirs de schistes ont donné un **coteaux-du-languedoc Cabrières rouge 2001 (11 à 15 €)**, qui reçoit une étoile, et cette clairette qui a frôlé le coup de cœur et délié les langues du jury. Derrière sa robe pâle et discrète, elle explore au nez un vrai plateau de fruits où la pêche blanche se mêle au coing, à la poire et aux agrumes. De l'onctuosité sans lourdeur, de la sucrosité sans manquer de fraîcheur, elle garde son élégance jusqu'au bout.
SCA Les Vignerons de Cabrières, Caves de l'Estabel, 34800 Cabrières, tél. 04.67.88.91.60, fax 04.67.88.00.15, e-mail sca.cabrieres@wanadoo.fr
t.l.j. 9h-12h 14h-18h

Corbières

Les corbières, VDQS depuis 1951, sont passés AOC en 1985. L'appellation s'étend sur plus de 14 000 ha, sur quatre-vingt-sept communes, pour une production de 557 281 hl en 2003 (dont 8 383 hl de blanc). Ce sont des vins généreux, puisqu'ils titrent entre 11 et 13 % vol. d'alcool. Ils sont élaborés à partir d'assemblage de cépages comportant un maximum de 60 % de carignan complétés par le grenache noir, la syrah, le cinsault, le mourvèdre, en rouge et rosé, et, pour les blancs, le grenache, le maccabeo, le bourboulenc, la marsanne, la roussanne et le vermentino.

Les Corbières constituent une région typiquement viticole et n'offrent guère d'autres possibilités de culture. L'influence méditerranéenne dominante, mais également une certaine influence océanique à l'ouest, le cloisonnement des sites par un relief accentué, l'extrême diversité des sols conduisent aujourd'hui à une réflexion sur les spécificités des terroirs de l'AOC, notamment ceux de Boutenac, Durban, Lagrasse et Sigean.

CH. AIGUILLOUX Cuvée des Trois Seigneurs 2001

■	8 ha	16 000	8 à 11 €

On devient parfois viticulteurs en achetant un domaine. C'est ce qui est arrivé à Marthe et François Lemarié en 1981, quand ils ont repris ce vignoble créé en 1860. Les vieux carignans et les plus anciennes syrahs font appel à toutes leurs ressources pour mettre au monde cette bouteille rouge violacé. Riche en effluves sauvages s'exprimant tout en puissance, elle poursuit sur un ton plus civilisé. Facile à déguster avec une grillade au feu de bois dès cet hiver.
Marthe et François Lemarié, Ch. Aiguilloux, 11200 Thézan-des-Corbières, tél. 04.68.43.32.71, fax 04.68.43.30.66, e-mail aiguilloux@wanadoo.fr
t.l.j. 10h-12h 14h-18h; f. 23 déc.-4 jan.

CH. LA BASTIDE 2002 ★★

■	20 ha	80 000	5 à 8 €

Domaine de près de 100 ha, dont une vingtaine pour ce corbières né de la syrah et teinté de grenache (20 %), qui marie sous une robe profonde et violacée l'épice, le sous-bois, la réglisse. Veloutée, la bouche déroule le tapis rouge. A ce point qu'on nous conseille, pour l'escorter à table, le savarin aux fruits rouges des bois. Le jury a distingué en outre la cuvée **Optimée rouge 2002 (11 à 15 €)** et le **Château La Bastide blanc sec 2003 (8 à 11 €)**, original par son moelleux et son gras chaleureux. Tous deux obtiennent une étoile.
SCEA Ch. la Bastide, 11200 Escales, tél. 04.68.27.08.47, fax 04.68.27.26.81 r.-v.
Guilhem Durand

CH. BEAUREGARD MIROUZE
Cuvée Tradition 2002 ★

■	3,75 ha	20 000	5 à 8 €

Nicolas Mirouze doit beaucoup à sa grand-mère qui lui a remis ce vignoble (familial depuis plus d'un siècle) après l'avoir exploité de 1957 à 1999. C'est elle qui a planté la première syrah et commencé les mises en bouteilles au domaine. La vigne forme ici une clairière au sein de la garrigue. Bénéficiant d'un climat relativement frais, elle a produit un 2002 intense et brillant, rappelant au nez les fruits cuits et plaçant l'essentiel de son effort en milieu de bouche. Le **Prestige rouge 2001 (8 à 11 €)**, d'approche aisée, obtient la même note.
Nicolas Mirouze, Ch. Beauregard Mirouze, 11200 Bizanet, tél. 04.68.45.19.35, fax 04.68.45.10.07, e-mail info@beauregard-mirouze.com r.-v.

CH. BEL EVEQUE Elevé en fût de chêne 2001 ★

■	12 ha	15 600	8 à 11 €

Si vous rencontrez ici un grand blond, mais probablement pas en chaussures noires, il s'agit du comédien Pierre Richard dans un rôle de composition : celui de vigneron. Il a en effet acquis en 1986 ce morceau de presqu'île entouré par la mer et des étangs, restructuré 14 des 20 ha du vignoble et donné le clap/départ à une gamme AOC et une autre en vin de pays de l'Aude. Voici son 2001 dans une robe pourpre soutenu et limpide. Le nez complexe associe les notes épicées aux fruits cuits et à un boisé bien mené. On retrouve tout cela dans une bouche ronde et longue.
Pierre Richard, Ch. Bel Evêque, rte des Salins, 11430 Gruissan, tél. 04.68.75.00.48, fax 04.68.49.09.23, e-mail chateau.bel.eveque@wanadoo.fr
t.l.j. sf dim. lun. 10h-13h 15h-18h; f. 20 déc.-10 jan.

GERARD BERTRAND La Forge 2001 ★

■	4 ha	10 000	30 à 38 €

Issu de carignan et de syrah à 50-50 plantés sur des molasses du miocène, ce vin à la robe cassis laisse le bouquet célébrer le bigarreau. Une petite note minérale ne passe pas inaperçue à un fin dégustateur. Un vin sans démesure, aux tanins de soie. On forge ici avec minutie. Le **blanc de Villemajou 2002, élevé en fût (8 à 11 €)**, est cité pour sa belle complexité aromatique (coing, miel, agrumes avec une pointe grillée).

Gérard Bertrand, Ch. L'Hospitalet,
rte de Narbonne-Plage, 11100 Narbonne,
tél. 04.68.45.36.00, fax 04.68.45.27.17,
e-mail r.planas@gerard-bertrand.com
☑ ⌂ ⊤ ⚔ t.l.j. 8h-12h 14h-18h

CH. LE BOUIS Cuvée Arthur 2002 ★

	2 ha	4 000	⊞ 11 à 15 €

Ici, le vin fait bon ménage avec le jazz ; on trouve un restaurant et des chambres d'hôtes à deux pas de la mer. De quoi occuper son temps tout en dégustant cette cuvée Arthur (fils de l'ancien propriétaire). Cette bouteille de nuance grenat, très scintillante, associe 10 % de grenache noir à la syrah. La fraîcheur florale du bouquet se marie avec des accents réglissés et des arômes de vanille prononcés. Ample et généreuse, la bouche a suffisamment de gras pour permettre à ce 2002 de bien vieillir.
De Kerouatz, SCEA Ch. Le Bouïs, rte Bleue,
11430 Gruissan, tél. 04.68.75.25.25, fax 04.68.75.25.26,
e-mail chateau-le-bouis@wanadoo.fr ☑ 🏠 ⊤ ⚔ r.-v.

CH. DE CABRIAC Le Prieuré Saint-Martin 2001 ★★

	3,5 ha	10 000	⊞ 8 à 11 €

Adossé au pied du mont Alaric, au nord des Corbières, ce château fait face à la Montagne Noire. Une centaine d'hectares et un soin vigilant apporté aux cépages. Syrah, mourvèdre et carignan (10 %) donnent ici un vin à la robe très soutenue, au bouquet net et expansif, à l'attaque franche. Bien présent tout au long de la dégustation, il orne un volume appréciable de saveurs de fruits cuits. Fortement typée, sa personnalité mérite le sanglier braisé ou la daube provençale si la chasse n'a pas été concluante. Ses tanins sont à la hauteur.
SCEA Dom. de Cabriac, 11700 Douzens,
tél. 04.68.79.19.15, fax 04.68.79.00.75,
e-mail cabriac@wanadoo.fr ☑ ⊤ ⚔ r.-v.

C DE CAMPLONG 2001 ★

	11 ha	20 000	⊞ 15 à 23 €

C de Camplong... Le nom, l'étiquette, tout fait penser à la haute couture, à la parfumerie. Cuvée de prestige aux essences de carignan, syrah, grenache et mourvèdre. Belle tonalité rubis soutenu, effluves de griotte et de garrigue, boisé présent mais relativement discret (quatorze mois d'élevage sous bois), un vin épicé, réglissé, riche en tanins, dense et harmonieux. Une petite note d'amertume en fin de bouche n'est pas pour déplaire. Il parviendra à sa plénitude d'ici deux à trois ans. En attendant, à carafer. Deux cuvées sont également sélectionnées sous la marque **Peyres Nobles 2003 (5 à 8 €) en rosé** pour cette année ou en **blanc 2003** pour l'année 2005.
Vignerons de Camplong,
av. de la Promenade, 11200 Camplong-d'Aude,
tél. 04.68.43.60.86, fax 04.68.43.69.21,
e-mail vignerons-camplong@wanadoo.fr ☑ ⌂ ⊤ ⚔ r.-v.

CUVEE N° 3 DE CASTELMAURE 2002 ★★

	15 ha	25 000	⊞ 15 à 23 €

On connaît les numéros de Chanel. Il faudra s'habituer à ceux de cette cave coopérative qui propose sa cuvée n° 3 (syrah, grenache et carignan en ordre décroissant). Rouge cardinal, un 2002 au nez intéressant (palette aromatique allant de la cerise au menthol, à l'eucalyptus). Au palais, les tanins expressifs, la rétro-olfaction de fruits cuits retiennent moins l'attention qu'une sucrosité extraordinaire. Trois à quatre ans de garde sont dans ses possibilités. Conseillé à l'apéritif avec des amuse-bouche au fromage.

SCV Castelmaure,
4, rte des Cannelles, 11360 Embres-et-Castelmaure,
tél. 04.68.45.91.83, fax 04.68.45.83.56,
e-mail castelmaure@wanadoo.fr ☑ 🏩 ⌂ ⊤ ⚔ r.-v.

CLOS CANOS 2003 ★★

	5 ha	27 000	⊞⚖ 5 à 8 €

Propriété familiale depuis cinq générations (33 ha) et elle fait du bon ! Sous leur maillot pourpre sombre, **Les Cocobirous rouge 2002 (15 à 23 €)** sont une réussite pour le millésime (deux étoiles), mais c'est ce rosé 2003 qui éblouit. Les trois grenaches (gris, noir et blanc) à parts égales accompagnent 25 % de syrah. On y a même pensé pour le coup de cœur, exploit exceptionnel dans cette couleur. Celle-ci est diaphane et sa brillance régale le regard ! Fruité, floral et amylique, le nez donne tout ce qu'on attend de lui. La bouche intense répond aux mêmes canons. A servir avec poivrons grillés, tapas ou même poissons (dorade grillée avec un filet d'huile d'olive).
Pierre Galinier, Ch. Canos, 11200 Luc-sur-Orbieu,
tél. 04.68.27.00.06, fax 04.68.27.61.08,
e-mail chateau-canos@wanadoo.fr ☑ ⊤ ⚔ r.-v.

DOM. DES COURTILLES 2002 ★

	6 ha	25 000	⊞ 8 à 11 €

Bernard Schürr vit un rêve personnel après avoir accompli une carrière de cadre de direction auprès de groupes viticoles internationaux. Il est en plein travaux : chai d'élevage en barrique et caveau construits en gros blocs de pierre du Gard. Son 2002 est un bon compromis entre syrah, grenache et carignan (30 %). Sous un rouge pourpre bien vif, le vin est assez boisé (douze mois en fût). La douceur des fruits mûrs sur un plateau de la balance, la richesse en alcool sur l'autre.
Bernard Schürr, Dom. des Courtilles,
rte de Castelmaure, 11360 Embres-et-Castelmaure,
tél. 04.68.33.57.54, fax 04.68.33.57.54,
e-mail b.schurr@courtilles.com ☑ ⊤ ⚔ r.-v.

BLANC DE BLANCS DES DEMOISELLES 2003 ★

	7 ha	25 000	3 à 5 €

Créé en 1914, ce vignoble coopératif fut tout d'abord géré par les femmes dont les promis étaient au Front. D'où ce Cellier des Demoiselles qui a obtenu le coup de cœur l'an dernier pour le 2002 de ce blanc auquel macabeu, bourboulenc, grenache et marsanne donnent une couleur limpide et franche. Le vin développe des arômes légèrement muscatés sur fond de pamplemousse et d'acacia. Souple à l'attaque, il réalise un bon équilibre acidité-alcool et si la force de sa finale est atténuée, elle est longue et plaisante. Le **rosé 2003**, même note, floral, pourra accompagner viandes blanches ou poissons grillés. Quant à la **cuvée Messaline rouge 2001 (11 à 15 €)** dont l'étiquette représente un nu académique, elle obtient également une étoile pour ses parfums de truffe.
SCV Cellier des Demoiselles,
5, rue de la Cave, 11220 Saint-Laurent-de-la-Cabrerisse,
tél. 04.68.44.02.73, fax 04.68.44.07.05
☑ ⊤ ⚔ t.l.j. 8h-12h 14h-18h

DOM. DES DEUX ANES L'Enclos 2002 ★★

	n.c.	17 000	⊞ 8 à 11 €

Magali et Dominique Terrier ont adopté deux ânes et ils ont appelé ainsi leur premier domaine à Chardonnay (Mâconnais). Ressentant l'appel des Corbières, ils y ont créé en 2000 un nouveau vignoble, demeurant fidèles à ces gentils cadichons qui ont bien voulu les suivre. Rubis profond, cette cuvée évoque la cerise à l'eau-de-vie. Chaleureuse en bouche, soutenue par une bonne densité tannique, elle tire profit d'un bon retour d'arôme (figue). Pour l'anecdote : si vous voulez voir un pigeage aux pieds, venez ici en période de vinification.

🐓 Magali et Dominique Terrier, Dom. des Deux Anes, rte de Sainte-Eugénie, 11440 Peyriac-de-Mer, tél. 04.68.41.67.79, fax 04.68.41.61.33, e-mail mag-terrier@wanadoo.fr ☑ ⲭ ⳼ r.-v.

LE ROSE DU CHATEAU DES ERLES 2003 ★

■	40 ha	20 800	5 à 8 €

C'est un rosé (grenache, syrah et carignan) qui marque sa préférence pour le cassis, tant au nez qu'en bouche. De nuance claire mais brillante, il montre du tonus, une certaine plénitude, un goût de revenez-y. A déboucher évidemment d'ici l'été 2005. Notez aussi le **Château Merville rouge 2001**. Cité, il s'ouvre peu à peu sur un horizon sympathique.

🐓 SA Jacques et François Lurton, Dom. de Poumeyrade, 33870 Vayres, tél. 05.57.55.12.12, fax 05.57.55.12.13, e-mail jflurton@jflurton.com ⲭ ⳼ r.-v.

CH. ETANG DES COLOMBES
Bois des Dames 2002 ★

■	5 ha	20 000	⊞ 8 à 11 €

Au temps des croisades contre les Albigeois, ce domaine a appartenu à Simon de Montfort. Son histoire ensuite est particulièrement titrée jusqu'à la Révolution. Depuis plusieurs générations, la famille Gualco y rétablit une lignée. Son Bois des Dames (coup de cœur pour le millésime 2000) porte une robe très intense, presque noire, à reflets cerise. Son bouquet de pruneau se nuance d'un léger vanillé (huit mois en barrique). Ses tanins sont aimables, son corps gras et charnu. Carignan à 50 %, syrah et grenache, c'est un vin bien dans son AOC.

🐓 Henri Gualco, Ch. Etang des Colombes, 11200 Lézignan-Corbières, tél. 04.68.27.00.03, fax 04.68.27.24.63, e-mail christophe.gualco@wanadoo.fr ☑ ⲭ ⳼ t.l.j. 8h-12h 14h-18h

L'EXCELLENCE DE L'ANCIEN COMTE
Elevé en fût de chêne 2002 ★

■	20 ha	80 000	ⲓ ⊞ ⳼ 5 à 8 €

De la couleur comme il en faut. Réglisse, gingembre, le nez n'est pas compliqué mais simplement complexe. Très gouleyant en bouche, ce 2002 montre peu d'acidité, une générosité chaleureuse et une évolution aromatique allant du fruit rouge à des notes surmûries, confiturées. Sans doute n'est-ce peut-être pas là le « goût moderne », mais cette rusticité nous rappelle utilement l'état de nature.

🐓 Les Producteurs du Mont Tauch, 11350 Tuchan, tél. 04.68.45.41.08, fax 04.68.45.45.29 ☑ ⲭ ⳼ t.l.j. sf sam. dim. 9h-12h 14h-19h

FRAICHEUR DE PADERN 2003

■	8 ha	4 000	3 à 5 €

Viura dans la Rioja, *maccabeo* ici, macabeu là, ce cépage en vogue des deux côtés des Pyrénées viendrait, selon Galet et Odart avant lui, du lointain Moyen-Orient. Il s'est en tout cas bien acclimaté dans les Corbières, assurant près de la moitié de l'assemblage de cette bouteille. Jaune

pâle à reflets argentés, elle est simple et puissante. Une pointe d'alcool divertie par le fruit, une certaine sucrosité porteuse de gras, de la rondeur : on peut s'appeler Terroirs du Vertige et produire un vin parfaitement... équilibré !

🐓 SCAV Les Terroirs du Vertige, 3, rte de Montgaillard, 11350 Padern, tél. 04.68.45.41.76, fax 04.68.45.02.55, e-mail terroirs.vertige@wanadoo.fr ☑ ⲭ ⳼ r.-v.

CH. GAUSSAN-KOZINE Anna 2002 ★

■	4 ha	5 600	ⲓ ⊞ ⳼ 8 à 11 €

Béni soit ce vin évangélique ! La vie du domaine est en effet rythmée par les cloches du monastère bénédictin de Gaussan à quelque 400 m, et Fontfroide est à deux pas. Bref, syrah et carignan (55 %) ont les mains jointes et se recueillent pour mettre au monde ce vin rouge foncé à reflets grenat, bouqueté (confiture de fraises, violette) et dont l'expression aromatique en bouche est plus apostolique que contemplative. Persistant et soyeux, il est l'élégance même. Domaine à taille humaine où une belle allée de platanes ordonne la vigne et l'olivier.

🐓 Marc et Danielle Kozine, Dom. Gaussan-Kozine, 11200 Bizanet, tél. 04.68.45.18.07, fax 04.68.45.18.07, e-mail gaussan-kozine@wanadoo.fr ☑ ⲭ ⳼ r.-v.

CH. GLEON MONTANIE 2003

■	2 ha	9 000	8 à 11 €

Domaine constitué au milieu du XIX[e]s. Son rosé (70 % cinsault, syrah pour la suite) porte une robe d'une teinte très légèrement violette. Des parfums floraux animent la dégustation. Les papilles ne restent pas insensibles à des sollicitations agréables et consistantes, persistantes.

🐓 Philippe Montanié, Ch. Gléon Montanié, 11360 Durban, tél. 04.68.48.28.25, fax 04.68.48.83.39, e-mail info@gleon-montanie.com ☑ ⲭ ⳼ t.l.j. 10h-12h 13h30-19h; groupes sur r.-v.

DOM. DU GRAND ARC Veillée d'Equinoxe 2003 ★★

■	1,65 ha	7 500	ⲓ ⳼ 3 à 5 €

Padern est situé sur l'ancienne frontière qui sépare l'Espagne du royaume de France. Bruno Schenck a créé ici, en 1995, un domaine de 14 ha. Cette Veillée d'Equinoxe a manqué de peu le coup de cœur : friande, d'un jaune pâle presque blanc, elle a de délicieux et fins parfums de fleurs blanches et d'agrumes. En bouche, tout est frais et fondu, avec une forte présence d'arômes complexes mêlant pêche blanche, fruits exotiques, pomme verte dans un ensemble fabuleux et long.

🐓 Dom. du Grand Arc, rue Tranquille, 11350 Padern, tél. 04.68.45.01.03, fax 04.68.45.01.03, e-mail info@grand-arc.com ☑ 🏠 ⲭ ⳼ r.-v.
🐓 Bruno Schenck

DOM. DU GRAND CRES Cuvée majeure 2002 ★

■	3 ha	13 000	ⲓ ⊞ ⳼ 11 à 15 €

Pour ce viticulteur installé sur cette exploitation depuis 1989, syrah et grenache remplacent le pinot noir. Il a travaillé en effet au domaine de La Romanée-Conti. Son domaine de 15 ha reste à taille humaine et sa Cuvée majeure de 13 000 bouteilles n'a pas volé son nom. Un an de barrique, six mois de cuve, elle dispose d'une robe suffisante. Son bouquet fruité se développe de façon riche et plaisante. En bouche, ses tanins n'ont pas encore acquis toutes leurs bonnes manières mais le jury est optimiste, cette vigueur étant compensée par une constitution solide. A servir dans deux ans.

❧ Leferrer, Dom. du Grand Crès,
40, av. de la Mer, 11200 Ferrals-les-Corbières,
tél. 04.68.43.69.08, fax 04.68.43.58.99,
e-mail grand.cres@wanadoo.fr ☑ ⵡ ⵕ r.-v.

CUVÉE GUILHEM DE MALACOSTE 2003 ★★

■	1,5 ha	6 200		3 à 5 €

Fondée en 1928, cette cave coopérative de 1 000 ha et cent cinquante adhérents a fusionné en 2003 avec celle de Montlaur, village voisin. Son rosé (70 % grenache et 30 % syrah) est un vrai bonheur. Cristallin à reflets orangés, il est pimpant, printanier, pétale de rose et d'un joli fruit acidulé. Comment pourrait-on oublier par ailleurs la **cuvée Delteil rouge 2002**, baptisée en hommage à ce merveilleux poète ? Tout en souplesse et en élégance, charmeuse, elle tiendra fort bien sa place au festival poétique et musical de Villars-en-Val, en août.
❧ Cellier Joseph Delteil,
1, rue Joseph-Delteil, 11220 Serviès-en-Val,
tél. 04.68.24.08.74, fax 04.68.24.01.37,
e-mail cellier.joseph.delteil@wanadoo.fr
☑ ⵡ ⵕ t.l.j. 8h-12h 14h-17h

CH. HAUTERIVE LE VIEUX
Cambriel Cuvée Prestige 2002 ★

■	2,2 ha	3 000	⑪	5 à 8 €

André Cambriel s'installe en 1981. Il vinifie dans sa cave depuis 1986. En 2001, il crée un GAEC avec son épouse et son fils aîné qui vient de reprendre un vignoble âgé. L'année dernière nous avions tiré une salve d'honneur en hommage à son blanc. Cette fois-ci, le rouge prend le dessus. De nuance cerise, il est assez porté sur les épices. L'arôme de la figue fraîche enrichit le tableau d'une touche originale. Le fût est présent, mais pas gênant. Au palais ? On devrait plutôt parler de bergerie : doux comme un agneau pascal, il ne joue pas le volume. Fin et tendre. La **cuvée rouge 2001 élevée en fût de chêne** est d'excellente compagnie et reçoit la même note.
❧ GAEC Les Vignobles Cambriel, 65, av. Saint-Marc, 11200 Ornaisons, tél. 04.68.27.43.08, fax 04.68.27.59.36
☑ ⵡ ⵕ t.l.j. 9h-12h 16h-19h; sam. dim. sur r.-v.

CH. HAUT-GLEON Elevé en fût de chêne 2002 ★

■	28 ha	40 000	⑪	8 à 11 €

Un château entièrement rénové en 1991 mais qui remonte au XVIIIᵉs. Ici, de mai à septembre, se tiennent des expositions de peinture... On ne s'étonnera pas d'y rencontrer syrah, grenache (35 %) et carignan (25 %) parlant en bouteille la même langue. Entre pourpre et mauve, ce vin au bouquet assez complexe (violette, sous-bois) conserve jusqu'en finale une présence soyeuse en bouche. Les fruits cuits mettent en valeur une matière de qualité dont les tanins sont en cours de finition. On retiendra encore, citée, la **cuvée Claude Viallat rouge 2001 (15 à 23 €)**.
❧ Léon-Nicolas Duhamel, Ch. Haut-Gléon,
11360 Villesèque, tél. 04.68.48.85.95,
fax 04.68.48.46.20, e-mail contact@hautgleon.com
☑ 🏠 ⵡ ⵕ t.l.j. 9h-12h 14h-17h30

CH. DE L'ILLE 2002 ★

■	9 ha	40 000	⑪	5 à 8 €

Un vin (étiquette verte) qu'on peut attendre un peu car il possède des réserves encore inexploitées. Cela dit, il fait partie des meilleurs. Cerise noire à reflets bleutés, la syrah porte une robe impeccable auprès de ses chevaliers servants, grenache et mourvèdre. Son bouquet est assez marqué (pruneau). Le corps a une forte ossature mais les tanins n'en rajoutent pas. Quant à l'aspect vanillé (douze mois passés dans le chêne), il doit se fondre. La cuvée **Angélique rouge 2002**, avec une étoile, apparaît très honnête. Sur une presqu'île entourée par les étangs de Bages et de Sigean, la propriété mérite la visite.
❧ Pol Flandroy, Ch. de L'Ille,
11440 Peyriac-de-Mer,
tél. 04.67.88.45.75, fax 04.67.88.45.79
☑ ⵡ ⵕ t.l.j. sf dim. 10h-12h30 13h30-18h

CH. LACOUR MANOY
Cuvée Louis Domairon 2001 ★

■	1,5 ha	5 000	■ ⑪ 🍷	11 à 15 €

Le carignan détient la majorité dans le capital de ce 2001 que se partagent encore syrah et grenache. Pourpre profond, suggérant au nez les fruits cuits et les épices douces (vanillé issu d'une année passée en barrique), il est d'attaque dès l'entrée en bouche. Le goût et les arômes secondaires produisent une discrète sensation de cassis. Sa structure tannique a déjà reçu un coup de rabot et l'ensemble se signale par sa fraîcheur. La **cuvée Aristide rouge 2001 (5 à 8 €) élevée en cuve** obtient la même note : on nous en dit grand bien.
❧ EARL Ets Arnaud, Ch. Lacour Manoy,
6, rue du Noyer, 11200 Montséret,
tél. 04.68.43.39.59, fax 04.68.43.39.59,
e-mail lacour.manoy@wanadoo.fr ☑ 🏠 ⵡ ⵕ r.-v.

DOM. DE LONGUEROCHE 2003 ★

■	3 ha	12 000	■ 🍷	3 à 5 €

Sur ses 15 ha, ce producteur s'est fait un nom, associé à celui d'une barre rocheuse surplombant le village. Nous jugions l'an dernier son rosé plein d'attraits. Le 2003 est aussi réussi que le 2002. Syrah, grenache et cinsault forment un trio homogène. Ce vin a peu de couleur aux joues, mais cela brille. Friand et floral, il se montre vif et savoureux, long et acidulé (son acidité bien dosée contribue à son originalité). Il est à déguster cette année avec des salades.
❧ Roger Bertrand, Dom. de Longueroche,
11200 Saint-André-de-Roquelongue,
tél. 04.68.41.48.26, fax 04.68.32.22.43,
e-mail contact@rogerbertrand.fr ☑ ⵡ ⵕ r.-v.

CH. MEUNIER SAINT-LOUIS 2002 ★

■	20 ha	102 000	⑪	5 à 8 €

Sur les collines de Boutenac, à l'ombre d'un vieux moulin et sur un terroir déjà apprécié par les Gallo-Romains, cette vaste propriété de 140 ha propose une cuvée moitié syrah, moitié grenache et carignan. D'une robe grenat émane un petit parfum de griotte marié à la vanille. Le vin est classique, l'équilibre général respecté, le milieu de bouche agréable, la finale un peu sur les tanins. A boire en 2005.
❧ Ph. Pasquier-Meunier, Saint-Louis, 11200 Boutenac, tél. 04.68.27.09.69, fax 04.68.27.53.34,
e-mail info@pasquier-meunier.com ☑ 🏠 ⵡ ⵕ r.-v.

CH. MONTRABECH-PITT 2002 ★

■	15 ha	15 000	⑪	5 à 8 €

Il était une fois une tour du XIIᵉs. sur un petit coteau escarpé dominant la plaine de l'Aude. La vieille tour de Montrabech veillait depuis toujours sur le domaine de la famille Pitt. Aidée de Charly Pitt, Marie-Paule maintient ici et d'une main solide la tradition d'un vin de femme...

Le conte de fées se poursuit à la cave ou à table avec des noisettes d'agneau du pays cathare poêlées aux figues. D'une couleur très vive à reflets noirs, un vin intéressant et à conserver un à cinq ans, ne serait-ce que pour affiner ses tanins. Il a du coffre, du caractère et il faut ici réviser l'idée toute faite des « vins féminins ».

⊶ Ch. Montrabech-Pitt,
10, rue Dantoine, 11000 Carcassonne,
tél. 04.68.25.56.18, fax 04.68.25.56.18,
e-mail pittmarie-paule@wanadoo.fr ☑ Y ⚲ r.-v.
⊶ Marie-Paule Pitt

CH. OLLIEUX ROMANIS Cuvée Or 2001 ★★

■ 2 ha 7 000 ◍ 15 à 23 €

A l'image du classicisme raffiné des étiquettes du domaine, un **blanc classique 2002 (5 à 8 €)** (roussanne et marsanne à égalité) d'une distinction rare suggère le miel et l'acacia, se montre vif et frais, et obtient une étoile. Cette propriété familiale date du XIX[e]s. Elle peut s'enorgueillir de cette Cuvée Or à la robe rouge soutenu et d'un style très aromatique (cerise à l'alcool, épices, notes de garrigue, de laurier). Le boisé est à sa place, laissant parler les arômes. Ce vin sera plaisant en 2005.

⊶ Mme Bories, Ch. Ollieux Romanis,
rte B 613, 11200 Montséret,
tél. 04.68.43.35.20, fax 04.68.43.35.45,
e-mail ollieuxromanis@hotmail.com ☑ ⌂⌂ ⌂ Y ⚲ r.-v.

CH. LES PALAIS La Chapelle 2001 ★★

■ 5 ha 13 000 ◍ 15 à 23 €

O tempora ! O mores ! La chapelle de cet ancien couvent du XII[e]s. (appartenant à cette famille depuis près de deux cents ans) a été convertie... en caveau de dégustation. Superbe bouteille à la robe très soutenue, aux reflets ébène. La torréfaction (quinze mois en barrique) ne masque pas des arômes nettement réglissés, où l'on découvre l'olive noire, les épices, les fruits rouges. Vin de quatre cépages - dont 30 % de carignan - particulièrement racé, admirable de grain et de texture. Le vrai corbières. Signalons la **cuvée Randolin rouge 2001 (11 à 15 €)** agrémentée de kirsch en rétro-olfaction, une étoile.

⊶ Anne et Xavier de Volontat,
Ch. Les Palais, 11220 Saint-Laurent-de-la-Cabrerisse,
tél. 04.68.44.01.63, fax 04.68.44.07.42,
e-mail chateau.les.palais@wanadoo.fr
☑ ⌂ Y ⚲ t.l.j. 9h-12h 14h-18h30

CH. PECH-LATT Vieilles Vignes 2002 ★

■ 20 ha 24 000 ◍ 5 à 8 €

Acquis en 1999 par Laurent Max, ce domaine de 90 ha est ainsi devenu le cousin des maisons L. Max, Misserey et Jaboulet-Vercherre en Bourgogne, et la parentèle ne s'arrête pas là. Le graphisme de l'étiquette rappelle d'ailleurs celui du mercurey L. Max. Pech-Latt est en agriculture biologique. Ses Vieilles Vignes ont donné un 2002 d'une couleur légèrement tuilée. Sa netteté aromatique se range du côté de la mûre, des épices, et comporte une touche vanillée. Onctueux et gras, assez chaud, c'est un bon père. Mais ne vous fiez pas à sa robe. Encore jeune, il peut s'épanouir et il doit bien évoluer : en devenir ! La **Cuvée Alix rouge 2002 (15 à 23 €)** obtient une étoile. Le boisé intense devra se fondre.

⊶ SC Ch. Pech-Latt, 11220 Lagrasse,
tél. 04.68.58.11.40, fax 04.68.58.11.41
☑ Y ⚲ t.l.j. sf sam. dim. 8h-12h 13h-17h
⊶ Laurent Max

CH. PRIEURE BORDE-ROUGE Ange 2002

■ 2 ha 5 000 ◍ 11 à 15 €

Une veine de terre argilo-calcaire particulièrement colorée a inspiré le nom du domaine. Borde signifie ferme en vieux français. Rouge très sombre à reflets légèrement tuilés, un 2002 aux élans épicés, animaux à l'agitation. Il reste en bouche sur cette dominante, mais en première impression seulement. En effet, l'élevage sous bois (café, torréfaction) prend alors le relais sur des tanins pourtant déjà bien fondus.

⊶ SCEA Devillers-Quénehen, Ch. Borde-Rouge,
rte de Saint-Pierre, 11220 Lagrasse, tél. 04.68.43.12.55,
fax 04.68.43.12.51, e-mail quenehen@aol.com
☑ ⌂⌂ ⌂ Y ⚲ t.l.j. 9h-13h 14h-18h
⊶ Alain Quénehen

PRIEURE DE LA BERNEDE
Cuvée Simplicius 2001 ★

■ 1,9 ha 5 000 ▮ ◍ ♁ 11 à 15 €

Simplicius pouvait-il imaginer qu'un millénaire après son installation dans ce prieuré une cuvée sanctifierait son nom ? Acquéreur du domaine en 1997, Jérémy Sturgess entend faire de ses 3,3 ha (qui grandiront sans doute) un vin de référence dans les Corbières. Surtout composé de syrah et de grenache, complétés par 10 % de carignan, son 2001 montre qu'il est sur la bonne voie. Grenat étincelant, il offre une palette aromatique soignée (réglisse, résine, garrigue). Il reste à fondre le bois (douze mois de barrique), mais la maison est bien construite et les tanins à grain fin. Entièrement rénové en 2004, le prieuré possède sa propre vallée entourée de pinèdes. Beau décor !

⊶ EARL Prieuré de la Bernède, 11200 Fabrezan,
tél. 04.68.43.56.98, fax 04.68.43.56.98,
e-mail lou.castelet@bigfoot.com ☑ ⌂⌂ Y ⚲ r.-v.
⊶ Sturgess

PRIEURE SAINTE-MARIE D'ALBAS
Terre rouge 2002 ★★

■ 2 ha 8 000 8 à 11 €

Il y aurait, dit-on, un trésor wisigoth à trouver dans les parages de ce domaine qui fut un temps rattaché à l'abbaye de Lagrasse. A défaut, découvrez cette bouteille née des ardeurs des quatre cépages rouges les plus souvent mis à contribution et d'un sol argilo-calcaire. Une jolie couleur cerise, des arômes de cassis et de truffe, un vin de caractère, dense et dont les tanins sont encore très jeunes. On le laissera vieillir deux à trois ans. Le **Clos de Cassis rouge 2003**, sur une nuance vanillée, toujours dans un style tannique mais avec de la générosité, obtient une étoile.

⊶ Gisèle et Jean-Louis Galibert,
Prieuré Sainte-Marie-d'Albas, 11700 Moux,
tél. 04.68.79.09.64, fax 04.68.79.28.39 ☑ Y ⚲ r.-v.

CAVES ROCBERE Vent marin 2003 ★★★

▨ 9 ha 50 000 3 à 5 €

Grenache et syrah à deux tiers–un tiers, ce rosé sent bon le vent marin. Sa robe est cristalline, saumon léger. Son nez met les points sur les i : puissant, il a l'accent exotique (litchi). Sa bouche n'ouvre peut-être pas sur l'infini, comme l'écrit un de nos dégustateurs dans l'enthousiasme, mais ce vin va loin ; cette vivacité un peu acidulée garde longtemps son élan. Bouteille à déboucher dans l'année et qui devrait plaire à l'apéritif.

⊶ Caves Rocbère, 11490 Portel-des-Corbières,
tél. 04.68.48.28.05, fax 04.68.48.45.92
☑ Y ⚲ t.l.j. 9h-12h 14h-19h

LANGUEDOC

CH. DE ROMILHAC 2002 ★

■ 2 ha 6 500 ▮ ◍ 11 à 15 €

Distingué d'un coup de cœur l'an passé pour sa cuvée Privilège 2001, Romilhac ne perd pas la main. Le domaine fournissait en bon vin les caves archiépiscopales de Narbonne. Il a été acquis sur un coup de cœur encore en 1992 par Elie Bouvier qui a consacré énormément d'efforts pour mettre en valeur ses 8,8 ha : ce qu'on appelle en Californie une *boutique winery*. La syrah (70 %) garde ici les coudées assez franches pour donner un vin intense en arômes (réglisse, eucalyptus, garrigue) et qui monte en puissance dès l'attaque. Ses petits tanins sont bien enrobés dans le fruit frais. On croit croquer du raisin en pleine vendange.

🔑 Nadia Bouvier, Ch. de Romilhac,
chem. des Geyssières, 11100 Narbonne,
tél. 04.68.41.59.67, fax 04.68.41.59.67,
e-mail chateau-de-romilhac@wanadoo.fr ☑ Y ⛹ r.-v.

EMBELLIE DE ROQUE D'AGNEL 2001 ★

■ 16 ha 4 000 ◍ 5 à 8 €

Cette coopérative a vu le jour en 1919 et elle s'occupe aujourd'hui de quelque 600 ha. On avait distingué l'an dernier sa cuvée Velours. En voici un autre cette année, choisie pour la qualité et l'éclat de sa robe pourpre ainsi que pour la typicité de ses arômes (champignon, sous-bois) que n'étouffe pas le chêne, même si cette cuvée est la première entièrement élevée ici en fût (dix mois). Incluant les fruits rouges et les épices, l'expression en bouche est sans doute grillée mais son élégance a du charme.

🔑 SCAV Cellier Roque d'Agnel,
38, av. de la Mer, 11200 Thézan-des-Corbières,
tél. 04.68.43.32.13, fax 04.68.43.35.24,
e-mail scav-thezan@tiscali.fr ☑ Y ⛹ r.-v.

CH. ROQUEFORT SAINT-MARTIN
Grande Réserve 2001 ★★★

■ 9 ha 12 000 ▮ ◍ ♁ 15 à 23 €

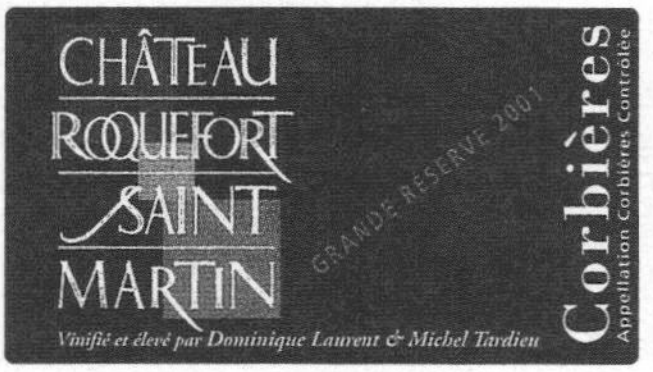

Le jour de gloire est arrivé ! Le grand jury n'a guère hésité et classé coup de cœur ce vin issu de mourvèdre-grenache à 90 % qui perpétue la légende du château de Roquefort. Une fête est même organisée en août avec les producteurs du célèbre fromage de... l'Aveyron. Les Celliers de Saint-Martin sont nés de la fusion des deux caves coopératives du village en 1975. Leur 2001 passe toutes les épreuves avec brio : robe de feu, nez éloquent et truffé, discrétion efficace de l'élevage en chêne (un an), douceur d'un gras soyeux, longue finale épicée, plaisir de la dégustation. Ne doutez pas du **Chevalier Saint-Martin rouge 2001 (5 à 8 €)** qui obtient une étoile pour son joli fruité, ni de la cuvée **Tresmoulis rouge 2001 (5 à 8 €)** citée pour sa belle structure.

🔑 Celliers Saint-Martin,
11540 Roquefort-des-Corbières,
tél. 04.68.48.21.44, fax 04.68.48.48.76,
e-mail contact@celliers-saintmartin.com ☑ Y ⛹ r.-v.

DOM. DE ROQUEFOURCAT
Cuvée Joséphine Vieilli en fût de chêne 2001 ★★★

■ 3,46 ha 6 900 ◍ 11 à 15 €

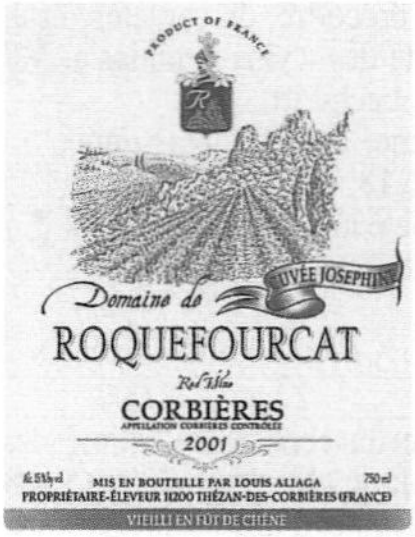

« C'est encore peu de vaincre, il faut savoir séduire », conseille Voltaire. Cette bouteille applique à la lettre cette sage recommandation. Le coup de cœur distingue sa robe très profonde à nuances violacées, son bouquet expressif à notes de pruneau cuit, la franchise de son attaque, sa puissance parfaitement maîtrisée, sa queue de paon finale. Bien représentative de son appellation, elle justifie les rêves les plus fous, comme cette bécasse rôtie dont nous parle un juré enthousiaste. Si vous passez par Thézan, c'est en plein cœur du village que vous découvrirez la cave de ce domaine familial qui propose également une **cuvée Laetitia rouge 2001 (8 à 11 €)** : suggérant les fruits conservés dans l'eau-de-vie du pays, elle a les épaules larges et la typicité requise (une étoile).

🔑 Louis Aliaga, Dom. de Roquefourcat,
22, av. de la Mer, 11200 Thézan-des-Corbières,
tél. 04.68.43.33.76, fax 04.66.43.33.86,
e-mail roquefourcat@wanadoo.fr ☑ Y ⛹ r.-v.

ROQUE SESTIERE Vieilles Vignes 2003 ★★

□ 3 ha 15 000 ▮ ♁ 5 à 8 €

Ce domaine familial a créé récemment un nouvelle cave à Luc-sur-Orbieu. Il s'étend sur une douzaine d'hectares. Son blanc (macabeu à 60 %) offre une bouffée d'air pur. « Chacun juge selon son goût », dit le viel adage. Eh bien ! cette fois tous nos dégustateurs sont d'accord. Une bouteille qui réveille : pas trop de couleur, mais un festival aromatique où le fruit exotique va de pair avec des senteurs plus habituelles. L'alcool et l'acidité trouvent un bel équilibre, tandis que sa vivacité met la bouche en émoi. Un peu standard mais réussie, la **Carte blanche en... rouge 2002, élevée en fût de chêne (8 à 11 €)** obtient une étoile.

🔑 EARL Roland Lagarde, Roque Sestière,
8, rue des Etangs, 11200 Luc-sur-Orbieu,
tél. 04.68.27.18.00 ☑ Y ⛹ r.-v.

DOM. SAINTE-MARIE-DES-CROZES
Hector et Juliette 2001 ★

■ 1,15 ha 7 500 ◍ 8 à 11 €

Pourpre profond, ce vin joue sur la truffe, le champignon, la garrigue. L'attaque ne s'embarrasse pas de préliminaires superfétatoires. Franche et nette, elle ouvre sur une structure massive. Beaucoup de matière, du fruit très mûr, de la longueur et un certain panache. Tempérament assez boisé (treize mois de fût).

🔑 Bernard Alias, 36, av. des Corbières,
11700 Douzens, tél. 06.14.60.60.91, fax 04.68.79.20.57,
e-mail bernard.alias@libertysurf.fr ☑ Y ⛹ r.-v.

CH. SAINT-ESTEVE Altaïr 2002 ★

■ 18 ha 6 500 ⊞ 8 à 11 €

Altaïr... Pour une fois, le nom d'une cuvée s'explique vraiment. Vigneron et petit-fils d'Henri de Monfreid, Eric Latham lui dédie son meilleur vin, à demi syrah et baptisé ainsi en souvenir d'un boutre de l'illustre aventurier. On ne part pas ici sur la mer Rouge d'autant qu'on se limite à 6 500 bouteilles. La brise apporte des parfums de fruits mûrs et gonfle la voile. Des tanins un peu fermes garantissent une longue croisière. Toujours ces senteurs fruitées venues du grand large. La mâture tient bon.

♜ Eric Latham, Ch. Saint-Estève,
11200 Thézan-des-Corbières,
tél. 04.68.43.32.34, fax 04.68.43.75.63,
e-mail saint-esteve@voila.fr ☑ 🍷 ⚲ r.-v.

CH. DE SERAME 2002

■ 10 ha 53 000 ■ ⊞ ⚲ 5 à 8 €

Originaire d'Aragon, la famille d'Exéa a acquis Sérame il y a tout juste deux cents ans. Si le domaine demeure dans ce patrimoine, les Vins et Vignobles Dourthe ont conclu en 2001 un contrat de fermage à long terme accompagné d'un plan de rénovation. Ce millésime inaugure les temps nouveaux. Syrah et dans une moindre mesure grenache et carignan constituent les assises d'un vin rubis moyen, nettement boisé, offrant ensuite quelques notes poivrées. Souple et chaleureux, il possède de réelles qualités.

♜ SAS Ch. de Sérame, 11200 Lézignan-Corbières,
tél. 04.68.27.59.00, fax 04.68.27.59.01 ☑ 🍷 r.-v.
♜ de la Boisse

CH. SERRES SAINTE-LUCIE Grande Réserve 2001

■ 10,7 ha 57 000 3 à 5 €

Grenat limpide et profond, un 2001 dont l'éventail aromatique va du fruit rouge à l'eau-de-vie jusqu'à la boîte à poivre. Un de nos dégustateurs y perçoit même l'odeur de la grenade. Le fruit, bien entendu. Le corps est d'une ampleur satisfaisante et on appréciera son gras tout autant que son fondu légèrement épicé.

♜ UC Foncalieu, Dom. de Corneille, 11290 Arzens,
tél. 04.68.76.21.68, fax 04.68.76.32.01,
e-mail mkt@foncalieuvignobles.com
♜ Serres

CH. TOUR DE MONTREDON Hubert Azam 2001 ★

■ n.c. n.c. ⊞ 5 à 8 €

Vigneron, enfant du pays, Hubert Azam présida aux destinées de la cave coopérative de Montredon durant la décennie 1979-1989. On lui doit un effort qualitatif qu'illustre bien ce vin. Quant à cette tour, elle n'est pas médiévale mais fut créée en 1834 pour les besoins du télégraphe Chappe. Cuvée porte-drapeau au rubis très foncé, aux arômes de sous-bois, à la bouche élégante et ferme (matière bien mûre, notes réglissées).

♜ Vignerons de la Méditerranée, ZI Plaisance,
12, rue du Rec-de-Veyret, 11100 Narbonne,
tél. 04.68.42.75.00, fax 04.68.42.75.01,
e-mail rhirzt@listel.fr
♜ Les Vignerons de Montredon

DOM. LAS VALS Montagne d'Alaric 2002 ★★

■ 3 ha 3 500 ⊞ 15 à 23 €

Changement de cap en 2002, dont on peut juger ici les premiers effets. Une rencontre avec l'agronome-œnologue italien Stefano Chioccioli oriente le domaine vers la culture et la vinification « douce ». La macération carbonique disparaît, pour ne citer qu'un exemple. Résultat remarquable : si la coloration de ce mourvèdre-syrah est assez primaire, le bouquet accorde beaucoup d'importance à la mûre, au cassis, au cacao et aux épices. Les seize mois de barrique ne se font pas oublier. Riche et un peu astringent, complexe, ce vin garde de la fraîcheur. Il sera parfait dans deux à trois ans.

♜ Suzette Lignères,
Ch. La Baronne, 11700 Fontcouverte,
tél. 04.68.43.90.20, fax 04.68.43.96.73,
e-mail info@chateaulabaronne.com ☑ 🍷 ⚲ r.-v.

CH. VAUGELAS Cuvée Le Vaugelas 2002 ★

■ 8 ha 50 000 ■ ⊞ ⚲ 8 à 11 €

Nul ne parlait mieux le français que Vaugelas. Si sa famille ne semble pas avoir inspiré le nom du domaine, on doit admettre que cette bouteille s'exprime dans une langue délicate et pure. Grenat sombre, elle permet de respirer la muscade, le caramel au lait sous un boisé subtil (60 % d'élevage en barrique). Parvenue à maturité, elle se montre suave. Ses tanins sont enrobés. A boire dans les temps qui viennent.

♜ SA Ch. de Vaugelas, 11200 Camplong-d'Aude,
tél. 04.68.43.68.41, fax 04.68.43.57.43,
e-mail chateauvaugelas@wanadoo.fr
☑ 🏠 🍷 ⚲ t.l.j. sf sam. dim. 8h-12h 14h-18h
♜ Bonfils

CH. VIEUX MOULIN 2002 ★

■ 10,03 ha 50 000 ■ 5 à 8 €

Six générations et que de changements... dans la tradition ! Né de l'assemblage classique de quatre cépages (50 % de carignan), ce 2002 a le teint coloré et lumineux. Nez à forte dominante de cassis mais qui s'ouvre à une certaine complexité (pruneau, zan). Souple, très aromatique en bouche, ce vin exprime bien son terroir par sa riche matière : de la concentration et une longueur estimable. Une daube cathare ne verra aucun inconvénient à l'accompagner à table.

♜ Alexandre They,
Ch. Vieux Moulin, 11700 Montbrun-des-Corbières,
tél. 04.68.43.29.39, fax 04.68.43.29.36,
e-mail alex.they@vieuxmoulin.net ☑ 🍷 ⚲ r.-v.

CH. DU VIEUX PARC La Sélection 2003 ★★★

□ 3 ha 3 000 ⊞ 8 à 11 €

Grenache pour l'essentiel, un soupçon de vermentino et cela décroche le coup de cœur. On se situe ici à l'ouest de Lézignan et Louis Panis connaît son métier sur le bout des doigts. Or pâle à reflets verts, ce 2003 est assurément un grand vin. Ses six mois de fût ajoutent une note de pain grillé au fruit attendu. Au palais, la fabuloserie ! Rond à souhait, tendre à cœur, légèrement miellé, il attaque avec

ardeur puis s'équilibre sur une délicate rétro-olfaction de fruits exotiques et de fleurs blanches. La **cuvée Sélection rouge 2002**, suave et déjà mûre, obtient une étoile.
⊶ Louis Panis,
av. des Vignerons, 11200 Conilhac-Corbières,
tél. 04.68.27.47.44, fax 04.68.27.38.29,
e-mail louis.panis@wanadoo.fr ⊠ Y ✱ r.-v.

CH. DE VILLENOUVETTE
Cuvée Marcel Barsalou 2001 ★★

■ n.c. n.c. ⅠⅠ 5 à 8 €

Œuvre de Garnier, architecte de l'Opéra de Paris, ce château fut coup de cœur pour son millésime 98. Né sur le terroir de Fontfroide constitué d'alluvions anciennes, ce vin à la robe profonde affiche un nez puissant aux notes de torréfaction, d'épices et de fruits cuits. Suit une progression intéressante en bouche, où la matière s'affirme, équilibrée, ample et longue. Une bouteille à ouvrir dans un an. La propriété se trouve à Névian et vaut le détour.
⊶ Vignerons de la Méditerranée, ZI Plaisance,
12, rue du Rec-de-Veyret, 11100 Narbonne,
tél. 04.68.42.75.00, fax 04.68.42.75.01,
e-mail rhirzt@listel.fr
⊶ Jean-Yves Barsalou

CH. VILLEROUGE LA CREMADE Evohé 2002 ★

■ 2 ha 7 200 ⅠⅠ 15 à 23 €

On n'avait pas eu froid aux yeux en construisant en 1880 une cave de 700 m^2 ! Deux amis rachetèrent en 1999 cette vaste propriété de 40 ha et se mirent au travail pour lui redonner son lustre. Avec succès dès le millésime 2001 entré dans le Guide. Voici cette même cuvée dans le millésime 2002. D'une couleur noir profond, elle peut invoquer elle aussi Bacchus et promettre un bel avenir à cette équipe. Son grain, son velouté, sa concentration jouent avec les notes d'épices et de fruits mûrs, donnant un ensemble élégant et de garde.
⊶ Ch. Villerouge la Crémade, 1, chem. de Thézan,
Villerouge-la-Crémade, 11200 Fabrezan,
tél. 04.68.43.59.70, fax 04.68.43.59.72,
e-mail chateauvlc@wanadoo.fr ⊠ Y ✱ r.-v.

CH. LA VOULTE-GASPARETS
Cuvée Romain Pauc 2002 ★★★

■ 13 ha 34 000 ⅠⅠ 15 à 23 €

Une fois sur deux... Le millésime 2000 avait reçu le coup de cœur et le facteur annonce à nouveau la bonne nouvelle pour ce 2002 classé n° 1 par le grand jury. Beau quatuor à cordes : carignan à 60 %, grenache, syrah et mourvèdre. Petit rendement, cela se sent, de même que, de façon raisonnable, les douze mois en barrique. Vif mais sans excès, ce corbières ouvre peu à peu son nez tandis que la bouche s'épanouit. Il n'y manque rien, ni le gras, ni la soie, ni le fondu, ni la structure. Puissant chaleureux, il annonce une longue vie qui laissera des souvenirs.
⊶ Patrick Reverdy, Ch. La Voulte-Gasparets,
11200 Boutenac, tél. 04.68.27.07.86, fax 04.68.27.41.33,
e-mail chateau-la-voulte@wanadoo.fr
⊠ Y ✱ t.l.j. 9h-12h 14h-18h

Costières-de-nîmes

Ce sont 25 000 ha de terrains de cailloutis du villafranchien classés en AOC ; 12 000 ha sont actuellement plantés dans ce périmètre dont 4 470 ont été déclarés en 2003. Les vins rouges, rosés ou blancs sont élaborés dans un vignoble établi sur les pentes ensoleillées de coteaux constitués de cailloux roulés, dans un quadrilatère délimité par Meynes, Vauvert, Saint-Gilles et Beaucaire, au sud-est de Nîmes, au nord de la Camargue. 230 516 hl de vin ont été agréés en 2003 sous l'appellation costières-de-nîmes (dont 7 817 hl de blanc), produits sur le territoire de vingt-quatre communes. Les cépages autorisés en rouge sont le carignan, le cinsault, la grenache noir, le mourvèdre et la syrah ; en blanc, ce sont la clairette, la marsanne, la roussanne et le rolle. Les rosés s'associent aux charcuteries des Cévennes, les blancs se marient fort bien aux coquillages et aux poissons de la Méditerranée et les rouges, chaleureux et corsés, préfèrent les viandes grillées. Une route des Vins parcourt cette région au départ de Nîmes.

CH. DE L'AMARINE Cuvée des Bernis 2002 ★

■ 6 ha 15 000 ▮ 5 à 8 €

L'Amarine appartient à la famille de Bernis dont l'un des hommes illustres, le cardinal de Bernis, fut ministre des Affaires étrangères de Louis XV et entretint une correspondance avec Voltaire. Vaste domaine de 35 ha, la propriété a élaboré ce rosé de saignée couleur de pivoine rose ; il exhale d'abord des parfums amyliques de banane puis s'ouvre sur une corbeille de fraises et de bonbons au cassis. La bouche ne manque pas de fraîcheur tout en dévoilant une belle rondeur et une finale tout en douceur. Quant au **Château de l'Amarine blanc 2003**, il obtient une citation : c'est un classique, floral et fruité (agrumes), pétillant de vivacité, élégant. Un vin de plaisir.
⊶ Ch. de Campuget, 30129 Manduel,
tél. 04.66.20.20.15, fax 04.66.20.60.57,
e-mail campuget@wanadoo.fr ⊠ Y ✱ r.-v.

DOM. BARBE-CAILLETTE Haut Jovis 2002 ★

■ 1,05 ha 2 200 ▮🌡 5 à 8 €

A 18 km d'Aigues-Mortes, la commune de Gallician, située sur la route des étangs de la Petite Camargue, possède un petit musée de la Vigne. Cette cuvée se présente dans une robe très foncée. Le nez, où l'on perçoit des arômes de fruits cuits, doit encore se développer. Ce vin dispose d'un potentiel tannique et d'une structure qui lui permettront d'enchanter celui qui saura se montrer patient pendant deux ou trois ans.

Dom. Barbe-Caillette, Mas Jovis, 30600 Gallician, tél. 04.66.51.34.97, fax 04.66.51.39.21, e-mail domaine.barbe-caillette@laposte.net r.-v.
J. et P. Pelorce

CH. BELLEFONTAINE 2003 *

5 ha 26 600 5 à 8 €

Dominant la Petite Camargue, ce domaine a été repris et rénové en 1988 par Thierry de Combarieu. Il compte 85 ha. Rosé soutenu à tonalité violine, ce millésime affiche un nez bien présent, avec des nuances de fraise. La bouche, franche et vive, dévoile des saveurs agréables.

Thierry de Combarieu, Ch. Bellefontaine, Franqueveaux, 30640 Beauvoisin, tél. 04.66.73.34.72, fax 04.66.73.34.40, e-mail contact@chateau-bellefontaine.com
r.-v.

CH. BOLCHET Cuvée Amaury 2003 *

n.c. n.c. 5 à 8 €

On se souvient de son entrée fracassante par un coup de cœur dans le Guide 2002. Le château Bolchet signe un retour réussi avec cette cuvée à la robe profonde et aux reflets violets. La concentration au nez est remarquable : fruits mûrs, baies des bois et confiture de myrtilles, le tout prolongé d'une note animale. Le caractère réglissé en rétro-olfaction lui confère de la fraîcheur sur une impression d'ensemble chaleureuse.

Béatrice Becamel, Ch. Bolchet, 30132 Caissargues, tél. 04.66.38.05.65, fax 04.66.20.33.77, e-mail vin.chateau.bolchet@wanadoo.fr
t.l.j. sf dim. 9h-12h 14h-19h

CH. BONICE Elevé en fût de chêne 2003 **

1,89 ha 6 500 8 à 11 €

Magnifique robe de couleur pourpre à reflets violets. Le premier nez révèle des touches de vanille, de cannelle et de fruits confits que l'on retrouve en bouche, agrémentées de notes de mûre et de réglisse. L'équilibre est marqué par la concentration et une longue finale. L'élevage est réussi. Il faudra savoir attendre pour déguster ce vin. On pourra goûter plus tôt la **cuvée 2003, non élevée sous bois (5 à 8 €)**, très réussie.

Vignoble Bois et Fils, Mas Sainte-Olympe, 30129 Manduel, tél. 04.66.01.10.35, fax 04.66.01.75.35, e-mail chateau-villars@libertysurf.fr r.-v.

MAS DES BRESSADES
Cuvée Excellence Elevé en barrique de chêne 2002 **

3 ha 17 000 8 à 11 €

Plus de trois siècles d'activité viticole : la famille Marès sait de quoi elle parle. Le savoir-faire ancestral, on peut en hériter. Ainsi, Cyril Marès, aux commandes depuis 1995, a proposé trois cuvées fort appréciées. Celle-ci, dont la robe est d'un rouge pourpre profond à reflets violets, offre un nez intense, au caractère épicé mêlé de garrigue. La réglisse et la violette complètent en bouche la palette aromatique. L'équilibre est réussi avec un potentiel tannique de qualité rare dans ce millésime. La **cuvée Excellence blanc 2003** obtient une étoile. Avec 80 % de roussanne, elle est parée de mille reflets dorés. Des effluves de fleurs blanches et de fruits secs se prolongent en bouche par des notes grillées persistantes. Rond et équilibré, un vrai costières tout comme la **Cuvée Tradition rosé 2003 (5 à 8 €)**, qui mêle rose fanée, genêt et fruits dans un ensemble généreux, original et complexe méritant une étoile.

Cyril Marès, Le Grand Plagnol, 30129 Manduel, tél. 04.66.01.66.00, fax 04.66.01.80.20, e-mail masdesbressades@aol.com r.-v.

DOM. CABANIS Cuvée Prestige 2003 **

2 ha 6 800 11 à 15 €

Entièrement conduit en agriculture biologique depuis dix-huit ans, ce domaine s'affirme peu à peu dans l'appellation. Profondeur de la robe pourpre, finesse des arômes de petits fruits noirs, douceur de notes grillées et vanillées, légèrement animales en bouche, rondeur de la structure : cette cuvée Prestige est à apprécier dès 2005.

Jean-Paul Cabanis, Mas Madagascar, Vauvert, 30640 Beauvoisin, tél. 04.66.88.78.33, fax 04.66.88.41.73, e-mail mas.madagascar@free.fr r.-v.

CH. CADENETTE 2003 *

30 ha 240 000 3 à 5 €

Pierre Dideron, qui préside aux destinées de ce beau vignoble de 70 ha, présente un costières à la robe pourpre dont les arômes s'ouvrent sur des notes de garrigue et de fruits noirs. En bouche, ce vin est ample, évoluant sur des tanins soyeux légèrement réglissés jusque dans une finale harmonieuse. Il pourrait très bien accompagner une viande grillée au barbecue.

Pierre Dideron, La Cadenette, 30600 Vestric-et-Candiac, tél. 04.66.88.21.76, fax 04.66.88.20.59, e-mail cadenette@9online.fr r.-v.

DOM. DE CALET Cuvée Long Terme 2003 *

10,56 ha 56 000 5 à 8 €

Ces deux cuvées marquent l'entrée de ce domaine dans le Guide. Il s'étend sur 38 ha, aux portes de la Camargue. Après avoir observé la robe rouge foncé de ce vin vendangé très tard, le 22 septembre 2003, on découvre des arômes de fumée et de sous-bois évoluant en bouche avec des notes de vanille, de cuir et de brûlé. Ce vin, chaleureux et généreux, révèle bien les caractéristiques du millésime 2003. Le **Domaine de Calet rosé 2003** obtient une citation pour son nez de fruit et de bonbon anglais, sa bouche délicatement citronnée.

Yvon Gentes, Dom. de Calet, 30640 Beauvoisin, tél. 04.66.73.53.11, fax 04.66.73.53.23, e-mail domaine.calet@wanadoo.fr
t.l.j. sf dim. 9h-12h 14h30-19h; groupes sur r.-v.; f. 21 déc.-15 jan.

CH. DE CAMPUGET
Tradition de Campuget 2003 **

50 ha 200 000 3 à 5 €

Ce domaine allie qualité, typicité et régularité des produits proposés depuis de nombreuses années. Le jury a souhaité distinguer par un coup de cœur ce vin de grande classe par sa subtilité et son équilibre remarquable. Sous une robe de cardinal, ce costières dévoile des arômes frais et délicats rappelant la violette et qui se prolongent dans une longue et élégante finale. Son attaque suave et ronde s'appuie sur des tanins tendres et fins, mais aussi sur de la fraîcheur. Un millésime à découvrir dès maintenant ou à

LANGUEDOC

attendre trois à quatre ans, pour accompagner une épaule d'agneau rôtie. Le **Tradition de Campuget rosé 2003** obtient une étoile. Sa robe vive prépare à l'explosion de senteurs d'un panier de fruits (baies rouges, fraise des bois et framboise). L'équilibre associe fraîcheur et rondeur.

Ch. de Campuget, 30129 Manduel,
tél. 04.66.20.20.15, fax 04.66.20.60.57,
e-mail campuget@wanadoo.fr ☑ Y ☧ r.-v.

DOM. DES CANTARELLES Vieilles Vignes 2003 ★★

■ 3,22 ha 19 000 5 à 8 €

Habituée du Guide, cette cuvée fait mouche une fois de plus en attirant l'œil par sa robe profonde, cerise noire, d'une limpidité parfaite. Bien que marqué par son récent élevage sous bois, le nez est déjà complexe, vanillé, grillé, toasté et confit. L'équilibre est réussi, avec une attaque souple, où réglisse et fruits rouges lui confèrent légèreté et longueur. Ce vin s'épanouira pleinement d'ici deux à quatre ans. Le **Cantarelles blanc 2003 (3 à 5 €)** a vu 20 % de la vendange passer en fût neuf : la note de fumée persiste longuement. Sa souplesse, son équilibre, sa finale harmonieuse le classent manifestement parmi les bons costières (une étoile). Présentée par la Compagnie rhodanienne, la cuvée **Cantarelles rouge 2003 (3 à 5 €)** obtient également une étoile. Bien lire l'étiquette : les deux premiers vins notent la mise en bouteilles au domaine, alors que celui de la Compagnie rhodanienne inscrit « mise en bouteille par Jean Berteau ».

Jean-François Fayel,
Dom. des Cantarelles, 30127 Bellegarde,
tél. 04.66.01.16.78, fax 04.66.01.01.26,
e-mail domaine.cantarelles@wanadoo.fr ☑ Y ☧ r.-v.

MAS CARLOT Jeunes Vignes de Carlot 2003 ★

■ 3,75 ha 20 000 3 à 5 €

Bellegarde, à 12 km au nord-est de Saint-Gilles, possède une tour du Moyen Age et ce joli domaine de 66 ha dont la cuvée Jeunes Vignes est élevée six mois en cuves Inox. Ce millésime porte une très jolie robe. Le nez est complexe et puissant, fruité (cassis) et épicé. Doté d'un bel équilibre, marqué par la finesse des tanins, ce vin finit sur une belle longueur.

Nathalie Blanc-Marès, Mas Carlot,
rte de Redessan, 30127 Bellegarde,
tél. 04.66.01.11.83, fax 04.66.01.62.74,
e-mail mascarlot@aol.com ☑ Y ☧ r.-v.

DOM. DE CESAR Tradition 2003 ★

■ 15 ha 100 000 3 à 5 €

Ce vin porte bien son nom haut en couleur et à l'accent du sud, en l'occurrence celui de César Quiot, grand-père de la femme qui dirige ce domaine vinifié par la coopérative de Générac. En habit noir à reflets violets, il offre un nez flatteur aux senteurs de violette, de framboise et de sirop de cassis. Sur des notes végétales et de bourgeon de cassis, la bouche n'est pas en reste. Derrière, la structure est souple même si les tanins sont encore jeunes.

Costières et Soleil, rue Emile-Bilhau,
30510 Générac, tél. 04.66.01.31.31, fax 04.66.01.38.85,
e-mail bernardnurit@costieresetsoleil.fr ☑ Y ☧ r.-v.

CH. GUIOT 2003 ★

■ 40 ha 200 000 3 à 5 €

C'est sur le chemin de Compostelle, à 10 km de l'abbatiale de Saint-Gilles que vous trouverez ce domaine de 70 ha acheté en 1977 par les Cornut. Vendangé le 28 août 2003, le raisin a donné une robe pourpre à brillants reflets violacés. Les arômes sont puissants et agréables, dominés par les fruits rouges. Après une attaque souple, la structure s'impose avec élégance, équilibrée et harmonieuse.

François Cornut,
Dom. de Guiot, 30800 Saint-Gilles,
tél. 04.66.73.30.86, fax 04.66.73.32.09 ☑ Y ☧ r.-v.

LA JASSE DU PIN 2003 ★★

■ 25 ha 150 000 3 à 5 €

La Jasse du Pin est l'une des marques de Michel Gassier, coup de cœur pour son Château de Nages (voir ci-après). A base de grenache, elle est d'un rouge profond, affichant un nez de mûre et d'épices douces. Gustativement, le vin surprend par l'ampleur de son attaque, ses tanins puissants, finement poivrés, et sa persistance aromatique. Un très beau costières pour lequel il conviendra de patienter un à deux ans.

Vignobles Michel Gassier,
Mas de Nages, 30132 Caissargues,
tél. 04.66.38.44.30, fax 04.66.38.44.21,
e-mail m.gassier@michelgassier.com ☑ Y ☧ r.-v.

CELLIERS DE JONQUIERES Tradition 2003 ★

■ 80 ha 50 000 3 à 5 €

La coopérative de Jonquières est située à 5 km de l'abbaye de Saint-Roman-de-l'Aiguille qui avait à Jonquières au XIIe s. une dépendance, la chapelle Saint-Laurent ; on peut l'admirer avant de découvrir les vins de la cave dont celui-ci est le fleuron. Une belle robe rose clair à reflets fuchsia, un nez intense de fraise et de framboise, une bouche ronde et gourmande que sert une rétro-olfaction marquée par la framboise mûre. C'est manifestement une bouteille très réussie qui mériterait une brandade de morue.

SCA Les Vignerons de Jonquières,
20, rue de Nîmes, 30300 Jonquières-Saint-Vincent,
tél. 04.66.74.50.07, fax 04.66.74.49.40,
e-mail cave.jonquieres@wanadoo.fr ☑ Y ☧ r.-v.

CH. LAMARGUE 2003 ★

□ 6 ha 30 000 **5 à 8 €**

Propriété du groupe Campari depuis 2001, Lamargue compte 72 ha. Il fait preuve d'une parfaite maîtrise des technologies les plus poussées pour exprimer au mieux les potentialités d'un terroir. Ce vin en témoigne par sa couleur jaune paille doré, son nez d'abord minéral et fin qui explose sur des notes de citron, pamplemousse, fruits exotiques verts que l'on retrouve en bouche. L'équilibre se porte sur l'acidité avec une finale agréable. A boire. Méritant une étoile, la **cuvée Aegidiane rouge 2002 (8 à 11 €)**, sombre à reflets tuilés, présente des arômes intenses

de fruits cuits et de griotte, complétés par une touche vanillée. Le gras domine l'ensemble, constitué de tanins riches et fermes. A attendre un à deux ans.
⊶ Ch. Lamargue, rte de Vauvert, 30800 Saint-Gilles,
tél. 04.66.87.31.89, fax 04.66.87.41.87,
e-mail domaine-de-lamargue@wanadoo.fr ☑ Y 🚶 r.-v.
⊶ Campari SPA

CUVEE DES LAUNES 2003 ★

■ 5 ha 30 000 ▮♁ 5 à 8 €

La cave pilote de Gallician, créée en 1950, est certainement l'une des plus anciennes caves coopératives de l'appellation. Elle regroupe 670 ha de vigne appartenant à 60 adhérents. La cuvée des Launes a été appréciée par le jury. Souple en bouche avec des tanins de qualité, ce millésime est franc, fruité et vif ; l'équilibre est réalisé.
⊶ SCA Cave Pilote de Gallician, av. des Costières,
30600 Gallician, tél. 04.66.73.31.65, fax 04.66.73.34.95,
e-mail cavegallician@wanadoo.fr ☑ Y 🚶 r.-v.

DOM. DE MONTIEL 2003 ★

■ 2 ha 10 000 ▮♁ 3 à 5 €

Ce petit domaine, racheté en 2001 par un tout jeune vigneron de 26 ans, pratique la vinification séparée des parcelles. L'expression du terroir et du millésime en est ainsi optimisée. Pour son entrée dans le Guide, il propose un vin aux reflets violets, au nez encore fermé où pointent des notes de cassis, alors que les fruits rouges s'affirment en bouche. L'équilibre repose sur des tanins souples et fins, et une bonne persistance.
⊶ Dom. de Montiel,
174, rue de la Chicanette, 30640 Beauvoisin,
tél. 04.66.01.93.15, fax 04.66.51.76.58,
e-mail info@domainedemontiel.com ☑ Y 🚶 r.-v.

CH. MOURGUES DU GRES
Terre d'Argence 2003 ★★

■ 5 ha 20 000 ▮♁ 8 à 11 €

Autant de cuvées, autant de réussites pour ce domaine bien connu du Guide et dont la réputation n'est plus à faire. La cuvée Terre d'Argence est sans doute la plus réussie. La robe attire, profonde et brillante. Intense et complexe, le nez s'ouvre sur un panier de fruits (cassis, mûres) et évolue sur des notes épicées et réglissées. La bouche est superbe, puissante et équilibrée. Des tanins fermes et soyeux tapissent le palais sans agressivité. Excellente finale très longue. Un superbe vin prometteur. Tout comme **Les Galets Rouges 2003 (5 à 8 €)**, deux étoiles pour sa robe d'encre noire, sa bouche puissante et pleine, ses tanins garants d'un grand avenir. Quant au **blanc Les Galets Dorés 2003 (5 à 8 €)**, il obtient une étoile pour ses effluves de brioche et de mie de pain chaude. Des arômes de fruits secs complètent un palais équilibré et souple. Trois raisons pour vous rendre chez François Collard qui organise concerts et expositions en partenariat avec le festival de Beaucaire.
⊶ François Collard, Mas des Mourgues du Grès,
30300 Beaucaire, tél. 04.66.59.46.10, fax 04.66.59.34.21,
e-mail mourguesdugres@wanadoo.fr
☑ Y 🚶 t.l.j. sf dim. 9h-12h 14h-18h30; sam. 9h30-12h

CH. MOURIER 2003 ★

■ 20 ha 40 000 3 à 5 €

Une propriété de 110 ha et ce vin où syrah (80 %) et grenache s'allient pour donner une robe soutenue à reflets bleutés et une belle complexité aromatique de fruits rouges, de fruits secs (noisette) et d'épices. Ce vin est très équilibré. La finesse de ses tanins lui permet d'être bu dès à présent.
⊶ Jean-François Camfrancq,
Ch. Mourier, chem. des Canaux, 30900 Nîmes,
tél. 04.66.38.05.27, fax 04.66.38.14.21
☑ Y 🚶 t.l.j. 9h-12h 15h-19h

CH. DE NAGES Réserve 2003 ★★★

■ 50 ha 225 000 ▮♁ 5 à 8 €

Quatre générations de vignerons, une sélection constante par les dégustateurs du Guide, la famille Gossier a su élever le Château de Nages au rang des meilleurs costières-de-nîmes. Le jury unanime décerne trois étoiles et un coup de cœur à cette cuvée Réserve 2003. Sous une robe noire aux reflets pourpres, le bouquet intense et complexe développe des arômes de grillé, de noisettes torréfiées puis de cannelle et de confiture de prunes. En bouche, on découvre le café et les fruits noirs et enfin une longue finale réglissée. Vin puissant, charpenté par des tanins fins et encore jeunes. L'harmonie atteindra sa plénitude dans deux à trois ans. La **Cuvée Diane 2003 rouge (3 à 5 €)** est couronnée d'une étoile. Les 70 % de grenache apportent de merveilleuses notes de garrigue sous la chaleur estivale. Les tanins puissants laissent grandes ouvertes les portes de l'avenir.
⊶ EARL Roger Gassier,
Ch. de Nages, 30132 Caissargues,
tél. 04.66.38.44.20, fax 04.66.38.44.21,
e-mail info@chateaudenages.com ☑ Y 🚶 r.-v.

CH. D'OR ET DE GUEULES
Cuvée Trassegum 2003 ★★

□ 2 ha 3 500 ◍ 8 à 11 €

Acheté en 1998 par Diane de Puymorin, le domaine porte un nom qui intéressera les amateurs d'héraldique. Le Philtre d'amour (Trassegum en occitan) est issu d'un terroir de galets roulés où roussanne, grenache et rolle ont été récoltés à forte maturité. Sa robe jaune brillante libère une odeur de brioche à l'ancienne. En bouche, sa rondeur, voire son ampleur servent aimablement sa souplesse et une rétro-olfaction d'amande sèche. Les amateurs de vin à forte expression ne seront pas déçus.
⊶ Ch. d'Or et de Gueules,
chem. des Cassagnes, 30800 Saint-Gilles,
tél. 04.66.87.32.86, fax 04.66.87.39.11,
e-mail chateaudoretdegueules@wanadoo.fr
☑ Y 🚶 t.l.j. sf dim. 9h-12h 13h30-19h
⊶ de Puymorin

LE PIGEONNIER 2003 ★

■ 15 ha 100 000 ▮♁ 3 à 5 €

La cave de Pazac tient à conserver ses 20 % de carignan dans cette sélection à dominante syrah-grenache.

LANGUEDOC

Cela donne un costières pas compliqué mais agréable qui présente au nez des effluves de petits fruits rouges, puis une bouche ronde et friande, des tanins aux grains veloutés et une finale parfaitement équilibrée. A consommer dans l'année.
⊶ SCA des Grands Vins de Pazac, 30840 Meynes, tél. 04.66.57.59.95, fax 04.66.57.57.63, e-mail cavedepazac@aol.com
☑ Y ⛹ t.l.j. sf dim. 8h-12h 14h-18h

DOM. FRANÇOIS DE POSQUIERES
Seigneur d'Aramon 2003

■ 10 ha 60 000 ▮ 5 à 8 €

Repris en 2001 par Luc Baudet, ce domaine fait son entrée dans le Guide avec ce vin souple et plaisant. Une robe rubis, un nez peu intense mais complexe, mêlant myrtille et cassis. L'entrée en matière est convenable. La structure en bouche est souple et ronde, soulignée par un caractère de griotte à l'alcool.
⊶ Dom. de Posquières, 30600 Gallician, tél. 04.66.73.33.23, fax 04.66.73.33.49, e-mail cru2000@wanadoo.fr
☑ Y ⛹ t.l.j. sf sam. dim. 9h 18h
⊶ Baudet

CH. ROUBAUD Cuvée Prestige 2003 *

■ 20 ha 30 000 ▮♁ 5 à 8 €

Ce très vieux vignoble familial de 84 ha est une valeur régulière de l'appellation. Sa cuvée Prestige, habillée de pourpre, dégage des parfums intenses de sous-bois et de garrigue : thym et ciste évoluent sur le bourgeon de cassis en rétro-olfaction. L'attaque est pleine, la structure soutenue par des tanins fermes qui tapissent agréablement le palais. Harmonieux, ce vin gagnera en souplesse d'ici un an.
⊶ SCEA Vignobles Molinier, Ch. Roubaud, Gallician, 30600 Vauvert, tél. 04.66.73.30.64, fax 04.66.73.34.13, e-mail contact@chateau-roubaud.fr
☑ Y ⛹ t.l.j. sf dim. 9h-12h 14h-17h30; sam. sur r.-v.

CH. SAINT-CYRGUES Cuvée Amérique 2003 *

□ 1,5 ha 2 000 ⏣ 8 à 11 €

Autrefois Chapelle de Saint-Cirice de Marges, aujourd'hui Château Saint-Cyrgues, mais toujours la passion du vin sur ces terres proches de Saint-Gilles. Ce vin blanc allie sans conteste tradition et modernité avec sa couleur jaune-vert brillante. Le nez est fin et vanillé, encore marqué par le bois dans lequel il a séjourné quelques mois. La bouche pleine et ample déjà, à l'acidité soutenue, devrait s'arrondir d'ici un à deux ans, laissant exploser sa complexité comme l'annonce sa longue finale. A servir sur un poisson à la crème, légèrement relevé. Le **Saint-Cyrgues rouge 2003 (5 à 8 €)** obtient une citation pour son fruité, sa souplesse, sa douceur qui promettent un plaisir immédiat.
⊶ SCEA de Mercurio, Ch. Saint-Cyrgues, rte de Montpellier, 30800 Saint-Gilles, tél. 04.66.87.31.72, fax 04.66.87.70.76, e-mail saintcyrgues@wanadoo.fr ☑ Y ⛹ r.-v.

DOM. MAS SAINT JOSEPH
Cuvée Aventure 2003 *

■ 10 ha 9 000 ▮♁ 5 à 8 €

Ce vin à la couleur d'encre bleutée présente une palette complexe, faite de fruits mûrs compotés mêlés à des notes de fruits noirs. Ces arômes devraient s'affirmer dans trois à quatre ans grâce au bel équilibre apporté par une structure puissante et des tanins bien enveloppés. Ronde et charnue, la bouche possède suffisamment de volume et de matière. Elle demande à s'affiner avant d'accompagner du gibier à plume.
⊶ Dom. du Mas Saint Joseph, 30840 Meynes, tél. 04.66.57.51.94, fax 04.66.57.51.94 ☑ Y ⛹ r.-v.
⊶ P. Béraud et J. Gaveaux

CH. SAINT-LOUIS LA PERDRIX
Cuvée Marianne 2002 *

■ 2 ha 10 000 ⏣ 5 à 8 €

Philippe Lamour fut l'un des grands hommes qui participèrent à l'essor de la viticulture française au XX[e]s., et ses conseils furent précieux lorsque Hachette entreprit de réaliser ce guide. Sa famille propose de découvrir la cuvée Marianne 2002 auréolée de panache et pleine de caractère. Si apparaît tout d'abord un nez complexe au caractère végétal et épicé, la bouche évolue sur des notes de confiture de myrtilles. Gustativement ample, doté de tanins enrobés jusque dans une finale harmonieuse, ce beau costières a su se démarquer. Il est à apprécier dès maintenant sur une viande rouge.
⊶ GFA Lamour, Ch. Saint-Louis la Perdrix, 30127 Bellegarde, tél. 04.66.01.13.58, fax 04.66.01.17.03, e-mail cb@chateau-saint-louis.com
Y ⛹ t.l.j. sf sam. dim. 10h-12h 14h-18h

LES SIRIANES 2003 *

■ n.c. n.c. - de 3 €

Petit volume (200 hl) pour un petit prix : ce négociant présente un costières qui devrait intéresser plus d'un amateur. La robe rouge grenat s'orne de reflets violet foncé. Le nez de fruits mûrs et compotés est chaleureux. Mais le jury a plus particulièrement apprécié la richesse et la puissance de sa structure ample et charnue, construite sur des tanins bien enrobés et de qualité, d'une bonne persistance aromatique. Ce vin ne demande qu'à se fondre harmonieusement avec le temps (deux à trois ans) et accompagnera un civet de lièvre ou des perdreaux rôtis.
⊶ Vignobles du Peloux, quartier Barrade, 84350 Courthézon, tél. 04.90.70.42.00, fax 04.90.70.42.15 ☑ Y ⛹ r.-v.

CH. LA TOUR DE BERAUD 2003 *

■ 1 ha 6 000 ▮♁ 3 à 5 €

François Collard, également producteur du Château Mourgues du Grès, signe une réussite de plus avec ce rosé. La robe est fuchsia, tendre et vive à la fois. Les notes amyliques de bonbon anglais se mêlent à des nuances fruitées, au nez comme en bouche, avec beaucoup de discrétion et de délicatesse. La fraîcheur du palais et la rondeur de la finale en font un vin harmonieux et plaisant. La **Tour de Béraud rouge 2003** reçoit une citation. Dense et encore tannique, ce vin plaît par ses arômes de fruits rouges associés aux épices et à des notes d'eucalyptus.
⊶ François Collard, Mas des Mourgues du Grès, 30300 Beaucaire, tél. 04.66.59.46.10, fax 04.66.59.34.21, e-mail mourguesdugres@wanadoo.fr
☑ Y ⛹ t.l.j. sf dim. 9h-12h 14h-18h30; sam. sur r.-v.

CH. DE LA TUILERIE Cuvée Vieilles Vignes 2002 *

■ n.c. n.c. **8 à 11 €**

Chantal Comte, propriétaire de ce magnifique domaine, propose une cuvée Vieilles Vignes 2002 à la robe rubis. Celle-ci dévoile des arômes complexes de cuir et de fruits noirs auxquels s'ajoute en bouche la vanille. Des tanins enrobés par un boisé subtilement maîtrisé et une persistance aromatique remarquable donnent à ce beau costières une élégance indiscutable.

🔸 Chantal Comte, Ch. de La Tuilerie,
rte de Saint-Gilles, 30900 Nîmes,
tél. 04.66.70.07.52, fax 04.66.70.04.36,
e-mail vins@chateautuilerie.com ☑ ⵉ ⵊ r.-v.

CH. DE VALCOMBE Garance 2002 ★★

◼	4 ha	3 500	🍷 11 à 15 €

Un vieux mas, une maison de maître restaurée au XIXᵉs., une famille installée ici depuis trois cents ans. Valcombe compte 74 ha. Coup de cœur l'an dernier pour le millésime 2001, la cuvée Garance reste sur la lignée des réussites avec ce 2002. La robe rouge sombre et profonde offre des reflets violets. Encore marqué par le bois, le nez intense et complexe joue sur la vanille et le grillé, auquel se mêlent des notes de réglisse. D'une richesse tannique de qualité, ample et franc, ce vin possède un fort potentiel de garde (trois à cinq ans). Le **Château de Valcombe rosé 2003 (3 à 5 €)** obtient une étoile. L'équilibre entre le fruit, la douceur et l'alcool tient du grand art même si certains puristes lui reprochent une note un peu technologique, mais qui ne remet absolument pas en cause l'harmonie du vin.

🔸 EARL Vignobles Dominique Ricome,
Ch. de Valcombe, 30510 Générac,
tél. 04.66.01.32.20, fax 04.66.01.92.24,
e-mail valcombe@wanadoo.fr ☑ ⵉ ⵊ r.-v.

CH. VESSIERE 2003 ★

◻	2 ha	13 000	5 à 8 €

Ce vin se distingue par son élégance et sa finesse avec sa robe aux reflets vert pâle et brillants, son nez de jasmin et d'iris puis de pêche blanche en rétro-olfaction. Complexe en bouche, d'un bel équilibre acidité-moelleux, tout en légèreté, il s'appréciera sur des coquillages à la *plancha* ou des coquilles Saint-Jacques crémées. Le **Vessière rouge 2003 (3 à 5 €)** obtient une étoile : bourgeon de cassis, cacao et une petite note épicée révèlent un nez intéressant. Frais et élégant, un vin à boire dès cet hiver, tout comme le **Vessière rosé 2003 (3 à 5 €)**, une étoile, destiné à l'apéritif.

🔸 Philippe Teulon, Dom. Vessière, 30800 Saint-Gilles,
tél. 04.66.73.30.66, fax 04.66.73.33.04,
e-mail chateauvessiere@aol.fr ☑ r.-v.

Coteaux-du-languedoc

Cent soixante-huit communes, dont cinq dans l'Aude et dix-neuf dans le Gard, les autres étant dans l'Hérault, constituent un ensemble de terroirs disséminés en Languedoc, dans la zone des coteaux et des garrigues s'étendant de Narbonne à Nîmes, du pied de la Montagne Noire et des Cévennes à la mer Méditerranée. Ces terroirs spécialisés plus particulièrement dans le vin rouge et rosé produisent des AOC coteaux-du-languedoc, appellation d'origine contrôlée depuis 1985, à laquelle peuvent être ajoutées des dénominations particulières en rouge et rosé : la Clape et Quatourze dans l'Aude, Cabrières, Grès de Montpellier, Terrasses du Larzac, Montpeyroux, Saint-Saturnin, Pic Saint-Loup, Saint-Georges-d'Orques, la Méjanelle, Saint-Drézéry, Saint-Christol et les coteaux de Vérargues dans l'Hérault ; ainsi que deux dénominations en blanc : la Clape et Picpoul-de-Pinet. Toutes sont issues des vins renommés dans les siècles passés.

Les coteaux-du-languedoc ont produit 63 233 hl de vin blanc sur 1 422 ha et 357 638 hl de rouge et de rosé sur 9 046 ha en 2003. Six cépages dominent la production des vins rouges : carignan et cinsault (limités à 40 %) complétés par grenache noir, lladoner, mourvèdre et syrah ; grenache blanc, clairette et bourboulenc dominent en blanc, avec le piquepoul, la marsanne et la roussanne.

ABBAYE DE VALMAGNE 2003 ★

◻	3,23 ha	6 500	🍶 5 à 8 €

Valmagne, abbaye cistercienne du XIIᵉs., a toujours perpétué la culture de la vigne. Les terroirs s'inscrivent dans les Grès de Montpellier dont Philippe d'Allaines est aujourd'hui le président. La **cuvée de Turenne 2001 (8 à 11 €)** est citée. A ses côtés, ce blanc sait s'affirmer avec sa robe pâle et élégante, ses arômes de fruits secs et d'agrumes. L'attaque bien fraîche laisse place à une jolie rondeur et à un équilibre sûr.

🔸 Philippe d'Allaines,
Abbaye de Valmagne, 34560 Villeveyrac,
tél. 04.67.78.06.09, fax 04.67.78.02.50,
e-mail valmagne@valmagne.com ☑ r.-v.

DOM. DE L'AIGUELIERE
Montpeyroux Côte rousse 2002 ★★

◼	5 ha	10 000	🍷 15 à 23 €

Ce vin est l'un des plus typiques du terroir de Montpeyroux. Sa robe noire et son nez aux parfums mêlés de fruits confits, d'olive noire, de truffe, d'épices et de menthol sont une excellente entrée en matière. La bouche est à la hauteur avec une attaque vive, une belle complexité, une tenue ferme par son expression tannique. Il vieillira cinq à huit ans.

🔸 Dom. L'Aiguelière,
2, pl. du Square, 34150 Montpeyroux,
tél. 04.67.96.61.43, fax 04.67.44.49.67 ☑ ⵉ ⵊ r.-v.
🔸 Commeyrass

CUVEE AMBRUSSUM Saint-Christol 2003 ★★

◻	2,1 ha	5 000	🍶 5 à 8 €

Ambrussum, sur les berges du Vidourle, est un site archéologique situé sur la voie Domitienne. Il a donné son nom à cette cuvée pastel aux reflets saumonés. Le nez est un vrai régal : du miel se mêle à tout un bouquet de fleurs d'arbres et de rose ancienne. La bouche ne déçoit pas avec son élégance, son gras et sa longueur. Un vin délicat et gourmand pour un apéritif ou un fromage de chèvre frais.

🔸 SCV les Coteaux de Saint-Christol,
51 b, av. de la Cave-Coopérative, 34400 Saint-Christol,
tél. 04.67.86.01.11, fax 04.67.86.81.04,
e-mail pascalconge@wanadoo.fr
☑ ⵉ t.l.j. sf dim. 8h-12h 14h-18h

DOM. D'ANGLAS
Le Chemin des moutons Elevé en fût de chêne 2001 ★
■ 2 ha 2 400 8 à 11 €

Des abris sous roche de plus de six mille ans ont été découverts, il y a une vingtaine d'années, sur ce domaine qui fait son entrée dans le Guide avec un vin au nez très intense de cassis et de fumé. La bouche, élégante par sa souplesse, repose sur des tanins soyeux. Très intéressant, ce 2001 est prêt à boire sur un gigot de mouton aux truffes.
Roger Gaussorgues, Dom. d'Anglas, 34190 Brissac, tél. 04.67.73.70.18, fax 04.67.73.36.73, e-mail camping.anglas@freesbee.fr r.-v.

CH. D'ANGLES La Clape Croix des Salines 2002 ★
■ 18 ha 69 300 11 à 15 €

Deux vins blancs 2002 sont distingués par une étoile : la cuvée **Croix du Bailly Elevé en fût de chêne (15 à 23 €)** et celle-ci, toutes deux associant cinq cépages pour une plus grande complexité. La robe pâle laisse place à un nez élégant où la rose et l'acacia se mêlent à la vanille et à d'autres épices. Vive et équilibrée, la bouche ravira un loup grillé au fenouil.
Ch. d'Anglès, 11560 Fleury-d'Aude, tél. 04.68.33.61.33, fax 04.68.33.90.32, e-mail chateau-dangles@ifrance.com r.-v.
Eric Fabre et Patrice Martineau

DOM. D'ARCHIMBAUD
Saint-Saturnin La Robe de pourpre 2002 ★
■ 2 ha 5 000 11 à 15 €

La famille Archimbaud est installée à Saint-Saturnin depuis le XIVe s. Elle a créé sa cave en 2000. Encore dominé par les arômes de l'élevage auxquels s'associent des parfums de fruits frais, ce vin possède de la matière étayée par des tanins serrés, qui s'assoupliront aux cours d'une garde de deux ans. A accompagner d'un civet de chevreuil.
SCEA Dom. d'Archimbaud, 12, av. du Quai, 34725 Saint-Saturnin-de-Lucian, tél. 04.67.96.65.35, fax 04.67.96.65.35 r.-v.
Cabanes

CUVEE JACQUES ARNAL
Elevé en fût de chêne 2001 ★
■ 3,5 ha 19 000 8 à 11 €

Ce vin, dans la lignée du précédent millésime, s'annonce par une robe pourpre sombre. Le nez monte progressivement en puissance : du pain grillé, des fruits rouges et des notes de garrigue typiques de ce terroir. Fondu, sans manquer de structure, le palais donne une belle sensation d'harmonie, signe que ce 2001 n'a pas besoin d'attendre.
SCA Vignerons de Saint-Félix-de-Lodez, 21, av. Marcelin-Albert, 34725 Saint-Félix-de-Lodez, tél. 04.67.96.60.61, fax 04.67.88.61.77 r.-v.

MAS DE LA BARBEN Les Lauzières 2001 ★
■ 17,5 ha 70 000 8 à 11 €

Cette cuvée est bien caractéristique du mas de La Barben, dont le nom vient des genévriers qui couvraient les garrigues. Le grenache noir est harmonieusement associé à la syrah pour donner des arômes de cassis et de griotte. Rondeur et souplesse, fraîcheur et velouté, s'apprécient dès à présent sur de l'agneau, et, pour les curieux, sur certains desserts au chocolat.
Mas de La Barben, rte de Sauve, 30900 Nîmes, tél. 04.66.81.15.88, fax 04.66.63.80.43, e-mail masdelabarben@wanadoo.fr t.l.j. sf dim. 10h-12h 15h-19h
M. Hermann

DOM. DE BAUBIAC 2001 ★
■ 2,55 ha 12 700 5 à 8 €

Le domaine s'élève à l'emplacement d'une *villa* romaine dans la garrigue gardoise. Si ce vin, qui gagnera à être attendu au moins trois ans, présente un nez fin et discret de pruneau à l'eau-de-vie et de vanille, c'est par sa tenue en bouche qu'il charme avec un beau volume, de la complexité, des arômes de poivre, de coriandre et un côté gourmand. Il s'épanouira après décantation sur des viandes rouges de bonne origine.
Philip Frères, SCEA Dom. de Baubiac, 29, av. du 11-Novembre, 30260 Quissac, tél. 04.66.77.33.45, fax 04.66.77.33.45, e-mail philip@dstu.univ-montp2.fr r.-v.

CH. BELLES EAUX Sainte-Hélène 2002 ★
■ 8 ha 43 000 15 à 23 €

Belles Eaux doit son nom aux sources qui coulent sur ses terres. Son histoire est aussi liée à la vigne comme en témoigne son chai du XVIe s. avec ses voûtes à arêtes. Dans ce vin, grenat profond, les arômes de girofle, de cuir et de boisé s'imposent. Le bel équilibre en bouche, capiteux et enveloppé, est aujourd'hui un peu trop masqué par le fût. Patientez un à deux ans.
SNCE Ch. Belles Eaux, Dom. Belles Eaux, 34720 Caux, tél. 04.67.09.30.96, fax 04.67.90.85.45, e-mail belleseaux@aol.com r.-v.

DOM. BELLES PIERRES
Saint-Georges-d'Orques Chant des Ames
Elevé en fût de chêne 2002 ★★
■ 2 ha 5 000 11 à 15 €

Ici, l'oppidum romain et ses vestiges témoignent de l'implantation très ancienne de la vigne sur ce terroir. C'est là, au cœur des coteaux caillouteux, que Damien Coste élève **Les Clauzes de Jo rouge 2001 (5 à 8 €)**, qui obtient une étoile, et cette cuvée à robe pourpre encore jeune. La concentration du nez impose des notes de moka, de fruits rouges surmuris et d'épices. La bouche reste dans la lignée avec ses tanins solides et son onctuosité. Ce vin peut attendre deux à trois ans.
Damien Coste, Dom. Belles Pierres, 24, rue des Clauzes, 34570 Murviel-lès-Montpellier, tél. 04.67.47.30.43, fax 04.67.47.30.43, e-mail bellespierres@wanadoo.fr r.-v.

CH. BERANGER Picpoul de Pinet 2003
■ n.c. n.c. 3 à 5 €

Cette cuvée se situe bien dans la lignée des Picpoul de Pinet avec ses beaux reflets verts et or pâle, ses arômes citronnés et anisés. Après sa jolie attaque vive, il se montre équilibré et bien fruité ; à servir sur un plateau de coquillages, naturellement.
Cave coop. Costières de Pomérols, av. de Florensac, 34810 Pomérols, tél. 04.67.77.01.59, fax 04.67.77.77.21, e-mail info@cave-pomerols.com r.-v.

MAS DES BROUSSES 2002 ★★
■ 2 ha 6 000 8 à 11 €

Un couple dynamique, complémentaire et sympathique. Géraldine et Xavier Combes élaborent des vins typés

des coteaux-du-languedoc. Expression réussie de l'alliance des cépages (syrah, grenache à parts égales) et du terroir argilo-calcaire. Intense et chaleureux, ce vin laisse percevoir de jolies nuances d'épices et de fruits frais (cassis). La bouche ample et onctueuse, bien équilibrée, joue sur le fruit.
⊶ Géraldine Combes,
2, chem. du Bois, 34150 Puéchabon,
tél. 04.67.57.33.75, fax 04.67.57.33.75 ☑ Y ✦ r.-v.

MAS BRUGUIERE
Pic Saint-Loup La Grenadière 2003 ★

■ 5 ha 20 000 ◍ 11 à 15 €

En **blanc pour la cuvée Les Mûriers 2003 (8 à 11 €)** comme en rouge pour la Grenadière, ce domaine obtient une étoile. D'un or soutenu, les Mûriers possèdent le gras, la chaleur, des arômes de pêche-abricot et la fraîcheur des blancs du secteur. Dès à présent vous apprécierez La Grenadière pour son charme discrètement mais finement fruité, sa bouche soyeuse, agréablement fondue et équilibrée.
⊶ Bruguière, La Plaine, 34270 Valflaunès,
tél. 04.67.55.20.97, fax 04.67.55.20.97
☑ Y ✦ t.l.j. sf dim. 10h-12h 15h-19h

MAS BRUNET
Terrasses du Larzac Elevé en fût de chêne 2002 ★★★

□ 1,25 ha 5 600 ◍ 8 à 11 €

Palmarès éclatant pour ce domaine situé dans la partie la plus orientale des Terrasses du Larzac, au cœur d'un paysage sauvage et escarpé. Le **coteaux-du-languedoc rosé 2003 (5 à 8 €)** obtient une étoile et ce blanc est reçu à l'unanimité dans la cour des grands. Le doré somptueux de la robe annonce la puissance et la diversité des arômes : des fruits secs, du grillé, de l'abricot et de la vanille. Le gras et la fraîcheur se marient à ravir dans une bouche où l'élevage, rondement mené, a su mettre en valeur la rare délicatesse du vin.
⊶ GAEC du Dom. de Brunet,
rte de Saint-Jean-de-Buèges, 34380 Causse-de-la-Selle,
tél. 04.67.73.10.57, fax 04.67.73.12.89 ☑ ⌂ Y ✦ r.-v.
⊶ Coulet

LES CAILLASSES
Terroir d'Aniane Elevé en fût de chêne 2001 ★

■ 15,4 ha 25 000 ◍ 11 à 15 €

Né sur le terroir d'Aniane, ce vin est le produit d'une sélection rigoureuse et d'une vinification soignée. La couleur est intense ; le nez bien ouvert laisse apparaître des notes animales qui s'effacent à l'aération, pour libérer des parfums de la garrigue (cade, genévrier et thym). La bouche présente des tanins fondus avec une finale réglissée. A boire dans un an.
⊶ SAS Vignobles Alain Thiénot, 4, rue Joseph-Cugnot, 51500 Taissy, tél. 03.26.77.50.10, fax 03.26.77.50.59

MAS CAL DEMOURA L'Infidèle 2001 ★★

■ 7,4 ha 20 000 ▮◍ 15 à 23 €

Dans ce village, tous les vignerons sont des artistes amoureux de leur terroir. Jean-Pierre Jullien utilise les cinq cépages de l'AOC (carignan, cinsault, syrah, grenache et mourvèdre), ce qui donne une très grande complexité et un bel équilibre. Un vin subtil où les tanins et l'élevage demandent d'attendre quelques années pour un vrai plaisir. Les arômes de garrigue (thym) dominent un équilibre somptueux. Le **rosé 2003 Qu'es Aquò (5 à 8 €)** obtient une étoile. Sa fraîcheur, ses parfums de fruits rouges, son équilibre et sa longueur ne peuvent que séduire. Un domaine qui s'ingénia à rester viticole dans les années 1970 alors que les jeunes quittaient le vignoble. Il a bien mérité son nom qui signifie, en langue d'oc, « il faut rester ! »
⊶ Jean-Pierre Jullien,
Mas Cal Demoura, 34725 Jonquières,
tél. 04.67.88.61.51, fax 04.67.88.61.51 ☑ Y ✦ r.-v.

CH. DE CAPITOUL La Clape Rocailles 2002 ★

■ 15 ha 58 000 ▮🌡 8 à 11 €

Depuis trois ans nous avons sélectionné les blancs et les rosés de ce domaine. Voici que deux cuvées en rouge remportent une étoile cette année : **Maelma 2001 (30 à 38 €)** qui mérite encore largement d'attendre, et ce 2002 d'allure jeune dans sa robe aux reflets violacés et très intéressant par la concentration de ses arômes (cuir, toast, café) ; il offre une bouche plus discrète – sans manquer de structure – élégante et chaleureuse.
⊶ Charles Mock, Ch. de Capitoul,
rte de Gruissan, 11100 Narbonne,
tél. 04.68.49.23.30, fax 04.68.49.55.71,
e-mail contact@chateau-capitoul.com
☑ Y ✦ t.l.j. 8h30-19h; groupes sur r.-v.

CH. DE CAZENEUVE
Pic Saint-Loup Le Roc des Mates 2001 ★★

■ 5 ha 20 000 ◍ 15 à 23 €

Des éboulis argilo-calcaires cernés par la garrigue reçoivent les pieds de syrah (70 %), de grenache et de mourvèdre, composant cette cuvée le Roc des Mates dont le millésime 2000 avait autrefois reçu trois étoiles. Le grand jury n'a pas résisté à ce 2001, éclatant comme le soleil qui mûrit merveilleusement ses raisins. Sa robe pourpre sombre, ses parfums de zan, de fumé, de fruits cuits, la puissance de ses tanins, l'ampleur de sa bouche et sa longue finale sur des notes de violette, de griotte et autres baies rouges sont dès à présent irrésistibles bien que sa durée de vie dépasse allègrement cette année 2005. Si vous souhaitez commencer votre repas par une bouillabaisse ou un poisson grillé, vous pourrez servir le **Château de Cazeneuve blanc 2003 (11 à 15 €)** qui obtient une étoile.
⊶ André Leenhardt, Dom. de Cazeneuve,
34270 Lauret, tél. 04.67.59.07.49, fax 04.67.59.06.91,
e-mail andre.leenhardt@wanadoo.fr ☑ ⌂ Y ✦ r.-v.

DOM. DE CHRISTIN Garrigues du Devès 2001 ★★

■ 5 ha 20 000 ▮ 15 à 23 €

C'est sur un sol gréso-mollassique du miocène que poussent syrah (60 %), grenache et carignan (5 %). Volume et profondeur sont les caractères majeurs de ce vin aux arômes de réglisse, de tabac, de fruits noirs à l'eau-de-vie que se partagent le nez et la bouche. Celle-ci, très riche, est également longue. Une bouteille de garde. Vignerons et

LANGUEDOC

Passions, marque de négoce, commercialise également la cuvée **La Garenne du Domaine de Christin rouge 2001 (5 à 8 €)**. Grenache (30 %) et syrah la composent. Elle reçoit deux étoiles pour ses parfums de fruits rouges, de truffe et de sous-bois ainsi que pour son équilibre.
⊶ André Mahuziès, rte d'Aubais, 30250 Junas,
tél. 04.66.80.95.90, fax 04.66.80.95.90,
e-mail domainedechristin@cegetel.net ☑ 🏠 Y 🚶 r.-v.

MAS DES CIGALES Sang des volcans 2001 ★★

■ 1,15 ha 4 250 ▮ ◍ 🌡 15 à 23 €

Mas au milieu des vignes, entouré de pins, au royaume des cigales. C'est ici qu'en 2001 Alain Rasigade vinifie ses premières cuvées. Pour un coup d'essai, c'est un coup de maître : une robe sombre, des arômes de griotte côtoyant des odeurs empyreumatiques bien typiques des sols de basalte. Concentration, puissance et longueur marquent la bouche, qui révèle bien en finale son élégance.
⊶ EARL Mouilhères, Mas des Cigales,
54, bd Anselme-Nougaret, 34720 Caux,
tél. 04.67.98.46.18, fax 04.67.98.49.08,
e-mail vitiplus@wanadoo.fr ☑ Y 🚶 r.-v.
⊶ Rasigade

CLOS DE FONTEDIT Les Flacons 2001 ★★

■ 2 ha 4 500 ◍ 11 à 15 €

Ce vin de négociant-éleveur se situe à un excellent niveau. Trois hommes convaincus par la richesse des terroirs des coteaux-du-languedoc l'ont élaboré. Sous une robe sombre, le nez explosif et complexe dévoile du tabac, de l'olive noire, du cèdre et des épices. Un peu fermée aujourd'hui, la bouche repose sur des tanins fins et enrobés. Bravo les mousquetaires ! L'attendre trois à huit ans pour un très grand plaisir.
⊶ SA Maurel Vedeau, ZI La Baume, 34290 Servian,
tél. 04.67.39.21.20, fax 04.67.39.22.13,
e-mail contact@maurelvedeau.com

CLOS DE L'AMANDAIE Cuvée Huis clos 2002 ★★

■ 1,5 ha 2 000 ◍ 8 à 11 €

Premier millésime de Philippe Peytavy qui a repris en 2002 un vignoble de 8 ha sur le causse d'Aumelas. D'entrée de jeu, il sait révéler le fort caractère du terroir : une robe rubis intense habille ce vin aux arômes de cade, de menthol et de fruits rouges. La bouche expressive, ronde et structurée par des tanins fins et élégants, est à découvrir dès à présent. Cette bouteille pourra également attendre trois à cinq ans.
⊶ Philippe Peytavy, Ch. Bas, 34230 Aumelas,
tél. 06.86.68.08.62, fax 04.67.88.72.37,
e-mail phil207@caramail.com ☑ Y 🚶 r.-v.

DOM. LE CLOS DU SERRES Le Clos 2002

■ 2 ha 6 500 ▮ 5 à 8 €

Saint-Jean-de-la-Blaquière est un terroir qu'il faut découvrir. Issu de vieilles vignes et vinifié avec soin, ce vin au nez de fruits rouges et de grillé correspond bien à ce magnifique sol de schiste et de grès. La finesse et l'élégance de ce Clos vous permettront de le boire sur des grillades d'agneau à l'occasion des fêtes de fin d'année.
⊶ Matthieu Foulquier-Gazagnes, 16, av. du Grand-Chemin, 34700 Saint-Jean-de-la-Blaquière,
tél. 04.67.44.78.45, fax 04.67.44.57.65,
e-mail leclosduserres@aol.com ☑ 🏠 Y 🚶 r.-v.

CLOS MARIE Pic-Saint-Loup Manon 2002 ★★

□ 2 ha 6 000 ◍ 11 à 15 €

Au Clos Marie, le talent n'est pas une affaire de couleur : la **cuvée Simon rouge, Pic-Saint-Loup 2001 (23 à 30 €)** a obtenu une belle étoile pendant que le blanc, élevé avec soin, enthousiasmait le jury avec sa robe dorée éclatante, son bouquet riche et subtil de vanille, de pain toasté, de miel et d'épices. Le gras et la concentration en bouche en font un vin de caractère qui n'a pas peur du temps.
⊶ Christophe Peyrus et Françoise Julien, Clos Marie,
34270 Lauret, tél. 04.67.59.06.96, fax 04.67.59.08.56,
e-mail closmarie@wanadoo.fr ☑ Y 🚶 r.-v.

CLOS SAINTE-PAULINE
Cuvée Puech Redon 2001 ★

■ 1,6 ha 6 000 ▮ 🌡 15 à 23 €

C'est sur une terrasse villafranchienne que grenache, syrah et mourvèdre puisent tout le caractère qu'ils confèrent à ce vin : une robe rubis, un nez riche de fruits rouges bien mûrs, une bouche soyeuse avec une intéressante longueur épicée. C'est parfait dès aujourd'hui.
⊶ Alexandre Pagès, 1130, rte d'Usclas, 34230 Paulhan,
tél. 04.67.25.29.42, fax 04.67.25.29.80,
e-mail clos.sainte.pauline@tiscali.fr ☑ Y 🚶 r.-v.

CH. LA CLOTTE-FONTANE
Mouton La Clotte 2002 ★

■ 1,2 ha 4 000 ◍ 11 à 15 €

En bordure du Vidourle, ce château du XVIII[e]s. fut construit sur les vestiges d'une *villa* romaine. Syrah et grenache élevés six mois en fût neuf ont donné ce vin d'un rouge profond, qui se fait attendre au premier nez avant d'exhaler une délicate complexité marquée par le kirsch et le cacao. La bouche, ample, est tonifiée par de fins arômes d'épices et de fumée. Encore jeune, ce vin devra être décanté, à moins que vous ne choisissiez de l'attendre un an ou deux.
⊶ Maryline Pagès, Ch. La Clotte-Fontane,
rte de Lecques, 30250 Salinelles,
tél. 04.66.80.06.09, fax 04.66.80.42.60,
e-mail clotte@club-internet.fr ☑ Y 🚶 r.-v.

DOM. DE LA COSTE
Saint-Christol Cuvée sélectionnée Elevé en fût 2001 ★

■ 3 ha 13 300 ▮ ◍ 🌡 11 à 15 €

Elevée en fût pour être commercialisée plus tardivement, cette cuvée n'est pas sans rappeler le coup de cœur de l'an dernier. Sa couleur est sombre ; son nez bien méditerranéen évoque les fruits noirs, les épices et la garrigue au côté de touches boisées. Mûr et velouté, le palais est bien typé. La **Cuvée sélectionnée rouge 2002 (8 à 11 €)** qui ne connaît pas le fût, plus facile, est quant à elle citée.
⊶ Luc et Elisabeth Moynier, Dom. de La Coste,
34400 Saint-Christol, tél. 04.67.86.02.10,
fax 04.67.86.07.71, e-mail luc.moynier@wanadoo.fr
☑ Y 🚶 t.l.j. sf dim. 9h-12h30 14h-19h30

DOM. COSTON
Terrasses du Larzac Las Garigoles 2002 ★★

■ 1 ha 4 000 ◍ 15 à 23 €

Une belle entrée dans le Guide pour cette cuvée Las Garigoles, dont le nom exprime si bien ce que veut nous dire ce vin de terroir s'il en est, aux arômes de fruits noirs, d'olive, de thym et d'épices. Complexe, associant douceur et volume, il est servi par un remarquable équilibre et par une longue finale. A boire sur un filet de bœuf ou à attendre.

🐦 Marie-Thérèse et Joseph Coston,
3, rte de Montpellier, 34150 Puéchabon,
tél. 04.67.57.48.96, fax 04.67.57.65.40 ☑ ⲧ 夫 r.-v.

DOM. COUR SAINT-VINCENT
Le Clos du Prieur 2001 ★★

■	2 ha	5 000	🔳❶↓	11 à 15 €

Nous connaissions bien, cité aussi cette année, le **blanc les Mourguettes 2003 (5 à 8 €)** et nous découvrons les talents de ce vigneron pour les rosés, avec le **rosé de Camille 2003 (3 à 5 €)**, une étoile, et pour les rouges, avec ce 2001. Ce dernier, très sombre, exhale de multiples senteurs : sous-bois, genièvre, cuir, épices. Soyeux à l'attaque, concentré et dense autour de tanins fondus, il est remarquablement élevé et flattera une perdrix à la broche.
🐦 Francis Bouys, 1, pl. Saint-Vincent,
34730 Saint-Vincent-de-Barbeyrargues,
tél. 04.67.59.60.74, fax 04.99.62.02.06 ☑ ⲧ 夫 r.-v.

CH. DES CRES RICARDS
Les Hauts de Milési 2002 ★★

▨	2,08 ha	10 500	❶	8 à 11 €

Les Hauts de Milési

CR

CHÂTEAU DES CRÈS RICARDS
COTEAUX DU LANGUEDOC
APPELLATION COTEAUX DU LANGUEDOC CONTRÔLÉE
2002

MIS EN BOUTEILLE AU DOMAINE
DOMAINE DES CRÈS RICARDS
C. ET G. FOLTRAN, F. 34800 CEYRAS
PRODUCE OF FRANCE
13,5% vol.   750 ml

Un crescendo digne des grands maîtres : 2000 était cité, 2001 recevait deux étoiles et voici 2002, coup de cœur envoûtant. Son entrée en scène dans sa robe pourpre de velours annonce le joli défilé d'arômes qui va suivre : des fruits mûrs, des épices, du laurier, du fumé. Le jury a adoré son ampleur, sa matière solide et délicate à la fois, sa longueur remarquable. La cuvée **Stécia 2002** n'a pas à rougir : elle décroche une belle étoile.
🐦 Colette et Gérard Foltran, Dom. des Crès Ricards,
34800 Ceyras, tél. 04.67.44.67.63, fax 04.67.44.67.63,
e-mail foltran@cresricards.com ☑ 夫 r.-v.

CH. CREYSSELS Picpoul de Pinet 2003 ★

▨	2,36 ha	8 500	🔳↓	3 à 5 €

Le vignoble se répartit autour de Creyssels, ferme fortifiée du XVIᵉs., entre voie Domitienne et étang de Thau. Son vin, jaune-vert, est typique d'un piquepoul bien mûr par ses arômes de pâte de fruits, de genêt et de pêche. La bouche est ronde et fraîche à la fois, jusque dans sa finale bien présente. L'un des dégustateurs a rêvé d'un pélardon (fromage de chèvre).
🐦 Henri Benau, Dom. de Creyssels, rte de Marseillan,
34140 Mèze, tél. 04.67.43.80.82, fax 04.67.18.82.06,
e-mail chateaucreyssels@aol.com ☑ ⬛ ⲧ 夫 r.-v.

DOM. LA CROIX CHAPTAL
Cuvée Charles Elevé en fût de chêne 2001 ★★

■	7,5 ha	30 000	🔳❶↓	11 à 15 €

Sur les terrasses anciennes de la Lergue où se mêlent des galets multicolores de basalte et de quartz, le vignoble du domaine fait l'objet de soins jaloux comme en témoigne ce vin de terroir. Sa robe intense est aussi profonde que son bouquet, où s'épanouissent les arômes de cade, de genévrier, de fruits compotés. Mais c'est surtout un régal en bouche, avec du gras, du volume, une matière fondue et une persistance extraordinaire. Dès à présent en harmonie avec la daube de sanglier, il se bonifiera encore avec le temps.
🐦 Pacaud-Chaptal, Dom. La Croix Chaptal, hameau de Cambous, 34725 Saint-André-de-Sangonis,
tél. 06.82.16.77.82, fax 04.67.16.09.36,
e-mail lacroixchaptal@wanadoo.fr ☑ ⲧ 夫 r.-v.
🐦 Charles Pacaud

DOM. DEVOIS DU CLAUS
Pic Saint-Loup Elevé en fût de chêne 2002 ★★

■	1,6 ha	3 200	🔳❶↓	11 à 15 €

Des parcelles disséminées au milieu de la garrigue donnent à ce vin toute sa typicité. D'une couleur pourpre sombre, il arbore un nez complexe de petits fruits noirs, d'épices et de garrigue (cade). Après une attaque ample, ronde et réglissée, la bouche affirme une matière solide, qui permettra de l'attendre trois à cinq ans. Un 2002, millésime difficile, bien maîtrisé et qui sait même se montrer long.
🐦 Dom. Devois du Claus,
38, imp. du Porche, 34270 Saint-Mathieu-de-Tréviers,
tél. 04.67.55.29.37, fax 04.67.55.06.86 ☑ ⲧ 夫 r.-v.
🐦 André Gely

DOM. ELLUL-FERRIERES Grande Cuvée 2001 ★★

■	1,5 ha	4 200	🔳❶↓	15 à 23 €

Agrandir le domaine en 2000, c'était permettre le beau mariage – dont ce vin est issu – entre grenache et mourvèdre. Sous la robe carminée, quels jolis arômes de petits fruits noirs et d'épices douces ! Ample et soyeux, généreux comme un 2001, ce vin s'achève sur des tanins bien enrobés et des notes de cassis. Une gourmandise pour un gibier aux baies de genièvre.
🐦 Gilles et Sylvie Ellul, Dom. Ellul-Ferrières,
Fontmagne, RN 110, 34160 Castries,
tél. 04.67.02.28.28, fax 04.67.02.28.26,
e-mail ellulferrieres@aol.com ☑ ⲧ 夫 t.l.j. 17h-19h

CH. DE L'ENGARRAN
Saint-Georges d'Orques 2003 ★

▨	15 ha	30 000	🔳↓	5 à 8 €

Le charme et l'élégance du château de L'Engarran, folie du XVIIIᵉs., transparaît aussi dans ses vins. Prenez le temps de regarder sa robe d'un rose bien tendre. Les parfums de fleurs (rose) et de petits fruits rouges sont exquis, tout comme la bouche ronde et fine à la fois. Une valeur sûre.
🐦 SCEA du Ch. de L'Engarran, 34880 Laverune,
tél. 04.67.47.00.02, fax 04.67.27.87.89,
e-mail lengarran@wanadoo.fr ☑ ⲧ 夫 r.-v.
🐦 Grill

ERMITAGE DU PIC SAINT-LOUP
Pic Saint-Loup Cuvée Sainte-Agnès 2002

■	5 ha	22 000	❶	11 à 15 €

A l'Ermitage du Pic Saint-Loup, le calcaire du terroir est aussi dur que la vie d'ermite ! Cette cuvée élégante, aux arômes de fruits rouges très mûrs alliés à une belle qualité de tanins et à une certaine vivacité, conviendra à un petit gibier à plume.

⊶ Jean-Marc Ravaille, GAEC Ermitage du Pic Saint-Loup, 34270 Saint-Mathieu-de-Tréviers, tél. 04.67.55.20.15, fax 04.67.55.23.49
☑ Y ⁂ t.l.j. sf dim. 10h-12h 15h-18h

CH. D'EXINDRE Magdalia 2002 *

■ 4,15 ha 22 000 ▮🌡 8 à 11 €

Le vignoble, situé à 3 km de la cathédrale de Maguelonne, est l'un des terroirs les plus maritimes de l'appellation. Si la robe grenat n'est pas d'une très forte intensité, le nez, lui, se montre puissant (réglisse, fruits noirs, épices douces et sous-bois). La bouche généreuse aux tanins fermes et fondus à la fois s'accordera subtilement avec un carré d'agneau au miel.

⊶ Catherine Sicard-Géroudet, La Magdelaine d'Exindre, 34750 Villeneuve-lès-Maguelonne, tél. 04.67.69.49.77, fax 04.67.69.49.77, e-mail catherinegeroudet@yahoo.fr ☑ ⌂ Y ⁂ r.-v.

LES FAISSES 2002 *

■ 11 ha 17 400 ◍ 8 à 11 €

Plus de mille ans d'histoire pour le château attenant à la merveilleuse chapelle de Conas (XIIe s.). En 2002, deux cuvées sont sélectionnées par le jury : le **Château Paul Mas Clos des Mûres Elevé en fût de chêne rouge**, cité, et ces Faïsses qui déploient leur jolie robe grenat carminé. Le nez est une corbeille de fruits mûrs, auxquels se mêlent des notes boisées. Après une attaque enrobée, le palais affiche des tanins puissants qui engagent à une garde d'au moins trois ans.

⊶ Dom. Paul Mas, Ch. de Conas, 34120 Pézenas, tél. 04.67.90.16.10, fax 04.67.98.00.60, e-mail info@paulmas.com Y r.-v.

DOM. FAURMARIE L'Ecrit vin 2002 *

■ 4 ha 12 000 ▮🌡 8 à 11 €

Dans la partie orientale des Grès de Montpellier, voici encore une belle étoile : un 2002 grenat sombre qui fleure la violette, la réglisse et les confitures de notre enfance. Dominé en bouche par sa rondeur, il peut s'appuyer sur de bons tanins. Il pourrait attendre deux à trois ans, mais pourquoi se priver d'un vin aussi gourmand ? Magret de canard ou agneau grillé.

⊶ Christian Faure, rue du Mistral, 34160 Galargues, tél. 06.16.12.23.95, fax 04.67.86.87.26, e-mail domaine.faurmarie@free.fr ☑ Y ⁂ r.-v.

DOM. FERRI ARNAUD
La Clape Elevé en fût de chêne 2002

■ 2,3 ha 13 000 ▮◍🌡 8 à 11 €

Si le millésime 2002 est moins concentré que le précédent, il dévoile derrière sa robe grenat de jolis arômes de fruits noirs, de chocolat, de grillé et de garrigue. La bouche, soyeuse et élégante, délicatement vanillée, est prête.

⊶ EARL Ferri Arnaud, av. de l'Hérault, 11560 Fleury-d'Aude, tél. 04.68.33.62.43, fax 04.68.33.74.38, e-mail catyferri-domaineferriarnaud@wanadoo.fr
☑ Y ⁂ t.l.j. 9h-19h
⊶ Richard Ferri

CH. DE FLAUGERGUES
La Méjanelle Cuvée Colbert 2002

■ 2,2 ha 10 000 ◍ 11 à 15 €

Folie montpelliéraine du XVIIIe s., Flaugergues est l'un des derniers vignobles urbains, menacés par l'extension considérable de la capitale régionale. C'est aussi un monument classé, habité depuis onze générations par la famille Colbert. Ce château, avec son jardin à la française, a su préserver ses terroirs de galets roulés. Une robe grenat habille ce vin aux parfums finement boisés et grillés et dont la bouche, bien structurée, se montre élégante.

⊶ Henri de Colbert, Ch. de Flaugergues, 1744, av. Albert-Einstein, 34000 Montpellier, tél. 04.99.52.66.37, fax 04.99.52.66.44, e-mail colbert@flaugergues.com
☑ Y ⁂ t.l.j. sf dim. 9h-12h30 14h30-19h

CH. FONT DES PRIEURS Grand Prieur 2002 *

■ 0,73 ha 680 ◍ 23 à 30 €

Issu de l'agriculture biologique et d'un vignoble implanté à Gabian sur des sols basaltiques, ce vin affiche sa délicatesse : une robe rubis assez claire, des arômes floraux de violette et d'œillet qui se joignent aux fruits rouges. Equilibré et fondu en bouche, il ne manque pas de fraîcheur et plaira dès maintenant.

⊶ Vignobles Guy Rambier et Jacques Tournant, rte de Mèze, 34340 Marseillan, tél. 04.67.77.50.79, fax 04.67.77.59.18, e-mail vignobles@montfreux-de-fages.com ☑ Y ⁂ r.-v.

MAS FOULAQUIER
Pic Saint-Loup Les Calades 2001 *

■ 3,5 ha 14 500 ▮◍🌡 11 à 15 €

Issu d'un sol d'éboulis calcaires idéal pour une maturité lente et complète, ce vin présente des senteurs de laurier, d'épices et de mûre. La bouche est ronde, épicée et équilibrée par des tanins présents mais élégants. On se souvient que ce domaine fut coup de cœur dans le Guide 2003.

⊶ SCEA Dom. Foulaquier, Mas Foulaquier, 34270 Claret, tél. 04.67.59.96.94, fax 04.67.59.96.94, e-mail mas.foulaquier@free.fr ☑ ⌂ Y ⁂ r.-v.
⊶ Dequier-Chauchat-Stolt-Fallot

MAS DE FOURNEL
Pic Saint-Loup Cuvée Pierre 2001 **

■ 3 ha 5 300 ◍ 15 à 23 €

Démarrées tout début octobre cette année-là, les vendanges ont donné un vin vraiment racé : pourpre à légers reflets orangés, la cuvée Pierre présente un bouquet balsamique fin et subtil ; on retrouve ce caractère en bouche où des tanins fondus, des notes mentholées et boisées lui confèrent une réelle élégance. A tel point que l'un des dégustateurs écrit : « J'aimerais faire ce vin. » Il n'y a pas meilleur compliment.

⊶ Gérard Jeanjean, SCEA Mas de Fournel, 34270 Valflaunès, tél. 04.67.55.22.12, fax 04.67.55.70.43
☑ Y ⁂ t.l.j. 9h-19h

DOM. GALTIER La Solana 2002 *

■ 1,5 ha 3 200 ▮◍🌡 15 à 23 €

Garrigue, bois de pins et vignoble signent ce paysage typiquement méditerranéen. C'est ici que naît cette cuvée à la robe sombre et aux reflets bleus, au nez bien expressif de cassis et de cerise. En bouche, le gras est là pour envelopper les tanins présents et la finale réserve de belles notes cacaotées.

⊶ Lise Carbonne, Dom. Galtier, lieu-dit Mas-Maury, 34490 Murviel-lès-Béziers, tél. 04.67.37.85.14, fax 04.67.37.97.43, e-mail domaine.galtier@planetis.com
☑ Y ⁂ t.l.j. 9h30-12h 15h-19h

MAS GOURDOU
Pic Saint-Loup Les Roches blanches 2002 ★

■ 3 ha 3 500 ▮ 8 à 11 €

Les vignes de ce domaine, depuis plus de deux siècles dans la famille, sont étagées sur les pentes de l'Hortus jusqu'aux portes de Vacquières. Elles bénéficient d'une diversité de sols qui contribue à la richesse de ce vin. Son classicisme n'a rien d'austère, bien au contraire : la complexité de ses arômes, où s'entremêlent des notes minérales, des nuances de pain d'épice et de genêt, et surtout, sa bouche ronde et charnue, soutenue par des arômes de fruits confiturés et de poivre, accompagneront avantageusement une viande de bœuf rôtie.

🔑 Mas Gourdou, 34270 Valflaunès,
tél. 04.67.55.30.45, fax 04.67.55.30.45,
e-mail jtherond@masgourdou.com ☑ 🏠 Y 🚶 r.-v.
🔑 Jocelyne Thérond

DOM. LES GRANDES COSTES
Les Grandes Costes 2001 ★

■ 2 ha 5 000 🛢 11 à 15 €

La luminosité du soleil méditerranéen et les sols argilo-calcaires confèrent à cette cuvée une harmonie bien sympathique. Si on ne retenait qu'un mot, ce serait plaisir : de couleur rubis, ce vin aux notes de fumée, de cuir, de poivre accompagnera des cailles braisées farcies aux fruits secs. Les tanins fondus, la structure ronde et agréable en font une bouteille à apprécier dès maintenant.

🔑 Jean-Christophe Granier,
2-6, rte du Moulin-à-Vent, 34270 Vacquières,
tél. 04.67.59.27.42, fax 04.67.59.27.42 ☑ Y 🚶 r.-v.

DOM. LA GRANGETTE
Picpoul de Pinet L'Enfant terrible 2003 ★★

□ 5 ha 22 000 ▮ 🌡 5 à 8 €

Ce domaine de 10 ha donne à voir des cuves de pierre datant du XVIIIe s. Après son entrée l'an dernier dans le Guide, l'Enfant terrible continue sur sa lancée : des nuances vertes ravivent le brillant de la robe tandis que des notes d'agrumes frais rendent le nez bien vif. En bouche, nous retrouvons l'arête acide bien caractéristique des Picpoul de Pinet derrière une belle rondeur. Très harmonieuse cuvée.

🔑 SCEA La Grangette Sainte-Rose,
Dom. La Grangette, rte de Pomérols,
34120 Castelnau-de-Guers,
tél. 04.67.98.13.56, fax 04.67.90.79.36,
e-mail info@domainelagrangette.com ☑ Y 🚶 r.-v.
🔑 Moret

MAS GRANIER Les Grès 2002

■ 5 ha 12 000 🛢 8 à 11 €

De bonne facture, ce vin demandera quelques années de patience. Pourtant, dès maintenant, un terroir argilo-calcaire lui confère profondeur et intensité : vanille, épices et fruits s'expriment au nez et en bouche où la matière s'affirme avec puissance et équilibre, faisant entrevoir son potentiel.

🔑 EARL Granier, Mas Montel, 30250 Aspères,
tél. 04.66.80.01.21, fax 04.66.80.01.87,
e-mail montel@wanadoo.fr
☑ Y 🚶 t.l.j. sf dim. 9h-12h 14h-19h

DOM. DE GRANOUPIAC Les Cresses 2002 ★★

■ 4 ha 7 000 🛢 8 à 11 €

Voici, dans les Terrasses du Larzac, une valeur sûre. Nous avions été conquis par le 2001, le 2002 suit les traces de son grand frère avec sa robe à reflets violets, sa large gamme d'arômes déclinant épices, fruits rouges et laurier. Puis quelle jolie bouche fleurie ! Elle donne une impression de force tranquille, avec des tanins structurés bien mariés au moelleux.

🔑 Claude et Marie-Claude Flavard,
Dom. de Granoupiac, 34725 Saint-André-de-Sangonis,
tél. 04.67.57.58.28, fax 04.67.57.95.83,
e-mail cflavard@infonie.fr ☑ Y 🚶 r.-v.

CH. GRES SAINT-PAUL Antonin 2002 ★★

■ 10 ha 46 000 ▮ 🛢 🌡 8 à 11 €

C'est souvent dans les années les plus délicates que les grands vignerons se distinguent. Au Grès Saint-Paul, en 2002, concentration et complexité sont bien au rendez-vous de cette cuvée Antonin qui est loin d'être un vin de garage ! Entourés d'une robe d'un grenat profond, les arômes traduisent une réelle maturité : poivre noir et girofle se mêlent aux fruits vanillés. Intense et soyeux, ce vin joliment charnu a été élevé avec grand soin. Rappelons que son frère aîné, Antonin 2001, avait obtenu le coup de cœur du Guide 2003.

🔑 Ch. Grès Saint-Paul,
rte de Restinclières, 34400 Lunel,
tél. 04.67.71.27.90, fax 04.67.71.73.76,
e-mail contact@gres-saint-paul.com
☑ Y 🚶 t.l.j. sf dim. 9h-12h 14h-19h
🔑 Servière

LANGUEDOC

DOM. GUILLEMARINE Picpoul de Pinet 2003 ★

□ 8 ha 40 000 ▮ 🌡 3 à 5 €

Voici un Picpoul de Pinet bien typique avec sa robe pâle à reflets verts, ses arômes frais où les fleurs et les agrumes se côtoient. En bouche, le bel équilibre entre le gras et la vivacité séduit, tout comme les longues notes citronnées. Un blanc pour coquillages qui saura sans difficulté traverser plus d'une année.

🔑 Anne-Marie Allies, 34810 Pouzolles,
tél. 04.67.24.78.77, fax 04.67.24.78.77

DOM. GUINAND
Saint-Christol Cuvée Vieilles Vignes 2002

■ 20 ha 130 000 ▮ 🌡 3 à 5 €

Si la **Grande Cuvée 2001 rouge (8 à 11 €)**, pleine et charnue, vaut aussi d'être citée, nous voici devant un 2002 de couleur délicieusement rubis. Les arômes d'épices, de café, de fruits à noyau expriment bien la typicité du terroir. Sa rondeur et son équilibre permettent de l'apprécier dès cet automne.

🔑 Dom. Guinand,
36, rue de l'Epargne, 34400 Saint-Christol,
tél. 04.67.86.85.55, fax 04.67.86.07.59 ☑ Y 🚶 r.-v.

DOM. HORTALA La Clape Tradition 2002

■ 5,5 ha 35 000 ▮ 5 à 8 €

Né sur une exploitation familiale créée en 1893, voici un vin sombre et brillant, tout sur le fruit et les épices. La bouche aux tanins modérés offre un équilibre s'appuyant plutôt sur la fraîcheur. La finale joue sur une jolie note réglissée.

🔑 GAEC Hortala,
20, rue Diderot, 11560 Fleury-d'Aude,
tél. 04.68.33.37.74, fax 04.68.33.37.75,
e-mail vins-hortala@wanadoo.fr ☑ Y 🚶 r.-v.

CH. L'HOSPITALET La Clape Summum 2002 ★

■   9 ha   48 000   ⅠⅠ 8 à 11 €

Ce domaine attire près de cinquante mille visiteurs par an avec son musée, son gîte, ses restaurants, son club de dégustation et, bien entendu, ses vins. Ce 2002, pourpre à peine brun, affirme son caractère au nez : du cacao, des senteurs de tarte aux fruits bien cuite, un boisé discret. La vivacité en bouche est bien là, au côté de tanins qui méritent d'attendre un peu. La longue persistance réglissée signe une belle finale. La cuvée **Extrême 2002 rouge** mérite d'être citée.

↪ Gérard Bertrand, Ch. L'Hospitalet,
rte de Narbonne-Plage, 11100 Narbonne,
tél. 04.68.45.36.00, fax 04.68.45.27.17,
e-mail r.planas@gerard-bertrand.com
☑ 🏠 ⟙ ⋔ t.l.j. 8h-12h 14h-18h

CH. ICARD

Saint-Georges d'Orques Elevé en fût de chêne 2002 ★

■   1 ha   4 000   ⅠⅠ 11 à 15 €

Si les vendanges 2002 ont connu des conditions climatiques difficiles, le savoir-faire du vigneron (dans le vignoble comme dans les chais) a permis à cette cuvée de voir le jour. Derrière la robe pourpre se dessinent des arômes de girofle, de poivre, de confiture et de boisé. Gras et harmonieux sur des notes d'élevage marquées, voilà un vin pour un gibier.

↪ Laurent Icard, rte de Saint-Georges-d'Orques,
34570 Pignan, tél. 04.67.75.31.31, fax 04.67.75.31.63,
e-mail laurent.icard@tiscali.fr ☑ ⟙ ⋔ r.-v.

CH. DE JONQUIERES La Baronnie 2001 ★★

■   3,2 ha   7 000   🍴 ⅠⅠ↓ 15 à 23 €

Un château classé, style Renaissance italienne, et des chambres d'hôte permettent de prendre le temps pour rencontrer ces vignerons convaincus par leur terroir. Un encépagement bien équilibré, une vigne soignée, une prise de risque maximum pour la date des vendanges, voilà les recettes qui expliquent la qualité de ce vin. Les parfums de fruits rouges, de noisette, de grillé, avec une pointe animale, montrent de la complexité. Très bien constitué, l'ensemble promet une remarquable évolution justifiant un séjour en cave de deux à trois ans.

↪ François et Isabelle de Cabissole,
Ch. de Jonquières, 34725 Jonquières,
tél. 04.67.96.62.58, fax 04.67.88.61.92,
e-mail chateau.de.jonquieres@wanadoo.fr
☑ 🏠 ⟙ ⋔ r.-v.

DOM. JORDY Tentation 2001 ★

■   3 ha   5 000   ⅠⅠ 5 à 8 €

Etablie depuis des générations sur une vingtaine d'hectares, cette famille habite au cœur du vieux village de Loiras-du-Bosc. 15 % de carignan accompagnent grenache (10 %) et syrah (75 %) dans ce vin aux arômes de fruits rouges bien mûrs, de vanille et de réglisse, et dont la structure est équilibrée. Les tanins fondus et fins font preuve d'une belle longueur. Une bouteille à boire dans un an ou deux sur un petit gibier.

↪ Frédéric Jordy, Loiras, 9, rte de Salelles,
34700 Le Bosc, tél. 04.67.44.70.30, fax 04.67.44.76.54
☑ ⟙ ⋔ t.l.j. sf dim. 8h-20h

DOM. LACROIX-VANEL Clos Mélanie 2001

■   3 ha   11 000   🍴↓ 11 à 15 €

Au cœur du village de Caux, vous découvrirez cette belle bâtisse vigneronne 1930. En haut, la maison ; en bas,

la cave. Ici, l'on dort au-dessus du vin. On rêve de sa robe grenat, de ses arômes d'épices, de laurier et de tabac, de sa bouche généreuse et ronde... et d'un ragoût d'escoubilles.

↪ Jean-Pierre Vanel,
46, bd du Puits-Allier, 34720 Caux,
tél. 04.67.09.32.39, fax 04.67.09.32.39 ☑ ⟙ ⋔ r.-v.

CH. DE LANCYRE

Pic Saint-Loup Grande Cuvée 2002 ★

■   6 ha   20 000   ⅠⅠ 11 à 15 €

Issu d'un terroir de cailloutis argilo-calcaires, ce vin à la robe pourpre rutilant est né sur un vaste domaine de 80 ha, régulièrement sélectionné dans le Guide. Si des notes de fruits rouges très mûrs et de chocolat caractérisent son nez, la bouche laisse sur le souvenir d'une matière ferme mais élégante, soutenue par une finale réglissée.

↪ SCEA Ch. de Lancyre, Lancyre, 34270 Valflaunès,
tél. 04.67.55.32.74, fax 04.67.55.23.84,
e-mail chateaudelancyre@wanadoo.fr ☑ 🏠 ⟙ ⋔ r.-v.
↪ Durand et Valentin

CH. DE LASCAUX

Pic Saint-Loup Les Nobles Pierres 2001 ★★

■   10 ha   30 000   🍴ⅠⅠ↓ 11 à 15 €

Quand le terroir argilo-calcaire, dans son écrin de garrigues et de pins d'Alep, et le savoir-faire du vigneron se rencontrent, on obtient un vin presque parfait. Sa subtilité aromatique de fruits cuits, de cacao et de senteurs balsamiques se retrouve exacerbée en bouche par la qualité des tanins associant finesse et puissance. La cuvée **coteaux-du-languedoc Les Secrets 2001 (23 à 30 €)** obtient une étoile, alors que le **Château de Lascaux blanc 2003 (5 à 8 €)** est cité pour la fraîcheur de ses notes d'agrumes mêlées à des douceurs miellées.

↪ Jean-Benoît Cavalier,
Ch. de Lascaux, 34270 Vacquières,
tél. 04.67.59.00.08, fax 04.67.59.06.06,
e-mail JB.cavalier@wanadoo.fr ☑ ⟙ ⋔ r.-v.

CH. LATUDE 2002

■   15 ha   10 000   🍴ⅠⅠ↓ 8 à 11 €

Sur une daube de sanglier, vous apprécierez la robe profonde de ce vin, ses arômes de grillé et de boisé, sa bonne structure qui ne masque pas le gras. Vous pouvez aussi attendre deux ans si vous préférez que le boisé s'adoucisse.

↪ Cave coop. La Fontesole, bd Jules-Ferry,
34320 Fontès, tél. 04.67.25.14.25, fax 04.67.25.30.66,
e-mail la.fontesole@libertysurf.fr
☑ ⟙ ⋔ t.l.j. sf dim. 8h-12h 14h-18h

CH. LAVABRE Pic Saint-Loup 2001 ★★

■   5 ha   18 500   ⅠⅠ 11 à 15 €

La vigne occupe ici un lieu magique, un cirque entouré de hautes falaises d'où l'on peut accéder à des dolmens du chalcolithique. Elevé en cuves de bois, à partir de vendanges non foulées, ce vin d'un noir profond se montre opulent. Ses arômes de thym, de sarriette, de crème de cassis et de fraise mûre sont d'une grande richesse. La bouche ne change pas de registre depuis l'attaque jusqu'à la longue finale, s'appuyant sur des tanins assez volumineux. Une dégustatrice rêve d'un filet de bœuf en croûte servi avec une sauce au foie gras !

🔑 Dom. de Lavabre, rte de Pompignan, 34270 Claret, tél. 04.67.59.02.25, fax 04.67.59.02.39, e-mail olivier.lavabre@wanadoo.fr
☑ 🍷 🚶 t.l.j. sf dim. lun. 14h-19h
🔑 Bridel

LES VIGNERONS DE LECQUES 2003 ★

■ 4 ha 8 000 3 à 5 €

Décidément, les étiquettes du Languedoc-Roussillon sont parmi les plus belles de France ! Celle-ci, très graphique, est digne des meilleures tables. Le vin aussi. Une robe profonde à reflets pourpres, des arômes où jouent violette, réglisse et fruits très mûrs, une bouche puissante à l'équilibre frais et fruité : pour en avoir le meilleur, attendez deux ou trois ans, peut-être davantage, pour le servir sur les viandes rouges rôties et les fromages à pâte bleue.

🔑 Cave des Vignerons de Lecques, Les Caminades, 30250 Lecques, tél. 04.66.80.12.03, fax 04.66.80.10.72 ☑ 🍷 r.-v.

MAS LUMEN La Sylve 2002 ★

■ 2 ha 4 000 15 à 23 €

2002 est le deuxième millésime vinifié par Pascal Perret qui renouvelle sa présence dans le Guide. Cette cuvée, parée d'une robe cerise bien mûre, développe des senteurs de torréfaction, de garrigue et d'épices. Une jolie texture, des tanins bien élevés, un équilibre très élégant composent un vin déjà fondu qui saura attendre deux à trois ans.

🔑 Pascal Perret, 8, rue François-Oustrin, 34120 Pézenas, tél. 04.67.90.13.66, fax 04.67.90.13.70, e-mail maslumen@wanadoo.fr ☑ 🍷 🚶 r.-v.

CH. MALAVIEILLE Alliance 2002 ★

□ 1 ha 3 500 8 à 11 €

Dans cette région des terres et des eaux rouges du Salagou, parsemée de roches basaltiques, les vins ne manquent pas de grain. Pour preuve ce blanc or pâle : le minéral le dispute au boisé et au grillé ; la bouche marie rondeur et vivacité. Pour une tielle sétoise.

🔑 Mireille Bertrand, Malavieille, 34800 Mérifons, tél. 04.67.96.34.67, fax 04.67.96.32.21 ☑ 🍷 🚶 r.-v.

CAVE MALTRESSE La Clape 2001

■ 5 ha 6 000 11 à 15 €

Le jury a aimé sa robe pourpre, ses arômes déjà mûrs de résiné, de bois de pin et de grillé, sa bouche d'allure bien méditerranéenne au boisé fondu. Le garder ? Un à deux ans peut-être.

🔑 Ch. de Tarailhan, 11560 Fleury-d'Aude, tél. 04.68.33.91.88, e-mail tarailhan@wanadoo.fr ☑ 🍷 🚶 r.-v.

CH. DE MARMORIERES La Clape Vinifié en foudre de chêne 2002 ★

■ 10 ha 10 000 5 à 8 €

Ici, une chapelle romane du XIe s. vouée à saint Michel semble veiller sur les lieux, tout comme la trentaine de paons élevés par ce domaine. Une étoile pour le **rosé 2003 (3 à 5 €)**, souvent mentionné dans le Guide, et pour cette cuvée rubis au nez délicat de fruits rouges, de grillé et de cade. La bouche est harmonieuse et fondue. A boire sans attendre sur une grillade d'agneau.

🔑 De Woillemont, SCEA Ch. de Marmorières, 11110 Vinassan, tél. 04.68.45.23.64, fax 04.68.45.59.39 ☑ 🍷 🚶 r.-v.

MAS DE MARTIN Cuvée Ultreïa 2002 ★★★

■ 6 ha 16 700 15 à 23 €

Déjà distingué pour ses précédents millésimes, le mas de Martin remporte avec ce 2002 ses plus belles palmes tant cet Ultreïa a ébloui le jury. Il entre en scène dans une robe sombre et fait connaître sans tarder la richesse de ses arômes : cannelle, cade, moka et immortelle. La bouche est de velours ; sa matière dense et sa longueur remarquable confirment son aptitude à la garde. La **cuvée Cinarca rouge 2002 (11 à 15 €)** obtient une citation.

🔑 Christian Mocci, Dom. Mas de Martin, 34160 Saint-Bauzille-de-Montmel, tél. 04.67.86.98.82, fax 04.67.86.98.82, e-mail masdemartin@wanadoo.fr ☑ 🏠 🍷 🚶 r.-v.

DOM. DU MAS DU SOL Picpoul de Pinet 2003 ★

□ n.c. n.c. 3 à 5 €

Deux Picpoul de Pinet 2003 de la cave de L'Ormarine reçoivent une étoile : le **Duc de Morny** qui ne propose pas moins de 120 000 bouteilles et cette cuvée jaune clair aux arômes d'agrumes et de fruits exotiques. Ronde et vive, la bouche ravira des huîtres de Bouzigues.

🔑 Cave de L'Ormarine, 13, av. du Picpoul, 34850 Pinet, tél. 04.67.77.03.10, fax 04.67.77.76.23
🍷 t.l.j. sf dim. 8h-12h 14h-18h

CH. MIRE L'ETANG La Clape Cuvée des ducs de Fleury Réserve du château 2001 ★★

■ 4 ha 3 000 15 à 23 €

Né sur la bordure orientale de la Clape, cette cuvée allie la puissance du terroir à la délicatesse de l'élevage. Elle s'annonce tout d'abord par une robe somptueuse ; ensuite, s'affichent des arômes complexes et intenses de torréfaction, de fruits rouges vanillés et de poivre ; enfin, la bouche suave à l'attaque repose sur des tanins soyeux et solides. Ce vin a encore un bel avenir devant lui.

🔑 Ch. Mire L'Etang, 11560 Fleury-d'Aude, tél. 04.68.33.62.84, fax 04.68.33.99.30, e-mail contact@chateau.mireletang.com ☑ 🍷 🚶 r.-v.
🔑 P. Chamayrac

CH. DES MONGES La Clape Réserve de l'abbaye Elevé en fût de chêne 2002 ★

■ 1,35 ha 7 000 8 à 11 €

Dès 1004, l'abbaye des Monges devint l'une des rares abbayes de femmes en Languedoc. De cette époque, il reste la chapelle Notre-Dame-des-Olieux blottie au cœur du vignoble. Ce 2002, d'un rouge grenat intense, séduit par la finesse de son nez de fruits noirs compotés au côté de notes vanillées discrètes. La bouche soyeuse et pleine possède des tanins qui s'expriment sans excès, dans une jolie harmonie.

⊶ Paul de Chefdebien, abbaye des Monges,
rte de Gruissan, 11100 Narbonne,
tél. 04.68.32.26.61, fax 04.68.65.39.03,
e-mail abbayedesmonges@wanadoo.fr
☑ ⌂ Y 🚶 t.l.j. 8h30-12h30 14h-19h

DOM. MON MOUREL La Bruguière 2002

■ 1 ha 2 400 ⬮ 8 à 11 €

Premier millésime pour Jérémie Costal qui a acquis en 2002 ce vignoble de 10 ha sur une terrasse villafranchienne, exposé au soleil levant. La belle intensité de la robe, les notes de grillé, de cuir et de boisé, la solide structure tannique en font un vin très prometteur qui gagnera en finesse avec le temps.

⊶ Jérémie Costal, rte de Peret, 34800 Aspiran,
tél. 06.15.40.47.09, fax 04.67.44.69.83 ☑ Y 🚶 r.-v.

VIGNOBLES MONTAGNAC
Picpoul de Pinet Les Terres rouges 2003 *

▒ 10,66 ha 35 000 ▮ ♁ 3 à 5 €

Entre l'étang de Thau et Pézenas – ville où joua Molière – le vignoble est installé sur des terres calcaires de marnes rouges, d'où le nom de cette cuvée. Jaune pâle brillant, ce vin exhale des arômes très friands de pamplemousse, de fleurs et de pêche. Vive et charmeuse, la bouche est faite pour des huîtres.

⊶ Cave coop. La Montagnacoise,
15, av. d'Aumes, 34530 Montagnac,
tél. 04.67.24.03.74, fax 04.67.24.14.78,
e-mail cooperative.montagnac@wanadoo.fr
☑ Y t.l.j. sf sam. dim. 10h-12h 15h30-18h

DOM. MORIN-LANGARAN Picpoul de Pinet 2003

▒ 4,29 ha 20 000 ▮ 3 à 5 €

Nous avons aimé la jolie robe pâle, jaune à reflets verts, et les arômes fins et discrets de tilleul, de miel et d'agrumes. La bouche, quant à elle, affirme mieux sa rondeur que sa vivacité.

⊶ Albert Morin, Dom. Morin-Langaran, 34140 Mèze,
tél. 04.67.43.71.76, fax 04.67.43.77.24,
e-mail morin-langaran@tiscali.fr ☑ Y 🚶 r.-v.

MORTIES Pic Saint-Loup 2002 *

■ 10 ha 12 000 ▮ ⬮ ♁ 8 à 11 €

Pour qui connaît le site du mas Mortiès, pas de surprise. Pour les autres, la dégustation de cette cuvée vous y transportera : qui mieux que le nez, mélange d'épices douces, de cade, de réglisse, d'essences de garrigue exhalés par le soleil vous l'expliquera ? La bouche ample, soyeuse, puissante et raffinée à la fois, fait écho. Un vin velouté, qui s'exprime déjà.

⊶ GAEC du Mas de Mortiès,
rte de Cazevieille, 34270 Saint-Jean-de-Cuculles,
tél. 04.67.55.11.12, fax 04.67.55.11.12,
e-mail contact@morties.com ☑ Y 🚶 r.-v.

DOM. DES MOUCHERES
Pic Saint-Loup Cuvée originale 2002 **

■ 10 ha 60 000 ▮ ♁ 3 à 5 €

Présenté par la maison Jeanjean, ce domaine est dirigé par Jacques Teissèdre depuis une trentaine d'années. Avec 30 % de carignan, 30 % de grenache et la syrah, cette cuvée a une forte personnalité. Tout y est à la fois intense et velouté : le pourpre de la robe, les arômes de truffe et de fruits exotiques mêlés à des notes de cassis, le corps ample et déjà rond mais à attendre deux ans.

⊶ Jacques Teissèdre, Dom. Mouchères,
34270 Saint-Mathieu-de-Tréviers,
tél. 04.67.88.80.00, fax 04.67.96.65.67 ☑ r.-v.

MAS MOURIES M 2002 *

■ 2,3 ha 12 000 ▮ 5 à 8 €

D'un pourpre profond, la cuvée M peut être définie par sa douceur. Le nez tout en nuances charme par ses arômes de fruits confiturés et d'épices douces. La bouche présente une belle maturité, alliant le fruité à des tanins soyeux. A boire sur un suprême de canette aux airelles.

⊶ Eric Bouet, Mas Mouriès, 30260 Vic-le-Fesq,
tél. 04.66.77.87.13, fax 04.66.77.87.13 ☑ Y 🚶 r.-v.

NEFFIEZ Cuvée Baltazar 2001 *

■ 14 ha 20 000 ▮ 15 à 23 €

Si ce vin exprime indéniablement la typicité du terroir, la vinification en grains entiers a aussi apporté sa touche. La belle intensité de la robe et du nez (cassis, cerise, tapenade, cuir) conduit à une bouche capiteuse, bien structurée et pourtant déjà prête.

⊶ Les Coteaux de Neffiès, av. de la Gare,
34320 Neffiès, tél. 04.67.24.61.98, fax 04.67.24.62.12,
e-mail cavecoop.neffies@wanadoo.fr ☑ Y 🚶 r.-v.

CH. DE LA NEGLY La Clape La Falaise 2002 **

■ 20 ha 31 000 ▮ ⬮ ♁ 11 à 15 €

Superbe palmarès pour La Négly : deux très belles étoiles pour un **coteaux-du-languedoc Domaine de Boède 2002**, vignoble cultivé par Jean Paux-Rosset depuis 2001. De son côté, la cuvée La Falaise confirme son grand caractère : une robe noire profonde, un bouquet intense de pain d'épice, de fruits cuits et de vanille, une bouche élégante et puissante. Les tanins serrés derrière les jolies notes boisées lui assureront un excellent avenir.

⊶ Jean Paux-Rosset,
Ch. de la Négly, 11560 Fleury-d'Aude,
tél. 04.68.32.36.28, fax 04.68.32.10.69,
e-mail lanegly@wanadoo.fr ☑ Y 🚶 r.-v.

DOM. DE NIZAS 2003 *

▒ 1,3 ha 7 000 ▮ ♁ 5 à 8 €

Après avoir créé des vignobles en Californie et en Australie, John Goelet a choisi le Languedoc pour la qualité de son terroir et son attrait bucolique. Imaginez-vous donc sous un pin parasol dégustant ce rosé : une robe pâle et bien jeune, un nez délicat de fleurs blanches et de fruits rouges, une bouche ronde et d'une belle fraîcheur. On en redemande...

⊶ John Goelet, SCEA Dom. Nizas et Sallèles, hameau de Sallèles, 34720 Caux,
tél. 04.67.90.17.92, fax 04.67.90.21.78,
e-mail domnizas@wanadoo.fr ☑ Y 🚶 r.-v.
⊶ J. Goelet

MAS NOIR Grès de Montpellier 2001 *

■ 5 ha 6 000 ▮ ⬮ 11 à 15 €

Dans cet ancien mas ayant appartenu à des pasteurs protestants pendant des générations, le style cévenol prédomine. Les vins sont pourtant bien méditerranéens, tant le **Château Ministre, cuvée Réserve rouge 2001 (8 à 11 €)**, une étoile, que le Mas Noir avec sa robe sombre carminée et ses arômes d'épices douces et de fruits compotés. La bouche fondue et charnue, au joli grain de tanins, offre une belle finale aux notes savoureuses de cerise. Le premier accompagnera un veau Orloff, le second un rôti de bœuf en croûte.

🔑 Denis Tissot, Ch. Ministre, Les Garrigues, 34130 Mauguio, tél. 04.67.15.03.64, fax 04.67.15.13.66, e-mail chateauministre@wanadoo.fr ☑ 🍷 🚶 r.-v.

CH. NOTRE-DAME-DU-QUATOURZE
Quatourze 2003

■ n.c. n.c. ▮ 5 à 8 €

Ce terroir de Quatourze se situe aux portes de Narbonne, face à l'étang de Bages, lieu idéal pour déguster ce rosé. Vous aimerez sa robe pâle et lumineuse, ses arômes de violette et de fruits, ainsi que sa rondeur irrésistible.

🔑 Vignerons de la Méditerranée, ZI Plaisance, 12, rue du Rec-de-Veyret, 11100 Narbonne, tél. 04.68.42.75.00, fax 04.68.42.75.01, e-mail rhirzt@listel.fr

🔑 G. Ortola

DOM. LE NOUVEAU MONDE
Cuvée Gabriel-Emile 2001 ★

■ 1 ha 1 800 ▮ ◍ 🌡 11 à 15 €

Situées sur un plateau entre mer et étang, à 15 km au sud-ouest de Béziers, les vignes plongent leurs racines dans un sol de graves du villafranchien. Ce terroir se révèle très propice au mourvèdre présent à 95 % dans ce vin. Ce dernier, grenat, exhale des arômes de réglisse, de garrigue et de cerise. La rondeur de la bouche équilibre la puissance des tanins, bien élevés en l'occurrence. Un avenir certain.

🔑 SCEA Any et Jacques Gauch, Dom. Le Nouveau Monde, 34350 Vendres, tél. 04.67.37.33.68, fax 04.67.37.58.15, e-mail domaine-lenouveaumonde@wanadoo.fr
☑ 🏠 🍷 🚶 r.-v.

DOM. DE L'OCELLE
Saint-Christol Vieilles Vignes 2001 ★

■ 10 ha 10 000 ▮ ◍ 🌡 5 à 8 €

« Crocodile des vignes » est le nom local donné à l'ocelle, gros lézard vert qui se prélasse au soleil dans le vignoble. Du soleil, la vigne n'en a pas manqué comme en témoigne ce 2001 avec sa robe profonde, ses arômes de ciste, de poivre et de fruits confiturés sur une pointe de vanille. Rond et gourmand, chaleureux et fondu, il tapisse le palais.

🔑 EARL Warnery-Da Silva, 28, av. Les Platanes, 34400 Saint-Christol, tél. 04.67.86.04.26, fax 04.67.86.54.18, e-mail domainedelocelle@saint-christol.com ☑ 🍷 🚶 r.-v.

OCRE ROUGE
Saint-Georges-d'Orques Prestige 2002 ★

■ 15 ha 3 500 ▮ 🌡 11 à 15 €

Au cœur du terroir de Saint-Georges-d'Orques, connu depuis le XVI[e]s., cette cave s'est distinguée avec deux cuvées : l'**Ocre rouge 2001 élevé en fût (5 à 8 €)**, citée et déjà prête à boire, et ce 2002 d'un rouge profond et violacé. Au nez, quels jolis arômes de violette et de mûre ! La bouche ne déçoit pas avec sa rondeur et ses tanins pleins. Un vin destiné à une canette au jus.

🔑 SCVA Caves Saint-Georges-d'Orques, 21, av. Montpellier, 34680 Saint-Georges d'Orques, tél. 04.67.75.11.16, fax 04.67.40.56.10, e-mail cavesstgeorges@wanadoo.fr ☑ 🍷 🚶 r.-v.

CH. PECH-CELEYRAN La Clape Céleste 2002 ★

■ 10 ha 4 500 ▮ ◍ 🌡 8 à 11 €

Ici, Henri de Toulouse-Lautrec jouait enfant dans le chai aux foudres centenaires. C'est aujourd'hui dans des fûts que les vins sont élevés, avec talent comme en témoigne ce 2002. Si la robe est assez légère, le nez est bien expressif : garrigue, violette, eucalyptus. La bouche, fondue et élégante, est prête. Le **rosé cuvée Tradition 2003 (5 à 8 €)** mérite d'être cité.

🔑 Jacques de Saint-Exupéry, Ch. Pech-Céleyran, 11110 Salles-d'Aude, tél. 04.68.33.50.04, fax 04.68.33.36.12, e-mail saint-exupery@pech-celeyran.com
☑ 🏨 🏠 🍷 🚶 t.l.j. 9h-19h

CH. PECH REDON La Clape L'Epervier 2002 ★

■ 20 ha 30 000 ▮ ◍ 11 à 15 €

L'un des points culminants de La Clape, Pech Redon s'inscrit dans un paysage typiquement méditerranéen où se côtoient mer, étangs, garrigue, falaises et vignobles. Ce 2002 reflète bien la typicité du lieu : une robe profonde, des arômes complexes de mûre, de grillé et de cannelle, une bouche longue et poivrée aux tanins affirmés, mais délicats. N'hésitez pas à le carafer pour l'aérer avant de le servir dans un an ou deux. Sur un poulet Strogonoff, comme le propose un dégustateur.

🔑 Christophe Bousquet, Ch. Pech Redon, rte de Gruissan, 11100 Narbonne, tél. 04.68.90.41.22, fax 04.68.65.11.48
☑ 🏠 🍷 t.l.j. sf dim. 10h-12h 14h-19h

DOM. DU PECH ROME Opulens 2002 ★

■ 1,9 ha 6 500 ▮ ◍ 11 à 15 €

Deuxième millésime et encore une belle étoile pour la cuvée **Clemens 2002 rouge (5 à 8 €)** et pour cet Opulens qui a charmé par l'intensité de ses notes fruitées (griotte, cassis), par son attaque en bouche, ample et soyeuse, et par la rondeur enveloppante du palais. Vous n'aurez pas envie d'attendre pour le savourer, mais vous pourriez.

🔑 SCEA Remparts de Neffiès, 17, montée des Remparts, 34320 Neffiès, tél. 04.67.59.42.05, fax 04.67.59.42.05, e-mail pechromevin@wanadoo.fr ☑ 🍷 🚶 r.-v.

🔑 Pascal Blondel

MAS PEYROLLE Chant de l'aire 2002 ★

■ 1,3 ha 3 800 ▮ ◍ 🌡 8 à 11 €

Une belle réussite pour la première vinification de ce vigneron, qui a installé sa cave dans un mas languedocien du XVIII[e]s. Son vin, de couleur sombre, exhale le sous-bois et de douces notes fumées et grillées. En bouche, sa richesse aromatique, son élégance et sa consistance lui permettront d'attendre deux à quatre ans.

🔑 Mas Peyrolle, rte de Corconne, 34270 Vacquières, tél. 06.20.07.69.69, fax 04.66.55.99.50 ☑ 🍷 🚶 r.-v.

CH. DE PINET Picpoul de Pinet 2003 ★

□ 4 ha 20 000 ▮ 5 à 8 €

Voici un domaine conduit avec talent par des femmes. Le château du XIX[e]s. a tout des contes de fée. A ne pas manquer lorsque vous visiterez la région du bassin de Thau. Ce vin signe son appartenance à la famille des Picpoul de Pinet : robe pâle à nuances vertes, nez fin et discret d'agrumes et de fleurs, bouche vive. Le compagnon parfait de moules grillées.

🔑 Simone Arnaud-Gaujal, Ch. de Pinet, 34850 Pinet, tél. 04.68.32.16.67, fax 04.68.32.16.39
☑ 🍷 🚶 t.l.j. 10h-13h 15h-19h; nov.-avr. sur r.-v.

LANGUEDOC

PLAN DE L'OM Roucan 2001 ★

■ n.c. 6 500 🛢 15 à 23 €

De faibles rendements sur des sols de schistes et de galets roulés permettent au terroir de surgir dans le verre : une robe grenat sombre annonce des parfums de garrigue et de fumé ; une douce rondeur enveloppe de gracieux tanins. Ce vin savoureux appelle un navarin d'agneau.

🔑 Joël Foucou, chem. de la Charité,
34700 Saint-Jean-de-la-Blaquière,
tél. 04.67.10.91.25, fax 04.67.10.91.25,
e-mail plan-de-lom@wanadoo.fr ☒ 🍷 🚶 r.-v.

MAS DU POUNTIL 2002 ★

■ 5 ha 18 000 ▮ 🛢 ♁ 11 à 15 €

Au mas du Pountil, dans le millésime 2002, une étoile récompense aussi bien le **blanc (8 à 11 €)** pour son ampleur et ses notes de miel, que ce vin rouge de couleur grenat foncé. Si l'intensité signe le nez (notes de fruits noirs, de violette et de menthol), c'est la finesse qui caractérise la bouche. Les tanins sont enrobés, le gras à leur côté. N'hésitez pas à profiter dès maintenant de son fruit.

🔑 Brice et Bernard Bautou,
10 bis, rue du Foyer-Communal, 34725 Jonquières,
tél. 04.67.44.67.13, fax 04.67.44.67.13,
e-mail mas.du.pountil@wanadoo.fr ☒ 🍷 🚶 r.-v.

PRIEURE DE SAINT-JEAN DE BEBIAN 2002 ★★

□ 5 ha 9 000 ▮ 🛢 23 à 30 €

A Saint-Jean-de-Bébian les cépages blancs sont implantés sur des sols de calcaire lacustre du miocène. De très faibles rendements (20 hl/ha), un élevage minutieux, et voici l'intensité qui s'unit à l'élégance : une robe dorée éclatante, une superbe palette d'arômes déclinant des notes de grillé, d'épices et de vanille, une bouche ample et onctueuse, mais sans lourdeur. A ses côtés, **La Chapelle de Bébian rouge 2001 (8 à 11 €)**, savoureuse, est citée par le jury.

🔑 EARL Le Brun-Lecouty,
Prieuré de Saint-Jean-de-Bébian,
rte de Nizas, 34120 Pézenas, tél. 04.67.98.13.60,
fax 04.67.98.22.24, e-mail bebian@wanadoo.fr
☒ 🍷 🚶 t.l.j. sf dim. 10h-12h30 15h30-18h30;
hors été sur r.-v.

PRIEURE SAINT MARTIN DE CARCARES
Elevé en fût de chêne 2002 ★

■ 3,5 ha 5 000 🛢 8 à 11 €

Commercialisée par la coopérative de Gignac, cette cuvée à base de syrah (80 %) est un fort joli vin d'un très bel équilibre qu'il faudra attendre trois à quatre ans. L'élevage est bien maîtrisé, laissant apparaître des notes fumées et vanillées. Le nez est séduisant. Le jury conseille de marier ce vin avec un rôti en croûte.

🔑 SCA Les Vignerons de Gignac,
10, rue Marcelin-Albert, 34150 Gignac,
tél. 04.67.57.51.94, fax 04.67.57.89.00,
e-mail w.valgalier@vigneronsdegignac.com
☒ 🍷 🚶 t.l.j. sf dim. 9h-12h 14h-18h

DOM. DE LA PROSE
Saint-Georges-d'Orques Cuvée des Embruns 2001 ★★

■ 4 ha 9 000 ▮ 🛢 11 à 15 €

Les Mortillet ont construit une cave enterrée pour que la vendange, bien respectée, tombe dans la cuve par gravité. Ainsi finesse et puissance vont de concert : une robe rouge sombre, des arômes pénétrants de fruits confits, de cade et de cannelle et une belle matière tannique bien enrobée. Parfait pour un tagine d'agneau.

🔑 GAEC de Mortillet, Dom. de La Prose,
34570 Pignan, tél. 04.67.03.08.30, fax 04.67.03.48.70,
e-mail domaine-de-la-prose@wanadoo.fr ☒ 🍷 🚶 r.-v.

DOM. PUECH Cuvée Noémie 2001 ★★

■ 3 ha 9 000 ▮ 🛢 ♁ 8 à 11 €

Le vignoble se situe à quelques kilomètres à peine du nord de Montpellier. Cette cuvée, pourpre violacé, développe d'intéressantes notes aromatiques qui s'amplifient en bouche : épices, violette, fruits rouges. Le soyeux des tanins, la puissance alliée à la finesse le rendent irrésistible dès maintenant.

🔑 Dom. Jean-Louis Puech,
25, rue du Four, 34980 Saint-Clément-de-Rivière,
tél. 04.67.84.12.31, fax 04.67.66.63.16,
e-mail sauvignon34@tiscali.fr ☒ 🍷 🚶 r.-v.

CH. PUECH-HAUT Saint-Drézéry La 40e 2001 ★★

■ n.c. 3 240 🛢 46 à 76 €

Vendange à la main, foulage aux pieds..., un retour aux sources que Yves Gruvel, vinificateur, à voulu réaliser pour sa 40e vendange. Le résultat est remarquable comme l'annonce la robe d'un pourpre presque noir. Le bouquet intense mêle des notes de torréfaction, de fruits noirs, d'épices et une fine pointe de coco. La bouche très concentrée mais veloutée, subtilement fraîche et sans lourdeur, enchante les dégustateurs. C'est la délicatesse mariée à la puissance ; et un grand avenir assuré. Si vous hésitez à cause du prix, la **cuvée classique Puech-Haut 2001 rouge (15 à 23 €)**, 60 000 bouteilles, apportera aussi de belles sensations puisqu'elle obtient une étoile.

🔑 Gérard Bru, Dom. Puech-Haut,
2250, rte de Teyran, 34160 Saint-Drézéry,
tél. 04.99.62.27.27, fax 04.99.62.27.29,
e-mail chateau-puech-haut@wanadoo.fr
☒ 🍷 🚶 t.l.j. 10h-12h 14h-18h

DOM. LES QUATRE PILAS
Saint-Georges d'Orques 2003 ★

□ n.c. 2 400 ▮ 5 à 8 €

Situé à 10 km à peine au nord de Montpellier, le vignoble a donné des rendements très faibles en 2003 (30 hl/ha). Nous retrouvons ainsi un nez bien mûr, fruité et légèrement grillé, et une ampleur en bouche qui ravira vos grillades.

🔑 Joseph Bousquet,
chem. de Pignan, 34570 Murviel-lès-Montpellier,
tél. 04.67.47.89.32, fax 04.67.47.89.32 ☒ 🍷 🚶 r.-v.

DOM. DE REILHE Terres de Sommières 2001 ★★

■ 2 ha 8 000 ▮ 5 à 8 €

Situé à 10 km de Sommières, ville médiévale, ce domaine fut bâti à la fin du XVIes. Son aile ouest est formée d'une tour carrée à escalier à vis. Cette propriété, dans la même famille depuis 1850, propose le premier vendredi d'avril une randonnée pédestre autour d'un thème exceptionnel : du vin au miel. Du soleil et de la garrigue, il y en a aussi dans ce 2001 où épices douces, figue, fruits rouges et notes de garrigue sont en harmonie avec une bouche complexe, ample et chaleureuse. Deux à trois ans de garde.

🔑 Hervé Sauvaire, Mas de Reilhe, 30260 Crespian,
tél. 04.66.77.89.71, fax 04.66.77.89.71,
e-mail herve.sauvaire@terre-net.fr ☒ 🍷 🚶 r.-v.

BLASON DE RICARDELLE La Clape 2002 ★

■ 2 ha 6 000 11 à 15 €

Aux portes de Narbonne – et depuis des siècles – les vignes de Ricardelle plongent leurs racines dans des terres calcaires graveleuses. Une étoile pour deux vins du millésime 2002 : le **Closablières rouge (5 à 8 €)** et cette cuvée très remarquée pour l'intensité de sa couleur et de ses arômes (cuir, pain, garrigue). La bouche, fine et structurée à la fois, est déjà prête pour un magret de canard.

Ch. Ricardelle, rte de Gruissan, 11100 Narbonne, tél. 04.68.65.21.00, fax 04.68.32.58.36, e-mail ricardelle@wanadoo.fr t.l.j. 9h-12h30 14h30-19h30

Bruno Pellegrini

CH. RIEUTORT Clos des Charmes 2001

■ 12 ha 10 000 11 à 15 €

Le château du XVIIIe s., entouré d'un parc de 2 ha, puis du vignoble, peut accueillir le visiteur en chambre d'hôte. La typicité des vins contribuera à rendre votre étape intéressante. Paré d'une robe grenat bien brillante, ce Clos des Charmes offre un nez subtil de poivre, de gelée de groseille et d'olive noire. Sa bouche ample et soyeuse, fruit d'un élevage bien maîtrisé, n'a pas besoin d'attendre pour séduire.

Bernard et Béatrice Nivollet, Ch. Rieutort, rte de Gignac, 34230 Saint-Pargoire, tél. 04.67.25.22.53, fax 04.67.25.22.54, e-mail deblanville@wanadoo.fr t.l.j. sf dim. 9h-12h30 14h-18h30

DOM. ROCAUDY Tour de magie 2002 ★★

■ 2 ha 4 000 15 à 23 €

Quand un vigneron de Moselle s'installe en Languedoc, son travail ne laisse pas indifférent : l'œil découvre une superbe robe rouge profond, le nez distingue du moka, de la cerise mûre et des notes boisées bien nobles ; quant au palais, il affiche de la concentration et de l'onctuosité. Ce vin peut être attendu, mais les puristes s'en régaleront immédiatement.

Oury, 6, rue Bouscarel, 34320 Vailhan, tél. 04.67.24.18.92, e-mail oury-pascal-viticulteur@wanadoo.fr r.-v.

LES ROMANES 2003 ★

■ 3,57 ha 17 300 3 à 5 €

Sur les hauteurs du Sommiérois, où ceps et garrigue se rencontrent, la vigne est conduite en culture raisonnée. Ce rosé saumoné a des arômes de petits fruits rouges, de fleurs et d'anis au nez comme en bouche. Une certaine fraîcheur confère à ce vin un bon équilibre qui lui permettra d'être apprécié avec des poissons grillés.

SCA Les Vignerons du Sommiérois, rte de Saussines, 30250 Sommières, tél. 04.66.80.03.31, fax 04.66.77.14.31, e-mail vigndusommierois@aol.com t.l.j. sf dim. 8h-12h 15h-19h

CUVEE ROUCAILLAT 2002 ★

■ 4 ha 16 000 8 à 11 €

Au bout d'une piste incertaine dans la garrigue, la cave a remplacé une bergerie. Ce terroir sauvage et rocailleux – tout comme les vins qu'il fait naître – déclenche les passions. On ne reste pas insensible à la luminosité de la robe dorée, à la complexité du bouquet où se succèdent noisette, abricot, coing et fleurs. Gras et généreux en bouche, ce millésime fera honneur à une rouille sétoise.

Paul Reder, Comberousse, rte de Gignac, 34660 Cournonterral, tél. 04.67.85.05.18, fax 04.67.85.05.18, e-mail rederpaul@yahoo.fr r.-v.

CH. ROUQUETTE-SUR-MER
La Clape Cuvée Henry Lapierre 2002

■ 4 ha 8 000 11 à 15 €

Quatre cépages nichés non loin de la mer pour un millésime plus discret que le 2001 : voici un vin bien grenat, où les notes vanillées et balsamiques se côtoient élégamment. La bouche, fine et vive à la fois, accompagnera dès à présent une grillade d'agneau.

Jacques Boscary, Ch. Rouquette-sur-Mer, rte Bleue, 11100 Narbonne-Plage, tél. 04.68.49.90.41, fax 04.68.49.50.49, e-mail bureau@chateaurouquette.com r.-v.

DOM. DE ROUVEYROLLES 2002

■ 1,3 ha 5 000 8 à 11 €

Deuxième millésime de ce domaine qui, dans la garrigue, regarde le château médiéval d'Aumelas. Juste après la robe grenat, on reconnaît des notes de fruits confits, de cannelle et de garrigue. Après une attaque enrobée, les arômes s'ouvrent en bouche, puis la fermeté des tanins s'impose. Ce vin parviendra à son apogée dans deux ans.

Laurent Baudou, 3, rue Croix-des-Barrières, 34230 Vendemian, tél. 04.67.42.75.76, fax 04.67.88.72.26, e-mail lbaudou@free.fr r.-v.

DOM. SAINT-ANDRIEU
Montpeyroux Vallongue 2002

■ 4 ha 7 000 5 à 8 €

Culture traditionnelle, sélection parcellaire, rénovation de la cave, maîtrise de vinification pour ce domaine qui joue dans la finesse et l'élégance. Le 2002, habillé d'une robe grenat, est bien présent : il exhale de légers parfums de garrigue et d'épices. Les tanins fondus permettent d'ouvrir dès cet hiver cette bouteille à boire avec les viandes grillées.

Renée-Marie et Charles Giner, 1, chem. des Faysses, 34150 Montpeyroux, tél. 04.67.96.61.37, fax 04.67.96.63.20, e-mail st.andrieu@wanadoo.fr r.-v.

SAINT-DAUMARY
Pic Saint-Loup L'Asphodèle 2001 ★

■ 3 ha 7 000 11 à 15 €

Julien Chapel, jeune vigneron, est sélectionné pour la troisième fois, et pour son troisième millésime : on reconnaît son savoir-faire à travers cette cuvée tout en rondeur et en finesse. La robe intense, le bouquet de fruits rouges, la douceur du cacao et du moka concourent à en faire une bouteille à apprécier dès maintenant.

Julien Chapel, chem. de Planquesse, 34270 Valflaunès, tél. 04.67.55.21.94, fax 04.67.55.21.94 r.-v.

CH. SAINT-JEAN 2002 ★

■ 0,36 ha 2 400 8 à 11 €

Vignes et oliviers se côtoient depuis toujours sur ce terroir des Terrasses du Larzac. La diversité des sols (schistes, galets roulés...) et des altitudes contribue à la complexité des vins. Derrière la robe pâle, c'est la palette d'arômes floraux de ce 2002 qui a ravi le jury. Ensuite vient une bouche bien élégante où la rondeur le dispute à la vivacité.

☛ Les Vignerons de Saint-Jean-de-la-Blaquière,
1, rte de Lodève, 34700 Saint-Jean-de-la-Blaquière,
tél. 04.67.44.90.40, fax 04.67.44.90.42,
e-mail cave.sjb@wanadoo.fr ☑ ⵏ r.-v.

CH. SAINT-JEAN D'AUMIERES 2002 ★

| ■ | 4,87 ha | 17 000 | ■ ⵏ 8 à 11 € |

2002 : il s'agit du deuxième millésime de Paul Tori qui confirme son talent : le **A d'Aumières rouge 2002 (15 à 23 €)**, un peu jeune à ce jour, est cité tandis que cette cuvée exprime sans attendre sa complexité aromatique : cassis, épices, thym. La bouche est joyeuse, à la fois fraîche et enrobée, et bien typée par les notes de garrigue. Pour un gigot d'agneau du Larzac.
☛ Ch. Saint-Jean-d'Aumières,
rte de Montpellier, 34150 Gignac, tél. 04.67.57.23.49,
fax 04.67.57.46.30, e-mail paul@aumieres.com
☑ ⵏ ⵏ t.l.j. sf dim. 9h-12h 14h-18h
☛ Paul Tori

CH. SAINT-MARTIN DE LA GARRIGUE 2002 ★

| ■ | 4,4 ha | 26 000 | ⵏ 11 à 15 € |

Mourvèdre et syrah sur grès calcaires donnent ici un vin de bien belle personnalité : robe d'un pourpre à reflet noir, nez de fleurs, de garrigue, de grillé et de vanille, rondeur et solide structure au palais : il sera à la hauteur d'une gardianne de taureau.
☛ SCEA Saint-Martin de la Garrigue,
Ch. Saint-Martin de la Garrigue, 34530 Montagnac,
tél. 04.67.24.00.40, fax 04.67.24.16.15 ☑ ⵏ r.-v.

CH. DE SAINT-SERIES

Grès de Montpellier Vieilles Vignes 2002

| ■ | 8 ha | 25 000 | ⵏ 5 à 8 € |

Deux cuvées 2002 issues de ce vignoble méritent d'être citées : le **Domaine Sainte-Croix blanc 2002 (8 à 11 €)** et ce vin intense en couleur et en arômes (cerise noire, épices, boisé). La bouche est moelleuse et vanillée ; les tanins sont encore fermes. Aujourd'hui un peu trop marqué par l'élevage, ce vin s'épanouira avec le temps.
☛ Roux père et fils,
Ch. de Saint-Sériès, 21190 Saint-Aubin,
tél. 03.80.21.32.92, fax 03.80.21.35.00,
e-mail roux.pere.et.fils@wanadoo.fr ☑ ⵏ ⵏ r.-v.

DOM. SARRAT DE GOUNDY

La Clape Cuvée du Planteur
Elevé en fût de chêne 2002 ★★

| ■ | 2,5 ha | 6 000 | ⵏ 5 à 8 € |

Belle entrée dans le Guide pour ce vignoble perché sur les hauteurs de La Clape et conquis sur la garrigue. « De la pierre naquit le fruit » est la devise du domaine, et du fruit il n'en manque pas dans cette cuvée : de la mûre, du cassis et de la confiture au côté des épices douces. Fraîcheur et finesse en bouche, longues notes de garrigue, voilà un vin subtil, déjà prêt, mais que l'on osera garder.
☛ Dom. Sarrat de Goundy, 46, av. de Narbonne,
11110 Armissan, tél. 04.68.45.30.68,
fax 04.68.45.21.11, e-mail oliviercalix@hotmail.com
☑ ⵏ ⵏ t.l.j. 9h-12h30 15h-19h30; dim. 9h-12h30
☛ Claude Calix

LA SAUVAGEONNE Les Ruffes 2003 ★

| ■ | 10,5 ha | 42 000 | ■ ⵏ 5 à 8 € |

Les vignes accrochées au versant sud du Larzac humanisent ce paysage presque sauvage. C'est là que naît

ce vin, un grand charmeur avec sa robe grenat élégante et son fruité intense où le cassis rivalise avec la cerise sur un fond de grillé. La bouche, déjà ronde malgré la jeunesse des tanins, est un plaisir dès maintenant. Mais le jury assure que ce 2003 se gardera.
☛ Dom. de La Sauvageonne,
rte de Saint-Privat, 34700 Saint-Jean-de-la-Blaquière,
tél. 04.67.44.71.74, fax 04.67.44.71.02,
e-mail la-sauvageonne@wanadoo.fr ☑ ⵏ ⵏ r.-v.
☛ Gavincrisfield

SEIGNEUR DES DEUX VIERGES

Saint-Saturnin Elevé en fût de chêne 2002 ★

| ■ | 150 ha | 55 000 | ■ ⵏ 8 à 11 € |

Cette coopérative réunit 650 ha de vignes. Elle présente trois vins : le premier, la **cuvée Noël Calmel rouge 2001**, est citée pour sa douce harmonie jouant sur les fruits confits ; le deuxième, le **Lucian blanc 2003 (3 à 5 €)**, obtient une étoile pour son élégance et ses arômes de fleurs blanches ; celui-ci enfin, pour l'ampleur de sa charpente, et ses notes de musc, d'épices, d'essences de garrigue mêlées à un fruité intense. Il saura vieillir quelque temps encore.
☛ Les Vins de Saint-Saturnin,
av. Noël-Calmel, 34725 Saint-Saturnin-de-Lucian,
tél. 04.67.96.61.52, fax 04.67.88.60.13,
e-mail contact@vins-saint-saturnin.com ☑ ✉ ⵏ ⵏ r.-v.

MAS DE LA SERANNE Antonin et Louis 2001 ★★

| ■ | 1 ha | 2 600 | ⵏ 15 à 23 € |

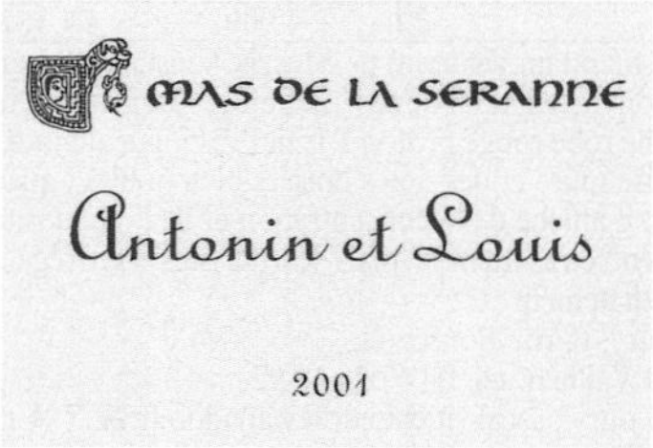

La Seranne forme l'un des trois paliers des causses du Larzac où Aniane fut dès le VIII[e]s. un centre monastique dont il ne reste aujourd'hui que deux belles églises des XIIe et XVII[e]s. Jean-Pierre Venture est revenu au pays natal en 1998 pour y commencer, la quarantaine venue, une vie de vigneron. Hommage à ses ancêtres, cette cuvée constituée de carignan complété par les trois cépages rouges de l'AOC est un vrai vin de terroir. Sa couleur est d'un grenat soutenu. Ses arômes sont marqués par le fruit et le grillé d'un élevage bien mesuré. Son palais, garni de fins tanins, est tout en fraîcheur et rondeur, donnant à l'ensemble une impression de grande suavité. Le **Clos des Immortelles rouge 2002 (11 à 15 €)** obtient une étoile : à ouvrir dans deux à trois ans sur un carré d'agneau.
☛ Isabelle et Jean-Pierre Venture, Mas de La Seranne,
34150 Aniane, tél. 04.67.57.37.99, fax 04.67.57.37.99,
e-mail mas.seranne@wanadoo.fr ☑ ⵏ ⵏ r.-v.

DOM. DU SILENE DES PEYRALS 2001 ★★

| ■ | 10 ha | 35 000 | ⵏ 15 à 23 € |

Le nom du domaine provient d'une tête antique de Silène en argile trouvée sur les terres. Deux vins honorent le père nourricier de Bacchus : **L'Esprit du Silène rouge**

2001 (8 à 11 €) qui reçoit une étoile, et cette cuvée couleur violine, dont la puissance aromatique joue des notes d'épices, de café et de sous-bois. Le palais aux tanins structurés et au gras indéniable révèle un beau potentiel de garde.

SCA Silène des Peyrals, 278, av. du Mal-Juin, 34200 Sète, tél. 04.67.46.70.00, fax 04.67.46.70.49, e-mail philippe.tolleret@skallie.com r.-v.

Robert Skalli

MAS DU SOLEILLA

La Clape Clot de l'Amandier 2002 ★★

3 ha 7 500 11 à 15 €

Peter Wildbolz, œnologue suisse, reprend en 2002 ce vignoble de La Clape veillant sur la mer et l'étang. Entré l'an dernier dans le Guide, il confirme son talent avec deux beaux vins : **Les Chailles rouge 2002 (8 à 11 €)**, une étoile, et cette cuvée particulièrement intense par sa couleur et ses arômes de café, de fruits rouges mûrs et de vanille. Rond et puissant en bouche, derrière un boisé déjà bien fondu, ce 2002 attendra sans aucun doute au moins trois ans.

SCEA Mas du Soleilla, rte de Narbonne-Plage, 11100 Narbonne, tél. 04.68.45.24.80, fax 04.68.45.25.32, e-mail vins@mas-du-soleilla.com t.l.j. 8h-13h 14h-19h

Peter Wildbolz, Christa Derungs

LES SOULS 2002 ★

1,5 ha 1 200 23 à 30 €

Souls signifie en patois : seul, éloigné, et c'est un peu le cas de ce vignoble planté à 350 m d'altitude au pied du causse du Larzac. Le vin, lui, appelle à la convivialité par sa robe violine sombre, ses arômes de fruits confiturés associés à des notes balsamiques et des nuances de garrigue, sa bouche poivrée, puissante et structurée. Encore jeune, il s'épanouira d'ici deux ans.

Roland Alméras, 325, chem. de Roquegude, 34700 Soubès, tél. 04.67.44.21.56, e-mail galmeras@tele2.fr r.-v.

STELLA NOVA 2002 ★

1,5 ha 6 000 15 à 23 €

Un tout nouveau domaine dans l'appellation, à suivre avec grand intérêt dans l'avenir. En effet, ce 2002 est très prometteur avec sa robe sombre, ses notes balsamiques, grillées et boisées, son attaque ample en bouche suivie d'une structure solide. Ne vous pressez pas : le temps va civiliser les tanins.

Philippe Richy, 46, bd du Puits-Allier, 34720 Caux, tél. 04.67.25.35.28, fax 04.67.25.35.28 r.-v.

TERRE MEGERE

Grès de Montpellier Les Dolomies 2002 ★★

3 ha 15 000 8 à 11 €

Deux étoiles bien brillantes pour ce vignoble niché en pleine garrigue entre Montpellier et l'étang de Thau. Quelques reflets violets habillent la robe tandis que défile tout un cortège d'arômes : du moka, du pain d'épice, de l'olive noire et des fruits rouges. Intense et enrobé, ce vin affiche bien le gras et la longueur d'un Grès de Montpellier. N'hésitez pas si vous avez envie de le garder.

Michel Moreau, Dom. de Terre Mégère, Cœur de Village, 34660 Cournonsec, tél. 04.67.85.42.85, fax 04.67.85.25.12, e-mail terremegere@wanadoo.fr r.-v.

DOM. DE LA TOUR PENEDESSES

Les Volcans Montée volcanique 2002

4,5 ha 15 000 11 à 15 €

Deux volcans éteints sont à l'origine des sols de laves et des cailloutis de basalte retrouvés ici sur les coteaux. Les vins y puisent leur personnalité ; pour celui-ci, une robe grenat d'une belle intensité, des effluves minéraux et des notes de fruits rouges au nez, un bon support tannique en bouche laissent augurer un épanouissement.

Dom. de La Tour Penedesses, rte de Faugères, 34250 Faugères, tél. 04.67.24.14.41, fax 04.67.24.14.22, e-mail domainedelatourpenedesses@yahoo.fr t.l.j. 9h-12h 14h-18h

Fouque

CH. VACAIROLLES Elevé en fût 2003 ★

2,7 ha 7 166 11 à 15 €

Les coopérateurs de Calvisson ont effectué un remarquable travail sur leur terroir afin d'en tirer la quintessence. Trois vins sont sélectionnés par le jury qui leur attribue une étoile : le **Domaine de Sarcouf 2003 rouge (3 à 5 €)** et **rosé 2003 (3 à 5 €)**. Quant à ce Château Vacairolles, né sur un domaine situé aux portes de Nîmes, il porte une étonnante robe noire qui annonce un nez de petits fruits noirs, d'olive, de poivre et de réglisse. La bouche charpentée suit sur un même registre. A décanter avant de servir sur une gardianne de taureau gardois.

SCA Les Vignerons de Calvisson, rte de la Cave, 30420 Calvisson, tél. 04.66.01.20.21, fax 04.66.01.28.96, e-mail lesvigneronsdecalisson@wanadoo.fr r.-v.

CH. DE VALFLAUNES

Pic Saint-Loup Un peu de toi 2001

4 ha 9 500 15 à 23 €

Jeune agriculteur, Fabien Reboul s'installe en 1998. Pour la troisième année consécutive, le Château de Valflaunès est sélectionné. En écho à la robe aux reflets violines, le nez est marqué par les fruits rouges confiturés et la myrtille. Ce vin, prêt à boire, présente une touche d'une belle nervosité.

EARL Fabien Reboul, Ch. de Valflaunès, rue de l'Ancien-Lavoir, 34270 Valflaunès, tél. 04.67.55.76.30, fax 04.67.55.76.30, e-mail chateauvalflaunes@wanadoo.fr r.-v.

VERMEIL DU CRES Rosé Marine 2003 ★

5 ha 27 600 3 à 5 €

Sur le plateau de Vendres, tout près de la Méditerranée, les vignes ne manquent pas de soleil. Ce rosé en témoigne avec sa couleur franche et soutenue, ses arômes de framboise et de fruits confits. La bouche, volumineuse et finement acidulée, appelle une grillade de thon ou de viande blanche.

SCAV Les Vignerons de Sérignan, av. Roger-Audoux, 34410 Sérignan, tél. 04.67.32.23.26, fax 04.67.32.59.66 t.l.j. sf dim. 9h-12h 15h-18h

CH. LA VERNEDE Cuvée Cécilia 2002

1 ha 3 000 15 à 23 €

A quelques kilomètres à peine de l'*oppidum* d'Ensérune, ce domaine est bâti sur un site romain. Le vin, de couleur rouge-noir, se profile au nez sur des fruits rouges et de la violette. Equilibré en bouche et tout en rondeur, il flattera une viande braisée.

LANGUEDOC

⊶ Jean-Marc Ribet, GAF de La Vernède,
34440 Nissan-lez-Ensérune,
tél. 04.67.37.00.30, fax 04.67.37.60.11,
e-mail chateaulavernede@infonie.fr
☑ Y 🚶 t.l.j. sf dim. 8h-18h

DOM. DE VILLENEUVE

Elevé en fût de chêne 2003

□ 1,3 ha 1 500 🛢 8 à 11 €

Les Embruscalles signifient vignes sauvages, preuve que de tout temps les vignes ont trouvé ici des conditions favorables. Ce vin blanc, pâle et brillant, est le fruit d'une vendange surmûrie : des arômes de grillé, de noisette et de vanille accompagnent une bouche ample et chaude, où le boisé s'est déjà bien fondu.

⊶ Myriam et Christian Florac,
Dom. de Villeneuve, Les Embruscalles, 34270 Claret,
tél. 04.67.59.00.42, fax 04.67.59.07.76 ☑ Y 🚶 r.-v.

DOM. ZUMBAUM-TOMASI

Pic Saint-Loup Clos Maginiai 2002 *

■ 3,83 ha 13 000 ▮🛢🌡 11 à 15 €

Avocat en Allemagne et à Paris, Yörg Zumbaum achète en 1989 une ancienne vigne, après avoir découvert Claret en 1966... Il applique les règles de l'agriculture biologique, ce qui a fort bien réussi à cette cuvée à la robe presque noire, au bouquet de truffe, de sous-bois et de pierre à fusil. La bouche est encore ferme, très homogène, bien construite. Elle révélera toute sa richesse dans deux ou trois ans.

⊶ Yörg Zumbaum, rue Cagarel, 34270 Claret,
tél. 04.67.55.78.77, fax 04.67.02.82.84
☑ Y 🚶 t.l.j. 9h30-12h30 14h30-18h30

Faugères

Les vins de Faugères sont des vins AOC depuis 1982, comme les saint-chinian leurs voisins. La région de production, qui comporte sept communes situées au nord de Pézenas et de Béziers et au sud de Bédarieux, a produit 71 115 hl en 2003 sur près 1 900 ha de vin. Les vignobles sont plantés sur des coteaux à forte pente, d'altitude relativement élevée (250 m), dans les premiers contreforts schisteux peu fertiles des Cévennes. Produit à partir de grenache, syrah, mourvèdre, carignan et cinsault, le faugères est un vin bien coloré, pourpre, capiteux, aux arômes de garrigue et de fruits rouges.

LE CASTEL VIEL 2001 **

■ 7,5 ha 20 000 🛢 11 à 15 €

Dans la lignée de la cuvée 2000 (une étoile dans le Guide 2004), la cuvée 2001 a été bien accueillie par le jury avec, cette fois, une étoile de plus. Toujours composée de carignan à 40 %, elle dégage des effluves intenses de poivre. Structurée en bouche, épicée, elle impressionne par la puissance qu'elle dégage. C'est un vin à réserver aux viandes en sauce.

⊶ Feigel et Ribeton, Dom. des Prés-Lasses,
5, rue de L'Amour, 34480 Autignac,
tél. 04.67.90.21.19, fax 04.67.90.21.19 ☑ Y 🚶 r.-v.

CECILIA 2002 **

■ 20 ha 120 000 🛢 3 à 5 €

Une étoile l'année dernière, deux étoiles cette année, la cuvée Cécilia, créée par Hugues et Bernard Jeanjean en mémoire de leur grand-mère, séduit de plus en plus le jury. Ce faugères d'encépagement traditionnel est marqué cette fois par des notes réglissées, accompagnées en bouche par la griotte confite. Ses tanins sont amples et puissants, sa finale apparaît longue et harmonieuse. Un vin remarquable pour un magret de canard.

⊶ Ets Jeanjean, BP 1, 34725 Saint-Félix-de-Lodez,
tél. 04.67.88.81.93, fax 04.67.88.80.62 ☑

CH. CHENAIE Loblivia 2001 **

■ 3 ha 5 000 🛢 15 à 23 €

Un château dont le donjon du XIIe s. est en cours de restauration. Aux côtés du **coteaux-du-languedoc blanc 2002 (11 à 15 €),** qui remporte une étoile avec ses jolis parfums de rose, cette cuvée fut très bien reçue aussi par le jury. Ce vin livre peu à peu ses arômes faits d'épices douces et de vanille. Gustativement, l'équilibre est excellent. Des notes épicées très marquées témoignent de la présence dominante du mourvèdre. Les tanins sont soyeux. Du beau travail, mais un peu atypique en faugères. **Les Douves 2002 (11 à 15 €),** à dominante de syrah et aux tanins encore un peu rudes pour être appréciée pleinement, obtient une citation. Rappelons que cette cuvée Les Douves a obtenu un coup de cœur pour le millésime 2000.

⊶ EARL André Chabbert et Fils,
Ch. Chenaie, 34600 Caussiniojouls,
tél. 04.67.95.48.10, fax 04.67.95.44.98 ☑ Y 🚶 r.-v.

CLOS ROQUE D'ASPES 2002 *

■ 5 ha 30 000 ▮🌡 5 à 8 €

Une belle bouteille de 2002 marquée par la présence de 70 % de mourvèdre. Robe intense, nez agréable où dominent des notes de cassis. En bouche, c'est la douceur qui l'emporte, mais la structure tannique est bien présente. La rétro-olfaction et la fin de bouche sont épicées, voire poivrées. Un vin contrasté où douceur et épices sont associées : intéressant à découvrir.

⊶ SCEA Le Fenouillet,
BP1, 34725 Saint-Félix-de-Lodez,
tél. 04.67.88.81.93, fax 04.67.88.80.62

CH. DES ESTANILLES 2002 ***

■ 5 ha 30 000 🛢 15 à 23 €

On ne présente plus la famille Louison (père et fille) aux amateurs du Guide. Une fois de plus, la cuvée 2002 est passée très près du coup de cœur. L'élevage en fût de chêne, délicatement conduit, au point de se faire oublier, est au service du terroir. Du grand art ! Au nez, des notes gourmandes de fruits rouges très mûrs. Gras, ampleur et fraîcheur à l'attaque, des tanins puissants au grain très fin, des notes de fumée et d'épices en finale, tout y est. Elégance, harmonie, complexité. Cité, le **Château des Estanilles en coteaux-du-languedoc blanc 2002 (8 à 11 €),** à base de marsanne, à la bouche onctueuse et fraîche à la fois.

⊶ EARL Michel Louison,
Ch. des Estanilles, Lentheric, 34480 Cabrerolles,
tél. 04.67.90.29.25, fax 04.67.90.10.99 ☑ Y 🚶 r.-v.

DOM. DU FRAISSE Fleur de Cuvée 2001 ★

■	2,5 ha	10 000	▮ ⦀	11 à 15 €

Dans les années 1970, Jacques Pons échangeait ses « bonnes vignes de la plaine » contre de maigres vignes de coteau reconnues en AOC faugères dix ans plus tard. C'est dire si cet ardent défenseur de l'appellation a de la suite dans les idées. Son vin, aux notes de garrigue et de laurier, dévoile en bouche rondeur et fraîcheur. Une touche d'épices douces participe à la persistance aromatique : très faugères. Retenu également avec une étoile, le **rosé 2003 (5 à 8 €)**, essentiellement sur le fruit. Encore une fois, du travail bien fait !

⊶ Jacques Pons, 1 bis, rue du Chemin-de-Ronde, 34480 Autignac, tél. 04.67.90.23.40, fax 04.67.90.10.20, e-mail jacques.pons@wanadoo.fr ☑ Y ✝ r.-v.

MAS GABINELE 2002

■	7,5 ha	20 000	⦀	15 à 23 €

Coup de cœur du Guide 2004, Thierry Rodriguez n'a pas eu le soutien unanime du jury pour son 2002, sans démériter toutefois. Rubis foncé, des notes de vanille et de chocolat à l'orange au nez, ce vin surprend. En bouche, une généreuse rondeur ne masque pas des tanins encore fermes. Il faudra savoir attendre que le boisé se fonde. Signalons une jolie étiquette.

⊶ Thierry Rodriguez, hameau de Veyran, 34490 Causses-et-Veyran, tél. 04.67.89.71.72, fax 04.67.89.70.69, e-mail throdriguez@wanadoo.fr ☑ Y ✝ r.-v.

CH. GREZAN Cuvée Vieilles Vignes 2001

■	1,5 ha	7 000	⦀	11 à 15 €

C'est un disciple de Viollet-le-Duc qui remania cet imposant château remontant à l'ordre des Templiers. Le domaine présente cette année une cuvée issue de vignes de plus de quarante ans à base de grenache (45 %) et carignan (35 %). Le nez moyennement intense propose des senteurs de fruits surmûris et d'épices douces qui se prolongent en bouche sur des saveurs poivrées. Structuré et de bonne harmonie, un vin que l'on peut découvrir au restaurant du château, sur une grillade.

⊶ Ch. Grézan, D 909, 34480 Laurens, tél. 04.67.90.27.46, fax 04.67.90.29.01, e-mail chateau-grezan@wanadoo.fr ☑ ⌂ ⌂ Y ✝ t.l.j. 9h30-12h 14h-18h30 sf dim. 14h-18h30

⊶ Fardel et Pujol

CH. HAUT LIGNIERES XXL 2001 ★★

■	0,9 ha	3 500	⦀	15 à 23 €

Cet ancien relais de poste du XIX[e]s. transformé en propriété viticole propose cette sélection XXL de 2001 à la robe sombre traversée de quelques reflets orange. Les impressions olfactives sont à chercher dans la gamme des fruits à l'eau-de-vie. Gustativement, le vin est ample, les tanins fondus et la rétro-olfaction suggère la griotte. La persistance aromatique est notable. C'est un remarquable faugères, qu'il conviendra de servir au cours de ces deux prochaines années, sur un tournedos Rossini par exemple.

⊶ Elke Kreutzfeldt, Ch. Haut Lignières, 34600 Faugères, tél. 04.67.95.38.27, fax 04.67.95.78.51, e-mail chateau@haut-lignieres.com ☑ Y ✝ r.-v.

LES HAUTS DE LENERAC 2002 ★

■	5,5 ha	25 000	▮ ⸸	5 à 8 €

Propriétaire de la marque depuis 2001, AVF Signatures du Sud paraphe dès la deuxième année ce bel assemblage syrah-grenache où dominent d'agréables effluves de fruits rouges. La bouche fine laisse percevoir des tanins encore jeunes qui laissent augurer une bonne évolution dans les deux ou trois prochaines années.

⊶ AVF Signatures du Sud, chem. de la Planque, 34800 Ceyras, tél. 04.67.44.90.50, fax 04.67.44.90.51, e-mail signatures-sud@wanadoo.fr

HECHT & BANNIER 2002 ★★

■	n.c.	n.c.	23 à 30 €

Déjà « étoilé » en 2004, H & B, installé à Bouzigues en 2002 en tant que négociant-éleveur, sait sélectionner les bonnes cuvées de faugères. Ce 2002 d'une couleur pourpre, au nez puissant d'épices et de clou de girofle, présente en bouche toutes les qualités requises pour satisfaire les plus exigeants : rondeur, puissance, structure, rétro-olfaction vanillée, persistance plutôt longue et harmonieuse. Un vin plein d'avenir.

⊶ H & B Sélection, 42, Grand-Rue, 34140 Bouzigues, tél. 04.67.74.66.38, fax 04.67.74.66.45, e-mail contact@hbselection.com ☑

CH. DE LA LIQUIERE Cistus 2002 ★

■	8 ha	25 000	⦀	11 à 15 €

La passion pour le faugères qui anime la famille Vidal depuis plusieurs générations ne se dément pas avec la cuvée Cistus, issue du vignoble en courbes de niveau implanté sur la commune de Cabrerolles dans les années 1970. Le millésime 2002 présente une robe brillante et un nez épicé. En bouche, les tanins fondus et élégants laissent apparaître des arômes finement poivrés. Sa persistance est inférieure à celle du 2001, mais ce vin reste une valeur sûre de l'appellation.

⊶ Ch. de La Liquière, La Liquière, 34480 Cabrerolles, tél. 04.67.90.29.20, fax 04.67.90.10.00, e-mail bvidal@terre-net.fr ☑ Y ✝ t.l.j. sf sam. dim. 9h-12h 15h-18h; groupes sur r.-v.

⊶ Vidal-Dumoulin

LANGUEDOC

DOM. DU METEORE Les Orionides 2001

■	5 ha	6 000	⦀	5 à 8 €

Geneviève Libes propose cette année une sélection qui a le mérite de soulever des discussions entre les « pour » et les « indécis ». Elevé pendant douze mois en fût de chêne, ce vin présente une robe sombre et des parfums puissants faits de vanille, de chocolat noir et de kirsch. L'attaque est plutôt souple, les arômes de bouche épicés persistants, mais les tanins sont encore vifs. A réserver aux amateurs de vins élevés en fût mais aussi à ceux qui veulent entrer dans la discussion.

⊶ Geneviève Libes, Dom. du Météore, 34480 Cabrerolles, tél. 04.67.90.21.12, fax 04.67.90.11.92, e-mail domainedumeteore@wanadoo.fr ☑ ⌂ Y t.l.j. sf dim. 9h30-12h 15h-19h; hiver sur r.-v.

MOULIN DE CIFFRE Eole 2002 ★★★

■	3 ha	8 000	⦀	11 à 15 €

La famille Lesineau, venue du Bordelais et installée depuis 1998 dans ce beau domaine viticole, également producteur de saint-chinian – dont le **2002 rouge Elevé en fût de chêne (8 à 11 €)** reçoit une étoile –, a vite assimilé les arcanes du terroir languedocien pour réussir un vin exceptionnel, le coup de cœur de l'appellation. Dans une robe profonde, ce faugères livre généreusement ses arômes

de vanille, de fumée et d'épices. Mais c'est par ses qualités gustatives qu'il séduit, en offrant d'abord une attaque douce et fraîche, puis des arômes de réglisse très persistants, enfin des tanins puissants sans être agressifs. Il ne lui manque que deux ou trois années de bonne conduite en cave pour donner le meilleur de lui-même.

🔑 Lesineau, SARL Ch. Moulin de Ciffre,
34480 Autignac, tél. 04.67.90.11.45, fax 04.67.90.12.05,
e-mail info@moulindeciffre.com ☑ Y 🚶 r.-v.

MAS OLIVIER Grande Réserve 2003 ★

■ 100 ha 600 000 ▮ ◍ ⚲ 3 à 5 €

Un classique de la cave coopérative, au nez d'épices douces et de réglisse. L'impression gustative dominante est la douceur, à la fois de l'attaque et des tanins. Des notes de fumée complètent ce vin élégant. A consommer sans trop tarder. Retenues également avec une étoile, les **Terrasses du Rieutor en coteaux-du-languedoc blanc 2003 (5 à 8 €)** à base de roussanne ; les dégustateurs soulignent des notes grillées ne manquant pas d'élégance.

🔑 Cave coop. Faugères, Mas Olivier, 34600 Faugères,
tél. 04.67.96.08.80, fax 04.67.95.14.67 ☑ Y 🚶 r.-v.

DOM. OLLIER-TAILLEFER Castel Fossibus 2002 ★

■ 3 ha 12 000 ◍ 8 à 11 €

L'attachante famille Ollier est régulièrement mentionnée dans le Guide depuis vingt ans. Elle participe au rayonnement des vins languedociens depuis plusieurs générations. Cette année, ses deux faugères ont obtenu une étoile. Castel Fossibus, élevé en fût de chêne, dévoile des arômes de garrigue et d'épices. Il est équilibré en bouche, sa finale est longue et épicée. La **Grande Réserve rouge 2002 (5 à 8 €)** repose sur le fruit. En bouche, la fraîcheur, la légèreté et des tanins fondus donnent envie d'y goûter. Quant au **coteaux-du-languedoc cuvée Allegro blanc 2003 (5 à 8 €)**, il obtient une étoile et sera excellent avec une rouille sétoise.

🔑 Dom. Ollier-Taillefer, rte de Gabian, 34320 Fos,
tél. 04.67.90.24.59, fax 04.67.90.12.15,
e-mail ollier.taillefer@wanadoo.fr ☑ Y 🚶 r.-v.

DOM. DE L'ORT D'AMOREL Elevé en fût de chêne 2002 ★

■ n.c. 20 000 ◍ 5 à 8 €

La cave coopérative de Laurens, aujourd'hui appelée Les Maîtres vignerons du Faugerois, a toujours mis un point d'honneur à présenter des vins de qualité. C'est encore le cas aujourd'hui pour cette cuvée élevée huit mois en fût, dont le nez épicé et toasté laisse place à une bouche élégante d'une belle persistance aromatique. A noter également, la cuvée **Valentin Duc rosé 2003 (3 à 5 €)**, qui obtient une citation grâce à son bon équilibre gustatif.

🔑 Les Maîtres vignerons du Faugerois,
chem. de la Murelle, 34480 Laurens,
tél. 04.67.90.28.23, fax 04.67.90.25.47,
e-mail vigneronsdelaurens@free.fr ☑ Y 🚶 r.-v.

CH. DES PEYREGRANDES Prestige 2002 ★★

■ 3,5 ha 13 000 ▮ ◍ ⚲ 8 à 11 €

Marie Bénézech-Boudal est à la tête d'un domaine de 24 ha sur la commune de Roquessels dominée par un château fort du Xᵉs. Syrah, grenache et mourvèdre, établis sur des schistes carbonifères, ont donné cette cuvée à la robe pourpre et au nez intense et complexe où apparaissent successivement les fruits noirs, les épices et une note de vanille. En bouche, l'équilibre est parfait et la persistance aromatique longue. Complexe et élégant, ce vin s'accorderait avec un magret de canard aux épices.

🔑 Marie Bénézech-Boudal,
11, chem. de l'Aire, 34320 Roquessels,
tél. 04.67.90.15.00, fax 04.67.90.15.60,
e-mail chateau-des-peyregrandes@wanadoo.fr
☑ Y 🚶 r.-v.

DOM. DE LA REYNARDIERE 2003 ★★★

▨ 2,81 ha 13 000 ▮ ⚲ 5 à 8 €

Cité pour la **cuvée Prestige en faugères rouge 2002 (8 à 11 €)**, c'est par son rosé que le domaine de La Reynardière a enthousiasmé le jury. Des senteurs intenses de fraise et de framboise, des qualités gustatives de volume, d'équilibre, de fruité, de persistance en synergie rendent ce rosé irrésistible ! A offrir à des noix de Saint-Jacques au beurre blanc.

🔑 Dom. de La Reynardière,
7, cours Jean-Moulin, 34480 Saint-Geniès-de-Fontedit,
tél. 04.67.36.25.75, fax 04.67.36.15.80,
e-mail domaine.reynardiere@wanadoo.fr
☑ Y 🚶 t.l.j. sf dim. 10h-12h 15h-19h
🔑 Mégé-Pons

CH. DE SAUVANES 2002 ★

■ 5 ha 20 000 ◍ 5 à 8 €

Jean-François Vallat, déjà viticulteur à Montpeyroux, a pu acheter cette imposante propriété de 41 ha en août 2003, à un groupe belge. Il présente sa sélection du millésime 2002 aux allures de vin septentrional. Sa couleur est rubis. Des notes de pruneau à l'eau-de-vie et de café accompagnent en bouche une fraîcheur certaine et une finesse atypique. Une étoile également pour le **rosé 2003** au nez de cerise, joliment fruité.

🔑 SCEA Vignoble Sauvanes, 9, av. de la Gare,
34480 Laurens, tél. 04.67.96.64.06, fax 04.67.96.67.63,
e-mail vignoble.vallat@tiscali.fr ☑ Y r.-v.
🔑 Jean-François Vallat

CH. SYLVAIN MAS Cuvée originale 2002

■ 10 ha 55 000 ▮ ⚲ 3 à 5 €

Commercialisé par la maison Jeanjean, ce vin de Thierry Dalmas, Cuvée originale, la bien nommée : les dégustateurs lui attribuent des senteurs de camphre et d'eucalyptus. Gustativement, les arômes évoluent également dans une gamme peu commune en faugères, comme le cade et le genévrier. En finale, la présence d'épices qui prolongent la persistance ramène au terroir d'origine. Vraiment original.

🔑 Thierry Dalmas, Ch. Sylvain Mas, 34480 Autignac,
tél. 04.67.88.80.00, fax 04.67.96.65.67

DOM. VALAMBELLE Florentin Abbal 2003 *

■ n.c. 6 500 ▮ 8 à 11 €

Les membres de la famille Abbal ont construit eux-mêmes leur cave en 2003. Ils présentent leur première cuvée. Et c'est encourageant ! D'une couleur pourpre, ce 2003 révèle au nez des notes de fruits noirs et de fumée. Rond en bouche, manifestement sur le fruit, ce vin élégant ne demande qu'à s'épanouir. Attendre un ou deux ans pour le déguster.

GAEC Abbal, Dom. de Valinière,
25, av. de la Gare, 34480 Laurens,
tél. 04.67.90.12.12, fax 04.67.90.12.12,
e-mail m.abbal@tiscali.fr V Y ✶ t.l.j. 9h-12h 15h-19h

Fitou

L'appellation fitou, la plus ancienne AOC rouge du Languedoc-Roussillon (1948), est située dans la zone méditerranéenne de l'aire des corbières avec à l'est le fitou maritime qui borde l'étang de Leucate et à l'ouest le fitou de l'intérieur à l'abri du mont Tauch ; elle s'étend sur neuf communes qui ont également le droit de produire les vins doux naturels rivesaltes et muscat-de-rivesaltes. La production a atteint 96 200 hl en 2003. Le carignan trouve ici son terroir de prédilection. Il peut être complété par le grenache noir, le mourvèdre et la syrah. C'est un vin d'une belle couleur rubis foncé qui compte au minimum 12 % vol. d'alcool et dont l'élevage dure au moins neuf mois.

DOM. BERTRAND-BERGE
Cuvée Jean Sirven 2002 ***

■ n.c. 3 000 ◍ 30 à 38 €

Le jeu désormais consiste à trouver qui détrônera la cuvée Sirven, coup de coeur quatre années consécutives. Une cuvée annoncée modestement à dominante de carignan vinifiée traditionnellement à partir de vignes en conduite raisonnée. Dès l'accueil, on devine le fitou car sa robe grenat intense est encore très fraîche. Les senteurs de fruits mûrs, chaudes de la garrigue estivale, et les nuances exotiques du boisé réglissé, laissent présager l'ampleur et la complexité de la bouche. L'ensemble se révèle harmonieux, fondu, soutenu par un tanin au grain soyeux agréablement empyreumatique. Il n'est pas difficile de deviner son brillant avenir : le sanglier peut courir encore une paire d'années. Egalement citée, la **Cuvée ancestrale 2001 (8 à 11 €).**

Dom. Bertrand-Bergé, av. du Roussillon,
11350 Paziols, tél. 04.68.45.41.73, fax 04.68.45.41.73,
e-mail bertrand-berge@wanadoo.fr
V Y ✶ t.l.j. 9h-12h 14h-18h

RESERVE DES CAPITELLES 2002 **

■ 27 ha 90 000 ▮ 5 à 8 €

Sur la partie maritime du fitou, les collines calcaires conquises par la vigne offrent au promeneur de curieuses petites bâtisses rondes, abris ancestraux des vignerons et bergers construits à partir de cailloux retirés des champs et vignes : les capitelles. Voici un très bon fitou à la robe soutenue et jeune qui s'ouvre doucement sur le fruit mûr, le sous-bois et la chaleur méditerranéenne. La bouche ample, charnue, agrémentée de la rondeur tannique du mourvèdre confère une fort belle typicité à ce vin.

SCA Les Vignerons de La Palme, 37, av. de la Mer,
11480 La Palme, tél. 04.68.48.15.17, fax 04.68.48.56.85,
e-mail geoffroylapalme@voila.fr Y ✶ r.-v.

LES MAITRES VIGNERONS DE CASCASTEL
Carte or 2002 **

■ 54,27 ha 270 000 ▮ ◍ ↓ - de 3 €

L'assemblage où dominent le carignan et le grenache est traditionnel sur le terroir schisteux de Cascastel : c'est le bon choix pour cette cuvée de négociant à l'exceptionnel rapport qualité-prix. Une Carte or appréciée pour sa fraîcheur, ses notes fruitées où se mêlent cerise, groseille et mûre, pour sa bouche charnue, fruitée, gouleyante. Un vin prêt pour accompagner un repas champêtre, de la charcuterie à la viande grillée.

Le Club des Vignerons, Dom. de Merméian,
34300 Agde, tél. 04.67.94.48.73, fax 04.67.94.36.33,
e-mail leclubdesvignerons@wanadoo.fr
V Y t.l.j. 9h-12h 14h-19h

CH. DE CASCASTEL 2002 *

■ 33,5 ha 163 000 ▮ ◍ ↓ - de 3 €

Monter jusqu'à Cascatel c'est déjà prendre des vacances, découvrir un paysage à chaque tournant. C'est le jeu des chênes avec le vent, le bruit du ruisseau sur fond de cigales. Après l'arrivée au village, on se demande bien où peut encore aller la route... Ce vin hésite entre fruits frais et fruits mûrs : cassis et myrtille bousculent la cerise. La bouche est pleine, ronde ; le fruit s'accompagne de la touche sauvage du genièvre avant une finale tout en douceur. A consommer avec viande grillée ou steack au poivre. Apprécié, mais exigeant plus de garde, le **Domaine Comerade 2002 (3 à 5 €)** est cité.

Les Maîtres Vignerons de Cascastel,
Grand-Rue, 11360 Cascastel, tél. 04.68.45.91.74,
fax 04.68.45.82.70, e-mail info@cascastel.com
Y ✶ t.l.j. sf sam. dim. 8h-12h 14h-18h

CLOS DE CAMUZEILLES La Grangette 2001 **

■ 1 ha n.c. ▮ ◍ ↓ 15 à 23 €

Du nouveau en Fitounie avec ce jeune vigneron installé en cave particulière sur la propriété familiale depuis 2000. Petit vignoble, petit rendement, mais grande envie de bien faire dans le respect de la vigne et du vin. D'ailleurs, c'est pari gagné avec déjà 75 % des ventes à

LANGUEDOC

l'export. L'extraction apparaît omniprésente dès les premiers coups d'œil sur la robe, très profonde. Elle se confirme par le nez de fruits surmûris confiturés enrobés de cacao et par la bouche aux notes de pruneau, riche et généreuse, marquée par la force tannique. A attendre trois ou quatre ans avant un mariage heureux avec un cheveuil ou un gigot d'agneau.

🔑 Clos des Camuzeilles, allée des Jardins,
11360 Cascastel, tél. 04.68.45.86.75, fax 04.68.45.85.93,
e-mail ltibes@club-internet.fr ☑ 🍷 🚶 r.-v.
🔑 Laurent Tibes

CH. DES ERLES Cuvée des Ardoises 2002

■ 40 ha 92 000 ◍ 5 à 8 €

Verts, gris ou lie-de-vin, les schistes de Villeneuve se fractionnent en petites ardoises sur lesquelles les vieux ceps noueux écrivent les plus belles pages du fitou. La robe rouge profonde et épaisse laisse filtrer les odeurs de maquis, de schiste chaud et de fruit arrivé à maturité. Si la bouche est très réglissée, la note de maquis persiste sur des tanins encore présents.

🔑 SA Jacques et François Lurton,
Dom. de Poumeyrade, 33870 Vayres,
tél. 05.57.55.12.12, fax 05.57.55.12.13,
e-mail jflurton@jflurton.com 🍷 🚶 r.-v.

DOM. DES ESTAGNELS 2002

■ 15 ha 68 000 ▮🌡 5 à 8 €

Depuis l'origine, les vignerons de Fitou, dépourvus de négoce sur place, ont tissé des liens étroits avec les partenaires de proximité. Ainsi, respect mutuel et complicité dans la réalisation ont permis à l'appellation d'acquérir une notoriété méritée. La robe de ce 2002, rubis profond, est aussi chaleureuse que ses senteurs de garrigue et de fruits confits mêlés. Un fitou classique, d'un beau volume ; les tanins enrobés et la fraîcheur finale participent de son charme.

🔑 Ets Jeanjean, BP 1, 34725 Saint-Félix-de-Lodez,
tél. 04.67.88.81.93, fax 04.67.88.80.62

L'IMPOSSIBLE 2001 ★

■ 15 ha 33 000 ▮ 5 à 8 €

En dehors des cépages traditionnels, carignan et grenache, la zone maritime s'oriente plutôt vers le mourvèdre alors que la zone des hauts cantons lui préfère la syrah pour des raisons climatiques. Un négociant propose ici le mariage des quatre cépages. La réglisse et la violette jouent sur la cerise et le sous-bois, apanage des fitou traditionnels. Puissant en attaque, le tanin s'impose dans ce vin charpenté à la finale réglissée. Il faudra l'attendre deux à trois ans.

🔑 Vignerons et Passions,
BP 1, 34725 Saint-Félix-de-Lodez, tél. 04.67.88.45.75,
fax 04.67.88.45.79, e-mail caveau@vignerons-passions.fr
☑ 🍷 🚶 t.l.j. sf dim. 10h-12h30 13h30-18h

DOM. LERYS Elevé en fût 2001 ★

■ 35 ha n.c. ◍ 8 à 11 €

La cave, c'est original, est constituée des vieilles maisons du village qui, après quelques transformations intérieures, sont devenues lieu de vinification ou d'élevage : une initiative qui redonne vie au cœur du village. Avec syrah et carignan, il fallait s'attendre à de la couleur : elle ne manque pas ! Le nez souligne la maturité et la concentration par des arômes de fruits confiturés et des notes plus évoluées de cuir et de venaison. La matière charnue domine une bouche dont le tanin solide demande à s'assagir. Un vin à attendre. Plus souple dans l'immédiat, et retenue par le jury, la **cuvée Prestige 2002 (5 à 8 €)** est citée.

🔑 Dom. Lerys, 11360 Villeneuve-les-Corbières,
tél. 04.68.45.95.47, fax 04.68.45.86.11,
e-mail domlerys@aol.com ☑ 🏠 🍷 🚶 t.l.j. 10h-20h
🔑 M. et A. Izard

DOM. DE LA ROCHELIERRE
Noblesse du temps 2002 ★★

■ 1,5 ha 3 500 ◍ 15 à 23 €

Respect du vignoble, savoir de l'œnologue, chai adapté, cave dans la roche... Mais pour bien jouer la partition avec tous ces instruments, il faut de la passion, de l'amour, du travail. Jean-Marie Fabre connaît bien la musique comme le prouve cette cuvée. La robe rubis est soutenue, limpide, et dès l'approche la torréfaction est intense et semble dominer le fruit. Mais, tout l'art est maîtrisé, car en bouche l'harmonie du vin et du boisé est remarquable, le volume en impose, le fruit croque encore. Le mourvèdre joue avec le bois, promesse de plaisir immédiat et pour longtemps. De même avec la **cuvée Privilège 2002 (8 à 11 €)**, qui est citée.

🔑 Jean-Marie Fabre, Dom. de la Rochelierrre,
17, rue du Vigné, 11510 Fitou, tél. 04.68.45.70.52,
fax 04.68.45.70.52 ☑ 🍷 🚶 t.l.j. 9h-12h 14h-19h

DOM. DE ROLLAND Colline des Fées 2001

■ 3,05 ha 5 000 ◍ 15 à 23 €

Depuis plus de cent cinquante ans, cinq générations se sont succédé au pied du mont Tauch sur le vignoble Colomer : c'est le fruit du savoir de ce vigneron que le Guide accueille régulièrement. Ce millésime a l'allure rubis du fitou, la touche méditerranéenne du thym, du pistachier sur le fruit épicé. L'élégance de la bouche laisse place en finale à un boisé intense.

🔑 Louis Colomer, Dom. de Rolland, imp. Saint-Roch,
11350 Tuchan, tél. 04.68.45.42.07, fax 04.68.45.49.50,
e-mail domrolland@aol.com ☑ 🏠 🍷 🚶 r.-v.

CH. DE SEGURE 2002 ★★★

■ 10,3 ha 50 000 5 à 8 €

Surprise que de trouver dans ce coin sauvage des Corbières, après une route sinueuse, cette oasis de Tuchan-Paziols, et, adossée au mont Tauch, cette impressionnante modernité de la cave de Tuchan, véritable poumon du fitou. Ce 2002 montre beaucoup de classe dans le grenat profond de sa robe et de douceur conviviale dans son nez grillé (café) où perce la cerise très mûre. Matière, structure, fruité mûr, accroche savoureuse des tanins, tout y est, agrémenté d'épices en finale. Un vin destiné à un gibier en sauce, dans deux à trois ans. Le jury a cité, parmi les autres cuvées de la cave, un **Hommage 2002**.

🔑 Cave de Tuchan, 11350 Tuchan,
tél. 04.68.45.41.08, fax 04.68.45.45.29
☑ 🍷 🚶 t.l.j. sf sam. dim. 9h-12h 14h-18h

TERRE ARDENTE 2001 ★★

■ n.c. n.c. 8 à 11 €

Des huîtres, un étang, paradis des véliplanchistes, un plateau sublime dominant la mer où les goélands jouent à se faire peur, et bien sûr, du vin ! Vous avez dit paradis ? Le grenat de la robe s'orne de tuilé, signe d'une évolution prisée du fitou qui se traduit par des arômes de venaison, de pruneau et d'épices. Ce vin est prêt car l'ensemble est fondu, du fruit confituré jusqu'à la finale capiteuse sur l'amande grillée, en passant par un tanin bien enrobé. La cuvée **Maritime 2001**, à attendre, est retenue avec une étoile.

📍 Les vignerons du Cap Leucate et de Quintillan, 2, av. Francis-Vals, 11370 Leucate, tél. 04.68.40.01.31, fax 04.68.40.08.90, e-mail cave-leucate@wanadoo.fr ☑ r.-v.

TERRE ARDENTE Cap Eole 2001 ★

■	n.c.	n.c.	5 à 8 €

Produite par les Vignerons de Leucate, cette cuvée a été sélectionnée par un des plus gros opérateurs sur le cru qui rend avec Cap Eole, un hommage aérien à l'allié du vigneron : le vent. Violette, fruits noirs, soupçon d'épices et cuir s'expriment dans ce vin au regard sombre, flatteur et généreux ; ses arômes réglissés et sa force tannique en font un fitou de garde pour viande rouge, gibier ou fromage.

📍 Vignerons de la Méditerranée, ZI Plaisance, 12, rue du Rec-de-Veyret, 11100 Narbonne, tél. 04.68.42.75.00, fax 04.68.42.75.01, e-mail rhirzt@listel.fr

TERRE NATALE 2002 ★

■	n.c.	100 000	■↓	3 à 5 €

Coiffé de ses éoliennes, le vieux village semble partir à l'assaut de son fantomatique château avec caves et maisons au coude à coude dans l'unique rue. D'une robe rubis profond, ce fitou assez sauvage a des senteurs de vendange et de cerise mûre. D'une belle nature et d'une grande fraîcheur, la bouche repose sur des tanins de qualité entourés de notes de pruneau à l'eau-de-vie. Ce vin est déjà prêt pour une grillade.

📍 Cave des Producteurs de Fitou, RN 9, Les Cabanes, 11510 Fitou, tél. 04.68.45.71.41, fax 04.68.45.60.32 ☑ ✕ ⚲ r.-v.

CH. WIALA Tradition 2002

■	8 ha	32 000	■↓	5 à 8 €

La vie est belle pour Wieble et Alain et l'aventure continue pour ces amoureux du lieu devenus vignerons et déjà remarqués lors de leur première vinification en 2001. Dans ce 2002, le grenache marque sa présence, apportant une touche de cerise à l'eau-de-vie. Le carignan lui confère une note plus sourde de sous-bois ainsi que l'ossature. L'ensemble offre dès à présent un fitou de tradition – comme son nom l'indique.

📍 SCEA Seubert, rue de la Gare, 11350 Tuchan, tél. 04.68.45.49.49, fax 04.68.45.92.13, e-mail chawiala@hotmail.com ☑ ✕ ⚲ r.-v.

Minervois

Le minervois, vin AOC, est produit sur soixante et une commune, dont quarante-cinq dans l'Aude et seize dans l'Hérault. Cette région plutôt calcaire, aux collines douces et au revers exposé au sud, protégée des vents froids par la Montagne Noire, produit des vins blancs, rosés et rouges : ces derniers représentent 95 % ; en tout 178 313 hl en 2003 dans les trois couleurs sur près de 5 000 ha.

Le vignoble du Minervois est sillonné de routes séduisantes ; un itinéraire fléché constitue la route des Vins, bordée de nombreux caveaux de dégustation. Un site célèbre dans l'histoire du Languedoc celui de l'antique cité de Minerve, où eut lieu un acte décisif de la tragédie cathare, de nombreuses petites chapelles romanes et les intéressantes églises de Rieux et de Caune sont les atouts touristiques de la région.

CH. AGNEL Grande Réserve 2001

■	12 ha	72 000	3 à 5 €

Commercialisé par le groupe Foncalieu, le Château Agnel est un vin typique du Minervois. Il possède beaucoup de finesse, une réelle complexité. Gorgé de fruits noirs (mûre et cassis), il repose sur des tanins soyeux et vanillés. La finale originale laisse croquer – délicatement – de belles notes d'amandes grillées. A boire sur des viandes rouges.

📍 UC Foncalieu, Dom. de Corneille, 11290 Arzens, tél. 04.68.76.21.68, fax 04.68.76.32.01, e-mail mkt@foncalieuvignobles.com
📍 Agnel

CH. ARTIX Les Murailles 2002

■	15 ha	70 000	⓪	5 à 8 €

Une chapelle du VIIIe s., dédiée à sainte Madeleine, des vignes travaillées au cordeau dont on extrait une vendange vinifiée en grains entiers pour offrir un vin pourpre brillant empli de fruits noirs et de pruneau. Il est volumineux, solide ; sa charpente vanillée possède tous les atouts qui lui permettront de s'affiner avec le temps.

📍 Jérôme Portal, SCEA Ch. Beaufort, Dom. d'Artix, 34210 Beaufort, tél. 04.68.91.28.28, fax 04.68.91.38.38, e-mail chateaubeaufort@wanadoo.fr ☑ ✕ ⚲ r.-v.

DOM. DE BARROUBIO
Cuvée Jean Miquel Vieilles Vignes 2001 ★

■	2 ha	5 000	⓪	8 à 11 €

On persiste et on signe ! Deuxième année consécutive de sélection de ce domaine connu pour ses somptueux muscats et qui impose en minervois la cuvée Jean Miquel. Nos dégustateurs, comme l'an passé, ont retrouvé dans ce vin ses caractéristiques de fraise pilée et de cassis intense. Franc et puissant dès l'attaque, il excelle dans toute sa matière onctueuse et équilibrée. Une pointe de gousse de vanille traduit la finesse de son élevage. La fin de bouche est chaleureuse et douce sur une ultime pirouette mentholée. Le **Domaine de Barroubio rosé 2003 (3 à 5 €)** est également cité.

📍 Raymond Miquel, Barroubio, 34360 Saint-Jean-de-Minervois, tél. 04.67.38.14.06, fax 04.67.38.14.06, e-mail barroubio@club-internet.fr ☑ 🏠 ✕ ⚲ t.l.j. 10h-12h 14h-19h

DOM. DE BLAYAC Réserve 2002 ★

■	4 ha	10 000	■	5 à 8 €

Ce domaine est situé à 2 km de La Caunette dont l'église est particulièrement intéressante. Cinquième géné-

LANGUEDOC

ration aux commandes, Stéphane Blayac a choisi de mettre en valeur ses vignes du causse de Minerve. Tradition n'est pas ici un mot vain : il élève encore les vins dans des foudres centenaires. Difficile de dissocier les vins de la Réserve de ceux des **Pierres blanches 2002 (3 à 5 €)** tant ils sont du même tonneau. La première impose son timbre clair, expressif et chaleureux. Elle offre avec ses fruits cuits une tasse de moka et une douceur de kirsch. Ses tanins encore fermes sont gage de bonheur pour qui saura attendre qu'ils s'attendrissent. Profil classique du minervois profond.

Stéphane Blayac, Vialanove, 34210 La Caunette,
tél. 04.68.91.24.40, fax 04.68.91.80.63
t.l.j. 8h-19h; f. 15 sept.-15 oct.

CH. BONHOMME Les Alaternes 2001

2,3 ha 11 000 **15 à 23 €**

Mises en valeur par le terroir des Alaternes, les très vieilles vignes de carignan n'ont ici pas de prix. On sait faire valoir la qualité de ce cépage, l'apprivoiser par dix-huit mois de fût pour obtenir un vin rouge intense, corsé, gorgé d'épices ensoleillées et vanillées. Encore jeunes, ses tanins doivent laisser le temps au temps pour donner cette inimitable expression de cuir de Russie et de réglisse. A choisir pour une côte de bœuf à la moelle ou un agneau braisé à la provençale.

SCEA Ch. Bonhomme,
Dom. de Bonhomme, 11800 Aigues-Vives,
tél. 04.68.79.28.47, fax 04.68.79.28.48,
e-mail jp.aimar@wanadoo.fr r.-v.
J.-P. Aimar

DOM. BORIE DE MAUREL Cuvée Sylla 2002 ★★

1,9 ha 10 666 **15 à 23 €**

Lors de votre passage au caveau vous ferez d'une pierre deux coups – si la cuvée Sylla est toujours au rendez-vous du Guide, elle est talonnée de près dans le jury **minervois-la-livinière par la cuvée Félines 2002 (8 à 11 €)**. Sylla est toujours cette œuvre d'art chargée de fruits mûrs, patinée de cuir de Russie, parsemée de truffe, baignée d'olive noire. Riche, capiteux et envoûtant, fondant comme la réglisse, ce vin d'une longueur infinie peut être servi par la gastronomie comme se suffire à lui-même.

GAEC Michel Escande,
rue de la Sallele, 34210 Félines-Minervois,
tél. 04.68.91.68.58, fax 04.68.91.63.92,
e-mail boriedemaurel@wanadoo.fr r.-v.

DOM. LE CAZAL Cuvée le Pas de Zarat 2002 ★★★

8 ha 34 666 8 à 11 €

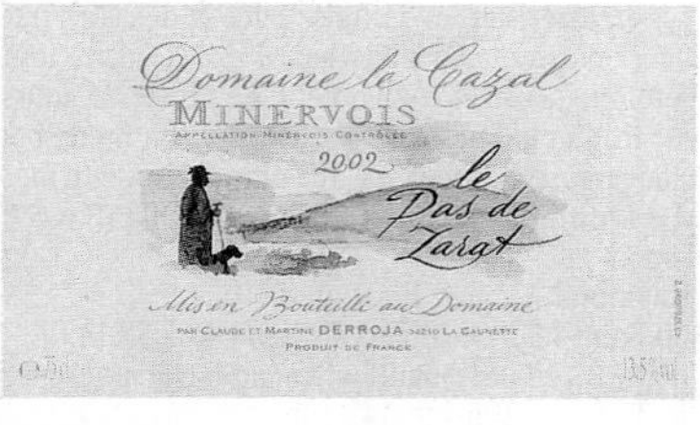

Beau domaine de 78 ha, le Cazal donne à voir ses bois, ses garrigues et ses 18 ha de vignes. Régulièrement sélectionnée depuis trois ans, cette cuvée portant le nom d'un berger intrépide a su passer l'examen du grand jury pour atteindre les sommets. Elle offre une riche corbeille de fruits composée de myrtille, de mûre et de fraise. Elle explose en bouche en notes de garrigue et se promène avec souplesse dans les épices. Equilibrée, bien en jambes, dotée de tanins fermes, grillés à point, elle fait une ultime pirouette sur une finale réglissée et parfumée de violette. Un vin complet, complexe, à boire et à garder.

Claude Derroja, EARL Dom. Le Cazal,
34210 La Caunette, tél. 04.68.91.62.53,
fax 04.68.91.62.53, e-mail nicolas.rigal@free.fr
r.-v.

CH. COUPE-ROSES Rosé frémillant 2003 ★

15,5 ha 12 000 **5 à 8 €**

Impossible de ne pas tomber sous le charme particulier de La Caunette, cité troglodytique ! Lors de votre visite, une halte s'impose ici pour déguster ce rosé en tenue violine, aux accents floraux, gorgé de fraise acidulée, ample et fondant. Issu d'un terroir d'altitude préservé, ce vin sait démontrer qu'avec des pratiques culturales douces, la nature produit des cuvées ornées de ses plus beaux atours.

Françoise et Pascal Frissant, rue de la Poterie,
34210 La Caunette, tél. 04.68.91.21.95,
fax 04.68.91.11.73, e-mail coupe-roses@wanadoo.fr
t.l.j. 8h30-12h30 14h-18h; sam. dim. sur r.-v.

DOM. CROS Vieilles Vignes 2002 ★★

3,15 ha 12 000 8 à 11 €

Présent dans le Guide depuis quatorze ans avec plusieurs coups de cœur : les distinctions du domaine se portent comme les médailles sur le pourpoint d'un général ! Cette année, les Vieilles Vignes accrochent deux étoiles supplémentaires avec un vin aux couleurs intenses à reflets violets. Les arômes de fruits mûrs, de réglisse et d'épices poivrées défilent en rangs serrés tandis que l'attaque en bouche démarre en fanfare, sur des notes vanillées. Les tanins sont encore fermes dans un ensemble généreux, ample et équilibré.

Dom. Pierre Cros,
20, rue du Minervois, 11800 Badens,
tél. 04.68.79.21.82, fax 04.68.79.24.03 r.-v.

CH. DU DONJON
Cuvée Prestige Elevé en fût de chêne 2002 ★

10 ha 35 000 **8 à 11 €**

Véritable curiosité, le donjon du château (XIII^{e}s.) jaillit au milieu de la cave moderne. Ce n'est pas à une citadelle massive et fermée que fait penser ce vin aux accents tuilés, mais à un édifice baroque, somptueux et équilibré ; il s'exprime harmonieusement. Ses tanins doux et patinés s'enrobent de fruits cuits, de cannelle, de coing et de vanille. Complexité et élégance sont en symbiose jusque dans une finale qui bat le rappel des caudalies. Idéal sur fricassée, gigot ou gibier.

Jean Panis, Ch. du Donjon, 11600 Bagnoles,
tél. 04.68.77.18.33, fax 04.68.72.21.17,
e-mail jean.panis@wanadoo.fr r.-v.

ENTRETAN Cuvée Polère 2002 ★★★

0,88 ha 3 000 8 à 11 €

« Aux âmes bien nées, la valeur n'attend pas le nombre des années » ! Installés depuis 2001 en cave particulière, ces vignerons voient un couronnement rapide des efforts réalisés, et, comme un bonheur n'arrive jamais seul, l'autre cuvée **Calixte 2002 rouge**, citée, brise également la glace de notre jury ! Ce Polère est bel et bien un vin méridional à la robe pourpre, aux senteurs intenses

d'abricot, de cerise et de vanille. Sa rondeur et sa puissance s'accordent sur une finale longue et élégante. Il ne vous laissera pas de glace sur une côte de bœuf.

🍷 GAEC J.-G. et D. Plantade,
rue des Alizés, 11200 Roubia,
tél. 04.68.43.25.16, fax 04.68.43.25.16 ☑ 🍷 🏃 r.-v.

CH. FAITEAU 2002 ★

◼	0,75 ha	4 500	◼ ⑪ 🍷 3 à 5 €

Régulièrement retenu en minervois-la-livinière, ce château passe cette année sous la bannière du minervois pour s'imposer aux joutes du Guide. Chaleureux et de forte constitution, il sait conjuguer élégance et vivacité tannique. Jouant sur un registre aromatique intense, il associe cerise, épices et un panier de fruits secs. Généreux, il tient sur la longueur.

🍷 Faiteau Yves et Jean-Michel Arnaud,
Ch. Faîteau, rte des Meulières, 34210 La Livinière,
tél. 06.15.90.89.48, fax 04.68.91.48.28,
e-mail jma-ch-faiteau@wanadoo.fr ☑ 🍷 🏃 r.-v.

CH. DE FAUZAN La Balme 2002 ★

◼	3 ha	3 500	3 à 5 €

Saviez-vous qu'une « balme » est une grotte en dialecte celte ? Spéléologues à vos cordes ! Les gorges de la Cesse, toutes proches du domaine, en sont criblées. Après votre passage dans les ténèbres, revenez à la lumière en dégustant ce superbe vin d'altitude, brillant de reflets profonds couleur cerise. Son nez suave exhale des parfums de fruits confits et de cassis. Le palais est rond, souple et ses tanins enrobés d'épices et de fruits à l'alcool semblent émerger de la garrigue. La finale affiche une belle longueur.

🍷 EARL Ch. de Fauzan,
Hameau de Fauzan, 34210 Cesseras,
tél. 04.68.27.09.09, fax 04.68.27.09.09 ☑ r.-v.
🍷 Bourrel

DOM. PIERRE FIL Dolium 2002 ★★

◼	0,5 ha	2 600	◼ ⑪ 🍷 15 à 23 €

Nos dégustateurs, comme le propriétaire, sont – sans le savoir puisqu'ils dégustent à l'aveugle – férus d'archéologie. Ils ont cité la cuvée **Elysice 2001 (5 à 8 €)** dédiée à la peuplade gauloise de la province narbonnaise mais surtout apprécié cette cuvée Dolium portant le nom du récipient de terre cuite dans lequel les Romains élevaient le vin nouveau. Sombre à reflets ambrés, ce 2002 est issu d'un élevage en fût. Il met en valeur toute la complexité du bois (cacao, vanille), bien marié à des notes charnues de fruits rouges, tandis que son caractère chaleureux ne gêne en rien une élégante fluidité. Fondu, velouté, il persiste longuement sur des accents de griotte et cannelle. Le bonheur dans votre maison.

🍷 Jérôme Fil, Dom. Pierre Fil, 12, imp. des Combes,
11120 Mailhac, tél. 04.68.46.13.09 ☑ r.-v.

CH. DE LANDURE
Cuvée de l'Abbé Frégouse 2001 ★

◼	4 ha	25 000	⑪ 8 à 11 €

Au château Landure, on se place sous les bons auspices de l'abbé Frégouse, de l'abbaye de Fontfroide, à qui fut acheté ce domaine au XVII[e]s. Le vin s'auréole de rubis brillant. Vanille, fruits rouges et café s'expriment avec intensité. La bouche, à la fois puissante et fondue, repose sur des tanins chaleureux. Long comme le carême, ce n'est pas un vin de messe, mais un vin à partager entre amis ! Signalons que la vente se fait à Narbonne chez les Vignerons de la Méditerranée.

🍷 Luc Rouvière, Ch. Landure, 11120 Mailhac,
tél. 04.68.46.30.59, fax 04.68.46.30.59 🍷 🏃 r.-v.

LAURAN CABARET 2003 ★★

	12 ha	40 000	◼ 🍷 3 à 5 €

Pour la troisième année consécutive, ce cellier tire son épingle du jeu avec un blanc issu du brelan macabeu, grenache, marsanne. Dès la donne, sur un tapis vert à liseré d'or, il dévoile ses atouts maîtres : harmonie de fleurs blanches jouant de concert avec la puissance des fruits rouges. Rond, soyeux, élégant, il tire une dernière carte épicée sur une finale longue et délicatement acidulée.

🍷 Cellier Lauran Cabaret, 11800 Laure-Minervois,
tél. 04.68.78.12.12, fax 04.68.78.17.34,
e-mail laurancabaret@hotmail.com ☑ 🍷 🏃 r.-v.

DOM. LIGNON Les Vignes d'antan 2001 ★★

◼	3,5 ha	21 000	⑪ 5 à 8 €

Mais où sont les vignes d'antan ? Rémi Lignon, en grand virtuose, les a redécouvertes chez lui en laissant chanter l'excellence de son terroir et en mettant les cépages au diapason. Une sarabande de fruits rouges associés à la vanille s'accorde délicatement avec les notes de sous-bois. La bouche chaleureuse dès l'attaque monte en volume sur le même refrain aromatique et se révèle ample et équilibrée. Les tanins sont en parfaite harmonie, tandis que la finale s'abandonne devant un parterre de violettes. Ce vin mérite le rappel, avec modération !

🍷 Vignerons de la Méditerranée, ZI Plaisance,
12, rue du Rec-de-Veyret, 11100 Narbonne,
tél. 04.68.42.75.00, fax 04.68.42.75.01,
e-mail rhirzt@listel.fr
🍷 Rémi Lignon

CH. MIRAUSSE Le Grand Penchant 2002 ★★

◼	2 ha	5 000	◼ 5 à 8 €

C'est le trisaïeul de Zanzibar qui serait fier ! Son système précurseur de la vinification en grains entiers a obtenu la consécration du jury pour deux vins : **Le Cendrous 2002 (15 à 23 €)**, plus typé syrah, voit sa cote monter avec succès, tout comme ce 2002 issu des grès de Badens. Le nez intense aux notes de garrigue précède une bouche au volume allant crescendo sur des arômes d'abricot, d'orange et d'épices. Modèle d'équilibre, ce vin laisse apprécier la soie des tanins et le fondant d'une finale au sommet de sa puissance. Prêt à boire mais il ne baissera pas la garde avant longtemps. On parle de magret de canard aux cèpes...

🍷 Raymond Julien, Ch. Mirausse, 11800 Badens,
tél. 04.68.79.12.30, fax 04.68.79.12.30 ☑ 🍷 🏃 r.-v.

CH. DE MIREMONT
Réserve des Vieilles Vignes 2001 ★★

◼	4 ha	15 000	⑪ 15 à 23 €

Issu du terroir de grès de Badens et de la nouvelle vague, voici un jeune vigneron discret dont le vin fait grand bruit lors de la dégustation du grand jury du Guide. A quelques points de la distinction suprême, voilà un vin de grande et belle concentration. Le nez complexe, élégant, épicé et fruité est entouré de lauriers. Le palais surprend par son équilibre, rond dès l'attaque, puis corsé et puissant. Délicatement structuré, explosif sur des notes de griotte et de violette, il persiste sur une finale vanillée par dix-huit mois de fût.

🔑 SARL Ch. de Miremont,
4, rue de l'Eglise, 11800 Badens,
tél. 04.68.76.16.54, fax 04.68.76.07.98 ☒ 🍷 🚶 r.-v.

PIQUE-PERLOU La Sellerie 2001

■ 2 ha 7 000 🛢 23 à 30 €

De petites vignes en terrasses exposées plein sud dominant le canal du Midi offrent une vision bucolique et un vin pourpre brillant. Après vingt-quatre mois à l'épreuve du fût, ce 2001 navigue avec succès entre vanille et cacao sur une matière dense, concentrée et débordante de jeunesse. Ses tanins demandent un peu de patience : sachez attendre car il sera parfait pour un gibier dans deux ans.

🔑 Serge Serris, 12, av. des Ecoles, 11200 Roubia,
tél. 04.68.43.22.46, fax 04.68.43.22.46,
e-mail chateau.pique-perlou@wanadoo.fr ☒ 🍷 🚶 r.-v.

DOM. LA PRADE MARI Chant de l'Olivier 2001 ★

■ 3 ha n.c. 🛢 5 à 8 €

« Venant se ressourcer dans sa plus belle parcelle, près d'un olivier, le vigneron aime écouter le chant mélodieux produit par les vents du Sud traversant le feuillage vert argenté ». La Prade Mari a donné naissance à une cuvée à l'équilibre rare, sachant imposer douceur et profondeur, complexité et finesse. L'attaque est ronde, épicée, baignée de fruits rouges. La structure vanillée et réglissée n'en est pas moins fondue, veloutée jusque dans une longue finale acidulée. Prêt à boire.

🔑 Vignerons de la Méditerranée, ZI Plaisance,
12, rue du Rec-de-Veyret, 11100 Narbonne,
tél. 04.68.42.75.00, fax 04.68.42.75.01,
e-mail rhirzt@listel.fr
🔑 Eric et Catherine Mari

PRIEURE SAINT-MARTIN DE LAURE
Peyralbe 2002

■ 10 ha 15 000 ▮🌡 5 à 8 €

En occitan *peyralbe* signifie pierre blanche. Cette citation dans le Guide est à marquer d'une... Car dès le premier millésime vinifié par trois partenaires, le Prieuré répond présent avec un rouge qui l'est tout autant. Parfumé de cassis et de fruits rouges, il est rond, agréablement structuré autour de l'épice, sachant rester fin et élégant. Ce vin jeune sera apprécié sur des salades composées et des viandes blanches.

🔑 Prieuré Saint-Martin de Laure, Gibalaux,
11800 Laure, tél. 04.68.78.47.35, fax 04.68.78.47.42,
e-mail brlegoux@aol.com ☒ 🍷 🚶 r.-v.

DOM. SAINTE-LEOCADIE
Cuvée Fernand Avéroux 2002

■ 4 ha 4 600 ▮🌡 8 à 11 €

En 1900, Fernand Avéroux crée le domaine Sainte-Léocadie sur le site ancien d'une *villa* romaine. Ses arrière-petits-enfants, pour leur deuxième millésime, lui dédient une cuvée aux arômes de cassis et de cerise. Elégance, finesse et douceur la caractérisent tandis que ses tanins présents titillent une finale suave. Ce vin permettra de satisfaire des convives dès cet automne.

🔑 Thierry Bonnel, La Combe, 34210 Aigne,
tél. 04.68.91.80.27, fax 04.68.91.80.27,
e-mail thierry.bonnel4@wanadoo.fr ☒ 🍷 🚶 r.-v.

DOM. SAINTE-LUCHAIRE
Cuvée 1884 Elevée en fût de chêne 2001 ★★

■ 2 ha 5 100 🛢 5 à 8 €

C'est en 1884 que Félix Yssanchon créa à Aigne l'exploitation familiale. Yves Bru poursuit son œuvre et dédie le joyau de sa production à cette date mythique. Quinze mois en fût n'ont pas conduit ce vin vers une longue attente en cave ; au contraire, c'est une ode à l'harmonie et à la douceur ! Des noisettes grillées et des tanins patinés marquent délicatement le palais, tandis que les fruits mûrs emplissent de bonheur une bouche fondue, bien équilibrée, complexe, qui surprend par ses arômes torréfiés ; le jury compte les caudalies en savourant ses effluves de tabac blond.

🔑 Vignerons de la Méditerranée, ZI Plaisance,
12, rue du Rec-de-Veyret, 11100 Narbonne,
tél. 04.68.42.75.00, fax 04.68.42.75.01,
e-mail rhirzt@listel.fr
🔑 Yves Bru

DOM. SICARD La Cour de Jean 2002

■ 7 ha 24 000 ▮🛢 8 à 11 €

A l'heure où la syrah s'impose en maître, il est réconfortant de goûter un vin d'assemblage ; cette cuvée est constituée de quatre cépages : carignan (37 %), grenache (25 %) et mourvèdre (13 %) et syrah pour le reste. Rouge soutenu à reflets tuilés, ce 2002 affiche des arômes concentrés et empyreumatiques. Il est cependant rond, soyeux, tout en finesse, agréablement réglissé et glisse lentement sur une dernière gorgée d'arabica. A servir sur des grillades.

🔑 Dom. Sicard,
11, rte de Saint-Pons, 34210 Aigues-Vives,
tél. 04.68.91.23.94, fax 04.68.91.12.83 ☒ 🍷 🚶 r.-v.

DOM. TAILHADES MAYRANNE
... A Elise 2002 ★★

■ 3 ha 2 000 ▮ 11 à 15 €

Déjà remarquée l'an dernier, Elise a pris un millésime de plus et deux étoiles ! Elle arrive accompagnée de son petit frère, cité, la **cuvée Pierras 2001 (5 à 8 €)**. Coup double pour ce jeune vigneron qui, après avoir réussi le prototype, lance la série avec un rouge (Ferrari) bien au point. Il attaque sous une pluie d'épices poivrées et de cassis. Les tanins sont droits et serrés. Devant les papilles en liesse, il fait et refait longuement des tours d'honneur sur un parterre de fleurs. Assurément, une grosse cylindrée du Minervois, à découvrir dans le caveau de dégustation ouvert dans la cité de Minerve, haut lieu cathare.

🔑 EARL Dom. Tailhades Mayranne,
Dom. de Mayranne, 34210 Minerve,
tél. 04.68.91.26.77, fax 04.68.91.11.96,
e-mail domaine.tailhades@terre-net.fr ☒ 🏠 🍷 🚶 r.-v.

DOM. TERRES GEORGES Quintessence 2002 ★★

■ 2 ha 3 000 🛢 5 à 8 €

Déjà remarqué l'an passé, ce jeune vigneron confirme sa présence dans le dernier carré du super-jury – qui mieux que ce vin mérite son titre ? Derrière une robe sombre à reflets noirs, il milite contre la monotonie tant sa palette aromatique est riche. Fruits à noyau et épices virevoltent parmi les senteurs de garrigue, tandis que la bouche se fond dans la réglisse, le cassis et dans un bois chaleureux et abouti. La bouche, très longue, surprend encore par sa sucrosité finale.

➔ Anne-Marie et Roland Coustal,
rue des Jardins, 11700 Castelnau-d'Aude,
tél. 06.30.49.97.73, fax 04.68.43.79.39,
e-mail terres.georges@free.fr ☑ ⵢ ⵏ r.-v.

CH. VAISSIERE 2001 ★

■	4 ha	5 800	⦿ 15 à 23 €

Une toile aux couleurs riches, douces et chaleureuses symbolise le château sur l'étiquette de ce vin pourpre profond qui développe des accents de garrigue, vanillés et grillés. L'attaque est ample, charnue. Tout en harmonie, ce 2001 affirme avec force son caractère méridional sur une matière ample et corsée. A choisir pour un gibier ou un bœuf en daube.

➔ Olivier Mandeville, Ch. Vaissière, 11700 Azille,
tél. 04.68.78.19.95, fax 04.68.78.31.83,
e-mail olivier.mandeville@wanadoo.fr ☑ ⵢ ⵏ r.-v.

CH. VILLERAMBERT-JULIEN 2002 ★

■	14 ha	45 000	⦿ 11 à 15 €

Soixante-quinze hectares de vignes du domaine reposent sur huit variétés de sols. Par son talent, Michel Julien a su saisir toutes les subtilités de ces terroirs pour les transposer en un vin unique soumis au feu du bois. Sa forte chauffe s'exprime avec puissance sans étouffer les fruits rouges, l'épice et la pointe si particulière de résineux. Structuré et d'une étoffe dense, il berce une bouche cacaotée et vanillée qui va loin en caudalies. A garder pour une pintade braisée ou des filets de pigeonneaux aux petits légumes.

➔ Michel Julien,
Ch. Villerambert-Julien, 11160 Caunes-Minervois,
tél. 04.68.78.00.01, fax 04.68.78.05.34,
e-mail contact@villerambert-julien.com ☑ ⵢ ⵏ r.-v.

CH. VILLERAMBERT MOUREAU 2003 ★

■	10 ha	6 000	5 à 8 €

Les trois frères Moureau excellent sur ce domaine légué de père en fils depuis les années 1920. Adeptes de la culture raisonnée sur leur terroir argilo-calcaire, ils offrent cette année un rosé estampillé syrah-mourvèdre où les épices poivrées épousent avec bonheur des parfums de violette. Expressive, pleine, généreuse, réglissée et longue, la bouche chaleureuse célèbre l'union complice des deux cépages.

➔ Marceau Moureau et Fils,
Ch. de Villerambert, 11160 Caunes-Minervois,
tél. 04.68.77.16.40, fax 04.68.77.08.14
☑ ⵢ ⵏ t.l.j. sf sam. dim. 10h-12h 14h-19h

Minervois-la-livinière

La commune de La Livinière s'inscrit désormais dans le cadre d'une appellation minervois-la-livinière regroupant cinq communes des contreforts de la Montagne Noire. Elle a produit 8 536 hl de vin uniquement rouge en 2003, sur 227 ha.

DOM. AIME Cuvée Feuille d'automne 2002 ★★

■	2,5 ha	13 500	8 à 11 €

« Qui soigne ses feuilles l'été récolte bien mûr en automne », un adage qu'applique Rémi Bonnet en bon vigneron : cela donne un vin riche et onctueux. Les arômes sont au diapason, sautent au nez et dansent dans une bouche équilibrée un quadrille où bourgeon de cassis et fruits à l'alcool s'accordent chaleureusement avec ciste, laurier et romarin. Restant élégant et souple, ce vin tire sa révérence sur une finale explosive. En accord majeur avec les fromages.

➔ Rémi Bonnet, 18, rue Barbès, 34210 Olonzac,
tél. 04.68.91.14.10, fax 04.68.91.14.10 ☑ ⵢ ⵏ r.-v.

L'OSTAL CAZES 2002 ★★

■	7,6 ha	17 000	⦿ 15 à 23 €

La maison Cazes (*ostal* en occitan) est venue en 2002 de Lynch-Bages à Pauillac sur ces terres languedociennes où le vignoble ensoleillé est entouré d'oliviers. Dès son premier millésime ici, le prototype Cazes dévoile ses potentialités et étale sa puissance avec une classe insolente : le nez fruité joue sur un boisé bien mené. Après une attaque souple, la bouche évolue avec prestance sur un bel équilibre vanillé. Les tanins n'accrochent pas et roulent avec douceur jusqu'à une finale chaleureuse. Vin de « grand prix », note un juré, et qui prouve les capacités exceptionnelles du terroir de La Livinière.

➔ L'ostal Cazes, Tuilerie Saint-Joseph,
34210 La Livinière,
tél. 04.68.78.38.64, fax 04.68.91.47.79 ⵢ r.-v.

CH. CESSERAS 2001

■	7 ha	30 000	8 à 11 €

Il y a beaucoup de prétendants à la dégustation Hachette et peu d'élus. Ce château fait partie des heureux avec ce 2001 de belle intensité, légèrement tuilé, dont les arômes de litchi et framboise sont suaves et flatteurs. La bouche est équilibrée, dotée d'un corps de garde, construite sur des tanins présents mais soyeux. Elégant, abouti, ce vin n'attend plus que vous.

➔ GAEC Dom. Coudoulet, chem. de Minerve,
34210 Cesseras, tél. 04.68.91.15.70, fax 04.68.91.15.78,
e-mail pierreandre.coudoulet@wanadoo.fr ⵢ r.-v.

CLOS DES ROQUES Mal Pas 2001

■	0,75 ha	2 500	⦿ 15 à 23 €

Avec ce Mal Pas (« mauvais passage » en occitan), l'affaire est plutôt bien engagée pour ces dynamiques vignerons et leur premier millésime extrait de ce clos pierreux, avec une forte proportion de vieux carignan et de mourvèdre. Au nez s'expriment l'épice poivrée mais aussi l'orange confite et la vanille intense. La bouche est toute harmonie, souple, puissante sur des arômes de réglisse. Chaleureux, ce vin sera en accord avec un magret ou un civet de lièvre.

➔ Nelly et Christian Gastou, Clos des Roques,
chem. du Tribi, 34210 Cesseras,
tél. 04.68.91.28.70, fax 04.68.91.16.72,
e-mail closdesroques@wanadoo.fr ☑ ⵢ ⵏ r.-v.

CUVEE GAIA 2002 ★★★

■	11,13 ha	n.c.	8 à 11 €

Si Gaïa, divinité païenne, est sortie des sols karstiques d'Azillanet, cette cuvée est qualifiée de « petit Jésus en culotte de velours » par un dégustateur. Il est vrai que ce vin caresse les sens par la douceur des épices et le soyeux

LANGUEDOC

des fruits rouges. Le boisé fondu, tout en élégance, et la trame équilibrée parfaitement tissée chantent les mérites de l'œnologue Tomasoni. Sûr de sa puissance, ce millésime peut se garder où s'apprécier immédiatement sur une pièce de bœuf au poivre pilé.

SCV Les Vignerons des Crus du Haut-Minervois, 34210 Azillanet, tél. 04.68.91.22.61, fax 04.68.91.19.46, e-mail les3blasons@wanadoo.fr ☑ Ɪ ⛹ r.-v.

DOM. LA ROUVIOLE 2001 *

■ 0,94 ha 5 500 ■ 15 à 23 €

Deux oncles en première ligne sur le vignoble, un neveu dans la cave : le domaine s'est imposé comme une valeur sûre de l'appellation en peu de temps. Implantés sur des coteaux argilo-calcaires plein sud, grenache et syrah composent à parts égales ce vin. Le premier est mis en évidence, même si la couleur pourpre et violacée annonce une syrah en forme, les arômes de cassis et de poivre étant caractéristiques. La bouche chaleureuse et ronde repose sur des tanins fermes et réglissés. La finale débute par des notes de moka et offre ensuite un fruit à l'eau-de-vie.

Leonor, La Rouviole, 34210 Siran, tél. 04.68.91.42.13, fax 04.68.91.42.13, e-mail franck.leonor@wanadoo.fr ☑ Ɪ ⛹ t.l.j. 9h-12h 15h-19h

Saint-chinian

VDQS depuis 1945, le saint-chinian est devenu AOC en 1982 ; cette appellation couvre vingt communes sur 3 200 ha et produit 133 518 hl de vins rouges et rosés en 2003. Dans l'Hérault, au nord-ouest de Béziers, sur des coteaux s'élevant à 100 ou 200 m d'altitude, le vignoble est orienté vers la mer. Les sols sont constitués de schistes, surtout dans la partie nord, et de cailloutis calcaires, dans le sud. Les vins nés du grenache, de la syrah, du mourvèdre, du carignan et du cinsault ont un potentiel de garde de quatre à cinq ans. Ils sont réputés depuis très longtemps : on en parlait déjà en 1300. Une maison des Vins a été créée à Saint-Chinian.

DOM. DE BASTIDE ROUSSE 2002 *

■ 4 ha 5 500 5 à 8 €

Avec la complicité de son mari, œnologue, Anne Crassus a su exprimer la finesse, l'élégance et la typicité de son terroir. Ce 2002 limpide présente au nez des notes de fruits rouges frais et d'épices. Au palais, après une attaque franche, il laisse apparaître des arômes de cerise très mûre. Les tanins déjà fondus et harmonieux accompagnent un joli boisé. Un vin rafraîchissant qui se mariera, dans un an, à une volaille.

Anne et Jean-Paul Crassus, Dom. de Bastide Rousse, 34360 Villespassans, tél. 04.67.38.18.54, e-mail bastiderousse@aol.com ☑ Ɪ ⛹ r.-v.

DOM. BELLES COURBES 2003 *

■ 1,8 ha 6 000 ■ 5 à 8 €

C'est l'exposition des vignes plantées en suivant les courbes de niveau qui attire l'attention dans ce merveilleux terroir de Jean-Benoît Pelletier. Vous vous réjouirez aujourd'hui à la dégustation de ce rosé pétale de rose qui livre des notes florales (rose) et minérales (silex). Vin de plaisir, il possède une bouche friande et équilibrée. Vous le dégusterez bien frais sur des hors-d'œuvre.

Jean-Benoît Pelletier, 24, cours La Fayette, 34480 Saint-Géniès-de-Fontedit, tél. 04.67.36.32.24, fax 04.67.36.32.24, e-mail vinbellescourbes@aol.com ☑ Ɪ ⛹ r.-v.

BORIE LA VITARELE Les Crès 2002 **

■ 5 ha 6 000 ■ 15 à 23 €

Pouvoir jouer sur une large palette de sols (grès, schistes et calcaires) est un atout à condition de posséder un réel savoir-faire. Cette sélection de terroirs en témoigne. Une robe rouge dense laisse d'épaisses larmes sur les parois du verre. Le nez intense, élégant, exprime le cuir, la torréfaction, les épices sur un fond de fruits noirs. La bouche superbe confirme le potentiel de garde. La cuvée **Les Schistes rouge 2002 (8 à 11 €)** reçoit une étoile. Elle révèle également avec force le terroir. L'origine et la typicité dans toute leur splendeur. A ne pas manquer en profitant d'une halte dans la ferme-auberge du domaine.

Izarn Planes, Borie la Vitarèle, 34490 Causses-et-Veyran, tél. 04.67.89.50.43, fax 04.67.89.70.79, e-mail jf.izarn@libertysurf.fr ☑ Ɪ ⛹ r.-v.

CH. BOUSQUETTE Cuvée Pruneyrac 2002

■ 2 ha 6 500 ■ 5 à 8 €

Ce domaine en culture biologique a été repris en 1996 par un jeune viticulteur suisse, Eric Perret. Cette cuvée porte une robe intense à reflets rubis. Son nez typé, concentré, complexe annonce un palais gras, aux arômes de garrigue, de menthol avec une petite note d'amande. Sa rondeur permet de le servir dès cet hiver.

Eric Perret, Dom. de la Bousquette, 34460 Cessenon, tél. 04.67.89.65.38, fax 04.67.89.57.58, e-mail labousquette@wanadoo.fr ☑ Ɪ ⛹ r.-v.

CH. CADORIN Cuvée Prestige 2002 *

■ 3,1 ha 20 000 ■ 3 à 5 €

Ce domaine du XVII[e]s., abandonné pendant longtemps, est aujourd'hui rénové par les Belot qui en devinrent propriétaires en 1998. Un travail de restauration des vignes et des bâtiments qui a profité à ces deux vins, la cuvée **Les Mouleyres 2002 du Château Belot (5 à 8 €)** et cette cuvée Prestige. Cette dernière, d'une vinosité remarquable, affiche un nez complexe d'épices et de fruits. En bouche, la noisette et les fruits mûrs entraînent dans une farandole de sensations. Afin que cette palette puisse encore s'ouvrir, attendez deux à trois ans.

🔖 Vignoble Belot, Dom. Le Tendon,
rte de Cessenon-sur-Orb, 34360 Pierrerue,
tél. 04.67.38.08.96, fax 04.67.38.08.96,
e-mail vignoble.belot@wanadoo.fr ⲭ ⲭ r.-v.

DOM. DE CANIMALS LE HAUT 2002 ★★

■	4 ha	6 500	▮	5 à 8 €

Propriété familiale qui élevait des chevaux en même
temps que le vin ! Celui-ci ne peut cacher le terroir de
schiste sur lequel il est né tant sa minéralité s'affiche. La
bouche présente des tanins enrobés, onctueux, avec des
arômes de réglisse et une dominante de violette. Plaisant
dès aujourd'hui, ce 2002 gagnera à attendre un à deux ans.
🔖 Jean-Louis et Brigitte Castel,
Dom. Canimals Le Haut, 34360 Saint-Chinian,
tél. 04.67.38.19.13, fax 04.67.38.19.13 ⲭ ⲭ ⲭ r.-v.

CEBENNA 2002

■	3,3 ha	11 500	▮	8 à 11 €

Pour son premier millésime, Luc Bettoni a su tirer
parti de conditions difficiles en maîtrisant parfaitement sa
vendange et sa vinification. Sous une robe soutenue,
apparaît un nez intense et complexe. La bouche est
savoureuse, soulignée par des tanins ronds et fondus. Une
belle bouteille à ouvrir dès à présent et pendant quelques
années encore.
🔖 P. et L. Bettoni, Dom. Les Eminades,
rue des Vignes, 34360 Cebazan,
tél. 04.67.36.14.38, fax 04.67.36.14.38 ⲭ ⲭ r.-v.

MAS DES CERISIERS Hautes Terres 2002 ★

■	8,17 ha	4 000	◫	11 à 15 €

Pascal Brunier s'est installé en 2001, après une longue
expérience dans le Languedoc. Situées entre 150 et 400 m
d'altitude, ses vignes sont en cours de conversion à
l'agriculture biologique. Sa deuxième vinification est une
réussite. La robe est d'un grenat profond, le nez fin et
élégant marie les épices et le grillé. La bouche bien faite,
construite sur des tanins fondus, devrait être parfaite dans
deux ans. Un gigot d'agneau permettra de l'apprécier.
🔖 Pascal Brunier, Le Pin, 34390 Vieussan,
tél. 04.67.97.39.50, fax 04.67.97.39.50,
e-mail masdescerisiers@wanadoo.fr ⲭ ⲭ r.-v.

MAS CHAMPART Causse du Bousquet 2002

■	4,5 ha	13 000	▮◫⬥	8 à 11 €

Un nouveau chai depuis 1995, des vignes en terrasses
dans un site exceptionnel, le mas Champart est une valeur
sûre. Ce vin grenat profond révèle des parfums de fruits
rouges et de griotte. Vive à l'attaque, la bouche inscrit les
arômes fruités dans une matière savoureuse et équilibrée.
Typée et tonique, cette cuvée pourra accompagner une
rouelle de sanglier en marinade. Le **Clos de la Simonette
rouge 2002 (15 à 23 €)** a également été cité. Il faudra
attendre deux à trois ans que le bois et les tanins se fondent.
🔖 EARL Champart, Bramefan,
rte de Villespassans, 34360 Saint-Chinian,
tél. 04.67.38.20.09, fax 04.67.38.20.09,
e-mail mas-champart@wanadoo.fr ⲭ ⲭ ⲭ r.-v.

CLOS BAGATELLE La Gloire de mon père 2001 ★★

■	3 ha	14 000	◫	15 à 23 €

En 1623, Pierre Mescadier, l'ancêtre, fit l'acquisition
de ce domaine qui s'est depuis transmis par les femmes.
Les enfants assistent le père qui surveille la vigne et
participe à l'élaboration de ce superbe vin. Ce 2001

apparaît dans une robe pourpre, livrant de chaleureux
arômes de fruits à l'alcool, de torréfaction et des notes de
cuir. Franc à l'attaque, il révèle une rondeur intéressante
et des tanins amples et doux. La cuvée **Veillée
d'Automne 2002 (8 à 11 €)** obtient une étoile. Le jury a
aimé son côté flatteur et gourmand.
🔖 Henry Simon, Clos Bagatelle, 34360 Saint-Chinian,
tél. 04.67.93.61.63, fax 04.67.93.68.84,
e-mail closbagatelle@wanadoo.fr
☑ ⲭ ⲭ t.l.j. 9h-12h 14h-18h

CLOS SEGUIN Derrière la Grange 2002

■	3,5 ha	6 500	▮⬥	11 à 15 €

Un nouveau nom sur le terroir de Saint-Chinian avec
une étiquette originale. Une entrée dans le Guide pour une
première vinification. La robe de cette cuvée est sombre ;
le nez développe des notes de garrigue et de fruits rouges
et noirs. La bouche expressive repose sur des tanins
délicieusement veloutés. Un vin prometteur que l'on peut
attendre un à deux ans.
🔖 Jean-Rémi Seguin, La Vallée,
34360 Babeau-Bouldoux, tél. 04.67.97.12.09 ☑ ⲭ ⲭ r.-v.

DOM. COMPS Cuvée Le Soleiller 2002 ★

■	3 ha	8 000	▮◫⬥	5 à 8 €

Deux cuvées de ce domaine sont également intéressantes. La première, celle-ci, où la syrah (50 %) est associée
au grenache (40 %) et au mourvèdre. Son nez puissant est
marqué par des notes animales et des touches de menthol.
Après une attaque sur le fruit, les tanins, présents et soyeux,
se manifestent. La **cuvée de Pénelle rouge 2002**, syrah et
grenache à parts égales, exprime des nuances de fruits
jouant avec des notes vanillées. Les tanins sont riches et de
qualité. Deux saint-chinian typiques et prometteurs.
🔖 SCEA Martin-Comps, 23, rue Paul-Riquet,
34620 Puisserguier, tél. 04.67.93.73.15 ☑ ⲭ ⲭ r.-v.

DOM. LA CROIX SAINTE-EULALIE
Elevé en fût de chêne 2001 ★

■	2,6 ha	12 000	◫	8 à 11 €

Ce domaine dont les bâtiments sont situés au cœur du
village, à 2 km du moulin à farine de Saint-Chinian,
possède un vaste vignoble. Cette cuvée, née sur les schistes,
est vêtue d'une robe grenat et déploie des parfums de fruits
confits et de sous-bois. Riche et ample, ce 2001 s'appuie sur
des tanins élégants pour se développer agréablement au
palais. Un vin charmeur qu'une fine fourchette verrait bien
sur des pigeons aux lentilles.
🔖 Michel Gleizes, EARL Dom. La Croix Sainte
Eulalie, rte de Saint-Chinian - Combejean,
34360 Pierrerue, tél. 04.67.38.08.51, fax 04.67.38.08.51,
e-mail michel.gleizes@club-internet.fr
☑ ⲭ ⲭ t.l.j. 8h-12h 13h30-19h30

CH. LA DOURNIE 2002 ★

■	6 ha	5 000	▮	5 à 8 €

La famille Etienne cultive avec rigueur et vinifie avec
passion. Son 2002 est un joli vin grenat, très expressif et
enchanteur par ses senteurs de garrigue et de petits fruits
rouges. Sa bouche svelte, soyeuse est dotée de tanins fins
qui lui permettent d'être servi dès à présent. Le **rosé 2003**
est élégant et délicat : il obtient une étoile.
🔖 EARL Ch. la Dournie,
rte de Saint-Pons, 34360 Saint-Chinian,
tél. 04.67.38.19.43, fax 04.67.38.00.37,
e-mail chateau.ladournie@libertysurf.fr ☑ ⲭ ⲭ r.-v.
🔖 A. et H. Etienne

LANGUEDOC

DOM. DE GABELAS
Cuvée Juliette Elevée en fût de chêne 2001 *

■ 2 ha 10 000 🛢 8 à 11 €

Un joli saint-chinian né sur les grès rouges, paré d'une robe sombre. Le nez est intense, sauvage, animal avec des notes de fruits confits. La bouche souple et puissante laisse s'exprimer un fruité qui évolue très vite vers l'orange confite. Pas de doute : l'élevage est maîtrisé. Ce vin bien équilibré est déjà prêt à boire.

🔑 Pierrette Cravero, Dom. de Gabelas, 34310 Cruzy,
tél. 04.67.93.84.29, fax 04.67.93.84.29 ☒ Y 🚶 r.-v.

CH. GRAGNOS Anselme 2003

■ 3 ha 2 200 8 à 11 €

Quatrième génération de vignerons éleveurs, Laurent Babeau cultive avec un encépagement traditionnel de très vieilles vignes. Ce vin de bonne qualité, au nez encore peu développé de petits fruits rouges, est particulièrement agréable, souple, avec une structure tannique élégante. A servir dans les deux ans à venir.

🔑 Laurent Babeau, Ch. Gragnos,
10, Grand-Rue, 34360 Saint-Chinian,
tél. 04.67.38.03.79, fax 04.67.38.03.79 ☒ Y 🚶 r.-v.

CH. DES HUGUES Cuvée originale 2002 **

■ 8 ha 40 000 ▮🌡 3 à 5 €

« Voilà ce que l'on attend d'un saint-chinian né sur terroir argilo-calcaire », conclut le jury qui pourtant ignore l'identité du vin ! Le mérite revient à Xavier Guiraud qui a su élaborer un 2002 dont la robe est profonde, limpide et brillante. Le nez est marqué par le cassis avec des notes épicées. La bouche révèle de la puissance, des tanins fins et un bon équilibre. Il faudra patienter quelques années pour découvrir pleinement cette grande bouteille. A savourer sur un baron d'agneau aux herbes de la garrigue languedocienne. Vin commercialisé par la maison Jeanjean.

🔑 Xavier Guiraud,
Dom. de Jougrand, 34490 Murviel-lès-Béziers,
tél. 04.67.88.80.00, fax 04.67.96.65.67 ☒

DOM. DES JOUGLA Cuvée signée 2002 *

■ 3 ha 10 000 🛢 5 à 8 €

Après un coup de cœur pour le millésime 2001, voici un beau représentant de l'appellation. Sa palette décline des senteurs intenses de garrigue, de laurier, d'épices (poivre et notes vanillées). La structure est bâtie sur des tanins élégants et puissants. L'élevage bien maîtrisé confère à ce vin une belle longueur. Très bon dès maintenant, il le sera encore dans cinq ans.

🔑 Alain Jougla, Le Village,
34360 Prades-sur-Vernazobre,
tél. 04.67.38.06.02, fax 04.67.38.17.74 ☒ Y 🚶 r.-v.

DOM. DU LANDEYRAN Emilia 2002 *

■ 2,1 ha 8 500 ▮🌡 5 à 8 €

Fidèles à l'esprit de l'appellation par son assemblage, ce vin est aussi très représentatif du millésime par sa matière tendre et charnue et ses tanins non agressifs. Avec certes un peu plus de puissance, **Grains de passion 2002 (11 à 15 €)** partage l'essentiel des qualités du précédent. Il a obtenu également une étoile ainsi que le **rosé Les Demoiselles 2003** avec ses notes fruitées et florales. Des étoiles bien méritées pour Patricia et Michel Soulier qui, depuis dix ans, mettent en valeur ce terroir de Saint-Chinian.

🔑 EARL du Landeyran,
rue de la Vernière, 34490 Saint-Nazaire-de-Ladarez,
tél. 04.67.89.67.63, fax 04.67.89.67.63,
e-mail domainedulandeyran@free.fr ☒ Y 🚶 r.-v.

DOM. LA LINQUIERE Le Chant des cigales 2002 *

■ 2,5 ha 8 000 🛢 8 à 11 €

Les schistes portent la syrah (70 %), les grès le carignan (15 %) et les argilo-calcaires les 15 % de mourvèdre. Douze mois de fût ont donné ce vin d'une couleur intense, au nez d'épices, de garrigue, de fruits confits et de grillé. En bouche, l'attaque est impressionnante de rondeur avec des tanins croquants, équilibrés. Le **Tradition rouge 2003 (3 à 5 €)** ne connaît pas le bois. Plus simple, il obtient une citation.

🔑 Robert Salvestre et Fils,
Dom. La Linquière, 34360 Saint-Chinian,
tél. 04.67.38.25.87, fax 04.67.38.04.57 ☒ Y 🚶 r.-v.

DOM. LA MADURA 2001 *

■ 3 ha 13 000 🛢 15 à 23 €

Cyril Bourgne, après avoir travaillé dans le Bordelais, décide d'acheter un vignoble dans ses terres d'origine. Il choisit en 1998 de restructurer ce domaine situé à 10 km de l'abbaye de Fontcaude (étape pour tous les pélerins du Chemin de Compostelle, fondée au XIIe s. par l'ordre des Prémontrés). Implantés sur argilo-calcaire et schistes, le carignan (11 %), la syrah (44 %), le mourvèdre (29 %) et le grenache sont parfaitement vinifiés et élevés dix mois en barrique. Ce millésime fait rêver de garrigue et de fruits rouges. Les tanins tendres et frais laissent une bouche élégante qui se réjouira d'un carré d'agneau aux herbes.

🔑 Nadia et Cyril Bourgne,
12, rue de la Digue, 34360 Saint-Chinian,
tél. 04.67.38.17.85, fax 04.67.38.17.85,
e-mail lamadura@wanadoo.fr ☒ Y 🚶 r.-v.

DOM. MARQUISE DES MURES
Les Sagnes 2001 **

■ 5 ha 16 000 ▮🛢 8 à 11 €

Ne vous y trompez pas : ces « Marquises » sont des bergères d'antan. Mais l'important ici, c'est cette remarquable cuvée qui obtint des coups de cœur pour ses millésimes 2000 et 99. Ce 2001, lui aussi, reflète bien l'excellence de ce terroir. Le nez est d'une très grande expression fait de mûres sauvages, d'épices et de pain grillé. Finesse des tanins, onctuosité de la matière et harmonie des saveurs sont au rendez-vous. A apprécier sur des grives flambées. La cuvée **Réserve des Marquises 2001 (15 à 23 €)**, marquée par le bois, obtient une étoile.

🔑 Dom. des Marquises, 34460 Roquebrun,
tél. 06.84.30.76.20, fax 04.67.89.55.63 ☒ Y 🚶 r.-v.

DOM. LA MAURERIE Vieilles Vignes 2002 *

■ 2,5 ha 10 000 🛢 5 à 8 €

La famille Depaule est sur ces terres depuis la fin du XVIIIe s. Michel Depaule, œnologue, a su, dès son arrivée, exploiter les qualités de son terroir de schistes et mettre en valeur les vieilles vignes. La robe grenat devance ici un nez qui sait faire cohabiter le fruit (cassis) et les notes boisées. Ce vin très soigné, à la finale souple et longue, est harmonieux.

🔑 Michel Depaule,
Dom. La Maurerie, 34360 Prades-sur-Vernazobre,
tél. 04.67.38.22.09, fax 04.67.38.22.09,
e-mail michel-depaule@wanadoo.fr ☒ 🏠 Y 🚶 r.-v.

DOM. MOULINIER Les Terrasses grillées 2001 ★

■ 5 ha 13 000 🛢 23 à 30 €

Le mariage entre les trois terroirs (schiste, calcaire, grès) donne une originalité et une complexité à ce vin très connu par les œnophiles. Ces Terrasses grillées montrent une robe pourpre, des arômes de fruits rouges confits, d'épices, de réglisse et une finale mentholée. La bouche chaleureuse, très fine, repose sur des tanins fondus. Un vin à servir pour accompagner un sauté de mouton aux olives noires.

🔑 Dom. Moulinier, 34360 Pierrerue,
tél. 04.67.38.03.97, fax 04.67.38.09.15,
e-mail domaine-moulinier@wanadoo.fr ☑ Ⲧ ⚘ r.-v.

CH. PECH MENEL 2001 ★★★

■ 14,58 ha 6 600 ▮ 11 à 15 €

Les étoiles brillent pour Marie-Françoise et Elisabeth Poux qui ont frôlé le coup de cœur. Un terroir argilo-calcaire et gréseux, un encépagement très traditionnel, un assemblage où le carignan domine (60 %), vinifié en grappes entières : rien de plus classique. Et pourtant, ce vin sort du lot. Le nez mêle les fruits mûrs à des notes réglissées. La bouche est pleine, douce, puissante et charnue jusque dans la finale fumée et méditerranéenne. Une grande bouteille, superbe et expressive. Le **Château Vallouvières rouge 2001 (8 à 11 €)** a obtenu deux étoiles. Son nez séduit tout autant que celui de son grand frère ; sa puissance, sa structure, sa longueur, son potentiel sont à la hauteur des plus grands.

🔑 M.-F. et E. Poux, Dom. de Pech-Ménel,
34310 Quarante, tél. 04.67.89.41.42, fax 04.67.89.38.17,
e-mail pech-menel@wanadoo.fr ☑ Ⲧ ⚘ r.-v.

CH. DU PRIEURE DES MOURGUES Grande Réserve 2001 ★

■ 4 ha 9 000 🛢 11 à 15 €

Cette ancienne propriété des évêques de Saint-Pons-de-Thomières accueille aujourd'hui le vignoble Roger. La cuvée Grande Réserve, enveloppée de sa robe profonde, révèle des parfums intenses de fruits noirs, d'épices et de grillé. La bouche, très structurée, aux tanins fins et ronds, évolue sur un excellent équilibre et persiste longuement ; elle confirme les notes épicées avec une pointe animale. Vous pouvez conserver cette bouteille quelque temps encore ou la boire cet hiver sur un lapin de garenne.

🔑 SARL Vignobles Roger,
Ch. du Prieuré des Mourgues, 34360 Pierrerue,
tél. 04.67.38.18.19, fax 04.67.38.27.29,
e-mail prieure.des.mourgues@wanadoo.fr ☑ Ⲧ ⚘ r.-v.
🔑 Jérôme Roger

CH. QUATIRONI DE SARS 2001

■ 3,5 ha 18 000 🛢 5 à 8 €

Situé sur les coteaux de schistes surplombant la vallée de Saint-Chinian, ce domaine a un superbe point de vue. Le carignan (20 %), le grenache (20 %) et la syrah ont été élevés quinze mois en foudre. Ce sont des arômes de cassis, de figue mûre que l'on apprécie au nez. Souple en attaque, la bouche évolue sur des tanins fins. Un vin authentique.

🔑 Quartironi, Hameau le Priou, 34360 Pierrerue,
tél. 04.67.38.01.53, fax 04.67.38.01.53 ☑ 🏠 Ⲧ ⚘ r.-v.

DOM. RIMBERT Le Mas au Schiste 2002 ★

■ 9 ha 37 000 ▮🛢 8 à 11 €

Non loin du Parc national régional du Haut Languedoc, Berlou offre, entre vigne et montagnes, un superbe terroir de schistes. Originalité et typicité : deux mots qui définissent merveilleusement bien ce vin au nez complexe de rose, de cerise, de garrigue et de fumée. Le jury trouve ce 2002 très agréable aujourd'hui et estime qu'il sera sans doute meilleur demain. Pourquoi ne pas le goûter et en garder quelques bouteilles ? Un gigot d'agneau à la sauge l'accompagnera.

🔑 Jean-Marie Rimbert, place de l'Aire, 34360 Berlou,
tél. 04.67.89.74.66, fax 04.67.89.73.98,
e-mail domaine-rimbert@wanadoo.fr ☑ Ⲧ ⚘ r.-v.

CH. DE SAINT-CELS Elégance 2001 ★

■ 12 ha 60 000 🛢 5 à 8 €

Issue d'un terroir de schiste et d'un assemblage où domine le grenache, la cuvée Elégance gagne son étoile grâce à ses jolis parfums de fruits rouges, à sa souplesse, à sa rondeur, à son très bel équilibre. Elle emplit le palais de sensations harmonieuses. Le **Mas Ladet rosé 2003 (3 à 5 €)** obtient une citation. Il représente un millésime ensoleillé !

🔑 EARL des Vignobles de Saint-Cels,
34360 Saint-Chinian, tél. 04.67.38.13.32,
fax 04.67.38.15.13, e-mail st.cels@wanadoo.fr ☑ Ⲧ r.-v.

CH. SAINT-JEAN-DE-CONQUES 2002 ★

■ 5 ha 25 000 ▮🌡 8 à 11 €

Quarante donne à voir une extraordinaire église Sainte-Marie fondée au Xe s., témoin du premier art roman languedocien. Languedocien, ce vin l'est tout autant : eucalyptus, cassis, écorce d'orange annoncent une bouche ample et équilibrée aux tanins serrés. Il a besoin d'être aéré pour mieux s'épanouir et s'accordera avec un sauté de bœuf aux poivrons rouges confits. Le **rosé 2003 (5 à 8 €)**, au nez puissant, obtient une étoile.

🔑 François-Régis Boussagol,
Dom. Saint-Jean-de-Conques, 34310 Quarante,
tél. 04.67.89.34.18, fax 04.67.89.35.46,
e-mail fr.boussagol@wanadoo.fr ☑ Ⲧ ⚘ r.-v.

CH. SAINT-MARTIN-DES-CHAMPS 2003 ★★

■ 10 ha 45 000 ▮🌡 3 à 5 €

Originale cuvée que ce rosé pâle à reflets saumonés. Franc d'aspect et de goût, il possède un fruité intense (cassis) mêlé de notes épicées rares chez un rosé. L'attaque est fraîche et friande. Ce vin rond et suave, servi avec quelque salade exotique, vous rappellera les vacances.

🔑 Pierre et Michel Birot, Ch.
Saint-Martin-des-Champs,
rte de Puimisson, 34490 Murviel-lès-Béziers,
tél. 04.67.32.92.58, fax 04.67.37.84.49,
e-mail domaine@saintmartindeschamps.com
☑ 🏠 Ⲧ ⚘ t.l.j. 9h-12h 14h-18h30

SCHISTEIL 2003 ★★

■ 60 ha 15 000 ▮🌡 5 à 8 €

Créée en 1965, cette coopérative regroupe 580 ha et 83 adhérents. Au cœur du village de Berlou, le caveau accueillant permet de découvrir une production née d'une sélection de vignes très rigoureuse. Le jury a retenu avec une étoile la cuvée **Terroir Calisso rouge 2001**, où l'expression du schiste est très marquée au nez par des notes de grillé et de fumée. Il a davantage apprécié ce Schisteil rosé habillé d'une robe pâle et au nez élégant de petits fruits rouges (cassis, groseille). La bouche est suave jusqu'à une finale très agréable sur le fruit et la fraîcheur. Un vin d'apéritif mais aussi de repas.

Les Coteaux de Berlou, av. des Vignerons, 34360 Berlou, tél. 04.67.89.58.58, fax 04.67.89.43.74, e-mail pro.berlou@wanadoo.fr ☑ 🏠 ⵣ ⵣ r.-v.

SEIGNEUR D'AUPENAC 2002 ★★

| ■ | 8 ha | 30 000 | 🍷 15 à 23 € |

SEIGNEUR D'AUPENAC.

———— 2002 ————

SAINT-CHINIAN

Une nouvelle consécration pour cette cave qu'il faut absolument découvrir pour cette cuvée qui fait l'unanimité dans ce millésime pourtant difficile. Les dégustateurs ont attribué une étoile au **Domaine des Olivettes rouge 2003 (5 à 8 €)**, à attendre, et trois étoiles au **rosé Clos de l'Orb 2003 (3 à 5 €)**. Ce coup de cœur révèle des notes de grillé toasté avec, à l'aération, du cacao. En bouche, il est ample et riche ; ses notes minérales (pierre à fusil) se trouvent relevées par une surprenante fraîcheur de réglisse et de menthol. Un grand vin de schiste.
🍇 Cave Les Vins de Roquebrun, av. des Orangers, 34460 Roquebrun, tél. 04.67.89.64.35, fax 04.67.89.57.93, e-mail info@cave-roquebrun.fr ☑ ⵣ ⵣ r.-v.

SIMEONI Sièis 2002 ★

| ■ | 5 ha | 30 000 | ■↓ 5 à 8 € |

Situé dans le cœur de l'aire d'appellation, le terroir de ce domaine est composé de schiste et de grès plantés de cépages traditionnels. La cuvée **L'Ame des Schistes rouge 2002 (15 à 23 €)** a obtenu une citation. Le jury a préféré ce vin élevé en cuve. La robe est pourpre et très limpide. Le nez n'est pas exubérant mais complet, avec des notes de fruits rouges confits et d'épices. La structure, soutenue par une trame de tanins serrés et bien enrobés, porte loin la finale. Un vin au potentiel intéressant qu'on attendra deux à quatre ans.
🍇 Sylvie et Franck Siméoni, 2, rue Desaix, 34370 Cazouls-les-Béziers, tél. 04.67.93.78.92, fax 04.67.93.78.92, e-mail simeoni5@aol.com ☑ ⵣ ⵣ r.-v.

DOM. DE SORTEILHO 2002 ★★

| ■ | 20 ha | 100 000 | ■↓ 5 à 8 € |

Cette coopérative figure régulièrement en bonne place dans cette appellation. La cuvée **Renaud du Valon rouge 2002 (8 à 11 €)**, qui connaît le bois, obtient une étoile alors que ce Sorteilho, d'une couleur profonde et soutenue, est remarquable. Son nez se révèle complexe et agréable dans sa diversité (fruits noirs, épices, fumée). Souple dans un premier temps, le palais affirme ses tanins tout en conservant un bon équilibre. A essayer sur un gibier à plume dans un à deux ans.
🍇 Cave des Vignerons de Saint-Chinian, rte de Sorteilho, 34360 Saint-Chinian, tél. 04.67.38.28.48, fax 04.67.38.28.43 ☑ ⵣ r.-v.

DOM. DU TABATAU Albin 2003 ★★

| ■ | 1,16 ha | 5 700 | ■ 3 à 5 € |

Si le théâtre est un violon d'Ingres de ce domaine, le vin est l'objet de tous les soins de Bruno et Jean-Paul

Gracia depuis moins de dix ans. Ce rosé pâle, brillant, élégant et discret est marqué par des notes subtiles et grillées de fleurs et de petits fruits rouges. Il a séduit le jury grâce à son équilibre, à sa rondeur et à sa longueur. Vous l'apprécierez à l'apéritif comme sur des grillades. **En rouge 2002, Lo Tabataïre (8 à 11 €) élevé en barrique**, et le **Camprigou (5 à 8 €)** ont été cités par les dégustateurs.
🍇 Bruno et Jean-Paul Gracia, GAEC Dom. du Tabatau, rue du Bal, 34360 Assignan, tél. 04.67.38.19.60, fax 04.67.38.19.54, e-mail domainedutabatau@wanadoo.fr ☑ ⵣ ⵣ r.-v.

CH. VEYRAN Clos de l'Olivette 2001 ★★

| ■ | 2,5 ha | 14 000 | 🍷 5 à 8 € |

Une église romane jouxte le château Veyran qui possède une cave voûtée intéressante. Gérard Antoine a succédé à son père en 1984 et réalisé sa première mise en bouteilles il y a moins de dix ans. Le Clos de l'Olivette, paré d'une robe pourpre sombre, est entouré de parfums puissants et complexes de fruits rouges bien mûrs associés à des notes grillées et à une pointe animale. En bouche, il est tout en rondeur, équilibrant fraîcheur et gras. Il faudra attendre deux à trois ans pour qu'il se révèle pleinement.
🍇 Gérard Antoine, Ch. Veyran, 34490 Causses-et-Veyran, tél. 06.63.85.22.80, fax 04.67.89.67.89 ☑ ⵣ ⵣ r.-v.

CH. VIRANEL 2003 ★

| ■ | 5 ha | 30 000 | ■↓ 5 à 8 € |

Ce vin provient de l'assemblage parfait de la syrah, du grenache et du cinsault. Il affiche une belle couleur rose d'une brillance éclatante. Il dévoile un nez intense, un palais frais et équilibré. Il est prêt à accompagner bien des tartines à la tapenade et aux anchois de Collioure.
🍇 Ch. Viranel, 34460 Cessenon, tél. 04.90.55.85.82, fax 04.90.55.88.97, e-mail info@chateau-viranel.com ☑ ⵣ ⵣ r.-v.
🍇 Bergasse-Milhé

Cabardès

Les vins des Côtes de Cabardès et de l'Orbiel proviennent de terroirs situés au nord de Carcassonne et à l'ouest du Minervois. Le vignoble s'étend sur 592 ha et dix-huit communes. Il a produit 21 660 hl de vins rouges et rosés en 2003 sur une superficie déclarée de 487 ha, associant les cépages méditerranéens et atlantiques. Ces vins d'appellation sont assez différents des autres vins du Languedoc-Roussillon : produits dans la région la plus occidentale, ils subissent davantage l'influence océanique. C'est pourquoi les cépages autorisés comprennent le merlot et le cabernet-sauvignon à côté du grenache noir et de la syrah.

CH. LA BASTIDE Grande Cuvée 2001 ★★

■ 13,95 ha 80 000 5 à 8 €

Née sur un très vaste domaine (100 ha), cette cuvée n'est pas grande par son seul nom. C'est un joli vin à la robe profonde, grenat intense, au nez de prune cuite et de raisins mûrs. Riche d'un beau volume et structuré, cet ensemble racé est dans la lignée des précédents.

⊶ Vignobles Lorgeril, Ch. de Pennautier, BP 4, 11610 Pennautier, tél. 04.68.72.65.29, fax 04.68.72.65.84 ☑ ⌂ Y ⚲ t.l.j. 10h-19h

CH. BOURNONVILLE Cuvée Philippe 2002 ★★

■ 1,5 ha 7 166 ▮♁ 3 à 5 €

Cette ancienne dépendance de la seigneurie de Pezens a été rachetée il y a dix ans. Les nouveaux propriétaires se sont attachés, dans un premier temps, à replanter le vignoble. Ils récoltent aujourd'hui le fruit de ce travail. Ce 2002 est marqué par la puissance, tant au nez, où s'affichent d'intenses notes de cerise confite, qu'en bouche où, après une belle attaque, le vin se montre généreux, avec des tanins encore présents. A attendre.

⊶ Ch. Bournonville, 11170 Moussoulens, tél. 04.68.24.86.74, e-mail chateau-bournonville@wanadoo.fr ☑ Y ⚲ r.-v.

CH. DE BRAU Cuvée Exquise 2002 ★

■ 2,81 ha 15 000 ◖◗ 5 à 8 €

C'est un couple attachant qui, depuis vingt ans, progresse dans une démarche rigoureuse en agriculture biologique. Le vin proposé cette année, après un élevage d'un an en barrique, est concentré, avec un nez de mûre et d'épices douces. Puissant en bouche et d'une belle longueur, il est élégant et prêt à boire.

⊶ Wenny et Gabriel Tari, Ch. de Brau, 11620 Villemoustaussou, tél. 04.68.72.31.92, fax 04.68.25.91.27, e-mail chateaudebrau@wanadoo.fr
☑ Y ⚲ t.l.j. 9h-12h 14h-18h; sam. dim. sur r.-v.

CH. JOUCLARY
Cuvée Guilhaume de Jouclary 2002 ★★★

■ 4 ha 9 500 ◖◗ 8 à 11 €

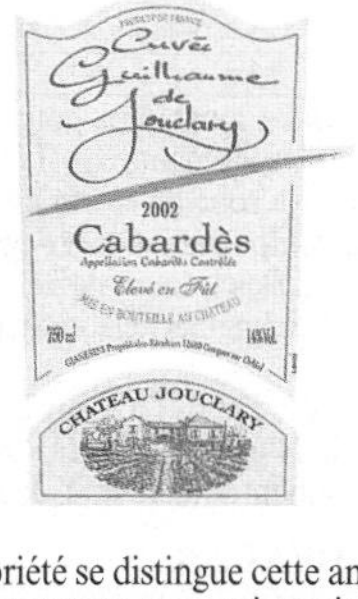

Cette propriété se distingue cette année par son **rosé 2003** et surtout par son rouge qui reçoit le coup de cœur. Mariage à parts égales de syrah et de merlot, le vin est superbe. Entourant une robe soutenue à reflets violines, les parfums puissants de fruits mûrs et d'épice fine séduisent d'emblée le dégustateur. La très belle matière au grain de tanin fin est accompagnée par des notes de réglisse. La grande persistance de la finale emporte l'adhésion.

⊶ EARL Gianesini, Ch. Jouclary, 11600 Conques-sur-Orbiel, tél. 04.68.77.10.02, fax 04.68.77.00.21
☑ Y ⚲ sam. 11h-19h

CH. DE PENNAUTIER
L'Esprit de Pennautier 2001 ★★★

■ 6,1 ha 32 000 **15 à 23 €**

Le château de Pennautier, fondé en 1620, invite à remonter les plus grands moments de l'histoire du Languedoc. Parmi ses hôtes illustres, figura Molière. L'Esprit de Pennautier, petite production, est la quintessence du domaine. Les dégustateurs parlent de vin exceptionnel. Le nez est tout de douceur avec des senteurs d'humus et de sous-bois. Un superbe vin de garde, soyeux et puissant en bouche. Quel équilibre !

⊶ Vignobles Lorgeril, Ch. de Pennautier, BP 4, 11610 Pennautier, tél. 04.68.72.65.29, fax 04.68.72.65.84 ☑ ⌂ Y ⚲ t.l.j. 10h-19h

CH. SALITIS Cuvée des Dieux 2002 ★★

■ 9 ha 20 000 ▮♁ 8 à 11 €

Cinq générations se sont succédé sur ce domaine et les dieux invoqués par cette cuvée ne l'ont pas été en vain. Car son vin est construit sur l'élégance. Elégance des arômes de fruits frais. Elégance de la structure avec beaucoup de gras et de charme. Gouleyant, un vin à boire mais aussi à conserver.

⊶ Depaule-Marandon, Ch. Salitis, 11600 Conques-sur-Orbiel, tél. 04.68.77.16.10, fax 04.68.77.05.69, e-mail salitis@wanadoo.fr ☑ r.-v.
⊶ Anne Marandon-Maurel

CH. VENTENAC Le Carla 2003 ★★

▒ 17 ha 110 000 ▮♁ 3 à 5 €

Fondé en 1973, un domaine qui compte dans l'AOC, par la régularité de ses distinctions au fil des éditions du Guide, ce qui doit inciter le lecteur à visiter le village, ses ruelles, son château... et bien sûr le vignoble. Cette année, c'est le rosé qui mérite une attention toute particulière. Le nez est intense, fait d'abricot, de violette et de réglisse, en parfaite harmonie avec la bouche ample et vineuse. Superbe.

⊶ SARL Vignobles Alain Maurel, 1, pl. du Château, 11610 Ventenac, tél. 04.68.24.93.42, fax 04.68.24.81.16 ☑ Y ⚲ t.l.j. sf dim. 8h-12h 14h-18h

Côtes-de-la-malepère AOVDQS

On a produit 34 825 hl de cette AOVDQS en 2003 sur trente et une communes de l'Aude comptant 654 ha déclarés, dans un terroir soumis à l'influence océanique et situé au nord-ouest des Hauts-de-Corbières qui le protègent de l'influence méditerranéenne. Ces vins rouges ou rosés, corsés et fruités, comprennent non pas du carignan, mais, en plus du grenache et du cot, les cépages bordelais cabernet-sauvignon, cabernet franc et merlot dominants.

CLOS DES CHENES 2002 ★★★

■ 0,5 ha 4 000 ▮ ⦶ ⫯ 5 à 8 €

Lorsqu'un domaine expérimental, catalyseur de tous les progrès réalisés dans cette appellation, décide de mettre son talent en bouteilles, on découvre le Clos des Chênes. Le vin est superbe avec sa robe rouge profond. Intense au nez (fruits noirs, confiture et épices en arrière-plan), il se montre charmeur en bouche, puissant et gras.

⊶ SICA Dom. de Cazes, Maison des Terroirs, 11240 Alaigne, tél. 04.68.69.01.14, fax 04.68.69.33.46
☑ Y ⚲ t.l.j. sf sam. dim. 9h-12h 14h-18h

CH. DE COINTES
Croix du Languedoc Clémence 2002 ★

■ n.c. 4 650 ⦶ **8 à 11 €**

Ce sont les premiers consuls de Carcassonne, au XVIIᵉs., qui donnèrent leur nom à ce domaine. Cette cuvée a été élevée douze mois en fût de chêne. Elle se montre puissante au nez comme en bouche, avec un boisé grillé présent. Un vin de garde encore jeune, qu'il faut attendre.

⊶ Anne Gorostis, Ch. de Cointes, 11290 Roullens, tél. 04.68.26.81.05, fax 04.68.26.84.37, e-mail gorostis@chateaudecointes.com ☑ Y ⚲ r.-v.

DOM. LE FORT Elevé en fût de chêne 2002 ★★★

■ 4 ha 22 000 ⦶ 5 à 8 €

Une très belle réussite pour Stéphanie et Marc Pagès, la jeune génération qui transforme passion et simplicité en un coup de cœur. Le vin est tout en harmonie, avec un boisé très fin, légèrement vanillé et réglissé, arômes qui accompagnent des tanins fondus.

⊶ Marc Pagès, Dom. Le Fort, 11290 Montréal-de-l'Aude, tél. 04.68.76.20.11, fax 04.68.76.20.11, e-mail info@domainelefort.com ☑ ⚲ r.-v.

DOM. DE FOURNERY 2002 ★★

■ 20 ha 85 000 ▮ ⫯ 3 à 5 €

Une valeur sûre de cette cave coopérative du Razès. Ce domaine est retenu tant pour son rouge 2002 que pour son **rosé 2003**, également deux étoiles. Ce vin rouge est tout en harmonie. L'attaque est souple avec des tanins soyeux, la bouche superbement accompagnée de petits fruits (cassis et framboise). Sa longueur a séduit.

⊶ Cave du Razès, 11240 Routier, tél. 04.68.69.02.71, fax 04.68.69.00.49, e-mail info@cave-razes.com
☑ Y ⚲ t.l.j. sf sam. dim. 9h-12h 14h-18h

DOM. GIRARD Tradition 2002 ★★

■ n.c. 8 000 ⦶ 5 à 8 €

Un village en circulade, et ce domaine qui, une fois de plus, confirme son savoir-faire avec ce vin tout en puissance. Encore jeune au nez avec des arômes de garrigue, il affiche la grande douceur de ses tanins, reflet de la maturité et de la concentration des raisins. Un vin à conserver pour une grillade ou un cassoulet.

⊶ André et Philippe Girard, 5, rue de la Fontaine, 11240 Alaigne, tél. 04.68.69.05.27, fax 04.68.69.05.27 ☑ Y ⚲ r.-v.

CH. GUILHEM Cuvée Prestige 2002 ★★

■ 2,5 ha 13 000 ⦶ 5 à 8 €

Le château, tel qu'on le voit aujourd'hui, fut construit au XIXᵉs. dans le style Directoire. Mais sous ses fondations on peut retrouver l'histoire d'un château cathare et, en remontant encore le temps, les traces d'une *villa* gallo-romaine. C'est tout cela la viticulture méditerranéenne. Elaboré avec les méthodes les plus modernes, ce vin d'extraction longue présente une robe soutenue. Le nez dominé par des fruits mûrs annonce une bouche puissante au boisé très présent. D'une belle structure, c'est un vin de garde déjà très agréable, mais qui gagnera à être conservé avant d'être servi avec un pigeon aux petits pois printaniers.

⊶ GFA Ch. Guilhem, 1, bd du Château, 11300 Malviès, tél. 04.68.31.14.41, fax 04.68.31.58.09, e-mail bgourdou@chateauguilhem.com
☑ Y ⚲ t.l.j. sf dim. 9h-19h
⊶ B. Gourdou

DOM. LASSALLE 2001 ★★

■ 10 ha 7 000 ⦶ 5 à 8 €

Cette petite cave coopérative sait parfaitement exprimer la force de l'un des plus beaux terroirs des côtes-de-la-malepère. Le vin est tout à la fois puissant et élégant. Les fruits noirs s'expriment au nez avec un boisé fondu. La bouche pleine, ample, vanillée et très longue signe un joli vin de garde. A retenir également, le **Domaine de la Sougeole**, qui obtient une étoile.

⊶ Cave coop. de Rouffiac-d'Aude, 5, av. des Carrassiers, 11250 Rouffiac-d'Aude, tél. 04.68.26.81.73, fax 04.68.26.89.00, e-mail rouffiaccoop@wanadoo.fr ☑ Y r.-v.

DOM. LA LOUVIERE Sélection 2002 ★

■ 2 ha 7 000 ▮ ⦶ ⫯ **8 à 11 €**

Il n'aura pas fallu longtemps pour que ce nouveau venu, qui a acheté le domaine La Louvière en 1999, exprime son talent. La robe de ce vin est encore jeune et c'est le fruit qui accompagne toute la dégustation, tant au nez qu'en bouche. Celle-ci, toute de velours, confirme la réussite de Nicolas Schneider, élaborateur de cette jolie bouteille.

⊶ Nicolas Schneider, Dom. La Louvière, 11300 Malviès, tél. 04.68.31.32.81, fax 04.68.31.80.62, e-mail louviere@club-internet.fr ☑ Y ⚲ r.-v.

DOM. DE MATIBAT 2002 ★

■ 11 ha 13 000 ⦶ **5 à 8 €**

Henri Turetti a reconstruit le domaine de Matibat durant trente ans et c'est maintenant Jean-Claude, son fils, qui continue son œuvre. Il propose un vin à la robe profonde, au nez complexe où dominent des senteurs grillées. Epicée, la bouche est ronde, construite sur des tanins fins. Un 2002 prêt à boire.

🗝 Jean-Claude Turetti,
Dom. de Matibat, 11300 Saint-Martin-de-Villeréglan,
tél. 04.68.31.15.52, fax 04.68.31.04.29 ☑ Y ⚲ r.-v.

DOM. DE MONTLAUR 2002 *

■ 40 ha 12 600 ▮ 5 à 8 €

Habituée du Guide, cette cave a réalisé de considérables investissements en créant un nouveau chai d'élevage qu'il convient de visiter. Son Domaine de Montlaur est construit sur l'élégance. D'une bonne structure, avec des notes fruitées, il offre un bon exemple d'équilibre entre le nez et la bouche. Il est prêt à accompagner tout un repas familial.

🗝 Cave La Malepère, av. des Vignerons,
11290 Arzens, tél. 04.68.76.71.71, fax 04.68.76.71.72,
e-mail cave.la.malepere@wanadoo.fr ☑ Y ⚲ r.-v.

Vins doux naturels

Dès l'Antiquité, les vignerons de la région ont élaboré des vins liquoreux de haute renommée. Au XIIIe s., Arnaud de Villeneuve découvrit le mariage miraculeux de la « liqueur de raisin et de son eau-de-vie » : c'est le principe du mutage qui, appliqué en pleine fermentation sur des vins rouges ou blancs, arrête celle-ci en préservant ainsi une certaine quantité de sucre naturel.

Les vins doux naturels d'appellation contrôlée se répartissent dans la France méridionale: Pyrénées-Orientales, Aude, Hérault, Vaucluse et Corse, jamais bien loin de la Méditerranée. Les cépages utilisés sont les grenaches (blanc, gris, noir), le macabeu, la malvoisie du Roussillon, dite tourbat, le muscat à petits grains et le muscat d'Alexandrie. La taille courte est obligatoire.

Les rendements sont faibles, et les raisins doivent, à la récolte, avoir une richesse en sucre de 252 g minimum par litre de moût. L'agrément des vins est obtenu après un contrôle analytique. Ils doivent présenter un taux d'alcool acquis de 15 à 18 % vol., une richesse en sucre de 45 g minimum à plus de 100 g pour certains muscats, et un taux d'alcool total (alcool acquis plus alcool en puissance) de 21,5 % vol. minimum. Certains sont commercialisés tôt (muscats), d'autres le sont après trente mois d'élevage. Vieillis sous bois de manière traditionnelle, c'est-à-dire dans des fûts, ils acquièrent parfois après un long élevage des notes très appréciées de rancio.

Muscat-de-lunel

Le terroir de Lunel est principalement constitué de gress, cailloutis sur plusieurs mètres d'épaisseur à ciment d'argile rouge. Le vignoble se localise sur ces nappes caillouteuses, au sommet des coteaux. Ici, seul le muscat à petits grains est utilisé ; les vins finis doivent avoir au minimum 125 g/l de sucre. 10 539 hl ont été élaborés pour le millésime 2003 sur une superficie de 342 ha.

CLOS BELLEVUE Cuvée Vieilles Vignes 2003 **

▭ 4 ha 10 000 ▮ 11 à 15 €

Francis Lacoste mise sur la fraîcheur du dernier millésime : le jury a apprécié la délicatesse de ce muscat tout en finesse, au nez de fleurs blanches, de litchi et de poire. En bouche, le moelleux est équilibré par une judicieuse pointe d'acidité. L'ensemble est fondu à souhait, élégant. Du Lacoste quoi ! A recommander à l'apéritif.

🗝 Francis Lacoste, Dom. de Bellevue,
rte de Sommières, 34400 Lunel, tél. 04.67.83.24.83,
fax 04.67.71.48.23, e-mail muscatlacoste@wanadoo.fr
☑ Y t.l.j. sf dim. 9h-19h; hiver 9h-18h

CH. GRES SAINT-PAUL Sévillane 2002 **

▭ 2,5 ha 8 000 ▮ 8 à 11 €

Comme l'an dernier, M. Servière, propriétaire de ce beau domaine dont les vignes sont installées sur les meilleurs terrains villafranchiens, propose la cuvée Sévillane. Cette année, la complexité aromatique de ce vin rend le jury intarissable : notes délicates de fleurs blanches, de fleurs coupées, mais aussi d'agrumes, de fruits secs avec un léger grillé, une palette ne manquant pas d'élégance. En bouche, le bel équilibre entre moelleux et acidité préserve la fraîcheur jusque dans une finale soyeuse : que demander de plus ? Un coup de cœur du jury.

⊶ Ch. Grès Saint-Paul, rte de Restinclières,
34400 Lunel, tél. 04.67.71.27.90, fax 04.67.71.73.76,
e-mail contact@gres-saint-paul.com
☒ Ƴ 🚶 t.l.j. sf dim. 9h-12h 14h-19h
⊶ Servière

CH. TOUR DE FARGES 2001

▒ 34 ha 145 000 ▮🍷 5 à 8 €

Le Château Tour de Farges est une sélection de la cave coopérative qui provient de 34 ha de vignes remarquablement situés sur les hauteurs de Lunel-Viel. Ce muscat au nez évolutif de fruits secs et de caramel présente en bouche un aspect liquoreux et chaleureux qui en dit long sur la richesse de la matière première. En prime, la commission a pu redéguster la cuvée Vendanges d'automne 2000 (deux étoiles dans le Guide 2004) et constater que ce vin lumineux et plein d'esprit avait conservé toutes ses qualités. A réserver aux amateurs de rancio.

⊶ Les Vignerons du Muscat de Lunel,
rte de Lunel-Viel, 34400 Vérargues,
tél. 04.67.86.00.09, fax 04.67.86.07.52,
e-mail info@muscat-lunel.com ☒ Ƴ r.-v.

Muscat-de-frontignan

Le frontignan a été le premier muscat à obtenir l'appellation d'origine contrôlée en 1936. C'est un jugement du tribunal de Montpellier (du 4 juillet 1935) qui a fixé la nature des terroirs susceptibles de produire ces vins. Les muscat-de-frontignan ne peuvent naître que de terrains généralement secs, caillouteux, pierreux, issus de couches jurassiques, molassiques et d'alluvions anciennes – des sols ingrats à tout autre culture. Ils proviennent exclusivement du muscat à petits grains (anciennement appelé « muscat de Frontignan »). Ces vins doivent garder 125 g de sucre par litre. Puissants, ils ne manquent pourtant jamais d'élégance. Les 800 ha de l'AOC ont produit 23 812 hl en 2003.

CLOS DE LA GARDIOLE 2003 ★★

▒ n.c. 50 000 ▮ 8 à 11 €

La famille Pastourel, souvent à l'honneur dans le Guide, ne dérogera pas à la règle cette année. D'abord par ce coup de cœur attribué à cette cuvée où le nez de raisins frais est associé à la pâte d'amandes. En bouche, richesse et fraîcheur alliées à une rétro-olfaction sur la fleur d'oranger confèrent à ce vin une certaine note orientale. La **cuvée Prestige du Chateau de la Peyrade 2003** obtient deux étoiles pour sa grande fraîcheur aromatique faite d'effluves végétaux mentholés. Finesse et légèreté caractérisent sa bouche, tout en dentelle.

⊶ Yves Pastourel et Fils,
Ch. de La Peyrade, 34110 Frontignan,
tél. 04.67.48.61.19, fax 04.67.43.03.31 ☒ Ƴ 🚶 r.-v.

CAVE DE FRONTIGNAN 20 ans d'âge ★★

▒ n.c. 3 080 🛢 15 à 23 €

Comme elle en a pris l'habitude depuis quelques années, la cave de Frontignan présente un vin « oublié » appelé « 20 ans d'âge », déjà constellé d'étoiles dans le Guide 2004. Cette année, le jury le note légèrement en dessous de ses prédécesseurs, mais la discussion dure encore... Sa robe est ambrée, son nez révèle tour à tour le pain d'épice, la pâte de coings et les raisins confits. En bouche, la fraîcheur l'emporte sur l'onctuosité. A réserver aux amateurs de rancio et à servir avec un dessert à base de chocolat, évidemment.

⊶ SCA Coop. de Frontignan,
14, av. du Muscat, BP 136, 34112 Frontignan Cedex,
tél. 04.67.48.12.26, fax 04.67.43.07.17,
e-mail frontignancoop@wanadoo.fr ☒ 🚶 r.-v.

DOM. DU MAS ROUGE 2002 ★

▒ 2,8 ha 10 000 ▮ 8 à 11 €

Le domaine du Mas rouge, principalement producteur de muscat-de-mireval, a une partie de son vignoble classée historiquement en frontignan. Celui-ci présente un nez intense de verveine et de fruits mûrs. Sa belle structure liquoreuse rappelle les raisins surmûris du millésime 2002. Un frontignan bien dans la tradition.

⊶ Julien Cheminal,
Dom. du Mas Rouge, 34110 Vic-la-Gardiole,
tél. 04.67.51.66.85, fax 04.67.51.66.89,
e-mail les-oresquiers@wanadoo.fr ☒ Ƴ 🚶 r.-v.

DOM. PEYRONNET Cuvée Belle Etoile 2002 ★

▒ 8 ha 6 000 ▮🍷 8 à 11 €

Depuis 1990, Alain Peyronnet, œnologue, gère le domaine familial créé par son grand-père Favier-Bel en 1935. Il présente cette cuvée Belle Etoile or pâle à reflets verts. Le nez intense révèle progressivement le raisin frais, les fruits exotiques et la figue sèche. En bouche, rondeur et fraîcheur s'accordent : on a l'impression de croquer un grain de muscat.

⊶ Dom. Peyronnet, 9, av. de la Libération,
34110 Frontignan, tél. 04.67.48.34.13,
fax 04.67.48.14.42, e-mail caves.favier-bel@tiscali.fr
☒ Ƴ 🚶 t.l.j. 9h-12h 14h-19h

CH. DE PEYSSONNIE 2002 ★

▒ 20 ha 35 000 ▮ 5 à 8 €

Un muscat de 2002, issu d'une sélection rigoureuse à la parcelle. Au nez évolutif de fleurs séchées, de raisins et

d'agrumes succède une bouche ronde, ample mais aussi fine. Un beau frontignan bien dans la tradition de la coopérative.
🐓 SCA Coop. de Frontignan,
14, av. du Muscat, BP 136, 34112 Frontignan Cedex,
tél. 04.67.48.12.26, fax 04.67.43.07.17,
e-mail frontignancoop@wanadoo.fr ☑ ⚲ r.-v.

MAS DE LA PLAINE HAUTE 2002

	0,6 ha	1 600	📖 🍷 🍶	5 à 8 €

Ce jeune viticulteur, installé depuis 1996, vient d'obtenir sa première citation dans le Guide. Sa cuvée 2002 mérite l'attention par son nez intense et complexe de genêt, de camphre et d'amandes grillées, par sa bouche ample et liquoreuse à la finale longue, tout en douceur. Un vin réussi à servir avec de la crème brûlée.
🐓 Olivier Robert, 96, cité l'Hortus,
34270 Saint-Mathieu-de-Treviers, tél. 04.67.55.38.58,
e-mail masplainehaute@free.fr ☑ ⵙ ⚲ r.-v.

Muscat-de-mireval

Ce vignoble s'étend entre Sète et Montpellier, sur le versant sud du massif de la Gardiole, et est limité par l'étang de Vic. Les sols sont d'origine jurassique et se présentent sous forme d'alluvions anciennes de cailloutis calcaires. Le cépage est uniquement le muscat à petits grains ; il a donné, en 2003, 7 632 hl de vins doux naturels sur 286 ha.

Le mutage est effectué assez tôt, car les vins doivent avoir un minimum de 125 g de sucre ; ils sont moelleux, fruités et liquoreux.

DOM. DE LA CAPELLE Sélection de grains 2002 ★

	15 ha	18 000	🍶	11 à 15 €

La famille Maraval, très honorablement connue dans le petit monde du muscat et régulièrement mentionnée dans le Guide, présente un muscat cette année plein de fraîcheur, presque floral. En bouche, c'est le fruité qui s'exprime, faisant ressortir des arômes de raisin et de fruits exotiques. L'équilibre est parfait. La sucrosité ressentie, associée à une finale minérale, confère une note originale à ce vin élégant, qui conviendrait pour un foie gras aux figues.
🐓 Alexandre Maraval, Dom. de La Capelle,
av. Gambetta, 34110 Mireval,
tél. 04.67.78.15.14, fax 04.67.78.58.96 ☑ ⵙ r.-v.

CH. D'EXINDRE Vent d'Anges 2002 ★★

	2,51 ha	10 000	🍶	8 à 11 €

Cette ancienne propriété des rois de France est aujourd'hui, et depuis sept générations, domaine familial. Catherine Sicard-Géroudet et son mari, amateurs de vendanges tardives et de mutage léger, déjà distingués lors des précédentes éditions du Guide, proposent cette année ce magnifique Vent d'Anges 2002 à la robe dorée, au nez complexe de compote de coings, de cire et de fruits très mûrs. En bouche, la puissance et l'onctuosité s'associent pour donner à l'ensemble un superbe équilibre. Les

amateurs adoreront ce pot-pourri de sensations olfactives et gustatives.
🐓 Catherine Sicard-Géroudet, La Magdelaine d'Exindre, 34750 Villeneuve-lès-Maguelone,
tél. 04.67.69.49.77, fax 04.67.69.49.77,
e-mail catherinegeroudet@yahoo.fr ☑ 🏠 ⵙ ⚲ r.-v.

DOM. DU MAS ROUGE
Cuvée Excellence 2002 ★★★

	3 ha	10 000	🍶	8 à 11 €

Ce n'est que depuis 2001 que M. Cheminal est à la tête de cette magnifique propriété de 30 ha de muscat, remarquablement équipée. La passion, le respect de la tradition et une application intelligente des techniques nouvelles sont à l'origine de ce coup de cœur de l'AOC dès le millésime 2002. Sa cuvée Excellence a enthousiasmé le jury par sa belle robe jaune à reflets verts, son nez intense, complexe, où fleurs blanches, citrus et fruits mûrs sont en synergie. En bouche, onctuosité, complexité, fraîcheur, équilibre, longueur conduisent à un grand mariage gourmand. C'est la rencontre heureuse de la tradition et de la modernité. Du grand art.
🐓 Julien Cheminal,
Dom. du Mas Rouge, 34110 Vic-la-Gardiole,
tél. 04.67.51.66.85, fax 04.67.51.66.89,
e-mail les-oresquiers@wanadoo.fr ☑ ⵙ ⚲ r.-v.

Muscat-de-saint-jean-de-minervois

Ce muscat est produit par un vignoble perché à 200 m d'altitude et dont les parcelles s'imbriquent dans un paysage classique de garrigue. Il s'ensuit une récolte tardive, près de trois semaines environ après les autres appellations de muscat. Le vignoble est implanté sur des sols calcaires d'un blanc étincelant où apparaît parfois la coloration rouge de l'argile. Là encore, seul le muscat à petits grains est autorisé ; les vins obtenus doivent avoir un minimum de 125 g/l de sucre. Ils sont très aromatiques, avec beaucoup de finesse, de fraîcheur et des notes florales caractéristiques. C'est la plus petite AOC de muscat sur le continent (180 ha) avec une production de 4 922 hl en 2003.

DOM. DE BARROUBIO Dieuvaille 2002 ★★

17 ha n.c. 11 à 15 €

On ne présente plus le domaine de Barroubio aux amateurs du Guide, tant cette propriété travaille dans l'excellence et ce, depuis de nombreuses années. Cette fois encore, le jury a sélectionné les trois vins présentés. Le préféré des dégustateurs a été la cuvée Dieuvaille d'un beau jaune clair, au nez puissant et complexe de fleurs séchées, de mangue et de fruits exotiques. Son ampleur en bouche, sa longueur et sa parfaite harmonie donnent... deux étoiles à ce vin remarquable. La **Cuvée bleue 2002 (5 à 8 € les 50 cl)** ne démérite pas avec son élevage d'un an sur lies qui lui confère des notes de raisins grillés ainsi qu'une longueur remarquable. Elle obtient deux étoiles.

Raymond Miquel, Barroubio,
34360 Saint-Jean-de-Minervois, tél. 04.67.38.14.06,
fax 04.67.38.14.06, e-mail barroubio@club-internet.fr
t.l.j. 10h-12h 14h-19h

DOM. DE BARROUBIO 2002 ★

17 ha 50 000 8 à 11 €

La cuvée classique 2002 du domaine de Barroubio a particulièrement inspiré un membre du jury qui y dénote, outre un nez intense de fruits secs mêlés à la mangue et au litchi, un équilibre parfait en bouche avec des notes d'ananas où vivacité et sucrosité se fondent à merveille : une forte impression de ciel bleu et de soleil de plomb ! L'ensemble du jury s'accorde pour qualifier ce vin de très réussi.

Raymond Miquel, Barroubio,
34360 Saint-Jean-de-Minervois, tél. 04.67.38.14.06,
fax 04.67.38.14.06, e-mail barroubio@club-internet.fr
t.l.j. 10h-12h 14h-19h

LE MUSCAT Petit Grain 2002 ★

n.c. 21 000 8 à 11 €

Créée en 1955, la cave coopérative représente aujourd'hui près de 80 % du volume total de l'appellation. Elle soumet au jury la cuvée Petit Grain issue d'une sélection de cuves du millésime 2002. Ce vin présente bien les caractéristiques de l'année par son nez de fleurs séchées, de fruits mûrs, voire confits. La bouche est riche, d'une grande onctuosité, dotée d'arômes de fruits confits ainsi que d'une bonne longueur et d'une finale plutôt chaude. A consommer dans l'année avec des... châtaignes nous dit-on !

SCA Le Muscat, 34360 Saint-Jean-de-Minervois,
tél. 04.67.38.03.24, fax 04.67.38.23.38,
e-mail lemuscat@wanadoo.fr r.-v.

DOM. DU SACRE-CŒUR Cuvée Kevin 2003 ★

2 ha 8 000 8 à 11 €

Marc et Luc Cabaret, également producteurs de saint-chinian, installés depuis 1991 dans le pittoresque petit village d'Assignan, proposent ce beau muscat caractéristique de l'année 2002. Doté d'un nez intense de fleurs séchées et de fruits secs, il se distingue des précédents millésimes par une grande onctuosité en bouche et une finale chaleureuse. A consommer dans l'année avec un bleu des Causses, par exemple.

GAEC du Sacré-Cœur, Dom. du Sacré-Cœur,
Le Village, 34360 Assignan,
tél. 04.67.38.17.97, fax 04.67.38.24.52,
e-mail gaecsacrecoeur@net-up.com
t.l.j. 9h-12h 15h-19h
Cabaret Père et Fils

Le Roussillon

L'implantation de la vigne en Roussillon, sous l'impulsion des marins grecs attirés par les richesses minières de la côte catalane, date du VIIe s. avant notre ère. Elle se développa au Moyen Age, et les vins doux de la région connurent de bonne heure une solide réputation. Après l'invasion phylloxérique, la vigne a été replantée en abondance sur les coteaux du plus méridional des vignobles de France.

Amphithéâtre tourné vers la Méditerranée, le vignoble du Roussillon est bordé par trois massifs : les Corbières au nord, le Canigou à l'ouest, les Albères au sud, qui font la frontière avec l'Espagne. La Têt, le Tech et l'Agly sont des fleuves qui ont modelé un relief de terrasses dont les sols caillouteux et lessivés sont propices aux vins de qualité, et particulièrement aux vins doux naturels que vous trouverez dans ce chapitre. On rencontre également des sols d'origine différente avec des schistes noirs et bruns, des arènes granitiques, des argilo-calcaires ainsi que des collines détritiques du pliocène.

Le vignoble du Roussillon bénéficie d'un climat particulièrement ensoleillé, avec des températures clémentes en hiver, chaudes en été. La pluviométrie (350 à 600 mm) est mal répartie, et les pluies d'orages ne profitent guère à la vigne. Il s'ensuit une période estivale sèche, dont les effets sont souvent accentués par la tramontane qui favorise la maturation des raisins.

La vigne est encore le plus souvent conduite en gobelet, avec une densité de 4 000 pieds. La culture reste traditionnelle, souvent peu mécanisée. L'équipement des caves se modernise avec la diversification des cépages et des techniques de vinification. Après de rigoureux contrôles de maturité, la vendange est transportée en comportes ou petites bennes sans être écrasée ; une partie des raisins est traitée par macération carbonique. Les températures au cours de la vinification sont de mieux en mieux maîtrisées, afin de protéger la finesse des arômes : tradition et technicité se côtoient.

Côtes-du-roussillon et côtes-du-roussillon-villages

Ces appellations sont issues des meilleurs terroirs de la région. Le vignoble, de 9 000 ha environ, a produit 211 946 hl de côtes-du-roussillon, dont 7 471 hl en blanc et 79 718 hl en côtes-du-roussillon-villages, en 2003 dans l'ensemble des appellations. Les côtes-du-roussillon-villages sont localisés dans la partie septentrionale du département des Pyrénées-Orientales ; quatre communes bénéficient de l'appellation avec le nom du village : Caramany, Lesquerde, Latour-de-France et Tautavel. Terrasses de galets, arènes granitiques, schistes confèrent aux vins une richesse et une diversité qualitatives que les vignerons ont bien su mettre en valeur.

Les vins blancs sont produits principalement à partir des cépages macabeu, malvoisie du Roussillon et grenache blanc, mais également avec la marsanne, la roussanne et le rolle, vinifiés par pressurage direct. Ils sont méditerranéens, avec un arôme fin, floral (fleur de vigne). Ce sont des compagnons de choix pour les fruits de mer, les poissons et les crustacés.

Les vins rosés et les vins rouges sont obtenus à partir de plusieurs cépages : le carignan noir (60 % maximum), le grenache noir, le lladonner pelut, le cinsault, comme cépages principaux, et la syrah, le mourvèdre et le macabeu (10 % maximum dans les côtes-du-roussillon) comme cépages complémentaires ; il faut obligatoirement trois cépages. Tous ces cépages (sauf la syrah) sont conduits en taille courte à deux yeux. Souvent, une partie de la vendange est vinifiée en macération carbonique, surtout à partir du carignan qui donne, avec cette méthode de vinification, d'excellents résultats. Les vins rosés sont vinifiés obligatoirement par saignée.

Les vins rosés sont fruités, corsés et nerveux ; les vins rouges sont fruités, épicés, d'une richesse alcoolique de 12 % vol. environ. Les côtes-du-roussillon-villages sont plus corsés et chauds ; certains peuvent se boire jeunes, mais d'autres peuvent se garder plus longtemps et développer alors un bouquet intense et complexe. Leurs qualités organoleptiques diversifiées leur permettent de s'associer avec les mets les plus variés.

Côtes-du-roussillon

DOM. ALQUIER 2001 ★★

■ 3 ha 6 000 8 à 11 €

Des millions d'individus passent au Boulou en allant en Espagne et sans s'arrêter ! Tant pis et tant mieux peut-être pour la préservation de cette vallée du Tech, sauvage et accueillante, riche d'eaux thermales et de culture avec le splendide musée de Céret. Le Tech a bâti ce terroir où la syrah est superbe. Elle domine ici dans ce vin apportant des parfums de fruits noirs et de violette. Le terroir lui confère suavité, finesse des tanins, accompagnés par une originale touche de clou de girofle très fraîche en finale.

Pierre Alquier, Dom. Alquier,
66490 Saint-Jean-Pla-de-Corts,
tél. 04.68.83.20.66, fax 04.68.83.55.45,
e-mail earl.domaine.calquier@terre-net.fr
t.l.j. sf dim. 9h-12h 14h-18h30

CH. AMALRIC Elevé en fût de chêne 2001 ★★

■ 0,9 ha 5 860 5 à 8 €

Si le viticulteur occupe le Crest de cailloux roulés, entre fort de Salses et étang du Barcarès, le pays prend des airs de Camargue avec tamaris et cabanes de pêcheurs ; un monde à découvrir à cheval. Cette coopérative propose une bouteille remarquable : la syrah s'impose sur des airs de cassis dominant le boisé vanillé. En bouche, l'accord se fait autour d'un tanin velouté, du fruit fondu et de la note fraîche, légèrement mentholée, de la finale.

SCAV Les Vignerons de St-Hippolyte,
av. Paul-Riquet, 66510 Saint-Hippolyte,
tél. 04.68.28.31.85, fax 04.68.28.59.10 r.-v.

ARNAUD DE VILLENEUVE Vieilles Vignes 2003 ★

□ 20 ha 8 000 3 à 5 €

« L'union fait la force ». C'est certain, mais lorsqu'elle conduit comme ici à regrouper 3 000 ha de vignes, elle donne quelques soucis à F. Baixas pour l'organisation des vendanges. Toute l'équipe a fait preuve d'une grande maîtrise technique qui s'exprime pleinement dans ce blanc à la robe tendre et fraîche, au nez floral (acacia avec un soupçon de fleur de citronnier). Frais, suave, jouant sur l'amylique, ce vin offre une finale nerveuse et attrayante qui ouvre sa palette fruitée à la marmite du pêcheur.

Les Vignobles du Rivesaltais,
1, rue de la Roussillonnaise, BP 56, 66600 Rivesaltes,
tél. 04.68.64.06.63, fax 04.68.64.64.69,
e-mail vignobles-rivesaltais@wanadoo.fr
t.l.j. sf dim. 9h-12h 14h-18h30

ART DE VIVRE 2003

■ n.c. 270 000 3 à 5 €

Une zone d'apport vaste et variée permet à ce groupement de producteurs de jouer sur les terroirs, la

ROUSSILLON

maturité, les cépages, et d'offrir ainsi des vins aux caractères variés tel cet Art de Vivre à la robe pourpre. Pleine, fruitée et souple, cette bouteille aux tanins veloutés est appréciée en bouche pour sa gouleyance et sa fraîcheur en finale. Elle est à consommer dès à présent avec une volaille ou un fromage affiné.

⚷ Vignerons Catalans, 1870, av. Julien-Panchot,
BP 29000, 66962 Perpignan Cedex 9,
tél. 04.68.85.04.51, fax 04.68.55.25.62,
e-mail contact@vignerons-catalans.com ☒ Y ⚲ r.-v.

DOM. BISCONTE Vieilli en fût de chêne 2001 ★★

■ 15,58 ha 19 476 ◍ 5 à 8 €

Pour les amateurs d'art roman, la région est une merveille et le petit cloître du Xᵉs. de Saint-Génis une étape incontournable avant d'aller s'imprégner, par les chemins forestiers, de la douceur envoûtante des Albères. Et voyez ce vin remarquable : subtilité du nez autour de fruits secs, de notes de maquis et de cette touche minérale caractéristique du terroir. Elégance de la bouche, féminité, douceur, grain de tanin velouté : l'harmonie est déjà là. Pourquoi ne pas l'essayer avec un couscous ou une cuisine orientale ?

⚷ Les Vignerons des Albères,
rte de Brouilla, 66740 Saint-Genis-des-Fontaines,
tél. 04.68.89.81.12, fax 04.68.89.80.45
☒ ⚲ mar.-ven. 9h30-12h 15h-18h; lun. 15h-18h,
sam. 9h30 12h; f. dim.

DOM. BOUDAU Le Clos 2002 ★

■ 4,5 ha 15 000 ▮♁ 5 à 8 €

Régulièrement à l'honneur dans le Guide, le vignoble de P. et V. Boudau n'en finit pas de vous livrer du plaisir. Ce Clos porte une robe intense d'un rouge profond qui annonce le fruité mûr avec cerise noire, début de pruneau et musc. Puis le vin se révèle ample et souple, les petits fruits rouges glissant sur un tanin enrobé, avec cette pointe sauvage qui se perd dans la douceur de la finale. Il gagnera à se « laisser attendre » deux à trois ans.

⚷ SARL Dom. Boudau, 6, rue Marceau, BP 60,
66602 Rivesaltes, tél. 04.68.64.45.37, fax 04.68.64.46.26,
e-mail domaineboudau@wanadoo.fr
☒ Y t.l.j. sf dim. 10h-12h 15h-18h (19h en été)

CH. CAP DE FOUSTE Elevé en fût de chêne 2001

■ 10 ha 53 000 ◍ 5 à 8 €

Aux portes de Perpignan, ce très beau domaine s'abrite autour d'un vieux parc catalan qui contribue à la fois au charme du site et à la conservation d'une fraîcheur estivale fort appréciable. Entourant une robe au rubis profond, des senteurs de miel, de fruits rouges, puis de cuir et de laurier : nous avons affaire à un vin structuré. Le palais confirme cette impression, accordant venaison et torréfaction autour de tanins encore présents.

⚷ Vignerons Catalans, 1870, av. Julien-Panchot,
BP 29000, 66962 Perpignan Cedex 9,
tél. 04.68.85.04.51, fax 04.68.55.25.62,
e-mail contact@vignerons-catalans.com Y ⚲ r.-v.

CH. DE CASTELNOU 2001

■ 7,4 ha 13 500 ◍ 11 à 15 €

Sur son piton, ce château du Xᵉs., restauré mille ans plus tard, est l'exemple même des forteresses médiévales avec le vieux village enroulé à ses pieds. Un site classé où 400 000 visiteurs s'arrêtent chaque année. Voilà un vin prêt à servir de compagnon à un gibier à plume : une note de cerise confite, une touche de cuir et de venaison, un tanin encore soutenu, tout concourt à cet accord gourmand.

⚷ SA Ch. de Castelnou,
pl. du Château, 66300 Castelnou,
tél. 04.68.53.22.91, fax 04.68.53.33.81 ☒ Y r.-v.

DOM. DE CORDELLE 2002

■ 15 ha 8 000 ▮♁ 5 à 8 €

L'ancienne Illibéris est riche de culture. Son cloître du XIIᵉs. est une étape incontournable, tout comme la cathédrale du XIᵉ, point culminant d'un vieux village où les maisons semblent soulever cet édifice vers le ciel. La trilogie grenache, syrah, carignan donne ici un accord alliant fraîcheur et maturité sur des notes de cassis et de minéralité. Un tanin enrobé, velouté confère un bel équilibre à ce vin à consommer maintenant.

⚷ Les Vignerons d'Elne,
67, av. Paul-Reig, 66200 Elne,
tél. 04.68.22.06.51, fax 04.68.22.83.31 ☒ Y ⚲ r.-v.

DOM. DES DEMOISELLES Les Charlines 2003 ★★

▒ 1,5 ha 4 000 ▮♁ 5 à 8 €

Au milieu des *bruxes* (sorcières ou fées en catalan), dans leur fief de Tresserre où se déroule chaque année leur fête, nos Demoiselles font dans la dentelle avec ce rosé remarquable. Rouge tendre, il réserve un accueil méditerranéen, chaleureux ; le fruit éclate avec cerise et mûre sur fond réglissé. La bouche est à l'avenant ; la groseille s'invite à la fête. Du corps, une finesse mentholée en finale confèrent à ce vin une belle présence. Pour des charcuteries catalanes.

⚷ Isabelle Raoux, Dom. des Demoiselles,
Mas Mulès, 66300 Tresserre,
tél. 04.68.38.87.10, fax 04.68.38.87.10,
e-mail domaine.des.demoiselles@wanadoo.fr
☒ Y ⚲ t.l.j. sf lun. 11h-13h 16h-20h; f. janv.

DOM. ELS BARBATS Bouquet des Cistes 2001 ★

■ 0,5 ha 800 ◍ 8 à 11 €

Village vigneron, Tresserre est enroulé telle une écharpe autour de son clocher. Est-ce pour s'abriter de la tramontane ou pour se protéger des sorcières qui font fête dès l'automne venu ? Epice, sous-bois, venaison, le tout dans une robe profonde, ce vin ne cache pas sa concentration. Pourtant, il s'avère équilibré, frais, souple à l'attaque ; le tanin soyeux allie élégamment violette et vanille. Il est prêt pour un civet de lapin.

⚷ Paul Milhe Poutingon, Dom. Els Barbats,
66300 Tresserre, tél. 04.68.83.28.51, fax 04.68.83.28.51,
e-mail domaine-barbats@wanadoo.fr ☒ Y ⚲ r.-v.

DOM. FERRER-RIBIERE Selenae 2001 ★★

■ 3,5 ha 5 000 ◍ 30 à 38 €

Que de chemin parcouru en dix ans ! La notoriété, mais surtout le regard simple du vigneron, amoureux du métier, appliquant les règles de la biodynamie et respectueux d'un environnement de cailloux roulés sur fond de Canigou. Cette cuvée affirme une grande concentration, dès l'approche, par sa robe au rubis profond, par ses senteurs de cerise noire confiturée et de noix muscade. La bouche confirme cette impression, avec le charnu du fruit, la fraîcheur du raisin mûr, le tanin viril et la richesse qui enrobe l'ensemble. A ouvrir dans deux ans sur une pièce de bœuf.

Dom. Ferrer-Ribière, 20, rue du Colombier, 66300 Terrats, tél. 04.68.53.24.45, fax 04.68.53.10.79, e-mail domferrerribiere@aol.com r.-v.

LES HAUTS DE FORÇA REAL 2002

■	1 ha	n.c.		8 à 11 €

Entre vallée de l'Agly et de la Têt, en éperon avancé des Fenouillèdes, Força Réal domine le Roussillon jusqu'à la mer et offre une vue imprenable des Corbières aux Pyrénées. Bien calé à l'abri sur un versant sud, le vignoble puise dans les schistes souplesse et soyeux. Ce vin a été apprécié pour sa finesse aromatique autour de la rose et de senteurs plus sauvages du maquis. Un boisé subtil lui confère une jolie longueur sur des saveurs grillées.

Dom. Força Réal, 66170 Millas, tél. 04.68.85.06.07, fax 04.68.85.49.00, e-mail info@forcareal.com r.-v.

J.- P. Henriquès

DOM. DES HOSPICES DE CANET-EN-ROUSSILLON
Grande Réserve 2003 *

■	3,8 ha	19 000		5 à 8 €

L'exemple doit venir d'en haut ! Alors, il est logique de découvrir dans le Guide un nouveau venu dans la commercialisation directe, le président de la Chambre d'agriculture qui exploite un vignoble familial de 120 ha. Un vin à base de syrah aux senteurs de cerise confite, de sous-bois, sur une note poivrée. La bouche est fine, réglissée, avec un tanin soyeux et beaucoup de souplesse. La finale, sur la cerise, montre une jolie fraîcheur.

Benassis-Lavail, 5, imp. de l'Hort, 66140 Canet-en-Roussillon, tél. 04.68.35.05.12, fax 04.68.35.19.07, e-mail culturevin@wanadoo.fr r.-v.

DOM. LAFAGE Cuvée Léa 2001 *

■	n.c.	25 000		8 à 11 €

Entre mer et montagne, Jean-Marc Lafage joue sur les terroirs pour trouver la meilleure expression de la syrah ou du grenache autour de vieux carignans. Recherche réussie avec la cuvée **Mas Ilaro 2003**, une étoile, et cette cuvée Léa au rubis limpide, vanillée, avec une touche de fruits confiturés et de cuir. Ample, le tanin bien enrobé, le vin est équilibré, long et élégant, jouant sur le grillé et la douceur du fruit.

SCEA Dom. Jean-Marc Lafage, Mas Durand, 66140 Canet-en-Roussillon, tél. 04.68.80.35.82, fax 04.68.80.38.90, e-mail domaine.lafage@wanadoo.fr r.-v.

DOM. LAPORTE Sumeria 2002 ***

■	4 ha	10 000		15 à 23 €

Via Domitia, cité antique de Ruscino (d'où est né le nom Roussillon), site de Vilarneu recherché et découvert au hasard d'une rocade... un lieu chargé d'histoire que cette haute terrasse de la Têt glissant doucement vers la mer. Une superbe robe d'un grenat profond ; un nez marqué par le fruit épicé, le cuir et la fine note de gibier de la syrah. Une belle charpente accompagnée de la puissance d'un fruit charnu et de la finesse d'un élevage sous bois réussi. Rien de mieux pour un gigot d'agneau aux cèpes.

Le Roussillon

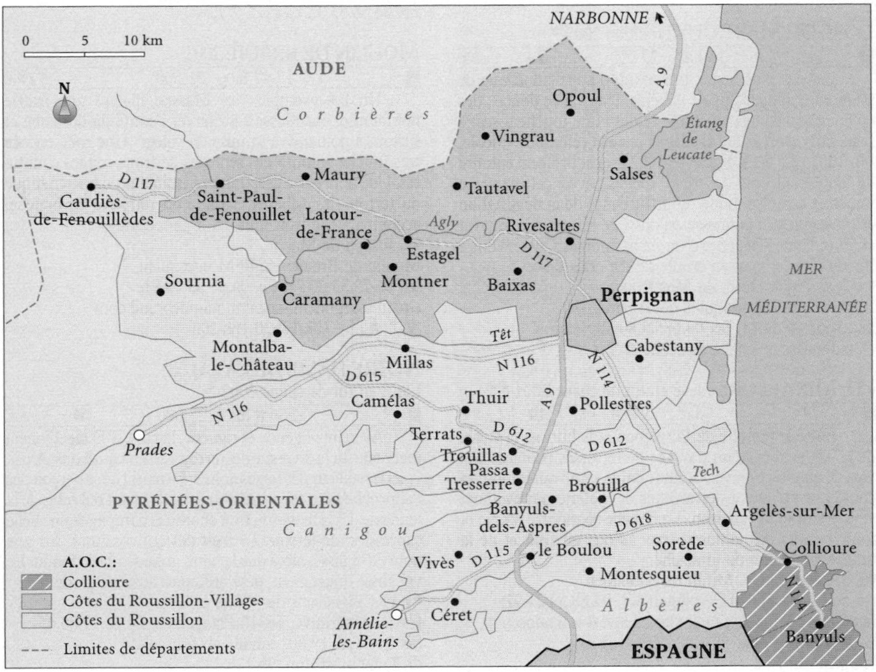

🍷 Dom. Raymond Laporte, Ch. Roussillon,
rte de Canet, 66000 Perpignan, tél. 04.68.50.06.53,
fax 04.68.66.77.52, e-mail domaine-laporte@wanadoo.fr
☑ ⸙ t.l.j. sf sam. dim. 9h-12h 14h-18h

DOM. MARCEVOL Le Prestige 2001 ★

■	4 ha	10 000	⬤⬤ 11 à 15 €

Original, ce vignoble situé à plus de 500 m d'altitude ; originaux, ce prieuré perdu dans la nature, les 20 habitants au village et... un golf ! Avec ça, ce vigneron en reconversion bio vend 50 % de sa production à l'étranger alors que la route qui conduit au domaine oblige à s'arrêter pour se croiser. Mais Dieu que c'est beau ! Et le vin mérite l'effort : il est profond, marqué par la vendange, l'épice et des notes plus sauvages de sous-bois et de cuir. Chaleureux, il est certes encore un peu dur, mais la terrasse d'altitude lui confère une très belle fraîcheur en finale.
🍷 EARL Prédal-Verhaeghe,
Marcevol, 66320 Arboussols,
tél. 06.22.01.54.14, fax 04.68.05.74.34 ☑ ⸙ ⚹ r.-v.

DOM. MAS CREMAT 2002 ★★

■	4,5 ha	20 000	■⬤⬤⬤ 5 à 8 €

Etonnant terroir que celui de ces terres noires, où le vert tendre de la vigne naissante sur fond de forêts de pins compose au printemps un tableau du plus bel effet. La robe est ici d'un pourpre intense. A l'aération, réglisse et violette surprennent, puis la puissance, le fondu, la touche de fruits mûrs, la note terroitée qui donnent au vin une présence remarquable et l'assurance d'une bonne garde.
🍷 Jeannin-Mongeard, Dom. Mas Crémat,
66600 Espira-de-l'Agly, tél. 04.68.38.92.06,
fax 04.68.38.92.23, e-mail mascremat@mascremat.com
☑ ⸙ ⚹ t.l.j. 10h-12h 14h-18h

DOM. DU MAS ROUS Tradition 2002 ★

■	16 ha	20 000	■⬤ 5 à 8 €

Un des plus beaux terroirs de l'appellation que ce piémont pyrénéen appelé Albères. Une vallée douce ; des collines ondulantes ; des sols acides ; une touche toscane mais sans cyprès : le Mas Rous reste la référence viticole. Un **2001 (5 à 8 €)**, cité, et ce 2002 grenat profond entouré de notes épicées, de fruits rouges, avec cette touche minérale caractéristique. Le maître-mot de la dégustation est la souplesse ; la finesse est aussi de mise car le fruit est charnu. Toute l'élégance d'un vin harmonieux, typé, à boire sur un rôti de bœuf en croûte de sel, nous dit-on.
🍷 José Pujol, Dom. du Mas Rous,
BP 4, 66740 Montesquieu-des-Albères,
tél. 04.68.89.64.91, fax 04.68.89.80.88,
e-mail masrous@mas-rous.com ☑ ⸙ ⚹ r.-v.

CH. MIRAFLORS Elevé en fût de chêne 2001 ★★

■	7 ha	5 000	⬤⬤ 5 à 8 €

Entre le tumulte de Perpignan et le littoral, la vallée de la Têt est restée un paysage de terrasses propices aux vins de qualité. Celui-ci, dominé par la syrah qui impose sa couleur soutenue, a des arômes de violette qui évoluent vers le cuir et la venaison. La bouche se montre ample et fondue, avec des tanins soyeux autour du fruit et de la touche généreuse du grenache.
🍷 SA Cibaud-Ch. Miraflors et Belloch,
rte de Canet, 66000 Perpignan, tél. 04.68.50.24.92,
fax 04.68.67.20.02, e-mail vins.cibaud@wanadoo.fr
☑ ⸙ ⚹ t.l.j. sf dim. 9h-12h 15h30-18h30
🍷 Alain Cibaud

CH. MOSSE
Temporis Vieilli en fût de chêne 2001 ★★★

■	5 ha	18 000	⬤⬤ 8 à 11 €

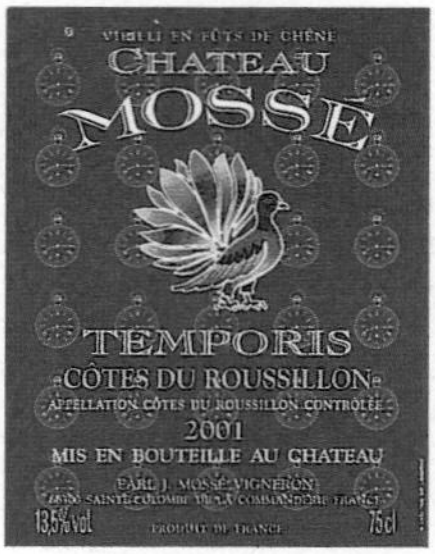

Le père de Jacques Mossé, aujourd'hui disparu, a su conserver et embellir le plus beau village du Roussillon. Jacques et les siens continuent de donner à ce lieu une empreinte viticole qui en fait le fleuron du vignoble catalan et de l'accueil en Roussillon. Le **Tradition 2003 (3 à 5 €)** a obtenu deux étoiles, apprécié pour sa fraîcheur, ses notes de cassis et de truffe. Ce Temporis est l'élu incontesté du grand jury. Entouré d'une robe profonde, le nez, timide au départ, explose à l'aération sur des notes de cassis, de mûre, de sous-bois, d'épice. Ample, riche, généreuse, solide, la bouche est sublime d'équilibre, de matière, de fruit charnu finement vanillé et de longueur. Ce vin se prêtera à bien des accords, mais c'est déjà un plaisir de le goûter pour lui-même.
🍷 Jacques Mossé, Ch. Mossé,
Sainte-Colombe-de-la-Commanderie,
BP 8, 66301 Thuir Cedex, tél. 04.68.53.08.89,
fax 04.68.53.35.13 ☑ ⸙ ⚹ r.-v.

MOULIN DE BREUIL 2001

■	17,47 ha	21 500	5 à 8 €

Un bel exemple : les Massia, malgré une fratrie nombreuse, ont réussi à préserver l'entité du domaine et surtout à poursuivre sa mise en valeur. Une robe encore très fraîche entoure des senteurs de fruits rouges confiturés. Une note nerveuse, fraîche et minérale, caractéristique du terroir des Albères et que l'on retrouve en bouche, accompagne le fruit mûr.
🍷 Joseph de Massia,
Moulin de Breuil, 66740 Montesquieu,
tél. 06.72.33.20.71, fax 04.68.89.75.81,
e-mail josephdemassia@moulindebreuil.com
☑ ⸙ ⚹ t.l.j. 10h-12h30 16h-20h

NOTRE-DAME DE LAVAL
Elevé en fût de chêne 2002 ★

■	8 ha	25 000	⬤⬤ 5 à 8 €

Avec intelligence et rigueur, la cave d'Estagel joue à merveille sur la diversité des terroirs de ses vignerons. Ainsi, voici le meilleur des terres noires. La maturité se perçoit dès l'approche avec ce regard noir orné du clin d'œil rubis de la jeunesse. La richesse du fruit charnu accompagne une belle expression de terroir. Le fruit devient confituré, sur une note de réglisse, alors que le tanin grillé se révèle fondu. Le vin glisse doucement, déjà prêt mais aussi de garde.
🍷 Les Vignerons des Côtes d'Agly,
Cave coopérative, 66310 Estagel, tél. 04.68.29.00.45,
fax 04.68.29.19.80, e-mail agly@tiscali.fr
☑ ⸙ ⚹ t.l.j. sf dim. 9h-12h 14h-18h

DOM. DES ORMES
L'Azur Elevé en fût de chêne 2001 ★★

■ 5 ha 1 500 11 à 15 €

Au pied du village, le vignoble s'étale nonchalamment sur le glacis de cailloux roulés, mais dans son dos, il serpente dans les filons d'argile rouge à l'assaut des garrigues sauvages du causse de Thuir. L'accueil de ce vin, c'est un regard sombre et des senteurs mêlées de cassis, d'épices de torréfaction et de garrigue estivale. Puissant, le palais en impose ; le fruit se fait mûr, le boisé fondu. Le tanin au grain gourmand prépare l'avenir.

Dom. des Ormes, 1, Cami de Cantarana,
66300 Ste-Colombe-de-la-Commanderie,
tél. 04.68.53.19.33, fax 04.68.38.82.50,
e-mail domainedesormes@yahoo.fr r.-v.
Georges Rossignol et Paul Alsina

CH. PEZILLA Vieilli en fût de chêne 2002 ★★

■ 15 ha 20 000 5 à 8 €

Pézilla doit tout à la Têt : ses terres fertiles de maraîchage et d'arboriculture puis, au-dessus du village, ses terrasses de cailloux roulés arrachés aux Pyrénées, support d'un **rosé 2003 Château Pézilla (3 à 5 €)**, remarquable de fraîcheur. Quant à ce rouge, il célèbre l'excellent mariage du vin et de l'épice torréfiée de la barrique. Puissante, sa belle charpente repose sur des tanins fins entourant un fruit bien présent.

Les Vignerons de Pézilla,
1, av. du Canigou, 66370 Pézilla-la-Rivière,
tél. 04.68.92.00.09, fax 04.68.92.49.91,
e-mail vignerons.pezilla@little-france.com r.-v.

DOM. PIQUEMAL Les Terres grillées 2002 ★

4 ha 20 000 8 à 11 €

Le terroir de schistes noirs, d'où le nom de terres grillées, les cépages traditionnels, les hommes (père, fils)... et les femmes (mère et fille) : le secret de la trilogie de la réussite en appellation, avec en prime le plaisir de la convivialité, la vie à bras le corps... Si la robe est fraîche, printanière, le vin lui est présent, ample, réussi dans son élevage sous bois, onctueux, légèrement grillé. De la belle ouvrage à consommer avec du poisson cuisiné, voire une zarzuela !

Dom. Pierre Piquemal,
1, rue Pierre-Lefranc, 66600 Espira-de-l'Agly,
tél. 04.68.64.09.14, fax 04.68.38.51.55,
e-mail contact@domaine-piquemal.com r.-v.

CH. PLANERES La Coume d'Ars 2002 ★★

■ 5 ha 10 000 5 à 8 €

On pourrait plagier Brassens en chantant que « tout est bon chez eux... » En effet, les jurés ont aimé le **rosé 2003 (5 à 8 €)**, cité, ont retenu un **Romanie 2001 (15 à 23 €)**, solide et épicé, cité également, et avec une étoile, un **Château Planères Prestige 2002**, ample et marqué par le mourvèdre. Avec cela, ce Coume d'Ars au rouge profond est marqué par les fruits rouges et une entrée de bouche suave et aromatique. Un vin ample aux tanins soyeux, d'une harmonie parfaite jusque dans la finale fraîche, gage d'un avenir certain.

Vignobles Jaubert-Noury,
Ch. Planères, 66300 Saint-Jean-Lasseille,
tél. 04.68.21.74.50, fax 04.68.21.87.25,
e-mail contact@chateauplaneres.com
t.l.j. 8h30-12h 14h-18h30

CH. DE REY Sisquò 2002 ★

■ 3 ha 6 600 5 à 8 €

Le château figure au nombre des demeures dessinées par l'architecte Van Petersen, un nostalgique des résidences de Louis II de Bavière. Rey, surprenant dans le paysage de galets roulés, est cité pour un blanc mûr et racé : **Galets roulés 2002 (11 à 15 €)**. Quant à ce vin d'un rouge profond à légers reflets tuilés, aux notes de fruits mûrs et de sous-bois, il invite à la découverte. Des fruits confiturés bien présents et une touche épicée confèrent longueur et élégance à ce vin prêt à boire.

Philippe et Cathy Sisqueille, Ch. de Rey,
rte de Saint-Nazaire, 66140 Canet-en-Roussillon,
tél. 04.68.73.86.27, fax 04.68.73.15.03,
e-mail chateau-de-rey@libertysurf.fr
t.l.j. sf sam. dim. 9h-12h 15h-17h

DOM. RIERE CADENE Cuvée Jean Rière 2002

■ 2 ha 3 000 8 à 11 €

Même si Perpignan y pousse un peu sa corne, la rive gauche de la Têt reste un terroir agricole et c'est sur l'ancien lit caillouteux de la Têt, entre ville et aéroport, que ce vin invite au voyage. La syrah impose sa présence sur des airs grenat où dansent les fruits rouges. Un vin plein de raisin mûr, encore jeune et fougueux, aux tanins en devenir. A oublier deux ans pour le plaisir de retrouvailles à maturité.

J.-F. Rière, Dom. Rière Cadène, Mas Bel-Air,
chem. de Saint-Génis-de-Tanyères, 66000 Perpignan,
tél. 04.68.63.87.29, fax 04.68.52.30.65,
e-mail riere@wanadoo.fr t.l.j. 9h-19h

CH. ROMBEAU Cuvée Pierre de La Fabrègue
Elevé en fût de chêne 2001 ★★

■ 9 ha 13 000 8 à 11 €

Vigneron, restaurateur, hôtelier, boulimique de travail, Pierre-Henri de la Fabrègue est également une mine d'or de la culture catalane, doté d'un indéniable talent de conteur. C'est plaisir que d'oublier le temps, le soir, autour de la convivialité de sa table. Il y a de l'avenir dans la robe sombre de ce vin, dans ces senteurs feutrées de cuir, de sous-bois, de mûre ; il y a de l'élégance dans le palais riche, généreux et fondu. Fruit confit, réglisse et torréfaction se feront complices autour d'une côte de bœuf.

Pierre-Henri de La Fabrègue, Dom. de Rombeau,
66600 Rivesaltes, tél. 04.68.64.35.35, fax 04.68.64.64.66,
e-mail contact@domaine-de-rombeau.com
t.l.j. 8h-20h

DOM. ROSSIGNOL Le Graal 2001 ★★★

■ 2,25 ha 5 516 11 à 15 €

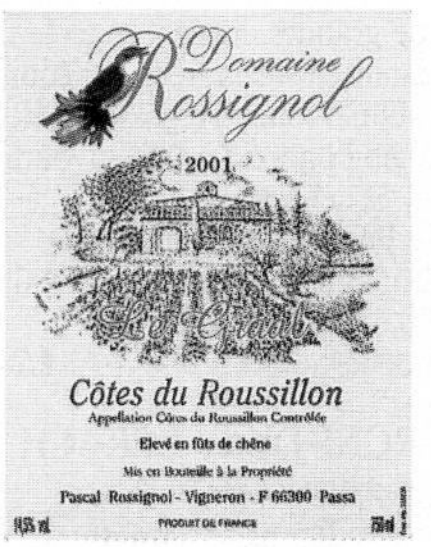

Le voilà sur la plus haute branche. Après un Bacchus en 2003 (plus haute distinction en Roussillon), cet agriculteur jovial, appliqué et dynamique, poète à ses heures et ardent défenseur de son Roussillon, est élu coup de cœur par le grand jury ! La robe rouge de ce vin confine au noir ; le fruit est omniprésent (cerise confite) avec une touche exotique de vanille et de noix de coco. La bouche est à l'avenant, élégante, riche, pleine, chantant des airs de violette. Les tanins veloutés forment un ensemble harmonieux, intelligemment boisé. Beaucoup de classe dès aujourd'hui et d'espoir de garde.

⊶ Pascal Rossignol, rte de Villemolaque, 66300 Passa,
tél. 04.68.38.83.17, fax 04.68.38.83.17,
e-mail domaine.rossignol@free.fr
☑ 🍷 🚶 t.l.j. sf dim. 10h30-12h30 16h-19h30

DOM. SALVAT 2001 *

■ 20 ha 20 000 ▮🌡 8 à 11 €

Bien sûr, le siège et le caveau sont à Saint-Paul-de-Fenouillet, la capitale ! Mais cave et vigne sont pour l'essentiel à Saint-Martin et c'est là qu'il faut aller, à Taïchac. Le souffle coupé par la beauté du site avec le Canigou pour décor, on s'y poserait bien pour écouter le silence du vent et voir le temps s'arrêter. On goûterait ce vin très réussi par le fondu poivré des tanins, sur fond d'épices et de fruits de sous-bois. On trouve aussi du plaisir avec le **Taïchac blanc 2003 (8 à 11 €)**, une étoile, floral et miellé, un **Ginestes rouge 2001 (15 à 23 €)**, une étoile, un vin frais, aux senteurs méditerranéennes, équilibré, d'une belle élégance de bouche.

⊶ Dom. Salvat, 8, av. Jean-Moulin,
66220 Saint-Paul-de-Fenouillet,
tél. 04.68.59.29.00, fax 04.68.59.20.44,
e-mail salvat.jp@wanadoo.fr ☑ 🍷 🚶 r.-v.

CH. DE SAU Cuvée originale 2001

■ 35 ha 240 000 ▮🌡 3 à 5 €

Entre Perpignan et Thuir, le paysage hésite entre arboriculture et vignes. Hervé Passama a fait le choix de la viticulture, jouant sur la finesse des rivesaltes et le fruité de ce roussillon rouge. La robe affiche une forte extraction, ce que confirme le nez intense de fruits mûrs réglissés et de raisins surmûris. Un bel équilibre de saveurs signe une bouteille qui doit encore se fondre. A attendre un an ou deux.

⊶ Hervé Passama, Ch. de Sau, 66300 Thuir,
tél. 04.68.53.21.74, fax 04.68.53.29.07,
e-mail chateaudesau@aol.com ☑ 🏠 🍷 🚶 r.-v.

DOM. SINGLA La Pinède 2002 **

■ 4 ha 5 400 ▮ 8 à 11 €

Laurent de Besombes a fait le choix de la viticulture raisonnée ; cela exige un suivi des parcelles et permet l'élaboration de grandes cuvées : voici le fruit de 4 ha de la Pinède. Unanimité sur la finesse, l'équilibre, la suavité des tanins, la subtile touche réglissée mêlée au cassis et à la myrtille. Le gibier attend ce vin savoureux, équilibré, à la fois puissant et délicat.

⊶ Laurent de Besombes, Dom. Singla,
4, rue de Rivoli, 66250 Saint-Laurent-de-la-Salanque,
tél. 04.68.28.30.68, fax 04.68.28.30.68,
e-mail laurent.debesombes@free.fr ☑ 🏨 🏠 🍷 🚶 r.-v.

LES VIGNERONS DE TARERACH
Cuvée Terres romanes 2002

■ 0,5 ha 1 410 ▮🌡 3 à 5 €

On n'y passe pas par hasard, car le détour après le barrage de Vinga comble les amoureux de la vraie nature, de la route sinueuse taillée dans le granit jusqu'au plateau viticole et au village assoupi au soleil derrière son clocher. Une robe fraîche, de la cerise, de la framboise, mais aussi l'épice et le laurier caractérisent ce vin gouleyant dès l'attaque souple, doté de tanins frais marqué par l'empreinte d'un terroir d'altitude. Il conviendrait aux grillades ou *boles de picolat.*

⊶ SCV Tarerach,
Le village, BP 31, 66320 Tarerach,
tél. 04.68.96.54.96, fax 04.68.96.17.91 ☑ 🏠 🍷 🚶 r.-v.

TERRASSOUS Les Pierres plates 2001 *

■ 7 ha 25 000 🛢 8 à 11 €

Un jeune président dynamique. Et un directeur, H. Cutzach, maître au doigté expérimenté par des décennies de vinification, transmettant son savoir avant une retraite qu'on devine active. Bref, on n'a pas fini d'entendre parler de Terrats ! Sans attendre, goûtez son **blanc Terrassous (3 à 5 €)**, une étoile, intense, finement boisé, gras, ample et généreux, et ces Pierres plates, profondes, où le fondu du boisé joue avec les fruits des bois, le cuir et les accents de venaison. Un vin mûr au tanin velouté sur fond d'épices et de grillé. Pour un bonheur immédiat.

⊶ SCV Les Vignerons de Terrats, BP 32,
66302 Terrats Cedex, tél. 04.68.53.02.50,
fax 04.68.53.23.06, e-mail scv-terrats@wanadoo.fr
☑ 🍷 🚶 t.l.j. sf dim. 8h-12h 14h-18h

CH. VALFON Mirabet 2002 *

■ 2 ha 6 000 ▮🛢🌡 8 à 11 €

A deux pas de Perpignan, Ponteilla a su garder son âme de village catalan avec ses maisons resserrées autour de l'église, ce bistrot sympa où l'on refait le monde et l'authenticité de quelques vieilles caves prisonnières de la fraîcheur des murs de galets. Fruits noirs, épices, la touche empyreumatique du bois, le tout ceint d'une robe profonde : le ton est donné ; c'est un vin charnu, puissant, construit. Un tanin de belle facture, soyeux, réglissé. De garde.

⊶ GAEC Dom. Valfon,
11, rue des Rosiers, 66300 Ponteilla,
tél. 04.68.53.32.20, fax 04.68.35.11.04,
e-mail chvalfon@aol.com ☑ 🍷 🚶 r.-v.

CH. VALMY 2003 **

▒ 2,8 ha 20 000 ▮🌡 5 à 8 €

Un lieu sublime à la limite du cru collioure, un paysage grandiose, balcon sur la mer, la vigne qui serpente entre les chênes-lièges, un chai d'exception : tout cela grâce à la volonté d'un homme qui a donné une seconde vie à ce lieu chargé d'histoire. Rouge profond, finement boisé, d'une belle présence, **Le Premier de Valmy 2001 (15 à 23 €)**, deux étoiles, a séduit les jurés, tout comme ce rosé 2003 à la robe soutenue. Apprécié pour des senteurs intenses de fraise, de cassis auxquelles se mêle la touche amylique de la banane, il se révèle ample, présent, gorgé de fruits sauvages tout en conservant de la fraîcheur en finale.

⊶ Bernard Carbonnell, Ch. de Valmy,
Chem. de Valmy, 66700 Argelès-sur-Mer,
tél. 04.68.81.25.70, fax 04.68.81.15.18,
e-mail chateau.valmy@tiscali.fr ☑ 🍷 🚶 r.-v.

Plus une vigne est âgée, meilleur est son vin.

Côtes-du-roussillon-villages

DOM. DE L'AUSSEIL
Latour-de-France La Capitelle 2002 ★★

■ 5 ha 9 000 ▮⦶♁ 8 à 11 €

Coup de cœur dans le Guide l'année dernière pour le millésime 2001, cette cuvée est encore sur l'emprise d'une trame tannique bien dense. Peu à peu, les arômes de baies rouges, les notes d'épices et l'accent réglissé des tanins se développent dans le verre qui brille de reflets grenat. Il faudra savoir attendre ce vin qui s'ouvre déjà au plaisir des papilles.

⊶ Dom. de l'Ausseil,
bd Gambetta, 66720 Latour-de-France,
tél. 04.68.29.18.68, fax 14.68.29.18.68,
e-mail info@lausseil.com ☒ Y 🚶 r.-v.
⊶ Anne et Jacques de Chancel

CH. AVERNUS Tautavel Rocamour 2001 ★★

■ 20 ha 46 000 ▮♁ 8 à 11 €

Cette cave coopérative produit plusieurs vins d'excellente facture en élevage traditionnel ou en fût. Celui-ci, issu de la sélection de parcelles dans un même terroir, reflète le parfait assemblage des cépages de l'appellation, dans la mesure où chacun laisse s'exprimer avant tout le terroir. Le tanin, à peine patiné par le temps, s'entoure de notes de baies sauvages et d'épices.

⊶ Les Maîtres Vignerons de Tautavel,
24, av. Jean-Badia, 66720 Tautavel,
tél. 04.68.29.12.03, fax 04.68.29.41.81,
e-mail vignerons.tautavel@wanadoo.fr ☒ Y 🚶 r.-v.

CH. AYMERICH Cuvée Jean Aymerich 2002 ★

■ 6 ha 10 000 ▮♁ 5 à 8 €

Une belle expression de la syrah plantée sur schistes ; dans un habit grenat, une corbeille de fruits, des accents épicés, quelques notes grillées... qui s'offrent en bouche autour d'une charpente onctueuse : un très beau vin, et un succès mérité par le travail en cave de cette famille dont la passion viticole remonte du XVII^{e}s.

⊶ Ch. Aymerich, 52, av. Dr-Torreilles, 66310 Estagel,
tél. 04.68.29.45.45, fax 04.68.29.10.35,
e-mail aymerich-grau-vins@wanadoo.fr ☒ Y 🚶 r.-v.
⊶ J.-P., N. et C. Grau-Aymerich

DOM. DE LA BALMIERE Latour-de-France 2002

■ 1,5 ha 4 600 ▮⦶♁ 8 à 11 €

Laurent Marquier s'est installé en 2001 sur ce domaine qu'il avait connu lors d'un stage d'étudiants il y a... vingt-cinq ans. Ce sont les notes de petits fruits rouges qui encadrent ce vin, du premier coup de nez jusqu'en fin de dégustation. L'équilibre gustatif bénéficie de l'onctuosité qui enrobe des tanins au grain doux et lui donne sa savoureuse rondeur.

⊶ Dom. de la Balmière, rte de Montner, Le Mouli,
66720 Latour-de-France, tél. 04.68.29.00.04,
e-mail le.marquier@club-internet.fr ☒ Y 🚶 r.-v.
⊶ Laurent et Claudia Marquier

DOM. BOUDAU Cuvée Henri Boudau 2001 ★

■ 3,6 ha 12 000 ⦶ 8 à 11 €

Pierre et Véronique Boudau ont réussi à donner une juste notoriété à ce domaine familial situé en plein cœur de Rivesaltes : un bon exemple de reconversion d'une maison de négoce qui a connu ses heures de gloire aux temps où les vins doux naturels se sont développés. Le premier nez de cette cuvée évoque les cerises bien noires avec quelques notes grillées. Les sensations gustatives reflètent le terroir du crest avec une belle générosité et des notes épicées autour d'une charpente satinée.

⊶ SARL Dom. Boudau, 6, rue Marceau, BP 60,
66602 Rivesaltes, tél. 04.68.64.45.37, fax 04.68.64.46.26,
e-mail domaineboudau@wanadoo.fr
☒ Y t.l.j. sf dim. 10h-12h 15h-18h (19h en été)

CH. DE CALADROY
Cuvée La Juliane Elevé en fût de chêne 2001 ★★★

■ 14 ha 28 000 ⦶ 11 à 15 €

Saluons le succès continu de cette cuvée élevée un an en fût de chêne. On retrouve le terroir de schistes dans l'élégance des tanins, et des notes grillées délicates entourent des arômes de baies des garrigues. La persistance des arômes en finale appelle une belle pièce de viande grillée.

⊶ SCEA Ch. de Caladroy, 66720 Bélesta,
tél. 04.68.57.10.25, fax 04.68.57.27.76,
e-mail chateau.caladroy@wanadoo.fr
☒ Y 🚶 t.l.j. sf sam. dim. 8h-12h 13h30-17h30

DOM. DE LA CAPEILLETTE
La Tour-de-France Vieilles Vignes
Elevé en fût de chêne 2001 ★

■ 2,66 ha 6 500 ⦶ 8 à 11 €

Un millésime qui commence à entrer dans sa pleine maturité, témoin les reflets vermeils dans sa robe. Les notes de fruits rouges cèdent peu à peu la place aux touches épicées avec quelques arômes évoquant le foin fraîchement coupé. La charpente est délicate, le boisé fondu et les sensations gustatives se sont déjà assouplies.

⊶ GAEC Dom. de la Capeillette,
2, Traverse de la Fontaine, 66720 Latour-de-France,
tél. 04.68.29.16.35, fax 04.68.29.16.35 ☒ Y 🚶 r.-v.

DOM. DE CASTELL Vieilli en fût de chêne 2001

■ 4,58 ha 6 450 ⦶ 5 à 8 €

Cette coopérative bénéficie des apports des vignobles implantés sur la célèbre colline de Força Réal et sur les terroirs de la Têt. Elle propose un vin marqué par l'élevage en barrique qui l'a fait évoluer rapidement vers sa pleine maturité : robe aux reflets vermeils, nez légèrement fumé et bouche vanillée cohabitant en sage harmonie.

⊶ Cellier Castell Réal SCV, 152, rte Nationale,
66550 Corneilla-de-la-Rivière, tél. 04.68.57.38.93,
fax 04.68.57.23.36, e-mail cassell-real-com@wanadoo.fr
☒ Y 🚶 t.l.j. sf dim. 10h-12h 14h30-18h

LES VIGNERONS CATALANS Caramany 2003

■ 50 ha 270 000 ▮♁ 5 à 8 €

Cette cuvée reste fidèle à l'expression des arômes de fruits rouges et aux notes poivrées qui caractérisent depuis sa création cette appellation Caramany dont le terroir est marqué par les gneiss et les granits. Voici un millésime déjà flatteur par sa rondeur en bouche. Il convient de le déguster un peu frais.

⊶ Vignerons Catalans, 1870, av. Julien-Panchot,
BP 29000, 66962 Perpignan Cedex 9,
tél. 04.68.85.04.51, fax 04.68.55.25.62,
e-mail contact@vignerons-catalans.com Y 🚶 r.-v.

DOM. CAZES Trilogy 2001

■ 3,25 ha 13 000 ⦶ 15 à 23 €

L'assemblage à base de syrah et de mourvèdre élevé en barrique donne à ce vin des notes de vieux cuir et

ROUSSILLON

d'épices accompagnées de nuances de fruits rouges compotés. Le tanin se fond peu à peu pour laisser la place à une générosité chaleureuse traduisant les expressions classiques de ce terroir caillouteux qui entoure le village de Rivesaltes. A savourer autour d'une table d'automne.
Sté Cazes Frères, 4, rue Francisco-Ferrer, BP 61, 66602 Rivesaltes, tél. 04.68.64.08.26, fax 04.68.64.69.79, e-mail info@cazes-rivesaltes.com r.-v.

CLOT DE L'OUM

Caramany La Compagnie des Papillons 2002 ★

11,5 ha 23 000 8 à 11 €

Très bien noté l'an dernier, le Clot de l'Oum continue sur la voie du succès même dans ce millésime difficile. Née sur un terroir d'altitude (400 à 500 m), cette cuvée est présentée dans l'appellation en *villages* Caramany. On retrouve l'élégance qui l'a fait connaître l'année dernière, avec une qualité de tanins épicés bien représentative de ce terroir. De délicieuses notes de baies sauvages persistent en fin de bouche.
Eric Monne, Dom. du Clot de l'Oum, 66720 Bélesta, tél. 06.60.57.69.62, fax 04.68.62.19.78, e-mail emonne@web.de r.-v.

LES VIGNERONS DES COTES D'AGLY

Cuvée François Arago Vieilli en fût de chêne 2002

10 ha 45 000 5 à 8 €

Un côtes-de-roussillon-villages élaboré avec les quatre principaux cépages de cette appellation, à parts égales. Si les arômes de torréfaction traduisent l'élevage en fût dès le premier coup de nez, l'harmonie gustative est en revanche plus complexe. Les tanins sont d'une douceur appréciable.
Les Vignerons des Côtes d'Agly, Cave coopérative, 66310 Estagel, tél. 04.68.29.00.45, fax 04.68.29.19.80, e-mail agly@tiscali.fr
t.l.j. sf dim. 9h-12h 14h-18h

DOM. FONTANEL

Tautavel Prieuré Elevé en fût de chêne 2002 ★★★

3 ha 10 000 11 à 15 €

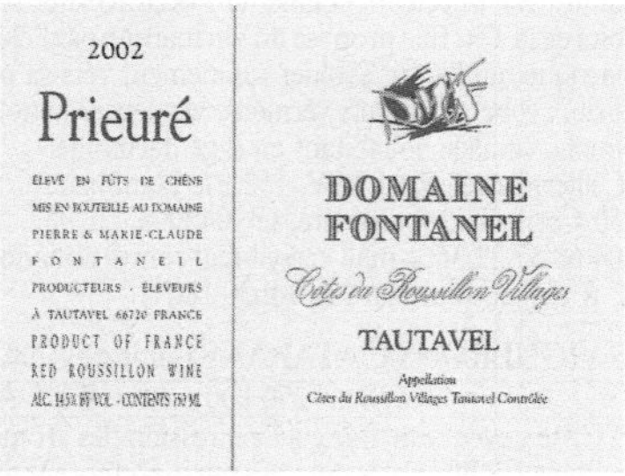

Décidément, ce domaine est abonné aux meilleures places dans le Guide avec sa cuvée Prieuré qui l'emporte cette fois de justesse devant les **Cistes 2002**. Ce millésime privilégie une belle qualité du fruit tout en dévoilant des notes boisées qui soutiennent discrètement un corps savoureux et charnu. Le bel exemple d'une parfaite harmonie entre l'élégance et la charpente, ou tout simplement de la générosité d'un terroir.
Dom. Fontanel, 25, av. Jean-Jaurès, 66720 Tautavel, tél. 04.68.29.04.71, fax 04.68.29.19.44, e-mail domainefontanel@hotmail.com
t.l.j. 10h-12h30 14h-19h
Fontaneil

LES HAUTS DE FORÇA REAL 2001 ★★

5 ha 15 000 15 à 23 €

Un vignoble installé sur les pentes schisteuses de la colline de Força Réal entre garrigues et oliviers. Des arômes de fruits noirs se mêlent aux notes de garrigue et de poivre qui perdurent longuement en fin de bouche. Les tanins doux et déjà patinés donnent une saveur charnue à cette cuvée. Une selle d'agneau catalan l'accompagnera dignement.
J.-P. Henriquès, Dom. Força Réal, 66170 Millas, tél. 04.68.85.06.07, fax 04.68.85.49.00, e-mail info@forcareal.com r.-v.

MAS JANEIL 2001 ★

n.c. 38 000 8 à 11 €

Les frères Lurton signent ce côtes-du-roussillon-villages né sur les schistes de Maury et élevé à la bordelaise avec plusieurs soutirages en barrique. Ce qui explique cette robe vermeille entourant des arômes grillés dès le premier coup de nez. La chair montre sa générosité à l'attaque en prenant le pas sur les notes empyreumatiques.
SA Jacques et François Lurton, Dom. de Poumeyrade, 33870 Vayres, tél. 05.57.55.12.12, fax 05.57.55.12.13, e-mail jflurton@jflurton.com r.-v.

MAS LAVAIL

La Désirade Elevé en fût de chêne 2002 ★★

3 ha 8 000 11 à 15 €

Ce domaine cultivé en production raisonnée avait déjà obtenu un coup de cœur l'année dernière sur sa cuvée Tradition. La Désirade, élevée en fût, offre dès maintenant des arômes complexes où les notes grillées se fondent avec celles de pruneau caractéristiques du terroir de Maury. L'ampleur des sensations de bouche séduit tout autant grâce au tanin qui s'arrondit avec élégance.
Nicolas Battle, EARL Dom. de Lavail, 18, rue Henri Barbusse, 66460 Maury, tél. 04.68.59.15.22, fax 04.68.29.08.95 r.-v.

STE VINICOLE DE LESQUERDE

Cuvée Georges Pous 1999 ★

32 ha 25 000 8 à 11 €

Si le terroir de Lesquerde est connu pour la finesse qu'il confère aux tanins de ses vins, ainsi que pour la délicatesse de leur fruité, il mérite de l'être aussi pour la maturité de certaines cuvées comme ce 99 dans sa robe aux reflets déjà tuilés. Des arômes de vieux cuir entourent une trame tannique qui joue sur le velours. Cette bouteille prête à boire sera appréciée de ceux qui aiment les vins que le temps a assagis.
SCV Lesquerde, rue du Grand-Capitoul, 66220 Lesquerde, tél. 04.68.59.02.62, fax 04.68.59.08.17, e-mail lesquerde@wanadoo.fr
t.l.j. sf dim. 9h-12h 14h-18h

MAS AMIEL Notre Terre 2002

26 ha 52 000 8 à 11 €

Après s'être fait une belle réputation depuis des décennies sur des vins doux de Maury, le Mas Amiel produit depuis quelques années des vins rouges secs qui ne vont pas tarder à être aussi connus. Le propriétaire a changé, l'encépagement aussi, ainsi que la culture en conversion bio. Le terroir, lui, reste immuable et les schistes et marnes noires donnent toujours la même sève à ses vins. Si la robe est peu soutenue, ce 2002 n'en dévoile pas moins des arômes d'épices et de sous-bois avec quelques notes de mûre.

➟ Mas Amiel, 66460 Maury,
tél. 04.68.29.01.02, fax 04.68.29.17.82
▣ ⍙ ⚹ t.l.j. sf sam. dim. (sf en été) 9h-12h 14h-18h

DOM. MOUNIE
Tautavel Symphonie Elevé en fût de chêne 2001 ★

▣	2,5 ha	7 000	⑪ 11 à 15 €

Ce domaine est régulièrement mentionné dans le Guide soit pour sa cuvée Harmonie, non boisée, soit pour celle-ci qui a été préférée dans ce millésime 2001. Il faut dire que les notes fumées se fondent parfaitement avec le fruit et que la charpente se pare d'une onctuosité bienvenue. Une belle maturité de la syrah élevée en fût.
➟ Dom. Mounié, 1, av. du Verdouble, 66720 Tautavel, tél. 04.68.29.12.31, fax 04.68.29.05.59 ▣ ⍙ ⚹ r.-v.
➟ Claude Rigaill

CH. LES PINS 2001 ★★

▣	25 ha	104 000	8 à 11 €

Une cave qui produit régulièrement des vins mentionnés dans ce Guide. Ceux du Château les Pins sont le haut de gamme des vignobles de Baixas. Ce millésime présente une belle maturité avec ses tanins fondus soutenant des arômes fruités et épicés. Quelques touches de vieux cuir annoncent que ce vin entre déjà dans sa phase d'épanouissement.
➟ Cave des Vignerons de Baixas,
Vignobles Dom Brial, 14, av. du Mal-Joffre,
66390 Baixas, tél. 04.68.64.22.37, fax 04.68.64.26.70,
e-mail baixas@dom-brial.com ▣ ⍙ ⚹ r.-v.

DOM. PIQUEMAL Les Terres grillées 2002 ★

▣	4 ha	20 000	⑪ 8 à 11 €

Le petit village d'Espira-de-l'Agly présente deux intérêts majeurs : le splendide portail de son église et la qualité de ses domaines viticoles. Celui-ci, dont une partie des vignes se trouve sur des schistes noirs, produit des vins aux arômes de fruits rouges grillés, comme ceux qui dominent cette cuvée. L'harmonie gustative conduit à une longue finale.
➟ Dom. Pierre Piquemal,
1, rue Pierre-Lefranc, 66600 Espira-de-l'Agly,
tél. 04.68.64.09.14, fax 04.68.38.51.55,
e-mail contact@domaine-piquemal.com ▣ ⍙ ⚹ r.-v.

CH. PLANEZES Elevé en fût de chêne 2001

▣	20 ha	20 000	⑪ 8 à 11 €

Connue autrefois pour la qualité de ses rosés, cette cave coopérative produit régulièrement des vins rouges élégants. Ce millésime 2001, d'une belle robe cerise, offre des arômes de baies rouges qui se développent peu à peu en bouche. La charpente est délicatement boisée et se caractérise par des tanins en dentelle.
➟ Les Vignerons de Planèzes-Rasiguères,
5, rte de Caramany, 66720 Rasiguères,
tél. 04.68.29.11.82, fax 04.68.29.16.45,
e-mail rasigueres@wanadoo.fr
▣ ⍙ ⚹ t.l.j. sf dim. 8h-12h 14h-18h

DOM. POUDEROUX Latour de Grès 2001 ★

▣	1,5 ha	5 000	⑪ 11 à 15 €

Robert et Cathy Pouderoux ont aménagé leur joli petit caveau au fond d'un patio tout en haut du village de Maury. Cette cuvée, issue de vignes plantées sur grès et sur schistes, joue sur l'élégance des tanins habillés d'épices et de notes grillées. Les arômes de baies rouges sont à l'unisson et donnent à ce vin une fraîcheur savoureuse.

➟ Dom. Pouderoux, 2, rue Emile-Zola, 66460 Maury,
tél. 04.68.57.22.02, fax 04.68.57.11.63,
e-mail 123pou@free.fr ▣ ⍙ ⚹ r.-v.

LE ROC DES ANGES 2002 ★★

▣	10 ha	14 000	▯⑪↓ 15 à 23 €

Jeune vigneronne et vieilles vignes de carignan font bon ménage... surtout quand celles-ci sont implantées sur des schistes de Montner et cultivées par cette ingénieur agronome passionnée de terroirs. Des arômes de groseille, une fraîcheur savoureusement épicée, une onctuosité persistante : un vin qui réussit à rendre les tanins gourmands.
➟ Le Roc des Anges, 1, Grande-Rue, 66720 Montner,
tél. 04.68.29.16.62, fax 04.68.29.16.62,
e-mail rocdesanges@aol.com ▣ ⍙ ⚹ r.-v.

DOM. DE SAINTE-SUZANNE
Cuvée Vin/Vingt 2001

▣	1,8 ha	7 222	▯ 5 à 8 €

Un vignoble exploité avant la Révolution par les chanoines du village par les ancêtres de la famille Pèch. La robe de cette cuvée est d'un rubis profond et à l'olfaction laisse deviner les notes de fruits noirs bien mûrs qui s'expriment dès le premier coup de nez. Quelques notes grillées et une pointe de cacao viennent ensuite se mêler aux sensations gustatives autour de tanins bien patinés.
➟ Jean-Michel Pèch, Dom. de Sainte-Suzanne,
2, rue Léo-Lagrange, 66220 Saint-Paul-de-Fenouillet,
tél. 04.68.59.15.39, fax 04.68.59.02.26 ▣ ⍙ ⚹ r.-v.

CH. SAINT-ROCH Kerbuccio 2002 ★★★

▣	2,55 ha	6 800	⑪ 15 à 23 €

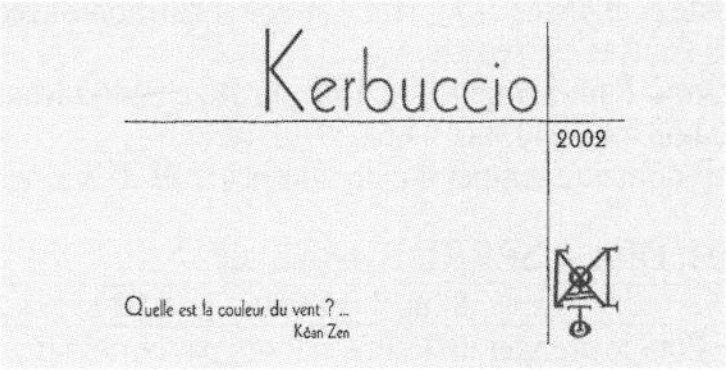

Kerbuccio 2002

Quelle est la couleur du vent ?...
Kôan Zen

Le domaine se trouve à l'entrée de la vallée de Maury sur un terroir où les schistes viennent rencontrer les éboulis calcaires des piémonts des Corbières. Marc Bournazeau et sa femme Emma ont reconstitué ce vignoble autour d'une bastide surplombant la rivière, avec une exigence sans faille : lutte raisonnée « et raisonnable, sans croire aux miracles et mirages », tri sur souche et sur table, pigeage en douceur, choix des barriques... Cette cuvée à la robe brillante et profonde a l'élégance des notes fumées et épicées qui accompagnent les arômes de fruits rouges à l'eau-de-vie. La bouche séduit par l'équilibre de la charpente et la persistance des fragrances.
➟ SA Ch. Saint-Roch, 66460 Maury,
tél. 04.68.29.07.20, fax 04.68.29.19.15,
e-mail mbournazeau@aol.com ▣ ⍙ ⚹ r.-v.
➟ Marc Bournazeau

DOM. DES SCHISTES Tradition 2002 ★★★

▣	15 ha	20 000	▯↓ 8 à 11 €

Un domaine qui est régulièrement référencé dans le Guide depuis plusieurs années, résultat dû à la qualité du terroir et à un réel savoir-faire. Une fois de plus, cette cuvée

emporte l'adhésion : la robe est pourpre et le nez rappelle la liqueur de cassis et les épices douces. La charpente est solide mais au grain d'une grande finesse, bien enveloppée par la chair du vin.
↰ Jacques Sire, Dom. des Schistes,
1, av. Jean-Lurçat, 66310 Estagel,
tél. 04.68.29.11.25, fax 04.68.29.47.17 ☑ ⌂ ⊺ ⚹ r.-v.

DOM. SEGUELA Cuvée Jean Julien 2001 ★★★

■	5 ha	7 000	11 à 15 €

La réputation du terroir de Rasiguères a longtemps reposé sur la qualité des vins rosés produits par la cave coopérative. Depuis quelques années, ce terroir s'exprime également avec des vins rouges d'une grande élégance, tel celui-ci, élaboré par un jeune couple de vignerons. La robe d'un joli rubis cerise entoure des arômes de fruits à noyau, soutenus par une pointe de vivacité bienvenue. Des tanins en dentelle et une très belle longueur caractérisent une bouche exceptionnelle.
↰ Dom. Séguéla,
12 bis, av. de Caramany, 66720 Rasiguères,
tél. 04.68.29.48.52, fax 04.68.29.48.52,
e-mail domaineseguela@club-internet.fr
☑ ⊺ ⚹ t.l.j. sf dim. 10h30-18h

DOM. SEMPER Lesquerde Voluptas 2002 ★★

■	3 ha	5 000	■ ⬇ 8 à 11 €

Ici, les blocs de granit ressemblent à des menhirs. La vigne qui les entoure forme un paysage séduisant. Cette famille de vignerons de Maury continue avec succès à présenter des cuvées élaborées sur son terroir de Lesquerde. Paul Semper vinifie celle-ci en barriques ouvertes, qu'il referme lorsque la fermentation est achevée. Est-ce cette originalité qui donne à ce vin sa structure tannique délicate et réglissée ? Quoi qu'il en soit, l'harmonie avec les notes fruitées est réussie.
↰ Dom. Paul Semper, 2, chem. du Rec, 66460 Maury,
tél. 04.68.59.14.40, fax 04.68.59.14.40,
e-mail domaine.semper@club-internet.fr ☑ ⊺ ⚹ r.-v.

DOM. DE LA SERRE Hypogée 2002 ★

■	8 ha	16 000	■ ⬤ ⬇ 15 à 23 €

Pour le premier millésime élaboré par ce domaine sur le terroir de Maury, la famille Vera présente une cuvée où le boisé se marie d'entrée avec le fruit. Les notes grillées se poursuivent en bouche, mais l'harmonie se fait par la sensation charnue qui prend le dessus. Un beau produit du savoir-faire et du terroir.
↰ Jean-Louis Vera, SARL de la Serre,
10, rue Doc Pougault, 66460 Maury,
tél. 04.68.59.18.36, fax 04.68.59.18.36 ☑ ⊺ r.-v.

DOM. DES SOULANES Sarrat del Mas 2002 ★★

■	3 ha	4 000	⬤ 8 à 11 €

Une belle réussite pour ce tout nouveau vigneron qui s'est installé au pied du château de Queribus après avoir fait ses armes comme ouvrier agricole pendant plusieurs années. Mais n'est-on pas certain de réussir lorsque l'on acquiert des vignes sur schistes à Maury, avec quelques arpents sur les calcaires de Tautavel ? Ce qui caractérise cette cuvée, c'est la qualité de son fruit, qui domine du premier coup de nez jusqu'en fin de bouche, ainsi que l'onctuosité des saveurs.
↰ Cathy et Daniel Laffite,
Mas de las Fredas, 66720 Tautavel,
tél. 04.68.29.12.84, fax 04.68.29.13.48 ☑ ⊺ ⚹ r.-v.

LES VIGNERONS DE LA TAUTAVELLOISE
Tautavel 2002

■	n.c.	1 800	■ 5 à 8 €

Malgré une attaque où la charpente s'exprime avec puissance, les sensations chaleureuses accompagnent peu à peu un fruité légèrement confituré rappelant certains vins généreux. Habillé d'une robe d'un rubis profond, ce vin exprime bien ce terroir calcaire à l'état brut.
↰ SCV Les Vignerons de la Tautavelloise,
rte de Paziols, 66720 Tautavel, tél. 04.68.29.04.75,
fax 04.68.29.14.04, e-mail tautavelloise@aol.com ☑ ⊺

DOM. JEAN-LOUIS TRIBOULEY
La Tour-de-France Les Trois Lunes 2002 ★★

■	4 ha	4 500	⬤ 15 à 23 €

Encore un nouveau vigneron qui, à peine installé en 2002 sur ce terroir de La Tour-de-France, fait son entrée dans le Guide avec cette cuvée habillée d'un rubis encore violine. Le fruit est respecté par le bois. La charpente est virile mais revêtue d'onctuosité. L'ensemble donne un équilibre harmonieux.
↰ Jean-Louis Tribouley,
9, pl. Marcel Vié, 66720 Latour-de-France,
tél. 04.68.29.03.86, fax 04.68.29.03.86,
e-mail luisajeanlouis@aol.com ☑ ⊺ ⚹ r.-v.

Collioure

Portant le nom d'un charmant petit port méditerranéen, cette toute petite appellation couvre actuellement 480 ha produisant quelque 14 280 hl en rouge. Le terroir est le même que celui de l'appellation banyuls regroupant les quatre communes de Collioure, Port-Vendres, Banyuls-sur-Mer et Cerbère.

L'encépagement est à base de grenache noir, mourvèdre et syrah, avec le cinsault et le carignan comme cépages accessoires. Jusqu'à 2002, les collioure étaient uniquement des vins rouges et rosés, élaborés en début de vendanges, avant la récolte des raisins pour les banyuls. La faiblesse des rendements est à l'origine de vins bien colorés, assez chauds, corsés, aux arômes de fruits rouges bien mûrs. Les rosés sont aromatiques, riches et néanmoins nerveux. Le collioure blanc, qui fait la part belle aux grenaches blanc et gris, est produit depuis le millésime 2002. La récolte 2003 a représenté 1 680 hl en blanc.

CH. DES ABELLES 2002 ★★★

■	n.c.	115 212	■ ⬇ 11 à 15 €

La sensation de générosité et de chair en bouche traduit les belles expressions du grenache cultivé sur les terrasses abruptes de ce terroir. Le fruit est présent dès le premier coup de nez et se poursuit tout au long de la dégustation, s'accompagnant de notes épicées en finale. Persistant et élégant, ce vin était coup de cœur l'an dernier pour le millésime 2001.

🔖 Cellier des Templiers, rte du Mas-Reig,
66650 Banyuls-sur-Mer, tél. 04.68.98.36.70,
fax 04.68.98.36.91, e-mail accueil-visite@templers.com
☑ Ⲧ ✦ t.l.j. 10h30-12h30 14h30-18h30;
10h-19h30 du 1er avr. au 30 oct.

DOM. CAMPI 2002

■	n.c.	46 500	🍷↓ 11 à 15 €

C'est la syrah qui domine l'expression de cette cuvée à la fois fruitée et charnue dont la belle harmonie gustative peut être appréciée rapidement. Une autre facette du potentiel de l'appellation qui ne laissera pas indifférents ceux qui privilégient la rondeur.

🔖 Cellier des Templiers, rte du Mas-Reig,
66650 Banyuls-sur-Mer, tél. 04.68.98.36.70,
fax 04.68.98.36.91, e-mail accueil-visite@templers.com
☑ Ⲧ ✦ t.l.j. 10h30-12h30 14h30-18h30;
10h-19h30 du 1er avr. au 30 oct.

CASTELL DES HOSPICES 2000 ★★

■	n.c.	6 612	🍾 15 à 23 €

Belle maturité de ce millésime dont l'élevage a été parfaitement maîtrisé : les notes boisées sont fondues avec les expressions de vieux cuir, montrant un tanin patiné, de belle facture. Quelques touches empyreumatiques dans leur écrin d'un rubis déjà vermeil rappellent l'expression chaleureuse des schistes des Albères.

🔖 La Cave de l'Abbé Rous, 56, av. Charles-de-Gaulle,
66650 Banyuls-sur-Mer, tél. 04.68.88.72.72,
fax 04.68.88.30.57, e-mail contact@banyuls.com

LES CLOS DE PAULILLES 2003 ★

	27 ha	140 000	🍷↓ 5 à 8 €

L'été, le domaine ouvre les portes de sa ferme-auberge nichée dans une crique bordée de vignes. C'est l'occasion d'apprécier ce rosé, ainsi que les autres vins de ce domaine, en les associant à la cuisine des lieux. Une robe d'un joli pivoine habille des arômes marqués par la syrah.

🔖 Famille Dauré, Les Clos de Paulilles,
Baie de Paulilles, 66660 Port-Vendres,
tél. 04.68.38.07.58, fax 04.68.38.91.33,
e-mail daure@wanadoo.fr
☑ Ⲧ t.l.j. 10h-20h; f. 1er oct. au 1er avr.

LES DOMINICAINS
Cuvée de la Colline Matisse 2002

■	n.c.	55 928	🍾 5 à 8 €

Un ancien couvent de dominicains abrite cette cave à quelques pas de la plage de Collioure. Avec quelques reflets vermeils dans la robe, cette cuvée annonce des expressions aromatiques de fruits savoureusement confiturés, rehaussés par des notes d'épices orientales. Les tanins, déjà bien patinés, permettent une bonne persistance.

🔖 SCV Le Dominicain, pl. Orfila, port d'Avall,
66190 Collioure, tél. 04.68.82.05.63, fax 04.68.82.43.06,
e-mail le-dominicain@wanadoo.fr ☑ Ⲧ ✦ r.-v.

DOM. PIETRI-GERAUD 2002

■	3,73 ha	12 000	🍷↓ 8 à 11 €

Laetitia Pietri suit la voie tracée par sa mère, dont les vins sont souvent mentionnés, en particulier ses banyuls

blancs. Une belle robe rubis habille des arômes de fruits rouges bien mûrs. L'attaque en bouche est généreuse, puis les tanins se font entendre en finale.

🔖 Maguy et Laetitia Piétri-Géraud, 22, rue Pasteur,
66190 Collioure, tél. 04.68.82.07.42, fax 04.68.98.02.58,
e-mail domaine.pietri-geraud@wanadoo.fr
☑ Ⲧ ✦ t.l.j. 10h-12h30 15h30-18h30;
f. dim. lun. hors vacances scolaires

QUADRATUR 2002 ★

■	n.c.	4 000	🍾 23 à 30 €

Encore un peu fermé, ce vin se démarque par la puissance de ses tanins aux accents réglissés, en pleine fusion avec les notes boisées. Le fruit apparaît peu à peu, laissant se développer des notes de cassis et de cerise qui se révèlent en fin de bouche. A garder.

🔖 Philippe Gard, Coume Del Mas,
3, rue Alphonse-Daudet, 66650 Banyuls-sur-Mer,
tél. 04.68.88.37.03, fax 04.68.88.37.03,
e-mail coumedelmas@tiscali.fr ☑ Ⲧ ✦ r.-v.
🔖 Gard

CUVÉE DE LA SALETTE 2003 ★

■	n.c.	306 600	🍷↓ 8 à 11 €

Un rosé d'une teinte très pâle, aux nuances légèrement saumonées, annonçant des arômes plus épicés que fruités : l'harmonie gustative privilégie le gras et la longueur. Une savoureuse *mariscada* lui donnera une belle réplique.

🔖 Cellier des Templiers, rte du Mas-Reig,
66650 Banyuls-sur-Mer, tél. 04.68.98.36.70,
fax 04.68.98.36.91, e-mail accueil-visite@templers.com
☑ Ⲧ ✦ t.l.j. 10h30-12h30 14h30-18h30;
10h-19h30 du 1er avr. au 30 oct.

DOM. LA TOUR VIEILLE Puig Oriol 2002 ★★★

■	n.c.	n.c.	🍷↓ 11 à 15 €

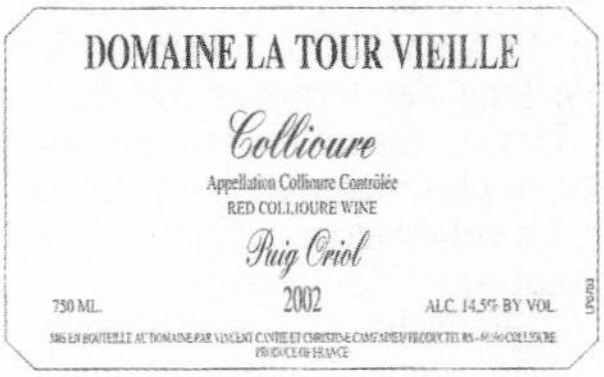

DOMAINE LA TOUR VIEILLE
Collioure
Appellation Collioure Contrôlée
RED COLLIOURE WINE
Puig Oriol
750 ML. 2002 ALC. 14,5% BY VOL.

Ce n'est pas le premier millésime de ce domaine qui bénéficie d'un coup de cœur. Une cuvée dont la robe d'un rubis à reflet grenat entoure des arômes de cerise et de cassis autour d'une charpente élégante, parfait mariage de la puissance du grenache et des notes de syrah. La chair délicate d'un agneau des Albères sera la bienvenue.

🔖 Dom. la Tour Vieille,
12, rte de Madeloc, 66190 Collioure,
tél. 04.68.82.44.82, fax 04.68.82.38.42 ☑ r.-v.
🔖 Christine Campadieu et Vincent Cantié

DOM. LA TOUR VIEILLE Les Canadells 2002 ★★

	n.c.	n.c.	🍷↓ 11 à 15 €

L'appellation collioure blanc, tant attendue, vient à peine d'être reconnue. Christian et Vincent Cantié nous avaient déjà habitués à l'excellence de cette cuvée des Canadells présentée jusqu'alors en vin de pays. Les dégustateurs ont apprécié la force chaleureuse et la minéralité de ce vin équilibré apportées par les grenaches gris sur ce terroir. Les préparations méditerranéennes de poisson, à l'accent souvent relevé, ont trouvé leur compagnon.

🔑 Dom. la Tour Vieille,
12, rte de Madeloc, 66190 Collioure,
tél. 04.68.82.44.82, fax 04.68.82.38.42 ☑ r.-v.

DOM. DU TRAGINER Cuvée du Capatas 2001 **

■ 2 ha 2 500 ⬛ 23 à 30 €

Jean-François Deu est un fervent adepte de la biodynamie. Le nom de ses vins fait souvent allusion au nom catalan de ceux qui jouent un rôle essentiel dans la culture de la vigne, comme celui-ci qui signifie le « chef d'équipe ». Les dégustateurs ont préféré d'une courte papille ce vin aux arômes de baies sauvages et de garrigue à celui plus réputé de la **Cuvée d'Octobre**.

🔑 Jean-François Deu, Dom. du Traginer,
56, av. du Puig-del-Mas, 66650 Banyuls-sur-Mer,
tél. 04.68.88.15.11, fax 04.68.88.31.48 ☑ Y ⚘ r.-v.

DOM. DE LA VILLE D'AMONT 2001 *

■ 2,2 ha n.c. ⬛ 8 à 11 €

Avec les premières cuvées de ce tout nouveau domaine, Smaïn Alliche présente un collioure où la syrah montre son originalité dans ce terroir. Des arômes de fruits surmûris de type banyuls vintage, quelques notes empyreumatiques tout en finesse et une ampleur remarquable en bouche laissant juste apparaître la délicatesse des tanins ; une belle persistance.

🔑 Smaïn Alliche,
115, av. du Puig-del-Mas, 66650 Banyuls-sur-Mer,
tél. 04.68.88.52.03, fax 04.68.88.39.03,
e-mail allismain@aol.com ☑ Y ⚘ r.-v.

Vins doux naturels du Roussillon

Banyuls et banyuls grand cru

Voici un terroir exceptionnel, comme il en existe peu dans le monde viticole : à l'extrémité orientale des Pyrénées, des coteaux en pente abrupte sur la Méditerranée. Seules les quatre communes de Collioure, Port-Vendres, Banyuls-sur-Mer et Cerbère bénéficient de l'appellation. Le vignoble (1 260 ha environ) s'accroche le long des terrasses installées sur des schistes dont le substrat rocheux est, sinon apparent, tout au plus recouvert d'une mince couche de terre. Le sol est donc pauvre, souvent acide, n'autorisant que des cépages très rustiques, comme le grenache, aux rendements extrêmement faibles, souvent moins d'une vingtaine d'hectolitres à l'hectare : la production de banyuls et de banyuls grand cru n'a pas dépassé 22 775 hl en 2003.

En revanche, l'ensoleillement optimisé par la culture en terrasses – culture difficile où le vigneron entretient manuellement les terrasses, en protégeant la terre qui ne demande qu'à être ravinée par le moindre orage – et le microclimat qui bénéficie de la proximité de la Méditerranée sont sans doute à l'origine de la noblesse des raisins gorgés de sucre et d'éléments aromatiques.

L'encépagement est à base de grenache ; ce sont surtout de vieilles vignes qui occupent le terroir. La vinification se fait par macération des grappes ; le mutage intervient parfois sur le raisin, permettant ainsi une longue macération de plus d'une dizaine de jours ; c'est la pratique de la macération sous alcool, ou mutage sur grains.

L'élevage joue un rôle essentiel. En général, il tend à favoriser une évolution oxydative du produit, dans le bois (foudres, demi-muids) ou en bonbonnes exposées au soleil sur les toits des caves. Les différentes cuvées ainsi élevées sont assemblées avec le plus grand soin par le maître de chai pour créer les nombreux types que nous connaissons. Dans certains cas, l'élevage cherche à préserver au contraire le fruit du vin jeune en empêchant toute oxydation ; on obtient alors des produits différents aux caractéristiques organoleptiques bien précises : ce sont les rimages. Il faut noter que, pour l'appellation grand cru, l'élevage sous bois est obligatoire pendant trente mois.

Les vins sont blancs (1 328 hl) ou rouges, de couleur rubis à acajou, avec un bouquet de raisins secs, de fruits cuits, d'amandes grillées, de café, d'eau-de-vie de pruneau. Les rimages gardent des arômes de fruits rouges, cerise et kirsch. Les banyuls se dégustent à une température de 12 à 17 °C selon leur âge ; on les boit à l'apéritif, au dessert (certains banyuls sont les seuls vins à pouvoir accompagner un dessert au chocolat), avec un café et un cigare, mais également avec du foie gras, un canard aux cerises ou aux figues, et certains fromages à pâte persillée.

Banyuls

DOM. DE LA CASA BLANCA Vintage 2002

■ 3 ha 4 000 ▮ ◍ 🌡 11 à 15 €

Avec Alain Soufflet on ne sait pas si être vigneron c'est du travail ou du plaisir ! Le fait est que l'homme est affable, pétri d'humour et de talent. Son vintage a le regard sombre autour des fruits des bois, avec un soupçon de musc et d'olive noire. Velouté en attaque, il se révèle vite très présent, avec un tanin solide et de qualité, et se laisse, en fin de bouche, dominer par la cerise. A noter, un **blanc 2002 (5 à 8 €** la bouteille de 50 cl) miellé, jouant sur l'abricot, tout en devenir : il obtient une étoile.

🔑 Alain Soufflet et Laurent Escapa,
Dom. de La Casa Blanca,
rte des Mas, 66650 Banyuls-sur-Mer,
tél. 04.68.88.09.30, fax 04.68.88.04.08 ☑ Y 🚶 r.-v.

CLOS CHATART 1998 *

■ 1,25 ha 3 000 ▮ ◍ 15 à 23 €

Le mas doit son nom à l'entomologiste B. Xatart, ancien propriétaire de ce vieux mas agreste du XII[e]s. tout en schistes, situé au fond de la vallée, adossé à l'Espagne. De la présence dans ce vin qui conserve une robe soutenue, tuilée ; il est dominé par la figue, les fruits confiturés et l'épice. Le palais est plein et riche, à la fois doux et nerveux. Vanille et boisé viennent accompagner le fruit, confirmant la longueur et la maturité du produit.

🔑 Clos Chatart, Vallon du Musée-Maillol,
66650 Banyuls-sur-Mer,
tél. 04.68.88.12.58, fax 04.68.88.51.51 ☑ Y 🚶 r.-v.
🔑 Jacques Laverrière

LES CLOS DE PAULILLES Cap Béar 2000 **

■ 2,5 ha 8 000 11 à 15 €

Lorsque la montagne rencontre la mer, elle dessine le cru banyuls et quelques anses prisées par les baigneurs et les voiliers en mal de repos, telle celle de Paulilles. Mais là, au pied du mas, une curiosité : des bonbonnes chauffées au soleil ; c'est là qu'a mûri ce banyuls. La teinte rouge a fondu, un tuilé clair la remplace d'où émanent des notes de grillé, de pruneau et de noix fraîche. Il est surprenant de trouver autant de douceur, de soyeux dans ce vin oublié dix-huit mois en bonbonnes. Pruneau, fruits confiturés fondent en bouche, accompagnés d'une touche de tabac. Très beau compagnon pour chocolat et gâteaux secs.

🔑 Les Clos de Paulilles, baie de Paulilles,
66660 Port-Vendres, tél. 04.68.98.07.58,
fax 04.68.38.91.33, e-mail daure@wanadoo.fr
☑ 🏠 Y t.l.j. 10h-20h du 1er avr. au 30 sep.
🔑 Famille Dauré

QUINTESSENCE COUME DEL MAS 2002 ***

■ n.c. 4 000 ◍ 30 à 38 €

Arrivé à Banyuls en 2001, Philippe Gard n'a pas tardé à comprendre le terroir et son faire-valoir naturel, le grenache. Ce coup de cœur en banyuls n'est pas le fruit du hasard. Beaucoup de concentration pour ce vin de couleur soutenue, aux senteurs intenses et complexes de fruits très mûrs, de boisé vanillé et d'épices. La bouche est riche, très présente sur le fruit mûr. Le boisé fondu accompagne le vin jusque dans une finale où percent la réglisse et une touche

mentholée. Un banyuls à savourer sur des fruits rouges. (Bouteilles de 50 cl.)

🔑 Philippe Gard, Coume Del Mas,
3, rue Alphonse-Daudet, 66650 Banyuls-sur-Mer,
tél. 04.68.88.37.03, fax 04.68.88.37.03,
e-mail coumedelmas@tiscali.fr ☑ Y 🚶 r.-v.

L'ETOILE Tuilé Macéré 1994 ***

■ 10 ha 30 000 ◍ 11 à 15 €

Pendant quelques années encore les vieux banyuls auront la « patte » de J.-P. Ramio qui, après plus de trente ans à la tête de L'Etoile, a pris officiellement sa retraite. Mais l'homme des banyuls n'a pas fini de suivre sa bonne Etoile !... Voici un bel ouvrage du temps et de l'élevage sous bois : le rouge de la robe est désormais plus clair et orné de tuilé. Riche et très aromatique, mêlant pruneau, cacao et cerise à l'eau-de-vie, la bouche impose sa puissance, à la fois structurée et fondue autour des épices et des notes de torréfaction. Tout est équilibre. Idéal sur un dessert chocolaté. Le **Select Vieux 86 (30 à 38 €)** obtient une étoile.

🔑 SCV L'Etoile, 26, av. du Puig-del-Mas,
66650 Banyuls-sur-Mer, tél. 04.68.88.00.10,
fax 04.68.88.15.10, e-mail cave.letoile@tiscali.fr
☑ Y 🚶 t.l.j. 8h-12h 14h-17h

DOM. MADELOC Hors d'âge Solera *

■ 3 ha 400 ◍ 23 à 30 €

Beaucoup d'efforts et de ténacité pour arriver à vinifier du banyuls au cœur de Banyuls. En effet, certains néo-banyulenques attirés par la beauté des lieux oublient très vite que ce pays est en activité et que c'est celui de la vigne et des paysans qui y travaillent. La solera a contribué à cette robe ambré foncé, à cette évolution chaleureuse vers le rancio fait de notes de noix, de café et d'épices. Au palais, cet Hors d'âge est fondu mais présent ; l'équilibre est de type sec ; on retrouve le rancio, l'épice et on découvre le tabac. Pour un cigare après un café noir ou un gâteau aux noix. (Bouteille de 50 cl.)

ROUSSILLON

⊶ SCEA Gaillard et Baills,
1 bis, av. du Gal-de-Gaulle, 66650 Banyuls-sur-Mer,
tél. 04.68.88.38.29, fax 04.68.88.04.65,
e-mail domaine-madeloc@terre-net.fr
☑ Ƴ ⛹ t.l.j. sf dim. 10h-12h 14h-18h; f. 25 déc.-5 jan.

DOM. DU MAS VENTOUX 1999 *

■ n.c. 19 998 ⏸ 5 à 8 €

Arrivé à Banyuls, soit on continue vers Cerbère par la route sauvage et sinueuse, soit, curieux, on va voir de près dans l'arrière-pays le vignoble, ses murettes, les vieux ceps accrochés aux cailloux, les pentes affolantes, toujours surpris d'y trouver... de la vigne. Ce banyuls affiche un beau et typique tuilé acajou autour du pruneau et des notes de raisin et de noyau. En bouche, le vin est ample, séveux, marqué par la saveur du fruit cuit, harmonieux autour des tanins veloutés et des notes de grillé et de café d'un beau boisé bien mené. Une bouteille prête à consommer avec du foie gras ou un dessert au chocolat-café.

⊶ SIVIR, rte des Crêtes, 66650 Banyuls-sur-Mer,
tél. 04.68.88.03.22, fax 04.68.98.36.97,
e-mail sivir@templers.com

DOM. PIETRI-GERAUD 2002 **

□ 1,3 ha 4 000 ⏸ 11 à 15 €

Magui et Laetitia Piétri-Géraud ont depuis une dizaine d'années acquis une bonne notoriété avec leurs banyuls. Certes, le banyuls rouge reste la référence, mais il est de ces blancs très frais qui, l'été, sur un nougat glacé, feraient changer d'avis ! L'or est à l'accueil avec la senteur miellée des fleurs blanches et d'amande grillée. Le palais se montre ample, gras, dès l'attaque ; le fruit encore frais s'efface devant le miel, une touche d'agrumes, puis le grillé des fruits secs assure la longueur. A noter également, une **cuvée Joseph Géraud 96 rouge** de belle facture : elle obtient une étoile.

⊶ Maguy et Laetitia Piétri-Géraud, 22, rue Pasteur,
66190 Collioure, tél. 04.68.82.07.42, fax 04.68.98.02.58,
e-mail domaine.pietri-geraud@wanadoo.fr
☑ Ƴ ⛹ t.l.j. 10h-12h30 15h30-18h30;
f. dim. lun. hors vacances scolaires

CELLIER DES TEMPLIERS Rimatge 2002

■ n.c. 80 640 ▮ 11 à 15 €

Le Cellier des Templiers mérite le détour : vous pourrez y admirer de spendides foudres aux formes ovales, un très beau parc à barriques ; mais, c'est dans des cuves bien à l'abri de l'air que les rimatges (récoltes) conservent leur fruit durant six mois avant d'être piégés en bouteilles. Le résultat, c'est cette robe grenat profond et cette explosion de fruits rouges où domine la cerise au kirsch. La bouche surprend par le volume, le velouté des tanins, les arômes de cerise noire que l'on croque. Un très beau banyuls jeune, à réserver à une soupe de fruits rouges ou à des fraises nappées de chocolat.

⊶ Cellier des Templiers, rte du Mas-Reig,
66650 Banyuls-sur-Mer, tél. 04.68.98.36.70,
fax 04.68.98.36.91, e-mail accueil-visite@templers.com
☑ Ƴ ⛹ t.l.j. 10h30-12h30 14h30-18h30;
10h-19h30 du 1er avr. au 30 oct.

VIAL-MAGNERES Rivage 2000 *

□ 1,2 ha 5 000 ⏸ 15 à 23 €

Entre ce blanc et le **banyuls Tradition 7 ans d'âge (11 à 15 €)**, qui reçoit une étoile, il y a de quoi trouver son bonheur chez Bernard Saperas, d'autant que l'homme est avenant et dispose de la plus belle collection de banyuls blancs... sans omettre quelques demi-muids oubliés et d'autres encore qu'il vous dévoilera peut-être. Un élevage bien mené signe une robe d'or soutenu et des senteurs de miel, d'agrumes et de coing autour d'un boisé présent. Ample, gras, fondu, le palais hésite entre abricot sec et amande grillée. L'équilibre est remarquable, la finale retenue lui confère une belle longueur. Un vin de convivialité, à servir de l'apéritif au fois gras.

⊶ Bernard Saperas, Clos Saint-André,
14, rue Edouard-Herriot, 66650 Banyuls-sur-Mer,
tél. 04.68.88.31.04, fax 04.68.88.02.43,
e-mail al.tragou@wanadoo.fr ☑ Ƴ ⛹ r.-v.

DOM. DE LA VILLE D'AMONT Rimage 2001

■ 2,3 ha 2 500 ▮🌡 8 à 11 €

Ce jeune agriculteur installé en 1997 décide en 2000 de voler de ses propres ailes sur une petite exploitation de 4,50 ha constituée de vieilles vignes de grenache noir et gris. L'ardeur de la jeunesse et la maturité des ceps font bon ménage et engendrent ce Rimage de qualité. A l'œil, le rouge cède le pas au tuilé, mais la cerise est bien là, intense, hésitant entre guignolet et cerise à l'eau-de-vie. En bouche, elle s'accompagne de pruneau confit avant de laisser s'affirmer des tanins légèrement cacaotés. Il faudra attendre cette bouteille avant de la servir avec un dessert au chocolat.

⊶ Smaïn Alliche,
115, av. du Puig-del-Mas, 66650 Banyuls-sur-Mer,
tél. 04.68.88.52.03, fax 04.68.88.39.03,
e-mail allismain@aol.com ☑ Ƴ ⛹ r.-v.

Banyuls grand cru

LA CAVE DE L'ABBE ROUS CASTELL DES HOSPICES 1996 ***

■ n.c. 15 996 ⏸ 23 à 30 €

Si la vigne a un rôle écologique, parade au ravinement et à l'enlisement des ports lors de fortes pluies et excellent pare-feu en cas d'incendies, elle a aussi le mérite de produire des vins remarquables qui, des Templiers à l'abbé Rous, doivent beaucoup aux hommes d'Eglise. L'acajou de la robe trahit ici l'élevage. Pruneau et figue jouent sur des notes torréfiées avec cacao et tabac blond au nez comme en bouche. Equilibré, très présent et riche, ce vin, d'une rare harmonie, offre une longue finale où se retrouvent noix et orange amère.

⊶ La Cave de l'Abbé Rous, 56, av. Charles-de-Gaulle,
66650 Banyuls-sur-Mer, tél. 04.68.88.72.72,
fax 04.68.88.30.57, e-mail contact@banyuls.com

L'ETOILE Doux paillé Hors d'âge **

■ 5 ha n.c. ▮⏸ 23 à 30 €

Le Doux paillé, c'est le 4 x 4 de l'appellation, comme le dit Jean-Pierre Ramio, directeur de l'Etoile. Il passe partout ! Vous pourrez l'essayer en apéritif, au dessert, avec du foie gras, une pintade aux raisins, du café, un cigare... Le rouge profond de la robe d'origine a cédé ici la place à l'ambré au fil de l'élevage. Le tabac blond domine, accompagné de noix, adouci par la fleur d'oran-

ger. Un ensemble surprenant par le fondu, la finesse, ainsi que la note de fruits confits torréfiés et cette maturité qui renforcent la finale.
⊶ SCV L'Etoile,
26, av. du Puig-del-Mas, 66650 Banyuls-sur-Mer,
tél. 04.68.88.00.10, fax 04.68.88.15.10,
e-mail cave.letoile@tiscali.fr ☑ Y ⛹ t.l.j. 8h-12h 14h-17h

CELLIER DES TEMPLIERS
Cuvée Président Henry Vidal 1994 *

■ n.c. 55 054 ◍ 30 à 38 €

Les grands crus sont des vins bien élevés ! Pour celui-là, il faut attendre dix ans dont huit mois en foudres et dans ces demi-muids qui se dorent dehors, au soleil, au Mas Reig, mais qui supportent aussi pendant un an toutes les intempéries. Une superbe robe au tuilé lumineux. Puis le vin se libère doucement sur les fruits secs, la noix, le cacao que l'on retrouve dans une bouche puissante et chaleureuse. Cette cuvée a encore une longue vie devant elle, et offrira surtout des accords-plaisirs avec chocolat, café et cigare.
⊶ Cellier des Templiers, rte du Mas-Reig,
66650 Banyuls-sur-Mer, tél. 04.68.98.36.70,
fax 04.68.98.36.91, e-mail accueil-visite@templers.com
☑ Y ⛹ t.l.j. 10h30-12h30 14h30-18h30;
10h-19h30 du 1er avr. au 30 oct.

DOM. DU TRAGINER Hors d'âge *

■ 2 ha 4 600 ◍ 30 à 38 €

Pendant longtemps, la mule a été le plus utile compagnon du viticulteur des terrasses de Cerbère à Collioure. Utile pour le transport, pour remonter la terre après les orages, et surtout pour les labours, elle est de nouveau employée dans les vignes. Ici, au domaine de Traginer (conducteur de mule), elle n'est jamais partie. Entre torréfaction et fruits à l'alcool, ce banyuls grand cru tuilé a été apprécié pour sa bouche alliant intensité aromatique et belle ossature. Une pointe d'amertume en finale en fera un bon compagnon du chocolat. (Bouteille de 50 cl.)
⊶ Jean-François Deu, Dom. du Traginer,
56, av. du Puig-del-Mas, 66650 Banyuls-sur-Mer,
tél. 04.68.88.15.11, fax 04.68.88.31.48 ☑ Y ⛹ r.-v.

Rivesaltes

Longtemps, rivesaltes fut la plus importante des appellations des vins doux naturels : elle atteignait 14 000 ha et 264 000 hl en 1995. Après un Plan rivesaltes qui a permi la reconversion d'une partie de ce vignoble, la production de cette appellation en difficulté économique est tombée à 131 000 hl en 2000. En 2003, elle a représenté 106 770 hl ; elle est désormais dépassée par le muscat-de-rivesaltes dont les volumes atteignent 143 000 hl. Le terroir du rivesaltes s'étend en Roussillon et dans une toute petite partie des Corbières, sur des sols pauvres, secs, chauds, favorisant une excellente maturation. Quatre cépages sont autorisés : grenache, macabeu, malvoisie et muscat. Cependant, malvoisie et muscat n'interviennent que très peu dans l'élaboration de ces produits. La vinification se fait en général en blanc, mais aussi en rouge, pour des grenaches noirs, avec une macération, afin d'avoir le maximum de couleur et de tanin.

L'élevage des rivesaltes est fondamental pour la détermination de la qualité. En cuve ou dans le bois, ils développent des bouquets bien différents. Il existe une possibilité de repli dans l'appellation grand roussillon.

Les couleurs varient de l'ambré au tuilé. Le bouquet rappelle la torréfaction, les fruits secs, et le rancio dans les cas les plus évolués. Les rivesaltes rouges ont, dans leur phase de jeunesse, des arômes de fruits rouges : cerise, cassis, mûre. On les boira à l'apéritif ou au dessert, à une température de 11 à 15 °C, selon leur âge.

ROUSSILLON

ARNAUD DE VILLENEUVE
Ambré Hors d'âge 1980 *

□ 5 ha 3 000 ◍ 15 à 23 €

Il y a sept cents ans, Arnaud de Villeneuve découvrait le mutage, cette opération qui consiste à arrêter le vin à mi-fermentation en ajoutant de l'alcool. Depuis, cette pratique codifiée permet aux VDN de conserver fraîcheur et sucres naturels en mariant « le vin et son esprit ». Voici un compagnon de choix pour des desserts au café, une tarte aux pignons ou un cigare. Ce rivesaltes ambre-roux est dominé par le fruit sec et la touche lactée de la noix de cajou et de la noisette. Le palais est fondu par l'élevage ; épices, orange amère et tabac accompagnent la finale.
⊶ Les Vignobles du Rivesaltais,
1, rue de la Roussillonnaise, BP 56, 66600 Rivesaltes,
tél. 04.68.64.06.63, fax 04.68.64.64.69,
e-mail vignobles-rivesaltais@wanadoo.fr
☑ Y ⛹ t.l.j. sf dim. 9h-12h 14h-18h30

DOM. BERTRAND-BERGE
Ambré Grande Réserve Hors d'âge **

□ 2 ha 2 000 ▮◍⫰ 8 à 11 €

Claude Nougaro, résident de Paziols, ne chantera plus l'or du rivesaltes, larmes épicées des vieux ceps noueux, mais la poésie ambrée de l'obscure futaille de Jérôme Bertrand continuera d'évoquer pour nous l'œuvre d'amitié du jongleur de mots. Des notes surprenantes d'humus se mêlent aux fruits grillés et à la douceur de la noisette. Sur un équilibre sec entouré de notes de torréfaction et de café, se glissent les accents suaves, enrobés, de l'abricot sec et de la noisette. Un régal destiné aux desserts au chocolat. (Bouteille de 50 cl.)
⊶ Dom. Bertrand-Bergé, av. du Roussillon,
11350 Paziols, tél. 04.68.45.41.73, fax 04.68.45.41.73,
e-mail bertrand-berge@wanadoo.fr
☑ Y ⛹ t.l.j. 9h-12h 14h-18h

DOM. JOSEPH BORY Ambré 1975

■ 10 ha 2 000 15 à 23 €

Village animé au cœur des Aspres, Bages a l'âme vigneronne, comme le rappellent les nombreuses enseignes invitant aux caveaux. Celui de Joseph Bory mérite le détour tant par la qualité de l'accueil que par l'intérêt du lieu. Depuis longtemps, le blanc originel de ce 75 s'est imprégné de roux. L'âge est là, qui apporte un fondu dépouillé aux saveurs lactées sur des notes de café et de cacao. Cet ambré permet de découvrir la belle ouvrage du temps.

Mme Andrée Verdeille, Dom. Joseph Bory,
6, av. Jean-Jaurès, 66670 Bages,
tél. 04.68.21.71.07, fax 04.68.21.71.07
t.l.j. 9h-12h 15h-19h30; f. 15 janv.-15 fév.

DOM. BOUDAU Rivesaltes sur grains 2002 ★★★

■ 3,6 ha 12 000 8 à 11 €

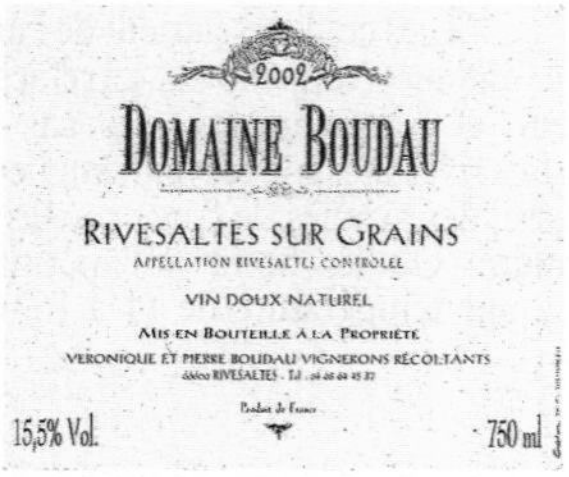

Les vins de Véronique Boudau et de son frère Pierre sont incontournables ; partout ils bataillent en tête. Ils ont autant de médailles qu'un vieux général russe ! Mais c'est dans les champs de vigne qu'elles se gagnent. Ici, la robe est profonde. Le regard noir précède une explosion de parfums : cerise, cassis, fruits confiturés, accompagnés d'épices qui s'étoffent de cuir. Fin, soyeux, le corps s'exprime lui aussi sur la cerise finement poivrée. Une belle finale réglissée conclut la dégustation de ce vin équilibré, harmonieux, à goûter sur une soupe de fruits rouges ou du chocolat.

SARL Dom. Boudau, 6, rue Marceau, BP 60,
66602 Rivesaltes, tél. 04.68.64.45.37, fax 04.68.64.46.26,
e-mail domaineboudau@wanadoo.fr
t.l.j. sf dim. 10h-12h 15h-18h (19h en été)

CH. DE CALADROY
Tuilé Cuvée Grande Réserve ★

■ 12 ha 30 000 8 à 11 €

Forteresse militaire du XIIᵉs., entre Languedoc et Catalogne, cet ensemble architectural qui abrite deux chapelles, dont l'une restaurée en caveau, est servi par un cadre grandiose. Encore jeune, ce tuilé d'un rouge soutenu hésite entre cerise noire et pruneau. Un vin charnu sur le fruit, aux notes de cerise à l'eau-de-vie, marqué par des tanins riches et vanillés. Idéal, très frais, sur une soupe de petits fruits rouges.

SCEA Ch. de Caladroy, 66720 Bélesta,
tél. 04.68.57.10.25, fax 04.68.57.27.76,
e-mail chateau.caladroy@wanadoo.fr
t.l.j. sf sam. dim. 8h-12h 13h30-17h30
Mezerette

LES VIGNERONS DE CASCASTEL Tuilé 2001

■ 25 ha 40 000 3 à 5 €

Les neuf communes de l'AOC fitou peuvent également élaborer du rivesaltes. Cette production est très réduite. Pourtant, le grenache noir y donne de belles expressions, tel ce vin à la robe grenat. Au-delà de la touche de kirsch et de genévrier du nez, c'est la bouche qui plaît, jouant plus sur la finesse que sur la puissance, avant que les tanins ne marquent la finale.

Les Maîtres Vignerons de Cascastel,
Grand-Rue, 11360 Cascastel, tél. 04.68.45.91.74,
fax 04.68.45.82.70, e-mail info@cascastel.com
t.l.j. sf sam. dim. 8h-12h 14h-18h

CAVE DE CASES DE PENE
Vieux Hors d'âge Vieilli en fût de chêne 1995

■ 16,5 ha 25 000 5 à 8 €

Le circuit superbe et tourmenté de l'Agly s'apaise au débouché du village, peut-être pour permettre d'admirer le calcaire blanc, la touche sombre des schistes noirs ou l'ocre rougeâtre des sables du pliocène. Voici un vin d'initiation au rancio que l'on devine dès le premier regard sur la robe tuilée à reflets olivâtres caractéristiques. Marqué par l'élevage, le palais joue sur le bois, le cuir, le sous-bois. Le rancio accompagne en bouche cacao et notes de torréfaction. Foie gras, chèvre frais, fourme ou chocolat l'attendent.

Les Vignerons de Cases-de-Pène,
2, bd Mal-Joffre, 66600 Cases-de-Pène,
tél. 04.68.38.93.30, fax 04.68.38.92.41 r.-v.

CASTELL REAL Ambré Hors d'âge ★★

■ n.c. 2 380 15 à 23 €

Au pied de la colline de Força Réal, sentinelle avancée du massif des Fenouillèdes, a mûri dans la cave, après quinze années en cuve sous la terrasse, puis cinq ans en barrique avec un élevage de type solera, ce Hors d'âge. Sa robe acajou aux reflets de rancio annonce la bouche satinée dans un contexte boisé auquel se mêlent des notes de fruits secs grillés, de ciste et de cacao. Savoureux, le fondu allie cacao, café et fruit confit avant une finale où domine la noix. Cigare, café, chocolat... les accords sont nombreux.

SCV Cellier Castell Réal,
152, rte Nationale, 66550 Corneilla-de-la-Rivière,
tél. 04.68.57.38.93, fax 04.68.57.23.36,
e-mail cassell-real-com@wanadoo.fr
t.l.j. sf dim. 10h-12h 14h30-18h

DOM. CAZES Tuilé 1988 ★★★

■ 5 ha 19 000 15 à 23 €

Tous les vins présentés ont été retenus ! Que ce soit le jeune **Grenat 98 (11 à 15 €)**, deux étoiles, tout de fruits rouges, le superbe **Ambré 95 (11 à 15 €)**, deux étoiles, aux notes de fruits secs et de garrigue, ou la **Cuvée Aimé Cazes 76 (46 à 75 €)**, une étoile, aux inoubliables saveurs. Ici, tout est à la fois différent et sublime. On serait tenté de décerner au domaine un coup de cœur pour l'ensemble de l'œuvre puisqu'il a obtenu treize coups de cœur en vingt ans. On se gardera d'oublier ce Tuilé limpide à l'œil, mêlant fruits secs, pruneau, cuir et torréfaction. Le plaisir continue en bouche sous les fruits confiturés, la noisette qui se mêlent à l'équilibre de saveurs et s'abandonnent sur des notes de torréfaction. Surtout, ne changez rien !

Sté Cazes Frères,
4, rue Francisco-Ferrer, BP 61, 66602 Rivesaltes,
tél. 04.68.64.08.26, fax 04.68.64.69.79,
e-mail info@cazes-rivesaltes.com r.-v.
André et Bernard Cazes

DOM. DES CHENES Tuilé 1999 ★

■	1,4 ha	3 000	🛢	8 à 11 €

Vingrau doit son nom à *Vinogradum*, « 20 marches » qui ouvraient aux charrettes le passage du village vers le plateau conduisant à la mer. Dans ce cirque aux falaises calcaires réputées pour l'escalade, la vigne en patchwork joue aves les couleurs. Comme ce vin dont la robe tuilée, révéle l'élevage oxydatif. Après trois ans sous bois apparaissent des notes de pruneau, de venaison et de cuir. Sur un équilibre doux, un tanin soyeux accompagne en bouche la figue, le pruneau et des notes empyreumatiques.

🔑 SCEA Dom. des Chênes,
7, rue Mal-Joffre, 66600 Vingrau,
tél. 04.68.29.40.21, fax 04.68.29.10.91,
e-mail domainedeschenes@wanadoo.fr
☒ 🍷 🚶 t.l.j. sf sam. dim. 9h-12h 14h-18h
🔑 Razungles

EN CROISADE Ambré

□	n.c.	7 500	▮ 🛢 🌡	8 à 11 €

Etudiant, Fabrice Rieu organisait à l'école une journée consacrée à la découverte des vins. Quoi de plus naturel que de le retrouver, études terminées, montant sa société de négoce pour une croisade au travers d'une gamme à la présentation rajeunie afin de conquérir de jeunes adultes ? Il a fallu huit ans pour que ce rivesaltes ambre-roux offre des senteurs mêlées de fruits macérés, de mandarine et de pain d'épice. Après une attaque exotique, le vin poursuit sa route sur fond d'agrumes jusqu'à une finale boisée qui le destine aux pâtes pressées ou au cigare. (Bouteilles de 50 cl.)

🔑 Albéra, 7, rue Pasteur, 66600 Rivesaltes,
tél. 04.68.64.14.33, fax 04.68.38.16.63,
e-mail contact@nayandei.fr ☒ 🍷 🚶 t.l.j. sf dim. 9h-18h
🔑 Fabrice Rieu

DOM BRIAL 1979 ★★★

□	4,5 ha	8 000	▮ 🛢	23 à 30 €

Il y a vingt-cinq ans, sous la protection bienveillante de Dom Brial, les vendanges finies, commençait l'élevage de cette cuvée. C'est, dit-on, la part des anges (la part du vin qui s'évapore) qui permet à ce célèbre curé de veiller de là-haut sur la sage évolution de ce paroissien fort jalousé. L'ambré se fait roux autour de senteurs d'agrumes, de tabac miellé, à moins que ce ne soit de tilleul et d'un début de rancio. Fruits confits et secs jouent en bouche sous la patine du bois. Coulant, soyeux, gras, relevé en finale par un soupçon de noix, ce rivesaltes témoigne de la belle œuvre du temps. A noter également, un **Ambré 89 (11 à 15 €)** tout en douceur ; il est cité.

🔑 Cave des Vignerons de Baixas,
Vignobles Dom Brial,
14, av. du Mal-Joffre, 66390 Baixas, tél. 04.68.64.22.37,
fax 04.68.64.26.70, e-mail baixas@dom-brial.com
☒ 🍷 🚶 r.-v.

CH. L'ESPARROU Tuilé Hors d'âge 1998 ★

■	1,6 ha	5 000	▮ 🛢 🌡	5 à 8 €

Par amour du métier, Jean-Louis Rendu a réussi à préserver à Canet, station touristique en plein développement, tout un plateau viticole abrité par un superbe parc qui joue au fil des saisons à cache-cache avec les toits du château. Ce Hors d'âge porte une robe rouge avec de beaux reflets tuilés et joue autour du fruit cuit et de la figue enrobés par un boisé aux notes torréfiées ; le vin se fond en finale sur des notes de chocolat blanc et de tabac miellé.

🔑 J.-L. et M.-P. Rendu,
Ch. L'Esparrou, 66140 Canet-en-Roussillon,
tél. 04.68.73.30.93, fax 04.68.73.58.65,
e-mail esparrou@hotmail.com
☒ 🍷 🚶 t.l.j. 9h-12h 14h-18h; f. dim. en hiver

CH. MOSSE Vignes des Causses 1998 ★★

■	5 ha	15 000	🛢	8 à 11 €

La beauté du site n'a d'égale que la chaleur de l'accueil. Là, il faut se poser, humer l'odeur des cistes au pied des causses, admirer l'amour vigneron pour ces vieux ceps centenaires, goûter sa passion et écouter le temps s'arrêter. L'élevage en foudre agrémente ici le pruneau de touches de noisette, puis la marque de la torréfaction s'impose. Le temps exerce alors son art pour former une bouche suave, prenante, où le pruneau joue avec le café et le chocolat pour accompagner le grillé du fruit sec.

🔑 Jacques Mossé, Ch. Mossé,
Sainte-Colombe-de-la-Commanderie,
BP 8, 66301 Thuir Cedex,
tél. 04.68.53.08.89, fax 04.68.53.35.13 ☒ 🍷 🚶 r.-v.

DOM. DES ORMES Hors d'âge

■	n.c.	500	▮	15 à 23 €

Sur fond de Canigou, Sainte-Colombe marie briques et cailloux roulés sur des airs de carte postale. Sans contestation possible, un des plus beaux villages des Pyrénées-Orientales avec, au lointain, la touche argentée de la Grande Bleue. Sept ans en cuve, douze mois en bonbonne au soleil confèrent à ce rivesaltes une couleur brune, un nez évoluant vers le cuir, le grillé, sur une touche fumée. En bouche, autour du fruit charnu, le boisé empyreumatique domine avant une finale de pruneau à l'eau-de-vie. Cité également, l'**Ambré 96 (8 à 11 €).**

🔑 Dom. des Ormes, 1, Cami de Cantarana,
66300 Ste-Colombe-de-la-Commanderie,
tél. 04.68.53.19.33, fax 04.68.38.82.50,
e-mail domainedesormes@yahoo.fr ☒ 🍷 🚶 r.-v.
🔑 G. Rossignol et P. Alsina

ROUSSILLON

CH. PEZILLA Grenat 2002

■	12 ha	12 000	▮ 🌡	5 à 8 €

Derrière le village, le vignoble part à l'assaut du col de la Dona par larges paliers étagés au fil des anciennes terrasses de cailloux roulés déposés par la Têt. Un rivesaltes grenat tout en fruits rouges et noirs : cassis, mûre, cerise. Il est doux à l'attaque, très typé « vintage », entièrement sur la cerise ; le tanin encore présent l'invite sur une soupe de fruits ou un melon macéré.

🔑 Les Vignerons de Pézilla,
1, av. du Canigou, 66370 Pézilla-la-Rivière,
tél. 04.68.92.00.09, fax 04.68.92.49.91,
e-mail vignerons.pezilla@little-france.com ☒ 🚶 r.-v.

CH. PRADAL Ambré Cuvée Clément 1994 ★

□	3 ha	2 000	▮ 🛢 🌡	8 à 11 €

C'est le dernier domaine à vinifier au cœur de Perpignan, à deux pas de la gare – « centre du monde », selon Salvador Dalí. Pratique pour les expéditions ! Au fil de l'élevage, le grenache blanc s'est fait ici or avec un léger reflet rancio. Des notes toastées, miellées se retrouvent en bouche, mêlées à celles de noisette et d'orange confite. Des

arômes de cerneau de noix en accentuent la longueur. Pour les accords, le choix est offert : apéritif, foie gras au torchon ou dessert chocolaté. (Bouteilles de 50 cl.)
🔑 André Coll-Escluse, Ch. Pradal,
58, rue Pépinière-Robin, 66000 Perpignan,
tél. 04.68.85.04.73, fax 04.68.56.80.49 ☑ Y 🚶 r.-v.

PUJOL Hors d'âge

□ 1 ha 1 500 🛢 15 à 23 €

Responsable viticole au niveau national pendant des années, Jean-Luc Pujol a décidé de tout lâcher pour revenir sur ses terres et rester avec les siens. Seule concession récente, la réflexion sur la communication des vins du Roussillon et une forte présence autour de la Saint-Bacchus. Son Hors d'âge ? La couleur hésite entre ambré et tuilé ; le vin joue ensuite entre vieux bois patiné, cuir et pruneau confit. Fin, le palais est dominé par le fruit sec, le pruneau à l'eau-de-vie, alors que la finale laisse sur le souvenir du cacao et du tabac brun.
🔑 Jean-Luc Pujol, Dom. La Rourède,
66300 Fourques, tél. 04.68.38.84.44, fax 04.68.38.88.86,
e-mail vins.pujol@wanadoo.fr
☑ 🏠 Y 🚶 t.l.j. sf dim. 9h-12h 15h-18h30

DOM. ROSSIGNOL Ambré 1999 *

□ 5,6 ha 3 000 🛢 8 à 11 €

Installé depuis une dizaine d'années, Pascal Rossignol, homme dynamique et généreux, n'hésite pas à s'engager pour la préservation de la beauté du Roussillon, son pays, qu'il défend aussi bien par ses vins qu'en chanson. Ce rivesaltes offre de plaisants parfums, parmi lesquels une touche de garrigue entoure des notes d'abricot et d'agrumes. Un bel équilibre s'établit en bouche où une pointe de muscat apporte sa finesse. Ample, la finale de tabac blond et de fruits secs appelle foie gras ou dessert aux figues. Si vous aimez l'art roman – ou souhaitez le découvrir –, ne manquez pas le prieuré du Monastir del Camp, situé à 1 km du domaine.
🔑 Pascal Rossignol, rte de Villemolaque, 66300 Passa,
tél. 04.68.38.83.17, fax 04.68.38.83.17,
e-mail domaine.rossignol@free.fr
☑ Y 🚶 t.l.j. sf dim. 10h30-12h30 16h-19h30

DOM. SARDA-MALET La Carbasse 2001 **

■ 3 ha 4 900 🛢 🌡 15 à 23 €

La commune de Perpignan offre des facettes étonnantes. Sait-on qu'il s'agit d'une grande commune agricole avec maraîchages et fruitiers ? Plus étonnant encore, ce troupeau de moutons qui s'anime parfois au Serrat d'en Vaquer dominant les vignes de Jérôme Malet. Conserver le fruit du raisin autour de l'épice, enrober les tanins, assouplir la charpente, c'est cette recherche d'harmonie, sur fond réglissé, qui signe les beaux rivesaltes grenat. Tel celui-ci, compagnon de l'apéritif ou du dessert au chocolat. (Bouteilles de 37,5 cl.) Remarqué également, le **Serrat Ambré 98 (11 à 15 €),** tout en fruit sec et tabac blond, reçoit une étoile.
🔑 Dom. Sarda-Malet, Mas Saint-Michel,
chem. de Sainte-Barbe, 66000 Perpignan,
tél. 04.68.56.72.38, fax 04.68.56.47.60,
e-mail jerome.malet@sarda-malet.com ☑ Y 🚶 r.-v.
🔑 Jérôme Malet

CH. DE SAU Ambré Hors d'âge ***

□ 2,8 ha 3 900 🛢 🛢 🌡 15 à 23 €

Cépage décrié il y a peu encore, le grenache gris (base de l'AOC collioure blanc, dont on va entendre prochai-

nement parler) donne ici, après un long élevage en barrique, beaucoup d'attention et un savoir-faire acquis au fil des générations, toute sa noblesse au rivesaltes. Une robe ambre-roux, des arômes d'orange confite, d'abricot sec, mêlés au doux grillé de la noisette, au miel... un plaisir dès l'approche. Tout est fondu, harmonieux, fleur miellée, fruit grillé et agrumes s'alliant en bouche jusqu'à une finale de tabac blond. Subtil mariage des saveurs, du volume, de la longueur. Rien que du plaisir.
🔑 Hervé Passama, Ch. de Sau, 66300 Thuir,
tél. 04.68.53.21.74, fax 04.68.53.29.07,
e-mail chateaudesau@aol.com ☑ 🏠 Y 🚶 r.-v.

DOM. SOL-PAYRE Hors d'âge Terre de pierres *

■ 1,6 ha 3 000 🛢 15 à 23 €

Passage obligé pour tout amateur d'art roman, le cloître d'Elne au cœur de la vieille ville en écharpe autour de son imposant clocher. A l'ombre des murs fortifiés, d'autres trésors attendent le visiteur. Si la robe bordeaux de ce Hors d'âge est légèrement tuilée, le vin a encore le charme de la cerise noire et s'est enrichi des notes de cacao et de pruneau liées à l'élevage. Souple, fondue dès l'attaque, la bouche, après une surprenante note de banane séchée, joue sur des tanins aux notes de fruit sec. L'ensemble, équilibré, attend le fromage bleu.
🔑 Jean-Claude Sol, rue de Paris, 66200 Elne,
tél. 04.68.22.17.97, fax 04.68.22.50.42,
e-mail jean-claude-sol2@wanadoo.fr
☑ Y 🚶 t.l.j. 9h-12h 15h30-18h;
jan. fév. mars et dim. 10h-12h

LES VIGNERONS DE TAUTAVEL Tuilé *

■ 68 ha 6 000 8 à 11 €

Certes, Tautavel est connu pour son « homme » et son musée de la Préhistoire, mais la qualité de ses côtes-du-roussillon-villages et de ses VDN ne va pas tarder à révéler ses hommes vignerons d'aujourd'hui. Riche, gras, ce hors d'âge joue sur un équilibre doux relevé par un boisé grillé ; le pruneau confit s'accompagne d'un soupçon de noix et de cacao. Un vrai beau tuilé dès l'approche, à garder pour les gâteaux secs, le café ou le cigare.
🔑 Les Maîtres Vignerons de Tautavel,
24, av. Jean-Badia, 66720 Tautavel,
tél. 04.68.29.12.03, fax 04.68.29.41.81,
e-mail vignerons.tautavel@wanadoo.fr ☑ Y 🚶 r.-v.

VILAFORCA Ambré Hors d'âge *

□ 90 ha 5 200 🛢 🛢 🌡 8 à 11 €

Entre *mar i mont*, Fourques envoie son vignoble à l'assaut de la chênaie du piémont du Canigou. Un paysage agrémenté par les petits canyons taillés dans les sables ocre et rouges du pliocène. Agréable, ce vin décline en bouche toute la palette de l'évolution liée à l'élevage, passant du fruit confit et des agrumes au pain d'épice et au cerneau de noix. Un beau **tuilé** témoigne également du savoir-faire de cette cave vigneronne ; il est cité.

↜ SCA Les Vignerons de Fourques,
1, rue des Taste-Vin, 66300 Fourques,
tél. 04.68.38.80.51, fax 04.68.38.89.65,
e-mail vigneronsdefourques@wanadoo.fr
☑ ⟊ ⚹ t.l.j. sf dim. 14h-18h; sam. 9h-12h

Muscat-de-rivesaltes

Sur l'ensemble du terroir des rivesaltes, maury et banyuls, le vigneron peut élaborer du muscat-de-rivesaltes, lorsque l'encépagement se compose à 100 % de cépages muscat. La superficie de ce vignoble représente 5 917 ha, pour une production de 143 000 hl en 2003. Les deux cépages autorisés sont le muscat à petits grains et le muscat d'Alexandrie. Le premier, souvent appelé muscat blanc ou muscat de Rivesaltes, est précoce et se plaît dans des terrains relativement frais et si possible calcaires. Le second, appelé aussi muscat romain, est plus tardif et très résistant à la sécheresse.

La vinification s'opère soit par pressurage direct, soit avec une macération plus ou moins longue. La conservation se fait obligatoirement en milieu réducteur, pour éviter l'oxydation des arômes primaires. Les vins sont liquoreux, avec 100 g minimum de sucre par litre. Ils sont à boire jeunes, à une température de 9° à 10 °C. Ils accompagnent parfaitement les desserts : tartes au citron, aux pommes ou aux fraises, sorbets, glaces, fruits, touron, pâte d'amandes... ainsi que le roquefort.

CH. AYMERICH 2003 ★

	2,15 ha	6 000	🍶↧	5 à 8 €

Le vignoble remonte au XVIIes., quand Pierre-Antoine Aymerich, alors premier consul de sa ville, choisit de planter la vigne dans la région d'Estagel. Ses descendants offrent un muscat à la belle robe d'or vert brillant, tout en fraîcheur et en finesse. Les arômes évoquent l'ananas frais, la menthe, le citron et l'orgeat. Un vin élégant à déguster avec une salade de fruits exotiques, une tarte aux abricots du Roussillon. Et pourquoi ne pas tenter un poulet au citron ?

↜ Ch. Aymerich,
52, av. Dr-Torreilles, 66310 Estagel,
tél. 04.68.29.45.45, fax 04.68.29.10.35,
e-mail aymerich-grau-vins@wanadoo.fr ☑ ⟊ ⚹ r.-v.
↜ Grau-Aymerich

CH. BELLOCH 2003 ★

	2 ha	3 000	🍶↧	5 à 8 €

La robe est d'or cristallin aux reflets verts. Les arômes d'une belle intensité rappellent les fruits à chair blanche, les fleurs et la citronnelle. La bouche, marquée par des notes de poire, de litchi et légèrement mentholée, se montre soignée, bien équilibrée et tout en délicatesse.

↜ SA Cibaud-Ch. Miraflors et Belloch,
rte de Canet, 66000 Perpignan,
tél. 04.68.50.24.92, fax 04.68.67.20.02,
e-mail vins.cibaud@wanadoo.fr
☑ ⟊ ⚹ t.l.j. sf dim. 9h-12h 15h30-18h30
↜ Alain Cibaud

DOM. BONZOMS 2003

	5 ha	3 000	🍶↧	5 à 8 €

Bien que la cave ait été successivement une prison et un couvent, ce muscat 2003 est un vin particulièrement ouvert. Le nez a beaucoup de caractère avec ses arômes d'agrumes, de fleurs blanches, de miel et de fruits exotiques. Frais en attaque, le palais évolue sur des notes de citron et de confiture d'oranges amères.

↜ Dom. Bonzoms, 2, pl. de la République,
66720 Tautavel, tél. 04.68.29.40.15,
e-mail domaine.bonzoms@wanadoo.fr ☑ ⟊ r.-v.

DOM. BOUDAU 2003 ★

	6 ha	20 000	🍶↧	8 à 11 €

Un des domaines favoris du Guide depuis plusieurs années. Le muscat 2003 ne démérite pas. Toujours dans l'élégance et le bon goût avec sa robe d'or vert limpide, il est bien aromatique, dominé par le fruit avec de discrètes touches de tilleul et de citronnelle. L'équilibre en bouche est parfaitement réussi, entre liqueur et fraîcheur. Un beau classique.

↜ SARL Dom. Boudau,
6, rue Marceau,
BP 60, 66602 Rivesaltes,
tél. 04.68.64.45.37, fax 04.68.64.46.26,
e-mail domaineboudau@wanadoo.fr
☑ ⟊ t.l.j. sf dim. 10h-12h 15h-18h (19h en été)

CH. DE CALADROY 2002 ★

	3,5 ha	9 000	🍶↧	5 à 8 €

Le domaine, forteresse militaire du XIIes., est situé dans un site exceptionnel au cœur d'un terroir de schistes. En majorité constituée de muscats à petits grains, la cuvée 2002 est d'une fraîcheur remarquable, tout en subtiles nuances : tilleul, verveine, fruits exotiques et menthol. Très vive en attaque, elle évolue sur des notes de miel de fleurs d'acacia.

↜ SCEA Ch. de Caladroy, 66720 Bélesta,
tél. 04.68.57.10.25, fax 04.68.57.27.76,
e-mail chateau.caladroy@wanadoo.fr
☑ ⟊ ⚹ t.l.j. sf sam. dim. 8h-12h 13h30-17h30

DOM. DE LA CAPEILLETTE 2003

	5,1 ha	n.c.	🍶	8 à 11 €

La robe est belle, légère et brillante, aux reflets d'or vert. Les arômes d'une grande finesse égrènent de délicates touches florales (acacia, rose) et exotiques. Tout en élégance et en fraîcheur, ce millésime 2003 développe en bouche des nuances mûres d'agrumes confits.

↜ GAEC Dom. de la Capeillette,
2, Traverse de la Fontaine, 66720 Latour-de-France,
tél. 04.68.29.16.35, fax 04.68.29.16.35 ☑ ⟊ ⚹ r.-v.

LES MAITRES VIGNERONS DE CASCASTEL 2003

39,8 ha	30 000	■↓	5 à 8 €

La robe est d'or clair à reflets verts. Le nez, d'emblée fruité, développe ensuite des notes de pétale de rose, de citronnelle et de tilleul. Fondu et frais en bouche, ce millésime 2003 est d'une belle puissance aromatique et d'une agréable persistance.

➡ Les Maîtres Vignerons de Cascastel,
Grand-Rue, 11360 Cascastel,
tél. 04.68.45.91.74, fax 04.68.45.82.70,
e-mail info@cascastel.com ☑ ☒ ⚇ t.l.j. 8h-12h 14h-18h

DOM. CAZES 2002 ★

20 ha	48 000	■↓	11 à 15 €

Que serait une sélection de muscats sans le domaine Cazes ? Une affaire de famille depuis plusieurs générations qui s'est reconvertie depuis quelques années dans la biodynamie et dont les vins sont toujours parmi les étoiles du Roussillon. Le millésime 2002 est d'or jaune cristallin. D'une grande complexité aromatique, il fleure bon le raisin frais, le citron, la menthe et le miel. D'une belle attaque, grasse et vive, il exhale toute sa puissance dans une finale miellée et finement épicée.

➡ Sté Cazes Frères, 4, rue Francisco-Ferrer, BP 61, 66602 Rivesaltes, tél. 04.68.64.08.26, fax 04.68.64.69.79, e-mail info@cazes-rivesaltes.com ☒ ⚇ r.-v.

DOM. CELLER D'AL MOULI 2003

4,9 ha	6 000	■↓	8 à 11 €

Le terroir de Tautavel est réputé pour sa production de vins rouges. Mais les muscats y sont aussi de qualité. La preuve en est ce millésime à la robe d'or brillant, aux arômes de fleurs blanches, d'agrumes frais, de poire et de banane. La bouche souple et franche, d'un beau volume, s'achève sur une fine pointe d'amertume.

➡ Pierre Pelou, EARL Celler d'Al Mouli,
9, rue de la République, 66720 Tautavel,
tél. 04.68.29.02.21, fax 04.68.29.02.21,
e-mail ppelou@aol.com ☑ ⌂ ⚇ r.-v.

LE VIGNERONS DES COTES D'AGLY 2003

120 ha	50 000	■↓	5 à 8 €

La robe est brillante, d'or pâle à reflets verts. Le nez, fin et complexe, joue sur des nuances de tilleul, de citronnelle, de poire et d'agrumes frais. Très élégant en bouche et d'une belle longueur, ce muscat évolue sur des notes de fruits et de miel.

➡ Les Vignerons des Côtes d'Agly,
Cave coopérative, 66310 Estagel, tél. 04.68.29.00.45,
fax 04.68.29.19.80, e-mail agly@tiscali.fr
☑ ☒ ⚇ t.l.j. sf dim. 9h-12h 14h-18h

CROIX MILHAS 2003

n.c.	140 000	■	3 à 5 €

Croix Milhas est une nouvelle marque de vins doux naturels du Roussillon. Elle entre dans le Guide avec ce muscat à la jolie robe jaune à reflets verts, aux arômes frais et intenses de fruits exotiques et de fleurs blanches. Très bien équilibré en bouche, ce 2003 finit sur des notes minérales particulièrement intéressantes.

➡ SIVIR, rte des Crêtes, 66650 Banyuls-sur-Mer,
tél. 04.68.88.03.22, fax 04.68.98.36.97,
e-mail sivir@templers.com

DOM BRIAL 2002 ★★

20 ha	62 700	■	8 à 11 €

Quand le plus important producteur de l'appellation est aussi le meilleur... Coup double pour les Vignerons de Baixas : le **Château Les Pins 2002** est jugé très réussi ; sa robe est d'or pâle brillant, ses arômes intenses évoquent le tilleul, le miel et la rose épanouie. Un très beau vin, fondu, liquoreux et puissant. Mais le coup de cœur du grand jury revient au Dom Brial particulièrement apprécié pour son élégance, ses arômes de pêche mûre, de brioche, de fruits exotiques avec des notes d'évolution légèrement confites. Un régal en bouche par son équilibre parfait entre fraîcheur et liqueur.

➡ Cave des Vignerons de Baixas,
Vignobles Dom Brial, 14, av. du Mal-Joffre,
66390 Baixas, tél. 04.68.64.22.37, fax 04.68.64.26.70,
e-mail baixas@dom-brial.com ☑ ☒ ⚇ r.-v.

CH. DONA BAISSAS 2002 ★

4,71 ha	5 000	■	8 à 11 €

Depuis 1817 propriété familiale, ce domaine fut nommé La Dona par les officiers du cadastre séduits par la beauté du paysage et la personnalité de sa propriétaire (*dona* signifiant femme en catalan). Le muscat 2002 est d'une belle intensité avec des notes fines d'évolution (citron confit, verveine, eau-de-vie de prune). L'équilibre en bouche surprend par son volume relevé d'une élégante fraîcheur.

➡ Cellier de la Dona, Ch. Dona Baissas,
ancienne rte de Maury, 66310 Estagel,
tél. 04.68.29.00.02, fax 04.68.29.09.26,
e-mail donabaissas@tiscali.fr
☑ ☒ ⚇ t.l.j. sf sam. dim. 9h-12h 14h-17h
➡ J. Baissas

DOM. FONTANEL L'Age de Pierre 2003

4 ha	9 000	■	8 à 11 €

Le terroir argilo-calcaire du domaine convient parfaitement au muscat à petits grains. Celui-ci constitue l'ensemble d'une cuvée tout en élégance. Les arômes floraux évoquent l'acacia et la fleur d'oranger. Très bien équilibré, ample et persistant en bouche, ce vin est des plus plaisants.

➡ Dom. Fontanel, 25, av. Jean-Jaurès, 66720 Tautavel,
tél. 04.68.29.04.71, fax 04.68.29.19.44,
e-mail domainefontanel@hotmail.com
☑ ☒ ⚇ t.l.j. 10h-12h30 14h-19h

DOM. DES HOSPICES DE CANET-EN-ROUSSILLON 2003

18 ha	n.c.	■	5 à 8 €

Un vignoble familial de 120 ha exploité depuis cinq générations. La cave est située en plein cœur du site historique de Canet dans les anciens hospices du village. Pour son entrée dans le Guide, voici un muscat d'une fort jolie couleur dorée, aux arômes finement citronnés et exotiques, à la bouche fraîche et gouleyante, mentholée et épicée en finale.

🔑 Benassis-Lavail,
5, imp. de l'Hort, 66140 Canet-en-Roussillon,
tél. 04.68.35.05.12, fax 04.68.35.19.07,
e-mail culturevin@wanadoo.fr ☒ 🏠 🍷 🚶 r.-v.

DOM. LAFAGE Grain de Vigne 2003 ★

▒ n.c. 30 000 ▮🌡 8 à 11 €

Coup de cœur dans le Guide 2004 et souvent en tête des classements, ce domaine est encore une fois dans le peloton de tête pour son muscat. Les arômes sont puissants, fruités (poire, ananas, litchi) et floraux (acacia). Parfaitement équilibré, ce vin vif, gai, fin et persistant paraît idéal avec des pâtisseries aux fruits (tarte aux abricots).

🔑 SCEA Dom. Jean-Marc Lafage,
Mas Durand, 66140 Canet-en-Roussillon,
tél. 04.68.80.35.82, fax 04.68.80.38.90,
e-mail domaine.lafage@wanadoo.fr ☒ 🍷 🚶 r.-v.

DOM. DE LA MADELEINE 2003

▒ n.c. 3 000 ▮🌡 8 à 11 €

Une propriété de 70 ha où la culture de la vigne est plus que centenaire. La robe de ce muscat est d'or jaune lumineux. Les arômes, puissants, évoquent les fruits exotiques, les épices, la pêche jaune et l'abricot. Beaucoup de vivacité en bouche, de l'élégance et une finale d'une amertume savoureuse.

🔑 Georges Assens,
chem. de Charlemagne, 66000 Perpignan,
tél. 04.68.50.02.17, fax 04.68.50.02.17,
e-mail georgesassens@wanadoo.fr ☒ 🏠 🍷 🚶 r.-v.

DOM. DE MARIDET Sense Fi 2001 ★★

▒ n.c. 4 000 🛢 15 à 23 €

Une bouteille de 50 cl des plus originales, à la fois par sa présentation et par son contenu. Celui-ci a séduit le jury par ses arômes puissants d'écorce d'orange confite, de miel et de vanille. Ce mélange subtil s'accompagne en bouche d'un réel équilibre entre fraîcheur et liqueur et d'une remarquable longueur. Un très bel exemple d'élevage réussi dans le bois.

🔑 Dom. du Madiret,
21, bd de la Marine, 66510 Saint-Hippolyte,
tél. 04.68.59.61.46, fax 04.68.59.61.46 ☒ 🍷 🚶 r.-v.

DOM. MOUNIE 2003

▒ 2 ha 5 000 ▮🌡 8 à 11 €

Dans sa robe d'or pâle à reflets verts, ce millésime 2003 développe des arômes aux nuances florales : le tilleul, la rose, le mimosa et la fleur d'acacia s'y mêlent en bouquet des plus flatteurs. La maturité s'exprime en bouche avec des notes de fruits légèrement confits. Un vin au profil élégant, net et équilibré.

🔑 Dom. Mounié, 1, av. du Verdouble, 66720 Tautavel,
tél. 04.68.29.12.31, fax 04.68.29.05.59 ☒ 🍷 🚶 r.-v.
🔑 Claude Rigaill

NAYANDEI 2003

▒ n.c. 5 000 ▮🌡 8 à 11 €

Marque phare d'un groupe de jeunes négociants, dont l'ambition est de séduire un public de nouveaux consommateurs. Une jolie réussite dans le style léger et équilibré. Les arômes sont d'une grande fraîcheur, exotiques, avec des notes de chèvrefeuille et de fruits à chair blanche. L'équilibre en bouche est vif et le bouquet puissant.

🔑 Albéra, 7, rue Pasteur, 66600 Rivesaltes,
tél. 04.68.64.14.33, fax 04.68.38.16.63,
e-mail contact@nayandei.fr ☒ 🍷 🚶 t.l.j. sf dim. 9h-18h

LES VIGNERONS DE LA PALME 2003 ★

▒ 10 ha 25 000 ▮🌡 5 à 8 €

Beaucoup de fraîcheur et de jeunesse dans ce muscat à la robe d'or vert léger. Le nez est très subtil, aux nuances d'abricot frais et de zeste de citron. La bouche associe des notes finement mentholées à des arômes de fruits exotiques. Belle longueur sur une finale « grain de raisin frais ».

🔑 SCA Les Vignerons de La Palme, 37, av. de la Mer, 11480 La Palme, tél. 04.68.48.15.17, fax 04.68.48.56.85,
e-mail geoffroylapalme@voila.fr ☒ 🍷 🚶 r.-v.

CH. PEZILLA Cuvée Prestige 2003

▒ 175 ha 20 000 ▮🌡 5 à 8 €

Belle robe d'or très brillant à reflets verts. Arômes très fins de poire, de fruits exotiques, d'abricot frais et de fleurs blanches. Beaucoup de chair et de liqueur. Un vin élaboré avec beaucoup de doigté.

🔑 Les Vignerons de Pézilla,
1, av. du Canigou, 66370 Pézilla-la-Rivière,
tél. 04.68.92.00.09, fax 04.68.92.49.91,
e-mail vignerons.pezilla@little-france.com ☒ 🚶 r.-v.

DOM. PIQUEMAL 2003 ★

▒ n.c. 20 000 ▮ 5 à 8 €

Si on ne présente plus la famille Piquemal, les vins du domaine sont toujours autant de merveilleuses découvertes. Une robe d'or vert tendre, un nez à la fois mûr et avec de belles notes de fraîcheur, une bouche gourmande... On croque le grain de raisin et la longueur est superbe. A déguster avec des tartes aux fruits et des coques aux cheveux d'ange.

🔑 Dom. Pierre Piquemal,
1, rue Pierre-Lefranc, 66600 Espira-de-l'Agly,
tél. 04.68.64.09.14, fax 04.68.38.51.55,
e-mail contact@domaine-piquemal.com ☒ 🍷 🚶 r.-v.

CH. PLANERES Excellence 2003 ★

▒ 10 ha 10 000 ▮🌡 5 à 8 €

Le domaine est vaste et produit de nombreuses cuvées sous le label Vitealis. « Excellence », tel est le nom de celle-ci qui a été unanimement sélectionnée par le jury. Revêtue d'or vert cristallin, elle exhale des fragrances florales, d'agrumes, d'épices, de verveine et de menthe. Tout en finesse, le vin est onctueux, rond, avec une belle vivacité dominée par une note citronnée. A déguster, bien frais, avec un dessert aux fruits blancs ou un sorbet.

🔑 Vignobles Jaubert et Noury,
Ch. Planères, 66300 Saint-Jean-Lasseille,
tél. 04.68.21.74.50, fax 04.68.21.87.25,
e-mail contact@chateauplaneres.com
☒ 🍷 🚶 t.l.j. 8h30-12h 14h-18h30; groupes sur r.-v.

CH. PRADAL 2003 ★

▒ 12 ha 17 000 ▮🌡 5 à 8 €

Un domaine habitué du Guide et qui sait résister à la pression immobilière de la ville. La robe est éclatante, d'un bel or brillant. Le nez, original, allie des arômes de lies fraîches, de fruits exotiques et de fraise. La bouche est d'une grande fraîcheur. Un vin tonique, à la finale épicée.

⊶ André Coll-Escluse, Ch. Pradal,
58, rue Pépinière-Robin, 66000 Perpignan,
tél. 04.68.85.04.73, fax 04.68.56.80.49 ☑ Y 🚶 r.-v.

CH. DE REY 2003 *

■ 2 ha 3 000 ▮ ⚲ 5 à 8 €

Sur les terrasses caillouteuses bordant l'étang de Canet, le muscat d'Alexandrie exprime toute sa générosité. C'est le cépage unique de cette cuvée d'or pâle brillant. Le nez, puissant, évoque la pêche mûre, les épices et l'orange confite. La bouche est longue et chaleureuse avec ses notes d'évolution marquées.

⊶ Philippe et Cathy Sisqueille, Ch. de Rey,
rte de Saint-Nazaire, 66140 Canet-en-Roussillon,
tél. 04.68.73.86.27, fax 04.68.73.15.03,
e-mail chateau-de-rey@libertysurf.fr
☑ ⌂ Y 🚶 t.l.j. sf sam. dim. 9h-12h 15h-17h

DOM. RIERE CADENE 2003 **

■ 1,25 ha 5 000 ▮ 8 à 11 €

Tout proche de la ville de Perpignan, ce domaine est cultivé en lutte intégrée. Le muscat 2003, d'une belle couleur or jaune, affiche des arômes intenses, grillés, légèrement beurrés, accompagnés de nuances de banane mûre, de fruits à chair blanche et d'agrumes frais. Souple en attaque, il est ample, gras, chaleureux et soutenu par une bonne vivacité. Un très beau vin, équilibré, qui devrait s'accorder à la perfection avec une tourte aux poires.

⊶ J.-F. Rière, Dom. Rière Cadène, Mas Bel-Air,
chem. de Saint-Génis-de-Tanyères, 66000 Perpignan,
tél. 04.68.63.87.29, fax 04.68.52.30.65,
e-mail riere@wanadoo.fr ☑ ⌂ Y 🚶 t.l.j. 9h-19h

DOM. ROSSIGNOL 2002 **

■ 5,47 ha 2 766 ▮ ⚲ 5 à 8 €

Situé sur des terrasses graveleuses au cœur des Aspres, ce domaine est une des étoiles montantes du Roussillon. Une cave soignée, un joli caveau, un couple sympathique et dynamique, déjà de nombreuses distinctions et aujourd'hui... un coup de cœur dans le Guide. Que de sensations dans ce muscat 2002, brillant d'or pâle à reflets verts, aux arômes explosifs d'agrumes frais, de citron vert, de mimosa, de fruits exotiques et d'ananas confit ! Et la bouche n'est pas en reste, à la fois ronde et surprenante de fraîcheur, aux notes de verveine et de pêche de vigne. Un vin idéal, avec des desserts aux agrumes, un sabayon de pêches au muscat, ou simplement à déguster tout seul, pour le plaisir.

⊶ Pascal Rossignol, rte de Villemolaque, 66300 Passa,
tél. 04.68.38.83.17, fax 04.68.38.83.17,
e-mail domaine.rossignol@free.fr
☑ Y 🚶 t.l.j. sf dim. 10h30-12h30 16h-19h30

DOM. DE SAINTE-SUZANNE J-M Pech 2003 *

■ 3 ha 1 200 ▮ 5 à 8 €

La famille Pech exploitait déjà le domaine avant la Révolution pour les chanoines du chapitre de Saint-Paul. Cette cuvée est constituée exclusivement de muscat à petits grains. La robe est d'or vert brillant. Les arômes sont complexes, puissants et d'une grande fraîcheur. S'y mêlent des notes de fruits exotiques et de citronnelle. L'équilibre en bouche est particulièrement réussi avec une belle persistance aromatique.

⊶ Jean-Michel Pèch, Dom. de Sainte-Suzanne,
2, rue Léo-Lagrange, 66220 Saint-Paul-de-Fenouillet,
tél. 04.68.59.15.39, fax 04.68.59.02.26 ☑ Y 🚶 r.-v.

LES MAITRES VIGNERONS DE TAUTAVEL 2003

■ 46 ha 40 000 ▮ ⚲ 5 à 8 €

A Tautavel, tous les hommes ne sont pas fossiles. La preuve en est la dynamique et bien vivante confrérie des Chantegosiers qui anime nombre de joyeuses manifestations. Peut-être aurez-vous le bonheur de la croiser dégustant ce muscat 2003 et vantant son fruité, ses arômes exotiques et mentholés et sa finale chaleureuse à l'image des gens du cru.

⊶ Les Maîtres Vignerons de Tautavel,
24, av. Jean-Badia, 66720 Tautavel,
tél. 04.68.29.12.03, fax 04.68.29.41.81,
e-mail vignerons.tautavel@wanadoo.fr ☑ Y 🚶 r.-v.

TERRASSOUS 2003 *

■ 4 ha 20 000 ▮ ⚲ 5 à 8 €

Terrassous est la marque de cette importante cave coopérative de la région des Aspres, collines arides des contreforts du Canigou. Elle propose une très jolie gamme de vins dont le muscat est un des fleurons. La robe de ce 2003 est d'or jaune brillant ; ses arômes, intenses, rappellent le raisin frais, les fruits exotiques et la rose. Souple et rond en attaque, ce millésime est d'une parfaite harmonie en bouche et sera particulièrement apprécié avec des desserts légèrement épicés.

⊶ SCV Les Vignerons de Terrats, BP 32,
66302 Terrats Cedex, tél. 04.68.53.02.50,
fax 04.68.53.23.06, e-mail scv-terrats@wanadoo.fr
☑ Y 🚶 t.l.j. sf dim. 8h-12h 14h-18h

CH. VALMY Cachet d'or 2002 **

■ 2,13 ha 12 000 ▮ ⚲ 8 à 11 €

Dans un décor digne des châteaux de Bavière, la famille Carbonnell a su bâtir un domaine et une cave des plus modernes. Dans son élégante bouteille, ce muscat 2002 offre un bel aspect or tendre aux reflets verts. Après un premier nez assez discret, les arômes s'épanouissent dans des notes complexes de bourgeon de cassis et d'agrumes confits. La bouche est d'une remarquable ampleur. S'y mêlent le miel nouveau, la bergamote, l'abricot et la marmelade d'oranges. Un très beau vin, d'une rare longueur.

⊶ Bernard Carbonnell, Ch. Valmy,
chem. de Valmy, 66700 Argelès-sur-Mer,
tél. 04.68.81.25.70, fax 04.68.81.15.18,
e-mail chateau.valmy@tiscali.fr ☑ Y 🚶 r.-v.

Maury

L'aire de maury recouvre la commune de Maury, au nord de l'Agly, et une partie des communes limitrophes. Ce sont des collines escarpées couvertes de schistes noirs de l'aptien plus ou moins décomposés, où l'on a produit 12 150 hl de vin en 2003 sur 860 ha, à partir du grenache noir. La vinification se fait souvent par de longues macérations, et l'élevage permet d'affiner des cuvées remarquables.

D'un rouge profond lorsqu'ils sont jeunes, les vins prennent par la suite une teinte acajou. Le bouquet est d'abord très aromatique, à base de petits fruits rouges. Celui des vins plus évolués rappelle le cacao, les fruits cuits et le café. Les maury sont appréciés à l'apéritif et au dessert, et peuvent également se prêter à des accompagnements sur des mets à base d'épices et de sucre.

DOM. DE LA COUME DU ROY 2001 ★

■ 19 ha 2 000 🍾 15 à 23 €

Réputé pour ses vieux maury et l'antériorité de la marque Maury doré déposée en 1932 par M. de Volontat, le domaine se distingue également en type jeune, fort de l'acquis de six générations de vignerons. Ici, le tuilé commence à cerner une robe rouge profond au nez très marqué par la cerise et par la note de noyau des jeunes eaux-de-vie. La bouche est généreuse, jouant sur le fruit confit ; la figue apparaît légèrement épicée, portée par un tanin puissant. Un vin encore dans sa jeunesse, destiné à un fromage persillé ou à des desserts.

⊶ A. de Volontat-Bachelet,
Dom. de la Coume du Roy,
13, rte de Cucugnan, 66460 Maury,
tél. 04.68.59.67.58, fax 04.68.59.67.58,
e-mail devolontatbachelet@lacoumeduroy.com
☑ 🍷 🚶 r.-v.

MAS DE LAVAIL
Expression 2002

■ 2 ha 4 200 🛢 11 à 15 €

La famille Battle est installée dans ce mas depuis 1999. Tout ici est fait avec goût et passion, que ce soit aux vignes, à la cave, dans la présentation des bouteilles et surtout dans l'accueil au mas où spontanéité rime avec convivialité. Le passage sous bois confère à ce vin grenat limpide des senteurs mêlées de fruit rouge et d'épices. La cerise s'offre en bouche, charnue, sur un tanin vanillé encore présent. Un vin jeune qui gagnera en fondu d'ici deux ans et accompagnera des fruits rouges au chocolat. A noter, un **maury blanc 2002** qui obtient une citation.

⊶ Nicolas Battle,
EARL Dom. de Lavail,
18, rue Henri Barbusse,
66460 Maury,
tél. 04.68.59.15.22, fax 04.68.29.08.95 ☑ 🍷 🚶 r.-v.

MAS AMIEL MA 1990 ★★★

■ 15 ha 15 000 🛢 30 à 38 €

Que ce soit en maury jeune ou élevé, le Mas Amiel possède un savoir-faire reconnu de tous. Cette année, les jurés ont remarqué la **cuvée Charles Dupuy Vintage 2001**, une étoile, en hommage à l'ancien propriétaire du Mas Amiel, et ce 90 qui, pendant plus de dix ans, a mûri dans les vieux foudres en bois du domaine avec, à ses pieds, le spectaculaire parc de ces vins élevés en bonbonnes au soleil. Le tuilé est intense, proche de l'acajou. Le vin est à maturité et s'exprime intensément sur les fruits à l'eau-de-vie, le pruneau et les notes de torréfaction apportées par l'élevage sous bois. Ce nez splendide accompagne une bouche soyeuse, élégante, tout en douceur, dont la finale (noisette et café torréfié) est dans une remarquable continuité aromatique.

⊶ Mas Amiel, 66460 Maury,
tél. 04.68.29.01.02, fax 04.68.29.17.82
☑ 🍷 🚶 t.l.j. sf sam. dim. (sf en été) 9h-12h 14h-18h

LES VIGNERONS DE MAURY Récolte 1996 ★★

■ n.c. 17 000 🍾🌡 15 à 23 €

Avec un **Douze ans d'âge (5 à 8 €)**, une étoile, un **Six ans d'âge (5 à 8 €)**, une étoile, le **Cabirou 97**, une étoile et le **maury blanc 2002 (5 à 8 €)**, cité, tous d'excellent rapport qualité-prix, la cave de Maury ne passe pas inaperçue. Prestation à souligner qui démontre le sérieux appliqué sur les 655 ha vinifiés par la coopérative. Le charme de ces vins conservés en bouteille, c'est de jouer à la fois sur la fraîcheur, avec cette évocation de fruits confits, et sur l'oxydation ménagée avec des arômes de pruneau et des notes torréfiées. Complexité qui se retrouve en bouche où s'expriment cacao, café, tabac et fruits confiturés dans un volume marqué par la souplesse.

⊶ Les Vignerons de Maury,
128, av. Jean-Jaurès, 66460 Maury, tél. 04.68.59.00.95,
fax 04.68.59.02.88,
e-mail a.majoral@vigneronsdemaury.com ☑ 🍷 🚶 r.-v.

DOM. POUDEROUX 2002 ★★★

■ 4 ha 12 000 11 à 15 €

En maury jeune, le domaine Pouderoux est incontournable. Passée à un cheveu du coup de cœur, cette expression du grenache noir sur les schistes noirs de Maury est une pure merveille. Le regard profond hésite entre rouge et noir. Puis, la mûre, la cerise, une touche sauvage et épicée de clou de girofle confirment que l'on reste dans le monde aromatique des jeunes maury. La suite, c'est cette bouche où se croque le fruit épicé accompagné de tanins puissants et veloutés. Ample, généreux, long, ce 2002 conviendra en de multiples occasions : apéritif, melon, soupe de fruits, chocolat... A vous de choisir.

⊶ Dom. Pouderoux, 2, rue Emile-Zola, 66460 Maury,
tél. 04.68.57.22.02, fax 04.68.57.11.63,
e-mail 123pou@free.fr ☑ 🍷 🚶 r.-v.

DOM. SEMPER 2002 ★★

■ 1,4 ha 4 200 🛢 11 à 15 €

Avec l'arrivée des deux fils sur le domaine, c'est une nouvelle vie qui débute en 2001 et se traduit d'entrée par deux étoiles. C'est plus qu'un encouragement pour cette exploitation familiale qui vit par le maury et offre, avec la complicité de l'œnologue H. Parayre, un type de vin doux naturel prometteur, jeune et boisé. Epices, fruits rouges et senteurs de schistes dorés au soleil, c'est la palette du nez

suivie par une superbe présence en bouche où la mûre domine autour d'un tanin de qualité, soyeux, remarquable par la fraîcheur finale qui accentue la longueur. Un 2002 prêt pour des fruits rouges nappés de chocolat.
🔑 Dom. Paul Semper, 2, chem. du Rec, 66460 Maury, tél. 04.68.59.14.40, fax 04.68.59.14.40,
e-mail domaine.semper@club-internet.fr ☑ Y ⛹ r.-v.

DOM. DES SOULANES Hors d'âge ★★★

■ 2 ha 1 500 ⏸ 11 à 15 €

Lorsque M. Pull a pris sa retraite, Daniel Laffite, qui travaillait avec lui, a décidé de tout racheter et de continuer l'aventure. Bien lui en a pris car le voilà heureux au pied du château de Queribus, au soleil (d'où le nom de Soulanes) et reconnu d'entrée parmi les siens grâce à ce vin élevé selon les principes de la solera. La robe est sombre, rouge soutenu, évoluant vers le tuilé, le nez est expressif, complexe, mêlant cacao, café, pruneau à l'eau-de-vie, épices et note patinée du bois. La bouche joue la continuité, riche, pleine avec un bel équilibre entre la charpente, la douceur et le volume. Une finale chocolatée complète l'harmonie. (Bouteilles de 50 cl).
🔑 Daniel Laffite, Mas de Las Fredas, 66720 Tautavel, tél. 04.68.29.12.84, fax 04.68.29.13.48 ☑ Y ⛹ r.-v.

POITOU-CHARENTES

A l'ouest, la Vendée ; au nord-ouest, l'Anjou ; au nord-est, la Touraine ; à l'est, les plateaux du Limousin ; au sud, le Bassin aquitain. Géologiquement, le Poitou, enserré entre les terrains primaires du Massif armoricain et du Massif central, fait communiquer les deux grands bassins sédimentaires du territoire français, le Bassin parisien et le Bassin aquitain : d'où le nom de seuil du Poitou. Ses terrains jurassiques sont de nature sédimentaire, tout comme ceux, au sud, des pays charentais, auréoles crétacées et tertiaires du Bassin aquitain. La région est marquée par des paysages de plaines en Poitou, plus ondulés en Charente, où les sols prennent ça et là la couleur blanchâtre du calcaire.

La région administrative comprend quatre départements : la Vienne, les Deux-Sèvres, la Charente et la Charente-Maritime. D'un point de vue viticole, elle s'identifie à son vignoble principal, celui du cognac, qui s'étend sur les deux Charentes, avec une incursion en Dordogne. Ce n'est pas le seul ; le vignoble du Saumurois pousse une pointe en Poitou-Charentes, tout au nord des Deux-Sèvres, dans la plaine de Thouars. Et au nord-est de Poitiers, vers Neuville, subsistent des lambeaux du vignoble du Poitou, dont les vins, au XIIᵉs., dépassaient en notoriété ceux du Bordelais.

Son climat océanique très doux, souvent ensoleillé en été ou à l'arrière-saison, avec de faibles écarts de températures qui permettent une lente maturation des raisins, rapproche la région Poitou-Charentes de l'Aquitaine. C'est tout aussi vrai de l'histoire. Dès l'époque gallo-romaine, les pays des Pictaves et des Santones ont été rattachés à la même province que Bordeaux, et à partir du Xᵉs., Aquitaine et Poitou ont été réunis sous un même duché, avant de devenir partie intégrante, au milieu du XIIᵉs., du grand royaume Plantagenêt, comprenant Aquitaine, Poitou, Anjou et Angleterre. Leur histoire viticole présente ainsi bien des traits communs, quoique les époques de prospérité n'aient pas toujours coïncidé.

Aux temps gallo-romains, malgré l'éclat de Saintes et Poitiers, nul indice d'une viticulture prospère dans la région, alors que Bordeaux possède déjà des vignobles réputés. C'est au Moyen Age que le vignoble poitevin s'épanouit. Sa viticulture a un caractère hautement spéculatif : elle est suscitée par l'essor des villes de l'Europe du Nord et par le renouveau de la navigation maritime. Ce nouveau patriciat urbain veut consommer du vin. Des navires, plus gros et plus perfectionnés qu'auparavant, partent en quête de la boisson aristocratique. Les Poitevins répondent à cette demande. On plante en quantité dans les diocèses de Poitiers et de Saintes : vins de la Rochelle, de Ré et d'Oléron, vins de Niort, vins de Saint-Jean d'Angély, vins d'Angoulême.... Fondée par Guillaume X et protégée par les ducs d'Aquitaine, La Rochelle est l'un des principaux ports d'expédition, mais le moindre port de rivière profite de ce commerce. On appelle aussi vins du Poitou les produits nés dans les régions voisines de l'Aunis, de la Saintonge et de l'Angoumois – les provinces historiques situées sur le territoire actuel des deux Charentes.

Si la prise de La Rochelle par le roi de France, en 1224, ferme aux vins du Poitou le marché anglais qui achète désormais des clarets bordelais, la soif des autres régions de l'Europe du Nord permet aux vignobles de la région de survivre. La Hollande devient leur principal débouché, surtout après 1579, quand les Provinces-Unies prennent leur indépendance et s'affirment comme une puissance maritime et commerciale. Les Hollandais apprécient les vins blancs doux. Néanmoins, la production de la région, devenue pléthorique, voyage mal. Les négociants hollandais trouvent la solution : le *brandwijn,* ou eau-de-vie. Grâce à la distillation, ils remédient non seulement à la surproduction mais parviennent à valoriser des vins faibles. Une opération tellement intéressante que l'alambic se répand dans les campagnes de l'Aunis et de la Saintonge.

Cette eau-de-vie est devenue cognac, dont la notoriété s'est affirmée aux XVIIIes. et XIXes. La crise phylloxérique, si elle a suscité l'essor des alcools de grains, n'a pas ruiné durablement le vignoble charentais, qui bénéficiait d'un grand prestige, consacré par une AOC dès 1909. En revanche, le vignoble poitevin, resté très étendu mais dont la réputation avait pâli, a failli disparaître complètement du paysage viticole.

Haut-poitou AOVDQS

Le docteur Guyot rapporte, en 1865, que le vignoble de la Vienne représente 33 560 ha. De nos jours, outre le vignoble du nord du département, rattaché au Saumurois, et une enclave dans les Deux-Sèvres, le seul intérêt porté à la vigne se situe autour des cantons de Neuville et de Mirebeau. Marigny-Brizay est la commune la plus riche en viticulteurs indépendants. Les autres se sont regroupés pour former la cave de Neuville-de-Poitou. Les vins du haut Poitou ont produit 26 400 hl en 2003 dont 13 604 en blanc sur une surface déclarée de 462 ha. Le haut Poitou vient de demander l'accession à l'appellation d'origine contrôlée.

Les sols du plateau du Neuvillois, évolués sur calcaires durs et craie de Marigny ainsi que sur marnes, sont propices aux différents cépages de l'appellation ; le plus connu d'entre eux est le sauvignon (blanc).

CH. DE BRIZAY Sauvignon 2003 *

13 ha 90 000 5 à 8 €

Construit au XVIIIes. à l'emplacement d'une forteresse féodale, le château de Brizay a la couleur de la craie tuffeau qui constitue le terroir. Sans doute le plus ancien cépage du Haut-Poitou, le sauvignon est particulièrement adapté aux terres blanches du Turonien. Vinifié par la coopérative, celui-ci, d'un jaune léger à reflets verts, libère de frais parfums évoquant les fleurs blanches (acacia) et les agrumes. Vif et léger en bouche, il renoue en finale avec des notes florales accompagnées de nuances de bourgeon de cassis. Un ensemble fort agréable.

SA Cave du Haut-Poitou,
32, rue Alphonse-Plault, 86170 Neuville-de-Poitou,
tél. 05.49.51.21.65, fax 05.49.51.16.07,
e-mail c-h.p@wanadoo.fr
t.l.j. 9h-12h 14h-19h, dim. 9h-12h30

CH. LA FUYE Cabernet 2003 *

10 ha 33 000 5 à 8 €

Construit sur le site d'un ancien donjon du XIVes., le château de la Fuye commande un domaine de 30 ha exploité et vinifié par la Cave du Haut-Poitou. Son haut-poitou rouge, issu du cabernet franc, affiche une robe intense et profonde, rouge à reflets violacés, et libère des arômes de fruits rouges mûrs. D'une simplicité de bon aloi, équilibrée, la bouche laisse en finale la sensation d'avoir croqué des framboises. Un vin souple à consommer jeune.

SA Cave du Haut-Poitou,
32, rue Alphonse-Plault, 86170 Neuville-de-Poitou,
tél. 05.49.51.21.65, fax 05.49.51.16.07,
e-mail c-h.p@wanadoo.fr
t.l.j. 9h-12h 14h-19h, dim. 9h-12h30

CAVE DU HAUT-POITOU Chardonnay 2003

64 ha 100 000 3 à 5 €

Fondée en 1948, cette coopérative vinifie aujourd'hui 500 ha sur les 800 ha que compte le vignoble poitevin. Les vendanges ont débuté le 29 août sur ce millésime 2003, ce qui ne s'était jamais vu de mémoire de vigneron. Ce vin blanc issu de chardonnay présente une robe jaune pâle à reflets verts. Il libère au nez d'intenses parfums de fleurs blanches et de fruits secs (noisette), tandis que la bouche, moelleuse, est dominée par des arômes persistants de fruits blancs (poire).

SA Cave du Haut-Poitou,
32, rue Alphonse-Plault, 86170 Neuville-de-Poitou,
tél. 05.49.51.21.65, fax 05.49.51.16.07,
e-mail c-h.p@wanadoo.fr
t.l.j. 9h-12h 14h-19h, dim. 9h-12h30

DOM. DES LISES Cabernet 2003

1,2 ha 5 000 3 à 5 €

Fille de vigneron et œnologue de formation, Pascale Bonneau a repris le vignoble paternel en 1995, créé un chai de vinification et lancé la vente au détail l'année suivante. La cave est située à l'entrée de la cité médiévale de Mirebeau, près du château. Né du cabernet, ce haut-poitou révèle des arômes animaux assortis de nuances de fruits rouges. Sa grande richesse lui donne un caractère très tannique, assez austère. Une matière sans doute concentrée par les chaleurs de l'été 2003.

Pascale Bonneau,
21, rue Nationale, 86110 Mirebeau,
tél. 05.49.50.53.66, fax 05.49.50.90.50,
e-mail pascale.bonneau@libertysurf.fr
t.l.j. sf dim. 10h-19h;
hiver 18h-19h et sam. 10h-18h

MARIGNY-NEUF Cabernet 2003 ★

■ 2 ha 10 000 ◍ 5 à 8 €

Le manoir de Lavauguyot (XIVᵉs.) fut la propriété de Rodolphe Salis, fondateur du cabaret « Le Chat noir » à Montmartre. Le domaine viticole (17 ha) est maintenant exploité par les Brochet. Sous l'étiquette Marigny-Neuf, ils proposent des vins issus des plus jeunes vignes de la propriété (vingt ans tout de même). Résultat d'une démarche originale et rigoureuse, les deux vins rouges présentés donnent une impression de matière et de richesse. Ce cabernet offre des parfums intenses de fruits compotés et de sous-bois. Onctueux en bouche, il montre une vinosité surprenante et révèle des arômes de fruits cuits et de fruits noirs. Quant au **gamay 2003 (3 à 5 €)**, il est cité pour ses notes de fruits rouges bien mûrs.

🔑 Ampelidae,
Manoir de Lavauguyot, 86380 Marigny-Brizay,
tél. 05.49.88.18.18, fax 05.49.88.18.85,
e-mail ampelidae@amplelidae.com
☑ ⌂ Y ⅄ t.l.j. sf. dim. 9h-12h 14h-18h
🔑 Brochet

DOM. DE LA ROTISSERIE Cabernet 2003 ★★

■ 4 ha 8 000 ▮ 3 à 5 €

Installé sur la cuesta turonienne de Marigny-Brizay, ce domaine est une exploitation de référence dans l'appellation. Issu de cabernet franc, son vin rouge, représentatif du millésime 2003 exceptionnellement ensoleillé, lui permet de décrocher un coup de cœur. Et ce n'est pas la

première fois : le 99 avait lui aussi été porté aux nues. Rouge intense à reflets noirs, il offre des arômes de fruits rouges et noirs compotés et se montre ample, harmonieux au palais. Sa riche matière conserve la fraîcheur et la délicatesse de son appellation. Le **vin blanc 2003**, né de sauvignon, laisse une impression de légèreté, de fruité et d'élégance fort agréable : une étoile.

🔑 Jacques Baudon,
35, rue de l'Habit-d'Or, 86380 Marigny-Brizay,
tél. 05.49.52.09.02, fax 05.49.37.11.44
☑ Y ⅄ t.l.j. 8h-12h 13h30-19h, dim. sur r.-v.

DOM. LA TOUR BEAUMONT Sauvignon 2003 ★

□ 2,5 ha 15 000 ▮🌡 3 à 5 €

Situé à 6 km du Futuroscope, un domaine de 14 ha bien connu des lecteurs du Guide. Les trois vins qu'il a

Poitou-Charentes

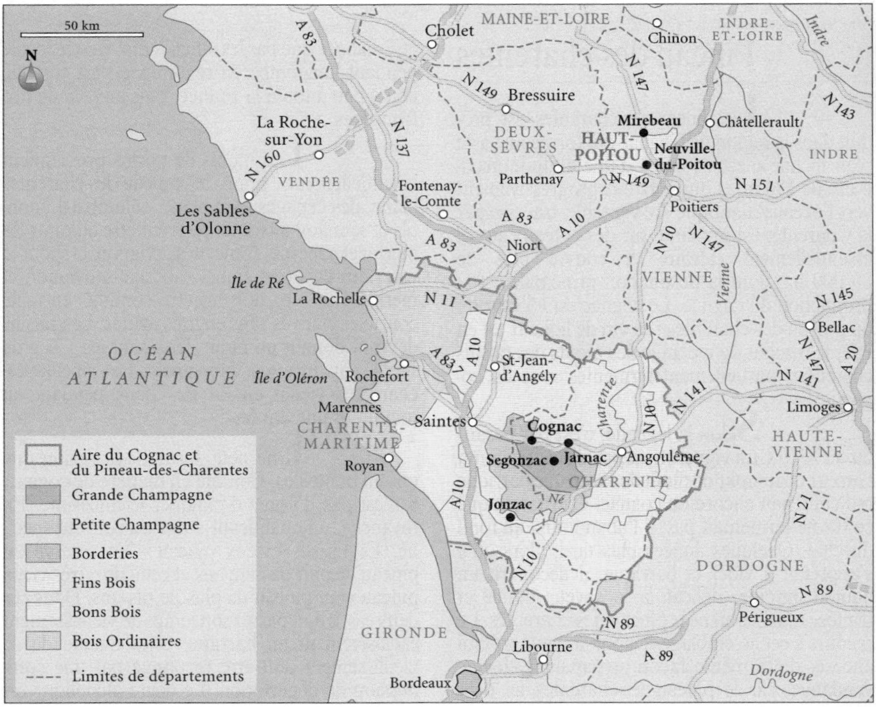

présentés cette année ont tous été retenus. Le vin blanc élaboré à partir du sauvignon est typique de son appellation, avec sa robe jaune pâle à reflets verts, ses arômes frais de fleurs blanches, d'ananas et de bourgeon de cassis, sa bouche flatteuse, légère et vive. Très réussi également le **haut-poitou de cabernet franc 2003** est équilibré, assez tannique ; il séduit par son expression aromatique aux notes de fruits mûrs et de griotte. Quant au **haut-poitou de gamay 2003**, il est cité pour son fruité de fraise un rien poivré, et pour son équilibre.

🔑 Gilles et Brigitte Morgeau,
2, av. de Bordeaux, 86490 Beaumont,
tél. 05.49.85.50.37, fax 05.49.85.58.13
☑ Y 🚶 t.l.j. sf dim. 14h-18h

DOM. DE LA TOUR SIGNY
Cuvée poitevine 2003 ★

■ 7 ha 10 000 🍾 3 à 5 €

A la Tour Signy, l'ensemble des opérations de vinification se déroule dans une cave creusée dans le tuffeau. Le domaine compte 16 ha. Il a présenté deux vins rouges, tous deux jugés très réussis. Cette Cuvée poitevine assemblant 60 % de cabernet au gamay est un modèle de vin d'été : d'un rubis intense, elle délivre des parfums frais, délicats et originaux et se montre vive, gouleyante et fruitée. A boire frais sous la tonnelle dès la sortie du Guide. Assez tannique, un peu austère en finale, le **haut-poitou 2003 issu du seul cabernet** a plus de matière et d'avenir.

🔑 Christophe Croux, 2 rue de Tue-Loup,
Dom. de la Tour-Signy, 86380 Marigny-Brizay,
tél. 05.49.55.31.21, fax 05.49.62.36.82 ☑ Y 🚶 r.-v.

DOM. DE VILLEMONT Cabernet 2003 ★

■ 1,55 ha 10 000 🍾 3 à 5 €

Une maison basse typique, en pierre poitevine, restaurée en 1999 ; un domaine de 16 ha, qui se développe d'année en année et s'est lancé dans la vente directe en 1995 : voilà le domaine de Villemont, sur lequel s'activent deux générations de Bourdier, les parents, le fils et la fille. Avec son ensoleillement historique, le millésime 2003 vient conforter leur entreprise courageuse. Il a donné un haut-poitou né de cabernet à la robe rouge intense, et qui exprime à l'aération des notes de fruits rouges et de sous-bois. Plein et riche, ce vin révélera tout son potentiel dans quelques mois.

🔑 Alain Bourdier,
Dom. de Villemont, Seuilly, 86110 Mirebeau,
tél. 05.49.50.51.31, fax 05.49.50.96.71,
e-mail domaine-de-villemont@wanadoo.fr
☑ Y 🚶 t.l.j. sf dim. 9h30-12h30 14h-18h30

Vins de liqueur des Charentes

Pineau-des-charentes

Le pineau-des-charentes est produit dans la région de Cognac qui forme un vaste plan incliné d'est en ouest d'une altitude maximum de 180 m, et qui s'abaisse progressivement vers l'océan Atlantique. Le vignoble, traversé par la Charente, est implanté sur des coteaux au sol essentiellement calcaire et couvre plus de 80 000 ha, dont la destination principale est la production du cognac. Le cognac est « l'esprit » du pineau-des-charentes : ce vin de liqueur est en effet le résultat du mélange des moûts des raisins charentais partiellement fermentés avec du cognac.

Selon la légende, c'est par hasard qu'au XVIe s. un vigneron un peu distrait commit l'erreur de remplir de moût de raisin une barrique qui contenait encore du cognac. Constatant que ce fût ne fermentait pas, il l'abandonna au fond du chai. Quelques années plus tard, alors qu'il s'apprêtait à vider la barrique, il découvrit un liquide limpide, délicat, à la saveur douce et fruitée : ainsi serait né le pineau-des-charentes. Le recours à cet assemblage se poursuit aujourd'hui encore, de la même façon artisanale à chaque vendange, car le pineau-des-charentes ne peut être élaboré que par les viticulteurs. Restée locale pendant longtemps, sa renommée s'est étendue peu à peu à toute la France, puis au-delà de nos frontières.

Les moûts de raisins proviennent essentiellement, pour le pineau-des-charentes blanc, des cépages ugni blanc, colombard, montils et sémillon auxquels peuvent être adjoints les merlot et cabernet franc ou sauvignon, et, pour le rosé, des cabernet franc, cabernet-sauvignon et merlot. Les ceps doivent être conduits en taille courte et cultivés sans engrais azotés. Les raisins devront donner un moût dépassant les 170 g de sucre par litre en puissance. Le pineau-des-charentes vieillit en fût de chêne pendant au minimum une année.

Il ne peut sortir de la région que mis en bouteilles. Comme en matière de cognac, il n'est pas d'usage d'indiquer le millésime. En revanche, un qualificatif d'âge est souvent spécifié. Le terme « vieux pineau » est réservé au pineau de plus de cinq ans et celui de « très vieux pineau » au pineau de plus de dix ans. Dans ces deux cas, il doit passer son temps de vieillissement exclusivement en barrique et la qualité de ce vieillissement doit être reconnue par une commission de dégustation. Le degré alcoolique est généralement compris entre 17 ° et 18 ° et la teneur en sucre non fermenté de 125 à 150 g ; le rosé est généralement plus doux et plus fruité que le blanc, lequel est plus nerveux et plus sec. La production annuelle moyenne des dix dernières années est d'environ 130 000 hl dont 75 000 hl de blanc et 55 000 hl de rosé.

Nectar de miel et de feu, dont la merveilleuse douceur dissimule une certaine traîtrise, le pineau-des-charentes peut être consommé jeune (à partir de deux ans) ; il donne alors tous ses arômes de fruits, encore plus abondants dans le rosé. Avec l'âge, il prend des parfums de rancio très caractéristiques. Par tradition, il se consomme à l'apéritif ou au dessert ; cependant, de nombreux gastronomes ont noté que sa rondeur accompagne le foie gras et le roquefort, que son moelleux intensifie le goût et la douceur de certains fruits, principalement le melon (charentais), les fraises et les framboises. Il est utilisé également en cuisine pour la confection de plats régionaux (mouclades).

BARBEAU Très Vieux Grande Réserve ★

	1 ha	1 000		11 à 15 €

Producteur de pineau et cognac depuis plusieurs décennies, la famille Barbeau est régulièrement citée dans le Guide. Ce très vieux pineau rosé de cépage merlot noir à 100 % provient de vignes plantées sur des sols argilosiliceux. Sa robe brillante de couleur orangée à multiples reflets dorés laisse découvrir un nez fruité, élégant, aux arômes de fruits confits. Sa bouche très souple, intense, révèle des notes de confiture de griottes et de pruneaux. La finale est bien équilibrée. Egalement retenu, le **très vieux pineau blanc**.

🐓 Maison Barbeau et Fils,
Les Vignes, 17160 Sonnac,
tél. 05.46.58.55.85, fax 05.46.58.53.62 ☑ ⋏ r.-v.

RAYMOND BOSSIS ★★

	4,5 ha	8 000		8 à 11 €

La famille Bossis, qu'il n'est plus nécessaire de présenter tant sont nombreuses ses sélections dans le Guide, exploite ce vignoble situé sur des coteaux argilocalcaires qui dominent l'estuaire de la Gironde depuis 1924. Ce pineau de couleur rubis à reflets tuilés développe un nez agréable où se concentrent les arômes de pruneau, de mûre et de framboise. La bouche est ample, ronde, pleine, complexe et la finale persistante. Un **vieux pineau blanc (11 à 15 €)** aux arômes de fruits secs a été lui aussi très apprécié par le jury.

🐓 SCEA les Groies, 17150 Saint-Bonnet-sur-Gironde,
tél. 05.46.86.02.19, fax 05.46.70.66.85,
e-mail pineau.bossis@libertysurf.fr
☑ ⋎ ⋏ t.l.j. 9h-12h30 14h-19h30
🐓 Raymond Bossis

DOM. DE BOURSAC ★

	0,45 ha	3 000		5 à 8 €

Ce vignoble de 60 ha établi sur deux crus, la Petite Champagne et les Borderies, est situé aux portes de Cognac. Le siège d'exploitation est proche d'une magnifique église romane classée datant du XIIᵉs. Ce pineau rosé issu d'un seul cépage, le merlot, possède une belle couleur cerise avec des reflets rubis. Elégant, le nez est intense où s'expriment des arômes de framboise et de cerise. En bouche, les fruits rouges sont toujours présents, avec une longueur, une rondeur et une puissance qui confirment l'harmonie de cette bouteille.

🐓 Dom. de Boursac,
45, rte de Cognac, 16130 Ars,
tél. 05.45.82.13.03, fax 05.45.82.13.03,
e-mail nicolasgir@hotmail.com ☑ ⋎ ⋏ r.-v.
🐓 Giraud

BRARD BLANCHARD ★★

	1,06 ha	10 000		8 à 11 €

Ce vignoble de 19 ha situé à l'entrée de Cognac sur des coteaux argilo-calcaires dominant la vallée de la Charente est cultivé en agriculture biologique depuis de très nombreuses années. Dans sa robe jaune paille intense à multiples reflets, ce pineau offre des parfums intenses où l'on découvre des notes d'agrumes (pamplemousse) qui lui confèrent beaucoup de fraîcheur. D'un rare équilibre et d'une grande souplesse, la bouche confirme une présence intense des mêmes arômes complétés par une note boisée qui en font un pineau remarquable. Le **pineau rosé**, élégant, aux arômes de griotte est très réussi.

🐓 GAEC Brard Blanchard,
1, chem. de Routreau, Boutiers, 16100 Cognac,
tél. 05.45.32.19.58, fax 05.45.36.53.21
☑ 🏠 ⋎ ⋏ t.l.j. sf dim. 9h-12h 14h-18h; sam. 9h-12h

LE CHAI DU ROUISSOIR ★

	1 ha	1 500		8 à 11 €

Installée depuis les années 1970, la famille Chapon possède un vignoble de 25 ha occupant des coteaux argilo-calcaires où regorgent les fossiles marins. L'exploitation se trouve sur le site d'un ancien rouissoir où l'on élaborait autrefois le chanvre avant le développement du vignoble. De belle couleur rubis avec des reflets ambrés, ce pineau affiche un nez intense aux arômes de griotte. Ronde, souple et onctueuse, dotée d'arômes qui s'expriment pleinement, la bouche révèle un parfait équilibre entre les flaveurs et les saveurs.

🐓 GAEC Chapon, Roussillon, 17500 Ozillac,
tél. 06.89.95.08.22, fax 05.46.48.14.76,
e-mail chaidurouissoir@hotmail.com
☑ ⋎ ⋏ t.l.j. sf dim. 10h-19h

DOM. DU CHENE Vieux ★★

	2 ha	6 000		15 à 23 €

Dans les années 1940, Jean Doussoux créa le vignoble ; début 1990, Jean-Marie Baillif lui succéda : sa réussite, méritée, est le fruit de sa passion. Sous sa robe jaune paille à reflets dorés, le vieux pineau révèle des arômes de fruits confits et un rancio discret. L'attaque en bouche est ample, souple mais puissante, ce que confirme le développement, avec en finale une note légèrement boisée qui respecte le parfait équilibre des diverses saveurs.

🐓 Doussoux-Baillif,
20, rue des Chênes, 17800 Saint-Palais-de-Phiolin,
tél. 05.46.70.92.29, fax 05.46.70.91.70,
e-mail baillif.jm@wanadoo.fr
☑ ⋎ ⋏ t.l.j. 8h30-12h 14h30-19h; dim. sur r.-v.

CHARENTES

RICHARD DELISLE ★

■ n.c. 15 000 8 à 11 €

Cette maison de commerce implantée près du château de Bourg qui domine la vallée de la Charente commercialise ce pineau de couleur rubis intense à reflets tuilés. Il offre au nez des arômes de cassis bien mûr et de noyaux de cerise. Le palais est souple, ample, avec un fruité intense, résultat d'une macération maîtrisée. La longue finale confirme les arômes de fruits rouges.

SARL Hawkins Distribution,
Moulineuf, BP 3, 16200 Bourg-Charente,
tél. 05.45.35.40.90, fax 05.45.35.40.91,
e-mail contact@hawkinsdistribution.com

DOM. DROUET ET FILS
X'cep La Cuvée d'exception ★

■ 0,5 ha 3 000 15 à 23 €

Au début des années 1990, Patrick Drouet reprend l'exploitation viticole de ses parents et exploite à ce jour 27 ha de vignes situées sur des coteaux calcaires aux portes de Cognac. Il applique les principes de la culture raisonnée à l'ensemble du vignoble. Les vendanges pour l'élaboration du pineau sont manuelles. Ce pineau ne subit aucun collage ni filtration. De couleur jaune doré à reflets ambrés, limpide et brillant, il affiche un nez très agréable qui révèle des notes de vanille, de noix et de miel. La bouche, bien ronde, laisse paraître des notes boisées de fruits secs et de pain grillé.

Dom. Drouet et Fils,
1, rte du Maine-Neuf,
16130 Salles-d'Angles,
tél. 05.45.83.63.13, fax 05.45.83.65.48 r.-v.
Patrick Drouet

ESTEVE Vieux ★★

■ 2 ha 5 000 11 à 15 €

Cette famille de viticulteurs exploite le domaine depuis sept générations. Sur ce vignoble situé sur les coteaux calcaires de la Petite Champagne, seules les plus vieilles vignes sont retenues pour la production du pineau. De belle couleur jaune doré à multiples reflets, ce vieux pineau développe un nez intense, fin et plaisant. Les arômes de fruits secs et de miel sont fondus et agréablement associés à un rancio très apprécié. La bouche est ronde, longue et onctueuse. Un bon produit qui satisfera les gourmands.

Jacques Estève,
87, rte de la Vallée-du-Né, 17520 Celles,
tél. 05.46.49.51.20, fax 05.46.49.25.57 r.-v.

FELIX-MARIE DE LA VILLIERE ★

■ 30 ha 3 000 5 à 8 €

Cette entreprise familiale fondée il y a plus de sept décennies exploite un magnifique vignoble situé sur des coteaux argilo-calcaires. De belle couleur rubis à reflets orangés, ce pineau est élégant. Le nez très aromatique égrène des notes de fruits rouges, de framboise et de fraise en particulier. La bouche est ronde, onctueuse, longue avec une note de bois agréable.

SA Distillerie Vinet-Ege,
3, imp. Félix-Chartier, 17520 Brie-sous-Archiac,
tél. 05.46.70.04.66, fax 05.46.70.25.30,
e-mail distillerie@aol.com
t.l.j. sf sam. dim. 8h-12h 14h-17h

F. GACON Cuvée Privilège ★★

■ 3 ha 8 000 8 à 11 €

C'est en 1906 que fut constitué ce domaine s'étendant sur 40 ha de vignes dont 6 ha sont réservés à la production de pineau blanc et rosé sur des coteaux de terre de groies. La commercialisation de pineau et de cognac depuis le début des années 1980 se poursuit avec une augmentation constante des ventes. Ce pineau rosé est issu d'un assemblage de merlot et de cabernet. Sa belle robe rouge carminé offre des reflets légèrement orangés conférés par le vieillissement sous bois. Son nez, fruité, où se développent des arômes de griotte, a séduit le jury. D'un bon équilibre et très longue, la bouche s'appuie sur le fruit rouge qui paraît éternel ; une remarquable harmonie.

Dom. F. Gacon,
2, rue du Pont-de-Fer, 17160 Les Touches-de-Périgny,
tél. 05.46.58.53.27, fax 05.46.58.63.82,
e-mail info@cognac-gacon.com
t.l.j. sf dim. 10h-13h 15h-19h

HENRI GEFFARD Vieux ★

■ 2 ha 12 800 11 à 15 €

Le vignoble situé au cœur de la Grande Champagne est exploité par cette famille depuis de nombreuses générations. Dans un cadre magnifique où a été réalisée l'émission *Va Savoir* avec Gérard Klein, la famille Geffard propose des séjours dans leurs chambres d'hôtes. Ce vieux pineau de couleur vieil or à reflets bruns offre des arômes de miel et de fruits secs très plaisants. La bouche ronde, onctueuse, révèle un rancio qui accompagne le développement jusque dans une finale particulièrement harmonieuse.

Henri Geffard, La Chambre, 16130 Verrières,
tél. 05.45.83.02.74, fax 05.45.83.01.82,
e-mail cognac.geffard@freesbee.fr
t.l.j. sf dim. 8h15-12h 13h30-18h30

GUILLON-PAINTURAUD Extra-vieux ★★

■ 2,5 ha 1 000 15 à 23 €

Exploitant un vignoble créé en 1610, la famille Guillon-Painturaud est régulièrement citée dans le Guide. Le vignoble, situé au cœur de la Grande Champagne de Cognac sur des coteaux argilo-calcaires et crayeux, est cultivé de façon traditionnelle avec grand soin. Dans sa belle robe rose cuivré légèrement tuilé, on découvre un nez intense de fruits exotiques et de rancio élégant. L'attaque est ample, franche, complexe en bouche. Le rancio est toujours présent accompagné de notes de vanille et de pruneau. Très longue, la remarquable finale aromatique se montre digne d'un merveilleux pineau.

SCEV Guillon, Biard, 16130 Segonzac,
tél. 05.45.83.41.95, fax 05.45.83.34.42
t.l.j. sf dim. 9h-12h 14h-18h

THIERRY JULLION ★

2 ha 10 000 8 à 11 €

Durant cinq générations, cette famille n'a produit que du cognac. Depuis les années 1980, la diversification rendue nécessaire par le contexte économique a été étendue à la production de pineau et de vin de pays. Ce pineau rosé, élaboré avec des moûts provenant de merlot et de cabernet franc, possède une robe foncée à reflets légèrement violacés. Son nez agréable permet d'apprécier les arômes de cassis et de raisin frais. Sa bouche est ample, puissante, généreuse à l'infini.
Thierry Jullion, Montizeau, 17520 Saint-Maigrin,
tél. 05.46.70.00.73, fax 05.46.70.02.60,
e-mail jullion@wanadoo.fr
t.l.j. sf dim. 14h-19h; sam. 9h-12h

LASCAUX Très vieux ★★

4 ha 1 000 15 à 23 €

Propriétaire depuis le début du siècle dernier, la famille Lascaux exploite ce vignoble qui entoure le magnifique logis du Renfermis. Cinq gîtes avec une vaste piscine ont été créés dans un cadre viticole très agréable : la Charente coule à 1 km, et de nombreux étangs sont également proches. Ce très vieux pineau possède une robe de couleur vieil or à reflets ambrés. Son nez puissant laisse découvrir des arômes intenses de noix, de fruits secs et de vanille. La bouche est ample, grasse, puissante, elle aussi. Le rancio se confirme et évolue dans une finale très harmonieuse. Le grand jury n'hésite pas à lui décerner un coup de cœur.
Lascaux, Logis du Renfermis,
16720 Saint-Même-les-Carrières,
tél. 05.45.81.90.48, fax 05.45.81.98.34
t.l.j. 8h-20h

LEBECQ ET ASS. ★

2,4 ha 1 200 11 à 15 €

Ce vignoble de 21 ha, situé sur les coteaux de Grande Champagne et repris depuis quinze ans par le petit-fils qui a succédé à sa grand-mère, est conduit en agriculture raisonnée et en lutte intégrée. Dans le bourg tout proche, l'église romane au clocher octogonal est à visiter. Ce pineau rosé de couleur grenat à reflets tuilés, offre des arômes de guigne, de griotte, légèrement épicés. Sa bouche est souple, complexe avec des notes d'écorce d'orange et de fruits confits qui résultent d'un long vieillissement sous bois.
EARL Lebecq et Associés,
Bernac, 16300 Criteuil-la-Magdeleine,
tél. 05.45.80.56.27, fax 05.45.80.56.27 r.-v.
Alain Lebecq

DOM. DE LA MARGOTTERIE ★

4 ha 14 000 5 à 8 €

Viticulteurs depuis les années 1960, la famille Terrigeol produit du bordeaux dans la partie du vignoble située en Gironde et du pineau et du cognac dans l'autre partie située en Charentes-Maritime sur les coteaux argilo-siliceux qui dominent l'estuaire. De belle couleur jaune paille, légèrement ambré, ce pineau au nez assez discret, mais fin, affiche des notes de pamplemousse. Sa bouche est souple, d'une évolution épicée avec des arômes de poivre, de gingembre et de fruits secs en finale.
GAEC Terrigeol et Fils, 27, av. du Pont-de-la-Grâce, Le Pas d'Ozelle, 33820 Saint-Ciers-sur-Gironde,
tél. 05.57.32.61.96, fax 05.57.32.79.21
t.l.j. 8h-12h 14h-18h

MENARD Très vieux ★★

n.c. 5 000 15 à 23 €

Depuis la fin des années 1940, la famille Ménard, aujourd'hui regroupée en société, produit du pineau des Charentes qui est exporté à plus de 38 % et du cognac grande fine Champagne. Le vignoble traditionnel est situé sur des coteaux calcaires très bien exposés. Les visites dans les proches environs permettent de découvrir des carrières de pierre de taille, de magnifiques églises et un dolmen. Ce pineau est paré d'une superbe robe vieil or à reflets ambrés. Son nez révèle avec élégance et intensité des arômes de vanille, de fruits exotiques, de fruits secs et de miel. Sa bouche souple, puissante, élégante offre en finale des notes de rancio qui confirment toutes les qualités de cette bouteille.
J.-P. Ménard et Fils,
2, rue de la Cure, 16720 Saint-Même-les-Carrières,
tél. 05.45.81.90.26, fax 05.45.81.98.22,
e-mail menard@cognac-menard.com
t.l.j. 8h-12h 14h-18h; sam. dim. sur r.-v.

ANDRE PETIT Sélection ★★

3 ha 17 000 8 à 11 €

Ce domaine, créé dans les années 1960 par André Petit et repris dans les années 1980 par son fils Jacques, est à ce jour composé de vignes situées sur des coteaux argilo-calcaires pour une superficie de 14 ha. De couleur jaune doré ce pineau est limpide avec de multiples reflets. Son nez agréable permet de découvrir des notes de fruits secs et de miel. Souple en bouche, très fondu, il laisse s'exprimer des notes de sureau et aussi de fruits à noyau, héritage des soins attentifs de son élaborateur.
SARL André Petit, Au bourg, 16480 Berneuil,
tél. 05.45.78.55.44, fax 05.45.78.59.30
t.l.j. sf dim. 8h30-12h30 13h30-18h
Jacques Petit

THIERRY POUILLOUX ★

1,89 ha 8 000 8 à 11 €

Entreprise familiale dont les ventes au grand public remontent au début des années 1970. Les ventes à l'exportation progressent d'année en année pour atteindre 20 % à ce jour. Le vignoble traditionnel est situé sur des coteaux argilo-calcaires. Ce pineau de couleur rubis à reflets tuilés, au nez fin et constant, développe des arômes de fruits rouges frais (cerise, framboise) et de cassis. Sa bouche est ample, complexe, fruitée avec beaucoup de volume ; la finale est agréable. Le **pineau blanc** a reçu la même distinction.

🔑 SCEA Robert Pouilloux et Fils,
7, rue du Village Peugrignoux, 17800 Pérignac,
tél. 05.46.96.41.41, fax 05.46.96.35.04,
e-mail pouilloux.thierry@wanadoo.fr
☑ 🏠 🍷 🚶 t.l.j. 10h-12h30 14h30-19h
🔑 Thierry Pouilloux

REYNAC *

■ 19 ha 167 000 ◼ 5 à 8 €

Le Reynac présent sur le marché depuis les années 1960 est très renommé. Il appartient à la maison H. Mounier qui commercialise des pineaux mais aussi des cognacs de grande qualité. Dans sa belle couleur rubis à multiples reflets légèrement tuilés, ce pineau offre un nez fin et élégant aux arômes de mûre, de cassis et de fruits confits. Sa bouche est pleine, ronde, fruitée avec une persistance appréciable. Le **Reynac blanc** a été lui aussi sélectionné par le jury pour son élégance et sa rondeur.

🔑 H. Mounier,
49, rue Lohmeyer, BP 35, 16102 Cognac Cedex,
tél. 05.45.82.45.77, fax 05.45.82.83.04,
e-mail marketing@hmounier.fr ☑

ROUSSILLE Spécial *

■ 4 ha 6 000 ◼ 8 à 11 €

La maison Roussille qui produit pineau et cognac depuis le début du XX^e^s., est située à 6 km d'Angoulême. Elle est régulièrement citée dans le Guide. Ce pineau de couleur rubis à reflets tuilés offre un nez agréable, fin, élégant où l'on découvre les arômes de fruits rouges et de confiture. Ceux-ci se confirment dans une bouche riche, ronde, avec en finale une légère pointe d'acidité, très appréciée pour la fraîcheur qu'elle apporte.

🔑 Pascal Roussille, Libourdeau, 16730 Linars,
tél. 05.45.91.05.18, fax 05.45.91.13.83,
e-mail sca.pineau-roussille@terre-net.fr
☑ 🍷 🚶 t.l.j. sf dim. 9h-19h

CH. SAINT-SORLIN Vieux *

■ 4,25 ha n.c. ◼ 11 à 15 €

Dans la même famille depuis sept générations, le vignoble d'un seul tenant est situé sur les coteaux dominant l'estuaire de la Gironde. On le découvre le long de la route côtière appelée couramment Route verte. Afin de mieux respecter le raisin, les vendanges sont manuelles. Rosé foncé à reflets sombres marquant son âge, ce pineau fait découvrir des arômes de truffe et de noix. En attaque, la bouche s'annonce riche avec des notes fruitées qui se poursuivent jusqu'en finale ; celle-ci est un peu courte mais très expressive.

🔑 Ch. Saint-Sorlin, 17150 Saint-Sorlin-de-Conac,
tél. 05.46.86.01.27, fax 05.46.70.65.59,
e-mail chateau.saint.sorlin@wanadoo.fr
☑ 🍷 🚶 t.l.j. 8h-13h 14h-20h; dim. sur r.-v.

LES TROIS C *

■ 1 ha 2 500 ◼ 8 à 11 €

La famille Chartier exploite depuis plus de cinquante ans un vignoble de 20 ha sur des coteaux argilo-siliceux. Pour l'élaboration de ce pineau, les raisins récoltés subissent une macération pelliculaire avant pressurage et les moûts un léger débourbage. Après une couleur jaune paille brillant, avec des reflets multiples, on découvre un nez vanillé mêlé à des arômes de fruits secs. La bouche est charnue et affiche beaucoup de présence, de volume, avec en finale des notes acidulées très agréables.

🔑 SARL Chartier,
2, rue de la Cure, 17770 Juicq, tél. 05.46.95.34.68,
e-mail lestroisc.pineaucognac@free.fr
☑ 🍷 🚶 t.l.j. 8h-20h

DOM. DE LA VILLE Vieux Vieille Réserve

■ n.c. 1 000 ◼ 15 à 23 €

Cette exploitation viticole créée en 1947 produit exclusivement du pineau. Le vignoble qui regroupe plus de 100 ha de vignes, sur des sols calcaires, domine l'estuaire de la Gironde. Ce vieux pineau de couleur jaune aux reflets dorés est très limpide. Le nez, d'abord réservé, développe progressivement des arômes de fleur et de miel. Après une bonne attaque en bouche, il se montre rond et harmonieux.

🔑 Jacques Caillet, Dom. de La Ville,
17150 Saint-Thomas-de-Conac,
tél. 05.46.86.03.33, fax 05.46.70.67.00,
e-mail fxcaillet@caramail.com ☑ 🏘 🏠 🍷 🚶 r.-v.

LA PROVENCE ET LA CORSE

La Provence

La Provence, pour tout un chacun, c'est un pays de vacances, où « il fait toujours soleil » et où les gens, à l'accent chantant, prennent le temps de vivre... Pour les vignerons, c'est aussi un pays de soleil, qui brille trois mille heures par an. Les pluies y sont rares mais violentes, les vents fougueux et le relief tourmenté. Les Phocéens, débarqués à Marseille vers 600 av. J.-C., ne se sont pas étonnés d'y voir de la vigne, comme chez eux, et ont participé à sa diffusion. Plus tard, les Romains puis les moines et les nobles, et jusqu'au roi-vigneron René d'Anjou, comte de Provence au XV^{e}s., les ont imités.

Eléonore de Provence, épouse d'Henri III, roi d'Angleterre, sut donner aux vins de Provence un grand renom, tout comme Aliénor d'Aquitaine l'avait fait pour les vins d'Aquitaine. Ils furent par la suite un peu oubliés du commerce international, faute de se trouver sur les grands axes de circulation. Ces dernières décennies, le développement du tourisme les a remis à l'honneur, et spécialement les vins rosés, vins joyeux s'il en est, symboles de vacances estivales et dignes accompagnements des plats provençaux.

La structure du vignoble est souvent morcelée, la géo-pédologie étant très diversifiée par le relief offrant des zones contrastées, tant au niveau des sols que des microclimats, ce qui explique que près de la moitié de la production soit élaborée en caves coopératives.

Comme dans les autres vignobles méridionaux, les cépages sont très variés : l'appellation côtes-de-provence en admet treize. Encore que les muscats, qui firent la gloire de bien des terroirs provençaux avant la crise phylloxérique, aient aujourd'hui disparu. Le vignoble est le plus souvent conduit en gobelet bas ; cependant, les formes palissées se font de plus en plus fréquentes. Vins rosés et vins blancs (ceux-ci plus rares mais souvent surprenants) sont généralement bus jeunes. Il en est de même pour beaucoup de vins rouges, lorsqu'ils sont légers. Mais les plus corsés, dans toutes les appellations, vieillissent fort bien.

Tout petit, le vignoble de Palette, aux portes d'Aix, englobe l'ancien clos du bon roi René. On signalera ici ses blancs, rosés et rouges.

Et puisqu'on parle encore provençal dans quelques domaines, sachez qu'un « avis » est un sarment, qu'une « tine » est une cuve et qu'une « crotte » est une cave ! Peut-être vous dira-t-on aussi qu'un des cépages porte le nom de « pecoui-touar » (queue tordue) ou encore « ginou d'agasso » (genou de pie), à cause de la forme particulière du pédoncule de sa grappe...

Côtes-de-provence

Née en 1977, cette appellation, dont la production est considérable (963 894 hl en 2003) occupe un bon tiers du département du Var, avec des prolongements dans les Bouches-du-Rhône, jusqu'aux abords de Marseille, et une enclave dans les Alpes-Maritimes, sur une superficie de plus de 20 000 ha. Trois terroirs la caractérisent : le massif siliceux des Maures, au sud-est, bordé au nord par une bande de grès rouge allant de Toulon à Saint-Raphaël, et, au-delà, l'importante masse de collines et de plateaux calcaires qui annonce les Alpes. On conçoit que les vins issus de nombreux cépages différents, en proportions variables, sur des sols et des expositions tout aussi divers, présentent, à côté d'une parenté due au soleil, des variantes qui font précisément leur charme... Un charme que le Phocéen Protis goûtait sans doute déjà, 600 ans avant notre ère, lorsque Gyptis, fille du roi, lui offrait une coupe en aveu de son amour...

Sur les blancs tendres mais sans mollesse du littoral, les nourritures maritimes et très fraîches seront tout à fait à leur place, tandis que ceux qui sont un peu plus « pointus », un peu plus au nord, apaiseront mieux les irritations des écrevisses à l'américaine et des fromages piquants. Les rosés, tendres ou nerveux, selon l'humeur et le goût, seront les meilleurs compagnons des fragrances puissantes de la soupe au pistou, de l'anchoïade, de l'aïoli, de la bouillabaisse, et aussi des poissons et des fruits de mer aux arômes iodés : rougets, oursins, violets. Enfin, dans les rouges, ceux qui sont tendres (à boire frais) conviennent aux gigots, aux rôtis, mais aussi aux pots-au-feu, et en particulier au pot-au-feu froid en salade ; les rouges corsés, puissants, généreux, qui peuvent parfois vieillir une dizaine d'années, conviendront aux civets, aux daubes, aux bécasses. Et pour ceux qui ne sont pas ennemis d'harmonies insolites, rosé frais et champignons, rouge et crustacés en civet, blanc avec daube d'agneau (au vin blanc) procurent de bonnes surprises.

DOM. DE L'ABBAYE Cuvée Pugette 2003 ★

▒ 11 ha 60 000 ▮🌡 **8 à 11 €**

Voyez quel héritage les moines cisterciens de l'abbaye du Thoronet qui cultivaient ce vignoble ont laissé... Franc Petit ne l'a pas négligé, comme en témoigne ce rosé riche de matière et d'un fruité d'agrumes, évocateur de mandarine. Suave médiation, en effet. Le **rosé de saignée 2003 (11 à 15 €)**, qui privilégie un caractère floral printanier, brille aussi d'une étoile.

🔑 Franc Petit, Dom. de L'Abbaye,
83340 Le Thoronet, tél. 04.94.73.87.36,
fax 04.94.60.11.62 ☑ 🍷 🚶 t.l.j. 9h-18h

DOM. DE L'AMAURIGUE Cuvée spéciale 2003

■ 4 ha 15 000 🛢 **11 à 15 €**

Une robe d'un rubis soutenu habille ce vin dont les arômes intenses de fruits rouges nuancés de fumée invitent à apprécier la bouche souple, équilibrée, au boisé bien maîtrisé. Les tanins encore présents sont des promesses pour l'avenir : ayez la patience d'attendre entre trois et cinq ans.

🔑 SARL Dom. de L'Amaurigue,
rte de Cabasse, 83340 Le Luc-en-Provence,
tél. 04.94.50.17.20, fax 04.94.50.17.21,
e-mail domaine-l-amaurigue@wanadoo.fr ☑ 🍷 🚶 r.-v.
🔑 Dick De Groot

CH. DES ANGLADES Collection privée 2003

▒ 3 ha 10 000 **8 à 11 €**

Racheté en 2000 dans un état d'abandon, le domaine a retrouvé la voie de la qualité. Il propose une Collection privée qui devrait être appréciée lors des réceptions et des manifestations culturelles organisées au château. Celle-ci accompagnera petits-fours et autres mignardises d'un cocktail par la fraîcheur de ses arômes exotiques et floraux, comme par la grande rondeur de sa matière aux flaveurs de brioche et d'ananas mûr.

🔑 SCEA Ch. des Anglades,
quartier Couture, 83400 Hyères,
tél. 04.94.65.22.21, fax 04.94.65.22.21 ☑ 🍷 🚶 r.-v.
🔑 Léon Gautier

DOM. DE L'ANGUEIROUN Cuvée spéciale 2003 ★

▒ 3 ha 12 500 ▮🌡 **8 à 11 €**

La reproduction d'un tableau du peintre fauviste Jean Peske (1925) sur l'étiquette évoque le charme du farniente et la beauté de la région borméenne. Elle sied si bien à ce rosé dont la robe pâle évoque la légèreté. On perçoit une grande expression, de la fraîcheur et de la complexité dans la matière ample, empreinte de fruits en finale. La **Cuvée spéciale rouge 2002** est citée pour son équilibre et ses intenses notes réglissées, témoin de l'élevage sous bois.

🔑 Eric Dumon, 1077, chem. de l'Angueiroun,
83230 Bormes-les-Mimosas, tél. 04.94.71.11.39,
fax 04.94.71.75.51 ☑ ⌂ 🍷 🚶 r.-v.

DOM. DE L'ANTICAILLE 2003 ★★

▒ 4 ha 26 000 ▮🌡 **5 à 8 €**

Dans la plaine de la haute vallée de l'Arc, le domaine de L'Anticaille s'étend sur une cinquantaine d'hectares. Vous le trouverez aisément après une visite de la cité médiévale de Trets, entourée de ses remparts. Proposé au grand jury des coups de cœur, ce rosé pâle et lumineux attire le regard. Il vous conduit alors dans une aventure gustative : bouquet de fleurs, panier de fruits, raisin frais, bouche ronde, équilibrée et longuement fruitée. Invitez vos amis sans plus attendre...

🔑 Martine Paillet-Féraud,
Dom. de L'Anticaille, 13530 Trets,
tél. 04.42.29.22.64, fax 04.42.29.41.64 ☑ 🍷 🚶 r.-v.
🔑 Féraud

CH. LES APIES 2003

▒ 1 ha 6 000 ▮🌡 **5 à 8 €**

Une première vinification dans ce domaine racheté il y a deux ans et qui occupe le site d'un ancien cloître, avec une cave semi-enterrée. Très pâle, aux nuances jaune orangé, ce rosé présente un premier nez végétal avant de développer des parfums de bonbon acidulé. Après une attaque franche, il offre une bouche équilibrée, tout en rondeur et bien aromatique.

⊶ SARL Les Mûriers,
Ch. Les Apiès, Clos Saint-Jean,
83460 Les Arcs-sur-Argens,
tél. 04.94.10.42.12, fax 04.94.10.42.12 ☑ 🍷 🚶 r.-v.
⊶ Luc Wouters

CELLIER DES ARCHERS Cuvée Terroir 2003

■ 4 ha 13 000 ▮ 3 à 5 €

Une macération longue de la syrah a marqué le caractère de cette cuvée. On le note en effet à la robe grenat comme aux arômes de fruits à l'alcool et de poivre. Les tanins, encore un peu accrocheurs, demandent à s'arrondir à la faveur de deux ou trois ans de garde.

⊶ Cellier des Archers, quartier des Laurons,
83460 Les Arcs-sur-Argens, tél. 04.94.73.30.29,
fax 04.94.47.50.84 ☑ 🍷 🚶 t.l.j. sf dim. 8h-12h 14h-18h

CH. L'ARNAUDE 2003 *

□ 4 ha 9 000 ▮ 5 à 8 €

Il aura fallu attendre près de soixante ans avant que l'on ne produise à nouveau du vin sur le terroir calcaire de l'Arnaude. En 1985, la famille Knapp a restauré le domaine en plantant rolle, syrah et grenache autour de la bastide du XVII^{e}s. Elle présente aujourd'hui un vin jaune pâle à reflets verts lumineux, qui livre avec franchise des senteurs d'agrumes et de pivoine. La bouche ronde, complexe, évoque les agrumes avec une pointe minérale, puis s'achemine vers une note chaleureuse, caractéristique du millésime.

⊶ Ch. L'Arnaude, rte de Vidauban, 83510 Lorgues,
tél. 04.94.73.70.67, fax 04.94.67.61.69,
e-mail chateau.arnaude@terre-net.fr
☑ 🏠 🍷 🚶 t.l.j. hiver 9h30-12h 14h-18h;
été 9h30-12h30 15h-19h; dim. sur r.-v.
⊶ Famille Knapp

DOM. DES ASPRAS Cuvée Réserve 2002

■ n.c. 8 500 8 à 11 €

Si Correns s'enorgueillit d'être un village « bio », puisque tous ses producteurs se sont tournés vers ce mode de culture, il présente d'autres centres d'intérêt, dont un imposant château du XII^{e}s., le Fort-Gibron. Michael Latz vous fera découvrir ce vin d'un rouge brillant, dont le nez exprime volontiers la réglisse, l'eucalyptus, la résine, le clou de girofle et quelques notes animales. Les petits fruits rouges nuancés d'épices se manifestent en bouche, autour d'une structure tannique bien présente qui laisse une impression encore austère. Attendez la fin 2005 pour servir cette bouteille.

⊶ Michael Latz, Dom. des Aspras, 83570 Correns,
tél. 04.94.59.59.70, fax 04.94.59.53.92,
e-mail mlatz@aspras.com
☑ 🏠 🍷 🚶 t.l.j. 9h-12h 15h-19h

CH. D'ASTROS Cuvée spéciale 2003

▒ 3,8 ha 27 000 ▮ 5 à 8 €

Ce château à l'architecture de style italien rappellera aux cinéphiles le film d'Yves Robert, *le Château de ma mère*. De ses grenache, syrah et cabernet-sauvignon est né un rosé discrètement coloré. Les arômes fruités sont en accord avec la bouche gouleyante. Un vin pour les petites invitations impromptues au jardin.

⊶ SCEA du Ch. d'Astros, rte de Lorgues,
83550 Vidauban, tél. 04.94.99.73.00, fax 04.94.73.00.18,
e-mail chateau-astros@wanadoo.fr ☑ 🍷 🚶 r.-v.
⊶ Bernard Maurel

CH. BARBEYROLLES Pétale de rose 2003

▒ 10,24 ha 56 600 ▮ 11 à 15 €

En 1977, Régine Sumeire a acheté ce château dans la presqu'île de Saint-Tropez. Sous son œil attentif et passionné, le domaine a repris vie, et ce sont aujourd'hui 12 ha de vignes qui prospèrent sur les schistes. Bien nommée, cette cuvée est un joli rosé de repas, jouant sur la longueur en bouche et la légèreté de son bouquet d'agrumes (pamplemousse) et de fleurs blanches. Sous sa robe pâle – même très pâle –, elle cache bien son jeu.

⊶ Régine Sumeire, Ch. Barbeyrolles, 83580 Gassin,
tél. 04.94.56.33.58, fax 04.94.56.33.49 ☑ 🍷 r.-v.

LA BASTIDE DU CURE 2003 **

▒ 20 ha 115 000 ▮ 3 à 5 €

Créée en 1912, la cave coopérative vinifie le fruit de 690 ha de vignes. Sa sélection a été remarquée par le jury : dans une robe saumoné brillant, le vin livre de puissants parfums de fleurs nuancés de notes minérales. Une richesse florale qui s'allie à un bon équilibre et à du gras dans une bouche persistante. La **cuvée Vitis Alba rouge 2002 Elevé en fût de chêne (5 à 8 €)** obtient une étoile pour sa souplesse et sa complexité aromatique.

⊶ La Vidaubanaise, 89, chem. Sainte-Anne, BP 24,
83550 Vidauban, tél. 04.94.73.00.12, fax 04.94.73.54.67,
e-mail vidaubanaise@aol.com ☑ 🏠 🍷 🚶 r.-v.

DOM. DE LA BASTIDE NEUVE
Fleur de Rolle 2003

□ 1,54 ha 5 000 ▮ 8 à 11 €

Nicole Wiestner vient de prendre la gérance de ce domaine de 25 ha situé au pied du massif des Maures, dont le terroir de grès sablonneux d'origine primaire porte des vignes conduites en agriculture raisonnée. Sous une teinte or pâle, ce vin de pur rolle élevé sur lie apparaît complexe, tout en rondeur et sans aucun excès de vivacité, avec des notes d'amande douce en finale. Pour un loup grillé.

⊶ Dom. de La Bastide Neuve,
83340 Le Cannet-des-Maures, tél. 04.94.50.09.80,
fax 04.94.50.09.99, e-mail domaine@bastideneuve.fr
☑ 🍷 🚶 t.l.j. sf sam. dim. 8h-12h 13h-17h (ven. 16h)
⊶ Wiestner

PROVENCE

CH. BASTIDIERE 2003 **

▒ 1,5 ha 10 000 ▮ 5 à 8 €

En rejoignant Notre-Dame-de-Santé, tout en haut du village de Cuers, un large panorama sur le vignoble environnant s'offre au regard. A la Bastidière, les vignes enserrent le corps de ferme et la cave de vinification : des bâtiments fonctionnels dans lesquels a été élaboré ce rosé qui porte haut les couleurs de la Provence. Des fragrances de pêche, de fruits exotiques, d'agrumes s'associent à une bouche fine et harmonieuse pour créer le plaisir. Un dégustateur conclut : « C'est le bonheur... » Le **Château Bastidière blanc 2003**, aux notes florales et fruitées, est cité.

⊶ Dr Thomas Flensberg,
Ch. Bastidière, rte de Pierrefeu, 83390 Cuers,
tél. 04.94.13.51.28, fax 04.94.13.51.29 ☑ Y 🚶 r.-v.

CH. LE BASTIDON 2003

■ 3,5 ha 20 000 ▮🌡 **5 à 8 €**

Ancienne propriété des chartreux de la Verne (XVIIe s.), qui laissèrent leur empreinte également dans le village de La Londe-les-Maures, ce domaine a produit un vin rouge sombre, dont le nez libère timidement des arômes de fruits noirs. Après une bonne attaque sur la fraîcheur, on découvre une structure de tanins harmonieux, accompagnée de fruits cuits. Toutefois, ce 2003 mérite de mûrir encore un peu.

⊶ Jean-Pierre Rose, Ch. Le Bastidon,
rte du Pansard, 83250 La Londe-les-Maures,
tél. 04.94.66.80.15, fax 04.94.66.68.23,
e-mail alainbastidon@aol.com ☑ Y 🚶 r.-v.

CH. BEAUMET 2003

□ 3 ha n.c. ▮🌡 **8 à 11 €**

Depuis son rachat en 2002, ce domaine de 48 ha, où ont été mises au jour des sépultures romaines, bénéficie d'une

La Provence

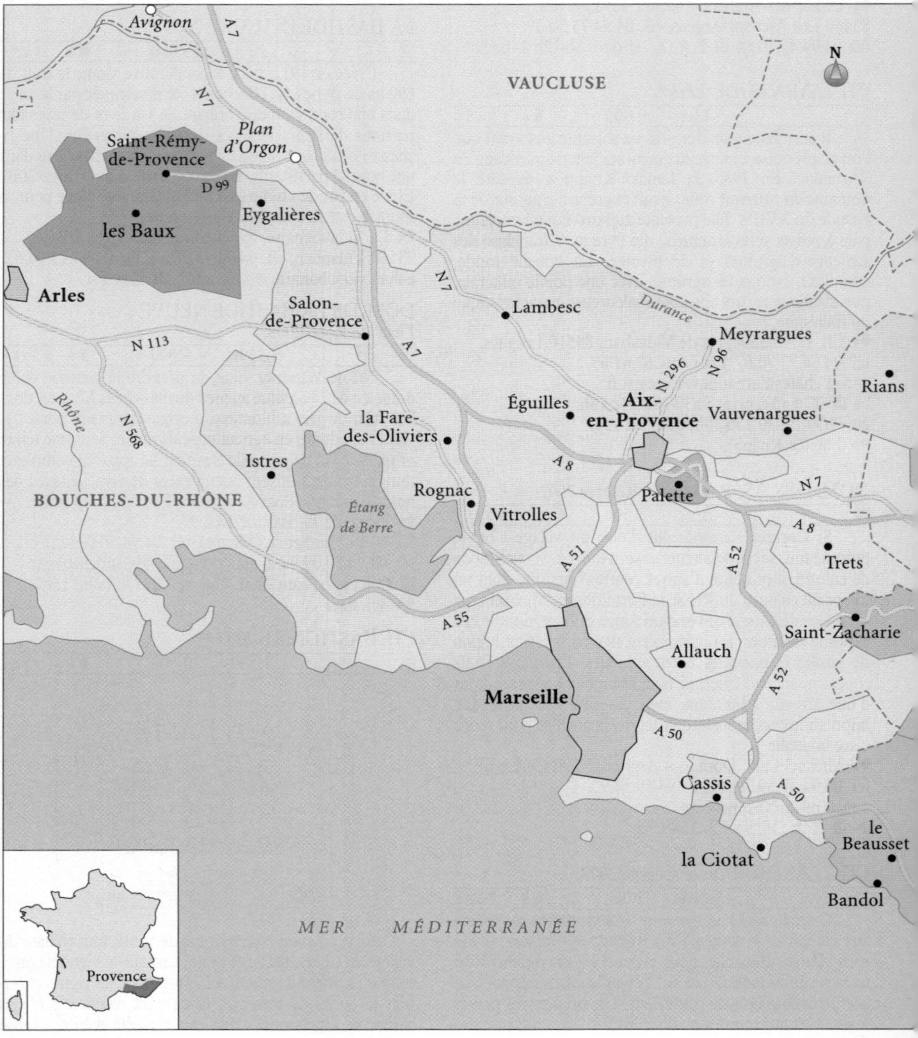

restructuration jusque dans la cave. Le rolle et le sémillon ont donné naissance à un vin bouton d'or, discrètement floral et rond. Un 2003 de bon augure pour l'avenir de ce vignoble.
🔖 Ch. Beaumet, quartier Beaumet, 83590 Gonfaron, tél. 04.98.05.21.00, fax 04.94.78.27.40,
e-mail chateaubeaumet@wanadoo.com ☑ 🏠 🍷 🎣 r.-v.

DOM. DE BEAUMONT Clos de l'Hermitage 2003

| ■ | 1,5 ha | 6 660 | ■ ↓ | 5 à 8 € |

Entrecasteaux s'est développé autour de son château du XVI[e]s., bâti sur le site d'une forteresse ; les maisons anciennes et les passages ajoutent à son caractère. Au domaine de Beaumont, c'est un vin de teinte soutenue, nuancée de reflets cerise brillants qui vous attend. Les arômes intenses dominés par les petits fruits rouges trouvent un prolongement au palais, celui-ci s'avérant équilibré. La **cuvée des Arts rouge 2001 (8 à 11 €)**, qui a connu le bois, est citée également.
🔖 Philippe Collas, Dom. de Beaumont,
rte de Lorgues, 83570 Entrecasteaux,
tél. 04.94.73.89.65, fax 04.94.73.89.35,
e-mail domainedebeaumont@terre-net.fr
☑ 🍷 🎣 t.l.j. sf dim. 9h-12h 15h-19h

DOM. LE BERCAIL Cuvée des Amandiers 2002

| ■ | 1 ha | 5 000 | ⬛ | 5 à 8 € |

Le mot finesse revient tout au long de la dégustation de ce vin : une teinte jaune, des arômes discrets de fruits

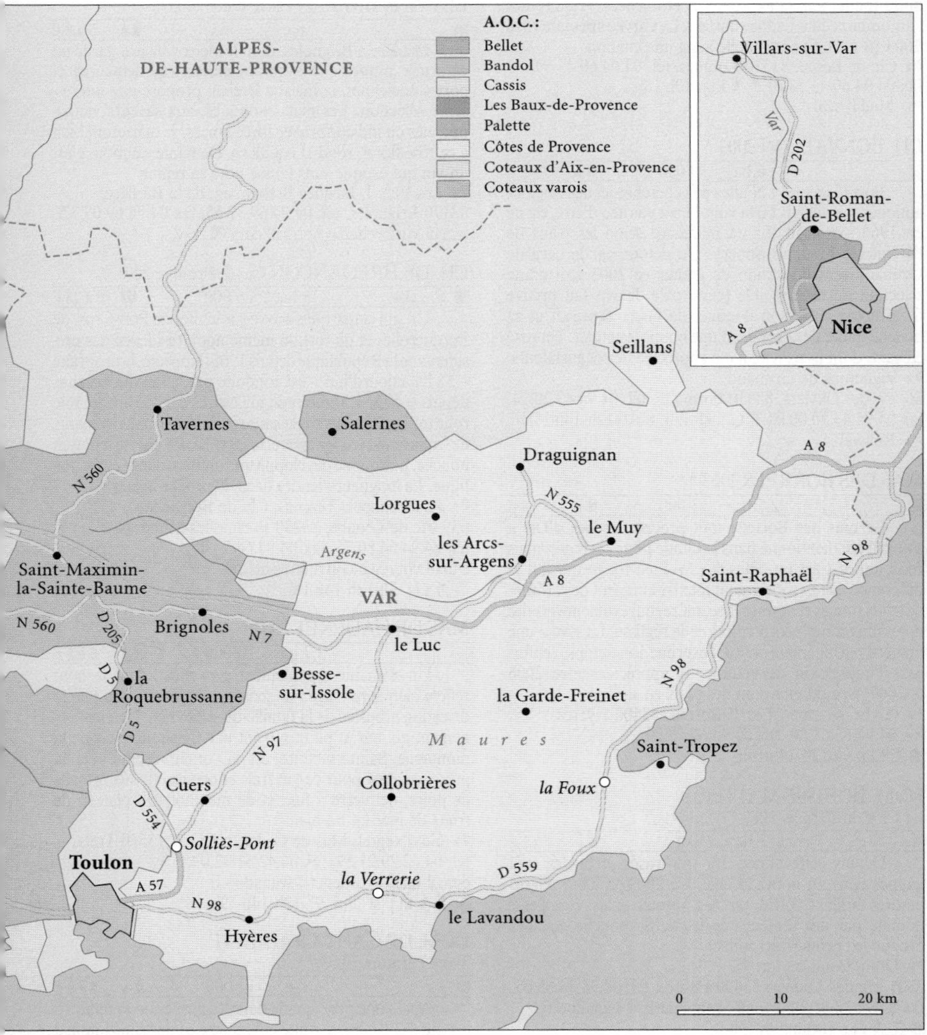

A.O.C. :
- Bellet
- Bandol
- Cassis
- Les Baux-de-Provence
- Palette
- Côtes de Provence
- Coteaux d'Aix-en-Provence
- Coteaux varois

blancs, un bon équilibre et un boisé agréable témoignant d'une bonne maîtrise de l'élevage. Tout juste pourrait-on souhaiter plus de personnalité. La **cuvée de l'Opale rosé 2003** est citée également.

⊶ Dom. Le Bercail, 864, chem. de la Plaine,
83480 Puget-sur-Argens, tél. 04.94.19.54.09,
fax 04.94.81.50.80 ☑ Y 🚶 t.l.j. sf sam. dim. 8h-16h30

CH. DE BERNE Cuvée spéciale 2002

□ 15 ha 30 000 ‖ **11 à 15 €**

Vous parviendrez au château après avoir traversé une superbe forêt de chênes. Lors d'un séjour dans son auberge, vous ferez maintes découvertes entre stages d'œnologie, de cuisine provençale et dîners-concerts. Une dégustation réussie que celle de ce vin or limpide. S'il ne montre pas beaucoup d'ampleur en finale, ce 2002 offre un boisé fondu, aux notes vanillées et miellées. A boire dès l'automne et dans l'année qui suit. La **Cuvée spéciale rosé 2003 (8 à 11 €)** obtient elle aussi une citation.

⊶ Ch. de Berne, 83510 Lorgues, tél. 04.94.60.43.60,
fax 04.94.60.43.58 ☑ Y 🚶 t.l.j. 10h-18h
⊶ Muddyman

CH. BONVALLON 2003 *

□ 6 ha 30 000 ▮ 3 à 5 €

Port-Grimaud ? N'allez pas chercher ici des origines antiques. Ce village, où la voiture n'a pas lieu d'être, est né en 1966, construit sur un marécage selon les plans de l'architecte François Spoery. Un détour par la cave de Grimaud sera l'occasion de goûter ce 2003 issu d'une sélection de terroirs. De teinte pâle, le vin fait preuve d'harmonie entre son bouquet de fleurs expressif et sa bouche minérale et ronde, d'une bonne longueur. Un rosé élégant, dont la typicité a été appréciée des dégustateurs.

⊶ Vignerons de Grimaud,
36, av. des Oliviers, 83310 Grimaud, tél. 04.94.43.20.14,
fax 04.94.43.30.00 ☑ Y t.l.j. sf dim. 8h30-12h 14h-18h
⊶ Rolland

MAS DES BORRELS 2003 **

■ 2,5 ha 13 000 ▮ 5 à 8 €

Le mas des Borrels, tout proche des îles d'Or, a souvent été mentionné dans le Guide pour ses rosés, mais cette année c'est un côtes-de-provence rouge qui fait la différence. De sa robe grenat intense émanent des arômes de fruits rouges et noirs (cerise, mûre) qui évoluent vers des notes plus complexes d'épices et de réglisse. La sève d'une matière parfaitement mûre s'exprime longtemps, renforçant l'impression de volume. A apprécier entre 2006 et 2007 avec du gibier ou des plats en sauce.

⊶ GAEC Garnier, Les 3e Borrels, 83400 Hyères,
tél. 04.94.65.68.20, fax 04.94.65.68.20
☑ Y t.l.j. 9h-12h 14h-19h

DOM. BOUISSE-MATTERI
Le Clos du Paradis 2003 *

□ 3 ha n.c. ▮ 3 à 5 €

Depuis cette année, les vins rosés et blancs sont vinifiés dans un nouveau chai. Ce 2003, couleur œil-de-perdrix brillant, offre un nez discret mais complexe, dominé par des senteurs de fruits. Sa bouche acidulée évoque les petits fruits rouges.

⊶ Dom. Bouisse-Matteri,
3301, rte des Loubes, 83400 Hyères, tél. 04.94.38.65.05,
fax 04.94.38.65.30, e-mail bruno.merle@wanadoo.fr
☑ Y 🚶 t.l.j. sf dim. 9h-19h

DOM. DE LA BOUVERIE 2001

■ 7 ha 35 000 ‖ **5 à 8 €**

La Bouverie est l'un des secteurs de Roquebrune-sur-Argens qui réserve quelques beaux sentiers de randonnée autour du rocher de grès auquel le village doit son nom. Vos pas vous mèneront sans doute à ce domaine qui a produit un vin grenat dont les reflets témoignent d'une certaine évolution. Le nez délicat de cerise, voire de kirsch, nuancé d'un léger boisé, annonce les flaveurs de la bouche souple, équilibrée et persistante.

⊶ Jean Laponche,
Dom. de La Bouverie, 83520 Roquebrune-sur-Argens,
tél. 04.94.44.00.81, fax 04.94.44.04.73,
e-mail info@domainedelabouverie.com
☑ Y 🚶 t.l.j. sf dim. 9h30-12h 15h30-18h

LES VINS BREBAN Carte noire 2003 *

□ n.c. n.c. ▮ **5 à 8 €**

Installée à Brignoles, dont le vieux village a gardé un caractère pittoresque avec ses places, ses demeures et portes anciennes, la maison Bréban propose une intéressante sélection. Les plats exotiques, aux saveurs vietnamiennes ou indiennes avec force épices, se marieront bien à ce rosé floral, rond et équilibré. De teinte saumon, c'est un vin qui évoque sans fausse note sa région.

⊶ Les Vins J.-Jacques Bréban, av. de la Burlière,
83170 Brignoles, tél. 04.94.69.37.55, fax 04.94.69.03.37,
e-mail vinsbreban@hotmail.com ☑ r.-v.

CH. DE BREGANCON Cuvée Prestige 2001 *

■ Cru clas. 3 ha 6 000 ‖ **15 à 23 €**

Un site classé qui s'ouvre sur les îles de Port-Cros, de Porquerolles et du fort du même nom, résidence des présidents de la République depuis 1968. Non loin, la propriété – 52 ha aujourd'hui – est conduite par la famille Tézenas depuis le XIXe s. Témoin du millésime, son vin arbore une robe intense à reflets rubis, puis révèle des arômes avenants de fruits noirs, tels le cassis et la myrtille. Promesse tenue en bouche, puisque se développe une matière dense et aromatique. La longueur viendra dans un proche avenir.

⊶ Jean-François Tézenas, Ch. de Brégançon,
639, rte de Léoube, 83230 Bormes-les-Mimosas,
tél. 04.94.64.80.73, fax 04.94.64.73.47,
e-mail chbregancon@terre-net.fr
☑ Y t.l.j. 9h-12h 14h-18h

MAS DE CADENET 2003

□ 3,7 ha 10 000 ▮ **5 à 8 €**

Un domaine typiquement provençal, dont le nom reflète bien le paysage : un mas et un cadenet, lieu planté de cades, arbustes de la famille du genévrier. Un environnement qui aurait pu être peint par Cézanne, puisque la montagne Sainte-Victoire est là, omniprésente. De la présence aussi pour ce vin frais et persistant, aux arômes de poire, de pierre à fusil et de menthol. Un plateau de fruits de mer lui ira bien.

⊶ Guy Négrel, Mas de Cadenet, CD 7, 13530 Trets,
tél. 04.42.29.21.59, fax 04.42.61.32.09,
e-mail mas-de-cadenet@wanadoo.fr
☑ Y 🚶 t.l.j. sf dim. 9h-12h 14h-19h

DOM. DE CANTA RAINETTE
Trois Perottins 2003 **

□ n.c. 12 000 ▮ **5 à 8 €**

Après une promenade dans les gorges de Pennafort, le long de l'Endre, la route qui mène à ce domaine familial

de 287 ha n'est pas bien longue. Edouard Castellino a élaboré un vin pâle à nuances saumon qui laisse s'épanouir un bouquet puissant et exotique : agrumes, fleurs. Le plaisir se prolonge grâce à la bouche intense et ample, parfaitement équilibrée. Ce rosé qui laisse une impression de plénitude accompagnera tout un repas.
⊶ SCEA Edouard Castellino, Dom. de Canta Rainette, 1144, rte de Bagnols, 83920 La Motte, tél. 04.94.70.28.25, fax 04.94.70.28.25, e-mail canta.rainette@wanadoo.fr ☑ Y ✱ r.-v.

LA CARCOISE Cuvée Prestige 2003 ★

■ 15 ha 50 000 5 à 8 €

Au confluent du Caramy et de l'Argens, Carcès possède un caractère rural plein de charme. La coopérative a élaboré ce vin aux arômes concentrés de fruits rouges et noirs (framboise et cassis), aux tanins doux et fins, au bel équilibre. Appréciez cette bouteille dans les deux ans pour profiter de sa fraîcheur.
⊶ Cave coop. La Carçoise, 66, av. Ferrandin, 83570 Carcès, tél. 04.94.04.38.08, fax 04.94.04.34.25 ☑ Y ✱ r.-v.

CH. DU CARRUBIER 2003

▨ 6 ha 23 000 🛢 5 à 8 €

Sur la route de Brégançon, le château de Carrubier étend ses 25 ha de vignes. Le grenache, la syrah et le cinsault se sont associés pour donner tout son charme à ce rosé de couleur claire et aux senteurs de pivoine. De la fraîcheur et de l'équilibre.
⊶ SC du Dom. du Carrubier, rte de Brégançon, 83250 La Londe-les-Maures, tél. 04.94.66.82.82, fax 04.94.35.00.01
☑ Y ✱ t.l.j. sf sam. dim. 8h-12h 13h-17h

CASTEL LAMARE 2003

▨ 30 ha 150 000 🛢 3 à 5 €

Si à Montfort-sur-Argens on peut voir la maison de Joseph Lambot, inventeur du béton armé au XIX[e]s., on recherchera aussi les témoignages du Moyen Age et les vestiges de l'époque gallo-romaine. Patrick Croisy a ainsi choisi d'illustrer ses vins d'une mosaïque figurant des dauphins. C'est sous cette étiquette que vous découvrirez son rosé tout en légèreté et en fraîcheur. Un 2003 habillé d'une robe rose pâle qui sera à son aise avec des plats exotiques.
⊶ Patrick Croisy, Dom. Castel Lamare, 83570 Montfort-sur-Argens, tél. 04.94.59.51.88, fax 04.94.59.57.31 ☑ Y ✱ t.l.j. 9h-12h 13h-17h

CH. DE CHAUSSE 2003 ★

▨ 6 ha 27 000 🛢 5 à 8 €

Lieu de villégiature déjà apprécié au I[ers]s. av. J.-C., La Croix-Valmer offre au regard des vacanciers les élégantes façades de ses villas du XIX[e]s. Yves et Roseline Schelcher se sont installés ici, entre pins parasols, mer et vignes, en 1990. Dans son élégante robe rose, leur rosé s'exprime avec discrétion et finesse. Nuancé de notes poivrées, il offre une bonne fraîcheur et laisse une impression durable d'harmonie. Le **Château de Chausse rouge 2001 (8 à 11 €)** est cité.
⊶ Ch. de Chausse, 83420 La Croix-Valmer, tél. 04.94.79.60.57, fax 04.94.79.59.19, e-mail chausse2@wanadoo.fr ☑ Y ✱ r.-v.
⊶ Y. et R. Schelcher

CH. CLASTRON 2003 ★

▨ 21,68 ha 100 000 🛢 3 à 5 €

Une cuvée pétale de rose, dont le nez de cerise intense se nuance de bonbon acidulé. Les notes de griotte se manifestent aussi en bouche, mêlées aux arômes d'agrumes, et laissent une agréable sensation de fraîcheur.
⊶ GFA Dom. de Clastron, rte de Bagnols, 83920 La Motte, tél. 04.94.70.24.57, fax 04.94.84.31.43
☑ Y ✱ t.l.j. sf dim. 8h-12h 14h-17h

CLOS DE LA LUNE 2003 ★★

▨ 3 ha 10 000 🛢 5 à 8 €

L'endroit est magnifique... La conservation, voire l'implantation de la vigne – excellent pare-feu – au cœur du massif des Maures s'impose après les événements dramatiques de l'été dernier. Quelle satisfaction que de déguster ce rosé franc, à la matière vineuse et aux accents de fruits rouges ! Pendant tout un repas, on regardera sa jolie étiquette illustrée d'un pied de vigne sous la lune.
⊶ SCEA Ch. La Chêneraie, rte de Collobrières, 83310 Cogolin, tél. 04.94.59.12.40, fax 04.94.59.16.11 Y ✱ r.-v.
⊶ Philip Swinstead

CLOS DE LA NEUVE 2003

□ 1 ha 5 000 5 à 8 €

D'une couleur jaune pâle à reflets verts, cette cuvée décline un nez délicat de fleurs blanches nuancées de fruits exotiques. Elle se révèle vive et élégante au palais, avec des flaveurs d'agrumes et de bergamote, avant de s'achever sur une finale chaleureuse, caractéristique du millésime. Le **Clos de La Neuve rouge 2001** obtient aussi une citation.
⊶ Pierre Joly, EARL Dom. de La Neuve, 83910 Pourrières, tél. 04.94.78.17.02, fax 04.94.59.86.42
☑ Y ✱ t.l.j. 9h-12h 14h-19h

LES CAVES DU COMMANDEUR La Grande Cuvée 2003 ★★

■ 1,9 ha 8 500 🛢 5 à 8 €

La cave vient de restructurer ses chais et une jeune œnologue lui insuffle son dynamisme. Le résultat ? Une cuvée qui a frôlé le coup de cœur. Très intense, aux reflets d'encre, elle s'ouvre sur les fruits noirs, soulignés de touches animales et iodées. Elle se développe ensuite avec rondeur et équilibre jusqu'à une finale toute fruitée qui laisse une sensation de plénitude. A boire dans les trois à cinq prochaines années. La cuvée **Le Commandeur rouge 2003 (3 à 5 €)** peut attendre deux ou trois ans, mais elle peut être servie dès aujourd'hui. Ce vin typique de l'appellation obtient une étoile.
⊶ Les Caves du Commandeur, 44, rue de la Rouguières, 83570 Montfort-sur-Argens, tél. 04.94.59.59.02, fax 04.94.59.53.71, e-mail cave.commandeur@free.fr ☑ Y ✱ r.-v.

LES VIGNERONS DE CORRENS Croix de Basson Haute 2003 ★

□ 20 ha 80 000 🛢 5 à 8 €

Entre vallon Sourn (petites gorges de l'Argens) et bessillons (montagnes calcaires) apparaît Correns. Pour célébrer le pardon traditionnel du village au mois de mai, les villageois firent ériger une croix en 1912 : la croix de Basson. Celle-ci figure sur l'étiquette de ce vin très pâle qui livre un nez franc de fleurs blanches et d'agrumes (citron vert, pamplemousse). La bouche possède la vivacité recherchée dans les côtes-de-provence blancs, ainsi que la chaleur propre à l'année 2003.

PROVENCE

➮ Les Vignerons de Correns,
rue de l'Eglise, 83570 Correns,
tél. 04.94.59.59.46, fax 04.94.59.50.32 ☑ ⟆ ⚲ r.-v.

COSTE BRULADE Réserve 3ᵉ millénaire 2003

■	n.c.	20 000	■↓	3 à 5 €

Les vieux carignans de Puget-Ville font partie du
patrimoine de l'appellation. La coopérative les met ainsi en
avant dans sa cuvée, associés à 20 % de syrah. La typicité du
cépage s'exprime dans la robe grenat comme dans les
arômes de fruits rouges macérés et les tanins solides, épicés.
➮ Cellier Saint-Sidoine,
rue de la Libération, 83390 Puget-Ville,
tél. 04.98.01.80.50, fax 04.98.01.80.59,
e-mail courrier @provence-sidoine.com ☑ ⟆ ⚲ r.-v.

LES VIGNERONS DE COTIGNAC
Cuvée spéciale 2003

■	n.c.	8 000	3 à 5 €

A Cotignac, les curiosités architecturales, géologiques et même œnologiques ne manquent pas. Pour les
premières, c'est à Notre-Dame-des-Grâces que l'on se
rendra ; pour les secondes, on admirera le rocher au pied
duquel est implanté le village ; pour les troisièmes, rendez-
vous à la coopérative. Ce rosé pâle n'est certes pas
exubérant, mais il associe ampleur et finesse, avec d'insolites notes d'épices et de camphre. Le **rouge 2001 élevé en
fût de chêne (5 à 8 €)** offre un bouquet complexe de
griotte, de cacao et de cuir. Prêt à boire, il est également cité.
➮ Les Vignerons de Cotignac, 83570 Cotignac,
tél. 04.94.04.60.04, fax 04.94.04.79.54
☑ ⟆ t.l.j. sf dim. lun. 8h15-12h 14h-18h; sam. 8h15-12h

CH. DE LA COULERETTE 2003

■	25 ha	140 000	■ 5 à 8 €

Autrefois, les sources de la Coulerette alimentaient en
eau le village de La Londe. Aujourd'hui, c'est un rosé qui
coulera dans les verres autour de grillades. Couleur
œil-de-perdrix, il se montre plus expressif en bouche qu'au
nez, avec un bon équilibre.
➮ Sylvette Brechet, Ch. de La Coulerette,
83250 La Londe-les-Maures, tél. 04.94.66.80.03,
fax 04.94.15.92.31 ☑ t.l.j. sf sam. dim. 8h-12h 13h-18h

LA COURTADE Alycastre 2003 ★

■	12 ha	102 000	■ 8 à 11 €

Face à Hyères, Porquerolles est une île protégée,
presque totalement rachetée par l'Etat en 1970. Il faut
laisser son regard se perdre dans la mer depuis les hautes
falaises, sentir les parfums des plantes méditerranéennes,
s'arrêter devant les vignes, comme celles de Richard
Auther, installé ici depuis 1985. La cuvée Alycastre doit
son nom à un dragon légendaire qui vivait sur l'île. Pas de
signe oxydatif dans la nuance orangée de la robe, mais le
reflet du mourvèdre et du tibouren. L'expression aromatique intense évoque les fruits mûrs : agrumes, litchi, cerise
et même une note muscatée qui persiste en bouche. Un
rosé de caractère qui fait preuve de plénitude.
➮ Dom. de La Courtade, 83400 Ile de Porquerolles,
tél. 04.94.58.31.44, fax 04.94.58.34.12,
e-mail la-courtade@terre-net.fr ☑ ⟆ ⚲ r.-v.

DOM. DE LA CRESSONNIERE
Cuvée Monestel 2001 ★

■	5,6 ha	30 000	■⦙⦙↓	5 à 8 €

Du cresson poussait au XIXᵉs. dans ce domaine
commandé par une bastide typiquement provençale. L'ori-

ginalité tient aujourd'hui à une production majoritaire de
vins rouges, cas rare en Provence. Ce 2001, grenat à reflets
violets, est marqué par les senteurs de garrigue et de fruits
rouges bien mûrs. Sa bouche fraîche, équilibrée par
suffisamment de gras, développe des flaveurs fruitées,
agréablement nuancées de boisé. Les tanins marquent
encore un peu la finale, mais promettent de se fondre. A
boire dans les cinq ans. La **cuvée Prunelle rosé 2003**
obtient une étoile et la **cuvée Mataro rouge 2002 (11 à
15 €)**, élevée en fût, une citation.
➮ Dom. de La Cressonnière, RN 97, 83790 Pignans,
tél. 04.94.48.81.22, fax 04.94.48.81.25,
e-mail cressonniere@wanadoo.fr
☑ ⟆ ⚲ t.l.j. sf dim. 9h-12h 15h-18h
➮ Depeursinge

CH. LES CROSTES Cuvée Prestige 2001 ★

■	16 ha	17 000	⦙⦙⦙	8 à 11 €

Après une visite de l'imposante collégiale de Lorgues,
bâtie au XVIIIᵉs., vous serez tout aussi impressionné par
ce domaine : une demeure du XVIIᵉs. entourée de 217 ha
de vignes, d'oliviers et de bois d'un seul tenant. Son 2001,
rubis aux reflets légèrement tuilés, séduit par ses parfums
intenses de vanille, de pruneau et de fruits noirs. La bouche
puissante est empreinte de myrtille et de réglisse vanillées ;
sa structure tannique est certes présente, mais équilibrée et
harmonieuse, laissant augurer une évolution favorable au
cours des trois à cinq prochaines années. La **cuvée
Prestige blanc 2003 (5 à 8 €)** mérite une citation.
➮ H.L. Ch. Les Crostes,
chem. de Saint-Louis, BP 55, 83510 Lorgues,
tél. 04.94.73.98.40, fax 04.94.73.97.93,
e-mail chateau.les.crostes@wanadoo.fr ☑ ⟆ ⚲ r.-v.

CH. DE LA DEDIERE Cuvée du Pigeonnier 2002 ★

■	n.c.	20 000	■↓	5 à 8 €

Cette ancienne demeure de chasse des comtes de
Pierrefeu servit de cadre à de fastueuses fêtes : une cuisine
fut même aménagée en lieu et place de la chapelle du
château pour mieux préparer les festins. Aujourd'hui, un
repas plus simple, mais goûteux, sera préparé pour accompagner ce vin rubis qui laisse une impression de
fraîcheur. Souple et élégant, celui-ci développe durablement ses agréables flaveurs de fruits rouges mentholés. Un
dégustateur le servirait assez frais. La **cuvée Henri Fabre
rosé 2003 (3 à 5 €)**, très fruitée, est citée.
➮ SCEA des Domaines Fabre,
Ch. de L'Aumerade, 83390 Pierrefeu-du-Var,
tél. 04.94.13.80.78, fax 04.94.13.81.41,
e-mail henrifabre@sa-fabre.com ⟆ ⚲ r.-v.

CH. DEFFENDS Cuvée Première 2003 ★★

■	2,84 ha	18 400	■↓	5 à 8 €

Récoltés sur un terroir de graves argilo-calcaires, la
syrah, le cinsault et le grenache ont donné naissance à un
vin de couleur pâle tirant sur le saumon, avec de vrais
reflets roses. Un fruité fin introduit la dégustation, puis se
manifeste avec davantage d'intensité et avec persistance en
bouche. Un plaisir pour 2004 et 2005. La **cuvée Première
rouge 2002**, souple et fruitée, est prête pour cet hiver. Elle
obtient une étoile.
➮ Vergès, EARL Ch. Deffends, 83660 Carnoules,
tél. 04.94.28.33.12, fax 04.94.28.33.12
☑ ⟆ ⚲ t.l.j. 9h-12h 15h-19h

LE CHARME DES DEMOISELLES 2003

■ 4 ha 5 000 ▮🌡 8 à 11 €

Saint-Michel-d'Esclans, propriété viticole de près de 70 ha, se situe sur le territoire de La Motte, non loin des gorges de Pennafort. Les dégustateurs ont apprécié le caractère charnu de son rosé de teinte claire, ainsi que les arômes de fruits rouges (fraise, groseille) et d'abricot mûr. L'un d'entre eux lui associerait volontiers un fromage de chèvre.

⊶ SAS Les Demoiselles, Dom. Saint-Michel-d'Esclans, 2040, rte de Callas, 83920 La Motte,
tél. 04.94.70.24.60, fax 04.94.84.32.06,
e-mail jr.demoiselles@wanadoo.fr ☒ Y ⛹ r.-v.

LE DIVIN 2003 ★

■ 15 ha 4 000 ▮🌡 5 à 8 €

Avez-vous vu le pont à dos d'âne de Flassans-sur-Issole qui vit passer maints pèlerins en route vers Saint-Jacques-de-Compostelle ? La coopérative, elle, est située sur l'ancienne route royale qui reliait Antibes à Paris. Son Divin est un rosé de teinte soutenue, aux nuances orangées qui livre un premier nez de petits fruits rouges avant de s'orienter vers la grenade et l'épicéa. Le fruité domine également la bouche vive et ne semble plus devoir la quitter.

⊶ SCA Cellier Saint-Bernard,
av. du Général-de-Gaulle, 83340 Flassans-sur-Issole,
tél. 04.94.69.71.01, fax 04.94.69.71.80 ☒ Y ⛹ r.-v.

DOM. DU DRAGON
Cuvée Saint Michel Elevé en fût de chêne 2001 ★★

■ 7,3 ha 17 250 ⦀ 8 à 11 €

Le dragon est le symbole de la ville de Draguignan, qui peut être le point de départ d'un circuit dans le vignoble et par les gorges de Châteaudouble, où se situe le légendaire dolmen de la pierre de la Fée. L'animal fabuleux semble porter bonheur à ce domaine, dont le 2001 a conquis les dégustateurs du grand jury. Riche, puissant et équilibré, le vin dévoile des tanins généreux et une matière propice à une bonne évolution dans le temps. Les arômes développés de fruits rouges, de myrtille, d'encens et de boisé discret persistent longtemps en finale. Un dégustateur rêve déjà d'un faisan aux raisins pour accompagner cette bouteille.

⊶ SCEA Dom. du Dragon,
av. Frédéric-Henri-Manhes, 83300 Draguignan,
tél. 04.98.10.23.00, fax 04.98.10.23.01
☒ 🏠 Y ⛹ t.l.j. 10h-12h 16h-18h
⊶ Houppertz

CH. ESCARAVATIERS 2002 ★★

■ 0,5 ha 2 000 ⦀ 5 à 8 €

Un vétéran de la IXe légion romaine s'était installé sur ce site, comme en témoignent les vestiges mis au jour. Aujourd'hui, la famille Costamagna dirige le domaine de quelque 36 ha. D'un blanc brillant à reflets jaune paille, son 2002 s'exprime avec complexité et intensité. Des nuances de vanille rappellent l'élevage de quatre mois en fût de chêne neuf, et c'est un boisé parfaitement fondu que l'on apprécie dans une bouche grasse et longue, dont la structure est garante d'un potentiel de garde de deux à trois ans. Ce vin accompagnera dignement les coquilles Saint-Jacques ou le saumon. Le **rosé 2003** obtient une citation.

⊶ SCEA Domaines B.-M. Costamagna,
Dom. des Escaravatiers, 83480 Puget-sur-Argens,
tél. 04.94.19.88.22, fax 04.94.45.59.83,
e-mail costam@wanadoo.fr ☒ Y ⛹ r.-v.

DOM. DE L'ESPARRON Cuvée Virginie 2003

■ 2,5 ha 13 000 ▮🌡 3 à 5 €

La famille Migliore conduit depuis 1937 ce domaine implanté sur un terroir d'argiles rouges, non loin de Notre-Dame-des-Anges. Son rosé aux senteurs de bonbon acidulé et de guimauve s'offre comme une gourmandise. Un agréable fruité accompagne sa bouche souple.

⊶ EARL Migliore, Dom. de L'Esparron,
83590 Gonfaron, tél. 04.94.78.34.41, fax 04.94.78.34.43
☒ Y t.l.j. sf dim. 8h-12h 13h30-18h30

L'ESTELLO 2002 ★★

■ 2,5 ha 13 000 ⦀ 8 à 11 €

L'histoire de L'Estello est un éternel recommencement. G. Malinge écrira le prochain épisode puisqu'il a repris le domaine en novembre 2003. Il pourra s'inspirer de la qualité de ce 2002 qui, sous une robe rubis soutenu, décline une palette complexe de fruits noirs (cassis, myrtille), d'épices et de réglisse. La bouche ample et ronde, au fruité concentré, s'appuie sur une structure équilibrée qui laisse une impression d'élégance. Le **rosé 2003 (5 à 8 €)**, floral et friand, est cité.

⊶ Dom. de L'Estello, rte de Carces, 83510 Lorgues,
tél. 04.94.73.22.22, fax 04.94.73.29.29,
e-mail lestello@lestello.com
☒ Y ⛹ t.l.j. sf dim. 9h-12h30 14h-19h; ouv. dim. juil.-août
⊶ G. Malinge

CH. DES FERRAGES 2002 ★

■ n.c. 6 500 ▮⦀ 8 à 11 €

La robe sombre à reflets violacés est déjà une promesse de qualité. Le nez confirme : de grande intensité, il exhale des notes variées de fumée, de fruits frais, de fraise des bois et de framboise. Au palais, le vin dévoile sous son gras la force de ses tanins comme pour montrer qu'il sera apte à une garde de deux ou trois ans. Le **rosé 2003** est cité pour son côté floral et rond, tout en discrétion.

⊶ José Garcia, RN 7, 83470 Pourcieux,
tél. 04.94.59.45.53, fax 04.94.59.72.49 ☒ Y ⛹ r.-v.

DOM. LA FLEUR PASSION Fût de chêne 2001

■ 1 ha 3 500 ⦀ 8 à 11 €

Ce 2001 séduit le regard dans sa robe grenat aux nuances pourpres. Expressif, il libère des notes boisées complétées d'arômes de fruits rouges que l'on retrouve dans la matière ronde et charmeuse. S'il est léger, il ne manque cependant pas d'équilibre. Le **rosé 2003 (3 à 5 €)** a l'élégance de la discrétion. Il est cité.

⊶ Fridolin et Marie-Christine Walter,
Dom. de La Fleur Passion, chem. la Sauveuse,
83390 Puget-Ville, tél. 04.94.48.55.84,
fax 04.94.48.55.84 ☒ Y ⛹ r.-v.

DOM. DE FONTANYL 2003 ★

■	17 ha	100 000	■↓	5 à 8 €

Un rosé de teinte vive qui se présente dans un registre floral, évocateur de violette. Sa bouche laisse une impression d'élégance jusqu'à la finale joviale par sa fraîcheur. Pensez à ce vin pour des en-cas avec vos amis.

🕿 Cellier Val de Durance, Le Grand Jardin, 84360 Lauris, tél. 04.90.08.76.28, fax 04.90.08.28.27

CH. FONT DU BROC 2003 ★

■	4 ha	12 000	■ ⓤ	11 à 15 €

En 1988, après un incendie de forêt, ce terroir de qualité a été planté de vignes pour constituer un domaine de 23 ha, où sont également élevés des pur-sang lusitaniens. Ce 2003 est lui aussi un pur-sang des côtes-de-provence : or pâle à reflets verts, il exprime volontiers des senteurs de miel, d'ananas confit, d'agrumes et de vanille. La bouche d'attaque ronde développe longuement des flaveurs de bonbon anglais, de fruits et de vanille. Les dégustateurs ont apprécié le beau mariage du bois et du vin.

🕿 Sylvain Massa, Ch. Font du Broc, quartier Sainte-Roseline, 83460 Les Arcs-sur-Argens, tél. 04.94.47.48.20, fax 04.94.47.50.46, e-mail caveau@chateau-fontdubroc.com ☑ ⵜ ⋏ r.-v.

LES FOULEURS DE SAINT-PONS
Cuvée Marjolis 2003 ★

■	n.c.	n.c.	5 à 8 €

Presque tous les vignerons du Plan-de-la-Tour sont adhérents à la cave coopérative des Fouleurs de Saint-Pons, créée en 1962. De leur collaboration est né ce rosé agréable qui se décline sur le thème fruité, avec une touche amylique qui contribue à sa finesse. La **cuvée Lolys blanc 2003 (8 à 11 €)**, chaleureuse, est citée.

🕿 Les Fouleurs de Saint-Pons, rte de Grimaud, 83120 Plan-de-la-Tour, tél. 04.94.43.70.60, fax 04.94.43.00.55, e-mail fouleurs-de-st-pons@wanadoo.fr ☑ ⵜ ⋏ r.-v.

DOM. DE LA FOUQUETTE
Cuvée Pierres de Moulin 2003 ★★★

■	2 ha	8 000	■↓ 5 à 8 €

C'est à pied ou à bicyclette que vous découvrirez les paysages du massif des Maures. Votre point de départ pourrait être ce domaine de 15 ha, qui possède une ferme-auberge. D'autant que ses vins méritent à eux seuls une halte prolongée. Ce 2003 saumoné brillant se montre riche de senteurs florales. Des arômes qui persistent durablement dans une bouche chaleureuse et d'une grande ampleur, toujours équilibrée. Réservez ce rosé à des plats de poisson cuisinés. La **cuvée Bonne Chère rouge 2002** brille de deux étoiles, tant son fruité épicé est intense et sa structure prometteuse.

🕿 Yves et Michèle Aquadro, Dom. de La Fouquette, 83340 Les Mayons, tél. 04.94.60.00.69, fax 04.94.60.02.91 ☑ 🏠 ⵜ ⋏ r.-v.

CH. DU GALOUPET 2002 ★

■ Cru clas.	14 ha	n.c.	ⓤ	8 à 11 €

D'origine très ancienne, le domaine est apparu sur les premières cartes de Cassini sous Louis XIV. Les événements y sont nombreux – théâtre dans la vigne au début de l'été, expositions dans le cadre d'Art et Vin, portes ouvertes à thèmes – de même que les occasions de découvrir les vins. Ce 2002 offre une expression boisée tout

au long de la dégustation. Il faudra patienter un à trois ans pour que cette empreinte se fonde dans la matière prometteuse.

🕿 Ch. du Galoupet, Saint-Nicolas, RN 98, 83250 La Londe-les-Maures, tél. 04.94.66.40.07, fax 04.94.66.42.40, e-mail galoupet@club-internet.fr ☑ ⵜ ⋏ r.-v.

LES VIGNERONS DU GARLABAN 2003 ★

■	3,3 ha	20 000		3 à 5 €

Le Garlaban : un massif qui garde les souvenirs d'enfance de Marcel Pagnol. Sans nul doute, ce rosé a lui aussi les parfums enchanteurs de la montagne sous ses reflets bleutés : des arômes minéraux et fruités intenses. Il se montre charpenté et goûteux comme un vrai vin de terroir.

🕿 Les Vignerons du Garlaban, 8, chem. Saint-Pierre, 13390 Auriol, tél. 04.42.04.70.70, fax 04.42.72.89.49, e-mail vignerons-garlaban@wanadoo.fr
☑ ⵜ t.l.j. sf dim. 9h-12h 15h-19h

VIGNOBLES GASPERINI Cuvée Joachim 2003

■	2 ha	6 000	■↓	5 à 8 €

Alain Gaspérini a établi son caveau de vente au cœur de La Crau, mais il vinifie ses vins à quelques kilomètres du village. Son côtes-de-provence arbore une robe pâle à reflets jaune paille. Une légère aération favorise une meilleure expression de ses arômes très frais qui prennent en finale des accents citronnés. Offrez à ce vin vif et simple un fromage de chèvre sur un lit de mesclun.

🕿 Vignobles Gasperini, 42, av. de la Libération, 83260 La Crau, tél. 04.94.66.70.01, fax 04.94.66.10.33, e-mail gasperini.vins@wanadoo.fr
☑ ⵜ ⋏ t.l.j. sf sam. dim. 8h-12h 14h-18h

CH. GASQUI Cuvée Prestige 2003 ★★

■	15 ha	90 000	■↓	8 à 11 €

Entre Maures et vallée, le terroir de Gasqui permet à la vigne de bien s'exprimer les années chaudes. 2003 le confirme. Voici un rosé franc de teinte qui exprime un fruité typique au nez comme en bouche. Elégant et long, un vin complet que vous apprécierez avec une grillade. Le **Château Gasqui rouge 2001** est cité. Marqué par le bois, il peut intéresser les amateurs du genre.

🕿 SCEA Ch. Gasqui, rte de Flassans, 83590 Gonfaron, tél. 04.94.78.23.14, fax 04.94.78.27.16 ☑ ⵜ ⋏ r.-v.
🕿 G. Fiat

DOM. DE GAVAISSON 2003 ★★

■	4 ha	20 000	■↓	11 à 15 €

Nul doute : les côtes-de-provence blancs du domaine de Gavaisson, bien notés dans les deux dernières éditions du Guide, sont des valeurs sûres. Le 2003 s'affiche dans une robe jaune clair à reflets verts, puis offre un bouquet de fleurs blanches et de poire, vivifié par une touche de menthol. Il doit son caractère gourmand à une matière ample et charnue qui exprime parfaitement le fruité des agrumes et de l'ananas jusqu'à la finale fraîche et longue. Un goût de « revenez-y », une belle typicité provençale et une vaste palette d'accords : apéritif, poisson de rivière, chèvre chaud...

🕿 Dom. de Gavaisson, 4033, rte de Saint-Antonin, 83510 Lorgues, tél. 04.94.04.47.96, fax 04.94.72.91.39 ☑ r.-v.

DOM. GAVOTY Cuvée Clarendon 2003 ★

2 ha 8 000 8 à 11 €

Si la bastide remonte en partie au XVI^e^s., la cave a été construite à la fin du XVIII^e^s., comme en témoignent encore les foudres et la charpente. C'est un élégant domaine, situé sur l'antique voie Aurélienne, que la famille Gavoty acheta en 1806 et que ses descendants - dont le plus célèbre est le critique musical Bernard Gavoty qui signait ses chroniques Clarendon - surent développer. D'approche discrète et fine, cette cuvée ne tarde pas à affirmer sa personnalité généreuse : des flaveurs de fruits mûrs et de compote accompagnent une chair pleine, tandis qu'en finale une pointe de fraîcheur tempère son caractère chaleureux, sous des accents de fruits à chair blanche. Un vin blanc structuré, certes, mais friand, à déguster avec une daurade grillée.

Roselyne et Pierre Gavoty, Le Grand Campdumy, 83340 Cabasse, tél. 04.94.69.72.39, fax 04.94.59.64.04, e-mail domaine.gavoty@wanadoo.fr
t.l.j. sf dim. 8h-12h 14h-18h

CH. LA GORDONNE Les Gravières 2003

12 ha 80 000 5 à 8 €

Le domaine doit son nom au seigneur qui l'acheta en 1650 : un certain de Gourdon. La syrah, le grenache et le tibouren (10 %) composent ce rosé aux nuances saumon. Si le vin n'est pas exubérant, il n'en montre pas moins un agréable caractère floral et fruité (petits fruits rouges), ainsi qu'une bonne ampleur en bouche. La **cuvée principale Château La Gordonne rosé 2003 (3 à 5 €)** est également citée.

Domaines Listel, Ch. La Gordonne, 83390 Pierrefeu-du-Var, tél. 04.94.28.20.35, fax 04.94.28.20.35, e-mail njulian@listel.fr
t.l.j. 8h-12h 13h-18h30; sam. dim. sur r.-v.

LE GRAND CROS Nectar 2001 ★

4 ha 10 000 11 à 15 €

Vinifiée et élevée avec soin, cette cuvée se présente dans une robe grenat profond aux reflets d'encre. Le nez, timide au premier abord, exhale bientôt des notes chaleureuses de fruits confits, d'épices, de garrigue. Puis c'est une matière pleine et concentrée qui se développe, avec en finale quelques tanins encore fermes. Un 2001 charpenté, à attendre quelques années pour qu'il s'assagisse au palais. Vous le marierez alors avec une daube de sanglier.

Julian Faulkner, Le Grand Cros, 83660 Carnoules, tél. 04.98.01.80.08, fax 04.98.01.80.09, e-mail info@grandcros.fr
t.l.j. 9h-12h 14h-18h; groupes sur r.-v.

DOM. DE LA GRANDE PALLIERE 2003

15 ha 12 600 8 à 11 €

La troisième génération de la famille Guibergia a quitté la coopérative pour créer sa cave en 2002. Son domaine d'un seul tenant, isolé au pied du Bessillon, est conduit - comme il se doit à Correns, premier village bio de France - en agriculture biologique. Cette cuvée, brillante à reflets dorés, libère un nez d'agrumes et de fleurs blanches, nuancé de banane. Ample et harmonieuse, elle laisse le souvenir d'arômes de fruits exotiques. A boire d'ici 2006.

Jean-Pierre et Bruno Guibergia, Dom. de La Grande Pallière, 83570 Correns, tél. 04.94.59.57.55, fax 04.94.59.57.55 r.-v.

DOM. DE GRANDPRE Cuvée spéciale 2002 ★

3 ha 8 500 8 à 11 €

L'exemple même de ce que peuvent produire de vieux carignans vinifiés en macération carbonique. Les arômes de fruits rouges (cerise) sont bien présents jusque dans une bouche puissante et veloutée, soutenue par une structure harmonieuse. La finale souligne encore sa concentration par des flaveurs de cassis mûr et de pruneau. Un vin de plaisir dès aujourd'hui, mais que les connaisseurs garderont deux ou trois ans.

Emmanuel Plauchut, Dom. de Grandpré, 83390 Puget-Ville, tél. 04.94.48.32.16, fax 04.94.33.53.49 t.l.j. 9h-12h 13h30-19h

DOM. DES GRANDS ESCLANS 2003 ★★

2 ha 15 000 5 à 8 €

A quelques kilomètres du domaine, les gorges creusées par le Pennafort, affluent de l'Argens et de l'Endre, offrent un extraordinaire point de vue : granites, rhyolite, tuf, micaschistes resplendissent. Ce rosé aussi brille dans sa robe cristalline, au ton abricot. Il délivre des arômes frais de pêche, d'agrumes et de fleurs, puis offre sa trame soyeuse et élégante. Un vin équilibré et complet, belle expression du terroir. Le **Domaine des Grands Esclans blanc 2003** obtient une étoile pour son caractère floral et fruité plaisant.

SCEA Dom. des Grands Esclans, chem. de Fontcyrille, D 25, 83920 La Motte, tél. 04.94.70.26.08, fax 04.94.70.26.08
t.l.j. 10h-18h
Justo Benito

DOM. DE LA GUINGUETTE 2003 ★

n.c. 80 000 3 à 5 €

Le nom de ce vin suffit à évoquer la fête, la rencontre et la convivialité. A la dégustation de cette cuvée dominée par la syrah, on a ce même sentiment de gaieté : une fraîcheur fruitée qui envahit le palais. Le **Lou Baou rouge 2003** est cité pour ses flaveurs de fruits rouges (cerise, framboise) et la finesse de ses tanins.

Les Vignerons du Baou, rue Raoul-Blanc, 83470 Pourcieux, tél. 04.94.78.03.06, fax 04.94.78.05.50 r.-v.
M. Tarobelli

CH. HERMITAGE SAINT-MARTIN
Grande Cuvée Enzo 2002 ★

4,08 ha 11 500 8 à 11 €

Les vignes se situent entre Cuers et Puget-Ville, mais la vinification et la commercialisation des vins sont réalisées au château Sainte-Marguerite, à La Londe-les-Maures. Sous une robe intense, entre rubis et pourpre, ce 2002 se montre d'un abord timide, puis révèle, à la faveur de l'aération, des notes de fruits rouges et des nuances animales. De sa grande matière ressort un caractère épicé et fruité (fruits noirs) malgré une forte présence tannique. Un côtes-de-provence puissant et concentré qui a le potentiel pour vieillir au moins quatre ou cinq ans. Vin de fraîcheur, la **Grande Cuvée Enzo rosé 2003** est citée.

Guillaume Fayard, Ch. Hermitage Saint-Martin, BP 1, 83250 La Londe-les-Maures, tél. 04.94.00.44.44, fax 04.94.00.44.45
t.l.j. sf sam. dim. 9h30-12h30 14h-18h; f. dim. (été)

PROVENCE

DOM. DE JALE La Nible 2001 ★★

■ 1,5 ha 5 400 ⊕ 23 à 30 €

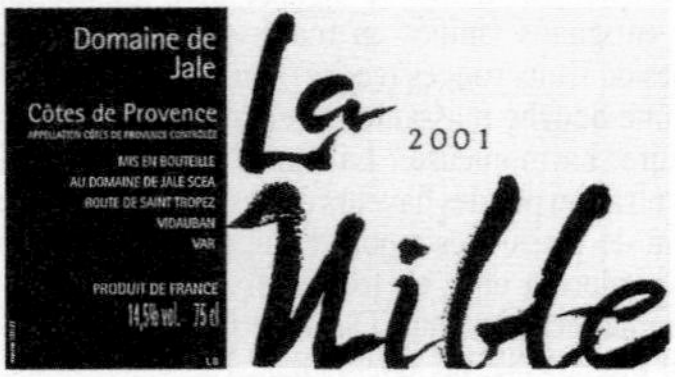

Depuis sa création en 1999, le domaine de Jale s'est affirmé comme une valeur sûre : sa cuvée La Bouïsse 2001 avait obtenu un coup de cœur l'an dernier. C'est aujourd'hui la cuvée La Nible qui se distingue. Vinifiée et élevée selon l'école bordelaise, elle a ravi le jury tant par l'élégance de sa robe rubis intense que par son bouquet complexe, en pleine évolution, qui évoque la cerise, le cacao, les épices et la réglisse. La bouche pleine, ronde et harmonieuse s'appuie sur des tanins de bonne facture comme pour mieux étirer sa finale gourmande de vanille et d'épices, avec une pointe de sous-bois et d'olive noire. De la richesse et un avenir prometteur. Laissez libre cours à votre imagination quand, dans trois ou quatre ans, viendra le temps de l'accorder avec les mets.

⊶ Dom. de Jale, chem. des Fenouils,
rte de Saint-Tropez, 83550 Vidauban,
tél. 04.94.73.51.50, fax 04.94.73.51.50
☑ 🏠 🏠 Y ⚲ t.l.j. sf dim. 9h30-12h 14h30-18h30
⊶ François Seminel

CH. DE JASSON Cuvée Eléonore 2003 ★★

■ 8,02 ha 48 000 ▮♁ 11 à 15 €

Benjamin et Marie-Andrée Defresne ont vendangé dès le 18 août les premiers raisins. Tibouren, cinsault, grenache et syrah composent ce rosé si gourmand. Remarquable résultat : d'une tendre couleur, le vin se montre plein d'allant par sa palette aromatique de petits fruits rouges frais, de pêche et d'agrumes. Il offre une matière bien construite, fine et suffisamment ample pour envisager des accords avec des plats recherchés.

⊶ Benjamin de Fresne, Ch. de Jasson,
rte de Collobrières, 83250 La Londe-les-Maures,
tél. 04.94.66.81.52, fax 04.94.05.24.84,
e-mail chateau.de.jasson@wanadoo.fr ☑ Y ⚲ r.-v.

DOM. DE LA JEANNETTE
Cuvée du Baguier 2002 ★★

■ 1,35 ha 6 800 ⊕ 8 à 11 €

L'un des premiers domaines qui jalonnent la vallée des Borrels à la sortie de Hyères, sur la route de Pierrefeu, La Jeannette peut s'enorgueillir d'une longue histoire qu'attestent des vestiges gallo-romains : pierre de pressoir, coupes et pièces de monnaie. Son vin rubis soutenu développe un bouquet complexe et persistant de violette, de réglisse et de fruits noirs. De belle attaque, soutenu par des tanins fins présents sans excès, il affirme sa puissance aromatique en bouche jusqu'à une longue finale harmonieuse. Un 2002 prometteur que vous apprécierez au cours des quatre prochaines années. La **cuvée du Baguier blanc 2003 (5 à 8 €)**, élégante et flatteuse, obtient une étoile.

⊶ SCEA Dom. de La Jeannette,
Les Borrels, 83400 Hyères-les-Palmiers,
tél. 04.94.65.68.30, fax 04.94.12.76.07,
e-mail domjeannette@aol.com ☑ Y ⚲ r.-v.
⊶ G. et H. Limon

DOM. DE LA LAUZADE 2003 ★★

■ 8,5 ha 40 000 ▮♁ 5 à 8 €

Si le passé de La Lauzade est riche, puisqu'une *villa* romaine fut bâtie sur son terroir en 46 av. J.-C., l'histoire contemporaine de ce domaine de 70 ha n'est pas moins intéressante grâce à sa production de qualité, remarquée année après année dans le Guide. Le jury a salué le 2003 à la robe grenat qui livre un nez puissant de fruits noirs et de cacao. La matière ample et réglissée enveloppe des tanins encore très présents, qui assureront à ce vin un heureux devenir. Une étoile a été accordée au **rosé 2003** souple et aromatique à souhait.

⊶ SARL Dom. de La Lauzade Kinu-Ito,
3423, rte de Toulon, 83340 Le Luc-en-Provence,
tél. 04.94.60.72.51, fax 04.94.60.96.26,
e-mail lauzade.abouvier@wanadoo.fr ☑ Y ⚲ r.-v.

LOU BASSAQUET Cuvée spéciale 2003 ★

■ 32 ha 18 000 ▮♁ 3 à 5 €

Créée en 1914 dans la vallée de l'Arc, la coopérative de Trets se distingue en rouge et en blanc dans le millésime 2003. Ce vin puissant promet de s'épanouir dans douze à vingt-quatre mois. Pourpre, il fait déjà preuve de complexité en dévoilant des tanins fondus, ainsi que des notes de fruits rouges, de prune et d'épices (poivre). La **cuvée Rascailles blanc 2003** se montre friande et pleine. Parfumée d'agrumes et de menthol, elle se nuance d'épices en bouche. Un joli travail récompensé d'une étoile.

⊶ Cellier Lou Bassaquet,
chem. du Loup, BP 22, 13530 Trets,
tél. 04.42.29.20.20, fax 04.42.29.32.03 ☑ Y r.-v.

DOM. LUDOVIC DE BEAUSEJOUR
Cuvée Tradition 2002

■ 2,9 ha 16 000 ⊕ 5 à 8 €

D'une teinte rubis, cette cuvée présente des senteurs épicées de vanille et de cannelle sur fond de fruits rouges. Des tanins agréables et un boisé bien fondu qui laisse s'exprimer les flaveurs de fruits confits participent à l'équilibre de la bouche. Bien qu'il soit issu d'un millésime difficile, ce vin gagnera à attendre deux ans avant de passer à table. La **cuvée Crystallis blanc 2003 (11 à 15 €)**, au boisé très perceptible après le nez d'abricot, est citée.

⊶ Dom. Ludovic de Beauséjour,
hameau de la Basse-Maure,
rte de Salernes, 83510 Lorgues,
tél. 04.94.50.91.90, fax 04.94.68.46.53 Y r.-v.
⊶ Maunier

CH. MAIME 2003

4 ha 21 000 8 à 11 €

L'histoire du château Maïme est récente : jusqu'en 1998, la vendange était vinifiée en cave coopérative. Les nouveaux propriétaires ont investi et rénové la cave de vinification. Ainsi peuvent-ils présenter aujourd'hui ce vin d'ugni blanc, de rolle et de sémillon qui a hérité du soleil de l'année 2003 une teinte jaune pâle à reflets or, un caractère voluptueux dominé par les arômes de fruits secs et de poire.

Jean-Louis Sibran, SCEA Ch. Maïme, RN 7, 83460 Les Arcs-sur-Argens, tél. 04.94.47.41.66, fax 04.94.47.42.08, e-mail maime.terre@wanadoo.fr t.l.j. sf dim. 9h-12h 14h-18h

CH. MARAVENNE Collection privée 2003 *

4 ha 18 000 8 à 11 €

Un domaine régulièrement présent dans le Guide (coup de cœur l'an passé), qui connaît une restructuration puisqu'une partie du vignoble a été vendue à deux exploitants londais. Son rosé de teinte pâle présente beaucoup de finesse dans sa palette de fleurs et d'agrumes. Une élégance que l'on perçoit également dans une bouche ronde et équilibrée, aux arômes de pêche, d'abricot et de fraise.

M. Gourjon, Ch. Maravenne, rte de Valcros, 83250 La Londe-les-Maures, tél. 04.94.66.80.20, fax 04.94.66.97.79 t.l.j. sf dim. 8h-12h 13h-18h

DOM. DE MARCHANDISE 2003

27 ha 200 000 5 à 8 €

Cette cuvée s'habille d'une élégante robe pâle aux reflets saumon, puis dévoile un nez puissant et généreux, d'abord évocateur de biscuit, puis orienté vers les fruits blancs et la pêche de vigne. Après une attaque vive, une impression généreuse de gras domine, soulignée de flaveurs florales et d'une note finale d'épices.

GAEC Chauvier Frères, Dom. de Marchandise, 83520 Roquebrune-sur-Argens, tél. 04.94.45.42.91, fax 04.94.81.62.82 t.l.j. 9h-19h

CH. LA MARTINETTE Cuvée Prestige 2001 *

2 ha 10 000 8 à 11 €

Osez une garde de deux ou trois ans. Les tanins sont prometteurs, en effet, et devraient se fondre dans la chair pleine et ronde. Le boisé de l'élevage se nuancera également avec le temps. Les plus impatients décanteront cette bouteille en carafe pour la servir avec un gibier.

EARL Ch. la Martinette, 4005, chem. de La Martinette, 83510 Lorgues, tél. 04.94.73.84.93, fax 04.94.73.88.34, e-mail chateau.la.martinette@wanadoo.fr r.-v.

Tarby-Liegeon

DOM. DE MAUVAN 2003 **

3 ha 17 000 5 à 8 €

Au pied de la montagne Sainte-Victoire s'étend un domaine de 147 ha que Gaëlle Maclou a hérité de son arrière-grand-père. Dans sa robe couleur chair, nuancée de saumon, ce vin libère de discrètes notes de fraise des bois et de fleurs. Les arômes fruités de pêche de vigne se manifestent plus intensément au palais. Celui-ci, équilibré et long, laisse une impression d'élégance. Le **blanc 2003** a été jugé gracieux par sa fraîcheur et son caractère aromatique : il obtient une étoile.

Gaëlle Maclou, Dom. de Mauvan, RN 7, 13114 Puyloubier, tél. 04.42.29.38.33, fax 04.42.29.38.33 r.-v.

CH. DE MAUVANNE

Cuvée 2 Elevé en foudre de chêne 2001

Cru clas. 8 ha 25 000 8 à 11 €

Face aux îles d'Or, le château de Mauvanne fut la propriété de Simone Berriau, actrice des années folles, qui y reçut auteurs et acteurs mythiques de cette époque. A l'affiche dans le Guide, un vin rubis profond, dont le nez puissant mêle cassis, myrtille, cerise et cuir. Autour de tanins très présents s'expriment en bouche des arômes de fruits noirs, de myrte et de garrigue. Par sa personnalité, ce 2001 accompagnera bien le gibier à plumes.

SCA Ch. de Mauvanne, 2805, rte de Nice, 83400 Hyères, tél. 04.94.66.40.25, fax 04.94.66.46.29, e-mail chateaudemauvanne@free.fr r.-v.

Rahal Bassim

CH. LES MESCLANCES

Cuvée Saint-Honorat 2001 *

1,3 ha 7 000 5 à 8 €

Il existait déjà au I[ers]. av. J.-C. une importante exploitation viticole dont les vestiges ont été mis au jour en 1996. Vocation viticole incontestable de ce terroir de schistes qui a donné naissance à ce 2001 grenat. Si le nez paraît discret, la bouche s'exprime avec plus d'aisance sur le fruit, soutenue par des tanins élégants jusqu'à une finale honorable. A boire dès l'automne et dans les deux ans.

Xavier de Villeneuve-Bargemon, Les Mesclances, chem. du Moulin-Premier, 83260 La Crau, tél. 04.94.66.75.07, fax 04.94.35.10.03, e-mail mesclans@wanadoo.fr r.-v.

CH. MINUTY Prestige 2002 *

Cru clas. 1 ha 3 000 11 à 15 €

De la visite de ce domaine maintes fois distingué dans le Guide, vous garderez longtemps le souvenir de son château, imposante bastide entourée d'un parc aux essences méditerranéennes, édifiée sous Napoléon III à l'instar de la chapelle. Du millésime 2002, vous retiendrez bien sûr le rosé qui fut coup de cœur l'an passé, mais aussi le côtes-de-provence blanc qui arrive à point pour accompagner vos repas en 2005. Ayant gardé une apparence de jeunesse dans sa robe pâle à reflets verts, ce vin a réussi son mariage avec le fût. Sans excès, il dévoile progressivement des senteurs florales aériennes et un boisé fin que l'on retrouve dans une bouche fraîche et équilibrée.

Matton-Farnet, Ch. Minuty, 83580 Gassin, tél. 04.94.56.12.09, fax 04.94.56.18.38 t.l.j. sf sam. dim. 9h-12h 14h-18h

Matton

CH. MIRAVAL Terre blanche 2001 ***

2 ha 10 000 11 à 15 €

Tant en coteaux-varois qu'en côtes-de-provence, les vins blancs du château Miraval sont fort appréciés. Bel exemple d'une matière riche en parfait accord avec le boisé de l'élevage, ce 2001 a gardé une jeunesse exceptionnelle grâce à ses arômes de fleurs blanches et de pêche d'une fraîcheur friande. La bouche répond par la douceur et la rondeur, sous des accents de vanille, de noisette et d'acacia. Quelle complexité... Foie gras poêlé, coquilles Saint-Jacques, lotte seront autant de mets raffinés dignes d'accompagner cette bouteille. Plus classique, le **rosé 2003 (8 à 11 €)** est cité.

PROVENCE

⊶ SA Ch. Miraval, 83143 Le Val,
tél. 04.94.86.39.33, fax 04.94.86.46.79 ☒ Y 🚶 r.-v.

CH. MONTAGNE Réserve du Coseigneur 2003 ★

▒ 9 ha 40 000 ▮↓ 5 à 8 €

Sous les frondaisons de platanes centenaires, la vieille bastide invite à la sérénité. En 1703, François de Montagne, coseigneur de Pierrefeu, créa ce domaine. Cette cuvée, marquée par la syrah, lui rend hommage. Un rosé simple et authentique qui mise tout sur le fruit mûr jusqu'à sa longue finale.

⊶ M. Guérard, Ch. Montagne,
83390 Pierrefeu-du-Var,
tél. 04.94.28.20.23, fax 04.94.48.17.65,
e-mail guerard@club-internet.fr 🚶 r.-v.

DOM. DE MONT REDON Colombe 2001

■ 2 ha 8 000 ▮ 5 à 8 €

Grenache, syrah et cinsault ont donné naissance à un vin élégamment structuré. De la robe vive se libèrent des parfums frais de cuir et de menthe sauvage. Une dégustation plaisante, en somme.

⊶ Michel Torné, Dom. de Mont Redon,
2496, rte de Pierrefeu, 83260 La Crau,
tél. 04.94.57.82.12, fax 04.94.57.82.12,
e-mail mont.redon@libertysurf.fr
☒ Y 🚶 t.l.j. sf dim. 9h-12h 14h-18h

CH. MOURESSE Grande Cuvée 2001 ★

■ 2 ha 7 500 🛢 11 à 15 €

A partir de Vidauban, les circuits de randonnée sont nombreux qui permettent de découvrir les Maures. Au château Mouresse, c'est un vin rouge sombre à reflets violacés que l'on appréciera. Au premier nez boisé succèdent des senteurs de fruits noirs très mûrs, avec une note de cacao. Une matière riche et chaleureuse se révèle ensuite, dans laquelle se fondent des tanins harmonieux qui laissent toute leur place aux flaveurs de fruits confits nuancés d'une touche de cèdre. A mettre en cave pendant quatre ou cinq ans. La **Grande Cuvée rosé 2003 (8 à 11 €)** et le **Château Mouresse blanc 2003 (5 à 8 €)** sont cités.

⊶ Michaël Horst, Ch. Mouresse,
3353, chem. de Pied-de-Banc, 83550 Vidauban,
tél. 04.94.73.12.38, fax 04.94.73.57.04,
e-mail info@chateau-mouresse.com
☒ Y 🚶 t.l.j. 9h30-12h30 13h30-18h

CH. LA MOUTETE Vieilles Vignes 2003 ★★

▒ 5 ha 25 000 ▮↓ 8 à 11 €

Quelques oliviers ponctuent encore le vignoble, derniers témoins des arbres séculaires qui participaient au patrimoine de ce domaine avant le terrible gel de 1956. Aujourd'hui, c'est une imposante bastide édifiée au tournant du XIXe s. qui accueille le visiteur, à l'ombre d'un pin parasol bicentenaire et de platanes. Issu de vignes de plus de quarante ans, ce rosé se cache sous une robe saumon clair. Plus aucune timidité au nez : les notes minérales et florales se libèrent avec complexité et fraîcheur. D'attaque franche et pleine, la bouche ronde trouve un juste équilibre et se prolonge durablement. Un rosé de gastronomie.

⊶ SAS Gérard Duffort, Ch. La Moutète,
quartier Saint-Jean, 83390 Cuers,
tél. 04.94.98.71.31, fax 04.94.60.44.87,
e-mail contact@domainesduffort.com ☒ Y 🚶 r.-v.

DOM. DES MYRTES

Cuvée Le Gaouby Elevé en fût de chêne 2002

■ 2 ha 5 200 🛢 5 à 8 €

Ce domaine de 35 ha plantés sur un terroir argilo-schisteux a trouvé dans la cuvée Le Gaouby un bon faire-valoir depuis le Guide 2004. Ce millésime offre une expression de fruits rouges vanillés sous une robe grenat intense. Sa matière ample et ronde laisse poindre le boisé et quelques tanins qui demandent encore à s'affiner. La **Cuvée spéciale rosé 2003**, au caractère amylique, est citée également.

⊶ GAEC Barbaroux, Dom. des Myrtes,
quartier La Jouasse, 83250 La Londe-les-Maures,
tél. 04.94.66.83.00, fax 04.94.66.65.73 ☒ Y 🚶 r.-v.

DOM. DE LA NAVARRE Cuvée Prestige 2003

■ 2,32 ha 16 000 8 à 11 €

La fondation La Navarre est une institution religieuse, devenue collège privé. Elle fut créée par Jean Bosco, prêtre italien qui fonda l'ordre des Salésiens. Son domaine viticole s'étend sur près de 55 ha, au pied du mont Bouïsse. Typique des côtes-de-provence rouges, le 2003 porte la marque de la syrah et du grenache. Ses tanins subtils en font un vin attrayant et souple, prêt à accompagner une grillade d'automne.

⊶ Fondation La Navarre,
3451, chem. de La Navarre, 83260 La Crau,
tél. 04.94.66.04.08, fax 04.94.35.10.66 ☒ Y 🚶 r.-v.

DOM. OTT Clos Mireille 2002 ★

□ Cru clas. 45,5 ha 20 400 🛢 11 à 15 €

Le Clos Mireille est l'un des trois domaines Ott. Situé en bordure de mer, sur la route qui mène au fort de Brégançon, il produit essentiellement des vins blancs. Celui-ci a gardé une belle jeunesse sous son chapeau de paille à reflets verts. Pas de précipitation... C'est après aération dans le verre que ses qualités se manifestent : des arômes de fleurs, un boisé fin, une matière riche et équilibrée qui se développe progressivement, de plus en plus complexe. A savourer dès aujourd'hui et à garder jusqu'en 2007. La **cuvée Comtes de Provence rouge 2001 (15 à 23 €)** du château de Selle est citée pour sa fraîcheur fruitée.

⊶ Dom. Ott, Clos Mireille,
rte du Fort-de-Brégançon, 83250 La Londe-les-Maures,
tél. 04.94.01.53.50, fax 04.94.01.53.51,
e-mail closmireille@domaines-ott.com ☒ Y 🚶 r.-v.

CH. DE PALAYSON Grande Cuvée 2002 ★

■ n.c. 4 000 🛢 15 à 23 €

On vient certes au château de Palayson pour apprécier ses vins, mais aussi pour remonter le temps en découvrant les vestiges du Ier et du IVe s. mis au jour sur son terroir : un mausolée romain, une *villa*, une église primitive. Côté cave, c'est la puissance de ce 2002 qui vous étonnera. Une solide ossature s'impose en effet, parfaitement adaptée à un vieillissement de quatre ou cinq ans, mais les fruits ne sont pas absents pour autant : cerise, kirsch, cassis, avec une pointe de camphre. Une grande bouteille en perspective.

⊶ SA Dom. de Palayson,
Ch. de Palayson, 83520 Roquebrune-sur-Argens,
tél. 04.98.11.80.40, e-mail chateaupalayson@aol.com
☒ Y 🚶 t.l.j. 9h-12h 14h-18h
⊶ M. et Mme von Eggers Rudd

CH. PAS DU CERF Rocher des Croix 2003 ★

■ n.c. 19 860 ▮♁ 8 à 11 €

Autrefois, il était fréquent de voir passer les cerfs d'une colline à l'autre, ainsi que le rappelle le nom de ce domaine vaste de 80 ha, sur la route de La Londe à Collobrières. Dans sa cave flambant neuve, Patrick Gualtieri a élaboré un vin rose pastel, presque un pur grenache (90 %). Une palette variée de fruits et de fleurs introduit la dégustation, suivie d'une impression d'harmonie en bouche, tant le gras et la fraîcheur s'équilibrent. Le **Rocher des Croix blanc 2003** et le **Château Camp Long cuvée Truchette rosé 2003 (5 à 8 €)** obtiennent une étoile. Le premier, typé bord de mer, se montre d'une grande suavité, avec des parfums exotiques ; le second bénéficie d'une matière bien aromatique, puissante et structurée.

⊶ Patrick Gualtieri, Ch. Pas du Cerf,
rte de Collobrières, 83250 La Londe-les-Maures,
tél. 04.94.00.48.80, fax 04.94.00.48.81,
e-mail info@pasducerf.com
☑ Y ✦ t.l.j. sf dim. 9h-12h30 14h30-18h

DOM. DES PEIRECEDES
Cuvée de la Blanque 2003

■ 1 ha 2 000 ▮♁ 5 à 8 €

Ce vin révèle toute l'expression du cépage rolle. Sous une teinte claire à reflets verts apparaissent des arômes francs de fleurs blanches, de fruits exotiques (ananas léger, goyave) et de citron, tandis qu'en bouche un côté acidulé apporte un contrepoint très frais à la rondeur de l'attaque. Un 2003 agréable, en accord avec un poisson gras.

⊶ Alain Baccino,
Dom. des Peirecèdes, 83390 Pierrefeu-du-Var,
tél. 04.94.48.67.15, fax 04.94.48.52.30,
e-mail alainbaccino@free.fr ☑ ⌂ Y ✦ r.-v.

CH. DE PEYRASSOL Cuvée Marie-Estelle 2003 ★

■ 20 ha 35 000 ▮♁ 8 à 11 €

Le domaine, fort de 50 ha aujourd'hui, correspond à une ancienne commanderie fondée par les Templiers en 1204 ; il demeura la propriété des chevaliers de Malte jusqu'à la Révolution. D'une couleur saumon limpide et brillante, ce 2003 offre un nez intense de fruits, puis une bouche ronde, équilibrée, qui laisse les petits fruits rouges s'exprimer de manière persistante.

⊶ Commanderie de Peyrassol, RN 7, Flassans,
83340 Le Luc-en-Provence, tél. 04.94.69.71.02,
fax 04.94.59.69.23, e-mail cpeyrassol@hotmail.com
☑ Y ✦ t.l.j. 10h-19h; dim. sur r.-v.
⊶ Austruy

DOM. PINCHINAT 2002 ★★

■ 2,5 ha 17 000 8 à 11 €

Situé dans la haute vallée de l'Arc, sur la route qui va de Trets à Pourrières, le domaine est conduit depuis plusieurs années en agriculture biologique. Sous une apparence grenat, son vin met à l'honneur les fruits rouges et noirs. Griotte et cassis réapparaissent dans une bouche structurée, ample, ressemblant à du velours tant elle est concentrée. Les tanins au grain fin s'affineront encore à la faveur de trois à cinq ans de garde, et la longue finale goûteuse promet un grand plaisir. Le **rosé 2003** joue si bien de sa finesse aromatique et de sa structure harmonieuse qu'il remporte une étoile.

⊶ Alain de Welle, Dom. Pinchinat, 83910 Pourrières,
tél. 04.42.29.29.92, fax 04.42.29.29.92,
e-mail domainepinchinat@wanadoo.fr ☑ Y ✦ r.-v.

CH. DE POURCIEUX 2003 ★

■ 10 ha 65 000 ▮♁ 5 à 8 €

Une bastide du XVIIIe s. entourée de jardins à la française fait tout le charme de ce domaine viticole. Bien dans la tonalité provençale, ce rosé s'exprime sous des accents amyliques. Un poisson à la provençale conviendra à sa structure harmonieuse.

⊶ Michel d'Espagnet, Ch. de Pourcieux,
83470 Pourcieux, tél. 04.94.59.78.90, fax 04.94.59.32.46,
e-mail pourcieux@terre-net.fr ☑ ⌂ Y ✦ r.-v.

LES MAITRES VIGNERONS DE LA PRESQU'ILE DE SAINT-TROPEZ
Carte noire 2002 ★

■ 25 ha 150 000 ▮♁ 5 à 8 €

Quel joli vin que ce 2002 ! Des notes chaleureuses d'épices et de fruits rouges se déclinent tout au long de la dégustation. Une ossature présente mais sans excès soutient la matière ronde et veloutée, dont la persistance est notable. S'il est déjà agréable aujourd'hui, il sera intéressant de le goûter à nouveau dans deux ou trois ans. Le **Château Farambert rosé 2003**, élaboré à partir de raisins vendangés à Pierrefeu, obtient une étoile également pour son équilibre et son expression chaleureuse. Il en va de même du **Château de Pampelonne rouge 2002 (8 à 11 €)**, vin fruité, aux tanins fins et cacaotés, et du **Château de Pampelonne blanc 2003 (8 à 11 €)**, tout en rondeur et en arômes. Ces vins sont en vente au caveau de la coopérative des Maîtres vignerons.

⊶ Les Maîtres vignerons de la Presqu'île
de Saint-Tropez, 83580 Gassin, tél. 04.94.56.32.04,
fax 04.94.43.42.57, e-mail production@mavigne.com
☑ ✦ t.l.j. sf dim. 9h-12h 15h-19h

CH. DU PUGET Cuvée de Chavette 2003

■ 1 ha 1000 ◍ 8 à 11 €

Cette cuvée, qui a connu un élevage sur lie et en barrique de cinq mois, se présente sous une teinte jaune paille à reflets verts, d'un bel éclat. Une agréable vivacité donne du relief à sa chair volumineuse et ronde, tout en favorisant l'expression des arômes d'agrumes confits et d'épices. A boire ou à garder jusqu'en 2006, cette bouteille s'associera à une viande blanche à la crème.

⊶ Ch. du Puget,
rue Mas-de-Clapier, 83390 Puget-Ville,
tél. 04.94.48.31.15, fax 04.94.33.58.55
☑ Y ✦ t.l.j. sf dim. lun. 9h-12h 15h30-18h
⊶ Grimaud

CH. RASQUE Cuvée Alexandra 2003 ★

■ n.c. 105 000 ▮ 11 à 15 €

Grenache et cinsault à parts égales composent ce vin d'un beau rose pâle. Fin et complexe, il évoque au nez les agrumes, le coing et l'anis, puis s'oriente vers des arômes plus acidulés en bouche, avec une finale mentholée qui accentue l'impression de fraîcheur. Idéal pour les crustacés. Les poissons en sauce trouveront un compagnon dans le **blanc 2003**, rond et parfumé de fruits exotiques, auquel le jury accorde une citation.

⊶ SCEA du Ch. Rasque,
rte de Draguignan, 83460 Taradeau, tél. 04.94.99.52.20,
fax 04.94.99.52.21, e-mail chateau-rasque@wanadoo.fr
☑ Y ✦ t.l.j. 9h-18h30
⊶ Biancone

CH. REAL D'OR 2003 ★

3,5 ha 6 000 5 à 8 €

Original, ce vin n'a pas le profil typique des côtes-de-provence. C'est ainsi que l'ont jugé tous les dégustateurs, qui ont cependant apprécié son nez peu commun d'agrumes, de miel et de fleurs blanches, sa bouche ronde et suave, d'un équilibre singulier malgré une faible vivacité. Un 2003 bien fait, indéniablement.

SCEA Ch. Réal d'Or,
rte des Mayons, 83590 Gonfaron, tél. 04.94.60.00.56,
fax 04.94.60.01.05, e-mail realdor@free.fr
t.l.j. 10h-13h 15h-19h30

CH. REAL MARTIN
L'Optimum Cuvée Prestige 2001 ★

2 ha 6 600 15 à 23 €

Située à la limite de l'appellation coteaux-varois, cette ancienne propriété des comtes de Provence jouit d'un très beau cadre naturel dans les collines boisées qui encadrent le village du Val. Une même sensation d'harmonie est perceptible à la dégustation de son vin grenat soutenu, qui offre volontiers des notes d'épices douces et de fruits mûrs compotés. Charnu et persistant, ce 2001 est prêt à boire. **L'Optimum cuvée Prestige Elevé en fût de chêne blanc 2003**, tout aussi rond, parfumé de chèvrefeuille et élégamment boisé, est noté une étoile. Il est recommandé avec un brochet au beurre blanc.

Jean-Marie Paul, Ch. Réal Martin, rte de Barjols,
83143 Le Val, tél. 04.94.86.40.90, fax 04.94.86.32.23,
e-mail chateau-real-martin@groupe-score.com r.-v.

CH. REQUIER Cuvée spéciale 2003 ★

10 ha 34 000 11 à 15 €

Visiter Cabasse et ses environs est une agréable façon de se plonger dans l'histoire et les paysages de la vallée de l'Issole : menhir et dolmen, falaise creusée d'habitations troglodytiques, anciennes mines de bauxite... et vigne. Réquier est un château du XVI^e^s. qui commande un domaine de 55 ha. Son vin, élégamment vêtu de rose franc, présente un caractère amylique et floral qui l'accompagne tout au long de son développement équilibré et harmonieux. La **Cuvée spéciale blanc 2003** obtient une étoile également pour sa rondeur et sa persistance.

Ch. Réquier, La Plaine, 83340 Cabasse,
tél. 04.94.80.22.01, fax 04.94.80.21.14,
e-mail chateaurequier@aol.com r.-v.

DOM. DU REVAOU 2003 ★

n.c. 30 000 8 à 11 €

Au sommet de la vallée des Borrels, avant de prendre la direction de La Londe, arrêtez-vous au domaine : respectueux du cadre naturel, Bernard Scarone cultive biologiquement ses vignes. Il a élaboré un vin couleur pétale de rose, parfumé de fleurs (violette), qui joue la finesse et l'élégance. Son **blanc 2003**, tout en légèreté, est cité.

Bernard Scarone, Dom. du Révaou,
Les 3e Borrels, 83250 La Londe-les-Maures,
tél. 04.94.65.68.44, fax 04.94.35.88.54 r.-v.

RIMAURESQ 2003 ★

Cru clas. 5,3 ha 18 000 11 à 15 €

Le vignoble situé à mi-coteau, au pied du massif de Notre-Dame-des-Anges, doit son nom à la Réal mauresque, rivière des Maures qui traverse le domaine. Cette cuvée à base de rolle offre une très belle couleur pâle à reflets verts. Intense, elle évoque la fraîcheur des agrumes (citron, pamplemousse), laisse en bouche une sensation de vivacité, puis se prolonge sur des notes toujours aussi exotiques. Un vin gourmand pour un tian d'aubergine.

SA Rimauresq, rte de Notre-Dame-des-Anges,
83790 Pignans, tél. 04.94.48.80.45, fax 04.94.33.22.31,
e-mail rimauresq@wanadoo.fr r.-v.
M. Wemyss

CH. DE ROQUEFEUILLE
Castel Roque Sélection 2003 ★★

10 ha 100 000 8 à 11 €

Ce domaine de 200 ha situé dans la vallée de l'Arc, entre le mont Aurélien et le massif de la Sainte-Victoire, consacre la moitié de sa superficie à la vigne. Les dégustateurs ont accordé une place de choix à son 2003 qui a participé au grand jury des coups de cœur. Jaune pâle à reflets verts marqués, le vin exhale des arômes intenses et complexes de fleurs blanches, de miel et de citron. Il offre un parfait équilibre entre rondeur et fraîcheur, souligné par la persistance des flaveurs d'agrumes (pamplemousse, citron). Une dégustatrice, sous le charme, propose de le servir avec une daurade en croûte de sel. Le **Castel Roque Sélection rosé 2003** obtient une étoile pour son côté frais et parfumé.

Henri Bérenger, SCEA du Ch. de Roquefeuille,
83910 Pourrières, tél. 04.42.29.32.00,
fax 04.42.29.24.82, e-mail roquefeuille@aol.com
t.l.j. sf dim. 8h-12h 13h30-17h30

LES VIGNERONS DE ROQUEFORT LA BEDOULE Sur un Air de Mistral 2003 ★

2 ha 10 000 5 à 8 €

Aux abords de Marseille et de ses calanques, le terroir de Roquefort-la-Bédoule a produit dans le chaud millésime 2003 des vins sans mollesse, telle cette cuvée parfaitement typée rolle, qui se décline sur un air exotique, citronné, comme pour mieux mettre en valeur son caractère rafraîchissant. Vous la servirez avec des fromages de chèvre régionaux.

Les vignerons de Roquefort-la-Bédoule,
rte de Cuges-les-Pins, 13830 Roquefort-la-Bédoule,
tél. 04.42.73.22.80, fax 04.42.73.01.37,
e-mail lesvigneronsderoquefort@wanadoo.fr
t.l.j. sf dim. 8h30-12h 14h-19h

CH. ROUBINE Cuvée Philippe Riboud 2001

Cru clas. n.c. 13 000 11 à 15 €

Une étiquette originale rappelle que Philippe Riboud, propriétaire du domaine depuis 1994, fut un célèbre champion d'escrime, médaillé olympique. La cuvée qui porte son nom manifeste une fraîcheur toute fruitée : le cassis et la myrtille accompagnent les tanins bien présents, aussi précis qu'un fleuret.

Ch. Roubine, RD 562, 83510 Lorgues,
tél. 04.94.85.94.94, fax 04.94.85.94.95,
e-mail riboud@chateau-roubine.com
t.l.j. sf dim. 9h-18h
Riboud

LES ROUGIAN 2003

6,5 ha 46 000 3 à 5 €

Les rougians, c'est ainsi que l'on surnommait les vignerons au visage rougi par la terre qu'ils avaient travaillée. Un nom qui sied bien également à ce 2003 de couleur pourpre, qui exprime au mieux son terroir. Délivrant des notes complexes d'épices et de fruits rouges, il laisse une sensation d'harmonie qui donne envie d'en profiter dès à présent, mais sa charpente encore jeune demande un ou deux ans pour se parfaire. **Les Rougian blanc 2003** sont cités également pour leur chair mûre et leur caractère aromatique.

SCA Les Vignerons de Taradeau,
quartier de l'Ormeau, BP 21, 83460 Taradeau,
tél. 04.94.73.02.03, fax 04.94.73.56.69,
e-mail vigneron-de-taradeau@wanadoo.fr r.-v.

DOM. DE LA ROUILLERE Grande Réserve 2002

1 ha 3 500 8 à 11 €

Dominant le golfe de Saint-Tropez et les vignes, Gassin est un charmant village. Alentour, le domaine de La Rouillère s'étend sur 40 ha. Le sémillon (70 %) et le rolle ont donné naissance à un vin structuré, dont la matière est encore dominée par l'empreinte boisée des huit mois d'élevage. Quelques mois de garde seront favorables à un meilleur fondu. Les arômes de fruits confits et la longueur du palais sont déjà de bon augure.

Dom. de La Rouillère, rte de Ramatuelle,
83580 Gassin, tél. 04.94.55.72.60, fax 04.94.55.72.61,
e-mail contact@domainedelarouillère.com r.-v.
M. Letartre

DOM. DE LA ROUVIERE Cuvée Prestige 2003 *

1,5 ha 6 000 3 à 5 €

Un rosé typique de l'appellation. Pâle, presque gris, brillant de reflets rosés, il laisse s'exprimer les arômes de fleurs blanches après un premier nez amylique. La bouche équilibrée donne la faveur aux notes exotiques. Un choix judicieux pour ouvrir l'appétit ou accompagner un hors-d'œuvre bien frais avant la fin de l'année 2004.

SNC SONEVI,
Dom. de La Rouvière, 83390 Pierrefeu-du-Var,
tél. 04.94.48.13.13, fax 04.94.48.11.64,
e-mail domaine-de-la-rouviere@wanadoo.fr r.-v.

CH. DE ROUX 2003 **

1,2 ha 40 000 5 à 8 €

Si les origines de la bastide remontent au XVe s., le domaine viticole est né à la Révolution. Le grenache équitablement étayé par la syrah et le cinsault a produit une cuvée à la personnalité bien affirmée. D'une couleur pétale de rose fort seyante, celle-ci affirme magistralement ses arômes d'agrumes : citron, orange, pamplemousse. Sa bouche fraîche, très fine et équilibrée, déroule un même fruité, sous des accents de mandarine et de fruits confits. A boire dans l'année 2005.

SCEA Ch. de Roux, 83340 Le Cannet-des-Maures,
tél. 04.94.60.73.10, fax 04.94.60.79.89 r.-v.

DOM. SAINT-ALBERT Cuvée Prestige 2003 *

3 ha 10 000 5 à 8 €

Dans la vallée des Borrels, les jeunes vignerons dynamiques sont nombreux ; Olivier Foucou est de ceux-là, lui qui s'attache à travailler son vignoble en coteau à la charrue et à utiliser des amendements aussi naturels que possible. Le jury a apprécié son vin dominé par le tibouren (70 %), qui se présente sous une robe pâle à reflets orangés. De fins arômes d'abricot et de pêche se déclinent jusque dans une bouche équilibrée et de bonne longueur.

Olivier Foucou, Dom. Saint-Albert,
Les 3e Borrels, 83400 Hyères,
tél. 04.94.65.68.64, fax 04.94.65.30.66 r.-v.

DOM. SAINT-ANDRE DE FIGUIERE Vieilles Vignes 2003 **

2 ha 10 000 8 à 11 €

Il ne manque pas d'allant, ce côtes-de-provence respectueux du terroir schisteux londais. Tenue impeccable à reflets verts, élégance de la palette aromatique où la pêche et l'abricot se mêlent à la fraîcheur de l'eucalyptus. La bouche s'ouvre savoureusement sur un fruité tout aussi marqué d'ananas, de goyave et d'agrumes, qui perdure longuement. Un beau vin bien proportionné qui a participé au grand jury des coups de cœur. Un dégustateur propose une salade au homard pour lui faire honneur. La **Réserve rouge 2002 (15 à 23 €)** est encore timide, mais son potentiel est indéniable. Elle obtient une étoile.

Dom. Saint-André de Figuière, BP 47,
83250 La Londe-les-Maures,
tél. 04.94.00.44.70, fax 04.94.35.04.46,
e-mail figuiere@figuiere-provence.com
t.l.j. sf dim. 9h-12h 14h-18h
Alain Combard

CH. SAINTE BEATRICE Cuvée Vaussière 2003

9 ha 40 000 5 à 8 €

De 1976 à 1981, il aura fallu défricher, défoncer, planter, construire la cave pour créer de toutes pièces ce domaine d'une trentaine d'hectares, situé à 4 km de la belle ville de Lorgues, à l'emblématique collégiale Saint-Martin. Dernière création en 2002 : un écomusée présentant de vieux outils de la vigne et du vin. La cuvée Vaussière se décline dans les trois couleurs avec la même appréciation. Le rosé est un vin de caractère qui exprime les fruits rouges, les fruits exotiques et les agrumes. Souple et persistant, il reflète bien son terroir et pourra accompagner un repas léger. Le **blanc 2003 (8 à 11 €)**, marqué par le rolle, développe des senteurs de fleurs blanches et une minéralité certaine. Enfin, la **cuvée Vaussière rouge 2002 (8 à 11 €)**, au boisé dominant, plaira aux inconditionnels du genre.

Ch. Sainte-Béatrice,
491, chem. des Peiroux, BP 112, 83510 Lorgues,
tél. 04.94.67.62.36, fax 04.94.73.72.70 r.-v.
J. Novaretti

DOM. DE SAINTE-CROIX Rosé charmeur 2003 *

10 ha 50 000 3 à 5 €

Christian et Jacques Pélépol sont à la tête d'un beau vignoble de 70 ha. Si vous visitez la magnifique abbaye cistercienne du Thoronet (XIIe s.), poursuivez donc votre route jusqu'au domaine ; vous y serez accueilli avec gentillesse. Ce rosé est bien un vin charmeur avec ses arômes d'agrumes et de pamplemousse qui persistent dans une bouche ronde. Un régal pour la table.

Jacques et Christian Pélépol Père et Fils,
Dom. de Sainte-Croix, 83570 Carcès,
tél. 04.94.04.56.51, fax 04.94.04.38.10 r.-v.

M. DE CH. SAINTE MARGUERITE Cuvée Prestige 2002 **

Cru clas. 2,74 ha 16 066 11 à 15 €

Une affaire de famille et une passion pour ce terroir argilo-siliceux, situé sur les premiers contreforts du massif des Maures. Ce 2002 a toutes les vertus d'un grand : intensité de la robe, finesse et richesse des arômes de fruits rouges et d'épices, concentration de la matière ample et généreuse dans laquelle se fondent des tanins ronds. Voilà une excellente bouteille pour cet hiver, mais qui promet

aussi beaucoup pour les trois à cinq prochaines années. La **cuvée Prestige rosé 2003 (8 à 11 €)** séduit par sa teinte lumineuse, ses senteurs de fruits exotiques et sa fraîcheur goûteuse que souligne une pointe de perlant. Une étoile.
🔑 Jean-Pierre Fayard, Ch. Sainte-Marguerite,
BP 1, 83250 La Londe-les-Maures,
tél. 04.94.00.44.44, fax 04.94.00.44.45
☑ 🍷 🚶 t.l.j. sf sam. dim. 9h30-12h30 14h-18h;
ouv. sam. (été)

DOM. SAINTE MARIE
Cuvée de la Roche blanche 2002 *

■	1,3 ha	10 000		8 à 11 €

Ancienne propriété de la chartreuse de la Verne, ce domaine couvre aujourd'hui 270 ha, dont 43 ha de vignes, dans la vallée de la Môle, au cœur du massif des Maures. Vous le trouverez aisément en bordure de la forêt du Don, sur la route qui va de Bormes-les-Mimosas à Saint-Tropez. Son vin haut en couleur semble encore sur la retenue, mais promet de s'ouvrir. Il laisse déjà percevoir des arômes d'épices et de fruits rouges, puis un beau volume soutenu par des tanins au grain fin qui donnent une impression de mâche en finale. Un 2002 harmonieux qui pourra être gardé entre trois et cinq ans en cave. La **cuvée de la Roche blanche rosé 2003 (5 à 8 €)**, ronde, ample, parfumée de fruits et de fleurs, obtient elle aussi une étoile.
🔑 Dom. Sainte-Marie, RN 98,
forêt du Don, 83230 Bormes-les-Mimosas,
tél. 04.94.49.57.15, fax 04.94.49.58.57,
e-mail domaine.saintemarie@wanadoo.fr
☑ 🍷 t.l.j. sf dim. 9h-13h 14h-19h
🔑 Henri Vidal

CH. SAINTE-ROSELINE Cuvée Prieure 2002 **

■ Cru clas.	9 ha	32 000		15 à 23 €

Les premières vignes de ce célèbre domaine furent plantées au XIVᵉs. à la demande du futur pape Jean XXII, autour de l'abbaye du XIIᵉs. Le nom de Sainte-Roseline rend hommage à l'ancienne prieure. Ce remarquable vin d'une teinte presque noire possède un nez profond et riche, mêlant épices et fruits noirs. La matière dense et puissante s'appuie sur des tanins encore présents mais au grain soyeux, comme pour mieux étirer sa longue et douce finale de fruits réglissés. Une garde de cinq ans et plus est à la portée de ce 2002 que l'on décantera avant de le servir avec une viande goûteuse. La **cuvée Prieure blanc 2002 (11 à 15 €)**, qui a connu le bois, brille d'une étoile : sa structure équilibrée et fondue lui assure un bel automne 2004 et même une année de garde encore. Citée, la **cuvée Roseline Prestige rosé 2003 (5 à 8 €)**, aromatique et fraîche, accompagnera des petits farcis niçois.
🔑 Ch. Sainte-Roseline, 83460 Les Arcs-sur-Argens,
tél. 04.94.99.50.30, fax 04.94.47.53.06,
e-mail contact@sainte-roseline.com ☑ 🍷 🚶 t.l.j. 14h30
🔑 B. Teillaud

SAINT JEAN DE VILLECROZE 2001 *

■	5 ha	5 000		8 à 11 €

A voir absolument, les grottes et le château troglodytique de Villecroze, situés à flanc de falaise. Pour se remettre de ses émotions, on se rendra dans ce domaine qui a produit un 2001 sombre à reflets violines. Un bouquet oriental fait d'épices douces, de coriandre, de vanille et de thym ouvre la dégustation. Puis viennent d'agréables notes empyreumatiques qui témoignent d'un élevage en fût de neuf mois bien maîtrisé. La rondeur de la bouche et l'harmonie générale ne laissent certes pas indifférent. Les dégustateurs prédisent à ce vin une évolution favorable dans les trois à cinq prochaines années. Le **rosé 2003**, frais et fruité, est cité.
🔑 SA Dom. Saint-Jean, 83690 Villecroze,
tél. 04.94.70.63.07, fax 04.94.70.67.41,
e-mail stjean@club-internet.fr ☑ 🍷 🚶 r.-v.

CH. SAINT-JULIEN D'AILLE
Triumvir des Rimbauds 2003 **

■	2 ha	8 000		8 à 11 €

Un triumvirat de côtes-de-provence des trois couleurs. Pâle, légèrement nuancé d'orangé, ce rosé livre un nez magnifique de complexité, allant de la pêche de vigne aux fleurs blanches, en passant par l'abricot et les agrumes. Sa bouche ample et de bonne persistance prolonge ces sensations en offrant une corbeille de fruits. Le **Triumvir des Rimbauds rouge 2001 (15 à 23 €)** remporte deux étoiles également pour son fruité intense, sa concentration et sa longueur. Quant à l'**Imperator rosé 2003 (5 à 8 €)**, délicatement aromatique et frais, il obtient une étoile.
🔑 Ch. Saint-Julien d'Aille, 5480, RD 48,
83550 Vidauban, tél. 04.94.73.02.89, fax 04.94.73.61.31
☑ 🍷 🚶 t.l.j. sf dim. 9h-12h30 14h-18h30
🔑 ML. B. Fleury

CH. DE SAINT-MARTIN Grande Réserve 2003 *

□ Cru clas.	6 ha	6 000		8 à 11 €

En attendant qu'une nouvelle cave soit construite, un nouveau maître de chai travaille dans ce domaine resté familial depuis le XVIIIᵉs. Il a élaboré un vin jaune brillant, dont le nez frais évoque les agrumes, le buis et le menthol. Les mêmes arômes reviennent en bouche, complétés par la finesse et la fraîcheur des notes de fleurs blanches et de citron vert. Ce 2003 sera apprécié à l'apéritif, avec du poisson gras ou de la viande blanche. La **cuvée Comtesse de Saint-Martin Vieilles Vignes rouge 2001 (15 à 23 €)** mérite d'être citée.
🔑 Ch. de Saint-Martin, rte des Arcs, 83460 Taradeau,
tél. 04.94.99.76.76, fax 04.94.99.76.77,
e-mail chateaudesaintmartin@free.fr
☑ 🏠 🍷 🚶 t.l.j. 8h-19h (hiver 9h-18h); f. dim. en hiver
🔑 De Barry

DOM. SAINT-MARTIN 2002

■	2 ha	13 300		5 à 8 €

Situé à Cabasse, le vignoble du domaine Saint-Martin est implanté sur un terroir argilo-calcaire caillouteux. Son fruit a été vinifié par les Vignerons du Luc. Habillé d'une belle robe soutenue, ce 2002 tire profit d'une vivacité qui met en valeur les arômes de fruits noirs et d'épices. La structure des tanins fins est encore très perceptible en finale, mais l'harmonie devrait se parfaire dans les quatre prochaines années. Pour un menu automnal.
🔑 Les Vignerons du Luc, rue de l'Ormeau,
83340 Le Luc-en-Provence, tél. 04.94.60.70.25,
fax 04.94.60.81.03 ☑ 🍷 t.l.j. 9h-12h 14h-18h30
🔑 Philippe Piasco

CH. SAINT-PIERRE Cuvée du Prieuré 2003

□	2 ha	10 000		5 à 8 €

Marquée par l'élevage en fût, cette cuvée or pâle livre un bouquet de réglisse et de pain grillé qui se prolonge en bouche. Elle possède suffisamment de gras pour assimiler l'empreinte boisée au cours d'un à deux ans de garde. Vous la servirez alors avec une viande blanche en sauce.

⊶ Jean-Philippe Victor, Ch. Saint-Pierre,
rte de Taradeau, 83460 Les Arcs-sur-Argens,
tél. 04.94.47.41.47, fax 04.94.73.34.73
☑ Y ⚲ t.l.j. sf dim. 9h-12h 14h-18h

DOM. DE SAINT-SER Les Hauts de Saint-Ser 2001

■ 2 ha 6 600 ⓓ 15 à 23 €

Adossé au versant sud de la montagne Sainte-Victoire, ce domaine ménage un point de vue remarquable. De son vignoble d'altitude est née cette cuvée marquée par le bois mais qui révèle aussi de jolis arômes de fruits rouges surmûris et d'épices. Attendez-la encore un peu pour apprécier tout son potentiel.

⊶ Dom. de Saint-Ser, RD 17, 13114 Puyloubier,
tél. 04.42.66.30.81, fax 04.42.66.37.51,
e-mail saintser@wanadoo.fr
☑ Y ⚲ t.l.j. 11h-12h 14h-18h
⊶ Pierlot

CH. SALINS 2003 ★

▨ 5 ha 6 000 ▮♁ 8 à 11 €

Cette bastide entièrement rénovée propose gîte et chambres d'hôte : une agréable manière de découvrir le paysage qui l'entoure. Le fruit de son vignoble est vinifié à la Cave des vignerons Londais. C'est ainsi qu'est né ce rosé de cinsault et de grenache qui s'ouvre progressivement sur des arômes de fruits exotiques. Sa fraîcheur agréable contribue à lui donner un goût de « revenez-y ». Partagez-le avec vos amis.

⊶ Cave des vignerons Londais,
quartier Pansard, 83250 La Londe-les-Maures,
tél. 04.94.66.80.23, fax 04.94.05.20.10 ☑ ⌂⌂ ⌂ Y r.-v.
⊶ Armand Mathieu-Resuge

DOM. DE LA SANGLIERE Cuvée Prestige 2003 ★

▨ 3 ha 13 300 ▮♁ 8 à 11 €

Montez par les ruelles jusqu'au vieux village de Bormes-les-Mimosas pour profiter de la jolie vue sur les îles d'Or. Vignoble de bord de mer, le domaine de La Sanglière propose un élégant rosé, au léger teint d'abricot, qui présente un nez délicatement floral. La bouche fine laisse une impression de fraîcheur, soulignée par des arômes de petits fruits rouges et de fruits exotiques. Le **blanc 2003 (5 à 8 €)** obtient une étoile également pour sa complexité aromatique et son équilibre.

⊶ EARL de La Sanglière,
83230 Bormes-les-Mimosas,
tél. 04.94.00.48.58, fax 04.94.00.43.77,
e-mail remy@domaine-sangliere.com ☑ ⌂ Y ⚲ r.-v.
⊶ Conservatoire du littoral

DOM. DE SANT JANET Cuvée Aurore 2003 ★

▨ 3 ha 17 000 ▮♁ 5 à 8 €

A Cotignac, vous ferez une halte désaltérante à la fontaine des Quatre-Saisons qui fait partie des quatorze fontaines varoises classées Monuments historiques. Ainsi revigoré, vous serez prêt à découvrir ce petit domaine de 13 ha conduit en agriculture biologique. D'une grande pâleur, ce vin à dominante de cinsault se montre fin et élégant, tant par ses arômes de fleurs et de fruits exotiques que par son équilibre gustatif.

⊶ Patrick Delmas,
Dom. de Sant Janet, 83570 Cotignac,
tél. 04.94.04.77.69, fax 04.94.04.76.31,
e-mail domaine.st.janet@wanadoo.fr ☑ Y ⚲ t.l.j. 9h-20h

DOM. DE LA SAUVEUSE 2002 ★

■ 15,37 ha 61 860 ⓓ 5 à 8 €

Ce domaine de 70 ha conduit en agriculture raisonnée a produit un beau vin de teinte profonde, dont le nez complexe donne la faveur aux notes évoluées de fruits rouges et de coing. La bouche équilibrée préserve le fruité en le complétant de nuances d'épices, avant de finir sur une légère rusticité. Pour une viande froide ou un plat cuisiné léger après douze mois de garde. La **cuvée Philippine rouge 2002** obtient une étoile elle aussi ; le boisé s'exprime plus franchement et les tanins sont encore jeunes, mais le potentiel est indéniable.

⊶ Dom. de La Sauveuse, Grand-Chemin-Vieux,
83390 Puget-Ville, tél. 04.94.28.59.60,
fax 04.94.28.52.48, e-mail sauveuse@wanadoo.fr
☑ Y ⚲ t.l.j. sf sam. dim. 8h-12h 14h-18h
⊶ Salinas

LA SEIGNEURIE DE QUEYRET 2002 ★★

■ 3 ha 16 000 ▮ 3 à 5 €

Une robe grenat intense et profond habille ce vin riche d'arômes de petits fruits noirs et rouges (mûre, cerise). La bouche généreuse et puissante évoque par ses flaveurs la confiture, puis les épices en finale. S'il peut être dégusté dès aujourd'hui, ce 2002 gagnera à vieillir entre trois et cinq ans. Distribué par la même maison de négoce, le **Domaine de Nestuby rosé 2003** obtient une étoile. Un vin fruité qui a du grain et du caractère.

⊶ Messagerie de la Vigne, Dom. de Nestuby,
83570 Cotignac, tél. 04.42.82.16.16, fax 04.42.82.20.63,
e-mail compagnie-viticole-de-provence@wanadoo.fr
⌂⌂ ⌂

DOM. SIOUVETTE Cuvée Marcel Galfard 2003 ★

▨ 6 ha 45 000 ▮♁ 5 à 8 €

La petite agglomération de La Môle se situe sur la route de Bormes-les-Mimosas à Saint-Tropez. On peut apercevoir le magnifique château où vécut Saint-Exupéry dans son enfance. Le domaine Siouvette, propriété viticole depuis une centaine d'années, est à quelques kilomètres de là. Ce rosé de teinte pâle exhale un joli fruité de melon et de pêche. La bouche respecte cette ligne aromatique et se prolonge sur une note chaleureuse.

⊶ Sylvaine Sauron, Dom. Siouvette, 83310 La Môle,
tél. 04.94.49.57.13, fax 04.94.49.59.12,
e-mail sylvaine.sauron@wanadoo.fr
☑ Y t.l.j. 8h-12h30 13h30-19h

PROVENCE

DOM. DE SOUVIOU 2003 ★★

▨ 5 ha 10 000 ▮♁ 5 à 8 €

Souviou, qui produit aujourd'hui vin et huile d'olive, est un domaine agricole depuis le XVIes. : aire de battage et four à huile de cade témoignent de son passé. Son rosé abricot clair décline des notes intenses de fleurs, tandis qu'en bouche une ligne minérale souligne la matière ample, veloutée et longue. Le **Domaine de Souviou rouge 2001**, élevé en fût, est cité.

⊶ Dom. de Souviou, RN 8, 83330 Le Beausset,
tél. 04.94.90.57.63, fax 04.94.98.62.74,
e-mail contact@souviou.com
☑ Y t.l.j. sf dim. 10h-12h 14h-18h; t.l.j. de Pâques à sept.

DOM. ELIE SUMEIRE Réserve de la famille 2003 ★

▨ 70 ha 400 000 ▮♁ 3 à 5 €

Paris, Saint-Pétersbourg, Baltimore, Philadelphie, Tokyo... La série de tableaux de la montagne Sainte-

Victoire peinte par Cézanne est dispersée dans les plus grands musées du monde. S'il vous est impossible de voyager si loin, vous pourrez toujours apprécier l'étiquette des vins du domaine Elie Sumeire qui reproduit l'une des toiles. Vous bénéficierez en outre des saveurs de la Provence. Ce rosé pâle aux nuances saumonées décline une riche palette d'arômes allant du floral au fruité exotique. Sa bouche est une esquisse harmonieuse et équilibrée, à la touche finale un peu plus ferme.

⊶ Famille Elie Sumeire, Ch. Coussin Sainte-Victoire, Dom. Elie Sumeire, 13530 Trets, tél. 04.42.61.20.00, fax 04.42.61.20.01, e-mail sumeire@chateaux-elie-sumeire.fr ☒ 🍷 🚶 r.-v.

DOM. DE TAMARY Cuvée Vieilles Vignes 2003 ★

■ 2 ha 10 000 ▮ 8 à 11 €

Entre mimosas, cistes et tamaris, vous cheminerez le long d'une piste forestière. Arrivé au domaine, vous découvrirez ce vin qui embaume l'abricot en confiture et le pamplemousse, avec une longue persistance en finale. Une bonne maîtrise de la vinification pour un rosé destiné à l'apéritif.

⊶ SCEA Dom. de Tamary, rte de Valcros, 83250 La Londe-les-Maures, tél. 04.94.66.66.51, fax 04.94.66.95.58 ☒ 🍷 🚶 r.-v.

⊶ E. Lambert

DOM. DES THERMES 2003 ★

■ 3 ha 20 000 ▮ 3 à 5 €

Fort de 34 ha, le domaine des Thermes est commandé par une grande bastide du XVIIIe s. ; l'un des bâtiments annexes servait à l'époque de relais de diligence. Aujourd'hui, on s'arrête ici pour goûter les vins de ces viticulteurs qui furent lauréats de la Grappe de bronze du Guide 2000. Les dégustateurs ont particulièrement apprécié la palette de ce rosé orangé. Le nez n'est pas moins intéressant : intense, il évoque les fruits blancs et les fruits exotiques, nuancés de notes florales. Tout en finesse, la bouche équilibrée fait ressortir les mêmes arômes.

⊶ EARL Michel Robert, Dom. des Thermes, RN 7, 83340 Le Cannet-des-Maures, tél. 04.94.60.73.15, fax 04.94.60.73.15 ☒ 🍷 🚶 r.-v.

CH. THUERRY 2003 ★★

□ 0,46 ha 3 000 ▮ 5 à 8 €

Si le chai est ultramoderne, la bâtisse qui commande ce vaste domaine de 340 ha remonte au XIIe s. Le vignoble aussi est ancien, certains ceps ayant été plantés en 1927. Ce côtes-de-provence blanc a séduit le jury par sa rondeur équilibrée et délicate, comme par ses arômes persistants et variés, évocateurs de pêche, d'agrumes et d'épices. Le **rosé 2003** brille d'une étoile pour sa finesse et ses notes florales originales.

⊶ Ch. Thuerry, 83690 Villecroze, tél. 04.94.70.63.02, fax 04.94.70.67.03, e-mail thuerry@aol.com ☒ 🏠 🏠 🍷 🚶 r.-v.

CH. LA TOUR DE L'EVEQUE Noir et or 2001 ★

■ 2 ha 7 000 ⏺ 11 à 15 €

Cette imposante bastide surmontée d'un clocheton est liée à l'histoire de la Provence et appartient depuis presque cinquante ans à la famille Sumeire. La syrah (95 %), à peine complétée de cabernet, a donné naissance à cette cuvée rubis profond qui livre sans ambages des arômes intenses de cassis, de vanille et d'épices. Sa matière empreinte des mêmes flaveurs se montre équilibrée, structurée par des tanins fins. Une bouteille à ouvrir dans un an ou deux pour une volaille de Bresse.

⊶ Régine Sumeire, Ch. La Tour de l'Evêque, 83390 Pierrefeu-du-Var, tél. 04.94.28.20.17, fax 04.94.48.14.69, e-mail regine.sumeire@toureveque.com ☒ 🍷 🚶 r.-v.

DOM. LA TOUR DES VIDAUX
Cuvée Farnoux 2003 ★★

■ 3,2 ha 13 000 ▮ 5 à 8 €

Ce domaine, conduit en agriculture biologique, couvre 24 ha sur le versant sud du massif des Maures. Son terroir de schistes en restanques a été favorable à une maturation équilibrée des cépages, malgré la chaleur de l'été 2003. Voyez ce rosé d'une présentation irréprochable et dont le bouquet floral aux nuances d'agrumes est empreint d'élégance. La bouche tout aussi gracieuse offre de la complexité et bénéficie en finale d'une note acidulée persistante qui renforce son expression. La **cuvée Farnoux rouge 2002 (8 à 11 €)** obtient une étoile : sa robe et son nez sont déjà engageants, tandis que ses tanins de bonne facture promettent de se fondre au cours d'un an de garde.

⊶ Volker-Paul Weindel, quartier Les Vidaux, 83390 Pierrefeu-du-Var, tél. 04.94.48.24.01, fax 04.94.48.24.02, e-mail tourdesvidaux@wanadoo.fr ☒ 🏠 🍷 🚶 t.l.j. sf dim. 9h-12h 14h30-18h30

CH. TOUR SAINT-HONORE
Cuvée Olivier 2003 ★★

□ 1,5 ha 5 000 ▮ 8 à 11 €

Serge Portal, qui a repris la propriété familiale en 1988, a modernisé et agrandi son vignoble pendant toutes ces années. Avec sa femme Chantal, il a également eu deux enfants, dont l'aîné se prénomme... Olivier. Sa cuvée haut de gamme a fait l'unanimité du grand jury par sa robe or pâle aux reflets verts. Son nez explosif, marqué par les fruits exotiques frais, trouve un bel écho dans un palais équilibré et vif à souhait. Ce vin laisse pendant longtemps une agréable sensation. Les dégustateurs ont attribué une étoile à la **cuvée Olivier rosé 2003 (5 à 8 €)**, florale et ample, et ont cité la **cuvée Olivier rouge 2001 (11 à 15 €)**.

⊶ Serge Portal, Ch. La Tour Saint-Honoré, RD 559, 83250 La Londe-les-Maures, tél. 04.94.66.98.22, fax 04.94.66.52.12 ☒ 🍷 🚶 t.l.j. sf dim. 10h-12h 16h-19h

DOM. TURENNE Cuvée Bastien 2002

■ 2 ha 10 000 5 à 8 €

Ne cherchez pas la concentration à tout prix. Rouge léger, ce vin offre un bouquet ouvert sur les fruits rouges

(griotte), puis une bouche fine et élégante qui trouve un harmonieux équilibre. A savourer sans tarder avec des grillades. La **cuvée Camille rosé 2003**, tout en simplicité, est citée.
⊶ Philippe et Cécile Benezet, Dom. Turenne,
83390 Cuers, tél. 04.94.48.68.77, fax 04.94.28.57.13,
e-mail philippe.benezet@wanadoo.fr ☑ ⌂ Y 🚶 r.-v.

VAL D'IRIS 2003 ★★

▨ 1,25 ha 6 800 ▮♁ **5 à 8 €**

Le nom de ce domaine est un clin d'œil à l'ancienne production d'iris destinée à la parfumerie. Si leur culture a été abandonnée, ces fleurs majestueuses continuent de pousser naturellement autour et dans les parcelles de vignes. Il faut venir en mai admirer les couleurs que prend alors le vignoble. Ce rosé expressif se décline dans le registre des fruits exotiques et des agrumes. La matière est là, au toucher soyeux, avec en contrepoint une vivacité rafraîchissante, fort agréable. Le **Val d'Iris blanc 2003 (8 à 11 €)** remporte deux étoiles également, tant il est aromatique, complexe et bien équilibré entre gras et fraîcheur.
⊶ Anne Dor, Val d'Iris, 83440 Seillans,
tél. 04.94.76.97.66, fax 04.94.76.89.83,
e-mail valdiris@wanadoo.fr ☑ ⌂ Y 🚶 r.-v.

CH. LES VALENTINES 2003 ★★

□ 1,14 ha 4 000 ▮♁ **8 à 11 €**

Les Valentines : un tendre message adressé à Valentin et Clémentine, nés dans les premières années de la création du domaine. Ce joli vin pourrait fort bien célébrer une naissance. Il est si doux dans sa robe jaune à nuances verveine, si complexe et intense par ses arômes de fruits mûrs, de buis, de genêt et de menthe. Sa bouche gagne en volume et livre une matière équilibrée, goûteuse, avec une juste vivacité en finale. « Quelle classe ! », conclut un dégustateur qui réserve en effet cette bouteille aux grandes occasions.
⊶ SCEA Pons-Massenot, Ch. Les Valentines,
lieu-dit Les Jassons, 83250 La Londe-les-Maures,
tél. 04.94.15.95.50, fax 04.94.15.95.55,
e-mail contact@lesvalentines.com
☑ Y 🚶 t.l.j. sf dim. 9h-12h30 14h30-19h
⊶ Gilles Pons

CH. VANNIERES 2001 ★

■ 5 ha 20 000 ⦀ **15 à 23 €**

Ce domaine de 34 ha possède un ensemble de constructions remontant en partie au XVIe s. Egalement producteur de bandol, il propose ici un côtes-de-provence d'un rouge soutenu aux légers reflets d'évolution. Si le bouquet agréable reste discret au nez, il se manifeste avec davantage d'intensité au palais. La matière ronde et souple semble décliner sans fin les arômes de fruits rouges et d'épices. Découvrez ce vin dès cette année.
⊶ Ch. Vannières, 83740 La Cadière-d'Azur,
tél. 04.94.90.08.08, fax 04.94.90.15.98,
e-mail info@chateauvannieres.com
☑ Y 🚶 t.l.j. sf dim. 8h-12h 14h-18h
⊶ Boisseaux

CH. DE VAUCOULEURS 2003 ★

□ 1 ha 5 000 ▮♁ 5 à 8 €

Entouré d'une forêt de pins parasols, le domaine de 75 ha consacre 25 ha à la vigne sur un terroir sablo-limoneux. Le château date de la fin du XVIIIe s. Tout en parfums exotiques, ce vin se montre plein et riche jusqu'à sa longue finale de poire et de banane. Sa robe très claire à reflets verts est déjà un plaisir pour le regard. Proposez cette bouteille avec des filets de rouget ou un poisson en sauce.
⊶ P. Le Bigot, Ch. de Vaucouleurs,
RN 7, 83480 Puget-sur-Argens,
tél. 04.94.45.20.27, fax 04.94.45.20.27,
e-mail chateau.vaucouleurs@wanadoo.fr ☑ Y r.-v.

CH. VEREZ 2003 ★

□ 6 ha 13 000 ▮♁ 5 à 8 €

Nadine et Serge Rosinoer fêtent leurs dix ans de passion pour ce domaine d'une centaine d'hectares. Leur bonne étoile de l'année ? C'est ce vin d'un beau jaune franc, qui livre des arômes de fleurs, d'agrumes et d'eucalyptus. La bouche tendre est une invitation à un service immédiat. Le **rosé 2003**, fruité et équilibré, est cité.
⊶ Ch. Vérez, 5192, chem. de la Verrerie-Neuve,
Le Grand-Pré, 83550 Vidauban,
tél. 04.94.73.69.90, fax 04.94.73.55.84,
e-mail verez@chateau-verez.fr ☑ 🚶 r.-v.
⊶ Rosinoer

DOM. DE LA VERNEDE 2003 ★

□ 0,4 ha 1 500 ▮♁ 5 à 8 €

De magnanerie au XVIIe s., le domaine est devenu oliveraie un siècle plus tard, puis vignoble dans les années 1920. En ce début de XXIe s., la vigne est toujours vaillante. Rolle (70 %) et ugni blanc ont produit un vin finement parfumé de chèvrefeuille, de buis, de notes citronnées et de banane sous une robe jaune clair à reflets verts. La bouche équilibrée est dominée par des arômes de pamplemousse très persistants dont la perception sera fort agréable à l'apéritif ou en association avec des fruits de mer.
⊶ André Carrassan, Dom. de La Vernède,
83480 Puget-sur-Argens, tél. 04.94.17.27.48 ☑ Y 🚶 r.-v.

CH. VERT Cuvée spéciale 2001 ★

■ 1,25 ha 3 000 ⦀ **8 à 11 €**

Autrefois propriété du seigneur de La Londe, ce domaine de 35 ha aujourd'hui est commandé par une grande bastide de la fin du XVIIIe s. et du début du XIXe s. La syrah a apposé sa signature dans ce vin rouge foncé à reflets violets : les arômes évoquent bien les fruits mûrs et les épices, mais le bois marque aussi la palette de notes de cacao et de grillé. Ronde en attaque, la bouche bénéficie du soutien de tanins denses et au joli grain qui devraient s'arrondir au cours de trois ans de garde.
⊶ SCEA Dom. du Ch. Vert,
av. Georges-Clemenceau, 83250 La Londe-les-Maures,
tél. 04.94.66.80.59, fax 04.94.66.64.42,
e-mail chateau.vert@tiscali.fr ☑ Y 🚶 r.-v.

VIEUX CHATEAU D'ASTROS 2003 ★★★

□ n.c. n.c. ▮♁ 5 à 8 €

La Commanderie d'Astros, fondée au XIIe s. par les Templiers, devint successivement la propriété des chevaliers de Saint-Jean-de-Jérusalem et des chevaliers de Malte. C'est en 1802 que le domaine entra dans la famille de Christian Maurel. Le 2003 est à la hauteur de cette prestigieuse ascendance. A grand vin, grand plaisir... Les dégustateurs font unanimement l'éloge de sa robe pâle et brillante à reflets verts, de ses arômes de fruits mûrs, de

PROVENCE

buis et de genêt, de sa bouche charnue et friande. Intensément fruité, le **rosé 2003** ne les a pas laissés indifférents : il brille d'une étoile.

🕯 Christian Maurel, Vieux Château d'Astros, rte de Lorgues, 83550 Vidauban, tél. 04.94.99.73.00, fax 04.94.73.00.18, e-mail chateau-astros@wanadoo.fr ☑ Ⲧ ⅄ r.-v.

Cassis

Un creux de rochers, auquel on n'accède que par des cols relativement hauts depuis Marseille ou Toulon, abrite, au pied des plus hautes falaises de France, des calanques, des anchois et une certaine fontaine qui, selon les Cassidens, rendait leur ville plus remarquable que Paris... Mais aussi un vignoble que se disputaient déjà, au XIᵉs., les puissantes abbayes, en demandant l'arbitrage du pape. Le vignoble occupe aujourd'hui environ 185 ha, dont 132 en cépages blancs pour un volume total de 7 582 hl en 2003. Les vins sont rouges, rosés et surtout blancs. Mistral disait de ces derniers qu'ils sentaient le romarin, la bruyère et le myrte. Bues avec les bouillabaisses, les poissons grillés, les coquillages et les viandes blanches, les cuvées de ces blancs capiteux et parfumés ne sont plus de simples vins de comptoir mais des vins de classe.

DOM. DU BAGNOL Marquis de Fesques 2003 ★

■	2,86 ha	17 000	■↓ 8 à 11 €

Au pied du village de Cassis, un vieux mas entouré de 7 ha de vignes : c'est le domaine du Bagnol, créé en 1867 par le marquis de Fesques. Cette cuvée rose pâle à reflets gris décline des arômes de prune, de cerise et de grenade qui flattent les sens tout autant que la rondeur de la bouche. Un vin harmonieux destiné aux poissons de la Méditerranée. Le **blanc 2003**, jaune clair, à dominante florale, a besoin d'un peu de temps pour s'épanouir. Il obtient une étoile.

🕯 Sébastien Genovesi, SCEA Dom. du Bagnol, 12, av. de Provence, 13260 Cassis, tél. 04.42.01.78.05, fax 04.42.01.11.22, e-mail jeanlouisgeno@aol.com ☑ Ⲧ r.-v.

CLOS SAINTE-MAGDELEINE 2003

■	n.c.	42 000	■↓ 11 à 15 €

L'étonnante demeure attire le regard par son style Art déco ; on ne s'étonnera pas que plusieurs films y aient été tournés. Quant à son cassis, il saura vous donner du plaisir, car il est structuré, équilibré, subtilement parfumé de noisette fraîche, d'eucalyptus et d'agrumes. Laissez-lui simplement le temps de s'ouvrir davantage.

🕯 Sack-Zafiropulo, Clos Sainte-Magdeleine, av. du Revestel, 13260 Cassis, tél. 04.42.01.70.28, fax 04.42.01.15.51 ☑ Ⲧ ⅄ r.-v.

CLOS VAL BRUYERE 2002 ★

■	7 ha	32 000	■↓ 8 à 11 €

A quelques kilomètres de Cassis, c'est à Roquefort-la-Bédoule, au château Barbanau, que vous découvrirez un 2002 bouton d'or, aux arômes variés et fins de citron, de pêche, de pamplemousse, de menthol. La bouche ample et suave révèle aussi de la fraîcheur, soulignée d'une pointe minérale. Encore jeune, ce vin est promis à un bel avenir. La **cuvée Kalahari 2002 (15 à 23 €)**, qui a passé un an en fût, a surpris les dégustateurs : elle est citée pour l'harmonie de ses composants.

🕯 SCEA Ch. Barbanau, hameau de Roquefort, 13830 Roquefort-la-Bédoule, tél. 04.42.73.14.60, fax 04.42.73.17.85, e-mail barbanau@wanadoo.fr ☑ Ⲧ ⅄ t.l.j. sf dim. 10h-12h 15h-18h 🕯 Cerciello

DOM. COURONNE DE CHARLEMAGNE 2003

■	4 ha	20 000	■↓ 8 à 11 €

Implanté en restanques, le vignoble de 8 ha se situe au pied de la falaise appelée Couronne de Charlemagne. Le soleil cassidain semble briller dans la robe or jaune lumineux du vin. Puis une impression de fraîcheur émane de ses arômes floraux comme de sa bouche vive, aux accents minéraux en finale. Encore peu bavard, ce 2003 devrait s'ouvrir avec le temps et se présenter sous son meilleur jour avec les spécialités régionales. Le **rosé 2003**, équilibré, est également cité.

🕯 Bernard Piche, Dom. Couronne de Charlemagne, Les Janots, 13260 Cassis, tél. 04.42.01.15.83, fax 04.42.01.15.83 ☑ Ⲧ ⅄ t.l.j. 10h-12h 15h-18h

CH. DE FONTBLANCHE 2003 ★

■	9 ha	45 000	■↓ 8 à 11 €

Le château édifié au XVIIᵉs. par le marquis de Villepay s'entoure de superbes micocouliers. Quant au vignoble, dont les origines remontent à la fin du XVIIIᵉs., il fut entièrement reconstitué après la crise phylloxérique par Emile Bodin. Aujourd'hui, c'est un vin caressant et suave qui distingue le domaine. De couleur pâle, il s'exprime dans le registre des fruits compotés. Le **blanc 2002** a gardé toute sa fraîcheur et offre d'agréables arômes d'agrumes. Il est cité.

🕯 SCEA Bontoux-Bodin Père et Fils, Ch. de Fontblanche, rte de Carnoux, 13260 Cassis, tél. 04.42.01.00.11, fax 04.42.01.32.11, e-mail chateau-fontblanche@terre-net.fr ☑ Ⲧ ⅄ t.l.j. 8h-12h30 14h-18h

CH. DE FONTCREUSE Cuvée «F» 2003 ★★★

■	14,31 ha	80 000	■↓ 8 à 11 €

A la tête du domaine depuis 1987, Jean-François Brando est toujours aux meilleures places. La cuvée « F » offre une bonne définition du cassis blanc que le grand jury a plébiscitée. Sous une teinte cristalline aux nuances or jaune apparaît un bouquet complexe et élégant de fleurs et

de fruits. Les agrumes viennent ensuite apporter de la fraîcheur à la bouche ronde et caressante qui déroule en finale de longues flaveurs de pâte de fruits et de fruits confits. Une bouteille que vous pourrez présenter fièrement sur votre table.
⊶ J.-F. Brando, Ch. de Fontcreuse,
13, rte Pierre-Imbert, 13260 Cassis, tél. 04.42.01.71.09, fax 04.42.01.32.64, e-mail fontcreuse@wanadoo.fr
☑ 🚶 t.l.j. sf sam. dim. 8h30-12h 14h-18h

DOM. DU PATERNEL 2003 ★★

▨ 11 ha 65 000 ▮🌡 8 à 11 €

Jean-Pierre Santini a repris en 1962 le domaine créé par son oncle sur les restanques de Cassis. Aidé de ses deux fils, il a élaboré deux jolis vins. Ce rosé de couleur tendre offre d'harmonieux parfums de pêche blanche, d'abricot et de fraise mûre. Sa bouche charnue et riche ne s'en montre pas moins fraîche grâce à ses flaveurs d'agrumes et de fruits. Une gourmandise, tout comme le **blanc 2003** aux arômes exotiques, rond et tonique à la fois, auquel le jury a attribué une étoile.
⊶ EARL Santini, Dom. du Paternel,
11, rte Pierre-Imbert, 13260 Cassis,
tél. 04.42.01.76.50, fax 04.42.01.09.54
☑ Y 🚶 t.l.j. sf sam. dim. 10h-12h 14h-18h

Bellet

De rares privilégiés connaissent ce minuscule vignoble (40 ha) situé sur les hauteurs de Nice, dont la production est réduite (828 hl en 2003) et presque introuvable ailleurs qu'à Nice. Elle est faite de blancs originaux et aromatiques, grâce au rolle, cépage de grande classe, et au chardonnay (qui se plaît à cette latitude quand il est exposé au nord et suffisamment haut) ; de rosés soyeux et frais ; de rouges somptueux, auxquels deux cépages locaux, la fuella et le braquet, donnent une originalité certaine. Ils seront à leur juste place avec la riche cuisine niçoise si originale, la tourte de blettes, le tian de légumes, l'estocaficada, les tripes, sans oublier la socca, la pissaladière ou la poutine.

DOM. ROSE AUGIER 2003 ★

□ 0,4 ha 1 100 11 à 15 €

A l'entrée de Saint-Roman-de-Bellet, Rose Augier assure depuis quelques années déjà la continuité de ce domaine presque centenaire. Sous une teinte pâle à reflets verts, son bellet exprime une agréable fraîcheur grâce à ses accents d'agrumes et de citron vert qui se prolongent dans un palais bien constitué.
⊶ Rose Augier, 680, rte de Bellet, 06200 Nice, tél. 04.93.37.81.47, fax 04.93.37.81.47 ☑ 🚶 r.-v.

CLOS SAINT-VINCENT Le Clos 2002 ★★

■ 2 ha 5 400 (I) 23 à 30 €

Roland Sicardi et Joseph Sergi ont repris le domaine en 1993. Depuis, ils s'attachent à produire des vins qui expriment au mieux leur terroir de poudingues et de galets roulés. Une nouvelle fois, leur Clos à base de folle noire offre une personnalité typée. De la robe pourpre aux nuances violettes se libère un bouquet en devenir, qui révèle déjà des notes variées : minéral, mine de crayon, épices, fruits noirs concentrés, encens. La bouche élégante se montre dense dès l'attaque, puis laisse s'exprimer des tanins fermes mais enrobés jusqu'à la finale poivrée. Un vin qui saura affronter la garde. Le **Clos Saint-Vincent blanc 2003 (15 à 23 €)**, de pur rolle, obtient une étoile pour sa matière et sa riche expression.
⊶ Joseph Sergi et Roland Sicardi,
Collet des Fourniers, 06200 Saint-Roman-de-Bellet,
tél. 04.92.15.12.69, fax 04.92.15.12.69,
e-mail clos.st.vincent@wanadoo.fr ☑ Y 🚶 r.-v.

CLOT DOU BAILE 2003 ★

□ 1 ha 2 300 ▮🌡 15 à 23 €

Cu bèu d'aquèu vin de la vida noun vé plus la fin : « Qui boit de ce vin de la vie n'en voit plus la fin ». Un adage – à suivre avec modération – porté sur l'étiquette de ce vin complet qui fait preuve d'harmonie grâce à sa matière dense et persistante. Le rolle apporte sa touche personnelle à travers des arômes de fruits exotiques comme la mangue et l'ananas : un monde de douceur. Un plat sucré-salé sera le bienvenu pour accompagner cette bouteille.
⊶ SCEA Clot Dou Baile, 277-305, chem. de Saquier, 06200 Nice, tél. 04.93.29.85.87, fax 04.93.29.85.87,
e-mail clotdoubaile@wanadoo.fr ☑ Y 🚶 r.-v.
⊶ Cambillau-Dauby

COLLET DE BOVIS 2003

□ 1 ha 1 700 (I) 11 à 15 €

Chaque été, le domaine accueille des expositions de peinture dans sa cave. Une bonne occasion pour s'y rendre. Si une nouvelle extension du vignoble est prévue pour 2005, seul 1 ha est à l'origine de ce vin plein et très gras. Ses arômes toastés et grillés marqués sont la marque d'un passage sous bois de six mois, que le vin doit à présent intégrer à sa chair. Le **rosé 2003**, vif et au fruité expressif, est également cité. Vous le servirez avec une cuisine orientale ou un poisson grillé de Méditerranée.
⊶ Jean Spizzo, Dom. du Fogolar,
370, chem. de Crémat, 06200 Nice, tél. 04.93.37.82.52, fax 04.93.37.82.52, e-mail fogolar@vin-de-bellet.com
☑ Y 🚶 t.l.j. sf dim. 8h30-12h 14h-19h

LES COTEAUX DE BELLET 2002

■ 1,4 ha 6 800 (I) 11 à 15 €

Les dégustateurs ont apprécié la robe pourpre encore jeune, aux reflets violets. Le joli nez évoque avec élégance la griotte, l'essence végétale, soulignées d'un boisé discret. D'attaque franche, la bouche montre des tanins encore un peu austères mais heureusement relayés par des flaveurs de fruits à noyau et d'épices. Il faut accorder du temps à ce bellet pour qu'il s'assouplisse.
⊶ SCEA Les Coteaux de Bellet,
325, chem. de Saquier, 06200 Nice,
tél. 04.93.29.92.99, fax 04.93.18.10.99,
e-mail lescoteauxdebellet@wanadoo.fr ☑ Y 🚶 r.-v.
⊶ Hélène Calviera

CH. DE CREMAT 2001 ★

■ 3,04 ha 8 000 ▮(I)🌡 23 à 30 €

Dominant la vallée du Var, entre mer et montagne, le domaine de 12 ha a fière allure avec son château de style

néogothique. Il est historiquement lié à la création de l'appellation bellet. Son 2001 a conservé toute sa jeunesse dans sa robe profonde aux reflets pourpres. Flatteur, le nez décline des notes complexes de fruits noirs à l'alcool, d'essence de myrte et de cuir qui trouvent un bon écho en bouche. Des tanins encore fermes étayent solidement le vin, donnant à la finale des accents de cacao chaleureux et persistants. Ils sont le gage d'une bonne évolution dans les prochaines années.
Ch. de Crémat, SCEA Kamerbeek,
442, chem. de Crémat, 06200 Nice,
tél. 04.92.15.12.15, fax 04.92.15.12.13,
e-mail chateaucremat@aol.com r.-v.

MAX GILLI 2003 ★

■ 0,25 ha 1000 11 à 15 €

Max Gilli, ancien pâtissier, dirige depuis 1997 ce domaine familial. Son rosé aux tonalités saumon et pivoine se montre expressif par ses arômes de fruits rouges bien mûrs, de fraise écrasée, un rien confiturée. La bouche n'est pas avare de vivacité, mais sait jouer de la rondeur en finale, avec un côté chaleureux. Un vin de repas qui saura accompagner tous les légumes de la Méditerranée.
Max Gilli, chem. de Saint-Roman,
06200 Saint-Roman-de-Bellet,
tél. 04.93.37.82.71, fax 04.93.37.82.71 r.-v.

DOM. DE LA SOURCE 2002 ★★

□ 0,6 ha 800 11 à 15 €

A l'origine du nom de ce domaine, une source, indispensable aux cultures florales qui, progressivement, ont été remplacées par la vigne. D'abord tourné vers une production uniquement familiale, Jacques Dalmasso s'est lancé dans la commercialisation de ses vins. Il faudra être rapide pour acheter l'une des huit cents délicieuses bouteilles. Ce bellet tout en élégance est un bouquet de fleurs. Parfaitement équilibré, il laisse sa fraîcheur gourmande s'exprimer sans retenue, jusqu'à une finale florale intense. Vous n'aurez que l'embarras du choix pour l'accorder aux mets, mais ayez une préférence pour les spécialités niçoises.
Jacques Dalmasso, 303, chem. de Saquier,
06200 Saint-Roman-de-Bellet, tél. 04.93.29.81.60,
fax 04.93.29.81.60 t.l.j. 8h-21h

DOM. DE TOASC 2003

□ 0,75 ha 3 000 11 à 15 €

A côté de la cave moderne, une salle de réception accueille des œuvres d'art de l'école de Nice. D'intéressantes découvertes vous sont donc promises dans ce domaine. Cet assemblage de rolle et de chardonnay en fait partie. D'une teinte fraîche, il offre en contrepoint de la suavité et de la rondeur, tant sa matière est dense, riche d'arômes de fruits confits. Il s'associera volontiers à une daurade ou à un loup grillé avec un filet d'huile d'olive et quelques aromates, mais l'apéritif sera aussi une bonne occasion de le servir.
Dom. de Toasc, 213, chem. de Crémat, 06200 Nice,
tél. 04.92.15.14.14, fax 04.92.15.14.00 r.-v.
Nicoletti

Bandol

Noble vin produit sur les terrasses brûlées de soleil des villages de Bandol, le Beausset, La Cadière-d'Azur, Le Castellet, Evenos, Ollioules, Saint-Cyr-sur-Mer et Sanary, à l'ouest de Toulon. Recouvrant une superficie de 1 489 ha, le bandol (55 850 hl en 2003) est blanc, rosé ou rouge. Ce dernier est corsé et tannique grâce au mourvèdre, cépage qui le compose pour plus de la moitié. Vin généreux, compagnon idéal des venaisons et des viandes rouges, il apporte ses subtilités aromatiques faites de poivre, de cannelle, de vanille et de cerise noire. Il supporte fort bien une longue garde.

DOM. DES BAGUIERS 2003 ★★

■ 3 ha 16 000 8 à 11 €

Une heureuse découverte que ce rosé à la présentation discrète, qui se dévoile progressivement. Une robe pâle et brillante, des arômes francs de fruits de printemps et de fleurs blanches, une bouche pleine, légèrement vanillée et épicée composent le profil de ce vin de plaisir.
GAEC Jourdan, Dom. des Baguiers,
227, rue des Micocouliers, 83330 Le Plan-du-Castellet,
tél. 04.94.90.41.87, fax 04.94.90.41.87
t.l.j. 9h30-12h30 15h-19h, dim. 9h30 12h30;
groupes sur r.-v.

DOM. BARTHES 2001 ★

■ 6,18 ha 30 000 11 à 15 €

Implanté dans les restanques du Val d'Arenc, ce petit domaine propose un 2001 encore bien jeune, dont le jury a apprécié l'élégance des arômes de fruits et de réglisse, et l'équilibre des saveurs. Déjà plaisant par son fruité, il mérite d'attendre deux à trois ans pour que ses tanins parviennent à un parfait fondu.
Monique Barthès,
chem. du Val-d'Arenc, 83330 Le Beausset,
tél. 04.94.98.60.06, fax 04.94.98.65.31 r.-v.

LA BASTIDE BLANCHE 2002 ★

■ 10 ha 45 000 8 à 11 €

Fidèle à lui-même, le domaine de La Bastide Blanche offre un millésime 2002 plein de promesses mais encore fougueux. Au nez, le fruité du raisin est nuancé par les notes grillées de l'élevage. Souple en attaque, le vin exprime rapidement la vivacité de ses tanins jeunes. Laissez-le s'assagir quelques années.

⚷ EARL Bronzo,
367, rte des Oratoires, 83330 Le Castellet,
tél. 04.94.32.63.20, fax 04.94.32.74.34,
e-mail bastide.blanche@libertysurf.fr ☒ 🍸 🚶 r.-v.

CH. DES BAUMELLES 2002 ★

■ 6 ha 10 000 ⊕ 8 à 11 €

Avec ses quatre tours et son souterrain, ce château fait vivre l'âme des vieilles pierres et constitue une curiosité architecturale dans le vignoble de Saint-Cyr. Les vins ne sont pas vendus sur place, mais au domaine de La Bastide Blanche, à Sainte-Anne-du-Castellet. Ce 2002, à la robe pourpre sombre, sent bon la mûre, le cassis et la menthe. En bouche, des notes d'épices et de garrigue un peu plus sauvages égaient une structure souple et équilibrée, aux tanins élégants mais encore jeunes. Attendez entre deux et trois ans. Ce cru fut lauréat l'an dernier de la Grappe d'argent du Guide.

⚷ EARL Bronzo,
367, rte des Oratoires, 83330 Le Castellet,
tél. 04.94.32.63.20, fax 04.94.32.74.34,
e-mail bastide.blanche@libertysurf.fr ☒ 🍸 🚶 r.-v.

LES BAUMES 2001 ★★

■ 53 ha 200 000 ⊕ 8 à 11 €

La sélection parcellaire porte ses fruits. Cette cuvée est issue de vieux mourvèdres plantés sur des marnes et des sables rouges. Après dix-huit mois d'élevage, elle a gardé un agréable fruité et exprime beaucoup d'harmonie et de plénitude en bouche grâce à des tanins fondus. La longue finale laisse un agréable souvenir.

⚷ Coopérative des Vins de Bandol,
quartier Vallon, BP 26, 83740 La Cadière-d'Azur,
tél. 04.94.90.10.39, fax 04.94.90.08.11,
e-mail cave@laroque-bandol.fr ☒ 🍸 🚶 r.-v.

DOM. DE LA BEGUDE 2001 ★

■ n.c. 10 000 ⊕ 15 à 23 €

Certainement l'un des domaines situés le plus en hauteur dans l'aire d'appellation. La Bégude était une fontaine où les voyageurs s'arrêtaient aux siècles précédents quand ils transitaient de Marseille à Toulon. Aujourd'hui, vous y trouverez plus facilement des vins, tel ce 2001 épicé et légèrement balsamique, qui a bien gardé son fruit en bouche dans un ensemble typé et élégant.

⚷ Famille Tari, Dom. de La Bégude,
La Cadière-d'Azur, 83330 Le Camp-du-Castellet,
tél. 04.42.08.92.34, fax 04.42.08.27.02,
e-mail domaines.tari@wanadoo.fr ☒ 🍸 🚶 r.-v.

DOM. DU CAGUELOUP 2002 ★★

■ n.c. n.c. ⊕ 11 à 15 €

Il existe une véritable culture du vin dans cette propriété familiale. A la suite de son père Gaston, Richard Prebost mène la propriété depuis bientôt vingt ans. Aujourd'hui, Xavier et Frédéric prennent le relais à la vigne et au chai avec le souci de la continuité. Ils ont su tirer parti d'un millésime 2002 délicat et proposent un vin fruité et épicé, parfaitement construit, généreux en bouche et aux tanins fondus mais bien typiques. Le **blanc 2003** mérite une étoile pour sa belle matière.

⚷ Dom. du Cagueloup,
267, chem. de la Verdelaise, 83270 Saint-Cyr-sur-Mer,
tél. 04.94.26.15.70, fax 04.94.26.54.09
☒ 🍸 🚶 t.l.j. sf dim. 8h-12h30 15h-19h
⚷ R. Prebost

DOM. CASTELL-REYNOARD 2002 ★

■ 1 ha 5 000 ⊕ 11 à 15 €

Un vignoble ancien sur les restanques de La Cadière dont le vin, après dix-huit mois d'élevage, conserve une belle fraîcheur aromatique avec des notes de fruits noirs, de cerise et de bois de cèdre. Ce 2002, à l'attaque souple, offre une belle concentration et mérite d'être conservé deux à trois ans pour atteindre sa plénitude.

⚷ Castell, Dom. Castell-Reynoard,
quartier Thouron, 83740 La Cadière-d'Azur,
tél. 04.94.90.10.16, fax 04.94.90.10.16 ☒ 🍸 🚶 r.-v.

DOM. LE GALANTIN 2003 ★★

▨ 8 ha 35 000 ▮ 8 à 11 €

Ce rosé pâle, aux reflets dorés, se fait discret dans ses notes minérales et ses arômes de bois de rose. En bouche, il est d'un autre caractère, bien plus affirmé. On apprécie la concentration et la longueur, mais aussi le juste équilibre entre finesse et fermeté. Une très belle expression pour un rosé de gastronomie qui demande à s'ouvrir.

⚷ Famille Achille Pascal, Dom. Le Galantin,
690, chem. du Galantin, 83330 Le Plan-du-Castellet,
tél. 04.94.98.75.94, fax 04.94.90.29.55,
e-mail domaine-le-galantin@wanadoo.fr
☒ 🏠 🍸 t.l.j. sf dim. lun. 9h-12h 14h-17h30; visite sur r.-v.

CH. JEAN-PIERRE GAUSSEN 2003 ★

□ 1 ha 3 000 ▮ 8 à 11 €

Une fois n'est pas coutume, le jury a préféré cette année le bandol blanc de ce producteur reconnu pour la typicité de ses vins rouges. Ce 2003 aux parfums complexes est un vin de bouche dont on apprécie la densité, la puissance et les arômes intenses de fleurs blanches, de fruits exotiques, avec une légère minéralité en finale. Un vin de repas.

⚷ Jean-Pierre Gaussen, 1585, chem. de l'Argile,
quartier Noblesse, 83740 La Cadière-d'Azur,
tél. 04.94.98.75.54, fax 04.94.98.65.34 ☒ 🍸 🚶 r.-v.

DOM. DU GROS'NORE 2001 ★

■ 10 ha 20 000 ⊕ 15 à 23 €

Un domaine récent, tout en pierre traditionnelle, et un vrai vigneron issu du même terroir. Alain Pascal poursuit ses efforts avec une belle constance. Avec les 1998, 1999 et 2000, le 2001 a un air de famille indéniable : des arômes d'épices et de fruits mûrs, et une bouche généreuse, chaude, aux tanins fins mais caractéristiques des bandol.

⚷ Alain Pascal, Dom. du Gros'Noré,
675, chem. de l'Argile, 83740 La Cadière-d'Azur,
tél. 04.94.90.08.50, fax 04.94.98.20.65 ☒ 🍸 🚶 r.-v.

DOM. DE L'HERMITAGE 2001

■ 9 ha 45 000 11 à 15 €

Vigneron méditerranéen dans l'âme et visionnaire, Gérard Duffort fut et est encore un acteur majeur de l'appellation, qui lui doit beaucoup. Partisan de la finesse, il propose un 2001 élégant, enrobé et discrètement boisé, aux arômes typés de menthe, de musc et d'écorce de bois exotique.

SAS Duffort, Dom. de L'Hermitage,
Le Rouve, 83330 Le Beausset,
tél. 04.94.98.71.31, fax 04.94.90.44.87,
e-mail contact@domainesduffort.com ☑ ㅜ 朮 r.-v.

LAFRAN-VEYROLLES 2003 ★

| ■ | 4,25 ha | 22 500 | ■↓ 11 à 15 € |

Un domaine réputé dont les vins rouges sont régulièrement mentionnés dans le Guide (coup de cœur l'an passé). Le jury a retenu cette année le rosé 2003 à la robe très discrète, mais aux saveurs pleines d'allant. Un joli mariage de fraîcheur, de finesse et de densité, agrémenté de notes florales et épicées.
Mme Jouve-Férec, Dom. Lafran-Veyrolles,
2115, rte de l'Argile, 83740 La Cadière-d'Azur,
tél. 04.94.90.13.37, fax 04.94.90.11.18,
e-mail contact@lafran-veyrolles.com
☑ ㅜ 朮 t.l.j. 8h30-12h 14h-18h (19h été); j. fériés sur r.-v.

DOM. DE LA LAIDIERE 2003 ★★

| ■ | 3,5 ha | 16 000 | ■ 11 à 15 € |

Entre les calcaires du mont Caunes et les grès de Sainte-Anne, le domaine de La Laidière cultive des terroirs marno-sableux originaux et élabore des vins au caractère bien marqué dont sept ont obtenu un coup de cœur depuis vingt ans. Les bandol blancs sont à juste titre réputés : ce 2003, charmeur par ses arômes fruités et floraux, dévoile toute sa puissance et sa complexité en bouche. Le rosé 2003 noté deux étoiles, est arrivé juste derrière ce vin au grand jury : à la fois frais et rond, il développe un fruité persistant.
Estienne, Dom. de La Laidière,
426, chem. de Font-Vive; Sainte-Anne-d'Evenos,
83330 Evenos, tél. 04.98.03.65.75, fax 04.94.90.38.05,
e-mail info@laidiere.com ☑ ㅜ 朮 r.-v.

DOM. LES LUQUETTES 2003 ★★

| ■ | 4,5 ha | 25 000 | ■↓ 8 à 11 € |

Un rosé très pâle, issu exclusivement de mourvèdre et de cinsault, qui embaume les fleurs jaunes et les épices. Il se révèle complètement en bouche, où il égrène ses arômes de fruits et d'épices, et affiche une harmonie de saveurs remarquable.
Dom. Les Luquettes, SCEA Le Lys,
20, chem. des Luquettes, 83740 La Cadière-d'Azur,
tél. 04.94.90.02.59, fax 04.94.98.31.95,
e-mail info@les-luquettes.com ☑ ㅜ 朮 r.-v.
E. Lafourcade

MOULIN DES COSTES
Moulin des Costes Charriage 2002 ★★

| ■ | n.c. | 13 000 | ⬛ 15 à 23 € |

Cette même cuvée avait déjà fortement séduit le jury l'an passé, dans le millésime 2001. Le 2002 emporte

le coup de cœur. Heureux mariage de vieux mourvèdres et du bois, ce vin concentré, aux tanins élégants et fondus, offre des notes intenses de fruits noirs, de cacao et d'épices. D'un millésime à l'autre, ce sont les mêmes qualités qui ressortent de la dégustation, preuve d'une réelle régularité.
Bunan, Moulin des Costes,
83740 La Cadière-d'Azur,
tél. 04.94.98.58.98, fax 04.94.98.60.05,
e-mail bunan@bunan.com ☑ ㅜ 朮 r.-v.

DOM. DE LA NARTETTE 2001 ★★

| ■ | 5 ha | 24 000 | ⬛ 8 à 11 € |

La Nartette est un site protégé, propriété du Conservatoire du littoral, où les vignes âgées poussent sur des terrains calcaires, soumis aux brises marines. Ce 2001, vinifié par la cave de La Roque, traduit bien toute la concentration du raisin par son caractère chaleureux, charnu et intense, très épicé et complexe. Long en bouche, il est déjà très agréable, mais présente aussi un bon potentiel de garde.
Coopérative des Vins de Bandol,
quartier Vallon, BP 26, 83740 La Cadière-d'Azur,
tél. 04.94.90.10.39, fax 04.94.90.08.11,
e-mail cave@laroque-bandol.fr ☑ ㅜ 朮 r.-v.
Conservatoire du littoral

CH. DE LA NOBLESSE 2001 ★

| ■ | 2 ha | n.c. | ⬛ 8 à 11 € |

Agnès Gaussen, qui perpétue la tradition et les pratiques de son père, propose un vin de mourvèdre quasiment pur. Une pointe de grenache rappelle que nous sommes en production multicépages, et une belle régularité lui permet d'aligner trois millésimes consécutifs avec une étoile. On retrouve dans le 2001 des caractères d'épices, de fruits à l'alcool et de bois exotique, avec une structure bien typée, confortée par des tanins un peu austères mais qui assurent la pérennité.

🔑 Gaussen, GAEC du Ch. de La Noblesse,
1685, chem. de l'Argile, 83740 La Cadière-d'Azur,
tél. 04.94.98.72.07, fax 04.94.98.40.41
☑ Y 🚶 t.l.j. sf dim. 10h-12h 14h-17h30

DOM. DE L'OLIVETTE 2001 ★

■ 9 ha 40 000 🛢 11 à 15 €

Le domaine tient-il son nom d'une variété de vigne ou des oliviers qui vous accompagnent jusqu'à l'entrée de la cave ? La question pourra être posée. Le site est en tout cas très provençal et enchanteur, comme ce 2001 à la robe encore bien jeune, issu de vieux mourvèdres. Le vin exprime des senteurs de fruits mûrs et de grillé, puis séduit le palais par sa rondeur et ses tanins fondus.

🔑 SCEA Dumoutier, Dom. de L'Olivette,
83330 Le Castellet, tél. 04.94.98.58.85,
fax 04.94.32.68.43, e-mail info@domaine-olivette.com
☑ Y t.l.j. sf sam. dim. 8h-12h 14h-18h (17h hiver)

DOM. DU PEY-NEUF 2003 ★

▒ 10 ha 22 000 🍾 8 à 11 €

La robe est certes discrète et presque transparente, mais ce rosé affiche une forte personnalité. On apprécie son équilibre et sa longueur en bouche. Ample et généreux, le vin sent bon les agrumes et autres fruits exotiques. Il pourra être apprécié à l'apéritif comme lors d'un repas.

🔑 Guy Arnaud, Dom. du Pey-Neuf,
367, rte de Sainte-Anne, 83740 La Cadière-d'Azur,
tél. 04.94.90.14.55, fax 04.94.26.13.89 ☑ Y 🚶 r.-v.

CH. DE PIBARNON 2003 ★★

▒ 12 ha 50 000 🍾 15 à 23 €

Il y a 25 ans, de quelque 3,5 ha de vignes judicieusement mises en valeur, naissait Pibarnon. A force de travail et d'enthousiasme, de passion aussi, la superficie a été portée à 47 ha et la production atteint régulièrement un haut niveau de qualité. Heureux mariage de puissance et de sensualité, ce rosé issu de mourvèdre et de cinsault décline une large gamme d'arômes fruités et promet une remarquable évolution dans les deux années à venir.

🔑 Eric de Saint-Victor, Ch. de Pibarnon,
83740 La Cadière-d'Azur,
tél. 04.94.90.12.73, fax 04.94.90.12.98,
e-mail contact@pibarnon.fr ☑ Y 🚶 r.-v.

DOM. DE LA RIBOTTE 2003 ★

▒ 0,6 ha 2 600 🍾 8 à 11 €

Entré dans la précédente édition avec un rosé 2002 cité, ce petit domaine du Val d'Arenc confirme la qualité de sa production avec ce 2003 très floral. Le vin séduit par sa fraîcheur et son équilibre, avec une belle densité. Si on peut regretter que la finale soit un peu courte, on aime la pointe fruitée en milieu de bouche.

🔑 Maurice et Laurence Desblaches,
1072, chem. du Val-d'Arenc,
83330 Le Plan-du-Castellet, tél. 04.94.90.41.40
☑ Y 🚶 r.-v.

CH. LA ROUVIERE 2002 ★★

■ 6,33 ha 25 000 🛢 15 à 23 €

Un des domaines dont le raisin est vinifié par la famille Bunan. Encore un peu fermé au premier nez, ce 2002 affirme ses prétentions dès le premier contact en bouche : un vin plein et généreux, bien structuré, avec des tanins jeunes mais peu agressifs, qui exhale des arômes complexes de fruits noirs, d'épices et de sous-bois. Déjà plaisant, il présente un réel potentiel de garde et pourra être apprécié d'ici trois à six ans. Autre marque des Bunan, le **Mas de la Rouvière rouge 2002 (11 à 15 €)** brille d'une étoile. Il a un air de parenté avec son grand frère, mais ses tanins sont un peu moins enrobés – sans doute en raison de vignes plus jeunes.

🔑 Bunan, Moulin des Costes,
83740 La Cadière-d'Azur,
tél. 04.94.98.58.98, fax 04.94.98.60.05,
e-mail bunan@bunan.com ☑ Y 🚶 r.-v.

CH. SALETTES 2003 ★

▒ 14 ha 75 000 🍾 11 à 15 €

Très pâle avec une nuance chair, ce rosé affiche des caractères aromatiques de jeunesse très fruités et floraux, qui rappellent le grenache. Sa densité et sa rondeur en bouche, sa finesse et sa longueur sont autant de qualités qui reflètent le terroir bandolais.

🔑 EARL Boyer et Fils, Ch. Salettes,
83740 La Cadière-d'Azur,
tél. 04.94.90.06.06, fax 04.94.90.04.29,
e-mail salettes@salettes.com ☑ Y 🚶 r.-v.

DOM. SORIN 2001 ★★

■ 2 ha 10 000 🛢 15 à 23 €

Installé depuis dix ans, Luc Sorin est un vigneron chablisien séduit par l'alliance du soleil, du mourvèdre et du bois. Ses vins rouges sont vinifiés en foudre rotatif et élevés en barrique. Ainsi le 2001 est-il un heureux mariage de fruits, d'épices et de senteurs boisées ; ses saveurs généreuses sont mises en valeur par des tanins fins et fondus.

🔑 Dom. Sorin, 1617, rte de La Cadière-d'Azur,
83270 Saint-Cyr-sur-Mer,
tél. 04.94.26.62.28, fax 04.94.26.40.06,
e-mail luc.sorin@wanadoo.fr ☑ 🏠 Y 🚶 r.-v.

DOM. DE SOUVIOU Tête de cuvée 2001

■ 1,5 ha 5 900 🛢 15 à 23 €

Sur la route en balcon qui mène au circuit du Castellet, Souviou domine le bassin bandolais et offre une image de carte postale de la Côte, depuis La Ciotat juqu'à Six-Fours. Sur un terroir original, il vinifie et élève des vins rouges séduisants comme ce 2001 aux arômes encore très fruités, structuré par des tanins fins mais encore fermes.

🔑 Dom. de Souviou, RN 8, 83330 Le Beausset,
tél. 04.94.90.57.63, fax 04.94.98.62.74,
e-mail contact@souviou.com
☑ Y t.l.j. sf dim. 10h-12h 14h-18h; t.l.j. de Pâques à sept.

DOM. LA SUFFRENE Cuvée Les Lauves 2002 ★

■ 2 ha 10 000 🛢 11 à 15 €

Un millésime 2002 surprenant par la densité de sa couleur. Le mariage des fruits mûrs, des fruits noirs, du cacao et de la torréfaction traduit une bonne maturité et un élevage en foudre bien intégré. Comme dans les précédents millésimes, on perçoit une réelle concentration en bouche, avec des tanins encore austères mais prometteurs, issus de mourvèdres de plus de cinquante ans.

🔑 GAEC Gravier-Piche, Dom. La Suffrène,
1066, chem. de Cuges, 83740 La Cadière-d'Azur,
tél. 04.94.90.09.23, fax 04.94.90.02.21,
e-mail suffrene@wanadoo.fr
☑ Y 🚶 t.l.j. sf dim. 9h-12h 14h-18h; sam. sur r.-v.
🔑 Cédric Gravier

DOM. DE TERREBRUNE 2001 ★

■ 15 ha 40 000 🛢 15 à 23 €

Un des derniers bastions viticoles aux portes de Toulon, sur des restanques calcaires fortement convoitées par les promoteurs immobiliers. Ce 2001 se distingue par des arômes intenses de confiture de fruits rouges et de cuir. Equilibré et fondu, il garde une bonne tenue jusqu'en finale. Un vin à maturité qui séduit aujourd'hui tout en réservant d'heureuses surprises dans les trois à quatre ans.

🔑 Delille, Dom. de Terrebrune, 83190 Ollioules,
tél. 04.94.74.01.30, fax 04.94.74.01.30
☑ 🍷 🚶 t.l.j. 9h-12h30 14h-18h30; dim. et j. fériés sur r.-v.

DOM. DE LA TOUR DU BON 2002

■ 5,6 ha 16 000 🛢 11 à 15 €

Encore empreinte de jeunesse, la cuvée 2002 offre un nez capiteux, aux notes de fruits noirs, de chocolat et de sous-bois. Un peu plus poivrée, la bouche ne manque pas de matière, mais une certaine austérité invite à laisser mûrir ce vin deux à trois ans.

🔑 R. & C. Hocquard, Dom. de La Tour du Bon,
83330 Le Brulat-du-Castellet,
tél. 04.98.03.66.22, fax 04.98.03.66.26,
e-mail TourDuBon@aol.com ☑ 🏠 🍷 🚶 r.-v.

DOM. DE VAL D'ARENC 2003 ★★

□ 2 ha 8 000 🍾🌡 8 à 11 €

Issu de clairette et bourboulenc, voici un bandol blanc de belle facture, dont on apprécie la tenue et l'équilibre en bouche. Son nez discrètement fruité laisse place à des flaveurs beaucoup plus complexes et expressives. Un vin de repas qui ne décevra pas dès 2005 et pendant longtemps encore.

🔑 SCA Dom. de Val d'Arenc,
997, chem. du Val-d'Arenc, 83330 Le Beausset,
tél. 04.94.98.71.89, fax 04.94.98.74.10 ☑ 🍷 🚶 r.-v.
🔑 Seneclauze

CH. VANNIERES 2003 ★★★

□ 12 ha 3 500 🍾🌡 15 à 23 €

Cet authentique château a souvent été remarqué par notre jury pour la qualité de ses vins rouges. Aujourd'hui, c'est le bandol blanc 2003, issu exclusivement de clairette, qui l'a séduit. Un vin surprenant, très aromatique – fleurs blanches, poire –, à la bouche équilibrée, croquante et charnue. Un grand bandol de plaisir.

🔑 Ch. Vannières, 83740 La Cadière-d'Azur,
tél. 04.94.90.08.08, fax 04.94.90.15.98,
e-mail info@chateauvannieres.com
☑ 🍷 🚶 t.l.j. sf dim. 8h-12h 14h-18h
🔑 Boisseaux

DOM. DE LA VIVONNE 2002 ★

■ 4,25 ha 21 300 🛢 15 à 23 €

Cette propriété implantée en restanques, ponctuée d'oliviers et d'amandiers, organise chaque été des manifestations culturelles. Au mois d'août, on peut venir écouter des concerts dans les vignes. Manifestant déjà une forte maturité, ce 2002, aux arômes soutenus de mûre, de cacao et de cuir, surprend par sa rondeur et la finesse de ses tanins. Equilibré, il mérite d'être apprécié dès aujourd'hui avec un gigot d'agneau au basilic, par exemple.

🔑 Walter Gilpin, Dom. de La Vivonne,
3345, montée du Château, 83330 Le Castellet,
tél. 04.94.98.70.09, fax 04.94.90.59.98,
e-mail info@vivonne.com ☑ 🍷 🚶 r.-v.

Palette

Tout petit vignoble, aux portes d'Aix, qui englobe l'ancien clos du bon roi René. Blancs, rosés et rouges sont produits régulièrement sur environ 42 ha et ont donné 1 595 hl de vin en 2003. Le plus souvent, et après une bonne maturation (car le rouge est de longue garde), on y retrouve une odeur de violette et de bois de pin.

LA BADIANE Terroir de Langesse 2003 ★

□ 0,8 ha 1 500 🛢 15 à 23 €

Le calcaire de Langesse est une formation géologique caractéristique de l'aire d'appellation. Il a donné une belle expression à ce 2003. Aux arômes de pignon de pin et d'amande fraîche perceptibles au nez répondent des flaveurs de figue fraîche et de fleurs blanches dans une bouche d'une élégante vivacité. Un palette apte à une petite garde avant un service avec un poisson cuisiné, riche en aromates.

🔑 La Badiane, S. Croisette II, RN 154,
83250 La Londe-les-Maures,
tél. 04.78.57.56.21, fax 04.37.22.05.59,
e-mail contact@labadiane.com 🍷 🚶 r.-v.
🔑 Poinsot

CH. CREMADE 2003 ★★★

▨ 0,8 ha 4 270 🍾🛢🌡 11 à 15 €

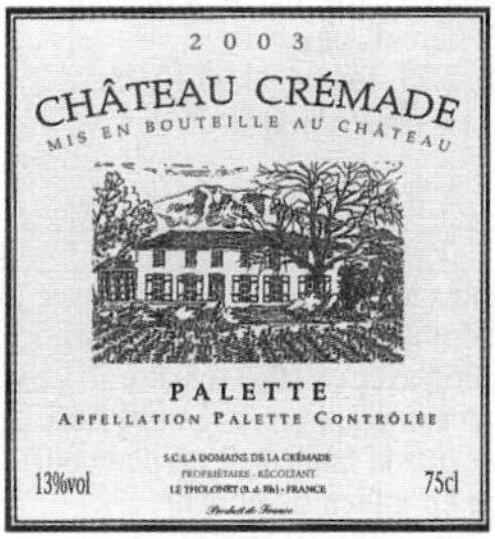

En parcourant la route de Cézanne, dans les magnifiques paysages de la montagne Sainte-Victoire, vous ferez une halte dans cette bastide du XVIIes. qui accueillit le peintre fauviste, ainsi qu'Emile Zola. Les dégustateurs n'ont eu d'yeux que pour ce palette : mariage exceptionnel d'un vin rosé avec le bois. Les flaveurs de menthol, d'eucalyptus, de grillé, de fumé et de vanille douce enveloppent la bouche soyeuse, élégamment structurée. Un plaisir rare, pour connaisseurs. Le **Château Crémade rouge 2001** exprime aussi un boisé séduisant dans une palette riche de cuir, de tabac, de fruits rouges et de cire. Construit autour de tanins fins, il obtient une étoile.

⊶ SCEA Dom. de La Crémade, Ch. Crémade,
rte de Langesse, 13100 Le Tholonet,
tél. 04.42.66.76.80, fax 04.42.66.76.81

DOM. DU GRAND COTE 2001 ★

■ 13,55 ha 50 000 ▮ 8 à 11 €

Cette année encore, le palette présenté par la coopérative de Rousset est un vin charmeur. Ses notes de cassis, d'épices, de cuir et de griotte lui confèrent une expression élégante, de même que sa matière équilibrée et friande. Vous pourrez le présenter dès cet hiver avec des viandes rouges ou des fromages à pâte cuite, ou bien l'attendre encore un peu.

⊶ Cave de Rousset, quartier Saint-Joseph,
13790 Rousset, tél. 04.42.29.00.09, fax 04.42.29.08.63,
e-mail cave-de-rousset@wanadoo.fr
☑ Y t.l.j. sf dim. 8h30-12h 14h-18h

CH. SIMONE 2001 ★★

□ 9 ha 35 000 ▮ ◍ ⫰ 23 à 30 €

Dans la même famille depuis deux cents ans, ce domaine s'est développé autour d'une magnifique bastide et de caves bâties au XVIᵉs. par les moines des Grands Carmes d'Aix. Pas moins de cinq cépages composent ce vin d'une séduisante couleur bouton d'or. Le bouquet laisse une impression chaleureuse en mêlant le boisé à des notes de vieux cognac et de cire. Volumineux et charnu, c'est un palette structuré qui affrontera la garde. Le **Château Simone rouge 2001** obtient une étoile : porté par un boisé vanillé, d'une bonne ampleur, il se montre encore jeune en finale et demande à vieillir un ou deux ans.

⊶ René Rougier, Ch. Simone, 13590 Meyreuil,
tél. 04.42.66.92.58, fax 04.42.66.80.77,
e-mail mail@chateau-simone.fr ☑

Coteaux-d'aix-en-provence

Sise entre la Durance au nord et la Méditerranée au sud, entre les plaines rhodaniennes à l'ouest et la Provence triasique et cristalline à l'est, l'AOC coteaux-d'aix-en-provence appartient à la partie occidentale de la Provence calcaire. Le relief est façonné par une succession de chaînons, parallèles au rivage marin et couverts naturellement de taillis, de garrigue ou de résineux : chaînon de la Nerthe près de l'étang de Berre, chaînon des Costes prolongé par les Alpilles, au nord.

Entre ces reliefs s'étendent des bassins sédimentaires d'importance inégale (bassin de l'Arc, de la Touloubre, de la basse Durance) où se localise l'activité viticole, soit sur des formations marno-calcaires donnant des sols caillouteux à matrice argilo-limoneuse, soit sur des formations de molasses et de grès avec des sols très sableux ou sablo-limoneux caillouteux. 4 180 ha ont produit 202 125 hl en 2003, dont 8 982 en blanc. La production de vins rosés s'est développée récemment. Grenache et cinsault forment encore la base de l'encépagement, avec une prédominance du grenache ; syrah et cabernet-sauvignon sont en progression et remplacent progressivement le carignan.

Les vins rosés sont légers, fruités et agréables ; ils ont largement profité des améliorations des techniques de vinification. Ils doivent être bus jeunes avec des plats provençaux : ratatouille, artichauts barigoule, poisson grillé au fenouil, aïoli...

Les vins rouges sont des vins équilibrés, quelquefois rustiques. Ils bénéficient d'un contexte pédologique et climatique favorable. Jeunes et fruités, avec des tanins souples, ils peuvent accompagner viandes grillées et gratins. Ils atteignent leur plénitude après deux ou trois ans d'élevage et peuvent accompagner alors viandes en sauce et gibier. Ils méritent que l'on parte à leur (re)découverte.

La production de vins blancs est limitée. La partie nord de l'aire de production est plus favorable à leur élaboration, qui mêle la rondeur du grenache blanc à la finesse de la clairette, du rolle et du bourboulenc.

CH. BARBEBELLE Cuvée Madeleine 2003 ★★

□ 3,5 ha 16 000 ▮ ⫰ 5 à 8 €

380 ha d'un seul tenant dans le magnifique paysage calcaire des coteaux-d'aix, des caves voûtées du XVIᵉs. et des vins régulièrement retenus dans le Guide. Le château de Barbebelle ne manque pas d'attraits pour y séjourner. Ce 2003 d'une pâleur remarquable, brillant de légers reflets verts, est empreint d'élégance. Aux arômes citronnés et floraux, soulignés d'une minéralité bien présente, répond une bouche volumineuse, ronde à souhait et équilibrée. Pour du poisson et des crustacés.

⊶ Brice Herbeau, Ch. Barbebelle, 13840 Rognes,
tél. 04.42.50.22.12, fax 04.42.50.10.20 ☑ ⌂ Y 🚶 r.-v.

CH. BAS Pierres du Sud 2003

□ 5 ha 12 000 ▮ ⫰ 5 à 8 €

Les « pierres du sud » sont celles que l'on peut trouver sur ce terroir argilo-calcaire de 77 ha qui a livré aux archéologues les vestiges d'un temple romain. Celles aussi qui ont permis de bâtir le château, restauré au XVIIᵉs., dont la silhouette figure sur l'étiquette de ce vin. « Bien vinifié par un bon technicien », écrit un dégustateur. Ce 2003 jaune clair, aux arômes d'agrumes et au caractère chaleureux, mérite d'être bu dès aujourd'hui, en toute simplicité.

⊶ EARL Georges de Blanquet,
Ch. Bas, 13116 Vernègues,
tél. 04.90.59.13.16, fax 04.90.59.45.35,
e-mail chateaubas@wanadoo.fr ☑ Y 🚶 r.-v.

DOM. DES BEATES 2002

■ 18 ha n.c. ▮ ◍ 8 à 11 €

Dans un paysage aimé de Cézanne, partagé entre vignes et pinèdes, qui a séduit la famille Terrat dès 1995, le domaine des Béates couvre 52 ha. La biodynamie a été adoptée dans le vignoble, tandis que la vinification en rouge privilégie des macérations longues à chaud, avec remontages et pigeages, de façon à extraire les composants du raisin. Il en résulte un vin très concentré, en effet, qui demande encore deux ans de garde pour s'exprimer. Car si les petits fruits rouges apparaissent en attaque, la structure tannique héritée du bois domine ensuite.

Dom. des Béates, rte de Caireval, BP 52,
13410 Lambesc, tél. 04.42.57.07.58, fax 04.42.57.19.70,
e-mail contact@domaine-des-beates.com
t.l.j. sf dim. 9h-12h 13h-18h
B. Terrat

CH. BEAUFERAN Etiquette rouge 2001 *

■ 40 ha 40 000 5 à 8 €

Deux vins rouges ont été bien notés : si l'**Etiquette noire 2001 (8 à 11 €)** obtient une citation, l'Etiquette rouge a eu la préférence des dégustateurs. Un rouge pourpre intense habille ce vin qui s'ouvre sur des notes de réglisse, de cuir et de fruits noirs. La bouche fraîche et assez complexe bénéficie des tanins soyeux et épicés qui font son élégance. Un gibier ou une daube provençale constitueront un bon accord. Le **rosé 2003** est noté une étoile pour son fruité mûr et sa bonne matière qui lui permettra d'accompagner un repas.

Ch. Beauféran, 870, chem. de la Degaye,
13880 Velaux, tél. 04.42.74.73.94, fax 04.42.87.42.96,
e-mail chateau.beauferan@freesurf.fr
t.l.j. sf dim. 9h-12h 14h-18h; sam. 9h-12h30

CH. BEAULIEU Cuvée Bérengère 2001

■ 3 ha 12 000 8 à 11 €

Le château de Beaulieu se situe sur un ancien volcan de 2 à 3 km de superficie, qui est entré en éruption au miocène : c'est l'une des rares manifestations volcaniques en Provence. Ce 2001, issu du trio cabernet-sauvignon (30 %), syrah (30 %) et grenache (40 %), a connu une macération de trois semaines avec délestage et remontage, puis un passage en fût pendant un an. Il libère des notes de café et de vanille, tout en s'appuyant sur des tanins bien fondus qui lui assurent une bonne finale poivrée.

SCEA Ch. Beaulieu, D14C, 13840 Rognes,
tél. 04.42.50.20.19, fax 04.42.50.19.53,
e-mail contact@chateaubeaulieu.fr r.-v.
Guénant

CH. DE BEAUPRE Collection du Château 2001 **

■ 3 ha 13 000 11 à 15 €

Difficile d'imaginer, en admirant aujourd'hui cette bastide provençale devancée d'une fontaine ornée de dauphins, qu'en 1909 un tremblement de terre la détruisit en grande partie. Emile Double, qui créa le vignoble en 1890, la fit patiemment reconstruire. Son petit-fils, Christian, vous en parlera sans doute en vous faisant découvrir ce millésime 2001. Un beau vin grenat, un peu réservé encore mais plein d'avenir. Après aération, des notes de griotte confite se manifestent, tandis que la bouche, riche et élégamment boisée, évolue vers une palette de fruits variés et subtils. Deux ou trois ans de garde sont à la portée de ce coteaux-d'aix, que l'on accordera à un curry d'agneau, par exemple. La cuvée principale **Château de Beaupré rouge 2001 (5 à 8 €)** est citée pour ses arômes épicés et fruités.

Christian Double,
Ch. de Beaupré, 13760 Saint-Cannat,
tél. 04.42.57.33.59, fax 04.42.57.27.90,
e-mail chbeaupre1@aol.com r.-v.

CH. LA BOUGERELLE 2003

□ 2,5 ha 3 500 5 à 8 €

Propriété de Gaspard du Luc de Vintimille, archevêque d'Aix au XVII^{e}s., ce domaine de 18 ha est commandé par une maison de maître entourée d'un jardin à la française. Le vignoble est cultivé sans herbicide, avec les seuls soufre et bouillie bordelaise pour traitements. Quatre cépages entrent dans l'élaboration de ce vin : rolle (60 %), sauvignon (20 %), clairette et ugni blanc à parts égales. Une impression de vivacité domine la dégustation, dès le premier regard sur la robe jaune paille, puis à l'olfaction des notes de pamplemousse. A servir avec un plateau de fruits de mer.

Granier, EARL Ch. La Bougerelle,
1360, rte de Berre, 13090 Aix-en-Provence,
tél. 04.42.20.18.95, fax 04.42.64.54.83,
e-mail ludi.granier@wanadoo.fr r.-v.

DOM. DE LA BRILLANE Flora 2001

■ 4,25 ha 4 100 11 à 15 €

Première apparition dans le Guide de ce domaine, et c'est pour son premier millésime produit. Un vignoble de 10 ha, conduit en agriculture biologique, et une cave dotée de foudres de 40 hl et de cuves en ciment où l'on pratique le pigeage et des macérations courtes. Cette tête de cuvée, dominée par le cabernet-sauvignon (90 %), s'exprime avec simplicité sur des arômes de grillé et de fruits secs. Sa bouche souple et tendre invite à une dégustation immédiate avec un rôti. La **cuvée principale Domaine de La Brillane rouge 2001 (8 à 11 €)** est également citée.

Dom. de La Brillane,
195, rte de Couteron, 13100 Aix-en-Provence,
tél. 04.42.54.21.44, fax 04.42.54.31.25,
e-mail rupert.birch@labrillane.com r.-v.
Rupert Birch

DOM. DE LA CADENIERE
Elevé en fût de chêne 2002

■ 2,1 ha 12 000 8 à 11 €

Un vin de syrah et de grenache à parts quasi égales, agrémentés de cabernet-sauvignon. Après un élevage sous bois de seize mois, il se présente sous une teinte sombre avec des parfums boisés, épicés. Sa matière encore un peu austère devrait s'affiner dans le temps.

Dom. de La Cadenière,
rte de Coudoux, 13680 Lançon-de-Provence,
tél. 04.90.42.82.56, fax 04.90.42.82.56
t.l.j. sf dim. lun. 8h30-11h30 14h30-18h30
Tobias et Fils

CH. DE CALAVON Grande Réserve 2001 ★

■ 3 ha 5 300 8 à 11 €

Bâti à l'emplacement d'une *villa* romaine, le château de Calavon commande aujourd'hui un domaine de 45 ha. La famille Audibert en est propriétaire depuis un siècle. S'il fallait qualifier ce vin en deux mots, les termes de « structure » et de « puissance aromatique » seraient choisis. Les fruits noirs dominent, accompagnés de notes vanillées et épicées qui rappellent les douze mois de fût. La bouche veloutée, ample et élégante est soutenue par une bonne vivacité qui la conduit jusqu'à une longue finale.

Michel Audibert,
Ch. de Calavon, 13410 Lambesc,
tél. 04.42.57.15.37, fax 04.42.21.56.84,
e-mail chateaudecalavon@wanadoo.fr
t.l.j. sf dim. 9h-12h 15h30-18h

CH. CALISSANNE Clos Victoire 2003 ★★

■ n.c. n.c. 11 à 15 €

Ancienne propriété de l'ordre de Malte qui fut achetée au milieu du XVIIe s. par un parlementaire d'Aix-en-Provence, puis, au XIXe s., par un industriel marseillais, le château de Calissanne peut s'enorgueillir d'une histoire plus ancienne encore, puisque un oppidum celto-ligure a été découvert sur ses terres. Depuis trois ans, le groupe CIPM International commande la destinée de ce vaste domaine. Calissanne deviendrait-il la référence en rosé ? Pour la deuxième année consécutive, il obtient un coup de cœur pour son Clos Victoire (85 % de syrah complétés de grenache). Le 2003 offre un nez très intense de fruits rouges et de fruits exotiques (fruit de la Passion). C'est un rosé ample, chaleureux et fondu, qui soulignera les saveurs d'une viande blanche en sauce.

Ch. Calissanne,
RD 10, 13680 Lançon-de-Provence,
tél. 04.90.42.63.03, fax 04.90.42.40.00,
e-mail contact@calissanne.fr r.-v.
CIPM International

CH. CALISSANNE Cuvée Prestige 2002 ★

■ n.c. n.c. 8 à 11 €

Mille hectares, dont une centaine consacrés à la vigne : vingt-cinq parcelles exposées au sud et complantées de onze cépages. Ainsi se présente le domaine du château de Calissanne. Ce 2002 tout en harmonie se partage entre syrah et cabernet-sauvignon. Il exprime un concentré de fruits rouges mûrs, presque compotés, allié à un boisé bien maîtrisé qui apporte des nuances torréfiées et grillées. Il saura attendre deux ans dans votre cave avant de rejoindre une viande en sauce. La **cuvée Prestige blanc 2003** reçoit également une étoile pour ses notes de fleurs et d'abricot.

Ch. Calissanne, RD 10, 13680 Lançon-de-Provence,
tél. 04.90.42.63.03, fax 04.90.42.40.00,
e-mail contact@calissanne.fr r.-v.
CIPM International

DOM. DE CAMAISSETTE Cuvée Amadeus 2001

■ 2 ha 8 000 8 à 11 €

La voie Aurélienne tracée par les Romains passe tout près du domaine de 24 ha, commandé par une maison du XVIIe s. Elevée dix-huit mois en fût, cette cuvée apparaît aujourd'hui nette et franche, parfumée de vanille et de notes fumées. Les fruits noirs et les épices complètent ces arômes en bouche, tandis que les tanins encore un peu austères invitent à une garde jusqu'en 2006. Le **Domaine de Camaïssette rouge 2002 (3 à 5 €)** est cité également.

Michelle Nasles, Dom. de La Camaïssette,
13510 Eguilles, tél. 04.42.92.57.55, fax 04.42.28.21.26,
e-mail michelle.nasles@wanadoo.fr
t.l.j. sf dim. 9h30-12h 14h30-18h30

CH. LA COSTE Cuvée Lisa 2003 ★

■ 30 ha 200 000 5 à 8 €

« Un joli rosé qui fait honneur à la Provence », déclare un dégustateur. La Provence est déjà bien illustrée par les cépages qui entrent dans sa composition : grenache (55 %), syrah (30 %), cinsault (15 %). Dans sa robe pétale de rose, limpide, le vin libère tout en finesse des senteurs de violette qui lui donnent un air printanier. Ample et de bonne longueur, il se montre décidément très convivial.

SCEA Ch. La Coste,
13610 Le Puy-Sainte-Réparade,
tél. 04.42.61.89.98, fax 04.42.61.89.41 r.-v.

DOM. D'EOLE Cuvée Léa 2002

■ n.c. 7 000 15 à 23 €

Matthias Wimmer, œnologue allemand, dirige la culture et la vinification dans ce domaine de 22 ha, conduit en agriculture biologique depuis 1997 ; il s'impose un rendement moyen de 35 hl/ha. Ce 2002 apparaît dans une robe brillante et dense. Aux arômes de fruits confiturés s'ajoutent les notes grillées apportées par un passage en fût de douze mois. Cet élevage lui a donné également un caractère rond, déjà avenant aujourd'hui. Le **rosé 2003 (5 à 8 €)**, fruité, est également cité.

EARL Dom. d'Eole, rte de Mouriès,
13810 Eygalières,
tél. 04.90.95.93.70, fax 04.90.95.99.85,
e-mail domaine@domainedeole.com r.-v.
Ch. Raimont

CH. DE FONSCOLOMBE Cuvée spéciale 2003 ★

■ 15 ha 80 000 5 à 8 €

Plats épicés et grillades feront de savoureux accords avec ce rosé de saignée de couleur pâle, à base de grenache, de cinsault et de syrah. Une pointe vive apporte une fraîcheur équilibrée, que soulignent encore les notes de pamplemousse, de pêche et d'abricot. La **cuvée Prestige rouge 2001 (8 à 11 €),** aux tanins souples, est citée.

Fonscolombe, 13610 Le Puy-Sainte-Réparade,
tél. 04.42.61.70.00, fax 04.42.61.70.01 r.-v.

CH. DE LA GAUDE 2001 ★

■ 6 ha 10 000 5 à 8 €

Au château de La Gaude, vous apprécierez non seulement le vignoble de 18 ha, mais aussi les jardins de cette demeure du XVIIIe s. Le vin mérite une même

PROVENCE

attention. A base de cabernet (60 %) et de grenache, ce 2001 s'affiche dans une robe pourpre intense et libère des arômes de fruits noirs (cassis) associés à la réglisse et au tabac. Les tanins fins assurent une bonne longueur à la matière ample et élégante. A boire ou à garder deux ou trois ans.

🔑 Michel Audibert, Ch. de La Gaude,
rte des Pinchinats, 13100 Aix-en-Provence,
tél. 04.42.21.64.19, fax 04.42.21.56.84,
e-mail chateau-de-la-gaude@wanadoo.fr ☑ 🍷 🚶 r.-v.
🔑 Beaufour

CH. DES GAVELLES 2003

▨ n.c. n.c. 🍾 3 à 5 €

La charmante église romane de Puyricard mérite certes que l'on s'y arrête, mais c'est au château des Gavelles que l'on s'attardera : une ferme du XVIIe s. qui se consacre à la vigne depuis ses origines. Le domaine propose ici un rosé équilibré, d'une teinte pâle. Une impression de fraîcheur émane de ses arômes de pêche et d'abricot, tandis que la finale se montre chaleureuse. Pour l'apéritif, des grillades ou des salades.

🔑 SCEA Ch. des Gavelles, 165, chem. de Maliverny,
13540 Puyricard, tél. 04.42.92.06.83, fax 04.42.92.24.12,
e-mail mail@chateaudesgavelles.com
☑ 🚶 t.l.j. 9h30-12h30 15h-19h; dim. 9h30-12h30
🔑 De Roany

PETALES DE GLAUGES Pétales de Glauges 2003

▨ 15 ha 60 000 🍾 3 à 5 €

Georges Berrebi n'a de cesse de parler de son domaine et du cadre naturel dans lequel il s'inscrit : le parc régional des Alpilles. Il vous conviera à partir à pied découvrir la ferme gallo-romaine où l'on produisait déjà, il y a deux mille ans, du vin et de l'huile d'olive. Habillé d'une étiquette en braille, ce rosé dominé par le grenache livre un nez intense, d'abord amylique, puis fruité et fumé. Sa vivacité ne compromet en rien son équilibre et s'alliera gentiment à du poisson à la provençale. La **cuvée Pétales de Glauges blanc 2003**, issue à 80 % de vermentino, est citée elle aussi.

🔑 SAS Glauges des Alpilles, voie d'Aureille,
13430 Eyguières, tél. 04.90.59.81.45, fax 04.90.57.83.19,
e-mail glauges@wanadoo.fr ☑ 🏠 🍷 🚶 r.-v.
🔑 Georges Berrebi

CH. GRAND SEUIL 2002 ★★

□ 3 ha 11 900 🛢 8 à 11 €

1974-2004 : voilà trente ans que l'on vinifie le fruit de ce vignoble, fort aujourd'hui de 55 ha. Le château fait remonter plus loin encore l'histoire du domaine, propriété d'une famille de parlementaires du XVIe s. Fleuron de sa gamme de vins, ce Grand Seuil blanc présente sous une teinte jaune soutenu des notes confites et légèrement vanillées d'orange et de citron. Son caractère fondu semble tout indiqué pour une alliance avec du poisson et des volailles à la crème. Le **Château du Seuil blanc 2002 (5 à 8 €)** reçoit une étoile pour sa délicate nuance de sauvignon. Il en va de même du **Château du Seuil rosé 2003 (5 à 8 €)**, ample et riche d'arômes de fruits rouges mûrs.

🔑 Carreau-Gaschereau, Ch. du Seuil, 13540 Puyricard,
tél. 04.42.92.15.99, fax 04.42.28.05.00,
e-mail contact@chateauduseuil.fr ☑ 🍷 🚶 r.-v.

DOM. DU MAS BLEU Val des Vignes 2001 ★

■ 0,8 ha 6 000 🍾 5 à 8 €

Une cuvée confidentielle, élaborée à partir de syrah (70 %) et de grenache récoltés au val des Vignes, dans la commune de Velaux. Drapée d'une robe pourpre profonde, elle offre une structure soyeuse et élégante, enveloppée de flaveurs de fruits noirs. L'attaque évoque le cassis avant que ne se développent des senteurs de garrigue et d'épices. Le **Val des Vignes rosé 2003**, léger et fruité, est cité.

🔑 EARL du Mas Bleu,
6, av. de la Côte-Bleue, 13180 Gignac-la-Nerthe,
tél. 04.42.30.41.40, fax 04.42.30.32.53 ☑ 🍷 🚶 r.-v.

DOM. NAIS
Symphonie du Terroir Elevé en fût de chêne 2002

■ 1 ha 4 000 🛢 5 à 8 €

Si vous avez bien étudié la sélection de l'an passé, vous les connaissez déjà un peu : Laurent Bastard et Eric Davin, ces deux amis qui se sont associés en 2001 pour conduire un domaine de 37 ha. Les hommes s'occupent de la vigne, les épouses tiennent le caveau et vous présenteront ce vin issu d'une longue macération. Un séjour en fût de douze mois a été nécessaire pour intégrer une extraction poussée. Les arômes de torréfaction et de vanille sont ainsi très présents, de même que les nuances de poivron qui signent la présence du cabernet. Le tout se conjugue harmonieusement. A noter également le **rosé 2003**, ainsi que le **blanc 2003 (tous deux de 3 à 5 €)**, cités pour leur bonne typicité.

🔑 Laurent Bastard et Eric Davin, rte du Puy,
13840 Rognes, tél. 04.42.50.16.73, fax 04.42.50.16.73,
e-mail domainenais@club-internet.fr
☑ 🍷 🚶 t.l.j. sf dim. 9h-12h 14h30-18h30

DOM. DE L'OPPIDUM DES CAUVINS 2003

□ 8 ha 35 000 🍾 5 à 8 €

Rémy et Dominique Ravaute ont repris en 1989 le domaine créé par leur grand-père au début du XXe s. Très pâle, leur 2003 libère dès l'attaque des arômes délicats de sauvignon, puis il révèle la fraîcheur héritée du vermentino et la rondeur du grenache blanc. Le poisson lui ira bien. Le **rosé 2003** présente l'originalité d'une pointe de counoise (10 %) dans son assemblage, ce qui lui confère une touche florale. Il est cité également.

🔑 Rémy et Dominique Ravaute,
Dom. de L'Oppidum des Cauvins, 13840 Rognes,
tél. 04.42.50.13.85, fax 04.42.50.29.40
☑ 🍷 🚶 t.l.j. 9h-12h 14h-19h

DOM. DES OULLIERES Dame des Oullières 2001

■ 3 ha 1 500 🛢 15 à 23 €

Mireille Collomb a repris le domaine familial en 1991 et y a instauré un mode de culture raisonné pour préserver ce patrimoine. Son 2001 a surtout été apprécié pour son nez intense de fruits rouges et noirs, mêlés de café et de vanille. Un passage sous bois lui a donné un côté soyeux et a finalisé son équilibre. Un vin prêt à boire dès la sortie du Guide.

🔑 Mireille Collomb, Les Treilles de Cézanne,
RN7, 13410 Lambesc, tél. 04.42.92.83.39,
fax 04.42.92.70.83, e-mail contact@oullieres.com
☑ 🍷 t.l.j. sf dim. 9h-12h 14h30-18h

CH. PIGOUDET 2003 ★★

□ 2,7 ha 13 000 🍾 3 à 5 €

Entouré de 40 ha de vignes, le château de Pigoudet est une belle bastide, propriété de l'évêché d'Aix-en-

Provence au XVI[e]s. Il fut construit sur le site d'une *villa* romaine, comme en témoignent les pièces de monnaie, les amphores et les deux cuves carrelées mises au jour. Le jury a apprécié ses vins blancs et rosés. Ce 2003, cristallin et brillant, dispense d'élégants arômes floraux, citronnés et minéraux. Sa juste vivacité en fait un coteaux-d'aix remarquable pour ce millésime caniculaire. La **cuvée La Chapelle blanc 2003** brille d'une étoile, de même que **La Chapelle rosé 2003 (toutes deux de 5 à 8 €)**.

⊶ SCA Ch. Pigoudet, rte de Jouques, 83560 Rians, tél. 04.94.80.31.78, fax 04.94.80.54.25, e-mail chateau.pigoudet@wanadoo.fr ☑ 🍷 🚶 r.-v.

⊶ Schmidt-Rabe

CELLIER DES QUATRE TOURS Tradition 2003 *

▒ 6 ha 40 000 ▮🍾 3 à 5 €

A Venelles, sur la place du château, un belvédère ménage une belle vue sur le paysage d'Aix. Vos pas vous conduiront ensuite vers la cave coopérative qui a produit un rosé de gastronomie. Composé de grenache pour moitié, de syrah (30 %) et de cinsault, ce vin possède en effet une certaine charpente sous son caractère floral et sa robe séduisante, rose vif. Il accompagnera une blanquette ou une volaille à la crème. **L'Esprit Sud rouge 2002** est cité pour son équilibre.

⊶ Cellier des Quatre Tours, RN 96, 13770 Venelles, tél. 04.42.54.71.11, fax 04.42.54.11.22, e-mail cellier-des-4-tours@wanadoo.fr ☑ 🍷 🚶 r.-v.

ROSE D'UN ROY Prestige 2003

▒ 30 ha 50 000 ▮🍾 3 à 5 €

Jules Reynaud, maire de Lambesc, fut à l'origine de cette coopérative dans les années 1920. Celle-ci jouit d'une place importante dans l'aire des coteaux-d'aix depuis sa fusion avec la cave de Saint-Cannat en 1998. Elle propose un vin couleur pétale de rose, aux parfums minéraux et légèrement fruités au nez. Le fruit domine la bouche qui doit sa rondeur au grenache (60 %) complété de syrah, de cinsault et de counoise. La **cuvée Chevalier rouge 2002**, dans un style léger et fruité, est citée.

⊶ Les Vignerons du Roy René, RN 7, 13410 Lambesc, tél. 04.42.57.00.20, fax 04.42.92.91.52 ☑ 🍷 🚶 t.l.j. sf dim. 8h30-12h 14h-18h30; f. 1re semaine jan.

DOM. DE SAINT JULIEN LES VIGNES Cuvée du Château 2001

■ 10 ha 10 000 ▮🍾 3 à 5 €

Une bastide du XVI[e]s., un domaine de 150 ha, dont une quarantaine de vignes bien à l'abri du mistral : ainsi se présente Saint Julien les Vignes. Ce 2001 se distingue d'emblée par un côté épicé, évocateur de cumin, de curry et de clou de girofle. On le conseillerait presque pour un plat indien... La couleur rubis brillant est flatteuse, de même que les notes de sous-bois qui apparaissent en complément. Ici, pas de puissance à tout prix, mais plutôt de la souplesse.

⊶ Famille Reggio, Dom. de Saint Julien les Vignes, 2495, rte du Seuil, 13540 Puyricard, tél. 04.42.92.10.02, fax 04.42.92.10.74 ☑ 🍷 🚶 r.-v.

LES SANTONS 2002

■ n.c. 30 000 ▮🍾 3 à 5 €

Un vin à consommer dès la sortie du Guide, en arrière-saison. Il est sincère, fin et gourmand, frais aussi grâce à ses notes de groseille. Accompagnez-le d'une pissaladière servie au jardin pour profiter des derniers rayons du soleil.

⊶ Les Vins J.-Jacques Bréban, av. de la Burlière, 83170 Brignoles, tél. 04.94.69.37.55, fax 04.94.69.03.37, e-mail vinsbreban@hotmail.com ☑ r.-v.

CH. SULAUZE Cuvée Prestige 2002 *

■ 48 ha n.c. ▮🛢 5 à 8 €

René Fabo est à la tête d'un domaine de 650 ha. Il y cultive non seulement la vigne sur une cinquantaine d'hectares, mais produit aussi sur 100 ha du foin de Crau qui bénéficie d'une appellation d'origine. Il a établi son chai dans une chapelle troglodytique du IV[e]s. Ce 2002, composé à parts égales de grenache et de cabernet-sauvignon, offre beaucoup de matière malgré son millésime difficile. Il se montre expressif tout au long de la dégustation, dans les registres fruité et animal.

⊶ SCA Dom. de Sulauze, RN 569, 13140 Miramas, tél. 04.90.58.02.02, fax 04.90.58.04.37, e-mail domaine.sulauze@wanadoo.fr ☑ 🍷 🚶 t.l.j. sf dim. 9h-12h 14h30-18h30

⊶ Fano

DOM. DE SURIANE 2003

▒ 10,85 ha 25 000 ▮🍾 5 à 8 €

Marie-Laure Merlin, arrière-petite-fille du fondateur de ce domaine, est à la tête des 35 ha de vignes et des 8 ha d'oliviers qui entourent la bastide provençale. Habillé d'une étiquette joliment calligraphiée, son vin agrée le regard par sa teinte rose pâle. Il dévoile des arômes de citron et de pamplemousse, signe d'une bonne maîtrise technique. Le côté fruité apparaît en bouche, souligné par une grande vivacité. Un rosé de grillade.

⊶ Marie-Laure Merlin, SCEA Dom. de Suriane, CD 10, 13250 Saint-Chamas, tél. 04.90.50.91.19, fax 04.90.50.92.80, e-mail marie-laure.merlin@laposte.net ☑ 🍷 t.l.j. sf dim. 9h-19h

DOM. LES TOULONS 2003 **

▒ 4 ha 20 000 ▮🍾 3 à 5 €

Ce domaine est implanté sur le site d'une vaste *villa* viticole romaine. Une antériorité dans la culture de la vigne comme beaucoup de propriétés du Bassin méditerranéen. Deux mille ans plus tard, voici un rosé structuré et expressif, né du grenache et de la syrah à parts égales. Il décline sa palette variée de framboise, de cassis, d'abricot et de pamplemousse jusque dans un palais équilibré et long. Un dégustateur conseille de le servir avec une viande blanche cuisinée, assortie de tranches d'ananas rôties.

⊶ Denis Alibert, Dom. Les Toulons, 83560 Rians, tél. 04.94.80.37.88, fax 04.94.80.57.57 ☑ 🍷 🚶 t.l.j. 8h-12h 14h-18h30; dim. 8h-12h

DOM. DE LA VALLONGUE 2003 *

□ 3 ha 5 000 ▮🍾 8 à 11 €

Cultivés en agriculture biologique, les 40 ha de ce domaine s'inscrivent dans le cadre des Alpilles, le long de la voie romaine qui rejoignait l'Espagne. Grenache blanc, rolle et sémillon à parts égales ont donné naissance à un vin jaune soutenu et brillant. Equilibré, celui-ci développe délicatement des arômes d'abricot, de pamplemousse, de miel et d'épices que l'on retrouve entourant une matière à la fois ronde et bien soutenue par la vivacité.

☛ Dom. de La Vallongue,
rte de Mouries, 13810 Eygalières,
tél. 04.90.95.91.70, fax 04.90.95.97.76,
e-mail vallongue@wanadoo.fr ☑ ⵝ 𝑋 r.-v.
☛ Héritiers Paul-Cavallier

CH. VIGNELAURE 2001 ★★

■	18 ha	44 000	⑪ 11 à 15 €

Vignelaure fut créé au tournant des années 1970 par Georges Brunet, qui anima beaucoup la vie viticole provençale. C'est un domaine en vue que David O'Brien acheta en 1995 et sut maintenir à un haut niveau. A la dégustation de ce 2001, élevé vingt-quatre mois en fût (dont un tiers de barriques neuves), on reconnaît sa grande maîtrise technique : les tanins sont fins, enveloppés d'une matière aux flaveurs de cacao et de moka. Les notes grillées accompagnent son expression jusqu'à la finale persistante. Attendez-le un ou deux ans : ce coteaux-d'aix n'en sera que meilleur.
☛ David O'Brien, Dom. Vignelaure,
rte de Jouques, 83560 Rians, tél. 04.94.37.21.10,
fax 04.94.80.53.39, e-mail info@vignelaure.com
☑ ⵝ 𝑋 t.l.j. 9h30-13h 14h-18h

Les baux-de-provence

Les Alpilles, chaînon le plus occidental des anticlinaux provençaux, est un massif érodé, au relief pittoresque taillé en biseau, fait de calcaires et calcaires marneux du crétacé. C'est le paradis de l'olivier. Le vignoble trouve également dans ce secteur un milieu favorable, sur les dépôts caillouteux très caractéristiques de cette région. Les grèzes litées sont peu épaisses et la fraction fine, dont dépend la réserve hydrique du sol, est importante. Au sein de l'AOC coteaux-d'aix-en-provence, ce secteur se distingue par une nuance climatique qui en fait une zone précoce, peu gélive, chaude et plus arrosée (650 mm).

Des règles de production plus affinées (rendement plus bas, densité plus élevée, taille plus restrictive, élevage d'au moins douze mois pour les vins rouges, minimum de 50 % de saignée pour les vins rosés), un encépagement mieux défini reposant sur le couple grenache-syrah, accompagné quelquefois du mourvèdre, sont à la base de la reconnaissance de cette appellation sous-régionale en 1995. Elle est réservée aux vins rouges (80 %) et rosés, et met en valeur un terroir original autour de la citadelle des Baux-de-Provence sur une superficie de 332 ha qui produit un volume de 8 269 hl en 2003.

MAS DE LA DAME Coin caché 2001 ★

■	3 ha	8 000	🍶👤 15 à 23 €

Ce coin caché, c'est celui peint par Van Gogh en 1889 : une vieille bastide du XVIIᵉs. avec ses 57 ha de

vignes. Sous une teinte sombre, le vin ne se cache pas... Il dispense avec subtilité ses arômes de fruits rouges et de pâte de coings, puis offre une bouche harmonieuse, bâtie autour de tanins serrés, à la saveur réglissée. Vous pourrez l'apprécier dès maintenant ou bien l'attendre deux ou trois ans. **La Stèle rouge 2001** (11 à 15 €), plus fraîche, est citée.
☛ Mas de la Dame, RD 5,
13520 Les Baux-de-Provence,
tél. 04.90.54.32.24, fax 04.90.54.40.67,
e-mail masdeladame@masdeladame.com ☑ ⵝ 𝑋 r.-v.
☛ Missoffe et Poniatowski

HOSPICE D'AUGE 2001 ★

■	6 ha	20 000	⑪ 5 à 8 €

Ancien hospice des moines de l'abbaye de Montmajour au XIVᵉs., le domaine situé dans la commune du moulin de Daudet a été le lieu de tournage du film *L'Arlésienne*. Issu de syrah, de mourvèdre et de cabernet-sauvignon à parts égales, son 2001 est empreint d'arômes boisés et de fruits à l'eau-de-vie. Sa longueur et son équilibre en font un vin de qualité, à boire maintenant ou à garder trois à quatre ans.
☛ Dom. d'Auge, 13990 Fontvieille,
tél. 04.90.54.62.95, fax 04.90.54.63.09,
e-mail olivierdauge@wanadoo.fr ☑ ⵝ 𝑋 r.-v.

CH. ROMANIN Cœur Quartus 2001 ★★

■	5 ha	8 000	🍶⑪👤 30 à 38 €

Colette Peyraud dirige désormais seule ce beau domaine de 58 ha partagé entre vignes, oliviers et amandiers, pour lequel son mari et elle avaient eu un coup de cœur en 1988. Quartus désigne le quatrième millésime d'une cuvée de prestige. Un Cœur de syrah, de grenache, de cabernet-sauvignon et de mourvèdre qui bat au rythme des fruits noirs mûrs, des épices et des notes animales. La bouche puissante a bien intégré le boisé, ce qui favorise l'expression veloutée des fruits en finale. Les tanins sont encore jeunes, mais ils sont le signe d'un avenir prometteur.
☛ SCEA Ch. Romanin,
13210 Saint-Rémy-de-Provence,
tél. 04.90.92.45.87, fax 04.90.92.24.36,
e-mail contact@romanin.com ☑ ⵝ 𝑋 r.-v.
☛ Peyraud

MAS SAINTE-BERTHE Cuvée Louis David 2002

■	5,5 ha	25 000	🍶⑪👤 8 à 11 €

Si vous passez au domaine, Geneviève Rolland vous présentera sans doute les différentes variétés d'oliviers qui poussent sur 4 ha, ainsi que les cépages complantés sur les 38 ha de vignoble. Elle vous contera aussi l'histoire du mas, maison aux champs à laquelle était accolée une chapelle dédiée à sainte Berthe au XVIᵉs. Cette cuvée de prestige présente un boisé bien dosé et des tanins soyeux qui participent à sa rondeur. Des arômes de cuir, de bâton de réglisse, d'épices tel le poivre complètent son profil. Le **rosé Passe-Rose 2003** (5 à 8 €) est cité également pour son agréable simplicité.
☛ GFA Mas Sainte-Berthe,
13520 Les Baux-de-Provence,
tél. 04.90.54.39.01, fax 04.90.54.46.17,
e-mail info@mas-sainte-berthe.com ☑ ⵝ 𝑋 r.-v.
☛ Rolland

DOM. DE TERRES BLANCHES
Cuvée Aurélia 2001 ★

■ 5 ha 20 000 ▮ 15 à 23 €

Voilà trente-quatre ans que Noël Michelin a créé son domaine, aujourd'hui fort de plus de 37 ha. Il a donné la faveur au cabernet-sauvignon (50 %) dans l'assemblage de ce vin, complété de syrah et de grenache. Un beau 2001 qui traduit bien la maturité des raisins par ses flaveurs de fruits rouges et noirs, son équilibre et sa texture de tanins serrés. L'élevage en foudre a laissé une élégante empreinte vanillée et épicée qui se mêle aux notes animales du nez. Un vin de garde, sans conteste (trois à cinq ans).

⊶ SCEA Dom. de Terres Blanches, rte de Cavaillon, 13210 Saint-Rémy-de-Provence, tél. 04.90.95.91.66, fax 04.90.95.99.04, e-mail terres.blanches@wanadoo.fr ☑ Ῑ ⛹ t.l.j. sf sam. dim. 10h-13h 15h-18h30

⊶ N. Michelin

DOM. DE LA VALLONGUE 2001

■ 25 ha 20 000 ⦀ 8 à 11 €

Six cépages, dont 50 % de grenache, entrent dans l'élaboration de ces baux-de-provence : ils ont été vinifiés par deux ou trois, avec une macération de quatorze jours. Il en résulte une couleur soutenue, ainsi qu'un caractère végétal et animal. La structure légère invite à servir ce vin sans tarder.

⊶ Dom. de La Vallongue, rte de Mouries, 13810 Eygalières, tél. 04.90.95.91.70, fax 04.90.95.97.76, e-mail vallongue@wanadoo.fr ☑ Ῑ ⛹ r.-v.

⊶ Héritiers Paul-Cavallier

Coteaux-varois

Les coteaux-varois sont produits dans le département du Var sur vingt-huit communes entre les massifs calcaires boisés. Les vins, à boire jeunes, sont friands, gais et tendres, à l'image de Brignoles, jolie petite ville provençale qui fut résidence d'été des comtes de Provence. Ils ont été reconnus en AOC par décret du 26 mars 1993 et recouvrent 2 155 ha ; rosés, rouges et blancs se partagent les 81 766 hl de l'AOC déclarés en 2003. Signalons, l'exception est méritée, que le siège du syndicat est dans l'ancienne abbaye de La Celle reconvertie en hôtel-restaurant de luxe sous la houlette de Alain Ducasse.

ABBAYE DE SAINT HILAIRE 2003 ★

■ 7,57 ha 49 400 ▮🌡 5 à 8 €

A 4 km d'Ollières, ne manquez pas de visiter la basilique royale de Saint-Maximin-la-Sainte-Baume, unique exemple de l'architecture gothique de Provence, dont vous admirerez la haute voûte et le mobilier. Rendez-vous ensuite à l'Abbaye de Saint Hilaire qui a produit ce rosé expressif, d'une teinte bois de rose. Plein et équilibré, le vin développe des arômes de fruits mûrs, un peu réglissés, qui ont enchanté les dégustateurs. A savourer avec du poisson de la Méditerranée et du fromage de chèvre. Pierre Burel possède également le Château de Clapiers à Bras dont le **rouge 2001** obtient une ciatation.

⊶ Abbaye de Saint Hilaire, rte de Rians, 83470 Ollières, tél. 04.98.05.40.12, fax 04.98.05.40.11, e-mail contact@abbayesainthilaire.com ☑ 🏠 🏠 Ῑ ⛹ r.-v.

⊶ Pierre Burel

DOM. DES ANNIBALS 2003 ★

■ 8 ha 30 000 ▮🌡 5 à 8 €

1762 : telle est la date de création du vignoble qui compte aujourd'hui 30 ha conduits en agriculture biologique sur ce terroir argilo-calcaire. Dans le caveau, vous découvrirez ce joli vin cristallin, aux tendres reflets roses, assemblage de grenache et de cinsault à parts égales. Au nez délicat, à dominante minérale, répond une bouche plus suave et généreuse qui trouve son équilibre grâce à une pointe de fraîcheur. Un rosé harmonieux destiné à un apéritif entre amis ou à l'accompagnement d'une tourte aux olives. Le **Domaine des Annibals rouge 2001**, encore jeune d'allure, bénéficie de tanins fins qui s'intègrent bien à la matière. Prêt à boire pour un plaisir simple, il est cité.

⊶ SCEA Dom. des Annibals, rte de Bras, 83170 Brignoles, tél. 04.94.69.30.36, fax 04.94.69.50.70, e-mail dom.annibals@wanadoo.fr ☑ Ῑ ⛹ t.l.j. 9h-19h

DOM. DU BAGUIER Odyssée 2001 ★

■ 2 ha 6 600 ▮🌡 5 à 8 €

Le domaine du Baguier, avec sa ferme du XVIII[e]s. et sa bergerie, est un ancien relais de charrois qui assuraient le transport de la glace fabriquée dans les glacières de Fontfrège. Aujourd'hui, on y fera halte pour déguster ce vin d'une couleur étonnamment profonde, aux reflets violacés et noirs. Déclinant des arômes chaleureux de pâte de coings, de confiture de prunes et de fruits confits, celui-ci offre une grande structure, enveloppée de flaveurs de fruits noirs et de réglisse. Les tanins sont encore très présents, mais ils promettent de s'affiner dans le temps pour donner à l'ensemble plus d'élégance encore.

⊶ Bernard Campenio, Dom. du Baguier, rte de Toulon, 83136 La Roquebrussanne, tél. 04.94.86.93.27, fax 04.94.86.97.07, e-mail b.campenio@libertysurf.fr ☑ Ῑ r.-v.

LA BASTIDE DES OLIVIERS 2003 ★

■ 4,15 ha 16 000 ▮🌡 5 à 8 €

Voici douze ans que Patrick Mourlan a créé ce domaine d'un peu moins de 10 ha, où il s'attache à pratiquer l'agriculture biologique. Son vin surprend au premier abord par son côté animal, mais bientôt il révèle des arômes avenants de fruits noirs mûrs. Equilibré, il déroule ses flaveurs fruitées en cascade jusqu'à la finale persistante, sans jamais les écraser par ses tanins. Il a néanmoins besoin de patienter entre un et quatre ans pour acquérir plus de rondeur. Le **rosé 2003**, aérien, vif, riche de notes exotiques, obtient lui aussi une étoile.

⊶ Patrick Mourlan, Dom. La Bastide des Oliviers, 1011, chem. Louis-Blériot, 83136 Garéoult, tél. 04.94.04.03.11, fax 04.94.04.03.11 ☑ Ῑ ⛹ r.-v.

CH. LA CALISSE 2003 ★★★

■ 1,5 ha 5 000 ▮🌡 8 à 11 €

Lorsque Patricia Ortelli est arrivée sur le terroir de cette ancienne magnanerie en 1991, elle a entrepris la complète restauration du vignoble. Aujourd'hui, le domaine compte 9,35 ha de vignes conduites en agriculture biologique ; il produit non seulement du vin, mais aussi de l'essence de lavandin (2 ha). Ce rosé a frôlé le coup de cœur. Explosant d'arômes exotiques et floraux, tendre et charnu, il se développe durablement au palais, laissant une sensation de volupté. Toutes les occasions seront bonnes pour l'apprécier, mais un dégustateur propose de l'accorder à une soupe de poisson de roche ou à un loup rôti au fenouil. Le **Château La Calisse blanc 2003** obtient une étoile pour sa souplesse.

⊶ Patricia Ortelli, Ch. La Calisse, RD 560,
83670 Pontevès, tél. 04.94.77.24.71, fax 04.94.77.05.93,
e-mail contact@chateau-la-calisse.fr ☒ Y 🚶 t.l.j. 9h-20h

DOM. DE CAMBARET Elevé en fût de chêne 2002

■ 4 ha 2 700 ◉ **5 à 8 €**

Sébastien Truc a rejoint son père sur ce domaine de 34 ha, dont les vignes se concentrent dans un vallon de Garéoult. Après un passage de douze mois sous bois, cette cuvée offre un nez complexe de fruits noirs (cassis, sureau) et de poivron nuancés d'épices. Franche, elle s'appuie sur une large structure tannique qui lui assurera un bon vieillissement. Une bouteille à boire ou à attendre, que vous ouvrirez une heure avant de la servir avec un menu automnal de chasse.

⊶ Francis Truc Père et Fils, 4, rue Louis-Cauvin,
83136 Garéoult, tél. 04.94.04.88.81, fax 04.94.04.88.81,
e-mail sebastien-truc@voila.fr ☒ Y 🚶 r.-v.

CH. DES CHABERTS Cuvée Prestige 2003 ★★

▒ 4 ha 13 000 5 à 8 €

Le vignoble s'étend au pied du massif forestier de la Loube, bien à l'abri des excès de la nature. C'est un terroir généreux, qui a donné tout son caractère à un rosé éclatant de couleur. Structuré et rond à la fois, ce 2003 aux arômes de fruits exotiques, d'une élégante délicatesse reste longuement en bouche. Une valeur sûre de l'appellation.

⊶ Ch. des Chaberts, 83136 Garéoult,
tél. 04.94.04.92.05, fax 04.94.04.00.97,
e-mail chaberts@wanadoo.fr
☒ 🚶 t.l.j. 9h-12h 14h-18h; dim. sur r.-v.

LES CAVES DU COMMANDEUR 2003 ★

■ 2 ha 6 500 ▮♁ 3 à 5 €

Un chevalier illustre l'étiquette de ce vin. Une référence au village de Montfort-sur-Argens, encore fièrement gardé par son château templier. La coopérative se distingue grâce à ce 2003 couleur violine, élégamment parfumé de fruits noirs et d'épices. Soyeux en milieu de bouche, le vin évolue vers une finale encore un peu austère, les tanins demandant à se fondre à la faveur d'une à trois années de garde.

⊶ Les Caves du Commandeur,
44, rue de la Rouguières, 83570 Montfort-sur-Argens,
tél. 04.94.59.59.02, fax 04.94.59.53.71,
e-mail cave.commandeur@free.fr ☒ Y 🚶 r.-v.

DOM. COULOMB Grand-père 2001

■ 1,5 ha 10 000 ▮ **3 à 5 €**

S'il a gardé un air de jeunesse dans ses reflets rubis et son bouquet discret, ce vin s'ouvre en bouche avec plus de franchise. Il évoque alors volontiers les fruits noirs et la confiture encore bouillonnante dans les bassines. Les tanins puissants se montrent très présents, mais ils devraient gagner en amabilité d'ici l'hiver prochain. Pour une viande rouge.

⊶ Patrick Apkarian, Les Plaines de L'aire,
83470 Seillons-Source-d'Argens, tél. 04.94.72.16.18,
e-mail patrickapkarian@wanadoo.fr ☒ Y 🚶 r.-v.

CH. LA CURNIERE 2003

▒ 3,75 ha 5 000 ▮♁ **8 à 11 €**

La bastide, la chapelle intérieure, le parc à la française remontent à la fin du XIXe s., époque où la vigne et la bauxite faisaient vivre le domaine. Aujourd'hui, Jacques et Michèle Pérignon proposent un vin tout en fraîcheur, aux notes d'agrumes rappelant le pamplemousse et la clémentine. Une impression d'élégance ressort de la robe pâle aux reflets verts comme de la vivacité plaisante de la bouche ou des flaveurs finales de pêche et d'abricot. A servir à l'apéritif, puis en accompagnement d'une daurade grillée.

⊶ Michèle et Jacques Pérignon, Ch. La Curnière,
83670 Tavernes, tél. 04.94.72.39.31, fax 04.94.72.30.06,
e-mail curniere@club-internet.fr
☒ 🏠 Y 🚶 t.l.j. 10h-13h 14h-19h

CH. DUVIVIER Les Mûriers 2001 ★

■ 5 ha 12 500 ▮◉♁ **11 à 15 €**

Au château Duvivier, on ne cesse de chercher à améliorer le vignoble reconverti à l'agriculture biologique : de nouveaux cépages sont ainsi à l'essai. Ce vin conjugue à parts presque égales la syrah et le cabernet-sauvignon, avec une touche de grenache. Habillé d'une robe de soirée à reflets violines et noirs, il laisse dans son sillage des parfums complexes de griotte, de mûre et de cassis. Une expression chaleureuse que l'on retrouve en bouche, soutenue par des tanins fondus et goûteux. La réglisse et le chocolat signent la dégustation d'un 2001 agréable aujourd'hui comme demain.

⊶ SCI Ch. Duvivier, La Genevrière,
rte de Draguignan, 83670 Pontevès,
tél. 04.94.77.02.96, fax 04.94.77.26.66,
e-mail antoine.kaufmann@chateau-duvivier.com
☒ Y 🚶 r.-v.

CH. DE L'ESCARELLE Les Belles Bastilles 2003 ★★

▒ 6 ha 30 000 ▮♁ 5 à 8 €

Au début du XXe s., François-Joseph Fournier, propriétaire de l'île de Porquerolles qu'il offrit à son épouse en cadeau de mariage, créa ce domaine : un vignoble de 105 ha aujourd'hui, planté sur un sol de cailloutis calcaires, adossé à la montagne de La Loube. Joli cadeau également que ce rosé ouvert sur les fruits exotiques et les notes minérales. Puissant et rond à l'attaque, il dévoile une vivacité harmonieuse qui semble porter le fruit jusqu'à la finale persistante. Une soupe de poisson de roche lui ira bien.

⊶ Ch. de L'Escarelle, 83170 La Celle,
tél. 04.94.69.09.98, fax 04.94.69.55.06,
e-mail l.escarelle@free.fr ☒ Y 🚶 r.-v.

DOM. DE FONTLADE Cuvée de l'Ermitage 2001

■ 3 ha 4 000 ◉ **5 à 8 €**

Un vin chatoyant, aux accents de pain d'épice, de venaison et de boisé discrets. La bouche souple et ronde possède de gentils tanins et s'agrémente d'une touche vanillée agréable. Les dégustateurs jugent que ce 2001 peut encore se bonifier à la garde. Alors patientez jusqu'en 2005-2006.

⊶ Baronne Philippe de Montrémy, Dom. de Fontlade,
83170 Brignoles, tél. 04.94.59.24.34, fax 04.94.72.02.88,
e-mail fontlade@aol.com ☒ Y 🚶 r.-v.

DOM. DE GARBELLE
Les Barriques de Garbelle 2003 ★★

■ 2 ha 2 000 8 à 11 €

La cuvée Les Barriques de Garbelle 2001 avait déjà obtenu un coup de cœur l'an passé ; elle se présente deux millésimes plus tard (2002 fut une année difficile) avec des qualités aussi prometteuses. D'un rouge profond, riche d'arômes de fruits, de poivre, de noix de cajou et de notes boisées, elle possède une matière pleine et structurée : le bois se manifeste encore à travers des flaveurs prononcées d'épices et de grillé, mais il saura se fondre à l'ensemble. Les dégustateurs misent sur son potentiel de vieillissement, car ce vin a suffisamment d'étoffe pour être gardé jusqu'en 2010.

Mathieu Gambini, Dom. de Garbelle, 83136 Garéoult, tél. 04.94.04.86.30 r.-v.

DOM. DE LA GAYOLLE 2003

1,5 ha 9 000 3 à 5 €

Le caveau de vente se situe à quelques kilomètres de la propriété, sur la RN 7, entre Tourves et Brignoles. Vous y découvrirez ce vin de rolle (90 %) et d'ugni blanc, à la robe jaune clair. Tout en finesse, il exprime des arômes de fruits mûrs, puis se montre rond et frais à la fois. Un équilibre harmonieux. Proposez à table un gaspacho de thon et de saumon frais : l'accord sera réussi.

Jacques Paul, Dom. de La Gayolle, La Celle, 83170 Brignoles, tél. 04.94.59.10.88, fax 04.94.72.04.34, e-mail paulgayolle@wanadoo.fr r.-v.

LA GRAND'VIGNE 2003 ★★

1,12 ha 8 000 3 à 5 €

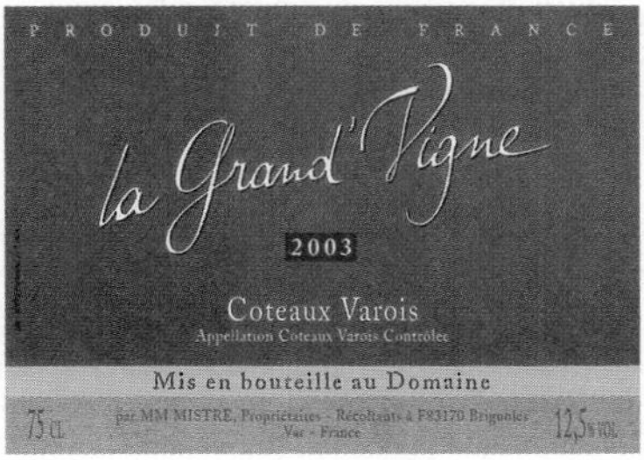

Installé à Brignoles, ce domaine de 6 ha propose un bel ambassadeur des rosés de Provence. Sous une teinte pâle brillante, ce 2003 dispense une corbeille de fruits, puis offre souplesse et finesse au palais. Son caractère plein et son fruité persistent longuement comme une invitation à le servir lors de repas conviviaux et gourmands.

MM Mistre, La Grand'Vigne, rte de Cabasse, 83170 Brignoles, tél. 04.94.69.37.16, fax 04.94.69.15.59, e-mail rmistre@club-internet.fr t.l.j. 8h-18h

DOM. DE LA JULIENNE Cuvée Joseph 2002 ★

■ 1,2 ha 6 000 5 à 8 €

Les vignes ont beau n'avoir que six ans sur ce domaine de 11 ha récemment constitué, elles ont donné naissance à un joli vin rouge sombre à reflets cerise, dont le nez conjugue les épices et les fruits noirs, nuancés d'une touche animale. La bouche croquante reflète bien le millésime par son caractère léger, puis trouve une agréable conclusion dans des flaveurs de myrtille et de cacao. A boire dès l'automne.

Marc Sicardi, Dom. de La Julienne, Ch. des Plaines, 83170 Tourves, tél. 04.94.78.78.76, fax 04.94.78.81.62 t.l.j. sf dim. 9h-19h

CH. LAFOUX Auguste 2003 ★★

1 ha 4 000 5 à 8 €

Ce domaine bâti à 350 m d'altitude, entre Tourves et Saint-Maximin, au cœur de la Provence verte, offre un bel exemple de résidence bourgeoise provençale du XVIIIe s. avec son allée de mûriers centenaires. Le rosé 2003, couleur bois de rose, dispense sans retenue des arômes de lilas, de cerise fraîche et de mangue. Alliant puissance, longueur et élégance, il est tout indiqué pour être servi dès l'apéritif et jusqu'en dessert. Le **Château Lafoux Auguste blanc 2003** obtient une étoile pour sa rondeur comme pour ses arômes d'agrumes et de fleurs.

SCAE Ch. Lafoux, RN 7, 83170 Tourves, tél. 04.94.78.77.86, fax 04.94.78.77.86 t.l.j. 9h-12h 14h-19h

CH. LA LIEUE 2003 ★

5,96 ha 34 000 5 à 8 €

Parcouru par la voie Aurélienne, ce domaine typiquement provençal, au cœur de 300 ha de forêt, possède 70 ha de vignes. Son 2003 jaune clair brillant fait preuve de délicatesse dans ses arômes de fruits blancs, de pamplemousse et d'aubépine. Son agréable fraîcheur reste équilibrée jusqu'à la finale toute fruitée. Dans un millésime difficile, la **cuvée Mathilde Philomène rouge 2002** a retenu l'attention du jury par son caractère épicé et sa structure qui lui garantit une bonne évolution dans les deux ans. Elle est citée.

EARL Famille Vial, Ch. La Lieue, rte de Cabasse, 83170 Brignoles, tél. 04.94.69.00.12, fax 04.94.69.47.68, e-mail chateau.la.lieue@wanadoo.fr t.l.j. 9h-12h30 14h-19h; dim. sur r.-v.

DOM. DU LOOU Rosée de Printemps 2003

6 ha 10 000 5 à 8 €

La Provence regorge de témoignages de l'implantation de la vigne lors de la conquête romaine ; ici, on a trouvé des traces d'une ferme viticole du IIe s. Le Président de l'appellation qui a beaucoup œuvré pour l'accession à l'AOC et, depuis, pour son développement qualitatif, est très attaché à l'Histoire. Les dégustateurs ont aimé ce vin très provençal. Printanier, ce rosé l'est bel et bien dans sa robe pâle et brillante. Des notes minérales annoncent la fraîcheur de la bouche souple et fruitée. A emporter dans le panier de pique-nique.

🔑 SCEA Di Placido, Dom. du Loou,
83136 La Roquebrussanne,
tél. 04.94.86.94.97, fax 04.94.86.80.11 ☑ 🍷 🚶 r.-v.

CH. MARGILLIERE Cuvée Hautes Terres 2001

■ 1 ha 5 000 ▮⬮⫯ 11 à 15 €

Les bâtiments de cette magnanerie du XVII[e]s. ont retrouvé leur charme d'antan et accueillent désormais séminaires et expositions, ainsi que le caveau de dégustation. Vous y goûterez sans doute ce 2001 dont le jury a apprécié l'allure encore jeune. Des notes douces de vanille et de coco accompagnent les arômes de cassis, tandis que la bouche se montre ample, bâtie sur des tanins qui demandent à se fondre. A attendre deux ou trois ans.

🔑 SCEA Ch. Margillière,
rte de Cabasse, 83170 Brignoles,
tél. 04.94.69.05.34, fax 04.94.72.00.98 ☑ 🍷 🚶 r.-v.
🔑 P. Caternet

CH. LA MARTINE Plaine des Dames 2003

■ 5,4 ha 26 000 ▮⫯ 3 à 5 €

De la jeunesse, c'est indéniable. Ce vin d'un rouge violacé libère des arômes très fruités, évocateurs de cerise et de mûre. Après une bonne attaque, il développe une chair pleine, mais les tanins apparaissent encore austères en finale. Laissez-lui entre un et quatre ans pour se policer.

🔑 SCEA Dom. Jaubert, Ch. La Martine,
RN560, 83860 Nans-les-Pins,
tél. 04.94.78.90.52, fax 04.94.78.66.49 ☑ 🍷 🚶 r.-v.

DOM. LA MERCADINE 2003

■ 1,87 ha 8 000 ▮⫯ 5 à 8 €

Lucie Moutonnet-Demirdjian a repris en 2001 le vignoble de son père et créé son domaine un an plus tard. Vous réserverez pour 2006 son vin d'un joli pourpre. Assez discret, mais prometteur par ses notes de fruits rouges et d'épices, il laisse toute la place aux tanins à ce jour. Il lui faut évoluer et s'ouvrir.

🔑 Lucie Moutonnet-Demirdjian,
Dom. La Mercadine, 83670 Pontevès,
tél. 04.94.77.12.05, fax 04.94.77.12.05 ☑ 🍷 🚶 r.-v.

CH. MIRAVAL 2003 *

□ 6 ha 30 000 ▮⫯ 8 à 11 €

Un cimetière romain, une chapelle du XVII[e]s. et la bâtisse du XVIII[e]s. témoignent de l'ancienneté de cette propriété. Un domaine bien connu des amateurs de vin, mais aussi des artistes car il possède un studio d'enregistrement. Un cadre idéal pour trouver l'inspiration. Ce vin pâle à reflets verts séduit d'emblée le regard, puis offre une partition d'arômes de tilleul et d'amande douce. Il exprime toute sa générosité dans une matière ample et ronde, avec le fruité pour refrain.

🔑 SA Ch. Miraval, 83143 Le Val,
tél. 04.94.59.12.96, fax 04.94.59.16.11 ☑ 🍷 🚶 r.-v.

LES RESTANQUES BLEUES 2002 *

■ 20 ha 10 000 ▮ 5 à 8 €

Au pied de la Sainte-Baume, le chaînon rocailleux se teinte de bleu au crépuscule : il a inspiré aux vignerons de la coopérative le nom de cette cuvée. Des reflets violacés donnent au vin un joli air de jeunesse, de même que les arômes de fruits rouges (groseille) nuancés de réglisse et de cuir. La matière équilibrée possède du volume et du gras, les tanins souples venant lui donner de l'élan pour se poursuivre longuement sur le fruit. Un vin à boire d'ici 2006.

🔑 Les Vignerons de la Sainte-Baume,
rte de Brignoles, 83170 Rougiers,
tél. 04.94.80.42.47, fax 04.94.80.40.85 ☑ 🍷 🚶 r.-v.

DOM. LA ROSE DES VENTS 2003 *

▒ 17 ha 100 000 ▮⫯ 5 à 8 €

Ce domaine familial d'une trentaine d'hectares, repris par Gilles et Josselin Baude il y a quelques années déjà, propose régulièrement de jolis rosés. Ainsi du 2003, ouvert et élégant, au bel éclat rose pâle. Rond et puissant, il persiste dans un registre floral très fin. Le choisir, c'est s'assurer d'un repas convivial. Le **Domaine La Rose des Vents rouge 2003** est cité pour ses arômes fruités et épicés. Il faut lui laisser le temps de s'assouplir.

🔑 Dom. La Rose des Vents, EARL Baude,
rte de Toulon, 83136 La Roquebrussanne,
tél. 04.94.86.99.28, fax 04.94.86.91.75,
e-mail rose.des.vents@infonie.fr
☑ 🍷 🚶 t.l.j. sf dim. lun. 9h-12h 14h-18h (été 15h-19h)
🔑 Baude-Josselin

CH. ROUTAS Rouvière 2003 *

▒ 16,4 ha 72 000 ▮⫯ 5 à 8 €

Seulement 20 % de la production sont vendus au domaine, le reste partant à l'export. Ce rosé séduira le plus grand nombre par ses nuances roses flatteuses, ses arômes briochés et fruités, sa fraîcheur harmonieuse. Il accompagnera agréablement une fricassée de moules au safran. La **cuvée Agrippa rouge 99 (8 à 11 €),** élevée en fût, mérite une étoile également : composée de syrah et de cabernet-sauvignon, elle présente un nez complexe et généreux, ainsi qu'une bouche riche. Pour aujourd'hui et demain.

🔑 SARL Rouvière-Plane,
Ch. Routas, Châteauvert, 83149 Bras,
tél. 04.98.05.25.80, fax 04.98.05.25.81 ☑ 🚶 r.-v.
🔑 Ph. Bieler

CELLIER DE LA SAINTE-BAUME 2003

■ 5 ha 35 000 ▮⫯ - de 3 €

Vous aurez plaisir à vous arrêter un moment dans le cloître du couvent royal qui jouxte la célèbre abbaye gothique de Saint-Maximin-la-Sainte-Baume. Après cette halte, vous reprendrez le chemin vers la cave coopérative qui propose ici un assemblage de syrah (60 %) et de grenache. Le nez retient l'attention par son caractère chaleureux de tabac blond et de grillé. Si les tanins apparaissent encore fermes, tous les composants sont là pour faire de ce 2003 un bon vin. Il leur reste à s'harmoniser.

🔑 Le Cellier de la Sainte-Baume,
83470 Saint-Maximin-la-Sainte-Baume,
tél. 04.94.78.03.97, fax 04.94.78.07.40 ☑ 🍷 🚶 r.-v.

DOM. SAINT JEAN DE VILLECROZE 2002 **

■ n.c. n.c. 5 à 8 €

Ce 2002 a été élevé avec grand soin dans les caves de cet ancien domaine des Templiers (saint Jean est le patron des Templiers). Dans sa robe rubis profond, il s'ouvre sur un bouquet riche de notes empyreumatiques et de senteurs de kirsch. La matière intense et puissante s'appuie sur des tanins nobles, agrémentés d'un boisé élégant qui laisse en finale des nuances de torréfaction, de noix de coco et d'épices. Pas d'inquiétude, ce vin pourra être conservé de cinq à sept ans.

♠ SA Dom. Saint-Jean, 83690 Villecroze,
tél. 04.94.70.63.07, fax 04.94.70.67.41,
e-mail stjean@club-internet.fr ☑ ⊤ ⚹ r.-v.
♠ F. Caruso

DOM. DE SAINT-JEAN-LE-VIEUX 2003 ★

	1,12 ha	4 000	∎⬥	3 à 5 €

Profitez d'un jour de récital pour entrer dans la basilique de Saint-Maximim et entendre ses grandes orgues d'époque classique. Au domaine de Saint-Jean-le-Vieux, ce n'est pas le classicisme que vous rechercherez, mais l'originalité aromatique de ce rosé qui se décline dans un registre anisé et épicé. La bouche, bien équilibrée entre rondeur et fraîcheur, accentue le caractère méditerranéen du vin par des notes de garrigue, de sauge et de laurier. Un dégustateur gourmand propose des pâtes fraîches au pistou pour accord. Cité, le **Grand Clos rouge 2001 (5 à 8 €)**, suave et riche d'arômes de cassis, est à réserver à des tajines.
♠ Dom. de Saint-Jean-le-Vieux, 317, rte de Bras, 83470 Saint-Maximin-la-Sainte-Baume, tél. 04.94.59.77.59, fax 04.94.59.73.35, e-mail saint-jean-le-vieux@wanadoo.fr ☑ ⊤ ⚹ t.l.j. sf dim. 8h-12h30 14h-19h
♠ Pierre Boyer

CH. SAINT-JULIEN Elevé en fût de chêne 2003 ★

	5 ha	40 000	◫	5 à 8 €

Depuis dix ans, la famille Garrassin n'a cessé d'investir, de rénover et de restructurer le domaine : 30 ha ont ainsi été replantés. Ce vin aux parfums de confiture de mûres et de cuir se développe autour d'une solide structure. Ses tanins au joli grain commencent à se fondre structurant une matière dense et fruitée, chaleureuse en finale. Conservez-le au moins un an et jusqu'en 2010.

♠ EARL Dom. Saint-Julien, 83170 La Celle, tél. 04.94.59.26.10, fax 04.94.59.26.10, e-mail info@domaine-st-julien.com ☑ ⊤ ⚹ t.l.j. sf dim. lun. 14h-18h
♠ M. Garrassin

CH. THUERRY 2003 ★★

		4 ha	13 000	∎⬥	5 à 8 €

Une imposante bastide dont les origines remontent aux Templiers côtoie un chai ultramoderne. Sans doute les plus vieux ceps de cinsault du domaine (1927) ont-ils contribué à l'expression de ce rosé séduisant. Un teint des plus pâles, des flaveurs élégantes de fleurs et de fruits exotiques, une chair tendre et goûteuse, parfaitement équilibrée en font un vin câlin. Le **Château Thuerry blanc 2003** est un vin moderne, jouant sur le volume et la rondeur autour d'une expression exotique et poivrée. Il brille d'une étoile.
♠ Ch. Thuerry, 83690 Villecroze, tél. 04.94.70.63.02, fax 04.94.70.67.03, e-mail thuerry@aol.com ☑ 🏠 🏠 ⊤ ⚹ r.-v.
♠ Croquet

CH. TRIANS 2003

	6 ha	26 600	∎	5 à 8 €

Implantés en coteau, à 350 m d'altitude, et exposés au nord-ouest, les 20 ha de vignes du château Trians bénéficient d'une maturation tardive. Ce rosé issu en partie de saignée se présente sous une teinte pâle et brillante. D'un fruité confituré, il s'ouvre avec franchise, puis offre rondeur et équilibre.
♠ Dom. de Trians, chem. des Rudelles, 83136 Néoules, tél. 04.94.04.08.22, fax 04.94.04.84.39, e-mail trians@wanadoo.fr ☑ ⊤ t.l.j. 8h-12h 14h-18h
♠ J. L. Masurel

PROVENCE

La Corse

Une montagne dans la mer : la définition traditionnelle de la Corse est aussi pertinente en matière de vins que pour mettre en évidence ses attraits touristiques. La topographie est en effet très tourmentée dans toute l'île, et même l'étendue que l'on appelle la côte orientale – et qui, sur le continent, prendrait sans doute le nom de costière – est loin d'être dénuée de relief. Cette multiplication des pentes et des coteaux, inondés le plus souvent de soleil mais maintenus dans une relative humidité par l'influence maritime, les précipitations et le couvert végétal, explique que la vigne soit présente à peu près partout. Seule l'altitude en limite l'implantation.

Le relief et les modulations climatiques qu'il entraîne s'associent à trois grands types de sols pour caractériser la production vinicole, dont la majeure partie est constituée de vins de pays et de vins de table. Le plus répandu des sols est d'origine granitique ; c'est celui de la quasi-totalité du sud et de l'ouest de l'île. Au nord-est se rencontrent des sols de schistes, et, entre ces deux zones, existe un petit secteur de sols calcaires.

Associés à des cépages importés, on trouve en Corse des cépages spécifiques d'une originalité certaine, en particulier le niellucciu, au caractère tannique dominant et qui excelle sur le calcaire. Le sciacarellu, lui, présente plus de fruité et donne des vins que l'on apprécie davantage dans leur jeunesse. En blanc, le vermentinu (ou malvoisia) est, semble-t-il, apte à produire les meilleurs vins des rivages méditerranéens. En 2003, la Corse a produit en AOC 11 200 hl de vin blanc sec, 54 000 hl de rosé, 43 500 hl de rouge et 2 800 hl de muscat-du-cap-corse.

En règle générale, on consommera plutôt jeunes les blancs et surtout les rosés ; ils iront très bien sur tous les produits de la mer et avec les excellents fromages de chèvre du pays, ainsi qu'avec le brocciu. Les vins rouges, eux, conviendront, selon leur âge et la vigueur de leurs tanins, aux différentes préparations de viande et, bien sûr, à tous les fromages de brebis. A noter que certains grands vins blancs, passés ou non en bois, ont une belle aptitude au vieillissement.

Corse ou vins-de-corse

Les vignobles de l'appellation corse ou vins-de-corse couvrent une superficie de 2 310 ha, soit 75 % de la superficie totale d'AOC en production. Selon les régions et les domaines, les proportions respectives des différents cépages ajoutées aux variétés des sols apportent des tonalités diverses qui, dans la plupart des cas, justifient une indication spécifique de la micro-région dont le nom peut être associé à l'appellation (Coteaux-du-Cap-Corse, Calvi, Figari, Porto-Vecchio, Sartène). L'AOC corse peut être produite sur l'ensemble des terroirs classés de l'île, à l'exception de l'aire d'appellation patrimonio. La majeure partie des 86 350 hl vinifiés (dont 71 % en rouge et rosé) est issue de la côte orientale, où cinq coopératives occupent une place prépondérante.

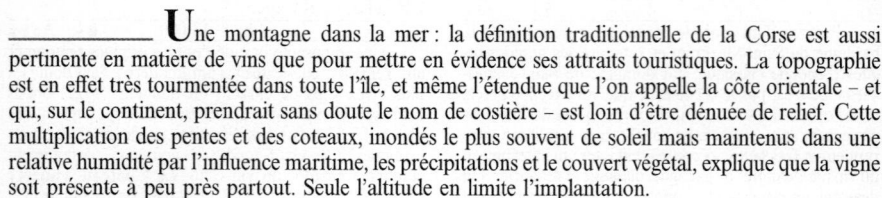

DOM. AGHJE VECCHIE Porto Vecchio 2003

■ 3,3 ha 21 000 5 à 8 €

Repris en main depuis quatre ans par Florence Giudicelli, énergique vigneronne, fille du propriétaire, ce joli vignoble d'une vingtaine d'hectares est cité cette année pour ses cuvées rouge et **blanc 2003**. Le rouge est encore un peu tannique et devra être attendu quelques mois pour être dégusté sur une charcuterie du pays. Le blanc, sur des notes d'ananas et de fruits exotiques, s'appréciera sur une grillade de poisson.

Jacques Giudicelli,
Dom. Aghje Vecchie,
20230 Canale-di-Verde,
tél. 06.03.78.09.96, fax 04.95.38.03.37,
e-mail jerome.girard@attglobal.net r.-v.

DOM. D'ALZIPRATU
Calvi Cuvée Fiumeseccu 2003 ★★

■ 5 ha 30 000 5 à 8 €

Pierre Acquaviva est devenu au fil des années un sérieux ambassadeur de la viticulture calvaise, mais également un acteur de la filière viticole corse. Il n'en a pas pour autant négligé son vignoble et sa cave ; aussi figure-t-il cette année dans les trois couleurs pour sa cuvée Fiumeseccu, du nom du cours d'eau voisin de sa propriété. Sur un millésime exceptionnellement chaud, il propose un très beau rosé de couleur plus soutenue qu'à l'habitude, très agréable au nez sur des notes de petits fruits printaniers augmentées de pointes amyliques fort agréables. Une bouche longue et soyeuse vient compléter ce très joli tableau. Une salade de fruits exotiques lui conviendra, mais il se tiendra parfaitement à l'apéritif. Le **Fiumeseccu rouge 2003**, une étoile, joue sur la finesse et l'élégance, surfant sur de petites pointes réglissées. Au temps du vin plaisir, en voici un digne représentant. Enfin, le **Fiumeseccu blanc 2003**, bien typique du vermentinu dont il se réclame, est cité pour ses qualités rafraîchissantes.

Pierre Acquaviva, Dom. d'Alzipratu, 20214 Zilia,
tél. 04.95.62.75.47, fax 04.95.60.32.16
t.l.j. sf dim. 8h30-12h 14h-18h

DOM. CASABIANCA Cirnea 2002 ★

■ 7,5 ha 40 000 3 à 5 €

La gamme Cirnea du domaine Casabianca est très réussie dans les trois couleurs. Le rouge 2002 est un beau vin intense au caractère minéral révélé par une bonne structure et des tanins fins. Le **rosé 2003**, saumoné, au nez intense et fruité s'épanouit en bouche grâce à un bon équilibre et à des arômes de rose très séducteurs. Quant au **blanc 2003**, il brille comme un soleil et possède les belles qualités et la typicité du cépage vermentinu bien vinifié : complexité aromatique d'agrumes frais et de fleurs blanches, rondeur et longueur en bouche.

SCEA du Dom. Casabianca,
Coteaux de Santa Maria, 20230 Bravone,
tél. 04.95.38.96.08, fax 04.95.38.81.91,
e-mail domainecasabianca@wanadoo.fr r.-v.

CLOS D'ORLEA 2002 ★★★

■ 17 ha 100 000 3 à 5 €

Un grand coup de chapeau à François Orsucci pour ce coup de cœur sur ce millésime très difficile : c'est là que la réussite est la plus grande. Très beau vin typé et remarquable en tous points. Une très belle couleur foncée et intense, un nez divin aux accents de fruits mûrs, de pruneau et de notes fumées, une bouche magnifique très bien structurée par le cépage niellucciu : un vin à la typicité exemplaire. Le **blanc 2003**, très typé par le cépage vermentinu, mérite bien son étoile. Brillant, il a des parfums fins et discrets, un goût séduisant d'amande amère et d'agrumes... Beaucoup de poésie dans les vins de François Orsucci, qui pourraient illustrer à la perfection la pensée d'Omar Khayyam qui affirme boire du vin « pour respirer un moment hors de lui-même... »

François Orsucci,
Le Clos d'Orléa, 20270 Aléria,
tél. 04.95.57.13.60, fax 04.95.57.09.64,
e-mail francois.orsucci@wanadoo.fr
t.l.j. sf dim. 9h-12h 14h-19h

LE CLOS MARC-AURELE Figari 2001 ★

■ 2 ha 7 000 8 à 11 €

Jean-Baptiste de Peretti della Roca a créé la cuvée Alexandra en 1996 pour l'offrir à sa fille née cette année-là. Dans le même esprit, il enrichit sa gamme du Clos Marc-Aurèle, prénom de son fils né en 1998. Cette petite cuvée produite à 7 000 exemplaires a été appréciée par le jury pour son côté minéral et épicé en bouche, sur fond de fruits rouges. Un vin harmonieux et velouté à boire pour le plaisir, accompagné d'un gigot d'agneau à la ficelle. La **cuvée Alexandra rouge 2002**, d'un boisé vanillé, est appréciée pour son grain soyeux. La **cuvée Alexandra blanc 2003**, équilibrée, sera servie à l'apéritif, accompagnée de petits canapés au fromage de chèvre. Ces deux vins obtiennent une citation.

La Corse

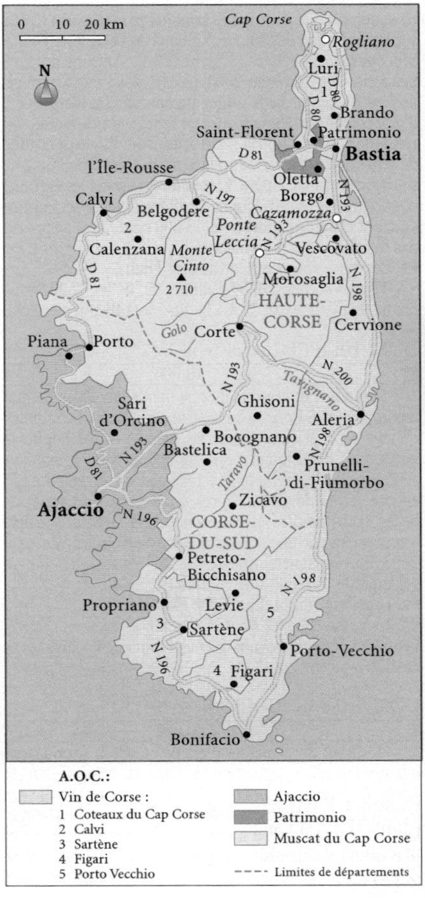

CORSE

⊶ Jean-Baptiste de Peretti della Rocca, Dom. de Tanella, 20114 Figari, tél. 04.95.70.46.23, fax 04.95.70.54.40, e-mail tanella@wanadoo.fr ☒ Y 🚶 r.-v.

CLOS MILLELI 2003

■ 95 ha 530 000 ▮🌡 3 à 5 €

Les vignerons d'Aghione présentent cette année un Clos Milleli rosé, en robe saumonée claire et brillante. Agréable par ses parfums de violette, il offre une bouche au bon équilibre alcool-acidité. Rafraîchissant. Le **blanc 2003**, élégant, un peu fermé, représente bien son cépage. A déguster sur une salade de poulpe. La **cuvée Amphore de Corse rosé 2003** est également retenue pour sa couleur très franche et son équilibre en bouche. Un rosé à boire au repas sur une salade de pâtes aux épices.

⊶ Cave coop. d'Aghione, Samuletto, 20270 Aghione, tél. 04.95.56.60.20, fax 04.95.56.61.27, e-mail coop.aghione.samuletto@wanadoo.fr ☒ Y t.l.j. sf sam. dim. 8h-12h 13h30-17h30

CLOS POGGIALE 2003 ★★

■ 3 ha 13 000 ▮ 8 à 11 €

Le groupe Skalli, présent en Corse, possède un très beau domaine, tenu de main de maître par Christian Costa, sur la commune de Tallone, au bord de l'étang de Diana. Son épouse, Elise, avec le même talent, s'occupe des vinifications. Coup de cœur 2004 avec le Clos Poggiale rouge, ils font découvrir cette année un somptueux blanc 2003, d'une pâleur cristalline piquée de reflets verts brillants. On remarque à l'olfaction la générosité aromatique de ce cru : de belles notes d'amande grillée, une pointe de menthol, un soupçon d'orange amère. L'équilibre est complet avec une bouche ample et rafraîchissante. Il faudra vite acquérir ce vin dont la petite production (13 000 bouteilles) ne pourra pas satisfaire tous les amateurs.

⊶ Les Vignerons des Coteaux de Diana, SA Terra Vecchia, 20270 Tallone, tél. 04.95.57.20.30, fax 04.95.57.08.98 ☒ Y 🚶 t.l.j. 9h-13h 14h-18h

DOM. FILIPPI Capo di Terra 2002 ★★

■ n.c. 40 000 ▮🌡 5 à 8 €

On pourrait presque dire : « même vigneron, mêmes récompenses ». Pour sa cuvée Capo Di Terra, le domaine obtient en effet cette année les mêmes – très bonnes – notes. Les dégustateurs ont admiré la robe rouge très soutenu mais légèrement plus tuilé que son cousin. Le nez encore fermé dévoilera, après un passage en carafe, de belles notes épicées et chocolatées. Sa structure souple s'appréciera sur une viande de charolais grillée. Le **rosé 2003** accompagnera une soupe de fraises au vinaigre balsamique. Il reçoit une citation.

⊶ Toussain Filippi, La Ruche Foncière, 20215 Vescovato, tél. 04.95.58.40.80, fax 04.95.36.40.55, e-mail la-ruche-fonciere@wanadoo.fr ☒ Y 🚶 r.-v.

DOM. FIUMICICOLI Sartène 2003 ★★

■ 20 ha 80 000 ▮🌡 8 à 11 €

Le nom du domaine n'est pas facile à prononcer : « fioumitchicoli » (attention à l'accent tonique sur le « tchi »). C'est pourquoi l'on entend souvent à la table des restaurants : « nous prendrons un « Fiumi » ! Le sommelier sait alors ce qu'il a à faire. Cette année, il descendra plus que probablement chercher un rosé 2003 qui, drapé de rose pâle séduisant, s'ouvre sur des notes de fruits exotiques et de noix de cajou. D'une attaque en bouche fraîche et intense, il laisse un long souvenir après dégustation. Voici un beau rosé d'apéritif à déguster entre amis, en attendant les entrées. Pour les fidèles, le repas se poursuivra avec la cuvée **Vassilia rouge 2002 (15 à 23 €)**, en robe claire, à la bouche très ronde et légèrement boisée. Ce vin cité soutiendra un levraut à la broche.

⊶ EARL Andréani, Dom. Fiumicicoli, rte de Levie, 20100 Sartène, tél. 04.95.76.14.08, fax 04.95.76.24.24 ☒ Y 🚶 r.-v.

DOM. DE GRANAJOLO 2002

■ 11 ha 39 000 ▮🌡 3 à 5 €

Le vignoble du domaine de Granajolo est cultivé en agriculture biologique depuis sa plantation par André Boucher en 1976. Certifié en 1987, vinifié en prestation de service au sein de la Coopérative de la Marana, il a connu en 2003 une évolution importante puisqu'il s'est doté d'un outil de vinification implanté sur le domaine. Monika Boucher et sa fille Gwenaële, œnologue, ont proposé trois couleurs appréciées par le jury avec un **blanc 2003 (5 à 8 €)** encore fermé mais bien équilibré et un **rosé 2003** velouté en bouche. Le rouge aux notes animales, assez rond en bouche, est un vin plaisir à boire sur un pavé de bœuf à l'échalote.

⊶ Monika et Gwenaële Boucher, 20144 Sainte-Lucie-de-Porto-Vecchio, tél. 04.95.71.40.34, fax 04.95.71.57.36, e-mail granajolo@aol.com ☒ Y 🚶 r.-v.

HOMMAGE AU FONDATEUR 2001 ★★

■ 6 ha 35 000 ▮ 5 à 8 €

Il n'est pas aisé de conduire un domaine aussi vaste (255 ha) qui produit des AOC et des vins de pays dans les trois couleurs. Pourtant, il semblerait que Dionysos ait décidé d'apporter sa bienveillante protection, puisque depuis de nombreuses années la propriété de Jean Bernardin et Emilie Casabianca est présente dans le Guide, avec parfois des coups de cœur. Cette bouteille reçoit des commentaires dithyrambiques : superbe, très typée, ample. Ce beau rouge très foncé, même s'il peut déjà être apprécié, mérite la patience de l'amateur. Le **blanc 2003** de la même gamme est cité pour sa jolie prestance aromatique et son équilibre. Le **Domaine Casabianca rouge 2002 (3 à 5 €)** est aromatiquement intense et puissant ; il dévoile des fruits rouges bien mûrs, porteurs de belles promesses. Le **rosé 2003 (3 à 5 €)**, très pâle, à la bouche enjôleuse, longue et équilibrée, est à boire sur du poisson grillé. Ces deux dernières cuvées obtiennent chacune une étoile.

⊶ SCEA du Dom. Casabianca, Coteaux de Santa Maria, 20230 Bravone, tél. 04.95.38.96.08, fax 04.95.38.81.91, e-mail domainecasabianca@wanadoo.fr Y r.-v.

DOM. MAESTRACCI Calvi E Prove 2001 ★

■ 9,5 ha 40 000 ▮ ◖◗ 🌡 8 à 11 €

Au fil des années, Michel Raoust démontre son talent de vigneron, révélé par une présence régulière dans le Guide pour toutes ses cuvées. 2005 ne déroge pas à la règle, avec ces cinq vins sélectionnés. Celui-ci évolue sur des notes de fruits cuits et de noisette, enrobé d'un boisé vanillé très fondu, velouté et long en bouche. Les **rosés E prove 2003** et **Reginu 2003 (5 à 8 €)** sont cités pour leurs qualités rafraîchissantes qui en font deux jolis vins à partager entre amis en fin d'après-midi. Les **blancs E prove 2003** et

Reginu 2003 (5 à 8 €) obtiennent également une citation pour leurs arômes de fleurs blanches, tilleul et chèvrefeuille, complétés par la présence de notes d'agrumes rappelant le vermentinu dont ils sont issus.

⊶ Michel Raoust, Clos Reginu, rte de Santa Reparata, 20225 Feliceto, tél. 04.95.61.72.11, fax 04.95.61.80.16, e-mail clos.reginu@wanadoo.fr

☒ Y ✶ été t.l.j. sf dim. 9h-12h 14h-19h30

DOM. DU MONT SAINT-JEAN 2003 ★★

■ 8 ha 40 000 ▮ 3 à 5 €

Le domaine du Mont Saint-Jean est une propriété familiale créée en 1960. Situé sur les coteaux d'Antisanti, sur une surface de 94 ha de terroir argilo-caillouteux, il est dirigé par Roger Pouyeau, vigneron à l'éternel sourire, accompagné de son épouse et de sa fille. Ses vins – à son image – sont joyeux et généreux, tel ce rouge 2003 qui obtient cette année deux étoiles. Il est habillé des plus sombres grenat. Le nez, très jeune, vient déjà sur la violette et le sous-bois. La bouche, fringante, est d'une belle élégance, épicée sur le poivre blanc et le cuir. A attendre quelques mois pour l'offrir sur un tajine de pigeon aux fruits secs. En 2001, Roger Pouyeau mettait en marché deux nouvelles cuvées : le **Santuniolu rouge 2003** et le **Castellu Vecchiu blanc 2003** sont cités pour leur harmonie générale.

⊶ Dom. du Mont Saint-Jean,
Campo Quercio - Antisanti, BP 19, 20270 Aléria,
tél. 04.95.57.13.21, fax 04.95.38.50.29,
e-mail montstjean@wanadoo.fr ☒ Y ✶ r.-v.

PERAGNOLO 2002 ★★

■ 30 ha 30 000 ▮ 5 à 8 €

Vinifié en cave particulière au sein de la Cave de la Marana, le domaine Filippi dont le vignoble se situe en grande partie sur le territoire de Bravone, est habitué aux distinctions dans le Guide. Il présente cette année un remarquable Peragnolo rouge 2002 en robe rubis profond. Les arômes de fruits mûrs, agrémentés de quelques notes de prunes cuites, se complètent en bouche par un soutien très velouté. A choisir pour un bon gigot d'agneau corse. Le **rosé 2003** est cité pour son harmonie générale.

⊶ Toussain Filippi,
La Ruche Foncière, 20215 Vescovato,
tél. 04.95.58.40.80, fax 04.95.36.40.55,
e-mail la-ruche-fonciere@wanadoo.fr ☒ Y ✶ r.-v.

DOM. PERO-LONGO Sartène Tradition 2002 ★

■ 15 ha 20 000 ▮ 5 à 8 €

Situé non loin du fameux Lion de Rocca Pina, lieu de visite incontournable entre Sartène et Figari, à l'extrémité sud de la Corse, ce joli domaine vinifie dans sa propre unité depuis 1996. S'essayant au vignoble à la biodynamie, Pierre Richarme vinifie de manière très traditionnelle et revendique cette méthode. Il propose ainsi un rouge 2002, issu de niellucciu, dont on remarque le côté poivré au nez et les notes mentholées et légèrement anisées en bouche, caractères plutôt inhabituels sur cette couleur. Le **rosé 2003**, tendre, est lui aussi plébiscité pour son côté réglissé et sa douceur en bouche. Un vin à servir au dessert sur un fruit cuit caramélisé, aromatisé à la cannelle.

⊶ Pierre Richarme, lieu-dit Navara, 20100 Sartène,
tél. 04.95.77.10.74, fax 04.95.77.10.74 ☒ Y ✶ r.-v.

DOM. DE PIANA 2003 ★★

□ 15 ha n.c. ▮ 5 à 8 €

Le domaine de Piana est situé sur la commune de Linguizzetta. La vinification s'opère au sein d'une ancienne structure coopérative rachetée par Ange Poli dans les années 1990, et modernisée afin d'apporter la technologie nécessaire à l'élaboration de vins de grande qualité. Les enfants d'Ange Poli, Eric et Antoine, assurent les vinifications et l'élevage des vins. Ce remarquable rosé, issu à 70 % de niellucciu et à 30 % de grenache, porte une robe claire aux reflets légèrement orangés. Le nez très intense sur le poivre vert et la fraise convie à porter ce vin en bouche, où l'on remarque les notes marines en équilibre avec une vivacité rafraîchissante. Un rosé à boire seul, à l'apéritif, pour le plaisir. Le **blanc 2003** est cité pour sa typicité et sa fraîcheur.

⊶ Ange Poli, 20230 Linguizzetta,
tél. 04.95.38.86.38, fax 04.95.38.94.71 ☒ Y ✶ r.-v.

DOM. PIERETTI Coteaux du Cap Corse Sélection Vieilles Vignes 2003 ★★

□ 2,5 ha 13 300 ▮ 5 à 8 €

Lina et Alain Venturi apportent un soin particulier à leur parcelle de vermentinu, située sur un très beau coteau à l'entrée de la marine de Santa-Severa. Dans cette microrégion toujours très ventée, le vignoble doit être extrêmement bien conduit pour donner le meilleur de lui-même. Ce millésime particulier exigeait aussi de réelles compétences œnologiques. Forte de ce double savoir-faire, Lina présente un blanc cristallin, aux arômes très expressifs de fleurs de tilleul et de muguet, équilibré en bouche, avec un rappel aromatique floral complété par quelques notes d'agrumes tels que pamplemousse et citron. L'apéritif lui conviendra, mais il accompagnera aussi bien un plateau de fruits de mer ou un poisson grillé. Voici un excellent ambassadeur des blancs de Corse.

⊶ Angeline Venturi, Santa-Severa, 20228 Luri,
tél. 04.95.35.01.03, fax 04.95.35.01.03 ☒ Y ✶ r.-v.

DOM. RENUCCI Calvi Cuvée Vignola 2003 ★★★

▒ 7 ha 15 000 ▮ 8 à 11 €

Situé dans la très belle vallée du Reginu, le vignoble de Bernard Renucci est un modèle cultural sur un très beau terroir. Toujours présent dans le Guide, il éblouit cette année les dégustateurs, avec cet exceptionnel rosé 2003 de la cuvée Vignola qui obtient un coup de cœur. Ce rosé très poétique, élaboré à partir de 70 % de sciacarellu, est vêtu d'une très belle robe rose vif, entourée de senteurs très intenses de types cerise et citron. La bouche fruitée, ample et complexe possède quelques notes amyliques souvent apportées par la macération pelliculaire avant fermentation. A boire « frappé », sur des plats épicés. Le **blanc Cuvée Vignola 2003** est quant à lui très réussi. Issu également d'une macération pelliculaire pré-fermentaire, il est élevé sur lie. Beaucoup de typicité avec des notes d'agrumes et de fruits exotiques au nez, une saveur complexe, une belle attaque et un bon équilibre en bouche.

⊶ Bernard Renucci, 20225 Feliceto,
tél. 04.95.61.71.08, fax 04.95.61.71.08 ☒ Y ✶ r.-v.

DOM. RENUCCI Calvi 2003 *

■ 7 ha n.c. ■ 5 à 8 €

Le rosé et le blanc en cuvées principales 2003 obtiennent chacun une étoile. Le rosé est issu d'un assemblage différent de la cuvée Vignola avec 40 % de nielluciu et 40 % de sciacarellu. Il est vinifié après une pressée directe qui lui confère un caractère plus classique, avec une belle couleur très claire aux reflets argent, un nez expressif de fruits rouges et une bouche ronde et équilibrée. Le **Domaine Renucci blanc 2003 de pressée directe** a séduit le jury par son déploiement intense de fragrances complexes à dominante agrumes. En bouche, après une attaque fraîche, il s'épanouit sur des accents exotiques grâce à un excellent équilibre. Sa lente finale s'appuie sur une note de pierre à fusil.

Bernard Renucci, 20225 Feliceto, tél. 04.95.61.71.08, fax 04.95.61.71.08 r.-v.

RESERVE DU PRESIDENT 2002 *

■ 120 ha 800 000 ■ 3 à 5 €

La Réserve du Président est le vin de bataille de la cave coopérative d'Aléria. Le nom de la cuvée ne fait pas (contrairement aux idées reçues) référence au premier personnage de l'Etat, mais au président-fondateur de la cave, en 1958. Elle présente de réelles qualités avec de beaux arômes de fruits rouges, d'épices et une touche empyreumatique. Porté en bouche, ce 2002 laisse découvrir un palais puissant, sans agressivité, avec un rappel de la note torréfiée évoquée au nez. Toutes les conditions sont réunies pour en faire un vin de garde à déguster fin 2005 sur un veau corse mariné. Le **rosé 2003**, à la jolie robe saumonée, rappelle en bouche ses origines, par ses notes de maquis.

Union des Vignerons de l'Ile de Beauté, Cave coop. d'Aléria, 20270 Aléria, tél. 04.95.57.02.48, fax 04.95.56.15.86, e-mail cavecoopaleria@aol.com r.-v.

DOM. SAN'ARMETTU Sartène 2002 *

■ 5 ha 32 000 ■ 5 à 8 €

La propriété a été créée en 1964 par Paul Seroin. Depuis 1996, date de création de leur propre cave, Paul et Gilles, son fils, vinifient leur production au domaine. D'une surface de 25 ha, ce joli vignoble a donné en 2002 un rouge en cape grenat, issu de 60 % de sciacarellu qui a séduit les dégustateurs par ce côté poivré et légèrement iodé si typique du cépage, sur une structure délicate. Il sera au mieux sur un lapin en papillote. Le **blanc 2003,** également très réussi, allie typicité par son côté agrumes sur le citron et l'orange douce à quelques notes en bouche de miel et de pain d'épice. Il ne faudra pas hésiter à le servir sur un dessert chocolaté.

EARL San'Armettu, Les Cannes, 20113 Olmeto, tél. 04.95.76.05.18, fax 04.95.76.24.47 t.l.j. sf sam. dim. 8h-17h

Gilles Seroin

DOM. SAN MICHELE Sartène 2002

■ 10 ha 60 000 ■ 8 à 11 €

Le domaine San Michele, niché au cœur d'une propriété superbe, est retenu pour son Sartène rouge 2002 qui est réussi malgré la difficulté du millésime. Issu essentiellement de sciacarellu complété par du nielluciu et du carignan, c'est un vin agréable, assez peu marqué par le cépage dominant. Le nez est ouvert sur des notes de fruits cuits et la bouche harmonieuse est relevée par une pointe de fraîcheur mentholée.

Dom. San Michele, 24, rue Jean-Jaurès, 20100 Sartène, tél. 04.95.77.06.38, fax 04.95.73.15.75 r.-v.

Phelip de Mazzarin

SANT'ANTONE 2003 *

■ 20 ha 130 000 ■ 3 à 5 €

La Cave de Saint-Antoine est née en 1975 d'une union de vignerons désireux de valoriser au mieux leur production. Avec les 2003, le contrat est rempli. Le **rosé 2003**, assez pâle, est remarqué pour son côté très fruité en bouche, sur la fraise et le bonbon anglais, avec une élégante présence. A servir en début de repas sur un plat asiatique tel que des crevettes sautées aux petits légumes. Le rouge 2003 est encore sur sa jeunesse en habit pourpre, légèrement fermé au nez, mais où l'on devine de beaux arômes de cassis, accompagnés d'une pointe de genièvre. En bouche, le jury a apprécié le côté soyeux du tanin qui demande cependant à s'assagir lors d'une courte période d'élevage. Vous l'apprécierez alors sur un carré d'agneau de Sisteron grillé.

Cave de Saint-Antoine, Saint-Antoine, 20240 Ghisonaccia, tél. 04.95.56.61.00, fax 04.95.56.61.60, cavesaintantoine.com r.-v.

DOM. SAPARALE Sartène Casteddu 2003 **

□ n.c. 2 000 8 à 11 €

Philippe Farinelli fait aujourd'hui partie des vignerons incontournables de l'île. Reprenant en 1998 les vignes du domaine Saparale, il a su imprimer une nouvelle dynamique à la microrégion. Œnologue de talent, il présente cette année une très belle cuvée Casteddu blanc 2003 pour laquelle il a su exploiter le meilleur du cépage vermentinu. Une robe très lumineuse flatte l'œil du dégustateur qui trouvera au nez une riche combinaison d'arômes de fruits blancs soutenus par un léger vanillé issu du bois. En bouche, la complexité du vin est confirmée, tout comme son équilibre parfait. Philtre de plaisir, ce vin accompagnera un feuilleté de saumon à la crème ou se dégustera seul à l'apéritif. Le **2002 rouge de la même cuvée** n'est pas en reste avec une belle puissance, sur un bois encore dominant. Il reçoit une étoile et doit être attendu.

Philippe Farinelli, 5, cours Bonaparte, 20100 Sartène, tél. 04.95.77.15.52, fax 04.95.73.43.08, e-mail p.farinelli@libertysurf.fr

TERRA NOSTRA Cuvée Corsica 2002 **

■ 26 ha 120 000 5 à 8 €

La cave coopérative de la Marana et son émanation Sica Uval présentent cette année de très belles cuvées. A l'appui d'un millésime assez exceptionnel et d'une équipe d'œnologues dynamiques et inventifs, cette structure est récompensée pour ce vin en habit rouge violine, au nez encore un peu fermé, dominé par un boisé très présent. Sa structure en bouche lui permettra d'être conservée deux ans en cave, avant dégustation. Remarquable également, le **Terra Mariana blanc 2003 (3 à 5 €)**, qui, avec deux étoiles, a conquis les dégustateurs. Très typique du cépage dont il est issu, il sait jouer de ses notes d'agrumes et de sa rondeur en bouche. A déguster sur un bar grillé. Deux autres cuvées obtiennent une étoile : la **Cuvée ancestrale rouge 2003 (11 à 15 €)** tout en puissance, manquant quelque peu de typicité mais très prometteuse pour les années à venir. A découvrir sur un gibier en sauce, les **Corsican blanc et rosé 2003 (5 à 8 €)**, avec une

préférence particulière pour le rosé, remarqué pour son côté fruit de printemps, fraise et cerise. Un rosé de soif pour l'apéritif aux dernières chaleurs estivales.
⊶ Uval Les Vignerons Corsicans, Rasignani,
20290 Borgo, tél. 04.95.58.44.00, fax 04.95.38.38.10,
e-mail uval.sica@wanadoo.fr ☒ Y t.l.j. 9h-12h 15h-19h

DOM. DE TORRACCIA Porto-Vecchio 2003

▪ 20 ha 60 000 8 à 11 €

Le domaine de Torraccia, situé non loin du bord de mer sur la commune de Lecci près de Porto-Vecchio dans un site magnifique, présente un joli rosé à robe claire et brillante. Le nez est expressif avec une pointe citronnée. En bouche, une petite note iodée vient donner son caractère méditerranéen. A boire sur une cuisine orientale.
⊶ Christian Imbert, Dom. de Torraccia,
20137 Lecci, tél. 04.95.71.43.50, fax 04.95.71.50.03,
e-mail ci20@wanadoo.fr
☒ Y 🚶 t.l.j. sf dim. 8h-12h 14h-18h

DOM. VICO Collection 2001 *

■ 5 ha 20 000 ▮ ⬮ ♁ 5 à 8 €

Seul vignoble corse implanté au centre de l'île, à Ponte-Leccia, sur les premiers contreforts de la Balanina en allant sur Calvi, le domaine Vico est une valeur sûre de la viticulture insulaire. Son œnologue, Yves Melleray, met tout son savoir-faire en œuvre pour proposer une cuvée Collection de très belle facture, d'une jolie couleur vermillon à reflets légèrement tuilés. Le nez est ouvert sur des notes épicées, enrichies de pointes de fruit cuit et de réglisse. La bouche soyeuse, d'une belle longueur, confirme l'harmonie générale. Voici un vin à boire sans attendre sur un pavé de bœuf grillé. Le **Domaine Vico blanc 2003 (3 à 5 €)**, légèrement perlant, est cité pour sa fraîcheur et sa gaieté.
⊶ Dom. Vico, 20218 Ponte-Leccia, tél. 04.95.47.61.35,
fax 04.95.36.50.26, e-mail melleray.yves@wanadoo.fr
☒ Y 🚶 t.l.j. sf dim. 9h-12h 14h-18h

Ajaccio

Les vignes de l'appellation ajaccio couvrent 239 ha sur les collines bordant, dans un rayon de quelques dizaines de kilomètres, le chef-lieu de la Corse du Sud et son illustre golfe, sur des terrains en général granitiques, avec une dominante du cépage sciacarellu pour les rouges et les rosés. La production 2003 est d'environ 7 000 hl, ce qui représente 6 % de la production d'AOC de la Corse. Les rouges, que l'on peut laisser vieillir selon les millésimes, sont majoritaires à 54 %, tandis que les vins blancs ne représentent que 12 % de l'appellation.

DOM. COMTE ABBATUCCI Cuvée Faustine 2003 *

□ 5 ha 5 000 11 à 15 €

Jean-Charles Abbatucci est un grand défenseur de la biodynamie, technique culturale qu'il applique avec passion à la gestion de son vignoble. Il ne manquera jamais de vous en communiquer, avec ferveur, tous les avantages. Ses amis vignerons ajacciens le surnomment d'ailleurs affectueusement Bioman. Pour cette édition, ses trois vins sont représentés, avec une mention particulière pour cette cuvée Faustine de couleur claire à reflets verts. Au nez, on note les petites touches de menthol venant enrichir une dominante florale sur le tilleul. La bouche est vive, persistante. Un vin à servir sur un denti en croûte de sel. Le **rosé 2003 (8 à 11 €)** et le **rouge 2002 (8 à 11 €)** sont tous deux cités ; le premier pour sa fraîcheur printanière, le second pour son côté poivré légèrement torréfié.
⊶ Dom. Comte J.-C. Abbatucci,
lieu-dit Chiesale, 20140 Casalabriva,
tél. 04.95.74.04.55, fax 04.95.74.26.39 ☒ r.-v.

CLOS CAPITORO 2002 *

■ 33 ha 90 000 ▮ ♁ 8 à 11 €

Jacques Bianchetti, par ailleurs maire de la commune de Cauro, est un passionné d'œnologie. Extrêmement attentif aux vinifications, il recherche en permanence les meilleures technologies, qu'il adapte et remet en cause à chaque nouveau millésime. Il propose cette année un très beau rouge 2002, de couleur assez claire, présentant au nez les arômes typiquement épicés du sciacarellu. En bouche, il faut remarquer les notes légèrement iodées, complétées par un tanin d'une remarquable finesse. Le **blanc 2003**, une étoile, se présente en robe diaphane à reflets verts dorés. Le nez est très ouvert sur une dominante de pamplemousse et de citron que l'on retrouve en bouche, appuyés par une fraîcheur acidulée qui s'éteint un peu rapidement. A servir sur des filets de rouget agrémentés d'huile d'olive de Balagne. Le **rosé 2003**, enfin, très floral, sur la rose et le loukoum, est cité.
⊶ Jacques Bianchetti, Clos Capitoro, Pisciatella,
20166 Porticcio, tél. 04.95.25.19.61, fax 04.95.25.19.33,
e-mail info@closcapitoro.com ☒ Y 🚶 r.-v.

CLOS ORNASCA 2003 *

□ 1,56 ha 6 500 ▮ 5 à 8 €

Laetitia Tola, depuis 1995, s'occupe du domaine familial sur lequel elle s'implique tant au vignoble qu'au chai. Ses vins sont retenus cette année dans les trois couleurs. Ce blanc 2003, très réussi, pour lequel on note les fragrances exotiques et beurrées, soutenues en bouche par une belle présence, est à essayer sur une tarte au citron meringuée. Du **rosé 2003**, une étoile, on retiendra la typicité du cépage, bien présente. La bouche, tout en douceur et assez longue, fera préférer une cuisine orientale. Le **rouge 2002** est quant à lui cité pour son côté torréfié et son ampleur en bouche.
⊶ Laetitia Tola, Ornasca,
Eccica Suarella, 20117 Cauro,
tél. 04.95.25.09.07, fax 04.95.25.96.05 ☒ 🚶 r.-v.

DOM. COMTE PERALDI 2003 **

▪ 11 ha 41 000 ▮ ♁ 8 à 11 €

Le domaine Peraldi démontre cette année encore qu'il est un incontournable de l'appellation ajaccio. Guy de Poix a su s'entourer d'une équipe technique performante afin d'exprimer au mieux le potentiel de son vignoble, situé – presque en ville – sur la commune de Mezzavia, aux portes d'Ajaccio. Lecteurs, notez que ses trois vins ont réussi le rare exploit d'être présents à la dégustation du Grand Jury, frôlant le coup de cœur. Ce rosé habillé de clair est résolument moderne sans toutefois négliger son cépage maître, le sciacarellu qui lui confère ses qualités croquantes et rafraîchissantes. L'apéritif lui conviendra. Le **rouge 2003** est remarqué pour sa puissance aromatique aux notes épicées de poivre noir. La bouche puissante et harmonieuse reprend ces arômes épicés et les complète par un tanin très rond. Il faudra attendre deux années pour déguster ce vin sur un cuisseau de sanglier au four. Enfin, le **blanc 2003**, tout en finesse, se remarque par un côté très amylique au nez, par une bouche sur l'ananas et le fruit de la Passion. A marier avec un filet de rascasse au jus de bouillabaisse. Trois fois deux étoiles, une prouesse.

⊶ Guy Tyrel de Poix, Dom. Peraldi,
chem. du Stiletto, 20167 Mezzavia,
tél. 04.95.22.37.30, fax 04.95.20.92.91 ☑ Y ⛹ r.-v.

DOM. DE PRATAVONE 2000 *

■ 6 ha 26 000 ▮🌡 5 à 8 €

Isabelle Courrèges, jusqu'en 2000, dirigeait la partie œnologique du domaine. Après le départ en retraite de son père, elle se charge également de toute la conduite technique du vignoble. Son talent d'œnologue lui permet de vous faire profiter cette année d'un rouge très réussi de couleur claire, légèrement tuilé (c'est un 2000), aux arômes épicés issus du cépage, complété par quelques notes de noisette. Ne pas attendre pour déguster ce vin sur une grillade d'agneau. Le **blanc 2003**, habillé de fleurs blanches et d'agrumes, est très apprécié (une étoile) pour sa fraîcheur en bouche et sa remarquable longueur. Il fera une très belle entrée à table sur une brouillade aux œufs de saumon.

⊶ Courrèges, Dom. de Pratavone,
Pila-Canale, 20123 Cognocoli-Monticchi,
tél. 04.95.24.34.11, fax 04.95.24.34.74,
e-mail domainepratavone@wanadoo.fr ☑ Y ⛹ r.-v.

DOM. DE LA SORBA 2002 **

■ 10 ha 9 000 ▮🌡 5 à 8 €

Pour son entrée dans le Guide, le domaine de la Sorba ne fait pas dans la demi-mesure en obtenant directement une quatrième place au grand jury. Le talent de Christophe George, œnologue du domaine Peraldi et vinificateur de cette propriété, est remarqué. Habillé de rouge rubis profond et brillant, ce 2002 est distingué pour son intense expression aromatique où se côtoient, en parfaite harmonie, des fruits rouges, du cassis et de la mûre, du poivre vert, des arômes confits et des notes grillées. La bouche n'est pas en reste avec une structure tannique très souple et un rappel des notes relevées à l'olfaction. Voici un grand vin à servir sur un gâteau de bœuf aux aubergines. Le **rosé 2003** obtient une étoile ; en robe plutôt soutenue, il présente un nez très floral agrémenté de notes légèrement beurrées. En bouche, il révèle une belle consistance sur un croquant légèrement acidulé.

⊶ Louis Musso, Dom. de La Sorba, rte Finosello,
20090 Ajaccio, tél. 04.95.23.38.26, fax 04.95.23.38.26,
e-mail domainedelasorba@wanadoo.fr

DOM. DE VACCELLI
Réserve 2000 Elevé en fût de chêne 2000 **

■ 0,43 ha 2 000 ▮◍🌡 8 à 11 €

Alain Courrèges, qui travaille désormais avec son fils, a présenté au Guide trois cuvées de rouge de trois millésimes différents. Force est de constater la constance de la qualité sur trois années consécutives ! Un coup de cœur est décerné à la cuvée la plus remarquable, le rouge Réserve 2000 élevé trente et un mois en cuve et neuf mois

en fût. Seulement 2 000 bouteilles de ce prodige à la robe nette nuancée de reflets rouge foncé légèrement tuilé. Le nez de fruits rouges est accompagné de notes boisées et épicées accentuées. La bouche, après une attaque plaisante, offre une impression immédiate d'équilibre. Des tanins souples, de la longueur donnent au sciacarellu une exquise expression dans la typicité de l'appellation. La **Sélection rouge 2001 (5 à 8 €)** et la **Tradition rouge 2002 (5 à 8 €)** obtiennent chacune une étoile. Petite production également (4 000 bouteilles et 6 500 bouteilles), elles se situent dans la typicité des ajaccio rouges. La Sélection, passée trois mois en barrique après vingt et un mois de cuve, est encore assez marquée par le bois et nécessite d'être attendue au moins deux ans. La Tradition, élevée en cuve dix-huit mois, est plus typique : un nez de fruits rouges très intense prépare à une bouche très harmonieuse et racée.

⊶ EARL Dom. Alain Courrèges,
Ld Aja Donica, 20123 Cognocoli-Monticchi,
tél. 04.95.24.35.54, fax 04.95.24.38.07 ☑ Y ⛹ r.-v.

Patrimonio

La petite enclave (420 ha en production) de terrains calcaires, qui, depuis le golfe de Saint-Florent, se développe vers l'est et surtout vers le sud, présente vraiment les caractères d'un cru bien homogène dans lequel l'encépagement, s'il est bien adapté, permet d'obtenir des vins de très haut niveau. Ce sont le niellucciu à 90 % en rouge et le vermentino à 100 % en blanc qui donnent des produits très typés et d'excellente qualité. Selon les millésimes, les rouges peuvent être somptueux et de très longue garde. Pour le millésime 2003, la production atteint 15 300 hl répartis entre 50 % de rouges, 18 % de blancs et 32 % de rosés.

DOM. ALISO-ROSSI Perle de rosé 2003

■ 2 ha 10 000 ▮🌡 11 à 15 €

Si le domaine est situé sur la commune de Santo-Pietro-di-Tenda, c'est à Saint-Florent que les Rossi possèdent un joli magasin de vins où l'on peut déguster cette

cuvée fort réussie. De couleur pâle, teintée d'orangé, elle possède un nez fin et minéral. La bouche est longue et fruitée. Accord intéressant à tenter avec une truite au brocciu.
🗝 Dom. Aliso-Rossi, hameau Corsu,
20246 Santo-Pietro-di-Tenda, tél. 04.95.37.71.80,
fax 04.95.37.71.80 ☑ 🏠 🏠 Y 🚶 r.-v.
🗝 Antoine Dominique Rossi

DOM. NAPOLEON BRIZI 2002 ★★

■ 4 ha 15 000 ▮⚱ 5 à 8 €

Très belle réussite pour ce domaine, en particulier dans ce millésime difficile. Napoléon Brizi a su préserver la typicité du niellucciu et offrir aux amateurs un festival de goûts et d'arômes. Une très belle couleur grenat habille ce vin dont la palette aromatique est vaste (fraise des bois, myrte, confiture...). Après une entrée en bouche magistrale, celle-ci se montre épanouie par des saveurs de fruits rouges aux notes mentholées et de maquis. Le **blanc 2003** est cité pour son caractère aromatique intense au nez et en bouche. Quant au **rosé 2003**, cité également, il est très pâle et bien fait, et se laissera boire très frais au cours d'un pique-nique au bord de l'eau.
🗝 Napoléon Brizi, 20217 Saint-Florent,
tél. 04.95.37.08.26, fax 04.95.37.08.26 ☑ Y 🚶 r.-v.

DOM. CATARELLI 2003

□ n.c. n.c. **5 à 8 €**

Le domaine Catarelli, dirigé par le jeune et sympathique Laurent Le Stunff, est un grand habitué du Guide. Son 2003 blanc, jaune pâle aux reflets verts, affiche des notes florales, puis une bouche intensément aromatique et vive. A boire en accompagnement d'un poisson de mer grillé.
🗝 EARL Dom. de Catarelli,
marine de Farinole, rte de Nonza, 20253 Patrimonio,
tél. 04.95.37.02.84, fax 04.95.37.18.72 🏠 Y r.-v.

CLOS SIGNADORE 2003

▨ 6,5 ha 2 700 **5 à 8 €**

Deuxième présence dans le Guide pour ce jeune vigneron qui exploite l'ancien domaine de l'Ortolo depuis les vendanges 2001. Un rosé 2003 réussi, vinifié de façon traditionnelle à partir du niellucciu. Sa robe, d'un rose soutenu, évoque le caractère typique de ce vin intense et équilibré. Il est conseillé de le servir en carafe pour en apprécier toutes les potentialités.
🗝 Christophe Ferrandis, Clos Signadore,
lieu-dit Morta-Piana, 20232 Poggio-d'Oletta,
tél. 06.15.18.29.81, fax 04.95.37.69.68,
e-mail christopheferrandis@wanadoo.fr ☑ Y 🚶 r.-v.

CLOS TEDDI 2003

▨ 5,05 ha 16 666 ▮⚱ **8 à 11 €**

Situé au cœur du désert des Agriates, le Clos Teddi, créé en 1970 par Joseph Poli, a été repris par sa fille Marie-Brigitte en 1996. Implanté sur des arènes granitiques, il produit des vins très intéressants. Le rosé 2003, issu de 75 % de niellucciu et de 25 % de sciacarellu, possède une très jolie couleur rose pâle, un nez intense et parfumé d'un fruité d'agrumes. En bouche, il est bien équilibré et harmonieux.
🗝 Marie-Brigitte Poli-Juillard, hameau de Casta,
sentier des Agriates, 20217 Saint-Florent,
tél. 06.10.84.11.73, fax 04.95.37.24.07 ☑ Y 🚶 r.-v.

DOM. CORDOLIANI 2003 ★★

■ 3,71 ha 10 900 ▮⚱ 8 à 11 €

Romain Perfetti est un vigneron qui s'est installé comme jeune agriculteur à 3 km de la cathédrale de Nebbiu en 2003. Il présente donc pour la première fois sa production, et ce rouge 2003 est déjà remarquable ! Ce vin original possède tout ce qu'il faut pour séduire les amateurs qui apprécient l'élégance : très bel habit grenat aux reflets rubis, nez intense et gourmand aux notes chocolatées, équilibre parfait grâce à une grande souplesse et à beaucoup de fruits mûrs. Bienvenue dans le Guide à ce domaine qui sera très attendu l'année prochaine !
🗝 Romain Perfetti, lieu-dit San Angelo,
20232 Poggio-d'Oletta, tél. 04.95.35.08.88 ☑ Y 🚶 r.-v.

DOM. GENTILE Sélection noble 2001

■ 3,5 ha 18 000 ▮▮⚱ **15 à 23 €**

La Sélection noble 2001 a moins séduit le jury que la Sélection noble 2000 qui avait obtenu un coup de cœur l'an dernier. Le bon vin n'a qu'un maître, le temps, et tout l'art du vigneron consiste à composer avec la nature. Ce que Jean-Paul Gentile réussit avec ce vin rouge agréable, aux arômes fruités et boisés. A laisser vieillir pour permettre au cépage niellucciu de révéler ses potentialités.
🗝 Dom. Jean-Paul et Dominique Gentile, Olzo,
20217 Saint-Florent, tél. 04.95.37.01.54,
fax 04.95.37.16.69, e-mail domaine.gentile@wanadoo.fr
☑ Y 🚶 t.l.j. sf dim. 9h-12h 14h30-19h; hors saison sur r.-v.

DOM. GIACOMETTI Cru des Agriates 2002

■ 18 ha 23 000 ▮ **5 à 8 €**

Malgré la difficulté du millésime 2002, Christian Giacometti a réussi à faire un vin rouge sympathique. Bien typique de son appellation, de belle couleur sombre et de nez expressif, il est encore un peu rugueux pour l'heure mais d'un bon équilibre. Il est recommandé d'attendre un peu pour le boire en accompagnement d'un gigot d'agneau rôti aux herbes du maquis.
🗝 Christian Giacometti, Casta, 20217 Saint-Florent,
tél. 04.95.37.00.72, fax 04.95.37.19.49 ☑ Y 🚶 r.-v.

DOM. GIUDICELLI 2001

■ 5,07 ha 10 133 **8 à 11 €**

Le domaine Giudicelli, situé sur la commune de Poggio-d'Oletta non loin de Saint-Florent, a été créé en 1997 par une jeune femme charmante, Muriel Giudicelli. Régulièrement présent dans le Guide, il propose cette année deux vins réussis : le rouge 2001 et le **blanc 2003**, cité également. Le rouge est de couleur sombre, son nez fruité est intense et sa bouche souple en attaque ; une finale un peu austère le destine à accompagner une viande en daube ou un civet. Le blanc, pâle et cristallin, possède un nez discret et fin. Sa bouche est ronde, relevée de notes citronnées.
🗝 Muriel Giudicelli-Liobard, 5, bd Auguste-Gaudin,
20200 Bastia, tél. 04.95.35.62.31, fax 04.95.35.62.31,
e-mail muriel.giudicelli@wanadoo.fr ☑ r.-v.

DOM. LECCIA 2003 ★★★

□ 3 ha 10 000 ▮⚱ 8 à 11 €

La cave d'Yves Leccia, située sur la commune de Poggio-d'Oletta, est une structure moderne et fonctionnelle au sein de laquelle l'amateur peut faire une halte dans un superbe caveau de dégustation. L'année 2003 fut funeste pour le domaine, dont certaines vignes ont été touchées en pleine canicule par les incendies ravageurs de

CORSE

l'été. Heureusement, le pire a été évité et le vigneron plébiscité tous les ans par les dégustateurs du Guide ne faillit pas à sa réputation. Coup de cœur pour le blanc 2003 qui est un vin exceptionnel, d'une élégance raffinée et d'un caractère unique. Habit jaune pâle aux reflets cristallins, nez floral et complexe qui aiguise la gourmandise, bouche ample, ronde, équilibrée qui fait danser les papilles et donne faim. Le **rosé 2003**, une étoile, viendra volontiers s'inviter à votre apéritif ou en accompagnement d'un plat de pâtes aux fruits de mer. D'un rose intense et limpide, il exhale timidement des fragrances d'agrumes et de fleurs pour s'épanouir en bouche dans l'équilibre et la rondeur. Des notes épicées ponctuent une bonne longueur.

Dom. Leccia, 20232 Poggio-d'Oletta,
tél. 04.95.37.11.35, fax 04.95.37.17.03 ☑ Y ⚲ r.-v.

ORENGA DE GAFFORY Cuvée Felice 2003 *

3 ha 8 000 ■ 8 à 11 €

Le domaine Orenga de Gaffory figure parmi les plus importants domaines viticoles de Corse et de l'appellation patrimonio. A la sortie du village de Patrimonio, à gauche sur la route de Saint-Florent, le noctambule peut se repérer grâce au halo bleu du nom du domaine qui luit dans la nuit. Henri, fils de Pierre, responsable de la propriété depuis 1974, propose sa cuvée Felice très réussie dans sa tenue élégante. L'intensité aromatique florale et minérale est ponctuée de notes d'agrumes... L'épicurien que vous êtes veut en savoir plus ? Voici juste quelques mots pour vous donner l'irrésistible envie de le goûter : équilibre, harmonie, longueur... A vos verres ! Le **rouge 2002** est cité car il est réussi malgré la difficulté du millésime. Belle couleur, nez de fruits rouges encore discret et jolie bouche à l'attaque franche et au bon équilibre. Sera mis en valeur en accompagnement de viandes grillées. Signalons qu'une exposition d'art contemporain se tient chaque été dans la cave.

GFA Orenga de Gaffory,
Morta-Majo, 20253 Patrimonio,
tél. 04.95.37.45.00, fax 04.95.37.14.25,
e-mail orenga.de.gaffory@wanadoo.fr
☑ Y t.l.j. 9h-12h30 13h30-19h de juin à sept.

DOM. PASTRICCIOLA 2003

3,56 ha 7 000 ■ 5 à 8 €

Le domaine Pastricciola géré par Marc, Eric et Guy depuis 1989, situé à la sortie de Patrimonio sur la route de Saint-Florent, fait partie des caves les mieux placées pour accueillir l'amateur de vin. Ce blanc 2003 affiche une jolie couleur jaune aux reflets verts ; le nez intense est typique ; la bouche ronde, aux arômes encore timides, se révèle équilibrée.

GAEC Pastricciola,
rte de Saint-Florent,
20253 Patrimonio,
tél. 04.95.37.18.31, fax 04.95.37.08.49
☑ Y ⚲ t.l.j. 9h30-19h; f. nov.

DOM. SAN QUILICO 2003 **

6,28 ha 20 000 ■ 5 à 8 €

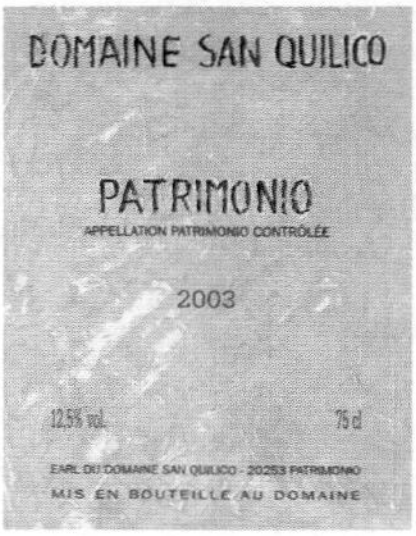

Philippe Rideau, œnologue de talent, est également responsable de l'élaboration des vins du domaine San Quilico. Il marque son retour par une double performance en blanc et rosé 2003. Le blanc remarquable est arrivé deuxième au grand jury. Ce vin très floral tout en finesse et en élégance révèle une bouche très équilibrée, riche en arômes fruités, et de grande ampleur. Beaucoup de goût et d'harmonie qu'il serait intéressant d'associer à une blanquette de veau. Le **rosé 2003**, très réussi, assemblage de nielluciu et de grenache, est clair, saumoné. Son nez est intense, ponctué de notes florales, minérales et d'agrumes. En bouche, il se découvre original, de belle tenue aromatique sur un bon équilibre et de la longueur. Quant au **rouge 2002**, il fait partie des vins réussis et ils ne sont pas nombreux, tant le millésime fut difficile.

EARL Dom. San Quilico,
Morta-Majo, 20253 Patrimonio,
tél. 04.95.37.45.00, fax 04.95.37.14.25
☑ Y t.l.j. 9h-12h30 13h30-19h de juin à sept.

Vins doux naturels de Corse

Muscat-du-cap-corse

L'appellation muscat-du-cap-corse a été reconnue par décret en date du 26 mars 1993. C'est l'aboutissement des longs efforts d'une poignée de vignerons regroupés sur les terroirs calcaires de Patrimonio et ceux, schisteux, de l'AOC vins-de-corse coteaux-du-cap-corse, soit 17 communes de l'extrême nord de l'île couvrant 105 ha. La production confidentielle est de 2 564 hl en 2003.

Les vins élaborés à partir de muscat blanc à petits grains répondent aux conditions de production des vins doux naturels, mariage du raisin avec une eau-de-vie de vin, principe du mutage qui, appliqué en pleine fermentation sur le raisin muscat, arrête celle-ci et préserve ainsi au moins 95 g/l de sucres résiduels. Ce sont de délicieux vins très frais qui pourraient être servis lors des cocktails avec des canapés de foie gras ou de fromage et des salades de fruits.

DOM. DE CATARELLI 2003

	2 ha	5 000		11 à 15 €

Le muscat de Laurent Le Stunff est issu de 2 ha de vignes cultivées sur des sols argilo-calcaires ; il est vinifié traditionnellement mais selon une technologie moderne, dans une cave semi-enterrée récemment rénovée. La cuvée 2003, jaune clair brillant, exhale des arômes d'agrumes confits et de miel. L'ensemble agréable, léger et harmonieux, convient parfaitement pour l'apéritif.
↬ EARL Dom. de Catarelli,
marine de Farinole, rte de Nonza, 20253 Patrimonio,
tél. 04.95.37.02.84, fax 04.95.37.18.72 ☑ ⛩ ⊥ r.-v.
↬ Laurent Le Stunff

CLOS MARFISI 2003 ★

	3 ha	12 000		15 à 23 €

Un millésime 2003 très réussi grâce à la conjugaison d'un terroir d'exception et d'un savoir-faire incontestable, comme l'attestent ses nombreux coups de cœur dans les éditions précédentes. 12 000 bouteilles à découvrir en apéritif ou sur des fromages à pâte persillée, pour ce vin très appétissant tout en élégance visuelle et olfactive. Robe brillante à reflets vert clair, expression aromatique d'une grande finesse plus développée en bouche qu'au nez. Bel équilibre entre les saveurs fruitées et fleuries aux accents mentholés et la rondeur soyeuse de l'ensemble.
↬ Toussaint Marfisi, Clos Marfisi,
av. Jules-Ventre, 20253 Patrimonio,
tél. 04.95.37.07.49, fax 04.95.37.06.37
☑ ⊥ ⚹ t.l.j. 9h-13h 16h-20h; f. nov.-avr.

DOM. GENTILE 2003

	4,49 ha	13 000		11 à 15 €

Produit sur des coteaux argilo-calcaires, ce muscat est vinifié après une macération pelliculaire à froid et élevé en cuve Inox. De couleur pâle aux reflets brillants, il présente un nez floral de type tilleul ou verveine, fin et intense. En bouche, un manque de vivacité l'empêche d'exprimer davantage ses qualités organoleptiques, mais sans nuire à son élégance. Servi très frais, il sera apprécié à l'apéritif.
↬ Dom. Jean-Paul et Dominique Gentile,
Olzo, 20217 Saint-Florent, tél. 04.95.37.01.54,
fax 04.95.37.16.69, e-mail domaine.gentile@wanadoo.fr
☑ ⊥ ⚹ t.l.j. sf dim. 9h-12h 14h30-19h; hors saison sur r.-v.

DOM. GIUDICELLI 2003

	5,17 ha	14 400		8 à 11 €

Les muscats de Muriel Giudicelli s'inscrivent dans la gamme des vins dorés qui flattent l'œil pour préparer les papilles au plaisir. Cette année, les arômes au nez et en bouche rivalisent dans la complexité florale, fruitée, avec des notes exotiques. Une légère amertume en finale le destine à accompagner des fromages typés (chèvre, brebis).
↬ Muriel Giudicelli-Liobard, 5, bd Auguste-Gaudin,
20200 Bastia, tél. 04.95.35.62.31, fax 04.95.35.62.31,
e-mail muriel.giudicelli@wanadoo.fr ☑ r.-v.

DOM. NOVELLA 2003

	5,25 ha	22 000		11 à 15 €

Joli vin d'allure cristalline jaune pâle, aux arômes expressifs typiques du muscat à petits grains. La bouche assez bien équilibrée est moins expressive. Quelques mois semblent nécessaires pour permettre au vin de libérer des arômes encore un peu lourds, qui laissent entrevoir une bouche très gourmande. A boire très frais sur les fromages de type reblochon ou en accompagnement d'un foie gras.
↬ Pierre et Marie Novella, 20232 Oletta,
tél. 04.95.39.07.41, fax 04.95.39.07.41 ☑ ⊥ ⚹ r.-v.

ORENGA DE GAFFORY 2003 ★

	7,93 ha	25 000		11 à 15 €

Ce muscat de très belle allure, aux reflets vert tendre et doré, envahit l'espace olfactif dès son service. Le nez très intense de grains de muscat frais enrobés de miel et d'eau de rose annonce une très belle envolée aromatique sous le palais. Harmonie, finesse, équilibre sont les adjectifs objectifs des sensations procurées en bouche par ce beau vin. A boire dès à présent selon vos désirs.
↬ GFA Orenga de Gaffory,
Morta-Majo, 20253 Patrimonio,
tél. 04.95.37.45.00, fax 04.95.37.14.25,
e-mail orenga.de.gaffory@wanadoo.fr
☑ ⊥ t.l.j. 9h-12h30 13h30-19h de juin à sept.
↬ H. Orenga et P. de Gaffory

DOM. SAN QUILICO 2003

	3 ha	12 000		8 à 11 €

Ce muscat technologique est intéressant par ses expressions aromatiques riches et de belle finesse. A une couleur translucide à reflets verts brillants, peu typique pour un muscat-du-cap-corse, il associe un nez intense de type minéral et végétal. L'attaque en bouche est agréable, dominée par la rondeur et la souplesse. Finale longue, marquée par un léger déséquilibre dû à l'alcool, qui le destine à être bu très frais.
↬ EARL Dom. San Quilico,
Morta-Majo, 20253 Patrimonio,
tél. 04.95.37.45.00, fax 04.95.37.14.25
☑ ⊥ t.l.j. 9h-12h30 13h30-19h de juin à sept.

LE SUD-OUEST

Groupant sous la même bannière des appellations aussi éloignées qu'irouléguy, bergerac ou gaillac, la région viticole du Sud-Ouest rassemble ce que les Bordelais appelaient « les vins du Haut-Pays » et le vignoble de l'Adour. Jusqu'à l'apparition du rail, le premier groupe, qui correspond aux vignobles de la Garonne et de la Dordogne, a vécu sous l'autorité bordelaise. Fort de sa position géographique et des privilèges royaux, le port de la Lune dictait sa loi aux vins de Duras, Buzet, Fronton, Cahors, Gaillac et Bergerac. Tous devaient attendre que la récolte bordelaise soit entièrement vendue aux amateurs d'outre-Manche et aux négociants hollandais avant d'être embarqués, quand ils n'étaient pas utilisés comme vin « médecin » pour remonter certains clarets. De leur côté, les vins du piémont pyrénéen ne dépendaient pas de Bordeaux, mais étaient soumis à une navigation hasardeuse sur l'Adour avant d'atteindre Bayonne. On peut comprendre que, dans ces conditions, leur renommée ait rarement dépassé le voisinage immédiat.

Et pourtant, ces vignobles, parmi les plus anciens de France, sont le véritable musée ampélographique des cépages d'autrefois. Nulle part ailleurs on ne trouve une telle diversité de variétés. De tout temps, les Gascons ont voulu avoir leur vin et, quand on connaît leur individualisme forcené et leur goût du particularisme, on ne s'étonne pas de la découverte de ces terroirs épars et de leur forte personnalité. Les cépages manseng, tannat, négrette, duras, len-de-l'el (loin-de-l'œil), mauzac, fer-servadou, arrufiac et baroque ainsi que le raffiat de Moncade et le camaralet de Lasseube au nom charmant sont sortis de la nuit des temps viticoles et donnent à ces vins des accents d'authenticité, de sincérité et de typicité inimitables. Loin de renier le qualificatif de vin « paysan », ces appellations le revendiquent avec fierté en donnant à ce terme toute sa noblesse. La viticulture n'a pas exclu les autres activités agricoles, et les vins côtoient sur le marché les produits fermiers avec lesquels ils se marient tout naturellement. Les cuisines locales trouvent dans les vins de « leur » pays une confraternité qui fait de ce Sud-Ouest l'une des régions privilégiées de la gastronomie de tradition.

Tous ces vignobles sont aujourd'hui en plein renouveau sous l'impulsion de la coopération ou de propriétaires passionnés. Un grand effort d'amélioration de la qualité, tant par les méthodes culturales ou la recherche de clones mieux adaptés que par les techniques de vinification, conduit peu à peu ces vins vers l'un des meilleurs rapports qualité/prix de l'Hexagone.

Cahors

D'origine gallo-romaine, le vignoble de Cahors (4 404 ha déclarés pour 135 296 hl en 2003, soit 77 500 hl de moins qu'en 2002) est l'un des plus anciens de France. Jean XXII, pape d'Avignon, fit venir des vignerons quercinois pour cultiver le châteauneuf-du-pape, et François Ier planta à Fontainebleau un cépage cadurcien ; l'Église orthodoxe l'adopta comme vin de messe et la cour des tsars comme vin d'apparat... Pourtant, le vignoble de Cahors revient de loin ! Totalement anéanti par les gelées de 1956, il était retombé à 1 % de sa surface antérieure. Reconstitué dans les méandres de la vallée du Lot avec des cépages nobles traditionnels – le principal étant l'auxerrois qui porte aussi les noms de cot ou malbec, représentant 70 % de l'encépagement, complété par le tannat (moins de 2 %) ou le merlot (environ 20 %) –, le terroir de Cahors a retrouvé la place qu'il mérite parmi les terres productrices de vins de qualité. On assiste d'ailleurs à des tentatives courageuses de reconstitution sur les causses, comme dans les temps anciens.

Les cahors sont puissants, robustes, hauts en couleur (le *black wine* des Anglais) ; ce sont incontestablement des vins de garde. Un cahors peut toutefois être bu jeune : il est alors charnu et aromatique avec un bon fruité, et doit être consommé légèrement rafraîchi, sur des grillades par exemple. Après deux ou trois années où il devient fermé et austère, le cahors se reprend, pour donner toute son harmonie au bout d'un délai égal, avec des arômes de sous-bois et d'épices. Sa rondeur, son ampleur en bouche en font le compagnon idéal des truffes sous la cendre, des cèpes et du gibier. Les différences de terroir, d'encépagement et de vinification donneront des vins plus ou moins aptes à la garde.

CH. BEAUVILLAIN-MONPEZAT
Elevé en fût de chêne 2002 ★★

■ 15 ha 65 000 ⅢⅠ 8 à 11 €

La cave des Côtes d'Olt ne manque pas de vins intéressants. En témoigne la sélection du **Comte André de Monpezat 2002 (5 à 8 €)**, cité par le jury, du **Château Cayrou d'Albas 2002**, une étoile, et de ce cahors entre violet et noir qui décline les fruits mûrs sur un fond grillé. Dans la bouche charpentée on retrouve trace d'un élevage sous bois bien maîtrisé qui s'exprime par des notes de cacao. Un beau potentiel.

🔑 Cave coop. Côtes d'Olt, 46140 Parnac,
tél. 05.65.30.71.86, fax 05.65.30.35.28 ☑ 🚶 r.-v.

DOM. LA BERANGERAIE Cuvée Maurin 2002 ★★

■ 4 ha 20 000 ▮ 5 à 8 €

Friande et gourmande, telle est cette cuvée. Pourpre à reflets violets, elle décline des senteurs de kirsch et de pain d'épice. Sa bouche fine et fruitée (mûre, cassis) fait preuve d'équilibre. La **Gorgée de Mathis Bacchus 2001 (15 à 23 €)**, vinifiée et élevée en fût de chêne neuf, possède un indéniable potentiel, mais demande à se policer. Elle obtient une étoile.

🔑 Famille Bérenger, Dom. La Bérangeraie,
coteaux de Cournou, 46700 Grézels,
tél. 05.65.31.94.59, fax 05.65.31.94.64,
e-mail berangeraie@wanadoo.fr ☑ 🍷 🚶 r.-v.

CH. DE CALASSOU 2002 ★★

■ 8 ha 6 000 ▮ 5 à 8 €

Michel Souveton a repris le vignoble familial en 1991, une activité à laquelle il a récemment associé sa fille Sandy. Un travail soigné qui se traduit par ce cahors ample et fruité. La robe violet profond comme le nez puissant de fruits rouges, de baies mûres et d'épices traduisent une bonne extraction de la matière. En bouche, les tanins sont puissants et bien fondus. Un vin très équilibré... et pour longtemps.

🔑 Famille Michel Souveton, Ch. de Calassou,
46700 Duravel, tél. 05.65.24.62.67, fax 05.65.36.47.22
☑ t.l.j. 8h-12h30 13h30-21h

CH. LA CAMINADE Esprit 2002 ★★

■ 1 ha 3 300 ⅢⅠ 30 à 38 €

Expression et harmonie caractérisent ce vin de teinte profonde, dont le nez complexe évoque le cassis, les épices et le toasté. Sa bouche puissante et charnue révèle beaucoup de sucrosité, preuve de la parfaite maîtrise de

Le Sud-Ouest

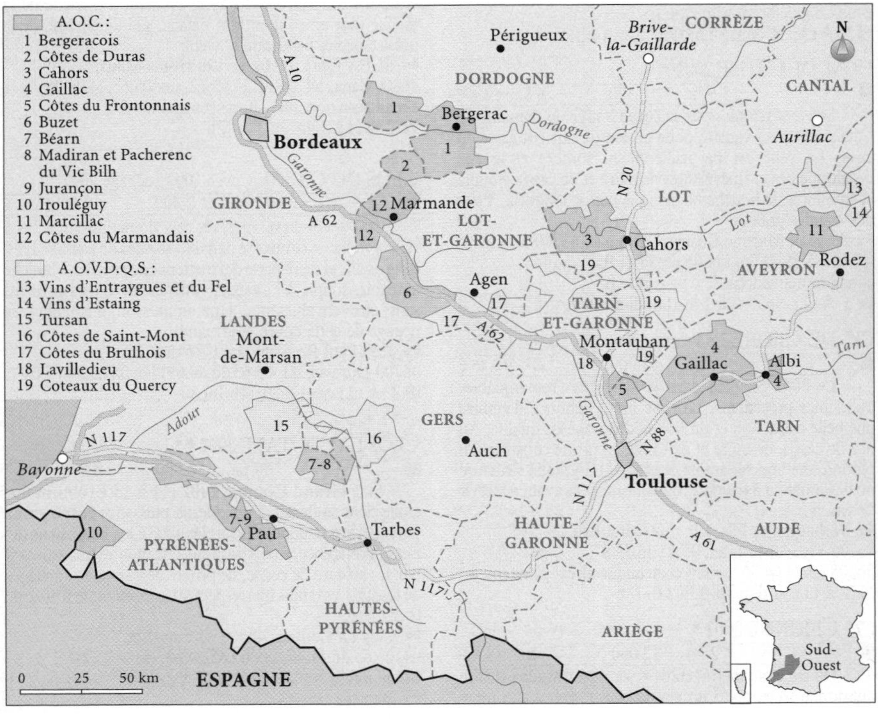

l'élevage sous bois. Les arômes de réglisse et de cacao confirment l'expressivité de cet Esprit. Souvenez-vous de son coup de cœur passé pour le millésime 2000. La cuvée **Commandery 2002 (11 à 15 €)** obtient une étoile pour sa concentration, mais elle demande un peu de patience.

Ressès et Fils, SCEA Ch. La Caminade,
46140 Parnac, tél. 05.65.30.73.05, fax 05.65.20.17.04,
e-mail resses@wanadoo.fr r.-v.

CH. CAMP DEL SALTRE Révélation 2002 ★

■ n.c. n.c. 15 à 23 €

Une révélation ? Celle d'une teinte profonde qui traduit un long élevage en fût. Celle aussi d'un nez puissant qui mêle les arômes de fruits noirs, de toasté et de vanille. Celle, enfin, d'une bouche ronde. Les tanins, en passe de se fondre, demandent encore un peu de patience.

Gérard Delbru, rte du Collège, 46220 Prayssac,
tél. 05.65.22.42.40, fax 05.65.30.67.41,
e-mail d.g.delbru@wanadoo.fr
t.l.j. sf dim. 8h30-19h

DOM. DE CAUSE 2002 ★

■ 1,9 ha 11 570 5 à 8 €

Souvent retenu pour sa cuvée boisée, le domaine de Cause est ici en vedette pour un vin de pur cot élevé en cuve. La robe est particulièrement sombre et le nez développe des arômes fruités de mûre et de cassis. Souple et équilibrée, la bouche ne manque pas de longueur. Pour des viandes grillées.

Serge et Martine Costes, Cavagnac, 46700 Soturac,
tél. 05.65.36.41.96, fax 05.65.36.41.95,
e-mail domainedecause@wanadoo.fr
t.l.j. 9h30-12h 14h-18h; dim. sur r.-v.

CH. DU CEDRE Le Prestige 2002 ★★

■ 9 ha 44 000 11 à 15 €

Le 2002 est bien dans la lignée des remarquables millésimes précédents. La robe noire annonce d'emblée une belle extraction et un travail d'élevage de qualité. Au nez de cassis, de mûre et de toasté en pleine construction répond une bouche ample et grasse. La grande structure invite l'amateur à patienter quelques années avant de servir ce vin.

Verhaeghe et Fils, Ch. du Cèdre, Bru,
46700 Vire-sur-Lot, tél. 05.65.36.53.87,
fax 05.65.24.64.36, e-mail chateauducedre@wanadoo.fr
t.l.j. sf dim. 9h-12h 14h-18h

CH. CERINNE 2002 ★

■ 2 ha 12 000 3 à 5 €

Du cot et du merlot cultivés sur un sol argilo-calcaire ont donné naissance à un vin de plaisir, prêt à accompagner des rillettes, une volaille ou un fromage de chèvre. Sous la robe cerise charmeuse apparaît un nez discret de fruits rouges et de terre mouillée. D'attaque souple, la bouche repose sur des tanins fermes, mais pas envahissants. Un cahors très terroir.

Jean et Marise Delsériès,
Sarlat, 46700 Puy-l'Evêque,
tél. 05.65.30.80.68, fax 05.65.30.80.69
t.l.j. sf jeu. dim. 10h-12h30 15h-19h

DOM. CHEVALIERS D'HOMS 2002 ★★

■ 1,7 ha 7 000 11 à 15 €

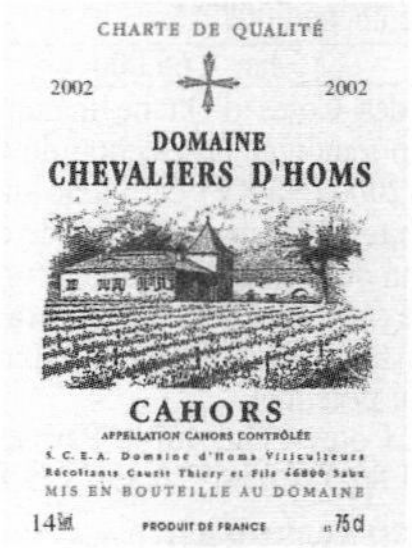

Coup de cœur dans le Guide 2002, le domaine Chevaliers d'Homs retrouve cette place convoitée aujourd'hui. Un cahors intense, rouge violacé, qui livre avec complexité des arômes de pruneau, de kirsch, de fumé et de fruits à l'alcool. Rond et opulent, il possède de la mâche tout en se montrant délicat. De l'équilibre, de la persistance et beaucoup d'avenir.

SCEA Dom. d'Homs, Les Homs Maux,
46800 Saux, tél. 05.65.24.93.12, fax 05.65.24.96.78,
e-mail scea.domaine.dhoms@wanadoo.fr
t.l.j. 10h-12h 14h-18h

CLOS DU CHENE Cuvée 100 % cépage 2002 ★

■ 0,7 ha 2 400 8 à 11 €

100 % cot élevé en cuve, cela donne un vin rubis à reflets violacés, complexe dans ses arômes de fruits rouges, de groseille et de réglisse qui mettent en appétit. La bouche agréable, souple à l'attaque, bénéficie de tanins présents sans être envahissants. Une impresson d'équilibre se dégage de cette cuvée gourmande.

Jean-Paul Roussille, Le Clos du Chêne,
46700 Duravel, tél. 05.65.36.50.09, fax 05.65.24.67.64
t.l.j. 9h-12h30 14h-18h30

CLOS LA COUTALE 2002 ★★

■ 50 ha 350 000 5 à 8 €

Si le **Grand Coutale 2002 (11 à 15 €)** obtient une étoile pour sa densité tannique, sa puissance et son grand potentiel aromatique, c'est le classique Clos La Coutale qui a eu la préférence. Rubis profond, il se montre très expressif par ses arômes de cerise, de prune, de compote, soulignés de toasté. Les tanins fins respectent la dominante fruitée de la matière.

Clos La Coutale, 46700 Vire-sur-Lot,
tél. 05.65.36.51.47, fax 05.65.24.63.73,
e-mail info@coutale.com r.-v.
Bernède

CLOS TRIGUEDINA Baldès 2002 ★★

■ 25 ha n.c. 11 à 15 €

C'est en 1830 que les premiers ceps furent plantés sur ce sol argilo-siliceux par Etienne Baldès. Aujourd'hui, Jean-Luc Baldès, en digne héritier, exploite de main de maître les 60 ha d'un seul tenant de ce clos. Rien à reprocher à cette cuvée dont tous les dégustateurs s'accordent à dire qu'elle est bien travaillée. Dans sa robe pourpre profond, elle affiche avec franchise ses arômes réglissés et empyreumatiques, tandis qu'en bouche elle enveloppe ses tanins fondus de flaveurs de cassis, de mûre et de notes rôties. Un ensemble équilibré, dans le respect du raisin. Le **Clos Triguedina Prince Probus 2002 (15 à 23 €)** est cité.

SARL Jean-Luc Baldès-Triguedina, Les Poujols, 46700 Vire-sur-Lot, tél. 05.65.21.30.81, fax 05.65.21.34.64, e-mail triguedina@laposte.net r.-v.

CH. CLOS TROTELIGOTTE 2002 ★★

■ 1 ha 3 000 5 à 8 €

Voici quatre-vingt-dix ans que la même famille exploite cette propriété sise sur des sols argilo-calcaires ; en 2004, la quatrième génération a pris les commandes. Le 2002 charme par son expression et sa maturité. Le regard est attiré par la couleur violette, le nez captivé par un fruité puissant, la bouche prend plaisir à cette matière d'une agréable facture, sans agressivité et si longue. C'est déjà bon et cela va durer.

Emmanuel Rybinski, GAEC La Fumade, Cap Blanc, 46090 Villesèque, tél. 05.65.36.94.58, fax 05.65.36.94.15, e-mail manrybs@hotmail.com r.-v.

CH. LA COUSTARELLE

L'Eclat Vieilli en fût de chêne 2002 ★

■ 3 ha 15 000 23 à 30 €

Bien sûr, vingt et un mois de fût, il faut les digérer, mais cet Eclat est déjà bien dans la tradition. Une teinte cerise noire à reflets pourpres sert d'écrin aux arômes de fruits mûrs et de grillé. C'est un vin robuste, dont les tanins serrés traduisent bien le souhait du vigneron d'obtenir de la concentration. Quelques années de garde lui permettront de s'exprimer.

SCEA Michel et Nadine Cassot, Ch. La Coustarelle, 46220 Prayssac, tél. 05.65.22.40.10, fax 05.65.30.62.46, e-mail chateaulacoustarelle@wanadoo.fr t.l.j. sf dim. 9h-12h30 14h-20h

CH. LES CROISILLE Noble cuvée 2002 ★

■ 1 ha 5 000 8 à 11 €

Une Noble cuvée se doit de revêtir une robe pourpre intense du meilleur effet et de se parfumer d'agréables senteurs de fruits noirs, de groseille et de cacao. Celle-ci est concentrée, charnue, même si les tanins du chêne demandent à se fondre. Mais la bonne étoile ne brille pas que pour elle : le **Divin Croisille 2002 (15 à 23 €)** obtient la même note. Un élevage plus long a mis en valeur sa matière ronde et lui a donné une palette aromatique plus torréfiée.

B. et C. Croisille, Fages, 46140 Luzech, tél. 05.65.30.53.88, fax 05.65.30.70.33, e-mail contact@chateaulescroisille.fr.st r.-v.

CROIX DU MAYNE Elevé en fût de chêne 2002 ★

■ 16 ha 80 000 5 à 8 €

On a écrit des vins de François Pélissié qu'ils avaient du « coffre ». Ce 2002 ne fait pas exception. De sa robe pourpre à reflets sombres émanent des senteurs complexes de fruits mûrs et de fin boisé. La bouche révèle une mâche puissante, bien que l'attaque étonne par sa souplesse. La finale encore ferme invite l'amateur à patienter trois petites années avant de servir cette bouteille.

SCEV François Pélissié, 46140 Anglars-Juillac, tél. 05.65.21.45.37, fax 05.65.21.45.38 r.-v.

CH. CROZE DE PYS

Prestige Elevé en fût de chêne 2002 ★★

■ 3,5 ha 22 700 5 à 8 €

Le millésime 2000 avait reçu une étoile dans le Guide 2003. Ce 2002 monte une autre marche du podium, sur

Cahors

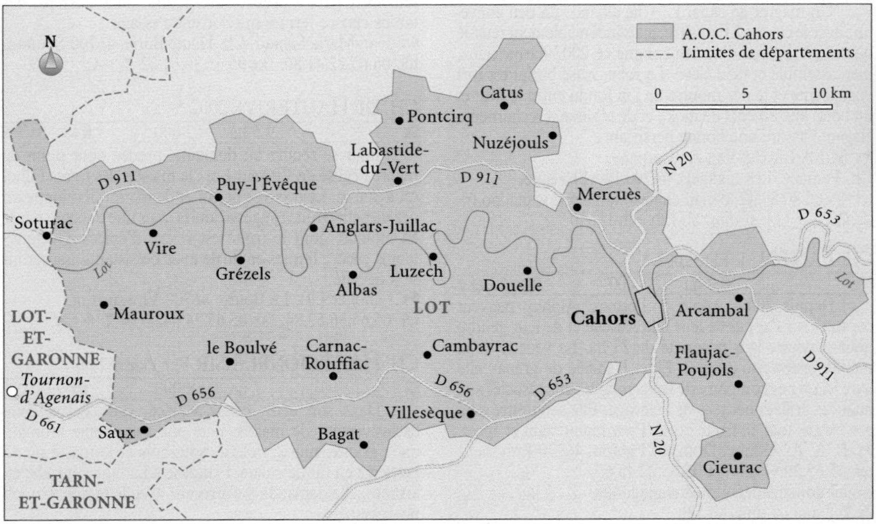

laquelle il s'affiche dans une robe soutenue, à reflets violets. Complexe, il l'est bel et bien par ses évocations de fruits noirs et de sous-bois, soulignés d'un toasté qui témoigne d'un séjour d'un an en fût. Cet élevage bien maîtrisé lui permet d'offrir une matière ample et pleine de sucrosité, tout en fruits et en réglisse. Un vin déjà plaisant, mais l'avenir lui appartient. Le **Château Croze de Pys 2002 (3 à 5 €)** élevé en cuve obtient une étoile pour son volume.
⊶ SCEA des Dom. Roche,
Ch. Croze de Pys, 46700 Vire-sur-Lot,
tél. 05.65.21.30.13, fax 05.65.30.83.76,
e-mail chateau-croze-de-pys@wanadoo.fr ☑ Y 🚶 r.-v.

CH. EUGENIE
Cuvée réservée de l'Aïeul Elevé en fût de chêne 2002

■ 7 ha 45 000 ◐ **8 à 11 €**

La cuvée de l'Aïeul est une habituée du Guide. Elle plaira, dans le millésime 2002, aux amateurs de vins riches en arômes. Car sous une teinte sombre, cerise burlat, elle décline volontiers les fruits noirs relayés par un boisé toasté. La bouche franche présente cette même dualité aromatique.
⊶ Ch. Eugénie, Rivière-Haute, 46140 Albas,
tél. 05.65.30.73.51, fax 05.65.20.19.81,
e-mail couture@chateaueugenie.com
☑ Y 🚶 t.l.j. 9h30-12h30 14h-19h; groupes sur r.-v.;
f. dim. hors juil.-août
⊶ Couture

CH. FAGES Les Terres d'Albanie 2001 *

■ 1 ha 3 500 ◐ 5 à 8 €

Le cot associé à 30 % de merlot a donné naissance à un vin grenat intense à reflets noirs, déjà très expressif : fruits noirs, réglisse et notes boisées se déclinent. Souple à l'attaque, la matière s'appuie sur des tanins encore fermes, mais qui promettent de s'arrondir à la faveur de la garde.
⊶ Jean Bel, EARL Dom. de Fages, 46140 Luzech,
tél. 05.65.20.11.83, fax 05.65.20.12.99,
e-mail belfages@aol.com ☑ Y 🚶 r.-v.

CH. FAMAEY Elevé en fût de chêne 2002 *

■ 5 ha 30 000 ◐ 5 à 8 €

Un magret de canard... Une alliance un peu convenue avec le cahors ? Peut-être, mais indéniablement réussie quand on dispose d'un vin comme ce 2002 harmonieux, bien assemblé et bien élevé. La robe cerise burlat est fort engageante et le nez montre un joli fondu entre le fruit et un boisé aux accents de moka et de réglisse. La charpente élégante assure une bonne persistance.
⊶ SCEA Luyckx-Van Antwerpen,
Ch. Famaey, Les Inganels, 46700 Puy-l'Evêque,
tél. 05.65.30.59.42, e-mail chateau.famaey@wanadoo.fr
☑ ⌂ Y 🚶 t.l.j. sf dim. 8h-12h 14h-18h30

CH. FANTOU L'Elite 2001 *

■ 0,9 ha 3 000 ◐ **11 à 15 €**

Depuis 2000, Annie et Bernard Aldhuy peuvent compter sur l'appui de leur fille Aurélie et de leur gendre pour conduire leur propriété de 23 ha. La vedette de la famille reste cette cuvée L'Elite. Habillée de grenat, elle livre ici un nez complexe de fruits rouges cuits associés aux nuances grillées héritées de l'élevage. Elle se montre déjà généreuse, tout en fruité-boisé. Pour maintenant et après.
⊶ B. A. A. Aldhuy, Dom. de Fantou, 46220 Prayssac,
tél. 05.65.30.61.85, fax 05.65.22.45.69,
e-mail domainedefantou@wanadoo.fr
☑ Y 🚶 t.l.j. sf dim. 8h-19h

CH. GAUTOUL Vieilli en fût de chêne 2002 *

■ 20 ha 180 000 ◐ 5 à 8 €

Avec une chartreuse du XVII^{e}s. pour emblème et un vignoble de 30 ha, Eric Swenden dispose d'un cadre harmonieux pour produire ses cahors. Ce 2002 est un vin de garde au beau potentiel. Après huit mois de fût, il décline sous sa robe rubis à reflets violets des arômes fruités de groseille et de cassis que complètent des notes grillées et vanillées très présentes. L'attaque est souple, mais les tanins encore jeunes méritent de se fondre et la finale de s'assagir.
⊶ Ch. Gautoul, Meaux, 46700 Puy-l'Evêque,
tél. 05.65.30.84.17, fax 05.65.30.85.17,
e-mail gautoul@gautoul.com ☑ Y r.-v.
⊶ Eric Swenden

CH. LES GRAUZILS
Duc d'Istrie Elevé en fût de chêne 2002 *

■ 3 ha 10 000 ◐ **8 à 11 €**

Un 100 % cot... Une tulipe noire aux arômes complexes de griotte, de cassis, de vanille et de toasté. Marqué par le bois, certes ce vin l'est, mais il ne s'en montre pas moins harmonieux, épanoui sur le fruit. Décantez cette bouteille quatre heures avant de la servir si vous n'avez pas la patience de la garder en cave, puis présentez-la avec un foie gras poêlé. N'oubliez pas la cuvée principale **Château Les Grauzils 2002 (5 à 8 €)**, qui n'a pas connu le bois : elle se montre flatteuse, avec des arômes de pruneau, de menthol et de réglisse. Une étoile.
⊶ Philippe Pontié, Gamot, 46220 Prayssac,
tél. 05.65.30.62.44, fax 05.65.22.46.09,
e-mail contact@chateau-les-grauzils.com
☑ ⌂ Y 🚶 t.l.j. sf dim. 9h-12h 14h-19h

CH. HAUTE-BORIE 2002 *

■ 11 ha 50 000 ▮♁ 5 à 8 €

L'étiquette vous laissera imaginer le vignoble et la jolie demeure quercynoise de Jean-Marie Sigaud. Grenat profond à reflets sombres, ce vin s'ouvre sur les fruits ponctués d'épices. L'extraction intense se traduit non seulement par l'expression aromatique, mais aussi par des tanins encore fermes qui doivent s'assagir.
⊶ Jean-Marie Sigaud, Ch. Haute-Borie, 46700 Soturac,
tél. 05.65.22.41.80, fax 05.65.30.67.32 Y r.-v.

CH. DE HAUTERIVE 2002 *

■ 9,5 ha 52 000 ▮♁ 5 à 8 €

Pour se rendre au domaine, prenez pour point de repère l'église de Vire-sur-Lot ; la maison des frères Filhol est à 300 m. Leur cuvée de cot et de merlot développe un nez de petits fruits rouges acidulés, puis une bouche souple en attaque, dont le fruité est relevé d'épices. Quelques tanins encore fermes en finale mais persistants assureront sa longévité.
⊶ Filhol et Fils, Le Bourg, 46700 Vire-sur-Lot,
tél. 05.65.36.52.84, fax 05.65.24.64.93 ☑ Y 🚶 r.-v.

CH. HAUT MONPLAISIR Pur Plaisir 2002 *

■ 7 ha 8 000 ◐ **15 à 23 €**

Dans son écrin cerise violacé, cette cuvée issue exclusivement de malbec joue une symphonie aromatique : griotte, mûre, violette, sous-bois et le toasté né de l'élevage en fût de chêne. Flatteuse à l'attaque et riche en arômes, elle demande à s'arrondir avec le temps. Un joli potentiel.

☞ Daniel et Cathy Fournié,
Ch. Haut Monplaisir, 46700 Lacapelle-Cabanac,
tél. 05.65.24.64.78, fax 05.65.24.68.90,
e-mail chateau.hautmonplaisir@wanadoo.fr ☑ ⟁ ⚹ r.-v.

CH. LES HAUTS D'AGLAN A 2002 ★★

■	3 ha	10 600	⬛⬇ 15 à 23 €

Isabelle Rey-Auriat possède 17 ha de vignes à quelques kilomètres de la vieille ville de Puy-l'Evêque. Elle exporte pas moins de 60 % de sa production. Cette cuvée « A » séduira nombre d'amateurs (le millésime 2000 avait été coup de cœur). Son volume se pressent d'emblée au vu de la robe intense aux reflets noirs, puis à l'olfaction de ses arômes complexes de fruits rouges, de chocolat et de fumé. Des tanins bien extraits soutiennent sa matière charnue et remarquablement persistante. Un vin plein d'espoir.
☞ Isabelle Rey-Auriat, Aglan, 46700 Soturac,
tél. 05.65.36.52.02, fax 05.65.24.64.27,
e-mail isabelle.auriat@terre-net.fr
☑ ⟁ ⚹ t.l.j. sf dim. 9h-19h

CH. LES IFS Prestige 2002 ★★

■	2 ha	12 000	ⓘ 5 à 8 €

Déjà remarquable dans le millésime 2001, la cuvée Prestige maintient son rang. Elle se montre envoûtante dans sa robe intense aux reflets cerise noire, très ouverte sur les fruits et un toasté flatteur qui témoigne d'un élevage bien maîtrisé. L'équilibre de la bouche a ravi le jury sensible aux tanins parfaitement enrobés qui assurent la longueur en préservant la finesse. Un beau potentiel.
☞ Buri et Fils, EARL La Laurière, 46220 Pescadoires,
tél. 05.65.22.44.53, fax 05.65.30.68.52,
e-mail chateau.les.ifs@wanadoo.fr
☑ ⟁ ⚹ t.l.j. sf dim. 8h-12h 14h-19h

CH. LAGREZETTE Tête de Cuvée 2002 ★★

■	35 ha	130 000	ⓘ 15 à 23 €

Il est rare que les cuvées d'Alain-Dominique Perrin ne se hissent pas au grand jury. **Le Pigeonnier 2001 (plus de 76 €)** a été jugé très réussi, de même que **l'Expression de Grézette 2001 élevée en fût de chêne (5 à 8 €)** qui demande un peu de patience. Mais la vedette revient à ce Château Lagrézette, intensément fruité et épicé. Des arômes que l'on retrouve dans une bouche équilibrée, soutenue par des tanins enrobés et veloutés. Belle matière, belle harmonie et, en toute logique, élégance.
☞ Alain-Dominique Perrin, Dom. de Lagrézette,
46140 Caillac, tél. 05.65.20.07.42, fax 05.65.20.06.95
☑ ⟁ ⚹ t.l.j. 10h-18h

CH. LAMARTINE Expression 2001 ★

■	3,5 ha	20 000	ⓘ 15 à 23 €

Voici une cuvée qui exprime bien ses origines : 100 % cot, terroir argilo-calcaire, élevage en barrique. Habillée d'une robe violette aux reflets sombres, elle s'épanouit sur des arômes de fruits à l'alcool et des notes boisées (vanille), avec une pointe d'épices. La bouche est souple, élégante, chocolatée. Ce vin sera parfait dans deux ans. Le jury a également attribué une étoile à la **Cuvée particulière 2002 (8 à 11 €)**, tout en fruits mûrs, à laquelle le tannat a donné de la charpente. À attendre.
☞ SCEA Ch. Lamartine, 46700 Soturac,
tél. 05.65.36.54.14, fax 05.65.24.65.31,
e-mail chateau-lamartine@wanadoo.fr
☑ ⟁ ⚹ t.l.j. 9h30-12h 14h-18h30; dim. sur r.-v.
☞ Alain Gayraud

DOM. DE MAISON NEUVE 2001 ★

■	n.c.	n.c.	▮ 5 à 8 €

Bien sûr qu'elle a du charme cette cuvée qui n'a pas connu le bois. De sa jolie robe cerise à reflets grenat s'exhalent des arômes déjà bien épanouis de fruits rouges mûrs et surtout de violette. Cette palette se confirme en bouche, après une attaque souple, et se prolonge avec le soutien des tanins issus du raisin. Une élégante structure qui garantit un beau potentiel de garde.
☞ Delmouly, Maison Neuve, 46800 Le Boulve,
tél. 05.65.31.95.76, fax 05.65.31.97.80 ☑ ⟁ ⚹ r.-v.

CH. DE MERCUES 2002 ★★

■	20 ha	85 000	ⓘ 8 à 11 €

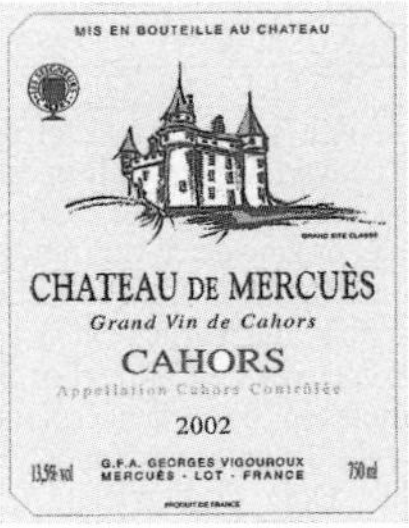

A l'image du château féodal, classé Monument historique, qui domine la vallée du Lot, ce vin révèle toute sa puissance. Sous une robe profonde, presque noire à reflets violets apparaît un nez complexe de petits fruits, de sous-bois et d'épices. La matière concentrée et charnue laisse une sensation réglissée, prémice d'un bouquet en formation. Un sérieux potentiel. Le **Château de Haute Serre 2002** est par ailleurs cité.
☞ GFA Georges Vigouroux, Ch. de Mercuès,
46090 Mercuès, tél. 05.65.20.80.80, fax 05.65.20.80.81,
e-mail vigouroux@g.vigouroux.fr ☑ ⟁ ⚹ r.-v.

METAIRIE GRANDE DU THERON
La Métairie 2002 ★

■	3,5 ha	14 000	ⓘ 11 à 15 €

Si **La Métairie Grande du Théron 2002 (5 à 8 €)**, élevée en cuve, obtient elle aussi une étoile pour sa bonne matière, le jury a mis en avant cette cuvée boisée. Celle-ci, revêtue d'une robe cerise, offre une composition friande de fruits surmûris, de prune, de cerise à l'alcool. Sa bouche s'ouvre également sur les fruits plutôt noirs, et tire profit de tanins fondus pour donner une impression de volume et de concentration.
☞ Liliane Barat-Sigaud,
Métairie Grande du Théron, 46220 Prayssac,
tél. 05.65.22.41.80, fax 05.65.30.67.32 ☑ ⟁ ⚹ r.-v.

CH. NOZIERES L'Elégance 2002 ★

■	2 ha	10 000	ⓘ 11 à 15 €

« Elégance » : un nom qui sied bien à cette cuvée cerise noire particulièrement gourmande. Le nez encore discret laisse paraître des notes de fruits noirs et des touches boisées, puis la bouche, cohérente, révèle sa charpente, avec des tanins encore un peu fermes en finale. La cuvée **Ambroise de l'Her 2002 (5 à 8 €)** bénéficie de 10 % de merlot en complément du cot et d'un élevage sous bois prolongé. Citée, elle demande du temps pour se fondre.

⊶ Maradenne-Guitard, Bru, 46700 Vire-sur-Lot,
tél. 05.65.36.52.73, fax 05.65.36.50.62
☒ Y 🚶 t.l.j. sf dim. 8h-12h 14h-19h

CH. PAILLAS 2002 ★★

■ 27 ha 110 000 ▮♁ 5 à 8 €

D'une jolie teinte cerise, ce cahors réjouit par son fruité et sa structure. Un nez bien typé de fruits noirs et d'épices, une bouche franche aux tanins enrobés qui confirme les arômes et s'enrichit de fruits cuits : voilà un vin d'équilibre qui accompagnera la cuisine régionale.

⊶ SCEA de Saint-Robert, Paillas, 46700 Floressas,
tél. 05.65.36.58.28, fax 05.65.24.61.30,
e-mail info@paillas.com
☒ Y 🚶 t.l.j. sf sam. dim. 8h-12h 13h30-17h30

DOM. DU PEYRIE 2002 ★

■ 8,33 ha 50 000 ▮♁ 5 à 8 €

Le domaine doit son nom au mot occitan *pierries*, désignant un sol couvert de pierres. Il en est ainsi, en effet, du terroir argilo-siliceux qui a porté les ceps d'auxerrois et de merlot (4 %) à l'origine de ce vin franc. Sous une robe aubergine apparaissent des arômes de cerise et de violette, puis des tanins polis qui participent à l'impression de souplesse. Citée, la **cuvée de L'Age d'or 2002 (8 à 11 €)** s'est enrichie de notes épicées et vanillées lors de son élevage en fût de chêne ; elle demande à se fondre dans le temps.

⊶ Christian Gilis, Dom. du Peyrié, 46700 Soturac,
tél. 05.65.36.57.15, fax 05.65.36.57.28,
e-mail domaine.peyrie@wanadoo.fr
☒ Y 🚶 t.l.j. sf dim. 8h30-12h 14h-18h

CH. PINERAIE L'Authentique 2002 ★

■ n.c. 20 000 🛢 15 à 23 €

Né sur les hautes terrasses du Lot, cet Authentique semble bien ouvragé dans sa robe grenat violacé et brillant. Son nez mûr exhale des arômes de fruits confits et d'épices, puis la bouche y ajoute des notes boisées et des flaveurs de cacao. Quelques années de garde permettront au vin de se fondre.

⊶ Jean-Luc Burc, Leygues, 46700 Puy-l'Evêque,
tél. 05.65.30.82.07, fax 05.65.21.39.65,
e-mail chateaupineraie@wanadoo.fr
☒ Y 🚶 t.l.j. sf dim. 8h-12h 14h-18h

PRIEURE DE CENAC 2002 ★

■ n.c. 120 000 🛢 8 à 11 €

Le prieuré appartenait autrefois aux moines de Pictus qui, au XIX[e]s., exportaient leurs vins en Europe du Nord et de l'Est, puis participèrent activement à la lutte contre le phylloxéra. C'est en 1979 que Franck et Jacques Rigal restaurèrent le vignoble planté sur un sol argilo-calcaire profond. Ils proposent aujourd'hui un vin de malbec et de merlot (20 %) qui développe des arômes d'épices et de fruits noirs. Une masse tannique bien extraite assure volume et aptitude au vieillissement. Egalement très réussi, le **Château de Grézels Prestige 2002 élevé en fût de chêne (5 à 8 €)** s'exprime dans le registre fruité, complété d'un boisé harmonieux.

⊶ SCEA Château Saint-Didier-Parnac, 46140 Parnac,
tél. 05.65.30.70.10, fax 05.65.20.16.24,
e-mail maite-rigal@rigal.fr ☒ Y 🚶 r.-v.

PRIMO PALATUM Classica 2002 ★★

■ 2 ha 3 600 🛢 15 à 23 €

Habitué des podiums (avec un coup de cœur pour le Classica 2001 l'an passé), Xavier Copel propose un 2002 concentré et prometteur. Le nez allie les fruits confits, le cassis à des notes boisées de vanille et de cacao. Les tanins déjà fondus soutiennent le gras d'une matière empreinte de fruits noirs et de réglisse jusqu'à la longue finale. Il faudra savoir attendre pour apprécier pleinement ce Classica, tout comme la cuvée **Mythologia 2002 (30 à 38 €)** notée une étoile.

⊶ Primo Palatum, 1, Cirette, 33190 Morizès,
tél. 05.56.71.39.39, fax 05.56.71.39.40,
e-mail xavier-copel@primo-palatum.com ☒ Y 🚶 r.-v.
⊶ Xavier Copel

DOM. DU PRINCE Lou Prince 2001 ★

■ 0,77 ha 1 800 🛢 15 à 23 €

De ce vignoble transmis de père en fils depuis le XVII[e]s. est né un Prince très séduisant, habillé d'une tenue à nuances violettes. Les fruits noirs se mêlent aux épices abondantes et au boisé pour composer un nez intense, tandis qu'en bouche la vanille et la torréfaction dominent. A l'attaque souple succède une mâche puissante, signe d'un bon potentiel de vieillissement. A attendre.

⊶ Jouves, GAEC de Pauliac,
Cournou, 46140 Saint-Vincent-Rive-d'Olt,
tél. 05.65.20.14.09, fax 05.65.30.78.94 ☒ Y 🚶 r.-v.

CH. LES RIGALETS La Quintessence 2002 ★★

■ 2 ha 9 500 🛢 15 à 23 €

Le premier contact avec la Quintessence de Jean-Luc Bouloumié est toujours fascinant. Sa couleur profonde et brillante invite à découvrir un vin longuement élevé, dominé par le cacao, la vanille, les épices et le cuir. La bouche, très concentrée et grasse, est encore dominée par l'héritage du chêne, mais le temps permettra à ce vin de s'exprimer pleinement. Un beau travail.

⊶ Jean-Luc Bouloumié, Les Cambous, 46220 Prayssac,
tél. 05.65.30.61.69, fax 05.65.30.60.46
☒ Y 🚶 t.l.j. 8h-19h; dim. sur r.-v.

CH. DES ROCHES Vendémiaire 2002 ★★

■ 2 ha 10 200 ▮♁ 5 à 8 €

Quand Jean Labroue décida, après des études à l'Ecole normale de Toulouse, de louer des vignes et de les travailler, son père ne le vit pas d'un très bon œil, mais les résultats obtenus allaient le convaincre. Rouge violacé, ce 2002 développe des arômes francs de fruits et d'épices qui se prolongent dans la bouche ample et généreuse. Des tanins solides assurent sa persistance. Très réussie, la cuvée **Le Serment 2002 élevée en fût de chêne (11 à 15 €)** offre un boisé bien maîtrisé qui laisse les fruits s'exprimer. Il faudra un peu de temps pour apprécier tout son potentiel.

⊶ Jean Labroue, Les Roches, 46220 Prayssac,
tél. 05.65.30.61.49, fax 05.65.30.83.53 ☒ Y 🚶 r.-v.

G. ET J. SOUQUES
Cuvée Julien Elevé en fût de chêne 2001 ★

■ 2 ha 3 500 🛢 5 à 8 €

Jérôme Souques a accompli un joli travail en produisant cette cuvée grenat profond à reflets noirs. Cassis et mûre s'associent au toasté avec complexité, et sont complétés d'une nuance mentholée qui apporte de la fraîcheur. La bouche grasse marie les fruits au bois jusque dans sa finale longue et harmonieuse, même si les tanins semblent encore fermes.

⊶ Jérôme Souques, Camp d'Auriol, 46140 Luzech,
tél. 05.65.20.12.90, fax 05.65.30.72.88,
e-mail campauriol@wanadoo.fr ☒ Y 🚶 r.-v.

DOM. DU THERON Tradition 2002 ★

■ 8,5 ha 25 000 8 à 11 €

Du cot pratiquement pur (5 % de merlot) et un élevage en cuve pour un vin destiné à un cassoulet. Un beau cahors, cerise violacé, qui se montre complexe dans ses arômes de fruits rouges (fraise écrasée) soulignés d'une pointe de violette. Il réserve le meilleur en bouche : une mâche pleine et ronde, concentrée et persistante, des tanins agréables.

SCEA Dom. du Théron, Le Théron, 46220 Prayssac, tél. 05.65.30.64.51, fax 05.65.30.69.20, e-mail domaine.theron@libertysurf.fr

t.l.j. 10h-13h 14h-18h; sam. dim. sur r.-v.

Pauwels

DOM. DE VINSSOU 2002 ★

■ 2 ha 12 000 5 à 8 €

A croquer tout de suite. Un joli vin cerise aux arômes explosifs de fruits rouges relevés d'épices et rafraîchis de menthe. Des tanins sages et des arômes agréables, de l'élégance... C'est du 100 % cot récolté sur un sol argilo-calcaire, vinifié de manière traditionnelle et élevé en cuve.

Louis Delfau, Dom. de Vinssou, rue du Castagnol, 46090 Mercuès, tél. 05.65.30.99.91, fax 05.65.30.99.91

t.l.j. 10h-20h; groupes sur r.-v.

Coteaux-du-quercy AOVDQS

Située entre Cahors et Gaillac, la région viticole du Quercy s'est reconstituée assez récemment. Mais, comme dans toute l'Occitanie, la vigne y était cultivée dès avant notre ère. La vigne connut cependant plusieurs périodes de reflux : au Iers., à la suite de l'édit de Domitien interdisant toute nouvelle plantation hors d'Italie, au XVes., en raison de la prépondérance de Bordeaux, puis au début du XXes., à cause du poids du Languedoc-Roussillon. La recherche de la qualité, qui s'est mise en place à partir de 1965 avec le remplacement des hybrides, a conduit à la définition d'un vin de pays en 1976. Peu à peu, les producteurs ont isolé les meilleurs cépages et les meilleurs sols. Ces progrès qualitatifs ont débouché sur l'accession à l'AOVDQS le 28 décembre 1999. Le territoire délimité s'étend sur trente-trois communes des départements du Lot et du Tarn-et-Garonne.

L'appellation est réservée aux vins rouges et aux vins rosés. Les vins rouges, d'une couleur pourpre soutenu, sont charnus et généreux, avec une complexité aromatique apportée par l'assemblage de cabernet franc, cépage principal pouvant atteindre 60 %, et de tannat, cot, gamay noir ou merlot (chacune de ces variétés à hauteur de 20 % maximum). Les vins rosés, fruités et vifs, sont issus du même encépagement.

La déclaration de récolte en 2003 a atteint 11 531 hl pour 291 ha. Elle est assurée par une trentaine de producteurs, dont trois caves coopératives.

DOM. D'ARIES

Marquis des Vignes Elevé en fût de chêne 2002 ★★

■ 8 ha 30 000 5 à 8 €

Pierre Belon est l'un des pionniers de l'appellation coteaux-du-quercy. Cette cuvée a séduit le jury par sa teinte rubis à reflets tuilés, son nez intense de confiture et de pâte de fruits, relevé de quelques épices et d'une note mentholée. La bouche ronde, assez pleine et souple, bénéficie du soutien de tanins doux et d'une finale fruitée.

GAEC Belon et Fils, Dom. d'Ariès, 82240 Puylaroque, tél. 05.63.64.92.52, fax 05.63.31.27.49 r.-v.

LE CAMPANIER 2002 ★

■ 12 000 3 à 5 €

60 % de cabernet franc, 30 % de merlot et 10 % de cot composent ce vin pourpre intense, agréable et bien typé dans sa palette d'épices (poivre et muscade) et de cassis mûr. Son volume est assuré par une charpente de tanins suffisamment fondus. Equilibré et d'une bonne expression aromatique, voilà un digne représentant de l'appellation.

Chai Saint-Etienne, 46170 Saint-Paul-de-Loubressac, tél. 05.65.21.97.57, fax 05.65.21.98.20

t.l.j. sf dim. 9h-19h

Gisbert et Québre

DOM. DES GANAPES 2002 ★

■ 5,25 ha 13 000 3 à 5 €

A 9 km au sud de Caussade, le domaine, qui pratique la polyculture, s'étend sur les coteaux verdoyants du Quercy. Jean-Marc Séguy l'a hérité de son arrière-grand-mère et le transmettra à sa fille. En attendant, il propose un vin joliment pastoral, grenat nuancé de violet. Le nez franc rappelle les fruits rouges mûrs sur fond végétal de mousse fraîche. Une matière solide enveloppe la structure carrée, faite de tanins fermes. En finale, les fruits reviennent au souvenir du dégustateur.

Jean-Marc Séguy, Ambayrac, Dom. des Ganapes, 82440 Realville, tél. 05.63.31.04.81, fax 05.63.31.89.63, e-mail ganapes@wanadoo.fr

t.l.j. 10h-12h 14h-19h sf dim. 10h-12h et lun. 14h-19h

DOM. DE LA GARDE

Elevé en fût de chêne 2002 ★★

■ 3 ha 12 500 5 à 8 €

Cerise burlat soutenu, ce coteaux-du-quercy arbore un nez intense, aux accents de fruits à l'eau-de-vie et de poivre mêlés a un boisé élégant. Tout aussi raffinée est la bouche ronde, souple et bien charnue. L'impression est favorable jusqu'à la finale fruitée et vanillée qui se prolonge sur une trame de tanins fins.

Jean-Jacques Bousquet, Le Mazut, 46090 Labastide-Marnhac, tél. 05.65.21.06.59, fax 05.65.21.06.59, e-mail domainedelagarde@fr.st

t.l.j. sf dim. 9h-12h 14h-19h

DOM. DE GUILLAU 2003 ★

■ 4 ha 6 000 3 à 5 €

Un vin friand, tout cristallin et rose clair. Vif et franc, il comble l'odorat de jolis arômes de fruits frais : banane,

SUD-OUEST

agrumes, fraise... La bouche est bien équilibrée, fraîche et fruitée, assez longue et de bonne tenue. Le **coteaux-du-quercy rouge 2002** est cité.
Jean-Claude Lartigue, Saint-Julien, 82270 Montalzat, tél. 05.63.93.17.24, fax 05.63.93.28.06, e-mail jc.lartigue@worldonline.fr ☑ Y ⚲ r.-v.

JACQUES DE BRION 2002 *

■ 16 ha 60 000 - de 3 €

La cave de Lavilledieu produit aussi des coteaux-du-quercy, dont ce 2002 apporte une bonne illustration. Rubis, celui-ci offre des senteurs variées : un peu de confiture de fruits noirs, une note de violette, une touche de cuir et des nuances végétales. Son attaque souple et ronde annonce une bouche suave et fruitée, portée par des tanins doux. La petite pointe végétale, fraîche, relève bien le goût. Un vin léger et agréable.
Cave de Lavilledieu-du-Temple, 337, rte de Meauzac, 82290 Lavilledieu-du-Temple, tél. 05.63.31.60.05, fax 05.63.31.69.11, e-mail cave-lavilledieu@wanadoo.fr
☑ Y ⚲ t.l.j. sf dim. 9h-12h 14h-18h

DOM. DE LAFAGE Tradition 2002

■ 6 ha 24 000 5 à 8 €

Ce domaine conduit en biodynamie bénéficie de l'expérience d'un vigneron confirmé. La cuvée Tradition ne manque d'ailleurs pas de caractère dans sa robe grenat profond aux nuances pourpres. Son nez intense, frais et corsé à la fois, exprime les fruits mûrs et la menthe. Si cette bouteille semble ample et chaleureuse en première impression, la bouche impose ensuite sa charpente de tanins fermes et sa chaleur. Encore austère, ce vin mérite de s'ouvrir à la faveur de la garde.
Bernard Bouyssou, Dom. de Lafage, 82270 Montpezat-de-Quercy, tél. 05.63.02.06.91, fax 05.63.02.04.55 ☑ Y ⚲ r.-v.

DOM. DE MAZUC 2002 **

■ 4,5 ha 24 000 3 à 5 €

L'heure de la consécration pour Erick Carles, issu d'une famille de vignerons et à la tête de l'exploitation depuis 1977. Grenat aux nuances violines vives, son vin est intensément parfumé : il évoque à la fois la douceur par ses notes de confiture de cassis ponctuées de cannelle et la fraîcheur par sa pointe de menthol. Il se montre volumineux et charpenté en bouche, avec une matière riche et aromatique. La finale repose sur des tanins fondus.
Erick Carles, Mazuc, 82240 Puylaroque, tél. 05.63.64.90.91, fax 05.63.64.90.91, e-mail domainedemazuc@wanadoo.fr
☑ Y ⚲ t.l.j. 9h-12h 13h30-19h; groupes sur r.-v.

DOM. DU MERCHIEN 2002 *

■ 2 ha 4 000 5 à 8 €

David et Sarah Meakin exportent leurs vins au Royaume-Uni, aux Pays-Bas et au Danemark. Gageons que ce vin (60 % de cabernet franc, 20 % de merlot et 20 % de gamay) séduira tous les publics tant il est complet. Couleur rouge grenat profond, nez fin et complexe de pâte de fruits à la cerise, à la groseille et au cassis, bouche ample et puissante. La solide structure tannique étaye fruits et épices en finale.
David et Sarah Meakin, Dom. du Merchien, Penchenier, 46230 Belfort-du-Quercy, tél. 05.63.64.97.21, fax 05.63.64.97.21, e-mail wine@merchien.net ☑ Y ⚲ r.-v.

CAVE DES TROIS MOULINS Cuvée Maurélis 2002

■ 3,53 ha 12 300 5 à 8 €

Une majorité de cabernet franc soutenue par 25 % de tannat et 15 % de cot a produit ce vin de bonne intensité aromatique (fruits noirs et pincée de poivre), vêtu d'une robe cerise aux nuances violines. Après une première impression de rondeur et de souplesse, la bouche revient sur le cassis et les épices. Sa structure légère s'appuie sur de petits tanins, encore à peine austères en finale.
Cave des Trois Moulins, Peyrettes, 46170 Castelnau-Montratier, tél. 05.65.21.97.65, fax 05.65.21.82.45, e-mail cave-des-trois-moulins@wanadoo.fr
☑ Y ⚲ t.l.j. 9h-12h 14h-19h

Gaillac

Comme l'attestent les vestiges d'amphores fabriquées à Montels, les origines du vignoble gaillacois remontent à l'occupation romaine. Au XIIIe s., Raymond VII, comte de Toulouse, prit à son endroit un des premiers décrets d'appellation contrôlée, et le poète occitan Auger Gaillard célébrait déjà le vin pétillant de Gaillac bien avant l'invention du champagne. Le vignoble (4 189 ha) se divise entre les premières côtes, les hauts coteaux de la rive droite du Tarn, la plaine, la zone de Cunac et le pays cordais pour une production de 106 406 hl de vins rouges et 41 408,61 hl de vins blancs en 2003.

Les coteaux calcaires se prêtent admirablement à la culture des cépages blancs traditionnels comme le mauzac, le len-de-l'el (loin-de-l'œil), l'ondenc, le sauvignon et la muscadelle. Les zones de graves sont réservées aux cépages rouges, duras, braucol ou fer-servadou, syrah, gamay, négrette, cabernet, merlot. La variété des cépages explique la palette des vins gaillacois.

Pour les blancs, on trouvera les secs et perlés, frais et aromatiques, et les moelleux des premières côtes, riches et suaves. Ce sont ces vins, très marqués par le mauzac, qui ont fait la renommée du gaillac. Le gaillac mousseux peut être élaboré soit par une méthode artisanale à partir du sucre naturel du raisin, soit par la méthode traditionnelle ; la première donne des vins plus fruités, avec du caractère. Les rosés de saignée sont légers et faciles à boire, les vins rouges dits de garde, typés et bouquetés.

CH. D'ARLUS 2002 ★

■	7,12 ha	32 000	■ ↓ 3 à 5 €

Dans l'Antiquité, une fabrique d'amphores était installée sur le site occupé aujourd'hui par ce domaine. Une vocation pour le vin qui ne se dément pas aujourd'hui, à en juger par ce gaillac rubis clair, brillant, qui évoque les fruits rouges (cerise) et le poivron vert. La bouche équilibrée, ronde, souple et légère, se montre bien fruitée, accompagnée de quelques épices en finale. A boire dès maintenant.

☛ Ch. d'Arlus, Les Homps, 81140 Montels,
tél. 05.63.33.15.06, fax 05.63.33.15.06,
e-mail arlus3@wanadoo.fr ☑ ⵙ ⵣ t.l.j. 8h-12h 14h-19h
☛ Lucien Schmitt

DOM. DE BALAGES Doux 2002 ★★

	0,2 ha	1 400	■ ↓ 8 à 11 €

D'un jaune paille doré aux nuances vertes, ce vin de bonne intensité évoque les fruits exotiques (litchi) et les fruits secs. Sa bouche douce, riche et pleine s'étire sur des notes de fleur de lys et de noisettes enrobées de miel. Le **gaillac rouge cuvée Rêveline 2002** est cité.
☛ Claude Candia,
Dom. de Balagès, 81150 Lagrave,
tél. 05.63.41.74.48, fax 05.63.81.52.12 ☑ ⵙ ⵣ r.-v.

DOM. BARREAU
Doux Caprice d'Automne 2002 ★★

	2,9 ha	10 080	■ 8 à 11 €

Voici un gaillac doux fort harmonieux dans sa robe paille soutenu aux reflets dorés. Il s'épanouit dans le registre fruité, déclinant la pâte de coings, les zestes d'agrumes confits, l'ananas au sirop... D'attaque franche, il se montre rond et plein, d'un équilibre remarquable entre les saveurs. Le jury a apprécié sa vivacité qui donne à la matière plus de relief et aux arômes plus de fraîcheur.
☛ Jean-Claude Barreau, Boissel, 81600 Gaillac,
tél. 05.63.57.57.51, fax 05.63.57.66.37 ☑ ⵙ ⵣ r.-v.

DOM. DE BONNEFIL
Cuvée Saint-Florent Vieilli en fût de chêne 2002 ★

■	2 ha	3 000	■ ⵙ ↓ 5 à 8 €

Cette propriété de 20 ha jouit de l'expérience d'une ancienne famille de vignerons. Un savoir-faire qui se traduit dans ce vin suffisamment ouvert et fin, aux senteurs de fruits rouges, de poivron grillé et de vanille. La robe vermillon à reflets violines invite à découvrir la bouche ronde dès l'attaque, puis montante, portée par un caractère chaleureux et soutenue par le boisé jusqu'en finale. Un ensemble bien lié.

Gaillac

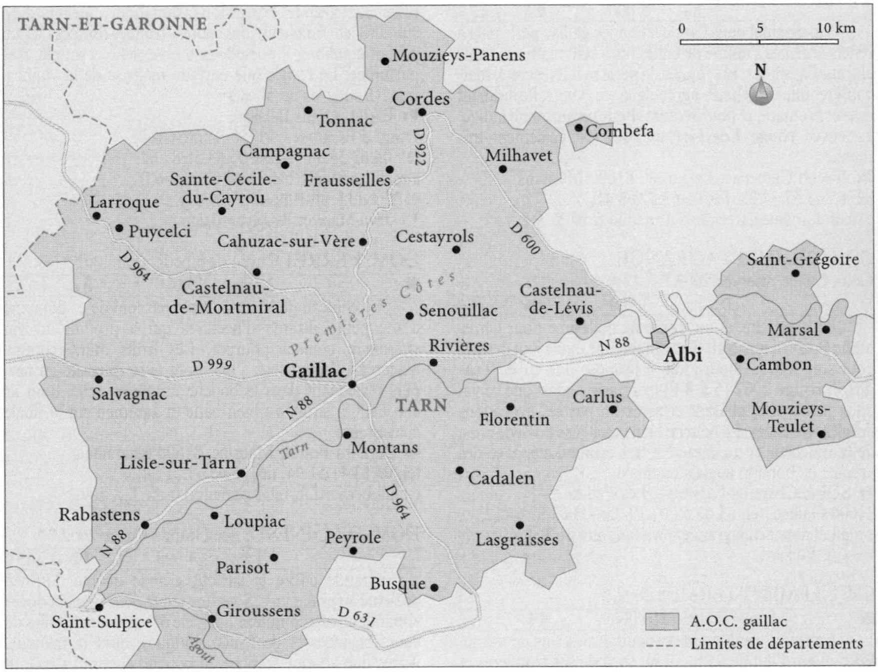

➥ Alain et Martine Lagasse, Dom. de Bonnefil,
81150 Lagrave, tél. 05.63.41.70.62, fax 05.63.41.70.62,
e-mail domaine.de.bonnefil@wanadoo.fr
☑ ⊤ ⋏ t.l.j. 9h30-12h30 15h-19h; mer. dim. sur r.-v.

CH. BOURGUET 2003 ★

| ▪ | 0,75 ha | 2 400 | ▮↧ | 3 à 5 € |

Certes, le **gaillac doux 2003 (5 à 8 €)** est également
très réussi et d'un bon rapport qualité-prix, mais ce rosé à
la robe légère retient l'attention par son nez intense et
persistant, avec le caractère amylique des bons vins primeurs : banane, fraise. Vive en attaque, la bouche reste
fraîche, équilibrée et parfaitement aromatique.
➥ Jean et Jérôme Borderies, Les Bourguets,
81170 Vindrac-Alayrac, tél. 05.63.56.15.23,
fax 05.63.56.15.23, e-mail jean.borderies@libertysurf.fr
☑ ⊤ ⋏ t.l.j. sf dim. 9h-12h 15h-18h; groupes sur r.-v.

DOM. DE BROUSSE Elevé en fût de chêne 2002 ★

| ▪ | 1,2 ha | 6 800 | ⅲ | 5 à 8 € |

Sur les premiers coteaux du plateau cordais, le
domaine cultive près de 7 ha de vignes exposées plein sud.
Syrah et braucol à parts égales composent ce vin grenat à
reflets roses qui s'ouvre sur des accents boisés de torréfaction et d'épices avant d'accorder la faveur à des notes
fraîches de lierre et de poivron, ainsi qu'à la framboise.
Souple et léger, bien équilibré, le corps est svelte, sa chair
parfumée et la texture soyeuse.
➥ Philippe et Suzanne Boissel,
Dom. de Brousse, 81140 Cahuzac-sur-Vère,
tél. 05.63.33.90.14, fax 05.63.33.90.14
☑ ⌂ ⊤ t.l.j. sf dim. 10h30-12h30 15h-20h

DOM. CARCENAC Sec Frénésie Perlé 2003 ★

| ▪ | 3 ha | 5 000 | ▮↧ | 3 à 5 € |

Vin original dans l'appellation, ce gaillac perlé pâle à
reflets argentés s'anime de bulles fines et livre un nez franc
et frais d'agrumes. En bouche, la perle se fait discrète, mais
confère une fraîcheur agréable à ce vin suffisamment
gras et aromatique pour séduire. Pour un automne indien.
La cuvée **rouge Les Grèzes 2002** est également très
réussie.
➥ Joseph Carcenac, Le Jauret, 81600 Montans,
tél. 05.63.57.57.28, fax 05.63.57.68.41,
e-mail domaine.carcenac@wanadoo.fr ☑ ⊤ ⋏ r.-v.

CH. CHAUMET LAGRANGE
Doux Cuvée réservée 2003 ★

| ▪ | 0,8 ha | 3 700 | ⅲ | 8 à 11 € |

Un deuxième et un troisième millésime pour Christophe Boizard qui avait déjà obtenu une étoile l'an dernier
pour son 2001. Aujourd'hui, il propose une cuvée **Tradition rouge 2002 (5 à 8 €)** très réussie, ainsi que ce vin
doux jaune pâle, plaisant et assez fin par ses évocations
florales et fruitées. La bouche bien moelleuse possède aussi
de la fraîcheur et un caractère très aromatique, avec des
arômes de bonbon anglais en finale.
➥ SCEA Chaumet-Lagrange, Les Fediès,
81600 Gaillac, tél. 05.63.57.07.12, fax 05.63.57.64.12,
e-mail chateau.ch.lagrange@wanadoo.fr ☑ ⊤ ⋏ r.-v.
➥ Ch. Boizard

CH. CLEMENT TERMES 2002 ★

| ▪ | 25 ha | 210 000 | ▮↧ | 3 à 5 € |

Autrefois, ce domaine produisait des vins de messe.
Fort aujourd'hui de 95 ha, il est sorti de ses frontières et

exporte 30 % de sa production. Son 2002, rouge profond aux puissants reflets violets, a encore peine à s'ouvrir,
mais il révèle à l'aération quelques notes de fruits rouges
et noirs, quelques pincées d'épices aussi. Il se montre
souple, rond et chaleureux en bouche, doucement réglissé
et structuré par des tanins doux. Egalement très réussi en
rouge, la cuvée **Mémoire 2001 (5 à 8 €)**, élevée en fût.
➥ David Maître, Les Fortis, 81310 Lisle-sur-Tarn,
tél. 05.63.40.47.80, fax 05.63.40.45.08,
e-mail clement.termes@wanadoo.fr
☑ ⊤ ⋏ t.l.j. sf dim. 9h-12h 14h-19h

DOM. D'ESCAUSSES
Doux Vendanges dorées 2002 ★★

| ▪ | 5 ha | 15 000 | ⅲ | 8 à 11 € |

2002
vendanges
dorées

APPELLATION GAILLAC DOUX
CONTROLEE

EARL DENIS BALARAN VIGNERON
81150 SAINTE-CROIX
PRODUIT DE FRANCE

75cl 500 ml

Une pluie d'étoiles pour Denis Balaran et dans tous
les styles de vins : le **gaillac rouge La Croix Petite 2002**
élevé en fût est jugé très réussi, le **blanc sec La Vigne de
l'Oubli 2002**, remarquable, et ce liquoreux remporte un
coup de cœur. Ce dernier, paré d'une frange vive et dorée,
offre une grande expression aromatique, mêlant avec
subtilité et fraîcheur des notes fruitées-florales. D'un
parfait équilibre, il possède une sève riche et ample, très
parfumée. Le fruit d'une parfaite maîtrise de la vinification. (Bouteilles de 50 cl.)
➥ EARL Denis Balaran,
Dom. d'Escausses, 81150 Sainte-Croix,
tél. 05.63.56.80.52, fax 05.63.56.87.62,
e-mail jean-marc.balaran@wanadoo.fr
☑ ⊤ ⋏ t.l.j. 9h-19h; dim. sur r.-v.
➥ Jean-Marc et Roselyne Balaran

DOM. FERRET Cuvée Combe Rouzal 2002 ★

| ▪ | 2,5 ha | 15 000 | ▮↧ | 5 à 8 € |

Le château de Mauriac n'est pas loin de ce domaine
d'une petite dizaine d'hectares qui a produit un vin
charmeur, couleur pourpre. Les fruits mûrs, comme
macérés à l'eau-de-vie, s'imposent avec intensité au nez,
puis reviennent dans la bouche ample et riche, dont ils
enrobent la structure bien bâtie et agrémentent la finale
chaleureuse.
➥ Bernard Ferret, Mauriac, 81600 Senouillac,
tél. 05.63.41.51.94, fax 05.63.41.51.94,
e-mail bernard.ferret@wanadoo.fr ☑ ⊤ ⋏ r.-v.

DOM. DE GINESTE Sec Grande Cuvée 2002 ★★

| ▪ | 1 ha | 4 000 | ⅲ | 11 à 15 € |

Grande cuvée et surtout grande qualité. Un vin
présenté au grand jury. Sous une teinte délicatement dorée
apparaît un nez complexe qui mêle des senteurs subtiles de
fleurs blanches et de fruits exotiques, dont la mangue.
Après une attaque franche, la bouche apparaît ronde et

grasse, bien équilibrée, dotée d'arômes plus prononcés encore. La **cuvée Pourpre 2002 (5 à 8 €)** obtient une étoile, tandis que le **gaillac doux cuvée Blonde 2003 (8 à 11 €)** est cité.
🔑 EARL Dom. de Gineste, 81600 Técou,
tél. 05.63.33.03.18, fax 05.63.33.04.11,
e-mail domainedegineste@wanadoo.fr
☒ 🍷 🚶 t.l.j. 10h-12h30 15h30-19h; dim. sur r.-v.
🔑 Maugeais-Delmotte

CH. DES HOURTETS 2002 ★

■ 15 ha 110 000 ▮🍾 3 à 5 €

Un cirque exposé sud-sud-est, parcouru de sources et bénéficiant d'un microclimat qui le protège des gelées : tel est le cadre de ce vignoble. Une image harmonieuse que l'on retrouve dans son vin cerise noire parcouru de larmes généreuses. Intense et complexe, celui-ci mêle des arômes vineux et épicés à d'autres, plus frais, de sous-bois et de fruits rouges. A l'attaque franche répond une bouche ronde, puissante et aromatique, étayée par une trame de tanins veloutés.
🔑 SCEA Dom. des Hourtets,
Laborie, 81600 Gaillac,
tél. 05.63.33.19.15, fax 05.63.33.20.49,
e-mail edouard.kabakian@wanadoo.fr ☒ 🍷 🚶 r.-v.
🔑 A. et E. Kabakian

CH. LABASTIDE Sec 2003 ★

□ 3,8 ha 30 000 ▮🍾 8 à 11 €

Des promesses, ce vin vous en fait sous une teinte jaune pâle à reflets verts. Certes, son nez décline avec timidité des senteurs minérales et fruitées (agrumes), mais la bouche se montre déjà ample et fraîche, agréablement suave dans son évolution jusqu'à un joli retour du fruit dans une finale tout acidulée. Le **gaillac rouge Grain de velours 2002 (5 à 8 €)** mérite une citation.
🔑 Cave de Labastide-de-Lévis,
BP 12, 81150 Marssac-sur-Tarn,
tél. 05.63.53.73.73, fax 05.63.53.73.74,
e-mail info@cave-labastide.com ☒ 🍷 🚶 r.-v.

CH. DE LACROUX
Demi-sec Méthode Gaillacoise 2003 ★

○ 0,75 ha 3 333 ▮🍾 8 à 11 €

Un vin effervescent de pure tradition gaillacoise élaboré à partir du cépage local mauzac. Revêtu d'une mousseline jaune pâle, parcouru de bulles fines et vives, il offre un nez intense de poire et de figue fraîche. Sa mousse légère met en valeur une chair mûre et agréablement fruitée qui se développe harmonieusement.
🔑 Pierre Derrieux et Fils,
Lacroux de Lincarque, 81150 Cestayrols,
tél. 05.63.56.88.88, fax 05.63.56.86.18,
e-mail chateaudelacroux@wanadoo.fr ☒ 🏠 🍷 🚶 r.-v.

DOM. DE LARROQUE Les Seigneurines 2002 ★★

■ 1 ha 3 600 ◍ 8 à 11 €

Le meilleur gaillac rouge du millésime. Le jury a été sensible à sa fraîcheur, perceptible dès le regard sur sa robe violine intense, puis à l'olfaction de ses senteurs complexes et élégantes de cassis, de lierre, de poivre sur fond de chêne légèrement toasté. La bouche ample et ronde, chaleureuse et fraîche à la fois, est équilibrée. Sa large charpente dévoile des tanins de plus en plus soyeux, qui soutiennent un fruité pur. Un vin typé et très bien fait.

🔑 V. et P. Nouvel,
Dom. de Larroque, 81150 Cestayrols,
tél. 05.63.56.87.63, fax 05.63.56.87.40 ☒ 🍷 🚶 r.-v.

CH. LARROZE 2002 ★★

■ 6 ha 40 000 ▮🍾 5 à 8 €

Un vin très apprécié lors de la finale du grand jury, repéré pour sa typicité et son élégance. Rouge vif à reflets violet soutenu, il s'ouvre volontiers, avec fraîcheur et élégance, sur les fruits noirs et rouges, soulignés d'épices et d'une touche de menthol. Assez souple dès l'attaque, il se montre charnu, bien structuré par des tanins soyeux, aromatique jusqu'en finale.
🔑 SARL La Colombarié,
Ch. Larroze, 81140 Cahuzac-sur-Vère,
tél. 05.63.33.92.62, fax 05.63.33.92.49,
e-mail lacolombarie@aol.com ☒ 🏠 🏠 🍷 🚶 r.-v.
🔑 Linard

CH. LASTOURS Sec Les Graviers blancs 2003 ★

□ 8 ha 25 000 ▮🍾 3 à 5 €

Une allée de platanes mène à un château du XVIII[e]s. et à ses chais où est vinifié le fruit de 40 ha de vignes. Une élégance que l'on retrouve dans ce vin cristallin, délicatement parfumé de fleurs blanches, de fruits frais (pamplemousse) et d'une nuance d'eucalyptus. Ample et fraîche, la bouche exprime tout son fruit avec finesse. Le **gaillac rouge Cuvée spéciale 2002 élevée en fût de chêne (5 à 8 €)** est également très réussi.
🔑 Hubert et Pierric de Faramond, Ch. Lastours,
81310 Lisle-sur-Tarn, tél. 05.63.57.07.09,
fax 05.63.41.01.95 ☒ 🍷 🚶 t.l.j. sf dim. 9h-12h 14h-18h

CH. LECUSSE Cuvée spéciale 2002 ★★

■ 3 ha 20 000 ▮ 5 à 8 €

La cuvée principale **Château Lecusse 2002 rouge** mérite aussi deux étoiles, mais l'avantage revient à cette cuvée spéciale. Couleur d'encre, elle offre un nez intense qui décline les fruits rouges et noirs (cassis, mûre, griotte), les épices et la menthe. Sa matière concentrée est solidement charpentée, mais son gras devrait bientôt enrober ses tanins. A attendre.
🔑 Mogens N. Olesen, Ch. Lecusse, Broze,
81600 Gaillac, tél. 05.63.33.90.09, fax 05.63.33.94.36,
e-mail post@chateaulecusse.fr ☒ 🍷 r.-v.

CH. MARESQUE Elevé en fût de chêne 2002 ★

■ 1,3 ha 6 000 ◍ 8 à 11 €

Sous une profonde robe cerise burlat se manifeste un nez de qualité aux élégantes notes de fruits rouges, d'épices (poivre et vanille) et de réglisse. Le vin évolue avec souplesse grâce à des tanins soyeux, tout en gardant de la vivacité qui souligne ses arômes bien nets. Un gaillac d'un abord aimable, prêt à boire. En rouge toujours, la **cuvée Thomas 2002 (5 à 8 €)** est citée.

⚑ Béatrice Méhaye et Lucas Schutte, Ch. Maresque, chem. de Bostié, 81600 Gaillac, tél. 05.63.57.53.32, fax 05.63.57.53.32, e-mail info@maresque.com ☑ ☗ ❢ ☩ t.l.j. 10h-19h

MAS D'AUREL Cuvée Alexandra 2002 ★

	5 ha	20 000	❚❙	5 à 8 €

Le mas d'Aurel est une propriété typiquement gaillacoise, avec son pigeonnier. Il a produit un vin gourmand, grenat brillant, dont le nez frais et épicé est garni de petits fruits rouges. Après une attaque soyeuse, les tanins se montrent fins dans une bouche plutôt expressive, souple et équilibrée. Joli retour du fruit en finale.

⚑ Mas d'Aurel, 81170 Donnazac, tél. 05.63.56.06.39, fax 05.63.56.09.21 ☑ ☗ ☩ t.l.j. sf dim. 9h-12h 14h-19h

CH. LES MERITZ Doux Prestige 2003 ★★

	5 ha	20 000	❚❙	5 à 8 €

Concentré et harmonieux, ce moelleux l'est assurément. Voyez sa robe paille à reflets or. Humez ses parfums généreux de fruits exotiques mûrs et de bonbon au miel. Dès l'attaque, il révèle un remarquable équilibre des saveurs, puis développe un gras impressionnant, du volume avec un retour soutenu des arômes. La fraîcheur relève une jolie finale de pâte de fruits.

⚑ Les Dom. Philippe Gayrel, 81140 Cahuzac-sur-Vère, tél. 05.63.33.91.16, fax 05.63.33.95.76

CH. MIRAMOND 2002 ★★

	2 ha	12 000	❚❙	5 à 8 €

A la belle saison, le château organise des promenades en Gaillacois en association avec les musées et sites touristiques locaux. Une manière agréable d'allier plaisir des yeux... et du palais. Ce 2002 rubis à reflets sombres joue sa partition sur des notes de cassis, d'épices et de réglisse. Enrobant des tanins mûrs, sa belle matière est empreinte d'arômes élégants jusqu'à la finale toute fruitée et épicée. Un gaillac de bonne extraction. La **cuvée Antoine 2002 rouge élevée en fût de chêne (8 à 11 €)** obtient une étoile.

⚑ Pascal Trouche, Ch. Miramond, Mas de Graves, 81600 Gaillac, tél. 05.63.57.14.86, fax 05.63.57.63.44, e-mail chateau.miramond@wanadoo.fr ☑ ☩ t.l.j. sf dim. 10h-12h 16h-19h

CH. MONTELS Doux 2002 ★★

	5,5 ha	11 000	❚❙	5 à 8 €

Le château de Montels a convaincu le jury par ses vins de tous les types : un **gaillac rouge** et un **blanc sec 2002** notés une étoile, ainsi que ce moelleux étincelant d'or vif. Celui-ci se montre avenant par ses notes muscatées, ses arômes de fruits exotiques et de zeste d'agrumes, avec une nuance de pétrole comme dans certains vins alsaciens. Ronde et grasse, la bouche présente un bon équilibre entre alcool, moelleux et vivacité, puis offre une agréable finale sur la pâte de fruits et même la truffe blanche. Un vin intéressant, prêt à boire.

⚑ Bruno Montels, Burgal, 81170 Souel, tél. 05.63.56.01.28, fax 05.63.56.15.46 ☑ ☩ ☩ r.-v.

DOM. DU MOULIN
Vieilles Vignes Elevé en fût 2002 ★

	5,5 ha	33 000	⬙	8 à 11 €

Un ancien moulin à vent se trouve au milieu du vignoble de ce domaine de 45 ha, qui possède aussi une belle cave creusée à flanc de coteau. Là n'est pas l'unique intérêt d'une visite. Ce vin rubis franc et limpide vous séduira aussi, lui qui révèle un nez complexe, dont les accents animaux (cuir) et boisés se mêlent à un léger fruité, avec quelques notes d'épices et de réglisse. L'attaque souple introduit une bouche ronde et grasse, aux tanins bien affinés et au boisé fondu. Déjà évolué, ce gaillac est prêt. Retenez aussi le **blanc sec cuvée Vieilles vignes 2003 élevée en fût (5 à 8 €)**, qui obtient la même note.

⚑ Nicolas et Jean-Paul Hirissou, Dom. du Moulin, chem. de Bastié, 81600 Gaillac, tél. 05.63.57.20.52, fax 05.63.57.66.67, e-mail domainedumoulin@libertysurf.fr ☑ ☩ ☩ t.l.j. sf dim. 9h-12h 14h-19h

LES SECRETS DU CHATEAU PALVIE
Doux 2002 ★★

	3 ha	4 000	⬙	11 à 15 €

Quels sont ces secrets que recèle ce gaillac doux de muscadelle et de len-de-l'el (loin-de-l'œil) sous sa robe or brillant ? Des arômes francs de fleurs blanches, de miel et d'épices, une attaque suave, l'admirable sucrosité d'une bouche toute nappée de miel, puis une finale fraîche : un vin harmonieux à déguster dès maintenant pour le plaisir. N'oubliez pas pour autant le **Château Palvié 2001 rouge (8 à 11 €)**, très réussi. (Bouteilles de 50 cl.)

⚑ Jérôme Bézios, Ch. Palvié, 81140 Cahuzac-sur-Vère, tél. 05.63.57.19.71, fax 05.63.57.48.56

DOM. DES PARISES Doux Loin-de-l'œil 2002 ★★

	2 ha	5 000	⬙	5 à 8 €

Présent au grand jury, ce vin surprenant a retenu l'attention des dégustateurs. Sa robe aux nuances cuivrées annonce une palette d'arômes évolués, évocateurs de miel, de tarte Tatin, d'écorce d'orange, de nèfle ou encore de vanille et de cannelle. La bouche confirme ces sensations tant elle est gorgée de miel, de sirop de fruits et d'épices, soulignés d'un trait d'amertume.

⚑ SCEV Jean Arnaud, 25, rue de la Mairie, 81150 Lagrave, tél. 05.63.41.78.63, fax 05.63.41.78.63 ☑ ☗ ☩ r.-v.

LE PAYSSEL 2003 ★

	0,63 ha	3 000	❚❙	5 à 8 €

A 7 km du village médiéval de Cordes-sur-Ciel, ce domaine a produit un vin grenadine, agréablement parfumé de fruits mûrs (fraise, framboise) et de bonbon anglais. Tout aussi franche et fruitée, sa bouche de bonne tenue se montre à la fois vive et vineuse. Un rosé de belle facture que l'on pourrait rapprocher d'un rouge léger.

⚑ EARL Louis Brun et Fils, Le Payssel, 81170 Frausseilles, tél. 05.63.56.00.47, fax 05.63.56.09.16, e-mail lepayssel@free.fr ☑ ☩ ☩ r.-v. ⚑ Eric Brun

PEYRES-COMBE Doux Flaveurs d'automne 2002 ★

	0,8 ha	3 200	❚❙	8 à 11 €

Victor Brureau est un vigneron antillais, fils d'un producteur de bananes, de café et de fruits tropicaux. Installé en Gaillacois depuis 1989, passionné par la vigne et le vin, il propose un moelleux déjà bien évolué qui coule comme du miel. Sous une teinte vieil or soutenu se manifeste un nez intense de fruits surmûris : figue, nèfle et pastèque. On perçoit beaucoup de gras, de douceur et d'onctuosité dans ce gaillac prêt à boire. (Bouteilles de 50 cl.)

➥ Victor Brureau, La Combe, 81140 Andillac,
tél. 05.63.33.94.67, fax 05.63.33.94.67,
e-mail peyres-combe@wanadoo.fr ☑ 🏠 ☥ ⚹ r.-v.

DOM. DE PIALENTOU Nuance de Cocagne 2003 ★

■	0,45 ha	2 400	■♦ 5 à 8 €

D'un rose saumoné, ce vin frais, léger et fruité est porté par quelques perles en attaque. Une vivacité que l'on retrouve, bien dosée, dans la bouche souple et équilibrée qui se prolonge sur le fruit en finale. N'oubliez pas le **gaillac rouge Les Gentilles Pierres 2002 (8 à 11 €)**, également très réussi.
➥ SCEA du Pialentou, Dom. de Pialentou,
81600 Brens, tél. 05.63.57.17.99, fax 05.63.57.20.51,
e-mail domaine.pialentou@wanadoo.fr
☑ ☥ ⚹ t.l.j. sf dim. 8h-12h 13h30-18h

VIN D'AUTAN DE ROBERT PLAGEOLES
ET FILS Doux 2002 ★

▨	n.c.	n.c.	30 à 38 €

Connu et reconnu (il fut coup de cœur l'an passé dans le millésime 2001), le pur ondenc de Robert Plageoles attire par sa robe d'or patiné comme par son nez déjà bien affiné de miel toutes fleurs et de fruits surmûris. Suave en attaque, il garde une même expressivité dans sa bouche riche et concentrée qui s'étire sur des flaveurs de pain d'épice avant une finale à peine acidulée. Une personnalité.
➥ EARL Robert et Bernard Plageoles,
Dom. des Très-Cantous, 81140 Cahuzac-sur-Vère,
tél. 05.63.33.90.40, fax 05.63.33.95.64 ☑ ☥ ⚹ r.-v.

DOM. RENE RIEUX
Doux Concerto Elevé en fût de chêne 2002 ★

▨	1 ha	1 000	🍶 11 à 15 €

Un moelleux de pure muscadelle, ciselé d'or et de cuivre, qui exprime généreusement les fruits mûrs, confits et même rôtis, le miel et le tilleul. Aromatique et équilibrée dès l'attaque, la bouche se prolonge, ample et chaleureuse, puis toute douce sur des flaveurs de miel et de pâte de fruits. Une pointe d'amertume se manifeste en finale de ce vin bien fait. Du sérieux...
➥ Dom. René Rieux, CAT Boissel,
1495, rte de Cordes, 81600 Gaillac,
tél. 05.63.57.29.29, fax 05.63.57.21.91 ☑ ☥ ⚹ r.-v.
➥ ADAPEAI

DOM. ROTIER Doux Renaissance 2002 ★★

▨	3,75 ha	7 356	🍶 11 à 15 €

Des étoiles, Alain Rotier en a recueilli de nombreuses dans les éditions précédentes. Le voici récompensé d'un coup de cœur pour un liquoreux doré soutenu qui livre

volontiers une corbeille de fruits exotiques plus ou moins confits, soulignée de miel, d'une touche de vanille et de zeste d'agrumes. La bouche ample et suave, d'une magnifique expression aromatique, bénéficie d'un parfait équilibre et s'étire longuement. Un régal... En rouge, la cuvée **Renaissance 2002 (8 à 11 €)**, élevée en fût, obtient une étoile.
➥ Dom. Rotier, Petit Nareye, 81600 Cadalen,
tél. 05.63.41.75.14, fax 05.63.41.54.56,
e-mail rotier@terre-net.fr ☑ 🏠 ☥ ⚹ r.-v.
➥ Alain Rotier et Francis Marre

CH. DE SAURS 2002 ★★

■	4 ha	20 000	■♦ 5 à 8 €

Une même famille exploite ce domaine depuis le XVIᵉs. Une expérience dont témoigne aujourd'hui ce vin rouge intense à reflets cuivrés, dont le nez discret mais bien affiné évoque les fruits rouges mûrs (griotte et cassis). Sa charpente de tanins fondus dans une matière ronde et grasse porte loin les flaveurs chaleureuses d'épices, de fruits rouges et noirs. Un gaillac équilibré que l'on peut déjà boire mais aussi attendre. Notez aussi la **Réserve Eliézer rouge 2002 (8 à 11 €)**, élevée en fût, qui remporte une étoile.
➥ SCEA Ch. de Saurs, 81310 Lisle-sur-Tarn,
tél. 05.63.57.09.79, fax 05.63.57.10.71,
e-mail info@chateau-de-saurs.com ☑ 🏠 ☥ ⚹ r.-v.
➥ Burrus

CH. DE TAUZIES Sec 2003 ★

▨	2 ha	6 000	3 à 5 €

A côté de la **cuvée Prestige 2002 rouge Vieillie en fût de chêne (5 à 8 €)**, citée, le jury a retenu ce vin original, d'un jaune lumineux, et qui développe des senteurs de pamplemousse rose, de coing, de pêche jaune et d'abricot sec. La bouche surprend par son gras, sa suavité, ses arômes de fruits mûrs et d'épices douces.
➥ Mouly Père et Fils, Ch. de Tauzies, rte de Cordes,
81600 Gaillac, tél. 05.63.57.06.06, fax 05.63.41.01.92,
e-mail chateau.tauzies@wanadoo.fr ☑ ☥ ⚹ r.-v.

CH. DE TERRIDE Elevé en fût de chêne 2002 ★

■	4,4 ha	26 000	🍶 8 à 11 €

Au milieu des bois, voici le domaine de Terride, avec son château du XIXᵉs. en pierre ocre, encadré de deux tours carrées, construit sur les ruines d'une abbaye. D'un rouge sombre, le 2002 apparaît déjà bien concentré et bouqueté : il s'ouvre d'abord dans le registre floral, puis s'oriente vers les fruits mûrs, le chocolat et la vanille. La bouche douce et souple s'appuie sur des tanins serrés mais bien fondus, tandis qu'une légère vivacité relève les arômes dans la finale à l'étoffe plus modeste. Un caractère aimable tout en étant retenu.
➥ Ch. de Terride, 81140 Puycelsi, tél. 05.63.33.26.63,
fax 05.63.33.26.63, e-mail alixdavid@wanadoo.fr
☑ 🏠 ☥ ⚹ t.l.j. sf dim. 9h-19h
➥ Alix David

DOM. DES TERRISSES Terre Originelle 2002 ★

■	3 ha	14 000	🍶 11 à 15 €

Le mot « terrisses » désigne des blocs de pierre nue qui servent à la construction des bâtisses gaillacoises, telle celle d'Alain et Brigitte Cazottes. Baptisée de ce nom, cette cuvée de couleur sombre nuancée de violet semble encore sur la retenue, bien qu'elle laisse échapper des senteurs de sous-bois humide et de fruits. Dotée de gras dès l'attaque

et accompagnée d'un fruit concentré, elle révèle une matière serrée, fermement structurée, qui demande un peu de temps pour s'arrondir. La **cuvée Terre originelle 2003 blanc sec** mérite d'être citée.
Brigitte et Alain Cazottes, Dom. des Terrisses, 81600 Gaillac, tél. 05.63.57.16.80, fax 05.63.41.05.87, e-mail domaine.des.terrisses@wanadoo.fr r.-v.

CH. TOUNY-LES-ROSES Cuvée Théa 2002 *

■ 2,5 ha n.c. 8 à 11 €

A l'époque gallo-romaine on pratiquait l'agriculture et la viticulture sur ces terres, devenues à la fin du XIXe s. un domaine uniquement tourné vers la vigne. Le poète gaillacois Touny-Lérys (1881-1976), qui résida ici, est célébré dignement dans la **Cuvée du Poète 2002 rouge élevée en fût de chêne** qui obtient une étoile. Quant à ce gaillac, rouge soutenu aux nuances tuilées, il exprime des arômes de confiture de fruits noirs, de pruneau et de réglisse, puis livre une matière mûre, ronde et souple, étayée par des tanins enrobés. Un vin évolué, prêt à boire.
Ch. Touny-les-Roses, Ch. de Touny, 81150 Lagrave, tél. 05.63.57.90.90, fax 05.63.57.90.91, e-mail chateau.touny@wanadoo.fr r.-v.

DOM. VAYSSETTE Cuvée Léa 2002 *

■ 3 ha 8 000 8 à 11 €

Bien sûr, le domaine est connu pour ses gaillac **doux dont le 2002** est très réussi. Mais la cuvée Léa mérite aussi l'attention dans sa robe grenat brillant. Elle se montre expressive et gourmande par ses notes de fruits rouges vanillés comme par sa bouche ronde dès l'attaque, ample, fruitée et délicatement boisée. Les tanins sont fins et fondus, la finale fraîche. Un vin équilibré.
Dom. Vayssette, Laborie, 81600 Gaillac, tél. 05.63.57.31.95, fax 05.63.81.56.84
t.l.j. 10h-12h 15h-19h; j. fériés et groupes sur r.-v.

CH. VIGNE-LOURAC Doux Vieilles Vignes 2003 **

6 ha 20 000 5 à 8 €

Ce gaillac doux a participé au grand jury tant il a montré de typicité. Paré d'une robe dorée, il libère des senteurs de miel, de fruits exotiques et de zestes d'agrumes confits. A l'attaque douce et suffisamment fraîche succède une matière équilibrée, ronde et concentrée qui garde une agréable complexité aromatique et finit sur des flaveurs de pâte de fruits. Le **gaillac rouge Vieilles vignes 2002 (3 à 5 €)** mérite d'être cité.
Vignobles Gayrel, 103, av. Foch, 81600 Gaillac, tél. 05.63.81.21.05, fax 05.63.81.21.09

Buzet

Connu depuis le Moyen Age comme partie intégrante du haut-pays bordelais, le vignoble de Buzet s'étageait entre Agen et Marmande. D'origine monastique, il a été développé par les bourgeois d'Agen. Réduit à l'état de souvenir après la crise phylloxérique, il est devenu à partir de 1956 le symbole de la renaissance du vignoble du haut-pays. Deux hommes, Jean Mermillod et Jean Combabessouse, ont présidé à ce renouveau, qui doit aussi beaucoup à la Cave coopérative des Producteurs réunis, laquelle élève une grande partie de sa production en barriques régulièrement renouvelées. Ce vignoble s'étend aujourd'hui entre Damazan et Sainte-Colombe, sur les premiers coteaux de la Garonne ; il irrigue les villes touristiques de Nérac et Barbaste.

L'alternance de boulbènes, de sols graveleux et argilo-calcaires permet d'obtenir des vins à la fois variés et typés. Les rouges, puissants, profonds, charnus et soyeux, rivalisent avec certains de leurs voisins girondins. Ils s'accordent à merveille avec la gastronomie locale : magret, confit et lapin aux pruneaux. S'étendant sur 2 040 ha, buzet a donné 74 714 hl en rouge en 2003 et 3 521 hl en blanc, car, si le buzet est rouge par tradition, blancs et rosés complètent une palette consacrée aux harmonies pourpres, grenat et vermillon.

CHANTET BLANET 2002 *

■ n.c. 300 000 5 à 8 €

A l'œil, la robe n'est pas très soutenue mais brillante et d'un joli rouge cerise. Le nez, plutôt discret en première impression, révèle ensuite des arômes fleuris et de violette pour finir sur une note de sous-bois. On retrouve ces arômes de violette et de réglisse dans une bouche surtout marquée par une forte charpente tannique, légèrement boisée. Ce vin a besoin de vieillir deux à trois ans pour retrouver équilibre et plénitude.
Les Vignerons de Buzet, BP 17, 47160 Buzet-sur-Baïse, tél. 05.53.84.74.30, fax 05.53.84.74.24, e-mail buzet@vignerons-buzet.fr
t.l.j. sf dim. 9h-12h 14h-18h

CH. DU FRANDAT
Cuvée du Majorat Vieillie en fût de chêne 2001 **

■ 3 ha 16 000 5 à 8 €

Vinifiant au château depuis 1990, Patrice Sterlin conduit un domaine de 28 ha. Cette cuvée élevée quinze mois en barrique se présente dans une robe grenat limpide et d'une belle intensité. Le nez complexe joue sur des notes de cerise et de fruits frais. Des arômes finement grillés et toastés apparaissent à l'agitation. La bouche est élégante, équilibrée : on y trouve des notes de fruits à l'alcool et des arômes de réglisse et de chocolat. C'est un vin ouvert et chaleureux aux tanins savoureux. La **Cuvée Privilège 2001** notée deux étoiles a été classée troisième par le grand jury ; elle sera à boire plus rapidement car elle est un peu moins concentrée et moins marquée par le bois.

⊶ Patrice Sterlin, Ch. du Frandat, 47600 Nérac,
tél. 05.53.65.23.83, fax 05.53.97.05.77,
e-mail chateaudufrandat@terre-net.fr
🅥 🍷 🚶 t.l.j. sf dim. 10h-12h 14h-18h; f. jan.

CH. DE PADERE 2001 ★

■ n.c. 104 000 ▮🌡 5 à 8 €

Au sortir de la lande, on rencontre un premier groupe de maisons que l'on nomme « padère » à Ambrus, commune du Lot-et-Garonne. Voici un 2001 dont la robe est limpide. Le nez présente quelques notes florales mais aussi des arômes de griotte. La bouche rappelle le nez avec des touches marquées de cerise à l'eau-de-vie qui entourent une structure agréable. Une bouteille facile à découvrir et à consommer assez rapidement (un à deux ans). Le **Château du Bouchet 2002 élevé en fût**, jeune et de belle structure, obtient une étoile.

⊶ Les Vignerons de Buzet,
BP 17, 47160 Buzet-sur-Baïse, tél. 05.53.84.74.30,
fax 05.53.84.74.24, e-mail buzet@vignerons-buzet.fr
🍷 🚶 t.l.j. sf dim. 9h-12h 14h-18h
⊶ SEAVA Padere

CH. LA PASTORALE 2002 ★

■ n.c. 106 000 ▮🌡 5 à 8 €

Un domaine situé au lieu-dit Bel Air, promontoire donnant sur la vallée. Et un vin à la robe brillante dont la teinte hésite entre la cerise et le rubis. Le nez fruité, puissant et fin présente une dominante de cassis. En bouche, les tanins sont présents mais avec une belle souplesse et ne cachent pas les saveurs fruitées et fondues jusqu'en finale. Savoureux et gouleyant, ce millésime est à découvrir maintenant ou à attendre deux à trois ans.

⊶ Les Vignerons de Buzet,
BP 17, 47160 Buzet-sur-Baïse, tél. 05.53.84.74.30,
fax 05.53.84.74.24, e-mail buzet@vignerons-buzet.fr
🍷 🚶 t.l.j. sf dim. 9h-12h 14h-18h
⊶ M. de Tretaigne

CH. DE POMMAREDE 2002 ★★

■ n.c. 40 000 ▮🌡 5 à 8 €

La robe intense, profonde, d'une jolie teinte cerise, précède un nez à la fois tout en finesse et en puissance, dont les notes de fruits rouges et de groseille se mêlent à des sensations vanillées. La bouche surprend agréablement par son équilibre et sa force : l'attaque ronde et charnue, le volume des tanins, le gras et la finale persistante composent un vin fondu à l'avenir prometteur.

⊶ Les Vignerons de Buzet,
BP 17, 47160 Buzet-sur-Baïse, tél. 05.53.84.74.30,
fax 05.53.84.74.24, e-mail buzet@vignerons-buzet.fr
🍷 🚶 t.l.j. sf dim. 9h-12h 14h-18h

ROC DE BERNADOTS 2002 ★

■ n.c. 400 000 ▮🌡 3 à 5 €

Cette cuvée est issue des plus jeunes vignes de l'appellation. La robe est brillante, de teinte cerise. Le nez, net mais un peu fermé, évoque les fruits rouges et le cassis. Souple, ronde et charnue, la structure est gouleyante. La finale aromatique rappelle de nouveau le cassis. Très plaisant à déguster d'ici un à deux ans.

⊶ Les Vignerons de Buzet,
BP 17, 47160 Buzet-sur-Baïse, tél. 05.53.84.74.30,
fax 05.53.84.74.24, e-mail buzet@vignerons-buzet.fr
🍷 🚶 t.l.j. sf dim. 9h-12h 14h-18h

CH. SAUVAGNERES 2002

■ 10 ha 70 000 ▮🌡 5 à 8 €

La robe est d'un beau rubis sombre légèrement tuilé. Complexes, puissants, très ouverts, les arômes jouent sur des notes de cassis, de violette et de cuir. L'attaque est un peu fraîche, puis la bouche se révèle bien ronde. Les tanins amples, fins et veloutés composent un buzet très classique qu'il faudra consommer assez rapidement.

⊶ Bernard Thérasse, Sauvagnères,
47310 Sainte-Colombe-en-Brulhois,
tél. 05.53.67.20.23, fax 05.53.67.20.86,
e-mail bernard.therasse@laposte.net 🅥 🍷 🚶 r.-v.
⊶ Jacques Thérasse

CH. DU TAUZIA 2002 ★

■ 20 ha 60 000 ▮🌡 5 à 8 €

L'origine du nom de ce cru est liée au chêne que l'on trouve dans l'environnement des fermes traditionnelles des Landes de Gascogne. Ce millésime, limpide, évoque la cerise, la griotte, avec quelques notes de sous-bois. La bouche est ronde, charnue, fruitée, avec des tanins souples et gouleyants. C'est un vin plaisir à servir dès cet automne.

⊶ Les Vignerons de Buzet,
BP 17, 47160 Buzet-sur-Baïse, tél. 05.53.84.74.30,
fax 05.53.84.74.24, e-mail buzet@vignerons-buzet.fr
🍷 🚶 t.l.j. sf dim. 9h-12h 14h-18h
⊶ M. Sarion

CH. TOURNELLES Cuvée Prestige 2002 ★★★

■ 5 ha 26 660 🛢 5 à 8 €

Un vin que le jury a jugé exceptionnel mais qui n'a été retenu qu'en deuxième position pour le coup de cœur. La robe présente une forte intensité colorante avec des reflets violines. Le nez est un panier de fruits avec du cassis, de la mûre et de la groseille, le tout accompagné d'un léger bois vanillé. La bouche savoureuse, fruitée, elle aussi vanillée sans excès, possède du volume et du gras ; sa finale longue, avec des notes grillées et de cacao, annonce une garde de quatre à cinq ans. Le **Domaine de Janicot rouge 2002 (3 à 5 €)** un peu moins concentré que le précédent a, pour sa part, obtenu une étoile.

⊶ EARL Bertrand Gabriel, Ch. Tournelles,
47600 Calignac, tél. 05.65.20.80.80, fax 05.65.20.80.81,
e-mail vigouroux@g-vigouroux.fr 🅥
⊶ B. Vigouroux

Côtes-du-frontonnais

Vin des Toulousains, le côtes-du-frontonnais provient d'un très ancien vignoble, autrefois propriété des chevaliers de l'ordre de Saint-Jean-de-Jérusalem. Lors du siège de Montauban, Louis XIII et Richelieu se livrèrent à force dégustations comparatives... Reconstitué grâce à la création des coopératives de Fronton et de Villaudric, le vignoble a conservé un encépagement original avec la négrette, cépage local que l'on retrouve à Gaillac ; lui sont associés le cot, le cabernet franc et le cabernet-sauvignon, la syrah, le gamay et le mauzac.

Le terroir occupe environ 2 000 ha sur les trois terrasses du Tarn, avec des sols de boulbènes, graves ou rougets. Les vins rouges, à forte proportion de cabernet, gamay ou syrah, sont légers, fruités et aromatiques. Les plus riches en négrette sont plus puissants, tanniques, dotés d'un fort parfum de terroir. Les rosés sont francs, vifs, avec un agréable fruité. La production a atteint 71 625 hl en 2003.

CH. BAUDARE 2002 ★★

■ 15 ha 110 000 3 à 5 €

Depuis 1964, Claude Vigouroux développe ce domaine familial créé en 1882. Son fils David l'a rejoint en 2000. Ils ont élaboré deux belles cuvées en rouge : le **Château Baudare Tradition 2002**, très réussi, et ce vin plus riche en négrette qui a séduit le jury. D'un grenat éclatant, celui-ci révèle un nez engageant, fait de fruits rouges acidulés (framboise, cassis, groseille) et de quelques notes florales. La bouche est superbe, charnue, dotée de puissants tanins bien enrobés et aromatique.

Claude et David Vigouroux,
Ch. Baudare, 82370 Labastide-Saint-Pierre,
tél. 05.63.30.51.33, fax 05.63.64.07.24,
e-mail vigouroux@aol.com r.-v.

CH. DE BELAYGUES 2002 ★

■ 10,5 ha 40 000 3 à 5 €

Karine Bonjour et Guillaume Veyrac exploitent le domaine depuis janvier 2001. Leur premier vin présent dans le Guide est de bon augure. Sa présentation est impeccable, rouge rubis. Le nez intense s'ouvre volontiers sur les petits fruits rouges et la violette. D'attaque franche, assez vive, la bouche trouve de la rondeur et du moelleux, avec une ligne fruitée. Puis les tanins se renforcent dans la finale légèrement réglissée.

Karine Bonjour et Guillaume Veyrac,
Ch. de Belaygues, 82370 Labastide-Saint-Pierre,
tél. 05.63.30.00.86, fax 05.63.30.00.86
ven. 9h-19h

CH. BELLEVUE LA FORET Optimum 2002 ★★

■ 4 ha 20 000 8 à 11 €

La réussite tient au savoir-faire et à la rigueur du propriétaire, Patrick Germain, présent dans ce Guide depuis vingt ans ! Vinifiée dans la tradition bordelaise, selon les méthodes les plus modernes, cette cuvée, issue de parcelles de vieilles vignes sélectionnées, se présente dans une robe pivoine sombre. Le nez profond évoque la violette, les fruits noirs et les épices. La bouche, bien dense et suffisamment fraîche, bénéficie de tanins mûrs, enrobés jusqu'à la finale sur les épices douces. L'ensemble est déjà harmonieux.

Ch. Bellevue la Forêt, 4500, av. de Grisolles,
31620 Fronton, tél. 05.34.27.91.91, fax 05.61.82.39.70,
e-mail contact@chateaubellevuelaforet.com r.-v.
Patrick Germain

CH. BOUISSEL
Cuvée Sélection Vieilli en fût de chêne 2002 ★★

■ 1 ha 6 000 8 à 11 €

Il était près du coup de cœur, mais les résultats étaient serrés. Car ce vin est superbe dans sa robe rouge profond à l'intense nuance violette. Le nez puissant est marqué par les fruits noirs, le kirsch et un boisé aux accents toastés, vanillés. La bouche offre une matière à la fois douce et fraîche, bien structurée autour de tanins enrobés, tandis que la finale souligne un riche boisé qui doit encore se fondre.

EARL Pierre Selle, Ch. Bouissel, 82370 Campsas,
tél. 05.63.30.10.49, fax 05.63.64.01.22
t.l.j. sf dim. 9h-12h 14h-19h; mer. 14h-19h;
groupes sur r.-v.

CH. CAHUZAC
Fleuron de Guillaume Elevé en fût de chêne 2002 ★

■ 4,3 ha 20 000 5 à 8 €

Couleur pivoine parfaitement limpide, ce vin révèle un nez élégant, bien fruité, à peine réglissé et finement boisé. En bouche, les sensations se succèdent : d'abord la fraîcheur, puis la rondeur et le fruit, enfin une tannicité renforcée par un boisé plus présent en finale. Un joli vin qui doit encore mûrir un peu. Le **rosé L'Authentique 2003** obtient également une étoile.

EARL de Cahuzac, Les Peyronnets, 82170 Fabas,
tél. 05.63.64.10.18, fax 05.63.67.36.97,
e-mail chateau.cahuzac@wanadoo.fr r.-v.
Ferran Père et Fils

CH. CAZE Villaudric 2003

■ 11 ha 8 000 3 à 5 €

Antoine Caze créa le domaine en 1776. De cette époque date le superbe chai creusé en sous-sol et qui abrite cuves et foudres de bois. Ce rosé limpide aux reflets tuilés offre des arômes plutôt discrets de fleurs et de fruits, soulignés d'une subtile note anisée. D'attaque franche, la bouche est bien équilibrée et légère.

Martine Rougevin-Baville, Ch. Caze,
45, rue de la Négrette, 31620 Villaudric,
tél. 05.61.82.92.70, fax 05.61.82.09.95,
e-mail chateau.caze@libertysurf.fr
t.l.j. sf dim. lun. 9h-12h 15h-19h.

CH. LA COLOMBIERE Villaudric Baron de D 2002

■ 2 ha 13 300 5 à 8 €

Le château a fait de la négrette sa spécialité dès le XVe s. Depuis 1984, il appartient au baron François de

Driésen et à sa famille, d'où le nom de cette cuvée. D'intensité moyenne, celle-ci offre un nez assez ouvert : d'abord le poivron vert, puis les fruits rouges et les épices. Souple dès l'attaque, la bouche revient sur le fruit et reste assez douce, laissant en finale une sensation soyeuse. Un vin prêt à boire.

🔑 Diane de Driésen-Cauvin, Ch. La Colombière,
31620 Villaudric, tél. 05.61.82.44.05, fax 05.61.82.57.56
☑ 🍷 🚶 t.l.j. sf dim. 9h-12h 14h-18h

COMTE DE NEGRET 2002 ★★

■ 250 ha 1 700 000 3 à 5 €

La gamme des vins s'élargit à la cave coopérative de Fronton. Le jury a remarqué cette année le **Château Pont de Roland rouge 2002**, très réussi. Mais c'est l'emblématique étiquette Comte de Négret qui a ici la vedette. **L'Excellence du Comte de Négret rouge 2002, élevée en fût**, est citée et l'**Excellence du Comte de Négret rosé 2003** obtient une étoile. Cette cuvée traditionnelle en rouge est jugée remarquable. La robe sombre aux nuances violines invite à découvrir le nez à la fois fruité, floral et épicé, très expressif. D'attaque souple et fraîche, la bouche est parfaitement équilibrée, de bonne tenue tant structurellement qu'aromatiquement. C'est fort bien fait.

🔑 Cave de Fronton,
rte de Montauban, 31620 Fronton,
tél. 05.62.79.97.79, fax 05.62.79.97.70 ☑ 🍷 🚶 r.-v.

CH. COUTINEL 2002

■ 20 ha 160 000 3 à 5 €

Grenat sombre, essentiellement fruité (cassis et mûre), ce vin présente une attaque douce. S'il se montre modestement volumineux et structuré, il n'en est pas moins équilibré, avec des tanins souples et une agréable fraîcheur sur les fruits jusqu'en finale. Le **rosé 2003** obtient également une citation.

🔑 Jean-Claude Arbeau, 82370 Labastide-Saint-Pierre,
tél. 05.63.64.01.80, fax 05.63.30.11.42,
e-mail vignobles@arbeau.com ☑ 🍷 🚶 r.-v.

CH. CRANSAC 2002 ★

■ 2,3 ha 10 900 5 à 8 €

Après avoir participé à la création de la cave coopérative de Fronton en 1946 et à son développement, les propriétaires de ce domaine se sont retirés en 2002 pour reconstruire la cave particulière et élaborer leur propre vin. Les résultats sont probants. Le **rosé 2003 (3 à 5 €)** est tout aussi réussi que ce fronton rouge pivoine moyennement intense. Le nez évoque les fruits rouges compotés, relevés par un boisé copieusement épicé (vanille, cannelle). La bouche, plutôt chaleureuse et épicée, donne des accents méditerranéens à ce vin harmonieux.

🔑 Ch. Cransac, allée de Cransac, 31620 Fronton,
tél. 05.62.79.34.30, fax 05.62.79.34.37,
e-mail jcbriet@chateaucransac.com
☑ 🍷 🚶 t.l.j. sf dim. 9h-12h 14h-18h

CH. DEVES Allegro 2002 ★★

■ 1,5 ha 6 000 5 à 8 €

Après avoir reçu un coup de cœur dans le Guide 2004 pour l'Allegro 2001, Michel Abart présente encore deux vins remarquables : un **rosé 2003 (3 à 5 €)** et ce nouveau millésime d'Allegro rouge. Sous une robe presque noire aux nuances violettes apparaît un nez agréable et complexe qui allie un fruité frais à des notes poivrées. La bouche grasse possède de la concentration et des tanins bien serrés qui contribuent à son équilibre. Un vin d'excellent potentiel qui mérite qu'on l'attende un peu.

🔑 Michel Abart, Ch. Devès,
2255, rte de Fronton, 31620 Castelnau-d'Estretefonds,
tél. 05.61.35.14.97, fax 05.61.35.14.97 ☑ 🍷 🚶 r.-v.
🔑 André Abart

DOM. DE FAOUQUET Villaudric 2002 ★

■ 12 ha 25 000 5 à 8 €

Négrette à 60 %, syrah à 30 %, à peine de cabernet et de gamay (10 %). La robe est d'un grenat assez soutenu. Le nez, au premier abord, livre des notes de cuir plutôt fugaces, puis viennent les fruits rouges à l'eau-de-vie avec quelques épices. La bouche, bien droite, offre une matière déjà fondue, aux arômes de fruits mûrs, du volume aussi. L'équilibre est agréable. La finale toute réglissée repose sur des tanins encore fermes, mais le vin a du caractère et saura attendre.

🔑 Robert Beringuier,
42, chem. des Brugues, 31620 Bouloc,
tél. 05.61.82.06.66, fax 05.61.82.06.66 ☑ 🍷 🚶 r.-v.

CH. FONVIEILLE 2002

■ 7,5 ha 55 000 3 à 5 €

Sur un sol de boulbènes, la négrette (70 %), le cabernet-sauvignon (15 %) et la syrah (15 %) ont été récoltés pour donner ce vin joliment vêtu de cerise burlat. Le nez, franc et montant, s'ouvre sur les fruits (cassis, cerise), la violette et quelques épices. La bouche apparaît souple et légère, avec un bon équilibre. Pleine d'arôme, elle est plaisante jusqu'en finale.

🔑 ABA,
149, av. Charles-de-Gaulle, 82000 Montauban,
tél. 05.63.20.23.15, fax 05.63.03.06.64

CH. JOLIET Symphonie Elevé en fût de chêne 2001 ★

■ 1,2 ha 6 500 8 à 11 €

20 ha regroupés autour d'une jolie ferme traditionnelle tout en brique. Cette Symphonie se joue dans un décor satiné, de teinte grenat. Les premières notes en sont le cuir, les fruits noirs et la réglisse, avec les accords marqués d'un boisé épicé. La suite est fraîche, bien équilibrée, et l'on retrouve le registre des fruits et des épices (vanille notamment) jusqu'à la finale jouée *fortissimo* sur des tanins fermes.

🔑 François Daubert, Ch. Joliet, 345, chem. de Caillol,
31620 Fronton, tél. 05.61.82.46.02, fax 05.61.82.34.56,
e-mail chateau.joliet@wanadoo.fr ☑ 🍷 🚶 r.-v.

CH. LAUROU Tradition 2003

■ 40 ha 20 000 3 à 5 €

Quand on élabore un vin rosé, il faut garder intacts la fraîcheur et les arômes des cépages frontonnais. Ici, ce sont la négrette, la syrah et le cabernet-sauvignon qui sont mis en valeur dans un vin très brillant, aux arômes amyliques et essentiellement fruités. La bouche, ronde et fraîche, reste bien aromatique.

🔑 Guy Salmona, Ch. Laurou, 2250, rte de Nohic,
31620 Fronton, tél. 05.61.82.40.88, fax 05.61.82.73.11,
e-mail guy.salmona@wanadoo.fr
☑ 🍷 🚶 t.l.j. sf dim. 9h-18h

CH. MARGUERITE Elevé en fût de chêne 2002 ★★

■ 40 ha 135 000 3 à 5 €

Une discussion animée s'est engagée autour de ce vin qui n'a pas laissé indifférent : ce coup de cœur aux nuances

violines de jeunesse livre un nez frais et franc, composé de fruits rouges et d'épices : poivre, clou de girofle. La bouche se caractérise par un bel équilibre des saveurs, de jolis arômes et des tanins réglissés. Un côtes-du-frontonnais authentique et bien stylé. Du même producteur, le **Domaine du Bardy rouge 2002** a également été jugé remarquable, tandis que le **Rosé de Marguerite 2003** remporte une étoile.

📮 SCEA Ch. Marguerite, 1709, chem. des Cavailles, 82370 Campsas, tél. 05.63.64.08.21, fax 05.63.64.08.21

CH. MONTAURIOL
Mons Aureolus Elevé en fût de chêne 2002 ★★

■	10 ha	30 000	💧 8 à 11 €

Né sur un terroir de graves, ce vin, assemblant 50 % de négrette, 25 % de syrah et 25 % de cabernet-sauvignon, est le fleuron du château. Dans une robe rubis foncé, il se montre à la fois frais par ses arômes de fruits rouges et plutôt racé par son côté boisé, épicé et toasté. Encore sur le fruit en attaque, il offre une bouche volumineuse et ample à laquelle les tanins et le boisé se fondent bien, sans jamais dominer. La **cuvée Tradition 2002 (5 à 8 €)** obtient une étoile.

📮 Nicolas Gélis, Ch. Montauriol, rte des Châteaux, 31340 Villematier, tél. 05.61.35.30.58, fax 05.61.35.30.59, e-mail chateau.montauriol@wanadoo.fr ☑ ✿ r.-v.

NICOLAS DE PANASSAC 2003 ★

■	60 ha	100 000	🍴 3 à 5 €

Négociant dans le Frontonnais, Claude Nicolas propose un rosé de belle présentation : couleur rose assez soutenue. Il est plein de bonbon anglais, de fraise, de pêche... La bouche est nette, assez vive et encore aromatique. Un vin agréable, à boire dès à présent.

📮 Ets Claude Nicolas, 4, imp. Abbé-Arnoult, 31620 Fronton, tél. 05.62.22.97.40, fax 05.62.22.97.49

CH. PLAISANCE
Thibaut de Plaisance Elevé en fût de chêne 2002 ★

■	5 ha	27 000	💧 8 à 11 €

Composé à parts égales de négrette et de syrah élevées treize mois en fût, ce fronton se pare d'une teinte rubis aux reflets à peine tuilés. En passe de s'ouvrir, il révèle des senteurs de cuir et de petits fruits sur fond empyreumatique. Sa bouche, plutôt bien équilibrée, présente de la matière et des tanins doux jusqu'à une finale évocatrice d'un boisé épicé et de café torréfié. Un vin déjà très présentable.

📮 Ch. Plaisance, pl. de la Mairie, 31340 Vacquiers, tél. 05.61.84.97.41, fax 05.61.84.11.26, e-mail chateau-plaisance@wanadoo.fr

☑ Ⅱ ✿ t.l.j. sf lun. mar. dim. 9h-12h 15h-19h

📮 Penavayre

DOM. LE ROC Cuvée Don Quichotte 2002 ★

■	n.c.	20 000	■ 8 à 11 €

Toujours aussi charmante l'étiquette dessinée au pastel de cette cuvée Don Quichotte. Le vin, lui, s'habille d'une robe intense aux reflets fuchsia et révèle un nez complexe, d'abord floral puis riche de fruits aux accents surmûris ; les épices (poivre noir) couronnent le tout. On perçoit une belle matière, du gras, de la sucrosité et des tanins bien fermes. L'ensemble doit encore se fondre, mais le niveau est très bon. La **cuvée réservée rouge 2002 (5 à 8 €)**, élevée en fût, est citée.

📮 Famille Ribes, Dom. Le Roc, 31620 Fronton, tél. 05.61.82.93.90, fax 05.61.82.72.38

☑ Ⅱ ✿ t.l.j. sf dim. 9h-12h 14h-18h

DOM. DE SAINT-GUILHEM Amadeus 2002 ★

■	2 ha	7 800	💧 8 à 11 €

Un assemblage à parts égales de négrette et de syrah. Sous une robe foncée, burlat, apparaît un nez intense, axé sur les fruits noirs surmûris, les épices macérées dans l'eau-de-vie sous couvert boisé. D'attaque souple et ronde, la bouche est plaisante grâce à une structure tannique bien enveloppée. La finale encore un peu austère persiste sur le poivre, les fruits très mûrs et des notes empyreumatiques marquées. Un bon potentiel de garde.

📮 Philippe Laduguie, 1613, chem. de Saint-Guilhem, 31620 Castelnau-d'Estretefonds, tél. 05.61.82.12.09, fax 05.61.82.65.59

☑ 🏠 Ⅱ ✿ t.l.j. 9h-19h; dim. sur r.-v.

CH. SAINT-LOUIS L'Esprit 2002 ★★

■	2 ha	10 000	💧 8 à 11 €

Au cœur d'un vignoble de 27 ha, Ali Mahmoudi se plaît à recevoir avec jovialité dans ce lieu magique. Ici, le vin se pare d'une belle étoffe grenat intense. Son nez assez puissant se nuance de notes de petits fruits rouges, d'épices et de violette sous un boisé agréablement torréfié. La bouche équilibrée offre un volume satisfaisant et une structure suffisamment solide pour soutenir la finale chaleureuse, harmonieusement aromatique. Une composition fort avenante.

📮 A. Mahmoudi, Ch. Saint-Louis, BP 8, 82370 Labastide-Saint-Pierre, tél. 05.63.30.20.20, fax 05.63.30.58.76, e-mail proprietaire@chateausaintlouis.fr ☑ Ⅱ ✿ r.-v.

DOM. DE SEGUIN 2002 ★

■	n.c.	n.c.	3 à 5 €

Le domaine de Seguin ? Une jolie demeure flanquée d'un pigeonnier. Le 2002 ? Un vin rouge intense aux reflets violets prononcés qui livre des senteurs florales, fruitées et épicées avec subtilité. D'un abord franc, il présente un bon équilibre général, plutôt chaleureux, et ne manque pas de structure : les tanins sont suffisamment étoffés et agréablement réglissés.

📮 Nicole et Jean-Pierre Lianzon, Dom. de Seguin, 82370 Labastide-Saint-Pierre, tél. 05.63.30.00.43 ☑ Ⅱ ✿ r.-v.

CH. VIGUERIE DE BEULAYGUE
Tradition 2002 ★★

■	1 ha	6 000	■ 5 à 8 €

Cette petite propriété familiale de 9 ha propose deux jolis vins : la **cuvée 2002 élevée en fût de chêne**, notée une étoile, et cette Tradition d'un rouge brillant aux nuances violettes. Celle-ci se montre intense et expressive dans ses arômes de fruits rouges (cerise et cassis notamment) soulignés d'une pointe d'épices. Souple et fraîche en attaque, elle développe un bon volume, du gras et beaucoup de fruit ; la trame de tanins serrés et réglissés équilibre parfaitement la finale.

🖐 Jeanine Faure, Beulaygue,
chem. de Bonneval, 82370 Labastide-Saint-Pierre,
tél. 05.63.30.54.72, fax 05.63.30.54.72 ☑ ⵑ 🏃 r.-v.

Lavilledieu AOVDQS

Au nord du Frontonnais, sur les terrasses du Tarn et de la Garonne, le petit vignoble de Lavilledieu produit des vins rouges et rosés. La production, classée en AOVDQS, est encore très confidentielle (1 968 hl en 2003 sur 65,64 ha). La négrette (30 %), le cabernet franc, le gamay, la syrah et le tannat sont les cépages autorisés.

GRAND CAPITOUL 2002 ★★

■	60 ha	30 000	■⦿⧫	3 à 5 €

Beau palmarès pour la cave de Lavilledieu... Trois vins rouges du millésime 2002 obtiennent une étoile : le **Dôme du Rocher (5 à 8 €)**, le **Chevalier du Temple du Christ (moins de 3 €)** et le **Maistre des Templiers**. Mais le plus remarquable est bien ce Grand Capitoul vêtu d'une robe profonde, rubis brillant. Son nez intense s'ouvre sur les fruits mûrs ou cuits, avec des nuances de réglisse et de cuir. Sa bouche ample, chaleureuse et structurée, fait preuve de persistance, la finale s'enrichissant de notes boisées, empyreumatiques.

🖐 Cave de Lavilledieu-du-Temple,
337, rte de Meauzac, 82290 Lavilledieu-du-Temple,
tél. 05.63.31.60.05, fax 05.63.31.69.11,
e-mail cave-lavilledieu@wanadoo.fr
☑ ⵑ 🏃 t.l.j. sf dim. 9h-12h 14h-18h

Côtes-du-brulhois AOVDQS

Passés de la catégorie des vins de pays à celle des AOVDQS en novembre 1984, ces vins sont produits de part et d'autre de la Garonne, autour de la petite ville de Layrac, dans les départements du Gers, du Lot-et-Garonne et du Tarn-et-Garonne sur une superficie de 231,79 ha. Essentiellement rouges, ils sont issus des cépages bordelais et des cépages locaux, tannat et cot, et ont représenté 9 212 hl en 2003. La majeure partie de la production est assurée par deux caves coopératives.

CARRELOT DES AMANTS 2003 ★

■	20 ha	50 000	■⧫	5 à 8 €

Les caves de Goulens et de Donzac ont fusionné pour créer la cave des Vignerons du Brulhois. Une union pour le meilleur à en juger les deux rosés très réussis, à base de cabernets, merlot et cot : le **Château Grand Chêne Sélection 2003** et ce Carrelot des Amants d'un élégant éclat rose pâle. Très aromatique, celui-ci rappelle les fraises Haribo de notre enfance. L'attaque est fraîche, la bouche ronde et volumineuse, pleine de fruits jusqu'à une note acidulée. Une agréable friandise.

🖐 Les Vignerons du Brulhois, 82340 Dunes,
tél. 05.63.39.91.92, fax 05.63.39.82.83,
e-mail info@vigneronsdubrulhois.com ☑ ⵑ 🏃 r.-v.

LE VIN NOIR 2001 ★★

■	15 ha	30 000	■⧫	11 à 15 €

Depuis sa création, la cave des Vignerons du Brulhois organise des championnats du monde de coupeurs de raisin. L'occasion, si vous y participez, de découvrir ces quatre beaux vins appréciés du jury. Le **Château Grand Chêne Sélection 2002 (5 à 8 €)** a reçu une étoile, tandis que le **Château Grand Chêne Prestige 2002 élevé en fût (8 à 11 €)** et le **Parvis des Templiers 2002 (5 à 8 €)** ont été jugés remarquables à l'instar de ce Vin noir. Ce dernier, de teinte soutenue à reflets grenat, présente un nez bien ouvert, mêlant les fruits noirs cuits, quelques épices et des nuances empyreumatiques. Il se montre tout aussi expressif en bouche, largement structuré et ample. La finale persistante révèle une bonne richesse tannique.

🖐 Les Vignerons du Brulhois, 82340 Dunes,
tél. 05.63.39.91.92, fax 05.63.39.82.83,
e-mail info@vigneronsdubrulhois.com ☑ ⵑ 🏃 r.-v.

Côtes-du-marmandais

Non loin de l'Entre-Deux-Mers, des vins de Duras et de Buzet, les côtes-du-marmandais sont produits en majorité par les coopératives de Beaupuy et de Cocumont, sur les deux rives de la Garonne. Les vins blancs, à base de sémillon, de sauvignon, de muscadelle et d'ugni blanc, sont secs, vifs et fruités. Les vins rouges, à base de cépages bordelais et d'abouriou, syrah, cot et gamay, sont bouquetés et d'une bonne souplesse. Le vignoble occupe environ 1 654 ha qui ont produit 2 468 hl de vins blancs et 86 708 hl de rouges et de rosés en 2003.

CH. DE BEAULIEU Cuvée de l'Oratoire 2002 ★★

■	4 ha	10 000	■⦿⧫	11 à 15 €

Cette cuvée remarquable doit son succès en particulier à une faible production de vieilles vignes et à un encépagement équilibré qui laisse une place importante à deux cépages considérés comme secondaires : le malbec (10 %) et la syrah (15 %). La robe est profonde. Le nez agréable, intense, offre de belles notes de fruits rouges et

SUD-OUEST

de vanille. La bouche est ronde, avec des arômes fruités et des tanins fermes bien soutenus par le bois. D'un équilibre parfait et d'une belle longueur en finale, cette bouteille séduira tous les amateurs. Le temps ne pourra que la bonifier.
🔑 Robert et Agnès Schulte,
Ch. de Beaulieu, 47180 Saint-Sauveur-de-Meilhan,
tél. 05.53.94.30.40, fax 05.53.94.81.73,
e-mail chateaudebeaulieu@hotmail.com
☑ Y 🚶 t.l.j. 8h-12h 14h-18h; sam. dim. sur r.-v.

PRESTIGE DE BEAUPUY
Elevé et vieilli en fût de chêne 2001 ★

■ 18 ha 60 000 ◍ 8 à 11 €

Cette cuvée Prestige se maintient toujours à un excellent niveau qualitatif. La robe intense et jeune offre des reflets violacés. Le nez est marqué par les fruits mûrs et la réglisse. La bouche est particulièrement tannique, avec un côté un peu sévère en finale aujourd'hui, mais on apprécie sa fraîcheur et son acidité qui tempèrent les tanins. Un vin à attendre. La cave gère l'accueil dans les domaines de ses adhérents.
🔑 Cave du Marmandais, 47250 Cocumont,
tél. 05.53.94.50.21, fax 05.53.94.52.84,
e-mail accueil@cave-cocumont.fr ☑ 🏠 ⌂ Y 🚶 r.-v.

CH. BOIS BEAULIEU
Cuvée Belle du Méras Elevé en fût de chêne 2001 ★★

■ 4,5 ha 6 000 ◍ 5 à 8 €

La légende dit que ce plateau était autrefois couvert de bois et que le fils de Clovis venait y chasser. Quant à la Belle du Méras, il s'agit d'une jument. Le vin ? La robe limpide surprend par sa puissance et son intensité. Le nez est ouvert, frais, fruité avec des notes de figue confite. La bouche ample, homogène, repose sur un tanin assez lisse et d'une belle longueur. Le bois marque encore la finale. Goûteux, avec des notes aromatiques originales, ce millésime peut accompagner tout un repas.
🔑 SCEA de Campot, 47180 Saint-Sauveur-de-Meilhan,
tél. 05.53.94.32.41, fax 05.53.64.65.11,
e-mail tarascon.jp@wanadoo.fr ☑ Y r.-v.
🔑 Mme et M. Tarascon

CH. COTE DE FRANCE 2002 ★★

■ 12 ha 40 000 ▮🌡 5 à 8 €

Du haut de cette Côte de France, on peut jouir d'une vue magnifique sur la ville de Marmande lovée au bord de la Garonne. D'un beau rouge rubis, la robe de ce millésime est intense et sombre. Le nez est très ouvert sur des fruits frais avec des notes surmûries. La bouche souple et ronde repose sur des tanins soyeux. Si la finale est légèrement acidulée, c'est un vin très friand, dominé par le fruit pour un plaisir de dégustation immédiat.
🔑 Cave du Marmandais, 47250 Cocumont,
tél. 05.53.94.50.21, fax 05.53.94.52.84,
e-mail accueil@cave-cocumont.fr ☑ 🏠 ⌂ Y 🚶 r.-v.

CH. GRAND'COTE Elevé en fût de chêne 2001 ★

■ 6,1 ha ◍ 5 à 8 €

Si la conduite du vignoble et la vinification sont traditionnelles, le terroir particulier de ce versant regarde la Garonne et l'encépagement fait la part belle à l'abouriou (33 %). Le nez de cette cuvée développe des notes florales puis minérales. En bouche, le tanin est bien présent avec des saveurs épicées et boisées. C'est un vin flatteur, complexe et équilibré qui accommodera parfaitement les viandes rouges.
🔑 Jean-Philippe Tauzin, Mole, 47200 Beaupuy,
tél. 05.53.20.90.19, fax 05.53.64.97.50 ☑ Y r.-v.

CH. LA GRAVETTE Vieilli en fût de chêne 2002 ★★

■ 5 ha 40 000 ▮◍🌡 3 à 5 €

Le nom du château évoque parfaitement ce terroir argilo-graveleux typique des hautes terrasses de la Garonne. La robe rouge bien soutenue de ce millésime laisse supposer une belle concentration. Le nez expressif, complexe, est marqué par un joli boisé bien fondu avec le vin. Après une excellente attaque, la structure affiche une grande ampleur et de la complexité. L'équilibre est remarquablement harmonieux jusque dans la finale persistante. Un vin plaisant à attendre quelques années.
🔑 Cave du Marmandais, 47250 Cocumont,
tél. 05.53.94.50.21, fax 05.53.94.52.84,
e-mail accueil@cave-cocumont.fr ☑ 🏠 ⌂ Y 🚶 r.-v.
🔑 Didier Labeau

ISIS 2003 ★

■ 6 ha 20 000 ▮🌡 5 à 8 €

Isis et Osiris en Gascogne ! L'étiquette de la première est fleurie, la seconde s'affirme plus classique. La cuvée Isis se caractérise par une belle teinte aux reflets rubis, un nez plutôt frais avec des arômes de fruits mûrs. Assez souple avec des notes de fruits confits et de bonbon anglais, la bouche offre une finale persistante. Quant à la **cuvée Osiris rosé 2003**, elle donne une sensation plus équilibrée en raison d'une acidité plus marquée. Deux cuvées obtenant la même note, inséparables comme le furent ces dieux de la mythologie égyptienne. **Tersac 2002 rouge (3 à 5 €)** obtient une étoile.
🔑 Cave du Marmandais, 47250 Cocumont,
tél. 05.53.94.50.21, fax 05.53.94.52.84,
e-mail accueil@cave-cocumont.fr ☑ 🏠 ⌂ Y 🚶 r.-v.

CH. SARRAZIERE 2002 ★★

■ 12 ha 100 000 ▮🌡 3 à 5 €

La robe de ce vin est particulièrement intense, entre grenat et pourpre. Le nez est un peu lourd mais plein, avec des arômes d'herbes macérées et d'agrumes. La bouche assez souple offre du gras, de la rondeur et une finale aromatique. Un vin équilibré, déjà plaisant à boire.
🔑 Cave du Marmandais, 47250 Cocumont,
tél. 05.53.94.50.21, fax 05.53.94.52.84,
e-mail accueil@cave-cocumont.fr ☑ 🏠 ⌂ Y 🚶 r.-v.
🔑 EARL Duthuron

TOUR D'ASPE Vieilli en fût de chêne 2002 ★★

■ 14 ha 40 000 ▮◍🌡 8 à 11 €

Aux confins de la Guyenne et de la Gascogne, Marmande-la-Jolie, qui connut son heure de gloire avec la tomate, est aujourd'hui réputée pour la qualité de ses vins.

Celui-ci porte une robe grenat intense. Le nez révèle une certaine complexité avec des notes finement boisées et grillées. L'attaque est agréable, prometteuse, annonçant une structure tannique, charnue et pleine. Il faudra attendre que la finale s'arrondisse. Ce vin remarquable fait honneur à l'appellation et accompagnera une cuisine de terroir. La vieille église du XI^{e}s. voit se développer à ses pieds, année après année, les installations techniques de la cave. Elle a donné son nom à une cuvée **rouge Vieille Eglise Réserve 2002 (5 à 8 €)** qui obtient une étoile.
↬ Cave du Marmandais, 47250 Cocumont,
tél. 05.53.94.50.21, fax 05.53.94.52.84,
e-mail accueil@cave-cocumont.fr ☑ 🏠 🏠 Ⲩ ⳤ r.-v.

Vins-d'estaing AOVDQS

Entouré par les causses de l'Aubrac, les monts du Cantal et le plateau du Lévezou, le vignoble de l'Aveyron serait plutôt à classer parmi ceux du Massif central. Ces petites appellations sont très anciennes ; leur fondation par les moines de Conques remonte au IX^{e}s.

Les vins-d'estaing (14 ha) se partagent entre rouges et rosés frais et parfumés (cassis, framboise), à base de fer-servadou et de gamay (390 hl pour les rouges et 100 hl pour les rosés), et blancs très originaux, assemblages de chenin, de mauzac et de rousselou (54,20 hl). Ils sont vifs et rocailleux, avec des parfums de terroir.

LES VIGNERONS D'OLT Cuvée Prestige 2003 ★

■	3,5 ha	13 000	■ 3 à 5 €

La cave élabore un vin blanc sec original à partir du chenin (85 %) et du mauzac (15 %) : la **cuvée de l'Amiral** qui obtient une citation. Le jury a cependant donné sa faveur à l'estaing rouge, assemblage de cabernets franc (40 %) et sauvignon (40 %), et de fer-servadou (20 %). De teinte burlat, il évoque avec assez d'intensité les fruits rouges à l'eau-de-vie, ponctués d'une petite note animale. Il se montre souple à l'attaque, rond et bien équilibré, grâce à des tanins savoureux, sans agressivité.
↬ Les Vignerons d'Olt, Z.A. La Fage, 12190 Estaing,
tél. 05.65.44.04.42, fax 05.65.44.04.42,
e-mail cave.vigneronsdolt@wanadoo.fr ☑ Ⲩ r.-v.

Entraygues-le-fel AOVDQS

Les vins blancs d'Entraygues, cultivés sur d'étroites banquettes de sols schisteux à flanc de coteaux abrupts, sont issus de chenin et de mauzac ; ils sont frais et fruités à la fois. Ils font

merveille sur les truites sauvages et le fromage de cantal doux. Les vins rouges du fel, solides et terriens, seront bus sur l'agneau des causses et la potée auvergnate. Sur 22,58 ha déclarés en 2003, les blancs ont représenté 208 hl, les rosés 165,20 hl et les rouges 367,20 hl.

JEAN-MARC VIGUIER 2002

■	2 ha	8 000	■↓ 5 à 8 €

Ici, la vigne plonge ses racines dans le schiste et le granite, ce qui confère aux vins blancs de chenin leur caractère et leur finesse. Celui-ci porte une robe claire, d'un bel éclat. Le nez, qui mérite aération, évoque la pêche blanche, les agrumes, la pomme et l'acacia. La bouche est marquée par une grande vivacité qui persiste dans une finale aux notes minérales. C'est un vin à recommander sur les fruits de mer ou sur une truite de vivier.
↬ Jean-Marc Viguier, Les Buis, 12140 Entraygues,
tél. 05.65.44.50.45, fax 05.65.48.62.72
☑ Ⲩ ⳤ t.l.j. 9h-12h 14h-19h

Marcillac

Dans une cuvette naturelle, le « vallon », au microclimat favorable, le mansoi (fer-servadou) donne aux vins rouges de marcillac une grande originalité empreinte d'une rusticité tannique et d'arômes de framboise. En 1990, cette démarche de typicité, cette volonté d'originalité ont été reconnues par l'accession à l'AOC. L'aire d'appellation recouvre aujourd'hui 161 ha et a produit, en 2003, 5 659 hl d'un vin reconnaissable entre tous.

DOM. DES COSTES ROUGES 2002 ★★

■	2,5 ha	7 000	■ 3 à 5 €

N'hésitez pas à vous arrêter au domaine qui a qualité de ferme-auberge. Vous y découvrirez ce marcillac, arrivé second au grand jury. L'aspect brillant et la couleur rubis sont engageants, de même que le nez intense, bien montant, à la fois floral et mentholé, ouvert sur les fruits rouges et les épices. La bouche est toute ronde, harmonieuse. La matière, présente sans excès, ne se dépare jamais de ses arômes. Un marcillac authentique.
↬ Claudine et Eric Vinas, Combret, 12330 Nauviale,
tél. 05.65.72.83.85, fax 05.65.72.83.85,
e-mail domaine-descostes-rouges@wanadoo.fr
☑ 🏠 Ⲩ ⳤ r.-v.

DOM. DU CROS Lo Sang del Païs 2002

■	17 ha	100 000	■ 🍷↓ 5 à 8 €

Le domaine du Cros produit deux vins. La **cuvée Vieilles Vignes 2002 (8 à 11 €)** est issue d'une plantation de fer-servadou datant de 1912 sur un coteau exceptionnel, vinifiée et élevée séparément. Elle obtient une citation. La seconde, ce Lo Sang del Païs, s'affiche dans une robe rouge

séduisante pour dévoiler ses arômes assez prononcés, fruités (cassis, cerise noire), très épicés et un peu végétaux. Elle est fraîche, souple, légère, avec une bonne pincée de poivre en finale. Agréable.
⊶ Philippe Teulier, Dom. du Cros, 12390 Goutrens, tél. 05.65.72.71.77, fax 05.65.72.68.80, e-mail pteulier@domaine-du-cros.com ☑ ⛹ r.-v.

DOM. DE LADRECHT 2002

■ 2,61 ha 20 000 3 à 5 €

Régulièrement présente dans le Guide, la cave des Vignerons du Vallon présente deux cuvées citées par le jury : la **Cuvée réservée 2002** et celle-ci à la robe grenat, qui prend des accents de garrigue, de fruits rouges et de menthol. Souple, assez léger et équilibré, ce vin joue la simplicité.
⊶ Les Vignerons du Vallon, RN 140, 12330 Valady, tél. 05.65.72.70.21, fax 05.65.72.68.39 ☑ Y ⛹ r.-v.

DOM. LAURENS Cuvée de Flars 2002 ★★

■ 2 ha 11 700 8 à 11 €

Vous trouverez facilement le caveau dans le village médiéval de Clairvaux. Quant aux vignes, elles sont cultivées sur ces terrasses que l'on appelle « escaliers de géants ». Il fallait bien qu'y naisse un grand vin. Déjà bien drapé de rouge sombre aux jolies nuances grenat, il s'exprime puissamment et avec complexité : liqueur de cassis, senteurs de garrigue. Sa bouche, riche et volumineuse, est largement structurée et sa finale persiste longtemps sur un trait de poivre. Le **Domaine Laurens 2003 (5 à 8 €)** est cité.
⊶ Dom. Laurens, 7, av. de la Tour, 12330 Clairvaux, tél. 05.65.72.69.37, fax 05.65.72.76.74, e-mail info@domaine-laurens.com ☑ Y ⛹ r.-v.

Côtes-de-millau AOVDQS

L'appellation AOVDQS côtes-de-millau a été reconnue le 12 avril 1994. La production atteint 1 500 hl sur 47,86 ha déclarés en 2003 dont 5 ha en blanc. Les vins sont composés de syrah et de gamay noir et, dans une moindre proportion, de cabernet-sauvignon, de fer-servadou et de duras.

DOM. DES MILLE PIERRES 2002 ★★

■ 1,69 ha 9 230 5 à 8 €

La présence de 20 % de duras, l'adoption d'une macération longue en relation avec le millésime donnent des vins d'une qualité telle qu'être membre du jury côtes-de-millau devient un réel bonheur. Ce 2002 présente un nez intense où la violette, la cerise et le cassis s'associent pour le plaisir des sens. La bouche structurée et harmonieuse, les tanins enrobés, légèrement épicés, la finale équilibrée participent à cet enchantement. Cité, le **blanc 2003 Peysir** est marqué par une acidité assez soutenue caractéristique ; il accompagnera sans faiblir la bonne charcuterie aveyronnaise.
⊶ SCV Les Vignerons des Gorges du Tarn, 6, av. des Causses, 12520 Aguessac, tél. 05.65.59.84.11, fax 05.65.59.17.90, e-mail scvcotesdemillau@hotmail.com ☑ Y ⛹ r.-v.

DOM. MONTROZIER 2002 ★★★

■ 2,14 ha 10 700 8 à 11 €

En viticulture, rien ne remplace la maturité naturelle et heureusement ! Le millésime 2002 du domaine Montrozier est exemplaire à ce titre ; rendement inférieur à 40 hl/ha, forte maturité, vinification adaptée : résultat, un coup de cœur, le 1er de l'appellation, pour ce vin qui enchante le jury. Le nez intense et complexe associe la pâte de fruits, la myrtille mûre et la fumée. La bouche ample dévoile des tanins fondus, aux arômes grillés, qui lui donnent une longueur remarquable. N'hésitez plus, c'est le moment de découvrir un côtes-de-millau exceptionnel, avec, par exemple, un magret de canard.
⊶ SCV Les Vignerons des Gorges du Tarn, 6, av. des Causses, 12520 Aguessac, tél. 05.65.59.84.11, fax 05.65.59.17.90, e-mail scvcotesdemillau@hotmail.com ☑ Y ⛹ r.-v.

LE VIEUX NOYER 2002 ★★

■ 1 ha 4 000 3 à 5 €

Carmen et Bernard Portalier sont propriétaires d'un domaine qui tient son nom de la présence d'un noyer centenaire à la porte de leur cave. Cet assemblage syrah, gamay, cabernet est le reflet de ce que l'amateur éclairé attend d'un côtes-de-millau. Avec sa robe grenat, son nez intense de bourgeon de cassis et de réglisse, son équilibre en bouche assuré par des tanins encore jeunes et sa finale marquée par une note vive, il accompagnera les tablées aveyronnaises avec trénels, charcuterie... Une étoile pour la **cuvée des Barandelles**, vin en devenir où le poivron et la fumée sont en harmonie. Il est à attendre un an ou deux.
⊶ Bernard et Carmen Portalier, Le Vieux Noyer, Boyne, 12640 Rivière-sur-Tarn, tél. 05.65.62.64.57, fax 05.65.62.64.57 ☑ Y ⛹ r.-v.

Béarn

Les vins du Béarn peuvent être produits sur trois aires séparées. Les deux premières coïncident avec celles du jurançon et du madiran. La zone purement béarnaise comprend les communes qui entourent Orthez et Salies-de-Béarn. C'est le béarn de Bellocq. Cette AOC couvre environ 209 ha. 10 425 hl ont été produits en 2003 en rouge et 60 hl en blanc.

Reconstitué après la crise phylloxérique, le vignoble occupe les collines prépyrénéennes et les graves de la vallée du Gave. Les cépages rouges sont constitués par le tannat, les cabernet-sauvignon et cabernet franc (bouchy), les anciens manseng noir, courbu rouge et fer-servadou. Les vins sont corsés et généreux, et accompagnent garbure (soupe régionale) et palombe grillée. Les rosés de Béarn, les meilleurs produits de l'appellation, sont vifs et délicats, avec des arômes fins de cabernet et une bonne structure en bouche.

DOM. LAPEYRE 2003 **

■ 2,5 ha 16 000 5 à 8 €

Un rosé bien gourmand, composé à 80 % de cabernet-sauvignon et à 20 % de tannat. Habillé d'une robe brillante tirant sur le vermillon, il offre un nez agréable de fraise et de framboise, puis se montre rond, souple et assez gras. La finale révèle une pointe vive bienvenue pour souligner son harmonie. Le **Domaine Lapeyre rouge 2002 Vieilli en fût de chêne (8 à 11 €)** obtient une étoile.

EARL Pascal Lapeyre,
52, av. des Pyrénées, 64270 Salies-de-Béarn,
tél. 05.59.38.10.02, fax 05.59.38.03.98 r.-v.

DOM. LARRIBERE 2002 *

■ 11 ha 38 000 3 à 5 €

Il est intéressant de citer le **Clos Mirabel rouge 2002** issu de pur bouchy, mais c'est ce Domaine Larribère, assemblage de tannat majoritaire aux deux cabernets, qui a la préférence. De teinte cerise nuancée de violine, il décline un nez typé dominé par le poivron vert et les fruits en confiture ou en macération. Sa bouche à la fois ronde et fraîche fait preuve d'équilibre, avec un retour aromatique très franc.

Cave des producteurs de Jurançon,
53, av. Henri-IV, 64290 Gan,
tél. 05.59.21.57.03, fax 05.59.21.72.06,
e-mail cave@cavedejurancon.com r.-v.

Irouléguy

Dernier vestige d'un grand vignoble basque dont on trouve la trace dès le XI^{e}s., l'irouléguy (le chacoli, côté espagnol) témoigne de la volonté des vignerons de perpétuer l'antique tradition des moines de Roncevaux. Le vignoble s'étage sur le piémont, dans les communes de Saint-Etienne-de-Baïgorry, d'Irouléguy et d'Anhaux sur quelque 200 ha. En 2003, il a produit 7 070 hl dont 730 en blanc.

Les cépages d'autrefois ont à peu près disparu pour laisser place au cabernet-sauvignon, au cabernet franc et au tannat pour les vins rouges, au courbu et aux gros et petit manseng pour les blancs. La presque totalité de la production est vinifiée par la coopérative d'Irouléguy, mais de nouveaux vignobles sont en train de voir le jour. Le vin rosé est vif, bouqueté et léger, avec une couleur cerise ; il accompagnera la piperade et la charcuterie. L'irouléguy rouge est un vin parfumé, parfois assez tannique, qui conviendra aux confits.

DOM. ABOTIA 2002 **

■ 8,67 ha 18 000 8 à 11 €

Le vignoble, constitué de 30 km de banquettes, s'étend sur le flanc sud de l'Arradoy, au-dessus de Saint-Jean-Pied-de-Port. Il a produit un joli **rosé 2003 (5 à 8 €)** noté une étoile, ainsi que cet irouléguy rouge, d'une teinte sombre. Le nez puissant évoque la prune à l'alcool, les épices (poivre, cannelle) et les fruits noirs. D'attaque franche, la bouche se montre ample, charpentée, d'une rondeur satisfaisante. Les tanins sont certes présents, mais se fondent dans la finale longue.

Louisette et Peïo Errecart,
Dom. Abotia, 64220 Ispoure,
tél. 05.59.37.03.99, fax 05.59.37.23.57 r.-v.

DOM. ARRETXEA Hegoxuri 2003 **

□ 1,56 ha 6 520 11 à 15 €

A nouveau, le couple Riouspeyrous fait preuve de son talent en proposant un **Arretxea rouge 2003 (8 à 11 €)**, d'une teinte traditionnelle, pleine de fruits et la **cuvée Haitza rouge 2002**. La faveur revient à cet irouléguy blanc élevé sur lie, qui mêle avec délicatesse et complexité des notes de poire williams, d'ananas, de beurre et de brioche. Remarquablement équilibré, à la fois vif et chaleureux, il se montre plein, gras et bien soutenu, longtemps aromatique. Ce vin blanc a un grand avenir.

Thérèse et Michel Riouspeyrous, Dom. Arretxea,
64220 Irouléguy, tél. 05.59.37.33.67, fax 05.59.37.33.67,
e-mail arretxea@free.fr r.-v.

DOM. BRANA 2001 *

■ 8,5 ha 25 000 8 à 11 €

Dans cette propriété créée en 1984 sur la montagne Arradoy, le vignoble occupe des terrasses étroites, très pentues (70 % de déclivité). De ce terroir est né un vin rouge cerise assez soutenu, bien vineux dans ses arômes de fruits macérés dans l'eau-de-vie sur fond de cuir et d'amande grillée. Il se montre rond, charnu, moelleux et surtout chaleureux. Sa finale persiste sur des tanins très doux. Un vin bien corsé.

Jean et Adrienne Brana,
3 bis, av. du Jaï-Alaï, 64220 Saint-Jean-Pied-de-Port,
tél. 05.59.37.00.44, fax 05.59.37.14.28,
e-mail brana-etienne@wanadoo.fr r.-v.

SUD-OUEST

DOM. ILARRIA Cuvée Bixintxo 2001 ★★

■	2,5 ha	8 000	🍷	11 à 15 €

Depuis le XVIIIe s., on produit du vin à Ilarria, dont les bâtiments sont de style bas-navarrais. Outre le **domaine Ilarria 2003 rouge (8 à 11 €)** très réussi, le jury a apprécié cette cuvée presque noire et très dense, dont le nez, intense et subtil à la fois, évoque les fruits à l'alcool (prune et cerise) et les épices. La bouche apparaît puissante et chaleureuse, renforcée par une pincée d'épices. Elle s'affirme encore en finale avec des tanins fermes qui devraient s'arrondir dans le temps. Du caractère.

Dom. Ilarria, 64220 Irouléguy, tél. 05.59.37.23.38, fax 05.59.37.23.38, e-mail ilarria@wanadoo.fr r.-v.

OMENALDI 2002 ★★

■	6,5 ha	17 000	🍷	11 à 15 €

Le vignoble est constitué de parcelles arrachées à la montagne et majoritairement cultivées en terrasses ; les rendements y sont très faibles, ce qui explique sans doute la robe si dense et si noire de cet irouléguy. Le nez intense est riche de senteurs épicées, d'un beau boisé et de notes de fruits noirs bien mûrs. La densité caractérise aussi ce vin au palais, charnu, puissant et largement charpenté. En finale, la forte présence du bois renforce la trame tannique. Retenez aussi le **Xuri d'Ansa blanc 2003 (8 à 11 €)**, concentré, équilibré et longuement aromatique. Les cuvées **Domaine de Mignaberry rouge 2002 (8 à 11 €)**, **Axeridoy rouge 2003 (8 à 11 €)** et **Premia rouge 2003 (5 à 8 €)** sont citées.

Les Vignerons du Pays Basque, rte de Saint-Jean-Pied-de-Port, 64430 Saint-Etienne-de-Baïgorry, tél. 05.59.37.41.33, fax 05.59.37.47.76, e-mail irouleguy@hotmail.com r.-v.

Jurançon et jurançon sec

« Je fis, adolescente, la rencontre d'un prince enflammé, impérieux, traître comme tous les grands séducteurs : le jurançon », écrit Colette. Célèbre depuis qu'il servit au baptême d'Henri IV, le jurançon est devenu le vin des cérémonies de la maison de France. On trouve ici les premières notions d'appellation protégée – car il était interdit d'importer des vins étrangers – et même une hiérarchie des crus, puisque toutes les parcelles étaient répertoriées suivant leur valeur par le parlement de Navarre. Comme les vins de Béarn, le jurançon, alors rouge ou blanc, était expédié jusqu'à Bayonne, au prix de navigations parfois hasardeuses sur les eaux du Gave. Très prisé des Hollandais et des Américains, le jurançon parvint à un vedettariat qui ne prit fin qu'avec le phylloxéra. La reconstitution du vignoble (1 006 ha revendiqués en 2003) fut effectuée avec les méthodes et les cépages anciens, sous l'impulsion de la cave de Gan et de quelques propriétaires fidèles.

Ici plus qu'ailleurs, le millésime revêt une importance primordiale, surtout pour les jurançon moelleux qui demandent une surmaturation tardive par passerillage sur pied. Les cépages traditionnels, uniquement blancs, sont le gros et le petit manseng, et le courbu. Les vignes sont cultivées en hautains pour échapper aux gelées. Il n'est pas rare que les vendanges se prolongent jusqu'aux premières neiges.

Le jurançon sec, 75 % de la production, est un blanc de blancs d'une belle couleur claire à reflets verdâtres, très aromatique, avec des nuances miellées. Il accompagne truites et saumons du Gave. Les jurançon moelleux ont une belle couleur dorée, des arômes complexes de fruits exotiques (ananas et goyave) et d'épices, comme la muscade et la cannelle. Leur équilibre acide-liqueur en fait des faire-valoir tout indiqués du foie gras. Ces vins peuvent vieillir très longtemps et donner de grandes bouteilles qui accompagneront un repas, de l'apéritif au dessert en passant par les poissons en sauce et le fromage pur brebis de la vallée d'Ossau. La production a atteint 43 605 hl, en 2003.

Jurançon

DOM. BELLEGARDE Cuvée Thibault 2002 ★

□	8 ha	9 000	🍷	11 à 15 €

Rappelons que cette cuvée, lancée en 1989 pour célébrer la naissance du fils aîné de Pascal Labasse, avait été coup de cœur dans le millésime 99. Aujourd'hui, elle vous réserve un moment gourmand grâce à ses arômes assez intenses, suaves, de miel et de fruits confits qui s'égrènent sous une robe paille aux nuances dorées. Après une attaque ample sur la sucrosité, elle s'ouvre sur le fruit, ronde, puis évolue sur le miel avec suffisamment de persistance. Un vin bien typé. Le **jurançon sec cuvée Tradition 2003 (5 à 8 €)** est cité.

Pascal Labasse, quartier Coos, 64360 Monein, tél. 05.59.21.33.17, fax 05.59.21.44.40, e-mail contact@domainebellegarde-jurancon.com t.l.j. sf dim. 10h-12h 14h-18h30; sam. sur r.-v.

DOM. BORDENAVE Cuvée des Dames 2002 ★

□	n.c.	n.c.	🍷	11 à 15 €

La famille Bordenave, qui exploite une des plus anciennes propriétés de la région depuis 1676, s'attache à mettre en valeur le terroir. Deux cuvées moelleuses ont été retenues : la **cuvée Savin 2002 (15 à 23 €)**, citée, et ce vin jaune doré brillant, d'une grande qualité aromatique (fruits confits et miel). La bouche, pleine d'arômes, s'avère équilibrée, assez grasse, relevée d'épices en finale.

🔑 Gisèle Bordenave, Dom. Bordenave, quartier Ucha, 64360 Monein, tél. 05.59.21.34.83, fax 05.59.21.37.32, e-mail domaine.bordenave@wanadoo.fr
☑ 🚶 t.l.j. 9h-19h; dim. sur r.-v.

DOM. BRU-BACHE La Quintessence 2002 ★★

	3 ha	n.c.	15 à 23 €

Ce domaine réputé compte parmi les meilleurs chaque année dans le Guide. Voyez ce 2002 d'un jaune d'or intense qui possède un nez profond et complexe, orienté sur les fruits exotiques, avec des nuances rôties, sur fond richement boisé. Il offre un bon volume, de l'ampleur, de la richesse et de la puissance jusqu'à la finale persistante. Le **jurançon sec cuvée des Casterrasses 2002 (8 à 11 €)** obtient une étoile. Notez son intéressant rapport qualité-prix.
🔑 Dom. Bru-Baché, 39, rue Barada, 64360 Monein, tél. 05.59.21.36.34, fax 05.59.21.32.67, e-mail domaine.bru-bache@wanadoo.fr ☑ 🍷 🚶 r.-v.
🔑 Claude Loustalot

DOM. DE CABARROUY Extrême 1999 ★

	1 ha	1 500	30 à 38 €

« Extrême », car très concentrée. Cette cuvée issue de grains de petit manseng parfaitement passerillés se dévoile sous une robe jaune cuivré aux reflets orangés intenses. Son nez puissant et profond évoque les fruits confits et la pâte de coings sous des nuances grillées et épicées. Les arômes témoignent d'une évolution classique pour un vin de cinq ans d'âge. En bouche, la forte sucrosité est équilibrée par une juste vivacité. On perçoit du volume et de l'ampleur. Le **jurançon sec 2002 (5 à 8 €)** obtient également une étoile.
🔑 Dom. de Cabarrouy, 64290 Lasseube, tél. 05.59.04.23.08, fax 05.59.04.21.85
☑ 🍷 🚶 t.l.j. sf dim. 9h30-12h 14h-19h
🔑 Patrice Limousin, Freya Skoda

CANCAILLAU Gourmandise 2002 ★★

	2,5 ha	6 600	11 à 15 €

Si le **jurançon sec Clos de la Vierge 2003 (5 à 8 €)** est jugé très réussi, le moelleux a séduit plus encore le jury dès le premier regard sur sa couleur dorée et brillante. Le nez complexe et net marie le boisé au fruit mûr : fruits confits, fruits secs et pain d'épice. A l'attaque souple succède une impression chaleureuse, bien tempérée par la vivacité, tandis que les arômes se répandent en une longue finale, toute gourmande.
🔑 EARL Barrère, 64150 Lahourcade, tél. 05.59.60.08.15, fax 05.59.60.07.38
☑ 🍷 🚶 t.l.j. sf dim. 8h-19h; f. 8 oct.-15 nov.

DOM. CASTERA Cuvée Privilège 2002 ★★

	5 ha	13 000	8 à 11 €

C'est en 1904 que la famille Lihour a acheté ce domaine qu'elle a restructuré au fil des années. Ses descendants proposent aujourd'hui un vin jaune aux reflets cuivrés, dont les arômes concentrés, profonds et complexes évoquent les fruits secs et confits. Le corps équilibré et subtilement parfumé conserve une agréable fraîcheur tout au long de la dégustation. Un beau potentiel.
🔑 Christian Lihour, quartier Ucha, 64360 Monein, tél. 05.59.21.34.98, fax 05.59.21.46.34, e-mail christian-lihour@wanadoo.fr
☑ 🍷 🚶 t.l.j. sf dim. 9h-12h 14h-19h

DOM. CAUHAPE Symphonie de novembre 2002 ★

	3,3 ha	17 000	15 à 23 €

Henri Ramonteu est l'un de ces vignerons perfectionnistes, incontournables, de la région. Il a largement contribué à la notoriété du jurançon. Sa cuvée, jaune clair à reflets dorés, offre un nez chaleureux et fortement boisé, évocateur de fruits confits, de fruits à l'eau-de-vie. Bien concentrée, elle demeure corsée en bouche, marquée par les épices (gingembre), puis se prolonge sur des notes de mangue, de goyave et de boisé. Le **jurançon sec Sève d'automne 2002 (11 à 15 €)** est cité.
🔑 Henri Ramonteu, Dom. Cauhapé, 64360 Monein, tél. 05.59.21.33.02, fax 05.59.21.41.82, e-mail domainecauhape@wanadoo.fr
☑ 🍷 🚶 t.l.j. sf dim. 8h-12h30 13h30-18h

CLOS CASTET
Cuvée spéciale Vieilli en fût de chêne neuf 2002

	3 ha	n.c.	11 à 15 €

Dans cette ancienne ferme béarnaise au milieu des vignes, Alain Labourdette produit des vins rouges du Béarn et du jurançon. Son vin moelleux, doré clair, auquel il ne manque qu'une pointe de fraîcheur, dévoile des arômes de surmaturité, de fruits exotiques, de fruits à chair blanche, avec des nuances vanillées héritées du bois. Sur la sucrosité en attaque, il développe son gras et laisse sur une impression de confiture.
🔑 Alain Labourdette, GAEC Labourdette, 64360 Cardesse, tél. 05.59.21.33.09, fax 05.59.21.28.22
☑ 🍷 🚶 t.l.j. 9h-19h

CLOS GASSIOT Elégance 2002 ★

	2,5 ha	2 200	11 à 15 €

Remontant au XVIe s., le Clos Gassiot compte parmi les anciens domaines du Jurançon. Sa cuvée Elégance avait déjà obtenu une étoile dans le millésime 2001. La voici en 2002, dorée à légers reflets verts, qui libère de discrètes notes de fruits secs et de miel, de fruits exotiques et d'agrumes. Une finesse d'expression qui caractérise également la bouche, légère et harmonieuse.
🔑 Tavernier, 5, rue du Centre, 64360 Abos, tél. 05.59.60.10.22, fax 05.59.71.58.92
☑ 🍷 🚶 t.l.j. 9h-19h; sam. dim. sur r.-v.; f. 23 déc.-4 jan.

CHARLES HOURS Uroulat 2002 ★

	7 ha	25 000	15 à 23 €

Si Charles Hours a bien les pieds sur terre, dans son terroir de Jurançon, son vin a voyagé dans la station Mir, avec Jean-Pierre Haigneré... L'astronaute a-t-il apprécié sa teinte jaune doré soutenu, son nez intense et complexe mêlant abricot confit, écorce d'orange, gelée de coings, nuances muscatées et grillées ? D'attaque fraîche, la bouche assez ample et riche offre une belle liqueur avec une pointe d'amertume en finale qui signe un vin de garde. Le **jurançon sec cuvée Marie 2002 (11 à 15 €)** obtient la même note.
🔑 Charles Hours, quartier Trouilh, 64360 Monein, tél. 05.59.21.46.19, fax 05.59.21.46.90, e-mail charleshours@wanadoo.fr ☑ 🍷 🚶 r.-v.

CAVE DES PRODUCTEURS DE JURANCON
Prestige 2002 ★★

	100 ha	30 000	8 à 11 €

Remarquable tir groupé pour la cave de Jurançon qui récolte les étoiles grâce à ses liquoreux. Très réussis sont le **Domaine du Beauvallon 2002**, le **Clos Mirabel 2002**

SUD-OUEST

et le **Château Roquehort 2002 (tous trois de 5 à 8 €)**. Remarquables sont le **Privilège d'automne 2002 (15 à 23 €)** et cette cuvée Prestige or vert, intensément parfumée de miel, de gelée de coings, d'ananas et d'agrumes. Celle-ci possède tous les attributs d'un grand vin : gras, rondeur, finesse, arômes, longueur, harmonie. Le plaisir sera immédiat.

Cave des producteurs de Jurançon,
53, av. Henri-IV, 64290 Gan,
tél. 05.59.21.57.03, fax 05.59.21.72.06,
e-mail cave@cavedejurancon.com r.-v.

LAPEYRE Vent Balaguèr 2001 ★★

n.c. 2 000 38 à 46 €

Jean-Bernard Larrieu propose une nouvelle cuvée de petit manseng élevée deux ans en fût neuf particulièrement remarquable. Sous la robe ciselée d'or et de cuivre brillant, apparaît un nez puissant, complexe et concentré qui joue sur les notes de miel et de fruits confits. Les arômes explosent en une corbeille de confiseries dans la bouche ample, grasse, toute douce. Le **jurançon sec Lapeyre 2003 (5 à 8 €)**, élevé en cuve, obtient une étoile.

Jean-Bernard Larrieu, La Chapelle-de-Rousse,
64110 Jurançon, tél. 05.59.21.50.80, fax 05.59.21.51.83,
e-mail jean-bernard.larrieu@wanadoo.fr
t.l.j. sf dim. 8h-12h 14h-18h

DOM. LARROUDE Un Jour d'automne 2002 ★

0,5 ha 1 500 15 à 23 €

100 % de petit manseng pour cette cuvée vinifiée en fût neuf. Dorée aux délicats reflets orangés, elle libère des senteurs certes discrètes mais de bon augure : poire, pêche, fruits exotiques, agrumes et une agréable fraîcheur mentholée. Elle emplit le palais d'une jolie liqueur tout en développant ses arômes avec plus de franchise et toujours beaucoup de fraîcheur jusqu'à une petite pointe d'amertume finale. De la personnalité et un bon potentiel. Elevé en cuve, le **jurançon sec 2003 (5 à 8 €)** est également très réussi.

Julien Estoueigt,
Dom. Larroudé, 64360 Lucq-de-Béarn,
tél. 05.59.34.35.40, fax 05.59.34.35.92,
e-mail domaine.larroude@wanadoo.fr
t.l.j. sf dim. 9h-18h

DOM. MALARRODE
Cuvée Prestige Vieilli en fût de chêne 2002

2,5 ha 6 000 11 à 15 €

Sous une teinte or apparaît un nez d'ananas, de litchi, de beurre et de fleurs blanches. Une pointe vive à l'attaque annonce une bouche tonique, aux arômes francs de fruits exotiques. Une sensation chaleureuse s'impose ensuite tandis que le boisé se manifeste en finale sur une note de résine.

Gaston Mansanné, 64360 Monein,
tél. 05.59.21.44.27, fax 05.59.21.44.27 r.-v.

DOM. MONTAUT Cuvée Prestige 2002 ★

3,4 ha 18 000 8 à 11 €

La maison typiquement béarnaise, aux murs de galet et au toit en ardoise, se situe sur le plateau, face aux Pyrénées. Depuis son départ de la coopérative, ce producteur a vu tous ses millésimes présents dans le Guide. Le dernier en date ? Ce vin paille clair, limpide, dont la palette assez intense évoque le miel et l'ananas. D'attaque franche, harmonieux, il développe les mêmes arômes autour d'une belle vivacité et se révèle élégant dans son expression finale.

Montaut, quartier Haut-Ucha, 64360 Monein,
tél. 05.59.21.38.17, fax 05.59.21.38.17
t.l.j. 9h-12h 14h-20h

DOM. DE MONTESQUIOU 2002 ★★

2 ha 3 300 11 à 15 €

Déjà coup de cœur grâce à l'exceptionnel 2001, le domaine séduit cette année encore le jury par son nouveau millésime. Une récompense pour les deux frères, Sébastien et Fabrice Bordenave-Montesquieu, qui se sont récemment associés. Leur moelleux d'un jaune or et cuivre bien soutenu livre d'élégants arômes frais et complexes : notes d'épices, mangue, abricot, écorce d'orange confite, miel et fruits secs. Ample en attaque, la bouche est ronde, grasse et très expressive. Elle offre une belle sucrosité et suffisamment de fraîcheur jusqu'à une finale fondante et harmonieuse. Un jurançon prometteur.

Gérard Bordenave-Montesquieu et Fils,
Quartier Haut-Ucha, 64360 Monein,
tél. 05.59.21.43.49, fax 05.59.21.43.49
t.l.j. 8h-12h 14h-18h

DOM. PEYRETTE 2002 ★

2 ha 5 500 8 à 11 €

Le domaine Peyrette a toujours pratiqué deux acticités : l'élevage et la viticulture. La vigne de petit manseng est à l'origine de ce vin avenant dans sa robe dorée, brillante. Les senteurs d'abricot et d'agrumes confits, comme l'originale note de chocolat blanc, flattent les sens. La bouche est ample, moelleuse, tout en arômes de confiserie et pourtant suffisamment fraîche jusqu'en finale.

Patrick Peyrette,
Dom. Peyrette, chem. des Vignes, 64360 Cuqueron,
tél. 05.59.21.31.10, fax 05.59.21.31.10
t.l.j. 9h-19h

DOM. DE SOUCH Cuvée de Marie-Kattalin 2002 ★

2,5 ha 6 500 15 à 23 €

Sur cette terre du Sud-Ouest où le vent d'Espagne se mêle aux ultimes senteurs océanes naissent des vins élégants et puissants à la fois, comme la cuvée de Marie-Kattalin qui garde des reflets de jeunesse. Celle-ci livre un nez intense, évocateur de fruits confits, de fruits au sirop ou à l'eau-de-vie sous des nuances de miel et de vanille. Fraîche et douce à la fois en attaque, sa bouche est équilibrée, chaleureuse, riche et toujours aussi aromatique. Un 2002 harmonieux.

Yvonne Hegoburu, Dom. de Souch, 64110 Laroin,
tél. 05.59.06.27.22, fax 05.59.06.51.55
t.l.j. sf dim. 10h-12h30 15h-19h30

DOM. VIGNAU LA JUSCLE 2002 ★

3 ha 2 000 8 à 11 €

Le domaine de plus de 16 ha est en conversion à l'agriculture biologique. Il se distingue par un jurançon friand, de teinte doré soutenu. Les fruits mûrs, le miel, les épices, la truffe blanche et la noisette grillée se mêlent au nez, bien net. Puis la bouche, assez vive en attaque, se développe avec rondeur et fraîcheur dans un registre gourmand. La finale persiste sur de belles notes de fruits et une saveur acidulée.

Michel Valton,
Dom. Vignau la Juscle, 64290 Aubertin,
tél. 05.59.83.03.66, fax 05.59.83.03.71 r.-v.

Jurançon sec

DOM. BARTHELEMY Cuvée Saint Barth 2003

0,25 ha 1000 **5 à 8 €**

Sous une étiquette dessinée par Titouan Lamazou, le domaine propose un vin jaune clair, ouvert et agréablement typé : on y perçoit les agrumes et les fruits à chair blanche au sirop. Franche dès l'attaque puis soutenue par l'acidité, la bouche exprime plus nettement ses arômes en finale.

Dom. Barthélemy,
64360 Parbayse, tél. 05.59.21.42.67,
e-mail o.tessier@worldonline.fr r.-v.

DOM. CAPDEVIELLE Brise Océane 2003 ★

1,5 ha 11 000 5 à 8 €

Coquillages et crustacés feront alliance avec ce vin paille nuancé de vert pâle, dont le nez doux et délicat rappelle les fleurs et les fruits à chair blanche. S'il se montre souple et assez rond en début de bouche, il s'exprime ensuite avec vivacité tout en préservant ses jolis arômes jusque dans la finale bien soutenue.

Didier Capdevielle, quartier Coos, 64360 Monein,
tél. 05.59.21.30.25, fax 05.59.21.30.25,
e-mail domaine-capdevielle@wanadoo.fr
t.l.j. 8h30-12h 13h30-19h; dim. sur r.-v.

DOM. DU CINQUAU 2003

3 ha 20 000 **5 à 8 €**

Traversées par le chemin de Saint-Jacques-de-Compostelle, les vignes du Cinquau ont été plantées voilà plus de quinze ans. Le gros manseng est à l'origine de ce vin jaune pâle qui évoque, après aération, le parfum délicat des fleurs. La rondeur de la bouche est soulignée d'un trait de vivacité qui lui donne de l'expressivité, tandis que les arômes se manifestent avec plus de netteté encore en finale (agrumes et fleurs).

Pierre Saubot,
Dom. du Cinquau, Cidex 43, 64230 Artiguelouve,
tél. 05.59.83.10.41, fax 05.59.83.12.93
t.l.j. 8h30-12h30 13h30-19h; dim. sur r.-v.

CLOS BELLEVUE Cuvée Boisée 2002 ★

0,2 ha 800 **8 à 11 €**

1789 : telle est la date de construction de la ferme béarnaise aux pierres apparentes, avec sa cour intérieure typique. 1792 : le vignoble est planté face aux Pyrénées. La polyculture est encore d'actualité au clos Bellevue, mais la vigne est privilégiée. On le comprend aisément à la dégustation de ce vin de teinte soutenue et brillante, aux reflets d'or. Le nez montant décline des arômes de liqueur et d'eau-de-vie de fruits, accompagnés de miel. Des notes étonnantes sur fond boisé ponctuent la bouche à la fois ronde, grasse et suffisamment vive. Curieux, exotique, intéressant... Le **moelleux Cuvée spéciale Elevé en fût de chêne 2002 (11 à 15 €)** est cité.

Muchada, chem. des Vignes, 64360 Cuqueron,
tél. 05.59.21.34.82, fax 05.59.21.34.82 r.-v.

CLOS GUIROUILH 2003 ★★

3 ha 10 000 5 à 8 €

Le courbu, cépage jurançonnais aux petites baies jaune doré, couvre de faibles superficies aujourd'hui, mais il produit des vins de bonne garde. Il complète le gros manseng (90 %) dans ce jurançon flatteur et bien fait. Il suffit de regarder la teinte paille fraîche aux reflets verts et l'on devine déjà l'intensité et l'expressivité des arômes : ananas, banane, agrumes, pêche et genêt. Une légère effervescence soutient une agréable vivacité tout au long de la dégustation, mais l'on perçoit aussi de la rondeur et du gras dans la bouche équilibrée, toujours aromatique.

Jean Guirouilh, rte de Belair, 64290 Lasseube,
tél. 05.59.04.21.45, fax 05.59.04.22.73 r.-v.

GRAIN SAUVAGE 2003 ★

200 ha 250 000 5 à 8 €

Camp romain au IIIᵉs., château féodal au XIIᵉs., château Renaissance au XVIᵉs, aujourd'hui marque de la cave de Jurançon... qui suis-je ? Le **Château de Navailles en jurançon sec 2003** qui obtient une citation. Uniquement issu du gros manseng, ce Grain sauvage s'affiche dans ce millésime sous une teinte jaune pâle à reflets verts. Tandis que le nez intense et net s'exprime par touches florales et fruitées, la bouche vive et fondue à la fois donne la faveur aux fruits frais avant de s'orienter vers une finale acidulée. Un vin équilibré, bien enveloppé et plaisant.

Cave des producteurs de Jurançon,
53, av. Henri-IV, 64290 Gan,
tél. 05.59.21.57.03, fax 05.59.21.72.06,
e-mail cave@cavedejurancon.com r.-v.

CH. JOLYS 2003 ★★

7 ha 60 000 5 à 8 €

Le plus grand domaine de l'appellation, fort de 36 ha, a produit de beaux jurançon liquoreux, tels la **cuvée Jean 2002 (8 à 11 €)** qui a séjourné sous bois, notée une étoile, ainsi que le **Château Jolys 2002**, élevé en cuve, qui obtient une citation. Cependant, la finesse du jurançon sec a été plus remarquée encore. Sous une robe jaune paille limpide se révèle un nez intense, ouvert et équilibré entre notes florales et fruitées. La bouche fait preuve d'ampleur, de rondeur et de fraîcheur, tout en développant ses arômes avec élégance.

Sté des Domaines Latrille, Ch. Jolys, 64290 Gan,
tél. 05.59.21.72.79, fax 05.59.21.55.61,
e-mail chateau.jolys@wanadoo.fr r.-v.

CAMIN LARREDYA 2003 ★★

2 ha 12 000 5 à 8 €

Dans son chai installé au sein d'un bâtiment du XVIIᵉs., Jean-Marc Grussaute produit des jurançon de grande personnalité. Son **moelleux cuvée Les Terrasses**

SUD-OUEST

2002 (11 à 15 €), élevé dix-huit mois sous bois, remporte une étoile ; il est devancé par ce vin de couleur paille nuancée de doré, subtil et complexe dans ses évocations de fleurs et de fruits. Avec une franchise immédiate, celui-ci se montre rond et vif, de structure harmonieuse ; la finale évoque les agrumes acidulés.

⊶ Jean-Marc Grussaute, La Chapelle-de-Rousse, 64110 Jurançon, tél. 05.59.21.74.42, fax 05.59.21.76.72, e-mail jm.grussaute@wanadoo.fr ☑ 🍷 🚶 r.-v.

DOM. NIGRI Réserve 2002 ★★

▢ 0,5 ha 2 000 ⏸ 8 à 11 €

Tricentenaire, le domaine Nigri est dirigé depuis 1993 par l'œnologue Jean-Louis Lacoste qui a restauré la bâtisse béarnaise du XVIIe s. Celle-ci figure sur l'étiquette des vins : les très réussis **jurançon liquoreux Réserve 2002 (11 à 15 €)** et **jurançon sec Domaine Nigri 2003 élevé en cuve (5 à 8 €)**, ainsi que ce 2002 d'un jaune friand. A la fois floral et fruité, brioché et vanillé, le nez est complexe. D'attaque souple, puis grasse et concentrée, équilibrée et bien construite, la bouche affiche, en prime, de la persistance aromatique sur fond boisé. N'est-ce pas de la belle ouvrage ?

⊶ Jean-Louis Lacoste, Dom. Nigri, Candeloup, 64360 Monein, tél. 05.59.21.42.01, fax 05.59.21.42.59, e-mail domaine.nigri@wanadoo.fr
☑ 🚶 t.l.j. 9h-12h 13h30-19h; dim. sur r.-v.

PRIMO PALATUM Classica 2002 ★★

▢ 1 ha 1 200 ⏸ 15 à 23 €

Xavier Copel, œnologue et négociant, partisan des vins de grande expression, choisit de se fournir chez des vignerons de terroir. Cette cuvée en offre l'illustration parfaite. Or pâle aux jolis reflets verts, elle décline avec élégance une large palette, mêlant un beau fruit à un noble boisé. La matière riche et grasse est très savoureuse, hautement expressive ; elle persiste en finale sur un boisé généreux. Un remarquable potentiel.

⊶ Primo Palatum, 1, Cirette, 33190 Morizès, tél. 05.56.71.39.39, fax 05.56.71.39.40, e-mail xavier-copel@primo-palatum.com ☑ 🍷 🚶 r.-v.
⊶ Xavier Copel

CH. DE ROUSSE 2003 ★

▢ 1 ha 3 300 ▮🌡 5 à 8 €

Le vignoble s'est établi dès le XVe s. autour de l'ancien rendez-vous de chasse d'Henri IV. Il offre aujourd'hui encore un beau point de vue sur les Pyrénées. On l'imaginera en dégustant ce vin composé à 60 % de gros manseng et à 40 % de courbu. Jaune clair, il décline avec légèreté et finesse des arômes de fleurs et de bergamote, puis offre une vivacité bien mesurée, non dénuée d'élégance.

⊶ Marc Labat, Ch. de Rousse, La Chapelle-de-Rousse, 64110 Jurançon, tél. 05.59.21.75.08, fax 05.59.21.76.55, e-mail mlabat@nomade.fr ☑ 🍷 🚶 r.-v.

Madiran

D'origine gallo-romaine, le madiran fut pendant longtemps le vin des pèlerins de Saint-Jacques-de-Compostelle. La gastronomie du Gers et ses ambassadeurs dans la capitale représentent ce vin pyrénéen. Sur les 1 360 ha de l'appellation déclarés en 2003, le cépage roi est le tannat, qui donne un vin âpre dans sa jeunesse, très coloré, avec des arômes primaires de framboise ; il s'exprime après un long vieillissement. Lui sont associés cabernet-sauvignon et cabernet franc (ou bouchy), fer-servadou (ou pinenc). Les vignes sont conduites en demi-hautain. La production a atteint 69 509 hl en 2003.

Le vin de Madiran est le vin viril par excellence. Quand sa vinification est adaptée, il peut être bu jeune, ce qui permet de profiter de son fruité et de sa souplesse. Il accompagne les confits d'oie et les magrets saignants de canard. Les madiran traditionnels, à forte proportion de tannat, supportent très bien le passage sous bois et doivent attendre quelques années. Les vieux madiran sont sensuels, charnus et charpentés, avec des arômes de pain grillé, et s'allient avec le gibier et les fromages de brebis des hautes vallées.

CH. D'ARRICAU-BORDES 2001 ★

■ 14 ha 20 000 ⏸ 8 à 11 €

La cave de Crouseilles vinifie le fruit du château depuis 1999. Un nez de fruits rouges, intense et complexe se développe, annonçant une bouche tout aussi aromatique. L'équilibre entre le gras et la fraîcheur, entre les tanins enrobés et le bois est très réussi. Un vin harmonieux, à conserver de cinq à dix ans. Dans une gamme de marques de qualité, la meilleure note revient au **Premium de Crouseilles 2001 (15 à 23 €)**, noté une étoile.

⊶ SA Ch. d'Arricau-Bordes, 64350 Arricau-Bordes, tél. 05.62.69.62.87, fax 05.62.69.66.71, e-mail m.darricau@crouseilles.com ☑ 🏠 🏠 🍷 🚶 r.-v.

CH. D'AYDIE Odé d'Aydie 2001 ★

■ 20 ha 100 000 ⏸ 8 à 11 €

Odé d'Aydie ? C'est 80 % de tannat pour 10 % de cabernet franc et 10 % de cabernet-sauvignon longuement macérés puis élevés sous bois pendant douze mois. Grenat intense, ce vin décline les fruits noirs et rouges (mûre, framboise), le tabac, le poivre, auxquels s'ajoutent la

torréfaction et la vanille d'un boisé bien fondu. Il est franc, équilibré et tout aussi aromatique en bouche, même si les tanins méritent de se fondre. Un magret sauce chasseur lui ira bien après deux ans de garde.
🗝 GAEC Vignobles Laplace, Ch. d'Aydie,
64330 Aydie, tél. 05.59.04.08.00, fax 05.59.04.08.08,
e-mail pierre.laplace@wanadoo.fr
☑ 🍷 🚶 t.l.j. 9h-12h30 14h-19h30

DOM. BERTHOUMIEU Haute Tradition 2002 ★

■ 12,3 ha 80 000 ▮🌡 8 à 11 €

Le domaine, créé en 1850, couvre aujourd'hui 26 ha sur les sols limono-argileux de Viella. Sa Haute Tradition avait obtenu deux étoiles dans le millésime précédent ; elle montre un bon niveau en 2002, vêtue d'une robe pourpre aux nuances violacées. Le nez, encore sur la retenue, décline des senteurs de cuir, de réglisse et de cassis. Plutôt rond et souple en attaque, c'est un vin concentré et suffisamment structuré. Les tanins, d'abord discrets, sont plus marqués en finale. Le **pacherenc-du-vic-bilh Symphonie d'automne 2002 (11 à 15 €)**, élevé en fût, est cité.
🗝 Didier Barré, 32400 Viella,
tél. 05.62.69.74.05, fax 05.62.69.80.64,
e-mail barre.didier@wanadoo.fr
☑ 🍷 🚶 t.l.j. 8h-12h30 14h-19h; dim. 15h-19h

CH. BOUSCASSE 2002 ★★

■ 80 ha 120 000 🛢 8 à 11 €

Des coups de cœur, Alain Brumont en obtient deux cette année. Rendez-vous en appellation pacherenc-du-vic-bilh, mais lisez d'abord le commentaire de dégustation du madiran. Une superbe robe burlat aux larmes violines habille ce vin dont le nez profond, bien mûr, est suave comme du sirop de fruits, avec un noble boisé aux accents d'épices et de toast grillé. Très ample dès l'attaque, la bouche bénéficie d'une solide trame de tanins qui porte loin les flaveurs de ce grand vin de garde.
🗝 Alain Brumont, Bouscassé, SCEA Montus Bouscassé, 32400 Maumusson-Laguian,
tél. 05.62.69.74.67, fax 05.62.69.70.46,
e-mail brumont.alain@wanadoo.fr ☑ 🍷 🚶 r.-v.

DOM. CAPMARTIN
L'Esprit du Couvent Elevé en fût de chêne 2001 ★★

■ 1 ha 5 000 🛢 15 à 23 €

A côté de ce madiran haut de gamme, la **cuvée Tradition 2002 (3 à 5 €)**, élevée en cuve, obtient une étoile, de même que le **pacherenc-du-vic-bilh Cuvée du Couvent 2002 (8 à 11 €)** qui a connu le bois. Le jury a donné sa préférence à L'Esprit du Couvent, un vin complet comme l'annonce sa robe rubis assez profond. De belle intensité, encore dominé par un riche boisé, il intègre les fruits mûrs aux senteurs d'épices et de café torréfié dans sa palette aromatique. Il se montre bien équilibré au palais, fort d'une large structure tannique, bien enrobée par du gras. La finale est déjà fondue.
🗝 Guy Capmartin, Le Couvent, 32400 Maumusson,
tél. 05.62.69.87.88, fax 05.62.69.83.07
☑ 🏠 🍷 🚶 t.l.j. sf dim. 9h-13h 14h-19h

CHAPELLE LENCLOS 2002 ★

■ 6 ha 30 000 ▮🛢🌡 11 à 15 €

Sur le domaine qui fait face aux Pyrénées se trouve une chapelle transformée en maison d'habitation. Elle donne son nom aux vins de Patrick Ducournau, perpétuel innovateur, créateur de la micro-oxygénation. Ce madiran, grenat de forte intensité, libère des arômes complexes : une corbeille de fruits mûrs et variés, une ronde d'épices, un fond boisé. D'attaque franche, sa bouche est parfaitement équilibrée, pleine de fruits jusqu'à la longue finale savoureuse. Le **pacherenc-du-vic-bilh Chapelle Lenclos 2002**, élevé en cuve, a obtenu une étoile de même que le **madiran Domaine Mouréou 2002 (5 à 8 €)**.
🗝 Patrick Ducournau,
Dom. Mouréou, 32400 Maumusson-Laguian,
tél. 05.62.69.78.11, fax 05.62.69.75.87
☑ 🍷 🚶 t.l.j. sf lun. 9h-18h; sam. dim. sur r.-v.;
f. 15 août-1er sept., 25 déc.-5 jan.

CLOS BASTE 2001 ★

■ 2 ha 8 000 ▮🛢🌡 11 à 15 €

Un 100 % tannat de bonne tenue. Rouge très intense à reflets violets, il possède déjà une belle expression de fruits rouges à l'eau-de-vie (griotte) accompagnés de notes empyreumatiques et balsamiques et d'un boisé bien dosé. La bouche, douce en attaque, puis corsée et concentrée, revient sur les mêmes arômes. Des tanins encore fermes soutiennent sa large structure. Les dégustateurs s'accordent sur le potentiel de garde de ce vin : jusqu'à dix ans.
🗝 Philippe Mur, Clos Basté, 64350 Moncaup,
tél. 05.59.68.27.37, fax 05.59.68.27.37
☑ 🍷 🚶 t.l.j. sf dim. 9h-19h

DOM. DU CRAMPILH
Vignes Vieilles Elevé en fût de chêne 2001 ★

■ n.c. 20 000 🛢 11 à 15 €

Le domaine organise diverses manifestations gourmandes et culturelles : des expositions, des dégustations de vin et de chocolat. Le cadre s'y prête bien : le caveau de dégustation s'ouvre sur une terrasse qui ménage une belle vue sur les Pyrénées. Vous y trouverez ce madiran d'une couleur sombre nuancée de violet, dont le nez intense évoque l'animal avant de s'orienter vers les fruits mûrs, les épices et quelques notes boisées. Il se montre puissant, à la fois chaleureux et gras en attaque, puis il déploie sa charpente de tanins, encore saillants en finale. Attendez-le trois ans. Le **pacherenc-du-vic-bilh 2002**, élevé en fût, obtient lui aussi une étoile.
🗝 Famille Oulié, Dom. du Crampilh,
64350 Aurions-Idernes, tél. 05.59.04.00.63,
fax 05.59.04.04.97, e-mail madirancrampilh@aol.com
☑ 🏠 🍷 🚶 t.l.j. sf dim. 9h-12h 14h-19h

DOM. DAMIENS Cuvée Saint-Jean 2001 ★

■ 2,3 ha 13 000 ▮🛢🌡 8 à 11 €

Une robe presque noire, profonde, aux nuances violines habille ce vin subtilement aromatique : ses notes fruitées sont rehaussées d'un boisé discret, juste épicé. Sa bouche d'abord chaleureuse et charnue affirme bientôt sa structure de tanins encore fermes. La puissance va s'accentuant jusqu'en finale. Une garde de trois à cinq ans s'impose.

⊶ André et Pierre-Michel Beheity, Dom. Damiens, 64330 Aydie, tél. 05.59.04.03.13, fax 05.59.04.02.74
▣ Ⲧ ⛹ t.l.j. 9h-12h30 14h30-18h; sam. dim. sur r.-v.

CH. DE DIUSSE Tradition 2002 ★★

■ 10,5 ha 55 000 ▮♁ 3 à 5 €

Le château de Diusse, Centre d'aide par le travail, propose deux jolis vins : le **pacherenc-du-vic-bilh cuvée Emma 2002 (8 à 11 €)**, élevé en fût, et ce madiran opulent et typé, non dénué de charme. Regardez sa robe d'apparat, sombre aux nuances violines soutenues. Sentez ses parfums déjà expressifs, évocateurs de fruits rouges et noirs en compote, d'épices et de réglisse. La matière est présente, la structure bien en place, les tanins déjà veloutés, l'ensemble fondu.

⊶ Dom. de Diusse, 64330 Diusse,
tél. 05.59.04.02.83, fax 05.59.04.05.77 ▣ Ⲧ ⛹ r.-v.

DOM. DOU BERNES Elevé en fût de chêne 2001 ★★

■ 4 ha 6 000 ⏸ 5 à 8 €

Dou Bernès signifie « du Béarn ». Un nom qui sied bien à ce vin typé et harmonieux, revêtu d'une teinte soutenue, entre rubis et grenat. Son nez intense, élégant, frais et profond, égrène les senteurs de fruits rouges et noirs, la cannelle, la vanille et le café. La bouche, douce en première impression, possède du volume, du gras et une bonne charpente. Sous son agréable boisé bien fondu, les tanins apparaissent encore fermes, mais sauront s'assouplir à la garde. Le **madiran Tradition 2001 (3 à 5 €)**, élevé en cuve, obtient une étoile.

⊶ Cazenave, Dom. Dou Bernès, 64330 Aydie,
tél. 05.59.04.04.49, fax 05.59.04.05.79 ▣ Ⲧ ⛹ r.-v.

DOM. D'HECHAC
Le Marquis Vieilli en fût de chêne 2001 ★

■ 1 ha 4 000 ⏸ 8 à 11 €

La **cuvée Les Aspalières 2001 vieillie en fût de chêne (5 à 8 €)** obtient, elle aussi, une étoile, mais la faveur est donnée au Marquis, un vin corsé, rubis à reflets noirs, très intense dans ses arômes. Aux notes premières de torréfaction suivent les fruits à l'eau-de-vie et les épices. La bouche puissante, vineuse, portée par l'alcool est en même temps douce. Car la chair est pleine et aromatique autour de la trame boisée.

⊶ GAEC Rémon,
Dom. d'Héchac, 65700 Soublecause,
tél. 05.62.96.35.75, fax 05.62.96.00.94
▣ Ⲧ ⛹ t.l.j. 9h-22h

DOM. LABRANCHE LAFFONT
Vieilles Vignes 2002 ★★

■ 3,5 ha 20 000 ▮⏸ 11 à 15 €

On retrouve les Vieilles Vignes du domaine avec deux étoiles comme dans le millésime antérieur. Toujours une haute expression pour ce vin grenat à la frange violine : fruits noirs mûrs, herbes aromatiques à l'accent balsamique. Après une impression de gras, la bouche se développe, ample et chaleureuse, mais non dénuée de fraîcheur. Sa structure généreuse repose sur des tanins qui ne demandent qu'à se fondre dans la finale longue et pleine de sève. Le **pacherenc-du-vic-bilh 2003** est cité.

⊶ Christine Dupuy, 32400 Maumusson,
tél. 05.62.69.74.90, fax 05.62.69.76.03,
e-mail labranchelaffont@aol.com
▣ Ⲧ ⛹ t.l.j. 9h-12h30 14h-19h

CH. LAFFITTE-TESTON
Vieilles Vignes Vieilli en fût de chêne 2002 ★

■ 10 ha 50 000 ⏸ 8 à 11 €

Les vins du château Laffitte-Teston s'exportent bien : 20 % de la production rejoignent les marchés étrangers, européen, américain et japonais. Ce 2002 trouvera sa place, lui qui dévoile une couleur encore jeune, très intense, aux nuances pourpres. Il se montre déjà expressif grâce à ses arômes dominants d'épices, accompagnés de fragrances animales et de fruits à l'eau-de-vie. Souple dès l'attaque, il est concentré, charpenté et corsé : sa sève reflète la maturité du fruit, tandis que les tanins, d'abord soyeux, apparaissent plus marqués en finale en raison de leur jeunesse.

⊶ Jean-Marc Laffitte,
Ch. Laffitte-Teston, 32400 Maumusson,
tél. 05.62.69.74.58, fax 05.62.69.76.87,
e-mail chateaulaffitteteston@32.sideral.fr
▣ Ⲧ ⛹ t.l.j. sf dim. 9h-12h30 13h30-19h

DOM. LAFFONT Hécate 2002 ★

■ 1 ha 6 000 ⏸ 15 à 23 €

Un tout petit domaine d'à peine 4 ha dont Pierre Speyer tire le meilleur parti. Pour preuve, les trois cuvées retenues ici avec une étoile : le **pacherenc-du-vic-bilh moelleux 2003 (11 à 15 €)** de pur petit manseng ; le **madiran Erigone 2002 (11 à 15 €)**, élevé en fût, et cette cuvée Hécate exclusivement à base de tannat. Sous une robe intense, presque noire, apparaissent des arômes concentrés de fruits mûrs (cerise, cassis), d'épices et des notes minérales. La bouche semble ronde et ample, plutôt flatteuse par ses tanins soyeux. Un vin plaisant et persistant.

⊶ Dom. Laffont, 32400 Maumusson,
tél. 05.62.69.75.23, fax 05.62.69.80.27 ▣ Ⲧ ⛹ r.-v.
⊶ Pierre Speyer

DOM. DU LOUROU 2002 ★★

■ 13,98 ha 40 400 ▮♁ 3 à 5 €

Une kyrielle d'étoiles pour la cave de Crouseilles en madiran. Rubis vif, le Domaine du Lourou, d'un excellent rapport qualité-prix, s'épanouit en arômes de fruits noirs, de fleurs et d'épices. La suavité de l'attaque est en harmonie avec le fondu et le soyeux des tanins. La finale élégante, fraîche, finit de nous convaincre de la grande expression de ce madiran. Le **Château de Mascaraas 2001 (8 à 11 €)** mérite une étoile pour son fruité généreux.

⊶ Cave de Crouseilles,
Vignerons du Madiran, 64350 Crouseilles,
tél. 05.62.69.62.87, fax 05.62.69.66.71,
e-mail m.darricau@crouseilles.com ▣ ⌂ ⌂ Ⲧ ⛹ r.-v.

DOM. MONBLANC Elevé en fût de chêne 2001 ★

■ 1 ha 4 000 ⏸ 3 à 5 €

Une touche de cabernet franc accompagne le tannat dans ce vin pourpre intense. Une main de fer dans un gant de velours... Jugez plutôt : nez puissant, de qualité, qui exprime le fruit compoté, le boisé (cèdre), le pain grillé et le café torréfié ; attaque intense, bouche charnue, voluptueuse et séveuse, bâtie sur une solide structure aux tanins fermes qui se resserrent en finale.

🔑 Saint-Orens, 32400 Maumusson-Laguian,
tél. 05.62.69.82.51, fax 05.62.69.82.51
☑ 🍷 🚶 t.l.j. 8h-12h 14h-19h

LA MOTHE PEYRAN

Elevé en fût de chêne 2001 ★★

■ 100 ha 80 000 ⓫ 5 à 8 €

Les Producteurs Plaimont vendangent les étoiles dans le Guide aussi bien que les cépages du Madirannais. L'**Arte Benedicte Vieilles Vignes Elevé en fût de chêne 2001 (11 à 15 €)** remporte une étoile, et le **Maestria 2002** deux étoiles, à l'instar du La Mothe Peyran. Ce dernier, de teinte noire, exprime déjà toute sa personnalité au travers d'un bouquet de fruits rouges et noirs accompagnés d'épices et de bonnes senteurs d'humus. Rond, chaleureux, gras, il présente un juste équilibre et une matière bien mûre qui se prolonge sur des tanins doux.

🔑 Producteurs Plaimont,
rte d'Orthez, 32400 Saint-Mont,
tél. 05.62.69.62.87, fax 05.62.69.61.68,
e-mail f.latapy@plaimont.fr ☑ 🍷 🚶 r.-v.

CH. PEYROS 2001 ★

■ 14,83 ha 83 000 ⓫ 8 à 11 €

La propriété, un ancien couvent du XVIe s., a été reprise en 1999 par Jean-Jacques Lesgourgues qui s'est attaché à la mettre en valeur. Ce vin pourpre, encore violacé et jeune, évoque les fruits rouges et noirs, tout en gardant beaucoup de fraîcheur grâce à des senteurs de sous-bois printanier. A la fois fraîche et suave en attaque, la bouche évolue avec plus de contraste : la matière est aromatique, assez concentrée, la structure de qualité, mais les tanins se révèlent encore un peu rudes en finale. Il faut attendre que jeunesse se passe.

🔑 Jean-Jacques Lesgourgues, Ch. Peyros,
9, chem. du Château, 64350 Corbère-Abères,
tél. 05.59.68.10.51, fax 05.59.68.10.51,
e-mail chateau.peyros@leda-sa.com ☑ 🍷 🚶 r.-v.

DOM. DU PEYROU

Cuvée élevée 12 mois en fût de chêne 2001 ★

■ 0,6 ha 3 900 ⓫ 5 à 8 €

Le domaine du Peyrou consacre 7 ha à la vigne sur ses 24 ha de superficie où ont été retrouvés des silex et des haches préhistoriques. Ses vieux ceps de tannat ont produit un vin franc et net, assez intense dans ses arômes de fruits, de toasté et d'épices douces. La bouche, ronde et souple en attaque, gagne en fraîcheur tout en se montrant fondue. A peine ses petits tanins épicés laissent-ils une légère amertume en finale.Un madiran rubis brillant aux reflets grenat que vous pouvez déjà déguster ou bien garder en cave pendant trois ou quatre ans.

🔑 Jacques Brumont, Dom. du Peyrou, 32400 Viella,
tél. 05.62.69.90.12, fax 05.62.69.90.12
☑ 🍷 🚶 t.l.j. 8h30-12h30 14h-20h; sam. dim. sur r.-v.
🔑 Georges Brumont

DOM. TAILLEURGUET Elevé en fût de chêne 2001

■ 1,5 ha 6 000 ⓫ 8 à 11 €

Sympathiques, le **pacherenc-du-vic-bilh 2003 sec (5 à 8 €)**, cité, et ce madiran presque noir qui conserve des nuances pourpres à violettes. Celui-ci possède un nez intense de fruits rouges et noirs, d'épices aussi. Chaleureux, il possède une structure assez souple et des tanins qui tendent à se fondre dans la finale réglissée.

🔑 EARL Dom. Tailleurguet, 32400 Maumusson,
tél. 05.62.69.73.92, fax 05.62.69.83.69 ☑ 🍷 🚶 r.-v.
🔑 Bouby

TERREFORTS DE MADIRAN

Elevé en fût de chêne 2002 ★★

■ 100 ha 60 000 ⓫ 5 à 8 €

Très beau trio pour cette coopérative dans le millésime 2002 : le madiran **Thilet 2002 (3 à 5 €)** remporte une étoile, le **Château Saint-Benazit 2002**, deux étoiles, et ce Terreforts de Madiran a participé au grand jury. Couleur d'encre sombre et toute violacée, celui-ci possède un nez puissant, encore dominé par un boisé riche, empreint d'épices, d'eucalyptus et de fumée, mais aussi plein de fruits. Il se montre frais et suave, développe avec harmonie son volume, sa structure et ses arômes. Un vin bien enrobé, de grande classe.

🔑 Vignoble de Gascogne, Cave de Condom,
32400 Riscle, tél. 05.62.69.62.87, fax 05.62.69.66.71,
e-mail f.latapy@plaimont.fr ☑ 🏠 🍷 🚶 r.-v.

CH. VIELLA Prestige 2001 ★★★

■ 5 ha 15 000 ⓫ 8 à 11 €

Présenté au grand jury, ce madiran a tout d'un grand, en effet. On est impressionné par sa robe grenat sombre, comme par ses arômes intenses et complexes de fruits mûrs et de kirsch, soulignés d'un boisé bien fondu. Veloutée dès l'attaque, la bouche se révèle à la fois corsée et fraîche, enveloppée. La finale se prolonge, savoureuse, richement boisée. Le **madiran Tradition 2002 (5 à 8 €)** et le **pacherenc-du-vic-bilh moelleux 2002**, élevé en fût, obtiennent chacun une étoile.

🔑 Alain Bortolussi, Ch. de Viella, rte de Maumusson,
32400 Viella, tél. 05.62.69.75.81, fax 05.62.69.79.18,
e-mail chateauviella@32.sideral.fr
☑ 🍷 🚶 t.l.j. sf dim. 8h-12h30 14h-19h

Pacherenc-du-vic-bilh

Sur la même aire que le madiran, ce vin blanc est issu de cépages locaux (arrufiac, manseng, courbu) et bordelais (sauvignon, sémillon) ; cet ensemble apporte une palette aromatique d'une extrême richesse. Suivant les conditions climatiques du millésime, les vins (9 716 hl en 2003 sur 266 ha) seront secs et parfumés ou moelleux et vifs. Leur finesse est alors remarquable ; ils sont gras et puissants avec des arômes mariant l'amande, la noisette et les fruits exotiques. Ils feront d'excellents vins d'apéritif et, moelleux, seront parfaits sur le foie gras en terrine.

CH. BARREJAT Moelleux Cuvée de la Passion

Elevé en fût de chêne 2002 ★★

□ n.c. 2 700 ⓫ 5 à 8 €

Quelle belle couleur bouton d'or habille ce vin généreux dans ses arômes de miel toutes fleurs, de toast grillé, de fruits secs et de fruits confits ! Riche, ample et gras, il laisse en bouche un long sillage parfumé. De l'expressivité et une parfaite harmonie. Le **madiran Séduction 2002 (3 à 5 €)** obtient une étoile : il demande une garde de deux ans pour fondre ses tanins.

☛ Denis Capmartin, Ch. Barréjat, 32400 Maumusson, tél. 05.62.69.74.92, fax 05.62.69.77.54

☑ ⍭ ⚔ t.l.j. sf dim. 8h30-12h 14h-19h

CLOS DE L'EGLISE
Moelleux Elevé en fût de chêne 2001 ★

	0,5 ha	2 400	⍭ 8 à 11 €

Que du petit manseng pour cette cuvée de liquoreux jaune d'or soutenu et limpide. Le nez franc exprime les fruits exotiques (mangue, ananas), la nèfle, ainsi que des notes grillées bien fondues. La bouche présente non seulement un bon volume, mais aussi un réel équilibre entre le sucre et la vivacité. La palette aromatique se prolonge agréablement sur le fruit, les épices et le grillé.

☛ Arnaud Vigneau, Clos de l'Eglise, 64350 Crouseilles, tél. 05.59.68.13.46, fax 05.59.68.16.17 ☑ ⚔ r.-v.

FOLIE DE ROI Sec Elevé en fût de chêne 2003 ★

	5 ha	10 000	⍭ 5 à 8 €

Haut de gamme de la cave de Crouseilles, la Folie de Roi 2003 est un vin en devenir dans sa robe jaune pâle à reflets verts qui s'ouvre intensément sur des arômes de fruits mûrs (poire, coing) et d'épices douces héritées d'un boisé bien fondu. Du gras et de la fraîcheur, une finale longue : l'équilibre est bien là. Retenus également, mais avec une citation, les **moelleux Folie de Roi Douceur d'Automne 2002 Elevé en fût de chêne (8 à 11 €)** et **Harmonie 2002 (8 à 11 €)**.

☛ Cave de Crouseilles, Vignerons du Madiran, 64350 Crouseilles, tél. 05.62.69.62.87, fax 05.62.69.66.71, e-mail m.darricau@crouseilles.com ☑ 🏠 🏠 ⍭ ⚔ r.-v.

DOM. DE GRABIEOU
Moelleux La Remise de Novembre 2002 ★

	1,5 ha	12 000	⍭ 5 à 8 €

Si le thème de la chasse illustre l'étiquette de cette cuvée, dont la vendange a été récoltée en novembre, un dégustateur la goûterait volontiers avec une tarte Tatin aux coings. La teinte doré brillant ainsi que la palette variée de fleurs (acacia), de fruits confits (abricot, coing, figue), de miel et de pain grillé invitent à une telle alliance. Un peu en retrait, la bouche n'en est pas moins plaisante par son équilibre et ses arômes. Le **madiran Domaine du Grabiéou 2002** est cité.

☛ GAEC du Dom. de Grabiéou, 32400 Maumusson-Laguian, tél. 05.62.69.74.62, fax 05.62.69.73.08, e-mail f.dessans@32.sideral.fr

☑ ⍭ ⚔ r.-v.

DOM. LAOUGUE Moelleux 2002 ★★

	4 ha	6 600	▌⍭ 8 à 11 €

Surprenant ? Original ? Certes, mais très intéressant ce pacherenc jaune ambré qui livre un nez étonnamment évolué et complexe, mêlant des senteurs d'orange confite, de fruits cuits, de rancio et de tabac. Il est à la fois puissant et frais, ample, et ses arômes d'une grande variété persistent longuement. Le **madiran Tradition 2002** obtient une étoile.

☛ Pierre Dabadie, rte de Madiran, 32400 Viella, tél. 05.62.69.90.05, fax 05.62.69.71.41

⍭ ⚔ t.l.j. 9h-12h 14h-18h

CH. DE MASCARAAS Moelleux 2002 ★★

	1 ha	4 750	▌↓ 11 à 15 €

Aspect cristallin et jolie couleur paille. Nez intense et complexe, ouvert sur la pêche et la poire, puis sur le miel et les fleurs, enfin sur les fruits secs. Bouche entre douceur et fraîcheur, longuement persistante. Voilà un vin harmonieux et bien gourmand. Le **moelleux Château d'Arricau-Bordes 2002** est cité.

☛ SCEV Ch. de Mascaraas, 64330 Mascaraas-Hapon, tél. 05.62.69.62.87, fax 05.62.69.66.71, e-mail m.darricau@crouseilles.com ☑ 🏠 🏠 ⍭ ⚔ r.-v.

CH. MONTUS Sec 2003 ★★

	7 ha	35 000	⍭ 11 à 15 €

Alain Brumont confirme – s'il en était besoin – son talent avec un pacherenc sec de teinte légère à nuances or pâle. Les arômes intenses montent en puissance, à la fois mûrs et frais, évocateurs de pêche, de poire, de fruit de la Passion et d'un délicat boisé. La bouche est ample et grasse, parfaitement équilibrée et longuement persistante. Une grande expression. Deux étoiles également pour le **Vendémiaire 2002 moelleux (8 à 10 €)** : bouton d'or, très fruité et sucré... « Trop gourmand ! », écrit un dégustateur. Les **Jardins de Bouscassé 2003 sec (5 à 8 €)** sont jugés très réussis, mais demandent à vieillir en cave.

☛ Alain Brumont, Bouscassé, SCEA Montus Bouscassé, 32400 Maumusson-Laguian, tél. 05.62.69.74.67, fax 05.62.69.70.46, e-mail brumont.alain@wanadoo.fr ☑ ⍭ ⚔ r.-v.

L'OR DU VIEUX PAYS Moelleux 2002 ★★

	15 ha	40 000	⍭ 8 à 11 €

Le plus remarquable des pacherenc moelleux à la dégustation du grand jury. On apprécie d'abord la couleur paille à reflets or intense, puis le nez déjà expressif qui marie les senteurs de fruits mûrs à celles d'un boisé bien dosé. La bouche va crescendo, riche, grasse et concentrée, fraîche aussi, toujours élégante et savoureuse. Pour des toasts au fromage des Pyrénées.

☛ Vignoble de Gascogne, Cave de Condom, 32400 Riscle, tél. 05.62.69.62.87, fax 05.62.69.66.71, e-mail f.latapy@plaimont.fr ☑ 🏠 ⍭ ⚔ r.-v.

COLLECTION PLAIMONT Moelleux 2002 ★

	15 ha	80 000	⍭ 5 à 8 €

Le **moelleux Saint-Albert 2002 (11 à 15 €)**, cité par le jury, est né de l'assemblage de gros et petit mansengs, ainsi que de petit courbu et d'arrufiac. Il en va de même de cette Collection Plaimont rafraîchissante, enveloppée d'une robe paille claire à reflets verts. La fraîcheur se retrouve sous les accents de litchi, d'agrumes et de gingembre, puis dans la bouche franche, grasse et vive à la fois. Les flaveurs de pamplemousse et les quelques notes grillées confèrent à l'ensemble le caractère d'une friandise. La coopérative des Producteurs Plaimont gère les gîtes et chambres d'hôte de ses adhérents.

Producteurs Plaimont,
rte d'Orthez, 32400 Saint-Mont,
tél. 05.62.69.62.87, fax 05.62.69.61.68,
e-mail f.latapy@plaimont.fr r.-v.

DOM. SERGENT

Moelleux Elevé en fût de chêne neuf 2002 ★

2,5 ha 13 200 8 à 11 €

Brigitte et Corinne Dousseau sont aux commandes de ce domaine de 18,5 ha depuis 1962. Elles proposent non seulement un **madiran 2002 (5 à 8 €)** très réussi, mais aussi ce pacherenc paille clair, animé de notes très fraîches de fruits exotiques et de mousse, et d'une touche discrètement boisée. La bouche est chaleureuse, vive et moelleuse, pleine de jolis arômes persistants jusqu'à la finale acidulée. Excellente bouteille pour un gratin d'écrevisses.

EARL Dousseau, Dom. Sergent,
32400 Maumusson, tél. 05.62.69.74.93,
fax 05.62.69.75.85, e-mail b.dousseau@32.sideral.fr
t.l.j. sf dim. 8h30-12h30 14h-18h30

Côtes-de-saint-mont AOVDQS

Prolongement du vignoble de Madiran, les côtes-de-saint-mont sont la dernière-née des appellations pyrénéennes en vins de qualité supérieure (1981). Le vignoble déclaré en 2003 couvre 1 080 ha, produisant 65 687 hl. Le cépage rouge principal est encore ici le tannat, les cépages blancs se partageant entre la clairette, l'arrufiac, le courbu et les mansengs. L'essentiel de la production est assuré par l'union dynamique des caves coopératives Plaimont. Les vins rouges sont colorés et corsés, et deviennent vite ronds et plaisants. Ils seront bus avec des grillades et de la garbure gasconne. Les rosés sont fins et estimables pour leurs arômes fruités. Les blancs ont des parfums de terroir et sont secs et nerveux.

BASTZ D'AUTAN Elevé en fût de chêne 2003 ★★

45 ha 800 000 5 à 8 €

Belle maîtrise de la vinification illustrée par deux vins blancs qui se sont hissés au niveau du grand jury : le **Passé Authentique 2003** et ce Bastz d'autan (« d'ici », en occitan), paille à reflets or. Complexes, les arômes rappellent ceux d'un vin moelleux par leurs accents de fruits secs, d'abricot, de vanille et d'agrumes confits. La bouche laisse une excellente impression : puissante et riche, équilibrée. Elle allie la fraîcheur à des notes de fruits confits, de beurre et de brioche. Le **Passé Authentique rosé 2003** obtient une étoile.

Vignoble de Gascogne, Cave de Condom,
32400 Riscle, tél. 05.62.69.62.87, fax 05.62.69.66.71,
e-mail f.latapy@plaimont.fr r.-v.

LES HAUTS DE BERGELLE

Elevé en fût de chêne 2003 ★★

150 ha 50 000 3 à 5 €

De jolis vins chez les Producteurs Plaimont, coopérative créée en 1978 et qui rassemble aujourd'hui 1 000 adhérents. Le jury a retenu avec une étoile, en **rouge, En la Tradition 2003**, **Abadie du Leez Elevé en fût de chêne 2002 (5 à 8 €)** et **Esprit de Vignes Vieilles Vignes 2002 (11 à 15 €)**. Le rosé les devance de ses deux étoiles : couleur saumoné soutenu, nez expressif, à la fois floral et fruité, amylique aussi, attaque vive, bouche aromatique, ronde et friande avec une finale de bonbon anglais. Un vin technologique, très charmeur.

Producteurs Plaimont,
rte d'Orthez, 32400 Saint-Mont,
tél. 05.62.69.62.87, fax 05.62.69.61.68,
e-mail f.latapy@plaimont.fr r.-v.

DOM. DE MAOURIES 2003 ★★

1,36 ha 10 900 3 à 5 €

Le domaine, qui s'étend sur 25 ha de coteaux caillouteux exposés plein sud, se distingue par un rosé bien gourmand, dont on retient la couleur grenadine brillant, les arômes de fruits rouges et d'agrumes. Après une attaque vive, ce 2003 se révèle fruité, harmonieux et complet.

Dom. de Maouries, 32400 Labarthète,
tél. 05.62.69.63.84, fax 05.62.69.65.49,
e-mail domainemaouries@2.sideral.fr r.-v.
Dufau

MONASTERE DE SAINT-MONT 2002 ★★

7 ha 20 000 11 à 15 €

Une consécration pour cette cave coopérative qui s'attache à mettre en valeur ses terroirs, voire certaines parcelles bien identifiées. Son vin à la présentation impeccable dans une robe de velours noir, moiré de violet, offre des parfums puissants et complexes de fruits noirs en confiture, auxquels s'harmonise un boisé riche de nuances aromatiques. Tout aussi spectaculaire en bouche, il se montre volumineux, gras et charpenté par des tanins mûrs. La persistance est remarquable. Du grand art.

SCEV Le Monastère, 32400 Saint-Mont,
tél. 05.62.69.62.87, fax 05.62.69.61.68,
e-mail f.latapy@plaimont.fr r.-v.

CH. SAINT-GO Elevé en fût de chêne 2002 ★★

■	38 ha	100 000	◍	5 à 8 €

Propriété du groupement des producteurs de Saint-Mont, le château Saint-Go présente des vins très réussis : le **Château du Bascou rouge 2002 (11 à 15 €)** et l'**Expression de Saint-Go Elevé en fût de chêne rosé 2003**. Quant à ce vin, dont le millésime 2001 avait remporté un coup de cœur l'an passé, il convainc d'emblée dans sa robe rubis intense. Son nez puissant marie les fruits noirs mûrs, les épices à des volutes de fumée. C'est encore un grand fruité qui se manifeste dans la matière ronde. Les tanins déjà bien enrobés soutiennent une longue finale et sauront encore se fondre dans le temps.

🔑 Producteurs Plaimont,
rte d'Orthez, 32400 Saint-Mont,
tél. 05.62.69.62.87, fax 05.62.69.61.68,
e-mail f.latapy@plaimont.fr ☑ 🍷 🚶 r.-v.
🔑 SA du Ch. Saint-Go

Tursan AOVDQS

Autrefois vignoble d'Aliénor d'Aquitaine, le terroir de Tursan représente aujourd'hui 275 ha pour une production de 14 703 hl en 2003. Il produit des vins rouges, rosés et blancs. Les plus intéressants sont les blancs, issus d'un cépage original, le baroque. Sec et nerveux, au parfum inimitable, le tursan blanc accompagne alose, pibale et poisson grillé.

BARON DE BACHEN 2002

□	4,2 ha	12 600	▮ ◍ ⫯	11 à 15 €

Michel Guérard, célèbre pour avoir créé, dès 1974, un complexe de thermalisme et de restauration à Eugénie-les-Bains, est aussi propriétaire du château de Bachen, vaste demeure médiévale, et de ses vignes de Tursan depuis vingt ans. Ses deux vins blancs secs ont obtenu une citation : le **Château de Bachen 2002 (8 à 11 €)** et ce Baron de Bachen or pâle à reflets gris-vert, dont le nez plutôt intense conserve un boisé encore marqué, tout en révélant des notes florales et fruitées plus fines. La bouche laisse la même impression, avec un équilibre et une persistance satisfaisants. Un vin qui devrait gagner en charme dans le temps.

🔑 Michel Guérard, Cie hôtelière et fermière
d'Eugénie-les-Bains, 40320 Eugénie-les-Bains,
tél. 05.58.71.76.76, fax 05.58.71.77.77,
e-mail direction@michelguerard.com ☑ 🍷 🚶 r.-v.

CH. BOURDA Elevé en fût de chêne 2002 ★★

■	18 ha	37 000	◍	5 à 8 €

La cave des Vignerons landais propose une gamme de vins intéressante dans les trois couleurs. Si les **tursan rouges Baron d'Orvignan 2003** et **Paysage 2003 (3 à 5 €)** sont cités, le Château Bourda est apparu comme le meilleur dans sa robe sombre à la frange violette. Il se montre plaisant grâce à ses arômes intenses de fruits mûrs, nuancés de chocolat et de vanille. Rond, gras et puissant, il trouve en finale le soutien d'un boisé bien dosé.

🔑 Les Vignerons landais, 40320 Geaune,
tél. 05.58.44.51.25, fax 05.58.44.40.22,
e-mail info@vlandais.com ☑ 🍷 🚶 r.-v.

HAUTE CARTE 2003 ★

▨	12 ha	80 000	▮ ⫯	3 à 5 €

Dans la gamme **Haute Carte**, le **blanc 2003** a été cité par le jury ; il se compose d'un tiers du cépage local baroque en complément du sauvignon et du gros manseng. Quant à ce rosé assez soutenu, nuancé de grenat, il libère une palette fruitée d'agrumes, de petits fruits rouges et de griotte. Souple et friand, il se conclut sur une finale légèrement acidulée et persistante, rappelant le bonbon anglais. Un rosé à boire très frais.

🔑 Les Vignerons landais, 40320 Geaune,
tél. 05.58.44.51.25, fax 05.58.44.40.22,
e-mail info@vlandais.com ☑ 🍷 🚶 r.-v.

CH. DE PERCHADE 2003 ★

■	4 ha	32 000	▮ ⫯	5 à 8 €

Assemblage de cabernets franc et sauvignon (40 % chacun) et de tannat (20 %), ce vin s'habille d'une robe assez soutenue, rubis. Son nez fin et agréable privilégie les fruits avec une pointe de réglisse. D'attaque franche, la bouche ne tombe jamais dans l'excès : bien construite, plutôt ronde et riche de fruits, soutenue par des tanins fins. Un bel exemple. Le **Château de Perchade blanc 2003** est cité.

🔑 EARL Dulucq, Ch. de Perchade,
40320 Payros-Cazautets, tél. 05.58.44.50.68,
fax 05.58.44.57.75, e-mail tursan.dulucq@wanadoo.fr
☑ 🍷 🚶 t.l.j. sf dim. 8h-13h 14h30-19h

Les vins de la Dordogne

Suite naturelle du vignoble libournais, celui de Dordogne n'en est séparé que par une frontière administrative. Avec des cépages classiques girondins, le vignoble périgourdin est caractérisé par une production très diversifiée et un grand nombre d'appellations. Il s'épanouit en coteaux sur les deux rives de la Dordogne.

L'appellation régionale bergerac comprend des blancs, des rosés et des rouges. Les côtes-de-bergerac sont des vins blancs moelleux, au bouquet délicat, et des rouges charpentés et ronds, à boire avec des volailles et des viandes en sauce. L'appellation saussignac désigne d'excellents vins moelleux qui possèdent un équilibre idéal entre vivacité et sucre, vins d'apéritif intermédiaires entre le bergerac et le monbazillac. Montravel, proche de Castillon, est le vignoble de Montaigne ; la production s'y divise en montravel blanc sec, très typé par le sauvignon, en côtes-de-montravel et haut-montravel, moelleux, élégants et racés, excellents vins de dessert, et depuis 2003 en montravel rouge. Le pécharmant est un vin rouge récolté sur les coteaux du Bergeracois, où des sols riches en fer lui donnent un goût de terroir très typé ; vin de garde, au bouquet fin et subtil, il accompagnera les classiques de la cuisine périgourdine. Le rosette est un blanc moelleux issu des mêmes cépages que les bordeaux et récolté dans une petite zone de la rive droite de la Dordogne autour de Bergerac.

Connu depuis le XIVe s., le monbazillac est l'un des vins « liquoreux » les plus célèbres. Son vignoble est exposé au nord sur des terrains argilo-calcaires. Le microclimat qui y règne est particulièrement favorable au développement d'une forme particulière du botrytis : la pourriture noble. D'une belle couleur dorée, les monbazillac ont des arômes de fleurs sauvages et de miel. Très longs en bouche, ils peuvent être bus à l'apéritif, dégustés avec du foie gras, du roquefort et des desserts à base de chocolat. Gras et puissants, ils deviennent en vieillissant de grands liquoreux au goût de « rôti ».

Bergerac

Bergerac est l'une des villes les plus connues de France par le personnage d'Edmond de Rostand, Cyrano de Bergerac. C'est aussi une capitale gastronomique, qui a donné son nom à l'AOC en 1936. Vallonné, véritable mosaïque de terroirs, le vignoble représente un intérêt touristique non négligeable.

Les vins peuvent être produits dans 90 communes de l'arrondissement de Bergerac ; le vignoble a représenté 7 017 ha en rouge et rosé et 2 986 ha en blanc. Le rosé, frais et fruité, est souvent issu de cabernet ; le rouge, aromatique et souple, est un assemblage des cépages traditionnels. Leur production a atteint 148 601 hl en blanc et 297 828 hl en rouge et rosé en 2003.

DOM. DE L'ANCIENNE CURE
Cuvée Abbaye 2002 ★★

■	n.c.	n.c.	◗	8 à 11 €

En rouge comme en sec ou en liquoreux, les vins de l'Ancienne Cure (42 ha) sont souvent très bien accueillis. C'est encore le cas cette année. Le bergerac rouge révèle une maîtrise parfaite de l'élevage sous bois qui permet au fruit de s'exprimer pleinement. Sa couleur est noire, très profonde. Flatteur, le nez finement toasté associe des notes de pain grillé et des parfums de fruits mûrs. La structure est bien fondue, avec des tanins riches et agréables, des arômes

de fruits mûrs et des nuances légèrement grillées. Encore un peu austère en bouche, ce 2002 s'ouvrira d'ici trois à quatre ans. La même **cuvée Abbaye blanc sec 2003** mérite deux étoiles pour son volume et son fruit remarquables qui témoignent d'une parfaite maturité du raisin. Quant aux cuvées **Extase rouge 2002 (15 à 23 €)** et **Extase blanc 2002 (15 à 23 €)**, elles obtiennent chacune une étoile.
☎ SARL Ancienne Cure, 24560 Colombier, tél. 05.53.58.27.90, fax 05.53.24.83.95, e-mail ancienne-cure@wanadoo.fr
☑ ⍟ ⚚ t.l.j. sf dim. 9h-18h

CH. BINASSAT 2002

■	0,5 ha	2 000	◗	5 à 8 €

À 8 km au sud-est de Bergerac, Saint-Nexans possède une mignonne église romane au clocher-mur. Très ancien également, ce domaine est situé juste derrière. Il propose un bergerac d'un joli rouge légèrement évolué. Au nez, le boisé est discret et respecte le vin. Ample avec des tanins souples et légers, la bouche finit sur des nuances épicées et une pointe d'acidité. Une bouteille facile à boire avec des amis.
☎ Francine Jeante, Le Bourg, 24520 Mouleydier, tél. 05.53.24.34.80, fax 05.53.61.21.58 ☑ ⚚ r.-v.

BRENNUS Vieilli en fût de chêne 2002

■	11,1 ha	66 000	◗	3 à 5 €

Cette coopérative a son siège sur la rive gauche de la Dordogne, non loin de Sainte-Foy-la-Grande. Elle propose des vins du Bordelais et du Bergeracois. Créée pour le millésime 2000, cette cuvée Brennus est de nouveau mentionnée cette année. Une belle robe grenat profond attire l'œil. Le bois s'exprime surtout au nez avec des notes de vanille et d'épices. Assez souple en attaque, la bouche est bien équilibrée. Une pointe d'acidité se fait jour dans une finale au boisé plutôt austère. Ce vin ne devra pas vieillir plus d'un an.
☎ Closerie d'Estiac,
1, rue du Gal-de-Gaulle,
33220 Les Lèves-et-Thoumeyragues,
tél. 05.57.56.02.02, fax 05.57.56.02.22,
e-mail jm.pontier@univitis.fr ☑ ⍟ ⚚ r.-v.

CH. LA BRIE
Cuvée Prestige Elevé en fût de chêne 2002 ★

■	5,2 ha	20 000	◗	5 à 8 €

Décidément, les étudiants du lycée viticole de la Brie sont en de bonnes mains, comme le montre cette cuvée d'une belle régularité qui, dans les deux millésimes précédents, a aussi obtenu une étoile. La robe du 2002 est d'un beau rubis profond. Très gourmand, de type primeur, le nez libère de plaisantes notes de fruits acidulés. La bouche séduit par son fruit et par la rondeur de ses tanins. Cette bouteille n'attend plus qu'une côte de bœuf grillée.
☎ Ch. La Brie, Lycée viticole, Dom. de La Brie, 24240 Monbazillac, tél. 05.53.74.42.42, fax 05.53.58.24.08, e-mail lpa.bergerac@educagri.fr
☑ ⍟ ⚚ t.l.j. sf dim. 10h30-12h 14h-18h; f. jan.

CLOS JULIEN 2002

■	3,5 ha	12 000	◗↓	5 à 8 €

Julien Sroka a acquis en 2000 un petit vignoble situé à l'extrémité ouest du département de la Dordogne, aux confins du Bordelais. Si la couleur de son bergerac rouge est plutôt légère, avec des reflets rosés, le nez, net et très frais, séduit par ses arômes de framboise accompagnés

d'une touche poivrée. En bouche, les tanins, souples en attaque, prennent un caractère quelque peu austère en finale. Une pointe de vivacité conclut la dégustation de ce vin à boire sans trop tarder.

⌐ Julien Sroka, chem. des Laurents,
24230 Saint-Antoine-de-Breuilh, tél. 05.53.61.62.43,
fax 05.53.61.62.43, e-mail vihijul@club-internet.fr ☑

CH. DE LA COLLINE Carminé 2002 ★★

■	2,32 ha	2 100	⦿ 15 à 23 €

C'est le grand retour de cette cuvée qui a manqué de peu le coup de cœur (le 97 avait obtenu cette distinction), mais s'est classée deuxième au grand jury. La couleur est d'un beau rouge grenat. Complexe, intense, chaleureux, le nez mêle des notes animales et boisées. Ronde et pleine avec des tanins puissants et bien fondus, la bouche exprime des arômes de mûre et de cassis. Elégante et structurée, cette bouteille représente un vrai travail d'orfèvre. Le **bergerac sec cuvée Calista 2003** obtient une étoile pour sa belle matière, son gras et ses arômes de fruits bien mûrs. De passage à Thénac, on ne manquera pas de visiter la bastide ronde de Puyguilhem, à deux pas.

⌐ Charles Martin, Ch. de la Colline, 24240 Thénac, tél. 05.53.61.87.87, fax 05.53.61.87.87,
e-mail charlesM@la-colline.com
☑ ⊤ ⚲ t.l.j. sf mer. sam. dim. 10h-16h

LES VINS CONSTANT 2002 ★

■	n.c.	7 000	▮⚲ 5 à 8 €

Cette affaire de négoce, créée il y a une douzaine d'années par une famille vigneronne, a proposé une sélection dont la robe grenat profond a gardé toute sa fraîcheur. Le nez, d'une belle intensité, révèle des notes fruitées évoluant sur des nuances de cuir. Ample et riche, soutenue par des tanins bien présents mais dénués d'agressivité, la bouche offre une finale fraîche et réglisse. Un vin bien équilibré, prêt à boire mais que l'on peut attendre un an ou deux.

⌐ Les vins Constant,
215, av. de Bergerac, 24680 Lamonzie-Saint-Martin, tél. 05.53.24.07.08, fax 05.53.24.28.43 ☑ ⊤ ⚲ r.-v.

ES PASSION DES CONTI 2003 ★

■	n.c.	100 000	⦿ 5 à 8 €

Trois vins de la société de négoce de la famille De Conti ont été sélectionnés. Ce bergerac présente un nez de petits fruits bien mûrs assorti d'une agréable note grillée. Après une attaque souple et plaisante, la bouche se développe sur une belle structure tannique. Son fruité est vite dominé par le boisé. Ce vin devrait s'affirmer d'ici deux à trois ans. Le **bergerac rouge Casanova des Conti 2002**, très marqué par le bois, est cité, tandis que le **Casanova blanc sec 2002** obtient une étoile pour sa vivacité et sa grande finesse.

⌐ SARL La Julienne, Les Gendres, 24240 Ribagnac, tél. 05.53.57.12.43, fax 05.53.58.89.49,
e-mail familledeconti@wanadoo.fr ☑ ⌂ ⊤ ⚲ r.-v.
⌐ Famille De Conti

LA SOURCE DE FONGRENIER
Elevé en fût de chêne 2002 ★★

■	5,5 ha	21 000	▮⦿⚲ 11 à 15 €

Henry Stuart a été directeur de l'aéroport de Dallas avant de se consacrer aux vins français dont il est grand amateur. Il signe une cuvée au nez complexe associant les fruits mûrs à de discrètes notes de boisé et de torréfaction. Assez rond, moelleux mais un peu austère en finale, ce vin

peut être bu dès maintenant ou vieillir deux à trois ans. Plus structuré, mais aussi plus boisé, le **côtes-de-bergerac Château Fongrenier-Stuart 2002** est cité par le jury. Il doit attendre.

⌐ Henry Stuart,
Ch. Fongrenier-Stuart, 24240 Razac-de-Saussignac, tél. 05.53.27.80.97, fax 05.53.27.80.86,
e-mail needemorewine@hotmail.com ☑ ⊤ ⚲ r.-v.

CH. LA GRANDE BORIE 2002

■	10 ha	35 000	▮⚲ 5 à 8 €

La couleur assez soutenue évoque un beau rubis. Le nez surprend un peu : il mêle des notes de fruits bien mûrs provenant du merlot et des arômes de poivron typiques du cabernet. L'attaque est fruitée, le tanin présent, mais assez léger. Une pointe d'acidité se manifeste en finale. Cette bouteille n'est pas des plus complexes mais intéresse. A boire rapidement.

⌐ EARL des Vignobles Lafon-Lafaye,
La Grande Borie, 24520 Saint-Nexans,
tél. 05.53.24.33.21, fax 05.53.24.97.74,
e-mail cllafaye@wanadoo.fr
☑ ⊤ ⚲ t.l.j. sf dim. 9h-12h 14h-18h
⌐ Claude Lafaye

CH. GRINOU Réserve 2003 ★

■	8,5 ha	50 000	⦿ 5 à 8 €

Le domaine est situé sur les vestiges du monastère qui a donné son nom au village de Monestier, près de Saussignac. Catherine et Guy Cuisset figurent régulièrement dans le Guide et en bonne place sous les diverses rubriques bergerac et saussignac. C'est encore le cas cette année. Ce bergerac 2003 affiche une couleur rouge violacé profonde. Le nez très mûr, presque cuit, associe les fruits noirs et le pruneau. La structure n'est pas très impressionnante mais elle est bien enrobée, avec une petite pointe d'acidité. Un vin un peu austère aujourd'hui et qui gagnera à vieillir deux à trois ans. Le **saussignac Château Grinou 2002 (15 à 23 €)** a été cité. C'est un vin à fort potentiel, aujourd'hui masqué par le bois. Il ne peut que se bonifier avec l'âge.

⌐ Catherine et Guy Cuisset,
Ch. Grinou, 24240 Monestier,
tél. 05.53.58.46.63, fax 05.53.61.05.66,
e-mail chateaugrinou@aol.com ☑ ⊤ ⚲ r.-v.

CH. HAUT LAMOUTHE 2002

■	n.c.	10 000	▮ 3 à 5 €

D'un rouge moyen, ce bergerac présente un nez élégant fait de fruits bien mûrs. D'une rondeur plaisante en attaque, c'est un vin assez léger à boire sans tarder. Le **rosé 2003** est, lui aussi, réussi. Il conjugue une nette vivacité et une douceur liée au sucre, mais sait éviter la lourdeur. A réserver à l'apéritif.

⌐ GAEC de Lamouthe,
56, rte de Lamouthe, 24680 Lamonzie-Saint-Martin, tél. 05.53.57.76.00, fax 05.53.74.33.13 ⊤ ⚲ r.-v.

LES JARDINS DE CYRANO Le Feuillardier 2002

■	4,9 ha	36 000	⦿ 3 à 5 €

Cette sélection de négociant affiche une robe intense. Le nez évoque d'abord les fruits mûrs puis laisse poindre des notes grillées. La bouche est plaisante, bien structurée et soyeuse, même si le boisé marque encore la finale. Un vin qu'il ne faut pas laisser vieillir trop longtemps pour profiter de son amabilité présente.

🔑 Julien de Savignac, av. de la Libération, 24260 Le Bugue, tél. 05.53.07.10.31, fax 05.53.07.16.41, e-mail julien.de.savignac@wanadoo.fr
☑ 🍷 🚶 t.l.j. 9h-12h30 14h45-19h15; dim. 10h-12h30

CH. DE LA JAUBERTIE Mirabelle 2002 *

■ 8 ha 35 000 ◐ 15 à 23 €

Propriété de la famille Ryman, ce vaste domaine (une cinquantaine d'hectares) est commandé par un château du XVIe s. La robe presque noire de sa cuvée Mirabelle laisse supposer une belle concentration. Le nez libère des notes de fruits mûrs accompagnées de touches boisées et épicées. On retrouve le fruité (cerise et fruits noirs) dans une attaque soyeuse, avec de nouveau des arômes de fruits noirs et de cerise. La finale apparaît encore marquée par le bois, ce qui incite à oublier ce bergerac trois ou quatre ans en cave. Un élevage en fût bien maîtrisé.

🔑 SA Ryman, Ch. de La Jaubertie, 24560 Colombier, tél. 05.53.58.32.11, fax 05.53.57.46.22, e-mail jaubertie@wanadoo.fr ☑ 🍷 🚶 r.-v.

CH. LAULERIE 2002 **

■ 20 ha 110 000 ◐ 8 à 11 €

Les lecteurs du Guide connaissent bien cette importante propriété (83 ha) qui décroche le plus souvent les étoiles par paire et s'est placée plus d'une fois au sommet. Comme dans les trois millésimes précédents, elle a produit un remarquable bergerac rouge. Si ce 2002 est très marqué au nez par le boisé, il laisse percer des arômes de cerise et de mûre. En bouche, il donne une impression de puissance, soutenue par des tanins serrés mais déjà ronds. Les fruits rouges ne demandent qu'à s'exprimer. Un vin de garde des plus prometteurs. Le **rosé 2003 (3 à 5 €)** est une cuvée plaisir aux arômes exubérants de fruits et de bonbon anglais : une étoile. Quant au **montravel blanc 2003 (3 à 5 €)**, ses arômes sauvignonnés et sa vivacité lui valent une citation.

🔑 Vignobles Dubard Frère et Sœur, Le Gouyat, 24610 Saint-Méard-de-Gurçon, tél. 05.53.82.48.31, fax 05.53.82.47.64, e-mail vignobles-dubard@wanadoo.fr
☑ 🏠 🍷 🚶 t.l.j. sf dim. 8h-12h 14h-18h

CH. LESTEVENIE 2002 *

■ 6 ha 3 600 ◐ 5 à 8 €

Jolaine et Dominique Audoux se sont installés en Périgord en 2000 et ont brillé dans le Guide dès leur premier millésime. Les lecteurs connaissent surtout leurs vins blancs. Voici un bergerac rouge des plus réussis. Sa robe brillante laisse apparaître de légères notes d'évolution. Le nez associe le cassis et quelques touches de poivron vert qui révèlent une proportion non négligeable de cabernet (50 % de l'assemblage). L'attaque agréable se développe sur des tanins assez mûrs. Le bois sait rester discret et fondu. Un rien d'austérité en finale incite à attendre deux à trois ans cette bouteille.

🔑 Jolaine et Dominique Audoux, Ch. Lestevénie, Le Gadon, 24240 Gageac-et-Rouillac, tél. 05.53.74.24.48, fax 05.53.74.24.49, e-mail d.audoux@wanadoo.fr ☑ 🍷 🚶 r.-v.

CH. LES MAILLERIES
Cuvée florissante Elevé en fût de chêne 2002 *

■ 0,4 ha 3 000 ◐ 8 à 11 €

Depuis son installation sur ce domaine en 2001, Patrice Tevenin présente des cuvées très remarquées. Cette année, il se distingue dans les trois couleurs. Le bergerac rouge est le préféré. Le premier coup de nez est

Le Bergeracois

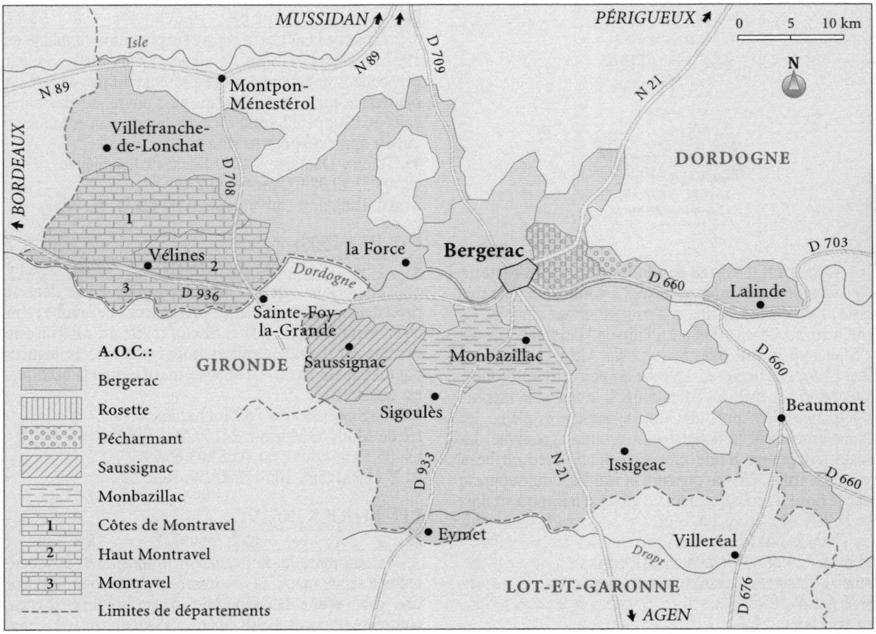

puissant, boisé avec des nuances de café et de réglisse. A l'agitation, le vin s'ouvre sur des notes de fruits frais. La bouche révèle beaucoup de gras et de structure, mais laisse sur une impression d'austérité. La fraîcheur en finale fait supposer que ce 2002 se bonifiera avec le temps, lorsque le boisé sera fondu. Vin d'apéritif, le **rosé 2003 (3 à 5 €)** allie le fruité, une légère douceur et une certaine vivacité ; il est cité, tout comme la **cuvée Dany en côtes-de-bergerac moelleux 2002**. Coup de cœur dans le millésime précédent, ce vin a des arômes de miel et de caramel.

⚷ Patrice Tevenin, Cauffour, 24240 Thénac,
tél. 05.53.57.56.60, fax 05.53.57.56.60 ☒ Y 🚶 r.-v.

MIRAGE DU JONCAL 2002

■ 2,3 ha 6 000 ▮ ◍ ⚲ 11 à 15 €

L'étiquette est attrayante : triangle au fond noir mat, signature brillante rouge et argent. Et le vin ? Une robe plaisante, des fruits rouges et un boisé particulièrement fin au nez ; une matière encore fort tannique en finale : une bouteille à oublier jusqu'à cinq ans en cave. Deux autres citations pour ce domaine : le **bergerac rouge Clos Le Joncal Les Hauts de Fontette 2002 (5 à 8 €)**, un peu moins boisé et plus fruité que le précédent, bientôt prêt à boire ; et le **bergerac sec Alpha du Joncal 2002**, retenu pour sa belle matière, ses arômes de fruits très mûrs et son boisé bien fondu.

⚷ Roland et Joëlle Tatard,
Clos Le Joncal, 24500 Saint-Julien-d'Eymet,
tél. 05.53.61.84.73, fax 05.53.61.84.73,
e-mail roland.tatard@infonie.fr ☒ Y 🚶 r.-v.

CH. MONESTIER LA TOUR 2002 ★★

■ 8,5 ha 40 000 ◍ 8 à 11 €

Dominant le village de Monestier, un vrai château, avec sa tour et ses murs crénelés. Il commande une très vaste propriété (40 ha rien que pour la surface viticole). Le tout a été acquis en 1998 par Philip de Haseth-Moller qui a beaucoup investi dans le vignoble. Celui-ci se défend bien ! Voyez ce bergerac. La robe est noire, très profonde. Intense, le nez mêle les fruits rouges, le cassis, la menthe et le pain grillé. Après une attaque franche et pleine, les tanins emplissent la bouche sans aucune agressivité. La finale fait preuve d'une rare persistance avec un beau retour de fruits. Un vin puissant et équilibré qui supporte bien le bois. Il accompagnera un gibier d'ici cinq à six ans.

⚷ SCEA Monestier La Tour,
La Tour, 24240 Monestier,
tél. 05.53.24.18.43, fax 05.53.24.18.14,
e-mail contact@chateaumonestierlatour.com
☒ Y 🚶 r.-v.
⚷ de Haseth Moller

DOM. DU MOULIN Cuvée Prestige 2002

■ 0,48 ha 3 170 ◍ 5 à 8 €

La robe de ce bergerac rouge est limpide et présente une très légère évolution. Le nez évoque les fruits cuits et le chocolat, avec des notes légèrement épicées. Souple, nette, sans détour, la bouche révèle un boisé bien fondu. D'une simplicité de bon aloi, ce vin accompagnera plaisamment la charcuterie du terroir. Du même domaine, le **rosé 2003 (3 à 5 €)** a lui aussi retenu l'attention du jury. Un peu foncé, il est apprécié surtout pour son fruité et sa petite note de douceur en bouche.

⚷ EARL Castaing, La Font-du-Roc, 24240 Cunèges,
tél. 05.53.58.41.20, fax 05.53.58.02.29,
e-mail domaine-du-moulin@wanadoo.fr
☒ Y 🚶 t.l.j. sf dim. 9h-12h 14h-18h30; sam. sur r.-v.

CH. DE LA NOBLE 2003 ★

■ 4 ha 10 000 ▮ ⚲ 5 à 8 €

Fabien Charron élabore lui-même ses vins depuis qu'il a pris la tête du vignoble en 1998. Il s'est rapidement distingué puisque le millésime 99 de sa cuvée haut de gamme a obtenu un coup de cœur. Son vin **Noblesse du Château côtes-de-bergerac 2002 (15 à 23 €)** est cité pour son potentiel, mais le jury a préféré le bergerac rouge. La robe de ce 2003, d'une couleur sombre, profonde, presque noire, laisse présager d'une belle concentration. Le nez très mûr mêle des arômes de fruits (cassis, mûre) et des notes épicées. Une attaque souple introduit un palais aux tanins fins et puissants qui apportent charpente et structure. La finale est persistante, encore un peu austère. Une bouteille faite pour la garde : elle atteindra la prochaine décennie.

⚷ Fabien Charron, La Noble, 24240 Puyguilhem,
tél. 05.53.58.81.93, fax 05.53.58.81.93 ☒ Y 🚶 r.-v.

CH. LE PAYRAL Terre rouge 2002

■ 1 ha 6 000 ▮ 5 à 8 €

Thierry Daulhiac a repris l'exploitation familiale en 1992. Il exploite 15 ha de vignes. D'une belle couleur profonde, son bergerac rouge présente un nez encore un peu fermé mais fin et délicat, qui s'ouvre sur des notes épicées. Charpenté, rond avec des tanins bien enrobés, ce vin est apprécié pour sa structure.

⚷ Thierry Daulhiac, 24240 Razac-de-Saussignac,
tél. 05.53.22.38.07, fax 05.53.27.99.81,
e-mail daulhiac@club-internet.fr ☒ 🏠 Y 🚶 r.-v.

CH. PION 2001

■ 4,44 ha 16 500 ◍ 8 à 11 €

Rappelons que ce vin fut coup de cœur dans le précédent millésime. Ce 2001 présente une belle robe rubis légèrement évoluée. Le nez discret révèle un joli fruit vite dominé par des notes grillées, poivrées et épicées, léguées par un élevage en fût. La bouche, marquée par la barrique, est équilibrée.

⚷ Cave coopérative de Monbazillac,
rte de Mont-de-Marsan, 24240 Monbazillac,
tél. 05.53.63.65.00, fax 05.53.63.65.09
☒ Y t.l.j. sf dim. 10h-12h30 14h-19h

LES PUJOLS 2002 ★

■ n.c. 350 000 ▮ ⚲ - de 3 €

Cette marque de négociant propose 350 000 bouteilles « recommandées par Jean-Luc Pouteau ». Derrière une robe d'une belle couleur rouge sombre, le nez, complexe et très expressif, libère des senteurs de fruits bien

mûrs. L'attaque ample est suivie d'une bouche volumineuse, aux tanins souples et friands, assez fraîche en finale. Un vin à boire tout de suite pour le plaisir simple qu'il procure.
🔑 SAS SOCAV,
1, rue Ferdinand-de-Labatut, 24100 Bergerac,
tél. 05.53.57.63.61, fax 05.53.58.08.12,
e-mail mcbremond@socav.fr

CH. LA RAYRE Premier Vin 2002

■ 0,5 ha 2 400 ◍ 8 à 11 €

Située à 5 km du château de Monbazillac, cette propriété a été acquise en 1995 par V. Vesselle. Simple et direct au nez, son bergerac rouge associe les fruits mûrs et la vanille. Après une attaque où le boisé est très présent, la bouche fraîche et vive évolue jusqu'à une finale douce qui rend ce vin abordable même jeune. A essayer dans deux ou trois ans sur un foie de veau poêlé.
🔑 EARL Ch. La Rayre, La Rayre, 24560 Colombier,
tél. 05.53.58.32.17, fax 05.53.24.55.58,
e-mail vincent.vesselle@wanadoo.fr ☑ Y 🚶 r.-v.
🔑 Vesselle

CH. LE REYSSAC 2003 ★

■ 6,88 ha 46 666 ▮🌡 3 à 5 €

La robe est d'un beau rubis limpide. Le nez associe une fraîcheur mentholée à des arômes de figue et de cassis. La bouche est ample, avec un joli fruit présent du début à la fin. Les tanins se montrent plaisants, harmonieux, dénués d'agressivité : un vin plaisir à déguster rapidement. Le jury a également cité le **Château Le Reyssac rosé 2003**. Très pâle dans le verre, il offre un nez assez fruité, un peu cabernet. Fruitée elle aussi, la bouche est nerveuse. Un ensemble de bonne facture.
🔑 Marc Gouy, La Haute Brande, 24240 Pomport,
tél. 05.53.58.63.94, e-mail mcbremond@socav.fr
🔑 SAS SOCAV

SEIGNEURS DE BERGERAC 2002

■ n.c. 400 000 ▮🌡 3 à 5 €

Robe d'un beau rouge limpide, nez dominé par les fruits rouges et le cassis. En bouche, nouvelle explosion de fruits sur une structure tannique très ronde et très souple. Un vin léger certes, mais convivial. Et il y aura de nombreux convives !
🔑 SA Yvon Mau, BP 1, 33193 La Réole Cedex,
tél. 05.56.61.54.54, fax 05.56.61.54.61

CAVE DE SIGOULES
Haute Tradition Vieilli en fût de chêne 2002 ★

■ 10 ha 26 654 ◍ 5 à 8 €

Située dans la partie sud du Bergeracois, cette coopérative est régulièrement mentionnée dans le Guide. La cuvée Haute Tradition est le fruit d'un élevage en fût de douze mois. Fin et complexe, le nez associe des arômes de cacao, de moka et de torréfaction. L'attaque est puissante et les tanins bien présents commencent déjà à se fondre. Une belle matière, tant au niveau du vin que du boisé bien maîtrisé, pour une bouteille qui sera parfaite d'ici deux à trois ans. Un peu dans le même style, le **Château Le Vigneau 2002 élevé en fût de chêne** a été cité pour sa palette aromatique complexe.
🔑 Cave de Sigoulès, 24240 Sigoulès,
tél. 05.53.61.55.00, fax 05.53.61.55.10 Y 🚶 r.-v.

CH. LE TAP 2003 ★

■ 2 ha 10 000 ▮🌡 5 à 8 €

Un domaine très souvent mentionné dans le Guide en rouge comme en blanc. Son bergerac rouge affiche une robe profonde, d'une belle teinte cerise noire. Le nez mêle les fruits confits, la groseille, la prune et la cerise. En bouche ce sont les fruits noirs (cassis et mûre) qui dominent. Les tanins puissants, encore jeunes mais bien équilibrés, composent un vin charpenté au bon potentiel de garde (cinq ans). Le **bergerac sec 2003 élevé en fût de chêne** obtient aussi une étoile pour son équilibre entre les arômes de fruits exotiques et le boisé. Enfin le **saussignac 2002 (11 à 15 €)** allie moelleux et vivacité ; il est cité.
🔑 Olivier Roches, Ch. Le Tap, 24240 Saussignac,
tél. 05.53.27.53.41, fax 05.53.22.07.55,
e-mail chateauletap@tiscali.fr
☑ Y 🚶 t.l.j. 9h-12h30 14h-19h

CH. TOUR D'ARFON 2001 ★

■ 2,5 ha 5 000 ◍ 5 à 8 €

La robe est riche, profonde, presque noire. Le nez assez fermé libère à l'agitation des notes de fruits mûrs. En bouche, on retrouve le fruit, mais c'est surtout un vin de matière, concentré, soutenu par des tanins puissants, encore austères. Un bergerac de garde qu'il faut attendre deux à trois ans. Du même domaine, le **saussignac 2001 (11 à 15 €)** obtient également une étoile. Assez rond en bouche, avec des notes boisées, il finit sur une belle fraîcheur. A servir à l'apéritif.
🔑 Fabienne et Xavier Ferté,
La Tour d'Arfon, 24240 Monestier,
tél. 05.53.73.36.49, fax 05.53.73.36.49 ☑ Y 🚶 r.-v.

CH. TOUR MONTBRUN Fût de chêne 2002

■ 0,5 ha 3 200 ◍ 5 à 8 €

Etabli sur le site de l'ancienne citadelle de Montravel, ce domaine offre une vue imprenable sur la vallée de la Dordogne. De couleur rubis, son bergerac rouge élevé dans le chêne est très marqué au nez par les fruits rouges, avec une touche boisée. Dans un palais assez gras en attaque, on retrouve des notes épicées et poivrées léguées par le séjour en barrique. Les tanins encore un peu austères et le boisé demandent à se fondre.
🔑 Philippe Poivey, Montravel, 24230 Montcaret,
tél. 05.53.58.66.93, fax 05.53.58.66.93,
e-mail philippe.poivey@wanadoo.fr ☑ Y 🚶 r.-v.

CH. TUQUET MONCEAU
Elevé en fût de chêne 2002

■ 2 ha 8 000 ▮◍🌡 5 à 8 €

Le domaine a son siège dans une ferme typique de la région, juchée sur une butte (*tuquet* en occitan). Trois de ses vins ont été cités. Grenat soutenu, ce bergerac rouge offre un nez intense et complexe associant les fruits à l'eau-de-vie et des notes boisées. Encore dominé par le fût, ce vin aux arômes fruités et épicés est soutenu par des tanins puissants et harmonieux. Une bouteille au potentiel intéressant : déboucher dans un an ou deux. Du même château, le **montravel sec 2003 (3 à 5 €)** est frais, équilibré, assez léger, avec des notes d'agrumes. Enfin le **bergerac rouge La Fleur Champaude 2002**, très vif, a été apprécié pour son fruité.
🔑 Eric et Cécile Goubault de Brugière,
Le Tuquet, 24230 Saint-Vivien,
tél. 05.53.22.79.49, fax 05.53.22.79.49,
e-mail cecile.goubault@wanadoo.fr ☑ Y 🚶 r.-v.

CH. VEYRINES Cuvée Tradition 2002 ★

■ 2 ha 9 000 ▮ 3 à 5 €

La robe est d'un beau rouge rubis plutôt profond. Le nez, très plaisant, marie les fruits mûrs, les fruits secs et du chocolat. L'attaque est ronde et agréable, la structure puissante. Une bouteille à déboucher d'ici un an ou deux.

Eric et Karine Lascombes,
EARL Ch. Veyrines, A Ribagnac, 24560 Bouniagues,
tél. 05.53.73.01.34, fax 05.53.73.01.34,
e-mail eric.lascombes@wanadoo.fr ☑ Y ⚲ r.-v.

Bergerac rosé

DOM. DU BOIS DE POURQUIE 2003 ★★

■ 2,5 ha 13 000 ▮ 5 à 8 €

Cette dynamique exploitation familiale a prouvé son savoir-faire au fil des éditions du Guide. Elle ne néglige pas ses rosés : on le constate encore avec ce pimpant 2003 d'une jolie couleur brillante. Le nez puissant exprime des notes de fruits rouges bien mûrs que l'on retrouve en bouche, particulièrement persistantes en finale. A la fois gras et vif, un vin harmonieux pour un plaisir immédiat.

Marlène et Alain Mayet,
Le Bois de Pourquié, 24560 Conne-de-Labarde,
tél. 05.53.58.25.58, fax 05.53.61.34.59 ☑ Y ⚲ r.-v.

DOM. DU CASTELLAT 2003 ★★

■ 1 ha 6 666 ▮ 5 à 8 €

Ce petit castel est une maison de plaisance qui a pris la place d'une tour de garde. Il domine la vallée de la Dordogne. Son rosé, qui avait déjà obtenu une étoile dans le millésime précédent, fait l'unanimité cette année. D'un rose soutenu, il brille dans le verre. Au nez, il exprime un superbe fruité, intense et d'une grande pureté, qui se prolonge en bouche. L'excellent équilibre entre le fruit et la vivacité confère à cette bouteille une réelle élégance. On admire aussi sa fraîcheur et sa persistance. Le **bergerac sec 2003** du domaine a été cité. Fruit, volume, vivacité, il a tout d'un vin de soif.

Jean-Luc Lescure, Le Castellat,
24240 Razac-de-Saussignac, tél. 05.53.27.08.83,
fax 05.53.27.08.83 ☑ ⌂ Y ⚲ t.l.j. sf dim. 9h-19h

DOM. DE LA COMBE 2003

■ 4 ha 12 000 ▮ 3 à 5 €

Un rosé à l'assemblage original pour la région : le merlot l'emporte sur les cabernets. La robe est un peu foncée, le nez fin et très agréable évoque la grenadine. Puissant et chaleureux, c'est plutôt un vin de repas.

Sylvie et Claude Sergenton,
Dom. de La Combe, 24240 Razac-de-Saussignac,
tél. 05.53.27.86.51, fax 05.53.27.99.87 ☑ Y ⚲ r.-v.

CH. GRAND PLACE Le Petit Claud 2003

■ 1,2 ha 3 500 ▮ 3 à 5 €

Situé à 5 km du château de Montaigne, ce domaine résulte de l'association, en 1990, de quelques amis ingénieurs avec un œnologue. De couleur très pâle, son rosé mêle plaisamment au nez les fruits mûrs et le bonbon anglais. Tout aussi agréable en bouche, rond, bien équilibré et persistant, il est à consommer rapidement. Le **Petit Claud en bergerac sec 2003** a, lui aussi, retenu l'attention. Avec sa palette aromatique intense, dominée par les agrumes, et sa grande vivacité, il fera un bon apéritif.

SCEA Claude Delmas, Ch. Grand Place,
24610 Minzac, tél. 05.57.84.38.52, fax 05.57.84.31.39,
e-mail les-vins-claude-delmas@wanadoo.fr ☑ Y ⚲ r.-v.

CH. HAUT-FONGRIVE 2003

■ 1,37 ha 11 000 ▮ 3 à 5 €

Couvrant 17 ha, ce vignoble d'un seul tenant est implanté sur des coteaux orientés vers le sud-ouest. Il a changé de main en 1998. D'une couleur cerise brillante, son rosé séduit par son nez très fruité qui livre des arômes de bonbon anglais. On retrouve beaucoup de fruits mûrs dans une bouche ronde caractérisée par une bonne longueur. Bien équilibré, sans acidité excessive, ce vin pourra être servi tout au long d'un repas.

Sylvie et Werner Wichelhaus,
Ch. Haut-Fongrive, 24240 Thénac, tél. 05.53.58.56.29,
fax 05.53.24.17.75, e-mail hautfongrive@worldonline.fr
☑ Y ⚲ r.-v.

DOM. DE MAZIERE Le Top 2003

■ 4 ha 14 000 3 à 5 €

Si la couleur de ce rosé se montre soutenue, le nez reste des plus discrets. C'est en bouche que le fruité apparaît. Avec une attaque ronde et une finale chaleureuse, c'est un vin qui peut tenir deux à trois ans.

Michel Roche,
Dom. de Mazière, 24560 Bouniagues,
tél. 05.53.58.23.57, fax 05.53.58.73.00,
e-mail roche-de-maziere-wine@.fr. ☑ Y ⚲ r.-v.

CH. LA ROBERTIE 2003 ★

■ 0,88 ha 6 000 ▮ 3 à 5 €

Repris en 1999, ce vignoble est depuis lors mentionné dans le Guide. Le voici en rosé. La robe est brillante, de couleur assez soutenue. Véritable corbeille de fruits rouges, le nez mêle la fraise, le cassis et la mûre. Avec une bouche souple à l'attaque, bien étayée par l'acidité, un rien tannique, ce vin est proche d'un clairet. Il devrait s'entendre avec une pizza.

Ch. La Robertie,
24240 Rouffignac-de-Sigoulès,
tél. 05.53.61.35.44, fax 05.53.58.53.07,
e-mail chateau.larobertie@wanadoo.fr
☑ Y ⚲ t.l.j. 9h-19h

CH. SINGLEYRAC 2003

■ 1,6 ha 13 000 ▮ 3 à 5 €

Repris en 2001 par un frère et une sœur, ce domaine d'une quinzaine d'hectares propose un rosé brillant d'une belle couleur saumon. Le nez fruité délivre des arômes

intenses de fraise et de bonbon anglais. Ronde et tout aussi fruitée en attaque, la bouche révèle une belle vivacité en finale. Un vin sympathique à boire dans l'année.
🔑 Laurence Rival, Le Bourg, 24500 Singleyrac,
tél. 05.53.58.92.41, fax 05.53.57.76.08,
e-mail chateausingleyrac@voila.fr ☑ 🍷 🚶 r.-v.

CH. LA TILLERAIE 2003

▒ 2 ha 12 000 ▮🌡 **5 à 8 €**

Etabli à Pécharmant, ce domaine élabore aussi des bergeracs rosés. Celui-ci présente une robe de couleur intense et vive. Tout aussi intense, le nez est fin et fruité. Ce fruité se prolonge en bouche où se mêlent la fraise et la framboise. Harmonieux, bien équilibré, un vin tout en fruit.
🔑 Ch. La Tilleraie, Pécharmant, 24100 Bergerac,
tél. 05.53.57.86.42, fax 05.53.57.86.42
☑ 🍷 🚶 t.l.j. 9h-19h

Bergerac sec

La diversité des sols (calcaire, graves, argile, boulbènes) donne des expressions aromatiques variées. Jeunes, les vins sont fruités et élégants, avec une pointe de nervosité. S'ils sont vinifiés dans le bois, il faudra patienter un an ou deux pour discerner l'expression du terroir.

CLOS DES TERRASSES Le Fruit 2003 ★

▒ 3,55 ha 2 500 ⊕ **11 à 15 €**

Patrice de Suyrot est à la tête de cette propriété depuis 2001. Cette même année a vu la rénovation du chai. Deux cuvées du domaine ont été retenues. Un cran légèrement au-dessus, le bergerac sec élevé en fût : il reçoit une étoile pour son excellente matière qui devrait se révéler lorsque le bois se sera intégré. Pour l'heure, ce 2003 est sous l'emprise du chêne dont les arômes de chocolat et de bois brûlé masquent le fruit. Le **bergerac rouge Fruit des Terrasses 2002 (5 à 8 €)** élevé en cuve a été cité. Le jury a apprécié ses arômes très mûrs, confits, et sa structure tannique, puissante, révélant une forte extraction bien maîtrisée.
🔑 SCEA de Suyrot,
Clos des Terrasses, 24240 Sigoulès,
tél. 05.53.63.22.60, fax 05.53.63.22.60 ☑ 🍷 🚶 r.-v.

CLOS DU MAINE CHEVALIER 2003

▒ 1,5 ha 4 000 ▮🌡 **3 à 5 €**

Située à 7 km du pittoresque village d'Issigeac, cette propriété, dans la famille depuis 1947, était consacrée originellement à l'élevage. Elle a opté pour la vente directe dans les années 1980. Son bergerac sec affiche une robe brillante, un peu jaune. Le nez séduit par sa finesse et son élégance. D'une belle complexité, il mêle les arômes floraux et les fruits mûrs. En bouche, on apprécie la montée en puissance sur le fruit. Il n'a manqué à ce 2003 qu'un peu d'acidité pour décrocher une étoile.
🔑 GAEC du Maine-Chevalier, Le Maine-Chevalier,
24560 Plaisance, tél. 05.53.58.55.63, fax 05.53.58.55.63,
e-mail claude-caillard@wanadoo.fr
☑ 🍷 🚶 t.l.j. 10h-12h30 13h30-19h; f. jan.
🔑 Caillard

DOM. DE COMBET 2003

▒ 1,5 ha 2 400 ▮🌡 **3 à 5 €**

Situé au cœur du plateau de Monbazillac, ce domaine est entouré de vieux moulins à vent, signe d'une exposition bien aérée. Il a proposé un bergerac sec en robe brillante, jaune à reflets verts. Le nez, très floral, porte la marque du sauvignon. Une pointe d'amertume en finale annonce une jolie garde à ce vin qui ne manque ni d'onctuosité ni de fraîcheur.
🔑 EARL de Combet, 24240 Monbazillac,
tél. 06.85.33.50.57, fax 05.53.58.33.47,
e-mail combet@oreka.com
☑ 🍷 🚶 t.l.j. 10h-12h 13h30-19h; f. jan.
🔑 D. du Perret

CH. COURT-LES-MUTS Elevé en fût de chêne 2002

▒ 1 ha 5 000 ⊕ **8 à 11 €**

Construit en 1850, un château du vin à la manière bordelaise, commandant un domaine de 68 ha. Vinifié en barrique et élevé sur lies, son bergerac sec arbore une robe brillante d'une couleur jaune-vert. Très marqué par le fût, le nez laisse cependant deviner des arômes de fruits exotiques. Après une attaque fraîche, un milieu de bouche charnu, les notes boisées reviennent avec insistance en finale. Une bouteille à réserver aux amateurs de vins élevés dans le chêne. Il est recommandé de l'attendre un an pour permettre au boisé de se fondre.
🔑 Vignobles Pierre Sadoux, Ch. Court-les-Mûts,
24240 Razac-de-Saussignac, tél. 05.53.27.92.17,
fax 05.53.23.77.21, e-mail court-les-muts@wanadoo.fr
☑ 🍷 🚶 t.l.j. sf dim. 9h-11h30 14h-17h30; sam. sur r.-v.

CH. DE FAYOLLE 2003 ★

▒ 4 ha 28 000 ▮🌡 **3 à 5 €**

Le château de Fayolle aurait été détruit par les Anglais durant la guerre de Cent Ans ; or voici qu'ils reviennent ! Cette propriété a en effet été rachetée depuis 1997 par une brasserie d'Outre-Manche. Le projet : restaurer la bâtisse pour y aménager des gîtes ruraux. On continue aussi à faire du vin – et il est bon, à en juger par ce bergerac sec de couleur jaune à reflets verts. Le premier nez est un peu minéral, puis se développent des arômes d'agrumes. En bouche, on apprécie le volume, le gras. Un vin plaisant et harmonieux, pour populariser le bergerac aux Etats-Unis et en Europe du Nord.
🔑 Ets Ringwood Brewery, Fayolle, 24240 Saussignac,
tél. 05.53.74.32.02, fax 05.53.74.32.02,
e-mail chateau.de.fayolle@wanadoo.fr
☑ 🍷 🚶 t.l.j. 14h-18h

LA GRAPPE DE GURSON
Prestige Hyacinthe 2003

▒ n.c. n.c. **3 à 5 €**

Aux confins du département de la Dordogne, Carsac-de-Gurson est plus proche de Saint-Emilion que de Bergerac. Le village possède une église romane aux formes harmonieuses. Sa coopérative, fondée en 1939, commercialise ses vins sous la marque « La Grappe de Gurson ». Celui-ci présente une belle robe très pâle à reflets verts, un nez puissant évoquant les feuilles d'eucalyptus. Vif, frais et

léger avec quelques notes végétales en finale, il est tout indiqué pour accompagner les fruits de mer. Le **bergerac rosé Tradition 2003 (moins de 3 €)** de la cave mérite aussi d'être cité. Fruité, souple, vif et rafraîchissant, il est à boire rapidement.
La Grappe de Gurson,
BP 5, 24610 Carsac-de-Gurson,
tél. 05.53.82.81.50, fax 05.53.82.81.60,
e-mail grappe.gurson@wanadoo.fr r.-v.

CH. GRINOU Grande Réserve 2003 ★★

10 ha 20 000 5 à 8 €

Exportant à 80 % sa production, Guy Cuisset porte haut le nom des vins de Bergerac, et plusieurs coups de cœur du Guide Hachette témoignent de son savoir-faire. Cette Grande Réserve a ainsi été distinguée dans le millésime 1996. Ce 2003 est de la même veine. Robe jaune paille, limpide et brillante, le nez très intense, associant les agrumes (citron surtout) et quelques notes florales, la présentation est bien engageante. Franc à l'attaque, le vin emplit immédiatement la bouche, avec beaucoup de gras et de fraîcheur. Agréable et souple, la finale est marquée par des arômes de fruits exotiques et un boisé bien intégré. Une cuvée remarquablement harmonieuse entre l'alcool, le fruit et la vivacité.
Catherine et Guy Cuisset,
Ch. Grinou, 24240 Monestier,
tél. 05.53.58.46.63, fax 05.53.61.05.66,
e-mail chateaugrinou@aol.com r.-v.

CH. HAUT BERNASSE 2003

0,23 ha 1 200 8 à 11 €

Premier millésime des Villette, qui ont racheté en 2002 le château Haut Bernasse. D'une belle présentation, leur bergerac sec affiche une couleur jaune paille brillante et libère d'intenses notes de fruits exotiques, assez vite masquées par le boisé. Après une attaque ample et grasse, la bouche apparaît dominée par le chêne, qui marque la finale de nuances toastées. Pour amateur averti.
SARL Jules et Marie Villette, Ch. Haut Bernasse,
24240 Monbazillac, tél. 05.53.58.36.22,
fax 05.53.61.26.40, e-mail contact@haut-bernasse.com
t.l.j. sf sam. dim. 8h-12h 13h30-18h

CH. MONESTIER LA TOUR 2003 ★★

3 ha 13 000 8 à 11 €

Rachetée en 1998, cette propriété était alors à l'abandon. Modernisée de fond en comble, elle produit aujourd'hui des vins d'un haut niveau qualitatif, témoin le coup de cœur obtenu en rouge, et ce bergerac sec, finaliste pour cette distinction. Les dégustateurs ont été séduits par l'apport boisé délicat qui respecte soigneusement le vin. La robe est jaune brillant, légèrement évoluée. Le nez délivre un fruité intense mêlant les agrumes (pamplemousse), la pêche et la poire. Riche et bien équilibrée, de bonne longueur et d'une belle vivacité en finale, une cuvée élégante, fine et fraîche.
SCEA Monestier La Tour,
La Tour, 24240 Monestier,
tél. 05.53.24.18.43, fax 05.53.24.18.14,
e-mail contact@chateaumonestierlatour.com
r.-v.
de Haseth Moller

CH. MONTDOYEN La Part des Anges 2002

1,5 ha 9 000 8 à 11 €

Une propriété viticole, une bâtisse traditionnelle et son pigeonnier : le château Le Puch (le Mont en occitan). Le tout a été racheté en 1996 par Jean-Paul Hembise qui a restauré les bâtiments, aménagé des chais et finalement rebaptisé le domaine, devenu en 1999 « château Montdoyen ». D'un vert pâle limpide, cette cuvée intéresse par son nez agréable, complexe et légèrement évolué, avec des notes boisées bien fondues. Nerveux, le palais séduit par son attaque fraîche et ronde.
SARL des Vignobles Jean-Paul Hembise,
Ch. Montdoyen, 24240 Monbazillac,
tél. 05.53.58.85.85, fax 05.53.61.67.78,
e-mail chateaumontdoyen@wanadoo.fr
t.l.j. 8h30-12h30 13h30-17h30; sam. dim. sur r.-v.

CH. PINTOUCAT Cuvée Eléa 2002 ★

1,5 ha 1 500 8 à 11 €

Au XVIII^e^s., les vins du Bergeracois avaient la Hollande pour principal débouché — un commerce encouragé par les réfugiés huguenots exilés aux Pays-Bas. Cette propriété était à cette époque une marque hollandaise. Sa cuvée Eléa arbore une robe brillante, blanc pâle à reflets verts. Le nez mêle des senteurs sauvages de buis et d'agrumes et des nuances boisées et toastées. Après une attaque vive, la bouche évolue sur une matière charnue et fraîche. La finale fruitée est agrémentée d'arômes d'amande grillée et d'un fin boisé. Un vin d'un bel équilibre entre les notes sauvignonnées et l'apport du chêne.
Georges Beaudoin,
Le Pintoucat, 24240 Monbazillac,
tél. 05.53.57.00.84, fax 05.53.61.35.97,
e-mail chateau.pintoucat@wanadoo.fr
t.l.j. sf dim. 10h-12h30 14h-19h

CH. DU PRIORAT 2003 ★

10,11 ha 15 000 3 à 5 €

Ce domaine est situé dans la partie occidentale de l'appellation, aux confins du Libournais. Son bergerac sec séduit d'emblée par sa robe jaune-vert brillant. Le nez mêle d'intenses parfums de sauvignon à des nuances de fruits exotiques et de banane. En bouche, la matière riche et persistante donne l'impression de croquer le raisin, un raisin un peu sauvage. Il n'a manqué à ce joli vin qu'un rien d'acidité en finale pour décrocher une deuxième étoile.
GAEC du Priorat, Le Priorat,
24610 Saint-Martin-de-Gurson, tél. 05.53.80.76.06,
fax 05.53.81.21.83 t.l.j. sf dim. 8h-12h 14h-18h
Maury

CH. REPENTY 2003

3,5 ha 26 000 5 à 8 €

Ce domaine de 18 ha a proposé un bergerac sec dominé par la muscadelle (75 % de l'assemblage), ce qui n'est pas courant. La robe est très pâle, limpide et brillante.

Le nez intense mêle la pêche, les agrumes et le litchi. On retrouve ce fruité dans une bouche introduite par une plaisante fraîcheur à l'attaque et marquée par une pointe d'amertume en finale.

⊶ Jean-Pierre Roulet, Repenty, 24240 Monestier,
tél. 05.53.58.41.96, fax 05.53.58.41.96,
e-mail chateaurepenty@wanadoo.fr
☑ Y t.l.j. sf sam. dim. 10h-12h 14h-17h; f. 15-31 août

Côtes-de-bergerac

Cette appellation ne définit pas un terroir mais des conditions de récolte plus restrictives qui doivent permettre d'obtenir des vins riches et charpentés. Ils sont recherchés pour leur concentration et leur durée de conservation plus longue.

CH. LA BARDE-LES TENDOUX
Elevé en fût de chêne 2001 ★★

■ 17,44 ha 38 000 ◍ 11 à 15 €

Situé à 4 km de la pittoresque cité d'Issigeac, ce domaine a une lointaine origine monastique. Il propose un côtes-de-bergerac concentré et de grande garde, assemblage original en Bergeracois : deux tiers de cabernet-sauvignon pour un tiers de merlot. Aux notes de fruits noirs se mêlent des arômes grillés, torréfiés aux accents de café. Une attaque ample, sur le fruit rouge et la réglisse, un volume et une rondeur superbes, des tanins serrés et très fins, et à nouveau des notes toastées révèlent un élevage en barrique parfaitement maîtrisé. Le résultat : ce mariage harmonieux entre les fruits et le bois.

⊶ SARL de Labarde,
Ch. La Barde, 24560 Saint-Cernin-de-Labarde,
tél. 05.53.57.63.61, fax 05.53.58.08.12

CH. DU BLOY Le Bloy 2001 ★★★

■ 1,3 ha 6 500 ◍ 8 à 11 €

Avec son côtes-de-bergerac, ce domaine, repris en 2001 par un informaticien et un avocat, fait une entrée remarquée dans le Guide. Particulièrement agréable, le nez mêle la réglisse, la menthe, les fruits rouges et une pointe boisée. On retrouve ces arômes en bouche avec des tanins fins et soyeux, bien fondus dans le bois. Un vin fort harmonieux qui a su conserver son fruité. La propriété a obtenu par ailleurs une étoile pour deux vins blancs : le **montravel Le Bloy 2002 (11 à 15 €)** et le **montravel cuvée Lilia 2003 (5 à 8 €)**. Le premier, élevé en barrique, est promis à un bel avenir ; le second est plus fruité.

⊶ SCEA Lambert et Lepoittevin-Dubost,
Le Blois, 24230 Bonneville,
tél. 05.53.22.47.87, fax 05.53.27.56.34,
e-mail chateau.du.bloy@wanadoo.fr ☑ Y 🚶 r.-v.

CH. BRIAND Cuvée Zen Elevé en fût de chêne 2002

■ 7,5 ha 10 000 ◍ 8 à 11 €

Gilbert Rondonnier est établi dans une ferme fortifiée datant de la guerre de Cent Ans. Le domaine dépendait du château de Bridoire qui dresse encore son élégante silhouette à 2 km de là. Cette cuvée Zen nous emporte loin des temps troublés du Moyen Age. D'un rouge violacé intense, elle offre un nez chaleureux, fait de fruits rouges, de vanille et de noisette. Franche, jeune et fraîche en attaque, elle repose sur de beaux tanins. A boire assez vite. Le **bergerac sec 2002 (5 à 8 €)** est également cité. Rond et frais à la fois, il est très marqué par le bois. Même note encore pour le **côtes-de-bergerac moelleux 2003 (5 à 8 €)**, apprécié pour ses arômes de fruits exotiques et sa douceur.

⊶ Gilbert Rondonnier, Les Nicots, 24240 Ribagnac,
tél. 05.53.58.23.50, fax 05.53.24.94.63
☑ Y 🚶 t.l.j. 10h-20h; dim. sur r.-v.; f. oct.

CH. CAILLEVET Accent 2002

■ 1,82 ha 7 800 ◍ 8 à 11 €

Implanté dans le sud de l'appellation, aux confins du Lot-et-Garonne, ce vignoble a été repris en 1999 par la famille Chemel qui a rénové la cave. Cette cuvée Accent s'habille d'une robe très soutenue, pourpre à reflets violets. Frais et harmonieux, le nez offre un fruité complexe. Le palais est apprécié pour son attaque assez douce et ses tanins équilibrés, élégants et fondus. Un vin à la structure plutôt légère, mais sympathique et consensuel. Cité lui aussi, le **bergerac sec cuvée Accent 2003** est bien agréable avec ses arômes de fruits exotiques. Suffisamment gras et rond, il n'est pas dominé par le boisé.

⊶ SCEA Ch. Caillevet, Le Caufour, 24240 Thénac,
tél. 05.53.58.80.71, fax 05.53.61.39.94,
e-mail chateaucaillevet@free.fr ☑ 🚶 r.-v.
⊶ Chemel

CH. CAPULLE Elevé en fût de chêne 2001

■ 1,5 ha 9 400 ◍ 5 à 8 €

Située au cœur d'un amphithéâtre de vignes, cette exploitation bénéficie d'un superbe point de vue. Son côtes-de-bergerac élevé en fût mérite également qu'on s'y arrête. Le nez évoque les fruits mûrs, la griotte, avec une touche boisée. L'attaque est franche, la matière concentrée. Une présence tannique un peu austère en finale incite à laisser vieillir cette bouteille deux à trois ans : elle gagnera en harmonie.

⊶ Jean-Paul Migot, Ch. Capulle, 24240 Thénac,
tél. 05.53.58.42.67, fax 05.53.58.39.50,
e-mail jeanpaul.migot@free.fr ☑ Y 🚶 r.-v.

CLOS D'YVIGNE Le Rouge et le Noir 2002 ★

■ 6 ha 21 800 ◍ 8 à 11 €

En 1990, Patricia Atkinson s'installe en Dordogne, dans une petite propriété viticole. Elle a tout à apprendre, du français à la conduite du tracteur en passant par le travail de la vigne et la vinification ! Elle parvient en dix ans à se faire un nom, en France et bien sûr dans son pays. Quatre coups de cœur en saussignac ont consacré son savoir-faire en liquoreux. Voici le Clos d'Yvigne en côtes-de-bergerac. D'un rouge violacé intense, ce vin exprime d'abord au nez les senteurs toastées et vanillées de la barrique, avant de libérer à l'agitation des nuances de pruneau. Tout en souplesse, l'attaque est, elle aussi, marquée par des arômes de vanille qui masquent encore un peu le fruit. Ensuite, la structure apparaît plus ferme, bien que les tanins commencent à s'arrondir. La finale renoue avec le pruneau, accompagné de notes de fruits noirs et de réglisse. Un vin bien fait, pour l'heure dominé par le bois : on le laissera vieillir un an ou deux.

❦ Patricia Atkinson, Clos d'Yvigne, Le Bourg, 24240 Gageac-et-Rouillac, tél. 05.53.22.94.40, fax 05.53.23.47.67, e-mail patricia.atkinson@wanadoo.fr
☑ ♟ ⊥ ⚲ t.l.j. sf dim. 9h-12h 14h-17h

CH. COMBRILLAC 2001 ★★

| ■ | 2,95 ha | 8 200 | ⅢⅠ | 8 à 11 € |

Situé dans la vallée de la Dordogne, un peu en aval de Bergerac, ce domaine a changé de mains en 1998. Cette année, son côtes-de-bergerac recueille beaucoup d'éloges, même s'il doit être oublié en cave un certain temps. D'un rouge très soutenu, ce 2001 porte au nez l'empreinte d'un élevage de seize mois dans le chêne, avec des notes légèrement torréfiées. Après une attaque ample, souple et fruitée, on découvre une matière concentrée et d'un bon volume. Un ensemble des plus prometteurs.
❦ GFA Combrillac, Coucombre, 24130 Prigonrieux, tél. 05.53.57.63.61, fax 05.53.58.08.12

CH. DAUZAN LA VERGNE 2002

| ■ | n.c. | 17 000 | ⅢⅠ | 5 à 8 € |

Située aux confins du Libournais, cette propriété comprend deux châteaux : Dauzan La Vergne et Pique-Sègue. Sous la première étiquette a été retenu ce côtes-de-bergerac, dont le nez encore fermé libère quelques notes de fruits rouges sur un fond chaleureux. Il développe une structure tannique puissante, un peu marquée par le bois : à déboucher d'ici deux à trois ans. Sous la marque du **Château Pique-Sègue**, le montravel blanc 2003 (3 à 5 €) a reçu la même note pour son nez complexe dominé par le sauvignon et pour sa bouche d'une belle vivacité.
❦ SNC Ch. Pique-Sègue, Ponchapt, 33220 Port-Sainte-Foy, tél. 05.53.58.52.52, fax 05.53.63.44.97, e-mail chateau-pique-segue@wanadoo.fr ☑ ⊥ ⚲ r.-v.
❦ Philip et Marianne Mallard

CH. FAYOLLE-LUZAC 2002 ★

| ■ | 23 ha | 10 000 | ⅢⅠ | 11 à 15 € |

Rachetée en 1998, cette propriété a élaboré deux beaux vins, en rouge comme en blanc. Ce côtes-de-bergerac affiche une robe sombre, d'un violet presque noir. Intense et boisé au nez, il se montre particulièrement plaisant à l'attaque, marquée par des arômes de fruits mûrs, voire passerillés. Ses tanins puissants sont encore dominés par le chêne et un peu austères en finale. Ce vin devrait se bonifier dans les années à venir. Le **montravel blanc 2002** (5 à 8 €) obtient, lui aussi, une étoile. Issu à 90 % de muscadelle, il est plutôt atypique avec son nez floral, sa bouche ronde et volumineuse, mais il est « très très bon » selon un dégustateur.
❦ SCEA Ch. Fayolle, Fayolle, 33220 Fougueyrolles, tél. 05.53.73.51.68, fax 05.53.73.51.69, e-mail ch.fayolle.luzac@wanadoo.fr ☑ ⊥ ⚲ r.-v.

HAUT-MONTLONG Les Vents d'Anges 2002

| ■ | 2 ha | 5 000 | ⅢⅠ | 8 à 11 € |

Toute la famille travaille à la prospérité du domaine : les parents, les filles, les gendres. Avec 45 ha, des chambres d'hôte et un gîte, personne ne doit chômer... Ce côtes-de-bergerac offre un nez de fruits très mûrs, un peu animal avec des notes boisées, ce qui laisse supposer un merlot élevé en barrique (ce cépage représente effectivement 90 % de l'assemblage). Après une attaque puissante et plaisante, le fût domine en finale. Un vin encore un peu fermé qu'il faut attendre un à deux ans.

❦ Dom. du Haut-Montlong, Montlong, 24240 Pomport, tél. 05.53.58.81.60, fax 05.53.58.09.42, e-mail sergenton-haut-montlong@wanadoo.fr
☑ 🏠 ♟ ⊥ ⚲ r.-v.

CH. LES HAUTS DE CAILLEVEL
Elevé en fût de chêne 2002 ★

| ■ | 11,4 ha | 12 000 | ⅢⅠ | 5 à 8 € |

Une propriété d'une vingtaine d'hectares d'un seul tenant rachetée en 1999 par Sylvie Chevallier-Caillevel. Son nom signifie « Caillou sur le vallon » et évoque le terroir plutôt calcaire où est né ce côtes-de-bergerac. Le 2002 développe au nez de belles notes fruitées et toastées accompagnées d'une touche de poivron vert. L'attaque est surprenante de douceur et d'onctuosité, la matière bien extraite et les tanins enrobés. Une jolie bouteille à déboucher d'ici deux à trois ans sur un plat relevé, en sauce au poivre vert par exemple. Cette même cuvée a été citée en **monbazillac 2001** (8 à 11 €) : un ensemble très marqué par le bois mais élégant.
❦ Sylvie Chevallier, Ch. Les Hauts de Caillevel, 24240 Pomport, tél. 05.53.73.92.72, fax 05.53.73.92.72, e-mail caillevel@wanadoo.fr
☑ ⊥ ⚲ t.l.j. sf dim. 9h-12h 14h-18h

CH. KALIAN BERNASSE
Elevé en fût de chêne 2002 ★

| ■ | 0,63 ha | 1 600 | ⅢⅠ | 8 à 11 € |

Venu de l'industrie, Alain Griaud a acheté en 1992 cette propriété dont il a peu à peu rénové les bâtiments. Son côtes-de-bergerac se pare d'une belle teinte rouge rubis. Au nez, il apparaît intense, mûr, complexe avec des notes vanillées. Après une attaque assez fraîche, la bouche se montre ample et généreuse. Une légère vivacité en finale invite à ouvrir cette bouteille très flatteuse.
❦ Alain et Anne Griaud, Ch. Kalian Bernasse, 24240 Monbazillac, tél. 05.53.24.98.34, fax 05.53.24.98.34 ☑ ⊥ ⚲ r.-v.

CH. DE LA MALLEVIEILLE Imagine 2001 ★

| ■ | 1 ha | 3 000 | ⅢⅠ | 15 à 23 € |

Il se pare d'une robe rouge vif que l'on apprécie au premier coup d'œil. Riche en fruits noirs, le nez s'exprime aussi sur des notes toastées légèrement torréfiées. En bouche, après une attaque très fruitée, les tanins se développent sur des notes réglissées, grillées en finale. Un vin très structuré qu'il faut attendre quelques années. Cité, le **bergerac sec 2003** (5 à 8 €) libère au nez des arômes de sauvignon et se montre chaleureux au palais.
❦ Vignobles Biau, La Mallevieille, 24130 Monfaucon, tél. 05.53.24.64.66, fax 05.53.58.69.91, e-mail chateaudelamallevieille@wanadoo.fr
☑ ⊥ ⚲ t.l.j. 9h-12h 14h-19h

CH. LES MARNIERES
Cuvée La Côte fleurie 2002 ★★★

| ■ | 2 ha | 7 000 | ▮Ⅲↆ | 15 à 23 € |

Ce coteau était autrefois couvert d'églantiers, d'où son nom de Côte fleurie. Il a donné naissance à un vin au nez superbe de complexité où les fruits noirs (mûre, cassis) et le pruneau dominent les notes boisées et épicées. En bouche, c'est une main de fer dans un gant de velours : après une attaque douce, toute la puissance s'affirme crescendo. Les tanins bien serrés ménagent en finale un agréable retour sur les fruits noirs. Un vin magnifique de

beauté contenue. La **cuvée classique en bergerac rouge 2003 (5 à 8 €)** a été diversement appréciée. Très marqué par le fruit, c'est un vin plaisir à boire jeune.
🔑 Alain et Christophe Geneste,
GAEC des Brandines, 24520 Saint-Nexans,
tél. 05.53.58.31.65, fax 05.53.73.20.34,
e-mail christophe.geneste2@wanadoo.fr ☑ 🍷 🚶 r.-v.

CH. MASBUREL 2002 ★

■ 2,3 ha 8 500 ◖◗ 15 à 23 €

Fondé en 1740 par le premier consul de Sainte-Foy-la-Grande, ce domaine a été repris en 1997 par Olivia et Neil Donnan. Les nouveaux propriétaires y organisent concerts de jazz et pique-nique chaque été. Leur côtes-de-bergerac affiche une robe d'un pourpre profond. Après un premier nez marqué par le bois, les fruits noirs (cassis) sont associés à des notes de réglisse. La bouche révèle un fruit bien présent et une matière équilibrée. La finale se prolonge sur les arômes torréfiés de la barrique. Un vin puissant, chaleureux qui doit vieillir quelques années. La cuvée **Lady Masburel 2002 (11 à 15 €)** est citée. Un peu moins structurée que la cuvée du château, elle mêle les fruits rouges à un boisé encore un peu austère. A ouvrir dans un an. En **montravel blanc 2002 (11 à 15 €)**, les Donnan obtiennent une étoile.
🔑 Olivia Donnan, Ch. Masburel,
Fougueyrolles, 33220 Sainte-Foy-la-Grande,
tél. 05.53.24.77.73, fax 05.53.24.27.30,
e-mail chateau-masburel@wanadoo.fr
☑ 🍷 🚶 t.l.j. sf sam. dim. 9h-12h 14h-18h

CH. LE MAYNE
Cuvée Réservée Elevé en fût de chêne 2002

■ 15 ha 50 000 ◖◗ 5 à 8 €

Ce qui plaît d'abord dans ce côtes-de-bergerac rouge pâle, c'est le nez frais, légèrement mentholé accompagné d'une touche végétale. On apprécie aussi sa bouche ample aux tanins puissants, bien extraits, sans dureté. Un vin à déguster d'ici un an ou deux.
🔑 Les Vignobles du Mayne, Le Mayne,
24240 Sigoulès, tél. 05.53.58.40.01, fax 05.53.24.67.72
☑ 🍷 🚶 t.l.j. 8h-12h 14h-18h; sam. dim. sur r.-v.;
f. 18 déc.-3 jan.

CH. LES MERLES Réserve Lajonie 2002

■ 6 ha 29 000 ◖◗ 5 à 8 €

Dans cette commune, les amateurs de golf pourront pratiquer leur sport favori. Quant aux œnophiles, ils pourront miser sur deux vins rouges de bonne facture. Ce côtes-de-bergerac d'abord : d'un grenat limpide, il se montre agréable et complexe au nez, avec une légère note boisée. Rond et généreux, il fait preuve d'une certaine austérité tannique en finale, mais révèle un potentiel intéressant. Le **bergerac rouge Château Les Merles 2003**, également cité, présente des caractères assez proches : fruité et tannique en finale, à attendre un peu, lui aussi.
🔑 J. et A. Lajonie,
GAEC Les Merles, 24520 Mouleydier,
tél. 05.53.63.43.70, fax 05.53.63.43.70 ☑ 🍷 🚶 r.-v.

CH. MOULIN CARESSE Cuvée Prestige 2002 ★★

■ 9 ha 45 000 ◖◗ 11 à 15 €

Dans la famille depuis deux cent cinquante ans, ce vignoble apparaît au fil des éditions du Guide comme l'une des valeurs sûres du Bergeracois : l'exploitation a récolté plusieurs coups de cœur et chaque année apporte un vin remarquable, tel ce côtes-de-bergerac. Sa couleur est réellement noire ! Au nez, le boisé domine mais sans masquer les senteurs de fruits très mûrs. Tout aussi nuancée, la bouche révèle un tanin dense au boisé harmonieux et offre une finale fraîche avec un retour sur les fruits des bois. Le domaine obtient par ailleurs une citation pour le **bergerac rouge Magie d'automne 2002 (5 à 8 €)**.
🔑 Sylvie et Jean-François Deffarge,
Ch. Moulin Caresse, Couin,
24230 Saint-Antoine-de-Breuilh, tél. 05.53.27.55.58,
fax 05.53.27.07.39, e-mail moulin.caresse@wanadoo.fr
☑ 🏠 🍷 🚶 t.l.j. 9h-12h 14h-18h; sam. dim. sur r.-v.

PANISSEAU Baccarat 2001 ★

■ 13,45 ha 28 727 ◖◗ 15 à 23 €

Un véritable château, avec son escalier à vis et ses quatre poivrières, commande un vaste domaine (plus de 69 ha). Après un coup de cœur obtenu l'an dernier en bergerac sec, il propose deux cuvées très réussies. Ce côtes-de-bergerac présente une robe intense, un peu évoluée. Le nez très mûr évoque le pruneau, puis exprime de puissantes notes boisées et vanillées. La bouche est équilibrée, avec beaucoup de mâche. Ce vin peut déjà être consommé mais il gagnera à vieillir quelques années. Le **côtes-de-bergerac moelleux cuvée Volubilis 2002** obtient la même note. Puissant au nez, il allie le pain grillé du fût à la pêche et au miel. Le fruit ressort mieux dans un palais rond et confit, au boisé fondu et à la structure d'un liquoreux.
🔑 SA Panisseau, Ch. de Panisseau, 24240 Thénac,
tél. 05.53.58.40.03, fax 05.53.58.94.46,
e-mail panisseau@ifrance.com
☑ 🏠 🍷 🚶 t.l.j. sf dim. 9h-12h 14h-18h

DOM. DU PETIT PARIS Cuvée Prestige 2002 ★

■ 2 ha 5 000 ◖◗ 8 à 11 €

Régulièrement mentionné dans le Guide, ce domaine établi à Monbazillac se défend bien en rouge, témoin cette cuvée déjà très réussie dans les deux millésimes précédents. La robe est limpide, d'un joli rouge vif. Plaisant et complexe, le nez associe harmonieusement la vanille du fût et le fruit du raisin. Des tanins soyeux, amples et un boisé bien fondu composent une bouteille déjà agréable, mais qu'il serait dommage de déboucher avant trois à cinq ans. Quant au **bergerac sec Tradition 2003 (3 à 5 €)**, ses arômes de fruits exotiques, sa structure et sa longueur lui valent une étoile également.
🔑 EARL Dom. du Petit Paris,
RN 21, 24240 Monbazillac,
tél. 05.53.58.30.41, fax 05.53.58.30.27,
e-mail petit-paris@wanadoo.fr ☑ 🍷 🚶 t.l.j. 8h-20h
🔑 Bénédicte et Patrick Geneste

LE PETROCORE 2001 ★

■ 2 ha 5 000 ◖◗ 8 à 11 €

Remarquable dans le millésime précédent, cette cuvée ne démérite pas. Au nez, ce sont surtout les notes empyreumatiques (torrréfié, cacao) qui dominent. En bouche, l'attaque est fruitée. Des tanins serrés et fins, une belle matière révèlent un vin de garde qu'il faudra attendre quelques années. Quant au **bergerac rosé du Château Ladesvignes 2003 (3 à 5 €)**, il est cité. On apprécie son nez de cassis et sa bouche vive à l'attaque et qui finit sur une sensation de douceur.

❦ Ch. Ladesvignes, 24240 Pomport,
tél. 05.53.58.30.67, fax 05.53.58.22.64,
e-mail chateau.ladesvignes@wanadoo.fr
☑ ⚐ ⅄ ⚹ t.l.j. 9h-12h 13h30-19h
❦ M. Monbouché

CH. LE RAZ Cuvée Grand Chêne 2001 ★

■	8,07 ha	50 800	⑪ 5 à 8 €

Enracinés dans la région, les Barde figurent régulièrement dans le Guide. Leur côtes-de-bergerac 2001 ne fait
pas son âge : la robe est restée d'un beau rouge vif. Le nez
associe les fruits cuits, des notes beurrées, boisées et des
nuances de torréfaction. Une attaque assez volumineuse,
sur les fruits rouges, des tanins fins et bien dosés révèlent
un bon équilibre entre le fruit et le bois. Un vin à attendre
quatre ou cinq ans. Le **montravel blanc 2003 du
Château Le Raz (3 à 5 €)** a été cité pour ses arômes
d'agrumes au nez et en bouche.
❦ Vignobles Barde, Le Raz,
24610 Saint-Méard-de-Gurçon, tél. 05.53.82.48.41,
fax 05.53.80.07.47, e-mail vignobles-barde@le-raz.com
☑ ⅄ ⚹ t.l.j. sf dim. 8h30-12h30 14h30-19h; sam. sur r.-v.

CH. LA RESSAUDIE Elevé en fût de chêne 2002

■	2 ha	9 000	⑪ 5 à 8 €

Ce domaine a investi pour accueillir les touristes, qui
pourront y faire halte et découvrir deux bons vins rouge et
blanc. D'une couleur profonde, presque noire, le côtes-
de-bergerac apparaît d'abord fermé, puis libère des senteurs complexes à l'agitation. On apprécie sa matière riche
et concentrée qui permet au fruit de se révéler. Une belle
harmonie, à apprécier sans tarder. Cité également, le
**montravel blanc 2003 du Château La Ressaudie (3 à
5 €)** exprime de plaisants arômes de sauvignon et de fruits
exotiques. Equilibré, il pourra vieillir un à deux ans.
❦ Jean et Evelyne Rebeyrolle,
Ch. La Ressaudie, 33220 Port-Sainte-Foy,
tél. 05.53.24.71.48, fax 05.53.58.52.29,
e-mail vinlaressaudie@aol.com ☑ ⚐ ⚏ ⅄ ⚹ r.-v.

CH. LES SAINTONGERS D'HAUTEFEUILLE
Elevé en fût de chêne 2001 ★

■	1,25 ha	7 200	⑪ 11 à 15 €

Reconstitué par Catherine d'Hautefeuille à partir
de 1997, ce vignoble, réputé avant le phylloxéra, renaît
aujourd'hui après soixante-dix ans d'abandon. Il a donné
naissance à un vin au nez très aromatique, fait de jolies
notes fruitées. Une attaque puissante, une structure tannique ample et longue composent une bouteille équilibrée,
déjà bonne à boire, mais qui tiendra deux à trois ans.
❦ Catherine d'Hautefeuille,
Les Saintongers, 24560 Saint-Cernin-de-Labarde,
tél. 05.53.24.32.84, fax 05.53.57.77.18 ☑ ⅄ ⚹ r.-v.

CH. TOUR DE GRANGEMONT
Elevé en fût de chêne 2002

■	15 ha	30 000	⑪ 3 à 5 €

Cette vieille propriété en polyculture consacre 15 ha
de ses 39 ha à la production de ce côtes-de-bergerac fort
honorable. D'un rouge très sombre, ce 2002 apparaît
d'abord fermé au nez, surtout boisé, avant de développer
à l'agitation des parfums de fruits rouges et de poivron.
Une attaque ronde et souple, des arômes de fruits noirs et
une belle empreinte du chêne composent un vin typique,
très marqué par le cabernet-sauvignon, cépage qui laisse
pourtant une courte majorité au merlot dans l'assemblage.
Il trouvera ses amateurs.

❦ EARL Lavergne, Portugal,
24560 Saint-Aubin-de-Lanquais,
tél. 05.53.24.32.89, fax 05.53.24.56.77 ☑ ⅄ ⚹ r.-v.

CH. TOUR DES GENDRES
La Gloire de mon Père 2002 ★★

■	10 ha	40 000	⑪ 8 à 11 €

Bien nommée, cette cuvée La Gloire de mon Père a
obtenu plus d'un coup de cœur (la dernière fois pour
le 2000). Le 2002, lui aussi, est superbe. Il affiche toujours
une belle couleur pourpre, intense et profonde. Tout aussi
intense au nez, il associe des parfums de fruits mûrs et des
notes confites à quelques touches toastées. L'attaque est
riche et généreuse, le palais gras et la finale persistante. Il
faudra cependant patienter cinq ans pour découvrir ce vin
dans toute sa splendeur. Inséparable de la précédente, la
cuvée **Moulin des Dames en bergerac sec 2002 (15 à
23 €)** obtient une étoile pour sa rondeur et sa fraîcheur,
mises en valeur par un boisé élégant.
❦ SCEA De Conti, Les Gendres, 24240 Ribagnac,
tél. 05.53.57.12.43, fax 05.53.58.89.49,
e-mail familledeconti@wanadoo.fr ☑ ⚐ ⅄ ⚹ r.-v.

L'EXCELLENCE
DU CH. LES TOURS DES VERDOTS
Les Verdots selon David Fourtout 2002 ★★

■	3,5 ha	12 500	⑪ 15 à 23 €

Cette cuvée haut de gamme a été jugée remarquable
dans les deux millésimes précédents. Le 2002 suscite
encore plus d'enthousiasme. Si l'on devait définir ce vin en
deux mots, on parlerait de puissance et de générosité. Au
nez comme en bouche on apprécie ses arômes de fruits
mûrs, voire surmûris. Le tout se fond agréablement dans
les notes boisées de la barrique. Autant de qualités qui
révèlent une parfaite maîtrise dans les phases préferman-
taires et dans l'élevage sous bois. Parfaitement équilibré,
c'est un vin de garde. A déguster sur une côte de bœuf bien
persillée ou un vieux comté.
❦ EARL David Fourtout, Les Verdots,
24560 Conne-de-Labarde, tél. 05.53.58.34.31,
fax 05.53.57.82.00, e-mail fourtout@terre-net.fr
☑ ⚐ ⅄ ⚹ t.l.j. sf dim. 9h-12h30 14h-19h

CH. TROLLIET-LAFITE 2002 ★

■	2,99 ha	17 000	⑪ 8 à 11 €

Ce petit vignoble a été repris en 2001. Son côtes-de-
bergerac arbore une robe d'un rouge violacé intense. Frais
et élégant au nez, il associe des parfums à dominante de
poivron confit et de fruits noirs à une pointe épicée. Une
attaque pleine, charnue, délicate, des tanins souples et bien
structurés, un boisé discret composent un ensemble tout en
finesse et très prometteur. Un domaine à suivre.

Trolliet, Ch. Trolliet-Lafite, 24500 Sadillac, tél. 05.53.61.75.48, fax 05.53.63.32.48 r.-v.

CH. DES VIGIERS
Réserve Jean Vigier Elevé en fût de chêne 2002 ★★★

8 ha 9 000 11 à 15 €

Quel que soit le mode d'élevage, le château des Vigiers montre son savoir-faire. Dans le millésime précédent, un côtes-de-bergerac a obtenu un coup de cœur sans avoir connu le bois. Celui-ci, qui a séjourné douze mois dans le chêne, sort lui aussi du lot. La robe est rouge sombre, très intense. Le nez complexe mêle plaisamment le boisé aux fruits noirs (myrtille) et aux épices. L'attaque volumineuse est agrémentée d'arômes de pruneau et de tabac. Les tanins enrobent la puissance de ce vin au gras très marqué. Une bouteille de garde qui peut dormir en cave tranquillement (six à dix ans).

SCEA la Font du Roc, Ch. des Vigiers, 24240 Monestier, tél. 05.53.61.50.00, fax 05.53.61.50.31, e-mail vigiers@vigiers.com r.-v.

Côtes-de-bergerac moelleux

Les mêmes cépages que les vins blancs secs, mais récoltés à surmaturité, permettent d'élaborer ces vins moelleux recherchés pour leurs arômes de fruits confits et leur souplesse.

DOM. LES BRANDEAUX
Le Nectar des Brandeaux 2003 ★★

1 ha 1 800 5 à 8 €

Ce domaine qui a déjà montré son savoir-faire en bergerac rouge, avec un 2000 élu coup de cœur, n'est pas passé loin de cette distinction avec ce côtes-de-bergerac. Manifestement, il s'agit d'un vin liquoreux, et non d'un simple moelleux : la robe est jaune doré ; le nez, franc et intense, associe les fruits confits et les fruits exotiques. Riche et gras, le palais finit sur une note acidulée qui lui confère une belle fraîcheur. Cette bouteille plaira aux amateurs de vins très doux. Elle tiendra cinq à dix ans.

GAEC Piazzetta, Les Brandeaux, 24240 Thénac, tél. 05.53.58.41.50, fax 05.53.58.41.50 r.-v.

Monbazillac

Au cœur du Bergeracois, sur des coteaux pentus exposés au nord de la rive gauche de la Dordogne, les vignes reçoivent la fraîcheur et les brumes de l'automne favorisant le développement du botrytis, pourriture noble donnant des vins moelleux et liquoreux.

S'étendant sur 2 500 ha dont 1 957 revendiqués en 2003 pour une production de 48 451 hl, le vignoble de monbazillac produit des vins riches. Le sol argilo-calcaire apporte des arômes intenses ainsi qu'une structure complexe et puissante qui s'harmonisera avec le foie gras, les viandes blanches à la crème ou les fraises du Périgord.

DOM. DE L'ANCIENNE CURE
Cuvée Abbaye 2002 ★★

n.c. 10 000 23 à 30 €

Seconde au grand jury mais tellement superbe, cette cuvée obtient un coup de cœur pour la deuxième année consécutive. Le nez très complexe mêle des arômes d'agrumes (citron), des notes confites, botrytisées et grillées. La richesse remarquable est contrebalancée par une bonne vivacité. Quant au bois, il est présent mais bien fondu. Monumental et élégant à la fois, un vin que l'on appréciera mieux dans quatre ou cinq ans. (Existe en bouteilles de 50 cl : 15 à 23 €.)

EARL Christian Roche, 24560 Colombier, tél. 05.53.58.27.90, fax 05.53.24.83.95, e-mail ancienne-cure@wanadoo.fr t.l.j. sf dim. 9h-18h

CH. BELINGARD Blanche de Bosredon 2002

10 ha 5 000 23 à 30 €

Les fidèles lecteurs du Guide connaissent bien ce domaine d'origine monastique, riche d'une histoire qui remonterait au temps des Gaulois. Il propose un monbazillac d'un jaune d'or franc et brillant. Le nez est puissant, chaleureux, dominé par des notes vanillées. On retrouve beaucoup de vanille, associée à des nuances boisées, dans une attaque grasse, tandis qu'un retour de fruits mûrs et une pointe de vivacité font l'agrément de la finale. Un ensemble équilibré qui doit cependant vieillir pour que le bois se fonde. Egalement cité, le **bergerac rouge 2003 (5 à 8 €)** de la même exploitation présente un nez de fruits mûrs et de cassis, des tanins souples et veloutés : un vin léger mais typé.

SCEA Comte de Bosredon, Belingard, 24240 Pomport, tél. 05.53.58.28.03, fax 05.53.58.38.39, e-mail laurent.debosredon@wanadoo.fr r.-v.

CH. LA BORDERIE 2002

n.c. 6 000 11 à 15 €

La robe est vieil or soutenu à reflets ambrés, le nez très rôti avec des notes de fruits secs et un boisé fin, bien intégré. Grasse et ronde, l'attaque apparaît fort marquée par la barrique. Le fruit (abricot, figue) revient en finale. Ni la nervosité ni la pointe de chaleur n'altèrent l'équilibre d'ensemble. Deux autres vins du domaine sont cités : le

SUD-OUEST

bergerac rosé 2003 (5 à 8 €), pour sa bouche vive aux arômes de fruits mûrs, et le **bergerac sec 2003 (5 à 8 €)**, pour sa fraîcheur et ses parfums de pêche blanche, d'agrumes et de litchi.

SCI La Borderie,
Ch. La Borderie, 24240 Monbazillac,
tél. 05.53.57.00.36, fax 05.53.63.00.94
t.l.j. sf sam. dim. 8h-12h 14h-18h

DOM. DE LA BORIE BLANCHE
Vinifié et élevé en fût de chêne 2002 ★★

3,48 ha 2 400 11 à 15 €

En achetant, en 1995, les 20 ha de prés, vignes et bois de La Borie Blanche, Emmanuelle et Jean-Luc Ojeda ont misé sur le tourisme vert : ils ont restauré les bâtiments, aménagé trois gîtes et une chambre d'hôte. Ils ont aussi relancé l'exploitation viticole, sur 5 ha. Les résultats sont encourageants, puisque plus de la moitié des superficies, plantées en vignes blanches, a donné naissance à ce monbazillac très apprécié. On pourra le goûter dans la salle de dégustation installée dans une grange en pierre. Puissant et complexe au nez, ce vin mêle les fruits frais (pêche), les fruits confits au boisé vanillé du fût. Rond et gras à l'attaque, il renoue en finale avec les fruits confits (abricot, coing) et la vanille. Une bouteille déjà agréable et qui sera à son apogée dans trois à quatre ans. (Bouteilles de 50 cl.)

Emmanuelle et Jean-Luc Ojeda,
La Borie Blanche, 24240 Pomport, tél. 05.53.73.02.45,
fax 05.53.73.02.45, e-mail ejlojeda@wanadoo.fr
t.l.j. 10h30-19h30

CH. LE CLOU Andromède 2002

2 ha 4 000 11 à 15 €

Les 28 ha de ce domaine sont conduits en agriculture biologique et ses différentes cuvées naissent sous le signe des constellations – Andromède, pour ce monbazillac doré à reflets verts, au nez passerillé, fait de raisins secs et de fruits confits, à la bouche dominée par la richesse et la douceur. Un vin bien fait mais à consommer assez rapidement (dans les deux ans à venir). Deux autres citations pour la propriété : le **bergerac sec cuvée Pléiades 2002 (5 à 8 €)**, rond et puissant, marqué par les tanins du chêne, et un autre vin passé en barrique, le **côtes-de-bergerac rouge cuvée Cassiopée 2001 (8 à 11 €)**, riche et fin, mais dont les tanins demandent, eux aussi, à se fondre.

Ch. Le Clou, 24240 Pomport,
tél. 05.53.63.32.76, fax 05.53.63.32.76,
e-mail chateau.le.clou@online.fr
t.l.j. 9h-12h 14h-18h
Manuel Killias

GRANDE MAISON Cuvée du Château 2001 ★

5 ha 7 000 15 à 23 €

Thierry Després et sa Grande Maison figurent régulièrement dans le Guide sous la rubrique monbazillac. D'une belle couleur dorée à reflets jaune paille, celui-ci libère de discrets parfums de pêche, d'abricot sec et d'orange confite dominés par un boisé de qualité. Le fruit confit se prolonge dans une bouche axée sur la douceur – une sucrosité heureusement équilibrée par une certaine vivacité en finale. Un vin riche et puissant qu'il convient d'attendre quelques années pour permettre au bois de s'intégrer. Le **bergerac sec Cuvée Sophie 2002 (5 à 8 €)**, au boisé bien fondu, obtient une citation.

Thierry Després,
Grande Maison, 24240 Monbazillac,
tél. 05.53.58.26.17, fax 05.53.24.97.36,
e-mail thierry.despres@free.fr r.-v.

CH. HAUTE-FONROUSSE
Cuvée Bois de l'Or Elevé en fût de chêne 2001

17 ha 12 000 11 à 15 €

Les Géraud sont viticulteurs de père en fils depuis 1870. Joliment nommée, leur cuvée Bois de l'Or arbore une robe brillante, jaune paille à reflets dorés. Discret bien que marqué par le bois, le nez exprime à l'aération des notes confites d'abricot. Même évolution au palais, d'abord dominé par des notes torréfiées, mais où le fruit – abricot et pêche confite – a le dernier mot dans une finale soulignée par une belle vivacité. Un ensemble plaisant et prometteur, auquel quelques années de garde devraient permettre de sortir complètement de sa gangue de chêne.

GAEC Ganfards Haute-Fonrousse,
24240 Saussignac, tél. 05.53.58.30.28,
fax 05.53.58.30.28, e-mail geraud.vins@wanadoo.fr
t.l.j. sf dim. 8h-12h 14h-19h
Géraud et Fils

CH. DU HAUT PEZAUD 2002

7 ha 5 000 11 à 15 €

D'origine belge, Christine Borgers s'est installée en 1999 en Périgord. Jaune d'or dans le verre, son monbazillac délivre de discrètes senteurs florales accompagnées de notes grillées et vanillées. Le boisé marque aussi l'attaque, ronde et assez chaleureuse, tandis que la finale apparaît onctueuse et vive avec un beau retour aromatique sur les fruits secs et grillés. Un style nerveux pour un vin à attendre quatre ou cinq ans. Egalement cité, le **côtes-de-bergerac rouge 2002 (8 à 11 €)** a, lui aussi, séjourné dans le chêne. Puissant et équilibré, il devrait être prêt dans un an ou deux.

Christine Borgers, Ch. du Haut Pezaud,
Les Pezauds, 24240 Monbazillac,
tél. 05.53.73.01.02, fax 05.53.61.35.31,
e-mail cborgers@wanadoo.fr r.-v.

CH. HAUT-THEULET 2002 ★★

17 ha 30 000 11 à 15 €

Ce château Haut-Theulet a le même propriétaire que le château Caillavel qui a proposé un remarquable monbazillac dans l'édition précédente. Quant à celui-ci, issu de vignes de soixante ans, c'est un modèle du genre. D'un magnifique jaune d'or, la robe étincelle de reflets. Le nez, d'une rare complexité, conjugue la vivacité du citron et le botrytis du coing et des fruits confits. Cette palette aromatique se prolonge en bouche, avec une légère note boisée. Portée par une belle acidité, la finale semble n'avoir pas de fin. Le type du grand liquoreux, alliance de richesse et de fraîcheur. (Bouteilles de 50 cl.)

☙ GAEC Ch. Caillavel, 24240 Pomport,
tél. 05.53.58.43.30, fax 05.53.58.20.31
☑ ⊤ ⅄ t.l.j. sf dim. 8h-12h 14h-18h30
☙ GFA Lacoste

RESERVE LAJONIE Vieilli en fût de chêne 2001

	38 ha	25 000	ⅠⅠⅠ 11 à 15 €

D'un jaune d'or assez foncé, cette réserve présente un nez frais, vif et boisé. La bouche élégante laisse d'abord s'exprimer le fruit avant de donner la parole aux notes torréfiées du bois. Un ensemble un peu fugace mais plaisant.

☙ SCEA Lajonie D.A.J.,
Saint-Christophe, 24100 Bergerac,
tél. 05.53.57.17.96, fax 05.53.58.06.46 ☑ ⊤ ⅄ r.-v.

DOM. DE LA LANDE Le Louis d'Or 2002

	2 ha	1 400	ⅠⅠⅠ 15 à 23 €

Fabrice Camus a pris la tête de ce domaine il y a cinq ans. On retrouve la propriété en monbazillac, avec un vin jaune pâle à reflets dorés. Le nez est miellé, confit, avec des notes boisées bien marquées. Nette, puissante et très liquoreuse à l'attaque, la bouche se fait plus nerveuse ensuite. Elle est marquée en finale par un beau retour sur les fruits confits. Pour l'heure un peu dominée par le bois, cette bouteille révélera toute sa richesse dans deux à trois ans. (Bouteilles de 50 cl.)

☙ Fabrice Camus,
Dom. de La Lande, 24240 Monbazillac,
tél. 05.53.73.21.79, fax 05.53.24.27.61 ☑ ⊤ ⅄ r.-v.

MOULIN DES PEZAUDS 2002

	4,38 ha	12 000	ⅠⅠ⅄ 5 à 8 €

Nicolas Pruvost a pris en 2002 la tête du domaine familial. D'un or pâle brillant, son vin séduit par son nez très fruité déclinant des notes de mangue, de citron et de fruits de la Passion. On retrouve ces arômes en bouche avec une attaque souple et bien équilibrée. Sans prétention mais sans complexe, un joli vin frais et fruité, qui trouvera sa place à l'apéritif.

☙ Nicolas Pruvost,
Moulin des Pezauds, 24240 Monbazillac,
tél. 06.30.85.32.46, fax 05.53.73.61.47
☑ ⊤ ⅄ t.l.j. 9h-19h

DOM. DE PECOULA
Cuvée Prestige Elevé en fût de chêne 2002 ★

	2 ha	4 500	ⅠⅠⅠ 11 à 15 €

Une cuvée régulièrement mentionnée, parfois aux sommets de son appellation (voir les millésimes 1998 et 1999). Le 2002 affiche une robe jaune d'or soutenu et libère au nez, après aération, des notes de fruits secs et d'abricot. Grasse, concentrée, la bouche apparaît aussi très vanillée et boisée. Puissant, très marqué par la douceur, ce vin laisse deviner un potentiel intéressant qui se révélera d'ici quelques années. (Bouteilles de 50 cl.)

☙ GAEC de Pécoula, 24240 Pomport,
tél. 05.53.58.46.48, fax 05.53.58.82.02,
e-mail pecoula.labaye@wanadoo.fr ☑ ⊤ ⅄ r.-v.

DOM. LE PETIT MARSALET
Cuvée Tradition Elevée en fût de chêne 2002 ★

	3 ha	2 400	ⅠⅠⅠ 11 à 15 €

Jean-Philippe Cathal a pris les rênes du domaine familial en 2002. La qualité est toujours au rendez-vous,

témoin cette cuvée d'un beau jaune d'or brillant. Très complexe et d'une grande fraîcheur au nez, elle mêle le miel, les fruits secs (abricot) et les fleurs. Onctueuse et volumineuse au palais, elle offre une longue finale soulignée par une belle vivacité. Un vin riche auquel l'acidité confère une certaine élégance.

☙ Marie-Thérèse Cathal, Le Marsalet,
Saint-Laurent-des-Vignes, 24100 Bergerac,
tél. 05.53.57.53.36, fax 05.53.57.53.36
☑ ⊤ ⅄ t.l.j. 8h-12h 14h-19h

DOM. DU PETIT PARIS
Cuvée Grains Nobles 2002 ★

	2 ha	4 000	ⅠⅠⅠ 15 à 23 €

Le Petit Paris de monbazillac manque rarement le rendez-vous du Guide. Sa cuvée Grains Nobles montre des reflets ambrés dans sa robe jaune d'or. Au nez, elle affiche un caractère rôti, botrytisé, avec des notes grillées. Après une attaque puissante, chaleureuse, on retrouve les fruits confits et les fruits secs, tandis que le côté toasté marque la finale persistante et vive. Un vin très concentré et puissant qui peut vieillir quatre à cinq ans.

☙ EARL Dom. du Petit Paris,
RN 21, 24240 Monbazillac,
tél. 05.53.58.30.41, fax 05.53.58.30.27,
e-mail petit-paris@wanadoo.fr ☑ ⊤ ⅄ t.l.j. 8h-20h

CH. LA ROUQUETTE 2002 ★

	6 ha	16 000	ⅠⅠ⅄ 8 à 11 €

Comme dans le millésime précédent, Yvette Lacroix a proposé un monbazillac très plaisant. Si la robe jaune doré n'est pas des plus intenses, le nez, qui mêle les agrumes, l'abricot, la mangue et les fruits secs, est fort agréable. En bouche, on apprécie une belle richesse, équilibrée par une grande fraîcheur en finale. Des notes épicées, poivrées concluent la dégustation. Un vin que l'on n'aura pas besoin d'attendre longtemps. (Bouteilles de 50 cl.)

☙ Yvette Lacroix, Les Costes, 24100 Bergerac,
tél. 05.53.57.64.49, fax 05.53.61.69.08
☑ ⊤ ⅄ t.l.j. sf dim. 10h-13h 15h-19h

CH. THEULET
Antoine Alard Elevé en fût de chêne 2001 ★

	2 ha	3 000	ⅠⅠⅠ 23 à 30 €

Le jaune paille de la robe attire. Assez botrytisé, le nez associe les fruits confits à un boisé élégant. Puissante et persistante, la bouche fait preuve d'un bel équilibre alcool-sucre et montre une fraîcheur bienvenue en finale. Un monbazillac typique. Cette exploitation se distingue très souvent dans plusieurs des couleurs du Bergeracois. On retiendra aussi le **bergerac rosé 2003 (5 à 8 €)**, un vin chaleureux aux arômes de bonbon anglais (une citation).

☙ SCEA Alard, Le Theulet, 24240 Monbazillac,
tél. 05.53.57.30.43, fax 05.53.58.88.28,
e-mail alardetfils@wanadoo.fr ☑ ⊤ r.-v.

CH. TIRECUL LA GRAVIERE
Cuvée Madame 2001

	8 ha	6 000	ⅠⅠⅠ + de 76 €

Ce domaine a obtenu une demi-douzaine de coups de cœur grâce à ses cuvées de monbazillac. Ce 2001 a été plus diversement apprécié. Est-ce en raison de sa douceur, jugée un peu lourde par certains membres du jury ? Parée d'une robe brillante, dorée à reflets jaune paille, ce millésime offre un nez harmonieux et fin entre les fruits

exotiques et le boisé. La bouche ample révèle de subtils arômes de fleurs et de miel. Sa richesse en fait un vin hors normes à réserver aux initiés. (Bouteilles de 50 cl.)
🔑 Claudie et Bruno Bilancini, Ch. Tirecul la Gravière, 24240 Monbazillac, tél. 05.53.57.44.75, fax 05.53.24.85.01, e-mail bruno.bilancini@cario.fr
☑ 🍷 ⛏ t.l.j. 10h30-12h 14h-17h30; sam. dim. et autres horaires sur r.-v.

L'EXCELLENCE DU CH. LES TOURS DES VERDOTS
Les Verdots selon David Fourtout 2001 ★★

n.c. 2 500 46 à 76 €

Très bonne année Hachette pour David Fourtout dont les cuvées proposées ont reçu un excellent accueil, aussi bien en rouge qu'en blanc. Voyez ce monbazillac d'un beau jaune doré. Puissant, vif et enjôleur au nez, il mêle le miel, la confiture et la poire. Equilibrée et persistante, la bouche donne sa juste place au boisé, qui se révèle en finale avec discrétion et délicatesse. Un vin très puissant comme tous ceux des Verdots. (Bouteilles de 50 cl.) Le **bergerac sec 2002 (38 à 45 €)** obtient une étoile. Son nez fin offre des nuances toastées et grillées. La bouche conjugue gras, rondeur et fraîcheur, la finale est encore marquée par le chêne.
🔑 EARL David Fourtout, Les Verdots, 24560 Conne-de-Labarde, tél. 05.53.58.34.31, fax 05.53.57.82.00, e-mail fourtout@terre-net.fr
☑ 🏠 🍷 ⛏ t.l.j. sf dim. 9h-12h30 14h-19h

Montravel

Sur les coteaux, de Port-Sainte-Foy et Ponchapt jusqu'à Saint-Michel-de-Montaigne, le terroir de Montravel produit, sur 378 ha, des vins blancs secs et moelleux toujours remarqués pour leur élégance. En 2003, le montravel a atteint 48 451 hl, le haut-montravel 1 873 hl tandis que le côtes-de-montravel a donné 1 877 hl. Depuis la récolte 2001, les vins rouges aux tanins concentrés et vanillés peuvent prétendre, eux aussi, à l'AOC montravel. Le millésime 2003 en rouge n'était pas prêt lors de la commission de dégustation. On trouvera la sélection 2002 dans le Guide de l'an dernier.

CH. LES GRIMARD 2003

0,6 ha 5 400 - de 3 €

D'un vert pâle brillant, la robe est engageante. Le nez exubérant exprime le buis du sauvignon, avec une touche minérale en entrée et des notes muscatées. L'attaque est très vive, la suite plus légère. Pour les fruits de mer.
🔑 GAEC des Grimard, 24230 Montazeau, tél. 05.53.63.09.83, fax 05.53.24.90.14, e-mail ch.lesgrimard@wanadoo.fr
☑ 🍷 ⛏ t.l.j. 9h-20h; dim. sur r.-v.
🔑 Jacques Joyeux et Bernard Havard

K DE KREVEL 2003

n.c. n.c. 8 à 11 €

Ce domaine, acheté en 1990 par un industriel belge, signe un montravel vert pâle, dont le nez d'abord fermé s'ouvre après agitation sur d'agréables notes florales. Ronde et volumineuse, la bouche n'est pas des plus longues mais montre de la fraîcheur en finale. Un potentiel intéressant.
🔑 Kreusch, Pommier, 24380 Creyssensac-et-Pissot, tél. 05.53.54.98.16 ☑ 🍷 ⛏ r.-v.

CH. MOULIN DE BEL-AIR 2002

2 ha 9 000 5 à 8 €

Depuis 1982, les Ley ont agrandi progressivement et replanté leur propriété, qui compte aujourd'hui 18 ha. Leur montravel s'habille d'une robe superbe, qui étincelle de reflets jaunes. Marqué au nez par des notes torréfiées, vanillées et des nuances de pain grillé, ce vin ne peut cacher son élevage dans le chêne. Après une attaque souple, discrètement fruitée, le bois fait encore sentir sa présence par des arômes vanillés. Une belle vivacité soutient l'ensemble. Une bouteille qui demande encore un à deux ans pour se fondre.
🔑 Indivision J.-F. et E. Ley, Le Castellot, 24230 Saint-Michel-de-Montaigne, tél. 05.53.58.68.15, fax 05.53.58.79.99, e-mail ley.vignobles@wanadoo.fr
☑ 🍷 ⛏ t.l.j. sf sam. dim. 9h-17h (16h ven.)

CH. ROQUE-PEYRE Elevé en fût de chêne 2002

1 ha 3 000 5 à 8 €

Créé en 1888, ce domaine de 46 ha est exploité depuis les années 1970 par la quatrième génération, qui l'a spécialisé en viticulture. Il obtient trois citations. Ce montravel, élevé en barrique sur lies fines, affiche une belle robe jaune d'or. Le nez boisé, fin et élégant, libère des notes fumées et grillées. Ce boisé bien maîtrisé se prolonge dans un palais gras, volumineux, complexe et long, vif en finale. Le **montravel cuvée classique 2003 (3 à 5 €)** a été élevé en cuve. Il est souple, avec des arômes d'agrumes au nez et en bouche (80 000 bouteilles). Quant au **bergerac rosé 2003 (3 à 5 €)**, il a été apprécié pour ses arômes de framboise, sa rondeur et sa vivacité.
🔑 Vignobles Vallette, GAEC de Roque-Peyre, 33220 Fougueyrolles, tél. 05.53.24.77.98, fax 05.53.61.36.87, e-mail vignoblesvallette@wanadoo.fr ☑ 🍷 ⛏ r.-v.

Côtes-de-montravel

CH. LESPINASSAT 2003 ★

1 ha 1 300 15 à 23 €

Originaire de Champagne, Agnès Verseau s'est installée en 1990 en Périgord, dans une maison typique avec son pigeonnier. Elle exploite une douzaine d'hectares. Un millésime propice aux liquoreux, une récolte par tries successives et beaucoup de passion lui ont permis d'élaborer ce vin des plus réussis. D'un beau jaune clair, il présente un nez discret, plutôt floral. C'est en bouche qu'il s'affirme : particulièrement gras, rond, il révèle des arômes de fruits confits et offre une longue finale fraîche sur le fruit. Doté d'un réel potentiel, ce 2003 s'épanouira dans cinq à dix ans.

☛ Agnès Verseau, Les Oliviers, 24230 Montcaret, tél. 05.53.58.34.23, fax 05.53.61.36.57, e-mail agnes.verseau@wanadoo.fr ☑ Ⲩ ⵗ r.-v.

Haut-montravel

CH. LE BONDIEU 2003 ★

	1,2 ha	4 500	▐♦	5 à 8 €

Didier Feytout a repris un domaine familial en 1990. Il est à la tête de quelque 13 ha de vignes. Il signe un haut-montravel fort apprécié. D'une belle couleur dorée, ce 2003 est à la fois floral (acacia, genêt) et fruité (cassis, fruit de la Passion) au nez. Frais et également très fruité à l'attaque, c'est un vrai moelleux à déguster jeune. En vin sec, le **montravel blanc 2003** a obtenu, lui aussi, une étoile pour son nez fleuri, sa bouche fruitée et assez vive.

☛ EARL d'Adrina, Le Bondieu, 24230 Saint-Antoine-de-Breuilh, tél. 05.53.58.30.83, fax 05.53.24.38.21 ☑ Ⲩ ⵗ r.-v.

☛ Didier Feytout

CH. PUY-SERVAIN Terrement 2002 ★

	n.c.	n.c.	11 à 15 €

Ce domaine a déjà obtenu quatre coups de cœur avec ce haut-montravel. Jaune doré à reflets verts, le 2002 apparaît intense et complexe au nez, où se mêlent le genêt et le miel. Une attaque onctueuse, sur des arômes de miel et d'orange confite, et une longue finale bien soutenue par l'acidité composent une bouteille déjà très plaisante, mais que l'on peut oublier en cave une dizaine d'années. On pourra aussi s'intéresser au **bergerac rosé 2003 (3 à 5 €)**, cité pour son nez floral et son équilibre ; un vin pour maintenant.

☛ SCEA Puy-Servain, Calabre, 33220 Port-Sainte-Foy, tél. 05.53.24.77.27, fax 05.53.58.37.43, e-mail oenovit.puyservain@wanadoo.fr ☑ Ⲩ ⵗ r.-v.

☛ Daniel Hecquet

Pécharmant

Au nord-est de Bergerac, ce « Pech », colline couverte de 429 ha de vignes, donne un vin exclusivement rouge, très riche, apte à la garde. Le millésime 2003 a produit 15 232 hl.

CH. BEAUPORTAIL Elevé en fût de chêne 2002 ★

	9 ha	35 000	ⅢⅢ	8 à 11 €

Un domaine de 10 ha conduit depuis 1998 par Fabrice Feytout. Sa cuvée élevée en fût s'habille d'une robe rouge profond à reflets violacés ; elle libère des parfums de framboise et de menthol accompagnés d'épices et d'un boisé bien fondu. En bouche, ce vin apparaît velouté et rond, avec des tanins qui n'accrochent pas la langue. Sa finale persistante sur les fruits rouges et la violette laisse une impression agréable. Bien équilibré, ce pécharmant est déjà plaisant mais gagnera à vieillir quelques années.

☛ EARL La Truffière Beauportail, 14, rte des Cabernets, 24100 Pécharmant, tél. 05.53.24.85.16, fax 05.53.61.28.63, e-mail truffiere@beauportail.com ☑ Ⲩ ⵗ t.l.j. 11h-19h

☛ F. Feytout

CH. DE BIRAN Victoria 2002

■	2,5 ha	13 500	ⅢⅢ	8 à 11 €

Ce domaine de 11 ha, qui s'est illustré dans le millésime 2000, signe un 2002 d'un rouge intense, au nez puissant et assez complexe, tout en étant très marqué par le bois. Tout aussi puissant, le palais révèle des tanins fermes. Ce vin devrait s'affiner avec le temps : on l'oubliera en cave deux ou trois ans.

☛ EARL Vignobles de Biran, 24520 Saint-Sauveur-de-Bergerac, tél. 05.53.22.46.29, fax 05.53.27.54.31, e-mail chbiran@aol.com ☑ Ⲩ ⵗ r.-v.

LES CHEMINS D'ORIENT 2002 ★★★

■	1,14 ha	4 500	ⅢⅢ	11 à 15 €

Pourquoi les Chemins d'Orient ? Parce que Régis Lansade, avant de s'intéresser au vin, a passé une longue période de sa vie en Asie centrale au profit de Médecins sans frontières. Le motif de l'étiquette de ce pécharmant reproduit la rosace sculptée dans la pierre de taille du chai. Ce pécharmant sort aussi du commun, puisqu'il a frôlé le coup de cœur. Concentré au nez, il mêle les fruits très mûrs, les épices et un boisé bien intégré. On retrouve cette empreinte harmonieuse du fût dans une bouche ample et riche, tannique en finale. Une bouteille de garde qui se révélera dans trois à cinq ans.

☛ Régis Lansade, 4, rue Georges-Martin, 24100 Bergerac, tél. 06.75.86.47.54, fax 05.53.22.08.38, e-mail regis.lansade@wanadoo.fr ☑ Ⲩ ⵗ r.-v.

CH. CORBIAC 2002 ★

■	15 ha	75 000	▐ⅢⅢ	11 à 15 €

Des hommes industrieux ont exercé ici leurs talents dès les âges les plus reculés, témoins les gisements de silex taillés trouvés à Corbiac. Sans remonter aux temps préhistoriques, ce domaine est dans la famille depuis plus de quatre cents ans. Son pécharmant affiche une couleur presque noire. Intense et complexe, le nez mêle des notes fruitées, minérales et réglissées. La structure est impressionnante, et la finale assez vive. Un ensemble puissant auquel du gibier pourra donner la réplique. Le 2000 avait obtenu un coup de cœur.

☛ Bruno de Corbiac, Ch. de Corbiac, rte de Corbiac-Pécharmant, 24100 Bergerac, tél. 05.53.57.20.75, fax 05.53.57.89.98 ☑ Ⲩ r.-v.

DOM. DES COSTES Grande Réserve 2002

■	2 ha	5 000	ⅢⅢ	23 à 30 €

Un domaine régulièrement mentionné dans le Guide, et encore cette année ; la majorité de sa production (10 ha sur 12, 35 000 bouteilles) est retenue, sous deux étiquettes. Cette Grande Réserve, grenat à reflets violacés, présente un nez intense et plaisant mariant les fruits mûrs et des notes vanillées. Une matière tannique ferme, un boisé bien

intégré mais encore austère laissant deviner un vin harmonieux et bien extrait, qui gagnera à vieillir. Le **pécharmant 2002 cuvée principale (8 à 11 €)** offre un boisé plus discret, tant au nez qu'en bouche ; ses tanins enrobés en font une bouteille déjà agréable à boire. Deux pécharmants typiques.

⊶ Nicole Dournel, Les Costes, 24100 Bergerac, tél. 05.53.57.64.49, fax 05.53.61.69.08
☒ Y ✻ t.l.j. sf dim. 10h-13h 15h-19h; groupes sur r.-v.
⊶ Gérard Lacroix

DOM. DU GRAND JAURE Mémoire 2002 ★

■ 2 ha 7 300 ⦀ 8 à 11 €

La propriété, achetée en 1920 par l'arrière-grand-père, élaborait à l'origine du vin blanc. C'est dans les années 1960 que les Baudry l'ont orientée vers la production de pécharmant. Ils ont présenté un 2002 d'un rouge assez intense, au nez très complexe mêlant des parfums fleuris et fruités associés à d'élégantes notes vanillées. Bien équilibré, sur le fruit avec toujours ce boisé vanillé, le palais offre une longue finale fraîche. Un vin un peu vif, mais élégant et plaisant.

⊶ GAEC Baudry, 16, chem. de Jaure, 24100 Lembras, tél. 05.53.57.35.65, fax 05.53.57.10.13
☒ Y ✻ t.l.j. sf dim. 8h-12h 14h-19h

CH. HUGON Elevé en fût de chêne 2001

■ 1,18 ha 3 000 ⦀ 8 à 11 €

Après un 2000 exceptionnel, ce 2001 n'est pas encore suffisamment fondu en bouche pour être apprécié à sa juste valeur, mais sa finesse et son élégance transparaissent déjà. Sa robe est très profonde, presque noire. Le nez associe les fruits mûrs, le cassis, la réglisse et des notes vanillées. Si le boisé doit encore s'intégrer, la bouche se montre ronde, plutôt sur le fruit, avec des tanins serrés, dénués d'agressivité.

⊶ Bernard Cousy, Haut Pécharmant, 24100 Bergerac, tél. 05.53.63.28.44 ☒ Y ✻ r.-v.

DOM. LA METAIRIE
Elevé en barrique 2002 ★★

■ 7 ha 8 000 ⦀ 8 à 11 €

Habillée d'une robe rouge sombre à nuances violacées, cette cuvée séduit par un nez complexe et épicé, où les parfums de fruits mûrs et de pruneau s'accompagnent d'effluves de cannelle, de muscade et de notes vanillées élégantes. On retrouve ces notes épicées en bouche, en totale harmonie avec l'olfaction. Une attaque souple, aux tanins soyeux, une finale longue, aromatique, joliment boisée composent une bouteille flatteuse que l'on pourra déboucher d'ici deux ou trois ans.

⊶ SARL Dom. La Métairie,
Montpeyroux, 24610 Villefranche-de-Lonchat,
tél. 05.53.80.09.89, fax 05.53.80.14.72
☒ Y t.l.j. sf sam. dim. 8h30-12h 14h-18h

CH. LA RENAUDIE
Les Vieilles Vignes Elevé en fût de chêne 2002 ★★

■ 7 ha 6 660 ⦀ 11 à 15 €

Le château du XVIIIes. commande un vaste domaine de plus de 100 ha, dont une quarantaine en appellation pécharmant. Il a donné ici une cuvée à la robe dense, presque noire, et au nez complexe, mariant harmonieusement la violette, les fruits mûrs et un boisé bien fondu. L'attaque onctueuse et aux tanins bien mûrs, serrés et enrobés, introduit un palais concentré, à la fois puissant et élégant. Déjà agréable, cette bouteille pourra attendre trois à cinq ans.

⊶ SCEA Ch. La Renaudie, 24100 Lembras,
tél. 05.53.27.05.75, fax 05.53.73.37.10
☒ Y ✻ t.l.j. 9h-19h

CH. TERRE VIEILLE
Vieilli en fût de chêne 2002 ★★

■ 7,5 ha 45 000 ⦀ 8 à 11 €

Cette « terre vieille » était jonchée de silex taillés légués par les hommes préhistoriques, trouvailles maintenant exposées au domaine. Elle fut arpentée, au début du XIXes., par le philosophe Maine de Biran. S'interrogeant sur les relations entre les sensations et le moi, l'auteur de l'*Essai sur les fondements de la psychologie* se serait sans doute intéressé aux commentaires suscités par le fruit de ses vignes. Un vin presque noir au nez expressif, alliant la cerise à un boisé élégant. En bouche, une attaque pleine et ronde, une matière d'une rare concentration aux tanins opulents, au boisé intense mais bien maîtrisé. Un vin qui pourra méditer une dizaine d'années... en compagnie du 1998, qui fut coup de cœur lui aussi.

⊶ Gérôme et Dolorès Morand-Monteil,
Ch. Terre-Vieille, 24520 Saint-Sauveur-de-Bergerac,
tél. 05.53.57.35.07, fax 05.53.61.91.77,
e-mail gerome-morand-monteil@wanadoo.fr
☒ ✻ t.l.j. sf dim. 9h-19h

CH. DE TIREGAND 2002

■ 35 ha 120 000 ▮⦀⫰ 8 à 11 €

Un château du XVIIIes., agrandi au siècle suivant, agrémenté d'un parc et commandant un vignoble en pécharmant. Le domaine est adhérent du réseau Farre qui encourage une viticulture respectueuse de l'environnement. Comme dans les millésimes antérieurs, il figure dans le Guide, cette fois grâce à une cuvée classique. D'un rouge grenat intense, celle-ci offre un nez complexe fait de notes vanillées boisées. Après une attaque souple, sur le fruit, la bouche se fait puissante et tannique. La finale laisse une sensation fruitée agréable. Ce vin gagnera en finesse d'ici deux à trois ans.

⊶ Hrs. Comtesse F. de Saint-Exupéry,
Ch. de Tiregand, 24100 Creysse,
tél. 05.53.23.21.08, fax 05.53.22.58.49,
e-mail chateautiregand@club-internet.fr
☒ Y ✻ t.l.j. sf dim. 9h30-12h 14h-18h

DOM. DU VIEUX SAPIN
Elevé en fût de chêne 2002 ★

■ n.c. 50 000 ⦀ 5 à 8 €

L'Union viticole Bergerac-Le Fleix résulte de la fusion, en 1990, des coopératives de ces communes (Le

Fleix étant située à la limite de la Dordogne). C'est un important ensemble regroupant plus de deux cents adhérents. Elle vinifie pour des domaines particuliers, comme celui du Vieux Sapin. D'un rouge profond, ce pécharmant offre un nez intense, libérant des parfums de fruits mûrs, puis des senteurs vanillées et toastées. Puissant en attaque, avec du fruit et de la matière, il présente une finale un peu vive marquée par des arômes de cassis et des notes boisées. Un vin dont on apprécie la montée en puissance et le potentiel de garde. Le **Château La Mouthe 2002** des Chadourne, dominé par le boisé, est cité, ainsi que l'**Etiquette noire 2002** de la coopérative.

Union vinicole Bergerac-Le Fleix,
Le Vignoble, 24130 Le Fleix,
tél. 05.53.24.64.32, fax 05.53.24.65.46 r.-v.
Casenille

Rosette

Dans un amphithéâtre de collines dominant au nord la ville de Bergerac et sur un terroir argilo-graveleux, rosette est l'appellation la plus méconnue et la plus confidentielle de la région avec 443 hl produits en 2003 sur 18 ha.

CH. PUYPEZAT-ROSETTE Cuvée Prestige 2001

10,5 ha 8 800 11 à 15 €

Ce vin arrête le regard par sa robe au jaune clair engageant. Complexe, son nez mêle des notes fruitées et des nuances de cire. On retrouve en bouche des arômes de fruits mûrs d'une belle intensité. Bien équilibrée, cette bouteille révèle quelques signes d'évolution au nez comme en bouche : on la débouchera dès maintenant.

GAEC de Puypezat, Bernad Frères,
24100 Bergerac, tél. 05.53.57.27.69, fax 05.53.24.63.23,
e-mail jj.bernad@tele2.fr t.l.j. 8h-20h

CH. DU ROOY 2003 ★

1,2 ha 4 000 5 à 8 €

De la propriété, la vue embrasse un magnifique panorama sur la ville de Bergerac, la vallée de la Dordogne et le coteau de Monbazillac. Depuis 1998, le domaine, qui vendait auparavant au négoce, est exploité par Gilles Géraud qui le restructure et vient d'aménager un chai à barriques. Il figure au nombre des rares producteurs de rosette. D'un jaune très clair à reflets verts, ce 2003 offre un nez puissant, aux notes de pamplemousse. Fruitée et pleine de fraîcheur également, la bouche se distingue par sa persistance. Egalement digne d'intérêt, le **pécharmant Château du Rooy rouge 2002 élevé en fût** est un peu léger mais a été cité pour le côté flatteur de ses tanins soyeux.

Gilles Gérault, Rosette, 24100 Bergerac,
tél. 05.53.24.13.68, fax 05.53.73.87.65,
e-mail gilles.gerault@wanadoo.fr r.-v.

Saussignac

Loué au XVI[e]s. par le Pantagruel de François Rabelais, inscrit au cœur d'un superbe paysage de plateaux et de coteaux, ce terroir donne naissance à de grands vins moelleux et liquoreux. La production a atteint 1 378 hl pour 93 ha déclarés en 2003.

CH. LE CHABRIER Cuvée Eléna 2002 ★

3,25 ha 2 800 23 à 30 €

Riche d'une longue histoire remontant à la guerre de Cent Ans, ce château commande un domaine de 35 ha que Pierre Carle a converti à l'agriculture biologique. En rouge comme en blanc, ses vins sont souvent mentionnés dans le Guide. Ce saussignac par exemple, très admiré dans le millésime précédent. D'un beau jaune doré, il associe au nez des notes grillées et des fruits confits, nuance aromatique qui se prolonge en bouche. Un ensemble harmonieux. Deux autres vins de la propriété sont cités : le **côtes-de-bergerac rouge Pierre qui roule 2002 (5 à 8 €)**, très rond avec des tanins fondus, à boire sans tarder, et le **bergerac sec Le Contrepoint 2002 (5 à 8 €)**, aux arômes fruités et minéraux.

Pierre Carle, Ch. Le Chabrier,
24240 Razac-de-Saussignac,
tél. 05.53.27.92.73, fax 05.53.23.39.03,
e-mail chateau.le.chabrier@tele2.fr r.-v.

CH. LA MAURIGNE Cuvée La Maurigne 2002

4 ha 6 000 8 à 11 €

Ce domaine de 5,5 ha a été racheté par les Gérardin en 1997. Cette cuvée La Maurigne, d'un joli doré, n'a pas l'envergure du millésime précédent, mais son nez, évoluant des agrumes (citron, pamplemousse) vers des notes de miel et de cire, son attaque franche et puissante, son gras et son onctuosité en font un ensemble plaisant qui mérite d'être découvert.

Chantal et Patrick Gérardin,
Ch. La Maurigne, 24240 Razac-de-Saussignac,
tél. 05.53.27.25.45, fax 05.53.27.25.45,
e-mail contact@chateaulamaurigne.com
t.l.j. 9h-19h

CH. MIAUDOUX 2002 ★

2 ha 6 000 15 à 23 €

Depuis qu'il exploite le château des Miaudoux – qu'il a racheté à la famille Martinet en 1991 – Gérard Cuisset a récolté nombre d'étoiles et de coups de cœur (cinq, dont trois en saussignac). D'un jaune d'or engageant, ce 2002 mêle au nez les fruits confits, le miel et la noisette. Une attaque souple, onctueuse, une finale longue, soutenue par une belle acidité et marquée d'une pointe d'amertume composent un ensemble très harmonieux. A signaler encore, le **bergerac sec L'Inspiration des Miaudoux 2002 (11 à 15 €)**. Bien équilibré mais encore dominé par le bois, il est cité.

Gérard et Nathalie Cuisset,
Les Miaudoux, 24240 Saussignac,
tél. 05.53.27.92.31, fax 05.53.27.96.60,
e-mail gerard.cuisset@terre-net.fr r.-v.

CH. RICHARD Coup de cœur 2002

3 ha 7 600 15 à 23 €

Un père britannique, pilote de Spitfire. Une mère originaire du Tronçais et un grand-oncle tonnelier. Richard

SUD-OUEST

Doughty, le fils, a été dans une première vie océanographe, explorateur pétrolier, baroudeur international, puis il a été parachuté dans le vignoble en se cassant la jambe en 1988 ! Cet écologiste dans l'âme exploite son domaine en agrobiologie. D'un jaune d'or soutenu, son saussignac séduit au nez, où se mêlent les fruits confits et les arômes légués par le bois, vanille et notes toastées. Une belle onctuosité se développe en bouche. (Bouteilles de 50 cl.)

🔑 Richard Doughty, Ch. Richard, 24240 Monestier,
tél. 05.53.58.49.13, fax 05.53.58.49.30,
e-mail info@chateaurichard.com
▽ 🏠 Ỵ 🚶 t.l.j. 9h-12h 14h-19h; sam. dim. sur r.-v.

CH. TOURMENTINE Chemin neuf 2001

	2,5 ha	6 000	🍷	11 à 15 €

Ce domaine fait régulièrement bonne figure dans le Guide. Son saussignac 2001 affiche une robe dorée bien franche. Le nez libère des notes réglissées et des nuances de fruits confits, puis une touche plus florale. Ample et ronde, la bouche se fait nerveuse en finale. Un vin concentré mais sans excès, à boire plutôt jeune (dans les deux à cinq ans à venir). Cité lui aussi, le **bergerac sec élevé en barrique 2002 (8 à 11 €)** apparaît frais et souple à l'attaque. Un vin léger et agréable, assez marqué par le bois.

🔑 EARL Vignobles Huré, Ch. Tourmentine,
24240 Monestier, tél. 05.53.58.41.41,
fax 05.53.63.40.52, e-mail actjmhure@wanadoo.fr
▽ 🏠 Ỵ 🚶 t.l.j. 9h-12h 14h30-17h30

DOM. DU VIGNEAUD Cuvée Jean Lagarde 2002 ★

	1 ha	3 000	🍷	5 à 8 €

Eric Lagarde a repris le vignoble familial en 2001, il représente la sixième génération sur ce domaine qui s'affirme d'année en année. Son saussignac s'habille d'une brillante robe doré pâle. Les fruits confits et les agrumes dominent au nez, accompagnés d'une touche boisée. Une attaque grasse, un milieu de bouche harmonieux et une belle vivacité en finale font le charme de ce vin. Le **bergerac rouge cuvée Jean Lagarde 2002** obtient, lui aussi, une étoile. Fruité et mentholé au nez, il est très marqué par le bois et devra être oublié deux ou trois ans en cave afin de permettre à ses tanins de s'arrondir. (Bouteilles de 50 cl.)

🔑 Eric Lagarde, Le Vigneaud, 24240 Monestier,
tél. 05.53.61.17.33, fax 05.53.61.17.33 ▽ Ỵ 🚶 r.-v.

Côtes-de-duras

Les côtes-de-duras sont issus d'un vignoble de près de 2 054 ha qui est le prolongement naturel du plateau de l'Entre-deux-Mers. On raconte qu'après la révocation de l'Edit de Nantes, les exilés huguenots gascons faisaient venir le vin de Duras jusqu'à leur retraite hollandaise et marquaient d'une tulipe les rangs de vigne qu'ils se réservaient.

Sur des coteaux découpés par la Dourdèze et ses affluents, avec des sols argilo-calcaires et des boulbènes, les côtes-de-duras ont accueilli tout naturellement les cépages bordelais. En blanc, sémillon, sauvignon et muscadelle ; en rouge, cabernet franc, cabernet-sauvignon, merlot et malbec. On trouve également le chenin, l'ondenc et l'ugni blanc. La gloire de Duras, c'est bien le vin blanc avec 39 031 hl en 2003 : des moelleux suaves, mais surtout des blancs secs à base de sauvignon, qui sont de réelles réussites. Racés, nerveux, dotés d'un bouquet spécifique, ils accompagnent à merveille fruits de mer et poissons de l'Océan. Les vins rouges, souvent vinifiés en cépages séparés, sont charnus, ronds et d'une belle couleur. La région a également produit des vins rosés fruités et gouleyants. Rouges et rosés représentent 72 508 hl.

DOM. DES ALLEGRETS Moelleux 2002 ★★

	1 ha	4 000	🍾	5 à 8 €

Un domaine souvent au sommet : ne décroche-t-il pas ici son cinquième coup de cœur ? En moelleux, les 1996, 1997 et 1998 avaient fait l'unanimité. Celui-ci aussi. Il est fort différent du millésime précédent qui se distinguait par sa richesse en sucres : lui, donne la priorité au fruit. Brillant, d'un beau jaune d'or, il séduit par la finesse et l'élégance de son nez où se mêlent des senteurs florales et fruitées (pêche jaune et pamplemousse). La pêche, alliée à l'abricot sec et aux fruits confits, se retrouve dans une bouche moelleuse sans lourdeur, à la finale fraîche et fruitée. Une harmonie subtile et aérienne.

🔑 SCEA Blanchard,
Dom. des Allégrets, 47120 Villeneuve-de-Duras,
tél. 05.53.94.74.56, fax 05.53.94.74.56 ▽ Ỵ 🚶 r.-v.

DOM. DES ALLEGRETS
Vieilli en fût de chêne 2002 ★★

	3 ha	15 000	🍷	5 à 8 €

L'excellence après le coup de cœur : en rouge également, ce 2002 est dans la lignée du remarquable millésime précédent, monté sur le podium dans la dernière édition. Il s'annonce par une robe brillante, grenat soutenu, et par un nez puissant, finement boisé et réglissé. La bouche, d'une rare persistance, est faite d'une matière riche aux tanins fins. Un vin déjà voluptueux et qui pourra encore gagner en fondu. Quant au **côtes-de-duras blanc sec 2003 élevé en fût de chêne**, il apparaît encore dominé par le bois ; il est cité.

🔑 SCEA Blanchard,
Dom. des Allégrets, 47120 Villeneuve-de-Duras,
tél. 05.53.94.74.56, fax 05.53.94.74.56 ▽ Ỵ 🚶 r.-v.

B DE BERTICOT Cuvée authentique 2001 *

■ n.c. 50 000 ▮ ◍ ⚲ 3 à 5 €

A la suite du Marquis, tout un cortège de Berticot décorés d'une étoile : ce B de Berticot, en robe profonde, un rien évoluée, fruits et tabac blond au nez, fruits rouges en bouche, équilibré, bien structuré, assez tannique et à attendre un an ou deux ; les **Hauts de Berticot rouge 2002 élevé en fût**, qui, malgré un séjour dans le bois, donnent déjà une impression de fondu et pourront être dégustés, eux aussi, assez vite ; puis, prêts à boire, ces vins élevés en cuve : **Honoré de Berticot rouge 2002**, souple, friand, au joli fruité (fruits noirs) ; les **Remparts de Berticot rouge 2002**, cerise à l'œil, subtils et fruités au nez, fort élégants avec leurs tanins enrobés aux accents de cassis ; les **Remparts de Berticot rosé 2003**, souples et tanniques, pour les viandes blanches. Une citation pour fermer le ban : le **rosé Honoré de Berticot 2003**, vin léger pour l'apéritif. Au total, près de 500 000 bouteilles !

⊶ Prodiffu,
17-19, rte des Vignerons, 33790 Landerrouat,
tél. 05.56.61.33.73, fax 05.56.61.40.57,
e-mail prodiffu@prodiffu.com

DUC DE BERTICOT 2002 *

■ 12 ha 50 000 ▮ ◍ ⚲ 5 à 8 €

Au fait, pourquoi Berticot ? Il s'agit d'un lieu-dit de Duras, choisi pour implanter la coopérative dans les années 1960. Celle-ci a fusionné il y a quelques années avec celle de Landerrouat en Gironde. Ce vin est commercialisé directement à la cave. Sa robe rubis présente quelques reflets tuilés. Largement dominé par le bois, le nez laisse percevoir des notes fruitées et végétales. En bouche, on trouve rondeur et puissance, et des arômes de fruits rouges fondus dans un boisé très grillé. Tannique en finale, cette bonne bouteille devrait gagner à attendre un an ou deux.

⊶ SCA Vignerons de Landerrouat-Duras, Berticot,
47120 Duras, tél. 05.53.83.75.47, fax 05.53.83.82.40,
e-mail berticot@wanadoo.fr ☑ Y ✶ r.-v.

MARQUIS DE BERTICOT 2003 **

▩ n.c. 70 000 ▮ ⚲ 3 à 5 €

Ce rosé est commercialisé par Prodiffu, groupement de coopératives d'importance régionale, qui écoule des millions de cols de vins du Bergeracois et du Bordelais. Il est produit en gros volumes, ce qui ne l'empêche pas d'être remarquable d'harmonie. Pimpante et vivante, la robe tire sur le rouge. Les parfums intenses évoquent les fruits mûrs, la groseille surtout. L'attaque est riche et douce, la bouche à la fois croquante et fondante. Le vin plaisir par excellence. Le **Marquis de Berticot rouge 2002** reçoit une étoile pour sa bonne structure.

⊶ Prodiffu,
17-19, rte des Vignerons, 33790 Landerrouat,
tél. 05.56.61.33.73, fax 05.56.61.40.57,
e-mail prodiffu@prodiffu.com

DOM. LES BERTINS 2003 **

▩ 1 ha 7 800 ▮ ⚲ 3 à 5 €

On retrouve ce domaine avec deux vins très intéressants. Ce rosé, à la robe vive et éclatante aux reflets rubis, au nez de fruits rouges (framboise), rond en bouche et vif en finale, séduit par son équilibre, la fraîcheur qui s'en dégage et l'harmonie de ses arômes. Quant au **rouge cuvée Dominique élevé en fût 2001 (5 à 8 €)**, il obtient une étoile. Pour l'heure encore tannique, il sera très intéressant d'ici deux à trois ans. Il pourrait accompagner les conserves de canard gras produites par le domaine.

⊶ SARL Les Bertins-Manfé, Les Bertins,
47120 Saint-Astier-de-Duras, tél. 05.53.94.77.34,
fax 05.53.94.76.64 ☑ ⌂ Y ✶ t.l.j. 9h-12h30 14h-19h

CH. DES BRUYERES Sec 2003 *

□ 1,97 ha 12 000 3 à 5 €

Achetée en 1997 par des Hollandais, cette propriété commence à prendre ses habitudes dans le Guide. Son blanc sec et son rosé obtiennent une étoile chacun. Limpide avec des reflets verts, le premier libère de puissants parfums floraux. Souple et ronde, la bouche offre une belle expression fruitée. Un vin à servir bien frais, à l'apéritif. Le **rosé 2003** est assez charpenté, presque tannique, d'une belle nervosité en bouche.

⊶ Piet et Annelies Heide,
Ch. des Bruyères, 47120 Loubès-Bernac,
tél. 05.53.94.22.61, fax 05.53.94.22.61,
e-mail piet.heide@wanadoo.fr ☑ Y ✶ r.-v.

CH. CONDOM 2002

■ 3 ha 18 000 ▮ ◍ ⚲ 5 à 8 €

Le château, qui remonte à l'époque du Roi-Soleil, commande un vignoble de 4,5 ha situé sur un point haut de l'appellation. Ce 2002 présente une robe d'un rouge sombre limpide. Encore un peu fermé, il libère à l'agitation des parfums de fruits rouges bien mûrs accompagnés d'une pointe animale. Cette palette aromatique se prolonge dans une bouche équilibrée et de structure moyenne. Un vin prêt dès cet automne. Du même domaine, le **moelleux cuvée Perceval 2002 (30 à 38 €)** a été élevé en barrique d'acacia. Il est cité pour sa grande douceur et sa complexité.

⊶ SCEA Condom,
Ch. Condom, 47120 Loubès-Bernac,
tél. 05.53.76.03.70, fax 05.53.76.03.79,
e-mail flavones@wanadoo.fr ☑ ⌂ Y ✶ r.-v.

DOM. DE FERRANT Sec Sauvignon 2003

□ 1,25 ha 6 500 ▮ ⚲ 3 à 5 €

Ce domaine de 12,5 ha a changé de mains. 2003 est le premier millésime élaboré par les nouveaux propriétaires, qui ont obtenu deux citations. D'un jaune pâle brillant, le vin blanc est net et puissant au nez, où se mêlent les agrumes, la pêche et les fruits exotiques. Après une attaque vive, franche et fruitée, il se montre assez gras avant de finir sur une pointe d'amertume. Un sauvignon typique de l'appellation. Quant au **rosé 2003**, il a séduit le jury par son fruité et sa fraîcheur.

⊶ Dom. de Ferrant, 47120 Esclottes,
tél. 05.53.84.45.02, fax 05.53.93.52.10,
e-mail vignobles.vuillien@free.fr
☑ Y ✶ t.l.j. sf sam. dim. 8h-17h
⊶ Denis Vuillien

DOM. DU GRAND MAYNE
Sauvignon Cuvée des Vendangeurs 2003 **

□ 1,5 ha 10 000 ◍ 5 à 8 €

D'origine britannique, Andrew Gordon a racheté ce domaine il y a dix-sept ans. Il l'a restauré et en a fait une valeur sûre de l'appellation, dont les vins sont régulièrement bien notés par les jurés du Guide. L'originalité de cette cuvée réside dans la fermentation en barrique suivie d'un élevage sur lies avec bâtonnage. La robe est restée

SUD-OUEST

claire avec des reflets vert-jaune. D'une intensité peu commune, à la fois floral et fruité, le nez est caractéristique du sauvignon. Ronde et puissante, la bouche est tout aussi aromatique et devrait encore se bonifier. Par ailleurs, les cuvées classiques du domaine en **blanc sec 2003 (3 à 5 €)** et en **rouge 2002** ont été citées.
Andrew Gordon, Le Grand Mayne,
47120 Villeneuve-de-Duras, tél. 05.53.94.74.17,
fax 05.53.94.77.02, e-mail agordon@terre-net.fr
t.l.j. sf sam. dim. 9h-12h 14h-17h

DOM. DE LAPLACE 2002 ★

3 ha 12 000 3 à 5 €

Couvrant des coteaux argilo-calcaires, les vignes du domaine ont donné naissance à un vin rouge d'une belle couleur foncée, aux plaisants parfums de fruits mûrs, voire confits, accompagnés de notes épicées. Après une attaque souple et fruitée, on découvre une très bonne structure avec des tanins jeunes mais de qualité. Une bouteille harmonieuse et concentrée, au potentiel intéressant. Le **rosé 2003** a été cité pour sa fraîcheur et ses arômes de fruits rouges (fraise).
Jean-Luc Carmelli,
Dom. de Laplace, 47120 Saint-Jean-de-Duras,
tél. 05.53.83.00.77, fax 05.53.20.85.93,
e-mail laplace.carmelli@wanadoo.fr r.-v.

DOM. DE LAULAN Duc de Laulan 2001 ★

3 ha 18 000 5 à 8 €

En trente ans, les Geoffroy ont donné à ce domaine un bon niveau qualitatif, qui se traduit par des mentions régulières en côtes-de-duras. Ce Duc de Laulan s'habille d'une robe rubis limpide. Au nez, son fruité est fin et élégant, et le boisé lui confère des notes grillées. La bouche séduit par son bel équilibre, ses tanins parfaitement fondus et sa bonne longueur. Une bouteille prête à paraître à table. Aussi agréable et fruité, le **domaine de Laulan rouge 2002 (3 à 5 €)** n'a pas connu le bois. Il est cité, tout comme le **domaine de Laulan sec 2003 (3 à 5 €)** aux arômes de sauvignon particulièrement puissants.
EARL Geoffroy, Dom. de Laulan, 47120 Duras,
tél. 05.53.83.73.69, fax 05.53.83.81.54,
e-mail domaine.laulan@wanadoo.fr
t.l.j. sf dim. 8h-12h 14h-18h

CH. MOLHIERE
Sec Sauvignon Terroirs des Ducs 2003 ★★

10 ha 50 000 3 à 5 €

Au XVIe s., un nommé Lamolhière, venu repeupler le pays de Duras dévasté par la guerre de Cent Ans, obtient une tenure du baron de Duras. A la suite de leur seigneur, les Molhière se convertissent au protestantisme. Un descendant finit aux galères après la révocation de l'Edit de Nantes, et le domaine est confisqué. Quelques siècles plus tard, en 1952, Claude Blancheton, originaire du Bordelais, le rachète. Aujourd'hui, ses fils présentent régulièrement des vins remarquables. Pour ce blanc, ils ont changé de méthode de vinification, délaissant la macération pelliculaire au profit d'un élevage sur lie. Jaune clair à reflets verts, ce sauvignon séduit par son nez à la fois puissant et fin, exotique et floral. Sa rondeur et son gras sont soutenus par une belle acidité en finale. Un ensemble riche, complexe et très harmonieux.
Patrick et Francis Blancheton Frères, La Moulière,
47120 Duras, tél. 05.53.83.70.19, fax 05.53.83.07.30,
e-mail patrick.blancheton@wanadoo.fr r.-v.

CH. MOLHIERE Les Maréchaux 2002 ★★

2 ha 14 000 5 à 8 €

Une remarquable réussite en rouge également pour le Château Molhière, avec deux étoiles pour ces Maréchaux, comme dans le millésime précédent. La robe est sombre et profonde. Le nez complexe mêle agréablement fruits rouges, notes boisées et épicées. Ronde et charnue, l'attaque permet de retrouver les arômes perçus à l'olfaction. Avec des tanins très présents mais fondus, une finale d'une rare persistance, la puissance et l'harmonie sont au rendez-vous. Quant au **rosé Terroirs des Ducs 2003 (3 à 5 €)**, il obtient une étoile pour son fruité et son équilibre.
Patrick et Francis Blancheton Frères, La Moulière,
47120 Duras, tél. 05.53.83.70.19, fax 05.53.83.07.30,
e-mail patrick.blancheton@wanadoo.fr r.-v.

DOM. DU PETIT MALROME
Moelleux Soleil de Malromé 2002 ★★

1 ha 5 000 8 à 11 €

Représentant la quatrième génération sur le domaine, Geneviève et Alain Lescaut ont orienté le vignoble vers la biodynamie. Ils soumettent régulièrement aux jurés du Guide de remarquables cuvées, comme ce moelleux. Sa robe jaune paille laisse deviner une belle concentration. Si le nez n'est pas des plus puissants, il séduit par sa complexité : le miel, l'acacia et l'abricot s'y marient à un très joli boisé. Une grande douceur règne en bouche, avec du gras et du fruit confit. L'équilibre entre le vin et le bois est parfait. Une bouteillle qui ne peut que se bonifier avec l'âge. (Bouteilles de 50 cl.) La **Cuvée Cadette rouge 2002 (5 à 8 €)** se montre imposante par sa structure tannique mais élégante. Un vin de garde (deux ou trois ans) qui obtient une étoile. Cité par le jury, le **blanc sec 2003 élevé en fût (5 à 8 €)** respecte le fruit.
Alain Lescaut,
Dom. du Petit Malromé, 47120 Saint-Jean-de-Duras,
tél. 05.53.89.01.44, fax 05.53.89.01.44,
e-mail petitmalrome@oreka.com r.-v.

DOM. DU VIEUX BOURG Sec Sauvignon 2003 ★★

11,71 ha 25 000 3 à 5 €

Un autre domaine habitué du Guide. Ces dernières années, ses vins blancs ont trouvé bon accueil auprès des jurés. Ce sauvignon est remarquable dans ce millésime. Sa robe limpide se nuance discrètement de vert. Frais et floral, le nez évoque le sauvignon à parfaite maturité. Des arômes de fruits à chair blanche imprègnent une bouche d'une rare puissance et d'une belle rondeur. Un ensemble équilibré et harmonieux qui peut encore se bonifier avec le temps. Quant au **rosé 2003**, il obtient une étoile pour sa rondeur et son fruité un rien surmûri.
Bernard Bireaud, Le Vieux Bourg, 47120 Pardaillan,
tél. 05.53.83.02.18, fax 05.53.83.02.37,
e-mail vieux-bourg2@wanadoo.fr r.-v.

Vins de liqueur de Gascogne

Floc-de-gascogne

Le floc-de-gascogne est produit dans l'aire géographique d'appellation bas-armagnac, armagnac-ténarèze et haut-armagnac répondant aux dispositions du décret du 15 avril 2003. Cette région viticole fait partie du piémont pyrénéen et se répartit sur trois départements : le Gers, les Landes et le Lot-et-Garonne. Afin de donner une force supplémentaire à l'antériorité de leur production, les vignerons du floc-de-gascogne ont mis en place un principe nouveau qui n'est ni une délimitation parcellaire telle qu'on la rencontre pour les vins, ni une simple aire géographique telle qu'on la rencontre pour les eaux-de-vie. C'est le principe des listes parcellaires approuvées annuellement par l'INAO.

Les blancs (4 500 à 5 500 hl) sont issus des cépages colombard, gros manseng et ugni blanc, qui doivent ensemble représenter au moins 70 % de l'encépagement, et ne peuvent dépasser seuls 50 % depuis 1996, avec pour cépages complémentaires le baroque, la folle blanche, le petit manseng, le mauzac, le sauvignon, le sémillon ; pour les rosés (4 000 à 5 000 hl), les cépages sont le cabernet franc et le cabernet-sauvignon, le cot, le fer servadou, le merlot et le tannat, ce dernier ne pouvant dépasser 50 % de l'encépagement.

Les règles de production mises en place par les producteurs sont contraignantes : 3 300 pieds/ha taillés en guyot ou en cordon, nombre d'yeux à l'hectare toujours inférieur à 60 000, irrigation des vignes strictement interdite en toute saison, rendement de base des parcelles inférieur ou égal à 60 hl/ha.

Chaque viticulteur doit, chaque année, souscrire la déclaration d'intention d'élaboration destinée à l'INAO, afin que ce dernier puisse vérifier réellement sur le terrain les conditions de production. Les moûts récoltés ne peuvent avoir moins de 170 g/l de sucres de moût. La vendange, une fois égrappée et débourbée, est mise dans un récipient où le moût peut subir un début de fermentation. Aucune adjonction de produits extérieurs n'est autorisée. Le mutage se fait avec une eau-de-vie d'armagnac d'un compte d'âge minimum 0 et d'un degré minimum de 52 % vol. Tous les lots de vins sont dégustés et analysés. En raison de l'hétérogénéité toujours à craindre de ce type de produit, l'agrément se fait en bouteilles.

L'ARMAGNACAISE

n.c. 6 600 **8 à 11 €**

Cette cave coopérative est située à cheval sur le Bas-Armagnac et la Ténarèze. Elle a présenté un floc blanc et un rosé, tous deux cités. Le premier, d'un jaune pâle brillant, mêlant au nez le pamplemousse, la reine-claude, l'acacia et des notes épicées, est discrètement marqué par l'armagnac. Cette complexité se prolonge dans un palais gras à l'attaque, plutôt vif en finale. Le **rosé** est d'un rouge carmin. Il offre un plaisir diffus entre fruit et sucrosité. Deux flocs à découvrir lors des *ferias* de Pentecôte, du festival *Tempo latino* (fin juillet), ou lors des marchés nocturnes (juillet-août).

L'Armagnacaise,
rte de Mouchan, 32190 Vic-Fezensac,
tél. 05.62.98.05.25, fax 05.62.06.34.21 r.-v.

DOM. DE BILE ★★★

2 ha 6 466 8 à 11 €

Une ferme de 1830 campée sur un coteau du Haut-Armagnac, non loin du village de Bassoues-d'Armagnac, sur la route des bastides et des castelnaus. Très ouvert aux touristes avec son marché d'été à la ferme, ses soirées thématiques (distillation dans le cadre de la Flamme d'Armagnac), ses journées vendanges, ce domaine s'est donné les moyens de réussir. Son floc y contribue grandement. Un coup de cœur distingue le rosé vêtu d'une robe rubis à reflets violines des plus avenantes. Ses parfums intenses et complexes associent les fruits rouges (fraise, cerise), les fleurs (violette) et des notes épicées dans une belle harmonie. Dans la continuité du nez, le palais révèle un mariage parfait de l'alcool et du fruit. La finale d'une rare longueur laisse sur une sensation de plaisir mémorable. Habillé de jaune pâle, le **floc blanc** (cité) offre un nez grillé et vanillé. Une attaque fraîche introduit une bouche marquée par la douceur et des nuances abricotées.

EARL Della-Vedove,
Dom. de Bilé, 32320 Bassoues-d'Armagnac,
tél. 05.62.70.93.59, fax 05.62.70.93.59,
e-mail armagnac.della-vedove@marciac.net
t.l.j. 8h-20h

DOM. DES CASSAGNOLES ★★

5 ha 5 272 8 à 11 €

Fondé au siècle dernier, ce domaine entièrement viticole dispose de 90 ha de vignes. Spécialisé à l'origine dans la distillation d'armagnac, il a diversifié sa production, régulièrement distinguée par les jurys Hachette (cinq coups de cœur à son actif, dont deux récents pour ses flocs). Habillé d'une robe rubis rutilante, ce rosé évoque au nez une salade de petits fruits (cassis, fraise, framboise) légèrement vanillée, fruité qui se prolonge en bouche. Gras à l'attaque, il procure un réel bien-être par sa souplesse, sa rondeur, son équilibre et sa longueur. Un ensemble captivant et riche, à déguster à tout moment.

⊶ J. et G. Baumann, Dom. des Cassagnoles,
EARL de la Ténarèze, 32330 Gondrin,
tél. 05.62.28.40.57, fax 05.62.28.42.42,
e-mail j.baumann@domainedescassagnoles.com
☑ Y 🚶 t.l.j. sf dim. 9h-18h; sam. 10h-17h30;
t.l.j. en juil.-août; f. 22 déc.-5 jan.

DE CASTELFORT ★

■ 13 ha 112 000 ▮🌡 5 à 8 €

Quatre raisons de faire halte à Nogaro, chef-lieu de canton du Gers : son église du XIe s. sur le chemin de Saint-Jacques-de-Compostelle, son circuit automobile, sa fête tauromachique « La Corne d'or » et sa Cave des Producteurs réunis. La coopérative a proposé un rosé rubis à reflets bruns, au nez de fruits mûrs (framboise, fraise) et de pruneau, légèrement marqué par un armagnac de qualité ; arômes qui se prolongent avec persistance en bouche. Le palais conjugue chaleur et fraîcheur. Tout ce qu'il faut pour accompagner un melon de Lectoure.

⊶ Cave des Producteurs réunis de Nogaro,
Les Hauts de Montrouge, 32110 Nogaro,
tél. 05.62.09.01.79, fax 05.62.09.10.99,
e-mail cpr-armagnaccastelfort@wanadoo.fr ☑ Y 🚶 r.-v.

DOM. DE CAZEAUX ★

■ 3 ha 6 000 11 à 15 €

Eric Kauffer exploite 20 ha de vignes sur des sols argilo-calcaires ; il a choisi la culture raisonnée. Le mariage de l'ugni blanc et du colombard avec un armagnac ténarèze de qualité a donné ce floc blanc d'un jaune bouton d'or, au nez de vendanges mûres, de fruits confits (abricot), un rien floral (violette). Avec ses arômes puissants, sa fraîcheur et son équilibre, c'est un produit très plaisant.

⊶ Eric Kauffer, Dom. de Cazeaux, 47170 Lannes,
tél. 05.53.65.73.03, fax 05.53.65.88.95,
e-mail domainecazeaux@free.fr ☑ Y 🚶 r.-v.

DOM. CHIROULET

■ 3 ha 18 000 ▮⬮🌡 8 à 11 €

Quatre générations de Fezas ont distillé de l'armagnac sur ce domaine, installé sur un site très venté, d'où son nom (*chiroula* signifie « sifflet » ou « vent qui siffle » en gascon). Une exploitation bien connue des lecteurs du Guide, car elle s'est déjà placée au sommet de l'appellation. D'un rouge rubis légèrement tuilé, son floc rosé a du volume. Ses arômes évoquent les fruits mûrs (cassis) et le pruneau. La finale est fondue et harmonieuse.

⊶ EARL Famille Fezas,
Dom. de Chiroulet, 32100 Larroque-sur-l'Osse,
tél. 05.62.28.02.21, fax 05.62.28.41.56,
e-mail contact@chiroulet.com ☑ Y 🚶 r.-v.

CAVE DE CONDOM ★★★

■ 10 ha 30 000 ▮🌡 8 à 11 €

Créée en 1952, la coopérative de Condom a, depuis trois ans, réalisé d'importants investissements et mis en place la traçabilité et un cahier des charges de production certifié par le bureau Veritas – avec pour résultat deux flocs aussi allègres que le festival Bandas qui se déroule à Condom en mai et septembre. D'un grenat clair limpide et brillant, le rosé intéresse d'emblée par son nez très fruité et d'une belle fraîcheur, dominé par la cerise, la fraise et le cassis. Une attaque agréable, équilibrée, introduit une bouche marquée, elle aussi, par ce fruité vif et léger qui persiste dans une finale chaleureuse. Un excellent floc. Quant au **blanc**, il obtient une étoile. Jaune pâle à l'œil, il présente des parfums intenses, floraux (acacia, violette) et confits (bergamote). Souple et sucré à l'attaque, il révèle des arômes subtils, légèrement grillés. La finale est douce et d'une bonne longueur.

⊶ Les Producteurs de la Cave de Condom-en-Armagnac,
59, av. des Mousquetaires, 32100 Condom,
tél. 05.62.28.12.16, fax 05.62.68.39.62,
e-mail tdg.cave-condom@wanadoo.fr ☑

CH. DU FRANDAT ★

■ 0,5 ha 4 000 ▮ 8 à 11 €

Au XVIe s., du temps de Marguerite de Valois et de Jeanne d'Albret, Nérac fut une capitale culturelle ouverte aux protestants. D'un point de vue viticole, elle a la particularité d'être située sur deux aires d'AOC : buzet et armagnac-ténarèze. A la tête de 28 ha de vignes, Patrice Sterlin produit épisodiquement du floc. Son savoir-faire transparaît cette année à travers un blanc et un rosé tous deux retenus par le jury. De couleur jaune pâle, le premier s'annonce par des parfums intenses, floraux puis fruités. Tout aussi aromatique, le palais est volumineux à l'attaque, équilibré et persiste avec fraîcheur et fruité. D'un rouge profond, le **rosé** est cité. Son nez riche décline les fruits rouges confits, le cacao et l'amande. La bouche séduit par sa douceur bien fondue et sa persistance.

⊶ Patrice Sterlin, Ch. du Frandat, 47600 Nérac,
tél. 05.53.65.23.83, fax 05.53.97.05.77,
e-mail chateaudufrandat@terre-net.fr
☑ Y 🚶 t.l.j. sf dim. 10h-12h 14h-18h; f. jan.

LA FERME DE GAGNET ★

■ 1 ha 3 000 ▮ 8 à 11 €

Implantée au nord de la Ténarèze sur des sols argilo-calcaires, cette propriété familiale se partage entre viticulture et fabrique de produits artisanaux (conserves). L'accueil y est simple et convivial. On y produit du floc depuis 1987. Ce rosé affiche une robe couleur rouge clair limpide. Puissant et fruité au nez, il conjugue fraîcheur et rondeur en bouche. Ses arômes de cassis, qui persistent longuement, sont séducteurs. A déguster avec des fraises.

⊶ David et Marielle Lorenzon, Ferme de Gagnet,
47170 Mézin, tél. 05.53.65.73.76, fax 05.53.97.22.04,
e-mail fermedegagnet@wanadoo.fr
☑ 🏠 Y 🚶 t.l.j. 8h-12h 15h-19h

HAUT-BARON ★

■ 2,62 ha 5 460 ▮🌡 8 à 11 €

Proche de la coopérative, Barbotan-les-Thermes attire curistes (soins en rhumatologie et phlébologie) et touristes. Il s'agit de les soigner : eaux et boues à volonté et produits de la vigne avec mesure. Ce floc de qualité devrait plaire. Limpide et très pâle avec des reflets verts, il mêle joliment au nez des notes florales (tilleul) et fruitées (pêche blanche) avec un soupçon de miel et de vanille. Après une attaque équilibrée dans la douceur, une pointe d'armagnac le rend vif. Les arômes floraux se prolongent en bouche. Un floc typé à déguster sur une croustade.

⊶ Vivadour Cave vinicole, BP 3, 32150 Cazaubon,
tél. 05.62.08.34.00, fax 05.62.69.50.98 ☑ Y 🚶 r.-v.

DOM. DE LAGUILLE ★

■ 15 ha 6 600 11 à 15 €

Eauze fut capitale d'une province romaine. Un décret d'Empire la fit capitale de l'armagnac en 1802. Son musée archéologique, ses remparts autour de la cathédrale Saint-Luperc, la maison de Jeanne d'Albret témoignent de sa longue et riche histoire. C'est là qu'est établi le vaste (103 ha) domaine de Laguille qui a proposé un floc fort bien né. D'un jaune pâle à reflets argentés, ce blanc présente un nez délicat aux parfums fondus de fraise des bois et de jacinthe. L'aération rend ses arômes exubérants et révèle des notes de coing et de prune. Un produit charpenté, bien équilibré entre la vivacité et le sucre. La qualité de l'armagnac n'est pas étrangère à cette réussite.

🔑 Dom. de Laguille,
32800 Eauze, tél. 05.62.09.77.05, fax 05.62.09.84.77,
e-mail laguille@wanadoo.fr ☒ 🚶 r.-v.
🔑 Guy Vignoli

DOM. DE LARTIGUE ★

■ 1 ha 3 300 ▮ 8 à 11 €

Située dans la bastide bien restaurée de Bretagne-d'Armagnac, cette exploitation a son siège dans une maison de pierre datant du XVIIIes. Elle dispose de 40 ha et se partage entre pépinière viticole et production d'armagnac et de floc. Son floc blanc arbore une robe de couleur soutenue, bouton d'or. Son nez plutôt vif associe le pruneau et l'amande. Souple en attaque, le palais évolue sur des notes de miel d'acacia pour terminer sur des arômes de fruits mûrs. Un style atypique, un rien évolué, mais plaisant. A servir sur un cake, par exemple. Quant au **rosé**, il obtient une citation. Cerise à l'œil, fruité tant au nez qu'en bouche, il est marqué par l'armagnac qui lui donne du caractère et du nerf. Il accompagnera un fondant au chocolat.

🔑 Francis Lacave,
Au Village, 32800 Bretagne-d'Armagnac,
tél. 05.62.09.90.09, fax 05.62.09.79.60 ☒ 🏠 Y 🚶 r.-v.

LAUBADE ★

■ 7 ha 9 800 ▮🌡 11 à 15 €

Un château de style normand comme on les aimait au XIXes., habité au début du XXes. par une créatrice de mode ; un vaste domaine (102 ha) planté de vignes blanches et réputé pour ses armagnacs. Le tout a été racheté en 1974 par Jean-Jacques Lesgourgues, propriétaire de plusieurs châteaux dans le Bordelais et le Madirannais. Son floc blanc est d'un jaune paille étincelant. Intense et plaisant, le nez associe l'acacia, le miel, le coing et une touche de vanille. Gras et très doux, le palais révèle des notes chocolatées et retrouve le miel en finale. Un ensemble riche et complexe à découvrir sur un foie gras mi-cuit et, pourquoi pas, sur du roquefort.

🔑 SCA Ch. de Laubade, 32110 Sorbets,
tél. 05.62.09.06.02, fax 05.62.69.08.62,
e-mail contact@leda-sa.com ☒ Y 🚶 r.-v.
🔑 J.-J. Lesgourgues

MICHEL ET RICHARD MAESTROJUAN ★

■ 0,8 ha 10 300 ⦀ 8 à 11 €

Cette exploitation familiale s'est distinguée dans le passé par de très beaux produits. On la retrouve cette année avec deux flocs. Le préféré est le rosé. D'un rouge soutenu et brillant, il présente un nez intense où les petits fruits (cerise, cassis) bien mûrs s'accompagnent de touches fumées. La douceur et le fruit se fondent dans une bouche ample à la finale persistante. Cité par le jury, le **floc blanc** s'habille d'une robe jaune clair à reflets dorés. Légèrement marqué par l'armagnac, son nez délivre des notes de fruits confits (coing et pruneau). Des arômes évolués de fruits secs laissent une impression très agréable en finale.

🔑 GAEC Bordeneuve-Entras, 32410 Ayguetinte,
tél. 05.62.68.11.41, fax 05.62.68.15.32,
e-mail mbrmaestrojuan@wanadoo.fr
☒ Y 🚶 t.l.j. 9h-12h30 14h-18h (20h été)
🔑 Maestrojuan

DOM. DE MAUBET ★

■ n.c. 3 000 5 à 8 €

Cette propriété familiale est restée attachée à la polyculture jusque dans les années 1980. Elle s'est spécialisée dans la viticulture avec succès. D'un rose brillant, son floc rosé apparaît légèrement vineux au nez. Expressif avec des arômes de fruits rouges (fraise), équilibré sur le fruit et sur le sucre, d'une bonne persistance, il laisse une impression chaleureuse en finale. Il s'entendra avec un melon.

🔑 Vignobles Fontan,
allée du Colombard, 32800 Noulens,
tél. 05.62.08.55.28, fax 05.62.08.58.94,
e-mail contact@vignobles-fontan.com ☒ Y 🚶 r.-v.

CH. MONLUC ★

■ 1,5 ha 10 000 ▮ 8 à 11 €

Ce château vit naître Blaise de Monluc qui guerroya en Italie, devint maréchal de France, gouverneur de Guyenne et écrivit de célèbres *Commentaires*. Voici ceux du jury à propos du floc blanc du domaine. Sa teinte est d'un jaune pâle limpide et brillant, son nez complexe ajoute aux fleurs et aux fruits (prune, coing) une touche caramélisée. Equilibré de l'attaque à la finale, le palais persiste assez longuement sur des notes de fruits confits et de fruits secs. Le tout procure une impression de suavité.

🔑 Dom. de Monluc, Ch. de Monluc, 32310 Saint-Puy,
tél. 05.62.28.94.00, fax 05.62.28.55.70,
e-mail monluc.sa.office@wanadoo.fr
☒ Y 🚶 t.l.j. sf lun. 10h-12h 15h-19h; f. jan.

CH. DE MONS

■ 3 ha 6 000 ▮🌡 8 à 11 €

Quel viticulteur n'est pas passé au château de Mons pour une formation, un colloque ou des visites de vignobles ? Ce domaine historique est en effet la propriété de la Chambre d'Agriculture du Gers. Ses flocs sont régulièrement retenus par les jurés du Guide. De couleur paille claire, celui-ci brille dans le verre et délivre des parfums intenses et harmonieux évoquant le safran et la jacinthe. La bouche reste florale ; elle offre un beau mariage entre le sucre et l'acidité et persiste longuement. Un ensemble gouleyant et plaisant.

🔑 Dom. de Mons, CA 32, 32100 Caussens,
tél. 05.62.68.30.30, fax 05.62.68.30.35,
e-mail chateau.mons.cda.32@wanadoo.fr ☒ Y 🚶 r.-v.

DOM. DE POLIGNAC ★

■ 3 ha 10 000 5 à 8 €

La famille Gratian s'ouvre au grand public ; elle vient d'aménager une salle de réception adaptée aux groupes qui pourront muser dans le vignoble autour de la chapelle de Polignac. Ils découvriront les flocs du domaine qui, comme les années précédentes, ont été bien accueillis par le jury. Le préféré est le rosé. Rouge sombre à reflets grenat, il séduit d'entrée par un nez puissant où se côtoient la mûre, le cassis et la framboise. Ronde et ample, la bouche aux arômes de fruits mûrs procure une sensation chaleureuse fort agréable. A servir au dessert, sur une charlotte par exemple. Le **blanc** est cité. D'un jaune clair lumineux, il plaît surtout par ses subtils parfums de fleur de raisin et de vanille. Il est très sucré.

⊶ EARL Gratian,
Dom. de Polignac, 32330 Gondrin,
tél. 05.62.28.54.74, fax 05.62.28.54.86,
e-mail j.gratian@32.sideral.fr
☑ Y 🚶 t.l.j. 10h-13h 15h-20h

CH. POMES PEBERERE ★★

■ 1,6 ha 13 000 ▮ 8 à 11 €

Ce domaine d'une quarantaine d'hectares est situé à Condom, capitale de la Ténarèze. Il a proposé un floc jaune paille à reflets argentés, au nez exubérant, riche et captivant : une dominante fruitée (poire, pamplemousse et banane) accompagnée d'une touche d'aubépine. Une attaque fraîche introduit un palais gras aux arômes d'abricot, de fleurs, miellé en finale. Un floc d'une rare complexité à marier avec un foie gras du Gers.

⊶ François Faget,
Ch. Pomès-Pébérère, 32100 Condom,
tél. 05.62.28.11.53, fax 05.62.28.46.11 ☑ Y 🚶 r.-v.

DOM. DE SANCET

■ 0,5 ha 6 500 ▮ 8 à 11 €

Impliqué dans la vie politique locale, Alain Faget a œuvré à la restructuration du vignoble gersois depuis les années 1980. Sur son domaine, il propose vins de pays, bas-armagnac, fruits à l'armagnac et bien sûr, floc. D'un rubis cristallin, celui-ci a été apprécié pour sa complexité aromatique : au nez se mêlent la mûre, le cassis et une touche de caramel tandis qu'en bouche apparaissent des notes de pruneau et de cacao. L'ensemble est vif avec une finale longue à souhait.

⊶ Alain Faget,
Dom. de Sancet, 32110 Saint-Martin-d'Armagnac,
tél. 05.62.09.08.73, fax 05.62.69.04.13,
e-mail domainedesancet@wanadoo.fr
☑ Y 🚶 t.l.j. sf dim. 8h30-12h 14h-19h

DOM. SAN DE GUILHEM ★

■ n.c. 3 500 5 à 8 €

Conduit par le président de l'appellation, ce domaine figure régulièrement dans le Guide – cette année grâce à un floc d'un jaune pâle limpide et brillant, au nez délicat, fruité (pomme, poire) et floral (tilleul). De l'attaque à la finale, ce vin de liqueur se montre équilibré, doux, et offre une longue finale sur le fruit. Servi par la qualité d'un armagnac à la fois présent et discret, c'est un floc gourmand, fin et élégant.

⊶ Alain Lalanne,
Dom. San de Guilhem, 32800 Ramouzens,
tél. 05.62.06.57.02, fax 05.62.06.44.99,
e-mail domaine@sandeguilhem.com ☑ 🚶 r.-v.

DOM. DE TOUADE ★

■ n.c. 933 ▮ 5 à 8 €

Domaine appartenant à la famille Canezin depuis 1856, dont Eric représente la sixième génération. Implantée à l'est de l'aire du Bas-Armagnac sur des boulbènes caillouteuses, cette petite exploitation élabore des produits de qualité. Ainsi ses deux flocs ont-ils obtenu une étoile chacun. Jaune clair à reflets verts brillants, le blanc présente un nez confituré (abricot) et floral. Harmonieux en bouche, volumineux et aromatique (fruits blancs, fruits secs), il procure une sensation de fraîcheur qui évite l'acidité. La robe du **rosé** se nuance de reflets tuilés. Le nez intense marie harmonieusement des fragrances florales et fruitées (coing) avec des touches vanillées que l'on retrouve, accompagnées par des notes de framboise, dans un palais tout en finesse, d'une douceur mesurée, qui surprend agréablement.

⊶ Eric Canezin, Touade, 32190 Mourède,
tél. 05.62.06.40.82, fax 05.62.06.40.82 ☑ Y 🚶 r.-v.

LES TROIS DOMAINES ★

■ n.c. 1 500 8 à 11 €

Ces Trois Domaines résultent de la fusion, en 2001, de trois exploitants, chacun spécialisé dans un secteur précis : cultures céréalières, viticulture, vinification. Une association concluante, à en juger par ces deux flocs tous deux sélectionnés. Rouge intense à reflets violacés, le rosé présente un nez de fruits exotiques légèrement marqué par l'alcool. Plus fondu en bouche, bien structuré et long, il révèle un bon équilibre entre le fruit et le sucre. Le **floc blanc** est cité. D'un jaune vert brillant, il offre un nez élégant où les fruits, les fleurs et l'armagnac se marient harmonieusement. Doux à l'attaque, il montre ensuite une vivacité juvénile.

⊶ GAEC des Trois Domaines,
Lassalle, 32390 Rejaumont,
tél. 05.62.65.28.83, fax 05.62.65.27.52
☑ Y 🚶 t.l.j. sf dim. 9h-12h30 14h-18h30

LA VALLEE DE LA LOIRE ET LE CENTRE

Unis par un fleuve que l'on a dit royal, et qui justifierait le qualificatif par sa seule majesté si les rois en effet n'avaient aimé résider sur ses rives, les divers pays de la vallée de la Loire sont baignés par une lumière unique, mariage subtil du ciel et de l'eau qui fait éclore ici le « jardin de la France ». Et dans ce jardin, bien sûr, la vigne est présente ; des confins du Massif central jusqu'à l'estuaire, les vignobles ponctuent le paysage au long du fleuve et d'une dizaine de ses affluents, dans un vaste ensemble que l'on désignera sous le nom de « vallée de la Loire et Centre », plus étendu que ne l'est le Val de Loire au sens strict, sa partie centrale. C'est dire combien le tourisme est ici varié, culturel, gastronomique ou œnologique ; et les routes qui suivent le fleuve sur les « levées », ou celles, un peu en retrait, qui traversent vignobles et forêts sont les axes d'inoubliables découvertes.

Jardin de la France, résidence royale, terre des Arts et des Lettres, berceau de la Renaissance, la région est vouée à l'équilibre, à l'harmonie, à l'élégance. Tantôt étroite et sinueuse, rapide et bruyante, tantôt imposante et majestueuse, calme d'apparence, la Loire en est bien le facteur d'unité ; mais il convient cependant d'être attentif aux différences, surtout lorsqu'il s'agit des vins.

Depuis Roanne ou Saint-Pourçain jusqu'à Nantes ou Saint-Nazaire, la vigne occupe les coteaux de bordure, bravant la nature des sols, les différences de climat et les traditions humaines. Sur près de 1 000 km, plus de 70 000 ha couverts de vignes donnent, avec de grandes variations, entre 9,50 et 10 % de la production française dont en AOC de vins blancs 1 400 000 hl et en AOC de vins rouges et rosés 1 140 000 hl. Les vins de cette vaste région ont pour points communs la fraîcheur et la délicatesse de leurs arômes, essentiellement dues à la situation septentrionale de la plupart des vignobles.

Vouloir désigner toutes ces productions sous le même vocable est un peu audacieux malgré tout, car, bien qu'identifiés comme septentrionaux, certains vignobles sont situés à une latitude qui, dans la vallée du Rhône, subit l'influence climatique méditerranéenne... Mâcon est à la même latitude que Saint-Pourçain et Roanne que Villefranche-sur-Saône. C'est donc le relief qui influe ici sur le climat ; le courant d'air atlantique s'engouffre d'ouest en est dans le couloir tracé par la Loire, puis s'estompe peu à peu au fur et à mesure qu'il rencontre les collines du Saumurois et de la Touraine.

Les vignobles formant de véritables entités sont donc ceux de la région nantaise, de l'Anjou et de la Touraine. Mais on y a joint ceux du haut Poitou, du Berry, des côtes d'Auvergne et roannaises ; il faut bien les associer à une grande région, et celle-ci est la plus proche, aussi bien géographiquement que par les types de vins produits. Il paraît donc nécessaire, sur un plan général, de définir quatre grands ensembles, les trois premiers cités, plus le Centre.

Dans la basse vallée de la Loire, l'aire du muscadet et une partie de l'Anjou reposent sur le Massif armoricain, constitué de schistes, de gneiss et d'autres roches sédimentaires ou éruptives de l'ère primaire. Les sols évolués sur ces formations sont très propices à la culture de la vigne, et les vins qui y sont produits sont d'excellente qualité. Encore appelée région nantaise, cette première entité, la plus à l'ouest du Val de Loire, présente un relief peu accentué, les roches dures du Massif armoricain étant entaillées à l'abrupt par de petites rivières. Les vallées escarpées ne permettent pas la formation de coteaux cultivables, et la vigne occupe les mamelons de plateau. Le climat est océanique, assez uniforme toute l'année, l'influence maritime atténuant les variations saisonnières. Les hivers sont peu rigoureux et les étés chauds et souvent humides ; l'ensoleillement est bon. Les gelées printanières viennent cependant parfois perturber la production.

L'Anjou, pays de transition entre la région nantaise et la Touraine, englobe historiquement le Saumurois ; cette région viticole s'inscrit presque entièrement dans le département du Maine-et-Loire, mais géographiquement le Saumurois devrait plutôt être rattaché à la Touraine occidentale avec laquelle il présente davantage de similitudes, tant au point de vue des sols que du climat. Les formations sédimentaires du Bassin parisien viennent d'ailleurs recouvrir en transgression des formations primaires du Massif armoricain, de Brissac-Quincé à Doué-la-Fontaine. L'Anjou se divise en plusieurs sous-régions : les coteaux de la Loire (prolongement de la région nantaise), en pente douce d'exposition nord, où la vigne occupe la bordure du plateau ; les coteaux du Layon, schisteux et pentus, les coteaux de l'Aubance ; et la zone de transition entre l'Anjou et la Touraine, dans laquelle s'est développé le vignoble des rosés.

Le Saumurois se caractérise essentiellement par la craie tuffeau sur laquelle poussent les vignes ; au-dessous, les bouteilles rivalisent avec les champignons de Paris pour occuper galeries et caves facilement creusées. Les collines un peu plus élevées arrêtent les vents d'ouest et favorisent l'installation d'un climat qui devient semi-océanique et semi-continental. En face du Saumurois, on trouve sur la rive droite de la Loire les vignobles de Saint-Nicolas-de-Bourgueil, sur le coteau turonien. Plus à l'est, après Tours, et sur le même coteau, le vignoble de Vouvray se partage avec Chinon – prolongement du Saumurois sur les coteaux de la Vienne – la réputation des vins de Touraine. Azay-le-Rideau, Montlouis, Amboise, Mesland et les coteaux du Cher complètent la panoplie de noms à retenir dans ce riche « Jardin de la France », où l'on ne sait plus si l'on doit se déplacer pour les vins, les châteaux ou les fromages de chèvre (Sainte-Maure, Selles-sur-Cher, Valençay) ; mais pourquoi pas pour tout à la fois ? Les petits vignobles des coteaux du Loir, de

La Vallée de la Loire

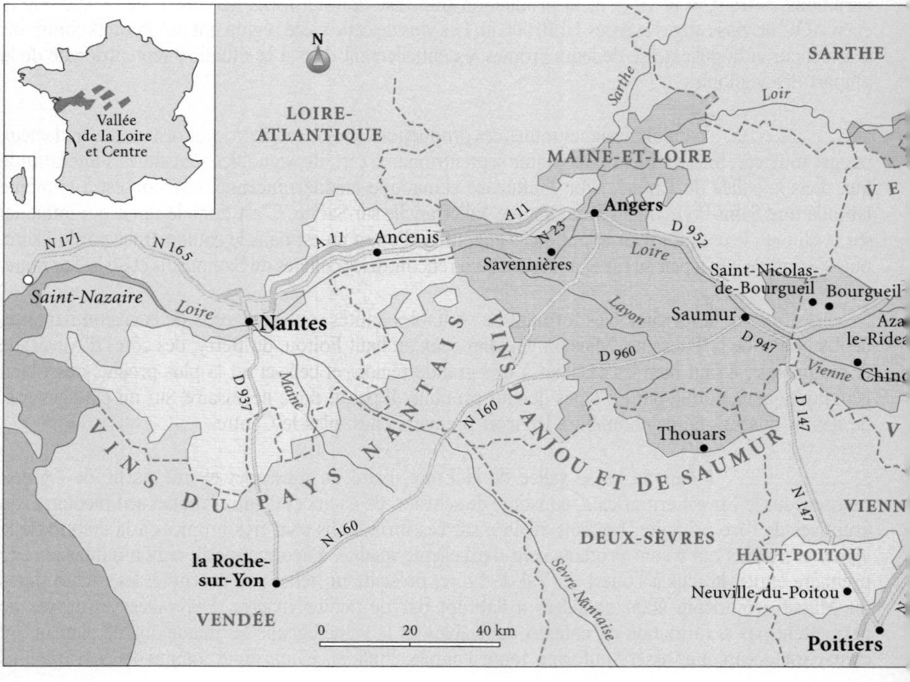

l'Orléanais, de Cheverny, de Valençay et des coteaux du Giennois peuvent être rattachés à la troisième entité naturelle que forme la Touraine.

Les vignobles du Berry (ou du Centre) constituent une quatrième région, indépendante et différente des trois autres tant par les sols, essentiellement jurassiques, voisins du Chablisien pour Sancerre et Pouilly-sur-Loire, que par le climat semi-continental, aux hivers froids et aux étés chauds. Pour la commodité de la présentation, nous rattachons Saint-Pourçain, les côtes roannaises et le Forez à cette quatrième unité, bien que sols (Massif central primaire) et climats (semi-continental à continental) soient différents.

Si, pour aborder les domaines spécifiquement viticoles, on reprend la même progression géographique, le muscadet est caractérisé par un cépage unique (le melon) produisant un vin « unique », blanc sec irremplaçable. Le cépage folle blanche est également dans cette région à l'origine d'un autre vin blanc sec, de moindre classe, le gros-plant. La région d'Ancenis, elle, est « colonisée » par le gamay noir.

Dans l'Anjou, en blanc, le cépage chenin ou pineau de la Loire est le principal ; le chardonnay et le sauvignon y ont été récemment associés. Il est à l'origine des grands vins liquoreux ou moelleux, ainsi que, suivant l'évolution des goûts, d'excellents vins secs et mousseux. En cépage rouge, autrefois très répandu, citons le grolleau noir. Il donne traditionnellement des rosés demi-secs. Cabernet franc, anciennement appelé « breton », et cabernet-sauvignon produisent des vins rouges fins et corsés ayant une bonne aptitude au vieillissement. Comme les hommes, les vins reflètent, ou contribuent à constituer la « douceur angevine » : à un fond vif dû à une acidité forte vient souvent s'associer une saveur douce résultant de la présence de sucres restants. Le tout dans une production multiple, à la diversité un peu déroutante.

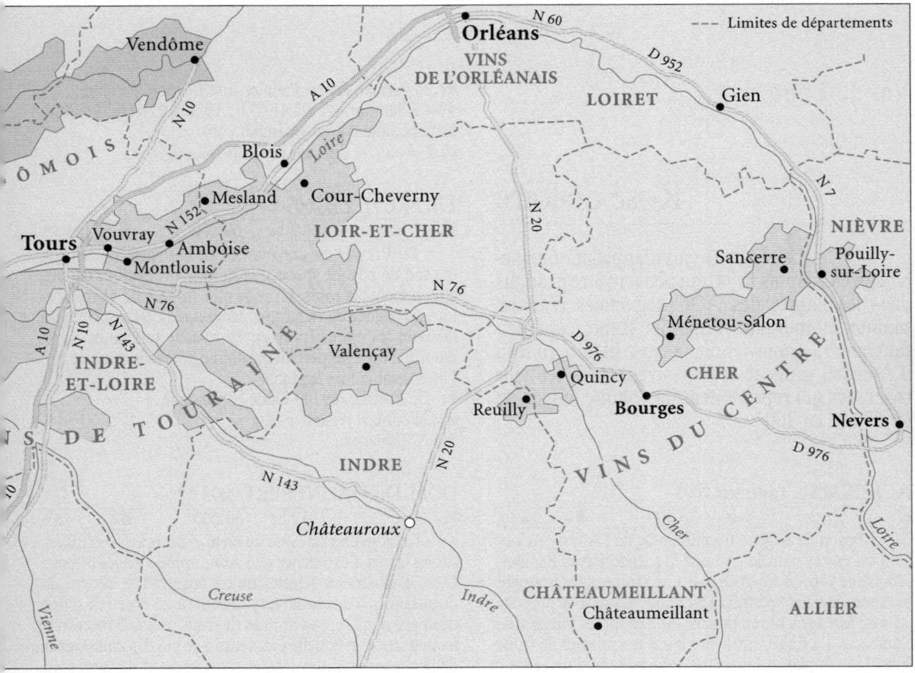

LOIRE

A l'ouest de la Touraine, le chenin en Saumurois, Vouvray et Montlouis ou dans les coteaux du Loir, et le cabernet franc à Chinon, Bourgueil et dans le Saumurois, puis le grolleau à Azay-le-Rideau, sont les principaux cépages. Le gamay noir en rouge et le sauvignon en blanc produisent, dans la région est, des vins légers, fruités et agréables. Citons enfin, pour être complet, le pineau d'Aunis des coteaux du Loir, à la nuance poivrée, et le gris meunier, dans l'Orléanais.

Dans le vignoble du Centre, le sauvignon (en blanc) est roi à Sancerre, Reuilly, Quincy et Menetou-Salon, ainsi qu'à Pouilly, où il est encore appelé blanc-fumé. Il partage là son territoire avec quelques vignobles vestiges de chasselas, donnant des blancs secs et nerveux. En rouge, on perçoit le voisinage de la Bourgogne, puisque à Sancerre et Menetou-Salon les vins sont produits à partir de pinot noir.

Pour être exhaustif, il convient d'ajouter quelques mots sur le vignoble du haut Poitou, réputé en blanc pour son sauvignon aux vins vifs et fruités, son chardonnay aux vins corsés, et, en rouge, pour ses vins légers et robustes issus des cépages gamay, pinot noir et cabernet. Sous un climat semi-océanique, le haut Poitou assure la transition entre le Val de Loire et le Bordelais. Entre Anjou et Poitou, la production du vignoble du Thouarsais (AOVDQS) est confidentielle. Quant au vignoble des Fiefs vendéens, terroir AOVDQS anciennement dénommé vin des Fiefs du Cardinal et implanté le long du littoral atlantique, ses vins les plus connus sont les vins rosés de Mareuil, issus de gamay noir et de pinot noir ; la curiosité de la région étant constituée par le vin de « ragoûtant », issu du cépage négrette et difficile à trouver.

La Vallée de la Loire

Val de Loire

Rosé-de-loire

Il s'agit de vins d'appellation régionale, AOC depuis 1974, qui peuvent être produits dans les limites des AOC régionales d'anjou, saumur et touraine. Cabernet franc, cabernet-sauvignon, gamay noir à jus blanc, pineau d'Aunis et grolleau se retrouvent dans ces vins rosés secs qui représentent un volume moyen de 60 670 hl en 2003.

ACKERMAN Tastemets 2003

■ n.c. 35 000 3 à 5 €

Maison de négoce traditionnelle de l'Anjou, Ackerman est entrée dans le giron de la société Rémy-Pannier, elle-même reprise fin 2001 par une structure regroupant plusieurs caves coopératives du Val de Loire. Elle propose un rosé fort agréable en bouche avec ses notes intenses de framboise. La finale moelleuse laisse des arômes de fruits frais. Un vin plaisir à savourer tout au long d'un repas.

⊶ Ackerman-Rémy Pannier, rue Léopold-Palustre, 49400 Saumur, tél. 02.41.53.03.10, fax 02.41.52.96.80, e-mail contact@remy-pannier.com
Y t.l.j. sf dim. 9h-12h 14h-18h

DE PREVILLE 2003 ★

■ 9 ha 60 000 3 à 5 €

De Préville est une marque de la société Lacheteau, maison de négoce spécialisée dans la production de vins effervescents et rosés. La robe rose intense de ce rosé-de-loire se nuance de rouge. Ses arômes délicats associent les fleurs et les épices (poivre). Sa bouche fraîche est agrémentée d'un léger perlant qui donne de la jeunesse à ce vin. Un ensemble fort agréable.

⊶ De Préville, 49700 Doué-la-Fontaine, e-mail contact@lacheteau.fr
⊶ A. Lacheteau

DOM. DE GAGNEBERT 2003 ★★

■ 12 ha 50 000 3 à 5 €

Ce domaine est situé au cœur d'un massif ardoisier, sur les terres d'excellence de l'AOC anjou-villages brissac. C'est d'ailleurs en schistes qu'est construit le caveau de dégustation. Vous pourrez y découvrir ce rosé fait d'une très belle matière, aux arômes de fruits rouges concentrés. Sa puissance en bouche permettra à ce vin d'accompagner de la charcuterie, des salades composées et des grillades.

GAEC Moron, Dom. de Gagnebert,
2, chem. de la Naurivet, 49610 Juigné-sur-Loire,
tél. 02.41.91.92.86, fax 02.41.91.95.50,
e-mail moron@domaine-de-gagnebert.com
☑ ⊥ ⅄ t.l.j. sf dim. 9h-12h 15h-19h

LA LOIRE 2003 ★

	10 ha	60 000	▪⅃	3 à 5 €

La société Vinival est une maison de négoce vinifiant principalement les vins rosés d'Anjou. Ce rosé-de-loire est typique de son appellation, fruité, frais, gouleyant, avec une fin de bouche persistante et agréable. De quoi se faire plaisir en toute occasion.
SARL Vinival, La Sablette, 44330 Mouzillon,
tél. 02.40.36.66.00, fax 02.40.36.26.83

LOIRE CLASSIC 2003 ★

	n.c.	100 000		3 à 5 €

Maison de négoce installée en Loire-Atlantique, la société Donatien Bahuaud a présenté un rosé de couleur soutenue, mêlant au nez les petits fruits rouges et des nuances amyliques. Légère et rafraîchissante, la bouche laisse une sensation de fruits frais. Un vin plaisir.
Sté Donatien Bahuaud,
4, rue de la Loge, 44330 La Chapelle-Heulin,
tél. 02.40.06.70.05, fax 02.40.06.77.11,
e-mail dbahuaud@donatien-bahuaud.fr ☑

DOM. LE MONT 2003

	0,5 ha	2 500		3 à 5 €

Un domaine qui a son siège dans une des communes les plus réputées du vignoble des coteaux-du-layon. Son rosé-de-loire, riche, a besoin d'aération pour s'exprimer. Un vin à servir à table sur de la charcuterie ou des grillades.
EARL Louis et Claude Robin,
Dom. Le Mont, 49380 Faye-d'Anjou,
tél. 02.41.54.31.41, fax 02.41.54.17.98 ☑ ⊥ ⅄ r.-v.

DOM. DE LA MONTCELLIERE 2003 ★

	n.c.	5 000	▪⅃	- de 3 €

Ce rosé est né dans un hameau de Trémont, commune située dans la partie sud-ouest du vignoble des coteaux-du-layon. Assemblant deux tiers de cabernet franc au grolleau, il revêt une belle robe soutenue à reflets violacés. Ses arômes marqués de mûre et de cassis surprennent. Rafraîchissant et agréable, un vin à servir tout au long d'un repas.
SCEA Louis Guéneau et Fils,
La Montcellière, 49310 Trémont,
tél. 02.41.59.60.72, fax 02.41.59.66.15 ☑ ⊥ ⅄ r.-v.

DOM. DU PETIT CLOCHER 2003 ★

	4 ha	12 000	▪⅃	3 à 5 €

Représentant la quatrième génération, Stéphane Denis vient de rejoindre son père sur ce vignoble créé dans les années 1930 et qui s'étend aujourd'hui sur 67 ha. Le domaine s'est distingué ces dernières années par ses vins printaniers, frais et fruités. Des caractéristiques que l'on retrouve dans ce rosé délicatement floral et tout en légèreté. Ce que l'on appelle un vin de soif (qu'il ne faut cependant pas boire comme de l'eau...).
Denis Père et Fils, GAEC du Petit Clocher,
3, rue du Layon, 49560 Cléré-sur-Layon,
tél. 02.41.59.54.51, fax 02.41.59.59.70,
e-mail petit.clocher@wanadoo.fr
☑ ⊥ ⅄ t.l.j. sf dim. 8h30-12h30 14h-19h

DOM. DES PETITES GROUAS 2003 ★

	1 ha	3 000	▪⅃	3 à 5 €

Ce domaine doit son nom à des formations calcaires, les « petites grouas », particulièrement favorables à la production de vins rouges et rosés. Une très belle robe rose orangé habille son rosé-de-loire 2003. Des arômes de fruits exotiques et de petits fruits rouges laissent une impression de fraîcheur caractéristique de ce type de vin.
Philippe Léger, Cornu,
Les Petites Grouas, 49540 Martigné-Briand,
tél. 02.41.59.67.22, fax 02.41.59.69.32 ☑ ⊥ ⅄ r.-v.

DOM. PIED FLOND 2003 ★

	2 ha	6 000	▪⅃	3 à 5 €

Ce domaine est une ancienne seigneurie de la commune de Martigné-Briand où l'on cultivait déjà la vigne au XV^{e}s. De couleur soutenue, son rosé-de-loire libère de puissants parfums de fruits rouges très mûrs. Structuré et frais, il est caractéristique du millésime 2003.
EARL Franck Gourdon,
Dom. Pied Flond, 49540 Martigné-Briand,
tél. 02.41.59.92.36, fax 02.41.59.92.36 ☑ ⊥ ⅄ r.-v.

DOM. DES QUATRE ROUTES 2003 ★

	0,5 ha	1 500	▪⅃	3 à 5 €

Situé à Aubigné-sur-Layon, au cœur des coteaux-du-layon, ce domaine créé en 1976 accueille les visiteurs dans une vieille grange en pierre coquillière du pays, rénovée en 2001. Son rosé-de-loire évoque les fruits frais. Il laisse une sensation de fraîcheur particulièrement agréable.
Poupard et Fils,
Dom. des Quatre Routes, 49540 Aubigné-sur-Layon,
tél. 02.41.59.44.44, fax 02.41.59.49.70
☑ ⊥ ⅄ t.l.j. 9h-19h; sam. dim. sur r.-v.

DOM. DE TERREBRUNE 2003 ★

	6 ha	50 000	▪⅃	3 à 5 €

Ce domaine a choisi la carte des rosés qui constituent la majorité de sa production. Il montre son savoir-faire dans ce type de vins en obtenant un coup de cœur il y a deux ans. Quant à ce rosé-de-loire gourmand, c'est une belle réussite pour un millésime caniculaire. Légèrement perlant, il laisse une agréable sensation de fraîcheur et des arômes de fruits rouges et de bonbon anglais.
SCA Dom. de Terrebrune,
La Motte, 49380 Notre-Dame-d'Allençon,
tél. 02.41.54.01.99, fax 02.41.54.09.06,
e-mail domaine-de-terrebrune@wanadoo.fr ☑ ⊥ ⅄ r.-v.

DOM. DES TROIS MONTS 2003 ★

	6 ha	45 000	▪⅃	3 à 5 €

Ce rosé vient de Trémont, une commune située dans l'aire des coteaux-du-layon. A la fois frais, ample et généreux, il offre une finale très agréable, laissant en bouche des arômes de petits fruits rouges.
SCEA Hubert Guéneau et Fils,
1, rue Saint-Fiacre, 49310 Trémont,
tél. 02.41.59.45.21, fax 02.41.59.69.90 ☑ ⊥ ⅄ r.-v.

DOM. DES TROTTIERES 2003 ★

	21,9 ha	180 000	▪⅃	3 à 5 €

Cet important domaine (79 ha) créé il y a bientôt cent ans est installé sur des graves du cénomanien particulièrement favorables aux cépages grolleau, cabernet et gamay qui font les vins rosés d'Anjou. Délicat, frais, ce vin associe le bonbon anglais, la fraise et les fleurs. Sa légèreté est caractéristique de l'appellation.

🔑 SCEA Dom. des Trottières, 49380 Thouarcé,
tél. 02.41.54.14.10, fax 02.41.54.09.00,
e-mail lestrottieres@worldonline.fr ☑ Y 🚶 r.-v.
🔑 Lamotte

DOM. VERDIER 2003 ★★

■ 1 ha 2 500 ▮♁ 3 à 5 €

Ce domaine est situé dans un village bien connu des coteaux-du-layon. Son rosé-de-loire est si harmonieux qu'il pourra être dégusté pour lui-même, à l'apéritif ; il accompagnera aussi tout un repas. Sa très belle structure, caractéristique du millésime, et son expression aromatique tout en finesse associant les fleurs et les petits fruits rouges (fraise, framboise) lui valent des partisans enthousiastes.

🔑 EARL Verdier Père et Fils,
7, rue des Varennes, 49750 Saint-Lambert-du-Lattay,
tél. 02.41.78.35.67, fax 02.41.78.35.67 ☑ 🚶 r.-v.

Crémant-de-loire

Ici encore, l'appellation régionale peut s'appliquer à des vins effervescents produits dans les limites des appellations anjou, saumur, touraine et cheverny. La méthode traditionnelle fait merveille ; la production de ces vins de fête atteint 35 240 hl en 2003. Les cépages sont nombreux : chenin ou pineau de Loire, cabernet-sauvignon et cabernet franc, pinot noir, chardonnay, etc. Si la plus grande part de la production est constituée de vins blancs, on trouve aussi quelques rosés.

ACKERMAN Grande Réserve ★

● n.c. 44 800 5 à 8 €

La société Ackerman est la plus importante structure du Saumurois à élaborer des vins effervescents. Deux de ses crémants obtiennent ici une étoile pour leur typicité. Cette Grande Réserve a séduit par sa vivacité et sa légèreté, comme par ses arômes de citron, d'abricot et d'amande fraîche. La **cuvée Privilège demi-sec** laisse une sensation de richesse grâce à ses notes de fruits mûrs et de brioche.

🔑 Ackerman-Rémy Pannier, rue Léopold-Palustre,
49400 Saumur, tél. 02.41.53.03.10, fax 02.41.52.96.80,
e-mail contact@remy-pannier.com
☑ Y 🚶 t.l.j. sf dim. 9h-12h 14h-18h

DOM. DE LA BESNERIE

● 0,6 ha 4 000 ▮ **8 à 11 €**

Dans cette exploitation familiale qui élabore aussi du touraine-mesland, on ne s'étonnera pas de retrouver l'âme du chenin ligérien dans ce crémant (75 % contre 25 % de chardonnay). D'une effervescence discrète, le vin fait preuve de fraîcheur, nuancée d'arômes de miel, de coing et d'aubépine. Une agréable manière de découvrir l'appellation.

🔑 François Pironneau, Dom. de la Besnerie,
41, rte de Mesland, 41150 Monteaux,
tél. 02.54.70.23.75, fax 02.54.70.21.89 ☑ Y 🚶 r.-v.

FRANCOIS CAZIN 2001 ★

● 1 ha 4 400 ▮♁ 5 à 8 €

Produit sur l'aire de Cheverny, ce crémant à la belle couleur jaune pâle libère de fines bulles qui semblent accompagner les arômes floraux et les notes de miel. Ces flaveurs se retrouvent dans une bouche équilibrée et rafraîchissante en finale.

🔑 François Cazin,
Le Petit Chambord, 41700 Cheverny,
tél. 02.54.79.93.75, fax 02.54.79.27.89 ☑ 🚶 r.-v.

DELMARE 2002 ★

● 0,45 ha 2 700 ▮♁ 5 à 8 €

Mathias Levron s'est installé en 2002 sur une propriété de 13 ha, aux portes d'Angers. Ce crémant est le fruit de sa première vinification. Bien joué... Une agréable sensation de fraîcheur émane des notes d'acacia et d'aubépine présentes tout au long de la dégustation. L'équilibre général du vin donne une bonne image des vins effervescents du Val de Loire.

🔑 SCEA Levron-Vincenot, Princé,
49610 Saint-Melaine-sur-Aubance, tél. 02.41.57.82.28,
fax 02.41.57.73.78, e-mail chateauprince@wanadoo.fr
☑ Y 🚶 t.l.j. sf dim. 9h-12h 14h-18h

DOM. DE LA DESOUCHERIE 2001 ★

● 1 ha 9 000 ▮♁ **8 à 11 €**

Fabien Tessier est venu rejoindre son père sur le domaine de 25 ha en 2001. Tous deux proposent un crémant aux fines bulles et de teinte soutenue. La rondeur et la finesse du vin en font un charmant compagnon de fête.

🔑 Christian Tessier et Fils,
Dom. de la Désoucherie, 41700 Cour-Cheverny,
tél. 02.54.79.90.08, fax 02.54.79.22.48,
e-mail tessier-christian@libertysurf.fr 🏠 Y 🚶 r.-v.

DOM. DE LA GABILLIERE 1996 ★

● 16 ha 21 000 ▮♁ 5 à 8 €

Ce domaine de 16 ha sert de support pédagogique aux élèves du lycée viticole d'Amboise. Un subtil assemblage des cépages ligériens a donné un caractère affirmé à ce crémant dont le nez intense se partage entre miel et coing. Le vin perdure bien en bouche, mettant en valeur son bon volume, son équilibre et la finesse de ses bulles. On le servirait volontiers tout au long d'un repas.

🔑 Dom. de La Gabillière, Lycée viticole,
46, av. Emile-Gounin, 37400 Amboise,
tél. 02.47.23.35.51, fax 02.47.57.01.76,
e-mail expl.lpa.amboise@educagri.fr
☑ Y 🚶 t.l.j. sf sam. dim. 8h-12h 13h30-17h

GERARD GIVIERGE 2001

● 1 ha 6 300 ▮♁ **5 à 8 €**

Le domaine de Gérard Givierge est bien situé entre les châteaux de Blois, de Chambord et de Cheverny, dans un rayon de 4 à 15 km. Autant de sites prestigieux dont la visite sera l'occasion d'un détour à la cave. Vous découvrirez alors ce crémant souple et équilibré, à la finale harmonieuse.

🔑 Gérard Givierge,
Dom. de l'Aumonière, 41700 Cour-Cheverny,
tél. 02.54.79.25.49, fax 02.54.79.27.06 ☑ Y 🚶 r.-v.

GRATIEN ET MEYER ★

n.c. 250 000 5 à 8 €

La maison Gratien-Meyer a été fondée à Saumur en 1864 par Alfred Gratien, alors âgé d'à peine vingt-trois ans. Elle se forgea une réputation grâce à ses vins effervescents de qualité, tel ce crémant léger et élégant, évocateur d'aubépine et de fruits mûrs (pêche). Harmonieux et équilibré, ce vin représente bien l'appellation.

Gratien et Meyer, rte de Montsoreau, BP 22, 49400 Saumur, tél. 02.41.83.13.30, fax 02.41.83.13.49, e-mail contact@gratienmeyer.com
t.l.j. 10h-12h 14h-17h30; 1er avr.-11 nov. 10h-18h30; f. jan. fév.

MLLE LADUBAY ★

n.c. 150 000 5 à 8 €

La société Bouvet-Ladubay organise depuis neuf ans les Journées nationales du livre et du vin en développant l'idée que la culture et le vin font bon ménage. Cette Mlle Ladubay éveille les sens avec ses nuances de brioche, de grillé et de citronnelle. Sa vivacité est équilibrée par une bonne vinosité, et sa finale porte loin les flaveurs fruitées et briochées. La robe jaune pâle au chapelet de bulles fines fera bel effet dans les verres lorsque vous servirez ce vin à l'apéritif, en entrée ou au dessert.

Bouvet-Ladubay, 1, rue de l'Abbaye, 49400 Saint-Hilaire-Saint-Florent, tél. 02.41.83.83.83, fax 02.41.50.24.32, e-mail contact@bouvet-ladubay.fr
t.l.j. 9h-12h 14h-17h30

LEON LEROI ★

10 ha 50 000 3 à 5 €

Principalement productrice de vins rosés et effervescents, la société Lacheteau offre ici un crémant bien typé. De teinte jaune pâle, celui-ci libère des bulles délicates, porteuses d'arômes intenses de brioche, de fruits (abricot) et de fleurs (verveine). Sa bouche harmonieuse laisse en finale une sensation de fraîcheur. Un dégustateur conseille une escalope à la crème pour l'accompagner.

SAS Lacheteau, ZI de La Saulaie, 49700 Doué-la-Fontaine, tél. 02.41.59.26.26, fax 02.41.59.01.94, e-mail contact@lacheteau.fr

DOM. DE MALIDORES 2001 ★

n.c. 12 500 5 à 8 €

Si vous passez à Dierre, entrez donc dans l'église pour en apprécier la nef lambrissée du XIIe s. C'est dans ce village que Pascal Brain a créé Les Malidores en 2002, autour de 28 ha de vignes. Il a élaboré un crémant fort séducteur par son volume et sa douceur finale. Issu des terroirs de la vallée du Cher et du cépage chardonnay, ce vin sait aussi se montrer rafraîchissant grâce à ses notes de tilleul et de coing. Pour un apéritif ou comme vin d'honneur.

Pascal Brain, Dom. des Malidores, 37150 Dierre, tél. 02.47.30.92.50, fax 02.47.30.22.94 r.-v.

MALLARD-ETCHEGARAY ★★

2,4 ha 15 026 5 à 8 €

Le fondateur du domaine des Matines, Jean Mallard, aujourd'hui disparu, aurait pu être fier de son petit-fils, Vincent Etchegaray : le crémant que celui-ci a élaboré a conquis le jury. Des arômes intenses de coing, d'abricot, de noisette se libèrent d'une robe jaune franc, ornée de bulles délicates. S'il est puissant et riche, le vin garde toute sa délicatesse et invite à le servir avec un poisson à la crème.

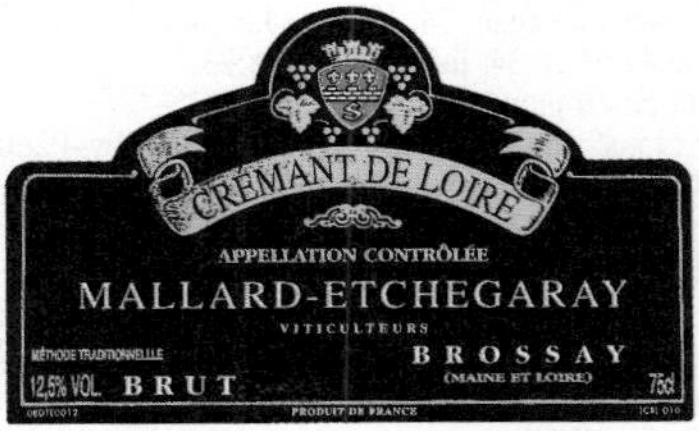

Dom. des Matines, 31, rue de la Mairie, 49700 Brossay, tél. 02.41.52.25.36, fax 02.41.52.25.50, e-mail domaine.des.matines@wanadoo.fr
t.l.j. sf dim. 8h-12h 14h-18h; sam. sur r.-v.
Mallard-Etchegaray

DOM. MICHAUD ★

1,4 ha 13 000 5 à 8 €

Régulièrement mentionné dans le Guide et même coup de cœur dans l'édition 2003, le domaine Michaud reste une valeur sûre dans l'exercice délicat de l'élaboration de crémants. Ici, la mousse fine persiste bien sur le fond jaune pâle à reflets argentés. Une attaque franche, de la fraîcheur équilibrée par une juste douceur, des arômes de fruits blancs font de ce vin un régal.

EARL Michaud, 20, rue Les Martinières, 41140 Noyers-sur-Cher, tél. 02.54.32.47.23, fax 02.54.75.39.19, e-mail thierry-michaud@wanadoo.fr
t.l.j. sf dim. 8h30-12h30 14h-19h

MONMOUSSEAU 2001

20 ha 188 658 5 à 8 €

Abritées dans un labyrinthe troglodytique de la vallée du Cher, les caves Monmousseau se sont spécialisées dans l'élaboration de vins effervescents. Ce crémant issu de l'assemblage de raisins blancs et noirs présente des bulles discrètes, mais un nez intense de prune nuancé de grillé. Souple et bien équilibré, il sera de toutes les occasions festives avec les amis.

SA Monmousseau, 71, rte de Vierzon, BP 25, 41401 Montrichard, tél. 02.54.71.66.66, fax 02.54.32.56.09, e-mail monmousseau@monmousseau.com r.-v.

LYCEE VITICOLE DE MONTREUIL-BELLAY 2002 ★

1,1 ha 10 000 5 à 8 €

Etablissement public d'enseignement agricole créé en 1967, le lycée de Montreuil-Bellay forme les viticulteurs et les techniciens viticoles. Il présente ici un crémant-de-loire qui pourrait servir de modèle : délicat, frais, le vin laisse l'agréable souvenir des fruits mûrs (abricot, pêche, raisin mûr) et de pâtisserie.

Lycée prof. agricole de Montreuil-Bellay, rte de Méron, 49260 Montreuil-Bellay, tél. 02.41.40.19.27, fax 02.41.38.72.86, e-mail montreuil-bellay.expl@educagri.fr
t.l.j. sf sam. dim. 9h-12h 14h-17h; groupes sur r.-v.

CAVES PLOUZEAU

2 ha 10 000 5 à 8 €

Installée dans le Chinonais depuis plusieurs générations, la famille Plouzeau maîtrise l'assemblage des cépages qui fait l'originalité du crémant-de-loire. Aux bulles bien présentes en attaque, succèdent une impression d'équilibre simple et une finale d'une agréable douceur.

❧ Caves Plouzeau, 54, fg Saint-Jacques, 37500 Chinon,
tél. 02.47.93.16.34, fax 02.47.98.48.23,
e-mail info@plouzeau.com
⚍ ⚎ t.l.j. sf dim. lun. 11h-13h 15h-19h; f. nov.-Pâques
❧ Marc Plouzeau

PRESTIGE DE LA PREVOTE 2002

	6 ha	15 000	▮ 5 à 8 €

Engagé professionnellement, Serge Bonnigal, également producteur de touraine-amboise, s'est fait une réputation dans l'élaboration de crémant-de-loire. Celui-ci sera un excellent compagnon de vos instants festifs par sa jovialité, ses notes de prune et de pêche blanche.
❧ GAEC Serge et Pascal Bonnigal,
Dom. de La Prévôté, 17, rue d'Enfer, 37530 Limeray,
tél. 02.47.30.11.02, fax 02.47.30.11.09
☑ ⚍ ⚎ t.l.j. sf dim. 9h-12h 14h30-19h

DOM. DU PRIEURE 2002 ★

	0,75 ha	3 500	▮⚖ 5 à 8 €

Arrivé dans le vignoble après avoir soutenu sa thèse, Franck Brossaud a très vite réussi les exercices pratiques. Coup de cœur l'an passé pour son anjou-villages-brissac 2001, il présente cette année un beau crémant élaboré de façon ancestrale, en utilisant les sucres résiduels du raisin pour la prise de mousse. Le vin offre des bulles délicates et persistantes, des arômes de noisette et de fruits mûrs, ainsi qu'un équilibre harmonieux.
❧ Franck Brossaud, Dom. du Prieuré,
1 bis, pl. du Prieuré, 49610 Mozé-sur-Louet,
tél. 02.41.45.30.74, fax 02.41.45.30.74,
e-mail franck.brossaud@wanadoo.fr ☑ ⚍ ⚎ r.-v.

DOM. RICHOU Dom Nature 2001 ★★

	1 ha	2 500	⦅⦆ 11 à 15 €

Le domaine Richou, propriété réputée en anjou et en coteaux-de-l'aubance (souvenez-vous des deux coups de cœur de l'an passé dans ces appellations), présente un crémant de méthode ancestrale, élaboré sans dosage, avec les seuls sucres du raisin. Pari réussi : c'est un vin complexe que l'on découvre, riche d'arômes de pain grillé, de citronnelle, de verveine et d'abricot. L'effervescence laisse en outre une impression de grande délicatesse, de même que la matière ronde et toute fruitée.
❧ Damien et Didier Richou,
Chauvigné, 49610 Mozé-sur-Louet,
tél. 02.41.78.72.13, fax 02.41.78.76.05,
e-mail domaine.richou@wanadoo.fr ⚍ r.-v.

DOM. DE SAINTE ANNE 2002

	2,9 ha	25 000	▮⚖ 5 à 8 €

Le domaine est implanté sur une croupe argilo-calcaire de Saint-Saturnin-sur-Loire qui constitue l'une des dernières auréoles sédimentaires du Bassin parisien avant les formations schisteuses du Massif armoricain. Il a produit un crémant jaune pâle, au long chapelet de bulles, qui se présente en toute simplicité, parfumé de fleurs et de fruits blancs.
❧ EARL Marc Brault,
Dom. de Sainte Anne, 49320 Brissac-Quincé,
tél. 02.41.91.24.58, fax 02.41.91.25.87,
e-mail eva.brault@wanadoo.fr ☑ ⚍ ⚎ r.-v.

> Servir le crémant à une température de 8 °C.

La région nantaise

Ce sont des légions romaines qui apportèrent la vigne il y a deux mille ans en pays nantais, carrefour de la Bretagne, de la Vendée, de la Loire et de l'Océan. Après un hiver terrible en 1709 où la mer gela le long des côtes, le vignoble fut complètement détruit, puis reconstitué principalement par des plants du cépage melon venu de Bourgogne.

L'aire de production des vins de la région nantaise occupe aujourd'hui 16 000 ha et s'étend géographiquement au sud et à l'est de Nantes, débordant légèrement des limites de la Loire-Atlantique vers la Vendée et le Maine-et-Loire. Les vignes sont plantées sur des coteaux ensoleillés exposés aux influences océaniques. Les sols plutôt légers et caillouteux se composent de terrains anciens entremêlés de roches éruptives. Le vignoble produit bon an, mal an, 960 000 hl dans les quatre appellations d'origine contrôlée : muscadet, muscadet des coteaux de la loire, muscadet sèvre-et-maine, et muscadet côtes de grand-lieu, ainsi que les AOVDQS gros-plant du pays nantais, coteaux d'ancenis et fiefs vendéens.

Les AOC du Muscadet et le gros-plant du pays nantais

Le muscadet est un vin blanc sec qui bénéficie de l'appellation d'origine contrôlée depuis 1936. Il est issu d'un cépage unique : le melon. La superficie du vignoble est de 12 908 ha. Quatre appellations d'origine contrôlée sont distinguées suivant la situation géographique et ont produit 658 744 hl de vin en 2003 : le muscadet-sèvre-et-maine, qui représente à lui seul 9 285 ha et 460 988 hl, le muscadet-côtes-de-grand-lieu (297 ha et 14 690 hl), le muscadet-coteaux-de-la-loire (287 ha, 13 475 hl) et le muscadet (2 895 ha, 169 591 hl).

Le gros-plant du pays nantais, classé AOVDQS en 1954, est également un vin blanc sec. Issu d'un cépage différent, la folle blanche, il a été produit sur 1 562 ha en 2003 pour un volume de 114 009 hl.

La mise en bouteilles sur lie est une technique traditionnelle de la région nantaise, qui fait l'objet d'une réglementation précise, renforcée en 1994. Pour bénéficier de cette mention, les vins doivent n'avoir passé qu'un hiver en cuve ou en fût, et se trouver encore sur leur lie et dans leur chai de vinification au moment de la mise en bouteilles ; celle-ci ne peut intervenir qu'à des périodes définies et en aucun cas avant le 1er mars, la commercialisation étant autorisée seulement à partir du premier jeudi de mars. Ce procédé permet d'accentuer la fraîcheur, la finesse et le bouquet des vins. Par nature, le muscadet est un vin blanc sec, mais sans verdeur, au bouquet épanoui. C'est le vin de toutes les heures. Il accompagne parfaitement les poissons, les coquillages et les fruits de mer, et constitue également un excellent apéritif. Il doit être servi frais, mais non glacé (8-9 °C). Quant au gros-plant, c'est par excellence le vin d'accompagnement des huîtres.

Muscadet

LE «B» DE BEAUQUIN 2003 ★

□ 17,77 ha 106 666 ▮🌡 - de 3 €

Cette cuvée distribuée par une grande maison de négoce de la région nantaise atteint un bon niveau. Jaune pâle brillant, elle fait preuve d'intensité par ses arômes, d'ampleur et de longueur par sa bouche équilibrée, à la fois ronde et fraîche.

⊶ SA Marcel Sautejeau,
Dom. de L'Hyvernière, 44330 Le Pallet,
tél. 02.40.06.73.83, fax 02.40.06.76.49

DOM. DE LA BIGOTIERE Elevé en fût de chêne 2003 ★

□ 0,1 ha 2 000 🛢 5 à 8 €

Petite production pour ce muscadet élevé en fût de chêne, dont les arômes de pêche sont bientôt complétés de vanille. Couleur jaune... sans reflets verts : c'est affirmer un caractère original. Du même domaine, le **muscadet-sèvre-et-maine Sur lie 2003**, élevé en cuve, obtient aussi une étoile : il affiche un nez légèrement fruité et une bouche souple et grasse.

⊶ EARL Pascal Batard,
26, La Bigotière, 44690 Maisdon-sur-Sèvre,
tél. 02.40.06.67.02, fax 02.40.33.56.79 ☑ 🚶 r.-v.

LA PERRIERE 2003 ★

□ 4 ha 30 000 ▮🌡 3 à 5 €

A la sortie du Pallet sur la route de La Chapelle-Heulin, cette propriété de 35 ha consacre 4 ha au muscadet. Parfaitement typique de l'appellation et de l'année, sa cuvée se caractérise par un nez de fruits confits. La bouche confirme cette impression de richesse et de finesse.

⊶ Vincent Loiret,
Ch. La Perrière, 44330 Le Pallet,
tél. 02.40.80.43.24, fax 02.40.80.46.99,
e-mail viloiret@wanadoo.fr ☑ Y 🚶 r.-v.

Muscadet-sèvre-et-maine

D'AUBAC Sur lie 2003 ★★

□ n.c. 17 000 ▮🌡 3 à 5 €

Une maison de négoce de Vallet propose cette cuvée d'assemblage dont le jury a apprécié la grande continuité en dégustation : du premier regard à la finale, tout est remarquable. La robe or pâle à reflets verts de jeunesse accueille des arômes fins, à la fois floraux et fruités, bien ouverts. La bouche allie richesse, équilibre et longueur.

⊶ D'Aubac, BP34, La Vergne, 44330 Vallet,
tél. 02.40.33.99.94, fax 02.40.36.26.53,
e-mail michel.bahuaud@wanadoo.fr ☑ Y 🚶 r.-v.

CH. DE L'AUBERDIERE Sur lie 2003 ★

□ n.c. 50 000 ▮🌡 3 à 5 €

Ce vin limpide fait preuve d'un excellent équilibre et d'une bonne intensité aromatique. D'attaque très souple, sa bouche ronde s'accompagne de notes d'agrumes rafraîchissantes qui se poursuivent dans une finale d'une grande finesse, légèrement acidulée.

⊶ SARL Vinival, La Sablette, 44330 Mouzillon,
tél. 02.40.36.66.00, fax 02.40.36.26.83

DOM. DE L'AUBINERIE Sur lie Vieilles Vignes 2003 ★

□ 4 ha 10 000 ▮🌡 5 à 8 €

Si vous ne connaissez pas encore Clisson, cette jolie ville à l'italienne, profitez d'un passage chez Jean-Marc Guérin pour vous y rendre. Seulement 5 km vous en séparent. Au domaine, vous découvrirez ce vin harmonieux, aux reflets jaunes et au nez de fruits mûrs, voire un peu cuits. Souple, élégant et riche, celui-ci se montre bien représentatif du millésime 2003.

⊶ Jean-Marc Guérin, La Barillère, 44330 Mouzillon,
tél. 02.40.36.37.06, fax 02.40.36.37.06
☑ Y 🚶 t.l.j. sf dim. 8h-12h 14h-18h

DOM. AUDOUIN Sur lie 2003 ★

□ 8 ha 50 000 ▮🌡 3 à 5 €

Issu des sols légers du Landreau, à la limite de Vallet, ce vin se signale par une robe or pâle limpide. Son nez, d'abord discret et fin, s'ouvre bientôt sur des arômes complexes de fruits mûrs relevés d'une touche minérale. Sa bonne structure est mise en valeur par une légère vivacité.

⊶ EARL Audouin,
Dom. de la Momenière, 44430 Le Landreau,
tél. 02.40.06.43.04, fax 02.40.06.47.89 ☑ Y 🚶 r.-v.

DOM. DE LA BAREILLE Sur lie 2002 ★

□ 3 ha 4 200 ▮🌡 3 à 5 €

Ce sont les moines de Vertou qui, au XIes., plantèrent la vigne en ce lieu devenu la porte du vignoble nantais. Proche du château de la Frémoire, au bord de la Sèvre nantaise, ce domaine a produit un vin typique par ses arômes de fleurs blanches, sa finesse et son caractère fruité en bouche.

⊶ Philippe Delaunay,
28, rue de l'Herbray, 44120 Vertou,
tél. 02.40.80.07.07, fax 02.40.80.07.07 ☑ Y 🚶 r.-v.

DOM. AUGUSTE BARRE Sur lie 2003 ★

| 10 ha | 70 000 | ▮↓ | 3 à 5 € |

Largement diffusé, ce muscadet-sèvre-et-maine produit par un négociant spécialisé est bien typé du millésime. Complexe par ses notes de fruits blancs (melon notamment) soulignées d'anis et de badiane, il se montre tout aussi agréable en bouche : une attaque ronde, une certaine fraîcheur, une finale de pêche blanche. De la même maison, la cuvée **Les Printanières Sur lie 2003** reçoit également une étoile : on retiendra ses arômes floraux et fruités, ainsi que sa matière riche.

🕿 SCEA Dom. Auguste Barré,
Beau-Soleil, 44190 Gorges,
tél. 02.40.06.90.70, fax 02.40.06.96.52 ☑ ⵏ 🕇 r.-v.

CAROLINE BARRE
Sur lie Cuvée du Moulin neuf 2003 ★★

| 5 ha | 20 000 | ▮↓ | 3 à 5 € |

Né sur une parcelle au sous-sol de gneiss, ce vin développe une palette ample de fruits blancs avec une jolie fraîcheur. Il se montre franc en attaque, puis évolue de manière équilibrée jusqu'à une finale persistante sur le fruit (poire).

🕿 Caroline Barré,
Dom. de Montifault, 44330 Le Pallet,
tél. 02.40.80.40.62, fax 02.40.80.43.17,
e-mail montifault@wanadoo.fr ☑ ⵏ 🕇 r.-v.

DOM. DE LA BAZILLIERE Sur lie 2003 ★★★

| 2 ha | 13 000 | ▮↓ | 3 à 5 € |

Attention grand vin... Préparez un bar ou un sandre au beurre blanc, rien de moins noble, pour l'accompagner. Au nez floral et minéral, complexe, répondent des arômes anisés dans une bouche riche et si longue. En finale, une légère amertume se manifeste, gage de longévité.

🕿 Jean-Michel Sauvêtre,
La Bazillière, 44430 Le Landreau,
tél. 02.40.06.40.14, fax 02.40.06.40.14 ☑ ⵏ r.-v.

DOM. DE BEAULIEU Sur lie Cuvée Prestige 2003 ★

| 3 ha | 20 000 | ▮↓ | 3 à 5 € |

Un muscadet-sèvre-et-maine qui a bénéficié d'un sol de gabbro. Jaune pâle limpide, il offre un nez puissant, alliant minéral et fumée, puis une bouche souple, avec une note de terroir.

🕿 GAEC Travers Fils,
Dom. de Beaulieu, La Fosse, 44330 Vallet,
tél. 02.40.33.91.58, fax 02.40.33.91.58 ☑ ⵏ 🕇 r.-v.

DOM. DE BEAUREPAIRE Sur lie 2003 ★★

| 2,6 ha | 17 000 | ▮↓ | 5 à 8 € |

Date historique pour ce domaine qui a vendangé le 27 août 2003 en raison de sa situation à l'extrême est du vignoble. Le résultat ? Un vin aux arômes de fruits mûrs, témoin d'un raisin récolté à bonne maturité. Le voici, ample, riche et complexe, d'une grande longueur qui saura révéler en 2005 toute sa personnalité.

🕿 Jean-Paul Bouin-Boumard, 5, La Recivière,
44330 Mouzillon, tél. 02.40.36.35.97, fax 02.40.36.35.97
☑ ⵏ 🕇 t.l.j. 10h-19h; dim. sur r.-v.

DOM. BEL-AIR Sur lie 2003 ★★

| 23,42 ha | 130 000 | ▮↓ | 3 à 5 € |

De teinte soutenue à reflets dorés, ce 2003 décline de subtils arômes de poire et de coing. Un fruité mûr que l'on retrouve dans sa matière ronde et bien équilibrée jusqu'en finale. Accompagnez-le d'un fromage de chèvre et l'harmonie sera parfaite.

🕿 GAEC Audrain Père et Fils,
26, rue de la Caillaudière, 44690 La Haye-Fouassière,
tél. 02.40.54.84.11, fax 02.40.36.91.36 ☑ ⵏ 🕇 r.-v.

DOM. DE LA BERNARDIERE Sur lie 2003 ★

| 10 ha | 15 000 | ▮↓ | 3 à 5 € |

Au XIXᵉs., le domaine aurait pu expédier des barriques de muscadet par le port de Montoir, car celui-ci assurait le trafic des vins par le marais de Goulaine vers Nantes. Aujourd'hui, c'est par voie de terre que l'on ira chercher ce vin harmonieux, aux reflets jaune pâle et au nez de fruits exotiques un peu grillés, puis à la bouche puissante, équilibrée, évocatrice de fruits blancs mûrs.

🕿 Dominique Coraleau, 14, rue des Châteaux,
La Bernardière, 44330 La Chapelle-Heulin,
tél. 02.40.06.76.21, fax 02.40.06.76.21 ☑ ⵏ 🕇 r.-v.

DOM. DE LA BLANCHETIERE
Sur lie Vieilles Vignes 2003 ★

| 2 ha | 12 000 | ▮↓ | 3 à 5 € |

Sur la route touristique des moulins du Loroux-Bottereau, au Landreau, vous découvrirez le domaine de La Blanchetière sur votre gauche. Christophe Luneau a produit un vin plutôt complexe par ses évocations de fruits confits et de fruits secs, bien structuré et long, que vous apprécierez avec une daurade au basilic, par exemple.

🕿 Christophe Luneau,
Dom. de La Blanchetière, 44430 Le Loroux-Bottereau,
tél. 02.40.06.43.18, fax 02.40.06.43.18,
e-mail luneau.vinprod@wanadoo.fr ☑ ⵏ r.-v.

DOM. DU BOIS-JOLY Sur lie 2003 ★

| 8 ha | 50 000 | ▮↓ | 3 à 5 € |

Le gabbro est une roche magmatique de couleur sombre que l'on trouve au Pallet et à Mouzillon. De ce terroir naissent des vins typés, tel ce 2003 jaune pâle, au nez puissant de fruits secs (noisette et amande). Ces mêmes arômes enveloppent la structure bien équilibrée, tandis qu'un léger perlant en finale apporte une sensation de fraîcheur.

🕿 Henri et Laurent Bouchaud,
Le Bois-Joly, 44330 Le Pallet,
tél. 02.40.80.40.83, fax 02.40.80.45.85
☑ ⵏ 🕇 t.l.j. 10h-12h30 15h-19h30; dim. sur r.-v.

DOM. DU BOIS MALINGE Sur lie 2003 ★

| 9 ha | 50 000 | ▮↓ | 3 à 5 € |

Sous une teinte jaune clair apparaissent des parfums de fruits mûrs, voire confits qui annoncent la puissance et le gras de la bouche légèrement poivrée. La petite amertume finale est le gage d'un bon potentiel de garde.

🕿 SARL Gilbert Chon et Fils,
Le Bois Malinge, 44450 Saint-Julien-de-Concelles,
tél. 02.40.54.11.08, fax 02.40.54.19.90,
e-mail muscadetchon@aol.com ☑
🕿 GFA du Parc

PIERRE-LUC BOUCHAUD
Sur lie Le Perd son pain 2003 ★★

| 3,15 ha | 20 000 | ▮↓ | 3 à 5 € |

Ici, le sol est aride, fort difficile à travailler et rapporte bien moins que ce qu'il coûte à exploiter... On y « perd son

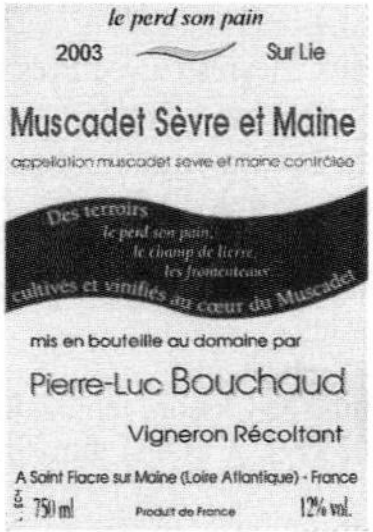

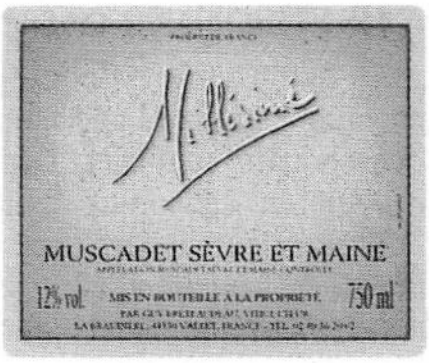

pain ». Les anciens se tromperaient-ils ? Car de ce lieu-dit est né une cuvée remarquable qui ne fera pas perdre son pain à son producteur. Riche d'arômes de fruits mûrs, elle présente une grande élégance grâce à sa bouche ronde et persistante. À déguster avec une terrine de lotte aux fines herbes, aujourd'hui comme demain.

↬ Pierre-Luc Bouchaud,
La Hautière, 44690 Saint-Fiacre,
tél. 02.40.36.95.23, fax 02.40.36.79.56,
e-mail pierre-luc.bouchaud@wanadoo.fr ☑ ☗ ☖ r.-v.

DOM. DE LA BRAUDIERE Millésimé 1992 ★★

| | 2 ha | 5 000 | | ■♦ | 5 à 8 € |

Guy Breteaudeau avait obtenu un coup de cœur l'an passé pour son 2002 sur lie. Aujourd'hui, il s'illustre par l'un de ces vieux millésimes qui font sa réputation. Cette cuvée se signale par une robe légèrement évoluée – rien que de plus normal pour un vin de douze ans d'âge – et un beau nez de fleurs blanches. Ample et puissante, la bouche révèle une certaine minéralité avant de s'achever sur une touche de fruits confits. Un muscadet-sèvre-et-maine à apprécier maintenant en accompagnement d'une volaille de Bresse à la crème et aux champignons.

↬ Guy Breteaudeau, La Braudière, 44330 Vallet,
tél. 02.40.36.20.62 ☑ ☗ ☖ r.-v.

MICHEL BREGEON 1999

| | 7,5 ha | 43 000 | | ■ | 8 à 11 € |

Ce viticulteur spécialiste des vieux millésimes a été maintes fois distingué par le Guide. Son 99 est un vin de caractère, typique d'un terroir de gabbro. Intensément parfumé de chèvrefeuille auquel se mêlent des notes automnales de sous-bois et de champignon, il possède une charpente puissante qui invite à le servir en carafe. Il suffira alors de lui proposer une alose au fenouil pour que le repas soit réussi.

↬ André et Michel Brégeon,
5, Les Guisseaux, 44190 Gorges,
tél. 02.40.06.93.19, fax 02.40.06.95.91
☑ ☗ ☖ t.l.j. sf dim. 10h-19h

Le Pays nantais

A.O.C.:	
☐	Aire géographique A.O.C. Muscadet
◁◁◁	Aire géographique A.O.C. Muscadet Sèvre et Maine
	Aire géographique A.O.C. Muscadet Coteaux de la Loire
	Aire géographique A.O.C. Muscadet Côtes de Grandlieu

Erdre

N

A11

D 178   Ligné

Varades

LOIRE-
ATLANTIQUE

Ancenis

Carquefou   N 23   Champtoceaux   Saint-Florent-
le-Vieil

Loire

D 763

le Pellerin   **Nantes**

le Loroux-
Bottereau

MAINE-
ET-LOIRE

Bouaye   Vertou   N 249   Vallet

D 751

Lac de
Grand-Lieu

Bourgneuf-
en-Retz

D 117   Aigrefeuille   Clisson

D 937

Baie
de Bourgneuf

D 13

Saint-Philibert-
de-Grand-Lieu

A 83

D 753

Sèvre Nantaise

D 13

Rocheservière   Montaigu

D 758

D 753   Légé

V.D.Q.S.:	
☐	Gros Plant
	Coteaux d'Ancenis-Gamay
----	Limites de départements

Boulogne

0   5   10 km

VENDÉE

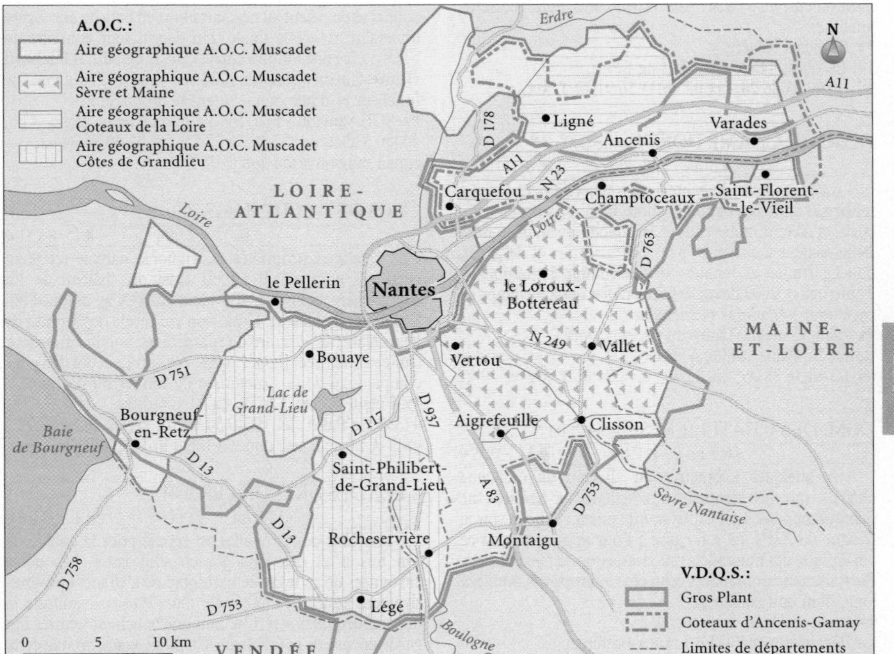

LOIRE

DOM. DE LA BREGEONNETTE Sur lie 2003 ★

■ 1,2 ha 7 700 ⌶ 5 à 8 €

Le domaine faisait partie de l'ancienne seigneurie du marquis de Rochechouart, au Vallet. Depuis 1993, son vignoble est conduit en agriculture biologique. Cette cuvée, au nez minéral discret, développe au palais des caractères fruités. Bien équilibrée, elle laisse apparaître en finale une légère amertume, signe d'une bonne longévité.

⚷ Stéphane Orieux, La Touche, 44330 Vallet,
tél. 02.41.56.53.90, fax 02.41.56.54.09,
e-mail stephane.orieux@wanadoo.fr ☒ ⚲ r.-v.

DOM. DU BROCHET Sur lie 2003 ★

■ 10,6 ha 20 000 ⌶ 3 à 5 €

Typique de l'appellation et de l'année, ce vin or pâle décline des arômes discrets mais complexes de minéral (pierre à fusil) et de fruits mûrs. Une minéralité confirmée dans une bouche équilibrée et ronde. Un muscadet-sèvre-et-maine gouleyant.

⚷ Charles Fleurance-Hallereau,
Le Brochet, 44330 Vallet, tél. 02.40.33.97.19
☒ Y ⚲ t.l.j. sf dim. 8h-12h30 14h-19h; f. 15 au 31 août

DOM. DU CENSY
Sur lie Cuvée du Haut-Censy Vieilles Vignes 2002 ★

■ 1,1 ha 8 000 ⌶ 3 à 5 €

Censy, c'est le nom que l'on donnait à la taxe prélevée par le seigneur local : une partie de la production du vignoble servait à sa consommation personnelle. Issu d'une vigne de quarante-cinq ans, vendangée manuellement, cette cuvée tout en fruits confits s'avère équilibrée et harmonieuse jusqu'à sa finale de fruits secs grillés (noisette, amande).

⚷ François Rivière,
14, Le Gast, 44690 Maisdon-sur-Sèvre,
tél. 02.40.03.86.28, fax 02.40.33.56.91 ☒ Y ⚲ r.-v.

DOM. DU CHAMP DORE Sur lie 2003 ★★

■ 4,3 ha 27 300 ⌶ 3 à 5 €

Les vins issus de gabbro sont généralement longs à mûrir sur leurs lies de vinification. Il en est ainsi de cette cuvée d'Alain Gaubert, dont la typicité a séduit le jury. Belle couleur jaune pâle, nez de fruits mûrs et de genêt, bouche fruitée et longue : une harmonie remarquable. Toutefois, ce 2003 devra se faire oublier quelque temps en cave pour s'épanouir pleinement.

⚷ Alain Gaubert, Dom. du Champ Doré,
Bonne-Fontaine, 44330 Vallet,
tél. 02.40.36.38.05, fax 02.40.36.46.74 ☒ Y ⚲ r.-v.

DOM. DES CHATELIERES Sur lie 2003 ★

■ 6,3 ha 41 500 ⌶ 3 à 5 €

A quelques kilomètres du château de Goulaine (XV[e]s.), que les amateurs des hauts lieux ligériens ne manqueront pas, Le Loroux mérite une halte pour voir la fresque du XII[e]s. de son église... Pour apprécier aussi ce vin typique des muscadets précoces, issus de micaschistes. Puissamment aromatique, celui-ci se montre gras, ample et long, d'un bon équilibre.

⚷ Louis et Denis Luneau,
La Bécassière, 44430 Le Loroux-Bottereau,
tél. 02.40.03.79.81, fax 02.40.03.76.73 ☒ Y ⚲ r.-v.

DOM. CHATELLIER
Sur lie Le Coin aux Lièvres Cuvée Prestige 2003 ★

■ 2 ha 10 000 ⌶ 3 à 5 €

De la typicité, ce vin n'en manque pas. Il possède bien le fruité savoureux et mûr de l'année, révèle la grande fraîcheur et la pointe minérale finale caractéristiques de l'appellation, titille les papilles d'un léger pétillement dû à la vinification sur lie.

⚷ Chatellier, La Clavelière,
44190 Saint-Lumine-de-Clisson, tél. 02.40.03.80.24,
fax 02.40.06.69.02 ☒ Y ⚲ t.l.j. sf dim. 9h30-19h

DOM. DE LA CHAUVINIERE 2000

■ 1 ha 4 000 ⌶ 5 à 8 €

Coup de cœur l'an passé pour son 1997, le domaine présente ici un 2000 qui a gardé une certaine jeunesse grâce à un léger perlant. Or très pâle, le vin présente un bouquet de sous-bois et de champignon, digne de son âge, puis une bouche fraîche. Pour des coquilles Saint-Jacques poêlées.

⚷ Yves et Jérémie Huchet,
La Chauvinière, 44690 Château-Thébaud,
tél. 02.40.06.51.90, fax 02.40.06.57.13,
e-mail domaine-de-la-chauviniere@wanadoo.fr
☒ Y ⚲ t.l.j. 9h-12h 14h-18h

CH. DU CLERAY
Sur lie Réserve Haute Culture 2003 ★

■ 6 ha 39 800 ⌶ 5 à 8 €

Le château de Cléray, comme tous les producteurs de cette AOC, laisse ses vins « faire leurs Pâques » afin que ceux-ci murissent et s'épanouissent pleinement. Le 2003 apparaît élégamment fruité : l'abricot sec et les fruits confits se déclinent au nez, tandis qu'en bouche une légère minéralité relève la finale. Un dégustateur conseille un accord avec une lotte au curry. Cité, le **Cardinal Richard Haute Culture Sur lie 2003** fait preuve d'équilibre, de fraîcheur et d'une bonne intensité aromatique.

⚷ SCE Sauvion - Fils, BP 3 Ch. du Cléray, Eolie,
44330 Vallet, tél. 02.40.36.22.55, fax 02.40.36.34.62,
e-mail sauvion@sauvion.fr ☒ Y ⚲ r.-v.

CLOS DE LA CHESNAIS 2001 ★

■ 3 ha 17 000 ⌶ 8 à 11 €

Quelques propriétés du vignoble nantais récoltent encore à la main. Il en est ainsi du château de La Mercredière, folie nantaise bâtie au XIX[e]s., aujourd'hui fort d'un vignoble de 42 ha. Son vin révèle des arômes de fleurs blanches aussi fins que persistants, puis une fraîcheur fruitée équilibrée. Il pourra être conservé encore deux ans compte tenu de sa structure et de son terroir d'origine.

⚷ Futeul Frères, Ch. de La Mercredière,
44330 Le Pallet, tél. 02.40.54.80.10, fax 02.40.54.89.79
☒ Y ⚲ t.l.j. sf sam. dim. 9h-12h 14h-18h; f. 1er-21 août

CLOS DES ORFEUILLES 2001

■ 2,25 ha 12 000 ⌶ 5 à 8 €

Le Clos des Orfeuilles est réputé pour la qualité de son terroir et des vins qui en sont issus. Les notes citronnées de cette cuvée harmonieuse s'effacent progressivement au profit d'un fruité mûr. Puis se manifeste la minéralité d'un bon terroir dans une bouche structurée qui garde encore de la fraîcheur. En 2005, vous servirez cette bouteille avec un plateau de fruits de mer.

⌐ SARL Dom. de l'Hyvernière,
La Guillemochère, 44330 La Chapelle-Heulin,
tél. 02.40.06.73.83, fax 02.40.06.76.49 r.-v.

DOM. DE LA COGNARDIERE
Sur lie Excellence Vieilles Vignes 2003 ★★

	2,65 ha	15 000	▮↓ 3 à 5 €

Chaque année, le dernier week-end d'avril, le domaine ouvre ses portes au public et présente une exposition d'art dans son vieux caveau. Une occasion de découvrir ce vin original, évocateur de fleur de pêcher. Intense, long et équilibré, il possède bien le caractère du terroir. Une petite attente en cave lui permettra de révéler la complexité de sa structure. Notez que le domaine fabrique une gelée de muscadet qui accompagne fort bien un poulet au romarin, servi avec ce 2003, bien sûr.
⌐ GAEC J.-Cl. et Pierre-Yves Nouet,
1, imp. des Pressoirs, La Cognardière, 44330 Le Pallet,
tél. 02.40.80.41.72, fax 02.40.80.41.72,
e-mail nouetjc@aol.com ☑ ⫪ ⚹ r.-v.

DOM. DU COLOMBIER
Sur lie Cuvée des deux Colombes 2003 ★

	3 ha	20 000	▮↓ 3 à 5 €

Avec deux colombes pour emblème sur son étiquette, ce vin ne pouvait qu'être charmant. Et ce n'est pas vaine promesse, puisqu'il se montre fruité, ample et harmonieux à souhait. La légère amertume finale devrait s'estomper avec le temps. Egalement très réussi, le **gros plant du pays nantais Sur lie 2003 (moins de 3 €)** du domaine plaît par sa complexité aromatique (pain brioché), sa franchise et sa souplesse. A déguster dès maintenant.
⌐ Jean-Yves Brétaudeau, Le Colombier,
49230 Tillières, tél. 02.41.70.45.96, fax 02.41.70.36.17,
e-mail contact@lecolombier.com ☑ ⫪ ⚹ r.-v.

DOM. BRUNO CORMERAIS
Sur lie Cuvée Vieilles Vignes 2002 ★★

	2 ha	7 000	▮↓ 5 à 8 €

Bruno Cormerais opte pour des méthodes de vinification originales. Cette cuvée reflète bien sa personnalité. Dotée d'un nez puissant et complexe de fruits secs (amande), elle révèle une bonne charpente, soulignée d'une pointe de réglisse avant une finale persistante. Retenez aussi la **Réserve Granit de Clisson 1999 (8 à 11 €)**, élevée pas moins de quatre ans en cuve : un vin aux arômes de fleurs blanches, riche et tendre, qui conserve son élégance. Une étoile.
⌐ EARL Bruno et Marie-Françoise Cormerais,
La Chambaudière, 44190 Saint-Lumine-de-Clisson,
tél. 02.40.03.85.84, fax 02.40.06.68.74 ☑ ⫪ ⚹ r.-v.

DOM. DES CORMIERS Sur lie 2002 ★

	3 ha	5 000	▮↓ 3 à 5 €

La Bouteillerie, un lieu-dit prédestiné pour un producteur de vin. Michel et Brigitte Loiret proposent une cuvée intense et minérale, soulignée d'une note de genêt. Une minéralité que l'on retrouve en bouche, accompagnée d'une bonne vivacité.
⌐ Brigitte et Michel Loiret,
47, rte de La Haie-Fouassière,
La Bouteillerie, 44120 Vertou,
tél. 02.40.34.28.13, fax 02.40.34.28.13,
e-mail earl.loiret@wanadoo.fr ☑ ⫪ ⚹ r.-v.

DOM. DE LA CORNULIERE Sur lie 2003 ★

	2 ha	13 000	▮↓ 3 à 5 €

Un autre vin marqué par le caractère du terroir de gabbro. Discret, fin et floral, il se montre plein et gras en bouche. Une légère amertume en finale ? En effet. Et elle augure là encore d'une bonne évolution dans le temps. Egalement une étoile, la cuvée **Excellence de La Cornulière Sur lie Vieilles Vignes 2003 (5 à 8 €)** révèle un côté floral au nez, plutôt fruité en bouche.
⌐ Jean-Michel Barreau, La Cornulière, 44190 Gorges,
tél. 02.40.03.95.06, fax 02.40.54.23.13 ☑ ⫪ ⚹ r.-v.

DOM. MICHEL DAVID
Sur lie Clos du Ferré 2003 ★★

	13,25 ha	55 000	▮↓ 3 à 5 €

En contrebas du célèbre château de la Noë qui a été entièrement reconstruit en 1836 après les guerres de Vendée, le Clos du Ferré est réputé pour la qualité de ses vins. Exemple remarquable de sa production, ce 2003 au nez plaisant de fleurs blanches laisse paraître en rétro-olfaction des nuances de menthe et d'anis. L'équilibre est harmonieux, axé sur la fraîcheur et la complexité.
⌐ EARL David, Le Landreau-Village,
44330 Vallet, tél. 02.40.36.42.88, fax 02.40.33.96.94,
e-mail sdavid4437@aol.com
☑ ⫪ ⚹ t.l.j. sf dim. 8h30-12h15 14h-18h30

DOM. DES DEBEAUDIERES
Sur lie Vieilles Vignes 2003 ★★★

	1,15 ha	4 800	▮ 3 à 5 €

Le manoir des Débeaudières et son domaine dépendaient autrefois de la demeure seigneuriale de Clisson. Le vignoble occupe un terroir de gabbro, à la frontière entre Vallet et Mouzillon, sur des coteaux très escarpés. Trois étoiles, il n'en fallait pas moins pour récompenser ce vin tout doré et limpide qui livre un nez complexe et intense, avec une élégante pointe de noisette. D'attaque douce, il se développe longuement sur des arômes de fruits secs.
⌐ EARL Domaine des Débeaudières,
La Débeaudière, 44330 Vallet,
tél. 02.40.33.99.68, fax 02.40.36.47.07 ☑ ⫪ ⚹ r.-v.

DROUET FRERES Sur lie Cuvée de Bretagne 2003 ★

	n.c.	92 000	▮↓ 3 à 5 €

C'est l'une des plus anciennes maisons de négoce éleveur du pays nantais, représentée aujourd'hui par la quatrième génération de la famille Drouet. La maturité, c'est ce qu'évoque d'emblée ce vin de couleur paille, dont le nez intense décline les fruits exotiques, les agrumes et la brioche. La bouche laisse cependant une impression de vivacité, soulignée par sa finale mentholée.
⌐ SA Les vins Drouet Frères, 8, bd du Luxembourg,
44330 Vallet, tél. 02.40.36.65.20, fax 02.40.33.99.78,
e-mail drouetsa@club-internet.fr ☑ ⫪ ⚹ r.-v.

CH. ELGET Elevé en fût de chêne 2001 ★

	1 ha	2 500	◫ 5 à 8 €

Bonne évolution pour ce vin au nez flatteur de vanille, caractéristique d'un passage en barrique. La bouche ample et élégante a hérité du bois des tanins bien fondus qui laissent s'exprimer des nuances fumées en finale. A déguster avec un homard Thermidor.

Gilles Luneau, Ch. Elget, Les Forges,
44190 Gorges, tél. 02.40.54.05.09, fax 02.40.54.05.67,
e-mail chateau-elget@wanadoo.fr
t.l.j. 8h-12h30 14h-19h; sam. dim. sur r.-v.

DOM. DE L'ERRIERE Sur lie Cuvée Prestige 2003 ★

3 ha 6 000 - de 3 €

Cette cuvée provient d'un terroir composé de sables hydromorphes du Landreau. Elle dévoile un nez fin et ouvert, à la fois fruité et légèrement minéral, tandis que, dans sa bouche ronde et pleine, le terroir tend à s'affirmer. Un vin aérien, à consommer rapidement.

GAEC Jean-Paul et Hervé Madeleineau,
L'Errière, 44430 Le Landreau,
tél. 02.40.06.43.94, fax 02.40.06.48.82 r.-v.

DOM. DE L'ESPERANCE
Sur lie Prestige de l'Espérance 2003 ★★

4 ha 24 000 3 à 5 €

La commune de Tillières se situe à l'extrémité est du vignoble nantais, aux portes de l'Anjou. Le terroir argilo-limoneux et sableux a donné naissance à ce vin finement parfumé de fleurs et nuancé d'une pointe minérale. Sa bouche équilibrée et longue évoque les fruits de l'été, tels que la pêche et l'abricot. A servir comme il se doit avec un brochet au beurre blanc.

GAEC Patrice et Danielle Chesné,
Dom. de l'Espérance, 49230 Tillières,
tél. 02.41.70.46.09, fax 02.41.70.46.09 r.-v.

DOM. DE LA FERRONNIERE Sur lie 2003 ★

0,85 ha 2 000 3 à 5 €

Originaire d'une coulée argileuse sur orthogneiss, cette cuvée marquée par son terroir présente beaucoup de finesse dans ses arômes floraux. Ample et ronde, elle promet de s'épanouir dans un an et de séduire vos convives autour d'une nage de Saint-Jacques aux morilles.

Olivier Bonneteau-Guesselin,
La Juiverie, 44690 La Haye-Fouassière,
tél. 02.40.54.80.38, fax 02.40.36.91.17,
e-mail olivier.bonneteau@wanadoo.fr
t.l.j. 9h-12h 15h-18h

CH. DE LA FERTE Sur lie 2003 ★

3 ha 23 000 3 à 5 €

Sur la rive droite dominant la Sanguez, le château de La Ferté jouit d'une bonne réputation. On apprécie son vin aux arômes de fruits secs (abricot), marqué par son terroir en bouche. Celui-ci gagnera en complexité à la faveur d'une garde d'un an ou deux et rejoindra alors un poisson cuisiné.

Jérôme et Rémy Sécher, La Ferté, 44330 Vallet,
tél. 02.40.33.95.54, fax 02.40.33.95.54
t.l.j. sf dim. 9h-13h 14h-18h30

DOM. DES FEVRIES Sur lie 2003 ★

3 ha 15 000 5 à 8 €

Parmi les plus renommés du vignoble nantais, le Clos des Févries bénéficie d'un beau terroir de gneiss et d'argile en bordure de la Sèvre nantaise, à l'origine de vins expressifs, tel ce 2003 d'un jaune mordoré à reflets émeraude. Celui-ci s'ouvre à l'aération dans les registres minéral et floral (fleurs blanches, aubépine), puis il dévoile une bouche joliment fondue, où le fruit vient compléter la noisette et les fleurs avec persistance. A servir avec un bar grillé au fenouil.

Guy Branger, 18, la Févrie,
44690 Maisdon-sur-Sèvre, tél. 02.40.36.90.41,
fax 02.40.36.90.41 t.l.j. sf dim. 8h-19h

FIEF DE LA CHAPELLE Sur lie 2003 ★★

3 ha 10 000 3 à 5 €

Une petite exploitation située aux portes de Nantes, près de la chapelle de Saint-Martin représentée sur l'étiquette de son vin. Des coquilles Saint-Jacques à la crème safranée s'harmoniseront agréablement à la minéralité de ce 2003, perceptible au nez comme en bouche, avant que les fruits confits (coing) ne prennent le relais. Un muscadet-sèvre-et-maine long, complexe et d'un bon potentiel.

Vincent Babin, 59, rue de la Chapelle-Saint-Martin,
44115 Haute-Goulaine, tél. 02.40.54.93.14
t.l.j. sf dim. 14h-19h

DOM. DU FIEF-SEIGNEUR Sur lie 2003 ★

2,25 ha 15 000 3 à 5 €

La tradition, cela a son charme. Et ce n'est certes pas cette exploitation familiale de 16 ha qui le démentira. Elle propose un vin aux discrètes notes de fruits secs, auxquelles s'ajoutent des arômes de pamplemousse et d'ananas dans une bouche franche. La petite amertume finale devrait s'estomper à l'avenir. Conservez cette bouteille trois ou cinq ans : elle gagnera en plénitude.

EARL Thierry et Jean-Hervé Caillé,
12bis, rue des Moulins, 44690 Monnières,
tél. 02.40.54.66.04, fax 02.40.54.66.04 r.-v.

DOM. DE LA FOLIETTE Sur lie 2003 ★

15 ha 60 000 5 à 8 €

La « p'tite folie », c'est ce château d'armateurs nantais, construit sur les bords de la rivière Erdre, au cœur du vignoble de Sèvre-et-Maine. Sous une élégante étiquette se présente une cuvée issue de micaschistes. Nez puissant, équilibre, fruité et vivacité en bouche, elle est prête pour les festivités des trois prochaines années.

Dom. de la Foliette,
35, rue de la Fontaine, 44690 La Haye-Fouassière,
tél. 02.40.36.92.28, fax 02.40.36.98.16,
e-mail domaine.de.la.foliette@wanadoo.fr r.-v.

GADAIS PERE ET FILS
Sur lie La Grande Réserve du Moulin 2003 ★

8 ha 55 000 5 à 8 €

Cette cuvée particulière provient de vignes cultivées près du moulin de La Fombretière, sur un sol d'orthogneiss. Elle se montre caractéristique de ce terroir par ses arômes intenses comme par sa bouche complexe, fruitée et acidulée. Une étoile est également attribuée à la cuvée

Le muscadet aux Avineaux 2003, dont les arômes de bonbon anglais et de fruits exotiques - à défaut d'être typiques - sont très plaisants.
🔑 Gadais Père et Fils,
Les Perrières, 44690 Saint-Fiacre,
tél. 02.40.54.81.23, fax 02.40.36.70.25,
e-mail musgadais@wanadoo.fr ☒ 🍷 🚶 r.-v.

CH. DES GRANDES NOELLES Sur lie 2003 *

░ 4 ha 20 000 ◍ 5 à 8 €

La famille Poiron, dont les ancêtres étaient déjà vignerons au XVIIIes., exploite 38 ha de vignes répartis sur deux domaines. Son 2003, or vert, offre des arômes fruités dominants, ponctués de notes florales. Il se montre persistant, toujours sur le fruit, avec cette fraîcheur et cette simplicité des vins à boire dans leur jeunesse.
🔑 Dom. Henri Poiron et Fils,
Les Quatre Routes, 44690 Maisdon-sur-Sèvre,
tél. 02.40.54.60.58, fax 02.40.54.62.05,
e-mail poiron.henri@wanadoo.fr ☒ 🏠 🍷 🚶 r.-v.

GRAND FIEF DE L'AUDIGERE Sur lie 2003 *

░ 40 ha 250 000 ▮🌡 5 à 8 €

La famille de Sévigné aurait été propriétaire de cette ancienne seigneurie du XVIIes. Quelques mots pour décrire l'harmonie de ce 2003 : au nez complexe de fruits secs (amande) répond une bouche originale par ses arômes de brioche précédant une finale minérale.
🔑 Jean Aubron, L'Audigère, 44330 Vallet,
tél. 02.40.33.91.91, fax 02.40.33.91.31,
e-mail jean-aubron@wanadoo.fr ☒ r.-v.

LES GRANDS PRESBYTERES Sur lie 2003 ***

░ 2,25 ha 15 000 ▮🌡 5 à 8 €

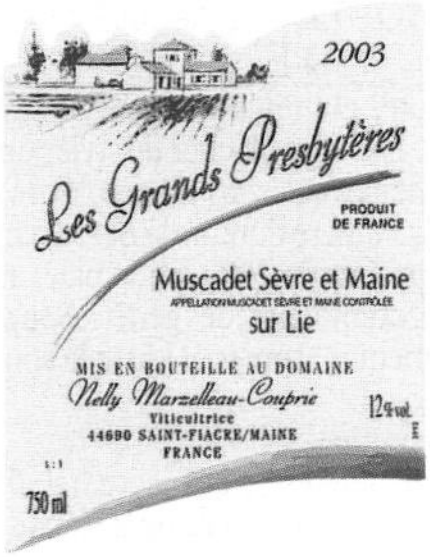

Ce domaine appartenait à l'évêché de Nantes avant la Révolution, d'où son nom de Grands Presbytères. Tout en finesse et très typique du terroir d'orthogneiss, son vin offre une excellente expression aromatique de type floral. Il possède du volume, un équilibre incontestable et de longues flaveurs de fruits (ananas). La **cuvée Vieilles Vignes Sur lie 2002** a reçu une étoile pour l'élégance de ses notes d'agrumes miellées et sa grande fraîcheur.
🔑 EARL Marzelleau-Couprie, Les Grands Presbytères,
44690 Saint-Fiacre, tél. 02.40.54.80.73,
fax 02.40.36.70.78, e-mail nelly.marzelleau@wanadoo.fr
☒ 🍷 🚶 t.l.j. sf dim. 9h-12h30 14h-19h

FLORENCE ET BENOIT GRENETIER
Sur lie Vieilles Vignes 2001

░ 1 ha 3 000 ▮ 3 à 5 €

Nez intéressant que celui de ce vin : intense et suave, il évoque les fruits blancs (poire, pêche) avant d'évoluer vers le minéral. La bouche ample confirme cette bonne impression, malgré un peu de vivacité caractéristique du millésime 2001.
🔑 Florence et Benoît Grenetier, La Ménardière,
44330 Vallet, tél. 02.40.33.93.30 ☒ 🍷 🚶 r.-v.

CH. DES GUERCHES Sur lie 2003

░ 34,19 ha 90 000 ▮🌡 3 à 5 €

Les caves des Guerches auraient servi de cachette aux filles de l'amiral de La Galissonnière (l'introducteur du magnolia à Nantes), dont le château fut incendié en 1793 par les Bleus. Située sur la rive gauche de la Sèvre, cette propriété a élaboré une cuvée or pâle à reflets verts qui évoque les agrumes, les fruits exotiques et la menthe fraîche. Ce 2003 se prolonge avec beaucoup de vivacité et un bon équilibre. A conserver un an ou deux.
🔑 Philippe et Christophe Chéneau,
1, Beau-Soleil, 44330 Mouzillon,
tél. 02.40.33.94.01, fax 02.40.33.94.01,
e-mail ccheneau@free.fr ☒ 🏠 🍷 🚶 r.-v.

DOM. DE LA HARDONNIERE Sur lie 2003 *

░ 15 ha 8 000 ▮🌡 3 à 5 €

Aux portes de Nantes, tout près du joli château de Goulaine, ce domaine de 17 ha a produit un 2003 intensément floral et flatteur. Une macération pelliculaire a donné au vin du gras et de l'ampleur. Celui-ci accompagnera agréablement un saumon en papillote sur un lit de pommes de terre nouvelles de Noirmoutier ou de l'île de Ré.
🔑 Jean-Michel Bouyer,
19, imp. de La Hardonnière, 44115 Haute-Goulaine,
tél. 02.40.54.93.16, fax 02.40.54.93.16 ☒ 🍷 🚶 r.-v.

DOM. DES HAUTES COTTIERES Sur lie 2003 *

░ 17 ha 80 000 ▮🌡 3 à 5 €

Connu pour son souci de qualité et ses vinifications traditionnelles, Gilbert Ganichaud propose un vin finement minéral. La timidité actuelle de celui-ci lui vient de son terroir, mais il saura s'ouvrir au cours d'une garde de deux ou trois ans. Sa bouche franche et aromatique est en effet de bon augure.
🔑 EARL Gilbert Ganichaud et Fils,
9, rte d'Ancenis, 44330 Mouzillon,
tél. 02.40.33.93.40, fax 02.40.36.38.79,
e-mail ganichaud@wanadoo.fr ☒ 🍷 🚶 r.-v.

DOM. DES HAUTES NOELLES
Sur lie Vieilles Vignes 2003 **

░ 16 ha 105 330 ▮🌡 3 à 5 €

Le symbole du domaine est un bateau emportant des barriques de muscadet dans une contrée lointaine. Cette cuvée révèle une palette complexe de fruits mûrs, caractéristique d'une vendange récoltée à bonne maturité. La bouche structurée et puissante offre de la fraîcheur et de la persistance. Un grand vin qui se conservera trois ou quatre ans et accompagnera un saint-pierre au beurre blanc.
🔑 Pierre Bertin,
Dom. des Hautes Noëlles, 44430 Le Landreau,
tél. 02.40.06.44.06, fax 02.40.06.47.90,
e-mail pierre.bertin.dhn@wanadoo.fr ☒ 🍷 🚶 r.-v.

JAUFFRINEAU-BOULANGER
Sur lie Sélection du Champ Coteau 2003 *

░ 2,2 ha 14 000 ▮🌡 3 à 5 €

Un muscadet-sèvre-et-maine destiné à des fromages à pâte cuite ou à des poissons en sauce. Ses arômes

LOIRE

d'agrumes (orange) et de fleurs blanches s'associeront fort bien à ces mets, de même que sa structure souple et son volume plaisant.
🔓 GAEC Jauffrineau-Boulanger, 25, Bonnefontaine, 44330 Vallet, tél. 02.40.36.22.79, fax 02.40.36.34.90, e-mail begaudieres@wanadoo.fr ☑ ⵟ ⚔ r.-v.

DOM. DE LA JOCONDE Sur lie 2003 ★

n.c.	25 000	∎↓	3 à 5 €

Le village du Pé-de-Sèvre, très pittoresque, domine la Sèvre. Une promenade vous mènera vers ce domaine, dont le 2003 a retenu l'intérêt des dégustateurs par sa teinte or pâle, sa bonne intensité aromatique (fruits et pointe minérale). Epanoui, gras et long, c'est un vin équilibré et élégant.
🔓 Yves Maillard, Le Pé-de-Sèvre, 44330 Le Pallet, tél. 06.08.27.07.64, fax 02.40.80.43.29 ☑ ⵟ ⚔ r.-v.

DOM. DE LA LANDELLE
Sur lie Les Treilles Vieilles Vignes 2003 ★★

2,48 ha	10 000	∎↓	3 à 5 €

A l'entrée du Loroux-Bottereau, sur la route de Nantes, vous ne manquerez pas le domaine de La Landelle. Son muscadet-sèvre-et-maine présente un nez d'abord discret qui s'ouvre à l'aération sur un caractère floral élégant et une pointe de minéralité. Il gagne en bouche des arômes complexes : fruits blancs, pêche de vigne, fleurs et minéral. A déguster avec une langouste grillée aux sarments de vigne.
🔓 Michel Libeau, La Landelle, 44430 Le Loroux-Bottereau, tél. 02.40.33.81.15, fax 02.40.33.85.37, e-mail domainelandelle@libertysurf.fr ☑ ⵟ ⚔ r.-v.

DOM. LANDES DES CHABOISSIERES
Sur lie 2003 ★★

15 ha	59 300	∎↓	3 à 5 €

Implantée dans la capitale du muscadet, Vallet, cette propriété pratique la biodynamie. C'est un vin plaisir, représentatif du millésime qu'elle propose ici. Arômes fruités de litchi et de poire, bouche flatteuse, toute ronde, notes d'agrumes en finale... Les tourtes lui iront bien.
🔓 Georges et Guy Desfossés, Les Landes des Chaboissières, 44330 Vallet, tél. 02.40.33.99.54, fax 02.40.33.99.54, e-mail vignoble.desfosses@wanadoo.fr ☑ ⵟ ⚔ r.-v.

PIERRE LUNEAU Le L d'or 1999

n.c.	n.c.	∎↓	5 à 8 €

Des vignes cultivées sur un sol de granit à deux micas, au sud du Landreau, ont donné naissance à cette cuvée parfumée de fruits exotiques. Charnue, longue et équilibrée, celle-ci bénéficie d'une bonne structure qui lui permettra d'évoluer favorablement.
🔓 Pierre Luneau-Papin, Dom. Pierre de La Grange, 44430 Le Landreau, tél. 02.40.06.45.27, fax 02.40.06.46.62, e-mail domaineluneaupapin@wanadoo.fr ☑ ⚔ r.-v.

BERNARD MAILLARD
Sur lie Prestige des Roches Pyrénées 2003 ★

2,5 ha	16 000	∎↓	3 à 5 €

Saint-Lumine-de-Clisson est une commune essentiellement agricole : quelques îlots viticoles émergent cependant sur un sol granitique. C'est ainsi que Bernard Maillard a produit une cuvée élégamment florale qui évoque en bouche les fleurs sauvages, comme le genêt. Bien équilibré et de bonne longueur, ce vin mérite d'être apprécié dès à présent.
🔓 Bernard Maillard, Les Défois, 44190 Saint-Lumine-de-Clisson, tél. 02.40.54.74.37, fax 02.40.54.71.29, e-mail bernard.maillard5@wanadoo.fr ☑ ⵟ ⚔ r.-v.

MAITRES VIGNERONS NANTAIS
Sur lie Lieu-dit Le Besson 2003 ★★

6 ha	36 000	∎↓	3 à 5 €

La coopérative, créée en 1997, comprend vingt-deux adhérents répartis sur six terroirs. Du lieu-dit Le Besson, sur les coteaux de Maisdon au sol de gabbro, est née cette cuvée qui joue d'harmonies florales et minérales, avec une touche de bonbon anglais. La bouche franche et vive, aux arômes de menthe fraîche, gagne en gras et en ampleur en finale. La cave propose un autre muscadet-sèvre-et-maine remarquable : le **Prestige Sur lie 2003**, souple, expressif, fin et riche à la fois.
🔓 Coopérative Maîtres Vignerons nantais, ZI Les Roitelières, 44330 Le Pallet, tél. 02.40.80.95.64, fax 02.40.80.99.81, e-mail maitres-vignerons-nantais@terre-net.fr ⵟ ⚔ r.-v.

MANOIR DE LA FIRETIERE Sur lie 2003 ★★

11,5 ha	77 000	∎↓	3 à 5 €

Sous une robe jaune pâle, ce vin développe un nez intense, à dominante de fruits exotiques (figue, litchi). Epanoui, équilibré, gras et long, il est typique du millésime et de l'appellation.
🔓 SARL Guillaume Charpentier, Les Noues, 44430 Le Loroux-Bottereau, tél. 02.40.06.43.76, fax 02.40.06.43.76, e-mail manoir.f@wanadoo.fr ☑

DOM. DU MOULIN Sur lie 2003 ★

4 ha	10 000	∎↓	3 à 5 €

Saint-Fiacre, commune viticole, possède aussi des curiosités : une église au clocher de style romano-byzantin ou encore de vieilles maisons aux escaliers extérieurs. Le lieu-dit La Bourchinière domine la Sèvre nantaise ; ses sols de gneiss ont produit un 2003 jaune pâle, au nez de fruits et de fleurs à dominante de genêt. Souple, la bouche développe les mêmes arômes et laisse le souvenir d'un vin de belle expression.
🔓 Bernard Déramé, La Bourchinière, 44690 Saint-Fiacre, tél. 02.40.54.83.80, fax 02.40.54.80.87, e-mail derame@wanadoo.fr ☑ ⵟ ⚔ r.-v.

DOM. DE LA MOUTONNIERE Sur lie 2003 ★

4 ha	15 000	∎↓	3 à 5 €

Cette maison traditionnelle du vignoble nantais propose sous une jolie étiquette un vin tout en fruits blancs bien mûrs, avec une pointe de minéralité caractéristique de son terroir de gabbro. Bien équilibré, élégant et suave, celui-ci se termine sur un fruité mûr, évocateur de pêche blanche et de raisin. Mariez-le avec des noix de Saint-Jacques soulignées d'un trait d'huile d'olive.
🔓 Guilbaud Frères, Le Clos du Pont, 44330 Mouzillon, tél. 02.40.06.90.69, fax 02.40.06.90.79 ☑ ⵟ ⚔ r.-v.

DOM. DU PARADIS Sur lie 2003 ★

20 ha	100 000	∎	3 à 5 €

Intense et suave, ce vin évoque les fruits blancs (pêche de vigne) avant d'évoluer vers les fruits à noyau et les fruits

secs. La bouche souple et tout aussi fruitée s'étire assez longuement. A boire dès maintenant.
🔑 EARL Claude Vicet, Le Paradis,
44690 La Haye-Fouassière,
tél. 02.40.36.95.71 ☑ 🍸 🚶 r.-v.

STEPHANE ET VINCENT PERRAUD
Tentation des Cognettes Sélection Vieilles Vignes 1995 ★

▒ 1 ha 4 000 ▮🌡 5 à 8 €

Une « tentation », cette cuvée de prestige aux reflets vert pâle ? Elle livre un nez intense de fleurs blanches, souligné d'une pointe d'amande. Ronde et longue, elle révèle en finale des notes bien personnelles de noisette. Pour un filet de saint-pierre à la crème d'huître.
🔑 Stéphane et Vincent Perraud, Bournigal,
44190 Clisson, tél. 02.40.54.45.62, fax 02.40.54.45.62,
e-mail vincentperraud@wanadoo.fr
☑ 🍸 🚶 t.l.j. sf dim. 8h30-12h30 14h-19h

CH. LA PERRIERE Sur lie 2003 ★

▒ 8 ha 50 000 ▮🌡 3 à 5 €

Il ne manque pas d'élégance ce muscadet-sèvre-et-maine. Au nez fin et intense de fruits blancs répond une bouche structurée et équilibrée. Pour votre plus grand plaisir, ce 2003 pourra être conservé deux ou trois ans. Egalement une étoile, retenez le **gros-plant du pays nantais Sur lie 2003 (moins de 3 €)**, fruité et bien soutenu par un léger perlant.
🔑 Vincent Loiret, Ch. La Perrière, 44330 Le Pallet,
tél. 02.40.80.43.24, fax 02.40.80.46.99,
e-mail viloiret@wanadoo.fr ☑ 🍸 🚶 r.-v.

DOM. DU PLESSIS GLAIN
Cuvée Pétard Elevé en fût de chêne 2002 ★★

▒ 1 ha 1000 ◍ 5 à 8 €

Saint-Julien-de-Concelles est plus connu pour ses cultures maraîchères que pour la vigne. Et pourtant... Sur les coteaux qui s'étendent vers la Loire est né ce vin intensément parfumé de café torréfié et de caramel. Après une belle attaque, la bouche se montre ample et longue, toute minérale en finale (pierre à fusil). Un vin « étonnant, original », concluent les dégustateurs. A servir avec une cuisine exotique.
🔑 Jean-Paul Pétard, 25,
Le Plessis Glain, 44450 Saint-Julien-de-Concelles,
tél. 02.40.03.60.28, fax 02.40.33.34.81,
e-mail jeanpaul.petard@clubinternet.fr ☑ 🍸 🚶 r.-v.

CH. DU POYET Sur lie Vieille Vignes 2003 ★★

▒ 15,35 ha 96 000 ▮🌡 5 à 8 €

Le château du Poyet, dont une partie fut détruite au XIX[e]s., faisait partie du domaine seigneurial des marquis de Goulaine ; il fut acquis par la famille Bonneau en 1913. Fort de plus de 46 ha aujourd'hui, son vignoble a produit un vin équilibré qui s'ouvre en bouche avec complexité et ampleur. Très aromatique et frais, celui-ci pourra être apprécié à l'apéritif accompagné de toasts de chèvre chaud.
🔑 EARL Famille Bonneau,
Ch. du Poyet, 44330 La Chapelle-Heulin,
tél. 02.40.06.74.52, fax 02.40.06.77.57,
e-mail chateaudupoyet@wanadoo.fr
☑ 🍸 🚶 t.l.j. sf dim. 9h-12h30 14h-18h30
🔑 GFA Ch. du Poyet

DOM. DE LA PYRONNIERE Sur lie 2003 ★

▒ 2 ha 10 000 ▮🌡 3 à 5 €

Ses arômes de fruits mûrs séduisent d'emblée, puis c'est un bel équilibre entre fraîcheur et souplesse que l'on apprécie. Une bouteille de style fruité, dont l'évolution sera sans doute intéressante en 2005, compte tenu de sa structure.
🔑 EARL Stéphane et Henri Drouet,
La Pyronnière, 44190 Gorges,
tél. 06.80.10.06.38, fax 02.40.06.98.98 ☑ 🍸 🚶 r.-v.

DOM. DE LA RINIERE Sur lie 2003 ★★

▒ 3,5 ha 20 000 ▮🌡 3 à 5 €

Il vous faudra patienter un peu avant de boire ce vin typique des sols de gneiss et de schistes du Landreau. Il se montre riche et puissant au nez, légèrement mentholé, puis agréablement frais et ample au palais.
🔑 Didier Pasquereau,
Dom. de la Rinière, 44430 Le Landreau,
tél. 02.40.06.44.23, fax 02.40.06.48.56 ☑ 🍸 🚶 r.-v.

DOM. PATRICK SAILLANT 2003 ★

▒ 3,8 ha 18 600 ▮ - de 3 €

Un muscadet-sèvre-et-maine au léger perlant qui offre un nez floral. Rond et gras, d'une bonne longueur, il se montre représentatif, par sa structure, des terroirs granitiques qui dominent la Maine.
🔑 EARL Saillant-Esneu,
8, La Grenaudière, 44690 Maisdon-sur-Sèvre,
tél. 02.40.03.80.10, fax 02.40.03.80.10 ☑ 🚶 r.-v.
🔑 Patrick Saillant

DOMINIQUE SALMON
Sur lie Réserve du fief Cognard 2003 ★

▒ 28 ha 150 000 ▮🌡 3 à 5 €

Château-Thébaud se situe sur un piton rocheux au-dessus de la Maine. Dominique Salmon y est installé depuis 1984. Son vin limpide, aux arômes élégants et complexes de fleurs blanches, se montre harmonieux, souple et équilibré par une légère vivacité. A boire dès à présent.
🔑 Dominique Salmon,
Les Landes de Vin, 44690 Château-Thébaud,
tél. 02.40.06.53.66, fax 02.40.06.55.42 ☑ 🍸 🚶 r.-v.

DOM. DE LA SAULZAIE Sur lie 2003 ★

▒ 3 ha 21 000 ▮ 3 à 5 €

La Chapelle-Basse-Mer est réputée pour sa production de légumes. Néanmoins la vigne ne démérite pas. Sur les coteaux dominant la Loire, le domaine de La Saulzaie le prouve avec ce vin fruité et intense qui possède beaucoup de structure et de gras, présage d'une bonne évolution.
🔑 EARL Luc Pétard,
60, rte de la Loire, 44450 La Chapelle-Basse-Mer,
tél. 02.40.33.30.92, fax 02.40.33.30.92 ☑ 🍸 🚶 r.-v.

DOM. DE LA SENSIVE
Sur lie Grande Réserve 2003 ★

▒ 10 ha 55 000 ▮🌡 5 à 8 €

Deux sœurs gèrent ce domaine de 10 ha qui bénéficie d'une exposition favorable et d'un terroir caillouteux (de

« pierre bleue ») où affleure le massif armoricain. Leur vin jaune pâle, subtilement parfumé de genêt et d'acacia, laisse apparaître une discrète vivacité dans une bouche tendre et ronde. A servir avec des langoustines, par exemple.

⊶ GFA Dom. de La Sensive,
Le Landreau-Village, 44330 Vallet,
tél. 02.40.33.90.23, fax 02.40.33.90.23 ☑ r.-v.
⊶ Drouet-Bonhomme

ANTOINE SUBILEAU Sur lie 2003 ★

▒ 967 600 ■ ♁ - de 3 €

Dans l'un des chais de vinification les plus modernes du pays nantais a été élaboré ce vin d'assemblage très équilibré. De teinte jaune pâle, celui-ci s'ouvre dans le registre floral, puis laisse en bouche une impression de rondeur et de finesse jusqu'à une finale satisfaisante.

⊶ SA Antoine Subileau, 6, rue Saint-Vincent,
44330 Vallet, tél. 02.40.36.69.70, fax 02.40.36.63.99,
e-mail antoine-subileau@wanadoo.fr

CH. LA TARCIERE L'Héritage 2001

▒ 1 ha 5 000 ■ ♁ 5 à 8 €

Une demeure seigneuriale a donné son nom à la commune de La Chapelle-Heulin. C'est sur son site qu'a été construit le château La Tarcière qui commande aujourd'hui un vignoble de 45 ha. Cette cuvée évoque au premier nez la pomme au four, puis évolue vers la cire d'abeille. Une maturité que l'on retrouve dans une bouche grasse et qui invite à une consommation immédiate.

⊶ Bonnet-Huteau, La Levraudière,
44330 La Chapelle-Heulin, tél. 02.40.06.73.87,
fax 02.40.06.79.33, e-mail bonnet.huteau@free.fr
☑ Y 🚶 t.l.j. sf dim. 9h-18h
⊶ Rémi et J.-J. Bonnet

DOM. DE LA TOURLAUDIERE
Sur lie Vieilles Vignes 2003 ★

▒ 5 ha 15 000 ■ ⬮ ♁ 5 à 8 €

Ce domaine devrait son nom à la « laudière », lieu de rassemblement cultuel d'une communauté de défricheurs. Vous vous rassemblerez sans doute autour de ce vin jaune-vert pâle qui rappelle la noisette dans sa palette intense, puis la pêche et l'abricot dans sa bouche franche.

⊶ EARL Petiteau-Gaubert,
Dom. de La Tourlaudière, 174, Bonne-Fontaine,
44330 Vallet, tél. 02.40.36.24.86, fax 02.40.36.29.72,
e-mail contact@tourlaudiere.com
☑ 🚶 t.l.j. 9h30-12h30 14h30-18h30

DANIEL ET GERARD VINET
Sur lie Le Muscadet 1999

▒ n.c. n.c. ■ ♁ 5 à 8 €

Un vin équilibré, ce 99 qui a gardé des reflets verts et développe un nez de fleurs blanches. Riche et ample, il devrait gagner de la longueur en vieillissant encore un peu. Vous le servirez alors avec un poisson en sauce.

⊶ Daniel et Gérard Vinet, La Quilla,
44690 La Haye-Fouassière,
tél. 02.40.54.88.96, fax 02.40.54.89.84,
e-mail gerard.vinet@wanadoo.fr ☑ Y 🚶 r.-v.

> Le melon est un vieux cépage bourguignon introduit en Loire Atlantique après le gel de 1709 car il résiste bien aux grands froids.

Muscadet-côtes-de-grand-lieu

DOM. DE BEL-AIR Sur lie 2003 ★

▒ 1 ha 6 000 ■ ♁ 3 à 5 €

Saint-Aignan-de-Grand-Lieu, commune très urbanisée, proche de Nantes, a conservé quelques exploitations viticoles. Le domaine de Bel-Air en est un exemple. Sur un sol de silex et d'argiles, il a produit un vin doré à reflets verts, limpide et brillant, qui évoque la pomme mûre au nez. Sa bouche fraîche est bien équilibrée.

⊶ EARL Bouin-Jacquet,
Dom. de Bel-Air, 44860 Saint-Aignan-de-Grand-Lieu,
tél. 02.51.70.80.80, fax 02.51.70.80.79
☑ Y 🚶 lun. mar. ven. 14h-19h; mer. jeu. sam. 9h-12h; f. dim.

DOM. DE LA COCHE Sur lie 2003 ★★

▒ 3,5 ha 5 000 ■ ♁ 3 à 5 €

La commune de Sainte-Pazanne, dans le pays de Retz, est essentiellement agricole. Toutefois, des îlots de vignes sur sables et graviers donnent des vins aussi remarquables que ce 2003 produit par un ancien relais de cochers qui a développé un vignoble de qualité. Le nez, caractéristique du millésime, développe des arômes de fruits mûrs, tandis que la bouche, d'une bonne tenue, s'achemine vers une note fraîche de menthol qui participe à son équilibre.

⊶ Emmanuel et Laurent Guitteny,
Dom. de la Coche, 44680 Sainte-Pazanne,
tél. 02.40.02.44.43, fax 02.40.02.43.55,
e-mail lacochevins@aol.com ☑ Y 🚶 r.-v.

LE DEMI-BŒUF Sur lie 2003 ★★

▒ 10 ha n.c. ■ ♁ 3 à 5 €

Vous vous rappelez l'anecdote liée au domaine : pendant les guerres de Vendée, les Blancs se seraient partagé la moitié d'un bœuf avant que les Bleus ne les chassent. Depuis 1985, les étiquettes portent ainsi pour logo une demi-tête de bœuf complétée d'une grappe de raisin. Le 2003, brillant de reflets verts, évoque intensément les fruits frais et les agrumes (pamplemousse mûr). Il se montre suffisamment présent en bouche et équilibré pour accompagner des toasts de chèvre chaud. Notez que le **gros plant du pays nantais Sur lie 2003**, simple et agréable, obtient une étoile.

⊶ EARL Michel Malidain,
Le Demi-Bœuf, 44310 La Limouzinière,
tél. 02.40.05.82.29, fax 02.40.05.95.97,
e-mail m.malidain@free.fr ☑ Y 🚶 r.-v.

DOM. DU FIEF GUERIN Sur lie 2003 ★

▒ 17 ha 108 000 ■ ♁ 3 à 5 €

L'emblème de ce domaine est un pin parasol, comme vous avez pu le découvrir sur l'étiquette du millésime 2002, coup de cœur l'an passé. Le 2003, clair et brillant de reflets verts, libère des notes de pomme verte, puis offre en bouche de la fraîcheur, soulignée par un côté perlant. La finale laisse une impression de finesse. A déguster avec des anguilles du lac de Grand-Lieu grillées sur des sarments de vigne.

⊶ Luc et Jérôme Choblet,
Les Herbauges, 44830 Bouaye,
tél. 02.40.65.44.92, fax 02.40.65.58.02,
e-mail choblet@domaine-des-herbauges.com
☑ Y 🚶 r.-v.

GRAND FIEF DE BELLEVUE Sur lie 2003 ★

| | 8 ha | 45 000 | ▮↧ | - de 3 € |

Les vignes sont principalement cultivées sur une roche verte, dite amphibolite, qui confère aux vins un caractère distinctif. Sous une robe dorée aux reflets verts, le 2003 s'ouvre sur des arômes de fruits frais et une note minérale. Il présente une grande finesse et beaucoup d'équilibre. A servir avec un sandre de la Loire accompagné d'une sauce citronnée.
➥ EARL Pierre Dahéron,
Dom. du Parc, 44650 Corcoué-sur-Logne,
tél. 02.40.05.86.11, fax 02.40.05.94.98,
e-mail pierredaheron@aol.com ☑ ⊻ ⚷ r.-v.

DOM. DU GRAND POIRIER Sur lie 2003 ★

| | 9,5 ha | 22 000 | ▮↧ | 3 à 5 € |

En allant au domaine du Grand Poirier, passez par l'abbaye carolingienne de Saint-Philbert-de-Grand-Lieu. Sur un terroir de micaschistes, les vignes ont donné naissance à un vin jaune pâle à reflets verts, dont les arômes de fruits exotiques (litchi), hérités d'une vinification spécifique, persistent au palais. Ce dernier se montre de bonne tenue. Pour amateurs éclairés.
➥ Christian Jaulin,
Dom. du Grand Poirier, 44310 La Limouzinière,
tél. 02.40.05.94.47, fax 02.40.05.94.47 ☑ ⊻ ⚷ r.-v.

DOM. DU HAUT BOURG 1997 ★★

| | 1 ha | 4 000 | ▮↧ | 5 à 8 € |

Inutile de présenter le domaine du Haut Bourg, régulièrement mentionné dans le Guide. Situé aux portes de Nantes, sur la commune de Bouaye, il rassemble des terroirs de différentes origines. Son 97, à la robe dorée, libère un nez intense de mangue et de buis. Souple en attaque, il développe ensuite des flaveurs épicées tout en gardant une certaine fraîcheur. Il accompagnera harmonieusement des ris de veau poêlés à la crème de persil plat. Le **gros plant Sur lie 2003 (moins de 3 €)** obtient la même note pour son élégance, sa fraîcheur et sa persistance.
➥ Dom. du Haut Bourg,
11, rue de Nantes, 44830 Bouaye,
tél. 02.40.65.47.69, fax 02.40.32.64.01 ☑ ⊻ ⚷ r.-v.

DOM. DU MOULIN Sur lie 2003 ★

| | 1 ha | 5 000 | ▮ | 3 à 5 € |

L'ancien moulin construit en 1814 a été aménagé en musée d'outils viticoles. Il est l'épicentre d'un domaine de 21 ha, à l'origine de ce vin légèrement doré, au nez discret mais élégant de fruits et de fleurs. Un 2003 parfaitement équilibré, à la fois rond et frais.

➥ Michel Figureau, Dom. du Moulin,
5, rue du Plessis, 44860 Pont-Saint-Martin,
tél. 02.40.32.70.56, fax 02.40.02.12.26,
e-mail figureau-michel@wanadoo.fr
☑ ⚷ t.l.j. sf dim. 9h-19h

DOM. DE LA REVELLERIE Sur lie 2003 ★

| | 8,95 ha | 59 733 | ▮↧ | 3 à 5 € |

Une belle structure promet à ce vin une évolution favorable. Du fruité, de la fraîcheur, de l'équilibre... Voilà une production caractéristique de l'appellation ; ce 2003 est destiné à un poisson en sauce légère.
➥ Jean-Michel Mercier, La Révellerie,
44310 Saint-Philbert-de-Grand-Lieu,
tél. 02.40.78.73.70 ☑ r.-v.

Muscadet-coteaux-de-la-loire

DOM. DE LA CAMBUSE Sur lie 2003 ★★

| | 2 ha | 3 000 | ▮↧ | - de 3 € |

Avant de vous rendre dans ce domaine, passez à Champtoceaux, site abrupt sur lequel fut construit une citadelle dont il ne reste aujourd'hui que des vestiges. Le point de vue sur la Loire y est particulièrement remarquable. Arrivé à Drain, vous découvrirez ce vin harmonieux sous une robe jaune pâle à reflets verts et au disque brillant. Le nez est caractéristique du millésime 2003 : fruits mûrs un peu confits. Tout aussi aromatique et complexe, la bouche persiste sur le fruit et laisse une impression de grande finesse.
➥ Dom. de la Cambuse, 49530 Drain,
tél. 02.40.83.91.63, fax 02.40.83.91.63,
e-mail gaec.cambuse@wanadoo.fr
☑ ⊻ t.l.j. sf dim. 9h-12h30 14h-19h
➥ Toublanc

CH. DE L'ECOCHERE Sur lie 2003 ★

| | 6,8 ha | 16 600 | ▮↧ | 3 à 5 € |

Le château se situe à proximité d'Ancenis, accroché à un coteau schisteux ensoleillé dominant la Loire. Son 2003, brillant de belles nuances vert clair, offre un nez intensément floral, puis une bouche équilibrée. Après une attaque vive, il se développe avec rondeur jusqu'à une longue finale fruitée, nuancée d'une légère amertume. Ce vin s'amplifiera dans le temps.
➥ ETP Saint-James,
Ch. de l'Ecochère, 44150 Saint-Géréon,
tél. 02.40.96.20.74, fax 02.40.96.20.74,
e-mail etp.saintjamesentreprise@wanadoo.fr
☑ ⊻ ⚷ r.-v.

DOM. DES GALLOIRES
Sur lie Cuvée de Sélection 2003 ★★

| | 4 ha | 12 000 | ▮↧ | 3 à 5 € |

Un vin bien typé, revêtu de jaune pâle à reflets verts. Ses arômes de fleurs blanches (aubépine) annoncent une bouche ronde et délicate, harmonieusement équilibrée et longue. Le **coteaux-d'ancenis rouge de gamay Sélec-**

tion **2003** obtient, par ailleurs, une étoile. Rouge vif, prolixe en arômes flatteurs de type primeur, il bénéficie du soutien de tanins souples et fondus.

↬ GAEC des Galloires, Dom. des Galloires,
49530 Drain, tél. 02.40.98.20.10, fax 02.40.98.22.06,
e-mail contact@galloires.com ☑ ℣ ⚹ r.-v.

DOM. DES GENAUDIERES Sur lie 2003

▨	8 ha	25 000	▮♦ 3 à 5 €

Ce domaine jouit d'une situation exceptionnelle sur la rive droite de la Loire et ménage une jolie vue sur les méandres de ce fleuve majestueux. Dans sa robe jaune soutenu, son vin offre de jolies notes de banane et d'agrumes que l'on retrouve jusque dans une bouche vive en attaque, puis ronde. Egalement cité, le **coteaux-d'ancenis rouge de cabernet 2003**, tout en fruits rouges.

↬ EARL Athimon et ses Enfants,
Dom. des Génaudières, 44850 Le Cellier,
tél. 02.40.25.40.27, fax 02.40.25.35.61,
e-mail earl.athimon@libertysurf.fr ☑ ℣ ⚹ r.-v.

DOM. GUINDON Sur lie 2003

▨	3 ha	18 000	▮♦ 5 à 8 €

Cette maison réputée, implantée aux portes d'Ancenis, présente une large gamme de vins, parmi lesquels ce muscadet-coteaux-de-la-loire jaune pâle à reflets verts qui développe des arômes de noisette et d'amande amère aux côtés des fruits mûrs. En finale de sa bouche ronde apparaît une légère amertume qui laisse présager un épanouissement futur.

↬ Dom. Guindon, La Couleuverdière,
44150 Saint-Géréon, tél. 02.40.83.18.96,
fax 02.40.83.29.51 ☑ ℣ ⚹ t.l.j. sf dim. 9h-12h 14h-18h

DOM. DU HAUT FRESNE Sur lie 2003 ★★

▨	8 ha	50 000	▮♦ 3 à 5 €

Au domaine du Haut Fresne vous profiterez d'un magnifique panorama sur la Loire. Un cadre de choix pour apprécier ce vin jaune pâle, discrètement évocateur de fleurs au nez, puis très expressif en bouche. Souple et complet, il offre alors une corbeille de fruits mûrs. A découvrir aussi le **coteaux-d'ancenis rouge de gamay Cuvée Prestige 2003**, cité pour ses arômes de fruits rouges et son caractère friand typique.

↬ Renou Frères, Dom. du Haut Fresne, 49530 Drain,
tél. 02.40.98.26.79, fax 02.40.98.27.86
☑ ℣ ⚹ t.l.j. sf dim. 9h-12h 14h-17h

CH. MESLIERE Sur lie 2003 ★

▨	4 ha	27 000	▮♦ 3 à 5 €

Le site des Pierres Meslières est classé « station préhistorique » en raison des nombreuses pierres qui y ont été retrouvées, datant de 500 000 ans av. J.-C. Y apparaît une importante coupe rocheuse exploitée autrefois pour fabriquer des meules. Ce vin aux reflets verts se montre encore timide dans ses évocations de fruits secs (noisette), mais il révèle en bouche une certaine minéralité, avec cette légère amertume qui laisse espérer une bonne évolution.

↬ Jean-Claude Toublanc,
Dom. des Pierres Meslières, 44150 Saint-Géréon,
tél. 02.40.83.23.95, fax 02.40.83.23.95,
e-mail jean-claude.toublanc@wanadoo.fr ☑ ℣ ⚹ r.-v.

LES VIGNES DE L'ALMA Sur lie 2003 ★★★

▨	1 ha	5 000	▮♦ 3 à 5 €

A l'extrême est du vignoble nantais, Saint-Florent-le-Vieil est l'une des dernières communes d'Anjou ratta-

chées au vignoble nantais. De son sol de schistes est né ce magnifique vin jaune pâle aux reflets brillants qui libère des notes de fruits confits. Franc et ample dès l'attaque, il évolue dans le même registre en bouche, tout en révélant une légère amertume, gage de longévité. Il accompagnera une langouste grillée.

↬ Roland Chevalier, L'Alma,
49410 Saint-Florent-le-Vieil, tél. 02.41.72.71.09,
fax 02.41.72.63.77, e-mail chevalier.roland@wanadoo.fr
☑ ℣ ⚹ t.l.j. sf dim. 8h30-12h30 14h-19h

Gros-plant AOVDQS

Le gros-plant du pays nantais est un vin blanc sec, AOVDQS depuis 1954. Il est issu d'un cépage unique : la folle blanche, d'origine charentaise, appelée ici gros-plant. Comme le muscadet, le gros-plant peut être mis en bouteille sur lie. Vin blanc sec, il convient parfaitement aux fruits de mer en général et aux coquillages en particulier ; il doit être servi, lui aussi, frais, mais non glacé (8-9 ° C).

CH. LES AVENEAUX Sur lie 2003 ★★

▨	4 ha	21 000	▮♦ - de 3 €

En limite du Pallet et de La Chapelle-Heulin, cette belle propriété de 40 ha cultive ses vignes selon les méthodes de lutte raisonnée. Elle propose un vin jaune pâle, aux arômes de fruits, assez rond, qui fait preuve d'un bon équilibre entre sucre et acidité.

↬ SCEA Charpentier Fils, Les Aveneaux,
44330 La Chapelle-Heulin,
tél. 02.40.06.74.40, fax 02.40.06.77.72,
e-mail chateau-les-aveneaux@wanadoo.fr ☑ ℣ ⚹ r.-v.

DOM. DE BELLEVUE Sur lie 2003 ★

▨	0,5 ha	2 000	▮♦ - de 3 €

Sur l'ancienne route nationale qui relie Nantes à Montaigu, à l'entrée d'Aigrefeuille, vous ne pouvez manquer le domaine de Bellevue. Né sur un terroir granitique, son gros-plant plaît par sa finesse et sa bouche franche, sans excès d'acidité, caractéristique de ces sols.

↬ Jean-Yves Templier,
Dom. de Bellevue, 44140 Aigrefeuille-sur-Maine,
tél. 02.40.03.86.90, fax 02.40.03.86.90,
e-mail jean.yves.templier@wanadoo.fr ☑ ℣ ⚹ r.-v.

DOM. DU BOIS BRAUD Sur lie 2003 ★

1,3 ha 10 000 3 à 5 €

Cultivé sur une faible superficie, le gros-plant a produit en 2003 un vin typé. Limpide, finement floral, celui-ci manifeste en bouche de l'intensité et une grande vivacité qui le destine aux fruits de mer.

Christian et Pascale Luneau, Le Bois-Braud, Mouzillon, 44330 Vallet, tél. 02.40.33.93.76, fax 02.40.33.64.19, e-mail cpluneau@wanadoo.fr r.-v.

CH. DE BRIACE Sur lie 2003 ★

1,58 ha 10 000 3 à 5 €

Le château de Briacé est une ancienne propriété transformée en lycée agricole. Les vignes sont cultivées sur un terroir très précoce de la région nantaise. Il en résulte un vin fruité, franc et légèrement acidulé en attaque, qui se prolonge harmonieusement et avec fraîcheur.

AFG Ch. de Briacé, Lycée agricole, 44430 Le Landreau, tél. 02.40.06.49.16, fax 02.40.06.46.15 r.-v.

DOM. DU CHAMP CHAPRON Sur lie 2003 ★

4 ha 32 000 - de 3 €

Barbechat – ce nom signifie « barrière de collines » – se trouve près du pont Trubert qui relie l'Anjou à la Bretagne. Ce domaine profite de coteaux rocailleux à une forte déclivité, orientés sud-ouest vers la Loire. Une situation qui lui a permis de produire un vin de couleur vive et limpide, prêt à livrer tous ses arômes fruités à chaque étape de la dégustation et jusqu'en finale.

EARL Suteau-Ollivier, Dom. du Champ Chapron, 44450 Barbechat, tél. 02.40.03.65.27, fax 02.40.33.34.43, e-mail suteau.ollivier@wanadoo.fr t.l.j. 9h-12h30 14h-20h

CH. LA FORCHETIERE Sur lie 2003 ★★

10 ha 44 000 - de 3 €

Vaste domaine, le château de La Forchetière a récolté les raisins de folle blanche sur des sols bruns recouvrant de l'éclogite. Caractéristique des terroirs tardifs, son vin présente un nez encore timide, mais de qualité, ainsi qu'une bouche équilibrée, dont la légère amertume est un signe favorable pour l'avenir. Il pourra ainsi patienter quelques années.

SCEA Champteloup, 49700 Brigné-sur-Layon, tél. 02.41.59.65.10, fax 02.41.59.63.60

CAVE DE LA FREMONDERIE Sur lie 2003 ★

133 000 - de 3 €

A la frontière de l'Anjou et du pays nantais, ce négociant bien implanté a élevé un gros-plant sur lie expressif et fruité. D'une belle attaque, le vin révèle un caractère acidulé typé et un certain volume. A servir très frais.

Les Vendangeoirs du Val de Loire, La Frémonderie, 49230 Tillières, tél. 02.41.70.45.93, fax 02.41.70.43.74, e-mail vvl@rolandeau.fr

DOM. DE LA HOUSSAIS Sur lie 2003 ★

1 ha 2 000 3 à 5 €

Le marais de Goulaine couvre près de 2 000 ha que l'on peut traverser en barque pour découvrir les oiseaux migrateurs : hérons cendrés, canards, foulques... En limite se trouve ce domaine familial qui propose un intéressant gros-plant. Harmonieux, fruité, équilibré, pas trop vif en bouche, celui-ci se montre caractéristique des terroirs de gneiss.

Bernard Gratas, Dom. de La Houssais, 44430 Le Landreau, tél. 02.40.06.46.27, fax 02.40.06.47.25 r.-v.

CH. DE LA JOUSSELINIERE Sur lie 2003 ★★★

4 ha 25 000 - de 3 €

Le château de la Jousselinière est une ancienne propriété reconstruite au XIXes. ; le vignoble a été replanté il y a une trentaine d'années sur ce sol schisteux granitique. Coup de cœur en muscadet-sèvre-et-maine sur lie 2001, il y a deux ans, il présente ici un gros-plant qui reçoit les éloges du jury. D'un superbe classicisme, ce 2003 se montre intensément aromatique, persistant et frais, sans aucune agressivité. Il laisse le souvenir d'une grande finesse. Le **muscadet-sèvre-et-maine Sur lie 2003 (3 à 5 €)** ne démérite pas : il reçoit une étoile pour son caractère parfumé, tendre, et son agréable fraîcheur finale.

GAEC de la Jousselinière, La Jousselinière, 44450 Saint-Julien-de-Concelles, tél. 02.40.54.11.08, fax 02.40.54.19.90, e-mail muscadetchon@aol.com 10h-12h 14h-18h

GFA du Parc

CH. DE LA MALONNIERE Sur lie 2003 ★★

8 ha 40 000 3 à 5 €

Au-dessus du marais de Goulaine, ce château bénéficie d'un sol de schistes favorable à l'expression du gros-plant, comme en témoigne ce vin très aromatique et persistant qui séduit par son équilibre. A déguster avec des anguilles du marais.

Sauvêtre et Fils, Le Château de la Malonnière, 44430 Le Loroux-Bottereau, tél. 02.40.33.81.48, fax 02.40.33.87.67, e-mail yves.sauvetre@wanadoo.fr r.-v.

MANOIR DE L'HOMMELAIS Sur lie 2003 ★

2 ha 13 600 3 à 5 €

Dominique Brossard possède un domaine de 45 ha autour de son manoir du XVIIes. Les terroirs de Saint-Philbert sont réputés propices au gros-plant. Ce vin souple est en effet de qualité, bien équilibré, discrètement parfumé de fruits blancs. Typique des gros-plants de ce secteur.

Dominique Brossard, Manoir de l'Hommelais, 44310 Saint-Philbert-de-Grand-Lieu, tél. 02.40.78.96.75, fax 02.40.78.76.91 r.-v.

DOM. DE LA MOMENIERE Sur lie 2003 ★

4,6 ha 10 000 3 à 5 €

Au Landreau aussi la folle blanche donne de jolis résultats. C'est un vin typé, de couleur pâle et brillante que l'on découvre ici. Tout en arômes de fleurs et de fruits, il fait preuve d'élégance et de persistance, avec un côté acidulé rafraîchissant.

EARL Audouin, Dom. de la Momenière, 44430 Le Landreau, tél. 02.40.06.43.04, fax 02.40.06.47.89 r.-v.

JEAN POIRON ET FILS
Sur lie Fine Cuvée Plaisir 2003 ★★

0,7 ha 7 000 3 à 5 €

Sur la route de Vertou à Château-Thébaud, vous découvrirez, à la limite des deux communes, le domaine de

LOIRE

Chantegrolle, dont les vignes poussent sur un sol de granit friable, dit de Château-Thébaud. Ce joli vin pâle aux reflets intenses offre une expression typique et un bel équilibre. Frais et fruité, il démontre que le gros-plant doit être cultivé sur des terroirs précoces.

Jean-Michel Poiron,
Chantegrolle, 44690 Château-Thébaud,
tél. 02.40.06.56.42, fax 02.40.06.58.02,
e-mail dom.poiron@infonie.fr r.-v.

DOM. DE LA POMMERAIE Sur lie 2003 **

4 ha 25 000 - de 3 €

Issu d'un terroir de granit, ce gros-plant, commercialisé par une maison de négoce, offre un nez floral, intense et typique, puis révèle un équilibre harmonieux, relevé d'une touche de minéralité. Il accompagnera un brochet au beurre blanc.

SARL Gilbert Chon et Fils, Le Bois Malinge,
44450 Saint-Julien-de-Concelles, tél. 02.40.54.11.08,
fax 02.40.54.19.90, e-mail muscadetchon@aol.com
Albert Poilane

DOM. DU RAFOU Sur lie Clos de Béjarry 2003 **

2 ha 13 000 - de 3 €

Dominant les coteaux de la Sanguèze, l'une des trois rivières qui serpentent au milieu du vignoble nantais, le domaine de Rafou s'étend sur des sols de gabbro. Trois frères s'associent pour le conduire... non sans succès si l'on en juge par leur production. Ainsi ce gros-plant offre-t-il une belle expression et un équilibre flatteur autour du fruit et de la fraîcheur. Le **muscadet-sèvre-et-maine Sur lie Clos de Béjarry 2003 (3 à 5 €)** n'est pas en reste : il obtient deux étoiles pour ses arômes de pêche et de poire caractéristiques du millésime, ainsi que pour sa fraîcheur et sa persistance.

EARL Marc et Jean Luneau,
Dom. du Rafou de Béjarry, 49230 Tillières,
tél. 02.41.70.68.78, fax 02.41.70.68.78,
e-mail micheline.luneau@wanadoo.fr r.-v.

CH. DU ROCHER Sur lie 2003 **

7,74 ha 41 333 - de 3 €

Dans la région du lac de Grand-Lieu, il existe un certain nombre de propriétés viticoles, dont le château du Rocher est un exemple remarquable. Son gros-plant parfaitement typé présente le fruité, la vivacité et la pointe acidulée que l'on attend des vins de cette appellation.

Hervouet et Bes de Berc,
Ch. du Rocher, 44310 Saint-Philbert-de-Grand-Lieu,
tél. 02.40.78.76.96

DOM. DE LA ROCHERIE Sur lie 2003 *

2 ha 3 000 3 à 5 €

Au domaine de la Rocherie, on récolte le raisin à la main. Situées en partie sur des sols argilo-siliceux, les vignes ont produit un vin bien brillant et puissamment aromatique, qui se montre aussi agréable par sa bouche assez riche, d'une bonne longueur.

Daniel Gratas,
Dom. de la Rocherie, 44430 Le Landreau,
tél. 02.40.06.41.55, fax 02.40.06.48.92 r.-v.

DOM. DE LA TOURLAUDIERE Sur lie 2003 **

1,5 ha 5 000 3 à 5 €

Déjà bien noté en muscadet-sèvre-et-maine, le domaine se distingue aussi par un gros-plant joliment floral et fruité, dont l'expression persiste longuement. Equilibré, frais et fin, c'est un vin « comme on les aime », conclut un dégustateur.

EARL Petiteau-Gaubert, Dom. de La Tourlaudière,
174, Bonne-Fontaine, 44330 Vallet, tél. 02.40.36.24.86,
fax 02.40.36.29.72, e-mail contact@tourlaudiere.com
t.l.j. 9h30-12h30 14h30-18h30
Roland Petiteau

Fiefs-vendéens AOVDQS

Anciens fiefs du Cardinal : cette dénomination évoque le passé de ces vins, appréciés par Richelieu après avoir connu un renouveau au Moyen Age, ici, comme bien souvent, à l'instigation des moines. La dénomination AOVDQS fut accordée en 1984, confirmant les efforts qualitatifs qui ne se relâchent pas sur les 485 ha complantés pour une production de 21 818 hl de vins rouges et rosés et de 3 100 hl de vins blancs en 2003.

A partir de gamay, de cabernet et de pinot noir, la région de Mareuil produit des rosés et des rouges fins, bouquetés et fruités ; les blancs sont encore confidentiels. Non loin de la mer, le vignoble de Brem, lui, donne des blancs secs à base de chenin et de grolleau gris, mais aussi du rosé et du rouge. Aux environs de Fontenay-le-Comte, blancs secs (chenin, colombard, melon, sauvignon), rosés et rouges (gamay et cabernet) proviennent des régions de Pissotte et de Vix. On boira ces vins jeunes, selon les alliances classiques des mets et des vins.

DOM. DE LA CAMBAUDIERE
Mareuil Cuvée sélectionnée 2003 **

3 ha 15 000 3 à 5 €

Le domaine domine les coteaux de l'Yon. De ses sols argilo-siliceux est né ce rosé de teinte légèrement rouge, qui assemble harmonieusement le pinot noir, le gamay et le cabernet-sauvignon. Le vin séduit par ses arômes de fraise et de framboise, comme par son équilibre. Il est un bon ambassadeur de l'appellation. Le jury a également retenu avec deux étoiles les **fiefs-vendéens Mareuil blanc et rouge Cuvée sélectionnée 2003**. Le premier, à reflets verts, se montre floral, suave et ample ; le second, rubis, joue sur les fruits des bois avec rondeur.

⊶ Michel Arnaud, La Cambaudière, 85320 Rosnay, tél. 02.51.30.55.12, fax 02.51.28.21.02 ☒ Y 🚶 r.-v.

DOM. DE LA CHAIGNEE Vix 2003 ★

□ 2,5 ha 15 000 ▮♁ 5 à 8 €

A la frontière entre la Vendée et la Charente, le vignoble de la Chaignée est planté sur une ancienne terrasse calcaire du jurassique. Encore timide, cette cuvée laisse cependant paraître son potentiel : tout en fleurs de genêt, elle bénéficie d'une vivacité agréable augurant une bonne évolution au cours de l'année 2005. Sachez attendre.

⊶ Les Vignobles Mercier, 16, rue de la Chaignée, 85770 Vix, tél. 02.51.00.60.87, fax 02.51.00.67.60, e-mail info@mercier-groupe.com
☒ Y t.l.j. sf dim. 8h-12h 14h-18h; sam. 8h-12h; groupes sur r.-v.

LE CLOS DES CHAUMES
Mareuil Vieilles Vignes 2003 ★★

▨ 2,5 ha 11 000 ▮♁ 3 à 5 €

Elégance et finesse sont les maîtres mots de cette cuvée à la robe saumon pâle et aux senteurs complexes de fruits frais (framboise). Ronde et équilibrée, sa bouche offre une même fraîcheur aromatique. Une étoile brille pour **Le Mareuil Clos des Chaumes L'Or blanc 2003**, un fiefs-vendéens issu de chenin et de chardonnay qui s'exprime en arômes d'agrumes, en se montrant frais et persistant.

⊶ GAEC Murail,
3, rue La Tudelière, 85320 La Couture,
tél. 02.51.30.58.56, fax 02.51.30.58.56 ☒ Y 🚶 r.-v.

COIRIER Pissotte Sélection 2003 ★

□ 5,2 ha 15 000 ▮♁ 5 à 8 €

A l'extrémité orientale du vignoble des fiefs-vendéens, cette exploitation de 20 ha sur terre de groie (argiles à silex) a assemblé le chenin, le chardonnay et le melon pour composer cette cuvée jaune pâle et limpide. Intéressante par sa richesse aromatique, celle-ci laisse une impression de souplesse et de fraîcheur.

⊶ GAEC Coirier, La Petite Groie,
15, rue des Gélinières, 85200 Pissotte,
tél. 02.51.69.40.98, fax 02.51.69.74.15 ☒ Y 🚶 r.-v.

DOM. DES DAMES Mareuil Les Agates 2003 ★★

■ 7 ha 10 000 ▮♁ 3 à 5 €

C'est par les femmes que se transmet depuis plusieurs générations ce domaine, dont la cuvée Les Aigues Marines rosé 2002 avait obtenu un coup de cœur l'an passé. Aujourd'hui, la cuvée Les Agates a la vedette. Habillée d'une robe rubis aux nuances pourpres, elle révèle des arômes puissants de fruits des bois qui persistent volontiers dans une bouche ronde, aux tanins bien fondus. Le **fiefs-vendéens Mareuil Les Pierres blanches blanc 2003** obtient une citation.

⊶ GAEC Vignoble Gentreau, Follet, 85320 Rosnay,
tél. 02.51.30.55.39, fax 02.51.28.22.36,
e-mail domaine.des.dames@oreka.fr ☒ 🚶 r.-v.

DOM. DU LUX EN ROC Brem 2003 ★

■ 4 ha 4 500 ▮♁ 3 à 5 €

Gamay, négrette, cabernet-sauvignon et pinot noir, cultivés à moins de 1 km de l'Océan, se marient dans ce vin rubis, nuancé de violet, qui livre des arômes de fruits rouges. Les tanins encore présents soutiennent la bouche équilibrée et longue, mais demandent une garde d'un an pour se fondre.

⊶ Jean-Pierre Richard,
5, imp. Richelieu, 85470 Brem-sur-Mer,
tél. 02.51.90.56.84, fax 02.51.90.94.25
☒ Y 🚶 t.l.j. sf dim. 9h30-12h30 15h-19h30

CH. MARIE DU FOU Mareuil 2003 ★★

■ 20,68 ha 173 866 ▮♁ 5 à 8 €

Les vastes caves de ce domaine datent du XIIe s., tandis que le château a été partiellement remanié à la Renaissance. Une visite vous permettra d'apprécier les lieux tout autant que ce vin rouge sombre. Si le nez est encore timide, il porte la marque du cabernet-sauvignon. D'agréables arômes de fruits rouges se développent ensuite dans une bouche équilibrée et persistante. Cité, le **Mareuil blanc 2003**, aux arômes de fruits secs, se montre très rond, aux dépens de la fraîcheur difficile à obtenir dans ce millésime.

⊶ J. et J. Mourat, Ch. Marie du Fou,
5, rue de la Trémoille, 85320 Mareuil-sur-Lay,
tél. 02.51.97.20.10, fax 02.51.97.21.58,
e-mail chateau.marie.du.fou@wanadoo.fr
☒ Y 🚶 t.l.j. sf dim. lun. 9h-12h30 14h30-19h

CH. DE ROSNAY Mareuil 2003 ★★

□ 2 ha 14 000 ▮♁ 5 à 8 €

Dans la cave du château, un musée a été aménagé pour présenter les outils vignerons traditionnels. Mais c'est le fruit d'une vinification dans des équipements modernes que vous apprécierez grâce à cet assemblage de chenin et de chardonnay. Jaune pâle, le vin évoque avec complexité les fruits exotiques, puis révèle une structure harmonieuse qui lui permet de se prolonger en finale. Un fiefs-vendéens à boire frais, entre 8 et 10 °C et que l'on pourra conserver un an. Très réussi, le **Mareuil rosé Vieilles Vignes 2003** (pinot noir et gamay) développe sous sa robe rose orangé toute une gamme de fruits rouges avec une bonne vivacité.

⊶ EARL Ch. de Rosnay, 85320 Rosnay,
tél. 02.51.30.59.06, fax 02.51.28.21.01,
e-mail christianjard@tiscali.fr ☒ Y 🚶 t.l.j. 9h-19h

DOM. SAINT NICOLAS Brem Reflets 2003 ★★

▨ 5 ha 16 000 ▮♁ 8 à 11 €

Cette exploitation conduite en biodynamie depuis plusieurs années élabore des vins très particuliers, marqués par leur terroir d'origine. D'un rose intense, ce 2003 offre un nez fin de fruits rouges. La bouche ronde et souple est relevée en finale d'une pointe acidulée et fruitée de groseille, caractéristique du pinot noir vinifié en rosé. Egalement remarquable, le **fiefs-vendéens Gamme en May rouge 2003 (5 à 8 €)**, élevé en cuve de bois, révèle sous un grenat brillant des flaveurs de fraise et de framboise soulignés de vanille.

⊶ Thierry Michon,
11, rue des Vallées, 85470 Brem-sur-Mer,
tél. 02.51.33.18.42, fax 02.51.33.18.42,
e-mail contact@domaine-saint-nicolas.com ☒ Y 🚶 r.-v.

Coteaux-d'ancenis AOVDQS

Les coteaux d'ancenis sont classés AOVDQS depuis 1954. On en produit quatre types, à partir de cépages purs : gamay (80 % de la production), cabernet, chenin et malvoisie. La superficie du vignoble est de 208 ha et la production a été de 13 723 hl en 2003, dont 579 hl en blanc.

DOM. DES CLERAMBAULTS Gamay 2003 ★

■ 4,6 ha 10 000 ▮🌡 3 à 5 €

Sommes-nous en Anjou ou en pays nantais ? Ce domaine revendique une double appartenance. Son gamay, rouge cerise intense, développe des flaveurs de griotte avant d'évoluer vers les épices. Sa bouche ample privilégie les flaveurs de fruits confits comme pour mettre en valeur sa rondeur. Typique du millésime.

🔑 EARL Pierre Terrien,
30, rue de Verdun, 49530 Bouzillé,
tél. 02.40.98.15.38, fax 02.40.98.11.45 ☑ 🍷 🚶 r.-v.

DOM. DES GALLOIRES Malvoisie 2003

□ 0,84 ha 5 000 ▮ 3 à 5 €

La malvoisie est un cépage confidentiel de l'appellation coteaux-d'ancenis. Elle a donné naissance à un vin moelleux, aux arômes de jacinthe, de miel et de fleurs fanées. Onctueux, rond et puissant, ce 2003 fera un excellent apéritif.

🔑 GAEC des Galloires, Dom. des Galloires,
49530 Drain, tél. 02.40.98.20.10, fax 02.40.98.22.06,
e-mail contact@galloires.com ☑ 🍷 🚶 r.-v.

DOM. DU MOULIN GIRON Gamay 2003

■ 1,5 ha 10 000 ▮🌡 3 à 5 €

C'est à Liré qu'est né le poète de la Renaissance, Joachim du Bellay ; un musée lui est consacré dans le village. Voilà bien longtemps aussi que le domaine du Moulin Giron produit ici du vin. Son 2003 grenat intense livre des arômes fins de fruits rouges. Sa bouche est encore vive et les tanins un peu austères, mais une garde d'un an devrait y remédier.

🔑 EARL Dom. du Moulin Giron, 49530 Liré,
tél. 02.40.09.03.15, fax 02.40.09.07.39 ☑ 🏠 🍷 r.-v.
🔑 Allard Père et Fille

Anjou-Saumur

A la limite septentrionale des zones de culture de la vigne, sous un climat atlantique, avec un relief peu accentué et de nombreux cours d'eau, les vignobles d'Anjou et de Saumur s'étendent dans le département du Maine-et-Loire, débordant un peu sur le nord de la Vienne et des Deux-Sèvres.

Les vignes ont depuis fort longtemps été cultivées sur les coteaux de la Loire, du Layon, de l'Aubance, du Loir, du Thouet... C'est à la fin du XIXe s. que les surfaces plantées sont les plus vastes. Le Dr Guyot, dans un rapport au ministre de l'Agriculture, cite alors 31 000 ha en Maine-et-Loire. Le phylloxéra anéantira le vignoble, comme partout. Les replantations s'effectueront au début du XXe s. et se développeront un peu dans les années 1950-1960, pour régresser ensuite. Aujourd'hui, ce vignoble couvre environ 14 500 ha, qui produisent de 800 000 à un million d'hectolitres selon les années.

Les sols, bien sûr, complètent très largement le climat pour façonner la typicité des vins de la région. C'est ainsi qu'il faut faire une nette différence entre ceux qui sont produits sur « l'Anjou noir », constitué de schistes et autres roches primaires du Massif armoricain, et ceux qui sont produits sur « l'Anjou blanc », ou Saumurois, terrains sédimentaires du Bassin parisien dans lesquels domine la craie tuffeau. Les cours d'eau ont également joué un rôle important pour le commerce : ne trouve-t-on pas encore trace aujourd'hui de petits ports d'embarquement sur le Layon ? Les plantations sont de 4 500-5 000 pieds par hectare ; la taille, qui était plus particulièrement en gobelet et en éventail, a évolué en guyot.

La réputation de l'Anjou est due aux vins blancs moelleux, dont les coteaux-du-layon sont les plus renommés. L'évolution conduit cependant désormais aux types demi-sec et sec, et à la production de vins rouges. Dans le Saumurois, ces derniers sont les plus estimés, avec les vins mousseux qui ont connu une forte croissance, notamment les AOC saumur-mousseux et crémant-de-loire.

Anjou

Constituée d'un ensemble de près de 200 communes, l'aire géographique de cette appellation régionale englobe toutes les autres. On y trouve des vins blancs (46 063 hl en 2003) et des vins rouges (215 075 hl). Pour beaucoup, le vin d'anjou est, avec raison, synonyme de vin blanc doux ou moelleux. Le cépage est le chenin, ou pineau de la Loire, mais l'évolution de la consommation vers des secs a conduit les producteurs à y associer chardonnay ou sauvignon, dans la limite maximale de 20 %. La production de vins rouges est en train de modifier l'image de la région ; ce sont les cépages cabernet franc et cabernet-sauvignon qui sont alors mis en œuvre.

DOM. DES BLEUCES 2003 ★

■ 5 ha 30 000 ▮ 3 à 5 €

Reprise par Benoît Proffit en 1994, cette propriété s'étend sur 30 ha et domine la vallée du Layon. Son anjou rouge s'habille d'une robe grenat profond, presque noir, à reflets violets. Au nez, c'est un pot-pourri de fleurs et de fruits rouges. Fondue, fruitée et longue, la bouche finit sur des tanins soyeux. Une réelle harmonie.

☛ EARL Proffit-Longuet,
Les Bleuces, 49700 Concourson-sur-Layon,
tél. 02.41.59.11.74, fax 02.41.59.97.64,
e-mail domainedesbleuces@coteaux-layon.com
☑ Ⴤ 𝄢 t.l.j. sf sam. et dim. 9h-12h 13h30-17h30
☛ Benoît Proffit

DOM. DES BLOUINES 2003 ★

	5,04 ha	8 000		3 à 5 €

Jean-Luc Cesbron conduit depuis 1978 ce domaine de 24 ha qui a son siège dans un des principaux villages des coteaux-du-layon. Son anjou rouge attire l'attention par sa robe rubis intense et ses parfums de fruits noirs bien mûrs assortis d'une pointe épicée. La bouche ne déçoit pas, fruitée, souple, ronde, riche, tannique sans agressivité. Tout ce que l'on attend de l'appellation.

☛ Jean-Luc Cesbron, Dom. des Blouines,
49750 Beaulieu-sur-Layon, tél. 02.41.78.38.25,
fax 02.41.78.69.09 ☑ Ⴤ 𝄢 r.-v.

DOM. BODINEAU 2003

	1,1 ha	5 000		3 à 5 €

Les Bodineau sont viticulteurs de père en fils depuis 1850 dans la région du Layon. La relève est assurée avec Frédéric, qui s'est installé cette année. Intense à l'œil comme au nez, l'anjou rouge du domaine affiche une robe rubis et mêle des parfums de cassis à des nuances épicées. La bouche conserve ce côté aromatique, mais ses tanins, austères en finale, devront s'arrondir.

☛ Dom. Bodineau, Savonnières,
49700 Les Verchers-sur-Layon,
tél. 02.41.59.22.86, fax 02.41.59.86.21 ☑ Ⴤ 𝄢 r.-v.

CH. DE BOIS-BRINÇON La Seigneurie 2002 ★

	4,5 ha	10 000		5 à 8 €

Proche des bords de Loire, Blaison-Gohier ne manque pas de charme avec sa collégiale du XIᵉs., son lavoir, ses châteaux et manoirs, ses anciens moulins... Vous pourrez découvrir la région en séjournant sur l'exploitation qui occupe les hauteurs de la commune et domine la rivière. Le domaine viticole, d'origine monastique, s'étend sur 27 ha. Avec sa robe rouge grenat intense et son nez fait de fruits rouges et noirs, son 2002 est typique de l'appellation. Les notes fruitées persistent dans une bouche bien équilibrée. Une étoile encore pour l'**anjou blanc Terre de grès 2002** vinifié onze mois en barrique. Un ensemble d'une belle finesse, souple en bouche, aux arômes beurrés caractéristiques d'une fermentation malolactique.

☛ Xavier Cailleau,
Ch. de Bois-Brinçon, 49320 Blaison-Gohier,
tél. 02.41.57.19.62, fax 02.41.57.10.46,
e-mail chateau.bois.brincon@terre-net.fr ☑ ⌂ Ⴤ 𝄢 r.-v.

DOM. DE BOIS MOZE 2003 ★

	5,1 ha	25 000		3 à 5 €

Commandé par un manoir du XVIᵉs., un domaine viticole de 18,5 ha. Son anjou rouge attire l'attention par une robe d'un rubis franc et des parfums de fruits rouges mûrs et macérés. On retrouve ce fruité dans une bouche ronde, suave et longue, de l'attaque à la finale. Une belle harmonie.

☛ René Lancien, Le Bois Mozé, 49320 Coutures,
tél. 02.41.57.91.28, fax 02.41.57.93.71,
e-mail olancien@wanadoo.fr ☑ Ⴤ 𝄢 r.-v.

DOM. DE BRIZE Loire Renaissance 2002 ★

	1 ha	4 800		8 à 11 €

Créé en 1755, ce domaine s'étend sur une quarantaine d'hectares, ce qui lui permet de proposer une large gamme de vins. Celui-ci a été vinifié et élevé en barrique sans soufre, conformément à une charte à laquelle souscrivent des vignerons soucieux de faire évoluer l'appellation. De couleur jaune pâle, il associe au nez des notes épicées et fumées à des senteurs de raisin mûr et de fruits secs. La bouche fraîche et riche est bien agréable. Une belle réussite qui prouve que la recherche de matière dans un anjou blanc n'implique pas perte de fruité et de délicatesse. Quant à l'**anjou rouge 2003 (3 à 5 €)**, élevé en cuve, il est cité pour son équilibre et ses arômes de fruits confits et de pruneau.

☛ SCEA Marc et Luc Delhumeau,
Dom. de Brizé, 49540 Martigné-Briand,
tél. 02.41.59.43.35, fax 02.41.59.66.90,
e-mail delhumeau.scea@free.fr ☑ Ⴤ r.-v.
☛ Luc et Line Delhumeau

LES CHAMPS VIGNOTS 2003

	15,24 ha	50 000		3 à 5 €

Ce groupement de producteurs est implanté en Loire-Atlantique, dans la partie du vignoble du muscadet qui confine à l'Anjou. Il vinifie les récoltes de 745 ha ; les vins d'Anjou représentent environ un quart de sa production. Pour ce blanc 2003, les fermentations ont été conduites à basse température et l'élevage a été effectué sur lies fines de façon à conserver sensation de fraîcheur et arômes fruités. L'objectif est atteint : des notes de fleurs blanches et d'agrumes à l'olfaction, d'abricot mûr, de pêche et d'ananas en bouche composent une jolie palette. Un vin à servir frais (12 ° C) sur coquillages et crustacés.

☛ Vignerons des Terroirs de la Noëlle,
bd des Alliés, BP 155, 44154 Ancenis Cedex,
tél. 02.40.98.92.72, fax 02.40.98.96.70,
e-mail vignerons-noelle@terrena.fr ☑ Ⴤ 𝄢 r.-v.

DOM. DES CHESNAIES La Potardière 2002 ★

	1,6 ha	4 500		5 à 8 €

En 1998, Olivier de Cenival, informaticien parisien, a repris ce domaine qui s'étend sur 17 ha. Il a restauré un manoir du XVIᵉs. pour y aménager des chambres d'hôtes. On retrouve son anjou blanc, produit de vendanges manuelles et d'un élevage en barrique sur lies fines durant douze mois. D'un jaune paille engageant, ce vin délivre d'intenses arômes de fruits confits et exotiques accompagnés de notes grillées. Ample et harmonieux au palais, il est particulièrement persistant. On le servira sur des viandes blanches à la crème, du poisson grillé et des fromages de chèvre.

☛ Olivier de Cenival, Dom. des Chesnaies, La Noue,
49190 Denée, tél. 02.41.78.79.80, fax 02.41.68.05.61,
e-mail odecenival@free.fr ☑ 🏨 Ⴤ 𝄢 r.-v.

CLOS DE LA JACQUERIE Sec 2002 ★

	n.c.	2 000		5 à 8 €

Créé au XVIIIᵉs., ce domaine a son siège dans une commune de Loire-Atlantique, à l'ouest du vignoble angevin. Il propose un anjou blanc élevé dix mois en barrique. La robe jaune brille de reflets or, et son nez mêle

des notes beurrées et caramélisées évoquant la pâtisserie à des senteurs de fleurs fraîches et de citronnelle. Ample, puissant et persistant, ce vin trouvera sa place sur des viandes blanches et du poisson en sauce.
🔑 EARL Carroget-Gautier,
La Paonnerie, 44150 Anetz, tél. 02.40.96.23.43,
fax 02.40.83.36.22, e-mail carg-vin@aol.com
☑ Y 🚶 t.l.j. sf dim. et lun. 14h-19h
🔑 Carroget

LE CLOS DES MOTELES Sec 2003

□ 3 ha 10 000 - de 3 €

Proche de Thouars, dans les Deux-Sèvres, cette exploitation s'étend sur 20 ha à l'extrême sud de l'appellation et à 30 km de Saumur. Ses terres graveleuses et sableuses correspondent à d'anciennes terrasses du quaternaire. Elles ont donné cet anjou jaune pâle aux légers reflets or. Très aromatique, le nez apparaît caractéristique d'une fermentation conduite à basse température, avec ses nuances amyliques, ses notes de buis, de fumé et d'hydrocarbures. Ample et riche, la bouche laisse une sensation de fraîcheur en finale. Un vin agréable, à servir bien frais.
🔑 GAEC Le Clos des Motèles,
42, rue de la Garde, 79100 Sainte-Verge,
tél. 05.49.66.05.37, fax 05.49.66.37.14 ☑ Y 🚶 r.-v.

CLOS DU GRAND RIOU Monopole 2003

■ 10 ha 30 000 ▮ ⦶ ♁ 5 à 8 €

Ce Clos du XV^{e}s. est exploité par la famille de Didier Hauret depuis 1900. Il est aujourd'hui conduit en agriculture biologique. Son anjou rouge s'habille d'une robe légère et délivre des parfums de fruits rouges cuits et de pruneau, un rien vanillés, qui se prolongent en bouche. Son palais équilibré et rond est soutenu par des tanins quelque peu austères en finale.
🔑 Hauret-Baleine, Didier Hauret,
49540 Martigné-Briand, tél. 02.41.59.48.62,
fax 02.41.59.49.50 ☑ 🏠 🏠 Y 🚶 r.-v.

DOM. DES COQUERIES
Elevé en fût de chêne 2002 *

□ 2 ha 2 500 ⦶ 5 à 8 €

Ce domaine fait partie des quelques exploitations qui produisent le bonnezeaux, cru réputé de la vallée du Layon. Le savoir-faire utilisé pour élaborer cet anjou blanc s'apparente à celui mis en œuvre pour obtenir un vin liquoreux (tries sélectives, vinification et élevage en barrique). La robe est d'un jaune d'or brillant, et les arômes de fruits confits, avec des nuances de grillé et de pourriture noble, sont caractéristiques d'une vendange triée. Moelleux et intense au palais, agréable en finale, ce vin peut être dégusté dès maintenant ou conservé quelques années.
🔑 EARL Philippe Gilardeau,
Les Noues, 49380 Thouarcé,
tél. 02.41.54.39.11, fax 02.41.54.38.84 ☑ Y 🚶 r.-v.

LE COTILLON BLANC 2003 *

■ 0,93 ha 5 400 ▮ 3 à 5 €

D'origine normande, Gauthier Gassot a appris le métier de vigneron dans plusieurs exploitations de Bourgogne et d'Anjou avant de reprendre ce domaine en 2003 : un vignoble de 13 ha, un ancien séchoir à tabac reconverti en chai, et des dépendances en pierre du pays. Son premier millésime est jugé très réussi. D'un rouge vif avenant, ce 2003 mêle au nez les fruits noirs et la griotte. Ce fruité prend un accent grillé dans une bouche harmonieuse et longue.
🔑 Gauthier Gassot,
2, rue du Cotillon-Blanc, 49380 Chavagnes-les-Eaux,
tél. 02.41.54.01.27, fax 02.41.54.01.27 ☑ Y 🚶 r.-v.

DOM. LA CROIX DE GALERNE 2003 **

■ 2,72 ha 2 500 ▮ ♁ 3 à 5 €

André Roger s'est installé en 1988 dans la vallée du Layon, après une première expérience professionnelle dans le Bordelais. Son anjou 2003 a fait grande impression. D'un rouge intense et brillant, la robe est magnifique. Le nez exubérant semble un panier de fruits rouges et noirs bien mûrs. Ronde, souple, onctueuse à l'attaque, la bouche révèle une riche matière et des tanins de qualité. Une remarquable bouteille qui s'arrondira encore dans quelque temps.
🔑 André Roger, 20, rue du Pressoir,
Maligne, 49540 Martigné-Briand,
tél. 02.41.59.65.73, fax 02.41.59.82.57,
e-mail yvetteroger@worldonline.fr ☑ Y 🚶 r.-v.

DOM. DHOMME Clos des Fresnaies 2002 ***

□ 1,55 ha 3 500 ⦶ 5 à 8 €

La cave est située sur une île de la Loire et le vignoble dans l'aire des coteaux-du-layon. Une vendange strictement sélectionnée, une fermentation très lente en barrique et un élevage d'un an dans le bois sont à l'origine de cet anjou blanc hors du commun. D'un jaune d'or étincelant, il offre des arômes de raisin mûr, une bouche ample, moelleuse et délicate. Une grande bouteille à déguster tranquillement en début de repas et à ne partager qu'avec des connaisseurs !
🔑 Dom. Dhommé,
Le Petit Port-Girault, 49290 Chalonnes-sur-Loire,
tél. 02.41.78.24.27, fax 02.41.74.94.91,
e-mail domainedhomme@wanadoo.fr
☑ Y 🚶 t.l.j. sf dim. 9h-12h 14h-19h

DOM. DITTIERE 2003 *

■ 2 ha 7 000 ▮ ♁ 5 à 8 €

A Vauchrétien, les amateurs de randonnée pourront parcourir un sentier aménagé dans le vignoble et jalonné par d'anciennes cabanes de vignes. Le domaine Dittière s'étend sur 35 ha. Ses terroirs sablo-graveleux ont donné naissance à un anjou de couleur grenat à nuances violettes. Son nez riche et complexe est fait de fruits rouges bien mûrs. Frais et fruité à l'attaque, le palais est structuré, harmonieux et long.
🔑 Dom. Dittière,
1, chem. de la Grouas, 49320 Vauchrétien,
tél. 02.41.91.23.78, fax 02.41.54.28.00,
e-mail domaine.dittiere@wanadoo.fr ☑ 🏠 🚶 r.-v.

ELYSIS 2003 ★★

■ 6 ha 40 000 🍾🌡 3 à 5 €

Fondée en 1951, cette coopérative vinifie 1 800 ha de vignes. Ces dernières années, elle a proposé des vins fort bien accueillis par les jurys du Guide. C'est encore le cas avec cet anjou rouge, qui fait l'unanimité. Paré d'une robe profonde, presque noire, il séduit d'emblée par un nez concentré, intense et pur aux senteurs de fruits noirs très mûrs. Ample, onctueuse, tout en douceur, l'attaque introduit une bouche aromatique, puissante et ronde.

🔑 Les Caves de la Loire, rte de Vauchrétien, 49320 Brissac-Quincé, tél. 02.41.91.22.71, fax 02.41.54.20.36, e-mail loire-wines@vapl.fr ☑

DOM. DES FORGES Les 3 C 2002 ★

■ 1 ha 4 000 🛢 5 à 8 €

Cette exploitation, forte de 38 ha, a son siège à Saint-Aubin-de-Luigné, un des villages des coteaux-du-layon. Si elle défend avec brio les couleurs des vins blancs et liquoreux d'Anjou, elle montre aussi son savoir-faire en rouge. La couleur intense de ce 2002 se nuance de noir. A l'agitation, le nez libère des parfums de fruits rouges accompagnés de notes vanillées et boisées liées à l'élevage. Puissant et rond, le palais révèle une bonne matière encore marquée par le bois. Une bouteille à attendre deux à trois ans.

🔑 EARL Branchereau, Dom. des Forges, rte de la Haie-Longue, 49190 Saint-Aubin-de-Luigné, tél. 02.41.78.33.56, fax 02.41.78.67.51, e-mail vitiforge@wanadoo.fr ☑ 🏠 Y 🚶 r.-v.

CH. LA FRANCHAIE 2002 ★

■ 3 ha 14 500 🍾🌡 5 à 8 €

Cette exploitation a son siège à La Possonnière, petit bourg des bords de Loire situé en aval d'Angers, près de Savennières. Elle a présenté un 2002 rouge intense au nez de fruits rouges frais. Bien équilibré dans un style souple et friand, ce vin termine sur des notes fruitées qui laissent un bon souvenir.

Anjou et Saumur

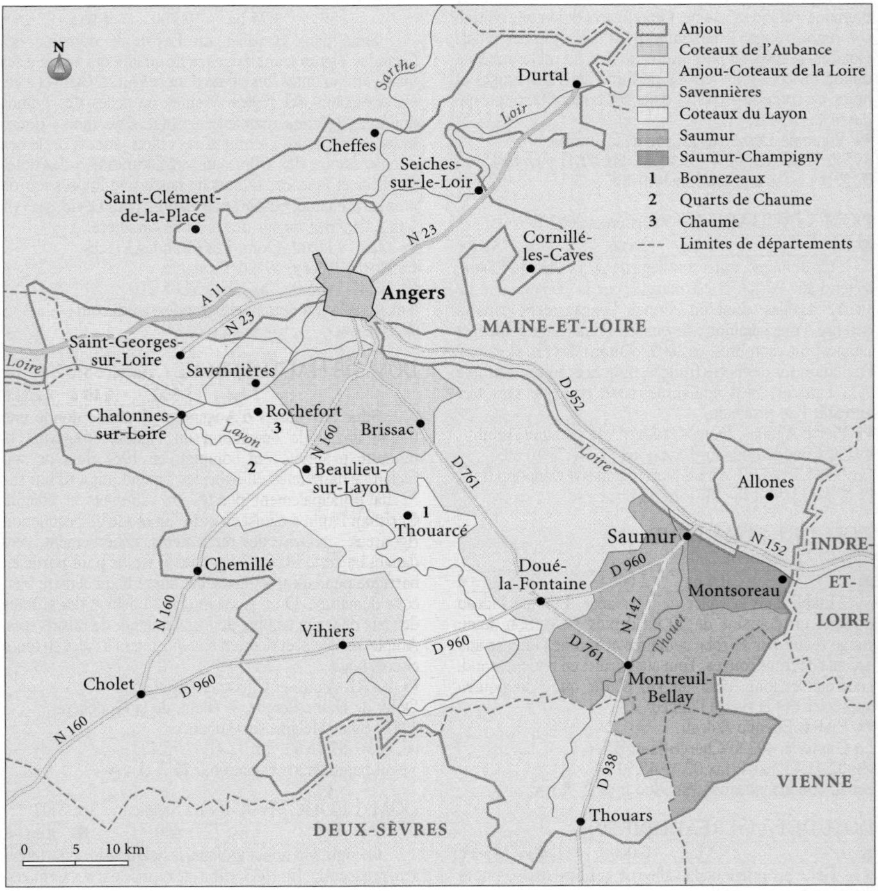

🔑 Ch. La Franchaie,
Dom. de La Franchaie, 49170 La Possonnière,
tél. 02.41.39.18.16, fax 02.41.39.18.17 ☑ Y ✱ r.-v.
🔑 Chaillou

DOM. DE LA GACHERE Cuvée Alexia 2003 ★★

■ 1,6 ha 11 300 3 à 5 €

Conduit depuis 1993 par Alain et Gilles Lemoine, ce domaine familial de 30 ha d'un seul tenant est situé aux marches de l'Anjou, dans les Deux-Sèvres. Grenat dans le verre, cet anjou rouge s'impose par un nez franc et d'une grande intensité, dominé par les fruits rouges bien mûrs. Généreuse et ample, la bouche repose sur des tanins puissants mais soyeux. Une bouteille harmonieuse et prête à boire.

🔑 Alain et Gilles Lemoine,
Dom. de La Gachère, 79290 Saint-Pierre-à-Champ,
tél. 05.49.96.81.03, fax 05.49.96.32.38,
e-mail f.lemoine@wanadoo.fr ☑ Y ✱ r.-v.

DOM. DE GATINES 2003

■ 6,5 ha 42 000 5 à 8 €

Etabli à Tigné, sur la rive gauche du Layon, ce domaine s'étend sur 44 ha. On retrouve dans cette édition son anjou rouge. Rubis intense à l'œil, avec des reflets violacés, le 2003 est plus discret au nez. Le millésime lui a donné un côté grillé et des parfums de fruits rouges et noirs. Ce fruité se prolonge dans une bouche tannique qui devra s'arrondir.

🔑 Vignoble Dessèvre, 12, rue de la Boulaie,
49540 Tigné, tél. 02.41.59.41.48, fax 02.41.59.94.44
☑ Y ✱ t.l.j. sf dim. 8h-12h 14h-18h

DOM. GAUDARD Les Vauguérins 2003 ★★

■ 5 ha 13 000 5 à 8 €

Ce domaine, qui a son siège dans la vallée du Layon, s'étend sur 27 ha. Il est marqué par la personnalité de Pierre Aguilas, dont on connaît l'engagement dans la défense d'une viticulture de qualité. D'un rouge soutenu à nuances plus sombres, ce 2003, d'abord discret, s'ouvre à l'agitation sur des notes fruitées, fumées et épicées. Souple et à l'attaque bien équilibrée, cette bouteille sera très agréable l'an prochain.

🔑 Pierre Aguilas, Dom. Gaudard, rte de Saint-Aubin,
49290 Chaudefonds-sur-Layon, tél. 02.41.78.10.68,
fax 02.41.78.67.72, e-mail pierre.aguilas@wanadoo.fr
☑ Y ✱ t.l.j. 9h-12h 14h-18h; dim. sur r.-v.

DOM. DE LA GAUTERIE
Clos de La Gauterie 2003 ★

■ 0,4 ha 2 000 3 à 5 €

Etabli dans la vallée de l'Aubance, Etienne Jadeau exploite un domaine de 20 ha depuis 1990. Son anjou rouge séduit par sa robe soutenue et son nez intense aux accents de fruits rouges. Tout aussi fruité en bouche, rond, généreux et long, c'est un vin plaisir que l'on pourra apprécier dès la fin de l'année.

🔑 EARL Etienne Jadeau,
La Gauterie, 49320 Charcé-Saint-Ellier,
tél. 02.41.45.50.04, fax 02.41.45.50.04,
e-mail etienne.jadeau@wanadoo.fr ☑ Y ✱ r.-v.

DOM. DE LA GERFAUDRIE 2003

■ 3,3 ha 6 000 3 à 5 €

Cette propriété de la vallée de la Loire tire son nom du gerfaut, rapace utilisé jadis en fauconnerie et qui aurait affectionné le site. Elle s'étend sur 17 ha. Son anjou rouge se pare d'une robe rubis. Il développe des parfums de fruits rouges accompagnés de notes épicées. Rond et volumineux en bouche, il révèle une trame tannique déjà soyeuse qui lui confère une belle harmonie.

🔑 SCEV J.-P. et P. Bourreau,
25, rue de l'Onglée, 49290 Chalonnes-sur-Loire,
tél. 02.41.78.02.28, fax 02.41.78.03.07,
e-mail domaine-gerfaudrie@wanadoo.fr ☑ Y ✱ r.-v.

DOM. GOUPIL 2003 ★★

■ 6 ha 48 000 3 à 5 €

Paré d'une robe profonde aux reflets violacés attrayants, ce 2003 présente un nez intense de fruits rouges et noirs cueillis très mûrs. Souple, avec des tanins soyeux, la bouche conserve ce côté aromatique et procure bien du plaisir.

🔑 SCEA Dom. du Cléray,
Le Bourg, 49700 Les Verchers-sur-Layon,
tél. 02.40.33.93.46, fax 02.40.36.26.26

DOM. LES GRANDES VIGNES
Varenne de Combre 2002 ★★

□ 3,25 ha 19 200 5 à 8 €

Situé dans la vallée du Layon, le domaine des Grandes Vignes a une exigence de qualité qui a valu à ses vins d'être maintes fois salués dans le Guide. Celui-ci a été élaboré selon des règles voisines de celles des grands liquoreux (récolte manuelle, élevage d'au moins douze mois en barrique). La robe a des reflets jaune d'or, le nez intense associe des arômes de surmaturation à des notes vanillées et épicées ; la bouche laisse une impression de gras surprenante. Une grande matière pour ce vin, à servir seul à l'apéritif ou sur des plats de caractère.

🔑 GFA Vaillant, Dom. Les Grandes Vignes,
La Roche Aubry, 49380 Thouarcé,
tél. 02.41.54.05.06, fax 02.41.54.08.21,
e-mail vaillant@domainelesgrandesvignes.com
☑ Y ✱ r.-v.

DOM. DE HAUTE PERCHE Caractère Sec 2002 ★

□ 2 ha 5 300 8 à 11 €

Situé aux portes d'Angers, ce domaine donne une bonne image de l'évolution du vignoble angevin : la modeste propriété qui comptait en 1966, lors de son rachat, 9 ha plantés en hybrides s'étend aujourd'hui sur 32 ha principalement plantés en cabernets et chenin. Christian Papin a choisi en outre un mode de production rigoureux : maîtrise des rendements, enherbement, vendanges en vert... Récolté par tries et vinifié pour partie en barrique pendant trois mois, cet anjou blanc illustre bien cette démarche. D'un jaune intense, il délivre des arômes délicats de fruits confits, de fruits mûrs et de raisins secs. Ample, moelleux et riche en bouche, il sera à l'aise en toute circonstance.

🔑 EARL Agnès et Christian Papin,
Dom. de Haute-Perche, 7, chem. de la Godelière,
49610 Saint-Melaine-sur-Aubance,
tél. 02.41.57.75.65, fax 02.41.57.75.42,
e-mail papin.ch.a@wanadoo.fr ☑ Y ✱ r.-v.

DOM. LEDUC-FROUIN La Seigneurie Sec 2002 ★★

□ 1 ha 1 600 8 à 11 €

Comme son nom l'indique, la Seigneurie appartenait à un aristocrate. En 1933, elle a été reprise par ses fermiers, qui maintiennent à sa production ses lettres de noblesse.

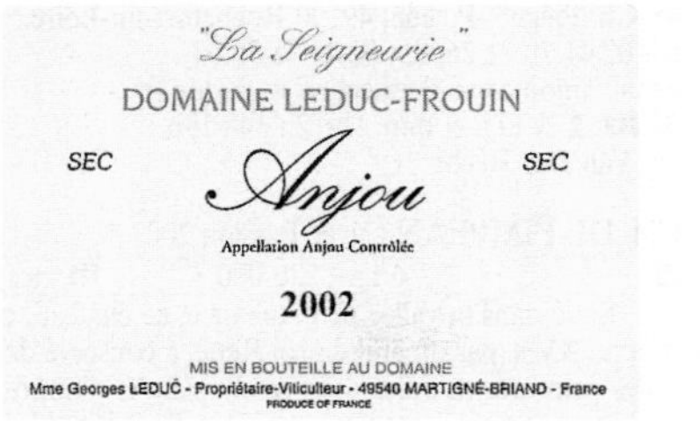

Doté de caves troglodytiques, le domaine s'étend sur 30 ha. Il est exploité depuis 1990 par Antoine Leduc, œnologue, et sa sœur Nathalie. Produit d'une récolte manuelle et d'un élevage en barrique de douze mois, cet anjou blanc reflète les efforts entrepris par un groupe de vignerons pour faire évoluer l'appellation. Jaune pâle à reflets vifs, il offre d'élégants arômes de fruits blancs, de fruits secs, d'épices et de vanille. Franc et équilibré au palais, c'est un vin de caractère qui a gardé toute la fraîcheur et la délicatesse que l'on attend de cette AOC.

☛ Dom. Antoine et Nathalie Leduc-Frouin,
La Seigneurie, Sousigné, 49540 Martigné-Briand,
tél. 02.41.59.42.83, fax 02.41.59.47.90,
e-mail domaine-leduc-frouin@wanadoo.fr ☑ ⊤ ⚎ r.-v.

LE LOGIS DU PRIEURE Le Gate Acier Sec 2003

■	0,5 ha	4 000	■ ⊞ ↓ 5 à 8 €

Bien connue des lecteurs du Guide, cette exploitation de 30 ha située dans le haut Layon a proposé un anjou blanc 2003 qui devrait révéler toutes ses qualités à la fin de l'année. Le jury a apprécié ses arômes de fruits confits qui révèlent une vendange récoltée à très belle maturité. Avec son attaque pleine et sa finale exubérante, c'est un vin prometteur.

☛ SCEA Jousset et Fils, Le Logis du Prieuré,
49700 Concourson-sur-Layon, tél. 02.41.59.11.22,
fax 02.41.59.38.18, e-mail logis.prieure@wanadoo.fr
☑ ⊤ ⚎ t.l.j. sf dim. 9h-12h30 14h-19h

LA LOIRE DE VINIVAL 2003 ★

■	55 000	■ ↓ 3 à 5 €

Basée en Loire-Atlantique, Vinival est une énorme structure de négoce exportant dans des dizaines de pays. Gageons que cet anjou rouge, parmi les *Wines from the Loire Valley,* trouvera preneur outre-Manche et plus loin encore. L'étiquette annonce en effet *a soft, fruity red from Cabernet franc.* Un bref portrait qui ne contredit pas les notes prises par les jurés du Guide. Intense à l'œil avec des reflets bleutés, ce vin est fruité au nez – un fruité complexe déployant toute une palette de fruits rouges cuits, de fruits noirs accompagnés d'une touche un peu grillée. La bouche est moelleuse, ample, avec des tanins fondus. *Cheers !* (« A la vôtre ! »)

☛ SARL Vinival, La Sablette, 44330 Mouzillon,
tél. 02.40.36.66.00, fax 02.40.36.26.83

MANOIR DE VERSILLE 2003 ★

■	2,5 ha	4 500	■ ↓ 5 à 8 €

Le manoir existe vraiment et date du XVIᵉs. Il est environné d'un vignoble de 20 ha, dirigé depuis 1998 par Francine Desmet. D'un rouge intense aux nuances plus sombres, son anjou libère de puissants parfums de fruits noirs surmûris. Franc à l'attaque, plein et charpenté, ce vin tannique devrait bien évoluer avec le temps.

☛ EARL du Manoir de Versillé,
Versillé, 49320 Saint-Jean-des-Mauvrets,
tél. 02.41.45.22.00, fax 02.41.45.22.00 ☑ ⊤ ⚎ r.-v.
☛ Francine Desmet

DOM. DES MAURIERES 2002 ★

■	0,38 ha	3 000	■ ↓ 5 à 8 €

Établis à Saint-Lambert-du-Lattay, village réputé des coteaux-du-layon, les Moron proposent aussi des vins rouges de bonne naissance, comme cet anjou à la robe profonde et au nez de fruits rouges un rien fumé. Souple à l'attaque, ce 2002 se montre assez tannique en finale. Mieux vaut l'attendre un peu.

☛ EARL Moron, Dom. des Maurières,
8, rue de Perinelle, 49750 Saint-Lambert-du-Lattay,
tél. 02.41.78.30.21, fax 02.41.78.40.26 ☑ ⊤ ⚎ r.-v.

DOM. DE MIHOUDY Les Tréjeots 2003

■	2 ha	8 000	■ ↓ 5 à 8 €

Vignerons de père en fils, les Cochard sont établis dans la vallée du Layon. Régulièrement présents dans cette appellation, ils ont même décroché la Grappe de bronze du Guide Hachette 1997 grâce à un anjou rouge 95. D'un rouge grenat intense à reflets violacés, ces Tréjeots libèrent de puissants arômes de fruits rouges, avec un soupçon de réglisse. Ce fruité domine aussi en attaque, puis les tanins prennent le dessus.

☛ EARL Cochard et Fils,
Dom. de Mihoudy, 49540 Aubigné-sur-Layon,
tél. 02.41.59.46.52, fax 02.41.59.68.77,
e-mail mihoudy@wanadoo.fr ☑ ⊤ ⚎ r.-v.

DOM. DE LA MOTTE 2003 ★

■	2 ha	14 000	■ 3 à 5 €

Ce domaine a son siège à Rochefort-sur-Loire, petit bourg situé juste avant le confluent du Layon. Son vignoble s'étend sur quelque 19 ha. Son anjou rouge s'habille d'une robe profonde aux nuances violacées. Subtil, agréable, le nez mêle le cassis, la framboise et une touche réglissée. Cette palette aromatique fruitée se prolonge dans une bouche ronde, suave et de bonne longueur. Une bouteille qui donne envie d'une côte de bœuf.

☛ Gilles Sorin, 35, av. d'Angers,
49190 Rochefort-sur-Loire,
tél. 02.41.78.72.96, fax 02.41.78.75.49,
e-mail sorin.dommotte@wanadoo.fr ☑ ⊤ ⚎ r.-v.

GILLES MUSSET-SERGE ROULLIER 2003 ★

■	3 ha	18 000	■ ↓ 5 à 8 €

Établi à La Pommeraye, commune proche de la Loire, ce domaine de 34 ha est bien connu des fidèles du Guide, puisqu'il a obtenu il y a quatre ans un coup de cœur en anjou rouge (pour un 99). Ce 2003 retient l'attention grâce à sa robe grenat brillant. Intense au nez, il mêle les fruits rouges à une nuance de romarin. En bouche, il apparaît rond et suave et finit sur du velours. Un vin plaisir.

☛ Vignoble Musset-Roullier, Le Pélican,
49620 La Pommeraye,
tél. 02.41.39.05.71, fax 02.41.77.75.76,
e-mail musset.roullier@wanadoo.fr ☑ ⊤ ⚎ r.-v.

DOM. OGEREAU Cuvée Prestige 2002 ★

▨	2,24 ha	8 000	■ ⊞ ↓ 8 à 11 €

Sept coups de cœur obtenus au fil des éditions du Guide, tant en rouge qu'en blanc : ce domaine est une référence du vignoble angevin. Cette cuvée 2002 corres-

LOIRE

pond à une vendange récoltée à grande maturité et élevée dix-huit mois pour partie en cuve et pour partie en barrique. D'un jaune d'or soutenu, ce vin libère des parfums chaleureux de fruits mûrs ou macérés dans l'alcool. Ample et puissant en bouche, il laisse une impression dominante de richesse. Une bouteille à réserver aux amateurs de vins généreux.

⊶ Vincent Ogereau, 44, rue de la Belle-Angevine, 49750 Saint-Lambert-du-Lattay, tél. 02.41.78.30.53, fax 02.41.78.43.55 ☑ Y 🚶 r.-v.

VIGNOBLE DE LA PERRIERE

Cuvée vermeille 2003 *

■ 1,5 ha 2 500 ▮🌡 8 à 11 €

Située à Faye-d'Anjou, dans l'aire des coteaux-du-layon, cette exploitation familiale s'étend sur 19 ha. Sa Cuvée vermeille mérite bien son nom, vêtue d'une robe rouge intense à reflets violets. Sa palette aromatique est faite de fruits rouges et noirs. Riche, onctueuse, friande, la bouche est structurée, soutenue par des tanins qui ne demandent qu'à se fondre.

⊶ SCEV Jacky et Nicole Lambert, 3, rue de l'Abbaye, 49380 Faye-d'Anjou, tél. 02.41.54.10.52, fax 02.41.54.30.69 ☑ Y 🚶 r.-v.

DOM. DES PETITS QUARTS 2002 *

■ 0,81 ha 4 000 ▮🌡 3 à 5 €

Ce vignoble familial constitué à la fin du XIX[e]s. est implanté à Faye-d'Anjou, au cœur des coteaux-du-layon. Si ses titres de gloire concernent principalement les liquoreux (AOC bonnezeaux surtout), il sait élaborer des anjou rouges dignes de l'appellation, comme celui-ci. D'une couleur soutenue, ce vin libère d'agréables parfums de fruits rouges que l'on retrouve avec plaisir dans une bouche franche et droite.

⊶ Godineau Père et Fils, Dom. des Petits Quarts, 49380 Faye-d'Anjou, tél. 02.41.54.03.00, fax 02.41.54.25.36
☑ Y 🚶 t.l.j. sf dim. 8h-12h 14h-17h30

DOM. PIED FLOND 2003 **

■ 5 ha 15 000 ▮🌡 3 à 5 €

Un domaine viticole depuis le XV[e]s. et dans la même famille depuis 1864. Né de vieilles vignes, son anjou rouge a fait une excellente impression. D'un rouge profond et limpide à reflets violacés, il exprime des parfums intenses et élégants, à la fois floraux et fruités. La bouche est équilibrée, pleine et longue, avec des tanins fondus. Une bouteille harmonieuse, prête à boire et susceptible d'une petite garde.

⊶ EARL Franck Gourdon, Dom. Pied Flond, 49540 Martigné-Briand, tél. 02.41.59.92.36, fax 02.41.59.92.36 ☑ Y 🚶 r.-v.

CH. PIEGUE La Croix des Gardes Sec 2002 *

▒ 2 ha 3 000 🛢 5 à 8 €

Cette propriété domine la vallée de la Loire, face au vignoble de Savennières, situé sur l'autre rive. Son anjou blanc associe agréablement les notes de raisin récolté à bonne maturité et des nuances léguées par un élevage en tonne (fût de 400 l) : sa palette mêle des arômes délicats d'épices, de fumé, de fruits secs et de fruits à chair blanche. Equilibré et frais, avec une finale marquée par un boisé bien fondu, un vin représentatif de son appellation et de son millésime.

⊶ Ch. Piéguë, Piéguë, 49190 Rochefort-sur-Loire, tél. 02.41.78.71.26, fax 02.41.78.75.03, e-mail antoine-van-der-hecht@wanadoo.fr
☑ 🏠 Y 🚶 t.l.j. sf dim. 9h-12h 14h-19h
⊶ Van Der Hecht

CH. DE PIMPEAN Cuvée Passion 2002 *

■ 6 ha 20 000 🛢 8 à 11 €

Situé dans la vallée de l'Aubance, ce château, construit au XV[e]s. par un ami du roi René, a conservé de très belles peintures murales dans sa chapelle et d'imposants bâtiments comme le grenier aux rentes. Il se visite à la belle saison et sert de cadre à un festival d'art lyrique. Depuis 1993, la restauration du vignoble, géré par Maryse Tugendhat, est menée en parallèle avec celle des bâtiments. La cuvée Passion présente une robe pimpante, d'un rubis brillant. Le raisin bien mûr marque le nez de notes de fruits à l'eau-de-vie, tandis qu'en bouche apparaît un léger boisé. Structuré, frais, équilibré et souple, ce vin n'aura pas besoin de s'éterniser en cave avant de paraître à table.

⊶ SCA Dom. de Pimpéan, Ch. de Pimpéan, 49320 Grézillé, tél. 02.41.68.95.96, fax 02.41.45.51.93, e-mail maryset@pimpean.com
☑ Y 🚶 t.l.j. 9h-12h 14h-18h
⊶ Gilles Tugendhat

CH. DE PUTILLE

Les Schistes de Loire Méthode traditionnelle 2002 **

○ 5 ha 30 000 ▮🌡 5 à 8 €

Une exploitation régulièrement à l'honneur dans le Guide : n'a-t-elle pas décroché cinq coups de cœur consécutifs dans les dernières éditions ? L'an dernier, c'était en crémant-de-loire. Définie par des conditions strictes d'élaboration (récolte manuelle, séparation des jus au pressoir, élevage sur lattes de douze mois), l'appellation crémant-de-loire a pour vocation de se substituer à l'anjou mousseux, représenté ici avec talent par Pascal Delaunay. D'un très beau jaune à reflets or, ce vin offre un nez intense fait de pain grillé et de fruits secs. Ronde et moelleuse, la bouche est constamment égayée par une effervescence rafraîchissante et fine. Une remarquable méthode traditionnelle qui pourra accompagner un repas.

⊶ Pascal Delaunay, EARL Ch. de Putille, 49620 La Pommeraye, tél. 02.41.39.02.91, fax 02.41.39.03.45, e-mail chateau.putille@wanadoo.fr
☑ Y 🚶 t.l.j. sf dim. 8h-12h30 14h-19h30

DOM. DE PUTILLE 2003 *

■ n.c. 5 300 ▮🌡 5 à 8 €

Un domaine exemplaire en matière de conduite de la vigne, de choix des dates de vendanges et de vinifications. D'une couleur grenat intense et brillant, son anjou rouge 2003 offre des senteurs de fruits rouges macérés qui agrémentent aussi la bouche. Grasse et très soyeuse, cette bouteille harmonieuse pourra accompagner dès la fin de l'année une épaule d'agneau ou une côte de bœuf.

⊶ Isabelle Sécher et Stève Roulier, Dom. de Putille, 49620 La Pommeraye, tél. 02.41.39.80.43, fax 02.41.39.81.91, e-mail domaine.de.putille@terre-net.fr ☑ Y 🚶 r.-v.

DOM. DES QUARRES Sec Pierres noires 2002 *

▒ 1,6 ha 6 000 🛢 5 à 8 €

Ce domaine a engagé dès 1973 la reconquête des coteaux du Layon en aménageant un coteau de 13 ha en terrasses. Les règles d'élaboration des vins liquoreux (récoltes par tries, élevage en barrique) ont été par la suite adoptées pour la production de grands anjous blancs, comme cette sélection des Pierres noires. La robe jaune à reflets verts est intense, tout comme le nez mêlant fruits frais à chair blanche, notes épicées, vanillées et minérales. Cette palette aromatique se prolonge dans une bouche riche, à la fois fraîche et moelleuse. A servir sur poisson en sauce et viande blanche.

⊶ SCEA Dom. des Quarres,
66, Grande-Rue, 49750 Rablay-sur-Layon,
tél. 02.41.78.36.00, fax 02.41.78.62.58 ☒ Y ⚲ r.-v.
⊶ Alfred Bidet

MICHEL ROBINEAU 2003

■ 1 ha 2 500 ▮ 3 à 5 €

A la tête de 9 ha de vignes, Michel Robineau a créé son exploitation en 1990 dans l'aire des coteaux-du-layon et a plusieurs coups de cœur à son actif. Il a proposé un anjou rouge fort plaisant avec sa robe rubis intense, ses arômes légers de petits fruits, dominés par le cassis. La bouche, ronde et bien fruitée, se fait plus austère en finale, avec des tanins qui demandent à s'arrondir. On pourra déboucher cette bouteille dès maintenant sur des grillades.

⊶ Michel Robineau, 3, chem. du Moulin,
Les Grandes Tailles, 49750 Saint-Lambert-du-Lattay,
tél. 02.41.78.34.67 ☒ Y ⚲ r.-v.

DOM. ROBINEAU CHRISLOU 2003 *

■ 3,66 ha 5 500 ▮♁ 3 à 5 €

Etablis dans l'un des principaux villages des coteaux-du-layon, Christine et Louis Robineau exploitent plus de 19 ha de vignes. Leur anjou rouge attire l'attention par l'intensité de sa robe d'un beau grenat franc et par de puissants parfums de fruits rouges. Une attaque grasse introduit une bouche ronde malgré des tanins austères en finale. Cette bouteille devrait pouvoir paraître à table à la fin de l'année.

⊶ Louis Robineau,
14, rue Rabelais, 49750 Saint-Lambert-du-Lattay,
tél. 02.41.78.36.04, fax 02.41.78.36.04,
e-mail robineau-chrislou@voila.fr ☒ Y ⚲ r.-v.

DOM. DE LA ROCHE MOREAU 2003 *

■ 1,5 ha 4 000 ▮♁ 5 à 8 €

Avant la révolution industrielle, on exploitait du charbon dans la vallée du Layon. Témoin de cette époque, le chai de stockage de la propriété, installé dans une mine désaffectée depuis bien longtemps. Le domaine, qui s'étend sur 21 ha, domine la vallée de la Loire et les coteaux du Layon. Son anjou rouge 2003 affiche une robe rubis franc. Son nez intense associe les fruits rouges et le cassis à des nuances de poivron. Souple et agréable, l'attaque est suivie d'un palais velouté, gras et de bonne longueur.

⊶ André Davy, Dom. de La Roche Moreau,
La Haie Longue, 49190 Saint-Aubin-de-Luigné,
tél. 02.41.78.34.55, fax 02.41.78.17.70,
e-mail davy.larochemoreau@wanadoo.fr ☒ Y ⚲ r.-v.

CH. DES ROCHETTES 2003

■ 5 ha 20 000 ◖◗ 5 à 8 €

Ce domaine est dans la même famille depuis le XVIIIe s. A cette époque, le Layon fut canalisé (en 1773) pour acheminer les vins du Layon jusqu'à Chalonnes-sur-Loire ; cette production voyageait ensuite jusqu'aux Pays-Bas. Une robe rubis limpide et brillante aux reflets violacés, des parfums puissants de fruits rouges incitent à porter en bouche cet anjou. Aromatique lui aussi, le palais présente des tanins austères qui devraient s'arrondir avec le temps.

⊶ Jean Douet, Ch. des Rochettes,
49700 Concourson-sur-Layon,
tél. 02.41.59.11.51, fax 02.41.59.37.73 ☒ Y ⚲ r.-v.

SAUVEROY Cuvée Iris 2003 ***

■ 2,7 ha 15 600 ▮♁ 3 à 5 €

Créé au XIXe s., un domaine acquis par la famille Cailleau en 1947. Sa superficie ne dépassait pas alors un hectare. Pascal Cailleau, aux commandes de l'exploitation depuis 1985, dispose aujourd'hui de 28 ha de vignes, dont il tire le meilleur. Ce coup de cœur n'est pas le premier à son actif, en particulier en anjou rouge. Le 2003 annonce la couleur : sa robe grenat profond fascine. Puis on découvre un nez explosif et complexe, pot-pourri de fruits noirs et rouges (fraise des bois, myrtille, mûre, griotte, cassis...), accompagné de douces notes épicées. Après une attaque onctueuse, la bouche évolue avec élégance, bien structurée, soutenue par une agréable fraîcheur et marquée par un beau retour du fruit. Cette bouteille a tout pour plaire : elle est prête à vous séduire.

⊶ Pascal Cailleau, Dom. Sauveroy,
49750 Saint-Lambert-du-Lattay,
tél. 02.41.78.30.59, fax 02.41.78.46.43,
e-mail domainesauveroy@terre-net.fr ☒ Y ⚲ r.-v.

CH. SOUCHERIE
Champ aux Loups Elevé en fût de chêne 2002 **

■ 2 ha 10 000 ◖◗ 5 à 8 €

De cette propriété, la vue embrasse un vaste panorama où l'on découvre tous les clochers du Layon. Acquis par la famille Tijou en 1952, le domaine, qui s'étend sur 30 ha, est exploité par la deuxième et la troisième génération. Aussi remarquable que dans le millésime précédent, cet anjou rouge s'annonce par une robe rubis limpide. Très intense, le nez s'ouvre sur des notes fruitées accompagnées des nuances vanillées et grillées du fût. Suave et franche en attaque, la bouche est équilibrée et persistante. « Un vin à avoir dans sa cave », conclut un dégustateur. On pourra l'y oublier quelque temps, ce qui permettra à sa finale tannique de s'arrondir.

⊶ Pierre-Yves Tijou et Fils,
EARL Ch. Soucherie, 49750 Beaulieu-sur-Layon,
tél. 02.41.78.31.18, fax 02.41.78.48.29,
e-mail chateausoucherie@yahoo.fr ☒ Y ⚲ r.-v.

DOM. DES TROTTIERES 2003 *

■ 1,4 ha 10 500 ▮ 3 à 5 €

Ce domaine s'étend sur 79 ha. A sa création en 1906, il figurait déjà parmi les plus vastes du val de Loire. Il fut l'un des premiers à introduire les porte-greffe américains

LOIRE

résistant au phylloxéra. Habillé d'une robe rouge intense, son anjou rouge 2003 libère de puissants parfums de fruits rouges bien mûrs, avec du grillé un rien chocolaté. Equilibré et harmonieux, il est prêt à boire.

⊶ SCEA Dom. des Trottières, 49380 Thouarcé,
tél. 02.41.54.14.10, fax 02.41.54.09.00,
e-mail lestrottieres@worldonline.fr ☒ Y 🚶 r.-v.
⊶ Lamotte

DOM. DE LA TUFFIERE 2003 *

□ 0,5 ha 1 500 ▮ ◍ ⚱ 3 à 5 €

Situé sur la rive droite de la Loire, au nord-est d'Angers, ce domaine, créé au XIVᵉs. par des moines, dépendait du château de la Tuffière. Il est devenu propriété des Coignard en 1972. Trente ans plus tard, leur fille s'installe et révolutionne dès 2003 la technique de l'anjou blanc : récolte par tries, fermentation lente, passage en barrique. Les résultats sont encourageants : jaune à reflets dorés, cet anjou blanc mêle au nez des notes de fruits mûrs et des nuances vanillées. On retrouve les fruits mûrs dans un palais intense, complexe et d'une belle persistance. Un vin de caractère, à servir dans un an ou deux sur du poisson grillé ou à la crème. Pour un tournedos au poivre, on choisira l'**anjou rouge Réserve 2003** (une étoile également) : 17 000 bouteilles d'un vin aux parfums complexes de fruits rouges et noirs macérés, souple en attaque, aromatique et franc.

⊶ EARL Coignard-Benesteau, Vignoble de la Tuffière,
49140 Lué-en-Baugeois, tél. 02.41.45.11.47,
fax 02.41.45.09.18, e-mail vignoble-tuffiere@wanadoo.fr
☒ Y 🚶 t.l.j. sf dim. 9h-12h 14h30-19h

DOM. DES VARENNES 2003 *

■ 8 ha 5 000 ▮ 5 à 8 €

Installé à Saint-Lambert-du-Lattay, l'un des villages les plus importants des coteaux-du-layon, ce domaine familial s'étend sur 19 ha. Créé dans les années 1930, il est actuellement géré par la deuxième et la troisième génération. Son anjou rouge affiche une robe brillante, d'un rubis très gai. Il fait surgir au nez une ribambelle de petits fruits rouges (fraise, cerise, groseille, framboise) aux parfums intenses, accompagnés de notes végétales. La bouche est ample et souple, un peu tannique en finale. Un vin plaisant et prêt à boire.

⊶ GAEC A. Richard,
11, rue des Varennes, 49750 Saint-Lambert-du-Lattay,
tél. 02.41.78.32.97, fax 02.41.74.00.30 ☒ Y 🚶 r.-v.

BARON DE LA VARIERE Cuvée Prestige 2003 *

■ 14 ha n.c. ▮ ⚱ 5 à 8 €

Proche du château de Brissac, cette propriété est une ancienne seigneurie du XIVᵉs. Forte de 95 ha de vignes, elle produit plusieurs appellations prestigieuses de l'Anjou, en rouge et en liquoreux. Elle propose une cuvée dont la couleur très sombre se nuance de violet. A la fois intense et subtile au nez, elle mêle des parfums de fruits noirs cuits à une touche fumée. Ample et volumineuse à l'attaque, puissante et ronde, la bouche révèle une riche matière. Une bouteille pleine de promesses.

⊶ Jacques Beaujeau,
Ch. La Varière, 49320 Brissac-Quincé,
tél. 02.41.91.22.64, fax 02.41.91.23.44 ☒ Y 🚶 r.-v.

DOM. DU VIGNEAU 2003

■ 1,5 ha 7 000 ▮ 3 à 5 €

Patrick Robichon est installé depuis une dizaine d'années à Passavant-sur-Layon. Il exploite 13 ha de vignes. D'un rouge rubis limpide et brillant, son anjou 2003 présente un nez fruité intense, agréable et complexe. Une attaque souple introduit une bouche franche et ronde. Une bonne matière, bien dans le type de l'appellation.

⊶ Patrick Robichon,
pl. de l'Eglise, 49560 Passavant-sur-Layon,
tél. 02.41.59.51.04, fax 02.41.59.51.04 ☒ Y 🚶 r.-v.

LA VIGNE NOIRE 2003 *

■ 2,5 ha 7 000 ▮ 3 à 5 €

Située dans les Deux-Sèvres, aux limites méridionales de l'appellation, cette exploitation s'étend sur 15 ha environ. Elle propose un anjou habillé d'une pimpante robe rubis intense. Chaleureux et puissant, le nez exprime les fruits noirs surmûris. Ample et structurée, la bouche confirme ces premières impressions et offre une finale longue et aromatique.

⊶ Nathalie et Guillaume Cauty, La Vigne noire,
79290 Bouillé-Saint-Paul, tél. 05.49.96.83.19,
fax 05.49.68.45.03 ☒ Y 🚶 t.l.j. sf dim. 9h-12h 14h-19h

LES VIGNES DE L'ALMA 2003 **

■ 2 ha 10 000 ▮ ⚱ 3 à 5 €

Une exploitation de 10 ha installée sur un plateau dominant la commune de Saint-Florent-le-Vieil et la vallée de la Loire. Elle s'est particulièrement distinguée cette année, puisque deux cuvées d'anjou rouge ont été très appréciées. La cuvée principale, un 2003, s'est même classée parmi les finalistes du coup de cœur. D'un rubis intense, c'est un vin remarquable par son équilibre, sa fraîcheur et son fruité. La myrtille et le bigarreau bien mûrs se mêlent au nez ; ces impressions délicieuses se prolongent dans une bouche onctueuse et soyeuse, qui fait songer à une vendange très mûre. Quant à la **cuvée Prestige 2002,** elle reçoit une étoile pour ses arômes de fruits rouges et sa bouche riche, souple et bien équilibrée.

⊶ Roland Chevalier, L'Alma,
49410 Saint-Florent-le-Vieil, tél. 02.41.72.71.09,
fax 02.41.72.63.77, e-mail chevalier.roland@wanadoo.fr
☒ Y 🚶 t.l.j. sf dim. 8h30-12h30 14h-19h

Anjou-gamay

Vin rouge produit à partir du cépage gamay noir. Sur les terrains les plus schisteux de la zone, bien vinifié, il peut donner un excellent vin de carafe. Quelques exploitations se sont spécialisées dans ce type, qui n'a d'autre ambition que de plaire au cours de l'année de sa récolte. 11 921 hl ont été produits en 2003.

DOM. DES BLOUINES 2003 *

■ 1,17 ha 3 500 ▮ 3 à 5 €

Ce domaine est établi dans l'un des villages principaux de l'appellation coteaux-du-layon. Il a tiré du gamay un vin rouge clair au nez complexe et élégant mêlant les fruits rouges à des impressions plus amyliques (banane).

Souple et légère, caractéristique du cépage, la bouche présente une finale acidulée. Un vin à découvrir dès maintenant.

ᕦ Jean-Luc Cesbron,
Dom. des Blouines, 49750 Beaulieu-sur-Layon,
tél. 02.41.78.38.25, fax 02.41.78.69.09 ☑ ⵌ ⵗ r.-v.

CLOS DU GRAND RIOU Monopole 2003 ★

■	1 ha	3 500	■ ◍ ♨ 5 à 8 €

Martigné-Briand a conservé les ruines encore imposantes d'un ancien château des XVe et XVIe s. incendié pendant les guerres de Vendée. Quant à cette propriété, elle a hérité d'un clos historique de la même époque. De teinte soutenue à reflets violacés, son anjou-gamay offre des parfums amyliques évoquant la banane avec des nuances vanillées. Ces arômes de style primeur se retrouvent dans une bouche agréable à la structure légère.

ᕦ Hauret-Baleine, Didier Hauret,
49540 Martigné-Briand, tél. 02.41.59.48.62,
fax 02.41.59.49.50 ☑ ⛫ ⵔ ⵗ ⵗ r.-v.

DOM. DU FRESCHE 2003 ★

■	1,5 ha	6 000	■ 5 à 8 €

Installé sur les coteaux dominant la Loire, dans des terres viticoles de longue date, ce domaine propose un anjou-gamay rubis intense à reflets violacés. Encore discret, le nez laisse percer d'agréables arômes de fruits rouges. La bouche est pleine et structurée, avec des tanins soyeux.

ᕦ Alain Boré, Dom. du Fresche, rte de Chalonnes,
49620 La Pommeraye, tél. 02.41.77.74.63,
fax 02.41.77.79.39, e-mail alainbore@aol.com
☑ ⵗ ⵗ t.l.j. sf dim. 9h-12h 14h-19h

DOM. DE HAUTE-PERCHE 2003 ★★

■	1,6 ha	6 000	■ ♨ 5 à 8 €

Ce domaine a connu une évolution exemplaire depuis son rachat en 1966. Christian Papin a porté sa superficie de 9 à 32 ha et a remplacé les hybrides par les cépages nobles rouges et blancs de l'Anjou. Il possède aussi des vignes de gamay dont il a tiré une bouteille des plus intéressantes. De couleur cerise à reflets violacés, la robe est élégante. Les parfums intenses de fruits bien mûrs évoquent la cerise noire, la mûre et le cassis. Une belle attaque introduit une bouche ronde, souple et harmonieuse, d'une remarquable persistance aromatique.

ᕦ EARL Agnès et Christian Papin,
Dom. de Haute-Perche, 7, chem. de la Godelière,
49610 Saint-Melaine-sur-Aubance,
tél. 02.41.57.75.65, fax 02.41.57.75.42,
e-mail papin.ch.a@wanadoo.fr ☑ ⵗ ⵗ r.-v.

GILLES MUSSET-SERGE ROULLIER 2003 ★

■	2,5 ha	14 000	■ ♨ 3 à 5 €

Référence de la région en matière de conduite de la vigne, de dates de récolte et de soins apportés aux vinifications, ce domaine signe un anjou-gamay à la robe flamboyante, pourpre limpide. Au nez, ce vin libère un joli fruité évoquant le cassis bien mûr. Une très belle attaque introduit une bouche souple et aromatique, qui donne l'impression de croquer le fruit. Un ensemble harmonieux.

ᕦ Vignoble Musset-Roullier,
Le Pélican, 49620 La Pommeraye,
tél. 02.41.39.05.71, fax 02.41.77.75.76,
e-mail musset.roullier@wanadoo.fr ☑ ⵗ ⵗ r.-v.

DOM. PIED FLOND 2003 ★

■	1 ha	6 000	■ ♨ 3 à 5 €

La septième génération s'active sur ce domaine où l'on cultivait déjà la vigne à la fin du Moyen Age. Elle propose un anjou-gamay d'un grenat intense à reflets violacés. Ses arômes puissants de fruits rouges bien mûrs invitent à porter en bouche ce vin souple et rond, de bonne longueur. « Une jolie bouteille d'initiation pour découvrir le vin rouge », conclut un dégustateur.

ᕦ EARL Franck Gourdon,
Dom. Pied Flond, 49540 Martigné-Briand,
tél. 02.41.59.92.36, fax 02.41.59.92.36 ☑ ⵗ ⵗ r.-v.

DOM. ROMPILLON 2003

■	0,9 ha	4 600	■ ♨ 3 à 5 €

Les vins du domaine sont vinifiés par Jean-Pierre Rompillon, aux commandes de la propriété depuis 1976, et par son fils Mickael qui a justement fait un stage dans un des pays du gamay, en Beaujolais. De couleur cerise, ce 2003 décline des notes de fruits rouges légèrement fumées et épicées. Rond et souple, le palais est lui aussi dominé par le fruité.

ᕦ SARL Dom. Rompillon,
L'Ollulière, 49750 Saint-Lambert-du-Lattay,
tél. 02.41.78.48.84, fax 02.41.78.48.84 ☑ ⵗ ⵗ r.-v.

DOM. DE SAINTE-ANNE 2003 ★

■	5 ha	26 000	■ 3 à 5 €

A 15 km d'Angers, entre Loire et Aubance, Saint-Saturnin-sur-Loire est situé à 85 m d'altitude, ce qui en fait l'un des villages les plus élevés du Maine-et-Loire. D'une tour du mont Rude, on découvre ainsi plus de soixante clochers. Installé sur l'une des croupes du village, le domaine de Sainte-Anne propose un anjou-gamay d'un rubis franc, aux légers parfums de fruits rouges de type primeur. On retrouve ce caractère dans une bouche souple et très équilibrée. Un ensemble flatteur.

ᕦ Dom. de Sainte-Anne,
EARL Brault, 49320 Brissac-Quincé,
tél. 02.41.91.24.58, fax 02.41.91.25.87,
e-mail eva.brault@wanadoo.fr ☑ ⵗ ⵗ r.-v.

LES VIGNES DE L'ALMA 2003 ★★

■	3 ha	20 000	■ ♨ 3 à 5 €

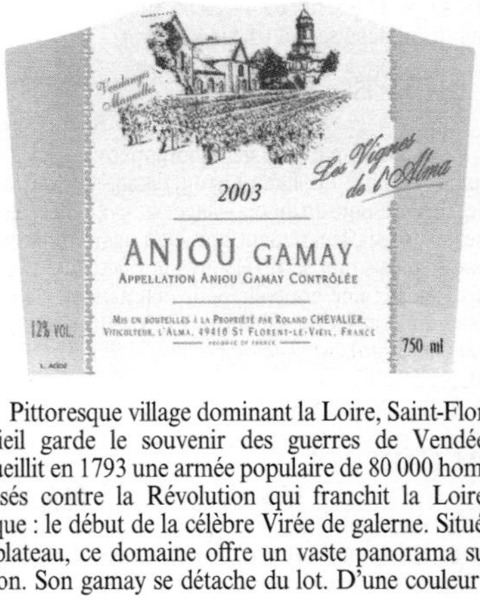

Pittoresque village dominant la Loire, Saint-Florent-le-Vieil garde le souvenir des guerres de Vendée. Il accueillit en 1793 une armée populaire de 80 000 hommes dressés contre la Révolution qui franchit la Loire en barque : le début de la célèbre Virée de galerne. Situé sur un plateau, ce domaine offre un vaste panorama sur la région. Son gamay se détache du lot. D'une couleur très

sombre à reflets violets, il libère d'intenses parfums fruités où le cassis domine. La bouche attaque avec finesse et se poursuit agréablement sur des notes acidulées.
⊶ Roland Chevalier, L'Alma,
49410 Saint-Florent-le-Vieil, tél. 02.41.72.71.09,
fax 02.41.72.63.77, e-mail chevalier.roland@wanadoo.fr
☑ Ɪ ⛹ t.l.j. sf dim. 8h30-12h30 14h-19h

Anjou-villages

Le terroir de l'AOC anjou-villages correspond à une sélection de terrains dans l'AOC anjou : seuls les sols sains, précoces et bénéficiant d'une bonne exposition ont été retenus. Ce sont essentiellement des sols développés sur schistes, altérés ou non. Les dix communes constituant l'aire géographique de l'AOC anjou-village-brissac, reconnue en 1998, sont situées sur un plateau en pente douce vers la Loire, limité au nord par ce fleuve, et au sud par les coteaux abrupts du Layon. Les sols sont profonds. La proximité de la Loire, qui limite les températures extrêmes, explique également la particularité du terroir. La vendange 2003 a produit 12 690 hl en anjou-villages et 5 086 hl en brissac.

DOM. DE BRIZE Clos Médecin 2002 ★
■ 1,5 ha 10 000 ▮⫰ 5 à 8 €

Ce vignoble familial de la vallée du Layon s'étend sur 40 ha. Son Clos Médecin s'habille d'une robe grenat ; il en émane d'abord des notes épicées puis, après agitation, des notes de fruits rouges bien mûrs. La bouche ample révèle une matière intéressante et des tanins soyeux. Une belle harmonie.
⊶ SCEA Marc et Luc Delhumeau,
Dom. de Brizé, 49540 Martigné-Briand,
tél. 02.41.59.43.35, fax 02.41.59.66.90,
e-mail delhumeau.scea@free.fr ☑ Ɪ r.-v.

CH. DE BROSSAY 2002 ★
■ 1 ha 4 000 ▮◍⫰ 8 à 11 €

Commandé par une gentilhommière du XVIe s., ce domaine familial du haut Layon dispose de 40 ha de vignes. Il a présenté un anjou-villages rubis à reflets bleutés, au nez expressif, légèrement boisé. Sa chair volumineuse tapisse le palais, qui se révèle gras et onctueux, avec des tanins fondus : une bouteille pour maintenant.
⊶ Raymond et Hubert Deffois, Ch. de Brossay,
49560 Cléré-sur-Layon, tél. 02.41.59.59.95,
fax 02.41.59.58.81, e-mail chateau.brossay@wanadoo.fr
☑ Ɪ ⛹ t.l.j. sf dim. 8h-12h 13h30-19h

DOM. CADY 2002
■ 1 ha 4 000 ▮◍⫰ 5 à 8 €

Le domaine Cady est établi dans un village des coteaux du Layon. Fort de 20 ha de vignes, il produit des vins liquoreux, mais aussi des vins rouges, comme cet anjou-villages grenat, au nez marqué par des notes fumées et boisées. Sa bouche assez légère, aux tanins présents mais bien arrondis, en fait une bouteille à découvrir dès à présent.
⊶ EARL Dom. Philippe Cady,
Valette, 49190 Saint-Aubin-de-Luigné,
tél. 02.41.78.33.69, fax 02.41.78.67.79,
e-mail cadyph@wanadoo.fr ☑ Ɪ ⛹ r.-v.

DOM. PIERRE CHAUVIN 2002 ★
■ 1 ha 4 000 ▮⫰ 5 à 8 €

Ce domaine de 15 ha a son siège en plein cœur des coteaux du Layon. Le terroir de cette commune est constitué d'épaisses couches de sable et de graviers qui reposent sur le socle schisteux du Massif armoricain. Il a engendré un anjou-villages drapé d'une robe limpide, au nez discrètement fruité. L'attaque est riche, friande, et les tanins bien présents confèrent à ce vin un bon équilibre. Un classique.
⊶ Dom. Pierre Chauvin,
45, Grande-Rue, 49750 Rablay-sur-Layon,
tél. 02.41.78.32.76, fax 02.41.78.22.55,
e-mail domaine.pierrechauvin@wanadoo.fr ☑ Ɪ ⛹ r.-v.
⊶ Paul-Eric Chauvin et Philippe Cesbron

EMILE CHUPIN Croix de la Varenne 2002
■ 7,8 ha 52 000 ▮◍⫰ 3 à 5 €

Ce vaste domaine (près de 74 ha) a son siège dans l'aire des coteaux-du-layon. D'un grenat intense, son anjou-villages apparaît concentré au nez, libérant des parfums de fruits rouges et des notes épicées que l'on retrouve dans une bouche fraîche et de belle longueur.
⊶ SCEA Dom. Emile Chupin,
8, rue de l'Eglise, 49380 Champ-sur-Layon,
tél. 02.41.78.86.54, fax 02.41.78.61.73 ☑ Ɪ ⛹ r.-v.
⊶ SA Guy Saget

DOM. DU CLOS DES GOHARDS 2002 ★★★
■ 1 ha 4 000 ▮◍⫰ 3 à 5 €

A Chavagnes-les-Eaux, on trouve aussi des bons vins... Les Joselon sont établis dans ce village vigneron proche de Thouarcé, dans le Layon, à la tête d'un domaine dont la superficie est passée de 2 à 35 ha depuis sa création en 1924. D'un grenat brillant, leur anjou-villages étincelle de reflets. Il révèle d'emblée sa complexité, mêlant le noyau, le pruneau, le fruit noir et la fumée à un discret boisé vanillé. Cette richesse se prolonge dans une bouche ample, soutenue par une trame tannique dense et soyeuse. Prête à boire mais apte à la garde, cette bouteille est une très belle expression du cabernet-sauvignon bien mûr planté en terre angevine. Elle accompagnera un civet, du gibier, une viande en sauce.

⊶ EARL Michel et Mickaël Joselon,
Les Oisonnières, 49380 Chavagnes-les-Eaux,
tél. 02.41.54.13.98, fax 02.41.54.13.98 ☒ Y ⅄ r.-v.

CLOSERIE DE LA PICARDIE
Le Clos Joseph 2002 ★

■ 1 ha 12 000 (I) 5 à 8 €

Créé au début du XXᵉs., ce domaine, situé à 4 km du château de Brissac, a acquis un caractère viticole au fil du temps. Benoît Rocher, qui représente la troisième génération, en a pris les rênes en 2001. Son 2002 du Clos Joseph s'annonce par une robe grenat intense avec un disque foncé. Discret au premier nez, il s'ouvre à l'agitation sur des notes de fruits secs (pruneau). Le palais est équilibré, mais la finale tannique et austère suggère d'attendre cette bouteille deux ou trois ans.

⊶ Benoît Rocher, Closerie de la Picardie,
49380 Notre-Dame-d'Allençon, tél. 02.41.54.30.32,
fax 02.41.54.32.27 ☒ Y ⅄ t.l.j. sf dim. 9h-19h

DOM. DES EPINAUDIERES 2002 ★

■ 0,9 ha 6 500 (I) 3 à 5 €

Créée en 1966, cette exploitation familiale a son siège dans un des principaux villages de la vallée du Layon ; elle compte 21 ha de vignes. Son fondateur, Roger Fardeau, la conduit depuis 1991 avec son fils Paul. D'un pourpre soutenu, un peu évolué, leur anjou-villages présente des parfums de fruits compotés et de pruneau, accompagnés de notes vanillées. La bouche onctueuse finit sur une note grillée aux accents chocolatés. Ce vin très plaisant pourra être dégusté dès maintenant.

⊶ SCEA Fardeau, Sainte-Foy,
49750 Saint-Lambert-du-Lattay,
tél. 02.41.78.35.68, fax 02.41.78.35.50,
e-mail fardeau.paul@club-internet.fr ☒ Y ⅄ r.-v.

CH. LA FRANCHAIE Clos La Franchaie 2002 ★

■ 1,7 ha 4 500 5 à 8 €

Ce domaine est établi sur la rive droite de la Loire, en aval d'Angers. Son vignoble, planté sur un éperon schisteux, a donné naissance à un vin à la robe pourpre soutenue, étincelante de reflets. Le nez libère de sympathiques parfums de fruits rouges, que l'on retrouve en bouche. Souple à l'attaque, le palais se montre plutôt vif. Il gagnera en harmonie avec le temps.

⊶ Ch. La Franchaie,
Dom. de La Franchaie, 49170 La Possonnière,
tél. 02.41.39.18.16, fax 02.41.39.18.17 ☒ Y ⅄ r.-v.
⊶ Chaillou

DOM. DU FRESCHE 2002 ★★

■ 1,6 ha 9 000 ▮ 5 à 8 €

Ce domaine, implanté sur la rive gauche de la Loire, en aval du confluent avec le Layon, s'étend sur 30 ha. Son anjou-villages 2002 mérite le détour. Sa robe grenat profond annonce la couleur. Complexe et intense, le nez libère des notes de fruits rouges compotés, encore embellies par l'aération. Ce fruité se prolonge dans une bouche riche, aux tanins denses mais bien enrobés. La longue finale laisse augurer une bonne garde. A découvrir.

⊶ Alain Boré, Dom. du Fresche, rte de Chalonnes,
49620 La Pommeraye, tél. 02.41.77.74.63,
fax 02.41.77.79.39, e-mail alainbore@aol.com
☒ Y ⅄ t.l.j. sf dim. 9h-12h 14h-19h

DOM. DE LA GACHERE Cuvée des Lys 2002 ★

■ 1 ha 5 300 ▮🌡 5 à 8 €

Alain et Gilles Lemoine ont pris la succession de leur père en 1999. Leur domaine s'étend sur 30 ha dans les Deux-Sèvres, au sud de l'appellation. De couleur rubis, la cuvée des Lys présente un caractère... floral, au nez comme en bouche. Equilibrée et assez longue, celle-ci exprime la vendange mûre.

⊶ Alain et Gilles Lemoine,
Dom. de La Gachère, 79290 Saint-Pierre-à-Champ,
tél. 05.49.96.81.03, fax 05.49.96.32.38,
e-mail f.lemoine@wanadoo.fr ☒ Y ⅄ r.-v.

DOM. DE LA GERFAUDRIE Cuvée Prestige 2002

■ 1,4 ha 9 000 (I) 5 à 8 €

Ce domaine familial, établi à Chalonnes-sur-Loire, au confluent de la Loire et du Layon, dispose de 17 ha de vignes. Rubis intense, sa cuvée Prestige apparaît d'abord timide au nez, puis s'ouvre sur des arômes flatteurs de fruits rouges. Une attaque pleine et équilibrée annonce une bouche harmonieuse, aux tanins très fins.

⊶ SCEV J.-P. et P. Bourreau,
25, rue de l'Onglée, 49290 Chalonnes-sur-Loire,
tél. 02.41.78.02.28, fax 02.41.78.03.07,
e-mail domaine-gerfaudrie@wanadoo.fr ☒ Y ⅄ r.-v.

DOM. LES GRANDES VIGNES L'Ancrie 2002 ★★

■ 6,5 ha 39 000 ▮(I) 5 à 8 €

Les étoiles, ce domaine les récolte souvent par paires, et ce n'est pas la première fois que cet anjou-villages donne toute satisfaction. Le 2002 s'habille d'une robe profonde. L'olfaction est dominée par d'élégantes nuances torréfiées aux accents de café, léguées par un séjour d'un an en fût, arômes qui se prolongent au palais. Friande à l'attaque, la bouche est tannique sans agressivité, riche et chaleureuse. De la présence et de la distinction.

⊶ GFA Vaillant,
Dom. Les Grandes Vignes,
La Roche Aubry, 49380 Thouarcé,
tél. 02.41.54.05.06, fax 02.41.54.08.21,
e-mail vaillant@domainelesgrandesvignes.com
☒ Y ⅄ r.-v.

DOM. DES IRIS 2002 ★

■ 2 ha 10 000 ▮ 5 à 8 €

Elaboré en collaboration avec le négociant Joseph Verdier, cet anjou-villages s'habille d'une robe rouge à reflets violets. Ses arômes fruités, sa bouche équilibrée, ample, souple et légère en font un représentant bien plaisant de l'appellation.

⊶ SARL Dom. des Iris, La Roche Coutant,
49540 Tigné, tél. 02.41.40.22.50, fax 02.41.40.22.60,
e-mail j.verdier@wanadoo.fr

DOM. DU LANDREAU 2002

■ 10 ha 40 000 ▮ 5 à 8 €

Cette famille vigneronne établie dans la vallée du Layon étend ses possessions jusque dans la Touraine voisine. Grenat à nuances légèrement tuilées, son anjou-villages présente une structure moyenne. C'est par sa palette aromatique qu'il se fait adopter : cassis, framboise et fraise parlent d'abondance en sa faveur. Le palais est rond et volumineux, avec un joli retour du fruit.

⊶ SARL Dom. du Landreau,
Le Landreau, 49750 Saint-Lambert-du-Lattay,
tél. 02.41.78.30.41, fax 02.41.78.95.11,
e-mail cmorin@domaine-du-landreau.com ☒ Ῑ 🚶 r.-v.
⊶ Lecorre-Morin

DOM. MATIGNON 2002 ★★

■ 1 ha 7 000 ▮♁ 5 à 8 €

Situé au cœur du vignoble angevin, dans la vallée du Layon, ce domaine familial s'étend sur 38 ha. Son anjou-villages s'habille d'une robe soutenue, légèrement ambrée. Bien ouvert au nez, il intéresse par ses arômes de fruits noirs compotés et vanillés. Sa riche matière fait grande impression : attaque puissante, solide structure aux tanins encore fermes. On lui donnera le temps de s'arrondir et on le servira sur un gigot ou quelque autre bon rôti.

⊶ EARL Yves et Hélène Matignon,
21, av. du Château, 49540 Martigné-Briand,
tél. 02.41.59.43.71, fax 02.41.59.92.34,
e-mail domaine.matignon@wanadoo.fr ☒ 🏠 Ῑ 🚶 r.-v.

DOM. DE LA MOTTE 2002 ★

■ 2 ha 10 000 ▮◍ 5 à 8 €

Les Sorin exploitent 19 ha de vignes plantées sur la rive sud de la Loire. Le millésime 2002 de leur anjou-villages affiche une robe limpide aux brillants reflets. Le nez offre des parfums fruités fins et agréables, à dominante de fruits rouges. L'attaque est puissante, la bouche chaleureuse avec des tanins bien présents. Un ensemble équilibré et harmonieux.

⊶ Gilles Sorin, 35, av. d'Angers,
49190 Rochefort-sur-Loire,
tél. 02.41.78.72.96, fax 02.41.78.75.49,
e-mail sorin.dommotte@wanadoo.fr ☒ Ῑ 🚶 r.-v.

DOM. OGEREAU Côte de la Houssaye 2002 ★★

■ 1 ha 3 500 ◍ 11 à 15 €

La Côte de la Houssaye ? Une parcelle plantée en cabernet-sauvignon, exposée au sud-est et dominant la vallée encaissée de l'Hyrôme, affluent du Layon. Le sol, mince, caillouteux et bien drainé, dérive de schistes parmi les plus anciens qui soient (Briovérien, plus de 500 millions d'années). Les ceps ne sont pas si vieux, mais atteignent les quarante ans. Le vinificateur (sept coups de cœur à son actif, dont deux dans cette AOC) a élevé ce 2002 dix-huit mois. Le résultat ? Un vin d'un grenat intense au disque brillant ; un nez de sous-bois, aux nuances animales et épicées ; une bouche ronde, puissante, aux tanins déjà soyeux, à la finale persistante, légèrement boisée : un grand vin de garde.

⊶ Vincent Ogereau, 44, rue de la Belle-Angevine,
49750 Saint-Lambert-du-Lattay, tél. 02.41.78.30.53,
fax 02.41.78.43.55 ☒ Ῑ 🚶 r.-v.

CH. DE PASSAVANT Foulque Nerra 2001

■ 1 ha 4 000 ◍ 11 à 15 €

Le village de Passavant est construit sur les rives d'un lac formé par le Layon dans la partie supérieure de son cours. Bâti sur un site fortifié depuis des temps immémoriaux, le château a gardé des vestiges médiévaux. Son vaste domaine viticole est exploité en agriculture biologique. Comte d'Anjou et puissant féodal des années mil, Foulque Nerra a donné son nom à cette cuvée grenat à reflets violacés. Le nez riche mêle des parfums fruités, épicés et des notes légèrement boisées. Pleine et bien équilibrée, la bouche est encore ferme. Le fût, très présent, devra se fondre. A attendre quelques années.

⊶ SCEA David Lecomte,
rte de Tancoigné, 49560 Passavant-sur-Layon,
tél. 02.41.59.53.96, fax 02.41.59.57.91,
e-mail passavant@wanadoo.fr ☒ Ῑ 🚶 r.-v.

DOM. DE LA PETITE CROIX Vieilles Vignes 2002 ★

■ 4 ha 4 000 ◍ 5 à 8 €

Très attaché à la production de vins liquoreux, dont le célèbre bonnezeaux, ce domaine familial s'emploie à replanter des coteaux escarpés de la vallée du Layon. Il n'en néglige pas pour autant ses vins rouges, témoin ce 2002 d'un pourpre élégant. Le nez exprime des senteurs fumées, torréfiées, avec des notes de fruits secs grillés. Ce boisé délicat se manifeste aussi dans une bouche ronde, tannique en finale. Cette bouteille sera à son apogée dans cinq ans.

⊶ A. Denéchère et F. Geffard,
Dom. de la Petite Croix, 49380 Thouarcé,
tél. 02.41.54.06.99, fax 02.41.54.30.05,
e-mail scea@lapetitecroix.com ☒ 🏠 Ῑ 🚶 r.-v.

DOM. DES PIECES MADAME 2002 ★

■ 2 ha 10 000 ▮◍♁ 5 à 8 €

Fruit d'un partenariat entre le négociant Joseph Verdier et ses œnologues et une exploitation de Martigné-Briand dans la vallée du Layon, cet anjou-villages est issu de cabernet-sauvignon. D'un grenat sombre, il libère des parfums de fruits noirs, assortis d'un léger boisé. La bouche est volumineuse, dominée par les arômes légués par l'élevage.

⊶ EARL de la Gaubretière, 8, rue Gaubretière,
49540 Martigné-Briand, tél. 02.41.40.22.50,
fax 02.41.40.22.60, e-mail j.verdier@wanadoo.fr

CH. DE PLAISANCE Clos de l'Etang 2002 ★★★

■ 3 ha 6 000 ▮◍ 8 à 11 €

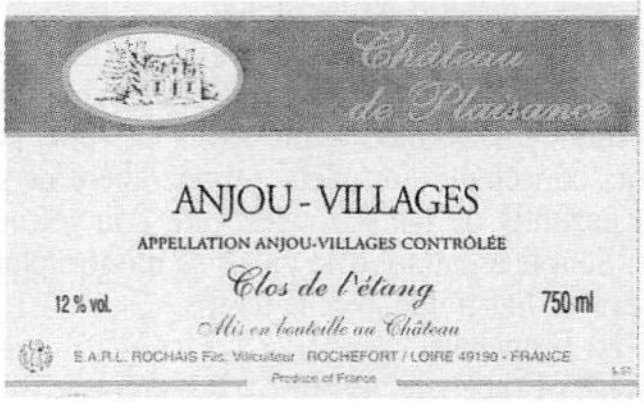

Conduit en agriculture biologique, le château de Plaisance est situé dans la vallée du Layon, sur le coteau de Chaume dont les célèbres vins blancs liquoreux viennent de bénéficier d'une appellation d'origine contrôlée. Guy Rochais y possède une parcelle de cabernet ! Une curiosité, qui permet de constater que ce beau terroir bénéficie également aux cépages rouges. Déjà, la robe de cet anjou-villages, presque noire avec des reflets violacés, arrête le regard. Elle annonce un nez profond, où les fruits rouges et noirs s'accompagnent de notes grillées et vanillées. La bouche est très structurée, riche, voire opulente, intense, fondue : coup de cœur ! Le 2000 avait lui aussi atteint les sommets.

⊶ Guy Rochais,
Ch. de Plaisance, Chaume, 49190 Rochefort-sur-Loire,
tél. 02.41.78.33.01, fax 02.41.78.67.52,
e-mail rochais.guy@wanadoo.fr ☒ Ῑ 🚶 r.-v.

CH. DE PUTILLE 2002 ★★

■	4,5 ha	18 000	▮♦	5 à 8 €

Sur la route qui mène à la propriété, on rencontre les ruines d'anciens fours à chaux ; la vigne est aujourd'hui la grande richesse de cette contrée des coteaux de la Loire. Les fidèles lecteurs du Guide connaissent le talent de cette exploitation, qui produit régulièrement des vins remarquables. Celui-ci affiche une robe grenat soutenu. Notes empyreumatiques (fumé) et fruits noirs composent un joli nez. Enrobé, gras, le palais est soutenu par des tanins fins et veloutés qui révèlent une bonne maîtrise de l'extraction. Une bouteille très bien faite et plaisante.

⚘ Pascal Delaunay,
EARL Ch. de Putille, 49620 La Pommeraye,
tél. 02.41.39.02.91, fax 02.41.39.03.45,
e-mail chateau.putille@wanadoo.fr
☑ ⵒ ⚐ t.l.j. sf dim. 8h-12h30 14h-19h30

DOM. DE PUTILLE 2002 ★★

■	1,4 ha	6 000	▮♦	5 à 8 €

Les schistes du hameau de Putille et leurs altérations constituent des terroirs favorables au cabernet franc et au cabernet-sauvignon, ce dernier affectionnant les sols où il peut plonger ses racines jusque dans la roche mère. Les deux cépages sont à l'origine de cet anjou-villages pourpre. Discret au premier nez, ce 2002 libère à l'agitation des notes fraîches, mentholées, et des nuances vanillées. La bouche révèle une structure fine mais d'une grande élégance, avec des tanins arrondis. Une jolie bouteille à essayer sur des abats nobles, tels que les rognons ou ris de veau.

⚘ Isabelle Sécher et Stève Roulier,
Dom. de Putille, 49620 La Pommeraye,
tél. 02.41.39.80.43, fax 02.41.39.81.91,
e-mail domaine.de.putille@terre-net.fr ☑ ⵒ ⚐ r.-v.

DOM. DU REGAIN Corto 2002 ★

■	3,5 ha	10 000	▮	5 à 8 €

Une jeune exploitation, créée en 2002. Son nom est un hommage à Jean Giono. Plusieurs de ses vins ont été appréciés l'an dernier. Voici son anjou-villages. La robe aux reflets violacés est des plus attirantes. Le nez apparaît concentré, dominé par les fruits rouges très mûrs. Gourmande, fraîche, soutenue par des tanins ronds, la bouche confirme cette belle impression.

⚘ F. et F. Etienne, Dom. du Regain,
Le Pied de Fer, 49540 Martigné-Briand,
tél. 02.41.40.28.20, fax 02.41.40.28.21,
e-mail domaine.regain@wanadoo.fr ☑ ⵒ ⚐ r.-v.

DOM. ROMPILLON 2002

■	0,38 ha	2 600	▮⦿♦	5 à 8 €

Ce domaine de la vallée du Layon a aménagé récemment une salle de dégustation à l'intention des visiteurs. Les vins sont signés par Jean-Pierre Rompillon et son fils Mickaël. Ce 2002, habillé d'une robe limpide, est dominé au nez par le raisin bien mûr, voire surmûri, ainsi que par le bois où il a séjourné six mois. La bouche est également très marquée par le bois qui demande à se fondre. Une bouteille à oublier en cave quelques années.

⚘ SARL Dom. Rompillon,
L'Ollulière, 49750 Saint-Lambert-du-Lattay,
tél. 02.41.78.48.84, fax 02.41.78.48.84 ☑ ⵒ ⚐ r.-v.

DOM. DES SABLONNETTES
Les Grands Chênes 2001

■	1 ha	4 000	⦿	5 à 8 €

Christine et Joël Ménard exploitent les 14 ha de leur domaine en agriculture biologique. On peut admirer leur joli vignoble enherbé, où fleurit le bouton d'or, et leur chai couvert d'ardoise, construit en 1999 grâce aux conseils d'un géobiologue. Ils proposent un anjou-villages intense à l'œil comme au nez. Ses parfums cassis-framboise se prolongent agréablement dans une bouche assez longue et aux tanins soyeux. Une belle harmonie.

⚘ Joël et Christine Ménard,
EARL Dom. des Sablonnettes,
Lieu-dit l'Espérance, 49750 Rablay-sur-Layon,
tél. 02.41.78.40.49, fax 02.41.78.61.15,
e-mail domainedessablonnettes@wanadoo.fr
☑ ⵒ ⚐ r.-v.

DOM. SAUVEROY Cuvée Andécaves 2002 ★

■	1,3 ha	8 600	⦿	5 à 8 €

Un domaine créé au XIXᵉ s. et racheté en 1947 par Francis Cailleau. Depuis 1985, Pascal et Véronique Cailleau exploitent avec talent leur 28 ha, comme en témoignent plusieurs coups de cœur. Les Andécaves étaient les ancêtres gaulois des Angevins. Ils défendent bien les couleurs de la région avec ce vin rouge à la robe profonde animée de reflets grenat et au nez fruité, légèrement épicé. La bouche est franche avec un boisé bien fondu. Un ensemble harmonieux.

⚘ Pascal Cailleau,
Dom. Sauveroy, 49750 Saint-Lambert-du-Lattay,
tél. 02.41.78.30.59, fax 02.41.78.46.43,
e-mail domainesauveroy@terre-net.fr ☑ ⵒ ⚐ r.-v.

DOM. DES TRAHAN
Le Logis de Preuil Elevé en fût de chêne 2002 ★

■	1 ha	4 000	⦿	3 à 5 €

Situé au sud de l'Anjou, dans les Deux-Sèvres, ce domaine s'étend sur 60 ha. Il signe un anjou-villages limpide qui mêle au nez des parfums de fruits rouges à un léger boisé. Cette palette se prolonge dans une bouche vive et légère. Un vin harmonieux et bien fait.

⚘ Dom. des Trahan, 26, rue du Moulin, 79290 Cersay,
tél. 05.49.96.80.38, fax 05.49.96.37.23 ☑ ⵒ ⚐ r.-v.

DOM. DES VARANNES 2002 ★

■	1 ha	4 000	▮♦	3 à 5 €

Figurant au nombre des communes viticoles les plus importantes de l'Anjou, Martigné-Briand, dans la vallée du Layon, abrite ce domaine commandé par un manoir du XVIᵉs. revu au XIXᵉs. Son anjou-villages s'habille d'une robe soutenue étincelante de reflets. L'agitation fait surgir des arômes de fruits rouges compotés. La bouche est ronde et friande.

⚘ Christian Cautain,
Les Varannes, 49540 Martigné-Briand,
tél. 02.41.59.67.81, fax 02.41.59.67.81,
e-mail christian.cautain@libertysurf.fr ☑ ⵒ ⚐ r.-v.

DOM. DE LA VILLAINE
Les Rôtis Cuvée spéciale Elevé en fût de chêne 2002

■	1 ha	3 700	⦿	5 à 8 €

Constitué dans les années 1970 à partir de plusieurs petites exploitations, ce domaine a été repris en 1997 par J.-P. Carré et P. Batail, qui signent une Cuvée spéciale élevée dans le chêne. L'élevage est très perceptible au nez, qui laisse cependant parler le fruit. La bouche est friande, mais marquée par un boisé qui devra se fondre. Une bouteille à garder quelque temps en cave.

⊶ GAEC des Villains,
La Villaine, 49540 Martigné-Briand,
tél. 02.41.59.75.21, fax 02.41.59.75.21 🅥 Y 🚶 r.-v.

Anjou-villages-brissac

CH. D'AVRILLE 2002

■ 7 ha 20 000 ▮🍾 8 à 11 €

Un manoir du XVIII[e]s. dominant l'Aubance commande un vaste domaine (180 ha de vignes). La propriété, achetée par Eusèbe Biotteau en 1938, est dirigée aujourd'hui par Pascal, son petits-fils. D'une couleur violacée très foncée, leur brissac exprime des parfums puissants et complexes de petits fruits bien mûrs (framboise et cassis), avec des nuances de pruneau. Egalement fruité en bouche, il est imposant, volumineux, rond, avec des tanins présents mais soyeux. Pour une viande rouge ou du gibier.

⊶ Biotteau Frères, Ch. d'Avrillé, L'Homois,
49320 Saint-Jean-des-Mauvrets, tél. 02.41.91.22.46,
fax 02.41.91.25.80, e-mail chateau.avrille@wanadoo.fr
🅥 Y 🚶 t.l.j. sf dim. 9h-12h 14h-18h; groupes sur r.-v.

DOM. DES BONNES GAGNES 2002

■ 2 ha 13 000 ▮🍾 5 à 8 €

Il ne s'appelle pas Bonnes Gagnes par hasard : ce domaine, planté en vignes depuis le XI[e]s., a sans doute été depuis ce temps d'un bon rapport. Aujourd'hui, Jean-Marc Héry, Marie-Christine et leurs enfants, descendants d'une lignée familiale attachée à la propriété depuis le début du XVII[e]s., travaillent à sa prospérité. D'un beau rouge foncé, leur brissac présente une palette aromatique complexe dominée par les fruits rouges mûrs. Bien structurée, la bouche prolonge ces premières impressions mais se montre tannique et austère en finale. A attendre un an ou deux.

⊶ Vignerons Héry, Orgigné,
49320 Saint-Saturnin-sur-Loire, tél. 02.41.91.22.76,
fax 02.41.91.21.58, e-mail hery.vignerons@wanadoo.fr
🅥 Y 🚶 t.l.j. 9h-12h 14h-19h; dim. sur r.-v.

CH. DE BRISSAC 2002

■ 10 ha 40 000 ▮🍾 5 à 8 €

Toujours habité par la famille des ducs de Brissac, l'imposant château (XVe-XVII[e]s.) est largement ouvert aux visiteurs, qui peuvent découvrir à la belle saison son vaste parc, ses bâtiments composites et richement décorés, voire louer quelques appartements de prestige. Conduit en agriculture biologique, le domaine viticole (75 ha) est mis en valeur par Christophe Daviau. Son brissac affiche une robe brillante, d'un grenat intense. Encore discret, le nez libère des parfums de fruits rouges macérés à l'eau-de-vie, un rien fumés. Soutenue par une solide charpente, austère en finale, la bouche révèle un bon potentiel de garde. Les amateurs de vins tanniques pourront déboucher cette bouteille dès maintenant, les autres l'oublieront en cave au moins trois ans.

⊶ SCEA Daviau, Bablut, 49320 Brissac-Quincé,
tél. 02.41.91.22.59, fax 02.41.91.24.77,
e-mail daviau.contact@wanadoo.fr
🅥 🏠 Y 🚶 t.l.j. sf dim. 8h30-12h 14h-18h30
⊶ Duc de Brissac

CLOS MARTINEAU 2002 ★

■ 3 ha 6 000 ▮🍾 8 à 11 €

Cette propriété fait partie du domaine de la Douesnerie (54 ha), transmis de génération en génération depuis 1801. Il s'agit d'un véritable clos qui appartenait aux ducs de Brissac. Il a donné ce vin grenat intense et brillant et à la palette aromatique tout en finesse, au nez comme en bouche. Au palais, il est charpenté et bien fruité en finale. A boire ou à attendre, comme il vous plaira.

⊶ Rabineau-Fillion,
La Douesnerie, 49320 Vauchrétien,
tél. 02.41.54.81.62, fax 02.41.54.82.73
🅥 Y 🚶 r.-v.

DOM. DITTIERE 2002 ★

■ 1 ha 6 000 ▮🍾 5 à 8 €

Situé à 3 km du château de Brissac et implanté sur des terroirs sablo-graveleux, ce domaine est bien connu des fidèles lecteurs du Guide. Revêtu d'une robe limpide et légère, son brissac libère des parfums intenses et flatteurs, fruités et floraux. Equilibrée et souple, la bouche confirme cette bonne impression. La finale ronde met en valeur les arômes fruités. Un vin friand.

⊶ Dom. Dittière,
1, chem. de la Grouas, 49320 Vauchrétien,
tél. 02.41.91.23.78, fax 02.41.54.28.00,
e-mail domaine.dittiere@wanadoo.fr 🅥 🏠 🚶 r.-v.

DOM. DE GAGNEBERT Clos de Grésillon 2002 ★

■ 5 ha 10 000 ◍ 5 à 8 €

Plusieurs générations de Moron se sont transmis ce domaine constitué à la fin du XIX[e]s. et installé sur d'anciennes carrières d'ardoises. Implantés sur des schistes bleus, les cabernets ont donné un vin rubis foncé aux reflets grenat. Le nez puissant associe aux parfums fruités des notes grillées, vanillées et épicées, reflet d'un séjour d'un an dans le bois. On retrouve cette intensité dans une bouche suave en attaque, riche, à la trame tannique dense et soyeuse. La finale est longue et gracieuse.

⊶ GAEC Moron,
Dom. de Gagnebert, 2, chem. de la Naurivet,
49610 Juigné-sur-Loire,
tél. 02.41.91.92.86, fax 02.41.91.95.50,
e-mail moron@domaine-de-gagnebert.com
🅥 Y 🚶 t.l.j. sf dim. 9h-12h 15h-19h

DOM. DE HAUTE-PERCHE 2002 ★★

■ 15,5 ha 24 000 ▮🍾 8 à 11 €

Ce domaine a connu en quarante ans une évolution exemplaire. Ce n'est pas la première fois que Christian Papin montre son savoir-faire : avant ce 2002, il avait obtenu un coup de cœur pour un 97. Et on ne compte plus ses sélections dans les différentes appellations qu'il produit. D'un pourpre profond et brillant, ce brissac éveille l'intérêt par ses parfums intenses et délicats, dominés par le fruité du cassis. Toujours aromatique en bouche, il emporte l'adhésion grâce à sa riche matière, à son gras et à ses tanins bien enrobés. Un brissac modèle.

🔑 EARL Agnès et Christian Papin,
Dom. de Haute-Perche, 7, chem. de la Godelière,
49610 Saint-Melaine-sur-Aubance,
tél. 02.41.57.75.65, fax 02.41.57.75.42,
e-mail papin.ch.a@wanadoo.fr ☑ 🍸 🚶 r.-v.

MANOIR DE VERSILLE Vieilles Vignes 2002

■ 1,3 ha 9 000 ▮ 5 à 8 €

Saint-Jean-des-Mauvrets est un bourg viticole qui fait face à Angers sur la rive gauche de la Loire. Le manoir de Versillé (XVIe s.), installé sur un petit coteau dominant l'Aubance, commande un vignoble d'une vingtaine d'hectares exposé au sud et au sud-ouest. Il a présenté un brissac limpide, au nez de fruits rouges. La bouche est vive et légère mais demande à se fondre.

🔑 EARL du Manoir de Versillé,
Versillé, 49320 Saint-Jean-des-Mauvrets,
tél. 02.41.45.22.00, fax 02.41.45.22.00 ☑ 🍸 🚶 r.-v.
🔑 Francine Desmet

DOM. DE MONTGILET Les Yvonnais 2002

■ 0,5 ha 2 400 ⏺ 8 à 11 €

Créé par le grand-père de Victor et Vincent Lebreton, ce domaine est situé à 10 mn du centre d'Angers, au sud de la Loire, au cœur des appellations coteaux-de-l'aubance et anjou-villages-brissac. S'il excelle en blanc liquoreux, il ne démérite pas en rouge, témoin ce 2002 rubis limpide à reflets violets. Le nez puissant associe des senteurs fruitées élégantes aux nuances vanillées et boisées apportées par un élevage en fût. La bouche se développe avec souplesse mais apparaît dominée par le merrain. Un vin à oublier en cave quelque temps.

🔑 Victor et Vincent Lebreton,
Dom. de Montgilet, 49610 Juigné-sur-Loire,
tél. 02.41.91.90.48, fax 02.41.54.64.25,
e-mail montgilet@terre-net.fr ☑ 🍸 🚶 r.-v.

DOM. DES ROCHELLES
La Croix de Mission 2002 ★★

■ 7 ha 20 000 ▮🌡 11 à 15 €

A la tête de 57 ha de vignes, Jean-Yves Lebreton est l'un des chefs de file des vins rouges d'Anjou. Cette Croix de Mission a ainsi plus d'une fois atteint les sommets (millésimes 2000 et 99). Le 2002 affiche une robe grenat très soutenu. Friand et élégant au nez, il mêle le pruneau et des touches de fruits rouges et noirs (griotte, cassis, mûre...). Aromatique elle aussi, ample et généreuse, la bouche évolue sur des tanins bien enrobés. Une étoile distingue la cuvée **Les Millerits 2001 (15 à 23 €)**. Son séjour d'un an en fût lui a légué un léger boisé qui respecte le fruit. Sa bouche à la trame tannique bien arrondie permet de déboucher ce brissac dès maintenant.

🔑 J.-Y. A. Lebreton,
Dom. des Rochelles, 49320 Saint-Jean-des-Mauvrets,
tél. 02.41.91.92.07, fax 02.41.54.62.63,
e-mail jy.a.lebreton@wanadoo.fr ☑ 🍸 🚶 r.-v.

DOM. DE SAINTE-ANNE 2002 ★

■ 3 ha 19 000 ▮🌡 5 à 8 €

Exploité de père en fils depuis six générations, ce domaine a proposé un vin dont la robe étincelante et profonde, couleur d'encre, annonce la riche matière. Les parfums très frais de cassis et de petits fruits rouges sont des plus flatteurs. Une attaque généreuse introduit une bouche bien structurée par des tanins serrés mais encore austères. Un vin de garde dont on attendra l'apogée (deux ou trois ans).

🔑 Dom. de Sainte-Anne,
EARL Brault, 49320 Brissac-Quincé,
tél. 02.41.91.24.58, fax 02.41.91.25.87,
e-mail eva.brault@wanadoo.fr ☑ 🍸 🚶 r.-v.

LES TERRIADES Prestige 2002

■ 18 ha 100 000 ▮🌡 5 à 8 €

Cette importante coopérative, qui vinifie les récoltes de 1 800 ha, se distingue dans le Guide par ses rosés. Etablie à 300 m du château de Brissac, elle ne pouvait passer à côté de cette appellation. Elle a proposé un fort honnête 2002 en robe rouge soutenu et aux parfums de fruits noirs nuancés de sous-bois. Avec son attaque fruitée et ses tanins souples, c'est le type même du vin plaisir.

🔑 Les Caves de la Loire, rte de Vauchrétien,
49320 Brissac-Quincé, tél. 02.41.91.22.71,
fax 02.41.54.20.36, e-mail loire-wines@vapl.fr ☑

CH. LA VARIERE La Chevalerie 2002

■ 5 ha 30 000 ⏺ 8 à 11 €

Héritiers d'une lignée de vignerons remontant au milieu du XIXe s., Jacques Beaujeau est à la tête d'un vaste domaine (95 ha) qui comprend des parcelles dans les plus prestigieuses appellations de l'Anjou-Saumur. Les dégustateurs du Guide ont relevé la belle couleur de ce brissac, grenat foncé à reflets violacés, son nez intense et boisé, vanillé et torréfié. Ils ont reconnu dans le caractère puissant et très tannique de sa bouche le signe d'un réel potentiel, tout en constatant que ce vin austère et dominé par le bois doit attendre au moins trois ans.

🔑 Jacques Beaujeau,
Ch. La Varière, 49320 Brissac-Quincé,
tél. 02.41.91.22.64, fax 02.41.91.23.44 ☑ 🍸 🚶 r.-v.

LOIRE

Rosé-d'anjou

Après un fort succès à l'exportation, ce vin demi-sec se commercialise difficilement aujourd'hui. Le grolleau, principal cépage, autrefois conduit en gobelet, produisait des vins rosés, légers, appelés « rougets ». Il est de plus en plus vinifié en vin rouge léger, de table ou de pays.

LES CLAIRCOMTES 2003 ★

■ n.c. 30 000 - de 3 €

Signé par une maison de négoce de Loire-Atlantique, ce rosé assemble trois cépages, le grolleau, le cabernet franc et le gamay. Sa robe d'un rose intense se nuance de reflets cerise. C'est encore la cerise que l'on décèle, associée aux fruits cuits et compotés, dans la gamme de parfums qui se dégage à l'aération. Ample et riche au palais, dominé par des notes de fruits mûrs, un vin caractéristique du millésime 2003 exceptionnellement ensoleillé.

Sté Donatien Bahuaud,
4, rue de la Loge, 44330 La Chapelle-Heulin,
tél. 02.40.06.70.05, fax 02.40.06.77.11,
e-mail dbahuaud@donatien-bahuaud.fr

DOM. DE MONTCELLIERE 2003 ★

■ 5 ha 5 000 - de 3 €

Ce rosé est né dans un hameau proche des coteaux-du-layon. Gouleyant à souhait, il offre une très belle bouche. Sa palette aromatique associe les fruits mûrs et des notes végétales. Cette bouteille trouvera toute sa place sur une assiette de charcuterie ou des salades composées.

SCEA Louis Guéneau et Fils,
La Montcellière, 49310 Trémont,
tél. 02.41.59.60.72, fax 02.41.59.66.15 r.-v.

DE PREVILLE 2003 ★

■ 200 000 3 à 5 €

Cette bouteille a été présentée par une maison de négoce spécialisée dans la production de vins effervescents et rosés. Avec sa robe rose pâle, son nez amylique, floral et fruité, sa bouche toujours fruitée, rafraîchie par un côté perlant, c'est un classique de l'appellation.

SAS Lacheteau, ZI de La Saulaie,
49700 Doué-la-Fontaine, tél. 02.41.59.26.26,
fax 02.41.59.01.94, e-mail contact@lacheteau.fr

DOM. DES TOUCHES 2003

■ 3 ha 2 500 3 à 5 €

Implanté sur un ancien site troglodytique du XVIIes., ce domaine est situé sur l'auréole occidentale du Bassin parisien. Les terres calcaires ont la réputation d'engendrer des vins tendres. C'est bien le cas de ce rosé-d'anjou aux parfums discrets de fleurs et de petits fruits rouges, équilibré, frais et printanier en bouche. Il trouvera sa place en toute occasion.

Daniel Belin, Dom. des Touches, 49320 Coutures,
tél. 02.41.57.90.06, fax 02.41.57.90.56,
e-mail daniel.belin@viticulture.net r.-v.

DOM. DES TRAHAN 2003 ★

■ 6 ha 40 000 - de 3 €

Ce rosé nous vient du sud de l'Anjou, dans cette partie du vignoble qui pousse une pointe dans la région Poitou-Charentes. Le solaire et caniculaire millésime 2003 se prêtait peu à l'obtention de vins vifs, et pourtant, celui-ci est frais. Expressif au nez, il mêle des notes amyliques, d'intenses parfums de genêt et d'agrumes (pamplemousse). Tout aussi aromatique, la bouche évoque les fruits frais mûrs. Un vin bien fait, né d'une vendange à bonne maturité.

Dom. des Trahan, 26, rue du Moulin, 79290 Cersay,
tél. 05.49.96.80.38, fax 05.49.96.37.23 r.-v.

Cabernet-d'anjou

On trouve dans cette appellation d'excellents vins rosés demi-secs, issus des cépages cabernet franc et cabernet-sauvignon. A table, on les associe assez facilement, lorsqu'ils sont parfumés et servis frais, au melon en hors-d'œuvre, ou à certains desserts pas trop sucrés. En vieillissant, ils prennent une nuance tuilée et peuvent être bus à l'apéritif. La production a atteint 187 982 hl en 2003. C'est sur les faluns de la région de Tigné et dans le Layon que ces vins sont les plus réputés.

L'AME DU TERROIR Dubé 2003 ★

■ 27 000 - de 3 €

Présenté par la société Vinival, maison de négoce implantée en Loire-Atlantique, ce cabernet-d'anjou est bien dans le style de cette structure : simple, léger, mais suffisamment aromatique et agréable. La robe est pâle, les arômes discrets évoquent les fleurs fraîches et les petits fruits rouges, la bouche est tendre. Un vin bien fait qui trouvera sa place sur de la charcuterie ou des salades composées.

SARL Vinival, La Sablette, 44330 Mouzillon,
tél. 02.40.36.66.00, fax 02.40.36.26.83

VIGNOBLE DE L'ARCISON 2003

■ 7 ha 10 000 5 à 8 €

Ce domaine de 26 ha possède une parcelle de 7 ha comprenant 77 numéros de terre cadastrée qui correspondaient tous à un propriétaire différent. Son cabernet-d'anjou est bien représentatif de l'appellation. D'un rose intense, il libère de discrets parfums de fruits rouges (fraise). Léger au palais, il séduit par son équilibre entre fraîcheur et douceur.

Damien Reulier, Le Mesnil, 49380 Thouarcé,
tél. 02.41.54.16.81, fax 02.41.54.31.12,
e-mail damien.reulier@wanadoo.fr r.-v.

DOM. DES BONNES GAGNES 2003 ★

■ 2 ha 10 000 3 à 5 €

Les terres de ce domaine, qui dépendaient de l'abbaye du Ronceray d'Angers, ont été plantées en vigne dès les années 1020. Leurs sols argilo-crayeux sont particulièrement favorables au cabernet qui mûrit lentement grâce à une alimentation en eau régulière. Ce cépage a donné ici un vin d'un rose orangé intense et aux arômes de raisin mûr qui offre tout ce que l'on attend de l'appellation : tendreté et fraîcheur s'y associent dans une belle harmonie. Une garde de deux à trois ans est à sa portée.

Vignerons Héry, Orgigné,
49320 Saint-Saturnin-sur-Loire, tél. 02.41.91.22.76,
fax 02.41.91.21.58, e-mail hery.vignerons@wanadoo.fr
t.l.j. 9h-12h 14h-19h; dim. sur r.-v.

CH. DE CHAMPTELOUP 2003 ★

■ 30 ha 200 000 - de 3 €

Ce cabernet-d'anjou est produit par une maison de négoce spécialisée dans l'élaboration des rosés. Sa vinification, réalisée à faible température, vise à obtenir une sensation de fraîcheur et à développer l'expression aromatique. C'est le cas ici : on découvre un vin d'une agréable simplicité, aux parfums développés de fleurs blanches, désaltérant et d'une certaine vivacité printanière en finale. Un vin à boire bien frais.

🍇 SCEA Champteloup, 49700 Brigné-sur-Layon, tél. 02.41.59.65.10, fax 02.41.59.63.60

DOM. LA CROIX DES LOGES 2003 ★

	1,5 ha	11 000		3 à 5 €

Ce domaine a obtenu pas moins de trois coups de cœur en cabernet-d'anjou (derniers millésimes en date, les 2002 et 2000). Il brille d'ailleurs dans d'autres styles de vin (voir rubrique Saumur). Ce 2003 reflète bien son appellation et le savoir-faire des vinificateurs, avec sa robe légère, rose cuivré à reflets violacés, ses parfums délicats de rose, de fruits des bois et de cassis, sa bouche fraîche, un rien perlante, laissant en finale la sensation d'avoir croqué mûres et myrtilles.

🍇 SCEA Bonnin et Fils, Dom. La Croix des Loges, 49540 Martigné-Briand, tél. 02.41.59.43.58, fax 02.41.59.41.11, e-mail bonninlesloges@aol.com ▨ ▼ ⚲ r.-v.

ELYSIS 2003 ★

	20 ha	135 000	▮ ⚲	3 à 5 €

Créées en 1951, les Caves de la Loire vinifient 1 800 ha de vignes dont 80 % environ produisent des vins rosés d'Anjou. Un coup de cœur attribué l'an dernier à un rosé-d'anjou 2002 a révélé un travail de fond entrepris depuis une dizaine d'années par la coopérative. Ce cabernet-d'anjou, d'une belle couleur rose pâle, offre des arômes délicats de petits fruits rouges et de bourgeon de cassis. Franc et expressif au palais, il associe harmonieusement fraîcheur et douceur.

🍇 Les Caves de la Loire, rte de Vauchrétien, 49320 Brissac-Quincé, tél. 02.41.91.22.71, fax 02.41.54.20.36, e-mail loire-wines@vapl.fr ▨

DOM. GAUDARD 2003 ★★

	5,55 ha	12 000	▮ ⚲	5 à 8 €

Une petite révolution a eu lieu en Anjou en 2004 : Pierre Aguilas n'a pas souhaité renouveler son mandat de président de la Fédération viticole de l'Anjou et de Saumur ! Le cabernet-d'anjou présenté par le domaine n'en reste pas moins dans le même esprit que le 2001 salué dans la précédente édition. D'un rose intense à reflets orangés, ce vin distille des arômes de fruits rouges et d'agrumes qui montent en puissance tout au long de la dégustation. En bouche, il est d'une remarquable finesse. Une bouteille qui fait honneur à son appellation.

🍇 Pierre Aguilas, Dom. Gaudard, rte de Saint-Aubin, 49290 Chaudefonds-sur-Layon, tél. 02.41.78.10.68, fax 02.41.78.67.72, e-mail pierre.aguilas@wanadoo.fr ▨ ▼ ⚲ t.l.j. 9h-12h 14h-18h; dim. sur r.-v.

DOM. DES IRIS 2003 ★★

	15 ha	20 000	▮ ⚲	3 à 5 €

Les terroirs sablo-graveleux de Tigné engendrent d'excellents rosés et la commune est au cœur de la production de ce type de vins. Ce cabernet-d'anjou est un classique de l'appellation avec sa robe d'un rose orangé intense, ses subtils arômes de fruits mûrs, sa bouche harmonieuse et qui laisse en finale une sensation de fraîcheur remarquable. Un rosé de caractère à servir sur une volaille ou des rillauds d'Anjou.

🍇 SARL Dom. des Iris, La Roche Coutant, 49540 Tigné, tél. 02.41.40.22.50, fax 02.41.40.22.60, e-mail j.verdier@wanadoo.fr

DOM. DE LA MONTCELLIERE 2003 ★★

	7 ha	2 500	▮	- de 3 €

Le hameau de la Montcellière est établi sur l'une des hauteurs de la commune de Trémont (« Trois Monts ») ; quant à ce cabernet-d'anjou, il se situe lui aussi à un niveau élevé dans la notation des dégustateurs... Il décline toute une gamme d'arômes : pêche, fruits des bois (myrtille), agrumes (pamplemousse). En bouche, il laisse une sensation de fraîcheur à laquelle contribue un léger perlant fort agréable.

🍇 SCEA Louis Guéneau et Fils, La Montcellière, 49310 Trémont, tél. 02.41.59.60.72, fax 02.41.59.66.15 ▨ ▼ ⚲ r.-v.

DOM. DU PAS SAINT-MARTIN 2003 ★

	3 ha	12 000	▮ ⚲	3 à 5 €

Ce cabernet-d'anjou provient des alentours de Doué-la-Fontaine, en Saumurois. La commune comprend de nombreux sites troglodytiques ; ses terres de faluns (sables calcaires) sont propices tant à l'horticulture qu'à la viticulture. Une robe saumonée fort engageante habille ce 2003 au nez expressif, dominé par de fraîches notes de bourgeon de cassis et de fruits acidulés. La bouche donne l'impression de croquer un bonbon, émoustillée par la légère vivacité apportée par son perlant.

🍇 GAEC Charrier-Massoteau, 5, rue Victor-Journeau, 49700 Doué-la-Fontaine, tél. 02.41.59.14.35, fax 02.41.59.14.35, e-mail pas.saint.martin@wanadoo.fr ▨ ▼ ⚲ r.-v.

DOM. DES PETITES GROUAS 2003 ★

	1 ha	5 000		3 à 5 €

Les terres calcaires de Martigné-Briand ont fait la réputation de la commune pour ses rosés. Le millésime précédent avait décroché un coup de cœur. Celui-ci, selon les membres du jury, est une friandise. Sa douceur, conjuguée à la fraîcheur, lui confère une très belle harmonie au palais. Ses arômes délicats de petits fruits rouges se développent tout au long de la dégustation.

🍇 Philippe Léger, Cornu, Les Petites Grouas, 49540 Martigné-Briand, tél. 02.41.59.67.22, fax 02.41.59.69.32 ▨ ▼ ⚲ r.-v.

CH. PRINCE 2003 ★★

	2,15 ha	15 000	▮ ⚲	3 à 5 €

La propriété a été reprise en 2002 par Mathias Levron qui, dès son installation, a entrepris de gros efforts d'amélioration du vignoble (augmentation de la surface foliaire, maîtrise des rendements...). Il a fait son entrée dans le Guide dès son premier millésime, en rosé-d'anjou. Ce cabernet-d'anjou surprend – agréablement – par ses arômes de fruits cuits : il reflète son millésime ensoleillé qui a amené des niveaux de maturité rarement observés jusqu'alors.

🍇 SCEA Levron-Vincenot, Princé, 49610 Saint-Melaine-sur-Aubance, tél. 02.41.57.82.28, fax 02.41.57.73.78, e-mail chateauprince@wanadoo.fr ▨ ▼ ⚲ t.l.j. sf dim. 9h-12h 14h-18h

DOM. DE TERREBRUNE 2003 ★

■ 9 ha 70 000 3 à 5 €

La terre sablo-graveleuse correspondant aux formations déposées au début de l'ère secondaire a fait la réputation des vins d'Anjou. Principalement orienté vers la production de rosés, ce domaine a obtenu un coup de cœur dans cette appellation pour un 2001. Celui-ci associe plaisamment la fraîcheur et la tendreté. D'un rose délicat, il libère de frais arômes floraux et fruités. La bouche est équilibrée et moelleuse. Un vin bien fait, élaboré à partir de vendanges très mûres.

SCA Dom. de Terrebrune,
La Motte, 49380 Notre-Dame-d'Allençon,
tél. 02.41.54.01.99, fax 02.41.54.09.06,
e-mail domaine-de-terrebrune@wanadoo.fr r.-v.

DOM. DES TRAHAN Le Logis de Preuil 2003 ★★

■ 5 ha 40 000 3 à 5 €

Ce domaine est situé au sud du vignoble de l'Anjou, dans le département des Deux-Sèvres. Son cabernet-d'anjou 2003 est caractéristique de son appellation et de son millésime ; il conjugue un fruité délicat et des sensations de richesse et d'opulence. Sa robe rose à reflets orangés invite à la rêverie. Pour une soirée à la fraîche ?

Dom. des Trahan, 26, rue du Moulin, 79290 Cersay,
tél. 05.49.96.80.38, fax 05.49.96.37.23 r.-v.

DOM. VERDIER 2003

■ 1 ha 5 000 3 à 5 €

Etabli au cœur de l'aire des coteaux-du-layon, ce domaine a signé un cabernet-d'anjou typique : habillé d'une couleur rose saumonée délicate, il mêle au nez de frais parfums d'agrumes (pamplemousse) et de fruits mûrs. La bouche harmonieuse est dominée par des arômes de fruits exotiques. Un vin agréable et sans complication, à boire en toute occasion.

EARL Verdier Père et Fils,
7, rue des Varennes, 49750 Saint-Lambert-du-Lattay,
tél. 02.41.78.35.67, fax 02.41.78.35.67 r.-v.

Coteaux-de-l'aubance

La petite rivière Aubance est bordée de coteaux de schistes portant de vieilles vignes de chenin, dont on tire un vin blanc moelleux qui s'améliore en vieillissant. La production a atteint 5 640 hl en 2003. Cette appellation a choisi de limiter strictement ses rendements.

Depuis 2002, la mention « Sélection de grains nobles » est autorisée pour les vins de vendanges présentant une richesse naturelle minimale de 234 g/l, soit 17,5 ° sans aucun enrichissement. Ceux-ci ne pourront être commercialisés que dix-huit mois après la récolte.

CH. D'AVRILLE Caprices d'automne Elevé en fût de chêne 2002

□ 20 ha 20 000 11 à 15 €

Avec ses 180 ha de vignes, cette exploitation figure parmi les plus vastes de la région. Sa cuvée Caprices d'automne a été vinifiée en barrique pendant neuf mois. Délicate, agréable, simple, elle offre la fraîcheur caractéristique de l'appellation. Des notes de fruits confits se développent peu à peu à l'aération, au nez comme en bouche. Un vin à attendre quatre à cinq ans.

Biotteau Frères, Ch. d'Avrillé, L'Homois,
49320 Saint-Jean-des-Mauvrets, tél. 02.41.91.22.46,
fax 02.41.91.25.80, e-mail chateau.avrille@wanadoo.fr
t.l.j. sf dim. 9h-12h 14h-18h; groupes sur r.-v.

DOM. DE BABLUT Vin Noble 2002 ★★★

□ 7 ha 4 200 15 à 23 €

Dans la même famille depuis le XVIe s., ce domaine de 75 ha est conduit en agriculture biologique. Sa sélection Vin Noble a été obtenue à partir de vendanges atteintes de pourriture noble. Ses arômes d'orange et de raisin confits, de figue, sont caractéristiques du botrytis, champignon qui permet de transformer en nectar les raisins dorés. S'y ajoutent des notes de vieux rhum et d'évolution (rancio, oxydation) qui apportent une touche mystérieuse à ce vin d'exception. (Bouteilles de 50 cl.) La cuvée **Grandpierre 2002** est assez proche. Ses arômes de fruits secs et de grillé particulièrement agréables lui valent une étoile.

SCEA Daviau, Bablut, 49320 Brissac-Quincé,
tél. 02.41.91.22.59, fax 02.41.91.24.77,
e-mail daviau.contact@wanadoo.fr
t.l.j. sf dim. 8h30-12h 14h-18h30

DOM. DES CHARBOTIERES Clos des Huttières 2002 ★

□ 1 ha 1 620 15 à 23 €

Ce domaine exploité en agriculture biologique a proposé un coteaux-de-l'aubance fermenté en barrique de chêne ; l'élevage s'est ensuite déroulé en cuve sur lies fines pendant quatorze mois. D'un jaune doré intense à reflets légèrement orangés, ce vin offre des arômes d'abricot et de fruits secs caractéristiques de raisins récoltés à surmaturité. Riche et agréable au palais, il révèle de surprenantes notes d'évolution.

Dominique Mautalen,
Clabeau, 49320 Saint-Jean-des-Mauvrets,
tél. 02.41.91.22.87, fax 02.41.66.23.09,
e-mail contact@domainedescharbotieres.com
r.-v.

DOM. DITTIERE Les Boujets 2003

□ 2 ha 4 000 11 à 15 €

Les vendanges de cette sélection des Boujets avaient un degré potentiel dépassant les 17,5 degrés naturels. Elles ont donné cette bouche puissante, moelleuse, d'un bon équilibre entre l'alcool et l'acidité. Ce vin devra développer son expression aromatique, qui n'est pas encore aboutie. Il devrait s'ouvrir en fin d'année.

⊶ Dom. Dittière,
1, chem. de la Grouas, 49320 Vauchrétien,
tél. 02.41.91.23.78, fax 02.41.54.28.00,
e-mail domaine.dittiere@wanadoo.fr ☒ 🏠 🚶 r.-v.

DOM. DE HAUTE-PERCHE
Les Fontenelles 2002 ★★

▪ 4 ha 8 500 ▮ ⓿ ♁ 11 à 15 €

Le domaine de Haute-Perche fait bonne figure dans cette AOC, notamment à travers cette cuvée des Fontenelles, remarquable cette année. Dans ce millésime 2002, il brille aussi en rouge, en anjou-villages brissac, l'autre appellation phare de ce vignoble bordant la Loire. Ce coteaux-de-l'aubance affiche une robe jaune intense et libère des parfums complexes de fruits secs et de fleurs. Le palais, également très aromatique, déploie des arômes de fruits exotiques, de miel et d'amande en finale. Un vin qui associe brillamment des sensations de maturité et de richesse et des impressions de délicatesse et de légèreté.

⊶ EARL Agnès et Christian Papin, Dom. de Haute-Perche, 7, chem. de la Godelière,
49610 Saint-Melaine-sur-Aubance,
tél. 02.41.57.75.65, fax 02.41.57.75.42,
e-mail papin.ch.a@wanadoo.fr ☒ Y 🚶 r.-v.

DOM. DE MONTGILET Les Trois Schistes 2002 ★

▪ 10,13 ha n.c. ⓿ 15 à 23 €

Ce domaine est l'un des champions des coups de cœur de l'Anjou, puisqu'il en a totalisé sept au fil des éditions du Guide, notamment en coteaux-de-l'aubance, son apellation vedette (cinq coups de cœur !). La cuvée Les Trois Schistes 2002 était sur sa réserve le jour de la dégustation ; son nez libérait de timides effluves d'abricot, de pêche mûre et de fruits secs. Son très bel équilibre alcool-acidité parlait cependant pour elle : c'est un vin plein de promesses, à déboucher d'ici un à deux ans.

⊶ Victor et Vincent Lebreton,
Dom. de Montgilet, 49610 Juigné-sur-Loire,
tél. 02.41.91.90.48, fax 02.41.54.64.25,
e-mail montgilet@terre-net.fr ☒ Y 🚶 r.-v.

DOM. D'ORGIGNE 2002

▪ 0,6 ha 1 400 ⓿ 5 à 8 €

Ce domaine fondé en 1989 par deux frères a doublé sa superficie depuis sa création, passant de 18 à 36 ha de vignes. Son coteaux-de-l'aubance résulte d'une fermentation de trois mois suivie d'un élevage de douze mois en fût. Encore fermé, ce vin laisse percer à l'aération des notes de fleurs, de coing et de pomme cuite. Intense et équilibré en bouche, il révèle de délicats arômes de vanille, de fruits et de grillé. Une bouteille représentative de son appellation. (Bouteilles de 50 cl.)

⊶ Delaunay, Dom. d'Orgigné,
49320 Saint-Saturnin-sur-Loire,
tél. 02.41.54.21.96, fax 02.41.91.72.25 ☒ Y r.-v.

DOM. DU PRIEURE Promesses 2002

▪ 1 ha 3 000 ⓿ 8 à 11 €

Doctorat en poche, Franck Brossaud a repris ce domaine en 2000. Le sujet de sa thèse ? Les polyphénols des vins rouges du Val de Loire. Sa connaissance du sujet n'était pas seulement théorique, comme l'a prouvé un coup de cœur décerné à un brissac 2001. Ses blancs ? On les connaissait un peu, cette cuvée Promesses ayant été le premier de ses vins à figurer dans le Guide (un 2000). Le 2002 a besoin d'aération pour révéler son potentiel ; apparaissent alors des arômes délicats de fruits secs caractéristiques de raisins vendangés à surmaturité. Harmonieuse, fine et fraîche, la bouche est très agréable. Un vin qui laisse une sensation de légèreté typique de l'appellation. Egalement citée, la cuvée **Elixir 2002 (11 à 15 €)** a été vinifiée et élevée en barrique pendant douze mois. Elle surprend par sa robe jaune orangé et ses notes d'évolution.

⊶ Franck Brossaud, Dom. du Prieuré,
1 bis, pl. du Prieuré, 49610 Mozé-sur-Louet,
tél. 02.41.45.30.74, fax 02.41.45.30.74,
e-mail franck.brossaud@wanadoo.fr ☒ Y 🚶 r.-v.

CH. PRINCE Cuvée Fraîcheur 2003 ★

▪ 3,5 ha 5 200 ▮ ♁ 5 à 8 €

Mathias Levron ayant acquis ce domaine en septembre 2002, le 2003 est le premier millésime dont il est entièrement responsable, du travail à la vigne à la vinification. Ne figure ici que la cuvée qui sera en vente à la fin de l'année 2004, les autres, plus puissantes, étant encore en cours d'élevage. Cette sélection mêle des senteurs délicates de fruits confits et de raisins séchés au soleil. Ample et harmonieuse en bouche, elle révèle des arômes d'agrumes (pamplemousse) qui apportent une sensation de fraîcheur très agréable.

⊶ SCEA Levron-Vincenot, Princé,
49610 Saint-Melaine-sur-Aubance, tél. 02.41.57.82.28,
fax 02.41.57.73.78, e-mail chateauprince@wanadoo.fr
☒ Y 🚶 t.l.j. sf dim. 9h-12h 14h-18h

DOM. RICHOU Les Trois Demoiselles 2002 ★

▪ 3 ha 4 700 ⓿ 15 à 23 €

Ce domaine a collectionné les coups de cœur : sept au total, dont quatre dans cette appellation, le plus récent ayant été attribué à ces Trois Demoiselles dans le millésime précédent. Le 2002 présente les mêmes caractéristiques d'ensemble que ses illustres prédécesseurs, mais il devra s'affiner. D'un jaune doré étincelant de reflets, il libère à l'aération des arômes de fruits confits et de fruits jaunes. Puissant et onctueux au palais, il présente aussi cette fraîcheur typique de l'appellation. Un vin en devenir qui tiendra comme à son habitude le haut de l'affiche dans quelques mois.

⊶ Damien et Didier Richou,
Chauvigné, 49610 Mozé-sur-Louet,
tél. 02.41.78.72.13, fax 02.41.78.76.05,
e-mail domaine.richou@wanadoo.fr ☒ Y r.-v.

DOM. DES ROCHELLES Ambre de Roches 2002 ★

▪ 10 ha 3 000 ⓿ 23 à 30 €

Cette exploitation, qui figure au nombre de celles qui ont le plus contribué à l'évolution des vins rouges d'Anjou, fait preuve de la même exigence en matière de vins blancs, tant à la vigne qu'au chai. Elle montre son savoir-faire à travers cette sélection Ambre de Roches vinifiée et élevée douze mois en barrique. Ce vin libère des arômes d'une grande délicatesse rappelant le pain grillé, les fruits secs (amande) et les fruits mûrs. Il procure une très belle sensation de fraîcheur et de légèreté malgré la richesse des vendanges caractéristiques de l'appellation.

⊶ J.-Y. A. Lebreton, Dom. des Rochelles,
49320 Saint-Jean-des-Mauvrets,
tél. 02.41.91.92.07, fax 02.41.54.62.63,
e-mail jy.a.lebreton@wanadoo.fr ☒ Y 🚶 r.-v.

Anjou-coteaux-de-la-loire

L'appellation est réservée aux vins blancs issus du pinot de la Loire. Les volumes sont confidentiels (1 279 hl en 2003) par rapport à l'aire de production (une douzaine de communes), située uniquement sur les schistes et les calcaires de Montjean. Lorsqu'ils sont triés et qu'ils atteignent la surmaturité, ces vins se distinguent des coteaux-du-layon par une couleur plus verte. Ils sont généralement de type demi-sec. Dans cette région aussi, la reconversion du vignoble se fait peu à peu vers la production de vins rouges.

DOM. DU FRESCHE Cuvée Vieille Sève 2002 ★

	2 ha	9 000	▮♦	5 à 8 €

Ce domaine régulièrement présent dans le Guide est en troisième année de conversion en agriculture biologique. Dorée à reflets brillants, sa cuvée Vieille Sève libère des parfums délicats qui évoquent le miel, les fleurs blanches et les fruits mûrs. La très belle bouche donne une sensation d'ampleur, de générosité, et offre en finale des arômes de pâte d'amandes et de fruits confits. Un vin équilibré et harmonieux, à boire dès à présent ou à conserver quelques années.
➦ Alain Boré, Dom. du Fresche, rte de Chalonnes, 49620 La Pommeraye, tél. 02.41.77.74.63, fax 02.41.77.79.39, e-mail alainbore@aol.com
☑ ⊤ ⫟ t.l.j. sf dim. 9h-12h 14h-19h

CH. DE PUTILLE Cuvée Pierre Carrée 2002 ★★

	4,5 ha	n.c.	▮♦	8 à 11 €

L'une des exploitations incontournables de l'Anjou, qui excelle dans toutes les appellations. Cette cuvée Pierre Carrée, issue de roches volcaniques qui se débitent en petits parallélépipèdes, a obtenu un coup de cœur dans les millésimes 2000 et 99. D'un très beau jaune à reflets or, le 2002 offre des parfums délicats de miel, d'acacia et de coing. On retrouve le miel, accompagné d'arômes de fruits blancs, dans une bouche intense et fraîche. Remarquablement riche, cet anjou-coteaux-de-la-loire garde cette légèreté et cette subtilité des vins nés sur les coteaux qui bordent la Loire.
➦ Pascal Delaunay, EARL Ch. de Putille, 49620 La Pommeraye, tél. 02.41.39.02.91, fax 02.41.39.03.45, e-mail chateau.putille@wanadoo.fr
☑ ⊤ ⫟ t.l.j. sf dim. 8h-12h30 14h-19h30

Savennières

Ce sont des vins blancs de type sec, produits à partir du chenin, essentiellement sur la commune de Savennières. Les schistes et grès pourpres leur confèrent un caractère particulier, ce qui les a fait définir longtemps comme crus des coteaux de la Loire ; mais ils méritent d'occuper une place à part entière. Cette appellation devrait s'affirmer et se développer. Pleins de sève, un peu nerveux, ses vins vont à merveille sur les poissons cuisinés. La production du savennières et de ses crus coulée-de-serrant et roche-aux-moines a atteint 4 332 hl en 2003.

DOM. DE LA BERGERIE La Croix Picot 2002 ★

	1,1 ha	2 000	ⅢⅠ	11 à 15 €

Ce domaine a été acheté à la bougie en 1961 par la grand-mère d'Yves Guégniard, une femme au caractère bien affirmé qui menait seule une exploitation depuis l'âge de trente-sept ans. Il s'étend aujourd'hui sur 35 ha. Ce 2002 laisse une sensation d'équilibre particulièrement agréable. Aux notes boisées répondent des arômes de fruits mûrs, avec, toujours présente, une belle fraîcheur citronnée. Un vin élaboré à partir de vendanges bien mûres vinifiées délicatement.
➦ Yves Guégniard, Dom. de La Bergerie, 49380 Champ-sur-Layon, tél. 02.41.78.85.43, fax 02.41.78.60.13, e-mail domainede.la.bergerie@wanadoo.fr
☑ ⊤ ⫟ t.l.j. sf dim. 9h-12h 14h-19h

CH. DE CHAMBOUREAU Cuvée d'Avant 2002 ★★

	8,5 ha	40 000	ⅢⅠ	8 à 11 €

Le château de Chamboureau est un élégant manoir Renaissance planté au milieu des vignes, doté d'une tourelle d'escalier octogonale. Le domaine viticole est mentionné depuis le XVᵉs. Sa cuvée d'Avant a fait l'objet d'une fermentation puis d'un élevage en barrique sur lie fine pendant dix-huit mois. D'un jaune pâle à reflets or, elle délivre des parfums de fruits mûrs, d'abricot sec, de prune. Puissante et délicate, conjuguant un côté secret, voire austère, et des sensations d'opulence, la bouche est caractéristique de l'appellation. Un très grand savennières.
➦ EARL Pierre Soulez, Ch. de Chamboureau, 49170 Savennières, tél. 02.41.77.20.04, fax 02.41.77.27.78 ☑ ⊤ ⫟ r.-v.

DOM. DU CLOSEL Clos du Papillon 2002 ★★★

	4,39 ha	20 500	ⅢⅠ	11 à 15 €

Le château des Vaults, qui commande le domaine viticole, est attesté à la fin du XVᵉs., mais le vignoble est sans doute beaucoup plus ancien. Ses propriétaires, Mesdames de Jessey, descendent du marquis de Las Cases, petit-fils du chambellan de Napoléon Iᵉʳ, qui l'acquit au XIXᵉs. Elles ouvrent volontiers aux visiteurs le jardin à l'anglaise et organisent dans leurs murs manifestations culturelles et concerts. Le clos du Papillon, qui tire son nom de sa forme, figure au nombre des sites renommés de l'appellation. Une réputation méritée, à en juger ce 2002. Affichant une magnifique robe paille, il délivre des parfums intenses de fruits mûrs, de prune, assortis de notes minérales. Complexe et d'une grande puissance elle aussi, la bouche n'en laisse pas moins une sensation de finesse et de légèreté. Un vin qui sort du lot.

🔑 EARL Dom. du Closel, Ch. des Vaults,
49170 Savennières, tél. 02.41.72.81.00,
fax 02.41.72.86.00, e-mail closel@savennieres-closel.com
☑ Y ⅄ t.l.j. sf sam. dim. 9h-12h30 14h-19h
🔑 Mmes de Jessey

CH. D'EPIRE 2003 *

7 ha 30 000 ■ 🛢 🍾 8 à 11 €

Ici, on cultivait la vigne au IXᵉs. et l'on exportait les vins vers l'Angleterre au temps des Plantagenêts. Ceux-ci mûrissent dans l'ancienne église romane du village, achetée par le propriétaire à la fin du XIXᵉs. lorsque le bâtiment fut désaffecté. Quant au château et à l'orangerie, ils datent de 1850. Deux cuvées de savennières, représentant une part importante de la production du domaine, ont décroché une étoile. Cette cuvée principale, timide au nez, a besoin d'aération pour révéler des notes subtiles de tilleul, de genêt et de pêche de vigne. En bouche, elle est équilibrée et délicate. La **Cuvée spéciale 2003 (11 à 15 €)** libère à l'agitation des notes de fruits mûrs, d'abricot, de pamplemousse et d'amande grillée. Le palais apparemment simple cache une complexité caractéristique de l'appellation.

🔑 SCEA Bizard-Litzow, Chais du Ch. d'Epiré,
49170 Savennières, tél. 02.41.77.15.01,
fax 02.41.77.16.23, e-mail luc.bizard@wanadoo.fr
☑ Y ⅄ t.l.j. sf dim. 8h-12h 14h-18h

DOM. DES FORGES Moulin du Gué 2002 *

n.c. n.c. 🛢 8 à 11 €

S'il a son siège à Saint-Aubin-de-Luigné, dans la basse vallée du Layon, le domaine de Claude Branchereau s'étend pour partie sur l'autre rive de la Loire, en AOC savennières. Son Moulin du Gué 2002 est dominé par des notes boisées résultant d'une vinification et d'un élevage en fût de 400 l. Les dégustateurs, en le mettant en bouche, ont déjà perçu sa belle matière, élégante, délicate et très bien équilibrée. Ce vin aura bientôt digéré le bois et devrait exprimer tout son potentiel à la fin de l'année. Rappelons le coup de cœur obtenu par un 97.

🔑 EARL Branchereau, Dom. des Forges,
rte de la Haie-Longue, 49190 Saint-Aubin-de-Luigné,
tél. 02.41.78.33.56, fax 02.41.78.67.51,
e-mail vitiforge@wanadoo.fr ☑ 🏠 Y ⅄ r.-v.

CH. LA FRANCHAIE 2002 *

1,7 ha 4 000 ■ 🍾 11 à 15 €

Le château La Franchaie est situé sur les pentes dominant la Loire dans la partie ouest du vignoble angevin. Notes minérales subtiles, effluves de plantes médicinales, parfums plus puissants de prunes macérées dans l'alcool : son savennières associe des notes chaleureuses, voire exubérantes, et des sensations discrètes, un trait bien caractéristique de l'appellation. Une bouteille harmonieuse.

🔑 Ch. La Franchaie,
Dom. de La Franchaie, 49170 La Possonnière,
tél. 02.41.39.18.16, fax 02.41.39.18.17 ☑ Y ⅄ r.-v.
🔑 Chaillou

DOM. LAUREAU Cuvée des Genêts 2002

5,6 ha 12 000 ■ 8 à 11 €

Cette exploitation de 10 ha a son siège à Angers même, entre Maine et Loire, sur la butte de Frémur où s'est développé le vignoble médiéval de la cité. Elle détient des vignes en AOC savennières, à l'origine de cette cuvée des Genêts. Issu de vendanges strictement sélectionnées, ce 2002 est marqué par la puissance et l'intensité : celles de la robe jaune aux légers reflets orangés, du nez de fruits mûrs, d'abricot et de compote ; la bouche est dans la même veine, sans excès de vivacité, riche et moelleuse.

🔑 Dom. Laureau du Clos Frémur,
La Bénétrie, butte de Frémur, 49000 Angers,
tél. 02.41.72.25.54, fax 02.41.72.87.39,
e-mail laureau.fremur@wanadoo.fr ☑ Y ⅄ r.-v.

CH. DE LA MULONNIERE Grand Hamé 2003 *

4,16 ha 9 000 ■ 8 à 11 €

Ce domaine, qui a son siège dans la vallée du Layon, a été repris en 2002 par M. Saget. Son savennières du Grand Hamé est très représentatif de l'appellation avec sa robe jaune pâle, ses parfums frais et délicats où se mêlent les fleurs et un fruité d'agrumes (citron et pamplemousse). Légère et vive, la bouche révèle une gamme aromatique complexe et séduisante, allant de l'amande aux fruits blancs et aux fruits mûrs. Une bouteille prête à passer à table sur des entrées ou des plats légers et sans sauce.

🔑 SCEA Ch. de La Mulonnière,
49750 Beaulieu-sur-Layon,
tél. 02.41.78.47.52, fax 02.41.78.63.63 ☑ 🏠 Y r.-v.
🔑 M. Saget

CH. DE PLAISANCE Le Clos 2002

2 ha 5 000 🛢 11 à 15 €

Situé au milieu des vignes, dans la vallée du Layon, le château de Plaisance détient un trésor, le coteau de Chaume, et réussit bien en liquoreux. Cela ne l'empêche pas d'élaborer des savennières régulièrement mentionnés dans le Guide, issus d'un coteau longtemps laissé à l'abandon et remis en état il y a quelques années. Massif, vineux et dominé le jour de la dégustation par des notes chaleureuses, ce 2002 apparaît atypique. Il s'affinera avec le temps.

🔑 Guy Rochais, Ch. de Plaisance, Chaume,
49190 Rochefort-sur-Loire,
tél. 02.41.78.33.01, fax 02.41.78.67.52,
e-mail rochais.guy@wanadoo.fr ☑ Y ⅄ r.-v.

LOIRE

Savennières-roche-aux-moines, savennières-coulée-de-serrant

Il est difficile de séparer ces deux crus qui ont pourtant reçu une codification particulière, tant ils sont proches en caractères et en qualité. La coulée-de-serrant, plus restreinte en surface (7 ha), est située de part et d'autre de la vallée du petit Serrant. La plus grande partie est en pente forte, d'exposition sud-ouest. Propriété en monopole de la famille Joly, cette appellation a atteint, tant par sa qualité que par son prix, la notoriété des grands crus de France. C'est après cinq ou dix ans que ses qualités s'épanouissent pleinement. La roche-aux-moines appartient à plusieurs propriétaires et couvre une surface de 19 ha déclarés (qui n'est pas totalement plantée). Si elle est moins homogène que son homologue, on y trouve des cuvées qui n'ont cependant rien à lui envier.

Savennières-roche-aux-moines

CH. DE CHAMBOUREAU

Chevalier Buhard Cuvée d'Avant Doux 2002 ★★

0,9 ha 4 400 15 à 23 €

Eperon rocheux dominant la Loire, le coteau de la Roche aux Moines donne généralement naissance à des vins secs, sauf certaines grandes années, lorsque les fermentations laissent des sucres résiduels. C'est le cas de cette sélection Chevalier Buhard 2002 parée d'une robe jaune soutenu. Ses arômes intenses évoquent les fruits secs et les fruits confits ; la bouche remarquablement équilibrée conjugue douceur et fraîcheur. Une bouteille superbe de finesse et de légèreté. Vin sec, la **Cuvée d'Avant 2002** a obtenu une étoile. Ses nuances de fruits macérés à l'eau-de-vie sont particulièrement agréables. (Bouteilles de 50 cl.)

EARL Pierre Soulez,
Ch. de Chamboureau, 49170 Savennières,
tél. 02.41.77.20.04, fax 02.41.77.27.78 r.-v.

CLOS DE LA BERGERIE 2002 ★★

3 ha 8 000 15 à 23 €

Nicolas Joly exploite 3 ha en savennières-roche-aux-moines – en biodynamie, comme toutes ses vignes depuis 1984. Ce coin de terre conserve les vestiges d'une forteresse qui gardait le fleuve au Moyen Age. Ce 2002 associe harmonieusement des notes de maturité (arômes intenses d'abricot sec) et une austère minéralité. Un vin à l'image du coteau pierreux et sombre de la Roche aux Moines, baigné de lumière claire, transparente et tendre des bords de Loire. On le dégustera tranquillement de façon à en apprécier toute la complexité.

EARL Nicolas Joly,
Ch. de la Roche aux Moines, 49170 Savennières,
tél. 02.41.72.22.32, fax 02.41.72.28.68,
e-mail coulee-de-serrant@wanadoo.fr
t.l.j. sf dim. 9h-12h 14h-18h

DOM. AUX MOINES Cuvée des Nonnes 2002 ★★

8 ha 18 130 11 à 15 €

Les noms des cuvées de ce domaine rappellent son origine monastique : le vignoble dépendit de l'abbaye

Saint-Nicolas d'Angers jusqu'à la Révolution. Il changea ensuite plusieurs fois de mains, appartenant même, dans les années 1920, à M. Benz des célèbres automobiles. Mme Laroche est à sa tête depuis plus de vingt ans. Ses cuvées des Nonnes et de l'Abbesse ont la particularité d'avoir conservé des sucres résiduels. La première est caractéristique des grands savennières-roche-aux-moines produits les années chaudes. Elle laisse en bouche une sensation délicate de fruits mûrs, d'agrumes et de fleurs blanches. Ses arômes secrets s'épanouissent doucement à l'aération. On servira ce vin sur des plats exotiques, sucrés-salés. La **cuvée de l'Abbesse 2002** est plus riche en sucres résiduels, plus douce en bouche : une étoile.

GFA Mme Laroche, Dom. aux Moines,
La Roche aux Moines, 49170 Savennières,
tél. 02.41.72.21.33, fax 02.41.72.86.55
9h-12h30 14h-19h; dim. sur r.-v.

DOM. AUX MOINES 2002

7 333 11 à 15 €

Ce 2002 du domaine aux Moines n'a pas de sucres résiduels et a été vinifié pour partie en barrique. Il s'annonce par une robe jaune pâle à reflets légèrement dorés. Discret au nez, il libère lentement à l'aération des notes mentholées, des senteurs d'abricot sec et de fruits secs grillés. Il se montre puissant, vineux et chaleureux en bouche, ce qui dénote une teneur en alcool importante. La finale est marquée par des arômes de genêt, de noisette et d'abricot caractéristiques de l'appellation.

GFA Mme Laroche, Dom. aux Moines,
La Roche aux Moines, 49170 Savennières,
tél. 02.41.72.21.33, fax 02.41.72.86.55
9h-12h30 14h-19h; dim. sur r.-v.

Savennières-coulée-de-serrant

CLOS DE LA COULEE-DE-SERRANT 2002 ★★★

7 ha 20 000 38 à 46 €

Loué par les rois, de Louis XI à Louis XIV, puis par le « prince des gastronomes », Curnonsky, ce vin doré, né de pentes escarpées plantées au XII^{e}s. par les Cisterciens, jouit d'une renommée mondiale depuis que le « pape de la biodynamie » a pris en main sa destinée. Ce militant d'une agriculture biologique radicale rattache son combat pour la vie du sol, mis à mal par les pollutions, à la défense de l'appellation et du terroir. Ce millésime 2002 donne

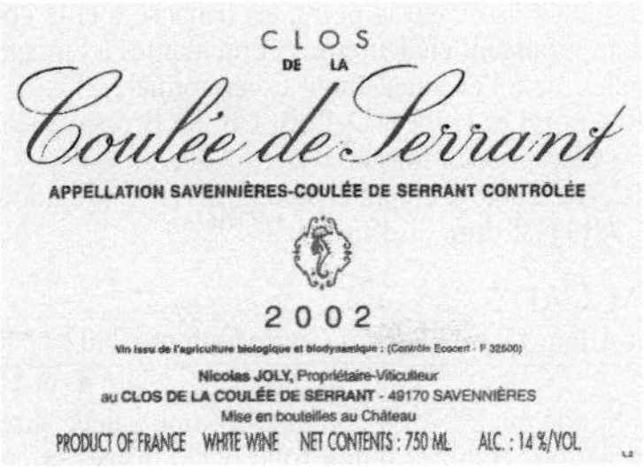
CLOS
DE LA
Coulée de Serrant
APPELLATION SAVENNIÈRES-COULÉE DE SERRANT CONTRÔLÉE
2002
Nicolas JOLY, Propriétaire-Viticulteur
au CLOS DE LA COULÉE DE SERRANT - 49170 SAVENNIÈRES
Mise en bouteilles au Château
PRODUCT OF FRANCE WHITE WINE NET CONTENTS : 750 ML ALC. : 14 %/VOL.

pleinement raison à Curnonsky qui rangeait la coulée-de-serrant au nombre des plus grands vins de France. Jaune pâle aux légers reflets or, il libère des arômes complexes rappelant l'orange, la noix, les fruits mûrs. En bouche, il est frais, minéral, délicat. Cette cuvée de Nicolas Joly rappelle qu'un grand vin est fait de multiples sensations se combinant à l'infini. Une bouteille exceptionnelle.

EARL Nicolas Joly,
Ch. de la Roche aux Moines, 49170 Savennières,
tél. 02.41.72.22.32, fax 02.41.72.28.68,
e-mail coulee-de-serrant@wanadoo.fr
t.l.j. sf dim. 9h-12h 14h-18h

Coteaux-du-layon

Sur les coteaux des communes qui bordent le Layon, de Nueil à Chalonnes, représentant quelque 1 950 ha, on a produit, en 2003, 58 020 hl de vins demi-secs, moelleux ou liquoreux. Le chenin est le seul cépage. Plusieurs villages sont réputés : le plus connu, devenu AOC à part entière, est celui de Chaume. Six noms peuvent être ajoutés à l'appellation : Rochefort-sur-Loire, Saint-Aubin-de-Luigné, Saint-Lambert-du-Lattay, Beaulieu-sur-Layon, Rablay-sur-Layon, Faye-d'Anjou. Depuis 2002, les vins ont droit à la mention « Sélection de grains nobles » lorsque la richesse naturelle de la vendange minimale est de 234 g/l, soit 17,5 ° sans aucun enrichissement. Ils ne pourront être commercialisés avant dix-huit mois suivant la récolte. Vins subtils, or vert à Concourson, plus jaunes et plus puissants en aval, ils présentent des arômes de miel et d'acacia acquis lors de la surmaturation. Leur capacité de vieillissement est étonnante.

DOM. D'AMBINOS Clos de La Mine 2002 ★

0,65 ha 1 100 11 à 15 €

Le Clos de la Mine et son terroir schisteux avec intercalations du Carbonifère rappelle que l'on exploitait jadis le charbon dans la région des coteaux du Layon. Selon la bonne pratique de ce domaine, les vendanges ont été rigoureusement sélectionnées. Elles ont donné naissance à un vin d'une étonnante couleur vieil or foncé. Ses arômes de fruits confits et de fruits mûrs sont caractéristiques de raisins récoltés à surmaturité. Presque légère, agréable, la bouche laisse une impression de fraîcheur en finale.

Jean-Pierre Chéné,
3, imp. des Jardins, 49750 Beaulieu-sur-Layon,
tél. 02.41.78.48.09, fax 02.41.78.61.72 r.-v.

DOM. DES BARRES
Saint-Aubin Les Paradis 2003 ★★

2 ha 4 000 11 à 15 €

Installé en 1991, Patrice Achard exploite près de 25 ha de vignes. Il montre un grand savoir-faire en liquoreux, comme le montrent le coup de cœur obtenu en chaume et cette cuvée Les Paradis, régulièrement distinguée (coup de cœur dans le millésime 2001). Ce 2003 n'a pas dit son dernier mot mais laisse déjà percevoir des arômes caractéristiques de surmaturité : miel, fruits secs et fruits confits. Puissant, concentré, encore massif en raison de sa jeunesse, il est promis à un très bel avenir.

Patrice Achard, Dom. des Barres,
49190 Saint-Aubin-de-Luigné,
tél. 02.41.78.98.24, fax 02.41.78.68.37 r.-v.

DOM. DE LA BELLE ANGEVINE
Beaulieu Cuvée Béhuard 2002

2 ha 4 000 11 à 15 €

Une pharmacienne et un agronome ont créé ce domaine en 1993, en regroupant deux exploitations, l'une sise à Beaulieu-sur-Layon, l'autre à Saint-Lambert-du-Lattay. L'ensemble couvre 13 ha. La cuvée Béhuard propose un vin simple, mais équilibré et représentatif de son appellation : un nez fait de fruits confits et de notes fraîches d'agrumes, une bouche agréable marquée en finale par des nuances de banane et d'abricot sec.

Florence Dufour,
Dom. de la Belle Angevine, 49750 Beaulieu-sur-Layon,
tél. 02.41.78.34.86, fax 02.41.72.81.58,
e-mail fldufour@club-internet.fr r.-v.

DOM. MICHEL BLOUIN Beaulieu 2003 ★

1 ha 3 000 5 à 8 €

Les deux vins présentés par ce domaine ont obtenu tous deux une étoile. Ce coteaux-du-layon Beaulieu n'a pas donné sa pleine mesure, mais sa concentration et ses arômes de fruits confits révèlent un bon potentiel. Le **coteaux-du-layon Saint-Aubin** séduit par sa délicatesse et ses arômes de fruits mûrs, de fruits exotiques et de miel typiques de l'appellation.

Dom. Michel Blouin, 53, rue du Canal-de-Monsieur,
49190 Saint-Aubin-de-Luigné,
tél. 02.41.78.33.53, fax 02.41.78.67.61 r.-v.

DOM. BODINEAU Vieilles Vignes 2002

4,5 ha 6 000 5 à 8 €

Ce domaine s'étend sur 23 ha. Il est dans la même famille depuis 1850 et la relève est assurée puisque Frédéric, le fils, s'est installé en 2004 sur l'exploitation. Ce 2002 aux arômes de fleurs et de fruits secs paraît simple au premier abord. Mais il est frais et particulièrement agréable, donnant en bouche l'impression de croquer des fruits frais. Un ensemble léger et friand.

Dom. Bodineau, Savonnières,
49700 Les Verchers-sur-Layon,
tél. 02.41.59.22.86, fax 02.41.59.86.21 r.-v.

LOIRE

DOM. DES BOHUES Cuvée Les Martyrs 2002 *

▨ 1,6 ha 3 000 🛢 8 à 11 €

Ce domaine de taille modeste (16 ha) soigne la conduite de son vignoble et récolte son chenin par tries successives. Sa cuvée des Martyrs 2002 se distingue par son équilibre et son harmonie. Ses arômes de fruits mûrs, de pêche, de coing et de miel s'associent délicatement avec les notes boisées, empyreumatiques résultant d'un élevage en barrique. La bouche est fraîche et complexe, avec un retour de fruits mûrs fort agréable.

⚷ Denis Retailleau,
Dom. des Bohues, 49750 Saint-Lambert-du-Lattay,
tél. 02.41.78.33.92, fax 02.41.78.34.11 ☒ 𝕐 🚶 r.-v.

CH. DE BOIS-BRINCON Faye 2002

▨ 5 ha 5 400 🛢 11 à 15 €

C'est en 1991 que Xavier Cailleau s'est installé sur ce domaine d'origine médiévale, qui couvre aujourd'hui 27 ha. Son Faye 2002 offre une palette aromatique harmonieuse où se mêlent les fruits confits ou grillés et le caramel. A la fois riche et frais, il finit sur une agréable vivacité soulignée par des notes d'agrumes. Le 97 avait obtenu un coup de cœur.

⚷ Xavier Cailleau,
Ch. de Bois-Brinçon, 49320 Blaison-Gohier,
tél. 02.41.57.19.62, fax 02.41.57.10.46,
e-mail chateau.bois.brincon@terre-net.fr ☒ 🏠 𝕐 🚶 r.-v.

CH. DU BREUIL
Beaulieu Orantium Vinifié en fût de chêne 2002 ***

▨ 1 ha 1 200 23 à 30 €

Récoltée grain par grain et vinifiée douze mois en barrique, cette cuvée Orantium a fait l'unanimité. Jaune d'or à reflets légèrement orangés, la robe est superbe. Elle annonce des arômes complexes d'abricot sec, de rhubarbe et de fruits confits. Riche, onctueuse, concentrée, la bouche invite au voyage des sens. Un grand moment de plaisir. (Bouteilles de 50 cl.) La **cuvée Vieilles Vignes 2002 (11 à 15 €)** est un vin prometteur qui obtient une étoile pour sa délicatesse.

⚷ Ch. du Breuil, 49750 Beaulieu-sur-Layon,
tél. 02.41.78.32.54, fax 02.41.78.30.03,
e-mail ch.breuil@wanadoo.fr ☒ 𝕐 🚶 r.-v.
⚷ Marc Morgat

CH. DE BROSSAY Vieilles Vignes 2003 *

▨ 3 ha 6 000 🛢 8 à 11 €

Conduite par Hubert Deffois depuis 1974, la propriété s'étend sur 40 ha. Elle est située dans le haut Layon, à quelques kilomètres seulement de sa source. Ses Vieilles Vignes 2003 associent la poire, les fruits secs et le coing. Elles apparaissent chaleureuses et puissantes à l'image de ce millésime à l'ensoleillement exceptionnel.

⚷ Raymond et Hubert Deffois, Ch. de Brossay,
49560 Cléré-sur-Layon, tél. 02.41.59.59.95,
fax 02.41.59.58.81, e-mail chateau.brossay@wanadoo.fr
☒ 𝕐 🚶 t.l.j. sf dim. 8h-12h 13h30-19h

DOM. CADY
Saint-Aubin Grains Nobles Cuvée Volupté 2002 ***

▨ 3 ha 3 400 ▮ 15 à 23 €

Fondé en 1927, ce domaine est une valeur sûre de l'appellation. Habillée d'une robe paille dorée, sa cuvée Volupté mérite bien son nom : elle a tellement charmé les dégustateurs qu'elle s'est placée parmi les finalistes du coup de cœur. D'une puissance peu commune, ses arômes rapellent les fleurs blanches (acacia), le miel et le pain d'épice. Concentré, riche et frais, voilà un vin d'une rare qualité, à n'ouvrir que pour de vrais amis. (Bouteilles de 50 cl.)

⚷ EARL Dom. Philippe Cady,
Valette, 49190 Saint-Aubin-de-Luigné,
tél. 02.41.78.33.69, fax 02.41.78.67.79,
e-mail cadyph@wanadoo.fr ☒ 𝕐 🚶 r.-v.

DOM. DE CLAYOU 2003 *

▨ 8 ha 20 000 ▮🌡 5 à 8 €

Ce domaine familial s'étend sur 22,50 ha autour de Saint-Lambert-du-Lattay. Pas moins de quatre tries ont été nécessaires pour l'élaboration de ce 2003. D'un jaune d'or à reflets cuivrés, ce vin délivre des arômes caractéristiques de raisins récoltés à surmaturité : coing, pêche bien mûre, accompagnés d'une nuance de tilleul. Très agréable en bouche, il donne à la fois l'impression de richesse et de légèreté. Un coteau-du-layon typique qui peut être dégusté dès à présent ou conservé plusieurs années.

⚷ SCEA Jean-Bernard Chauvin,
18 bis, rue du Pont-Barré,
49750 Saint-Lambert-du-Lattay,
tél. 02.41.78.44.44, fax 02.41.78.48.52
☒ 𝕐 🚶 t.l.j. sf dim. 9h-12h 14h-19h; f. 15-31 août

DOM. DES CLOSSERONS Vieilles Vignes 2002 *

▨ 14,55 ha 11 000 ▮🌡 8 à 11 €

Créé en 1956, ce domaine familial dispose de près de 53 ha de vignes. Il s'est attaché à replanter en chenin les coteaux escarpés du Layon d'où il tire d'intéressants liquoreux (rappelons le coup de cœur obtenu par un 99). Née de ceps âgés de plus de cinquante ans, sa cuvée Vieilles Vignes 2002 est une friandise. Elle associe au nez les fruits frais, les fruits confits et les nuances florales. Puissante et vive, la bouche poursuit sur le même registre : pâte de fruits, fruits confits, avec toujours le croquant du fruit frais. Un ensemble flatteur.

⚷ EARL Jean-Claude Leblanc et Fils,
Dom. des Closserons, 49380 Faye-d'Anjou,
tél. 02.41.54.30.78, fax 02.41.54.12.02 ☒ 𝕐 🚶 r.-v.

PHILIPPE DELESVAUX
Sélection de grains nobles 2001 ***

▨ 5 ha 4 500 🛢 15 à 23 €

A la tête de 10 ha de vignes, Philippe Delesvaux figure au nombre des producteurs qui ont lancé la mention Sélection de grains nobles. Un style de vins où il excelle. Celui-ci, paré d'une robe jaune d'or à reflets orangés, est un modèle du genre. Accompagnés de nuances grillées et

torréfiées, ses arômes de fruits confits, de miel et de fruits secs sont caractéristiques de vendanges atteintes par la pourriture noble. Onctueuse, délicate et longue, la bouche laisse une multitude de sensations. Une bouteille envoûtante et rare. (Bouteilles de 50 cl.)

🕏 Philippe Delesvaux, Les Essards,
La Haie Longue, 49190 Saint-Aubin-de-Luigné,
tél. 02.41.78.18.71, fax 02.41.78.68.06,
e-mail dom.delesvaux.philippe@wanadoo.fr ☑ Ⓘ ⚔ r.-v.

DOM. DES DEUX ARCS 2002

	n.c.	9 000	5 à 8 €

Cinq générations se sont succédé sur cette exploitation traditionnelle, représentative du vignoble angevin et de son évolution. La vigne couvre 36 ha. Elle a engendré ce 2002 jaune aux légers reflets or. Ses arômes de miel et de fruits mûrs, un peu grillés, évoquent une vendange récoltée à bonne maturité. Fruité et harmonieux, le palais est marqué par une vivacité qui donne une sensation de jeunesse. À déguster dès à présent.

🕏 Dom. des Deux Arcs, Vignoble Michel Gazeau,
11, rue du 8-Mai-1945, 49540 Martigné-Briand,
tél. 02.41.59.47.37, fax 02.41.59.49.72,
e-mail do2arc@wanadoo.fr ☑ Ⓘ r.-v.

DOM. DES DEUX VALLÉES
Saint-Aubin Vieilles Vignes 2002 ★

	1 ha	1 500	▮ 11 à 15 €

Ce domaine de 36 ha a été racheté en 2001 à M. Banchereau par Philippe Socheleau. Il a été rebaptisé domaine des Deux Vallées, car il offre un point de vue sur la vallée de la Loire et celle du Layon. La cave est flambant neuve, tandis que les vignes à l'origine de cette cuvée ont un âge canonique : soixante-quinze ans. Un vin bien équilibré qui retient l'attention par sa palette aromatique caractéristique d'une vendange récoltée à surmaturité : fruits mûrs, miel, coing, abricot sec et tilleul.

🕏 Philippe et René Socheleau, Dom. des Deux Vallées, Bellevue, 49190 Saint-Aubin-de-Luigné,
tél. 02.41.78.33.24, fax 02.41.78.66.58,
e-mail domaine2vallees@wanadoo.fr
☑ Ⓘ ⚔ t.l.j. sf dim. 9h-12h 14h-18h

DOM. DHOMME Les Beauvais 2002 ★★

	2,15 ha	2 600	Ⓘ 8 à 11 €

Une cave située sur une île de la Loire et un vignoble de 18 ha, constitué à partir des années 1960 : voilà le domaine Dhommé, valeur sûre de la région, qui brille cette année en anjou blanc et en coteaux-du-layon. Cette cuvée a frôlé le coup de cœur. Jaune d'or à reflets orangés, elle associe des senteurs miellées et des nuances de fruits confits à des notes épicées et vanillées héritées d'un élevage en barrique. Intense, onctueuse et puissante en bouche, elle

n'en procure pas moins cette sensation de fraîcheur caractéristique de l'appellation. La superbe finale déploie toute une gamme d'arômes : acacia, miel, fruits secs grillés. Une remarquable harmonie.

🕏 Dom. Dhommé,
Le Petit Port-Girault, 49290 Chalonnes-sur-Loire,
tél. 02.41.78.24.27, fax 02.41.74.94.91,
e-mail domainedhomme@wanadoo.fr
☑ Ⓘ ⚔ t.l.j. sf dim. 9h-12h 14h-19h

DOM. DULOQUET
Sélection de Grains Nobles Cuvée Noblesse 2003 ★

	6 ha	n.c.	▮ Ⓘ 23 à 30 €

Ce domaine de 27,5 ha est une valeur sûre en liquoreux. Ce sont des raisins botrytisés qui sont à l'origine de ce coteaux-du-layon fermenté et élevé quinze mois en barrique. D'un jaune intense à reflets orangés, la robe annonce la couleur. Le nez exubérant associe les fruits confits, le caramel et des notes d'évolution. Riche et confituré, le palais offre en finale une touche de fraîcheur bienvenue.

🕏 Hervé Duloquet, Les Mousseaux,
4, rte du Coteau, 49700 Les Verchers-sur-Layon,
tél. 02.41.59.17.62, fax 02.41.59.37.53, dom.
e-mail dulaquet@wanadoo.fr ☑ Ⓘ ⚔ r.-v.

DOM. DE L'ÉTÉ
Cuvée Axel Elevé en fût de chêne 2002 ★★

	2,4 ha	2 700	Ⓘ 15 à 23 €

Un joli nom pour un domaine viticole : 35 ha de vignes repris par Catherine Nolot en 2001. Ses vins ont été d'emblée bien accueillis par les dégustateurs du Guide. Les vendanges à l'origine de cette cuvée ont débuté à la fin d'octobre 2002, l'élevage et la vinification en barrique ont duré douze mois. Il en résulte une palette aromatique d'une remarquable complexité, mêlant le miel et les fleurs à l'amande grillée et à des nuances fumées. Dans une bouche puissante et ronde, de fraîches notes d'agrumes (citron, pamplemousse) apportent du tonus et de la vitalité. Le potentiel de garde ? Plusieurs dizaines d'années. (Bouteilles de 50 cl.)

🕏 SCEA Catherine Nolot,
Dom. de l'Eté, 49700 Concourson-sur-Layon,
tél. 02.41.59.11.63, fax 02.41.59.95.16,
e-mail domainedelete@wanadoo.fr ☑ Ⓘ ⚔ r.-v.

DOM. FARDEAU Cuvée Stefy 2003 ★★

	0,6 ha	1 700	▮ ⚓ 23 à 30 €

Domaine situé en contrebas de la corniche angevine qui domine les vallées de la Loire et du Layon. Sa cuvée Stefy a séduit les dégustateurs par la complexité de son nez où se bousculent des fragrances de raisin sec, de miel, de pêche et de muscat. Equilibrée et longue, elle fait la queue de paon dans une explosion aromatique. Le coup de cœur n'est pas loin.

🕏 Chantal Fardeau,
Les Hauts Perrays, 49290 Chaudefonds-sur-Layon,
tél. 02.41.78.67.57, fax 02.41.78.68.78 ☑ Ⓘ ⚔ r.-v.

DOM. DES FONTAINES Les Coqueries 2003 ★

	2,6 ha	2 900	5 à 8 €

Créé en 1957, le vignoble couvre 27 ha, avec des parcelles dans le célèbre cru bonnezeaux. Il est conduit par Alain Rousseau qui a pris la relève de son père en 1995. Il propose un coteaux-du-layon de bonne facture. Jaune clair aux délicats reflets or, ce vin libère de plaisants

LOIRE

parfums fruités : fruits exotiques, agrumes, banane. Toujours expressif, harmonieux et frais en bouche, il offre une finale chaleureuse caractéristique du millésime. Il surprendra agréablement à l'apériti.

Alain Rousseau, EARL Dom. des Fontaines, Les Noues, 49380 Thouarcé, tél. 02.41.54.32.30, fax 02.41.54.34.44, e-mail domdesfontaines@wanadoo.fr r.-v.

DOM. GAUDARD Saint-Lambert 2003 ★★

1,47 ha 6 000 8 à 11 €

Un beau doublé pour le domaine Gaudard : il a présenté deux coteaux-du-layon qui ont obtenu chacun deux étoiles. Celui-ci fait preuve d'une réelle élégance, mêlant de frais parfums d'agrumes (citron) à des nuances suaves de fruits confits. Un très grand vin de terroir. Quant à la cuvée **Les Varennes 2003 (5 à 8 €)**, elle a séduit par sa puissance et la complexité de son fruité (notes confites, exotiques, abricotée...) qui agrémente toute la dégustation.

Pierre Aguilas, Dom. Gaudard, rte de Saint-Aubin, 49290 Chaudefonds-sur-Layon, tél. 02.41.78.10.68, fax 02.41.78.67.72, e-mail pierre.aguilas@wanadoo.fr t.l.j. 9h-12h 14h-18h; dim. sur r.-v.

DOM. LES GRANDES VIGNES 2003 ★★

3,71 ha 10 500 5 à 8 €

Avec ses 50 ha et ses mentions régulières dans le Guide, ce domaine fait partie des exploitations de référence de l'Anjou. Vinifié et élevé un an en barrique, ce 2003 n'avait pas atteint sa pleine expression le jour de la dégustation, le boisé demandant à se fondre. Les jurés l'ont néanmoins jugé remarquable par sa puissance et sa richesse aromatique (fruits confits, fruits cuits, pomme caramélisée). Ce vin sera vraisemblablement prêt à la parution du Guide et devrait encore gagner en finesse avec le temps.

GFA Vaillant, Dom. Les Grandes Vignes, La Roche Aubry, 49380 Thouarcé, tél. 02.41.54.05.06, fax 02.41.54.08.21, e-mail vaillant@domainelesgrandesvignes.com r.-v.

DOM. DE JUCHEPIE
Faye Quarts de Juchepie 2001 ★

5 ha 1 500 11 à 15 €

Ce domaine est exploité depuis 1986 par Eddy et Mileine Oosterlinck-Bracke, venus de Belgique. Pratiquant l'agriculture biologique sur leur 6 ha de vignes, ils cultivent leur passion du chenin et en particulier des vins liquoreux. Au nez, ce 2001 élevé dix-huit mois en barrique est encore très marqué par le bois. En bouche, il est vif et rafraîchissant, les agrumes faisant belle escorte aux fruits confits. Un vin que l'on pourra déguster dès la parution du Guide.

Oosterlinck-Bracke, Dom. de Juchepie, Les Quarts, 49380 Faye-d'Anjou, tél. 02.41.54.33.47, fax 02.41.54.13.49, e-mail contact@juchepie.com r.-v.

DOM. LEDUC-FROUIN
La Seigneurie Florilège 2003 ★

2 ha 5 000 5 à 8 €

Le domaine Leduc-Frouin, c'est 30 ha de vignes et d'intéressantes caves troglodytiques creusées dans le falun. Pourquoi la Seigneurie ? Parce qu'il s'agissait d'une terre noble, rachetée en 1933 à un marquis par leur fermier. Depuis 1990, Antoine Leduc, œnologue, et sa sœur Nathalie sont aux commandes. Les vendanges à l'origine de leur cuvée Florilège étaient passerillées et botrytisées. Ce vin offre une très belle expression aromatique, faite de fruits mûrs, de coing, d'abricot et de miel. Riche, concentré et délicat tout à la fois, il prendra de l'ampleur avec le temps et surprendra en fin d'année.

Dom. Antoine et Nathalie Leduc-Frouin, La Seigneurie, Sousigné, 49540 Martigné-Briand, tél. 02.41.59.42.83, fax 02.41.59.47.90, e-mail domaine-leduc-frouin@wanadoo.fr r.-v.

LUC ET FABRICE MARTIN
Cuvée Prestige 2002 ★★

3 ha 6 000 8 à 11 €

Installés sur les 24 ha de la propriété familiale depuis 1997, les frères Martin décrochent leur quatrième coup de cœur dans cette appellation. C'est la cuvée Prestige qui a été distinguée. Un 2002 pas trop puissant mais remarquablement équilibré et délicat. Sa palette complexe mêle les fruits mûrs, les fruits confits, le miel et le coing. La bouche harmonieuse laisse en finale une légère sensation de vivacité particulièrement agréable et désaltérante. Maintes fois distinguée, la **Sélection de grains nobles 2002 (15 à 23 € la bouteille de 50 cl.)** est imprégnée d'arômes de fruits confits tout au long de la dégustation et donne une sensation de richesse impressionnante. Elle obtient deux étoiles.

GAEC Luc et Fabrice Martin, 2 bis, rue du Stade, 49290 Chaudefonds-sur-Layon, tél. 02.41.78.19.91, fax 02.41.78.98.25 r.-v.

DOM. DE MIHOUDY Les Graffaux 2003 ★★

3,5 ha 6 000 5 à 8 €

Une forteresse médiévale, un prieuré du XIIIe s. et une église décorée de peintures en trompe-l'œil, un presbytère et la collection de plantes vivaces de son jardin, un lavoir, des maisons anciennes restaurées et fleuries : il fait bon flâner dans le village d'Aubigné-sur-Layon qui exprime toute la douceur angevine. Le domaine de Mihoudy retiendra aussi le visiteur. Ce coteaux-du-layon prouve une fois de plus son savoir-faire. Abricot sec, agrumes et poire s'associent au nez, évoquant une vendange très mûre. Ce fruité mûr se prolonge dans une bouche intense, puissante, harmonieuse, qui finit sur d'agréables notes de torréfaction. Un superbe vin d'apéritif.

EARL Cochard et Fils, Dom. de Mihoudy, 49540 Aubigné-sur-Layon, tél. 02.41.59.46.52, fax 02.41.59.68.77, e-mail mihoudy@wanadoo.fr r.-v.

CH. DES NOYERS Réserve Vieilles Vignes 2002 ★★

5,5 ha 4 000 11 à 15 €

Situé au bord du canal de Monsieur (le Layon canalisé sur l'ordre du frère de Louis XIV), cet élégant château de style classique semble avoir oublié les destructions de la guerre de Vendée. Il propose aux visiteurs des chambres d'hôtes. La rivière était jadis parcourue par des pinasses hollandaises qui accostaient sur ce site pour charger les bons vins d'Anjou. Du vin, on en produit ici plus que jamais. Et du bon. Pas moins de huit passages dans les vignes ont été nécessaires pour obtenir cette sélection fermentée lentement en barrique. Jaune d'or à reflets ambrés, la robe invite au voyage des sens. La palette aromatique confite, un rien évoluée, traduit une richesse qui se confirme en bouche. Un remarquable équilibre, de multiples sensations : cette bouteille s'est rangée parmi les finalistes du coup de cœur. (Bouteilles de 50 cl.)

Ch. des Noyers, 49540 Martigné-Briand,
tél. 02.41.54.03.71, fax 02.41.54.27.63
t.l.j. 9h-19h
J.-P. Besnard

DOM. OGEREAU
Saint-Lambert Clos des Bonnes Blanches 2002 ★★

2 ha 3 000 23 à 30 €

A la tête de 24 ha de vignes, Vincent Ogereau est un champion des coups de cœur. Si vous voulez voir l'étiquette de ce coteaux-du-layon, reportez-vous à l'édition 2002 du Guide : ces Bonnes Blanches (lieu-dit réputé de Saint-Lambert) y étaient à l'honneur dans le millésime 99. Le 2002 affiche une robe jaune paille intense. Le nez, encore dominé par un boisé épicé, légué par une fermentation et un élevage de dix-huit mois en fût neuf, reste élégant. Le fruit mûr, sec (raisin de Corinthe) et confit se manifeste dans une bouche puissante et racée. Une force remarquable et une délicatesse étonnante.

Vincent Ogereau, 44, rue de la Belle-Angevine,
49750 Saint-Lambert-du-Lattay,
tél. 02.41.78.30.53, fax 02.41.78.43.55 r.-v.

DOM. DE PAIMPARE Saint-Lambert 2003 ★

4 ha 4 000 5 à 8 €

Saint-Lambert-du-Lattay est l'un des principaux villages viticoles du Layon. La commune abrite d'ailleurs un musée du Vin. Michel Tessier exploite aux alentours 15 ha de vignes dont il tire des vins que l'on retrouve régulièrement dans la section « Anjou » du Guide. Issue d'une deuxième trie, sa sélection 2003 surprend par sa vivacité et sa tonicité. Sa palette mêle des arômes de raisin de Corinthe évoquant des vendanges passerillées à des notes plus fraîches d'agrumes et d'ananas. Agréable, équilibrée, la bouche finit sur des nuances de fruits macérés.

SCEA Michel Tessier,
32, rue Rabelais, 49750 Saint-Lambert-du-Lattay,
tél. 02.41.78.43.18, fax 02.41.78.41.73 r.-v.

DOM. DU PETIT CLOCHER Les Perrières 2002 ★

2 ha 6 300 8 à 11 €

Représentant la quatrième génération, Stéphane Denis s'installe sur ce domaine familial qui a plus que décuplé sa superficie depuis sa création en 1930 : sa surface est passée de 6 à 67 ha. L'exploitation propose un vin élégant, habillé d'une robe jaune intense à reflets or vert. Le nez délicat associe les fruits mûrs et des nuances plus florales évoquant le tilleul. Riche et fraîche à la fois, la bouche laisse une sensation de fruits frais. S'il n'est pas très puissant, ce coteaux-du-layon séduit par sa jeunesse pleine de vitalité.

Denis Père et Fils, GAEC du Petit Clocher,
3, rue du Layon, 49560 Cléré-sur-Layon,
tél. 02.41.59.54.51, fax 02.41.59.59.70,
e-mail petit.clocher@wanadoo.fr
t.l.j. sf dim. 8h30-12h30 14h-19h

DOM. DE LA PETITE CROIX 2003 ★

6,3 ha 4 000 8 à 11 €

Ce domaine s'étend sur 40 ha. Il a remis en état tout un coteau escarpé sur le territoire de Faye-d'Anjou. Son coteaux-du-layon 2003 est typique de l'appellation avec ses arômes intenses de raisins surmûris. Puissant, onctueux et long, il finit sur des notes de miel et de fruits confits fort agréables.

A. Denéchère et F. Geffard,
Dom. de la Petite Croix, 49380 Thouarcé,
tél. 02.41.54.06.99, fax 02.41.54.30.05,
e-mail scea@lapetitecroix.com r.-v.

DOM. DES PETITS QUARTS Faye 2002 ★★

1,5 ha 1 800 11 à 15 €

Champions des coups de cœur en bonnezeaux (voir cette appellation), les Godineau ont failli recevoir la même distinction en coteaux-du-layon, car ce 2002 a eu de chaleureux partisans. Le coup de cœur n'a pas fait l'unanimité, il lui reste deux étoiles. Jaune d'or intense dans le verre, ce vin délivre des parfums puissants d'agrumes et de fruits confits. La bouche révèle une richesse liquoreuse et confiturée et, en finale, des nuances de miel et de fruits confits caractéristiques d'une grande surmaturation.

Godineau Père et Fils,
Dom. des Petits Quarts, 49380 Faye-d'Anjou,
tél. 02.41.54.03.00, fax 02.41.54.25.36
t.l.j. sf dim. 8h-12h 14h-17h30

DOM. DU PETIT VAL Cuvée Simon 2002 ★

1,5 ha 5 000 8 à 11 €

Le propriétaire du château Le Vau avait deux enfants ; en 1870, il fit construire pour l'un d'eux, à proximité, une maison qu'il appela le Petit Vau. Un demeure acquise en 1950 par le père de Denis Goizil, et rebaptisée Petit Val. Le vignoble environnant, qui s'étend sur 50 ha, a acquis une solide réputation en matière de liquoreux. Celui-ci revêt une robe jaune pâle à reflets or et mêle au nez agrumes, miel, fruits mûrs et notes minérales. Intense et riche au palais, il révèle une belle fraîcheur pleine de jeunesse et de vitalité.

EARL Denis Goizil,
Dom. du Petit Val, 49380 Chavagnes,
tél. 02.41.54.31.14, fax 02.41.54.03.48,
e-mail denis-goizil@tiscali.fr r.-v.

DOM. PIED FLOND Prestige 2002 ★

1 ha 2 000 8 à 11 €

Un ancien vignoble, remontant au XVe s., et un jeune vigneron, Franck Gourdon, à la tête de cette exploitation acquise par sa famille sous le Second Empire : voilà le domaine Pied Flond. Deux coteaux-du-layon, deux millésimes, deux vins bien représentatifs de l'appellation et très réussis (une étoile). Harmonieux et délicat, ce 2002 associe les fruits exotiques à des nuances vanillées et grillées léguées par une fermentation et un élevage en barrique. Le **2003 (5 à 8 €)** est la cuvée principale qui n'a pas connu le bois. Il séduit par sa fraîcheur et ses arômes de fruits frais bien mûrs où l'on reconnaît l'abricot et l'ananas.

🗝 EARL Franck Gourdon,
Dom. Pied Flond, 49540 Martigné-Briand,
tél. 02.41.59.92.36, fax 02.41.59.92.36 ☑ 𝐈 ⛹ r.-v.

DOM. DU PORTAILLE Planche Mallet 2003 ★★

	2 ha	6 000	🛢	5 à 8 €

La nouvelle génération, représentée par Philippe et François Tisserond, vient de s'installer sur le domaine s'étendant sur près de 35 ha. Le vignoble est implanté sur le coteau de Millé, qui prolonge celui de Bonnezeaux : un terroir connu depuis le XVIII^{e}s. Il a donné naissance à ce 2003 jaune d'or aux reflets orangés, et dont les arômes de fruits secs (abricot), de fruits exotiques et de fleur miellée (tilleul) sont caractéristiques de vendanges récoltées à surmaturité. Puissante, concentrée, expressive, persistante, cette bouteille est un modèle de vin issu de baies botrytisées.

🗝 EARL Tisserond,
18, rue de Jarzé, Millé, 49380 Chavagnes,
tél. 02.41.54.31.63, fax 02.41.54.07.85,
e-mail earl.tisserond@wanadoo.fr ☑ ⛹ r.-v.

DOM. DE LA POTERIE Cuvée Nectar 2002 ★

	2 ha	1000	🛢	11 à 15 €

Fils d'agriculteurs du Nord, Guillaume Mordacq s'est installé en Anjou en 1996. Conseillé par des viticulteurs de renom, il s'est reconverti dans la vigne et exploite 12,50 ha. Sa cuvée Nectar affiche une robe jaune d'or et s'annonce par des parfums délicats de fruits secs, d'abricot et de mandarine confite. Intense, équilibrée, tout en nuances, la bouche intéresse par sa complexité : on y trouve du tilleul, de l'écorce d'orange et même du cacao. Richesse et finesse sont les maîtres mots de la dégustation.

🗝 Guillaume Mordacq, La Chevalerie,
16, av. des Trois-Ponts, 49380 Thouarcé,
tél. 02.41.54.12.29, fax 02.41.52.26.41,
e-mail mordacq@club-internet.fr ☑ 𝐈 ⛹ r.-v.

DOM. DES QUATRE ROUTES Champfleury 2002

	1 ha	1 500	🛢	15 à 23 €

A deux pas, Aubigné-sur-Layon, charmant village fleuri qui plante le chenin le long de ses vieux murs. Créée en 1976, l'exploitation compte 18 ha de vignes. Elle propose un coteaux-du-layon fermenté et élevé onze mois en barrique. Les notes boisées sont bien perceptibles mais fines et devraient s'estomper avec le temps. On apprécie déjà une harmonie faite d'onctuosité, de richesse et de fraîcheur.

🗝 Poupard et Fils,
Dom. des Quatre Routes, 49540 Aubigné-sur-Layon,
tél. 02.41.59.44.44, fax 02.41.59.49.70
☑ 𝐈 ⛹ t.l.j. 9h-19h; sam. dim. sur r.-v.

DOM. DU REGAIN Le Paradis 2003 ★

	1,2 ha	1 200	🛢	11 à 15 €

Le chai et le caveau en pierre de falun sont implantés sur une butte qui regarde le coteau de Bonnezeaux : voilà qui est de bon augure pour ce jeune domaine producteur de liquoreux, et dont le premier millésime a été décrit dans l'édition 2004. Fermentée sans levurage en barrique de deux vins et élevée dix mois sous bois, cette cuvée jaune intense s'annonce par un nez puissant et chaleureux de fruits macérés, caractéristique du caniculaire millésime 2003. Tout aussi puissante et riche, la bouche est encore marquée par le bois mais laisse déjà percer des arômes de fruits surmûris. Cette bouteille devrait être prête à la fin de l'année 2004.

🗝 F. et F. Etienne, Dom. du Regain,
Le Pied de Fer, 49540 Martigné-Briand,
tél. 02.41.40.28.20, fax 02.41.40.28.21,
e-mail domaine.regain@wanadoo.fr ☑ 𝐈 ⛹ r.-v.

VIGNOBLE MICHEL ROBINEAU
Saint-Lambert Sélection de grains nobles 2002 ★★

	2 ha	2 000	🛢	11 à 15 €

Installé en 1990 sur 9 ha, Michel Robineau a montré rapidement un réel savoir-faire, dont témoignent plusieurs coups de cœur et cette sélection de grains nobles. Jaune intense à reflets orangés, ce vin présente les arômes caractéristiques des vendanges botrytisées : miel, fruits secs, figue, abricot sec. Puissant en bouche, il laisse un bon souvenir grâce à une finale délicate et d'une rare longueur. La **cuvée de base du coteaux-du-layon Saint-Lambert 2002 (5 à 8 €)** obtient une étoile. Plus simple mais typique elle aussi, dans un esprit plus léger, elle mêle les fruits mûrs à la fraîcheur des agrumes.

🗝 Michel Robineau, 3, chem. du Moulin,
Les Grandes Tailles, 49750 Saint-Lambert-du-Lattay,
tél. 02.41.78.34.67 ☑ 𝐈 ⛹ r.-v.

DOM. ROBINEAU CHRISLOU
Saint-Lambert Vieilles Vignes 2003 ★

	1,01 ha	3 300	🛢	5 à 8 €

Louis Robineau a repris l'exploitation avec son épouse en 1991. Il conduit plus de 19 ha, dont une vigne presque centenaire à l'origine de cette cuvée. Avec ses effluves d'ananas, d'agrumes, de fruits mûrs et de fruits exotiques, sa bouche fraîche, presque légère, finissant sur une agréable pointe d'amertume, ce vin laisse une impression de délicatesse fort appréciée.

🗝 Louis Robineau,
14, rue Rabelais, 49750 Saint-Lambert-du-Lattay,
tél. 02.41.78.36.04, fax 02.41.78.36.04,
e-mail robineau-chrislou@voila.fr ☑ 𝐈 ⛹ r.-v.

DOM. DE LA ROCHE AIRAULT
Saint-Aubin Vieilles Vignes 2003 ★

	n.c.	3 000	🛢	5 à 8 €

Ce domaine de 14 ha s'étend sur la corniche angevine qui domine les vallées de la Loire et du Layon. Il a proposé un coteaux-du-layon encore très jeune et qui demande quelques mois pour s'épanouir. Des notes miellées présentes tout au long de la dégustation et les sensations d'équilibre et de fraîcheur au palais en font un ensemble des plus prometteurs.

🗝 Pascal Audio,
La Roche Airault, 49190 Saint-Aubin-de-Luigné,
tél. 02.41.78.74.30, fax 02.41.78.89.03 ☑ 𝐈 ⛹ r.-v.

DOM. DE LA ROCHE MOREAU
Saint-Aubin 2002 ★★

	12 ha	4 000	🛢	8 à 11 €

Le vignoble couvre 21 ha. Les vins du domaine sont stockés dans une cave qui fut il y a très longtemps une mine de charbon. Tout près, le chai, une demeure classée du XVII^{e}s. Quant au chalet de dégustation, il est situé sur la corniche angevine, d'où la vue embrasse la vallée de la Loire et celle du Layon. On pourra y découvrir ce 2002 caractéristique d'un vin issu de pourriture noble, avec sa robe jaune doré intense à reflets orangés, ses arômes de fruits secs, d'abricot sec, de mandarine et sa bouche onctueuse et miellée.

André Davy, Dom. de La Roche Moreau, La Haie Longue, 49190 Saint-Aubin-de-Luigné, tél. 02.41.78.34.55, fax 02.41.78.17.70, e-mail davy.larochemoreau@wanadoo.fr r.-v.

CH. DES ROCHETTES
Sélection Vieilles Vignes 2003 ★

7 ha 12 000 8 à 11 €

A la tête d'un vignoble de 25 ha appartenant à la famille depuis le XVIIIe s., Jean Douet s'est fait le promoteur des sélections de grains nobles, œuvrant à la codification de cette mention. Cette Sélection Vieilles Vignes figure souvent dans le Guide. Le 2003 reçoit une étoile pour son potentiel. Ses arômes s'épanouissent délicatement à l'aération, rappelant les fleurs blanches, l'abricot sec, les fruits confits et le miel. Ce vin s'épanouira dans quelques mois. La **cuvée du domaine 2003 (5 à 8 €, étiquette dorée)** est plus simple, mais fort élégante avec ses parfums de fruits mûrs, de fruits confits et sa bouche très bien équilibrée : elle a obtenu elle aussi une étoile.

Jean Douet, Ch. des Rochettes, 49700 Concourson-sur-Layon, tél. 02.41.59.11.51, fax 02.41.59.37.73 r.-v.

DOM. SAINT-ARNOUL Le Nid du Gé 2002

2,33 ha 4 000 5 à 8 €

Les terres calcaires et sablo-argileuses de Martigné-Briand sont principalement orientées vers la production de vins rosés et rouges. Sur de petites buttes affleurent cependant les schistes du Massif armoricain propices à l'élaboration de coteaux-du-layon. Celui-ci est encore marqué par un élevage d'un an en barrique. La matière est néanmoins bien présente et s'exprime par des arômes de fruits mûrs. Cette bouteille donnera sa pleine mesure dans quelques mois.

SCEA Alain Poupard, Sousigné, 49540 Martigné-Briand, tél. 02.41.59.43.62, fax 02.41.59.69.23, e-mail saint-arnoul@wanadoo.fr r.-v.

DOM. SAUVEROY
Saint-Lambert Cuvée des Anges 2002 ★

1 ha 4 100 15 à 23 €

Installés en 1985 sur le domaine racheté par Francis Cailleau en 1947, Pascal et Véronique Cailleau figurent régulièrement dans le Guide, parfois aux meilleures places. Les vignes à l'origine de ce 2002 sont implantées sur des schistes et des filons de quartz, avec en surface des graviers résiduels continentaux. La charge des ceps est scrupuleusement vérifiée de façon à ne laisser que huit grappes par souche ; on élimine les ailes lorsque les grappes sont trop grosses. Une rigueur qui se traduit dans ce vin par une structure de qualité, des arômes intenses où des notes délicates d'abricot sec et d'agrumes s'accompagnent de nuances torréfiées léguées par l'élevage. Pour les amateurs de vins riches et concentrés.

Pascal Cailleau, Dom. Sauveroy, 49750 Saint-Lambert-du-Lattay, tél. 02.41.78.30.59, fax 02.41.78.46.43, e-mail domainesauveroy@terre-net.fr r.-v.

DOM. DES VARANNES Cuvée Prestige 2002 ★

1,02 ha 1 300 8 à 11 €

Un manoir construit à partir du XVIe s., mais très remanié jusqu'au XIXe s., commande un vignoble de près de 16 ha, constitué par Christian Cautain à partir de 1988. Des vendanges strictement sélectionnées et une fermentation conduite à basse température jusqu'à juin 2003 sont à l'origine de cette cuvée au beau nez de fruits secs (figue, datte), un rien évolué. Très équilibrée, la bouche finit sur des notes de fruits mûrs et de fruits confits. Un vin représentatif des liquoreux septentrionaux.

Christian Cautain, Les Varannes, 49540 Martigné-Briand, tél. 02.41.59.67.81, fax 02.41.59.67.81, e-mail christian.cautain@libertysurf.fr r.-v.

DOM. DES VARENNES
Saint-Lambert Cuvé des Varennes 2002 ★

2 ha 2 700 11 à 15 €

Importante commune viticole, Saint-Lambert abrite un musée du Vin qui retrace l'histoire du vignoble angevin. Les Richard se consacrent à la vigne depuis les années 1930 et disposent aujourd'hui d'un domaine de 19 ha. Leur cuvée des Varennes 2002 est bien représentative de l'appellation. Jaune pâle dans le verre, elle n'est pas des plus puissantes mais révèle un bel équilibre et des notes typiques de silex, de pierre à fusil et de fruits mûrs.

GAEC A. Richard, 11, rue des Varennes, 49750 Saint-Lambert-du-Lattay, tél. 02.41.78.32.97, fax 02.41.74.00.30 r.-v.

DOM. VERDIER Saint-Lambert 2003 ★★

0,6 ha 2 500 5 à 8 €

Quatre générations se sont succédé sur ce domaine familial ; la dernière s'est installée en 1996. Ce 2003 résulte de vendanges en quatre tries ; la richesse naturelle des raisins était de 20 % vol. Intense est la robe, intense le nez de fruits exotiques (ananas) et de fruits mûrs. En bouche, on trouve richesse et puissance, sans lourdeur aucune. La persistance est grande. Cette bouteille a frôlé le coup de cœur. On pourra la déboucher dès à présent ou la conserver plusieurs dizaines d'années.

EARL Verdier Père et Fils, 7, rue des Varennes, 49750 Saint-Lambert-du-Lattay, tél. 02.41.78.35.67, fax 02.41.78.35.67 r.-v.

DOM. DE LA VILLAINE
Cuvée Spéciale Elevé en fûts de chêne 2002

1,08 ha 1 200 8 à 11 €

Constitué en 1970 par le regroupement de plusieurs petites propriétés, ce domaine a été repris en 1997 par J.-P. Carré et P. Batail. Il s'étend sur 24 ha. Une fermentation et un élevage d'un an en barrique (dont un tiers de fûts neufs) sont à l'origine de cette cuvée qui ne peut cacher son passage sous bois. La matière est cependant bien présente dans ce coteaux-du-layon qui s'exprime sur des notes de fruits confits et de fruits secs. On attendra ce vin au moins un an.

GAEC des Villains, La Villaine, 49540 Martigné-Briand, tél. 02.41.59.75.21, fax 02.41.59.75.21 r.-v.

LOIRE

Quarts-de-chaume

Le seigneur se réservait le quart de la production : il gardait le meilleur, c'est-à-dire le vin produit sur le meilleur terroir. L'appellation, qui couvre une quarantaine d'hectares pour un volume de 653 hl en 2003, est située sur le mamelon d'une colline, plein sud, autour de Chaume, à Rochefort-sur-Loire.

Les vignes sont vieilles, en général. La conjonction de l'âge des ceps, de l'exposition et des aptitudes du chenin conduit à des productions souvent faibles et de grande qualité. La récolte se fait par tries. Les vins sont du type moelleux, séveux et nerveux, et ont une bonne aptitude au vieillissement.

DOM. DE LA BERGERIE 2002 *

■ 1,36 ha 2 400 ▮ 23 à 30 €

Yves Guégniard a fait gravir au domaine de La Bergerie toutes les marches de la notoriété en matière de liquoreux en achetant une vigne d'environ 1,40 ha en quarts-de-chaume, l'AOC la plus célèbre du vignoble des coteaux du Layon. Son millésime 2002 se pare d'une robe jaune légèrement dorée et libère des parfums délicats de fruits secs, de fruits confits et de fruits jaunes qui s'épanouissent peu à peu à l'aération. Riche et élégante, la bouche renoue avec les arômes de fruits confits, accompagnés de notes de miel, dans une finale caractéristique de l'appellation. D'une belle finesse, un très bon ambassadeur de ce merveilleux terroir.

⊶ Yves Guégniard,
Dom. de La Bergerie, 49380 Champ-sur-Layon,
tél. 02.41.78.85.43, fax 02.41.78.60.13,
e-mail domainede.la.bergerie@wanadoo.fr
☒ Y 🚶 t.l.j. sf dim. 9h-12h 14h-19h

DOM. DES FORGES 2002 *

■ n.c. n.c. ▮ 23 à 30 €

Ce domaine vient d'aménager un gîte rural avec vue sur le vignoble. Référence en matière de liquoreux, il a obtenu un coup de cœur dans cette AOC avec son millésime 2000. D'un jaune intense à reflets or, le 2002 apparaît en revanche discret au nez ; il laisse percer à l'aération des notes de miel et de fruits confits. La bouche est puissante, concentrée, grasse, ce qui ne l'empêche pas de faire preuve à tout moment d'une réelle délicatesse. Un grand potentiel qui s'exprimera pleinement à la fin de l'année 2004.

⊶ EARL Branchereau, Dom. des Forges,
rte de la Haie-Longue, 49190 Saint-Aubin-de-Luigné,
tél. 02.41.78.33.56, fax 02.41.78.67.51,
e-mail vitiforge@wanadoo.fr ☒ ⌂ Y 🚶 r.-v.

DOM. GAUDARD 2002 *

■ 1,48 ha 2 400 30 à 38 €

Dès la fin du Moyen Age, les moines avaient compris la valeur de cette partie de coteau orientée plein sud. L'abbaye de Rochefort-sur-Loire, qui dépendait de celle du Ronceray, donnait en métayage les terres jouxtant le hameau de Chaume et recevait en contrepartie le quart de la récolte. Ce terroir donne ici sa pleine mesure dans ce 2002 au nez tout en finesse, fait de citron, de pêche et de fruits confits. La bouche laisse la même impression avec une sensation permanente de légèreté malgré sa richesse étonnante. Un grand vin, tout simplement.

⊶ Pierre Aguilas, Dom. Gaudard, rte de Saint-Aubin, 49290 Chaudefonds-sur-Layon, tél. 02.41.78.10.68, fax 02.41.78.67.72, e-mail pierre.aguilas@wanadoo.fr
☒ Y 🚶 t.l.j. 9h-12h 14h-18h; dim. sur r.-v.

CH. LA VARIERE Les Guerches 2002 *

■ 1,2 ha 3 000 ▮ 30 à 38 €

Située à 500 m du château de Brissac, cette exploitation dispose d'un chai à barriques à colombages du XVe s. D'une très belle couleur paille dorée, son quarts-de-chaume présente un nez intense associant des notes boisées résultant d'un élevage de douze mois en fût et des nuances de poire mûre, de fruits confits et de fruits secs. Tout aussi intense, puissante, la bouche reste fraîche, presque légère. Un vin élégant à découvrir en fin d'année. (Bouteilles de 50 cl.)

⊶ Jacques Beaujeau,
Ch. La Varière, 49320 Brissac-Quincé,
tél. 02.41.91.22.64, fax 02.41.91.23.44 ☒ Y 🚶 r.-v.

Chaume

Petite enclave dans les coteaux-du-layon, l'AOC chaume a été créée par décret du 19 septembre 2003, répondant à l'ancienne dénomination coteaux-du-layon-chaume. Les vins sont issus des parcelles délimitées sur le territoire de la commune de Rochefort-sur-Loire. Pour la première fois dans la vallée de la Loire est instituée une hiérarchie de 1er cru, puisque l'AOC chaume peut être complétée par la mention Premier cru des coteaux-du-layon. Ce sont des vins dont la teneur en sucres résiduels ne peut être inférieure à 34g/l. En 2003, 1 478 hl ont été déclarés pour une superficie de 70 ha.

DOM. DES BARRES Les Prêtrises 2003 **

■ 1er cru 1,3 ha 4 000 ▮🌡 8 à 11 €

Le père de Patrice Achard a créé le domaine en 1950 et s'est attaché à l'agrandir : il a transmis à son fils un coquet vignoble situé au cœur du Layon, qui compte aujourd'hui 24 ha. A la tête de l'exploitation depuis 1991, Patrice s'efforce d'en tirer le meilleur. Ses liquoreux en font une valeur sûre de la région ; il suffit de consulter le Guide : les étoiles, le domaine les récolte par paire. Et il célèbre l'accession du chaume en 1er cru en décrochant un coup de cœur. Paré d'une robe jaune intense et brillant, ce 2003 présente des notes de raisins secs et de fruits séchés au soleil caractéristiques de son millésime caniculaire. S'y ajoutent des nuances miellées, et aussi de frais arômes d'agrumes. Parfaitement équilibré, ce vin emporte l'adhésion pour son élégance et son côté jeune et tonique.

⊶ Patrice Achard,
Dom. des Barres, 49190 Saint-Aubin-de-Luigné,
tél. 02.41.78.98.24, fax 02.41.78.68.37 ☒ ⌂ 🍷 🚶 r.-v.

DOM. DES FORGES Les Onnis 2002 ★★

1er cru | n.c. | n.c. | ⏸ | 11 à 15 €

On trouvera le millésime précédent, tout aussi remarquable, dans l'appellation coteaux-du-layon. Ce domaine a été le grand artisan de la reconnaissance de l'AOC chaume et de sa promotion en 1er cru des coteaux-du-layon. Vinifiée et élevée en tonne de 400 l, cette sélection annonce la couleur : sa robe jaune doré intense aux nuances orangées laisse présager sa richesse. Miel, cire et pomme cuite s'associent au nez. C'est encore une belle intensité que l'on trouve au palais, qui conjugue plénitude et fraîcheur et finit sur des notes réglissées et des nuances de fruits confits. Un régal.

⊶ EARL Branchereau, Dom. des Forges,
rte de la Haie-Longue, 49190 Saint-Aubin-de-Luigné,
tél. 02.41.78.33.56, fax 02.41.78.67.51,
e-mail vitiforge@wanadoo.fr ☒ ⌂ 🍷 🚶 r.-v.

SERGE GROSSET 2002

1er cru | n.c. | 3 000 | ⏸ | 11 à 15 €

Ce domaine a une démarche traditionnelle : il pratique le labour des vignes. Il vinifie ses vins liquoreux en barrique. Son chaume 2002 a ainsi séjourné douze mois dans le chêne. Affichant une couleur jaune à reflets soutenus, de couleur orangée, il offre une sensation de puissance et d'évolution, avec ses arômes délicats dominés par la noix. Ample en bouche, il reste dans la continuité du nez, imprégné d'arômes de fruits secs et de fruits mûrs. Un vin qui donne une bonne image de cette nouvelle appellation.

⊶ Dom. Serge Grosset, 60, rue René-Gasnier,
49190 Rochefort-sur-Loire,
tél. 02.41.78.78.67, fax 02.41.78.79.79,
e-mail serge.grosset@libertysurf.fr ☒ 🍷 🚶 r.-v.

DOM. DU PETIT METRIS Les Tétuères 2002

1er cru | 2 ha | 1 400 | ⏸ | 11 à 15 €

Les amateurs de vins liquoreux de l'Anjou connaissent bien ce domaine familial régulièrement mentionné dans le Guide : plus de deux cent soixante ans d'histoire, 28 ha de vignes. Cette cuvée des Tétuères n'est pas une inconnue. Le millésime 2002, promu en chaume 1er cru, affiche une robe jaune d'or étincelante, des arômes complexes de fruits confits et compotés, accompagnés de fragrances miellées. Intense en bouche, il finit sur une légère pointe d'amertume, mais n'en laisse pas moins une sensation d'ensemble de finesse. Doté d'un réel potentiel, il prendra son envol fin 2004.

⊶ GAEC Joseph Renou et Fils,
Le Grand Beauvais, 49190 Saint-Aubin-de-Luigné,
tél. 02.41.78.33.33, fax 02.41.78.67.77 ☒ 🍷 🚶 r.-v.

CH. PIERRE-BISE 2002 ★★

1er cru | 4,89 ha | 3 600 | ▮ ⏸ | 15 à 23 €

Claude Papin figure au nombre des champions angevins en matière de coups de cœur : il en a enlevé sept, et voici son huitième. Son domaine d'excellence ? Les liquoreux. L'homme, passionné des terroirs, est un puriste amoureux du vignoble des coteaux-du-layon. Inutile de dire qu'aucun levurage, aucune chaptalisation – qu'il juge comme des artifices – n'intervient à Pierre-Bise dans l'élaboration des vins liquoreux. Ce 2002 ? Son élégance fait sa préséance. Des arômes complexes de miel, de cire, d'abricot et de fruits confits sont présents tout au long de la dégustation. Parfaitement équilibrée, harmonieuse, la bouche laisse une impression de raisins rôtis par le soleil. Un très grand vin de terroir.

⊶ Claude Papin,
Ch. Pierre-Bise, 49750 Beaulieu-sur-Layon,
tél. 02.41.78.31.44, fax 02.41.78.41.24 ☒ 🍷 🚶 r.-v.

DOM. DE LA ROCHE MOREAU 2002 ★

1er cru | n.c. | 2 800 | ▮ ⇓ | 11 à 15 €

Cinq générations se sont succédé sur cette propriété située sur la Corniche angevine, dont la beauté a contribué au classement du Val de Loire au Patrimoine de l'humanité par l'Unesco. Creusée dans le roc, sa cave renferme de précieux millésimes anciens. En voici un des plus récents, mais qui ne manque pas d'intérêt. Sa palette aromatique décline de délicates notes de cire, de miel, de fruits secs et de fruits surmûris. Puissante, onctueuse, concentrée, la bouche exprimera pleinement son potentiel après quelques mois de garde.

⊶ André Davy, Dom. de La Roche Moreau,
La Haie Longue, 49190 Saint-Aubin-de-Luigné,
tél. 02.41.78.34.55, fax 02.41.78.17.70,
e-mail davy.larochemoreau@wanadoo.fr ☒ 🍷 🚶 r.-v.

Bonnezeaux

« C'est l'inimitable vin de dessert », disait le Dr Maisonneuve, en 1925. A cette époque, les grands vins liquoreux étaient essentiellement consommés à ce moment du repas ou dans l'après-midi, entre amis. De nos jours, on apprécie plutôt ce grand cru à l'apéritif. Très parfumé, plein de sève, le bonnezeaux doit toutes ses qualités au terroir exceptionnel qu'il occupe : plein sud, sur trois petits coteaux de schistes abrupts au-dessus du village de Thouarcé (La Montagne, Beauregard et Fesles).

Le volume de production a atteint, en 2003, 2 130 hl. L'aire de production comprend 130 ha plantables. C'est un vin de grande garde.

DOM. DES COQUERIES Cuvée Prestige 2003 *

2,5 ha 2 000 15 à 23 €

La vigne la plus ancienne a été plantée en 1897, aux premiers temps de cette propriété familiale, et Philippe Gilardeau, installé en 1996, espère bien la transmettre à son fils Armand, né en 2003... C'est aussi l'année de naissance de ces bonnezeaux, qui ont tous deux décroché une étoile : la **cuvée Quintessence (23 à 30 €)** et la cuvée Prestige. Au premier nez, cette dernière libère des notes fraîches - des fleurs blanches et des nuances minérales - qui évoluent à l'aération vers des arômes de fruits confits, de fruits secs et de coing. En bouche, elle séduit par le très bel équilibre entre les sensations d'opulence et de fraîcheur. Prestige et Quintessence, ces deux bonnezeaux donnent une bonne image des vins produits sur les hauts de coteaux de l'appellation, ouverts à l'influence des vents dominants qui dessèchent les vendanges.

EARL Philippe Gilardeau,
Les Noues, 49380 Thouarcé,
tél. 02.41.54.39.11, fax 02.41.54.38.84 r.-v.

DOM. LES GRANDES VIGNES 2002 **

2,1 ha 4 600 11 à 15 €

Ce n'est pas la première fois qu'une bouteille des Grandes Vignes brille dans le Guide. Le domaine conduit par Laurence, Jean-François et Dominique Vaillant est en effet une référence en Anjou. D'un jaune doré intense, leur 2002 offre une palette complexe, faite d'arômes d'abricot et de fruits confits caractéristiques de vendanges séchées, accompagnés de notes fraîches de fleurs et de citron. Puissant en bouche, onctueux, délicat tout au long de la dégustation, ce vin aux mille nuances fait la queue de paon.

GFA Vaillant, Dom. Les Grandes Vignes,
La Roche Aubry, 49380 Thouarcé,
tél. 02.41.54.05.06, fax 02.41.54.08.21,
e-mail vaillant@domainelesgrandesvignes.com
r.-v.

DOM. DE MIHOUDY Quintessence 2003 *

2 ha 3 000 30 à 38 €

Valeur sûre du vignoble angevin, le domaine de Mihoudy a acquis en 2002 une parcelle de bonnezeaux d'environ 2 ha. De couleur jaune d'or, sa cuvée Quintessence est promise à un grand avenir. Au nez, elle associe de fraîches notes de menthe et d'acacia à des fragrances suaves de pâte de coing et de miel. Elle séduit par son ampleur et sa générosité et renoue, en rétro-olfaction, avec le coing et le miel, accompagnés d'arômes de fruits secs. Un vin qui devrait rapidement atteindre des sommets. Jeune elle aussi, la **cuvée principale 2003 (15 à 23 €)** obtient également une étoile pour son élégance et sa délicatesse.

EARL Cochard et Fils,
Dom. de Mihoudy, 49540 Aubigné-sur-Layon,
tél. 02.41.59.46.52, fax 02.41.59.68.77,
e-mail mihoudy@wanadoo.fr r.-v.

DOM. DE LA PETITE CROIX Cuvée Prestige 2003

3,5 ha 3 000 15 à 23 €

A la tête du vignoble familial depuis 1971, Alain Denéchère exploite 40 ha. Depuis quelques années, il s'est employé à planter des coteaux escarpés dans l'aire des coteaux-du-layon. Il est devenu le président de l'AOC bonnezeaux, succédant à René Renou, l'actuel président de l'INAO. Comme la quasi-totalité des vins dégustés dans ce millésime, sa cuvée Prestige 2003 est apparue très jeune : la robe jaune pâle montre de légers reflets verts et le nez reste discret, sur les fleurs et les agrumes. Ample et pleine, la bouche offre en rétro-olfaction les arômes de miel et de fruits confits caractéristiques de l'appellation. Un bonnezeaux typique et qui prendra du volume en fin d'année.

A. Denéchère et F. Geffard,
Dom. de la Petite Croix, 49380 Thouarcé,
tél. 02.41.54.06.99, fax 02.41.54.30.05,
e-mail scea@lapetitecroix.com r.-v.

DOM. DES PETITS QUARTS 2002 **

4 ha 3 000 15 à 23 €

Septième coup de cœur pour Jean-Pascal Godineau, champion du bonnezeaux. Comme dans le millésime précédent, c'est la cuvée « vendangée grain par grain » qui recueille cette distinction : or profond dans le verre, un remarquable exemple de vin né de vendanges atteintes par la pourriture noble. Au nez, du miel et du fruit confit ; en bouche, de la pâte de coing et du miel, de l'ampleur et de la puissance. En perspective, une longévité exceptionnelle. Souvent couverte d'éloges elle aussi, la cuvée **Le Malabé 2003 (11 à 15 €)** obtient une étoile. Avec ses notes fraîches, minérales et florales (acacia) et ses arômes de fruits mûrs, elle est caractéristique de son appellation.

Godineau Père et Fils,
Dom. des Petits Quarts, 49380 Faye-d'Anjou,
tél. 02.41.54.03.00, fax 02.41.54.25.36
t.l.j. sf dim. 8h-12h 14h-17h30

DOM. DU PETIT VAL La Montagne 2003

1 ha 3 000 11 à 15 €

Ici, on vous parlera de vélo : dans le caveau de dégustation du domaine est exposé un grand bi, celui sur lequel l'arrière-grand-oncle relia Paris en 1896 - un périple de 350 km. Une épopée qui en dit long sur cette famille de viticulteurs, dont le bonnezeaux 2003 a été sélectionné. Jaune soutenu à légers reflets or, ce vin apparaît encore jeune et discret au nez, libérant des notes de tilleul un rien mentholées puis, à l'aération, des senteurs de fruits confits. Ample et généreuse, la bouche révèle toute une gamme d'arômes fruités et finit sur des nuances d'amande grillée. Un bonnezeaux qui donnera une tout autre image en fin d'année.

🔑 EARL Denis Goizil,
Dom. du Petit Val, 49380 Chavagnes,
tél. 02.41.54.31.14, fax 02.41.54.03.48,
e-mail denis-goizil@tiscali.fr ☑ Y ⛹ r.-v.

DOM. DU PORTAILLE Coteaux de Fesles 2003 ★

	0,39 ha	1 800		15 à 23 €

Cette exploitation familiale s'est développée avec Marcel Tisserond, puis avec ses deux fils Philippe et François qui se sont installés respectivement en 1998 et en 2003. Leur bonnezeaux 2003 se cache encore derrière les notes boisées, vanillées et torréfiées léguées par un élevage en barrique. Très vite cependant, son caractère s'affirme ; on découvre alors les arômes de miel, de fruits confits et d'acacia caractéristiques de l'appellation. Autre trait typique, l'alliance de la richesse et de la fraîcheur. Son portrait sera encore mieux dessiné à la fin de l'année. (Bouteilles de 50 cl.)

🔑 EARL Tisserond,
18, rue de Jarzé, Millé, 49380 Chavagnes,
tél. 02.41.54.31.63, fax 02.41.54.07.85,
e-mail earl.tisserond@wanadoo.fr ☑ ⛹ r.-v.

DOM. RENE RENOU Cuvée Zénith 2002

	8,36 ha	2 500		30 à 38 €

Président de l'INAO, René Renou est avant tout un viticulteur en bonnezeaux. Il retrouve une certaine tranquillité sur les coteaux escarpés de l'appellation. Sa cuvée Zénith correspond à la sélection des meilleures tries. Sa richesse est impressionnante dans ce millésime. Si le nez ne donne pas encore sa pleine mesure, la bouche offre les arômes typiques de fruits confits et de raisins séchés au soleil. Un vin à carafer avant dégustation. (Bouteilles de 50 cl.)

🔑 Dom. René Renou, pl. du Champ-de-Foire,
49380 Thouarcé, tél. 02.41.54.11.33, fax 02.41.54.11.34,
e-mail domaine.rene.renou@wanadoo.fr ☑ ⛹ r.-v.

DOM. DE TERREBRUNE Prestige 2002 ★

	2,3 ha	5 000		11 à 15 €

Si les 45 ha de cette exploitation sont essentiellement voués aux vins rosés, cela ne l'empêche pas de briller en liquoreux. L'expression aromatique de son bonnezeaux 2002 est parfaitement équilibrée, avec des notes de fraîcheur (fruits frais, acacia), des nuances de vendanges surmûries (fruits confits, miel), et enfin des accents de torréfaction et de caramel légués par un élevage en fût de 400 l (20 % de fût neuf). Riche et délicate à la fois, la bouche est à la hauteur du nez. Un vin complexe, puissant sans excès, très représentatif de son appellation.

🔑 SCA Dom. de Terrebrune,
La Motte, 49380 Notre-Dame-d'Allençon,
tél. 02.41.54.01.99, fax 02.41.54.09.06,
e-mail domaine-de-terrebrune@wanadoo.fr ☑ Y ⛹ r.-v.

CH. LA VARIERE Les Melleresses 2002 ★

	2,3 ha	4 000		15 à 23 €

Ancienne terre noble, La Varière a conservé un chai à colombage datant du XVes. Le vignoble, dans la famille Beaujeau depuis 1850, a cherché dès cette époque la renommée, obtenant ainsi une médaille d'or lors de l'Exposition universelle de 1900. Pour ces Melleresses, la vendange s'est faite grain par grain et en trois tries étalées sur la fin novembre. Il en résulte un vin d'une rare puissance, soyeux et opulent au palais, et qui donne une sensation de gras étonnante. Les arômes ? Pâte de fruits, fruits confits et fruits cuits. Une curiosité à recommander aux amateurs de vins proches des liqueurs. (Bouteilles de 50 cl.)

🔑 Jacques Beaujeau,
Ch. La Varière, 49320 Brissac-Quincé,
tél. 02.41.91.22.64, fax 02.41.91.23.44 ☑ Y ⛹ r.-v.

Saumur

L'aire de production (2 735 ha) s'étend sur trente-six communes. En 2003, on y a produit 131 503 hl de vins rouges et blancs secs et nerveux dont 65 902 hl de vins mousseux avec les mêmes cépages que dans les AOC anjou. Leur aptitude au vieillissement est bonne.

Les vignobles s'étalent sur les coteaux de la Loire et du Thouet. Les vins blancs de Turquant et Brézé étaient autrefois les plus réputés ; les vins rouges du Puy-Notre-Dame, de Montreuil-Bellay et de Tourtenay, entre autres, ont acquis une bonne notoriété. Mais l'appellation est beaucoup plus connue par les vins mousseux dont l'évolution qualitative mérite d'être soulignée. Les élaborateurs, tous installés à Saumur, possèdent des caves creusées dans le tuffeau, qu'il faut visiter.

DOM. BENASTRE 2003 ★

	2,66 ha	20 000		3 à 5 €

Sur l'étiquette, la marque du domaine : la lune et une étoile. Elle reproduit un motif sculpté au XVIIIes. par des compagnons tailleurs de pierre sur le portail de pierre du domaine. Une étoile, c'est aussi ce que décroche ce saumur grâce au rubis magnifique de sa robe, à son nez franc et agréable fait de fruits très mûrs, à sa bouche ample et ronde, à sa belle finale tannique. Vous pourrez y goûter dès maintenant, mais on suggère aussi d'oublier cette bouteille deux à trois ans en cave.

🔑 EARL Bruno Roux, 33, imp. Painlevé,
49260 Montreuil-Bellay, tél. 02.41.52.43.47,
fax 02.41.52.42.91, e-mail roux@domaine-benastre.com
☑ ⛹ t.l.j. sf dim. 10h30-12h30 13h30-19h

BOUVET Saphir 2001 ★

	n.c.	300 000		8 à 11 €

Fondée en 1851 et gérée depuis trois générations par la famille Monmousseau, cette maison saumuroise est depuis 1974 dans le giron du groupe Taittinger. Son engagement dans la vie culturelle de la région est à signaler : organisation depuis neuf ans des Journées nationales du livre et du vin, d'expositions d'art et restauration d'un petit théâtre dans ses murs... Cette cuvée Saphir a été très appréciée pour la finesse de ses parfums floraux (« fleur de chenin ») et pour sa fraîcheur en bouche. Un joli vin d'apéritif. Une étoile encore pour **Mlle Ladubay (5 à 8 €)** pour ses senteurs intenses de pain cuit et ses arômes de fruits mûrs en bouche.

LOIRE

📠 Bouvet-Ladubay, 1, rue de l'Abbaye,
49400 Saint-Hilaire-Saint-Florent, tél. 02.41.83.83.83,
fax 02.41.50.24.32, e-mail contact@bouvet-ladubay.fr
☑ 🍷 ⚲ t.l.j. 9h-12h 14h-17h30

CH. DE BREZE 2003

■   7,46 ha   25 000   🍾↓   5 à 8 €

Possession du Grand Condé, ce château est passé au
XVII⁰s. aux mains des Dreux (devenus peu après Dreux-
Brézé) qui le détiennent encore de nos jours. Les bâtiments
ne manquent pas d'allure et offrent au visiteur nombre de
curiosités : de profondes douves sèches, un vaste réseau de
galeries souterraines, un gigantesque pigeonnier... Son
domaine viticole a une origine médiévale. Avec sa robe
rouge rubis à reflets violets, ses intenses arômes de fruits
rouges au nez comme en bouche, son palais équilibré aux
tanins souples, ce saumur n'a pas vocation à devenir un
monument historique, mais il vous fera passer un bon
moment dès maintenant.

📠 Comte Bernard de Colbert, Ch. de Brézé,
49260 Brézé, tél. 02.41.51.62.06, fax 02.41.51.63.92,
e-mail vins.chateaubreze@wanadoo.fr
☑ 🍷 ⚲ t.l.j. 10h30-12h30 13h30-18h30; sam. dim. sur r.-v.

CHAPIN & LANDAIS Le grand Saumur 2001 ★

◐   n.c.   100 000   🍾↓   5 à 8 €

Une maison fondée en 1848. Ses vins sont
aujourd'hui vinifiés par Bouvet-Ladubay. Elaboré à partir
de vins de base de la récolte de 2001, ce saumur présente
toute une palette aromatique de fleurs et de fruits frais. En
bouche, ses arômes d'agrumes (citron) sont particulièrement agréables. Une bouteille typique de son appellation.

📠 Chapin-Landais, rue Jean-Ackerman,
49400 Saint-Hilaire-Saint-Florent, tél. 02.41.83.83.80,
fax 02.41.50.33.55 ☑ 🍷 ⚲ t.l.j. 9h-12h 14h-17h30

DOM. LA CROIX DES LOGES
Méthode traditionnelle Eden 2001 ★★

                    1,5 ha   7 000   🍾↓   5 à 8 €

Ce domaine de 45 ha a son siège dans la vallée du
Layon. Ses cabernet-d'anjou lui ont valu trois coups de
cœur. Il montre avec cette méthode traditionnelle que son
talent ne se limite pas aux rosés. Elaboré à partir d'un vin
de base du millésime 2001, élevé vingt-quatre mois sur
lattes, cet Eden n'usurpe pas son nom. Sa rare finesse en
fait un modèle de l'appellation. Sa robe jaune pâle montre
des reflets plus sombres qui attestent la présence de
cépages rouges (cabernet 40 % ; chenin 40 %, chardonnay
20 %). Son fruité élégant est le fil conducteur de la
dégustation : parfums délicats de fruits à noyau, de fruits
mûrs, fruité qui se prolonge dans une bouche intense
jusqu'à la finale. Le fruit d'un grand savoir-faire.

📠 SCEA Bonnin et Fils,
Dom. La Croix des Loges, 49540 Martigné-Briand,
tél. 02.41.59.43.58, fax 02.41.59.41.11,
e-mail bonninlesloges@aol.com ☑ 🍷 ⚲ r.-v.

DOM. ARMAND DAVID 2003 ★★

■   3 ha   14 000   🍾↓   5 à 8 €

Fondé en 1932, le domaine ne s'est spécialisé dans la
viticulture qu'à partir des années 1950 et ne s'est engagé
dans la vente directe qu'il y a une vingtaine d'années. Il
dispose de caves troglodytiques qui auraient été creusées
vers l'an mil pour servir de refuge. L'exploitation couvre
19 ha. Avec ce 2003, elle renoue avec les coups de cœur (le
dernier remonte au millésime 2000, un rouge également).
Sa robe rubis printanière, son nez fruité (fruits rouges et
cassis), son attaque souple, sa matière fine et élégante,
ses arômes de fruits bien mûrs et sa belle finale en font
un modèle de vin plaisir. Une étoile encore pour la
Cuvée Siébrit 2003, riche, ample et fruitée – comme la
précédente prête à boire mais susceptible d'une petite
garde.

📠 Dom. Armand David, Messemé, 49260 Vaudelnay,
tél. 02.41.52.20.84, fax 02.41.38.28.51 ☑ 🍷 ⚲ r.-v.
📠 Denis David

CH. DE LA DURANDIERE Vieilles Vignes 2003

■   5 ha   30 000   🍾↓   5 à 8 €

Une ancienne seigneurie. Les bâtiments, de style
néoclassique, font face aux remparts de la cité médiévale
de Montreuil-Bellay. A la tête de la propriété depuis 1986,
Antoine Bodet signe un saumur 2003 drapé dans une robe
rouge aux nuances sombres, noires et violacées. Des
arômes flatteurs de fruits confits, une bouche équilibrée,
ronde et souple avec des tanins soyeux composent une
bouteille plaisante qui n'aura pas besoin de s'éterniser en
cave.

📠 SCEA Antoine Bodet, Ch. de La Durandière,
51, rue des Fusillés, 49260 Montreuil-Bellay,
tél. 02.41.40.35.30, fax 02.41.40.35.31,
e-mail durandiere.chateau@libertysurf.fr
☑ 🍷 ⚲ t.l.j. 8h-19h; sam. dim. sur r.-v.

DOM. DE L'ENCHANTOIR 2003 ★

■   3 ha   12 000   🍾↓   5 à 8 €

Le bâtiment principal date du XIX⁰s., mais les
dépendances agricoles remontent aux XVI⁰ et XVII⁰s. ; le
vignoble, qui date de ces siècles anciens, s'étend à présent
sur 17 ha. Didier Wieder le conduit depuis 2001. Son
saumur 2003 est très engageant avec sa robe grenat foncé,
ses arômes flatteurs de fruits rouges, sa bouche souple et
riche. La finale fait cependant preuve d'une certaine
austérité tannique qui s'estompera avec le temps.

🔑 EARL Didier Wieder, 4, rue l'Arguray, Chavannes, 49260 Le Puy-Notre-Dame, tél. 02.41.52.26.33, fax 02.41.52.23.34, e-mail didier-wieder@enchantoir.com ☑ 🍷 🚶 r.-v.

DOM. DE L'EPINAY Cuvée du Haut Clos 2003 *

■ 1 ha 8 000 🍾 🌡 3 à 5 €

Le vignoble de l'Anjou-Saumur annexe dans sa partie méridionale quelques villages de la région administrative Poitou-Charentes. Les 18 ha du domaine de l'Epinay sont ainsi situés dans la Vienne. A sa tête depuis 1990, Laurent Menestreau a élaboré un vin pourpre intense, intéressant par ses arômes de fruits rouges et noirs : griotte, framboise, cassis. Volumineuse mais encore marquée par de puissants tanins, cette bouteille fera avec profit un court séjour à la cave.

🔑 Laurent Menestreau, 3, all. du Presbytère, 86120 Pouançay, tél. 05.49.22.98.08, fax 05.49.22.39.98, e-mail menestreau-epinay@wanadoo.fr ☑ 🍷 🚶 r.-v.

CH. D'ETERNES Clos des Abbesses 2002 *

□ 1 ha 2 000 🛢 11 à 15 €

Implanté dans la Vienne, ce vignoble dépendait jadis de l'abbaye de Fontevraud, situé à 4 km de là. Il fournissait aux abbesses leurs vins préférés. Celui-ci est le produit de vendanges réalisées en trois tries ; la fermentation s'est faite en barrique neuve et l'élevage sous bois a duré quatorze mois. Le résultat est surprenant : arômes de fruits surmûris et d'évolution (notes de vieux rhum, de rancio), bouche puissante, pleine et légèrement tannique. Un vin qui sort des standards de l'appellation et réjouira les curieux.

🔑 SCEV Ch. d'Eternes, 86120 Saix, tél. 05.49.22.34.77, fax 05.49.22.34.77, e-mail lea.scherina@libertysurf.fr ☑ 🏠 🍷 🚶 r.-v.

🔑 Marteling

DOM. FILLIATREAU Château Fouquet 2003 *

■ 6,05 ha 20 000 🍾 5 à 8 €

Ce Château Fouquet est issu d'une vigne implantée à Brézé et exploitée en agrobiologie. Il est l'œuvre de Paul Filliatreau, qui produit des saumur-champigny souvent très complimentés par les jurys du Guide (voir à cette AOC). Le rouge de la robe se nuance de noir. Fruits cuits, cassis, framboise, groseille : le côté aromatique de ce vin est très apprécié. En bouche, rondeur, souplesse et longueur. Un beau 2003.

🔑 Paul Filliatreau, Chaintres, 49400 Dampierre-sur-Loire, tél. 02.41.52.90.84, fax 02.41.52.49.92, e-mail domaine@filliatreau.fr ☑ 🍷 🚶 t.l.j. 8h-12h 13h30-17h30; sam. dim. sur r.-v.

DOM. DE LA GIRARDRIE Instinct 2003

■ 2,5 ha 16 000 🍾 🌡 3 à 5 €

Ce saumur rouge affiche une robe rubis à reflets violacés. Encore discret, le nez laisse percer des notes de fruits rouges avec des nuances fumées. La bouche révèle une belle matière aux tanins soyeux. Un ensemble harmonieux qui sera bientôt prêt à déguster.

🔑 SCEA Falloux et Fils, 1, rue Fontaine-de-Cix, 49260 Le Puy-Notre-Dame, tél. 02.41.52.25.10, fax 02.41.38.83.77 ☑ 🏠 🍷 🚶 r.-v.

LA GIRAUDIERE 2003 **

■ 1 ha 3 500 3 à 5 €

Situé à 300 m du château de Brézé, ce domaine familial s'étend sur 13 ha. Fabrice Esnault est à sa tête depuis cinq ans. Deux de ses saumur rouges sont sélectionnés, produits d'une macération semi-carbonique. La cuvée classique est la préférée. Tout plaît en elle : sa pimpante robe grenat foncé, ses parfums suaves et élégants de fruits rouges et noirs (cassis) qui annoncent un caractère aromatique intéressant, son attaque franche, friande et généreuse et enfin la finesse de ses tanins. Aromatique elle aussi (fruits rouges), équilibrée et ronde avec des tanins aimables, la **cuvée Vieilles Vignes 2003 (5 à 8 €)** est assez proche de la précédente. Elle obtient une étoile.

🔑 EARL de la Giraudière, rue Saint-Vincent, 49260 Brézé, tél. 02.41.51.63.84, fax 02.41.51.63.84 ☑ 🍷 🚶 r.-v.

DOM. GOUPIL Elevé en fût de chêne 2003

■ 9,8 ha 78 000 🍾 🛢 🌡 3 à 5 €

Ce vaste domaine (100 ha) a son siège dans un village du haut Layon. Le terroir se caractérise par des schistes affleurant localement ou recouverts de sédiments plus ou moins épais. Né sur argilo-calcaires, ce saumur s'annonce par une robe grenat foncé et des arômes de fruits rouges accompagnés de notes grillées. En bouche, il est ample mais tannique en finale. Il devra s'affiner.

🔑 SCEA Dom. du Cléray, Le Bourg, 49700 Les Verchers-sur-Layon, tél. 02.40.33.93.46, fax 02.40.36.26.26

GRATIEN ET MEYER Cuvée Flamme

● n.c. 70 000 🍾 🌡 5 à 8 €

Fondée en 1864 par Alfred Gratien, âgé seulement de vingt-trois ans, et reprise à sa mort, en 1885, par son associé Jean-Albert Meyer, cette maison saumuroise est bien connue pour ses effervescents. Issu de cabernet franc (68 %) et de grolleau, ce rosé a été élevé sur lattes pendant trente-six mois. Il en résulte une belle finesse des bulles qui s'épanouissent dans le verre avec délicatesse. Très intéressante, la palette aromatique mêle le cassis, la violette et la verveine. Marquée par la fraîcheur, la bouche laisse une sensation de vivacité importante.

🔑 Gratien et Meyer, rte de Montsoreau, BP 22, 49400 Saumur, tél. 02.41.83.13.30, fax 02.41.83.13.49, e-mail contact@gratienmeyer.com ☑ 🍷 🚶 t.l.j. 10h-12h 14h-17h30; 1er avr.-11 nov. 10h-18h30; f. jan. fév.

MILLESIME DE GRENELLE

Méthode traditionnelle 2001 *

○ n.c. 10 000 8 à 11 €

Les Caves de Grenelle correspondent à une maison de négoce familiale qui élabore des vins effervescents depuis 1859. Ce millésimé, issu de chenin (75 %), complété par 15 % de chardonnay et 10 % de cabernet, est intense et expressif, avec des notes fruitées et anisées. Une étoile encore pour la sélection **Louis de Grenelle (5 à 8 €)**, assemblant quatre cinquièmes de chenin au chardonnay. Fine, délicate, elle est dominée par des arômes de fruits à chair blanche (pêche).

🔑 Caves de Grenelle, 20, rue Marceau, BP 206, 49415 Saumur, tél. 02.41.50.17.63, fax 02.41.50.83.65, e-mail grenelle@caves-de-grenelle.fr ☑ 🍷 🚶 t.l.j. 9h-12h 13h30-18h

DOM. GUIBERTEAU 2003 **

■ 4 ha 12 000 🛢 3 à 5 €

Jusqu'à la fin 2003, ce domaine en agrobiologie était exploité conjointement par Romain Guiberteau et le

LOIRE

Britannique Stephen Eggerton. Ce dernier est retourné en Angleterre. Le domaine continue à offrir des saumur rouges fort intéressants. Celui-ci, d'un pourpre intense, mêle au nez des parfums puissants de fruits rouges, de fruits cuits et de fruits secs. Rondeur, suavité, délicatesse composent un ensemble voluptueux. Une étoile pour le **saumur rouge Les Arboises 2002 (15 à 23 €)** élevé vingt-quatre mois en fût. Souple à l'attaque, il est dominé par le boisé. Ses tanins commencent à s'arrondir. Une citation enfin pour le **blanc Les Clos 2003 (11 à 15 €)**, élevé lui aussi en barrique : sa bonne matière et ses arômes de fruits mûrs en font un vin prometteur.

⊶ Romain Guiberteau,
3, imp. du Cabernet, Mollay, 49260 Saint-Just-sur-Dive,
tél. 02.41.38.78.94, fax 02.41.38.56.46,
e-mail domaine.guiberteau@wanadoo.fr ☑ Y 🚶 r.-v.

LES HAUTS DE SANZIERS 2003 *

■ 5,5 ha 33 000 ▮ 3 à 5 €

Les galeries creusées dans le tuffeau ont aussi été utilisées pour la culture du champignon, qui a son musée dans le village de Sanziers. La famille Tessier y possède un domaine géré par un frère et une sœur. Leur saumur rouge arbore une robe rubis soutenu. Ses arômes intenses évoquent les fruits rouges et noirs macérés. Ample, généreux et suave, il finit sur une longue note réglissée. Un vin gourmand, que l'on peut déguster dès maintenant ou attendre quelques années.

⊶ SCEA Tessier et Fils,
14, rue Saint-Vincent, 49260 Le Puy-Notre-Dame,
tél. 02.41.52.26.75, fax 02.41.38.89.11,
e-mail tessieretfils@wanadoo.fr ☑ Y 🚶 r.-v.

CH. DU HUREAU 2003 *

□ 2 ha 7 000 ◍ 11 à 15 €

Le champion des saumur-champigny en blanc. Ce saumur donne une sensation de très grande puissance et offre des notes aromatiques de fruits macérés dans l'alcool. Un vin prometteur qui sera à son apogée dans un an ou deux.

⊶ Philippe Vatan,
Le Hureau, 49400 Dampierre-sur-Loire,
tél. 02.41.67.60.40, fax 02.41.50.43.35,
e-mail philippe.vatan@wanadoo.fr ☑ Y 🚶 r.-v.

DOM. LANGLOIS-CHATEAU Vieilles Vignes 2003 *

□ 7 ha 40 000 ◍ 11 à 15 €

Spécialisée à l'origine dans les vins mousseux, cette maison liée au champagne Bollinger élabore aujourd'hui des vins tranquilles – avec un réel savoir-faire. Cette sélection Vieilles Vignes présente nombre de signes prometteurs : arômes surmûris et, en bouche, nuances de fruits secs et de fruits blancs ; palais ample, charnu, légèrement vanillé en finale. Un saumur de garde, que l'on pourra conserver une dizaine d'années. Le 2001 avait reçu un coup de cœur.

⊶ Langlois-Château, 3, rue Léopold-Palustre,
49400 Saint-Hilaire-Saint-Florent, tél. 02.41.40.21.40,
fax 02.41.40.21.49, e-mail contact@langlois-chateau.fr
☑ Y 🚶 t.l.j. 10h-12h30 15h-18h30; f. jan.

DOM. LAVIGNE 2003

□ 1,1 ha 6 000 ▮🌡 3 à 5 €

Réputé pour ses saumur-champigny, le domaine ne produit des saumur blancs qu'à titre secondaire mais il bénéficie pour leur élaboration du savoir-faire acquis par plusieurs générations de vignerons. Ce 2003 revêt une robe classique, jaune pâle à légers reflets verts. Le premier nez mêle les fleurs blanches et le genêt, puis apparaissent à l'aération des nuances de pêche blanche et de fruits rouges. Franche et fruitée elle aussi, la bouche est bien agréable. Un saumur simple et plein de vie.

⊶ SCEA Lavigne-Véron,
15, rue des Rogelins, 49400 Varrains,
tél. 02.41.52.92.57, fax 02.41.52.40.87 ☑ Y 🚶 r.-v.

MANOIR DE LA TETE ROUGE L'Enchentoir 2002 *

■ 2,2 ha 8 200 ▮◍ 5 à 8 €

Un nom pittoresque pour ce domaine de 15 ha repris en 1996 par Guillaume Reynouard et conduit aujourd'hui en agriculture biologique. Son saumur s'habille d'une robe intense. La palette aromatique évoque les fruits mûrs, le cassis. Une attaque souple, gracieuse, introduit une bouche bien équilibrée.

⊶ Guillaume Reynouard,
3, pl. Jules-Raimbault, 49260 Le Puy-Notre-Dame,
tél. 02.41.38.76.43, fax 02.41.38.29.54,
e-mail greynouard@manoirdelateterouge.com
☑ Y 🚶 r.-v.

DOMINIQUE MARTIN Vieilles Vignes 2003

■ 1 ha 5 000 ▮ 5 à 8 €

Le tuffeau, extrait pour servir de pierre à bâtir, est à l'origine de la cave profonde creusée sous le domaine. Celle-ci fut utilisée comme bureau par le maire pendant la Seconde Guerre mondiale. Dominique Martin représente la troisième génération sur la propriété. Il propose un saumur rubis intense aux parfums de fruits rouges accompagnés de touches épicées et végétales. Bien structurée, la bouche est soutenue par des tanins déjà fondus qui incitent à découvrir ce vin dès maintenant. Quant au saumur **blanc Martin-Chantreau Vieilles Vignes 2003**, il est issu d'une récolte manuelle et a séjourné dans le bois. Un vin plaisant qui reçoit la même note pour sa bonne matière, son ampleur et ses arômes intenses de fruits blancs (poire).

⊶ Dominique Martin, 6 sur Tiron, rue Amiral-Maillé,
49260 Brézé, tél. 02.41.51.60.28, fax 02.41.51.60.28,
e-mail martin-chantreau@wanadoo.fr ☑ Y 🚶 r.-v.

DOM. DES MATINES Le Clos Riel 2003 *

□ 2 ha 13 000 ▮ 5 à 8 €

A la tête de ce domaine de 50 ha, Michèle Mallard-Etchegaray, la fille du fondateur, et Vincent Etchegaray, le petit-fils. Creusée dans le calcaire jurassique, la cave de l'exploitation recèle de vieux millésimes. Celui-ci, tout récent, affiche une robe légèrement dorée qui indique un bon potentiel. La palette aromatique associant les fleurs blanches, le miel et la cire confirme cette impression, tout comme la bouche ample et puissante avec un beau retour sur le miel et la cire. Une bouteille à attendre un an ou deux. Le **saumur rouge cuvée La Falaiserie 2002 (11 à 15 €)**, élevé en fût, a obtenu la même note pour son nez torréfié, sa bouche ronde en attaque et tannique en finale.

⊶ Dom. des Matines, 31, rue de la Mairie,
49700 Brossay, tél. 02.41.52.25.36, fax 02.41.52.25.50,
e-mail domaine.des.matines@wanadoo.fr
☑ Y 🚶 t.l.j. sf dim. 8h-12h 14h-18h; sam. sur r.-v.
⊶ Etchegaray-Mallard

CH. DE MONTGUERET ★★

3 ha 10 000 3 à 5 €

Le château de Montguéret est géré par A. Lacheteau, à la tête par ailleurs d'une affaire de négoce spécialisée dans l'élaboration de vins rosés et effervescents. Celui-ci, discret au premier abord, révèle ensuite une personnalité affirmée. Dans sa robe jaune pâle montent de fines bulles. Les fruits secs et les fleurs blanches composent une délicate palette aromatique. Ample et élégante, la bouche laisse une impression d'équilibre et d'harmonie.

SAS Lacheteau, ZI de La Saulaie, 49700 Doué-la-Fontaine, tél. 02.41.59.26.26, fax 02.41.59.01.94, e-mail contact@lacheteau.fr

DOM. DU MOULIN 2003

0,9 ha 6 000 3 à 5 €

Ce moulin a toute une histoire : remontant au XIVe s., il fut endommagé durant les guerres de la Révolution, reconstruit au siècle dernier et reconverti en caveau de dégustation. Vous pourrez y découvrir un saumur blanc étonnamment frais pour le millésime 2003 et qui séduit par ses parfums printaniers de fleurs blanches accompagnés de nuances de fruits secs. Léger et simple en bouche, c'est un vin à boire à la fin de l'année 2004.

SCEA Marcel Biguet, 5, pl. de la Paleine, 49260 Le Puy-Notre-Dame, tél. 02.41.52.26.68, fax 02.41.38.85.64, e-mail sbiguet@terre-net.fr r.-v.

DOM. DE LA RENIERE Clos de la Cerisaie 2002 ★

n.c. 12 000 5 à 8 €

René-Hugues Gay a pris en 1984 la suite d'une lignée de vignerons qui remonte au XVIIe s. Attirant dans le verre, élégant au nez et persistant, son Clos de la Cerisaie 2002 procure beaucoup de plaisir. C'est également le cas du **Clos de la Renière rouge 2002**, qui obtient la même note avec sa robe brillante, son nez discret mais complexe de petits fruits noirs compotés et sa bouche souple et équilibrée. Une citation enfin pour le **saumur blanc cuvée Alliance 2003**, produit d'une vendange manuelle et de méthodes de vinification traditionnelles (pas de levurage, pas de collage, long élevage sur lies fines). D'un jaune intense, ce vin libère des notes d'alcool qui suggèrent une importante richesse naturelle de la vendange. Puissant et charnu, il surprend par sa vivacité.

René-Hugues Gay, Les Caves, 49260 Le Puy-Notre-Dame, tél. 02.41.52.26.31, fax 02.41.52.24.62 r.-v.

DOM. DE SAINT-JUST Le Coulée de Saint-Cyr 2002 ★

2,5 ha 9 800 8 à 11 €

Yves Lambert est à la tête d'un domaine de 32 ha. Habillée d'une robe jaune pâle, sa cuvée Coulée de Saint-Cyr 2002 présente un très bel équilibre. Sa palette aromatique délicate associe les fruits, les fleurs et les épices ; sa bouche moelleuse, vineuse et rafraîchissante en finale est fort harmonieuse. On pourra déboucher cette bouteille dès la parution du Guide ou la garder quatre ou cinq ans. Elle pourra accompagner un grand poisson à la crème.

Dom. de Saint-Just, 12, rue de la Prée, 49260 Saint-Just-sur-Dive, tél. 02.41.51.62.01, fax 02.41.67.94.51, e-mail infos@st-just.net r.-v.

DOM. SAINT-VINCENT La Papareille 2003 ★

2 ha 10 000 5 à 8 €

Ce 2003 a surpris le jury par sa puissance et ses arômes exotiques et beurrés – inhabituels dans cette appellation. Des traits qui traduisent le gros potentiel des vendanges et une vinification caractérisée par un élevage lent en barrique et par une fermentation malolactique. Un vin à découvrir en fin d'année.

Patrick Vadé, Dom. Saint-Vincent, 49400 Saumur, tél. 02.41.67.43.19, fax 02.41.50.23.28, e-mail p.vade@st-vincent.com r.-v.

CAVE DES VIGNERONS DE SAUMUR Réserve des Vignerons 2002 ★

10 ha 50 000 8 à 11 €

Fondée en 1957, la Cave des vignerons de Saumur regroupe 2 000 adhérents, vinifie la récolte de 1 700 ha et stocke ses vins dans une immense galerie de quelque 10 km. Elle poursuit ses efforts de modernisation et dispose depuis 2000 d'un nouveau chai. Sa cuvée Réserve des Vignerons attire l'attention par sa robe grenat sombre. Le nez subtil évoque les petits fruits des bois. Introduit par une attaque sévère, le palais se caractérise par une structure imposante et un fruité bien mûr. Un beau vin qui demande à se fondre.

Cave des Vignerons de Saumur, rte de Saumoussay, 49260 Saint-Cyr-en-Bourg, tél. 02.41.53.06.06, fax 02.41.53.09.04 t.l.j. sf dim. 9h-12h30 14h-18h30

LA SEIGNERE Clos du Vau 2003 ★★

1 ha 4 500 5 à 8 €

Un saumur blanc issu du vignoble de la Seignère, constitué d'une parcelle de 7,50 ha en situation de coteau et repris par Yves Drouineau en 1998. Il provient d'une vendange manuelle et d'une vinification traditionnelle. Avec ses arômes de fruits mûrs, ce vin laisse une belle sensation d'harmonie et de richesse. Son potentiel remarquable se révélera dès la fin d'année 2004.

EARL Yves Drouineau, 3, rue Morains, 49400 Dampierre-sur-Loire, tél. 02.41.51.14.02, fax 02.41.50.32.00, e-mail y-d@yves.drouineau.com r.-v.

DOM. DE LA SEIGNEUIE DES TOURELLES 2003 ★

8,3 ha 70 000 3 à 5 €

Ce domaine travaille en partenariat avec le négociant Joseph Verdier. Son saumur 2003 se pare d'une robe pourpre intense. Au nez, c'est un pot-pourri de fruits rouges et noirs. Volumineux et fondu en bouche, ce vin finit sur des tanins soyeux qui lui confèrent une réelle harmonie.

SCEA Dubé Père et Fils, Messemé, 49260 Le Vaudelnay, tél. 02.41.40.22.50, fax 02.41.40.22.60, e-mail j.verdier@wanadoo.fr

VEUVE AMIOT Cuvée Elisabeth Amiot 1996 ★★

n.c. 8 600 8 à 11 €

Fondée en 1884, cette maison a élaboré une cuvée à partir de vins de base de 1996 assemblant 80 % de chenin et 20 % de chardonnay. Une très belle effervescence, délicate et persistante, anime la robe aux nuances jaune-vert qui lui donnent un aspect printanier. Les arômes de fleurs blanches (aubépine, acacia) procurent une sensation de fraîcheur très agréable. Equilibre et harmonie.

LOIRE

🔑 SAS Veuve Amiot, BP 67,
Saint-Hilaire-Saint-Florent, 49426 Saumur Cedex,
tél. 02.41.83.14.14, fax 02.41.50.17.66
t.l.j. 10h-18h; f. oct.-avr.

DOM. DU VIEUX PRESSOIR 2003

■ 10 ha 65 000 3 à 5 €

Très souvent présent dans le Guide, un domaine représentatif de la région et une valeur sûre. Les vignes sont principalement plantées sur le plateau jurassique de Vaudelnay. Elles ont donné un vin grenat intense au nez de fruits noirs et d'épices. La bouche est agréable, mais présente des tanins austères en finale. Une bouteille qui devra s'affiner avec le temps.

🔑 EARL B. et J. Albert,
205, rue du Château-d'Oiré, 49260 Vaudelnay,
tél. 02.41.52.21.78, fax 02.41.38.85.83,
e-mail vieuxpressoir@wanadoo.fr r.-v.

DOM. DU VIEUX TUFFEAU
Coulée de la Cerisaie 2003 ★

■ 1,8 ha 10 500 5 à 8 €

Conduit aujourd'hui par Christian Giraud, ce domaine dispose de 10 000 m² de caves, vestiges d'une ancienne carrière de tuffeau en exploitation du XIIIe au XVI[e]s. Son saumur arbore une robe rubis vif et libère des parfums délicats de fruits rouges et noirs très mûrs (mûre, cerise noire). Des tanins présents mais arrondis donnent à la bouche un caractère agréable et fondu. Un vin concentré et bien équilibré.

🔑 Christian Giraud, SCEA du Vieux Tuffeau,
Les Caves, 212, rue de la Cerisaie,
49260 Le Puy-Notre-Dame, tél. 02.41.52.27.41,
fax 02.41.52.26.07, e-mail domaine@vieux-tuffeau.com
t.l.j. sf dim. 9h-12h30 13h30-19h; groupes sur r.-v.

CH. DE VILLENEUVE 2003 ★★

□ 5 ha 13 000 5 à 8 €

Ce domaine a connu une histoire riche et mouvementée. Un de ses anciens propriétaires participa à la guerre d'indépendance des Etats-Unis, sous les ordres de La Fayette, et périt dans les combats. En juin 1940, les bâtiments furent bombardés. L'exploitation est passée dans la famille Chevallier en 1969. Elle brille régulièrement, et cette année encore : un saumur-champigny a obtenu un coup de cœur, et ce saumur blanc a manqué de peu cette distinction. Son nez mêle la poire mûre et des notes discrètes d'évolution rappelant les fruits secs, les épices et la noix. La très belle bouche charnue exprimera pleinement son potentiel dans quelques mois.

🔑 SCA Chevallier, 3, rue Jean-Brevet,
49400 Souzay-Champigny, tél. 02.41.51.14.04,
fax 02.41.50.58.24 t.l.j. sf dim. 9h-12h 14h-18h

Cabernet de saumur

Bien qu'elle ne représente que de faibles volumes (2 559 hl en 2003), l'appellation cabernet de saumur tient bien sa place par la finesse de ce cépage, élaboré en rosé et cultivé sur des terrains calcaires.

THIERRY CHANCELLE 2003

1 ha 5 000 3 à 5 €

La commune de Turquant appartient à la côte calcaire du vignoble de Saumur-Champigny dans laquelle de nombreuses habitations troglodytiques ont été creusées. Certaines exploitations viticoles, comme celle-ci, y ont aménagé leurs chais. Elevé sur lies, ce cabernet-de-saumur est simple, léger, vivifié par un léger perlant. Marqué par sa technique de vinification, c'est un vin agréable et rafraîchissant.

🔑 EARL Bourdin, 27, rue des Martyrs,
49730 Turquant, tél. 02.41.38.11.83, fax 02.41.51.47.71,
e-mail earlbourdin@aol.com r.-v.

DOM. DU VIEUX TUFFEAU 2003 ★

0,25 ha 1 200 5 à 8 €

Des galeries souterraines s'étendent sous le domaine sur 1,5 km de long : ce sont d'anciennes carrières de tuffeau, exploitées du XIIIe au XVI[e]s., et qui ont donné son nom à la propriété, conduite en agriculture biologique. Son cabernet-de-saumur est une bonne introduction aux vins produits dans le vignoble saumurois : d'un rose orangé délicat, il libère de discrets parfums de petits fruits rouges mûrs ; tendre en bouche, il laisse une impression de fraîcheur.

🔑 Christian Giraud, SCEA du Vieux Tuffeau,
Les Caves, 212, rue de la Cerisaie,
49260 Le Puy-Notre-Dame, tél. 02.41.52.27.41,
fax 02.41.52.26.07, e-mail domaine@vieux-tuffeau.com
t.l.j. sf dim. 9h-12h30 13h30-19h; groupes sur r.-v.

Coteaux-de-saumur

Ils ont acquis autrefois leurs lettres de noblesse. Les coteaux-de-saumur, équivalents en Saumurois des coteaux-du-layon en Anjou, sont élaborés à partir du chenin pur planté sur la craie tuffeau. La production a atteint 1 358 hl en 2003.

CH. DE BREZE 2002

□ 0,76 ha 3 000 8 à 11 €

Il garde le souvenir de Diane de Poitiers, devenue après la mort de son mari Louis de Brézé la favorite d'Henri II ; du Grand Condé, qui y séjourna. Au-dessus du sol, un imposant château du XVI[e]s., revisité par le XIX[e]s., entouré de profondes douves sèches. Sous terre, un autre château, fait d'un immense réseau de galeries, vestige de la construction primitive. Toujours habité par les descendants des anciens seigneurs, l'édifice commande un domaine viticole. Ce 2002 est d'une agréable légèreté, avec une attaque nerveuse, voire acidulée, et des notes de fruits frais tout au long de la dégustation. On le boira d'ici un à deux ans.

🔑 Comte Bernard de Colbert, Ch. de Brézé,
49260 Brézé, tél. 02.41.51.62.06, fax 02.41.51.63.92,
e-mail vins.chateaubreze@wanadoo.fr
t.l.j. 10h30-12h30 13h30-18h30; sam. dim. sur r.-v.

DOM. DES CHAMPS FLEURIS 2003 ★

▫ 2 ha 2 500 ◍ 11 à 15 €

Ce domaine du Saumurois se distingue par ses vins rouges, mais se défend également bien en blanc, comme le montre ce coteaux-de-saumur représentatif du millésime 2003 avec ses notes passerillées. D'un jaune légèrement doré, ce vin laisse percer des parfums de raisins secs et des nuances fumées et grillées qui s'épanouissent à l'aération. La bouche très concentrée mêle les fruits secs, les fruits confits et les fruits blancs (poire). En résumé, ce vin n'a qu'un seul défaut : celui d'avoir été présenté trop tôt ; il n'a pu exprimer qu'une partie de son énorme potentiel ! (Bouteilles de 50 cl.)

⊶ EARL Rétiveau-Rétif, 50-54, rue des Martyrs, 49730 Turquant, tél. 02.41.38.10.92, fax 02.41.51.75.33, e-mail domainechamps-fleuris@wanadoo.fr ☒ Y 🚶 r.-v.

DOM. DES MATINES 2003 ★

▫ 2,5 ha 6 500 ◍ 11 à 15 €

Creusées dans le calcaire jurassique du plateau de Brossay, les caves du domaine recèlent un trésor : tous les millésimes produits depuis 1950. Quant à celui-ci, un 2003, il n'a obtenu qu'une étoile car il n'a pas encore exprimé tout son potentiel. Les dégustateurs y ont trouvé des arômes prometteurs de fruits confits, d'agrumes et de fruits secs grillés, fruits secs qui marquent aussi la bouche puissante. Une bouteille à découvrir en fin d'année. Une certitude : ce vin sera un digne représentant de l'appellation.

⊶ Dom. des Matines, 31, rue de la Mairie, 49700 Brossay, tél. 02.41.52.25.36, fax 02.41.52.25.50, e-mail domaine.des.matines@wanadoo.fr
☒ Y 🚶 t.l.j. sf dim. 8h-12h 14h-18h; sam. sur r.-v.
⊶ Etchegaray-Mallard

DOM. DE NERLEUX Les Loups dorés 2003 ★

▫ 0,6 ha 3 000 ▮♨ 11 à 15 €

Huit générations de vignerons se sont succédé sur ce domaine qui compte aujourd'hui 45 ha de vignes. La propriété dispose de bâtiments en tuffeau des XVIIe et XVIIIes. et d'une chapelle du XIXes. Elle est de nouveau présente en coteaux-de-saumur avec un 2003 très intéressant par ses notes fraîches de citron, de mandarine, nuancées de senteurs d'acacia. Intense, équilibrée, la bouche associe des arômes de fruits frais et de fruits confits. Un vin élégant qui donnera sa pleine mesure à la sortie du Guide.

⊶ Régis Neau, Dom. de Nerleux, 4, rue de la Paleine, 49260 Saint-Cyr-en-Bourg, tél. 02.41.51.61.04, fax 02.41.51.65.34, e-mail contact@domaine-de-nerleux.fr
☒ Y 🚶 t.l.j. sf dim. 8h-12h 14h-18h; sam. 8h-12h

L'ORMEOLE 2002 ★★

▫ 2 ha 1 500 ◍ 11 à 15 €

Porte-drapeau de l'appellation, ce domaine est bien connu des amateurs de liquoreux produits sur les coteaux calcaires de Saumur. Ce terroir original engendre des vins qui conjuguent richesse et délicatesse. D'un jaune doré attirant, celui-ci mêle au nez les fruits secs, l'abricot et la cire. La bouche bien construite et puissante prolonge harmonieusement l'olfaction, soulignée de l'attaque à la finale par des nuances d'abricot sec. Digne d'un foie gras poellé aux raisins. (Bouteilles de 50 cl.)

⊶ EARL Yves Drouineau, 3, rue Morains, 49400 Dampierre-sur-Loire, tél. 02.41.51.14.02, fax 02.41.50.32.00, e-mail y-d@yves.drouineau.com ☒ Y 🚶 r.-v.

Saumur-champigny

En circulant dans les villages aux rues étroites du Saumurois, vous accéderez au paradis dans les caves de tuffeau qui abritent de nombreuses vieilles bouteilles. Si l'expansion de ce vignoble (1 513 ha) est récente, les vins rouges de Champigny sont connus depuis plusieurs siècles. Produits sur neuf communes, à partir du cabernet franc (ou breton), ils sont légers, fruités, gouleyants. La production a été de 80 348 hl en 2003.

DOM. DE LA BESSIERE Clos de la Croix 2003 ★

■ 1,8 ha 12 000 ▮ 5 à 8 €

Du domaine de Thierry Dézé, la vue embrasse une grande étendue du vignoble et la vallée de la Loire. Ses vins sont élaborés dans une cave creusée dans le tuffeau. Le millésime 2003 du Clos de la Croix a retenu l'attention par sa robe pourpre de belle intensité. Aromatique au nez comme en bouche, il mêle les fruits rouges et noirs (cassis, mûre, groseille) à des notes épicées. Volumineux en bouche, il est souple à l'attaque, plus tannique en finale, assez long. Une bouteille intéressante, à attendre un an ou deux.

⊶ Thierry Dézé, Dom. de La Bessière, rte de Champigny, 49400 Souzay-Champigny, tél. 02.41.52.42.69, fax 02.41.38.75.41 ☒ Y r.-v.

DOM. DU BOIS MOZE PASQUIER Vieilles Vignes 2003 ★★

■ 1 ha 6 000 ▮ 5 à 8 €

A la tête du domaine familial depuis 1994, Patrick Pasquier possède un clos de 2,50 ha qu'il fait visiter pour expliquer la conduite de la vigne. Sa cuvée Vieilles Vignes a obtenu un coup de cœur dans le millésime précédent et l'a frôlé cette année. Profond et brillant dans le verre, ce vin libère d'élégants parfums de fruits rouges et noirs très mûrs, un rien épicés (poivre). En bouche, on découvre des arômes fruités exubérants en harmonie avec le nez, ainsi qu'une belle structure tannique, gage d'une bonne aptitude à la garde. Les impatients pourront déboucher cette bouteille sans attendre, les autres l'oublieront deux ou trois ans en cave. Quant au **2002 Elevé en fût de chêne (8 à 11 €)**, il obtient une étoile pour sa matière ample, ses tanins enrobés et son léger boisé qui laisse parler le fruit. Son potentiel est comparable.

⊶ Patrick Pasquier, Dom. du Bois Mozé Pasquier, 7, rue du Bois-Mozé, 49400 Chacé, tél. 02.41.52.59.73, fax 02.41.52.59.73 ☒ Y 🚶 r.-v.

DOM. LA BONNELIERE Cuvée des Poyeux 2003 *

■ 2 ha 16 000 5 à 8 €

André Bonneau, prenant la suite de cinq générations de vignerons, a acheté son domaine au début des années 1970. Anthony et Cédric, installés respectivement en 1999 et en 2002, assureront la relève. Le millésime 2003 de la cuvée des Poyeux s'habille d'une robe grenat assez intense. L'olfaction est dominée par les fruits rouges très mûrs, en particulier la fraise. Le palais confirme ces premières impressions, plein, gras, avec une finale aromatique et assez souple. Un vin que l'on peut déjà boire, ou attendre un an ou deux.

Bonneau et Fils, Dom. La Bonnelière,
45, rue du Bourg-Neuf, 49400 Varrains,
tél. 02.41.52.92.38, fax 02.41.67.35.48,
e-mail bonneau@labonneliere.com r.-v.

DOM. DES BONNEVEAUX Vieilles Vignes 2003 *

■ 2,5 ha 20 000 3 à 5 €

Cela fait bientôt vingt ans que Camille et Nicolas Bourdoux se sont lancés dans la viticulture. A la tête de 16 ha de vignes, ils ont proposé deux saumur-champigny très réussis (une étoile chacun). Cette cuvée Vieilles Vignes affiche une robe rubis aux reflets violacés. Elle n'est pas très expansive au nez, ne laissant percer que de discrets parfums fruités et mentholés, mais séduit en bouche par son ampleur et ses tanins bien extraits et enrobés qui lui donnent un caractère flatteur. La **cuvée Nicolas 2003** s'en distingue par son nez déjà ouvert, évocateur de fruits rouges et par sa structure tannique solide mais encore assez austère. On pourra suivre son évolution durant un an ou deux.

EARL Camille et Nicolas Bourdoux,
79, Grand-Rue, 49400 Varrains, tél. 02.41.52.94.91,
fax 02.41.52.99.24 t.l.j. 8h-12h 14h-19h

DOM. DU BOURG NEUF 2003 *

■ 9 ha n.c. 5 à 8 €

Christian Joseph est à la tête d'un domaine de 35 ha de vignes. Il signe un saumur-champigny à la robe intense et attirante et aux parfums délicats de fruits rouges, accompagnés de nuances poivrées et épicées. La bouche ne déçoit pas, douce à l'attaque, avec des tanins présents mais plutôt enrobés. La finale n'est pas des plus longues mais laisse une bonne impression.

Christian Joseph, 35, rue des Menais, 49400 Chacé,
tél. 02.41.52.94.43, fax 02.41.52.94.53 r.-v.

DOM. DES CHALONGES Cuvée des Eripes 2003

■ 1,2 ha 9 600 **5 à 8 €**

Bernard Patural a repris l'exploitation familiale en 1974 et construit un chai en 1987. Il est aujourd'hui à la tête de 9,50 ha de vignes. Il signe une cuvée rubis foncé, discrète au nez, sélectionnée pour sa belle matière souple et fruitée, aux tanins soyeux.

Bernard Patural,
27, rue des Maisons-Neuves, 49400 Souzay-Champigny,
tél. 02.41.52.95.94, fax 02.41.52.95.94 r.-v.

CLOS DES CORDELIERS Cuvée Prestige 2003 *

■ 4,18 ha 12 500 **11 à 15 €**

Le Clos des Cordeliers s'étend sur quelque 18 ha. L'âge moyen des vignes est de trente-cinq ans. Elles ont donné un vin grenat soutenu, au nez bien ouvert, dont les parfums de fruits rouges s'accompagnent de nuances grillées. Fruitée, souple avec des tanins fondus, une bouteille agréable.

Dom. Ratron,
Clos des Cordeliers, 49400 Champigny,
tél. 02.41.52.95.48, fax 02.41.52.99.50,
e-mail ratron@clos-des-cordeliers.com r.-v.

DOM. DE LA CUNE 2003 *

■ 2 ha 15 000 5 à 8 €

Fondé en 1928, ce domaine est établi au milieu des vignes et s'étend sur 17 ha. Il est conduit par la troisième génération, qui signe un 2003 à la robe intense fort attirante. Un plaisant fruité se manifeste d'emblée, dominé par des notes de cassis que l'on retrouve au palais. Bien structurée, élégante, ample, onctueuse et équilibrée, la bouche prolonge harmonieusement le nez. Un vin plaisir, déjà prêt mais apte à une garde de deux à trois ans.

Jean-Luc et Jean-Albert Mary,
EARL Dom. de la Cune, Chaintres,
49400 Dampierre-sur-Loire, tél. 02.41.52.91.37,
fax 02.41.52.44.13 t.l.j. sf dim. 8h-12h 14h-19h

YVES DROUINEAU Les Beaumiers 2002 *

■ 16 ha 33 000 5 à 8 €

Bien connu des lecteurs du Guide pour ses saumur, coteaux-de-saumur et saumur-champigny, Yves Drouineau a tiré deux vins rouges très réussis (une étoile) de ses Beaumiers, un vignoble de 21 ha. Ce 2002 offre une palette de fruits rouges et séduit par sa bouche tendre, souple et harmonieuse. Il pourra être débouché dès la sortie du Guide. Quant à la cuvée **Les Beaumiers Clos Marchau 2003**, elle affiche une robe profonde et reste timide au nez, libérant après agitation des parfums de fruits rouges frais. La bouche ronde conjugue puissance et délicatesse. Un ensemble équilibré à attendre deux ou trois ans.

EARL Yves Drouineau,
3, rue Morains, 49400 Dampierre-sur-Loire,
tél. 02.41.51.14.02, fax 02.41.50.32.00,
e-mail y-d@yves.drouineau.com r.-v.

DOM. DUBOIS Vieilles Vignes 2003 *

■ 1 ha 3 000 **8 à 11 €**

Cette cuvée Vieilles Vignes a séjourné dans le bois, mais offre principalement au nez des senteurs de fruits rouges bien mûrs. Franche à l'attaque, elle est charnue, souple et fruitée en bouche. L'élevage lui a légué des touches vanillées. Un ensemble équilibré et harmonieux. La **Cuvée de printemps 2003 (5 à 8 €)** a été élevée en cuve. Son nez de fruits surmûris, évocateur de bourgeon de cassis, sa bouche souple, aromatique et longue lui valent également une étoile.

EARL Dom. Dubois,
8, rte de Chacé, 49260 Saint-Cyr-en-Bourg,
tél. 02.41.51.61.32, fax 02.41.51.95.29 r.-v.

DOM. FILLIATREAU Vieilles Vignes 2003 **

■ 9 ha 50 000 8 à 11 €

En 1967, Paul Filliatreau s'installe sur la propriété familiale. Il l'agrandit et l'oriente vers la production de vins rouges. Plusieurs fois saluée par les jurys Hachette, la cuvée Vieilles Vignes brille particulièrement cette année. Ce vin haut de gamme provient des plants les plus âgés de l'exploitation, vieux d'un demi-siècle. D'un grenat profond, il exprime des arômes agréables de fruits noirs et de fleurs. Ample, puissant et rond, structuré par des tanins bien extraits, ce 2003 est très flatteur et procure déjà beaucoup de plaisir.

Paul Filliatreau, Chaintres,
49400 Dampierre-sur-Loire, tél. 02.41.52.90.84,
fax 02.41.52.49.92, e-mail domaine@filliatreau.fr
t.l.j. 8h-12h 13h30-17h30; sam. dim. sur r.-v.

DOM. FOUET La Rouge et Noire Cuvée Vieilles Vignes Elevé en fût de chêne 2003 ★★

1 ha 5 000 8 à 11 €

Conduit par Patrice et Julien Fouet, ce domaine familial s'étend sur 15 ha. Sa cuvée Rouge et Noire provient des plus vieilles vignes de l'exploitation, âgées de cinquante ans ; elle assemble 20 % de cabernet-sauvignon au cabernet franc et séjourne un an en barriques de un, deux et trois vins. De couleur profonde à reflets pourpres, ce 2003 offre une séduisante palette aromatique dominée par des fruits rouges et noirs très mûrs, en marmelade, cassis surtout. Son attaque ample et ronde, ses tanins denses et arrondis composent une bouteille remarquablement équilibrée qui n'est pas passée loin du coup de cœur. Quant au **Domaine Fouet 2003 (5 à 8 €)**, pur cabernet franc élevé en cuve, c'est un vin rond et harmonieux : une étoile.

Dom. Fouet, 3, rue de la Judée,
49260 Saint-Cyr-en-Bourg, tél. 02.41.51.60.52,
fax 02.41.67.01.79, e-mail j.fouet@domaine-fouet.com
t.l.j. sf dim. 10h-12h 14h-18h

CH. GRATIEN 2001

12 ha 80 000 5 à 8 €

La célèbre maison saumuroise Gratien et Meyer, fondée en 1864, ne produit pas que des vins effervescents. Elle signe ici un 2001 rubis intense aux reflets violacés. Discret au nez, il a été retenu pour sa bouche ample et soyeuse. Une bouteille harmonieuse qui devrait atteindre son apogée dans deux à trois ans.

Gratien et Meyer, rte de Montsoreau, BP 22,
49400 Saumur, tél. 02.41.83.13.30, fax 02.41.83.13.49,
e-mail contact@gratienmeyer.com
t.l.j. 10h-12h 14h-17h30;
1er avr.-11 nov. 10h-18h30; f. jan. fév.

DOM. DE LA GUILLOTERIE 2003 ★

n.c. 40 000 5 à 8 €

Les frères Duveau proposent un 2003 rubis limpide, aux plaisants parfums de fruits rouges et noirs. Ces arômes intenses se retrouvent dans une bouche souple et harmonieuse, aux tanins fondus. Un bon exemple de vin plaisir, qui pourra paraître à table dès la sortie du Guide.

SCEA Duveau Frères,
63, rue Foucault, 49260 Saint-Cyr-en-Bourg,
tél. 02.41.51.62.78, fax 02.41.51.63.14,
e-mail dom.guilloterie@wanadoo.fr r.-v.

CH. DU HUREAU Cuvée Lisagathe 2003 ★★★

2,5 ha 14 000 11 à 15 €

Laquelle des cuvées vedettes de Philippe Vatan sera portée au pinacle, les Févettes ou Lisagathe ? La question se pose souvent, et encore cette année, au sujet de ce domaine de 20 ha, principalement tourné vers la production de saumur-champigny et champion des coups de cœur. Parmi les deux finalistes, la seconde s'adjuge le onzième coup de cœur obtenu par l'exploitation. Sa robe grenat soutenu révèle une belle extraction. Elégant, frais et complexe, le nez est dominé par les fruits rouges compotés. Des nuances que l'on retrouve dans une bouche ample et aromatique, soutenue par des tanins déjà arrondis. De l'harmonie et un grand potentiel de garde. La **cuvée des Févettes 2003** décroche elle aussi trois étoiles. Pourpre à reflets violets, elle est intense et vive à l'œil, puissante et complexe au nez, avec des arômes de petits fruits rouges un rien grillés. Ample, charnue, riche, harmonieuse et longue, elle fait preuve d'un équilibre parfait. Gage de longévité, ses tanins sont suffisamment aimables pour permettre aux impatients d'ouvrir cette bouteille sans tarder.

Philippe Vatan, Le Hureau,
49400 Dampierre-sur-Loire,
tél. 02.41.67.60.40, fax 02.41.50.43.35,
e-mail philippe.vatan@wanadoo.fr r.-v.

DOM. JOULIN Vieilles Vignes 2003 ★

1 ha 5 000 5 à 8 €

A la tête de 15 ha de vignes, Philippe Joulin présente un 2003 de couleur framboise à reflets lilas. Au nez, des parfums de fruits rouges un rien grillés, que l'on retrouve au palais. Ce vin ne s'éternise pas en bouche, mais sa structure souligne agréablement des arômes d'une certaine complexité. Une bouteille harmonieuse faite pour maintenant.

Philippe Joulin,
58, rue Emile-Landais, 49400 Chacé,
tél. 02.41.52.41.84, fax 02.41.52.41.84 r.-v.

DOM. LAVIGNE Les Aïeules 2003 ★

7 ha 40 000 5 à 8 €

Un domaine de 32 ha établi dans l'aire du saumur-champigny. Née de vieilles vignes âgées de cinquante ans, sa cuvée des Aïeules exprime un fruité intense qui rappelle la cerise et le kirsch. Ces impressions se prolongent dans une bouche ample, bien structurée et équilibrée. Ses tanins suffisamment fondus incitent à découvrir ce vin dès à présent. La **cuvée traditionelle 2003** provient de vignes plus jeunes que la précédente. Plus discrète au nez, elle s'ouvre progressivement sur des parfums fruités et végétaux. Riche et agréable, elle présente des tanins assez austères. Elle est citée.

LOIRE

⊶ SCEA Lavigne-Véron,
15, rue des Rogelins, 49400 Varrains,
tél. 02.41.52.92.57, fax 02.41.52.40.87 ☑ Y 🚶 r.-v.

Nº 20 DU CH. MARCONNAY 2002 *

■ 2,5 ha 10 000 ⚱ 8 à 11 €

Hervé Goumain a pris la tête en 1997 d'un domaine qui est dans sa famille depuis 1793. Il dispose d'une dizaine d'hectares de vignes et de 2 km de galeries creusées dans le tuffeau. Sa cuvée nº 20 a séjourné un an en fût. D'un beau rubis soutenu, elle offre au nez des arômes de fruits rouges assortis de notes boisées que l'on retrouve au palais. La bouche est fraîche, assez souple, bien équilibrée. Un vin harmonieux que l'on peut déguster sans attendre.

⊶ Hervé Goumain, Ch. du Marconnay,
49400 Souzay-Champigny, tél. 02.41.50.08.21,
fax 02.41.50.23.04, e-mail marconnay@wanadoo.fr
☑ 🏠 Y 🚶 t.l.j. 10h-12h 14h-18h; 1er nov.-15 mars sur r.-v.

DOM. LES MERIBELLES Cuvée Tradition 2003

■ 5,5 ha 34 000 ▮⚲ 5 à 8 €

Voilà vingt ans que Jean-Yves Dézé s'est installé à la tête de l'exploitation familiale. Sa cuvée Tradition charme par sa robe pourpre intense. Au nez, elle associe les fruits rouges à des nuances acidulées et végétales. La bouche est aromatique et équilibrée, dans un style assez vif.

⊶ Jean-Yves Dézé,
14, rue de la Bienboire, 49400 Souzay-Champigny,
tél. 02.41.67.46.64, fax 02.41.67.73.77,
e-mail jean-yves.deze@wanadoo.fr ☑ Y 🚶 r.-v.

DOM. DE NERLEUX
Clos des Châtains Vieilles Vignes 2003 **

■ 7 ha 40 000 ▮⚲ 8 à 11 €

Régis Neau dispose d'un vignoble de 45 ha, de bâtiments et de caves en tuffeau récemment restaurés et bénéficie de l'expérience de huit générations au service du vin. Sur ses étiquettes, deux loups : c'est pour rappeler que Nerleux signifie « loup noir » en vieux français. Issue de ceps de cinquante ans, sa cuvée Vieilles Vignes a été très bien accueillie. Tout plaît dans ce vin : sa robe intense et limpide, pourpre à reflets violets, son nez expressif et complexe associant les fruits rouges compotés et les fruits noirs, la riche matière de sa bouche ample et charnue. Un réel potentiel pour cette bouteille qui s'ouvrira davantage dans quelques années. Deux étoiles encore pour la cuvée **Les Loups noirs 2002 (11 à 15 €)** habillée d'une étiquette raffinée et élevée pour un tiers en barrique neuve : une robe intense, un fruité complexe assorti de nuances fumées et d'un boisé mesuré, un palais ample et charnu aux tanins denses et enrobés, une longue finale composent une bouteille harmonieuse et de garde.

⊶ Régis Neau, Dom. de Nerleux,
4, rue de la Paleine, 49260 Saint-Cyr-en-Bourg,
tél. 02.41.51.61.04, fax 02.41.51.65.34,
e-mail contact@domaine-de-nerleux.fr
☑ Y 🚶 t.l.j. sf dim. 8h-12h 14h-18h; sam. 8h-12h

DOM. DE LA PERRUCHE
Les Hauts de La Perruche 2003 *

■ 12 ha 70 000 ▮⚲ 5 à 8 €

Autrefois port fluvial très animé, Montsoreau est aujourd'hui une petite cité romantique avec ses vieilles demeures de tuffeau aux toits d'ardoise et son château Renaissance. Le domaine de La Perruche s'étend sur 38 ha aux alentours. Sa cuvée Les Hauts de La Perruche attire par sa robe foncée. Le nez, encore discret, mêle les fruits rouges à des nuances épicées. Rond et fruité à l'attaque, le palais révèle ensuite une structure tannique assez austère. Une bouteille à attendre une bonne année. Quant au **Chaumont 2003 (8 à 11 €)**, il est cité pour son nez puissant et complexe. Il s'épanouira dans les deux ans qui viennent.

⊶ Dom. de la Perruche,
29, rue de la Maumenière, 49730 Montsoreau,
tél. 02.41.51.73.36, fax 02.41.38.18.70 ☑ Y 🚶 r.-v.

DOM. DE LA PETITE CHAPELLE
Les Chaneluzes 2002 *

■ 1 ha 6 400 ▮⚲ 8 à 11 €

Le domaine de Laurent Dézé s'étend sur 30 ha. L'accueil et la vente se font à Champigny, au cœur de l'appellation, la vinification et l'élevage à Souzay, à 3 km, dans une cave en tuffeau. La cuvée Les Chaneluzes s'habille d'une robe pourpre très soutenu aux reflets violets attrayants. Encore timide au nez, elle laisse percer des arômes fruités qui se prolongent en bouche. On peut déjà déboucher cette bouteille, mais ses tanins encore austères suggèrent de la laisser en cave un an ou deux. De la même propriété, la **cuvée principale 2002 (5 à 8 €)** a été citée pour ses arômes de fruits rouges et sa bouche ronde et assez persistante.

⊶ Laurent Dézé, 4, rue des Vignerons,
Champigny, 49400 Souzay-Champigny,
tél. 02.41.52.41.11, fax 02.41.52.93.48 ☑ Y 🚶 r.-v.

DOM. DE ROCFONTAINE Cuvée Tradition 2003 *

■ 3 ha 20 000 ▮⚲ 5 à 8 €

A Parnay, les amis des oiseaux pourront observer des colonies de mouettes rieuses et de sternes qui font halte sur un îlot de la Loire. S'ils aiment le vin, ils rendront visite à Philippe Bougreau, qui conduit 13 ha aux alentours et possède un gîte rural. Sa cuvée Tradition revêt une robe brillante, d'un rouge intense. Le nez, encore fermé, laisse pressentir une grande richesse : on y décèle le cassis et la mûre, avec des touches poivrées et mentholées. Fruitée, ronde et volumineuse, la bouche est déjà agréable et ne demande qu'à s'épanouir.

⊶ Philippe Bougreau,
7, ruelle des Bideaux, 49730 Parnay,
tél. 02.41.51.46.89, fax 02.41.38.18.61 ☑ 🏠 Y 🚶 r.-v.

DOM. DES ROCHES NEUVES 2003 **

■ 10 ha 55 000 ▮⚲ 5 à 8 €

Ce domaine de 22 ha, conduit en agriculture biologique, a produit ces dernières années des vins fort loués par les jurés du Guide. Ce 2003 est ainsi dans la lignée des deux millésimes précédents, aussi bien notés. D'un rouge profond très attrayant, il libère de captivants parfums de fruits rouges mûrs. Un fruité remarquable égaye aussi la bouche, bien structurée, ronde et longue. Le plaisir est au rendez-vous, et l'on pourra le faire durer trois ou quatre ans. Elevée en fût, la cuvée **Terres Chaudes (11 à 15 €)** fut coup de cœur dans la précédente édition. Le 2003 obtient une étoile pour sa robe grenat intense, son nez tout aussi intense de petits fruits rouges et son boisé tout en finesse. C'est un vin jeune, à attendre deux à quatre ans.

⊶ Thierry Germain, 56, bd Saint-Vincent,
49400 Varrains, tél. 02.41.52.94.02, fax 02.41.52.49.30,
e-mail thierry-germain@wanadoo.fr ☑ Y 🚶 r.-v.

DOM. DES SABLES VERTS
Cuvée des Sables verts 2002 ★

■ 1 ha 20 000 ▮🌡 8 à 11 €

Deux frères, Dominique et Alain Duveau, sont associés à la bonne marche de ce domaine qui dispose de 15 ha de vignes répartis dans différents terroirs de l'appellation. Rubis violacé, leur cuvée des Sables verts dévoile un nez complexe de fruits rouges très mûrs. Fine et souple en bouche, bien équilibrée, elle est pleine d'aménité. A déguster dès maintenant et au cours des années qui viennent. De la même exploitation, la **Cuvée ligérienne 2003 (5 à 8 €)** est citée. Légèrement fruitée, ronde en bouche, plus tannique en finale, elle devrait bénéficier d'un séjour d'un an ou deux en cave.

🔑 GAEC Dominique et Alain Duveau,
66, Grand-Rue, 49400 Varrains, tél. 02.41.52.91.52,
e-mail duveau@domaine-sables-verts.com ☒ Y 🚶 r.-v.

DOM. SAINT-JEAN Les Vignoles 2003 ★

■ n.c. 16 000 ▮🌡 5 à 8 €

Avec sa maison de tuffeau et ses caves troglodytiques, cette exploitation est caractéristique de la région. Développée et agrandie par Jean Anger à partir de 1958, elle est conduite depuis 1989 par son fils Jean-Claude, qui se trouve à la tête d'un vignoble de 24 ha. D'un pourpre profond, brillant et très pur, animé de reflets violets, sa cuvée des Vignoles apparaît pimpante et fraîche à l'œil. Le nez, fait de fruits rouges et de notes confites, est encore timide mais annonce une belle matière. Ample, élégante, persistante et fruitée, la bouche laisse une impression d'harmonie.

🔑 Jean-Claude Anger, Dom. Saint-Jean,
16, rue des Martyrs, 49730 Turquant,
tél. 02.41.38.11.78, fax 02.41.51.79.23 ☒ Y 🚶 r.-v.

DOM. DE SAINT-JUST La Montée des Roches 2002

■ 3 ha 10 000 ⓿ 5 à 8 €

Yves Lambert est passé du monde de l'assurance et de la finance à celui du vin en constituant, à partir de 1983, un vignoble dans le Saumurois, qui s'étend aujourd'hui sur 32 ha. Terroir argilo-calcaire, la Montée des Roches a engendré de brillants millésimes, les 97 et 98. Celui-ci est plus modeste mais plaisant. Rubis de belle intensité, ce vin mêle au nez de subtils parfums de fruits rouges à des notes boisées. La bouche se montre équilibrée et fraîche, avec un joli retour de fruité-vanillé en finale.

🔑 Yves Lambert, Dom. de Saint-Just,
12, rue de la Prée, 49260 Saint-Just-sur-Dive,
tél. 02.41.51.62.01, fax 02.41.67.94.51,
e-mail info@st-just.net ☒ 🏠 Y 🚶 r.-v.

DOM. DES SANZAY Vieilles Vignes 2003 ★

■ 2 ha 11 000 ⓿ 8 à 11 €

Didier Sanzay perpétue la tradition familiale en conduisant le domaine constitué par les quatre générations précédentes et qui s'étend aujourd'hui sur 27 ha. Issue de ceps âgés de cinquante ans, sa cuvée Vieilles Vignes se pare d'une robe poupre brillant à reflets rosés. Son nez complexe est dominé par des notes boisées qui masquent encore le fruit. Fine, élégante avec des tanins bien présents mais déjà arrondis, la bouche révèle un réel potentiel qui s'affirmera dans les deux prochaines années.

🔑 Didier Sanzay, Dom. des Sanzay, 93, Grand-Rue,
49400 Varrains, tél. 02.41.52.91.30, fax 02.41.52.45.93,
e-mail didier-sanzay@domaine-sanzay.com ☒ Y 🚶 r.-v.

ANTOINE SANZAY L'Expression 2003 ★

■ 0,5 ha 2 000 ⓿ 11 à 15 €

Antoine Sanzay descend d'une longue lignée au service du vin, mais son domaine est tout récent : 2003 est son deuxième millésime. Cette cuvée Expression présente bien des qualités : une robe rubis intense à reflets violets, un nez franc de cassis et de framboise mûrs, une bouche charnue à l'attaque, aux tanins fins et agréablement fondus. Le boisé, léger, laisse parler le fruit. Un bon classique, que l'on appréciera dès maintenant.

🔑 Antoine Sanzay, 19, rue des Roches-Neuves,
49400 Varrains, tél. 02.41.52.90.08, fax 02.41.50.27.39,
e-mail antoine-sanzay@wanadoo.fr ☒ Y 🚶 r.-v.

CH. DE TARGE Cuvée Ferry 2001 ★

■ 3 ha 6 800 ▮⓿🌡 11 à 15 €

Un domaine de 25 ha pratiquement d'un seul tenant, à flanc de coteau, et détenu par la même famille depuis 1655. Une famille dont plusieurs membres se sont consacrés au service de l'Etat, de la monarchie à la Vᵉ République. La propriété fut ainsi aux mains de Charles Ferry – frère de Jules – puis, au milieu du XXᵉs., d'Edgard Pisani. Elle est dirigée depuis 1976 par son fils Edouard Pisani-Ferry. La cuvée Ferry présente une robe profonde aux reflets grenat très attrayants. Le nez intense associe les fruits rouges bien mûrs (groseille) à un léger boisé. La bouche souple et longue se montre assez tannique en finale mais possède le potentiel pour s'épanouir prochainement. La cuvée **Tagissime 2003** n'a pas connu le bois. Pourpre à l'œil, cerise au nez, un rien épicée, elle exprime la puissance et la chaleur du millésime, sans manquer de fruit. Elle obtient une citation.

🔑 Edouard Pisani-Ferry, Ch. de Targé, 49730 Parnay,
tél. 02.41.38.11.50, fax 02.41.38.11.50,
e-mail edouard@chateaudetarge.fr
☒ Y 🚶 t.l.j. sf dim. 8h30-12h30 14h-18h; sam. sur r.-v.

DOM. DES VARINELLES Vieilles Vignes 2002 ★

■ 6 ha 30 000 ⓿ 8 à 11 €

Constituée au milieu du XIXᵉs., cette propriété s'étend sur 42 ha. Elle se distingue par l'âge respectable de ses vignes, trente-cinq à soixante ans selon les parcelles, et même soixante-dix ans pour cette cuvée Vieilles Vignes. Rouge rubis à reflets violacés, ce 2002 mêle au nez d'intenses parfums de fruits rouges à un boisé bien fondu qui marque aussi la bouche. Encore tannique, il promet un agréable moment dans un proche avenir.

🔑 SCA Daheuiller, 28, rue du Ruau, 49400 Varrains,
tél. 02.41.52.90.94, fax 02.41.52.94.63,
e-mail daheuiller.vins@wanadoo.fr
☒ Y 🚶 t.l.j. sf dim. 8h-12h 14h-18h; sam. sur r.-v.

DOM. DES VERNES 2003 ★

■ n.c. 10 000 ⓿ 5 à 8 €

Constitué avant 1800, le domaine des Vernes s'étend sur 19 ha. La sixième génération vient de prendre la relève. Sur la propriété disposant de deux chambres d'hôte, vous pourrez découvrir un saumur-champigny d'un rubis intense et brillant, aux arômes de fruits rouges (framboise, cerise), assortis d'une pointe végétale. Vive à l'attaque, équilibrée, la bouche séduit par sa belle expression aromatique bien fruitée. Une bouteille à découvrir dès maintenant.

🔑 Dominique et Sébastien Sanzay,
7, bd de Caulx, 49400 Chacé,
tél. 02.41.52.99.13, fax 02.41.38.75.13 ☒ 🏠 Y 🚶 r.-v.

DOM. DU VIGNEAU
L'Estampille Vieilles Vignes 2003 ★

■ n.c. 10 000 5 à 8 €

Etabli à Champigny, ce domaine familial a été constitué dans les années 1940, à partir du Clos du Pavillon bleu d'où sont issues les cuvées de vieilles vignes. Celle-ci présente une robe pourpre limpide et brillante, à reflets rosés. Encore timide mais élégant, le nez est marqué par le cassis. Une attaque soyeuse introduit une bouche fruitée et équilibrée. Une étoile encore pour la **cuvée Domaine 2003** pour sa robe intense à reflets violets, ses arômes de fruits noirs qui se retrouvent en bouche et pour sa finale soyeuse. Deux bouteilles prêtes à paraître à table.

Olivier Joly, 5, rue des Vignerons,
49400 Souzay-Champigny, tél. 02.41.38.30.09,
fax 02.41.88.30.09, e-mail joly.vigneau@wanadoo.fr
t.l.j. sf dim. 11h-20h

CH. DE VILLENEUVE 2003 ★★

■ 20 ha 110 000 5 à 8 €

Cette propriété fondée au XVI^e^s. a possédé un temps une magnanerie, mais ce sont les vignes qui ont fait sa renommée. Elle est passée en 1969 aux mains de la famille Chevallier qui l'a réaménagée. Le domaine, qui s'étend sur 25 ha, collectionne les coups de cœur, en saumur comme en saumur-champigny. Le dernier en date a distingué un 2000 dans cette dernière AOC. Ce 2003 au bouquet de fruits rouges séduit tout au long de la dégustation. Sa bouche charnue, veloutée, onctueuse, procure un intense plaisir et laisse présager une bonne garde.

SCA Chevallier, 3, rue Jean-Brevet,
49400 Souzay-Champigny, tél. 02.41.51.14.04,
fax 02.41.50.58.24 t.l.j. sf dim. 9h-12h 14h-18h

La Touraine

Les intéressantes collections du musée des Vins de Touraine à Tours témoignent du passé de la civilisation de la vigne et du vin dans la région ; et il n'est pas indifférent que les récits légendaires de la vie de saint Martin, évêque de Tours vers 380, émaillent la *Légende dorée* d'allusions viticoles ou vineuses... A Bourgueil, l'abbaye et son célèbre clos abritaient le « breton », ou cabernet franc, dès les environs de l'an mil, et, si l'on voulait poursuivre, la figure de Rabelais arriverait bientôt pour marquer de faconde et de bien-vivre une histoire prestigieuse. Une histoire qui revit au long des itinéraires touristiques, de Mesland à Bourgueil sur la rive droite (par Vouvray, Tours, Luynes, Langeais), de Chaumont à Chinon sur la rive gauche (par Amboise et Chenonceaux, la vallée du Cher, Saché, Azay-le-Rideau, la forêt de Chinon).

Célèbre il y a donc fort longtemps, le vignoble tourangeau atteignit sa plus grande extension à la fin du XIX^e^s. Sa superficie (environ 13 000 ha) demeure actuellement inférieure à celle d'avant la crise phylloxérique ; il se répartit essentiellement sur les départements de l'Indre-et-Loire et du Loir-et-Cher, empiétant au nord sur la Sarthe. Des dégustations de vins anciens, des années 1921, 1893, 1874 ou même 1858, par exemple, à Vouvray, Bourgueil ou Chinon, laissent apparaître des caractères assez proches de ceux des vins actuels. Cela montre que, malgré l'évolution des pratiques culturales et œnologiques, le « style » des vins de la Touraine reste le même ; sans doute parce que chacune des appellations n'est élaborée qu'à partir d'un seul cépage. Le climat joue aussi son rôle : le jeu des influences atlantique et continentale ressort dans l'expression des vins, les coteaux formant écran aux vents du nord. En outre, la succession de vallées orientées est-ouest, vallée du Loir, de la Loire, du Cher, de l'Indre, de la Vienne, multiplie les coteaux de tuffeau favorables à la vigne, sous un climat tout en nuances, et en entretenant une saine humidité. Ce tuffeau, pierre tendre, est creusé d'innombrables caves. Dans les sols des vallées, l'argile se mêle au calcaire et au sable, avec parfois des silex ; au bord de la Loire et de la Vienne, des graviers s'y ajoutent.

Ces différents caractères se retrouvent donc dans les vins. A chaque vallée correspond une appellation, dont les vins s'individualisent chaque année grâce aux variations climatiques ; et l'association du millésime aux données du cru est indispensable.

Le classement des millésimes est à moduler, bien sûr, entre les rouges tanniques de Chinon ou de Bourgueil (plus souples quand ils proviennent des graviers, plus charpentés quand ils sont issus des coteaux) et ceux plus légers, et parfois diffusés en primeur, de l'appellation touraine ; entre les rosés plus ou moins secs selon l'ensoleillement, tout comme les blancs d'Azay-le-Rideau ou d'Amboise, et ceux de Vouvray et de Montlouis dont la production va des secs aux moelleux en passant par les vins effervescents. Les techniques d'élaboration des vins ont leur importance. Si les caves de tuffeau permettent un excellent vieillissement à une température constante d'environ 12 °C, les vinifications en blanc se font à température contrôlée ; les fermentations durent quelquefois plusieurs semaines, voire plusieurs mois pour les vins moelleux. Les rouges légers, de type touraine, sont issus de cuvaisons au contraire assez courtes ; en revanche, à Bourgueil et à Chinon, les cuvaisons sont longues : deux à quatre semaines. Si les rouges font leur fermentation malolactique, les blancs et les rosés doivent au contraire leur fraîcheur à la présence de l'acide malique.

Touraine

S'étendant des portes de Montsoreau, à l'ouest, jusqu'à Blois et Selles-sur-Cher à l'est, l'appellation régionale touraine recouvre 5 438,71 ha. Elle est principalement localisée de part et d'autre des vallées de la Loire, de l'Indre et du Cher. Le tuffeau affleure rarement ; les sols surmontent le plus souvent l'argile à silex. Ils sont plantés surtout de gamay noir pour les vins rouges, accompagné selon les terrains de cépages plus tanniques, comme le cabernet franc et le cot. La majorité des vins rouges, dont les vins primeurs, légers et fruités, sont issus de ce gamay noir uniquement. A base de deux ou trois cépages, ils ont une bonne tenue en bouteille. Nés du cépage sauvignon qui depuis quarante ans a détrôné les autres, les blancs sont secs. Une partie de la production des blancs et des rosés est élaborée en mousseux selon la méthode traditionnelle. Enfin, les rosés toujours secs, friands et fruités, sont élaborés à partir des cépages rouges. La production a atteint 247 275 hl en 2003.

DOM. JACKY AUGIS ★★

3 ha 20 000 5 à 8 €

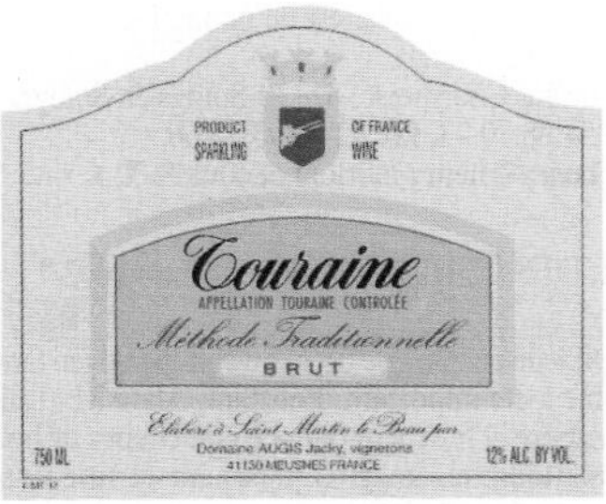

Installé à la limite orientale de l'aire d'appellation touraine sur des terroirs d'argile à silex reconnus pour leur qualité, le domaine Augis, également producteur de valençay, a su assembler remarquablement les vins de plusieurs millésimes pour élaborer cette cuvée à la robe soutenue. Des arômes intenses, un corps ample et une mousse crémeuse font tout le charme de cette bouteille à déboucher pour fêter le moindre événement. La **Réserve des Caillouteux rouge 2002 Elevé en fût de chêne** obtient une étoile. Elle mérite d'attendre un an ou deux pour s'assouplir.

Dom. Augis, Le Musa, 1465, rue des Vignes, 41130 Meusnes, tél. 02.54.71.01.89, fax 02.54.71.74.15
t.l.j. sf dim. 8h-12h 14h-19h; f. 15-31 août

DOM. DE L'AUMONIER
Cuvée Louis Tradition 2002

■ 4 ha 7 000 3 à 5 €

Fort de 47 ha sur la commune de Couffy, ce domaine a produit un vin grenat, plaisant par son nez de fruits rouges. A l'attaque ronde succède une bouche équilibrée, mais qui présente une certaine austérité tannique. Un passage en carafe sera sans doute bénéfique à ce 2002.

Sophie et Thierry Chardon, 44, rue de Villequemoy, 41110 Couffy, tél. 02.54.75.21.83, fax 02.54.75.21.56, e-mail domaine.aumoniertchardon@wanadoo.fr
r.-v.

DOM. DE L'AZURE Cuvée Fantaisie 2002

■ 0,75 ha 3 000 5 à 8 €

A moins d'une dizaine de kilomètres du château de Chenonceaux, ce domaine cultive 15,5 ha de vignes sur un terroir de perruches. Une Fantaisie ? Le jury n'est pas contre. Il a apprécié ses arômes subtils de fruits rouges, ainsi que la souplesse de sa bouche. La finale est légèrement végétale, mais 2002 n'était pas un millésime facile. Une curiosité ? Le **chenin doux 2002 (15 à 23 €)**, produit à cinq cents bouteilles seulement : tout en flaveurs d'abricot confit et de miel ; il sera apprécié à l'apéritif.

Thierry Pillault, 9, chem. des Noues, Mozelles, 41400 Saint-Georges-sur-Cher, tél. 02.54.32.34.12
t.l.j. sf dim. 8h-12h30 14h-18h30

CELLIER DU BEAUJARDIN
Chenin Les Chatenays 2002

2,7 ha 15 000 3 à 5 €

La cave coopérative vinifie encore les quelques hectares de chenin qui restent dans la région. Cette cuvée or pâle brillant développe des arômes intenses de fruits mûrs, de poire et de tilleul. Si le moelleux y est bien présent, elle dévoile aussi une agréable fraîcheur qui la rend friande et lui assurera une bonne évolution dans les trois à quatre années à venir.

Cellier du Beaujardin, 32, av. du 11-Novembre 1918, 37150 Bléré, tél. 02.47.57.91.04, fax 02.47.23.51.27, e-mail contact@cellier-beaujardin.com
t.l.j. sf dim. 8h-12h 14h-18h30

DOM. BEAUSEJOUR
Sauvignon Les Grenettes 2003 ★★

12 ha 40 000 5 à 8 €

Ce sauvignon issu des sables de Noyers-sur-Cher, à l'est de l'aire de l'appellation, a été apprécié pour la maturité de ses arômes d'orange mûre et de fleurs blanches qui se mêlent élégamment. Après une première sensation chaleureuse, l'équilibre s'impose et les agrumes accompagnent la dégustation jusqu'à une note de sauvignon persistante. Un vin qui pourra être des vôtres à Noël. La **cuvée Vincent de gamay 2003** brille d'une étoile tant elle est fruitée, fidèle au millésime par sa rondeur chaleureuse.

LOIRE

☛ Philippe Trotignon, Dom. Beauséjour,
14, rue des Bruyères, 41140 Noyers-sur-Cher,
tél. 02.54.71.34.17, fax 02.54.71.77.61,
e-mail philippe.trotignon@wanadoo.fr ☑ ⌂ ⏓ ⚲ r.-v.

DOM. BELLEVUE Sauvignon 2003

	10 ha	50 000		⏓⬇	3 à 5 €

Dans sa robe or pâle, ce vin exprime bien le sauvignon de Touraine avec ses arômes de bourgeon de cassis et de buis. La bouche laisse une sensation chaleureuse et ronde qui fait contraste avec le nez. La **cuvée Passion rouge 2002 (5 à 8 €)**, assemblage de cot et de cabernet franc, se montre légèrement boisée, tandis que le **rosé 2003** offre un agréable fruité de pêche et d'agrumes. Le jury leur attribue une citation également.
☛ EARL Vauvy,
6, rue du Coteau, 41140 Noyers-sur-Cher,
tél. 02.54.71.42.73, fax 02.54.75.21.89,
e-mail domainebellevue@terre-net.fr ☑ ⏓ ⚲ r.-v.

BLANC FOUSSY ★

	n.c.	50 000		⏓⬇	3 à 5 €

La maison Blanc Foussy, bien connue pour toutes ses productions de vins effervescents, a produit un touraine de belle facture, dont les arômes sont représentatifs du cépage chenin. L'attaque est vive, mais le vin ne tarde pas à devenir flatteur en dévoilant beaucoup de rondeur. Que demander de plus à un vin de fête sinon de surprendre agréablement les convives ?
☛ SA Blanc Foussy, 95, quai de la Loire,
37210 Rochecorbon, tél. 02.47.40.40.20,
fax 02.47.52.65.82, e-mail blancfoussy@wanadoo.fr
⏓ ⚲ t.l.j. sf dim. 9h-12h 14h-18h

VIGNOBLES DES BOIS VAUDONS
Gamay Le Bois Jacou 2003 ★★

	8 ha	25 000		⏓⬇	3 à 5 €

C'est au cœur de la vallée du Cher, là où la rivière s'oriente vers le sud-est, que la famille Mérieau cultive ses 32 ha de vignes, dont le fruit est vinifié dans une cave creusée dans la roche. Cette cuvée a fait l'unanimité du grand jury. Quelque chose de magique s'en est immédiatement dégagé. Telle une corbeille de fruits rouges légèrement confiturés, le nez ouvre la dégustation en fanfare. La matière fondue, aux notes de griotte, emplit le palais et laisse une sensation de parfaite harmonie. Un vin raffiné que vous pourrez garder au moins trois ans.
☛ Mérieau, 30, rte de la Vallée,
41400 Saint-Julien-de-Chédon,
tél. 02.54.32.14.23, fax 02.54.32.84.03,
e-mail merieau2@wanadoo.fr ☑ ⏓ ⚲ r.-v.

PAUL BUISSE Tradition 2002 ★★

■	n.c.	25 000		⏓	3 à 5 €

Incontournable, Paul Buisse a assemblé de main de maître le cot, le cabernet et le gamay. Il présente à nouveau un remarquable touraine rouge qui a frôlé le coup de cœur. Dans une robe grenat à reflets brillants, ce vin séduit par ses notes de réglisse et de fruits noirs comme par sa bouche soyeuse dès l'attaque. Il se développe harmonieusement jusqu'à une élégante finale. Vous pouvez l'apprécier dès aujourd'hui avec une viande rouge bien cuisinée. Le **sauvignon 2003** remporte une étoile : il est si floral, si long, si frais aussi.
☛ SA Paul Buisse, 69, rte de Vierzon, BP 112,
41402 Montrichard Cedex, tél. 02.54.32.00.01,
fax 02.54.32.09.78, e-mail contact@paul-buisse.com
☑ ⏓ ⚲ t.l.j. sf sam. dim. 8h30-12h 14h-17h

DOM. DU CHAPITRE Cabernet 2002

■	6 ha	5 000		⏓⬇	3 à 5 €

A Saint-Romain-sur-Cher, à mi-chemin entre la vallée du Cher et la Sologne viticole, François Desloges et sa sœur Maryline conduisent avec soin leurs 25 ha de vignes. Si vous leur rendez visite, ils vous montreront sans doute leur collection de fossiles et de pierres taillées préhistoriques, trouvés dans le vignoble. Leur 2002 rubis s'inscrit bien dans le style des touraine de structure. Les fruits cuits parfument la matière équilibrée et ferme qui promet une bonne évolution. Le **cot 2002**, aux notes de griotte et au palais assez ample, est cité également.
☛ GAEC Desloges, 82, rue Principale,
41140 Saint-Romain-sur-Cher, tél. 02.54.71.71.22,
fax 02.54.71.08.21 ☑ ⏓ ⚲ t.l.j. 9h-19h

DOM. DE LA CHARMOISE
Première Vendange 2003 ★★

■	8 ha	35 000		⏓⬇	8 à 11 €

Henri Marionnet, figure de la Sologne viticole, est resté fidèle aux cépages précoces, bien adaptés à cette région : sauvignon et gamay. Le 2003 a retenu l'intérêt des dégustateurs dans sa robe grenat de laquelle émanent des arômes de fruits frais. Il se montre gouleyant grâce à des tanins légers et fondus, et trouve de la gaieté dans une pointe finale de perlant. Le fruit d'une parfaite maîtrise de la culture de la vigne et de la vinification. Citée, la **cuvée principale de gamay Domaine de la Charmoise (5 à 8 €)**, plus classique, est de bonne facture.
☛ Henry Marionnet,
Dom. de La Charmoise, 41230 Soings-en-Sologne,
tél. 02.54.98.70.73, fax 02.54.98.75.66,
e-mail henry@henry-marionnet.com ☑ ⏓ ⚲ r.-v.

DOM. DES CHEZELLES Sauvignon 2003 ★

	12 ha	60 000		⏓⬇	3 à 5 €

Difficile en 2003 de tirer son épingle du jeu tant l'effet millésime a été important. Pourtant, Alain Marcadet a su allier matière et fraîcheur dans ce vin. Un nez de bourgeon de cassis marqué, un gras persistant et une finale très longue font de cette bouteille une compagne fort agréable des poissons et des toasts de chèvre chaud.
☛ EARL Alain Marcadet,
18, rue du Grand Mont, 41140 Noyers-sur-Cher,
tél. 02.54.75.13.94, fax 02.54.75.44.09,
e-mail alain.marcadet@wanadoo.fr
☑ ⌂ ⏓ ⚲ t.l.j. sf dim. 9h-12h 14h-18h30

DOM. DU CLOS ROUSSELY

Sauvignon Le Clos 2003 ★

7 ha 20 000 3 à 5 €

Après des études d'œnologie, Vincent Roussely a travaillé en Australie et en Afrique du Sud, puis a repris en 2000 le domaine créé par son arrière-grand-père. Grâce à un soin attentif du terroir, il fait ici un sans faute. Son sauvignon 2003, or pâle à reflets verts, présente un nez complexe d'agrumes et de fleurs blanches. La bouche élégante allie gras et fraîcheur jusqu'à une finale persistante. Egalement noté une étoile, le **Clos Roussely Gamay Canaille 2003 (5 à 8 €)**, vin riche en arômes, et l'**Anthologie du Clos rouge 2002 (5 à 8 €)**, assemblage de cabernet franc et de cot qui manifeste un boisé fin et une trame soyeuse. L'un s'associera aux cuisines exotiques, l'autre à des viandes rouges en sauce.

Vincent Roussely,
Dom. du Clos Roussely, La Chauverie,
41400 Saint-Georges-sur-Cher,
tél. 02.54.32.86.46, fax 02.54.32.86.46,
e-mail clos-roussely@yahoo.fr r.-v.

DOM. DES CORBILLIERES 2002

5 ha n.c. 5 à 8 €

Assemblant à parts égales le pinot noir, le cot et le cabernet franc récoltés sur les terroirs de la Sologne viticole, ce vin fait preuve d'une agréable fraîcheur en contrepoint de sa rondeur. Au nez légèrement confituré répond une bouche souple qui se prolonge sur des notes de fruits à noyau. L'association avec des charcuteries chaudes et des viandes grillées est tout indiquée. Le **gamay 2003**, aux arômes flatteurs et à la finale fraîche, ainsi que le **sauvignon 2003**, typique de la région, sont également cités.

EARL Barbou, Dom. des Corbillières, 41700 Oisly, tél. 02.54.79.52.75, fax 02.54.79.64.89 r.-v.

LES VIGNERONS DES COTEAUX ROMANAIS

Sauvignon Cuvée Saint-Vincent 2003

6 ha 40 000 3 à 5 €

Groupés en coopérative à l'est de l'aire d'appellation, les Vignerons des Coteaux romanais vinifient le fruit de quelque 300 ha. Leur cuvée Saint-Vincent, issue d'une

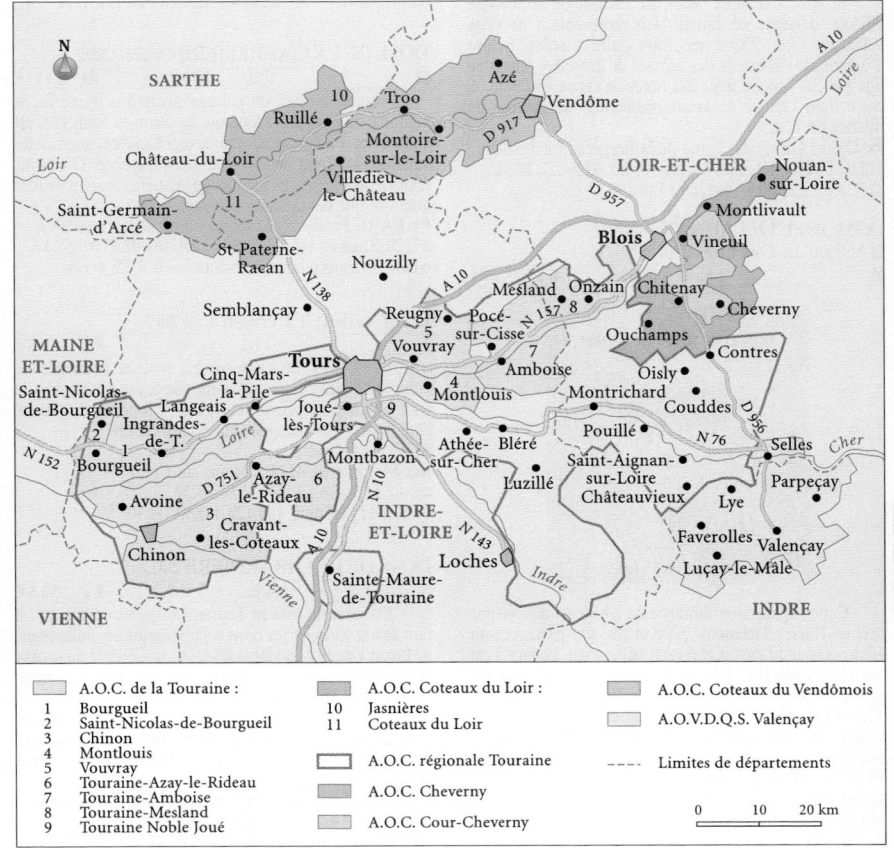

La Touraine

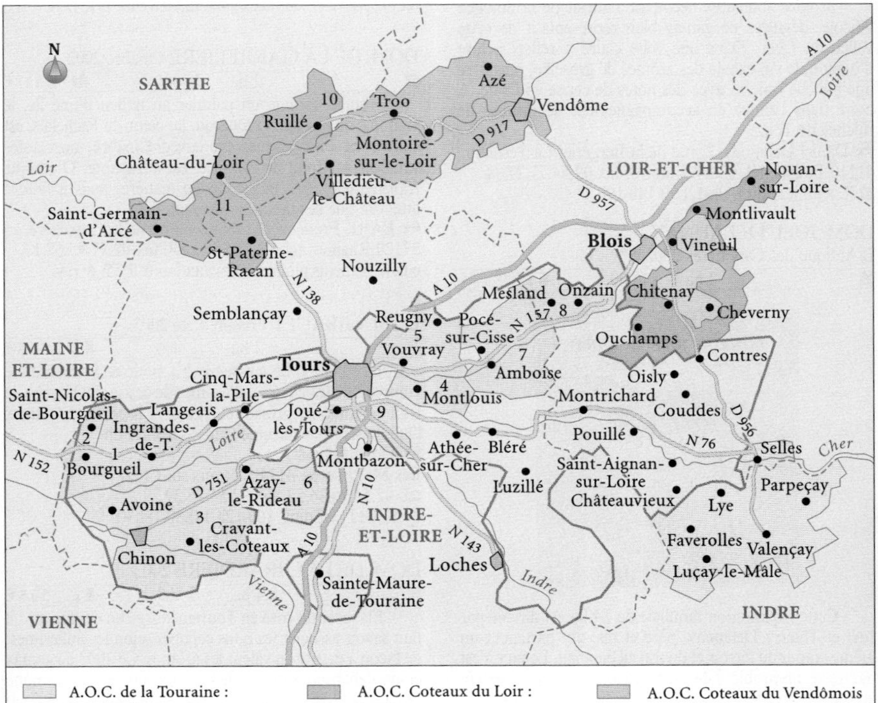

LOIRE

sélection rigoureuse, affiche une bonne fraîcheur et des arômes de fruits mûrs agréables. C'est un vin classique qui accompagnera avec succès vos entrées froides.

🗝 Les Vignerons des Coteaux Romanais,
50, rue Principale, 41140 Saint-Romain-sur-Cher,
tél. 02.54.71.70.74, fax 02.54.71.41.75,
e-mail vignerons.romanais@wanadoo.fr
☑ 🍷 🚶 t.l.j. sf dim. lun. 8h-12h 14h-18h

DOM. DE LA CROIX BOUQUIE Cabernet 2002

■ 1,8 ha 8 000 ▮🌡 3 à 5 €

Entre les châteaux de Chambord et de Chenonceaux, vous pourrez faire halte dans ce domaine de 19 ha. Annie et Christian Girard ont produit ce vin habillé d'une robe fuchsia intense qui décline avec délicatesse des notes de fruits rouges et de réglisse. Ces arômes fruités réapparaissent dans la bouche harmonieusement structurée, mais dont les tanins demandent à s'arrondir à la faveur d'une petite garde.

🗝 Christian et Annie Girard, 1, chem. de la Chaussée,
Phages, 41400 Thenay, tél. 02.54.32.50.67,
fax 02.54.32.74.17 ☑ 🚶 t.l.j. 9h-12h 14h-19h

DANIEL DELAUNAY Gamay 2003

■ 2 ha 10 000 ▮🌡 3 à 5 €

Si vous souhaitez découvrir l'attrait de la Sologne viticole, dégustez ce gamay bien représentatif de cette vallée du Cher. Dans une robe claire à reflets pelure d'oignon, le vin exhale des arômes de groseille, puis livre une bouche fraîche, avec des notes de cerise en finale. A boire dans l'année en accompagnement de tartines de rillettes de Tours.

🗝 Daniel Delaunay, 2, rue de la Bergerie, La Tesnière,
41110 Pouillé, tél. 02.54.71.46.93, fax 02.54.71.77.34
☑ 🍷 🚶 t.l.j. sf dim. 9h-12h30 14h-19h

DOM. JOEL DELAUNAY
L'Antique des Cabotières 2002 ★★

■ 2 ha 14 000 ▮🌡 5 à 8 €

Cette exploitation familiale de 23 ha est dirigée par Joël et Thierry Delaunay, père et fils, qui partagent un même amour du terroir et du travail bien fait. Le jury n'est pas resté insensible à la remarquable beauté de ce vin grenat sombre, dont le nez de fruits rouges confiturés a tout d'un poème à la Prévert. En bouche, c'est la *Naissance du monde de Mirò* : de l'ampleur, de l'équilibre et de la longueur.

🗝 EARL Dom. Joël Delaunay, 48, rue de la Tesnière,
41110 Pouillé, tél. 02.54.71.45.69, fax 02.54.71.55.97,
e-mail contact@joeldelaunay.com
☑ 🍷 🚶 t.l.j. sf dim. 9h-12h 14h-18h

DOM. DES ECHARDIERES La Long Bec 2002

■ 1,2 ha 6 000 ▮🌡 5 à 8 €

Luc Poullain est un ardent défenseur de la nature, et ses vins, élevés dans des caves troglodytiques des XVIIIe et XIX^{e}s., ont ce caractère de vérité que l'on souhaiterait trouver plus souvent. Robe intense, nez très concentré de fruits noirs, ce 2002 se montre encore un peu austère en finale, mais devrait s'affiner au fil du temps.

🗝 Luc Poullain, 9, rue de La Brosse, 41110 Pouillé,
tél. 02.54.71.46.66, fax 02.54.71.46.66,
e-mail domaine.echardieres@free.fr ☑ 🍷 🚶 r.-v.

DOM. DE LA GARENNE Gamay 2003 ★

■ 5 ha 15 000 ▮🌡 3 à 5 €

Entre la visite des champignonnières, des maisons troglodytiques de la région et une promenade le long du Cher, vous trouverez bien un moment pour passer à La Garenne. Un joli vin vous y attend : grenat limpide, ce 2003 associe épices et fruits rouges frais avant de dévoiler une matière généreuse qui se prolonge sur des arômes de banane et de fruits exotiques en finale tout en restant juvénile.

🗝 GAEC Charbonnier et Fils,
11, rte de la Vallée, 41400 Angé,
tél. 02.54.32.10.06, fax 02.54.32.60.84 ☑ 🍷 🚶 r.-v.

DOM. DE LA GARRELIERE Cinabre 2002

■ 2 ha 5 000 🛢 8 à 11 €

Installé comme un palmier au milieu d'une île, le vignoble de François Plouzeau, au cœur du Richelais, est cultivé en biodynamie. La cuvée Cinabre, aux notes vanillées sur fond de cannelle, est attrayante. D'attaque franche, elle offre beaucoup de matière, mais il faudra attendre que ses tanins se fondent.

🗝 EARL François Plouzeau, Dom. de la Garrelière,
37120 Razines, tél. 02.47.95.62.84, fax 02.47.95.67.17,
e-mail francois.plouzeau@wanadoo.fr ☑ 🍷 🚶 r.-v.

DOM. GIBAULT Frisson d'été 2003

▒ 2 ha 12 000 ▮🌡 3 à 5 €

Une belle robe œil-de-perdrix pour ce Frisson d'été empreint de fraîcheur et d'arômes de cerise. En bouche, le fruit est toujours présent et friand. A la sortie du Guide, l'été ne sera pas terminé : alors, profitez-en.

🗝 Dom. Gibault,
Les Martinières, 41140 Noyers-sur-Cher,
tél. 02.54.75.36.52, fax 02.54.75.29.79
☑ 🍷 🚶 t.l.j. sf dim. 10h-12h 14h30-18h30

DOM. DE LA GIRARDIERE 2003

▒ 1,4 ha 5 000 ▮🌡 3 à 5 €

Elaborer un rosé en Touraine exige un certain art : il faut savoir associer les bons cépages selon les millésimes, de façon à mettre en valeur les arômes. Ce 2003 de gamay et de cabernet franc s'affiche dans une robe saumoné brillant et libère des notes florales rehaussées d'épices. Il possède suffisamment de matière, avec un bon équilibre entre alcool, fruité et fraîcheur. Cité également, le **gamay 2003** est un vin typé et sincère, de bonne compagnie à table.

🗝 Patrick Léger, La Girardière, 41110 Saint-Aignan,
tél. 02.54.75.42.44, fax 02.54.75.21.14,
e-mail domainedelagirardiere@wanadoo.fr ☑ 🍷 🚶 r.-v.

LAME-DELISLE-BOUCARD
Cuvée René Boucard 2002 *

■ 1 ha 8 000 ◍ 5 à 8 €

Produit dans l'aire du bourgueil, ce touraine de pur cabernet-sauvignon revêt une robe rubis soutenu qui invite à découvrir le nez complexe, mêlant épices et torréfaction. La bouche fruitée s'appuie sur une belle structure tannique qui, si elle a besoin de s'arrondir encore, ne masque en rien l'harmonie de ce vin parfaitement adapté aux menus tourangeaux.

⊶ EARL Lamé-Delisle-Boucard, Dom. des Chesnaies, 21, rue de la Galotière, 37140 Ingrandes-de-Touraine, tél. 02.47.96.98.54, fax 02.47.96.92.31, e-mail lame.delisle.boucard@wanadoo.fr
Y t.l.j. sf dim. 9h-12h 13h30-17h30; sam. 9h-12h

JACQUELINE LOUET Cuvée Tradition 2002 **

■ 2 ha 10 000 ▮🌡 3 à 5 €

Installés non loin du château de Chaumont-sur-Loire, sur la rive gauche de la Loire, Jacqueline Louet et son mari ont créé leur domaine en 1960 : ils connaissent sans nul doute le moindre caillou de leur terroir argilo-calcaire et leur expérience se lit dans ce vin grenat foncé, aux notes de fruits rouges bien mûrs. Ample et souple, la bouche bénéficie de tanins déjà fondus par le temps. A déguster dès aujourd'hui lors d'un bon repas de famille.

⊶ Jacqueline Louet, Cave Pierre Louet, Le Marchais, 41120 Monthou-sur-Bièvre, tél. 02.54.44.01.56, fax 02.54.44.01.56, e-mail cavepierrelouet@tele2.fr ☒ Y ⚘ r.-v.

DOM. LOUET-ARCOURT Cuvée Prestige 2002 *

■ 5 ha 7 500 ▮🌡 3 à 5 €

Sans doute aurez-vous plaisir à voir les célèbres jardins de Chaumont-sur-Loire, sans cesse remodelés par des artistes. Votre journée dans le Val de Loire sera d'autant plus réussie si vous en profitez pour visiter la cave du domaine Louet-Arcourt qui a toujours œuvré au développement des vins de Touraine. Ce 2002 est tout en équilibre, avec des arômes fins de fruits rouges et une finale fraîche fort agréable.

⊶ EARL Dom. Louet-Arcourt, La Berthaudière, 1, rue de la Paix, 41120 Monthou-sur-Bièvre, tél. 02.54.44.04.54, fax 02.54.44.15.06 ☒ Y ⚘ r.-v.

LOUET GAUDEFROY Sauvignon 2003 **

□ 8,5 ha 15 000 ▮🌡 3 à 5 €

Le jury a souhaité distinguer ce sauvignon pour son côté classique malgré l'intensité et la richesse du millésime. Dans une robe or jaune, le vin révèle un nez discret et agréable, puis développe un gras persistant jusqu'à une finale légèrement végétale qui rafraîchit.

⊶ GAEC Louet Gaudefroy, Les Sablons, 41140 Saint-Romain-sur-Cher, tél. 02.54.71.72.83, fax 02.54.71.46.53 ☒ Y ⚘ r.-v.

JEAN-CHRISTOPHE MANDARD Gamay 2003 *

■ 5 ha 25 000 ▮🌡 5 à 8 €

Vigneron appliqué, Jean-Christophe Mandard récolte uniquement à la main et vinifie ses raisins selon la méthode de la macération carbonique : les raisins sont mis en cuve entiers, sans foulage préalable. Son gamay 2003, sous une teinte pourpre, offre des arômes de surmaturité, rehaussés d'épices. Sa bouche est souple, dominée par les fruits jusqu'à la finale de griotte. Un vin à boire dès à présent et dans les deux à trois ans à venir.

⊶ Jean-Christophe Mandard, 14, rue du Bas-Guéret, 41110 Mareuil-sur-Cher, tél. 02.54.75.19.73, fax 02.54.75.16.70, e-mail mandard.je@wanadoo.fr ☒ ⌂ Y ⚘ r.-v.

DOM. DE MARCE Sauvignon 2003

□ 12 ha 40 000 ▮🌡 3 à 5 €

Dans une robe or pâle à reflets verts, ce sauvignon s'exprime avec discrétion et finesse au nez. D'une gentille tendreté au palais, il se prolonge vers une finale citronnée qui participe de son caractère de vin de soif.

⊶ GAEC Godet, Dom. de Marcé, 41700 Oisly, tél. 02.54.79.54.04, fax 02.54.79.54.45
☒ Y ⚘ t.l.j. sf dim. 8h-12h 14h-19h

DOM. JACKY MARTEAU
Cuvée Harmonie 2002 **

■ 2 ha n.c. ▮🌡 5 à 8 €

Revendiquant l'identité de la vallée du Cher, ce 2002 né de l'assemblage du cot et du cabernet a enchanté le jury. Il révèle sous une robe grenat brillant un nez complexe, typique des vins que l'on produisait avant l'invasion du gamay. Les tanins sont perceptibles mais soyeux, et le fruité s'impose du début à la fin de la dégustation.

⊶ Jacky Marteau, 36, rue de La Tesnière, 41110 Pouillé, tél. 02.54.71.50.00, fax 02.54.71.75.83 ☒ Y ⚘ r.-v.

MARTINEAU Gamay 2003 **

■ 4 ha 15 000 ▮🌡 3 à 5 €

Ici, les vendanges ont débuté le 1er septembre : une première dans cette région... On ressent beaucoup de matière dans ce vin grenat sombre qui livre un nez puissant de fraise et de bigarreau. La bouche est souple et structurée à la fois, avec une pointe d'amertume en finale qui est loin d'être désagréable. Vous pourrez apprécier cette bouteille aujourd'hui même ou la mettre en cave.

⊶ EARL Martineau, 31, rue de la Ferme, 41110 Couffy, tél. 02.54.75.19.71, fax 02.54.75.11.98, e-mail martineau.foubet@wanadoo.fr
☒ Y ⚘ t.l.j. 9h-19h; dim. 10h-12h

DOM. MAX MEUNIER
Gamay Vieilles Vignes 2003 *

■ 2 ha 3 000 5 à 8 €

Saint-Aignan mérite une visite pour sa collégiale aux splendides chapiteaux sculptés. A 1 km de là, Max et Corinne Meunier ont produit un touraine fort original. Intensément coloré, celui-ci évoque les fruits très mûrs, un peu confits même. Sa grande richesse et sa puissance étonnent les dégustateurs, mais elles sont bien le reflet d'une année atypique. Loin du gamay de soif, ce 2003 s'associera aux cuisines asiatiques et orientales.

⊶ Corinne et Max Meunier, 6, rue Saint-Gennefort, 41110 Seigy, tél. 02.54.75.04.33, fax 02.54.75.39.69, e-mail maxmeunier@aol.com ☒ Y ⚘ r.-v.

DOM. MICHAUD Gamay 2003

■ 4,2 ha 18 000 ▮🌡 3 à 5 €

Un vin tout en légèreté pour un 2003. Avec sa robe rubis et son sympathique nez de cerise, il laisse une impression de souplesse et de fruité. Un touraine gamay classique, à boire frais en compagnie de rillettes de Tours.

🔑 EARL Michaud, 20, rue Les Martinières,
41140 Noyers-sur-Cher, tél. 02.54.32.47.23,
fax 02.54.75.39.19, e-mail thierry-michaud@wanadoo.fr
☑ Y 🚶 t.l.j. sf dim. 8h30-12h30 14h-19h

MAISON MIRAULT Sec *

● n.c. 3 000 ▮ ▮▮ ♁ 3 à 5 €

Important producteur de vins effervescents en Touraine, la maison Mirault propose un rosé à la jolie teinte saumon, dont le nez évoque la cerise avec légèreté. Une mousse fine caresse le palais empreint d'un fruité frais. Pour l'apéritif.

🔑 Maison Mirault, 15, av. Brûlé, 37210 Vouvray,
tél. 02.47.52.71.62, fax 02.47.52.60.90,
e-mail maisonmirault@wanadoo.fr
☑ Y 🚶 t.l.j. 8h-12h 14h-18h30; dim. sur r.-v.

DOM. OCTAVIE Fragrance 2002

■ 1,2 ha 7 620 ▮ ♁ 5 à 8 €

Un vin encore dans sa jeunesse, à la couleur rubis intense. S'il garde une légère pointe végétale, il dévoile aussi un bon fond de fruits rouges. En bouche, les tanins et la fraîcheur cherchent encore l'harmonie, mais ils devraient s'entendre dans les deux ou trois ans à venir. Cités également : le **gamay 2003**, structuré et concentré, qui sera apprécié avec un coq au vin, ainsi que le **sauvignon 2003**, très jovial.

🔑 Noë Rouballay, Dom. Octavie, Marcé, 41700 Oisly,
tél. 02.54.79.54.57, fax 02.54.79.65.20,
e-mail octavie@netcourrier.com
☑ Y 🚶 t.l.j. 9h-12h30 14h-18h30; dim. sur r.-v.

CAVE D'OISLY-THESEE Pinot noir Les Brémailles 2003 *

■ 30 ha 23 000 ▮ ♁ 5 à 8 €

Spécialiste des vins blancs fruités de sauvignon issus des sols de sables de la Sologne viticole, la cave d'Oisly-Thésée s'essaie à la production de vins rouges structurés. Ce pinot noir 2003, qui a bénéficié de la chaleur de l'été, fait preuve de puissance sous sa robe soutenue. Des arômes de kirsch persistants accompagnent sa matière chaleureuse. La **cuvée Baronnie d'Aignan 2002**, assemblage de cot et de cabernet, est citée : d'attaque ample, elle évolue avec plus de fraîcheur comme pour demander un séjour en cave complémentaire.

🔑 Confrérie des Vignerons de Oisly et Thésée,
Le bourg, 41700 Oisly,
tél. 02.54.79.75.20, fax 02.54.79.75.29 ☑ Y 🚶 r.-v.

DOM. OUDIN Cabernet 2002

■ n.c. 25 000 ▮ ♁ 3 à 5 €

Un 2002 qui devrait encore pouvoir s'arrondir à l'ombre de votre cave. Son nez élégant de framboise et de cassis est attrayant, de même que l'harmonie de sa bouche, malgré un petit côté austère en finale. Un classique de l'est de l'AOC.

🔑 Cave de la Grande Brosse, 41700 Chémery,
tél. 02.54.71.81.03, fax 02.54.71.76.67,
e-mail cave-grande-brosse@wanadoo.fr ☑ Y 🚶 r.-v.
🔑 Philippe Oudin

CAVES DU PERE AUGUSTE Tradition 2002

■ n.c. n.c. ▮ ♁ 3 à 5 €

Bien connue dans l'aire d'appellation touraine, la famille Godeau réserve toujours un accueil chaleureux et aime à parler de ses vignes et de ses caves. Elle propose un 2002 vêtu de rubis, ouvert sur le cassis et d'une structure simple pour accompagner un repas sans chichi.

🔑 Famille Godeau, GAEC Caves du Père Auguste,
14, rue des Caves, 37150 Civray-de-Touraine,
tél. 02.47.23.93.04, fax 02.47.23.99.58,
e-mail caves-du-pere-auguste@wanadoo.fr
☑ 🏠 Y 🚶 t.l.j. 8h30-12h30 14h-19h; dim. 10h-12h

CH. DE PONT 2002

□ 1,3 ha 850 ▮ ▮▮ ♁ 3 à 5 €

Occupant une position excentrée dans l'appellation, le château du Pont domine la forêt domaniale de Loches. Il a su produire en 2002 un chenin expressif aux parfums de fruits secs. La bouche laisse une impression de fraîcheur plaisante.

🔑 SCEA Ch. de Pont, La Clémencerie, 37460 Genillé,
tél. 02.47.59.59.02, fax 02.47.59.58.05 ☑ Y 🚶 r.-v.

DOM. DU PRE BARON L'Elégante 2003 **

□ 3,5 ha 15 000 ▮ ♁ 5 à 8 €

Oisly se trouve en plein cœur de la Sologne viticole, berceau du sauvignon de Touraine. Jean-Luc Mardon a su maîtriser le millésime 2003. Or pâle, ce vin libère un nez puissant de fruits exotiques nuancés d'une pointe d'agrumes. La bouche est tout aussi intense, harmonieuse, avec une finale chaleureuse. A servir avec des poissons en sauce. La **cuvée principale de sauvignon du Pré Baron 2003**, plus classique dans un registre floral, mérite une étoile.

🔑 Guy Mardon, Dom. du Pré Baron, 41700 Oisly,
tél. 02.54.79.52.87, fax 02.54.79.00.45
☑ Y 🚶 t.l.j. sf dim. 9h-12h 14h-18h30

CH. DE QUINCAY 2002 *

■ 3 ha 10 000 ▮ ♁ 5 à 8 €

Le château de Quinçay s'inscrit dans un joli parc arboré ; ses 25 ha de vignes sont implantés sur un sol riche en silex, apte à la production de vins de qualité, comme en témoigne la grande régularité du domaine dans le Guide. Ce 2002 a fière allure dans sa robe grenat. S'il semble encore timide au nez, il ne devrait plus tarder à s'épanouir sur les fruits rouges. Le bel équilibre et la souplesse de la bouche le rendent déjà harmonieux, mais il saura évoluer encore au cours de deux années de garde. Le **gamay 2003 (3 à 5 €)** brille lui aussi d'une étoile dans son écrin rubis empli de senteurs printanières.

🔑 Ch. de Quinçay, 41130 Meusnes,
tél. 02.54.71.00.11, fax 02.54.71.77.72
☑ 🏠 Y 🚶 t.l.j. 9h-12h 14h-19h; dim. 10h-12h
🔑 Cadart

LES CAVES DE LA RAMEE Sauvignon 2003

□ 4,3 ha 4 000 ▮ ♁ 3 à 5 €

Pour découvrir le touraine blanc sans connaissances œnologiques poussées au préalable, voici un vin classique, paille doré, au nez de buis. Légèrement frais en finale, il révèle le bel équilibre que le millésime a su lui apporter.

🔑 Gérard Gabillet,
31, rue des Charmoises, 41140 Thésée,
tél. 02.54.71.45.02, fax 02.54.71.31.48 ☑ Y 🚶 r.-v.

DOM. DE LA RENAUDIE Les Guinetières 2003 *

■ 4,5 ha 20 000 ▮ ♁ 5 à 8 €

Patricia et Bruno Denis proposent cette jolie bouteille de gamay au velours grenat. Un nez puissant de fruits noirs (cassis, mûre) accueille le dégustateur, tandis que dans la bouche soyeuse la confiture de fraises et la cerise dominent. Le **sauvignon 2003**, tout en rondeur, est cité.

Patricia et Bruno Denis, Dom. de La Renaudie, 115, rte de Saint-Aignan, 41110 Mareuil-sur-Cher, tél. 02.54.75.18.72, fax 02.54.75.27.65, e-mail domaine.renaudie@wanadoo.fr r.-v.

RICARD Sauvignon Le Petiot 2003 ★★

10 ha 20 000 8 à 11 €

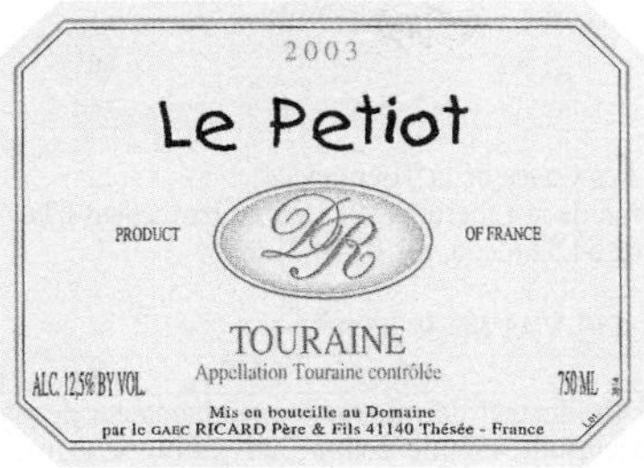

Le sauvignon récolté sur des sols argilo-calcaires a légué à ce touraine bouton d'or des arômes finement ciselés de fleurs blanches et d'agrumes frais. L'agréable rondeur de la bouche est relevée d'une fraîcheur bienvenue dans cette année si chaude, et le plaisir se prolonge durablement. Un beau vin représentatif de ce que l'AOC peut produire de mieux dans les terroirs *ad hoc*.

GAEC Ricard, 50, rue Nationale, 41140 Thésée, tél. 02.54.71.00.17, fax 02.57.71.00.17, e-mail domaine.ricard@wanadoo.fr r.-v.

DOM. DU RIN DU BOIS Les Boisettes 2002

0,8 ha 4 500 5 à 8 €

En patois solognot, l'orée du bois se prononce « le rin du bois ». Les Boisettes ? Un petit bois, peut-être, mais plus sûrement une cuvée vermillon brillant qui décline les fruits noirs, puis la réglisse. D'attaque souple, la bouche révèle un léger grain tannique qui rappelle la présence de cabernet. Un vin à consommer dans les cinq ans.

Pascal Jousselin, Dom. du Rin du Bois, 41230 Soings-en-Sologne, tél. 02.54.98.71.87, fax 02.54.98.75.09, e-mail jousselin@netcourrier.com r.-v.

DOM. DE RIS
Dame de Touraine Vieilles Vignes 2002

3,5 ha 9 000 5 à 8 €

Après une promenade dans la vallée de la Claise et une visite de l'église Saint-Martin (XI^e^s.) dans le village, rendez-vous au domaine de Ris qui a élaboré un chenin or pâle, aux arômes expressifs de tilleul et de fleurs blanches. Si l'attaque est vive, l'harmonie générale empreinte de minéralité et la bonne ampleur de la finale font de ce touraine un vin d'avenir.

Dom. de Ris, 37290 Bossay-sur-Claise, tél. 02.47.94.64.43, fax 02.47.94.68.46
t.l.j. sf dim. 17h30-19h; sam. 10h-19h

CH. DE LA ROCHE Gamay 2003

5,5 ha 35 000 3 à 5 €

Négociant et propriétaire-viticulteur à côté d'Amboise, Pierre Chainier propose un gamay 2003 bien frais. Des notes de fraise se libèrent de la robe grenat à reflets violets et se prolongent dans la bouche équilibrée, malgré une certaine austérité en finale. A boire ou à attendre un peu.

SCA Dom. Chainier, Ch. de La Roche, 37530 Chargé, tél. 02.47.30.73.07, fax 02.47.30.73.09

CH. DE LA ROCHE Cabernet franc 2002 ★

1,5 ha 3 500 8 à 11 €

Dans cette propriété commandée par un manoir du XVIe s., on a toujours produit du vin. Louis-Jean Sylvos a réussi un beau 2002 rubis lumineux qui s'ouvre sur une corbeille de fruits. Les tanins fins s'accompagnent de notes de framboise, contribuant à une impression générale d'harmonie et de finesse.

Ch. de La Roche, 37190 Cheillé, tél. 02.47.45.46.05, fax 02.47.45.29.60, e-mail louis.jean.sylvos@wanadoo.fr
t.l.j. 8h-20h

ROUSSEAU FRERES Sensation 2002

1 ha 6 700 5 à 8 €

Original, ce touraine effervescent composé à 100 % de pinots : noir, gris et meunier. Naturellement, les arômes cèdent tout aux fruits rouges jusque dans la bouche vive, relevée d'une mousse fine. Une agréable sensation pour l'apéritif.

Rousseau Frères, Le Vau, 37320 Esvres-sur-Indre, tél. 02.47.26.44.45, fax 02.47.26.53.12
t.l.j. sf dim. 9h-12h30 14h-19h

DOM. DES ROY Gamay 2003 ★

1 ha 2 500 5 à 8 €

Titulaire d'un diplôme national d'œnologie obtenu à Bordeaux, Anne-Cécile Roy a rejoint son père en 2002. Ici, on est spécialisé dans les vins rouges. Ce gamay riche en tanins et en matière est bien à l'image du millésime 2003. Cerise burlat brillant de quelques reflets mauves, il affiche un nez complexe de fruits rouges, d'épices et de réglisse, puis une bouche ample, avec un bon retour du fruit en finale. Pourquoi ne pas l'associer à une carpe de Sologne ?

Michel Roy, 3, rue Franche, 41400 Pontlevoy, tél. 02.54.32.51.07, fax 02.54.32.51.07, e-mail domaine-des-roy@wanadoo.fr r.-v.

DOM. DES SABLONS Gamay 2003

2 ha 12 000 3 à 5 €

Le jury a qualifié ce touraine de vin de soif, en donnant à cette expression une valeur laudative. Sous une couleur rubis s'expriment des arômes de cerise burlat dominants, puis c'est un caractère friand et équilibré qui s'impose en bouche. On a bien envie de savourer des charcuteries ou une andouillette avec ce 2003. Le **sauvignon 2003**, chaleureux, pourra accompagner un pain de poisson, tandis que le **touraine méthode traditionnelle cuvée Madeleine (5 à 8 €)**, rond et aux notes de coing, sera servi à l'apéritif. Tous deux sont cités également.

Dom. des Sablons, 40, rue de la Liberté, 41110 Pouillé, tél. 02.54.71.44.25, fax 02.54.71.09.25, e-mail domaine.sablons@wanadoo.fr
t.l.j. sf dim. 8h-19h

DOM. SAUVETE Solaris 2003 ★★★

4 ha 15 000 5 à 8 €

La passion et le respect de la terre grâce à un mode de culture biologique ont permis à Jérôme et Dominique Sauvète de dominer parfaitement le millésime 2003, atypique dans cette région. Issu des coteaux de la rive

LOIRE

droite du Cher, riches en graviers siliceux, ce gamay a enchanté les dégustateurs. Un beau fruit mêlant framboise et cerise fait l'invite avant que ne se révèle l'exceptionnelle matière des raisins dans la bouche aux notes confites. La finale finement épicée rafraîchit l'ensemble. Un grand vin qui fera une longue carrière.

Dom. Sauvète, 9, chem. de La Bocagerie,
41400 Monthou-sur-Cher, tél. 02.54.71.48.68,
fax 02.54.71.75.31, e-mail domaine-sauvete@wanadoo.fr
t.l.j. sf dim. 10h-12h 14h-19h; f. 15-31 août

HUBERT SINSON ET FILS Sauvignon 2003

2,5 ha 6 000 3 à 5 €

Rencontrez Hubert Sinson, personnage plein de bonne humeur, et laissez-le vous parler de son terroir à silex : de la pierre à fusil. Ce sauvignon restitue les caractères du sol : nez fruité mêlant orange sanguine et pamplemousse, bouche riche mais équilibrée qui conserve une finale rafraîchissante pour le millésime. Le **cot 2002** est cité lui aussi pour ses senteurs de framboise et sa souplesse.

EARL Hubert et Olivier Sinson,
1397, rue des Vignes, Le Musa, 41130 Meusnes,
tél. 02.54.71.00.26, fax 02.54.71.50.93
t.l.j. 8h-12h 14h-19h; dim. 8h-12h

DOM. DES SOUTERRAINS Gamay 2003 **

5,5 ha 8 000 3 à 5 €

Les dégustateurs ont été séduits par la prestance de ce vin habillé d'une robe rubis intense. Du verre se libèrent des arômes de fruits mûrs, de cannelle et de poivre qui reflètent bien le terroir et dont on ne se lasse pas. De la matière sans excès, du soyeux et une belle longueur... En somme, un grand plaisir, et il ne faudra pas trop attendre pour le savourer. Le **rosé 2003**, assemblage de cabernet, de pinot noir et de pineau d'Aunis, fruité et simple, est cité.

Jacky Goumin, 37, rue des Souterrains,
La Haie Jallet, 41130 Châtillon-sur-Cher,
tél. 02.54.71.02.94, fax 02.54.71.76.26,
e-mail jgoumin@wanadoo.fr r.-v.

CAVES DE LA TOURANGELLE 2003 **

n.c. 120 000 3 à 5 €

Ardent défenseur d'une identité du Val de Loire en appellations d'origine comme en vins de pays, Noël Bougrier a su séduire le jury avec ce rosé de teinte saumonée limpide. Au bouquet de fruits mûrs répond une chair mûre qui conserve un fond de fraîcheur élégante. Vous pourrez servir ce vin tout au long d'un repas, jusqu'au fromage de chèvre affiné. Le **sauvignon 2003**, riche d'arômes persistants de fruits secs, obtient une étoile.

Les Caves de la Tourangelle,
26, rue de la Liberté, 41400 Saint-Georges-sur-Cher,
tél. 02.54.32.65.75, fax 02.54.71.09.61

CH. DE VALMER 2000 *

0,8 ha 2 660 5 à 8 €

Producteur de vouvray et grand amateur de plantes potagères du monde comme en témoigne le parc du château, Aymar de Saint-Venant possède une petite parcelle de grolleau qu'il vinifie en touraine effervescent. Celui-ci, d'une couleur saumonée limpide, se pare d'une mousse fine et dévoile un léger fruité. Une impression de douceur domine la dégustation.

Aymar de Saint-Venant, 37210 Chançay,
tél. 02.47.52.93.12, fax 02.47.52.26.92,
e-mail valmer37@aol.com r.-v.

JEAN-MARC VILLEMAINE
Le Haut Chesneau Gamay 2003 *

6 ha 10 000 3 à 5 €

L'aménagement de la cave de Jean-Marc Villemaine assure le transport de la vendange uniquement par gravité, ce qui permet de respecter l'intégrité des raisins récoltés et donc leurs saveurs. Le gamay 2003 livre des arômes intenses de fruits cuits. Une pointe d'épices rehausse les flaveurs de griotte qui accompagnent la bouche souple et équilibrée. Un vin friand, recommandé pour accompagner des côtes d'agneau ou une entrecôte grillée. Le **sauvignon 2003**, très typé pour le millésime, est cité.

Jean-Marc Villemaine,
4, rue de la Fontaine-Herbault, 41140 Thésée,
tél. 02.54.71.52.69, fax 02.54.71.52.69,
e-mail jean-marc.villemaine@wanadoo.fr r.-v.

Touraine-noble-joué

Présent à la cour du roi Louis XI, le noble-joué est au sommet de sa renommée au XIXe s. Grignoté par l'urbanisation de la ville de Tours, le vignoble, qui faillit disparaître, renaît sous l'impulsion de vignerons qui le reconstituent. Ce vin gris, issu des pinot meunier, pinot gris et pinot noir, a aujourd'hui repris sa place historique par sa consécration en AOC. Le millésime 2003 a produit 1 020 hl sur 22,43 ha.

BERNARD BLONDEAU 2003

▨ 1,6 ha 6 000 ▮ 3 à 5 €

Un vignoble rescapé de l'urbanisation sur la commune de Saint-Avertin. Bernard Blondeau, qui préside le Syndicat de défense du noble-joué, propose un rosé à la robe saumonée et aux reflets argentés. Le nez est empreint d'épices, tandis que la bouche fraîche et bien structurée révèle le fruité mûr caractéristique du millésime.

⊶ Bernard Blondeau,
42, rue de la Castellerie, 37550 Saint-Avertin,
tél. 02.47.27.88.29, fax 02.47.27.88.29 ☑ r.-v.

REMI COSSON 2003

▨ 2,7 ha 6 000 ▮♁ 3 à 5 €

Jeune vigneron installé depuis 1998, Rémi Cosson, par ailleurs producteur d'AOC touraine, a réussi ce noble-joué aux reflets gris, au fruité intense et à la rondeur flatteuse. Un beau vin qu'il faut découvrir rapidement.

⊶ Rémi Cosson,
La Hardellière, 37320 Esvres-sur-Indre,
tél. 02.47.65.70.63, fax 02.47.34.80.13,
e-mail remi.cosson@libertysurf.fr ☑ Y ✝ r.-v.

ANTOINE DUPUY 2003

▨ 6 ha 25 000 ▮♁ 3 à 5 €

Du subtil assemblage des trois cépages du noble-joué, Antoine Dupuy a obtenu un rosé de belle facture, à l'attaque très souple et à la minéralité affirmée.

⊶ EARL Antoine Dupuy,
Le Vau, 37320 Esvres-sur-Indre,
tél. 02.47.26.44.46, fax 02.47.65.78.86 ☑ Y ✝ r.-v.

ROUSSEAU FRERES 2003

▨ 12 ha 50 000 ▮♁ 3 à 5 €

Ce 2003 possède bien des atouts pour faire plaisir à vos convives. Fruité avec une pincée d'épices, équilibré au palais avec beaucoup de fruits mûrs, voilà une belle bouteille à mettre sur la table tout de suite.

⊶ Rousseau Frères, Le Vau, 37320 Esvres-sur-Indre,
tél. 02.47.26.44.45, fax 02.47.26.53.12
☑ Y ✝ t.l.j. sf dim. 9h-12h30 14h-19h

Touraine-amboise

De part et d'autre de la Loire sur laquelle veille le château des XVe et XVIes., non loin du manoir du Clos-Lucé où vécut et mourut Léonard de Vinci, le vignoble de l'appellation touraine-amboise (161 ha) produit surtout des vins rouges (8 263 hl en 2003) à partir du gamay, du cot et du cabernet franc. Ce sont des vins pleins, aux tanins légers ; lorsque cot et cabernet dominent, les vins ont une certaine aptitude au vieillissement. Les mêmes cépages donnent des rosés secs et tendres, fruités et bien typés. Secs à demi-secs selon les années, et pouvant également être gardés en cave, les blancs ont représenté 1 894 hl en 2003.

DOM. DES BESSONS Médium 2002

□ 0,65 ha 1000 ▮♁ 3 à 5 €

Ce domaine accueille le visiteur dans son caveau troglodytique typique de la Touraine. Vous y découvrirez un touraine-amboise tendre et simple comme on les aime. La robe est pâle et le nez libère des senteurs citronnées de bonne intensité. Après une attaque franche, la bouche équilibrée se prolonge avec une certaine nervosité, sans doute due à la jeunesse du vin.

⊶ François Péquin, Dom. des Bessons,
113, rue de Blois, 37530 Limeray,
tél. 02.47.30.09.10, fax 02.47.30.02.25 ☑ Y ✝ r.-v.

PHILIPPE CATROUX Moelleux 2002

□ 0,6 ha 3 000 ▮♁ 5 à 8 €

A l'œil, un or pâle à reflets brillants. Au nez, des arômes de fruits mûrs et de fleurs blanches. En bouche, de l'équilibre et une bonne persistance. Voilà un touraine-amboise à consommer tout de suite avec des charcuteries ou des crustacés.

⊶ Philippe Catroux,
4, rue des Caves-de-Moncé, 37530 Limeray,
tél. 02.47.30.13.10, fax 02.47.30.13.10 ☑ Y ✝ r.-v.

DAMIEN DELECHENEAU Clef de Sol 2002 ★

■ 0,7 ha 3 000 ⦀ 5 à 8 €

Si vous êtes musicien et amateur de vin, cette Clef de Sol vous ravira par son interprétation. Sous une teinte pourpre profond, elle délivre des arômes de réglisse qui se mêlent aux nuances boisées et épicées. La bouche puissante possède beaucoup de rondeur grâce à des tanins bien fondus qui assurent aussi une finale pleine de charme. La **cuvée François Ier rouge 2002 (3 à 5 €)** est citée : elle vous permettra d'aborder l'appellation touraine-amboise en toute simplicité. A noter, le gros effort de ce viticulteur pour la présentation de ses bouteilles.

⊶ Damien Delecheneau, La Grange Tiphaine,
37400 Amboise, tél. 02.47.57.64.17, fax 02.47.57.39.49,
e-mail lagrangetiphaine@ifrance.com ☑ Y ✝ r.-v.

GUY DURAND Moelleux Quarramyhrra 2002 ★

□ 3 ha 2 500 ▮♁ 15 à 23 €

Un vin qui a surpris le jury car il n'est pas usuel de trouver une production de moelleux dans la région d'Amboise. Le millésime 2002 en a donné quelques-uns. Pour votre curiosité, celui-ci se montre riche en gras, nuancé de quelques notes d'agrumes, mais sa finale présente une légère austérité.

⊶ Guy Durand, 11, chem. Neuf, 37530 Mosnes,
tél. 02.47.30.43.14, fax 02.47.30.43.14 ☑ Y ✝ r.-v.

DOM. DUTERTRE Cuvée Prestige 2002 ★★

■ 3 ha 15 000 ⦀ 5 à 8 €

Le domaine Dutertre fait partie des caves à visiter en priorité après une promenade sur les remparts du château d'Amboise. Vous y dégusterez ce très beau vin dont l'élevage de douze mois en fût n'a pas masqué le fruité de cassis, de mûre et de cerise. Ample, ce 2002 bénéficie de tanins assez soyeux qui le soutiennent bien en finale. Il fera la joie de vos invités en cette fin d''année. Noté une étoile, le **moelleux cuvée Gabriel 2002** offre un nez d'abricot et de coing et une bouche de fruits confits, tout en conservant de la fraîcheur.

↰ EARL Dom. Dutertre,
20-21, rue d'Enfer, pl. du Tertre, 37530 Limeray,
tél. 02.47.30.10.69, fax 02.47.30.06.92
☑ ⏨ ⚥ t.l.j. 9h-12h30 14h-18h; dim. sur r.-v.

DOM. XAVIER FRISSANT
L'Orée des Frênes 2002 ★

| ■ | 1,2 ha | 6 000 | ⦿ 8 à 11 € |

Installé sur la rive gauche de la Loire, Xavier Frissant
propose un vin encore marqué par ses quatorze mois
d'élevage en fût. D'un rubis intense, celui-ci offre d'élégantes notes de fruits rouges relevées de vanille. L'attaque
est soyeuse et la finale persistante laisse entrevoir un fort
potentiel. A consommer dans deux ou trois ans. Si vous ne
pouvez attendre, goûtez la **cuvée François Iᵉʳ rouge**
2002 (5 à 8 €), élevée en cuve, d'un abord plus simple. Elle
est citée.
↰ Xavier Frissant, 1, chem. Neuf, 37530 Mosnes,
tél. 02.47.57.23.18, fax 02.47.57.23.25,
e-mail xavier.frissant@wanadoo.fr
☑ ⏨ ⚥ t.l.j. 8h-12h30 14h-19h; dim. sur r.-v.

DOM. DE LA GABILLIERE Sec Expression 2002

| ▨ | 16 ha | 8 500 | ⏨⦿⚱ 5 à 8 € |

Domaine pilote qui dépend du lycée viticole d'Amboise, La Gabillière a su affiner ses compétences au fil du
temps en matière de vinification comme d'enseignement.
Son 2002, d'attaque franche, est une belle expression du
chenin sur ces terroirs argilo-calcaires. Un vin vrai et sans
fard.
↰ Dom. de La Gabillière, Lycée viticole,
46, av. Emile-Gounin, 37400 Amboise,
tél. 02.47.23.35.51, fax 02.47.57.01.76,
e-mail expl.lpa.amboise@educagri.fr
☑ ⏨ ⚥ t.l.j. sf sam. dim. 8h-12h 13h30-17h

DOM. DE LA GRANDE FOUCAUDIERE
Cuvée François Iᵉʳ Vieilles Vignes 2002 ★

| ■ | 0,6 ha | 3 000 | ⚱ 5 à 8 € |

Installé en 1992, Lionel Truet s'est distingué grâce à
cette cuvée grenat profond, dont les senteurs d'un raisin
généreux surgissent du verre : fruits rouges à noyau
accompagnés de sous-bois et de cuir. La bouche complexe
et fine finit sur une petite note poivrée. L'expression d'un
parfait savoir-faire. La **cuvée Clos du Vau rouge 2002**,
boisée, est citée, de même que le **Domaine de La Grande**
Foucaudière blanc 2002, très frais et juvénile.
↰ Lionel Truet,
La Grande Foucaudière, 37530 Saint-Ouen-les-Vignes,
tél. 02.47.30.04.82, fax 02.47.30.03.55,
e-mail lioneltruet@aol.com ☑ ⌂ ⏨ ⚥ t.l.j. 8h-20h

DOM. MESLIAND Demi-sec 2002 ★

| ▨ | 0,35 ha | 2 000 | ⦿ 5 à 8 € |

Ce 2002 a été remarqué par le jury pour sa tendreté
et son caractère typique des vins de chenin des bords de
Loire. D'une jolie teinte à reflets dorés, il exhale des
arômes de fruits mûrs, voire confits. Sa rondeur s'associe
en finale à une fraîcheur bienvenue. Un grand plaisir.
↰ Dom. Mesliand, 15 bis, rue d'Enfer, 37530 Limeray,
tél. 02.47.30.11.15, fax 02.47.30.11.15 ☑ 🏠 ⏨ ⚥ r.-v.

DOMINIQUE PERCEREAU Cuvée Prestige 2002

| ■ | 8 ha | 5 000 | ⦿ 3 à 5 € |

Après avoir admiré le génie de Léonard de Vinci au
Clos Lucé, à Amboise, vous apprécierez la fraîcheur des
caves troglodytiques de Dominique Percereau. Celui-ci
possède toute l'humilité d'un vigneron devant Dame
Nature. Une nature qui lui a donné un vin de couleur
sombre, au nez confituré et à la finale jeune.
↰ Dominique Percereau, 85, rue de Blois,
37530 Limeray, tél. 02.47.30.11.40, fax 02.47.30.16.51
☑ ⏨ ⚥ t.l.j. sf dim. 8h-12h30 14h-19h

DOM. DE LA PERDRIELLE Moelleux 2002

| ▨ | 3,5 ha | 4 000 | ⏨⚱ 3 à 5 € |

Un touraine-amboise moelleux qu'il faudra attendre.
Encore timide, il n'en possède pas moins de la matière, de
l'équilibre et un fruité final prometteurs pour l'avenir.
↰ EARL Gandon, Dom. de La Perdrielle,
24, Vaurifié, 37530 Nazelles-Négron, tél. 02.47.57.31.19,
fax 02.47.57.77.28, e-mail vgandon@club-internet.fr
☑ ⏨ ⚥ t.l.j. 9h-12h30 14h-19h; dim. sur r.-v.

DOM. DE LA TONNELLERIE
Moelleux Prestige Sainte-Catherine 2002

| ▨ | 0,8 ha | 1000 | 8 à 11 € |

Beaucoup d'élégance dans ce touraine-amboise jaune
pâle. Issus de vieilles vignes et vinifiés à l'ancienne dans des
barriques, les raisins surmûris ont donné naissance à un vin
expressif et fin, qui persiste de manière séduisante. La
cuvée François Iᵉʳ rouge 2002 (3 à 5 €), bien équilibrée
dans sa livrée rubis brillant, obtient elle aussi une citation.
↰ Vincent Péquin, 71, rue de Blois, 37530 Limeray,
tél. 02.47.30.13.52, fax 02.47.30.06.23
☑ ⏨ ⚥ t.l.j. sf dim. 9h-19h

Touraine-azay-le-rideau

Produits sur 150 ha, répartis sur
les deux rives de l'Indre, les vins ont ici l'élégance
du château qui se reflète dans la rivière et dont ils
ont pris le nom. La moitié sont des blancs
(2 393 hl en 2003) ; secs à tendres, particulièrement fins, vieillissant bien, ils sont issus du cépage
chenin blanc (ou pineau de la Loire). Les cépages
grolleau (60 % minimum de l'assemblage), gamay, cot (avec au maximum 10 % de cabernets)
donnent des rosés secs et très friands (1 084 hl).
Les vins rouges ont l'appellation touraine.

THIERRY BESARD 2003 ★

| ▨ | 0,55 ha | 2 000 | ⏨⚱ 3 à 5 € |

Beaucoup d'expression dans cet excellent rosé à la
teinte légèrement saumonée. Un subtil jeu entre épices et
fleurs ne laisse pas supposer la puissance et le fruité en
bouche. Vous l'apprécierez sans nul doute tout au long de
l'année, notamment avec des rillettes de Tours ou une
géline de Touraine en cocotte.
↰ Thierry Besard,
10, Les Priviers, 37130 Lignières-de-Touraine,
tél. 02.47.96.85.37, fax 02.47.96.41.98 ☑ ⏨ ⚥ r.-v.

CAVES DU CH. DE FOUCHAULT
Demi-sec 2002 ★

2 ha 4 500 5 à 8 €

Voici un vin blanc qui a beaucoup plu au jury pour son harmonie. D'une robe soutenue, or jaune, il libère des notes briochées fort appétissantes. L'attaque est franche et – bonheur pour le millésime – la finale apparaît fraîche et persistante.

Guillaume Descroix, 19, Fouchault, 37190 Vallères, tél. 02.47.45.97.79, fax 02.47.45.97.79
t.l.j. 15h-19h

DOM. JAMES ET NICOLAS PAGET 2003 ★

2,15 ha 13 950 5 à 8 €

On les appelle vin de soif ou plus poétiquement les vins à déguster sous la tonnelle. Le rosé de James Paget, producteur reconnu pour la qualité de l'ensemble de ses vins, vous ravira par son fruité (fraise et framboise) et sa persistance. Que demander de plus à ce vin qui vous en donne déjà beaucoup. Cité, le **blanc 2002 (3 à 5 €)** décline des arômes de fruits exotiques nuancés d'une note minérale.

Dom. James et Nicolas Paget, 37190 Rivarennes, tél. 02.47.95.54.02, fax 02.47.95.45.90
t.l.j. sf dim. lun. 9h-12h30 14h30-19h

PASCAL PIBALEAU 2003 ★

3 ha 8 000 3 à 5 €

D'une couleur marquée, typique du millésime, ce rosé développe des arômes intenses de pêche. Associant la rondeur à la fraîcheur, il est l'archétype des rosés de grolleau de cette belle région d'Azay-le-Rideau et de ses terroirs. Cité, le **blanc 2002,** très frais pour l'année, s'accordera avec vos entrées de poisson.

Pascal Pibaleau, 68, rte de Langeais, 37190 Azay-le-Rideau, tél. 02.47.45.27.58, fax 02.47.45.26.18, e-mail pascal.pibaleau@wanadoo.fr
t.l.j. sf dim. 8h-12h30 13h30-19h

CH. DE LA ROCHE Cuvée Elena 2002

4 ha 4 500 11 à 15 €

D'un or pâle brillant, ce vin aux notes minérales étonne par ses arômes de surmaturation, avec une pointe de tilleul. Il possède un bon équilibre entre le sucre et l'acidité, ainsi qu'une persistance suffisante. Il a de l'avenir.

Ch. de La Roche, 37190 Cheillé, tél. 02.47.45.46.05, fax 02.47.45.29.60, e-mail louis.jean.sylvos@wanadoo.fr
t.l.j. 8h-20h
Louis-Jean Sylvos

LA CAVE DES VALLEES 2003

3 ha 5 000 3 à 5 €

Vous serez étonné de découvrir dans l'église de Cheillé un chêne tricentenaire qui pousse entre les murs de la tour du clocher. Marc Badiller saura sans doute vous conter les légendes liées à cet arbre. Dans sa robe saumonée, son touraine-azay-le-rideau rosé est de fort belle facture. Très floral, il bénéficie d'une structure équilibrée qui lui confère une réelle harmonie.

Marc Badiller, 29, Le Bourg, 37190 Cheillé, tél. 02.47.45.24.37, fax 02.47.45.29.66
t.l.j. sf dim. 8h30-12h30 15h-19h; sam. 8h30 12h30

Touraine-mesland

Sur la rive droite de la Loire, au nord de Chaumont et en aval de Blois, le vignoble d'appellation couvre 200 ha. 3 075 hl ont été produits en 2003 dont 580 en blanc ; les sols sont perrucheux (argile à silex à couverture localement sableuse - miocène - ou limono-sableuse). La production de vins rouges est abondante ; issus du gamay assemblé avec du cabernet et du cot, ceux-ci sont bien structurés et typés. Comme les rosés, les blancs (issus surtout du chenin) sont secs.

DOM. D'ARTOIS 2003

n.c. 21 300 3 à 5 €

Ce domaine fort de 62 ha offre deux jolis vins, dans deux couleurs. Ce touraine-mesland blanc, aux arômes intenses de fruits exotiques, se montre équilibré et facile d'accès. Le **Domaine d'Artois rouge 2003** obtient la même note : rouge sombre à reflets violets, parfumé de cerise, il est lui aussi à la portée de tous les amateurs dès aujourd'hui.

J. Dumond, Dom. d'Artois, BP 26 La Castille, 58150 Pouilly-sur-Loire, tél. 03.86.39.57.75, fax 03.86.39.08.30 r.-v.
J.-L. Saget

DOM. DE LA BESNERIE 2003

n.c. 3 000 5 à 8 €

Il a fallu du temps et de l'énergie pour remettre en état cette propriété tourangelle du XIXes. François Pironneau s'y est attelé de 1976 à 1992. Aujourd'hui, il propose un vin blanc encore jeune, aux arômes de fleurs blanches et de coing. La vivacité deviendra bientôt fraîcheur, ce qui autorisera des accords avec les poissons et les crustacés.

François Pironneau, Dom. de la Besnerie, 41, rte de Mesland, 41150 Monteaux, tél. 02.54.70.23.75, fax 02.54.70.21.89 r.-v.

CLOS DE LA BRIDERIE Vieilles Vignes 2003 ★

8 ha 40 000 5 à 8 €

Deux vins ont retenu l'attention du jury, mais c'est le touraine-mesland rouge qui remporte l'étoile. Rouge sombre à reflets fuchsia, ce vin surprend par l'intensité de ses arômes de fruits rouges. Son équilibre et sa structure de tanins soyeux le rendent tout indiqué pour accompagner les repas de fin d'année. Cité, le **Clos de La Briderie Vieilles Vignes blanc 2003,** équilibré et fruité (pamplemousse), sera en accord avec les fruits de mer ou les charcuteries.

SCEA Clos de La Briderie, 70, rue de la Briderie, 41150 Monteaux, tél. 02.54.70.28.89, fax 02.54.70.28.70, e-mail contact@biovidis.fr r.-v.
Girault

LOIRE

CH. GAILLARD Vieilles Vignes 2003

9 ha 15 000 5 à 8 €

Le château Gaillard cultive ses 30 ha en biodynamie, variante de l'agriculture biologique. Son vin d'un rouge

intense se montre certes discret à l'olfaction, mais d'une souplesse et d'un soyeux des plus charmants pour qui souhaite le servir immédiatement. Le **touraine-mesland blanc 2003** est cité : lui aussi très flatteur, il exprime la pêche blanche en finale. Une autre citation est accordée au **rosé 2003**, aux notes épicées.
🗝 Vincent Girault, Clos Ch. Gaillard, 41150 Mesland,
tél. 02.54.70.25.47, fax 02.54.70.28.70,
e-mail contact@biovidis.fr ☒ Y ☦ r.-v.

DOM. DU PARADIS Vieilles Vignes 2003

■ n.c. 15 000 ▮🍷 3 à 5 €

Issu de l'assemblage de trois cépages de l'appellation avec une dominante de gamay, ce 2003 rubis paraît un peu timide au nez, mais développe en bouche une matière souple, bâtie sur de bons tanins. Dès la sortie du Guide, il pourra accompagner des viandes grillées.
🗝 EARL Philippe Souciou, Dom. du Paradis,
39, rue d'Asnières, 41150 Onzain,
tél. 02.54.20.81.86, fax 02.54.33.72.35 ☒ Y ☦ r.-v.

DOM. DE RABELAIS 2003 *

■ 0,3 ha 2 000 ▮🍷 3 à 5 €

Régulièrement mentionné dans le Guide, le domaine de Rabelais a rénové ses installations pour mieux recevoir encore le fruit de ses 21 ha. Son 2003 grenat foncé flatte les sens par son fruité appuyé comme par la souplesse et la richesse de sa matière qui enveloppe bien les tanins. Un vin que vous pourrez conserver de deux à trois ans dans votre cave.
🗝 GAEC José et Cédric Chollet,
23, chem. de Rabelais, 41150 Onzain,
tél. 02.54.20.79.50, fax 02.54.20.79.50
☒ Y ☦ t.l.j. 9h-12h30 14h-19h; dim. ap.-m. sur r.-v.

DOM. DES TERRES NOIRES 2003 *

■ 7 ha 20 000 ▮🍷 3 à 5 €

Trois frères se sont associés en 1993 pour créer ce domaine. Ils proposent ici une cuvée dominée par le gamay, cépage bien adapté à la Touraine. Le jury ne s'y est pas trompé : il a noté l'excellente maturité du raisin dans les arômes de fruits rouges, dans la bouche complexe, dont les flaveurs se mêlent harmonieusement aux doux tanins. Un vin prêt à boire, mais qui pourra vieillir sans souci trois ou quatre ans.
🗝 GAEC des Terres Noires,
81, rue de Meuves, 41150 Onzain,
tél. 02.54.20.72.87, fax 02.54.20.85.12 ☒ Y ☦ r.-v.

LES VAUCORNEILLES L'Impromptu 2002

■ 3 ha 12 000 ▮🍷 5 à 8 €

En été, des soirées thématiques sont organisées au domaine, autour de la musique, du théâtre ou de la magie. Le vin est le fil conducteur, bien sûr. Le millésime 2002 a permis de produire deux touraine-mesland bien typés. En rouge, c'est un vin aux arômes épicés puissants, à la matière chaleureuse, qui emplit bien le palais. La **cuvée Lucile blanc 2002,** fruitée et équilibrée, sera appréciée avec un poisson au beurre blanc. Elle est citée également.
🗝 EARL Les Vaucorneilles, 10, rue de l'Egalité,
41150 Onzain, tél. 02.54.20.72.91, fax 02.54.20.74.26,
e-mail les.vaucorneilles@wanadoo.fr ☒ Y ☦ r.-v.
🗝 Chelin

Bourgueil

A partir du cépage cabernet-franc (breton), 63 477 hl de vins rouges ont été produits en 2003 sur les 1 383 ha du vignoble d'appellation contrôlée bourgueil, à l'ouest de la Touraine et aux frontières de l'Anjou, sur la rive droite de la Loire. Racés, dotés de tanins élégants, ils ont une très bonne aptitude au vieillissement, après une cuvaison longue, s'ils proviennent des sols sur tuffeau jaune des coteaux. Leur évolution en cave peut alors durer plusieurs dizaines d'années pour les meilleurs millésimes (1976, 1989, 1990 par exemple). Ils sont plus gouleyants et fruités s'ils proviennent des terrasses aux sols graveleux à sableux. Quelques centaines d'hectolitres sont vinifiés en rosés secs.

JEAN-MARIE ET NATHALIE AMIRAULT 2002

■ 8 ha 12 000 ▮🍷 8 à 11 €

C'était une exploitation de polyculture créée par le grand-père et qui comptait 45 boisselées de vignes (2,5 ha). Aujourd'hui, c'est un vignoble de 8 ha mené par un jeune couple dans un souci de production raisonnée assurant la qualité et préservant le milieu naturel. Le vin, d'un rouge vif, possède un corps bien structuré, mais demande un temps d'attente pour s'harmoniser. Un résultat intéressant à espérer dans deux ans.
🗝 Jean-Marie Amirault, La Motte, rue de Nozillon,
37140 Benais, tél. 02.47.97.48.00, fax 02.47.97.48.00,
e-mail jm.amirault.vins@wanadoo.fr ☒ Y ☦ r.-v.

YANNICK AMIRAULT Les Quartiers 2002 **

■ 1,5 ha 8 000 ⬮ 8 à 11 €

Cette année, ce sont les Quartiers que Yannick Amirault met en avant : terres argilo-calcaires, ceps de quarante ans, méthodes culturales traditionnelles, ferments indigènes, pas de filtration. On part d'un très beau produit pour mener un élevage sous bois réussi. La robe est pourpre, le nez puissant se laisse dominer par la noix de coco, et la bouche révèle une matière ronde et dense dans laquelle les tanins se fondent parfaitement. Le boisé reste mesuré à tous les stades de la dégustation. Un vin de garde.
🗝 Yannick Amirault,
5, pavillon du Grand-Clos, 37140 Bourgueil,
tél. 02.47.97.78.07, fax 02.47.97.94.78 ☒ Y r.-v.

HUBERT AUDEBERT Vieilles Vignes 2002 **

■ 2 ha 10 000 ▮ 5 à 8 €

Si vous vous arrêtez chez Hubert Audebert, demandez à visiter sa cave. Creusée dans le coteau, celle-ci est représentative des installations d'autrefois : la fermentation a lieu dans des cuves en bois avec remontage et descente du chapeau au pied, ce qui n'est pas une mince affaire. « Puissant, généreux, tannique et fruité, dans un équilibre parfait », a dit le jury. Tels sont les traits d'un grand vin de garde qui a, en plus, l'élégance des vins de race. La **cuvée Jolinet 2002** est très prometteuse, elle aussi. Elle obtient une étoile.
🗝 Hubert Audebert,
5, rue Croix-des-Pierres, 37140 Restigné,
tél. 02.47.97.42.10, fax 02.47.97.77.53 ☒ ☦ r.-v.

DOM. AUDEBERT ET FILS Les Marquises 2002 ★

| ■ | 1,5 ha | 10 000 | ▮⑪⬩ | 8 à 11 € |

Sis au pied du coteau dominant la terrasse de Bourgueil, où l'alignement des rangs de vignes alterne avec les maisons de pierre blanche de tuffeau, le vignoble des Marquises reçoit un ensoleillement généreux. Ce vin a du potentiel grâce à sa richesse tannique, mais il faut que le grain s'affine. Le fruit est également présent. Tout cela demande de la patience, et c'est un bon résultat que l'on peut espérer.

🖙 Dom. Audebert et Fils, av. Jean-Causeret, 37140 Bourgueil, tél. 02.47.97.70.06, fax 02.47.97.72.07
☑ ⟁ ⋏ t.l.j. 8h30-12h 14h-18h; sam. dim. sur r.-v.

BRUNO ET ROSELYNE BRETON 2002

| ■ | 10 ha | 40 000 | ▮⬩ | 5 à 8 € |

On est ici en présence d'un vin des graves de Restigné. Il est léger, souple, élégant. Les arômes de fruits abondent, avec une persistance plus que satisfaisante. Une bouteille tout indiquée pour faire simple dans la convivialité.

🖙 Bruno et Roselyne Breton, EARL du Carroi, 45, rue Basse, 37140 Restigné, tél. 02.47.97.31.35, fax 02.47.97.49.00 ☑ ⟁ ⋏ r.-v.

CATHERINE ET PIERRE BRETON
Clos Sénéchal 2002 ★

| ■ | 1,5 ha | 8 000 | ⑪ | 11 à 15 € |

A Restigné, sables et argilo-calcaires se partagent le vignoble. Les premiers donnent des vins plus légers et fruités que les seconds. Au Clos Sénéchal, où l'on pratique l'agriculture biologique, on a affaire à des terres riches en argile provenant de l'éboulement du coteau et reposant sur le tuffeau. Les vins ont de la charpente. Celui-ci présente un nez développé de cassis mûr. La bouche pleine, aux tanins puissants, révèle un fruit marqué, malgré une finale un peu austère. Une garde s'impose pour obtenir une plus grande complexité aromatique.

🖙 Catherine et Pierre Breton, 8, rue du Peu-Muleau, Les Galichets, 37140 Restigné, tél. 02.47.97.30.41, fax 02.47.97.46.49, e-mail catherineetpierre.breton@libertysurf.fr
☑ ⟁ ⋏ t.l.j. sf dim. 9h-12h 14h-18h; sam. 9h-12h sur r.-v

DOM. DE LA CHANTELEUSERIE Lys d'or 2002 ★

| ■ | 3 ha | 10 000 | ⑪ | 8 à 11 € |

Ce domaine, resté dans la même famille depuis 1822, couvre 21 ha sur des terres argilo-calcaires près du coteau. On y attend des vins solidement structurés, destinés à la garde. Tel est le cas de celui-ci. Le nez timide laisse percer un léger boisé. Après une attaque franche, le bois fait à nouveau son apparition, les tanins prenant ensuite le relais et s'imposant fermement jusqu'en finale. Il leur faut un peu s'arrondir. Le temps y remédiera. La **cuvée Vieilles Vignes 2002 (5 à 8 €)**, de la même veine, est également très réussie et son avenir tout aussi assuré.

🖙 Thierry Boucard, La Chanteleuserie, 37140 Benais, tél. 02.47.97.30.20, fax 02.47.97.46.73, e-mail tboucard@terre-net.fr
☑ ⟁ ⋏ t.l.j. sf dim. 9h-12h 14h-19h

DOM. DU CHENE ARRAULT
Cuvée du Chêne Arrault 2002

| ■ | 1,5 ha | 10 000 | ▮⬩ | 5 à 8 € |

Le domaine, qui couvre 13 ha, vient en grande partie des grands-parents. Il comprend une part importante de

sols argilo-calcaires. Les méthodes de culture et de vinification sont au plus près de ce qui se pratiquait autrefois. Aucune surprise : c'est un vin agréable, léger, au fruit marqué. « Sympa », dit le jury, et aujourd'hui il ne suscitera à table que de la sympathie.

🖙 EARL Christophe Deschamps, 4, Le Chêne-Arrault, 37140 Benais, tél. 02.47.97.46.71, fax 02.47.97.82.90, e-mail domaine.du.chene.arrault@wanadoo.fr ☑ ⋏ r.-v.

DOM. DES CHESNAIES
Cuvée Vieilles Vignes 2002 ★★

| ■ | | 3 ha | 23 000 | ⑪ | 5 à 8 € |

C'est un domaine de 38 ha, œuvre de sept générations de vignerons de la même famille et, surtout, du grand-père, Lucien Lamé, qui fut l'un des premiers à s'équiper dans les années 1970 d'un chai rationnel où le bois est très utilisé. Ses deux petits-enfants ont marché sur ses traces avec leurs conjoints. Un coup de cœur distingue cette cuvée si équilibrée. Rondeur, longueur, tanins, arômes de raisins surmûris composent un ensemble raffiné. Un d'avenir à coup sûr. La **cuvée Prestige 2002**, elle aussi élevée en fût, reçoit une étoile pour son aptitude à la garde.

🖙 EARL Lamé-Delisle-Boucard, Dom. des Chesnaies, 21, rue de la Galotière, 37140 Ingrandes-de-Touraine, tél. 02.47.96.98.54, fax 02.47.96.92.31, e-mail lame.delisle.boucard@wanadoo.fr
☑ ⟁ t.l.j. sf dim. 9h-12h 13h30-17h30; sam. 9h-12h
🖙 Boucard-Degaugue

DOM. DE LA CHEVALERIE Busardières 2002 ★★

| ■ | n.c. | 13 000 | ▮⑪⬩ | 5 à 8 € |

Depuis 1640, la propriété passe de père en fils et s'agrandit. Elle couvre aujourd'hui 33 ha. Emmanuel Caslot, qui représente la quatorzième génération, s'apprête à prendre le relais. Intéressante cette cuvée qui évoque le café, les fruits cuits et un léger boisé de manière complexe. La bouche est souple, avec du gras, des tanins en pleine évolution, de la longueur. Le bois s'estompe. Un vin de forte personnalité. La **cuvée Vieilles Vignes 2002** reçoit une étoile.

🖙 Pierre Caslot, Dom. de La Chevalerie, 37140 Restigné, tél. 02.47.97.37.18, fax 02.47.97.45.87
☑ ⋏ t.l.j. 9h-12h 14h-18h; dim. sur r.-v.

CLOS DE L'ABBAYE 2002

| ■ | 6,5 ha | 25 000 | ▮⑪⬩ | 5 à 8 € |

C'est sur les terres de l'abbaye qu'est né le vignoble de Bourgueil. Venant d'Aquitaine après s'être arrêté en Anjou, le cabernet franc fut implanté par les moines au début du second millénaire. Il déborda bientôt des murs de l'abbaye en se répandant sur toute la terrasse du Bourgueil, où il trouva les sols et le climat qui lui convenaient. Cette

LOIRE

cuvée permettra d'attendre agréablement les vins plus nantis, encore en cave. Sa bouche tendre et ronde laisse une impression de fraîcheur et d'équilibre. A boire.
🏠 SCEA de la Dîme, Clos de L'Abbaye,
av. Le Jouteux, 37140 Bourgueil, tél. 02.47.97.76.30,
fax 02.47.97.72.03, e-mail closdelabbaye@wanadoo.fr
☑ ⲓ 𝄐 t.l.j. sf dim. 10h30-12h 14h30-19h
🏠 Sœurs de Saint-Martin

DOM. DE LA CLOSERIE Vieilles Vignes 2002 ★

■	5 ha	15 000	■ ◫ ↓ 5 à 8 €

Au nez : un ensemble de fruits rouges dans lequel domine la fraise des bois. Des fruits que l'on retrouve auprès de bons tanins et d'une matière agréable, avec une petite évocation de chêne. Tout cela est en équilibre et compose un vin de plaisir à boire dès maintenant.
🏠 Jean-François Mabileau, Dom. de La Closerie,
28, rte de Bourgueil, 37140 Restigné,
tél. 02.47.97.36.29, fax 02.47.97.48.33 ☑ ⲓ 𝄐 r.-v.

LYDIE ET MAX COGNARD Les Tuffes 2002 ★

■	1,5 ha	9 000	■ ↓ 5 à 8 €

C'est toute la famille, l'épouse et les deux enfants, qui sont à la peine maintenant sur ce domaine de 11 ha situé au point le plus haut de la terrasse de Bourgueil. Cette cuvée se remarque par sa teinte rouge intense qui tend vers le grenat et sa limpidité. Elle dégage des senteurs de grillé et de cuir. L'attaque ronde surprend agréablement, puis vient une structure fondue, légère, aux notes réglissées. On peut indifféremment attendre ou boire maintenant cette bouteille.
🏠 Max Cognard, Chevrette,
37140 Saint-Nicolas-de-Bourgueil,
tél. 02.47.97.76.88, fax 02.47.97.97.83,
e-mail max.cognard@wanadoo.fr ☑ ⲓ 𝄐 r.-v.

DOM. DUBOIS
Cuvée Prestige Elevé en fût de chêne 2002 ★

■	2 ha	11 000	◫ 5 à 8 €

Serge Dubois peut avoir l'esprit tranquille, il transmet à son fils Mickaël un beau vignoble de près de 14 ha sur sol argilo-calcaire, équipé rationnellement. Surtout il lui lègue un savoir-faire traditionnel, aussi bien dans les vignes qu'au chai. Robe très dense (classique pour un 2002), nez empreint de vanille et bouche franche dont les tanins n'ont pas dit leur dernier mot, ce vin est bien fait et peut évoluer encore.
🏠 GAEC Dom. Serge Dubois, 49, rue de Lossay,
37140 Restigné, tél. 02.47.97.31.60, fax 02.47.97.43.33,
e-mail domaine.sergedubois@wanadoo.fr
☑ ⌂ ⲓ 𝄐 r.-v.

DOM. BRUNO DUFEU Cuvée Grand Mont 2002

■	1 ha	7 000	■ ◫ 3 à 5 €

Un vignoble repris en 1995 et porté aujourd'hui à 11 ha. Le travail, aussi bien dans les vignes qu'au chai, est méticuleux (lutte raisonnée certifiée, tables de tris à la vendange), des méthodes qui s'avèrent payantes, puisque voici deux cuvées réussies. La première est de type classique : fleurs et vanille au nez, poivron en bouche. La structure est équilibrée, bien que les tanins soient encore manifestes. A boire ou à garder un peu. La **cuvée Clémence 2002**, fondue, est citée également.
🏠 Bruno Dufeu, Les Neusaies, 37140 Benais,
tél. 02.47.97.76.53, fax 02.47.97.76.53 ☑ ⌂ ⲓ 𝄐 r.-v.

LAURENT FAUVY Vieilles Vignes 2002 ★

■	2,5 ha	3 000	□ 5 à 8 €

Une cuvée assez expressive par ses arômes de fumée et de fruits rouges, mêlés d'un peu d'épice. C'est bien le cabernet franc, diront les experts. La bouche solide possède de la matière et du gras, et s'étire agréablement sur une évocation de cassis. Les tanins se manifestent un peu : ils doivent s'assagir par une petite garde. La **cuvée principale 2002 de Laurent Fauvy (3 à 5 €)** est citée.
🏠 EARL Laurent Fauvy, 14, rte de Saint-Gilles,
37140 Benais, tél. 02.47.97.46.67, fax 02.47.97.95.45
☑ ⲓ 𝄐 t.l.j. sf dim. 8h-12h 14h-19h

DOM. DES FONTENYS Vieilles Vignes 2002 ★

■	5,5 ha	40 000	■ ↓ 5 à 8 €

Fondée en 1931, cette cave est l'une des plus anciennes coopératives de la Touraine. On y a toujours bien travaillé et servi la cause des vins de Bourgueil. Elle présente un 2002 de garde, dont le nez développé évoque les fruits rouges et laisse une sensation de sucré. La bouche régulière du début à la fin de la dégustation offre un bon équilibre entre la matière, les tanins et le fruit. A laisser grandir.
🏠 Cave des Grands Vins de Bourgueil,
16, rue Les Chevaliers, 37140 Restigné,
tél. 02.47.97.32.01, fax 02.47.97.46.29,
e-mail cave.des.vins.de.bourgueil@wanadoo.fr 𝄐 r.-v.

DOM. DES FORGES Cuvée Vieilles Vignes 2002 ★★

■	5 ha	15 000	■ ◫ ↓ 8 à 11 €

Jean-Yves Billet ne cultive pas seulement les vignes, mais aussi le passé. Son aïeul tenait en 1830 un journal du vignoble où il notait les événements et la nature des récoltes. Jean-Yves le continue et l'on peut souhaiter pour la connaissance de ce magnifique terroir qu'un jour ces archives seront publiées. Pour l'heure, c'est un 2002 qui nous intéresse, issu des terres argilo-calcaires du coteau. Ample, il est riche en matière et ses tanins manifestent leur présence en souplesse. La finale de cassis et de cerise est superbe. On peut s'en régaler dès maintenant. La **cuvée Les Bézards 2002** mérite une étoile pour sa rondeur plaisante.
🏠 Jean-Yves Billet, Dom. des Forges,
28 pl. des Tilleuls, 37140 Restigné,
tél. 02.47.97.32.87, fax 02.47.97.46.47,
e-mail J.Y.Billet@wanadoo.fr ☑ ⲓ 𝄐 r.-v.

DOM. DU GRAND CLOS 2002 ★

■	7,3 ha	48 000	■ ◫ ↓ 8 à 11 €

Très appréciée dans le Bourgueillois, la maison Audebert écoule une part non négligeable de la production de l'appellation. Elle trouve d'importants débouchés pour ses vins auprès des chaînes d'hôtels-restaurants. Ce 2002 présente un bon équilibre entre les tanins et la matière, agrémentés d'un joli fruit, mais il lui faut un peu de garde pour atteindre une rondeur optimale. Le **rosé 2003 (5 à 8 €)** obtient une étoile.
🏠 Maison Audebert et Fils, 20, av. Jean-Causeret,
37140 Bourgueil, tél. 02.47.97.70.06, fax 02.47.97.72.07,
e-mail maison@audebert.fr
☑ ⲓ 𝄐 t.l.j. 8h30-12h 14h-18h; sam. dim. sur r.-v.

VIGNOBLE DE LA GRIOCHE
Cuvée Santenay 2002 ★

■	1,2 ha	4 000	■ 5 à 8 €

Du nouveau au vignoble de La Grioche : Jean-Marc Breton est aidé maintenant par son fils qui lui apporte des connaissances nouvelles. Il installe dans le même temps un gîte pour recevoir les touristes. Ces derniers seront vite convaincus par cette cuvée issue de vignes plantées sur graviers. Le nez révèle des senteurs de fruits rouges intenses. Une évocation que l'on retrouve en bouche, mais avec une présence tannique affirmée. Un compromis à trouver : une garde pour gommer ces aspérités mais pas trop longue pour conserver le fruit. La **cuvée Prestige 2002**, élevée en fût, est citée pour son équilibre.

⊶ Jean-Marc Breton,
19, rue des Marais, 37140 Restigné,
tél. 02.47.97.31.64, fax 02.47.97.92.39 ☑ ⌂ 🚶 r.-v.

ALAIN ET ARNAUD HOUX
Cuvée de la Chopinière 2002 ★

■ 1,5 ha 4 500 ▮⦶ 5 à 8 €

Encore une exploitation où la relève s'organise. Arnaud Houx vient de rejoindre son père sur les 17 ha de vignes partagées entre sols argilo-calcaires et graves. La cuvée La Chopinière – la bien nommée – est immédiatement tentante avec ses arômes de pommes et de confiture au nez, son ampleur et sa finale soyeuse en bouche, et, pour ne rien gâter, sa petite touche de réglisse. La **cuvée Tradition 2002 (3 à 5 €)**, qui n'a pas connu le bois, est citée.

⊶ EARL Alain et Arnaud Houx,
21, le Clos Barbin, 37140 Restigné,
tél. 02.47.97.30.95, fax 02.47.97.30.95 ☑ Y 🚶 r.-v.

DOM. DE LA LANDE Prestige 2002 ★

■ 2 ha 10 000 ⦶ 8 à 11 €

Encore une équipe père-fils bien soudée au service de la viticulture bourgueilloise. Ils ont à leur actif deux belles cuvées. La première, issue de ceps de plus de soixante ans, est un exemple de vendange amenée à bonne maturité. Le résultat : une robe d'un rouge soutenu, des arômes de fruits mûrs ou confits, une bouche puissante, riche, aux flaveurs de réglisse et de fruits rouges. Le passage en bois est réussi, les tanins en ont rabattu et l'ensemble reste souple. Il n'est pas question de bois neuf chez les Delaunay, mais de vieux fûts qui permettent les échanges avec l'extérieur et l'évolution des tanins. La seconde cuvée, **Les Pins 2002 (5 à 8 €)**, se place au même niveau de qualité : une étoile.

⊶ EARL Delaunay Père et Fils,
Dom. de La Lande, 20, rte du Vignoble,
37140 Bourgueil, tél. 02.47.97.80.73, fax 02.47.97.95.65,
e-mail earl.delaunay_pfils@terre-net.fr
☑ Y 🚶 r.-v.

LUCIEN LORIEUX Tuffeaux 2002 ★★

■ 1,8 ha 13 000 ▮🌡 5 à 8 €

On s'équipe chez Lucien Lorieux, avec une salle d'accueil des visiteurs et des travaux importants de rénovation du chai, en attendant la venue prochaine du fils, encore « aux études » comme on dit ici. Pour l'instant, c'est au père que l'on doit cette cuvée de garde. Sous une couleur intense apparaît un nez puissant de fruits rouges. Dans la bouche au développement surprenant, la matière et les tanins sont bien en place. Un bourgueil classique, déjà harmonieux, qui ne demande qu'à progresser. La **cuvée Graviers 2002**, très réussie, est prête.

⊶ Lucien Lorieux, 2, rue de la Percherie,
37140 Bourgueil, tél. 02.47.97.88.44, fax 02.47.97.88.44,
e-mail lorieux.lucien@wanadoo.fr ☑ Y 🚶 r.-v.

DOM. LAURENT MABILEAU 2002 ★

■ 6 ha 40 000 ⦶ 5 à 8 €

Laurent Mabileau qui pilote un domaine de 23 ha se réfère à la tradition pour la vinification, mais se targue aussi de détenir des secrets... Ils doivent être précieux car voici une cuvée de qualité : robe rubis foncé, brillante, aux nuances orangées, de laquelle s'échappent des senteurs de bois dominantes. La bouche franche se montre pleine et soyeuse grâce à des tanins bien fondus, mais très marquée par le chêne. Il faut attendre que cette dominante boisée se fonde dans le corps du vin. « Cinq à six ans », conseille un membre du jury.

⊶ Dom. Laurent Mabileau, La Croix du Moulin-Neuf,
37140 Saint-Nicolas-de-Bourgueil,
tél. 02.47.97.74.75, fax 02.47.97.99.81,
e-mail domaine@mabileau.fr ☑ Y 🚶 r.-v.

DOM. DES MAILLOCHES
Cuvée Samuel Vieilli en fût de chêne 2002 ★

■ 0,75 ha 3 500 ⦶ 5 à 8 €

L'une des plus vieilles familles de Restigné. La demeure, une maison tourangelle de la fin du XVIII[e]s., est un vrai bijou, tant les lignes et les proportions sont harmonieuses. Une harmonie que l'on retrouve dans cette cuvée Samuel aux tanins parfaitement ronds. Le fruit n'est pas absent, et c'est une impression printanière qui demeure en finale. Joli vin de plaisir pour l'immédiat.

⊶ Jean-François et Samuel Demont,
EARL Dom. des Mailloches, 40, rue de Lossay,
37140 Restigné, tél. 02.47.97.33.10, fax 02.47.97.43.43,
e-mail demont-j.f@wanadoo.fr ☑ ⌂ Y r.-v.

HERVE MENARD Vieilles Vignes 2002 ★

■ 1,5 ha 8 000 ▮⦶ 8 à 11 €

Une association récente de deux viticulteurs qui mettent en commun leurs moyens pour exploiter 15 ha de vignes, sis dans la partie la plus à l'est de la terrasse de Bourgueil. Les terres, en majorité argilo-calcaires, produisent des vins solides, tel celui-ci, bien typé du millésime mais qui a déjà amorcé son évolution. Les tanins ont perdu de leur agressivité et laissent place à une matière ronde et fruitée. Cette bouteille peut se mettre à table dès maintenant ou prendre son temps. La **cuvée Tuffeau 2002 (5 à 8 €)**, élégante, avec une note vive, est citée.

⊶ GAEC Chasle-Ménard, 16, rue des Roches,
37130 Saint-Patrice, tél. 02.47.96.95.95,
fax 02.47.96.99.23, e-mail chasle-menard@wanadoo.fr
☑ Y 🚶 sam. 9h-12h 14h-18h

CH. DE MINIERE 2002 ★★

■ 7 ha 15 000 ▮🌡 8 à 11 €

Trois personnes se sont groupées pour exploiter les 7 ha du château : le propriétaire, un viticulteur et la maison de négoce Couly-Dutheil. Il faut croire que c'est une bonne formule car coup de cœur en 2003, bien placé l'année dernière, le vin est encore aux avant-postes cette année. Une cuvée unique, issue de la totalité de la récolte. Le nez s'ouvre sur les fruits rouges un peu réglissés. La bouche n'a que des qualités : richesse, souplesse, tanins bien enrobés et un fruit de cassis à revendre. La finale est heureuse, le consommateur le sera tout autant aujourd'hui, mais s'il patiente il sera récompensé.

⊶ Ch. de Minière, 37140 Ingrandes-de-Touraine,
tél. 02.47.96.94.30, fax 02.47.96.91.53,
e-mail mascarel-miniere@wanadoo.fr ☑ Y r.-v.
⊶ B. de Mascarel

DOMINIQUE MOREAU 2002 ★

| ■ | 1 ha | 7 000 | ■ ↓ | 3 à 5 € |

Installé depuis près de trente ans sur son vignoble de Restigné, Dominique Moreau en connaît presque tous les ceps. Une cuvée qui se distingue par son intensité aromatique : laurier, cuir, pointe de poivron s'échappent en notes fraîches et légères. La bouche simple garde son équilibre. Pour déguster sans façon avec un groupe d'amis.
☛ EARL Dominique Moreau,
L'Ouche Saint-André, 37140 Restigné,
tél. 06.61.80.65.85, fax 02.47.96.83.30 ☑ ⍑ ⚔ r.-v.

DOM. MUREAU 2002 ★

| ■ | 6 ha | 30 000 | ■ ↓ | 5 à 8 € |

Les bâtiments dotés d'un équipement moderne n'échappent pas à la vue du visiteur arrivant sur la terrasse de Bourgueil. Il peut y voir aussi des poteaux de vignes en ardoise, fréquents autrefois dans l'appellation. Ce bourgueil présente un côté animal un peu inattendu, mais le corps est rond, bien fait, élégant. Un vin qui peut attendre ou être bu dès maintenant. Le **Domaine de La Gaucherie 2002 (8 à 11 €)** est cité pour sa souplesse et son fruité.
☛ Régis Mureau, 16, rue d'Anjou,
37140 Ingrandes-de-Touraine, tél. 02.47.96.97.60,
fax 02.47.96.93.43, e-mail regismureau@wanadoo.fr
☑ ⍑ ⚔ t.l.j. sf dim. 9h-12h 14h-18h

NAU FRERES Vieilles Vignes 2002 ★

| ■ | 5 ha | 14 000 | ■ | 5 à 8 € |

Installés depuis près de quinze ans aux Blottières sur une vingtaine d'hectares, les deux frères Nau ont toujours travaillé les vignes et vinifié leurs raisins en s'inspirant des anciens. Les vins s'en trouvent bien, telle cette cuvée fruitée et florale à la fois, dans laquelle la violette prend le pas. L'attaque est ronde et la bouche longue avec une pointe de vivacité. Les tanins surprennent un peu par leur ampleur, mais ils s'assagiront après un séjour en cave de deux ans.
☛ Nau Frères, 52, rue de Touraine,
37140 Ingrandes-de-Touraine,
tél. 02.47.96.98.57, fax 02.47.96.90.34,
e-mail naufreres@wanadoo.fr ☑ ⍑ ⚔ r.-v.

DOM. DE LA NOIRAIE Cuvée Saint-Vincent 2002

| ■ | 6 ha | 40 000 | ■ ↓ | 5 à 8 € |

Un groupement familial bien organisé : deux frères et une épouse qui se partagent les tâches sur ce domaine de 23 ha du plateau de Bourgueil. Jean-Paul Delanoue est dans les vignes, Michel au chai et Pascale reçoit les clients. La robe limpide, rubis dense, annonce un nez expressif de fruits rouges nuancé d'un peu d'animal, ainsi qu'une belle matière. Si les tanins ne veulent pas se faire oublier, l'ensemble n'en reste pas moins souple et plaisant avec cette curieuse note animale qui réapparaît en finale. Un vin prêt dès aujourd'hui. La **cuvée Prestige 2002** est citée.
☛ GAEC Delanoue Frères, 19, rue du Fort-Hudeau,
37140 Benais, tél. 02.47.97.30.40, fax 02.47.97.46.95,
e-mail delanoue@terre-net.fr
☑ ⍑ ⚔ t.l.j. 8h30-12h30 14h-20h; dim. 8h30-12h30

DOM. OLIVIER Vieilles Vignes 2002 ★

| ■ | 3,5 ha | 19 000 | ■ ↓ | 5 à 8 € |

La propriété de 33 ha est située principalement à Saint-Nicolas-de-Bourgueil. Son extension sur Bourgueil,

de 3,50 ha, a donné cette excellente cuvée dominée par les fruits noirs, assortis d'une touche animale. L'impression est douce et ample. On perçoit du gras et des tanins persistants. L'équilibre se réalise, mais il faut un peu de temps à cette bouteille pour atteindre l'harmonie.
☛ EARL Dom. Olivier, La Forcine,
37140 Saint-Nicolas-de-Bourgueil,
tél. 02.47.97.75.32, fax 02.47.97.48.18,
e-mail patrick.olivier14@wanadoo.fr ☑ ⍑ ⚔ r.-v.
☛ Patrick Olivier

BERNARD OMASSON 2002

| ■ | 1 ha | 2 000 | ■ ↓ | 5 à 8 € |

L'étiquette, comme on les réalisait à Bourgueil dans les années 1960, montre bien qu'on est resté fidèle au passé chez Bernard Omasson. Il en est de même de l'élaboration des vins comme en témoigne cette cuvée : arômes développés, tanins bien présents mais prometteurs car enveloppés, vivacité traditionnelle des vins de Loire. Il faut l'attendre comme autrefois, quand on avait le temps.
☛ Bernard Omasson, La Perrée,
54, rue de Touraine, 37140 Ingrandes-de-Touraine,
tél. 02.47.96.98.20 ☑ ⍑ ⚔ r.-v.

DOM. DES OUCHES 2002 ★

| ■ | 10 ha | 50 000 | ■ ◗ ↓ | 5 à 8 € |

Que ce soit par le père, Paul Gambier, ou par les deux fils, Vincent et Denis, vous serez toujours bien accueillis dans ce domaine de près de 15 ha où argile et silice se mêlent pour constituer de très bons sols à vigne. Tous trois tiennent à cœur de faire passer le message du vin, et vos connaissances n'en seront qu'enrichies. Cette cuvée s'ouvre sur un nez assez discret de bourgeon de cassis. La bouche ne manque pas de qualités : attaque franche, chair dense, rondeur et finale longue. Les tanins mûrs s'intègrent parfaitement. Un vin puissant, destiné à la garde.
☛ Paul Gambier et Fils,
3, rue des Ouches, 37140 Ingrandes-de-Touraine,
tél. 02.47.96.98.77, fax 02.47.96.93.11,
e-mail domaine.des.ouches@wanadoo.fr ☑ ⍑ ⚔ r.-v.

ANNICK PENET 2002

| ■ | 0,8 ha | 3 000 | ■ ◗ | 5 à 8 € |

Une toute petite exploitation viticole tenue par les mêmes propriétaires depuis plus de quarante ans. La vendange est manuelle, bien sûr, surtout quand on opère sur une vigne de plus de cent ans. Beaucoup d'arômes au nez, de fruits rouges et de fruits noirs, une bouche bien nantie, construite sur un mode classique avec une présence tannique affirmée et un bon prolongement. Vin de garde, cela va sans dire.
☛ Annick Penet, 29, rue Basse, 37140 Restigné,
tél. 02.47.97.33.68 ☑ ⍑ ⚔ r.-v.

DOM. DU PETIT BONDIEU Le Petit Mont 2002 ★

| ■ | 1,5 ha | 10 000 | ◗ | 5 à 8 € |

La propriété de 20 ha est familiale. Jean-Marc Pichet y travaille depuis 1975 et son fils Thomas l'a rejoint récemment. Une cuvée tout ce qu'il y a de plus classique, pour la garde, et qui saura dans quelques années vous emmener au paradis. Le nez intense, caractéristique du cabernet, précède une bouche pleine, assortie de tanins jeunes, un peu pointus. La **cuvée Les Couplets 2002 (8 à 11 €)**, élevée cinq mois en cuve et cinq mois en fût, est citée pour sa rondeur et son fruit.

⊶ EARL Jean-Marc et Thomas Pichet,
Le Petit Bondieu, 30, rte de Tours, 37140 Restigné,
tél. 02.47.97.33.18, fax 02.47.97.46.57,
e-mail jean-marc-pichet@wanadoo.fr
☑ Y 🚶 t.l.j. sf dim. 9h-12h 14h-19h

DOM. DE LA PETITE MAIRIE 2002

■ 4 ha 10 000 ▮◑ 5 à 8 €

Avant de s'arrêter chez James Petit, ne manquez pas de visiter, non loin, l'église de Restigné datant du XIes. Ce sera un moment d'émotion, comme on pourrait en avoir devant cette cuvée qui éclate de fruits rouges et noirs bien mûrs. L'attaque souple est relayée par une petite vivacité. Les tanins restent plaisants et la finale intéressante. Vin de viande blanche par excellence. Le **Domaine des Galluches cuvée Ronsard 2002** est cité pour son équilibre.
⊶ James Petit, Dom. de la Petite Mairie,
37140 Restigné, tél. 02.47.97.30.13 ☑ Y 🚶 r.-v.

CH. DE LA PHILBERDIERE 2002

■ 7 ha 40 000 ▮♁ 5 à 8 €

Une invitation à venir voir le château des XVe et XVIIIes. sis au milieu d'un parc aux arbres centenaires, puis à goûter un 2002 aérien aux flaveurs de fruits rouges marquées et persistantes. Les arômes intenses et épicés du nez incitent à découvrir immédiatement cette bouteille.
⊶ SCV Aubry et Fils, La Philberdière, 37140 Restigné,
tél. 02.47.97.33.21, fax 01.48.85.91.14 ☑ Y 🚶 r.-v.

DOM. LES PINS Cuvée Clos Les Pins 2002 ★★★

■ 1,5 ha 10 000 ▮♁ 5 à 8 €

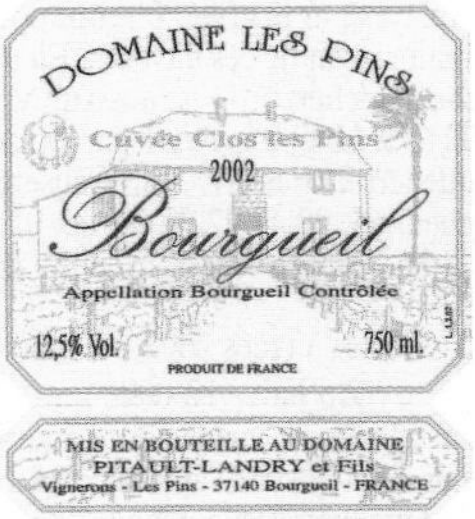

Les bâtiments, en partie du XVIes., inspirés par Mansart, sont entourés d'un vignoble que cinq générations de la même famille ont porté progressivement à plus de 19 ha. La cuvée Clos Les Pins est un chef-d'œuvre. La robe grenat foncé annonce des arômes puissants de fruits rouges avec une touche animale. A l'attaque ronde succède une matière souple que ne troublent point les tanins fins et fondus. Un vin qui parviendra au sommet dans quelques années. La **cuvée Vieilles Vignes 2002** reçoit deux étoiles pour son fruit et ses dispositions à vieillir.
⊶ Pitault-Landry et Fils, Dom. les Pins,
8, rte du Vignoble, 37140 Bourgueil,
tél. 02.47.97.47.91, fax 02.47.97.98.69,
e-mail philippe.pitault@wanadoo.fr ☑ Y r.-v.

DOM. LE PONT DU GUE Vieilles Vignes 2002

■ 1 ha 4 600 ▮♁ 5 à 8 €

Des ceps de plus de soixante ans qui ont accumulé dans leur gros tronc des réserves qu'ils restituent aux raisins au cours de l'été ont donné naissance à cette cuvée vineuse à souhait, aux accents de fruits cuits. Les tanins sont assez présents dans la matière et il faudra du temps pour égaliser tout cela. La **cuvée principale Domaine Le Pont du Gué 2002 (3 à 5 €)**, citée également, constitue un bon vin de garde.
⊶ EARL Eric Ploquin, Le Pont du Gué,
37140 Bourgueil, tél. 02.47.97.90.82, fax 02.47.97.95.68,
e-mail ploquin.eric@free.fr
☑ Y 🚶 t.l.j. sf dim. 8h-12h30 14h-18h30

DOM. PONTONNIER Cuvée Vieilles Vignes 2002 ★

■ 3 ha 4 000 ▮◑ 5 à 8 €

Les 15 ha du domaine sont situés contre le coteau où le sol, en majeure partie argilo-calcaire, repose directement sur le tuffeau. Cette cuvée brillante, grenat foncé, s'ouvre tout en délicatesse sur des évocations de fruits rouges. Après une attaque tendre, elle montre de la souplesse et de fins tanins dans une longueur satisfaisante. Elle peut encore se fondre et fera sans doute une belle carrière.
⊶ EARL Pontonnier-Caslot, 4, chem. de L'Epaisse,
37140 Saint-Nicolas-de-Bourgueil,
tél. 02.47.97.84.69, fax 02.47.97.48.55 ☑ Y r.-v.
⊶ Caslot

DOM. DES RAGUENIERES
Cuvée Les Haies 2002 ★★★

■ 1,6 ha 10 000 ▮◑♁ 5 à 8 €

Le domaine des Raguenières est accolé au coteau, là où les terres sont assez chargées en argile. Les vins y sont généralement bien structurés et puissants. Tel est le cas de cette magnifique cuvée qui n'est pas passée loin du coup de cœur. D'intenses notes de fruits mûrs au nez, mêlées de châtaigne, des tanins solides, une matière extrêmement concentrée : on est en face d'un vin d'exception qui est disposé à vivre des décennies. La **cuvée Clos de la Cure 2002** est citée pour ses qualités de souplesse et d'équilibre.
⊶ SCEA Dom. des Raguenières,
11, rue du Machet, 37140 Benais,
tél. 02.47.97.30.16, fax 02.47.97.46.78 ☑ Y 🚶 r.-v.
⊶ Gadaix-Maître

VIGNOBLE DES ROBINIERES
Cuvée Vieilles Vignes 2002 ★

■ 5 ha 12 000 ▮◑♁ 5 à 8 €

Les deux frères, Bertrand et Vincent Marchesseau, ont repris le domaine du père et œuvrent seuls maintenant. Ils ont construit un chai en rapport avec le vignoble de plus de 15 ha. Leur cuvée exprime des arômes de fruits rouges très mûrs. La bouche est souple, ronde, mais les tanins semblent ne pas avoir terminé leur évolution. Une petite garde de deux ans est tout indiquée.
⊶ EARL Marchesseau Fils, 16, rue de l'Humelaye,
37140 Bourgueil, tél. 02.47.97.47.72, fax 02.47.97.46.36,
e-mail earl.marchesseau@libertysurf.fr
☑ Y 🚶 t.l.j. sf dim. 9h-12h 14h-19h

DOM. DU ROCHOUARD Cuvée Coteau 2002 ★★

■ 2 ha 6 500 ▮♁ 5 à 8 €

Au Rochouard, on essaye de bien faire la différence entre les terroirs. La cuverie est de petite contenance et on sépare les vendanges. Ici, c'est une cuvée issue de 2 ha plantés sur les éboulis de la pente qui est à l'honneur. Bien installé dans la nouvelle salle de dégustation, on appréciera sa robe presque violette, son nez expressif de fruits rouges et noirs, agrémenté de réglisse et surtout sa matière issue d'une vendange parfaitement mûre. Les tanins ont leur mot à dire, mais sans plus, puis la finale revient sur la réglisse. Vin classique que l'on peut servir maintenant ou garder. La **cuvée Prestige 2002** (8 à 11 €), boisée, est citée. Il faut l'attendre.

⚑ GAEC Duveau-Coulon et Fils, 1, rue des Géléries, 37140 Bourgueil, tél. 02.47.97.85.91, fax 02.47.97.99.13, e-mail contact@domainedurochouard.com ☑ Ⲷ ⚔ r.-v.

DOM. DES VALLETTES Vieilles Vignes 2002

| ■ | 1,8 ha | 12 000 | ⚊ 🍷⚒ | 5 à 8 € |

Francis Jamet, secondé par son fils François, est viticulteur à Saint-Nicolas-de-Bourgueil, mais possède une parcelle sur le terroir de Bourgueil près du coteau, là où les terres assez fortes en argile ont la réputation de donner des vins bien constitués. Il en est ainsi de ce 2002, mais avec beaucoup de mesure. Le nez est très fruité, la bouche ronde, les tanins souples, la finale longue : c'est l'harmonie qui s'impose. Parfait pour une viande blanche, sans attendre.

⚑ Francis et François Jamet, Dom. des Vallettes, 37140 Saint-Nicolas-de-Bourgueil, tél. 02.41.52.05.99, fax 02.41.52.87.52, e-mail francis.jamet@les-vallettes.com ☑ Ⲷ ⚔ r.-v.

DOM. DE LA VERNELLERIE
Vieilles Vignes 2002 ★

| ■ | 2 ha | 5 000 | ⚊⚒ | 5 à 8 € |

Ce domaine d'une quinzaine d'hectares comprend des bâtiments du XVIᵉs. et un chai entièrement rénové. La pièce maîtresse en 2002 est cette cuvée aux tanins puissants, mais prêts à évoluer, avec en soutien une riche matière qui lui donne de la réserve. Il flotte à tout moment des notes de fruits rouges et de réglisse. Une belle carrière s'ouvre devant cette bouteille.

⚑ Camille et Marie-Thérèse Petit, EARL Dom. de La Vernellerie, 37140 Benais, tél. 02.47.97.31.18, fax 02.47.97.31.18 ☑ Ⲷ ⚔ r.-v.

DOM. DES VIENAIS
Vieilles Vignes Elevé en fût de chêne 2002 ★

| ■ | 1 ha | 5 000 | 🍷 | 8 à 11 € |

Gérard Poupineau, installé en 1980, a porté son vignoble à plus de 22 ha. Le chai a été rénové ; la cave creusée sous le vignoble même est de bonnes dimensions. Difficile d'être mieux équipé. Cette cuvée possède une structure souple et une matière riche, alors que les tanins se montrent encore puissants. Un élevage bien commencé, mais qui devra se prolonger par une garde en bouteille de quelques années.

⚑ Gérard Poupineau, 3, rue des Lavandières, 37140 Benais, tél. 02.47.97.35.19, fax 02.47.97.46.91, e-mail domaine.desvienais@wanadoo.fr ☑ Ⲷ ⚔ r.-v.

Saint-nicolas-de-bourgueil

Si les vignobles ont les mêmes caractéristiques que ceux de l'aire contiguë de Bourgueil, la commune de Saint-Nicolas-de-Bourgueil (simple paroisse détachée de Bourgueil au XVIIIᵉs.) possède son appellation particulière.

Son vignoble croît, pour les deux tiers, sur les sols sablo-graveleux des terrasses de Loire. Au-dessus, le coteau est protégé des vents du nord par la forêt ; le tuffeau y est surmonté d'une couverture sableuse. Bien que ce ne soit pas le cas des vins provenant exclusivement du coteau, les saint-nicolas-de-bourgueil, souvent issus d'assemblages, ont la réputation d'être plus légers que les bourgueil. Ils ont produit 57 306 hl en 2003 sur une superficie de 1 029 ha déclarés.

YANNICK AMIRAULT Les Graviers 2002 ★

| ■ | 2,3 ha | 14 000 | 🍷 | 8 à 11 € |

Une cuvée qui se résume en deux mots : puissance et élégance. Un léger boisé au nez et des tanins assagis résultent d'un passage réussi sous bois ancien. La matière est dense et a de quoi favoriser une évolution sur plusieurs années. A ranger soigneusement dans sa cave en attendant des jours bien meilleurs encore.

⚑ Yannick Amirault, 5, pavillon du Grand-Clos, 37140 Bourgueil, tél. 02.47.97.78.07, fax 02.47.97.94.78 ☑ Ⲷ r.-v.

DOM. AUDEBERT ET FILS 2002 ★★

| ■ | 3,85 ha | 20 000 | ⚊🍷⚒ | 5 à 8 € |

C'est François Audebert, le fils de la maison, qui a en charge le vignoble. Il s'en acquitte avec talent, pour preuve cette mention remarquable. Voici un saint-nicolas typique qui se positionne sur le fruit. Le nez très ouvert évoque le pruneau, les fruits confits et le grillé. L'attaque franche, sans aspérité, précède une explosion d'arômes fruités classiques du cabernet, relayés par le grillé. Il serait dommage de ne pas profiter maintenant de ces flaveurs. En tant que négociant, la maison Audebert propose aussi un **Vignoble de la Contrie 2002** (8 à 11 €) très réussi par sa fraîcheur.

⚑ Dom. Audebert et Fils, av. Jean-Causeret, 37140 Bourgueil, tél. 02.47.97.70.06, fax 02.47.97.72.07 ☑ Ⲷ ⚔ t.l.j. 8h30-12h 14h-18h; sam. dim. sur r.-v.

BEAU PUY Vieilles Vignes 2002

| ■ | 2,5 ha | 12 000 | | 5 à 8 € |

Jean-Paul Morin est installé au Coudray-la-Lande à Bourgueil, mais il détient sur Saint-Nicolas un petit vignoble, dans sa famille maternelle depuis 1720, créé et développé par les femmes. Joyeuse, agréable, sur des arômes un peu cuits, cette cuvée se situe bien dans le type de l'appellation. Un vin de plaisir qui ne doit pas rester en cave.

⚑ Jean-Paul Morin, 30, rue de La Lande, 37140 Bourgueil, tél. 02.47.97.76.92, fax 02.47.97.98.20 ☑ Ⲷ ⚔ r.-v.

DOM. DES BERGEONNIERES
Cuvée Rondeau 2002

| ■ | 1,2 ha | 10 000 | ⚊⚒ | 5 à 8 € |

Le domaine de 18 ha est bien placé au pied du coteau, sur un sol de graves. La parcelle Rondeau, cultivée au XIXᵉs. puis laissée à l'abandon, a été regagnée sur les bois, grâce au tracteur. Une pente de 1,20 ha, plein sud, c'est précieux. Un vin très consistant y a été produit, auquel un élevage de quatorze mois en cuve a apporté de la souplesse, du volume, tout en respectant le fruit. Une petite touche réglissée lui donne de l'originalité. A boire dès aujourd'hui. La cuvée principale **Domaine des Bergeonnières 2002** est citée.

⊶ André Delagouttière,
Les Bergeonnières, 37140 Saint-Nicolas-de-Bourgueil,
tél. 02.47.97.75.87, fax 02.47.97.48.47,
e-mail andre.delagouttiere@laposte.net ☒ Y ✝ r.-v.

CAVE BRUNEAU DUPUY Cuvée Réserve 2002 *

■ 1 ha 3 000 ◍ 5 à 8 €

Sylvain Bruneau, qui a succédé à son père Jean, est maintenant en charge du domaine de 16 ha. Il propose une cuvée issue d'un sol argilo-calcaire, assez charpentée mais qu'un passage en bois de douze mois a bien assouplie. L'héritage boisé se fondra avec le temps. La finale est très fruitée et c'est une impression générale d'équilibre qui reste en mémoire. La **cuvée Vieilles Vignes 2002**, qui n'a pas connu le fût, est citée.

⊶ Sylvain Bruneau,
La Martellière, 37140 Saint-Nicolas-de-Bourgueil,
tél. 02.47.97.75.81, fax 02.47.97.43.25,
e-mail info@cave-bruneau-dupuy.com ☒ Y ✝ r.-v.
⊶ Jean Bruneau

CARROI Elevage traditionnel en fût 2002

■ 2,1 ha 15 000 ◍ 5 à 8 €

Un vigneron de Bourgueil qui possède une extension en saint-nicolas. Il y réussit fort bien comme le montre cette cuvée aux senteurs classiques du cabernet : fruits rouges et poivron vert. D'attaque vive, elle reste sur le fruit jusqu'à une finale nettement réglissée. Vin de soif qui s'adaptera à beaucoup de circonstances.

⊶ Bruno et Roselyne Breton,
EARL du Carroi, 45, rue Basse, 37140 Restigné,
tél. 02.47.97.31.35, fax 02.47.97.49.00 ☒ Y ✝ r.-v.

DOM. DU CLOS DE L'EPAISSE
Cuvée des Clos 2002 **

■ 2,3 ha 17 000 ▮♁ 5 à 8 €

La propriété de l'Epaisse est adossée au coteau, là où les sols riches en argile donnent des vins solides, austères dans leur jeunesse. C'est le cas de celui-ci, mais un élevage de douze mois a largement modifié son caractère. La bouche vineuse résulte d'une matière abondante et de tanins très évolués. Le fruit ne manque à aucun stade et se prolonge durablement. L'évolution n'est pas finie. La **cuvée traditionnelle 2002 élevée en cuve (3 à 5 €)**, mérite une étoile. Elle peut être bue dès maintenant.

⊶ Yvan Bruneau, 50, av. Saint-Vincent,
37140 Saint-Nicolas-de-Bourgueil,
tél. 02.47.97.90.67, fax 02.47.97.49.45 ☒ Y ✝ r.-v.

CLOS DES QUARTERONS Les Quarterons 2002 *

■ 11 ha 70 000 ▮♁ 5 à 8 €

Une grande maison bourgeoise datant du XIX^{e}s., située au centre du bourg, tient lieu de siège d'exploitation. De belles dimensions, en jolie pierre blanche, elle ne passe pas inaperçue. Le vignoble de 28 ha, essentiellement sur graviers, se répartit aux alentours. Cette cuvée est un peu le cheval de bataille de l'entreprise cette année : puissante et généreuse, de bonne longueur, prête à boire et surtout disponible en fort volume. La **cuvée Vieilles Vignes 2002**, qui a connu le bois, obtient également une étoile, mais demande encore à évoluer.

⊶ Thierry Amirault, Clos des Quarterons,
37140 Saint-Nicolas-de-Bourgueil, tél. 02.47.97.75.25,
fax 02.47.97.97.97 ☒ Y ✝ t.l.j. sf dim. 8h-12h 14h-18h

CLOS DU VIGNEAU
Les Dames du Temps Jadis 2002 *

■ 2 ha 10 000 ▮◍♁ 5 à 8 €

La qualité du millésime 2002 s'est faite en septembre, avec le soleil et le vent d'est qui ont concentré le jus des baies. Le nez dévoile ici un fruit plaisant que l'on retrouve tout au long de la dégustation. S'y associe une matière consistante due à des raisins très mûrs. Un léger boisé apparaît en filigrane, mais il s'estompera avec le temps.

⊶ EARL Clos du Vigneau, Le Vigneau,
37140 Saint-Nicolas-de-Bourgueil, tél. 02.47.97.75.10,
fax 02.47.97.98.98, e-mail info@clos-du-vigneau.com
☒ Y ✝ t.l.j. sf dim. 8h30-12h 13h30-19h
⊶ GFA du Vigneau

DOM. DE LA CLOSERIE Vieilles Vignes 2002 *

■ 3 ha 13 000 ▮◍♁ 5 à 8 €

Une exploitation de Bourgueil qui déborde sur Saint-Nicolas grâce à une parcelle de 3 ha. Dans une cuvée issue de ceps de cinquante ans, on doit trouver de la charpente. C'est le cas, mais sans plus. Le fruit est présent et la bouche ronde et soyeuse, le tout équilibré. Il faut bien se garder de l'attendre.

⊶ Jean-François Mabileau, Dom. de La Closerie,
28, rte de Bourgueil, 37140 Restigné,
tél. 02.47.97.36.29, fax 02.47.97.48.33 ☒ Y ✝ r.-v.

LYDIE ET MAX COGNARD-TALUAU
Cuvée Les Malgagnes 2002 *

■ 2 ha 10 000 ▮♁ 8 à 11 €

Estelle et Rodolphe sont venus rejoindre leurs parents sur cette exploitation de 11 ha accolée au coteau qui protège si bien le vignoble des vents du nord. Les terres des Malgagnes, à la limite de l'argile et du gravier, ne font pas dans le détail : cette cuvée est de forte constitution. Le fruit, à dominante de cassis, traduit une vendange très mûre. L'attaque est ronde, mais les tanins rappellent tout de suite leur présence, en s'accompagnant d'un fruité intense qui évolue en finale vers la réglisse. Vin de garde par excellence.

⊶ Max Cognard, Chevrette,
37140 Saint-Nicolas-de-Bourgueil,
tél. 02.47.97.76.88, fax 02.47.97.97.83,
e-mail max.cognard@wanadoo.fr ☒ Y ✝ r.-v.

BERNARD DAVID La Claie Rotine 2002 **

■ n.c. 11 500 ▮♁ 5 à 8 €

La Gardière est un petit hameau de Saint-Nicolas au sol argilo-calcaire, où se rassemblent quelques vignerons passionnés. Bernard David propose une bouteille ronde et volumineuse. Suave au départ, le vin affiche ensuite des tanins légèrement austères, mais c'est le fruit qui l'emporte sur une note fraîche en finale. Pour tout de suite ou après un peu de garde, c'est au choix.

⊶ Bernard David, La Gardière,
37140 Saint-Nicolas-de-Bourgueil,
tél. 02.47.97.81.51, fax 02.47.97.95.05 ☒ Y ✝ r.-v.

DOM. DES GESLETS La Contrie 2002 *

■ 2 ha 11 000 ▮♁ 5 à 8 €

Lutte intégrée pour mieux utiliser les traitements et table de tri à la vendange : on est soucieux de l'environnement et de la qualité aux Geslets. Le fruit est bien présent dans la bouche ronde et souple, et les tanins jouent les modestes. Vin de plaisir, sans vocation de garde.

❦ EARL Vincent Grégoire, Dom. des Geslets,
37140 Bourgueil, tél. 02.47.97.97.06, fax 02.47.97.73.95,
e-mail domainedesgeslets@oreka.com
☑ ⵣ ⚹ t.l.j. sf dim. 10h-18h

DOM. GODEFROY Vieilles Vignes 2002 ★

| ■ | 2 ha | 12 000 | ■↓ | 5 à 8 € |

L'exploitation est située sur une ancienne île de la
Loire, appelée montille, qui s'est constituée au début du
quaternaire quand le fleuve divaguait. Les sols graveleux
sont favorables à la culture de la vigne. Deux événements
majeurs cette année : le fils, Jérôme Godefroy, a rejoint le
domaine et un nouveau chai a vu le jour. Voici une cuvée
dans la norme, fruitée, équilibrée, longue et tout en
harmonie. Un vin plaisir.
❦ GAEC Gérard et Jérôme Godefroy,
37, rue de la Taille, 37140 Saint-Nicolas-de-Bourgueil,
tél. 02.47.97.77.43, fax 02.47.97.48.23,
e-mail jerome.godefroy@libertysurf.fr ☑ ⵣ ⚹ r.-v.

DOM. DES GRAVIERS Vieilles Vignes 2002 ★

| ■ | 3 ha | 50 000 | ■↓ | 5 à 8 € |

Un nom de domaine qui éclaire le visiteur. On est en
plein dans les graves, à l'origine de vins au potentiel
aromatique affirmé. C'est le cas de celui-ci, récolté par
Dominique David qui mène seule ses 9 ha de vignes. Les
arômes de fruits rouges légèrement épicés mêlés de cuir et
d'animal sont dominants. Ample en bouche avec une belle
longueur sur une note fraîche, ce vin a sa place à table dès
maintenant.
❦ Dominique David, La Forcine,
37140 Saint-Nicolas-de-Bourgueil, tél. 02.47.97.86.93,
fax 02.47.97.48.50 ☑ ⵣ ⚹ t.l.j. 8h-12h 14h-19h

DOM. DU GROLLAY Cuvée traditionnelle 2002

| ■ | 2,5 ha | 20 000 | | 3 à 5 € |

Des exploitants méritants qui sont partis d'un demi-
hectare de vignes en 1977 pour piloter aujourd'hui un
domaine de 14 ha. Leur cuvée se réfère à la tradition : les
fruits rouges abondent tant au nez qu'en bouche et l'étoffe
est suffisante pour une semi-garde. En complément aromatique, il flotte une petite note poivrée agréable.
❦ Jean Brecq, Le Grollay,
37140 Saint-Nicolas-de-Bourgueil, tél. 02.47.97.78.54,
fax 02.47.97.78.54 ☑ ⵣ ⚹ t.l.j. 9h-12h30 13h30-20h

HAUT DE LA GARDIERE 2002 ★★

| ■ | 2 ha | 14 000 | | 5 à 8 € |

Sises à La Gardière, près du coteau, les vignes de
Thierry Pantaléon puisent ce qu'il y a de mieux dans
l'argile et le calcaire. D'où cette cuvée remarquable qui a
fait hésiter le jury pour l'attribution du coup de cœur. La
robe brillante, vive, annonce ses qualités : intensité, souplesse, gras, longueur et subtilité. Tout est dit. Un vin qui
trouvera l'épanouissement dans deux ans. On voudrait
déjà y être...
❦ Thierry Pantaléon,
La Gardière, 37140 Saint-Nicolas-de-Bourgueil,
tél. 02.47.97.87.26, fax 02.47.97.47.71 ☑ ⵣ ⚹ r.-v.

LES HAUTS-CLOS CASLOT 2002

| ■ | 5,5 ha | 15 000 | ■ | 5 à 8 € |

La main passe, Cyprien succède à son père, Alain
Caslot-Bourdin, sur ce domaine de 15,5 ha, dont une partie
seulement est en saint-nicolas-de-bourgueil. A terres légères de graves, vin léger de fruits. Le nez est bien évolué sur

des notes de pruneau cuit. La bouche n'est pas imposante,
mais ce n'est pas ce que l'on attend d'elle : elle se montre
agréable, fraîche et fruitée. Une bouteille à inviter sans
façon dans un cadre amical.
❦ EARL Alain et Cyprien Caslot-Bourdin,
21, rue Brûlée, La Charpenterie,
37140 La Chapelle-sur-Loire,
tél. 02.47.97.34.45, fax 02.47.97.44.80,
e-mail info@caslot-bourdin.com ☑ ⚹ r.-v.

VIGNOBLE DE LA JARNOTERIE MR 2002 ★

| ■ | 17 ha | 50 000 | ■ ⑪ ↓ | 5 à 8 € |

La cinquième génération assure la conduite du vignoble de 23 ha. La cuvée MR, au caractère légèrement
animal, se révèle dense et longue en bouche, avec des
tanins encore un peu récalcitrants. Il faut l'oublier un
temps : elle reviendra à plus d'amabilité. La **cuvée
Concerto Vieilles Vignes 2002** (8 à 11 €), qui obtient la
même note, est pleine et fruitée.
❦ EARL Jean-Claude Mabileau et Didier Rezé,
La Jarnoterie, 37140 Saint-Nicolas-de-Bourgueil,
tél. 02.47.97.75.49, fax 02.47.97.79.98
☑ ⵣ ⚹ r.-v.

PASCAL LORIEUX Agnès Sorel 2002 ★

| ■ | 0,8 ha | 5 000 | ■ | 5 à 8 € |

Le domaine des deux frères Lorieux se partage entre
8 ha à Chinon et 10,5 ha à Saint-Nicolas. C'est Pascal qui
s'attache plus particulièrement à la production du saint-
nicolas. Mûre, cassis, myrtille constituent les arômes du
nez de cette cuvée. On les retrouve en finale, mais en milieu
de bouche c'est une sensation de plein et de rondeur qui
l'emporte. La **cuvée Mauguerets-La Contrie 2002** est
citée.
❦ Pascal et Alain Lorieux,
Le Bourg, 37140 Saint-Nicolas-de-Bourgueil,
tél. 02.47.97.92.93, fax 02.47.97.47.88,
e-mail pascal-alain.lorieux@oreka.com ☑ ⵣ r.-v.

FREDERIC MABILEAU Les Rouillères 2002 ★

| ■ | 8 ha | 50 000 | ■↓ | 5 à 8 € |

C'est le côté animal du nez qui surprend en premier,
péché de jeunesse. Il disparaîtra rapidement. La complexité des autres arômes montre qu'il y a de la matière.
Cela se confirme par la souplesse et le velouté de la bouche
étayés par les tanins mûrs et fins. La finale est vive. Une
vocation de garde, certainement.
❦ Frédéric Mabileau, 6, rue du Pressoir,
37140 Saint-Nicolas-de-Bourgueil,
tél. 02.47.97.79.58, fax 02.47.97.45.19,
e-mail contact@fredericmabileau.com ☑ ⵣ r.-v.

JACQUES ET VINCENT MABILEAU
La Gardière Vieilles Vignes 2002 ★

| ■ | n.c. | 10 000 | | 5 à 8 € |

La Gardière est un hameau proche du coteau, où les
terres argilo-calcaires ont une vocation à produire des vins
structurés qui ont besoin d'un peu de garde pour se faire.
Mais voilà, il y a la main de l'homme, et cette cuvée très
bien travaillée se montre déjà accessible par sa souplesse,
son fruité, ses tanins mûrs et son équilibre.
❦ EARL Jacques et Vincent Mabileau,
La Gardière, 37140 Saint-Nicolas-de-Bourgueil,
tél. 02.47.97.75.85, fax 02.47.97.98.03 ☑ ⵣ ⚹ r.-v.

LYSIANE ET GUY MABILEAU 2002

■ 1,9 ha 15 000 ■ 5 à 8 €

Voici près de quinze ans que Lysiane et Guy Mabileau mènent ce vignoble de près de 14 ha à Saint-Nicolas. Ici, on est dans les graves et cette cuvée tout en fruits ne peut renier son origine. Equilibrée, sans aspérité, elle est prête à jouer l'invitée sans délais.

GAEC Lysiane et Guy Mabileau, 17, rue du Vieux-Chêne, 37140 Saint-Nicolas-de-Bourgueil, tél. 02.47.97.70.43, fax 02.47.97.70.43 t.l.j. sf dim. 9h-19h

DOM. DU MORTIER Graviers 2002 ★

■ 1,7 ha 8 000 ■ 5 à 8 €

La maison Boisard a opté pour l'agriculture biologique attestée par un organisme certificateur. Les deux fils, après de bonnes études vitivinicoles, ne sont pas de trop sur ce domaine de 8 ha, où l'application des méthodes traditionnelles est très prenante. Fleurs et fruits se partagent les arômes de ce 2002. Au palais c'est une sensation de légèreté et de souplesse qui prévaut, mais avec une présence de gras et une bonne longueur. A boire dès maintenant.

Boisard Fils, Dom. du Mortier, 37140 Saint-Nicolas-de-Bourgueil, tél. 02.47.97.98.32, fax 02.47.97.94.68, e-mail info@boisard-fils.com r.-v.

DOM. LA PERREE Cuvée Vieilles Vignes 2002

■ 1,5 ha 11 000 ■ 3 à 5 €

Il est l'expression même du saint-nicolas-de-bourgueil : léger, aérien et abondamment fruité. La bouche est souple, les tanins très en retrait. Un vin de plaisir qu'on servira en toute simplicité et en bonne compagnie.

Patrice Delarue, La Perrée, 37140 Saint-Nicolas-de-Bourgueil, tél. 02.47.97.94.74, fax 02.47.97.94.74 r.-v.

DOM. DES PERRIERES 2002

■ 0,5 ha 3 000 5 à 8 €

La famille Delanoue est présente à Saint-Nicolas depuis le XVIIIe s. Une de ses passions est l'accueil des visiteurs ; il en vient des quatre coins du monde. Ils apprécieront cette cuvée tout en finesse, souple, aux tanins fondus, et d'une bonne persistance aromatique. Une petite note fraîche en finale confirme son style léger, facile à boire.

Guy Delanoue, 10, rte du Vignoble, 37140 Bourgueil, tél. 02.47.97.82.29, fax 02.47.97.48.20 t.l.j. sf dim. 9h-12h 14h-19h

LES CAVES DU PLESSIS
Réserve Stéphane Elevé en fût de chêne 2002 ★★

■ 1,2 ha 8 000 5 à 8 €

Sur les 25 ha exploités par la famille Renou, 1,20 ha des plus vieilles vignes est consacré à cette cuvée. Très boisées au premier nez, les senteurs évoluent rapidement vers les fruits, le miel et la vanille. Les dégustateurs sont partagés. Les uns trouvent la structure équilibrée grâce à des tanins qui restent mesurés. Les autres reprochent au boisé son importance, tout en reconnaissant les qualités de base du vin. Ils aimeraient le regoûter dans quelques années. Difficile de contenter tout le monde. En attendant, ce 2002 est à conserver en cave quatre ou cinq ans. Fruitée et florale, la **cuvée Vieilles Vignes 2002, élevée en cuve**, est citée pour son originalité.

Claude Renou, 17, La Martellière, 37140 Saint-Nicolas-de-Bourgueil, tél. 02.47.97.85.67, fax 02.47.97.45.55 t.l.j. sf dim. 9h-12h 14h-18h30

DOM. PONTONNIER Cuvée Prestige 2002 ★

■ 2 ha 6 000 5 à 8 €

Cette cuvée est sans doute née d'un assemblage de vins de tuf et de graves. Le mariage est heureux car la structure de l'un, son gras, sa souplesse s'équilibrent avec la légèreté, le fruité et les arômes de violette de l'autre, auxquels s'ajoutent les notes réglissées et grillées du bois. Les deux se retrouvent dans une finale fraîche.

EARL Pontonnier-Caslot, 4, chem. de L'Epaisse, 37140 Saint-Nicolas-de-Bourgueil, tél. 02.47.97.84.69, fax 02.47.97.48.55 r.-v.

Caslot

DOM. CHRISTIAN PROVIN 2002 ★

■ 10 ha 40 000 8 à 11 €

Le nez ne se livre pas facilement, mais en insistant on y décèle des notes de fruits et d'épices. La bouche souple se prolonge sur des tanins qui affichent une réserve de bon goût. La finale revient sur les fruits avec plus d'insistance et laisse une impression de fraîcheur grâce à une pointe d'acidité. A apprécier au cours des deux prochaines années. La **cuvée Vieilles Vignes 2002 (11 à 15 €)**, tout en rondeur, décroche elle aussi une étoile.

Christian Provin, L'Epaisse, 37140 Saint-Nicolas-de-Bourgueil, tél. 02.47.97.85.14, fax 02.47.97.47.75, e-mail provin.christian@wanadoo.fr r.-v.

DOM. DU ROCHOUARD 2002 ★★

■ 2 ha 7 000 5 à 8 €

Le domaine est implanté principalement en bourgueil, mais il comprend une parcelle de 2 ha sur saint-nicolas, où sont mises en application avec succès les mêmes méthodes de travail. Du fruit au nez, mêlé d'un peu de végétal et d'animal, et une impression de puissance. L'attaque est ronde, avec des tanins déjà érodés. Plane ensuite une fraîcheur générale qui confère une légèreté bien agréable. Cette cuvée a un potentiel de garde, mais pourra être servie à table aujourd'hui.

GAEC Duveau-Coulon et Fils, 1, rue des Géléries, 37140 Bourgueil, tél. 02.47.97.85.91, fax 02.47.97.99.13, e-mail contact@domainedurochouard.com r.-v.

GUY SAGET Les Bergeonnettes 2002 ★

■ n.c. n.c. 5 à 8 €

Cette maison sérieuse, spécialiste des vins du Centre, opère en Bourgueillois pour diversifier son offre. La bouche de ce 2002 est pleine, fruitée, les tanins sont fondus : c'est une bouteille harmonieuse, gourmande, qui rejoindra une viande grillée.

SA Guy Saget, La Castille, BP 74, 58150 Pouilly-sur-Loire, tél. 03.86.39.57.75, fax 03.86.39.08.30, e-mail guy.saget@wanadoo.fr t.l.j. sf sam. dim. 8h-12h 14h-17h30

JOEL TALUAU Vieilles Vignes 2002 ★★

■ 4 ha 29 000 ■ 8 à 11 €

Une équipe, beau-père et gendre, soudée et talentueuse. Joël Taluau, qui ne compte plus les mentions dans le Guide (la dernière, un coup de cœur pour le Vieilles Vignes 2000), a enseigné de bons principes à son gendre.

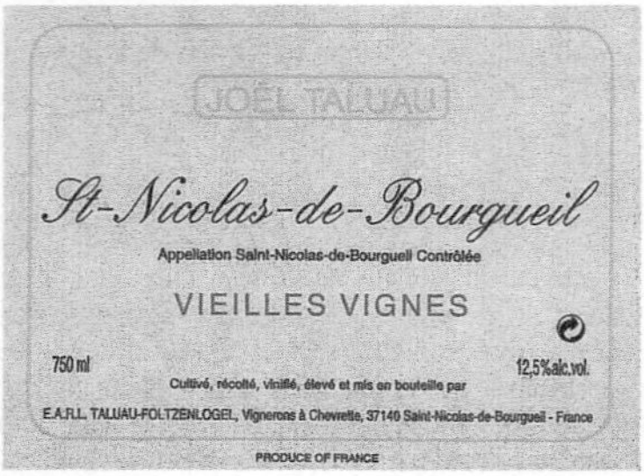

Ils sont à nouveau sur le devant de la scène. Ce ne sont que fruits mûrs et cassis qui se dégagent du verre, puis soie et volume en bouche. Les tanins bien mûrs restent en retrait. Une bouteille de grande classe, à garder si l'on a la patience. La **cuvée Le Vau Jaumier 2002 (5 à 8 €)** obtient une étoile pour un avenir prometteur.

EARL Taluau-Foltzenlogel, Chevrette,
37140 Saint-Nicolas-de-Bourgueil, tél. 02.47.97.78.79,
fax 02.47.97.95.60, e-mail joel.taluau@wanadoo.fr
t.l.j. sf sam. dim. 9h-12h 14h-18h

GERALD VALLEE Le Vau Jaumier 2002 ★

■ 2,5 ha 10 000 8 à 11 €

Passant de père en fils, la Cotelleraie est restée dans la même famille depuis le XVIIIe s. C'est aujourd'hui un domaine de 25 ha qui propose cette cuvée. La bouche souple, aux tanins fins, est dominée par un boisé insistant jusqu'en finale. La garde est obligatoire pour fondre cette empreinte et révéler l'élégance du vin. Citée, la **cuvée les Mauguerets 2002 (5 à 8 €)** plaira aux amateurs de vins très boisés.

EARL Gérald Vallée, La Cotelleraie,
37140 Saint-Nicolas-de-Bourgueil, tél. 02.47.97.75.53,
fax 02.47.97.85.90, e-mail gerald.vallee@wanadoo.fr
t.l.j. sf dim. 8h-12h30 14h-18h30

Chinon

Autour de la vieille cité médiévale qui lui a donné son nom et son cœur, au pays de Gargantua et de Pantagruel, l'AOC chinon (2 200 ha) est produite sur les terrasses anciennes et graveleuses du Véron (triangle formé par le confluent de la Vienne et de la Loire), sur les basses terrasses sableuses du val de Vienne (Cravant), sur les coteaux de part et d'autre de ce val (Sazilly) et sur les terrains calcaires, les « aubuis » (Chinon). Le cabernet franc, dit breton, y a donné en moyenne 99 668 hl en 2003 de beaux vins rouges (avec cependant quelques milliers d'hectolitres de rosé sec), qui égalent en qualité les bourgueil : race, élégance des tanins, longue garde – certains millésimes exceptionnels pouvant dépasser plusieurs décennies ! Confidentiel mais très original, le chinon blanc (954 hl en 2003) est un vin plutôt sec, mais qui peut devenir tendre certaines années.

DOM. DE L'ABBAYE Vieilles Vignes 2002 ★

■ 10 ha 35 000 8 à 11 €

Le domaine, fort de 55 ha de vignes, est implanté sur les lieux mêmes où prospérait aux XIe et XIIe s. le vignoble de la grande abbaye de Noyers. Michel Fontaine n'a fait que suivre la voie tracée par les anciens. Séduisant par ses qualités aromatiques et une certaine souplesse, son chinon est un vin de tradition fortement structuré, qu'il faut laisser mûrir.

Michel Fontaine, Repos Saint-Martin,
37500 Chinon, tél. 02.47.93.35.96, fax 02.47.98.36.76,
e-mail fontainesylvie@free.fr
t.l.j. sf dim. 8h-12h 14h-18h30

L'AMBROISIE 2002 ★

■ 6,5 ha 50 000 3 à 5 €

La maison Besombes officie en Val de Loire depuis 1928. Elle a pris pied à Chinon ces dernières années pour élargir son offre. Ici, c'est un vin classique, équilibré, dont la matière et les tanins s'accordent harmonieusement. Une pointe de fraîcheur donne un côté jeune à ce 2002 qui ne demande qu'à grandir. Dans le même style, le **chinon rouge Sublime 2002** obtient également une étoile.

Sté Albert Besombes-Moc-Baril, BP 125,
49404 Saumur Cedex, tél. 02.41.50.23.23,
fax 02.41.50.30.45 r.-v.

DOM. AUDEBERT ET FILS 2002

■ 3,48 ha 20 000 5 à 8 €

La maison Audebert opère principalement en Bourgueillois, où elle s'est forgé au fil des ans une sérieuse renommée. Avec cette petite incursion dans le Chinonais, elle élargit son offre auprès des cafés et restaurants. Le nez intense de son 2002 est marqué par les fruits rouges et la réglisse. En bouche, la matière et les tanins amorcent un mariage prometteur. Il reste un petit travail d'élevage qui donnera un vin très agréable.

Dom. Audebert et Fils, av. Jean-Causeret,
37140 Bourgueil, tél. 02.47.97.70.06, fax 02.47.97.72.07
t.l.j. 8h30-12h 14h-18h; sam. dim. sur r.-v.

DOM. DE BEAUSEJOUR 2002

■ 27,15 ha 10 000 5 à 8 €

Créé en 1969 de toutes pièces, ce domaine est l'œuvre d'un seul homme, Gérard Chauveau, qui a planté plus de 27 ha, construit un chai très fonctionnel et bâti avec des matériaux anciens une maison d'habitation de bon goût. Son fils David est impliqué dans la marche du domaine depuis 1991. Régulièrement présents dans le Guide, tous deux proposent une cuvée aux tanins solides, mais bien enrobés d'une matière riche. Des arômes de cassis et de fruits mûrs lui confèrent un brin d'élégance. Un vin prometteur.

Earl Gérard et David Chauveau,
Dom. de Beauséjour, 37220 Panzoult,
tél. 02.47.58.64.64, fax 02.47.95.27.13,
e-mail info@domdebeausejour.com r.-v.

DOM. DES BEGUINERIES Cuvée Elise 2002 ★

■ 2 ha 6 500 5 à 8 €

Un vin rouge vif qui développe des arômes discrets, mais fort agréables, dont on retrouve le caractère fruité (cassis) dans une bouche ronde et équilibrée. Les tanins promettent de se fondre à la faveur de la garde. Retenu également avec une étoile, le **chinon blanc Cuvée du Vent fleuri 2003**, élevé en fût : floral, souple, d'une structure élégante, il accompagnera les plats en sauce ou l'apéritif. Quant à la cuvée du **Terroir rouge 2002**, elle est citée.

🖐 Jean-Christophe Pelletier,
52, Clos de la Braie-Saint-Louans, 37500 Chinon,
tél. 06.08.92.88.17, fax 02.47.93.37.16 ☑ 𝚼 ⚔ r.-v.

DOM. DE BEL AIR Croix Boissée 2002 ★

■	1 ha	4 000	🍷 11 à 15 €

La Croix Boissée est l'un des terroirs de Jean-Louis Loup. Les sols de coteaux argilo-calcaires sont plantés de vignes plus que cinquantenaires, au rendement limité à 30 hl/ha. Le bois s'impose au nez et masque les autres arômes. La bouche est plus avenante, généreuse même, bien que les tanins restent à domestiquer et le boisé à se fondre. On peut parier sur son avenir.

🖐 Jean-Louis Loup, Dom. de Bel Air,
37500 Cravant-les-Coteaux,
tél. 02.47.98.42.75, fax 02.47.93.98.30,
e-mail jean-louis.loup@wanadoo.fr ☑ 𝚼 ⚔ r.-v.

DOM. DE BERTIGNOLLES Vieilles Vignes 2002

■	1,5 ha	10 000	🍴🍷 5 à 8 €

A Bertignolles, on est au cœur du Véron, entre Loire et Vienne. Cette dernière coule à deux pas. Elle a laissé au quaternaire des alluvions anciennes, sableuses, très saines, où la vigne se plaît. La cuvée Vieilles Vignes est fraîche, plaisante, mais son accent boisé doit se fondre avec le temps.

🖐 Pierre Prieur, 1, rue des Mariniers,
Bertignolles, 37420 Savigny-en-Véron,
tél. 02.47.58.45.08, fax 02.47.58.94.56 ☑ 𝚼 ⚔ r.-v.

CH. DE LA BONNELIERE 2002

■	8 ha	35 000	🍴↓ 5 à 8 €

Une maison de vins qui a pignon sur rue, faubourg Saint-Jacques à Chinon. Les produits sont de qualité et trouvent leurs débouchés dans la restauration. La **cuvée Rive gauche 2003 rosé** est un passeport pour s'introduire dans les établissements de Paris, par sa souplesse, sa fraîcheur et son équilibre. Elle obtient la même note que ce chinon rouge provenant du château de La Bonnelière, domaine de la famille Plouzeau depuis 1846. Le vin présente un côté friand et du fruité. A boire.

🖐 Marc Plouzeau, 54, fg Saint-Jacques, 37500 Chinon,
tél. 02.47.93.16.34, fax 02.47.98.48.23,
e-mail info@plouzeau.com
☑ 𝚼 ⚔ t.l.j. sf dim. lun. 11h-13h 15h-19h; f. Pâques-oct.

DOM. DES BOUQUERRIES Cuvée royale 2002 ★

■	5 ha	n.c.	🍴🍷↓ 5 à 8 €

Guillaume et Jérôme Sourdais dirigent ce domaine depuis 1991. Leur Cuvée royale, issue de ceps de plus de cinquante ans et logée en fût huit mois durant, apparaît tendre et fondue à l'attaque. Des tanins mûrs, soulignés d'une note réglissée, lui offrent une structure légère. Un vin simple et franc.

🖐 GAEC Dom. des Bouquerries,
4, Les Bouquerries, 37500 Cravant-les-Coteaux,
tél. 02.47.93.10.50, fax 02.47.93.41.94 ☑ 𝚼 ⚔ r.-v.
🖐 Guillaume et Jérôme Sourdais

DOM. BRUNET 2002 ★

■	5,5 ha	40 800	🍴↓ 3 à 5 €

C'est un bel exemple de regroupement de viticulteurs qui veulent aborder de nouveaux marchés. Ils sont soixante-cinq et représentent 7 % du volume de l'appellation. Politique de qualité, politique commerciale dynamique guident l'action de cette entreprise. Le nez de son 2002 évoque les fruits rouges et la pêche. L'attaque est franche, sans être agressive, puis une chair pleine enrobe des tanins de qualité et s'accompagne d'une petite touche de fraîcheur. Une bouteille représentative de l'appellation, et qui mérite un temps d'attente.

🖐 SICA des Vins de Rabelais,
Les Aubuis, Saint-Louans, 37500 Chinon,
tél. 02.47.93.42.70, fax 02.47.98.35.40 ☑ 𝚼 ⚔ r.-v.

DOM. CAMILLE Cuvée Prestige 2002 ★★

■	1,5 ha	5 000	🍷 5 à 8 €

Tavant possède une église des XIe et XII^{e}s. et des vestiges d'un couvent très ancien. C'est bien la tradition et le souci du terroir qui ont motivé Alain Camille lorsqu'il est revenu à de petits rendements et a adopté la lutte raisonnée. Son vin exprime volontiers les fruits mûrs et confits, l'amande et même le grillé, au nez comme en bouche. Rond et harmonieux, il repose sur des tanins tout de velours. Voilà une belle bouteille qui séduira tout un chacun.

🖐 Alain Camille, 14, rue Grande, 37220 Tavant,
tél. 02.47.95.26.67, fax 02.47.95.26.67 ☑ 𝚼 ⚔ r.-v.

DOM. DES CHAMPS VIGNONS
La Jolirie Elevé en fût de chêne 2002 ★★

■	2,5 ha	13 000	🍷 8 à 11 €

Le grand-père, venu de Pologne, créa le vignoble dans les années 1960. Aujourd'hui Nicolas Réau marche dans ses pas et propose une cuvée riche, structurée par des tanins élégants, qui allie finesse et onctuosité. Les arômes mêlent fruits rouges confits, vanille, grillé. Vous pouvez déjà l'apprécier. La **cuvée Garance rouge 2002** (11 à 15 €), boisée également, est citée.

🖐 Dom. des Champs Vignons,
2, rue Saint-Martin, 37500 Ligré,
tél. 02.47.93.18.48, fax 02.47.98.41.64
☑ 𝚼 ⚔ t.l.j. 8h-12h30 13h30-19h
🖐 Nicolas Reau

DOM. DE LA CHAPELLE
Les Trois Quartiers 2002 ★

■	4 ha	16 000	🍷 5 à 8 €

Le vignoble d'une quinzaine d'hectares se niche dans le berceau cravantais, mais déborde aussi sur les coteaux environnants. Philippe Pichard fait partie de ces irréductibles vignerons chinonais qui se passionnent pour la vigne et pratiquent la culture raisonnée. Les vins en tirent profit : cette cuvée est appréciable dès maintenant grâce à son équilibre et à son caractère gouleyant. Le petit boisé de l'attaque peut surprendre, mais il est vite relayé par des arômes de fruits mûrs. La cuvée **L'Arcestral rouge 2002** (11 à 15 €), elle aussi élevée en fût, est citée. Notez la conjugaison des mots art et ancêtre dans ce néologisme curieux.

🖐 Philippe Pichard,
9, Malvault, 37500 Cravant-les-Coteaux,
tél. 02.47.93.42.35, fax 02.47.98.33.76 ☑ 𝚼 ⚔ r.-v.

DOM. DANIEL CHAUVEAU 2002 ★

■   2,1 ha   9 000   ■ ◗   5 à 8 €

Daniel Chauveau ? Vous le connaissez au moins pour sa collection de tire-bouchons dont on vous parle régulièrement. Pour ses vins aussi, bien sûr, tout aussi réguliers dans le Guide. Celui-ci est typé chinon, mais dans un registre léger et plaisant. Les tanins restent en retrait derrière le fruit. A servir sans tarder lors d'un repas sans façon.

☛ Dom. Daniel Chauveau,
Pallus, 37500 Cravant-les-Coteaux,
tél. 02.47.93.06.12, fax 02.47.93.93.06,
e-mail domaine.daniel.chauveau@wanadoo.fr
☑ Ⲧ ⅄ r.-v.

CLOS DE L'ECHO 2002 ★★★

■   17 ha   65 000   ■ ◗↓   11 à 15 €

A l'approche de la ville, prenez la petite route du cimetière qui domine le château : vous êtes au Clos de l'Echo, devant des rangées de ceps bien alignés qui se fondent au loin dans les murailles de la forteresse. Le vin aussi fera votre admiration, lui qui a frôlé le coup de cœur et que le jury a qualifié de « super vin d'avenir ». Tout commence par des senteurs de cassis, d'amande et de fruits confits. Les tanins s'entourent d'une matière riche, sur laquelle se pose avec délicatesse une touche de boisé. Le **Clos de l'Olive 2002 rouge** remporte, pour sa part, deux étoiles. Deux belles vinifications pour les deux cousins de la famille Couly qui prennent de plus en plus de responsabilités au sein de l'entreprise.

☛ Couly-Dutheil, 12, rue Diderot, 37500 Chinon,
tél. 02.47.97.20.20, fax 02.47.97.20.25,
e-mail info@coulydutheil-chinon.com ☑ Ⲧ ⅄ r.-v.

CLOS DE NEUILLY 2002 ★★

■   3 ha   20 000   ◗   8 à 11 €

Johann Spelty, qui a pris le domaine en main dans des conditions difficiles, ne cesse de le faire progresser. Le voici à nouveau aux avant-postes avec cette cuvée équilibrée, dont les tanins se fondent dans une matière riche, aux arômes légèrement empyreumatiques. La longueur y est. Difficile de faire mieux. A garder un peu si l'on veut.

☛ Dom. Spelty, Le Carroi Portier,
37500 Cravant-les-Coteaux, tél. 02.47.93.08.38,
fax 02.47.93.93.50, e-mail spelty@free.fr ☑ Ⲧ ⅄ r.-v.

CLOS GUILLOT Vieilles Vignes 2001 ★

■   1,8 ha   4 500   ■ ◗   5 à 8 €

Le nez très frais tend progressivement vers le poivron avec des évocations de grillé. La bouche est ample, grasse, mais les tanins ne s'en laissent pas conter et affirment leur présence. Tout cela doit s'affiner avec le temps pour donner un joli vin.

☛ Thierry Landry, Dom. des Closeaux,
39, rue de Turpenay, 37500 Chinon,
tél. 02.47.93.20.20 ☑ Ⲧ ⅄ r.-v.

DOM. DE LA COMMANDERIE Tradition 2002 ★

■   5 ha   24 000   ■ ◗↓   5 à 8 €

Une extension rapide : le domaine est passé de 1 à 40 ha en un peu plus de vingt ans. Il ne s'en porte pas plus mal à en juger par ce vin très classique dans ses arômes de fruits rouges et de confiture. Un boisé modéré s'impose d'emblée en bouche, mais c'est le fond bientôt dans une matière puissante. L'ensemble s'avère rond, avec des tanins élégants, bien modelés par un séjour en fût de douze

mois. Une petite vivacité se manifeste en finale. Un vin de garde, sans conteste. Les **cuvées Renaissance rouge 2002** et **Elégance blanc 2003** sont par ailleurs citées.

☛ Philippe Pain, La Commanderie, 37220 Panzoult,
tél. 02.47.93.39.32, fax 02.47.98.41.26,
e-mail philippepain@wanadoo.fr
☑ Ⲧ ⅄ t.l.j. sf dim. 9h-12h 14h-18h

DOM. COTON 2002 ★

■   12 ha   28 000   ◗   3 à 5 €

Encore une de ces anciennes fermes de polyculture et d'élevage, comme il y en avait tant à Chinon, reconverties à la viticulture. Un tournant qu'ont su prendre ces vignerons en profitant des sols argilo-siliceux et calcaires favorables à la vigne, ainsi que de caves immenses, autrefois carrières de pierre de taille. Leur vin n'a plus qu'à se laisser vivre : bien fait, puissamment aromatique, doté d'une matière et de tanins amples, il saura attendre cinq ans. La cuvée **Sélection Aurore rouge 2002 (5 à 8 €)**, boisée elle aussi, est citée.

☛ Emmanuel Métivier, EARL Dom. Coton,
La Perrière, 37220 Crouzilles,
tél. 02.47.58.55.10, fax 02.47.58.55.69 ☑ Ⲧ ⅄ r.-v.

☛ Guy Coton

CH. DE COULAINE Clos de Turpenay 2002 ★

■   1,8 ha   4 500   ◗   11 à 15 €

Situé entre Loire et Vienne, au cœur du Véron évoqué par Rabelais, le château de Coulaine est une exploitation familiale dont la tradition viticole est ininterrompue depuis 1300. A partir de 1988, le vignoble s'est développé et a été porté progressivement à 14 ha. Plusieurs cuvées sont élaborées, dont le Clos de Turpenay qui, sous une robe rubis profond, s'ouvre sur un nez complexe de fruits rouges mêlés de notes boisées et vanillées. Les tanins sont à l'affût, mais retenus par une matière dense. L'ensemble reste souple et onctueux. Vin d'aujourd'hui ou de demain. Le **Château de Coulaine Bonnaventure rouge 2002** mérite une citation.

☛ Etienne de Bonnaventure,
Ch. de Coulaine, 37420 Beaumont-en-Véron,
tél. 02.47.98.44.51, fax 02.47.93.49.15,
e-mail chateaudecoulaine@club-internet.fr ☑ Ⲧ ⅄ r.-v.

JEAN-PIERRE CRESPIN

Artissimo Le Vin des Humanistes 2002 ★

■   2,5 ha   6 000   ◗   8 à 11 €

Le Vin des Humanistes : une allusion à l'œuvre de Rabelais qui a marqué le Chinonais. Le château de l'Aulée se trouve à Azay-le-Rideau, mais possède une extension de 7,5 ha de vignes sur sols argilo-calcaires à Beaumont, au cœur du Véron, près de Chinon. Généralement les vins y ont du corps, des tanins solides et une matière dense. Tel est le cas de celui-ci, auquel l'élevage en fût a légué un léger boisé. Une bouteille qui surprendra en évoluant.

☛ Jean-Pierre Crespin,
Ch. de l'Aulée, 37190 Azay-le-Rideau,
tél. 02.47.45.44.24, fax 02.47.45.44.34,
e-mail jpcrespin@wanadoo.fr ☑ ⌂ Ⲧ ⅄ r.-v.

RENAUD DESBOURDES Les Ribottées 2002 ★

■   2 ha   4 500   ■   5 à 8 €

Un marin, las de naviguer, aurait posé son sac à la Marinière et se serait passionné pour le vin. C'est dans ce lieu-dit qu'est née cette cuvée non seulement pleine de senteurs fruitées, mais aussi bien dotée en matière et en

tanins qui lui confèrent rondeur et structure. Un accent minéral relève la finale. A laisser évoluer un peu. La cuvée **Vieilles Vignes 2002 rouge**, tout aussi fruitée, est citée.
Renaud Desbourdes, La Marinière, 37220 Panzoult, tél. 02.47.95.24.75, fax 02.47.95.24.75 r.-v.

DOM. DOZON
Clos du Saut au Loup Elevé en fût de chêne 2001 *

■ 1,25 ha 3 900 5 à 8 €

Les sols de Liré, sur la rive gauche de la Vienne, de nature argilo-siliceuse, ont la réputation de donner des vins bien charpentés. L'art du vigneron consiste, par un long élevage en fût de vieux bois, à leur donner plus de rondeur. Encore faut-il qu'ils aient suffisamment de mâche. C'est le cas de ce 2001 équilibré, aux tanins fondus et nuancé de réglisse. Retenez aussi **Le Bois Joubert 2001 rouge**, cité par le jury.
Dom. Dozon, 52, rue du Rouilly, 37500 Ligré, tél. 02.47.93.17.67, fax 02.47.93.95.93, e-mail dozon@terre-net.fr
t.l.j. sf dim. 9h-12h 14h-18h

DOM. DE LA DOZONNERIE La Rebelle 2002 **

■ n.c. 2 000 8 à 11 €

Jean-François Delalay s'est installé récemment, mais il a hérité de l'œuvre de son grand-père et de son père : un vignoble de 12 ha, implanté sur les coteaux de Cravant qui dominent la Vienne. Cette cuvée dite Rebelle est cependant bien maîtrisée : expression d'un chinon classique, étoffé, promis à un bel avenir. La matière est soutenue et les tanins bien présents, mais non agressifs. La finale plaisante vous accorde un moment de bonheur.
Jean-François Delalay, La Dozonnerie, 37500 Chinon, tél. 02.47.93.16.72, fax 02.47.93.23.37
t.l.j. sf dim. 9h-12h 14h-19h

DOM. DES GALUCHES 2002

■ 1 ha 4 000 **5 à 8 €**

Le nom du domaine vient d'une pierre calcaire dure, formée au jurassique, quand la Touraine était sous les eaux. Très profonde, celle-ci n'apparaît qu'en de rares endroits. Elle a servi à la construction des soubassements de certains châteaux et églises. L'entrée en bouche de ce 2002 est tendre, élégante, mais les tanins ont vite fait de se rappeler à votre bon souvenir. C'est un vin bien aromatique qui ne trouvera l'harmonie que dans deux ans. Attendre. La cuvée **Vieilles Vignes 2002 rouge**, de même profil, est également citée.
Christian Millerand, 2 bis, imp. des Galuches, 37420 Savigny-en-Véron, tél. 02.47.58.45.38, fax 02.47.58.08.52 r.-v.

DOM. DE LA GARNAUDERIE
Cuvée Plaisir Elevé en fût 2002 **

■ 2,5 ha 3 000 5 à 8 €

Le domaine est une ancienne ferme de polyculture-élevage créée par un entrepreneur, celui-là même qui construisit les ponts sur la Vienne, non loin de là. Aujourd'hui reconverti à la culture de la vigne, il propose une cuvée au nez frais, très fruité (griotte), à la bouche souple et onctueuse, nantie de tanins élégants qui n'aspirent qu'à évoluer. La finale insiste sur le cassis. Une durée de vie de dix ans au moins lui est promise. La **cuvée Désir 2002 rouge (3 à 5 €)**, qui n'a pas connu le bois, et la **cuvée Désir 2003 rosé (3 à 5 €)** sont citées.
P. et F. Legros, La Garnauderie, 37220 Panzoult, tél. 02.47.58.52.88, fax 02.47.97.02.99 r.-v.

VIGNOBLE GASNIER Cuvée Prestige 2002 *

■ 3 ha 12 000 5 à 8 €

Ici, les rangs sont labourés, la taille raccourcie, les traitements limités, la vendange éclaircie et c'est un vieux pressoir vertical qui trône encore dans la cave. On cherche un vin d'expression classique, « très bretonnant », prêt à boire mais pouvant patienter aussi. Dans ce 2002 l'attaque souple est vite relayée par de l'onctuosité. Les tanins trouvent leur place dans un équilibre réussi. C'est un bœuf bourguignon qu'il lui faut... La cuvée **Fabrice Gasnier 2002 rouge (8 à 11 €)**, au boisé dominant, obtient la même note.
Fabrice Gasnier, Chézelet, 37500 Cravant-les-Coteaux, tél. 02.47.93.11.60, fax 02.47.93.44.83, e-mail fabricegasnier@wanadoo.fr r.-v.

DOM. GOURON Vieilles Vignes 2002

■ 5 ha 18 000 **5 à 8 €**

Le domaine possède de belles caves dans le tuffeau, débouchant à flanc de coteau sur un panorama unique qui rassemble tout le vignoble cravantais du val de Vienne. Les 28 ha de vignes des Gouron sont aux alentours, sur argilo-calcaires. Ce vin est solidement constitué. Le nez évoque les fruits rouges, le pain et le café. L'attaque franche prend un petit air de réglisse, puis les tanins assurent le relais, et c'est une sensation de plénitude et de richesse qui l'emporte, avec en finale une évocation de noix. Un vin prometteur, mais qui ne décevra pas dans l'immédiat avec une viande grillée.
GAEC Gouron, La Croix de Bois, 37500 Cravant-les-Coteaux, tél. 02.47.93.15.33, fax 02.47.93.96.73, e-mail info@domaine-gouron.com
t.l.j. sf dim. 8h-12h 13h30-18h

DOM. DU GRAND BOUQUETEAU
Vieilli en fût de chêne 2002

■ 1,5 ha 4 000 **8 à 11 €**

De création récente, le domaine est en pleine extension : achat de vignes, plantations nouvelles et aménagement d'un chai. Cette cuvée ne renie pas son passage en fût ; toutefois, c'est un boisé délicat qui se fond dans une matière ronde et charnue. On peut l'attendre si on est perfectionniste, mais elle est plaisante dès aujourd'hui. La **cuvée Tradition 2002 rouge (5 à 8 €)**, simple et fruitée, est aussi citée.
SARL Le Grand Bouqueteau, 29, rue Pierre-et-Marie-Curie, 37500 Chinon, tél. 02.47.93.42.41, fax 02.47.93.42.41 r.-v.

CH. DE LA GRILLE 2003 **

■ 27 ha 16 000 8 à 11 €

La bâtisse des XVe et XVII[e]s. est impressionnante et les 27 ha de vignes qui l'entourent, très bien tenus, ne le sont pas moins. Ce rosé, issu de saignée après une courte macération préfermentaire et sans fermentation malolactique, rappelle le citron. La bouche légèrement perlante à l'attaque s'assouplit pour montrer de la fraîcheur teintée dans la finale d'agrumes et d'épices. Un beau vin pour des grillades de viande ou de poisson. A noter aussi, le **Château de La Grille rouge 2002 (11 à 15 €)**, élevé en fût, jugé très réussi.

LOIRE

🔑 Laurent et Sylvie Gosset,
Ch. de La Grille, rte de Huismes, 37500 Chinon,
tél. 02.47.93.01.95, fax 02.47.93.45.91,
e-mail chateaudelagrille@wanadoo.fr
☑ Y ⚲ t.l.j. sf dim. 9h-12h 14h-18h, juil.-août 10h-19h; groupes sur r.-v.

VIGNOBLE GROSBOIS 2002

■ 2,1 ha 6 000 ▮ 3 à 5 €

La robe aux reflets brillants s'ouvre sur des senteurs de fruits rouges. La bouche offre des tanins serrés qui lui donnent un certain volume et il flotte un petit air d'épices jusqu'à la finale assez enlevée. Un vin prêt à boire.

🔑 Jacques Grosbois, Le Pressoir, 37220 Panzoult,
tél. 02.47.58.66.87, fax 02.47.95.26.52 ☑ Y r.-v.

DOM. HERAULT Vieilles Vignes 2002

■ 2,63 ha 19 600 ▮♁ 5 à 8 €

Il n'y avait que 0,5 ha de vignes en 1964 ; le domaine en compte aujourd'hui 22, plantés sur les sols argilo-calcaires du coteau et sur des graves alluvionnaires. La famille à l'origine de ce vignoble a été servie par la chance quand elle a découvert l'entrée obstruée d'une carrière immense datant du XIIIes., qu'elle a aménagée en cave de vieillissement. Frais, avec des accents de fruits rouges, son vin ne donne pas une impression de volume, mais se révèle tout en délicatesse et en harmonie. Une bouteille à présenter fraîche et qui se videra bien vite.

🔑 EARL Eric Hérault, Le Château, 37220 Panzoult,
tél. 02.47.58.56.11, fax 02.47.58.69.47 ☑ Y ⚲ r.-v.

DOM. LA JALOUSIE La Chapelle 2002 *

■ 3 ha 15 600 ⏀ 11 à 15 €

Une cuvée que bien des producteurs pourraient jalouser tant elle est pourvue de qualités. La robe rubis limpide s'ouvre sur un nez élégant et épicé, tandis que le boisé marque encore la bouche. Un vin vineux qui peut avoir son charme dès maintenant, mais qui mérite d'attendre pour un meilleur fondu du bois. A recommander sur une volaille.

🔑 EARL Lecorre, Dom. La Jalousie,
Briançon, 37500 Cravant-les-Coteaux,
tél. 06.81.62.23.22, fax 02.47.93.90.83 ☑ Y ⚲ r.-v.

DOM. CHARLES JOGUET
Clos de la Dioterie 2002 *

■ 2,5 ha 10 000 ⏀ 15 à 23 €

Le domaine est resté fidèle à l'esprit de Charles Joguet, son créateur, retraité maintenant. Il privilégie les terroirs. Celui de La Dioterie, connu depuis des siècles, a produit un vin puissant, dont la matière est prête à enrober le léger boisé encore présent. Déjà friand, ce 2002 ne peut que gagner à évoluer. Deux autres vins rouges de terroir, **Les Varennes du Grand Clos 2002 (11 à 15 €)** et le **Clos du Chêne Vert 2002 (11 à 15 €)**, aux touches boisées également, sont cités.

🔑 SCEA Charles Joguet, La Dioterie, 37220 Sazilly,
tél. 02.47.58.55.53, fax 02.47.58.52.22,
e-mail joguet@charlesjoguet.com
☑ Y ⚲ t.l.j. sf dim. 9h-12h30 14h-18h; sam. sur r.-v.

BEATRICE ET PASCAL LAMBERT
Les Chesnaies 2003

□ 1 ha 5 500 ⏀ 11 à 15 €

Deux jeunes vignerons sympathiques gèrent ce domaine de 13 ha sur sables et graviers de la Vienne et argilo-calcaires du coteau. Les blancs de Chinon sont assez rares : en voici un bien constitué, dont la rondeur et la structure s'équilibrent avec une fraîcheur de bon aloi que soulignent des évocations d'agrumes. Un vin qui évoluera bien, mais qui fera plaisir dès maintenant. La **cuvée Marie 2002 rouge**, très boisée, est également citée.

🔑 Béatrice et Pascal Lambert,
Les Chesnaies, 37500 Cravant-les-Coteaux,
tél. 02.47.93.13.79, fax 02.47.93.40.97,
e-mail lambert-chesnaies@wanadoo.fr ☑ Y ⚲ r.-v.

PATRICK LAMBERT Vieilles Vignes 2002 **

■ 2 ha 6 000 ▮⏀ 5 à 8 €

Ce n'est pas un grand domaine (8,2 ha seulement), mais Patrick Lambert l'a bien en main et joue les perfectionnistes à tous les niveaux. Pour sa cuvée Vieilles Vignes, il sélectionne ses meilleures parcelles chaque année. La voici aujourd'hui au sommet dans sa robe rouge profond, presque violacé. Les arômes discrets du nez rappellent les fruits rouges du verger, un fruité que la bouche reprend à son compte. Les tanins dominent encore légèrement la matière pourtant dense, mais ce n'est que passager et l'on sent que le vin possède un potentiel de garde impressionnant. La **cuvée Ame d'Antan 2002 rouge (8 à 11 €)**, notée une étoile, a le même profil de vin de garde.

🔑 Earl Patrick Lambert,
6, Coteau de Sonnay, 37500 Cravant-les-Coteaux,
tél. 02.47.93.92.39, fax 02.47.93.92.39 ☑ Y ⚲ r.-v.

CH. DE LIGRE 2003 *

□ 3,3 ha 23 000 ▮♁ 5 à 8 €

François Rabelais qui associait volontiers fouaces fraîches et raisins pineau connaissait bien les vertus du pineau de la Loire, à l'origine des chinon blancs. Voici un vin d'une grande finesse aromatique, souple, avec une fraîcheur finale dont il faut profiter maintenant. Plutôt qu'à une fouace on le marierait volontiers à une délicate charcuterie tourangelle. Le **Château de Ligré La Roche Saint-Paul 2002 rouge** mérite d'être cité.

🔑 Pierre Ferrand, Ch. de Ligré, 37500 Ligré,
tél. 02.47.93.16.70, fax 02.47.93.43.29,
e-mail chateau.de.ligre@wanadoo.fr
☑ ⚲ t.l.j. 9h-12h 14h-18h; sam. dim. sur r.-v.

LE LOGIS DE LA BOUCHARDIERE
Les Clos Vieilles Vignes 2002

■ 7,2 ha 48 000 ⏀ 5 à 8 €

Bruno Sourdais, qui représente la sixième génération de cette vieille famille vigneronne du Chinonais, est maintenant aux commandes du domaine de 50 ha, répartis sur les coteaux de Cravant et les graves de la Vienne. La cuvée des Clos, issue de sols argilo-siliceux, se présente dans une robe rubis clair, teintée d'un peu d'orange. Les arômes intenses rappellent les fruits rouges avec quelques

épices. L'attaque souple laisse vite la place à de l'onctuosité, que ne troublent pas de fins tanins. Vin de plaisir, léger, à boire aujourd'hui.
☞ Serge et Bruno Sourdais,
Le Logis de la Bouchardière,
37500 Cravant-les-Coteaux,
tél. 02.47.93.04.27, fax 02.47.93.38.52 ☑ ⵣ ⵣ r.-v.

MANOIR DE LA BELLONNIERE
Vieilles Vignes 2002

| ■ | 5 ha | 15 000 | ⵄ ⑪ | 3 à 5 € |

Le manoir de La Bellonnière a un passé prestigieux. Il a servi de demeure aux gouverneurs de la ville de Chinon et à de nombreux châtelains. C'est une vraie cuvée de plaisir qui est présentée ici. L'attaque est ronde, la matière ample dans une structure légère. L'ensemble élégant s'adaptera à de nombreuses situations. A boire dans les deux ans.
☞ Béatrice et Patrice Moreau,
La Bellonnière, 37500 Cravant-les-Coteaux,
tél. 02.47.93.45.14, fax 02.47.93.93.65 ⵣ ⵣ r.-v.

DOM. DES MILLARGES Les Trotte-Loups 2002 ★

| ■ | 7 ha | 27 874 | ⵄ ⑪ ⵥ | 5 à 8 € |

Le centre de Millarges, qui assure un enseignement public, joue un rôle primordial dans la formation des techniciens viticoles dont la région a besoin. Il exploite parallèlement plus de 25 ha de vignes sur sols sablo-argilo-calcaires et produit des vins très aromatiques, tel ce 2002 qui évoque les petits fruits rouges et le poivron. La structure est simple et légère. Un cabernet franc typique qui formerait un couple heureux avec un poulet basquaise.
☞ Dom. des Millarges, Centre viti-vinicole
- Lycée agricole, Les Fontenils, 37500 Chinon,
tél. 02.47.93.36.89, fax 02.47.93.96.20 ☑ ⵣ ⵣ r.-v.
☞ Lycée agricole Tours-Fondettes

MOULIN DE BEAU PUY 2002

| ■ | n.c. | 25 000 | ⵄ ⵥ | 3 à 5 € |

Le nez fleure bon le cassis avec un brin de laurier. Une belle structure, équilibrée autour de tanins fins, se révèle au palais, tandis qu'en finale le cassis est à nouveau présent. Vin de garde sans conteste.
☞ SA Guy Saget, La Castille, BP 74,
58150 Pouilly-sur-Loire, tél. 03.86.39.57.75,
fax 03.86.39.08.30, e-mail guy.saget@wanadoo.fr
☑ ⵣ ⵣ t.l.j. sf sam. dim. 8h-12h 14h-17h30

DOM. DE LA NOBLAIE Le Clos 2002 ★

| ■ | 16 ha | 30 000 | ⵄ ⑪ ⵥ | 5 à 8 € |

Le domaine, qui date du XVIIIᵉs., est situé au Vau Breton : traduisez « vallée du cabernet franc », breton étant le nom local de ce cépage. La famille Billard y est installée depuis 1952. Régulièrement dans le Guide, elle présente deux belles cuvées en rouge. Prête à boire, la première, Le Clos, est dotée d'un nez puissant de fruits mûrs, avec une touche animale. La bouche ronde, riche, aux tanins souples, affiche un bel équilibre. La seconde, **Blancs Manteaux 2002 blanc**, reçoit également une étoile, mais elle mérite d'attendre pour fondre son boisé. A retenir enfin, le **Domaine de La Noblaie blanc 2003** qui obtient la même note.
☞ Manzagol-Billard, 21, rue des Hautes-Cours,
37500 Ligré, tél. 02.47.93.10.96, fax 02.47.93.26.13,
e-mail la-noblaie@wanadoo.fr ☑ ⵣ ⵣ r.-v.

DOM. DE NUEIL Tradition 2002

| ■ | 8 ha | 5 000 | ⵄ ⑪ | 3 à 5 € |

L'arrivée est impressionnante dans cette ancienne ferme fortifiée, bâtie au XVIᵉs. avec quatre tours d'angle, à l'époque où il fallait se défendre contre les bandes armées. Pour l'heure c'est un vin bien accueillant que présente Laurent Gilloire. Le nez joliment fruité et la bouche simple, tout en fruits également, en font un chinon classique de printemps, frais, léger, à boire maintenant.
☞ Laurent Gilloire, Dom. de Nueil,
37500 Cravant-les-Coteaux, tél. 02.47.93.19.24,
fax 02.47.98.32.91, e-mail laurent.gilloire@wanadoo.fr
☑ ⵣ ⵣ t.l.j. sf dim. 8h-12h30 13h30-19h; f. 1ᵉʳ-15 août

JEAN-LOUIS PAGE Cuvée Vieilles Vignes 2002 ★★

| ■ | 1,6 ha | 5 000 | ⑪ | 5 à 8 € |

Avant de s'installer sur le domaine de son grand-père, Jean-Louis Page a fait son tour de France des régions viticoles. C'est à cette solide formation qu'on doit cette cuvée. L'équilibre est assuré entre la matière et les tanins, ce qui donne un vin rond, avenant, qui peut à loisir être servi maintenant ou mis en réserve quelque temps. La **Sélection Clément Martin 2002 rouge (3 à 5 €)**, également élevée sous bois, obtient une étoile.
☞ Jean-Louis Page,
12, rte de Candes, 37420 Savigny-en-Véron,
tél. 02.47.58.96.92, fax 02.47.58.86.65,
e-mail jean.louis.page@wanadoo.fr ☑ ⵣ ⵣ r.-v.

DOM. JAMES ET NICOLAS PAGET
Vieilles Vignes 2002

| ■ | 1,5 ha | n.c. | ⑪ | 5 à 8 € |

James et Nicolas Paget, père et fils, sont viticulteurs près d'Azay-le-Rideau, mais ils possèdent une extension de 1,5 ha à Chinon. Ces vignes, plantées sur sol argilo-siliceux, ont donné un 2002 de profil classique : attaque ferme, tanins présents et un joli fruit du début à la fin. Classique, mais printanier tout de même, ce vin ne doit pas rester trop longtemps en cave.
☞ Dom. James et Nicolas Paget, 37190 Rivarennes,
tél. 02.47.95.54.02, fax 02.47.95.45.90
☑ ⵣ ⵣ t.l.j. sf dim. lun. 9h-12h30 14h30-19h

DOM. CHARLES PAIN Cuvée Prestige 2002 ★★

| ■ | 18 ha | 40 000 | ⵄ ⑪ ⵥ | 5 à 8 € |

Le domaine couvre 28 ha répartis sur les trois communes les plus à l'est de l'appellation. Les vignes qui ont donné naissance à cette cuvée ont profité d'une exposition sud sur la rive droite de la Vienne. Il en résulte une puissance remarquable et beaucoup de chair. Les tanins sont là, mais restent à leur place. La fin de bouche est plaisante, fruitée. Un vin qui fera du chemin. La **Cuvée du Domaine rouge 2002 (3 à 5 €)** obtient quant à elle une étoile, tandis que le **rosé de saignée 2003 (3 à 5 €)** est cité.
☞ Dom. Charles Pain, Chezelet, 37220 Panzoult,
tél. 02.47.93.06.14, fax 02.47.93.04.43,
e-mail charles.pain@wanadoo.fr ⵣ ⵣ r.-v.

DOM. DE LA PERRIERE Vieilles Vignes 2002 ★★

| ■ | 10 ha | 50 000 | ⑪ | 8 à 11 € |

Ici ce ne sont pas des pierres ordinaires, mais des graviers de la Vienne, alluvions anciennes qui se sont déposées au quaternaire. Profondes, saines et chaudes, elles constituent le sol idéal pour la vigne. Le nez de ce 2002 est timide, mais s'ouvrira bientôt. La bouche allie para-

doxalement la plénitude et la richesse d'un vin de garde avec la fraîcheur et l'élégance d'un vin de printemps. Les fruits abondent à tout moment. On est tenté d'en profiter tout de suite, mais il faut faire l'effort de l'attendre. La cuvée principale **Domaine de La Perrière 2002 rouge** (5 à 8 €) obtient une étoile.
🍷 Dom. de la Perrière,
Cravant-les-Coteaux, 37500 Chinon,
tél. 02.47.93.15.99, fax 02.47.98.34.57 ☑ ⌂ ⵏ ⵜ r.-v.
🍷 Ch. Baudry

VIGNOBLE DE LA POELERIE 2003 ★★

■	n.c.	3 500	■↓ 3 à 5 €

Les rosés de chinon ne représentent pas une forte production, quelques pourcentages seulement de la récolte des rouges. Mais quand ils sont réussis, ils soulèvent l'enthousiasme. C'est le cas de ce 2003 finement structuré et fruité qui coule facilement. Parfait pour une cuisine sans façon. En rouge, la **cuvée Vieilles Vignes 2002 (5 à 8 €)** est citée.
🍷 François Caillé, Le Grand Marais, 37220 Panzoult,
tél. 02.47.95.26.37, fax 02.47.58.56.67,
e-mail caille37@aol.com ☑ ⵜ ⵏ r.-v.

DOM. DU PUY RIGAULT Vieilles Vignes 2002 ★★

■	1,5 ha	8 000	⦿ 5 à 8 €

Le domaine se situe dans le Véron, petite région bordée par la Loire, au nord, et la Vienne, au sud, où les sols d'alluvions sableuses et graveleuses sont propices à la culture du cabernet franc. En témoignent deux cuvées superbes. La première, de vieilles vignes, impressionnante à l'attaque, présente une matière riche et mûre, ainsi que les arômes typiques du cépage. Un beau vin qui vivra au moins dix ans. La seconde, cuvée principale **Domaine Puy Rigault rouge 2002**, a également reçu deux étoiles, car tout y est rond, fondu et harmonieux. Prête dès maintenant, elle permettra d'attendre la première.
🍷 EARL Dom. du Puy Rigault,
6, rue de la Fontaine-Rigault, 37420 Savigny-en-Véron,
tél. 02.47.58.44.46, fax 02.47.58.99.50 ☑ ⵜ ⵏ r.-v.
🍷 Michel Page

DOM. DES QUATRE VENTS
Cuvée Sélection 2002 ★

■	3 ha	10 000	■ 5 à 8 €

On n'y moisit pas chez Philippe Pion ! D'abord parce que dans cette famille ce sont de grands actifs, ensuite parce que, situé au sommet d'une butte, le domaine est balayé par tous les vents... La Cuvée Sélection, très aérienne, souple, soyeuse, est facile à boire. Grâce à ses tanins fondus, elle est prête.

🍷 Philippe Pion,
La Bâtisse, 37500 Cravant-les-Coteaux,
tél. 02.47.93.46.79, fax 02.47.93.99.59 ☑ ⵜ ⵏ r.-v.

JEAN-MAURICE RAFFAULT Le Puy 2002 ★

■	1 ha	5 500	⦿ 11 à 15 €

En 1693, l'ancêtre de Jean-Maurice Raffault, Mathurin Bottereau, planta le premier cep d'un vignoble qui deviendra l'un des plus beaux domaines du Véron (40 ha), avec un chai parfaitement équipé et, surtout, des caves immenses. Les terres du Puy, argilo-calcaires, reposent sur le tuffeau, propice à l'élaboration de vins charnus. Tel est le cas de ce 2002 qui présente aussi une touche boisée bien faite. Les arômes se rapprochent du pain frais, du grillé et de la vanille, avec une évocation de caramel. On promet à cette bouteille une belle carrière. Le **Clos des Capucins 2002 rouge**, issu de sol siliceux, est cité. Très boisé, il attendra son heure également.
🍷 EARL Jean-Maurice Raffault,
74, rue du Bourg, 37420 Savigny-en-Véron,
tél. 02.47.58.42.50, fax 02.47.58.83.73,
e-mail rodolphe-raffault@wanadoo.fr ☑ ⵜ ⵏ r.-v.

DOM. DU RAIFAULT Tradition 2002 ★

■	5,5 ha	18 000	■⦿↓ 5 à 8 €

L'élégante gentilhommière des XVe et XVIe s. s'entoure d'un vignoble de 27 ha environ sur sols siliceux et argilo-calcaires. Cette cuvée, issue des terrasses sableuses, exhale des senteurs développées qui vont de la framboise au menthol, de la fraise à l'amande. L'attaque est plaisante, le corps riche, et les tanins en passe de s'arrondir. A mettre au calme pendant un bon couple d'années. Deux autres chinon rouges, **Le Villy cuvée Prestige 2002** et **Les Allets cuvée Prestige 2002**, sont cités, mais à déguster quand le bois sera intégré.
🍷 Julien Raffault,
23-25, rte de Candes, 37420 Savigny-en-Véron,
tél. 02.47.58.44.01, fax 02.47.58.92.02,
e-mail domaineduraifault@wanadoo.fr
☑ ⵜ ⵏ t.l.j. 8h-12h30 14h-19h; dim. sur r.-v.

PHILIPPE RICHARD
Cuvée Tymothé Vieilli en fût de chêne 2002

■	n.c.	2 000	■⦿ 5 à 8 €

Les 6 ha de vignes sur sols argilo-calcaires et argilo-siliceux sont bien calés contre la forêt de Chinon, à l'abri des vents du Nord. Philippe Richard ne jure que par la tradition, pour preuve son engagement dans la confrérie des vins de Chinon, et respecte l'enseignement reçu de son grand-père. La cuvée Tymothé en est le reflet : vin classique, bien charpenté, assez équilibré en matière et vivacité, et d'une longueur honorable. Il lui faut une petite évolution pour atteindre sa pleine forme.
🍷 EARL Philippe Richard,
Le Sanguier, 37420 Huismes,
tél. 02.47.95.45.82, fax 02.47.95.59.27 ☑ ⵜ ⵏ r.-v.

DOM. DE LA ROCHE HONNEUR
Cuvée Rubis 2002 ★

■	6 ha	30 000	⦿ 5 à 8 €

La cave du domaine, entièrement sculptée, vaut le détour, de même que les vins. Cette cuvée dotée d'une robe pourpre laisse fuser des arômes intenses de fruits mûrs, dont la griotte et la framboise. Au palais, on est séduit par l'onctuosité, avant que n'apparaissent des tanins un peu

pointus et une petite fraîcheur. Un beau produit, mais loin encore de sa majorité. La cuvée **Diamant Prestige 2002 rouge**, marquée par le bois, est citée.
⊶ Dom. de la Roche Honneur,
1, rue de la Berthelonnière, 37420 Savigny-en-Véron,
tél. 02.47.58.42.10, fax 02.47.58.45.36,
e-mail roche.honneur@club-internet.fr ☒ Y ⚲ r.-v.
⊶ Stéphane Mureau

DOM. DU RONCEE Clos des Marronniers 2002 *

■ 7,05 ha 22 000 ⏸ 8 à 11 €

Le domaine du Roncée constituait au XII[e]s. un fief relevant de la châtellenie de l'Ile-Bouchard. Son vignoble couvre près de 35 ha répartis en clos vinifiés séparément. Celui des Marronniers offre un vin plein, aux tanins déjà souples et au fruité marqué qui peut être servi dès maintenant, mais promet aussi un bel avenir. Le **Coteau de Chenonceaux 2002 rouge (11 à 15 €)**, une étoile également, est d'un autre genre. Très structuré, il doit évoluer impérativement.
⊶ Baudry-Dutour, La Morandière, 37220 Panzoult,
tél. 02.47.58.53.01, fax 02.47.58.64.06,
e-mail info@baudry-dutour.com
☒ Y ⚲ t.l.j. 10h-12h30 14h-18h

DOM. DES ROUET
Cuvée des Battereaux Vieilles Vignes 2001 *

■ 3 ha 10 000 ⏸ 5 à 8 €

Une vieille famille de vignerons (six générations) habite cette demeure imposante qui forme avec les bâtiments une cour fermée. Il fallait bien à une époque se défendre contre les intrus. Les vins sont plus ouverts, telle cette cuvée rouge profond un peu orangé qui semble évoluée. Le nez reflète les fruits mûrs et le grillé. La bouche légère s'amplifie en milieu de dégustation, les tanins faisant pattes de velours et la finale se développant correctement. Son évolution est déjà faite.
⊶ Dom. des Rouet, Chezelet,
37500 Cravant-les-Coteaux, tél. 02.47.93.19.41,
fax 02.47.93.96.58 ☒ Y ⚲ t.l.j. 9h-19h; dim. sur r.-v.

DOM. WILFRID ROUSSE Cuvée Terroir 2002 **

■ 5 ha 10 000 ▮⏸🌡 5 à 8 €

Le domaine est situé dans le Véron, où la Loire et la Vienne, proches l'une de l'autre, sont plus rivales qu'amies, a écrit un poète. Les sols de graves et de sables qui n'ont que faire de ces querelles sont prêts à produire des vins de qualité. En témoigne cette cuvée au nez typique de cabernet, dont les nombreux arômes de fruits rouges se marient au boisé discret de la barrique. Au palais une impression de souplesse et d'onctuosité se manifeste en premier, le boisé prenant ensuite le relais dans une série de notes fumées et vanillées. Une cuvée à attendre de trois à cinq ans.
⊶ Wilfrid Rousse, La Halbardière, 21, rte de Candes,
37420 Savigny-en-Véron, tél. 02.47.58.84.02,
fax 02.47.58.92.66, e-mail wilfrid.rousse@wanadoo.fr
☒ Y ⚲ t.l.j. 9h-12h 14h-19h; dim. sur r.-v.; f. 15-31 août

CH. DE SAINT-LOUAND
Réserve de Trompegueux 2002

■ 5,7 ha 9 000 ⏸ 5 à 8 €

Charles Walther, président de l'académie de Médecine, s'est porté acquéreur en 1898 de cette charmante propriété des environs de Chinon, gérée aujourd'hui par ses petits-enfants. Le vignoble de 6,5 h, complanté sur les coteaux bien exposés des bords de Vienne, a de sérieux atouts. Pour preuve, ce vin plein, volumineux, aux tanins bien ancrés. Un boisé léger se place en arrière-plan sans s'imposer. Une pénitence en cave harmoniserait tout cela.
⊶ Bonnet-Walther, Ch. de Saint-Louand,
37500 Chinon, tél. 02.47.93.48.60, fax 02.47.98.48.54
☒ Y ⚲ t.l.j. 9h-12h 14h-18h; sam. dim. sur r.-v.

CAVES DE LA SALLE Vieilles Vignes 2002 *

■ 4 ha 12 000 ▮ 5 à 8 €

C'est autour d'un ancien corps de ferme de la fin du XVIII[e]s. qu'ont été construits le chai et la cave. Les 12 ha de vignes plantés sur sol sableux et graveleux se situent à proximité. La cuvée Vieilles Vignes laisse fuser des senteurs de fruits rouges mêlées d'un peu de fumée. Les tanins se manifestent d'emblée, bien tempérés par du gras, et constituent un gage de longévité. Une petite vivacité désigne cette bouteille pour des grillades. La **cuvée Fief de La Rougellerie 2002 rouge** est citée.
⊶ Rémi Desbourdes, La Salle, 37220 Avon-les-Roches,
tél. 02.47.95.24.30, fax 02.47.95.24.83,
e-mail remi.desbourdes@wanadoo.fr
☒ Y ⚲ t.l.j. 8h-12h 14h-18h30

DOM. DE LA SEMELLERIE
Cuvée Kévin Vieilles Vignes 2001 **

■ 3 ha 20 000 ⏸ 5 à 8 €

Le domaine de 40 ha, situé au point le plus haut de la commune, domine la Vienne et reçoit un ensoleillement incomparable. Cette cuvée née de ceps âgés de plus de cinquante ans a passé de longs mois en fût de chêne ancien. Une évolution qui l'a rendue aimable, coulante et qui lui a permis de développer ses arômes de violette, de fruits et d'épices. Un 2001 puissant et de bel équilibre. Le **rosé Cuvée de printemps 2003**, d'une excellente typicité, obtient une étoile.
⊶ Fabrice Delalande,
EARL de La Semellerie, 37500 Cravant-les-Coteaux,
tél. 02.47.93.18.70, fax 02.47.93.94.00,
e-mail la-semellerie@wanadoo.fr ☒ Y ⚲ r.-v.

PIERRE SOURDAIS Tradition 2002 **

■ 10 ha 40 000 ▮⏸🌡 3 à 5 €

Autrefois, au Moulin, on broyait l'écorce du chêne pour faire du tanin destiné au travail des peaux. Aujourd'hui, c'est le vin qui retient toute l'attention de Pierre Sourdais. Le nez de cette cuvée, ouvert sur les fruits rouges et la violette, annonce une bouche généreuse, ample dans laquelle les tanins bien installés ne montrent aucune agressivité. Une belle expression du chinon dont on peut profiter dès maintenant. La **Réserve Stanislas rouge 2002 (5 à 8 €)** est citée : puissante, elle a de beaux jours devant elle.
⊶ Pierre Sourdais,
Le Moulin à Tan, 37500 Cravant-les-Coteaux,
tél. 02.47.93.31.13, fax 02.47.98.30.48,
e-mail pierre.sourdais@wanadoo.fr ☒ ⌂ Y ⚲ r.-v.

LOIRE

FRANCIS SUARD
Cuvée Prestige Elevé en fût de chêne 2002 *

■ 1,05 ha 6 000 ⏸ 5 à 8 €

Francis Suard a créé son domaine (près de 13 ha aujourd'hui) de toutes pièces en achetant et plantant de nouvelles vignes. Il vinifie à l'ancienne et fait vieillir le vin en fût dans ses caves de tuffeau. Le résultat ? Cette cuvée qui ne peut renier son cépage : évocatrice de fruits rouges et de violette, elle possède de la matière et de bons tanins.

Des signes favorables certes, mais le bois a laissé aussi son empreinte. Un vieillissement s'impose donc...
☞ Francis Suard, 74, rte de Candes,
37420 Savigny-en-Véron, tél. 02.47.58.91.45 ☑ ⅄ ⚹ r.-v.

DOM. DE LA TOUR Cuvée Vieilles Vignes 2002
■	6 ha	n.c.	⅋ ⅏ 8 à 11 €

Cette tour correspond aux restes d'un moulin à vent situé au point le plus haut de la commune. Le vignoble de 14 ha qui l'entoure est planté sur un sol argilo-calcaire reposant directement sur le tuffeau. Le nez est un assortiment du potager, dominé par le poivron. L'attaque est souple, les tanins restent sur la réserve : c'est un vin qui coule bien et se prolonge agréablement. La réglisse fait la loi en finale. A saisir ! La **cuvée Jeune Vigne 2002** (5 à 8 €), élevée en cuve, est citée elle aussi.
☞ Guy Jamet, Dom. de La Tour,
25, rue de la Buissonière, 37420 Beaumont-en-Véron,
tél. 02.47.58.47.61, fax 02.47.58.40.24 ☑ ⅄ ⚹ r.-v.

DOM. DE LA TRANCHEE 2002 ★
■	4 ha	6 000	⅋ ⅏ ⅃ 5 à 8 €

Vin très représentatif de l'appellation et du millésime. On est dans le chinon classique, au nez encore timide, mais qui ne demande qu'à s'exprimer, avec des arômes de poivron naissants. L'ampleur de la matière se traduit par une grande persistance. Les tanins toujours fringants doivent s'assagir. Un vin à redécouvrir dans deux ans.
☞ Pascal Gasné,
33, rue de la Tranchée, 37420 Beaumont-en-Véron,
tél. 02.47.58.91.78, fax 02.47.58.85.25 ☑ ⅄ ⚹ r.-v.

CH. DE VAUGAUDRY
Clos du Plessis-Gerbault 2002 ★
■	1 ha	5 000	⅋ ⅏ ⅃ 8 à 11 €

On se battait dans les vignes de Vaugaudry au temps de la guerre Picrocholine. Aujourd'hui, c'est une action toute pacifique que mènent les responsables du château pour développer un vignoble de plus de 12 ha et obtenir des vins de qualité, telle cette cuvée rubis légèrement orangé de laquelle émanent des senteurs de bois et de vanille. A l'attaque souple, grasse même, succède une présence tannique affirmée, mais prête à plus d'amabilité dans un couple d'années sans doute. La cuvée principale du **Château de Vaugaudry 2002 rouge (5 à 8 €)** obtient une citation.
☞ SCEA Ch. de Vaugaudry,
Vaugaudry, 37500 Chinon,
tél. 02.47.93.13.51, fax 02.47.93.23.08 ☑ ⚶ ⅄ ⚹ r.-v.
☞ Belloy

CH. DE LA VRILLAYE 2002 ★★
■	0,7 ha	5 000	⅋ 5 à 8 €

Michel Courtault, ancien industriel, a entrepris après une formation viticole approfondie d'exploiter les 17 ha de vignes du château et de rénover le chai datant du XVIIᵉˢ. La bâtisse, très élégante, est entourée d'un parc qui incite à la sérénité. Mais point de répit pour ce viticulteur entreprenant qui propose deux vins. Le premier, bien bâti par des tanins puissants et une matière dense, offre un équilibre parfait. Il est à attendre, bien sûr. Le second, **cuvée Vieilles Vignes 2001**, noté une étoile, a gagné en sagesse au cours de longs mois d'élevage en fût, mais peut se bonifier encore.

☞ Michel Constant,
Ch. de La Vrillaye, 37120 Chaveignes,
tél. 02.47.58.24.40, fax 02.47.58.24.40,
e-mail michel.constant@chateaudevrillaye.com
☑ ⚶ ⅄ ⚹ t.l.j. 9h-20h

Coteaux-du-loir

Avec le jasnières, voici le seul vignoble de la Sarthe, sur les coteaux de la vallée du Loir. Il renaît après avoir failli disparaître il y a vingt-cinq ans. Les vignes sont plantées sur l'argile à silex qui recouvre le tuffeau. En 2003, une production intéressante de 1 280 hl d'un rouge léger et fruité (pineau d'Aunis, assemblé aux cabernet, gamay ou cot) et de rosé, et 925 hl de blanc sec (chenin ou pineau blanc de la Loire).

DOM. AUBERT LA CHAPELLE Sec 2003 ★
▨	3 ha	7 000	⅏ 8 à 11 €

Un coteaux-du-loir tendre, au nez léger de fruits frais. La bouche souple s'accompagne de flaveurs de pêche et de mangue jusqu'à une finale abricotée. Bien équilibré, c'est un excellent vin de découverte de cette aimable vallée du Loir.
☞ Dom. Aubert La Chapelle, La Roche,
72340 Marçon, tél. 02.43.79.17.82, fax 02.43.79.17.82,
e-mail earl.aubert@terre-net.fr ☑ ⅄ ⚹ r.-v.

DOM. BELLEVUE Cuvée Laure-Marine 2002 ★
■	1 ha	2 300	⅋ 3 à 5 €

La vinification du pineau d'Aunis pur est revenue à la mode dans le vignoble et nous ne nous en plaindrons pas. Ce vin rouge structuré par des tanins encore très présents ne devrait pas tarder à s'arrondir. Alors que les notes grillées et épicées rappellent que l'on est bien en vallée du Loir, la finale offre une agréable fraîcheur. A marier à une viande blanche rôtie ou à un gratin.
☞ Thierry Leloup, Le Petit Loiray, 72340 Marçon,
tél. 02.43.44.57.88, fax 02.43.44.57.88 ☑ ⅄ ⚹ r.-v.

DOM. DE BELLIVIERE Le Rouge-Gorge 2002 ★
■	2,73 ha	10 072	⅏ 11 à 15 €

Eric Nicolas se présente comme un artiste calligraphe ayant échangé sa plume contre le sécateur et le fût. Il propose un coteaux-du-loir de teinte soutenue, dont le nez confituré mêle fraise et prune. Le pruneau est bien présent en bouche, aux côtés de tanins soyeux, et la finale se révèle puissante.
☞ Eric Nicolas, Dom. de Bellivière, 72340 Lhomme,
tél. 02.43.44.59.97, fax 02.43.79.18.33,
e-mail info@belliviere.com ☑ ⅄ ⚹ r.-v.

DOM. DE CEZIN Janus 2002 ★
■	4 ha	10 000	⅋ ⅏ ⅃ 3 à 5 €

Incontournable dans le vignoble de Jasnières et des coteaux du Loir, François Fresneau a redonné du peps à cette aire d'appellation d'où les vignerons avaient disparu.

Son vin rouge bien dans le type du millésime par ses notes épicées sera apprécié avec une viande blanche, tandis que le **coteaux-du-loir blanc demi-sec (5 à 8 €)**, cité, fera bel effet à l'apéritif ou avec des hors-d'œuvre.

📍 François Fresneau, Dom. de Cézin, rue de Cézin, 72340 Marçon, tél. 02.43.44.13.70, fax 02.43.44.13.70, e-mail earl.francois.fresneau @ wanadoo.fr ☑ 工 人 r.-v.

DOM. DE LA CHARRIERE Sec 2002 ★

	1 ha	5 000	◫ 5 à 8 €

Installé aux côtés de son père Joël, Ludovic Gigou a bien maîtrisé l'élaboration de ce 2002. Discrètement parfumé de fruits mûrs, tendre dans sa chair, le vin n'en demeure pas moins structuré et équilibré. Les fruits blancs (pêche) sont très présents en finale, accompagnés d'une pointe d'amertume. Parfait pour des entrées de charcuteries fines.

📍 Ludovic Gigou, 4, rue des Caves, 72340 La Chartre-sur-le-Loir, tél. 02.43.44.48.72, fax 02.43.44.42.15, e-mail joel.gigou @ libertysurf.fr ☑ 🏠 工 人 r.-v.

CHRISTOPHE CROISARD Pineau d'Aunis 2003 ★

	3 ha	5 000	▬ 3 à 5 €

Au printemps comme en automne, la vallée du Loir offre des paysages que l'on a plaisir à regarder longuement. Christophe Croisard propose justement deux vins très réussis qui correspondent à ces saisons. Le rosé, légèrement tendre et épicé, accompagnera vos premières grillades, tandis que le **coteaux-du-loir blanc moelleux Rasné 2003 (5 à 8 €)**, aux nuances grillées, s'associera aux poissons à l'époque où la nature revêt les parfums de feuilles fraîchement tombées de l'arbre.

📍 Christophe Croisard, La Pommeraie, 72340 Chahaignes, tél. 02.43.79.14.90, fax 02.43.79.14.90 ☑ 工 人 r.-v.

DOM. DE LA GAUDINIERE 2002 ★★

	1 ha	2 000	▬ 3 à 5 €

De couleur rubis à reflets orangés typiques du pineau d'Aunis, ce vin est représentatif de ce que devrait toujours être le coteaux-du-loir rouge après quelques errements autour du gamay. Poivré à souhait, structuré sans excès, il est friand. A partager aujourd'hui et jusqu'en 2007 avec vos amis.

📍 EARL Claude et Danielle Cartereau, La Gaudinière, 72340 Lhomme, tél. 02.43.44.55.38 ☑ 工 人 r.-v.

PASCAL JANVIER 2003 ★★

	1 ha	1 500	▬👍 3 à 5 €

Producteur de jasnières, Pascal Janvier a également fort bien réussi son coteaux-du-loir blanc aux arômes de fruits mûrs. Ce vin allie le côté tendre du millésime à une agréable note de fraîcheur finale.

📍 Pascal Janvier, La Minée, 72340 Ruillé-sur-Loir, tél. 02.43.44.29.65, fax 02.43.79.25.25 ☑ 工 人 r.-v.

LES MAISONS ROUGES
Pineau d'Aunis Vieilles Vignes 2002

	0,5 ha	1 800	▬👍 5 à 8 €

Parce qu'il souhaite que le terroir s'exprime pleinement, Benoît Jardin applique les techniques anciennes (travail du sol et restriction des pesticides, usage de la barrique) qui ont permis aux coteaux-du-loir de gagner leurs lettres de noblesse. Ce pineau d'Aunis est une bonne

illustration de cette volonté : couleur rubis, arômes grillés et épicés confirmés dans une bouche ronde. Enfin de l'originalité dans la tradition... Egalement citée, la cuvée **La Bosserie blanc 2003** est un vin tendre destiné aux entrées.

📍 Elisabeth et Benoît Jardin, Les Maisons Rouges, Les Chaudières, 72340 Ruillé-sur-Loir, tél. 02.43.79.50.09, e-mail maisons.rouges @ tiscali.fr ☑ 工 人 r.-v.

DOM. J. MARTELLIERE 2002 ★★

	0,6 ha	2 200	▬◫ 3 à 5 €

Un beau coteaux-du-loir issu à 100 % de pineau d'Aunis. Quelle bonne idée de revenir aux fondamentaux. Finement poivré, le vin vous étonnera par sa souplesse, le soyeux de ses tanins et sa finale persistante. Une volaille à la crème lui ira bien.

📍 SCEA du Dom. J. Martellière, 46, rue de Fosse, Fosse, 41800 Montoire-sur-le-Loir, tél. 02.54.85.16.91, fax 02.54.85.16.91 ☑ 人 r.-v.

Jasnières

C'est le cru des coteaux du Loir, bien délimité sur un unique versant plein sud de 4 km de long et de quelques centaines de mètres de large seulement. Une production en 2003 de 1 642 hl de vin blanc, issu du seul cépage chenin ou pineau de la Loire, qui peut donner des produits sublimes les grandes années. Curnonsky n'a-t-il pas écrit : « Trois fois par siècle, le jasnières est le meilleur vin blanc du monde » ? Il accompagne élégamment, dit-on, la « marmite sarthoise », spécialité locale, où il rejoint d'autres produits du terroir : poulets et lapins finement découpés, légumes cuits à la vapeur. Vin rare, à découvrir.

DOM. AUBERT LA CHAPELLE
Cuvée Anne-Mathilde 2003 ★

	2 ha	3 000	◫ 8 à 11 €

Voici un joli vin digne d'avoir une place dans votre cave. Des fleurs blanches et du tuffeau au nez (ah ! le terroir), puis une grande complexité aromatique dans la bouche persistante. A servir en apéritif ou pourquoi pas avec un poisson.

📍 Dom. Aubert La Chapelle, La Roche, 72340 Marçon, tél. 02.43.79.17.82, fax 02.43.79.17.82, e-mail earl.aubert @ terre-net.fr ☑ 工 人 r.-v.

DOM. BELLEVUE 2003

	0,15 ha	700	▬ 8 à 11 €

Un vin au bel aspect, qui se montre un peu timide pour ce millésime ensoleillé, mais qui pourra faire le bonheur des amateurs de vin discrètement floral, à la finale très douce.

📍 Thierry Leloup, Le Petit Loiray, 72340 Marçon, tél. 02.43.44.57.88, fax 02.43.44.57.88 ☑ 工 人 r.-v.

LOIRE

DOM. DE CEZIN 2003

▒ 1,87 ha 5 000 ■ ♁ 5 à 8 €

D'une couleur or pâle brillant, ce vin décline des notes de fruits agréables – abricot notamment –, associées à un côté minéral. La bouche est assez longue, encore dominée par le sucre. Un 2003 qui permettra de découvrir le jasnières en toute simplicité.

🔑 François Fresneau, Dom. de Cézin, rue de Cézin, 72340 Marçon, tél. 02.43.44.13.70, fax 02.43.44.13.70, e-mail earl.francois.fresneau@wanadoo.fr ☑ 🍷 🚶 r.-v.

DOM. DE LA CHARRIERE 2003

▒ n.c. n.c. 🛢 11 à 15 €

Ouvert sur les arômes typiques du chenin dans les grandes années, ce 2003, au boisé encore présent, devrait faire ses preuves au cours des dix prochaines années. Equilibré, parfumé de miel et de coing sur un fond très minéral, il est recommandé à l'apéritif ou en accompagnement d'un poisson.

🔑 Joël Gigou, 4, rue des Caves, 72340 La Chartre-sur-le-Loir, tél. 02.43.44.48.72, fax 02.43.44.42.15, e-mail joel-gigou@libertysurf.fr ☑ 🏠 🍷 🚶 r.-v.

DOM. DE LA GAUDINIERE 2003

▒ 1,4 ha 6 600 ■ 5 à 8 €

Un jasnières au nez intense, légèrement confituré. La douceur et la vivacité devront s'harmoniser. Avec le temps, ce vin trouvera son équilibre.

🔑 EARL Claude et Danielle Cartereau, La Gaudinière, 72340 Lhomme, tél. 02.43.44.55.38 ☑ 🍷 🚶 r.-v.

DOM. DES GAULETTERIES Cuvée Saint-Vincent 2003 **

▒ 12 ha 10 000 ■ 5 à 8 €

Après avoir mûri doucement dans les magnifiques caves en tuffeau jouxtant la propriété, ce 2003 s'est fait remarquer par son élégance. Son nez finement ciselé de notes de surmaturation et de fleurs blanches est un régal, de même que la bouche puissante et persistante. De la belle ouvrage qui demande un peu de patience pour en apprécier toute la complexité. Notée une étoile, la cuvée principale **Domaine des Gauletteries 2003** ne manque pas de prestance.

🔑 Francine et Raynald Lelais, Dom. des Gauletteries, 72340 Ruillé-sur-Loir, tél. 02.43.79.09.59, fax 02.43.79.09.59, e-mail vins@domainelelais.com ☑ 🍷 🚶 t.l.j. 10h-19h; groupes sur r.-v.

PASCAL JANVIER Cuvée du Silex 2003 *

▒ 1,5 ha n.c. ■ 5 à 8 €

Pascal Janvier propose une jolie bouteille qui ravira l'amateur dans quatre ou cinq ans. Or jaune, le vin possède une minéralité qui rappelle bien les pentes de Jasnières jonchées de silex. Sa bouche est longue, dominée par les arômes de poire.

🔑 Pascal Janvier, La Minée, 72340 Ruillé-sur-Loir, tél. 02.43.44.29.65, fax 02.43.79.25.25 ☑ 🍷 🚶 r.-v.

JEAN-JACQUES MAILLET 2003 *

▒ 4 ha 6 000 ■ 8 à 11 €

Un beau 2003 à la robe claire, dont le premier nez intense semble déjà évolué. Suivent des notes minérales de silex et des accents grillés. La bouche souple dès l'attaque mêle la poire et l'abricot. Un vin de belle facture qui a de l'avenir.

🔑 Jean-Jacques Maillet, La Pâquerie, 72340 Ruillé-sur-Loir, tél. 02.43.44.35.30, fax 02.43.44.35.30 ☑ 🍷 🚶 r.-v.

DOM. J. MARTELLIERE Cuvée du Poète 2003 **

▒ 0,25 ha 1 100 ■ 🛢 11 à 15 €

Un succès pour cette cuvée qui avait déjà obtenu un coup de cœur l'an passé. Le Poète a pu rêver au soleil en ce mois de septembre 2003, qui a vu les raisins rôtir doucement sur les coteaux calcaires de Jasnières. Le jury a été enchanté par ce vin aux reflets verts. Le nez est une corbeille de fruits à laquelle se mêlent également le tilleul et les fleurs blanches. La bouche est ample, d'une belle minéralité associée à des notes miellées. Citée, la **cuvée du Vert Galant 2003 (8 à 11 €)**, plus traditionnelle, offre une sucrosité très présente.

🔑 SCEA du Dom. J. Martellière, 46, rue de Fosse, Fosse, 41800 Montoire-sur-le-Loir, tél. 02.54.85.16.91, fax 02.54.85.16.91 ☑ 🚶 r.-v.

PHILIPPE SEVAULT Cuvée Louis 2003 *

▒ 0,6 ha 3 000 ■ 8 à 11 €

Cette cuvée Louis n'est pas de sang royal, mais pourrait accéder à l'élite des jasnières. D'une belle intensité minérale, elle allie fraîcheur et arômes de surmaturation. Un vin prometteur à mettre en cave. Citée, la **cuvée principale 2003 demi-sec (5 à 8 €)** révèle les nuances minérales propres au terroir et de la fraîcheur. Elle demande un ou deux ans de garde pour s'épanouir pleinement.

🔑 Philippe Sevault, 72340 Poncé-sur-le-Loir, tél. 02.43.79.07.75, fax 02.43.79.07.75 ☑ 🍷 🚶 r.-v.

Montlouis-sur-loire

La Loire au nord, la forêt d'Amboise à l'est, le Cher au sud limitent l'aire d'appellation (1 000 ha de vignes dont 457 en AOC montlouis-sur-loire). Les sols « perrucheux » (argile à silex), localement recouverts de sable, sont plantés de chenin blanc (ou pineau de la Loire) et produisent des vins blancs vifs et pleins de finesse, tranquilles, secs ou doux, ou effervescents (14 058 hl en 2003). Les premiers gagnent à évoluer longuement en bouteilles dans les caves de tuffeau. Ils ont un potentiel de garde d'une dizaine d'années.

DOM. AURORE DE BEAUFORT
Sec Cuvée tendre 2002 ★

2 ha 6 000 ■ 5 à 8 €

Les Beaufort, ancêtres de Jean-Marie Moyer, possédaient bien avant la Révolution manoir et vignes, ainsi que des caves immenses. Le manoir a été restauré, les caves et le vignoble conservés et le nom familial donné au domaine, aujourd'hui fort de 6 ha. Des nuances d'or parent ce vin brillant qui exprime avec élégance les arômes typiques du chenin. En bouche une fraîcheur bien équilibrée, pleine de jeunesse, s'impose d'emblée, agrémentée de notes citronnées. Le gras apparaît ensuite, puis se fond dans une finale fine et plaisante. Un montlouis capable de se bonifier encore avec le temps. Le **demi-sec de méthode traditionnelle** obtient une citation.

Jean-Marie Moyer,
23, rue des Caves, 37270 Saint-Martin-le-Beau,
tél. 02.47.50.61.51, fax 02.47.50.27.56,
e-mail aurore-de-beaufort@wanadoo.fr
t.l.j. sf dim. 8h-12h 14h-20h; f. janv.

PATRICE BENOIT Brut ★

3 ha 20 000 ■ 5 à 8 €

En près de vingt ans et partant de rien, Patrice Benoît s'est constitué un coquet domaine de 7 ha sur les pentes argilo-siliceuses de Saint-Martin-le-Beau. Son chai vient d'être rénové, ses vignes sont jeunes et ses vins réussis. Le producteur peut être satisfait de son montlouis brut qui joue dans la finesse et la nuance. La bouche fraîche et ronde à la fois livre des arômes de fleurs et de brioche délicats. L'harmonie est partout présente. Un vin séducteur pour un tête-à-tête amoureux.

Patrice Benoît, 3, rue des Jardins, Nouy,
37270 Saint-Martin-le-Beau,
tél. 02.47.50.62.46, fax 02.47.50.63.93 r.-v.

CLAUDE BOUREAU Demi-sec Authentique 2002

1 ha n.c. 8 à 11 €

Il se considère comme un artisan vigneron et ne tarit pas quand il s'agit de parler de vins. Ce demi-sec sera au centre de la conversation : la robe est jaune soutenu, presque d'or, limpide et brillante, mais le nez reste encore un peu fermé, bien qu'on y décèle un léger boisé. Nuance que l'on retrouve en bouche d'ailleurs. Cette dernière révèle onctuosité et richesse ; ses constituants – sucre, acidité, alcool – s'équilibrent harmonieusement sur un fond minéral. A vin rond, mets suaves : des coquilles Saint-Jacques, par exemple. La **Coulée des Muids sec 2002**, de caractère, est citée également.

Claude Boureau,
1, rue de la Résistance, 37270 Saint-Martin-le-Beau,
tél. 02.47.50.61.39 r.-v.

DOM. DES CHARDONNERETS Brut

3 ha 15 000 ■ 5 à 8 €

Un domaine bien organisé avec 14 ha de vignes groupés aux alentours, un chai rationnel et une salle de dégustation où le visiteur s'attarde. Cette méthode traditionnelle brut se montre très discrète au nez, mais affirme en bouche sa rondeur et sa puissance. Vin d'équilibre, à la persistance honorable, il aiguisera les appétits. Le **montlouis sec Domaine Mosny Les Graviers 2002 (3 à 5 €)** est cité.

GAEC Daniel et Thierry Mosny, 6, rue des Vignes,
37270 Saint-Martin-le-Beau, tél. 02.47.50.61.84,
fax 02.47.50.61.84 t.l.j. 8h-19h

LAURENT CHATENAY
Sec Les Maisonnettes 2002

2,7 ha 10 000 11 à 15 €

Un montlouis séduisant à l'œil par sa couleur jaune soutenu qui s'approche de l'or. Au nez et en bouche, le caractère boisé est très marqué. A réserver aux amateurs de nuances vanillées. Le **demi-sec La Vallée 2002** est lui aussi cité.

Laurent Chatenay, 41, rte de Montlouis, Nouy,
37270 Saint-Martin-le-Beau,
tél. 02.47.50.65.58, fax 02.47.35.64.32,
e-mail laurent.chatenay@wanadoo.fr r.-v.

FRANCOIS CHIDAINE
Demi-sec Clos Habert 2002 ★★

3 ha 10 000 8 à 11 €

François Chidaine ne ménage pas sa peine et ne manque pas d'idées. Il étend ses activités à Vouvray sur un clos – et non des moindres – tout en animant une petite boutique au centre de Montlouis, où il vend ses produits et ceux de ses amis des autres appellations. Ici, c'est un demi-sec à 16 g/l de sucres résiduels qu'il met en avant. Le nez particulièrement développé évoque pêle-mêle les fruits mûrs, la figue, les agrumes, et libère une subtile note boisée. Celle-ci réapparaît à l'attaque, mais la bouche montre bientôt sa puissance et sa richesse aromatique dans le registre des fruits confits. Générosité, matière et subtilité, sans oublier l'équilibre. Le **montlouis sec Les Choisilles 2002 (11 à 15 €)**, très réussi, est qualifié de « sympa » par un jury.

GAEC François Chidaine,
5, Grande-Rue, 37270 Montlouis-sur-Loire,
tél. 02.47.45.19.14, fax 02.47.45.19.08,
e-mail francois.chidaine@wanadoo.fr r.-v.

STEPHANE COSSAIS
Sec Maison Marchandelle 2002 ★

1,5 ha 6 000 8 à 11 €

L'installation est récente et le vignoble encore modeste. Pourtant, on sent chez ce jeune vigneron une volonté de bien faire. Son sec possède de la matière, de l'expression et de la longueur. Les fruits mûrs, le coing et les agrumes envahissent la bouche. La vivacité qui équilibre la rondeur donne du nerf à l'ensemble. Certes, le boisé doit encore se fondre, mais c'est l'affaire d'une petite garde en cave.

Stéphane Cossais,
24, rue André-Malraux, 37270 Montlouis-sur-Loire,
tél. 06.63.16.21.91 r.-v.

LOIRE

FREDERIC COURTEMANCHE
Sec Les Liards 2002 ★

0,5 ha 2 000 ■ 5 à 8 €

Fidèle du Guide et souvent aux places d'honneur, ce vigneron installé sur le terroir de Montlouis depuis plus de dix ans présente un vin sec au bel équilibre entre rondeur et vivacité. Citron vert et menthe font un peu la loi dans la palette d'arômes. L'amateur exigeant gardera cette bouteille en cave pendant un ou deux ans pour en parfaire l'harmonie.

⊶ Frédéric Courtemanche,
12, rue d'Amboise, 37270 Saint-Martin-le-Beau,
tél. 06.83.07.82.89 ☒ Y 🚶 r.-v.

DOM. DE LA CROIX MELIER Demi-sec 2002

■ 1,5 ha 6 000 🛢 3 à 5 €

Pascal Berthelot évolue dans un environnement raffiné. La maison du XVI[e]s. est d'architecture tourangelle, les bâtiments, d'âge respectable, qui servaient autrefois de tonnellerie ont été transformés en salle de dégustation. La cave est attenante. Le visiteur trouvera de bonnes conditions pour apprécier ce demi-sec aux arômes intenses de grillé et de fruits mûrs. La concentration est manifeste, surtout en bouche tant la matière se montre dense, charnue et fruitée. La finale persiste suffisamment. Un mariage heureux avec un poisson en sauce. Cité, le **montlouis sec 2002** est bien représentatif du millésime.

⊶ Pascal Berthelot, Dom. de La Croix Mélier,
2, chem. Ste-Catherine-Husseau,
37270 Montlouis-sur-Loire,
tél. 02.47.45.12.14, fax 02.47.50.77.85 ☒ Y 🚶 r.-v.

JEAN-CHRISTOPHE DARDEAU
Moelleux Vieilles Vignes 2002

■ n.c. n.c. 🛢 8 à 11 €

Quinze générations de vignerons sur quatre siècles à Montlouis-sur-Loire. Peu nombreux sont ceux qui peuvent se prévaloir d'une telle antériorité. Les Dardeau présentent aujourd'hui un doux à 60 g/l de sucres résiduels. Tilleul et miel s'expriment avec intensité au nez comme en bouche. On apprécie la bonne harmonie des composants, tandis qu'une petite vivacité relève la finale. Un vin qui a des dispositions pour évoluer en cave.

⊶ Jean-Christophe Dardeau,
154, av. Gabrielle-d'Estrées, 37270 Montlouis-sur-Loire,
tél. 02.47.50.82.60, fax 02.47.50.85.25,
e-mail dardeau@club-internet.fr
☒ Y 🚶 t.l.j. sf dim. 10h-12h 13h30-19h

DAMIEN DELECHENEAU
Sec Clef de Sol 2002 ★★

■ 0,65 ha 3 000 🛢 5 à 8 €

Un vigneron installé de fraîche date à Montlouis, poète et musicien, présente ses vins de façon originale. La cuvée Clef de Sol n'est que le « reflet du premier violon qui s'exprime », pourrez-vous lire sur l'étiquette. Habillée d'or, elle ne manque pas d'expression, en effet. S'échappent à verre ouvert des notes d'abricot, de figue, de noisette et de grillé qui font penser à un moelleux. Au palais, l'attaque est franche et la matière pleine, suave, empreinte de nuances grillées. La finale longue vous laisse sur une petite impression de boisé. Jolie bouteille qui a une bonne capacité de garde. Le **demi-sec Domaine La Grange Tiphaine Les Grenouillères 2002**, élevé en fût, mérite d'être cité.

⊶ Damien Delecheneau, La Grange Tiphaine,
37400 Amboise, tél. 02.47.57.64.17, fax 02.47.57.39.49,
e-mail lagrangetiphaine@ifrance.com ☒ Y 🚶 r.-v.

DOM. DELETANG Brut 2001 ★

● 3 ha 13 000 ▮🍾 5 à 8 €

Un peu à l'étroit dans le bourg de Saint-Martin-le-Beau, Olivier Deletang a déplacé ses bureaux, chais et réception, aux Bâtisses, sur le plateau, dans le vignoble. Mais rien ne change pour les vins qui gardent leur élégance. Cette méthode traditionnelle le confirme. L'attaque est vive, l'expression fruitée et florale à la fois. Finesse et équilibre sont des mots récurrents dans les commentaires du jury. Un apéritif de classe. Le **montlouis sec 2002**, qui – original – sauvignonne, est cité.

⊶ EARL Deletang, Les Bâtisses,
37270 Montlouis-sur-Loire, tél. 02.47.50.67.25,
fax 02.47.50.26.46, e-mail deletang.olivier@wanadoo.fr
☒ 🚶 t.l.j. 9h-18h; sam. dim. sur r.-v.

DOM. DE L'ENTRE-CŒURS
Méthode traditionnelle ★★

● 0,8 ha 4 000 ▮🍾 5 à 8 €

Un nom de domaine dont l'origine se perd dans la nuit des temps... On peut y voir le rameau secondaire de la vigne, des sentiments venant du cœur, amour-amitié, ou encore les liens unissant ce couple de vignerons qui travaille dur et trouve une récompense dans une méthode traditionnelle pleine de légèreté et d'élégance. Cette bouteille possède aussi de l'ampleur et un fruité riche. Deux vins ont reçu une étoile : la **méthode traditionnelle brut** et le **sec 2002**.

⊶ Alain Lelarge,
10, rue d'Amboise, 37270 Saint-Martin-le-Beau,
tél. 02.47.50.61.70, fax 02.47.50.68.92 ☒ Y 🚶 r.-v.

JEAN-PAUL HABERT
Les Caves du Vieux Cangé Demi-sec 2002 ★★

■ 0,5 ha 3 000 🛢 5 à 8 €

Jean-Paul Habert dispose de belles caves, autrefois propriété de la famille de Beaufort à laquelle Gabrielle d'Estrées était liée. Ce vin, à mi-chemin entre un demi-sec et un moelleux, apparaît net et franc ; la rondeur et le gras s'accordent avec la vivacité. La palette aromatique est des plus riches jusqu'en finale qui laisse une impression de jeunesse. La **méthode traditionnelle brut 2001**, fine et élégante, est citée.

⊶ Jean-Paul Habert, Le Gros Buisson,
3, imp. des Noyers, 37270 Saint-Martin-le-Beau,
tél. 02.47.50.26.47, fax 02.47.50.26.47 ☒ Y 🚶 r.-v.

ALAIN JOULIN Moelleux 2002

■ 0,8 ha 4 500 ▮🛢 5 à 8 €

Alain Joulin a le sens de la communication. Il vient de terminer une salle de dégustation où il pourra recevoir quarante personnes. Son moelleux à 25 g/l de sucres résiduels, brillant, se montre fruité au nez. Il offre un bel équilibre en bouche, avec une rondeur harmonieuse qui persiste un temps avant de laisser place à une impression de fraîcheur. Le **moelleux 2002 (8 à 11 €)** à 50 g/l de sucres résiduels et le **sec 2002** sont cités.

⊶ Alain Joulin, 58, rue de Chenonceaux,
37270 Saint-Martin-le-Beau, tél. 02.47.50.28.49,
fax 02.47.50.69.73 ☒ Y 🚶 t.l.j. 8h30-12h30 14h-19h30

FREDERIC JOULIN Brut 2001 ★

● 1,53 ha 10 000 ▮ 5 à 8 €

Après un stage au Chili – gageons qu'il n'aura pas trouvé les mêmes conditions de production qu'à Montlouis –, Frédéric Joulin succède à son père dans l'élaboration des effervescents. Il en est seul responsable et s'en sort admirablement. Légèreté, finesse et fraîcheur sont les mots clés de la dégustation. Ajoutons l'ampleur et les senteurs florales, fruitées et vanillées. Voilà une méthode traditionnelle qui saura être de la fête.

⊶ Frédéric Joulin, 58, rue de Chenonceaux,
37270 Saint-Martin-le-Beau, tél. 02.47.50.28.49
☒ Y 🚶 t.l.j. 8h30-12h30 14h-19h30

DOM. DES LIARDS Brut 2000 ★

7 ha 35 000 5 à 8 €

La jeune génération conduit cette entreprise, œuvre de toute une vie de deux frères, maintenant à la retraite. Par son sérieux commercial et la qualité de ses vins, le domaine a contribué à la notoriété du montlouis. Une nouvelle preuve : cette méthode traditionnelle équilibrée, ronde et fraîche qui restitue avec élégance des arômes de fleurs et de fruits mûrs. Vin d'apéritif ou de repas. Une étoile également pour le **moelleux La Côte Saint-Martin 2002 (11 à 15 €)**, tout de miel.

EARL Berger Frères,
33, rue de Chenonceaux, 37270 Saint-Martin-le-Beau,
tél. 02.47.50.67.36, fax 02.47.50.21.13 r.-v.

DOM. MARNE Sec 2002 ★

1,2 ha 3 250 3 à 5 €

Lors de son installation en 1987, Patrick Marné a trouvé un domaine d'une dizaine d'hectares et des bâtiments d'exploitation rationnels construits par son père. Une chance dont il a su profiter. Son montlouis sec présente rondeur et équilibre. Son fruité intense lui donne de l'étoffe et multiplie ses caudalies. Une jolie bouteille facile à mettre sur la table.

Patrick Marné,
21, rue de Chapitre, 37270 Montlouis-sur-Loire,
tél. 02.47.45.11.32, fax 02.47.45.07.49,
e-mail domaine.marne@wanadoo.fr r.-v.

ALEX MATHUR Sec Les Lumens 2002 ★

1,5 ha 6 300 8 à 11 €

Le domaine Alex Mathur, successeur de Claude Levasseur, apparaît régulièrement dans le Guide. Sa cuvée Les Lumens étonne non seulement par sa structure en bouche très solide, avec un léger boisé, mais aussi par son ampleur et sa longueur flatteuses. « Un vin du Nouveau Monde », a dit un membre du jury. Pourquoi pas ? C'est un compliment. Le **demi-sec Dionys 2002**, dominé par des arômes de fruits secs, brille aussi d'une étoile.

Dom. Levasseur-Alex Mathur,
38, rue des Bouvineries, Husseau,
37270 Montlouis-sur-Loire, tél. 02.47.50.97.06,
fax 02.47.50.96.80 r.-v.

CAVE DE MONTLOUIS-SUR-LOIRE
Brut Cuvée des Anges ★

n.c. 40 000 5 à 8 €

Une entreprise coopérative qui a pignon « sur route » à Montlouis. Avec ses installations imposantes adossées à la falaise, on ne peut pas la manquer en sortant du bourg. Créée en 1961 pour aider les vignerons à vinifier et commercialiser leurs vins, elle est suivie par des œnologues et des techniciens soucieux de qualité. Cet effervescent puissant et frais à la fois apparaît solide, de caractère. Cependant, ses évocations de fleurs et de fruits, comme sa vivacité finale lui donnent beaucoup d'amabilité. Il accompagnera tout un repas. Le **montlouis sec 2002 (3 à 5 €)** obtient une citation.

Cave Coop. des Producteurs de Montlouis-sur-Loire,
2, rte de Saint-Aignan, 37270 Montlouis-sur-Loire,
tél. 02.47.50.80.98, fax 02.47.50.81.34,
e-mail cave-montlouis@france-vin.com r.-v.

DOM. MOYER Sec Les Croisés 2002 ★

6 ha 20 000 5 à 8 €

Dominique Moyer a pris sa retraite et c'est maintenant la jeune génération qui a la charge de ce vignoble de 14 ha. Mais, sûr, il sera encore là pour aider et conseiller. Son épouse accueillera le visiteur dans ce beau manoir du XVIIe s., ancien rendez-vous de chasse du duc de Choiseul. Le domaine part-il en croisade ? Il veut défendre les vins secs de chenin. Cette cuvée parle d'elle-même. Le nez, un peu discret, est accompagné d'une évocation marine. La matière s'affirme d'entrée et s'amplifie en milieu de bouche ; la finale est de bonne longueur. Faites confiance à ce vin : il s'épanouira dans un ou deux ans. La **méthode traditionnelle brut**, briochée et florale, mérite une citation.

Dominique Moyer, 2, rue de la Croix-des-Granges,
37270 Montlouis-sur-Loire,
tél. 02.47.50.94.83, fax 02.47.45.10.48,
e-mail domaine.moyer@wanadoo.fr r.-v.

CH. DE PINTRAY Sec Elevé en fût de chêne 2002 ★★

1 ha 2 200 8 à 11 €

Le château a été reconstruit en 1830 ; ne demeurent des anciens bâtiments qu'une chapelle et un pavillon de chasse. Marius Rault s'est attaché en 1991 à reconstituer le vignoble qui avait disparu. De nouvelles étiquettes conçues par un artiste peintre et une recette élaborée par Joël Rebuchon pour le demi-sec 99 ont illustré le renouveau de ce domaine. De couleur bien soutenue, voici un montlouis sec dont les arômes nés de l'élevage sous bois (vanille) apparaissent sans toutefois masquer les notes de pamplemousse. La bouche est démonstrative par ses élans de fruits mûrs, mais plus sage par sa rondeur et son gras. Une longue finale revient sur les fruits et laisse flotter un petit air de grillé. Un vin qui ne pourra qu'embellir avec les ans. La **cuvée des Armoiries demi-sec 2002 (5 à 8 €)** obtient une étoile.

Marius Rault, Ch. de Pintray,
37400 Lussault-sur-Loire, tél. 02.47.23.22.84,
fax 02.47.57.64.27, e-mail marius.rault@wanadoo.fr
t.l.j. 9h-19h30; dim. sur r.-v.

DOM. DES SABLONS Demi-sec 2002

1 ha 3 000 5 à 8 €

Jaune brillant, ce demi-sec apparaît au nez comme un pur produit du chenin tant il est typé. L'attaque est franche, vive, puis le vin s'installe dans la douceur et le fruité. En finale, une pointe d'acidité vivifie l'ensemble et laisse une impression de fraîcheur. A boire dès aujourd'hui.

Gilles Verley, Dom. des Sablons,
37270 Saint-Martin-le-Beau,
tél. 02.47.50.66.35, fax 02.47.50.60.50 r.-v.

JACKY SUPLIGEAU Demi-sec 2002 ★

2 ha 6 000 3 à 5 €

Jacky Supligeau ne néglige pas les média : voilà trois fois qu'il passe à la télévision et à des heures de grande écoute. Encore faut-il avoir de beaux produits. C'est le cas

LOIRE

avec ce demi-sec impressionnant par sa palette d'arômes qui va de la pêche au miel en passant par les fruits mûrs et les agrumes. Un air de jeunesse et de la fraîcheur sont perceptibles en finale, alors que rondeur et souplesse demeurent le leitmotiv de la dégustation. Quelques années de garde permettront à ce vin de mieux s'exprimer encore.

↖ Jacky Supligeau,
7, quai Albert-Baillet, 37270 Montlouis-sur-Loire,
tél. 02.47.45.07.75, fax 02.47.45.07.75 ▨ ⅄ ⅄ r.-v.

DOM. DE LA TAILLE AUX LOUPS
Sec Dix Arpents 2002 ★

	16 ha	9 700	◖ 5 à 8 €

Deux cuvées qui jouent tour à tour les vedettes ! L'année dernière c'était Remus, cette année ce sont les Dix Arpents. Une compétition stimulante et pour le plus grand régal du consommateur. Ce 2002 reste sur la réglisse avec un boisé déjà fondu au nez. Un fruit tendre et prononcé se manifeste en bouche, accompagné d'un net boisé. L'acidité discrète se fond dans la longue finale. Laissez patienter ce vin pour une meilleure harmonie. La **cuvée Remus 2002 sec (8 à 11 €)** obtient elle aussi une étoile.

↖ Dom. de la Taille aux Loups, 8, rue des Aitres,
37270 Montlouis-sur-Loire, tél. 02.47.45.11.11,
fax 02.47.45.11.14, e-mail latailleauxloups@wanadoo.fr
▨ ⅄ ⅄ t.l.j. 9h-18h; f. dim. de nov. à mars
↖ Jacky Blot

DOM. DES TOURTERELLES Demi-sec 2002

	1 ha	3 000	▮ ◖ 3 à 5 €

Variés, les sols de Montlouis peuvent être aussi bien siliceux, graveleux qu'argilo-calcaires reposant sur le tuffeau. Les premiers donnent de la minéralité au montlouis, les derniers sont plus aptes à produire des vins pleins et riches. Chez Jean-Pierre Trouvé, ce sont les argilo-calcaires qui dominent, d'où ce demi-sec qui coule bien, aromatique et gras. Fruits secs et coing se déclinent avec persistance. Un fruit dont on peut profiter maintenant. La **méthode traditionnelle brut 2001 (5 à 8 €)**, équilibrée et élégante, est citée.

↖ Jean-Pierre Trouvé,
1, rue de la Gare, 37270 Saint-Martin-le-Beau,
tél. 02.47.50.63.62, fax 02.47.50.63.62 ▨ ⅄ ⅄ r.-v.

Vouvray

Un long vieillissement en cave et en bouteilles révèle toutes les qualités des vouvray, blancs nés au nord de la Loire, sur un vignoble de 2 161 ha qu'écorne au nord l'autoroute A10 (le TGV passe en tunnel) et que traverse la large vallée de la Brenne. Le cépage blanc de Touraine, le chenin (ou pineau de la Loire), donne ici des vins tranquilles de haut niveau, colorés, très racés, secs ou moelleux selon les années, et des vins mousseux ou pétillants, très vineux. Si ces derniers sont bus assez jeunes, les vins tranquilles sont parfaitement aptes à une

longue garde, qui leur donne de la complexité aromatique. Poissons, fromages (de chèvre) iront bien avec les uns, plats fins ou desserts légers avec les autres, qui feront aussi d'excellents apéritifs. Le millésime 2003 a produit 101 422 hl.

ALLIAS PERE ET FILS Brut ★

	4 ha	18 000	▮⅄ 5 à 8 €

Le Clos du Petit Mont, fort de 13 ha, est perché sur les hauts de la vallée Coquette chère à Balzac. L'arrière-grand-père Allias s'y est installé en 1922 ; depuis, cinq générations se sont attachées à agrandir le domaine et à l'améliorer. Dans les caves est exposée une intéressante collection de fossiles du secondaire. Un tel outil ne pouvait que servir la cause des bons vins. Cette méthode traditionnelle enchante par ses bulles fines et lentes dans une robe limpide, aux nuances dorées et argentées. C'est la longueur en bouche qui surprend le plus, après un ensemble de fruits dominé par la pomme. Vin d'équilibre qui saura ouvrir l'appétit. Une étoile également pour le **moelleux Clos du Petit Mont Sélection Balzac 2002 (8 à 11 €)**, vin de caractère qu'il faut attendre.

↖ GAEC Allias Père et Fils, 106, rue Vallée-Coquette,
37210 Vouvray, tél. 02.47.52.74.95, fax 02.47.52.66.38,
e-mail domaine.allias.@wanadoo.fr
▨ ⅄ ⅄ t.l.j. sf dim. 8h30-12h 14h-19h

JEAN-CLAUDE ET DIDIER AUBERT Sec 2002 ★

	4 ha	18 000	▮◖⅄ 5 à 8 €

C'est l'une des premières maisons en remontant la vallée Coquette. Les vignes prospèrent alentour sur les coteaux, et la Loire n'est pas loin. Son influence se fait sentir et pousse la maturité à son maximum. Ce vouvray sec, d'attaque souple, est marqué par le sucre résiduel. Il coule bien grâce à son gras, tout en montrant de la puissance. Nul besoin d'attendre pour le servir avec un poisson au four. Une étoile distingue aussi deux vins de la même veine : le **moelleux Vieilles Vignes 2002 (8 à 11 €)**, d'une belle complexité, et le **demi-sec 2002**, fort sympathique.

↖ Jean-Claude et Didier Aubert,
10, rue de la Vallée-Coquette, 37210 Vouvray,
tél. 02.47.52.71.03, fax 02.47.52.68.38
▨ ⅄ ⅄ t.l.j. 9h-12h 14h-19h

DOM. DU BAS-ROCHER Brut 2002 ★

	1,3 ha	9 000	▮⅄ 5 à 8 €

Un joli domaine de près de 9 ha, où la mère et le fils sont impliqués. Une façon d'assurer la transition entre deux générations. Voici une belle méthode traditionnelle, jaune pâle brillant, au nez discret mais suffisamment net pour révéler un caractère floral. La mousse, envahissante, laisse la place à un fruité de bon aloi qui s'estompe dans une finale élégante, aux nuances de grillé. Le **vouvray sec 2002**, assez rond à l'attaque puis plus vif, empreint de minéralité, mérite d'être cité.

↖ GAEC Boutet-Saulnier,
17, rue de la Vallée-Chartier, 37210 Vouvray,
tél. 02.47.52.73.61, fax 02.47.52.63.27,
e-mail christophe-boutet@wanadoo.fr ▨ ⅄ ⅄ r.-v.

PASCAL BERTEAU ET VINCENT MABILLE
Sec 2002 ★

	1 ha	1000	▮⅄ 3 à 5 €

A sa retraite, Bernard Mabille, figure bien connue de la vallée de Vaugondy, a eu une riche idée en cédant son exploitation à Pascal Berteau et Vincent Mabille, respectivement son gendre et son fils. Ceux-ci l'ont portée à 18 ha et équipée d'un chai fonctionnel. Ils proposent un beau vouvray « tendre », dont le bouquet de fruits blancs s'éternise en bouche. Ce vin peut se garder, mais il fait déjà honneur à une viande en sauce. La **méthode traditionnelle demi-sec**, de belle expression, reçoit également une étoile. Elle a vocation à être servie avec une tarte aux pommes sur le coup de cinq heures, par exemple.

🔑 GAEC BM, P. Berteau - V. Mabille,
Vaugondy, 37210 Vernou-sur-Brenne,
tél. 02.47.52.03.43, fax 02.47.52.03.43,
e-mail vincent.mabille@libertysurf.fr ☑ Y 🚶 r.-v.

CHRISTIAN BLOT Brut 2001 ★★

● 10 ha 15 000 ▮♁ 5 à 8 €

Une maison tourangelle aux bâtiments d'exploitation imposants trône au flanc du coteau de Noizay qui domine la Cisse. Le tuffeau est percé de caves étendues, œuvre de deux générations de vignerons. Les vignes, qui couvrent 25 ha, sont au-dessus, profitant d'une exposition sud. Il résulte de ces conditions une méthode traditionnelle de belle tenue. Vivacité, légèreté, équilibre sont les mots clés de la dégustation. Ça et là, arômes de fleurs et d'agrumes les complètent.

🔑 Christian Blot, 306, coteau de Beauclair,
37210 Noizay, tél. 02.47.52.11.32, fax 02.47.52.07.48
☑ Y 🚶 t.l.j. 9h-12h 14h-19h; dim. 9h-12h

JEAN-PIERRE BOISTARD Moelleux 2002

■ 1 ha 3 000 ⦶ 8 à 11 €

Un beau domaine de 10 ha qu'il maîtrise bien, une situation privilégiée sur les coteaux dominant le lit majeur de la Loire, voilà qui permet à Jean-Pierre Boistard de produire un moelleux d'équilibre, dans lequel vivacité et sucre sont en harmonie. Avec ses arômes de fruits mûrs, un peu confits, mêlés d'agrumes, ce vin éveillera la curiosité de vos invités à l'apéritif.

🔑 Jean-Pierre Boistard,
216, rue Neuve, 37210 Vernou-sur-Brenne,
tél. 02.47.52.18.73, fax 02.47.52.19.95 ☑ Y 🚶 r.-v.

BONGARS Moelleux 2002

■ 1,12 ha 2 200 15 à 23 €

Dans les années 1980, Bernard Bongars a laissé à son épouse Lucette et à sa fille Denise le soin de gérer ce domaine de 13 ha bien calé sur le coteau de Noizay qui reçoit le soleil du midi. Des femmes sont donc à l'origine de ce vin équilibré, dont les qualités premières sont la fraîcheur et la souplesse. Le fruit du chenin est mis en valeur dans une finale honorable. Un vouvray capable d'ouvrir l'appétit.

🔑 EARL Denise et Lucette Bongars,
232, coteau de Venise, 37210 Noizay,
tél. 02.47.52.11.64, fax 02.47.52.05.73,
e-mail earl_bongars@hotmail.com ☑ Y 🚶 r.-v.

MARC BREDIF Brut ★

● n.c. 50 000 5 à 8 €

Les établissements Brédif qui disposent de magnifiques caves sur les bords de Loire élaborent des effervescents à Vouvray depuis 1893. Celui-ci, au nez puissant, grillé et minéral, possède une bouche souple et évoluée. La même impression de grillé, évocatrice de café, domine une finale plaisante, tout en rondeur. On sent la science et l'expérience de l'élaborateur qui n'hésite pas à laisser ses vins mûrir sur lattes deux ans ou plus.

🔑 Marc Brédif,
87, quai de la Loire, 37210 Rochecorbon,
tél. 02.47.52.50.07, fax 02.47.52.53.41,
e-mail bredif.loire@wanadoo.fr ☑ Y 🚶 r.-v.
🔑 de Ladoucette

YVES BREUSSIN Sec 2002

■ 2 ha 8 000 ▮♁ 3 à 5 €

On va chez les Breussin pour y chercher un peu d'air d'autrefois... Ils vous reçoivent dans ce qui était jadis la pièce à vivre, creusée dans le rocher, avec une vaste cheminée. Là, Yves Breussin parle de son terroir et de ses vins élaborés de façon traditionnelle. Ce sec, limpide, brillant, au nez développé de chèvrefeuille et de citron confit, s'impose par sa franchise et sa longueur. « Souple et vif à la fois, il saura accompagner des asperges à la sauce hollandaise », note un dégustateur. Le **demi-sec 2002** et le **moelleux Réserve 2002 (8 à 11 €)** sont cités également.

🔑 EARL Yves et Denis Breussin,
Vaugondy, 37210 Vernou-sur-Brenne,
tél. 02.47.52.18.75, fax 02.47.52.13.66,
e-mail breussindenis@aol.com ☑ 🏠 Y 🚶 r.-v.

VIGNOBLES BRISEBARRE Demi-sec 2002 ★

■ 3 ha 8 000 ▮♁ 5 à 8 €

Philippe Brisebarre est partout à la fois : à la vigne, sur 25 ha, à la cave et dans diverses instances professionnelles dont il est responsable. C'est un homme d'action qui entreprend et réussit. Il présente trois beaux vins, dont ce demi-sec à 25 g/l de sucres résiduels. Issu de tries au vignoble, celui-ci présente un nez caractéristique de coing et de tilleul. La bouche bien construite et harmonieuse invite à garder un peu cette bouteille en cave, si toutefois on en a la patience. Sont cités le **moelleux Grande Réserve 2002 (8 à 11 €)**, à 60 g/l de sucres résiduels, d'une tonalité boisée qui peut plaire, ainsi que la **méthode traditionnelle brut**.

🔑 EARL Philippe Brisebarre, La Vallée-Chartier,
37210 Vouvray, tél. 02.47.52.63.07, fax 02.47.52.65.59
☑ Y 🚶 t.l.j. 9h30-12h 14h30-18h30; dim. sur r.-v.

DOM. GEORGES BRUNET Moelleux 2002 ★

■ 2 ha 3 000 ▮⦶ 8 à 11 €

Avec trente ans d'ancienneté sur ce domaine de 13 ha des coteaux de la Loire, Georges Brunet offre un moelleux au nez fumé, un peu grillé, à la matière généreuse, pleine de fruits secs, de coing et de banane. Le résultat, sans doute, d'une vendange saine et mûre. Une vocation de vin de garde.

🔑 Georges Brunet, 12, rue de la Croix-Mariotte,
37210 Vouvray, tél. 02.47.52.60.36, fax 02.47.52.75.38,
e-mail info@vouvray-brunet.com ☑ Y 🚶 t.l.j. 8h-19h30

VIGNOBLES CAREME
Moelleux Cuvée Mathilde 2002

■ 3 ha 1 500 ⦶ 8 à 11 €

La vallée Chartier débouche sur le lit majeur de la Loire. Les coteaux qui la bordent, face au midi, possèdent un sous-sol calcaire. La terre est chaude, bien drainée et apte à la production de moelleux. Celui-ci, riche d'arômes de fruits mûrs, de miel et de coing, se présente sous un équilibre sucre-acide réussi. Il peut gagner à évoluer en cave.

🔑 Olivier Carême, 14, rue de la Vallée-Chartier,
37210 Vouvray, tél. 02.47.52.69.79, fax 02.47.62.69.79,
e-mail careme.vin@wanadoo.fr ☑ Y 🚶 r.-v.

JEAN-CHARLES CATHELINEAU Brut 2000

○ 1,6 ha 11 400 ▮🍾 5 à 8 €

Un musée de la Vigne et de la Tonnellerie installé dans les caves de tuffeau témoigne de l'attachement de Jean-Charles Cathelineau au terroir et à la tradition. Une tradition qu'il cultive dans ses méthodes de vinification et qui se révèle dans cet effervescent. Un vin classique à l'équilibre général réussi, avec en plus une petite note de fraîcheur.

🔑 Jean-Charles Cathelineau,
24, rue des Violettes, 37210 Chançay,
tél. 02.47.52.20.61, fax 02.47.52.20.61 ☒ Y 🚶 r.-v.

CHAMPALOU Brut ★★

○ 2,5 ha 15 000 ▮🍾 5 à 8 €

Une bonne note à Didier et Catherine Champalou qui viennent d'agrandir leur chai en préservant l'environnement. Le pittoresque hameau du Grand-Ormeau, niché au creux d'un vallon sur les hauts de Vouvray, n'a pas souffert de ces travaux qui passent inaperçus. Moins discrète est cette méthode traditionnelle qui vous enthousiasmera par sa souplesse et sa puissance tout en gardant un côté frais et délicat. Une étoile distingue la **Cuvée moelleuse 2002 (11 à 15 €)**, à la longue finale abricot (72 g/l de sucres résiduels), tandis que la **cuvée des Fondraux 2002 (8 à 11 €)**, moelleux à 25 g/l de sucres, est citée.

🔑 Catherine et Didier Champalou,
7, rue du Grand-Ormeau, 37210 Vouvray,
tél. 02.47.52.64.49, fax 02.47.52.67.99,
e-mail champalou@wanadoo.fr ☒ Y 🚶 r.-v.

PIERRE CHAMPION Moelleux 2002

□ 2 ha 7 400 ⓞ 8 à 11 €

Pierre Champion est définitivement installé sur le domaine de son père Gilles : 13 ha sur les côtes qui bordent la vallée de Cousse. Ce dernier sera toujours présent pour vous recevoir et commenter les vins de son fils. Le jury a mis en avant le côté rond et fruité de ce doux à 60 g/l de sucres résiduels, et apprécié cette petite vivacité qui lui donne de la fraîcheur et relève sa finale de pamplemousse.

🔑 EARL Pierre Champion,
57, Vallée-de-Cousse, 37210 Vernou-sur-Brenne,
tél. 02.47.52.02.38, fax 02.47.52.05.69 ☒ Y 🚶 r.-v.

CLOS BAUDOIN Sec 2002 ★

□ 2,7 ha 8 000 ⓞ 11 à 15 €

Une bonne nouvelle : François Chidaine qui va de succès en succès à Montlouis prend pied à Vouvray, et pas de n'importe quelle façon. Il reprend le Clos Baudoin, l'un des domaines les plus prestigieux de l'appellation, et y fait des débuts prometteurs. En témoigne ce sec légèrement boisé au nez, nuancé de quelques notes de fruits confits. La bouche est ample, longue, la finale vive reste sur un ton épicé. Le **demi-sec Le Bouchet 2002 (8 à 11 €)**, au caractère nettement plus boisé, est cité.

🔑 GAEC François Chidaine,
5, Grande-Rue, 37270 Montlouis-sur-Loire,
tél. 02.47.45.19.14, fax 02.47.45.19.08,
e-mail francois.chidaine@wanadoo.fr ☒ Y 🚶 r.-v.

DOM. DU CLOS DE L'EPINAY
Brut Tête de cuvée 2001 ★

○ 2 ha 16 000 ▮🍾 11 à 15 €

Qui ne tomberait pas amoureux de cette coquette gentilhommière des XVe et XVIII[e]s. dominant le vignoble de Vouvray... et de ses vins, bien sûr ? Cette méthode traditionnelle, jaune paille assez soutenu, développe un nez classique, un peu évolué. Dès l'attaque, elle montre sa plénitude, puis se prolonge dans une finale élégante qui hésite entre la rondeur et le terroir. Un vin savamment élaboré, qui a connu un long séjour sur lattes sans doute. Pour l'apéritif ou le repas.

🔑 Luc Dumange, Dom. du Clos de L'Epinay,
L'Epinay, 37210 Vouvray, tél. 02.47.52.61.90,
fax 02.47.52.71.31, e-mail ldumange@terre-net.fr
☒ 🏠 Y 🚶 t.l.j. sf dim. 14h-18h; f. 15 fév.-4 mars

DOM. DU CLOS DES AUMONES Moelleux 2002

□ 0,5 ha 3 000 ⓞ 11 à 15 €

A Rochecorbon, la Loire coule au pied des coteaux et les vignes, face au midi, dominent le fleuve. Des conditions qui font considérer cette commune comme le fleuron de l'appellation. Ce moelleux à 45 g/l de sucres résiduels s'exprime dans un registre léger : il est équilibré et frais par ses évocations de pomme. Un vin d'accueil pour des amis de passage.

🔑 Philippe Gaultier,
18, rue Vaufoynard, 37210 Rochecorbon,
tél. 02.47.54.69.82, fax 02.47.42.62.01,
e-mail dcagaultier@aol.com ☒ 🚶 r.-v.

CLOS DU GAIMONT Moelleux 2002 ★

□ 4 ha 13 466 ⓞ 8 à 11 €

Le domaine Chainier qui a pris pour devise « La Touraine est son royaume » possède des activités viticoles dans plusieurs terroirs, notamment au Clos du Gaimont et au Clos de Nouys, sur des côtes ensoleillées des hauts de Vouvray. Ce vin attaque puissamment sur le fruit puis témoigne d'un bon mariage entre un boisé discret et une surmaturation réussie. Un moelleux très apprécié maintenant mais qui, comme tout vin riche, gagnera à mûrir tranquillement à l'ombre d'une cave profonde. Le **Clos de Nouys moelleux 2002**, moins riche en sucre, obtient la même note.

🔑 Clos de Nouys, 46, rue de la Vallée-de-Nouys,
37210 Vouvray, tél. 02.47.30.73.07, fax 02.47.30.73.09,
e-mail chainier@hotmail.com
🔑 M. Chainier

DOM. THIERRY COSME
Moelleux Réserve Vieilles Vignes 2002

□ 1 ha 2 000 ▮ 8 à 11 €

Une exposition de choix dans les premières côtes de Noizay a permis l'élaboration de ce doux à 80 g/l de sucres résiduels. Le nez est simple, mais ne renie pas le terroir : c'est bien du vouvray. Même simplicité en bouche dans laquelle la pomme fait la loi ; le sucre et l'acidité s'équilibrent parfaitement. Un apéritif tout trouvé.

🔑 Thierry Cosme,
1127, rte de Nazelles, 37210 Noizay,
tél. 02.47.52.05.87, fax 02.47.52.11.36 ☒ Y 🚶 r.-v.

JEAN-PAUL COUAMAIS
Moelleux Cuvée de Félix 2002 ★★

□ 3 ha 6 800 ⓞ 8 à 11 €

La troisième génération s'apprête à prendre la relève sur cette exploitation de 40 ha sise sur quatre communes du Vouvrillon. Une nouvelle équipe qui ne devrait pas manquer de s'inspirer du travail des anciens à l'origine de ce doux à 78 g/l de sucres résiduels. Le jury ne tarit pas d'éloges. Robe jaune paille brillant, qui annonce un nez riche en fruits du verger. La bouche est à l'avenant : arômes nombreux, intenses, matière pleine qui évolue en finale vers le tilleul. Un vin d'avenir. Le **vouvray sec 2002 (5 à 8 €)**, frais et citronné, noté une étoile, peut également servir de modèle. La **Cuvée suprême brut (5 à 8 €)** est citée.

⊶ Jean-Paul Couamais,
8, rue du Haut-Cousse, 37210 Vernou-sur-Brenne,
tél. 02.47.52.18.93, fax 02.47.52.04.91 ☑ 🍷 🚶 r.-v.

REGIS CRUCHET

Moelleux Couleurs d'automne 2002

▪ 1,5 ha 1 500 🛢 15 à 23 €

Les couleurs chaudes de l'automne sont pour plus tard... Aujourd'hui jaune paille et simple de prime abord, ce moelleux équilibré doit s'affirmer et développer avec les ans une palette d'arômes qui lui donneront de l'assise. Les tons feuille morte viendront de surcroît. Les côtes de Noisay baignées de soleil sont des lieux de prédilection pour la production de moelleux typés, la patte du vigneron fait le reste.

⊶ Régis Cruchet, 1361, rte de Nazelles, 37210 Noizay,
tél. 02.47.52.15.80, fax 02.47.52.19.42 ☑ 🍷 🚶 r.-v.

MAISON DARRAGON Sec 2002 ★

▪ 1 ha 5 000 5 à 8 €

C'est un vin sec très bien construit, avec un léger taux de sucres résiduels (6 g/l) pour la souplesse et une petite vivacité pour la fraîcheur. Avec des senteurs florales d'acacia et de chèvrefeuille, surtout, qui vous entraînent dans un long parcours jusqu'en finale. De la belle ouvrage de la part d'une maison où le respect de la tradition prévaut. Des mêmes vignerons, le **demi-sec Haut des Ruettes 2002** est cité.

⊶ Maison Darragon, 34, rue de Sanzelle,
37210 Vouvray, tél. 02.47.52.74.49, fax 02.47.52.64.96,
e-mail darragon@libertysurf.fr
☑ 🍷 🚶 t.l.j. 8h30-12h 13h30-19h

DOM. DE LA FONTAINERIE

Sec Coteau Les Brûlés 2002 ★★

▪ 1,7 ha 4 000 🛢 8 à 11 €

La maison qui date des XIVe et XVes., sise à mi-parcours de la vallée Coquette, est un peu austère, mais on le lui pardonne volontiers car les vins sont avenants, riants même, tel ce sec qui a frôlé le coup de cœur. Légèrement doré, il déploie un nez ample, un tantinet boisé. Il fond en bouche dans une évocation de fruits confits. Prêt à prendre pour épouse une géline de Touraine ou une truite aux champignons des bois.

⊶ Catherine Dhoye-Déruet, Dom. de La Fontainerie,
64, Vallée-Coquette, 37210 Vouvray,
tél. 02.47.52.67.92, fax 02.47.52.79.41,
e-mail lafontainerie@oreka.com ☑ 🍷 🚶 r.-v.

DOM. FRESLIER Demi-sec Pétillant

● 0,73 ha 5 000 🛢 5 à 8 €

De la robe jaune paille assez soutenu se dégagent des senteurs intenses de fruits et de miel. Ainsi apparaît cette méthode traditionnelle demi-sec, une petite production d'André Freslier, aujourd'hui pratiquement à la retraite. L'attaque est souple, le type affirmé. On y perçoit un côté grillé et miellé, avec une pointe vive en finale qui donne fraîcheur et légèreté. Un vin de dessert (ils ne sont pas si nombreux) dont le niveau de sucre s'accordera avec la douceur d'une tarte.

⊶ André Freslier,
90, rue de la Vallée-Coquette, 37210 Vouvray,
tél. 02.47.52.71.81 ☑ 🍷 🚶 t.l.j. 9h30-18h; dim. 9h-12h

DOM. DE LA FUIE

Moelleux Douce récompense 2002 ★★

▪ 1 ha 900 ▮🌡 15 à 23 €

Noblesse authentique : un ancêtre de la famille, Léon Gatineau reçut, en 1701, le titre de seigneur de la Fuie. Noblesse du vin : ses descendants élaborent un moelleux de grande race, né d'une vendange remarquablement surmûrie. La robe jaune d'or, limpide, laisse percer des senteurs intenses de miel, de pêche jaune et d'ananas. La bouche n'est pas en reste, avec des évocations de fruits secs, d'abricot et, à nouveau, de miel. Ce vouvray puissant, plein, est apte à une longue évolution en cave. Rarement moelleux n'a été si bien élaboré. Le **moelleux Cuvée D.L.F. 2002 (11 à 15 €)**, moins riche en sucre, reçoit une étoile.

⊶ GAEC Dom. de La Fuie,
1679, rte de Nazelles, 37210 Noizay, tél. 02.47.52.14.95,
fax 02.47.52.08.79, e-mail delafuiegaec@aol.com
☑ 🍷 🚶 t.l.j. sf dim. 8h-20h30; f. août
⊶ L. Gatineau et A. Delorme

DOM. DE LA GALINIERE Sec Terroir 2002 ★

▪ 2 ha 10 000 🛢 5 à 8 €

Un domaine de 16 ha voué autrefois à la polyculture, mais reconverti progressivement à la vigne. Les bâtiments, réaménagés avec goût, ont gardé tout leur caractère. La cuvée Terroir est issue de parcelles bien orientées, plantées de vignes âgées. Les sols sont « perrucheux », c'est-à-dire riches en éléments grossiers. Le résultat est là : le nez montre une fraîcheur agréable, truffée, florale, épicée. A l'attaque souple fait suite une impression de puissance : sucre et acide s'équilibrent harmonieusement. En profiter tout de suite pour son côté désaltérant.

⊶ Dom. de la Galinière,
La Galinière, 37210 Vernou-sur-Brenne,
tél. 02.47.52.15.92, fax 02.47.52.15.92 ☑ 🍷 🚶 r.-v.

CH. GAUDRELLE Sec 2002

▪ 2 ha 8 000 🛢 8 à 11 €

A l'origine de ce vouvray, une méthode de vinification qui sort des sentiers battus : les raisins, exempts de pourriture noble et non surmûris, sont cueillis tardivement, puis vinifiés en sec, pratiquement sans sucres résiduels. L'élevage s'effectue sous bois neuf, sur lie, pendant un an. Le nez est fait de tilleul et de pain grillé. Large en attaque, le vin dévoile du gras, avec une petite vivacité. Une touche citronnée relève la finale. A attendre. Le **moelleux Réserve Armand Monmousseau 2002 (15 à 23 €)** est également cité.

⊶ EARL A. Monmousseau,
87, rte de Monnaie, Ch. Gaudrelle, 37210 Vouvray,
tél. 02.47.52.67.50, fax 02.47.52.67.98,
e-mail gaudrelle1@libertysurf.fr ☑ 🍷 🚶 r.-v.

DOM. DE LA GAVERIE Moelleux 2002 ★

▪ 0,6 ha 2 000 🛢 5 à 8 €

Le vignoble remonte à 1850. Il se transmet depuis, de père en fils, dans le souci d'allier tradition et modernité. Une réussite si l'on en juge par ces deux vins qui brillent d'une étoile. Le premier, ce moelleux très floral, fait preuve d'un équilibre parfait entre sucre et acidité. Il laisse une impression de fraîcheur en fin de dégustation. Il serait dommage de ne pas profiter de son potentiel de garde

LOIRE

(trois à cinq ans). Le second est la **méthode traditionnelle brut**, au fruité prononcé.
⊶ GAEC de La Pinsonnière,
13, rue de la Pinsonnière, 37210 Parçay-Meslay,
tél. 02.47.29.14.43, fax 02.47.29.14.43 ☑ Y ⅄ r.-v.

DOM. GENDRON Brut 2002 *

● 5 ha 10 500 ■ ♁ 5 à 8 €

Sur les hautes côtes de Vouvray, le domaine Gendron recèle des trésors, telle une vieille vigne plantée en 1912 par le grand-père. Cette méthode traditionnelle de belle facture offre un nez franc, fin, avec des notes briochées. La bouche confirme cette bonne impression : onctueuse, veloutée, elle se prolonge dans une finale mûre, tout en fruits. « Du vouvray comme on devrait toujours en boire », écrit un membre du jury.
⊶ EARL Dom. Philippe Gendron,
10, rue de la Fuye, 37210 Vouvray, tél. 02.47.52.63.98,
fax 02.47.52.74.71, e-mail gendron@terre-net.fr
☑ Y ⅄ t.l.j. 8h-12h30 14h-20h; f. 15-30 août

DOM. GILET Sec 2002

■ 1 ha 3 000 ◍ 5 à 8 €

Au Moyen Age, la seigneurie de Parçay, qui dépendait de l'abbaye de Marmoutier, entretenait un important vignoble. Les moines ne s'y trompaient pas, car les sols se prêtent à la production de vins typés. Ce sec n'échappe pas à la règle. Il ne peut renier son origine. Vif, il s'exprime dans le registre minéral. Les amateurs d'authenticité l'apprécieront dès maintenant. Le **moelleux 2002**, élevé en fût, est également cité.
⊶ Jean-Pierre Gilet,
5, rue de Parçay, 37210 Parçay-Meslay,
tél. 02.47.29.12.99, fax 02.47.29.07.96 ☑ Y ⅄ r.-v.

C. GREFFE Brut 2002 **

● n.c. 230 000 ■ 5 à 8 €

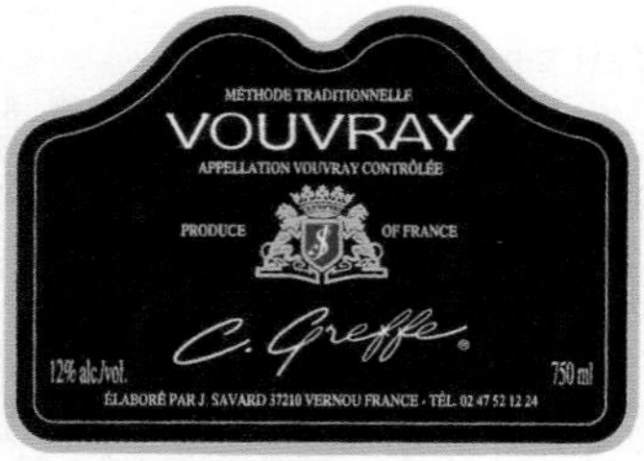

Les établissements C. Greffe, spécialisés dans l'élaboration des effervescents, ont une antériorité dans le Vouvrillon de près de quarante ans. Par leur production et leur présence sur de nombreux marchés, ils contribuent à la notoriété du vouvray. Les hommes ont du métier, les installations se prêtent à la qualité, le terroir est là. Le résultat : un remarquable brut, jaune argenté chatoyant, qui développe des arômes d'amande grillée et de brioche. Rond, crémeux, avec une finale longuement fruitée, il ne peut que plaire. Une étoile est attribuée au **brut Tête de Cuvée Anne G. 2002**, porté sur le fruit.
⊶ C. Greffe, 35, rue Neuve, 37210 Vernou-sur-Brenne,
tél. 02.47.52.12.24, fax 02.47.52.09.56,
e-mail jac-savard@c.greffe.fr ☑ Y ⅄ r.-v.
⊶ Jacques Savard

DOM. GUERTIN BRUNET Sec 2002 *

■ 2,67 ha 12 000 ■ 5 à 8 €

Gérard Guertin tient un cellier accueillant au centre de Vouvray et dispose sur son domaine de 14 ha de caves immenses, tout aussi intéressantes à voir. Son sec « tendre » qui fleure bon le miel et les fruits mûrs se montre volumineux en bouche, avec une structure solide et une persistance agréable. Les équilibres sont respectés. On le verrait bien sur des langoustines à la mayonnaise. La **méthode traditionnelle brut 2001** obtient une citation.
⊶ Gérard Guertin, 3, RN 152, 37210 Vouvray,
tél. 02.47.52.77.77, fax 02.47.52.65.13 ☑ ⌂ Y ⅄ r.-v.

DOM. DE LA HAUTE BORNE Tendre 2002 *

■ 1 ha 4 500 ◍ 8 à 11 €

C'est une installation assez récente sur un domaine qui atteint maintenant plus de 10 ha sur les coteaux de Vouvray proches de la Loire. Le soleil et l'influence du fleuve ont bénéficié à ce demi-sec riche d'arômes évolués de fruits d'automne et de miel. La bouche est pleine, dense, la finale intéressante. Ce beau vin peut jouer son rôle maintenant ou mûrir en cave. La **méthode traditionnelle brute (5 à 8 €)**, solide, est citée.
⊶ Vincent Carême,
6, allée de la Vallée-Chartier, 37210 Vouvray,
tél. 02.47.52.71.28, fax 02.47.52.71.28 ☑ ⅄ r.-v.

DANIEL JARRY Brut 1995 *

● 1 ha 6 000 ◍ 5 à 8 €

Daniel Jarry est à la retraite depuis un moment déjà, mais il ne décroche pas. Ah ! la vigne quand tu nous tiens... Il élabore quelques méthodes traditionnelles d'âge pour le plus grand bonheur des amateurs. Ici, c'est un 95 au caractère évolué flagrant. La robe est jaune soutenu et le nez confirme le passage des années. En bouche, le vin est encore fringant par son pétillement, tout en développant les arômes classiques des vieux vouvray tranquilles. Les deux traits ne s'opposent pas. En apéritif, cette bouteille fera l'objet de nombreux commentaires.
⊶ Daniel Jarry, 99, rue de la Vallée-Coquette,
37210 Vouvray, tél. 02.47.52.78.75, fax 02.47.52.67.36
☑ Y ⅄ t.l.j. 8h-19h; groupes sur r.-v.

DOM. DES LAURIERS Demi-sec 2002

■ 1 ha 6 000 ■ 5 à 8 €

Laurent Kraft, qui a pris la suite de son grand-père sur ce domaine de 14 ha, travaille avec beaucoup de sérieux et obtient des résultats réguliers, tel ce 2002. Les fruits mûrs l'emportent au nez, tandis qu'en bouche c'est la pomme verte qui s'impose. Il y a de la matière, de l'équilibre et une jolie finale en rondeur. En contrepoint, bien présente, la pointe vive classique du vouvray. Ce demi-sec devrait trouver sa place aux côtés des mets suaves.
⊶ Laurent Kraft, 29, rue du Petit-Coteau,
37210 Vouvray, tél. 02.47.52.61.82, fax 02.47.52.61.82,
e-mail flkraft@wanadoo.fr ☑ Y ⅄ t.l.j. 8h-12h 14h-18h

DOM. LE CAPITAINE Brut 1998

● 10 ha 15 000 5 à 8 €

Les deux frères vignerons ont débuté comme ouvriers agricoles ; ils sont maintenant à la tête d'une vingtaine d'hectares sur les premières côtes de l'aire d'appellation. Ce 98, jaune d'or, s'anime de bulles fines. Le nez intense rappelle la pêche et l'abricot. La bouche ample, crémeuse et longue laisse fuser des notes un peu minérales et fruitées. Très rond, ce vin flattera les palais délicats. La **cuvée Adrien 2002**, entre demi-sec et moelleux avec 25 g/l de sucres résiduels, obtient aussi une citation.

🕯 GAEC Le Capitaine,
23, rue du Cdt-Mathieu, 37210 Rochecorbon,
tél. 02.47.52.51.84, fax 02.47.52.85.23,
e-mail lecapitainealain@aol.com ☑ ⟂ ⋏ r.-v.

DOM. DES LOCQUETS Brut 2002 ★

	5 ha	15 000	▮⬤	5 à 8 €

Stéphane Deniau, qui vient de succéder à son père sur cette exploitation de près de 12 ha, a réussi une méthode traditionnelle au bon dosage. L'équilibre et la persistance jusqu'à une note minérale en font un vin idéal pour un apéritif léger qui ne chargera pas la bouche.

🕯 Stéphane Deniau,
27, rue des Locquets, 37210 Parçay-Meslay,
tél. 02.47.29.15.29, fax 02.47.29.15.29,
e-mail stephanedeniau2@wanadoo.fr ☑ ⋏ r.-v.

FRANCIS MABILLE Moelleux 2002

	0,5 ha	3 492	▮⬤⬤	8 à 11 €

Francis Mabille conduit de manière réfléchie son domaine de 13 ha, maintenant bien équipé d'un chai moderne. Un vouvray doux qui ne cherche pas midi à quatorze heures... Equilibré, évoquant la bigarade, il finit sur une pointe vive qui laisse la bouche fraîche. Un vin sans histoires qui trouvera sa place à l'apéritif ou avec un dessert. Le **demi-sec 2002** (5 à 8 €) et le **sec 2002** (5 à 8 €) sont cités.

🕯 EARL Francis Mabille,
17, Vallée-de-Vaugondy, 37210 Vernou-sur-Brenne,
tél. 02.47.52.01.87, fax 02.47.52.19.41 ☑ ⟂ ⋏ r.-v.

GILLES MADRELLE Brut Pétillant Cuvée Louis

	1 ha	4 000	▮	5 à 8 €

A l'est de Vouvray, dans la vallée Chartier bordée de coteaux qui dominent la large vallée de la Loire, travaille un noyau de vignerons très à la pointe. Gilles Madrelle est de ceux-là. Il a élaboré un vouvray pétillant, c'est-à-dire avec moitié moins de pression qu'un mousseux. Le vin, peu gêné par le gaz, dévoile toutes ses qualités et ses arômes. Au nez un peu grillé et fruité répond une bouche fraîche, qui évolue en souplesse et laisse le souvenir d'arômes de prune. Pour une tarte à la rhubarbe.

🕯 EARL Gilles Madrelle,
24, rue de la Vallée-Chartier, 37210 Vouvray,
tél. 02.47.52.78.59, fax 02.47.52.78.59 ☑ 🏠 ⟂ ⋏ r.-v.

MAILLET PERE ET FILS
Moelleux Coulée d'Or 2002 ★★

	1,75 ha	1 500	⬤	11 à 15 €

Les frères Laurent et Fabrice Maillet, qui bénéficient encore de l'expérience de leur père, s'emploient à produire des vins de haut niveau. Coup de cœur l'année dernière, ils se placent encore admirablement cette année avec ce moelleux issu de tries. Une bouteille remarquable par ses arômes de coing et de brioche, par sa bouche franche et équilibrée. On y sent le raisin très mûr et les fruits exotiques dans une finale qui n'en finit pas. La **méthode traditionnelle demi-sec 2000** (5 à 8 €) est très réussie.

🕯 EARL Laurent et Fabrice Maillet,
101, rue de la Vallée-Coquette, 37210 Vouvray,
tél. 02.47.52.76.46, fax 02.47.52.63.06
☑ ⟂ ⋏ t.l.j. sf dim. 9h-19h; groupes sur r.-v.

DOM. DU MARGALLEAU
Moelleux Cuvée Amélie 2002

	2 ha	6 000	▮⬤	8 à 11 €

Bruno et Jean-Michel Pieaux ont regroupé deux exploitations familiales pour en faire un domaine de plus de 25 ha. Les vignes couvrent des coteaux bien exposés, sur sols perrucheux (riches en silex). La vendange 2002 se prête à l'élaboration de moelleux comme cette cuvée toute de miel et de fleur d'acacia au nez, qui évolue en bouche vers les fruits. Un côté tannique se dessine avant une finale vive qui donne du nerf à l'ensemble. La **méthode traditionnelle brut** (5 à 8 €) est également citée.

🕯 Bruno et Jean-Michel Pieaux,
Vallée de Vaux, rue du Clos-Baglin, 37210 Chançay,
tél. 02.47.52.25.51, fax 02.47.52.27.59 ☑ ⟂ ⋏ r.-v.

MAISON MIRAULT Brut ★

	n.c.	20 000		5 à 8 €

Un établissement familial de tradition où les vins sont sélectionnés avec rigueur à l'achat. Son vouvray possède un caractère typé et un bon équilibre sucre-acide. Au nez comme en bouche on y décèle des accents de fleurs et de fruits secs. Deux ans de garde permettront à cette bouteille de bien évoluer. La **méthode traditionnelle demi-sec** est citée.

🕯 Maison Mirault, 15, av. Brûlé, 37210 Vouvray,
tél. 02.47.52.71.62, fax 02.47.52.60.90,
e-mail maisonmirault@wanadoo.fr
☑ ⟂ ⋏ t.l.j. 8h-12h 14h-18h30; dim. sur r.-v.

CH. MONCONTOUR
Moelleux Nectar de Moncontour 2002 ★★

	5 ha	2 000	⬤	15 à 23 €

Un château que Balzac a longtemps convoité, mais qu'il n'a pu acquérir faute de moyens. Il l'a honoré cependant en y situant l'action d'un de ses romans, *La Femme de trente ans*. Aujourd'hui, un domaine de 110 ha, doté de superbes caves enterrées, y est attaché. Son moelleux d'une grande richesse n'est qu'une suite d'évocation de pomme et de poire mûres, de coing et de miel. La robe jaune doré, dense, ainsi que le nez de pamplemousse et d'ananas sont à l'avenant. Une alliance de rêve avec une tarte Tatin. La **méthode traditionnelle brut cuvée Prédilection 2000** (5 à 8 €) est citée pour son caractère rafraîchissant.

🕯 Ch. Moncontour, rue de Moncontour,
37210 Vouvray, tél. 02.47.52.60.77, fax 02.47.52.65.50,
e-mail info@moncontour.com ☑ ⟂ ⋏ r.-v.
🕯 M. Feray

CH. DE MONTFORT Moelleux 2002

	3,29 ha	24 192	▮⬤	8 à 11 €

Le domaine viticole du château de Montfort couvre plus de 35 ha sur le plateau des Quarts de la commune de Chançay. Le sol y est très caillouteux en surface avec, en profondeur, une présence d'argile qui assure une bonne réserve hydrique aux ceps. Voici un moelleux à 42 g/l de sucres résiduels, tout ce qu'il y a de plus classique. Légèrement fruité et assez rond, il sera apprécié à l'apéritif comme au dessert. (Bouteilles de 50 cl.)

🕯 SC Ch. de Montfort,
827, rue de la Rochère, 37210 Noizay,
tél. 02.47.52.15.57, fax 02.47.52.06.09,
e-mail blancfoussy@wanadoo.fr r.-v.

DOM. D'ORFEUILLES
Moelleux Réserve d'automne 2002 ★

■ 3,5 ha 3 500 15 à 23 €

Le vignoble a été créé en 1947 par Paul Hérivault sur les fondations d'un château médiéval aujourd'hui disparu. Sis au creux d'un vallon, entouré de vignes, ce château devait être un lieu de promenade de Louise de La Vallière, née non loin de là dans un manoir où son portrait enfant est peint sur un mur intérieur. Plus âgée, elle aurait aimé ce doux nectar, très pêche blanche, un peu brioché au nez, puis fruits mûrs avec une touche de vanille. La finale égrène quelques notes boisées. L'ensemble est harmonieux et saura admettre un temps de vieillissement. La cuvée **Silex d'Orfeuilles 2002 (8 à 11 €)**, nom tout indiqué pour un vouvray sec, obtient une étoile.

EARL Bernard Hérivault, La Croix-Blanche, 37380 Reugny, tél. 02.47.52.91.85, fax 02.47.52.25.01, e-mail earl.herivault@france-vin.com r.-v.

VINCENT PELTIER Sec 2002 ★

■ 1 ha 3 000 3 à 5 €

Vincent Peltier réalise cette année un joli triplé. Le premier vin est un sec de bonne rondeur, équilibré, à la finale un peu pointue et qui sera parfait sur un poisson grillé. Les deux autres, une étoile également, sont la **méthode traditionnelle brut 2002 (5 à 8 €)** et le **demi-sec 2002** tranquille (20 g/l de sucres résiduels).

Vincent Peltier, 41 bis, rue de la Mairie, 37210 Chançay, tél. 02.47.52.93.34, fax 02.47.52.96.98 r.-v.

FRANCOIS PINON
Moelleux Cuvée de novembre 2002

■ 2 ha 4 000 8 à 11 €

La vallée de Cousse est un lieu de promenade que l'on peut recommander à tous ceux qui veulent s'imprégner de l'atmosphère du Vouvrillon : les maisons pittoresques accolées au coteau, les entrées de caves aux portes impressionnantes, les vignerons qui s'affairent... sans oublier le vin. Ce moelleux, issu de grains botrytisés, contient 52 g/l de sucres résiduels. Le bois est très présent, au nez comme dans la bouche puissante et longue. Un temps d'attente s'impose pour que tout se fonde harmonieusement.

François Pinon, Vallée-de-Cousse, 55, rue Jean-Jaurès, 37210 Vernou-sur-Brenne, tél. 02.47.52.16.59, fax 02.47.52.10.63 r.-v.

DOM. DE LA POULTIERE Demi-sec 2001

● 2 ha 10 000 5 à 8 €

La Brenne, qui rejoint la Loire au niveau de Vouvray, est cernée de coteaux pierreux bien ensoleillés qui comptent parmi les meilleures pentes de l'appellation. Michel et Damien Pinon, père et fils, y possèdent un domaine de 20 ha. Leur méthode traditionnelle, terroitée au nez, affirme en bouche son origine par des arômes de sous-bois et d'agrumes. A laisser évoluer encore un peu.

GAEC Michel et Damien Pinon, 29, rte de Châteaurenault, 37210 Vernou-sur-Brenne, tél. 02.47.52.15.16, fax 02.47.52.07.07 r.-v.

DOM. DE LA RACAUDERIE Demi-sec 2002 ★

■ 0,85 ha 2 500 5 à 8 €

Les évocations d'agrumes sont étonnantes dans ce demi-sec des pentes de Parçay-Meslay, une commune où l'abbaye de Marmoutier possédait de nombreuses vignes. Jean-Michel Gautier a réussi un beau vin d'apéritif, bien structuré, riche en matière tout en gardant de la fraîcheur.

Jean-Michel Gautier, La Racauderie, 37210 Parçay-Meslay, tél. 02.47.29.12.82, fax 02.47.29.12.82 r.-v.

J.-G. RAIMBAULT Sec 2002 ★

■ 2 ha 1 800 5 à 8 €

Le frère et la sœur travaillent maintenant en association dans cette charmante exploitation de 16 ha perchée sur les côtes de Noizay. Si vous vous y arrêtez, demandez à visiter les caves impressionnantes qui débouchent, par un escalier interminable, sur le coteau d'où la vue vous emporte jusqu'au château d'Amboise. Ce vouvray sec très floral au nez se montre ample et long en bouche. Une petite vivacité laisse une impression de fraîcheur plaisante. Pour une côte de veau à la poêle. Le **moelleux 2002 (8 à 11 €)**, à 67 g/l de sucres résiduels, est cité.

GAEC J. et G. Raimbault, 186, coteau des Vérons, 37210 Noizay, tél. 02.47.52.00.10, fax 02.47.52.05.29, e-mail gaec-raimbault@libertysurf.fr t.l.j. 9h-12h 14h-18h; sam. dim. sur r.-v.

DOM. DES RAISINS DORES Brut 2001 ★

● 2 ha 7 500 5 à 8 €

Les coteaux de Vernou dominent le lit majeur de la Loire, face au sud. C'est une assurance de maturation complète : on imagine bien la couleur dorée caractéristique des grains de chenin à la veille des vendanges. Jacqueline Benoist propose une méthode traditionnelle de caractère, dans un style plus que classique : nez de miel et de coing, bouche très structurée. Ce vin supportera de solides zakouski servis à l'apéritif, ou mieux encore, les mets de tout un repas.

Jacqueline Benoist, 36, rue du Pr-Debré, 37210 Vernou-sur-Brenne, tél. 02.47.52.00.54, fax 02.47.52.00.54 r.-v.

VIGNOBLE ALAIN ROBERT ET FILS
Moelleux Sélection de Charmigny 2002 ★★

■ 1 ha 6 500 5 à 8 €

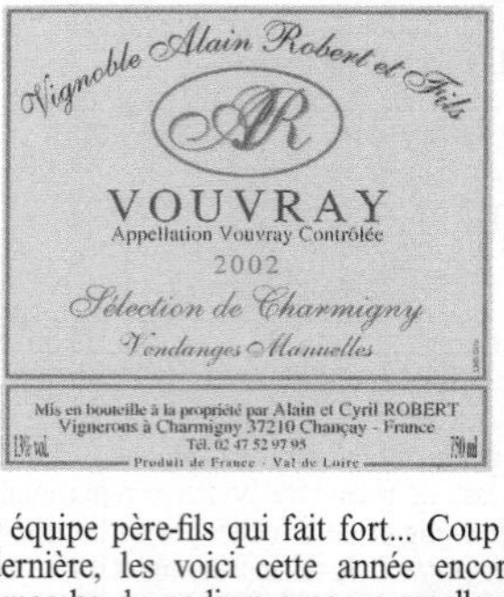

Une équipe père-fils qui fait fort... Coup de cœur l'année dernière, les voici cette année encore sur la première marche du podium avec un moelleux issu de parcelles choisies pour leur exposition favorable à la surmaturation. Le nez livre des senteurs de fruits mûrs. La teneur en sucres, qui n'est pas des moindres (42,4 g/l), modèle une bouche onctueuse, pleine d'arômes (du coing aux fruits secs) qui n'en finissent pas. Une parfaite

harmonie. Une seconde cuvée, le **moelleux 2002**, obtient aussi deux étoiles, tandis que le **sec Tradition 2002 (3 à 5 €)** bénéficie d'une étoile.
🔑 Vignoble Alain Robert et Fils, Charmigny,
37210 Chançay, tél. 02.47.52.97.95, fax 02.47.52.27.24,
e-mail vignoblerobert@wanadoo.fr ☑ Y 🚶 r.-v.

DOM. DE ROCHE BLONDE Moelleux 2002

□ 1 ha 3 400 ▮⬇ 5 à 8 €

N'avez-vous jamais fait cette expérience gastronomique : accompagner un fromage de chèvre avec un vouvray moelleux ? Celui-ci, contenant 50 g/l de sucres résiduels, révèle une vivacité qui s'affermit en finale. Légèrement épicé, il accompagnera avec délicatesse la pâte fine et encore fraîche d'un sainte-maure-de-touraine, d'un selles-sur-cher ou d'un valençay. Les arômes s'associent : le résultat étonne et on y revient.
🔑 Christophe Gaudron, Dom. de Roche Blonde,
90, rue Neuve, 37210 Vernou-sur-Brenne,
tél. 02.47.52.12.17, fax 02.47.52.08.56
☑ Y t.l.j. sf dim. 8h-12h 14h-19h

DOM. DE LA ROCHE FLEURIE Brut 2001 ★

● 5 ha 30 000 ▮ 3 à 5 €

Voilà trente ans que Michel Brunet exploite ce domaine de 13 ha sur les coteaux ensoleillés de Chançay. Son fils l'a rejoint récemment et pense prendre les rênes dès 2005. Des projets d'agrandissement du chai sont dans ses cartons. En attendant, c'est la patte du père que l'on retrouve dans cette méthode traditionnelle : le nez est franc, épanoui, avec une pointe d'agrumes ; la bouche présente un rare équilibre sucre-acidité, avec en finale des arômes de poire et de coing.
🔑 Michel Brunet, 6, rue Roche-Fleurie,
37210 Chançay, tél. 02.47.52.90.72, fax 02.47.52.96.25
☑ Y 🚶 r.-v.

DOM. DE LA ROULETIERE Brut 2002

● 7 ha 700 000 ▮⬇ 5 à 8 €

Les deux fils ont succédé à leur père sur les 15 ha du domaine. Les vignes de Parçay descendent en pente douce vers les petites vallées qui rejoignent la Loire. L'érosion a fait son œuvre et les sols chargés de silex favorisent la maturation du raisin. Les vignerons ont choisi le style léger pour cet effervescent. Très agréable, plaisant, avec beaucoup d'allure par sa mousse abondante, celui-ci ne charge pas le palais et désaltère.
🔑 Jean-Marc et François Gilet,
Dom. de La Rouletière, 20, rue de la Mairie,
37210 Parçay-Meslay, tél. 02.47.29.14.88,
fax 02.47.29.08.50, e-mail scea.gilet@wanadoo.fr
☑ 🏠 🏡 Y 🚶 t.l.j. sf dim. 10h-12h 14h-19h

DOM. DE LA TAILLE AUX LOUPS Moelleux Clos de Venise 2002 ★

□ 1 ha 1 100 🛢 15 à 23 €

Jacky Blot, qui a démarré il y a plus de dix ans à Montlouis avec le succès que l'on connaît, a repris quelques vignes à Vouvray. Ce moelleux jaune d'or offre un nez intense de réglisse et de fruits confits, avec une légère évocation boisée. Très rond, gras en bouche où l'on retrouve les fruits confits et un boisé plus accentué, il apparaît en finale très authentique. Un régal sur une tarte Tatin sans sucre. Les **Champs Rougets sec 2002 (5 à 8 €)** reçoivent une étoile également.
🔑 Dom. de la Taille aux Loups, 8, rue des Aitres,
37270 Montlouis-sur-Loire, tél. 02.47.45.11.11,
fax 02.47.45.11.14, e-mail lataille auxloups@wanadoo.fr
☑ Y 🚶 t.l.j. 9h-18h; f. dim. de nov. à mars

CHRISTIAN THIERRY Brut Réserve 2000 ★★

● 1 ha 5 000 ▮⬇ 5 à 8 €

9 ha de vignes perchés sur les côtes qui dominent la vallée de Cousse : un capital que Christian Thierry fait fructifier avec succès. Cet effervescent en apporte la preuve. Robe brillante, mousse abondante, bulles fines, nez typé, bouche fraîche, fruitée et puissante à la fois. Il a tout pour plaire. Le **vouvray sec 2002 (3 à 5 €)** obtient une étoile.
🔑 Christian Thierry, 37, rue Jean-Jaurès,
La Vallée-de-Cousse, 37210 Vernou-sur-Brenne,
tél. 02.47.52.18.95, fax 02.47.52.13.23,
e-mail christianthierry-vins@wanadoo.fr
☑ Y 🚶 t.l.j. sf dim. 10h-12h 14h-19h; groupes sur r.-v.;
f. 15-31 août

CHRISTOPHE THORIGNY Moelleux 2002 ★

□ 1,5 ha 3 500 🛢 5 à 8 €

Ce vigneron gère maintenant en totalité le domaine de 10 ha qu'il tient de ses parents. Les sols sont constitués d'argilo-calcaires ou de perruches riches en silex, aptes à des productions de qualité. Voici un moelleux jaune d'or soutenu, au nez très typé vouvray qui offre des senteurs de coing, de grillé et d'agrumes. La bouche n'est pas moins agréable par son expression de terroir marquée, ponctuée de notes de fruits et de brioche. Long, riche, ce vin a du potentiel. Une étoile est également attribuée à la **méthode traditionnelle demi-sec (3 à 5 €)** ; à réserver à une tarte.
🔑 Christophe Thorigny, 30, rue des Auvannes,
37210 Parçay-Meslay, tél. 02.47.29.13.33,
fax 02.47.29.13.33 ☑ Y 🚶 r.-v.

CH. DE VALMER Sec 2002 ★★

□ 0,4 ha 2 660 ▮⬇ 5 à 8 €

Créés au XVII[e]s., le parc et les jardins suspendus à l'italienne épousent la pente du coteau sur huit niveaux, avec balustrades, statues, escaliers, jets d'eau. Ils sont devenus des lieux privilégiés de promenade pour les Tourangeaux et les touristes. Le château a disparu dans un incendie en 1948, mais les vignes demeurent : près de 20 ha. Une opportunité de mêler le culturel à la gourmandise vous est offerte avec ce vouvray sec, étonnant par la densité de sa matière, par son équilibre parfait et ses senteurs dominantes d'acacia.
🔑 Aymar de Saint-Venant, 37210 Chançay,
tél. 02.47.52.93.12, fax 02.47.52.26.92,
e-mail valmer37@aol.com ☑ Y 🚶 r.-v.

DOM. DE VAUGONDY Sec 2002 ★★

□ 1 ha 4 000 ▮⬇ 5 à 8 €

Les vallées de Vaugondy et de Cousse sont des hauts lieux de production du vouvray sur la commune de Vernou. Les coteaux bien érodés et le plateau graveleux, sis entre ces vallées, ne demandent qu'à donner de la belle matière. Philippe Perdriaux ne laisse pas passer cette chance. Son vouvray sec – tendre même, car il contient 7 g/l de sucres résiduels – reflète le sol par sa minéralité flagrante. Il a du caractère et la typicité de son terroir. Représentatif de l'appellation, il ne demande qu'à s'expri-

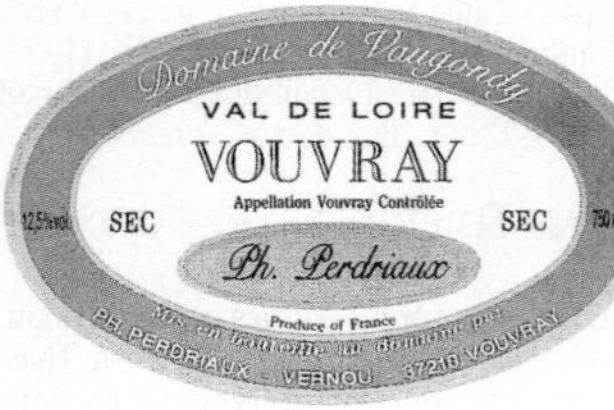

mer avec le temps. Deux autres vins sont distingués : le **moelleux 2002 (8 à 11 €)**, riche et puissant, promis au plus bel avenir, a également reçu deux étoiles, et la **méthode traditionnelle brut**, typée à l'extrême, une étoile.

🔑 EARL Perdriaux,
3, Les Glandiers, 37210 Vernou-sur-Brenne,
tél. 02.47.52.02.26, fax 02.47.52.04.81 ☒ Ƴ 🚶 r.-v.

DOM. DU VIEUX VAUVERT Brut Tête de cuvée *

● 14,51 ha 30 000 5 à 8 €

C'est l'un des principaux opérateurs en méthodes traditionnelles du Vouvrillon. Installé dans d'immenses caves creusées dans le rocher, près de la Loire, il produit et commercialise sous différentes marques de beaux effervescents. Cette méthode traditionnelle l'emporte par sa matière et sa souplesse, relevée d'une pointe d'acidité. La finale expressive résulte sans doute d'un long passage sur lattes. Deux autres effervescents bruts sont cités : **Roger Félicien Brou** et la **Tête de cuvée Antoinette Vignon**.

🔑 SA Roger Félicien Brou, 10, rue Vauvert,
37210 Rochecorbon, tél. 02.47.52.54.85,
fax 02.47.52.82.05, e-mail rf.brou@wanadoo.fr

DOM. DU VIKING Brut 2000 *

● 5 ha 10 000 ▮ 5 à 8 €

Un physique de Viking, Lionel Gauthier ? Peut-être, mais surtout un sens de l'accueil et une gentillesse à toute épreuve. Il a depuis longtemps une réputation de maître dans l'élaboration de méthodes traditionnelles. Celle-ci sort du lot. Est-ce le sol très caillouteux, la continentalité du climat de cette commune du nord de l'aire d'appellation ou simplement la main du manipulant ? Dans la robe dorée, dense et brillante, montent des bulles fines en de longs chapelets. D'abord onctueuse, la bouche se prolonge en souplesse jusqu'à une finale minérale affirmée. Les arômes ne manquent pas, mais c'est la brioche qui se distingue. Le **vouvray doux Cuvée Aurélie 2002 (15 à 23 €)** est cité pour sa fraîcheur plaisante.

🔑 Lionel Gauthier, Melotin, 37380 Reugny,
tél. 02.47.52.96.41, fax 02.47.52.24.84,
e-mail viking@france-vin.com ☒ Ƴ 🚶 r.-v.

CAVE DES PRODUCTEURS DE VOUVRAY Moelleux Réserve des producteurs 2002

▯ 4 ha 12 000 ▮ ⬮ ⫰ 11 à 15 €

Près de 2,5 km de caves creusées dans le tuffeau, un équipement fonctionnel sans cesse modernisé et 350 ha de vignes. La cave coopérative des Producteurs de Vouvray est devenue une étape incontournable dans le Vouvrillon. Goûtez en priorité ce moelleux expressif, marqué par les fleurs avec une touche d'agrumes. La bouche ferme, franche, évoque les fruits mûrs, la pomme et le coing. Un bon vin d'apéritif qui laisse les papilles fraîches et prépare à la suite des agapes.

🔑 Cave des Producteurs de Vouvray,
38, la Vallée-Coquette, 37210 Vouvray,
tél. 02.47.52.75.03, fax 02.47.52.66.41,
e-mail cavedesproducteurs@cp-vouvray.com
☒ Ƴ 🚶 t.l.j. 9h-12h30 14h-19h

Cheverny

Consacré AOC le 26 mars 1993, cheverny était né VDQS en 1973. Dans cette appellation (plus de 2 000 ha délimités, 550 ha en production), dont le terroir à dominante sableuse (des sables sur argile de Sologne aux terrasses de Loire) s'étend le long de la rive gauche du fleuve depuis la Sologne blésoise jusqu'aux portes de l'Orléanais, les cépages sont nombreux. Les producteurs ont réussi à les assembler, en proportions variant légèrement selon les terroirs, pour trouver le « style » cheverny. Les vins rouges (8 347 hl en 2003), à base de gamay et de pinot noir, sont fruités dans leur jeunesse et acquièrent, en évoluant, des arômes animaux... en harmonie avec l'image cynégétique de cette région. Les rosés, à base de gamay, sont secs et parfumés. Les blancs (8 380 hl), où le sauvignon est assemblé avec un peu de chardonnay, sont floraux et fins.

PASCAL BELLIER 2003

▯ 8 ha 22 000 ▮ ⫰ **5 à 8 €**

Voilà dix ans que ce viticulteur veille sur ces 40 ha. Il ne prend pas de risque avec son assemblage : 80 % sauvignon, 20 % chardonnay. Très clair, ce vin sauvignonne à plein nez sur des notes de buis et de cassis. L'acidité et le gras trouvent un bon compromis. Les arômes floraux subsistent en bouche de façon assez intense, jusqu'à la finale agréable et délicate.

🔑 Pascal Bellier, 3, rue Reculée, 41350 Vineuil,
tél. 02.54.20.64.31, fax 02.54.20.58.19 ☒ 🏠 Ƴ 🚶 r.-v.

ERIC CHAPUZET Cuvée Mont-Crochet 2003 **

■ 3,5 ha 15 000 ▮ ⫰ 3 à 5 €

Coteaux du blaisois, VDQS cheverny, AOC cheverny, cette famille vigneronne a connu toutes les étapes de la progression qualitative du vin qu'elle produit sur 13 ha. Si le jury a attribué une étoile au **blanc Les Souchettes 2003**, il est tenté davantage encore par ce pinot noir et gamay à 50/50. Sous sa robe d'un rouge éclatant, violacé dans ses reflets, le nez rencontre les fruits cuits, le chaudron à confiture. Ce 2003 déjà agréable, d'une structure parfaite, dispose d'un potentiel de garde de quatre à cinq ans.

🔑 Eric Chapuzet, La Gardette,
41120 Fougères-sur-Bièvre,
tél. 02.54.20.27.21, fax 02.54.20.28.34,
e-mail e.chapuzet@wanadoo.fr ☒ Ƴ 🚶 r.-v.

CHESNEAU ET FILS 2003 **

■ 3,07 ha 17 000 ▮ 3 à 5 €

Les peintures du château de Cheverny célèbrent de grands personnages ayant le goût du voyage : don

Quichotte, Ulysse... Plus simplement, nous partons ici avec gamay, pinot et cabernet pour compagnons de route. Une équipée qui, elle aussi, a son charme. D'une couleur très franche, rubis grenat, ce vin ne quitte plus le fruit rouge : gelée de groseille quand on accoste au nez, cerise griotte lorsqu'on navigue en bouche. Des tanins modérés fortifient une structure de bonne facture. Le **blanc 2003**, une étoile, est encore timide au nez, mais sa bouche équilibrée est prometteuse.

EARL Chesneau et Fils, 26, rue Sainte-Néomoise, 41120 Sambin, tél. 02.54.20.20.15, fax 02.54.33.21.91, e-mail contact@chesneauetfils.fr r.-v.

MICHEL CONTOUR 2003 ★

■ 2,04 ha 6 500 3 à 5 €

Les ans passent, les ceps restent, dit-on parfois. Eh bien ! pas toujours. Ce grand domaine viticole, au XIXe s., a été décimé par le phylloxéra et replanté en cépages nobles depuis 1973 seulement (6,5 ha). Moitié pinot noir et moitié gamay, un cheverny grenat dont le bouquet hésite entre les fruits noirs et la griotte. Il y a pire mariage ! Un produit bien élaboré, élégant, à la bouche onctueuse et déjà fondue, offrant un potentiel intéressant (un an ou deux).

Michel Contour, 7, rue La Boissière, 41120 Cellettes, tél. 02.54.70.43.07, fax 02.54.70.36.68, e-mail m.contour@wanadoo.fr
t.l.j. 8h-12h30 14h-19h; groupes sur r.-v.

DOM. DU CROC DU MERLE 2003 ★

3 ha 8 000 3 à 5 €

C'est toujours avec plaisir que l'on rencontre l'un de nos anciens coups de cœur (millésime 98 en rouge). Situé entre le parc de Chambord et la Loire, ce cheverny naît dans un paysage décrit par Alfred de Vigny : « Entre les marais fangeux et un bois de grands chênes, loin de toutes les routes... » Mais c'est un site magique ! Ici, un vin issu des cépages sauvignon et chardonnay, à la robe transparente tant elle est légère et rafraîchissante. Effluves de citron vert et bouche assez longue pour le millésime. Le **rosé 2003**, couleur saumonée, obtient une citation. Peu odorant, mais gras en bouche ; sa pointe d'alcool le rend chaleureux.

Patrice et Anne-Marie Hahusseau, Dom. du Croc du Merle, 38, rue de La Chaumette, 41500 Muides-sur-Loire, tél. 02.54.87.58.65, fax 02.54.87.02.85, e-mail patricehahusseau@aol.com
t.l.j. 9h-12h30 14h-19h; dim. 9h-12h; f. 29 août-5 sep.

BENOIT DARIDAN 2003 ★

■ 3 ha 14 000 5 à 8 €

Deux tiers de pinot noir, un tiers de gamay : le pinot l'emporte donc sans surprise, surtout au palais, fruité, souple, onctueux, équilibré et d'une persistance correcte. L'alcool contribue à sa richesse mais il est vrai que la canicule rendait ce millésime exceptionnel. Pensez-y à l'heure des cochonnailles !

Benoît Daridan, La Marigonnerie, 41700 Cour-Cheverny, tél. 02.54.79.94.53, fax 02.54.79.94.53, e-mail benoit.daridan@wanadoo.fr r.-v.

DOM. DE LA DESOUCHERIE 2003

■ 12 ha 40 000 5 à 8 €

Fabien Tessier épaule son père depuis 2001 sur ce domaine de 25 ha. Ce rouge pinot noir et gamay (2/3-1/3) est un cheverny classique. Il ne cherche pas à sortir des sentiers battus, mais n'est-ce pas là la typicité ? Ses tanins ont encore besoin d'un coup de rabot, ce qui est normal à cet âge.

Christian Tessier et Fils, Dom. de la Désoucherie, 41700 Cour-Cheverny, tél. 02.54.79.90.08, fax 02.54.79.22.48, e-mail tessier-christian@libertysurf.fr r.-v.

DOM. DE LA GAUDRONNIERE

Cuvée Laëtitia 2003 ★

4 ha 13 000 5 à 8 €

Laëtitia a bien de la chance ! La cuvée qui lui est dédiée emplit le verre d'une clarté dorée et lumineuse qui donne envie d'aller plus loin. Une certaine complexité aromatique réunit le buis du sauvignon et des notes florales peut-être issues du chardonnay (20 %). Incisif à l'attaque, gardant de bout en bout une petite pointe acidulée, ce vin réalise un équilibre durable entre la vivacité et le gras. Si vous souhaitez vous fournir en bicolore, la **cuvée Tradition rouge 2003 (3 à 5 €)** obtient une citation.

Christian Dorléans, Dom. de La Gaudronnière, 41120 Cellettes, tél. 02.54.70.40.41, fax 02.54.70.38.83 r.-v.

DOM. DES HUARDS 2003 ★

■ 10,5 ha 20 000 5 à 8 €

Domaine géré en biodynamie. Gamay (55 %), pinot noir et cabernet se partagent les rôles de cette pièce qui ne déçoit pas. Le rideau se lève sur un rubis net et vif. Les arômes ont un jeu subtil sur le fruit mûr, le pruneau. Le fruit tient longtemps la scène. Après une belle attaque, la bouche se montre souple et fine et développe une bonne longueur.

Jocelyne et Michel Gendrier, Les Huards, 41700 Cour-Cheverny, tél. 02.54.79.97.90, fax 02.54.79.26.82, e-mail infos@gendrier.com
t.l.j. 9h-12h 14h-19h; dim. sur r.-v.

MAISON PERE ET FILS 2003

■ 25 ha 50 000 5 à 8 €

Alphonse Pinon plante les premières vignes en 1906. En 1950, Guy Maison développe le domaine. En 1990, Jean-François Maison assure la relève sur 50 ha dont la moitié pour ce rouge. Le cot fait de la figuration (5 %) au sein d'un assemblage traditionnel. Rouge foncé, parfumé au cassis, ce 2003 garde ses tanins de jeunesse. Attendons !

Earl Maison Père et Fils, 22, rue de la Roche, 41120 Sambin, tél. 02.54.20.22.87, fax 02.54.20.22.91 t.l.j. 8h-19h
J.-F. Maison

JEROME MARCADET 2003 ★★

1 ha 4 000 3 à 5 €

Jérôme Marcadet ne fait rien comme les autres. Alors qu'ici tout le monde met le château sur son étiquette, lui tout simplement y dessine sa petite maison, certainement accueillante si l'on en juge par ce nouveau-né à la robe bien soutenue. La plupart des rosés descendent « tout debout » et ne laissent rien dans la bouche. Celui-ci est un vrai vin, il a de l'amour, comme on disait jadis. Il calme les papilles et s'entoure de parfums de fruits rouges. Un fleuron de l'AOC. Le **cheverny blanc cuvée de l'Orme 2003**, gorgé de soleil, obtient une citation.

⊶ Jérôme Marcadet,
5, rte de l'Orme, Favras, 41120 Feings,
tél. 02.54.20.28.42, fax 02.54.20.28.42 ☒ Y ⅄ r.-v.

DOM. DE MONTCY
Cuvée Louis de La Saussaye 2003 *

■ 3,7 ha 16 000 ▮⇂ 5 à 8 €

Nous sommes ici sur les anciennes terres du château de Troussay. Pas étonnant si cette cuvée porte la particule... Elle possède d'ailleurs une authentique noblesse et sa robe violacée a quelque chose d'un habit de cour. Riche en alcool (vendanges pas trop précipitées, à la mi-septembre), elle a du fond, de la matière, des notes d'épices et de fruits rouges. On peut la laisser faire antichambre pendant un an. Nul doute que son parfum de réglisse encore léger en profitera pour en dire plus.

⊶ R. et S. Simon, La Porte dorée, 32, rte de Fougères, 41700 Cheverny, tél. 02.54.44.20.00, fax 02.54.44.21.00, e-mail domaine-de-montcy@wanadoo.fr ☒ r.-v.

LES VIGNERONS
DE MONT-PRES-CHAMBORD 2003 *

■ 25 ha 200 000 ▮⇂ 3 à 5 €

Cette coopérative (117 ha en tout) a reçu le coup de cœur dans notre édition 2002. Son rosé provient pour l'essentiel du gamay, un peu du pinot noir auxquels s'ajoute une larme de pineau d'Aunis. Œil de perdrix, il se présente sous un jour attrayant. Ses arômes n'ont pas encore tout donné : juste quelques traces de fruits rouges. La bouche confirme cette tendance aromatique. Du gras, de la consistance : il sort de l'ordinaire et pourra accompagner des grillades. Le **blanc 2003** se montre sympathique et gouleyant. Il reçoit également une étoile.

⊶ Les Vignerons de Mont-près-Chambord,
816, la Petite-Rue, 41250 Mont-près-Chambord,
tél. 02.54.70.71.15, fax 02.54.70.70.65,
e-mail cavemont@club-internet.fr
☒ Y t.l.j. sf dim. 9h-12h 14h-18h

LA CONFRERIE DES VIGNERONS DE OISLY ET THESEE 2003 **

□ 7,96 ha 64 000 ▮⇂ 5 à 8 €

Bien que vinifiant peu de cheverny, cette coopérative dynamique (286 ha) maîtrise parfaitement ce sujet. Ainsi, ce vin de couleur jonquille, aux arômes intenses (de sauvignon évidemment), à la texture fine, offrant une jeunesse rafraîchissante et un excellent équilibre. Le **rouge 2003** est caractéristique de son millésime. Il nécessite une cuisine assez vigoureuse, digne de son étoile.

⊶ Confrérie des Vignerons de Oisly et Thésée,
Le bourg, 41700 Oisly, tél. 02.54.79.75.20,
fax 02.54.79.75.29 ☒ Y ⅄ r.-v.

PIERRE PARENT 2003

□ 3,9 ha 9 300 ▮ 5 à 8 €

Domaine de 9,3 ha transmis de père en fils depuis un siècle. D'un jaune discret, un cheverny aux parfums assez entreprenants. En bouche, il sait tirer un bon parti de son gras. Franc et puissant, il tient la distance : une longueur appréciable. Citons en outre, venant du même caveau, un **cheverny rouge 2002** adoptant au palais une démarche souple et friande.

⊶ Pierre Parent,
201, rue de Chancelée, 41250 Mont-près-Chambord,
tél. 02.54.70.73.57, fax 02.54.70.89.72 ☒ ⅄ r.-v.

LE PETIT CHAMBORD 2003 *

□ 5 ha 22 000 ▮⇂ 5 à 8 €

S'appeler le Petit Chambord à Cheverny ! Le roi n'est pas son cousin mais son frère de lait... Façon de parler car nous sommes ici en compagnie du sauvignon et du chardonnay. L'association fonctionne pleinement et sur une belle persistance. On garde le goût un long moment en bouche et le gras prend ses aises sur une fraîcheur impulsive. Quant au **rouge 2003** à dominante pinot noir, il est très bien parti dans la vie et de toute confiance. Son étoile signe une belle structure tannique et une intensité aromatique séduisante.

⊶ François Cazin,
Le Petit Chambord, 41700 Cheverny,
tél. 02.54.79.93.75, fax 02.54.79.27.89 ☒ ⅄ r.-v.

DOM. DE LA PLANTE D'OR 2003

□ 3,7 ha 7 600 ▮⇂ 5 à 8 €

Ce vin à la robe citron pâle offre un bouquet assez expressif. Relativement vif, il est bien typé et dans l'ensemble honorable. A boire maintenant.

⊶ Philippe Loquineau, La Demalerie, 41700 Cheverny,
tél. 02.54.44.23.09, fax 02.54.44.22.16 ☒ Y ⅄ r.-v.

DOM. LE PORTAIL 2003

□ 10 ha 30 000 ▮⇂ 5 à 8 €

Jaune vif, il témoigne de vendanges très mûres. Celles de l'été 2003 ! Ses senteurs miellées, de fruits blancs, confirment l'impression. Choisissant en bouche une tonalité légèrement confite, il joue la fraîcheur, la douceur. Le corps est réservé mais équilibré. En **rouge, le 2003** présente un côté rustique pas désagréable du tout : simple et spontané.

⊶ Michel Cadoux, Le Portail, 41700 Cheverny,
tél. 02.54.79.91.25, fax 02.54.79.28.03 ☒ ⅄ r.-v.

DOM. DU SALVARD 2003

□ 9 ha 35 000 ▮⇂ 5 à 8 €

Elle fait son entrée dans une robe or pâle. Quel est donc ce parfum ? On y sent l'aubépine et le genêt. Elle ne manque pas de chair, exprime avec franchise les arômes de sauvignon implanté sur des argiles sablonneuses ; le chardonnay le complète (15 %). Vendanges au 28 août.

⊶ EARL Delaille,
Dom. du Salvard, 41120 Fougères-sur-Bièvre,
tél. 02.54.20.28.21, fax 02.54.20.22.54,
e-mail delaille@libertysurf.fr ☒ Y ⅄ r.-v.

DOM. SAUGER ET FILS Vieilles Vignes 2002 **

■ 2 ha 8 000 ⦀ 5 à 8 €

Pinot noir, gamay et cot par ordre décroissant. Robe, bouquet et bouche par ordre croissant. Rubis intense, mariant le fruit et la vanille bien tempérée (douze mois en fût) : un vin déjà élevé. On sent les raisins mûrs à point, les arômes de pinot mêlés à la vanille du bois. Au palais s'affichent équilibre et tanins soyeux : la qualité mise en bouteille. Autres heureuses découvertes : deux étoiles pour le **rouge 2003 (3 à 5 €)** et une étoile pour le **blanc Vieilles Vignes 2003** où le chardonnay est assemblé au sauvignon (60 %), alliant rondeur et fraîcheur. Trois vins à noter sur vos tablettes, à deux doigts du coup de cœur pour le premier.

⊶ EARL Dom. Sauger, Les Touches, 41700 Fresnes,
tél. 02.54.79.58.45, fax 02.54.79.03.35,
e-mail domaine.sauger@terre-net.fr ☒ Y ⅄ r.-v.

DANIEL TEVENOT 2003 ★

■	2 ha	9 000	▮🌡	5 à 8 €

Si vous chassez habituellement dans la région, vous le dégusterez sous l'aile protectrice d'un faisan de Sologne. Mais rassurez-vous, ce vin conviendra tout aussi bien à un plat canaille : un veau aux carottes ou une andouille aux haricots... Généreux en couleur, ornant son bouquet d'un soupçon de fraise, il a de l'étoffe. Le **blanc 2003 (3 à 5 €)** obtient une citation. Encore timide, il présente une bonne évolution en bouche.

⊶ Daniel Tévenot, 4, rue du Moulin-à-Vent, Madon, 41120 Candé-sur-Beuvron, tél. 02.54.79.44.24, fax 02.54.79.44.24 ☑ Ὶ ⚲ r.-v.

Cour-cheverny

Le décret du 24 mars 1993 a reconnu l'AOC cour-cheverny. Celle-ci est réservée aux vins blancs de cépage romorantin, produits dans l'aire de l'ancienne AOS cour-cheverny mont-près-chambord et quelques communes des alentours où ce cépage s'est maintenu. Le terroir est typique de la Sologne (sable sur argile). La vendange de 2003 a représenté 1 038 hl pour une superficie de 50 ha.

FRANCOIS CAZIN 2002 ★★

□	3,7 ha	14 000	▮⊕🌡	5 à 8 €

Le romorantin est planté ici depuis quatre générations, du temps où ce secteur viticole était une AOS. Il affectionne ce terroir argilo-siliceux sur fond calcaire. Jaune clair, ce 2002 passé par la cuve et le foudre (quatre mois) est riche d'arômes de coing, de fleurs blanches et de miel. Sa vivacité et ses tanins ne l'empêchent pas de s'épanouir en harmonie et lui promettent une belle garde.

⊶ François Cazin, Le Petit Chambord, 41700 Cheverny, tél. 02.54.79.93.75, fax 02.54.79.27.89 ☑ ⚲ r.-v.

BENOIT DARIDAN Vieilles Vignes 2002

□	1 ha	3 000	▮🌡	8 à 11 €

Coing, agrumes et note minérale, le nez de ce 2002 est dit complexe. Le corps est équilibré, persistant, porté par une acidité discrète. Un poisson en sauce lui conviendra.

⊶ Benoît Daridan, La Marigonnerie, 41700 Cour-Cheverny, tél. 02.54.79.94.53, fax 02.54.79.94.53, e-mail benoit.daridan@wanadoo.fr ☑ Ὶ ⚲ r.-v.

DOM. DES HUARDS 2002 ★

□	5,75 ha	26 000	▮	5 à 8 €

Romorantin, il va sans dire, produit sur 5,75 ha en biodynamie, un vin blanc jaune d'or et limpide. Son nez s'ouvre à l'aération sur quelque chose de puissant, jouant sur le coing et la fleur blanche. Une petite pointe d'acidité accompagne un cheminement assez rond, agréable, rehaussé par une jolie fraîcheur en finale.

⊶ Jocelyne et Michel Gendrier, Les Huards, 41700 Cour-Cheverny, tél. 02.54.79.97.90, fax 02.54.79.26.82, e-mail infos@gendrier.com ☑ Ὶ ⚲ t.l.j. 9h-12h 14h-19h; dim. sur r.-v.

PHILIPPE LOQUINEAU Salamandre 2002

□	3,2 ha	16 000	▮🌡	5 à 8 €

Cuvée baptisée Salamandre en hommage à François Ier considéré comme le père du romorantin. Jaune doré, ce 2002, produit sur 3 ha, impressionne par son élan olfactif. Aubépine et miel en vedette ! Une certaine vivacité se manifeste après une attaque nette et franche. Ce mordant réveillera une carpe d'étang pêchée bien sûr en Sologne viticole.

⊶ Philippe Loquineau, La Demalerie, 41700 Cheverny, tél. 02.54.44.23.09, fax 02.54.44.22.16 ☑ Ὶ ⚲ r.-v.

PHILIPPE TESSIER Les Sables 2002 ★★

□	1 ha	5 500	▮🌡	5 à 8 €

Peut-être ignorez-vous ce qu'est le romorantin. Ce cépage se maintient avec peine et fort heureusement grâce au vignoble de Cour-Cheverny. Celui-ci, d'un or lumineux, reçoit le coup de cœur ! Son bouquet chante la fleur et le coing. Acidité et gras convolent en justes noces sur une petite note minérale du meilleur goût. La cuvée **Porte dorée 2002** dont vous trouvez aisément la clé obtient une étoile. Ce domaine fut déjà coup de cœur dans notre édition 2002 pour ce vin.

⊶ EARL Philippe Tessier, 3, voie de la rue Colin, 41700 Cheverny, tél. 02.54.44.23.82, fax 02.54.44.21.71, e-mail domaine.ph.tessier@wanadoo.fr ☑ Ὶ ⚲ r.-v.

Orléans AOVDQS

L'AOVDQS vins-de-l'orléanais a changé de nom et précisé sa production au travers de la reconnaissance par l'INAO de deux appellations d'origine distinctes : orléans et orléans-cléry.

Parmi les « vins françois », ceux d'Orléans eurent leur heure de gloire à l'époque médiévale. A côté des jardins, des pépinières et des vergers, la vigne a encore sa place aujourd'hui (90 ha revendiqués en 2003). Les vignerons ont su adapter des cépages mentionnés depuis le X^{e}s. et que l'on disait venir d'Auvergne, mais qui sont identiques à ceux de Bourgogne : auvernat rouge (pinot noir), auvernat blanc (chardonnay) et gris meunier, auxquels est venu s'ajouter le cabernet (ou breton), qui donne des vins au bouquet de groseille et de cassis.

La tradition s'est notamment maintenue sur les terrasses sablo-graveleuses de la rive sud de la Loire, où l'INAO a reconnu l'appellation orléans-cléry, réservée aux vins rouges issus du cabernet franc. Cette nouvelle aire (36 ha) a revendiqué 929 hl en 2003. L'appellation orléans s'étend quant à elle des deux côtés de la Loire. Elle est réservée aux vins blancs de chardonnay et aux vins rouges et rosés issus du pinot meunier et de pinot noir qui donne ici des vins très originaux. La production en orléans rouge a atteint 1 406 hl en 2003. Les vins blancs restent confidentiels (570 hl).

On pourra boire les vins rouges sur du perdreau ou du faisan rôti, des pâtés de gibier de la Sologne voisine et les blancs avec des fromages cendrés du Gâtinais.

VIGNOBLE DU CHANT D'OISEAUX 2003 *

■ 3,15 ha 10 000 3 à 5 €

Le pinot meunier n'est pas seulement champenois et aux vertus effervescentes. Introduit dans le Val de Loire notamment du côté de Beaugency, il donne ici un 2003 à l'attaque très fruitée et dont les tanins sont encore présents dans un corps équilibré. On l'attendra donc un an ou deux. Jolie robe rubis, gentil nez discret. Produit sur 3 ha : le tiers du domaine de ce vigneron dont le **cléry blanc 2003** obtient une citation.

Jacky Legroux,
315, rue des Muids, 45370 Mareau-aux-Prés,
tél. 02.38.45.60.31, fax 02.38.45.62.35 r.-v.

CLOS SAINT-AVIT 2003 *

1 ha 5 000 3 à 5 €

Famile de Mézières bien connue du pays depuis 1792, les Javoy ont porté leur domaine à 15 ha. Issu de pinot noir (30 %) et de pinot meunier (70 %), voici un rosé pelure d'oignon, qui n'a pas le nez très expressif mais dont la douceur délicate, fraîche et bien fondue, offre un charme soyeux. Et il dure en bouche, ce qui n'est pas le cas de tous les rosés... Le **blanc 2003** a surpris le jury par son intensité aromatique où dominent les fleurs blanches. Il est frais et reçoit la même note.

EARL Javoy et Fils, 450, rue du Buisson,
45370 Mézières-lez-Cléry, tél. 02.38.45.66.95,
fax 02.38.45.69.77 t.l.j. sf dim. 9h-12h 14h-19h

CLOS SAINT-FIACRE 2003 **

5,74 ha 7 000 5 à 8 €

On se sent orléaniste en goûtant cet heureux mariage du chardonnay (80 %) et du pinot gris (20 %) ! D'une couleur plaisante, il ouvre son bouquet sur la pêche, la fleur blanche. Si l'alcool est présent, l'équilibre n'en souffre pas, procurant une impression de fraîcheur souple et ronde. Au même niveau de qualité, le **rouge 2002, élevé en fût de chêne** (pinot meunier et pinot noir) évoque le fruit mûr, presque confit. Notes torréfiées. Petite sensation tannique en finale qui signe un vin de bonne et moyenne garde. Coup de cœur dans nos éditions 2002 et 2004.

Montigny-Piel, GAEC Clos Saint-Fiacre, 560, rue de Saint-Fiacre, 45370 Mareau-aux-Prés,
tél. 02.38.45.61.55, fax 02.38.45.66.58,
e-mail clos.saintfiacre@wanadoo.fr r.-v.

SANS COMPLEXE Elevé en fût de chêne 2002 *

1,8 ha 5 500 3 à 5 €

Sans complexe d'infériorité en tout cas ! Cet orléans pousse l'élégance jusqu'à ajouter un vert léger à sa robe d'un jaune soutenu. Ses arômes se partagent entre le tilleul et le miel d'acacia. Belle bouteille au petit goût de grillé (douze mois de barrique), signée par une coopérative qui gère 129 ha et dont ce vin est un peu le fleuron.

Les Vignerons de la Grand'Maison,
550, rte des Muids, 45370 Mareau-aux-Prés,
tél. 02.38.45.61.08, fax 02.38.45.65.70,
e-mail vignerons.orleans@free.fr r.-v.

Orléans-cléry AOVDQS

Cette nouvelle appellation VDQS porte le nom de la commune de Cléry dont la basilique renferme le tombeau de Louis XI.

VIGNOBLE DU CHANT D'OISEAUX 2003 *

■ 2,8 ha 8 000 3 à 5 €

Le plaisir d'aimer a-t-il des épines ? On pense le contraire en reposant le verre que l'on vient de déguster. Haut en couleur, ce vin développe une belle intensité aromatique autour du fruit rouge. Il tient toute sa place au palais, avec un support tannique encore assez pesant mais qui l'assure d'une bonne évolution.

Jacky Legroux,
315, rue des Muids, 45370 Mareau-aux-Prés,
tél. 02.38.45.60.31, fax 02.38.45.62.35 r.-v.

CLOS SAINT-FIACRE 2003 **

■ 2,82 ha 9 000 5 à 8 €

Un vin à reflets violacés, fortement bouqueté (cassis) et d'une bouche aimable. Ses tanins sont bien mûrs, mais ils sont dépourvus de toute agressivité. Longueur estimable. Ce domaine d'une vingtaine d'hectares est conduit depuis 2001 par Hubert et Bénédicte Montigny-Piel.

Montigny-Piel, GAEC Clos Saint-Fiacre,
560, rue de Saint-Fiacre, 45370 Mareau-aux-Prés,
tél. 02.38.45.61.55, fax 02.38.45.66.58,
e-mail clos.saintfiacre@wanadoo.fr r.-v.

LES VIGNERONS DE LA GRAND'MAISON 2002

■ 13 ha 65 000 3 à 5 €

Sous sa robe claire et brillante, un orléans-cléry produit sur 13 ha par la coopérative née en 1931 et qui regroupe désormais 129 ha. Ses arômes optent pour une dominante framboisée. Né en 2002, il conserve de la fraîcheur fruitée sur un fond assez souple, légèrement relevé par les tanins. A déboucher dans l'année qui vient.

↴ Les Vignerons de la Grand'Maison,
550, rte des Muids, 45370 Mareau-aux-Prés,
tél. 02.38.45.61.08, fax 02.38.45.65.70,
e-mail vignerons.orleans@free.fr ☑ ⟂ ⚔ r.-v.

Coteaux-du-vendômois

Les coteaux-du-vendômois ont été reconnus en appellation d'origine en 2001.

La particularité, unique en France, de cette appellation produite entre Vendôme et Montoire, est constituée par le vin gris de pineau d'Aunis, dont la robe doit rester très pâle et les arômes exprimer des nuances poivrées. On y apprécie également un blanc de chenin, comme dans les AOC coteaux-de-loir et jasnières voisines, au terroir similaire.

Depuis quelques années, les rouges tendent à se développer. La nervosité légèrement épicée du pineau d'Aunis est tempérée par le calme gamay et rehaussée soit en finesse par le pinot noir, soit en tanin par le cabernet.

La production a atteint 6 615 hl en 2003. Le touriste pourra apprécier les bords du Loir, les coteaux truffés d'habitations troglodytiques et de caves taillées dans le tuffeau.

DOM. DU CARROIR Tradition 2003 ★

■	10 ha	10 000	🍴	3 à 5 €

Cabernet franc, pinot noir, gamay et pineau d'Aunis jouent ici aux quatre coins. Pour un vin rouge flamboyant au rubis très brillant. Son bouquet ne livre pas encore tous ses secrets, mais il révèle déjà des notes de fruits rouges très mûrs. En bouche, on aime son équilibre et sa légèreté : elle est pleine de caractère. Notez aussi le **gris 2003**, cité.

↴ Jean et Benoît Brazilier,
17, rue des Ecoles, 41100 Thoré-la-Rochette,
tél. 02.54.72.81.72, fax 02.54.72.77.13,
e-mail vinsbrazilier@hotmail.com ☑ 🏠 ⟂ ⚔ r.-v.

DOM. DE LA CHARLOTTERIE Raisin doré 2003

▬	0,48 ha	3 200	🍴	8 à 11 €

Blanc moelleux tiré du chenin, paille clair, il est à l'œil tout à fait classique. Au nez, on sent le feuillage, l'herbe coupée. Le gras est évidemment à la fête et nous entoure de ses prévenances. Equilibré, il nous réserve une belle finale, tendre et goûteuse. Foie gras ? En rosé, un **gris 2003** (3 à 5 €) qui ne pose aucun problème. Coup de cœur dans notre édition 2000.

↴ Dominique Houdebert, Dom. de la Charlotterie,
2, rue du Bas-Bourg, 41100 Villiersfaux,
tél. 02.54.80.29.79, fax 02.54.73.10.01,
e-mail dominique.houdebert@wanadoo.fr ☑ ⟂ ⚔ r.-v.

PATRICE COLIN Vieilles Vignes 2002

■	3 ha	8 500	⦀	5 à 8 €

Rouge rubis à reflets violets, il reste un peu sur sa réserve quand on y pose le nez. Ses six mois de fût lui apportent quelques notes torréfiées, qui s'accommodent très bien d'un tempérament tannique, mais les fruits rouges s'ouvrent déjà. De la personnalité et un trio cabernet franc, pinot noir, pineau d'Aunis. Le **gris 2003** obtient également une citation.

↴ Patrice Colin,
Dom. de la Gaudetterie, 41100 Thoré-la-Rochette,
tél. 02.54.72.80.73, fax 02.54.72.75.54,
e-mail patrice.colin1@tiscali.fr ☑ ⟂ ⚔ r.-v.

DOM. DU FOUR A CHAUX 2003 ★★

▬	3 ha	15 000	🍴	3 à 5 €

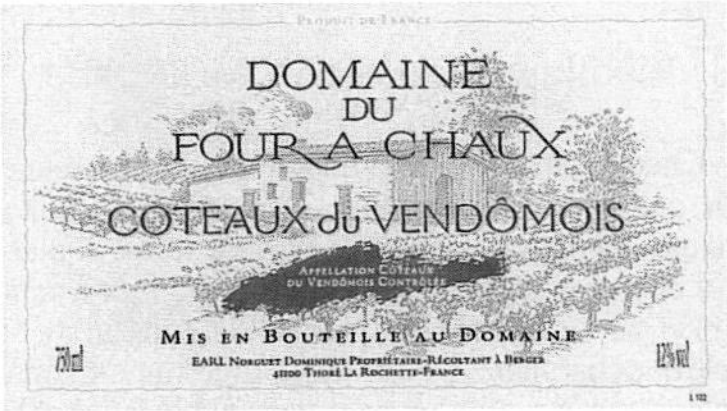

Un petit bijou. Dominique Norguet signe le meilleur coteaux-du-vendômois de la dégustation, parfaitement vinifié. Rose clair, ce vin séduit par ses senteurs printanières d'agrumes et de fleurs blanches. Le terroir caractéristique des coteaux du Loir s'exprime ici sur un ton très juste : finesse des tanins, arômes de fruits cuits, équilibre impeccable. Il se tient bien et avec ça, d'un gouleyant !

↴ EARL Dominique Norguet,
Berger, 41100 Thoré-la-Rochette,
tél. 02.54.77.12.52, fax 02.54.80.23.22 ☑ ⟂ ⚔ r.-v.

CHARLES JUMERT Gris d'Aunis 2003 ★★

▬	1,21 ha	4 000	🍴	3 à 5 €

Il y a le rosé de Tavel. Celui de Marsannay. Et le gris d'Aunis des coteaux-du-vendômois. Celui-ci, orangé clair, le nez expressif sur le fruit cuit, est droit et d'une plénitude exceptionnelle. Le **rouge Tradition 2003** réunit de façon judicieuse les quatre cépages habituels du vignoble. Il obtient également deux étoiles.

↴ Charles Jumert,
4, rue de la Berthelotière, 41100 Villiers-sur-Loir,
tél. 02.54.72.94.09, fax 02.54.72.94.09 ☑ ⟂ ⚔ r.-v.

DOM. J. MARTELLIERE Cuvée Balzac 2002

■	0,6 ha	2 000	🍴⦀	3 à 5 €

« Corydon verse sans fin dedans mon verre du vin... » Nous sommes ici au pays de Ronsard. Il eût sans doute dédié quelques vers bien tournés en hommage à cette cuvée Balzac. Sa dominante pineau d'Aunis (50 %) balance entre le fruit rouge et les épices.

↴ SCEA du Dom. J. Martellière,
46, rue de Fosse, Fosse, 41800 Montoire-sur-le-Loir,
tél. 02.54.85.16.91, fax 02.54.85.16.91 ☑ ⚔ r.-v.

LOIRE

DOM. MINIER 2003 ★

■ n.c. n.c. 🍾 5 à 8 €

Un bon vin gris. Sa robe pelure d'oignon nous fait entrer de plain-pied dans le sujet. Ses arômes avancent à pas feutrés et permettent d'espérer un gentil fruité. Poivré au palais comme le veut le cépage, il est assez gras, un peu minéral et d'une bonne typicité. Cette cave propose aussi un **blanc moelleux 2003** au tempérament onctueux. Sans parler des fromages car un élevage de chèvres complète l'activité du domaine !

🔑 Dom. Claude Minier, Les Monts, 41360 Lunay, tél. 02.54.72.02.36, fax 02.54.72.18.52 ☑ 🏠 Y 🚶 r.-v.

DOM. JACQUES NOURY 2003 ★

■ 0,5 ha 2 500 🍾 3 à 5 €

D'une très belle couleur œil de perdrix, il est cohérent du début à la fin. Les agrumes sont en continuité jusqu'à la dernière gorgée, accompagnés de notes épicées. Intense et frais, élégant, équilibré et long, c'est un vin charmeur.

🔑 Dom. Jacques Noury, Montpot, 41800 Houssay, tél. 02.54.85.36.04, fax 02.54.85.19.30 ☑ Y 🚶 r.-v.

LES VIGNERONS DU VENDOMOIS 2003 ★

□ 4,5 ha 32 000 🍾 3 à 5 €

Chenin (85 %) et chardonnay (15 %) composent cette cuvée d'un jaune pâle limpide. Ses parfums floraux sont flatteurs. Ample et généreuse, sa bouche est équilibrée. Notez encore le **gris 2003** à boire dans l'année à venir. Il met bien en valeur le cépage traditionnel, dans un style plus souple que charpenté. Une touche d'amertume en finale et cette pointe salée qui n'est pas rare pour ce vin. Le 97 fut honoré d'un coup de cœur dans le Guide 1999.

🔑 Cave des Vignerons du Vendômois, 60, av. Dupetit-Thouars, 41100 Villiers-sur-Loir, tél. 02.54.72.90.69, fax 02.54.72.75.09, e-mail caveduvendomois@wanadoo.fr ☑ Y 🚶 r.-v.

Valençay

Dans cette région marquée par le passage de Talleyrand, aux confins du Berry, de la Sologne et de la Touraine, la vigne alterne avec les forêts, la grande culture et l'élevage de chèvres. Les sols sont à dominante argilo-siliceuse ou argilo-limoneuse. Le vignoble s'étend sur plus de 300 ha, dont moins de la moitié déclarée en valençay (139 ha en 2003). L'encépagement y est classique de la moyenne vallée de la Loire et les vins sont à boire jeunes le plus souvent. Le sauvignon fournit des vins aromatiques aux touches de cassis ou de genêt, avec un complément apporté par le chardonnay. Les vins rouges assemblent gamay, cabernets, cot et pinot noir. La production 2003 a atteint 1 555 hl en blanc et 3 955 hl en rouge et rosé.

La même appellation désigne un fromage de chèvre, qui a obtenu l'AOC en 1998. Ces pyramides s'accordent, selon leur degré d'affinage, avec les vins rouges ou les vins blancs.

DOM. AUGIS 2003 ★

■ 4 ha 12 000 🍾 3 à 5 €

Vêtue d'une séduisante robe rouge sombre intense, cette bouteille assez aromatique suggère la confiture de fruits rouges. Ses tanins soyeux, bien enrobés se faufilent sous une structure bien charpentée néanmoins souple et ronde : un avenir assuré.

🔑 Dom. Augis, Le Musa, 1465, rue des Vignes, 41130 Meusnes, tél. 02.54.71.01.89, fax 02.54.71.74.15 ☑ 🚶 t.l.j. sf dim. 8h-12h 14h-19h; f. 15-31 août

ANDRE FOUASSIER 2003 ★

■ 2 ha 10 000 🍾 3 à 5 €

Difficile d'échapper au château sur l'étiquette ! Il est vrai que Talleyrand qui en fut le propriétaire était – entre autre – un fameux gourmet... Rouge soutenu, ce jeune valencay a le nez très expressif. Porté sur la cerise confite, il introduit avec charme une bouche copieuse, souple à l'attaque, plus tannique sur la fin (pinot noir, gamay et cot dans des proportions à peu près équivalentes). Le **blanc 2003** peut faire l'affaire si vous souhaitez acheter en deux couleurs. Il obtient une citation.

🔑 André Fouassier, 9, chem. Franquelin, 36210 Chabris, tél. 02.54.40.16.13, fax 02.54.40.10.98 ☑ Y 🚶 r.-v.

E. ET O. GARNIER 2003 ★

□ 1,5 ha 10 000 🍾 3 à 5 €

Deux frères, Eric et Olivier, ont pris le relais pour gérer cette exploitation de 24 ha depuis longtemps dans la famille. Très typé sauvignon (80 % + chardonnay), cutivé sur silex, ce blanc a une jolie couleur dorée. Le nez tire sur le genêt. L'attaque douce et chaleureuse précède un bon parcours en bouche où s'affirment équilibre et longueur. Le **rosé 2003** a de quoi intéresser les amateurs : il évolue dans une robe pâle avec des senteurs épicées.

🔑 Dom. Garnier, 81, rue Eugène-Delacroix, 41130 Meusnes, tél. 02.54.00.10.06, fax 02.54.05.13.36, e-mail garnier@terre-net.fr ☑ Y 🚶 r.-v.

FRANCIS JOURDAIN Cuvée Chèvrefeuille 2003 ★

□ 2,5 ha 12 000 🍾 3 à 5 €

Le nouveau président de la jeune AOC ne peut que nous offrir une cuvée réussie. Un assemblage classique (sauvignon, chardonnay) pour ce 2003 à la robe d'or signant la maturité des raisins de ce millésime. Il coule bien en bouche et finit sur une jolie note de fraîcheur. On n'oublie par le coup de cœur reçu pour les millésimes 97 et 98. Quant à la cuvée **Les Terrajots blanc 2003** (très belle étiquette), elle obtient une citation.

🔑 Francis Jourdain, Les Moreaux, 36600 Lye, tél. 02.54.41.01.45, fax 02.54.41.07.56 ☑ Y 🚶 r.-v.

DOM. JACKY PREYS ET FILS
Cuvée Prestige 2003

■ 8 ha n.c. 🍾 3 à 5 €

Produit sur 8 ha d'argile et de silex (le domaine en compte 70), un rouge léger qui devrait bien s'entendre avec la pyramide de Valencay. Rien d'égyptien : il s'agit, au cas où vous l'auriez oublié, d'un délicieux fromage de chèvre. Brique clair, ce vin semble se consacrer à un parfum de framboise. Franc, fin, il possède juste ce qu'il faut de vivacité.

🔑 Dom. Jacky Preys et Fils,
536, rue Debussy, 41130 Meusnes,
tél. 02.54.71.00.34, fax 02.54.71.34.91 ☒ 🍸 🚶 r.-v.

JEAN-FRANCOIS ROY 2002 ★

■ 8 ha 30 000 ▮🌡 3 à 5 €

Intense en couleur et à reflets rubis, ce vin a un nez où pointe un arôme chocolaté. Equilibré et long, il peut encore attendre car il évoluera très bien, et sa bouche s'arrondira : une garde de un à trois ans. Nous avons aimé le **blanc 2003** d'un abord aisé dans sa robe aux nuances vertes sur fond or.

🔑 Jean-François Roy, 3, rue des Acacias, 36600 Lye,
tél. 02.54.41.00.39, fax 02.54.41.06.89
☒ 🍸 🚶 t.l.j. sf dim. 8h-12h 14h-19h

GERARD TOYER 2003 ★

□ 3,3 ha 7 500 ▮🌡 5 à 8 €

Un zeste de chardonnay (10 %) sur fond de sauvignon et voici un blanc d'un jaune gris très soutenu, au nez jouant encore timidement mais dans les règles de l'art (du buis, comme dans les jardins du château). A déguster maintenant ou dans quelques mois, car, après une bonne attaque, il affiche des aspects agréables et enveloppés, plus doux que vifs. La **Cuvée du Prince rouge 2003** obtient une citation.

🔑 Gérard Toyer, 63, Grande-Rue,
Champcol, 41130 Selles-sur-Cher,
tél. 02.54.97.49.23, fax 02.54.97.46.25,
e-mail gerardtoyer@terre-net.fr ☒ 🍸 🚶 r.-v.

CAVE DES VIGNERONS REUNIS DE VALENCAY Terroir 2003 ★★

□ 4 ha 22 000 ▮🌡 3 à 5 €

Valencéen jusqu'au bout des ongles, et destiné à une botte d'asperges du pays. Jaune paille limpide, il sort vraiment de l'ordinaire, et les soins apportés à la vinification ont permis une superbe expression aromatique, à la fois puissante et fine. Les 75 % de sauvignon ne passent pas inaperçus : notamment cet arôme de buis. Structure solide, équilibre constant, harmonie épanouie, voilà un vin qui se fait avec brio l'avocat de son terroir. Un autre **blanc dit Tradition, millésime 2003** sauvignonne davantage (90 %) et il plaît lui aussi au jury qui lui attribue une étoile. Quant à la **cuvée Terroir rouge 2003**, elle est citée.

🔑 Cave des Vignerons réunis de Valençay,
36600 Fontguenand,
tél. 02.54.00.16.11, fax 02.54.00.05.55,
e-mail vigneronvalencay@aol.com ☒ 🍸 🚶 r.-v.

Les vignobles du Centre

Des côtes du Forez à l'Orléanais, les secteurs viticoles du Centre occupent les endroits les mieux exposés des coteaux ou plateaux modelés au cours des âges géologiques par la Loire et ses affluents, l'Allier et le Cher. Ceux qui, sur les côtes d'Auvergne, à Saint-Pourçain en partie ou à Châteaumeillant, sont implantés sur les flancs est et nord du Massif central, restent cependant ouverts sur le bassin de la Loire. Siliceux ou calcaires, les sols viticoles de ces régions portent un nombre restreint de cépages, parmi lesquels ressortent surtout le gamay pour les vins rouges et rosés, et le sauvignon pour les vins blancs. Quelques spécialités : tressallier à Saint-Pourçain et chasselas à Pouilly-sur-Loire pour les blancs ; pinot noir à Sancerre, Menetou-Salon et Reuilly pour les rouges et rosés, avec encore le délicat pinot gris dans ce dernier vignoble ; et enfin le meunier qui, près d'Orléans, fournit l'original « gris meunier ».Tous les vins du Centre ont en commun légèreté, fraîcheur et fruité, qui les rendent particulièrement agréables et en harmonie avec la cuisine régionale.

Châteaumeillant AOVDQS

Le gamay retrouve ici les terroirs qu'il affectionne, dans un site très anciennement viticole qui compte 89 ha en 2003 pour une production de 3 155 hl.

La réputation de Châteaumeillant s'est établie grâce à son célèbre « gris », vin issu du pressurage immédiat des raisins de gamay et présentant un grain, une fraîcheur et un fruité remarquables. Les rouges (à boire jeunes et frais), produits de sols d'origine éruptive, allient légèreté, bouquet et gouleyance.

DOM. DU CHAILLOT 2003 ★★

■ 2 ha 8 000 ▮🍷 5 à 8 €

D'un millésime à l'autre, Pierre Picot fait preuve d'une grande régularité. Son 2003 se présente avantageusement dans une robe pourpre à reflets violets intenses. Les arômes sont dominés par les fruits très mûrs (fraise) et les fruits cuits. Souples et bien enrobés, les tanins enveloppent la bouche ample qui conserve une bonne fraîcheur. Avec une finale sur la liqueur de fruit à noyau, c'est une riche expression du châteaumeillant. Le **rosé 2003** est sélectionné avec une étoile.

Dom. du Chaillot,
pl. de la Tournoise, 18130 Dun-sur-Auron,
tél. 02.48.59.57.69, fax 02.48.59.58.78,
e-mail pierre.picot@wanadoo.fr ☑ Y ⚲ r.-v.
Pierre Picot

VALERIE ET FREDERIC DALLOT 2003

■ 5,1 ha 10 000 ⦶ 5 à 8 €

Le vin évoque la liqueur de cerise avec une pointe de café. L'attaque est ronde, « accueillante », puis les tanins montent progressivement en puissance pour terminer sur une certaine austérité. Ce vin de forte extraction, élevé sous bois, doit vieillir pour assagir sa force tannique et s'exprimer totalement.

Frédéric et Valérie Dallot,
La Bidoire, 18370 Châteaumeillant,
tél. 02.48.56.31.84, fax 02.48.61.35.14 ☑ Y ⚲ r.-v.

DOM. GEOFFRENET-MORVAL
Cuvée Jeanne Vieilles Vignes 2003 ★

■ 1,27 ha 6 000 ▮🍷 5 à 8 €

C'est à Sainte-Sévère (15 km de Châteaumeillant) que fut tourné *Jour de fête* de Jacques Tati. La fête est aussi dans le verre : assez intenses, les parfums évoquent les fruits (cassis). Les tanins tapissent régulièrement le palais tout en laissant une impression de souplesse. Le retour aromatique est agréable. Ce vin devrait être prêt à la sortie du Guide, mais il a suffisamment de potentiel pour attendre quelques années.

EARL Geoffrenet-Morval, 2, rue de La Fontaine,
18190 Venesmes, tél. 02.48.60.50.15, fax 02.48.24.62.91,
e-mail fabien.geoffrenet@wanadoo.fr ☑ Y ⚲ r.-v.

PRESTIGE DE CERES 2003 ★

■ 3 ha 15 000 ▮🍷 5 à 8 €

Regroupant plus de la moitié des surfaces plantées dans le vignoble, la cave du Tivoli a bien réussi l'ensemble de son millésime 2003 : les trois cuvées présentées sont sélectionnées. D'abord ce gris qui révèle une palette d'arômes flatteurs floraux et fruités, avec des notes épicées et des accents de fruits secs. Du volume équilibré par de la fraîcheur : la bouche a du relief. Un vin bien fait qui ne demande plus qu'à se fondre. Le **rouge Prestige de Cérès 2003** et le **rosé Prestige des Garennes 2003** sont cités.

Cave du Tivoli, rte de Culan,
18370 Châteaumeillant, tél. 02.48.61.33.55,
fax 02.48.61.44.92, e-mail cave@chateaumeillant.com
☑ Y ⚲ t.l.j. sf dim. 8h-12h 13h30-17h30; dim. juil.-août

DOM. DES TANNERIES 2003 ★

■ 3,66 ha 11 000 ▮🍷 5 à 8 €

Pourpre aux éclats violets, ce vin offre des nuances aussi intenses et variées : cerise, poivre, épices et une pointe de cuir. Les tanins trouvent un équilibre satisfaisant, même s'ils apparaissent un peu austères en finale. Un châteaumeillant facile à boire, prêt dès la sortie du Guide à accompagner une viande rouge.

Raffinat et Fils,
Dom. des Tanneries, 18370 Châteaumeillant,
tél. 02.48.61.35.16, fax 02.48.61.44.27 ☑ Y ⚲ r.-v.

Côtes-d'auvergne AOVDQS

Qu'ils soient issus de vignobles des puys, en Limagne, ou de vignobles des monts (dômes) en bordure orientale du Massif central, les bons vins d'Auvergne proviennent du gamay, très anciennement cultivé ainsi que du pinot noir pour les rouges et rosés et du chardonnay pour les blancs. Ils ont droit à la dénomination AOVDQS depuis 1977 et naissent de 426 ha de vignes. Les rosés malicieux et les rouges agréables sont particulièrement indiqués sur les fameuses charcuteries locales ou les plats régionaux réputés. Dans les crus, Boudes, Chanturgue, Châteaugay, Corent et Madargues, ils peuvent prendre un caractère, une ampleur et une personnalité surprenants. 13 988 hl ont été produits en 2003 dont 733 en blanc.

JACQUES ABONNAT Boudes Les Rivaux 2003

■ 1,8 ha 8 000 ▮ 5 à 8 €

Elu coup de cœur pour son millésime 2001, Jacques Abonnat travaille sur 5,7 ha. Son Boudes 100 % gamay est d'une couleur affirmée. Après aération, on peut dénicher le fruit rouge confit au nez. La bouche est plutôt vive, mais l'ensemble tiendra compagnie à un fromage régional comme la fourme d'ambert. Entre copains !

Jacques Abonnat, 63340 Chalus,
tél. 04.73.96.45.95, fax 04.73.96.45.95 ☑ Y ⚲ r.-v.

VIGNOBLE DE L'ARBRE BLANC
Gamay Vieilles Vignes 2000 ★★

■ 0,5 ha 900 ⦶ 15 à 23 €

Un vin qui vous réveillerait un volcan d'Auvergne ! Frédéric Gounan vous fera partager le bonheur de ce gamay 2000. L'année de son installation justement et il a déjà obtenu le coup de cœur l'an passé. De l'artisanat d'art pour un vin grenat foncé, au bouquet très concentré (mûre) et à la bouche complète. Après une attaque souple, les tanins soyeux tapissent le palais et composent une belle structure. Une note vanillée apparaît en finale. Une bouteille qui peut être servie mais qui saura encore attendre.

Frédéric Gounan, rue de l'Arbre-Blanc,
63450 Saint-Sandoux, tél. 04.73.39.40.91 ☑ Y ⚲ r.-v.

YVAN BERNARD Corent Gamay 2003 ★

■ 1,1 ha 4 000 ▮ 3 à 5 €

Cet ancien élève de la Viti à Beaune s'est installé ici hors de tout cadre familial en 2001. Et il y croit ! Ainsi

replante-t-il un coteau en terrasses à Montpeyroux, l'un des plus beaux villages de France. Son gamay d'auvergne est très bien noté par le jury qui lui trouve une robe violacée dans le ton souhaité, des arômes épicés, une bouche réglissée, des tanins hospitaliers. Le **rosé Corent 2003** issu de gamay obtient une citation.
⊶ Yvan Bernard, rue de la Reine,
63114 Montpeyroux, tél. 06.84.11.49.88,
e-mail bernard_corent@hotmail.com ☒ Y ✱ r.-v.

NOEL BRESSOULALY 2003

□ 0,5 ha 4 000 ▮◗ 3 à 5 €

Petit domaine de 4,5 ha très attaché au patrimoine : un cuvage typique du XVI[e]s. et la présence sur l'exploitation du Conservatoire des anciens cépages d'Auvergne. On a affaire ici à un chardonnay jaune pâle aux accents de citronnelle, un peu marqué par ses six mois de fût, assez doux de caractère et sacrifiant au rite de la pointe d'amertume en finale.
⊶ Noël Bressoulaly, chem. des Pales, 63114 Authezat, tél. 04.73.24.18.01, fax 04.73.24.18.01 ☒ Y ✱ r.-v.

CHARMENSAT Boudes 2003

■ 7,56 ha 37 000 ▮🌡 5 à 8 €

Un coteau plein sud avec de très vieilles vignes en terrasses, à deux pas d'un site baptisé « le petit Colorado auvergnat ». Une famille qui cultive et vinifie depuis un bon siècle, et 1999 qui marque l'installation d'Annie. Gamay et pinot dessinent ensemble un paysage rouge sombre. Le premier coup de nez est agréable et on garde en bouche ces bonnes dispositions, même si les tanins s'expriment sur la fin.
⊶ GAEC Charmensat, rue du Coufin, 63340 Boudes,
tél. 04.73.96.44.75, fax 04.73.96.58.04,
e-mail charmensat@freesurf.fr
☒ Y ✱ t.l.j. sf dim. 9h-12h 14h-18h

P. GOIGOUX Châteaugay 2003 ★★

■ 1,5 ha 11 000 ▮🌡 3 à 5 €

Quand on a la passion de la vigne et de l'Auvergne, on imite Pierre Goigoux qui s'établit en 1989. Son vin né du gamay, rouge cerise, a de l'allant et la cerise fait un bond jusqu'au nez. Une fraîcheur très « primeur », délicieuse pour tout dire. Et voyez-vous ça, la cerise fait un nouveau bond jusqu'au palais. Elle a vraiment de la suite dans les idées ! Quant au jury, il s'y plaît car c'est jeune, plein de vie et de saveur, frais et gouleyant comme un ruisseau de montagne.
⊶ GAEC Pierre Goigoux, Dom. de la Croix Arpin,
Pompignat, 63119 Châteaugay,
tél. 04.73.95.00.08, fax 04.73.25.17.07,
e-mail gaec.pierre.goigoux@63.sideral.fr ☒ Y ✱ r.-v.

DOM. DE LACHAUX Corent 2003 ★

▩ 0,46 ha 2 400 ▮ 3 à 5 €

Ce Corent rosé dont la robe est pâle affiche un nez fin, frais et fruité. L'attaque est ronde, la bouche plaisante ; la finale assez vive le rend rafraîchissant, prêt pour accompagner les charcuteries. Exploitation encore modeste en superficie mais qui est passée tout de même de 0,4 ha en 1999 à 4,3 ha l'an dernier.
⊶ Thierry Sciortino,
Dom. de Lachaux, 63270 Vic-le-Comte,
tél. 06.64.18.48.84, fax 04.73.69.08.06 ☒ Y ✱ r.-v.

ODETTE ET GILLES MIOLANNE Volcane 2003

▩ 1,5 ha 4 700 ▮🌡 3 à 5 €

La reprise d'une vigne familiale permit la création du domaine en 1994. Celui-ci atteint aujourd'hui 5,50 ha. Pinot noir et gamay composent ce rosé au nom volcanique. Vermillon, partagé entre le fruit cuit et le végétal, il attaque sur l'agrume avec vivacité. Puis l'impression est onctueuse et capiteuse.
⊶ Odette et Gilles Miolanne, EARL de la Sardissère,
17, rte de Coudes, 63320 Neschers,
tél. 04.73.96.72.45, fax 04.73.96.25.79 ☒ Y ✱ r.-v.

DOM. MONTEL-CAILLOT Châteaugay 2003

□ 1 ha 1 300 ▮🌡 5 à 8 €

Installation en 1999, GAEC en 2002, cette équipe est passée assez vite de 4 à 12 ha. Elle fait goûter un châteaugay de chardonnay à la robe très correcte. Ses parfums vont vers les fruits confits. Le corps est plus léger, mais désaltérant.
⊶ GAEC de Bourrassol,
33, Grande-Rue, 63200 Ménétrol,
tél. 04.73.64.96.14, fax 04.73.64.96.14 ☒ Y ✱ r.-v.

Les vins du Centre

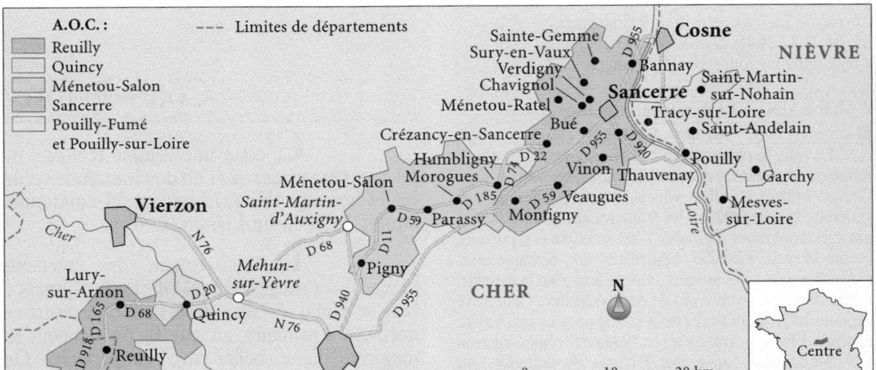

GILLES PERSILIER Celtil 2002 *

■ 1 ha 4 000 ◍ 3 à 5 €

Si le vignoble d'Alise-Sainte-Reine (Alésia) a disparu il y a une trentaine d'années, celui de Gergovie tient bon et ce n'est pas ici qu'on irait planter du césar ! Cette cuvée Celtil porte le nom du père de Vercingétorix : les plus vieilles vignes du domaine en pur gamay d'Auvergne. Sa robe est un peu tuilée mais quand on a plus de vingt siècles... Bouquet de pivoine et d'épices, goût de cerise et de réglisse, dans un environnement soyeux, équilibré et long, la Gaule est à l'honneur. Deux coups de cœur déjà dans les éditions 2001 et 2004.

⊶ Gilles Persilier, 27, rue Jean-Jaurès, 63670 Gergovie, tél. 04.73.79.44.42, fax 04.73.87.56.95, e-mail gilles-persilier@wanadoo.fr ☑ Y ✝ r.-v.

JEAN-PIERRE ET MARC PRADIER
Elevé en fût de chêne 2002 *

□ 1,98 ha 3 000 ◍ 5 à 8 €

Sur les étiquettes de ce domaine, les raisins de Canaan. Trois vins présentés, trois vins jugés dignes de figurer ici. Ce domaine fut d'ailleurs notre coup de cœur dans l'édition 2002. La bouteille, née du chardonnay, a un an de fût et il en reste un boisé harmonieux. Citronnée, un peu vive, une cuvée pour coquillages. Notez aussi (une étoile chacun) le **Corent 2003 en rosé (3 à 5 €)** et la cuvée **Pinot noir 2003**, très représentatifs l'un et l'autre. On peut attendre un an ou deux le rouge.

⊶ Jean-Pierre et Marc Pradier, 9, rue Saint-Jean-Baptiste, 63730 Les Martres-de-Veyre, tél. 04.73.39.86.41, fax 04.73.39.88.17, e-mail jpmpradier@wanadoo.fr ☑ Y ✝ r.-v.

DOM. ROUGEYRON
Châteaugay Cuvée Bousset d'or 2003 *

▩ 3,35 ha 25 000 ▮🌡 5 à 8 €

Et si vous voulez goûter un bon petit rosé, né sur cendres volcaniques ? Celui-ci répond présent. Carmin pâle, il est issu du gamay. Au nez une pointe végétale fine et agréable. L'attaque est tendre, fraîche et l'on va ensuite vers l'agrume jusqu'à une finale élégante. Le jury a également apprécié les cuvées **Bousset d'or en rouge** et en **blanc**. Si vous allez visiter Vulcania, cette cave n'est qu'à 10 km. Les entrailles de la terre vous paraîtront ici beaucoup plus conviviales...

⊶ Michel et Roland Rougeyron, 27, rue de La Crouzette, 63119 Châteaugay, tél. 04.73.87.24.45, fax 04.73.87.23.55, e-mail domaine.rougeyron@terre-net.fr ☑ Y ✝ r.-v.

CAVE SAINT-VERNY Première Cuvée 2003 **

■ 80 ha 60 000 5 à 8 €

Le voici, le phénix des hôtes de ces vignes ! Un rouge fabuleux, où le gamay donne libre cours à ses potentialités. Grenat brillant à reflets violets, fruité, il offre un nez généreux et complexe où les fruits rouges très mûrs sont associés à des notes réglissées. Il est si souple et si puissant qu'on le voit médaillé également aux championnats d'Auvergne de gymnastique. Longue finale sur la myrtille, tanins de velours : un coup de cœur unanime. Cette cave exploite 180 ha, dont près de la moitié pour ce vin. Valéry Giscard d'Estaing a inauguré en 1993 cette renaissance du vignoble coopératif auvergnat. Il n'a pas à le regretter, tout comme le consommateur. **Le Corent 2003 rosé** obtient une citation pour sa générosité en bouche.

⊶ Cave Saint-Verny, rte d'Issoire, 63960 Veyre-Monton, tél. 04.73.69.60.11, fax 04.73.69.65.22, e-mail saint.verny@limagrain.com ☑ Y ✝ r.-v.

SAUVAT Boudes Gamay Prestige Elevage bois 2002 *

■ 8 ha 3 500 ◍ 8 à 11 €

Exploitation familiale de père en... fille, sur 11,5 ha. Son gamay élevé sous bois (douze mois) est un vin sérieux, évidemment quelque peu vanillé mais qui excite l'odorat par ses élans animaux et chargés d'épices. Il attaque en souplesse, puis il affirme une structure tannique, réglissée et même poivrée. Du caractère, il en a ! Pour l'instant, le rouge 2003 intitulé **Les Demoiselles oubliées du Donazat (5 à 6 €)** fleure bon sa terre natale, souple et d'un commerce sympathique, il obtient une étoile. Etiquettes originales qui nous donnent le plaisir de voir la viticultrice.

⊶ Claude et Annie Sauvat, Le bourg, 63340 Boudes, tél. 04.73.96.41.42, fax 04.73.96.58.34, e-mail sauvat@terre-net.fr
☑ Y ✝ t.l.j. sf dim. 9h-12h 14h-19h

DOM. VINCENT TRICOT Les Marcottes 2003

□ 1,37 ha 1 300 ▮🌡 5 à 8 €

Issu de l'agriculture biologique et élevé par un petit domaine disposant de caves sur deux étages, ce vin jaune doré offre une fraîcheur citronnée. Le nez est comblé. Très doux en bouche, ce 2003 finit sur une note joviale et chaleureuse.

⊶ Vincent Tricot, 11, rue des Percedes, 63670 Orcet, tél. 04.73.77.70.67, fax 04.73.77.70.67 ☑ Y ✝ r.-v.

Côtes-du-forez

C'est à une somme d'efforts intelligents et tenaces que l'on doit le maintien d'un bel et bon vignoble (175 ha) sur 21 communes autour de Boën-sur-Lignon (Loire).

La quasi-totalité des excellents vins rosés et rouges, secs et vifs, exclusivement à base de gamay, est issue de terrains du tertiaire au nord et du primaire, au sud. Ils proviennent en majorité d'une belle cave coopérative. On consomme jeunes ces vins qui ont été reconnus en AOC en 2002.

GILLES BONNEFOY
Mémoire de Madone Vieilles Vignes 2002

■ 0,5 ha 1 200 🛢 5 à 8 €

Des vieilles vignes de soixante ans, conduites en mode d'agriculture biologique avec un début de biodynamie, sont à l'origine de ce vin ni collé ni filtré, pourpre intense, presque violet. Les notes boisées qui s'imposent au nez et au palais attestent d'un élevage en fût de dix mois. La matière riche et les tanins soyeux composent un ensemble assez rond, bien travaillé, mais dominé par le chêne. Un 2003 à apprécier pendant deux ans avec un gibier.

⊶ Gilles Bonnefoy, Le Pizet, 42600 Champdieu, tél. 04.77.97.07.33, fax 04.77.97.79.38, e-mail g.bonnefoy@42.sideral.fr ☒ Y 🚶 r.-v.

CLOS DE CHOZIEUX Vieilles Vignes 2003 ★★

■ 2 ha 6 000 🛢 5 à 8 €

Dans la grande cave voûtée de cette maison typiquement forézienne, reprise en 2000 par les deux frères Jean-Luc et Yves Gaumon, a été élevée une cuvée pourpre, à reflets violets. S'ouvrant sur d'intenses et complexes parfums de fruits noirs, de vanille et d'épices, elle emplit le palais de sa matière veloutée, puissante et charnue. Ce très agréable 2003, au fruité persistant et au caractère du terroir, sera à boire au cours des deux prochaines années. La **Cuvée de Chabert 2003 (3 à 5 €)**, élevée en cuve, a été citée.

⊶ EARL Le Clos de Chozieux, 42130 Leigneux, tél. 04.77.24.38.54, fax 04.77.24.39.75 ☒ Y 🚶 r.-v.
⊶ J.-L. et Y. Gaumon

LES VIGNERONS FOREZIENS Les Loges 2003

■ 13 ha 80 000 5 à 8 €

Les plus anciennes traces de vignes dans le forez remontent à l'an 980. La cave, qui rassemble 150 ha, a élaboré une cuvée rouge profond avec des reflets violets, issue en partie d'un terroir granitique. Les parfums développés évoquent la fenaison, la vanille et le café. Riche et charpenté, le vin emplit avec ampleur le palais d'arômes de fruits rouges associés à des notes de poivron. Bien équilibré, aux impressions un peu sauvages, il est à boire dans l'année avec un poulet à la crème. La **Cuvée Pierre Dellenbach 2003 en rouge** a également été citée.

⊶ Les Vignerons Foréziens, BP 42, 42130 Trelins, tél. 04.77.24.00.12, fax 04.77.24.01.76, e-mail info@vignerons-foreziens.com ☒ Y r.-v.

DOM. DU POYET Cuvée des Vieux Ceps 2003 ★

■ 1,5 ha 6 500 ▮ 5 à 8 €

Dans ce domaine créé en 1995, des vignes de cinquante ans sont cultivées sur des sols de granite. Elles sont à l'origine d'une cuvée rouge profond qui s'ouvre sur des parfums complexes de framboise et de myrtille. L'attaque riche et ferme met en valeur une chair aux arômes de kirsch, soutenue par une charpente de tanins en évolution. Ce vin, agréablement équilibré, est à boire dans l'année avec une viande blanche. Le **rosé 2003 (3 à 5 €)** est cité.

⊶ Jean-François Arnaud, Dom. du Poyet, au Bourg, 42130 Marcilly-le-Châtel, tél. 04.77.97.48.54, fax 04.77.97.48.71 ☒ Y 🚶 r.-v.

O. VERDIER ET J. LOGEL Amasis 2003

■ 1,5 ha 5 000 ▮↓ 3 à 5 €

Cette cuvée rouge sombre et limpide a été élaborée à partir de vignes de trente-cinq ans, conduites en agriculture biologique sur des sols granitiques. Elle s'ouvre sur des parfums de myrtille et de cassis, avec une pointe épicée qui rappelle le curry et la poire. A l'attaque fruitée répondent des impressions tanniques assez fortes. Long et puissant, ce vin typique sera apprécié au cours des deux prochaines années avec une fourme de Montbrisson.

⊶ Odile Verdier et Jacky Logel, La Côte, 42130 Marcilly-le-Châtel, tél. 04.77.97.41.95, fax 04.77.97.48.80, e-mail cave.verdierlogel@wanadoo.fr
☒ Y 🚶 t.l.j. 9h-12h 14h-19h; dim. sur r.-v.

Coteaux-du-giennois

Sur les coteaux de Loire réputés depuis longtemps, tant dans la Nièvre que dans le Loiret, s'étendent des sols siliceux ou calcaires. En 2003, trois cépages traditionnels, le gamay, le pinot et le sauvignon, ont donné 5 376 hl dont 2 675 hl de vins blancs, légers et fruités, peu tanniques, authentique expression d'un terroir original ; les rouges peuvent être servis jusqu'à cinq ans d'âge, sur toutes les viandes.

Les plantations progressent toujours nettement dans la Nièvre, elles reprennent aussi dans le Loiret, attestant la bonne santé du vignoble qui atteint 173 ha. Les coteaux du giennois ont accédé à l'AOC en 1998.

EMILE BALLAND 2003 ★

□ 0,45 ha 2 400 🛢 11 à 15 €

Emile Balland est le descendant d'une vieille famille de vignerons de Bué-en-Sancerrois. La maturité du millésime 2003 s'exprime dans son coteaux-du-giennois : nez caramélisé, fruits à l'alcool. L'attaque est plus vive que ronde, égayée d'une pointe d'amertume. La texture est plaisante. Parce que ce vin garde encore la timidité de la jeunesse, il faudra savoir l'attendre quelques mois.

⊶ Emile Balland, RN 7, BP 9, 45420 Bonny-sur-Loire, tél. 03.86.39.26.51, fax 03.86.39.26.51, e-mail emile.balland@infonie.fr ☒ Y 🚶 r.-v.

DOM. DES BEAUROIS 2003

□ 2 ha 9 000 ▮ 5 à 8 €

Chaque année, à l'occasion du 8 mai, Anne-Marie Marty organise des journées « caves ouvertes » avec des

LOIRE

animations conviviales. Vous pourrez déguster ce vin blanc au nez fruité (pomme, citron), mêlé de notes de genêt. Rond en attaque, il aurait tiré profit d'un peu plus de vivacité, mais il a de la matière. A tenter sur une tarte Tatin.

⊶ Anne-Marie Marty, Dom. des Beaurois,
89170 Lavau, tél. 03.86.74.16.09, fax 03.86.74.16.09
☑ ⌂ Y 🚶 t.l.j. sf dim. 11h-12h30 16h-19h; f. déb. sept.

CH. DE LA CHAISE 2003

□ 1,5 ha 4 000 ▮ 3 à 5 €

Philippe Auchère a repris le château de La Chaise en 1998, année de l'accession à l'AOC coteaux-du-giennois. Dans son 2003, les arômes sont fins et les nuances variées (lierre, citron, pomme verte). A l'attaque assez ronde succède une vivacité bien présente, mais sans excès. Pour un poisson en sauce.

⊶ Philippe Auchère, Le Bois de l'Abbaye, 18300 Bué,
tél. 02.48.78.05.15, fax 02.48.78.20.25,
e-mail vinsdesancerre@wanadoo.fr ☑ Y 🚶 r.-v.

DOM. COUET 2003

▩ 0,5 ha 3 700 ▮🌡 3 à 5 €

La teinte rose bonbon est soutenue. Les arômes discrets laissent une sensation de fraîcheur légèrement amylique (banane). Souple et coulant, avec beaucoup de vinosité, ce rosé montre plus de puissance que de finesse. Un vin agréable, à boire dans l'année, par exemple avec des charcuteries.

⊶ Dom. Couet, Croquant, 58200 Saint-Père,
tél. 03.86.28.14.80, fax 03.86.28.13.87 ☑ Y t.l.j. 8h-20h

DOM. DE LA GRANGE ARTHUIS
Les Daguettes 2003

□ 2,1 ha 13 333 ▮ 5 à 8 €

De l'arboriculture à la viticulture, il n'y a qu'un pas qu'on a su franchir au domaine de La Grange Arthuis. Ce coteaux-du-giennois affiche un nez intense, marqué par le végétal (ajonc et lierre), puis, après aération, par les fruits cuits. L'attaque est assez vive, l'ensemble plaisant et léger. Le **rouge Les Daguettes 2003** est aussi cité.

⊶ Dom. de la Grange Arthuis, 89170 Lavau,
tél. 03.86.74.06.20, fax 03.86.74.18.01
☑ ⌂ ⌂ Y 🚶 r.-v.
⊶ Reynaud

MICHEL LANGLOIS Champ de la Croix 2003 ★★

■ 3,2 ha 16 500 ▮🌡 5 à 8 €

Terroir argilo-calcaire, le Champ de la Croix a donné naissance à une cuvée attrayante par son beau rubis soutenu. Celle-ci éclate de fruité au nez : notes de cassis et de griotte. La bouche est gouleyante, tout en manifestant une bonne persistance sur le fruit. Friand, gourmand, ce coteaux-du-giennois est à boire dans les deux ans.

⊶ Michel Langlois, Le Bourg, 58200 Pougny,
tél. 03.86.28.47.08, fax 03.86.28.59.29
☑ Y 🚶 t.l.j. sf dim. 9h-12h 15h-19h

JOSEPH MELLOT Les Champs de Chaumes 2002 ★

■ n.c. 5 000 ▮🌡 5 à 8 €

Le nez séducteur rappelle la cerise ou la griotte. La bouche lui fait écho, tout en s'appuyant sur une structure souple, aux tanins équilibrés. Ce vin gouleyant, frais, pourra être l'agréable compagnon des viandes grillées.

⊶ SA Joseph Mellot, rte de Ménétréol,
18300 Sancerre, tél. 02.48.78.54.54, fax 02.48.78.54.55,
e-mail alexandremellot@josephmellot.com ☑ Y 🚶 r.-v.

DOM. DE MONTBENOIT
Les Vignes de la Garde 2003 ★

■ 2,38 ha 16 000 ▮ 3 à 5 €

La couleur soutenue annonce le nez très consistant, mais aussi gourmand grâce à ses notes de cassis. La bouche confirme ces impressions favorables : souplesse, finale tonique sans excès. Un coteaux-du-giennois de belle extraction, fort d'un potentiel de garde de plusieurs années.

⊶ Jean-Marie Berthier, Dom. des Clairneaux,
18240 Sainte-Gemme-en-Sancerrois, tél. 02.48.79.40.97,
fax 02.48.79.39.55 ☑ ⌂ ⌂ Y 🚶 r.-v.

DOM. DES ORMOUSSEAUX 2003 ★★

□ n.c. 25 000 ▮🌡 5 à 8 €

Située à proximité de Cosne-sur-Loire, la cave du domaine des Ormousseaux a été agrandie en 2000 dans de nouveaux locaux. Son 2003 a conquis les dégustateurs. Les arômes sont une belle expression de la typicité du cépage : d'abord le buis domine, puis le nez s'ouvre comme par enchantement sur les fruits blancs bien mûrs et les agrumes. La rondeur et le gras en bouche sont équilibrés par de la fraîcheur. Complexe, ample, élégant : c'est un grand vin comme on les aime.

⊶ SCEA Hubert Veneau,
Les Ormousseaux, 58200 Saint-Père,
tél. 03.86.28.01.17, fax 03.86.28.44.71,
e-mail hubert.veneau@wanadoo.fr ☑ Y 🚶 r.-v.

POUPAT ET FILS Le Trocadéro 2003 ★★★

■ 1,6 ha 9 000 ▮🌡 5 à 8 €

Les coteaux-du-giennois Poupat et Fils ne sont pas des inconnus. Le 2002 avait obtenu une étoile l'an passé. La cuvée Le Trocadéro se révèle brillante. D'une couleur dense, grenat sombre, elle possède un nez riche, surmûri voire confit par le soleil du millésime, ainsi qu'une grande concentration en bouche et une rondeur étonnante. Persistance et harmonie sont au rendez-vous. Pour maintenant ou dans quelques années. Le **rosé Le Trocadéro 2003** obtient deux étoiles.

⊶ Poupat et Fils, Rivotte, 45250 Briare,
tél. 02.38.31.39.76, fax 02.38.31.39.76 ☑ Y ⭑ r.-v.

DOM. DE VILLARGEAU 2003 *

■ 2,5 ha 5 000 ▮ 5 à 8 €

A Donzy, à 5 km du domaine de Villargeau, vous pourrez visiter le moulin de Maupertuis qui fonctionne à la force de l'eau. Puis vous viendrez déguster ce coteaux-du-giennois. Si le nez semble encore timide, fait de griotte et de kirsch, la bouche est riche : elle se développe avec rondeur avant de s'achever sur une pointe d'astringence. Un vin à conserver un an pour une maturité suffisante. Le **blanc 2002** obtient une étoile.

⊶ GAEC Thibault, Villargeau, 58200 Pougny,
tél. 03.86.28.23.24, fax 03.86.28.47.00,
e-mail fthibault@wanadoo.fr ☑ Y ⭑ r.-v.
⊶ Thibault Frères

DOM. DE VILLEGEAI Cuvée du Chalet 2003 *

■ 1 ha 5 000 ▮ ⬮ ⫰ 5 à 8 €

Ce domaine est à 30 km du château de Saint-Fargeau dans l'Yonne qui organise chaque année un spectacle historique son et lumière. Une façon d'allier visites d'un monument et d'une cave. Dans ce rouge, vanille et amande dominent le nez où perce la cerise. La bouche se révèle intense, souple, douce et même grasse. Le boisé résultant d'un élevage partiel en fût est bien fondu. A attendre environ un an. Le **rouge Terre des Violettes 2003 (3 à 5 €)** et le **blanc 2003 du domaine** sont cités.

⊶ SCEA Quintin Frères,
Villegeai, 58200 Cosne-sur-Loire,
tél. 03.86.28.31.77, fax 03.86.28.20.77,
e-mail quintin.francois@wanadoo.fr ☑ Y ⭑ r.-v.

Saint-pourçain AOVDQS

Le paisible et plantureux Bourbonnais possède aussi, sur dix-neuf communes, un beau vignoble de 594 ha au sud-ouest de Moulins qui a donné 16 591 hl en 2003.

Les coteaux et les plateaux calcaires ou graveleux bordent la charmante Sioule ou sont proches d'elle. C'est surtout l'assemblage des vins issus de gamay et de pinot noir qui confère aux vins rouges et rosés leur charme fruité.

Les blancs ont fait autrefois la réputation de ce vignoble ; un cépage local, le tressallier, est assemblé au chardonnay et au sauvignon, conférant une grande originalité aromatique à ces vins.

DOM. DE BELLEVUE Grande Réserve 2003 **

■ 7 ha 21 000 3 à 5 €

Pinot noir et gamay à armes égales pour ce vin de qualité présenté par Chantal et Jean-Louis Pétillat qui succèdent ici au père et au grand-père. Rouge sombre à reflets grenat, le nez fruité (fruits rouges), ce 2003 s'affirme progressivement et de façon persistante. On peut l'oublier deux à trois ans en cave et, comme on est en Bourbonnais, réserver chez le boucher une belle pièce de charolais. Très réussi, le **blanc 2003**, plus chardonnay que sauvignon, s'éveille sur la fleur, se montre souple dès l'attaque et se prolonge sur des sensations soyeuses.

⊶ Jean-Louis Pétillat, Bellevue, 03500 Meillard,
tél. 04.70.42.05.56, fax 04.70.42.09.75,
e-mail jean-louis-petillat1@wanadoo.fr ☑ Y ⭑ r.-v.

LES CEPS CENTENAIRES 2003 **

■ 1,5 ha 4 000 ▮ 3 à 5 €

Ces Ceps centenaires n'avaient sans doute jamais vu ça : des vendanges commencées le 3 septembre. Et cela décroche le coup de cœur ! Rubis grenat, c'est en effet un vin issu de gamay légèrement nuancé de pinot, très odorant et fruité, solide sur ses deux jambes. Sa structure retient l'attention. « Très bien, excellent », les compliments fusent à la table de dégustation. Dans la cave, allez tout droit à cette cuvée !

⊶ Jallet, Les Cailles, 03500 Saulcet,
tél. 04.70.45.39.78 ☑ Y ⭑ t.l.j. 8h-12h 14h-18h

CH. COURTINAT 2003 **

□ 1,6 ha 8 000 ▮ ⫰ 5 à 8 €

Domaine ayant abandonné l'élevage et les céréales pour mettre ses 12 ha de vignes dans l'esprit d'une AOC. Né du seul chardonnay, ce 2003 s'annonce haut de gamme. Ses arômes d'amande et de mie de pain ne demandent qu'à s'ouvrir. Ample et onctueux, le palais séduit aussi par sa longueur. Excellente impression du **blanc Tradition 2003** (tressallier à 70 %, sauvignon pour le reste) un peu moins cher (3 à 5 €), digne d'une étoile.

⊶ Cave Christophe Courtinat, Venteuil, 03500 Saulcet,
tél. 04.70.45.44.84, fax 04.70.45.80.13 ☑ Y t.l.j. 9h-19h

DOM. GARDIEN Cuvée du Terroir 2003 **

■ 6,5 ha 20 000 3 à 5 €

Elu coup de cœur pour son millésime 99, le domaine Gardien et Fils présente cette fois encore un superbe vin : robe profonde rouge grenat, aux arômes de fruits mûrs où l'on reconnaît le pruneau (et la mûre). Beau suivi aromatique en bouche dans un contexte soyeux. Sous une étiquette pittoresque, le **Nectar des Fées blanc 2003** montre à ce jour une évidente timidité. Il obtient une citation.

LOIRE

🔑 Dom. Gardien, Chassignolles, 03210 Besson,
tél. 04.70.42.80.11, fax 04.70.42.80.99,
e-mail c.gardien@03.sideral.fr ☒ 🍸 🚶 r.-v.

DOM. GROSBOT-BARBARA
Grande Réserve 2003 ★

■ 3,5 ha 6 500 ▮🍷 3 à 5 €

Le millésime 97 valut à ce domaine le coup de cœur deux ans plus tard. Sombre et violacée, cette Grande Réserve offre des notes de fruits très mûrs qui se prolongent en bouche. Celle-ci, onctueuse, compose un vin chaleureux et structuré. En **blanc, le Vin d'Alon 2003** au nez d'agrumes, tout en finesse et netteté, de petite garde, obtient une étoile, alors que **La Vreladière blanc 2003** est citée.

🔑 Dom. Grosbot-Barbara, Montjournal,
rte de Montluçon, 03500 Cesset, tél. 04.70.45.26.66,
fax 04.70.45.54.95 ☒ 🍸 🚶 t.l.j. 9h-12h 14h-19h

DOM. HAUT DE BRIAILLES 2002

■ 1,3 ha 3 800 ▮ 3 à 5 €

Sous sa robe brillante et limpide, le nez de ce 2002 est encore un tantinet avare de ses confidences. En revanche, le corps est généreux : il a de la consistance, de la matière. Le gamay se montre ici sous un jour assez rond. A boire maintenant. Cité également le **blanc 2003 Réserve de la Chapelle** rappelant les fruits mûrs et l'amande, et évoluant bien en bouche.

🔑 Dom. Haut de Briailles,
03500 Saint-Pourçain-sur-Sioule,
tél. 04.70.45.38.88, fax 04.70.45.60.07,
e-mail jeanmeunier@freesbee.fr ☒ 🍸 🚶 r.-v.
🔑 Meunier

FAMILLE LAURENT Elevé en fût de chêne 2001 ★

□ 2 ha 5 500 ⬮ 8 à 11 €

Jaune pâle à reflets verts, ce vin 100 % chardonnay connaît ses classiques : un an de fût a conféré un nez empyreumatique au départ, bientôt remplacé par une touche mentholée. Dense, ce 2001 est long et assurément bien fait. Au reste ce domaine obtint le coup de cœur pour son millésime 2000. Le **blanc Prestige 2003 (5 à 8 €)**, encore jeune et assez prometteur, est cité.

🔑 Famille Laurent, Montifaud, 03500 Saulcet,
tél. 04.70.45.90.41, fax 04.70.45.90.42,
e-mail cave.laurent@wanadoo.fr ☒ 🍸 🚶 r.-v.

CUVEE DE LA MALGARNIE 2003 ★

■ 2,5 ha 6 000 ▮🍷 5 à 8 €

Grenat, c'est un 2003 qui fait ses premiers pas : il associe gamay et pinot noir à parts presque égales. Son bouquet n'est pas encore tout à fait ouvert mais on le devine élégant. Ce vin est surprenant par son équilibre, sa souplesse et sa longueur. La cuvée **rouge Tradition 2003**, plus nettement gamay, offre une honnête satisfaction : elle est citée.

🔑 Serge et Odile Nebout, rte de Montluçon,
03500 Saint-Pourçain-sur-Sioule,
tél. 04.70.45.31.70, fax 04.70.45.12.54 ☒ 🍸 🚶 r.-v.

FRANCOIS RAY Cuvée des Gaumes 2003 ★

■ 2,53 ha 6 800 ▮🍷 5 à 8 €

On comprend pourquoi les papes d'Avignon n'admettaient que deux vins à leur table : beaune et saint-pourçain. Voilà un grand vin où le gamay est associé à 15 % de pinot. Robuste et fruité, il fait penser à la cerise à l'eau-de-vie. Son corps ne manque pas d'arguments pleinement convaincants, tels la robe intense à reflets violets, la franchise de l'attaque, les arômes de fruits rouges et la bouche soyeuse et persistante. Le **rosé 2003** uniquement gamay, avec un nez où domine la pêche de vigne et à la bouche fraîche, obtient une étoile.

🔑 Cave François Ray, Venteuil, 03500 Saulcet,
tél. 04.70.45.35.46, fax 04.70.45.64.96
☒ 🍸 🚶 t.l.j. sf dim. 9h-12h 15h-19h; groupes sur r.-v.

LES VIGNERONS DE SAINT-POURCAIN
Réserve spéciale 2003 ★

□ 13,5 ha 80 000 ▮🍷 3 à 5 €

Entre les trois blancs dégustés et qui franchissent la barre avec succès, lequel choisir ? Accordons la préférence à celui-ci qui défend, associé au chardonnay, les couleurs du tressallier. Ce cépage méritant porte dans l'Yonne, où il a presque entièrement disparu, le nom de sacy. Robe jaune paille, bouquet d'agrumes assez timide, bonne présence au palais, cette cuvée n'est pas faite pour la course de fond mais ses arômes de jeunesse et sa fraîcheur sont agréables. **Atlantis** et **cuvée Printanière 2003** sont également à retenir avec une étoile, la première issue d'une vendange très mûre, la seconde jouant sur l'agrume et la richesse en bouche.

🔑 Union des vignerons de Saint-Pourçain,
3, rue de la Ronde, BP 27,
03500 Saint-Pourçain-sur-Sioule,
tél. 04.70.45.42.82, fax 04.70.45.99.34,
e-mail UDV.STPOURCAIN@wanadoo.fr
☒ 🍸 🚶 t.l.j. sf dim. 8h30-12h30 13h30-18h

Côte-roannaise

Des sols d'origine éruptive face à l'est, au sud et au sud-ouest, sur les pentes d'une vallée creusée par une Loire encore adolescente : voilà un milieu naturel qui appelle aussi le gamay. Quatorze communes (203 ha) situées sur la rive gauche du fleuve produisent d'excellents vins rouges et de frais rosés, plus rares. La production (5 863 hl en 2003) de vins originaux et de caractère intéresse les chefs les plus prestigieux de la région. On évoque les traditions viticoles au Musée forézien d'Ambierle.

ALAIN BAILLON Montplaisir 2003 ★★★

■ 1,43 ha 4 000 ▮🍷 5 à 8 €

A la tête de l'exploitation depuis 1989, Alain Baillon a élaboré, à partir de vignes de soixante-dix ans, une remarquable cuvée rubis intense aux reflets grenat. Ses intenses parfums évoquent la confiture de mûres associée au sirop de cassis et au pruneau. Après l'excellente attaque, sa chair ronde et croquante sur le fruité s'épanouit longuement, mettant en valeur des tanins très fins. Riche et puissant, ce 2003 bien équilibré pourra être bu pendant trois ans et accompagnera un gibier ou une viande rouge.

Alain Baillon, Montplaisir, 42820 Ambierle,
tél. 04.77.65.65.51, fax 04.77.65.65.65 ☑ ⅄ ⚡ r.-v.

JEAN-PIERRE BENETIERE Cuvée fruitée 2003

■	1,5 ha	3 500	■↓	5 à 8 €

Le domaine de 5 ha jouit d'une belle vue sur la plaine de Roanne et les monts du Lyonnais. Sa cuvée d'un rouge soutenu libère de puissants parfums caractéristiques de cassis. L'attaque très fruitée évolue vers une matière ronde et équilibrée, composée de jeunes tanins qui apparaissent en finale. Un vin à déguster avec un plat de charcuterie ou du fromage. La cuvée **Vieilles Vignes rouge 2003** est également citée.
Jean-Pierre Benetière,
pl. de la Mairie, 42155 Villemontais,
tél. 04.77.63.18.29, fax 04.77.63.18.29 ☑ ⚡ r.-v.

FRANCOIS CHABRE Cuvée Tradition 2003 ★

■	1,5 ha	10 000		5 à 8 €

Le domaine a été créé en 1994. Deux journées portes ouvertes sont organisées chaque année en avril et en décembre. Dotée d'une très belle robe grenat, cette cuvée exprime de délicats parfums de fruits rouges mêlés de touches de vanille et de notes végétales. Sa matière fine et fraîche qui emplit le palais évolue sur des impressions tanniques plus fermes. Equilibré et plaisant à boire, ce 2003 pourra accompagner pendant deux ans un faisan ou des paupiettes de veau.
François Chabré, La Martinière, 42820 Ambierle,
tél. 04.77.65.69.43, fax 04.77.65.63.98,
e-mail f.chabre@wanadoo.fr ☑ ⅄ ⚡ r.-v.

CH. DE CHAMPAGNY Grande Réserve 2003 ★

■	2 ha	8 000	■↓	3 à 5 €

Lorsqu'en 1968 André Villeneuve arrive sur l'exploitation, la vigne représente 2 ha. Depuis l'arrivée du fils, Frédéric, la superficie a été portée à 11 ha. Cette cuvée pourpre sombre, élevée dans le cuvage du château d'une capacité de 4 000 hl, exprime de fines notes de fruits rouges et noirs associées aux épices. Rond et doté d'une puissante structure tannique, ce côte-roannaise très bien équilibré, au fruité de cassis et de myrtille, révèle une belle typicité. Il sera apprécié pendant trois à quatre ans. Le **Château de Champagny rouge 2003** reçoit également une étoile.
André et Frédéric Villeneuve,
Champagny, 42370 Saint-Haon-le-Vieux,
tél. 04.77.64.42.88, fax 04.77.62.12.55 ☑ ⅄ ⚡ r.-v.

MICHEL ET ERIC DESORMIERE Tradition 2003

■	2,4 ha	12 000	■	3 à 5 €

La vente en bouteilles a commencé en 1974 avec Michel Desormière, le père. Elle s'est développée en 1980

dans la perspective de l'arrivée d'Eric, le fils, chose faite en 1996. Rouge moyennement limpide, cette cuvée libère de frais parfums de groseille, de pétales de rose ainsi que des notes épicées et végétales. Fruité et friand, ce 2003 plutôt léger, qui glisse facilement au palais, est à boire avec un plat de charcuterie.
Michel et Eric Desormière, Le Perron,
42370 Renaison, tél. 04.77.64.48.55, fax 04.77.62.12.73,
e-mail cave.desormiere@wanadoo.fr
☑ ⅄ ⚡ t.l.j. 8h-12h 13h30-19h; dim. sur r.-v.

DOM. DU FONTENAY
Vieilles Vignes de Saint-Sulpice 2003 ★★

■	2 ha	3 000	■↓	5 à 8 €

Une fermentation classique des raisins de vieilles vignes cultivées sur le granite est à l'origine de cette cuvée non filtrée. Grenat soutenu, celle-ci livre des notes minérales mêlées de framboise, de cassis et d'épices. La séduisante bouche, assez vive, où le fruité prend le pas sur le terroir, révèle un bel équilibre des tanins. D'une grande typicité, cette bouteille pourra être dégustée pendant les deux prochaines années avec un plat de charcuterie ou un gibier. Le **Rosé à l'ancienne 2003** est cité.
Dom. du Fontenay, 42155 Villemontais,
tél. 04.77.63.12.22, fax 04.77.63.15.95,
e-mail info@domainedufontenay.com
☑ 🏠 ⅄ ⚡ t.l.j. 9h-19h

DOM. DE LA PAROISSE
Cuvée à l'ancienne 2003 ★★

■	2 ha	7 000	⓫	5 à 8 €

Issu d'une famille de vignerons de père en fils remontant au XVIIᵉs., Jean-Claude Chaucesse représente la troisième génération à la tête de l'exploitation depuis 1959. Sa cuvée à l'ancienne, grenat assez limpide, exprime d'élégants parfums de fruits des bois, de cassis et d'épices. Emplissant délicatement le palais d'une matière fruitée et ronde, harmonieuse et gouleyante, elle sera appréciée au cours des deux prochaines années avec du petit gibier, des viandes blanches et des fromages. Le **rouge Tradition 2003 (3 à 5 €)** est cité.
Jean-Claude Chaucesse, La Paroisse,
42370 Renaison, tél. 04.77.64.26.10, fax 04.77.62.13.84,
e-mail jclaude.c@infonie.fr ☑ ⅄ r.-v.

DOM. DU PAVILLON 2003 ★★

■	7,5 ha	35 000		5 à 8 €

Originaire d'Alsace, la famille Lutz s'est installée en 1951 sur 1,5 ha. Sa cuvée, rouge foncé à reflets violets presque noirs, livre des parfums complexes de groseille, de cassis et de framboise. La bouche charnue est bien soutenue par des tanins serrés qui se prolongent sans agressivité. Cet élégant 2003 traduit une belle expression du cépage. Il pourra être servi au cours des deux prochaines années avec une viande blanche ou un poulet de Bresse rôti.
GAEC Dom. du Pavillon,
Le Pavillon, 42820 Ambierle,
tél. 04.77.65.64.35, fax 04.77.65.69.69 ☑ ⅄ ⚡ r.-v.

MAURICE PIAT ET FILS
Cuvée Vieilles Vignes 2003 ★

■	1,5 ha	6 000	■↓	3 à 5 €

Dans la cave de cette ancienne maison de vigneron datant de 1890, a été élevée une cuvée issue de vignes de soixante ans. Habillée d'une robe rubis foncé, elle livre des

LOIRE

parfums d'intensité moyenne : cerise et framboise, notes de cannelle et de safran. Les arômes de framboise qui imprègnent nettement le palais accompagnent une chair souple, marquée en finale par la fraîcheur des notes de cerise. Ce vin pour la soif, complet et gouleyant, est à boire dans l'année avec une tarte Tatin.
⊶ Gérard Piat,
La Chapelle, 42155 Saint-Jean-Saint-Maurice,
tél. 04.77.63.12.85, fax 04.77.63.12.85 ☑ Y sur r.-v.

JACQUES PLASSE Vieilles Vignes 2003 *

■ 2,9 ha 5 300 ▮♁ 3 à 5 €

De vieilles vignes de quatre-vingts ans cultivées sur un sol granitique ont produit cette cuvée grenat dont les parfums de cassis et de mûre s'associent à des notes minérales et épicées, telles que le gingembre et le clou de girofle. Sa matière puissante, bien structurée grâce à des tanins assez ronds, conserve en finale une bonne fraîcheur. Ce vin de terroir granitique pourra être servi pendant deux ans avec un gibier ou du fromage de tête. La **cuvée Bouthéran rouge 2003** est citée.
⊶ Jacques Plasse, Bel-Air,
42370 Saint-André-d'Apchon,
tél. 04.77.65.84.31, fax 04.77.65.93.48 ☑ Y ⼈ sur r.-v.

ROBERT SEROL ET FILS
Les Vieilles Vignes 2003 *

■ 6 ha 22 000 ▮♁ 3 à 5 €

Depuis 1996, Stéphane Sérol, le fils, est à la tête du domaine familial dont les origines remontent au XVIIIes. L'intégralité de la production des 20 ha est commercialisée en bouteilles. C'est Robert, le père, qui a démarré cette activité en 1971. Doté d'une robe pourpre soutenu, ce côte-roannaise libère de purs parfums de fruits noirs associés à d'expressives notes minérales. La bouche ronde et concentrée révèle une excellente structure de tanins denses et puissants associés à des arômes de fruits très mûrs. Ce vin riche et complexe, plein de fougue et de jeunesse, sera apprécié pendant quatre ans. La cuvée **Les Originelles rouge 2003** obtient aussi une étoile.
⊶ EARL Robert Sérol et Fils, Les Estinaudes,
42370 Renaison, tél. 04.77.64.44.04, fax 04.77.62.10.87,
e-mail contact@domaine-serol.com
☑ Y ⼈ t.l.j. 9h-12h 13h30-19h; dim. sur r.-v.

Menetou-salon

Menetou-Salon doit son origine viticole à la proximité de la métropole médiévale qu'était Bourges ; Jacques Cœur y eut des vignes. A l'encontre de nombreux vignobles jadis célèbres, la région est demeurée viticole, et son vignoble de 441 ha est de qualité.

Sur ses coteaux bien adaptés, Menetou-Salon partage, avec son prestigieux voisin Sancerre, sols favorables et cépages nobles : sauvignon blanc et pinot noir sur kimmeridgien. D'où ces vins blancs frais, épicés, ces rosés délicats et fruités, ces rouges harmonieux et bouquetés, à boire jeunes. Fierté du Berry viticole, ils accompagnent à ravir une cuisine classique mais savoureuse (apéritif, entrées chaudes pour les blancs ; poisson, lapin, charcuterie pour les rouges, à servir frais). La production a atteint 18 239 hl en 2003, dont 12 468 hl en vin blanc.

DOM. DE BEAUREPAIRE
Clos des Petites Croix 2002 *

□ 0,5 ha 1 500 ▮♁ 5 à 8 €

Le Clos des Petites Croix fournit une production confidentielle. C'est bien le terroir argilo-calcaire et le cépage qui s'expriment dans ces arômes de style végétal mêlés de fruits de la Passion et de miel (légère évolution). La bouche complète montre de l'équilibre et de la longueur. Un vin plaisant par son authenticité.
⊶ Cave Gilbon, Beaurepaire, 18220 Soulangis,
tél. 02.48.64.41.09, fax 02.48.64.39.89,
e-mail cave-gilbon@wanadoo.fr
☑ Y ⼈ t.l.j. sf dim. 9h-12h 14h-18h30; f. 16-29 août

DOM. DE CHATENOY 2003 **

□ 35 ha 250 000 ▮♁ 8 à 11 €

Année faste, sur un air de consécration, pour Pierre Clément qui voit ses trois vins jugés remarquables dans le Guide. En premier, le blanc 2003 qui a l'éclat de l'or. Les senteurs sont particulièrement intenses : fruits très mûrs (pêche blanche, coing), agrémentés de nuances florales et minérales. Opulente, la bouche fait preuve de concentration et d'expression. Excellente harmonie générale d'une bouteille qu'on pourra apprécier pendant au moins trois ans et sans doute beaucoup plus. Le **rouge 2003 du domaine** et le **blanc Dame de Châtenoy 2002** obtiennent aussi deux étoiles.
⊶ Isabelle et Pierre Clément,
Dom. de Châtenoy, 18510 Menetou-Salon,
tél. 02.48.66.68.70, fax 02.48.66.68.71
☑ Y ⼈ t.l.j. sf sam. dim. 8h30-12h 13h30-17h30;
f. 15 août-1er sept.

G. CHAVET ET FILS 2003

□ 10,48 ha 46 000 ▮♁ 8 à 11 €

Bourges n'est qu'à 17 km de Menetou-Salon : une halte s'impose pour découvrir sa cathédrale inscrite au patrimoine de l'Humanité par l'Unesco. Retour chez les vignerons. La famille Chavet propose un vin qui exhale l'orange et les fruits exotiques. La maturité du millésime 2003 transparaît dans la finale non seulement chaleureuse, mais aussi pleine de sucrosité. A servir en apéritif.
⊶ G. Chavet et Fils, GAEC des Brangers,
18510 Menetou-Salon, tél. 02.48.64.80.87,
fax 02.48.64.84.78, e-mail contact@chavet-vins.com
☑ ⌂ Y ⼈ t.l.j. sf dim. 8h-12h 13h30-18h

DOM. DE COQUIN 2003 ★

7 ha 40 000 5 à 8 €

Ce menetou-salon rappelle le soleil de l'été 2003 par ses arômes de maturité, mais il n'est pas dénué de fraîcheur : senteurs d'orange sanguine avec une subtile nuance de cire. Tendre en attaque, il tire profit d'une pointe de vivacité pour trouver un juste équilibre gustatif. Le vin est agréable, de bonne harmonie et sera le bienvenu pour accompagner des produits de la mer.

Francis Audiot,
Dom. de Coquin, 18510 Menetou-Salon,
tél. 02.48.64.80.46, fax 02.48.64.84.51 r.-v.

FOURNIER 2003

7,12 ha 55 000 8 à 11 €

D'origine sancerroise et productrice également de pouilly-fumé, la maison Fournier Père et Fils possède une activité de négoce. Son vin a encore des allures juvéniles, mais laisse paraître les fruits blancs et le minéral après aération. Sa teneur en gaz élevée lui communique une forte vivacité. Il s'ouvrira et s'affinera dans le temps.

SAS Fournier Père et Fils, Chaudoux, BP 7,
18300 Verdigny, tél. 02.48.79.35.24, fax 02.48.79.30.41,
e-mail claude@fournier-pere-fils.fr
t.l.j. 8h-12h 13h30-18h30; sam. dim. sur r.-v.

DOM. GILBERT 2003 ★

11,02 ha 64 000 8 à 11 €

Vieille famille de vignerons, les Gilbert se succèdent avec le même souci de qualité ainsi qu'en témoignent les trois vins sélectionnés. Tout dénote dans ce 2003 une belle maîtrise : la robe or à reflets verts, le nez fin et élégant qui évoque l'orange et le pamplemousse, un équilibre sur la fraîcheur bien dans le type de l'appellation. Le **blanc Les renardières 2002 (15 à 23 €)** et le **rouge les Renardières 2002 (15 à 23 €)**, tous deux élevés en fût, sont retenus avec une étoile.

Dom. Gilbert, Les Faucards, 18510 Menetou-Salon,
tél. 02.48.66.65.90, fax 02.48.66.65.99,
e-mail gilbert.p@wanadoo.fr r.-v.

ARNAUD LEJUS 2003 ★★

0,7 ha 3 600 8 à 11 €

Arnaud Lejus fait des efforts importants... et payants pour maîtriser les rendements. La qualité de cette cuvée en est la récompense. Les arômes commencent à s'ouvrir et révèlent un beau mariage entre le vin (griotte, framboise) et le fût (pain grillé, vanille, café). Les tanins affirmés, structurés, laissent poindre une légère amertume comme un présage favorable pour la garde. Un cru en devenir, à attendre au moins deux ans.

EARL Arnaud Lejus,
1, rte de Vinon, 18300 Veaugues,
tél. 02.48.79.23.26, fax 02.48.66.11.06 r.-v.

DOM. DE LOYE 2003 ★

3,1 ha 12 000 11 à 15 €

Jean-Bernard Moindrot a restructuré son vignoble en 1986 pour la production de vins rouges de qualité. La teinte de ce 2003 est d'un grenat soutenu. Les notes de framboise et de fruits cuits (pruneau) dominent et nous rappellent que l'année a été très chaude. Les tanins sont souples en attaque, puis se réveillent pour communiquer une petite austérité en finale. Un beau vin qu'il faudra savoir attendre un an ou deux.

Dom. de Loye, 18220 Morogues,
tél. 02.48.64.35.17, fax 02.48.64.41.29 r.-v.
Moindrot

DOM. HENRY PELLE Morogues 2003 ★★

15 ha 130 000 8 à 11 €

Anne Pellé maintient au meilleur niveau le domaine créé voici cinquante ans par son beau-père, Henry Pellé. Il suffit pour s'en convaincre de goûter son vin aux arômes intenses, d'une grande complexité : fruits en marmelade, agrumes bien mûrs, pêche. Sa bouche ample, son harmonie et sa persistance participent de sa grande classe. Remarquable, ce menetou-salon est passé tout près du coup de cœur. Le **rouge Les Cris 2002 (11 à 15 €)** reçoit aussi deux étoiles pour le superbe fondu de ses arômes et de sa structure.

Dom. Henry Pellé, rte d'Aubinges,
18220 Morogues, tél. 02.48.64.42.48,
fax 02.48.64.36.88, e-mail info@henry-pelle.com
t.l.j. sf dim. 8h30-12h 13h30-17h30;
sam. sur r.-v.; f. 15-31 août
Anne Pellé

LE PRIEURE DE SAINT-CEOLS 2003 ★

5 ha 40 000 5 à 8 €

La cave est située dans un ancien prieuré des Bénédictins qui dépendait de l'abbaye de la Charité-sur-Loué, elle-même fille de Cluny. Cette cuvée est la « fille » de raisins très mûrs : dominante de coing et d'abricot, une touche de minéral à l'olfaction, rondeur, gras et richesse au palais ; l'équilibre est sur le sucré, rehaussé d'une plaisante vivacité en finale. Le **blanc cuvée des Bénédictins 2002 (8 à 11 €)** est cité.

Pierre Jacolin, Le Prieuré de Saint-Céols,
18220 Saint-Céols, tél. 02.48.64.40.75,
fax 02.48.64.41.15, e-mail sarl-jacolin@libertysurf.fr
t.l.j. 8h-19h; dim. sur r.-v.

DOM. JEAN TEILLER 2003 ★

1 ha 4 500 8 à 11 €

Soutenue, la couleur est d'un rubis clair très marqué. Le nez exhale avec une bonne intensité et de façon persistante, des arômes floraux et fruités (fraise). La bouche, volumineuse, tout en rondeur et en gras finit sur une sensation chaleureuse. Un rosé puissant, représentatif du millésime. Pour des grillades ou des tartes salées.

Dom. Jean Teiller, 13, rte de la Gare,
18510 Menetou-Salon, tél. 02.48.64.80.71,
fax 02.48.64.86.92, e-mail domaine-teiller@wanadoo.fr
t.l.j. sf dim. 8h30-12h 14h-18h

LA TOUR SAINT-MARTIN Morogues 2003 ★★

8 ha 32 000 8 à 11 €

Deux étoiles l'an passé pour le 2002, deux étoiles cette année pour un 2003 qui témoigne d'une surmaturité bien maîtrisée à travers ses arômes de sucre d'orge. La structure ample, le gras et la chaleur lui donnent son caractère puissant. Une belle structure qui ne laisse pas indifférent : atypique de l'appellation, mais modèle dans ce millésime d'exception. Pourra être conservé plusieurs années.

Bertrand Minchin, EARL La Tour Saint-Martin,
18340 Crosses, tél. 02.48.25.02.95, fax 02.48.25.05.03,
e-mail tour.saint.martin@wanadoo.fr r.-v.

CHRISTOPHE ET GUY TURPIN Morogues 2003 ★

6,5 ha 45 000 5 à 8 €

Une partie des bâtiments du domaine datent du XVe s. et sont classés. La visite n'intéressera pas seulement les

amateurs de pierres... Le vin, or pâle à reflets argent, offre des arômes très élégants dominés par la fleur d'acacia et le melon. En bouche, il est charmeur, même s'il conserve une certaine timidité. De la fraîcheur, une longueur honorable sur les agrumes sont des qualités pour un accord avec les crustacés. Le **rosé 2003** est cité pour sa finesse aromatique.
EARL Christophe Turpin, 11, pl. de l'Eglise,
18220 Morogues, tél. 02.48.64.32.24,
fax 02.48.64.32.24, e-mail christopheturpin@wanadoo.fr
t.l.j. sf dim. 9h-12h 14h-19h

Pouilly-fumé et pouilly-sur-loire

Œuvre de moines, et qui plus est de bénédictins, voilà l'heureux vignoble des vins blancs secs de Pouilly-sur-Loire ! La Loire s'y heurte à un promontoire calcaire qui la rejette vers le nord-ouest, mais dont le sol, moins calcaire cependant qu'à Sancerre, sert de support privilégié au vignoble exposé sud-sud-est. C'est là que l'on retrouve les vignes de sauvignon « blanc fumé », lequel aura bientôt entièrement supplanté le chasselas, pourtant historiquement lié à Pouilly et producteur d'un vin non dénué de charme lorsqu'il est cultivé sur sols siliceux. Le pouilly-sur-loire (1 565 hl) est produit sur 40 ha alors que le pouilly-fumé représente 1 160 ha qui ont donné 60 127 hl d'un vin qui traduit bien les qualités enfouies en terres calcaires : une fraîcheur qui n'exclut pas une certaine fermeté, un assortiment d'arômes spécifiques du cépage, affinés par le milieu de culture et les conditions de fermentation du moût.

Ici encore la vigne s'intègre harmonieusement aux paysages de Loire où le charme des lieux-dits (les Cornets, les Loges, le calvaire de Saint-Andelain...) fait pressentir la qualité des vins. Fromages secs et fruits de mer leur conviendront, mais ils seront séduisants aussi en apéritif, servis bien frais.

Pouilly-fumé

CH. DE L'ABBAYE 2003 ★

6 ha 35 000 5 à 8 €

Voilà bientôt une quinzaine d'années que Patrice et Pascal Morlat ont pris la relève de leur père, Pierre, sur ce domaine attenant à l'abbaye de Saint-Laurent. Leur 2003, d'un jaune légèrement doré, libère des nuances végétales encore bien présentes. Perlante et fraîche en première impression, la bouche se prolonge sur du fruit et de la minéralité. Pour accompagner une terrine de truite.
Pierre Morlat et Fils,
4, rte de Villiers, 58150 Saint-Laurent-l'Abbaye,
tél. 03.86.26.11.96, fax 03.86.26.19.78
t.l.j. 10h-12h 14h-19h; sam. dim. sur r.-v.

JEAN-PIERRE BAILLY 2003

12 ha 30 000 5 à 8 €

Les Bailly, installés aux Girarmes, sont issus d'une vieille famille de vignerons. Cette cuvée 2003 est le résultat d'un beau travail de vinification. Très marquée sauvignon, elle laisse sur une double impression de légèreté et de finesse. La **cuvée Rabatellerie Vieilles Vignes 2002** est également citée.
Jean-Pierre Bailly,
Les Girarmes, 58150 Tracy-sur-Loire,
tél. 03.86.26.14.32, fax 03.86.26.16.13 r.-v.

DOM. DE BEL AIR 2003 ★★

13 ha 10 000 5 à 8 €

De père en fils ou de père en fille : voici Katia Mauroy, œnologue, qui reprend le flambeau. Produite sur un terroir limité de sables calcaires, cette cuvée demande une bonne aération pour s'exprimer : alors, elle exhale de beaux arômes (abricot, orange), particulièrement élégants. Au palais, elle allie harmonieusement l'onctuosité et la fraîcheur. Superbe équilibre et remarquable finesse. La **cuvée Riquette 2003** obtient une étoile.
Mauroy-Gauliez, Dom. de Bel Air,
Le Bouchot, 58150 Saint-Andelain,
tél. 03.86.39.15.85, fax 03.86.39.19.52 r.-v.

FRANCIS BLANCHET Silice 2003 ★

1 ha 8 000 5 à 8 €

Le Pavillon du milieu de Loire, ancienne oseraie naturelle, ouvert aux visiteurs depuis trois ans, est situé à 1,5 km de la cave de Francis Blanchet. Le pouilly-fumé de ce producteur dégage une belle puissance aromatique, entièrement sur le fruit. La bouche bien vive rappelle l'orange sanguine ou le citron mûr. Vous pourrez conserver ce vin quelques années.
EARL Francis Blanchet,
Le Bouchot, 58150 Pouilly-sur-Loire,
tél. 03.86.39.05.90, fax 03.86.39.13.19
t.l.j. 9h-12h 14h-19h; dim. sur r.-v.; f. 15-31 août

GILLES BLANCHET 2003 ★

5 ha 43 000 5 à 8 €

Si l'intensité reste modérée, la complexité est au rendez-vous : meringue et banane verte, végétal et raisin de

sauvignon. La bouche, structurée et équilibrée, laisse apparaître en rétro-olfaction des arômes d'agrumes (citron et pamplemousse). Tout se termine par une belle vivacité. A essayer sur un feuilleté au jambon et aux blettes.
🔑 Gilles Blanchet, Le Bourg, 58150 Saint-Andelain, tél. 03.86.39.14.03, fax 03.86.39.00.54 ☑ 🍷 r.-v.

BOUCHIE-CHATELLIER La Chatellière 2003

■ 3 ha 10 000 ▮♦ 8 à 11 €

Une grande partie du domaine Bouchié-Chatellier se situe sur la butte de Saint-Andelain et ses terroirs de silex. Mais cette cuvée provient de la partie argilo-calcaire de la propriété. C'est un pouilly-fumé déjà bien ouvert qui libère des senteurs très fines. Malgré une sensation de chaleur, il est facile à boire et devrait convenir à un coq au vin blanc.
🔑 EARL Bouchié-Chatellier, La Renardière, 58150 Saint-Andelain, tél. 03.86.39.14.01, fax 03.86.39.05.18, e-mail pouilly.fume.bouchie.chatellier@wanadoo.fr 🍷 🚶 r.-v.

DOM. DU BOUCHOT 2003 *

■ 8 ha 55 000 ▮♦ 8 à 11 €

L'intérêt de la famille Kerbiquet pour la vigne est ancien ; l'arrière-grand-père de Pascal a été de ceux qui ont cru à l'appellation dès sa création en 1937. Avec un fruité évoquant le coing et les dattes, fort d'une bonne mâche tout en conservant un style classique, ce pouilly-fumé devrait se garder. Les cuvées **Regain 2003** et **Prestige 2003** sont citées.
🔑 Dom. du Bouchot, BP 31, 58150 Saint-Andelain, tél. 03.86.39.13.95, fax 03.86.39.05.92 ☑ 🍷 🚶 r.-v.
🔑 Kerbiquet

HENRI BOURGEOIS
La Demoiselle de Bourgeois 2002 **

■ 3,8 ha 32 933 ▮♦ 11 à 15 €

Le domaine, qui exporte 64 % de sa production, est en train d'établir un vignoble en Nouvelle-Zélande, dans la région de Marlborough où le sauvignon donne de bons résultats. Le modèle ? C'est en pouilly-fumé qu'il se trouve, dans ce millésime 2002. Les arômes sont aussi puissants que complexes ; ils évoluent du fruité au floral (genêt). Rond et très bien structuré, sans excès ni de lourdeur ni de vivacité, le vin offre un caractère vineux harmonieux, hérité d'un raisin riche. La finale est longue sur le fruit (cassis). Une cuvée qui a toute la typicité que l'on aime rencontrer dans un pouilly-fumé.
🔑 SARL Dom. Henri Bourgeois, Chavignol, 18300 Sancerre, tél. 02.48.78.53.20, fax 02.48.54.14.24, e-mail domaine@henribourgeois.com ☑ 🍷 🚶 r.-v.

HENRY BROCHARD Sélection 2003 *

■ n.c. 150 000 ▮♦ 8 à 11 €

Un pouilly-fumé qui attire par ses senteurs de fruits bien mûrs (pêche, ananas). D'attaque souple et fraîche, il ne peut dissimuler une curieuse note rappelant le graphite et la cendre. De longueur satisfaisante, il sera apprécié en accompagnement d'un saumon à l'oseille.
🔑 Henry Brochard, Chavignol, 18300 Sancerre, tél. 02.48.78.20.10, fax 02.48.78.20.19, e-mail lesvins-henrybrochard@wanadoo.fr ☑ 🍷 t.l.j. 10h-12h 14h-18h

DOM. A. CAILBOURDIN Les Cris 2003 *

■ 6 ha 40 000 ▮♦ 11 à 15 €

Beau tiercé pour Alain Cailbourdin. La cuvée Les Cris, issue de caillottes calcaires, exhale des senteurs intenses, tout en restant simples, dans les registres végétal et minéral. Elle possède du relief en bouche, avec une attaque franche et une finale fondue. La **cuvée de Boisfleury 2003 (8 à 11 €)** est citée, tandis que la cuvée **Triptyque 2002 (15 à 23 €)**, élevée en fût pendant onze mois, reçoit une étoile.
🔑 Dom. Alain Cailbourdin, Maltaverne, 58150 Tracy-sur-Loire, tél. 03.86.26.17.73, fax 03.86.26.14.73, e-mail domaine-cailbourdin@wanadoo.fr ☑ 🍷 🚶 r.-v.

DOM. J.-P. CHAMOUX Les Arables 2003 *

■ 0,75 ha 6 000 ▮♦ 8 à 11 €

Jean-Pierre Chamoux dispose de chambres d'hôtes à proximité de sa cave. Un séjour à Pouilly-sur-Loire vous permettra de découvrir le 2003 dont les arômes d'abricot mûr, de pain d'épice et même de miel semblent originaux pour un vin jeune. La première impression au palais est prometteuse, mais la finale témoigne une maturation très avancée du raisin. Cette bouteille devrait convenir à des fromages forts.
🔑 Jean-Pierre Chamoux, 2, pl. de la République, 58150 Pouilly-sur-Loire, tél. 03.86.39.15.58, fax 03.86.39.10.45, e-mail jeanpierre.chamoux@free.fr ☑ 🏠 🍷 🚶 r.-v.

DOM. CHAMPEAU 2003

■ 14 ha 80 000 ▮ 5 à 8 €

Un assemblage issu de sols argilo-calcaires et siliceux. Le nez présente des nuances de beurre qui méritent de s'affiner. D'un gras marqué en attaque et d'une finale fraîche, ce vin passe par une pointe d'amertume en milieu de bouche. Pour des fruits de mer. La **cuvée argilo-siliceuse 2002 (8 à 11 €)** est également citée.
🔑 SCEA Dom. Champeau, Le Bourg, 58150 Saint-Andelain, tél. 03.86.39.15.61, fax 03.86.39.19.44, e-mail domaine.champeau@wanadoo.fr ☑ 🍷 🚶 r.-v.

LES CHANTALOUETTES 2003

■ 3,91 ha 27 060 ▮♦ 8 à 11 €

Nous sommes ici sur un sol argilo-calcaire. Le vin en témoigne. La minéralité est la dominante à l'olfaction comme en rétro-olfaction. La bouche vive est bien construite, avec une progression régulière jusqu'à une pointe citronnée en finale. Un pouilly-fumé à conserver quelque temps avant de le marier à un poisson de Loire en sauce.
🔑 EARL Les Chantalouettes, 1, rue René-Couard, 58150 Pouilly-sur-Loire, tél. 03.86.39.57.75, fax 03.86.39.08.30

LES CHARMES CHATELAIN 2003 *

■ 2 ha 16 000 ▮◍♦ 5 à 8 €

Régulièrement sélectionné dans le Guide, le domaine Chatelain rencontre encore un beau succès cette année. Fruits blancs et petite pointe végétale animent le nez de son 2003. Souple en attaque, le vin évolue avec beaucoup de rondeur, pour finir sur une légère note citronnée. Il a du caractère et de la prestance. Partiellement élevé sous bois, il est prêt à boire. Le **Chatelain Prestige 2002 (11 à 15 €)** obtient lui aussi une étoile, tandis que le **Domaine Chatelain 2003** est cité.

❧ SA Dom. Chatelain,
Les Berthiers, 58150 Saint-Andelain,
tél. 03.86.39.17.46, fax 03.86.39.01.13,
e-mail jean-claude.chatelain@wanadoo.fr
☑ ⟁ ⚘ t.l.j. sf dim. 8h-12h 13h30-17h30; sam. sur r.-v.;
f. août

DOM. CHAUVEAU La Charmette 2003 ★

	7,5 ha	60 000	⬛⬇ 8 à 11 €

D'aspect or vert pâle, cette cuvée La Charmette dégage des arômes puissants et même vifs qui s'avèrent déjà bien ouverts. La bouche reste plutôt en retrait : elle est plus convaincante par sa finesse que par sa longueur. Les cuvées **Les Croqloups 2003** (5 à 8 €) et **Sainte-Clélie 2002** (11 à 15 €) sont également retenues avec une citation.
❧ EARL Dom. Chauveau, Les Cassiers,
58150 Saint-Andelain, tél. 03.86.39.15.42,
fax 03.86.39.19.46, e-mail pouillychauveau@aol.com
☑ ⟁ ⚘ t.l.j. 9h-12h 14h-19h

GILLES CHOLLET 2003 ★

	1,5 ha	12 000	⬛⬇ 5 à 8 €

Au cœur du Bouchot, vieux village vigneron pouillyssois, Gilles Chollet a pris la suite de son père en 1989. Son pouilly-fumé dégage des notes de fruits très mûrs : abricot, prune, figue. Plein en bouche, il se montre charmeur, et sa finale se prolonge agréablement. Equilibré, ce vin est fidèle au millésime.
❧ Gilles Chollet, Le Bouchot, 58150 Pouilly-sur-Loire,
tél. 03.86.39.02.19, fax 03.86.39.06.13,
e-mail gilleschollet@terre-net.fr ☑ ⟁ ⚘ r.-v.

CLOS DES CRIOTS 2003

	n.c.	20 000	⬛⬇ 11 à 15 €

Originaire de Bué-en-Sancerrois, le domaine Salmon exploite depuis plusieurs années des parcelles dans l'aire d'appellation pouilly-fumé. Son vin présente un nez encore fermé, mais la bouche montre une puissance dans la lignée des 2003 de fin de vendanges, avec ce côté alcooleux et gras qui pourra s'harmoniser à la garde.
❧ Dom. Christian Salmon, Le Carroir, 18300 Bué,
tél. 02.48.54.20.54, fax 02.48.54.30.36 ☑ ⟁ ⚘ r.-v.

DOM. DE CONGY Cuvée Les Galfins 2003

	1,7 ha	11 000	⬛⬇ 5 à 8 €

Au domaine de Congy, Christophe Bonnard vous expliquera les raisons de cette dénomination, Les Galfins. Son pouilly-fumé apparaît à l'œil or pâle, particulièrement brillant. Les parfums d'agrumes évoluent vers le végétal (buis), ce qui est original en 2003. La bouche est tout en fraîcheur et se termine sur une nervosité étonnante. A boire avec des crustacés.
❧ SCEA Bonnard Père et Fils,
Dom. de Congy, 58150 Saint-Andelain,
tél. 03.86.39.14.20, fax 03.86.39.10.79,
e-mail c.bonnard@cerb.cernet.fr ☑ ⟁ ⚘ r.-v.

PATRICK COULBOIS Les Cocques 2003

	7 ha	30 000	⬛⬇ 5 à 8 €

1974-2004 : voilà trente ans que Patrick Coulbois a créé son exploitation. Discrets, les arômes de son vin s'ouvrent après aération sur les fruits mûrs (ananas confit) et la viennoiserie. Les fruits exotiques reviennent agréablement en milieu de bouche. Prête à boire dès aujourd'hui, cette bouteille pourra aussi attendre une année ou deux.

❧ Patrick Coulbois,
Les Berthiers, 58150 Saint-Andelain,
tél. 03.86.39.15.69, fax 03.86.39.12.14 ☑ ⟁ ⚘ r.-v.

DIDIER DAGUENEAU Buisson Renard 2002 ★★

	1,55 ha	7 000	⬛ 30 à 38 €

L'élégance le distingue dès la première approche : des senteurs florales (acacia), quelques notes mentholées, un peu de moka vanillé, apporté par un an d'élevage en fût. L'équilibre en bouche est parfaitement établi : de la nervosité, une nuance de grillé, une persistance remarquable. Un pouilly-fumé puissant, de caractère, qui pourra attendre au moins trois ans.
❧ Didier Dagueneau,
1 à 7, rue Ernesto-Che-Guevara, 58150 Saint-Andelain,
tél. 03.86.39.15.62, fax 03.86.39.07.61,
e-mail silex@wanadoo.fr ☑ ⟁ ⚘ r.-v.

DOM. SERGE DAGUENEAU
Clos des Chaudoux 2002

	2 ha	6 000	⬛⬇ 11 à 15 €

Elegant, le nez commence par des senteurs de fleurs blanches, puis laisse transparaître une petite touche de beurre et de grillé. La vivacité est bien au rendez-vous dès les premières sensations gustatives, équilibrée par la rondeur. Facile d'accès, ce vin devrait bien s'accorder avec des fruits de mer.
❧ Serge Dagueneau et Filles,
Les Berthiers, 58150 Saint-Andelain,
tél. 03.86.39.11.18, fax 03.86.39.05.32 ☑ ⟁ ⚘ r.-v.

MARC DESCHAMPS Cuvée Vieilles Vignes 2003 ★

	2,3 ha	13 000	⬛⬇ 11 à 15 €

Cette cuvée doit son caractère aux vignes qui explorent les marnes kimméridgiennes et les calcaires du Barois. Ses arômes, de bonne intensité, évoquent les fleurs accompagnées de notes de poire. Rond et persistant, voici un vin qui saura tenir dans le temps.
❧ Marc Deschamps,
Les Loges, 58150 Pouilly-sur-Loire,
tél. 03.86.69.16.43, fax 03.86.39.06.90 ☑ ⟁ ⚘ r.-v.
❧ Colette Figeat

ANDRE DEZAT ET FILS 2003 ★

	14,5 ha	100 000	⬛⬇ 8 à 11 €

Elu coup de cœur pour leur 2002 l'an passé, André Dezat et ses fils présentent une belle bouteille en 2003. Les arômes font preuve d'intensité et de complexité : fruits mûrs (datte, figue, abricot) et fruits secs (noisette). La bouche, dans la simplicité et la légèreté, est des plus agréables. Associez ce vin à des viandes en sauce.
❧ SCEV André Dezat et Fils,
rue des Tonneliers, Chaudoux, 18300 Verdigny,
tél. 02.48.79.38.82, fax 02.48.79.38.24 ☑ ⟁ ⚘ r.-v.

JEAN DUMONT Les Charmilles 2003 ★

	5,6 ha	50 600	⬛⬇ 8 à 11 €

Cette cuvée Les Charmilles porte bien son nom si l'on en juge par le charme qu'elle dégage. Certes, le nez est encore sur la réserve, mais un peu de temps et d'aération lui permettent de se dévoiler. Les papilles sont flattées par la matière ample et longue qui témoigne d'une bonne maturité. Vous pourrez conserver cette bouteille.

⊶ Jean Dumont, RN 7,
La Castille, 58150 Pouilly-sur-Loire,
tél. 03.86.39.57.75, fax 03.86.39.08.30,
e-mail wanadoo-saget@guy-saget.com
Y 🚶 t.l.j. sf sam. dim. 8h-12h 14h-17h30
⊶ J.-L. Saget

CH. FAVRAY 2003 ★

□ 14,5 ha 115 000 ▮♁ 8 à 11 €

Quentin David présente ici sa cuvée unique, représentant la totalité de son vignoble. Son pouilly-fumé respire les fruits très mûrs, gorgés de soleil, nuancés d'une touche d'écorce d'orange confite. Néanmoins, la bouche ne manque pas de fraîcheur, avec sa finale sur le citron. Présentez un saumon avec cette bouteille.

⊶ Ch. Favray, 58150 Saint-Martin-sur-Nohain,
tél. 03.86.26.19.05, fax 03.86.26.11.59,
e-mail favray@cario.fr ☒ Y 🚶 r.-v.
⊶ Quentin David

ANDRE ET EDMOND FIGEAT
Côte du Nozet 2003 ★

□ 5 ha 35 000 ▮♁ 11 à 15 €

Une statuette de saint Vincent, sculptée dans le bois, trône dans le caveau de dégustation d'André et Edmond Figeat. Vous y apprécierez aussi leur vin dont les premières notes aromatiques sont flatteuses. La rétro-olfaction confirme le mariage des fruits et des épices. La rondeur en attaque se transforme en longueur en finale. Un pouilly-fumé pour une papillote de poisson. La cuvée **Les Chaumiennes 2003** est également très réussie.

⊶ Dom. André et Edmond Figeat,
Côte du Nozet, 58150 Pouilly-sur-Loire,
tél. 03.86.39.19.39, fax 03.86.39.19.00 ☒ Y 🚶 r.-v.

DOM. DES FINES CAILLOTTES 2003 ★

□ 15 ha 130 000 ▮♁ 5 à 8 €

Une belle demeure au pied du village des Loges et à quelques pas de la Loire : c'est là qu'Alain Pabiot vous attend. Les arômes de son 2003 se développent au fur et à mesure que l'air pénètre dans le verre à la faveur d'une agitation (cassis, orange sanguine). Au palais l'on perçoit du gras et beaucoup de maturité. Un bon potentiel de garde. La cuvée **Prestige des Fines Caillottes 2002 (8 à 11 €)** obtient de même une étoile pour sa richesse aromatique.

⊶ Jean Pabiot et Fils, 9, rue de la Treille, Les Loges,
58150 Pouilly-sur-Loire, tél. 03.86.39.10.25,
fax 03.86.39.10.12, e-mail info@jean-pabiot.com
☒ Y 🚶 t.l.j. 8h-12h 14h-18h
⊶ Alain Pabiot

GREBET PERE ET FILS Les Criots 2003 ★★

□ n.c. 10 000 ▮♁ 5 à 8 €

Les ancêtres de la famille Grebet, qui ont créé le vignoble au tout début du XIXe s., se réjouiraient de ce vin riche d'arômes de fruits mûrs (pêche blanche), de bourgeon de cassis et de buis. La bouche fait preuve d'exubérance et de puissance. Sans aucun doute, vous pourrez boire cette bouteille dès maintenant ou bien l'attendre pour encore plus de complexité.

⊶ Grebet Père et Fils,
Les Loges, 58150 Tracy-sur-Loire,
tél. 03.86.39.00.11, fax 03.86.39.04.50,
e-mail scea.grebetfils@libertysurf.fr ☒ Y 🚶 r.-v.

DOM. LANDRAT-GUYOLLOT
La Rambarde 2003 ★

□ 12 ha 80 000 ▮♁ 8 à 11 €

Sophie Guyollot propose deux belles cuvées ; l'une issue de sols argilo-calcaires et de silex, l'autre de silex pur. La Rambarde fait preuve de complexité aromatique en réunissant des notes de fleurs blanches, d'orange et d'ananas. Les raisins surmûris apparaissent en filigrane dans la finale persistante. Un vin net qui pourra accompagner un brochet. Le **Carte noire 2002 (11 à 15 €)** a été jugé très réussi pour son naturel et la richesse de ses arômes.

⊶ Dom. Landrat-Guyollot,
Les Berthiers, 58150 Saint-Andelain,
tél. 03.86.39.11.83, fax 03.86.39.11.65 ☒ 🚶 r.-v.

DOM. DE LA LOGE 2003 ★

□ 3 ha 14 600 ▮♁ 5 à 8 €

Le domaine de La Loge fait son entrée dans le Guide grâce à David Millet qui suit les vins et se lance dans la commercialisation en bouteilles. Un fruité fort agréable séduit d'emblée, puis la bouche convainc par son équilibre. Elégance et persistance font de cette bouteille un pouilly-fumé des plus sympathiques.

⊶ David Millet, Soumard, 58150 Saint-Andelain,
tél. 03.86.39.10.83, fax 03.86.39.10.83 ☒ Y 🚶 r.-v.

DOM. JACQUES MARCHAND 2003

□ 1,98 ha 18 000 ▮♁ 8 à 11 €

En bord de Loire, Les Loges est un ancien village de mariniers, autour duquel se déploient les 12,6 ha de vignes de Jacques Marchand. Dans ce pouilly-fumé, les notes végétales et florales se mêlent à une agréable nuance épicée. Le vin est bâti entièrement sur la fraîcheur, ce qui se traduit en finale par des arômes de citron mûr. A proposer en apéritif.

⊶ SARL Jacques Marchand, 2, rue des
Francs-Bourgeois, Les Loges, 58150 Pouilly-sur-Loire,
tél. 02.48.78.05.01, fax 02.48.78.54.55 ☒ Y 🚶 r.-v.
⊶ Alexandre Mellot

PIERRE MARCHAND ET FILS 2002

□ 2,4 ha 20 000 ▮♁ 8 à 11 €

La cave de Pierre Marchand est située tout près de la Loire sauvage, de ses crues et de ses bancs de sable. Ce pouilly-fumé doit aussi être apprivoisé. Encore timide, il laisse échapper des notes florales et fruitées de belle finesse. La bouche reste sur la réserve, avec une pointe vive rebelle. Une bouteille à attendre quelques mois pour la servir sur un brochet de la Loire voisine.

⊶ Pierre Marchand et Fils, 9, rue des Pressoirs,
Les Loges, 58150 Pouilly-sur-Loire, tél. 03.86.39.14.61,
fax 03.86.39.17.21 ☒ Y 🚶 t.l.j. 9h-12h30 14h-19h30

DOM. MASSON-BLONDELET
Les Angelots 2003 ★★

□ 6 ha 39 000 ▮♁ 8 à 11 €

Au domaine Masson-Blondelet travaillent maintenant les enfants, Pierre-François et Mélanie. A la fois végétal (anis) et fruité (pêche blanche), leur pouilly-fumé est généreux en arômes. L'attaque est vive et l'impression de fraîcheur persiste jusqu'à la finale, ce qui fait dire à un dégustateur que « la chaleur a été amadouée ». Tout se termine par des sensations poivrées et fruitées particulièrement longues et par beaucoup de gras. La **cuvée Villa Paulus 2003** remporte une étoile.

🔑 Jean-Michel Masson,
1, rue de Paris, 58150 Pouilly-sur-Loire,
tél. 03.86.39.00.34, fax 03.86.39.04.61,
e-mail masson.blondelet@wanadoo.fr
☒ Y t.l.j. 9h-12h 14h-17h

JOSEPH MELLOT Le Chant des vignes 2003 ★

n.c. 73 600 ▮🌡 **8 à 11 €**

Alexandre Mellot, qui tient aujourd'hui les rênes de la maison, est présent dans l'ensemble des appellations du Centre-Loire, et sa réussite n'est plus à démontrer. Voici son pouilly-fumé : le nez est déjà ouvert et offre des arômes rappelant les fruits mûrs. La bouche ronde exprime en finale la chaleur liée au millésime. Un vin typé 2003.
🔑 SA Joseph Mellot, rte de Ménétréol,
18300 Sancerre, tél. 02.48.78.54.54, fax 02.48.78.54.55,
e-mail alexandremellot@josephmellot.com ☒ Y ⚲ r.-v.

FREDERIC ET SOPHIE MICHOT 2003 ★

3 ha 12 000 ▮🌡 5 à 8 €

Il n'est pas particulièrement disert, et pourtant il sait retenir l'attention et même l'intérêt. Les arômes demandent à s'ouvrir, mais font déjà montre d'une certaine complexité. De la rondeur, de la maturité, une finale chaleureuse : l'équilibre gustatif est très réussi.
🔑 Frédéric et Sophie Michot, Soumard,
58150 Saint-Andelain, tél. 03.86.39.03.54,
fax 03.86.39.08.57 ☒ Y t.l.j. 8h30-12h30 13h30-19h

GUY ET ODILE MICHOT 2003 ★★

3 ha 10 000 ▮ 5 à 8 €

C'est le quarantième et dernier millésime d'Odile et Guy Michot qui vont se retirer, la relève étant assurée pour une, voire deux générations. Si le nez de leur pouilly-fumé demande un peu de temps pour s'épanouir, il affirme déjà une belle richesse fruitée (poire) et une minéralité rare pour le millésime. Avec une structure enveloppée de gras et une grande persistance aromatique, ce vin récompense une vie de vigneron.
🔑 Guy et Odile Michot,
Soumard, 58150 Saint-Andelain,
tél. 03.86.39.13.23, fax 03.86.39.09.25 ☒ Y r.-v.

JEAN-PAUL MOLLET Les Sables 2003 ★★

2 ha 15 000 ▮🌡 8 à 11 €

Il a de la distinction avec des notes délicates de fleurs d'été, de tabac et de réglisse. En bouche, il surprend par son équilibre bien construit et l'impression générale de légèreté aérienne qu'il dégage. La finale est riche sur des notes épicées proches du poivre. On aura plaisir à servir, tout au long d'un repas, ce beau pouilly-fumé hors des stéréotypes. La cuvée **L'Antique 2003** reçoit une étoile, tandis que la cuvée **Jean-Paul Mollet 2003** est citée.
🔑 Jean-Paul Mollet, 11, rue des Ecoles, Boisgibault,
58150 Tracy-sur-Loire, tél. 02.48.54.13.88,
fax 02.48.54.09.28, e-mail molletjeanpaul@wanadoo.fr
☒ ⚲ t.l.j. 8h-12h 14h-19h

DOMINIQUE PABIOT Les Vieilles Terres 2003

7,5 ha 42 000 ▮🌡 **8 à 11 €**

Les Vieilles Terres ? Cette cuvée provient en effet des plus anciennes terres viticoles de l'aire. Son premier nez est léger, sur les fleurs blanches ; le second s'ouvre sur un fruité citronné, agrémenté d'une pointe d'anis. La bouche possède un certain gras tout en conservant les arômes de citron. Un pouilly-fumé agréable, destiné à des « charcuteries espagnoles », précise un dégustateur. La **cuvée Plaisir 2002 (11 à 15 €)** est également citée.
🔑 Dominique Pabiot, pl. des Mariniers,
Les Loges, 58150 Pouilly-sur-Loire,
tél. 03.86.39.19.09, fax 03.86.39.09.91,
e-mail dominique.pabiot@tele2.fr ☒ Y ⚲ r.-v.

DOM. DE RIAUX 2003 ★★

11 ha 60 000 ▮🌡 8 à 11 €

Déjà élus coup de cœur pour leur 2001, voici deux ans, Bertrand Jeannot et son fils Alexis retrouvent la première marche du podium grâce au 2003. D'un grand classicisme par sa structure droite et intense, très ample, ce vin, d'une belle vivacité, affiche des arômes d'agrumes (pamplemousse), de réglisse et d'écorce d'orange. Cohérents du début à la fin, tous les éléments se fondent dans une magnifique harmonie. Superbe dans le style de l'appellation, c'est un pouilly-fumé d'avenir.
🔑 GAEC Jeannot Père et Fils,
Dom. de Riaux, 58150 Saint-Andelain,
tél. 03.86.39.11.37, fax 03.86.39.06.21 ☒ Y ⚲ r.-v.

DOM. SAGET 2003 ★★

2,92 ha 26 133 ▮🌡 8 à 11 €

A l'œil, les reflets vert argenté soulignent la luminosité de l'or. De beaux arômes, puissants, rappelant les fleurs blanches, le chèvrefeuille et les agrumes flattent l'odorat. L'équilibre entre le gras et l'acidité est juste et fondu. Complexe et persistant, c'est un pouilly-fumé séduisant qui atteindra son plein épanouissement dans un an.
🔑 SCEA Dom. Saget,
4, rue René-Couard, 58150 Pouilly-sur-Loire,
tél. 03.86.39.57.75, fax 03.86.39.08.30,
e-mail guy.saget@wanadoo.fr
☒ Y ⚲ t.l.j. sf sam. dim. 8h-12h 14h-17h30
🔑 J.-L. Saget

GUY SAGET Les Trappes 2003 ★

3 ha 25 000 ▮🌡 **8 à 11 €**

Un vin séduisant dès l'abord par ses notes de fruits surmûris qui traduisent bien l'ensoleillement de l'année. L'attaque est franche et nette, le corps présente du relief avec une vivacité finale qui demande à se fondre. Le retour aromatique sur des notes de miel est plaisant et de bonne persistance. La **cuvée Les Roches 2003 (11 à 15 €)** a, elle aussi, reçu une étoile.
🔑 SA Guy Saget, La Castille, BP 74,
58150 Pouilly-sur-Loire, tél. 03.86.39.57.75,
fax 03.86.39.08.30, e-mail guy.saget@wanadoo.fr
☒ Y ⚲ t.l.j. sf sam. dim. 8h-12h 14h-17h30
🔑 J.-L. Saget

F. TINEL-BLONDELET L'Arrêt Buffatte 2003

| | 3,5 ha | 24 000 | ▤♦ | 8 à 11 € |

Cette cuvée est née sur un terroir de marnes kimméridgiennes. Son nez présente de la finesse et exprime bien les raisins de sauvignon. L'attaque est tendre, la bouche équilibrée, quoique discrète en finale. A servir sur des noix de Saint-Jacques. La **cuvée Genetin 2003** est aussi citée pour sa bonne vivacité.

☛ Dom. Tinel-Blondelet,
La Croix-Canat, 58150 Pouilly-sur-Loire,
tél. 03.86.39.13.83, fax 03.86.39.02.94,
e-mail tinel-blondelet@wanadoo.fr ☑ ⵏ ⴱ r.-v.
☛ Annick Tinel

CH. DE TRACY 2002 ★

| | 31 ha | 116 000 | ▤♦ | 11 à 15 € |

Henry d'Assay est le descendant de la famille d'Estutt venue d'Écosse au XVᵉs. pour servir le roi de France et qui reçut de ce dernier, en récompense, la nationalité française et la seigneurie d'Assay. Il a produit un 2002 de bonne intensité, dont les arômes sont restés remarquablement jeunes : pêche, orange sur fond réglissé. Rond, souple et gras, le palais exprime un fruité discret, encore sur la réserve en finale. Un pouilly-fumé au naturel.

☛ SARL Ch. de Tracy, 58150 Tracy-sur-Loire,
tél. 03.86.26.15.12, fax 03.86.26.10.73,
e-mail tracy@wanadoo.fr ⵏ ⴱ r.-v.

REMY VINCENT 2003 ★

| | n.c. | 100 000 | ▤♦ | 11 à 15 € |

Les sentiers pédestres ne manquent pas autour de Chavignol. Au détour de l'un d'eux vous trouverez la maison Rémy Vincent, dont le millésime 2003 est à retenir pour un repas de fruits de mer. Le nez de bonne finesse décline des notes grillées puis minérales, avant de s'ouvrir sur les agrumes. Encore légèrement perlant, ce vin est franc, bien structuré et doté de gras. Tout juste montre-t-il un peu de végétal au palais. A boire ou à attendre un an.

☛ Rémy Vincent, Le Bourg, Chavignol,
18300 Sancerre, tél. 02.48.78.20.10, fax 02.48.78.20.19,
e-mail lesvins-remyvincent@wanadoo.fr
☑ ⵏ t.l.j. 10h-12h 14h-18h

Pouilly-sur-loire

BARILLOT PERE ET FILS 2003 ★★

| | 0,35 ha | 2 000 | ▤♦ | 3 à 5 € |

Produit sur seulement 5 % de la propriété, le pouilly-sur-loire de Frédéric Barillot est plus qu'une curiosité. Puissant au nez, il affiche un beau fruité de cassis sans oublier la noisette caractéristique. Rond, très gras, il bénéficie en finale d'une pointe de vivacité bienvenue. Une belle harmonie.

☛ Barillot Père et Fils,
Le Bouchot, 58150 Pouilly-sur-Loire,
tél. 03.86.39.15.29, fax 03.86.39.09.52
☑ ⵏ ⴱ t.l.j. 9h-12h 13h30-19h; groupes sur r.-v.

DOM. DE BEL AIR 2003 ★

| | 0,6 ha | 3 000 | ▤♦ | 3 à 5 € |

Des vignes d'une quarantaine d'années, plantées sur sols calcaires, ont produit ce pouilly-sur-loire aux arômes de noisette fraîche et d'essence de citron. Le gaz soutient bien la structure aérienne. La finale est sur le zeste de citron. A boire tel qu'il est, en toute simplicité.

☛ Mauroy-Gauliez, Dom. de Bel Air,
Le Bouchot, 58150 Saint-Andelain,
tél. 03.86.39.15.85, fax 03.86.39.19.52 ☑ ⵏ ⴱ r.-v.

GILLES BLANCHET 2003 ★

| | 0,7 ha | 6 000 | ▤♦ | 3 à 5 € |

Les arômes, certes discrets, sont d'une bonne finesse. Ils expriment les fleurs blanches, la pêche, agrémentés d'une délicate pointe anisée. Le palais possède une vivacité agréable, finissant sur le citron très mûr. Un vin désaltérant.

☛ Gilles Blanchet, Le Bourg, 58150 Saint-Andelain,
tél. 03.86.39.14.03, fax 03.86.39.00.54 ☑ ⵏ r.-v.

PATRICK COULBOIS 2003 ★

| | 0,5 ha | 1 500 | ▤♦ | 5 à 8 € |

Ce pouilly-sur-loire provient d'un terroir d'argiles à silex. Si les premières notes sont timides, l'aération favorise l'expression d'arômes élégants d'amande fraîche. Rond et souple, le palais tire profit des quelques perles de gaz qui lui apportent un peu de relief. Un vin coulant.

☛ Patrick Coulbois,
Les Berthiers, 58150 Saint-Andelain,
tél. 03.86.39.15.69, fax 03.86.39.12.14 ☑ ⵏ ⴱ r.-v.

DOM. LANDRAT-GUYOLLOT La Roselière 2003

| | 1 ha | 3 880 | ▤♦ | 5 à 8 € |

Etonnant pouilly-sur-loire dans sa robe très pâle, platine. Il respire la rose et les agrumes. Sa bouche révèle une grande vivacité et laisse en finale une impression de citron, renforcée par de la minéralité. Un style à part. Pour des huîtres.

☛ Dom. Landrat-Guyollot,
Les Berthiers, 58150 Saint-Andelain,
tél. 03.86.39.11.83, fax 03.86.39.11.65 ☑ ⵏ r.-v.

DOM. DE RIAUX 2003 ★★

| | 0,4 ha | 3 400 | ▤♦ | 5 à 8 € |

A l'œil, il est comme irisé d'or vert et de gris très pâle. Quelle belle richesse aromatique, intense et persistante, aux évocations d'amande, de cassis et de mie de pain. Rond et plein, ce vin allie le corps et la fluidité. Du nerf en finale confirme sa grande personnalité.

☛ GAEC Jeannot Père et Fils,
Dom. de Riaux, 58150 Saint-Andelain,
tél. 03.86.39.11.37, fax 03.86.39.06.21 ☑ ⵏ ⴱ r.-v.

SEBASTIEN TREUILLET 2003 ★

	0,3 ha	2 500		3 à 5 €

Il ne laisse pas indifférent par ses arômes bien présents, parmi lesquels les fruits, une nuance de fleurs jaunes et de rose épanouie. Souple au palais, il évolue favorablement, avec du gras, pour finir sur une note un peu austère. Une construction originale. A servir en apéritif.
↘ Sébastien Treuillet,
Fontenille, 58150 Tracy-sur-Loire,
tél. 03.86.26.17.06, fax 03.86.26.17.06 ☑ ⵏ r.-v.

Quincy

C'est sur les bords du Cher, non loin de Bourges et près de Mehun-sur-Yèvre, lieux riches en souvenirs historiques du XVIᵉs., que les vignobles de Quincy et de Brinay s'étendent sur 174 ha, sur des plateaux de graves sablo-argileuses sur calcaires lacustres.

Le seul cépage sauvignon blanc fournit les quincy (8 139 hl en 2003), qui présentent une grande légèreté, une certaine finesse et de la distinction dans le type frais et fruité.

Si, comme l'écrivait le Dr Guyot au XIXᵉs., le cépage domine le cru, le quincy apporte aussi la démonstration que, dans une même région, la même variété peut s'exprimer en vins différents selon la nature des sols ; et c'est tant mieux pour l'amateur, qui trouvera ici l'un des plus élégants vins de Loire, à déguster avec les poissons et les fruits de mer aussi bien qu'avec les fromages de chèvre.

DOM. DES BALLANDORS 2003

	8,3 ha	n.c.		5 à 8 €

Pour tenir compte des particularités du millésime, ce 2003 a subi une fermentation prolongée (jusqu'à trois mois), suivie d'un court élevage sur lies. Les agrumes et la fleur de sureau dominent les senteurs. La structure est élégante et typée par sa fraîcheur. A boire avec un poulet au quincy.
↘ Chantal Wilk et Jean Tatin, Le Tremblay,
18120 Brinay, tél. 02.48.75.20.09, fax 02.48.75.70.50,
e-mail jeantatin@wanadoo.fr ☑ ⵏ 𝘬 r.-v.

LES BERRYCURIENS Villalin 2003 ★★

	1,71 ha	4 700		5 à 8 €

Un terroir, Villalin, des vignes de plusieurs dizaines d'années, un groupe de passionnés du cru : tous les ingrédients sont réunis pour l'élaboration d'un grand vin. Gras et riche, avec des arômes très persistants, celui-ci impressionne le palais par sa puissance. Son potentiel de garde est au moins de deux à trois ans.

↘ SCEV Les BerryCuriens, Le Buisson Long,
rte de Quincy, 18120 Brinay,
tél. 02.48.51.30.17, fax 02.48.51.35.47 ☑ ⵏ 𝘬 r.-v.

DOM. DES CAVES 2003 ★★

	5 ha	30 000		5 à 8 €

Voilà un quincy qui sauvignonne bien, tant en intensité qu'en finesse. Onctueux et frais au palais, il manifeste un joli fruité (agrumes et pêche mûre). Un 2003 typique, d'une grande harmonie, qui explose en finale comme un feu d'artifice. Il devrait bien se tenir dans le corps.
↘ Bruno Lecomte, 105, rue Saint-Exupéry,
18520 Avord, tél. 02.48.69.27.14, fax 02.48.69.16.42,
e-mail quincy.lecomte@wanadoo.fr ☑ ⵏ 𝘬 r.-v.

DOM. CHEVILLY 2003

	5,6 ha	32 000		5 à 8 €

Les parfums sont particulièrement intenses et variés : dominante de buis et de bourgeon de cassis, agrémentée de notes florales. Généreuse, la bouche manifeste une pointe d'amertume qui devrait s'effacer rapidement. Les arômes sont agréables (pierre à fusil) en rétro-olfaction et de bonne longueur.
↘ Yves Antoine Lestourgie,
52, rte de Chevilly, 18120 Méreau,
tél. 02.48.52.80.45, fax 02.48.52.80.45 ☑ 🏠 ⵏ 𝘬 r.-v.

DOM. DES CROIX 2003

	2 ha	9 000		5 à 8 €

La saveur comme le parfum évoquent le sucré : ananas très mûr au nez, pâte d'amandes en bouche. Ce vin, bien qu'un peu marqué par l'alcool, est de bonne longueur. A déguster avec un fromage de chèvre.
↘ Sylvie Lavault-Rouzé,
chem. des vignes, 18120 Quincy, tél. 02.48.51.35.61,
fax 02.48.51.05.00, e-mail rouze@terre-net.fr

PIERRE DURET 2003 ★

	10,19 ha	60 000		8 à 11 €

A quelques kilomètres du château Royal de Mehun-sur-Yèvre, le domaine Duret présente sa cuvée unique en 2003. D'un or soutenu, rappelant les quincy anciens, celle-ci offre une belle finesse aromatique et une bouche ronde et ample. Elle est déjà fort plaisante.
↘ SARL Pierre Duret, rte de Quincy, 18120 Brinay,
tél. 02.48.51.30.17, fax 02.48.51.35.47 ☑ ⵏ 𝘬 r.-v.
↘ Alexandre Mellot

DOM. DU GRAND ROSIERES 2003 ★★

	3,5 ha	20 000		5 à 8 €

Les vignes de Jacques Siret sont situées sur les terrasses sud du Cher, aux sols argilo-siliceux. Elles ont donné naissance à un vin de teinte originale : des reflets argentés viennent égayer un fond or pâle. De bonne intensité, le nez se caractérise par une pointe végétale qui évolue vers la réglisse. Soutenue par un léger perlant, la vivacité est équilibrée. Un vin remarquable, typique de l'appellation et du millésime.
↘ SCEA Jacques Siret, Dom. du Grand Rosières,
18400 Lunery, tél. 02.48.68.90.34, fax 02.48.68.03.71,
e-mail jacquessiret@wanadoo.fr ☑ ⵏ 𝘬 r.-v.

DOM. MARDON 2003

	12 ha	65 000		5 à 8 €

Le domaine Mardon est exploité par l'une des plus anciennes familles de l'appellation quincy, qui a toujours

fait vivre la tradition viticole. Son 2003 libère des senteurs végétales (buis, genêt, bourgeon de cassis). Si la première approche est souple, le palais est ensuite titillé par une fraîcheur acidulée. Ce vin devrait être à point à la sortie du Guide.
🗝 Dom. Mardon, 40, rte de Reuilly, 18120 Quincy,
tél. 02.48.51.31.60, fax 02.48.51.35.55,
e-mail domaine.mardon@libertysurf.fr ☒ Y ☨ r.-v.
🗝 Hélène Mameaux

DOM. ANDRE PIGEAT 2003

■ 3,5 ha 15 000 ▮↓ 5 à 8 €

Les vins de Philippe Pigeat sont régulièrement mentionnés dans le Guide : c'est à la fois le signe et le résultat d'un travail sérieux. Le 2003 traduit sa jeunesse dans ses premiers arômes, mais le nez s'ouvre après aération sur le fruit (cassis). Avec de la souplesse et du gras, la bouche est élégante.
🗝 Dom. André Pigeat, 18, rte de Cerbois,
18120 Quincy, tél. 02.48.51.31.90, fax 02.48.51.03.12,
e-mail gaec.pigeat-viticulteur@wanadoo.fr
☒ Y ☨ t.l.j. 8h30-12h30 13h30-20h
🗝 Philippe Pigeat

PHILIPPE PORTIER 2003 *

■ 10 ha 75 000 ▮↓ 8 à 11 €

Au cœur du vignoble, vous pourrez être reçus à la ferme d'accueil de La Brosse et y déguster les vins de Philippe Portier. Net mais encore timide, le nez laisse échapper des notes de pierre à fusil, de réglisse et d'anis. La bouche révèle du gras et une puissance un peu chaleureuse. Bonne longueur.
🗝 Philippe Portier, Bois Gy Moreau, 18120 Brinay,
tél. 02.48.51.04.47, fax 02.48.51.00.96,
e-mail philippe.portier@wanadoo.fr ☒ Y ☨ r.-v.

DOM. DE PUY-FERRAND 2003 *

■ 2 ha 14 000 ▮↓ 5 à 8 €

Jusqu'en 1995, Jean-Claude Roux ne produisait que des céréales. Il s'est agrandi en se tournant vers la vigne, non sans succès. Son quincy or pâle et d'une bonne brillance s'exprime avec finesse dans le registre des fruits mûrs. Riche et long en bouche, il traduit bien la surmaturation du millésime 2003. Le **quincy Jean-Claude Roux 2003** obtient lui aussi une étoile.
🗝 Jean-Claude Roux,
Dom. de Puy-Ferrand, 18340 Arcay,
tél. 02.48.64.76.10, fax 02.48.64.75.69 ☒ Y ☨ r.-v.

DIDIER RASSAT Cuvée Tradition 2003 *

■ 1,2 ha 10 000 ▮↓ 8 à 11 €

Un ancien manoir du XVI[e]s. commande ce domaine de 4 ha, dont le vin, jaune pâle à reflets gris, se distingue par des nuances épicées (cannelle, poivre) soulignées de musc. La rondeur est juste suffisante pour lui communiquer un beau volume. A servir sur des viandes blanches.
🗝 Didier Rassat, Champ-Martin, 18120 Cerbois,
tél. 02.48.51.70.19, fax 02.48.51.79.27 ☒ Y ☨ r.-v.

DOM. ADELE ROUZE 2003 **

■ 1,2 ha 7 000 ▮↓ 5 à 8 €

Adèle Rouzé s'est installée en 2003 et, pour son premier millésime, obtient un coup de cœur. Son quincy séduit d'abord par ses senteurs complexes : pamplemousse, réglisse, anis, buis, épices. Puis par beaucoup de gras et de volume. Il achève de convaincre par sa grande longueur aromatique, alliant élégance et puissance.

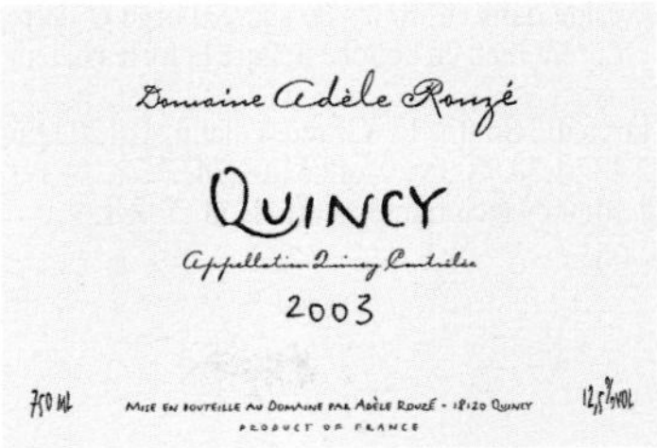

🗝 Adèle Rouzé, chem. des Vignes, 18120 Quincy,
tél. 02.48.51.35.61, fax 02.48.51.05.00,
e-mail arouze@terre-net.fr
☒ Y t.l.j. sf dim. 9h-18h; sam. 10h-18h; f. 15-31 août

DOM. JACQUES ROUZE Cuvée Tradition 2003 *

■ 9 ha 50 000 ▮↓ 5 à 8 €

Les vins de Jacques Rouzé brillent souvent d'une étoile dans le Guide. Voyez les deux éditions précédentes. La cuvée Tradition s'ouvre sur des notes d'amande, relevées d'une discrète pointe végétale. Le palais fait preuve de finesse et de longueur. Vous pourrez attendre quelques mois pour apprécier pleinement cette bouteille. La cuvée **Vignes d'Antan 2003** est aussi sélectionnée avec une étoile pour sa puissance aromatique.
🗝 Jacques Rouzé, chem. des Vignes, 18120 Quincy,
tél. 02.48.51.35.61, fax 02.48.51.05.00,
e-mail rouze@terre-net.fr ☒ Y ☨ r.-v.

DOM. DU TONKIN 2003 *

■ 3,24 ha 20 000 ▮↓ 5 à 8 €

Une ferme berrichonne de la fin du XIX[e]s., plus de 3 ha de vignes : voilà le domaine de Tonkin. Il a produit un vin très clair, platine à reflets verts à peine marqués, dont le nez fruité est de bonne intensité ; le côté amylique encore prononcé se nuance d'agrumes et de poivre. La bouche, d'abord très douce, est relevée ensuite par de la fraîcheur et une pointe d'amertume. Pour accompagner des fruits de mer.
🗝 EARL du Tonkin, Le Tonkin, 18120 Brinay,
tél. 02.48.51.09.72, fax 02.48.51.11.67 ☒ ☨ r.-v.
🗝 Jacques Masson

DOM. DU TREMBLAY 2003 *

■ 8,3 ha n.c. ▮↓ 5 à 8 €

En arrivant au domaine du Tremblay, vous découvrirez la demeure berrichonne avec sa grande cour et son architecture du XVIII[e]s. Puis vous vous attarderez devant cette bouteille dont l'étiquette reproduit une miniature médiévale du château de Mehun-sur-Yèvre. A la dégustation, le vin apparaît franc en attaque et laisse une impression de gras en milieu de bouche. Fruités et réglissés, relevés d'une pointe mentholée, les arômes sont de bonne persistance.
🗝 Jean Tatin, Le Tremblay, 18120 Brinay,
tél. 02.48.75.20.09, fax 02.48.75.70.50,
e-mail jeantatin@wanadoo.fr ☒ Y ☨ r.-v.

DOM. DE VILLALIN 2003

■ 4,5 ha 13 000 ▮↓ 5 à 8 €

Après le coup de cœur attribué au millésime 2002, Maryline Marchand et Jean-Jacques Smith proposent un 2003 dont l'élégance l'emporte sur la puissance. L'origi-

LOIRE

nalité réside dans ces notes de sucre d'orge et de réglisse qui perdurent bien en bouche malgré la forte chaleur de la finale.

⊶ Marchand-Smith, Le Grand Villalin, 18120 Quincy, tél. 02.48.51.34.98, fax 02.48.51.09.74, e-mail vquincy@club-internet.fr ☒ ⌂ Y 🚶 r.-v.

Reuilly

Par ses coteaux accentués et bien ensoleillés, ses sols remarquables, Reuilly était prédestiné à la plantation de la vigne. Sur une superficie de 168 ha, l'appellation recouvre sept communes situées dans l'Indre et le Cher, dans une région charmante traversée par les vertes vallées du Cher, de l'Arnon et du Théols. Elle a produit 6 092 hl en 2003.

Le sauvignon blanc produit 3 443 hl dans la gamme des blancs secs et fruités, qui prennent ici une ampleur remarquable. Le pinot gris fournit localement un rosé de pressoir tendre, délicat, distingué à souhait, mais qui risque de disparaître, supplanté par le pinot noir dont on tire également d'excellents rosés, plus colorés, frais et gouleyants, mais surtout des rouges pleins, enveloppés, toujours légers, au fruité affirmé.

BERNARD AUJARD 2003

□ 2,7 ha 14 000 ▮♁ **5 à 8 €**

Bernard Aujard avait reçu un coup de cœur l'an dernier pour son rosé 2002. On le retrouve ici avec un reuilly blanc tout en fraîcheur, grâce à des notes végétales (buis) que l'on rencontre rarement dans ce millésime. Ce caractère est en cohérence avec la structure en bouche, bien vive. Cette bouteille conviendra à l'accompagnement des fruits de mer. Le **rosé 2003** est cité.

⊶ EARL Bernard Aujard, 2, rue du Bas-Bourg, 18120 Lazenay, tél. 02.48.51.73.69, fax 02.48.51.79.74 ☒ Y 🚶 r.-v.

ANDRE BARBIER 2003

□ 1,7 ha 15 000 ▮♁ **5 à 8 €**

C'est en 1991 qu'André Barbier s'est reconverti dans la viticulture en créant son domaine. Son rosé avait déjà été retenu dans le millésime 2002. Le voici en 2003, très pâle mais d'un bel éclat, qui laisse poindre des notes florales. La bouche est souple, sans vivacité et suffisamment intense. A servir avec des noix de Saint-Jacques à la crème.

⊶ André Barbier, Le Crot-au-Loup, 18120 Chéry, tél. 02.48.51.75.81, fax 02.48.51.72.47 ☒ Y 🚶 r.-v.

DOM. HENRI BEURDIN ET FILS 2003 *

▦ 1,6 ha 11 000 ▮ 5 à 8 €

Chaque année, Henri Beurdin et son fils plantent et font évoluer leur matériel. Une constance qui porte ses fruits. Voyez leur reuilly assez soutenu, d'un ton rose orangé. Assez intense en olfaction, à dominante fruitée et florale, il laisse aussi échapper quelques notes de réglisse. La vivacité en bouche contribue à son harmonie. A servir avec une tête de veau en vinaigrette. Le **blanc 2003** est cité.

⊶ SCEV Dom. Henri Beurdin et Fils, 14, Le Carroir, 18120 Preuilly, tél. 02.48.51.30.78, fax 02.48.51.34.81, e-mail domaine.beurdin@terre-net.fr
☒ Y 🚶 t.l.j. 8h-12h 14h-18h30; dim. sur r.-v.

GERARD BIGONNEAU Les Bouchauds 2003

□ 3,5 ha 20 000 ▮♁ **5 à 8 €**

Arbre sacré en Chine, un gingko biloba orne la cour de la maison de Gérard Bigonneau et l'étiquette de ses vins. Le 2003 nous emmène lui aussi sur des chemins lointains par son fruité exotique. On perçoit également de discrets arômes de fruits confits. L'attaque est vive et demande à s'accorder avec la rondeur finale. Le **rosé 2003** est aussi cité.

⊶ Gérard Bigonneau, La Chagnat, 18120 Brinay, tél. 02.48.52.80.22, fax 02.48.52.83.41 ☒ ⌂ Y 🚶 r.-v.

DOM. DU BOURDONNAT 2003 *

■ 3,2 ha 8 500 ▮♁ 5 à 8 €

Si la robe est cerise noire, le nez évoque la cerise très mûre et la bouche le bigarreau. Relevé par une nuance d'encens, ce vin souple en attaque manifeste ensuite de la fraîcheur pour finir sur une surprenante pointe d'amertume. A garder au moins cinq ans, par exemple pour des grillades de porc. Le **rosé 2003** obtient une étoile, tandis que le **blanc 2003** est cité.

⊶ François Charpentier, Dom. du Bourdonnat, 36260 Reuilly, tél. 02.54.49.20.18, fax 02.54.49.29.91
☒ Y 🚶 t.l.j. 8h-12h 14h-19h

CHANTAL ET MICHEL CORDAILLAT 2003

□ 2,75 ha 21 000 ▮♁ **5 à 8 €**

Les arômes respirent « la campagne au petit matin », dit l'un des dégustateurs. Bonne qualité de fruits mûrs (abricot), finale sur le citron : c'est le type même du reuilly bien vinifié, qui pourra accompagner un poisson en sauce.

⊶ EARL Dom. Cordaillat, Le Montet, 18120 Méreau, tél. 02.48.52.83.48, fax 02.48.52.83.09, e-mail michel.cordaillat@wanadoo.fr
☒ Y 🚶 t.l.j. 14h-19h; dim. sur r.-v.

PASCAL DESROCHES La Sablière 2003 **

■ 2,86 ha 13 000 ▮♁ 5 à 8 €

Un beau millésime de plus pour Pascal Desroches dont trois vins sont sélectionnés. Le reuilly rouge d'abord, au nez chaleureux de liqueur de fraise et de fruits confits. Beaucoup de gras en milieu de bouche, des tanins concentrés et de qualité, un beau retour sur les fruits, c'est un vin complet qui tiendra au moins sept ans. Le **blanc Les Varennes 2003** recueille une étoile, tandis que le **rosé Les Lignis 2003** est cité.

⊶ Pascal Desroches, 13, rte de Charost, 18120 Lazenay, tél. 02.48.51.71.60, fax 02.48.51.71.60 ☒ Y 🚶 r.-v.

JEAN-SYLVAIN GUILLEMAIN 2003

■ 1,36 ha 4 500 ▮♁ **5 à 8 €**

D'une teinte pourpre sombre, ce vin sent la maturité et le soleil : fruits cuits, liqueur de cassis. Les tanins montent dans une progression régulière, jusqu'à exciter fortement toutes les muqueuses. L'ensemble devrait se rééquilibrer avec le temps.

🔑 Jean-Sylvain Guillemain,
Palleau, 18120 Lury-sur-Arnon,
tél. 02.48.52.99.01, fax 02.48.52.99.09 ☒ 🍷 🚶 r.-v.

CLAUDE LAFOND La Grande Pièce 2003 *

■ 2,5 ha 18 000 🍾 5 à 8 €

Le musée de la Vigne et du Vin de Reuilly est situé à proximité de la cave de Claude Lafond. Ce producteur vinifie le fruit de chaque lieu-dit séparément. Son rosé, revêtu d'une belle robe saumonée, est encore timide, mais fait déjà preuve d'une grande finesse. Fraîcheur et fruité se répandent dans un juste équilibre en bouche. Devrait bien s'accorder avec de la cuisine asiatique. Le **rouge Les Grandes Vignes 2003** est cité.
🔑 Claude Lafond, Le Bois Saint-Denis, rte de Graçay, 36260 Reuilly, tél. 02.54.49.22.17, fax 02.54.49.26.64, e-mail claude.lafond@wanadoo.fr ☒ 🍷 🚶 r.-v.

ALAIN MABILLOT 2003 *

□ 2,5 ha 15 000 🍾 5 à 8 €

Un reuilly des plus accueillants, dès le regard porté sur sa teinte jaune brillant. Il présente de la complexité dans ses arômes de fruits (pêche, abricot), agrémentés de fleurs de vigne. Si une pointe de vivacité aurait été souhaitable pour raviver le milieu de bouche, il n'en reste pas moins de bonne facture grâce à sa finale persistante. Des fromages de chèvre un peu avancés lui conviendront parfaitement.
🔑 Alain Mabillot,
Villiers-les-Roses, 36260 Sainte-Lizaigne,
tél. 02.54.04.02.09, fax 02.54.04.01.33 ☒ 🍷 🚶 r.-v.

DOM. DE REUILLY 2003 *

■ 3,7 ha 15 000 🍾 5 à 8 €

Né sur des argilo-calcaires coquilliers, ce reuilly arbore une teinte grenat à reflets violets. La palette aromatique décline le poivre et les épices, ainsi qu'une étonnante nuance de violette. Rond en attaque, puis assez frais avec une pointe de gras, le palais présente une certaine austérité en finale que le temps devrait gommer. Le **blanc 2003** et le **rosé 2003** sont cités.
🔑 SCE Dom. de Reuilly, chem. des Petites-Fontaines, 36260 Reuilly, tél. 02.38.66.16.74, fax 02.38.66.74.69, e-mail denis-jamain@wanadoo.fr ☒
🔑 Jamain

DOM. DE SERESNES 2003 ***

■ 3 ha 9 000 🍾 5 à 8 €

On ne compte plus les coups de cœur obtenus par les reuilly rouges de Jacques Renaudat. Prenez le Guide de l'an passé par exemple et cette édition. Le 2003 montre un joli nez, fait d'arômes de petits fruits rouges mêlés de réglisse et de liqueur de cassis. Au palais, les tanins fondus soutiennent parfaitement le gras et le charnu. Un superbe raisin est à coup sûr à l'origine de ce vin long en bouche, harmonieux, exceptionnel en un mot. Le **blanc 2003** est cité.
🔑 Jacques Renaudat, Seresnes, 36260 Diou,
tél. 02.54.49.21.44, fax 02.54.49.30.42 ☒ 🍷 🚶 r.-v.

DOM. JEAN-MICHEL SORBE 2003 **

□ 1,79 ha 10 000 🍾 5 à 8 €

L'église de Brinay possède de jolies fresques du XIIe s. dans son chœur. Ce n'est pas là le seul intérêt du village puisqu'il vous permettra de découvrir également ce vin d'une grande complexité aromatique (citron, ananas, poire), mêlée d'une fine nuance végétale. L'équilibre gustatif est remarquable : une délicate fraîcheur en attaque introduit une bouche ample, longue et riche qui laisse un « goût de sauvignon ». Toujours en blanc, la cuvée **La Commanderie 2003 (8 à 11 €)** obtient une étoile.
🔑 SARL Jean-Michel Sorbe,
Le Buisson Long, rte de Quincy, 18120 Brinay,
tél. 02.48.51.30.17, fax 02.48.51.35.47,
e-mail jeanmichelsorbe@jeanmichelsorbe.com
☒ 🍷 🚶 r.-v.
🔑 Alexandre Mellot

JACQUES VINCENT 2003 *

■ 3,6 ha 14 000 🍾 5 à 8 €

Jacques Vincent est l'un des vignerons réputés de l'appellation reuilly, en particulier pour ses rosés. Il a produit un 2003 aux arômes intenses, dominés par la violette. Volume et fraîcheur se complètent harmonieusement en bouche. Belle expression à apprécier au dessert.
🔑 Jacques Vincent,
11, chem. des Caves, 18120 Lazenay,
tél. 02.48.51.73.55, fax 02.48.51.14.96 ☒

Sancerre

Sancerre, c'est avant tout un lieu prédestiné dominant la Loire. Sur quatorze communes, s'étend un magnifique réseau de collines parfaitement adaptées à la viticulture, bien orientées, exposées et protégées. Les sols portent des noms locaux : « Terres blanches » (marnes argilo-calcaires du kimméridgien ; « caillottes » et « griottes » (calcaires) ; « cailloux » ou « silex » (siliceux du tertiaire). Ils conviennent à la vigne et contribuent à la qualité des vins ; 2 656 ha sont plantés et ont produit environ 154 342 hl en 2003 dont 124 764 hl de vin blanc.

Deux cépages règnent à Sancerre : le sauvignon blanc et le pinot noir, deux raisins éminemment nobles, capables de traduire l'esprit du milieu et du terroir, d'exprimer au mieux les dons des sols qui s'épanouissent dans des blancs (les plus nombreux) frais, jeunes, fruités ; dans des rosés tendres et subtils ; dans des rouges légers, parfumés, enveloppés.

Mais Sancerre, c'est aussi un milieu humain particulièrement attachant. Il n'est pas facile, en effet, de produire un grand vin avec le sauvignon, cépage de deuxième époque de maturité, non loin de la limite nord de la culture de la vigne, à des altitudes de 200 à 300 m qui influencent encore le climat local et sur des sols qui comptent parmi les plus pentus de notre pays, d'autant plus que les fermentations se déroulent dans une conjoncture délicate de fin de saison tardive !

On appréciera particulièrement le sancerre blanc sur les fromages de chèvre secs, comme l'illustre « crottin » de Chavignol, village lui-même producteur de vin, mais aussi sur les poissons ou les entrées chaudes peu épicées ; les rouges iront sur les volailles et les préparations locales de viandes.

PIERRE ARCHAMBAULT 2003

10 ha 70 000 8 à 11 €

Des arômes de pêche, d'abricot et de mangue se libèrent de la robe or pâle à reflets verts. Ils se prolongent dans la bouche ronde et équilibrée grâce à une acidité bien fondue. Egalement cité, le **sancerre rouge Pierre Archambault 2003** se montre agréable par ses notes épicées et fruitées, comme par ses tanins souples. Il accompagnera des grillades de porc aux herbes de Provence.

SA Pierre Archambault, Caves de la Perrière, 18300 Verdigny, tél. 02.48.54.16.93, fax 02.48.54.11.54, e-mail info@domainelaperriere.com
t.l.j. 8h-18h; f. 20 déc.-15 mars
J.-Louis Saget

SYLVAIN BAILLY Prestige 2003 ★★

n.c. 6 500 11 à 15 €

Joli trio pour Sylvain Bailly. Sa cuvée Prestige appréciera la compagnie d'un filet de turbot nappé de sauce au sancerre. Elle mettra ainsi en valeur la finesse de ses arômes fruités, l'équilibre et la longueur de sa bouche qui lui donnent une remarquable élégance dans ce millésime parfois trop riche. Notée une étoile, la cuvée **Terroirs 2003 blanc (8 à 11 €)** bénéficie de notes florales et d'une agréable fraîcheur rehaussée de touches d'agrumes. La cuvée **La Louée rouge 2003 (8 à 11 €)** est citée pour son fruité épicé ; elle mérite d'attendre deux ans.

Dom. Sylvain Bailly, 71, rue de Venoize, 18300 Bué, tél. 02.48.54.02.75, fax 02.48.54.28.41, e-mail jacquesbailly3@wanadoo.fr
t.l.j. 8h-12h 13h30-18h; dim. sur r.-v.
Jacques Bailly

DOM. JEAN-PAUL BALLAND 2003 ★

17 ha 125 000 8 à 11 €

Voilà bientôt trente ans que Jean-Paul Balland, fort de l'expérience vigneronne de ses aînés, dirige le domaine familial qui compte aujourdhui 24 ha sur les caillottes du Sancerrois. Des notes fruitées et minérales ponctuent la dégustation de son 2003 ample et rond qui persiste agréablement. Egalement très réussie, la **Grande Cuvée 2002 blanc (11 à 15 €)**, issue d'une vendange surmûrie et élevée en fût, livre des arômes de café et de miel, un boisé bien maîtrisé et une matière riche qui invitent à un accord avec une viande blanche dans deux ou trois ans.

Dom. Jean-Paul Balland, 10, chem. de Marloup, 18300 Bué, tél. 02.48.54.07.29, fax 02.48.54.20.94, e-mail balland@balland.com r.-v.

JOSEPH BALLAND-CHAPUIS Le Chatillet 2003

1 ha 7 000 8 à 11 €

Cette exploitation de 12 ha sise dans le charmant village vigneron de Bué ne vinifie que 1 ha de pinot noir. D'une belle intensité colorante, son vin offre le fruit de la cerise et du cassis, légèrement nuancé de végétal, puis une bouche souple dont les arômes évoquent la surmaturation. Egalement cités : **Le Chatillet blanc 2003**, fruité et gras, ainsi que **Le Vallon blanc 2003** rond, floral, équilibré, qui traduit bien le terroir à dominante calcaire.

SARL Balland-Chapuis, La Croix-Saint-Laurent, 18300 Bué, tél. 02.48.54.06.67, fax 02.48.54.07.97, e-mail balland-chapuis@wanadoo.fr r.-v.
J.-Louis Saget

DOM. HENRI BOURGEOIS La Bourgeoise 2002 ★★

7,54 ha 50 282 11 à 15 €

Créé en 1950 avec 2 ha de vignes, le domaine atteint aujourd'hui 65 ha tout en demeurant de structure familiale. Du caveau de dégustation, vous jouirez d'une jolie vue panoramique sur la côte des Monts Damnés. Cette Bourgeoise 2002, or pâle à reflets verts, développe un nez riche et complexe de cassis, de groseille, de coing, d'abricot, de poivre et de vanille. Le boisé se fond remarquablement dans sa matière équilibrée et longue. La cuvée **Sancerre jadis 2002 (15 à 23 €)** obtient une étoile tant elle est fine, ronde et harmonieuse.

SARL Dom. Henri Bourgeois, Chavignol, 18300 Sancerre, tél. 02.48.78.53.20, fax 02.48.54.14.24, e-mail domaine@henribourgeois.com r.-v.

DOM. HUBERT BROCHARD 2003 ★★

8 ha 50 000 15 à 23 €

Si le chai se situe en plein cœur de Chavignol, les 50 ha de vignes se répartissent dans les aires d'appellation sancerre et pouilly-fumé. Les ceps de pinot noir âgés d'une trentaine d'années ont donné naissance à un 2003 grenat soutenu qui livre des notes intenses de fruits rouges, de chocolat et de grillé. D'attaque souple, le vin présente du gras et des tanins bien enrobés qui le soutiennent jusqu'à une longue finale. La cuvée **Aujourd'hui comme autrefois blanc 2003** mérite une étoile grâce à ses notes de surmaturité et à son ampleur : elle sera appréciée à l'apéritif.

⚷ Hubert Brochard,
Dom. du Moulin-Granger, Chavignol, 18300 Sancerre,
tél. 02.48.78.20.10, fax 02.48.78.20.19,
e-mail domaine-hubertbrochard@wanadoo.fr ☒ Y r.-v.

DOM. DES BUISSONNES 2003

■ 2,4 ha 21 000 ▮♁ 11 à 15 €

Un assemblage de jus de presse et de vin de saignée a donné naissance à ce rosé qui a conservé une pointe de fraîcheur dans sa bouche ronde et longue. Les notes florales, fruitées et épicées se mêlent agréablement. Le **2003 rouge**, fruité (framboise, cassis) et souple, s'accordera avec vos grillades, tandis que le **2003 blanc**, dont la vivacité est rehaussée par les arômes d'agrumes et les nuances mentholées, sera servi à l'apéritif. Tous deux sont cités également.

⚷ Cave Roger Naudet, SCEA des Buissonnes,
Maison Sallé, 18300 Sury-en-Vaux, tél. 02.48.79.34.68,
fax 02.48.79.34.68, e-mail regis.jouan@wanadoo.fr
☒ Y 🚶 t.l.j. 9h30-12h 14h-19h

DOM. DES CAVES DU PRIEURE 2003 *

■ 12 ha 80 000 ▮♁ 8 à 11 €

Depuis novembre 2003, Geneviève et Jacques Guillerault, qui ont créé ce domaine en 1971, accueillent les visiteurs dans une « vigneronnerie » du XVIII^e^s. qu'ils ont entièrement rénovée. Vous y trouverez ce sancerre au nez complexe de pêche de vigne, d'agrumes, souligné de nuances minérales. Rond et souple, le vin exprime au mieux le cépage et le terroir à dominante calcaire. Une étoile est aussi attribuée à la cuvée **Tradition rouge 2002**, fruitée et charnue malgré la présence de quelques tanins encore jeunes. Celle-ci développera son expression après un passage en carafe.

⚷ Geneviève et Jacques Guillerault,
Dom. des Caves du Prieuré,
Reigny, 18300 Crézancy-en-Sancerre,
tél. 02.48.79.02.84, fax 02.48.79.01.02,
e-mail caves.prieure@wanadoo.fr ☒ Y 🚶 r.-v.

DANIEL CHOTARD 2003

■ 0,75 ha 6 000 ▮♁ 8 à 11 €

Certes, Daniel Chotard est avant tout vigneron, mais il est aussi grand amateur de jazz et accepte volontiers des partenariats pour des rencontres musicales. Son rosé à la robe saumonée s'accorde sur des notes de fruits secs et d'ananas. D'attaque franche, il se développe avec équilibre jusqu'à une finale persistante de fleurs. A déguster avec des andouillettes grillées. Le **2002 rouge**, aux arômes de pruneau et de grillé, se montre rond. Cité, il mérite d'être apprécié dès à présent.

⚷ Daniel Chotard, Hameau de Reigny,
18300 Crézancy-en-Sancerre, tél. 02.48.79.08.12,
fax 02.48.79.09.21, e-mail daniel.chotard@wanadoo.fr
☒ Y 🚶 t.l.j. 9h-12h 14h-19h; dim. sur r.-v.

DOM. DES CLAIRNEAUX 2003

■ 6,56 ha 50 000 ▮♁ 5 à 8 €

Ce domaine de plus de 6 ha, conduit en lutte intégrée, est né en 1980 à l'initiative de Jean-Marie Berthier. Celui-ci propose un sancerre qui mêle agréablement les agrumes, l'ananas et les fleurs blanches. Tout en rondeur, la bouche reste dans la même ligne aromatique, en y ajoutant une impression de fruits compotés. Un vin prêt à boire.

⚷ Jean-Marie Berthier, Dom. des Clairneaux,
18240 Sainte-Gemme-en-Sancerrois, tél. 02.48.79.40.97,
fax 02.48.79.39.55 ☒ ⌂ ⌂ Y 🚶 r.-v.

ERIC COTTAT La Vallée des vignes 2003

■ 1 ha 7 000 ▮ 5 à 8 €

Cette petite exploitation familiale est implantée sur les hauts coteaux de Sury-en-Vaux, charmant village vigneron ; elle ménage une belle vue sur Sancerre. Son 2003 devrait voir sa palette évoluer favorablement dans les mois à venir. Il se montre déjà souple, d'une vivacité bien fondue et agréablement portée par des arômes de pêche blanche et de végétal. Un vin frais à boire dans les deux ans à venir.

⚷ Eric Cottat, Le Thou, 18300 Sury-en-Vaux,
tél. 02.48.79.02.78, fax 02.48.79.02.78
☒ Y 🚶 t.l.j. 8h-12h 14h-19h

DANIEL CROCHET 2003 **

■ 0,56 ha 4 500 ▮♁ 5 à 8 €

Daniel Crochet remporte un grand succès dans ce millésime 2003 puisque ses vins sont retenus ici dans les trois couleurs. Un rosé puissant, équilibré et riche a eu la faveur du jury. Les arômes d'agrumes, de fleurs et de pêche sont fort agréables, avec leur nuance d'épices. Le **2003 rouge** illustre bien l'année par sa rondeur, son ampleur, son fruité souligné de notes empyreumatiques : un beau potentiel de garde. Il obtient une étoile à l'instar du **2003 blanc**, complexe, long, à la fois frais et rond.

⚷ Daniel Crochet, 61, rue de Venoize, 18300 Bué,
tél. 02.48.54.07.83, fax 02.48.54.27.36
☒ Y 🚶 t.l.j. 9h-12h 14h-19h

DOM. DOMINIQUE ET JANINE CROCHET 2003

■ 6 ha 40 000 ▮♁ 5 à 8 €

Une teinte jaune pâle à reflets verts annonce la jeunesse de ce vin qui offre avec discrétion des notes complexes de fruits et de menthol. La bouche semble plus imposante par son gras, dû à un élevage sur lies fines, et son intensité.

⚷ Dom. Dominique et Janine Crochet,
64, rue de Venoize, 18300 Bué,
tél. 02.48.54.19.56, fax 02.48.54.12.61 ☒ Y 🚶 r.-v.

DOM. ROBERT ET FRANCOIS CROCHET 2002 *

■ 2 ha 8 000 ▮▮▮♁ 11 à 15 €

Robert Crochet et son fils François conduisent ce domaine familial de 10 ha en lutte raisonnée et pratiquent l'enherbement. Ils ont élaboré un vin de belle prestance, rond, ample et équilibré, dont les tanins fins respectent bien l'expression fruitée. Egalement très réussi, le **2003 blanc (8 à 11 €)** laisse une impression d'élégance, joliment soulignée de flaveurs d'agrumes et de notes minérales.

⚷ Robert et François Crochet, Marcigoué, 18300 Bué,
tél. 02.48.54.21.77, fax 02.48.54.25.10
☒ Y 🚶 t.l.j. 9h-12h 13h30-19h30; dim. sur r.-v.

DOM. DAULNY Le Clos de Chaudenay 2002 *

■ 0,9 ha 7 000 ▮▮▮♁ 8 à 11 €

Petit village de moins de trois cents habitants, Verdigny est tout entier tourné vers la vigne. Vous pourrez y voir un musée de la Vigne avant de vous rendre chez Etienne Daulny. Le Clos de Chaudenay est issu de vignes implantées sur des marnes kimméridgiennes caractéristiques du vignoble de Sancerre. Le nez fin évoque les fleurs blanches, les agrumes et la poire, puis la bouche équilibrée se révèle ample et souple. Cité, le **2002 rouge (5 à 8 €)** se distingue par ses arômes de fruits cuits (pruneau) et de fruits rouges, comme par ses tanins bien fondus. Il est représentatif du millésime.

🍂 Etienne Daulny, Chaudenay, 18300 Verdigny, tél. 02.48.79.33.96, fax 02.48.79.33.39 ☑ ⏲ 🌲 r.-v.

DOM. VINCENT DELAPORTE 2003 ★★

| | 16,8 ha | 145 000 | | 5 à 8 € |

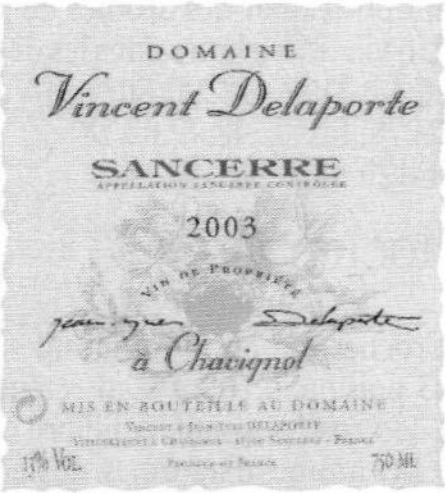

Certes, Chavignol doit sa célébrité à ses fromages, mais ses vins y contribuent pour une large part également. Ceux de Vincent Delaporte figurent régulièrement dans le Guide ; le millésime 2003 met en valeur les talents de ce producteur dans les trois couleurs. Le sancerre blanc a été remarqué pour la finesse de ses arômes qui mêlent les fruits exotiques à une ligne minérale. La bouche grasse et longue bénéficie d'une touche fraîche en finale qui souligne son équilibre. Le **rosé 2003** brille d'une étoile : rond et harmonieux, il livre des notes complexes de litchi, de cassis et de bonbon anglais. Et si vous disposez d'un peu de place dans votre cave, conservez le **2003 rouge**, cité par le jury, pendant deux ou trois ans, car il devrait s'épanouir.

🍂 SCEV Vincent Delaporte et Fils, Chavignol, 18300 Sancerre, tél. 02.48.78.03.32, fax 02.48.78.02.62, e-mail delaportevincent.sancerre@wanadoo.fr
☑ ⏲ 🌲 r.-v.

ANDRE DEZAT ET FILS 2003 ★★

| | 5 ha | 35 000 | ⏱ | 8 à 11 € |

Un coup de maître que ce sancerre rouge né de vignes plantées sur les célèbres caillottes du Sancerrois. Le vin revêt une robe rubis intense à reflets grenat et offre une palette de fruits rouges bien mûrs, d'amande, de notes empyreumatiques sur fond végétal. De quoi inviter à poursuivre la dégustation pour découvrir une chair ronde et équilibrée, une finale fruitée et soyeuse. Un beau potentiel.

🍂 SCEV André Dezat et Fils, rue des Tonneliers, Chaudoux, 18300 Verdigny, tél. 02.48.79.38.82, fax 02.48.79.38.24 ☑ ⏲ 🌲 r.-v.

PAUL DOUCET ET FILS 2003

| | 1 ha | 2 500 | ▮ | 5 à 8 € |

Le domaine de 10,5 ha bénéficie d'un chai flambant neuf construit entre 2000 et 2002. Des installations qui ont permis à Paul et Patrick Doucet d'élaborer ce vin grenat qui révèle un joli potentiel aromatique autour des fruits. Les tanins sont encore perceptibles, mais ils promettent de s'affiner et de se fondre à la bonne matière. Il faut laisser à ce sancerre le temps de s'épanouir.

🍂 EARL Paul Doucet, Les Plessis, 18300 Sury-en-Vaux, tél. 02.48.79.33.40, fax 02.48.79.28.14 ☑ ⏲ 🌲 r.-v.

DOM. DOUDEAU-LEGER 2003

| | 6,19 ha | 45 000 | ▮♦ | 5 à 8 € |

Après une promenade dans la forêt de Charnes qui borde le village de Sury-en-Vaux, rendez-vous au domaine de Pascal Doudeau. C'est un vin frais et fruité qui y a été produit : l'abricot, la pêche blanche et les agrumes se partagent la palette aromatique jusque dans une bouche équilibrée et persistante. Un joli accord en perspective avec des crottins de Chavignol. Le sancerre **rouge 2003**, frais et aromatique (bourgeon de cassis, fruits noirs, nuances végétales) est cité également ; vous l'associerez à une salade composée.

🍂 Dom. Doudeau-Léger, Les Giraults, 18300 Sury-en-Vaux, tél. 02.48.79.32.26, fax 02.48.79.29.89 ☑ 🏠 🏠 ⏲ 🌲 r.-v.
🍂 Pascal Doudeau

DUC DE TARENTE 2003

| | n.c. | 13 000 | ▮♦ | 8 à 11 € |

Créée en 1963, la cave de Sancerre regroupe aujourd'hui cent trente vignerons. Le fruit des vignes plantées sur des sols argilo-calcaires a donné naissance à ce vin grenat, encore discret dans ses senteurs de cassis et de mûre. A l'attaque souple succèdent des tanins bien fondus qui composent une structure de qualité. Une citation revient aussi à **La Duchesse blanc 2003**, d'une fraîcheur appréciable pour le millésime.

🍂 Cave des vins de Sancerre, av. de Verdun, 18300 Sancerre, tél. 02.48.54.19.24, fax 02.48.54.16.44, e-mail infos@vins-sancerre.com
☑ ⏲ t.l.j. 8h-12h 13h-17h; sam. dim. 10h-12h 14h-18h (juin-sept.)

BERNARD FLEURET ET FILS
Cuvée d'la Vauvise 2003 ★★★

| | 0,5 ha | 3 000 | ▮◗♦ | 8 à 11 € |

C'est en 1990 que Bernard Fleuriet a ajouté la culture de la vigne à ses activités de polyculture et d'élevage. Il obtient en 2003 un résultat exceptionnel : une cuvée pourpre intense, tout en puissance et en complexité dans ses arômes de cacao, de grillé, de sous-bois et de fruits. On perçoit une grande matière et de la persistance dans ce vin à déguster dans quatre ou cinq ans avec une viande rouge ou un gibier à plume. Une étoile récompense la cuvée **Côte de Marloup rouge 2003 (5 à 8 €)**, plus fraîche et fruitée que la précédente, tandis qu'une citation est attribuée à la **Côte de Marloup blanc 2003 (5 à 8 €)**, aromatique et fine.

🍂 Bernard Fleuriet et Fils, La Vauvise, 18300 Menetou-Ratel, tél. 02.48.79.34.09, fax 02.48.79.34.09, e-mail fleuriet.vauvise@terre-net.fr
☑ ⏲ t.l.j. 8h-12h30 14h-19h30

CH. DE FONTAINE-AUDON 2003 ★

| | 11 ha | 72 000 | ▮♦ | 8 à 11 € |

La Fontaine-Audon est l'un des rares châteaux du Sancerrois ; situé à Sainte-Gemme-le-Sancerrois il est entouré de son vignoble de 15 ha ; malheureusement il ne se visite pas. Il est à l'origine d'un vin élégant et bien travaillé, que l'on appréciera à l'apéritif avec des crottins de Chavignol. Les arômes complexes, floraux et fruités (agrumes) s'expriment jusque dans une bouche ronde qu'une pointe vive vient relever.

⊶ Langlois-Château, 3, rue Léopold-Palustre, 49400 Saint-Hilaire-Saint-Florent, tél. 02.41.40.21.40, fax 02.41.40.21.49, e-mail contact@langlois-chateau.fr ☒ Y 🚶 t.l.j. 10h-12h30 15h-18h30; f. jan.

FOUASSIER PERE ET FILS L'Etourneau 2003 *

■ 1 ha 8 000 ▮♁ 8 à 11 €

Le domaine Fouassier, installé sur les hauteurs de Sancerre, possède un vignoble de 52 ha conduit en agriculture raisonnée. L'Etourneau est un vin harmonieux qui devrait faire bel effet avec la cuisine asiatique. Très intense, il décline des arômes de fleurs blanches, de fruits rouges, de poire et de banane, puis laisse en bouche une impression ronde et fraîche à la fois, rehaussée de notes d'agrumes. Citées, la **Mélodie de Gustave Fouassier 2002 (15 à 23 €)**, ronde et boisée, à attendre encore deux ans, et la cuvée **Empreinte 2002 (15 à 23 €)**, aux notes grillées persistantes.

⊶ SA Fouassier Père et Fils, 180, av. de Verdun, 18300 Sancerre, tél. 02.48.54.02.34, fax 02.48.54.35.61, e-mail fouassier@terre-net.fr ☒ Y 🚶 r.-v.

DOM. DE LA GARENNE 2003

■ 5 ha 38 000 ▮♁ 8 à 11 €

Souvenez-vous : ce domaine avait obtenu un coup de cœur l'an passé. Composé aux trois quarts de sauvignon, son vignoble a donné naissance à un 2003 jaune pâle à reflets verts qui libère des senteurs printanières de fleurs et de fruits (cassis). La bouche équilibrée prolonge ces notes aromatiques avant de révéler des accents de minéralité en finale.

⊶ Bernard-Noël Reverdy, Dom. de la Garenne, rue Saint-Vincent, 18300 Verdigny, tél. 02.48.79.35.79, fax 02.48.79.32.82 ☒ Y 🚶 r.-v.

DOM. MICHEL GIRARD ET FILS 2003 **

■ 6 ha 50 000 ▮♁ 8 à 11 €

Au menu : suprême de volaille et crottin de Chavignol, accompagnés bien sûr de ce 2003 aux reflets argentés et dorés. Des arômes de banane et d'agrumes se manifestent agréablement et trouvent un bel écho dans la bouche ronde, équilibrée et longue. Le **2003 rouge**, jugé très réussi, est représentatif du millésime avec son nez de fruits mûrs. Quant à la cuvée **Sancerrement blanc 2003 (11 à 15 €)**, aromatique, souple et boisée, elle est citée.

⊶ Dom. Michel Girard et Fils, Chaudoux, 18300 Verdigny, tél. 02.48.79.33.36, fax 02.48.79.33.66 ☒ Y 🚶 r.-v.

VINCENT GRALL Le Manoir 2003

■ 0,5 ha 6 600 ▮▥♁ 8 à 11 €

La cave de Vincent Grall est installée sur le piton de Sancerre, et le vignoble de 3 ha sur les coteaux alentour. Ce 2003 or pâle est encore discret au nez, mais le fruit et la vanille se distinguent. Rond en attaque, il présente un corps plus vif et un boisé finement fondu.

⊶ Vincent Grall, 149, av. Nationale, 18300 Sancerre, tél. 02.48.78.00.42, fax 02.48.54.14.23, e-mail vincent.grall@wanadoo.fr ☒ Y 🚶 t.l.j. 10h-19h; oct.-mars sur r.-v.

DOM. DES GRANDES PERRIERES 2003 *

■ 5 ha 40 000 ▮ 5 à 8 €

Jérôme Guéneau, qui a créé son domaine en 1993, cultive près de 10 ha de vignes réparties entre Sury-en-Vaux, Sainte-Gemme-en-Sancerrois et Chavignol. Il a élaboré un sancerre doré soutenu, qui possède toute la rondeur et le gras caractéristiques du millésime, avec un joli fruit. Le **2003 rouge (8 à 11 €)**, fruité et grillé, se montre souple et structuré ; les dégustateurs lui attribuent une étoile et le conseillent avec une anguille au vin rouge. Le **rosé 2003** est cité pour sa finesse aromatique (fruits exotiques, agrumes et poivre).

⊶ Jérôme Gueneau, Panquelaine, 18300 Sury-en-Vaux, tél. 02.48.79.39.31, fax 02.48.79.40.27 ☒ Y 🚶 r.-v.

ALAIN GUENEAU La Guiberte 2003

■ 5 ha 30 000 ▮♁ 5 à 8 €

Alain Gueneau, fort de 15 ha de vignes sur les hauteurs de Sury-en-Vaux, a produit un sancerre or pâle qui exhale avec finesse des arômes d'agrumes. Une élégance aromatique que l'on retrouve dans une bouche fraîche et équilibrée. A boire dès aujourd'hui avec des poissons ou des fruits de mer.

⊶ Alain Gueneau, Maison-Sallé, 18300 Sury-en-Vaux, tél. 02.48.79.30.51, fax 02.48.79.36.89, e-mail agueneau@terre-nef.fr ☒ Y 🚶 t.l.j. sf dim. 8h-12h 14h-18h

DOM. SERGE LALOUE Silex Cuvée réservée 2003

■ 2,2 ha 19 000 ▮♁ 8 à 11 €

Un vin harmonieux qui devrait bien évoluer dans le temps, car il est issu de raisins de qualité. Son nez assez complexe évoque l'ananas, l'abricot et le grillé, des arômes que l'on retrouve dans une bouche puissante et ample. Cité également, le **2003 blanc** affiche des arômes fruités et floraux, ainsi qu'une grande rondeur, à peine relevée d'une petite vivacité. Ces deux vins traduisent bien l'été torride de l'année.

⊶ Serge Laloue, Thauvenay, 18300 Sancerre, tél. 02.48.79.94.10, fax 02.48.79.92.48, e-mail laloue@terre-net.fr ☒ Y 🚶 r.-v.

LAPORTE La Cresle de Laporte 2003

■ n.c. 40 000 ▮♁ 8 à 11 €

C'est à La Cresle, lieu-dit de Saint-Satur, que fut construite la cave en 1973. Du sous-sol calcaire, les amateurs de fossiles peuvent encore extraire des coquillages, mais ils ne doivent pas en oublier le vin. Celui-ci est un sancerre typique qui mêle fruits (poire) et fleurs, avec une note végétale. Bien équilibré, ample et persistant, il laisse une agréable sensation de fraîcheur.

⊶ SA Laporte, Cave de La Cresle, 18300 Saint-Satur, tél. 02.48.78.54.20, fax 02.48.54.34.33, e-mail info@domaine-laporte.com ☒ Y 🚶 r.-v.

ALPHONSE MELLOT La Moussière 2003 *

■ 30 ha n.c. 11 à 15 €

Située sur le piton de Sancerre, la cave d'Alphonse Mellot dessine de beaux méandres sous terre. Elle abrite le vin issu des vignes de La Moussière, plantées sur le calcaire kimméridgien : 30 ha d'un seul tenant à l'extrémité sud-ouest de Sancerre. Le 2003, harmonieux et tout en finesse, présente non seulement de la rondeur, mais aussi une certaine fraîcheur grâce à ses arômes d'agrumes et de fleurs blanches. Il sera le compagnon idéal d'un sandre nappé de sauce au beurre.

⊶ Alphonse Mellot, La Moussière, 18300 Sancerre, tél. 02.48.54.07.41, fax 02.48.54.07.62, e-mail alphonse@mellot.com ☒ Y 🚶 r.-v.

THIERRY MERLIN-CHERRIER 2002 *

■ 2 ha 8 000 ▮ ⊕ 11 à 15 €

Arrivé à Bué, vous ne pourrez manquer ce domaine de quelque 13 ha, que Thierry Merlin a créé il y a vingt-quatre ans après avoir acquis de l'expérience en Bourgogne, dans des aires aussi prestigieuses que chablis et puligny-montrachet. Si le pinot noir ne couvre qu'une faible part du vignoble, il n'en produit pas moins des vins aussi intéressants que ce 2002 franc et équilibré, témoin d'une bonne maîtrise de la vinification. Des notes complexes de fruits rouges et noirs se mêlent aux épices, tandis qu'en bouche les tanins se montrent fins. **Le Chêne Marchand blanc 2002** s'avère plaisant par sa minéralité et ses nuances florales, de même que le **Domaine Merlin-Cherrier blanc 2003 (8 à 11 €)**, aux arômes de banane et de bonbon anglais, rond et persistant. Tous deux sont cités.

⊶ Thierry Merlin-Cherrier, 43, rue Saint-Vincent, 18300 Bué, tél. 02.48.54.06.31, fax 02.48.54.01.78 ☒ Ⲧ r.-v.

INSOLITE DE FRANCK MILLET 2002 *

□ 0,5 ha 3 000 ▮ ⚲ 11 à 15 €

Vendangé sur des coteaux exposés au sud-sud-est, le raisin de sauvignon a connu une macération pelliculaire presque à froid, ce qui se traduit dans le vin par une bonne complexité aromatique. Les dégustateurs ont perçu, en effet, de jolies notes de coing, d'abricot, de tilleul et une ligne minérale qui se prolongent dans la bouche ronde et ample. Le **Domaine Franck Millet 2003 blanc (8 à 11 €)** est finement aromatique, souple et typique du millésime. Il obtient une étoile également.

⊶ Franck Millet, 68, rue Saint-Vincent, 18300 Bué, tél. 02.48.54.25.26, fax 02.48.54.39.85, e-mail franck.millet@wanadoo.fr ☒ Ⲧ ⛹ r.-v.

DOM. GERARD MILLET Fût de chêne 2002

■ 0,65 ha 5 000 ▮ ⊕ ⚲ 11 à 15 €

Installé en 1979 à Bué, sur la route de Bourges, Gérard Millet a commencé avec les quelques vignes de ses grands-parents ; aujourd'hui, il cultive près de 20 ha. De teinte rouge clair, son vin livre des arômes fruités alliés aux notes torréfiées de l'élevage sous bois. Harmonieux et charmeur, il saura accompagner une potée de faisan.

⊶ Gérard Millet, rte de Bourges, 18300 Bué, tél. 02.48.54.38.62, fax 02.48.54.13.50, e-mail gmillet@terre-net.fr ☒ Ⲧ r.-v.

FLORIAN MOLLET L'Antique 2003 **

□ 2 ha 15 000 ▮ ⚲ 8 à 11 €

Aux commandes du domaine familial (ancienne propriété de l'abbaye de Saint-Satur) depuis 2000, Florian Mollet est encore un tout jeune vigneron, mais il a déjà à son compte de nombreuses mentions dans le Guide. Son remarquable 2003, issu d'un terroir argilo-calcaire, n'est ni collé ni filtré et n'est pas passé au froid. Il se développe tout en souplesse et en rondeur, typique de son millésime, autour de notes d'agrumes et de mangue. Les ris de veau lui iront bien. La **cuvée principale de sancerre blanc 2003** est citée.

⊶ Florian Mollet, 84, av. de Fontenay, 18300 Saint-Satur, tél. 02.48.54.13.88, fax 02.48.54.09.28, e-mail mollet.jean-paul@wanadoo.fr ☒ 🏠 🏠 ⛹ t.l.j. 8h-12h 14h-19h

MOULIN DES VRILLERES 2003 *

□ 3 ha 24 000 ▮ ⚲ 5 à 8 €

Ancien moulin à eau, ce domaine possède 12 ha de vignes dans le paysage vallonné de Sury-en-Vaux. Il propose ici un assemblage de sauvignons âgés de dix à quarante ans, récoltés sur des sols de caillottes. Le vin se distingue par des arômes de fruits exotiques et d'agrumes qui accompagnent durablement son corps rond. Un sancerre sympathique que vous apprécierez dans les deux ans à venir.

⊶ Christian Lauverjat, Moulin des Vrillères, 18300 Sury-en-Vaux, tél. 02.48.79.38.28, fax 02.48.79.39.49, e-mail lauverjat.christian@wanadoo.fr ☒ Ⲧ ⛹ r.-v.

ROGER NEVEU ET FILS
Clos des Bouffants 2003 **

□ 11 ha 75 000 ▮ ⚲ 8 à 11 €

La famille Neveu a enquêté et a trouvé dans les archives départementales trace de ses ancêtres vignerons au XIIe s. Dans l'arbre généalogique, Roger Neveu pourra indiquer que le millésime 2003 fut remarquable. Son vin explose de parfums de fruits mûrs, de fruits exotiques, de fleurs et de notes grillées. Il emplit le palais de son gras renforcé par l'élevage sur lie fine durant cinq mois. Ce sancerre puissant et persistant sera des vôtres jusqu'en 2007.

⊶ Dom. Roger Neveu et Fils, 18300 Verdigny, tél. 02.48.79.40.34, fax 02.48.79.32.93, e-mail neveu@terre-net.fr ☒ Ⲧ ⛹ r.-v.

JEAN PABIOT ET FILS La Merisière 2003

□ n.c. n.c. ▮ ⚲ 5 à 8 €

Jacques Pabiot, vigneron à Pouilly-sur-Loire, produit également du sancerre. D'une couleur or pâle, son 2003 décline des notes florales et fruitées, évocatrices d'agrumes. Il fait preuve de franchise dès l'attaque, de souplesse et d'une bonne longueur sur le fruit. Un ensemble sympathique qui s'accordera bien avec des crustacés.

⊶ Jean Pabiot et Fils, 9, rue de la Treille, Les Loges, 58150 Pouilly-sur-Loire, tél. 03.86.39.10.25, fax 03.86.39.10.12, e-mail info@jean-pabiot.com ☒ Ⲧ ⛹ t.l.j. 8h-12h 14h-18h

⊶ Alain Pabiot

DOM. HENRY PELLE La Croix au Garde 2003 **

□ 8 ha 64 000 ▮ ⚲ 8 à 11 €

Henry Pellé ? Les fidèles du Guide le connaissent bien. Installé à Morogues, au sein de l'aire d'appellation menetou-salon, il possède 40 ha de vignes, dont une dizaine en AOC sancerre. Ici, l'accueil est chaleureux et le vin de qualité régulière. Brillant d'or pâle, ce 2003 « tire l'appellation vers le haut », déclare un dégustateur. Le nez s'ouvre en finesse sur des fruits à noyau (pêche et abricot) et des notes florales, puis la bouche offre son équilibre parfait, son volume et sa longueur. A boire ou à attendre. **La Croix au Garde rouge 2002**, citée, décline une palette d'arômes flatteurs.

⊶ Dom. Henry Pellé, rte d'Aubinges, 18220 Morogues, tél. 02.48.64.42.48, fax 02.48.64.36.88, e-mail info@henry-pelle.com ☒ Ⲧ ⛹ t.l.j. sf dim. 8h30-12h 13h30-17h30; sam. sur r.-v.; f. 15-31 août

⊶ Anne Pellé

COMTE DE LA PERRIERE 2003 *

3 ha 20 000 8 à 11 €

Visitez ces Caves de La Perrière, curiosité du Sancerrois, domaine qui offre en outre un joli point de vue sur le village de Sancerre et le vignoble. Issu d'un terroir de silex et d'une vendange manuelle, ce Comte de La Perrière s'habille d'une robe or et se pare d'arômes fruités de pêche et de mûre. Rond et puissant, tout en flaveurs de surmaturité, il représente bien son millésime et pourra attendre entre douze et vingt-quatre mois. Cité, le **Domaine de La Perrière blanc 2003** se montre équilibré et frais grâce à ses notes citronnées. Une citation revient également à la cuvée **Mégalithe blanc 2003 (11 à 15 €)**, aux notes boisées.

SCEA Dom. de La Perrière, Caves de La Perrière, 18300 Verdigny, tél. 02.48.54.16.93, fax 02.48.54.11.54, e-mail info@domainelaperriere.com
t.l.j. 8h-18h; f. 20 déc.-15 mars
J.-Louis Saget

JEAN-PAUL PICARD Cuvée Prestige 2002 ***

1 ha 4 000 8 à 11 €

Ce domaine familial depuis le XVIIIe s. s'est doté d'un chai tout neuf dans lequel a été vinifié le millésime 2003. Pourtant, c'est un 2002 que les dégustateurs ont plébiscité. Une cuvée prestigieuse, en effet, qui offre un feu d'artifice aromatique : coing, poire, groseille, tilleul, acacia, bourgeon de cassis, minéral. Toute de finesse, la bouche allie une juste vivacité, soulignée par les arômes d'agrumes, à beaucoup de gras et se prolonge longuement en finale. A déguster seul, pour le plaisir à l'apéritif, ce vin saura aussi accompagner une lotte ou un saint-pierre.

Jean-Paul Picard, 11, chem. de Marloup, 18300 Bué, tél. 02.48.54.16.13, fax 02.48.54.34.10, e-mail jean-paul.picard18@wanadoo.fr r.-v.

PAUL PRIEUR ET FILS 2003 **

1,06 ha 8 500 8 à 11 €

Pour rencontrer cette famille vigneronne installée de longue date à Verdigny, il vous suffit de franchir le seuil d'une boutique à la façade 1900. Juste en dessous se trouve la cave qui abrite ce rosé issu de pressurage direct. Des arômes intenses et fins de fleurs, de pêche et de prune introduisent la dégustation et ne semblent plus devoir quitter la bouche qui allie rondeur extrême et fraîcheur. A déguster avec des pâtisseries.

Paul Prieur et Fils, rte des Monts-Damnés, 18300 Verdigny, tél. 02.48.79.35.86, fax 02.48.79.36.85, e-mail paulprieurfils@wanadoo.fr
t.l.j. 9h-12h 14h-19h; dim. sur r.-v.

DOM. ANDRE RAFFAITIN 2003 *

1 ha 9 000 5 à 8 €

Pourpre profond, ce vin attire le regard. Une invitation à poursuivre la dégustation pour découvrir le nez fin et intense à la fois, qui évolue des fruits vers les épices et le chocolat. Si les tanins sont bien présents, la bouche n'en est pas moins ample, ronde et équilibrée. Quelques années de garde permettront à l'ensemble de s'assouplir parfaitement. Le **2003 blanc**, cité, revêt un caractère citronné très frais, tout en se montrant souple et harmonieux. Vous le dégusterez avec des fruits de mer.

EARL Jacques Raffaitin, 39, rue Saint-Vincent, 18300 Bué, tél. 02.48.54.25.62, fax 02.48.54.11.87
t.l.j. 8h-12h 14h-18h; dim. sur r.-v.

ROGER ET DIDIER RAIMBAULT 2003 *

10,5 ha 55 000 8 à 11 €

Voilà trente ans que ce domaine de 17 ha s'est totalement tourné vers la vigne. Il présente un vin jaune pâle à reflets argentés, dont la palette d'agrumes et de pomme annonce la vivacité de son attaque. Le corps souple permet une dégustation dès aujourd'hui.

Roger et Didier Raimbault, Chaudenay, 18300 Verdigny, tél. 02.48.79.32.87, fax 02.48.79.39.08, e-mail raimbault.didier@libertysurf.fr
t.l.j. 9h-12h 14h-18h; dim. sur r.-v.

DOM. RAIMBAULT-PINEAU 2003 *

8,5 ha 65 000 8 à 11 €

Sonia et Jean-Marie Raimbault proposent un gîte rural à Sury-en-Vaux, bon point de départ pour une visite du Sancerrois. Produit sur un sol argilo-calcaire, leur vin offre des arômes variés de fleurs blanches, de banane, d'agrumes et de fruits exotiques. Il se révèle rond et ample au palais, bien équilibré jusqu'à la finale empreinte de notes de surmaturité.

Dom. Raimbault-Pineau, rte de Sancerre, 18300 Sury-en-Vaux, tél. 02.48.79.33.04, fax 02.48.79.36.25, e-mail seev.raimbault-pineau@terre-net.fr
r.-v.

DOM. HIPPOLYTE REVERDY 2003 *

2,5 ha 10 000 8 à 11 €

Avec un nez intense de fruits rouges bien mûrs, ce vin est prometteur et saura s'épanouir davantage encore avec le temps. Richesse, puissance et persistance le caractérisent au palais. Un sancerre apte à une garde de cinq ans, qui se mariera aussi bien avec les viandes rouges et le gibier à poil qu'avec des fromages. Une étoile brille également pour le **2003 blanc** qui développe de fins et longs arômes de fruits et de fleurs jusque dans sa bouche fondue.

Dom. Hippolyte Reverdy, rue de la Croix-Michaud, Chaudoux, 18300 Verdigny, tél. 02.48.79.36.16, fax 02.48.79.36.65 r.-v.

PASCAL ET NICOLAS REVERDY
Terre de Maimbray 2003 **

9 ha 60 000 8 à 11 €

Encore un remarquable millésime pour Pascal et Nicolas Reverdy qui ne cessent de faire progresser leur domaine. Le vignoble est aujourd'hui enherbé à 50 % et devrait l'être à 75 % dans trois ans. Cette cuvée dévoile sous une teinte jaune pâle à reflets dorés un nez complexe alliant des notes florales et fruitées subtiles. Sa bouche très ronde, empreinte de fruits, laisse un souvenir durable. A boire ou à attendre. Egalement notée deux étoiles, la cuvée **Vieilles Vignes blanc 2003 (11 à 15 €)**, non filtrée, a connu dix mois d'élevage sous bois. Elle présente du relief, du gras et de longs arômes de fruits confits. Une étoile est attribuée au **sancerre rouge Terre de Maimbray 2003**, fruité, rond et persistant.

Pascal et Nicolas Reverdy, Maimbray, 18300 Sury-en-Vaux, tél. 02.48.79.37.31, fax 02.48.79.41.48 r.-v.

BERNARD REVERDY ET FILS 2003 **

1,2 ha 7 000 8 à 11 €

A l'apéritif, sous un parasol au bord de l'eau... C'est ainsi que les dégustateurs auraient aimé savourer ce rosé expressif qui décline des nuances d'agrumes et de banane.

S'il est agréablement rond, le vin révèle aussi une juste fraîcheur qui participe à sa finesse et à son équilibre. Le **2003 blanc** obtient une étoile, car il est fin et racé, fruité et minéral, rond et harmonieux. Cité, le **2002 rouge** présente un nez délicat de fumé et de griotte, ainsi que des tanins fondus. Vous l'apprécierez après une légère aération.

🔑 Bernard Reverdy et Fils,
rte des Petites-Perrières, Chaudoux, 18300 Verdigny,
tél. 02.48.79.33.08, fax 02.48.79.37.93 ☑ Y 🚶 r.-v.

DANIEL REVERDY ET FILS 2003 ★★

■ 0,1 ha 500 ▮🍷 5 à 8 €

Daniel Reverdy s'est attaché à agrandir son vignoble depuis 1979 ; il peut s'appuyer aujourd'hui sur son fils Cyrille qui a décidé de développer la vente en bouteilles. Bien lui en a pris à en juger par ce remarquable rosé à reflets saumonés. Le nez flatteur est à la fois minéral, poivré et fruité (fruits rouges). Puis la bouche se montre non seulement fraîche et acidulée, mais aussi ronde avant de s'achever sur des notes minérales. Un équilibre indéniable.

🔑 GAEC Daniel Reverdy et Fils,
rue du Graveron, Chaudenay, 18300 Verdigny,
tél. 02.48.79.33.29, fax 02.48.79.33.29,
e-mail gaecdanielreverdy@reha.com ☑ Y 🚶 r.-v.

JEAN REVERDY ET FILS Les Villots 2003 ★

■ 1,5 ha 10 000 ▮🍷 8 à 11 €

Reverdy est un nom répandu et réputé dans le Sancerrois. Alors retenez bien le prénom. C'est Jean Reverdy et son fils qui présentent ce rosé qui s'accordera bien avec une tarte aux fruits ou une galette de pommes de terre, autre spécialité berrichonne. Intense, ce vin déroule des arômes de fleurs, de fruits rouges (groseille) et de banane, puis offre une bouche fraîche, bâtie autour de tanins fins.

🔑 Jean Reverdy et Fils, 18300 Verdigny,
tél. 02.48.79.31.48, fax 02.48.79.32.44 ☑ Y 🚶 r.-v.

CLAUDE RIFFAULT La Noue 2003 ★

■ 2,5 ha 12 500 ▮◍🍷 8 à 11 €

La famille Riffault cultive 13 ha de vignes, dont 2,5 ha de ceps de pinot noir âgés de vingt-cinq ans en moyenne qui ont donné naissance à cette cuvée grenat intense, nuancée de reflets violacés. D'attaque acidulée, la bouche se montre souple, tout empreinte de fruits et surtout de cassis. La cuvée **Les Boucauds blanc 2003**, citée, se montre finement florale et d'un fruité exotique, fraîche et équilibrée.

🔑 SCEV Claude Riffault, Maison-Sallé,
18300 Sury-en-Vaux, tél. 02.48.79.38.22,
fax 02.48.79.36.22, e-mail claude.riffault@wanadoo.fr
☑ Y 🚶 t.l.j. 8h-12h 14h-19h; dim. sur r.-v.

DOMINIQUE ROGER
La Jouline Vieilles Vignes 2002 ★★

■ 0,9 ha 4 200 ▮◍🍷 11 à 15 €

Qui a dit que le sancerre devrait se boire dans l'année ? Cette superbe cuvée apporte bien la preuve du contraire. Toujours jeune dans sa robe jaune à reflets verts, elle offre des arômes complexes d'une rare intensité : amande grillée, fruits confits, cassis, groseille, coing, brioche, tilleul... Cette palette se retrouve au palais, celui-ci étant ample et gras, d'une longueur remarquable. Avec quel mets le boire ? Un dégustateur répond : « Peu importe, ce vin se suffit à lui-même... » Le **Domaine du Carrou rouge 2003 (8 à 11 €)** mérite une étoile, car s'il est encore trop jeune il possède cependant la matière nécessaire à une bonne évolution dans les trois à quatre ans. Le **Domaine du Carrou blanc 2002 (8 à 11 €)** est cité : ses élégants arômes et son caractère acidulé se fondront bien avec un poisson ou une volaille à la crème.

🔑 Dominique Roger, 7, pl. du Carrou, 18300 Bué,
tél. 02.48.54.10.65, fax 02.48.54.38.77,
e-mail dominique.roger11@wanadoo.fr
☑ Y 🚶 t.l.j. 8h30-12h 13h30-19h; dim. sur r.-v.

DOM. DE LA ROSSIGNOLE 2003 ★

■ 10 ha 70 000 ▮🍷 8 à 11 €

La famille Cherrier travaille la vigne en Sancerrois depuis 1848, mais c'est en 1927 qu'est né le domaine de La Rossignole. Son sancerre bien typé du terroir se montre intense dans ses arômes de pain, de fleurs, de réglisse et de menthol. La bouche ronde est joliment rehaussée par la fraîcheur des notes d'agrumes en finale. Noté une étoile également, le **2002 rouge**, à dominante de fruits rouges, est souple et élégant : vous le dégusterez avec une truite aux amandes.

🔑 Pierre Cherrier et Fils, rue de la Croix-Michaud,
Chaudoux, 18300 Verdigny-en-Sancerre,
tél. 02.48.79.34.93, fax 02.48.79.33.41,
e-mail cherrier@easynef.fr ☑ Y 🚶 r.-v.

DOM. DE SAINT-PIERRE 2003 ★★

■ 12 ha 95 000 ▮🍷 8 à 11 €

Coup de cœur l'an passé pour leur cuvée Maréchal Prieur rouge 2001, Pierre Prieur et ses fils Bruno et Thierry proposent à nouveau un remarquable sancerre issu de sols calcaires et argilo-calcaires et d'une vendange manuelle. La robe or pâle à reflets jaunes est une invitation à découvrir le bouquet fin de fleurs, d'agrumes et de notes amyliques. La bouche ronde et ample fait écho à ces arômes ; elle affiche un bel équilibre entre concentration et fraîcheur. La cuvée **Maréchal Prieur blanc 2002 (11 à 15 €)** est citée pour sa typicité, son harmonie et son fruité. Il en va de même de la cuvée **Maréchal Prieur rouge 2002 (11 à 15 €)**, élevée en fût, fruitée, épicée et grillée.

SA Pierre Prieur et Fils, Dom. de Saint-Pierre, 18300 Verdigny, tél. 02.48.79.31.70, fax 02.48.79.38.87, e-mail prieur-pierre@netcourrier.com
☑ ♈ ⚔ t.l.j. sf dim. 8h30-12h 14h-18h

DOM. DE SAINT ROMBLE 2003 ★

	8 ha	58 000	▮⬇	8 à 11 €

D'un jaune attrayant, ce sancerre intense décline volontiers ses arômes d'agrumes, de fleurs blanches et de mirabelle. Tout en finesse et en rondeur, il bénéficie d'une juste fraîcheur qui met en valeur son équilibre. A découvrir dès maintenant, la **Grande Cuvée 2002 blanc (11 à 15 €)**, issue de vignes de quarante ans : vive, ample et longue, elle obtient une étoile.

SAS Fournier Père et Fils, Chaudoux, BP 7, 18300 Verdigny, tél. 02.48.79.35.24, fax 02.48.79.30.41, e-mail claude@fournier-pere-fils.fr
☑ ♈ ⚔ t.l.j. 8h-12h 13h30-18h30; sam. dim. sur r.-v.
Paul Vattan

DOM. CHRISTIAN SALMON 2002 ★★

	5 ha	26 000	▮⬛⬇	11 à 15 €

Christian Salmon, à la tête de 23 ha de vignes en AOC sancerre et pouilly-fumé, exporte 70 % de sa production. Ce 2002 séduira le plus grand nombre dans sa robe rubis intense. Au bouquet complexe de fruits rouges, de torréfaction et de vanille répond une bouche aux tanins fins, éblouissante de puissance, d'ampleur et de longueur. Le fruit d'une vinification remarquablement maîtrisée.

Dom. Christian Salmon, Le Carroir, 18300 Bué, tél. 02.48.54.20.54, fax 02.48.54.30.36 ☑ ♈ r.-v.

CH. DE SANCERRE 2003 ★★

	4 ha	25 000	▮⬛⬇	8 à 11 €

Le château de Sancerre, reconstruit en 1870 sur les ruines d'un ancien château fort, a été acheté en 1920 par le fondateur de la liqueur Grand Marnier, Alexandre Marnier-Lapostolle. Cette société qui le gère encore aujourd'hui propose un remarquable millésime 2003, porté par ce sancerre d'un grenat profond. Celui-ci charme par ses arômes complexes de fruits rouges et de notes grillées qui persistent longuement. Sa chair pleine et souple qui enrobe parfaitement les tanins. Deux étoiles reviennent également au **Château de Sancerre blanc 2003**, complexe et fin dans ses évocations florales et fruitées.

Sté Marnier-Lapostolle, Ch. de Sancerre, 18300 Sancerre, tél. 02.48.78.51.52, fax 02.48.78.51.56 ☑ ♈ r.-v.

DOM. DE SARRY 2003 ★★

	7 ha	62 400	⬛	8 à 11 €

Un remarquable millésime 2003 pour ce domaine de plus de 18 ha conduit par Michel et Nicolas Brock. Le Domaine de Sarry est arrivé en bonne position au grand jury ; il a conquis les dégustateurs par ses notes fruitées, évocatrices de poire surtout, mais aussi d'agrumes, par son équilibre entre le gras et la vivacité minérale, par sa puissance. Un vin qui révèle parfaitement son terroir et la qualité du raisin vendangé à maturité. Il mérite d'attendre un an dans votre cave pour vous offrir tous ses caractères. Le **Domaine Michel Brock Le Coteau 2003** obtient deux étoiles également pour son intensité, sa fraîcheur, sa complexité et sa persistance aromatique. Cité, le **Domaine de Sarry rosé 2003** possède un bon fond équilibré et une longueur satisfaisante.

Dom. Brock, Le Briou-de-Veaugues, 18300 Sancerre, tél. 02.48.79.07.92, fax 02.48.79.05.28 ☑ ♈ ⚔ r.-v.

MICHEL THOMAS Terre blanche 2002 ★

	0,5 ha	1 500	⬛	11 à 15 €

Cette cuvée Terre blanche illustre bien la qualité des sols argilo-calcaires plantés de vignes âgées d'une quarantaine d'années. Vendangées manuellement, celles-ci ont offert un beau raisin. C'est ainsi que la robe or pâle a pu être ciselée, que le nez complexe de fruits, nuancé d'un boisé bien maîtrisé, a pu se révéler, qu'une matière ronde et souple a pu naître, en harmonie avec une légère présence de sucres résiduels.

SCEV Michel Thomas et Fils, Les Egrots, 18300 Sury-en-Vaux, tél. 02.48.79.35.46, fax 02.48.79.37.60, e-mail thomas.mld@wanadoo.fr ☑ ♈ r.-v.

DOM. THOMAS ET FILS Terres blanches 2003 ★

	0,9 ha	7 000	⬛	8 à 11 €

Transmis de génération en génération depuis le XVIIᵉs., ce domaine compte aujourd'hui 12 ha répartis entre Sury-en-Vaux, Saint-Satur, Sancerre, Sainte-Gemme et Vinon. D'agréables arômes de fruits rouges (cerise, framboise) et de grillé donnent le ton de la dégustation. Ils se prolongent dans une bouche franche qui montre une pointe de vivacité à l'attaque. Les tanins sont encore un peu austères, mais ils promettent de se fondre et de laisser le vin s'épanouir d'ici trois ans.

Dom. Thomas et Fils, Verdigny, 18300 Sancerre, tél. 02.48.79.38.71, fax 02.48.79.38.14, e-mail domthomasfils@aol.com
☑ ♈ ⚔ t.l.j. 8h30-12h 14h-19h

CLAUDE ET FLORENCE THOMAS-LABAILLE
Les Aristides Vieilles Vignes 2003 ★

	2 ha	12 000	⬛	11 à 15 €

Des reflets or brillent dans la robe de ce sancerre qui offre un bouquet de vanille, de cassis et de buis. D'attaque franche, le vin possède suffisamment de corps et de puissance pour que l'empreinte du bois se fonde après quelques années de garde. Il pourra alors accompagner une poêlée de Saint-Jacques. L'**Authentique rouge 2003 (8 à 11 €)** est citée pour sa souplesse et ses arômes de cassis intenses.

Claude et Florence Thomas-Labaille, Chavignol, 18300 Sancerre, tél. 02.48.54.06.95, fax 02.48.54.07.80 ☑ ♈ ⚔ r.-v.

ROLAND TISSIER ET FILS 2003

2,5 ha 20 000 5 à 8 €

Peut-être ferez-vous une halte à *La Bonne Auberge* de Roland Tissier avant de poursuivre votre parcours dans le Sancerrois. Vous y découvrirez ce vin or pâle, dont les arômes évoquent le grain de café, le minéral, les fleurs printanières et les fruits cuits. En bouche, la fraîcheur soutient agréablement les flaveurs fruitées jusqu'à une longue finale. La **cuvée Etienne Ier rouge 2002 (8 à 11 €)**, fruitée et légèrement grillée, s'appuie sur des tanins fondus qui autorisent une dégustation immédiate. Elle est citée également.

SA Roland Tissier et Fils, 5, rue Saint-Jean, 18300 Sancerre, tél. 02.48.54.12.31, fax 02.48.78.04.32, e-mail sancerretissier@aol.com r.-v.

DOM. DES TROIS NOYERS 2003

1,5 ha 10 000 8 à 11 €

Un joli trio que ces sancerre du millésime 2003 qui s'expriment tous avec rondeur et sont cités. D'un rouge grenat, celui-ci livre de fines notes fruitées et végétales, puis se montre gras et long en bouche. Le **rosé 2003**, bien structuré, mise tout sur le cassis, la mûre et les fleurs blanches. Quant au **2003 blanc**, il offre une harmonie florale.

Reverdy Cadet et Fils, rte de la Perrière, Chaudoux, 18300 Verdigny, tél. 02.48.79.38.54, fax 02.48.79.35.25 r.-v.

DOM. VACHERON Belle Dame 2002 ★★★

1,6 ha 8 000 23 à 30 €

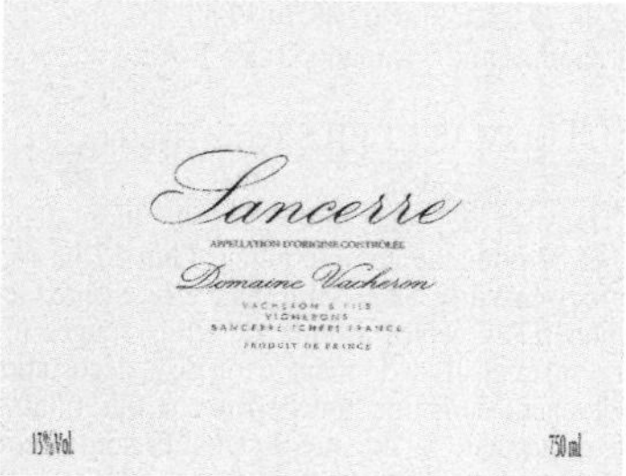

La Belle Dame 2001 avait déjà fait chavirer le cœur du jury l'an passé. Un millésime plus tard, elle se pare d'une nouvelle étoile pour briller davantage. Après un an en fût de chêne, le 2002 apparaît complexe et intense au nez : fruits noirs, notes de torréfaction, praline, vanille, épices. En bouche, les dégustateurs perçoivent un bel équilibre entre la chair et les tanins, de la fraîcheur aussi et une incroyable longueur. Cette Belle Dame séduira encore longtemps les amateurs qui la laisseront sommeiller une dizaine d'années. Des viandes en sauce, mais aussi des desserts au chocolat lui feront cortège.

Dom. Vacheron, 1, rue du Puits-Poulton, 18300 Sancerre, tél. 02.48.54.09.93, fax 02.48.54.01.74, e-mail vacheron.sa@wanadoo.fr r.-v.

DOM. ANDRE VATAN Les Charmes 2003 ★

7,6 ha 67 000 8 à 11 €

Il est vrai que ce vin possède du charme dans sa robe or pâle. Si le nez mérite de s'ouvrir davantage, il décline déjà de fines notes fruitées et végétales. La bouche ample laisse une impression de fraîcheur soulignée par les notes finales d'agrumes. La **cuvée Maulin Bèle rouge 2003 (11 à 15 €)** exprime sous une teinte grenat un fruité compoté et des tanins fondus, bien équilibrés par une certaine fraîcheur. Elle est citée de même que la **cuvée Maulin Bèle rosé 2003**, souple, riche de notes de compote de prunes et de fleurs.

André Vatan, rte des Petites-Perrières, 18300 Verdigny, tél. 02.48.79.33.07, fax 02.48.79.36.30 r.-v.

DOM. DU VIEUX PRECHE 2003 ★

1,19 ha 8 800 8 à 11 €

Issus d'une famille de vignerons depuis le début du XVIIIes., Robert et Christophe Planchon cultivent une dizaine d'hectares de vignes sur des sols calcaires et siliceux. Leur cuvée rouge intense dévoile les reflets violacés de la jeunesse, mais elle présente déjà de la complexité par ses arômes de fruits rouges, d'abricot sec, de poivron et d'épices. Les tanins encore un peu austères devraient bientôt se fondre dans la matière ronde ; la finale persistante évoque le fruit. A garder jusqu'en 2006.

SCEV Robert Planchon et Fils, Dom. du Vieux-Prêche, 3, rue Porte-Serrure, 18300 Sancerre, tél. 02.48.54.22.22, fax 02.48.54.09.31, e-mail robert-planchon@terre-net.fr r.-v.

DOM. DES VIEUX PRUNIERS 2003

1,9 ha 17 000 5 à 8 €

Les deux tiers de ce domaine de 10 ha se composent de sauvignon. Une préférence pour le sancerre blanc que le jury a bien apprécié également à la dégustation. Tout en arômes variétaux, ce vin s'ouvre sur les agrumes à l'aération. Il se développe avec ampleur avant de trouver en finale un côté vif, marqué par le pamplemousse. Egalement cités : le **rosé 2003**, fruité et épicé, ainsi que le **2002 rouge (8 à 11 €)**, élevé douze mois en fût, qui mérite d'être servi en carafe pour s'exprimer au mieux.

Christian Thirot-Fournier, 1, chem. de Marcigoi, 18300 Bué, tél. 02.48.54.09.40, fax 02.48.78.02.72, e-mail thirot.fournier-christian@wanadoo.fr r.-v.

DOM. DE LA VILLAUDIERE 2002 ★

1 ha 10 000 5 à 8 €

Sous la robe cerise se manifeste un bouquet puissant, composé de boisé, de grillé et de notes animales, témoins d'un passage en fût de douze mois. La puissance caractérise aussi la bouche, mais l'équilibre est respecté et la finale revient agréablement sur le fruit et les épices. Pour un plateau de charcuterie. Le **2003 blanc**, cité, révèle un caractère fruité et bien vif pour le millésime.

Jean-Marie Reverdy, rte de Chaudenay, 18300 Verdigny, tél. 02.48.79.30.84, fax 02.48.79.38.16, e-mail jreverdy@terre-net.fr r.-v.

REMY VINCENT 2003

n.c. 16 000 11 à 15 €

Héritiers d'une famille vigneronne depuis le XVIes., Daniel et Benoît Brochard poursuivent une activité de négoce en sélectionnant les vins à la propriété des vignerons de la région. Ce sancerre rose saumoné exhale des notes de fruits rouges et de fleurs blanches, puis livre une bouche très fraîche et tout en légèreté.

Rémy Vincent, Le Bourg, Chavignol,
18300 Sancerre, tél. 02.48.78.20.10, fax 02.48.78.20.19,
e-mail lesvins-remyvincent@wanadoo.fr
t.l.j. 10h-12h 14h-18h

DOM. LA VOLTONNERIE 2003 ★★

■	1,5 ha	12 000	8 à 11 €

Issue des terroirs argilo-calcaires bien adaptés au pinot noir, cette cuvée a enthousiasmé le jury. Sous une teinte rouge sombre à reflets grenat se manifeste un nez exubérant de cassis, de fruits rouges et d'épices. De la souplesse à l'attaque, de la rondeur et du fruit en milieu de bouche, des tanins présents mais juste comme il faut : voilà un remarquable équilibre.

Jack Pinson, Le Bourg,
18300 Crézancy-en-Sancerre, tél. 02.48.79.00.94,
fax 02.48.79.00.11, e-mail j.pinson@terre-net.fr
t.l.j. sf dim. 9h-12h 15h-18h

LOIRE

LA VALLEE DU RHONE

Viril et fougueux, le Rhône file vers le Midi, vers le soleil. Sur ses rives, le long des pays qu'il unit plus qu'il ne les divise, s'étendent des vignobles parmi les plus anciens de France, ici prestigieux, plus loin méconnus. La vallée du Rhône est, en production de vins fins, la seconde région viticole de l'Hexagone après le Bordelais. En qualité aussi, elle peut rivaliser sans honte avec certains de ses crus, suscitant l'intérêt des connaisseurs autant que quelques-uns des bordeaux ou des bourgognes les plus réputés.

Longtemps, pourtant, le côtes-du-rhône fut mésestimé : gentil vin de comptoir un peu populaire, il n'apparaissait que trop rarement aux tables élégantes. « Vin d'une nuit » qu'une si brève cuvaison rendait léger, fruité et peu tannique, il voisinait avec le beaujolais dans les « bouchons » lyonnais ; mais les vrais amateurs appréciaient pourtant les grands crus et goûtaient un hermitage avec tout le respect dû aux plus grandes bouteilles. Aujourd'hui, grâce aux efforts de 12 000 vignerons et de leurs organismes professionnels, en vue d'une constante amélioration de la qualité, l'image des côtes-du-rhône s'est redressée. S'ils continuent à couler allègrement sur le zinc des bistrots, ils prennent une place de plus en plus grande sur les meilleures tables, et, tandis que leur diversité fait leur richesse, ils ont regagné désormais le succès que l'histoire, déjà, leur avait accordé.

Peu de vignobles sont en effet capables de se prévaloir d'un passé aussi glorieux que ceux-ci, et, de Vienne jusqu'à Avignon, il n'est pas un village qui ne puisse retracer quelques pages parmi les plus mémorables de l'histoire de France. On revendique en outre, aux abords de Vienne, l'un des plus anciens vignobles du pays, développé par les Romains, après avoir été créé par des Phocéens « montés » depuis Marseille. Vers le IVe s. avant notre ère, des vignobles étaient attestés dans les secteurs des actuels hermitage et côte-rôtie, tandis que ceux de la région de Die apparaissaient dès le début de l'ère chrétienne. Les Templiers, au XIIe s., ont planté les premières vignes de Châteauneuf-du-Pape, œuvre poursuivie par le pape Jean XXII deux siècles plus tard. Quant aux vins de la Côte du Rhône gardoise, ils connurent une grande vogue aux XVIIe et XVIIIe s.

Aujourd'hui, dans le secteur méridional, sur la rive gauche du fleuve, le château médiéval de Suze-la-Rousse s'est reconverti au service du vin : l'université du Vin y siège et y organise stages, formation professionnelle et manifestations diverses.

Tout le long de la vallée, les vins sont produits sur les deux rives, certains experts séparant cependant les vins de la rive gauche, plus lourds et capiteux, de ceux de la rive droite, plus légers. Mais on distingue plus généralement deux grands secteurs nettement différenciés : celui de la vallée du Rhône septentrionale, au nord de Valence, et celui de la vallée du Rhône méridionale, au sud de Montélimar, coupés l'un de l'autre par une zone d'environ cinquante kilomètres où la vigne est absente.

Il ne faut pas oublier non plus les appellations voisines de la vallée du Rhône, qui, si elles sont moins connues du grand public, produisent pourtant des vins originaux et de qualité. Ce sont le coteaux-du-tricastin au nord, le côtes-du-ventoux et le côtes-du-luberon à l'est, le côtes-du-vivarais au nord-ouest. Il existe trois autres appellations que leur situation géographique éloigne davantage de la vallée proprement dite : la clairette-de-die et le châtillon-en-diois, dans la vallée de la Drôme, en bordure du Vercors, et les coteaux-de-pierrevert, produits dans le département des Alpes-de-Haute-Provence. Il convient enfin de citer les deux appellations de vins doux naturels du Vaucluse : muscat-de-beaumes-de-venise et rasteau (voir le chapitre consacré aux vins doux naturels).

Selon les variations de sol et de climat, il est encore possible de repérer trois sous-ensembles dans cette vaste région de la vallée du Rhône. Au nord de Valence, le climat est tempéré à influence continentale, les sols sont le plus souvent granitiques ou schisteux, disposés en coteaux à très forte pente ; les vins sont issus du seul cépage syrah pour les rouges, des cépages marsanne et roussanne pour les blancs, et le cépage viognier est à l'origine du château-grillet et du condrieu. Dans le Diois, le climat est influencé par le relief montagneux, et les sols calcaires sont constitués par des éboulis de bas de pente ; les cépages clairette et muscat se sont bien adaptés à ces conditions naturelles. Au sud de Montélimar, le climat est méditerranéen, les sols très variés sont répartis sur un substrat calcaire (terrasses à galets roulés, sols rouges argilo-sableux, molasses et sables) ; le cépage principal est alors le grenache, mais les excès climatiques obligent les viticulteurs à utiliser plusieurs cépages pour obtenir des vins parfaitement équilibrés : la syrah, le mourvèdre, le cinsault, la clairette, le bourboulenc, la roussanne.

Après une nette diminution des superficies plantées au XIX^{e}s., le seul vignoble de la vallée du Rhône s'est à nouveau étendu, et il demeure aujourd'hui en expansion. Dans son ensemble, il couvre 61 166 ha, pour une production de 2,686 millions d'hectolitres en 2003 ; dans le secteur septentrional 50 % de la production est commercialisé par le négoce alors que, dans le secteur méridional, 70 % l'est par les coopératives.

Ce chapitre Vallée du Rhône s'achève avec une sélection des vins doux naturels rasteau et muscat-de-beaumes-de-venise.

Côtes-du-rhône

L'appellation régionale côtes-du-rhône a été définie par décret en 1937. En 1996, un nouveau décret a fixé les conditions d'encépagement qui devront être appliquées dès l'an 2004 : en rouge, le grenache devra représenter 40 % minimum, syrah et mourvèdre devant tenir leur place. Cette disposition n'est bien sûr valable que pour les vignobles méridionaux situés au sud de Montélimar. La possibilité d'incorporer des cépages blancs n'existera plus que pour les rosés. L'AOC s'étend sur six départements : Gard, Ardèche, Drôme, Vaucluse, Loire et Rhône. Produits sur quelque 40 160 ha situés en quasi-totalité dans la partie méridionale, ces vins ont représenté en 2003 une production de 1 931 011 hl, les vins rouges se taillant la part du lion avec 96 % de la production, rosés et blancs étant à égalité avec 2 %. 10 000 vignerons sont répartis entre 1 610 caves particulières (35 % des volumes) et 70 caves coopératives (65 % des volumes). Sur les trois cents millions de bouteilles commercialisées chaque année, 40 % sont consommées à domicile, 30 % dans la restauration et 30 % sont exportées.

Grâce aux variations des microclimats, à la diversité des sols et des cépages, ces vignobles produisent des vins qui pourront réjouir tous les palais : vins rouges de garde, riches, tanniques et généreux, à servir sur la viande rouge, produits dans les zones les plus chaudes et sur des sols de diluvium alpin (Domazan, Estézargues, Courthézon, Orange...) ; vins rouges plus légers, fruités et plus nerveux, nés sur des sols eux-mêmes plus légers (Puyméras, Nyons, Sabran, Bourg-Saint-Andéol...) ; vins « primeurs » enfin (environ 15 millions de cols), fruités et gouleyants, à boire très jeunes, à partir du troisième jeudi de novembre, et qui connaissent un succès sans cesse grandissant.

La chaleur estivale prédispose les vins blancs et les vins rosés à une structure caractérisée par l'équilibre et la rondeur. L'attention des producteurs et le soin des œnologues permettent d'extraire le maximum d'arômes et d'obtenir des vins frais et délicats, dont la demande augmente continuellement. On les servira respectivement sur les poissons de mer, sur les salades ou la charcuterie.

ANDEOL SALAVERT 2003 *

■ n.c. 300 000 3 à 5 €

Il vous faudra patienter au moins trois ans avant de servir cette cuvée en accompagnement d'une viande rouge. Ce 2003 se montre en effet solide à ce jour. Néanmoins, l'équilibre est là, de même que le fruité, encore discret. Un vin plein de promesses. La **cuvée Grande Réserve 2002 rouge (5 à 8 €)** est citée pour son caractère boisé et sa bonne charpente. Une citation est également attribuée au **côtes-du-rhône blanc Louis Bernard 2003**, à base de grenache blanc, de bourboulenc et de viognier : un vin jeune et frais, très aromatique.

Louis Bernard, rte de Sérignan, 84100 Orange,
tél. 04.90.11.86.86, fax 04.90.34.87.30,
e-mail louisbernard@sldb.fr Y ⁂ r.-v.

RHÔNE

DOM. D'ANDEZON Vieilles Vignes 2002 ★

■	15 ha	80 000	▯	5 à 8 €

Après vous être arrêté au pont du Gard, passez voir le caveau de la cave d'Estézargues. Vous y découvrirez ces deux vins. Celui-ci, très rond en bouche, d'un bon équilibre général, décline des arômes de fruits (mûre). Le second, le **Domaine des Bacchantes rouge 2002**, propriété de Didier Kupke, est un peu plus discret, mais possède cependant de fins arômes, avec quelques notes évoluées de noyau. Il est cité.

🕭 Cave des Vignerons d'Estézargues,
rte des Grès, 30390 Estézargues,
tél. 04.66.57.03.64, fax 04.66.57.04.83,
e-mail les.vignerons.estezargues@wanadoo.fr
☑ ▼ ⚔ t.l.j. sf dim. 8h-18h; sam. 9h-18h
🕭 Iampietro et Panebœuf

DOM. DES BANQUETTES 2002

■	n.c.	9 000	▯ ◑	5 à 8 €

Voilà dix ans que Patrice André s'est installé aux côtés de son père sur ce domaine de 30 ha. Après avoir commencé dans la vigne, il s'est lancé depuis près de deux ans dans la vinification. Typé par le terroir de Rasteau où le grenache est roi, ce vin aux parfums de fruits discrets et élégants se montre suave dès l'attaque en bouche. Sa finale met en valeur des tanins ronds, enveloppés d'une note légèrement vanillée.

🕭 Dom. des Banquettes, Quartier La Chevalière,
84110 Rasteau, tél. 04.90.46.10.22, fax 04.90.46.19.66,
e-mail patriceandre84@aol.com ☑ ▼ ⚔ r.-v.
🕭 Patrice André

JEAN BARONNAT 2003

■	n.c.	n.c.	▯	5 à 8 €

Cette maison créée en 1920 est aujourd'hui dirigée par le petit-fils de son fondateur. Flatteur et joyeux en première impression, son vin se développe tout en rondeur. Il pourra accompagner des charcuteries lors d'un repas sur le pouce.

🕭 Maison Jean Baronnat, Les Bruyères,
491, rte de Lacenas, 69400 Gleizé, tél. 04.74.68.59.20,
fax 04.74.62.19.21, e-mail info@baronnat.com

LA BASTIDE SAINT DOMINIQUE
Cuvée Jules Rochebonne 2001 ★

■	2 ha	9 000	▯ ◑	8 à 11 €

Une ancienne chapelle du XVIᵉˢ. a donné son nom à ce domaine d'une trentaine d'hectares. A base de syrah, cette cuvée offre des arômes de fruits compotés et d'épices douces au nez, avant de laisser place à de jolies notes boisées dans une bouche ronde et équilibrée.

🕭 Gérard Bonnet,
La Bastide Saint Dominique, 84350 Courthézon,
tél. 04.90.70.85.32, fax 04.90.70.76.64,
e-mail contact@bastide-st-dominique.com
☑ ⌂ ▼ ⚔ r.-v.

LA BASTIDE SAINT VINCENT 2003

■	1 ha	5 500	▯	5 à 8 €

Vous ne pourrez que vous attarder devant le magnifique paysage des Dentelles de Montmirail. A Violès, vous découvrirez ce rosé original composé de 45 % de mourvèdre, de 45 % de grenache et de 10 % de syrah. Une saignée légère est à l'origine de sa teinte pâle. Les arômes sont bien présents, mais pas explosifs, tournés vers les fruits rouges. Un ensemble discret et équilibré, à assortir à des rougets.

🕭 Laurent Daniel, La Bastide Saint Vincent,
84150 Violès, tél. 04.90.70.94.13, fax 04.90.70.96.13,
e-mail bastide.vincent@free.fr
☑ ▼ ⚔ t.l.j. 8h30-19h; f. 10 sept.-5 oct.
🕭 Guy Daniel

DOM. DE BEAURENARD 2003

■	8,8 ha	40 000	▯	5 à 8 €

Ne quittez pas Rasteau sans avoir visité son musée du Vigneron. Vous comprendrez alors la passion que nourrissent les hommes et femmes d'ici pour leur vin. Il en est ainsi de ce domaine, familial depuis sept générations, qui propose un 2003 très tonique. Le fruité de la cerise accompagne des tanins présents, mais au beau grain. Un vin plaisant destiné à des grillades ou à des petits farcis.

🕭 Paul Coulon et Fils, Dom. de Beaurenard,
84230 Châteauneuf-du-Pape, tél. 04.90.83.71.79,
fax 04.90.83.78.06, e-mail paul.coulon@beaurenard.fr
☑ ▼ ⚔ t.l.j. sf dim. 9h-12h 13h30-17h30

DOM. BENEDETTI 2003 ★

■	0,25 ha	2 000	▯	5 à 8 €

Autrefois ceint de remparts, le village de Bédarrides a conservé quelques belles portes. Une promenade le long de l'Ouvèze sera en outre l'occasion de découvrir le pont « romain » : emporté par une crue de la rivière, il fut reconstruit au XVIIᵉˢ. Le domaine Benedetti propose ici son premier rosé. Et c'est très réussi... Nuancé de notes orangées, ce 2003 léger et discret surprend favorablement. Les arômes fruités procurent une sensation de fraîcheur que l'on retrouve en bouche. L'ananas et l'abricot reviennent en force en finale.

🕭 Dom. Benedetti, 25, chem. Roquette,
84370 Bédarrides, tél. 04.90.33.24.77,
fax 04.90.33.24.97, e-mail vins-mb@free.fr ☑ ▼ ⚔ r.-v.

DOM. JEAN-PAUL BENOIT 2002

■	1 ha	1 500	▯	5 à 8 €

Un joli vin né d'un terroir de galets roulés. Au nez discret de fruits rouges correspond une bouche fraîche en attaque, étayée par des tanins ronds et élégants, avec une note de framboise en finale. A apprécier en toute simplicité dès aujourd'hui.

🕭 Jean-Paul Benoit, 584, plateau de Campbeau,
84470 Châteauneuf-de-Gadagne,
tél. 04.90.22.29.76, fax 04.90.22.29.76,
e-mail jean-paul.benoit3@wanadoo.fr ☑ ▼ ⚔ r.-v.

JEAN BERTEAU 2002

■	60 ha	400 000	◑	3 à 5 €

Pour des grillades ou des viandes rouges, la Compagnie rhodanienne propose une cuvée au nez complexe et intense : les fruits rouges et la réglisse s'accompagnent d'une jolie note boisée. Très souple, ce vin est prêt à boire.

🕭 La Compagnie rhodanienne, chem. Neuf,
30210 Castillon-du-Gard, tél. 04.66.37.49.50,
fax 04.66.37.49.51, e-mail cie.rhodanienne@wanadoo.fr

DOM. DU BOIS DE SAINT-JEAN 2002

■	15 ha	n.c.	▯	3 à 5 €

Au cœur d'un petit village provençal d'une grande quiétude, la cave de la famille Anglès produit des vins typiques de l'appellation. Ainsi ce 2002 fondu et fruité rivalise avec le **côtes-du-rhône blanc 2003 (5 à 8 €)**, issu du viognier, aux jolies notes d'agrumes et de violette.

La Vallée du Rhône (partie septentrionale)

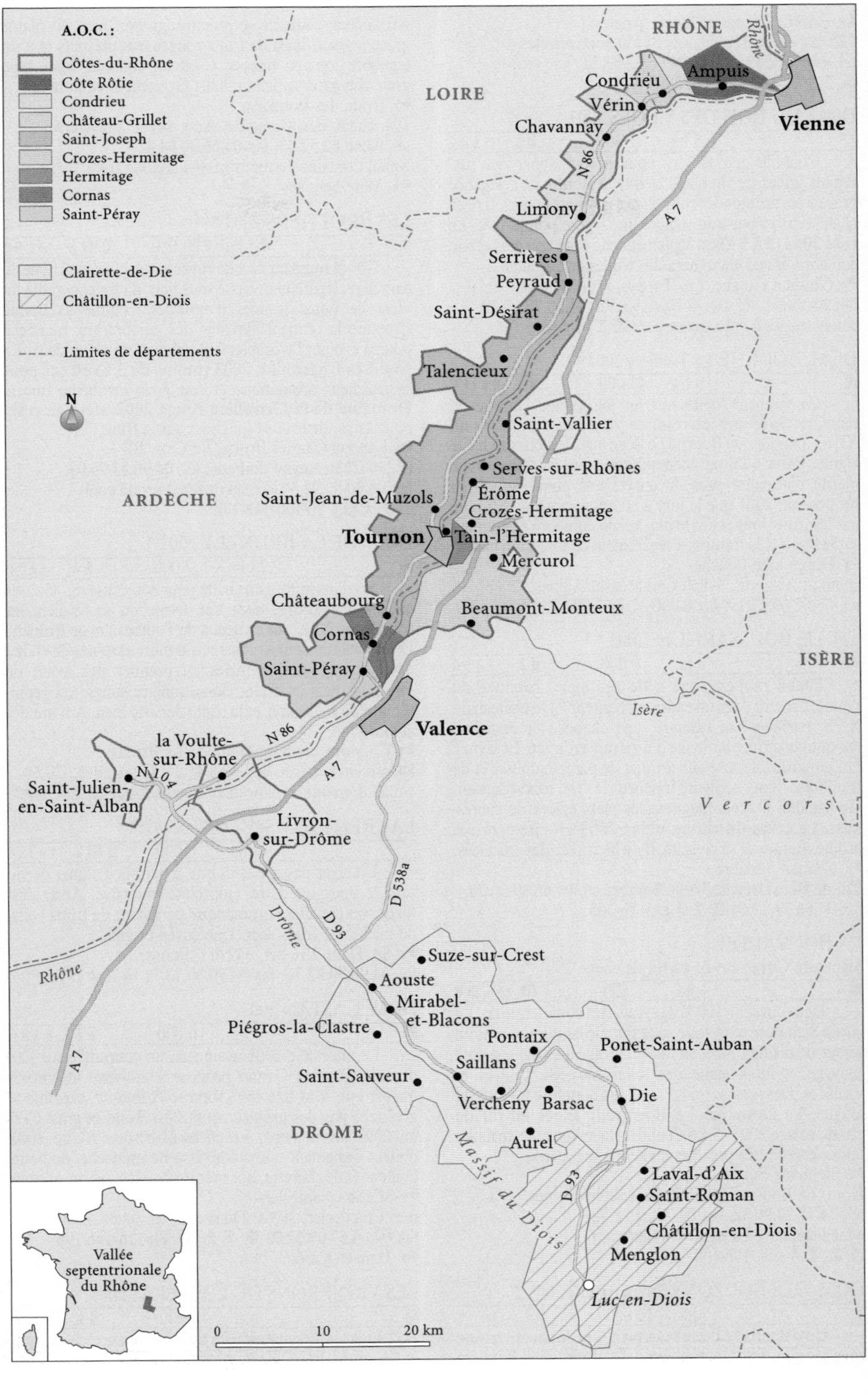
A.O.C. :
Côtes-du-Rhône
Côte Rôtie
Condrieu
Château-Grillet
Saint-Joseph
Crozes-Hermitage
Hermitage
Cornas
Saint-Péray
Clairette-de-Die
Châtillon-en-Diois
Limites de départements
N
RHÔNE
Rhône
LOIRE
Condrieu
Ampuis
Vérin
Chavannay
Vienne
N 86
A 7
Limony
Serrières
Peyraud
Saint-Désirat
Talencieux
Saint-Vallier
Serves-sur-Rhônes
Érôme
ARDÈCHE
Saint-Jean-de-Muzols
Crozes-Hermitage
Tournon
Tain-l'Hermitage
Mercurol
Châteaubourg
Beaumont-Monteux
Cornas
Saint-Péray
ISÈRE
Isère
Valence
la Voulte-sur-Rhône
N 86
A 7
N 104
Saint-Julien-en-Saint-Alban
Vercors
Livron-sur-Drôme
D 538a
Drôme
D 93
Rhône
Suze-sur-Crest
Aouste
Mirabel-et-Blacons
Piégros-la-Clastre
Pontaix
Ponet-Saint-Auban
Saillans
Saint-Sauveur
Vercheny
Barsac
Die
A 7
DRÔME
Aurel
Massif du Diois
D 93
Laval-d'Aix
Saint-Roman
Châtillon-en-Diois
Menglon
Luc-en-Diois
Vallée septentrionale du Rhône
0
10
20 km

⊶ EARL Vincent et Xavier Anglès,
126, av. de la République, 84450 Jonquerettes,
tél. 04.90.22.53.22, fax 04.90.22.53.22
☒ Y 🚶 t.l.j. 8h-12h 14h-20h

DOM. DU BOIS DES MEGES 2003

□ 0,5 ha 2 400 ▮♁ 5 à 8 €

Conseillé par le jury pour accompagner des perdreaux grillés, ce vin blanc bien typé montre de l'élégance grâce à ses arômes de fruits blancs (poire et coing). Il reste chaleureux et puissant malgré une légère pointe vive. Le **rosé 2003 (3 à 5 €)** est également cité pour son gras et son équilibre. Il accompagnera des truites en papillote.
⊶ Ghislain Guigue, Les Tappys, rte d'Orange,
84150 Violès, tél. 04.90.70.92.95, fax 04.90.70.97.39,
e-mail meges@netcourrier.com ☒ Y 🚶 r.-v.

DOM. BOUCHE La Truffière 2001 ★

■ 9 ha 40 000 ▮♁ 8 à 11 €

Camaret-sur-Aigues est un joli village entouré de remparts, avec une intéressante tour carrée sarrasine du XIIIes. Dominique Bouche possède aux alentours 35 ha de vignes. Parce qu'il sait bien que son côtes-du-rhône rouge mérite d'attendre près de quatre ans pour s'ouvrir, il propose un 2001 que le jury a en effet apprécié. Marqué par les fruits rouges dès le nez, ce vin équilibré se poursuit sur la fraise et la framboise légèrement confites. Un plaisir.
⊶ Dominique Bouche,
chem. d'Avignon, 84850 Camaret-sur-Aigues,
tél. 06.62.09.27.19, fax 04.90.37.74.17 ☒ Y 🚶 r.-v.

CH. DE BOUSSARGUES 2003 ★★

▒ 1 ha 6 000 ▮♁ 3 à 5 €

Faut-il rappeler que cette propriété, habituée du Guide, s'inscrit dans un cadre enchanteur ? Un château du XIIes. parfaitement restauré, une chapelle de la même époque construite sur le site d'un temple romain. Et le vin ? Un remarquable rosé aux arômes de pamplemousse et de framboise. Son excellente fraîcheur le rend très séduisant. Gourmand, il accompagnera les plats épicés ou sucrés-salés. Le **côtes-du-rhône blanc 2003** est cité pour ses arômes floraux et sa vivacité. Il ira bien avec des crustacés.
⊶ Chantal Malabre,
Ch. de Boussargues, 30200 Sabran, tél. 04.66.89.32.20,
fax 04.66.79.81.64 ☒ Y 🚶 t.l.j. 8h-19h

LA BOUVAUDE
Signature Cuvée élevée en fût de chêne 2001 ★

■ 1 ha 1 500 ⓪ 15 à 23 €

Deux cuvées à 100 % de syrah, très confidentielles. La cuvée Signature se montre sous son meilleur jour après un séjour de dix-huit mois en fût. L'élevage a assagi son côté sauvage et lui a légué des notes toastées, fruitées et vanillées. Des tanins ronds étayent sa bouche équilibrée et longue. Le **Domaine La Bouvaude Elevé en fût de chêne rouge 2001 (5 à 8 €)** obtient la même note, mais ses tanins encore très présents invitent à une garde.
⊶ Stéphane Barnaud,
Dom. La Bouvaude, 26770 Rousset-les-Vignes,
tél. 04.75.27.90.32, fax 04.75.27.98.72,
e-mail stephane.barnaud@wanadoo.fr
☒ 🏠 Y 🚶 t.l.j. 10h-19h

DOM. DES BOUZONS Cuvée friande 2003 ★

■ 2,5 ha 16 000 ▮♁ 3 à 5 €

Un détour au caveau vous pemettra de découvrir une cave récente, à la fois traditionnelle et pratique. Baptisée « friande », cette cuvée procure en effet bien du plaisir grâce à ses arômes de fruits rouges très présents et à un équilibre tout en finesse. C'est un côtes-du-rhône typé grenache gardois par sa finale légèrement confiturée.
⊶ Dom. des Bouzons,
194, chem. des Manjo-Rassado, 30150 Sauveterre,
tél. 04.66.82.52.43, fax 04.66.90.04.41,
e-mail domaine.des.bouzons@wanadoo.fr ☒ Y 🚶 r.-v.
⊶ Marc Serguier

LES BROTTIERS 2003 ★

□ 4,5 ha 20 000 ▮⓪♁ 3 à 5 €

100 % roussanne, cette cuvée est un côtes-du-rhône de caractère, légèrement passé sous bois. Sa fraîcheur, qui lui vient de notes fruitées d'agrumes, comme sa bonne structure la rendent agréable dès aujourd'hui, mais elle pourra évoluer favorablement pendant un an ou deux. Le **rosé Les Charmilles 2003 (moins de 3 €)** est cité pour sa fraîcheur aromatique et son gras, de même que le **Domaine de la Grivelière rouge 2002**, élevé en cuve, pour sa rondeur et sa longueur sur le fruit.
⊶ Laurent-Charles Brotte, Le Clos, BP 1,
84230 Châteauneuf-du-Pape, tél. 04.90.83.70.07,
fax 04.90.83.74.34, e-mail brotte@brotte.com
☒ Y 🚶 t.l.j. 9h-12h 14h-18h

DOM. DE LA BRUNELY 2002 ★

■ 2,27 ha 7 000 ▮♁ 3 à 5 €

Sarrians mérite une halte pour son église du Xes., ses anciennes maisons, dont une ferme où se tenaient les conciles au XIes., ses châteaux de Tourreau et de Brunély. D'une belle couleur à reflets cerise mûre, ce côtes-du-rhône dévoile des notes animales au premier nez avant de s'orienter vers les fruits. Son équilibre simple est représentatif du millésime, et le fruité persiste bien. A boire dès aujourd'hui.
⊶ Charles Carichon, Dom. de La Brunély,
84260 Sarrians, tél. 04.90.65.41.24, fax 04.90.65.30.60,
e-mail domaine-de-la-brunely@wanadoo.fr ☒ Y 🚶 r.-v.

LAURENT BRUSSET Clavelle 2003 ★

□ 3 ha 6 000 ▮⓪♁ 11 à 15 €

Un léger passage sous bois a permis d'affiner ce vin sans le marquer d'une empreinte excessive. Ainsi s'est forgé son caractère aromatique persistant de fruits cuits, de miel et de fruits secs. Une cuvée originale.
⊶ SA Dom. Brusset, 84290 Cairanne,
tél. 04.90.30.82.16, fax 04.90.30.73.31 ☒ Y 🚶 r.-v.

DOM. CASTAN 2002 ★

■ 4 ha 10 000 ▮♁ 5 à 8 €

Le millésime 2001 avait reçu un coup de cœur l'an dernier. Damien Castan propose à nouveau un vin de qualité qui, sous une robe sombre et intense, exprime le grenache par des arômes confiturés. Rond et gras, c'est un 2002 harmonieux. Le **côtes-du-rhône blanc 2003** obtient également une étoile. Issu de grenache, de bourboulenc et de clairette, il se montre floral, équilibré et frais.
⊶ SCEA Chantecler,
mas Chantecler, 30390 Domazan, tél. 04.66.57.00.56,
fax 04.66.57.07.57 ☒ 🏠 Y 🚶 t.l.j. 8h-12h 14h-19h
⊶ Damien Castan

LES VIGNERONS DU CASTELAS 2003

▒ n.c. 10 000 ▮♁ 3 à 5 €

Une teinte saumon pâle traduit l'alliance du cinsault et du grenache. Obtenu par saignée et par pressurage

direct, ce rosé friand s'exprime dans le registre floral avec finesse. S'il n'est pas très persistant, il se montre élégant grâce à sa rondeur.
Les Vignerons du Castelas,
rte de Nîmes, 30650 Rochefort-du-Gard,
tél. 04.90.31.72.10, fax 04.90.26.62.64,
e-mail vcastelas@hotmail.com r.-v.

DOM. CHAMFORT Cuvée Benjamin 2003 ★★

1 ha 4 000 5 à 8 €

Construit de manière circulaire autour de son église, Sablet réserve au promeneur de jolis passages couverts, des fontaines et des lavoirs. Denis Chamfort œuvre ici depuis 1991. Son viognier apporte beaucoup de plaisir. Revêtu d'une robe pâle aux légers reflets verts, il exhale volontiers des parfums d'abricot, de pêche, d'amande légèrement poivrés. Sa fraîcheur en bouche n'a d'égale que sa puissance. A savourer tout au long d'un repas.
EARL Denis Chamfort, La Pause, 84110 Sablet,
tél. 04.90.46.94.75, fax 04.90.46.99.84,
e-mail denis.chamfort@wanadoo.fr r.-v.

CHANTECOTES 2003 ★★

20 ha 33 000 3 à 5 €

Sainte-Cécile-les-Vignes, au cœur du vignoble comme son nom l'indique, est un charmant village qui a gardé de son passé une tour de défense du XVᵉs. Du charme, on en retrouvera dans ce rosé tout en rondeur, au caractère très provençal. Dans sa robe soutenue aux reflets violets, celui-ci libère des arômes de fruits rouges et de bonbon anglais qui contribuent à son harmonie remarquable. Pourquoi ne pas le servir à l'apéritif avec de la tapenade ? Le **Chantecôtes blanc 2003** remporte une étoile pour ses arômes puissants de pêche, de banane et de citron, comme pour son équilibre entre gras et fraîcheur.
Chantecôtes, cours Maurice-Trintignant,
84290 Sainte-Cécile-les-Vignes, tél. 04.90.30.83.25,
fax 04.90.30.74.53, e-mail chantecotes@wanadoo.fr
t.l.j. 8h30-12h15 14h-19h

DOM. LA CHARADE 2003 ★★

2 ha n.c. 5 à 8 €

Proche du site naturel des gorges de l'Ardèche, ce domaine de 50 ha réserve un accueil chaleureux aux visiteurs. Les vins ne sont pas moins accueillants comme en témoigne ce 2003 vif et remarquablement équilibré. La palette aromatique rappelle la glycine, ainsi que les fruits exotiques : le kiwi n'est pas loin... Des arômes qui se prolongent dans une bouche fraîche à souhait. Une très belle harmonie générale.
M. et L. Jullien,
Dom. La Charade, 30760 Saint-Julien-de-Peyrolas,
tél. 04.66.82.18.21, fax 04.66.82.33.03
t.l.j. sf dim. 9h-12h 14h-19h

DOM. DE LA CHARITE Charité 2002

20 ha 100 000 3 à 5 €

Ce domaine familial ne comptait que 5 ha à ses débuts, en 1970, et livrait son raisin à la coopérative. Aujourd'hui fort de 45 ha, il produit ses propres vins et même de l'huile d'olive. Une évolution tranquille avec une production de qualité régulière. Le terroir argilo-calcaire

La Vallée du Rhône (partie méridionale)

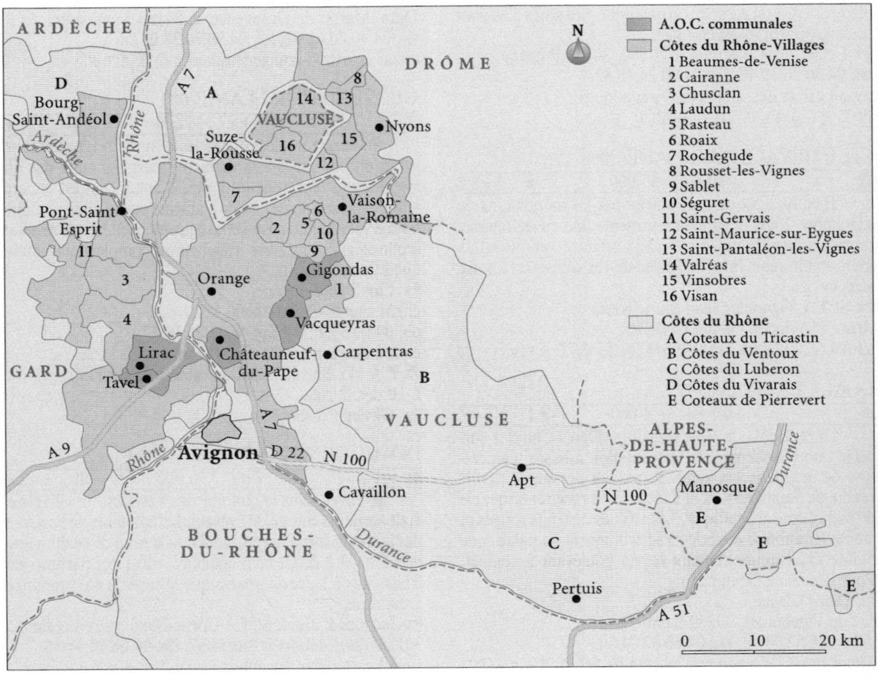

précoce a permis de vendanger la syrah à pleine maturité, avant les pluies de 2002. Le vin est ainsi fruité, de bonne longueur, agréable.
Vignobles Coste, 5, chem. des Issarts, 30650 Saze, tél. 04.90.31.73.55, fax 04.90.26.92.50, e-mail earlvc@club-internet.fr
t.l.j. sf dim. lun. 17h-19h; sam. 15h-19h

CHARTREUSE DE VALBONNE
Font des Dames 2003 *

■ 3,5 ha 11 200 5 à 8 €

Un centre d'aide par le travail a été créé en 1992 dans cette chartreuse du XIII^{e}s. L'association de deux noms des côtes-du-rhône, O. Klein et A. Steinmaier, et le concours de leur jeune œnologue pour l'élaboration des vins se révèlent judicieux. Après un parcours botanique dans la forêt domaniale, venez découvrir cette cuvée équilibrée et expressive. Des arômes de fruits rouges, de la suavité dans ses flaveurs confites, de la jeunesse dans sa finale, elle est typique d'un bon côtes-du-rhône. La **cuvée Croix de Sablet rouge 2001** est citée.
Chartreuse de Valbonne, CAT Ph.-Delord, 30130 Saint-Paulet-de-Caisson, tél. 04.66.90.41.21, fax 04.66.90.41.36, e-mail domaine@chartreusedevalbonne.com
t.l.j. 10h-12h 13h30-17h30
ASVMT

CELLIER DES CHARTREUX 2003 *

□ 5,7 ha 40 000 3 à 5 €

A la sortie du Guide, ce caveau, revu et corrigé dix ans après sa construction, vous accueillera pour vous faire découvrir un nouveau chai de vieillissement et sa nouvelle gamme de vins. Ce 2003 blanc mérite attention. Agréablement vif, il est aussi très aromatique : les notes d'abricot se développent jusqu'en finale.
Cellier des Chartreux, RN 580, 30131 Pujaut, tél. 04.90.26.39.40, fax 04.90.26.46.83, e-mail cellier.des.chartreux@wanadoo.fr
t.l.j. 8h30-12h 14h-18h30

CH. CHEVALIER BRIGAND 2002

■ 10 ha 35 000 5 à 8 €

Bien qu'il ait été très touché par les inondations de septembre 2002, ce domaine présente une cuvée réussie, représentative du millésime. Déjà orientée vers les fruits mûrs confiturés et la cerise à l'eau-de-vie, celle-ci est à boire sans tarder.
SCEA Vignobles Jean-Marie Saut, chem. d'Avignon, 30200 Codolet, tél. 04.66.90.18.64, fax 04.66.90.11.57 r.-v.

DOM. CLAVEL 2003 **

■ 0,1 ha 4 000 5 à 8 €

Durant plus de trois semaines, Denis Clavel a surveillé quotidiennement la fermentation à basse température de ses grenache, syrah et cinsault nés sur le terroir réputé de Saint-Gervais. Il a élaboré un rosé remarquable de complexité aromatique. Les arômes de fruits rouges et jaunes (framboise et abricot) se prolongent au palais, une pointe chaleureuse rendant le vin gouleyant à souhait. Pour la cuisine exotique.
Denis Clavel, rue du Pigeonnier, 30200 Saint-Gervais, tél. 04.66.82.78.90, fax 04.66.82.74.30, e-mail clavel@domaineclavel.com r.-v.

CLOS DE L'HERMITAGE 2002 **

■ 3,5 ha 20 000 11 à 15 €

Deux étoiles pour Jean Alési et son copilote, Henri de Lanzac. Les dernières vignes de Villeneuve-lès-Avignon ont produit ce côtes-du-rhône aux puissantes flaveurs de fruits rouges. Déjà très arrondi par un passage en barrique, il monte sur le podium des vins gourmands.
SCEA Henri de Lanzac, Ch. de Ségriès, chem. de la Grange, 30126 Lirac, tél. 04.66.50.22.97, fax 04.66.50.17.02 r.-v.
Jean Alési

DOM. LE CLOS DU BAILLY 2002

■ 25 ha 15 000 3 à 5 €

Le domaine, tout proche du pont du Gard, monument historique incontournable, a été durement touché par les inondations de 2002. Et pourtant, son côtes-du-rhône atteint un bon niveau : léger, fruité et festif, il pourra accompagner des grillades.
Richard Soulier, 17, rue d'Avignon, 30210 Remoulins, tél. 04.66.37.12.23, fax 04.66.37.38.44, e-mail clos.du.bailly@wanadoo.fr r.-v.

CLOS MARTIN 2001

■ 3 ha 9 500 8 à 11 €

Rouge foncé, ce vin fruité d'une belle pureté s'appuie sur des tanins encore très présents, mais on appréciera sans doute sa typicité après une petite garde. Son équilibre est en effet de bon présage. Le **côtes-du-rhône blanc 2003** est cité pour son côté miellé dû à un court passage sous bois ; il n'en conserve pas moins beaucoup de fraîcheur.
François et Pierre Martin, Dom. Martin de Grangeneuve, 84150 Jonquières, tél. 04.90.70.62.62, fax 04.90.70.38.08, e-mail martin@grangeneuve.com r.-v.

CLOS PETITE BELLANE 2003

■ 4,15 ha 26 000 5 à 8 €

Sévèrement sélectionnés, les raisins de grenache et de syrah ont été pigés à la manière bourguignonne par un système qui reproduit les gestes d'antan. S'il est encore jeune et discret au nez, le vin s'affirme par sa matière d'une bonne vivacité. Le **rosé 2003**, également cité, est le résultat d'une saignée : légèreté, fraîcheur et complexité aromatique le caractérisent.
Clos Petite Bellane, chem. Sainte-Croix, 84600 Valréas, tél. 04.90.35.22.64, fax 04.90.35.19.27, e-mail clos-petite-bellane@wanadoo.fr
t.l.j. 9h-12h 14h-18h; sam. dim. sur r.-v.; f. 10 déc.-2 jan.
Olivier Peuchot

DOM. CORNE-LOUP 2002

■ 7 ha 30 000 5 à 8 €

A Tavel, dans le quartier des Vestides, un villageois était autrefois chargé de prévenir les habitants de l'arrivée des loups au son d'une corne. D'où le nom de ce domaine de 45 ha. Le 2002, bien équilibré, offre des parfums de fruits cuits à l'alcool, preuve que le raisin a été vendangé à maturité.
Jacques Lafond, SCEA Corne-Loup, rue Mireille, 30126 Tavel, tél. 04.66.50.34.37, fax 04.66.50.31.36, e-mail corne-loup@wanadoo.fr r.-v.

COSTEBELLE Réserve 2003 ★

n.c.	n.c.	3 à 5 €

Tenue de main de maître par son directeur-œnologue, Bernard Roustan, la cave des vignerons possède une intéressante gamme de côtes-du-rhône. Voyez ce rosé à la robe soutenue et franche. Ses arômes de fruits rouges et de grenadine se poursuivent jusque dans une bouche onctueuse, légèrement beurrée et très soyeuse.

SCA Costebelle, 2, av. des Alpes, 26790 Tulette, tél. 04.75.97.23.10, fax 04.75.98.38.61, e-mail cave.costebelle@wanadoo.fr r.-v.

CAVE COSTES ROUSSES Hautes Vouleuyes 2001

n.c.	7 800	3 à 5 €

« Un côtes-du-rhône bien à son aise dans sa catégorie, sans faire de spectacle », écrit un dégustateur. De sa robe intense et sombre se libère un nez assez complexe de fruits mûrs et de noyau de cerise, avec quelques notes d'évolution. La bouche très progressive persiste bien sur le fruit.

SCA Cave Costes Rousses, 2, av. des Alpes, 26790 Tulette, tél. 04.75.97.23.10, fax 04.75.98.38.61 r.-v.

LES VIGNERONS DES COTEAUX D'AVIGNON Réserve des armoiries 2003

n.c.	60 000	3 à 5 €

Pour les poissons et les crustacés à l'Armoricaine, choisissez ce rosé d'une apparente légèreté. Gouleyant, c'est un vin frais et floral, sans chaleur ni lourdeur excessive. Il est prêt à boire.

SCA Les Vignerons des Coteaux d'Avignon, 457, av. Aristide-Briand, 84310 Morières-lès-Avignon, tél. 04.90.22.65.65, fax 04.90.33.43.31, e-mail lescoteauxdavignon@wanadoo.fr r.-v.

DOM. COULANGE 2003 ★

0,29 ha	2 000	5 à 8 €

A Bourg-Saint-Andéol, vous pourrez voir le palais des Evêques construit au XVIe s., où des concerts sont organisés en été. A 1 km de la ville se trouve le domaine de Christelle Coulange : 34 ha sur un sol argilo-calcaire. A base de 90 % de grenache, ce vin très vif en attaque garde sa fraîcheur jusqu'à la finale florale d'une bonne persistance. Un 2003 tout indiqué pour les crustacés. La **cuvée Rochelette 2002 rouge** – bon vin pour le millésime – est citée pour sa franchise.

Christelle Coulange, quartier Saint-Ferréol, 07700 Bourg-Saint-Andéol, tél. 04.75.54.56.26, fax 04.75.54.56.26, e-mail domaine.coulange@free.fr r.-v.

CH. LA CROIX CHABRIERE La Diva 2002

1 ha	4 500	8 à 11 €

A la fin août les amateurs de voitures anciennes pourront apprécier la concentration de Coccinelles dans le cadre prestigieux de ce domaine incontournable dans la région par son architecture (le château d'époque Napoléon III et ses dépendances) comme par sa gamme de vins. Ce 2002 blanc patiemment élevé en fût s'exprime dans un registre floral, souligné de notes de miel. Sa rondeur le destine à un poisson en sauce.

Ch. La Croix Chabrière, rte de Saint-Restitut, 84500 Bollène, tél. 04.90.40.00.89, fax 04.90.40.19.93 t.l.j. 9h-12h 14h-18h; dim. 9h-12h; groupes sur r.-v.

CROS DE LA MURE 2001

n.c.	n.c.	5 à 8 €

D'un grenat profond, ce 2001 évoque les fruits noirs, arômes que l'on retrouve dans une bouche volumineuse. Les tanins méritent de se fondre à la faveur de deux ou trois ans de garde. Le **Cros de la Mûre blanc 2002**, également cité, possède un agréable caractère floral.

EARL Michel et Fils, Derboux, 84430 Mondragon, tél. 04.90.30.12.40, fax 04.90.30.46.58 r.-v.

Eric Michel

DOM. NICOLAS CROZE Cuvée Grégoire 2001 ★★

1 ha	4 000	8 à 11 €

Rue Max-Ernst, rien de plus normal dans ce village où vécut ce peintre surréaliste, entre cultures provençale et cévenole. Cette cuvée d'une remarquable tenue accompagne son fruité de notes poivrées et vanillées, héritées d'un élevage respectueux. Les tanins présents, mais sans agressivité, soutiennent la matière concentrée et épicée. La bonne structure permettra à ce vin de se conserver encore quelque temps. Le **Domaine Nicolas Croze 2002 rouge (3 à 5 €)**, élevé en cuve, obtient une étoile : chaleureux, il s'appuie sur des tanins encore un peu austères, mais qui devraient s'affiner à la garde.

GAEC Croze, 1, rue Max-Ernst, 07700 Saint-Martin-d'Ardèche, tél. 04.75.04.62.28, fax 04.75.04.62.28, e-mail contact@domaine-nicolas-croze.com r.-v.

LA DAME DE MONTMIRAIL Réserve 2003 ★

n.c.	n.c.	8 à 11 €

Conseillée pour une alliance avec un poisson grillé, cette cuvée très jeune révèle déjà un équilibre complexe. Les fruits – notamment la pêche – s'expriment puissamment jusque dans une bouche pleine et persistante. Un 2003 qui devrait évoluer favorablement dans les deux à trois prochaines années.

La Cave des Vignerons de Gigondas, rte de Sablet, 84190 Gigondas, tél. 04.90.65.86.27, fax 04.90.65.80.13, e-mail gigondas.lacave@wanadoo.fr r.-v.

CH. LA DECELLE 2001

5 ha	30 000	5 à 8 €

Vous serez impressionné par la cathédrale de Saint-Paul commencée au XIIe s. et terminée au début du XIIIe s., dont les colonnes et les chapiteaux historiés sont de toute beauté, ainsi que la mosaïque représentant la ville de Jérusalem. Aux environs, le château La Decelle propose un vin au caractère affirmé, dont le nez intense évoque le sous-bois. Sa bonne longueur en bouche lui vaut cette citation.

Ch. La Decelle, rte de Pierrelatte, 26130 Saint-Paul-Trois-Châteaux, tél. 04.75.04.71.33, fax 04.75.04.56.98, e-mail ladecelle@wanadoo.fr t.l.j. sf dim. 9h-12h 14h-18h; groupes sur r.-v.

Seroin

DOM. DE DEURRE Les Oliviers 2000 ★

2 ha	3 000	8 à 11 €

Joli village établi sur une colline, Vinsobres est le point de départ de nombreux itinéraires de randonnée entre vignes et champs de lavande. Un arrêt au domaine de Deurre vous permettra de découvrir ce vin très bien élevé. Issu à 100 % de syrah, il méritait d'attendre pour être apprécié à sa juste valeur. Le voici aujourd'hui ample et suave, qui décline des notes de réglisse et de fruits noirs. Mais attention, seules 3 000 bouteilles sont disponibles.

⊶ Valayer, Dom. de Deurre, RD 94, 26110 Vinsobres,
tél. 04.75.27.62.66, fax 04.75.27.67.24,
e-mail valayer.deurre@wanadoo.fr ☑ ⌂ 🍸 🚶 r.-v.

DOM. DE DIEUMERCY 2003

■ 45 ha 250 000 ▮⚲ 3 à 5 €

Habillé d'une robe vive et intense, ce vin se montre encore timide. Il demande à être aéré pour dévoiler quelques notes de fruits. Les tanins sont très présents, mais l'ensemble reste équilibré. Un 2003 qui supportera encore deux ans de garde.

⊶ SCEA des Domaines Jack Meffre et Fils,
84190 Gigondas,
tél. 04.90.65.85.32, fax 04.90.65.83.46 ☑

DOM. DE DIONYSOS 2003 ★★

▒ n.c. 3 000 ▮⚲ 5 à 8 €

Trois mille bouteilles seulement pour ce vin digne de Dionysos, en effet. De couleur vive, il offre une impressionnante palette aromatique : d'abord les notes minérales, puis des nuances végétales, des touches anisées et des fruits rouges. La vivacité et l'expression originale de la bouche contribuent à sa personnalité. Vin d'apéritif ou de tout un repas provençal.

⊶ Farjon, EARL Dionysos,
chem. du Marquis, 84100 Orange,
tél. 06.80.05.33.33, fax 04.90.40.60.33 ☑ 🚶 r.-v.

LA DIVE 2003

■ n.c. 13 000 ▮⚲ 5 à 8 €

On ne fait pas qu'une halte à Lauris. Ses jardins, ses fontaines, ses anciennes maisons, son château du XVIII^{e}s. invitent à prendre son temps. Ce côtes-du-rhône aussi demande de la patience, car il est encore jeune et ne s'ouvrira réellement que dans deux ou trois ans. Le grenache bien mûr (70 %) lui a donné de la rondeur, tandis que la syrah a renforcé sa structure et lui a légué des arômes de framboise perceptibles après une légère aération.

⊶ Cellier Val de Durance, Le Grand Jardin,
84360 Lauris, tél. 04.90.08.76.28, fax 04.90.08.28.27

DOM. DUPLESSIS 2001 ★★

■ 5 ha 20 000 🛢 8 à 11 €

Cette cuvée est passée tout près du coup de cœur. L'élevage du grenache et de la syrah en fût lui a ôté toute aspérité et a façonné sa palette de fruits nuancée de vanille. Un vin équilibré, gras et persistant qui mérite la compagnie d'un gibier ou d'une viande en sauce. Le **Domaine Duplessis 2001 rouge (3 à 5 €)**, assemblage de grenache, de syrah et de carignan (étiquette bleue), mérite une étoile : si ses tanins sont encore très présents, il a suffisamment de puissance pour les intégrer.

⊶ Dom. Duplessis,
Chem. Haut-Débat 271, 84150 Jonquières,
tél. 04.90.70.55.00, fax 04.90.70.57.77,
e-mail domaine-duplessis@wanadoo.fr
☑ 🍸 🚶 t.l.j. sf dim. 9h-18h

ENCLAVE DES PAPES Terroir 2003

■ 25 ha 150 000 ▮⚲ 3 à 5 €

Le nom d'Enclave des Papes désigne le territoire acheté par les papes d'Avignon au XIV^{e}s. et qui correspond aux communes de Valréas, de Visan de Grillon et de Richerenches. Un itinéraire bien balisé permet de découvrir le riche patrimoine architectural de cette partie du Vaucluse enclavée dans la Drôme. L'union des vignerons propose une cuvée franche et fruitée : un vin de plaisir, très frais, idéal pour accompagner des tomates farcies. La **cuvée Salvare 2003 rouge** est également citée pour sa rondeur, ses arômes de fruits secs nuancés d'un caractère amylique et ses tanins réglissés.

⊶ Cellier de l'Enclave des Papes,
rte d'Orange, BP 51, 84602 Valréas Cedex,
tél. 04.90.41.91.42, fax 04.90.41.90.21,
e-mail france@enclavedespapes.com ☑ r.-v.

DOM. REMY ESTOURNEL 2003 ★

▒ 0,5 ha 2 500 ▮⚲ 5 à 8 €

Proche d'une jolie chapelle romane du XI^{e}s., au cœur du village de Saint-Victor-la-Coste, vous trouverez la cave Estournel. Son rosé aux reflets pivoine est un véritable vin de repas, tout en finesse. La framboise a la part belle dans sa palette de fruits rouges.

⊶ Rémy Estournel,
13, rue de Plaineautier, 30290 Saint-Victor-la-Coste,
tél. 04.66.50.01.73, fax 04.66.50.21.85 ☑ 🍸 🚶 r.-v.

DOM. LA FAVETTE 2001

■ 10 ha 20 000 3 à 5 €

Encore une belle jeunesse pour ce 2001 grenat brillant qui livre un nez capiteux de fruits rouges et noirs. La bouche bien équilibrée s'inscrit dans une dominante animale, tandis que la finale évoque agréablement la réglisse.

⊶ Philippe Faure, Dom. La Favette,
rte des Gorges, 07700 Saint-Just-d'Ardèche,
tél. 04.75.04.61.14, fax 04.75.98.74.56,
e-mail domainelafavette@cario.fr ☑ 🍸 🚶 r.-v.

DOM. FOND CROZE 2003 ★★

□ 0,8 ha 1 800 🛢 5 à 8 €

Il vous faudra de bonnes jambes pour monter tout en haut de ce village aux ruelles étroites, jusqu'aux tours de l'ancien château du XII^{e}s. Sachez que Saint-Roman-de-Malegarde était une sentinelle au temps des Templiers. Les frères Long ont élaboré un 2003 or pâle, remarquable de finesse. Des notes de vanille soulignent ses arômes de fruits jusque dans une bouche élégante et persistante. A boire dès la sortie du Guide avec une mousse de poisson. La **cuvée La Saint-Romanaise rouge 2000**, très structurée et ronde, brille elle aussi de deux étoiles. Mais attention : seulement 2 600 bouteilles ont été produites. Citée, la **cuvée Analys 2003 blanc**, à 99 % de viognier, sera appréciée avec une omelette aux truffes.

⊶ Long Frères, EARL Dom. Fond Croze,
Le Village, 84290 Saint-Roman-de-Malegarde,
tél. 04.90.28.97.07, fax 04.90.28.97.07,
e-mail fondcroze@hotmail.com ☑ 🍸 🚶 r.-v.

DOM. DE FONTAVIN 2003 ★★

■ 1,4 ha 6 000 ▮ ♁ 5 à 8 €

Une œnologue, une maîtresse de chai et une amatrice éclairée : trois femmes élaborent les vins du domaine de Fontavin aujourd'hui. Ce 2003 d'une couleur rose franc, fraîche et limpide, offre de fins arômes de fruits rouges et de bonbon anglais. D'une puissance harmonieuse, il garde un caractère flatteur tout au long de la dégustation. Le **Domaine de Fontavin blanc 2003** obtient une étoile : très chaleureux et long en bouche, il trouvera bonne compagnie dans un loup grillé.

⚷ EARL Hélène et Michel Chouvet,
Dom. de Fontavin, 1468, rte de la Plaine,
84350 Courthézon, tél. 04.90.70.72.14,
fax 04.90.70.79.39, e-mail helene-chouvet@fontavin.com
☑ Y 🚶 t.l.j. sf dim. 9h-12h 14h-18h15; été 9h-19h

CAVE LA GAILLARDE Cuvée Pied Vaurias 2003 ★

■ n.c. 15 120 ▮ ♁ 3 à 5 €

A base de grenache, ce rosé obtenu par saignée s'affiche sous une teinte assez soutenue. Il s'exprime avec puissance au nez comme en bouche. Les fruits rouges l'accompagnent durablement dans son développement rond et équilibré. Un vin complet qui vous satisfera pendant tout un repas.

⚷ Cave La Gaillarde,
av. de l'Enclave-des-Papes, BP 95, 84602 Valréas
Cedex, tél. 04.90.35.00.66, fax 04.90.35.11.38
☑ Y 🚶 r.-v.

CH. GIGOGNAN 2003 ★

□ 1 ha 3 800 ▮ ⦀ ♁ 8 à 11 €

Des notes vanillées héritées d'un élevage en fût neuf dominent à ce jour ce côtes-du-rhône issu de viognier. Cette sensation devrait s'estomper dans le temps pour se fondre au fruité déjà bien présent. La bouche puissante et équilibrée est le présage d'un bel avenir. La **cuvée Vigne du Prieuré blanc 2003 (5 à 8 €)**, qui n'a pas connu le bois, est citée : un vin d'apéritif, aux arômes d'agrumes miellés et de citron vert.

⚷ Ch. Gigognan, chem. du Castillon, 84700 Sorgues,
tél. 04.90.39.92.91, fax 04.90.39.15.28,
e-mail info@chateau-gigognan.fr ☑ Y 🚶 r.-v.
⚷ Callet

DOM. DES GIRASOLS Vieilles Vignes 2000 ★

■ 1,87 ha 11 200 ▮ 8 à 11 €

Un temps de repos sur la grande place ombragée de Rasteau est nécessaire avant l'ascension des rues du village jusqu'aux ruines du château épiscopal et à l'église romane du XII^{e}s. En redescendant, prenez la direction du domaine des Girasols. Vous serez séduit par la finesse de ce vin, dont les arômes évoquent les fleurs de la garrigue, les fruits et les épices. Sa bouche fondue invite à une dégustation dès aujourd'hui.

⚷ Famille Paul Joyet, Dom. des Girasols,
84110 Rasteau, tél. 04.90.46.11.70, fax 04.90.46.16.82
☑ Y 🚶 t.l.j. sf dim. 9h-12h 14h-18h

DOM. DE LA GRAND'RIBE
Cuvée Tradition Vieilles Vignes 2001

■ 5 ha 26 000 ▮ ♁ 5 à 8 €

Le grenache représente 80 % de cet assemblage, complété de syrah et de carignan à parts égales. Une cuvée traditionnelle bien dans le millésime 2001. Puissante, dotée de solides tanins, elle accompagnera un pigeon ou un canard après une petite garde. La cuvée **Les Garrigues rouge 2000 (8 à 11 €)** est également citée pour ses arômes de fruits en compote : servez-la avec des côtes d'agneau aux cocos et aux lardons.

⚷ SCEA Dom. de La Grand'Ribe,
rte de Bollène, 84290 Sainte-Cécile-les-Vignes,
tél. 04.90.30.83.75, fax 04.90.30.76.12
☑ Y 🚶 t.l.j. sf dim. 9h-12h 14h-18h
⚷ Andrée Sahuc

DOM. DES GRANDS-DEVERS
La Syranne 2003 ★★★

■ 4 ha 20 800 ▮ 5 à 8 €

Sur le terroir d'argiles rouges et de calcaires, des truffes poussent dans les vignes, preuve que les pratiques culturales sont ici respectueuses de l'environnement. Ce vin est issu à 100 % de syrah vendangée en caisses et vinifiée en raisin entier, non éraflé. Son expression exceptionnelle de fruits rouges, la rondeur de ses tanins, sa matière chaleureuse, empreinte de fruits noirs, d'épices et de confiture en font un beau 2003 que l'on appréciera dès maintenant comme dans les cinq prochaines années.

⚷ Paul-Henri Bouchard et ses Frères,
Dom. des Grands-Devers,
rte de Saint-Maurice, 84600 Valréas,
tél. 04.90.35.15.98, fax 04.90.37.49.56,
e-mail phbouchard@grandsdevers.com ☑ 🏠 Y 🚶 r.-v.

DOM. GRAND VENEUR 2003 ★

□ 1 ha 5 000 ▮ ♁ 8 à 11 €

Ce n'est pas un vin blanc d'apéritif que propose Alain Jaume, mais un véritable côtes-du-rhône de repas, rond et équilibré, qui saura évoluer avec complexité. L'expression des arômes de fruits blancs, de guimauve et de fleurs blanches le classe déjà dans la catégorie des grands viogniers des côtes-du-rhône.

⚷ Alain Jaume, rte de Châteauneuf-du-Pape,
84100 Orange, tél. 04.90.34.68.70, fax 04.90.34.43.71,
e-mail jaume@domaine-grand-veneur.com ☑ Y 🚶 r.-v.

MAS GRANGE BLANCHE 2002

■ 2 ha 7 000 ▮ ♁ 5 à 8 €

Dans sa robe rubis limpide, ce côtes-du-rhône aux parfums discrets de fruits rouges (framboise) possède un équilibre harmonieux. Un bon support tannique lui assure de la longueur. Appréciez-le au cours de l'année 2005.

⚷ EARL Cyril et Jacques Mousset,
Ch. des Fines-Roches, 84230 Châteauneuf-du-Pape,
tél. 04.90.83.73.10, fax 04.90.83.50.78
☑ Y 🚶 t.l.j. 10h-19h; f. jan.
⚷ Cyril Mousset

DOM. DU GROS PATA Vieilli en fût de chêne 2002

■ 1,6 ha 11 000 ▮ ◍ ⫰ 3 à 5 €

Un mur de la maison porte encore l'inscription « Octroi de Vaison ». C'est là que l'on devait autrefois verser des « patas », anciennes pièces de monnaie provençales en cuivre, pour passer à Villedieu, le village voisin. Aujourd'hui, nul besoin de laissez-passer pour découvrir ce vin né sur un terroir sableux et argilo-calcaire. Agréable par sa souplesse et sa dominante de réglisse, celui-ci accompagnera un gratin de pommes de terre aux herbes. Inutile d'attendre pour le déboucher.

⊶ Gérald et Sabine Garagnon, Dom. du Gros Pata, rte de Villedieu, 84110 Vaison-la-Romaine, tél. 04.90.36.23.75, fax 04.90.28.77.05, e-mail sabine.garagnon@free.fr ☒ ⌂ Ɪ ⼈ r.-v.

DOM. LES HAUTES CANCES Cuvée Tradition 2001 ★

■ 0,8 ha 4 330 ▮ ◍ ⫰ 5 à 8 €

Ne vous attardez pas trop sur le boulodrome, car Cairanne réserve bien d'autres curiosités : le vieux village et ses remparts depuis lesquels vous jouirez d'un beau panorama sur le Ventoux... et puis les vignes. Le domaine Les Hautes Cances n'a pratiqué ni collage, ni levurage, ni filtration pour élaborer ce vin. Un 2001 rouge sombre, aux notes de vanille et de café grillé. Solidement campé sur ses tanins, il a du corps, de la chaleur et de la persistance.

⊶ SCEA Achiary-Astart, quartier Les Travers, 84290 Cairanne, tél. 04.90.30.76.14, fax 04.90.38.65.02, e-mail contact@hautescances.com ☒ Ɪ ⼈ r.-v.

CH. D'HUGUES Grande Réserve 2002

■ 3,78 ha 21 000 ▮ 5 à 8 €

Uchaux se situe à moins de 10 km d'Orange et de son théâtre antique. La route est belle jusqu'à ce domaine, dont le nom rend hommage au noble personnage qui fit construire le château à la fin du XVIIe s. Cette cuvée devrait bien se marier à un magret de canard dès aujourd'hui, car elle révèle beaucoup de chaleur sous sa robe rouge franc, ainsi que des tanins souples et soyeux. Sa longueur en bouche est en outre intéressante.

⊶ Sylviane et Bernard Pradier, Ch. d'Hugues, 84100 Uchaux, tél. 04.90.70.06.27, fax 04.90.70.10.28, e-mail chateau.dhugues@terre-net.fr ☒ Ɪ ⼈ r.-v.

DOM. DE LA JANASSE 2003 ★

▒ 1,5 ha 5 000 ▮ ⫰ 3 à 5 €

Un domaine familial de 55 ha créé par Aimé Sabon en 1973. Depuis 1991, le fils, Christophe, diplômé en viticulture et en œnologie, participe à la production de vins de qualité régulière, comme en témoignent les différentes éditions du Guide. L'assemblage de grenache et de cinsault a donné naissance à un rosé parfumé de fleurs, chaleureux, franc et loyal.

⊶ Aimé Sabon, Dom. de La Janasse, 27, chem. du Moulin, 84350 Courthézon, tél. 04.90.70.86.29, fax 04.90.70.75.93, e-mail lajanasse@free.fr ☒ Ɪ ⼈ t.l.j. 8h-12h 14h-18h30; sam. dim. sur r.-v.

DOM. JAUME 2002

■ n.c. 150 000 ▮ ⫰ 3 à 5 €

A 8 km de Nyons, dont le cœur ancien invite à la promenade et les produits du terroir (olives notamment) à la gourmandise, Vinsobres est aussi un village pittoresque. Claude et Nicole Jaume y proposent un vin de repas léger doté de beaucoup de finesse. Dominé par le fruit, ce 2002 est décidément fort plaisant.

⊶ Dom. Jaume, 24, rue Reynarde, 26110 Vinsobres, tél. 04.75.27.61.01, fax 04.75.27.68.40, e-mail cave.jaume@libertysurf.fr ☒ Ɪ ⼈ r.-v.

CH. JOANNY 2003 ★

□ 3,6 ha 14 000 ▮ ⫰ 5 à 8 €

Un négociant beaujolais, Joanny Dupond, créa ce domaine en 1880, autour d'une belle demeure dont l'architecture rappelle l'Italie du Sud. Aujourd'hui, ses descendants possèdent 125 ha ; ils ont élaboré avec une bonne maîtrise technique ce vin de grenache, de roussanne, de viognier et de clairette : un assemblage idéal. Sous une teinte brillante apparaissent des arômes élégants et complexes, dominés par le fruit. Un 2003 très bien équilibré que l'on peut apprécier dès maintenant ou conserver en cave pendant deux ans. Le **Château Joanny rosé 2003 (3 à 5 €)** brille lui aussi d'une étoile : c'est un vin de caractère, riche de flaveurs d'abricot et de fruits rouges.

⊶ Ch. Joanny, rte de Piolenc, 84830 Sérignan-du-Comtat, tél. 04.90.70.00.10, fax 04.90.70.05.53, e-mail chateaujoanny@cario.fr ☒ Ɪ ⼈ t.l.j. 8h-12h 14h-19h

⊶ Famille Dupond

DOM. DE LASCAMP Le Clos 2003 ★

■ 4 ha 8 500 ▮ ⫰ 5 à 8 €

Une ferme entourée de 20 ha de vignes, de champs et de forêts, achetée en 1767 sur le territoire de Cadignac est à l'origine de ce domaine resté familial et qui compte aujourd'hui 50 ha. Ce 2003, à base de syrah, se révèle équilibré, suffisamment volumineux et long en bouche. Ses tanins fins s'accompagnent de flaveurs de garrigue, de fruits rouges et d'épices. A boire ou à attendre. Le **rosé Tradition 2003 (3 à 5 €)** obtient la même note : aromatique et gouleyant, il sera le bienvenu à l'apéritif ou en accompagnement d'un plateau de charcuteries.

⊶ Clos de Lascamp, Cadignac, 30200 Sabran, tél. 04.66.89.69.28, fax 04.66.89.62.44, e-mail domaine.de.lascamp@wanadoo.fr ☒ Ɪ ⼈ r.-v.

⊶ Imbert

DOM. DES LAUSES Tradition 2002

■ 3 ha 10 000 ▮ ◍ ⫰ 3 à 5 €

Ancienne baronnie où séjourna Diane de Poitiers, Sérignan-du-Comtat garde aussi le souvenir de l'entomologiste Jean Henri Fabre, dont la statue fait face à l'église baroque. Après avoir flâné dans les ruelles bordées de maisons en pierre du pays, vous vous dirigerez vers le domaine des Lauses. Le choix d'une vinification traditionnelle sans égrappage et d'un léger passage en barrique paraît judicieux à en juger par ce 2002 souple, très légèrement vanillé, dont les arômes fruités se manifestent intensément. La finale de fruits et d'épices est convaincante.

⊶ Dom. des Lauses, quartier des Pessades, 84830 Sérignan-du-Comtat, tél. 04.90.70.09.13, fax 04.90.70.09.13, e-mail lauses@wanadoo.fr ☒ Ɪ ⼈ r.-v.

⊶ Gilbert Raoux

MAS DE LIBIAN 2003 ★

□ 1 ha 2 600 ◍ 5 à 8 €

Des huîtres chaudes accompagneront ce vin floral aux senteurs d'aubépine. Les 40 % de l'assemblage élevés en demi-muids neufs ont donné à l'ensemble de la finesse et de l'élégance. Le bois semble imperceptible aux dégustateurs. Doté d'une bonne longueur, voilà un 2003 prêt à boire, mais qui saura aussi attendre.

🔑 Thibon, Mas de Libian,
07700 Saint-Marcel-d'Ardèche,
tél. 04.75.04.66.22, fax 04.75.98.66.38,
e-mail h.thibon@wanadoo.fr ☑ 🍷 🚶 r.-v.

DOM. LOU FREJAU 2001

■ 3 ha 8 000 🛢 5 à 8 €

Une jolie couleur rubis en accord avec le millésime rend ce côtes-du-rhône attrayant au premier regard. Le nez discret d'épices et de fruits rouges annonce une bouche vive qui mêle ses tanins aux fruits et aux notes boisées dues au passage en foudre.

🔑 SCEA Dom. Lou Fréjau,
chem. de la Gironde, 84100 Orange,
tél. 04.90.34.83.00, fax 04.90.34.48.78,
e-mail loufrejau@wanadoo.fr ☑ 🍷 🚶 r.-v.
🔑 Chastan

CH. MALIJAY Les Genévriers 2001

■ 20 ha 70 000 ▮ 5 à 8 €

Assemblage à parts égales de syrah et de grenache, cette cuvée s'inscrit bien dans le type de l'appellation. La présence d'arômes de fruits à l'alcool témoigne de sa bonne évolution, et sa structure soyeuse la rend harmonieuse. La **cuvée de La Tour rouge 2001** est également citée. Quelques notes grillées dominant le fruit et des tanins encore très présents la destinent à une garde de deux ou trois ans.

🔑 Ch. Malijay, 84150 Jonquières,
tél. 04.90.70.33.44, fax 04.90.70.36.07,
e-mail hchavernac@listel.fr ☑ 🍷 🚶 r.-v.

DOM. MARIE BLANCHE Cuvée Caprice 2003 ★

□ 1 ha 2 000 🛢 5 à 8 €

Un caprice ? La fille de Jean-Jacques Delorme, alors étudiante en œnologie, avait voulu des fûts neufs pour créer cette cuvée. Qu'il en soit ainsi... Grenache et roussanne s'affrontent pour percer ces notes vanillées très présentes. Mais laissez faire le temps, car le vin a suffisamment de puissance pour évoluer favorablement.

🔑 Jean-Jacques Delorme,
Dom. Marie Blanche, 30650 Saze,
tél. 04.90.31.77.26, fax 04.90.26.94.48 ☑ 🍷 r.-v.

CH. DE MARJOLET 2003 ★

□ 2 ha 13 000 ▮ 3 à 5 €

Bien dans le millésime, ce vin puissant et chaleureux offre un nez intense de fruits blancs (poire). La première impression très agréable invite à apprécier le bon équilibre de la bouche entre gras et vivacité. La présence de 60 % de cépage roussanne lui confère de l'originalité.

🔑 Bernard Pontaud, Dom. de Marjolet, 30330 Gaujac,
tél. 04.66.82.00.93, fax 04.66.82.92.58,
e-mail chateau.marjolet@wanadoo.fr ☑ 🍷 🚶 r.-v.

MOILLARD Les Violettes 2002

■ n.c. 50 000 ▮ 5 à 8 €

Cette cuvée proposée par un négociant-éleveur bourguignon offre un bel équilibre général. Les arômes fruités se manifestent avec franchise et la bouche fait preuve d'une élégante souplesse. Un côtes-du-rhône classique qui a la simple prétention d'accompagner un repas léger.

🔑 Moillard, 2, rue François-Mignotte,
21700 Nuits-Saint-Georges,
tél. 03.80.62.42.22, fax 03.80.61.28.13,
e-mail contact@moillard.fr ☑ 🍷 🚶 t.l.j. 10h-18h; f. jan.

LES MOIRETS 2003 ★

▒ n.c. 20 000 3 à 5 €

Les caves des Papes présentent une cuvée à la superbe robe rose vif. La puissance aromatique, due à une courte macération et à une fermentation à basse température, est surprenante. Très agréable en bouche, ce vin allie fraîcheur et complexité. Le **Château des Coccinelles Elytres 2001 rouge (5 à 8 €)**, issu de l'agriculture biologique, est cité : suffisamment intense et long, il pourra être apprécié avec un dessert au chocolat.

🔑 Ogier-Caves des Papes,
10, av. Louis-Pasteur, BP 75, 84190 Beaumes-de-Venise,
tél. 04.90.39.32.32, fax 04.90.83.72.51,
e-mail ogiercavesdespapes@ogier.fr ☑ 🍷 🚶 r.-v.

CH. DE MONTFAUCON Baron Louis 2002 ★

■ 7 ha 30 000 ▮ 🛢 🌡 11 à 15 €

Rodolphe de Pins a su mettre en valeur ce domaine de 100 ha (32 ha de vignes) commandé par un magnifique château, dont la première tour fut élevée au XIes. Cette cuvée est née dans des chais du XVIes. Avec ses arômes de fruits rouges (cerise) accompagnés d'une légère touche boisée-vanillée, ce 2002 laisse une sensation de plénitude, qualité rare dans ce millésime.

🔑 Rodolphe de Pins,
Ch. de Montfaucon, 30150 Montfaucon,
tél. 04.66.50.37.19, fax 04.66.50.62.19,
e-mail chateau.montfaucon@wanadoo.fr
☑ 🍷 🚶 t.l.j. sf sam. dim. 14h-18h; groupes sur r.-v.

CH. MONT-REDON 2003 ★

■ 31 ha 140 000 ▮ 🌡 5 à 8 €

Coup de cœur en lirac dans ce Guide, le château Mont-Redon ne démérite pas en côtes-du-rhône. Ce 2003 procure un plaisir immédiat. Rond et fruité, il accompagnera bien un plateau de charcuteries ou une volaille. Le **rosé 2003**, une étoile également, évoque le fruit légèrement épicé ; il sera servi à l'apéritif. Quant au **côtes-du-rhône blanc 2003**, il est cité pour sa fraîcheur.

🔑 Ch. Mont-Redon,
BP 10, 84230 Châteauneuf-du-Pape,
tél. 04.90.83.72.75, fax 04.90.83.77.20,
e-mail chateaumontredon@wanadoo.fr ☑ 🏠 🍷 🚶 r.-v.
🔑 Abeille-Fabre

DOM. DE LA MORDOREE
La Dame rousse 2003 ★

■ 15 ha 40 000 ▮ 🌡 5 à 8 €

Régulièrement récompensé pour ses vins, ce domaine tavelois maîtrise parfaitement ses rendements. Un plus qui se traduit dans ce 2003 par une structure harmonieuse et du gras. Sous la robe violine les fruits abondent : cassis, cerise... Les tanins se manifestent en finale, mais sans agressivité, comme pour témoigner du potentiel de garde du vin. A réserver à une viande d'agneau bien préparée.

🔑 Dom. de La Mordorée,
chem. des Oliviers, 30126 Tavel, tél. 04.66.50.00.75,
fax 04.66.50.47.39, e-mail info@domaine-mordoree.com
☑ 🍷 🚶 t.l.j. sf dim. 8h-12h 13h30-18h
🔑 C. Delorme

LOUIS MOUSSET Prestige 2001

■ n.c. 50 000 🛢 5 à 8 €

Issue d'une vinification traditionnelle suivie d'un élevage en fût de douze mois, cette cuvée s'exprime dans le registre boisé. Les fruits sont toutefois présents, légèrement épicés, et les tanins semblent bien fondus. Pour les amateurs de ce style de vin.

SA Louis Mousset, Les Fines-Roches, BP 28, 84230 Châteauneuf-du-Pape, tél. 04.90.83.70.30, fax 04.90.83.74.79, e-mail louis.mousset@wanadoo.fr

CH. NOEL SAINT-LAURENT 2002 *

5 000 — 5 à 8 €

Depuis 1985, Didier Noël a agrandi la superficie du domaine familial commandé par un château du XIII[e]s., ancienne propriété des moines chartreux. Il a produit un petit volume de ce 2002 élevé neuf mois en fût. La robe cerise profond annonce un nez intense, marqué par le boisé. Un caractère floral nuancé d'épices s'exprime dans une bouche d'une bonne fraîcheur. Un vin à déguster dès 2005 avec un pâté ou une viande blanche.

Didier Noël, SCEA Dom. Saint-Laurent, Ch. Saint-Laurent, 84310 Morières-lès-Avignon, tél. 06.09.10.42.68, fax 04.90.33.34.90 r.-v.

CH. NOTRE DAME DES VEILLES 2001 *

2 ha 10 000 — 5 à 8 €

L'abbaye de Cluny était autrefois propriétaire de cet authentique mas provençal. D'un terroir argilo-calcaire est né ce 2001 à base de 75 % de grenache et de 25 % de syrah, qui s'affirme par sa puissance et sa structure. Complexe grâce à ses arômes de fruits rouges et de fruits à noyau, nuancés de notes légèrement animales, il sera le compagnon d'un gigot d'agneau à la crème d'ail dès à présent.

Caroline Bonnefoy, Ch. Notre Dame des Veilles, 84600 Valréas, tél. 06.87.14.21.48, fax 04.90.35.00.25, e-mail chateaunotredamedesveilles@wanadoo.fr r.-v.

DOM. DE L'OLIVIER 2003 *

1 ha 2 500 — 5 à 8 €

Une toute petite production d'un vin blanc fort agréable. Les parfums de la roussanne s'allient au fruité du viognier pour lui apporter beaucoup d'élégance, tandis qu'un léger passage sous bois de dix mois a arrondi ses contours et souligné sa chair d'une fine ligne vanillée.

Eric Bastide, EARL Dom. de L'Olivier, 1, rue de la Clastre, 30210 Saint-Hilaire-d'Ozilhan, tél. 04.66.37.08.04, fax 04.66.37.00.46 r.-v.

CH. DE PANERY 2003 *

5 ha 30 000 — 5 à 8 €

Une propriété de 528 ha où l'on cultive des céréales, des tournesols, des truffes et de la vigne. D'un rose assez soutenu, ce vin se montre élégamment fruité. Les notes de fraise l'accompagnent jusqu'en finale et participent à son agréable fraîcheur.

SCEA Ch. de Panery, rte d'Uzes, 30210 Pouzilhac, tél. 04.66.37.04.44, fax 04.66.37.62.38, e-mail chateaudepanery@wanadoo.fr r.-v.
R. Gryseels

DOM. DU PARANDOU 2003

13 ha 9 000 — 5 à 8 €

Si vous êtes amateur de vin et bibliophile, allez donc à Sablet en juillet : dans ce charmant village provençal est organisée une fête du livre à l'occasion de laquelle on ne dédaigne pas le vin de la région. Peut-être y rencontrerez-vous Denis Grangeon qui a produit un 2003 friand, destiné à un plaisir immédiat. Le nez de petits fruits rouges frais et de menthe poivrée est tout aussi gourmand que la bouche souple aux tanins fondus.

Denis Grangeon, Le Parandou, 84110 Sablet, tél. 04.90.46.96.12, fax 04.90.46.96.13, e-mail dgrangeon@wanadoo.fr r.-v.

DOM. DU PARC SAINT-CHARLES
La Pinède 2001

n.c. 14 000 — 3 à 5 €

Le domaine garde dans son nom le souvenir du passé, lorsque, aux XVIIe et XVIII[e]s., le marquis Charles de Monteynard avait ici son parc d'artillerie. Fort de plus de 95 ha aujourd'hui, cette propriété propose cette cuvée, dont les arômes de fleurs se mêlent à ceux de fruits. D'une agréable approche, le vin offre une structure simple comme pour se mettre à la portée de tous. A boire dans les deux prochaines années.

Dom. du Parc Saint-Charles, 30490 Montfrin, tél. 04.66.57.22.82, fax 04.66.57.54.41, e-mail florent.combe@wanadoo.fr r.-v.

DOM. PELAQUIE Elevé en fût de chêne 2000 *

n.c. 4 000 — 8 à 11 €

Une rareté dans les côtes-du-rhône : 100 % mourvèdre, c'est obligatoirement de petits rendements pour que ce cépage délicat atteigne sa maturité. Un élevage soigné a permis au 2000 de révéler tout son charme : les fruits à l'alcool et l'empreinte vanillée se sont harmonieusement mariés, agrémentant une matière ample et généreuse. Pour un civet de sanglier.

Dom. Pélaquié, 7, rue du Vernet, 30290 Saint-Victor-la-Coste, tél. 04.66.50.06.04, fax 04.66.50.33.32, e-mail contact@domaine-pelaquie.com t.l.j. sf dim. 9h-12h 14h-18h
GFA du Grand Vernet

DOM. ROGER PERRIN Prestige blanc 2003 **

1,5 ha 9 300 — 5 à 8 €

Pas moins de cinq cépages entrent dans cet assemblage : grenache blanc, viognier, marsanne, clairette et roussanne. Une cuvée représentative de l'appellation, unanimement appréciée du jury et qui n'est pas passée loin du coup de cœur. Un dégustateur conseille de la marier avec un saumon à la sauce verte ou à des plats polynésiens, car ses parfums de fleurs rivalisent avec les notes d'agrumes jusque dans la bouche très persistante et rafraîchissante.

EARL Dom. Roger Perrin, La Berthaude, rte de Châteauneuf-du-Pape, 84100 Orange, tél. 04.90.34.25.64, fax 04.90.34.88.37 r.-v.

PERRIN Réserve 2003 *

n.c. n.c. 5 à 8 €

Brillant à reflets or pâle, ce vin se livre sous des accents minéraux complexes, leitmotiv de toute la dégustation. Equilibré et persistant, il peut être apprécié dès aujourd'hui et dans les trois prochaines années. Le **côtes-du-rhône rouge Perrin Réserve 2001** obtient également une étoile : ponctué de notes animales et de fruits noirs, il a suffisamment de structure tannique pour affronter la garde.

SA Perrin et Fils, La Ferrière, rte de Jonquières, 84100 Orange, tél. 04.90.11.12.00, fax 04.90.11.12.19, e-mail perrin@beaucastel.com r.-v.

DOM. DU PESQUIER Cuvée de la Principauté 2001

■ 5 ha 20 000 ▮ 5 à 8 €

Un côtes-du-rhône bien typé, auquel le grenache a donné son caractère et notamment un côté légèrement évolué. Le nez de cerise à l'eau-de-vie et la bouche bien ronde de fruits confits invitent à une dégustation immédiate.

🔑 Boutière et Fils, Dom. du Pesquier,
84190 Gigondas, tél. 04.90.65.86.16, fax 04.90.65.88.48,
e-mail domainedupesquier@free.fr ☒ Y ✱ r.-v.
🔑 Guy Boutière

DOM. DE LA PRESIDENTE
Galifay collection 2001 ★

■ 2 ha 7 000 ⦀ 15 à 23 €

Lucrèce, épouse de Simon Alexandre, président du parlement de Provence, décida de planter la vigne sur ce terroir de galets roulés en 1701. La famille Aubert ne peut que s'en féliciter aujourd'hui. Cette cuvée, issue de grenache à 90 % et élevée en fût de chêne neuf durant douze mois, révèle beaucoup d'arômes de fruits cuits, ainsi qu'une matière très ronde, paraphée en finale de notes de cuir et de cacao. La cuvée **Les Grands Classiques blanc 2003 (5 à 8 €)** est citée : son équilibre et son caractère floral la désignent pour un accord avec une terrine de poisson. Egalement citée, la cuvée **Velours rouge Confidences 2000 (46 à 76 €)**, dont 600 bouteilles seulement ont été produites, est un vin de pure syrah élevé en fût neuf.

🔑 Famille Max Aubert, Dom. de La Présidente,
rte de Cairanne, 84290 Sainte-Cécile-les-Vignes,
tél. 04.90.30.80.34, fax 04.90.30.72.93,
e-mail aubert@presidente.fr
☒ Y ✱ t.l.j. 8h30-12h 14h-18h30

DOM. DU PRIEURE SAINT-FRANCOIS 2003

■ 29 ha 140 000 ▮⌀ 3 à 5 €

Au sud de l'aire d'appellation, les plateaux argilo-calcaires de Domazan bénéficient de toute la chaleur nécessaire pour produire de beaux vins rouges. Celui-ci, d'un pourpre brillant, offre un nez frais, à la fois fruité et épicé (romarin). Tout en légèreté, il procurera un plaisir immédiat dès la sortie du Guide.

🔑 EARL Prieuré Saint-François,
rte de Sinargues, 30390 Domazan,
tél. 04.90.12.32.45, fax 04.90.12.32.49
🔑 Esperandieu

DOM. QUART DU ROI 2003 ★

■ 10 ha 70 000 ▮ 5 à 8 €

Autour de Tresques ont été mis au jour des vestiges gallo-romains et d'autres remontant à la Préhistoire. La vigne domine le paysage avec de vastes domaines, tels le Quart du Roi et sa centaine d'hectares. De couleur sombre et dense, le 2003 paraît très prometteur grâce à sa structure et à sa matière chaleureuse. Ses parfums complexes évoquent les fruits (mûre et cerise) avec de légères nuances fumées. L'expression des fruits mûrs revient en finale pour procurer de la fraîcheur. Du même producteur, le **Château Courac rouge 2003**, fruité, demande à vieillir au moins deux ans. Il est cité à l'instar du **Domaine Quart du Roi rouge 2001**, aux arômes de réglisse et de sous-bois.

🔑 SCEA Frédéric Arnaud,
Ch. Courac, 30330 Tresques,
tél. 04.66.82.90.51, fax 04.66.82.94.27 ☒ Y ✱ r.-v.

CAVE DE RASTEAU Les Viguiers 2003 ★

□ 10 ha 60 000 3 à 5 €

Toujours à la recherche de la qualité, la cave des vignerons de Rasteau présente une cuvée riche en arômes, tout en onctuosité et en gras. Derrière un caractère plutôt floral, on perçoit les fruits blancs et les amandes miellées. La **cuvée Carte or 2000 rouge** est citée : gouleyante et fruitée, elle offre un plaisir immédiat. Une autre citation est attribuée à la cuvée **Les Secrets des terroirs 2003 rouge**, souple et prête à boire également.

🔑 Cave de Rasteau, rte des Princes-d'Orange,
84110 Rasteau, tél. 04.90.10.90.10, fax 04.90.46.16.65,
e-mail rasteau@rasteau.com ☒ Y r.-v.

DOM. LA REMEJEANNE Les Arbousiers 2003 ★★

■ 7 ha 40 000 ▮⌀ 5 à 8 €

Sur ces coteaux exposés au soleil levant, Rémy Klein élabore ses vins avec beaucoup de justesse. En tête cette année, la cuvée Les Arbousiers, dont les tanins harmonieux s'enveloppent d'une matière tout empreinte de fruits à l'alcool (kirsch) et finement épicée. Elle se révèle déjà fort agréable, mais pourra aussi attendre deux ans dans votre cave. Une autre partie du vignoble, à la forme très arrondie, qui culmine à 280 m, a donné naissance à la cuvée **Terre de lune 2003**, à base de syrah. Réglissée, celle-ci est déjà charnue et gourmande grâce à des tanins soyeux. Une étoile. Quant aux cuvées **Les Chèvrefeuilles rouge 2003** et **Les Arbousiers blanc 2003**, elles sont citées.

🔑 EARL Ouahi et Rémy Klein,
Cadignac, 30200 Sabran,
tél. 04.66.89.44.51, fax 04.66.89.64.22,
e-mail remejeanne@wanadoo.fr ☒ Y ✱ r.-v.
🔑 Rémy Klein

VIGNOBLES ET DOMAINES DU RHONE
K 2001

■ n.c. 60 000 ▮⌀ 5 à 8 €

Une viande braisée accompagnera ce vin dont la robe légère annonce l'agréable souplesse. Tout en finesse, bien équilibré, il est indéniablement prêt à boire.

🔑 Vignobles et Domaines du Rhône,
139, rue Vendôme, 69006 Lyon,
tél. 04.37.24.24.50, fax 04.72.74.41.23

DOM. ROCHE-AUDRAN 2003 ★★

□ n.c. 4 000 ▮⦀⌀ 8 à 11 €

Les vignes du domaine se répartissent sur le territoire de deux communes : 8 ha sur les garrigues de Visan et 12 ha sur les coteaux caillouteux de Buisson. Un soin particulier a été porté à l'élaboration de ce vin de grenache blanc et de viognier à parts égales. Récoltée à la main, la vendange a fermenté en barrique pour un tiers, puis le vin a été élevé sur lie. Riche des arômes du viognier (fleurs et abricot), ce 2003 apparaît ainsi équilibré et plein. Le plaisir se prolonge jusqu'en finale.

🔑 Vincent Rochette, rte de Saint-Roman,
84110 Buisson, tél. 04.90.28.96.49, fax 04.90.28.90.96,
e-mail vincent.rochette@mnet.fr ☒ Y ✱ r.-v.

CAVE DES VIGNERONS DE ROCHEGUDE
Cuvée Haute Expression 2003

□ n.c. 8 000 ▮⌀ 5 à 8 €

Rochegude possède plusieurs édifices d'intérêt, témoins de l'histoire ancienne de la région, parmi lesquels

une chapelle romane et un château dont les fondations remontent au milieu du XIII[e]s. Le vin s'illustre aussi dans la ville. Cette cuvée de la cave coopérative est le fruit de l'assemblage de la marsanne (50 %), du grenache blanc et du viognier. Elégante et bien équilibrée, elle pourra être servie dès la sortie du Guide. La **Cuvée réservée rosé 2003 (3 à 5 €)**, fraîche et fruitée, est citée également.
🔑 Cave des Vignerons de Rochegude,
26790 Rochegude, tél. 04.75.04.81.84,
fax 04.75.04.84.80 ☑ Y 🚶 r.-v.

DOM. DE ROCHEMOND 2002 ★★

■ 5 ha 30 000 🛢 8 à 11 €

Un peu en hauteur sur le plateau, Cadignac est l'un des huit hameaux qui constituent la commune de Sabran dans la vallée de la Cèze. Fort de 95 ha, ce domaine se distingue par un côtes-du-rhône au nez complexe de fruits rouges, nuancé d'un léger boisé. La bouche, tout aussi intéressante, est progressive : après une attaque fruitée, elle évolue doucement vers la vanille et s'appuie sur une structure très harmonieuse, remarquable pour le millésime. Le **Domaine de Rochemond Vieilles Vignes rouge 2003 (3 à 5 €)** doit évoluer un ou deux ans pour s'exprimer pleinement ; il est cité pour son fruité mûr. Une autre citation revient au **côtes-du-rhône blanc 2002 (8 à 11 €)**, de pur viognier : un vin aromatique et gras.
🔑 Philip, 1, chem. des Cyprès, Cadignac-sud,
30200 Sabran, tél. 04.66.79.04.42, fax 04.66.79.04.42,
e-mail domaine-de-rochemond@wanadoo.fr ☑ Y 🚶 r.-v.

DOM. DES ROMARINS 2002 ★

■ 5 ha 18 000 ▮🍷 3 à 5 €

Domaine des Romarins : on sent déjà les parfums de la Provence... Ce 2002 est aussi un bon représentant des côtes-du-rhône. Dans sa robe grenat à reflets pourpre, il libère des arômes animaux très vite relayés par les fruits. C'est bien le fruité (fruits à noyau) que l'on retrouve dans la bouche intense. Un vin de caractère qui gagnera encore en harmonie dans les deux ans.
🔑 Dom. des Romarins, rte d'Estézargues,
30390 Domazan, tél. 04.66.57.43.80, fax 04.66.57.14.87,
e-mail domromarin@aol.com
☑ Y 🚶 mer. ven. sam. 10h-12h 15h-19h
🔑 Fabre

CH. DE ROUANNE 2003 ★

▒ 0,3 ha 2 000 3 à 5 €

Paul Lambert n'a pas mesuré sa peine lorsqu'en 1960 il a déboisé ce terroir argilo-calcaire pour le planter intégralement de vignes. Deux ans plus tard, il créait sa cave. Quarante ans ont passé : les vignes de grenache et de cinsault ont donné naissance à un vin tout velours. La groseille, le cassis et la mûre s'associent en une palette expressive qui s'accordera avec les saveurs des grillades.
🔑 Lambert-Ferrentino, Ch. de Rouanne,
26110 Vinsobres, tél. 06.83.57.26.61, fax 04.90.46.90.07
☑ Y 🚶 t.l.j. 9h-12h 14h-17h

CH. DE RUTH Cuvée Nicolas de Beauharnais 2003 ★

□ 4 ha 13 000 ▮🍷 5 à 8 €

Les vignes d'un seul tenant entourent le château, autrefois propriété de Nicolas de Beauharnais, descendant direct de Joséphine de Beauharnais. Un assemblage à parts égales de grenache blanc et de clairette a produit un vin rond et frais à la fois, aux notes légèrement anisées.
🔑 Christian Meffre, Ch. de Ruth,
84290 Sainte-Cécile-les-Vignes, tél. 04.90.12.32.45,
fax 04.90.12.32.45, e-mail chateau.raspail@wanadoo.fr

DOM. DU SABLAS Cuvée Tradition 2003 ★

■ 3 ha 5 500 ▮🍷 5 à 8 €

Il est un lieu qui mérite une halte : Goudargues, surnommé la Venise gardoise en raison de nombreuses sources. Le village s'est développé autour d'une abbaye bénédictine fondée par les moines d'Aniane au IX[e]s., dont il ne reste que des vestiges. Non loin de là, ce domaine d'une vingtaine d'hectares propose un vin bien structuré par des tanins fondus, agréablement aromatique dans le registre des fruits frais à peine nuancés de végétal. Elégant, il est porteur de beaux lendemains.
🔑 Alain Camproux et Fils,
Dom. du Sablas, Hameau de Romans, 30630 Cornillon,
tél. 04.66.82.22.31, fax 04.66.82.22.31 ☑ Y 🚶 r.-v.

DOM. SAINT-AMANT La Borry 2003 ★

□ 4 ha 2 500 ▮🍷 5 à 8 €

En 1992, un chef d'entreprise à la retraite quitte Paris pour créer ce domaine sur des terrasses exposées plein sud à quelque 500 m d'altitude. Une élégante étiquette habille cette cuvée, expression de toute la chaleur du Midi. Issue de viognier, elle se révèle fruitée, très ronde, disposée à évoluer encore vers des arômes riches et complexes.
🔑 Dom. Saint-Amant, 84190 Suzette,
tél. 04.90.62.99.25, fax 04.90.65.03.56,
e-mail contact@saint-amant.com ☑ Y 🚶 r.-v.

SAINT COSME 2002

■ n.c. 30 000 ▮🍷 5 à 8 €

Cette maison de négoce, fondée en 1997, signe une cuvée de syrah équilibrée, qui procure de discrètes sensations de fruits cuits sous sa robe rubis. La souplesse et la rondeur de ce 2002 invitent à une dégustation dès aujourd'hui.
🔑 Louis Barruol, Saint-Cosme, 84190 Gigondas,
tél. 04.90.65.80.80, fax 04.90.65.81.05,
e-mail louis@chateau-st-cosme.com
☑ 🚶 t.l.j. sf sam. dim. 9h-17h

DOM. SAINTE-ANNE 2003 ★

□ 2 ha 3 000 ▮🍷 11 à 15 €

Quinze coups de cœur depuis l'origine du Guide : le domaine Sainte-Anne compte parmi les champions de la vallée du Rhône. Voyez cette année son côtes-du-rhône-villages. Quant à ce viognier charmeur, puissant dans ses arômes, il rivalise sans mal avec les vins de la vallée du Rhône septentrionale. Beaucoup de gras et de chaleur, peut-être même trop...
🔑 EARL Dom. Sainte-Anne, Les Cellettes,
30200 Saint-Gervais, tél. 04.66.82.77.41,
fax 04.66.82.74.57 ☑ Y 🚶 t.l.j. sf dim. 9h-11h 14h-18h
🔑 Steinmaier

DOM. SAINT ETIENNE Les Albizzias 2003 ★★★

■ 6 ha 30 000 ▮🍷 3 à 5 €

Sans doute l'un des meilleurs rapports qualité-prix des côtes-du-rhône dans le Guide. Un vin « solaire », destiné à un lapin à la provençale, écrit un dégustateur. Dans une robe sombre, il se montre résolument fruité (fruits des bois, cassis) et très charpenté par des tanins serrés. Sa matière pleine et équilibrée traduit bien toute la maturité du raisin. Le **rosé Les Albizzias 2003** est cité pour ses agréables parfums de fraise et sa souplesse.

Michel Coullomb, Dom. Saint Etienne, 26 fg du Pont, 30490 Montfrin, tél. 04.66.57.50.20, fax 04.66.57.22.78 ☑ Ⓘ r.-v.

CH. SAINT NABOR 2003

2 ha 12 000 3 à 5 €

Implanté sur un piton rocheux, Cornillon est un village pittoresque qui a gardé ses remparts. Gérard Castor propose ici deux vins typiques. Ce rosé de bonne tenue doit à une fermentation pelliculaire une fraîcheur et un fruité sympathiques. Equilibré et rond, il saura accompagner un boudin noir des îles bien épicé. Le **Château Saint Nabor blanc 2003**, aromatique et friand, est également cité.

Gérard Castor, Vignobles Saint-Nabor, 30630 Cornillon, tél. 04.66.82.24.26, fax 04.66.82.31.40 ☑ Ⓘ r.-v.

CAVES SAINT-PIERRE Grain de rosée 2003 **

n.c. 266 000 ▮ - de 3 €

Deux remarquables rosés ont été présentés par la maison Bouachon dont la réputation n'est plus à faire. Ce Grain de rosée mérite bien son nom tant il est frais. Les épices et la garrigue accompagnent l'expression persistante des fruits rouges. Deux étoiles brillent aussi pour **Les Rabassières rosé 2003 (5 à 8 €)**, parfaitement équilibrées, tandis que **Les Rabassières blanc 2003 (5 à 8 €)** sont citées pour leurs nuances aromatiques.

SA Maison Bouachon, av. Pierre-de-Luxembourg, 84230 Châteauneuf-du-Pape, tél. 04.90.83.58.35, fax 04.90.83.77.23 Ⓘ t.l.j. 9h-12h 14h-19h; f. jan.

Groupe Skalli

DOM. SANTA DUC Les Quatre Terres 2002 *

7 ha 48 000 8 à 11 €

Issu d'un assemblage de parcelles sélectionnées, ce 2002 se présente dans une robe rouge à reflets grenat. Si son nez semble d'abord discret, il s'ouvre bientôt sur des notes de fruits cuits légèrement boisés. La bouche procure des sensations tout aussi agréables, en évoluant vers le pruneau. Ample et bien structuré, c'est un vin charnu que l'on appréciera dès aujourd'hui.

EARL Edmond et Yves Gras, Dom. Santa Duc, Les Hautes Garrigues, 84190 Gigondas, tél. 04.90.65.84.49, fax 04.90.65.81.63, e-mail santaduc@wanadoo.fr ☑ Ⓘ r.-v.

SEIGNEUR DE LAURIS 2001

8 ha 50 000 5 à 8 €

En 1936, la famille Arnoux décida d'acheter des vendanges pour élargir sa gamme de vins : elle se lança ainsi dans une activité de négoce qui se poursuit aujourd'hui non sans succès. Ce 2001 aux arômes de sous-bois légèrement épicés est ainsi un bon représentant de l'appellation. Bien équilibré et assez long, il peut être bu dès cet automne.

Arnoux et Fils, Cave du Vieux Clocher, 84190 Vacqueyras, tél. 04.90.65.84.18, fax 04.90.65.80.07, e-mail info@arnoux-vins.com ☑ Ⓘ t.l.j. sf dim. 8h-12h 14h-18h

SERRE DE BERNON 2003

n.c. 20 000 3 à 5 €

F. Broche peut être fier du travail accompli durant sa présidence. Aujourd'hui, la qualité des vins blancs contribue à la réputation de cette cave de vignerons. Frais et suave à la fois sous une teinte jaune à reflets dorés, le Serre de Bernon s'avère typique des côtes-du-rhône du millésime 2003.

Cave des Quatre-Chemins, 30290 Laudun, tél. 04.66.82.00.22, fax 04.66.82.44.26, e-mail cave.4-chemins@wanadoo.fr ☑ r.-v.

DOM. DE SERVANS Cuvée Sélection 2001 *

2 ha 8 500 11 à 15 €

Un élevage soigné pendant douze mois dans des barriques de chêne a donné à ce vin une discrète ligne vanillée qui sied bien aux arômes de pruneau à l'eau-de-vie. La bouche structurée et équilibrée se révèle elle aussi gorgée de fruits mûrs et confiturés. Un beau 2001 à déguster aujourd'hui.

Pierre et Philippe Granier, av. de Provence, 26790 Tulette, tél. 04.75.98.31.47, fax 04.75.98.31.47, e-mail domaine-de.servans@wanadoo.fr ☑ Ⓘ t.l.j. 9h-12h 13h30-19h

CH. SIMIAN 2002

6 ha 40 000 5 à 8 €

Allez découvrir le nouvel espace d'accueil et de dégustation de ce domaine : une dalle carolingienne (an 893) provenant du terroir de Saint-Martin-de-Jocundaz le décore. Vous en profiterez pour goûter cette cuvée de bonne structure, à laquelle le fruit légèrement confituré confère un caractère certain. A boire dès maintenant.

Jean-Pierre Serguier, Ch. Simian, Clos Simian, 84420 Piolenc, tél. 04.90.29.50.67, fax 04.90.29.62.33, e-mail chateau.simian@wanadoo.fr ☑ t.l.j. 9h-12h 14h-19h; dim. sur r.-v.

DOM. LA SOUMADE Les Violettes 2001 ***

2 ha 8 000 15 à 23 €

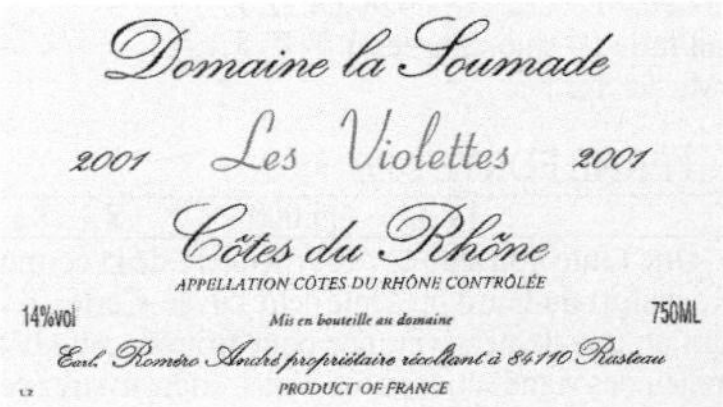

André Roméro est bien connu à Rasteau, où il possède un vignoble de 26 ha. Il propose à nouveau un grand vin, élaboré à partir de 80 % de syrah. Si ce n'est pas un côtes-du-rhône septentrional, ce 2001 y ressemble. Cuvaison longue, pigeage, passage en fût : il dévoile un nez complexe et persistant, légèrement vanillé. D'une ampleur exceptionnelle, sa matière ronde, chaleureuse est toute parfumée de pruneau, de noix et de quelques notes fumées. Un vrai plaisir pour aujourd'hui comme pour demain.

⊶ André Roméro et Fils, Dom. La Soumade,
84110 Rasteau, tél. 04.90.46.13.63, fax 04.90.46.18.36
☑ Y 🚶 t.l.j. sf dim. 8h30-11h 14h-18h

JEAN-FELIX SOURET 2001 ★

■ n.c. 4 000 ▮ 3 à 5 €

Une vendange manuelle dans ce vignoble non desherbé a permis de sélectionner les plus belles grappes. Vinifiés et élevés de façon traditionnelle, les vins ne sont ici ni collés ni filtrés afin de garder leur caractère. Tel est le cas de ce 2001 d'une riche expression aromatique et dont la rondeur avenante invite déjà à la dégustation avec des viandes rouges ou un fromage de type saint-nectaire.

⊶ Jean-Félix Souret,
chem. de Châteaumar, 84100 Orange,
tél. 04.90.34.69.03, fax 04.90.51.15.85 ☑ Y 🚶 r.-v.

CAVE DE LA SUZIENNE Cuvée Médicis 2001 ★★

■ n.c. 12 000 ◍ 8 à 11 €

De passage à Suze-la-Rousse dans la Drôme provençale, vous partirez à la découverte de son château du XIe s. Peut-être même serez-vous tenté de vous inscrire à son université du Vin ? N'oubliez pas de passer à la cave coopérative. Une sélection du parcellaire de vieilles vignes de grenache et de syrah a donné un vin de garde par excellence. Bien typé grenache, ce 2001 laisse le souvenir des épices et du café grillé. S'il est puissant, il ne montre pas moins de subtilité par son équilibre et ses flaveurs de fruits rouges persistantes.

⊶ Cave La Suzienne, 26790 Suze-la-Rousse,
tél. 04.75.04.48.38, fax 04.75.98.23.77,
e-mail info@la-suzienne.com ☑ Y 🚶 r.-v.

TARDIEU-LAURENT Vieilles Vignes 2002 ★★

■ n.c. 4 500 ▮ 8 à 11 €

La maison Tardieu-Laurent compte plusieurs beaux vins référencés dans ce Guide. Installée depuis 1994 dans le village classé de Lourmarin, connu pour son château Renaissance, elle propose ici un assemblage de vieilles vignes de grenache et de syrah. Un élevage de qualité a donné aux tanins bien présents un grain soyeux, tandis qu'au nez des notes de sous-bois et de thym se mêlent agréablement aux fruits rouges. Une remarquable réussite dans un millésime réputé difficile.

⊶ Tardieu-Laurent, Les Grandes Bastides,
rte de Cucuron, 84160 Lourmarin,
tél. 04.90.68.80.25, fax 04.90.68.22.65,
e-mail tarlau@club-internet.fr ☑ Y 🚶 r.-v.
⊶ Michel Tardieu

CH. TERRE FORTE 2001

■ 14 ha 25 000 ▮🍷 8 à 11 €

Une toute nouvelle cave particulière de la commune de Rochefort-du-Gard présente cette cuvée. Certes, il vous faudra un peu de persévérance pour trouver cette bâtisse au milieu des vignes et des bois. Vous y découvrirez ce vin agréablement parfumé et équilibré.

⊶ Jauffret, 7, rue Petite-Calade,
30650 Rochefort-du-Gard,
tél. 04.90.26.66.38, fax 04.90.26.63.14,
e-mail jauffret2@wanadoo.fr ☑ Y 🚶 r.-v.

DOM. LES TEYSSONNIERES 2002

■ 1,05 ha 5 400 ▮🍷 3 à 5 €

Un assemblage judicieux dans ce millésime délicat : 50 % de syrah et 50 % de grenache. Il en résulte un vin de teinte claire qui laisse apparaître de jolies notes épicées. La structure agréable autorise des accords avec une viande blanche ou une volaille.

⊶ Franck Alexandre, Dom. Les Teyssonnières,
84190 Gigondas, tél. 04.90.12.31.31, fax 04.90.12.31.32,
e-mail domaine.lesteyssonnieres@wanadoo.fr
☑ Y 🚶 t.l.j. sf dim. 9h-12h 14h-19h

DOM. DU VAL DES ROIS
Enclave des Papes 2001 ★

■ 5 ha 5 000 ◍ 8 à 11 €

Ce domaine est bien placé sur le circuit des bornes papales qui part de Valréas. En assemblant le grenache et la syrah à parts égales, il n'a pas recherché une extraction poussée, mais a privilégié des cuvaisons courtes pour obtenir de la finesse. Pari réussi, puisque ce 2001, fumé et légèrement épicé, se révèle friand, prêt à boire aujourd'hui. D'une charpente un peu plus tannique, la cuvée **Les Allards 2001 rouge (5 à 8 €)** est citée pour son fruité ; elle devra rester en cave un an ou deux pour s'affiner.

⊶ Emmanuel Bouchard, Dom. du Val des Rois,
rte de Vinsobres, 84600 Valréas, tél. 04.90.35.04.35,
fax 04.90.35.24.14, e-mail info@valdesrois.com
☑ Y 🚶 t.l.j. sf dim. 9h-12h30 14h30-19h

J. VIDAL-FLEURY 2003 ★

□ 7,2 ha 45 000 ▮🍷 5 à 8 €

Installé à Ampuis, Marcel Guigal dans son rôle de négociant. Il propose un viognier méridional complexe et très aromatique. Des notes de bergamote et de réglisse blanche donnent du relief à ce vin de repas, destiné à une volaille en sauce ou à un poisson cuisiné.

⊶ J. Vidal-Fleury, 19, rte de la Roche, 69420 Ampuis,
tél. 04.74.56.10.18, fax 04.74.56.19.19,
e-mail vidal.fleury@wanadoo.fr ☑ Y r.-v.

DOM. LE VIEUX LAVOIR 2003 ★

□ 1,08 ha 7 000 ▮🍷 5 à 8 €

Des débuts prometteurs pour Sébastien Jouffret qui a su, dès son arrivée au domaine, profiter de l'expérience de son grand-père en œnologie et de celle de son père en viticulture pour élaborer un côtes-du-rhône à la fois fruité et floral, d'une agréable fraîcheur. Cité, le **Domaine Le Vieux Lavoir rouge 2002** révèle un début d'évolution dans ses notes légèrement confites et ses nuances de sous-bois. Un homme jeune dans une cave toute nouvelle : l'avenir est assuré.

⊶ EARL Roudil-Jouffret, rte de la Commanderie,
Le Palai-nord, 30126 Tavel,
tél. 04.66.82.85.11, fax 04.66.82.84.18
☑ Y 🚶 t.l.j. sf sam. dim. 8h-12h 13h30-17h30
⊶ Didier Jouffret

LA VIGNERONNE Cuvée Saint-Laurent 2001 ★

■ n.c. 8 000 ◍ 3 à 5 €

C'est en 1939 que fut fondée cette coopérative dans le village de Villedieu encore fièrement gardé par son beffroi et le château de La Baude. Fruitée, légère et équilibrée, sa cuvée à base de 80 % de grenache et de 20 % de syrah est le résultat d'une vinification traditionnelle. Représentative des côtes-du-rhône, elle sera un bon ambassadeur à l'export.

⊶ Cave La Vigneronne, Terre des Frères,
84110 Villedieu, tél. 04.90.28.92.37, fax 04.90.28.93.00,
e-mail la.vigneronne@libertysurf.fr
☑ Y 🚶 t.l.j. 8h-12h 14h-18h

XAVIER VIGNON Xavier 2002 *

■	6 ha	30 000	8 à 11 €

Si vous passez au Barroux, vous ne pouvez manquer sa forteresse du XIIᵉs. transformée en château à la Renaissance et que ses propriétaires actuels s'attachent à restaurer. Un kilomètre plus loin, c'est Xavier Vignon qui se forge un nom dans la région grâce à des sélections de qualité. D'un rouge profond et brillant, ce 2002 révèle d'intenses notes de fruits confits qui persistent dans une bouche fondue et légèrement épicée. A déguster aujourd'hui et pendant deux ou trois ans encore.

Xavier Vignon, chem. de Caromb,
84330 Le Barroux,
tél. 04.90.62.33.44, fax 04.90.62.33.45,
e-mail xavier@xaviervins.com r.-v.

LA VINSOBRAISE 2003 **

■	2 ha	13 300	3 à 5 €

La cave de Vinsobres, fondée en 1947, voit les efforts de tous ses adhérents récompensés, puisque le millésime 2003 se décline dans les trois couleurs avec succès. Le côtes-du-rhône blanc, friand et gourmand, se présente comme un vin de plaisir, à boire dès l'apéritif. **La Delphinale rouge 2003** et **La Vinsobraise rosé 2003** sont toutes deux citées : la première pour ses notes de fruits mûrs, la seconde pour son équilibre.

Cave coop. La Vinsobraise, 26110 Vinsobres,
tél. 04.75.27.64.22, fax 04.75.27.66.59
t.l.j. 8h-12h 14h-18h

Côtes-du-rhône-villages

A l'intérieur de l'aire des côtes du rhône, quelques communes ont acquis une notoriété certaine grâce à des terroirs qui produisent des vins dont la typicité et les qualités sont unanimement reconnues et appréciées. Les conditions de production de ces vins sont soumises à des critères plus restrictifs en matière notamment de délimitation, de rendement et de degré alcoolique par rapport à ceux des côtes du rhône. Une très faible production de blanc (9 069 hl en 2003) complète l'important volume des côtes-du-rhône-villages (610 936 hl en 2003).

Il y a d'une part les côtes-du-rhône-villages pouvant mentionner un nom de commune, dont seize noms historiquement reconnus et qui sont : Chusclan, Laudun et Saint-Gervais dans le Gard ; Beaumes-de-Venise, Cairanne, Sablet, Séguret, Rasteau, Roaix, Valréas et Visan dans le Vaucluse ; Rochegude, Rousset-les-Vignes, Saint-Maurice, Saint-Pantaléon-les-Vignes et Vinsobres dans la Drôme.

Il y a d'autre part les côtes-du-rhône-villages sans nom de commune, dont la délimitation vient de s'achever sur le reste de l'ensemble des communes du Gard, du Vaucluse et de la Drôme dans l'aire côtes-du-rhône. Soixante-dix communes ont été retenues. Cette délimitation avait pour premier objectif de permettre l'élaboration de vins de semi-garde.

DOM. D'AERIA Cairanne Cuvée Prestige 2001 *

■	2 ha	6 000	11 à 15 €

Grenache et mourvèdre à 60-40 % s'épaulent mutuellement pour donner un vin bien coloré aux arômes de cassis et de poivre. Puissant sur ses tanins, dans le droit fil de l'appellation, il emplit agréablement le palais. Assez friand pour animer le mieux du monde un mâchon entre amis. Et puis, on peut rêver : sous ces vignes sommeille un village gallo-romain qui serait l'antique cité d'Aéria. Cette même cuvée datée 1999 a reçu un coup de cœur en 2003.

SARL Dom. d'Aéria, rte de Rasteau,
84290 Cairanne, tél. 04.90.30.88.78, fax 04.90.30.78.38,
e-mail domaine.aeria@wanadoo.fr r.-v.
Rolland Gap

DOM. DANIEL ET DENIS ALARY
Cairanne La Font d'Estévenas 2002 *

■	2 ha	7 000	11 à 15 €

La vigne coule à Cairanne des sommets caillouteux jusqu'aux terrasses rouges du Plan de Dieu, s'agrippe au passage à quelques mollasses sableuses. Dans ces terrains si divers, l'assemblage (ici, syrah et grenache à 60-40 %) nécessite des doigts de fée. Très foncé, très profond, d'une force presque violente qui illustre parfaitement la vraie nature de ce *villages*, ce 2002 semble avoir rendez-vous plus tard avec un civet de sanglier. Ne le dérangeons donc pas. On a tout de même le temps de respirer son parfum de cassis agrémenté de Zan. En bouche, les tanins sont serrés, enrobés dans un corset vineux. Domaine de 25 ha, lauréat l'an dernier d'un coup de cœur pour le précédent millésime.

Dom. Daniel et Denis Alary,
La Font d'Estévenas, 84290 Cairanne,
tél. 04.90.30.82.32, fax 04.90.30.74.71,
e-mail alary.denis@wanadoo.fr
t.l.j. sf dim. 8h-12h 14h30-19h

DOM. D'ANDEZON 2002 **

■	8 ha	30 000	5 à 8 €

Domaine de 8 ha créé par les frères Lamouroux et repris par deux gendres, Thierry Iampietro et Serge Panebœuf. La coopérative du pays complète leurs efforts, pour un résultat nettement supérieur à la moyenne de l'appellation. Une pure syrah qui nous rappelle les noces de feu qui unissent ce cépage et la vallée du Rhône. Sa robe crépusculaire, son bouquet légèrement torréfié mais aussi épicé, sa rondeur, son gras, sa richesse même le rendent très attrayant. Excellent rapport qualité-prix. Si nos souvenirs sont bons, le millésime 98 a obtenu le coup de cœur en 2001.

Cave des Vignerons d'Estézargues,
rte des Grès, 30390 Estézargues,
tél. 04.66.57.03.64, fax 04.66.57.04.83,
e-mail les.vignerons.estezargues@wanadoo.fr
t.l.j. sf dim. 8h-18h; sam. 9h-18h
T. Iampietro et S. Panebœuf

CH. BEAUCHENE Les Charmes 2003 ★

■ 7,5 ha 20 000 ◍ 5 à 8 €

Ces vignes exploitées depuis deux siècles au moins ont été reprises en 1971 par Michel Bernard, viticulteur et négociant très actif dans la région. Il les a développées, et cette cuvée grenache-syrah mâtinés de cinsault et de vieux carignan témoigne des qualités du vignoble. Rouge sombre à reflets noirâtres, elle a le nez truffé. Bonne structure, sur une base assez chaude, et dont on goûte le fruit. Belle bouteille en perspective, car elle sort seulement de l'œuf.

⊶ Ch. Beauchêne, rte de Beauchêne, 84420 Piolenc,
tél. 04.90.51.75.87, fax 04.90.51.73.36,
e-mail chateaubeauchene@worldonline.fr
☑ 🚶 t.l.j. sf sam. dim. 8h-12h 13h30-17h30
⊶ M. Bernard

DOM. DE BEAUMALRIC Beaumes-de-Venise 2003

■ 5 ha 29 000 ▮⫰ 5 à 8 €

Un domaine créé il y a une petite quinzaine d'années et dédié à 25 ha de vignes. Si la dénomination suggère aussitôt à l'esprit le sublime muscat, Isabelle et Daniel font goûter un *villages* à la robe rouge rubis profond, correctement pourvu en arômes fruités et qui repose sur un solide socle tannique. On devine la maturité d'un raisin 2003 cueilli début septembre (grenache à 75 %, syrah pour le reste). De l'avenir, après une paire d'années en cave.

⊶ Begouaussel, Dom. de Beaumalric,
BP 15, 84190 Beaumes-de-Venise,
tél. 04.90.65.01.77, fax 04.90.62.97.28 ☑ Y r.-v.

DOM. BEAU MISTRAL
Rasteau Sélection Vieilles Vignes 2001

■ 5 ha 12 000 ▮◍⫰ 5 à 8 €

De ces 20 ha de vignes, on aperçoit le Ventoux. Quel paysage sur grand écran ! Et voici pour la soif : de vieilles vignes de grenache, syrah et mourvèdre, vantant les qualités d'un excellent terroir argilo-calcaire caillouteux, et à boire dans les deux ans. Grenat intense, le nez discret mais prometteur, aux notes de sous-bois et de garrigue, ce 2001 attaque sur le fût mais trouve bientôt le chemin d'une convivialité dans la bonne moyenne.

⊶ Jean-Marc Brun,
Le Village, rte d'Orange, 84110 Rasteau,
tél. 04.90.46.16.90, fax 04.90.46.17.30 ☑ Y 🚶 r.-v.

DOM. DE BEAURENARD
Rasteau Les Argiles Bleues 2001

■ 1 ha 4 000 ◍ **15 à 23 €**

Rouge carmin intense, ce Rasteau complètera la visite du musée du Vigneron. Odorant comme le retour de la chasse, il doit à son âge des arômes de gibier et de cuir qui proviennent peut-être aussi d'une très longue cuvaison (vingt-huit jours). Sur un fruit frais à noyau, les tanins sont rabotés avec soin. Petite note réglissée en fond de bouche. Grenache à 80 % et syrah.

⊶ Paul Coulon et Fils, Dom. de Beaurenard,
84230 Châteauneuf-du-Pape, tél. 04.90.83.71.79,
fax 04.90.83.78.06, e-mail paul.coulon@beaurenard.fr
☑ Y 🚶 t.l.j. sf dim. 9h-12h 13h30-17h30

DOM. DE LA BELAIZE Valréas 2003

■ 25 ha 150 000 ▮⫰ 3 à 5 €

« Il y a une vertu dans le soleil », notait Lamartine, poète et vigneron, après avoir bu un vin de la vallée du Rhône. En effet ! Preuve apportée par ce grenache-syrah à 75-25 %. Rubis vif, en éveil aromatique, il remplit honorablement son office en bouche. La petite amertume en conclusion n'est pas pour déplaire. A boire dès la sortie du Guide, d'autant qu'à moins de 5 euros, il est l'oiseau rare...

⊶ Cellier de l'Enclave des Papes, rte d'Orange,
BP 51, 84602 Valréas Cedex, tél. 04.90.41.91.42,
fax 04.90.41.90.21, e-mail france@enclavedespapes.com
☑ r.-v.

DOM. BOISSON Cairanne 2003 ★

□ 0,7 ha 3 000 ▮⫰ 5 à 8 €

En 1957, René Boisson construisait sa propre cave avec 5 ha de vignes. Le domaine en compte aujourd'hui 26. On se trouve ici en présence d'un chœur formé par la clairette, le grenache blanc, la roussanne et le bourboulenc. Ces vieux complices sont à la fête pour produire un Cairanne blanc très typé, d'un léger or pâle. On sent la garrigue ! Et le pain grillé, et la la fleur blanche. Le grenache blanc lui assure une bonne structure en bouche. Du gras, orné d'une rétro abricot. Pas de doute, on est dans le Midi !

⊶ EARL Régis et Bruno Boisson, Le Grand-Vallat,
84290 Cairanne, tél. 04.90.30.70.01, fax 04.90.30.89.03,
e-mail domaineboisson@hotmail.com ☑ Y 🚶 r.-v.

CH. DE BORD Laudun 2002 ★

■ 9 ha 40 000 ◍ 5 à 8 €

Imaginez une succession de terrasses exposées au sud, sur le flanc d'un plateau baptisé Camp de César... Si le château de Bord a perdu de sa superbe depuis la Révolution, il revit grâce à ce vin signé par la maison Brotte à Châteauneuf, propriétaire du domaine depuis 1991. Foudre et barrique mitonnent un vin qui mérite un peu d'attente (jusqu'en 2006). Pourpre, réglissé, ouvrant largement l'armoire aux épices, il s'exprime en puissance, mais ses tanins se préparent en douce à quelque chose de bon.

⊶ Laurent-Charles Brotte, Le Clos, BP 1,
84230 Châteauneuf-du-Pape, tél. 04.90.83.70.07,
fax 04.90.83.74.34, e-mail brotte@brotte.com
☑ Y 🚶 t.l.j. 9h-12h 14h-18h

CH. DE BOUSSARGUES
Cuvée de la Chapelle 2003 ★

■ 1,4 ha 8 000 ▮⫰ 5 à 8 €

Les amateurs d'histoire seront comblés. Villa gallo-romaine, château féodal, on fait ici un merveilleux voyage à travers le temps. Dernière nouvelle : la famille Malabre vient de découvrir que Boussargues était le chaînon manquant sur la route de Cologne à Saint-Jacques-de-Compostelle ! Du coup, la très ancienne chapelle et la coquille prennent place sur la nouvelle étiquette. Comme on comprend ces pèlerins ! Sans doute reconstituaient-ils leurs forces en savourant un vin ragaillardissant en diable, coloré comme une enluminure, fruité, pas trop gras évidemment et d'un allant plein de vivacité.

⊶ Chantal Malabre,
Ch. de Boussargues, 30200 Sabran, tél. 04.66.89.32.20,
fax 04.66.79.81.64 ☑ Y 🚶 t.l.j. 8h-19h

DOM. BRUSSET
Cairanne Hommage André Brusset 2000 ★★

■ 6 ha 8 000 ▮◍⫰ **23 à 30 €**

Cuvée élaborée à partir des vignes les plus vénérables du domaine (grenache, mourvèdre, syrah) par Laurent Brusset en hommage à André, son grand-père disparu en

1999 et fondateur de cette belle exploitation. Elle apparaît forte en couleur, presque noire à reflets mauves. Au nez, on trouve le sous-bois, des notes grillées et des arômes tendant vers l'animal, puis la bouche prend le relais avec, en prime, des notes de figue puis de cassis. Notez le millésime : dix-huit mois de cuve et dix-huit mois de barrique ont mis sur ses jambes un vin ferme et franc, déjà fondu et d'une matière très riche et longue. Une mention pour **Les Travers rosé 2003 (5 à 8 €)** et en toute sympathie. Coup de cœur dans notre édition 2000. En **blanc, le Cairanne Les Travers 2003 (5 à 8 €)** obtient une étoile.

⊶ SA Dom. Brusset, 84290 Cairanne,
tél. 04.90.30.82.16, fax 04.90.30.73.31 ☑ Y ✱ r.-v.

DOM. DE CABASSE

Séguret Cuvée Casa Bassa 2001 *

■ 3 ha 12 000 🛢 11 à 15 €

Cabasse vient de *Casa bassa*, la maison sous le village. Quant à Séguret : pinèdes, roches blanches, rues en pente, un superbe belvédère et toute l'âme de ce pays, on dirait le village des santons. D'un rubis affirmé, ce grenache-syrah à parts égales ou peu s'en faut est d'une fraîcheur odorante. Une garrigue... épicée ! Le gras s'installe tout de suite, laissant le grenache s'exprimer pleinement. Ample et fruité (notes de cerise), il n'abuse pas de ses tanins et charme le dégustateur.

⊶ Dom. de Cabasse, 84110 Séguret,
tél. 04.90.46.91.12, fax 04.90.46.94.01,
e-mail info@domaine-de-cabasse.fr ☑ Y ✱ r.-v.
⊶ Alfred Haeni

DOM. DE CASSAN

Beaumes-de-Venise Cuvée Saint-Christophe 2001 *

■ 3 ha 17 000 ▮🌡 8 à 11 €

Logé au cœur des Dentelles de Montmirail, ce mas provençal invite à une promenade dans cette nature sauvage que civilise la vigne. Marie-Odile et Gérard Paillet y exploitent un domaine de 27 ha appartenant à la famille Croset. Grenache, syrah, cinsault par ordre décroissant donnent un vin à la couleur prononcée et au bouquet naissant (nuances de mûre, de cassis). Robuste et tannique, il présente un intéressant potentiel aromatique au-delà de sa mâche assez démonstrative.

⊶ Dom. de Cassan, SCIA Saint-Christophe,
Lafare, 84190 Beaumes-de-Venise,
tél. 04.90.62.96.12, fax 04.90.65.05.47,
e-mail domainedecassan@wanadoo.fr ☑ ⌂ Y ✱ r.-v.
⊶ Famille Croset

LES VIGNERONS DU CASTELAS

Vieilles Vignes 2001 *

■ n.c. 5 000 🛢 5 à 8 €

Cette cave coopérative fondée il y a un demi-siècle s'étend sur 550 ha. Elle présente ses Vieilles Vignes, le fin du fin. Le carignan (10 %) s'ajoute à l'assemblage classique. Une longue macération, douze mois de vieillissement en fût : une bouteille qui sera débouchée dans l'année à venir. Robe moyennement intense à légers reflets d'évolution, nez de pain grillé et de fruits rouges, constitution agréable dans une structure tannique puissante.

⊶ Les Vignerons du Castelas,
rte de Nîmes, 30650 Rochefort-du-Gard,
tél. 04.90.31.72.10, fax 04.90.26.62.64,
e-mail vcastelas@hotmail.com ☑ Y r.-v.

CASTEL-MIREIO Cairanne 2001 *

■ 12 ha 50 000 🛢 8 à 11 €

Tandis que d'autres en 1789 prenaient la Bastille, on construisait ici cette propriété. Un an de fût pour cet assemblage équilibré de grenache-syrah-mourvèdre d'un millésime assez mûr pour mériter l'attention. Grenat brillant, ce 2001 garde des teintes de jeunesse. L'élevage lui procure une finesse légèrement vanillée sur fond de fraise. La bouche est délicatement composée, sans excès de corps et toujours fidèle au fruit.

⊶ Michel et André Berthet-Rayne,
rte d'Orange, 84290 Cairanne,
tél. 04.90.30.88.15, fax 04.90.30.83.17 ☑ ⌂ Y ✱ r.-v.

LE CHAI DES COSTAINS

Laudun Elevé en foudre de chêne 2001

■ 2,9 ha 13 000 5 à 8 €

Au pied des ruines d'un château féodal du XIIe s., le village médiéval de Saint-Victor-la-Coste est à visiter, d'autant que la cave coopérative vient de créer un nouveau caveau de dégustation : le Chai des Costains. Son 2001, limpide et brillant, offre une robe rouge soutenu puis un bouquet qui monte tout doucement en puissance (pâte de coings, cannelle). Un an de foudre, un rien de vanille. Réglissé, son corps est si souple qu'il réalise de l'attaque à l'arrière-bouche un joli saut de l'ange. A servir dès cet automne.

⊶ Le Chai des Costains, 30290 Saint-Victor-la-Coste,
tél. 04.66.50.02.07, fax 04.66.50.43.92,
e-mail cave.st.victor@wanadoo.fr ☑ Y ✱ r.-v.

DOM. DIDIER CHARAVIN

Rasteau Elevé en fût de chêne 2002 **

■ 3 ha 10 000 🛢 8 à 11 €

Sa couleur vigoureuse annonce un vin qui n'y va pas par quatre chemins. De coup de nez en coup de nez, on a la surprise de découvrir des variations subtiles de cerise à l'alcool, de venaison. Souple, d'un abord aisé, ce rasteau possède suffisamment d'acidité pour faire bonne figure dans la catégorie des vins de garde : un 2002 qui ne craint aucune ride jusqu'à l'an prochain. Sa longueur sur le fruit rouge est particulièrement remarquable.

⊶ Didier Charavin, rte de Vaison, 84110 Rasteau,
tél. 04.90.46.15.63, fax 04.90.46.16.22 ☑ Y ✱ r.-v.

DOM. DE LA CHARITE

Cuvée Bastien Deliège 2001 *

■ 8 ha 8 000 ▮🌡 5 à 8 €

Au départ, 5 ha en coopérative. De nos jours, 45 ha en cave particulière. Il fallait pour cela réunir la foi, l'espérance et... la Charité. Grenache et syrah montrent en effet un tempérament généreux et apportent à cette bouteille des parfums de fruits en compote puis l'ampleur attendue, toujours relayée par le fruit et confortée par le gras. Longueur et équilibre pour une viande rouge grillée.

⊶ Vignobles Coste, 5, chem. des Issarts, 30650 Saze,
tél. 04.90.31.73.55, fax 04.90.26.92.50,
e-mail earlvc@club-internet.fr
☑ Y ✱ t.l.j. sf dim. lun. 17h-19h; sam. 15h-19h

DOM. DE LA CIGALETTE Cairanne 2001

■ 6,5 ha 12 000 ▮🛢🌡 5 à 8 €

Paraphrasant Giono, on peut affirmer que le vigneron est un professeur d'espérance. Quand celle-ci se concrétise, ne laissons pas passer la chance. Ainsi de ce 2001, tout à fait au point. Grenache, syrah, mourvèdre et carignan se mettent en quatre pour nous proposer un vin

empourpré dont les arômes élégants évoquent les fruits des bois, la myrtille surtout. Il enrobe ses tanins d'une manière onctueuse, avec une petite note de minéralité.
🔑 Farjon, EARL Dionysos,
chem. du Marquis, 84100 Orange,
tél. 06.80.05.33.33, fax 04.90.40.60.33 ☒ 🚶 r.-v.

CIVADE 2001 *

■ 1 ha 3 000 ◍ 11 à 15 €

Françoise et Brigitte Durma ont repris récemment une partie du domaine familial. Et face au Géant de Provence, elles n'ont pas froid aux yeux ! Aux abords du Ventoux, l'accord est ici grenache-syrah à 70-30 %. Première récolte en 1999, et en dégustant la troisième, on se dit qu'il faudra compter sur cette présence à Vinsobres. Rouge brique, un vin au nez impulsif et sauvage, porté sur la cerise. En bouche, il couvre bien le sujet sur des notes animales et de sous-bois. Assez chaud et robuste, il est dans la lignée de ses vendanges.
🔑 Dom. des Filles Durma,
quartier Hautes-Rives, 26110 Vinsobres,
tél. 04.75.27.64.71, fax 04.75.27.64.50 ☒ 🍷 r.-v.

DOM. CLAVEL
Saint-Gervais Elevé en fût de chêne 2001 *

■ 1 ha 4 000 ◍ 11 à 15 €

On ne badine pas avec le fût : vingt-quatre mois d'élevage sous bois pour cette syrah 2001. D'un rouge profond à reflets encre de Chine, elle est évidemment vanillée. Cela ne l'empêche pas de s'exprimer vineusement en bouche. Le clou de girofle, la groseille et le cassis participent à un élan soutenu dans un corps équilibré qui ne faiblit pas jusqu'au point final. Un vin qui sera fort apprécié par un civet de lièvre.
🔑 Denis Clavel,
rue du Pigeonnier, 30200 Saint-Gervais,
tél. 04.66.82.78.90, fax 04.66.82.74.30,
e-mail clavel@domaineclavel.com ☒ 🏠 🍷 🚶 r.-v.

RESERVE CLEMENT V 2003 *

■ 29 ha 150 000 ▮🍾 3 à 5 €

Avec Gabriel Meffre, il faut bien connaître la liste des papes si l'on veut s'y retrouver dans sa cave. La Réserve Clément VII reçut en 2003 l'onction d'un coup de cœur, et voici cette fois la Réserve Clément V. Pourpre à reflets violets, sa robe hésite entre évêque et cardinal. Fraise, framboise, le nez tentateur est à éviter en carême. Quant au palais, il a les tanins soyeux d'un prélat de la Curie. Avez-vous une préférence pour **Innocent VI ? Un Vinsobres rouge 2003 (5 à 8 €)** excellent. Demandez-lui audience. Pour compléter votre culture religieuse, le **Bois des Dames rouge 2002** rappelle une chartreuse où l'on fera volontiers retraite.
🔑 Maison Gabriel Meffre, Le Village,
84190 Gigondas, tél. 04.90.12.32.42, fax 04.90.12.35.40

CLOS PETITE BELLANE Valréas 2003 **

■ 4,8 ha 26 000 ▮🍾 5 à 8 €

L'architecture moderne du domaine ne jure pas dans ce site exceptionnel où le regard va des Dentelles de Montmirail aux versants du Ventoux. Une cinquantaine d'hectares et ici une alliance grenache-syrah tout à l'honneur d'un Valréas. La robe brille d'un feu intense. Le nez opte pour le fruit à noyau. Rond et velouté, le corps se donne sans retenue. Structure moyenne sans doute, mais si plaisante en bouche. Le **Valréas blanc 2002 Les Echalas (11 à 15 €)** suggérant le menthol, la pâte de coings, de bonne constitution avec une légère touche d'amertume en finale, obtient une citation.
🔑 Clos Petite Bellane, chem. Sainte-Croix,
84600 Valréas, tél. 04.90.35.22.64, fax 04.90.35.19.27,
e-mail clos-petite-bellane@wanadoo.fr
☒ 🍷 🚶 t.l.j. 9h-12h 14h-18h; sam. dim. sur r.-v.;
f. 10 déc.-2 jan.
🔑 Olivier Peuchot

DOM. DU CORIANÇON Vinsobres 2002 *

■ 8 ha 12 000 ▮🍾 5 à 8 €

L'arrière-pays de Nyons offre son décor à un Vinsobres qui paraît bien décidé à tenir ses promesses. Donnons-lui quelques mois encore : laissons-le s'ouvrir pleinement. Grenache et syrah en harmonie, mourvèdre dont la présence est quelque peu symbolique. Des tanins certes, mais avec assez de gras et une certaine fraîcheur pour composer un ensemble structuré. La **cuvée Claude Vallot rouge 2001 (8 à 11 €)** ne s'éloigne guère du portrait que l'on vient de faire.
🔑 François Vallot, Dom. du Coriançon,
26110 Vinsobres, tél. 04.75.26.03.24, fax 04.75.26.44.67,
e-mail françois.vallot@wanadoo.fr
☒ 🍷 🚶 t.l.j. sf dim. 9h-12h 14h-19h

DOM. DE COSTE CHAUDE
Visan La Rocaille 2002 **

■ 3 ha 16 000 ▮◍ 5 à 8 €

Vous quittez Visan, cette ancienne place forte de l'Enclave des Papes, par la route de Saint-Maurice par la montagne. Vous ne le regretterez pas en gravissant des coteaux où se mêlent oliveraies, truffières, vignes et bois. Car Coste Chaude est au bout du chemin ! Et là, vous dégusterez cette cuvée dite Rocaille aux deux tiers grenache et le reste en syrah. Beau couple en vérité, d'une couleur flamboyante. Puissance et harmonie, dirait-on en reposant le verre. Complexité d'un bouquet incisif (d'abord floral – on pense à la rose –, puis fruité de type cassis).
🔑 SARL Dom. de Coste Chaude,
rte de Saint-Maurice par la montagne, 84820 Visan,
tél. 04.90.41.91.04, fax 04.90.41.96.52,
e-mail info@domaine-coste-chaude.com ☒ 🍷 🚶 r.-v.
🔑 Marianne Fues

DOM. DES COTEAUX DES TRAVERS
Rasteau Cuvée Marine 2003 *

□ 2 ha 6 000 ◍ 8 à 11 €

Ce Rasteau blanc (viognier, marsanne, roussanne et grenache blanc) a fait la grasse matinée pendant neuf mois dans des pièces bourguignonnes. Jaune vif, il est nettement boisé. Le mieux sera de le laisser vieillir un peu en cave, bien que sa bouche soit lisse et tendre, sans aspérité. Vous pouvez également inscrire sur vos tablettes le **Rasteau rouge 2002 (5 à 8 €)**, très ouvert et fleuri, assez boisé comme son frère et qui reçoit une citation. Le millésime 1999 a bénéficié d'un coup de cœur en 2002.
🔑 EARL Robert Charavin,
Dom. des Coteaux des Travers, BP 5, 84110 Rasteau,
tél. 04.90.46.13.69, fax 04.90.46.15.81,
e-mail robert.charavin@wanadoo.fr
☒ 🍷 🚶 t.l.j. sf dim. 9h-12h 14h-18h

DOM. COULANGE 2002 *

■ 2 ha 5 730 ▮ 5 à 8 €

Même si la célèbre ferme aux crocodiles est tout près du domaine (une idée pour compléter la visite), le lapin de garenne aux herbes et aux girolles conviendra mieux à cette bouteille qu'un rôti d'alligator. Christelle et son père (il a quitté la coopération il y a dix ans pour se mettre à son compte) signent un vin grenache-syrah à 60-40 %, de présentation agréable. Derrière une robe violine à reflets bleutés paraît un chaudron de fruits rouges et d'aromates. Ce 2002 d'un style net et friand ne peut que plaire.

☞ Christelle Coulange,
quartier Saint-Ferréol, 07700 Bourg-Saint-Andéol,
tél. 04.75.54.56.26, fax 04.75.54.56.26,
e-mail domaine.coulange@free.fr ☑ ⊤ ⅄ r.-v.

CH. COURAC Laudun 2002 ★

	14 ha	78 000	■	8 à 11 €

Syrah, grenache, mourvèdre : le tiercé dans l'ordre. Les trois cépages se complètent de façon harmonieuse. Robe appuyée à reflets violacés. Au nez, les épices et les fruits rouges macérés forment un ensemble assez complexe, suivi par une bouche mûre et tannique. Frédéric Arnaud et son épouse ont bien conduit cette vendange. Leur domaine couvre 100 ha.

☞ SCEA Frédéric Arnaud,
Ch. Courac, 30330 Tresques,
tél. 04.66.82.90.51, fax 04.66.82.94.27 ☑ ⊤ ⅄ r.-v.

OLIVIER CUILLERAS

Visan Cuvée Louise Amélie 2001

	1,65 ha	8 800	■ ⅲ ⅃	11 à 15 €

Deux ans de cuve, quinze mois de barrique, voilà un vin au garde-à-vous sous son manteau d'une couleur franche, d'une limpidité correcte pour cet âge. Boisé mais pas trop, il vous chante l'épice et le pruneau. L'attaque reste fraîche et vive, puis la bouche se montre prête, reposant sur les tanins fondus.

☞ Dom. La Guintrandy, Le Devès, 84820 Visan,
tél. 04.90.41.91.12, fax 04.90.41.97.53,
e-mail olivier.cuilleras@wanadoo.fr ☑ ⊤ ⅄ r.-v.

DOM. DEFORGE 2002 ★

	2 ha	11 730	■ ⅲ	5 à 8 €

Acquis en 1966 par le mari de Mireille Deforge, le jockey international Jean Deforge (trois fois cravache d'or), c'est l'ancien domaine de la Palestine mis en valeur jadis par les Templiers. On est à l'est d'Avignon, sur un plateau qui domine la vallée du Rhône : une bastide au milieu de 30 ha d'un seul tenant. Grenache, syrah, un rien de mourvèdre, ce 2002 séduit par la fraîcheur de sa robe, la finesse de son bouquet (cassis, mûre) et son gras en bouche. Sans doute les tanins sont-ils un peu marqués, mais cette belle concentration est rare dans le millésime.

☞ Mireille Deforge, rte de Jonquerettes,
84470 Châteauneuf-de-Gadagne, tél. 04.90.22.42.75,
fax 04.90.22.18.29, e-mail dom.deforge@infonie.fr
☑ ⊤ ⅄ t.l.j. 9h30-12h 15h-18h30

DOM. DURIEU 2000 ★

	n.c.	5 000	■ ⅃	5 à 8 €

Ce domaine (précédemment Jean Avril) n'hésite pas à tirer de sa cave un 2000. Sa légère oxydation ne surprend pas vraiment. Un parfum animal envahit le nez parmi des senteurs fruitées et grillées. Du gras, du fondu, de la douceur. Un côtes-du-rhône-villages très agréable, étoffé et soyeux.

☞ Paul Durieu,
27, av. Pasteur, 84850 Camaret-sur-Aigues,
tél. 04.90.37.28.14, fax 04.90.37.76.05 ☑ ⊤ ⅄ r.-v.

DOM. L'ECHEVIN

Saint Maurice Guillaume de Rouville 2001 ★★

	2 ha	5 000	ⅲ	8 à 11 €

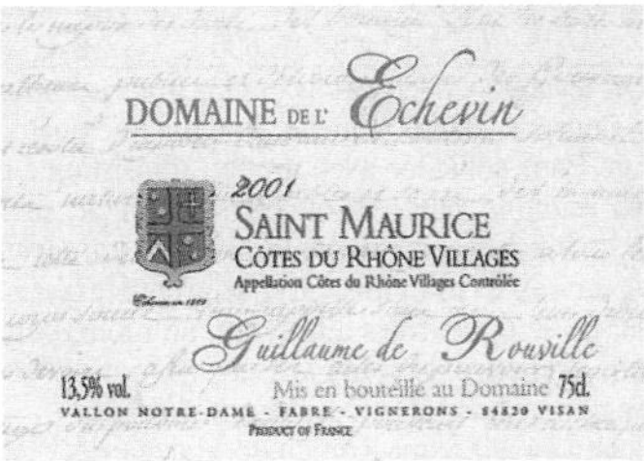

Entre Valence et Orange, quittez la grande route à Bollène pour prendre le chemin de Visan. Là, une visite s'impose : propriété acquise en 1997 et baptisée ainsi en hommage à un aïeul de la famille, échevin de Lyon il y a plus de quatre cents ans. Si on lui avait demandé de juger ce vin, il aurait vu tant de larmes sur le verre qu'il aurait lui aussi pleuré de bonheur. Il aurait mis le nez en délibéré, tant l'affaire est complexe : poivre, cuir, vanille, léger animal à l'aération. Il aurait pris son temps pour savourer cette rétro de fruits rouges confits. Grand vin, beau potentiel, à la mesure d'une côte de bœuf sur sarments de vigne. **La Florane Terre Pourpre Visan rouge 2001** vous donnera entière satisfaction après décantation. Elle reçoit une étoile.

☞ SCEA Vallon Notre-Dame,
Dom. La Florane, Dom. L'Echevin, 84820 Visan,
tél. 04.90.41.90.72, fax 04.90.41.90.72,
e-mail contact@domainelaflorane.com
☑ ⊤ ⅄ t.l.j. sf sam. dim. 9h-17h
☞ Fabre

DOM. REMY ESTOURNEL Laudun 2002

	2 ha	10 000	■ ⅃	5 à 8 €

On se ferait volontiers ermite ici, et certains ont d'ailleurs déjà eu cette idée. Tout près, outre une chapelle romane dédiée à saint Martin, se trouve l'ancien prieuré de Mayran, devenu ermitage. Grenache, syrah, quenoise (synonyme de counoise) font office de pieuse trinité pour produire un vin rouge brillant et intense. Son nez présente quelques signes d'évolution, tirant sur l'animal. Riche en fruits noirs bien mûrs, la bouche se montre aimable sur des tanins fins et assez longs. Bonne maîtrise du millésime.

☞ Rémy Estournel,
13, rue de Plaineautier, 30290 Saint-Victor-la-Coste,
tél. 04.66.50.01.73, fax 04.66.50.21.85 ☑ ⊤ ⅄ r.-v.

DOM. DE LA FERME SAINT-MARTIN

Beaumes-de-Venise Cuvée Saint-Martin 2001 ★★

	3 ha	10 000	■ ⅃	8 à 11 €

Dédié à saint Martin, ce Beaumes-de-Venise rouge (grenache et un peu de syrah) est aussi généreux que son saint patron. Sans doute ne coupe-t-il pas en deux sa robe d'un rouge profond, mais en revanche, il distribue largement ses arômes de cassis légèrement confiturés, surtout à l'aération. Plein, structuré, bien élevé, montrant un bel équilibre entre l'extraction et le fruit, il a encore une charpente reposant sur de solides tanins. Laissez-le prendre deux ans d'âge et il s'assouplira pour approcher la perfection.

❧ Guy Jullien,
Dom. de la Ferme Saint-Martin, 84190 Suzette,
tél. 04.90.62.96.40, fax 04.90.62.90.84 ▨ ⵔ 𝔂 r.-v.

DOM. FOND CROZE Cuvée Vincent de Catari 2003
| ■ | 3,3 ha | 16 600 | ▮↓ | 5 à 8 € |

On lèvera son verre doucement pour admirer cette teinte pourpre dans laquelle jouent quelques reflets brillants. Pour solliciter avec un peu d'insistance un nez d'abord pudique puis entrouvert sur le cuir, le fruit à noyau. La fraîcheur en bouche adoucit une trame de tanins fermes, sans excès toutefois. Grenache en tête d'affiche, ce 2003 laisse de petits rôles à la syrah, au mourvèdre et au carignan. A mettre de côté dans sa cave pour 2006-2007.
❧ Long Frères, EARL Dom. Fond Croze,
Le Village, 84290 Saint-Roman-de-Malegarde,
tél. 04.90.28.97.07, fax 04.90.28.97.07,
e-mail fondcroze@hotmail.com ▨ ⵔ 𝔂 r.-v.

DOM. GALEVAN 2000 ★
| ■ | 1,5 ha | 6 000 | ⫿ | 8 à 11 € |

Il y a dix ans, Coralie succédait à son père. Elle signe un 2000 à la robe profonde. Les quinze mois de barrique expliquent le discret vanillé qui accompagne des arômes assez prononcés (cerise à l'eau-de-vie, confit), une bonne matière rehaussée par le gras et teintée de complexité. Malgré son âge, cette bouteille est loin d'avoir achevé son parcours sur Terre. D'ici trois à quatre ans, elle sera parfaite.
❧ Coralie Goumarre,
127, rte de Vaison, 84350 Courthézon,
tél. 04.90.70.84.26, fax 04.90.70.28.70,
e-mail domaine.galevan@planetis.com
▨ ⵔ 𝔂 t.l.j. sf dim. 8h-12h 13h30-19h

DOM. LES GRANDS BOIS
Cairanne Cuvée Mireille 2002 ★
| ■ | 1 ha | 3 700 | ▮ | 5 à 8 € |

Mireille et Marc son époux, ancien maître d'hôtel à Paris, présentent deux cuvées identiques pour l'assemblage (grenache, mourvèdre et un brin de syrah) mais l'une en cuve et l'autre en fût. Elles obtiennent des notes égales. Il s'agit ici de la cuvée Mireille (cuve). La **cuvée Eloïse 2002** est un peu plus chère (8 à 11 €). Toutes deux ne sont pas économes en couleur. Bouquet de fruits rouges et constitution sérieuse. Eloïse est prête à sauter dans le verre, Mireille plus réservée est capable d'attendre deux à trois ans en valorisant son capital.
❧ Dom. Les Grands Bois,
55, av. Jean-Jaurès, 84290 Sainte-Cécile-les-Vignes,
tél. 04.90.30.81.86, fax 04.90.30.87.94,
e-mail mbesnardeau@grands-bois.com ▨ ⵔ 𝔂 r.-v.
❧ Besnardeau

DOM. GRAND VENEUR
Les Champauvins 2002 ★★
| ■ | 15 ha | 50 000 | ▮⫿↓ | 5 à 8 € |

Le domaine vient d'être agrandi par l'achat de 15 ha sur l'appellation lirac. Sous la direction d'Alain Jaume assisté de Sébastien (œnologue) et de Christophe (responsable commercial), grenache, syrah et mourvèdre dans une mise en scène très réussie. Digne du théâtre d'Orange tout proche ! Le décor est rouge vif. Le nez se dessine : fruits rouges à l'eau-de-vie. C'est un *villages* bien typé : sa bouche prometteuse repose sur des tanins enrobés de fruit. Gras, puissant et long, il demande à être laissé en paix durant deux à trois ans.

❧ Alain Jaume, rte de Châteauneuf-du-Pape,
84100 Orange, tél. 04.90.34.68.70, fax 04.90.34.43.71,
e-mail jaume@domaine-grand-veneur.com ▨ ⵔ 𝔂 r.-v.

DOM. GRANGE BLANCHE Rasteau 2003 ★
| ■ | 8,37 ha | 5 000 | ▮↓ | 5 à 8 € |

Un ancien relais de poste a donné son nom à ce domaine de quelque 8 ha qui reste familial et qui, désormais, commercialise un peu de sa production en bouteille. Grenache pour l'essentiel, un 2003 au bouquet cerise. Sa texture fine et lisse, l'équilibre entre l'alcool et l'acidité, la finale charmante font de ce Rasteau un très joli vin.
❧ Karine Biscarrat, Dom. Grange Blanche,
hameau de Blovac, 84110 Rasteau,
tél. 04.90.46.16.02, fax 04.90.46.11.16 ▨ ⵔ 𝔂 r.-v.

DOM. DU GROS PATA 2002 ★
| ■ | 1,44 ha | 8 640 | ▮⫿↓ | 5 à 8 € |

Gros Pata ? Cette ancienne monnaie provençale en cuivre portait la croix sur l'avers et les clés de saint Pierre sur le revers. Comme la propriété était jadis un bureau d'octroi, le pata passait ici de main en main. Vous payerez cependant en euros ce très honnête accord grenache-syrah-cinsault, rubis foncé. Son bouquet est intense où fruit et notes animales (cuir) s'harmonisent. L'attaque est franche, décidée. Elle se poursuit sur des sensations de liqueur de fraise. Davantage de longueur que d'ampleur, mais un 2002 sympathique.
❧ Gérald et Sabine Garagnon, Dom. du Gros Pata,
rte de Villedieu, 84110 Vaison-la-Romaine,
tél. 04.90.36.23.75, fax 04.90.28.77.05,
e-mail sabine.garagnon@free.fr ▨ 𝖕 ⵔ 𝔂 r.-v.

DOM. GROSSET Cairanne 2002 ★
| ■ | 3 ha | 16 000 | ⫿ | 3 à 5 € |

Beau-père de Laurent Brotte, Alain Grosset est propriétaire de ce domaine situé au pied du village de Cairanne. Elevé en foudre, ce vin joue sur des arômes de garrigue légèrement boisés et fumés. La fraîcheur s'installe en bouche autour d'une note mentholée. Bien construite et harmonieuse, une bouteille prête à servir.
❧ Laurent-Charles Brotte,
Le Clos, BP 1, 84230 Châteauneuf-du-Pape,
tél. 04.90.83.70.07, fax 04.90.83.74.34,
e-mail brotte@brotte.com ▨ ⵔ 𝔂 t.l.j. 9h-12h 14h-18h
❧ Alain Grosset

DOM. LES HAUTES CANCES
Cairanne Cuvée Col du Débat 2001 ★
| ■ | 4 ha | 6 600 | ▮⫿↓ | 11 à 15 € |

Un vin glamour, le Cairanne ? On lui fait cette réputation et le mot lui convient bien. Coup de cœur dans notre précédente édition, Anne-Marie et Jean-Marie ont tourné le dos à la médecine pour se consacrer avec succès au vignoble familial. La cuvée rouge du Col du Débat 2001 a de quoi plaire : robe profonde, bouquet entre le café grillé et le cacao, structure légère aux tanins enrobés et persistants sur la cerise. Notons encore la **cuvée Cairanne Tradition blanc 2003** (8 à 11 €), portée par une belle acidité, et une intéressante **cuvée Cairanne Tradition rouge 2001**, issue de cinq cépages. Trois vins qui obtiennent chacun une étoile.
❧ SCEA Achiary-Astart, quartier Les Travers,
84290 Cairanne, tél. 04.90.30.76.14, fax 04.90.38.65.02,
e-mail contact@hautescances.com ▨ ⵔ 𝔂 r.-v.

DOM. JAUME Vinsobres 2002 ★

■ 8 ha 35 000 ▮◍⌀ 8 à 11 €

L'arrière-grand-père ? Un pionnier de l'appellation côtes-du-rhône régionale à Vinsobres, dès 1937. Il a reçu le tout-puissant baron Leroy et su le convaincre. Ce domaine familial propose un 2002 qui a de la ressource : un beau rubis au service d'un bouquet d'épices et de baies sauvages. Ses tanins ronds et crémeux, amples, incitent à une dégustation dans l'année qui vient. Nuance de Zan assez vivace. Le **Vinsobres rouge 2001 Clos des Echalas (15 à 23 €)** mérite aussi l'attention. Il obtient une étoile. Le premier conviendra à l'agneau, le second à un civet.

⊶ Dom. Jaume, 24, rue Reynarde, 26110 Vinsobres,
tél. 04.75.27.61.01, fax 04.75.27.68.40,
e-mail cave.jaume@libertysurf.fr ☒ Y ⛹ r.-v.

DOM. LA JOUVE Les Mourizards 2003 ★

■ 27 ha 200 000 ▮⌀ 5 à 8 €

On est à la troisième génération de vignerons sur l'exploitation. Celle-ci s'étend sur 50 ha. Rouge violacé, respirant à plein nez le raisin bien mûr, cette cuvée attaque du bon pied et sans timidité. Le corps est ferme, assez souple grâce à la docilité de ses tanins. Un ensemble réussi (grenache à 60 %, syrah et mourvèdre, un trio qui a fait ses preuves).

⊶ SCEA Les Vignobles Richard Gontier,
chem. du Colombier, 84190 Vacqueyras,
tél. 04.90.12.39.54, fax 04.90.12.39.54,
e-mail gontier@vignoblesrg.com ☒ Y ⛹ r.-v.

DOM. DE LASCAMP 2003

■ 1 ha 2 800 ▮⌀ 5 à 8 €

Cela commence comme un roman de Paul Féval : « le 17 février 1767, Laurent Imbert achète une ferme à Cadignac à messire Charles-Henri de Bruno d'Orgneux... » Cette même famille en est à la huitième génération en ce lieu où grenache et syrah ont conclu un pacte d'amitié. Sous une robe légère, un 2003 qui pratique le secret d'arômes comme d'autres le secret d'alcôve. Sa jolie bouche lui vaut sa sélection, tant ses tanins sont soyeux et laissent parler le fruit.

⊶ Clos de Lascamp, Cadignac, 30200 Sabran,
tél. 04.66.89.69.28, fax 04.66.89.62.44,
e-mail domaine.de.lascamp@wanadoo.fr ☒ Y ⛹ r.-v.
⊶ Imbert

LOUIS BERNARD Séguret 2003 ★★

■ n.c. 50 000 5 à 8 €

D'un équilibre parfait, il n'a pas besoin d'un balancier pour marcher droit sur le fil. Si jeune pourtant ! Rouge tirant sur le grenat, il respire les fruits macérés, avec une touche de cacao. Du charme, mais aussi toutes les composantes d'un côtes-du-rhône-villages bien construit, évitant toute tension entre l'acidité, les tanins, l'alcool. Citée, sans pour autant tomber dans la facilité, la **Grande Réserve rouge 2002 (8 à 11 €)** sans nom de *villages*.

⊶ Louis Bernard, rte de Sérignan, 84100 Orange,
tél. 04.90.11.86.86, fax 04.90.34.87.30,
e-mail louisbernard@sldb.fr Y ⛹ r.-v.

DOM. MARIE BLANCHE Cuvée du Solitaire 2002

■ 3 ha 10 000 ▮◍⌀ 8 à 11 €

La cuvée du Solitaire ne signale pas un domaine peu accueillant. Elle rappelle une mémorable partie de chasse dont le héros fut un sanglier de 125 kg. Le mourvèdre domine ici l'assemblage où se joignent syrah et grenache. D'une teinte chaude, cette bouteille construite autour d'un noyau tannique est très aromatique (coing, épices douces, léger sous-bois). Ronde et charnue, bien fondue et assez longue, elle tient d'aplomb. Très représentative du millésime quand il passe la barre.

⊶ Jean-Jacques Delorme,
Dom. Marie Blanche, 30650 Saze,
tél. 04.90.31.77.26, fax 04.90.26.94.48 ☒ Y r.-v.

CH. DE MARJOLET
Cuvée de Sannaga Elevé en fût de chêne 2001 ★

■ 2,27 ha 13 000 ◍ 5 à 8 €

Pourquoi Sannaga ? Du nom de l'oppidum de Gaujac appelé ainsi à l'époque romaine et situé à quelques centaines de mètres de ces vignes complantées en grenache et syrah. Si le site est intéressant et à visiter, le vin ne l'est pas moins. Grenat sombre, son nez développe un bouquet fruité. Il garde quelque chose de son séjour en fût : un léger accent vanillé surtout perceptible en fin de bouche. Le jury le croit capable de vieillir encore et sereinement pendant trois à quatre ans. Visez donc l'investissement.

⊶ Bernard Pontaud, Dom. de Marjolet, 30330 Gaujac,
tél. 04.66.82.00.93, fax 04.66.82.92.58,
e-mail chateau.marjolet@wanadoo.fr ☒ Y ⛹ r.-v.

DOM. DU MAS DE SAINTE CROIX Valréas 2002

■ 5 ha 5 300 ▮⌀ 8 à 11 €

Ce vigneron coopérateur a acquis le domaine en 2002, et le millésime que nous dégustons est le premier à avoir été vinifié sur place. Grenache (75 %) et mourvèdre composent un vin correct pour une année difficile. Son bouquet est à maturité : fruits à l'alcool, animal. Sa bouche souple et réglissée reste équilibrée tout au long d'une persistance appréciable. Il se boit bien.

⊶ SCEA Jacques Coipel, Dom. du Mas de Sainte Croix, rte de Vinsobres, 84600 Valréas,
tél. 04.90.35.54.53, fax 04.90.35.62.37 ☒ Y ⛹ r.-v.

DOM. DU MOULIN Vinsobres 2003 ★★

□ 1,5 ha 6 000 ▮⌀ 8 à 11 €

Depuis 1984, Denis Vinson se passionne pour ses vignes, sa femme pour les vins. Ensemble, ils font les assemblages dans une cave voûtée souterraine, offrant d'excellentes conditions de température en cette région de climat méditerranéen. Coup de cœur pour son millésime 2001, le domaine n'a pas pris trop de risques en ménageant au viognier et à la clairette ce doux tête-à-tête. Nuances d'abricot sec, des formes avantageuses, ce Vinsobres a du volume et de la richesse. Déjà convivial, à faire fructifier ! Macération pelliculaire et vinification de qualité malgré la canicule.

⊶ Denis Vinson, Dom. du Moulin, 26110 Vinsobres,
tél. 04.75.27.65.59, fax 04.75.27.63.92,
e-mail denis.vinson@wanadoo.fr
☒ Y ⛹ t.l.j. sf dim. 8h-12h 14h-18h

CH. NUIT DES DAMES
Chusclan Cuvée Prestige 2001 ★

■ 2,26 ha 11 066 ◍ 8 à 11 €

Allez donc visiter le village médiéval de Venejan. Son moulin, sa chapelle Saint-Pierre qui a mille ans d'âge, ce château qui reçut la visite de l'empereur d'Ethiopie Hailé Sélassié, ami de Michel Cote propriétaire du domaine à l'époque (1954). La famille Verdier a repris les vignes en 1969, le château en 1984. Son Chusclan porte une robe de

rêve, si limpide. Grenache et syrah à 80-20 % concoctent un bouquet expressif (cerise et fraise confite) et une bouche équilibrée, méridionale à souhait.
⚷ EARL Richard Verdier,
Ch. Nuit des Dames, 30200 Venejan,
tél. 04.66.79.21.56, fax 04.66.79.26.21 ☒ 🍷 🚶 r.-v.

ODYSSEE Visan 2001 ★

■ n.c. 25 000 ▮🍾 5 à 8 €

Que se passe-t-il lorsqu'une cave coopérative engage un directeur d'origine chypriote grecque ? Pour fêter l'an 2000, on crée les cuvées Illiade et Odyssée. Ici, nous accompagnons Ulysse. La voile est d'un rubis grenat et les vents favorables : grenache, syrah, mourvèdre soufflant dans la bonne direction. Des rochers ? Quelques senteurs minérales impressionnent le nez, tandis que la bouche s'emplit de mâche. Ce vin est plein de force, parfaitement équilibré ; on a plaisir à l'accompagner jusqu'à bon port, et l'étreinte de Pénélope garde de la vigueur !
⚷ Cave Les Coteaux, chem. Peine, 84820 Visan,
tél. 04.90.28.50.80, fax 04.90.28.50.81,
e-mail cave@coteaux-de-visan.fr ☒ 🍷 🚶 r.-v.

PERRIN ET FILS
Vinsobres Les Cornuds Vieilles Vignes 2002 ★

■ 3 ha 18 000 8 à 11 €

« Boire l'allégresse », conseillait Mistral dans ses *Romances*. Cette bouteille facilite l'exercice. Son teint empourpré annonce un nez en forme de corbeille de fruits, où le cassis et la mûre dominent la situation. Concentration moyenne, mais pouvait-on vraiment demander davantage à ce millésime ? Corsé et réglissé, il est prêt pour le service sur une lotte au vin rouge. **L'Andéol Rasteau rouge 2002** offre une relation différente du grenache et de la syrah, tout autant estimable.
⚷ SA Perrin et Fils, La Ferrière, rte de Jonquières,
84100 Orange, tél. 04.90.11.12.00, fax 04.90.11.12.19,
e-mail perrin@beaucastel.com ☒ 🍷 🚶 r.-v.

DOM. DU PETIT-BARBARAS
Le Chemin de Barbaras Sélection 2002 ★

■ 3 ha 10 000 ▮🛢🍾 5 à 8 €

Une syrah dominatrice (80 %) et sûre d'elle-même associée au grenache. Si elle commence son évolution (normal pour un 2002), la robe vermillon reste jeune. Marqué par le passage sous bois (neuf mois), un vin assez structuré et de belle constitution. La bouche s'appuie sur une acidité judicieuse et des tanins souples et corsés, entourés d'arômes classiques.
⚷ SCEA Feschet Père et Fils, Dom. du Petit-Barbaras,
26790 Bouchet, tél. 04.75.04.80.02, fax 04.75.04.84.70
☒ 🍷 🚶 t.l.j. sf dim. 9h-12h 14h-19h

DOM. PEYSSON Vinsobres 2001

■ n.c. 6 000 🛢 5 à 8 €

Rouge soutenu, vif et brillant, ce Vinsobres décline des arômes de pain grillé et de feuilles de cassis. La netteté de l'attaque produit une bonne impression, confirmée par une certaine longueur. Certes, son ampleur n'est pas considérable, mais ce vin légèrement tannique est bien travaillé et il passera assez vite de la cave à la table. Grenache à 60 %, syrah et mourvèdre se partageant le restant.
⚷ Jean-Luc Peysson, Le Colombier, 26110 Vinsobres,
tél. 04.75.27.67.33, fax 04.75.27.63.72 ☒ 🍷 🚶 r.-v.

DOM. DE PIAUGIER
Sablet Réserve de Maude 2001 ★

■ n.c. n.c. 🛢 11 à 15 €

Les Briguières rouge 2001 (8 à 11 €) et cette Réserve de Maude obtiennent la même note. Un petit penchant porte vers cette seconde bouteille où la syrah fait cavalier seul. On aime particulièrement sa robe pourpre, son odeur de violette et de sous-bois, ainsi que son ardeur tannique tempérée par le fruit rouge. On est ici au pied des Dentelles de Montmirail, sur 30 ha.
⚷ Dom. de Piaugier, 3, rte de Gigondas, 84110 Sablet,
tél. 04.90.46.96.49, fax 04.90.46.99.48,
e-mail piaugier@wanadoo.fr ☒ 🏠 🍷 🚶 r.-v.
⚷ J.-Marc Autran

DOM. DE PONT LE VOY
Laudun Vieilli en fût 2001

■ 5 ha 10 000 ▮🛢🍾 5 à 8 €

Typé grenache, un vin qui compte cependant quatre cépages. D'une nuance cerise, il s'en tient à la leçon bien apprise, comme ce bouquet poivré et baigné de fruits mûrs. Tanins assez carrés, vinosité certaine, finale plutôt chaude, ainsi se présente ce 2001 élevé quatorze mois en fût.
⚷ Dom. de Pont Le Voy,
chem. de Saint-Paul, 30330 Saint-Paul-les-Fonts,
tél. 06.08.24.44.29, fax 04.66.82.08.29,
e-mail xavier.dumas@wanadoo.fr ☒ 🍷 🚶 r.-v.
⚷ Xavier Dumas

DOM. DE LA PRESIDENTE
Cairanne Partides Collection 2000 ★★

■ 5 ha 5 000 🛢 11 à 15 €

Max Aubert n'est plus, mais son œuvre demeure. Dans les vignes mais aussi parmi les initiatives culturelles les plus marquantes de la vallée : l'université du Vin à Suze-la-Rousse en est le plus bel exemple. Son Cairanne a du cœur à l'ouvrage. Haut en couleur, il réunit des arômes grillés, confits, épicés qui vont bien ensemble. Au palais, grenache et syrah s'abandonnent à un fruit généreux. Long, il dure... Et il y a de la chaleur dans ce souffle méridional.
⚷ Famille Max Aubert, Dom. de La Présidente,
rte de Cairanne, 84290 Sainte-Cécile-les-Vignes,
tél. 04.90.30.80.34, fax 04.90.30.72.93,
e-mail aubert@presidente.fr
☒ 🍷 🚶 t.l.j. 8h30-12h 14h-18h30

DOM. DU PRIEURE SAINT-JUST
Séguret Cuvée Prestige 2002

■ 1,5 ha 6 000 ▮🍾 5 à 8 €

C'est à croire qu'à Séguret (village des santons) les rois mages ont apporté le grenache, la syrah et le mourvèdre. Plus utile ici, comme cadeau, que l'or, l'encens ou la myrrhe... Ajoutons-y le carignan vieux et voici un côtes-du-rhône-villages intéressant. Il présente en effet plusieurs facettes sous des abords grenat. Groseille, moka, sous-bois composent son bouquet. Charnu à souhait, il ne manque pas de rendre hommage à la réglisse, tellement à l'aise qu'on la dirait fille du pays. Vin encore un peu fermé : à déboucher à la mi-2005.
⚷ GAEC Dom. du Prieuré Saint-Just,
rte de Vaison-la-Romaine, 84110 Séguret,
tél. 04.90.46.17.71, fax 04.90.46.17.71
☒ 🏠 🍷 🚶 t.l.j. 9h-12h 14h30-19h30

CH. LES QUATRE FILLES
Cairanne Elevé en fût de chêne 2002 ★

■ 5 ha 9 000 🛢 8 à 11 €

Sainte-Cécile-les-Vignes porte bien son nom. Un joli village auréolé de raisins. Ces Quatre Filles personnalisent un vin grenache et syrah. Ses parfums rappellent la compote de fruits. L'équilibre de l'alcool et de l'acidité permet à ce 2002 de tenir bon en gardant tout son charme. Les tanins répondent présents mais n'insistent pas trop. Touches de sous-bois, de cacao. Une réelle harmonie pour une côte de bœuf.

🔑 Roger, Romain et Vincent Flesia,
rte de Lagarde-Paréol, 84290 Sainte-Cécile-les-Vignes,
tél. 04.90.30.84.12, fax 04.90.30.86.15,
e-mail contact@chateau-4filles.com ☒ Y 🚶 t.l.j. 8h-20h

JEROME QUIOT Saint-Gervais 2001

■ n.c. 6 600 ▮🍾 5 à 8 €

Grenache à 60 %, syrah et carignan mis à contribution pour ce Saint-Gervais (village gardois qui se fait progressivement un nom et un renom) rubis clair légèrement tuilé. Mûre, cacao, les arômes se positionnent de façon assez délicate. De constitution moyenne, il n'est pas dépourvu de mérites que nos dégustateurs ont relevés (notamment une mâche de bonne compagnie et une réelle franchise).

🔑 Jérôme Quiot Sélection,
av. Baron-Le-Roy, 84231 Châteauneuf-du-Pape,
tél. 04.90.83.73.55, fax 04.90.83.78.48,
e-mail vignobles@jeromequiot.com ☒ Y r.-v.

DOM. RABASSE-CHARAVIN-COUTURIER
Cairanne 2002

■ 18 ha 50 000 ▮🍾 8 à 11 €

Corinne Couturier reçut un coup de cœur dans notre première édition, il y a vingt ans, pour un côtes-du-rhône 83. Elle faisait alors partie des rares femmes à la tête de domaines viticoles. Que dit le 2002 ? Prêt à passer à table, ce vin rubis foncé a le nez très épicé et sa bouche est en continuité (Zan, muscade, poivron et violette). Son côté gouleyant, sa longueur, ses tanins présents et agréables le rendent intéressants. Au grenache et à la syrah s'associent ici cinsault et un soupçon de counoise. Un dégustateur le goûterait volontiers sur une daube de joue de bœuf.

🔑 Corinne Couturier, Dom. Rabasse-Charavin,
La Font d'Estévenas, 84290 Cairanne,
tél. 04.90.30.70.05, fax 04.90.30.74.42,
e-mail couturier.corinne@wanadoo.fr
☒ Y t.l.j. sf sam. dim. 8h-11h30 14h-17h
🔑 Corinne et Laure Couturier

CAVE DE RASTEAU Rasteau Les Crapons 2003 ★★

■ n.c. 300 000 ▮🍾 5 à 8 €

Ce 2003 en pleine jeunesse se montre ardent. D'un rubis éclatant, le nez odorant et subtil (fruit confit), il franchit toutes les épreuves avec brio. Au palais, le fruit macéré côtoie un gras savoureux. Ses tanins sont assez fins et l'alcool s'efface pour laisser libre cours à une structure remarquable. Authentique noblesse et, s'il faut le dire, pas mal de richesse.

🔑 Les Vignerons de Rasteau et de Tain-l'Hermitage,
rte des Princes-d'Orange, 84110 Rasteau,
tél. 04.90.10.90.10, fax 04.90.10.90.36,
e-mail vrt@rasteau.com Y r.-v.

CH. REDORTIER Beaumes-de-Venise 2001 ★

■ 25 ha 60 000 ▮🍾 8 à 11 €

Grenache et syrah, une pincée de cinsault, il ne reste qu'à préparer le lapin en sauce. Sur les 35 ha du domaine, 25 se consacrent à ce vin qui ne nous emporte pas en gondole. Non, il nous propose plutôt une promenade dans la garrigue – car nous sommes ici au cœur des Dentelles de Montmirail – qui donne au palais un bon souffle d'air pur et parfumé : sous-bois, gibier, laurier, on se plaît à recenser ses arômes. Robe grenat, il va sans dire. En attaque, la démarche est franche, et comme les tanins sont fondus, on continue de ce pas, sur le fruit, tout en douceur.

🔑 EARL Ch. Redortier, 84190 Suzette,
tél. 04.90.62.96.43, fax 04.90.65.03.38
☒ Y 🚶 t.l.j. 10h-12h 14h-19h
🔑 de Menthon

DOM. LA REMEJEANNE Les Eglantiers 2002 ★

■ 1 ha 5 000 🛢 15 à 23 €

Le panorama sur la vallée du Rhône n'est pas seulement visuel. Il est aussi gustatif. Née sur un terroir de grès calcaire, à 250 m d'altitude, la syrah précède le grenache et le mourvèdre. Grenat à reflets bleutés, baignant dans des senteurs empyreumatiques et épicées, le vin est assez puissant et ses notes de kirsch favorisent le plaisir en bouche. Il a du caractère sans en faire étalage.

🔑 EARL Ouahi et Rémy Klein, Cadignac,
30200 Sabran, tél. 04.66.89.44.51, fax 04.66.89.64.22,
e-mail remejeanne@wanadoo.fr ☒ Y 🚶 r.-v.

DOM. ROCHE-AUDRAN
Visan Père Mayeux 2001 ★

■ 4 ha 5 500 🛢 11 à 15 €

Si vous voulez visiter Visan, choisissez le 8 septembre, jour du pèlerinage à Notre-Dame-des-Vignes. L'âme et le corps y trouvent en effet largement leur compte. Peut-être dégusterez-vous ce vin de garrigue, syrah (60 %) et grenache. Rouge-mauve, il sent bon la cerise et même la confiture de griottes. L'intérieur est lisse, onctueux, fait de soie et de dentelle. A choisir si l'on préfère la délicatesse à un style plus carré.

🔑 Vincent Rochette, rte de Saint-Roman,
84110 Buisson, tél. 04.90.28.96.49, fax 04.90.28.90.96,
e-mail vincent.rochette@mnet.fr ☒ Y 🚶 r.-v.

CH. ROCHECOLOMBE Vieilli en fût de chêne 2001

■ 0,8 ha 3 300 ▮🛢🍾 5 à 8 €

A proximité des gorges de l'Ardèche, un château de style Directoire, entouré de 24 ha d'un seul tenant. Grenache et syrah à parts égales pour un 2001 violine qui arrive bon pied bon œil après un long élevage. Pruneau, sous-bois, ce qu'on appelle un nez truffé. Ses tanins ont été affinés et, tout en retrouvant au palais les saveurs du complexe aromatique, on se laisse porter par un corps suave et ample. Pointe de chaleur en finale, due à l'alcool.

🔑 Jocelyne Herberigs, Ch. Rochecolombe,
07700 Bourg-Saint-Andéol, tél. 04.75.54.50.47,
fax 04.75.54.80.03, e-mail rochecolombe@aol.com
☒ Y 🚶 t.l.j. 9h-12h 13h30-19h

CAVE DES VIGNERONS DE ROCHEGUDE
Rochegude Cuvée élevée en fût de chêne 2001 ★

■ n.c. n.c. 🛢 5 à 8 €

En arrivant dans ce village drômois à la limite du Vaucluse, on est frappé par les pierres cyclopéennes du vieux château : ce qui a échappé à la fureur destructrice du

baron des Adrets. Elevée douze mois en barrique, cette cuvée montre un tempérament plus mesuré et beaucoup plus pacifique. Rubis à reflets violacés, elle est assez généreuse en arômes (coing, épices, un zeste d'empyreumatique). En bouche, des nuances de poivre, de girofle sur fond de pruneau cuit, accompagnent une structure agréable, enrobée ; une bouteille déjà prête mais pouvant attendre deux à trois ans.
☛ Cave des Vignerons de Rochegude,
26790 Rochegude,
tél. 04.75.04.81.84, fax 04.75.04.84.80 ☑ ⲩ 🛠 r.-v.

DOMINIQUE ROCHER
Cairanne Monsieur Paul 2001 ★

■	3,5 ha	13 530	🍾 ◫ 11 à 15 €

Des vignes achetées à un coopérateur donnent naissance à ce nouveau domaine en 1996. Le cadre est bucolique sur la colline dominant Cairanne, avec un beau panorama sur la plaine et les Alpilles. Quant à ce 2001, grenache et syrah par moitié, il est fortement charpenté, tannique et structuré, d'une excellente longueur en bouche, et il doit s'affiner avec le temps. Disons d'ici 2007. Couleur... bordeaux et nez chasseur (animal et cuir, une gibecière bien remplie). Sachez que Dominique Rocher a choisi de se convertir à l'agriculture biologique.
☛ Dominique Rocher, rte de Saint-Roman,
84290 Cairanne, tél. 04.90.30.87.44, fax 04.90.30.80.62,
e-mail contact@rocher-vin.com
☑ ⲩ 🛠 t.l.j. 9h-12h 13h30-18h30; sam. dim. sur r.-v.

DOM. SAINT-AMANT
Beaumes-de-Venise La Tabardonne 2002 ★

▨	2 ha	7 700	◫ 8 à 11 €

Si une chanson de Mistral exalte le muscat-de-beaumes-de-venise, il reste des vers à composer en l'honneur du blanc et du rouge de l'appellation côtes-du-rhône-villages. Créé de toutes pièces au début des années 1990 par un chef d'entreprise prenant sa retraite et désireux d'entreprendre une seconde carrière, ce domaine présente un viognier légèrement teinté de roussanne qui séduit par sa finesse et son élégance. Or blanc, vanille et citron, il joue en bouche sur un registre floral. Ne négligez pas **Grangeneuve rouge 2002 (5 à 8 €)** dans la même appellation *villages*, mais on conseille de l'attendre quelques années afin de mieux équilibrer la présence de l'alcool. Cette cuvée est citée.
☛ Dom. Saint-Amant, 84190 Suzette,
tél. 04.90.62.99.25, fax 04.90.65.03.56,
e-mail contact@saint-amant.com ☑ ⲩ r.-v.

DOM. SAINTE-ANNE Saint-Gervais 2001 ★★

■	3 ha	10 000	🍾 ↓ 11 à 15 €

Sur les coteaux de Saint-Gervais, le joli hameau des Cellettes renferme l'un des domaines phares du Guide. Sainte-Anne décroche cette année encore la palme pour un Saint-Gervais à la robe profonde. Encore discret, son bouquet va s'exprimer sur des accents épicés. Rond et affable en même temps que structuré, il offre une saveur réglissée. Proche de la perfection et montrant que le mourvèdre (ici pour la moitié de l'assemblage) est bien à tort souvent sous-estimé. On conseille encore **Notre-Dame des Cellettes rouge 2001**, une étoile. Il est vraiment difficile de ne pas trouver son bonheur dans cette cave.

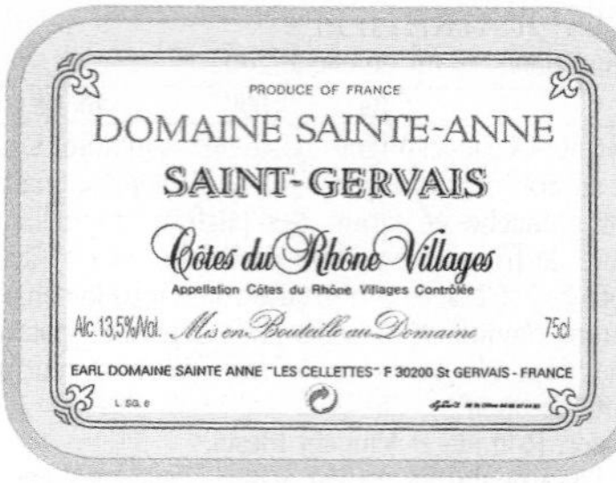

☛ EARL Dom. Sainte-Anne, Les Cellettes,
30200 Saint-Gervais, tél. 04.66.82.77.41,
fax 04.66.82.74.57 ☑ ⲩ 🛠 t.l.j. sf dim. 9h-11h 14h-18h
☛ Steinmaier

CAVE DES VIGNERONS DE SAINT-GERVAIS
Saint-Gervais Cuvée Sélection Terroir 2001

■	n.c.	50 000	🍾 ↓ 3 à 5 €

Née en 1924, cette cave coopérative veille sur 495 ha. Grenache, syrah, mourvèdre pour un 2001 à la robe soutenue. Belle brillance, bonne limpidité, quelques reflets d'évolution. L'aération lui est nécessaire. Le nez sort alors du cocon et livre des arômes de cerise confite. Au palais, le corps est agréable, bien dessiné, sans se fixer des objectifs inaccessibles. Saint-Gervais permet de rayonner sur Bagnols-sur-Cèze, la chartreuse de Valbonne et sa forêt.
☛ Cave des Vignerons de Saint-Gervais,
Le Village, 30200 Saint-Gervais,
tél. 04.66.82.77.05, fax 04.66.82.78.85,
e-mail contact@cavesaintgervais.com.
☑ ⲩ 🛠 t.l.j. sf dim. 9h-12h 14h30-18h30;
ouv. dim. juil.-août

SANTA DUC Sablet Le Fournas 2003 ★★

▨	1,4 ha	5 600	11 à 15 €

Les jurés ont sélectionné ce vin blanc en robe claire et au nez exceptionnel : un paysage floral et printanier. Chacun des quatre cépages s'applique à faire de son mieux : la richesse du grenache, la rondeur et le gras du viognier, le pain grillé du bourboulenc et une pointe de clairette, le tout enrobé de fruits (abricot, pamplemousse). Et puis le **Rasteau rouge 2002 Les Blovac (8 à 11 €)** ainsi que le **Cairanne rouge 2001 Les Buissons (8 à 11 €)**, obtiennent une étoile.
☛ SARL Yves Gras, Les Hautes Garrigues,
84190 Gigondas, tél. 04.90.65.84.49, fax 04.90.65.81.63,
e-mail santaduc@wanadoo.fr ⲩ 🛠 r.-v.

DOM. DU SERRE-BIAU
Laudun Les Tambourinaires 2001 ★

■	1,4 ha	6 000	◫ 8 à 11 €

Un chai gallo-romain a été mis au jour sur le domaine. C'est dire à quel point la vigne possède ici des lettres de noblesse. Nous avons retenu deux cuvées, avec une petite préférence pour celle-ci. Colorée, aromatique (cassis), ronde, elle coule en bouche comme si elle jaillissait d'une source. Sans carignan, la **cuvée Les Cadinières rouge 2001 (5 à 8 €)** est citée.
☛ Faraud et Fils, 4, chem. des Cadinières,
30290 Saint-Victor-la-Coste, tél. 04.66.50.04.20,
fax 04.66.50.04.20, e-mail serrebiau@wanadoo.fr
☑ ⲩ 🛠 t.l.j. sf dim. 9h-12h 14h-19h

DOM. DU SOLEIL ROMAIN
Séguret Harmonie Fût de chêne 2001 ★★

■ 4 ha 1000 8 à 11 €

La visite de Vaison-la-Romaine serait incomplète sans un rendez-vous avec ce Soleil Romain. Il illumine le mariage du grenache et de la syrah en pleine communauté de biens. Et ils sont nombreux ! Vermillon intense (on pourrait dire éclatant), généreusement bouqueté en épices, il est très plaisant grâce à son fruit persistant. Nuance réglissée et finesse sur toute la ligne. Quelques années en cave ne lui feront pas peur. Domaine reconstitué en cépages nobles sur Vaison-la-Romaine et Séguret.

Bernard Giely, La Sainte-Croix,
84110 Vaison-la-Romaine,
tél. 04.90.36.12.69, fax 04.90.28.71.89,
e-mail soleilromain@cario.fr r.-v.

DOM. LA SOUMADE
Rasteau Cuvée Confiance 2002 ★

■ 4 ha 12 000 15 à 23 €

« La confiance ? Connais pas ! », fait dire Edouard Bourdet à l'un de ses personnages. Il aurait changé d'avis s'il avait pu vider quelques verres de cette cuvée de Rasteau. Sa robe à la teinte très intense est digne d'un *villages*. Les épices y vont de bon cœur et emplissent les trois coups de nez rituels. En bouche, les tanins ont arrondi leurs angles, et si la finale demeure pour le moment un peu dure, elle ne manque pas de fruit : c'est un 2002 qui justifie son nom. On pourra le servir dans un an ou deux.

André Roméro et Fils, Dom. La Soumade,
84110 Rasteau, tél. 04.90.46.13.63, fax 04.90.46.18.36
t.l.j. sf dim. 8h30-11h 14h-18h

LES TERRASSES DU BELVEDERE
Cairanne Sélection Vieilles Vignes 2001

■ 7,5 ha 5 000 5 à 8 €

Cairanne est le belvédère des Côtes du Rhône. Ainsi s'explique le nom du domaine : ses vignes occupent pour la plupart des coteaux argilo-calcaires d'où la vue est magnifique. La puissance aromatique s'exprime ici davantage en bouche qu'au nez, sur la mûre, le fruit cuit. Syrah et cinsault complètent les 60 % de grenache. Paré d'une robe grenat, un 2001 équilibré et velouté que l'on appréciera dès maintenant.

SCEA Gérard et Nicole Julien,
Les Terrasses du Belvédère,
rte de Carpentras, 84290 Cairanne,
tél. 04.90.30.88.24, fax 04.90.30.88.24 r.-v.

TERRE DES SEIGNEURS Cairanne 2001 ★

■ 15 ha 60 000 5 à 8 €

Cave coopérative fondée en 1929. Elle vinifie et commercialise 70 % de l'appellation Cairanne. Si vous lui rendez visite, ne manquez pas le parcours sensoriel aménagé dans les profondeurs. Cette cuvée à la robe soutenue s'ouvre progressivement à l'aération sur un délicieux fruit rouge. La bouche montre de la souplesse ainsi que du caractère. **Les Salyens blanc 2003 (8 à 11 €)** ont de la présence avec des notes de fruits mûrs (poire). Une citation.

Cave de Cairanne, 84290 Cairanne,
tél. 04.90.30.82.05, fax 04.90.30.74.03,
e-mail x.loubet@cave-cairanne.fr
t.l.j. 8h-18h30 (19h en hiver)

CH. DU TRIGNON Sablet 2003

0,75 ha 1 200 5 à 8 €

Cette propriété appartient à la famille Roux depuis cinq générations. Le domaine des Sénéchaux en châteauneuf-du-pape complète la gamme de ses vins. Roussanne et marsanne riment bien dans celui-ci. On le constate en découvrant un vin floral sur fond jaune clair. Riche en alcool, il a du gras et un petit goût de noisette.

Ch. du Trignon, 84190 Gigondas,
tél. 04.90.46.90.27, fax 04.90.46.98.63,
e-mail trignon@chateau-du-trignon.com
t.l.j. sf dim. 10h-12h 14h-19h
Pascal Roux

DOM. DU VAL DES ROIS
Valréas Cuvée Signature 2001

■ n.c. 15 000 5 à 8 €

Les Bouchard sont légion en Bourgogne. Romain a décidé de quitter Beaune pour voler de ses propres ailes dans la vallée du Rhône. C'était en 1964 et son fils Emmanuel lui a succédé il y a dix ans. Val des Rois ou... Enclave des Papes ? Valréas en tout cas, ce haut lieu historique offrant un grenache 75 %, syrah 25 % à la couleur parfaite. Le nez vous emmène aux champignons dans le sous-bois. Rond et fin, il a de l'aménité au palais. Une excellente introduction au circuit des bornes papales que vous ferez sûrement en partant du domaine.

Emmanuel Bouchard, Dom. du Val des Rois,
84600 Valréas, tél. 04.90.35.04.35, fax 04.90.35.24.14,
e-mail info@valdesrois.com
t.l.j. sf dim. 9h-12h30 14h30-19h

DOM. DE LA VALERIANE 2002 ★

■ 5 ha 5 000 5 à 8 €

Mesmin ? Un village de Côte-d'Or porte le nom de ce saint peu courant. Et c'est le prénom du mari de Maryse. Tous deux ont créé leur vignoble en 1968, devenu domaine en 1982 quand ils ont commencé la vente directe. Leur fille Valérie est œnologue, leur gendre vigneron. Bref, goûtons voir si le vin est bon. Il l'est. Grenache et syrah, moitié-moitié. D'une teinte brillante et violacée, il évoque le fruit confituré. Maîtrisant bien ses tanins ronds et gras, réglissés, il est très goûteux et constitue une réussite pour le millésime. Le pont du Gard est à 12 km. Belle idée d'excursion !

Mesmin et Maryse Castan, rte d'Estézargues,
30390 Domazan, tél. 04.66.57.04.84, fax 04.66.57.04.84,
e-mail valeriane.mc@terre-net.fr r.-v.

DOM. DU VIEUX CHENE Cuvée Béatrice 2002

■ 5 ha 6 000 8 à 11 €

Sur la route de Vaison-la-Romaine à Camaret, vous ne pouvez pas manquer le domaine, ni le chêne plusieurs fois centenaire qui lui a donné son nom, au cœur du Plan de Dieu. Grenache (80 %) et syrah, ce vin pourpre intense garde le souvenir de ses six mois de barrique. Légers arômes d'évolution tirant vers le balsamique, le fruit cuit. Les tanins très fins dessinent les grandes lignes de l'architecture intérieure. Le gras est à sa place.

Jean-Claude et Béatrice Bouché,
rte de Vaison-la-Romaine,
rue Buisseron, 84850 Camaret-sur-Aigues,
tél. 04.90.37.25.07, fax 04.90.37.76.84,
e-mail contact@bouche-duvieuxchene.com
t.l.j. sf sam. dim. 9h-12h 14h-18h

VIEUX VILLAGE Laudun 2003

■ 182 ha 1000 000 🍷 5 à 8 €

Fondée modestement en 1925, cette cave coopérative réunit aujourd'hui 150 adhérents pour soixante exploitations réparties sur 800 ha. Ici, 182 ha en grenache et syrah selon des proportions classiques (70-30 %). Un vin d'intensité moyenne à première vue, libérant des parfums de fruits rouges. Agréable et à consommer dans l'année, il reste dans la norme, même s'il est un peu court sur la fin.

🔑 Les Vignerons de Laudun,
rte de l'Ardoise, 30290 Laudun,
tél. 04.66.90.55.20, fax 04.66.90.55.21,
e-mail contact@laudun-vignerons.com ☒ Y 🚶 r.-v.

XAVIER VIGNON
Beaumes-de-Venise Cuvée Xavier 2001

■ 4 ha 15 000 11 à 15 €

Œnologue-conseil dans la vallée du Rhône, Xavier Vignon crée depuis 1999 ses propres sélections en partenariat avec ses clients dans la région. Sa cuvée Xavier constitue-t-elle une sorte d'autoportrait ? Rouge profond à reflets bordeaux, le vin développe peu à peu des senteurs de poivre et de cuir. Dès l'attaque, on reste dans cet environnement. Tanins fondus, grillé en rétro et une note réglissée au dernier chapitre. La **cuvée Manotine rouge 2000 (8 à 11 €)** est classique, assez ronde et de garde raisonnable (deux ans environ).

🔑 Xavier Vignon, chem. de Caromb,
84330 Le Barroux,
tél. 04.90.62.33.44, fax 04.90.62.33.45,
e-mail xavier@xaviervins.com ☒ 🏠🏠 🏠 Y 🚶 r.-v.

LA VINSOBRAISE
Vinsobres Cuvée Terroir 2003 ★★★

■ 7 ha 33 000 🍷 5 à 8 €

De la part de cette coopérative, ce n'est pas un coup d'essai mais encore un coup de maître et même un coup de cœur. Grenache et syrah (75-25 %) vont main dans la main. A l'œil, un regard brûlant, sombre. Au nez, l'une de ces complexités qui vous laissent songeur, entre fruits rouges et noirs. Beaucoup de panache en bouche, une charpente très ferme et une fraîcheur veloutée. Durée de garde : de deux à quatre ans, et il est inutile de prendre une assurance. **Cuvée Or rouge 2003 (3 à 5 €)**, deux étoiles. Bouteille jeune et concentrée, qui demande à s'ouvrir. Voyez son prix. Pourquoi s'en priverait-on ?

🔑 Cave coop. La Vinsobraise, 26110 Vinsobres,
tél. 04.75.27.64.22, fax 04.75.27.66.59
☒ Y 🚶 t.l.j. 8h-12h 14h-18h

Côte-rôtie

Situé à Vienne, sur la rive droite du fleuve, c'est le plus ancien vignoble de la vallée du Rhône réparti entre les communes d'Ampuis, de Saint-Cyr-sur-Rhône et de Tupins-Sémons. Il représente 4 984 hl en 2003 sur 216 ha 70 a, soit un rendement moyen de 23 hl/ha de production. La vigne est cultivée sur des coteaux très abrupts, presque vertigineux. Et si l'on peut distinguer la Côte Blonde et la Côte Brune, c'est en souvenir d'un certain seigneur de Maugiron, qui aurait, par testament, partagé ses terres entre ses deux filles, l'une blonde, l'autre brune. Notons que les vins de la Côte Brune sont les plus corsés, ceux de la Côte Blonde les plus fins.

Le sol est le plus schisteux de la région. Les vins sont uniquement des rouges, obtenus à partir du cépage syrah, mais aussi du viognier, dans une proportion maximale de 20 %. Le côte-rôtie est d'un rouge profond, et offre un bouquet délicat, fin, à dominante de framboise et d'épices, avec une touche de violette. D'une bonne structure, tannique et très long en bouche, il a indéniablement sa place au sommet de la gamme des vins du Rhône et s'allie parfaitement aux mets convenant aux grands vins rouges.

CH. D'AMPUIS 2000 ★

■ n.c. n.c. 46 à 76 €

Pape de la côte-rôtie, Marcel Guigal vinifie depuis quelques années dans les caves de ce château restauré avec l'architecte des Monuments historiques. Une robe pourpre très fraîche habille ce vin. L'attaque est animale, avec du fumé et des fruits noirs mûrs (confiture de mûres). La structure tannique est bien présente. C'est un fleuron des côte-rôtie, représentatif d'une belle syrah dans son pays d'origine. Les jurys attendent avec impatience de goûter le millésime 2003 dont la récolte a été, selon les annales, la plus précoce depuis 1850. Mais le vin, le grand vin, est affaire de longue patience. « Il faut laisser le temps au temps », écrivait saint Bernard.

🔑 E. Guigal, Ch. d'Ampuis, 69420 Ampuis,
tél. 04.74.56.10.22, fax 04.74.56.18.76,
e-mail contact@guigal.com Y 🚶 r.-v.

GUY BERNARD 2002

■ 4 ha 12 000 🛢 15 à 23 €

Ce vin ne joue pas sur la longueur mais sur le volume immédiat. Il offre aussi un vrai plaisir au nez, avec des notes d'amande grillée, de cacao et une pointe de mûre qui s'amplifie en bouche. Intéressant pour les personnes qui veulent un vin à déguster dès cet hiver.

🔑 GAEC Guy Bernard, RN 86, 69420 Tupin-Semons,
tél. 04.74.59.54.04, fax 04.74.56.68.81,
e-mail gaec-bernard-guy@wanadoo.fr ☒ Y 🚶 r.-v.

LOUIS BERNARD 2002 ★

■ n.c. 20 000 23 à 30 €

Ce négociant propose un vin très racé, fin et complexe, à l'attaque franche, aux tanins fondus. La réglisse

domine les saveurs parmi lesquelles se distinguent aussi des notes animales. La finale offre une belle longueur.
⊶ Louis Bernard, rte de Sérignan, 84100 Orange,
tél. 04.90.11.86.86, fax 04.90.34.87.30,
e-mail louisbernard@sldb.fr Y 🚶 r.-v.

DOM. DE BONSERINE La Garde 2001 ★★

■ 0,75 ha 1 900 ◗ 46 à 76 €

Une cuvée confidentielle (1 900 bouteilles) et de garde bien sûr ! Ici, la concentration va de pair avec la finesse et l'élégance. C'est un vin harmonieux qui offre beaucoup de plaisir, au nez distingué où l'on trouve de la cerise noire très mûre, des épices, des notes de fumé et de violette. Les tanins soyeux, le boisé bien marié et la longue finale participent à son équilibre. La **Sarrasine 2002 (23 à 30 €)** reçoit une étoile ; elle présente un boisé neuf très présent sans être dominant. Deux bouteilles de garde.
⊶ Dom. de Bonserine,
2, chem. de la Viallière, Verenay, 69420 Ampuis,
tél. 04.74.56.14.27, fax 04.74.56.18.13,
e-mail bonserine@aol.com ⊠ Y 🚶 t.l.j. sf dim. 9h-18h
⊶ Colcombet

M. CHAPOUTIER La Mordorée 2002 ★★

■ n.c. 5 000 ◗ + de 76 €

Fac et Spera, telle est la merveilleuse devise de la maison Chapoutier qui s'affirme comme acteur majeur de la viticulture. Aujourd'hui convertis en biodynamie, leurs domaines sont présents sur les cartes des plus grands restaurants. Tous les vins sont élaborés avec un objectif de longue garde. Cette cuvée n'échappe pas à la règle et il faudra attendre trois à cinq ans avant qu'elle ne s'ouvre complètement. D'une belle typicité, elle affiche des notes de cacao, de figue, de mûre et de vanille derrière une robe profonde et sombre. Son volume, ses tanins bien faits qui sauront s'exprimer, sa finale, tout concourt à l'élégance d'une grande bouteille.
⊶ Maison M. Chapoutier, 18, av. du Dr-Paul-Durand,
BP 38, 26601 Tain-l'Hermitage Cedex,
tél. 04.75.08.28.65, fax 04.75.08.81.70,
e-mail chapoutier@chapoutier.com ⊠ Y 🚶 r.-v.

YVES CUILLERON Terres sombres 2001 ★★

■ 2 ha 10 000 ◗ 30 à 38 €

Yves Cuilleron exploite avec succès son vaste domaine tout en se consacrant aussi à la maison de négoce fondée avec deux amis viticulteurs. Voici un 2001 né de ses propres vignes. Il faudra attendre ce vin dont, actuellement, la grande extraction des tanins masque la longueur en bouche. Mais il y a tout pour un vieillissement assuré : concentration et distinction. Le nez est fin et élégant avec une remarquable complexité associant fruits rouges, épices, violette et une pointe de vanille en finale.
⊶ Yves Cuilleron, 58, RN 86, Verlieu,
42410 Chavanay, tél. 04.74.87.02.37, fax 04.74.87.05.62,
e-mail ycuiller@terre-net.fr ⊠ Y 🚶 r.-v.

CUILLERON-GAILLARD-VILLARD
Les Essartailles 2002

■ n.c. 7 000 ◗ 30 à 38 €

Trois excellents vignerons se sont associés pour créer une structure de négoce qui a déjà fait ses preuves. L'atout principal de ce vin ? Un joli nez complexe, à la fois torréfié et mêlé de fruits rouges très mûrs qui rappellent par certains côtés le nez d'un porto. Le boisé est bien travaillé et les tanins sont fins, mais une trame nerveuse domine encore l'ensemble. Une petite garde lui permettra de plaire.
⊶ SARL Les Vins de Vienne, Le Bas-Seyssuel,
38200 Seyssuel, tél. 04.74.85.04.52, fax 04.74.31.97.55,
e-mail vdv@lesvinsdevienne.fr ⊠ Y r.-v.
⊶ Cuilleron, Gaillard, Villard

BENJAMIN ET DAVID DUCLAUX 2002 ★★

■ 4,25 ha 16 000 ◗ 23 à 30 €

Coup de cœur pour le 1998, ce domaine familial réitère l'exploit, prouvant sa maîtrise de l'élaboration avec ce vin élégant, puissant, complexe et harmonieux. Le boisé accompagne des tanins présents mais enrobés, et la finesse se décline sur des notes de myrtille, de fruits secs, de cacao et de fumé. Très belle réussite dans un millésime pourtant difficile à dominer.
⊶ Benjamin et David Duclaux,
RN 86, 69420 Tupin-Semons,
tél. 04.74.59.56.30, fax 04.74.56.64.09 ⊠ Y 🚶 r.-v.

JEAN-MICHEL GERIN Champin le Seigneur 2002

■ 5 ha 25 000 ◗ 23 à 30 €

« Un vin bien réussi pour le millésime », dit un dégustateur. Le nez est déjà ouvert, avec des arômes de fruits rouges que l'on retrouve en bouche. Les tanins sont encore jeunes et un long passage en barrique obligera à une garde de trois ans : le vin devrait alors s'ouvrir davantage.
⊶ Jean-Michel Gerin,
19, rue de Montmain, 69420 Ampuis,
tél. 04.74.56.16.56, fax 04.74.56.11.37 ⊠ Y r.-v.

DOM. JAMET 2001 ★

■ 7 ha 28 000 ◗ 23 à 30 €

Ampuis n'est situé qu'à une dizaine de kilomètres de Vienne dont l'intérêt archéologique est majeur puisqu'on peut y découvrir les vestiges de la conquête romaine au Ier s. Voici un vin aux nuances animales prédominantes et qui s'offre généreusement. Cette syrah septentrionale récoltée à pleine maturité révèle de l'ampleur et beaucoup de matière. Si les tanins sont encore serrés, c'est qu'elle est jeune. Une bouteille à attendre, sans aucun doute, pour qu'elle acquière davantage de complexité. Elle dispose des meilleurs atouts.
⊶ Dom. Jean-Paul et Jean-Luc Jamet,
Le Vallin, 69420 Ampuis,
tél. 04.74.56.12.57, fax 04.74.56.02.15 ⊠ Y r.-v.

CH. LA LANDONNE 2000 ★★

■ n.c. n.c. + de 76 €

Une mosaïque gallo-romaine représentant trois éphèbes foulant le raisin orne l'étiquette de cette bouteille tout

en devenir. Goudron et café moka dominent l'attaque. Puis l'extrême maturité de la vendange s'impose au palais en même temps qu'une puissance tannique impressionnante avec des tanins encore serrés. Il faudra s'armer de patience avant de succomber au charme de ce grand vin.
☎ E. Guigal, Ch. d'Ampuis, 69420 Ampuis, tél. 04.74.56.10.22, fax 04.74.56.18.76, e-mail contact@guigal.com ⊤ ⚥ r.-v.

B. LEVET 2001

	3,55 ha	18 000	⏸ 15 à 23 €

Bernard Levet se consacre depuis 1983 à la seule – mais merveilleuse – côte-rôtie. On peut regretter que la dégustation de ce 2001 révèle une forte extraction au détriment de la finesse ; mais il faut reconnaître que les tanins sont bien présents, jeunes et de qualité, laissant tout espoir pour un heureux vieillissement. Le côté fruité et animal accroche bien ce vin à son appellation.
☎ Bernard Levet, 26, bd des Allées, 69420 Ampuis, tél. 04.74.56.15.39, fax 04.74.56.19.75 ☑ ⊤ ⚥ r.-v.

VIGNOBLES DU MONTEILLET Fortis 2002

	0,6 ha	3 000	⏸ 30 à 38 €

C'est un vin à apprécier pour sa finesse et son fruit. Cela vous permettra de faire vieillir en cave les autres millésimes, notamment le 2000 qui fut coup de cœur resté dans les mémoires comme l'archétype des côte-rôtie. L'expression ici est plus fidèle au millésime.
☎ Vignobles Antoine et Stéphane Montez, Dom. du Monteillet, 42410 Chavanay, tél. 04.74.87.24.57, fax 04.74.87.06.89, e-mail stephane.montez@worldonline.fr ☑ ⊤ ⚥ r.-v.

LA MOULINE Côte blonde 2000 ★★★

	n.c.	n.c.	+ de 76 €

C'est au château d'Ampuis, inscrit à l'Inventaire des Monuments historiques, que siège la famille Guigal. Philippe, œnologue, le jeune fils unique de Marcel, participe désormais au renom de la maison. Le ruisseau du Reynard sépare la Côte Brune en amont, uniquement plantée de syrah, de la Côte Blonde en aval où le viognier vient apporter sa note à la syrah. Le fin filet doré qui enveloppe cette bouteille est sûrement là pour qu'on lui tresse une couronne dorée comme pour le sacre d'un roi – non pas à Reims mais à Lyon où règne le primat des Gaules. C'est un travail d'orfèvre que l'on découvre. Finesse et élégance dominent ce vin profond d'où se dégagent des notes de fruits rouges macérés dans une bonne fraîcheur. Il y a de la puissance, la vraie, celle qui n'a pas besoin de s'affirmer mais qui s'impose.

☎ E. Guigal, Ch. d'Ampuis, 69420 Ampuis, tél. 04.74.56.10.22, fax 04.74.56.18.76, e-mail contact@guigal.com ⊤ ⚥ r.-v.

MOUTON PERE ET FILS 2002 ★

	0,6 ha	2 300	▮⏸ 15 à 23 €

Les dégustateurs reconnaissent unanimement que c'est un joli vin pour le millésime. Sa robe sombre à reflets rubis brille joliment. Le nez marie les fruits noirs (dominants) et un fin boisé. On retrouve celui-ci bien intégré et une belle matière en bouche avec des tanins structurés et puissants. Des notes de torréfaction dominent l'ensemble. Impressionnant pour un 2002 !
☎ André et Jean-Claude Mouton, Le Rozay, 69420 Condrieu, tél. 04.74.87.82.36, fax 04.74.87.84.55, e-mail gaec.mouton@terre-net.fr ☑ ⊤ ⚥ r.-v.

DOM. DE ROSIERS 2002 ★

	7 ha	33 000	⏸ 23 à 30 €

A 5 km d'Ampuis, l'île du Beurre est un observatoire de la nature. Les sols granitiques et schisteux de la côte-rôtie ont donné, dans ce millésime, un vin qui se présente dans un style fin et élégant, digne d'un grand couturier. 3 % de viognier complète la syrah. Taillé dans les meilleures étoffes, ce 2002 a choisi des parfums de torréfaction, de fumé, de fruits rouges et de vanille.
☎ Louis Drevon, 3, rue des Moutonnes, 69420 Ampuis, tél. 04.74.56.11.38, fax 04.74.56.13.00, e-mail ldrevon@terre-net.fr ☑ ⊤ ⚥ r.-v.

SEIGNEUR DE MAUGIRON 2001

	n.c.	20 000	⏸ 30 à 38 €

Voici une cuvée célèbre dont l'assemblage représente 70 % de Côte Brune et 30 % de Côte Blonde ; la vinification débute par trois jours de macération préfermentaire à froid. La fermentation malolactique est réalisée en fût de chêne. Cela donne un vin très velouté, très fruité (cassis) et vif en finale. Plutôt commercial, il est déjà à boire sur une viande rouge.
☎ Maison Delas, ZA de l'Olivet, 07300 Saint-Jean-de-Muzols, tél. 04.75.08.60.30, fax 04.75.08.53.67, e-mail jacques-grange@delas.com ☑ ⊤ ⚥ r.-v.
☎ Deutz

LA TURQUE 2000 ★★

	n.c.	n.c.	+ de 76 €

Les fortes pentes (plus de 65 %) de ce vignoble en terrasse rendent périlleux les travaux de la vigne. Acquis en 1946 par Etienne Guigal, ce terroir est devenu l'un des plus célèbres des temps actuels – mais il faut se souvenir que Pline, déjà, regrettait que les vins de Vienne soient trop chers. Certes, le prix en est élevé, mais quel plaisir unique procure cette bouteille de longue garde ! On y retrouve un air de la Landonne avec encore plus de puissance. Ce vin a l'architecture d'une œuvre de Mario Botta : on peut le comparer à la chapelle Sainte-Marie-des-Anges du mont Tamaro dans le Tessin, une puissance brute complétée par les fresques du peintre Enzo Cucchi. Ici, la puissance brute, c'est l'imposante dimension de la structure tannique. Les fresques sont dessinées par les arômes de cerise noire et le côté fumé. Un ensemble indiscutablement moderne mais qui puise ses racines dans un concept classique.

⊶ E. Guigal, Ch. d'Ampuis, 69420 Ampuis,
tél. 04.74.56.10.22, fax 04.74.56.18.76,
e-mail contact@guigal.com Y 🚶 r.-v.

DOM. GEORGES VERNAY Maison rouge 2001 *

■ 1,5 ha 4 000 ▮ 38 à 46 €

Il est difficile de départager les cuvées Blonde du Seigneur et Maison rouge, tant elles sont proches et aptes toutes les deux au vieillissement. Elles reçoivent la même distinction. Notre préférence va toutefois à la Maison rouge. Un vin riche et charnu, avec une bonne structure tannique qui lui confère puissance et concentration. Le nez est fin et élégant dans des touches de tabac blond, de boisé vanillé, de notes empyreumatiques et florales. La **Blonde du Seigneur 2001 (30 à 38 €)** est plus classique, sur des notes animales.

⊶ Dom. Georges Vernay, 1, rte Nationale,
69420 Condrieu, tél. 04.74.56.81.81, fax 04.74.56.60.98,
e-mail pa@georges-vernay.fr ☒ Y 🚶 r.-v.

BRUNE ET BLONDE DE VIDAL-FLEURY 2000 *

■ 9,3 ha 45 000 ▮ 30 à 38 €

Cette maison, rachetée par Marcel Guigal en 1986, est l'une des plus anciennes de France puisqu'elle fut créée en 1781. Elle participa d'ailleurs à un banquet offert en l'honneur de Thomas Jefferson – l'un des meilleurs connaisseurs de la viticulture européenne de la fin du XVIII[e]s. qu'il décrivit dans ses carnets de voyage avant de devenir le troisième président des Etats-Unis. Une belle robe grenat habille cette bouteille qui doit absolument vieillir deux ans dans une bonne cave où elle gagnera en complexité. Le nez développe des arômes de cerise (burlat), de truffe et de musc. La bouche, bien structurée par des tanins de qualité, encore boisée, offre une finale animale. Un équilibre prometteur.

⊶ J. Vidal-Fleury, 19, rte de la Roche, 69420 Ampuis,
tél. 04.74.56.10.18, fax 04.74.56.19.19,
e-mail vidal.fleury@wanadoo.fr ☒ Y r.-v.

Condrieu

Le vignoble est situé à 11 km au sud de Vienne, sur la rive droite du Rhône et sur des sols granitiques. Seuls les vins provenant uniquement du cépage viognier peuvent bénéficier de l'appellation. L'aire d'appellation, répartie sur sept communes et trois départements, n'a qu'une superficie de 112,65 ha. Ces caractéristiques contribuent à donner au condrieu une image de vin très rare puisqu'il n'a produit que 2 788 hl en 2003. Blanc, il est riche en alcool, gras, souple, mais avec de la fraîcheur. Très parfumé, il exhale des arômes floraux – où domine la violette – et des notes d'abricot. Un vin unique, exceptionnel et inoubliable, à boire jeune (sur toutes les préparations à base de poisson), mais qui peut se développer en vieillissant. Il apparaît depuis peu une production de vendanges tardives avec des tries successives des raisins (allant parfois jusqu'à huit passages par récolte).

LAURENT BETTON 2002 *

□ 1,7 ha 2 000 ⤓ ▮ ∤ 15 à 23 €

Un vignoble encore jeune, de quinze ans d'âge, mais qui tire son épingle du jeu. Un vin qui joue sur le floral très intense. La vinification arrive à créer un bon équilibre : le bois est bien associé et bien marié au raisin. L'ensemble donne une impression de souplesse et de gras.

⊶ Laurent Betton, La Côte, 42410 Chavanay,
tél. 04.74.87.08.23, fax 04.74.87.08.23 ☒ Y 🚶 r.-v.

PATRICK ET CHRISTOPHE BONNEFOND Côte Chatillon 2003

□ 1 ha 3 000 ▮ 23 à 30 €

25 août 2003 : les raisins sont vendangés, la fermentation alcoolique et malolactique pratiquée en fût. Une robe jaune clair, limpide et brillante entoure un nez qui délivre une bonne intensité mélangeant abricot, peau de pêche et une pointe de minéralité. L'attaque est souple et ronde. On a une belle expression du viognier septentrional. Le temps devrait permettre l'expression du terroir. (Bouteilles de 37,5 cl.)

⊶ Patrick et Christophe Bonnefond,
Mornas, 69420 Ampuis,
tél. 04.74.56.12.30, fax 04.74.56.17.93 ☒ Y 🚶 r.-v.

CAVE DE CHANTE-PERDRIX 2002

□ 1,2 ha 4 000 ⤓ ▮ ∤ 15 à 23 €

Née en 1928, cette exploitation s'est engagée en viticulture en 1988, lorsque Philippe Verzier décida d'abandonner la polyculture traditionnelle. Même si la moitié de ce vin est passée en fût, cela se perçoit peu au nez, car ce dernier est très fin et très floral. En bouche s'affirment de la vivacité, de la fraîcheur, dans un environnement rond et harmonieux. A servir sur une rigotte de Condrieu.

⊶ Philippe Verzier, 7, Izeras, 42410 Chavanay,
tél. 04.74.87.06.36, fax 04.74.87.07.77,
e-mail chanteperdrixverzier@wanadoo.fr
☒ Y 🚶 mar. jeu. ven. 9h-12h 13h30-18h; f. 1er-15 août

YVES CUILLERON Ayguets 2002 **

□ 1,5 ha 4 000 ▮ 30 à 38 €

Un domaine dont on ne compte plus les sélections et les coups de cœur. « On voudrait trouver un défaut, en vain. » C'est le plus beau compliment que peut faire un dégustateur. On entre ici dans une caverne d'Ali Baba. On ne sait plus où donner de la tête... ou de coups de nez ! Un florilège de senteurs délicates : ambre, réglisse, cire d'abeille, rose trémière. Ce vin prend d'assaut les papilles avec sa richesse onctueuse et comble de bonheur. Élaboré à partir de raisins passerillés, il a tout l'avenir devant lui. (Bouteilles de 50 cl.) En version sec, **Les Chaillets 2002** récoltent une étoile mais ils sont encore marqués par le boisé ; le **Vertige 2001** (38 à 46 €), tout en délicatesse, est cité.

☛ Yves Cuilleron, 58, RN 86, Verlieu,
42410 Chavanay, tél. 04.74.87.02.37, fax 04.74.87.05.62,
e-mail ycuiller @ terre-net.fr ☑ ϒ ⋏ r.-v.

PHILIPPE FAURY La Berne 2002 ★

0,6 ha	2 000	▮ ◫ ⬇ 23 à 30 €

La maison de Philippe Faury est construite avec les roches granitiques du pays, celles qu'affectionne le viognier. La **cuvée traditionnelle 2002** (15 à 23 €) et cette bouteille obtiennent la même distinction. La première pour sa délicatesse et son moelleux, la seconde pour son harmonie. D'un beau jaune pâle brillant et limpide où scintille un léger reflet vert, ce vin exhale de délicieuses notes de grillé, de vanille, d'amande et d'abricot. Il a un côté chaleureux mais conserve un bon équilibre où la fraîcheur du pamplemousse et le citron viennent contrebalancer l'abricot sec et le miel.

☛ EARL Philippe Faury, La Ribaudy,
42410 Chavanay, tél. 04.74.87.26.00, fax 04.74.87.05.01,
e-mail p.faury @ 42.sideral.fr ☑ ⌂ ϒ ⋏ r.-v.

PIERRE GAILLARD 2003 ★

1,5 ha	n.c.	◫ 23 à 30 €

Pierre Gaillard aime les vignobles pentus ! Il s'est installé à Banyuls, dans le Roussillon, là où les paysages sont tout aussi fabuleux qu'ici, avec en prime, un fond de Méditerranée. C'est en 1981 qu'il achète ses premières vignes à Saint-Joseph. Il possède aujourd'hui une vingtaine d'hectares et son siège reste dans le joli village médiéval de Malleval. Ce vin, vinifié en barrique dans laquelle il fait sa malo et est élevé six mois, offre une belle robe dorée d'un jaune intense. Le jury a apprécié sa délicatesse qui mélange fleurs et notes boisées, sa bouche très plaisante, pleine de générosité et de gras.

☛ EARL Pierre Gaillard, Chez Favier,
42520 Malleval, tél. 04.74.87.13.10, fax 04.74.87.17.66,
e-mail vinsp.gaillard @ wanadoo.fr ☑ ϒ ⋏ r.-v.

LA GALOPINE 2002 ★

n.c.	13 000	▮ ⬇ 15 à 23 €

Quelques kilomètres avant de franchir le Doux en direction de Tournon, Saint-Jean-de-Muzols abrite le siège de la maison Delas, fondée en 1835 et liée depuis longtemps au champagne Deutz. Une robe jaune pâle aux reflets verts habille ce condrieu chaleureux. Délivrant des senteurs de roses délicates, d'abricot et de mangue, il est tout en nuances. Gras et présent, le palais évolue en procurant une intense satisfaction. On nous conseille de le goûter sur des asperges qui – comme vous le savez – sont un met très difficile à allier au vin.

☛ Maison Delas,
ZA de l'Olivet, 07300 Saint-Jean-de-Muzols,
tél. 04.75.08.60.30, fax 04.75.08.53.67,
e-mail jacques-grange @ delas.com ☑ ϒ ⋏ r.-v.
☛ Champagne Deutz

JEAN-MICHEL GERIN La Loye 2003

2 ha	5 000	◫ 23 à 30 €

Le vin était encore sur la réserve lors de la dégustation. Sa présence devrait cependant s'affirmer car déjà pointe de la fraîcheur sur des notes boisées, florales et de pêche jaune. La bouche confirme totalement la nuance fruitée. Tout promet un vin harmonieux.

☛ Jean-Michel Gerin,
19, rue de Montmain, 69420 Ampuis,
tél. 04.74.56.16.56, fax 04.74.56.11.37 ☑ ϒ r.-v.

DOM. DU MONTEILLET 2002

1,6 ha	7 500	◫ 23 à 30 €

La vinification et l'élevage s'effectuent par tiers en fût : fût neuf, fût d'un vin et fût de deux vins pendant dix mois. Cela donne un vin jaune paille limpide aux notes vanillées, de poire, de cannelle, d'orange et d'abricot. La finale est un peu vive et vient diminuer aujourd'hui le plaisir. Mais le corps a de la ressource.

☛ Vignobles Antoine et Stéphane Montez,
Dom. du Monteillet, 42410 Chavanay,
tél. 04.74.87.24.57, fax 04.74.87.06.89,
e-mail stephane.montez @ worldonline.fr ☑ ϒ ⋏ r.-v.

DIDIER MORION 2002 ★★

1 ha	3 000	▮ ◫ ⬇ 15 à 23 €

Jusqu'en 1993, le domaine familial situé dans le Parc du Pilat était en polyculture. Didier Morion l'a depuis dédié à la seule vigne. Elevé pour moitié en cuve Inox et en barrique avec bâtonnage sur lie, ce vin donne une très bonne impression. Impression que rien ne manque, ni le sérieux, ni le plaisir. Il joue sur le subtil, souple et gras, laissant sur le souvenir de notes de violette et d'abricot. Caractéristique du condrieu, il fait honneur à son appellation.

☛ Didier Morion, Epitaillon, 42410 Chavanay,
tél. 04.74.87.26.33, fax 04.74.48.23.57,
e-mail domaine.didier.morion @ wanadoo.fr
☑ ϒ ⋏ r.-v.

MOUTON PERE ET FILS Côte Bonnette 2003 ★

1,3 ha	2 600	▮ ◫ ⬇ 15 à 23 €

Vendangé le 22 août 2003, ce condrieu ne laisse pas insensible. Il fait une patte de velours, mais on le sent prêt à bondir toutes griffes dehors pour laisser admirer sa force ; il est pour l'instant assoupi, dormant d'un œil. Il affiche une pelage jaune clair et respire l'abricot. Des notes de jonquille donnent une finale agréable.

☛ André et Jean-Claude Mouton,
Le Rozay, 69420 Condrieu,
tél. 04.74.87.82.36, fax 04.74.87.84.55,
e-mail gaec.mouton @ terre-net.fr ☑ ϒ ⋏ r.-v.

ANDRE PERRET Chery 2002 ★★

3 ha	8 000	◫ 23 à 30 €

« Voilà un vrai condrieu ! », s'exclame un dégustateur. D'une grande typicité, il frôle l'excellence, tant au nez qu'en bouche. Un formidable travail d'équilibriste avec le bois. Tout est dans le ton. Violette, abricot, pêche participent de la recherche de la complexité, sans être pour autant un fouillis de senteurs. Un régal en bouche, où tout est en place et où la longueur étonne merveilleusement. Pas de doute, c'est un vin que l'on chérit.

🔑 André Perret, 17, RN 86, Verlieu, 42410 Chavanay, tél. 04.74.87.24.74, fax 04.74.87.05.26 ☑ Y 🚶 r.-v.

CHRISTOPHE PICHON 2002 ★★

□ 4 ha 18 000 ▮◐🌡 15 à 23 €

Christophe Pichon s'est installé dans le Parc du Pilat en 1987 sur 6 ha. Ce millésime révèle ses talents de vinificateur. Le jury aime la grande fraîcheur de ce condrieu jaune pâle aux reflets verts très clairs, au nez à la fois floral (violette, aubépine) et fruité (pêche-abricot et citron vert). Cette bouteille garde un bon équilibre avec beaucoup de gras. Un vin blanc sec excellent pour le 2002.

🔑 Christophe Pichon, 36, Le Grand Val, Verlieu, 42410 Chavanay, tél. 04.74.87.06.78, fax 04.74.87.07.27, e-mail christophe.pichon@terre-net.fr ☑ Y 🚶 r.-v.

DOM. RICHARD L'Amaraze 2002 ★

□ 1,8 ha 6 500 ▮◐🌡 15 à 23 €

Le Parc naturel régional du Pilat, créé en 1974, s'étend sur près de 65 000 ha. Occupé de tout temps par l'homme, il fourmille de vestiges. Son intérêt premier réside dans le fait qu'il est vivant, l'activité rurale y étant forte, la viticulture en particulier, comme le montre cette sélection. Ce viticulteur apporte beaucoup de soin à son produit. Vendangé en caisses de 30 kg, le raisin est trié, égrappé et pressé en pressoir pneumatique ; le moût subit un débourbage au froid (10 °C) pendant 48 h. La fermentation se fait en cuve Inox à la température de 18 °C. 40 % passent en fût. Cela donne un vin vif, frais, avec des notes de citron vert, de pamplemousse, d'aubépine et d'abricot sec.

🔑 Hervé et Marie-Thérèse Richard, 3, RN 86, Verlieu, 42410 Chavanay, tél. 04.74.87.07.75, fax 04.74.87.05.09, e-mail earl.caverichard@42.sideral.fr ☑ Y 🚶 r.-v.

DOM. GEORGES VERNAY
Les Terrasses de l'Empire 2002

□ 4 ha 20 000 ▮🌡 23 à 30 €

Georges Vernay, personnalité forte et exigeante, a confié son domaine de 17 ha à sa fille Christine. Vendangés le 13 septembre 2002, les viogniers âgés de 35 ans ont été élevés en cuves Inox. Ce vin n'était pas dans sa meilleure forme quand le jury s'est réuni le 11 mars 2004. Il semblait être sur la réserve. Empreint de fraîcheur, il évoquait des arômes de violette. On sent le printemps qui arrive...

🔑 Dom. Georges Vernay, 1, rte Nationale, 69420 Condrieu, tél. 04.74.56.81.81, fax 04.74.56.60.98, e-mail pa@georges-vernay.fr ☑ Y 🚶 r.-v.

🔑 Christine Vernay

DOM. FRANCOIS VILLARD
Quintessence 2000 ★★

□ 1 ha 4 000 ◐ 30 à 38 €

« De l'or en fusion », commente un membre du jury. De l'or à profusion, pourrait-on dire, tant est riche ce vin, un vin exubérant, « une expression body-buildée du viognier », dit un autre dégustateur. Très complexe, il décline des notes de miel, de cire d'abeille, d'agrumes, de fruits confits, de fruits secs. Une très grande longueur, de l'ampleur et une sucrosité aérienne : une bouteille à servir sur un dessert à l'orange confite et au chocolat.

🔑 Dom. François Villard, Montjoux, 42410 Saint-Michel-sur-Rhône, tél. 04.74.56.83.60, fax 04.74.56.87.78 ☑ Y r.-v.

Saint-joseph

Sur la rive droite du Rhône, dans le département de l'Ardèche, l'appellation saint-joseph s'étend sur vingt-six communes de l'Ardèche et de la Loire et totalise environ 980 ha (974,78 ha déclarés en 2003). Les coteaux sont constitués de pentes granitiques rudes, qui offrent de belles vues sur les Alpes, le mont Pilat et les gorges du Doux. Issus de syrah, les saint-joseph rouges (23 061 hl en 2003) sont élégants, fins, relativement légers et tendres, avec des arômes subtils de framboise, de poivre et de cassis, qui se révéleront sur les volailles grillées ou sur certains fromages. Les vins blancs (2 002 hl), issus des cépages roussanne et marsanne, rappellent ceux de l'hermitage. Ils sont gras, avec un parfum délicat de fleurs, de fruits et de miel. Il est conseillé de les boire assez jeunes.

DOM. DES AMPHORES Les Mésanges 2002 ★

■ 0,5 ha 2 000 ◐ 8 à 11 €

De nombreux circuits sont ouverts dans le Parc naturel régional du Pilat. Chavanay est un vieux bourg qui donne à voir ses maisons du XVIe s. Ce domaine est constitué de l'une des maisons-fermes typiques à ne pas manquer. Installés en 1994, les Grenier ont entamé une reconversion en agriculture biologique en 2002 et effectué des plantations en condrieu en 2003. Cuvaison de vingt jours avec remontages, pigeages et délestages, une méthode qui montre une volonté d'extraction maximum. Celle-ci amène de l'agressivité au vin, qui a besoin de trois ans pour se faire. Mais il faut lui reconnaître une belle structure pour le millésime.

🔑 Véronique et Philippe Grenier, Dom. des Amphores, 7, Richagnieux, 42410 Chavanay, tél. 04.74.87.65.32, fax 04.74.87.65.32 ☑ Y 🚶 r.-v.

CUVEE CHAMPTENAUD
Elevé en fût de chêne 2001 ★

■ n.c. 30 000 ◐ 8 à 11 €

Créée en 1960, cette coopérative est située à 16 km au nord de Tournon. Cette cuvée se distingue par un fumé prononcé et demande de l'aération. Elle devra être conservée en cave deux à trois ans. Elle a du gras et de la rondeur, et surtout beaucoup d'harmonie. Un saint-joseph qui fait honneur à l'appellation.

➦ SCA Cave de Sarras, 6, rue du Champ-de-l'Homme, 07370 Sarras, tél. 04.75.23.14.81, fax 04.75.23.38.36, e-mail contact@cavedesarras.fr ▣ ⊥ ⋔ r.-v.

M. CHAPOUTIER Deschants 2002 ★

| | n.c. | 16 000 | | 11 à 15 € |

Michel Chapoutier fait graver ses étiquettes en braille. Ces deux saint-joseph sont aptes à éveiller les sens des aveugles... comme des voyants. C'est une marsanne pure qui développe des arômes floraux et fruités avec une bonne intensité citronnée, puis une bouche fraîche et équilibrée. Un dégustateur note : « J'adore sa complexité délicate et racée, c'est un saint-joseph ! » Un autre : « La finale fruitée est solaire ! » **Les Granits rouge 2002 (46 à 76 €)**, cuvée confidentielle de 4 000 bouteilles, obtiennent une étoile : un vin tout en puissance, persistant, aromatique, qu'il faudra attendre.
➦ Maison M. Chapoutier, 18, av. du Dr-Paul-Durand, BP 38, 26601 Tain-l'Hermitage Cedex, tél. 04.75.08.28.65, fax 04.75.08.81.70, e-mail chapoutier@chapoutier.com ▣ ⊥ ⋔ r.-v.

DOM. COURBIS Les Royes 2002 ★

| ■ | 4 ha | 8 000 | | 15 à 23 € |

Les années se suivent et se ressemblent pour ce domaine étoilé pour la même cuvée dans le millésime antérieur. Ce 2002 est encore jeune dans sa robe intense ; son nez joue sur un boisé bien maîtrisé, les fruits rouges, le sous-bois. Après une attaque souple, le palais est bien accompagné par des tanins fins qui s'expriment plus fermement en finale. Ce vin a besoin de s'affirmer. La **cuvée principale Domaine Courbis rouge 2002 (11 à 15 €)** offrira un plaisir immédiat ; elle est citée.
➦ EARL Dom. Courbis, rte de Saint-Romain, 07130 Châteaubourg, tél. 04.75.81.81.60, fax 04.75.40.25.39, e-mail domaine-courbis@wanadoo.fr ▣ ⊥ ⋔ r.-v.

PIERRE COURSODON
Le Paradis Saint-Pierre 2002 ★★

| | 0,8 ha | 3 000 | | 15 à 23 € |

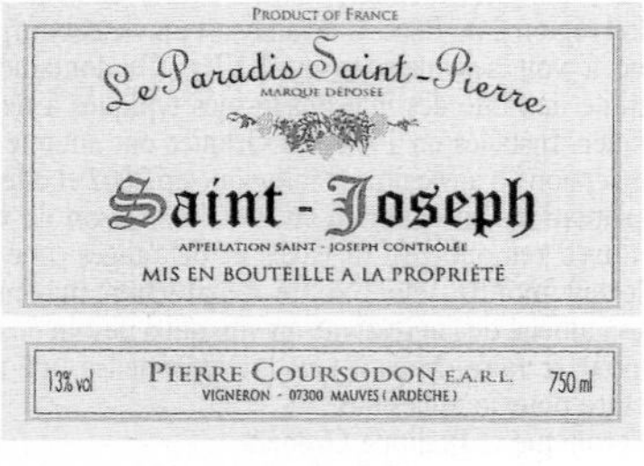

Après avoir brillé de milles feux dans les éditions antérieures du Guide, cette cuvée réitère l'exploit mais en changeant de couleur. Blanc issu uniquement de marsanne, de vieilles vignes à petits rendements (24 hl/ha). La fermentation a lieu à 18 °C. Beaucoup de maîtrise dans l'élaboration de ce vin fin, floral, aux arômes de pêche, à la bouche conjuguant gras et fraîcheur, et d'une grande longueur. La petite récolte du domaine en **rouge 2002** reçoit une étoile pour son élégance.
➦ EARL Pierre Coursodon, pl. du Marché, 07300 Mauves, tél. 04.75.08.29.27, fax 04.75.08.75.72, e-mail pierre.coursodon@wanadoo.fr ▣ ⊥ r.-v.

CUILLERON Saint-Pierre 2002 ★

| | 1 ha | 5 000 | | 15 à 23 € |

Une roussanne pure vinifiée en barrique qui donne un vin intense, grillé et beurré, notes auxquelles viennent s'ajouter en finale une pointe d'agrumes. Il ressort une impression de puissance en bouche, de la rondeur et de l'ampleur.
➦ Yves Cuilleron, 58, RN 86, Verlieu, 42410 Chavanay, tél. 04.74.87.02.37, fax 04.74.87.05.62, e-mail ycuiller@terre-net.fr ▣ ⊥ ⋔ r.-v.

DOM. FARJON 2002 ★

| | 0,6 ha | 1 500 | | 8 à 11 € |

A la vue, on se croirait à la moisson : la couleur jaune paille éclatant ravit les yeux. Le jaune domine ce vin, car des notes safranées apparaissent en dégustation. Il y a de la fraîcheur, de l'ampleur, du gras sans excès. Tout en équilibre, cette bouteille peut accompagner un foie gras poêlé.
➦ Thierry Farjon, Morzelas, 42520 Malleval, tél. 04.74.87.16.84, fax 04.74.87.95.30 ▣ ⊥ ⋔ r.-v.

PIERRE FINON Les Rocailles 2002 ★

| ■ | 2 ha | 7 000 | | 11 à 15 € |

Un rubis profond aux reflets violacés habille cette cuvée. La légère acidité présente vient rehausser les arômes de cassis et de mûre qui sont accompagnés par des notes poivrées et vanillées. La structure tannique bien présente laisse le temps au temps (deux à trois ans pour un plein épanouissement). La **cuvée traditionnelle rouge 2002 (8 à 11 €)** est citée. Il ne lui manque pas grand-chose pour briller d'une étoile.
➦ Pierre Finon, Picardel, 07340 Charnas, tél. 04.75.34.08.75, fax 04.75.34.06.78 ▣ ⊥ ⋔ r.-v.

GILLES FLACHER 2002 ★

| | 0,4 ha | 1 500 | | 8 à 11 € |

Créé en 1806, ce domaine familial compte 7 ha de vignes en coteaux. Marsanne (60 %) et roussanne composent ce blanc jaune pâle brillant, éclatant même, aux beaux reflets verts, qui, par sa présentation, charme déjà. Bien que le fût masque en partie les arômes, il dévoile de la complexité tout en restant subtil sur des notes fruitées et florales. Il est vif, mais il sait garder un bel équilibre. La **cuvée Prestige rouge 2002**, encore tannique et marquée par quatorze mois d'élevage sous bois, n'en est pas moins ronde et fruitée ; elle est citée.
➦ Gilles Flacher, Le Village, 07340 Charnas, tél. 04.75.34.09.97, fax 04.75.34.09.96 ▣ ⊥ ⋔ r.-v.

PIERRE GAILLARD Clos de Cuminaille 2002 ★

| ■ | n.c. | 13 500 | ■ ▣ ⬙ | 15 à 23 € |

En 1981, Pierre Gaillard achète ses premières terres en saint-joseph et fait revivre le Clos de Cuminaille. Beau parcours depuis vingt ans. Il offre un vin plein de jeunesse, un vin prêt mais qui peut attendre et qui s'exprime déjà avec beaucoup de finesse sur des notes de fruits rouges mêlées à du boisé. La cuvée **Les Pierres rouge 2002**, encore très marquée par le bois neuf, reçoit une étoile.
➦ EARL Pierre Gaillard, Chez Favier, 42520 Malleval, tél. 04.74.87.13.10, fax 04.74.87.17.66, e-mail vinsp.gaillard@wanadoo.fr ▣ ⊥ ⋔ r.-v.

PIERRE GONON Les Oliviers 2002

| | 2 ha | 5 000 | | 15 à 23 € |

Mauves, à 3 km de Tournon, possède un beau terroir d'argile sur arène granitique sur lequel le père de Pierre

Gonon a constitué son domaine en 1956. Depuis 1989, Pierre s'attache à le mettre en valeur, avec succès si l'on compte ses nombreuses sélections par les jurys du Guide. Ce 2002 ? Une marsanne dominante (85 %), avec de la roussanne qui fournit un nez délicat et élégant dans des notes florales. Doté d'un bel équilibre entre l'acidité et les arômes, ce vin harmonieux pourra accompagner un ris de veau à la crème et aux chanterelles.

🔑 Pierre Gonon, 34, av. Ozier, 07300 Mauves, tél. 04.75.08.45.27, fax 04.75.08.65.21 ☑ Y 🚶 r.-v.

🔑

ROLAND GRANGIER Elevé en fût de chêne 2002

■ 2 ha 3 300 ◍ 5 à 8 €

Roland Grangier reprend en 2002 ce domaine familial de 5 ha dont les vignes ont trente-cinq ans. Voici le vin au plus petit prix parmi ceux qui ont été présentés dans cette appellation. Il est facile à boire, car sa structure est relativement légère mais bien équilibrée par des tanins fins entourés de notes fruitées (myrtille) et épicées. A servir légèrement frais avec une côte de bœuf grillée.

🔑 Dom. Roland Grangier, Chantelouve, 42410 Chavanay, tél. 04.74.56.20.14, fax 04.74.56.20.14 ☑ Y 🚶 r.-v.

DOM. BERNARD GRIPA 2002 ★★

▒ 3,07 ha 15 000 ▮ ◍ ⫯ 15 à 23 €

Installée à Saint-Péray au XVIIe s., la famille Gripa s'exile... à Mauves en 1850, à 3 km du château de Tournon. Petit voyage au cœur des vignes. Un savant dosage de fermentation en cuve Inox et en partie en fût neuf pendant neuf mois fournit un vin d'un bel équilibre et à la fraîcheur remarquable. Le jury apprécie la grande finesse de ses arômes de fleurs et d'amande, et son palais plaisant et gourmand. Le **rouge 2002**, dans lequel on reconnaît une belle maturité de la vendange, est cité.

🔑 Dom. Bernard Gripa, 5, av. Ozier, 07300 Mauves, tél. 04.75.08.14.96, fax 04.75.07.06.81 ☑ Y 🚶 r.-v.

VIGNOBLES DU MONTEILLET Fortior 2002 ★★

■ 1,4 ha 7 000 ◍ 15 à 23 €

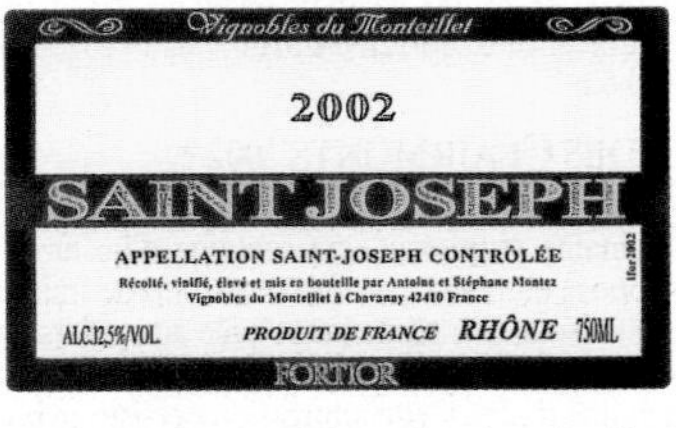

De ce domaine conduit par la même famille depuis le début du XVIIIe s., on jouit d'une vue superbe sur les Alpes et sur le Vercors. Ce vin est lui aussi superbe, comme le millésime qui l'a précédé, également coup de cœur. Pas de doute, ce domaine a réussi son 2002. La **cuvée du Papy rouge 2002** et ce Fortior reçoivent chacun deux étoiles. Intéressons-nous à ce dernier. Le coup de cœur couronne un vin qui a encore besoin d'évoluer pour atteindre sa plénitude. Il offre pourtant déjà un bel équilibre entre la puissance aromatique (fruits noirs) et la finesse des tanins. L'acidité est juste marquée pour rehausser le tout. Cette cuvée est élevée en demi-muids dont 50 % sont neufs, celle du Papy en fûts dont 50 % sont neufs.

🔑 Vignobles Antoine et Stéphane Montez, Dom. du Monteillet, 42410 Chavanay, tél. 04.74.87.24.57, fax 04.74.87.06.89, e-mail stephane.montez@worldonline.fr ☑ Y 🚶 r.-v.

ALAIN PARET 420 Nuits 2002 ★

■ 4 ha 16 000 ◍ 15 à 23 €

On ne va plus vous raconter l'histoire des 420 Nuits, mais on peut vous dire que cette vendange née sur le coteau de Rochecourbe a été égrappée totalement, a subi une fermentation longue et la pratique du délestage. Ensuite, le fût neuf, et vous connaissez la suite. Ce vin a beaucoup de rondeur, de gras et d'harmonie. Marqué par son élevage en barrique, il dégage aussi une grande finesse sur des notes fruitées (cassis, fraise des bois). « Un saint-joseph comme on les aime », dit un dégustateur.

🔑 Alain Paret, pl. de l'Eglise, 42520 Saint-Pierre-de-Bœuf, tél. 04.74.87.12.09, fax 04.74.87.17.34 ☑ Y 🚶 r.-v.

ANDRE PERRET 2002

■ 5 ha 20 000 ◍ 8 à 11 €

Coup de cœur l'an dernier en condrieu, André Perret, ancien biologiste, agrandit le domaine familial depuis 1985. Vendangé le 25 septembre 2002, son saint-joseph se présente dans une belle robe profonde rouge violacé. Il y a beaucoup de fruits frais (cerise, framboise) au nez comme en bouche, mais celle-ci est encore trop jeune pour dire ce qu'elle est, et sa finale est encore très tannique. Cette bouteille devrait s'affiner avec le temps.

🔑 André Perret, 17, RN 86, Verlieu, 42410 Chavanay, tél. 04.74.87.24.74, fax 04.74.87.05.26 Y 🚶 r.-v.

DOM. DE PIERRE BLANCHE 2002

■ 4,5 ha 12 000 ◍ 8 à 11 €

Créé en 1992, ce domaine dispose de jeunes vignes. Son 2002 n'est est pas moins intéressant. C'est le côté fruits noirs cuits (cassis) mêlé à la cerise (griotte) qui accompagne toute la dégustation. Une bonne acidité permet de révéler et de soutenir cette dominante avec juste un peu de tanins pour lui donner de l'ampleur.

🔑 Xavier Mourier, RN 86, Chanson, 42410 Chavanay, tél. 04.74.87.04.07, fax 04.74.87.04.07 ☑ Y 🚶 r.-v.

DOM. RICHARD Les Nuelles Vieilles Vignes 2001 ★

■ 1,5 ha 6 000 ◍ 11 à 15 €

C'est à l'intérieur du Parc naturel régional du Pilat que vous découvrirez ce domaine, à l'origine en polyculture, et depuis 1989 entièrement voué à la vigne. Après deux ans d'élevage, voici un vin typique du millésime 2001. Réservé et sévère, il est à attendre quelques années. On devine toutefois que son nez sera complexe. En bouche, si les tanins sont encore serrés, le corps est bien constitué, assez riche, et laisse poindre des notes fruitées et épicées, même si le bois est encore marqué. Patience, donc !

🔑 Hervé et Marie-Thérèse Richard, 3, RN 86, Verlieu, 42410 Chavanay, tél. 04.74.87.07.75, fax 04.74.87.05.09, e-mail earl.caverichard@42.sideral.fr ☑ Y 🚶 r.-v.

CAVE DE SAINT-DESIRAT
Cuvée des Mariniers 2002

■ 35 ha 150 000 ▮ ◍ ⫯ 8 à 11 €

On vous a déjà parlé de la belle étiquette de ce vin, qui figure d'ailleurs parmi celles qu'Anthony Rowley a choisies pour illustrer son livre *L'Etiquette du vin*. Difficile de départager les cuvées **Côte-Diane rouge 2002,**

Ex Septentrio rouge 2002 et celle-ci, tant elles ont un air de famille et sont notées de la même façon. Toutes les trois ont beaucoup de fraîcheur et leurs parfums complexes évoquent les fruits noirs et des notes animales. Il ne faudra pas les attendre trop longtemps. Elles offrent un plaisir immédiat qui peut se prolonger deux ans.

🔑 Cave de Saint-Désirat, 07340 Saint-Désirat,
tél. 04.75.34.22.05, fax 04.75.34.30.10,
e-mail cave.saint.desirat@wanadoo.fr ☑ 🚶 r.-v.

VIGNES DE L'HOSPICE 2001 ★

■ 2 ha 10 000 🛢 30 à 38 €

Ce vin provient de l'ancien domaine Jean-Louis Grippat, que la maison Guigal a racheté en 2001. De ses vingt-huit mois de fût, il garde ses notes grillées, mais il n'y a pas que cela. Il faut y ajouter des arômes de fruits rouges compotés et de bâton de réglisse. Il faudra savoir attendre ce vin pour l'apprécier pleinement, mais sa structure équilibrée est prometteuse. Un dégustateur vous suggère de « le boire pour lui-même devant un bon film à la télé. » Le **Lieu-dit Saint-Joseph blanc 2002 (11 à 15 €)**, encore marqué par un passage en fût, présente tous les caractères d'un vin en devenir. Il récolte une étoile. Deux très belles étiquettes.

🔑 E. Guigal, Ch. d'Ampuis, 69420 Ampuis,
tél. 04.74.56.10.22, fax 04.74.56.18.76,
e-mail contact@guigal.com ☑ Ῑ 🚶 r.-v.

FRANCOIS VILLARD Reflet 2001 ★★

■ 2,5 ha 10 000 🛢 23 à 30 €

Ce domaine comblera les amateurs qui ne manqueront pas de lui rendre visite en empruntant la route qui part du hameau de Vérin et permet d'admirer ces paysages somptueux de vignes tombant sur le Rhône. Il n'y a pas de doute, ce vin a du devenir ! Une belle matière bien mise en valeur par le passage en fût neuf pendant vingt-trois mois. Il sera sûrement à son apogée dans deux ans. Déjà il manifeste de la puissance et de la rondeur, et l'âge le laissera affiner une palette aromatique plus complexe encore et développer davantage de fruits. La cuvée **Mairlant blanc 2002 (15 à 23 €)**, au nez puissant de pêche, avec beaucoup de gras, fournit une belle expression aromatique. Elle reçoit deux étoiles.

🔑 Dom. François Villard,
Montjoux, 42410 Saint-Michel-sur-Rhône,
tél. 04.74.56.83.60, fax 04.74.56.87.78 ☑ Ῑ r.-v.

Crozes-hermitage

Cette appellation, couvrant des terrains moins difficiles à cultiver que ceux de l'hermitage, s'étend sur onze communes environnant Tain-l'Hermitage. C'est le plus grand vignoble des appellations septentrionales : la superficie de production est de 1 325,47 ha et le volume a représenté 34 826 hl en rouge et 4 284 hl en blanc en 2003. Les sols, plus riches que ceux de l'hermitage, donnent des vins moins puissants, fruités et à boire jeunes. Rouges, ils sont assez souples et aromatiques ; blancs, ils sont secs et frais, légers en couleur, à l'arôme floral, et, comme les hermitage blancs, ils iront parfaitement sur les poissons d'eau douce.

DOM. BERNARD ANGE Rêve d'Ange 2001 ★

■ 0,8 ha 3 500 🛢 11 à 15 €

La cave de vieillissement a la particularité d'être troglodytique, car elle est installée dans une ancienne carrière de molasse qui était notamment exploitée pour la construction d'édifices religieux. Ce vin est un édifice équilibré dans un style gothique bien ciselé ; il allie une structure imposante à une complexité d'ensemble.

🔑 Bernard Ange, Pont-de-l'Herbasse, 26260 Clérieux,
tél. 04.75.71.62.42, fax 04.75.71.62.42
☑ Ῑ 🚶 t.l.j. sf dim. 9h-19h

YANN CHAVE Cuvée traditionnelle 2002

■ 11 ha 50 500 ▮🛢🌡 8 à 11 €

Né sur sol sableux avec galets, ce vin fut vendangé le 10 septembre 2002. Un beau rouge sombre aux reflets pourpres et mauves flatte l'œil du dégustateur. L'attaque est minérale, suivie de notes fruitées (cassis, framboise, prunelle) qui se marient avec des notes florales (iris notamment). On aurait aimé avoir en bouche plus de structure pour confirmer l'impression olfactive. Mais le millésime est léger et « se boit sans contrainte », note un juré... ce qui ne signifie pas sans modération.

🔑 Yann Chave, La Burge, 26600 Mercurol,
tél. 04.75.07.42.11, fax 04.75.07.47.34

DOM. LES CHENETS Cuvée Mont Rousset 2002 ★

□ 0,86 ha 2 654 🛢 8 à 11 €

Un dégustateur écrit : « Bien typé marsanne ». En effet, c'est une marsanne pure vinifiée en barrique. Encore un peu fermé au nez, le vin franc et net joue sur la finesse et l'élégance. Il faudra attendre deux ans pour qu'il se développe davantage. La **cuvée traditionnelle rouge 2001 (5 à 8 €)**, jugée encore jeune, reçoit une étoile. Elle sera à carafer dans deux ou trois ans et aimera accompagner une viande en sauce ou, pour les amateurs, un gibier aux truffes.

🔑 Dom. Les Chenêts, 26600 Mercurol,
tél. 04.75.07.48.28, fax 04.75.07.45.60
☑ Ῑ 🚶 t.l.j. sf dim. 8h-12h 14h-18h
🔑 Berthoin

CAVE DES CLAIRMONTS 2002 ★

□ 7 ha 7 000 ▮🌡 8 à 11 €

Domaine réunissant une centaine d'hectares, cette cave propose un blanc qui offre beaucoup de fraîcheur. Il se présente sous une teinte jaune pâle aux reflets verts et développe un nez de fruits blancs élégant avec une pointe de minéralité (iode). Cette impression persiste en bouche : c'est un vin intéressant, tout en nervosité. Le **rouge 2002 (5 à 8 €)** obtient une citation. Remarquez la belle conclusion d'un dégustateur qui salue « un beau combat contre l'adversité météorologique ».

🔑 SCA Cave des Clairmonts,
Vignes-Vieilles, 26600 Beaumont-Monteux,
tél. 04.75.84.61.91, fax 04.75.84.56.98,
e-mail cave.clairmonts@wanadoo.fr ☑ Ῑ 🚶 r.-v.

CLOS LES CORNIRETS Vieilles Vignes 2002

■ 0,83 ha 4 800 🛢 11 à 15 €

S'il fallait résumer en deux mots ce vin, on dirait qu'il est léger et flatteur. Ces qualificatifs peuvent s'appliquer aux trois centres de perception. Le côté cerise qui ressort évoque le printemps, quand les premiers rayons réchauffent la nature et que les taches rouges des coquelicots parsèment les verts tendres.

🔑 Cave Fayolle Fils et Fille, 9, rue du Ruisseau, 26600 Gervans, tél. 04.75.03.33.74, fax 04.75.03.32.52, e-mail laurent@cave-fayolle.com ☑ 🍸 🚶 r.-v.

DOM. DU COLOMBIER 2002 ★★

■ 8 ha 26 000 ▮ ◍ ⚲ 8 à 11 €

Lorsque vous choisirez de vous rendre sur ce domaine, n'hésitez pas à prendre votre temps pour découvrir également les paysages somptueux de ces vignobles – surtout à l'automne – en empruntant la route qui mène au belvédère de Pierre Aiguille. Revenons au Colombier, à nouveau couronné par le grand jury des coups de cœur. Florent Viale a bien réussi son millésime. Deux cuvées remarquables : la **cuvée Gaby 2002 (11 à 15 €)** et cette bouteille très intéressante bien que le vin ne se révèle pas tout de suite. Animal à l'approche, tapi dans des senteurs de fruits rouges, frais et compotés, il ne se développe qu'après un bon moment d'aération. Il apparaît alors plein d'élégance et d'une belle structure. La cuvée Gaby est encore plus concentrée mais aussi plus fermée actuellement.

🔑 Dom. du Colombier, SCEA Viale, Mercurol, 26600 Tain-l'Hermitage, tél. 04.75.07.44.07, fax 04.75.07.41.43 ☑ 🍸 🚶 r.-v.

CH. CURSON 2002 ★

■ 5,6 ha 12 000 ◍ 11 à 15 €

Le caveau comporte quatre caves voûtées et est installé dans un château du XVIes. ayant appartenu à Diane de Poitiers. La façade laisse apparaître des fenêtres à meneaux et deux tours. Imposant tout ceci, comme ce joli vin où le bois est dominant, bien intégré dans l'architecture. La puissance accompagne un côté animal et des fruits compotés. Le **blanc 2002**, aux notes de mangue et d'ananas mûrs, est cité.

🔑 Dom. Pochon, Ch. de Curson, 26600 Chanos-Curson, tél. 04.75.07.34.60, fax 04.75.07.30.27, e-mail chateaucurson@freesurf.fr ☑ 🍸 🚶 r.-v.

EMMANUEL DARNAUD 2002 ★

□ n.c. 500 ◍ 8 à 11 €

Vinifiée en barrique, cette marsanne pure est très expressive sur des notes florales (aubépine) et grillées (ou toastées). Du gras enveloppe le tout, ce qui procure un plaisir sans retenue pour une bouteille riche d'un potentiel qui ne manquera pas de se développer dans deux ou trois ans.

🔑 Emmanuel Darnaud, 21, rue du Stade, 26600 La Roche-de-Glun, tél. 04.75.84.81.64, fax 04.75.84.81.64 ☑ 🚶 r.-v.

DELAS Le Clos 2001 ★★

■ n.c. 7 000 ◍ 15 à 23 €

Le Clos, né sur une parcelle de la plaine des Chassis, sur la rive gauche du Rhône, a subi un élevage de seize mois en fût. Il ressort un délicieux velouté au palais. Ce vin qui remplit bien la bouche est d'une bonne concentration qui s'affirme après une attaque sur la mûre et le cassis.

🔑 Maison Delas, ZA de l'Olivet, 07300 Saint-Jean-de-Muzols, tél. 04.75.08.60.30, fax 04.75.08.53.67, e-mail jacques-grange@delas.com ☑ 🍸 🚶 r.-v.

🔑 Champagne Deutz

DOM. DES ENTREFAUX Mercurol Coteau des Pends 2002 ★★

□ 1 ha 5 000 ◍ 11 à 15 €

Un dégustateur écrit : « une vinification et un élevage réussis dans le respect de la typicité de l'appellation. » Il n'y a pas de plus bel hommage pour ce blanc 70 % roussanne, 30 % marsanne vinifié en barrique. Un boisé discret accompagne des notes d'agrumes. De l'ampleur et de l'élégance couronnent le tout. **Les Pends rouge 2002** ainsi que la cuvée traditionnelle **Domaine des Entrefaux rouge 2002 (8 à 11 €)** reçoivent chacun une étoile : deux vins en devenir, puissants et élégants.

🔑 Dom. des Entrefaux, quartier de La Beaume, 26600 Chanos-Curson, tél. 04.75.07.33.38, fax 04.75.07.35.27 ☑ 🍸 🚶 r.-v.

🔑 Tardy

DOM. MICHELAS-SAINT JEMMS La Chasselière 2002

■ 5,5 ha 10 400 ◍ 8 à 11 €

Créé en 1970, ce domaine familial de 45 ha est aujourd'hui conduit par les quatre enfants du fondateur. Voici un vin bien réalisé dans un millésime difficile : il est à la fois structuré et souple, complexe. L'élevage se fait en foudre de 25 hl. Ce 2002 a une robe rouge légère et un nez très ouvert de griotte, poivre, réglisse, moka et cuir. D'une grande fraîcheur, il est à boire dans les deux ans.

🔑 Dom. Michelas-Saint Jemms, Bellevue, Les Chassis, 26600 Mercurol, tél. 04.75.07.86.70, fax 04.75.08.69.80, e-mail michelas.st.jemms@wanadoo.fr

☑ 🍸 t.l.j. sf dim. 9h-12h 14h-18h

DOM. PRADELLE 2003 ★

□ 4,5 ha 10 000 ▮ ⚲ 8 à 11 €

Un soupçon de roussanne (5 %) complète la marsanne, une vinification de trois semaines en cuve. La

RHÔNE

fermentation malolactique est bloquée, ce qui donne une acidité présente en fin de bouche et une impression de fraîcheur qui persiste. Il y a un mélange de fruits exotiques (litchi) et de fleurs blanches qui devrait se développer encore à la sortie du Guide. Le **rouge 2003**, cité, fruité et friand, sera à boire dès cet automne.

⊶ GAEC J. et J.-L. Pradelle, 26600 Chanos-Curson, tél. 04.75.07.31.00, fax 04.75.07.35.34
☑ Y t.l.j. sf dim. 8h-12h 13h30-18h

DOM. DES REMIZIERES
Cuvée particulière 2002 ★★

■	3,5 ha	18 000	⏸	5 à 8 €

Ce domaine de 28 ha propose toujours des vins fort intéressants. Si vous avez choisi de visiter le Palais du facteur Ferdinand Cheval à Hauterives, n'hésitez pas à parcourir les quelques kilomètres qui vous mèneront à Mercurol. Pour cette marsanne pure, vinifiée en macération pelliculaire, en cuve, et élevée sous bois (foudre et demi-muid). Elle apparaît dans une robe jaune pâle aux reflets dorés et brillants. Il y a beaucoup de finesse dans ce vin aux arômes de fruits secs (abricot) mêlés à des notes de fleurs blanches. La **cuvée Christophe blanc 2002 (8 à 11 €)** et la **cuvée Christophe rouge 2002 (11 à 15 €)** reçoivent chacune une étoile. Le blanc pour son gras et le rouge pour son élégance.

⊶ Cave Philippe Desmeure,
Dom. des Rémizières, rte de Romans, 26600 Mercurol,
tél. 04.75.07.44.28, fax 04.75.07.45.87,
e-mail desmeure.philippe@wanadoo.fr ☑ Y ⚐ r.-v.

LES SERINS 2002

■	n.c.	10 000	▮	8 à 11 €

L'attaque est végétale (café vert), puis le premier mouvement est animal (cuir de Russie) et le second est minéral. La finale joue sur les fruits rouges mais se fait attendre. Ces mouvements ne sont pas tous au même diapason, le chant s'en trouve moins harmonieux, mais c'est un fidèle reflet du millésime. Une version authentique, en somme.

⊶ Gabriel Meffre, Le Village, 84190 Gigondas,
tél. 04.90.12.30.22, fax 04.90.12.30.29,
e-mail gabriel-meffre@meffre.com

Hermitage

Le coteau de l'Hermitage, très bien exposé au sud, est situé au nord-est de Tain-l'Hermitage. La culture de la vigne y remonte au IVe s. av. J.-C., mais on attribue l'origine du nom de l'appellation au chevalier Gaspard de Sterimberg qui, revenant de la croisade contre les Albigeois en 1224, décida de se retirer du monde. Il édifia un ermitage, défricha et planta de la vigne.

L'appellation couvre environ 135 ha. Le massif de Tain est constitué à l'ouest d'arènes granitiques, terrain idéal pour la production de vins rouges (les Bessards). Dans les parties est et sud-est, formées de cailloutis et de lœss, se trouvent les zones ayant vocation à produire des vins blancs (les Rocoules, les Murets).

L'hermitage rouge (2 577 hl en 2003) est un vin tannique, extrêmement aromatique, qui demande un vieillissement de cinq à dix ans, voire vingt ans, avant de développer un bouquet d'une richesse et d'une qualité rares. C'est donc un très grand vin de garde, que l'on servira entre 16 °C et 18 °C, sur le gibier ou les viandes rouges goûteuses. L'hermitage blanc (1 060 hl) – roussanne, et surtout marsanne – est un vin très fin, peu acide, souple, gras et parfumé. Il peut être apprécié dès la première année, mais atteindra son plein épanouissement après un vieillissement de cinq à dix ans. Cependant les grandes années, en blanc comme en rouge, peuvent supporter un vieillissement de trente ou quarante ans.

M. CHAPOUTIER Le Pavillon 2002 ★

■	n.c.	6 000	⏸	+ de 76 €

Les vignobles Chapoutier sont tous travaillés en biodynamie, qu'ils soient dans le Rhône, en Provence, dans le Roussillon ou en Australie. Voici l'une de leurs cuvées vedettes. Dommage de l'avoir dégustée si tôt ! Le jury s'accorde à dire que c'est un vin en devenir et qu'il n'apparaît pas pour l'instant dans sa plénitude. Fermé à l'attaque, il fait l'unanimité sur le boisé bien travaillé accompagnant des tanins marqués mais soyeux, n'empêchant pas une jolie rétro sur le fruit. Il demande cinq ans minimum de garde avant de s'offrir totalement à un petit gibier à plume.

⊶ Maison M. Chapoutier, 18, av. du Dr-Paul-Durand, BP 38, 26601 Tain-l'Hermitage Cedex,
tél. 04.75.08.28.65, fax 04.75.08.81.70,
e-mail chapoutier@chapoutier.com ☑ Y ⚐ r.-v.

DOM. JEAN-LOUIS CHAVE 2001 ★★★

■	10 ha	n.c.	⏸	+ de 76 €

Voici le domaine de l'excellence ! Millésime après millésime, le charme de ses vins séduit plus d'un amateur. Ainsi, le jury s'extasie devant ce 2001 qui, dès l'attaque, offre une explosion de petits fruits rouges très mûrs (cassis, groseille), puis développe des arômes épicés, notamment de muscade. Le palais donne une sensation de fraîcheur, tout en nuance et en équilibre et n'en finit pas de charmer. Très agréable maintenant, ce millésime est également doté d'un grand potentiel de vieillissement que lui confère sa remarquable structure tannique : celle-ci ne s'impose pas mais sert de charpente à cette magnifique cathédrale gothique. On entendra teinter les choches de Notre-Dame à Paris à la sortie du Guide !

Dom. Jean-Louis Chave, 37, av. du Saint-Joseph, 07300 Mauves, tél. 04.75.08.24.63, fax 04.75.07.14.21

DOM. JEAN-LOUIS CHAVE 2001 ★★

5 ha n.c. + de 76 €

... Et le charme joue encore pleinement avec ce remarquable hermitage blanc. Sa séduction naît d'une bouche impressionnante, longue, avec beaucoup de gras. Ce 2001 tapisse le palais d'un grain velouté qui lui confère une grande onctuosité. Le nez est marqué par des arômes de fruits très mûrs, de mangue notamment, accompagnés de notes de cuir et de fumé. Un vin qu'il faut savoir attendre.

Dom. Jean-Louis Chave, 37, av. du Saint-Joseph, 07300 Mauves, tél. 04.75.08.24.63, fax 04.75.07.14.21

YANN CHAVE 2002

■ 1,14 ha 3 200 38 à 46 €

C'est un millésime de tous les désirs. Désirs auxquels il faut satisfaire sans attendre avec ce 2002 sur le fruit rouge et noir, très stendhalien. Le vin est déjà fait, avec des notes d'évolution. Dégustez-le dès maintenant (et dans deux ans au plus tard), et laissez vieillir les millésimes antérieurs.

Yann Chave, La Burge, 26600 Mercurol, tél. 04.75.07.42.11, fax 04.75.07.47.34

PAUL JABOULET AINE
Le Chevalier de Sterimberg 2002 ★

5 ha 22 240 38 à 46 €

Le voici, ce fameux chevalier du XIIIᵉs, dont on aperçoit toujours l'ermitage qu'il occupa – selon la légende. Pas un voyageur, en route vers la Méditerranée, traversant les paysages splendides de coteaux escarpés couverts de vignes ne peut l'ignorer. Le vignoble a malheureusement connu en 2002 des conditions difficiles ; néanmoins il a donné un très beau vin. Ce millésime apparaît certes encore un peu brut dans l'immédiat mais cela est gage d'une belle structure qui s'affirmera dans les deux à trois ans. Vanille, noix de coco, pêche-abricot, voilà une palette très agréable au nez. Du gras, de la longueur, une bonne définition : on est serein sur l'avenir de cette bouteille. **La Chapelle hermitage rouge 2001 (46 à 76 €)** est, en revanche, déjà bien ouverte.

Paul Jaboulet Aîné, Les Jalets, BP 46, 26600 La Roche-de-Glun, tél. 04.75.84.68.93, fax 04.75.84.56.14, e-mail info@jaboulet.com r.-v.

DOM. DES MARTINELLES 2002 ★

■ 1 ha 600 23 à 30 €

Deux exploitations familiales se sont regroupées sous la marque Domaine des Martinelles. Cette activité démarre sous les meilleurs auspices avec cet hermitage d'un rouge profond éclatant aux reflets violets. Le fût imprime encore un peu sa marque mais dessous pointent le cuir, le cassis et la violette. Un vin bien dans son millésime : souple, fin, rond, avec des tanins intégrés. Le **blanc 2003**, une étoile également, tout en devenir, lui ressemble. A ouvrir dans quatre ans en découvrant le picodon de la Drôme.

Dom. des Martinelles, 2, rte des Vignes, 26600 Gervans, tél. 04.75.07.70.60, fax 04.75.07.70.60 r.-v.

DOM. DES REMIZIERES Cuvée Emilie 2002 ★★

■ 2 ha 11 000 23 à 30 €

Ce n'est pas le premier coup de cœur pour Philippe Desmeure qui a su parfaitement vinifier ce millésime difficile. Cette cuvée est un joli vin au beau potentiel, structuré, complexe, long et fin. Le nez est d'une grande richesse avec des fruits noirs très mûrs, des notes animales et épicées mêlées à du Zan. Les tanins sont bien présents, ronds et élégants. Une pointe de fraîcheur agréable termine la dégustation. Cette même cuvée, même millésime, en **blanc** n'est que citée, car elle est encore marquée par le fût.

Cave Philippe Desmeure, Dom. des Rémizières, rte de Romans, 26600 Mercurol, tél. 04.75.07.44.28, fax 04.75.07.45.87, e-mail desmeure.philippe@wanadoo.fr r.-v.

CAVE DE TAIN L'HERMITAGE
Nobles Rives 2001

■ n.c. n.c. 15 à 23 €

La coopérative de Tain fait partie des meilleures structures viticoles. Elle réunit 1 200 ha de vignes. Ce 2001, bien construit et élégant, mérite votre patience : trois ans seront nécessaires pour qu'il atteigne la pleine maturité. Du fruit noir, de l'amande, du cuir percent déjà ; toute cette palette demande à se développer et à gagner en complexité. La **cuvée Gambert de Loche rouge 2001 (30 à 38 €)** est pour l'instant plus rustique. Elle est citée également ; n'oubliez pas que ce vin portant le nom du fondateur de la cave fut coup de cœur pour son 99.

Cave de Tain-l'Hermitage, 22, rte de Larnage, BP 3, 26602 Tain-l'Hermitage Cedex, tél. 04.75.08.20.87, fax 04.75.07.15.16, e-mail contact@cave-tain-hermitage.com
t.l.j. 9h-12h 14h-18h

RHÔNE

Cornas

En face de Valence, l'appellation (101,1 ha déclarés en 2003) s'étend sur la seule commune de Cornas. Les sols, en pente assez forte, sont composés d'arènes granitiques, maintenues en place par des murets. Avec des rendements très faibles cette année (23 hl/ha) le cornas (2 375 hl) est un vin rouge viril, charpenté, qu'il faut faire vieillir au moins trois années (mais il peut attendre parfois beaucoup plus) afin qu'il puisse exprimer ses arômes fruités et épicés sur viandes rouges et gibier.

LES VIGNOBLES D'ABONDANCE 2001 ★

■ 3,42 ha 5 400 ◙ 11 à 15 €

L'année 2002 voit la création du GAEC familial Michel : Jean-Luc installé en 1988, Johann en 1997 et Chrystelle en 2002. La propriété familiale située dans le village même de Cornas offre un vin bien représentatif de l'appellation. D'un rouge profond aux reflets violines, il mêle des arômes de cassis et de cuir. L'attaque est puissante avec une pointe tannique qui s'estompera dans trois ans. Un cornas tout en volume, rempli de fraîcheur.

⊶ Johann et Chrystelle Michel, GAEC Les Vignobles d'Abondance, 52, Grand-Rue, 07130 Cornas,
tél. 04.75.40.56.43, fax 04.75.40.56.43
☑ Y 🚶 t.l.j. 9h-18h

LES ARLETTES 2002 ★★

■ 0,5 ha 900 ◙ 11 à 15 €

Née sur deux petites parcelles plantées à 350 m d'altitude, c'est une production confidentielle (900 bouteilles) qui est élue par le grand jury : il n'y en aura pas pour tout le monde. « Très joli vin provenant d'un faible rendement », dit un juré. Bien sûr, celui-ci est inférieur à 20 hl/ha. Puissant, plein de chaleur, ce 2002 a du tempérament et de la concentration ainsi qu'une grande richesse au nez où le fruit se marie harmonieusement avec des notes toastées et grillées et une pointe de cuir. A attendre cinq ans minimum.

⊶ Laurent-Charles Brotte,
Le Clos, BP 1, 84230 Châteauneuf-du-Pape,
tél. 04.90.83.70.07, fax 04.90.83.74.34,
e-mail brotte@brotte.com ☑ Y 🚶 t.l.j. 9h-12h 14h-18h

CUVEE CAROLUS 2002

■ 1 ha 5 000 ◙ **15 à 23 €**

Les cuvées de Gabriel Meffre naissent d'une sélection de parcelles. Celle-ci est issue d'un vignoble dont les vignes sont implantées au pied du coteau et grimpent jusqu'au sommet en exposition sud-ouest. L'attaque est ample et soyeuse avec des tanins fins qui composent une belle structure. Après une légère aération apparaissent des notes de cuir, de sous-bois et d'épices.

⊶ Maison Gabriel Meffre, Le Village,
84190 Gigondas, tél. 04.90.12.32.42, fax 04.90.12.35.40

CHANTE-PERDRIX 2001

■ n.c. 10 000 ◙ **15 à 23 €**

La vinification débute par trois jours de macération préfermentaire à froid puis par une fermentation contrôlée à 28-30 °C. L'élevage est conduit pendant seize mois en pièces de chêne de un à trois ans. Cela donne un vin typique, dont le nez minéral, mêlé de cuir, est accompagné d'arômes de fruits à l'eau-de-vie. Il est prêt.

⊶ Maison Delas,
ZA de l'Olivet, 07300 Saint-Jean-de-Muzols,
tél. 04.75.08.60.30, fax 04.75.08.53.67,
e-mail jacques-grange@delas.com ☑ Y 🚶 r.-v.

DOM. CLAPE 2002 ★★

■ 4 ha n.c. ◙ 30 à 38 €

76 78 85 88 |89| |90| |91| **95** |96| |97| **98 99 01 02**

D'un rouge sombre, ce cornas est très riche dès l'ouverture. Des notes animales, mentholées, de myrtille et de brioche se fondent dans une remarquable harmonie. Il apparaît encore austère en bouche mais n'est-ce pas le gage d'un beau devenir et d'une longue garde ? Et puis, il a de la puissance ! Il est difficile d'imaginer que 2002 fut une année difficile quand on déguste un tel vin. On voit là tout le talent de ce domaine prestigieux qui travaille au rythme du cycle végétatif : la vigne étant la priorité des priorités.

⊶ SCEA Dom. Clape,
146, rte Nationale, 07130 Cornas,
tél. 04.75.40.33.64, fax 04.75.81.01.98 Y 🚶 r.-v.
⊶ Auguste et Pierre Clape

DOM. COURBIS La Sabarotte 2002 ★★

■ 1,5 ha 5 000 ◙ **38 à 46 €**

Le bois est pour l'instant présent : il ne permet pas de révéler totalement les qualités indéniables de ce vin, fruit d'une remarquable vinification de ce millésime difficile. Aujourd'hui, on perçoit un nez riche, avec des arômes de cerise (burlat) et de cassis mêlés à de l'épice, du thym et de la vanille bien sûr. La **cuvée Les Eygats 2002 (23 à 30 €)** reçoit une étoile et sera sûrement à déguster avant La Sabarotte car sa structure est plus légère.

⊶ Dom. Courbis,
rte de Saint-Romain, 07130 Châteaubourg,
tél. 04.75.81.81.60, fax 04.75.40.25.39,
e-mail domaine-courbis@wanadoo.fr ☑ Y 🚶 r.-v.

DOM. MICHELAS-SAINT JEMMS
Les Murettes 2001

■ 2,5 ha 6 079 ◙ **15 à 23 €**

Ce vin produit sur 2,50 ha, élevé en foudre, donne des notes animales, de cuir et de fruits noirs macérés. Les tanins sont déjà très fondus et ne manquent pas de franchise.

❦ Dom. Michelas-Saint Jemms, Bellevue,
Les Chassis, 26600 Mercurol,
tél. 04.75.07.86.70, fax 04.75.08.69.80,
e-mail michelas.st.jemms@wanadoo.fr
☑ ⵉ t.l.j. sf dim. 9h-12h 14h-18h

DOM. VINCENT PARIS Granit 60 2001

■ 1 ha	2 900	▮◖▶↓ 15 à 23 €

Vincent Paris commence par être élève au lycée
viticole de Mâcon-Davayé. Puis, il s'installe sur 1 ha de
cornas en 1997 et s'agrandit depuis pour atteindre
aujourd'hui 4 ha. Son vin, d'un rouge intense aux reflets
violines, attaque d'une façon tonitruante la dégustation.
Une belle intensité aromatique de fruits rouges (cassis
notamment) annonce une bouche aux tanins déjà fondus
avec un peu de fraîcheur et un bel équilibre. A déguster sur
une bécasse dès cet automne et pendant quatre ans.
❦ Vincent Paris, chem. des Peyrouses, 07130 Cornas,
tél. 04.75.40.13.04, e-mail vinparis@wanadoo.fr
☑ ⵉ ☫ r.-v.

DOM. DE SAINT-PIERRE 2002 ★

■	3,8 ha n.c.	◖▶ 38 à 46 €

Un vin qui n'a peut être pas été jugé à sa juste valeur
car il est toujours marqué par le bois. Pourtant, il recèle
déjà un beau caractère à l'attaque. Epices (cannelle,
girofle), notes de sous-bois, de violette et un côté moka
cacao qui caractérise le boisé de la barrique forment un
bouquet intéressant. Le palais a seulement besoin de
temps.
❦ Paul Jaboulet Aîné, Les Jalets, BP 46,
26600 La Roche-de-Glun,
tél. 04.75.84.68.93, fax 04.75.84.56.14,
e-mail info@jaboulet.com ☑ ⵉ ☫ r.-v.

CAVE DE TAIN-L'HERMITAGE
Nobles Rives 2001 ★

■	16,58 ha n.c.	▮◖▶↓ 11 à 15 €

Un vin déjà très agréable bien que l'élevage de
quatorze mois en barrique soit encore perceptible. Mieux
vaut attendre deux à trois ans pour obtenir le fondu du
bois. Avec des notes animales, de cuir et de cassis, ces
Nobles Rives présentent une matière intéressante que l'on
découvre dès l'attaque : son volume fournit longueur et
puissance.
❦ Cave de Tain-l'Hermitage,
22, rte de Larnage, BP 3, 26602 Tain-l'Hermitage
Cedex, tél. 04.75.08.20.87, fax 04.75.07.15.16,
e-mail contact@cave-tain-hermitage.com
☑ t.l.j. 9h-12h 14h-18h

DOM. DU TUNNEL 2002 ★

■	1,9 ha 6 000	◖▶ 15 à 23 €

Point n'est besoin de préciser que ce domaine est
situé sur l'ancien passage d'un train ! Très régulier, il
propose un vin tout en finesse qui offre une attaque ample
et fraîche. Il faudra un peu de patience pour que le fond
s'arrondisse. Ce 2002 est remarqué surtout par son nez
intense de fruits noirs, de sous-bois, de notes animales,
d'humus et de grillé dû à quatorze mois de fût. On
l'appréciera dans trois ans minimum.
❦ Stéphane Robert,
Dom. du Tunnel, 07130 Saint-Péray,
tél. 04.75.80.04.66, fax 04.75.80.06.50 ☑ ⵉ ☫ r.-v.

Saint-péray

Situé face à Valence, le vignoble
de Saint-Péray (63,57 ha, 1 644 hl en 2003) est
dominé par les ruines du château de Crussol. Un
microclimat relativement plus froid et des sols
plus riches que dans le reste de la région sont
favorables à la production de vins plus acides,
secs et moins riches en alcool, remarquablement
bien adaptés à l'élaboration de blanc de blancs
par la méthode traditionnelle. C'est d'ailleurs la
principale production de l'appellation, et l'un des
meilleurs vins effervescents de France. On y
trouve aussi des vins blancs secs tranquilles.

BIGUET Brut

○	4 ha 21 000	▮↓ 8 à 11 €

Cet effervescent 100 % marsanne laisse apparaître
une robe jaune clair brillant aux reflets verts. Très vif, il
décline des arômes de fleurs blanches mêlés en finale à des
notes citronnées. Un vin élégant à déguster à l'apéritif.
❦ Cave Jean-Louis et Françoise Thiers,
Biguet, EARL du Biguet, 07130 Toulaud,
tél. 04.75.40.49.44, fax 04.75.40.33.03 ☑ ⵉ ☫ r.-v.

DOM. DARONA PERE ET FILS Demi-sec 1998 ★

○	0,5 ha 5 000	▮↓ 5 à 8 €

Situé à 500 m du château de Crussol, ce domaine
d'une dizaine d'hectares propose une jolie bouteille : une
touche de roussanne permet à cet effervescent d'exprimer
une belle complexité. La bulle, fine et agréable, traverse
une robe jaune doré. Le nez est puissant et complexe,
plutôt floral, avec une note beurrée. Souple et équilibré, un
saint-péray de qualité.
❦ Dom. Darona Père et Fils,
Les Faures, 07130 Saint-Péray,
tél. 04.75.40.34.11, fax 04.75.81.05.70 ☑ ⵉ ☫ r.-v.

DOM. BERNARD GRIPA 2002 ★

■	1 ha 5 000	▮◖▶↓ 11 à 15 €

Le premier Gripa est arrivé à Saint-Péray au XVIIes.,
avant de s'établir à Mauves vers 1850. Ce 2002 provient
d'un assemblage de raisins vinifiés en cuve et en fût. Ce
mode d'élaboration contribue à donner un vin équilibré,
délicat et fin. Fumé à l'attaque, il dévoile ensuite un côté
citronné (cédrat) qui donne une sensation de fraîcheur.
Citée, la cuvée **Les Figuiers 2002 (15 à 23 €)** est dominée
par la roussanne (60 %), alors que la précédente n'en
contient que 20 % ; vinifiée en fût, elle est encore trop
marquée par le bois mais offre un bon gras et une belle
longueur. A attendre.
❦ Dom. Bernard Gripa, 5, av. Ozier, 07300 Mauves,
tél. 04.75.08.14.96, fax 04.75.07.06.81 ☑ ⵉ ☫ r.-v.

PAUL JABOULET AINE Les Sauvagères 2002

○	1,27 ha 45 108	◖▶ 8 à 11 €

Cette marsanne pure, égrappée, dont la fermentation
s'est déroulée en fût de chêne neuf, s'offre dans une robe
jaune clair brillant. Encore dominée par le bois, la bouche
est riche d'arômes briochés et toastés mais sans lourdeur,
car elle conserve un support acide intéressant.

🔑 Paul Jaboulet Aîné, Les Jalets, BP 46, 26600 La Roche-de-Glun, tél. 04.75.84.68.93, fax 04.75.84.56.14, e-mail info@jaboulet.com ☑ 🍷 🚶 r.-v.

Gigondas

Au pied des étonnantes Dentelles de Montmirail, le célèbre vignoble de Gigondas ne couvre que la commune de Gigondas et est constitué d'une série de coteaux et de vallonnements. La vocation viticole de l'endroit est très ancienne, mais son réel développement date du XIXes. (vignobles du Colombier et des Bosquets), sous l'impulsion d'Eugène Raspail. D'abord côtes-du-rhône, puis, en 1966, côtes-du-rhône-villages, gigondas obtient ses lettres de noblesse en tant qu'appellation spécifique en 1971. L'AOC couvre aujourd'hui 1 244 ha dont 1 230,88 déclarés en 2003 pour un volume de 42 442 hl.

Les caractéristiques du sol et son climat font que les vins de gigondas sont, dans une très grande proportion, des vins rouges à forte teneur en alcool, puissants, charpentés et bien équilibrés, tout en présentant une finesse aromatique où se mêlent épices et fruits à noyau. Bien adaptés au gibier, ils mûrissent lentement et peuvent garder leurs qualités pendant de nombreuses années. Il existe également quelques vins rosés, puissants et capiteux.

LA BASTIDE SAINT VINCENT 2002

■ 5 ha 15 000 8 à 11 €

Une couleur franche et brillante fait d'emblée l'attrait de ce vin. De fines notes épicées s'ajoutent aux fruits rouges pour composer une palette discrète qui se prolonge dans une bouche agréablement ronde. Voilà un gigondas facile d'accès, destiné aux nouveaux consommateurs qui souhaitent découvrir cette appellation.

🔑 Laurent Daniel, La Bastide Saint Vincent, 84150 Violès, tél. 04.90.70.94.13, fax 04.90.70.96.13, e-mail bastide.vincent@free.fr
☑ 🍷 🚶 t.l.j. 8h30-19h; f. 10 sept.-5 oct.

DOM. DE BOISSAN Sélection de Victor 2001

■ 12 ha 6 000 11 à 15 €

Vous reconnaîtrez de loin le village de Sablet à sa forme circulaire. Entouré des ses remparts du XIVes., il possède un charme certain avec ses ruelles et ses fontaines. Le domaine de Boissan propose ici un vin expressif et rond. Les arômes de fruits rouges nuancés d'originales notes d'eucalyptus se prolongent dans une bouche puissante et longue, bien que l'empreinte du bois les domine encore à ce jour. Mieux vaut attendre deux ou trois ans pour que l'ensemble se fonde. Ce gigondas sera alors un bon compagnon des daubes et des fromages à pâte pressée cuite.

🔑 Christian Bonfils, Dom. de Boissan, 84110 Sablet, tél. 04.90.46.93.30, fax 04.90.46.99.46, e-mail c.bonfils@wanadoo.fr ☑ 🍷 🚶 r.-v.

DOM. DE LA BOUISSIERE 2002 ★

■ 8 ha 24 000 11 à 15 €

D'un rouge intense et brillant, ce 2002 libère un léger boisé qui ne masque en rien les arômes de fruits cuits. Les mêmes flaveurs fruitées, nuancées de vanille, reviennent en accompagnement d'une matière ample et ronde qui emplit agréablement le palais et se prolonge bien. Une belle harmonie.

🔑 EARL Faravel, rue du Portail, 84190 Gigondas, tél. 04.90.65.87.91, fax 04.90.65.82.16, e-mail labouissiere@aol.com ☑ 🍷 🚶 r.-v.

DOM. BRUSSET

Tradition Le Grand Montmirail 2002

■ 12 ha 30 000 11 à 15 €

Au pied des Dentelles de Montmirail, le vignoble se répartit sur des terrasses très caillouteuses, exposées au sud. Le raisin récolté ici a donné naissance à un vin tout en discrétion, dans le registre des fruits rouges mûrs. S'il présente déjà un profil souple et équilibré, ce 2002 mérite d'attendre un peu pour exprimer plus de complexité. Vous l'associerez alors à une viande blanche ou à une volaille.

🔑 SA Dom. Brusset, 84290 Cairanne, tél. 04.90.30.82.16, fax 04.90.30.73.31 ☑ 🍷 🚶 r.-v.

DOM. DE CABASSE 2001 ★

■ 3 ha 12 000 11 à 15 €

Dans le paysage dominé par le village de Séguret au charme typiquement provençal, le domaine inscrit aujourd'hui ses 20 ha de vignes. Le grenache (80 %), la syrah et le mourvèdre se conjuguent dans ce vin rubis brillant qui mêle harmonieusement les senteurs de fruits cuits aux notes grillées, animales et au sous-bois. Les tanins encore fermes commencent à se fondre dans la matière fruitée. En 2006-2007, ce gigondas bien typé sera prêt à boire.

🔑 Dom. de Cabasse, 84110 Séguret, tél. 04.90.46.91.12, fax 04.90.46.94.01, e-mail info@domaine-de-cabasse.fr ☑ 🍷 🚶 r.-v.
🔑 Alfred Haeni

DOM. DE CASSAN 2001 ★★

■ 7,5 ha 30 000 11 à 15 €

Imaginez le cadre : un mas provençal au cœur des Dentelles de Montmirail. Après avoir visité les grottes d'Ambrosi et de Rocalinaud, auxquelles le village de Beaumes-de-Venise doit son nom, vous rejoindrez ce domaine de 27 ha pour découvrir ce vin d'un rouge violacé qui décline les fruits, les épices et les notes torréfiées avec la même intensité. La maturité du raisin se traduit par une matière concentrée et des tanins de qualité garants de l'avenir. Les fruits mûrs épicés réapparaissent, témoignant d'un élevage maîtrisé en cuve et en fût. A déguster dans trois ou quatre ans avec des viandes aux fortes saveurs.

🔑 Dom. de Cassan, SCIA Saint-Christophe, Lafare, 84190 Beaumes-de-Venise, tél. 04.90.62.96.12, fax 04.90.65.05.47, e-mail domainedecassan@wanadoo.fr ☑ 🏠 🍷 🚶 r.-v.
🔑 Famille Croset

PIERRE CHANAU 2002 ★

	15 ha	40 000	🔲 🍷	3 à 5 €

Disponible chez Auchan seulement, ce vin d'un excellent rapport qualité-prix fera des heureux dès aujourd'hui. D'une teinte assez soutenue pour le millésime, il développe une agréable palette aromatique : des notes délicates de fruits noirs apparaissent d'emblée, bientôt rejointes par les épices. D'attaque franche, la bouche s'épanouit avec rondeur et s'étire sur une ligne épicée, tandis que le boisé hérité des trois mois d'élevage en fût est à peine perceptible.

🔶 SA Maison Bouachon, av. Pierre-de-Luxembourg, 84230 Châteauneuf-du-Pape, tél. 04.90.83.58.35, fax 04.90.83.77.23 ⊤ ⚔ t.l.j. 9h-12h 14h-19h; f. jan.
🔶 Groupe Skalli

CLOS DU JONCUAS 2001 ★★★

	11 ha	n.c.	🍷	11 à 15 €

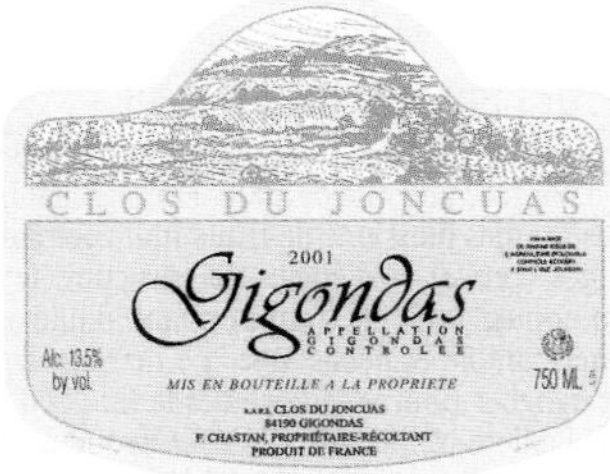

Jocunditas, « allégresse » en latin, est le nom que les Romains donnèrent au village de Gigondas, déjà ancré dans la culture de la vigne. Aujourd'hui dominé par son église Sainte-Catherine, il offre d'agréables buts de promenade. Aux environs, le Clos du Joncuas, fort de 29 ha conduits en agriculture biologique, a su tirer profit de vignes d'âge mûr pour produire un vin de grande qualité. Sous une robe pourpre profond, ce 2001 s'ouvre d'abord timidement, mais il ne tarde pas à révéler des arômes de fraise, de sous-bois, de réglisse qui s'unissent pour former un bouquet épanoui. Solidement structuré et enveloppé de gras, il a tous les atouts pour affronter la garde et évoluer favorablement.

🔶 D. et F. Chastan, Clos du Joncuas, 84190 Gigondas, tél. 04.90.65.86.86, fax 04.90.65.83.68 ☑ ⊤ r.-v.

DOM. COL SAINT PIERRE 2002

	14 ha	20 000	🔲 🍷	8 à 11 €

Si vous n'avez pas la patience d'attendre pour déguster un gigondas, celui-ci vous apportera satisfaction dès la sortie du Guide. Le boisé se marie bien aux arômes de fruits cuits, leitmotiv de la dégustation, et la bouche paraît d'une grande souplesse. Il faut servir ce vin sans tarder, avec un poulet en sauce, par exemple.

🔶 SCEA Col Saint Pierre, rte de Vaison, 84190 Vacqueyras, tél. 04.90.65.86.53, fax 04.90.65.80.73 ☑ 🏠 ⊤ r.-v.
🔶 Raymond Bertrand

LA FONT SEREINE 2000 ★★

	3 ha	15 000	🔲 ⬇	8 à 11 €

Une étiquette sobre et élégante habille ce gigondas qui brille dans le verre de reflets framboise sur fond cerise burlat. Le nez très expressif mêle les fruits rouges mûrs aux épices. Une gamme aromatique caractéristique de l'appellation qui se prolonge dans une bouche ample et persistante. Avec ses tanins veloutés, ce 2000 a tout d'un grand vin.

🔶 Les Vignerons de Rasteau et de Tain-l'Hermitage, rte des Princes-d'Orange, 84110 Rasteau, tél. 04.90.10.90.10, fax 04.90.10.90.36, e-mail vrt@rasteau.com ⊤ r.-v.
🔶 Famille Bréchet

DOM. DU GRAND-BOURJASSOT
Cuvée Cécile 2002 ★★

	1 ha	4 400	🔲 🍷	8 à 11 €

La cannelle et autres épices douces viennent égayer la palette de fruits rouges de ce vin harmonieux d'un bout à l'autre de la dégustation : attaque fraîche et fruitée, tanins ronds et une belle complexité finale. Un équilibre qui traduit une remarquable maîtrise de l'élevage. L'élégance fait ici toute la différence.

🔶 Pierre Varenne, Dom. du Grand-Bourjassot, quartier Les Parties, 84190 Gigondas, tél. 04.90.65.88.80, fax 04.90.65.89.38
☑ ⊤ t.l.j. 10h-12h 14h30-18h30

GRANDES BASTIDES 2002

	n.c.	3 000	🍷	15 à 23 €

Certes, il est de style austère, mais il en faut pour tous les goûts et la patience sera ici récompensée. Sous une robe foncée, ce vin livre un premier nez fumé avant de s'orienter vers des notes animales de cuir, puis vers les fruits et les épices. Une pointe boisée ponctue la gamme, prenant en bouche les accents de la cannelle et de la vanille pour accompagner les solides tanins.

🔶 Tardieu-Laurent, Les Grandes Bastides, rte de Cucuron, 84160 Lourmarin, tél. 04.90.68.80.25, fax 04.90.68.22.65, e-mail tarlau@club-internet.fr ☑ ⊤ ⚔ r.-v.
🔶 Michel Tardieu

LES GRANDES SERRES
La Combe des Marchands 2001 ★

	6 ha	28 000	🔲 🍷	8 à 11 €

Très brillant, ce 2001 ne tarde pas à révéler sa complexité après les premières notes fumées. Les petits fruits rouges ont gardé toute leur importance dans la palette nuancée d'épices. Il en va de même au palais, où ces arômes soulignent le caractère déjà agréable du vin. Pas de précipitation cependant, car deux ou trois ans de garde profiteront encore à ce gigondas.

🔶 Les Grandes Serres, rte de l'Islon-Saint-Luc, 84230 Châteauneuf-du-Pape, tél. 04.90.83.72.22, fax 04.90.83.78.77, e-mail les-grandes-serres@wanadoo.fr ☑ ⊤ ⚔ r.-v.

DOM. GRAND ROMANE
Le Grand Priant 2002 ★★

	0,2 ha	30 000	🍷	8 à 11 €

Les qualités d'un grand vin se reconnaissent d'emblée. Robe rubis brillant, bouquet déjà complexe de fruits, d'épices, de vanille héritée d'un an d'élevage en foudre : ce gigondas est à la fois riche et fin. Le fruité persiste dans une bouche puissante et équilibrée, le boisé étant particulièrement bien fondu. Un 2002 harmonieux, apte à se bonifier en cave jusqu'en 2007. En attendant, vous apprécierez avec un gigot d'agneau la cuvée **Romane-Machotte 2002**, ronde et légèrement boisée, qui obtient une étoile.

🔑 Pierre Amadieu, 84190 Gigondas,
tél. 04.90.65.84.08, fax 04.90.65.82.14,
e-mail pierre.amadieu@pierre-amadieu.com ☑ Y ⚘ r.-v.

LAURUS 2001 ★★

■ 9 ha 35 000 ▮ 🛢 ⚗ 15 à 23 €

Marque de prestige de la maison Gabriel Meffre, le gigondas Laurus séjourne dans des barriques d'une capacité de 275 l, rappelant les demies-queues du Vaucluse. Seule la syrah (25 % de l'assemblage) a été ainsi élevée pendant quatorze mois, avant l'assemblage final avec le mourvèdre (10 %) et le grenache. Tout est équilibre dans ce vin qui exhale des notes de cuir et de fruits en confiture. Les tanins fins laissent une sensation de fondu des plus agréables. **La Fontboissière 2002 (11 à 15 €)** mérite une étoile pour son caractère à la fois structuré et déjà gouleyant.

🔑 Gabriel Meffre, Le Village, 84190 Gigondas,
tél. 04.90.12.30.22, fax 04.90.12.30.29,
e-mail gabriel-meffre@meffre.com ☑

DOM. DE LA MAVETTE 2000 ★★

■ 1,5 ha 5 000 ▮ 🛢 11 à 15 €

Regardez bien l'étiquette et vous aurez une idée de l'architecture de ce domaine entouré d'une trentaine d'hectares de vignes. Vraisemblablement au mieux de sa forme, ce gigondas peut encore vieillir deux ou trois ans dans votre cave. Il livre un bouquet développé de fruits rouges, de poivre, de clou de girofle et autres épices comme pour affirmer d'emblée sa complexité. Et pour convaincre totalement le dégustateur, il offre sa fraîcheur intacte, son équilibre, ainsi que ses tanins bien présents, typiques du millésime.

🔑 EARL Lambert et Fils, Dom. de La Mavette,
84190 Gigondas, tél. 04.90.65.85.29, fax 04.90.65.87.41,
e-mail mavette@club-internet.fr
☑ Y ⚘ t.l.j. 9h-12h 14h-18h; f. fév.

MONTIRIUS 2002 ★

■ 16 ha 65 000 15 à 23 €

A la tête de 54 ha de vignes conduites en biodynamie, Eric Saurel possède 16 ha dans l'aire de gigondas, répartis sur trois parcelles. Des vignes plus que cinquantenaires de grenache (80 %) et de mourvèdre ont donné naissance à ce vin dont la richesse des arômes a inspiré les dégustateurs : fruits secs, fruits confiturés, pruneau, épices... La bouche, à dominante fruitée, bénéficie de tanins fins qui participent à sa souplesse et accompagnent sa finale persistante sur le poivre. Un 2002 charmeur qui se développera encore au cours des cinq prochaines années. Vous le servirez alors avec un gibier ou une viande en sauce.

🔑 Christine et Eric Saurel, SARL Montirius,
Le Devès, 84260 Sarrians,
tél. 04.90.65.38.28, fax 04.90.65.48.72,
e-mail montirius@wanadoo.fr ☑ Y ⚘ r.-v.

MOULIN DE LA GARDETTE
La Cuvée Ventabren 2001 ★★

■ 2,5 ha 10 000 🛢 15 à 23 €

De vieilles vignes à faible rendement cultivées en coteau – grenache (70 %), syrah et cinsault – ont permis d'élaborer un gigondas impressionnant de volume et de densité. Les arômes concentrés déclinent les fruits noirs, les épices, le grillé. L'attaque ronde laisse imaginer l'importante matière et la structure puissante que souligne encore le boisé prononcé, aux accents de café et de moka. Ce vin n'a pas encore livré tous ses secrets, mais il a devant lui trois ou quatre ans pour s'épanouir.

🔑 Moulin de la Gardette, pl. de la Mairie,
84190 Gigondas, tél. 04.90.65.81.51, fax 04.90.65.81.51,
e-mail m.la-gardette@voila.fr
☑ Y t.l.j. sf dim. 10h-13h 14h30-18h30; f. lun. hors saison

LOUIS MOUSSET Prestige 2001

■ 7 ha 35 000 ▮ 🛢 15 à 23 €

Les reflets acajou de la robe sont du meilleur effet et invitent à découvrir le nez intense de fruits mûrs, cuits même, d'épices (cannelle) et de sous-bois. Un ensemble aromatique fort agréable qui monte en puissance en bouche sous des accents de fruits à l'eau-de-vie et d'épices douces et qui se conjugue à une impression de douceur : les tanins sont fondus et la finale apparaît souple et chaleureuse. A boire dès aujourd'hui avec un gibier ou un fromage à pâte cuite.

🔑 SA Louis Mousset, Les Fines-Roches, BP 28,
84230 Châteauneuf-du-Pape, tél. 04.90.83.70.30,
fax 04.90.83.74.79, e-mail louis.mousset@wanadoo.fr

DOM. PAILLERE ET PIED-GU 2001

■ 25 ha 20 000 ▮ ⚗ 11 à 15 €

Il n'a pas pris une ride ce 2001. D'un grenat brillant, il offre des arômes puissants de fruits mûrs compotés, de fruits rouges (cerise) et d'épices. Sa structure ferme lui donne du tonus, tout en s'enveloppant d'une matière suffisamment ample et persistante. Le mariage avec une terrine de sanglier pourra se faire dès la fin 2004.

🔑 EARL Paillère et Pied-Gu, 84190 Gigondas,
tél. 04.90.65.84.14, fax 04.90.65.84.14,
e-mail frederic.stehelin@wanadoo.fr
☑ Y ⚘ t.l.j. sf dim. 8h-12h 13h30-18h30
🔑 Frédéric Stehelin

CAVE DES PAPES Oratorio 2001 ★

■ n.c. 20 000 🛢 11 à 15 €

Cette importante maison de la vallée du Rhône, dont la création remonte à 1859, propose un gigondas de belle facture, au profil vanillé, réglissé et fruité. Chaleureux, celui-ci traduit la maturité du raisin par sa matière concentrée, dont les flaveurs de fruits confits se marient bien avec les notes boisées. La vanille et la truffe persistent harmonieusement en finale. **Les Allégories d'Antoine Ogier 2001 (15 à 23 €)**, cité, offre un joli grain de tanins qui autorise une dégustation immédiate.

🔑 Ogier-Caves des Papes,
10, av. Louis-Pasteur, BP 75, 84190 Beaumes-de-Venise,
tél. 04.90.39.32.32, fax 04.90.83.72.51,
e-mail ogiercavesdespapes@ogier.fr ☑ Y ⚘ r.-v.

DOM. DES PASQUIERS 2002

■ 0,25 ha 1 200 ▮ 8 à 11 €

Depuis 1988, ce domaine a fait l'objet d'importants travaux de rénovation, tant dans le vignoble de 100 ha que dans la cave. 2002 est son deuxième millésime mis en bouteilles à la propriété. Framboise, cerise, cassis : ce sont bien les petits fruits mûrs qui dominent la dégustation. Des tanins de qualité donnent un caractère soyeux à ce vin déjà agréable à boire qui permettra d'attendre les gigondas de garde.

🔑 SCEA Vignobles des Pasquiers, rte d'Orange,
84110 Sablet, tél. 04.90.46.83.97, fax 04.90.46.83.97,
e-mail domainedespasquiers@terre-net.fr
☑ Y ⚘ t.l.j. 8h-12h 14h-18h; sam. dim. sur r.-v.
🔑 Lambert

DOM. LA ROUBINE 2002 ★★

■ 2,3 ha 5 400 ▮◖◗ 8 à 11 €

En 2000, Eric Ughetto a quitté la coopérative pour vinifier le fruit de ses 5 ha de vignes. Il trouve ici une récompense à ses efforts. Vêtu d'une robe sombre, ce 2002 libère d'intenses arômes de fruits cuits soulignés de quelques notes vanillées. Le même profil aromatique se retrouve au palais, avec une pointe de toasté en plus qui sied bien à la matière ample et persistante, parfaitement soutenue par les tanins et une bonne fraîcheur. Ce gigondas a encore de belles années devant lui.

⊶ Eric Ughetto, Dom. La Roubine, 84190 Gigondas, tél. 04.90.65.81.55, fax 04.90.12.36.28 ☑ Y 🚶 r.-v.

SAINT-DAMIEN Vieilles Vignes 2002

■ 3,6 ha 6 600 ▮◖◗ 8 à 11 €

Placé sous la bienveillance de Saint-Damien, patron des médecins, ce domaine avait obtenu un coup de cœur dans les deux précédentes éditions du Guide. Il peut s'enorgueillir de vieilles vignes de plus de soixante-dix ans, dont le raisin parfaitement mûr a donné naissance à un gigondas grenat foncé, aux arômes de fruits à noyau, de kirsch et de fruits confits. Le boisé prononcé est cependant le meneur de la dégustation. Equilibré et assez long en bouche, le vin possède suffisamment de structure pour accompagner un gibier en sauce (un civet de marcassin, par exemple) dans deux ans.

⊶ Joël Saurel, Dom. Saint-Damien, 84190 Gigondas, tél. 04.90.70.96.42, fax 04.90.70.96.42 ☑ Y 🚶 r.-v.

CAVES SAINT-PIERRE Préférence 2001 ★

■ n.c. 33 000 ▮◖◗ 8 à 11 €

Les reflets noirs de la robe annoncent la concentration des arômes. Le vin s'ouvre en effet sur les fruits mûrs, confiturés, tout en donnant la faveur aux épices intenses qui marquent la dégustation jusqu'en finale. Une note animale apparaît aussi, bien agréable, dans la bouche équilibrée. Quelques tanins se montrent encore austères, mais l'âge de la maturité n'est pas loin.

⊶ SA Maison Bouachon, av. Pierre-de-Luxembourg, 84230 Châteauneuf-du-Pape, tél. 04.90.83.58.35, fax 04.90.83.77.23 Y 🚶 t.l.j. 9h-12h 14h-19h; f. jan.

⊶ Groupe Skalli

DOM. SANTA DUC L'Entre-deux 2002 ★★

■ 12,5 ha 50 000 ◖◗ 15 à 23 €

Intense et profonde, la robe éveille la curiosité. Si le nez reste assez discret, ses notes de fruits rouges, quelque peu confiturés, de garrigue, de sous-bois et de boisé sont une invitation à poursuivre la dégustation. Le bois marque encore un peu la bouche, mais la matière se révèle pleine, avec un bon équilibre entre le fruit et les tanins. Les plus impatients serviront cette bouteille dès à présent avec une viande rouge, les autres, profitant de sa structure, attendront qu'elle s'épanouisse encore davantage.

⊶ EARL Edmond et Yves Gras, Dom. Santa Duc, Les Hautes Garrigues, 84190 Gigondas, tél. 04.90.65.84.49, fax 04.90.65.81.63, e-mail santaduc@wanadoo.fr ☑ Y 🚶 r.-v.

DOM. DU TERME 2001 ★

■ 11 ha 45 000 ▮◖◗🌡 8 à 11 €

Situé à la limite de l'ancienne principauté d'Orange et du comtat Venaissin – d'où son nom de Terme *(terminus)* –, le domaine cultive ses 23 ha selon des principes respectueux de l'environnement. Assemblant grenache (80 %) et mourvèdre, son 2001 arbore une robe rubis intense, à peine nuancée de quelques reflets d'évolution. La palette aromatique évoque les fruits rouges et les épices jusque dans une bouche soutenue par de bons tanins. Le vin est déjà agréablement rond pour une dégustation dans les deux ans.

⊶ Rolland Gaudin, Dom. du Terme, 84190 Gigondas, tél. 04.90.65.86.75, fax 04.90.65.80.29, e-mail domaine.terme@free.fr

☑ 🏠 Y 🚶 t.l.j. sf dim. 9h-12h 14h-18h; groupes sur r.-v.

DOM. DE LA TOURADE Cuvée Font des Aïeux 2001 ★★

■ 2 ha 10 193 ▮ 11 à 15 €

Cette cuvée, qui a séjourné en foudre pendant dix-huit mois, développe un bouquet riche de fruits, de réglisse et de notes animales évocatrices de cuir. La grande qualité de la bouche tient à son ampleur, à sa rondeur, à ses tanins épanouis comme à ses flaveurs longuement persistantes, en parfaite harmonie avec les arômes perçus à l'olfaction. La **Cuvée Morgan 2001 (15 à 23 €)**, élevée en barrique, brille d'une étoile : tout en fruits rouges confiturés (griotte, framboise) nuancés d'épices, elle possède suffisamment de matière pour intégrer l'empreinte du bois d'ici 2007.

⊶ EARL André Richard, Dom. de La Tourade, 84190 Gigondas, tél. 04.90.70.91.09, fax 04.90.70.96.31, e-mail tourade@aol.com ☑ 🏠 Y t.l.j. 9h-19h

CH. DU TRIGNON 2002 ★

■ 24 ha 58 000 ▮◖◗🌡 11 à 15 €

Pascal Roux a rejoint le domaine familial dans les années 1990 et a étendu le vignoble en acquérant 15 ha de vignes en gigondas. Intense et limpide, ce 2002 s'habille d'une robe sombre et exhale des arômes complexes, à la fois fruités et animaux. Les tanins se manifestent après une belle attaque, bientôt relayés par des flaveurs de fruits cuits qui se prolongent durablement.

⊶ Ch. du Trignon, 84190 Gigondas, tél. 04.90.46.90.27, fax 04.90.46.98.63, e-mail trignon@chateau-du-trignon.com

☑ Y 🚶 t.l.j. sf dim. 10h-12h 14h-19h

⊶ Pascal Roux

DOM. VARENNE Tradition 2001 ★★

■ 3 ha 14 000 ▮🌡 8 à 11 €

La robe rubis laisse de jolies larmes dans le verre et libère de puissants arômes de fruits cuits, d'épices, de sous-bois, nuancés d'une pointe animale. Cette richesse aromatique s'exprime aussi dans la matière concentrée et équilibrée, qui laisse un souvenir durable. La cuvée **Vieux fût 2002 (11 à 15 €)** obtient une étoile : un boisé vanillé taquine les papilles, mais n'en laisse pas moins percevoir les flaveurs de fruits à l'eau-de-vie et de pruneau.

⊶ Dom. Varenne, Le Petit Chemin, 84190 Gigondas, tél. 04.90.65.86.55, fax 04.90.12.39.28

☑ Y t.l.j. 9h30-12h30 14h-19h

XAVIER VIGNON Xavier 2001

■ 4 ha 15 000 15 à 23 €

« Chaleur intense », ainsi pourrait se résumer la dégustation. Sous une robe rubis brillant apparaissent des senteurs de fruits à l'alcool et de fruits confiturés mêlés aux épices (poivre) et au cuir. Après une attaque souple, les

tanins viennent étayer avec finesse la matière ample et ronde, chaleureuse. Ce vin accompagnera dès aujourd'hui une daube provençale.
🔑 Xavier Vignon, chem. de Caromb,
84330 Le Barroux,
tél. 04.90.62.33.44, fax 04.90.62.33.45,
e-mail xavier@xaviervins.com ☑ 🏠 🏠 Y 🚶 r.-v.

Vacqueyras

L'appellation d'origine contrôlée vacqueyras, dont les conditions de production ont été définies par décret du 9 août 1990, est la treizième et dernière-née des AOC locales des côtes-du-rhône.

Elle rejoint gigondas et châteauneuf-du-pape à ce niveau hiérarchique dans le département du Vaucluse. Situé entre Gigondas au nord et Beaumes-de-Venise au sud-est, son territoire s'étend sur les deux communes de Vacqueyras et de Sarrians. Les 1 331 ha de vignes ont produit en 2003 un peu plus de 47 207 hl de vin rouge et rosé et 721 hl de vin blanc.

Les vins rouges, élaborés à base de grenache, de syrah, de mourvèdre et de cinsault, sont aptes au vieillissement (trois à dix ans). Les rosés (4 %) sont issus d'un encépagement similaire. Les blancs restent confidentiels (cépages : clairette, grenache blanc, bourboulenc, roussanne).

DOM. LA BOUISSIERE 2002 ★

■ 2 ha 8 000 ◍ 8 à 11 €

Les Dentelles de Montmirail, au pied desquelles se situe le village de Gigondas, illustrent l'étiquette de ce vin issu de grenache, de mourvèdre et de syrah. Si la robe sombre pourrait sembler austère, le nez, net et franc, sait se montrer avenant par un cocktail de fruits rouges, de fumé, d'épices, d'écorce d'orange. Un ensemble aromatique qui se poursuit dans une bouche ronde et solidement structurée, complété par des nuances animales (cuir). Ce vacqueyras révèle déjà une bonne harmonie qui lui permet d'être apprécié dès maintenant.
🔑 EARL Faravel, rue du Portail, 84190 Gigondas,
tél. 04.90.65.87.91, fax 04.90.65.82.16,
e-mail labouissiere@aol.com ☑ Y 🚶 r.-v.

DOM. BOUVENCOURT 2002

■ n.c. 16 000 ▮🌡 5 à 8 €

60 % de grenache et 40 % de syrah composent ce vin né sur le plateau des Garrigues, près de Sarrians. Elevé en foudre, celui-ci présente quelques reflets tuilés qui traduisent une certaine évolution. Le nez se développe à l'aération, d'abord sur les fruits cuits (pruneau), puis sur des notes animales bien perceptibles. La bouche, déjà souple et même coulante, se montre expressive, nuancée de notes réglissées et poivrées. A boire sans attendre.
🔑 Laurent-Charles Brotte,
Le Clos, BP 1, 84230 Châteauneuf-du-Pape,
tél. 04.90.83.70.07, fax 04.90.83.74.34,
e-mail brotte@brotte.com ☑ Y 🚶 t.l.j. 9h-12h 14h-18h

DOM. LE CLOS DE CAVEAU 2001

■ 11,87 ha 25 000 ▮🌡 8 à 11 €

Passé en agriculture biologique depuis 1989, ce vignoble d'un peu plus de 13 ha a produit un vin fruité et fin à partir du grenache (70 %), de la syrah et d'une pointe de cinsault. Le nez très chaleureux de fruits cuits laisse une impression de douceur que la bouche ne dément pas. Les tanins sont certes présents, mais ronds et agréables. Un 2001 fidèle à l'appellation. La **cuvée Lao Muse 2000 (23 à 30 €)**, aux tanins assez soyeux, reflète bien la maturité du millésime par ses arômes puissants de myrtille, de réglisse, nuancés de notes évoluées et de boisé.
🔑 SCA Dom. Le Clos de Caveau, 84190 Vacqueyras,
tél. 04.90.65.85.33, fax 04.90.65.83.17 ☑ Y 🚶 r.-v.
🔑 Bungener

DOM. LE COLOMBIER Vieilles Vignes 2002

■ 2,63 ha 13 330 ▮🌡 8 à 11 €

En 1995, Jean-Louis Mourre, géologue, a repris le domaine familial. Il doit bien connaître les qualités de ce terroir de galets roulés où il a récolté grenache et mourvèdre pour élaborer ce 2002 couleur cerise. Les fruits rouges se manifestent d'emblée, suivis d'arômes de fruits macérés et de sous-bois. Après une attaque franche, l'équilibre se réalise entre le gras et des tanins solides, même si la finale apparaît encore austère. Cette cuvée devrait donner rapidement le meilleur d'elle-même.
🔑 EARL Les Vignobles Mourre,
Dom. Le Colombier, 84190 Vacqueyras,
tél. 04.90.12.39.71, fax 04.90.65.85.71 ☑ 🚶 r.-v.

DOM. LE COUROULU Vieilles Vignes 2001

■ 4 ha 14 000 ▮◍🌡 8 à 11 €

Joli trio pour Guy Ricard qui a choisi pour emblème sur ses étiquettes un courlis, oiseau au long bec que l'on appelle localement couroulu. Un bouquet composé de fruits et de notes fumées commence à poindre de son 2001. La charpente est encore très sensible, mais le gras devrait l'enrober d'ici un an ou deux. Egalement citée, la **cuvée Laura 2003 blanc** est déjà prête à boire : arômes de fleurs blanches, vivacité et notes de pêche.
🔑 EARL Le Couroulu,
La Pousterle, 84190 Vacqueyras,
tél. 04.90.65.84.83, fax 04.90.65.81.25 ☑ Y 🚶 r.-v.
🔑 Guy Ricard

LA FONT DE PAPIER 2001

■ 5 ha n.c. ▮🌡 11 à 15 €

La Font de Papier : entendez la « fontaine des papes ». Ce domaine d'une trentaine d'hectares, conduit en agrobiologie, propose un vin rubis qui, après une certaine timidité, révèle des arômes de fruits et de poivre. L'harmonie générale devrait être bonne lorsque les tanins se seront fondus.

🔑 D. et F. Chastan, Clos du Joncuas, 84190 Gigondas, tél. 04.90.65.86.86, fax 04.90.65.83.68 ☑ Ⲧ r.-v.

FONT SARADE 2002 ★★

■ 0,3 ha 1 333 ▮◖◗ 5 à 8 €

Grenache (55 %) et syrah (40 %) se partagent la vedette, escortés d'un peu de mourvèdre dans ce vin rouge profond. Le nez évoque les fruits rouges, la réglisse, mêlés de subtiles notes florales de violette. Incontestablement, c'est la syrah qui se manifeste actuellement. Quelques nuances de torréfaction apparaissent, comme un signe de complexité à venir. La matière pleine, volumineuse et équilibrée est empreinte de flaveurs de cerise, de noyau et de pivoine. Très structurée mais sans aucune austérité, elle fait preuve d'intensité et d'expressivité. A boire ou à attendre (trois ans).

🔑 EARL Bernard Burle, Font Sarade, La Ponche, 84190 Vacqueyras, tél. 06.30.08.81.93, fax 04.90.65.82.97 ☑ Ⲧ 🚶 r.-v.

DOM. LA GARRIGUE Cuvée de l'Hostellerie 2001

■ 6 ha 28 000 ▮◖◗🌡 5 à 8 €

Bien que le fruité se manifeste, ce sont les notes boisées qui prennent le dessus dans ce vin pourpre. Cette ligne aromatique est le fil conducteur de la dégustation. Un style qui a ses amateurs. Egalement citée, la **cuvée principale 2001 du domaine La Garrigue** se montre plus chaleureuse et souple, malgré une pointe austère en finale. Fruitée, elle peut être bue aujourd'hui avec une viande rouge.

🔑 SCEA A. Bernard et Fils, Dom. La Garrigue, 84190 Vacqueyras, tél. 04.90.65.84.60, fax 04.90.65.80.79 ☑ Ⲧ 🚶 t.l.j. 8h-12h 14h-19h30; dim. sur r.-v.

ALAIN JAUME 2002 ★

■ n.c. 10 000 ▮◖◗🌡 8 à 11 €

Sébastien et Christophe Jaume viennent de rejoindre leur père sur ce domaine qui exporte 65 % de sa production au Danemark et au Canada. Tous trois sont parvenus à produire un vin intensément coloré pour le millésime. Un duo de cassis et de framboise apporte beaucoup de fraîcheur. Et si le nez se montre actuellement sur la réserve, il promet de devenir complexe. Souple à l'attaque, la bouche présente encore de la vivacité, mais sa bonne constitution lui permettra de s'harmoniser à la faveur d'un ou deux ans de garde.

🔑 Alain Jaume, rte de Châteauneuf-du-Pape, 84100 Orange, tél. 04.90.34.68.70, fax 04.90.34.43.71, e-mail jaume@domaine-grand-veneur.com ☑ Ⲧ 🚶 r.-v.

DOM. LA MONARDIERE Réserve des 2 Monardes 2002

■ 10 ha 30 000 ▮◖◗ 8 à 11 €

Si la robe est seyante, c'est la palette aromatique naissante qui a retenu l'attention des dégustateurs. Fruits, fleurs, notes minérales et mentholées se libèrent discrètement. La bouche concentrée monte en puissance, avec encore une petite pointe austère.

🔑 Dom. La Monardière, Les Grès, 84190 Vacqueyras, tél. 04.90.65.87.20, fax 04.90.65.82.01, e-mail monardiere@wanadoo.fr ☑ Ⲧ 🚶 t.l.j. sf dim. 9h-12h 14h-18h

🔑 Christian Vache

MONTIRIUS 2002 ★

■ 18 ha 40 000 ▮ 8 à 11 €

On retrouve ce domaine de 54 ha conduits en biodynamie avec sa cuvée Montirius qui, pour le 2002, obtient une étoile comme dans le précédent millésime. Rouge cerise agrémenté de quelques reflets grenat, celle-ci demande un peu de temps pour s'ouvrir à la dégustation. Si ses tanins méritent de se fondre, elle ne se montre pas moins souple et expressive, égayée de flaveurs de cerise et de sous-bois. La concentration et la maturité de la matière sont perceptibles, gages d'une bonne évolution. Un vin qui gagnera en charme dans deux ans.

🔑 Christine et Eric Saurel, SARL Montirius, Le Devès, 84260 Sarrians, tél. 04.90.65.38.28, fax 04.90.65.48.72, e-mail montirius@wanadoo.fr ☑ Ⲧ 🚶 r.-v.

DOM. DE MONTVAC 2002

■ 12 ha 33 000 ▮🌡 5 à 8 €

De la robe pourpre aux larmes abondantes se libèrent des arômes de fruits noirs et quelques notes animales. Si l'attaque est souple, les tanins ne tardent pas à se manifester, invitant à garder ce vin au moins deux ans. La persistance aromatique finale est intéressante.

🔑 SCEA Dusserre, Dom. de Montvac, 84190 Vacqueyras, tél. 04.90.65.85.51, fax 04.90.65.82.38, e-mail duserre@domaine-de-montvac.com ☑ Ⲧ 🚶 r.-v.

DOM. DE LA MUSE 2001

■ 2,5 ha 8 500 ▮🌡 8 à 11 €

Un petit vignoble de 2,5 ha au pied des Dentelles de Montmirail. A la sortie du Guide, cette cuvée pourpre pourra déjà être servie aux côtés d'une côte de bœuf grillée. Ses jolies notes de fruits se retrouvent en bouche, participant au caractère typé d'un vacqueyras équilibré et aromatique, classique du couple grenache-syrah.

🔑 Gabriel Meffre, Le Village, 84190 Gigondas, tél. 04.90.12.30.22, fax 04.90.12.30.29, e-mail gabriel-meffre@meffre.com

DOM. DE L'OISELET 2001

■ n.c. n.c. 5 à 8 €

La maison de négoce du Peloux est installée à Courthézon, village qui a gardé ses remparts médiévaux. Du rubis pour la robe, des fruits rouges pour le nez. La structure de ce 2001, plutôt légère, se manifeste cependant sous une matière chaleureuse. Un vin à déguster dès aujourd'hui.

🔑 Vignobles du Peloux, quartier Barrade, 84350 Courthézon, tél. 04.90.70.42.00, fax 04.90.70.42.15 ☑ Ⲧ 🚶 r.-v.

LES RICHARDS 2001

■ 5 ha 20 000 ◖◗ 8 à 11 €

C'est dans le caveau voûté du XVIIe s. que vous découvrirez ce vin joliment vanillé, assemblage classique de grenache et de syrah. Sa réussite tient en partie à la maîtrise de l'élevage en fût. Car si le bois est sensible, il laisse s'exprimer une bouche douce en attaque, aux tanins présents, sans excès. L'équilibre pourra se parfaire encore au cours d'un ou deux ans de garde.

🔑 Dom. des Richards, rte d'Avignon, 84150 Violès, tél. 04.90.70.93.73, fax 04.90.70.96.48 ☑ Ⲧ 🚶 t.l.j. 10h-19h

🔑 Combe

TARDIEU-LAURENT 2002

■ n.c. 3 000 🛢 15 à 23 €

Il y a dix ans, Michel Tardieu s'est associé à Dominique Laurent pour créer une maison de négoce spécialisée dans l'élevage en fût de microcuvées. Lui rendre visite permet de découvrir le village de Lourmarin, où vécurent Henri Bosco et Albert Camus. Ce 2002, sombre et brillant, laisse apparaître quelques signes de maturité. Le premier nez est agréable : les notes fruitées se mêlent à quelques senteurs végétales. Les fruits mûrs dominent la bouche, solidement structurée par des tanins fermes mais sans austérité. Un bon équilibre et une finale intense.

⊶ Tardieu-Laurent, Les Grandes Bastides,
rte de Cucuron, 84160 Lourmarin,
tél. 04.90.68.80.25, fax 04.90.68.22.65,
e-mail tarlau@club-internet.fr ☑ Y 🚶 r.-v.
⊶ Michel Tardieu

LES VINS DU TROUBADOUR
Cuvée des Vieilles Vignes 2001

■ n.c. n.c. 🛢 8 à 11 €

La cave de Vacqueyras propose deux vins réussis. Le premier, revêtu d'une robe légère mais brillante et séduisante, dévoile un bon fruité aux nuances confiturées. Déjà très agréable par son gras et sa rondeur, il saura accompagner un dessert, tel un gâteau au chocolat. La cuvée **L'Authentique Sélection du sommelier 2001 (11 à 15 €)** est également citée. Son nez puissant de fruits rouges et d'épices évolue vers un bouquet plus complexe, tandis que la bouche, dans la même ligne aromatique, est solidement campée sur des tanins qui demandent à se fondre.

⊶ Cave des Vignerons de Vacqueyras,
rte de Vaison, 84190 Vacqueyras,
tél. 04.90.65.84.54, fax 04.90.65.81.32,
e-mail vacqueyras@vinsdutroubadour.t.m.fr ☑ Y 🚶 r.-v.

VIEUX CLOCHER 2001

■ 6 ha 25 000 ▮🛢🌡 5 à 8 €

Cette maison de négoce possède des vignes en propre en côtes-du-rhône et en vacqueyras. Elle propose une cuvée non filtrée qui laisse apparaître des nuances orangées et libère des arômes de fruits dans un registre confit. La structure légère s'appuie sur des tanins un peu austères. Les dégustateurs associeraient volontiers ce vin à une viande en sauce.

⊶ Arnoux et Fils, Cave du Vieux Clocher,
84190 Vacqueyras, tél. 04.90.65.84.18,
fax 04.90.65.80.07, e-mail info@arnoux-vins.com
☑ 🏠 🏠 Y 🚶 t.l.j. sf dim. 8h-12h 14h-18h

XAVIER VIGNON Les Espeçades Xavier 2001 *

■ 5 ha 25 000 11 à 15 €

Xavier Vignon est œnologue conseil dans la vallée du Rhône. Il a établi un partenariat avec les domaines qui le consultent pour élaborer ses propres cuvées. En voici un bel exemple : un 2001 tout en arômes de fruits rouges et de sous-bois, ponctués de notes fumées évocatrices d'un bon feu de bois. Le fruit accompagne la bouche, chaleureuse en attaque, puis de plus en plus subtile. Bien équilibré, ce vin devrait évoluer favorablement.

⊶ Xavier Vignon,
chem. de Caromb, 84330 Le Barroux,
tél. 04.90.62.33.44, fax 04.90.62.33.45,
e-mail xavier@xaviervins.com ☑ 🏠 🏠 Y 🚶 r.-v.

Châteauneuf-du-pape

Le territoire de production de l'appellation, la première à avoir défini légalement ses conditions de production en 1931, s'étend sur la quasi-totalité de la commune qui lui a donné son nom et sur certains terrains de même nature des communes limitrophes d'Orange, de Courthézon, de Bédarrides et de Sorgues (3 153,63 ha déclarés en 2003). Ce vignoble est situé sur la rive gauche du Rhône, à une quinzaine de kilomètres au nord d'Avignon. Son originalité provient de son sol, formé notamment de vastes terrasses de hauteurs différentes, recouvertes d'argile rouge mêlée à de nombreux cailloux roulés. Les cépages sont très divers, avec prédominance du grenache, de la syrah, du mourvèdre et du cinsault. Le rendement ne dépasse pas 32 hl/ha en 2003.

Les châteauneuf-du-pape ont toujours une couleur très intense. Ils seront mieux appréciés après un vieillissement qui varie en fonction des millésimes. Amples, corsés et charpentés, ce sont des vins au bouquet puissant et complexe, qui accompagnent avec succès les viandes rouges, le gibier et les fromages à pâte fermentée. Les blancs, produits en petite quantité (6 267 hl), savent cacher leur puissance par leur saveur et la finesse de leurs arômes. La production globale atteint les 101 980 hl en 2003.

PAUL AUTARD Cuvée La Côte Ronde 2001 *

■ 12,5 ha 40 000 🛢 30 à 38 €

De soins, on n'en est pas avare au domaine. Aucun traitement chimique systémique n'est utilisé dans la vigne ; le raisin est vendangé manuellement, placé dans des bennes de faible capacité qui sont ensuite vidées par vibration de façon à ne pas abîmer les grains. A la dégustation, ces attentions se traduisent par un vin rubis, typique de l'appellation. De beaux arômes de fruits mûrs et de poivre accompagnent des tanins fins et une certaine fraîcheur. A boire ou à garder entre deux et trois ans.

⊶ Dom. Paul Autard,
rte de Châteauneuf-du-Pape, 84350 Courthézon,
tél. 04.90.70.73.15, fax 04.90.70.29.59,
e-mail jeanpaul.autard@wanadoo.fr ☑ Y 🚶 r.-v.

DOM. DU BANNERET 2001 *

■ 3 ha 8 000 🛢 15 à 23 €

Le domaine possède six parcelles réparties sur l'ensemble de la commune, plantées de cépages adaptés à leur terroir. Ce 2001, complexe par ses notes boisées et animales, ne manque pas de présence en bouche : du soyeux, de la chair, de bons tanins, des arômes de confiture de fruits et de la vanille. Il ne reste plus qu'à le garder quatre ou cinq ans.

⊶ Jean-Claude Vidal,
35, rue Porte-Rouge, 84230 Châteauneuf-du-Pape,
tél. 04.90.83.72.04, fax 04.90.83.72.04
☑ 🏠 Y 🚶 t.l.j. sf dim. 9h-18h

LA BASTIDE SAINT DOMINIQUE 2002 ★

■ 7 ha 10 000 ▮♁ 11 à 15 €

Une chapelle occupait au XVI[e]s. le site de ce domaine de 30 ha, acheté par Gérard Bonnet en 1976. Aujourd'hui, ce producteur propose un vin souple et élégant, dont les arômes évoquent les fruits rouges et les épices. Vous le garderez un ou deux ans. En attendant, vous pourrez apprécier le **châteauneuf-du-pape blanc 2003 (15 à 23 €)**, finement floral, qui obtient aussi une étoile.

⊶ Gérard Bonnet,
La Bastide Saint Dominique, 84350 Courthézon,
tél. 04.90.70.85.32, fax 04.90.70.76.64,
e-mail contact@bastide-st-dominique.com
☒ ⌂ Y ⚲ r.-v.

DOM. DE BEAURENARD 2002 ★★

■ 27 ha 80 000 ▮◍♁ 15 à 23 €

Au XIV[e]s. déjà des vignes étaient cultivées sur les sols argilo-calcaires légèrement inclinés d'un lieu-dit appelé Bois Renard. Mais c'est à la famille Coulon et à ses ancêtres que l'on doit la mise en valeur de ce terroir. Aujourd'hui, 45 % de la production est exportée en Europe, au Japon ou en Amérique. Ce 2002 trouvera sans aucun doute son public. Le renard n'est pas loin... En effet, ce sont des notes animales et des accents de sous-bois que l'on distingue au nez. Les fruits rouges se manifestent dans une bouche souple, charnue, d'une bonne structure tannique. C'est un vin de garde (de cinq à dix ans), de même que le **Domaine de Beaurenard blanc 2003**, noté deux étoiles lui aussi, que vous conserverez quatre ou cinq ans.

⊶ Paul Coulon et Fils, Dom. de Beaurenard,
84230 Châteauneuf-du-Pape, tél. 04.90.83.71.79,
fax 04.90.83.78.06, e-mail paul.coulon@beaurenard.fr
☒ Y ⚲ t.l.j. sf dim. 9h-12h 13h30-17h30

MAISON BENEDETTI 2001 ★

■ 3 ha 10 000 ▮◍♁ 15 à 23 €

Grenache (80 %), syrah (15 %), mourvèdre et cinsault composent ce 2001 à la charpente tannique bien fondue. A la fois animale et fruitée, la palette d'une grande finesse soulignera les saveurs d'un gigot d'agneau ou d'une daube de sanglier. Un vin à conserver deux ou trois ans.

⊶ Dom. Benedetti, 25, chem. Roquette,
84370 Bédarrides, tél. 04.90.33.24.77,
fax 04.90.33.24.97, e-mail vins-mb@free.fr ☒ Y ⚲ r.-v.

LA BERNARDINE 2001 ★

■ n.c. 100 000 ▮◍ 15 à 23 €

La Bernardine est un domaine de la maison Chapoutier, dont le siège est situé à Tain-l'Hermitage. Une particularité : son vin est issu à 100 % de grenache, alors que l'appellation compte treize cépages. Le millésime 2001 semble encore timide, mais n'en révèle pas moins un beau potentiel. Solide, il mérite d'attendre cinq ou six ans en cave avant de rejoindre une viande en sauce.

⊶ Maison M. Chapoutier, 18, av. du Dr-Paul-Durand,
BP 38, 26601 Tain-l'Hermitage Cedex,
tél. 04.75.08.28.65, fax 04.75.08.81.70,
e-mail chapoutier@chapoutier.com ☒ Y ⚲ r.-v.

MAS DE BOISLAUZON 2001 ★

■ 6 ha 10 000 ◍ 11 à 15 €

En été, on a tout intérêt à profiter d'un séjour dans la région pour assister au festival des Chorégies d'Orange et visiter le vignoble. Ce domaine n'est qu'à 5 km de la ville romaine. Il a produit un vin franc et équilibré dès l'attaque qui fait preuve de rondeur. Les tanins, encore marqués par l'élevage en fût, ne se montrent pas moins fins, accompagnés d'arômes intenses d'épices et de torréfaction. Un 2001 que l'on peut apprécier dès aujourd'hui, mais qui se gardera trois ou quatre ans.

⊶ Monique et Daniel Chaussy, Mas de Boislauzon,
84100 Orange, tél. 04.90.34.46.49, fax 04.90.34.46.61,
e-mail boislauzon@netcourrier.com
☒ Y ⚲ t.l.j. sf dim. 10h-12h 13h-18h;
groupes sur r.-v.; f. 15-30 sept.

BOSQUET DES PAPES Chante Le Merle 2001 ★

■ 3 ha 10 000 ▮◍♁ 30 à 38 €

Non loin du château des Papes, Maurice Boiron et son fils Nicolas conduisent un vignoble de 27 ha. Leurs vins ne connaissent pas de frontières, ce que l'on comprend à la dégustation de cette cuvée ouverte sur des arômes de cerise et de réglisse. De bonne tenue et équilibrée, celle-ci peut être déjà présentée à table. La **cuvée Tradition blanc 2003 (11 à 15 €)**, citée, est appréciée pour sa fraîcheur et sa finesse.

⊶ Maurice et Nicolas Boiron,
Dom. Bosquet des Papes, 18, rte d'Orange,
BP 50, 84232 Châteauneuf-du-Pape Cedex,
tél. 04.90.83.72.33, fax 04.90.83.50.52,
e-mail bosquet.des.papes@club-internet.fr ☒ Y ⚲ r.-v.

DOM. BOUVACHON NOMINE 2001

■ 3,2 ha 6 666 ▮ 11 à 15 €

Le 2001, de bonne intensité aromatique, se montre équilibré et ample grâce à des tanins fondus, si bien qu'une dégustation immédiate semble possible. Deux ou trois ans de garde sont également à sa portée.

⊶ Dom. Bouvachon Nominé, chem. de la Patrasse,
84100 Orange, tél. 04.90.51.05.59, fax 04.90.51.05.60,
e-mail bouvachon@bouvachon.com ☒ Y ⚲ r.-v.
⊶ J.-P. Bouvachon

DOM. DU CAILLOU 2002 ★★★

■ 6,61 ha 25 000 ◍ 15 à 23 €

Les galeries voûtées qui forment la cave du domaine ont été aménagées par Elie Dussaud, ingénieur de Ferdinand de Lesseps, auquel on doit aussi, à Courthézon, le château de Val Seille. 2002 fut une année ô combien difficile, car elle vit la disparition de Jean-Denis Vacheron. Ce millésime lui rend hommage à travers deux cuvées jugées exceptionnelles. Celle-ci, rubis brillant, offre des arômes puissants et complexes de fruits rouges qui se prolongent avec persistance dans une matière dense, nuancée de réglisse et de cannelle. Elle accompagnera les viandes en sauce et les gibiers d'ici deux ou trois ans. La cuvée **Les Quartz rouge 2001 (30 à 38 €)** brille également

RHÔNE

de trois étoiles pour son intensité aromatique, sa grande structure et le bel équilibre que lui apporte une certaine fraîcheur.
Jean-Denis et Sylvie Vacheron,
Clos du Caillou, 84350 Courthézon,
tél. 04.90.70.73.05, fax 04.90.70.76.47
t.l.j. sf dim. 9h-12h30 13h30-17h30
Sylvie Vacheron

CHANTE CIGALE 2001 *

■ 30 ha 120 000 11 à 15 €

Et chantent les cigales... On ne peut pas toujours rester fourmis. Ce 2001 vous invitera à coup sûr au plaisir : il a de la matière, un côté animal et du fruit. Vous pourrez le garder un an ou deux pour que ses tanins s'arrondissent.
Dom. Chante Cigale, av. Louis-Pasteur,
84230 Châteauneuf-du-Pape, tél. 04.90.83.70.57,
fax 04.90.83.58.70 t.l.j. sf dim. 9h-18h

DOM. CHANTE PERDRIX 2003 **

□ 1 ha 3 500 11 à 15 €

Les 20 ha de vignes entourent la propriété. Le domaine, créé en 1896, se trouve au sud de l'appellation. Ce 2003 harmonieux, aux arômes fruités mérite, par sa puissance et sa personnalité, un compagnon de choix, tel un poisson en sauce. A conserver jusqu'à trois ans.
Guy et Frédéric Nicolet, Dom. Chante Perdrix,
BP 6, 84231 Châteauneuf-du-Pape Cedex,
tél. 04.90.83.71.86, fax 04.90.83.53.14,
e-mail chante-perdrix@wanadoo.fr r.-v.

DOM. DE LA CHARBONNIERE 2001 ***

■ 3,5 ha 14 000 15 à 23 €

Le domaine de La Charbonnière a produit un vin que les dégustateurs ont plébiscité. Une réussite exceptionnelle qui n'étonnera aucunement ceux qui connaissent son vinificateur. Puissant et intense, sans être outrancier, ce 2001 dévoile des arômes de fruits rouges confits, de vanille et autres épices qui se prolongent durablement dans une bouche grasse et équilibrée. Gardez-le précieusement entre cinq et dix ans pour apprécier toute sa grandeur. La **cuvée Vieilles Vignes rouge 2001 (30 à 38 €)** remporte deux étoiles pour son volume ; elle fera un très joli quinquennat.
Michel Maret, Dom. de La Charbonnière,
26, rte de Courthézon, 84230 Châteauneuf-du-Pape,
tél. 04.90.83.74.59, fax 04.90.83.53.46,
e-mail maret-charbonniere@club-internet.fr r.-v.

CLOS DU MONT-OLIVET 2003 *

□ 1,8 ha 8 000 8 à 11 €

Fruit de la passion de la famille Sabon, ce domaine se distingue par un vin gourmand, à déguster dans les trois prochaines années. Jaune pâle, il joue sur le registre des fruits exotiques et se montre agréablement frais.
Famille Sabon, SCEA Clos Mont-Olivet,
15 av. Saint-Joseph, 84230 Châteauneuf-du-Pape,
tél. 04.90.83.72.46, fax 04.90.83.51.75,
e-mail clos.montolivet@wanadoo.fr
t.l.j. 8h-12h 14h-18h; sam. dim. sur r.-v.

CLOS SAINT-MICHEL 2003 *

□ 1,4 ha 5 000 15 à 23 €

Grenache, clairette, roussanne et bourboulenc : rien que du classique, mais aussi rien que du bon dans ce 2003. D'une belle couleur or, celui-ci séduit par son caractère floral intense comme par son corps ample et long. Dans les deux ans à venir, il saura mettre en valeur un plat de poisson.
Vignobles Guy Mousset et Fils,
Le Clos Saint-Michel, rte de Châteauneuf,
84700 Sorgues, tél. 04.90.83.56.05, fax 04.90.83.56.06
t.l.j. 10h-12h 14h-18h

DOM. DE LA COTE DE L'ANGE
Vieilles Vignes 2001 *

■ 1,5 ha 4 500 15 à 23 €

Un ange se serait-il arrêté sur cette côte où poussent de vieilles vignes ? C'est ainsi que Yannick Gasparri présente son vin sur l'étiquette figurative. Peut-être en trouverez-vous la preuve en dégustant ce 2001 équilibré et long, au caractère légèrement animal. Celui-ci a certes de la présence, mais ne se montre jamais envahissant. Il sera fin prêt dans un ou deux ans et pourra se conserver encore.
Yannick Gasparri, La Font du Pape,
BP 79, 84232 Châteauneuf-du-Pape,
tél. 04.90.83.72.24, fax 04.90.83.54.88
t.l.j. sf dim. 9h-12h 14h-18h30

DOM. DE CRISTIA 2002 *

■ 11 ha 6 000 11 à 15 €

Une histoire de famille : le grand-père crée le domaine en 1942, le père l'améliore, le fils le développe et porte le vignoble à 20 ha. Un assemblage équitable de grenache, de syrah et de mourvèdre a donné naissance à ce vin très élégant, dont les arômes de fruits rouges mûrs sont portés par une structure de tanins bien fondus. A boire ou à garder six ans pour apprécier des notes plus évoluées.
Alain et Baptiste Grangeon,
33, fg Saint-Georges, 84350 Courthézon,
tél. 04.90.70.24.09, fax 04.90.70.25.38,
e-mail domainedecristia@hotmail.com r.-v.

DOM. LA DESTINEE 2001 *

■ 1 ha 3 500 15 à 23 €

C'est en 1997 que ce domaine changea de destinée. Racheté par Pierre et Sandrine Folliet, il a bénéficié d'une remise en état complète. Son vin, issu à 80 % de grenache, se pare d'une robe cerise de laquelle émanent des nuances boisées et des arômes de fruits rouges. Moyennement tannique, il peut être bu dès aujourd'hui avec un civet de lièvre ou bien attendre trois ans.

Pierre Folliet, Dom. La Destinée, chem. de la Gironde, 84100 Orange, tél. 04.90.11.06.85, fax 04.90.11.06.85, e-mail pierre-folliet@wanadoo.fr Y ⚑ r.-v.

DOM. DURIEU 2001 *

■ n.c. 7 800 11 à 15 €

Une cave voûtée du XVIIIes. accueille les vins du domaine pendant leur élevage. Ce 2001, rubis brillant, décline gentiment des arômes de fruits, soulignés d'un caractère légèrement animal et mentholé. Après une attaque franche, il révèle une jolie texture et des tanins fondus. Pour maintenant.

Paul Durieu, 27, av. Pasteur, 84850 Camaret-sur-Aigues, tél. 04.90.37.28.14, fax 04.90.37.76.05 Y ⚑ r.-v.

CH. DES FINES ROCHES 2003

□ 5 ha 21 000 15 à 23 €

Peut-être n'y croirez-vous pas en découvrant sur l'étiquette le château aux tours crénelées devancé par les vignes. Pourtant, il s'agit bien des Fines Roches : une forteresse de style médiéval, élevée au XIXes., qui fut la propriété du manadier Falco de Baroncelli. Son 2003 fin et simple charme par ses arômes de miel et de fruits mûrs. Sa fraîcheur en bouche en fera un bon apéritif dès maintenant.

Robert Barrot, 1, av. du Baron-Leroy, 84230 Châteauneuf-du-Pape, tél. 04.90.83.51.73, fax 04.90.83.52.77, e-mail chateaux@vmb.fr Y ⚑ r.-v.

Catherine Barrot

DOM. DE FONTAVIN 2001 *

■ 9 ha 35 000 11 à 15 €

Le rêve d'un père – construire sa cave et vinifier – consolidé par sa fille depuis 1997. Vinifié par des femmes, ce 2001 exprime bien le grenache (85 % complétés de syrah) par sa rondeur, sa puissance maîtrisée et son agréable fruité. Un vin sans fard qui donne toute sa substance. A déguster avec une côte de bœuf grillée dès maintenant et jusqu'en 2010.

EARL Hélène et Michel Chouvet, Dom. de Fontavin, 1468, rte de la Plaine, 84350 Courthézon, tél. 04.90.70.72.14, fax 04.90.70.79.39, e-mail helene-chouvet@fontavin.com Y ⚑ t.l.j. sf dim. 9h-12h 14h-18h15; été 9h-19h

Hélène Chouvet

CH. FORTIA Cuvée du Baron 2001 *

■ 10 ha 29 000 15 à 23 €

Nous sommes ici dans la propriété d'un des créateurs des appellations d'origine, le baron Le Roy. Du XIXes., l'édifice possède de belles caves voûtées qui ont accueilli ce vin grenat brillant, au fruité flatteur (cerise confite, cassis mûr, confiture), nuancé d'épices douces. La bouche ample et généreuse n'est pas dénuée d'élégance. La cuvée **Tradition rouge 2001 (11 à 15 €)** obtient également une étoile. Voilà deux vins déjà agréables en accompagnement d'une daube provençale, mais qui gagneront à attendre quatre ou cinq ans.

Famille Le Roy, Ch. Fortia, BP 13, 84231 Châteauneuf-du-Pape Cedex, tél. 04.90.83.72.25, fax 04.90.83.51.03, e-mail fortia@terre-net.fr Y ⚑ t.l.j. 10h-12h30 14h30-18h

CH. DE LA GARDINE
Cuvée Générations G. Philippe 2001 **

■ 3 ha 10 000 46 à 76 €

Pas moins de 105 ha sont commandés par ce célèbre château reconnaissable à sa haute tour, auquel la figure de Gaston Brunel est attachée. Maxime, Philippe et Patrick Brunel s'associent aujourd'hui pour produire des vins telle cette cuvée généreuse, ample et longue qui garde la mémoire de son élevage dans ses notes de boisé vanillé. Cinq à dix ans de garde lui sont accessibles. La cuvée **Tradition rouge 2002 (15 à 23 €)** mérite une étoile pour son fruité, sa matière veloutée et fraîche à la fois. Elle permettra d'attendre la première.

Brunel, SCA Ch. de La Gardine, rte de Roquemaure, BP 35, 84230 Châteauneuf-du-Pape, tél. 04.90.83.73.20, fax 04.90.83.77.24, e-mail direction@gardine.com Y r.-v.

CH. GIGOGNAN Cuvée Cardinalice 2001 *

■ 1,5 ha 6 500 15 à 23 €

C'est en 1998 que fut créée la cave de vinification de ce domaine de 72 ha. Le grenache, majoritaire, assemblé à 21 % de syrah a donné naissance à cette cuvée Cardinalice, dont la robe est en effet digne de celle d'un cardinal. Le nez dominé par des arômes de fruits cuits et de pruneau annonce une bouche franche et ample, aux tanins enrobés. Des flaveurs de figue et de raisin mûr complètent cet ensemble fort bien fait. Une garde de deux ou trois ans lui permettra d'atteindre sa plénitude.

Ch. Gigognan, chem. du Castillon, 84700 Sorgues, tél. 04.90.39.92.91, fax 04.90.39.15.28, e-mail info@chateau-gigognan.fr Y ⚑ r.-v.

J. Callet

DOM. DU GRAND TINEL 2001 *

■ 55 ha 115 000 11 à 15 €

Un « tinel » est un ancien mot désignant une cave. Celle d'Elie Jeune vinifie le fruit de différentes parcelles de l'aire d'appellation. Deux vins présentés au Guide en apportent l'illustration. Ce 2001 laisse une agréable sensation grâce à ses tanins bien présents, mais sans agressivité. Les épices, le poivre, les notes animales se mêlent dans sa matière généreuse et suffisamment persistante. A déguster avec une côte de bœuf grillée dans les deux ou trois ans à venir. La cuvée **Alexis Establet rouge 2001 (15 à 23 €)**, qui rend hommage au fondateur du vignoble au XVIes., mérite d'être citée : elle offre une palette grillée et torréfiée intense.

SAS Les Vignobles Elie Jeune, rte de Bédarrides, 84232 Châteauneuf-du-Pape, tél. 04.90.83.70.28, fax 04.90.83.78.07, e-mail eliejeun@terre-net.fr ⚑ t.l.j. sf sam. dim. 9h-12h 14h-18h; f. août

RHÔNE

DOM. GRAND VENEUR 2002 *

■ 13 ha 46 000 15 à 23 €

Alain Jaume vient d'acquérir 15 ha en appellation lirac. Ses fils Sébastien et Christophe lui viennent en aide à présent, l'un pour la technique, l'autre pour la commercialisation des vins. Souhaitons-leur des résultats futurs à la hauteur de ce 2002. Sous une teinte profonde, celui-ci révèle un nez intense et réglissé, puis une matière ronde et ample, au boisé bien présent. Vous le savourerez dans les trois prochaines années avec une côte de bœuf grillée au feu de bois.

Alain Jaume, rte de Châteauneuf-du-Pape,
84100 Orange, tél. 04.90.34.68.70, fax 04.90.34.43.71,
e-mail jaume@domaine-grand-veneur.com r.-v.

HERITIERS PLANTIN DE MONREDON 2001 *

■ 4,5 ha 20 000 11 à 15 €

Des reflets tuilés apparaissent déjà dans la robe de ce vin issu majoritairement de grenache, avec un complément de syrah. Au nez de fruits noirs, de pruneau, de torréfaction, nuancé d'épices (vanille) répond une structure fondue qui confirme le caractère évolué. Un châteauneuf très classique, en somme, à déguster dès aujourd'hui avec une viande rouge.

Les Vignerons de Rasteau et de Tain-l'Hermitage,
rte des Princes-d'Orange, 84110 Rasteau,
tél. 04.90.10.90.10, fax 04.90.10.90.36,
e-mail vrt@rasteau.com r.-v.

DOM. DE LA JANASSE 2002 *

■ 13 ha 35 000 15 à 23 €

La Janasse est un lieu-dit de Courthézon où la famille Sabon possédait une ferme. C'est là qu'Aimé Sabon créa son domaine en 1973 : un domaine de qualité comme en témoignent les nombreuses références dans le Guide. Aujourd'hui aidé de son fils et de sa fille, il propose un vin puissant, dont les arômes de fruits rouges légèrement épicés s'accompagnent d'un boisé bien présent. Déjà souple, ce 2002 peut être apprécié dès maintenant, mais aussi vieillir un an ou deux. Vous le servirez avec un gibier ou une viande en sauce.

Aimé Sabon, Dom. de La Janasse,
27, chem. du Moulin, 84350 Courthézon,
tél. 04.90.70.86.29, fax 04.90.70.75.93,
e-mail lajanasse@free.fr
t.l.j. 8h-12h 14h-18h30; sam. dim. sur r.-v.

DOM. MATHIEU 2001 *

■ 18 ha 30 000 11 à 15 €

Ce 2001 a beaucoup d'élégance dans sa robe rubis légèrement tuilée. Les arômes s'expriment dans le registre des fruits rouges, ponctués de notes animales. C'est ainsi qu'ils se déclinent également dans une bouche légère et ronde. Une invitation à une dégustation dans les deux ans avec une viance en sauce ou un fromage.

Dom. Mathieu, rte de Courthézon,
BP 32, 84231 Châteauneuf-du-Pape,
tél. 04.90.83.72.09, fax 04.90.83.50.55,
e-mail dnemathieu@aol.com r.-v.

CH. MAUCOIL Cuvée Privilège 2001 **

■ 1 ha 4 000 15 à 23 €

Avec une ancienne bâtisse provençale pour emblème, ce domaine bénéficie d'une longue histoire, remontant au XVIe s. Une cuve à carreaux vernissés d'Apt, datant du XVIIIe s., a ainsi été retrouvée sous le château. Deux vins ont été jugés remarquables par le jury cette année. Cette cuvée Privilège, brillante comme un rubis, offre une grande expression aromatique, nuancée de vanille et de notes animales. Sa bouche ample s'appuie sur des tanins arrondis pour se prolonger durablement. Une garde de trois à cinq ans est aisément à sa portée. Noté deux étoiles également, le **Château Maucoil blanc 2003 (11 à 15 €)** se distingue par l'élégance de sa matière comme par sa palette fruitée-florale très fine. Quant à la cuvée **L'Or des Papes blanc 2003**, elle mérite une étoile pour sa rondeur et sa touche minérale.

Ch. Maucoil, chem. de Maucoil, quartier Le Grès,
84100 Orange, tél. 04.90.34.14.86, fax 04.90.34.71.88,
e-mail contact@chateau-maucoil.com r.-v.
Famille Arnaud

DOM. DE LA MORDOREE
La Reine des Bois 2002 *

■ 4,5 ha 12 000 30 à 38 €

Illustrée d'une jolie bécasse en plein vol, cette cuvée du domaine de La Mordorée est régulièrement du plus bel effet sur la table, aux côtés d'un gibier à plume. Dans le verre, le 2002 dévoile sous une robe foncée des arômes intenses de fruits noirs et de garrigue enveloppés d'un boisé encore très présent. On sent une belle matière, étayée par une structure tannique imposante qui mérite de se fondre au cours des deux ou trois prochaines années.

Dom. de La Mordorée, chem. des Oliviers,
30126 Tavel, tél. 04.66.50.00.75, fax 04.66.50.47.39,
e-mail info@domaine-mordoree.com
t.l.j. sf dim. 8h-12h 13h30-18h
C. Delorme

DOM. FABRICE MOUSSET 2003

□ 2 ha 10 000 11 à 15 €

Grenache, bourboulenc, roussanne, clairette à parts égales composent ce vin très pâle, d'une jolie expression fruitée, soulignée d'une pointe de pierre à fusil. Sa suavité et sa longueur en font un châteauneuf idéal pour l'apéritif ou l'accompagnement d'un poisson en sauce.

Fabrice Mousset, Ch. des Fines Roches,
BP 15, 84230 Châteauneuf-du-Pape,
tél. 04.90.83.50.05, fax 04.90.83.50.78,
e-mail contact@mousset.com r.-v.

DOM. DE NALYS 2002 **

■ n.c. 130 000 11 à 15 €

Le 2001 avait obtenu deux étoiles dans le Guide 2004 ; le 2002 se place sur la même marche du podium cette année. On peut aussi souligner la régularité de ce domaine, dont l'origine remonte à la fin du XVIe s. Remarquable par la finesse de ses tanins, son vin très aromatique et puissant comblera les amateurs les plus exigeants. A découvrir avec une viande rouge ou un gibier dans quatre ou cinq ans pour profiter de toute sa richesse.

Dom. de Nalys, rte de Courthézon,
84230 Châteauneuf-du-Pape, tél. 04.90.83.72.52,
fax 04.90.83.51.15, e-mail domaine-nalys@wanadoo.fr
t.l.j. 8h-18h; sam. sur r.-v.
Groupama

CH. LA NERTHE 2003 ***

□ 7 ha 31 000 23 à 30 €

Si la présence de la vigne remonte ici à la fin du XVIe s., le château fut édifié au XVIIIe s. par l'architecte J.-B. Franque, dont on peut admirer à Avignon les hôtels particuliers. Le vin, réputé de longue date, s'exporte aujourd'hui aux quatre coins du monde. Cette année, c'est un châteauneuf blanc qui a impressionné le grand jury. Jaune pâle à reflets verts, il décline des notes très fines

d'écorce d'orange, de cédrat et de fleur d'acacia qui soulignent sa bouche gourmande, équilibrée et persistante. Le **Château La Nerthe rouge 2002** obtient une étoile pour son élégance et son fruité vanillé.

☛ SCA Ch. La Nerthe,
rte de Sorgues, 84230 Châteauneuf-du-Pape,
tél. 04.90.83.70.11, fax 04.90.83.79.69,
e-mail la.nerthe@wanadoo.fr
☑ ⵑ ⵤ t.l.j. 9h-12h 14h-18h
☛ Pierre Richard

OGIER Cuvée de la Reine Jeanne 2002 ★★

	n.c.	60 000	ⵑⵑ 11 à 15 €

La maison Ogier, créée en 1859, est bien connue dans toute la vallée du Rhône. A Châteauneuf-du-Pape, elle possède de vastes chais d'élevage, ainsi que 20 ha de vignes. Sa cuvée, joliment vêtue de grenat à reflets violacés, semble timide sous des accents vanillés et empyreumatiques, mais elle éclate en bouche, soutenue par des tanins puissants, toute enveloppée d'arômes de confiture. Un vin qui se dévoile progressivement et qui étonnera pendant plusieurs années encore (six à sept ans).

☛ Ogier-Caves des Papes,
10, av. Louis-Pasteur, BP 75, 84190 Beaumes-de-Venise,
tél. 04.90.39.32.32, fax 04.90.83.72.51,
e-mail ogiercavesdespapes@ogier.fr ☑ ⵤ ⵑ r.-v.

DOM. DE PANISSE Confidence vigneronne 2002 ★

	2 ha	5 300	ⵑⵑ 15 à 23 €

Quelles confidences ce vigneron est-il prêt à nous faire ? L'histoire de ce mas provençal, propriété des seigneurs de Panisse, dont un membre fut maître d'hôtel de Louis XII ? Ou bien le caractère du millésime 2002 ? Le vin exprime la vanille et la réglisse avec finesse et offre une structure légère qui en fait un bon compagnon des fromages dès maintenant.

☛ Jean-Marie Olivier, Dom. de Panisse,
161, chem. de Panisse, 84350 Courthézon,
tél. 04.90.70.78.93, fax 04.90.70.81.83
☑ ⵤ ⵑ t.l.j. sf mer. ven. dim. 9h-11h15 14h-18h; f. fév.

DOM. DU PEGAU Cuvée réservée 2002 ★

	17,5 ha	50 000	ⵑⵑ 23 à 30 €

2002 fut une année difficile, mais le domaine du Pégau a su tirer son épingle du jeu. En témoigne ce vin qui libère des arômes complexes d'évolution : fruits cuits et pruneau. Sa structure suffisante et bien fondue assurera sa bonne garde pendant les trois prochaines années.

☛ Paul Féraud et Fille, EARL Dom. du Pégau,
15, av. Impériale, 84230 Châteauneuf-du-Pape,
tél. 04.90.83.72.70, fax 04.90.83.53.02,
e-mail pegau@pegau.com ☑ ⵀ ⵤ ⵑ r.-v.
☛ Laurence Féraud

DOM. PONTIFICAL 2003 ★

	0,84 ha	3 000	11 à 15 €

En 1920 déjà, l'arrière-grand-père de François Laget-Royer vendait son vin en bouteilles aux restaurateurs et à une clientèle particulière. L'expérience ne manque donc pas ici. Le 2003, d'une bonne tenue en bouche, offre des notes florales agréables. Sa vivacité, qui se fondra d'ici deux ou trois ans, lui permettra d'accompagner un plateau de fruits de mer.

☛ SCEA François Laget-Royer,
Dom. Pontifical, 19, av. Saint-Joseph,
BP 67, 84232 Châteauneuf-du-Pape,
tél. 04.90.83.70.91, fax 04.90.83.52.97 ☑ ⵤ r.-v.

DOM. DES RELAGNES 2003 ★★

	0,43 ha	1 800	ⵙ 15 à 23 €

Un grand vin que l'on gardera bien huit ans. La robe dorée laisse entrevoir les nuances d'une future évolution. Amande et fruits au sirop agrémentent le nez, tandis que la fraîcheur et la longueur du palais achèvent de convaincre de la qualité et du potentiel de vieillissement de ce 2003. Avec une étoile, la cuvée **Les Petits Pieds d'Armand rouge 2001** (38 à 46 €) fait preuve de finesse ; elle mérite d'être bue dans les trois ans.

☛ Dom. des Relagnes, rte de Bédarrides,
BP 44, 84232 Châteauneuf-du-Pape,
tél. 04.90.83.73.37, fax 04.90.83.52.16,
e-mail domaine-des-relagnes@wanadoo.fr ☑ ⵤ ⵑ r.-v.
☛ Hillaire

DOM. DE LA RONCIERE Flor de Ronce 2001 ★

	4 ha	10 000	ⵑⵑ 15 à 23 €

Cette Flor de Ronce est un châteauneuf classique, doté d'arômes de fruits rouges et d'épices. Parce qu'une bonne fraîcheur accompagne la structure tannique, son vieillissement semble bien assuré pour les trois prochaines années. Mais on peut la déguster aujourd'hui avec une viande rouge.

☛ Jean-Louis Canto,
Dom. de la Roncière, quartier Mascaronnes,
BP 86, 84232 Châteauneuf-du-Pape,
tél. 04.90.83.78.08, fax 04.90.83.74.52,
e-mail domaine.de.la.ronciere@wanadoo.fr ☑ ⵤ ⵑ r.-v.

ROGER SABON Les Olivets 2001 ★★

	7 ha	30 000	ⵙ ⵑⵑ ⵥ 11 à 15 €

Depuis le début du XXᵉs., toute la famille Sabon se consacre à la vigne. Cette cuvée de grenache (80 %), de syrah (15 %) et de cinsault se présente sous une belle teinte rubis. Son nez fin de fruits confiturés, de sous-bois et de grillé demande à s'épanouir, de même que la bouche ronde, structurée et longue dont le potentiel est indéniable. D'ici trois ans, le vin révélera tous ses atouts aux côtés d'une daube.

☛ Dom. Roger Sabon, av. Impériale,
BP 57, 84232 Châteauneuf-du-Pape,
tél. 04.90.83.71.72, fax 04.90.83.50.51 ☑ ⵤ ⵑ r.-v.

CH. SAINT-ROCH 2001 ★★

	2 ha	9 000	ⵑⵑ 15 à 23 €

Sur les coteaux silico-calcaires de Roquemaure, le vignoble de Saint-Roch couvre 48 ha, sur la rive opposée à celle où est implanté son frère, le château La Gardine. Seulement 9 000 bouteilles ont été produites en 2001. Dommage, car voici un vin pourpre brillant qui livre un

RHÔNE

nez complexe de fruits rouges, de venaison, d'épices et de torréfaction. Ample, gras et charnu, il se montre équilibré et solide, prêt à une garde de trois ans au moins.
Brunel Frères, Ch. Saint-Roch,
chem. de Lirac, 30150 Roquemaure,
tél. 04.66.82.82.59, fax 04.66.82.83.00,
e-mail brunel@chateau-saint-roch.com
t.l.j. sf sam. dim. 8h-12h 14h-17h; f. 1er-15 août

DOM. DES SAUMADES 2002 *

0,2 ha 1000 11 à 15 €

0,2 ha et 1 000 bouteilles produites. Aucune erreur : vous avez bien lu. Le domaine des Saumades, créé en 1995, ne compte que 2,25 ha, ce qui en fait la plus petite propriété de l'appellation. En 2002, seul le châteauneuf-du-pape blanc a été produit : un vin jaune paille brillant, de bonne intensité aromatique (fruits blancs). Son équilibre, sa fraîcheur et sa persistance font toute sa réussite. A servir d'ici trois ans avec des escargots.
Franck et Murielle Mousset,
20, fg Saint-Georges, 84350 Courthézon,
tél. 04.90.70.83.04, fax 04.90.70.83.04,
e-mail saumades@wanadoo.fr r.-v.

CH. SIMIAN 2003 *

1 ha 4 000 11 à 15 €

On ne s'arrête pas au château Simian par hasard. On y vient pour observer sa collection de dix-huit cépages, pour voir une dalle carolingienne exhumée du terroir de Saint-Martin-de-Jocundaz. Sans oublier le vin. Le 2003, bien fruité, se montre déjà si ample et rond qu'il peut rejoindre aujourd'hui même un poisson en sauce. Une garde d'un ou deux ans n'est cependant pas exclue.
Jean-Pierre Serguier, Ch. Simian, Clos Simian,
84420 Piolenc, tél. 04.90.29.50.67, fax 04.90.29.62.33,
e-mail chateau.simian@wanadoo.fr
t.l.j. 9h-12h 14h-19h; dim. sur r.-v.

DOM. DE LA SOLITUDE Réserve Secrète 2000 *

2 ha 5 600 + de 76 €

Elle était bien isolée, en effet, la ferme du XVIIes. qui fut le point de départ de ce domaine réputé, fort aujourd'hui d'une centaine d'hectares. Solitude rime avec Secret. Un secret que vous aimerez dévoiler à vos amis autour d'un gibier ou d'une viande en sauce. Rubis sombre, nuancée de violine, cette cuvée se montre animale dans ses arômes, puis structurée et chaleureuse comme le veut la tradition.
SCEA Dom. Pierre Lançon, Dom. de La Solitude,
BP 21, 84231 Châteauneuf-du-Pape, tél. 04.90.83.71.45,
fax 04.90.83.51.34, e-mail solitude@mnet.fr
t.l.j. 9h-12h 14h-18h

DOM. PIERRE USSEGLIO ET FILS
Tradition 2001 *

21,5 ha 50 000 11 à 15 €

A cuvée Tradition, étiquette traditionnelle et vin bien dans le type de l'appellation. Pierre Usseglio propose un châteauneuf-du-pape tout en fruits rouges et en notes de cuir, dont la structure équilibrée permet une dégustation immédiate comme une garde de cinq ans. Pour un gibier, naturellement...
Dom. Pierre Usseglio et Fils,
10, rte d'Orange, 84230 Châteauneuf-du-Pape,
tél. 04.90.83.72.98, fax 04.90.83.56.70 r.-v.
Thierry et Jean-Pierre Usseglio

DOM. RAYMOND USSEGLIO ET FILS
Cuvée impériale 2001

2 ha 5 000 23 à 30 €

Des reflets violacés animent la robe grenat profond de ce vin agréablement aromatique : épices, fruits rouges, réglisse, boisé. Après une attaque franche, les tanins manifestent leur présence. A boire d'ici trois ans avec une viande en sauce.
Dom. Raymond Usseglio et Fils,
16, rte de Courthézon,
BP 29, 84230 Châteauneuf-du-Pape,
tél. 04.90.83.71.85, fax 04.90.83.50.42,
e-mail stef.usseglio@cario.fr r.-v.

DOM. DU VIEUX LAZARET 2003 *

10 ha 30 000 15 à 23 €

Avec 93 ha répartis en trente-cinq parcelles, le domaine du Vieux Lazaret compte parmi les plus vastes de l'appellation. Les ancêtres de Jérôme Quiot firent l'acquisition de cette propriété au XVIIes. Grâce à une vinification bien maîtrisée, le 2003 apparaît fin et frais. Ses notes d'abricot et d'orange en feront un agréable apéritif dès la sortie du Guide.
Jérôme Quiot Sélection,
av. Baron-Le-Roy, 84231 Châteauneuf-du-Pape,
tél. 04.90.83.73.55, fax 04.90.83.78.48,
e-mail vignobles@jeromequiot.com r.-v.

Lirac

Dès le XVIes., Lirac produisait des vins de qualité que les magistrats de Roquemaure authentifiaient en apposant sur les fûts, au fer rouge, les lettres « C d R ». Nous y trouvons à peu près le même climat et le même terroir qu'à Tavel, au nord, sur une aire répartie entre Lirac, Saint-Laurent-des-Arbres, Saint-Geniès-de-Comolas et Roquemaure. Depuis l'accession de vacqueyras à l'AOC, ce n'est plus le seul cru méridional qui offre les trois couleurs : les rosés et les blancs, tout de grâce et de parfums, se marient agréablement avec les fruits de la Méditerranée toute proche et se boivent jeunes et frais ; les rouges, puissants, au goût de terroir prononcé, généreux, accompagnent parfaitement les viandes rouges. En 2003, l'appellation a produit 22 007 hl, dont 1 308 hl en blanc, sur 665,32 ha.

CH. D'AQUERIA 2001 **

10 ha 30 000 5 à 8 €

Toujours présents, souvent coup de cœur (le dernier dans le Guide 2003), les frères de Bez dirigent ce domaine depuis 1988. Déjà au XVIIIes., les vins d'Aquéria rejoignaient le Danemark et l'Angleterre. Gageons que ce 2001 gagnera le cœur de nombreux Européens. Grenat intense à reflets pourpres, il offre un nez complexe et puissant de fruits rouges nuancés de cuir et de fumé. La matière

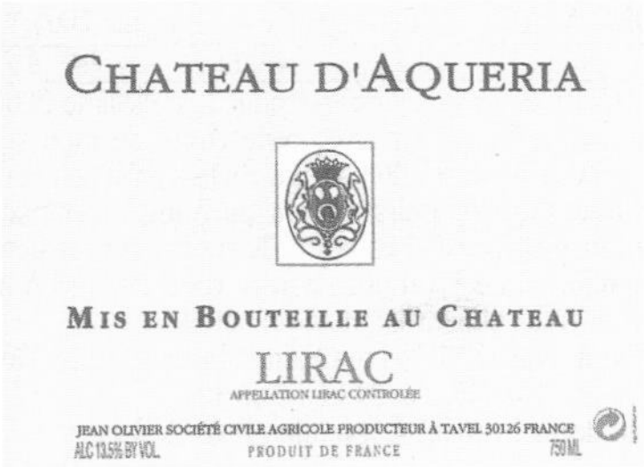
CHATEAU D'AQUERIA
MIS EN BOUTEILLE AU CHATEAU
LIRAC
APPELLATION LIRAC CONTROLÉE
JEAN OLIVIER SOCIÉTÉ CIVILE AGRICOLE PRODUCTEUR À TAVEL 30126 FRANCE
ALC 13,5% BY VOL
PRODUIT DE FRANCE
750 ML

concentrée et aromatique bénéficie de tanins fins, soyeux, qui lui assurent équilibre et persistance. Cassis, vanille et pruneau s'expriment longuement. Le **Château d'Aquéria blanc 2003** est cité.
SCA Jean Olivier, Ch. d'Aquéria, 30126 Tavel, tél. 04.66.50.04.56, fax 04.66.50.18.46, e-mail contact@aqueria.com
t.l.j. sf sam. dim. 8h-12h 14h-18h

BALAZU DES VAUSSIERES 2001 ★★

■ 1,3 ha 4 000 5 à 8 €

Indépendants depuis une dizaine d'années, Nadia et Christian Charmasson ont créé leur cave pour vinifier le fruit de leur petite propriété de 3 ha. Il faudra faire vite pour acquérir l'une des 4 000 bouteilles de ce vin rubis intense qui livre de jolis arômes de griotte et d'épices, légèrement boisés. Autour de flaveurs de cuir, de tabac et d'épices, les tanins soyeux apportent leur soutien à une bouche ample.
Dom. Christian et Nadia Charmasson, chem. de la Vaussière, 30126 Tavel, tél. 04.66.50.44.22, fax 04.66.50.44.22 t.l.j. 9h-12h 14h-18h

LOUIS BERNARD 2003

■ n.c. 150 000 5 à 8 €

Rouge foncé à reflets bleutés, ce vin semble timide, mais il ne devrait pas tarder à exprimer pleinement ses arômes de fruits. Car la bouche, élégante et structurée, leur fait déjà la part belle. Attendez sagement cette bouteille deux ou trois ans. Proposé par la même maison de négoce, le **Domaine de La Rocalière rouge 2003 élevé en fût de chêne** est également cité.
Louis Bernard, rte de Sérignan, 84100 Orange, tél. 04.90.11.86.86, fax 04.90.34.87.30, e-mail louisbernard@sldb.fr r.-v.

CH. CORRENSON 2001

■ 3 ha 13 000 5 à 8 €

Grenache, syrah et mourvèdre élevés sous bois pendant huit mois ont donné naissance à ce vin aujourd'hui prêt à boire. De bonne structure, il dévoile sous une teinte grenat un nez de cuir et de sous-bois, nuancé de notes animales. Les fruits rouges compotés se manifestent aussi, avec un léger boisé, dans une bouche équilibrée qui gagne en fraîcheur en finale. Le **Château Correnson blanc 2003** est également cité : il mérite d'attendre un peu pour fondre l'empreinte du bois.
Marc Peyre, Ch. Correnson, 30150 Saint-Geniès-de-Comolas, tél. 04.66.50.05.28, fax 04.66.33.08.54, e-mail peyre-vincent@wanadoo.fr
t.l.j. sf dim. 10h-12h 15h30-18h30

DOM. COUDOULIS Cuvée Bacchus 2002 ★

■ 0,86 ha 4 000 11 à 15 €

De passage à Saint-Laurent-des-Arbres, vous apprécierez les ruelles anciennes, l'église romane, les vestiges des remparts. Au sud du village, les pinèdes offrent leur fraîcheur aux promeneurs. Le vignoble participe au paysage, tels les 28 ha du domaine Coudoulis. Ce 2002, issu de grenache (67 %) et de syrah (six mois d'élevage en fût pour ce cépage), s'habille d'une robe grenat foncé. Le nez intense de fruits confits et de cassis annonce la bouche souple, au joli fruité. Les tanins sont certes présents, mais se fondent agréablement. A boire.
SCEA Dom. Coudoulis, rte de Saint-Victor-la-Coste, 30126 Saint-Laurent-des-Arbres, tél. 04.66.22.85.89, fax 04.66.22.85.89 r.-v.
Callet

DOM. DE LA CROZE 2003 ★

■ 1 ha 3 000 5 à 8 €

Françoise Granier cultive depuis 1987 ce vignoble de cinquante ans, composé de vieux ceps de grenache et de syrah. Joli résultat que cette cuvée couleur groseille qui brille de reflets saumon. Intensément florale et fruitée, elle fait preuve d'un bon équilibre entre gras et vivacité, et s'étire gentiment sur la framboise nuancée de poivre. Le **rouge 2001 élevé en fût** obtient la même note : son léger boisé laisse toute sa place au fruit.
Françoise Granier, 13, rue de l'Escatillon, 30150 Roquemaure, tél. 04.66.82.56.73, fax 04.66.90.23.90, e-mail croze-garnier@wanadoo.fr r.-v.

CH. LE DEVOY MARTINE 2001 ★★

■ n.c. n.c. 5 à 8 €

Tous les membres du jury s'accordent sur la qualité de ce vin intensément grenat et si aromatique que l'on garde longtemps le souvenir de la réglisse, du poivre, du tabac blond et des fruits rouges. L'ensemble est d'une finesse remarquable. Il serait dommage de ne pas attendre trois ans pour apprécier cette bouteille à son apogée. Le **rosé 2003** est cité pour son fruité et sa fraîcheur. Il sera bu dans l'année.
SCEA Lombardo, Ch. Le Devoy Martine, 30126 Saint-Laurent-des-Arbres, tél. 04.66.50.01.23, fax 04.66.50.43.58, e-mail scealombardo@wanadoo.fr
t.l.j. sf sam. dim. 8h30-12h 14h-17h30

DOM. LES GARRIGUES 2001 ★

■ 25 ha 25 000 11 à 15 €

Le domaine Les Garrigues fait partie d'un ensemble de vignobles de 90 ha, répartis entre Roquemaure et Saint-Laurent-des-Arbres. Il a donné naissance à un lirac prêt à boire, dont la couleur grenat profond convie à la découverte des arômes : d'abord le pruneau et les fruits confits, puis la réglisse. La structure ample, ronde et harmonieuse s'appuie sur des tanins présents mais sans excès pour se prolonger sur les fruits.
SCEA Les Vignobles Assémat, 30150 Roquemaure, tél. 04.66.82.65.52, fax 04.66.82.86.76 r.-v.

DOM. LA GENESTIERE Cuvée Raphaël 2002 ★

■ 15 ha 39 000 8 à 11 €

Une grande bâtisse devancée d'un bassin entouré de platanes commande ce domaine acquis par Jean-Claude et Raphaël Garcin il y a dix ans. Elle figure sur l'étiquette de ce lirac prêt à passer à table aux côtés d'une daube de

taureau. On perçoit la bonne évolution du vin au nez comme en bouche : les fruits cuits très présents enveloppent une structure de qualité, faite de tanins fondus.
↰ J.-C. Garcin, SCEA La Genestière et Saint-Anthelme, chem. de Cravailleux, 30126 Tavel, tél. 04.66.50.07.03, fax 04.66.50.07.03, e-mail garcin-layouni@domaine-genestiere.com
☑ ⊤ ⚔ t.l.j. sf sam. dim. 8h-12h 13h30-17h30

DOM. DU JONCIER 2001 ★

■	26 ha	50 000	∎↓ 8 à 11 €

Marine Roussel, graphiste, a repris le domaine paternel en 1994. Elle n'en a pas moins entretenu son goût pour l'art et organise au printemps, dans la cave et au caveau, expositions et concerts pour présenter le nouveau millésime. Son 2001, typique de l'AOC, saura séduire par ses arômes de fruits rouges mûrs et ses notes chocolatées, comme par son caractère plein et gras que soulignent encore des tanins très fins.
↰ Marine Roussel, rue de la Combe, 30126 Tavel, tél. 04.66.50.27.70, fax 04.66.50.34.07, e-mail domainedujoncier@free.fr
☑ ⊤ ⚔ t.l.j. 9h-12h 14h-17h; sam. dim. sur r.-v.

DOM. LAFOND ROC-EPINE 2003 ★

■	2 ha	11 000	∎↓ 8 à 11 €

Une base de grenache blanc que complètent roussanne et viognier, et voici un lirac tout en fraîcheur, intensément parfumé de fruits et de fleurs. La rondeur est équilibrée par un côté acidulé agréable qui prend des accents de pêche. Le **Domaine Lafond Roc-Epine rouge 2002**, qui a connu trois mois de fût, est cité : il offre des flaveurs d'épices, de tabac et de fruits confits avenantes.
↰ Dom. Lafond Roc-Epine, rte des Vignobles, 30126 Tavel, tél. 04.66.50.24.59, fax 04.66.50.12.42, e-mail lafond@roc-epine.com ☑ ⊤ ⚔ r.-v.

LES LAUZERAIES Elevé en fût de chêne 2001

■	n.c.	120 000	⦿ 5 à 8 €

Née en 1990, la marque Les Lauzeraies se distingue dans le millésime 2001 par un vin rubis foncé, tout en arômes puissants de fruits rouges. Equilibrée, la bouche est ronde à souhait et invite à une dégustation immédiate.
↰ Les Vignerons de Tavel, rte de la Commanderie, 30126 Tavel, tél. 04.66.50.03.57, fax 04.66.50.46.57, e-mail tavel.cave@wanadoo.fr
☑ ⊤ ⚔ t.l.j. 9h-12h 14h-18h

CAVE DES VINS DU CRU DE LIRAC
Tradition 2003

■	4 ha	10 000	∎ 5 à 8 €

La cave de Lirac, dont les origines remontent à 1931, propose une cuvée dominée par le grenache (80 %) que complètent cinsault et syrah. Des reflets saumonés brillent dans sa robe groseille pâle, tandis qu'au nez les fruits rouges s'accompagnent d'une note minérale. Une juste vivacité équilibre le gras sur fond de fraise et de groseille. Un lirac bien fait.
↰ Cave des vins du cru de Lirac, rue Baron-Leroy, 30126 Saint-Laurent-des-Arbres, tél. 04.66.50.01.02, fax 04.66.50.01.02, e-mail cave-lirac@wanadoo.fr ☑ ⊤ t.l.j. 9h-12h 14h-18h

DOM. MABY La Fermade Cuvée Prestige 2001 ★

■	0,5 ha	4 000	⦿ 8 à 11 €

Coup de cœur l'an passé pour le millésime 2000, le domaine Maby revient avec cette cuvée de mourvèdre, grenache et syrah récoltés sur les chauds galets du plateau de Lirac. Grenat, puissamment parfumé de tabac, de pruneau, de cerise et d'épices, celle-ci se montre structurée et équilibrée. Le **Domaine Maby rosé 2003 (5 à 8 €)**, fruité et frais, obtient lui aussi une étoile.
↰ Dom. Roger Maby, rue Saint-Vincent, 30126 Tavel, tél. 04.66.50.03.40, fax 04.66.50.43.12, e-mail domaine-maby@wanadoo.fr ☑ ⊤ ⚔ r.-v.

CH. MONT-REDON 2001 ★★★

■	9,5 ha	50 000	∎⦿↓ 8 à 11 €

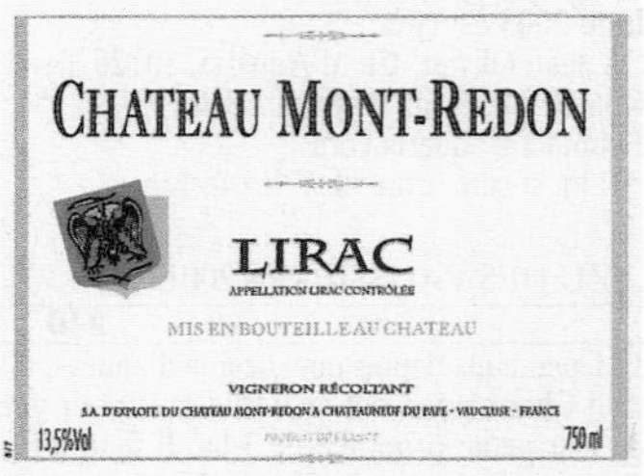

La famille Abeille-Fabre possède une vingtaine d'hectares en lirac, en plus de ses 160 ha en châteauneuf-du-pape et de ses 35 ha en côtes-du-rhône. Il vous faudra passer par le château Mont-Redon à Châteauneuf-du-Pape pour découvrir cette cuvée exceptionnelle. Sa robe rouge invite à humer ses arômes mêlés de truffe, d'épices, de garrigue, d'acacia et de café. Dans une bouche concentrée, le fruit et les épices se font complices jusqu'à la finale très longue qui laisse le souvenir d'une note mentholée rafraîchissante.
↰ Ch. Mont-Redon, BP 10, 84230 Châteauneuf-du-Pape, tél. 04.90.83.72.75, fax 04.90.83.77.20, e-mail chateaumontredon@wanadoo.fr ☑ ☎ ⊤ ⚔ r.-v.
↰ Abeille-Fabre

DOM. DE LA MORDOREE
La Reine des Bois 2002 ★★

■	n.c.	13 000	∎⦿↓ 11 à 15 €

Omniprésent, le domaine de La Mordorée, et aux meilleures places. Cette Reine des Bois, à la parure brillante, évoque les fruits cuits, le pruneau et la groseille avec élégance. Sa structure équilibrée dévoile des tanins fondus et soutient l'expression des flaveurs de réglisse et d'anis. La **Dame Rousse rouge 2002 (8 à 11 €)** reçoit une étoile : joliment fruitée, elle mérite d'attendre deux ans pour que ses tanins s'assouplissent.
↰ Dom. de La Mordorée, chem. des Oliviers, 30126 Tavel, tél. 04.66.50.00.75, fax 04.66.50.47.39, e-mail info@domaine-mordoree.com
☑ ⊤ ⚔ t.l.j. sf dim. 8h-12h 13h30-18h
↰ C. Delorme

DOM. PELAQUIE 2001 ★★

■	5 ha	20 000	∎⦿↓ 5 à 8 €

Dominé par les ruines d'un château fort médiéval, Saint-Victor-la-Coste garde trace des différentes époques

de l'histoire dans ses pierres, en remontant jusqu'à la préhistoire grâce aux gisements découverts au pied de la colline. A l'origine de ce vin, grenache et mourvèdre à parts égales. Les fruits noirs se libèrent majoritairement de ce 2001 grenat, bien équilibré. Si les tanins sont présents, les flaveurs de fruits rouges, de sous-bois et de fumé se manifestent pleinement. Un beau lirac à conserver deux ou trois ans.
🔑 Dom. Pélaquié,
7, rue du Vernet, 30290 Saint-Victor-la-Coste,
tél. 04.66.50.06.04, fax 04.66.50.33.32,
e-mail contact@domaine-pelaquie.com
☒ Y 🚶 t.l.j. sf dim. 9h-12h 14h-18h
🔑 GFA du Grand Vernet

DOM. ROGER SABON ET FILS
Chapelle de Maillac 2001 ★

■ 6 ha 30 000 ▮ ⓘ ♨ 5 à 8 €

Il suffit de traverser le Rhône et de passer sur la rive droite, sur les coteaux ensoleillés de Roquemaure, pour découvrir ce vignoble. Mais la dégustation se fait à Châteauneuf-du-Pape. C'est là que vous trouverez ce lirac grenat, au nez intense de cuir, de sous-bois, nuancé de notes animales. Le fruit apparaît dans une bouche équilibrée, ponctuée elle aussi de poivre et de sous-bois.
🔑 Dom. Roger Sabon, av. Impériale,
BP 57, 84232 Châteauneuf-du-Pape,
tél. 04.90.83.71.72, fax 04.90.83.50.51 ☒ Y 🚶 r.-v.

CH. SAINT-ROCH 2003 ★★

□ 2,75 ha 13 000 ▮ ⓘ ♨ 8 à 11 €

En 1998, les frères Brunel sont passés sur la rive droite du Rhône grâce à l'acquisition du château Saint-Roch. Ils ont élaboré une remarquable cuvée d'un jaune brillant à partir de 60 % de grenache blanc, de clairette, de roussanne et de viognier. Quel nez... Fleurs blanches intenses, notes de pêche. Des arômes que l'on retrouve dans une bouche élégante et persistante. La **cuvée Confidentielle blanc 2003 (11 à 15 €)**, dont 2 300 bouteilles ont été produites, obtient deux étoiles pour son agréable rondeur.
🔑 Brunel Frères, Ch. Saint-Roch,
chem. de Lirac, 30150 Roquemaure,
tél. 04.66.82.82.59, fax 04.66.82.83.00,
e-mail brunel@chateau-saint-roch.com
☒ Y t.l.j. sf sam. dim. 8h-12h 14h-17h; f. 1er-15 août

CH. DE SEGRIES 2001 ★

■ 23,9 ha 120 000 ▮ ♨ 5 à 8 €

Voilà bientôt dix ans que le château du XVIIe s., sa cave et son vignoble appartiennent à la maison Henri de Lanzac : 30 ha de vignes d'un seul tenant et deux cent cinquante oliviers. Les plus vieilles vignes ont produit ce lirac grenat, tout en fruits rouges et en notes de pruneau, qui fait preuve d'un bel équilibre et d'une certaine fraîcheur.
🔑 SCEA Henri de Lanzac, Ch. de Ségriès,
chem. de la Grange, 30126 Lirac,
tél. 04.66.50.22.97, fax 04.66.50.17.02 ☒ Y 🚶 r.-v.

DOM. TOUR DES CHENES 2003 ★

▨ 4 ha 20 000 ▮ ♨ 5 à 8 €

Régulièrement présent dans le Guide dans l'une ou l'autre des couleurs de l'appellation, le domaine Tour des Chênes offre ici un rosé brillant, au coloris groseille, dont le caractère minéral et fruité laisse une impression plaisante de fraîcheur tout au long de la dégustation. La fraise domine la finale persistante de ce vin équilibré.
🔑 Dom. Tour des Chênes,
30126 Saint-Laurent-des-Arbres,
tél. 04.66.50.01.19, fax 04.66.50.34.69,
e-mail tour-des-chenes@wanadoo.fr ☒ Y 🚶 r.-v.

Tavel

Considéré par beaucoup comme le meilleur rosé de France, ce grand vin de la vallée du Rhône provient d'un vignoble situé dans le département du Gard, sur la rive droite du fleuve. Sur des sols de sable, d'alluvions argileuses ou de cailloux roulés, c'est la seule appellation rhodanienne à ne produire que du rosé, sur le territoire de Tavel et sur quelques parcelles de la commune de Roquemaure, soit 961,7 ha ; la production a été de 41 306 hl en 2003. Le tavel est un vin généreux, au bouquet floral puis fruité, qui accompagnera le poisson en sauce, la charcuterie et les viandes blanches.

DOM. BEAUMONT
Cuvée Saint Pierre aux Liens 2003 ★★

▨ 1,5 ha 3 500 ▮ ♨ 8 à 11 €

Sur la route de Tavel à Lirac, vous découvrirez le cadre majestueux de l'ermitage de la Sainte-Baume, construit au XVIIe s. dans une grotte. Installé dans la commune depuis 2001, Brice Beaumont, jeune vigneron, a tiré profit des conseils de l'œnologue Bernard Ganichot pour élabo-

RHÔNE

rer cette remarquable cuvée de teinte cerise clair. Le nez intense évoque la framboise avec élégance. Une qualité que l'on retrouve dans une bouche fraîche dès l'attaque, joliment fruitée, fine et équilibrée. Un tavel qui fera bel effet à l'apéritif et qui accompagnera parfaitement des caillettes aux herbes.

🕭 Dom. Beaumont, chem. de la Filature, 30126 Lirac, tél. 04.66.50.02.37, fax 04.66.50.07.17, e-mail domainebeaumont@wanadoo.fr ☑ ⊥ ⅄ r.-v.

DOM. DE LA GENESTIERE 2003 ★

▪	20 ha	110 000	▪⅃	8 à 11 €

Au mois de mai prochain, vous pourrez vous rendre aux portes ouvertes organisées par ce domaine, ancienne filature de cordes fabriquées avec du genêt. En attendant, rien ne vous empêche de découvrir ce vin habillé d'une charmante étiquette. D'un bel équilibre entre le gras de l'alcool et la vivacité, celui-ci révèle en outre un grand fruité : senteurs de kirsch et de fruits rouges, puis flaveurs de fruits macérés longuement persistantes. La **cuvée Raphaël 2003** obtient la même note pour son côté chaleureux et très fruits rouges. Un tajine d'agneau fera un joli accord avec ces deux vins.

🕭 J.-C. Garcin,
SCEA La Genestière et Saint-Anthelme,
chem. de Cravailleux, 30126 Tavel,
tél. 04.66.50.07.03, fax 04.66.50.07.03,
e-mail garcin-layouni@domaine-genestiere.com
☑ ⊥ ⅄ t.l.j. sf sam. dim. 8h-12h 13h30-17h30

DOM. LE MALAVEN Cuvée Prestige 2003 ★

▪	1,3 ha	8 000	▪⅃	8 à 11 €

Lavoirs, fontaines, cadran solaire, sentiers botaniques et vignes : un havre de paix que le village de Tavel, où Isabelle et Dominique Roudil ont choisi de s'installer à l'aube de ce siècle. Leur cuvée Prestige s'exprime avec élégance tant par sa robe aux reflets or brillant que par ses arômes délicats de fleurs nuancés de fruits. Sa fraîcheur convainc le jury, les fruits rouges et une bonne persistance sur les épices complétant la dégustation.

🕭 EARL Isabelle et Dominique Roudil,
Dom. Le Malaven, rte de la Commanderie,
BP 28, 30126 Tavel, tél. 04.66.50.20.02,
fax 04.66.50.90.42, e-mail dominique.roudil@terre-net.fr
☑ ⊥ ⅄ t.l.j. sf sam. dim. 8h-12h 13h30-18h

DOM. DE LA MORDOREE
La Dame rousse 2003 ★★

▪	8 ha	50 000	▪⅃	8 à 11 €

C'est en 1987 que Christophe Delorme a pris la tête de ce domaine reconnu, qui compte aujourd'hui 54 ha. Coup de cœur l'an passé pour la Dame rousse 2002, il n'a

de cesse de convaincre les amateurs de vins rhodaniens depuis notre première édition avec neuf coups de cœur en vingt ans. Ce 2003, d'un rose pâle délicat, libère un nez délicat de framboise et de fruits frais. Le fruit envahit le palais, laissant une impression de fraîcheur et de finesse. Complexe et originale, c'est une très belle bouteille.

🕭 Dom. de La Mordorée, chem. des Oliviers, 30126 Tavel, tél. 04.66.50.00.75, fax 04.66.50.47.39, e-mail info@domaine-mordoree.com
☑ ⊥ ⅄ t.l.j. sf dim. 8h-12h 13h30-18h
🕭 C. Delorme

DOM. MOULIN-LA-VIGUERIE 2003 ★

▪	3,24 ha	19 866		5 à 8 €

Un lapin à la moutarde, des aubergines frites à la tomate et à l'ail... Cela sent bon la Provence. Il ne manque plus que le vin... Mireille Petit-Roudil propose un tavel de bon aloi, brillant et cristallin, aux nuances framboise. La palette aromatique de fraise des bois et de fleur d'églantine est en accord avec la fraîcheur de la bouche, ses flaveurs de fraise et de groseille soulignées d'une note de pamplemousse. La cuvée **Combe des Rieu 2003** mérite elle aussi une étoile pour son élégance et ses notes manifestes de fruits rouges.

🕭 SCEA les Vignobles Mireille Petit-Roudil, rue de la Combe, BP 16, 30126 Tavel, tél. 04.66.50.06.55, fax 04.66.79.37.07 ☑ ⊥ ⅄ r.-v.

PRIEURE DE MONTEZARGUES 2003

▪	33 ha	100 000	▪⅃	5 à 8 €

Changement de propriétaire pour ce magnifique prieuré du XIIᵉs. dirigé par Guillaume Dugas avec l'aide de Noël Rabot, œnologue. Tous deux présentent leur première cuvée : couleur groseille, nez ample, fruité, bouche chaleureuse aux notes de petits fruits rouges.

🕭 GAF Prieuré de Montézargues, rte de Rochefort, 30126 Tavel, tél. 04.66.50.04.48, fax 04.66.50.30.41 ☑ ⊥ ⅄ r.-v.

DOM. LA ROCALIERE 2003 ★

▪	23 ha	130 000	▪⅃	8 à 11 €

Qu'il serait bon de déguster ce vin avec une petite salade composée ou des caillettes ! Celui-ci possède en effet les arômes intenses et agréables de framboise ainsi que la vivacité et la bonne longueur sur les fruits rouges. Couleur cerise à reflets violacés en prime... Tout y est pour dresser une table sympathique.

🕭 Dom. La Rocalière, Le Palais-Nord, BP 21, 30126 Tavel, tél. 04.66.50.12.60, fax 04.66.50.23.45, e-mail rocaliere@wanadoo.fr ☑ ⊥ ⅄ r.-v.
🕭 Borrelly-Maby

CAVES SAINT-PIERRE Préférence 2003

▪	n.c.	33 000	▪	5 à 8 €

Plus que centenaire, cette maison de négoce de Châteauneuf-du-Pape, aujourd'hui propriété de Robert Skalli, propose un vin agréable qui, sous une teinte cerise légèrement orangée, mêle les fruits rouges à une note de fenouil. La bouche laisse apparaître des arômes de fraise écrasée avant de conclure avec franchise et fraîcheur.

🕭 SA Maison Bouachon, av. Pierre-de-Luxembourg, 84230 Châteauneuf-du-Pape, tél. 04.90.83.58.35, fax 04.90.83.77.23 ⊥ ⅄ t.l.j. 9h-12h 14h-19h; f. jan.
🕭 Groupe Skalli

CH. DE SEGRIES 2003

| | 6,6 ha | 40 000 | ⬛⬇ | 5 à 8 € |

Vêtu d'une robe framboise frangée d'orangé, brillante et limpide, ce tavel décline des notes de fleurs et de fruits frais nuancées d'anis. Sous de légers tanins qui demandent à s'assouplir, les fruits rouges réapparaissent en bouche.
↜ SCEA Henri de Lanzac, Ch. de Ségriès, chem. de la Grange, 30126 Lirac, tél. 04.66.50.22.97, fax 04.66.50.17.02 ☑ ⊥ ⅄ r.-v.

LES VIGNERONS DE TAVEL
Cuvée Royale 2003 ★★

| | | n.c. | 92 000 | ⬛⬇ | 5 à 8 € |

Honneur à la cave des vignerons de Tavel qui a élaboré la bien nommée cuvée Royale. Royale, en effet, dans sa robe cerise soutenu de laquelle émanent des arômes intenses de fruits frais. Complexe, riche, minérale, la bouche ample se prolonge durablement sur le fruit. Typique de l'appellation. Et 92 000 bouteilles produites... c'est royal !
↜ Les Vignerons de Tavel, rte de la Commanderie, 30126 Tavel, tél. 04.66.50.03.57, fax 04.66.50.46.57, e-mail tavel.cave@wanadoo.fr
☑ ⊥ ⅄ t.l.j. 9h-12h 14h-18h

DOM. LE VIEUX MOULIN 2003 ★

| | 11 ha | 70 000 | ⬛⬇ | 8 à 11 € |

Parfait pour l'accompagnement d'un barbecue entre amis, ce vin saumon brillant offre une belle fraîcheur et de l'élégance grâce à sa palette aromatique. La cerise se manifeste dans son corps ample, à la fois gras et frais.
↜ SCEA Henri Roudil, rte de la Commanderie, Le Palais-Nord, 30126 Tavel, tél. 04.66.50.05.64, fax 04.66.79.36.89
☑ ⊥ ⅄ t.l.j. sf sam. dim. 8h-12h 13h30-17h30

Clairette-de-die

La clairette-de-die est l'un des vins les plus anciennement connus au monde. Le vignoble occupe les versants de la moyenne vallée de la Drôme, entre Luc-en-Diois et Aouste-sur-Sye. On produit ce vin mousseux essentiellement à partir du cépage muscat (75 % minimum). La fermentation se termine naturellement en bouteille. Il n'y a pas adjonction de liqueur de tirage. C'est la méthode dioise ancestrale. La production a atteint 63 162 hl en 2003.

CAROD Tradition 2002 ★

| | 35 ha | n.c. | ⬛⬇ | 5 à 8 € |

Cette cave, dont la création remonte à 1920, a aménagé il y a dix ans un musée de la clairette-de-die afin d'expliquer au visiteur le mode d'élaboration de cet effervescent. Constituant 75 % de la cuvée Tradition, le muscat s'exprime avec un côté velouté qui tapisse les papilles. Les bulles sont fines et la bouche vive n'est pas dépourvue d'équilibre. Une finale bien longue fait durer le plaisir.

↜ GAEC Carod Frères, 26340 Vercheny, tél. 04.75.21.73.77, fax 04.75.21.75.22, e-mail info@caves-carod.com ☑ ⊥ t.l.j. 8h-12h 14h-18h

DIDIER CORNILLON Florilège 2002

| | 2,2 ha | 11 500 | ⬛⬇ | 5 à 8 € |

Une couleur légère et des bulles aériennes pour un vin qui dévoile rapidement ses arômes de muscat très fins. Une pointe vive donne envie de poursuivre la dégustation, et l'on aurait aimé que la finale soit plus longue.
↜ Didier Cornillon, 26410 Saint-Roman, tél. 04.75.21.81.79, fax 04.75.21.84.44, e-mail cavecornillon@tele2.fr ☑ ⊥ ⅄ r.-v.

JAILLANCE Cuvée Impériale ★★

| | n.c. | n.c. | ⬛⬇ | 5 à 8 € |

La robe pâle et brillante s'orne d'un fin liseré et de bulles délicates. On perçoit beaucoup de fraîcheur dans les senteurs de litchi. La bouche très équilibrée offre de la douceur et de jolies notes d'agrumes. La **clairette-de-die Tradition** (8 à 11 €), issue de l'agriculture biologique, obtient deux étoiles elle aussi pour ses notes florales intenses.
↜ La Cave de Die Jaillance, av. de la Clairette, BP 79, 26150 Die, tél. 04.75.22.30.00, fax 04.75.22.21.06 ☑ ⊥ ⅄ r.-v.

DOM. DE MAGORD Cuvée Anaïs 2002 ★

| | 8 ha | 30 000 | | 5 à 8 € |

Le jury a reconnu à ce vin une belle finesse : d'abord dans les bulles qui animent la robe jaune pâle, puis dans les arômes qui déclinent les fleurs blanches, enfin dans la bouche fraîche. Simplement aurait-il souhaité plus de persistance.
↜ Jean-Claude et Jérôme Vincent, GAEC du Dom. de Magord, 26150 Barsac, tél. 04.75.21.71.43, e-mail domaine-de-magord@wanadoo.fr ☑ ⌂ ⊥ ⅄ r.-v.

DOM. LES TROIS BECS 2002 ★

| | 18 ha | 80 000 | ⬛ | 5 à 8 € |

Une jolie histoire que celle de ce domaine : deux anciens amis, après s'être retrouvés, l'ont créé en 1996 sur les communes de Saillans et de Barsac. Ils proposent aujourd'hui un vin aux légers reflets verts, qui présente un beau cordon de bulles. Fine, tout en arômes de fleurs et de pêche blanche, cette bouteille laisse une sensation de fraîcheur en bouche.
↜ Bérard et Maubouché, Dom. Les Trois Becs, La Tuillière, 26340 Saillans, tél. 04.75.21.56.03, fax 04.75.21.59.20 ☑ ⊥ ⅄ r.-v.

Crémant-de-die

Le décret du 26 mars 1993 a reconnu l'AOC crémant-de-die, produite uniquement à partir du cépage clairette selon la méthode dite traditionnelle de seconde fermentation en bouteille. En 2003, l'appellation a produit 2 403 hl.

CHAMBERAN 2000

● 2,7 ha 20 000 5 à 8 €

C'est en 1961 que de jeunes vignerons se sont unis pour créer cette cave et mettre en commun leurs compétences. Leur crémant mérite d'être dégusté dès la sortie du Guide. Présentant une belle mousse et brillant de reflets verts, il offre une palette de fleurs blanches tout au long de la dégustation, et laisse une impression de douceur plutôt que de fraîcheur.

⊶ Union des Jeunes Viticulteurs de Vercheny, rte de Die, 26340 Vercheny, tél. 04.75.21.70.80, fax 04.75.21.73.73, e-mail ujvr@terre-net.fr
☒ 🍷 🚶 t.l.j. 9h-12h 14h-18h30

JACQUES FAURE ★

● n.c. 5 000 ▮⊥ 5 à 8 €

Une teinte jaune clair à reflets verts pour un crémant très frais mais sans agressivité. Des arômes de noisette et de viennoiserie charment le nez comme les papilles, avec une belle continuité. A servir dès l'apéritif et pendant tout un repas amical.

⊶ EARL Jacques Faure, RD 93, 26340 Vercheny, tél. 04.75.21.72.22, fax 04.75.21.71.14
☒ 🍷 t.l.j. 9h-12h 14h-19h
⊶ Luc Faure

JAILLANCE Grande Réserve 1999

● 4,5 ha 30 000 ▮◍⊥ 5 à 8 €

La cave de Jaillance a opté pour un élevage de trente-six mois en bouteille et a assemblé ses meilleurs vins du millésime de façon à élaborer ce 99. Sous une couleur jaune clair, le vin persiste bien sur des notes de rose blanche et de brioche, et trouve un bon équilibre.

⊶ La Cave de Die Jaillance, av. de la Clairette, BP 79, 26150 Die, tél. 04.75.22.30.00, fax 04.75.22.21.06 ☒ 🍷 🚶 r.-v.

ALAIN POULET 2001 ★

● 3 ha 13 000 ▮⊥ 5 à 8 €

Une belle mousse persistante apparaît dans le verre ; elle semble porter des arômes puissants, évocateurs de fleurs et de brioche. Un vin parvenu à maturité, dont l'ampleur et la rondeur sont mises en valeur par une juste vivacité.

⊶ Alain Poulet, La Chapelle, 26150 Pontaix, tél. 04.75.21.22.59, fax 04.75.21.20.95 ☒ 🍷 🚶 r.-v.

GEORGES RASPAIL

● 1 ha 4 000 ▮⊥ 5 à 8 €

La première impression est celle d'une prairie juste après la pluie, avec un rayon de soleil qui vient révéler les senteurs. Fraîcheur et équilibre caractérisent le mieux ce crémant-de-die jaune clair à reflets verts.

⊶ EARL Georges Raspail, rte du Camping-Municipal, La Roche, 26340 Aurel, tél. 04.75.21.71.89, fax 04.75.21.71.89
☒ 🏠 🍷 🚶 t.l.j. 9h30-12h30 13h30-19h30; groupes sur r.-v.

JEAN-CLAUDE RASPAIL
Cuvée Flavien Brut extra 2000 ★

● 2 ha 11 100 ▮⊥ 8 à 11 €

Conduit en agriculture biologique, ce domaine a présenté deux vins appréciés du jury. Cette cuvée typique de l'appellation offre des senteurs de fleurs blanches très agréables. Les bulles fines se dégagent harmonieusement et apportent du relief à la bouche souple et équilibrée. Le **crémant-de-die élevé en fût de chêne 2000**, au caractère beurré, obtient une étoile également.

⊶ Jean-Claude Raspail et Fils, Dom. de la Mûre, 26340 Saillans, tél. 04.75.21.55.99, fax 04.75.21.57.57, e-mail jc.raspail@wanadoo.fr
☒ 🍷 🚶 t.l.j. 9h-12h 14h-18h30; f. 5-31 jan.

Châtillon-en-diois

Le vignoble du châtillon-en-diois occupe 50 ha, sur les versants de la haute vallée de la Drôme, entre Luc-en-Diois (550 m d'altitude) et Pont-de-Quart (465 m). L'appellation produit des rouges (cépage gamay), légers et fruités, à consommer jeunes, ou des blancs (cépages aligoté et chardonnay), agréables et nerveux. Production totale : 1 049 hl en blanc en 2003 et 1 673 hl en rouge.

DIDIER CORNILLON 2003 ★

■ 1,5 ha 9 500 ▮⊥ 3 à 5 €

De l'élégance et de la souplesse dans ce vin. De la fraîcheur aussi dans sa robe jaune pâle à reflets verts et ses arômes citronnés. Un côté floral apporte un air printanier. Le **Clos de Beylière rouge 2002 (5 à 8 €)**, élevé en fût, est cité pour son caractère primesautier et délicat.

⊶ Didier Cornillon, 26410 Saint-Roman, tél. 04.75.21.81.79, fax 04.75.21.84.44, e-mail cavecornillon@tele2.fr ☒ 🍷 🚶 r.-v.

Coteaux-du-tricastin

Cette appellation couvre 2 000 ha répartis sur vingt-deux communes de la rive gauche du Rhône, depuis La Baume-de-Transit au sud, en passant par Saint-Paul-Trois-Châteaux, jusqu'aux Granges-Gontardes, au nord. Les terrains d'alluvions anciennes très caillouteuses et les coteaux sableux, situés à la limite du climat méditerranéen, ont produit 106 460 hl de vin en 2003 dont 3 500 en blanc. Cette appellation vient d'être redélimitée.

DOM. DES AGATES Les Reflets de Montagut 2002

■ 3,5 ha 5 500 ◍ 8 à 11 €

Voilà trois ans qu'Olivier Chabanis et Jean-Claude Riffard ont créé leur propre cave pour vinifier eux-mêmes le fruit des 31 ha de leur propriété. Des débuts encourageants : marqué par le cassis nuancé de boisé, leur vin ne devrait pas tarder à exprimer son potentiel. Les fruits apparaissent en bouche autour d'une structure de qualité qui demande du temps pour s'épanouir.

– SCEA Vignerons Chabanis Riffard,
Dom. des Agates, chem. de l'Etang,
26780 Châteauneuf-du-Rhône,
tél. 04.75.90.80.03, fax 04.75.90.75.59
☒ 🍷 🚶 lun-ven.17h-20h; sam. dim. 9h-19h

LOUIS BERNARD 2003

■ n.c. n.c. 3 à 5 €

D'un beau rubis, ce vin joue la gamme des fruits rouges tout au long de la dégustation. Avec ses tanins puissants, il tient bien en bouche et devrait pouvoir vieillir en cave un moment.

– Louis Bernard, rte de Sérignan, 84100 Orange,
tél. 04.90.11.86.86, fax 04.90.34.87.30,
e-mail louisbernard@sldb.fr 🍷 🚶 r.-v.

DOM. BONETTO-FABROL
Cuvée le Colombier 2003 *

■ 6 ha 5 000 ■ 3 à 5 €

La Garde-Adhémar est un joli village qui a gardé un caractère médiéval. Philippe Fabrol propose une cuvée d'un rose soutenu, d'une agréable intensité aromatique sur la cerise macérée. Une grande chaleur se dégage de la bouche puissante, grasse et persistante. Pour l'apéritif, une paella ou tout un repas.

– Philippe Fabrol, 26700 La Garde-Adhémar,
tél. 04.66.82.62.88, fax 04.66.39.34.48,
e-mail philippe.fabrol@tiscali.fr ☒ 🍷 🚶 r.-v.

M. CHAPOUTIER La Ciboise 2002

■ n.c. 60 000 3 à 5 €

Cet assemblage de grenache (80 %) et de syrah est représentatif de l'appellation. Un terroir exceptionnel de galets roulés a permis de passer le cap d'un millésime difficile. Intensément fruité, le vin se nuance de notes empyreumatiques au nez, tandis qu'en bouche les épices persistent bien.

– Ch. des Estubiers, 26290 Les Granges-Gontardes,
tél. 04.75.98.54.78, fax 04.75.98.54.81,
e-mail estubiers2@chapoutier.local ☒ 🍷 🚶 r.-v.

CH. DE CHARTROUSSAS 2001 *

■ 10 ha 18 000 5 à 8 €

Suze-la-Rousse possède un joli château sur un promontoire, forteresse médiévale dont l'intérieur témoigne de l'évolution des styles au fil des siècles. C'est là que se trouve l'université du Vin. La coopérative a élaboré ce 2001 rubis foncé et brillant, aux senteurs complexes de fruits rouges (cerise), de fruits noirs et d'épices. Après une attaque franche, les tanins se manifestent, accompagnés des mêmes flaveurs et de quelques notes grillées. Une garde d'un ou deux ans permettra à ce vin de s'arrondir.

– Cave La Suzienne, 26790 Suze-la-Rousse,
tél. 04.75.04.48.38, fax 04.75.98.23.77,
e-mail info@la-suzienne.com ☒ 🍷 🚶 r.-v.

CH. LA CROIX CHABRIERE 2003

■ 2 ha 13 000 ■♁ 3 à 5 €

Un bel ensemble que ce domaine de 34 ha commandé par une maison bourgeoise de la fin du XIXes. ; une magnanerie, des écuries et une orangerie complètent le cadre. Une visite vous permettra de tout connaître de l'élaboration du vin et de découvrir ce 2003 fruité, comme il convient à un coteaux-du-tricastin. Assemblage équilibré de grenache, de syrah et de cinsault, il s'inscrit dans un style léger, agréable, et se mariera volontiers à une pintade ou à un agneau de la Drôme.

– Ch. La Croix Chabrière, rte de Saint-Restitut,
84500 Bollène, tél. 04.90.40.00.89, fax 04.90.40.19.93
☒ 🏠 🍷 🚶 t.l.j. 9h-12h 14h-18h; dim. 9h-12h;
groupes sur r.-v.

CH. LA DECELLE Cuvée S 2003 *

■ 3 ha 10 000 ■♁ 5 à 8 €

Superbe cathédrale romane, vestiges de l'Antiquité réunis au Musée archéologique, délicieuses truffes du Tricastin... On ne vient pas à Saint-Paul-Trois-Châteaux par hasard. Le vin est une raison supplémentaire de visiter le village. Ce 2003 bien brillant décline les fruits rouges (cerise, framboise, etc.) avec intensité. La matière ronde et harmonieuse dévoile son charme dès aujourd'hui. Le **rosé 2003** remporte également une étoile : pétale de rose, il offre un duo fruité-floral intense jusque dans la bouche, vive et ronde à la fois.

– Ch. La Decelle, rte de Pierrelatte,
26130 Saint-Paul-Trois-Châteaux, tél. 04.75.04.71.33,
fax 04.75.04.56.98, e-mail ladecelle@wanadoo.fr
☒ 🍷 🚶 t.l.j. sf dim. 9h-12h 14h-18h; groupes sur r.-v.
– Seroin

LE DOME D'ELYSSAS Cuvée Les Echirouses 2001

■ 5 ha 20 000 ■ 3 à 5 €

Si la ferme aux crocodiles située à Pierrelatte vous a quelque peu impressionné, venez reprendre vos esprits dans ce domaine, dont les vignes occupent un plateau de gros galets roulés et d'argile profonde, autrefois laissé à la garrigue. Ce 2001, entre la cerise et le rubis à l'œil, livre sans hésitation des arômes de fruits. Les épices nuancent son fruité dans une bouche élégante et ronde. Voilà un vin fin prêt pour accompagner une viande rouge ou un petit gibier.

– Le Dôme d'Elyssas,
La Combe d'Elyssas, 26290 Les Granges-Gontardes,
tél. 04.75.98.61.55, fax 04.75.98.63.12
☒ 🍷 🚶 t.l.j. 9h-12h 14h-19h; dim. sur r.-v.

LES VIGNERONS DE L'ENCLAVE DES PAPES 2003

■ 300 ha 300 000 ■♁ - de 3 €

« Charte de qualité », peut-on lire en gros sur l'étiquette. En 1997, les vignerons se sont en effet lancés dans un suivi qualitatif dès la vigne. Cette cuvée en a bénéficié. Couleur rubis, arômes de fruits : quoi de plus normal pour un coteaux-du-tricastin ? Un vin équilibré, représentatif du classique assemblage entre le grenache, la syrah, le cinsault et le carignan, chaque cépage apportant sa touche.

– Cellier de l'Enclave des Papes,
rte d'Orange, BP 51, 84602 Valréas Cedex,
tél. 04.90.41.91.42, fax 04.90.41.90.21,
e-mail france@enclavedespapes.com ☒ r.-v.

DOM. DE L'ESPEROUZE Réserve 2001

■ 20 ha n.c. ■♁ 5 à 8 €

Sur les sols caillouteux d'une ancienne garrigue, ce vignoble de 43 ha a été planté il y a trente ans. Ce 2001 se présente dans une robe aux reflets légèrement tuilés. Si le nez semble discret, il n'en est pas moins de qualité : les fruits rouges côtoient les épices. Les tanins, bien présents, se fondent en finale. A goûter avec une omelette aux truffes.

⊶ Alain Renouard, L'Espérouze,
26230 Chantemerle-lès-Grignan,
tél. 04.75.98.59.11, fax 04.75.98.58.20 ☑ 🍸 🚶 r.-v.

DOM. DE GRANGENEUVE La Truffière 2001

■ 8,5 ha 25 000 ◖◗ 8 à 11 €

Un ancien relais de poste du XVIII[e]s. est à l'origine de ce domaine de 66 ha, où les vestiges d'une villa romaine du I[er]s. ont été retrouvés. Odette et Henri Bour ne manquent pas de jolis vins à vous présenter. Le jury a retenu ce 2001 rouge sombre aux reflets légèrement tuilés, qui a hérité d'un élevage de douze mois en fût des arômes de vanille et de coco, auxquels se mêlent les fruits rouges. Le bois qui marque la bouche mérite de se fondre à la faveur d'une garde de deux ans. En attendant, vous apprécierez la finesse aromatique du **viognier 2003**, sa richesse et son gras, ou encore **Les Dames Blanches du Sud 2003 (5 à 8 €)**, un vin blanc d'assemblage bien agréable. Tous deux sont également cités.

⊶ Domaines Bour, Grangeneuve, 26230 Roussas,
tél. 04.75.98.50.22, fax 04.75.98.51.09,
e-mail domaines.bour@wanadoo.fr ☑ 🍸 🚶 r.-v.

DOM. DE MONTINE Viognier 2003 ★★★

□ 5 ha 15 000 ◖◗ 5 à 8 €

Installés dans une ancienne ferme des chartreux de Grignan, Jean-Luc et Claude Monteillet exploitent depuis 1987 un vignoble de 55 ha. Leur viognier, vinifié pour partie en fût, est un vrai régal. Les caractéristiques arômes de fleurs et de miel d'acacia se mêlent à des senteurs complexes de fruits secs grillés. Puissance et élégance sont au rendez-vous dans cette palette comme dans la bouche à la fois fraîche, ronde et ample. Quelques notes vanillées accompagnent l'ensemble. La cuvée principale **Domaine de Montine blanc 2003 (3 à 5 €)**, assemblage de viognier, de marsanne, de roussanne et de clairette, est citée pour sa fraîcheur et ses parfums de fleurs blanches. Le **rosé 2003 (3 à 5 €)** obtient une étoile : c'est un vin ample, tout en fruits rouges confits, à associer à des grillades ou à une pissaladière.

⊶ Jean-Luc et Claude Monteillet, Dom. de Montine,
26230 Grignan, tél. 04.75.46.54.21, fax 04.75.46.93.26,
e-mail domainedemontine@wanadoo.fr
☑ ⌂ 🍸 🚶 t.l.j. 9h-12h 14h-19h

DOM. DES ROSIER 2003 ★★

■ 4 ha 15 000 ▮ 3 à 5 €

Du lavandin, des chênes truffiers et la vigne : le cadre est planté. Vous êtes ici dans un paisible village de Provence, propice aux promenades. Vos pas vous conduiront au domaine des Rosier où vous découvrirez ce vin grenat foncé, tout en fruits rouges intenses au nez et tout en réglisse en bouche. Au fil de la dégustation se manifeste une jolie syrah qui visiblement se plaît aux alentours de Chantemerle. La finesse de l'ensemble est appréciée. Voilà un résultat prometteur pour ce domaine qui obtient une étoile pour son **2002 blanc (5 à 8 €)** : notes vanillées et pointe de cire d'abeille, palais ample, long, au boisé harmonieux.

⊶ Dom. des Rosier, quartier Saint-Maurice,
26230 Chantemerle-lès-Grignan,
tél. 04.75.98.53.84, fax 04.75.98.53.84 ☑ ⌂ 🍸 🚶 r.-v.

CAVE DES VIGNERONS REUNIS DE SAINTE-CECILE-LES-VIGNES Cuvée du Tricastin 2001

■ n.c. 2 000 ▮ 🌡 - de 3 €

Créée en 1936, la cave de Sainte-Cécile-les-Vignes propose un vin assez fin. Bien que le fruit soit présent, ce sont les épices qui rendent le nez expressif. Puis tous les arômes reprennent en chœur dans la bouche ronde et équilibrée : fruits, poivre, réglisse.

⊶ Cave des Vignerons réunis
de Sainte-Cécile-les-Vignes, 35, rte de Valréas,
BP 21, 84290 Sainte-Cécile-les-Vignes,
tél. 04.90.30.79.30, fax 04.90.30.79.39,
e-mail cave@vignerons-saintececile.fr ☑ 🍸 🚶 r.-v.

LES TRUFFIERES 2003

■ n.c. n.c. - de 3 €

Rubis est la robe. Malgré le nom de ce vin, ne cherchez pas la truffe dans ses arômes, car c'est le fruit qui domine, mêlé d'épices. L'équilibre de la bouche rend ce 2003 agréable, prêt à accompagner un gigot à la provençale.

⊶ Vignobles du Peloux,
quartier Barrade, 84350 Courthézon,
tél. 04.90.70.42.00, fax 04.90.70.42.15 ☑ 🍸 🚶 r.-v.

Côtes-du-ventoux

A la base du massif calcaire du Ventoux, le Géant du Vaucluse (1 912 m), des sédiments tertiaires portent ce vignoble qui s'étend sur cinquante et une communes (7 450 ha), entre Vaison-la-Romaine au nord et Apt au sud. Les vins produits sont essentiellement des rouges et des rosés. Le climat, plus froid que celui des côtes-du-rhône, entraîne une maturité plus tardive. Les vins rouges sont de moindre degré alcoolique, mais frais et élégants dans leur jeunesse ; ils sont cependant davantage charpentés dans les communes situées le plus à l'ouest (Caromb, Bédoin, Mormoiron). Les vins rosés sont agréables et demandent à être bus jeunes. La production totale a atteint 326 047 hl en 2003.

DOM. DES ANGES L'Archange 2001 ★

■ 2,4 ha 6 800 ◖◗ 11 à 15 €

Un ange d'un ordre supérieur illustre l'étiquette de cette cuvée. Il veille aussi sur la propriété de 17,50 ha,

conduite par deux Irlandais. Heureuse influence si l'on en juge par ce vin au bouquet complexe de fruits, de boisé et de fumé. Dans un corps fruité, nuancé d'épices, l'équilibre se réalise autour de tanins enrobés, et la finale persiste durablement sur les fruits à l'eau-de-vie. A déguster dans deux ans en accompagnement d'un gigot d'agneau.
⊶ SCA Dom. des Anges, 84570 Mormoiron,
tél. 04.90.61.88.78, fax 04.90.61.98.05,
e-mail ciarane@club-internet.fr
☑ ⌂ Ỵ ⚲ t.l.j. 8h-12h 14h-18h; 1er oct.-1er mars sur r.-v.

DOM. DE L'AUVIERES
Cuvée des Amandiers 2003 ★★

▢ 1,2 ha 4 000 ▮ ⊞ ⚲ 5 à 8 €

Alain Zimmerlin a repris le domaine de l'Auvières en 2002 et créé une cave moderne de vinification. La propriété est un petit hameau du XVIes. doté d'une cave voûtée destinée au vieillissement en barrique. D'accueillantes chambres d'hôte y ont également été aménagées. Le vin ne manque pas d'intérêt, telle cette cuvée à dominante florale en première impression, puis jouant sur les agrumes (citron, pamplemousse). Son caractère complet et équilibré lui permet d'être appréciée dès maintenant ou bien d'être attendue un à deux ans.
⊶ Dom. de l'Auvières, Rte de Murs, 84220 Joucas,
tél. 04.90.05.67.70, fax 04.90.05.81.25,
e-mail zimmerlin.alain@libertysurf.fr
☑ ⌂⌂ Ỵ ⚲ t.l.j. 8h30-12h30 15h-20h
⊶ Zimmerlin

DOM. DE LA BASTIDONNE 2003 ★

▢ 2 ha 3 200 ▮ ⚲ **5 à 8 €**

La propriété de Gérard Marreau est une vieille ferme pittoresque située sur le versant sud des monts du Vaucluse. Dans sa cave, rénovée dans l'année, a été élaboré un 2003 jaune à reflets dorés qui s'exprime avec finesse dans le registre floral. C'est un vin franc, équilibré et persistant qui pourra attendre un an ou deux. Le **rosé 2003**, cité, mérite d'être bu dès à présent pour profiter de son fruité.
⊶ Gérard Marreau, SCEA Dom. de La Bastidonne,
84220 Cabrières-d'Avignon, tél. 04.90.76.70.00,
fax 04.90.76.74.34 ☑ Ỵ ⚲ t.l.j. sf dim. 9h-12h 14h-18h

CAVE BEAUMONT DU VENTOUX
Réserve du Vigneron 2003 ★

▢ n.c. 18 270 ⊞ ⚲ 3 à 5 €

J.-Y. Carivenc, l'œnologue de la cave, a fort bien réussi ce rosé vinifié à la fois par saignée et par pressurage direct. Une jolie couleur rose bonbon, un nez de fruits rouges intense, une matière concentrée et une bonne harmonie générale : autant d'atouts qui permettent de le recommander avec la cuisine provençale ou un agneau grillé des Baronnies.
⊶ Cave coop. Beaumont-du-Ventoux,
rte de Carpentras, 84340 Beaumont-du-Ventoux,
tél. 04.90.65.11.78, fax 04.90.12.69.88
☑ ⌂⌂ ⌂ Ỵ ⚲ r.-v.

CH. BLANC Cuvée Les Grimaud 2003 ★

■ 4 ha 24 000 ▮ ⚲ 3 à 5 €

Célèbre pour ses falaises d'ocre, le village perché de Roussillon offre aux visiteurs ses maisons aux façades jaune-rouge, ses places où il fait bon se reposer et son église romane. Un chatoiement de couleurs que l'on retrouverait presque dans la robe rouge profond aux reflets noirs de ce vin. Celui-ci offre un bouquet de fruits et d'épices, puis une belle matière soutenue par des tanins encore très présents qui méritent de s'enrober à la faveur du temps. Deux ou trois ans de garde sont à sa portée.
⊶ SCEA Ch. Blanc, quartier Grimaud,
84220 Roussillon, tél. 04.90.05.64.56, fax 04.90.05.72.79
☑ Ỵ ⚲ t.l.j. 8h-12h 14h-18h30
⊶ Lelièvre

DOM. DE LA BRUNELY 2003 ★

■ 5 ha 25 000 ⊞ 3 à 5 €

Implantés à Cabrières-d'Avignon, la propriété possède un pigeonnier qui témoigne du temps où l'on élevait ici non seulement des pigeons voyageurs, mais aussi des vers à soie. C'était au tout début du XXes. A la tête du domaine depuis 1990, Charles Carichon propose un 2003 d'un bon rapport qualité-prix, qui a bénéficié des soins d'un jeune œnologue compétent. Le nez, aux nuances empyreumatiques, semble encore timide, mais le palais exprime des flaveurs de fruits rouges très agréables. Attendez-le : ce vin s'ouvrira encore.
⊶ Charles Carichon, Dom. de La Brunély,
84260 Sarrians, tél. 04.90.65.41.24, fax 04.90.65.30.60,
e-mail domaine-de-la-brunely@wanadoo.fr ☑ Ỵ ⚲ r.-v.

DOM. LA CAMARETTE
Terroir Vieilles Vignes 2003 ★

■ 4 ha 20 000 ▮ ⚲ **5 à 8 €**

Pernes-les-Fontaines porte bien son nom... Le village compte trente-neuf fontaines restaurées. Une visite à La Camarette n'est pas moins intéressante : cette ancienne ferme provençale du XVIes., entourée de ses 40 ha de vignobles, ménage un belle vue sur le Géant de Provence et propose, à proximité de la cave, une collection ampélographique. De la matière, du volume, des arômes intenses de fruits rouges caractérisent ce vin encore jeune, et promis à un bel avenir par sa constitution. A servir dans deux ou trois ans avec une viande en sauce ou un civet. Le **rosé 2003 (3 à 5 €)** est cité pour sa jolie présentation et son côté gouleyant.
⊶ SCEA La Camarette, 439, chem. des Brunettes,
84210 Pernes-les-Fontaines, tél. 04.90.61.60.78,
fax 04.90.66.46.20, e-mail gontier.p@wanadoo.fr
☑ ⌂ Ỵ ⚲ t.l.j. sf dim. 9h30-12h 15h-19h; sam. 9h30-12h
⊶ Gontier

CANTEPERDRIX Prestige 2002 ★

■ n.c. 20 000 ⊞ **5 à 8 €**

Alain Gerbaud, le maître de chais, a bien réussi cette cuvée à la robe soutenue, au bouquet un peu timide mais prometteur notamment par son côté fruité, poivré et légèrement boisé. En bouche, des arômes plaisants de feuille de cassis font de ce vin un bon représentant de l'appellation. A recommander avec une viande blanche ou une volaille. Il peut attendre deux ans.
⊶ Cave Canteperdrix,
rte de Caromb, BP 15, 84380 Mazan,
tél. 04.90.69.70.31, fax 04.90.69.87.41 ☑ Ỵ ⚲ r.-v.

RHÔNE

DOM. CHAUMARD 2003 ★★

▢ 1,5 ha 8 780 ▮ ⚲ 3 à 5 €

A Caromb, admirez l'église de style roman provençal qui possède un petit orgue italien du XVIIIes. classé Monument historique. Vous vous rendrez ensuite chez Gilles Chaumard. Une belle robe jaune pâle à reflets dorés habille son 2003, dont le nez fin et complexe mêle fruits et fleurs. C'est un vin sympathique, d'une grande persistance, que l'on aura plaisir à déguster aujourd'hui comme dans un an ou deux.

🕏 Dom. Chaumard, 475, rte d'Aubignan, 84330 Caromb, tél. 04.90.62.43.38, fax 04.90.62.35.84
☑ ▼ ⚐ t.l.j. sf dim. 9h-12h 14h-18h; été 15h-19h

LE COLOMBIER Les Confins du Ponant 2003 ★

■		n.c.	n.c.	▮▲	5 à 8 €

Les Confins du Ponant ? Une jolie expression d'explorateur pour décrire la situation géographique du domaine, au nord de l'aire d'appellation. Il ne reste plus qu'à explorer le vin... Celui-ci s'ouvre sur les fruits rouges (myrtille, fraise) et garde cette même ligne aromatique jusque dans une bouche bien enrobée. Il est à boire dès la sortie du Guide, avec – pourquoi pas – un ragoût de truffes.

🕏 EARL Alexis Gabriel, Dom. Le Colombier, 84190 Vacqueyras, tél. 04.90.65.38.10, fax 04.90.65.38.10 ☑ r.-v.
🕏 Chassillan et Mourre

DOM. DE LA COQUILLADE 2003 ★

■		3 ha	8 800	■	3 à 5 €

Le Luberon et le mont Ventoux s'offrent au regard depuis la colline où est implanté ce joli domaine aux couleurs ocre. Son vin rosé, vinifié par saignée de grenache (50 %) et pressurage direct de cinsault (50 %), possède une belle robe aux reflets saumon, ainsi qu'un nez fruité et amylique. Par sa fraîcheur, il accompagnera un ragoût d'agneau ou un plat relevé comme une pizza.

🕏 Dom. de La Coquillade, Hameau de La Coquillade, 84400 Gargas, tél. 04.90.74.54.67, fax 04.90.74.71.86, e-mail coquillade@aol.com
☑ 🏠 ▼ ⚐ t.l.j. sf dim. 8h-12h 14h-19h; hiver lun. à ven. 8h-17h
🕏 Martin Plück

LA COURTOISE Cuvée des Augustins 2003

■		n.c.	20 000		3 à 5 €

Habillée d'une étiquette figurant l'église du XVIII^{e}s. de Saint-Didier, cette cuvée est le fruit d'un terroir argilo-calcaire et d'une vinification par macération carbonique. Elle arbore une couleur profonde, violet intense, ainsi qu'un nez discret de fruits noirs et d'épices. Des arômes fins accompagnent une bouche ronde et équilibrée. A boire.

🕏 SCA la Courtoise, 84210 Saint-Didier, tél. 04.90.66.01.15, fax 04.90.66.13.19, e-mail lacourtoise@freesurf.fr ☑ r.-v.

CH. EDEM 2003 ★★

■		0,3 ha	1 800	■⚐▲	5 à 8 €

Le Luberon... et ses villages perchés. C'est entre Gordes, Ménerbes et Lacoste que se sont installés Emmanuelle et Eduard Van Wely en 1985 et qu'ils ont créé leur cave en 2001. Leur 2003, jaune d'or limpide, livre un bouquet fin de fruits exotiques, nuancé d'un léger boisé et d'épices. La vanille s'exprime intensément aux côtés du fruit dans une bouche remarquablement fraîche. Présentez-le dès maintenant, à l'apéritif ou en accompagnement de poissons, de coquillages et de crustacés. Le **côtes-du-ventoux rouge 2002** qui n'a pas connu le bois, reçoit une citation pour son nez complexe, fruité et épicé.

🕏 Eduard et Emmanuelle Van Wely, Ch. Edem, rte de Lacoste, 84220 Goult, tél. 04.90.72.36.02, fax 04.90.72.34.71, e-mail chateau.edem@wanadoo.fr ☑ ▼ ⚐ r.-v.

DOM. L'ESTAGNOL
Hommage à Louis Fayard 2002 ★★

■		1,5 ha	8 000	■ ⚐	8 à 11 €

Laurent Favier, qui a repris la propriété en 1997, rend hommage à l'homme qui la fonda en 1922, Louis Fayard. Bel hommage, en effet, que cette cuvée qui n'est pas passée loin du coup de cœur. Un 2002 limpide, couleur cerise à reflets violacés, dont le nez intense rappelle les fruits (cassis, cerise), le kirsch et un léger boisé. En bouche, la rondeur accompagne ce fruité de nuances épicées. Un vin déjà agréable, mais qui pourra attendre deux ou trois ans.

🕏 SCEA Dom. L'Estagnol, 135, rte de Caromb, 84380 Mazan, tél. 04.90.69.68.88, fax 04.90.69.68.88, e-mail domaine@estagnol.fr ☑ ▼ ⚐ r.-v.
🕏 Laurent Favier

DOM. DE FENOUILLET 2003 ★

■		4,4 ha	15 000	■▲	5 à 8 €

Actuellement, deux frères dirigent cette propriété de 27 ha. Avant de passer à la cave, un détour touristique s'impose à la chapelle Notre-Dame d'Aubrune. Grenache (80 %) et syrah composent cette cuvée vinifiée traditionnellement, dont le nez complexe exprime des nuances de fruits rouges et d'épices. La matière ample et la jeunesse des tanins annoncent un bon vieillissement dans les trois prochaines années.

🕏 Patrick et Vincent Soard, Dom. de Fenouillet, allée Saint-Roch, 84190 Beaumes-de-Venise, tél. 04.90.62.95.61, fax 04.90.62.90.67, e-mail pv.soard@freesbee.fr ☑ ▼ ⚐ r.-v.

DOM. DE FONDRECHE Persia 2003 ★★

▨		1 ha	4 000	⚐	11 à 15 €

Ici, on a pris soin de conserver les vieilles vignes de grenache et de planter syrah et mourvèdre en rouge, roussanne en blanc, sur de bons terroirs argilo-calcaires. Il en résulte un 2003 brillant de reflets verts, intensément floral et bien équilibré, auquel le bois de l'élevage se marie harmonieusement. Un vin séducteur, représentatif de l'appellation, à proposer avec un poisson en sauce ou un fromage. En rouge, la **cuvée Nadal 2002 (8 à 11 €)** se caractérise par des tanins enrobés. Elle obtient une étoile.

🕏 Dom. de Fondrèche, 84380 Mazan, tél. 04.90.69.61.42, fax 04.90.69.61.18 ☑ ▼ r.-v.
🕏 N. Barthélemy et S. Vincenti

DOM. DE FONT ALBA Cuvée des Futailles 2001 ★★

■		5 ha	8 560	⚐	8 à 11 €

La vue est fort belle sur le Luberon depuis ce domaine bien restauré qui propose cinq chambres d'hôte. Le vin est ici élaboré traditionnellement, à partir d'une grande variété de cépages. Ce 2001 a séduit le jury par sa teinte profonde comme par son nez puissant, fruité et minéral. Des arômes qui se prolongent dans une bouche ronde et souple, nuancée d'un boisé harmonieux. Vous pourrez attendre ce côtes-de-ventoux ou bien le boire dès aujourd'hui en le carafant pour le servir avec un gibier ou un fromage fort.

🕏 Xavier Vuitton, Dom. de Font Alba, SCEA Les 4 Platanes, 84400 Apt, tél. 04.90.74.48.12, fax 04.90.74.62.73, e-mail fontalba@tiscali.fr ☑ 🏠 ▼ ⚐ r.-v.

GRAINS ELECTIO 2003 ★★

■	n.c.	30 000	■↓	5 à 8 €

Habillée d'une jolie étiquette moderne, ce vin de négoce (60 % de grenache, 40 % de syrah) a séduit le jury dès le premier regard porté sur sa robe rouge intense à reflets bleutés. Dominé par les fruits rouges et les épices, il possède un caractère friand et fait preuve d'une remarquable persistance aromatique. A consommer dès la sortie du Guide ou à conserver deux ou trois ans.
➦ SARL Caravinsérail, quartier du Roland, 84570 Villes-sur-Auzon, tél. 04.90.61.76.41, fax 04.90.61.94.09, e-mail cascavel@voila.fr

DOM. LE GRAND VALLAT Gaïa 2002 ★★

■	1,5 ha	14 000	■↓	11 à 15 €

A 5 km du domaine se trouve l'abbaye cistercienne-trappiste de Blauvac, fondée à la fin du XIe s., où une petite communauté de moniales propose de l'artisanat. Fruit d'une longue macération, ce vin rubis livre un bouquet d'épices et de fruits (cassis, myrtille) très plaisant que l'on retrouve dans une bouche ronde et persistante. « Un côtes-du-ventoux authentique », conclut un dégustateur chevronné. Cette bouteille mérite d'être conservée deux ou trois ans avant de rejoindre un civet de sanglier ou un bœuf bourguignon.
➦ SCEA Valentini, Le Grand Vallat, quartier Saint-Estève, 84570 Blauvac, tél. 06.87.60.33.05, fax 04.90.61.73.65, e-mail infos@domainelegrandvallat.com ☑ Ⴐ ⩔ r.-v.

DOM. LES HAUTES-BRIGUIERES

Cuvée Elégance 2001 ★

■	2 ha	8 200	■↓	3 à 5 €

Cette cuvée a bénéficié d'une macération à froid et d'une cuvaison longue d'un mois. A la dégustation, elle révèle un bouquet élégant et frais de fruits mûrs, puis une bouche souple et équilibrée qui persiste agréablement. Elle mérite d'être dégustée dès aujourd'hui et, si elle devait attendre dans votre cave, deux ans de garde seraient un maximum.
➦ François-Xavier Rimbert, Dom. Les Hautes-Briguières, 84570 Mormoiron, tél. 04.90.61.71.97, fax 04.90.61.85.80, e-mail fxrimbert@aol.com
☑ Ⴐ ⩔ t.l.j. 14h-20h; sam. dim. 10h-19h

DOM. LES HERBES BLANCHES 2003 ★

■	n.c.	65 000	3 à 5 €

Issu de 80 % de grenache et de 20 % de carignan, ce vin se montre discret au nez, mais dévoile un fruité réglissé prometteur. Des notes épicées rejoignent le fruit dans une bouche équilibrée et ronde, soutenue par des tanins assez doux. Cette bouteille devrait atteindre son apogée dans deux ans.
➦ Louis Bernard, rte de Sérignan, 84100 Orange, tél. 04.90.11.86.86, fax 04.90.34.87.30, e-mail louisbernard@sldb.fr Ⴐ ⩔ r.-v.

LUMIERES 2001 ★★

■	5 ha	11 000	3 à 5 €

Paré d'une robe rouge à reflets rubis, ce remarquable 2001 se montre encore timide, mais dévoile d'élégantes notes minérales, fruitées et animales. Des arômes qui se manifestent davantage en bouche. Ce vin puissant promet de s'épanouir après quelques années de garde et on l'appréciera avec un civet de lièvre ou une daube de

sanglier. Retenez aussi le **Domaine Terrus rosé 2003** ainsi que l'**Aubépine blanc 2003** auxquels le jury a attribué deux étoiles. L'un apparaît floral et fondu, l'autre citronné et vif, marqué par la clairette.
➦ Cave de Lumières, 84220 Goult, tél. 04.90.72.20.04, fax 04.90.72.42.52, e-mail info@cavedelumieres.com ☑ Ⴐ ⩔ r.-v.

DOM. DE MAROTTE Cuvée Prestige 2001 ★

■	6 ha	5 500	■⬤↓	5 à 8 €

Paré d'une robe rouge foncé à reflets violacés, ce vin évoque avec une certaine retenue des arômes de fruits, de minéral et de menthol. Il sait séduire par sa bonne harmonie entre une matière ample, des tanins progressifs et le boisé. Il gagnera à attendre deux ou trois ans avant d'accompagner une viande rouge ou un gibier.
➦ EARL la Reynarde, Dom. de Marotte, petit chemin de Serres, 84200 Carpentras, tél. 04.90.63.43.27, fax 04.90.67.15.28, e-mail marotte@wanadoo.fr
☑ Ⴐ ⩔ t.l.j. 8h30-12h30 14h30-18h30; f. jan.
➦ Van Dykman

DOM. PELISSON 2003

■	n.c.	n.c.	⬤ 5 à 8 €

Partisan de la biodynamie, Patrick Pélisson attend toujours la pleine maturité du raisin pour vendanger et vinifier. Il a produit un 2003 intensément coloré qui montre toute sa concentration en bouche et demande à vieillir quelques années pour être pleinement apprécié.
➦ Patrick Pélisson, 84220 Gordes, tél. 04.90.72.28.49, fax 04.90.72.28.49 ☑ Ⴐ r.-v.

PERE ANSELME 2003 ★

■	n.c.	33 000	■↓	- de 3 €

Le grenache et la syrah vinifiés ensemble, assemblés au mourvèdre et au carignan fermentés séparément, ont donné naissance à ce rosé de saignée. Couleur orangée, celui-ci développe un joli fruité de groseille tout en se montrant gras et puissant. Pour la cuisine exotique ou tout autre plat relevé.
➦ Laurent-Charles Brotte, Le Clos, BP 1, 84230 Châteauneuf-du-Pape, tél. 04.90.83.70.07, fax 04.90.83.74.34, e-mail brotte@brotte.com
☑ Ⴐ ⩔ t.l.j. 9h-12h 14h-18h

SAINT-AUSPICE 2003 ★

■	7,5 ha	50 000	■ 3 à 5 €

La cave coopérative d'Apt propose un vin de syrah (90 %) agrémenté de grenache, dont le nez animal, un peu timide, s'accompagne de quelques notes de fruits rouges. En bouche, les arômes de la syrah se manifestent. Les tanins un peu austères invitent à une garde de deux ans avant un service sur une viande rouge ou un gibier.

SCA les Vins de Sylla,
178, quartier du Viaduc, BP 141, 84405 Apt Cedex,
tél. 04.90.74.05.39, fax 04.90.04.72.06 r.-v.

CAVE SAINT-MARC 2003

17 ha 100 000 5 à 8 €

Si vous passez par Caromb, vous trouverez un bon accueil dans ce caveau (climatisé l'été, qui plus est...). Les trois couleurs de côtes-de-ventoux sont ici représentées avec une citation. Le **blanc** et le **rosé 2003** ont un côté technologique bien fait. La préférence va à ce vin rouge qui donne l'impression de croquer dans le fruit frais. On le verrait bien accompagner un barbecue en 2005 ou en 2006.

Cave Saint-Marc, av. de l'Europe, BP 16,
84330 Caromb, tél. 04.90.62.40.24, fax 04.90.62.48.83,
e-mail saint-marc@mageos.com
t.l.j. 8h30-12h 14h-18h30

SEIGNEUR DE LAURIS 2001 ★★

2 ha 7 000 5 à 8 €

La vigne est une affaire de famille chez les Arnoux depuis 1717, lorsque le seigneur de Lauris leur donna en bail quelques ceps. Aujourd'hui, le jury apprécie ce 2001 très foncé, au bouquet subtil de fruits rouges mûrs. Celui-ci possède de la matière, des flaveurs complexes et une bonne longueur. Il peut encore vieillir deux ou trois ans avant d'être servi avec un gibier.

Arnoux et Fils, Cave du Vieux Clocher,
84190 Vacqueyras, tél. 04.90.65.84.18,
fax 04.90.65.80.07, e-mail info@arnoux-vins.com
t.l.j. sf dim. 8h-12h 14h-18h

DOM. DE TARA Terre d'ocre 2002

6 ha 6 900 8 à 11 €

Mère et fille conduisent ce domaine depuis 1999. Une vendange manuelle entière, une macération carbonique du carignan, une vinification traditionnelle de la syrah et un élevage en barrique pendant un an sont à l'origine de cette cuvée très colorée. Au bouquet floral et fruité répond une bouche équilibrée, mais un peu austère en finale. Pour une selle d'agneau aux herbes ou un fromage (saint-nectaire, saint-marcellin).

Dom. de Tara, Les Rossignols, 84220 Roussillon,
tél. 04.90.05.74.87, fax 04.90.05.71.35 r.-v.
Droux

DOM. LES TERRASSES D'EOLE 2003 ★

0,8 ha 5 060 5 à 8 €

C'est en 1999 que Claude Saurel et son fils Stéphane ont quitté la coopérative et ont construit leur chai. Cinq ans plus tard, ils proposent deux jolis 2003. La robe intense aux reflets violacés de ce rosé annonce la finesse des arômes de feuille de cassis et de fraise. Un vin bien fait, équilibré et élégant, qui accompagnera une mousse d'aubergine avec coulis de tomate au basilic. La **cuvée Lou Mistrau rouge 2001 (8 à 11 €),** qui a connu le bois, mérite également une étoile : un vin plaisant de repas entre copains.

Claude et Stéphane Saurel,
Dom. Les Terrasses d'Eole, chem. des Rossignols,
84380 Mazan, tél. 04.90.69.84.82, fax 04.90.69.84.90,
e-mail stephane@terrasses-eole.fr
t.l.j. sf dim. 9h-12h 14h-18h

DOM. TERRES DE SOLENCE Cippus 2001 ★★

4 ha 15 000 8 à 11 €

Créé il y a dix ans par un œnologue et un agronome, le domaine a bien le caractère provençal avec ses oliviers centenaires. Jean-Luc Isnard a mis tout son savoir-faire dans l'élaboration de ce 2001 au corps ample et équilibré, dont les puissants arômes animaux, fruités (figue sèche) et minéraux se mêlent de manière originale. Un joli vin que l'on peut déjà découvrir, mais que l'on aura tout intérêt à garder quelques années. Une charlotte d'agneau aux aubergines : une idée d'accord.

Anne-Marie et Jean-Luc Isnard, Chem. de la Lègue,
84380 Mazan, tél. 04.90.60.55.31, fax 04.90.60.55.31,
e-mail domaine@terres-de-solence.com
t.l.j. sf dim. 10h-19h

DOM. TROUSSEL 2002 ★

3 ha 13 000 8 à 11 €

Une étiquette représentant un paysage provençal avec le domaine Troussel et le mont Ventoux en arrière-plan habille cette cuvée 2002 vinifiée traditionnellement. Si le nez est encore sur la réserve, la bouche fait preuve d'ampleur, soutenue par des tanins bien présents mais soyeux. Dans deux ou trois ans, ce côtes-du-ventoux se sera épanoui et sera apprécié avec une viande en sauce.

GAEC Dom. Troussel,
2059, av. Saint-Roch, 84200 Carpentras,
tél. 04.90.67.28.35, fax 04.90.60.68.99 r.-v.

CH. VALCOMBE La Sereine 2001 ★

4 ha 10 000 15 à 23 €

Les couleurs chatoient sur l'étiquette tout autant que dans le verre empli de ce vin rouge intense qui exhale des notes animales. A l'attaque fruitée succède une bonne structure ; les tanins encore marqués invitent à une garde de un ou deux ans.

Vignobles Paul Jeune, 14, chem. des Garrigues,
BP 48, 84232 Châteauneuf-du-Pape,
tél. 04.90.83.73.87, fax 04.90.83.51.13,
e-mail vignoblespauljeune@wanadoo.fr r.-v.

DOM. LA VENTOURENCO 2002 ★★

10 ha 60 000 3 à 5 €

TerraVentoux est née du regroupement, en décembre 2002, des caves des Roches Blanches à Mormoiron et de La Montagne Rouge à Villes-sur-Auzon. Une très belle harmonie caractérise ce vin aux parfums de fruits (cassis) soulignés de quelques épices. De la puissance, de la rondeur, une finale soyeuse... et un bon potentiel de garde encore (deux ou trois ans). Le **Domaine Les Rouquettes rouge 2003** obtient également une étoile : c'est un vin agréable et bien fait, à boire en 2005.

Cave TerraVentoux, La Rode, 84570 Mormoiron,
tél. 04.90.61.80.07, fax 04.90.61.97.23,
e-mail infos@cave-terraventoux.com
t.l.j. sf dim. 8h-12h 14h-18h

Côtes-du-luberon

L'appellation côtes-du-luberon a été promue AOC par décret du 26 février 1988. Le vignoble des trente-six communes que compte cette appellation, s'étendant sur les versants nord et sud du massif calcaire du Luberon, représente environ 4 000 ha et a produit, en 2003, 190 379 hl. L'appellation donne de bons vins rouges et rosés marqués par un encépagement de qualité (grenache, syrah) et un terroir original. Le climat, plus frais qu'en vallée du Rhône, et les vendanges plus tardives expliquent la part importante des vins blancs (25 % en moyenne) ainsi que leur qualité, reconnue et recherchée.

BASTIDE DE MARIE Le 2001 *

■ 0,7 ha 3 800 23 à 30 €

Au cœur du parc naturel du Luberon, le domaine propose des chambres dans sa bastide du XVIIes. Un séjour permet de découvrir ses vins. Une longue macération et un élevage de quinze mois dans des fûts de chêne, sélectionnés par la famille Sibuet, ont permis d'élaborer ce 2001 expressif, qui mêle le poivre au cacao. La bouche laisse une impression de volume, de puissance soutenue par des tanins mûrs, légèrement vanillés. A apprécier dès à présent avec un ragoût de sanglier.

Dom. de Marie, quartier de la Verrerie, 84560 Ménerbes, tél. 04.90.72.54.23, fax 04.90.72.54.24, e-mail dme-de-marie@wanadoo.fr

t.l.j. 10h-12h 14h-18h; f. jan.-fév.

Sibuet

BASTIDE DU CLAUX Vieilles Vignes 2003 *

■ 3 ha 12 000 8 à 11 €

Une nouvelle cave souterraine a été créée au domaine, tandis que la cuverie est adossée au mas provençal du XIXes. Le vignoble de 10,5 ha comprend de vieilles vignes d'une cinquantaine d'années qui ont donné naissance à ce vin bien fait, riche de matière. Le jury a apprécié sa profusion d'arômes : fruits noirs, épices accompagnés de notes animales. Un beau potentiel pour cette cuvée qui pourra attendre de trois à cinq ans. La **cuvée L'Orientale rouge 2003 (11 à 15 €)** a également été jugée très réussie pour sa bonne structure.

Bastide du Claux, Campagne Le Claux, 84240 La Motte-d'Aigues, tél. 04.90.77.70.26, fax 04.90.77.73.27, e-mail scea-slb@freesurf.fr r.-v.

Sylvain Morcy

BAUME D'ESTELAN 2001 *

■ 7 ha 20 000 5 à 8 €

La cave de Bonnieux, créée en 1920, est la doyenne des coopératives du Vaucluse. Son directeur, M. Bouet, a mis toute sa compétence dans l'élaboration de ce 2001, ni collé ni filtré, au nez expressif et complexe : cuir de Russie, pruneau, confiture, nuances minérales et poivrées. Le palais privilégie le cassis, avec en finale des tanins souples et une sensation de fraîcheur mentholée. Un gigot d'agneau aux herbes de garrigue conviendra parfaitement à ce vin.

Cave de Bonnieux, quartier de la Gare, 84480 Bonnieux, tél. 04.90.75.80.03, fax 04.90.75.98.30, e-mail webmaster@cave-bonnieux.com r.-v.

CH. LA CANORGUE 2003 **

□ 6 ha 22 000 8 à 11 €

Depuis plusieurs dizaines d'années, Jean-Pierre Margan utilise un mode de culture biologique. Ces dernières années, il a obtenu dans le Guide de nombreuses étoiles et ses efforts ont été reconnus. Clairette, grenache blanc, marsanne et roussanne à parts égales sont à l'origine d'un vin puissant, dont le nez intense et complexe se décline dans les registres floral et fruité (agrumes). Assez rond et d'une bonne structure, ce séduisant 2003 ira parfaitement avec un rouget grillé. Le **Château La Canorgue rouge 2003**, très fruits rouges et fruits des bois, mérite d'être cité.

EARL Jean-Pierre et Martine Margan, Ch. La Canorgue, 84480 Bonnieux, tél. 04.90.75.81.01, fax 04.90.75.82.98, e-mail chateaucanorgue.margan@wanadoo.fr

r.-v.

DOM. CHASSON

Cuvée Guillaume de Cabestan 2002 *

■ 2,8 ha 13 000 8 à 11 €

A Roussillon, toutes les nuances de jaune et d'orange des falaises d'ocre contrastent avec le ciel bleu de Provence. Une féerie de couleurs et de lumières surprend le visiteur qui ne sait pas toujours qu'il peut déguster des vins produits sur la commune, telle cette cuvée finement boisée, souple et de belle longueur qui sera parfaite avec un gibier. Le **Domaine Chasson blanc 2003 (5 à 8 €)** est cité pour sa vivacité et sa finesse florale nuancée de réglisse.

SCEA Ch. Blanc, quartier Grimaud, 84220 Roussillon, tél. 04.90.05.64.56, fax 04.90.05.72.79 t.l.j. 8h-12h 14h-18h30

Lelièvre

DOM. CHATEAU D'AIGUES 2003 *

■ 12 ha 40 000 5 à 8 €

Lauris est un vieux village perché, au pied duquel coule la Durance. On aime se promener dans ses ruelles à la découverte des porches et des fontaines, de son château du XVIIIes., des festivals et des ateliers d'artisans. Cette cuvée composée de grenache et de 40 % de syrah se pare d'une robe rouge intense à reflets violacés. Avec son bouquet encore discret de fruits noirs et de réglisse, ses tanins assez ronds et son bon volume, elle devrait atteindre sa plénitude dans deux ou trois ans. Vous la servirez alors avec un gibier en sauce ou un fromage fort.

Cellier Val de Durance, Le Grand Jardin, 84360 Lauris, tél. 04.90.08.76.28, fax 04.90.08.28.27

DOM. DE LA CITADELLE

Cuvée du Gouverneur 2001 *

■ 5 ha 20 000 11 à 15 €

Si Yves Rousset-Rouard possède aujourd'hui soixante-cinq parcelles, il a commencé avec 8 ha de vignes lorsqu'il a racheté ce mas en 1989. Les visiteurs ne manquent pas au domaine, qui viennent non seulement voir la collection de 1 200 tire-bouchons du XVIIes. à nos jours, mais aussi apprécier les vins. Cette cuvée offre un bouquet complexe de fruits mûrs, de laurier et de garrigue. Son équilibre, ainsi que ses tanins présents mais fondus sont le signe d'une extraction bien maîtrisée. La **cuvée Les Artèmes rouge 2002 (5 à 8 €)**, citée, est prometteuse et pourra être appréciée dans la maison de la Truffe et du Vin nouvellement créée à Ménerbes.

Rousset-Rouard, Dom. de la Citadelle, rte de Cavaillon, 84560 Ménerbes, tél. 04.90.72.41.58, fax 04.90.72.41.59, e-mail domainedelacitadelle@wanadoo.fr

t.l.j. 10h-12h 14h-19h; f. dim. en hiver

RHÔNE

CH. DE CLAPIER Cuvée réservée 2001 ★

■ 2 ha 17 000 ⬮ 5 à 8 €

C'est autour des « clapas », tas de pierres, que les agriculteurs cultivaient autrefois. Le terme a donné son nom à ce domaine situé à 5 km du village de Mirabeau, où furent tournés *Manon des sources* et *Jean de Florette*. D'un rouge intense, le 2001 évoque les fruits mûrs, les épices (cannelle, paprika), le boisé et le grillé. Des arômes appréciés de l'ensemble du jury. Les tanins bien présents étayent une matière ronde qui monte en puissance. A servir avec une daube provençale. La **cuvée classique blanc 2003**, qui n'a pas connu le bois, obtient également une étoile : un vin très sympathique, racé, qui accompagnera poisson et crustacés.

🔑 Thomas Montagne, Ch. de Clapier,
rte de Manosque; RN 96, 84120 Mirabeau,
tél. 04.90.77.01.03, fax 04.90.77.03.26,
e-mail chateau-de-clapier@wanadoo.fr
☑ 🚶 t.l.j. sf dim. 9h30-12h30 14h-18h; groupe sur r.-v.

COLLET D'AYGUES 2003 ★

■ 10 ha 3 000 ▮🌡 5 à 8 €

Après une visite des vestiges du château de la Tour d'Aygues, dont les caves abritent un musée de la Faïence, vous trouverez à la cave coopérative deux jolis vins. Ce rosé de teinte groseille bien mûre propose un nez fin, légèrement amylique, avec des notes épicées et des accents de bourgeon de cassis. La bouche se montre tout aussi aromatique (fruits rouges, fraise écrasée, épices) et bien ronde. Pour des grillades. Le **Collet d'Aygues rouge 2003**, cité, est à boire avec une viande rôtie.

🔑 SCA La Vinicole des Coteaux,
288, bd de la Libération, 84240 La Tour-d'Aigues,
tél. 04.90.07.42.12, fax 04.90.07.49.08 ☑ Y r.-v.

CH. CONSTANTIN-CHEVALIER
Cuvée des Fondateurs 2001 ★

■ 14 ha 40 000 ▮⬮🌡 5 à 8 €

Une belle maison aixoise comme on peut la découvrir sur l'étiquette, entourée de jardins ornementés de fontaines. A la fin des années 1980, Allen et Marie-Laure Chevalier et leurs filles ont eu un coup de foudre pour ce domaine qu'ils ont su conduire vers la qualité. Cette cuvée pourpre soutenu s'exprime volontiers dans le registre animal, tandis qu'en bouche elle laisse une impression de rondeur et d'agréables notes de réglisse. De garde, elle accompagnera gibiers, daubes et ragoûts. Cité, le **rosé 2003** se caractérise par des arômes amyliques prononcés.

🔑 Allen et Marie-Laure Constantin-Chevalier,
Ch. de Constantin, 84160 Lourmarin,
tél. 04.90.68.38.99, fax 04.90.68.37.37
☑ Y 🚶 t.l.j. sf dim. 10h-12h 15h-18h

CH. LA DORGONNE
L'Expression du Terroir 2003 ★

□ 1,14 ha 2 500 ▮🌡 5 à 8 €

Sur les contreforts sud-est du Luberon, autour d'une bastide du XVIIIe s., s'étend un vignoble de 22 ha, dont les ceps de grenache blanc, de rolle et d'ugni blanc ont produit cette cuvée or à reflets verts. Le bouquet complexe manifeste un caractère à la fois floral et fruité (agrumes), légèrement épicé. C'est un vin original, rond et élégant, très bien équilibré, qui sera dégusté avec des coquilles Saint-Jacques.

🔑 SCEA Ch. la Dorgonne, rte de Mirabeau,
84240 La Tour-d'Aigues,
tél. 04.90.07.50.18, fax 04.90.07.56.55,
e-mail bauduin.parmentier.tma@attglobal.net
☑ 🏘 🏠 Y 🚶 t.l.j. 8h-20h

CH. LES EYDINS 2003 ★★

■ 5 ha 20 000 ▮⬮🌡 5 à 8 €

Longtemps une famille de consuls résida dans cette propriété à laquelle elle donna son nom. En 1999, Serge Seignon a repris le vignoble créé en 1907 par son grand-père ; quatre ans plus tard, il réalisait ses premières vinifications. Son 2003 a été particulièrement apprécié du jury : robe rubis, bouquet marqué de fruits rouges soulignés de réglisse, palais intense et persistant. Il pourra attendre un ou deux ans avant d'être savouré avec une viande rôtie ou un fromage de chèvre. La **cuvée des Consuls rouge 2003 (8 à 11 €)** obtient la même note, de même que le **Chicouloun rouge 2003**, élevé en cuve : deux vins prometteurs.

🔑 Serge Seignon, Les Eydins, 84480 Bonnieux,
tél. 04.90.75.61.58, fax 04.90.75.61.58 ☑ Y 🚶 r.-v.

DOM. DE FONTENILLE 2003

■ 10 ha 20 000 ▮ 5 à 8 €

Le domaine, qui possède deux gîtes ruraux dans la pinède, est bien placé pour visiter la région. La vinification traditionnelle d'une vendange entière de grenache (60 %), de syrah et de cinsault (20 % chacun) a permis d'obtenir un vin typique de l'appellation. Celui-ci se caractérise par un bouquet à la fois floral et fruité, par une bouche souple et équilibrée. Un 2003 plaisant, à boire dès la sortie du Guide avec un agneau de Sisteron.

🔑 EARL Lévêque et Fils, Dom. de Fontenille,
84360 Lauris, tél. 04.90.08.23.36, fax 04.90.08.45.05,
e-mail domaine.fontenille@wanadoo.fr
☑ 🏠 Y 🚶 t.l.j. sf dim. 9h-12h30 14h-19h

CH. FONTVERT Cuvée Prestige 2001 ★

■ 0,7 ha 2 100 ⬮ 15 à 23 €

Jusqu'en 2000, le domaine apportait la totalité de sa vendange à la coopérative ; puis en 2001 et 2002, une partie de la production a été vinifiée sur place. En 2003, tous les vins sont sortis de la cave familiale. Et ce n'est pas peine perdue à en juger par cette cuvée qui décline un bouquet de figue sèche, de confiture, de poivre, souligné de notes boisées et grillées. Elle a de l'avenir et s'épanouira pleinement dans deux ou trois ans.

🔑 SCEA Dom. de Fontvert,
chem. de Pierrouret, 84160 Lourmarin,
tél. 04.90.68.35.83, fax 04.90.68.35.83,
e-mail info@fontvert.com ☑ Y 🚶 r.-v.
🔑 Monod

DOM. DE LA GARELLE 2002 ★

■ 2 ha 10 000 ▮🌡 3 à 5 €

La syrah s'allie au grenache et au cinsault pour composer un vin à la fois frais et concentré, dont le fruité revêt un charme immédiat. Une très belle réussite dans un millésime pourtant difficile.

🔑 Les Vignerons de Rasteau et de Tain-l'Hermitage,
rte des Princes-d'Orange, 84110 Rasteau,
tél. 04.90.10.90.10, fax 04.90.10.90.36,
e-mail vrt@rasteau.com Y r.-v.

GRAND LUBERON Elevé en fût de chêne 2003 ★

| | n.c. | 11 200 | ◫ | 5 à 8 € |

Le cellier de Marrenon, créé en 1966, regroupe treize caves coopératives de la région. Depuis l'accession en AOC en 1988, les vignerons adhérents suivent un cahier des charges pour favoriser la qualité et procèdent à des sélections parcellaires. Jaune paille à reflets dorés, ce Grand Luberon s'est bien marié avec le fût de l'élevage. Son originalité pourra séduire les amateurs de vins boisés. La cuvée **Grande Toque blanc 2003 (3 à 5 €)** obtient la même note pour son bouquet exotique intense qui fera bel effet à l'apéritif.

🕿 Cellier de Marrenon, rue Amédée-Giniès, BP 13, La Tour d'Aigues, 84125 Pertuis Cedex, tél. 04.90.07.40.65, fax 04.90.07.30.77, e-mail marrenon@marrenon.com
☑ ⚔ t.l.j. 8h-12h 14h-18h (été 8h-12h 15h-19h); dim. 8h-12h

CAVE DE LOURMARIN CADENET
Terrasses sarrazines Elevé en fût de chêne 2003 ★

| | 5 ha | 3 500 | ◫ | 11 à 15 € |

Une large variété de cépages est à l'origine de ce 2003 blanc (grenache, roussanne, marsanne et vermentino). Sous une teinte or soutenu apparaît un bouquet fruité élégant. La bouche se montre structurée, ronde et charnue, d'une bonne persistance aromatique. Un vin qui a de la personnalité et qui pourra attendre un an. Le **Domaine de Gerbaud rouge 2003**, qui n'a pas connu le bois, reçoit une citation.

🕿 SCA Cave de Lourmarin-Cadenet, montée du Galinier, 84160 Lourmarin, tél. 04.90.68.06.21, fax 04.90.68.25.84
☑ ⏻ t.l.j. sf dim. 8h-12h 14h-18h

DOM. MEILLAN-PAGES
Elevé en fût de chêne 2001 ★

| | 3 ha | 10 000 | ◫ | 5 à 8 € |

Face à Oppède-Le-Vieux, pittoresque village aux demeures anciennes des XVᵉ et XVIᵉs., dominé par sa collégiale du XIIᵉs. et les ruines de son château médiéval, se trouvent le domaine Meillan-Pagès et son ancien mas. Grenache et syrah à parts égales composent le 2001. Un vin très sombre, frangé de violine, dont le nez assez discret libère des notes de confiture et de pâte de coings. La bouche ronde et suave s'articule autour de tanins fondus et du boisé hérité d'un élevage de dix-huit mois. La finale longue, vanillée et beurrée, est de bon augure pour l'avenir. A déguster avec une viande en sauce ou un gibier.

🕿 Jean-Pierre Pagès, Dom. Meillan-Pagès, La Garrigue, 84580 Oppède, tél. 04.32.52.17.50, fax 04.90.76.94.78, e-mail meillan@terre-net.fr ☑ ⏻ ⚔ t.l.j. 10h-20h

DOM. DE LA ROYERE
Cuvée spéciale L'Oppidum 2003 ★

| | 2,4 ha | 6 600 | | 5 à 8 € |

Cette ancienne propriété familiale, restructurée en 1987, est dirigée par Anne Hugues qui propose aujourd'hui une cuvée tout en finesse. Sur un fond jaune pâle à reflets verts apparaissent d'agréables nuances de violette, de réglisse et d'anis. A servir avec des fruits de mer.

🕿 Anne Hugues, Dom. de La Royère, 84580 Oppède, tél. 04.90.76.87.76, fax 04.90.76.79.50, e-mail info@royere.com ☑ ⏻ ⚔ r.-v.

CH. SAINT ESTEVE DE NERI
Cuvée Grande Expression 2003 ★★

| | 2 ha | 6 000 | ▬ ◫ ♦ | 8 à 11 € |

Le château d'Ansouis est un élégant édifice transformé au fil des siècles, dont on appréciera la décoration intérieure ainsi que les jardins. Vos pas vous conduiront ensuite vers ce domaine, dont le maître de chai a remarquablement réussi le 2003. Le bouquet charme par ses notes de fruits des bois et de fruits noirs (cassis) très intenses. Puis c'est une grande matière, riche et équilibrée, qui se révèle, comme un gage de bon vieillissement dans les deux ou trois ans à venir. Pour un plat en sauce.

🕿 SA Ch. Saint Estève de Néri, 84240 Ansouis, tél. 04.90.09.90.16, fax 04.90.09.89.65, e-mail saintestevedeneri@free.fr ☑ ⚐ ⏻ ⚔ r.-v.
🕿 Allan Wilson

CH. SAINT-PIERRE DE MEJANS 2003 ★

| | 2,76 ha | 4 000 | ▬ ♦ | 5 à 8 € |

C'est dans la chapelle du prieuré bénédictin du XIIᵉs. que vous découvrirez ce vin dont les nuances d'agrumes charment par leur finesse. La bouche bien aromatique et assez puissante invite à une dégustation dès à présent, en accompagnement d'une volaille ou d'un poisson. Le **2002 rouge** est cité pour son nez foral, frais et original. Il sera apprécié avec une viande rouge ou un fromage affiné.

🕿 Laurence Doan de Champassak, Ch. Saint-Pierre de Mejans, 84160 Puyvert, tél. 04.90.08.40.51, fax 04.90.08.41.96, e-mail bricedoan@yahoo.fr
☑ ⚔ t.l.j. sf mar. 9h30-12h 14h30-19h; f. jan.

DOM. LES VAISSES 2003 ★

| | 2 ha | 3 464 | ▬ ♦ | 5 à 8 € |

Du haut du donjon Saint-Michel, la vue est belle sur les toits du village de Cucuron. Sous les remparts, un moulin à huile fonctionne toujours de novembre à décembre pour presser les olives de la région. Le vin est une autre production d'importance. La coopérative propose ici un 2003 or pâle à reflets verts, doté d'un bouquet floral et fruité. Expressif et équilibré, ce côtes-du-luberon mérite d'être bu dès maintenant avec du poisson ou une viande blanche. Le **Domaine Les Vaisses rouge 2003** reçoit également une étoile pour la complexité de ses arômes. Il saura attendre un ou deux ans.

🕿 SCA Cave des Vignerons de Cucuron, quartier Ch.-Vieux, 84160 Cucuron, tél. 04.90.77.21.02, fax 04.90.77.11.10

CH. VAL JOANIS Réserve Les Griottes 2001 ★★

| | 15 ha | 65 000 | ◫ | 11 à 15 € |

Jean-Louis Chancel a redonné à ce domaine, déjà présent sur les cartes de Cassini au XVIᵉs., toute sa dimension dans le paysage du Luberon : les vignes ont été replantées, les chais reconstruits sur les plans de l'architecte Jean-Jacques Pichoux, des jardins en terrasses créés autour du château. Coup de cœur l'an passé pour le millésime 2000, la Réserve Les Griottes 2001 s'avère remarquable de puissance. La complexité et l'intensité de son bouquet étonnent : fruits rouges, épices, cuir, notes boisées. Un vin en tous points généreux et complet que vous apprécierez dans deux ou trois ans, servi avec un gibier.

🕿 SC du Ch. Val Joanis, 84120 Pertuis, tél. 04.90.79.20.77, fax 04.90.09.69.52 ☑ ⏻ ⚔ r.-v.
🕿 Chancel

Coteaux-de-pierrevert

Dans le département des Alpes-de-Haute-Provence, la majeure partie des vignes se trouve sur les versants de la rive droite de la Durance (Corbières, Sainte-Tulle, Pierrevert, Manosque...) et couvre environ 296 ha. Les conditions climatiques, déjà rigoureuses, cantonnent la culture de la vigne dans une dizaine de communes sur les quarante-deux que compte légalement l'aire d'appellation. Les vins rouges, rosés et blancs (12 950 hl en 2003), d'assez faible degré alcoolique et d'une bonne nervosité, sont appréciés par ceux qui traversent cette région touristique. Les coteaux-de-pierrevert ont été reconnus en appellation d'origine contrôlée en 1998.

DOM. LA BLAQUE
Réserve 2001

■ 10 ha 37 000 ◍ 8 à 11 €

Macération carbonique de trois à quatre semaines, puis élevage en fût pendant un an : il en résulte une cuvée aux parfums de fruits noirs, riche de matière et dotée de tanins perceptibles. Un bon représentant de l'appellation. Deux autres citations sont attribuées au **Domaine La Blaque blanc 2003 (5 à 8 €)**, très rond, ainsi qu'au **rosé 2003 (5 à 8 €)**, fruité, que l'on servira avec une bouillabaisse.

⊶ SCI Châteauneuf de Pierrevert,
Dom. Châteauneuf-La Blaque, 04860 Pierrevert,
tél. 04.92.72.39.71, fax 04.92.72.81.26
☑ Ƴ ⚲ t.l.j. sf dim. 8h-12h 14h-18h

CAVE DES VIGNERONS DE PIERREVERT
Cuvée du Village d'or 2003 ★

□ 10 ha 18 000 ▮🌡 3 à 5 €

Fondée en 1925, la cave de Pierrevert a vinifié à parts égales rolle et grenache blanc, par saignée partielle et pressurage direct. Il en résulte un vin limpide et brillant, dont les arômes floraux (fleurs blanches) et fruités annoncent la finesse de la bouche très persistante. Le **rosé cuvée du Village d'or 2003** aux parfums de framboise, obtient une étoile. Il accompagnera les charcuteries.

⊶ Cave des Vignerons de Pierrevert,
1, av. Auguste-Bastide,
04860 Pierrevert,
tél. 04.92.72.19.06, fax 04.92.72.85.36
☑ Ƴ ⚲ t.l.j. 8h-12h 14h-18h

CH. REGUSSE 2003

■ 12 ha 50 000 ▮🌡 3 à 5 €

Grenache et syrah à parts égales pour ce rosé de saignée, élevé sur lies fines, dont la robe rose fringant brille de reflets bleutés. Il exhale des arômes de garrigue et de fruits rouges. C'est un vin aromatique et séducteur que l'on savourera, dès la sortie du Guide, avec une andouillette aux herbes de Provence.

⊶ SARL Cave et Vignobles de Régusse,
Dom. de Régusse, rte de la Bastide-des-Jourdans,
04860 Pierrevert, tél. 04.92.72.30.44, fax 04.92.72.69.08,
e-mail domaine-de-regusse@wanadoo.fr ☑ Ƴ ⚲ r.-v.

CH. DE ROUSSET Grand Jas 2001

■ n.c. n.c. 8 à 11 €

Roseline et Hubert Emery sont producteurs de coteaux-de-pierrevert, mais également d'huile d'olive AOC de Haute-Provence. Leur cuvée Grand Jas 2001 à la couleur grenat très foncé possède un nez de fruits noirs (mûre) et une bouche plaisante. A boire avec un civet de sanglier. Cité, le **rosé Château de Rousset 2003 (3 à 5 €)** accompagnera un saucisson brioché. Il est bien équilibré, assez alcooleux, mais le fruit rétablit l'équilibre.

⊶ Hubert et Roseline Emery,
SCEV Ch. de Rousset, 04800 Gréoux-les-Bains,
tél. 04.92.72.62.49, fax 04.92.72.66.50 ☑ r.-v.

Côtes-du-vivarais

A la limite nord-ouest des Côtes du Rhône méridionales, les côtes-du-vivarais chevauchent les départements de l'Ardèche et du Gard, sur 647 ha. Les vins, produits sur des terrains calcaires, sont essentiellement des rouges à base de grenache (30 % minimum), de syrah (30 % minimum), et des rosés, caractérisés par leur fraîcheur et à boire jeunes. Notez que ce VDQS a été reconnu en AOC en mai 1999 et qu'il a produit 30 766 hl en 2003.

DOM. DE LA BOISSERELLE 2002

■ 5 ha 20 000 3 à 5 €

La syrah est la star de cet assemblage. Un vin rubis intense, plutôt fruité, qui présente également une pointe végétale. D'attaque souple et fraîche, il ne tarde pas à montrer ses tanins et sa structure. Il accompagnera volontiers un gibier de ce plateau calcaire et sauvage. Sa bonne tenue en bouche et sa longueur lui assurent encore quelques années de garde.

⊶ Richard Vigne, Dom. de La Boisserelle,
rte des Gorges, 07700 Saint-Remèze,
tél. 04.75.04.24.37, fax 04.75.04.24.37,
e-mail domainedelaboisserelle@wanadoo.fr ☑ Ƴ r.-v.

CLOS DE L'ABBE DUBOIS 2001 ★

■ 3 ha 10 000 ▮ 5 à 8 €

C'est en souvenir d'un grand oncle de la famille, missionnaire aux Indes qui finança la construction de la bâtisse, que le domaine a pris le nom d'Abbé Dubois. Aujourd'hui fort de 20 ha, il a produit un vin de teinte soutenue qui livre une palette complexe : des fruits, des notes minérales, un côté animal discret qui n'ôte en rien la fraîcheur de l'ensemble. L'attaque souple, toujours sur le fruit, précède une rusticité de bon aloi.

❧ Claude Dumarcher,
Clos de l'Abbé Dubois, 07700 Saint-Remèze,
tél. 04.75.98.98.44, fax 04.75.98.98.44,
e-mail clos-abbe-dubois@worldonline.fr
☑ ⌂ ⅂ ⚘ r.-v.

NOTRE DAME DE COUSIGNAC 2001 ★★

■	0,77 ha	5 300	▮⚬	5 à 8 €

La chapelle Notre-Dame de Cousignac, qui donne son nom au domaine, fut fondée au VIᵉs. Le vignoble couvre aujourd'hui plus de 37 ha répartis en îlots sur les coteaux. Syrah, grenache et carignan sont à l'origine d'un vin rouge soutenu qui montre quelques nuances d'évolution tout en gardant une limpidité de prime jeunesse. Les fruits s'accompagnent d'arômes animaux et de quelques notes plus évoluées. L'intensité de la bouche est manifeste. Après une attaque ronde et fruitée, de beaux tanins fondus soutiennent la matière avenante jusqu'à l'agréable finale.

❧ SCEA Pommier, Dom. Notre-Dame-de-Cousignac, 07700 Bourg-Saint-Andéol,
tél. 04.75.54.61.41, fax 04.75.54.68.53,
e-mail raphael.pommier@libertysurf.fr
☑ ⅂ ⚘ t.l.j. sf sam. dim. 15h-19h

DOM. DE VIGIER 2003 ★

	4,12 ha	33 000	▮ ⏣	3 à 5 €

1789 : peut-on lire sur la clef de voûte du portail. Une bâtisse du XVIIIᵉs. vous accueille à l'entrée du domaine. Ce rosé, aux jolis reflets cuivre rouge, offre un nez intense et fin de poire, de petits fruits, de bonbon anglais. La bouche fraîche, fruitée et persistante contribue au charme d'un 2003 que l'on appréciera après une escapade dans les gorges de l'Ardèche. Pour les inconditionnels des vins rouges, le domaine propose la **cuvée Romain 2001**, également très réussie par ses tanins présents mais fondus, ainsi que par son nez puissant, animal et fruité.
❧ Dupré et Fils, Dom. de Vigier, 07150 Lagorce, tél. 04.75.88.01.18, fax 04.75.37.18.79 ☑ ⅂ ⚘ r.-v.

Vins doux naturels du Rhône

Muscat-de-beaumes-de-venise

Au nord de Carpentras, sous les impressionnantes Dentelles de Montmirail, le paysage doit son aspect à des calcaires grisâtres et à des marnes rouges. Une partie des sols est formée de sables, de marnes et de grès, une autre de terrains tourmentés datant du trias et du jurassique. Ici encore, sont produits des vins doux naturels dont le principe d'élaboration est identique à celui des vins doux naturels du Languedoc-Roussillon (voir ce chapitre). Le seul cépage est le muscat à petits grains ; mais dans certaines parcelles, une mutation donne des raisins roses. Les vins (13 397 hl en 2003) doivent avoir au moins 110 g de sucre par litre de moût ; ils sont aromatiques, fruités et fins, et conviennent parfaitement à l'apéritif ou sur certains fromages.

BOIS DORE 2000 ★★

	30 ha	12 000	⏣	11 à 15 €

Alors qu'en 1953 le muscat connaissait une mauvaise passe, un pharmacien, Pierre Blachon, sut convaincre les vignerons de la région de créer la cave de Beaumes-de-Venise. Une belle histoire quand on sait qu'aujourd'hui la coopérative produit 70 % de l'appellation. Ce vin a atteint toute son harmonie après un passage en fût de douze mois,

développant des arômes de chocolat, de moka et de café, nuancés d'orange. Il accompagnera avec force et élégance un foie gras poêlé ou un gâteau au chocolat.
❧ Vignerons de Beaumes-de-Venise, quartier Ravel, 84190 Beaumes-de-Venise,
tél. 04.90.12.41.00, fax 04.90.65.02.05,
e-mail vignerons@beaumes-de-venise.com ☑ ⅂ ⚘ r.-v.

DOM. DE FENOUILLET 2003 ★

	7,79 ha	32 000	▮⚬	8 à 11 €

Aujourd'hui, c'est une étoile qui récompense ce 2003 riche d'arômes de figue et de miel. Une bonne vivacité équilibre la douceur. A déguster avec un foie gras dans les trois prochaines années.
❧ Patrick et Vincent Soard, Dom. de Fenouillet, allée Saint-Roch, 84190 Beaumes-de-Venise,
tél. 04.90.62.95.61, fax 04.90.62.90.67,
e-mail pv.soard@freesbee.fr ☑ ⅂ ⚘ r.-v.

DOM. DE LA PIGEADE 2003

	23 ha	40 000	▮⚬	8 à 11 €

La maison de pierres taillées est un ancien relais de pigeons voyageurs. Le domaine a été entièrement rénové après son acquisition en 1996 par Thierry Vaute. En 2003, c'est un muscat puissant, de teinte limpide et riche en larmes, que l'on observe dans le verre. A la dominante de raisin sec perceptible au nez répond une bouche tout en fruits à l'eau-de-vie et en pâte de coings. Une salade de fruits frais ou un foie gras feront de bons accords.
❧ Thierry Vaute, Dom. de La Pigeade, rte de Caromb, 84190 Beaumes-de-Venise, tél. 04.90.62.90.00,
fax 04.90.62.90.90, e-mail th.vaute@lapigeade.fr
☑ ⅂ ⚘ t.l.j. 9h-12h 14h-19h; 14h-18h l'hiver; groupes sur r.-v.

CH. SAINT-SAUVEUR 2001 ★★

| | 6,5 ha | 26 000 | ▮↓ 8 à 11 € |

Le caveau de dégustation se trouve dans une chapelle du XIᵉs., tandis que la cave de vinification occupe un ancien monastère. C'était, autrefois, le fief d'un noble du comtat Venaissin. La famille Rey propose aujourd'hui un vin souple qui a atteint sa plénitude. Ses arômes de verveine et d'orange confite souligneront parfaitement les saveurs d'un melon ou feront un joli contraste avec des fromages bleus.
➦ EARL les Héritiers de Marcel Rey,
Ch. Saint-Sauveur, rte de Caromb,
BP 2, 84810 Aubignan,
tél. 04.90.62.60.39, fax 04.90.62.60.46 ☑ ⵎ ⋏ r.-v.

RESERVE J. VIDAL-FLEURY 2003

| | 3,6 ha | 12 000 | ▮↓ 11 à 15 € |

Cette ancienne maison créée en 1781 avait organisé un banquet en l'honneur de Thomas Jefferson six ans plus tard. Qui sait si on servit un dessert au chocolat ou au café ? Une telle alliance ferait bel effet avec ce vin chaleureux, aux arômes d'eau-de-vie de marc et dont la finale évoque le moka et la praline.
➦ J. Vidal-Fleury, 19, rte de la Roche, 69420 Ampuis,
tél. 04.74.56.10.18, fax 04.74.56.19.19,
e-mail vidal.fleury@wanadoo.fr ☑ ⵎ r.-v.

DOM. DU VIEUX PIGEONNIER 2003 ★

| | n.c. | 24 000 | ▮↓ 8 à 11 € |

Beaucoup d'élégance dans l'architecture du domaine, ancien relais de pigeons voyageurs, comme dans celle du vin. Les fragrances florales se lient à la vivacité des notes d'agrumes. En bouche, l'harmonie se réalise entre les fleurs blanches et la menthe. Les salades de fruits frais s'en trouveront embellies.
➦ Claude Vaute, rte de Caromb,
SCEA Dom. de La Pigeade, 84190 Beaumes-de-Venise,
tél. 04.90.62.95.66, fax 04.90.62.90.90

Rasteau

Tout au nord du département du Vaucluse, ce vignoble s'étale sur deux formations distinctes : sols de sables, marnes et galets au nord ; terrasses d'alluvions anciennes du Rhône (quaternaire), avec des galets roulés, au sud. Partout, le cépage utilisé est le grenache. La production moyenne est confidentielle : 1 656,42 hl en 2003.

DOM. BEAU MISTRAL Vieilli en fût de chêne ★

| | 2 ha | 6 000 | ▮ⵎ↓ 11 à 15 € |

Avec les Dentelles de Montmirail et le mont Ventoux pour toile de fond, ce domaine possède 20 ha de vignes sur des coteaux caillouteux et argilo-calcaires. Son vin doux naturel a bien la puissance du mistral. Couleur profonde à reflets acajou, bouche ample et complexe s'achevant sur le cacao amer. Un rasteau à garder de un à trois ans.
➦ Jean-Marc Brun, Le Village,
rte d'Orange, 84110 Rasteau,
tél. 04.90.46.16.90, fax 04.90.46.17.30 ☑ ⵎ ⋏ r.-v.

DOM. DE BEAURENARD 2001 ★

| | 3,7 ha | 6 600 | ⵎ 15 à 23 € |

Outre son église du XIIᵉs., Rasteau possède un musée du Vigneron que l'on pourra visiter avant de se rendre au domaine de Beaurenard. Une cuvée 100 % grenache, d'un rouge profond, offre des arômes de griotte mûre évoluant vers le pruneau. Ample et veloutée, elle mérite d'être bue dès aujourd'hui.
➦ Paul Coulon et Fils,
Dom. de Beaurenard, 84230 Châteauneuf-du-Pape,
tél. 04.90.83.71.79, fax 04.90.83.78.06,
e-mail paul.coulon@beaurenard.fr
☑ ⵎ ⋏ t.l.j. sf dim. 9h-12h 13h30-17h30

RASTEAU ★

| | 16 ha | 60 000 | ▮ⵎ↓ 5 à 8 € |

La cave de Rasteau, fondée en 1925, consacre la moitié de son activité aux vins doux naturels. La robe mordorée de celui-ci invite à découvrir le nez délicatement fruité, ainsi que la bouche fondante, aux flaveurs de miel. Un excellent apéritif. De belle qualité, le **Rasteau rouge** (muté sur marc pour une partie de la cuvée) obtient la même note.
➦ Cave de Rasteau, rte des Princes-d'Orange,
84110 Rasteau, tél. 04.90.10.90.10, fax 04.90.46.16.65,
e-mail rasteau@rasteau.com ☑ ⵎ r.-v.

LES VINS DE PAYS

Si l'expression « vins de pays » est employée depuis 1930, ce n'est que récemment qu'elle est devenue familière pour désigner officiellement certains « vins de table portant l'indication géographique du secteur, de la région ou du département d'où ils proviennent ». C'est en effet par le décret général du 1er septembre 2000 abrogeant le décret du 4 septembre 1979 modifié, qu'une réglementation spécifique a déterminé leurs conditions particulières de production, recommandant notamment l'utilisation de certains cépages et fixant des rendements plafonds. Des normes analytiques, tels la teneur en alcool, l'acidité volatile ou les dosages de certains additifs autorisés, ont été établies, permettant de contrôler et de garantir au consommateur un niveau de qualité qui place les vins de pays parmi les meilleurs vins de table français. Comme les vins d'appellations, les vins de pays sont soumis à une procédure d'agrément rigoureuse complétée par une dégustation spécifique. L'Office national interprofessionnel des vins (ONIVINS) assure la tutelle des vins de pays. Avec les organismes professionnels agréés et les syndicats de défense de chaque vin de pays, l'ONIVINS participe en outre à leur promotion, tant en France que sur les marchés extérieurs, où ils ont pu conquérir une place relativement importante.

Il existe trois catégories de vins de pays, selon l'extension de la zone géographique dans laquelle ils sont produits et qui compose leur dénomination. Les premiers sont désignés sous le nom du département de production, à l'exclusion bien sûr des départements dont le nom est aussi celui d'une AOC (Jura, Savoie ou Corse) ; les seconds, vins de pays de zone ; les troisièmes sont dits « régionaux », issus de cinq grandes zones regroupant plusieurs départements et pour lesquels des assemblages sont autorisés afin de garantir une expression constante. Il s'agit du vin de pays du Jardin de la France (Val de Loire), du vin de pays du Comté tolosan, du vin de pays d'Oc, du vin de pays des Comtés rhodaniens et du vin de pays Portes de Méditerranée. Chaque catégorie de vin de pays est soumise aux conditions générales de production dictées par le décret du 1er septembre 2000. Mais pour chaque vin de pays de zone et chaque vin de pays régional, il existe en plus un décret spécifique mentionnant les conditions de production plus restrictives auxquelles ces vins sont soumis.

Parmi les réformes structurelles proposées par les pouvoir publics, alors que nous mettons sous presse, figure une modification de ces règles conduisant vers un assouplissement dont l'objectif serait de rendre les vins de pays plus compétitifs sur les marchés extérieurs : ainsi serait autorisée l'utilisation de copeaux de bois en lieu et place d'un élevage en fût de chêne ; la mention du millésime pourrait également être autorisée à partir d'un seuil de 85 % dans l'assemblage alors qu'elle ne peut figurer pour l'instant que si ce millésime représente 100 % du contenu de la bouteille. Ces règles devront être approuvées par les organismes viticoles et être en conformité avec la réglementation européenne.

Les vins de pays, dont 11 millions d'hectolitres font l'objet d'un agrément, sont essentiellement vinifiés par des coopératives. Entre 1980 et 2000, les volumes agréés en vin de pays ont pratiquement triplé (4 à 11 millions hl). Les vins de pays agréés en « vin primeur ou nouveau » représentent aujourd'hui 200 à 250 000 hl. Les vinifications en vin de cépage prennent également beaucoup d'importance. La plus grande part (85 %) est issue des vignobles du Midi. Vins simples mais de caractère, ils n'ont d'autre prétention que d'accompagner agréablement les repas quotidiens, ou de participer, dans les étapes des voyages, à la découverte des régions dont ils sont issus, accompagnant les mets selon les usages habituels de leurs types. L'ensemble des zones de production est présenté ci-dessous selon le découpage régional de la législation spécifique des dénominations de vins de pays,

Les vins de pays

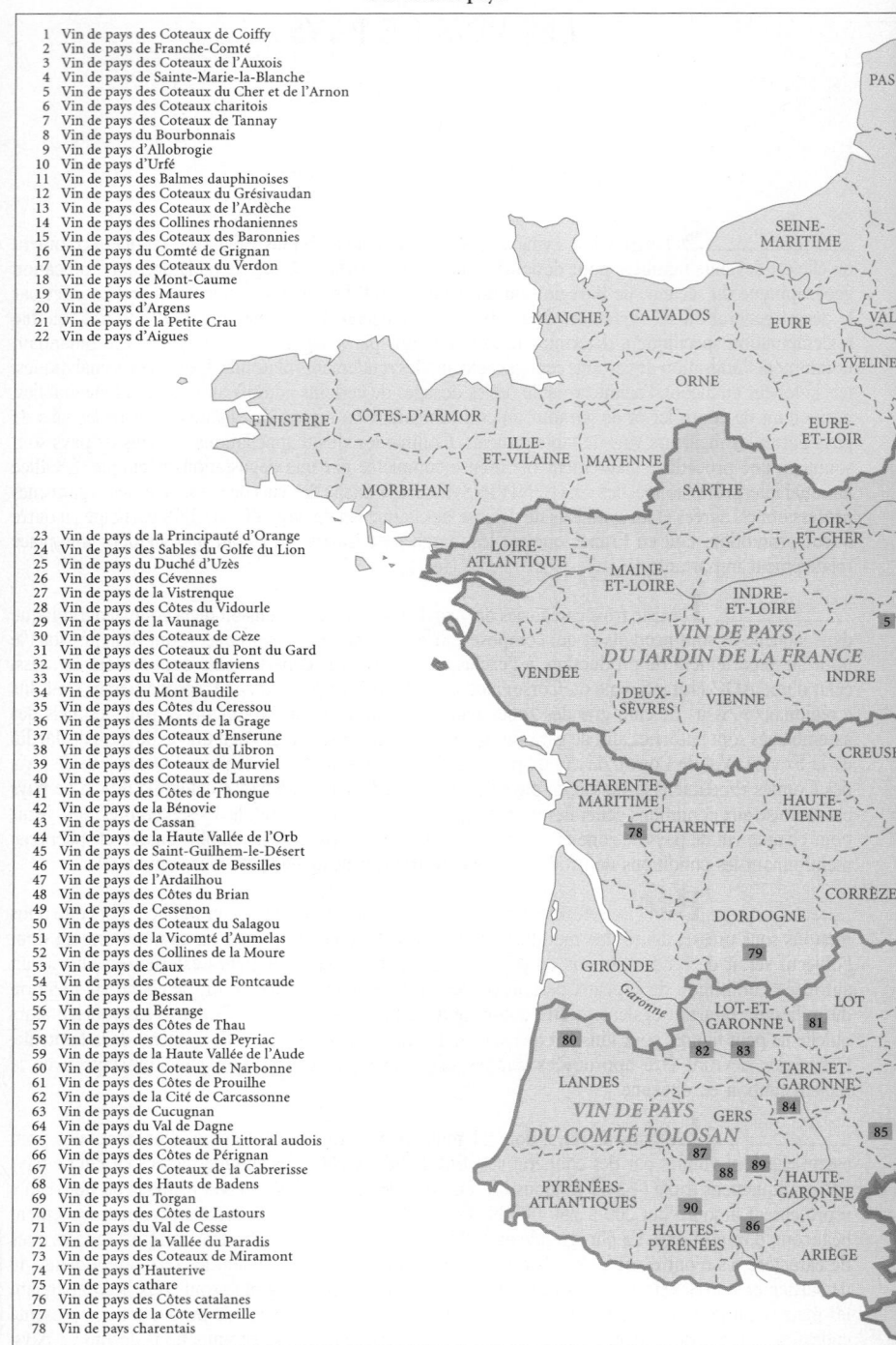

1 Vin de pays des Coteaux de Coiffy
2 Vin de pays de Franche-Comté
3 Vin de pays des Coteaux de l'Auxois
4 Vin de pays de Sainte-Marie-la-Blanche
5 Vin de pays des Coteaux du Cher et de l'Arnon
6 Vin de pays des Coteaux charitois
7 Vin de pays des Coteaux de Tannay
8 Vin de pays du Bourbonnais
9 Vin de pays d'Allobrogie
10 Vin de pays d'Urfé
11 Vin de pays des Balmes dauphinoises
12 Vin de pays des Coteaux du Grésivaudan
13 Vin de pays des Coteaux de l'Ardèche
14 Vin de pays des Collines rhodaniennes
15 Vin de pays des Coteaux des Baronnies
16 Vin de pays du Comté de Grignan
17 Vin de pays des Coteaux du Verdon
18 Vin de pays de Mont-Caume
19 Vin de pays des Maures
20 Vin de pays d'Argens
21 Vin de pays de la Petite Crau
22 Vin de pays d'Aigues
23 Vin de pays de la Principauté d'Orange
24 Vin de pays des Sables du Golfe du Lion
25 Vin de pays du Duché d'Uzès
26 Vin de pays des Cévennes
27 Vin de pays de la Vistrenque
28 Vin de pays des Côtes du Vidourle
29 Vin de pays de la Vaunage
30 Vin de pays des Coteaux de Cèze
31 Vin de pays des Coteaux du Pont du Gard
32 Vin de pays des Coteaux flaviens
33 Vin de pays du Val de Montferrand
34 Vin de pays du Mont Baudile
35 Vin de pays des Côtes du Ceressou
36 Vin de pays des Monts de la Grage
37 Vin de pays des Coteaux d'Enserune
38 Vin de pays des Coteaux du Libron
39 Vin de pays des Coteaux de Murviel
40 Vin de pays des Coteaux de Laurens
41 Vin de pays des Côtes de Thongue
42 Vin de pays de la Bénovie
43 Vin de pays de Cassan
44 Vin de pays de la Haute Vallée de l'Orb
45 Vin de pays de Saint-Guilhem-le-Désert
46 Vin de pays des Coteaux de Bessilles
47 Vin de pays de l'Ardailhou
48 Vin de pays des Côtes du Brian
49 Vin de pays de Cessenon
50 Vin de pays des Coteaux du Salagou
51 Vin de pays de la Vicomté d'Aumelas
52 Vin de pays des Collines de la Moure
53 Vin de pays de Caux
54 Vin de pays des Coteaux de Fontcaude
55 Vin de pays de Bessan
56 Vin de pays du Bérange
57 Vin de pays des Côtes de Thau
58 Vin de pays des Coteaux de Peyriac
59 Vin de pays de la Haute Vallée de l'Aude
60 Vin de pays des Coteaux de Narbonne
61 Vin de pays des Côtes de Prouilhe
62 Vin de pays de la Cité de Carcassonne
63 Vin de pays de Cucugnan
64 Vin de pays du Val de Dagne
65 Vin de pays des Coteaux du Littoral audois
66 Vin de pays des Côtes de Pérignan
67 Vin de pays des Coteaux de la Cabrerisse
68 Vin de pays des Hauts de Badens
69 Vin de pays du Torgan
70 Vin de pays des Côtes de Lastours
71 Vin de pays du Val de Cesse
72 Vin de pays de la Vallée du Paradis
73 Vin de pays des Coteaux de Miramont
74 Vin de pays d'Hauterive
75 Vin de pays cathare
76 Vin de pays des Côtes catalanes
77 Vin de pays de la Côte Vermeille
78 Vin de pays charentais

79 Vin de pays du Périgord
80 Vin de pays des Terroirs landais
81 Vin de pays des Coteaux de Glanes
82 Vin de pays de Thézac-Perricard
83 Vin de pays de l'Agenais
84 Vin de pays des Coteaux et Terrasses de Montauban
85 Vin de pays des Côtes du Tarn
86 Vin de pays de Saint-Sardos
87 Vin de pays des Côtes de Montestruc
88 Vin de pays des Côtes du Condomois
89 Vin de pays des Côtes de Gascogne
90 Vin de Pays de Bigorre
91 Vin de Pays de l'Île de Beauté

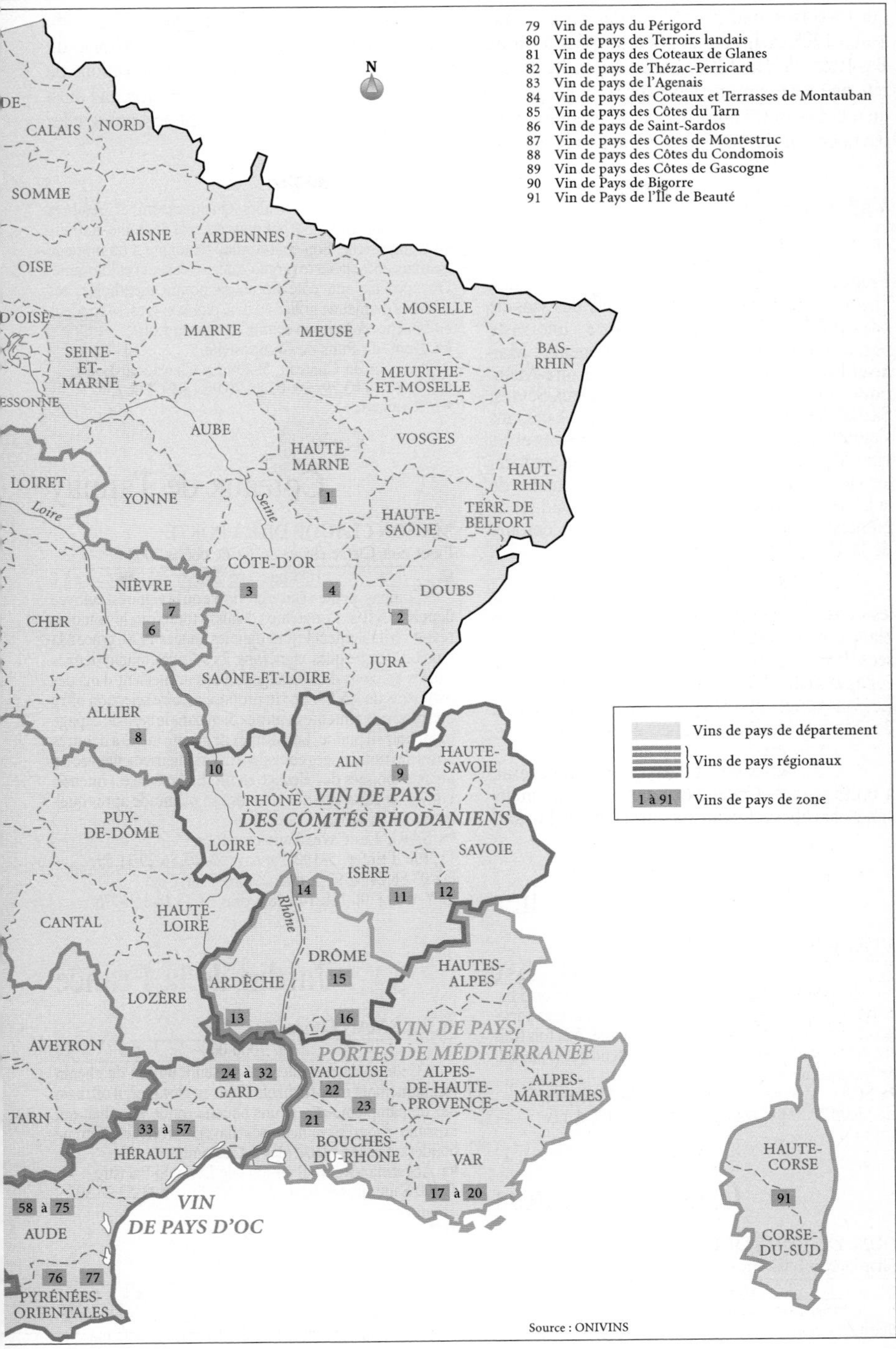

Source : ONIVINS

qui ne correspond pas à celui des régions viticoles d'AOC ou AOVDQS. Notez que le décret du 4 mai 1995 exclut des zones autorisées à produire des vins de pays les départements du Rhône, du Bas-Rhin, du Haut-Rhin, de la Gironde, de la Côte-d'Or et de la Marne. L'une des propositions de réforme porte sur une réorganisation géographique, ouvrant aux départements de la Bourgogne ainsi qu'à la Gironde l'autorisation de produire des vins de pays. Si ces propositions sont acceptées, elles devraient entrer en vigueur pour la récolte 2006.

Vallée de la Loire

Les vins de pays du Jardin de la France, dénomination régionale, représentent, à l'heure actuelle, 95 % de l'ensemble des vins de pays produits en vallée de la Loire ; une vaste région qui regroupe treize départements : Maine-et-Loire, Indre-et-Loire, Loiret, Loire-Atlantique, Loir-et-Cher, Indre, Allier, Deux-Sèvres, Sarthe, Vendée, Vienne, Cher, Nièvre. A ces vins s'ajoutent les vins de pays de départements et les vins de pays à dénominations locales qui sont ici : les vins de pays de Retz (au sud de l'estuaire de la Loire), des Marches de Bretagne (au sud-est de Nantes) et des Coteaux charitois (aux alentours de la Charité-sur-Loire).

La production globale repose sur les cépages traditionnels de la région. Les vins blancs qui représentent 45 % de la production sont secs, frais et fruités, et principalement issus des cépages chardonnay, sauvignon et grolleau gris. Les vins rouges et rosés proviennent, quant à eux, des cépages gamay, cabernets et grolleau noir.

Ces vins de pays sont, en général, à boire jeunes. Cependant, dans certains millésimes, le cabernet peut se bonifier en vieillissant.

Cher

VENESMES 2003 ★

□ 3,5 ha 14 000 ▮↓ 3 à 5 €

Installé depuis 1997 sur ce domaiine d'environ 5 ha, ce producteur a élaboré un sauvignon aux arômes variétaux typiques, dont l'expression reste subtile. A la fois frais et rond en bouche, persistant, ce vin n'attend que le plateau de fruits de mer.

🔑 SCEV de Venesmes, SCAY, 18190 Venesmes, tél. 06.08.23.59.04, fax 02.48.60.68.01 ☒ 🍸 🚶 r.-v.

Coteaux charitois

DOM. DU PUITS DE COMPOSTELLE
Chardonnay 2003 ★

□ 1,04 ha 5 000 ▮⦀↓ 5 à 8 €

Emmanuel Rouquette, œnologue en activité en pays charitois depuis 1997, saisit l'opportunité d'acheter des vignes en 1999 pour s'installer. Quelques amis et membres de sa famille le rejoindront pour créer le domaine du Puits de Compostelle. Son chardonnay témoigne d'un mariage heureux entre la terre (argilo-calcaire et silex) et l'homme. On apprécie son côté floral, sa pointe mentholée, ses nuances d'amande grillée au nez, puis son gras, sa rondeur en bouche. A boire avec une friture de Loire.

🔑 Dom. du Puits de Compostelle, 11, bis cour du Château, 58400 La Charité-sur-Loire, tél. 03.86.70.03.29, fax 03.86.70.06.74 ☒ 🍸 🚶 r.-v.

🔑 Rouquette

Coteaux de Tannay

MAISON CLAUDE DE LA PORTE
Pinot noir Cuvée élevée en fût de chêne 2002 ★

■ 1,25 ha 5 245 ⦀ 5 à 8 €

Tannay, petite ville de la Nièvre où la vigne est cultivée depuis le XIIe s. Longtemps délaissé toutefois, le vignoble revoit véritablement le jour dans les années 1990, grâce à la passion de quelques vignerons. Les Caves tannaysiennes situées au cœur de la bourgade vous accueillent dans des bâtiments du XVIe s. Le vin proposé à notre sélection offre une robe rubis intense et un nez bien dans le type du cépage pinot noir : il pinote. Les arômes de griotte mêlés à d'autres notes de fruits rouges convolent harmonieusement avec les nuances boisées de l'élevage en fût. La bouche est intense. Un vin de caractère qui atteindra sa plénitude après quelques années de vieillissement.

🔑 SARL Les Caves Tannaysiennes, 11, rue d'Enfer, 58190 Tannay, tél. 03.86.29.31.59, fax 03.86.29.32.92, e-mail ctanny@terre-net
☒ 🍸 🚶 t.l.j. 9h-12h 14h-18h; dim. 10h-12h 15h-17h

Jardin de la France

ACKERMAN Chenin 2003 ★★

□ n.c. 1000 000 ▮↓ - de 3 €

Cette maison de négoce présente un vin de chenin techniquement irréprochable. Tout en élégance, il offre un nez de pamplemousse et une bouche ronde à souhait qui exprime progressivement ses flaveurs fraîches. On ne boudera pas son plaisir dès cet automne.

🔑 Ackerman-Rémy Pannier, rue Léopold-Palustre, 49400 Saumur, tél. 02.41.53.03.10, fax 02.41.52.96.80, e-mail contact@remy-pannier.com
☒ 🍸 🚶 t.l.j. sf dim. 9h-12h 14h-18h

GUY ALLION La Grive 2003 ★

□ 1 ha 4 000 ▮↓ 5 à 8 €

Depuis 2000, Cédric Allion vinifie le raisin de différents domaines et commercialise les vins sous la marque

Guy Allion. Ce vin moelleux issu du sauvignon se montre complexe par ses arômes de fleurs, de fruits exotiques soulignés de minéral. Son équilibre flatteur en fait un bon compagnon à l'apéritif comme au dessert.

☛ Guy Allion, 15, rue du Haut-Perron, 41140 Thésée, tél. 02.54.71.48.01, fax 02.54.71.48.51, e-mail contact@guyallion.com ▨ ⌂ ☐ ⚹ r.-v.

VIGNOBLE DE L'ARCISON Sauvignon 2003 ★

	1 ha	3 000	▮⚲	5 à 8 €

Ce vin illustre parfaitement le cépage chenin. Très élégant, fin et équilibré, il décline en effet tous les caractères variétaux : genêt, agrumes et buis. Servez-le sans attendre avec votre prochain plateau de fruits de mer ou bien en accompagnement de fromages de chèvre achetés dans la région.

☛ Damien Reulier, Le Mesnil, 49380 Thouarcé, tél. 02.41.54.16.81, fax 02.41.54.31.12, e-mail damien.reulier@wanadoo.fr ▨ ☐ ⚹ r.-v.

DOM. DE BEAU SOLEIL Chardonnay 2003 ★

	3,11 ha	40 000	▮⚲	3 à 5 €

Jean Macé a créé ce vignoble en 1966 sur un coteau bien exposé, d'où le nom de Beau Soleil. Du soleil, ce chardonnay en a bien profité pendant l'été 2003, mais il a gardé une belle fraîcheur, tant au nez qu'en bouche. Sa vivacité est soulignée d'arômes floraux d'une grande finesse.

☛ GFA J. Macé, 1, rue Anne-de-Goulaine, 44430 Le Loroux-Bottereau, tél. 06.80.96.32.13, fax 02.40.03.79.68 ▨ ☐ r.-v.

DOM. DES BEGAUDIERES Gamay 2003 ★★

	1,96 ha	12 000	▮⚲	- de 3 €

Situé à une dizaine de kilomètres de la jolie ville de Clisson, ce domaine s'est constitué au fil des générations depuis 1870. Autant dire qu'on a acquis ici un solide savoir-faire. En témoigne ce gamay intensément fruité (cerise, fraise), à la fois souple et frais. Une pointe épicée donne du relief à la finale fruitée qui signe un vin typique du cépage, apte à s'accorder avec des grillades, des viandes blanches et des fromages.

☛ GAEC Jauffrineau-Boulanger, 25, Bonnefontaine, 44330 Vallet, tél. 02.40.36.22.79, fax 02.40.36.34.90, e-mail begaudieres@wanadoo.fr ▨ ☐ ⚹ r.-v.

BOUGRIER Chenin 2003 ★

	n.c.	133 333	▮⚲	- de 3 €

Les Caves de la Tourangelle commercialisent 80 % de leur production au Royaume-Uni. Pour faire plus ample connaissance avec le chenin, voici une bonne entrée en matière. Couleur jaune pâle à reflets dorés, ce 2003 libère un bouquet fruité d'agrumes. La bouche est harmonieuse, tout en finesse.

☛ Les Caves de la Tourangelle, 26, rue de la Liberté, 41400 Saint-Georges-sur-Cher, tél. 02.54.32.65.75, fax 02.54.71.09.61

DOM. DU CHAMP CHAPRON Gamay 2003 ★

	1,5 ha	10 000	▮	- de 3 €

Ici, on vous expliquera volontiers l'histoire et la géographie de la région : Barbechat, par exemple, signifie « lieu où se trouve une barrière de collines » (bar désignant une colline et bech une barrière). Le domaine se situe non loin du pont Trubert, trait d'union entre l'Anjou et la Bretagne. Son gamay retient l'attention par ses arômes de

fruits cuits bien présents et élégants. Si les tanins sont perceptibles, ils ne présentent aucune rugosité. Sachez attendre ce vin un an ou deux et vous le découvrirez assoupli.

☛ EARL Suteau-Ollivier, Dom. du Champ Chapron, 44450 Barbechat, tél. 02.40.03.65.27, fax 02.40.33.34.43, e-mail suteau.ollivier@wanadoo.fr ▨ ☐ t.l.j. 9h-12h30 14h-20h

DOM. DE LA COCHE
Pays de Retz Grolleau gris 2003 ★★

	0,6 ha	3 000	▮⚲	3 à 5 €

Ils sont tout jeunes, Emmanuel et Laurent Guitteny (vingt-huit et vingt-cinq ans respectivement). Voilà pourtant déjà cinq ans qu'ils sont à la tête de ce domaine de 23 ha, ancien relais de cochers entre Nantes et Pornic. Ils se distinguent dans le millésime 2003 grâce à leur grolleau gris. Originaire de Touraine, ce cépage assez confidentiel dans la région est une mutation du grolleau noir. Il a produit un vin fruité, souple, avec une agréable vivacité en finale. Remarquable de typicité. Le **chardonnay 2003** est par ailleurs cité.

☛ Emmanuel et Laurent Guitteny, Dom. de la Coche, 44680 Sainte-Pazanne, tél. 02.40.02.44.43, fax 02.40.02.43.55, e-mail lacochevins@aol.com ▨ ☐ ⚹ r.-v.

DOM. LES COINS Pays de Retz Gamay 2003 ★

	4 ha	12 000	▮⚲	- de 3 €

Après une visite de l'abbatiale carolingienne de Saint-Philbert-de-Grand-Lieu, prolongez votre route d'une dizaine de kilomètres pour découvrir le domaine de Jean-Claude et Didier Malidain. Leur gamay, d'un rubis limpide et brillant, offre un nez expressif de fruits rouges, de banane et de bonbon anglais. Sa bouche équilibrée laisse une agréable impression de fraîcheur. Un vin de soif et de plaisir, à partager entre amis.

☛ EARL Jean-Claude et Didier Malidain, Grossève, 44650 Corcoué-sur-Logne, tél. 02.40.05.95.95, fax 02.40.05.80.99, e-mail jeanclaude.malidain@free.fr ▨ ☐ ⚹ r.-v.

DOM. DU COLOMBIER Chardonnay 2003 ★

	4 ha	20 000	▮⚲	- de 3 €

A Tillières, qui marque la frontière entre le pays du muscadet et les Mauges, vous trouverez aisément le domaine du Colombier, tout proche du moulin Guillou, classé. Son chardonnay ne manque pas de complexité grâce à ses arômes de miel mêlés de fruits exotiques. Il se montre tout aussi intéressant au palais, alliant puissance et finesse.

☛ Jean-Yves Brétaudeau, Le Colombier, 49230 Tillières, tél. 02.41.70.45.96, fax 02.41.70.36.17, e-mail contact@lecolombier.com ▨ ☐ ⚹ r.-v.

DOM. BRUNO CORMERAIS
Elevé en fût de chêne 2002 ★

	n.c.	3 000	⬙	3 à 5 €

Issu des cabernets franc et sauvignon et de l'abouriou, ce vin a bénéficié d'un élevage en fût : il offre ainsi un nez complexe, fruité et boisé, puis une bouche aux tanins fondus, bien équilibrée. Un vieillissement en cave ne pourra que lui être favorable.

☛ EARL Bruno et Marie-Françoise Cormerais, La Chambaudière, 44190 Saint-Lumine-de-Clisson, tél. 02.40.03.85.84, fax 02.40.06.68.74 ▨ ☐ ⚹ r.-v.

DOM. DE LA COUCHETIERE Grolleau 2003 ★

■ 2 ha 16 000 ▮♁ - de 3 €

Ici, on s'est attaché à garder les pierres et les charpentes apparentes lorsque l'on a rénové le caveau. Vous pourrez apprécier ce travail tout en dégustant un vin de grolleau aux arômes fruités et épicés intenses. Bien équilibré, ce 2003 est dans la même veine que le millésime précédent, déjà bien noté l'an passé.

⊶ GAEC Brault, Dom. de la Couchetière,
49380 Notre-Dame-d'Allençon, tél. 02.41.54.30.26,
fax 02.41.54.40.98 ☒ Y ⛹ t.l.j. sf dim. 8h-12h 14h-19h

DOM. DE LA COUPERIE Cabernet 2003 ★★

■ 1,5 ha 8 500 ▮♁ - de 3 €

Décidément, les cabernets se plaisent sur les sols argilo-schisteux de La Couperie. Souvenez-vous : la cuvée Clyan 2001 avait obtenu le coup de cœur l'an passé. Typé, le 2003 développe des arômes intenses de fruits rouges qui persistent agréablement en bouche. Sa bonne matière témoigne d'une parfaite maîtrise de la vinification.

⊶ EARL Claude Cogné,
La Couperie, 49270 Saint-Christophe-la-Couperie,
tél. 02.40.83.73.16, fax 02.40.83.76.71 ☒ Y ⛹ r.-v.

LA CROIX DU PIN
Chardonnay Cuvée Prestige 2003 ★

□ 33 ha 150 000 ▮ - de 3 €

D'une couleur jaune pâle typique du chardonnay, ce vin offre de tendres nuances de poire. Un caractère flatteur dont il ne se départ pas au palais, car il se montre frais, fruité et de bonne longueur. Il n'attend que la compagnie d'un poisson fin pour vous faire plaisir.

⊶ La Fiée des Lois,
21, rue Montgolfier, 79230 Prahecq, tél. 05.49.32.15.15,
fax 05.49.32.16.05, e-mail selection@fdlois.fr

DOM. MICHEL DAVID Chardonnay 2003 ★★

□ 1,2 ha 10 000 ▮♁ 3 à 5 €

Michel David a trouvé un bon compromis entre les techniques modernes de vinification et la tradition héritée de sa famille. Il a ainsi élaboré un vin de qualité, déjà séduisant à l'œil dans sa robe dorée. Le nez floral fait preuve d'harmonie et d'intensité, tandis qu'en bouche on perçoit une matière riche, équilibrée, longuement persistante sur les notes de fleurs. Un poulet à la nantaise sera le bienvenu à table aux côtés de cette bouteille prête à boire.

⊶ Dom. Michel David, Le Landreau-Village,
44330 Vallet, tél. 02.40.36.42.88, fax 02.40.33.96.94,
e-mail sdavid4437@aol.com ☒ Y ⛹ r.-v.

LE DEMI-BŒUF Chardonnay 2003 ★

□ 1,8 ha 10 000 ▮♁ 3 à 5 €

Les guerres de Vendée ont marqué ce lieu : les Blancs en ont été chassés avant de terminer leur festin et n'ont pu manger que la moitié d'un bœuf. Peut-être ont-ils bu le vin produit sur place ? Ce n'était sûrement pas un chardonnay, plus apte à accompagner un sandre ou un brochet. Surprenant par son nez de litchi et sa bouche florale, celui-ci fait preuve d'équilibre et illustre bien un mode de vinification moderne.

⊶ EARL Michel Malidain,
Le Demi-Bœuf, 44310 La Limouzinière,
tél. 02.40.05.82.29, fax 02.40.05.95.97,
e-mail m.malidain@free.fr ☒ Y ⛹ r.-v.

DESTINEA Cabernet franc 2003 ★

■ n.c. 12 000 ▮♁ 5 à 8 €

Destinéa était le nom d'une gabarre qui transportait autrefois les marchandises et notamment les vins de la Loire. Joseph Mellot a ainsi baptisé sa cuvée de vin de pays du Jardin de la France. Le cabernet franc revêt ici un caractère fruité rappelant particulièrement le cassis. La franchise et l'harmonie de sa bouche le rendent apte à une dégustation immédiate avec des viandes grillées.

⊶ SA Joseph Mellot,
rte de Ménétréol, 18300 Sancerre,
tél. 02.48.78.54.54, fax 02.48.78.54.55,
e-mail alexandremellot@josephmellot.com ☒ Y ⛹ r.-v.

DOM. DE FLINES Grolleau 2003 ★

■ 1,52 ha 15 000 ▮♁ 3 à 5 €

De la Touraine, où leurs ancêtres étaient vignerons depuis le XVIe s., les Motheron ont rejoint l'Anjou en 1968 pour constituer ce domaine de 47 ha, non loin du château de Martigné (XVe-XVIe s.). Ce grolleau rubis à reflets violacés éveille les sens par des arômes de fraise, de petits fruits rouges et de bonbon anglais. En bouche, le fruité demeure longtemps, allié à des tanins souples qui soutiennent l'équilibre de l'ensemble. A boire entre amis avec des rillettes ou des rillauds d'Anjou.

⊶ C. Motheron, Dom. de Flines,
102, rue d'Anjou, 49540 Martigné-Briand,
tél. 02.41.59.42.78, fax 02.41.59.45.60 ☒ Y ⛹ r.-v.

DOM. DE LA GARNIERE Chardonnay 2003 ★★

□ 2,35 ha 10 000 ▮♁ 3 à 5 €

Est-ce le terroir silico-argileux, sur lequel a été récolté le chardonnay, qui a donné à ce vin ses arômes floraux si intenses ? Le soleil de l'été 2003 serait-il à l'origine de cette matière ronde ? Du caractère, de la finesse aussi : un chardonnay remarquable, en somme.

⊶ GAEC Camille et Olivier Fleurance,
La Garnière, 49230 Saint-Crespin-sur-Moine,
tél. 02.41.70.40.25, fax 02.41.70.68.84,
e-mail c-o.fleurance@wanadoo.fr ☒ Y ⛹ r.-v.

DOM. LES HAUTES NOELLES Gamay 2003 ★★★

■ 3,5 ha 20 000 ▮ 3 à 5 €

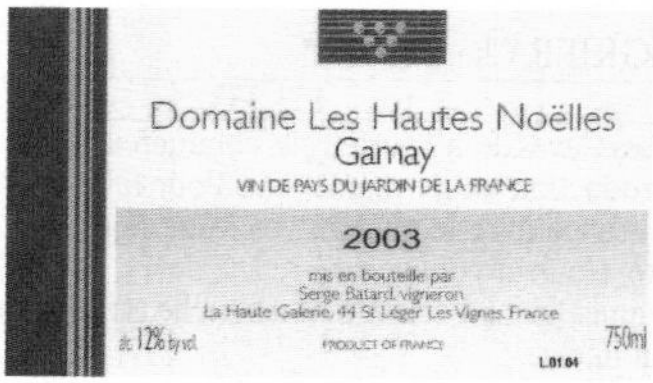

Serge Batard a repris en 1988 ce domaine familial de 20 h situé à une dizaine de kilomètres du lac de Grand-Lieu. L'été 2003 a été bénéfique au gamay planté sur des sols de sable sur micaschistes. Voyez ce vin aux arômes de grillé et de fruits cuits. D'attaque souple, il laisse une impression d'équilibre indéniable. A savourer avec des charcuteries ou des grillades.

⊶ Serge Batard, La Haute Galerie,
44710 Saint-Léger-les-Vignes,
tél. 02.40.31.53.49, fax 02.40.04.87.80,
e-mail sb.lhn@free.fr ☒ Y ⛹ r.-v.

DOM. DES HAUTES OUCHES
Grolleau gris 2003 ★

3 ha 2 000 3 à 5 €

De couleur jaune pâle à reflets gris, ce vin dévoile un nez intense de fruits. Son attaque franche et souple laisse place à une agréable fraîcheur que soulignent encore les arômes. Pour un petit casse-croûte improvisé.

EARL Joël et Jean-Louis Lhumeau,
9, rue Saint-Vincent, 49700 Brigné-sur-Layon,
tél. 02.41.59.30.51, fax 02.41.59.31.75 r.-v.

DOM. HERBAUGES Chardonnay 2003 ★

n.c. 65 000 3 à 5 €

Il faisait encore si chaud à la fin août 2003 que Luc et Jérôme Choblet ont décidé de profiter de la nuit pour vendanger. Cela n'a pas été peine perdue à en juger par leur chardonnay élégamment structuré sous sa robe jaune pâle à reflets verts. Les poissons, notamment une anguille, feront un duo de charme avec ce vin.

Luc et Jérôme Choblet, Les Herbauges,
44830 Bouaye, tél. 02.40.65.44.92, fax 02.40.65.58.02,
e-mail choblet@domaine-des-herbauges.com
r.-v.

HUTEAU-HALLEREAU Gamay 2003 ★

1,82 ha 20 000 3 à 5 €

Le gamay semble apprécier les sols de gabbros et de micaschistes de ce domaine. Il a donné naissance à un 2003 subtilement parfumé de cerise. En bouche, c'est bien le fruité qui domine. Les tanins d'une extrême douceur participent du caractère rond et souple de ce vin à servir avec des charcuteries.

EARL Huteau-Hallereau, 41, rue Saint-Vincent,
44330 Vallet, tél. 02.40.33.93.05, fax 02.40.36.29.26,
e-mail domainedumoulincamus@wanadoo.fr
r.-v.
C. et F. Boulanger

DOM. DE L'IMBARDIERE Cabernet 2003 ★★

2,5 ha 8 000 - de 3 €

Ce cabernet s'habille d'une robe intense, presque noire, à reflets violacés. D'une remarquable franchise, il affirme sa typicité par des arômes de cassis nuancés de sous-bois, puis emplit le palais d'une chair fruitée, équilibrée et persistante. Un vin à boire dès aujourd'hui avec un petit gibier à plume.

Joseph Abline, L'Imbardière,
49270 Saint-Christophe-la-Couperie, tél. 02.40.83.90.62,
fax 02.40.83.74.02, e-mail abline49vins@aol.com
r.-v.

DOM. DE LOUETTIERES Cabernet 2003 ★★

1,5 ha 2 500 - de 3 €

Les amateurs de cabernet apprécieront sans doute ce 2003 dont la robe grenat intense invite à poursuivre la dégustation. Des arômes de fruits rouges bien mûrs (cerise) s'exhalent du verre avec intensité. Au palais, une chair volumineuse se déploie, soutenue par des tanins fins et ronds, jusqu'à une longue finale. Une viande rouge ou un fromage se marieront aisément avec un tel vin. Le jury a attribué une étoile au **gamay 2003**.

EARL Dominique Peigné,
2, Le Martinet, 44450 Barbechat,
tél. 02.40.03.64.49, fax 02.40.33.36.05 r.-v.

LES LYS BLANCS Chardonnay 2003 ★★

n.c. 40 000 - de 3 €

Jean Bauquin, négociant-éleveur, possède une entreprise à La Chapelle-Heulin, où il élabore ses vins avec soin. S'il peut s'enorgueillir d'un chai construit en 1922 par l'architecte de la première ligne du métro parisien, il a su se moderniser en créant un centre de vinification équipé du dernier cri en matière technologique. Ce 2003 finement aromatique et frais a tout le charme du chardonnay. Le **sauvignon Jean Bauquin 2003** reçoit pour sa part une étoile.

SA Marcel Sautejeau, Dom. de L'Hyvernière,
44330 Le Pallet, tél. 02.40.06.73.83, fax 02.40.06.76.49

LE MASTER DE CHARDONNAY 2003 ★★

n.c. n.c. - de 3 €

Un chardonnay qui obtient son master, en effet... et haut la main. Elégamment vêtu, il fait preuve de complexité, de structure et de suffisamment de gras pour être des plus agréables dès aujourd'hui.

Sté Donatien Bahuaud,
4, rue de la Loge, 44330 La Chapelle-Heulin,
tél. 02.40.06.70.05, fax 02.40.06.77.11,
e-mail dbahuaud@donatien-bahuaud.fr

DOM. DU MOULIN Chardonnay 2003 ★

2,6 ha 2 000 - de 3 €

Le domaine doit son nom aux vestiges d'un moulin du début du XIXes. dans lequel Michel Figureau a aménagé un petit musée des outils vitivinicoles. On profitera d'une visite pour découvrir le chardonnay 2003 qui livre d'intenses arômes de fruits à chair blanche mûrs et de genêt, sous une teinte jaune clair. Ces notes laissent place à des flaveurs plus vives d'agrumes (citron vert) en bouche, d'une persistance indéniable. Un agréable moment de fraîcheur.

Michel Figureau, Dom. du Moulin,
5, rue du Plessis, 44860 Pont-Saint-Martin,
tél. 02.40.32.70.56, fax 02.40.02.12.26,
e-mail figureau-michel@wanadoo.fr
t.l.j. sf dim. 9h-19h

LE MOULIN DE LA TOUCHE
Pays de Retz Grolleau gris 2003 ★

1,5 ha 12 000 3 à 5 €

Créé il y a plus de trente ans sur un coteau bien exposé au midi, le vignoble entoure un vieux moulin du XVIII^{e}s. Le grolleau gris mérite que l'on s'y intéresse, car il offre des vins originaux tel ce 2003 jaune or limpide. Aux arômes complexes d'agrumes et de fleurs, légèrement nuancés de

VDP

notes beurrées, répond une bouche franche, fraîche et équilibrée. Le **sauvignon du pays de Retz 2003** obtient lui aussi une étoile.
⚷ Joël Hérissé,
Le Moulin de la Touche, 44580 Bourgneuf-en-Retz,
tél. 02.40.21.47.89, fax 02.40.21.47.89 ☑ Y 🚶 r.-v.

DOM. DE LA NOE
Chardonnay Elevé en fût de chêne 2003 *

■ 0,56 ha 6 600 ◍ 3 à 5 €

La Noë est un ruisseau qui traverse ce domaine conduit par les quatre frères Drouard. Un joli nom aussi pour ce chardonnay déjà prêt à boire. Cinq mois de fût lui ont donné des notes toastées et presque miellées qui s'accordent fort bien à la rondeur et à la souplesse du palais.
⚷ Dom. de la Noë, 44690 Château-Thébaud,
tél. 02.40.06.50.57, fax 02.40.06.50.57,
e-mail domainelanoe@wanadoo.fr
☑ Y 🚶 t.l.j. sf dim. 8h-12h30 14h-19h
⚷ Drouard Frères

LES VIGNERONS DES TERROIRS DE LA NOELLE Chardonnay 2003 *

■ 18 ha 40 000 ▮♁ - de 3 €

Un chardonnay jaune pâle, dont le nez intense dévoile des arômes floraux (rose). En bouche, c'est le fruité qui ressort avec des nuances légèrement amyliques. Un vin équilibré, frais et moderne, à boire dès à présent. Le **chardonnay Domaine de La Hallopière 2003 (3 à 5 €)** reçoit une étoile également, de même que la cuvée **Garden Party 2003**, assemblage de melon et de pinot blanc.
⚷ Vignerons des Terroirs de la Noëlle,
bd des Alliés, BP 155, 44150 Ancenis,
tél. 02.40.98.92.72, fax 02.40.98.96.70,
e-mail vignerons-noelle@terrena.fr ☑ Y 🚶 r.-v.

LA PERRIERE Chardonnay 2003 **

■ 3 ha 20 000 ▮♁ 3 à 5 €

Viticulteurs de père en fils depuis 1765, les Loiret ont mis à profit leur expérience pour élaborer ce vin aux doux arômes. La bouche souple et équilibrée laisse une impression d'harmonie et de générosité propre au millésime.
⚷ Vincent Loiret, Ch. La Perrière, 44330 Le Pallet,
tél. 02.40.80.43.24, fax 02.40.80.46.99,
e-mail viloiret@wanadoo.fr ☑ Y 🚶 r.-v.

DOM. DU PETIT CLOCHER Chardonnay 2003 *

■ 3 ha 11 000 ▮♁ 3 à 5 €

Stéphane Denis vient de rejoindre ses parents sur ce domaine de 67 ha dont la création remonte aux années 1930. Ses deux frères le suivront peut-être dans les prochaines années. En attendant, les couleurs du Jardin de la France sont bien défendues par ce vin jaune pâle qui décline volontiers de fines notes d'agrumes et de poire. Un léger perlant en bouche lui confère une agréable fraîcheur.
⚷ GAEC du Petit Clocher, 3, rue du Layon,
49560 Cléré-sur-Layon, tél. 02.41.59.54.51,
fax 02.41.59.59.70, e-mail petit.clocher@wanadoo.fr
☑ Y 🚶 t.l.j. sf dim. 8h30-12h30 14h-19h

PETITEAU-GAUBERT
Marches de Bretagne Cabernet franc 2003 ***

■ 2 ha 8 000 ▮◍♁ 3 à 5 €

De puissants arômes de fruits rouges cuits et des notes grillées s'expriment volontiers dans ce vin des

Marches de Bretagne. En bouche, le fruité se manifeste autour de tanins présents mais soyeux qui donnent de l'étoffe à l'ensemble. Beaucoup de prestance et une persistance étonnante. A boire ou à attendre.
⚷ EARL Petiteau-Gaubert, Dom. de La Tourlaudière,
174, Bonne-Fontaine, 44330 Vallet, tél. 02.40.36.24.86,
fax 02.40.36.29.72, e-mail contact@tourlaudiere.com
☑ 🚶 t.l.j. 9h30-12h30 14h30-18h30
⚷ Famille Petiteau

DOM. DU PETIT VAL Chardonnay 2003 *

■ n.c. n.c. ▮♁ 3 à 5 €

Le domaine du Petit Val, fondé en 1950, possède aujourd'hui près de 50 ha de vignes. Il propose un chardonnay fin et typé. Sous une teinte jaune paille apparaissent des arômes grillés intenses et une structure complexe. Un vin prêt à boire.
⚷ EARL Denis Goizil,
Dom. du Petit Val, 49380 Chavagnes,
tél. 02.41.54.31.14, fax 02.41.54.03.48,
e-mail denis-goizil@tiscali.fr ☑ Y 🚶 r.-v.

DOM. POIRON
Chardonnay Cuvée Majuscule 2003 **

■ 1 ha 12 000 ◍ 3 à 5 €

On découvre ce chardonnay avec plaisir car son élaboration soignée en a fait un vin complexe. Les arômes légèrement boisés se retrouvent en bouche, accompagnés de notes florales. Le **rosé Majuscule pinot gris 2003** est également retenu pour sa fraîcheur.
⚷ Jean-Michel Poiron,
Chantegrolle, 44690 Château-Thébaud,
tél. 02.40.06.56.42, fax 02.40.06.58.02,
e-mail dom.poiron@infonie.fr ☑ Y 🚶 r.-v.

DOM. DES PRIES
Pays de Retz Grolleau gris 2003 **

■ 2,7 ha 11 000 ▮♁ 5 à 8 €

Le domaine des Priés est tout proche de l'océan Atlantique, à quelques kilomètres de l'île de Noirmoutier, sur la commune de Bourgneuf-en-Retz. Les sols sablo-graveleux conviennent parfaitement à la culture du grolleau gris. Légèrement rosé et limpide, ce vin offre un nez intense de fleurs (lilas) et de fruits mûrs, puis une bouche élégante et équilibrée entre gras et fraîcheur. Avec la longueur pour atout supplémentaire, ce vin remarquable est déjà appréciable, mais saura aussi attendre un an.
⚷ Gérard Padiou, Les Priés, 44580 Bourgneuf-en-Retz,
tél. 02.40.21.45.16, fax 02.40.21.47.48
☑ Y t.l.j. sf dim. 10h-12h 15h-18h30
⚷ GFA des Priés

RETHORE DAVY Cabernet 2003 ★★

■	7,82 ha	n.c.	3 à 5 €

Ce cabernet est issu d'un terroir de caractère : le quartz, au cœur des Mauges. Grenat sombre, il possède des arômes de fruits rouges intense et une matière concentrée. La bouche est ample, en effet, fruitée, étayée par des tanins fins et souples. Un vin harmonieux qui sera d'autant plus apprécié après une petite garde. A retenir aussi, le **chardonnay 2003**, cité.

☛ SCEA Vignobles Réthoré Davy,
Les Vignes, 49110 Saint-Rémy-en-Mauges,
tél. 02.41.30.12.58, fax 02.41.46.35.44,
e-mail rethore.c@wanadoo.fr ☑ ☥ ⚥ r.-v.

MICHEL ROBINEAU Grolleau 2003 ★★

■	1 ha	2 500	▮ - de 3 €

Paré d'un robe rubis à reflets violacés, ce vin laisse poindre un bouquet très expressif de fruits rouges mûrs et de violette rehaussé de notes épicées. La bouche pleine, ample et intense, fait preuve d'un équilibre parfait entre tanins et fraîcheur. Pour des grillades.

☛ Michel Robineau, 3, chem. du Moulin,
Les Grandes Tailles, 49750 Saint-Lambert-du-Lattay,
tél. 02.41.78.34.67 ☑ ☥ ⚥ r.-v.

CAVE DE LA ROUILLERE Chardonnay 2003 ★

■	14 ha	150 000	▮♦ - de 3 €

Cette maison de négoce réputée pour ses chardonnays propose deux jolies cuvées en 2003. Celle-ci, jaune paille à reflets dorés, a choisi pour leitmotiv les fleurs : ces arômes se prolongent en effet dans une bouche ronde et fraîche à la fois. Le **chardonnay cuvée Gaston Rolandeau 2003**, plus vif, est cité.

☛ Les Vendangeoirs du Val de Loire,
La Frémonderie, 49230 Tillières,
tél. 02.41.70.45.93, fax 02.41.70.43.74,
e-mail vvl@rolandeau.fr

YVONNICK ET THIERRY SAUVETRE
Marches de Bretagne Cabernet 2003 ★★

■	2 ha	10 000	▮♦ 3 à 5 €

Deux hectares plantés à 70 % de cabernet franc et 30 % de cabernet-sauvignon sont à l'origine de ce remarquable vin qui fleure bon les fruits rouges mûrs. Une solide structure s'impose, mais elle s'enveloppe d'une chair ronde et équilibrée. D'une forte personnalité déjà séduisante, ce 2003 gagnera encore en complexité dans le temps. Notez que le **gamay des Marches de Bretagne 2003** obtient une étoile.

☛ Sauvêtre et Fils, Le Château de la Malonnière,
44430 Le Loroux-Bottereau,
tél. 02.40.33.81.48, fax 02.40.33.87.67,
e-mail yves.sauvetre@wanadoo.fr ☑ ☥ ⚥ r.-v.

DOM. DE LA TOURNERIE Chardonnay 2003 ★★

▨	0,28 ha	3 000	- de 3 €

Le domaine de La Tournerie est situé à 100 m du château de Goulaine datant du XVᵉs. C'est même sur les terres du château qu'est implanté le chardonnay. Ses vignes sont encore jeunes, mais elles démontrent déjà leur potentiel dans ce vin complexe, aux arômes fruités (banane, citron) et floraux. Une remarquable typicité du cépage.

☛ Jean-Paul Lebrun, La Tournerie,
25, rue de La Rabière, 44115 Haute-Goulaine,
tél. 02.40.06.20.91, fax 02.40.06.13.79 ☑ ☥ ⚥ r.-v.

DOM. VERDIER Sauvignon 2003 ★

▨	1 ha	7 000	▮♦ 3 à 5 €

Très typé, ce sauvignon du domaine Verdier. Intense, il dévoile ses arômes de buis et de fleurs blanches. D'attaque franche, il se prolonge longuement, tout en fraîcheur. Pour des fruits de mer.

☛ EARL Verdier Père et Fils,
7, rue des Varennes, 49750 Saint-Lambert-du-Lattay,
tél. 02.41.78.35.67, fax 02.41.78.35.67 ☑ ☥ ⚥ r.-v.

Vienne

AMPELIDAE PN 1328 2002 ★

■	2 ha	6 000	⊞ 15 à 23 €

Rodolphe Salis, le créateur du célèbre cabaret *Le Chat noir* de Montmartre, était propriétaire du manoir de Lavauguyot, belle demeure du XIVᵉs., dont la cave remonte au XIᵉs. Monique Brochet est aujourd'hui à la tête des 17 ha de vignes et propose un 2002 tout en nuances de fruits rouges, de pruneau et de grillé. D'une longueur appréciable, ce vin possède suffisamment de structure pour bien évoluer dans le temps. Le jury attribue également une étoile à l'**Ampelidae K 2002**, issu de cabernet-sauvignon et de cabernet franc.

☛ Ampelidae,
Manoir de Lavauguyot, 86380 Marigny-Brizay,
tél. 05.49.88.18.18, fax 05.49.88.18.85,
e-mail ampelidae@ampelidae.com
☑ ⌂ ☥ ⚥ t.l.j. sf. dim. 9h-12h 14h-18h
☛ Brochet

Aquitaine et Charentes

Entourant largement le Bordelais, c'est la région formée par les départements de Charente et Charente-Maritime, Gironde, Landes, Dordogne et Lot-et-Garonne. Une majorité de vins rouges souples et parfumés sont produits dans le secteur aquitain, issus des cépages bordelais que complètent quelques cépages locaux plus rustiques (tannat, abouriou, bouchalès, fer). Charentes et Dordogne donnent surtout des vins de pays blancs, légers et fins (ugni blanc, colombard), ronds (sémillon, en assemblage avec d'autres cépages) ou corsés (baroque). Charentais, Agenais, Terroirs landais et Thézac-Perricard sont les dénominations sous-régionales ; Dordogne, Gironde et Landes constituent les dénominations départementales.

Agenais

DOM. DE BORDES Moelleux 2003 ★

▒ 1 ha 6 000 ▮🍾 5 à 8 €

Quand il n'élabore pas son armagnac, Christian Morel consacre tous ses soins à ce gros manseng (75 %) mâtiné de petit manseng. Un moelleux jaune paille, dont les arômes rappellent les fruits à chair blanche et le pain grillé. Un léger perlé (s'il dure ?) apporte de la fraîcheur à une bouche assez grasse. Elle se distingue par une finale flatteuse sur des arômes de litchi et de poire.

⚷ Christian Morel, Dom. de Bordes,
47170 Sainte-Maure-de-Peyriac, tél. 05.53.65.62.16,
fax 05.53.65.21.63 ☑ Y 🚶 t.l.j. 8h30-19h; dim. sur r.-v.

COTES DES OLIVIERS
Elevé en fût de chêne 2002 ★

■ 2,6 ha 4 000 ⬮ 5 à 8 €

Une ferme du XVIes. souvent rénovée, un beau terroir argilo-calcaire, des vendanges manuelles, des raisins égrappés... ce domaine fait deux beaux vins à découvrir autour d'un séjour dans son gîte. De couleur griotte limpide, ce 2002 est fruité, franc, harmonieux et long. Il est marqué par de séduisantes notes de grillé. La cuvée qui ne connaît pas la barrique en **rouge 2002** obtient la même note. Irréprochable et tout en rondeur, elle accompagnera tout un repas.

⚷ Jean-Pierre Richarte, Les Oliviers, 47140 Auradou,
tél. 05.53.41.28.59, fax 05.53.49.38.89
☑ ⌂ 🚶 t.l.j. 9h-12h 14h-19h

INSTANT CHOISI Fruits rouges 2002 ★

■ 8 ha 20 000 ▮ - de 3 €

L'Instant choisi n'est pas si mal... choisi. Installés à Monflanquin dans le Haut-Agenais Périgord, les vignerons des Sept Monts sont réunis en coopérative depuis 1967. On est ici en présence d'un vin rubis brillant placé sous la double influence du merlot et du cabernet. Une sensation poivrée relève, comme on dirait en cuisine, le petit fruit rouge. Onctueux et capiteux, sans aspérité ni épine, il laisse un souvenir. Et ce n'est pas à la portée de n'importe quelle bouteille !

⚷ Cave des Sept Monts, ZAC de Mondésir,
47150 Monflanquin, tél. 05.53.36.33.40,
fax 05.53.36.44.11 ☑ 🚶 t.l.j. 9h-12h30 15h-18h30

DOM. LOU GAILLOT Excellence 2002 ★★

■ 1 ha 7 000 ⬮ 8 à 11 €

Exploitation familiale depuis six générations, devenue un domaine à part entière au début des années 1990 avec des vignes nichées sur l'une des rares terrasses de la vallée du Lot. Lou Gaillot voit trois de ses vins retenus par le jury. Celui-ci, merlot avec 5 % de cabernet, presque pour le principe, séduit d'emblée par les feux de sa robe, son parfum de mûre, sa structure ferme et charnue, son boisé (quinze mois de fût) attentif et soigné. Elevée en fût, la **Réserve rouge 2002 (5 à 8 €)** où le cabernet-sauvignon occupe davantage de place obtient une étoile, alors que le **Tradition rouge 2002 (5 à 8 €)** où ce cépage devient majoritaire est cité.

⚷ Gilles Pons, Les Gaillots, 47440 Casseneuil,
tél. 05.53.41.04.66, fax 05.53.01.13.89
☑ Y 🚶 t.l.j. sf dim. 9h-12h 14h-19h

Charentais

BRARD BLANCHARD 2003 ★

▒ 1,6 ha 15 000 ▮🍾 3 à 5 €

Aux portes de Cognac, les Brard Blanchard sont bouilleurs de cru depuis longtemps. Ils conduisent leurs 19 ha de vignes en agriculture biologique et cultivent des cépages aussi originaux que l'arriloba, croisement de raffiat de Moncade et de sauvignon blanc obtenu à l'Inra de Bordeaux dans les années 1960. Celui-ci entre d'ailleurs dans l'assemblage qui a donné naissance à ce vin agréablement vif, dont le caractère s'accordera bien avec les fruits de mer locaux.

⚷ GAEC Brard Blanchard,
1, chem. de Routreau, Boutiers, 16100 Cognac,
tél. 05.45.32.19.58, fax 05.45.36.53.21
☑ ⌂ 🚶 t.l.j. sf dim. 9h-12h 14h-18h; sam. 9h-12h

DOM. BRUNEAU Sauvignon 2003

▒ n.c. 8 000 ▮🍾 3 à 5 €

La ville de Rouffignac est entourée de coteaux et de vallons diversement cultivés. La vigne participe à ce paysage. Celle d'Alain Pillet a produit un sauvignon bien équilibré et fruité, d'une bonne longueur. Un vin classique qui accompagnera les grillades et pourra même être présenté à l'apéritif.

⚷ Alain Pillet, chez Bruneau, 17130 Rouffignac,
tél. 05.46.49.04.82, fax 05.46.70.07.95 ☑ 🚶 r.-v.

DOM. DE LA CHAUVILLIERE
Chardonnay 2003 ★

▒ 10 ha 50 000 ▮🍾 3 à 5 €

Voilà vingt-cinq ans que cette propriété réussit particulièrement bien les vins blancs, comme en témoigne ce chardonnay typé. De la fraîcheur et des arômes fruités : tout concourt à un accord réussi avec une lotte, un merlu et même avec une viande blanche.

⚷ EARL Hauselmann et Fils,
La Chauvillière, 17600 Sablonceaux,
tél. 05.46.94.44.40, fax 05.46.94.44.63 ☑ Y r.-v.

COULON ET FILS Sauvignon Ile d'Oléron 2003 ★

▒ 3,5 ha 12 000 ▮🍾 3 à 5 €

Ici, à 3 km de Fort-Boyard, on produit 50 % de cognac et 50 % de vin de pays. On se trouve sur l'île d'Oléron, et le sauvignon semble s'y plaire. Celui-ci, bien fruité et équilibré, fait preuve d'une certaine élégance. Il appréciera la compagnie de tous les produits de la mer. Le **rosé 2003** du domaine est cité.

⚷ EARL Coulon et Fils,
Saint-Gilles, 17310 Saint-Pierre-d'Oléron,
tél. 05.46.47.02.71, fax 05.46.75.09.74
☑ ⌂ Y 🚶 jeu. à 11 h du 15 juin au 15 sept.

DOM. DELAUNAY
Merlot Elevé en fût de chêne 2002

■ 4 ha 3 000 ▮⬮🍾 5 à 8 €

En 1999, 10 % de cette propriété d'une quarantaine d'hectares ont été reconvertis en merlot, grâce au surgreffage des vignes d'ugni blanc. Les résultats apparaissent aujourd'hui. Ce vin offre des arômes de fruits rouges bien dans le type du cépage, tandis que sa bouche encore un peu austère appelle une petite garde pour s'épanouir. On lui réservera les plats de l'hiver 2005.

🔑 SARL Cognac Delaunay, Biard, 16130 Ségonzac, tél. 05.45.80.56.27, fax 05.45.83.36.24 ☒ Y r.-v.

DOM. GARDRAT Colombard 2003 *

□ 5,8 ha 60 000 ▮🌡 5 à 8 €

Récolté près de la Gironde sur un sol argilo-calcaire, ce colombard a tout d'un vin convivial : frais et aromatique, il se destine à un bon plat charentais savouré lors d'un week-end entre amis. En rouge, la **cuvée Tradition 2002 (8 à 11 €)** est citée.

🔑 Jean-Pierre Gardrat, La Touche, 17120 Cozes, tél. 05.46.90.86.94, fax 05.46.90.95.22 ☒ Y 🚶 r.-v.

THIERRY JULLION Sauvignon 2003

□ 1,65 ha 8 000 ▮🌡 3 à 5 €

Il sauvignonne bien ce 2003. Et il ne manque pas d'agrément, car il est équilibré et dévoile la vivacité attendue pour un service avec des fruits de mer. La sortie du Guide correspond au début des mois en « r » : profitez-en...

🔑 Thierry Jullion, Montizeau, 17520 Saint-Maigrin, tél. 05.46.70.00.73, fax 05.46.70.02.60, e-mail jullion@wanadoo.fr
☒ Y 🚶 t.l.j. sf sam. dim. 14h-19h

MAINE AU BOIS Sauvignon 2003 *

□ 3,3 ha 21 000 ▮🌡 5 à 8 €

Cette maison de négoce, située à une vingtaine de kilomètres de Cognac, a pris le nom d'un lieu-dit de la région. Elle revendique un joli sauvignon frais et fruité, dont l'équilibre est particulièrement réussi. Les viandes blanches pourront s'y allier aisément. Le **chardonnay 2003** est cité.

🔑 Doni, 24, chem. de l'Alambic, 17520 Saint-Eugène, tél. 05.46.70.02.40, fax 05.46.70.02.03, e-mail maineaubois@wanadoo.fr ☒ Y 🚶 r.-v.

MAISON DES MAINES Croix Maron 2002 *

■ 7,5 ha 45 480 ▮🌡 5 à 8 €

Alors que les vins blancs proviennent de vignes plantées à Pons, les vins rouges naissent dans la région de Ségonzac, sur des sols argilo-calcaires plantés de jeunes ceps. Le merlot et le cabernet-sauvignon ont donné naissance à un vin fruité, joliment ample et rond en bouche. On l'appréciera dès aujourd'hui autour de plats de viandes blanches ou rouges bien cuisinées.

🔑 La Maison des Maines, Au Malestier, BP 46, 16130 Ségonzac, tél. 05.45.36.48.38, fax 05.45.36.48.36, e-mail cave.acv@wanadoo.fr ☒ Y 🚶 r.-v.

DOM. LE MAS DE PIERRE BLANCHE
Merlot 2002

■ 2,5 ha 3 500 ▮🌡 5 à 8 €

Quand on est à Jarnac, autant en profiter pour visiter la région et découvrir les nombreuses églises romanes. Bien sûr, on n'oubliera pas le vin, et ce 2002 sera un bon souvenir de vacances. D'un agréable fruité, il offre une riche matière et s'associera volontiers avec les plats de viandes en sauce ou les fromages.

🔑 Canesson, Beurac, 16200 Foussignac, tél. 05.45.81.38.84, fax 05.45.81.01.05, e-mail canesson.d@wanadoo.fr ☒ 🏠 Y 🚶 r.-v.

CHAI DU ROUISSOIR
Cabernet-merlot Terroir de Fossiles 2002 *

■ 1 ha 5 000 ▮🌡 3 à 5 €

Un rouissoir ? Il s'agit du lieu où l'on travaillait le chanvre, autrement appelé rouin. Aujourd'hui, c'est un chai que l'on trouve ici et ce joli vin rouge fruité et rond qui ne demande qu'à apparaître sur votre table aux côtés d'un plateau de charcuterie. Il est issu de 60 % de cabernet et de 40 % de merlot. N'oubliez pas le **rosé 2003**, produit en volume confidentiel, cité par le jury.

🔑 GAEC Chapon, Roussillon, 17500 Ozillac, tél. 05.46.48.14.76, fax 05.46.48.14.76, e-mail chaidurouissoir@hotmail.com
☒ Y 🚶 t.l.j. 10h-12h 17h-20h

SORNIN
Cuvée Privilège Elevé en fût de chêne 2002 *

■ 5 ha 29 000 ⓞ 3 à 5 €

Cabernet-sauvignon (70 %) et merlot constituent ce vin rouge qui a bénéficié de douze mois d'élevage en fût de chêne. Un bon fruité se manifeste dès le premier nez et ne semble plus devoir disparaître jusqu'à la finale d'une bouche harmonieuse. Les tanins sont encore un peu perceptibles, mais ils sauront se fondre au cours d'une petite garde. A boire avec une viande de bœuf ou, à servir plus frais, avec des fromages.

🔑 SCA Cave de Saint-Sornin, Les Combes, 16220 Saint-Sornin, tél. 05.45.23.92.22, fax 05.45.23.11.61, e-mail contact@cavesaintsornin.com
☒ Y 🚶 t.l.j. sf dim. 8h-12h 14h-18h

TERRA SANA 2003 *

□ n.c. n.c. ▮🌡 5 à 8 €

Nez et bouche se font écho à la dégustation de ce vin. Des arômes fins se déclinent en effet sans faillir et soulignent la matière ample et fraîche à souhait. Bien sûr, les produits de la mer ainsi que les fromages de chèvre seront de bons compagnons de table.

🔑 SA Jacques et François Lurton, Dom. de Poumeyrade, 33870 Vayres, tél. 05.57.55.12.12, fax 05.57.55.12.13, e-mail jflurton@jflurton.com

VILNEAU Le Délectable 2003

□ 1 ha 8 000 ▮🌡 3 à 5 €

Quand on s'appelle Le Délectable, il faut « assurer »... Ce vin est généreusement fruité, très rond et capiteux en bouche, en un mot flatteur. Il accompagnera bien les grillades et, pourquoi pas, un gigot d'agneau aux mojettes (haricots blancs).

🔑 Roland Vilneau, Le Breuil, 16140 Verdille, tél. 05.45.21.34.43, fax 05.45.21.34.43 ☒ Y 🚶 r.-v.

Landes

DOM. D'ESPERANCE 2003 *

□ 12 ha 30 000 ▮🌡 3 à 5 €

Jean-Louis et Claire de Montesquiou ont acquis en 1990 cette chartreuse du XVIIIe s., le Domaine d'Espérance, sur un coteau du Bas-Armagnac. Aujourd'hui, 35 ha de vignes, un armagnac qui montre le bout de son nez et une école de cuisine. Vendangés dès le 20 août 2003, les raisins de gros manseng, sauvignon et colombard donnent ce vin à la robe d'aquarelle, au nez pétale de rose et qui offre au palais un rien d'impertinence, une légère vivacité. Bon sang ne saurait échouer : le cap de Bonne-Espérance est franchi.

⊶ Claire de Montesquiou, Dom. d'Espérance, 40240 Mauvezin-d'Armagnac, tél. 05.58.44.85.93, fax 05.58.44.85.93, e-mail info@espérance.com.fr
☑ ⌂ Y ⛹ t.l.j. sf sam. dim. 8h-12h 14h-17h

Périgord

VIN DE DOMME Périgord noir Elevé en fût 2002 ★

■ 5 ha 21 700 ⏣ 5 à 8 €

La renaissance du vin de Domme n'a guère plus d'une dizaine d'années. Si la coopérative avance à pas comptés (16 ha à ce jour), ell ne manque pas d'ambition. Merlot (70 %)) et cabernet franc (30 %) composent ici un Périgord noir, élevé en fût. Sa robe est assez soutenue, un rien évoluée. Le nez choisit de se montrer grillé, toasté. Les tanins trouvent à s'employer, sans excès cependant. Un vin trapu, tout désigné pour escorter le confit mais bien plus amène que la spécialité ancienne de Domme : la pierre à meule !

⊶ SCA des Vignerons des Coteaux du Céou, Moncalou, 24200 Florimont-Gaumier, tél. 05.53.28.14.47, fax 05.53.28.32.48, e-mail vignerons-du-ceou@wanadoo.fr
☑ Y ⛹ t.l.j. sf sam. dim. 9h-12h 14h-18h

Terroirs landais

DOM. D'AUGERON Sables fauves 2003 ★★

▫ 14 ha 55 000 ▮♁ - de 3 €

Régine Bubola veille sur 50 ha et place ses Sables fauves dans le groupe de tête. Le colombard, cépage charentais qui a parcouru les océans, fait ici équipe avec l'ugni blanc. Une pincée de gros manseng et les voilà partis ! Pas trop de couleur mais la brillance et les reflets verts attendus. Nez en l'air, tant floral (acacia) que fruité (agrumes exotiques) selon l'angle d'approche. Bonne bouche, équilibrée sur tous les plans (sucres résiduels, acidité).

⊶ Régine Bubola, Dom. d'Augeron, 40190 Le Frèche, tél. 05.58.45.82.30, fax 05.58.03.13.81, e-mail domaine.augeron@wanadoo.fr
☑ Y t.l.j. sf dim. 8h-12h 14h-18h

ROUGE DE BACHEN 2002 ★★

■ 10 ha 18 000 ▮⏣♁ 11 à 15 €

Coup de cœur l'an dernier, Michel Guérard fait partie du « clan des vignerons » parmi les toques blanches les plus illustres (Blanc, Meneau, Lorain et plusieurs autres). Tous attachés d'ailleurs à des vins de reconquête, près de leurs fourneaux. Une vingtaine d'hectares ici, la moitié pour cet assemblage merlot-tannat à 80 et 20 %. Rubis pourpre, son bouquet suggère le fruit rouge et la vanille. L'attaque est aimable, la charpente solide, la maturité complexe. Conseil du cuisinier : le veau marengo saura être un digne compagnon.

⊶ Michel Guérard, Cie hôtelière et fermière d'Eugénie-les-Bains, 40320 Eugénie-les-Bains, tél. 05.58.71.76.76, fax 05.58.71.77.77, e-mail direction@michelguerard.com ☑ Y ⛹ r.-v.

DOM. DE CAMENTRON 2003 ★

▪ n.c. n.c. 5 à 8 €

D'un rose très pâle, il n'insiste pas mais il vous dira cependant ce qu'il a sur le cœur. Rien que de bonnes choses d'ailleurs ! Son nez est assez typé cabernet franc sur des notes de fruits frais. Souple et léger, sachant faire appel en bouche à des arômes de poivron vert, il affiche un caractère agréable.

⊶ SCEA Les Vignes de Camentron, chem. de Camentron, 40660 Messanges, tél. 05.58.48.93.26, fax 05.58.48.92.30 r.-v.

DOM. DE LABALLE Sables fauves 2003

▫ 15 ha 80 000 ▮♁ 3 à 5 €

Descendant de l'acquéreur de Laballe il y a près de deux cents ans, fortune faite aux Antilles, Noël Laudet a dirigé pendant une dizaine d'années le Château Beychevelle, puis il s'est consacré à ce domaine familial aux confins des Landes et du Gers, en Bas-Armagnac. Issu de colombard surtout, ainsi que de gros manseng, ugni blanc et chardonnay pour l'élégance du geste, son blanc sec s'habille d'une robe discrète. Son bouquet s'éveille sur l'aubépine, le chèvrefeuille. Vif, il domine ses impulsions dans un environnement de fruits blancs et sur ce qu'il faut de gras.

⊶ SCEA Noël et Christian Laudet, Le Moulin de Laballe, 40310 Parleboscq, tél. 05.58.44.33.39, fax 05.58.44.92.61, e-mail n.laudet@wanadoo.fr
☑ ⛹ t.l.j. sf sam. dim. 9h-12h 14-16h

LES VIGNERONS LANDAIS Coteaux de Chalosse 2003 ★

▪ 20 ha 150 000 ▮♁ - de 3 €

Chalosse ? On se trouve au sud des Landes dans un pays aux charmes gourmands. Cette coopérative (504 ha) retient l'attention grâce à deux vins cette année. Celui-ci, un rosé né de cabernets et de tannat, d'un rose soutenu à peine nuancé de quelques reflets orangés, offre des effluves de poire dans un contexte gras et rond, pulpeux, préférant la sérénité à la vivacité. Et puis encore **Fleur des Landes blanc sec 2003** tiré du baroque, un cépage typiquement landais, du manseng et de l'anniloba que vous découvrirez ainsi... tout comme nous. Il est floral, fruité, gras, équilibré.

⊶ Les Vignerons Landais, 40320 Geaune, tél. 05.58.44.51.25, fax 05.58.44.40.22, e-mail info@vlandais.com ☑ Y ⛹ r.-v.

DOM. DU TASTET Coteaux de Chalosse Blanc moelleux 2003 ★

▫ 1 ha 7 300 ▮♁ 3 à 5 €

Gros et petit mansengs se partagent à égalité l'assemblage d'un blanc moelleux comme tout. Sous des traits délicats (blanc doré) on découvre une caverne d'Ali Baba : des parfums de miel, de pain d'épice, de fruits confits. Le gras fait bientôt son lit en bouche. Une telle bouteille risque toujours un geste trop appuyé, un sentiment épais. Il n'en est rien ici, dans l'harmonie d'un vin de plaisir qui prend bien soin de ses arômes secondaires fruités, sucrés et miellés.

⊶ EARL J.-C. Romain et Fils,
Dom. du Tastet, 2350, chem. d'Aymont,
40350 Pouillon, tél. 05.58.98.28.27, fax 05.58.98.27.63,
e-mail domaine-tastet@voila.fr ☑ Y ⚘ r.-v.

Thézac-Perricard

VIN DU TSAR Cuvée du Millénaire 2000 ★

■ 3 ha 26 000 ⓘ 5 à 8 €

Le Vin du Tsar est un roman de Jean Robinet qui évoque d'autres commandes faites jadis en France par la cour impériale. Mais seule la coopérative de Thézac-Perricard a eu l'idée astucieuse de revendiquer ce patronage, grâce au président Fallières qui offrit cette bouteille à Nicolas II. La Cuvée du Millénaire a été lancée en 1988 pour célébrer la christianisation de la Russie par Vladimir ! Rouge comme les rubis de la couronne, cet enfant de cot, intense et complexe, nous parle d'une vendange bien mûre (il s'agit d'un 2000). Une pointe d'alcool s'efface sur une impression de kirsch.

⊶ Les Vignerons de Thézac-Perricard,
Plaisance, 47370 Thézac, tél. 05.53.40.72.76,
fax 05.53.40.78.76, e-mail info@vin-du-tsar.tm.fr
☑ Y ⚘ t.l.j. 9h15-12h15 14h-18h; dim. 14h-18h

Pays de la Garonne

Avec Toulouse en son cœur, cette région regroupe dans la dénomination « vin de pays du Comté tolosan » les départements suivants : l'Ariège, l'Aveyron, la Haute-Garonne, le Gers, le Lot, le Lot-et-Garonne, les Pyrénées-Atlantiques, les Hautes-Pyrénées, le Tarn et le Tarn-et-Garonne. Les dénominations sous-régionales ou locales sont : les côtes du Tarn ; les coteaux de Glanes (Haut-Quercy, au nord du Lot : rouges pouvant vieillir) ; les coteaux du Quercy (sud de Cahors : rouges charpentés) ; Saint-Sardos (rive gauche de la Garonne) ; les coteaux et terrasses de Montauban (rouges légers) ; les côtes de Gascogne, les côtes du Condomois et les côtes de Montestruc, (zone de production de l'armagnac dans le Gers ; majorité de blancs) ; et la Bigorre. Haute-Garonne, Tarn-et-Garonne, Pyrénées-Atlantiques, Lot, Aveyron et Gers sont les dénominations départementales.

L'ensemble de la région, d'une extrême variété, produit environ 200 000 hl de vins rouges et rosés et 400 000 hl de blancs dans le Gers et le Tarn. La diversité des sols et des climats, des rivages atlantiques au sud du Massif central, alliée à une gamme particulièrement étendue de cépages, incite à l'élaboration d'un vin d'assemblage de caractère constant, ce que s'efforce d'être, depuis 1982, le vin de pays du Comté tolosan ; mais sa production est encore réduite : 40 000 hl dans un ensemble produisant environ quinze fois plus.

Ariège

DOM. DE LASTRONQUES 2002 ★

■ 1 ha 3 000 5 à 8 €

Le vignoble de l'Ariège, bien que récemment créé, joue déjà dans la cour des grands. Le Domaine de Lastronques nous en propose ici un exemple. Tannat et cabernet ont été vinifiés pour donner un vin de caractère : les tanins sont bien présents, sans excès, et lui donnent de l'ampleur. Les arômes de fruits rouges (mûre), d'épices sont particulièrement expressifs. C'est un vin du pays de l'Ariège qu'il faut découvrir.

⊶ EARL Cydonia,
Dom. de Lastronques, 09210 Lézat-sur-Lèze,
tél. 05.61.69.12.13, fax 05.61.69.18.44 ☑ Y ⚘ r.-v.
⊶ Andrea Zeller

Comté tolosan

ALLEGORIA 2003 ★

■ n.c. 100 000 - de 3 €

Sur sa robe, limpide et d'un rouge soutenu, apparaissent quelques reflets violets. Les arômes de poivron vert dominent au nez tandis que la bouche allie gras et rondeur. Les tanins, bien que puissants et omniprésents, sont fins. La finale est légèrement poivrée. Une très belle réussite.

⊶ Cave de Fronton,
rte de Montauban, 31620 Fronton,
tél. 05.62.79.97.79, fax 05.62.79.97.70 ☑ Y ⚘ r.-v.

CABIDOS Vin doux Vendange passerillée 2002 ★

□ 2 ha 7 500 ▮ⓘ 23 à 30 €

Les vignes encerclent le château du XVII^e^s. et regardent les Pyrénées, ce qui classe le site aux Monuments historiques. Voici sans nul doute un très beau travail autour du petit manseng passé en fût. La robe est parfaite : jaune avec de jolis reflets dorés. Le nez est de la même livrée : puissant, légèrement citronné. Et la bouche nous comble avec du volume, des arômes solides et une juste maîtrise du passage en bois, à peine perceptible, qui lui donne ce qu'il faut de gras. Un vin de plaisir.

Vivien de Nazelle, Ch. de Cabidos, 64410 Cabidos, tél. 05.59.04.43.41, fax 05.59.04.41.83, e-mail vin.de.cabidos@tiscali.fr
t.l.j. sf sam. dim. 8h-12h 14h-17h30

MADRIGAL
Mauzac Dernière Cueillette Elevé en fût de chêne 2001

1,1 ha 5 200 5 à 8 €

A trois kilomètres du domaine, on pourra visiter l'église fortifiée de Fronton, du XIIIe s. Très belle robe jaune, claire et brillante pour ce vin. En bouche s'affirme le mauzac avec ses arômes de fruits confits, d'abricot sec. C'est un comté tolosan bien équilibré, rond, fin et long en bouche.

François Daubert, Ch. Joliet, 345, chem. de Caillol, 31620 Fronton, tél. 05.61.82.46.02, fax 05.61.82.34.56, e-mail chateau.joliet@wanadoo.fr r.-v.

Corrèze

MILLE ET UNE PIERRES
Elevé en fût de chêne 2002

13,7 ha 82 000 5 à 8 €

Mille et Une Pierres ? Ce nom fait allusion aux sols caillouteux du sud corrézien ainsi qu'à un riche passé de production de cèpes. Autant dire que le vin (cabernet franc à 80 % et merlot) produit par cette coopérative conviendra à merveille à l'omelette aux cèpes servie dans les Palais nationaux où la Corrèze a ses grandes et petites entrées. Rouge vif plein de clarté, il a le nez poivré, réglissé et une honnête assise tannique. Léger boisé dû à l'année passée en fût.

Cave viticole de Branceilles, Le Bourg, 19500 Branceilles, tél. 05.55.84.09.01, fax 05.55.25.33.01, e-mail cave-viticole-de-branceilles@wanadoo.fr
t.l.j. sf dim. 10h-12h 15h-18h

Coteaux de Glanes

CUVEE DES FONDATEURS 2001 ★

2,3 ha 14 300 5 à 8 €

Implanté dans un paysage magnifique, ce petit vignoble au nord du Lot ne manque pas de personnalité. Ses vignerons y produisent un vin de pays au caractère affirmé. Ainsi, la Cuvée des Fondateurs a retenu l'attention du jury avec son nez fruité, sa bouche équilibrée aux arômes de fruits rouges et d'épices, ses tanins fins, déjà un peu évolués.

Les Vignerons du Haut-Quercy, 46130 Glanes, tél. 05.65.39.73.42, fax 05.65.39.73.42, e-mail coteauxdeglanes@wanadoo.fr r.-v.

Coteaux et terrasses de Montauban

DOM. DE MONTELS Cuvée Alice 2002 ★★★

1 ha 3 000 8 à 11 €

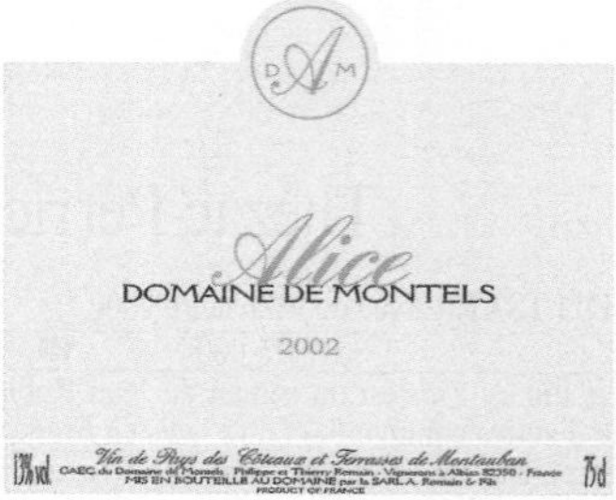

C'est l'équilibre et la finesse qui caractérisent ce sauvignon. Robe d'un très joli jaune brillant, nez fin, complexe et tout en nuance, bouche riche, ample avec un mariage judicieux entre les arômes du cépage et le gras apporté par un passage en fût qui sait se faire discret. Ainsi Alice vient prendre rang au sein de toute une famille de vins de pays de très haut niveau que propose le domaine de Montels.

Philippe et Thierry Romain, Dom. de Montels, 82350 Albias, tél. 05.63.31.02.82, fax 05.63.31.07.94
t.l.j. sf dim. 8h-12h 14h-19h

Côtes du Condomois

LES ESTAMPES 2003 ★

200 ha 100 000 3 à 5 €

Les Côtes du Condomois constituent un petit vignoble au sein de la Gascogne qui produit de jolis vins rouges et rosés. Ce 2003, où se retrouvent tannat, cabernet et merlot, se révèle souple, fruité, intense, agréable. Il incite à découvrir la Gascogne.

Vignoble de Gascogne, 32400 Riscle, tél. 05.62.69.62.87, fax 05.62.69.66.71, e-mail f.latapy@plaimont.fr r.-v.

Côtes de Gascogne

DOM. D'ARTON Victoire 2003 ★★

1 ha 3 850 5 à 8 €

Magnifique robe brillante, soutenue, aux nombreux reflets. Le nez s'ouvre progressivement vers des arômes vanillés. Le bois, discret, ajoute sa note à cette bouche intense, équilibrée et riche. Une bouteille véritablement parfaite.

🔑 Patrick de Montal, Dom. d'Arton,
rte de Miradoux, 32700 Lectoure,
tél. 05.62.68.84.33, fax 05.62.68.73.09,
e-mail pdem@arton.fr
☑ 🍸 🚶 t.l.j. sf sam. dim. 8h-12h15 13h-16h45

CAPRICE DE COLOMBELLE 2003

□ 400 ha 250 000 🍾🌡 3 à 5 €

Qui ne connaît la Colombelle ! Voici le petit frère et il ne renie pas son aînée. Des arômes, beaucoup d'arômes et autant de fruits et de fraîcheur. On y retrouve tous les fruits exotiques et en particulier le pamplemousse, l'ananas. A servir bien frais.

🔑 Producteurs Plaimont,
rte d'Orthez, 32400 Saint-Mont,
tél. 05.62.69.62.87, fax 05.62.69.61.68,
e-mail f.latapy@plaimont.fr ☑ 🍸 🚶 r.-v.

DOM. DE L'ENCLOS 2003

□ 15 ha 10 000 🍾🌡 - de 3 €

Rares sont les vinifications uniquement à base de colombard. Le Domaine de l'Enclos a su le vinifier et lui laisser ainsi exprimer toute ses qualités. Les arômes de pamplemousse, de fruits exotiques vous envahissent littéralement, au nez comme en bouche.

🔑 Guy Prévitali, A l'Enclos, 32370 Manciet,
tél. 06.80.07.61.21, fax 05.62.09.99.64 ☑ 🚶 r.-v.

DOM. DE FORTUNET Fleur de Fortunet 2003 *

□ 17 ha n.c. 3 à 5 €

Le GAEC de Fortunet a su tirer le meilleur du colombard, un des cépages emblématiques de la Gascogne. Ce vin est très typé : robe jaune doré, nez fruité, légèrement aillé, bouche ample, avec juste ce qu'il faut d'acidité. Vinification très réussie du colombard gascon.

🔑 Dom. de Fortunet, 32110 Lanne-Soubiran,
tél. 06.80.32.74.50, fax 05.62.09.16.01 ☑ 🍸 🚶 r.-v.
🔑 Debets

DOM. DE MAUBET Petit Manseng 2003 **

□ 4 ha 15 000 5 à 8 €

Ce petit manseng dévoile une gamme complète d'arômes : fruits secs (abricot), acacia, miel et enfin notes fumées, grillées se succèdent. Quelle richesse ! Une acidité bien maîtrisée apporte ce qu'il faut de fraîcheur à ce vin moelleux, volumineux et long.

🔑 Vignobles Fontan, allée du Colombard,
32800 Noulens, tél. 05.62.08.55.28, fax 05.62.08.58.94,
e-mail contact@vignobles-fontan.com ☑ 🍸 🚶 r.-v.

DOM. DE MENARD
Colombard Sauvignon 2003 ***

□ 30 ha 60 000 🍾🌡 3 à 5 €

La propriété familiale est située sur un site marin baptisé par les pèlerins de Saint-Jacques de Compostelle : la Bretagne d'Armagnac. Ce vin marie à merveille le colombard et le sauvignon ; parfait équilibre où chaque cépage exprime toute sa personnalité. Le colombard se révèle d'abord au nez avec des arômes particulièrement puissants de fruits exotiques et d'agrumes. On retrouve les mêmes arômes en bouche assistés par la fraîcheur et la vivacité du sauvignon.

🔑 EARL Charpenties, 32330 Gondrin,
tél. 05.62.29.13.33, fax 05.62.29.10.71,
e-mail contact@domainedemenard.com ☑ 🍸 🚶 r.-v.
🔑 Pra Taviera

DOM. DE MILLET merlot 2003 **

■ 3 ha 25 000 5 à 8 €

Même si le Gers s'illustre surtout par ses blancs, il propose quelques rouges remarquables : ainsi ce merlot au nez épicé, particulièrement puissant. La bouche, équilibrée et ronde, a du gras grâce aux tanins affirmés et fins. Ne pas manquer de s'attarder, dans le même chai, sur le **chardonnay 2003** qui a également retenu toute l'attention du jury.

🔑 Famille Dèche, Ch. de Millet, 32800 Eauze,
tél. 05.62.09.87.91, fax 05.62.09.78.53,
e-mail chateaudemillet@wanadoo.fr
☑ 🏠 🍸 🚶 t.l.j. 9h-12h 14h-18h

DOM. DE SAINT-LANNES 2003 *

□ 30 ha 250 000 3 à 5 €

Belle robe jaune d'or, nez puissant : voilà un Gascon qui a du caractère. Avec du volume, la bouche est équilibrée, et présente une légère touche acidulée. Les arômes de fruits exotiques sont omniprésents. Une bouteille très typée « Gascogne ».

🔑 Michel Duffour,
Dom. de Saint-Lannes, 32330 Lagraulet-du-Gers,
tél. 05.62.29.11.93, fax 05.62.29.12.71,
e-mail contact@domaine-de-saint-lannes.com
☑ 🏠 🍸 🚶 r.-v.

DOM. DU TARIQUET 2003 *

□ 350 ha 3 000 000 🍾🌡 3 à 5 €

Le domaine du Tariquet possède une gamme des vins de pays des côtes de Gascogne surprenante. Tous les types y sont représentés : blancs secs ou moelleux, rouges souples ou charpentés... Ce Domaine du Tariquet, long, puissant, équilibré est l'exemple même du côtes de Gascogne : l'ugni blanc y apporte sa fraîcheur, le colombard la puissance de ses arômes (fruits exotiques, agrumes, ananas). Un joli vin équilibré à découvrir.

🔑 SCV Ch. du Tariquet, 32800 Eauze,
tél. 05.62.09.87.82, fax 05.62.09.89.49,
e-mail contact@tariquet.com ☑ 🍸 r.-v.
🔑 Famille Grassa

DOM. D'UBY Sauvignon colombard 2003 *

□ 20 ha 50 000 5 à 8 €

Si le nez est puissant en bouche, les arômes explosent véritablement. Voici une vinification qui consacre le mariage parfait du sauvignon, qui apporte ses arômes et sa fraîcheur, et du colombard qui donne le volume, la longueur ainsi que les arômes d'agrumes, si caractéristiques.

❧ EARL Jean-Charles Morel, Uby, 32150 Cazaubon, tél. 05.62.09.51.93, fax 05.62.09.58.94, e-mail domaineuby@wanadoo.fr ☑ ⵑ ⚶ r.-v.

Côtes du Tarn

DOM. D'EN SEGUR Cuvée Germain 2001 ★

■	9 ha	38 100	ⅅ	5 à 8 €

La couleur soutenue de la robe donne le ton : la cuvée Germain surprend par la puissance et la complexité de ses arômes, au nez comme en bouche. Les tanins affirmés mais fondus lui confèrent un bon équilibre et lui assurent une finale longue et pleine de finesse.

❧ SCEA En Gourau d'en Ségur, rte de Saint-Sulpice, 81500 Lavaur, tél. 05.63.58.09.45, fax 05.63.58.65.03 ☑ ⵑ ⚶ r.-v.

❧ Pierre Fabre

DOM. SARRABELLE
Syrah Elevé en fût de chêne 2002

■	2 ha	8 600	ⅅ	5 à 8 €

Voici un Côtes du Tarn où la syrah exprime toute sa richesse. L'élevage sous bois, bien mené, lui donne ce qu'il faut de gras sans masquer les arômes du cépage. La bouche est longue et aromatique. Souple et rond, ce vin ne manque ni de volume ni de gras. Vinification et passage en bois ont été particulièrement bien menés.

❧ Laurent et Fabien Caussé, Dom. Sarrabelle, Les Fortis, 81310 Lisle-sur-Tarn, tél. 05.63.40.47.78, fax 05.63.40.47.78, e-mail domaine.sarrabelle@free.fr ☑ ⵑ ⚶ r.-v.

CH. VIGNE LOURAC Sauvignon Prestige 2003 ★★

▨	3 ha	30 000	■⬦	- de 3 €

Les reflets verts de sa robe jaune lui donnent dès le premier contact un abord agréable. Son nez conjugue la finesse et la puissance, sur une dominante d'agrumes. La bouche, après une attaque fraîche, est également très expressive, longue et fruitée.

❧ Vignobles Gayrel, 103, av. Foch, 81600 Gaillac, tél. 05.63.81.21.05, fax 05.63.81.21.09

Lot

LE GRAVIS 2003

■	1,4 ha	11 300	■	3 à 5 €

Ce rosé a de la personnalité. Il plaira aux amateurs de rosé gras avec du volume. Pour autant, sa pointe d'acidité lui confère une note de fraîcheur. Son nez, légèrement lactique, s'exprime avec force.

❧ Maradenne-Guitard, Bru, 46700 Vire-sur-Lot, tél. 05.65.36.52.73, fax 05.65.36.50.62 ☑ ⵑ ⚶ t.l.j. sf dim. 8h-12h 14h-19h

Pyrénées-Atlantiques

DOM. BORDES-LUBAT 2003 ★

■	3,06 ha	9 000	■	5 à 8 €

Vinifié à partir du tannat, ce vin de pays a une robe soutenue grenat, aux nuances rubis. Le nez est intense et complexe : à la fois des notes grillées, mêlées de fruits noirs (mûre) et d'épices (cannelle). La bouche, qui a du volume, est équilibrée, légèrement boisée.

❧ Francis Lubat, 64330 Taron, tél. 05.59.04.95.82, fax 05.59.04.95.82, e-mail francis.lubat@wanadoo.fr ☑ ⵑ ⚶ r.-v.

Saint-Sardos

DOM. DE GRAND SELVE 2002

■	7 ha	32 000	■⬦	5 à 8 €

Le petit vignoble de Saint-Sardos, situé sur les terroirs de l'ancienne abbaye cistercienne de Grand-Selve, produit un vin de pays typé : de la couleur, du corps, de la charpente alliés à des arômes puissants. Ce Grand Selve en est une parfaite expression. La syrah lui donne tous ses arômes, le cabernet sa rondeur et sa souplesse, le tannat son corps, sa structure : une union parfaitement réussie.

❧ Cave des vignerons de Saint-Sardos, Le Bourg, 82600 Saint-Sardos, tél. 05.63.02.52.44, fax 05.63.02.62.19, e-mail cave.saintsardos@free.fr ☑ ⵑ ⚶ r.-v.

Languedoc et Roussillon

Vaste amphithéâtre ouvert sur la Méditerranée, la région Languedoc-Roussillon décline ses vignobles du Rhône aux Pyrénées catalanes. Premier ensemble viticole français, elle produit près de 80 % des vins de pays de France. Les vins de pays de départements (Aude, Gard, Hérault et Pyrénées-Orientales) représentent 3,1 millions d'hectolitres. Dans chacun de ces département les vins de pays produits sur une zone plus restreinte sont nombreux (57 zones) pour 1 million d'hectolitres. Enfin, le vin de pays régional « Vin de Pays d'Oc », constitué à 80 % des vins de cépage avec six grands cépages essentiellement (cabernet-sauvignon, merlot, syrah en rouge et chardonnay, sauvignon, viognier en blanc) représente 3,5 millions d'hectolitres.

Obtenus par la vinification séparée de cuvées, les vins de pays de la région Languedoc-Roussillon sont issus non seulement de cépages traditionnels (carignan, cinsault et grenache, syrah pour les vins rouges et rosés, clairette, grenache blanc, macabeu, muscat, terret pour les blancs) mais aussi de cépages non méridionaux : merlot, cabernet-sauvignon, cabernet franc, cot, petit verdot et pinot noir pour les vins rouges ; chardonnay, sauvignon et viognier pour les vins blancs.

Cassan

LE RIVAGE Muscat Demi-doux ★

1,8 ha 3 150 3 à 5 €

Un muscat demi-doux destiné à un dessert... peu sucré. Tarte aux fruits par exemple. Il se présente sous une robe riche en reflets dorés. On adore son nez de verveine tout en finesse. En bouche, tout est mesuré, sans excès. Domaine remis à neuf il y a cinq ans et qui jouit d'une cave de 800 m². Il est vrai que la propriété couvre 60 ha entre mer et montagne.

Lavit, GAEC Dom. des Pascales, 20, av. de Roujan, 34320 Gabian, tél. 04.67.24.68.06, fax 04.67.24.70.75, e-mail domainedespascales@wanadoo.fr ☑ Y ⅄ r.-v.

DOM. DE SAINTE MARTHE
Syrah Elevé en fût de chêne 2002 ★★

■ 6 ha 33 000 5 à 8 €

Une syrah dans sa robe noir d'encre. Ses parfums s'éveilleront dans quelque temps : on devine déjà des notes de fumé et d'épices douces. Sa bouche est pleine de chair et de saveur, sur des tanins soyeux. Beaucoup de charme et de la densité. Notez le coup de cœur obtenu par le domaine en 2001, déjà pour sa syrah.

SCEA des Vignobles O. Bonfils, chem. de la Tour, rte de Capestang, 34500 Béziers, tél. 04.67.93.10.10, fax 04.67.93.10.05

Cévennes

DOM. DE GOURNIER 2003 ★

14,8 ha 98 000 - de 3 €

Les Cévennes se mettent en quatre (merlot, grenache, syrah et cabernet-sauvignon) pour vous faire rêver un peu. Le temps de déguster ce rosé attrayant. Nuance fleur de pêcher, aromatique (floral), il a du caractère et même du grain. Vif, il saute en bouche mais s'y montre raisonnable, équilibré. Le **sauvignon blanc 2003 (3 à 5 €)** a obtenu une étoile. Rappelons que notre édition 2001 a honoré ce domaine d'un coup de cœur pour un sauvignon.

SCEA Maurice Barnouin, Dom. de Gournier, 30190 Boucoiran, tél. 04.66.83.30.91, fax 04.66.83.31.08, e-mail domaine.gournier@wanadoo.fr ☑ Y ⅄ r.-v.

Coteaux de Fontcaude

DOM. LES EMINADES Silice 2002 ★★★

1 ha 3 500 8 à 11 €

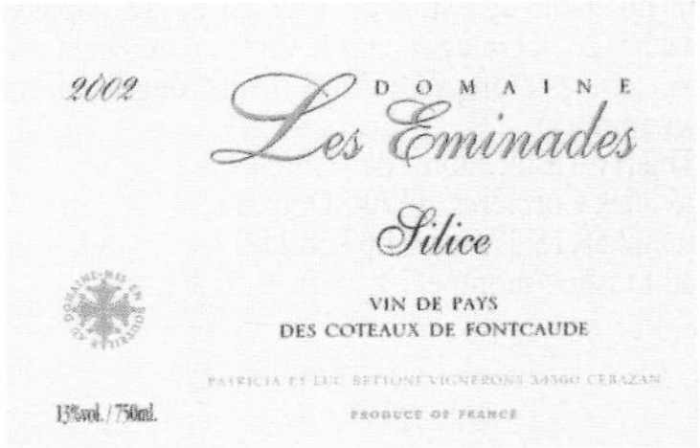

Patricia et Luc Bettoni ont eu le coup de cœur pour ce terroir, ces paysages. C'était en 2002 et ils n'imaginaient sans doute pas qu'un autre coup de cœur croiserait bientôt leur chemin... Dorée comme une princesse, cette bouteille de sauvignon est sur un petit nuage. Son élégance tempère sa puissance, sur des notes florales dominantes. Structuré, équilibré, un 2002 prêt à la dégustation.

P. et L. Bettoni, Dom. Les Eminades, rue des Vignes, 34360 Cébazan, tél. 04.67.36.14.38, fax 04.67.36.14.38 ☑ Y ⅄ r.-v.

Coteaux du Libron

DOM. DE LA COLOMBETTE
Lledoner Pelut Vinifié en fût de chêne 2001 ★

■ n.c. 10 000 11 à 15 €

L'oiseau rare ! Si vous voulez dégustez un lledoner pelut, voici la bouteille qui vous offrira ce plaisir peu commun. Cultivé surtout en Catalogne, ce cépage bourgeonne de façon poilue. Quant à lledoner, c'est en catalan le micocoulier. Au-delà de la curiosité (la parcelle est ici la plus ancienne du domaine), on découvre un vin proche du grenache, un 2001 en pleine forme. Sous sa robe rouge sombre à reflets pourpres, le nez opte pour la griotte et le pruneau. Un tantinet vanillé (deux ans de fût), ample et soyeux en bouche, il vaut le détour. Passant par là, voyez aussi le **chardonnay élevé en demi-muid 2002** et le **grenache rosé 2003 (3 à 5 €)**. Tous obtiennent une étoile.

VDP

🔑 François Pugibet, SCEA Dom. de la Colombette, anc. rte de Bédarieux, 34500 Béziers, tél. 04.67.31.05.53, fax 04.67.30.46.65, e-mail lacolombette@freesurf.fr
☒ Y 🚶 t.l.j. sf dim. 8h-12h 13h30-18h

Coteaux de Miramont

DOM. DE FONTENELLES
Tenue de soirée 2003 ★★

■ 30 ha 30 000 ▮🍾 8 à 11 €

Ce rosé Tenue de soirée (destiné surtout, nous dit-on, « aux restaurants branchés du Languedoc-Roussillon ») porte un habit de syrah et juste un nœud papillon de grenache (2 %). On tient dans le verre un excellent rosé de saignée, assez coloré, vif et fruité (fruits rouges), élégant et qu'on apprécie.

🔑 Thierry Tastu, Dom. de Fontenelles, 78, av. des Corbières, 11700 Douzens, tél. 04.67.58.15.27, fax 04.67.58.15.27, e-mail t.tastu@montpellier.cci.fr ☒ Y 🚶 r.-v.

Coteaux de Murviel

DOM. DE LIMBARDIE 2003 ★★

■ 9 ha 60 000 ▮🍾 3 à 5 €

Venu de Bretagne, ce viticulteur, installé en 1987, a pris goût à ce travail ainsi qu'à sa région d'adoption. Son vin rouge issu de merlot (80 %) et de cabernet-sauvignon (9 ha sur les 20 que compte l'exploitation) est joliment réussi. Pourpre sombre avec quelques reflets tuilés, il s'exprime par des arômes épicés, nuancés de touches exotiques. Bien charpenté, équilibré et persistant, il associe harmonie et puissance.

🔑 Henri Boukandoura et Madeleine Hutin, Grange Neuve, 34460 Cessenon, tél. 04.67.89.61.42, fax 04.67.89.69.63, e-mail limbardie@wanadoo.fr ☒ Y 🚶 r.-v.

Coteaux de Narbonne

MAS DU SOLEILLA Vigne de Feu 2002 ★

■ 1 ha 2 500 ▮▮ 15 à 23 €

Du cabernet franc et un zeste de merlot pour composer cette Vigne de Feu qui n'a pas volé son nom. Christa Derungs et Peter Wildbolz ont quitté les brumes du Nord pour acquérir et regrouper en 2002 des vignes sur les hauteurs de La Clape. Le cabernet-sauvignon (90 %) et le merlot sont associés pour donner cette bouteille d'une belle couleur, aux arômes grillés (quatorze mois sous bois) agrémentés de fruits confits. Son corps avantageux, d'une puissance bien maîtrisée, est particulièrement long.

🔑 SCEA Mas du Soleilla, rte de Narbonne-Plage, 11100 Narbonne, tél. 04.68.45.24.80, fax 04.68.45.25.32, e-mail vins@mas-du-soleilla.com
☒ 🏠 Y 🚶 t.l.j. 8h-13h 14h-19h
🔑 Peter Wildbolz, Christa Derungs

Côtes catalanes

DOM. LAFAGE Côté Est 2003 ★

□ n.c. 68 000 ▮🍾 5 à 8 €

Grenache blanc, chardonnay et muscat dans la proportion 60/30/10 %. Cultivés sur les pentes les plus fraîches du domaine, au soleil levant, ces trois cépages donnent le « petit dernier » parmi les vins de pays du Mas Durand. Pâle et lumineux, le bouquet floral fin et élégant, rond et souple en bouche, ce 2003 réussit assez bien pour sortir tête haute de l'anonymat. Bouteille à déboucher maintenant ou dans quelques mois.

🔑 SCEA Dom. Jean-Marc Lafage, Mas Durand, 66140 Canet-en-Roussillon, tél. 04.68.80.35.82, fax 04.68.80.38.90, e-mail domaine.lafage@wanadoo.fr ☒ Y 🚶 r.-v.

Côtes de Thau

HUGUES DE BEAUVIGNAC Syrah 2003 ★★

■ 40 ha 100 000 ▮🍾 3 à 5 €

Une cave du IIIe millénaire pour concrétiser la fusion des coopératives des Costières et de Castelnau-de-Guers. D'importants investissements en découlent. Quant à cette syrah, elle part en campagne, la fleur au fusil. Rouge garance, elle suggère la framboise dès le premier coup de nez. Une sensation d'élégance et de fraîcheur domine la bouche. Rien ne pèse, rien de trop. Le **sauvignon blanc Hugues de Beauvignac 2003** dispose lui aussi de solides atouts. Alors que le **Viognier 2003** obtient une étoile.

🔑 Cave Coop. Les Costières, av. de Florensac, 34810 Pomerols, tél. 04.67.77.01.59, fax 04.67.77.77.21 ☒ Y 🚶 r.-v.

DOM. LA FADEZE Quatuor 2002 ★

□ 3 ha 3 000 ▮🍾 11 à 15 €

Roussanne, viognier, chardonnay et sauvignon interprètent ce Quatuor. Paille brillant, le premier mouvement est *Vivace* : une invitation à la dégustation dont on devine l'impatience. Le deuxième mouvement est *Allegro moderato* : la richesse d'un bouquet complexe mais joyeux, d'un tableau olfactif ponctué de notes exotiques. Le troisième mouvement est *Largo sostenuto* : une mise en bouche lente et sûre sur un thème harmonieux et subtil. Musique de chambre sans doute, mais les cordes vibrent à l'unisson.

⊶ GAEC Dom. de La Fadaise,
Dom. La Fadèze, 34340 Marseillan, tél. 04.67.77.26.42, fax 04.67.77.20.92 ☑ Y 🚶 t.l.j. sf dim. 9h-12h 14h-19h
⊶ Lentheric

DOM. LA GRANGETTE Boréale 2003 ★★

□ 5 ha 2 000 ▮🌡 5 à 8 €

On est ici sur les terres de la seigneurie de Castelnau-de-Guers, il y a quelques siècles. Du sauvignon et un rien de muscat donnent cette belle robe paille clair. Au nez, un petit côté musqué attire l'attention. Épanoui en finale, d'un fruit croquant, ce vin ne manque pas de vigueur mais l'enveloppe de bonnes manières. Tant et si bien que la rondeur et la vivacité signent un traité d'alliance.
⊶ SCEA La Grangette Sainte-Rose,
Dom. La Grangette, rte de Pomérols,
34120 Castelnau-de-Guers,
tél. 04.67.98.13.56, fax 04.67.90.79.36,
e-mail info@domainelagrangette.com ☑ Y 🚶 r.-v.
⊶ Moret

Côtes de Thongue

DOM. DE L'ARJOLLE
Cuvée cabernet-merlot 2002 ★★

■ 25 ha 100 000 ◍ 5 à 8 €

Domaine de 50 ha, proche de Béziers et formant un GAEC à la personnalité très marquée : cinq associés et un engagement dynamique au sein du mouvement Farre (agriculture raisonnée respectueuse de l'environnement). Ils produisent même du zinfandel : la Californie n'a qu'à bien se tenir ! Cabernet-sauvignon et merlot à égalité ont ici les coudées franches. Rubis limpide, le vin accroche la lumière. Des senteurs de groseille fondues avec celles de la vanille (un an de barrique), puis un corps assez chaud, généreux des dons que lui offre la nature, toujours légèrement boisé et sachant modérer son tempérament méridional.
⊶ GAEC de L'Arjolle, 7 bis, rue Fournier,
34480 Pouzolles, tél. 04.67.24.81.18, fax 04.67.24.81.90,
e-mail domaine@arjolle.com
☑ Y 🚶 t.l.j. sf dim. 9h-12h 14h-18h

DOM. BOURDIC
Grenache Elevé en fût de chêne 2001 ★★

■ 2,1 ha 3 100 ◍ 8 à 11 €

Christa Vogel est institutrice. Hans Hürlimann compositeur de musique contemporaine. Tous deux sont suisses, devenus vignerons par amour et passion. Et ça tient bon depuis dix ans ! Leur grenache n'adopte pas un statut de neutralité : rubis soutenu, développant des parfums floraux et même végétaux, il attaque de façon tendre et se consacre à d'aimables attentions en bouche. Souplesse et rondeur en accord avec une persistance aromatique très goûteuse. Durant la deuxième quinzaine de juillet, festival au domaine : vin et musique à volonté.
⊶ Christa Vogel et Hans Hürlimann,
Dom. Bourdic, 34290 Alignan-du-Vent,
tél. 04.67.24.98.08, fax 04.67.24.98.96,
e-mail info@domainebourdic.com ☑ Y 🚶 r.-v.

DOM. DES CAPRIERS Le Rêve de Louis 2003 ★

■ 2 ha 15 000 ▮🌡 3 à 5 €

Puissalicon est couronné par un château féodal et une église du XIIe s. du plus grand intérêt, comme la tour romane située à 1 km de ce domaine et qu'un beau week-end d'automne vous permettra de découvrir. Merlot produit sur des marnes sableuses. Pourpre violacé, ce vin fait une légère entorse à la tradition en préférant les petits fruits rouges au cassis et à la mûre. C'est en tout cas très plaisant. Une matière solide et ample offre son socle à un 2003 dont la jeunesse a de l'allant aromatique.
⊶ GAEC Marion et Mathieu Vergnes,
605, av. de la Gare, 34480 Puissalicon,
tél. 06.64.34.21.08, fax 04.67.36.21.08,
e-mail contact@domainedescapriers.com ☑ Y 🚶 r.-v.

DOM. LA CONDAMINE L'EVEQUE
Viognier 2003 ★★

□ 6 ha 20 000 ▮🌡 3 à 5 €

Les évêques d'Agde séjournaient volontiers ici. Ils avaient de quoi emplir leurs burettes ! Ce viognier tout d'or vêtu a un petit bout de nez exotique marié à une brassée de fleurs du pays. La bouche est bien bâtie, texturée, mettant en valeur le gras ; en deux mots : ample et racée. Ce viognier convolera avec un poisson en sauce blanche.
⊶ SCEA Bascou, Dom. La Condamine l'Evêque,
34120 Nézignan-l'Evêque, tél. 04.67.98.27.61,
fax 04.67.98.35.58 ☑ Y 🚶 t.l.j. sf dim. 8h30-12h30

DOM. LA CROIX BELLE N° 7 2001 ★

■ 4 ha 15 000 ▮◍🌡 11 à 15 €

Avec les vins, on découvre la géographie. Et quand elle a si bon goût, on s'inscrit volontiers pour les cours du soir ! Connaissez-vous le village féodal de Puissalicon accroché aux flancs des Cévennes ? Les Côtes de Thongue ? Découvrez tout cela en dégustant ce vin issu de... sept cépages. Rouge appuyé, il commence à s'ouvrir sur des notes de café (huit mois de cuve, douze de fût) avant de laisser s'exprimer un tempérament vigoureux. Un 2001 qui a eu le temps de fondre ses tanins.
⊶ Jacques et Françoise Boyer, Dom. La Croix-Belle,
34480 Puissalicon, tél. 04.67.36.27.23,
fax 04.67.36.60.45, e-mail information@croix.belle.com
☑ Y 🚶 t.l.j. 8h-12h 14h-18h; sam. dim. sur r.-v.

JEU DE PATIENCE 2002 ★★

■ 1 ha 3 000 ◍ 11 à 15 €

Drôle de nom pour un vin : Jeu de patience. L'étiquette est explicite : les pièces d'un puzzle. On apprend par la suite qu'il s'agit d'un trio de copains qui ont créé en 1991 cette *winery* haut de gamme. Le 2002 est le premier millésime de cette cuvée grenache-syrah à 70 et 30 %. Heureuse récompense : les pièces du puzzle s'emboîtent bien. Pourpre intense, évoquant le fruit mûr et même un peu le... miel, un vin alliant souplesse et structure, gentiment boisé (quatorze mois d'élevage en fût) et ne perdant pas son ardeur en milieu de bouche.
⊶ André Alingrin, Dom. de l'Horte, 34480 Magalas,
tél. 04.67.36.62.75, fax 04.67.36.62.75 ☑ Y 🚶 r.-v.

DOM. MONPLEZY Félicité 2002 ★

■ 0,76 ha 3 000 ◍ 11 à 15 €

Quatre générations de viticulteurs et... de rugbymen. Ici le verre ballon est ovale ! Le grenache ouvre sur le carignan et il ne botte pas en touche. Il tape à suivre et ce jeu tout en finesse, bien réglé, va à l'essai en pratiquant le collectif. Les arômes aux avant-postes, les tanins en ligne arrière, on croit entendre Roger Couderc chanter la gloire du style français, vif et incisif. Le **blanc 2003** du domaine conviendra à la troisième mi-temps. Et si vous êtes sur place, ne manquez pas d'admirer le paysage qui entoure ce mas languedocien.

🕭 Anne Sutra de Germa et Christian Gil,
Dom. Monplézy, 34120 Pézenas,
tél. 04.67.98.27.81, fax 04.67.98.27.81,
e-mail domainemonplezy@free.fr ☑ ✗ ⚔ r.-v.

DOM. DE MONT D'HORTES Sauvignon 2003 ★

	2,2 ha	16 000	▮⚖ 5 à 8 €

Sous des abords pâles et brillants, ne négligeant pas les fameux reflets verts, ce sauvignon produit sur 2,20 ha (43 pour le domaine) démarre sur un bouquet puissant, fruité, surtout porté sur les agrumes. Il poursuit sur une bouche satinée et fraîche, fournie et conforme à l'esprit du cépage. Les huîtres de Thau devraient s'ouvrir toutes seules à l'idée de l'accompagner... Coup de cœur dans le Guide de l'an dernier, ce domaine est proche de l'église Saint-Thibéry qui appartenait au monastère bénédictin fondé au IXᵉs. Ne manquez pas d'entrer pour découvrir sa nef témoignant du gothique méridional. Deux bonnes raisons de vous rendre dans ce village où l'histoire et le vin ont partie liée.

🕭 Jacques Anglade et Fils, Dom. de Mont d'Hortes, 34630 Saint-Thibéry, tél. 04.67.77.88.08, fax 04.67.30.17.57 ☑ ✗ ⚔ t.l.j. 8h-12h 14h-18h

DOM. MONTROSE Les Lézards 2002 ★

■	12,5 ha	30 200	▮❶⚖ 5 à 8 €

Dignus, dignus est intrare in nostro docto corpore ! a-t-on envie de chanter à ce vin où syrah, cabernet-sauvignon et grenache forment un parfait assemblage. A Pézenas dans la ville de Molière, on peut bien s'en inspirer ! Sous sa belle robe de scène, ce 2002 établit un dialogue plein de verve et d'esprit entre les fruits mûrs et les épices, puis entre les tanins et le corps du sujet, ferme et fondu.

🕭 Bernard Coste, Dom. Montrose, RN 9, 34120 Tourbes, tél. 04.67.98.63.33, fax 04.67.98.65.27 ✗ ⚔ t.l.j. sf sam. dim. 9h-12h30 14h-18h

DOM. DU PRIEURE D'AMILHAC
Chardonnay Elevé en fût 2002 ★

	25 ha	80 000	❶ 5 à 8 €

Aemilius avait le nez fin quand, il y a quelque deux mille ans, il choisit cet endroit pour y vivre et prospérer. Puis ce fut un bien d'Eglise jusqu'à la Révolution. Pionnier dans la région pour l'heureuse acclimatation du chardonnay (25 ha sur les 110), ce domaine présente ce cépage en version 2002. Or brillant, délicat et floral, il est onctueux et savoureux. Dans un décor fougère, on lui trouve du relief. Jolie présence.

🕭 SCEA Les Domaines Caton, Prieuré d'Amilhac, 34290 Servian, tél. 04.67.39.10.51, fax 04.67.39.15.33, e-mail maxcazottes@domainecaton.com
☑ ✗ ⚔ t.l.j. sf dim. 8h-12h 14h-18h
🕭 Max Cazottes

DOM. ROQUESSOLS 2003 ★

■	3 ha	6 000	▮⚖ 5 à 8 €

Rosé de saignée et de grenache (un soupçon de syrah). De même que cette propriété familiale (22 ha) a quelque trois cents ans d'âge, on sent que le vin tient bon sur ses racines. Il comble le regard. Une robe fuschia aux reflets saumonés, cela donne envie d'aller danser au bal de Tourbes, non loin de Pézenas. Le nez reste discret : un léger fruité. Au palais, une cascade vive et fraîche. Comme le disait Boileau, *soyez simple avec art, agréable sans fard.*

🕭 Georges et Régine Mur,
Dom. Roquessols, 34120 Tourbes,
tél. 04.67.98.54.59, fax 04.67.98.54.59 ☑ ✗ ⚔ r.-v.

DOM. SAINT-PIERRE DE SERJAC
Instant de Vin 2002 ★★

	1 ha	5 000	▮⚖ 3 à 5 €

« Vin mis en amphore à la propriété. » C'était il y a deux mille ans et de nombreux tessons rappellent les origines anciennes du domaine, aujourd'hui « folie » construite à la Belle Epoque. Nous goûtons un blanc sec original provenant pour l'essentiel de vermentino : ce cépage, on le voit, n'a pas seulement l'accent corse. Un rien l'habille mais cette légèreté est froufroutante. Parfumé, un tantinet musqué (le muscat à petit grain qui entre faiblement dans l'assemblage ?), il tapisse le palais d'un gras voluptueux. La suite est élégante, le tout de très bon niveau.

🕭 GFA Saint-Pierre de Serjac, 34480 Puissalicon, tél. 04.68.32.26.61, fax 04.68.65.39.03, e-mail abbayedesmonges@wanadoo.fr ☑
🕭 Paul de Chefdebien

Duché d'Uzès

DOM. CAMP GALHAN Cuvée Ripa Alta 2001 ★★

■	1,5 ha	4 000	❶ 11 à 15 €

Dans le duché d'Uzès, syrah (90 % il est vrai) et carignan s'entendent fort bien, sur d'anciennes terrasses du Gardon, un terroir constitué de gros galets roulés et un climat de feu. Pourpre intense, le vin laisse aux fleurs et aux épices le soin du nez, puis attaque de façon nette et franche. Des tanins aimables conduisent à une bouteille prête mais pouvant attendre. Ce domaine est en cave coopérative depuis plusieurs générations ; il est indépendant depuis les années 2000.

🕭 GAEC de la Roque,
1, rue des Aires, 30720 Ribautes-les-Tavernes,
tél. 04.66.83.48.47, fax 04.66.83.56.92 ☑ ✗ ⚔ r.-v.
🕭 Pourquier

Gard

DOM. DE L'AUBE 2003 ★★

■	0,5 ha	1 500	❶ 5 à 8 €

Produit par un célèbre négociant castelpapal qui a acquis ce domaine de 10 ha en 2002. L'aube aux doigts de rose... Le grenache noir donne à ce vin une robe charmante et gaie, puis un nez très copieux. La bouche s'oriente vers des arômes floraux persistants et riches. Sa structure gentille mais sérieuse le destine à un plat cuisiné.

Laurent-Charles Brotte, Le Clos, BP 1, 84230 Châteauneuf-du-Pape, tél. 04.90.83.70.07, fax 04.90.83.74.34, e-mail brotte@brotte.com t.l.j. 9h-12h 14h-18h

DOM. DE MOLINES Merlot 2003 *

8,5 ha 70 000 3 à 5 €

Propriété provenant d'un morcellement du château de Nages pendant la Révolution, mais d'un terroir nettement différent. Il convient au merlot, si l'on en croit ce que nous dit cette bouteille. A l'œil, une robe profonde et limpide. Au nez, le fruit surmûri (en 2003, cela se comprend) assaisonné de confiture et d'épices. En bouche, des perspectives assez larges, du volume, associés à des tanins caressants. Petite note réglissée en finale, comme la cerise sur le gâteau.

R. Gassier, Dom. de Molines, 30132 Caissargues, tél. 04.66.38.44.20, fax 04.66.38.44.21, e-mail info@michelgassier.com r.-v.

Haute vallée de l'Orb

CLAMERY
Chardonnay réserve Elevé en fût de chêne 2003 *

0,7 ha 6 660 5 à 8 €

Cette coopérative gère 2 300 ha de vignes, sur cinq sites entre mer et Cévennes. Si l'Orb né au sud du causse Larzac a un cours très sinueux, ce chardonnay ne s'endort pas sur la besogne et va droit à l'essentiel. Or à reflets émeraude, il s'habille à la bourguignonne. Les agrumes tiennent une place importante dans le bouquet. Frais à l'attaque, il garde de ses cinq mois de fût un souvenir vanillé, mais la finale a de l'ampleur.

Les Vignerons de L'Occitane, 101, Grand-Rue, 34290 Servian, tél. 04.67.39.07.39, fax 04.67.39.94.18, e-mail info@vigneronsdeloccitane.com r.-v.

Hauterive

DOM. LA BASTIDE Viognier 2003 ***

2 ha 4 000 5 à 8 €

C'est en condrieu que le viognier possède de prestigieuses lettres de noblesse. C'est cependant et malgré ses grandes qualités, sur la planète entière, un cépage planté de façon confidentielle. Cette cuvée 100 % viognier a donc vivement intéressé. Un vin à garder pour une grande occasion tant il a du charme : robe légère à reflets verts, arômes abricotés très exubérants, constitution parfaite et persistante. La **syrah 2002 du domaine**, une étoile, plaira également.

SCEA Ch. La Bastide, 11200 Escales, tél. 04.68.27.08.47, fax 04.68.27.26.81 r.-v.
Guilhem Durand

Hauts de Badens

DOM. LA GRAVE Sauvignon 2003 *

n.c. n.c. 3 à 5 €

Une histoire de famille. En 1978, Josiane et Jean-Pierre Orosquette ont acquis cette ancienne métairie du XIIe s. devenue château La Grave. Jean-François et Thierry Orosquette les ont rejoints sur l'exploitation qui a reçu la Grappe d'argent du Guide 1999 pour leur vin d'AOC minervois. Leur sauvignon a de l'éclat sans abus de couleur. Sur des accents fruités et mentholés, le nez montre de la vivacité. Bien dans la typicité du cépage, la bouche mène l'affaire très rondement, toujours avec un charme primesautier.

Jean-François Orosquette, Ch. La Grave, 11800 Badens, tél. 04.68.79.16.00, fax 04.68.79.22.91, e-mail chateaulagrave@wanadoo.fr r.-v.

Hérault

MAS DE DAUMAS GASSAC 2003 *

13,5 ha 44 000 46 à 76 €

Jamais à Aniane on n'a vendangé si tôt, même si le Gassac coulait en 2003 à haut débit grâce aux pluies hivernales. Produit par un domaine célèbre, ce vin béni par saint Benoît (l'homme du pays) pourrait dire comme le démon des Saintes Ecritures « Je me nomme Légion car nous sommes plusieurs ». Viognier, chardonnay, chenin, petit manseng et d'autres encore (petit courbu du Béarn, petite arvine du Valais, etc.) composent un vin évidemment hors normes. Bien doré, riche et fruité au nez, ample et plaisant au palais, il a du charme et celui-ci n'est nullement éphémère.

VDP

🗝 Famille Guibert, SAS Moulin de Gassac,
Mas de Daumas Gassac, 34150 Aniane,
tél. 04.67.57.71.28, fax 04.67.57.41.03,
e-mail contact@daumas-gassac.com
☒ 🍷 🚶 t.l.j. 10h-12h 14h-18h30

DOM. DE JONQUIERES 2002 *

□ 3 ha 7 000 🛢 11 à 15 €

Isabelle et François de Cabissole vous proposent la vie de château : un monument classé où quatre chambres d'hôte ont été aménagées. L'occasion rêvée de découvrir ce vin à la généalogie digne de l'ANF : grenache blanc (43 %), chenin (38 %), roussanne (11 %) et viognier (8 %). Jolie robe brillante mais si transparente qu'on la déconseillerait au bal des Débutants. Parfum finement grillé (huit mois de barrique). Révérence à l'attaque, fraîche et souple, suivie d'une démarche assurée et riche en panache.

🗝 François et Isabelle de Cabissole,
Ch. de Jonquières, 34725 Jonquières,
tél. 04.67.96.62.58, fax 04.67.88.61.92,
e-mail chateau.de.jonquieres@wanadoo.fr
☒ 🏠 🍷 🚶 r.-v.

DOM. JORDY Marselan 2002 **

■ 1 ha 2 000 🛢 11 à 15 €

Croisement rare de cabernet-sauvignon et de grenache noir, le marselan est le vin à servir à « l'invité qui sait tout... » Planté ici sur 1 ha, il n'est guère connu mais il mérite de l'être davantage. Cassis, mûre, son nez est particulièrement entreprenant. Ses douze mois sous bois lui ont apporté une note vanillée. L'architecture en bouche est ferme et élancée. Très beau vin en devenir car il a des réserves et du souffle.

🗝 Frédéric Jordy, Loiras, 9, rte de Salelles,
34700 Le Bosc, tél. 04.67.44.70.30, fax 04.67.44.76.54
☒ 🍷 🚶 t.l.j. sf dim. 8h-20h

DOM. DE MOULINES Merlot 2003 *

■ 20 ha 200 000 ▮🌡 3 à 5 €

Entre Nîmes et Montpellier, un superbe domaine acquis par cette famille en 1914 et qui ne l'a pas quitté. Son merlot hésite entre le grenat et le violet. Il sent la garrigue sur fond épicé. Structuré sans être corpulent, il vous promène agréablement en bouche. Gigot d'agneau aux cèpes ? Si on vous invite, acceptez sans consulter votre agenda.

🗝 Michel Saumade, Dom. de Moulines,
34130 Mudaison, tél. 04.67.70.20.48, fax 04.67.87.50.05
☒ 🍷 🚶 t.l.j. sf dim. 9h-12h 14h-19h

MAS DE L'OCELLE Alicante 2002 *

■ 2 ha 8 000 ▮🌡 5 à 8 €

L'ocelle est un gros lézard vert, le crocodile des vignes pour parler comme Pagnol. Placé sous son patronage débonnaire, ce mas nous fait les honneurs de son alicante bouschet. Cépage intéressant (le père de tous les hybrides teinturiers français) et réputé pour sa couleur flamboyante (ce qu'il confirme ici), il décline des arômes de fruits à l'alcool avec une touche mentholée. La bouche est charpentée, pas trop trapue, et son développement ne lézarde pas.

🗝 EARL Warnery-Da Silva,
28, av. Les Platanes, 34400 Saint-Christol,
tél. 04.67.86.04.26, fax 04.67.86.54.18,
e-mail domainedelocelle@saint-christol.com ☒ 🍷 🚶 r.-v.

VERCHANT V 1582 2002 **

■ 3 ha 20 000 ▮🛢🌡 5 à 8 €

Produit aux portes de Montpellier, ce merlot pourpre à reflets légèrement tuilés (un 2002), est dans l'ensemble assez démonstratif. Son nez chaleureux ne tient pas en place : aux épices d'usage s'ajoute un fruit qu'on dirait exotique. Après douze mois de cuve et huit sous bois, on ressent quelque chose de grillé, de chocolaté, mais le vin prend le dessus avec d'amples proportions et un brio réel. Le domaine fait 10 ha. Notez l'ouverture de chambres d'hôte dans deux ans si l'envie de séjourner vous vient alors à l'esprit.

🗝 SCEA Dom. de Verchant,
BP 70128, 84178 Castelnau-le-Lez,
tél. 06.72.22.90.80, fax 04.67.65.16.62 ☒ 🍷 🚶 r.-v.

Monts de la Grage

DOM. DES SOULIE Grenache 2003 *

■ 1 ha 5 000 🛢 5 à 8 €

Si vous ne connaissez pas encore les navets de Pardailhan, pourtant aussi fameux que ceux d'Alligny ou de Beaubéry, allez faire un tour du côté d'Assignan. Ce grenache rubis, brillant, fin et floral accommodera volontiers à ce légume sa pointe végétale. Souple et rond, il est fin. Ce domaine de 27 ha, voisin de Saint-Chinian, est serti de garrigue.

🗝 Aurore et Rémy Soulié, Dom. des Soulié,
Carriera de la Teuliera, 34360 Assignan,
tél. 04.67.38.11.78, fax 04.67.38.19.31,
e-mail remy.soulie@wanadoo.fr ☒ 🍷 🚶 r.-v.

Oc

DOM. DES ASPES Merlot 2002 *

■ 5 ha 12 000 ▮🛢🌡 5 à 8 €

Ancienne propriété épiscopale (et l'on sait que les évêques ont généralement bon goût), ce domaine de 20 ha produit un merlot bien élevé (50 % du vin passe en fût pendant douze mois). Sa jolie expression se traduit par le cocktail de fruits rouges et noirs de son bouquet, assorti à un teint empourpré. Si elle s'appuie sur une matière tannique et dense, sa bouche n'est cependant pas austère mais suave. Les **chardonnay** et **viognier du Domaine des Aspes** partagent la même sympathie.

🗝 SARL Vignobles Roger,
Ch. du Prieuré des Mourgues, 34360 Pierrerue,
tél. 04.67.38.18.19, fax 04.67.38.27.29,
e-mail prieure.des.mourgues@wanadoo.fr ☒ 🍷 🚶 r.-v.

DOM. D'AUMIERES Les Loupiots 2002 *

■ 7 ha 26 000 🛢 15 à 23 €

Repris en 1972 par Daniel Desclaud qui le fit revivre, ce domaine appartient maintenant à Paul Tori : né au

Pérou, études à Colombia, banque et finance et puis, un jour, l'envie de renouer avec la tradition d'un grand-père vigneron en Italie. Ce conte aboutit à cette bouteille où cabernet-sauvignon, merlot et carignan jouent par ordre décroissant les bonnes fées. Avec quelques reflets ambrés, la couleur est soutenue. Le nez, d'un classicisme parfait, joue sur les épices et les fruits rouges. Une chair chaleureuse complète la dégustation de ce vin ample et d'une jolie longueur. Pour découvrir ce domaine, lorsque vous êtes à Gignac, vous suivez les panneaux ornés d'un pigeonnier.
⊶ Ch. Saint-Jean-d'Aumières,
rte de Montpellier, 34150 Gignac, tél. 04.67.57.23.49,
fax 04.67.57.46.30, e-mail paul@aumieres.com
☑ 🍷 🚶 t.l.j. sf dim. 9h-12h 14h-18h
⊶ Paul Tori

DOM. DE BEAUSEJOUR JUDELL
Chardonnay Cuvée Bérénas ★

□ 2,85 ha 5 300 ▮◍🌡 8 à 11 €

D'origine australienne, Graeme Judell a acheté ce domaine de 18 ha au passé vénérable et en tire un vin qui, comparé aux produits du Nouveau Monde, tient bien la route. Chardonnay paille clair, il a appris sa leçon par cœur : arômes beurrés, bouche soyeuse, ample et ronde, tirant sur l'amande grillée (neuf mois de cuve, autant sous bois). Intéressant à suivre, d'autant que le millésime 2001 reçut un coup de cœur.
⊶ Graeme Judell,
TM 14 Dom. de Beauséjour-Judell,
RN 9, 34800 Nébian,
tél. 04.67.96.27.80, fax 04.67.96.39.57,
e-mail contact@beausejour-judell.com ☑ 🏠 🍷 🚶 r.-v.

LES COTEAUX DE BERLOU
Collection Viognier 2002 ★

□ 3,55 ha 6 000 ▮◍ 11 à 15 €

Sacré Charlemagne ! Si l'on en croit cette coopérative, le cep généalogique de Berlou remonterait jusqu'à l'empereur d'Occident. Or vif et cristallin, ce viognier, qui a passé un trimestre sous bois, en garde un souvenir vanillé. Quasiment prêt à être servi (on vous conseille de le marier à une tajine d'agneau aux abricots et amandes grillées...), un vin authentique, sans artifice, d'une belle pureté florale et « sphérique » pour parler comme Colette.
⊶ Les Coteaux de Berlou, av. des Vignerons,
34360 Berlou, tél. 04.67.89.58.58, fax 04.67.89.59.21,
e-mail pro.berlou@wanadoo.fr
☑ 🏠 🍷 🚶 t.l.j. 9h-12h 14h-18h

DOM. DU BOSC Moulin 2003 ★★

□ 8 ha 60 000 ▮🌡 5 à 8 €

Des vins déjà médaillés en 1868 et, en ce temps-là, ils avaient le palais impérial... Sauvignon, viognier et quelques gouttes de chardonnay font alliance pour rester à la hauteur de tels précédents. Jaune doré, paille, un vin qui semble chanter l'aubépine, le chèvrefeuille. Quelques notes beurrées et fruitées (pêche blanche) agrémentent le pourtour. Belle harmonie d'ensemble : une bouteille jeunette à conserver un an ou deux et à servir sur des petites courgettes farcies au fromage de chèvre, ou avec une terrine de légumes au basilic.
⊶ Pierre Bésinet, Dom. du Bosc, 34450 Vias,
tél. 04.67.21.73.54, fax 04.67.21.68.38,
e-mail domaine-du-bosc@wanadoo.fr ☑ 🍷 r.-v.

DOM. BOSQUET Merlot Fût de chêne 2002 ★

■ 4,09 ha 43 000 ◍ 3 à 5 €

Le domaine Bosquet pratique l'élevage en fût de chêne. Il faut dire que ce merlot *oak matured* préserve les qualités du cépage. Sous sa robe d'un beau rouge crépusculaire, il suggère la confiture de cerises, les épices, de façon très convaincante. Dense et charpentée, sa bouche ne cherche pas à se faire oublier. On apprécie son léger boisé, son originalité aussi, car il ne manque pas de personnalité.
⊶ SCI Dom. du Bosquet,
Dom. La Grangette, 34440 Nissan-lez-Enserune,
tél. 04.67.37.22.36 ☑ 🍷 🚶 r.-v.

DOM. DE CALET
Travers du Rey Syrah Elevé en fût de chêne 2002 ★

■ 2,47 ha 5 500 ◍ 15 à 23 €

Ce domaine revendique lui aussi un passé romain. Travers du Rey est un nom de lieu-dit plus récent, rappelant le passage de Saint-Louis. Quant à cette syrah, rouge sombre à reflets moirés, elle séduit par son parfum envoûtant chargé d'épices d'Orient. Les tanins sont bien présents mais de bonne facture jusque dans une finale fruitée.
⊶ Yvon Gentes, Dom. de Calet, 30640 Beauvoisin,
tél. 04.66.73.53.11, fax 04.66.73.53.23,
e-mail domaine.calet@wanadoo.fr
☑ 🏘 🏠 🍷 🚶 t.l.j. sf dim. 9h-12h 14h30-19h;
groupes sur r.-v.; f. 21 déc.-15 jan.

DOM. DE CAUSSE Muscat Petits grains 2003 ★

□ 2,69 ha 4 000 ▮🌡 3 à 5 €

Muscat petits grains produit à deux pas de Montpellier et de la mer. Sa robe brille de mille feux tout en gardant une tonalité légère. Un nez de muscat se raconte-t-il ? Celui-ci en a tous les caractères. La bouche vive et ample offre des perspectives bien dégagées. Elle est fort intéressante. Finale longue, développée en finesse. Domaine de 80 ha (2,7 ha ici). A l'abandon, malmené par la Seconde Guerre mondiale, il s'est remis d'aplomb.
⊶ SC Bonneterre, Dom. de Causse, 34970 Lattes,
tél. 04.67.65.82.28, fax 04.67.65.52.30 ☑ 🍷 🚶 r.-v.

PRESTIGE DE CHANTOVENT Merlot 2002 ★★

■ n.c. 65 000 ◍ - de 3 €

Merlot de pays d'Oc présenté par un important négociant des bords de Seine. Cette cuvée, tirée à 65 000 bouteilles, se présente sous des traits colorés. Le cassis et la mûre font équipe pour offrir un nez bien bouqueté. La bouche cherche à plaire par sa fraîcheur et sa rondeur. Elle y réussit sans effets imposants et de manière efficace. Prêt à boire et d'un prix attractif.
⊶ SA Chantovent, Quai du Port-au-Vin,
BP 7, 78270 Bonnières-sur-Seine,
tél. 01.30.98.59.79, fax 01.30.93.05.28 🍷 r.-v.

CONDAMINE BERTRAND Gourmandise 2002 ★★

■ 1 ha 10 000 ◍ 15 à 23 €

Il y a des étiquettes qui vous font un appel du pied. S'appeler Gourmandise, il faut l'inventer ! Cela dit, voici le seul petit verdot 100 % que nous avons retenu. Il n'est pas donné, mais sa qualité est indiscutée. Balançant entre pourpre et vermillon, une robe très engageante. Il centre son sujet sur des accents épicés et confiturés. L'attaque en bouche brille par son panache. Douceur, suavité, rien n'accroche et sa rémanence aromatique vaut d'être signalée.

⊶ B. Jany et B. Andreu,
Ch. Condamine Bertrand, RN 9, 34230 Paulhan,
tél. 04.67.25.27.96, fax 04.67.25.07.55 ☑ ⌂ Y ⚲ r.-v.

LA CROIX DU PIN
Syrah-Grenache Cuvée Prestige 2003 *

■ 80 ha 500 000 ▮🌡 - de 3 €

Ce rosé fleur de pêcher, intensément parfumé (fruité) est né d'un accord entre grenache et syrah. Parfaitement équilibré, vif, il est persistant, et ça, pour un rosé produit en grand (un demi-million de bouteilles), cela ne se rencontre pas tous les jours ! En revanche, vous le découvrez dans tous les Intermarchés, dont la Fiée des Lois est une filiale.
⊶ La Fiée des Lois, 21, rue Montgolfier,
79230 Prahecq, tél. 05.49.32.15.15, fax 05.49.32.16.05,
e-mail selection@fdlois.fr

DOM. DU DAUSSO Valérie 2002 *

■ n.c. 3 600 ▮◐ 11 à 15 €

Voilà cinq ans que Jean-Christophe Tsakonas veille amoureusement sur ce petit domaine (4,50 ha) qu'il cultive comme un horticulteur. Merlot, syrah et carignan récoltés sur des schistes. A reflets noirs, le rouge est mis en cette bouteille un peu boisée (treize mois dans le chêne), mais dont un beau fruit mûr exalte le bouquet. Son attaque en fanfare précède une saveur consistante et réglissée.
⊶ Jean-Christophe Tsakonas, rte de Brignac,
Dom. du Dausso, 34800 Ceyras,
tél. 06.09.76.35.73, fax 04.67.57.99.85 ☑ Y ⚲ r.-v.

DOM. DES DEUX RUISSEAUX La Rosée 2003 *

■ 4 ha 30 000 ▮ 3 à 5 €

Frais comme la rosée, comme son nom l'indique, un vin à la robe saumon. Parfumé et riche en fruit, il est intensément aromatique. En bouche, il est frais, vif comme la flèche et vit sa pleine jeunesse. Domaine où les arts sont aimés (expositions et manifestations diverses).
⊶ SCEA Valery, rte de Béziers, 34410 Sauvian,
tél. 04.99.41.02.74, fax 04.67.39.54.00 ☑ r.-v.

DOM. DE LA DEVEZE Syrah 2003 **

■ 1,55 ha 4 000 ▮🌡 3 à 5 €

A une demi-heure de Montpellier, la vallée de Montoulieu est un paradis pour la vigne et l'olivier. Une allée de muriers bicentenaires conduit à la maison de maître, mais le ver à soie n'est pas l'activité du domaine. Celui-ci a parfaitement réussi son rosé de saignée tiré de la syrah. Une robe comme on les aime, soutenue et luisante. Le bouquet vient tout droit du cépage. En bouche ? On prend le frais, et on ne voit pas passer les verres... Notez aussi sur vos tablettes le **merlot 2001** et le **viognier 2003 (5 à 8 €)**, qui obtiennent chacun une étoile.
⊶ SCEA du Dom. de La Devèze, 34190 Montoulieu,
tél. 04.67.73.70.21, fax 04.67.73.32.40, domaine
e-mail @deveze.com ☑ ⌂ Y ⚲ r.-v.
⊶ Marcel Damay

DOM. DEVOIS DU CLAUS
Merlot Elevé en fût de chêne 2002 **

■ 1,6 ha 4 000 ▮◐🌡 8 à 11 €

André Gély a repris la propriété familiale en 1996 et il en a doublé la superficie (27 ha aujourd'hui). Proche du château de Montferrand, le vignoble produit un merlot rouge sombre. On a vivifié son bouquet grâce à un bon séjour en barrique, mais les arômes plus habituels ne sont pas pour autant négligés. On a rendez-vous en bouche avec la même palette aromatique. L'attaque est énergique, le corps puissant : un vin fait pour la gardianne de taureau, plus délicat qu'il n'en a l'air.
⊶ Dom. Devois du Claus,
38, imp. du Porche, 34270 Saint-Mathieu-de-Tréviers,
tél. 04.67.55.29.37, fax 04.67.55.06.86 ☑ Y ⚲ r.-v.
⊶ André Gely

DOM. DE L'ENGARRAN Cuvée Adélys 2002 **

□ 2,8 ha 6 000 ◐ 15 à 23 €

Fleuron de la famille Grill, ce château est un vrai château. Une belle folie XVIIIe où vous amène un rendez-vous galant avec cette bouteille de sauvignon. Elevée à la bourguignonne mais de sang méridional et chaud, elle porte en médaillon le prénom de son arrière-grand-père, Adélys. Il rime bien sûr avec délice mais admirons déjà la robe ensoleillée. Le bouquet beurré et vanillé rappelle son bénéfique séjour en barrique. Sa bouche invite au plaisir mais il faudra le mériter. Maîtresse de ses sentiments, parfaitement équilibrée, elle sait que la conversation fait partie des arts de la table...
⊶ SCEA du Ch. de L'Engarran, 34880 Laverune,
tél. 04.67.47.00.02, fax 04.67.27.87.89,
e-mail lengarran@wanadoo.fr ☑ Y ⚲ r.-v.
⊶ Grill

MAS D'ESPANET Eolienne 2002 **

□ 5 ha 18 000 ◐ 11 à 15 €

Acquis en 1980, le domaine était à l'abandon. Tout ou presque a dû être repris. En 1999, Agnès et Denys Armand quittent la coopérative pour voler de leurs propres ailes. Les vignes blanches (grenache, sauvignon, viognier) entourent une éolienne, d'où le nom de cette cuvée dorée à souhait ; le fût nuance d'une pointe vanillée les notes beurrées, briochées du bouquet. Bouche chaleureuse et gourmande, sans mordant, très cohérente et tirant sur le fruit blanc.
⊶ Denys Armand, Mas d'Espanet,
30730 Saint-Mamert-du-Gard,
tél. 04.66.81.10.27, fax 04.66.81.10.27,
e-mail masespanet@wanadoo.fr ☑ Y ⚲ r.-v.

LOUIS FABRE Sauvignon 2003 *

□ 15 ha 60 000 ▮🌡 3 à 5 €

Sauvignon jusqu'au bout des ongles, ce vin est d'un jaune discret et léger. Ses notes de cassis et d'agrumes sont bien typées et la suite confirme l'impression première. L'harmonie gouverne le palais, offrant un sentiment d'équilibre qui ne rompt pas. La famille Fabre-Baldy possède le domaine de La Grande Courtade depuis... 1763. Quant au château de Luc, il est à voir jusqu'au fond de ses caves !
⊶ Louis Fabre, Ch. de Luc, 11200 Luc-sur-Orbieu,
tél. 04.68.27.10.80, fax 04.68.27.38.19,
e-mail chateauluc@aol.com ☑ ⌂ Y ⚲ r.-v.

DOM. FAURE Cinsault 2003 *

■ 0,3 ha 2 000 ▮🌡 3 à 5 €

Le cinsault est souvent appelé pour les vinifications en rosé. Il donne, comme c'est le cas ici, un vin rose clair, aromatique et avec du grain, de la texture et bien sûr un caractère vif. Le **merlot 2003 (5 à 8 €)** fait partie des vins du domaine qui peuvent également vous tenter.
⊶ Denis Faure,
1, av. de la Liberté, 11300 La Digne-d'Aval,
tél. 04.68.31.72.66, fax 04.68.31.72.66 ☑ Y ⚲ r.-v.

DOM. DE LA FERRANDIERE
Grenache gris 2003 ★

6 ha	47 000	3 à 5 €

Domaine exploité de père en fils depuis trois générations. Jacques Gau aujourd'hui ne met pas ses pieds dans le même sabot : 70 ha lui donnent des raisins et 25 ha des pommes. Son rosé (grenache gris) brille d'un bel éclat saumon. L'exotique apporte une note de fantaisie à un bouquet de fruits rouges plus classique. La bouche fait bonne impression : du nerf, mais cette ardeur est contenue. Longueur satisfaisante. Papilles en fête !
SARL Les Ferrandières,
Dom. de La Ferrandière, 11800 Aigues-Vives,
tél. 04.68.79.29.30, fax 04.68.79.29.39,
e-mail info@ferrandiere.com r.-v.
Jacques Gau

FRISSONS Syrah cabernet-sauvignon 2003 ★

n.c.	70 000	- de 3 €

Vignerons, passions et frissons. Le couvert est bientôt mis et chaque verre attend d'être rempli. Le cabernet-sauvignon prête main-forte à la syrah pour conduire à l'autel un rosé couleur chair, limpide, brillant et floral. En bouche, il est équilibré, aromatique et long. Bref, un bon et vrai rosé qui a quelque chose à dire.
Vignerons et Passions, BP 1,
34725 Saint-Félix-de-Lodez, tél. 04.67.88.45.75,
fax 04.67.88.45.79, e-mail caveau@vignerons-passions.fr
t.l.j. sf dim. 10h-12h30 13h30-18h

DOM. GALETIS Pinot noir 2002 ★★

1,92 ha	21 000	3 à 5 €

Vaste domaine de 127 ha entre Narbonne et Carcassonne qui exporte 90 % de sa production. Il propose un pinot noir produit sur 2 ha à peine. Il a partagé son temps entre la cuve et la barrique, six mois de l'un autant de l'autre. D'où ces notes torréfiées, mêlées à d'agréables senteurs réglissées. D'un rubis bien soutenu, c'est un vin chaleureux. Sa bouche s'inscrit dans la continuité aromatique du nez. Un pinot noir à l'accent chantant.
SCI du Dom. Galetis,
Dom. La Grangette, 34440 Nissan-lez-Enserune,
tél. 04.67.37.22.36 r.-v.

DOM. DE GOURGAZAUD Viognier 2003 ★

11 ha	30 000	5 à 8 €

Roger Piquet a restauré ce château depuis son acquisition en 1973, renouvelé son vignoble. Son viognier a de qui tenir. Net et limpide, orné de jolis reflets vert d'eau, il a le nez de Cyrano, intense et long, floral. Les schistes lui apportent-ils cette dimension minérale ? Souple et gras, pêche en rétro, il sera un bon compagnon du roquefort ou du bleu de bresse.
SA Ch. de Gourgazaud, 34210 La Livinière,
tél. 04.68.78.10.02, fax 04.68.78.30.24,
e-mail gourgazaudpiquet@aol.com
t.l.j. sf sam. dim. 8h-11h30 14h-16h30
Roger Piquet

VIGNOBLE CHARLES GUITARD
Cuvée Pouzarenque Viognier 2003 ★★

3 ha	12 000	3 à 5 €

Viognier 100 %, un blanc 2003 tout juste tombé du berceau mais qui promet. Il se présente sous un jour limpide, brillant. Les fleurs blanches animent son bouquet tandis que l'architecture intérieure est accueillante. Une charpente solide qui ne craint pas les coups de vent ! Ne passez pas à côté du **chardonnay Cuvée Pelissière 2003** : vous pourriez le regretter, tant il est réussi.
Vignoble Charles Guitard,
La Recoude, RN 113, 30670 Aigues-Vives,
tél. 04.66.51.78.15, fax 04.66.71.52.18 r.-v.

HARMONIE D'UNE NUIT 2003 ★★

3 ha	32 000	3 à 5 €

On pense à ce vers de Victor Hugo : « C'est ici le combat du jour et de la nuit. » Le teint rose du ciel, ce nez qui sort de l'ombre et qu'éclaire le fruit... L'équilibre fraîcheur-gras emporte l'adhésion, de même qu'une élégance naturelle qui tranche nettement sur la fréquente banalité des rosés (ici cinsault, syrah, grenache).
Frédéric Roger,
19, av. Edouard-Babou, 11200 Lézignan-Corbières,
tél. 04.68.27.84.50, fax 04.68.27.84.51 r.-v.

HERRICK Syrah 2003 ★

40 ha	300 000	3 à 5 €

Nouveau Monde ? Créés par un Anglais visionnaire et désireux de vendre du vin français sur les marchés anglo-saxons, les Vignobles James Herrick sont nés d'une collaboration avec d'excellents spécialistes viti-vinicoles... australiens. Pour une syrah rubis foncé, aux parfums confiturés et à la bouche tout en prévenances et délicatesses. On cherche ses tanins tant ils sont arrondis. Ce n'est pas l'escalade de haute montagne, mais une promenade agréable en moyenne altitude.
SARL Vignobles Herrick,
Dom. de la Motte, ch. de Bougna, 11100 Narbonne,
tél. 04.68.42.38.92, fax 04.68.42.59.99,
e-mail bernard-schurr@southcorp.fr.com r.-v.

DOM. DES HOSPITALIERS Merlot 2003 ★

1,43 ha	5 700	5 à 8 €

Blé de terre, vin de cailloux, disait-t-on à Saint-Christol où la vigne escalade les coteaux, laissant la plaine aux cultures vivrières. Plus connus sous le nom de chevaliers de Malte, les Hospitaliers de Saint-Jean-de-Jérusalem ont défriché les premiers ce bon sol où le merlot violacé tire de son nez de belles ressources en mûre très... mûre. L'attaque est courtoise, le corps très bien construit et la complexité aromatique finement ciselée et persistante. Depuis 1978, propriété familiale d'une petite trentaine d'hectares.
Dom. Martin-Pierrat,
pl. Gal-Chaffard, 34400 Saint-Christol,
tél. 04.67.86.01.15, fax 04.67.86.90.02,
e-mail martin-pierrat@wanadoo.fr t.l.j. 8h-20h

DOM. DE LA JASSE D'ISNARD
Cuvée Tradition Cinsault 2003 ★

3 ha	3 000	3 à 5 €

Superbe mas languedocien du XVIIIe s. à quelques kilomètres de la source... Perrier. Ce rosé de cinsault ne prend cependant pas part au concours dans la même catégorie ! On l'appréciera avec des tomates farcies, des salades estivales car, du premier coup d'œil à l'arrière-bouche, il effectue un parcours tout en gaieté.
EARL Vignobles Michelon,
Dom. La Jasse d'Isnard, rte des Plages,
30470 Aimargues, tél. 04.66.88.61.98,
fax 04.66.88.50.31 t.l.j. 9h-12h30 14h-19h

VDP

DOM. LALANDE
Vieilles Vignes Chardonnay 2003 ★

	8,9 ha	95 000	▮↓	3 à 5 €

Proche de Carcassonne, un vignoble créé en même temps que le canal du Midi. Un architecte chargé de cet ouvrage logeait ici. Le chardonnay démontre une fois de plus ses qualités de pigeon voyageur : il se plaît partout. Celui-ci paraît tout cousu d'or. Charmants arômes de chèvrefeuille, de fleur blanche. D'un dessin généreux, la bouche très jeune (c'est un 2003) donne déjà beaucoup et promet plus encore. Même rapport qualité-prix pour le **pinot noir 2002**, autre version méridionale d'un cépage bourguignon qui, à l'évidence, a du goût pour ces terroirs ensoleillés.
🕿 Dom. Lalande, 11610 Pennautier,
tél. 04.67.37.22.36 ☑ ♈ ♻ r.-v.

DOM. LALAURIE Cabernet sauvignon 2002 ★

■	3 ha	20 000	◍▮	8 à 11 €

On fabriquait près d'ici des amphores à l'époque romaine. C'est dire l'importance du vignoble. Etait-ce déjà du cabernet-sauvignon ? On ne sait. Celui-ci aurait pu prendre part à un Triomphe romain. Robe pourpre impériale, nez aux accents épicés, avec un rien de champignon, il est très corsé, mais ne se laisse pas entraîner à des élans excessifs. Pour du gibier, si cela entre dans vos goûts.
🕿 Jean-Charles Lalaurie,
2, rue Le-Pelletier-de-Saint-Fargeau, 11590 Ouveillan, tél. 04.68.46.84.96, fax 04.68.46.93.92,
e-mail lalaurie@domaine-lalaurie.com ☑ ♈ ♻ r.-v.

DOM. DES LAURIERS Vermentino 2003 ★

	3,3 ha	10 000	▮↓	3 à 5 €

Vermentino sur marnes rouges : le domaine compte 42 ha, cette vigne proprement dite, 3,3 ha. La robe très élégante nous fait un pont d'or. Des parfums exotiques (ananas) et indigènes (fruits confits) accompagnent l'aventure. Beaucoup d'élan, d'impulsion en bouche, sur la même sélection d'arômes. La gamme comporte également un **Tempranillo 2001**, une étoile également.
🕿 Marc Cabrol, Dom. des Lauriers,
15, rte de Pézenas, 34120 Castelnau-de-Guers, tél. 04.67.98.18.20, fax 04.67.98.96.49,
e-mail cabrol.marc@wanadoo.fr ☑ ♈ ♻ r.-v.

LEGENDES D'OC Puissant & Structuré 2003 ★

■	n.c.	n.c.	▮◍↓	- de 3 €

Elaborés par la célèbre cave de Limoux, deux vins sont sélectionnés à égalité par le jury. Leurs noms ? Légendes d'oc. On reste dans le régionalisme. Leur dénomination (sur l'étiquette) est en revanche d'un autre registre. Celui-ci s'intitule Puissant et Structuré ! Les dégustateurs l'ont trouvé harmonieux, tout en rondeur... et ont apprécié son nez franc et direct, sur le fruit. Bouche faite pour séduire, correcte dans ce style commercial. Le second vin s'affiche **Souple et Aromatique 2003**...
🕿 Aimery-Sieur d'Arques, av. de Carcassonne,
BP 30, 11300 Limoux Cedex,
tél. 04.68.74.63.00, fax 04.68.74.63.13 ♈ ♻ r.-v.

DOM. DE MAIRAN Cabernet franc 2002 ★

■	n.c.	25 000	▮◍	5 à 8 €

Le cabernet franc enfonce ses racines dans une terre éminemment patrimoniale. Ancienne *villa* gallo-romaine et berceau de Jean-Jacques Dortous de Mairan, spécialiste de l'aurore boréale et du pendule (Ac. des Sciences). Rouge griotte, le bouquet de ce vin rappelle le fruit surmûri et recouvert d'épices. La bouche en revanche est douce, ronde, et elle s'étire comme un chat. Autres bouteilles recommandées : le **cabernet-sauvignon 2001** et le **chardonnay 2002**.
🕿 Jean Peitavy, Dom. de Mairan, 34620 Puisserguier, tél. 04.67.93.74.20, fax 04.67.93.83.05
☑ ♈ ♻ t.l.j. 8h-12h 14h-20h

DOM. DE MALAVIEILLE Charmille 2003 ★

	2 ha	5 000	▮↓	5 à 8 €

Le seigneur de Malavieille eut la mauvaise idée de partir pour la Louisiane. Contre l'avis de Zénobie, son épouse. Fulcran Reynes acheta le domaine. Mireille Bertrand descend de ce fondateur inspiré, méchant mari, mais sage vigneron... Elle a élaboré, avec le concours du maître de chai, Eric Supply, et de l'œnologue, Sabine Julien, un viognier-chardonnay-sauvignon dont on pense beaucoup de bien. Jaune paille, il profite de bons arômes et sa bouche contredit l'austérité prêtée au terroir. L'aménité en personne, pourvue de toutes les vertus requises.
🕿 Mireille Bertrand, Malavieille, 34800 Mérifons, tél. 04.67.96.34.67, fax 04.67.96.32.21 ☑ ♈ ♻ r.-v.

DOM. DE MALLEMORT
Cuvée Alexandre Elevé en barrique 2001 ★

■	6 ha	10 000	▮↓	11 à 15 €

Là où l'on rendait jadis la justice, ne soyons pas expéditifs pour juger ce vin où cabernet-sauvignon et merlot défendent leurs intérêts. Presque noir à reflets légèrement ambrés, avec des notes d'épices et de cuir, ce 2001 fait son âge et le porte bien. La bouche est au diapason, signant la maturité d'une cuvée soignée qui rêve de prendre place à un repas de chasse. La **Mouette, en rosé 2003**, une étoile, prend son envol. Elle pourra nicher quelques mois dans votre cave en attendant l'été prochain.
🕿 Luc Peitavy, Dom. de Mallemort,
34620 Puisserguier, tél. 04.67.93.74.20,
fax 04.67.93.83.05 ☑ ♻ t.l.j. 9h-13h 14h-20h

MAUREL-VEDEAU Les Flacons La Pièce 2001 ★★

■	0,5 ha	1 500	◍▮	15 à 23 €

Un petit bijou remarquable, cette syrah, tirée à 1 500 bouteilles seulement et vendue un prix phénoménal. Cette maison de négoce a raison de pousser en avant le premier de la classe, prix d'excellence en tout. La preuve ! D'une teinte superbe, d'un bouquet somptueux (cuir et épices sur fond vanillé – quatorze mois dans le chêne) d'une étonnante concentration. La perfection en pays d'Oc.
🕿 SA Maurel Vedeau, ZI La Baume, 34290 Servian, tél. 04.67.39.21.20, fax 04.67.39.22.13,
e-mail contact@maurelvedeau.com

MAS MONTEL Cuvée Jéricho 2003 ★★

■	3 ha	20 000	▮↓	5 à 8 €

Un anniversaire à fêter : voilà soixante ans que la famille Granier possède le mas Montel, ancienne grange bénédictine sur les Terres de Sommières aux vertus, on le voit, très diversifiées. Il ne faut pas faire sept fois le tour de cette bouteille pour entrer dans la place ! Cet assemblage syrah (80 %) et grenache possède, il est vrai, des remparts, de la force, de l'ampleur et du volume, mais il a le sens de l'accueil et s'ouvre volontiers à qui saura le goûter. En bouche, c'est un peu comme si l'on descendait dans la

cave... La puissance cède le pas à l'élégance. Couleur naturellement profonde et violacée sur fond d'arômes de garrigue.
⊶ EARL Granier, Mas Montel, 30250 Aspères, tél. 04.66.80.01.21, fax 04.66.80.01.87, e-mail montel@wanadoo.fr
☑ Y 🚶 t.l.j. sf dim. 9h-12h 14h-19h

CUVEE MYTHIQUE 2001 ★

■ 400 ha 2 000 000 ◖◗ 5 à 8 €

Elaborés par les Vignerons du val d'Orbieu, les deux millions de cols de cette Cuvée mythique associent mourvèdre, carignan, syrah et grenache noir. Symbole d'Athéna, une chouette figure sur l'étiquette. On peut sans crainte être initié à ce vin rouge sombre aux reflets moirés, complexe sur l'épice, structuré et ne manquant pas de coffre. La **Cuvée mythique blanc 2002** obtient une étoile.
⊶ Vignerons de la Méditerranée, ZI Plaisance, 12, rue du Rec-de-Veyret, 11100 Narbonne, tél. 04.68.42.75.00, fax 04.68.42.75.01, e-mail rhirtz@listel.fr

DOM. DE NIZAS Mas Sallèles 2002 ★

■ 3 ha 20 000 ◖◗ 8 à 11 €

Pionnier de la viticulture mondiale, John Goelet a pris part à la naissance de Clos du Val en Californie, de Taltarni et de Clover Mill en Australie. Il a acquis ce domaine en 1998, l'a restructuré, réencépagé afin d'en faire, évidemment, un *must*. Réunis ici, cabernet-sauvignon, merlot, syrah, donnent vie à un vin pourpre, lumineux. Ses neuf mois de fût expliquent les notes vanillées de son bouquet, mais il met également en scène des arômes de fruits. La bouche, ronde et joliment construite, se montre ample et bien développée. Voir aussi le **sauvignon blanc (5 à 8 €)**, qui obtient une étoile.
⊶ John Goelet, SCEA Dom. Nizas et Sallèles, hameau de Sallèles, 34720 Caux, tél. 04.67.90.17.92, fax 04.67.90.21.78, e-mail domnizas@wanadoo.fr ☑ Y 🚶 r.-v.

MAS DU NOVI Lou Caberlaud 2002 ★

■ 7,2 ha 6 000 ◖◗ 8 à 11 €

Siste et ora viator, telle est la devise de ce domaine, établi sur l'une des terres de l'ancienne abbaye de Valmagne fondée au XIIᵉs. Le mas du Novi était jadis une de ses granges cisterciennes. Ce principe reste d'actualité : *Voyageur assois-toi et prie !* Saint Bernard n'interdisait pas le vin et prêchait déjà la modération : ce cabernet-sauvignon et merlot à 50/50 applique religieusement la Règle. Rouge cerise à reflets un peu tuilés, il ne donne par la suite aucun signe d'évolution. Epices et fruits rouges, tanins soigneusement rabotés, persistance, un vin de dévotion.
⊶ SAS Saint-Jean du Noviciat, Mas du Novi, 34530 Montagnac, tél. 04.67.24.07.32, fax 04.67.24.07.32, e-mail masdunovi@wanadoo.fr ☑ Y 🚶 t.l.j. 10h-19h
⊶ Famille Palu

DOM. DU PETIT CAUSSE
Cuvée du Vieux Puits Merlot 2003 ★

■ 0,8 ha 2 500 ▮ 3 à 5 €

Merlot 2003 signé par une propriété familiale agrandie à chaque génération et devenue un domaine, en 2003. Première vinification et quel baptême du feu ! Pourpre brillant, un vin au nez fin et expressif, faisant une large part à la myrtille, au cassis. Le corps est solide, mais il se montre souple. Il se goûte bien et si d'aventure un sanglier du Causse passait par là, vous seriez comblé.
⊶ Philippe Chabbert, rue de la Sallèle, 34210 Félines-Minervois, tél. 04.68.91.66.12, fax 04.68.91.66.12, e-mail chabbertphilippe@free.fr
☑ 🏠 Y 🚶 t.l.j.11h-14h 17h-20h

MAS DE PLANQUE Les Tuileries 2001 ★

■ 2,5 ha 6 600 ◖◗ 11 à 15 €

Jean-Louis Sanchez a pris le mas de Planque en métayage (1995) et son premier millésime en bouteille signée est justement ce 2001. Faisons-lui bon accueil d'autant que ce duo merlot (70 %) et syrah suscite dans le jury des réactions flatteuses. L'extraction de couleur est un succès. Le nez finement boisé (grillé, cacao) apparaît bien travaillé (seize mois d'élevage sous bois, mais le vin le mérite). La bouche est étoffée, fondue : tout s'enchaîne parfaitement. Pour l'accompagner, demandez la recette de l'escarbille, cette délicieuse spécialité du pays.
⊶ Jean-Louis Sanchez, Chem. du Claus, 34270 Lauret, tél. 04.67.59.02.19, fax 04.67.59.02.19 ☑ Y 🚶 r.-v.

DOM. PREIGNES LE VIEUX
Vermentino sur lie 2003 ★

□ 3 ha 13 000 ▮🌡 3 à 5 €

La famille Vic est à la barre depuis 1905. Ne lui parlez pas du prince de Galles, celui de 1355 bien sûr, qui ravagea la contrée mais ne réussit pas à boire du vin de Preignes défendu par ses remparts. Ce vermentino sur lie, produit sur 3 ha, n'a guère de couleur. Son bouquet tient un langage très franc et fruité. Un peu de complexité rend la bouche captivante. Amplitude, équilibre, rien à redire.
⊶ Dom. Preignes le Vieux, 34450 Vias, tél. 04.67.21.67.82, fax 04.67.21.76.46, e-mail preigneslevieux@aol.com
☑ Y 🚶 t.l.j. sf sam. dim. 8h à 17h
⊶ J. et B. Vic

PRIEURE DE RAMEJAN
Cuvée Anne-Marie Elevé en fût de chêne 2001 ★★

■ 12 ha 3 500 ▮◖◗🌡 5 à 8 €

Les vignerons doivent aux moines une fière chandelle. L'ancien prieuré de Ramejan a pris un statut civil tout en demeurant fidèle à ses fonts baptismaux. Dans ce hameau, il subsiste aujourd'hui quatre à cinq habitants et... 63 ha de vignes. Il en résulte ce 2001 agréable comme quatre : syrah, cabernet, merlot, carignan, nul ne manque à l'appel. De légers reflets tuilés sont un effet normal de l'âge. Effluves nourris de fruits secs, d'épices, de tabac, bouche bien en chair mais sans embonpoint : c'est à de telles nuances qu'on juge un pareil vin. Impression de finesse sur un goût prononcé.
⊶ SCEA Hérail-Planes, Dom. du Prieuré de Ramejan, 34370 Maureilhan, tél. 04.67.90.50.58, fax 04.67.90.50.58, e-mail perez-sebastien@wanadoo.fr
☑ Y 🚶 t.l.j. sf dim. 8h-12h 13h-17h

DOM. LA PROVENQUIERE Muscat sec 2003 ★

□ 4 ha 8 000 ▮🌡 3 à 5 €

Nous sommes à 10 km à l'ouest de Béziers : 140 ha dont 120 plantés en vignes, appartenant à la famille Robert depuis 1954. Son muscat sec (à petits grains) est exquis. Jusqu'à sa finale, en forme de points de suspension

mentholés, on voit défiler un paysage d'une typicité impeccable. Doré, c'est sûr, il a le nez net et franc, une bouche radieuse. Intéressante occasion de rencontrer ce cépage en blanc sec. Une botte d'asperges lui conviendra.
🐦 Brigitte et Claude Robert,
SCEA Dom. de La Provenquière, 34310 Capestang,
tél. 04.67.90.54.73, fax 04.67.90.69.02,
e-mail la.provenquiere@wanadoo.fr ☑ Ⴔ ⚲ r.-v.

RESSAC Viognier 2003 ★

10 ha	5 000	▮⬇ 3 à 5 €

Sur les 940 ha confiés à cette coopérative, dix seulement portent ce viognier, objet de toutes ses attentions. Belle image de marque ! Couleur paille, il fait penser à la lumière du soleil éclairant un vitrail. Sans doute le fruit exotique dépayse-t-il un peu, mais la bouche donne davantage l'impression de la vague montante plutôt que de celle du ressac... Sous la même dénomination et à prix égal, le **rosé 2003** fera lui aussi des heureux.
🐦 Cave coopérative de Florensac,
BP 9, 34510 Florensac,
tél. 04.67.77.00.20, fax 04.67.77.79.66 ☑ Ⴔ ⚲ r.-v.

DOM. REYNAUD Chardonnay 2003 ★

1,46 ha	10 000	▮⬇ 3 à 5 €

Un bon moment à passer avec Luc Reynaud en dégustant ses vins et en admirant le paysage. Car ce chardonnay chardonne, comme on dit en Bourgogne. Or à reflets verdâtres, il s'y croit sur toute la ligne... Ses arômes de beurre, de croissant chaud, de mie de pain n'étonnent pas sous ce nom. Bon volume en bouche, traité avec tact et souci de la nuance.
🐦 EARL Luc Reynaud,
Dom. Reynaud, 30700 Saint-Siffret,
tél. 04.66.03.18.20, fax 04.66.03.12.95
☑ Ⴔ ⚲ t.l.j. sf dim. 10h-12h 15h-18h30

DOM. SAINT-HILAIRE
Cuvée Advocate Cabernet merlot 2001 ★★★

2,09 ha	6 000	⏸ 8 à 11 €

Pour un peu, on se croirait sur les bords du Léman. A la manière genevoise, la famille James cultive en effet douze cépages. Sa cuvée cabernet merlot n'a pas besoin d'avocat pour défendre sa cause. Dans une robe de soie noire, elle obtient le coup de cœur et les félicitations du jury pour son parfum très « boutique » où l'on discerne la complexité de notes fruitées et torréfiées habilement fondues. L'élevage est superbe et on le vérifie également au contact des papilles. Pas de tanins violents mais au contraire une caresse charmante et... insistante. Il faut la lui rendre !

🐦 SARL Saint-Hilaire, 34530 Montagnac,
tél. 04.67.24.00.08, fax 04.67.24.04.01,
e-mail sthilaire@club-internet.fr
☑ Ⴔ ⚲ t.l.j. 9h-12h 13h-18h, sam. dim. sur r.-v.
🐦 A. et J. James

DOM. SAINT-JEAN-DE-CONQUES Sur lie 2003 ★

2 ha	4 000	▮⬇ 5 à 8 €

L'occasion de constater les bontés conjuguées du rolle (75 %) et du colombard. La présence très discrète du muscat à petits grains ne les dérange nullement. Jaune très pâle, un vin au nez délicat s'éveillant dans une corbeille de fruits blancs. Il y a pire comme berceau ! La bouche s'anime assez vite sur une légère pointe acide que le gras recouvre de son aile protectrice.
🐦 François-Régis Boussagol,
Dom. Saint-Jean-de-Conques, 34310 Quarante,
tél. 04.67.89.34.18, fax 04.67.89.35.46,
e-mail fr.boussagol@wanadoo.fr ☑ Ⴔ ⚲ r.-v.

DOM. SALLE DE GOUR
Cabernet sauvignon 2001 ★★

4 ha	12 000	3 à 5 €

Quelques signes d'évolution dans la robe, mais il s'agit d'un cabernet-sauvignon 2001. Au reste le nez très droit n'a rien perdu de ses ardeurs de jeunesse. Sa structure est assez robuste et ses tanins ont eu le temps d'acquérir une douce civilité. Coup de cœur dans notre édition 2001 (millésime 99).
🐦 Méjean, Dom. Salle de Gour,
30170 Saint-Hippolyte-du-Fort,
tél. 04.66.77.66.60, fax 04.66.77.94.62,
e-mail salle.de.gour@wanadoo.fr
☑ 🏠 Ⴔ ⚲ t.l.j. 9h-12h 14h-19h

DOM. DE SAUTES Ambre de Sautès 2003 ★

5 ha	25 000	▮ 3 à 5 €

Guy Giva a repris le Château Saint-Léon en 1992, puis le Domaine de Sautès en 1999. Merlot et syrah assurent l'équilibre d'un 2003 grenat foncé. Humant le vin, on croit avoir affaire à un chaudron de confiture de fruits rouges. Pas d'acrobaties en bouche, mais la constitution est souple, racée. La **Signature cathare 2003** possède aussi un bon accent de terroir. Quant à l'étiquette, elle est plus coquine que cathare...
🐦 Guy et Emmanuel Giva,
Dom. de Sautès, RN 113, 11000 Carcassonne,
tél. 04.68.78.77.98, fax 04.68.78.51.66,
e-mail domainedesautes@libertysurf.fr
☑ Ⴔ ⚲ t.l.j. sf sam. dim. 14h-18h

SERRE DE GUERY Syrah 2002 ★★★

1,5 ha	3 000	▮⏸⬇ 5 à 8 €

Cette parcelle de syrah (1,5 ha) ploie sous les compliments, tant le 2002 est éblouissant. Située sur un penchant de Serre (limons et marnes gréseuses érodées), elle est portée au septième ciel par cette très ancienne famille de vignerons. Grenat, un vin aux arômes de cassis et d'épices. Il apporte un démenti à Mallarmé qui écrivait : « La chair est triste, hélas ! » Mais non, la chair n'est pas maussade quand elle s'accomplit de manière aussi velou- tée, avec une infinie délicatesse. Au palais, une note de cacao s'ajoute aux précédentes (dix mois en cuve, autant sous bois). Grande bouteille !

⊶ René-Henry Guéry, 4, av. du Minervois, 11700 Azille, tél. 04.68.91.44.34, fax 04.68.91.44.34, e-mail rhguery@club-internet.fr
☑ Y 🚶 t.l.j. sf dim. 10h-12h 16h-18h

SIEUR DE CAMANDIEU Syrah 2003 ★★

■ 1,4 ha 10 000 ▮ 5 à 8 €

Cette syrah est l'enfant chéri d'une coopérative qui lui consacre 1,4 ha et en fait son étendard. Rubis plein d'éclat, elle fait partie des bouteilles qu'on ne perd pas de vue en cave. Jeune, mais la valeur n'attend pas... Bouquet explosif (feu d'artifice de framboise, de fraise) et bouche extrêmement conviviale dans une tonalité fraîche et persistante.

⊶ SCA Les Coteaux du Minervois, 7, av. des Cathares, 11700 Pépieux, tél. 04.68.91.41.04, fax 04.68.91.41.07, e-mail geraud-pepieux@wanadoo.fr
☑ Y 🚶 t.l.j. sf dim. 8h-12h 14h-18h

ROBERT SKALLI Syrah Sud de la France 2001 ★★

■ n.c. 86 000 ▮ ◍ 🌡 5 à 8 €

Il n'est plus nécessaire de présenter Robert Skalli, bâtisseur d'un empire viticole qui a très largement dépassé les frontières. D'un noir d'encre très étudié, cette syrah provient avec fierté du « Sud de la France ». Le nez de bonne intensité dévoile l'épice et le fruit mûr. Concentrée et un peu sauvage, la bouche va tout droit à l'essentiel en montrant d'excellentes dispositions. Ce qu'on raconte dans les livres à propos de la syrah est donc vrai.

⊶ Les vins Skalli, 278, av. du Mal.-Juin, BP 76, 34204 Sète Cedex, tél. 04.67.46.70.00, fax 04.67.46.71.99, e-mail info@vinskalli.com

DOM. DE TERRE MEGERE Cabernet-sauvignon 2003 ★★

■ 3 ha 18 000 ▮ 🌡 5 à 8 €

Ce domaine approche de ses vingt ans. Sur des terres argilo-calcaires graveleuses, il se situe dans un vieux village languedocien. Son cabernet-sauvignon sort d'une longue cuvaison (cinq semaines). Elle lui a donné un teint coloré, un bouquet puissant et poivré, une bouche aux tanins encore serrés. Mais le temps va l'arrondir ; le grain est fin et la chair déjà aimable.

⊶ Michel Moreau, Dom. de Terre Mégère, Cœur de Village, 34660 Cournonsec, tél. 04.67.85.42.85, fax 04.67.85.25.12, e-mail terremegere@wanadoo.fr ☑ Y 🚶 r.-v.

DOM. TERRES GEORGES Merlot 2002 ★

■ 1,1 ha 5 000 ◍ 5 à 8 €

Une installation « jeunes agriculteurs » en 2001, la création d'un chai de vinification, Anne-Marie et Roland Coustal débutent dans le métier sur 12 ha. Leur merlot porte une robe fortement colorée, quelques reflets tuilés dus à l'âge. Un bouquet mariant habilement la cerise à l'eau-de-vie et la vanille (un an de fût). Une attaque résolue. Un corps plein et charnu. Des tanins prudents. Du bon travail !

⊶ Anne-Marie et Roland Coustal, rue des Jardins, 11700 Castelnau-d'Aude, tél. 06.30.49.97.73, fax 04.68.43.79.39, e-mail terres.georges@free.fr ☑ Y 🚶 r.-v.

LES TROIS POULES Cabernet franc 2003 ★

■ 2,2 ha 2 600 ▮ 🌡 5 à 8 €

Première année de mise en bouteilles à la propriété (le domaine est cependant ancien) par Gilles de Latude et Ruth Parker. Leur cabernet franc se pare d'une jolie robe pourpre. Fin et complexe, son nez délivre des senteurs framboisées. La bouche reprend le même motif aromatique en un ensemble harmonieux, reposant sur des tanins soyeux.

⊶ Gilles de Latude et Ruth Parker, Baronnie de Bourgade, 34500 Béziers, tél. 04.67.39.24.19, fax 04.67.39.24.19, e-mail info@baronnie-de-bourgade.com
☑ 🏠 🏠 Y 🚶 t.l.j. sf dim. 10h-12h 15h-19h, ouv. le dim. en été

XL LES GRES Chardonnay viognier 2003 ★★

□ 13,33 ha 80 000 ▮ 🌡 5 à 8 €

Cet assemblage (60 % chardonnay, 40 % viognier) a toute une histoire. Il a été composé naguère pour un appel d'offre du monopole norvégien des vins. Et il a été sélectionné ! Dès lors, on comprend que cette coopérative reste fidèle à cet heureux mariage. Jaune doré translucide, il doit certainement au chardonnay ces parfums beurrés, briochés qui ouvrent l'appétit. Puis on entre de plain-pied dans une architecture intérieure bien conçue, agrémentée de quelques touches d'ananas, de pamplemousse. Un bon conseil : la **syrah 2003**, très réussie, peut avantageusement compléter la commande.

⊶ Vignerons des Trois Terroirs, Dom. de Roueïre, 34310 Quarante, tél. 04.67.89.39.16, fax 04.67.89.30.76, e-mail v3t@v3t.fr
☑ Y 🚶 t.l.j. sf lun. mar. 10h-12h30 15h-18h

Sables du Golfe du Lion

DOM. DE MONTCALM Prestige Merlot 2003 ★★

■ 6,75 ha 11 300 3 à 5 €

Un sol éolien. N'oublions pas où nous sommes : du sable façonné par le vent. Ce merlot pourpre profond à reflets mauves délivre des notes de fruits rouges, d'épices, de laurier, de menthe. Parfaitement stable en bouche, il garde alors une belle puissance aromatique, évoluant sur des tanins de soie.

⌑ Pierre Jeanjacques,
Dom. de Montcalm, 30600 Montcalm,
tél. 04.66.73.51.52, fax 04.66.73.51.26 ☑ ⍳ ⚗ r.-v.

Vicomté d'Aumélas

PAVILLON DES CHARMES 2002 ★

	5 ha	10 000	▮⍭↓ 8 à 11 €

Au terme de neuf mois de cuve et de bois, cet assemblage de sauvignon, de chardonnay, de viognier et de grenache (par ordre décroissant) s'avère doré. Le nez très dégagé tourne autour des fruits confits et de la cire d'abeille. D'une longueur honorable dans un ensemble équilibré et aromatique, ce vin fait honneur à cette propriété qui remonte à 1755.

⌑ Bernard et Béatrice Nivollet, Ch. Rieutort,
rte de Gignac, 34230 Saint-Pargoire, tél. 04.67.25.22.53,
fax 04.67.25.22.54, e-mail deblanville@wanadoo.fr
☑ ⬚ ⍳ ⚗ t.l.j. sf dim. 9h-12h30 14h-18h30

Provence, basse vallée du Rhône, Corse

Majorité de vins rouges dans cette vaste zone, constituant 60 % des 900 000 hl produits dans les départements de la région administrative Provence-Alpes-Côte d'Azur. Les rosés (30 %) sont surtout issus du Var, et les blancs, du Vaucluse et du nord des Bouches-du-Rhône. On retrouve dans ces régions la diversité des cépages méridionaux, mais ceux-ci sont rarement utilisés seuls ; selon des proportions variables et en fonction des conditions climatiques et pédologiques, ils sont employés avec des cépages plus originaux, d'origine extérieure : chardonnay, sauvignon, cabernet-sauvignon ou merlot, cépages bordelais, auxquels s'ajoute la syrah venue de la vallée du Rhône. Les dénominations départementales s'appliquent au Vaucluse, aux Bouches-du-Rhône, au Var, aux Alpes-de-Haute-Provence, aux Alpes-Maritimes et aux Hautes-Alpes ; les dénominations de petites zones sont les suivantes : principauté d'Orange, Petite Crau (au sud-est d'Avignon), Mont Caumes (à l'ouest de Toulon), Argens (entre Brignoles et Draguignan, dans le Var), Maures, Coteaux du Verdon (Var), Aigues (Vaucluse), reconnues récemment, et île de Beauté (Corse). Depuis la récolte 1999, le vin de pays Portes de Méditerranée à vocation régionale vient compléter ce panorama. Son bassin de production couvre la région PACA (à l'exception du département des Bouches-du-Rhône) ainsi que la Drôme et l'Ardèche dans la région Rhône-Alpes.

Alpes-de-Haute-Provence

LA MADELEINE
Cuvée Maxime merlot cabernet-sauvignon 2003 ★★

▪	3,6 ha	8 000	3 à 5 €

Cette cuvée Maxime devrait plaire aux amateurs de cépages bordelais (merlot et cabernet-sauvignon à parts égales)... et aux autres. Le nez, encore un peu fermé au moment de la dégustation, est à l'évidence en devenir. La belle maturité des raisins ne fait pas l'ombre d'un doute, tant la matière est riche, dense et parfaitement équilibrée sur des arômes de fruits mûrs. Très bonne expression du terroir pour ce remarquable vin de pays.

⌑ Pierre Bousquet, Cave La Madeleine, 04130 Volx,
tél. 04.92.72.13.91, fax 04.92.72.05.99
☑ ⍳ ⚗ t.l.j. sf dim. 9h-12h 14h-18h

DOM. DE REGUSSE
Sauvignon Elevé en fût de chêne 2003 ★★

▪	10 ha	13 000	▮↓ 5 à 8 €

Ce domaine situé sur les coteaux de la Haute-Provence propose un sauvignon superbe. Sa teinte aux reflets couleur jonquille, son nez droit et parfaitement typique (buis) concourent à une prise de contact charmeuse. En bouche, ce 2003 se distingue par sa grande finesse et sa chaleureuse onctuosité. De la même propriété, le **chardonnay Elevé en fût de chêne 2003** a été retenu, ainsi que le **merlot Elevé en fût de chêne 2002 (3 à 5 €)**, qui a étonné par sa puissance et sa complexité.

⌑ SARL Cave et Vignobles de Régusse,
Dom. Régusse, rte de la Bastide-des-Jourdans,
04860 Pierrevert, tél. 04.92.72.30.44, fax 04.92.72.69.08,
e-mail domaine-de-regusse@wanadoo.fr ☑ ⍳ ⚗ r.-v.

DOM. DE ROUSSET Viognier 2003 ★★

▪	0,5 ha	250	5 à 8 €

Perché sur le versant sud du plateau de Valensole, ce domaine construit au XVIIᵉs. et rénové à la fin du XIXᵉs., appartient à la famille Emery depuis 1820. La robe très limpide de ce viognier se pare de reflets verts. Au nez, des notes florales et des arômes d'abricot se développent tout en finesse. En bouche, ce vin donne la sensation de goûter des fruits mûrs, et quelle rondeur, quel équilibre ! Une longue finale achève de convaincre. Ce 2003, typé et remarquablement élaboré, trouvera l'accord parfait sur un fromage de Banon, mais point n'est besoin de se limiter à ce mariage...

⌑ Hubert et Roseline Emery,
SCEV Ch. de Rousset, 04800 Gréoux-les-Bains,
tél. 04.92.72.62.49, fax 04.92.72.66.50 ☑ ⍳ ⚗ r.-v.

Alpes-Maritimes

MRS RASSE Cuvée du Pressoir romain 2003

	2 ha	5 000	⍭ 8 à 11 €

De jolis reflets dorés et un nez marqué par des notes de miel et de fleur d'acacia. Un grain suffisamment soyeux en bouche et une belle longueur qu'accompagnent des notes grillées. Cette cuvée du Pressoir romain sera idéale avec la cuisine provençale (des petits farcis par exemple).

🔑 Georges et Denis Rasse,
Vignobles des Hautes-Collines,
800, chem. des Sausses, 06640 Saint-Jeannet,
tél. 04.93.24.96.01, fax 04.93.24.96.01 ☑ Y 🚶 r.-v.

Bouches-du-Rhône

DOM. DE L'ATTILON 2003 *

■ 4 ha 12 000 3 à 5 €

Issu essentiellement du cépage marselan (80 %) et de raisins cultivés en agriculture biologique, ce 2003 offre au nez des arômes nets de fruits mûrs (pruneau, mûre) et de confiture. En bouche, il est volumineux, ample et de belle longueur, avec des tanins très soyeux. Pour un accord gourmand avec des viandes rouges en sauce.

🔑 de Roux, Dom. de L'Attilon, 13200 Arles,
tél. 04.90.98.70.04, fax 04.90.98.72.30 ☑ Y r.-v.

DOM. DE BOUCHAUD Merlot 2003 *

■ 4 ha 10 000 3 à 5 €

Cette propriété du XVIIe s. fut donnée par les anciens propriétaires aux frères bénédictins en 1975. Aujourd'hui encore une partie du domaine dépend du monastère. Les amateurs de merlot seront ravis de trouver ce 2003 bien vinifié et parfaitement dans le type avec un nez épicé et réglissé, très franc, sur les fruits rouges. Sa matière enrobée aux tanins fondus offre un beau retour de la réglisse et une bonne longueur.

🔑 EARL Bonistalli, Dom. de Bouchaud, 13200 Arles,
tél. 04.90.97.00.31, fax 04.90.97.08.66 ☑ Y 🚶 r.-v.
🔑 Congrégation des Bénédictins

DOM. DE BOULLERY 2003

■ 20 ha 140 000 ▮🌡 - de 3 €

Ce vin de pays est l'archétype de ce qu'un vin de terroir devrait être, sans exubérance certes, mais avec des qualités d'authenticité et de franchise. Des arômes de fruits bien mûrs sont nettement perceptibles au nez alors que la bouche donne une impresssion de rondeur et d'équilibre sur des notes de fraise et de framboise. La structure tannique est bien présente mais fondue. Pour accompagner les viandes en sauce ou les fromages à pâte cuite.

🔑 SCA des Domaines de Fonscolombe,
rte de Saint-Canadet, 13610 Le Puy-Sainte-Réparade,
tél. 04.42.61.70.00, fax 04.42.61.70.01 ☑ Y r.-v.

VIOGNIER DE LA GALINIERE Viognier 2003 **

□ 3,3 ha 15 000 ▮🌡 11 à 15 €

C'est en 1997 qu'Amédée-Laurent Musso, ancien antiquaire, décide de remettre en état cette propriété. Il propose un superbe viognier offrant une finesse aromatique remarquable. Au nez, l'abricot et le melon dominent avec quelques notes muscatées. Charnue et équilibrée, la bouche joue longuement sur la même palette. L'accord sera idéal sur un foie gras de canard ou une brouillade de truffes.

🔑 Amédée-Laurent Musso, Ch. de la Galinière,
13790 Châteauneuf-le-Rouge, tél. 04.42.29.09.84,
fax 04.42.29.09.82 ☑ Y 🚶 t.l.j. 10h-13h 15h-19h

DOM. DES GAVELLES 2003

■ n.c. 25 000 ▮ 3 à 5 €

Cette ancienne ferme du XVIIe s., construite au pied du Castelas, fut la demeure des archevêques d'Aix-en-Provence. Voué à la viticulture dès sa construction, ce domaine propose un assemblage où le cabernet-sauvignon, nettement présent (80 %), imprime sa patte. Le nez est intense (poivre, bourgeon de cassis) ; la bouche, encore sur les tanins, demande à s'affiner. Des arômes puissants de cassis sont perçus en rétro-olfaction. A servir sur un pavé de bœuf grillé.

🔑 SCEA Ch. des Gavelles,
165, chem. de Maliverny, 13540 Puyricard,
tél. 04.42.92.06.83, fax 04.42.92.24.12,
e-mail mail@chateaudesgavelles.com
☑ Y 🚶 t.l.j. 9h30-12h30 15h-19h; dim. 9h30-12h30
🔑 James de Roany

DOM. DU GRAND FONTANILLE 2003 *

■ 3 ha 13 000 ▮🌡 5 à 8 €

Très belle robe rouge-violet intense pour ce vin au nez bien marqué par des notes de fumée, de sous-bois et de fruits noirs (cassis). En bouche, grande douceur à l'attaque, puis la matière tapisse largement le palais de ses tanins bien enrobés. Belle finale réglissée, légèrement mais agréablement végétale. Vous tenez le vin... cherchez les magrets de canard... et prenez le temps de déguster paisiblement le tout.

🔑 GFA du Grand Fontanille,
13103 Saint-Etienne-du-Grès,
tél. 04.90.49.05.15, fax 04.90.49.07.03 ☑ Y 🚶 r.-v.
🔑 Mme Leuschner

DOM. LA JAVIE 2002

■ 1 ha 2 000 3 à 5 €

Ce 2002, issu de merlot et de caladoc à parts égales, porte une robe rubis d'une belle intensité. Au nez, l'originalité des nuances est à souligner : violette, menthe et sous-bois. L'attaque est souple et fruitée, puis la dégustation se poursuit sur une structure agréable, légèrement acidulée et des notes de framboise. Ce 2002 accompagnera délicieusement les pique-niques et la charcuterie.

🔑 Dom. La Javie,
chem. des Garrigues, 13840 Rognes, tél. 04.42.50.30.89,
fax 04.42.50.17.03, e-mail closlajavie@tiscali.fr
☑ Y r.-v.
🔑 Sablé

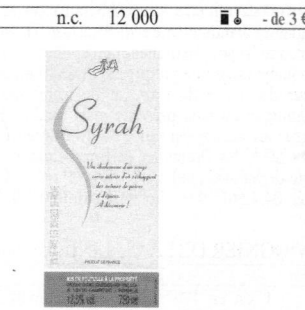

DOM. DE LUNARD Tradition 2003 ★

■ 3 ha 18 000 5 à 8 €

Très bel équilibre général pour cette cuvée Tradition qui sera commercialisée après un élevage en fût non entamé à la date de la dégustation. Des arômes de fruits rouges bien mûrs dominent au nez, avec une pointe de violette. La bouche, souple et onctueuse, présente des notes fruitées (cerise, fraise, mûre) et offre une longue finale. Une bouteille idéale avec les viandes grillées (pierrade). La cuvée **Sélection rosé 2003** a également été très appréciée pour sa fraîcheur et sa palette aromatique.

EARL Dom. de Lunard, 13140 Miramas,
tél. 04.90.50.93.44, fax 04.90.50.73.27
e-mail dlunard@cario.fr
t.l.j. sf dim. lun. 9h-12h 15h-19h

DOM. DES MASQUES
Philippe Cézanne 2003 ★★★

■ 3 ha 2 000 5 à 8 €

Ce domaine est situé à 500 m d'altitude sur un plateau isolé au pied de la montagne Sainte-Victoire. Il propose un rosé dans une superbe robe à la couleur soutenue (reflet grenadine). Le nez est puissant et pourtant très fin, avec d'intenses notes de cassis. En bouche, après une attaque subtilement acidulée se déploie avec franchise une gamme aromatique très marquée par les fruits rouges. Ce vin équilibré sera parfait en apéritif ou pour accompagner un repas festif d'automne. Le **Domaine des Masques Philippe Cezanne chardonnay Elevé en fût de chêne 2001 (11 à 15 €)**, solide et au boisé marqué, a été très apprécié également.

Carl Mestdagh,
SCEA Dom. des Masques,
13100 Saint-Antonin-sur-Bayon,
tél. 04.42.12.38.50, fax 04.42.12.38.50,
e-mail carl.mestdagh@pophost.eunet.be r.-v.

MINNA VINEYARD 2001 ★★

■ 2 ha 6 950 15 à 23 €

Ah ce nez ! Des odeurs de pain grillé, des arômes de vanille et de caramel, des notes de fruits noirs bien mûrs... Et la bouche ! La suavité et la puissance de la matière imprégnée d'arômes d'épices douces (vanille) font grande impression. Les tanins sont soyeux, très fondus ; la finale longue. Quelle harmonie ! L'élevage en fût est superbement maîtrisé. Un vin digne d'un gibier.

Villa Minna Vineyard,
Roque Pessade, CD 17, 13760 Saint-Cannat,
tél. 04.42.57.23.19, fax 04.42.57.27.69,
e-mail villa.minna@wanadoo.fr r.-v.
Minna et J.-P. Luc

CELLIER DES QUATRE TOURS
Vermentino 2003 ★

■ 4 ha 5 300 3 à 5 €

Dans une robe pâle à reflets verts, ce vermentino au nez droit, minéral, présente de discrètes notes d'agrumes (citron). L'attaque franche offre une belle vivacité ; elle introduit une bouche équilibrée et puissante. Le compagnon idéal d'un plateau de fruits de mer.

Cellier des Quatre Tours, RN 96, 13770 Venelles,
tél. 04.42.54.71.11, fax 04.42.54.11.22 r.-v.

MAS DE REY Marselan 2003

■ 3 ha 15 000 5 à 8 €

Une belle robe rouge limpide à reflets violacés. Un nez franc d'agrumes (orange, pamplemousse). L'attaque est d'abord souple, sur le fruit, mais l'esprit du marselan (croisement de grenache et de cabernet-sauvignon) se réveille et la bouche dévoile alors une structure tannique. Les nuances d'agrumes restent bien présentes. A tenter sur un filet mignon aux épices douces ou, plus classique, sur une côte de bœuf.

SCA Mas de Rey, anc. rte de Saint-Gilles,
VC 144, 13200 Arles, tél. 04.90.96.11.84,
fax 04.90.96.59.44 t.l.j. 9h-12h 14h-19h
Mazzoleni

LES VIGNERONS DE ROQUEFORT LA BEDOULE Syrah 2003 ★★

■ 1 ha 5 300 3 à 5 €

Cette cuvée composée à 100 % de syrah possède un nez très plaisant, amylique (bonbon anglais). En bouche, l'attaque est marquée par des notes de fruits rouges acidulés (groseille). D'une belle longueur et d'une bonne persistance aromatique, ce rosé est le type même du vin friand pour les plaisirs de la table ; on le servira sur un carré d'agneau, par exemple.

Les vignerons de Roquefort-la-Bédoule,
rte de Cuges-les-Pins, 13830 Roquefort-la-Bédoule,
tél. 04.42.73.22.80, fax 04.42.73.01.37,
e-mail lesvigneronsderoquefort@wanadoo.fr
t.l.j. sf dim. 8h30-12h 14h-19h

LES VIGNERONS DU ROY RENE
Syrah 2003 ★★★

■ n.c. 12 000 - de 3 €

Toutes les qualités de la syrah sont rassemblées dans cette cuvée. Le jury a salué la complexité et la puissance de son nez aux notes florales et fruitées, en particulier du cassis mûr que l'on retrouve dans une bouche gourmande, de belle longueur et très équilibrée, aux tanins bien fondus. Et que dire de l'excellent rapport qualité-prix ?

⚷ Les Vignerons du Roy René, RN 7,
13410 Lambesc, tél. 04.42.57.00.20, fax 04.42.92.91.52
☒ Y ⚲ t.l.j. sf dim. 8h30-12h 14h-18h30;
f. 1re semaine jan.

DOM. DE VALDITION
Cuvée du Bâtonnier 2003 ★★★

■ 1,7 ha 11 500 ▮ 5 à 8 €

Cette superbe bastide, située dans les Alpilles provençales, a fait un parcours remarquable cette année, avec ce magnifique rosé d'une extrême délicatesse aromatique, une superbe **cuvée des Filles blanc 2003 (8 à 11 €)** au nez complexe et à la subtile texture, ainsi qu'une cuvée **rouge 2003 (3 à 5 €)** au nez intense (fruits rouges, violette, notes animales) et à la structure parfaitement fondue, sur le fruit.
⚷ SCEA Dom. de Valdition, rte d'Eygalières,
13660 Orgon, tél. 04.90.73.08.12, fax 04.90.73.05.95,
e-mail contact@valdition.com ☒ ⚲ t.l.j. 9h-19h
⚷ Faure

Coteaux du Verdon

DOM. DE VALCOLOMBE
Cuvée baroque Elevé en barrique de chêne 2002 ★

■ 1 ha 3 600 ⏸ 8 à 11 €

Cette Cuvée baroque se présente dans une belle robe profonde aux reflets violacés et offre son nez de sous-bois remarquablement élégant. La dégustation se poursuit par une bouche agréable, à la structure équilibrée, d'une grande souplesse. Une bouteille parfaitement à sa place avec un gibier.
⚷ Léonetti, Dom. de Valcolombe, 83690 Villecroze,
tél. 04.94.67.57.16, fax 04.94.67.57.16 ☒ Y ⚲ r.-v.

Hautes-Alpes

CAVE DES HAUTES VIGNES 2003 ★★

■ 6 ha 35 000 ▮ 3 à 5 €

Les Hautes Vignes proposent un savoureux vin rouge issu des cépages merlot et cabernet-sauvignon. Sa robe est rubis profond et ses arômes apparaissent très marqués par les fruits sec et la figue. En bouche, équilibre et harmonie se confirment. Une longue finale conclut ce parcours sans faute. A Valserres, vous pourrez aussi vous intéresser au **chardonnay 2003**, bien typé et à la vivacité de bon aloi.
⚷ Cave des Hautes Vignes - La Valserroise,
05130 Valserres, tél. 04.92.54.33.02, fax 04.92.54.31.34
☒ Y ⚲ t.l.j. sf dim. 8h-12h 14h-18h

DOM. DE TRESBAUDON 2003 ★★

■ 3,2 ha 23 000 3 à 5 €

Dans une robe vive, de couleur framboise, le rosé de Tresbaudon a séduit le jury qui lui a décerné un coup de cœur. Des senteurs de réglisse marquent finement le nez. Le palais est délicat, vif et équilibré, avec des notes de groseille et une bonne longueur. Deux autres cuvées, présentées par Olivier Ricard, se sont distinguées : le **blanc 2003 (5 à 8 €)**, issu de viognier, aux nuances exotiques, et le **rouge 2002 (5 à 8 €)** très friand.
⚷ Olivier Ricard, rte de Tresbaudon, 05130 Tallard,
tél. 04.92.54.19.28, fax 04.92.54.17.67,
e-mail tresbaudon@wanadoo.fr ☒ Y sam. 9h-12h

Ile de Beauté

COULEURS DU SUD Chardonnay 2003

■ n.c. 294 150 ▮ -de 3 €

Important opérateur, Skalli est un bon connaisseur des vins méditerranéens. Celui-ci, élaboré pour les coteaux de Diana pour sa marque castelpapale, présente une robe cristalline et développe des arômes de fleurs et de fruits blancs. Franc et équilibré, d'une belle longueur, il est prêt à accompagner des fruits de mer.
⚷ Caves Saint-Pierre, av. Pierre-de-Luxembourg,
84230 Châteauneuf-du-Pape, tél. 04.90.83.58.35,
fax 04.90.83.77.23 Y ⚲ t.l.j. 9h-12h 14h-19h; f. jan.
⚷ Groupe Skalli

GASPA MORA 2003 ★★

■ 25 ha 200 000 ▮ -de 3 €

Coopérative fondée en 1974-1975 par les vignerons des Coteaux de Saint-Antoine (350 ha) sur la Côte orientale de l'île (plaine d'Aléria). Le jury a retenu avec une étoile le **rouge 2003 Monte E Mare** à la beauté cristalline, rubis à grenat ; il a aimé la finesse du nez, la souplesse de la bouche de ce vin jeune mais déjà disposé à passer à table. Il a préféré ce Gaspa Mora qui a du corps, de la profondeur et de la longueur ; il faut cette fois choisir un sanglier, corse si possible, pour l'accompagner.

VDP

🔑 Cave de Saint-Antoine,
Saint-Antoine, 20240 Ghisonaccia,
tél. 04.95.56.61.00, fax 04.95.56.61.60 ☑ Y 🚶 r.-v.

DOM. DE LISCHETTO Chardonnay 2003 ★★★

□ 30 ha 100 000 🍾 5 à 8 €

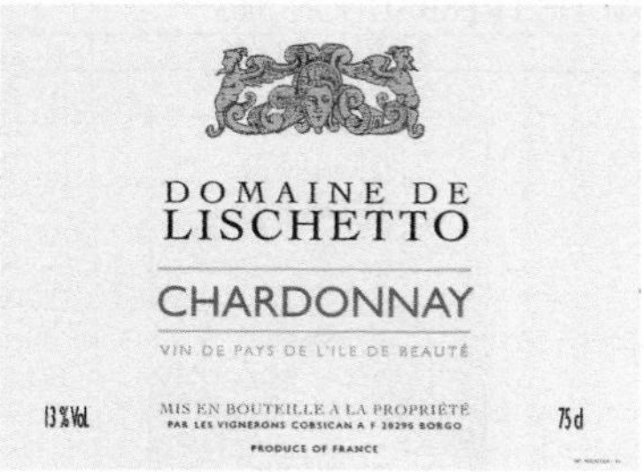

Cette cave coopérative proche de Bastia, vinifie 1 300 ha de vignes, dont ce vignoble, Lischetto – petit chêne en Corse – qui borde une chênaie. Cette bouteille culmine tel le Cinto – mont le plus élevé de l'île atteignant 2 710 m. Déjà coup de cœur pour le millésime 99, ce chardonnay à la robe cristalline affiche un nez intense et complexe où domine la poire, avec un grillé discret. Sa texture fait l'unanimité. L'**Alba Rosa 2003** – rosé de saignée – est mentionné pour ses arômes de maquis, de groseille et de menthe sauvage.
🔑 Cave de la Marana, Rasignani, 20290 Borgo,
tél. 04.95.58.44.02, fax 04.95.38.38.10,
e-mail uval.sica@corsicanwines.com
Y 🚶 t.l.j. sf dim. 9h-12h 14h-18h30

MODERATO
Nectar d'Automne Muscat petits grains 2003 ★

□ 10 ha 25 000 🍾 8 à 11 €

Moderato ? Cantabile ? On a beaucoup de mal à choisir l'un ou l'autre de ces deux muscats à petits grains 2003. Comme le premier fut distingué dans le millésime précédent, par un coup de cœur, restons-lui fidèle. Vieil or, il respire l'abricot, les fruits secs. Ces arômes se prolongent en bouche. Celle-ci s'ouvre tout en douceur, sans mièvrerie ni torpeur, ample, douce, longue. **Cantabile 2003**, une étoile également, penche davantage vers le fruit exotique, le miel. Dans les deux cas ce sont des vins à déguster dans leur jeunesse.
🔑 SCEA du Dom. Casabianca,
Coteaux de Santa Maria, 20230 Bravone,
tél. 04.95.38.96.08, fax 04.95.38.81.91,
e-mail domainecasabianca@wanadoo.fr ☑ Y r.-v.

DOM. DU MONT SAINT-JEAN Aléatico 2003 ★★

■ 7,5 ha 15 000 🍾 3 à 5 €

L'an dernier un coup de cœur avait été attribué au pinot noir de ce domaine d'une petite centaine d'hectares : une propriété familiale créée en 1961 sur le versant oriental. Cette année il en a été question pour cet aléatico, cépage prisé en Italie et objet d'un culte sur l'île d'Elbe. Il est associé ici au cabernet-sauvignon (20 %). Au plaisir de la découverte s'ajoute un palais délicieusement velouté et qui ne faiblit pas. Le bouquet d'agrumes confits, d'essence de rose est fort apprécié. Le **chardonnay 2003**, vendangé dès le 6 août, obtient une étoile.
🔑 Dom. du Mont Saint-Jean,
Campo Quercio - Antisanti, BP 19, 20270 Aléria,
tél. 04.95.57.13.21, fax 04.95.57.13.21,
e-mail montstjean@wanadoo.fr ☑ Y 🚶 r.-v.
🔑 Roger Pouyau

MULINU DI RASIGNANI
Muscat petits grains 2003 ★★

□ 90 ha 200 000 🍾 8 à 11 €

Le groupe UVAL a été constitué en 1997 afin de développer les ventes de vins corses sur le continent et à l'export. Il rassemble 1 300 ha de vignes. Les Vignerons corsicans accomplissent actuellement d'importants efforts de promotion en renouvelant l'image de leurs vins. Doux et moelleux, il va sans dire, leur muscat à petits grains brille par son originalité et sa qualité. Jaune à reflets dorés, distillant des notes d'anis, de menthe, de miel en finale, il évolue en bouche vers des accents mentholés. Fraîcheur et harmonie. On conseillera encore **Terra Mariana 2003 en pinot noir** qui obtient une étoile, tout comme **Terrazza Isula 2003 en nielluciu-merlot (3 à 5 €)**, alors que **Terraza Isula 2003 chardonnay-vermentinu** obtient une citation.
🔑 Uval - Les Vignerons Corsicans, Rasignani,
20290 Borgo, tél. 04.95.58.44.00, fax 04.95.38.38.10,
e-mail uval.sica@corsicanwines.com
☑ Y 🚶 t.l.j. sf dim. 9h-12h 14h30-18h30

DOM. DE PETRAPIANA Nielluciu 2003

■ 5 ha n.c. 🍾 3 à 5 €

Coup de cœur l'an dernier pour ce même cépage et dans le Guide 2001 déjà, pour un merlot ; voici des vignerons tirant merveilleusement parti de leurs 17 ha de vignes implantées sur arène granitique, à mi-chemin entre Bastia et Aléria, du côté est de l'île. Proche parent du sangiovese toscan, le nielluciu se présente ici sous une robe grenat. Ses notes florales sont bien typées. Il en est de même de son fruité rouge en bouche, assez persistant. Un ou deux ans de cave ne lui feront pas peur, car ses tanins sont bien présents et prometteurs.
🔑 Eric et Antoine Poli,
Linguizzetta, 20230 San-Nicolao,
tél. 04.95.38.86.38, fax 04.95.38.94.71 ☑ Y 🚶 r.-v.

LES POLYPHONIES DE CEPAGES Merlot 2003 ★

■ 65 ha 650 000 🍾 - de 3 €

Les voix corses ont acquis une large célébrité. Il s'agit ici d'un solo de merlot (le millésime 99 reçut naguère un coup de cœur). Un vin qui montre que, contrairement à ce que prétendait Voltaire, l'oreille n'est pas le seul chemin de l'âme. Couleur intensive, bouquet démonstratif s'affirmant sur le cassis, c'est un 2003 déjà puissant et concentré. Sa richesse tannique est intéressante. Signée de cette même cave coopérative de la côte orientale (1 700 ha), la cuvée **Marestagno rosé 2003** (une étoile également) donne au grenache et au cinsault l'occasion de créer avec le nielluciu un rosé parfumé aux arômes de fruits blancs.
🔑 Union des Vignerons de l'Ile de Beauté,
Cave coop. d'Aléria, 20270 Aléria,
tél. 04.95.57.02.48, fax 04.95.57.09.59,
e-mail cavecoopaleria@aol.com ☑ Y 🚶 r.-v.

TERRA BIANCA
Blanc fruité Muscat d'Alexandrie 2003 ★★★

□ 1 ha 8 000 🍾 5 à 8 €

Un coup de cœur pour ce muscat d'Alexandrie jaune pâle à reflets verts vinifié chez François Orsucci et sa fille

Françoise Rollin au Clos d'Orléa. Son bouquet et sa saveur mettent particulièrement en valeur les caractères aromatiques du cépage (raisins secs). Pour plaire, il ne laisse rien au hasard. Sa franchise en attaque, sa vivacité et sa concentration – ce n'est pas contradictoire – ainsi que sa longue persistance le destinent tout autant à l'apéritif qu'au dessert.
🔑 Christiane et Jean Rollin, Terra Bianca,
SCEA Coticcio, 20270 Aghione,
tél. 04.95.56.60.38, fax 04.95.56.62.73,
e-mail chris.rollin@laposte.net ☒ Ῑ ⛹ r.-v.

TERRA DI LEA 2003 *

■ 30 ha 20 000 Ī🌡 - de 3 €

Un assemblage de syrah et de merlot, avec un zeste de grenache et de niellucciu ; le résultat est convaincant : d'une teinte intense, ce 2003 opte pour des arômes de fruits noirs et rouges très frais avec une petite pointe mentholée. La bouche est lisse, ronde et souple, dotée de tanins bien enrobés. Un gigot d'agneau rôti devrait lui convenir.
🔑 François Orsucci, SARL Terra di Léa, Suarella,
20270 Aléria, tél. 04.95.57.13.60, fax 04.95.57.09.64,
e-mail francois.orsucci@wanadoo.fr
☒ Ῑ ⛹ t.l.j. sf dim. 9h30-12h 14h-18h

DOM. TERRA VECCHIA 2003 **

■ n.c. n.c. Ī🌡 3 à 5 €

Un « fjord méditerranéen », dit l'étiquette. Heureusement le climat de la côte orientale de la Corse est propice à la vigne. Ce domaine habitué des coups de cœur, produit ici un vin assemblant merlot (50 %), cabernet, syrah et grenache. Ce 2003 est à deux doigts de son troisième coup de cœur. Beau rubis scintillant, senteurs de maquis et de fruits, tanins d'une texture fine mais bien présents : il s'impose par sa personnalité et il supportera un léger vieillissement. A goûter également, le **vermentino-chardonnay 2003 (moins de 3 €)**, cité, dont l'association intéressera les amateurs. Diana est un site proche d'Aléria.
🔑 Les Vignobles Coteaux de Diana, SA Terra Vecchia,
20270 Tallone, tél. 04.95.57.20.30, fax 04.95.57.08.98,
e-mail elise-costa@coteauxdediana.com
☒ Ῑ t.l.j. 9h-13h 14h-18h

Maures

DOM. DE L'ANGLADE 2003 *

■ 4 ha 13 000 Ī🌡 5 à 8 €

Domaine familial acquis en 1925 et dernier bastion viticole de la commune du Lavandou. Les Van Doren cultivent la vigne depuis trois générations. Ils proposent un rosé à la belle robe cerise (présence de la syrah oblige) limpide et brillante. Au nez comme en bouche, les arômes de petits fruits rouges (groseille, framboise) sont très présents et flatteurs. Un palais gras d'une belle rondeur compose un vin plaisir, à tenter sur une tarte aux fruits rouges ou sur des beignets de fleurs de courgette.
🔑 Bernard Van Doren,
Dom. de l'Anglade,
av. Vincent-Auriol, 83980 Le Lavandou,
tél. 04.94.71.10.89, fax 04.94.15.15.88,
e-mail info@domainedelanglade.fr ☒ Ῑ ⛹ r.-v.

DOM. LE BASTIDON Cabernet-sauvignon 2003 *

■ 4,45 ha 30 000 Ī 3 à 5 €

L'histoire du domaine remonte à l'époque romaine ; plus tard les Chartreux de Verne y ont cultivé la vigne et les oliviers. Aujourd'hui, on trouve toujours des oliviers : 5 ha leur sont consacrés. Les amateurs de cabernet-sauvignon pourront goûter ce 2003 à la robe pourpre presque noire, au nez de fruits noirs (cassis) et à la bouche très concentrée, dense, mais aux tanins soyeux. Ce vin formera un bel accord avec un gigot d'agneau de Provence ou une daube de sanglier.
🔑 Jean-Pierre Rose, Ch. Le Bastidon,
rte du Pansard, 83250 La Londe-les-Maures,
tél. 04.94.66.80.15, fax 04.94.66.68.23,
e-mail alainbastidon@aol.com ☒ Ῑ ⛹ r.-v.

LES ROCAILLES DES BERTRANDS 2003 **

■ 4,47 ha 23 000 Ī 3 à 5 €

Acquis en 1964, le domaine des Bertrands étend ses 200 ha sur la dalle permienne, au cœur du massif des Maures. Ses Rocailles sont souples et imposantes à la fois. Elles affirment un formidable caractère. La robe est d'un superbe grenat soutenu. Le nez exprime les fruits rouges dans un registre fin et élégant. En bouche, la matière est ronde, souple, mais la puissance du cabernet-sauvignon, majoritaire (88 %), est bien présente avec des notes épicées très suggestives (poivre). Ce 2003 accompagnera une côte à l'os ou un carré d'agneau aux herbes.
🔑 Dom. des Bertrands,
rte de Saint-Tropez, 83340 Le Cannet-des-Maures,
tél. 04.94.99.79.00, fax 04.94.99.79.09,
e-mail info@bastidedesbertrands.com ☒ Ῑ ⛹ r.-v.
🔑 Marotzki

DOM. BORRELY-MARTIN
Le Carré de Laure 2001 ***

■ 1 ha 4 000 Ī🌡 11 à 15 €

De très petits rendements, l'amour de la vigne et du vin... et du talent. Les frères Martin proposent une cuvée à la couleur d'encre et à l'équilibre parfait. Très aromatique au nez avec des notes de fruits rouges et noirs (cassis) prononcées. Ce vin est remarquable de finesse, de rondeur, d'équilibre et de longueur. Un accord gourmand s'impose : la daube provençale.

VDP

⊶ Dom. Borrely-Martin, 83340 Les Mayons, tél. 04.94.60.09.39, fax 04.94.60.04.08, e-mail jacques.martin@wanadoo.fr
☑ Y ⛹ t.l.j. 10h-18h; dim. 10h-13h
⊶ Martin frères

DOM. DE MONT REDON L'Orangerie 2003

▒	1 ha	3 000	▮ ⫰	3 à 5 €

Du nerf et de la vigueur ! Voilà bien ce qui caractérise ce sympathique assemblage de rolle et d'ugni blanc. Ce 2003 est le type même du vin blanc à choisir pour accompagner un repas à base de poivrons ou de fruits de mer. A souligner, la belle intensité aromatique des nuances de buis perceptibles au nez.

⊶ Michel Torné, Dom. de Mont Redon, 2496, rte de Pierrefeu, 83260 La Crau, tél. 04.94.57.82.12, fax 04.94.57.82.12, e-mail mont.redon@libertysurf.fr
☑ Y ⛹ t.l.j. sf dim. 9h-12h 14h-18h

DOM. DU VIEIL ASTROS 2003 *

▒	1,6 ha	13 000	▮ ⫰	3 à 5 €

L'histoire de ce domaine remonte au XIIe s. lorsque les Templiers fondèrent la commanderie d'Astros ; au XIVe s. propriété des chevaliers de Saint-Jean-de-Jérusalem, puis des chevaliers de Malte ; c'est en 1802 qu'il fut acquis par les Maurel. Ce sympathique 2003 est issu du seul cépage ugni. Le terroir conjugué au savoir-faire du vinificateur a permis l'élaboration d'un vin atypique, très marqué par les arômes de fruits à chair blanche (pêche surtout) tant au nez qu'en bouche. D'un très bel équilibre au palais, cette bouteille sera à déguster à l'apéritif ou à servir avec un risotto ou un poisson à chair blanche.

⊶ Christian Maurel, Vieux Château d'Astros, rte de Lorgues, 83550 Vidauban, tél. 04.94.99.73.00, fax 04.94.73.00.18, e-mail chateau-astros@wanadoo.fr ☑ Y ⛹ r.-v.

Mont-Caume

DOM. DU PEY-NEUF 2003 *

■	10 ha	20 000	⏸	3 à 5 €

Pey-Neuf sort du lot, comme souvent, avec cet élégant vin rouge d'assemblage subtilement passé en fût. La robe est profonde, parée de belle nuances violines, le nez bien ouvert sur des notes de garrigue, de fruits rouges et noirs. Dévoilant une très belle matière, la bouche, fondue et concentrée, offre une finale longue et soyeuse. Laissez-vous séduire également par le **rosé 2003**, ample et tout en longueur. Rouge ou rosé, tous deux apprécieront une dorade grillée aux herbes ou un filet de canard aux airelles.

⊶ Guy Arnaud, Dom. du Pey-Neuf, 367, rte de Sainte-Anne, 83740 La Cadière-d'Azur, tél. 04.94.90.14.55, fax 04.94.26.13.89 ☑ Y ⛹ r.-v.

Petite Crau

CAPRICE DE LAURE 2003 *

■	4,9 ha	40 000	▮ ⫰	3 à 5 €

Ce Caprice de Laure est composé de merlot (60 %) et de cabernet-sauvignon nés sur des terroirs calcaires. Le qualificatif de puissant lui sied : au nez, cette puissance s'accompagne de notes fumées et musquées, en bouche elle se traduit par une belle structure escortée d'arômes d'épices et de fruits noirs. A servir sur une entrecôte bordelaise. A découvrir également, la cuvée **Antoine de Bournissac merlot 2003**, citée par le jury.

⊶ SCA Cellier de Laure, 1, av. Agricol-Viala, 13550 Noves, tél. 04.90.94.01.30, fax 04.90.92.94.85, e-mail cellierdelaure@free.fr
☑ Y ⛹ t.l.j. 8h-12h 14h-18h30

Principauté d'Orange

DOM. LE SOUVERAIN Merlot 2003 *

■	1 ha	6 600	▮ ⫰	- de 3 €

Ce domaine, dans la famille depuis cinq générations, a créé sa cave de vinification en 1950 et débuté la mise en bouteilles en 1978. Il propose un merlot expressif et harmonieux paré d'une robe grenat à reflets violacés. Au nez, les arômes de garrigue (thym) et de fleur de menthe sont des plus séduisants. La bouche n'est pas en reste et offre de la rondeur, de la souplesse et du volume, avec une finale tout en fruit.

⊶ SCEA Chauvin Frères, Dom. Le Souverain, 84110 Sablet, tél. 06.71.61.88.47, fax 04.90.46.90.40, e-mail cave.chauvin@wanadoo.fr ☑ Y ⛹ r.-v.
⊶ Eric Chauvin

LA VIGNERONNE 2003 *

▒	n.c.	20 000	3 à 5 €

Ce rosé gouleyant présente une robe élégante à reflets roses et violets. Le nez fin révèle des senteurs de fleurs séchées et de fruits rouges. La bouche équilibrée, structurée, fraîche et ample s'achève sur une finale de belle longueur. Un joli vin à boire sur des grillades, des viandes blanches ou de la charcuterie.

⊶ Cave La Vigneronne, 84110 Villedieu, tél. 04.90.28.92.37, fax 04.90.28.93.00, e-mail la.vigneronne@libertysurf.com
☑ Y ⛹ t.l.j. 8h-12h 14h-18h

Var

LES VIGNERONS DE COTIGNAC
Douceur du rocher 2003 ***

▢	n.c.	2 000	5 à 8 €

La douceur de ce vin émane du rolle (ou vermentino), un cépage typiquement provençal. Sa robe est très pâle et brillante. Le nez complexe décline des fragrances de fruits

surmûris et confits de miel et de fleur d'acacia. Cette palette aromatique se retrouve en bouche, surtout les notes miellées. L'ensemble est d'une rondeur remarquable et d'une belle longueur. Ce délicieux vin blanc trouvera sa place à l'apéritif, sur un foie gras ou un dessert.
🔑 Les Vignerons de Cotignac, 83570 Cotignac,
tél. 04.94.04.60.04, fax 04.94.04.79.54
🍷 t.l.j. sf dim. lun. 8h15-12h 14h-18h; sam. 8h15-12h

CELLIER DE LA CRAU Cabernet 2003 ★

■ 4 ha 8 000 3 à 5 €

La robe est d'une belle intensité. Le nez se pare de notes de cuir et de fruits à l'eau-de-vie. Preuve que les raisins ont dû être rentrés à belle maturité, la bouche est tout en rondeur et en souplesse.
🔑 Cellier de la Crau, 85, av. de Toulon,
83260 La Crau, tél. 04.94.66.73.03, fax 04.94.66.17.63,
e-mail cellier-lacrau@wanadoo.fr ☑ 🍷 🚶 r.-v.

DOM. LUDOVIC DE BEAUSEJOUR 2003 ★★★

▒ 8 ha 15 000 3 à 5 €

La très belle brillance de la robe saumonée arrête le regard ; le nez intense, fruité avec de légères notes épicées est plein de séduction. La bouche superbe dévoile une expression aromatique complexe (épices) et une ampleur remarquable. La finale est d'une rare longueur. Magnifique rosé en un mot ! Egalement retenu, le **Domaine Ludovic de Beauséjour 2003 rouge** obtient deux étoiles.
🔑 Dom. Ludovic de Beauséjour,
hameau de la Basse-Maure,
rte de Salernes, 83510 Lorgues,
tél. 04.94.50.91.90, fax 04.94.68.46.53 🍷 r.-v.
🔑 Maunier

LE CELLIER DE SAINTE-BAUME Cabernet 2003 ★★★

■ 70 ha 25 000 3 à 5 €

Le nez de ce cabernet-sauvignon est puissant et offre des arômes typiques du cépage (cassis notamment). La bouche est soyeuse, grasse, parfaitement équilibrée et structurée. Sa très belle longueur achève de convaincre. A noter que le subtil **rolle blanc 2003** est très apprécié.
🔑 Le Cellier de la Sainte-Baume,
83470 Saint-Maximin-la-Sainte-Baume,
tél. 04.94.78.03.97, fax 04.94.78.07.40 ☑ 🍷 🚶 r.-v.

DOM. DE SAINT-JEAN LE VIEUX 2003 ★★

▒ 0,5 ha 5 000 3 à 5 €

Situé à 300 m de la basilique Sainte-Madeleine (XIIIe s.), ce domaine, qui pratique l'agriculture raisonnée, présente un rosé majoritairement à base de cinsault (75 %), puissant au nez comme en bouche. La robe est légère et brillante. Le caractère amylique des nuances développées au nez (banane, bonbon anglais) est très flatteur. Le charme continue d'opérer en bouche tant il y a du fruit, de l'intensité et de la longueur. A déguster à l'apéritif ou sur des poivrons grillés à l'ail.
🔑 Dom. de Saint-Jean-le-Vieux,
317, rte de Bras, 83470 Saint-Maximin-la-Sainte-Baume,
tél. 04.94.59.77.59, fax 04.94.59.73.35,
e-mail saint-jean-le-vieux@wanadoo.fr
☑ 🍷 🚶 t.l.j. sf dim. 8h-12h30 14h-19h
🔑 Pierre Boyer

DOM. DE TERREBONNE 2003

▒ 10 ha 20 000 5 à 8 €

Ce domaine, qui pratique la lutte intégrée, présente un agréable rosé issu des trois cépages classiques du vignoble méditerranéen (grenache, cinsault, carignan). La robe est pâle, limpide, le nez fin et élégant, suffisamment expressif (fruits rouges). La bouche équilibrée conjugue la fraîcheur et des sensations de gras et d'opulence. Ce vin se placera à l'apéritif, sur un tian de légumes ou des grillades.
🔑 SCV Ch. Terrebonne,
rte de Cabasse, 83340 Flassans-sur-Issole,
tél. 04.94.59.68.65, fax 04.94.69.74.35 ☑ 🏠 🍷 🚶 r.-v.
🔑 Michel Mercier

TRIENNES Viognier Sainte fleur 2003 ★★

□ 10 ha 35 000 8 à 11 €

Superbe. De la robe aux reflets légèrement dorés au nez intense libérant des notes caractéristiques d'abricot sec et de fleurs blanches jusqu'à la bouche d'une formidable concentration soutenue par des arômes de fruits secs grillés et de fruits confits. En prime, une belle longueur. Cette bouteille sera parfaitement à sa place sur un poisson noble en sauce ou sur la cuisine salée-sucrée.
🔑 Dom. de Triennes, RN 560, 83860 Nans-les-Pins,
tél. 04.94.78.91.46, fax 04.94.78.65.04,
e-mail triennes@wanadoo.fr
☑ 🍷 🚶 t.l.j. sf sam. dim. 9h-12h 13h-18h;
sam. en saison 10h-12h 15h-19h

VAL D'IRIS Cabernet-sauvignon 2003 ★★

■ 2 ha 12 800 ▮ 5 à 8 €

Les iris qui ont donné leur nom au domaine furent autrefois plantés pour la parfumerie. On retrouve de ces fleurs autour des parcelles. Aujourd'hui, la vigne a remplacé cette culture ; elle offre un remarquable cabernet-sauvignon. Le nez est très typé, avec des arômes intenses de fruits noirs (cassis) et des notes épicées. La matière, superbe et fondue, offre un sacré volume dans un parfait équilibre. Il faut décanter ce vin avant de le déguster pour en décupler le plaisir.

⚲ Anne Dor, Val d'Iris, 83440 Seillans, tél. 04.94.76.97.66, fax 04.94.76.89.83, e-mail valdiris@wanadoo.fr ☒ ⌂ Y ⚲ r.-v.

Vaucluse

BASTIDE DU CLAUX Chardonnay 2003 ★

□ 1,1 ha 6 300 ◆ 11 à 15 €

Ce domaine, créé en 2002, possède des terroirs de qualité situés sur trois communes. Le travail des vignes et la vinification se font dans le respect des traditions. Ce chardonnay a su conquérir le jury par son équilibre général de bon aloi. L'attaque nette introduit un palais volumineux et rond. Encore marqué par l'élevage en fût tant au nez qu'en bouche, ce vin devrait rapidement trouver sa pleine harmonie ; il sera alors parfait sur des noix de Saint-Jacques.

⚲ Bastide du Claux, Campagne Le Claux, 84240 La Motte-d'Aigues, tél. 04.90.77.70.26, fax 04.90.77.73.27, e-mail scea-slb@freesurf.fr ☒ Y ⚲ r.-v.

⚲ S. Morey

DOM. BOUCHE Sauvignon 2003 ★★

□ 0,65 ha 4 600 ▮ 5 à 8 €

Ce sauvignon, cristallin et lumineux à l'œil, possède un nez éclatant de puissance et de finesse mêlées, avec de belles notes florales. L'attaque en bouche est nette, franche. L'équilibre, l'ampleur et la finale chaleureuse confèrent à ce vin une superbe harmonie générale. Destinez-le aux poissons grillés et aux fruits de mer.

⚲ Dominique Bouche, chem. d'Avignon, 84850 Camaret-sur-Aigues, tél. 06.62.09.27.19, fax 04.90.37.74.17 ☒ Y ⚲ r.-v.

CANORGUE 2003 ★★

■ 2 ha 5 000 ◆ 8 à 11 €

« Très beau vin... », ce fut le commentaire, en guise de conclusion, repris par chacun des dégustateurs. La robe rouge profonde présente des reflets violines, tandis que le nez est superbe d'intensité (pruneau). La bouche ample, de belle structure et d'un parfait équilibre, offre des arômes de fruits très mûrs. Un « plus » pour les inconditionnels : ce vin est issu de raisins de l'agriculture biologique.

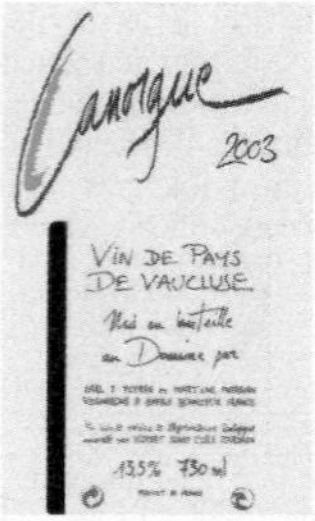

⚲ EARL Jean-Pierre et Martine Margan, Ch. La Canorgue, 84480 Bonnieux, tél. 04.90.75.81.01, fax 04.90.75.82.98, e-mail chateaucanorgue.margan@wanadoo.fr ☒ Y ⚲ r.-v.

MAS CASCAL La Vie mode d'emploi 2002 ★★

□ 0,23 ha 532 ▮◆ 38 à 46 €

L'originalité de l'étiquette – avec une pièce de puzzle – reflète la diversité des cépages qui composent cette cuvée – pas moins de cinq. Ce Mas Cascal séduit le palais par son superbe équilibre, sa rondeur accompagnée d'une note boisée subtile. Le nez révèle des fragrances vanillées, chocolatées, assorties d'une pointe mentholée. Pour avoir le bonheur de découvrir ce vin, il vous faudra vous rendre chez l'un des quatre cavistes héraultais qui le distribuent.

⚲ Jean Natoli, Mas Cascal, 2, chem. des Centurions, 34170 Castelnau-le-Lez, tél. 04.67.84.84.90, fax 04.67.84.85.02, e-mail jean.natoli@wanadoo.fr

CHANTE COUCOU Cabernet-sauvignon 2003 ★★

■ 30 ha 5 000 ▮ 3 à 5 €

Cette cave coopérative, créée en 1924, a ouvert un caveau de vente en 2004. Ce rosé Chante Coucou est plébiscité : le nez, fin et profond, est une corbeille de fruits rouges. D'un très bel équilibre, la bouche sort du lot par sa persistance aromatique. Egalement retenus et chaudement recommandés par les dégustateurs : le **Chante Coucou merlot 2003**, superbe, et le **Chante Coucou chardonnay 2003**, rond, fruité, équilibré.

⚲ SCA La Vinicole des Coteaux, 288, bd de la Libération, 84240 La Tour-d'Aigues, tél. 04.90.07.42.12, fax 04.90.07.49.08 ☒ Y ⚲ r.-v.

DOM. DE COMBEBELLE 2003 ★

■ 4 ha 4 900 3 à 5 €

Ce joli rosé de saignée est issu de deux cépages traditionnels du vignoble rhodanien (grenache et cinsault). La robe couleur cerise est gaie, à l'unisson des parfums très

fruités (cassis, framboise). En bouche, le vin est ample, chaleureux, riche et pourtant fin et tendre. Persistant, ce 2003 comblera des grillades ou des volailles rôties.
🔑 Eric Sauvan, EARL Dom. de Combebelle,
26110 Piégon, tél. 04.75.27.18.96, fax 04.75.27.15.62
☑ ⌂ Y ⚲ t.l.j. 9h-12h 14h-19h; dim. 9h-12h

DOM. LES CONQUES-SOULIERE Merlot 2003

■	2,6 ha	666	▮⚲	3 à 5 €

Ce vin a plu, non pour sa typicité (le cépage merlot est d'ailleurs assez peu marqué), mais pour sa souplesse et son côté gouleyant. C'est la bouche friande, sur des arômes de fruits frais (cassis), qui le fait recommander. Le jury a d'ailleurs relevé que ce vin était typé « vin de café »... Ne pas hésiter à l'inviter à table.
🔑 GAEC Lanchier-Degioanni,
bd du Nord, 84160 Cucuron,
tél. 04.90.77.20.87, fax 04.90.77.15.29 ☑ Y r.-v.

DOM. EDEM Cuvée Chapelle de Saint-Véran Elevé en fût de chêne 2003 *

■	0,24 ha	2 000		5 à 8 €

Cette cuvée, issue des cépages merlot et cabernet-sauvignon, porte une robe rubis éclatant d'une belle limpidité. L'élevage en fût a été conduit avec doigté car le nez était encore porté sur le fruit lors de la dégustation. La matière s'offre en bouche sans agressivité, tout en rondeur tant les tanins sont fondus. Le jury a également apprécié le **cabernet-sauvignon 2003 rouge (3 à 5 €)** pour sa structure et sa belle concentration. L'attendre un an ou deux.
🔑 Eduard et Emmanuelle Van Wely, Ch. Edem,
rte de Lacoste, 84220 Goult,
tél. 04.90.72.36.02, fax 04.90.72.34.71,
e-mail chateau.edem@wanadoo.fr ☑ Y ⚲ r.-v.

DOM. FOND CROZE Merlot 2003

■	1 ha	10 000	▮⚲	3 à 5 €

Ce pur merlot a retenu l'attention du jury pour son nez franc et expressif, aux arômes d'épices et de cuir, pour son harmonie en bouche, faite d'une bonne attaque, de tanins souples et d'une belle structure.
🔑 Long Frères, EARL Dom. Fond Croze,
Le Village, 84290 Saint-Roman-de-Malegarde,
tél. 04.90.28.97.07, fax 04.90.28.97.07,
e-mail fondcroze@hotmail.com ☑ Y ⚲ r.-v.

LES HAUTES BRIGUIERES Viognier 2003

□	1,3 ha	3 700	▮ (I) ⚲	5 à 8 €

Ce 2003 porte une robe jaune clair à reflets dorés. En attaque, des arômes d'abricot sec typiques du viognier se mêlent à de légères notes de fleur d'acacia. Il y a du gras et une incontestable ampleur. La finale est équilibrée. A servir en apéritif.
🔑 François-Xavier Rimbert,
Dom. Les Hautes-Briguières, 84570 Mormoiron,
tél. 04.90.61.71.97, fax 04.90.61.85.80,
e-mail fxrimbert@aol.com
☑ Y ⚲ t.l.j. 14h-20h; sam. dim. 10h-19h

DOM. DE MAROTTE 2003 *

▩	4,2 ha	12 000	▮⚲	3 à 5 €

Ce domaine est un ancien mas du XVIIIᵉs. créé par les moines du Barroux. Il propose un rosé paré d'une robe limpide légèrement saumonée. Des notes de fraise et de framboise agrémentent l'expression olfactive tout en finesse. Majoritairement à base de mourvèdre, ce 2003 étonne par sa longueur. Très apprécié également, le **blanc 2003** offre un bel équilibre et une bonne intensité aromatique. Deux raisons de passer par le domaine de Marotte...
🔑 EARL la Reynarde, Dom. de Marotte,
petit chemin de Serres, 84200 Carpentras,
tél. 04.90.63.43.27, fax 04.90.67.15.28,
e-mail marotte@wanadoo.fr
☑ Y ⚲ t.l.j. 8h30-12h30 14h30-18h30; f. jan.
🔑 Van Dykman

DOM. DES PASQUIERS 2003 *

■	25 ha	6 000	▮	- de 3 €

C'est depuis 2001 que ce domaine procède à la mise en bouteilles de ses vins. De couleur grenat brillant, ce 2003 développe au nez d'intenses notes de cuir et d'épices. La matière est ronde et la finale persistante. Ce sympathique vin de pays accompagnera volontiers une volaille grillée ou des brochettes.
🔑 SCEA Vignobles des Pasquiers, rte d'Orange,
84110 Sablet, tél. 04.90.46.83.97, fax 04.90.46.83.97,
e-mail domainedespasquiers@terre-net.fr
☑ Y ⚲ t.l.j. 8h-12h 14h-18h; sam. dim. sur r.-v.
🔑 Lambert

LES VIGNERONS DE SAINT-MARC 2003

■	18,76 ha	20 000	▮	3 à 5 €

Les vignerons de la Cave Saint-Marc proposent ce 2003 au nez agréable, marqué par les notes de fruits rouges frais. Ce vin de plaisir conviendra à vos repas familiaux ou à une séance de barbecue entre amis.
🔑 Cave Saint-Marc, av. de l'Europe, BP 16,
84330 Caromb, tél. 04.90.62.40.24, fax 04.90.62.48.33,
e-mail saint-marc@mageos.com
☑ Y ⚲ t.l.j. 8h30-12h 14h-18h30

Alpes et pays rhodaniens

De l'Auvergne aux Alpes, la région regroupe les huit départements de Rhône-Alpes et le Puy-de-Dôme. La diversité des terroirs y est donc exceptionnelle et se retrouve dans l'éventail des vins régionaux. Les cépages bourguignons (pinot, gamay, chardonnay) et les variétés méridionales (grenache, cinsault, clairette) se rencontrent. Ils côtoient les enfants du pays que sont la syrah, la roussanne, la marsanne dans la vallée du Rhône, mais aussi la mondeuse, la jacquère ou le chasselas en Savoie, ou encore l'étraire de la dui et la verdesse, curiosités de la vallée de l'Isère. L'usage des cépages bordelais (merlot, cabernets, sauvignon) se développe également, enrichissant encore la gamme des vins.

Dans une production de 400 000 hl, l'Ardèche et la Drôme contribuent largement à la primauté des rouges. Ain, Ardèche, Drôme, Isère et Puy-de-Dôme sont les cinq dénominations départementales. Huit dénominations régionales couvrent la région : Allobrogie (Savoie et Ain, 6 000 hl de blancs, en forte majorité), coteaux du Grésivaudan (moyenne vallée de l'Isère, 1 500 hl), Balmes dauphinoises (Isère, 1 000 hl), Urfé (vallée de la Loire entre Forez et Roannais, 1 300 hl), Collines rhodaniennes (10 000 hl, majorité de rouges), comté de Grignan (sud-ouest de la Drôme, 20 000 hl de rouges surtout), coteaux des Baronnies (sud-est de la Drôme, 25 000 hl de rouges) et coteaux de l'Ardèche (330 000 hl en rouges, rosés et blancs).

Il existe également deux vins de pays régionaux : le vin de pays des Comtés rhodaniens (environ 6 000 hl), qui peut être produit sur les huit départements de la région (Ain, Ardèche, Drôme, Isère, Loire, Rhône, Savoie, Haute-Savoie) ; le vin de pays Portes de Méditerranée, qui peut être revendiqué dans les régions Provence-Alpes-Côte d'Azur, en Corse, ainsi que dans la Drôme et en Ardèche.

Allobrogie

DOM. DEMEURE-PINET Jacquère 2003 ★★

4 ha 38 000 - de 3 €

Une fois de plus, le domaine Demeure-Pinet obtient le coup de cœur du jury avec cette superbe jacquère 2003. Le millésime ensoleillé a permis une maturation optimale de ce cépage savoyard et donne un vin blanc fin et élégant. « Qui veut connaître la jacquère se doit de goûter celle-ci ! », s'exclame un dégustateur. Le premier nez expressif de pamplemousse laisse apparaître des notes de fleur d'amandier et de cannelle. La bouche est fraîche et aromatique. La finale, minérale, illustre bien le sol argilo-calcaire. A déguster dans l'année, juste en apéritif face au lac d'Aiguebelette situé à une quinzaine de kilomètres du domaine, ou sur des écrevisses et, pourquoi pas, sur du gruyère de Savoie.

EARL du Cellier de Joudin,
Dom. Demeure-Pinet, 73240 Saint-Genix-sur-Guiers,
tél. 04.76.31.61.74, fax 04.76.31.61.74
t.l.j. sf dim. a.-m.

Balmes dauphinoises

DOM. MEUNIER Chardonnay 2003

1,75 ha 9 000 3 à 5 €

Le domaine Meunier, situé à 5 km du village de Morestel réputé pour son château, a vinifié ce joli vin issu du cépage chardonnay. La robe est couleur or pâle avec de légers reflets verts. Le nez, bien ouvert, offre des arômes de poire et d'ananas qui se retrouvent dans une bouche ample et gourmande. La finale est agréable et très typée chardonnay. A déguster sur une salade de coquillages.

GAEC Dom. Gilbert Meunier,
81, rue du Mont Dolet, 38510 Sermerieu,
tél. 04.74.80.15.81
t.l.j. sf dim. 8h-12h15 14h-19h30

Collines rhodaniennes

PASCAL JAMET Viognier Cuvée botrytisée 2003

1 ha 2 000 8 à 11 €

C'est un vin original que propose ce couple de viticulteurs du nord de l'Ardèche : un viognier liquoreux. Le raisin a surmûri dans des conditions optimales grâce à un climat particulier et à la proximité d'un cours d'eau favorable au développement du botrytis, qui concentre le sucre dans la baie. Cela donne un vin à la robe jaune paille avec de beaux reflets or étincelants. Le nez et la bouche dévoilent des arômes subtils d'abricot sec. Un vin agréable à servir frais en apéritif.

EARL Catherine et Pascal Jamet,
RN 86, 07370 Arras-sur-Rhône,
tél. 04.75.07.09.61, fax 04.75.07.09.61,
e-mail jametpascal@aol.com r.-v.

Comté de Grignan

CAVE DE LA VALDAINE Syrah 2003

n.c. n.c. - de 3 €

Non loin du pays du nougat se trouve la cave coopérative de la Valdaine. Habituée du Guide, la cave présente cette année une cuvée 100 % syrah. La méthode de vinification adoptée, la macération carbonique, apporte beaucoup de fraîcheur et de souplesse. L'examen olfactif et gustatif dévoile un vin fluide et plaisant aux arômes de bourgeon de cassis. A déguster, un peu frais, sur des tartines de fromage de chèvre à la ciboulette.

SCA Cave de la Valdaine,
av. Max-Dormoy, 26160 Saint-Gervais-sur-Roubion,
tél. 04.75.53.80.08, fax 04.75.53.93.90,
e-mail cave.valdaine@free.fr r.-v.

Coteaux de l'Ardèche

CAVE COOPERATIVE D'ALBA
Cuvée des Helviens 2003 ★

■	4 ha	10 000	◧	5 à 8 €

Alba-la-Romaine est une commune chargée d'histoire. Son site archéologique gallo-romain, son théâtre antique nous rappellent qu'Alba fut le chef-lieu de la cité des Helviens au premier siècle. Pour rendre hommage à nos lointains ancêtres... la cave coopérative propose la Cuvée des Helviens 2003 (100 % cabernet-sauvignon). Elevé douze mois en fût de chêne, ce vin séduit par sa couleur rouge sombre intense. Son nez, puissant et expressif, révèle une belle complexité aromatique (vanille et fruits rouges compotés). En bouche, l'attaque est franche, et les tanins bien présents. Attendre deux ans avant de la savourer avec un civet de lièvre aux pruneaux. Citons également : la **Syrah Terroir de Gravette 2003**, une étoile. D'un nez fin, où apparaissent des notes animales et des fruits noirs, elle séduit en bouche par ses fragrances de violette et de réglisse.

☛ Cave coop. d'Alba, La Planchette,
07400 Alba-la-Romaine, tél. 04.75.52.40.23,
fax 04.75.52.48.76, e-mail cave.alba@free.fr
☑ 𝕿 t.l.j. sf dim. 9h-12h 13h30-18h

LES VIGNERONS ARDECHOIS
Cuvée d'une nuit 2003 ★★

■	n.c.	30 000		- de 3 €

Trente ans de talent et de savoir-faire : les Vignerons ardéchois regroupent vingt-deux coopératives engagées dans la production de vin de qualité. Cette année encore, ils éblouissent par leur remarquable rosé qui leur vaut un coup de cœur ! Issu d'un assemblage grenache et cabernet-sauvignon, il séduit par sa magnifique couleur rose pâle et ses arômes fruités de cassis et de framboise. Bien équilibré et harmonieux, il se laissera déguster sur une pissaladière. Le **Viognier Prestige 2003** obtient une étoile grâce à ses subtiles notes d'abricot et de pêche blanche, tout comme le **rosé Gris de grenache 2003**, fin et élégant, qui dévoile des arômes de cerise et d'épices.

☛ Les Vignerons ardéchois, quartier Chaussy,
07120 Ruoms, tél. 04.75.39.98.00, fax 04.75.39.69.48,
e-mail uvica@uvica.fr ☑ 𝕿 t.l.j. sf dim. 8h-12h 14h-19h

DOM. DU COLOMBIER Réserve 2003

■	8,5 ha	6 000	■♦	5 à 8 €

Honneur à la sixième génération de vignerons du domaine familial du Colombier ! Elle propose sa nouvelle Réserve, un assemblage merlot-syrah, avec une jolie robe rouge grenat, aux reflets violacés. Bien vinifié, ce 2003 vous imprégnera de senteurs de café torréfié et d'épices. La bouche, structurée, laisse apparaître quelques notes de petits fruits rouges confits, sur des tanins bien fondus. Un vin agréable à boire avec une caille aux girolles.

☛ Philippe Walbaum,
Dom. du Colombier, 07150 Vallon-Pont-d'Arc,
tél. 04.75.88.01.70, fax 04.75.88.09.88,
e-mail phw@domaineducolombier.fr ☑ ⌂ 𝕿 ⚹ r.-v.

PROPRIETE CASIMIR GASCON Merlot 2003 ★

■	6,5 ha	11 000	■♦	3 à 5 €

En plus de posséder la plus petite église de France, la commune de Rochecolombe peut désormais se vanter d'avoir un grand producteur de merlot : Claude Gascon, vigneron récoltant. Grenat sombre, ce 2003 offre une grande exubérance aromatique, jouant sur des notes d'épices et de fruits rouges compotés. En bouche, les tanins sont élégants et fondus. A la fois puissant et équilibré, il sera apprécié sur une viande sauvage. Egalement retenus avec une étoile le **chardonnay Propriété Casimir Gascon 2003** ample et équilibré, aux parfums de fruits secs, d'épices et de fruits mûrs, et le **Rosé 2003, Propriété Casimir Gascon**, issu du cépage syrah, aux senteurs de groseille et de cassis.

☛ Claude Gascon,
Sauveplantade, 07200 Rochecolombe,
tél. 04.75.37.71.22, fax 04.75.37.71.22 ☑ 𝕿 ⚹ r.-v.

MAS D'INTRAS Merlot ★

■	2,86 ha	20 000	■	5 à 8 €

A proximité du village médiéval fortifié de Valvignères, le Mas d'Intras se plaît à élaborer des vins originaux de grand caractère. Structuré et racé, ce merlot assemble les millésimes 2001 et 2002. D'une très belle robe grenat foncé, il présente un nez complexe aux arômes de réglisse, de pain d'épice et de pruneau. La bouche ronde et charnue laisse apparaître des notes épicées sur des tanins puissants et bien fondus. Equilibré et très harmonieux, ce vin sera un parfait compagnon d'une rouelle de caneton. Le **Carignan 2003** obtient une étoile pour sa robe pourpre aux nuances violines. Harmonieux et élégant, ce 2003 repose sur des tanins souples.

☛ Denis et Emmanuel Robert, Mas d'Intras,
07400 Valvignères, tél. 04.75.52.75.36,
fax 04.75.52.51.62, e-mail contact@masdintras.fr
☑ 𝕿 ⚹ t.l.j. 9h30-12h 13h30-18h30; dim. ap.-m.

CAVE COOPERATIVE LABLACHERE
Viognier Trias cévenol 2003 ★★

■	8 ha	19 900	■♦	3 à 5 €

Au détour des coteaux constitués de grès siliceux des Cévennes ardéchoises, la cave de Lablachère propose un superbe viognier. D'une belle robe jaune pâle brillant, ce millésime offre des arômes de violette et de fruits à chair blanche (pêche-abricot). Harmonieux, frais et rond, il sera délicieux à l'apéritif.

☛ Cave coopérative Lablachère, La Vignolle,
07230 Lablachère, tél. 04.75.36.65.37,
fax 04.75.36.69.25, e-mail cave.lablachere@free.fr
☑ 𝕿 ⚹ t.l.j. sf dim. 8h30-12h 14h-18h30

LOUIS LATOUR Chardonnay viognier Duet 2003 ★

■	40 ha	150 000	■◧♦	8 à 11 €

La célèbre maison bourguignonne Louis Latour s'est implantée au cœur de l'Ardèche en 1979 pour produire des vins de pays haut de gamme. Ce Duet 2003 jaune d'or aux légers reflets verts est un cocktail de subtiles notes de vanille, de miel, d'épice et de beurre. La bouche se révèle d'une belle complexité, par ses nuances de pêche jaune, de caramel et de miel. Puissant et gras, il se dégustera sur des noisettes de bar farci ou un corail de Saint-Jacques.

⊶ Maison Louis Latour,
La Téoule, 07400 Alba-la-Romaine,
tél. 04.75.52.45.66, fax 04.75.52.87.99 ☑ Y r.-v.

DOM. DES LOUANES L'Encre de Sy 2003 ★★

■ 1,23 ha 2 100 ▮ ◍ ⍊ 5 à 8 €

Consécration cette année pour le Domaine des Louanes et sa cuvée 100 % syrah. Elevé six mois en fût de chêne, ce vin séduit par sa robe noire intense aux reflets violets et son nez puissant et complexe qui offre un concentré de senteurs vanillées et de pain grillé. En bouche, ce millésime dévoile des arômes de fruits bien mûrs, des tanins élégants et fondus et une finale veloutée. A savourer accompagné d'une pièce de bœuf grillée.

⊶ Jérôme Poudevigne, Dom. des Louanes,
07120 Balazuc, tél. 04.75.37.75.09, fax 04.75.37.75.09,
e-mail jerome.poudevigne@netcourrier.com
☑ ⌂ Y 🚶 r.-v.

CAVE COOPERATIVE DE MONTFLEURY
Cabernet-sauvignon 2003 ★

■ n.c. 58 400 ▮ - de 3 €

Souvent citée dans ce Guide pour son Domaine du Pradel, la Cave de Montfleury présente un cabernet-sauvignon puissant, charnu et expressif, aux nuances épicées. Prometteur, doté de tanins bien présents, il mérite d'être attendu un à trois ans. Il accompagnera alors une daube provençale. Egalement retenu par le jury, le **Domaine du Pradel 2003** (assemblage syrah, grenache, merlot) d'une belle couleur pourpre intense obtient une étoile. La bouche équilibrée est ronde, laissant apparaître des arômes de fruits confits et des tanins bien fondus ; il s'accordera volontiers avec une grillade.

⊶ Cave coop. de Montfleury,
quartier gare, 07170 Villeneuve-de-Berg,
tél. 04.75.94.82.76, fax 04.75.94.89.45 ☑ Y 🚶 r.-v.

DOM. DES VIGNEAUX A l'abri du chêne 2003

■ 1 ha 6 000 ◍ 3 à 5 €

Le Domaine des Vigneaux, converti à l'agriculture biologique depuis 2001, propose une cuvée assemblant 70 % de merlot et 30 % de syrah. D'une belle couleur pourpre, ce vin est ample, structuré, puissant, expressif (nuances boisées, vanillées complétées de subtiles notes fruitées de groseille). Il pourra être apprécié sur une poularde à la vanille.

⊶ Christophe Comte,
Serre de Gouy, 07400 Valvignères,
tél. 04.75.52.51.91, fax 04.75.52.51.91,
e-mail christophe.comte.vigneaux@wanadoo.fr
☑ Y 🚶 r.-v.

Coteaux des Baronnies

DOM. DU RIEU FRAIS
Cabernet-sauvignon Cuvée Alexandre 2001 ★★

■ 3 ha 15 300 ◍ 5 à 8 €

La conduite du vignoble du domaine du Rieu Frais, comme la vinification sont menées de main de maître par Jean-Yves Liotaud. La cuvée Alexandre, 100 % cabernet-sauvignon, est élaborée dans une superbe cave en pierre selon la méthode bordelaise – macération longue et élevage en fût de chêne. Cela donne un vin à la robe intense grenat profond, presque noire, aux arômes marqués de fraise et de groseille compotées, nuancés d'une note empyreumatique boisée. La bouche est puissante, équilibrée, tannique et aromatique. Cette bouteille accompagnera idéalement un « agneau de 7 heures » provenant des Préalpes environnantes ou une délicieuse bécasse flambée.

⊶ Jean-Yves Liotaud, 26110 Sainte-Jalle,
tél. 04.75.27.31.54, fax 04.75.27.34.47,
e-mail jean-yvesliotaud@wanadoo.fr
☑ Y 🚶 t.l.j. 9h-12h 14h-18h; f. dim. nov.-fév.

DOM. ROCHE BUISSIERE Prémices 2003 ★

■ 1,5 ha 4 000 5 à 8 €

C'est à Faucon, village situé près de Vaison-la-Romaine, que se trouve le domaine Roche Buissière conduit en agriculture biologique depuis 1980 par Pierre Joly. Son fils Antoine le rejoint en 1999 pour vinifier en cave particulière. Une grande attention est portée à la vigne et à la vendange, ramassée manuellement et triée. La cuvée Prémices (ce mot symbolisait dans l'Antiquité les premiers fruits de la terre offerts à la divinité) provient de jeunes vignes de merlot. La robe est rouge sombre, intense et profonde avec des reflets bleutés. Le nez offre une palette aromatique complexe et surprenante : violette, réglisse et même coing et abricot. Après une belle attaque, la bouche se révèle structurée, ample et gourmande. Ce vin puissant accompagnera bien un jambon de sanglier braisé et du pélardon.

🔑 Pierre et Antoine Joly, Dom. Roche Buissière, rte de Vaison, 84110 Faucon, tél. 04.90.46.49.14, fax 04.90.46.49.11, e-mail rochebuissiere@wanadoo.fr ☑ Y ⚲ t.l.j. sf dim. 10h-12h 15h-18h30; dim. jui et août

DOM. LA ROSIERE Syrah La Vertue 2001 *

■ 4 ha 10 000 5 à 8 €

Véritables porte-drapeaux des Coteaux des Baronnies, Serge Liotaud et son fils Valéry, œnologue, produisent chaque année des vins d'une grande régularité. Cette syrah La Vertue mûrit à plus de 600 m d'altitude et cela lui réussit plutôt bien si l'on en juge par les commentaires de dégustation du jury. La robe est rouge foncé presque noire, brillante. Le nez est puissant et libère des arômes de cassis, de mûre, de poivron rouge et d'épices. La bouche est tout aussi séduisante : puissante, équilibrée, elle affiche des notes de griottes kirschées jusque dans la finale fraîche. Un vin délicieux avec une terrine de marcassin.

🔑 EARL Serge Liotaud et Fils, Dom. La Rosière, 26110 Sainte-Jalle, tél. 04.75.27.30.36, fax 04.75.27.33.69, e-mail vliotaud@yahoo.fr ☑ 🏠 Y ⚲ t.l.j. 9h-19h

Coteaux du Grésivaudan

DOM. MAGNE Etraire de la dhuy 2003 *

■ 0,62 ha 3 200 5 à 8 €

Voici un rosé original car issu d'un cépage originaire de l'Isère, l'étraire de la Dhui, dont il ne reste que quelques dizaines d'hectares dans le Dauphiné. Le millésime très ensoleillé lui a particulièrement réussi. Cela donne un vin frais et agréable à la robe rose saumon et au nez fruité de groseille. Gouleyant, il sera délicieux en apéritif sur des canapés aux œufs de saumon ou avec de fines tranches de bressaola.

🔑 Michel Magne, Saint-André, 38530 Chapareillan, tél. 04.79.28.07.91, fax 04.79.28.17.96 ☑ Y ⚲ t.l.j. 15h-19h

Drôme

DOM. LE PLAN 2003 **

■ 1 ha 6 000 5 à 8 €

Tiercé gagnant pour Dirk Vermeersch, ancien pilote automobile reconverti en vigneron « bio » au pied du mont Ventoux. Les trois vins qu'il a présentés ont tous séduit le jury. En « pôle position » arrive cette cuvée issue uniquement de carignan bien vinifié, à la robe grenat profond et aux arômes de café torréfié et d'épices. La bouche est structurée par des tanins bien fondus. Idéal compagnon d'une brochette de magret de pigeon et d'un picodon. Vient ensuite le **rosé 2003** (une étoile) limpide, au nez subtil de petits fruits rouges. Vif et gouleyant, il fera merveille sur une pissaladière. Enfin, la **cuvée Vieilles Vignes** est citée. C'est un vin très puissant et boisé. A laisser vieillir encore deux à trois ans avant de le savourer sur un canard farci aux pruneaux ou une daube de grive au genièvre.

🔑 Le Plan-Vermeersch, Dom. Le Plan, 26790 Tulette, tél. 04.75.98.36.84, fax 04.75.98.60.75, e-mail dva@domaine-leplan.com ☑ 🏠 🏠 Y ⚲ r.-v.

Régions de l'Est

On trouvera ici des vins originaux, fort modestes, vestiges de vignobles décimés par le phylloxéra mais qui eurent leur heure de gloire, bénéficiant du voisinage prestigieux de la Bourgogne ou de la Champagne. Ce sont d'ailleurs les cépages de ces régions que l'on retrouve ici, avec ceux de l'Alsace ou du Jura, vinifiés le plus souvent individuellement ; les vins ont donc alors le caractère de leur cépage : auxerrois, chardonnay, pinot noir, gamay ou pinot gris.

Vins de pays de Franche-Comté, de la Meuse, de Saône-et-Loire, de la Haute-Marne ou de l'Yonne, ils sont tous le plus souvent fins, légers, agréables, frais et bouquetés ; en augmentation, surtout pour les vins blancs, la production n'est encore que de 9 000 hl dont 5 000 hl en blanc et 3 000 hl en rouge.

Coteaux de l'Auxois

VIGNOBLE DE FLAVIGNY Auxerrois 2003 *

□ 1,35 ha 6 000 5 à 8 €

Le Chocolat : avez-vous vu ce film ? Il a été tourné dans ce village médiéval de Côte-d'Or qui produit une autre gâterie, les Anis de Flavigny. Historique, ce vin l'est assurément. On lui a d'ailleurs attribué le coup de cœur l'an dernier. D'un jaune paille assez marqué, celui-ci ne se borne pas à célébrer les agrumes. Le coing, la figue se mêlent à la partie. Bouche franche et communicative. Le **chardonnay 2002 élevé en fût de chêne** obtient une citation. Il est franc, mais le boisé devra se fondre.

🔑 Ida Nel, SCEA Vignoble de Flavigny, Dom. du Pont Laizan, 21150 Flavigny-sur-Ozerain, tél. 03.80.96.25.63, fax 03.80.96.25.83, e-mail vignoble-de-flavigny@wanadoo.fr ☑ Y ⚲ r.-v.

DOM. DE VILLAINES-LES-PREVOTES-VISERNY Cuvée Prestige La Cabote 2003

□ 1 ha 4 800 5 à 8 €

Si le vin de l'Auxois (prononcer Aussois) se sent l'âme bourguignonne, il ne fête pas la Saint-Vincent mais la Saint-Vernier le premier dimanche de janvier. Et il revient de loin : 4 000 ha au début du XIX^{e}s., 185 en 1970, 85 en 1980... On se trouve ici parmi des copains courageux. Ils

vous feront goûter leur chardonnay, l'un des rares vins de pays vendu en Côte-d'Or. Or soutenu, floral et un peu grillé, il attaque comme Vercingétorix à... Gergovie. Avec panache et réussite. Solidarité oblige : c'est aussi l'un des rares vins de pays à figurer sur la carte d'un Trois étoiles, celle du restaurant Bernard Loiseau, bien sûr !
➡ SA des Coteaux de Villaines-les-Prévôtes-Viserny, 21500 Villaines-les-Prévôtes,
tél. 03.80.96.71.95, fax 03.80.96.71.95,
e-mail vins.villainesviserny@wanadoo.fr
▼ Y ⚘ t.l.j. sf dim. 14h-18h; sam. 10h-12h; groupes sur r.-v.

Coteaux de Coiffy

LES COTEAUX DE COIFFY Auxerrois 2003 ★★

□ 3,49 ha 11 800 ▮🌡 3 à 5 €

Complément agréable d'une cure thermale à Bourbonne-les-Bains, cet auxerrois (pinot gris), produit dans les environs, sacrifie aimablement aux devoirs de sa charge : or léger à reflets vert d'eau, il embaume sur des effluves d'aubépine, d'acacia, avec une touche anisée. Bouche citronnée et charnue : l'acidité est bien tenue en main. Son léger perlant est probablement dû à son âge. Le coup de cœur honore sa typicité, mais il n'éclipse ni le **chardonnay 2003** ni le **pinot noir 2003** de bonne constitution qui obtiennent chacun une étoile.
➡ Renaut-Camus,
SCEA les Coteaux de Coiffy, 52400 Coiffy-le-Haut,
tél. 03.25.84.80.12, fax 03.25.90.18.84,
e-mail renautlaurent@aol.com ▼ Y ⚘ r.-v.

Franche-Comté

DOM. D'ESPRITS 2002

■ 1 ha 1 800 ▮🌡 5 à 8 €

Ancien caviste et restaurateur à Besançon pendant trente ans, Marcellin Puget fait revivre avec quelques amis le vignoble de Buffard à proximité des Salines d'Arc-et-Senans. Cépage jurassien, le trousseau s'épanouit ici comme un poisson dans l'eau. Rouge violet, le vin affiche de jolis arômes de petits fruits rouges. Si son corps est aujourd'hui tannique, cela passera avec quelques mois de garde car il est franc et bien fait.
➡ Dom. d'Esprits, 41, Grande Rue, 25440 Buffard,
tél. 03.81.57.54.08, fax 03.81.57.54.08 ▼ Y ⚘ r.-v.
➡ Marcellin Puget

VIGNOBLE GUILLAUME
Pinot noir Collection réservée A mon père 2002 ★★★

■ 1,5 ha 6 125 ⦶ 15 à 23 €

Il n'y a pas ici de catégorie hors-concours. Coup de cœur dans nos éditions 2000, 2002, 2003 et 2004, ce domaine de 33 ha, bien équipé et situé sur le terroir de Gy en Haute-Saône, remporte une nouvelle fois la palme ! Le *nec plus ultra* des vins de pays, et d'ailleurs les prix ont suivi... Peu importe, ce pinot noir est éclatant. Séducteur à l'œil, griotté au nez, gardant un souvenir très présent de ses onze mois de fût, mais sachant habilement rendre la complexité du sujet. Le **Chardonnay 2002 Collection réservée** obtient une étoile, tout comme le **chardonnay Vieilles Vignes 2002 (8 à 11 €)**.
➡ Vignoble Guillaume, rte de Gy, 70700 Charcenne,
tél. 03.84.32.80.55, fax 03.84.32.84.06,
e-mail vignoble-guillaume@wanadoo.fr
▼ ⌂ Y ⚘ t.l.j. sf dim. 9h-12h 14h-18h30

DENIS JACQUELIN
Coteaux de Champlitte Pinot noir 2002

■ 12,35 ha 45 000 ▮ 5 à 8 €

Champlitte a eu la chance de croiser sur son chemin la famille Demard. Cette flamme n'a pas fini de rayonner ! La renaissance de ce vignoble est née d'une souscription publique réunissant 430 personnes du cru. Son pinot noir 2002 est d'intensité moyenne avec quelques reflets d'évolution. Peu de nez mais une bouche dans l'esprit du pays, fruitée, rehaussée par une pointe d'acidité et relativement équilibrée. Un vin nature. La dégustation s'accompagne ici de la découverte d'un merveilleux musée des Arts et Traditions populaires.
➡ S.C.P. Les Coteaux de Champlitte, 70600 Champlitte, tél. 03.84.67.65.09, fax 03.84.67.69.89,
e-mail coteau.champlitte.gvc@wanadoo.fr
▼ Y ⚘ t.l.j. sf dim. 9h-12h 14h-18h; groupe sur r.-v.

DOM. DE MOTEY-BESUCHE Chardonnay 2002

□ 3 ha 9 000 ▮⦶🌡 3 à 5 €

Quel vin servir avec la concoillotte ? Mais d'abord, qu'est-ce ? Si vous n'êtes pas natif de la Haute-Saône, vous ne connaissez peut-être pas ce caillé de lait de vache écrémé, assaisonné de beurre, d'aromates et de vin blanc... Et vous auriez grand tort de l'ignorer ! Bref, quel vin ? Celui-ci, du pays. Un chardonnay bel œil, au nez plus

complexe qu'il n'y paraît et à la bouche pénétrée de gras. Prêt à être débouché. Petit domaine de 4,7 ha créé en 1993 et placé sous cette devise : *Vitis ad Salutem*.
🔑 Antoine Lahaye, 70140 Motey-Besuche,
tél. 03.84.32.26.94, fax 03.84.32.26.94 ☒ 🍷 🚶 r.-v.

Haute-Marne

LE MUID MONTSAUGEONNAIS
Pinot noir Elevé en fût de chêne 2002 ★★

■ 2 ha 16 500 🛢 5 à 8 €

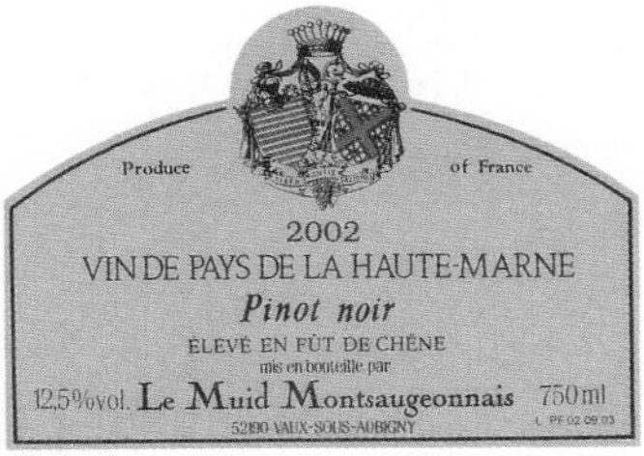

Belle récompense pour ces vignerons de Vaux-sous-Aubigny qui ont replanté à partir de 1989 le vignoble que le phylloxéra avait ravagé à la fin du XIX^e^s. Déjà coup de cœur l'an passé pour leur pinot noir 2001, ils renouvellent l'exploit avec ce 2002 d'une profondeur étonnante, rouge grenat intense. Les arômes les plus typiques du pinot noir (cerise, fruits noirs) s'expriment nettement jusque dans une bouche concentrée et élégante, soulignée de notes légèrement épicées. Une juste vivacité rehausse l'ensemble, contribuant à la persistance aromatique. A déguster en 2006. Le **chardonnay Elevé en fût de chêne 2002** obtient deux étoiles : parfumé de fleurs blanches, il est frais et bien structuré. Le **chardonnay 2003 (3 à 5 €)**, qui n'a pas connu le bois, est cité.
🔑 Le Muid Montsaugeonnais,
23, av. de Bourgogne, 52190 Vaux-sous-Aubigny,
tél. 03.25.90.04.65, fax 03.25.90.04.65 ☒ 🍷 🚶 r.-v.

Meuse

E. ET PH. ANTOINE 2003

□ 1 ha 6 000 ▮ 3 à 5 €

Philippe et Evelyne Antoine ont hérité de trois siècles de savoir-faire viticole. Ils proposent un vin né de l'auxerrois qui se présente sous une étiquette parcheminée. Le vin porte une robe impeccable. Quelques notes d'agrumes animent son bouquet. Souple et attrayant, équilibré, il ne demande qu'à être consommé... avec modération.
🔑 Philippe Antoine, EARL Dom. de la Goulotte,
6, rue de l'Eglise, 55210 Saint-Maurice,
tél. 03.29.89.38.31, fax 03.29.90.01.80 ☒ 🍷 🚶 r.-v.

L'AUMONIERE Chardonnay 2003 ★

□ 1,3 ha 3 800 ▮ - de 3 €

Sur un domaine de 5,6 ha, un peu plus de 1 ha est consacré au chardonnay épanoui sous le soleil de la Meuse. Et en 2003, il chauffait (vendanges au tout début septembre) ! Sous sa robe claire à reflets verts, cette bouteille connaît les usages. Du premier coup de nez à l'arrière-bouche on ressent un sentiment de fraîcheur florale.
🔑 L'Aumonière, Viéville-sous-les-Côtes,
55210 Vigneulles, tél. 03.29.89.31.64, fax 03.29.90.00.92
☒ 🍷 🚶 t.l.j. 9h-12h 13h30-19h

L'AUMONIERE Pinot noir 2003 ★★

■ n.c. n.c. ▮ 3 à 5 €

Rouge foncé, le nez partagé entre cerise et vanille, un pinot noir intense. Nettement supérieur à la moyenne, il s'appuie sur une matière imposante. Ses tanins ne montrent cependant aucune véhémence. La jeunesse de la bouteille et ses qualités incitent à un ou deux ans de garde. Le **vin gris 2003** a droit à une mention du jury qui l'a trouvé à son goût (présence en bouche et arômes de fruits cuits).
🔑 L'Aumonière, Viéville-sous-les-Côtes,
55210 Vigneulles, tél. 03.29.89.31.64, fax 03.29.90.00.92
☒ 🍷 🚶 t.l.j. 9h-12h 13h30-19h

DOM. DE COUSTILLE Gris 2003 ★

▦ 0,7 ha 3 600 ▮ 3 à 5 €

A côté d'un **pinot noir 2003** cité, dont la robe grenat prend place dans le verre et le colore de belle manière et dont les tanins offrent un délicat fondu dans un environnement léger, fruité et pour tout dire bien fait, ce domaine propose un gris 2003 produit à partir de gamay (50 %), pinot noir et auxerrois ; il porte une jolie robe saumonée et joue finement de sa palette aromatique (fraise puis pruneau). La petite note d'amertume qui vient au dénouement apporte la fraîcheur.
🔑 N. Philippe, SCEA de Coustille,
23, Grand-Rue, 55300 Buxerulles,
tél. 03.29.89.33.81, fax 03.29.90.01.88,
e-mail n.philippe@domaine-de-coustille.com ☒ 🍷 🚶 r.-v.

LAURENT DEGENEVE Pinot noir 2003

■ 1 ha 2 500 ▮ 3 à 5 €

Laurent Degenève produit de la mirabelle de Lorraine ainsi qu'un vin à l'accent du pays sur 3 ha dont un pour ce pinot noir d'une teinte appuyée ; il ne montre pas encore tout le bout de son nez mais sa rondeur et ses tanins soyeux sont fort agréables. L'auxerrois 2002 du domaine a reçu l'an dernier notre coup de cœur.
🔑 Laurent Degenève, EARL de Gruy,
7, rue des Lavoirs, 55210 Creuë,
tél. 03.29.89.30.67, fax 03.29.89.30.67 ☒ 🍷 🚶 r.-v.

DOM. DE MONTGRIGNON Pinot gris 2003

□ 1 ha 4 700 ▮ 3 à 5 €

Le pinot gris a conquis presque toute l'Europe, où on le rencontre sous des noms très divers. Il réussit bien ici, au sein d'une famille vigneronne établie depuis plus de deux cent cinquante ans. Elle a fait partie des sauveurs de la vigne dans les Côtes de Meuse vers 1975, avec le choix de cépages nobles. Jaune soutenu à reflets légèrement orangés, le nez discrètement beurré, ce vin tapisse d'agrumes et de pain grillé un palais assez sucré. Atypique et intéressant.

Pierson Frères, GAEC de Montgrignon,
9, rue des Vignes, 55210 Billy-sous-les-Côtes,
tél. 03.29.89.58.02, fax 03.29.90.01.04 r.-v.

DOM. DE MUZY Auxerrois 2003 ★★

3 ha 15 000 5 à 8 €

Muzy est le lieu-dit de la parcelle de vigne la plus étendue de ce domaine de 8 ha. A égalité de millésime, de réussite et de prix, saluons d'abord cet auxerrois en pleine forme. Jaune pâle et luisant, bouqueté de façon également claire et nette (agrumes), il ne manque ni d'ampleur ni de rondeur. Le **Gris 2003 (3 à 5 €)** obtient une étoile. Sa robe rosée, limpide, annonce un nez intense, un peu bonbon anglais mais aussi marqué par le cassis. La bouche aux arômes d'agrumes se montre ronde, équilibrée jusque dans une longue finale.

Véronique et Jean-Marc Liénard, Dom. de Muzy,
3, rue de Muzy, 55160 Combres-sous-les-Côtes,
tél. 03.29.87.37.81, fax 03.29.87.35.00,
e-mail muzylienard@wanadoo.fr r.-v.

DOM. DE MUZY Pinot noir 2003 ★★

3 ha 4 000 5 à 8 €

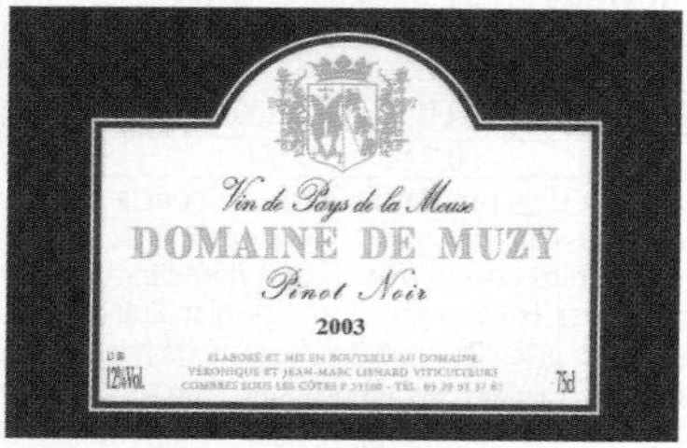

Le jury a aimé ce vin profond au nez très agréable, légèrement vanillé, où se mêlent la violette, le cassis et les fruits rouges. Gras, riche, expressif, le palais associe fruit et boisé dans une juste mesure. « Il fait honneur à la Meuse. »

Véronique et Jean-Marc Liénard, Dom. de Muzy,
3, rue de Muzy, 55160 Combres-sous-les-Côtes,
tél. 03.29.87.37.81, fax 03.29.87.35.00,
e-mail muzylienard@wanadoo.fr r.-v.

Sainte-Marie-la-Blanche

BLANCHE Pinot noir boisé 2003 ★★

3,8 ha 13 700 3 à 5 €

Coup de cœur dans notre édition 2000, cette cave située dans la plaine, à quelques kilomètres de Beaune, signe sans doute l'une des premières étiquettes portant : « Pinot noir boisé ». Mention qui ne signifie pas tout à fait « élevé en fût de chêne... » Cela dit, un 2003 frais émoulu de la cuverie, développant des arômes de groseille, de pin et de vanille. Ses tanins dressent encore un peu le dos. Il s'arrondira en cave. Le vignoble de Sainte-Marie-la-Blanche touche en effet du bois : c'est en principe en 2005 qu'on décidera en haut lieu si ses parcelles en AOC bourgogne gardent ou perdent ce statut. Mais en AOC, les copeaux devraient toujours être interdits...

Cave de Sainte-Marie-la-Blanche,
rte de Verdun, 21200 Sainte-Marie-la-Blanche,
tél. 03.80.26.60.60, fax 03.80.26.54.47 r.-v.

Saône-et-Loire

VIN DES FOSSILES Pinot gris 2002

n.c. 2 500 3 à 5 €

Si les propositions de production de vins de pays dans la région Bourgogne viennent d'être énoncées par les pouvoirs publics, à ce jour les vins de pays se comptent en Saône-et-Loire sur les doigts d'une seule main. Ici, en Brionnais, on a donc l'impression de boire le lait de la chèvre de M. Seguin. Opiniâtre et passionné, ce viticulteur réalise un excellent pinot gris. Jaune assez soutenu, il démarre sur le coing et évolue vers le miel. Sa bouche est assez droite, son fruit très plaisant, sa finale acidulée. Bon niveau d'ensemble, de même que le **gamay 2002 (5 à 8 €)** emporté par un rêve d'épices et de cerise confite.

SC Berthillot, Les Chavannes, 71340 Mailly,
tél. 03.85.84.01.23 r.-v.

LES VINS DE GLACE DU CANADA

Le Canada, cet océan de givre, une terre à vin ? Chose certaine, on y cultive la vigne depuis déjà quelques siècles. Et si, naguère encore, les cépages rustiques y régnaient en maîtres, la situation a radicalement changé depuis la fin des années 1980 et l'instauration du système d'appellation VQA, en Ontario d'abord puis en Colombie-Britannique.

Aujourd'hui, de respectables cabernet-sauvignon, merlot, cabernet franc, riesling, chardonnay et pinot gris ont droit de cité dans ces deux provinces. Le Québec, société éternellement distincte, demeure en retrait, sa saison végétative plus courte et son climat plus rigoureux l'obligeant à privilégier les hybrides.

Partout au pays cependant, devant ce froid qui fait obstacle, les Canadiens ne sont pas restés les bras croisés. Habitués à le combattre, ils ont retourné à leur avantage l'ennemi juré en s'érigeant, aujourd'hui, en principal producteur de vin de glace au monde – dépassant même l'Autriche et surtout l'Allemagne où l'eiswein est pourtant né, à la fin du XVIIIes. Et les Québécois, cette fois, ont l'occasion de tirer leur épingle du jeu.

La production demeure toutefois limitée : environ 7 000 hl par année sur un total, tous types de vins confondus, avoisinant le million d'hectolitres. Plus de 85 % du vin de glace provient par ailleurs de l'Ontario, suivi par la Colombie-Britannique puis, encore plus loin derrière, par le Québec et la Nouvelle-Écosse.

Déjà en 1991, à Vinexpo, la maison Inniskillin avait brisé la glace avec un prix d'honneur pour son Vidal Icewine 1989, exceptionnellement produit à l'aide de raisins en partie botrytisés. Les viticulteurs canadiens obtenaient l'avantage concurrentiel qui leur permettrait de faire une entrée éclatante sur la carte des grands vignobles mondiaux.

Élaboré pratiquement chaque année à l'aide de raisins gelés sur souche et pressés en l'état, à l'extérieur par temps froid – il doit faire au moins - 7 °C, selon la définition officielle –, le vin de glace, *icewine* en anglais, est à la fois très sucré, bien pourvu en acidité et peu alcoolisé (autour de 11 % vol.). Il coûte cependant cher à produire, le rendement étant cinq fois moins élevé que celui d'une vendange ordinaire. Le vin de glace canadien, élaboré pour la première fois en 1973 dans la vallée de l'Okanagan en Colombie-Britannique, n'en demeure pas moins un succès à l'exportation. Plus des deux tiers de la production prend ainsi, bon an mal an, le chemin de l'Asie. La signature d'un accord avec l'Union européenne, en 2001, laisse présager un accroissement des exportations vers le Vieux Continent.

Si la pressée de raisins gelés permet d'extraire un moût très concentré, le vin acquiert ses arômes et son goût caractéristiques grâce à la dessication graduelle des baies avant la vendange (manuelle mais parfois aussi mécanisée). La récolte a souvent lieu en décembre-janvier mais l'on doit parfois attendre le début mars. Les vignes auront entre-temps été couvertes de filets pour les protéger de la voracité des oiseaux.

Le cépage vidal – un hybride développé en France – est le plus utilisé. Grâce à sa peau épaisse, il résiste mieux à la pourriture et son acidité est élevée. Le riesling, plus délicat, donne des vins plus minéraux, plus complexes souvent, à défaut d'avoir un fruité aussi exubérant que celui du vidal. Divers autres cépages, même rouges, peuvent être mis à contribution. À table, les Canadiens dégustent souvent le vin de glace seul, en guise de dessert ou de digestif. Mais, le mariage avec les fromages à pâte persillée ou la terrine de foie gras mi-cuit mérite d'être tenté.

Le vin de glace, nouvelle star mondiale du vin liquoreux, menace-t-il la suprématie des vins botrytisés ? Le vignoble canadien moderne en est encore à ses balbutiements et la pratique du passerillage sur souche et de la cryoextraction n'apporte pas la complexité aromatique propre aux vins issus de raisins noblement pourris. Mais s'il y a encore une certaine distance de la coupe aux lèvres, les envoûtantes odeurs de fruits exotiques ainsi que l'incomparable équilibre du vin de glace canadien ont toutes les chances de conquérir de nouveaux amateurs dans un proche avenir.

Colombie-Britannique

Province la plus occidentale du Canada, la Colombie-Britannique se distingue par son relief, le plus diversifié du pays, ainsi que par son climat relativement doux, bien qu'à l'intérieur des terres les étés soient chauds et secs et les hivers assez rigoureux. On y compte à l'heure actuelle environ 2 000 ha de vignes en production, dont la majeure partie se trouve dans l'Okanagan. Il s'agit pour l'essentiel de cépages nobles, répartis à parts égales entre les rouges et les blancs.

HAWTHORNE MOUTAIN VINEYARDS
VQA Okanagan Valley Gold Label Series Ehrenfelser 2002

0,5 ha 1 300 ▮ 23 à 30 €

En provenance de Colombie-Britannique et de l'un des plus beaux sites de cette province, au sud de la vallée de l'Okanagan, ce vin de glace à base du cépage ehrenfelser - un croisement riesling x sylvaner - est cité pour la qualité de ses arômes fruités (poire, litchi, coing), ainsi que pour ses saveurs simples mais d'une belle fraîcheur. Sous la désignation amusante de **See Ya Later Ranch, le Ehrenfelser 2002** obtient lui aussi une mention pour l'originalité de ses arômes qui rappellent le raisin tout juste pressuré.

Hawthorne Mountain Vineyards, Box 480, Green Lake Road, V0H1R0 Okanagan Falls,
tél. 25.04.97.82.67, fax 25.04.94.34.56,
e-mail info@hmvineyard.com ☑ Y ⛹ r.-v.

MISSION HILL Riesling 2001 ★

5,2 ha 8 000 ▮ 38 à 46 €

Avec son clocher qui domine l'horizon et après sa longue et spectaculaire restauration, le domaine Mission Hill, établi près de Kelowna dans l'Okanagan, figure parmi les incontournables du Canada touristico-vinicole. Derrière cet enviable succès, on trouve bien entendu de bonnes bouteilles, dont ce riesling 2001 pourtant façonné à partir de très jeunes vignes (trois ans). Les rendements limités du vin de glace aidant, Mission Hill a réussi à produire un liquoreux typé riesling avec d'engageantes notes de fruits exotiques, de cire d'abeille et de raisins de Corinthe. Les saveurs sont à l'avenant, l'acidité bien présente s'accompagnant d'un goût d'écorce d'agrumes alors que la finale, assez persistante, évoque la pomme cuite. En guise d'accord gourmand, choisissez un livarot ou un munster. Le **chardonnay 2000 (30 à 38 €)**, assez fortement boisé, obtient une citation.

Mission Hill Family Estate,
1730 Mission Hill road, V4T2E4 Westbank,
tél. 25.07.68.64.22, fax 25.07.68.22.67,
e-mail bcinkant@missionhillwinery.com ☑ Y ⛹ r.-v.

Anthony von Mandl

QUAILS' GATE
Okanagan Valley BC Riesling 2000 ★

1,2 ha 16 800 ▮ 30 à 38 €

L'impression d'être au Portugal, au cœur du spectaculaire Douro : voilà un peu ce que l'on ressent devant les installations de Quails' Gate, situées sur les rives du lac Okanagan. Fondé en 1987, le domaine se rabat sur la désignation inférieure *Special Select Late Harvest*, c'est-à-dire Vendanges tardives spécialement sélectionnées, lorsque l'hiver, plus clément sur la côte du Pacifique, ne permet pas aux raisins de geler assez longtemps. Ce fut le cas en 1999. En 2000, cependant, une fenêtre s'est ouverte et l'embellie s'est confirmée. Une étoile, donc, pour ce riesling aux odeurs de melon cantaloup, de coing et d'abricot, et au bon équilibre sucre-acidité. A table, un fromage bleu ou une tarte au citron meringuée pourraient lui donner la réplique.

Quails' Gate Estate Winery,
3303 Boucherie Road, VIZ2H3 Kelowna BC,
tél. 25.07.69.44.51, fax 25.07.69.34.51,
e-mail info@quailsgate.com ☑ Y ⛹ r.-v.

Famille Stewart

Nouvelle-Ecosse

Mis à part son climat moins sévère qui lui permet de cultiver quelques parcelles de vignes nobles, la Nouvelle-Ecosse viticole partage plusieurs traits avec le Québec. Sa production est en effet similaire, en quantité comme en qualité. De plus, la province maritime doit elle aussi, pour l'essentiel, se tourner vers des cépages hybrides et ensevelir ses vignes, l'hiver venu, pour assurer leur survie. Là encore, l'essor du vin de glace sourit aux meilleurs producteurs, que seul l'isolement distingue vraiment au sein du Canada.

DOM. DE GRAND PRE 2000

1 ha 4 000 30 à 38 €

Hybride créé en 1961 à la station expérimentale de Geneva, dans l'Etat de New York, le muscat New York réussit bien sous le climat tempéré océanique qui prédomine en Nouvelle-Ecosse. Le domaine de Grand Pré, fondé en 1977 puis repris par des investisseurs suisses en 1994, est établi dans la ville éponyme, jadis au cœur de la grande déportation acadienne, et située à une heure de route au nord-ouest d'Halifax, la capitale. Le vin de glace 2000 a d'abord dérouté le jury par son nez de pamplemousse rose, d'orange et de térébenthine ; les notes beurrées et une agréable petite amertume ont ensuite amené les dégustateurs à conclure que la cuvée méritait une citation.

Grand Pré Wines Ltd, 11611, Higway 1, PO Box 105, BOP 1MO Grand Pré, tél. 90.25.42.17.53, fax 90.25.42.00.60, e-mail mail@grandprewines.ns.ca t.l.j. 10h-18h; f. jan.-mars

Hanspeter Stutz

JOST VINEYARDS Muscat 2002 *

3 ha 1 800 30 à 38 €

L'hybride muscat New York a été récolté et pressé à l'extérieur, en novembre 2002, aux premières lueurs de l'aube. Ce producteur, d'origine allemande, qui célèbre cette année le vingtième anniversaire de son domaine, réserve en moyenne le cinquième de ses 15 ha de vignes à l'élaboration du vin de glace. Après un premier nez marqué par la menthe et l'herbe fraîchement coupée, ce muscat dévoile une odeur typique du cépage. La bouche séduit par son ampleur et sa fraîcheur, le moelleux et l'acidité s'équilibrant. En rétro-olfaction, d'intenses et persistants effluves de litchi et de miel séduisent le dégustateur. (Bouteilles de 37,5 cl.)

Jost Vineyards Ltd, 48, Vintage Lane, BOK1E0 Malagash, tél. 90.22.57.26.36, fax 90.22.57.22.48, e-mail info@jostwine.com t.l.j. sf dim. 10h-17h

Hans Christian Jost

Ontario

Première province par sa population et son importance économique, l'Ontario – et au premier chef, la péninsule du Niagara – est également un géant sur le plan viticole, avec plus de 5 600 ha et plus de 80 % de la production canadienne. Grâce à l'influence des Grands Lacs, les zones viticoles jouissent d'un climat continental tempéré. On peut donc y produire d'excellents vins secs à partir de cépages en bonne partie nobles tandis que l'hiver, assez rude, autorise l'élaboration d'une respectable quantité de vin de glace pratiquement chaque année.

Le Canada

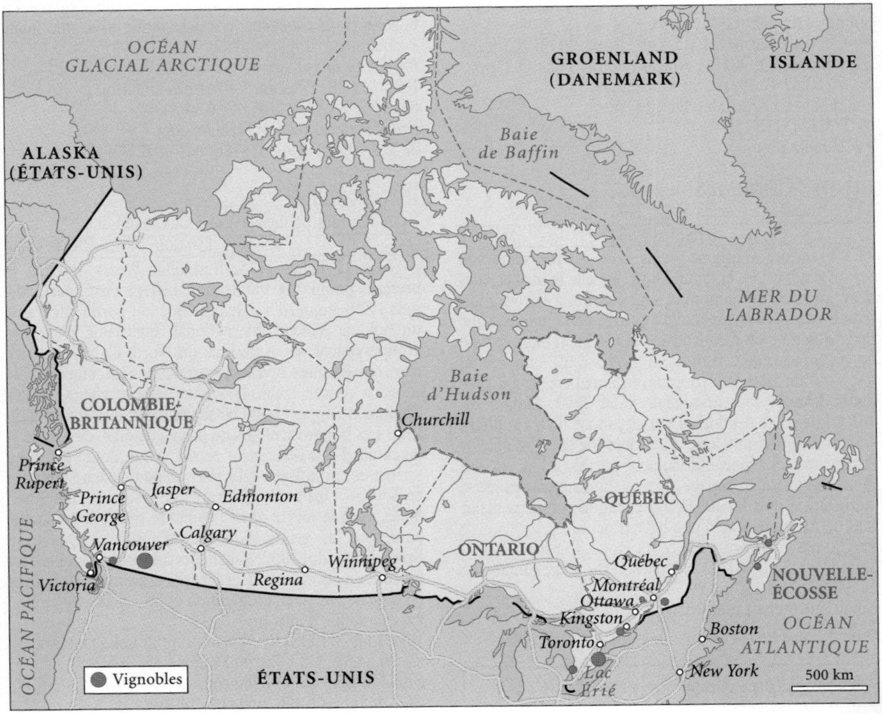

CH. DES CHARMES

VQA Niagara peninsula Riesling 2000 ★★

2 ha 11 750 30 à 38 €

D'origine alsacienne, la famille Bosc s'établit en Algérie au XIXᵉs. Elle retourne en France en 1962 puis, un an plus tard, émigre au Canada. En 1978, après avoir occupé divers postes dans l'industrie vinicole canadienne, Paul Bosc père fonde dans le Niagara sa propre exploitation forte aujourd'hui de 110 ha. Depuis 1994, le domaine, avec ses allures de château, constitue l'un des joyaux de la célèbre vallée. S'ils ont été d'abord réticents à produire leurs premiers vins de glace à la fin des années 1980, les Bosc ont vite compris qu'ils pouvaient tirer leur épingle du jeu, comme en témoigne ce coup de cœur pour ce magnifique riesling 2000 d'une éclatante minéralité. Complexité aromatique (fruits confits, miel, notes florales et fumées), pureté du fruit, saveurs à la fois enveloppantes et vives, persistance remarquable, belle harmonie : le jury n'a pas craint les superlatifs.

Ch. des Charmes, 1025 York Road, PO Box 280, Saint-David's, LOS1PO Niagara on the Lake Ontario, tél. 90.52.62.42.19, fax 90.52.62.55.48, e-mail info@chateaudescharmes.com
t.l.j. 11h-15h
Famille Bosc

CH. DES CHARMES

VQA Niagara peninsula Vidal 2000 ★★

6 ha 19 632 23 à 30 €

Française d'origine, mais bien ancrée dans son terroir d'adoption, la famille Bosc jumelle le meilleur des deux mondes. Ses liquoreux sont en effet à la fois gourmands et superbement équilibrés, avec une retenue et une finesse comme on n'en trouve que rarement dans ce type de vin si particulier. Ils ne sont pas les seuls à bien faire, loin s'en faut, mais leur parcours en la matière semble sans faute. Témoin ce remarquable vidal 2000. Malgré ses 163 g/l de sucre résiduel, il réussit le tour de force d'être vif et même fringant, avec des arômes de coing, d'ananas et de caramel d'une indiscutable pureté. « Un vin qui donne du lustre au cépage vidal », souligne un des jurés. Autre cuvée, le **vidal 2001** est cité ; moins complexe, il fait tout de même preuve d'une belle fraîcheur.

Ch. des Charmes, 1025 York Road, PO Box 280, Saint-David's, LOS1PO Niagara on the Lake Ontario, tél. 90.52.62.42.19, fax 90.52.62.55.48, e-mail info@chateaudescharmes.com
t.l.j. 11h-15h

> Les vins de glace doivent être servis à 6-8 °C.

CROWN BENCH ESTATES

VQA Niagara peninsula Vidal 2001 ★

1 ha n.c. 30 à 38 €

Sur ce domaine de 10 ha qui domine le lac Ontario, un dixième de la superficie plantée est consacré à la production de vin de glace à partir du cépage vidal. Ce 2001, à l'engageante robe dorée, se démarque par ses odeurs de fruits secs, de cire d'abeille et de cannelle. Les saveurs sont harmonieuses, l'acidité bien marquée et la persistance notable. « Avec un dessert au chocolat parsemé de poivre rose », suggère un dégustateur.

Crown Bench Estates, 3850 Aberdeen Road, LOR1B7 Beamsville Ontario, tél. 90.55.63.39.59, fax 90.55.63.34.41, e-mail winery@crownbenchestates.com r.-v.
Peter Kocsis

HENRY OF PELHAM

VQA Niagara peninsula Riesling 2002 ★

5,7 ha 36 500 30 à 38 €

Quand il a fui les Etats-Unis pour s'établir en Ontario, où on lui octroya une terre de la Couronne à titre de loyaliste, l'ancêtre des actuels propriétaires parlait couramment l'iroquois. Deux siècles plus tard, c'est plutôt Shakespeare que l'on célèbre au domaine lors d'un festival de théâtre en plein air en été. Mais les frères Speck, à la tête de cette exploitation familiale comptant plus de 90 ha, savent également très bien y faire en matière de vin. Pour preuve, cet excellent riesling 2002 qui décroche une étoile. A l'attrayante couleur jaune paille brillant succèdent de délicates et typiques senteurs de riesling : des notes minérales et pétrolées mêlées de miel et de menthe poivrée. La bouche est à l'avenant, rafraîchissante, avec une finale évoquant le pamplemousse.

Henry of Pelham Winery, 1469 Pelham Road RR#1, L2R6P7 Saint Catharines Ontario, tél. 90.56.84.84.23, fax 90.56.84.84.44, e-mail winery@henryofpelham.com
t.l.j. sf dim. 10h-18h, nov.-mai 10h-17h

INNISKILLIN

VQA Niagara peninsula Vidal Oak Aged 2002 ★

n.c. 150 000 46 à 76 €

Le 31 juillet 1975, Inniskillin Wines obtenait le premier permis de vinification délivré en Ontario depuis 1929. Aujourd'hui, le domaine fait partie intégrante du holding Vincor International, quatrième plus gros groupe vinicole en Amérique du Nord. Ce vin de glace élevé en barrique a ravi les dégustateurs. Si la couleur dorée et assez foncée trahit le séjour dans le chêne, jamais cependant l'apport boisé ne se fait sentir au détriment du fruit. Les bonnes senteurs de pêche, de miel, de vanille et de caramel dur ne laissent planer aucun doute quant au sérieux de la vinification. Le portrait est tout aussi reluisant en bouche. Une étoile également pour le **vidal 2002** non boisé, dont le jury a aimé l'équilibre sucre-alcool-acidité ainsi que les grisantes odeurs d'agrumes. Quant au **Sparkling vidal 2002**, dont l'effervescence prononcée est obtenue en cuve close, sa générosité et surtout sa longueur en bouche ont retenu l'attention et lui valent une étoile.

Inniskillin Wines Inc, 1499 Line 3, LOS1JO Niagara on the Lake Ontario, tél. 90.54.68.21.87, fax 90.54.68.53.55, e-mail inniskil@inniskillin.com
t.l.j. 10h-17h; mai-oct. 10h-16h

JACKSON-TRIGGS GRANDE RESERVE

VQA Niagara peninsula Riesling 2002 ★★

10 ha 25 000 30 à 38 €

A l'instar d'Inniskillin, Jackson-Triggs fait partie du groupe Vincor, lequel peut à juste titre se targuer d'être le plus important producteur de vin de glace au monde. Mais être gros, cela signifie aussi disposer de moyens et surtout de la latitude, notamment financière, pour élaborer de belles cuvées dans le souci du détail. Avec ce riesling du Niagara, la maison prouve à sa façon que le mieux n'est pas toujours l'ennemi du bien : capable de traiter aux petits soins de nombreux vins de glace modelés à partir d'une étonnante diversité de cépages, l'œnologue en chef a capturé dans cette bouteille tout le génie du riesling. De l'éclat, de la fraîcheur, une texture caressante et friande. Le coup de la grande séduction qui a fait dire à un juré : « J'achète les yeux fermés ! »

Jackson-Triggs Niagara Estate, 2145 Régional Road 55, LOS1J0 Niagara on the Lake Ontario,
tél. 90.54.68.46.37, fax 90.54.68.46.73
t.l.j. 10h30-18h30

KONZELMANN VQA Niagara peninsula Vidal 2000

2,5 ha 36 120 23 à 30 €

Originaire d'Allemagne et issu d'une longue lignée de vignerons, Herbert Konzelmann s'est établi sur les rives du lac Ontario en 1984. Si son vignoble familial de 34 ha fait la part belle au riesling, le vigneron n'en reconnaît pas moins d'excellents mérites au cépage vidal, dont il tire en quatité appréciable un vin de glace plus qu'honorable. Très riche, « presque trop » hasarde même un juré, son vidal 2000 n'en est pas moins cité pour ses persistants et agréables arômes de caramel, de tire d'érable et de fruits confits. Quant à son vin de glace **cabernet-sauvignon 2002 (13 à 23 €)**, gourmand et sans façon, il obtient lui aussi une citation.

Konzelmann Estate Winery, 1096 Lakershore Road, LOS1JO Niagara on the Lake Ontario,
tél. 90.59.35.28.66, fax 90.59.35.28.64,
e-mail wine@konzelmannwines.com
t.l.j. 10h-18h
Herbert Konzelmann

LEGENDS VQA Niagara peninsula Vidal 2002 ★

n.c. 4 128 15 à 23 €

Après de modestes débuts en tant que ferme fruitière en 1946, le domaine est désormais établi à Beamsville, au cœur du Niagara. Si quelque 80 ha sont toujours consacrés à la production de fruits, les cépages accaparent une douzaine d'hectares supplémentaires. Avec ce premier millésime commercialisé sous son nom, Legends se positionne d'emblée parmi les meilleurs. Son vin de glace né du cépage vidal a en effet séduit le jury par ses arômes d'abricot, de papaye, de miel et de noix. Sans être aussi exubérantes, les saveurs impressionnent par leur richesse et leur onctuosité. Quant à l'acidité, elle habille le tout avec élégance. Le **cabernet franc 2002** de la même maison, vin rosé liquoreux non dénué de fraîcheur et même plutôt charmeur, obtient lui aussi une étoile.

Legends Estate Winery,
4888 Ontario Street N, LOR1B3 Beamsville Ontario,
tél. 90.55.63.65.00, fax 90.55.63.16.72,
e-mail info@legendsestates.com
t.l.j. 10h-18h; sam. dim. 11h-18h
Paul Lizak

MAGNOTTA VQA Niagara peninsula Riesling 2002 ★

n.c. n.c. 30 à 38 €

Difficile d'être plus canadien que ce producteur ontarien dont les étiquettes s'ornent ostensiblement du drapeau national. Ce riesling 2002 est à la hauteur des prétentions de Gabriel Magnotta. Au-delà de la couleur brillante et d'un beau jaune d'or, le vin conjugue fraîcheur, richesse et minéralité. Le jury souligne la qualité des arômes d'agrumes, de miel de trèfle et de sucre d'orge. Très long en bouche, le vin possède en outre le coffre nécessaire à un vieillissement de deux à trois ans. Le **cabernet franc 2002** obtient une étoile lui aussi, alors que le **vidal 2002** est cité pour son gras et ses parfums prégnants de miel, de pêche blanche, d'abricot et de mangue.

Magnotta Winery,
271 Chrislea Road, L4L8N6 Vaughan,
tél. 90.57.38.94.63, fax 90.57.38.55.51,
e-mail cynthia@magnotta.com r.-v.

PILLITTERI

VQA Niagara peninsula Cabernet-sauvignon 2002

1 ha 8 000 38 à 46 €

Arrivé au Canada en 1948 depuis sa Sicile natale, Gary Pillitteri, ex-député libéral fédéral de Niagara Falls, a créé son propre vignoble en Ontario en 1993. A la pointe de la technologie, les installations traitent chaque année 4 500 hl de cuvées diverses, y compris une impressionnante quantité de vins de glace. Celui-ci, exclusivement composé de cabernet-sauvignon et d'un rouge très pâle, proche du rosé, se distingue par sa grande richesse (222 g/l de sucre résiduel) qu'heureusement l'acidité parvient à contrebalancer. Au nez comme en bouche, s'affirment des notes de confiture de fraises.

Pillitteri Estates Winery, 1696 Niagara Stone Road, RB 2, LOS1JO Niagara on the Lake Ontario,
tél. 90.54.68.31.47, fax 90.54.68.03.89,
e-mail winery@pillitteri.com
t.l.j. 10h-18h; mai-oct. 10h-20h

PILLITTERI VQA Niagara peninsula Riesling 2002 ★

3 ha 50 000 38 à 46 €

« Le plus important producteur de vin de glace au monde », proclame le site Internet de la famille Pillitteri. Si d'autres grands domaines pourraient revendiquer le même honneur, Pillitteri n'en demeure pas moins un redoutable protagoniste sur la scène vinicole canadienne. En témoigne avec panache ce riesling aux notes de miel, de cire et de pâtisserie qui se révèle encore plus en bouche. Gras et riche, bien soutenu par la trame acide, il culmine par une finale tout en fraîcheur, avec une légère pointe d'amertume. Quant au **Sparkling riesling 2002 (46 à 76 €)**, vin de glace mousseux, il obtient une étoile lui aussi. Bulles fines, nez très frais de pomme verte, de marmelade d'oranges et de poire, effervescence qui avive les saveurs, persistance du fruité : le jury a réclamé pour l'accompagner un foie gras poêlé avec sa confiture de figues.

Pillitteri Estates Winery, 1696 Niagara Stone Road, RB 2, LOS1JO Niagara on the Lake Ontario,
tél. 90.54.68.31.47, fax 90.54.68.03.89,
e-mail winery@pillitteri.com
t.l.j. 10h-18h; mai-oct. 10h-20h

REIF VQA Niagara peninsula Vidal 2002 ★★

4 ha 24 000 30 à 38 €

4 ha de vignes âgées en moyenne de vingt et un ans ont permis à cette maison ontarienne d'élaborer 24 000 demi-

bouteilles d'un vin de glace pour lequel le jury n'a pas tari d'éloges : excellent, harmonieux, arômes éclatants (poire, vanille, caramel, pointe d'hydrocarbures), bouche à la fois fine et généreuse, caractère très digeste, persistance notable... Un miracle d'équilibre, compte tenu des 199 g/l de sucre résiduel. S'il s'avère prêt à boire, ce vidal peut aussi être gardé de quatre à cinq ans afin que le temps lui confère encore plus de fondu et de suavité. Autre cuvée sélectionnée avec une étoile, le **cabernet franc rosé 2002 (38 à 46 €)** vendangé le 4 décembre alors que régnait un froid propice au vin de glace sur la péninsule du Niagara ; les baies, dures comme des billes, ont donné un vin jouant dans le registre aromatique du cépage (poivron vert), mais se distinguant par de délicates notes de fraise, de framboise et de violette. En bouche, l'ensemble est riche (170 g/l de sucre) et équilibré. Faites macérer des fraises et du basilic dans ce vin : vous serez étonné. Egalement produit par Klaus Reif, qui possède 60 ha de vignes, un **vin de glace riesling 2002 (30 à 38 €)** noté une étoile.

🔑 Reif Estate Winery, 1S608 RR#1 Niagara Parkway,
LOS1JO Niagara on the Lake Ontario,
tél. 90.54.68.77.38, fax 90.54.68.58.78,
e-mail rob@reifwinery.com ☑ Y 🚶 r.-v.

ROYAL DEMARIA

VQA Niagara peninsula Chardonnay 2000 *

▒ 0,75 ha 108 ▮ + de 76 €

« Le spécialiste du vin de glace canadien » : si des concurrents pourraient disputer à ce producteur ontarien ce titre enviable, il n'en reste pas moins vrais que Royal DeMaria se démarque par une étonnante variété de cépages. Son chardonnay révèle de discrets et élégants arômes évoquant la citronnelle, le coing et les agrumes confits, suivis de saveurs amples et bien sucrées, tenues en laisse par une acidité remarquable. « Pureté du fruit et netteté des saveurs », opine l'ensemble des dégustateurs. Du même producteur, le **pinot gris 2000** obtient une citation tandis que le **merlot 2002**, original, frais et élégant, décroche une étoile qu'il partagerait volontiers, au demeurant, avec un dessert à base de fruits rouges.

🔑 Royal DeMaria Wines,
4551 Cherry Avenue, LOR1B1 Beamsville Ontario,
tél. 90.55.62.67.67, fax 90.55.62.67.75,
e-mail icewine@royaldemaria.com ☑ Y 🚶 r.-v.

CAVE SPRING

VQA Niagara peninsula Riesling 2002 ***

▒ 4 ha 6 000 ▮ 🌡 30 à 38 €

En créant son vignoble en 1986, la famille Pennachetti était persuadée que sa situation au-dessus du lac Ontario, la brise constante et le sol argilo-calcaire allaient permettre l'élaboration de vins de qualité. L'histoire a donné raison à ces producteurs qui élaborent en quantité respectable (4 500 hl) parmi les plus élégantes cuvées du Niagara. Le jury confirme cette réputation en décernant un enthousiaste coup de cœur à ce riesling 2002. Un vin de glace exceptionnel et un modèle du genre. Un dégustateur le qualifie de « mastodonte coquettement habillé d'un carré Hermès », tandis qu'un autre fait écho aux propos de son collègue en affirmant que « ce vin magnifique est charmeur et viril tout à la fois ». Autrement dit, tout y est : la pureté, la netteté, la minéralité, la nervosité et *tutti frutti*.

🔑 Cave Spring Cellars, 3836 Main Street,
LOR1SO Jordan Ontario, tél. 90.55.62.35.81,
fax 90.55.62.32.32, e-mail info@cavesspring.ca
☑ Y 🚶 t.l.j. 10h-17h; dim. 11h-17h
🔑 Leonard Pennachetti

STONEY RIDGE VQA Niagara peninsula

Gewurztraminer Barrel fermented 1999 *

▒ 0,2 ha 8 400 ▮ 🛢 🌡 23 à 30 €

Fermentation d'un mois dans le chêne français neuf suivi d'un vieillissement de un an et demi dans des barriques en partie neuves : le traitement aurait pu sinon écraser le fruit, du moins le masquer. Or les dégustateurs, s'ils ont bien perçu dans ce gewurztraminer du Niagara la composante boisée, se sont déclarés charmés par le caracère goûteux du vin, rehaussé par des notes assez fines de fruits confits ainsi que par des odeurs florales et même minérales. La couleur vieil or, presque ambrée, indique la maturité et suggère de boire ce vin de glace sans trop tarder. Le **vidal 99 (30 à 38 €)** obtient également une étoile : ses saveurs rafraîchissantes et éclatantes font preuve d'une belle finesse. « Vin de partie d'échecs », conclut un juré.

🔑 Stoney Ridge Estate Winery,
3201 King Street, LOR2CO Vineland,
tél. 90.55.62.13.24, fax 90.55.62.77.77,
e-mail mloney@stroneyridge.com ☑ Y 🚶 t.l.j. 9h-17h
🔑 Barry Katzman

STREWN VQA Niagara peninsula Riesling 2002 **

▒ 0,5 ha 3 200 ▮ 🛢 🌡 38 à 46 €

Les propriétaires de cet excellent domaine de Niagara on the Lake fondé en 1997 sont également de fervents amateurs de cuisine, si bien qu'ils y ont créé une école. Quoi de plus naturel pour un domaine établi dans une ancienne conserverie (pêche, poire, cerise), au cœur de la fertile vallée. Un coup de cœur pour ce remarquable riesling 2002 à la robe étincelante évoquant le bouton d'or. Le nez, d'abord discret, explose rapidement en un bouquet d'ananas, d'agrumes et de sucre d'orge. Les saveurs, tout aussi distinguées, se révèlent en outre marquées par la noix de coco, le citron confit et la bergamote. « D'une harmonie parfaite, fort séduisant, fin et racé », les compliments pleuvent sur ce vin de glace à boire pour lui-même ou avec

une tarte Tatin aux mangues. Du même producteur, le **vidal 2002** obtient une citation. Ses parfums étonneront le néophyte : groseille, cerise au marasquin, coing confit et gomme d'épinette (épicéa).
Strewn, 1339 Lakeshore Road RR3,
LOS1JO Niagara on the Lake Ontario,
tél. 90.54.68.12.29, fax 90.54.68.83.05,
e-mail info@strewnwinery.com t.l.j. 10h-18h
Joe Will, Newman Smith

THIRTY BENCH
VQA Niagara peninsula Riesling 1999 ★★★

n.c. 4 404 ■ 30 à 38 €

Avec seulement un peu plus de 25 ha, Thirty Bench ne figure pas parmi les plus vastes exploitations du Niagara. Trois des partenaires initiaux de 1994 continuent à gérer le domaine et à s'occuper personnellement des vinifications. Si l'exploitation revêt pour cette raison un caractère intimiste, la maison est en revanche digne de figurer au panthéon avec ce magistral riesling 1999. « Plus que de l'acidité, de l'électricité ! », s'est exclamé l'un des dégustateurs. Tous sont intarissables devant la pureté, la tenue, la race et la grande harmonie de cette cuvée déjà âgée de près de cinq ans et issue de riesling planté voilà plus de deux décennies.
Thirty Bench, 4281 Mountainview Road,
LQR1B2 Beamsville Ontario,
tél. 90.55.63.16.98, fax 90.55.63.39.21,
e-mail wines@thintybench.com t.l.j. 11h-17h

VINELAND VQA Niagara peninsula Vidal 2001

n.c. 28 000 ■ 23 à 30 €

Avec son site pittoresque entouré de quelque 140 ha de vignes, son bâtiment original datant de 1845 admirablement restauré, son restaurant haut de gamme et sa boutique-souvenir du tout dernier chic, Vineland Estates donne tout son sens au surnom de Californie du Nord souvent donné au Niagara vinicole. Cette opulence, le jury l'a retrouvée dans ce vin né du cépage vidal, doté d'une belle puissance aromatique (abricot, miel, figue, poire, caramel) ainsi que d'une bouche assez nerveuse, malgré le caractère sucré accentué.
Vineland Estates Winery,
3620 Moyer Road, LOR2C0 Vineland Ontario,
tél. 90.55.62.70.88, fax 90.55.62.30.71,
e-mail wine@vineland.com r.-v.

WILLOW HEIGHTS
VQA Niagara peninsula Vidal 2002 ★

1 ha 1 160 ■ 30 à 38 €

Fondé en 1994 par les Speranzini à Vineland, dans le Niagara, le domaine est spécialisé dans les vins secs de chardonnay et de pinot noir. Il n'en élabore pas moins chaque année un vin de glace équilibré qui, dans un style très riche, déploie des arômes et des saveurs fruités prononcés. Quand un vin contient 300 g/l de sucre résiduel et qu'un juré déclare avoir aimé sa tonifiante acidité qui domine du début à la fin, il faut remercier le cépage de posséder une aussi forte acidité naturelle et s'incliner devant le savoir-faire du vinificateur qui a su préserver ce précieux legs.
Willow Heights Estate Winery,
3751 King Street, LOR2CO Vineland Ontario,
tél. 90.55.62.49.45, fax 90.58.62.57.61,
e-mail info@willowheightswinery.com
t.l.j. 10h-17h
Ron Speranzini

Québec

Élaborer du vin dans la Belle Province relève de l'héroïsme mâtiné d'un brin de folie, tant les conditions climatiques extrêmes limitent le champ d'action du vigneron. En conséquence, on n'y cultive que des hybrides rustiques et semi-rustiques, surtout en blanc, et avec des résultats très honnêtes. Quelque trente-cinq domaines exploitent autour de 125 ha de vignes. S'il s'agit là d'une goutte d'eau dans l'océan canadien, la rigueur légendaire de l'hiver québécois autorise de beaux espoirs pour le vin de glace.

GIVREE D'ARDOISE 2002

0,5 ha 500 ■ 30 à 38 €

Le premier vignoble implanté dans les Cantons de l'Est, en 1980, au sud de Montréal. Comptant au total 7 ha, la propriété consacre 20 ares à la production de ce vin rendu rosé par l'addition de 20 % de gamay en complément du vidal. Cette cuvée se signale par ses agréables odeurs de fraise et d'épices, nuancées d'effluves d'orange. Les saveurs très sucrées, voire sirupeuses, plaisent néanmoins grâce au bon support acide. Le **Givrée d'Ardoise blanc 2002**, exclusivement à base de vidal, est cité également pour son nez de pêche, de mangue et d'abricot, ainsi que pour ses saveurs douces et relevées par l'acidité.
Dom. des Côtes d'Ardoise, 879, rue Bruce,
rte 202, JOE1MO Dunham, tél. 45.02.95.20.20,
fax 45.02.95.23.09, e-mail papillon@citenet.net
t.l.j. 9h-17h; f. jan.-mars
Jacques Papillon

DIETRICH-JOOSS Sélection impériale 2002

0,5 ha 1 000 ■ 30 à 38 €

Pionnier, Victor Dietrich, Alsacien émigré au Québec en 1986, a su mettre en valeur son vignoble de 6 ha situé à Iberville, en Montérégie. En témoigne ce vin de glace arborant sur son étiquette un détail du tableau représentant Bonaparte montant un cheval fougueux et réalisé en 1801 pour le roi d'Espagne Charles IV qui admirait le Premier Consul. S'ils n'ont pu quant à eux admirer l'étiquette, tous les vins étant servis à l'aveugle, les jurés n'en ont pas moins apprécié cet assemblage composite à base des hybrides cayuga white, vidal et geisenheim, notant ses arômes de pêche, de pomme verte et de menthe fraîche, auxquels succède une bouche très liquoreuse qui conserve néanmoins une bonne vivacité.

Vignoble Dietrich-Jooss,
407, Grande-Ligne-Est, J2X4J2 Saint-Jean-sur-Richelieu,
tél. 45.03.47.68.57, fax 45.03.47.68.57,
e-mail info@dietrich-jooss.qc.ca r.-v.
Christiane Jooss

VIGNOBLE DU MARATHONIEN 2002 *

n.c. n.c. 30 à 38 €

Jean Joly, le propriétaire, a couru le marathon ; il a même déjà fait celui de Boston, et en moins de trois heures qui plus est ! S'il ne dévore plus de kilomètres aujourd'hui, il prouve encore, avec son vignoble situé tout près de la frontière américaine, que cultiver la vigne au Québec a été, est et sera probablement toujours affaire d'endurance et de persévérance. A partir de vidal cultivé sur le site pierreux et caillouteux d'une ancienne plage de la mer de Champlain, il a élaboré en 2002, comme à l'accoutumée, un très bon vin de glace. Nez attrayant de fruit de la Passion, de pain d'épice et même de céleri, suivi d'une bouche pleine et intense, sucrée sans excès, persistante, bien équilibrée.

Vignoble du Marathonien,
318, rte 202, JOS2CO Havelock,
tél. 51.48.26.05.22, fax 51.43.21.93.47,
e-mail info@marathonien.ac.ca r.-v.
Jean Joly

LA MISSION 2002

1 ha 3 900 38 à 46 €

Lorsque, en 1997, Alejandro Guerrero, natif de Mexico, s'est installé avec sa femme québécoise au sud de Montréal sur cette terre de Brome-Missisquoi dans les Cantons de l'Est, il a tout de suite su qu'il avait fait le bon choix. Entouré d'érables centenaires et avec une vue imprenable sur les premières montagnes de la chaîne des Appalaches, son domaine, où il pratique une culture en lutte intégrée, produit un vin blanc et un rouge sec ainsi qu'un vin de glace. Ce dernier, goûté dans le millésime 2002, est cité pour ses saveurs miellées et épicées sobrement soutenues par l'acidité.

Vignoble La Mission,
1044 Pierre Laporte, J2K4R3 Brigham,
tél. 45.02.63.15.24, fax 45.02.63.73.96,
e-mail guerrero@total.net
t.l.j. 11h-17h de juin à nov.
Alejandro Guerrero

L'ORPAILLEUR 2002 *

1 ha 10 000 15 à 23 €

Au début des années 1980, deux Français originaires de la région de Nîmes s'associent à deux Québécois pour fonder l'un des premiers vignobles commerciaux de la Belle Province. C'est à Dunham, dans les Cantons de l'Est, à seulement 6 km de la frontière américaine et sur les premiers contreforts des Appalaches, que le quatuor s'emploie depuis 1985 à élaborer parmi les meilleurs vins du Québec. En témoigne ce vin de glace né du seul vidal dont le jury a apprécié les arômes de mangue et d'abricot, ainsi que la liqueur bien étayée par l'acidité. Cet Orpailleur 2002 est issu de raisins récoltés en janvier... 2003. (Bouteille de 20 cl.)

Vignoble de l'Orpailleur,
1086, rue Bruce, JOE1MO Dunham,
tél. 45.02.95.27.63, fax 45.02.95.31.12,
e-mail info@orpailleur.ca r.-v.
C.-H. de Coussergues

LES VINS DU LUXEMBOURG

Petit Etat prospère au cœur de l'Union européenne, situé à la charnière des mondes germanique et latin, le grand-duché de Luxembourg est un pays viticole à part entière. La consommation de vin y est proche de celle que l'on observe en France et en Italie. Le vignoble s'inscrit le long du cours sinueux de la Moselle, dont les coteaux portent des ceps depuis l'Antiquité. Il donne des vins blancs secs, vifs et aromatiques.

La production vinicole du grand-duché est confidentielle (140 000 hl), à la mesure de sa modeste superficie (1 300 ha). Le vin est cependant pris au sérieux dans ce pays qui possède un ministre de l'Agriculture et de la Viticulture.

On sait l'importance que prit le vignoble mosellan au IVe s., lorsque Trèves – très proche de la frontière actuelle du grand-duché – devint résidence impériale et l'une des quatre capitales de l'Empire romain. Aujourd'hui, de Schengen à Wasserbillig, les coteaux de la rive gauche de la Moselle forment un cordon continu de vignobles, autour des cantons de Remich et de Grevenmacher. Orientés au sud et au sud-est, ceux-ci bénéficient de l'effet bienfaisant des eaux du fleuve qui estompent les courants d'air froid venant du nord et de l'est, et modèrent l'ardeur du soleil de l'été. En raison de leur latitude septentrionale (49 degrés de latitude N.), ils produisent presque exclusivement des vins blancs. Près de 35 % d'entre eux proviennent du cépage rivaner (ou muller-thurgau). L'elbling, cépage typique du Luxembourg (11 % de la surface viticole), donne un vin léger et rafraîchissant. Les vins les plus recherchés proviennent des cépages auxerrois, riesling, pinot blanc, chardonnay, pinot gris, pinot noir et gewurztraminer. Les coopératives représentent plus des deux tiers de la surface viticole. Remich est le siège d'un centre de recherche et de l'organisation officielle de la viticulture.

Créée en 1935, la marque nationale des vins de la Moselle luxembourgeoise a pour objet d'encourager la qualité et de permettre au consommateur de réaliser ses choix sous la garantie officielle de l'Etat. En 1985 est apparue l'appellation contrôlée moselle luxembourgeoise. Il existe aussi une hiérarchie des vins (marque nationale – appellation contrôlée, vin classé, premier cru, grand premier cru). L'originalité du classement des vins, en fonction de leur notation lors de chaque agrément, mérite d'être soulignée : les vins qui ont obtenu entre 18 et 20 points sont qualifiés de grand premier cru, entre 16 et 17,9 de premier cru, entre 14 et 15,9 de vin classé, entre 12 et 13,9 de vin de qualité sans mention particulière et en dessous de 12 points de simple vin de table. En 1991 est née l'appellation crémant-de-luxembourg. Depuis 2001, les viticulteurs peuvent produire des vins de vendanges tardives, des vins de glace et des vins de paille.

Moselle luxembourgeoise

DOM. MATHIS BASTIAN

Wellenstein Foulschette
Riesling 2003

Gd 1er cru 1,36 ha 11 350 8 à 11 €

Puissant mais gracieux, ce vin aux parfums de pomme et d'abricot fait preuve de concentration et de maturité. Une vivacité sous-jacente lui donne suffisamment de ressort pour se prolonger en fin de bouche. Egalement cité, le **riesling de Remich Primerberg 2003 Gd 1er cru (5 à 8 €)** possède un caractère minéral intense.

Mathis Bastian,
29, rte de Luxembourg, 5551 Remich,
tél. 23.69.82.95, fax 23.66.91.18,
e-mail cavesbastian@email.lu r.-v.

BERNARD-MASSARD

Côtes de Grevenmacher Auxerrois 2003 *

Gd 1er cru 5,2 ha 14 000 5 à 8 €

Un repas léger, composé de salades et de fritures de la Moselle sera une bonne occasion d'ouvrir cette bouteille. Un auxerrois jaune-vert qui affiche un nez puissant d'ananas, de melon et de pomelo. Sa bouche vive, tout en agrumes, laisse une impression d'élégance que confirme la finale fraîche et fruitée.

SA Caves Bernard-Massard,
8, rue du Pont, 6773 Grevenmacher,
tél. 750.54.51, fax 75.06.06,
e-mail info@bernard-massard.lu r.-v.

CEP D'OR

Stadtbredimus Primerberg Pinot gris 2003 **

Gd 1er cru 0,8 ha 4 000 8 à 11 €

De retour du musée du Vin de Ehnen, passez par Hettermillen et arrêtez-vous au bar à vin de la famille Vesque. Vous pourrez y déguster ce pinot gris au nez de fruits exotiques et d'abricot sec. Celui-ci se montre certes doux par ses flaveurs de fruits mûrs, d'épices, de miel et de pain d'épice, mais il garde un caractère aérien grâce à une légère vivacité citronnée. Accompagnez-le d'une viande blanche ou d'un sandre sauce mousseline.

SA Cep d'Or, 15, rte du Vin, 5429 Hettermillen,
tél. 76.83.83, fax 76.91.91, e-mail info@cepdor.lu
r.-v.
Famille Vesque

CLOS DES ROCHERS

Grevenmacher Fels Riesling 2003 ***

2 ha 8 000 8 à 11 €

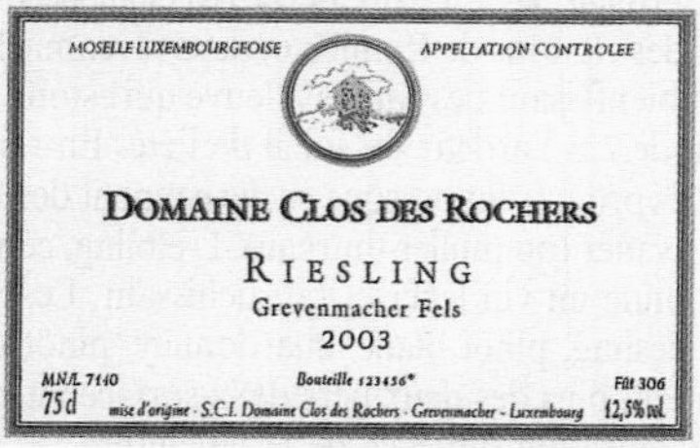

Après avoir visité le jardin des Papillons de Grevenmacher, rendez-vous au Clos des Rochers pour découvrir ce riesling mûr et riche qui livre des arômes prononcés de fruits exotiques et des notes minérales. Une agréable fraîcheur équilibre le gras et soutient les sensations jusqu'en finale. Un vin élégant que l'on pourra apprécier au cours des trois prochaines années.

SARL Dom. Clos des Rochers,
8, rue du Pont, 6773 Grevenmacher,
tél. 750.54.51, fax 75.06.06,
e-mail info@bernard-massard.lu r.-v.

CHARLES DECKER

Remerschen Kreitzberg Pinot blanc Vin de paille 2002

Gd 1er cru 0,9 ha 450 30 à 38 €

Un foie d'oie chaud servi avec des pommes reinettes : un mets qui sied bien à ce vin de paille *(stréiwäin)* couleur vieil or très brillant qui décline des arômes complexes et puissants de fruits secs (raisins de Corinthe, abricot), nuancés de confiture de coings. La bouche garde une certaine vivacité qui fait toute son harmonie et qui porte loin la finale généreuse d'épices et de miel. L'ensemble est flatteur.

Charles Decker,
7, rte de Mondorf, 5441 Remerschen,
tél. 23.60.95.10, fax 23.60.95.20 r.-v.

DOM. MME ALY DUHR ET FILS

Hohfels Pinot gris 2002 ***

Gd 1er cru n.c. 6 005 5 à 8 €

Vous ne saurez où donner de la tête lors de votre visite au domaine, tant les vins de qualité y sont nombreux. Le Guide vous facilite la tâche par cette sélection de trois jolis cépages. Ce pinot gris moelleux n'a reçu que des éloges. Jaune pâle à reflets dorés, il exhale avec finesse des arômes de raisins secs avant de déployer une bouche puissante dès l'attaque, aux flaveurs de compote d'agrumes. S'il se montre rond et mûr, il ne cède jamais à la lourdeur et se prolonge agréablement. Le **riesling de Wormeldange Nussbaum 2002** obtient deux étoiles pour son fruité exotique et sa richesse, tandis que le **gewurztraminer de Hohfels Domaine et Tradition 2002 (8 à 11 €)** est cité.

Mme Aly Duhr et Fils,
9, rue Aly-Duhr, 5401 Ahn, tél. 76.00.43, fax 76.05.70,
e-mail aduhrvin@pt.lu r.-v.

CAVES GALES

Pinot gris Domaine et Tradition 2002

0,43 ha 4 200 8 à 11 €

Les caves Gales font partie des sept domaines de l'association Domaine et Tradition, créée pour promouvoir les terroirs luxembourgeois. Elles proposent ici un pinot gris plaisant qui, sous une teinte jaune pâle à reflets verts, libère des arômes discrets, puis offre une bouche fraîche et ronde à la fois, évocatrice d'agrumes.

SA Caves Gales, BP 49, 5501 Remich,
tél. 23.69.90.93, fax 23.69.94.34, e-mail info@gales.lu
r.-v.

DOM. ALICE HARTMANN

Riesling Vendanges tardives 2002 ***

n.c. n.c. 15 à 23 €

Ici ce sont bien les vignes cultivées en terrasses, sur les sols calcaires qui constituent la curiosité. Le risling s'y décline en vin sec et en moelleux avec autant de succès. En témoigne ce 2002 issu de vendanges tardives que l'on vous recommande en accompagnement d'un gratin de pêches au sabayon ou d'un foie gras en brioche. Jaune doré intense et brillant, il mêle les notes de miel, d'épices, de fruits secs (abricot, raisin) et de fruit de la Passion. La douceur perçue en bouche est équilibrée par de la fraîcheur, ce qui permet à la finale de s'étirer longuement. En sec, le **riesling Les Terrasses de la Koeppchen 2002 (8 à 11 €)** brille de trois étoiles également car il se montre fruité et floral, élégant et intense. Une garde de deux ou trois ans lui permettra de s'exprimer pleinement et de rejoindre un poisson de mer en choucroute ou tout simplement un jambon en croûte.

SA Dom. Alice Hartmann,
72-74, rue Principale, 5480 Wormeldange,
tél. 76.00.02, fax 76.04.60 r.-v.

DOM. R. KOHLL-LEUCK

Kelterberg Riesling 2002 **

Gd 1er cru 0,5 ha 6 000 5 à 8 €

Ehnen possède une jolie église ronde construite au début du XIX[e]s. Une vue du village figure sur l'étiquette de ce riesling, comme une invitation à un séjour dans le vignoble de la Moselle luxembourgeoise. Le vin, élégamment vêtu d'une robe pâle à reflets verts, possède un nez intense et fin d'agrumes et d'abricot. Les mêmes arômes apparaissent dans le palais équilibré, frais et persistant. Un 2002 qui pourra bien évoluer dans les trois prochaines années.

Dom. viticole Raymond Kohll-Leuck,
4, an der Borreg, 5419 Ehen, tél. 76.02.42, fax 76.90.40,
e-mail dukohll@pt.lu r.-v.

DOM. LAURENT ET BENOIT KOX
Bech-Kleinmacher Enschberg Pinot blanc 2003 ★

Gd 1er cru	0,3 ha	2 800	▮↓	5 à 8 €

C'est au caveau du 8 rue Neuve de Remich, à l'enseigne *Wäikeller*, que vous pourrez déguster les vins de Laurent et Benoît Kox, tel ce pinot blanc jaune pâle à reflets verts qui développe d'agréables senteurs de fleurs blanches. Fin, le palais bénéficie d'une bonne fraîcheur qui soutient le fruité en finale et équilibre la rondeur caractéristique du millésime. L'**auxerrois de Remich Primeberg 2003 Gd 1er cru**, également réussi, présente une même harmonie de structure, soulignée par des flaveurs d'agrumes citronnés. Il sera apprécié avec un buffet froid ou chaud.
🕿 Laurent et Benoît Kox, 6A, rue des Prés, 5561 Remich, tél. 23.69.84.94, fax 23.69.81.01, e-mail kox@pt.lu ☑ ⟂ ⚹ r.-v.

KRIER FRERES Remich Primerberg Riesling
Domaine privé de la Maison 2003

Gd 1er cru	0,55 ha	5 400	▮↓	5 à 8 €

L'an passé, grâce au coup de cœur du riesling Suprême 2002, les fidèles du Guide ont pu découvrir l'étiquette de ce domaine : la reproduction d'une vue de la Moselle peinte dans les années 1920 par l'artiste Nico Klopp, alors locataire de la famille Krier. Celle-ci habille encore ce riesling 2003 mûr et riche, aux arômes de fruits tropicaux et à l'acidité bien fondue, qui obtient la même note que le **pinot blanc Domaine privé de la maison de Schengen Markusberg 2003**.
🕿 Caves Krier Frères, 1, montée Saint-Urbain, 5501 Remich, tél. 236.96.01, fax 23.69.60.60, e-mail caves@krierfreres.lu ☑ ⟂ ⚹ r.-v.
🕿 Marc Krier

CAVES LEGILL Schengen Markusberg 2002 ★★★

Gd 1er cru	0,25 ha	2 700	▮↓	5 à 8 €

Couleur jaune brillant à reflets dorés, nez intense mais fin, tout en fruits, bouche harmonieuse et onctueuse : voici un beau vin équilibré entre fraîcheur et gras, parfaite traduction d'une vendange très mûre. Et la finale de s'étirer sur d'agréables flaveurs de poire.
🕿 Caves Paul Legill, 27, rte du Vin, 5445 Schengen, tél. 23.66.40.38, fax 23.60.90.97 ☑ ⟂ ⚹ r.-v.

DOM. JEAN LINDEN-HEINISCH
Greiveldange Herrenberg Pinot blanc 2002 ★★

Gd 1er cru	0,4 ha	3 000	▮↓	3 à 5 €

Un gratin d'écrevisses au beurre blanc ? Un plat idéal pour servir ce vin doré pâle qui charme par son fruité intense, sa rondeur équilibrée et ses notes de mirabelle persistantes. « Le meilleur des pinots blancs », conclut un membre du jury.
🕿 Jean Linden-Heinisch, 8, rue Isidore-Comes, 5417 Ehnen, tél. 76.06.61, fax 76.91.29 ☑

CAVES HENRI RUPPERT
Coteaux de Schengen Pinot gris Sélection 12 2002 ★★

	0,4 ha	2 000	⬙	8 à 11 €

Sur les coteaux de Schengen, Henri Ruppert a produit un **pinot noir 2003 élevé en barrique** bien structuré, qui dévoile des notes de framboise et de cassis sous un boisé dominant. Le jury l'a cité et conseille de le servir avec une pintade ou un canard. Mais sa préférence est revenue à ce pinot gris aux reflets légèrement dorés, aux arômes fruités (cassis) assez intenses. Si l'attaque semble

Le Luxembourg

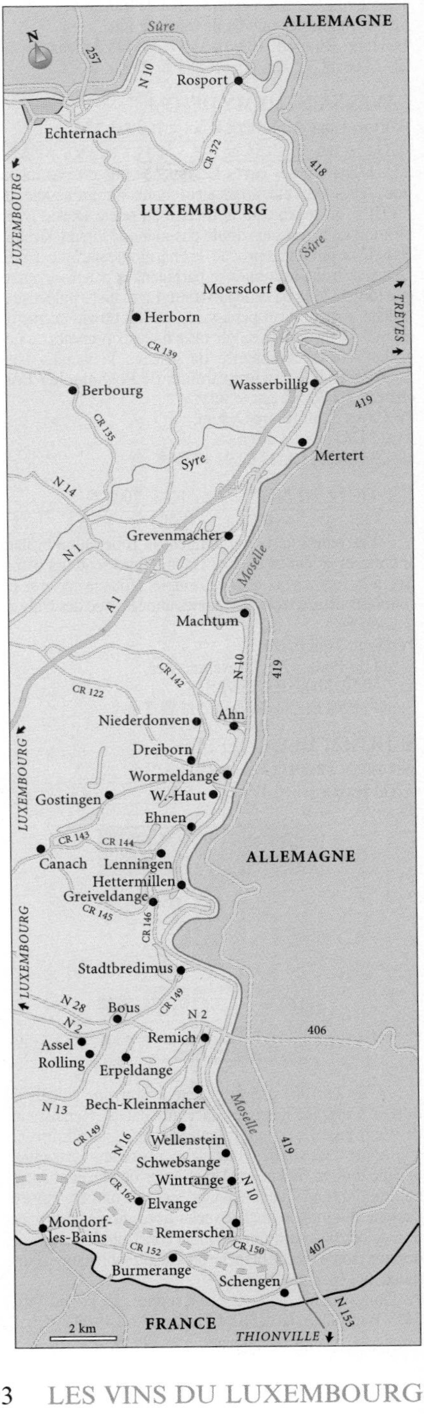

discrète, le vin ne tarde pas à renouer avec le fruit dans une bouche ronde, relevée d'une agréable fraîcheur. La maturité se traduit par une finale toute de miel.
⌘ Henri Ruppert, 100, rte du Vin, 5445 Schengen, tél. 23.66.42.30, fax 23.66.44.83 ☑ ⵏ ⚹ r.-v.

CAVES SAINT-REMY-DESOM
Wormeldange Mohrberg Pinot gris 2003 ★★★

Gd 1er cru	0,35 ha	3 500	▮⬥	5 à 8 €

L'histoire des caves Desom ne vous est pas inconnue : elles ont été aménagées dans un immeuble du XVIIIᵉˢ. où se trouvait la tisserie du poète Dicks. L'inspiration ne leur a sans doute pas manqué lorsqu'elles ont élaboré ce pinot gris proche de l'harmonie parfaite. Fruits jaunes et fruits exotiques se partagent la palette aromatique tout au long de la dégustation. La matière pulpeuse et fraîche, structurée et persistante, en fait un vin de gastronomie. Au dessert, avec une tarte fine aux pommes ou une pêche rôtie accompagnée de glace à la vanille, vous pourrez servir le **gewurztraminer de Bechmacher Enschberg 2003**, cité par le jury.
⌘ Caves Saint-Remy-Desom,
9, rue Dicks, 5521 Remich,
tél. 236.04.01, fax 23.69.93.47 ☑ ⚹ r.-v.

CH. DE SCHENGEN Pinot blanc 2003 ★

	0,5 ha	4 000	▮⬥	5 à 8 €

Les reflets verts qui animent la robe jaune brillant annoncent la jeunesse de ce vin aux fines senteurs d'ananas, à la fois vineux et frais, souple. Vous le servirez au cours des deux à trois prochaines années avec des plats de poisson fin.
⌘ Dom. Thill Frères,
8, rue du Pont, 6773 Grevenmacher,
tél. 750.54.54.00, fax 75.92.36,
e-mail info@bernard-massard.lu ☑ ⵏ r.-v.

SCHUMACHER-KNEPPER
Wintrange Felsberg Riesling 2002 ★★★

Gd 1er cru	0,47 ha	5 500	▮⬥	5 à 8 €

C'est en 1965 que fut acheté le domaine viticole du notaire Constant Knepper, face au château Renaissance de Wintrange. Le riesling, planté sur sol argilo-calcaire, est à l'origine d'un vin de teinte claire aux reflets verts qui se décline tout en fraîcheur. Aux arômes de citron et autres agrumes répond un bon équilibre entre la matière mûre et l'acidité. La longue finale conclut avec succès la dégustation de ce 2002 harmonieusement construit. Un classique destiné à toute viande blanche ou à un poisson nappé d'une sauce à la citronnelle.
⌘ Dom. viticole Schumacher-Knepper, 28, rte du Vin, 5495 Wintrange, tél. 236.04.51, fax 23.66.48.03,
e-mail contact@schumacher-knepper.lu ☑ ⵏ ⚹ r.-v.

DOM. SCHUMACHER-LETHAL ET FILS
Wormeldange Elterberg Pinot gris 2003

Gd 1er cru	n.c.	16 000	▮⬥	5 à 8 €

La caractéristique première de ce vin est la fraîcheur : une originalité dans ce millésime caniculaire... Les agrumes (pomelo), l'abricot, la mirabelle et quelques touches florales se manifestent avec finesse, tandis qu'une légère amertume finale invite à une petite garde pour que l'harmonie se réalise pleinement.
⌘ Dom. viticole Schumacher-Lethal,
114, rue Principale, 5450 Wormeldange,
tél. 76.01.34, fax 76.85.04 ☑ ⵏ r.-v.

DOM. VINSMOSELLE
Greiveldange Primerberg Pinot blanc 2003

1er cru	1 ha	8 000	▮	5 à 8 €

Un pinot blanc flatteur par sa teinte jaune clair brillant comme par son nez de fruits mûrs. Il révèle une bonne fraîcheur et un caractère minéral élégant. A boire ou à attendre deux ans avant de le marier avec une viande blanche.
⌘ Les Domaines de Vinsmoselle,
Cave de Greiveldange,
1, Hamesgaass, 5427 Greiveldange,
tél. 236.96.61, fax 23.69.91.89 ☑ r.-v.

DOM. DE VINSMOSELLE
Machtum Ongkâf Pinot gris 2003 ★★

Gd 1er cru	n.c.	6 800	▮⬥	5 à 8 €

Il y a dans ce vin toute l'expression du millésime 2003 : chaleur, maturité, complexité. Il surprend par ses caractères de fruits secs, d'abricot et de noix de cajou. Sa bouche, entre fraîcheur et surmaturation, est tout aussi étonnante ; elle se prolonge durablement sur le miel d'acacia et les fruits à noyau. Un pinot gris pour les fêtes de fin d'année, qui s'accommodera de plats sucrés-salés. Tout aussi remarquable est le **pinot gris de Machtum Göllebour 2003**, élaboré par les caves de Grevenmacher : tout de miel, d'abricot sec, d'épices suaves, tout en onctuosité aussi.
⌘ Les Domaines de Vinsmoselle,
Caves de Grevenmacher,
12, rue des Caves, 6718 Grevenmacher, tél. 236.96.61, fax 23.69.91.89, e-mail m.vanbensehem@vinsmoselle.lu
☑ ⵏ ⚹ r.-v.

Crémant-de-luxembourg

BERNARD-MASSARD Cuvée de l'Ecusson

	n.c.	100 000	▮⬥	8 à 11 €

Le pinot blanc et le riesling sont à l'origine de ce crémant à la mousse abondante. Sous une teinte jaune pâle à reflets verts apparaît un nez puissant de fruits soulignés de notes grillées. Dans la bouche souple et franche on retrouve l'expression des cépages classiques de la Moselle luxembourgeoise. Un vin prometteur qui gagnera à attendre un ou deux ans.
⌘ SA Caves Bernard-Massard,
8, rue du Pont, 6773 Grevenmacher,
tél. 750.54.51, fax 75.06.06,
e-mail info@bernard-massard.lu ⵏ ⚹ r.-v.

CEP D'OR 2002

● n.c. 8 000 ▮♁ 8 à 11 €

Un vin riche, bien représentatif de son millésime, issu d'auxerrois, de pinot blanc et de riesling. Un cordon de bulles fines et régulières anime la robe jaune pâle à reflets verts de laquelle émanent quelques notes discrètes de fleurs, suivies d'arômes de fruits blancs et jaunes. La bouche ample offre des flaveurs gourmandes de fruits confits.

⊶ SA Cep d'Or,
15, rte du Vin, 5429 Hettermillen,
tél. 76.83.83, fax 76.91.91, e-mail info@cepdor.lu
☒ Y 🚶 r.-v.

DOM. CLOS DES ROCHERS 2002

● n.c. 25 000 ▮♁ 8 à 11 €

« J'aime », dit tout simplement un dégustateur. Ce vin a de quoi séduire, en effet, dès le premier regard sur sa mousse abondante. Le nez n'est pas moins flatteur, complexe même, par ses alliances entre les fruits secs, la brioche et les fleurs. La bouche ample et riche, évocatrice de fruits jaunes confits, se prolonge sur d'élégantes nuances d'agrumes.

⊶ SARL Dom. Clos des Rochers,
8, rue du Pont, 6773 Grevenmacher,
tél. 750.54.51, fax 75.06.06,
e-mail info@bernard-massard.lu ☒ Y 🚶 r.-v.

DOM. R. KOHLL-LEUCK

● 1,2 ha 14 000 ▮♁ 5 à 8 €

Le domaine Kohll-Leuck s'est toujours transmis de père en fils depuis sa création à la fin du XIXes. Il en sera encore ainsi lorsque la quatrième génération, représentée par Luc Kohll, prendra les commandes. Un nom à noter dans votre livre de cave, car le crémant est ici réussi. Au premier nez fruité, déjà flatteur, succèdent des notes de fruits frais qui se libèrent de la robe jaune paille à l'aération. La bouche harmonieuse et fraîche s'inscrit dans le même registre aromatique.

⊶ Dom. viticole Raymond Kohll-Leuck,
4, an der Borreg, 5419 Ehen, tél. 76.02.42, fax 76.90.40,
e-mail dukohll@pt.lu ☒ Y 🚶 r.-v.

POLL-FABAIRE ★★★

● 5 ha 40 000 5 à 8 €

Poll-Fabaire est la marque de crémant des domaines de Vinsmoselle. Elle est produite par les six caves qui composent cette coopérative, réparties le long de la Moselle luxembourgeoise. Ce crémant élaboré par la cave de Stadtbredimus est un joli porte-drapeau. Jaune paille à reflets or, il dessine dans le verre un cordon persistant qui semble porter les arômes flatteurs de fleurs et de fruits, de plus en plus épanouis au fil de l'aération. La bouche complexe, aromatique et persistante laisse une impression d'harmonie.

⊶ Les Domaines de Vinsmoselle,
Caves de Stadtbredimus,
Kellereiswee, 5450 Stadtbredimus,
tél. 236.96.61, fax 23.69.91.89

POLL-FABAIRE

● 17 ha 168 000 5 à 8 €

A l'œuvre, la cave de Greiveldange... Joli travail dont témoigne ce crémant jaune doré, aux bulles fines et persistantes. Il exprime avec franchise des arômes de fruits blancs et jaunes, puis offre une matière ample et ronde, empreinte de fruits mûrs. Harmonie et grâce.

⊶ Les Domaines de Vinsmoselle,
Cave de Greiveldange,
1, Hamesgaass, 5427 Greiveldange,
tél. 236.96.61, fax 23.69.91.89 r.-v.

POLL-FABAIRE Pinot blanc

● 4 ha 55 000 5 à 8 €

Il est encore bien jeune ce crémant jaune paille qui livre timidement des notes florales et minérales. Mais sa souplesse et sa bonne structure laissent espérer une évolution favorable au cours des deux prochaines années.

⊶ Les Domaines de Vinsmoselle,
Caves de Remerschen,
32, rte du Vin, 5440 Remerschen,
tél. 236.96.61, fax 23.69.91.89 Y 🚶 r.-v.

POLL-FABAIRE 1999 ★

● 8 ha 40 000 5 à 8 €

Un millésimé qui pourra accompagner tout un repas. Il est si gourmand par ses senteurs de citron confit, de fruits jaunes et de brioche, par sa rondeur et sa longue finale. Sa jolie teinte jaune pâle soulignée de bulles fines sera motif à engager la conversation dès l'apéritif.

⊶ Les Domaines de Vinsmoselle,
Caves de Wormeldange,
115, rte du Vin, 5481 Wormeldange,
tél. 236.96.61, fax 23.69.91.89 Y 🚶 r.-v.

CAVES SAINT-REMY-DESOM

● 6 ha 70 000 5 à 8 €

Riesling et pinot blanc se sont unis pour composer ce crémant mûr et prêt à boire. Jaune paille, brillant de quelques reflets verts, celui-ci manifeste des arômes intenses de fruits secs et de fruits macérés qui se prolongent dans la bouche bien structurée.

⊶ Caves Saint-Remy-Desom,
9, rue Dicks, 5521 Remich,
tél. 236.04.01, fax 23.69.93.47 ☒ 🚶 r.-v.

DOM. THILL FRERES Cuvée Victor Hugo 2001 ★★

● 2 ha 6 000 ▮♁ 8 à 11 €

Une fine corolle de bulles persistantes pare avec élégance ce crémant tout en fleurs blanches. Légère à l'attaque, la bouche gagne progressivement de l'ampleur, en faisant preuve d'une belle fraîcheur et d'une remarquable longueur. Un excellent vin d'apéritif.

⊶ Dom. Thill Frères, 8, rue du Pont,
6773 Grevenmacher, tél. 750.54.54.00, fax 75.92.36,
e-mail info@bernard-massard.lu ☒ Y r.-v.

LES VINS SUISSES

Comparé à ses voisins européens, le vignoble suisse est modeste avec ses 14 900 ha de superficie. Il s'étend à la naissance des trois grands bassins fluviaux drainés par le Rhône à l'ouest des Alpes, par le Rhin au nord et par le Pô au sud de cette chaîne. Il compte ainsi une grande diversité de sols et de climats qui forment autant de terroirs différents malgré leur relative proximité. Traditionnellement cultivée sur les coteaux ensoleillés, très pentus ou en terrasses, la vigne compose le paysage. On distingue trois régions viticoles principales en fonction du découpage linguistique du pays. Cependant celles-ci sont loin d'être uniformes, tant les contrastes qu'elles présentent sont saisissants. A l'ouest, le vignoble de la Suisse romande couvre plus des trois quarts de la surface viticole du pays. De Genève, il s'étire jusqu'au cœur des Alpes dans le canton du Valais, en longeant les rives du lac Léman, dans le canton de Vaud. Plus au nord, il s'approprie encore les rives des lacs de Neuchâtel, de Morat et de Bienne (Canton de Berne) sur les contreforts du Jura. Beaucoup plus éparpillé, le vignoble de la Suisse alémanique totalise 17 % de la surface viticole. Il s'égrène tout au long de la vallée du Rhin où, à partir de Bâle, il remonte le cours du fleuve jusqu'à l'est du pays. Il pénètre également loin à l'intérieur du territoire sur les meilleurs sites des coteaux dominant de nombreux lacs et vallées. En Suisse italophone, la vigne se concentre dans les vallées méridionales du Tessin où les conditions naturelles du versant sud des Alpes se distinguent nettement de celles des autres régions viticoles. Outre toute une gamme de spécialités, les vignerons de Suisse romande privilégient par tradition le cépage blanc chasselas. Le pinot noir est ici le cépage rouge le plus cultivé, suivi du gamay. Le pinot noir domine en Suisse alémanique où il côtoie le cépage blanc müller-thurgau et diverses variétés locales très recherchées par les amateurs. En Suisse italienne, c'est le merlot qui fait la renommée des vins de cette partie du pays où les cépages blancs sont peu représentés. Signalons enfin un événement majeur de la vie viticole suisse : la fête des Vignerons de Vevey. Remontant au Moyen Age, cette manifestation somptueuse associe l'ensemble des vignerons et des habitants et célèbre leur travail dans la vigne. La dernière s'est déroulée en août 1999 ; la prochaine se tiendra entre 2021 et 2023.

Canton de Vaud

Au Moyen Age, les moines cisterciens ont défriché une grande partie de cette région de la Suisse et constitué le vignoble vaudois. Si, au milieu du siècle passé, celui-ci était le premier canton viticole devant le vignoble zurichois, les ravages du phylloxéra imposèrent une reconstitution complète. Aujourd'hui, avec 3 850 ha, il vient en deuxième position derrière le Valais.

Depuis plus de quatre cent cinquante ans, le vignoble vaudois s'est donné une véritable tradition viticole reposant aussi bien sur ses châteaux – on en compte près d'une cinquantaine – que sur l'expérience des grandes familles de vignerons et de négociants.

Les conditions climatiques déterminent quatre grandes zones viticoles : les rives vaudoises du lac de Neuchâtel et celles de l'Orbe produisent des vins friands aux arômes délicats. Les rives du Léman, entre Genève et Lausanne, protégées au nord par le Jura et bénéficiant de l'effet régulateur thermique du lac, donnent naissance à des vins tout en finesse. Les vignobles de Lavaux, entre Lausanne et Château-de-Chillon, avec en leur cœur les vignobles en terrasses du Dézaley, bénéficient à la fois de la chaleur accumulée dans les murets et de la lumière reflétée par le lac ; ils produisent des vins structurés et complexes qui se distinguent souvent par des notes de miel et des saveurs grillées. Enfin, les vignobles du Chablais sont situés au nord-est du Léman et remontent la rive droite du Rhône. Les terroirs se caractérisent par des sols pierreux et un climat très marqué par le fœhn ; les vins sont puissants avec des arômes de pierre à fusil.

La spécificité du vignoble vaudois tient à son encépagement. C'est la terre d'élection du chasselas (70 % de l'encépagement) qui atteint ici sa pleine expression.

Les cépages rouges représentent quant à eux 27 % : 15 % de pinot noir et 12 % de gamay. Ces deux cépages souvent assemblés sont connus sous l'appellation d'origine contrôlée *salvagnin*.

Quelques spécialités (variétés) représentent 3 % de la production : pinot blanc, pinot gris, gewurztraminer, muscat blanc, sylvaner, auxerrois, charmont, mondeuse, plant-robert, syrah, merlot, gamaret, garanoir, etc.

CH. D'ALLAMAN Allaman 2003 ★★

■ Gd cru | 6 ha | 50 000 | ■🍷 11 à 15 €

Coup de cœur l'an passé pour le millésime 2002, Samuel Brocard revient cette année présenter un remarquable chasselas 2003, jaune clair et aux arômes variés. D'attaque soyeuse, ce vin offre un agréable perlant et un fruité persistant des plus plaisants.

🔑 Samuel Brocard,
SA Cave de Dolimont, 1185 Mont-sur-Rolle,
tél. 02.18.22.22.02, fax 02.18.22.03.03 ☒ 🍸 🚶 r.-v.

ANTAGNES Ollon Les Hameaux 2003 ★

■ | 0,45 ha | 4 000 | ■🍷 11 à 15 €

Si vous allez skier cet hiver à Villars-sur-Ollon, prévoyez un détour par l'association viticole d'Ollon. Antagnes est l'un des trois vins de terroir : un coteau graveleux, au sous-sol à dominante gypseuse, donne naissance à un chasselas aux multiples fragrances. La fleur de sureau, l'iris et des notes minérales se mêlent dans ce 2003 à déguster dès aujourd'hui.

🔑 Association viticole d'Ollon, rue Demesse,
1867 Ollon, tél. 02.44.99.11.77, fax 02.44.99.24.48,
e-mail info@avollon.ch ☒ 🍸 🚶 r.-v.

ASSOCIATION VITICOLE AUBONNE
Aubonne Pinot blanc 2002 ★

■ | 0,3 ha | 2 300 | ■🍷 5 à 8 €

Une halte s'impose au château d'Aubonne, ne serait-ce que pour voir sa singulière tour blanche d'allure orientale qui fut élevée au XVII^e^s. selon le souhait de son propriétaire, diamantaire des rois de France. Un peu plus loin, c'est un vin charmeur que l'on appréciera. Au bouquet de citronnelle, d'abricot sec et d'ananas répond une bouche riche et pleine. Fromage de chèvre, viande blanche et volaille se marieront fort bien à ce pinot blanc.

🔑 Association viticole Aubonne, rue Tavernier 15,
1170 Aubonne, tél. 02.18.21.32.20, fax 02.18.21.32.28,
e-mail ava@aubonne.com
🍸 🚶 t.l.j. sf dim. 8h-12h 14h-18h

CAVE D'AUCRET Calamin 2003 ★★

■ Gd cru | n.c. | 4 000 | ■🍷 11 à 15 €

Si le domaine fut créé en 1154 par les moines cisterciens de l'abbaye d'Aucrêt, la famille Blanche en devint propriétaire dès la fin du XVI^e^s. Le terroir argilo-calcaire de Calamin a porté un chasselas de belle qualité. Peu intense, mais brillant, le vin mêle des arômes minéraux à des notes florales. Il se dévoile progressivement en bouche jusqu'à une finale élégante.

🔑 Michel Blanche, Dom. d'Aucrêt,
1091 Bahyse-sur-Cully, tél. 02.17.99.36.75,
fax 02.17.99.38.14, e-mail aucret@aucret.ch
☒ 🍸 🚶 t.l.j. sf dim. 8h-12h 13h30-18h

DOM. AU POINT DU JOUR
Mont-sur-Rolle Pinot gris 2003 ★

■ | 0,27 ha | 1 700 | ■ 8 à 11 €

Si vous recherchez un beau point de vue sur le lac Léman, rendez-vous au signal de Bougy ou au domaine d'Eric Durand. Celui-ci vous réservera bon accueil en vous présentant son pinot gris tout doré, généreux en senteurs de rose et de mangue. L'extrême rondeur du palais invite à un accord gourmand avec des noix de Saint-Jacques aux poireaux confits.

🔑 Eric Durand, Le Point du Jour,
chem. de Bobelet 4, 1185 Mont-sur-Rolle,
tél. 02.18.25.16.61, fax 02.18.25.48.18,
e-mail edurand@swissonline.ch ☒ 🍸 🚶 r.-v.

CAVE BERTHAUDIN
Tartegnin Chardonnay Les Feuillantines 2002 ★

■ | 0,31 ha | 2 964 | ▮▮ 8 à 11 €

Parfaitement exposé au sud, le raisin bénéficie du moindre rayon de soleil sur ce terroir argilo-calcaire, d'où le nom de clos du Roussillon. C'est un riche chardonnay que l'on découvre en effet ici. Tandis que le nez mêle subtilement le miel, les fruits frais et les notes boisées, la bouche révèle un gras imposant, à peine relevé d'une pointe de fraîcheur. La finale est ample, le bois équilibré et fin. Un vin prêt à boire.

🔑 SA Berthaudin,
Clos du Roussillon, 1181 Tartegnin,
tél. 02.27.32.06.26, fax 02.27.32.84.60,
e-mail info@berthaudin.ch 🍸 🚶 r.-v.

DOM. DES BIOLLES Founex Chasselas 2003 ★

■ | 2,65 ha | 25 000 | 5 à 8 €

Habillé d'une robe jaune clair, ce chasselas se montre encore discret dans ses arômes, mais il exprime déjà son terroir. La bouche équilibrée dès l'attaque met en valeur ce mariage harmonieux du fruit et du minéral, avec en finale une légère amertume caractéristique.

🔑 Jean-Pierre Debluë,
rue du Vieux-Pressoir 2, Chataigneriaz, 1297 Founex,
tél. 07.96.32.58.58, fax 02.27.76.05.43 ☒ 🍸 🚶 r.-v.

FERNAND BLANCHARD ET FILS
Tartegnin Les Panissières 2003 ★

■ Gd cru | 1,5 ha | 12 000 | ■🍷 5 à 8 €

A Rolle, on visite le château édifié au XIII^e^s. et qui garde fière allure malgré les transformations subies au fil des siècles. A Mont-sur-Rolle, on savoure des vins comme celui-ci : un chasselas jaune clair, discrètement aromatique et harmonieux. Un caractère minéral et une petite amertume soutiennent son expression comme il se doit, tandis que la charpente suffit à garantir une bonne évolution dans le temps.

🔑 François et David Blanchard,
Le Cellier-du-Mas, 1185 Mont-sur-Rolle,
tél. 02.18.25.19.22, fax 02.18.25.49.03 ☒ 🍸 🚶 r.-v.
🔑 Fernand Blanchard

LES BLASSINGES Saint-Saphorin 2003 ★★

	1,2 ha	12 000		8 à 11 €

Difficile d'être plus régulier que ce domaine, présent dans le Guide dès la première année de sélection des vins suisses : c'était en 1998. Depuis, deux coups de cœur et des étoiles à revendre. « Quand l'harmonie des arômes s'accorde à la puissance des saveurs, le respect s'impose », écrit un dégustateur à propos de ce chasselas épanoui, auquel on réservera viande blanche et fromage.

⌐ Pierre-Luc Leyvraz, chem. de Baulet 4,
1071 Chexbres, tél. 02.19.46.19.40, fax 02.19.46.19.45,
e-mail pl.leyvraz@freesurf.ch ☑ ⊥ ⋏ r.-v.

LA BOURRACHE Saint-Saphorin Chasselas 2003 ★

	1 ha	6 000		11 à 15 €

En 2005, cette maison de négoce de Vevey fêtera ses cent dix ans. Une bonne raison de s'y rendre pour découvrir ses vins et notamment ce chasselas chaleureux et enveloppé. Si le bouquet semble encore sur la réserve, la finale s'étire suffisamment pour que l'on prédise un avenir prometteur à cette cuvée.

⌐ Cave Albert Mayor, av. de Gilamont 50,
1800 Vevey, tél. 02.19.21.13.41, fax 02.19.21.19.38,
e-mail cave.mayor@bluewin.ch ☑ ⊥ ⋏ r.-v.

BUJARD Féchy Fonterive 2003 ★

	n.c.	3 000		5 à 8 €

La maison Bujard propose un chasselas digne d'un filet de perche du lac Léman. Dans sa robe jaune, ce vin exprime un agréable fruité souligné d'une touche minérale typique qui fait tout le charme de la finale.

⌐ SA Bujard Vins, pl. de la Gare 8, 1180 Rolle,
tél. 02.18.22.02.91, fax 02.18.22.03.03,
e-mail info@bujard-vins.ch ⊥ ⋏ r.-v.

CH. DE BURSINEL 2002 ★

Gd cru	6,5 ha	85 000		5 à 8 €

Le château de Bursinel, dont les origines remontent à la fin du XIᵉ s., vit se former au cours d'un repas, en 1527, la confrérie des chevaliers de la Cuiller. Pendant les guerres de Religion, les partisans de l'évêque de Genève, chassés et exilés en pays de Vaud, se liguèrent pour reprendre leur ville. L'un deux se serait exclamé : « Aussi vrai que je tiens cette cuiller, nous avalerons Genève ! ». Moins de hargne dans ce chasselas... Plutôt de la tendresse dans sa robe jaune pâle, dans son bouquet fruité, nuancé de pain grillé. Le terroir transparaît dans sa matière franche et fruitée qui trouve en finale l'agréable amertume recherchée dans ce type de vin.

⌐ SA Caroz, ferme du château, 1195 Bursinel,
tél. 02.18.24.16.71 ☑ ⋏ r.-v.

ALBERT ET FRANCOIS CHAPPUIS
Dézaley Es Chanoz 2003 ★

	0,24 ha	3 300		11 à 15 €

D'emblée, les notes de brûlon se manifestent dans ce chasselas, puis le fruit prend place progressivement dans un bouquet riche d'expression. La bouche, en revanche, se montre encore sur la réserve, mais elle offre les signes d'un avenir favorable, avec un caractère minéral en finale.

⌐ Albert et François Chappuis,
Dom. des Deserts, En Bons Voisins, 1071 Rivaz,
tél. 02.19.46.37.14, fax 07.93.39.56.27 ☑ ⋏ r.-v.

LES CHENALETTES Villette 2003 ★★

	1,2 ha	14 000		8 à 11 €

Lumineux, ce chasselas présente des notes de fruits (banane) et de brûlon d'une intensité séduisante, puis laisse en bouche une impression tendre dès l'attaque, pleinement fruitée. Un bon témoin de la qualité du terroir graveleux de Villette.

⌐ Bernard Gorjat,
rue du village 3, 1091 Aran-Villette,
tél. 02.17.99.22.28, fax 02.17.99.44.28,
e-mail gorjat@bluewin.ch ☑ ⊥ ⋏ r.-v.

ANDRE CHEVALLEY
Villette Plant du Rhin Le Pacha 2003 ★

	0,2 ha	2 000		11 à 15 €

Mais qui est donc ce Pacha ? André Chevalley surnomme ainsi son fils et lui fait un clin d'œil sympathique en proposant cette cuvée issue de plant du Rhin, autrement appelé sylvaner. On plantait autrefois ce cépage en bordure du vignoble car l'aspect vert de ses grappes décourageaient les maraudeurs. Aujourd'hui, les vignes sont

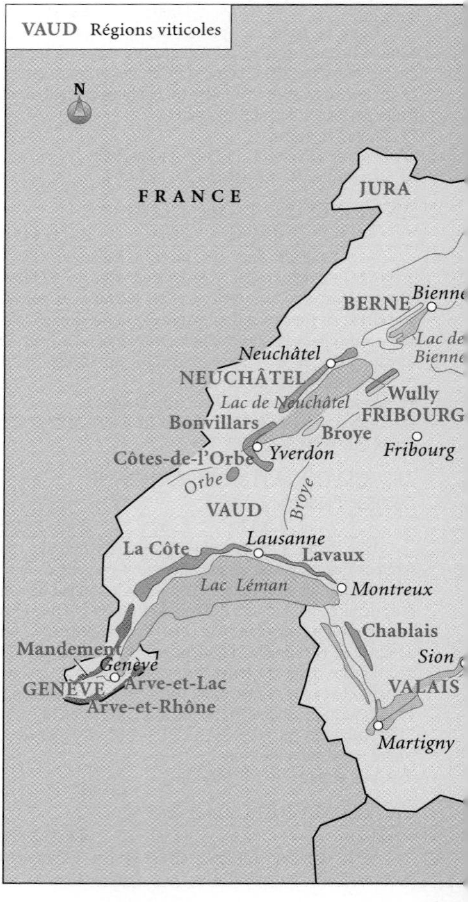

VAUD Régions viticoles

plantées en treilles sur les terrasses de Lavaux. Elles sont à l'origine d'un vin discrètement floral (pivoine, rose), à la silhouette légère.
🔑 André Chevalley,
rue du Village 32, 1095 Lutry,
tél. 02.17.91.14.69, fax 02.17.91.17.92,
e-mail achevalleyc@hotmail.com ☑ 🍷 🚶 r.-v.

RENE ET PIERRE-ALAIN CHEVALLEY
Saint-Saphorin Pinot-gamay 2003 *

■ 0,31 ha 3 000 ▮🍷 8 à 11 €

A 1 km du village de Saint-Saphorin, au bord du lac, on trouvera ce vignoble autour d'une maison du XIX[e]s. Pinot noir et gamay ont donné naissance à un vin équilibré, aux arômes de cerise. A boire jeune ou après un ou deux ans de garde, ce 2003 accompagnera les charcuteries.
🔑 René et Pierre-Alain Chevalley,
chem. du Débarcadère,
En Grillon, 1071 Rivaz,
tél. 02.19.46.52.70, fax 02.19.46.17.08,
e-mail leschevalleys@hotmail.com ☑ 🍷 🚶 r.-v.

CAVES CIDIS La Côte Gamaret 2002 *

■ 9 ha n.c. ▮🛢🍷 8 à 11 €

Le gamaret compose à 90 % cette cuvée, complété d'une pointe de garanoir. Habillée d'une robe sombre et cardinale, celle-ci livre des arômes de cassis et d'épices, puis développe une texture harmonieuse, soutenue par des tanins souples et fondus. Un vin destiné aux viandes rouges grillées.
🔑 SA Caves Cidis, 1131 Tolochenaz,
tél. 02.18.04.54.64, fax 02.18.04.54.55,
e-mail cidis@cidis.ch ☑

CLOS DE CHATONNEYRE Chardonne 2003 *

□ Gd cru 3 ha 25 000 ▮🍷 8 à 11 €

Entre Vevey et Montreux, on fera halte à Corseaux pour découvrir la villa *Le Lac* construite par Le Corbusier, ainsi que les vins de l'association viticole. Ce chasselas légèrement perlant sur fond jaune primevère libère les notes minérales et la pointe de brûlon attendues. La bouche est en accord avec le nez, puissante et minérale. Un vin destiné à des plats de fromage.

La Suisse

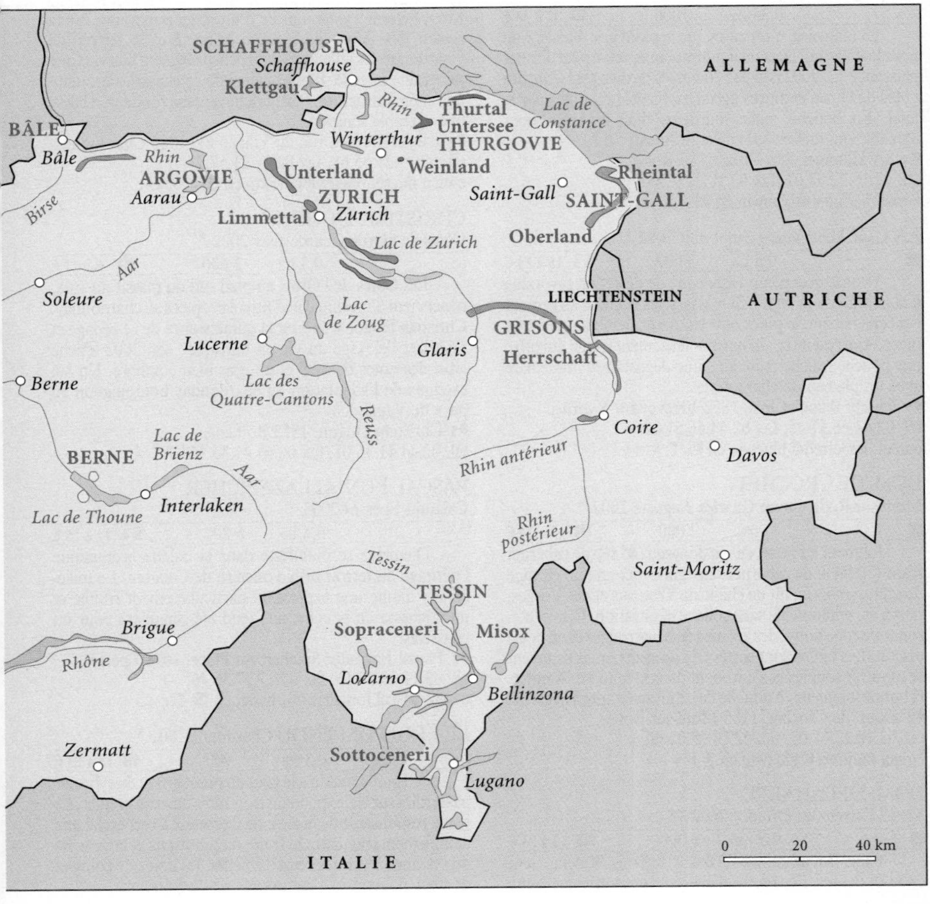

🔑 Association vinicole de Corseaux,
rue du Village 20, 1802 Corseaux, tél. 02.19.21.31.85,
fax 02.19.21.31.10, e-mail info@avc-vins.ch
☒ 🍷 🚶 t.l.j. sf dim. 8h-12h 13h30-18h

CLOS DU CHATALET

Lutry Réserve du domaine Assemblage 2002 *

■ Gd cru 0,16 ha 900 ⓫ 11 à 15 €

A la fin du XIV^e^s., la vigne était cultivée ici par des moines. 2003 marque une nouvelle étape dans l'histoire du domaine, puisqu'il est entré dans la famille Séverin. C'est ici le vin de Paul Bujard, l'ancien propriétaire, que l'on découvre : assemblage de gamaret, de merlot et de syrah à parts presque égales, il s'habille d'une robe rouge foncé et offre une palette fruitée nuancée de notes boisées. Son corps riche et puissant lui permettra d'attendre en cave une paire d'années.

🔑 Dom. du Daley, chem. des Moines, 1095 Lutry,
tél. 02.17.91.15.94, fax 02.17.91.58.61,
e-mail info@daley.ch ☒ 🍷 🚶 r.-v.
🔑 M. Séverin

CLOS DU CHATELARD Villeneuve Malvoisie

Vendange tardive Récolte Ste-Catherine 2002 *

▢ 0,35 ha 1000 ⓫ 23 à 30 €

La malvoisie n'est autre que le pinot gris, bien connu pour les vins moelleux ou liquoreux auxquels il peut donner naissance. Ce 2002 issu de vendanges tardives présente des notes de citron et autres agrumes, bientôt rejointes par le miel. En bouche, nulle lourdeur, mais une fraîcheur agréable qui met en valeur les arômes.

🔑 SA Hammel, Les Cruz, 1180 Rolle,
tél. 02.18.22.07.07, fax 02.18.22.07.00,
e-mail hammel@bluewin.ch ☒ 🚶 r.-v.

LA COCHE Yvorne Pinot noir 2002 *

■ 0,5 ha 3 000 ▮🌡 15 à 23 €

Yvorne occupe un vaste cône de déjection favorable à la culture de la vigne. Si le chasselas domine largement l'encépagement, le pinot noir trouve également une petite place. Ainsi est né ce vin harmonieusement fruité, qui offre une bouche fraîche et invite à une dégustation immédiate avec un plateau de charcuteries.

🔑 Charly Blanc et Fils, 1852 Versvey-sur-Yvorne,
tél. 02.44.66.51.45, fax 02.44.66.51.07,
e-mail blancfred@bluewin.ch ☒ 🍷 🚶 r.-v.

DOM. DE CROCHET

Mont-sur-Rolle Cuvée Charles Auguste 2002 *

■ n.c. 2 000 ⓫ 15 à 23 €

Joliment étiqueté, ce vin de syrah (45 %), de cabernet franc (30 %) et de cabernet-sauvignon a connu un élevage de quinze mois en fût de chêne du Tronçais et des Vosges, puis a été embouteillé sans collage ni filtration. Il présente, sous une robe noire, des arômes de baies rouges et un boisé discret. Les tanins sont certes très présents, mais ils savent se montrer souples et s'enrobent dans la matière. A noter, la bonne longueur en bouche de cette cuvée apte à la garde.

🔑 Dom. de Crochet, 1185 Mont-sur-Rolle,
tél. 02.18.22.07.07, fax 02.18.22.07.00,
e-mail hammel@bluewin.ch 🚶 r.-v.

DOM. DELAHARPE

Vinzel Cuvée des Druides 2002 **

■ 0,5 ha 1 000 ⓫ 15 à 23 €

Yann Menthonnex élabore le vin, Karine, son épouse, dessine l'étiquette dans cette maison vigneronne bâtie au XVII^e^s. La cuvée des Druides, assemblage de gamaret (60 %), de merlot et de pinot noir, exprime des arômes d'épices, de mûre et de cassis. D'attaque ferme, ce vin est soutenu par des tanins encore jeunes, mais disposés à se fondre dans la matière chaleureuse.

🔑 Yann et Karine Menthonnex, Dom. Delaharpe,
1183 Bursins, tél. 02.18.24.22.30, fax 02.18.24.22.23,
e-mail yannmenthonnex@hotmail.com ☒ 🍷 🚶 r.-v.

DOM. DILLET Yvorne 2003 **

▢ 2,5 ha 15 000 ▮ 8 à 11 €

Au XVI^e^s., un éboulement a ravagé le village d'Yvorne et a laissé une couverture caillouteuse sur ce sol favorable à la vigne. Les notes minérales sont caractéristiques de ce terroir : elles se manifestent avec intensité dans ce vin rond et souple qui laisse un souvenir persistant.

🔑 Eric Minod, Les Rennauds, 1853 Yvorne,
tél. 02.44.66.53.89, fax 02.44.66.53.91,
e-mail info@yvornedillet.ch ☒ 🍷 🚶 r.-v.

OLIVIER DUCRET

Saint-Saphorin Le Confrador 2003 *

▢ 0,6 ha 7 000 ▮ 8 à 11 €

A 2 km de ce domaine, montez à la tour Plein-Ciel de Mont-Pèlerin : vous jouirez d'un large panorama sur la région, les Alpes et le lac Léman. Sur le terroir de Chardonne, les affleurements rocheux lèguent aux vins une minéralité intense. Il en est ainsi de ce chasselas aromatique et bien structuré. Par sa richesse et sa rondeur, il laisse une agréable sensation.

🔑 Olivier Ducret, rue du Village 61, 1803 Chardonne,
tél. 02.19.21.55.68, fax 02.19.21.57.77,
e-mail ducret.olivier@bluewin.ch ☒ 🍷 🚶 r.-v.

CHRISTIAN DUGON

Côtes de l'Orbe Chardonnay 2002 *

▢ 0,3 ha 2 600 ⓫ 8 à 11 €

Les Côtes de l'Orbe, au pied sud du massif du Jura, bénéficient d'un climat et d'un sol propices au chardonnay. Christian Dugon a su tirer la quintessence de ce cépage et maîtriser l'élevage du vin en barrique : son 2002 affiche ainsi des notes de miel et un gras bien équilibré. Un bel exemple de l'adaptation du chardonnay bourguignon en pays de Vaud.

🔑 Christian Dugon, 1353 Bofflens,
tél. 02.44.41.35.01, fax 02.44.41.35.36 ☒ 🍷 🚶 r.-v.

PASCAL FONJALLAZ-SPICHER

Calamin Epesses 2003 *

▢ 0,4 ha 6 200 ▮🌡 11 à 15 €

D'emblée se manifeste dans la palette aromatique l'héritage du terroir argilo-calcaire de Calamin. Le millésime y ajoute une expression particulièrement fruitée et une richesse en bouche, une tendreté singulière pour un chasselas.

🔑 Pascal Fonjallaz-Spicher, La Place, 1098 Epesses,
tél. 02.17.99.37.56, fax 02.17.99.36.46,
e-mail pascal.fonjallaz@urbanet.ch ☒ 🍷 r.-v.

LE FRUIT DEFENDU Chardonne 2001 *

▢ 0,3 ha 900 ⓫ 15 à 23 €

Ce Fruit défendu a le goût du pinot gris et du sylvaner passerillés sur claies pendant trois mois dans un grenier. Le jeune responsable de la cave de Corseaux a recherché une complémentarité entre le fruité du pinot gris et la vivacité du sylvaner. Pari très réussi, en effet, les notes de coing et de miel ajoutent à la complexité de l'expression.

☙ Association vinicole de Corseaux,
rue du Village 20, 1802 Corseaux, tél. 02.19.21.31.85,
fax 02.19.21.31.10, e-mail info@avc-vins.ch
☑ ⲧ ⲁ t.l.j. sf dim. 8h-12h 13h30-18h

GROGNUZ FRERES ET FILS
Saint-Saphorin Syrah 2002 ★★

■	0,15 ha	1 100	⑾ 15 à 23 €

Non loin du château de Chillon, bel édifice dont les
origines remontent au Moyen Age et qui a su séduire les
peintres Courbet et Turner, se trouve ce domaine de 15 ha.
Bien sûr, les fidèles du Guide connaissent cette syrah à la
jolie étiquette mauve : le 2001 fut coup de cœur l'an passé.
Le 2002 s'habille d'une robe grenat à reflets rubis. Au
bouquet de petits fruits noirs nuancés de cacao et de
torréfaction répond une bouche chaleureuse. Le fruité et
le boisé accompagnent l'expression de tanins encore
jeunes, mais prêts à se fondre à la faveur de la garde.
☙ Grognuz Frères et Fils,
cave des Rois, 1844 Villeneuve,
tél. 02.19.44.41.28, fax 02.19.44.41.28 ☑ ⲧ ⲁ r.-v.

DOM. DE HAUTE-COUR Mont-sur-Rolle 2003 ★★

▭ Gd cru	4,38 ha	31 000	⑾ 5 à 8 €

Goethe séjourna en 1779 dans cette maison de maître
entourée de vignes. Vous y viendrez aujourd'hui découvrir
un chasselas jaune franc qui livre un bouquet fruité et
floral, avec une touche minérale caractéristique. Le fruit se
développe en bouche, toujours souligné de minéral,
jusqu'à une finale plaisante. Un vin de caractère, bien
structuré, qui a de l'avenir.
☙ Mövenpick, 1183 Bursins,
tél. 02.18.24.08.24, fax 02.18.24.08.25 ☑ ⲧ ⲁ r.-v.
☙ SI de Haute-Cour

JEAN-LOUIS JOMINI ET FILS
Saint-Saphorin Mur blanc 2003 ★★★

▭ Gd cru	1 ha	7 500	▤↓ 11 à 15 €

Chexbres est un charmant village dont les vignes
descendent en terrasses jusqu'au lac Léman. Devant un tel
paysage, on n'a qu'une envie, celle de déguster un chasselas
typique comme ce 2003 vivifiant et structuré. Des arômes
de fleurs de vigne et de pêcher accompagnent la ligne
minérale caractéristique du terroir. L'un des dégustateurs
se souvient des parfums laissés par une fine pluie d'été sur
un mur chauffé par le soleil.
☙ Jean-Louis Jomini et Fils, Chem. de Baulet 3,
1071 Chexbres, tél. 02.19.46.24.46, fax 02.19.46.26.46,
e-mail jomini.vins@bluewin.ch ☑ ⲧ ⲁ r.-v.
☙ Constant Jomini

JEAN-MARC LAGGER
Ollon Saint-Triphon Mondeuse 2002 ★★

■	0,12 ha	850	▤↓ 11 à 15 €

Jean-Marc Lagger a réintroduit la mondeuse sur son
domaine, a procédé à des essais de vinification, puis,
satisfait des résultats, l'a plantée plus largement. Le 2002
s'habille d'une robe grenat nuancée de violine. Son bouquet complexe de sureau, de cassis et de cerise noire est en
accord avec la bouche chaleureuse, soutenue par d'élégants tanins qui respectent le fruité. Bel avenir.
☙ Jean-Marc Lagger, En la Porte, 1867 Saint-Triphon,
tél. 02.44.99.21.62 ☑ ⲧ ⲁ r.-v.

ASSOCIATION VITICOLE DE LUTRY
En Lavaux Chardonnay Elevé en fût de chêne 2002 ★★

	4 ha	3 570	⑾ 11 à 15 €

Créé en 1906, ce groupement de vignerons propose
un chardonnay caractéristique du millésime 2002. Encore
jeune dans son expression aromatique, le vin se nuance
d'un boisé discret qui laisse cependant une légère impression d'austérité. Le jury a reconnu dans ces caractères les
promesses d'un avenir favorable.
☙ Association viticole de Lutry,
chem. de la Culturaz 21, 1095 Lutry,
tél. 02.17.91.24.66, fax 02.17.91.67.24,
e-mail info@avl.ch ☑ ⲧ ⲁ r.-v.

LE MAGISTRAT Saint-Saphorin 2003 ★

▭	0,8 ha	7 000	8 à 11 €

Austère et sévère ce Magistrat ? Nullement, Jean-
François Neyroud a su donner de l'amabilité et de la
générosité à ce chasselas issu du terroir argilo-schisteux de
Saint-Saphorin. Les arômes de fruits se mêlent au minéral
avec harmonie pour proposer une excellente invitation à
l'apéritif.
☙ Jean-François Neyroud-Fonjallaz,
rte du Vignoble 13, 1803 Chardonne,
tél. 02.19.21.71.73, fax 02.19.22.70.17,
e-mail vins@neyroud.ch
☑ ⲧ ⲁ t.l.j. sf dim. 8h-12h 13h-18h

LA MAISON DU LEZARD
Yvorne Pinot noir Vinifié et élevé en barrique 2002 ★

■	1 ha	9 670	⑾ 15 à 23 €

Proche du château de l'Aigle qui abrite un musée de
la Vigne et du Vin et le musée international de l'Etiquette,
La Maison du Lézard a réalisé un beau travail en élaborant
dans une année difficile un pinot noir équilibré. La matière
de ce vin est bien en place, soulignée de notes mentholées
et d'un boisé discret.
☙ SA Henri Badoux, av. du Chamossaire 18,
1860 Aigle, tél. 02.44.68.68.88, fax 02.44.68.68.89,
e-mail info@badoux.com ☑ ⲧ ⲁ r.-v.

DOM. DE MARCY
Saint-Prex Chasselas passerillé 2002 ★★

■	0,25 ha	1 500	⑾ 23 à 30 €

Un chasselas passerillé ? Etonnant, non ? Stéphane
Locher, œnologue, a mis tout son cœur et ses connaissances pour élaborer ce nectar. Son père, Aimé, disparu trop
tôt, aurait, comme le jury, exprimé sa satisfaction. « C'est
bon ! ». Il y a juste ce qu'il faut de vivacité pour éviter la

lourdeur en bouche, tandis que des notes fines de miel et une bonne structure permettent d'envisager des accords gourmands avec des plats épicés.

⊶ Roland Locher, 32, chem. de Marcy,
1162 Saint-Prex, tél. 02.18.06.27.81, fax 02.18.06.35.41,
e-mail domainemarcy@bluewin.ch ☒ Y 🚶 r.-v.

P.A. MEYLAN
Ollon Cabernet Elevé en barrique 2002 ★★

■ 0,3 ha 1 800 ⓘ 15 à 23 €

Issu du seul cabernet franc récolté sur des sols argilo-calcaires, ce vin grenat intense fait preuve de complexité dans sa palette de fruits rouges et noirs nuancés d'une touche de fougère et de notes vanillées. D'attaque chaleureuse, la bouche s'appuie sur des tanins jeunes, mais déjà enrobés dans le gras. Doté d'une agréable finale, voilà un 2002 qui se prépare un bel avenir.

⊶ Pierre-Alain Meylan,
rue de la Chapelle, 1867 Ollon, tél. 02.44.99.24.14,
e-mail pameylan@planet.ch ☒ Y 🚶 r.-v.

DOM. DE PENLOUP Tartegnin 2003 ★

□ Gd cru 1,5 ha 10 000 ▮ 🌡 5 à 8 €

Selon la légende, c'est dans ce domaine qu'aurait été pendu le dernier loup de la région, d'où le nom de Penloup. 3 ha de vignes, mais de nombreux cépages complantés. Le chasselas a produit ce vin jaune clair, encore sur la réserve dans ses arômes, mais d'un caractère aimable en bouche. La finale est marquée par une touche minérale et une légère amertume, signes favorables pour l'avenir.

⊶ H.-R. et V. Graenicher, Roussillon, 1180 Tartegnin,
tél. 02.18.25.10.52, fax 02.18.25.14.36,
e-mail vincentgraenicher@hotmail.com
☒ Y 🚶 t.l.j. sur r.-v.; sam. 10h-12h30

CH. LE ROSEY
Vinzel Garanoir Elevé en barrique 2002 ★★

■ 0,22 ha 1 200 ⓘ 15 à 23 €

Le garanoir est issu d'un croisement de gamay noir et de reichensteiner réalisé en 1970 à la station de Changins. Il est réputé produire des vins de teinte soutenue et au fruité intense. Il en est ainsi de ce 2002 grenat dont les arômes de fruits s'expriment sous le boisé torréfié de la barrique. Solidement structuré, c'est un vin de garde, assurément.

⊶ SA P. et S. Bouvier, Ch. le Rosey, 1183 Bursins,
tél. 02.18.24.14.14, fax 02.18.24.14.59,
e-mail lerosey@bluewin.ch ☒ Y 🚶 r.-v.

CAVE DES ROSSILLONNES Vinzel 2003 ★★

□ 2,8 ha 15 000 ▮ 5 à 8 €

Sous la robe jaune clair apparaît avec discrétion un bouquet fruité en devenir. Tout en douceur, ce chasselas privilégie le fruit en bouche, nuancé d'une note amylique, mais ne déroge pas à la typique touche d'amertume en finale. Un vin structuré et prometteur.

⊶ Jean-Paul et Martial Besson,
Cave des Rossillonnes, rte du Vignoble, 1184 Vinzel,
tél. 02.18.24.12.46, fax 02.18.24.12.58,
e-mail jean-paul.besson@bluewin.ch ☒ Y 🚶 r.-v.

LOUIS-PHILIPPE ET PHILIPPE ROUGE
Dézaley Sous-Marsens 2003 ★★

□ Gd cru 0,4 ha 3 900 ▮ 🌡 11 à 15 €

La meilleure note, le jury l'a acordée à ce dézaley issu d'un beau vignoble en terrasses : 3 ha rachetés au XIX^e^s. par ceux-là mêmes qui avaient travaillé ces vignes au bénéfice de nobles personnages de la région. Les arômes sont typiques du chasselas cultivé sur un terroir légèrement graveleux et calcaire. Ils laissent une impression d'élégance, de même que la bouche expressive. Un vin apte à la garde, qui accompagnera avec distinction poissons et viandes blanches, ainsi que les meilleurs gruyères.

⊶ Louis-Philippe et Philippe Rouge,
cave de la Cornalle, 1098 Epesses,
tél. 02.17.99.41.22, fax 02.17.99.26.64,
e-mail info@rouge-vins.ch ☒ Y 🚶 r.-v.

SIRE THOMAS AU CLOS DE SAINT-BONNET
Bursinel Gamaret, garanoir et diolinoir
Elevé en barrique 2002 ★★

■ 0,6 ha 3 555 ⓘ 8 à 11 €

Au XIII^e^s., sire Thomas de Saint-Bonnet, originaire de France, a donné son nom à ce terroir où Bernard Steiner cultive aujourd'hui 4,2 ha de vignes. Des trois cépages suisses est né ce vin dont les arômes de fruits rouges, de thym et de romarin évoquent déjà le Sud. Encore jeune, il présente une remarquable charpente qui invite à l'attendre quelques années avant de le marier avec une viande rouge ou un fromage.

⊶ Bernard Steiner, Saint-Bonnet 4, 1195 Dully,
tél. 02.18.24.16.36, fax 02.18.24.16.08,
e-mail b-steiner@freesurf.ch ☒ Y 🚶 r.-v.

SOUCHE ARDENTE Pinot noir 2003 ★★

■ 6 ha n.c. ▮ⓘ🌡 8 à 11 €

Une Souche ardente dans le paisible paysage vaudois ? Ce pinot noir (96 %), à peine nuancé de garanoir, est pourtant si frais et gouleyant grâce à ses tanins soyeux. Son nez de cerise noire s'exprime encore timidement, mais l'ensemble promet d'évoluer favorablement, avec finesse.

⊶ Uvavins - Cave de la Côte, 1131 Tolochenaz,
tél. 02.18.04.54.54, fax 02.18.04.54.55,
e-mail uvavins@uvavins.ch ☒ Y 🚶 r.-v.

JEAN-JACQUES STEINER

Tartegnin Œil de perdrix Parfum de Vigne 2003 *

■ n.c. 4 700 8 à 11 €

A moins d'une dizaine de kilomètres du château de Prangins édifié à la fin du XIXe s. et qui abrite le Musée national suisse, ce domaine de 11 ha offre un bien agréable Parfum de vigne. Ce parfum, c'est celui, expressif, du pinot noir : la framboise. Une courte cuvaison a donné au vin une structure légère qui permet de le servir d'ores et déjà avec des poissons du lac ou même des poissons de mer.

Jean-Jacques Steiner, Sous-les-Vignes 26, 1195 Dully, tél. 02.18.24.11.22, fax 02.18.24.23.38, e-mail info@parfumdevigne.ch ☑ Y r.-v.

SUR LES CHAUX Pinot noir de Concise 2003 *

■ 0,55 ha 2 000 8 à 11 €

Didier Gaille a créé il y a vingt ans ce domaine : un peu plus de 4 ha plantés de multiples cépages. Ici, c'est le pinot noir qui a la vedette. Un vin structuré dont toutes les composantes sont bien en place, mais qui mérite de s'harmoniser dans le temps avant de rejoindre une côte de bœuf.

Didier Gaille, La Galilée, 1425 Onnens, tél. 02.44.36.21.55, fax 02.44.36.28.75, e-mail dgaille@bluewin.ch ☑ Y r.-v.

RENE TAURIAN

Perroy Clair Obscur Gamaret-garanoir Elevé en fût de chêne 2002 *

■ 0,3 ha 2 300 11 à 15 €

René Taurian aurait-il hérité de son père italien ce goût de l'art et du clair obscur ? Il a su donner à son vin de gamaret et de garanoir à parts égales, tout juste nuancé de merlot (2 %), une palette aromatique complexe, soulignée de boisé. D'attaque chaleureuse, la bouche fait la part belle aux fruits et trouve l'appui de tanins fondus. Une petite garde ne fera que valoriser son œuvre.

René Taurian, Cave Perosel, Grand-Rue 62, 1166 Perroy, tél. 07.92.66.54.65, fax 02.18.25.40.65, e-mail rtaurian@freesurf.ch ☑ Y r.-v.

CAVE DU CH. DE VALEYRES

Côtes de l'Orbe Riesling x sylvaner Réserve Saint-Jacques 2003 **

□ 0,45 ha 3 500 5 à 8 €

A 2 km d'Orbe, les vestiges d'une *villa* romaine ont livré de remarquables mosaïques du IIIe s. de notre ère, aujourd'hui exposées sur le site même des fouilles. La route est courte qui mène à ce château bâti vers 1630. Dans son carnotzet (son caveau de dégustation), on découvrira ce vin de riesling x sylvaner, cépage devenu rare. D'une expression florale intense et élégante, celui-ci se développe avec vivacité et structure. Il accompagnera aisément les mets au fromage, le poisson et les fruits de mer.

Benjamin Morel, Cave du Ch. de Valeyres, 1358 Valeyres-sous-Rances, tél. 07.96.58.26.14, fax 02.44.41.03.73, e-mail info@chateauvaleyres.ch ☑ Y r.-v.

DOM. DE VEREX Allaman 2003 **

□ Gd cru 4 ha 30 000 5 à 8 €

Entourant des bâtiments du XVIIIe s., ce vignoble de 7,5 ha est implanté en coteaux, sur des sols assez légers. Le chasselas, sous une teinte jaune franc, s'exprime ici dans les registres floral et fruité. Plaisant dès l'attaque, il donne la faveur au fruit en bouche, soutenu par la légère amertume attendue dans ce type de vin.

Jacques Perrot, Dom. de Verex, 1165 Allaman, tél. 02.18.07.30.31, fax 02.18.07.36.06, e-mail jperrot@vins-verex.ch ☑ Y r.-v.

VIGNEFOL Villette 2003 *

□ 2 ha 7 000 8 à 11 €

Les Dizerens ont progressivement agrandi leur exploitation depuis 1979 : des 5 ha de leurs débuts, ils sont passés à 20 ha. Ils ont produit en 2003 un chasselas des plus typiques. Jaune à reflets gris, ce vin promet d'épanouir son bouquet d'ici l'hiver prochain et de fondre sa petite amertume finale pour devenir aussi tendre que le laisse présager son attaque. Il rejoindra alors vos plats de poisson.

Jean et Michel Dizerens, chem. Moulin 31, 1095 Lutry, tél. 02.17.91.34.97, fax 02.17.91.24.86 ☑ Y r.-v.

CH. DE VUFFLENS Vufflens-le-Château 2003 **

□ Gd cru 5 ha 30 000 8 à 11 €

Château des XIVe et XVIIe s., Vufflens commande un vignoble de 8 ha, dont le fruit est vinifié par la maison Bolle. Son chasselas jaune pâle se montre expressif : les fruits légèrement citronnés se mêlent aux fleurs et se prolongent dans une bouche flatteuse et structurée. A boire ou à garder jusqu'en 2006. Produit par la même maison, le **chasselas Domaine de Sarraux-Dessous grand cru de Luins 2003** obtient une étoile également : il offre un profil fruité et amylique.

SA Bolle et Cie, rue Louis-de-Savoie 75, 1110 Morges, tél. 02.18.01.27.74, e-mail bolle@bolle.ch ☑ Y r.-v.

Famille de Saussure

DOM. DE LA COMMUNE D'YVORNE

Yvorne Trechêne 2003 **

□ 1,3 ha 8 000 8 à 11 €

Particularité helvétique, de nombreuses communes possèdent leur vignoble. Celle d'Yvorne peut être safisfaite de celui de Trechêne : 1 ha situé au-dessus d'Yvorne, dont les ceps taillés en gobelets tirent profit du terroir d'éboulis calcaro-graveleux. Un caractère puissant de pierre à fusil se manifeste dans ce chasselas structuré ; il s'accompagne de notes de fleur de tilleul des plus plaisantes. Poissons et mets au fromage seront ses meilleurs alliés.

Commune d'Yvorne, La Grappe, 1853 Yvorne, tél. 02.44.66.25.22, fax 02.44.66.60.61, e-mail commune@yvorne.ch ☑ Y r.-v.

Canton du Valais

Pays de contrastes, la vallée du haut Rhône a été façonnée au cours des millénaires par le retrait du glacier. Un vignoble a été implanté sur des coteaux souvent aménagés en terrasses.

Le Valais, un air de Provence au cœur des Alpes : à proximité des neiges éternelles, la vigne côtoie l'abricotier et l'asperge. Sur le sentier des bisses (nom local des canaux d'irrigation), le promeneur rencontre l'amandier et l'adonis, le châtaignier et le cactus, la mante religieuse et le scorpion ; il peut palper le long des murs, l'absinthe et l'armoise, l'hysope et le thym.

Plus de quarante cépages sont cultivés dans le Valais, certains introuvables ailleurs tels l'arvine et l'humagne, l'amigne et le cornalin. Le chasselas se nomme ici fendant et, dans un heureux mariage, le pinot noir et le gamay donnent la dôle, tous deux crus AOC qui se distinguent selon les divers terroirs par leur fruité ou leur noblesse.

CAVE LE BANNERET
Ambroisie Vendanges tardives 2002 ★★

	30 ha	1 500	▮ ↓ 15 à 23 €

Carlo Maye a attendu que son fils obtienne son diplôme d'œnologue pour créer sa cave en 1986. Depuis lors, tous deux exploitent un domaine de 7 ha répartis entre la plaine et le coteau de Chamoson. Assemblage de johannisberg et de malvoisie vendangés tardivement, cette Ambroisie réunit dans sa palette toutes les nuances de la surmaturation : coing, nougatine, abricot sec, miel. Les belles larmes de sa robe jaune doré annoncent l'onctuosité de la bouche qu'une vivacité agréable équilibre. Le bouquet se confirme et persiste longtemps en finale. Vous profiterez d'un goûter entre amis pour déguster ce vin avec des gâteaux secs aux amandes. (Bouteilles de 50 cl.)
➐ Carlo et Joël Maye et Fils, Cave Le Banneret, rte de La Crettaz 13/15, 1955 Chamoson, tél. 02.73.06.40.51, fax 02.73.06.85.55, e-mail info@banneret.ch ✅ Ⓨ ⚲ r.-v.

BONVIN
Les Grands Domaines Cuvée Or Grain noble 2001 ★★

	0,7 ha	5 300	ⅢⅠ 23 à 30 €

Maison créée en 1858. Charles Bonvin vinifie le fruit de 50 ha de vignes autour de Sion, dont il possède en propre une bonne moitié. Sylvaner (70 %) et marsanne composent ce vin liquoreux délicatement parfumé de sous-bois et de truffe blanche et qui joue l'équilibriste entre douceur et vivacité. Ample et complexe, il mérite une place sur votre table lorsque vous servirez des fromages bleus ; sa couleur jaune or chatoyant sera appréciée de vos convives. (Bouteilles de 37,5 cl.)
➐ Charles Bonvin Fils, av. Grand-Champsec 30, 1950 Sion 4, tél. 02.72.03.41.31, fax 02.72.03.47.07, e-mail info@charlesbonvin.ch ✅ Ⓨ ⚲ r.-v.

PIERRE-MAURICE CARRUZZO ET FILS
Chamoson Johannisberg Vieilles Vignes 2003 ★

	1 ha	2 000	▮ ↓ 11 à 15 €

Forts de trente-cinq ans d'expérience et bien appuyés par leur fils Sébastien, Pierre-Maurice et Isabelle Carruzzo cultivent une palette de vingt-quatre cépages sur environ 7 ha. Issu de vignes cinquantenaires, leur johannisberg dévoile un fruité assez discret, le minéral et les senteurs de noisette prenant le dessus. Il se montre harmonieux, rond et ample au palais, tout disposé à accompagner une choucroute ou un soufflé aux asperges.
➐ Pierre-Maurice Carruzzo, rue Pré-de-Monthey 24, 1955 Chamoson, tél. 02.73.06.37.56, fax 02.73.06.37.46, e-mail vinspmc@bluewin.ch ✅ 🏠 Ⓨ ⚲ r.-v.

DOM. DE CHATEAUNEUF Dôle 2003 ★★★

	0,8 ha	4 000	11 à 15 €

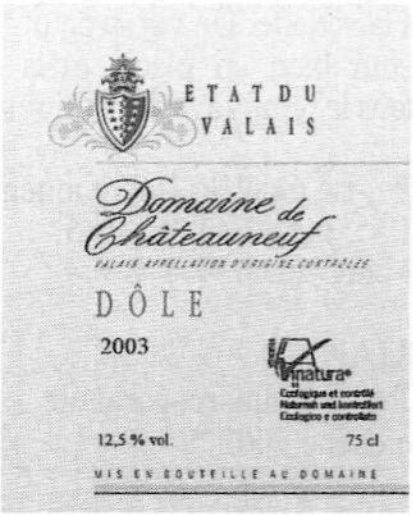

Qui veut découvrir la flore et la faune valaisane – scorpion d'Italie, hysope officinale, etc. – se rendra au domaine de Châteauneuf, vignoble expérimental de l'école d'Agriculture de Sion. On y découvrira aussi les cépages du canton : plus de vingt-cinq variétés vinifiées et plus de trente-cinq conservées dans sa collection. Assemblage de pinot noir (80 %) et de gamay, cette dôle rouge sombre offre un bouquet ample et charmeur d'épices et de fruits rouges qui se prolonge au palais. Elle laisse une impression de souplesse et de rondeur tant ses tanins enrobés ont un grain soyeux. A déguster dès aujourd'hui avec du veau ou une volaille.
➐ Cave de l'Etat du Valais, Ecole cantonale d'Agriculture, CP 437, 1951 Sion, tél. 02.76.06.77.30, e-mail claude-alain.Putallaz@admiw.vs.ch ✅ Ⓨ ⚲ r.-v.

LES CIGALINES
Chamoson Marsanne Vendange tardive 2003 ★★

	0,25 ha	1 600	▮ 15 à 23 €

Si Maurice Giroud et son fils Xavier sont d'incorrigibles curieux, prêts à adopter le chenin de la Loire et même le tannat du Sud-Ouest sur leurs 5,6 ha, ils savent aussi défendre le patrimoine valaisan. Pour preuve, cette marsanne jaune doré dont le nez riche évoque le coing confit et le poivre, élégamment soulignés de truffe blanche. Moelleuse dès l'attaque, elle trouve un contrepoint à sa grande douceur dans une touche vive agréable. Sa longueur est en outre remarquable. Gardez cette bouteille en cave jusqu'en 2008 pour mieux la savourer avec un foie gras.
➐ Maurice Giroud, Cave la Siseranche, Pommey 21, 1955 Chamoson, tél. 02.73.06.44.52, fax 02.73.06.90.19 ✅ Ⓨ ⚲ r.-v.

DOM. DES CLAIVES

Ermitage Grain d'or Président Troillet 2002 ★★

0,8 ha 2 600 15 à 23 €

L'ermitage est l'un des cépages préférés de Marie-Thérèse Chappaz qui a repris en 1988 une partie des vignes de son père et de son grand-oncle Maurice Troillet. Elle conduit son vignoble de 8 ha en biodynamie et mise beaucoup sur les vins liquoreux. Les senteurs de truffe blanche typiques du cépage se mêlent harmonieusement aux notes toastées et vanillées de l'élevage en fût, puis c'est une bouche onctueuse et généreuse qui se développe, d'une longueur impressionnante.

Marie-Thérèse Chappaz, Cave La Liaudisaz, chem. de Liaudise 39, 1926 Fully, tél. 02.77.46.35.37, fax 02.77.46.35.29, e-mail mtchappaz@freesurf.ch r.-v.

CLAUDY CLAVIEN

Les Coteaux de Sierre Pinot noir 2003 ★

n.c. 5 000 8 à 11 €

Avec ses 6 ha sur les coteaux de Sierre, Claudy Clavien met en valeur toutes les facettes d'une large palette de cépages. Ici, c'est un pinot noir élevé en cuve qui a retenu l'attention du jury. Rouge sombre, le vin offre un bouquet de petits fruits mûrs, au sein duquel la cerise domine légèrement. Souple et équilibré dès l'attaque, il fait preuve de rondeur et de légèreté. Appréciez-le dès aujourd'hui avec un lapin ou un rôti de porc.

Claudy Clavien, Cave des Champs, 3972 Miège, tél. 02.74.55.24.23, fax 02.74.55.24.23 r.-v.

CLOS DE BALAVAUD Vétroz Fendant 2003 ★★

Gd cru 2 ha 20 000 8 à 11 €

Le Clos de Balavaud est l'un des domaines phares des fils Maye, cette maison fondée en 1889 vinifie le fruit de 150 ha de vignes, dont 50 ha en propriété. Jaune-vert lumineux, ce fendant libère un délicat bouquet à dominante minérale et flatte le palais par sa structure élégante. Un léger perlant le rend en outre friand et frais. Une bonne raison de se réunir autour d'une raclette ou d'une fondue au fromage. Le **Païen traminer Franc-Tireur 2003 (11 à 15 €)** obtient deux étoiles également : floral (pétale de rose), il a toute la richesse requise pour souligner les saveurs d'un fromage d'alpage.

Les Fils Maye, rue des Caves, 1908 Riddes, tél. 02.73.05.15.00, fax 02.73.05.15.01, e-mail info@maye.ch r.-v.

COLLINE DES PLANZETTES Dôle 2003 ★★

0,37 ha 3 200 11 à 15 €

Pascal Zufferey a repris en 2001 le domaine familial, composé de 3,5 ha de vignes plantées sur le terroir calcaire de la rive droite du Rhône et sur celui, argileux, de Chablais. Assemblage de pinot noir, de gamay et de diolinoir, cette dôle unit des parfums de cerise et d'autres petits fruits à des notes de cuir. Si elle manifeste un léger côté austère en attaque, elle devient vite agréablement fraîche et fruitée, gentiment soutenue par des tanins souples. Un rôti de veau sera de bonne compagnie.

Pascal Zufferey, Colline des Planzettes, rte Sous-Géronde 29, 3960 Sierre, tél. 02.74.55.04.83, fax 02.74.55.78.83 r.-v.

DOM. DE LA COTZETTE Sion Fendant 2003 ★

2,5 ha 4 000 8 à 11 €

Une maison plus que centenaire dont le vignoble couvre 40 ha. Au domaine de La Cotzette est né ce fendant au bouquet frais, soutenu par de subtiles notes minérales. La fraîcheur se confirme en bouche, la ligne minérale soulignant bien la structure. Réunissez-vous à table, autour d'une raclette. Si des crustacés sont au menu, tournez-vous vers le **johannisberg Brûlefer 2003**, noté une étoile : ses arômes de fruits exotiques confits comme son gras laissent penser à une grande maturité de la vendange.

Vins Robert Gilliard, rue de Loèche 70, 1950 Sion 2, tél. 02.73.29.89.29, fax 02.73.29.89.28, e-mail vins@gilliard.ch r.-v.

PIERRE-ANTOINE CRETTENAND

Humagne rouge 2002 ★

0,4 ha 2 500 11 à 15 €

Pierre-Antoine Crettenand vinifie depuis plus de trente ans des vins majoritairement monocépages, issus de vignes cultivées à Saillon, Fully, Leytron et Saxon, mais aujourd'hui il envisage de se lancer dans l'élaboration de vins d'assemblage. En attendant, le jury a apprécié cet humagne rouge sombre à reflets violets, dont les arômes de griotte témoignent de la maturité du raisin. Des notes de sous-bois et de lierre typiques du cépage nuancent le nez, puis c'est une bouche vineuse à l'attaque, aux tanins souples et bien intégrés, qui se développe avec élégance. A boire avec un magret de canard.

Pierre-Antoine Crettenand, rte de Tobrouk, 1913 Saillon, tél. 02.77.44.29.60, fax 02.77.44.29.60 r.-v.

PHILIPPE DARIOLY

Ermitage flétri Elevé en fût de chêne 2001 ★★

0,1 ha 1000 23 à 30 €

Est-ce un hasard ? En 1996, lorsque Philippe Darioly a commencé à vinifier le fruit de ses vignes, il n'a produit que des vins liquoreux. Un ermitage flétri (marsanne) lui vaut aujourd'hui une présence remarquée dans le Guide. Brillant de reflets paille et or, ce vin possède bien les arômes caractéristiques d'une surmaturation : abricot confit mêlé d'une fine touche fumée. Le palais offre plus de complexité encore par ses flaveurs de champignon, de miel et de fruits confits qui soulignent son onctuosité ; la finale chaleureuse évoque même la résine. S'il est déjà agréable, ce 2002 se conservera une dizaine d'années en cave.

Philippe Darioly, av. de la Fusion 160, 1920 Martigny, tél. 02.77.23.27.66, fax 02.77.23.27.66, e-mail philippe.darioly@bluewin.ch r.-v.

DESFAYES ET CRETTENAND

Leytron Cornalin 2003 ★★

0,7 ha 3 000 11 à 15 €

Lorsque Edmond Desfayes et Jean Crettenand ont créé ce domaine en 1965, il ont souhaité privilégier les cépages purement valaisans. Il en est encore ainsi, sous l'autorité de Stéphane Desfayes, et c'est sans surprise qu'un cornalin, plant autochtone s'il en est, se distingue dans le Guide. Vin concentré, à la trame de tanins serrés, ce 2003 s'ouvre sur la cerise et le clou de girofle avec complexité. Après une attaque soyeuse, ces arômes réapparaissent en bouche accompagnés de violette. Un bon compagnon des gibiers à plume (cailles).

Stéphane Desfayes, Desfayes-Crettenand, rte de Dorman 23, 1912 Leytron, tél. 02.73.06.28.07, fax 02.73.06.28.07, e-mail vins@defayes.com r.-v.

DUBUIS ET RUDAZ
Sion Fendant Privilège 2003 ★★

▒ 2 ha 18 000 ▮⚲ 8 à 11 €

L'homme et son terroir, l'homme et sa vigne, l'homme et son vin... C'est à ce lien étroit que ce vigneron souhaite sensibiliser l'amateur. Ainsi vinifie-t-il le fruit de ses 10 ha de vignes le plus naturellement possible. Son fendant, jaune pâle brillant, aux notes minérales nuancées d'une petite touche de noisette, s'exprime avec souplesse et équilibre ; une pointe un peu austère en finale ne nuit en rien à son élégance.

⊶ Cave Dubuis et Rudaz, chem. des Perdrix 9,
1950 Sion, tél. 02.73.21.13.13, fax 02.73.21.13.14,
e-mail dubuis.rudaz@bluewin.ch ☒ Y ⚘ r.-v.

JO GAUDARD Leytron Humagne blanc 2003 ★

▒ 0,15 ha 1 500 ▮⚲ **11 à 15 €**

Jo Gaudard avait parcouru le monde et fait bien d'autres métiers quand il décida, en 1986, de reprendre le domaine familial : 3 ha de vignes sur le cône d'alluvions de Leytron. En 2003, l'humagne blanc lui a donné ce vin expressif et original par ses notes de cassis et de fruits exotiques. Solidement structuré, le palais n'est pas dénué de sève et laisse une agréable sensation. Les fromages d'alpage lui iront bien.

⊶ Jo Gaudard, rte de Chamoson, 1912 Leytron,
tél. 02.73.06.60.69, fax 02.73.06.72.18,
e-mail jogaudard@bluewin.ch ☒ ⌂ Y ⚘ r.-v.

JEAN-RENE GERMANIER
Vétroz Fendant Les Terrasses 2003 ★★★

▒ 4 ha 38 000 ▮⚲ 8 à 11 €

Jean-René Germanier et Gilles Besse dirigent ce domaine dont les 60 ha de vignes sont disséminés dans le Valais central. Issu d'un terroir de moraines glacières et d'ardoise délitée, leur fendant jaune clair offre un bouquet typique du cépage, avec de délicates notes minérales. Un léger perlant lui donne une agréable fraîcheur en attaque, puis se développent de subtils arômes de fruits de la Passion. Un vin vivifiant à souhait. Tout ce que l'on attend du chasselas.

⊶ SA Jean-René Germanier, Balavaud, 1963 Vétroz,
tél. 02.73.46.12.16, fax 02.73.46.51.32,
e-mail info@jrgermanier.ch ☒ Y ⚘ r.-v.

CAVE EDMOND GIROUD
Ardon Humagne rouge 2003 ★★

■ 0,25 ha 1 800 ▮⚲ 8 à 11 €

A Saint-Pierre-de-Clages on vient admirer l'église du XIe s. au clocher octogonal, on vient participer à la fête du Livre le dernier week-end d'août, on vient apprécier les vins de Chamoson et d'Ardon. C'est dans cette commune que la maison Giroud a été créée au début du XXe s. ; aujourd'hui dirigée par les descendants du fondateur, Anne et Bertrand Gaillard, elle propose un humagne rouge d'une parfaite maturité. Sous une robe rouge sombre à reflets violets apparaissent les senteurs typiques d'écorce de chêne. L'attaque souple et tendre introduit une bouche harmonieuse et équilibrée, qui garde le caractère sauvage propre au cépage. Viande de bœuf, canard ou gibier sauront mettre en valeur de telles saveurs.

⊶ Cave Edmond Giroud,
pl. de la Gare 3, 1955 Saint-Pierre-de-Clages,
tél. 02.73.06.22.56, fax 02.73.06.74.46,
e-mail edmond.giroud@bluewin.ch ☒ Y ⚘ r.-v.

LA GUERITE
Fendant Réserve de nos domaines 2003 ★★

▒ 2 ha 15 000 ▮⚲ 8 à 11 €

Si elle vinifie le fruit d'autres vignerons, cette maison dont les origines remontent à 1883 possède aussi 20 ha de vignes entre Martigny et Sion. Ce fendant fait partie de ses vins haut de gamme, ce que l'on comprend à la dégustation. Sous une robe jaune-gris lumineuse, le bouquet apparaît assez discret, comme souvent avec le chasselas ; il se distingue cependant par une fine touche beurrée. En bouche, le vin ne manque pas de charme grâce à sa structure élégante. L'apéritif ? Une occasion de l'apprécier. Le **chardonnay Les Mazots 2003 (11 à 15 €)** brille d'une étoile. Elevé en fût, il décline une riche palette de cire d'abeille, de noix de coco et de vanille, puis trouve un équilibre intéressant entre le gras et la fraîcheur. Pour des poissons de mer en sauce.

⊶ SA Maurice Gay, rue de Ravanay, CP 54,
1955 Chamoson, tél. 02.73.06.53.53, fax 02.73.06.53.88,
e-mail mauricegay@mauricegay.ch
☒ Y ⚘ t.l.j. sf sam. dim. 8h-17h; f. 19 juil.-6 août

HURLEVENT Marsanne blanche 2003 ★

▒ 1,5 ha 11 000 ▮⚲ 11 à 15 €

Après une escapade vers le château de Valère qui domine Sion et, plus haut encore sur un éperon rocheux presque inaccessible, vers les vestiges de la forteresse de Tourbillon (XIVe s.), quoi de plus naturel que de découvrir ce Hurlevent ? Une marsanne d'un jaune soutenu lumineux, qui ne souffle qu'une brise discrète de petits fruits. Onctueuse en attaque, avec des sucres résiduels bien perceptibles, elle offre une agréable rondeur et du moelleux avant de s'achever sur une fine amertume caractéristique. Les dégustateurs proposent de la marier à une poularde aux truffes.

⊶ Jean-Pierre Favre, Les Fils de Charles Favre,
av. de Tourbillon 29, 1951 Sion,
tél. 02.73.27.50.50, fax 02.73.27.50.51,
e-mail info@favre-vins.ch ☒ Y ⚘ r.-v.

IMESCH Petite arvine Soleil d'or 2003 ★★★

▒ 0,7 ha 4 000 ▮⚲ **15 à 23 €**

Avec le pinot noir, le cornalin et le johannisberg, la petite arvine est l'un des principaux cépages de cette maison sierroise centenaire qui compte 10 ha en propre. En 2003, elle a donné naissance à un vin superbement aromatique : rhubarbe, ananas, mangue, pomelo... Autant de notes qui se prolongent dans une bouche ample et onctueuse qu'une teinte jaune soutenu à reflets dorés pouvait laisser augurer. A savourer avec des fromages bleus. Le **cornalin Soleil d'or 2003** obtient deux étoiles : subtilement marqué de petits fruits rouges et de cassis, parfaitement structuré par des tanins de qualité, il ne demande qu'à s'ouvrir à la faveur de la garde.

☛ Imesch Vins Sierre, place Beaulieu 8, 3960 Sierre, tél. 02.74.56.36.88, fax 02.74.56.36.89, e-mail info@imesch-vins.ch
☑ ❤ t.l.j. sf dim. lun. 8h30-12h 13h30-18h; sam. 10h-14h

ALEXIS JACQUÉRIOZ Petite arvine 2003 ★

	0,16 ha	1 500	ⅰ↓ 11 à 15 €

La fondation Gianadda, qui accueille de prestigieuses expositions d'art et des concerts, est un haut lieu de Martigny. Les amateurs d'art auront plaisir à poursuivre leur visite de la ville par la fondation Louis Moret, située près des berges de la Dranse. Ils ne seront alors plus très loin de la cave d'Alexis Jacquérioz et pourront découvrir cette petite arvine. D'un jaune lumineux, celle-ci marie les notes minérales à une touche florale de glycine. En bouche, les arômes fruités s'imposent comme pour mettre en valeur son beau tempérament nerveux. A servir à l'apéritif puis avec des fruits de mer.
☛ SA Alexis Jacquérioz, chem. des Barrières 27, 1920 Martigny, tél. 02.77.22.34.85, fax 02.77.22.34.51, e-mail a.jacquerioz@bluewin.ch ☑ ❤ ⚹ r.-v.

MADELEINE ET JEAN-YVES MABILLARD-FUCHS Venthône Pinot noir 2003 ★★★

	0,65 ha	4 500	ⅰ 8 à 11 €

PINOT NOIR
de Venthône

AOC VALAIS

Madeleine et Jean-Yves
MABILLARD - FUCHS
Vignerons-encaveurs à Venthône

75 cl   2003   12,5% vol.

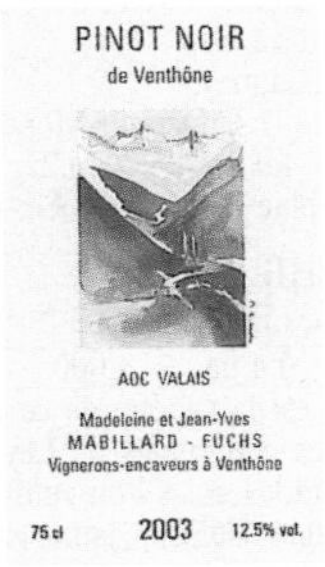

Venthône est l'une des communes des coteaux de Sierre où Madeleine et Jean-Yves Mabillard-Fuchs cultivent la vigne. Leur domaine (3,5 ha) ne compte pas moins de dix cépages, mais c'est le pinot noir qui a ici la vedette. Vêtu d'une robe d'une profondeur étonnante pour le cépage, son vin décline des senteurs variées, parmi lesquelles le sureau apparaît distinctement. Il développe d'emblée une structure puissante, accompagnée d'un fruité ample et complexe. Sa trame tannique serrée augure un bel avenir.
☛ Madeleine et Jean-Yves Mabillard-Fuchs, Cave Mabillard-Fuchs, rte de Montana 18, 3973 Venthône, tél. 02.74.55.34.76, fax 02.74.56.34.00 ☑ r.-v.

CAVE LA MADELEINE Vétroz Cornalin 2003 ★★★

	0,4 ha	2 000	ⅰ↓ 11 à 15 €

Le cornalin est un cépage rare, emblématique du patrimoine ampélographique de la Suisse. Mention en était déjà faite en 1313 dans le registre d'Anniviers. Le voici mis en valeur par André Fontannaz, sur le coteau escarpé de Vétroz. D'un rouge soutenu, le vin en exprime tous les caractères dans une palette de violette, de girofle et de cerise noire. Au palais, c'est le bonbon à la violette et la réglisse qui agrémentent une matière dense, étayée par des tanins présents mais soyeux, car bien enrobés. L'expression du cépage dans toute sa splendeur.

☛ André Fontannaz, Cave La Madeleine, rte cantonale 118, 1963 Vétroz, tél. 02.73.46.45.54, e-mail info@fontannaz.ch ☑ ❤ r.-v.

DANIEL MAGLIOCCO
Chamoson Pinot noir 2003 ★★★

■	0,5 ha	3 000	ⅰ↓ 8 à 11 €

Les 5 ha du domaine se partagent entre Ardon et Chamoson, avec une majorité de vignes dans cette dernière commune. Daniel Magliocco a su donner au pinot noir un caractère sensuel, tout en dentelles. L'élégance et la complexité du bouquet de cuir, de réglisse et de mûre n'ont d'égal que le charme d'une bouche structurée, mais souple. Les tanins sont ciselés et remarquablement fondus. A l'œil déjà, les dégustateurs ont été séduits par le rouge sombre et brillant.
☛ Daniel Magliocco, av. de la Gare 10, 1955 Saint-Pierre-de-Clages, tél. 02.73.06.35.22, fax 02.73.06.48.60, e-mail daniel.magliocco@bluewin.ch ☑ ❤ ⚹ r.-v.

ALBERT MATHIER ET FILS Syrah 2003 ★★

■	1 ha	5 000	ⅰ↓ 15 à 23 €

Chez les Mathier, on travaille en famille : Amédée dirige le domaine ; Alwin et Martin se chargent de la vinification, Peter de la commercialisation. Leur vignoble couvre 30 ha à Salquenen et à Leytron, mais ils se fournissent également auprès d'autres viticulteurs. Leur syrah, impressionnante par sa couleur rouge très sombre, affiche un nez puissant d'épices, de poivron et de poivre, complété par des notes de réglisse, de violette et d'ambre. Elle se montre certes puissante, dotée d'une trame de tanins serrés, mais n'en présente pas moins de la souplesse. Sa belle longueur est un atout supplémentaire que le jury n'a pas manqué de noter. Vous déboucherez cette bouteille à partir de 2006 et jusqu'en 2010 pour la servir avec de l'agneau, une perdrix ou un plateau de fromages.
☛ Albert Mathier & Söhne, Bahnhofstrasse 3, 3970 Salgesch, tél. 02.74.55.14.19, fax 02.74.56.36.07, e-mail albert@mathier.ch
☑ ❤ ⚹ t.l.j. sf sam. dim. 9h-12h 13h30-17h30

DENIS MERCIER
Ermitage Grain noble Flétri sur souche 2001 ★★★

	0,2 ha	1 600	ⅲ 15 à 23 €

Certes, Anne-Catherine et Denis Mercier se sont forgé une belle réputation en matière de vins rouges, mais ils cultivent une si large palette de cépages sur leurs 6 ha que l'on peut difficilement faire abstraction de leurs autres vins. Ils proposent un ermitage (marsanne) liquoreux de haute tenue. D'abondantes larmes s'écoulent sur les parois du verre, relevant l'aspect brillant de la robe jaune or. Une invitation à découvrir le nez complexe et intense, évocateur de liqueur de framboise, de sous-bois et de fleur blanche. L'attaque puissante et moelleuse annonce l'énorme potentiel de ce vin qui emplit généreusement la bouche et sollicite chaque papille. Une dizaine d'années de garde sont à la portée d'un tel nectar. (Bouteilles de 37,5 cl.)
☛ Denis et Anne-Catherine Mercier, Crêt-Goubing 44, 3960 Sierre, tél. 02.74.55.47.10, fax 02.74.55.47.77, e-mail denis.mercier@vtx.ch ☑ r.-v.

DOM. DU MONT D'OR
Malvoisie Crête ardente 2002 ★★

	0,4 ha	3 200	ⅲ 23 à 30 €

Peut-on imaginer que 20 ha de vignes puissent couvrir deux cent vingt terrasses ? Il faut se rendre au Mont d'Or, entre les collines de Montorge et des Maladaires, pour le découvrir. Ce domaine, fondé en 1848 par un milliardaire venu de Montreux, s'est fait un nom grâce à sa production de vins moelleux ou liquoreux, issus de raisins flétris sur souche. Cette malvoisie (pinot gris) en est un bel exemple : jaune soutenu et lumineux, elle fait preuve d'une grande fraîcheur au nez pour ce style de vin, avec également des arômes de noisette grillée et de cire d'abeille. Cette impression se confirme au palais, malgré le taux élevé de sucres résiduels. L'équilibre est en effet remarquable entre la douceur et la vivacité qui se manifeste pleinement en finale. Servie avec des petits-fours ou des truffes au chocolat, cette bouteille sera un régal. Noté une étoile, le **Goût du Conseil 2002** est un moelleux marqué par l'expression du riesling qui constitue 60 % de son assemblage, complétés par le sylvaner.

🔑 SA Dom. du Mont d'Or, Pont-de-la-Morge, CP 240, 1964 Conthey 1, tél. 02.73.46.20.32, fax 02.73.46.51.78, e-mail montdor@montdor-wine.ch ☑ Y ⚲ r.-v.

LA MOURZIERE

Coteaux de Sierre Humagne rouge 2003 ★★★

■ 0,25 ha 1 800 ▮🌡 11 à 15 €

Voilà presque dix ans que Conrad Caloz a pris la suite de son père sur ce domaine de 3,5 ha. Son humagne rouge a un tempérament sauvage, parfaitement typique du cépage. Aux arômes de violette et d'écorce de chêne répond une bouche aux flaveurs de prune, qui offre toute la fraîcheur attendue. Les tanins sont certes présents, mais sans excès, car bien enrobés. A boire ou à attendre jusqu'en 2006.

🔑 Anne-Carole et Conrad Caloz, Cave Caloz, anc. rte de Sierre 1, 3972 Miège, tél. 02.74.55.22.06, fax 02.74.55.22.06, e-mail caloz.conrad@bluewin.ch ☑ Y ⚲ r.-v.

DOM. DES MUSES

Muscat blanc à petits grains 2003 ★

□ 0,25 ha 2 000 ▮🌡 15 à 23 €

Depuis 2001, Robert Taramarcaz est à la tête du domaine créé par ses parents en 1993 : 4 ha au pied et à flanc des collines de Pintzet, à Granges, et quatre autres hectares entre Fully et Salquenen. Son muscat blanc à petits grains offre sous une teinte jaune soutenu toute l'intensité aromatique attendue, associant notes florales et nuances de fruits typiques du cépage. Après une attaque moelleuse, il se développe avec volupté en gardant ce même fruité. Vin de dessert, bien sûr.

🔑 Robert Taramarcaz, Dom. des Muses, Ile Falcon, 3960 Sierre, tél. 02.74.55.73.09, fax 02.74.55.18.69, e-mail domainedesmuses@bluewin.ch ☑ Y ⚲ r.-v.

CAVE DU PARADOU

Diolinoir Fût de chêne 2002 ★

■ 0,2 ha 1 600 ◍ 11 à 15 €

Les fidèles du Guide connaissent la jolie étiquette de ce diolinoir né à la cave du Paradou, un domaine de 4 ha répartis entre le Val d'Hérens et la Louable Contrée. Le 2002 est un vin rouge sombre à reflets presque noirs. Si le bouquet semble encore un peu timide, la bouche développe des arômes de fruits noirs et se révèle puissante et structurée. Les tanins ont certes un caractère légèrement austère, mais ils sont taillés pour la garde. Dans quatre ans, vous pourrez servir cette bouteille avec un gibier à plume.

🔑 Cave du Paradou, La Villetaz, 1973 Nax, tél. 02.72.03.23.59, fax 02.72.03.60.13, e-mail paradou.vins@bluewin.ch ☑ Y ⚲ r.-v.

DOMINIQUE PASSAQUAY

Gamay Vieilles Vignes 2003 ★

■ 0,5 ha 2 500 ▮🌡 8 à 11 €

Une majeure partie des vignes (3,5 ha) de Dominique Passaquay se trouvent dans le Valais central, autour de Saxon. Son gamay, issu de vignes trentenaires, est un vin bien structuré, sans extraction excessive. Sous une robe aux beaux reflets violacés apparaît un nez de sous-bois. Les arômes gagnent en complexité en bouche et s'accompagnent de délicats tanins. A boire avec une volaille ou un plateau de charcuterie.

🔑 Dominique Passaquay, rte de Montet 5, 1871 Choëx-sur-Monthey, tél. 02.44.71.18.01, fax 02.44.72.36.22, e-mail passdom@bluewin.ch ☑ Y ⚲ r.-v.

LES FRERES PHILIPPOZ

Leytron Les Chênes Fendant 2003 ★

□ 0,4 ha 3 000 ▮🌡 5 à 8 €

Le chasselas est la vedette de ce domaine de 9 ha disséminés dans les communes de Leytron, Chamoson, Fully, Saxon et Riddes, mais l'on cultive aussi une vingtaine d'autres cépages. Ce 2003, jaune-gris clair et brillant, se montre souple et équilibré dès l'attaque, puis offre une structure intéressante avec une subtile amertume finale. Son bouquet fin évoque à la fois les fleurs et les fruits (banane).

🔑 Philippoz Frères, rte de Riddes 13, 1912 Leytron, tél. 02.73.06.30.16, fax 02.73.06.71.33, e-mail info@philippoz-freres.ch ☑ Y ⚲ r.-v.

CAVE DES PLACES Syrah 2002 ★★

■ 0,6 ha 5 000 ◍ 11 à 15 €

La syrah, dont les premiers ceps ont été plantés en 1985, bénéficie d'un traitement de faveur chez Laurent Hug : elle est l'un des rares vins de ce producteur à être élevé en fût. La voici en 2002, intensément colorée, qui s'exprime à travers un bouquet de poivre blanc et de laurier. En bouche, elle fait preuve de fraîcheur tout en confirmant son caractère épicé par une belle finale poivrée. Aux alentours de 2007, vous pourrez la savourer avec de l'agneau ou une perdrix.

🔑 Laurent Hug, Cave des Places, 1971 Champlan, tél. 02.73.98.31.43, fax 02.73.98.31.01, e-mail info@hugvins.ch ☑ Y ⚲ r.-v.

LA CAVE A POLYTE

Chamoson Humagne rouge 2003 ★★

■ 0,8 ha 600 ▮🌡 11 à 15 €

Si le cabernet franc et le chardonnay ont fait leur entrée dans ce domaine de 2,8 ha, les cépages traditionnels occupent toujours le devant de scène. Et c'est tant mieux... Jacques Disner propose ainsi un vin d'humagne rouge expressif, marqué au nez par la violette, le cassis et la groseille. Dès l'attaque, se manifeste une personnalité charmeuse, typique du cépage par ses notes sauvages et la petite touche de lierre. Les dégustateurs ont été étonnés de percevoir une structure tannique si soutenue, mais la robe rouge profond aux lumineux reflets violets n'était-elle pas un indice ? Dans deux à cinq ans, cette bouteille pourra rejoindre une viande rouge et même un gibier.

🔑 Jacques Disner,
La Cave à Polyte, rue de la Place 5, 1955 Chamoson,
tél. 07.92.20.35.11, fax 02.73.06.26.66,
e-mail info@polyte.ch ☑ Y ⚘ r.-v.

PRIMUS CLASSICUS Cornalin 2003 ★★

■ 1 ha 10 000 15 à 23 €

Primus Classicus est le nom donné au haut de gamme de la maison Orsat, fondée en 1874 et reprise en 1998 par la famille Rouvinez. Le cornalin libère de discrets parfums fruités, évocateurs de cerise noire. Ces arômes s'épanouissent bientôt aux côtés des épices et d'une fine touche de cuir dans une bouche souple en attaque, puissante et structurée. Une pintade fera un accord délicieux avec un tel vin. Deux étoiles reviennent également à l'élégant **fendant Primus Classicus 2003 (8 à 11 €)**.

🔑 Caves Orsat, rte du Levant 99, 1920 Martigny,
tél. 02.77.21.01.01, fax 02.77.21.01.03,
e-mail info@cavesorsat.ch ☑ Y ⚘ r.-v.

PROVINS VALAIS Marsanne Maître de chais Elevé en fût de chêne 2002 ★★★

□ 5,5 ha 8 000 11 à 15 €

Et l'on retrouve l'importante fédération des caves coopératives du Valais dans sa gamme Maître de chais. Cette marsanne, d'abord, jaune clair brillant et lumineux, dont les notes finement toastées de l'élevage en fût se mêlent à des senteurs de liqueur de framboise. Elle enchante le palais par sa fraîcheur, sa structure et sa vinosité. Pour des fromages de chèvre frais et des fromages d'alpage. La **petite arvine de Fully Maître de chais 2003 (15 à 23 €)**, ensuite, brille de deux étoiles : vive et fruitée (agrumes), elle présente en finale cette délicate touche salée si caractéristique du cépage. Enfin, le **fendant de Saint-Léonard Maître de chais 2003 (8 à 11 €)**, rond et marqué par les fruits mûrs, obtient une étoile.

🔑 Provins Valais, rue de l'Industrie 22, 1951 Sion,
tél. 02.73.28.66.66, fax 02.73.28.66.60,
e-mail info@provins.ch ☑ Y ⚘ r.-v.

DOM. DE RAVANAY Fendant La Pleine Lune 2003 ★★

□ 4 ha 4 000 11 à 15 €

Ravanay est l'un des terroirs réputés de la commune de Chamoson. Christian Crittin a récolté sur son sol argilo-calcaire et schisteux un chasselas de belle maturité qui lui a permis d'élaborer ce vin floral qui rappelle la fleur de vigne et le tilleul. La fraîcheur élancée de l'attaque annonce une bouche élégante. A vous d'imaginer des plats raffinés aux fromages pour accompagner cette bouteille.

🔑 Christian Crittin,
Cave La Pleine Lune, rue de l'Eglise 9,
1956 Saint-Pierre-de-Clages,
htél. 02.73.06.17.34, fax 02.73.06.57.58,
e-mail christian.crittin@chamoson.ch ☑ 🏠 Y ⚘ r.-v.

REGENCE BALAVAUD Humagne rouge Sélection 2003 ★★

■ n.c. 1 500 15 à 23 €

Pierre Clavien, œnologue, a acquis avec quelques partenaires ce domaine dont les 2,5 ha se partagent entre l'aire de Balavaud, à Vétroz, et les communes de Leytron et d'Ardon. La demeure du XIXe s. fut autrefois un relais de diligence, puis une mairie. On y dégustera aujourd'hui cet humagne rouge sombre à reflets violets qui dispense des senteurs de réglisse et de fraise des bois. Un fruité frais et sauvage se prolonge au palais, aux côtés de tanins souples et soyeux qui autorisent un service immédiat comme une garde de deux à quatre ans.

🔑 SA Cave Régence-Balavaud, rte cantonale 267,
1963 Vétroz, tél. 02.73.46.69.40, fax 02.73.46.69.70,
e-mail cave-regence@netplus.ch ☑ Y ⚘ r.-v.

RAYMOND ET CHRISTOPHE REY Corin-sur-Sierre Pinot noir 2003 ★★

■ 0,5 ha 3 500 8 à 11 €

Christophe Rey a rejoint son père en 1999 sur ce domaine de 3 ha cultivés en terrasses autour du village de Corin. S'il a consacré son mémoire de fin d'études à la petite arvine, il affectionne aussi particulièrement le pinot noir comme le prouve ce vin aux reflets violacés et au bouquet complexe de fruits rouges et de réglisse. D'attaque puissante, celui-ci possède une structure remarquable pour le cépage : les tanins bien présents ne demandent qu'à se fondre davantage au cours de la garde. On lui réservera un perdreau rôti ou une côte de bœuf.

🔑 Raymond et Christophe Rey,
Cave La Rayettaz, 3960 Corin-sur-Sierre,
tél. 02.74.55.19.46, fax 02.74.55.19.46,
e-mail chris.rey@freesurf.ch ☑ Y ⚘ r.-v.

JEAN-MARIE REYNARD Lentine Fendant Les Glaneuses 2003 ★★

□ 0,19 ha 1 600 11 à 15 €

Une bouteille illustrée des *Glaneuses* de Millet. Ce fendant jaune-gris pâle offre un subtil équilibre entre les arômes floraux et les notes minérales. D'attaque souple et ample, il sait convaincre par sa structure harmonieuse, sa persistance et sa touche d'amertume en finale. Vous l'apprécierez à l'apéritif comme avec tous les mets au fromage.

🔑 Jean-Marie Reynard, rue du Caro, 1965 Savièse,
tél. 02.73.95.24.23, fax 02.73.95.24.57 ☑ Y ⚘ r.-v.

CAVES DU RHODAN Cornalin Soleil du Rhodan 2003 ★★

■ 0,6 ha 3 000 11 à 15 €

Forte de 31 ha aux environs de Salquenen et dans les coteaux de Sierre, la cave du Rhodan a été créée en 1962 par les frères Mounir. Son cornalin, d'un pourpre profond, décline la girofle, le cuir et le tabac comme autant de notes d'une palette complexe et élégante. Après une attaque souple, il se révèle gras, bien étayé par des tanins soyeux qui respectent l'expression des arômes de cerise noire et de girofle. Un agréable moment en perspective, pourvu que la table soit garnie d'un gibier à plume ou d'un beau plateau de fromages.

🔑 Caves du Rhodan, Gebr. Mounir Weine AG,
Flantheystrasse 1, 3970 Salgesch,
tél. 02.74.55.04.07, fax 02.74.55.82.07,
e-mail mounir@rhodan.ch ☑ Y ⚘ r.-v.

CAVE LA ROMAINE Uvrier Fendant 2003 *

	1,2 ha	6 000	8 à 11 €

Non loin du château de Vaas (XIIIe s.), Joël Briguet a construit sa cave en 1992 ; il cultive 7,5 ha de vignes entre Sierre et Uvrier. Son fendant séduit l'œil par sa teinte jaune brillant, ainsi que le nez par son bouquet fruité, évocateur d'ananas. Frais et gouleyant, il développe un même fruité au palais et se prolonge durablement sur une légère touche amère.

Joël Briguet, Cave La Romaine, rte de Granges 124, 3978 Flanthey, tél. 02.74.58.46.22, e-mail info@cavelaromaine.ch r.-v.

DAVID ROSSIER Champs-Longs Fendant 2003 **

	n.c.	3 000	8 à 11 €

Des notes florales font toute la subtilité du bouquet de ce fendant jaune-gris pâle. L'expression est plus affirmée au palais, soutenue par une structure de qualité et une fraîcheur équilibrée. Un vin prêt à boire avec une raclette.

David Rossier, Rue du Collège 7, 1912 Leytron, tél. 02.73.06.34.64, fax 02.73.06.34.21, e-mail info@david-rossier-vins.ch r.-v.

ROUVINEZ Les Grains nobles 2002 ***

	3 ha	11 000	15 à 23 €

L'histoire de ce domaine a débuté en 1946, sous la houlette de Bernard Rouvinez. Depuis 1980, Jean-Bernard et Dominique, les fils du fondateur, conduisent la destinée des 74 ha plantés d'une quinzaine de cépages. Ces Grains nobles sont ceux de la marsanne, du pinot gris et de la petite arvine assemblés, puis élevés en fût pendant un an. Doré brillant, le vin se montre riche et complexe par ses arômes de noisette et de cire, ponctués de notes toastées. A la fraîcheur de l'attaque répond une bouche tout empreinte de miel et d'agrumes, harmonieuse et d'une étonnante persistance.

Rouvinez Vins, colline de Géronde, 3960 Sierre, tél. 02.74.52.22.52, fax 02.74.52.22.44, e-mail info@rouvinez.com r.-v.

LES RUINETTES Ruinettes noir Sélection 2003 ***

	n.c.	2 816	11 à 15 €

Successeur de son père Marc en 1999, Serge Roh commande aujourd'hui un vignoble de 10 ha dans les communes de Vétroz et de Chamoson. Il a assemblé la syrah, élevée en barrique, au diolinoir, au pinot noir et au cornalin pour élaborer ce vin au bouquet dense et complexe, fruité et épicé, sous une teinte rouge soutenu à reflets violets. D'emblée, on est charmé par la belle tenue de la bouche qui manifeste non seulement un fruité frais, mais aussi une trame de tanins serrés parfaitement intégrés. La longueur est, de plus, fort appréciable. A boire ou à attendre entre trois et six ans.

Serge Roh, Cave Les Ruinettes, rue de Conthey 10, 1963 Vétroz, tél. 02.73.46.13.63, fax 02.73.46.50.53, e-mail serge.roh@bluewin.ch r.-v.

CAVE SAINT GEORGES Petite arvine 2003 **

	4 ha	8 000	11 à 15 €

Créée en 1962 par Georges Clavien, cette maison possède 1,3 ha de vignes sur Sierre ; elle compte sur l'apport de plus de deux cents viticulteurs pour élaborer ses vins. Sa petite arvine offre un bouquet frais et fruité, avec une indéniable dominante de rhubarbe. Petite douceur à l'attaque, vinosité en milieu de bouche, mais agréable fraîcheur aussi. La finale est marquée d'une délicate touche d'amertume qui fait toute la typicité du cépage.

SA Georges Clavien et Fils, Cave Saint-Georges, rte du Simplon 12, 3960 Sierre, tél. 02.74.55.11.50, fax 02.74.56.58.10, e-mail cave-st-georges@bluewin.ch r.-v.

CAVE SAINT-PIERRE
Muscat Réserve des administrateurs 2003 **

	2 ha	10 000	11 à 15 €

Fournie en raisin par quatre cents viticulteurs, cette maison plus que trentenaire a baptisé sa gamme vedette Réserve des administrateurs. En voici un digne représentant : un muscat jaune clair lumineux, dont les arômes s'expriment avec subtilité dans le registre des fruits frais (litchi). Ce caractère fruité est également présent au palais, toujours mesuré mais d'une persistance remarquable. Agréable vin pour l'apéritif.

Cave Saint-Pierre, rue de Ravanay, 1955 Chamoson, tél. 02.73.06.53.54, fax 02.73.06.53.88, e-mail saintpierre@saintpierre.ch r.-v.

DOM. SAINT-THEODULE
Martigny Gamay 2003 ***

	1,2 ha	n.c.	11 à 15 €

C'est sur les hauts de Martigny que l'on trouvera Gérald et Patricia Besse, tout occupés à la vinification du fruit de leurs 16 ha de vignes. Une palette de cépages dominée par le chasselas et le gamay, cultivée entre Plan-Cerisier et la Tour de la Bâtiaz. Domaine phare situé à Martigny, Saint-Théodule a produit ce gamay rouge violacé, dont la complexité des arômes a séduit le jury : épices, violette, groseille. Charnu en attaque, le vin s'épanouit sur des arômes fruités et des tanins équilibrés qui lui assurent une belle finale. Au menu : terrine, charcuterie ou volaille.

Gérald et Patricia Besse, Les Rappes, 1921 Martigny-Croix, tél. 02.77.22.78.81, fax 02.77.23.21.94, e-mail gerald@besse.ch r.-v.

VIEUX SALQUENEN Terre vivante 2002 *

	6,5 ha	2 800	15 à 23 €

Si cette cave vinifie plus de vingt cépages, elle semble avoir une prédilection pour le pinot noir. Celui-ci entre dans l'assemblage de ce vin, aux côtés du cornalin, du diolinoir, de la syrah et de l'humagne rouge. Le nez expressif et riche mêle les senteurs de champignon, de cuir et de sous-bois, tandis que la bouche chaleureuse et ronde révèle un bon équilibre entre le fruit et les tanins souples, bien intégrés. Une bouteille tout en générosité, à déboucher avec un gigot d'agneau.

Gregor Kuonen et Söhne A.G., Caveau de Salquenen, Unterdorfstrasse 11, 3970 Salgesch, tél. 02.74.55.82.31, fax 02.74.55.82.42, e-mail info@caveau-de-salquenen.ch r.-v.

CAVE LES SENTES
Les Coteaux de Sierre Pinot noir Zandinan 2003 **

	0,6 ha	3 000	8 à 11 €

Serge Heymoz, à la tête de 4 ha de vignes sur la rive droite du Rhône, s'est attaché à replanter un cépage presque disparu dans le Valais : la rèze. Il propose ici un grand classique, un pinot noir à dominante de fruits rouges et de cerise sous une robe rouge sombre brillant. Equilibré, ce vin s'appuie sur des tanins encore un peu sévères, mais qui ne masquent pas le fruité et qui sauront se fondre à la garde.

🔑 Serge Heymoz,
Cave Les Sentes, Entre-deux-Torrents, 3960 Sierre,
tél. 02.74.56.25.75, fax 02.74.56.52.44,
e-mail serge@heymozvins.ch ☑ 🍷 🚶 r.-v.

CAVE DES TILLEULS
Vétroz Petite arvine Fût de chêne 2002 ★★★

■ 0,4 ha 2 000 🛢 **15 à 23 €**

Fabienne Cottagnoud, qui œuvre à la cave tandis que son mari, Marc-Henri, cultive les 4 ha de vignes, aime vinifier en barrique les cépages locaux du Valais. Sa petite arvine témoigne de son savoir-faire en la matière. Un vin jaune clair lumineux qui exprime le caractère du cépage à travers un riche bouquet de rhubarbe et de glycine. Tout en fraîcheur, il s'épanouit avec une belle vinosité en bouche et laisse poindre en finale une subtile touche saline qui suscite la curiosité. Le bois est remarquablement bien fondu dans cet ensemble équilibré. Une bouteille destinée à des crustacés et à des poissons fins.
🔑 Fabienne Cottagnoud,
Cave des Tilleuls, rte cantonale 174, 1963 Vétroz,
tél. 02.73.46.74.58, fax 02.73.46.17.53 ☑ 🍷 r.-v.

LA TORNALE Chamoson Johannisberg 2003 ★★★

■ 2,5 ha 7 000 🛢🌡 8 à 11 €

Johannisberg est le nom que l'on donne en Suisse au sylvaner. Cultivé sur les sols argilo-calcaires de Chamoson, ce cépage a permis à Jean-Daniel Favre de produire un 2003 lumineux, au joli bouquet de fruits (ananas) nuancés d'amande amère. L'ananas revient en mémoire lorsque l'on goûte ce vin souple et bien structuré, dont la petite amertume finale est fort élégante. Deux étoiles ont été accordées à l'**humagne rouge 2003 (11 à 15 €)** qui montre une agréable fraîcheur et des tanins solides mais enrobés. Pour un gibier.
🔑 Vincent et Jean-Daniel Favre,
Cave La Tornale, rue de Plantys 22, 1955 Chamoson,
tél. 02.73.06.22.65, fax 02.73.06.64.43,
e-mail jd.favre@bluewin.ch ☑ 🍷 🚶 r.-v.

DOM. TOURBILLON
Ermitage grain noble 2001 ★★★

■ 1 ha 1 500 🛢 **38 à 46 €**

Fondées en 1930, les coopératives Provins ne comptent pas moins de cinq mille deux cents adhérents dans le Valais. Elles ont lancé en 1996, en association avec cinq autres domaines et l'œnologue Stéphane Gay, la charte Grain noble ConfidenCiel pour la production de vins liquoreux : six cépages sont autorisés, dont l'ermitage. Celui-ci se présente sous une teinte or soutenu, avec de nombreuses larmes bien marquées. Une dominante de truffe blanche s'exprime au nez, complétée de senteurs de sous-bois, de liqueur de framboise et de fumée. Puissant dès l'attaque, le vin se développe avec onctuosité et vinosité, riche d'arômes complexes et très persistants. Des fromages bleus, du foie gras ou un gâteau au miel se plairont en sa compagnie. Le **fendant Pierrafeu 2003 (8 à 11 €)** obtient deux étoiles. D'une minéralité typique, il est tendre et frais.
🔑 Provins Valais, rue de l'Industrie 22, 1951 Sion,
tél. 02.73.28.66.66, fax 02.73.28.66.60,
e-mail info@provins.ch ☑ 🍷 🚶 r.-v.

LA TOURMENTE
Chamoson Humagne rouge 2003 ★★

■ 0,03 ha n.c. 11 à 15 €

Bernard Coudray aime guider les visiteurs dans le vignoble et les initier aux secrets du terroir. Son humagne rouge se montre généreux et expressif par ses senteurs de fruits mûrs légèrement épicés. Un caractère rustique, typique du cépage se manifeste en attaque, suivi d'un corps bien structuré, aux tanins serrés. Sa jolie couleur rouge sombre à reflets pourpres fera bel effet dans le verre devant un gibier ou un plateau de fromages.
🔑 Les fils et Bernard Coudray,
Cave La Tourmente, rte de Tsavez 6, 1955 Chamoson,
tél. 02.73.06.59.61, fax 02.73.06.34.56,
e-mail tourmente.cave@bluewin.ch ☑ 🍷 🚶 r.-v.

CAVE DU VERSEAU
Les Coteaux de Sierre Cornalin 2003 ★★★

■ 0,5 ha 2 120 🛢🌡 **15 à 23 €**

S'il est installé à Veyras, Stéphane Clavien possède également des vignes à Sierre, Miège et Venthône. Un grand domaine ? Non, seulement 2 ha et... treize cépages. Le cornalin récolté sur un sol calcaire a donné naissance à un vin rouge sombre nuancé de reflets violacés. Le bouquet expressif et complexe libère d'intéressantes nuances de sous-bois, de sureau et de réglisse. Charnu dès l'attaque, le palais se développe sur un fruité des plus délicats - cerise noire bien mûre - et des tanins ronds, remarquablement fondus. On aimerait voir cette bouteille aux côtés d'un gibier à plume, de cailles ou d'un plateau de fromages.
🔑 Stéphane et Wil Clavien,
Cave du Verseau, rte de Montana, 3968 Veyras,
tél. 02.74.55.37.03, fax 02.74.55.37.03,
e-mail info@cave-du-verseau.ch ☑ 🏠 🍷 🚶 r.-v.

CAVE DU VIDOMNE
Chamoson Timothyus one 2000 ★

■ n.c. 1 700 🛢🛢 **38 à 46 €**

Le johannisberg (sylvaner) a donné naissance à ce vin liquoreux qui a la couleur dorée du miel. Original et complexe, son bouquet mêle des parfums de gentiane à des notes fruitées de pêche jaune. L'attaque est chaleureuse et la bouche, riche d'onctuosité, longuement persistante. A savourer dans les trois à cinq prochaines années. Bouteilles de 37,5 cl.
🔑 Meinrad Gaillard, Cave du Vidômne,
rue du Prieuré 8, 1955 Saint-Pierre-de-Clages,
tél. 02.73.06.27.80, fax 02.73.06.27.02 ☑ r.-v.

VILLA SOLARIS
Chamoson Johannisberg flétri 2003 ★

■ 0,3 ha 1000 🛢🌡 15 à 23 €

Une tarte aux fruits soulignera avantageusement les senteurs de fruits exotiques (banane, ananas) de ce vin

jaune paille, ainsi que son attaque tout en fraîcheur malgré le beau sucre résiduel. Le fruité se complète en bouche de flaveurs de raisins secs, avant une légère amertume finale.
↰ Sylvio-Gérald Magliocco, Villa Solaris,
rte de Bessoni, 1955 Saint-Pierre-de-Clages,
tél. 02.73.06.64.54, fax 02.73.06.64.29,
e-mail info@magliocco.ch ☑ ⵞ ⵜ r.-v.

MAURICE ZUFFEREY
Chardonnay Les Glariers 2002 ★★

	0,3 ha	2 000	⊞ 15 à 23 €

De la façon dont un article de presse peut faire naître un joli domaine... Charles Caloz, oncle de l'actuel propriétaire, reçut la visite d'un journaliste qui fit l'éloge de son vin dans un journal genevois. Devant l'afflux des commandes, il lui fallut créer sa cave en 1963. Gageons que Maurice Zufferey recevra à son tour nombre de visiteurs pour apprécier ce chardonnay jaune clair lumineux, aux parfums de raisin mûr, nuancés du toasté de la barrique. Une belle fraîcheur est perceptible à l'attaque et le bois se fond remarquablement à la structure du vin. A boire ou à attendre.
↰ Maurice Zufferey, rue des Moulins 52, 3960 Sierre,
tél. 02.74.55.47.16, fax 02.74.56.35.27,
e-mail mail@maurice-zufferey-vins.ch ☑ ⵞ ⵜ r.-v.

Canton de Genève

Déjà présente en terre genevoise avant l'ère chrétienne, la vigne a survécu aux vicissitudes de l'histoire pour s'épanouir pleinement dès la fin des années 1960.

Avec un climat tempéré dû à la proximité du lac, à un très bon ensoleillement et à un sol favorable, le vignoble genevois se partage entre trente-deux appellations. Les efforts entrepris pour améliorer le potentiel des vins genevois, par des méthodes culturales respectueuses de l'environnement, le choix de cépages moins productifs et appropriés à un sol généralement caractérisé par une forte teneur en calcaire, permettent de garantir au consommateur un vin de haute qualité. Les exigences contenues dans les textes de loi traduisent autant la volonté des autorités que celle de la profession de mettre sur le marché des vins qui satisfont aux normes des AOC.

Outre les principaux crus provenant du chasselas pour les blancs, du gamay et du pinot noir pour les rouges, les spécialités comme le chardonnay, le pinot blanc, l'aligoté, le gamaret et le cabernet rencontrent un franc succès auprès de l'amateur avisé.

DOM. DES ABEILLES D'OR
Chouilly Chasselas 2002 ★

	11 ha	50 000	▤ 5 à 8 €

Le chasselas serait l'un des plus anciens cépages de la Terre. Sa patrie d'adoption est de nos jours la Suisse et il

est de loin le principal cépage blanc du canton de Genève. Ce 2002 se partage entre des notes de banane et de fruits blancs. Friand au palais, il possède quelque chose de minéral et une fraîcheur vivifiante. A boire dans l'année qui vient avec une fondue au fromage, bien sûr.
↰ René Desbaillets, Dom. des Abeilles d'Or,
3, rte du Moulin-Fabry, 1242 Chouilly,
tél. 02.27.53.16.37, fax 02.27.53.80.20,
e-mail info@abeillesdor.ch
☑ ⵞ ⵜ t.l.j. sf dim. 17h-19h; sam. 10h-13h; f. jan.-fév.

CAVE DES BAILLETS
Russin Merlot La Grôle 2002 ★★

	0,5 ha	3 150	▤ 11 à 15 €

Un coucher de soleil sur le Léman... Rouge sombre à nuances violacées, ce 2002 ne peut pas faire oublier qu'il est issu de merlot à 100 % et né d'un terroir riche en graviers. Aux arômes bien typés (lierre et fruits rouges) répond une bouche ronde et grasse, étayée par des tanins serrés et soyeux. De bonne constitution, ce vin peut vieillir un peu dans votre cave.
↰ Jean Mallet, 54, rte des Baillets, 1281 Russin,
tél. 02.27.54.14.97, fax 02.27.54.14.50,
e-mail mallet@cavedesbaillets.ch ☑ ⵞ ⵜ r.-v.

CAVE DE BEAUVENT
Coteau de Lully Pinot noir La Croix 2002 ★

	1er cru	2 ha	14 000	▤⸕ 8 à 11 €

Nous sommes ici entre l'Arve et le Rhône. Comme si les glaciers préhistoriques imaginaient déjà leur vocation viticole, ils ont façonné un terroir prédestiné. Le pinot noir y réussit bien. Celui-ci est d'un rubis net et franc. On croit respirer un panier de cerises fraîchement cueillies. Structure souple et consistante : un vrai 1er cru.
↰ Bernard Cruz, 265, rue de Bernex, 1233 Bernex,
tél. 02.27.57.11.96, fax 02.27.57.10.74,
e-mail bcruz@cave-de-beauvent.ch ☑ ⵜ r.-v.

BERNARD BOSSEAU
Dardagny Gewurztraminer Cuvée Apolline 2001 ★★

	n.c.	1000	▤ 23 à 30 €

Réussir un très bon gewurztraminer n'est pas si simple... C'est le cas ici. Jaune paille doré, ce 2001 respecte la tradition qui veut que le vin de ce cépage soit en blanc l'un des plus colorés. Nez de rose évidemment, de litchi, d'une grande complexité tandis qu'au palais le sucre et l'acidité trouvent un excellent terrain d'entente.
↰ Bernard Bosseau, Dom. de La Planta,
11, chem. de la Côte, 1283 Dardagny,
tél. 02.27.54.12.59 ☑ ⵞ ⵜ r.-v.

DOM. DES CHAMPS-LINGOT
Coteau de Chevrens Les Larmes de Bacchus
Gamaret passerillé 2001

	1er cru	n.c.	355	▤ + de 76 €

Post laborum fructus : sous sa devise, ce vigneron-encaveur tire des larmes à Bacchus de joie, n'en doutons pas. Il s'agit d'un gamaret passerillé. Rouge orangé, le vin suggère le raisin de Corinthe, la pâte de coing. Au palais, la sucrosité est naturellement élevée, sinon considérable, mais une bonne acidité la tempère. Quelques touches de fruits exotiques en finale. En tout cas, c'est une rare curiosité que l'on recommande aux amateurs de sensations nouvelles.

🛐 Claude-Alain Chollet, 160, rte de Chevrens,
1247 Anières, tél. 02.27.51.07.25, fax 02.27.51.07.26,
e-mail info@champs-lingot.ch ☑ ⊺ 🏃 r.-v.

DOM. DE CHAMPVIGNY
Savignon Elevé en fût de chêne 2001 ★★

	0,3 ha	1 500	⫸	5 à 8 €

Satigny (rive droite) est la plus vaste commune viticole suisse. Raymond Meister y a élaboré un sauvignon jaune paille à reflets dorés, au nez élégant. Les dix mois de fût lui donnent un petit côté vanillé qui n'est pas déplaisant du tout. Le cépage s'épanouit aussi avec ampleur et persistance jusque dans la bouche souple. Goûtez-le avec un fromage assez puissant.
🛐 Raymond Meister, 29, rte de Champvigny,
1242 Satigny, tél. 02.27.53.01.35, fax 02.27.53.01.78,
e-mail info@champvigny.ch ☑ ⊺ 🏃 r.-v.

DOM. DES CHARMES Peissy Pinot noir 2002

	0,72 ha	3 200	⫸⫷	8 à 11 €

Au sommet des coteaux de Peissy et depuis leur vieille ferme du XVIIᵉs., Anne et Bernard Conne ont une vue imprenable. Leur pinot noir offre sur ce cépage une jolie perspective, elle aussi. D'une teinte pourpre intense, il connaît ses classiques déclinés ici sur une touche de griotte. Bouche très ordonnée, à la fois structurée et fine.
🛐 Bernard Conne, Dom. des Charmes,
11, rte de Crédery, Peissy, 1242 Satigny,
tél. 02.27.53.22.16, fax 02.27.53.18.45,
e-mail info@domainedescharmes.ch ☑ ⊺ 🏃 r.-v.

DUPRAZ ET FILS
Lully Chardonnay Les Curiades 2002 ★

	3 ha	12 000	⫸⫷	8 à 11 €

En créant en 1909 ce domaine, Jules Dupraz voyait loin. La quatrième génération est aujourd'hui à la barre et son vin chardonne bien. Doré à reflets verts, il associe à cette typicité des arômes de miel et de cire d'abeille. Le gras l'emporte en bouche, tout en rondeur, mais une pointe de vivacité est là pour éveiller les papilles.
🛐 Dupraz et Fils, 49, chem. des Curiades, 1233 Lully,
tél. 02.27.57.28.15, fax 02.27.57.47.85,
e-mail info@curiades.ch ☑ ⊺ 🏃 r.-v.

RESERVE DES FAUNES Dardagny Pinot gris 2002

	2 ha	15 000	⫸⫷	8 à 11 €

Sur 10 ha, ce domaine veille sur une quinzaine de cépages : un véritable conservatoire. Un coup de cœur ne s'oublie pas. C'était en 2000 pour un gamaret 97. Ici, c'est un pinot gris gentiment fruité que l'on découvre, et dont la finesse aromatique retient l'attention. Amical dès l'attaque, il se montre friand, bon compagnon, assez généreux.
🛐 Mistral-Monnier, Dom. Les Faunes,
8, chem. des Pompes, 1282 Dardagny,
tél. 02.27.54.14.46, fax 02.27.54.19.46,
e-mail info@les-faunes.ch ☑ ⊺ 🏃 r.-v.

DOM. DES GRAVES Noir Combe 2001 ★★★

	0,9 ha	3 000	⫸⫷	8 à 11 €

Joli doublé pour ce domaine déjà coup de cœur l'an dernier. Sous sa robe profonde, ce vin offre un bouquet de fruits rouges à pleine maturité. En bouche, il déroule le tapis rouge tout en se montrant gras et structuré. Une excellente occasion de découvrir le gamaret, cépage suisse

issu du croisement entre le gamay et le reichensteiner allemand, lui-même croisement franco-italo-germanique : la société des nations...
🛐 Nicolas Cadoux, Dom. des Graves,
56, rte de Forestal, 1285 Athenaz, tél. 02.27.56.28.81
☑ ⊺ 🏃 r.-v.

LES HUTINS Dardagny Gamaret 2002 ★★

	0,8 ha	4 000	⫸⫷	8 à 11 €

Jean-Jacques Rousseau, on le sait, était citoyen de Genève. Voici un vin produit sur la rive droite du lac, assez concentré pour inspirer les rêveries d'un promeneur solitaire... et les égayer un peu. Rouge sombre, porté sur le cassis et la mûre, il séduit par le charme de son architecture intérieure tapissée de soie.
🛐 Pierre et Jean Hutin, 8, chem. de Brive,
1283 Dardagny, tél. 02.27.54.12.05, fax 02.27.54.12.27,
e-mail domaine.les.hutins@bluewin.ch
☑ ⊺ 🏃 ven. 17h-18h30 sam. 9h-12h

CH. DE LACONNEX Merlot 2001 ★

	0,4 ha	2 100	⫸	8 à 11 €

Laconnex se trouve dans le vignoble, entre Arve et Rhône. De teinte assez claire, ce merlot est passé par la barrique. Son empreinte grillée, toastée sait ne pas être envahissante, laissant le cépage s'exprimer. Une nuance de cassis se poursuit au palais, animant de saveurs fruitées une structure tannique amplement suffisante.
🛐 Hubert et Claude Dethurens,
16, La Maison-Forte, 1287 Laconnex,
tél. 02.27.56.25.43, fax 02.27.56.43.60 ☑ ⊺ 🏃 r.-v.

CELLIER DU PARADIS
Gamanote noire Gamaret, garanoir, pinot noir 2002 ★

	4 ha	12 000	⫸⫷	8 à 11 €

Coup de cœur pour son viognier 98, le Cellier du Paradis présente une gamanote noire douce comme un ange. On prend plaisir à découvrir l'alliance par tiers du pinot noir, du garanoir et du gamaret qui domine la palette aromatique (cerise). Un 2002 original, bien rubis, à la bouhe accueillante. Son gras est dosé avec largesse, mais le corps est robuste.
🛐 Roger Burgdorfer, 275, rte du Mandement,
1242 Satigny, tél. 02.27.53.18.55, fax 02.27.53.18.55,
e-mail info@domaine-du-paradis.ch ☑ ⊺ 🏃 r.-v.

JEAN-PIERRE PELLEGRIN
Peissy Gamay mondeuse 2002 ★★

	1,4 ha	7 000	⫸	8 à 11 €

Situé non loin d'une ancienne église datant de 900 apr. J.-C., ce domaine propose un vin parfumé de fruits

mûrs. La robe carmin sombre, la force aromatique, la présence en bouche en font un produit qui ne décevra certainement pas.
Jean-Pierre Pellegrin, Peissy, 1242 Satigny, tél. 02.27.53.15.00, fax 02.27.53.15.00

DOM. DES PINS Dardagny Muscat 2002 ★★

0,36 ha 2 000 8 à 11 €

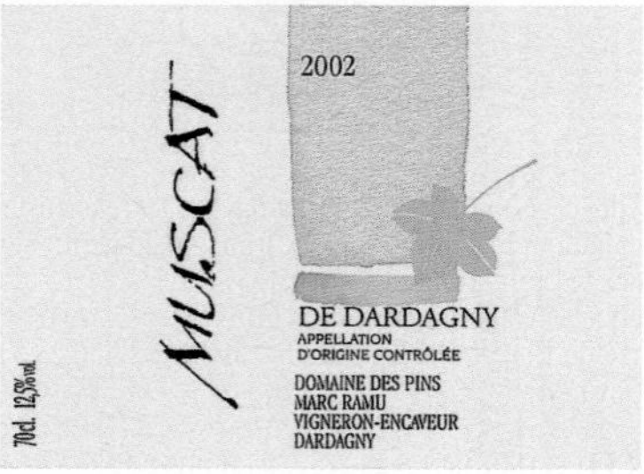

Rive droite, ce domaine revendique la date de 1321 comme acte fondateur. Il décroche un coup de cœur. Produit sur mollasse en moyenne altitude, ce vin rend au centuple son terroir, grâce à une vinification remarquable et à un élevage soigné. Sous sa robe jaune pâle, le nez annonce avec fougue un muscat mémorable. De fait, le fruit du cépage est omniprésent en bouche, ample et longue, superbe.
Marc Ramu, Clos des Pins, 458, rte du Mandement, 1283 Dardagny, tél. 02.27.54.14.57, fax 02.27.54.17.23 r.-v.

CAVE DE SEZENOVE Sézenove Sauvignon 2002 ★★

0,2 ha 1 500 8 à 11 €

Ce sauvignon paraît promis à une cuisine exotique tant ses arômes rappellent les agrumes. Le bourgeon de cassis si caractéristique du cépage se manifeste aussi. La robe dorée garde un éclat de jeunesse. En bouche, beaucoup de saveur dans un contexte de ronde aménité.
Jacques et Claude Bocquet-Thonney, 9, chem. des Grands-Buissons, 1233 Bernex, tél. 02.27.57.45.63, fax 02.27.57.45.63, e-mail bocquet@swissonline.ch
t.l.j. sf dim. 17h-19h; sam. 10h-12h

LES VALLIERES
Gamay Réserve Vieilles Vignes 2001 ★★

1 ha 3 800 8 à 11 €

Rive droite, ce domaine créé en 1984 livrait auparavant son fruit à une coopérative genevoise. Vingt ans après, il propose un vin rubis profond, au nez très typé de poivre et d'épices. L'attaque est chaleureuse, les tanins déjà mûrs et caressants. Des vignes au rendement modeste expliquent en grande partie la belle tenue de ce 2001 au mieux de sa forme.
Louis Serex, 36, rte de Charny, 1242 Satigny, tél. 02.27.53.16.04, fax 02.27.53.03.33, e-mail lesvallieres@bluewin.ch
t.l.j. sf dim. 11h-12h 17h-19h 17h-18h; sam. 9h-12h

VILLARD ET FILS
Anières Gamaret les Raretés Elevage en barrique 2001 ★

0,5 ha 2 500 8 à 11 €

Ce gamaret élevé sous bois, signé par un domaine lauréat du coup de cœur en 2001 pour son millésime 99, se présente sous un très bon jour : beaucoup de couleur, un bouquet de framboise et de fraise, du nerf et de l'allant. Sa texture assez fine repose sur une charpente ferme et solide.
Dom. Villard et Fils, 46, rue Centrale, 1247 Anières, tél. 02.27.51.25.56, fax 02.27.51.25.56, e-mail philippevillard@freesurf.ch r.-v.

Canton de Neuchâtel

Proche du lac qui reflète le soleil, adossé aux premiers contreforts du Jura qui lui offrent une exposition privilégiée, le vignoble neuchâtelois s'étire sur une étroite bande de 40 km entre Le Landeron et Vaumarcus. Le climat sec et ensoleillé de cette région, de même que les sols calcaires jurassiques qui y prédominent conviennent bien à la culture de la vigne, ce que confirment encore les historiens qui nous apprennent que la première vigne y fut officiellement plantée en 998 ; à Neuchâtel, la vigne est donc millénaire.

Dans ce petit vignoble de 610 ha, le chasselas et le pinot noir règnent en maître ; il y a bien quelques spécialités (pinot gris, chardonnay, gewurztraminer et riesling x sylvaner), mais leur culture occupe à peine 6 % des surfaces. Cet encépagement apparemment limité cache en réalité une très large palette de vins et de saveurs différentes, grâce au savoir-faire des vignerons et à la diversité des terroirs.

Les vins rouges issus du pinot noir, élégants et fruités, souvent racés sont aptes au vieillissement. Le très typique Œil-de-Perdrix est un rosé inimitable originaire du vignoble neuchâtelois, ainsi que la Perdrix blanche obtenue par pressurage sans macération. Quelques caves élaborent même un vin mousseux.

La variété des sols du canton, d'est en ouest, ainsi que les styles personnels des vinificateurs, sont à l'origine d'une grande diversité de goûts et d'arômes des vins blancs de chasselas et promettent à l'amateur curieux plus d'une découverte intéressante. On relèvera encore deux spécialités locales issues du même cépage : le « Non filtré », vin primeur qui ne peut pas être mis en vente avant le troisième mercredi du mois de janvier et les vins sur lies.

Chacune des dix-huit communes viticoles produit sa propre appellation, alors que l'appellation Neuchâtel est applicable à l'ensemble des productions du canton de première catégorie.

CH. D'AUVERNIER 2003 ★★★

20 ha 20 000 8 à 11 €

Village typique avec ses maisons vigneronnes des XVIe et XVIIes., Auvernier mérite une visite. Les amateurs de vin viendront sans hésiter au château, où ils seront accueillis par Thierry Grosjean, maître des lieux, dont les ancêtres acquirent ce domaine viticole en 1603 : les vins sélectionnés ici représentent ainsi le quatre centième millésime du château d'Auvernier. Ce chasselas, élevé sur lie et mis en bouteille sans filtration, révèle toute la subtilité du cépage et une ampleur caractéristique du millésime. D'or vêtu, il offre des arômes complexes et une bouche riche, parfaitement équilibrée. Le **pinot noir 2003 (11 à 15 €)** obtient deux étoiles. Sa couleur pourpre et son nez très légèrement poivré sont le signe d'une vendange de qualité, bien extraite.

⊶ Caves du Ch. d'Auvernier, 2012 Auvernier,
tél. 03.27.31.21.15, fax 03.27.30.30.03,
e-mail wine@chateau-auvernier.ch ▼ Y ★ r.-v.

CAVE DU CEP Œil-de-perdrix Pinot noir 2003 ★★

2 ha 12 000 8 à 11 €

Fondée en 1991 par les Félix, vignerons de père en fils, la cave du Cep possède des vignes en terrasses sur les coteaux ensoleillés de Cortaillod qui dominent le lac de Neuchâtel. Typique du millésime, ce vin séduit d'emblée par sa robe saumon foncé et son nez marqué par le pinot noir. Il se développe avec une remarquable ampleur aromatique et traduit bien la maturité de la vendange. Le **chardonnay 2002**, de grande tenue, brille également de deux étoiles.

⊶ Jacques et Roland Félix, Cave du Cep,
rue des Courtils 43, 2016 Cortaillod,
tél. 03.28.41.41.12, fax 03.28.41.33.66,
e-mail felixjr@bluewin.ch ▼ Y ★ r.-v.

GRILLETTE Œil-de-perdrix Classique 2003 ★★

4 ha 6 000 8 à 11 €

En 1702, la famille Grillet, installée à Cressier, fait l'acquisition de terrains à l'ouest du château et de la maison Vallier : ceux-ci sont baptisés Les Grillettes. En 1884, Adrien Ruedin-Zuest crée un domaine viticole dont la réputation n'allait cesser de grandir sous le nom de domaine de Grillette. Aujourd'hui, on découvre un vin aux délicates notes florales, dont le charme réside aussi dans le parfait équilibre entre richesse et vivacité. Egalement jugés remarquables, le **pinot noir Classique 2002**, qui n'a pas connu le bois, et le **Noir des Roches Premier 2002 Elevé en fût (15 à 23 €)**.

⊶ Grillette, Dom. de Cressier,
Molondin 2, 2088 Cressier, tél. 03.27.58.85.29,
fax 03.27.58.85.21, e-mail info@grillette.ch
▼ Y ★ jeu. et ven. 16h-19h, sam. 9h-12h

DOM. GRISONI
Œil-de-perdrix Les Moussières 2003 ★★★

6,5 ha 40 000 8 à 11 €

Cet ancien domaine s'est tourné en 2000 vers l'élaboration de vins de terroir, vinifiés le plus naturellement possible, sans levurage et sans filtration. Cet œil-de-perdrix est fidèle au pinot noir dans son harmonieuse palette fruitée et florale. Richesse et fraîcheur s'équilibrent en bouche comme pour mieux mettre en valeur la longueur des flaveurs. Une robe saumon élégante souligne encore la qualité de ce vin. Le **neuchâtel blanc La Feuillée 2003 (5 à 8 €)** obtient deux étoiles.

⊶ Dom. Grisoni, Chem. des Devins 1, 2088 Cressier,
tél. 03.27.57.12.36, fax 03.27.57.12.10
▼ Y t.l.j. sf dim. 8h-12h 13h30-17h, sam. 9h30-11h

DOM. DE MONTMOLLIN FILS
Chardonnay Elevé en barrique de chêne 2002 ★★

1 ha 5 600 11 à 15 €

Depuis le XVIes., la famille de Montmollin cultive la vigne dans le canton de Neuchâtel. En 1935, Ernest de Montmollin et son fils Etienne créent le domaine autour de la belle demeure du XVIIes. Aujourd'hui conduit par les deux fils d'Etienne, le vignoble couvre 47 ha au bord du lac de Neuchâtel. Ce chardonnay racé est encore marqué par son élevage sous bois, mais toutes les qualités se révèleront au cours de la garde.

⊶ Dom. E. de Montmollin Fils, Grand-Rue 3,
2012 Auvernier, tél. 03.27.37.10.00, fax 03.27.37.10.01,
e-mail info@montmollinwine.ch
▼ Y ★ t.l.j. sf dim. 7h30-18h30; sam. 8h30-13h

CAVES DE LA VILLE DE NEUCHATEL
Pinot noir Elevé en fût de chêne 2003 ★★

4 ha 25 300 11 à 15 €

Lieu gastronomique de la région, l'hôtel DuPeyrou et son jardin offrent aux caves de la ville de Neuchâtel une belle porte d'entrée. Situés dans un cadre historique datant du milieu du XVIIes., les celliers et les caves occupent les dépendances du palais d'Alexandre DuPeyrou. La ville de Neuchâtel est ainsi propriétaire de 13,4 ha de vignes. Puissant, tonique et riche, ce vin est l'expression même du millésime. Les tanins méritent de se fondre dans la matière, mais ils sont le gage d'une longue garde. L'**œil-de-perdrix 2003 (8 à 11 €)** obtient deux étoiles également.

⊶ Cave de la ville de Neuchâtel, av. Dupeyrou 5, 2000 Neuchâtel, tél. 03.27.17.76.95, fax 03.27.17.70.95, e-mail info@cavevillentel.ch ☑ Ɏ ⛹ r.-v.

DOM. DU CH. DE VAUMARCUS
Vaumarcus Pinot noir 2002 ★★★

■ 2 ha 8 000 ◍ 8 à 11 €

Niché entre des parois de rochers chauffées par le soleil et le lac de Neuchâtel, le domaine du château de Vaumarcus appartient à la maison Châtenay-Bouvier créée en 1796. Une parfaite harmonie entre la structure tannique bien présente et les arômes délicats de fruits rouges typiques du pinot noir fait tout l'intérêt de ce vin. L'élégante robe rubis et la subtilité des notes de pain grillé et de vanille ajoutent encore à son exceptionnel profil. **L'œil-de-perdrix 2003** brille de deux étoiles.

⊶ SA Caves Châtenay-Bouvier, rte du Vignoble 27, 2017 Boudry, tél. 03.28.42.23.33, fax 03.28.42.54.71, e-mail chatenay@worldcom.ch ☑ Ɏ ⛹ r.-v.

JOCELYN VOUGA Cortaillod Chasselas 2003 ★★

□ 0,52 ha 4 300 ▮ **8 à 11 €**

Vers 1450, la famille Vouga s'installe à Cortaillod, vivant de l'agriculture, de la viticulture et de la pêche. De nos jours, Jocelyn Vouga conduit un vignoble de 6 ha orienté au sud et situé en majorité sur les coteaux qui bordent le lac. Son chasselas typé du millésime est particulièrement riche et tendre, tout en présentant un caractère rustique de bon aloi qui fait son authenticité.

⊶ Jocelyn Vouga, Chavannes 13, 2016 Cortaillod, tél. 03.28.41.43.23, fax 03.28.41.43.23 ☑ Ɏ ⛹ r.-v.

Canton de Berne

Le vignoble forme un ruban qui s'étend le long de la rive gauche du lac de Bienne, au pied du Jura. Les vignes s'accrochent à la pente et entourent les villages dont l'architecture rappelle un art de vivre et une tradition qui ont su traverser les siècles. Cinquante-cinq pour cent de la surface est occupée par du chasselas, 35 % par du pinot noir, 10 % par des spécialités comme le pinot gris, le riesling x sylvaner, le chardonnay, le gewurztraminer et le sauvignon blanc. Le climat tempéré du lac et le calcaire du sol, en général peu profond, confèrent aux vins finesse et caractère. Le chasselas produit un vin blanc léger, pétillant, idéal pour l'apéritif ou pour accompagner un filet de féra du lac. Le pinot noir produit un vin ample, élégant, fruité. Les domaines viticoles sont des entreprises familiales d'une surface comprise entre 2 et 7 ha, où tradition et modernité sont en parfaite harmonie.

Dans les autres cantons viticoles de Suisse alémanique, la vigne pousse très au nord. Malgré la rigueur du climat, ces régions produisent majoritairement des vins rouges. Souvent à base de pinot noir, ils représentent 70 % de la production. Quant aux vins blancs, ils sont principalement à base de riesling x sylvaner.

CLOS DE RIVE Ligerzer 2003 ★

□ 0,5 ha 2 600 ▮🌡 8 à 11 €

Un des plus grands domaines du canton de Berne. L'habitation et les caves sont neuves, mais s'intègrent harmonieusement aux maisons médiévales qui bordent le lac. Erich Andrey s'est taillé au fil des années une solide réputation dans la vinification du chasselas et, cette année, il propose un bel ambassadeur de la région. Elégante palette rappelant les fruits exotiques, richesse et intensité de la bouche : voilà un vin caractéristique du millésime 2003.

⊶ Erich et Katharina Andrey, Weinbau, Hauptstrasse 29, 2514 Ligerz, tél. 03.23.15.23.44, fax 03.23.15.23.83, e-mail erich.andrey@bluewin.ch ☑ Ɏ ⛹ r.-v.

DOM. DE L'HOPITAL DE SOLEURE
Schafiser 2003 ★

□ 1 ha 5 111 ▮🌡 5 à 8 €

Remontant à plus de cinq cents ans, le domaine de l'Hôpital de Soleure compte aujourd'hui 12 ha conduits selon les règles de la production intégrée. Son chasselas se distingue par son élégant fruité et un joli gras que révèle une touche de vivacité bienvenue. Un profil de vin recherché à l'apéritif.

⊶ Dom. de l'Hôpital de Soleure, Russie 8, 2525 Le Landeron, tél. 03.27.51.46.01, fax 03.27.51.46.01, e-mail cave@bgs-so.ch ☑ Ɏ ⛹ r.-v.

LA CAVE PERROT Twanner Œil-de-perdrix 2003 ★

▩ 0,5 ha 1 700 ▮🌡 8 à 11 €

Depuis plus de cent ans, on cultive la vigne dans ce domaine familial implanté sur le sol calcaire de Twann. Cet œil-de-perdrix harmonieux reflète avec élégance son terroir : saumoné, il libère de subtils arômes de fruits frais, de pamplemousse et d'ananas que l'on retrouve dans la bouche fraîche à souhait. Pour des grillades.

⊶ Hans Perrot, Dorfgasse 36, 2513 Twann, tél. 03.23.15.19.62, e-mail perrotwein@bluewin.ch ☑ Ɏ ⛹

TWANNER FRAUENKOPF
Lac de Bienne Pinot noir 2003 ★

■ 2 ha 10 000 ▮🌡 8 à 11 €

L'imposante bâtisse dont la décoration évoque le long passé vigneron de la famille fait contraste avec la cave

entièrement rénovée et modernisée. Mais le visiteur ne s'en plaindra pas, qui souhaite comprendre la vinification et l'origine de ce pinot noir. Le vin, brillant de reflets rubis, charme par ses fines notes de fruits noirs (mûre et cassis) comme par son attaque franche et ses tanins fins qui s'harmonisent avec la matière fraîche. Il est prêt à boire.
⊶ AG Werner K. Engel, Dorfgasse 54, 2513 Twann, tél. 03.23.15.11.55, fax 03.23.15.24.84 ☑ Y 🚶 r.-v.

Canton de Fribourg

CH. DE MUR Vully Pinot noir 2003 ★★

■ 0,9 ha 8 000 ▮ 8 à 11 €

Le domaine du château de Mur, propriété de la famille Wacker, est géré et travaillé par l'Etat de Fribourg. 3,3 ha de vignes sont cultivés dont une parcelle de pinot noir à l'origine de ce vin intense aux reflets cerise et aux nuances très fruitées. La rondeur est équilibrée par une juste vivacité qui met en évidence le fruité. Les tanins se manifestent sans dureté. A boire dès aujourd'hui.
⊶ Etat de Fribourg, rue de Notre-Dame 2, 1700 Fribourg, tél. 02.63.05.22.65, fax 02.63.05.22.64, e-mail magninm@fr.ch ☑ Y 🚶 r.-v.
⊶ Famille Wacker

A. SCHMUTZ ET FILS Vully Chasselas 2003 ★★

□ 9 ha 40 000 ⏺ 5 à 8 €

Ce domaine fondé en 1924 cultive 4,5 ha de vignes et achète la vendange à des vignerons du Vully. Son chasselas fait preuve d'une grande intensité par ses notes florales et fruitées complexes. La minéralité du terroir rafraîchit la bouche puissante et lui donne une belle longueur.
⊶ A. Schmutz et Fils, rte Principale 136, 1788 Praz-Vully, tél. 02.66.73.24.60, fax 02.66.73.20.60, e-mail schmutzvin@bluewin.ch ☑ Y 🚶 r.-v.

Canton d'Argovie

BELVEDERE BLANC
Stadtberger Riesling x silvaner 2003 ★★

□ 0,35 ha 3 000 ▮🌡 5 à 8 €

Le riesling x silvaner a été obtenu par Hermann Müller, chercheur suisse de l'école de Geisenheim. Largement répandu en Allemagne sous le nom de müller-thurgau, il se plaît aussi en Suisse alémanique, où l'on apprécie ses arômes proches de ceux du muscat. Les curieux retrouveront bien cette note muscatée dans ce vin jaune franc à reflets verts. Un parfait équilibre entre fraîcheur et suavité fait tout son agrément. A déguster avec un poisson et tout plat de légumes bien cuisinés.
⊶ Gebrüder Nauer Ag, Oberebenestr. 3, 5620 Bremgarten, tél. 05.66.48.27.27, fax 05.66.48.27.17 ☑ 🚶 r.-v.

WEINBAUGENOSSENSCHAFT SCHINZNACH
Schinznach Kerner 2003 ★★★

□ n.c. 3 600 ▮🌡 8 à 11 €

Créée en 1984, la cave de Schinznach rassemble quatre-vingt-dix coopérateurs. Le kerner, cépage blanc allemand issu du croisement du trollinger et du riesling, est ici mis à l'honneur. Jaune à reflets verts, son vin décline d'intenses arômes de fruits exotiques, de mangue, d'agrumes, légèrement épicés (clou de girofle). Il emplit le palais d'une agréable fraîcheur et de longues flaveurs que l'on appréciera sans nul doute à l'apéritif, puis avec une terrine de poisson.
⊶ Weinbaugenossenschaft Schinznach, Trottenstr. 1B, 5107 Schinznach-Dorf, tél. 05.64.63.60.20, fax 05.64.63.60.28 ☑ Y 🚶 r.-v.

SUZANNE ET FRITZ SCHWARZ-WEBER
Boedeler Pinot noir 2003 ★★

■ n.c. 2 000 ▮ 8 à 11 €

La coopérative de Schinznach a vinifié le vin de Suzanne et Fritz Schwarz-Weber avec soin. Un pinot noir rouge foncé nuancé de violet qui livre, comme il se doit, des parfums de framboise, de mûre, de myrtille et de cerise. La bouche pleine s'appuie sur des tanins mûrs et fins, puis se prolonge avec douceur sur des arômes de cannelle et de fruits cuits. Un vin prêt à boire avec des grillades.
⊶ Suzanne et Fritz Schwarz-Weber, Zelglihof 5, 5235 Ruefenach, tél. 05.62.84.12.31, fax 05.62.84.08.90 ☑ Y 🚶 r.-v.

UMBRICHT
Siggenthaler Pinot noir Barrique 2002 ★★

■ 0,23 ha 1 200 ⏺ **11 à 15 €**

Ce 2002 n'aura pas bénéficié de la toute nouvelle cave achevée en 2003, mais il a profité du savoir-faire de son producteur. Elevé onze mois en barriques de chêne français et espagnol, il affiche une teinte rouge foncé qui a gardé les tonalités violettes de la jeunesse. Le pinot noir s'exprime volontiers à travers des arômes de mûre et de fraise, légèrement nuancé de notes fumées et vanillées héritées du bois. Les tanins mûrs forment une trame fine et souple. Déjà agréable, ce vin saura également attendre en cave douze mois.
⊶ Umbricht Weinbau, Dorfstr. 55, 5417 Untersiggenthal, tél. 05.62.88.14.79, fax 05.62.88.18.79 ☑ Y 🚶 r.-v.
⊶ Erwin Umbricht-Jung

WEINBAUGENOSSENSCHAFT WITER TROTTE Witer Riesling x silvaner 2003 ★★

□ 1,8 ha 10 000 ▮🌡 5 à 8 €

De création récente, puisqu'elle n'a que douze ans, la coopérative de Wit propose un intéressant riesling x silvaner. La typicité est en effet au rendez-vous : notes muscatées relevées de paprika vert, bouche ronde et fine qui trouve de la vivacité en finale. Une fois n'est pas coutume, voici un vin qui saura tenir tête à un soufflé aux asperges.

⊶ Weinbaugenossenschaft Witer Trotte,
Trottenstr. 100, 5276 Wil,
tél. 06.28.75.27.28, fax 06.28.75.37.20 ☒ Y 🚶 r.-v.

Canton de Bâle

MONIKA FANTI Kluser Gutedel 2003 ★★★

■ 1re cat. 0,34 ha 1 900 ◨ 5 à 8 €

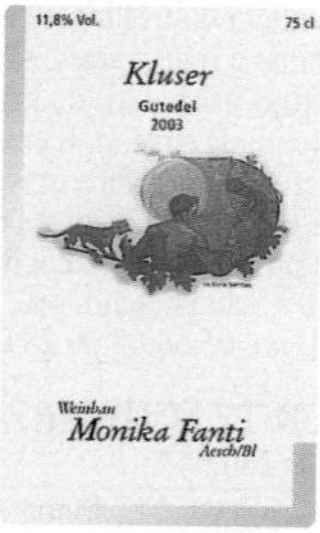

Monika Fanti est fière de ses 2,20 ha implantés sur le plus ancien terroir viticole du nord des Alpes, déjà cultivé par les Romains. Elle peut aussi s'enorgueillir d'avoir produit un gutedel (un chasselas) ravissant dans sa robe jaune pâle étincelante de reflets verts. Tout en subtilité, les notes de fleurs de tilleul participent du caractère frais et élégant de ce vin qu'un léger perlant souligne encore. Les gourmands qui ne rêvent que d'un bon plat au fromage chaud seront enchantés.

⊶ Monika Fanti, Klusstrasse 55, 4147 Aesch,
tél. 06.17.53.07.72, fax 06.17.53.07.71 ☒ Y 🚶 r.-v.

JAUSLIN Muttenzer Pinot noir 2003 ★★

■ 1re cat. 0,5 ha 3 000 ▮ 8 à 11 €

Le canton de Bâle se divise entre Bâle-Ville et Bâle-Campagne. C'est dans cette dernière partie que le vignoble est le plus important, soumis à un climat septentrional et marqué par les sols calcaires typiques du Jura. Le pinot noir, récolté à Muttenz, a donné naissance à ce rosé de teinte saumon, légèrement perlant. Les arômes fruités du cépage sont bien présents, accompagnés de touches florales ; ils apportent une fraîcheur bienvenue en finale d'une bouche structurée et équilibrée.

⊶ Jauslin Weine, Baselstrasse 32, 4132 Muttenz,
tél. 06.14.61.84.35, fax 06.14.61.84.80,
e-mail info@jauslinweine.ch ☒ Y 🚶 r.-v.

SYYDEBANDEL Pinot noir Sélection 2003 ★★

■ 1re cat. 0,3 ha n.c. ▮ ♁ + de 76 €

A couleur cerise noire, parfums de framboise et de mûre, pourait-on dire dès le premier contact avec ce vin. Les tanins souples se fondent remarquablement dans la chair ronde aux flaveurs fruitées persistantes. Et l'on garde longtemps en mémoire une impression de soyeux et d'équilibre. Une bouteille à apprécier aujourd'hui comme demain.

⊶ Genossenschaft Syydebändel,
Wintersingerstrasse 4, 4464 Maisprach,
tél. 06.19.71.40.88, fax 06.19.71.46.19 ☒ Y 🚶 r.-v.

TSCHAPPERLI Aescher Pinot gris 2003 ★★

■ 1re cat. 0,25 ha 1 600 ▮ ◨ 11 à 15 €

Ce domaine appartient à la famille von Blarer depuis près de quatre cents ans. Implanté dans la commune d'Aesch, il jouit d'une situation particulièrement bien protégée qui lui offre un microclimat favorable dans cette région septentrionale. Vinifié en sec et élevé cinq mois en fût, ce pinot gris s'exprime sous de légers accents de fruits exotiques et se développe amplement, avec toute la vivactié attendue, jusqu'à une longue finale de fruits, à peine nuancée de boisé.

⊶ D. von Blarer, Im Tschäpperli, 4147 Aesch,
tél. 06.17.53.15.30, fax 06.17.53.15.31 ☒ Y 🚶 r.-v.

Canton de Lucerne

ROSENAU Sauvignon blanc 2003 ★★★

■ 1re cat. n.c. n.c. ▮ ♁ 11 à 15 €

Le vignoble du canton de Lucerne ne couvre que 16 ha. Un « mouchoir de poche », mais un cadre privilégié pour la vigne, grâce au microclimat créé par les lacs et le foehn. La production de Toni Ottiger le prouve. Le sauvignon 2003 est un vin complexe, riche de notes de fruits exotiques et de plamplemousse, typiques, merveilleusement fraîches. Sous une robe jaune à reflets verts apparaît un corps plein et élancé, longuement persistant sur les fruits. Le **blauburgunder Elevé en fût de chêne 2003 (15 à 23 €)** brille de deux étoiles tant il est bouqueté et structuré. Un pinot noir apte à la garde.

⊶ Weinbau Toni Ottiger,
Weingut Rosenau, 6047 Kastanienbaum,
tél. 04.13.40.42.88, fax 04.13.40.42.14,
e-mail info@weingut-rosenau.ch ☒ Y 🚶 r.-v.

Canton des Grisons

ADANK HANSRUEDI Fläscher Pinot noir 2002 ★★

■ 1re cat. 1,5 ha 5 000 ◨ 15 à 23 €

Vinifié en macération carbonique, puis élevé en fût pendant treize mois, ce pinot noir libère non seulement des notes d'épices, de fruits des bois et de fraise, mais aussi des arômes de goudron et de fumé. La robe rouge foncé annonce bien la concentration de sa matière ample et structurée qui tire profit de tanins mûrs, issus du raisin et de la barrique. Encore un peu perceptible en finale, ceux-ci sauront se fondre avec le temps.

🗝 Adank Hansruedi, St-Luzi, 7306 Fläsch, tél. 08.13.02.65.56, fax 08.13.02.19.24, e-mail hr.adank@bluewin.ch ☑ 🍷 🚶 r.-v.

COTTINELLI

Churer Chardonnay Barrique 2002 ★★★

□ 1re cat. 0,33 ha 2 918 ▮🌡 15 à 23 €

Malans est l'une des quatre communes de la région viticole du Herrschaft dans le canton des Grisons. Ici, à près de 600 m d'altitude, le climat peut être capricieux, avec des gelées en hiver et au printemps, mais le chardonnay y est habitué. Vinifié en barrique, il se présente dans ce 2002 sous une robe jaune clair, empreinte de parfums de pamplemousse, de citron et de vanille. Sa bonne structure accueille pour longtemps les flaveurs fruitées et boisées. Une invitation à une dégustation prochaine.

🗝 Weinhaus Cottinelli, Karlihofstrasse 11, 7208 Malans, tél. 08.13.00.00.30, fax 08.13.00.00.40, e-mail office@cottinelli.ch ☑ 🍷 🚶 r.-v.

DAVAZ Fläsch Chardonnay 2002 ★★

□ 1re cat. 0,7 ha 3 500 🛢 15 à 23 €

Un chardonnay qui a de la classe... Jaune à peine nuancé de reflets verts, le voici qui décline des arômes de fruits exotiques, de vanille, de clou de girofle et autres épices. Une pointe de fraîcheur vient équilibrer sa bouche ample, chaleureuse et ronde, dans laquelle se fondent avec finesse les tanins de la barrique. Ajoutez à ce profil une longue finale vanillée et vous imaginerez aisément le plaisir ressenti à cette dégustation. Pour aujourd'hui comme pour demain.

🗝 Andrea Davaz, Weingut Davaz, 7306 Flaesch, tél. 08.13.02.17.10, fax 08.13.02.42.62 ☑ 🍷 🚶 r.-v.

PAUL KOMMINOTH-ELMER

Maienfelder Blauburgunder Barrique 2002 ★★

■ 1re cat. 0,3 ha 2 500 🛢 15 à 23 €

S'il est clair, ce pinot noir (*blauburgunder* en allemand) est loin d'avoir pris des rides... Il s'ouvre sur tous les arômes fruités classiques du cépage, soulignés de notes d'épices (poivre) apportées par la barrique. Les tanins mûrs qui structurent sa matière chaleureuse seront des atouts pour la garde.

🗝 Paul Komminoth-Elmer, Bremstattgasse 2, 7304 Maienfeld, tél. 08.13.02.13.35, fax 08.13.02.15.32 ☑ 🍷 🚶 r.-v.

ANDREA LAUBER

Malanser Blauburgunder Auslese 2002 ★★

■ 1re cat. n.c. 1 500 🛢 11 à 15 €

Récolté sur un sol ardoisier, le pinot noir a donné naissance à un vin rouge brique, prolixe en arômes de framboise, de mûre et de gelée de petits fruits. Un programme estival... Des tanins fins, une juste fraîcheur, une finale satisfaisante : tout est en place pour faire de la dégustation de ce vin un plaisir immédiat ou prochain.

🗝 Andrea Lauber, Gut Plandaditsch, 7208 Malans, tél. 08.13.22.14.65, fax 08.13.22.45.63, e-mail aa.lauber@bluewin.ch ☑ 🍷 🚶 r.-v.

UELI ET JURG LIESCH Malanser Merlot 2003 ★★

■ 1re cat. 0,13 ha 500 🛢 15 à 23 €

Toute la jeunesse de ce vin apparaît dès le premier regard sur sa robe rouge foncé à reflets violets. Tous les arômes du merlot se déclinent au nez : un fruité frais, bientôt rejoint par les notes de vanille et de café caractéristiques du fût. La bouche ample et équilibrée dévoile des tanins fins, prêts à se fondre dans l'ensemble à la faveur d'une petite garde.

🗝 Ueli et Jürg Liesch, Weingut Treib, 7208 Malans, tél. 08.13.22.12.25, fax 08.13.30.05.85 ☑ 🍷 🚶 r.-v.

MANFRED MEIER Zizerser Chardonnay 2003 ★★

□ 1re cat. 0,3 ha 2 000 🛢 15 à 23 €

Zizers se trouve à quelques kilomètres de Chur, capitale de la région viticole du Churer Rheintal dont les sols issus de déjections glaciaires offrent de bons terroirs à la vigne. Ce chardonnay laisse une impression de fraîcheur tant par sa robe jaune que par ses arômes d'agrumes et de fruits exotiques vanillés. Les tanins de la barrique s'accordent parfaitement à la matière ample et vive à souhait. « Il est au top », conclut l'un des dégustateurs, mais ce 2003 saura aussi attendre un peu.

🗝 Manfred Meier, Vorbungstrasse 16, 7205 Zizers, tél. 08.13.30.09.99, fax 08.13.30.09.98, e-mail weinbau.meier@bluewin.ch ☑ 🍷 🚶 r.-v.

FORTI ET IYAGDA MOHR-NIGGLI

Maienfelder Weissburgunder 2003 ★★

□ 1re cat. 0,37 ha 3 000 ▮🌡 11 à 15 €

Un pinot blanc (*weissburgunder*) d'une agréable douceur. Elevé dans de grandes cuves de bois, il laisse un doux sillage de fruits vanillés, puis dévoile sa structure vive et élancée, gage d'une bonne tenue dans le temps. La finale revient sur la suavité, et l'on en reste charmé.

🗝 Forti et Iyagda Möhr-Niggli, Steigstrasse 22A, 7304 Maienfeld, tél. 08.13.30.10.83, fax 08.13.30.10.84 ☑ 🍷 🚶 r.-v.

VON SALIS Maienfelder Pinot noir Réserve 2001 ★★

■ 1re cat. 0,5 ha 3 100 🛢 15 à 23 €

Autre commune de la région du Herrschaft, Maienfeld réserve une large place au pinot noir, principal cépage des Grisons. Après un élevage en fût de douze mois, ce 2001 rouge foncé affiche un nez de fruits des bois, de framboise, de fraise, accompagné de notes de goudron et de vanille. La structure paraît certes imposante, riche de tanins, mais l'équilibre est respecté et le fruit se manifeste bien en finale. Une garde ne pourra que parfaire cet ensemble prometteur.

🗝 AG Von Salis, Weinbau und Weinhandel, 7302 Landquart, tél. 08.13.00.60.60, fax 08.13.00.60.65 ☑ 🍷 🚶 r.-v.

GEORG SCHLEGEL

Jenins Weissburgunder 2002 ★★

□ 1re cat. 0,3 ha 1 800 ▮🌡 11 à 15 €

D'un jaune pâle brillant, ce pinot blanc offre d'agréables arômes de pêche et de fleurs blanches, un peu de citron aussi pour plus de fraîcheur encore. Son corps vif et ample s'étire longuement comme pour mieux affirmer sa bonne structure. Les fromages d'alpage lui iront bien.

🗝 Georg Schlegel, zur alten Post, 7307 Jenins, tél. 08.13.02.55.85, fax 08.13.30.16.66 ☑ 🍷 🚶 r.-v.

GIAN-BATTISTA VON TSCHARNER
Churer Pinot noir 2002 ★★

■ 1re cat.	1 ha	2 000	🍷 11 à 15 €

Le Schloss Reichenau est un ancien domaine des Grisons, dont l'histoire remonte au début du XVIIᵉs. Il a produit un pinot noir rouge foncé, aux arômes de baies sauvages, de cerise et de figue sèche. Si ce 2002 est encore jeune, il emplit déjà agréablement le palais de sa chair équilibrée et structurée. Attendez-le encore un peu.
↳ Gian-Battista von Tscharner,
Schloss Reichenau, 7015 Reichenau,
tél. 08.16.41.11.95, fax 08.16.41.18.95
☑ 🏠 🏠 ⊺ ⚹ r.-v.

Canton de Schaffhouse

AAGNE VOM SCHOPF
Hallauer Strohwein 2003 ★★★

▩	0,25 ha	1 200	■ 🍷 15 à 23 €

Hallau est l'une des étapes intéressantes d'une promenade dans la région viticole de Klettgau. On s'arrêtera chez Erich Gysel pour découvrir ce vin de paille tout doré, ponctué de reflets verts. Au nez intense d'épices douces répond une bouche ample et très aromatique (orange, miel, clou de girofle et cannelle) qui joue parfaitement de la douceur et de la vivacité. Autant de qualités à apprécier avec un fromage ou un dessert.
↳ Gysel Weine, Aagne vom Schopf,
Atlingerstr. 27, 8215 Hallau,
tél. 05.26.81.38.10, fax 05.26.82.26.42 ☑ ⊺ ⚹ r.-v.
↳ Erich Gysel

WEINGUT LINDENHOF
Osterfingen Blauburgunder Spätlese 2003 ★★

■	0,55 ha	3 500	🍷 8 à 11 €

Un pinot noir issu de vendanges parfaitement mûres (*Spätlese*). Brillant de reflets violets, il laisse une impression de fraîcheur par ses arômes de framboise et de fruits des bois. Sa bouche équilibrée bénéficie de tanins bien présents qui demandent à se fondre à la faveur de la garde.
↳ Jakob Richli et Heidi Steiner,
Weingut Lindenhof, 8218 Osterfingen,
tél. 05.26.81.21.25, fax 05.26.81.14.45 ☑ ⊺ ⚹ r.-v.

FAMILIE PAUL RICHLI
Osterfinger Pinot noir Auslese 2003 ★★★

■	6,5 ha	30 000	■ ⬇ 8 à 11 €

Le pinot noir représente 80 % de l'encépagement du canton de Schaffhouse et jouit d'une bonne réputation. On

le comprend aisément à la dégustation de ce vin d'un rouge foncé. Classique par ses arômes de framboise et de fraise légèrement épicés... De la classe par ses tanins veloutés, sa bouche ample et équilibrée, sa finale longue, évocatrice de raisins mûrs. « Qu'il est bon ! », concluent les dégustateurs.
↳ Paul Richli,
Weingut Hirschen In der Dorfmitte, 8218 Osterfingen,
tél. 05.26.81.21.49, fax 05.26.81.21.69 ☑ ⊺ ⚹ r.-v.

STAMM Thayngen Viognier 2003 ★★★

▩	0,5 ha	2 000	■ ⬇ 15 à 23 €

Après une visite de la ville de Schaffhouse, rendez-vous à Thayngen pour découvrir ce viognier jaune d'or, aux arômes de pêche, de mûre et d'abricot. Le palais très fruité trouve un bel équilibre entre le gras et la fraîcheur. Un vin complet qui a gardé une fraîcheur exceptionnelle pour le millésime 2003.
↳ Weinstamm, 8240 Thayngen,
tél. 05.26.20.18.85, fax 05.26.20.18.86 ☑ 🏠 ⊺ ⚹ r.-v.

VOM ALTEN HOLZ Wilchingen Assemblage ★★

■	n.c.	3 500	■ 🍷 ⬇ 11 à 15 €

Si elle n'est pas très foncée, la robe de ce vin n'en est pas moins franche. Les notes de goudron, de fumé et de petits fruits rouges composent une palette intense qui invite à poursuivre la dégustation. Le corps solidement structuré par des tanins de qualité s'enveloppe de fines flaveurs boisées. Attendez un peu cette bouteille qui n'en sera que plus harmonieuse.
↳ Rötiberg-Kellerei,
Dorfstrasse 141, 8217 Wilchingen,
tél. 05.26.81.19.21, fax 05.26.81.19.25 ☑ ⊺ ⚹ r.-v.

Canton de Thurgovie

WEINGUT SAXER
Nussbaumen chardonnay 2003 ★★

▩ 1re cat.	0,5 ha	1 500	■ ⬇ 8 à 11 €

Nussbaumen est l'un des villages de la vallée du Seebach. La famille Saxer a réservé au chardonnay une fermentation à froid pendant quatre semaines afin de préserver tout le fruité du cépage. Les fruits exotiques se manifestent jusque dans le palais remarquable d'équilibre entre le gras et la fraîcheur. Un beau vin de Thurgovie, à déguster avec les produits de la mer.
↳ Weingut Saxer,
Stammheimerstrasse 9, 8537 Nussbaumen,
tél. 05.27.45.23.51, fax 05.27.45.27.34,
e-mail info@saxer-weine.ch ☑ ⊺ ⚹ r.-v.

THOMAS MAX SCHMID
Schlattingen Chardonnay Barrique 2003 ★★

▩ 1re cat.	0,2 ha	1 500	🍷 15 à 23 €

La commune de Schlattingen se situe sur les bords du Rhin, dans un beau paysage viticole. Les 4,5 ha cultivés par

Thomas Max Schmid participent à ce cadre charmant. Ce chardonnay livre de délicates notes d'agrumes, de vanille et de fumée, puis offre une bouche pleine et ample, bien équilibrée par une touche de fraîcheur. Le bois accompagne agréablement la dégustation jusqu'en finale.

Thomas Max Schmid,
Weinkellerei Im Chloster, 8255 Schlattingen,
tél. 05.26.57.24.95, fax 05.26.57.34.90 r.-v.

Canton de Zurich

FAMILIE LUTHI

Stäfner Pinot noir Elevé en barrique 2002 ★★

■ 1re cat. 0,8 ha 2 400 15 à 23 €

Rouge foncé à reflets violets, ce vin rappelle les baies que l'on cueille en forêt, la cerise sauvage et un tout petit peu de bois. Il se montre plein et complet, structuré par des tanins encore très présents en finale, mais qui se fondront avec le temps. Un peu de patience s'impose.

Fam. E. et S. Lüthi,
Alte Landstr. 330, 8708 Männedorf,
tél. 00.19.20.49.23, fax 00.19.20.49.23,
e-mail info@luethiweinbau.ch r.-v.

ERICH MEIER

Uetikon am See Chardonnay 2002 ★★★

1re cat. 0,25 ha 1 200 15 à 23 €

Sur la rive nord du lac de Zurich, Erich Meier cultive 4,5 ha de vignes. Le chardonnay lui a offert en 2002 ce vin jaune pâle à reflets verts, tout en arômes de citron, de pamplemousse, nuancés de vanille et de fumée. La barrique a certes laissé son empreinte, mais avec une grande finesse, tant et si bien que ses tanins se fondent parfaitement dans une bouche fraîche et longue, équilibrée.

Erich Meier, Weingut zur Reblaube,
Reblaubenstr. 7, 8707 Uetikon am See,
tél. 00.19.20.12.25, fax 00.19.20.34.09,
e-mail weingut.reblaube@bluewin.ch r.-v.

KASPAR VON MEYENBURG

Schipf Chardonnay 2002 ★★

1re cat. 0,4 ha 1 700 15 à 23 €

Les agrumes s'allient joliment à la vanille dans la palette de ce vin élevé neuf mois en barrique. Bien structuré, le palais révèle une même complémentarité entre le fruit du chardonnay et le bois. Un ensemble persistant, de bonne fraîcheur.

Kaspar von Meyenburg, Seestr. 1, 8704 Herrliberg,
tél. 00.19.15.34.61, fax 00.19.15.17.40 r.-v.

MULI WY Rafzer Chardonnay 2002 ★★

1re cat. n.c. n.c. 11 à 15 €

La demeure de Peter Graf est conforme au dessin qui illustre l'étiquette. Trois hectares de vignes la dominent sur le coteau, dont une parcelle de chardonnay, à l'origine de ce vin doré, aux arômes d'agrumes. Quelques notes de miel et d'épices agrémentent le palais vif et long.

Peter Graf, Chnübrâchi 2, 8197 Rafz,
tél. 04.48.69.04.83, fax 04.48.69.07.24,
e-mail info@mueliwy.ch r.-v.

WEINGUT RUETIHOF

Staefner Pinot noir Cuvée spéciale 2003 ★★

■ 1re cat. n.c. n.c. 8 à 11 €

D'un rouge foncé à reflets légèrement violets, ce pinot noir libère des arômes bien frais de framboise, de fruits des bois et de fraise. Les tanins sont certes encore jeunes, mais ils ne masquent en rien l'équilibre de la bouche dont la finale évoque les fruits cuits.

Weingut Ruetihof, Ruetihofstr. 13, 8713 Uerikon,
tél. 00.19.26.37.54, fax 00.19.26.37.54 r.-v.

JURG SAXER

Neftenbach Pinot noir Barrique Tête de cuvée 2000 ★★

■ 1re cat. 0,6 ha 2 500 15 à 23 €

Une frange orangée témoigne d'une certaine évolution, mais les arômes ont gardé toute la fraîcheur de la jeunesse : cerise, fruits de bois. Parfaitement structuré, ce vin trouve l'appui de tanins encore fringants qui sont disposés à s'arrondir davantage encore à la faveur de la garde. Quel allant...

Jürg Saxer, Weingut Bruppach, 8413 Neftenbach,
tél. 05.23.15.32.00, fax 05.23.15.32.30,
e-mail js@juergsaxer.ch r.-v.

VOLG WEINKELLEREIEN

Winterthur Goldenberg Riesling x silvaner 2003 ★★

1re cat. 0,75 ha 6 244 5 à 8 €

Un muller-thurgau (riesling x silvaner) fidèle à l'image qu'en ont les amateurs de ce cépage. Finement muscaté, souligné d'une ligne minérale, il complète sa palette de citron et d'épices. Le fruité se manifeste également dans une bouche fraîche et élégante.

Volg Weinkellereien, Schaffhauserstr. 6,
8401 Winterthur, tél. 05.22.64.26.61, fax 05.22.13.65.60,
e-mail mailbox@volgweine.ch r.-v.

FAMILLE ZAHNER

Langenmooser Gewürztraminer 2003 ★★★

1re cat. 0,35 ha 2 500 11 à 15 €

Magique : un vin moelleux de gewürztraminer d'une teinte or limpide. La rose et quelques épices font tout le charme d'une palette typique du cépage qui laisse déjà imaginer la douceur de la bouche. Ample, celle-ci trouve un parfait équilibre grâce à une pointe de fraîcheur bienvenue et se prolonge durablement sur les épices douces.

Niklaus Zahner, Rebgut Bächi, 8467 Truttikon,
tél. 05.23.17.19.49, fax 05.23.17.20.95,
e-mail zahner@swissworld.com r.-v.

ZWEIFEL Ostschweiz
Chardonnay sauvignon blanc Sélection 2003 ★★★

2e cat.	0,53 ha	1 062	11 à 15 €

Z comme... Zweifel, une ancienne famille vigneronne dont les origines remontent à 1346. Chardonnay et sauvignon ont donné naissance à ce vin jaune pâle, parfumé de citron, de pamplemousse et d'une touche de lilas. La bouche ronde et fraîche à la fois se prolonge agréablement sur les fruits exotiques. Un vin flatteur, prêt à boire, mais qui pourra aussi attendre.

Zweifel & Co AG,
Regenstorferstr. 20, 8049 Zürich-Höngg,
tél. 00.13.44.22.11, fax 00.13.44.24.03 r.-v.

Canton du Tessin

Le vignoble tessinois s'étend de Giornico au nord à Chiasso au sud, sur une surface de 900 ha. Une grande partie des trois mille huit cents viticulteurs du canton possèdent des petites parcelles auxquelles ils consacrent leurs loisirs ; depuis quelques années, une trentaine se consacrent à la viticulture, vinifient et commercialisent. Environ cent viticulteurs travaillent leurs vignes à plein temps et vendent leur raisin aux coopératives. Le cépage prince du canton est le merlot d'origine bordelaise, qui a été introduit dans le Tessin au début du XX^e^s. Actuellement, le merlot recouvre 85 % de la surface viticole du canton. Ce cépage permet la production de plusieurs types de vins : le blanc, le rosé et le rouge. Le vin rouge de merlot, sans doute le plus répandu, peut être léger ou bien corsé, apte au vieillissement en fonction du temps de cuvage. Certains sont élevés en barrique. La production moyenne décennale de merlot du Tessin se monte à 55 000 quintaux.

GUIDO BRIVIO Rosso del Ticino Dogaia 2002 ★

■	n.c.	n.c.	11 à 15 €

Guido Brivio est devenu un fidèle du Guide. Il propose ici un assemblage de gamaret et de merlot très expressif par son bouquet de framboise, de cerise et de mûre. D'attaque franche, le vin laisse une impression de souplesse tant ses tanins sont fondus et discrets, puis s'étire longuement en finale. Il mérite d'être bu aujourd'hui même avec des viandes ou des fromages.

SA I Vini di Guido Brivio, via Vignoo 8,
6850 Mendrisio, tél. 09.16.46.07.57, fax 09.16.46.08.05,
e-mail brivio@brivio.ch r.-v.

FATTORIA MONCUCCHETTO Riserva 2001 ★

■	0,5 ha	2 500	15 à 23 €

Vous ne pourrez pas vous tromper : à Lugano, Niccolo et Lisetta Lucchini sont les seuls à produire du vin. Grenat, celui-ci déroule de beaux arômes de cerise, d'épices douces, de clou de girofle, puis offre un corps étoffé, non dénué de fraîcheur. Il ne demande pas mieux que d'accompagner une viande rouge dès 2005 et pendant de nombreuses années.

Niccolo e Lisetta Lucchini, via Crivelli 30,
6900 Lugano, tél. 09.19.66.73.63, fax 09.19.66.13.27,
e-mail lilucchini@hotmail.com r.-v.

MONTAGNA MAGICA 2001 ★★

■	2 ha	n.c.	23 à 30 €

En 1981, date de sa création, ce domaine ne possédait que 2 ha de vignes ; il comptabilise aujourd'hui près de 7 ha autour de la demeure du XVII^e^s., typique de la région. Son 2001, densément coloré, affiche un fin boisé aux notes de cacao et de toasté, puis offre un corps étoffé, charpenté, qui s'étire longuement en finale.

Daniel Huber, Monteggio, 6998 Termine,
tél. 09.16.08.17.54, fax 09.16.08.33.53 r.-v.

TENUTA MONTALBANO Riserva 2001 ★★

■	1,4 ha	7 200	15 à 23 €

Bien sûr, l'élevage en barrique a légué ses notes d'épices, de café torréfié, de cacao, mais la griotte apparaît aussi dans ce vin riche. On perçoit une bonne mâche, des tanins puissants mais bien intégrés et une finale longue, soutenue par la fraîcheur. Tout est prêt pour le service.

Cantina Sociale Mendrisio, Via G.-Bernasconi 22,
6850 Mendrisio, tél. 09.16.46.46.21 r.-v.

PELOSSI Agra 2001 ★

■	1,5 ha	2 000	15 à 23 €

Des reflets grenat animent la robe rubis de ce vin fruité à souhait, évocateur de myrtille et de mûre délicatement épicées. Assez riche et bien constitué, il se montre plaisant grâce à des tanins fins et à un boisé justement dosé.

Azienda vitivinicola Pelossi et Co,
Via Carona 8, 6912 Pazzallo-Lugano,
tél. 09.19.94.56.77, fax 09.19.94.56.77,
e-mail sacha-pelossi@bluewin.ch r.-v.

ROMPIDEE 2000 ★

■	n.c.	n.c.	23 à 30 €

Fabio Arnaboldi est un passionné du Bordelais, mais il sait aussi défendre haut et fort le Tessin avec des vins comme ce 2000 grenat profond, dont le nez légèrement boisé évoque la vanille, le clou de girofle et le tabac. En bouche, la belle structure s'enveloppe d'une chair ronde et épicée, non dénuée de fraîcheur.

SA Cantina Chiodi, via Delta 24, 6612 Ascona,
tél. 09.17.91.56.56, fax 09.17.91.03.93 r.-v.

ROVIO Riserva 2001 ★★

■	1,5 ha	5 000	15 à 23 €

Un fruité exubérant se libère de ce vin grenat profond, cerise, framboise, myrtille et pruneau. Des arômes que l'on retrouve en accompagnement du boisé dans une bouche dense et de bonne longueur. Une bouteille équilibrée, à déguster aujourd'hui ou à conserver.

⊶ SA Vini Rovio Ronco,
Gianfranco Chiesa, 6821 Rovio,
tél. 09.16.49.58.31, fax 09.16.49.78.12 ☑ Y ⚲ r.-v.

SANZENO Costamagna 2000 **

■ 3 ha 13 000 ⦀ 30 à 38 €

Claudio Tamborini a acheté en 1999 le vignoble de Costamagna, 5 ha sur un sol légèrement acide, exposé au sud-sud-ouest. Après un élevage en fût, puis en bouteille, ce merlot apparaît dans une robe grenat profond et livre un fin boisé épicé et vanillé respectueux des arômes de fruits (cerise). Sa matière riche et chaleureuse se structure autour de tanins certes présents, mais fins, gage d'une bonne évolution.

⊶ SA Eredi Carlo Tamborini, Strada Cantonale,
6814 Lamone, tél. 09.19.35.75.45, fax 09.19.35.75.49,
e-mail info@tamborini-vini.ch ☑ ⚲ r.-v.

SASSI GROSSI 2001 ***

■ 0,3 ha 25 000 ▮⦀ 23 à 30 €

Ce 2001 rubis dense à reflets grenat témoigne d'un élevage de qualité par ses fines notes toastées et cacaotées qui respectent le fruit. Ses tanins puissants s'intègrent parfaitement dans une large étoffe et les flaveurs semblent ne jamais devoir s'évanouir. Un vin à servir en carafe si l'on souhaite le découvrir dès à présent, ou à mettre en cave avec confiance.

⊶ SA Casa Vinicola Gialdi, via Vignoo 3,
6850 Mendrisio, tél. 09.16.46.40.21, fax 09.16.46.67.06,
e-mail info@gialdi.ch ☑ Y ⚲ r.-v.

TERA CREDA Riserva 2001 *

■ 1 ha 4 000 ⦀ 11 à 15 €

Un vin dense et étoffé, aux tanins bien fondus : c'est ainsi que se définit ce Riserva très coloré que l'on appréciera avec une viande en sauce ou un rôti bien épicé. Les fruits compotés se bousculent dans la palette aromatique nette et intense : framboise, myrtille, notes épicées. Et le tout perdure longtemps.

⊶ Tenuta Vitivinicola Trapletti Lorenzo e Figli,
via Mola 34, 6877 Coldrerio,
tél. 09.16.46.45.08, fax 09.16.46.45.08,
e-mail traplettivini@ticino.com ☑ ⌂ Y ⚲ r.-v.

TENUTA VALLOMBROSA Castelrotto 2002 **

■ n.c. 8 000 ⦀ 23 à 30 €

Un gibier à plume sera le bienvenu pour accompagner ce merlot rubis à reflets violacés qui sent bon la myrtille, la framboise, le pruneau et autres petits fruits. Franc, le vin offre dès l'attaque une impression de richesse et de plénitude, de charpente aussi, grâce à des tanins fins qui soutiennent une longue finale.

⊶ SA Giovanni Lucchini, Strada Cantonale,
6814 Lamone, tél. 09.19.42.13.33, fax 09.19.41.32.93,
e-mail info@lucchini-vini.ch ☑ ⚲ r.-v.

VINDALA Settemaggio Allevato in barrique 2001 *

■ n.c. n.c. ⦀ 15 à 23 €

Nicola et Raffaele Marcionetti, déjà présents dans le Guide grâce au millésime 2000 l'an passé, reviennent avec un 2001 densément coloré, au nez discret de cerise. Les tanins sont certes encore perceptibles en bouche, mais l'on apprécie une belle matière aux flaveurs persistantes et fraîches.

⊶ Nicola et Raffaele Marcionetti,
via Pedmunt 15, 6513 Monte Carasso,
tél. 09.18.25.69.01, fax 09.18.25.69.01 ☑ Y r.-v.

LES CÉPAGES FRANÇAIS

Le vin, c'est du raisin. Certes, mais la vigne domestiquée, *Vitis vinifera*, admet plusieurs variétés, plus proprement dénommées cultivars ou cépages, dont les caractères sont fort différents dans la nature comme dans le vin produit à partir de leurs fruits. L'ampélographe Pierre Galet a recensé quelque 9 600 cépages dans le monde : un patrimoine incommensurable dont les vignerons n'exploitent aujourd'hui qu'une infime partie.

Certains cépages, casaniers, ont trouvé une niche dans des régions précises, dans des aires viticoles limitées ; d'autres, grands voyageurs, ont fait carrière dans les deux hémisphères. Ainsi de la syrah qui a essaimé depuis la vallée du Rhône pour gagner non seulement la Suisse toute proche, mais aussi le Languedoc ; elle a traversé les océans jusqu'en Californie et surtout en Australie, dont elle a forgé la réputation vinicole. Casaniers ou voyageurs, les cépages participent de l'identité d'une région.

Toutefois, seul, le cépage serait bien incapable de donner aux vins leur caractère : quelle différence y aurait-il entre des chenins de Loire et d'Afrique du Sud, entre des sauvignons du Bordelais et de Nouvelle-Zélande ? Le vin n'est pas un produit industriel, reproductible partout à l'identique. Il entretient un lien privilégié avec un sol, un climat, un relief, un cours d'eau... avec un terroir. La Bourgogne est à ce titre exemplaire, car elle se consacre presque entièrement à la culture de deux cépages : le pinot noir pour ses vins rouges, le chardonnay pour ses vins blancs. Or, ses vins sont loin de se ressembler. Les amateurs débutants sauront distinguer un chablis de tout autre cru bourguignon ; les plus expérimentés percevront le raffinement du bâtard-montrachet et la rigueur du chevalier-montrachet, deux grands crus du sud de la Côte de Beaune : le premier est récolté sur une faible pente aux sols bruns calcaires et argileux, le second plus haut sur le coteau, exposé à l'est et au sud, sur des sols pierreux très légers. C'est bien là que réside toute la différence, le terroir apportant au vin sa structure. Aujourd'hui, partout dans le monde, les vignerons ont saisi l'intérêt de sélectionner les terroirs, et les producteurs de vins de pays ne sont pas en reste.

Un cépage, un terroir... Un terroir et des cépages alliés aussi. Car le vin peut être issu d'un seul cépage (il est alors monocépage) ou de l'assemblage de plusieurs variétés de raisin qui se complètent : le merlot apporte de la rondeur au cabernet-sauvignon ; le carignan de la puissance au grenache. S'il doit respecter les règles en vigueur dans son aire d'appellation d'origine, chaque producteur possède une marge de liberté qui lui permet de moduler les proportions de tel ou tel cépage dans son vin. Autre individualité. Les vins sont différents d'un pays à l'autre, d'une région à l'autre, d'une aire à l'autre, d'un vigneron à l'autre.

Cette table des cépages est une nouvelle porte d'entrée dans le *Guide Hachette des vins*. Classés par ordre alphabétique, les cépages renvoient aux vins d'appellation d'origine auxquels ils participent. Le lecteur se reportera à l'index des appellations pour retrouver la présentation des vins et la sélection de l'année. Chaque nom de cépage est suivi d'un symbole indiquant sa couleur. Les vins dont il constitue la seule composante sont identifiés par une étoile.

ABOURIOU ■
Sud-Ouest :
côtes-du-marmandais.

ALIGOTÉ ■
Beaujolais :
coteaux-du-lyonnais.
Bourgogne :
bourgogne-aligoté* ; bouzeron* ;
crémant-de-bourgogne.
Bugey.
Rhône :
châtillon-en-diois.

ALTESSE ■
Bugey.
Savoie :
roussette-de-savoie* ; seyssel ; vin-de-savoie.

ARAGNAN ■
Provence :
palette.

ARRUFIAC ■
Sud-Ouest :
béarn ; béarn-bellocq ; côtes-de-saint-mont ;
pacherenc-du-vic-bilh.

AUXERROIS ■
Alsace :
alsace-pinot blanc ; crémant-d'alsace.
Est :
moselle.

BARBAROSSA ■
Corse :
ajaccio ; vin-de-corse.

BARBAROUX ■
Provence :
cassis.

BAROQUE ■
Sud-Ouest :
tursan.

BOURBOULENC (DOUCILLON) ■
Languedoc :
corbières ; coteaux-du-languedoc ; minervois.
Provence :
bandol ; cassis ; coteaux-d'aix-en-provence.
Rhône :
châteauneuf-du-pape ; côtes-du-rhône ;
côtes-du-rhône-villages ; côtes-du-ventoux ;
lirac ; tavel ; vacqueyras.

BRAQUET (BRACHET) ■
Provence :
bellet.

CABERNET FRANC (BRETON ;
BOUCHY) ■
Bordelais :
bordeaux, bordeaux supérieur ; bordeaux
clairet, bordeaux rosé,
bordeaux-côtes-de-francs ; côtes-de-blaye ;
canon-fronsac ; côtes-de-bourg ;
côtes-de-castillon ; fronsac ; graves-de-vayres ;
haut-médoc ; graves ; lalande-de-pomerol ;
lussac-saint-émilion ; margaux ; médoc ;
montagne-saint-émilion ; moulis-en-médoc ;
pauillac ; pessac-léognan ; pomerol ;
premières-côtes-de-bordeaux ;
puisseguin-saint-émilion ; sainte-foy-bordeaux ;
saint-émilion ;
saint-émilion grand cru ; saint-estèphe ;
saint-georges-saint-émilion ; saint-julien.
Loire :
anjou, anjou-villages ; anjou-villages-brissac ;
bourgueil ; cabernet-d'anjou ;
cabernet-de-saumur ; cheverny ; chinon ;
coteaux-d'ancenis ; coteaux-du-loir ;
coteaux-du-vendômois ; crémant-de-loire ;
fiefs-vendéens ; haut-poitou ; orléanais ;
rosé-d'anjou ; rosé-de-loire ;
saint-nicolas-de-bourgueil ; saumur ;
saumur-champigny ; touraine ;
touraine-amboise ; touraine-mesland ; valençay.
Poitou-Charentes :
pineau-des-charentes.
Provence :
coteaux-varois.
Sud-Ouest :
béarn ; béarn-bellocq ; bergerac ; buzet ;
coteaux-du-quercy ; côtes-de-bergerac ;
côtes-de-duras ; côtes-de-saint-mont ;
côtes-du-brulhois ; côtes-du-frontonnais ;
côtes-du-marmandais ; floc-de-gascogne ;
gaillac ;. irouléguy ; madiran ;
marcillac ;
pécharmant ; tursan ; vin-d'entraygues-et-du-fel.

CABERNET-SAUVIGNON ■
Bordelais :
côtes-de-blaye ; bordeaux ; bordeaux supérieur,
bordeaux clairet ; bordeaux rosé ;
bordeaux-côtes-de-francs ; canon-fronsac ;
côtes-de-bourg ; côtes-de-castillon ; fronsac ;
graves ; graves-de-vayres ; haut-médoc ;
lalande-de-pomerol ; listrac-médoc ;
lussac-saint-émilion ; margaux ; médoc ;
montagne-saint-émilion ; moulis-en-médoc ;
pauillac ; pessac-léognan ; pomerol ;
premières-côtes-de-bordeaux ;

puissseguin-saint-émilion ; sainte-foy-bordeaux ; saint-émilion,
saint-émilion grand cru ; saint-estèphe ; saint-georges-saint-émilion ; saint-julien.

Languedoc :
cabardès ; côtes-de-la malepère.

Loire :
anjou ; anjou-villages ; anjou-villages-brissac ; bourgueil ;
cabernet-d'anjou ; cabernet-de-saumur ; chinon ; crémant-de-la-loire ; orléanais ; rosé-d'anjou ; rosé-de-loire ; saint-nicolas-de-bourgueil ; saumur ; saumur-champigny ; touraine ; valençay.

Poitou-Charentes :
pineau-des-charentes.

Provence :
baux-de-provence ; coteaux-d'aix-en-provence ; côtes-de-provence.

Sud-Ouest :
béarn ; béarn-bellocq ; bergerac ; buzet ; côtes-de-bergerac ; côtes-de-duras ; côtes-de-millau ; côtes-de-saint-mont ; côtes-du-brulhois ; côtes-du-frontonnais ; côtes-du-marmandais ; floc-de-gascogne ; gaillac ; irouléguy ; madiran ; marcillac ; pécharmant ; tursan ; vin-d'entraygues-et-du-fel.

CALITOR ■

Provence :
tavel.

CAMARALET

Sud-Ouest :
béarn, béarn-bellocq.

CARIGNAN ■

Languedoc :
corbières ; costières-de-nîmes ; coteaux-du-languedoc ; faugères ; fitou ; minervois ; saint-chinian.

Roussillon :
banyuls, banyuls grand cru ; collioure ; côtes-du-roussillon, côtes-du-roussillon-villages.

Provence :
bandol ; baux-de-provence ; cassis ; coteaux-d'aix-en-provence ; coteaux-varois ; côtes-de-provence.

Rhône :
coteaux-de-pierrevert ; coteaux-du-tricastin ; côtes-du-rhône, côtes-du-rhône-villages ; lirac ; tavel.

CARMENÈRE ■

Bordelais :
bordeaux, bordeaux supérieur.

CÉSAR ■

Bourgogne :
irancy.

CHARDONNAY

Alsace :
crémant-d'alsace.

Beaujolais :
beaujolais* ; coteaux-du-lyonnais.

Bourgogne :
aloxe-corton* ; auxey-duresses* ; bâtard-montrachet* ; beaune* ; bienvenues-bâtard-montrachet* ; bourgogne*, bourgogne-côtes-chalonnaise*, bourgogne-hautes côtes-de-beaune*, bourgogne-hautes-côtes-de-nuits* ; chablis*, chablis grand cru*, chablis premier cru* ; chassagne-montrachet* ; chevalier-montrachet* ; chorey-lès-beaune* ; corton* ; corton-charlemagne* ; côte-de-beaune* ; côte-de-nuits-villages* ; crémant-de-bourgogne ; criots-bâtard-montrachet* ; fixin* ; givry* ; ladoix* ; mâcon*, mâcon-villages* ; maranges* ; marsannay ; mercurey* ; meursault* ; montagny* ; monthélie* ; montrachet* ; morey-saint-denis ; musigny* ; nuits-saint-georges* ; pernand-vergelesses* ; petit-chablis* ; pouilly- fuissé* ; pouilly-loché* ; pouilly-vinzelles* ; puligny-montrachet* ; rully* ; saint-aubin* ; saint-romain* ; saint-véran* ; santenay* ; savigny-lès-beaune* ; viré-clessé* ; vougeot*.

Bugey

Champagne :
champagne ; coteaux- champenois.

Jura :
arbois ; côtes-du-jura ; crémant-du-jura ; l'étoile ; macvin-du-jura.

Languedoc :
blanquette-de-limoux ; crémant-de-limoux ; limoux.

Loire :
anjou ; cheverny ; côtes-d'auvergne ; crémant-de-loire ; fiefs-vendéens ; orléanais ; saint-pourçain ; saumur ; touraine-mesland ; valençay.

Poitou-Charentes :
haut-poitou.

Provence :
bellet.

Rhône :
châtillon-en-diois.

CHASSELAS ■

Loire :
pouilly-sur-loire*.

Savoie :
crépy* ; vin-de-savoie.

CHENIN BLANC
(PINEAU DE LA LOIRE) ■

Loire :
anjou ; anjou-coteaux-de-la-loire* ; bonnezeaux* ; chinon ; coteaux-d'ancenis ; coteaux-de-l'aubance* ; coteaux-du-layon* ; coteaux-du-loir ; coteaux-du-vendômois ; crémant-de-loire ; fiefs-vendéens ; jasnières* ; montlouis-sur-loire* ; quarts-de-chaume* ; saumur ; savennières* ; savennières-coulée-de-serrant* ; savennières-roche-aux-moines* ; touraine ; touraine-amboise* ; touraine-mesland ; vouvray.

Languedoc :
blanquette-de-limoux ; crémant-de-limoux ; limoux.

Sud-Ouest :
côtes-de-duras ; côtes-de-millau ; vin-d'entraygues-et-du-fel.

CINSAULT ■

Corse :
ajaccio.

Languedoc :
corbières ; costières-de-nîmes ; coteaux-du-languedoc ; côtes-de-la-malepère ; faugères ; minervois ; saint-chinian.

Provence :
bandol ; baux-de-provence ; bellet ; cassis ; coteaux-d'aix-en-provence ; coteaux-varois ; côtes-de-provence ; palette.

Rhône :
châteauneuf-du-pape ; coteaux-de-pierrevert ; coteaux-du-tricastin ; côtes-du-luberon ; côtes-du-rhône ; côtes-du-rhône-villages ; côtes-du-ventoux ; gigondas ; lirac ; tavel ; vacqueyras.

Roussillon :
collioure.

CLAIRETTE ■

Languedoc :
clairette-de-bellegarde* ; clairette-du-languedoc* ; costières-de-nîmes ; coteaux-du-languedoc.

Provence :
bandol ; cassis ; coteaux-d'aix-en-provence ; coteaux-varois ; côtes-de-provence ; palette.

Rhône :
châteauneuf-du-pape ; clairette-de-die ; coteaux-de-pierrevert ; coteaux-du-tricastin ; côtes-du-luberon ; côtes-du-rhône ; côtes-du-rhône-villages ; côtes-du-ventoux ; côtes-du-vivarais ; crémant-de-die ; lirac ; tavel ; vacqueyras.

Sud-Ouest :
côtes-de-saint-mont.

COLOMBARD ■

Bordelais :
côtes-de-blaye ; premières-côtes-de-blaye ; côtes-de-bourg ; crémant-de-bordeaux.

Poitou-Charentes :
pineau-des-charentes.

Sud-Ouest :
floc-de-gascogne.

COUNOISE ■

Provence :
baux-de-provence ; coteaux-d'aix-en-provence.

Rhône :
côtes-du-rhône, côtes-du-rhône-villages.

COURBU ■

Sud-Ouest :
béarn, béarn-bellocq ; côtes-de-saint-mont ; irouléguy ; jurançon, jurançon sec ; pacherenc-du-vic-bilh.

DURAS ■

Sud-Ouest :
gaillac.

DURIF ■

Provence :
palette.

FER-SERVADOU (BRAUCOL, PINENC) ■

Sud-Ouest :
béarn, béarn-bellocq ; côtes-de-millau ; floc-de-gascogne ; gaillac ; madiran ; marcillac ; vin-d'entraygues-et-du-fel.

FOLLE BLANCHE
(GROS PLANT) ■

Loire :
gros-plant du pays nantais*.

Sud-Ouest :
floc-de-gascogne.

FUELLA NERA ■

Provence :
bellet.

GAMAY NOIR ■

Beaujolais :
beaujolais* ; beaujolais-villages* ; brouilly* ; côtes-de-brouilly* ; chénas* ; chiroubles* ; coteaux-du-lyonnais* ; côte-roannaise* ; fleurie* ; juliénas* ; morgon* ; moulin-à-vent* ; régnié* ; saint-amour*.

Bourgogne :
bourgogne-passetoutgrain ; crémant-de-bourgogne ; mâcon.

Bugey

Est :
côtes-de-toul ; moselle.

Loire :
aujou-gamay* ; châteaumeillant ; cheverny ; coteaux-d'ancenis ; coteaux-du-giennois ; coteaux-du-loir ; coteaux-du-vendômois ; côte-roannaise ; côtes-d'auvergne ; côtes-du-forez* ; fiefs-vendéens ; rosé-d'anjou ; saint-pourçain ; saumur ; touraine ; touraine-amboise ; touraine-mesland ; valençay.

Poitou-Charentes :
haut-poitou.

Rhône :
châtillon-en-diois.

Savoie :
vin-de-savoie.

Sud-Ouest :
coteaux-du-quercy ; côtes-de-millau ; côtes-du-marmandais ; gaillac ; vin-d'entraygues-et-du-fel.

GEWURZTRAMINER ■

Alsace :
alsace-gewurztraminer* ; alsace grand cru gewurztraminer*.

GRENACHE BLANC ■

Languedoc :
corbières ; costières-de-nîmes ; coteaux-du-languedoc ; minervois.

Provence :
coteaux-d'aix-en-provence ; coteaux-varois ; palette.

Roussillon :
banyuls ; banyuls grand cru ; côtes-du-roussillon ; maury ; rivesaltes.

Rhône :
châteauneuf-du-pape ; coteaux-de-pierrevert ; coteaux-du-tricastin ; côtes-du-luberon ; côtes-du-rhône, côtes-du-rhône-villages ; côtes-du-ventoux ; côtes-du-vivarais ; lirac ; rasteau ; vacqueyras.

GRENACHE GRIS ■

Provence :
coteaux-varois.

Rhône :
rasteau.

Roussillon :
banyuls, banyuls grand cru ; collioure ; maury ; rivesaltes.

GRENACHE NOIR ■

Corse :
ajaccio ; patrimonio ; vin-de-corse.

Languedoc :
cabardès ; corbières ; costières-de-nîmes ; coteaux-du-languedoc ; fitou ; minervois ; saint-chinian.

Provence :
bandol ; baux-de-provence ; bellet ; cassis ; coteaux-d'aix-en-provence ; coteaux-varois ; côtes-de-provence ; palette.

Rhône :
châteauneuf-du-pape ; coteaux-de-pierrevert ; coteaux-du-tricastin ; côtes-de-la-malepère ; côtes-du-luberon ; côtes-du-rhône-villages ; côtes-du-ventoux ; côtes-du-vivarais ; gigondas ; lirac ; rasteau ; tavel ; vacqueyras.

Roussillon :
banyuls, banyuls grand cru ;. collioure ; côtes-du-roussillon ; rivesaltes.

GROLLEAU (GROSLOT) ■

Loire :
coteaux-du-loir ; fiefs-vendéens ; crémant-de-loire ; rosé-d'anjou ; rosé-de-loire ; saumur.

LLEDONER PELUT ■

Languedoc :
coteaux-du-languedoc ; minervois.

Rousillon :
côtes-du-roussillon ; côtes-du-roussillon-villages.

JACQUÈRE ■

Bugey.

Savoie :
vin-de-savoie.

JURANÇON NOIR ■

Sud-Ouest :
cahors.

LEN DE L'EL ■

Sud-Ouest :
gaillac.

MACABEU (MACCABÉO) ■

Languedoc :
corbières ; minervois.

Roussillon :
banyuls, banyuls-grand cru ;
côtes-du-roussillon ; maury ; rivesaltes.

MALBEC (CÔT ; AUXERROIS) ■

Bordelais :
bordeaux ; bordeaux supérieur ;
bordeaux-côtes-de-francs ; canon-fronsac ;
côtes-de-bourg ; fronsac ; haut-médoc ;
lalande-de-pomerol ; médoc ; moulis-en-médoc ;
pessac-léognan ; pomerol ;
premières-côtes-de-bordeaux ; saint-julien.

Est :
côtes-de-toul.

Languedoc :
côtes-de-la malepère.

Loire :
cheverny ; coteaux-du-loir ; rosé-d'anjou ;
saumur ; touraine ; touraine-amboise ;
touraine-azay-le-rideau ; touraine-mesland ;
valençay.

Sud-Ouest :
bergerac ; cahors ; coteaux-du-quercy ;
côtes-de-bergerac ; côtes-de-duras ;
côtes-du-brulhois ; côtes-du-frontonnais ;
côtes-du-marmandais ; floc-de-gascogne ;
pécharmant.

MALVOISIE (VERMENTINO) ■

Corse :
ajaccio ; patrimonio ; vin-de-corse.

Languedoc :
corbières ; minervois.

Rhône :
coteaux-de-pierrevert ; côtes-du-luberon.

Roussillon :
banyuls ; banyuls grand cru ;
côtes-du-roussillon ; maury ; rivesaltes.

MANOSQUIN ■

Provence :
palette.

MANSENG (PETIT) ■

Sud-Ouest :
béarn ; béarn-bellocq ; côtes-de-saint-mont ;
floc-de-gascogne ; irouléguy ; jurançon ;
jurançon sec ; pacherenc-du-vic-bilh.

MANSENG (GROS) ■

Sud-Ouest :
béarn ; béarn-bellocq ; irouléguy ; jurançon ;
jurançon sec ; pacherenc-du-vic-bilh.

MARSANNE ■

Languedoc :
corbières ; costières-de-nîmes ;
coteaux-du-languedoc ; minervois.

Provence :
cassis.

Rhône :
coteaux-du-tricastin ; côtes-du-rhône ;
côtes-du-rhône-villages ; côtes-du-vivarais ;
crozes-hermitage ; hermitage ; lirac ;
saint-joseph ; saint-péray.

Roussillon :
côtes-du-roussillon.

MAUZAC ■

Languedoc :
blanquette-de-limoux ; crémant-de-limoux ;
limoux.

Sud-Ouest :
côtes-de-duras ; côtes-de-millau ;
floc-de-gascogne ; gaillac ;
vin-d'entraygues-et-du-fel.

MELON DE BOURGOGNE ■

Loire :
fiefs-vendéens ; muscadet*,
muscadet-sèvre-et-maine*,
muscadet-coteaux-de-la-loire*,
muscadet-côtes-de-grandlieu*.

MÉRILLE ■

Sud-Ouest :
bergerac, bergerac sec ; côtes-de-bergerac ;
côtes-du-frontonnais.

MERLOT ■

Sud-Ouest :
bergerac ; buzet ; cabardès ; cahors ;
côtes-de-bergerac ; côtes-de-duras ;
côtes-de-saint-mont ; côtes-du-brulhois ;
côtes-du-marmandais ; floc-de-gascogne ;
gaillac ; marcillac ; pécharmant.

Bordelais :
blaye ; bordeaux ; bordeaux supérieur ;
bordeaux clairet ; bordeaux rosé ;
bordeaux-côtes-de-francs ; canon-fronsac ;
côtes-de-bourg ; côtes-de-castillon ; fronsac ;
graves ; graves-de-vayres ; haut-médoc ;
lalande-de-pomerol ; listrac-médoc ;
lussac-saint-émilion ; margaux ; médoc ;
montagne-saint-émilion ; moulis-en-médoc ;
pauillac ; pessac-léognan ; pomerol ;
premières-côtes-de-bordeaux ;
puisseguin-saint-émilion ; sainte-foy-bordeaux ;
saint-émilion ; saint-émilion grand cru ;
saint-estèphe ; saint-georges-saint-émilion ;
saint-julien.

Languedoc :
côtes-de-la-malepère.

Poitou-Charentes :
pineau-des-charentes.

MOLETTE ■
Bugey
Savoie :
seyssel.

MONDEUSE ■
Bugey.
Savoie :
vin-de-savoie.

MONTILS ■
Poitou-Charentes :
pineau-des-charentes.

MOURVÈDRE ■
Corse :
vin-de-corse.
Languedoc :
costières-de-nîmes ; coteaux-du-languedoc ; faugères ; fitou ; minervois ; saint-chinian.
Provence :
bandol ; baux-de-provence ; cassis ; coteaux-d'aix-en-provence ; coteaux-varois ; côtes-de-provence ; palette.
Rhône :
châteauneuf-du-pape ; côtes-du-luberon ; côtes-du-rhône ; côtes-du-rhône-villages ; côtes-du-ventoux ; gigondas ; lirac ; tavel ; vacqueyras.
Roussillon :
côtes-du-roussillon ; côtes-du-roussillon-villages.

MUSCADELLE ■
Bordelais :
barsac ; côtes-de-blaye ; premières-côtes-de-blaye ; bordeaux-côtes-de-francs ; bordeaux sec ; cadillac ; cérons ; côtes-de-bourg ; crémant-de-bordeaux ; entre-deux-mers ; graves supérieures ; graves-de-vayres ; loupiac ; pessac-léognan ; premières-côtes-de-bordeaux ; sainte-croix-du-mont ; sainte-foy-bordeaux ; sauternes.
Languedoc :
corbières.
Roussillon :
collioure.
Sud-Ouest :
bergerac ; bergerac sec ; côtes-de-bergerac ; côtes-de-duras ; côtes-du-marmandais ; gaillac ; monbazillac ; montravel ; saussignac.

MUSCARDIN ■
Rhône :
châteauneuf-du-pape.

MUSCAT BLANC À PETITS GRAINS ■
Alsace :
alsace-muscat ; alsace grand cru muscat.
Corse :
muscat-du-cap-corse*.
Languedoc :
muscat-de-frontignan* ; muscat-de-lunel* ; muscat-de-mireval* ; muscat-de-saint-jean-de-minervois*.
Provence :
palette.
Rhône :
clairette-de-die* ; muscat-de-beaumes-de-venise*.
Roussillon :
muscat-de-rivesaltes.

MUSCAT D'ALEXANDRIE ■
Roussillon :
muscat-de-rivesaltes.

MUSCAT OTTONEL ■
Alsace :
alsace-muscat ; alsace grand cru muscat.

MUSCAT ROSE À PETITS GRAINS ■
Alsace :
alsace-muscat ; alsace grand cru muscat.

NÉGRETTE ■
Loire :
fiefs-vendéens.
Sud-Ouest :
côtes-du-frontonnais.

NIELLUCCIU ■
Corse :
patrimonio ; vin-de-corse.

ONDENC ■
Sud-Ouest :
côtes-de-duras ; gaillac.

PETIT VERDOT ■
Bordelais :
bordeaux ; bordeaux supérieur ; haut-médoc ; listrac-médoc ; médoc ; moulis-en-médoc ; pessac-léognan ; saint-estèphe ; saint-julien.

PICARDAN ■
Rhône :
châteauneuf-du-pape.

PIQUEPOUL ■

Languedoc :
coteaux-du-languedoc (Picpoul-de-Pinet*) ; minervois.

Provence :
palette.

Rhône :
châteauneuf-du-pape ; lirac ; tavel.

PINEAU D'AUNIS ■

Loire :
cheverny ; coteaux-du-loir ; coteaux-du-vendômois ; crémant-de-loire ; rosé-d'anjou ; rosé-de-loire ; saumur ; touraine.

PINOT BLANC ■

Alsace :
alsace-pinot blanc ; crémant-d'alsace.

Bourgogne :
marsannay ; morey-saint-denis.

Est :
moselle.

PINOT GRIS ■

Alsace :
alsace-tokay-pinot gris*, alsace grand cru tokay-pinot gris* ; crémant-d'alsace.

Est :
moselle.

Jura :
crémant-du-jura.

Loire :
châteaumeillant ; reuilly (rouge) ; coteaux-d'ancenis ; touraine-noble-joué (rosé).

PINOT MEUNIER ■

Champagne :
champagne ; coteaux-champenois.

Loire :
orléanais ; touraine-noble-joué (rosé).

PINOT NOIR ■

Alsace :
alsace-pinot noir* ; crémant-d'alsace.

Bourgogne :
aloxe-corton* ; auxey-duresses* ; beaune* ; blagny* ; bonnes-mares* ; bourgogne* ; bourgogne-côte-chalonnaise* ; bourgogne-hautes côtes-de-baune* ; bourgogne-hautes-côtes-de-nuits* ; bourgogne-passetougrain* ; chambertin* ; chambertin-clos-de-bèze* ; chambolle-musigny* ; chapelle-chambertin* ; charmes-chambertin* ; chassagne-montrachet* ; chorey-lès-beaune* ; clos-de-la-roche* ; clos-des-lambrays* ; clos-de-tart* ; clos-de-vougeot* ; clos-saint-denis* ; corton* ; côte-de-beaune* ; côte-de-nuits-villages* ; crémant-de-bourgogne ; échézeaux* ; fixin* ; gevrey-chambertin* ; givry* ; la grande-rue* ; grands-échézeaux* ; griotte-chambertin* ; irancy* ; ladoix* ; latricières-chambertin* ; mâcon ; maranges* ; marsannay* ; mazis-chambertin* ; mazoyères-chambertin* ; mercurey* ; meursault* ; monthélie* ; morey-saint-denis* ; musigny* ; nuits-saint-georges* ; pernand-vergelesses* ; pommard* ; puligny-montrachet* ; richebourg* ; la romanée* ; romanée-conti* ; romanée-saint-vivant* ; ruchottes-chambertin* ; rully* ; saint-aubin* ; saint-romain* ; santenay* ; savigny-lès-beaune* ; la tâche* ; volnay* ; vosne-romanée* ; vougeot*.

Bugey

Champagne :
champagne ; coteaux-champenois ; rosé-des-riceys.

Est :
côtes-de-toul ; moselle.

Jura :
arbois ; côtes-du-jura ; crémant-du-jura ; macvin-du-jura.

Loire :
châteaumeillant ; cheverny ; coteaux-du-giennois ; coteaux-du-vendômois ; côtes-d'auvergne ; crémant-de-loire ; fiefs-vendéens ; menetou-salon ; reuilly ; saint-pourçain ; sancerre* ; touraine-noble-joué ; valençay.

Rhône :
châtillon-en-diois.

Savoie :
vin-de-savoie.

POULSARD ■

Jura :
arbois ; côtes-du-jura ; crémant-du-jura ; l'étoile ; macvin-du-jura.

Bugey

RIESLING ■

Alsace :
alsace-riesling* ; alsace grand cru riesling* ; crémant-d'alsace.

ROLLE ■

Languedoc :
costières-de-nîmes.

Provence :
bellet ; coteaux-d'aix-en-provence ; coteaux-varois ; côtes-de-provence.

ROMORANTIN ■

Loire :
cour-cheverny*.

ROUSSANNE ■

Languedoc :
corbières ; costières-de-nîmes ; coteaux-du-languedoc ; minervois.

Rhône :
châteauneuf-du-pape ; coteaux-de-pierrevert ; coteaux-du-tricastin ; côtes-du-luberon ; côtes-du-rhône ; côtes-du-rhône-villages ; côtes-du-ventoux ; crozes-hermitage ; hermitage ; lirac ; saint-joseph ; saint-péray ; vacqueyras.

Roussillon :
côtes-du-roussillon.

Savoie :
vin-de-savoie.

SAUVIGNON (BLANC FUMÉ) ■

Bourgogne :
saint-bris*.

Bordelais :
barsac ; côtes-de-blaye ; premières-côtes-de-blaye ; bordeaux-côtes-de-francs ; bordeaux sec ; cadillac ; cérons ; côtes-de-bourg ; crémant-de-bordeaux ; entre-deux-mers ; graves ; graves supérieures ; graves-de-vayres ; loupiac ; pessac-léognan ; premières-côtes-de-bordeaux ; sainte-croix-du-mont ; sainte-foy-bordeaux ; sauternes.

Loire :
anjou ; cheverny ; coteaux-du-giennois ; fiefs-vendéens ; menetou-salon* ; quincy* ; reuilly* ; saint-pourçain ; sancerre* ; saumur ; touraine ; touraine-mesland ; valençay.

Poitou-Charentes :
haut-poitou.

Provence :
bandol ; cassis ; coteaux-d'aix-en-provence.

Sud-Ouest :
béarn ; béarn-bellocq ; bergerac ; bergerac sec ; buzet ; côtes-de-bergerac ; côtes-de-duras ; côtes-du-marmandais ; floc-de-gascogne ; gaillac ; monbazillac ; montravel ; pacherenc-du-vic-bilh ; saussignac.

SAVAGNIN ■

Jura :
arbois ; château-chalon* ; côtes-du-jura ; crémant-du-jura ; l'étoile ; macvin-du-jura.

SCIACARELLU ■

Corse :
ajaccio ; patrimonio ; vin-de-corse.

SÉMILLON ■

Bordelais :
barsac ; côtes-de-blaye ; premières-côtes-de-blaye ; bordeaux-côtes-de-francs ; bordeaux sec ; cadillac ; cérons ; côtes-de-bourg ; crémant-de-bordeaux ; entre-deux-mers ; graves ; graves supérieures ; graves-de-vayres ; loupiac ; pessac-léognan ; premières-côtes-de-bordeaux ; sainte-croix-du-mont ; sainte-foy-bordeaux ; sauternes.

Poitou-Charentes :
pineau-des-charentes.

Provence :
coteaux-d'aix-en-provence ; coteaux-varois ; côtes-de-provence.

Sud-Ouest :
bergerac ; bergerac sec ; buzet ; côtes-de-bergerac ; côtes-de-duras ; côtes-du-marmandais ; floc-de-gascogne ; gaillac ; monbazillac ; montravel ; pacherenc-du-vic-bilh ; saussignac.

SYLVANER ■

Alsace :
alsace-sylvaner*.

SYRAH ■

Languedoc :
cabardès ; corbières ; costières-de-nîmes ; coteaux-du-languedoc ; faugères ; fitou ; limoux ; minervois ; saint-chinian.

Provence :
bandol ; baux-de-provence ; coteaux-d'aix-en-provence ; coteaux-varois ; côtes-de-provence.

Rhône :
châteauneuf-du-pape ; châtillon-en-diois ; cornas* ; coteaux-de-pierrevert ; coteaux-du-tricastin ; côtes-du-rhône ; côtes-du-rhône-villages ; côtes-du-luberon ; côtes-du-ventoux ; côtes-du-vivarais ; côte-rôtie ; crozes-hermitage* ; gigondas ; hermitage* ; lirac ; saint-joseph* ; tavel ; vacqueyras.

Roussillon :
collioure ; côtes-du-roussillon ; côtes-du-roussillon-villages.

Sud-Ouest :
côtes-de-millau ; côtes-du-frontonnais ; côtes-du-marmandais ; gaillac.

TANNAT ■
Sud-Ouest :
béarn ; béarn-bellocq ;
cahors ;
coteaux-du-quercy ; côtes-de-saint-mont ;
côtes-du-brulhois ; floc-de-gascogne ; irouléguy ;
madiran ; tursan.

TERRET ■
Provence :
palette.
Rhône :
châteauneuf-du-pape.

TIBOUREN ■
Provence :
coteaux-varois ; côtes-de-provence ; palette.

TRESSALIER ■
Loire :
saint-pourçain.

TROUSSEAU ■
Jura :
arbois ; côtes-du-jura ; crémant-du-jura ;
macvin-du-jura.

UGNI BLANC ■
Bordelais :
crémant-de-bordeaux.
Corse :
ajaccio; patrimonio.
Poitou-Charentes :
pineau-des-charentes.
Provence :
bandol ; bellet ; cassis ;
coteaux-d'aix-en-provence ; coteaux-varois ;
côtes-de-provence ; palette.
Rhône :
coteaux-de-pierrevert ; lirac.
Sud-Ouest :
bergerac ; bergerac sec ; côtes-de-duras ;
côtes-du-marmandais ; floc-de-gascogne.

VACCARÈSE ■
Rhône :
châteauneuf-du-pape.

VIOGNIER ■
Rhône :
château-grillet* ;
condrieu* ;
coteaux-du-tricastin ;
côte-rôtie ;
côtes-du-rhône ; côtes-du-rhône-villages ;
lirac.

GLOSSAIRE

A

Acerbe. Se dit d'un vin rendu âpre et vert par un fort excès de tanin et d'acidité. Défaut très grave.

Acescence. Maladie provoquée par des micro-organismes et donnant un vin piqué.

Acidité. Présente sans excès, l'acidité contribue à l'équilibre du vin, en lui apportant fraîcheur et nervosité. Mais lorsqu'elle est très forte, elle devient un défaut, en lui donnant un caractère mordant et vert. En revanche, si elle est insuffisante, le vin est mou.

Agressif. Se dit d'un vin montrant trop de force et attaquant désagréablement les muqueuses.

Aigreur. Caractère acide élevé, assorti d'une odeur particulière rappelant celle du vinaigre.

Aimable. Vin dont tous les aspects sont agréables et pas trop marqués.

Alcool. Composant le plus important du vin après l'eau, l'alcool éthylique apporte au vin son caractère chaleureux. Mais s'il domine trop, le vin devient brûlant.

Aligoté. Cépage blanc de Bourgogne donnant le bourgogne aligoté, vin de carafe à boire jeune.

Altesse. Cépage blanc donnant des roussettes-de-savoie d'une grande finesse.

Ambre. En vieillissant longuement, ou en s'oxydant prématurément, les vins blancs prennent parfois une teinte proche de celle de l'ambre.

Amertume. Normale pour certains vins rouges jeunes et riches en tanin, l'amertume est dans les autres cas un défaut dû à une maladie bactérienne.

Ampélographie. Science étudiant les cépages.

Ample. Se dit d'un vin harmonieux donnant l'impression d'occuper pleinement et longuement la bouche.

Analyse sensorielle. Nom technique de la dégustation.

Animal. Qualifie l'ensemble des odeurs du règne animal : musc, venaison, cuir..., surtout fréquentes dans les vins rouges vieux.

AOC. Appellation d'origine contrôlée. Système réglementaire garantissant l'authenticité d'un vin issu d'un terroir donné. Les grands vins proviennent de régions d'AOC.

AOVDQS. Appellation d'origine vin délimité de qualité supérieure, produit dans une région selon une réglementation précise.

Apreté. Sensation rude, un peu râpeuse, provoquée par un fort excès de tanin.

Aramon. Cépage noir ordinaire du Midi méditerranéen, très en faveur après la crise phylloxérique, mais en recul aujourd'hui.

Arbois. Cépage blanc ordinaire de Touraine (sans aucun rapport avec le vin du même nom produit dans le Jura).

Arôme. Dans le langage technique de la dégustation, ce terme devrait être réservé aux sensations olfactives perçues en bouche. Mais le mot désigne aussi fréquemment les odeurs en général.

Arrufiac. Cépage blanc assez fin, participant à l'élaboration de certains vins béarnais.

Assemblage. Mélange de plusieurs vins pour obtenir un lot unique. Faisant appel à des vins de même origine, l'assemblage est très différent du coupage – mélange de vins de provenances diverses –, qui a une connotation péjorative.

Astringence. Caractère un peu âpre et rude en bouche, souvent présent dans de jeunes vins rouges riches en tanin et ayant besoin de s'arrondir.

Auxerrois. Cépage lorrain donnant l'alsace pinot ou alsace klevner ; nom donné aussi au malbec, à Cahors.

B

Balsamique. Qualificatif d'odeurs venues de la parfumerie et comprenant, entre autres, la vanille, l'encens, la résine et le benjoin.

Ban des vendanges. Date autorisant le début des vendanges ; souvent occasion de fêtes.

Baroque. Cépage blanc du Béarn donnant un vin de garde.

Barrique. Fût bordelais de 225 litres, ayant servi à déterminer le « tonneau » (unité de mesure correspondant à quatre barriques).

Blanc fumé. Nom donné au sauvignon à Pouilly-sur-Loire, d'où l'appellation pouilly-fumé (à ne pas confondre avec le pouilly-fuissé de Bourgogne, issu de chardonnay).

Botrytis cinerea. Nom d'un champignon entraînant la pourriture des raisins. Généralement très néfaste, il peut sous certaines conditions climatiques produire une concentration des raisins qui est à la base de l'élaboration des vins blancs liquoreux.

Bouche. Terme désignant l'ensemble des caractères perçus dans la bouche.

Bouquet. Caractères odorants se percevant au nez lorsque l'on flaire le vin dans le verre, puis dans la bouche sous le nom d'arôme.

Bourbe. Eléments solides en suspension dans le moût. Voir débourbage.

Bourboulenc. Cépage blanc de qualité de la région méditerranéenne.

Breton. Nom donné au cabernet franc en Val de Loire.

Brillant. Se dit d'une couleur très limpide dont les reflets brillent fortement à la lumière.

Brûlé. Qualificatif, parfois équivoque, d'odeurs diverses, allant du caramel au bois brûlé.

Brut. On appelle bruts des vins effervescents comportant très peu de sucre (juste assez pour tempérer l'acidité du vin) ; « brut zéro » correspond à l'absence totale de sucre.

C

Cabernet franc. Cépage noir associé au cabernet-sauvignon et au merlot dans le Bordelais, et produisant certains vins du Val de Loire. Il donne un vin de garde d'une bonne finesse.

Cabernet-sauvignon. Cépage noir noble, dominant en Médoc et dans les Graves, mais présent aussi dans d'autres régions et donnant des vins de longue garde.

Capiteux. Caractère d'un vin très riche en alcool, jusqu'à en être fatigant.

Carafe. On appelle « vins de carafe » les vins qui se boivent jeunes et qu'autrefois on tirait directement au tonneau. Par exemple, le muscadet ou le beaujolais.

Carignan. Cépage noir du vignoble méditerranéen donnant des vins très charpentés.

Casse. Accident (oxydation ou réduction) provoquant une perte de limpidité du vin.

Caudalie. Unité de mesure de la durée de persistance en bouche des arômes après la dégustation.

Cépage. Nom de la variété, en matière de vignes.

César (ou romain). Cépage très tannique, utilisé en petite proportion à Irancy et donnant un caractère particulier aux vins de pinot noir.

Chai. Bâtiment situé au-dessus du sol et destiné aux vins (synonyme de cellier) dans les régions où l'on ne creuse pas de caves.

Chair. Caractéristique d'un vin donnant dans la bouche une impression de plénitude et de densité, sans aspérité.

Chaleureux. Se dit d'un vin procurant, notamment par sa richesse alcoolique, une impression de chaleur.

Chaptalisation. Addition de sucre dans la vendange, contrôlée par la loi, afin d'obtenir un bon équilibre du vin par augmentation de la richesse en alcool lorsque celle-ci est trop faible.

Chardonnay. Cépage bourguignon blanc de qualité, cultivé également dans d'autres régions, en particulier en Champagne et en Franche-Comté. Il donne des vins fins ayant une bonne aptitude au vieillissement.

Charnu. Se dit d'un vin ayant de la chair.

Charpente. Bonne constitution d'un vin avec une prédominance tannique ouvrant de bonnes possibilités de vieillissement.

Chartreuse. Dans le Bordelais, petit château du XVIIIe siècle ou du début du XIXe.

Chasselas. Cépage blanc cultivé surtout comme raisin de table, mais également utilisé en vinification (en Suisse, en Alsace...).

Château. Terme souvent utilisé pour désigner des exploitations vinicoles, même si parfois elles ne comportent pas de véritable château.

Chenin. Cépage blanc très répandu en Val de Loire, donnant des vins équilibrés, fins, aptes à la garde.

Cinsaut (ou cinsault). Cépage noir du vignoble méditerranéen donnant des vins très fruités.

Clairet. Vin rouge léger et fruité, ou vin rosé produit en Bordelais et en Bourgogne.

Clairette. Cépage blanc du vignoble méditerranéen donnant des vins assez fins.

Claret. Nom donné par les Anglais au vin rouge de Bordeaux.

Clavelin. Bouteille de forme particulière et d'une contenance de 60 cl, réservée aux vins jaunes du Jura.

Climat. Nom de lieu-dit cadastral dans le vignoble bourguignon.

Clone. Ensemble des pieds de vigne issus d'un pied unique par multiplication (bouturage ou greffage).

Clos. Très usité dans certaines régions pour désigner les vignes entourées de murs (Clos de Vougeot), ce terme a pris souvent un usage beaucoup plus large, désignant parfois les exploitations elles-mêmes.

Collage. Opération de clarification réalisée avec un produit (blanc d'œuf, colle de poisson) se coagulant dans le vin en entraînant dans sa chute les particules restées en suspension.

Colombard. Cépage blanc du Sud-Ouest de la France, donnant des vins assez communs.

Cordon. Mode de conduite des vignes palissées.

Corps. Caractère d'un vin alliant une bonne constitution (charpente et chair) à de la chaleur.

Corsé. Se dit d'un vin ayant du corps.

Cot (ou côt). Nom donné au cépage malbec dans certaines régions.

Coulant. Un vin coulant (ou gouleyant) est un vin souple et agréable, « glissant » bien dans la bouche.

Coulure. Non transformation de la fleur en fruit due à une mauvaise fécondation, pouvant s'expliquer par des raisons diverses (climatiques, physiologiques, etc.).

Courbu. Cépage blanc du Béarn et du Pays basque.

Courgée. Nom de la branche à fruits laissée à la taille et qui est ensuite arquée le long du palissage dans le Jura (en Mâconnais, elle porte le nom de queue).

Court. Se dit d'un vin laissant peu de traces en bouche après la dégustation (on dit aussi « court en bouche »).

Crémant. Vin mousseux d'AOC élaboré par méthode traditionnelle avec des contraintes spécifiques dans les régions d'Alsace, du Bordelais, de Bourgogne, de Die, du Jura, de Limoux et dans le Val de Loire.

Cru. Terme dont le sens varie selon les régions (terroir ou domaine), mais contenant partout l'idée d'identification d'un vin à un lieu défini de production.

Cruover (marque commerciale). Appareil permettant de conserver le vin en bouteille entamée sous gaz inerte (azote) pour le servir au verre.

Cuvaison. Période pendant laquelle, après la vendange en rouge, les matières solides restent en contact avec le jus en fermentation dans la cuve. Sa longueur détermine la coloration et la force tannique du vin.

D

Débourbage. Clarification du jus de raisin non fermenté, séparé de la bourbe.

Débourrement. Ouverture des bourgeons et apparition des premières feuilles de la vigne.

Décanter. Transvaser un vin de sa bouteille dans une carafe, pour lui permettre de se rééquilibrer ou d'abandonner son dépôt.

Déclassement. Suppression du droit à l'appellation d'origine d'un vin ; celui-ci est alors commercialisé comme vin de table.

Décuvage. Séparation du vin de goutte et du marc après fermentation (on dit aussi écoulage).

Dégorgement. Dans la méthode traditionnelle, élimination du dépôt de levures formé lors de la seconde fermentation en bouteille.

Degré alcoolique. Richesse du vin en alcool exprimée en général en degrés (correspondant au pourcentage de volume d'alcool contenu dans le vin).

Dépôt. Particules solides contenues dans le vin, notamment dans les vins vieux (où il est enlevé avant dégustation par la décantation).

Dosage. Apport de sucre sous forme de « liqueur de tirage » à un vin effervescent, après le dégorgement.

Doux. Terme s'appliquant à des vins sucrés.

Dur. Le vin dur est caractérisé par un excès d'astringence et d'acidité, pouvant parfois s'atténuer avec le temps.

Duras. Cépage noir produit surtout à Gaillac.

Durif. Cépage noir du Dauphiné.

E

Echelle des crus. Système complexe de classement des communes de Champagne en fonction de la valeur des raisins qui y sont produits. Dans d'autres régions, situation hiérarchique des productions classées par des autorités diverses.

Ecoulage. Voir décuvage.

Effervescent. Se dit d'un vin dégageant des bulles de gaz.

Egrappage. Séparation des grains de raisin de la rafle.

Elevage. Ensemble des opérations destinées à préparer les vins au vieillissement jusqu'à la mise en bouteilles.

Empyreumatique. Qualificatif d'une série d'odeurs rappelant le brûlé, le cuit ou la fumée.

Enveloppé. Se dit d'un vin riche en alcool, mais dans lequel le moelleux domine.

Epais. Se dit d'un vin très coloré, donnant en bouche une impression de lourdeur et d'épaisseur.

Epanoui. Qualificatif d'un vin équilibré qui a acquis toutes ses qualités de bouquet.

Equilibré. Désigne un vin dans lequel l'acidité et le moelleux (ainsi que le tanin pour les rouges) s'équilibrent bien mutuellement.

Etampage. Marquage des bouchons, des barriques ou des caisses à l'aide d'un fer.

Eventé. Se dit d'un vin ayant perdu tout ou partie de son bouquet à la suite d'une oxydation.

F

Fatigué. Terme s'appliquant à un vin ayant perdu provisoirement ses qualités (par exemple après un transport) et nécessitant un repos pour les recouvrer.

Féminin. Caractérise les vins offrant une certaine tendreté et de la légèreté.

Fer. Cépage noir donnant des vins de garde.

Fermé. S'applique à un vin de qualité encore jeune et n'ayant pas acquis un bouquet très prononcé, et qui nécessite donc d'être attendu pour être dégusté.

Fermentation. Processus permettant au jus de raisin de devenir du vin, grâce à l'action de levures transformant le sucre en alcool.

Fermentation malolactique. Transformation, sous l'effet de bactéries lactiques, de l'acide malique en acide lactique et en gaz carbonique ; elle a pour effet de rendre le vin moins acide.

Fillette. Petite bouteille de 35 cl, utilisée dans le Val de Loire.

Filtration. Clarification du vin à l'aide de filtres.

Finesse. Qualité d'un vin délicat et élégant.

Fleur. Maladie du vin se traduisant par un voile blanchâtre et un goût d'évent.

Folle blanche. Cépage blanc donnant un vin très vif (gros plant).

Fondu. Désigne un vin, notamment un vin vieux, dans lequel les différents caractères se mêlent harmonieusement entre eux pour former un ensemble bien homogène.

Foudre. Tonneau de grande capacité (200 à 300 hl).

Foulage. Opération consistant à faire éclater la peau des grains de raisin.

Foxé. Désigne l'odeur, entre celle du renard et celle de la punaise, que dégage le vin produit à partir de certains cépages hybrides.

Frais. Se dit d'un vin légèrement acide, mais sans excès, qui procure une sensation de fraîcheur.

Franc. Désigne l'ensemble d'un vin, ou l'un de ses aspects (couleur, bouquet, goût...) sans défaut ni ambiguïté.

Friand. Qualificatif d'un vin à la fois frais et fruité.

Fumé. Qualificatif d'odeurs proches de celle des aliments fumés, caractéristiques, entre autres, du cépage sauvignon ; d'où le nom de blanc fumé donné à cette variété.

Fumet. Synonyme ancien de bouquet.

G

Gamay. Cépage noir assez répandu dans de nombreuses régions, unique en Beaujolais, et donnant un vin très fruité.

Garde (vin de). Désigne un vin montrant une bonne aptitude au vieillissement.

Généreux. Caractère d'un vin riche en alcool, mais sans être fatigant, à la différence d'un vin capiteux.

Générique. Terme pouvant avoir plusieurs acceptions, mais désignant souvent un vin de marque par opposition à un vin de cru ou de château, employé parfois abusivement pour désigner les appellations régionales (par exemple bordeaux, bourgogne...).

Gewurztraminer. Cépage alsacien rose, très aromatique.

Glissant. Synonyme de coulant.

Glycérol. Tri-alcool légèrement sucré, issu de la fermentation du jus de raisin, qui donne au vin son onctuosité.

Gouleyant. Voir coulant.

Goutte (vin de). Dans la vinification en rouge, vin issu directement de la cuve au décuvage (voir presse).

Gras. Synonyme d'onctueux.

Gravelle. Terme désignant le dépôt de cristaux de tartre dans les vins blancs en bouteille.

Graves. Sol composé de cailloux roulés et de graviers, très favorable à la production de vins de qualité, que l'on trouve notamment en Médoc et dans les Graves.

Greffage. Méthode employée depuis la crise phylloxérique, consistant à fixer sur un porte-greffe résistant au phylloxéra un greffon d'origine locale.

Grenache. Cépage noir cultivé dans certaines régions du Midi, comme à Banyuls ou Châteauneuf-du-Pape. Donne un vin parfumé et très chaleureux.

Gris (vin). Vin obtenu en vinifiant en blanc des raisins rouges.

Grolleau. Cépage noir du Val de Loire.

Gros plant. Nom donné au cépage folle blanche dans la région de Nantes.

H

Harmonieux. Se dit d'un vin présentant des rapports heureux entre ses différents caractères, allant au-delà du simple équilibre.

Hautain (en). Taille de la vigne en hauteur.

Herbacé. Désigne des senteurs ou arômes rappelant l'herbe (ce terme a souvent une connotation péjorative).

Hybride. Terme désignant les cépages obtenus à partir de deux espèces de vignes différentes.

I

INAO. Institut national des appellations d'origine. Etablissement public chargé de déterminer et de contrôler les conditions de production des vins d'AOC et d'AOVDQS.

ITV. Institut technique de la vigne et du vin. Organisme technique professionnel de recherche et d'expérimentation sur la vigne et le vin.

J

Jacquère. Cépage blanc, produit en Savoie et dans le Dauphiné, donnant un bon vin à boire assez rapidement.

Jambes. Synonyme de larmes.

Jéroboam. Grande bouteille contenant l'équivalent de quatre bouteilles.

Jeune. Qualificatif très relatif pouvant désigner un vin de l'année déjà à son optimum, aussi bien qu'un vin ayant passé sa première année mais n'ayant pas encore développé toutes ses qualités.

Jurançon. Blanc, cépage peu répandu, présent encore en Charente ; noir, cépage accessoire du Sud-Ouest au vin assez commun ; désigne aussi un vin blanc d'AOC, sec ou moelleux, issu des cépages gros et petit manseng et courbu, produit dans le Béarn autour de la commune du même nom.

L

Lactique (acide). Acide obtenu par la fermentation malolactique.

Larmes. Traces laissées par le vin sur les parois du verre lorsqu'on l'agite ou l'incline.

Léger. Se dit d'un vin peu coloré et peu corsé, mais équilibré et agréable. En général, à boire assez rapidement.

Levures. Champignons microscopiques unicellulaires provoquant la fermentation alcoolique.

Limpide. Se dit d'un vin de couleur claire et brillante ne contenant pas de matières en suspension.

Liquoreux. Vins blancs riches en sucre, obtenus à partir de raisins sur lesquels s'est développée la pourriture noble, et se distinguant entre autres par un bouquet spécifique.

Long. Se dit d'un vin dont les arômes laissent en bouche une impression plaisante et persistante après la dégustation. On dit aussi : « d'une bonne longueur ».

Lourd. Se dit d'un vin excessivement épais.

M

Macabeu. Cépage blanc du Roussillon donnant un vin agréable dans sa jeunesse.

Macération. Contact du moût avec les parties solides du raisin pendant la cuvaison.

Macération carbonique. Mode de vinification en rouge par macération de grains entiers dans des cuves saturées de gaz carbonique ; il est utilisé surtout pour la production de certains vins de primeur.

Mâche. Terme s'appliquant à un vin possédant à la fois épaisseur et volume et qui, par image, donne l'impression qu'il pourrait être mâché.

Madérisé. Se dit d'un vin blanc qui, en vieillissant, prend une couleur ambrée et un goût rappelant d'une certaine façon celui du madère.

Magnum. Bouteille correspondant à deux bouteilles ordinaires.

Malbec. Nom donné en Bordelais au cépage cot.

Malique (acide). Acide présent à l'état naturel dans beaucoup de vins et qui se transforme en acide lactique par la fermentation malolactique.

Manseng. Gros manseng et petit manseng sont les deux cépages blancs de base du jurançon.

Marc. Matières solides restant après le pressurage.

Marsanne. Cépage blanc surtout cultivé dans la région de l'Hermitage.

Mathusalem. Autre nom pour la bouteille impériale, équivalant à huit bouteilles ordinaires.

Maturation. Transformation subie par le raisin quand il s'enrichit en sucre et perd une partie de son acidité pour arriver à maturité.

Mauzac. Cépage blanc cultivé notamment dans le Midi toulousain et le Languedoc, donnant un vin fin mais de faible garde.

Melon. Nom d'un cépage de Côte d'Or qui a pris le nom de muscadet en pays nantais.

Merlot. Cépage noir dominant dans le Libournais (Pomerol, Saint-Emilion), et associé aux autres cépages dans l'ensemble du Bordelais.

Méthode traditionnelle. Technique d'élaboration des vins effervescents comprenant une prise de mousse en bouteille, conforme à la méthode d'élaboration du champagne.

Meunier. Cépage noir se caractérisant par un feuillage velu, plus rustique que le pinot dont il est une mutation.

Mildiou. Maladie provoquée par un champignon parasite qui attaque les organes verts de la vigne.

Millésime. Année de récolte d'un vin.

Mistelle. Moût de raisin frais, riche en sucre, dont la fermentation a été arrêtée par l'adjonction d'alcool.

Moelleux. Qualificatif s'appliquant généralement à des vins blancs doux se situant entre les secs et les liquoreux proprement dits. Se dit aussi, à la dégustation, d'un vin à la fois gras et peu acide.

Mondeuse. Cépage noir de Savoie et du Dauphiné donnant un vin de garde de grande qualité.

Mourvèdre. Cépage noir de Provence donnant des vins fins de grande garde.

Mousseux. Vins effervescents entrant dans les catégories européennes des vins de table et des VQPRD.

Moût. Désigne le liquide sucré extrait du raisin.

Muscadelle. Cépage blanc du Bordelais associé au sémillon et au sauvignon.

Muscadet. Cépage blanc cultivé en Loire-Atlantique, qui donne un vin de carafe très frais.

Muscat. Terme désignant l'ensemble des cépages dont les raisins ont la qualité aromatique muscatée. Vins obtenus avec ces cépages.

Musquée. Se dit d'une odeur rappelant celle du musc.

Mutage. Opération consistant à arrêter la fermentation alcoolique du moût en y ajoutant de l'alcool vinique.

N

Nabuchodonosor. Bouteille géante équivalant à vingt bouteilles ordinaires.

Négoce. Terme employé pour désigner le commerce des vins et les professions s'y rapportant. Est employé parfois par opposition à viticulture.

Négociant-éleveur. Dans les grandes régions d'appellation, négociant ne se contentant pas d'acheter et de revendre les vins mais, à partir de vins très jeunes, réalisant toutes les opérations d'élevage jusqu'à la mise en bouteilles.

Négociant-manipulant. Terme champenois désignant le négociant qui achète des vendanges pour élaborer lui-même un vin de Champagne.

Négrette. Cépage noir donnant un vin riche, coloré et peu acide.

Nerveux. Se dit d'un vin marquant le palais par des caractères bien accusés et une pointe d'acidité, mais sans excès.

Net. Se dit d'un vin franc, aux caractères bien définis.

Nielluccio. Cépage noir planté en Corse, qui donne des vins de garde de haute qualité (en particulier à Patrimonio).

Nouveau. Se dit d'un vin des dernières vendanges.

O

Odeur. Perçues directement par le nez, à la différence des arômes de bouche, les odeurs du vin peuvent être d'une grande variété, rappelant aussi bien les fruits ou les fleurs que la venaison.

Œil. Synonyme de bourgeon.

Œnologie. Science étudiant le vin.

Oïdium. Maladie de la vigne provoquée par un petit champignon et qui se traduit par une teinte grise et un dessèchement des raisins ; se traite par le soufre.

OIV. Office international de la vigne et du vin. Organisme intergouvernemental étudiant les questions techniques, scientifiques ou économiques soulevées par la culture de la vigne et la production du vin.

Onctueux. Qualificatif d'un vin se montrant en bouche agréablement moelleux, gras.

Onivins. Office national interprofessionnel des vins. Organisme ayant pris la suite de l'ONIVIT dans sa mission d'orientation et de régularisation du marché du vin.

Organoleptique. Désigne les qualités ou propriétés perçues par les sens lors de la dégustation, comme la couleur, l'odeur ou le goût.

Ouillage. Opération consistant à rajouter régulièrement du vin dans chaque barrique pour la maintenir pleine et éviter le contact du vin avec l'air.

Oxydation. Résultat de l'action de l'oxygène de l'air sur le vin. Excessive, elle se traduit par une modification de la couleur (tuilée pour les rouges) et du bouquet.

P

Parfum. Synonyme d'odeur avec, en plus, une connotation laudative.

Passerillage. Dessèchement du raisin à l'air s'accompagnant d'un enrichissement en sucre.

Pasteurisation. Technique de stérilisation par la chaleur mise au point par Pasteur.

Perlant. Se dit d'un vin dégageant de petites bulles de gaz carbonique.

Persistance. Phénomène se traduisant par la perception de certains caractères du vin (saveur, arômes...) après que celui-ci a été avalé. Une bonne persistance est un signe positif.

Pétillant. Désigne un vin dont la mousse est moins forte que celle des vins mousseux.

Petit verdot. L'un des cépages accompagnant parfois en Bordelais les cabernets et le merlot.

Phylloxéra. Puceron qui, entre 1860 et 1880, ravagea le vignoble français en provoquant la mort des racines par sa piqûre.

Pièce. Nom du tonneau de Bourgogne (228 ou 216 litres).

Pierre à fusil. Se dit d'un arôme qui évoque l'odeur du silex venant de produire des étincelles.

Pineau d'Aunis. Cépage noir cultivé dans certaines régions de la vallée de la Loire et donnant un vin peu coloré.

Pinot blanc. Cépage blanc cultivé notamment en Alsace.

Pinot gris. Cépage blanc de qualité cultivé notamment en Alsace.

Pinot noir. Cépage noir, cultivé notamment en Bourgogne, qui donne des vins assez peu colorés mais de longue garde. En Champagne, il est vinifié en blanc.

Piqué. Qualificatif d'un vin atteint d'acescence, maladie se traduisant par une odeur aigre prononcée.

Piqûre (acétique). Synonyme d'acescence.

Plein. Se dit d'un vin ayant les qualités demandées à un bon vin, et qui donne en bouche une sensation de plénitude.

Poulsard. Cépage noir, utilisé notamment dans le Jura, donnant des vins peu colorés mais très fins.

Pourriture noble. Nom donné à l'action du *Botrytis cinerea* dans les régions où elle permet de réaliser des vins blancs liquoreux.

Presse (vin de). Dans la vinification en rouge, vin tiré des marcs par pressurage après le décuvage.

Pressurage. Opération consistant à presser le marc de raisin pour en extraire le jus ou le vin.

Primeur (achat en). Achat fait peu après la récolte et avant que le vin soit consommable.

Primeur (vin de). Vin élaboré pour être bu très jeune.

Prise de mousse. Nom donné à la deuxième fermentation alcoolique que subissent les vins mousseux.

Puissance. Caractère d'un vin qui est à la fois plein, corsé, généreux et d'un riche bouquet.

R

Rafle. Terme désignant dans la grappe le petit branchage supportant les grains de raisin et qui, lors d'une vendange non éraflée, apporte une certaine astringence au vin.

Rancio. Caractère particulier pris par certains vins doux naturels (arômes de noix), au cours de leur vieillissement.

Râpeux. Se dit d'un vin très astringent, donnant l'impression de racler le palais.

Ratafia. Vin de liqueur élaboré par mélange de marc et de jus de raisin en Champagne et en Bourgogne.

Rebêche (vin de). Vin issu des dernières presses, qui ne participera pas à l'élaboration de cuvées destinées à la champagnisation.

Récoltant-manipulant. En Champagne, viticulteur élaborant lui-même son champagne.

Remuage. Dans la méthode traditionnelle, opération visant à amener les dépôts contre le bouchon par le mouvement imprimé aux bouteilles placées sur des pupitres. Le remuage peut être manuel ou mécanique (à l'aide de gyropalettes).

Riche. Qualificatif d'un vin coloré, généreux, puissant et en même temps équilibré.

Riesling. Cépage blanc, cultivé en Alsace, donnant des vins d'une grande distinction.

Robe. Terme employé souvent pour désigner la couleur d'un vin et son aspect extérieur.

Rognage. Action de couper le bout des rameaux de vigne en fin de végétation.

Rolle. Cépage blanc de Provence et du pays niçois donnant des vins très fins.

Romorantin. Cépage blanc cultivé dans quelques secteurs de la vallée de la Loire.

Rond. Se dit d'un vin dont la souplesse, le moelleux et la chair donnent en bouche une agréable impression de rondeur.

Rôti. Caractère spécifique donné par la pourriture noble aux vins liquoreux, qui se traduit par un goût et des arômes de confit.

Roussanne. Cépage blanc, cultivé dans la Drôme, donnant un vin de garde très fin.

S

Sacy. Cépage blanc, cultivé dans l'Yonne et dans l'Allier, donnant un vin très frais et sec.

Saignée (rosé de). Vin rosé tiré d'une cuve de raisin noir au bout d'un court temps de macération.

Saint-pierre. Cépage blanc donnant un vin acide que l'on trouve dans l'Allier.

Salmanazar. Bouteille géante contenant l'équivalent de douze bouteilles ordinaires.

Sarment. Rameau de vigne de l'année.

Sauvignon. Cépage blanc, cultivé dans de nombreuses régions, donnant un vin fin et de bonne garde dont l'une des caractéristiques est son arôme de fumé, très particulier.

Savagnin. Cépage jurassien donnant le célèbre vin jaune et dont des variétés roses existent en Alsace (klevner et gewurztraminer).

Saveur. Sensation (sucrée, salée, acide ou amère) produite sur la langue par un aliment.

Sciacarello. Cépage noir, cultivé en Corse, produisant un vin charnu et fruité.

Sec. Pour les vins tranquilles, caractère dépourvu de saveur sucrée (moins de 4 g/l) ; dans l'échelle de douceur des vins effervescents, il s'agit d'un caractère peu sucré (entre 17 et 35 g/l).

Sémillon. Cépage blanc noble, cultivé notamment en Gironde, et donnant entre autres les grands vins liquoreux.

Solide. Se dit d'un vin bien constitué, possédant notamment une bonne charpente.

Souple. Se dit d'un vin coulant, dans lequel le moelleux l'emporte sur l'astringence.

Soutirage. Opération consistant à transvaser un vin d'un fût dans un autre pour en séparer la lie.

Soyeux. Qualificatif d'un vin souple, moelleux et velouté, avec une nuance d'harmonie et d'élégance.

Stabilisation. Ensemble des traitements destinés à la bonne conservation des vins.

Structure. Désigne à la fois la charpente et la constitution d'ensemble d'un vin.

Sulfatage. Traitement, jadis pratiqué à l'aide de sulfate de cuivre, appliqué à la vigne pour prévenir les maladies cryptogamiques.

Sulfitage. Introduction de solution sulfureuse dans un moût ou dans un vin pour le protéger d'accidents ou maladies, ou pour sélectionner les ferments.

Sylvaner. Cépage blanc alsacien produisant en général un vin de carafe.

Syrah. Cépage noir de qualité, planté notamment dans la vallée du Rhône et en Languedoc-Roussillon.

T

Taille. Coupe des sarments pour régulariser et équilibrer la croissance de la vigne afin de contrôler la productivité.

Tanin. Substance se trouvant dans le raisin, et qui apporte au vin sa capacité de longue conservation et certaines de ses propriétés gustatives.

Tannat. Produit dans les Pyrénées-Atlantiques, ce cépage noir donne des vins très charpentés, mais fins et de bonne garde.

Tannique. Caractère d'un vin laissant apparaître une note d'astringence due à sa richesse en tanin.

Tastevinage. Label accordé par la confrérie des Chevaliers du Tastevin à certains vins bourguignons.

Terroir. Territoire s'individualisant par certaines caractéristiques physiques (sol, sous-sol, exposition...) déterminantes pour son vin.

Thermorégulation. Technique permettant de contrôler et de maîtriser la température des cuves pendant la fermentation.

Tirage. Synonyme de soutirage.

Tokay. Nom donné en Alsace au pinot gris, cépage blanc de qualité.

Tranquille (vin). Désigne un vin non effervescent.

Tressallier. Autre nom du cépage sacy.

Tuilé. Caractère des vins rouges qui, en vieillissant, prennent une teinte rouge jaune.

U

Ugni blanc. Cépage blanc, cultivé dans le Midi (et en Charente sous le nom de saint-émilion), donnant un vin assez acide et de faible garde.

V

VDL. Vin de liqueur. Vin doux ne répondant pas aux normes réglementaires des VDN, ou vin obtenu par mélange de moût et d'alcool (pineau des charentes).

VDN. Vin doux naturel. Vin obtenu par mutage à l'alcool vinique du moût en cours de fermentation, issu des cépages muscat, grenache, macabeu et malvoisie, et correspondant à des conditions strictes de production, de richesse et d'élaboration.

VDP. Vin de pays. Vin appartenant au groupe des vins de table, mais dont on mentionne sur l'étiquette la région géographique d'origine.

Végétal. Se dit du bouquet ou des arômes d'un vin (principalement jeune) rappelant l'herbe ou la végétation.

Venaison. S'applique au bouquet d'un vin rappelant l'odeur de grand gibier.

Vermentino. Cépage blanc connu sous le nom de rolle à Nice et en Provence, et sous celui de malvoisie en Corse.

Vert. Se dit d'un vin trop acide.

Vieux. Terme pouvant avoir plusieurs acceptions, mais désignant en général un vin ayant plusieurs années d'âge et ayant vieilli en bouteille après avoir séjourné en tonneau.

Vif. Se dit d'un vin frais et léger, avec une petite dominante acide mais sans excès, et agréable.

Village. Terme employé dans certaines régions pour individualiser un secteur particulier au sein d'une appellation plus large (Beaujolais, côtes du rhône).

Vineux. Se dit d'un vin possédant une certaine richesse alcoolique et présentant de façon nette les caractéristiques distinguant le vin des autres boissons alcoolisées.

Vinification. Méthode et ensemble des techniques d'élaboration du vin.

Viognier. Cépage blanc, cultivé dans la vallée du Rhône, donnant un vin fin de haute qualité.

Viril. Se dit d'un vin à la fois charpenté, corsé et puissant.

Volume. Caractéristique d'un vin donnant l'impression de bien remplir la bouche.

VQPRD. Vin de qualité produit dans une région déterminée. Se distingue des vins de table, dans le langage réglementaire de l'Union européenne, et regroupe, en France, les AOC et les AOVDQS.

INDEX DES APPELLATIONS

A

Ajaccio, 849
Aloxe-corton, 520
Alsace edelzwicker, 92
Alsace gewurztraminer, 103
Alsace grand cru altenberg-de-bergbieten, 126
Alsace grand cru altenberg-de-wolxheim, 126
Alsace grand cru brand, 126
Alsace grand cru bruderthal, 127
Alsace grand cru eichberg, 127
Alsace grand cru engelberg, 127
Alsace grand cru florimont, 127
Alsace grand cru frankstein, 128
Alsace grand cru froehn, 128
Alsace grand cru furstentum, 129
Alsace grand cru geisberg, 129
Alsace grand cru gloeckelberg, 130
Alsace grand cru goldert, 130
Alsace grand cru hatschbourg, 130
Alsace grand cru hengst, 131
Alsace grand cru kastelberg, 132
Alsace grand cru kessler, 132
Alsace grand cru kirchberg-de-Barr, 133
Alsace grand cru mambourg, 133
Alsace grand cru mandelberg, 133
Alsace grand cru marckrain, 134
Alsace grand cru moenchberg, 134
Alsace grand cru muenchberg, 135
Alsace grand cru ollwiller, 135
Alsace grand cru osterberg, 135
Alsace grand cru pfersigberg, 136
Alsace grand cru pfingstberg, 136
Alsace grand cru praelatenberg, 136
Alsace grand cru rangen, 137
Alsace grand cru rosacker, 137
Alsace grand cru saering, 138
Alsace grand cru schlossberg, 138
Alsace grand cru schoenenbourg, 139
Alsace grand cru sommerberg, 139
Alsace grand cru sonnenglanz, 139
Alsace grand cru spiegel, 140
Alsace grand cru sporen, 140
Alsace grand cru steingrübler, 141
Alsace grand cru vorbourg, 141
Alsace grand cru wiebelsberg, 142
Alsace grand cru wineck-schlossberg, 142
Alsace grand cru winzenberg, 143
Alsace grand cru zinnkoepflé, 143
Alsace grand cru zotzenberg, 145
Alsace klevener de heiligenstein, 89
Alsace muscat, 101
Alsace pinot noir, 119
Alsace pinot ou klevner, 90
Alsace riesling, 92
Alsace sylvaner, 89
Alsace tokay-pinot-gris, 113
Anjou, 938
Anjou-coteaux-de-la-loire, 958
Anjou-gamay, 946
Anjou-villages, 948
Anjou-villages-brissac, 952
Arbois, 691
Auxey-duresses, 554

B

Bandol, 828
Banyuls, 785
Banyuls grand cru, 786
Barsac, 413
Bâtard-montrachet, 568
Béarn, 877
Beaujolais, 155
Beaujolais supérieur, 161
Beaujolais-villages, 161
Beaune, 537
Bellet, 827
Bergerac, 889
Bergerac rosé, 894
Bergerac sec, 895
Bienvenues-bâtard-montrachet, 568
Blagny, 564
Blanquette-de-limoux, 720
Blanquette méthode ancestrale, 722
Blaye, 238
Bonnes-mares, 498
Bonnezeaux, 969
Bordeaux, 204
Bordeaux clairet, 213
Bordeaux-côtes-de-francs, 326
Bordeaux rosé, 219
Bordeaux sec, 214
Bordeaux supérieur, 222
Bourgogne, 427
Bourgogne-aligoté, 437
Bourgogne-côte-chalonnaise, 583
Bourgogne-hautes-côtes-de-beaune, 446
Bourgogne-hautes-côtes-de-nuits, 442
Bourgogne-passetoutgrain, 441
Bourgueil, 994
Bouzeron, 585
Brouilly, 166
Bugey, 715
Buzet, 868

C

Cabardès, 766
Cabernet-d'anjou, 954
Cabernet-de-saumur, 976
Cadillac, 409
Cahors, 854
Canon-fronsac, 256
Cassis, 826
Cérons, 413
Chablis, 456
Chablis grand cru, 466
Chablis premier cru, 460
Chambertin, 483
Chambertin-clos-de-bèze, 483
Chambolle-musigny, 493
Champagne, 619
Chapelle-chambertin, 485
Charmes-chambertin, 485
Chassagne-montrachet, 569
Château-chalon, 695
Châteaumeillant, 1033
Châteauneuf-du-pape, 1112
Châtillon-en-diois, 1124
Chaume, 968
Chénas, 169
Chevalier-montrachet, 567
Cheverny, 1026
Chinon, 1004
Chiroubles, 172
Chorey-lès-beaune, 536
Clairette-de-bellegarde, 724
Clairette-de-die, 1123
Clairette-du-languedoc, 724
Clos-de-la-roche, 491
Clos-des-lambrays, 493
Clos-de-vougeot, 499
Clos-saint-denis, 492
Collioure, 782
Condrieu, 1095
Corbières, 725
Cornas, 1103
Corse ou vins-de-corse, 844
Corton, 526
Corton-charlemagne, 529
Costières-de-nîmes, 732
Coteaux-champenois, 687
Coteaux-d'aix-en-provence, 833
Coteaux-d'ancenis, 938
Coteaux-de-l'aubance, 956
Coteaux-de-pierrevert, 1134
Coteaux-de-saumur, 976
Coteaux-du-giennois, 1037
Coteaux-du-languedoc, 737
Coteaux-du-layon, 961
Coteaux-du-loir, 1012
Coteaux-du-lyonnais, 196
Coteaux-du-quercy, 861
Coteaux-du-tricastin, 1124
Coteaux-du-vendômois, 1031
Coteaux-varois, 839
Côte-de-beaune, 541
Côte-de-beaune-villages, 583
Côte-de-brouilly, 168
Côte-de-nuits-villages, 514
Côte-roannaise, 1040
Côte-rôtie, 1092
Côtes-d'auvergne, 1034
Côtes-de-bergerac, 897
Côtes-de-bergerac moelleux, 901
Côtes-de-bordeaux-saint-macaire, 341
Côtes-de-bourg, 248

APPELLATIONS

Côtes-de-castillon, 320
Côtes-de-duras, 908
Côtes-de-la-malepère, 767
Côtes-de-millau, 876
Côtes-de-montravel, 904
Côtes-de-provence, 806
Côtes-de-saint-mont, 887
Côtes-de-toul, 147
Côtes-du-brulhois, 873
Côtes-du-forez, 1036
Côtes-du-frontonnais, 869
Côtes-du-jura, 696
Côtes-du-luberon, 1130
Côtes-du-marmandais, 873
Côtes-du-rhône, 1065
Côtes-du-rhône-villages, 1081
Côtes-du-roussillon, 773
Côtes-du-roussillon-villages, 779
Côtes-du-ventoux, 1126
Côtes-du-vivarais, 1134
Cour-cheverny, 1029
Crémant-d'alsace, 145
Crémant-de-bordeaux, 236
Crémant-de-bourgogne, 449
Crémant-de-die, 1123
Crémant-de-limoux, 722
Crémant-de-loire, 920
Crémant-du-jura, 700
Crépy, 708
Criots-bâtard-montrachet, 569
Crozes-hermitage, 1100

E

Echézeaux, 502
Entraygues-le-fel, 875
Entre-deux-mers, 328
Entre-deux-mers haut-benauge, 332

F

Faugères, 752
Fiefs-vendéens, 936
Fitou, 755
Fixin, 474
Fleurie, 174
Floc-de-gascogne, 911
Fronsac, 258

G

Gaillac, 862
Gevrey-chambertin, 477
Gigondas, 1106
Givry, 593
Grands-échézeaux, 504
Graves, 342
Graves-de-vayres, 333
Graves supérieures, 352
Griotte-chambertin, 487
Gros-plant, 934

H

Haut-médoc, 372
Haut-montravel, 905
Haut-poitou, 798
Hermitage, 1102

I-J

Irancy, 469
Irouléguy, 877
Jasnières, 1013
Juliénas, 177
Jurançon, 878
Jurançon sec, 881

L

Ladoix, 517
La grande-rue, 509
Lalande-de-pomerol, 272
La tâche, 509
Latricières-chambertin, 484
Lavilledieu, 873
Les baux-de-provence, 838
L'étoile, 702
Limoux, 723
Lirac, 1118
Listrac-médoc, 383
Loupiac, 410
Lussac-saint-émilion, 309

M

Mâcon, 597
Mâcon supérieur, 600
Mâcon-villages, 601
Macvin-du-jura, 704
Madiran, 882
Maranges, 581
Marcillac, 875
Margaux, 386
Marsannay, 471
Maury, 795
Mazis-chambertin, 487
Mazoyères-chambertin, 488
Médoc, 361
Menetou-salon, 1042
Mercurey, 589
Meursault, 558
Minervois, 757
Minervois-la-livinière, 761
Monbazillac, 901
Montagne-saint-émilion, 312
Montagny, 595
Monthélie, 552
Montlouis-sur-loire, 1014
Montrachet, 567
Montravel, 904
Morey-saint-denis, 489
Morgon, 182
Moselle, 149
Moulin-à-vent, 187
Moulis-en-médoc, 392
Muscadet, 923
Muscadet-coteaux-de-la-loire, 933
Muscadet-côtes-de-grand-lieu, 932
Muscadet-sèvre-et-maine, 923
Muscat-de-beaumes-de-venise, 1135
Muscat-de-frontignan, 770
Muscat-de-lunel, 769
Muscat-de-mireval, 771
Muscat-de-rivesaltes, 791
Muscat-de-saint-jean-de-minervois, 771
Muscat-du-cap-corse, 852
Musigny, 497

N-O

Nuits-saint-georges, 509
Orléans, 1029
Orléans-cléry, 1030

P

Pacherenc-du-vic-bilh, 885
Palette, 832
Patrimonio, 850
Pauillac, 394
Pécharmant, 905
Pernand-vergelesses, 524
Pessac-léognan, 353
Petit-chablis, 453
Pineau-des-charentes, 800
Pomerol, 262
Pommard, 542
Pouilly-fuissé, 607
Pouilly-fumé, 1044
Pouilly-loché, 612
Pouilly-sur-loire, 1049
Pouilly-vinzelles, 613
Premières-côtes-de-blaye, 239
Premières-côtes-de-bordeaux, 335
Puisseguin-saint-émilion, 317
Puligny-montrachet, 564
Quarts-de-chaume, 967
Quincy, 1050
Rasteau, 1136
Régnié, 190
Reuilly, 1052
Richebourg, 508
Rivesaltes, 787
Romanée-saint-vivant, 508
Rosé-d'anjou, 953
Rosé-de-loire, 918
Rosé-des-riceys, 689
Rosette, 907
Roussette-de-savoie, 714
Ruchottes-chambertin, 488
Rully, 586

S

Saint-amour, 193
Saint-aubin, 573
Saint-bris, 470
Saint-chinian, 762
Sainte-croix-du-mont, 412
Sainte-foy-bordeaux, 334
Saint-émilion, 278
Saint-émilion grand cru, 282
Saint-estèphe, 399
Saint-georges-saint-émilion, 319
Saint-joseph, 1097
Saint-julien, 405
Saint-nicolas-de-bourgueil, 1000
Saint-péray, 1105
Saint-pourçain, 1039
Saint-romain, 556
Saint-véran, 614
Sancerre, 1053
Santenay, 576
Saumur, 971
Saumur-champigny, 977

Saussignac, 907
Sauternes, 414
Savennières, 958
Savennières-coulée-de-serrant, 960
Savennières-roche-aux-moines, 960
Savigny-lès-beaune, 532

T

Tavel, 1121
Touraine, 983
Touraine-amboise, 991
Touraine-azay-le-rideau, 992
Touraine-mesland, 993
Touraine-noble-joué, 990
Tursan, 888

V

Vacqueyras, 1110
Valençay, 1032
Vin-de-savoie, 708
Vins-d'estaing, 875
Viré-clessé, 606
Volnay, 548
Vosne-romanée, 504
Vougeot, 499
Vouvray, 1018
Vins de pays,
- **Agenais,** 1146
- **Allobrogie,** 1176
- **Alpes-de-Haute-Provence,** 1166
- **Alpes-Maritimes,** 1166
- **Ariège,** 1149
- **Balmes dauphinoises,** 1176
- **Bouches-du-Rhône,** 1167
- **Cassan,** 1153
- **Cévennes,** 1153
- **Charentais,** 1146
- **Cher,** 1140
- **Collines rhodaniennes,** 1176
- **Comté de Grignan,** 1176
- **Comté tolosan,** 1149
- **Corrèze,** 1150
- **Coteaux charitois,** 1140
- **Coteaux de Coiffy,** 1180
- **Coteaux de Fontcaude,** 1153
- **Coteaux de Glanes,** 1150
- **Coteaux de l'Ardèche,** 1177
- **Coteaux de l'Auxois,** 1179
- **Coteaux de Miramont,** 1154
- **Coteaux de Murviel,** 1154
- **Coteaux de Narbonne,** 1154
- **Coteaux des Baronnies,** 1178
- **Coteaux de Tannay,** 1140
- **Coteaux du Grésivaudan,** 1179
- **Coteaux du Libron,** 1153
- **Coteaux du Verdon,** 1169
- **Coteaux et terrasses de Montauban,** 1150
- **Côtes catalanes,** 1154
- **Côtes de Gascogne,** 1150
- **Côtes de Thau,** 1154
- **Côtes de Thongue,** 1155
- **Côtes du Condomois,** 1150
- **Côtes du Tarn,** 1152
- **Drôme,** 1179
- **Duché d'Uzès,** 1156
- **Franche-Comté,** 1180
- **Gard,** 1156
- **Haute-Marne,** 1181
- **Hauterive,** 1157
- **Hautes-Alpes,** 1169
- **Haute vallée de l'Orb,** 1157
- **Hauts de Badens,** 1157
- **Hérault,** 1157
- **Ile de Beauté,** 1169
- **Jardin de la France,** 1140
- **Landes,** 1147
- **Lot,** 1152
- **Maures,** 1171
- **Meuse,** 1181
- **Mont-Caume,** 1172
- **Monts de la Grage,** 1158
- **Oc,** 1158
- **Périgord,** 1148
- **Petite Crau,** 1172
- **Principauté d'Orange,** 1172
- **Pyrénées-Atlantiques,** 1152
- **Sables du Golfe du Lion,** 1165
- **Sainte-Marie-la-Blanche,** 1182
- **Saint-Sardos,** 1152
- **Saône-et-Loire,** 1182
- **Terroirs landais,** 1148
- **Thézac-Perricard,** 1149
- **Var,** 1172
- **Vaucluse,** 1174
- **Vicomté d'Aumélas,** 1166
- **Vienne,** 1145

Canada,
- **Colombie-Britannique,** 1184
- **Nouvelle-Ecosse,** 1184
- **Ontario,** 1185
- **Québec,** 1189

Luxembourg,
- **Crémant-de-luxembourg,** 1194
- **Moselle luxembourgeoise,** 1191

Suisse,
- **Canton d'Argovie,** 1217
- **Canton de Bâle,** 1218
- **Canton de Berne,** 1216
- **Canton de Fribourg,** 1217
- **Canton de Genève,** 1212
- **Canton des Grisons,** 1218
- **Canton de Lucerne,** 1218
- **Canton de Neuchâtel,** 1214
- **Canton de Schaffhouse,** 1220
- **Canton du Tessin,** 1222
- **Canton de Thurgovie,** 1220
- **Canton du Valais,** 1204
- **Canton de Vaud,** 1196
- **Canton de Zurich,** 1221

INDEX DES COMMUNES

A

Abos, 879
Abzac, 270 275 312
Accolay, 428
Adissan, 725
Aesch, 1218
Agde, 755
Aghione, 846 1171
Aguessac, 876
Ahn, 1192
Aigle, 1201
Aiglepierre, 699
Aigne, 760
Aigrefeuille-sur-Maine, 934
Aigues-Vives, 758 1161
Aigues-Vives, 1161
Aigues-Vives, 760
Aimargues, 1161
Aix-en-Provence, 834 836
Ajaccio, 850
Alaigne, 768
Alba-la-Romaine, 1177 1178
Albas, 858
Albias, 1150
Aléria, 845 847 848 1170 1171
Alignan-du-Vent, 1155
Allaman, 1203
Aloxe-Corton, 175 438 503 509 518 522 523 528 529 530 532
Ambierle, 1041
Amboise, 920 991 992 1016
Ambonnay, 627 632 641 645 664 676 680 688
Ammerschwihr, 91 95 98 101 102 103 106 110 111 113 118 119 120 142
Ampuis, 1080 1092 1093 1094 1095 1096 1100 1136
Ancenis, 939 1144
Ancy-sur-Moselle, 149
Andillac, 867
Andlau, 119 132 135 142
Anetz, 940
Angé, 986
Angers, 959
Anglade, 246
Anglars-Juillac, 857
Aniane, 750 1158
Anières, 1213 1214
Anse, 155 156
Ansouis, 1133
Antugnac, 722 723
Apremont, 710 713 714
Apt, 1128 1130
Aran-Villette, 1198
Arbanats, 352
Arbin, 711 713 715
Arbis, 214 338
Arbois, 691 692 693 694 700 701 702 703 704 705 706 707
Arboussols, 776
Arcay, 1051
Arcenant, 445 446 490
Argelès-sur-Mer, 778 794
Arlay, 696 704
Arles, 1167 1168
Armissan, 750
Arnas, 158
Arras-sur-Rhône, 1176
Arricau-Bordes, 882
Ars, 801
Arsac, 373 376 388 390 391 393
Artiguelouve, 881
Artigues-de-Lussac, 273 294
Arveyres, 220 224 229 232 234 280 333
Arzens, 731 757 769
Ascona, 1222
Aspères, 743 1163
Aspiran, 746
Assignan, 766 772 1158
Athenaz, 1213
Aubertin, 881
Aubie-Espessas, 233
Aubignan, 1136
Aubigné-sur-Layon, 919 943 964 966 970
Aubonne, 1197
Aumelas, 740
Auradou, 1146
Aurel, 1124
Auriol, 814
Auriolles, 208 224 330
Aurions-Idernes, 883
Authezat, 1035
Autignac, 752 753 754
Auvernier, 1215
Auxerre, 436
Auxey-Duresses, 448 537 547 553 554 555 556 557 558 563 573
Avenay-Val-d'Or, 668 674
Avensan, 381 388
Avirey-Lingey, 635 651 665
Avize, 623 624 628 630 632 634 635 643 657 660 665 675 678 679 683 686
Avon-les-Roches, 1011
Avord, 1050
Aÿ, 625 630 633 638 642 648 650 651 652 657 666 667 687
Aydie, 883 884
Ayguemorte-les-Graves, 348
Ayguetinte, 913
Ayze, 708
Azay-le-Rideau, 993 1006
Azé, 599
Azillanet, 762
Azille, 761 1165

B

Babeau-Bouldoux, 763
Badens, 758 759 760 1157
Bages, 788
Bagnoles, 758
Bagnols, 155
Bahyse-sur-Cully, 1197
Baixas, 781 789 792
Balazuc, 1178
Banyuls-sur-Mer, 783 784 785 786 787 792
Barbechat, 935 1141 1143
Barizey, 594
Baron, 330
Baroville, 647
Barr, 89 93 98 111 133
Barsac, 1123
Barsac, 344 347 349 351 413 414 415 416 417 418 419
Bar-sur-Seine, 684
Baslieux-sous-Châtillon, 662 670
Bassoues-d'Armagnac, 911
Bassuet, 662
Bastia, 851 853
Baurech, 337 339 409
Baye, 655
Bayon-sur-Gironde, 249
Beamsville, 1186 1187 1188 1189
Beaucaire, 735 736
Beaufort, 757
Beaujeu, 162 164 189
Beaulieu-sur-Layon, 939 945 947 959 961 962 969
Beaumes-de-Venise, 1075 1082 1083 1106 1108 1117 1128 1135 1136
Beaumont, 800
Beaumont-du-Ventoux, 1127
Beaumont-en-Véron, 1006 1012
Beaumont-Monteux, 1100
Beaumont-sur-Vesle, 688
Beaune, 163 431 434 438 445 449 451 461 467 478 479 487 493 494 497 500 502 504 505 506 510 514 516 517 523 524 525 529 531 532 533 534 535 536 538 539 540 541 542 544 550 553 555 556 557 558 560 565 567 568 569 570 571 573 574 576 577 580 581 585 586 591 603 611 613
Beaupuy, 874
Beautiran, 347 351 352
Beauvoisin, 733 735 1159
Beblenheim, 98 99 112 119 121 140
Bédarrides, 1066 1113
Bégadan, 362 364 365 366 367 368 369 370 371 372
Béguey, 336 338 340 345
Beine, 456 459 460 462 463 464 465 468
Bélesta, 779 780 788 791
Belfort-du-Quercy, 862
Bellegarde, 724 734 736
Belleville-sur-Saône, 160 168 177 615
Belvès-de-Castillon, 318 321 322 324 325 326
Benais, 994 995 996 998 999 1000
Bennwihr, 93 94 134
Béon, 715

Bergerac, 893 895 903 905 906 907
Bergheim, 90 99 109 116
Bergholtz, 132 138 140
Berg-sur-Moselle, 149
Berlou, 765 766 1159
Bernardvillé, 90
Berneuil, 803
Bernex, 1212 1214
Berru, 673
Berson, 232 238 241 242 246 253
Berzé-la-Ville, 597 601 614
Besson, 1040
Bethon, 660 651
Bévy, 446
Beychac-et-Caillau, 218 226 227 230 233 247 333 334 356
Béziers, 1153 1154 1165
Billy-sous-les-Côtes, 1182
Bisseuil, 626 667
Bissey-sous-Cruchaud, 439 449 584 596
Bizanet, 725 727
Blacé, 164
Blaignan, 364 366 367 368 372
Blaison-Gohier, 939 962
Blanquefort, 212 224 231 248 346 372 373 377
Blasimon, 216
Blauvac, 1129
Blaye, 242 244 251
Bléré, 983
Blienschwiller, 99 101 112 118 119 123 143
Bligny, 629
Bligny-lès-Beaune, 431 519 520 522 537 545 546
Boersch-Saint-Léonard, 120
Bofflens, 1200
Bollène, 1071 1125
Bommes, 415 417 419
Bonneil, 630 665
Bonneville, 897
Bonnières-sur-Seine, 1159
Bonnieux, 1131 1132 1174
Bonny-sur-Loire, 1037
Bordeaux, 205 206 208 214 223 225 240 264 290 345 346 352 362 370 373 379 387 389 394 396 403 408 410 416 417 418
Borgo, 849 1170
Bormes-les-Mimosas, 806 810 822 823
Bossay-sur-Claise, 989
Bouaye, 932 933 1143
Bouchet, 1088
Boucoiran, 1153
Boudes, 1035 1036
Boudry, 1216
Bouillé-Saint-Paul, 946
Bouliac, 339
Bouloc, 871
Bouniagues, 894
Bourg-Charente, 802
Bourgneuf-en-Retz, 1144
Bourg-Saint-Andéol, 1071 1085 1089 1135
Bourg-sur-Gironde, 234 249 250 251 253 254
Bourgueil, 994 995 996 997 999 1000 1002 1003 1004
Boursault, 632 639 661 680
Boutenac, 728 732
Bouze-lès-Beaune, 447 448 524
Bouzeron, 584 585 586
Bouzigues, 753
Bouzillé, 938
Bouzy, 625 626 627 633 638 640 654 665 670 679 682 684 687 689
Boyeux-Saint-Jérôme, 717
Branceilles, 1150
Branne, 288 331
Bras, 842
Bravone, 845 846 1170
Bray, 598
Bremgarten, 1217
Brem-sur-Mer, 937
Brens, 867
Bretagne-d'Armagnac, 913
Brézé, 972 973 974 976
Briare, 1039
Brie-sous-Archiac, 802
Brigham, 1190
Brigné-sur-Layon, 935 955 1143
Brignoles, 810 837 839 840 841 842
Brinay, 1050 1051 1052 1053
Brissac, 738
Brissac-Quincé, 922 941 946 947 952 953 955 956 968 971
Brossay, 921 974 977
Brouillet, 624
Brugny-Vaudancourt, 647
Bruley, 148 149
Budos, 344 419
Bué, 1038 1046 1054 1055 1058 1059 1060 1061 1062
Buffard, 1180
Buisson, 1077 1089
Bully, 156
Bursinel, 1198
Bursins, 1199 1201 1202
Bussières, 599 605
Buxerulles, 1181
Buxeuil, 642 651 669
Buxy, 584 596 602
Buzet-sur-Baïse, 868 869

C

Cabasse, 815 820
Cabidos, 1150
Cabrerolles, 752 753
Cabrières, 725
Cabrières-d'Avignon, 1127
Cadalen, 867
Cadaujac, 357
Cadillac, 216 225 337 349 409
Cadillac-en-Fronsadais, 343 347
Cahuzac-sur-Vère, 864 865 866 867
Caillac, 859
Cairanne, 1068 1074 1081 1082 1083 1086 1089 1090 1091 1106
Caissargues, 733 734 735 1157
Calignac, 869
Calvisson, 751
Camaret-sur-Aigues, 1068 1085 1091 1115 1174
Cambes, 337 340
Camblanes, 336 338 340
Camplong-d'Aude, 726 731
Camprond, 272
Campsas, 870 872
Canale-di-Verde, 844
Candé-sur-Beuvron, 1029
Canéjan, 360
Canet-en-Roussillon, 775 777 789 793 794 1154
Cantenac, 376 387 388 391 392
Capestang, 1164
Capian, 219 336 337 339 340 410
Carbon-Blanc, 204 207 213 214 228 229 277 330 336 369 400 401
Carcassonne, 729 1164
Carcès, 811 821
Cardan, 409
Cardesse, 879
Carignan-de-Bordeaux, 205 227 231 336 359
Carnoules, 812 815
Caromb, 1128 1130 1175
Carpentras, 1129 1130 1175
Cars, 238 241 242 244 245 246 251
Carsac-de-Gurson, 896
Cartelègue, 238
Casalabriva, 849
Cascastel, 755 756 788 792
Cases-de-Pène, 788
Casseneuil, 1146
Cassis, 826 827
Castelnau-d'Aude, 761 1165
Castelnau-de-Guers, 743 1155 1162
Castelnau-d'Estretefonds, 871 872
Castelnau-le-Lez, 1158 1174
Castelnau-Montratier, 862
Castelnou, 774
Castets-en-Dorthe, 348
Castillon-du-Gard, 1066
Castillon-la-Bataille, 237 324 326
Castres-Gironde, 346 352
Castries, 741
Caudrot, 220 226 341
Caunes-Minervois, 761
Cauro, 849
Causse-de-la-Selle, 739
Caussens, 913
Causses-et-Veyran, 753 762 766
Caussiniojouls, 752
Caux, 738 740 744 746 751 1163
Cazaubon, 912 1152
Cazaugitat, 205 231
Cazouls-les-Béziers, 766
Cebazan, 763 1153
Celles, 802
Celles-sur-Ource, 637 639 647 648 660 680 685 688
Cellettes, 1027
Cépie, 722 724
Cerbois, 1051
Cercié, 165 167 168 193
Cerdon, 716
Cérons, 344 346 347 351

COMMUNES

Cersay, 951 954 956
Cerseuil, 665
Cessenon, 762 766 1154
Cesseras, 759 761
Cesset, 1040
Cestas, 385
Cestayrols, 865
Ceyras, 741 753 1160
Cézac, 247
Chablis, 429 437 438 450 452 453 454 455 456 457 458 459 460 461 462 463 464 465 466 467 468 469 471
Chabris, 1032
Chacé, 977 978 979 981
Chagny, 488 517 563 585 589 593
Chahaignes, 1013
Chaintré, 598 599 601 603 610 613
Chalonnes-sur-Loire, 940 942 949 963
Châlons-en-Champagne, 671
Chalus, 1034
Chambolle-Musigny, 443 445 494 496 497 500 506 512
Chamery, 645 657 672
Chamilly, 590
Chamoson, 1204 1206 1209 1210 1211
Champdieu, 1037
Champignol-lez-Mondeville, 644
Champigny, 978
Champillon, 624
Champlan, 1208
Champlay, 433
Champlitte, 1180
Champs-sur-Yonne, 431
Champ-sur-Layon, 948 958 968
Chançay, 990 1020 1023 1024 1025
Chânes, 163 180 195 613 617
Change, 447 448 581 582
Chanos-Curson, 1101 1102
Chantemerle-lès-Grignan, 1126
Chapareillan, 710 711 712 713 1179
Charcenne, 1180
Charcé-Saint-Ellier, 942
Chardonne, 1200 1201
Charentay, 164 166 169
Chargé, 989
Charly-sur-Marne, 626 636
Charnas, 1098
Charnay, 159
Charnay-lès-Mâcon, 187 597 600 601 606 614 616
Chassagne-Montrachet, 541 565 568 569 570 571 572 573 574 575
Chasselas, 600
Chasselay, 197
Chassey-le-Camp, 588 592
Châteaubourg, 1098 1104
Château-Chalon, 695 696 697
Châteaugay, 1035 1036
Châteaumeillant, 1034
Châteauneuf-de-Gadagne, 1066 1085
Châteauneuf-du-Pape, 1066 1068 1073 1075 1076 1079 1082 1086 1089 1104 1107 1108 1109 1110 1112 1113 1114 1115 1116 1117 1118 1120 1121 1122 1129 1130 1136 1157 1169
Châteauneuf-du-Rhône, 1125
Châteauneuf-le-Rouge, 1167
Château-Thébaud, 926 931 936 1144
Château-Thierry, 661 670
Châtenois, 94 114 121
Châtillon-d'Azergues, 157
Châtillon-sur-Cher, 990
Châtillon-sur-Marne, 646
Chaudefonds-sur-Layon, 942 955 963 964 968
Chaumuzy, 678
Chavagnes-les-Eaux, 940 949 965 966 971 1144
Chavanay, 1093 1094 1095 1096 1097 1098 1099
Chaveignes, 1012
Chavot-Courcourt, 681
Cheillé, 989 993
Cheilly-lès-Maranges, 430 438 448 578 581 582 592
Chémery, 988
Chénas, 170 171 175 178 188 189 190
Chéry, 1052
Chevannes, 442
Cheverny, 920 1028 1029
Chexbres, 1198 1201
Chichée, 465
Chignin, 710 711 712
Chigny-les-Roses, 634 643 644 648 655 659 666 672 682
Chinon, 922 1004 1005 1006 1007 1008 1009 1010 1011 1012
Chiroubles, 172 173 174 175 177
Chitry, 429 435 438 439 441 459 470
Choëx-sur-Monthey, 1208
Chorey-lès-Beaune, 439 519 521 522 523 527 532 534 536 537 538 539 540
Chouilly, 1212
Chouilly, 632 639 648 654 660 679 683 686
Cissac-Médoc, 377 378 379
Civrac-en-Médoc, 362 364 365 369 370 374
Civrac-sur-Dordogne, 225
Civray-de-Touraine, 988
Clairvaux, 876
Claret, 742 745 752
Cléré-sur-Layon, 919 948 962 965 1144
Clérieux, 1100
Clessé, 603 607
Clisson, 931
Cocumont, 874 875
Codolet, 1070
Cognac, 801 804 1146
Cognocoli-Monticchi, 850
Cogny, 158
Cogolin, 811
Coiffy-le-Haut, 1180
Coldrerio, 1223
Collan, 434 454 455 457 458
Collioure, 783 784 786
Colmar, 97 108 137
Colombé-le-Sec, 637
Colombier, 889 891 893 901
Comblanchien, 432 511 512 516 522 539
Combres-sous-les-Côtes, 1182
Comps, 249 252
Concourson-sur-Layon, 939 943 945 963 967
Condé-sur-Marne, 674
Condom, 912 914
Condrieu, 1094 1095 1096 1097
Congy, 633 637
Conilhac-Corbières, 732
Conliège, 700
Conne-de-Labarde, 894 900 904
Conques-sur-Orbiel, 767
Conthey, 1208
Corbère-Abères, 885
Corcelles-les-Arts, 554 566
Corcoué-sur-Logne, 933 1141
Corgoloin, 431 435 440 442 514 516 518 520 526 585
Corin-sur-Sierre, 1209
Cormicy, 631
Cormoyeux, 668
Cornas, 1104 1105
Corneilla-de-la-Rivière, 779 788
Cornillon, 1078 1079
Correns, 807 812 815
Corseaux, 1198 1201
Cortaillod, 1215 1216
Cosne-sur-Loire, 1039
Cotignac, 812 823 1173
Couches, 436 582
Couchey, 476
Couffy, 983 987
Coulanges-la-Vineuse, 428 434
Couquèques, 369
Cour-Cheverny, 920 1027 1029
Courgis, 462
Cournonsec, 751 1165
Cournonterral, 749
Courteron, 646
Courthézon, 736 1066 1073 1074 1086 1111 1112 1113 1114 1115 1116 1117 1118 1126
Coutures, 939 954
Cozes, 1147
Cramant, 630 647 654 658 663 680 686
Crançot, 700 705
Craon-de-Ludes, 646
Cravant-les-Coteaux, 1005 1006 1007 1008 1009 1010 1011
Crèches-sur-Saône, 188 600 604 611 614
Crespian, 748
Cressier, 1215
Creuë, 1181
Creysse, 906
Creyssensac-et-Pissot, 904
Crézancy, 639
Crézancy-en-Sancerre, 1055 1063
Criteuil-la-Magdeleine, 803
Crosses, 1043
Crouseilles, 884 886

Crouttes-sur-Marne, 632 641
Crouzilles, 1006
Cruet, 709 714
Cruzille, 600
Cruzy, 764
Cubnezais, 240
Cubzac-les-Ponts, 229 235
Cuchery, 641 673
Cucuron, 1133 1175
Cuers, 808 818 825
Cuis, 649 659 667
Cuisles, 654 669
Culles-les-Roches, 440 597
Cumières, 628 645 673 678 687
Cunèges, 892
Cuqueron, 880 881
Cussac-Fort-Médoc, 374 377 378 380 381 382 383

D

Dahlenheim, 102 127
Daignac, 217 331
Dambach-la-Ville, 89 90 100 102 104 106 121 122 128 135
Damery, 645 646 652 661 675 676 681
Dampierre-sur-Loire, 973 974 975 977 978 979
Dardagny, 1212 1213 1214
Davayé, 452 598 602 604 608 609 615 616 617 724
Demigny, 428 447 533 556 569 576 581 586 593
Denée, 939
Denicé, 156 158 161
Dezize-lès-Maranges, 570 580 581 582 583
Die, 1123 1124
Dierre, 921
Diou, 1053
Diusse, 884
Dizy, 628 631 637 683
Domazan, 1068 1077 1078 1091
Donnazac, 866
Donzac, 217 221 338 412
Dorlisheim, 92 98 120 122 146
Doué-la-Fontaine, 918 921 954 955 975
Doulezon, 234
Douzens, 726 730 1154
Dracy-le-Fort, 450
Dracy-lès-Couches, 431 553
Draguignan, 813
Drain, 933 934 938
Dully, 1202 1203
Dunes, 873
Dunham, 1189 1190
Dun-sur-Auron, 1034
Duras, 909 910
Duravel, 855 856
Durban, 727

E

Eauze, 913 1151
Echevronne, 431 443 447 480 490 525 530
Ecueil, 633 641 663 673
Eguilles, 835
Eguisheim, 91 95 101 106 107 113 116 117 121 127 136 145 146
Ehen, 1192 1195
Ehnen, 1193
Eichhoffen, 135
Elne, 774 790
Embres-et-Castelmaure, 726
Emeringes, 162 176
Entraygues, 875
Entrecasteaux, 809
Epernay, 624 627 628 629 634 635 640 641 644 645 646 648 650 651 653 655 656 659 660 661 662 663 664 665 666 667 670 671 673 674 675 677 678 681 682 684 686
Epesses, 1200 1202
Epfig, 104
Epineuil, 427
Escales, 725 1157
Esclottes, 909
Escolives-Sainte-Camille, 429
Escoussans, 209 231 236 333 338
Espiet, 329
Espira-de-l'Agly, 776 777 781 793
Estagel, 776 779 780 782 791 792
Estaing, 875
Estézargues, 1066 1081
Esvres-sur-Indre, 989 991
Etoges, 630 633 651 677
Eugénie-les-Bains, 888 1148
Evenos, 830
Eygalières, 835 838 839
Eyguières, 836
Eynesse, 335
Eyrans, 242

F

Fabas, 870
Fabrezan, 729 732
Faleyras, 207 220 330
Fargues-de-Langon, 416 418 419
Faucon, 1179
Faugères, 751 753 754
Faye-d'Anjou, 919 944 962 964 965 970
Feings, 1028
Feliceto, 847 848
Félines-Minervois, 758 1163
Fèrebrianges, 644
Ferrals-les-Corbières, 728
Festigny, 630 647 648 662 672
Figari, 846
Fitou, 756 757
Fixin, 472 474 476 480 484 516
Flaesch, 1219
Flanthey, 1210
Fläsch, 1219
Flassans-sur-Issole, 813 1173
Flavigny-sur-Ozerain, 1179
Fleurie, 173 174 175 176 177 189 451
Fleurieux-sur-l'Arbresle, 197
Fleury-d'Aude, 738 742 743 745 746
Fleury-la-Rivière, 639 664
Fleys, 458 463 464 469
Floirac, 206 217 232 415 416
Florensac, 1164
Floressas, 860
Florimont-Gaumier, 1148
Fontaines, 166 451 549
Fontcouverte, 731
Fontenay-près-Chablis, 454 460 462 467
Fontès, 744
Fontette, 638 679
Fontguenand, 1033
Fontvieille, 838
Fos, 754
Fougères-sur-Bièvre, 1026 1028
Fougueyrolles, 898 904
Founex, 1197
Fourques, 790 791
Fours, 241 244
Foussignac, 1147
Francs, 327 328
Frangy, 715
Frausseilles, 866
Fresnes, 1028
Fréterive, 709 714
Fribourg, 1217
Fronsac, 205 226 256 257 258 259 260 261 262
Frontignan, 770 771
Fronton, 870 871 872 1149 1150
Fuissé, 598 601 604 605 608 609 610 611 612 613 614 616
Fully, 1205
Fyé, 428

G

Gabarnac, 339 409 411 413
Gabian, 1153
Gageac-et-Rouillac, 891 898
Gaillac, 863 864 865 866 867 868 1152
Gaillan-en-Médoc, 363 364 365 371
Galargues, 742
Galgon, 218 232 236 260 276 311 319
Gallician, 733 735 736
Gan, 877 880 881
Gardegan, 324
Gardegan-et-Tourtirac, 322 327
Garéoult, 839 840 841
Gargas, 1128
Gassin, 807 817 819 821
Gaujac, 1075 1087
Gauriac, 248 254
Geaune, 888 1148
Générac, 734 737
Générac, 239
Genillé, 988
Génissac, 204 213 223 232
Genouilly, 432 596
Gergovie, 1036
Gerland, 517
Gertwiller, 107 123 146
Gervans, 1101 1103
Gevingey, 697 701 704

COMMUNES

Gevrey-Chambertin, 429 431 444 472 474 475 476 478 479 480 481 482 483 484 485 486 487 488 489 490 491 492 493 496 497 498 499 500 501 502 506 512 513 515 517 525 528 534 538 541
Ghisonaccia, 848 1170
Gignac, 748 750 1159
Gignac-la-Nerthe, 836
Gigondas, 1071 1072 1077 1078 1079 1080 1084 1090 1091 1102 1104 1106 1107 1108 1109 1110 1111
Gilly-lès-Cîteaux, 482 491
Gironde-sur-Dropt, 205 208 209 212 219 224 225 228 341
Givry, 593 594 595
Glanes, 1150
Gleizé, 160 182 449 614 1066
Gommeville, 451
Gondrin, 912 914 1151
Gonfaron, 809 813 814 820
Gordes, 1129
Gorges, 924 925 927 928 931
Goult, 1128 1129 1175
Goutrens, 876
Grand Pré, 1185
Grauves, 643 665 677
Graves-sur-Anse, 157
Greiveldange, 1194 1195
Gréoux-les-Bains, 1134 1166
Grevenmacher, 1192 1194 1195
Grézels, 855
Grézillac, 204 205 211 219 220 222 225 309 330 331 332 354 360
Grézillé, 944
Grignan, 1126
Grimaud, 810
Groslée, 716
Gruissan, 725 726
Gueberschwihr, 91 97 100 107 130
Guebwiller, 140
Gyé-sur-Seine, 646 656

H

Hallau, 1220
Hattstatt, 116 131
Haute-Goulaine, 928 929 1145
Hautvillers, 627 649 650 662 682
Haux, 215 337
Havelock, 1190
Heiligenstein, 89 110
Herrliberg, 1221
Herrlisheim-près-Colmar, 107 111 123
Hettermillen, 1192 1195
Houssay, 1032
Huismes, 1010
Hunawihr, 98 109 111 112 115 135 137 138 139 146
Husseren-les-Châteaux, 98 100 110 117 122 130 136 147
Hyères, 806 810 817 821
Hyères-les-Palmiers, 816

I

Igé, 429 597 598 602 603 604
Ile de Porquerolles, 812
Illats, 342 344 347 349 359
Ingersheim, 104 108 128 129 146
Ingrandes-de-Touraine, 987 995 997 998
Irancy, 470
Irouléguy, 877 878
Ispoure, 877
Issy-les-Moulineaux, 178
Itterswiller, 96 98 99 106 108 122
Ivry-en-Montagne, 440
Izon, 252

J

Jambles, 583 593 595
Janvry, 675
Jau-Dignac-et-Loirac, 366 367 368 369 370 371
Jenins, 1219
Joigny, 430
Jongieux, 710 711 712 715
Jonquerettes, 1068
Jonquières, 739 744 748 1158
Jonquières, 1070 1072 1075
Jonquières-Saint-Vincent, 734
Jordan, 1188
Joucas, 1127
Jouy-lès-Reims, 624
Jugazan, 204 206
Juicq, 804
Juigné-sur-Loire, 919 952 953 957
Juliénas, 167 171 178 179 180 181 182 189
Jullié, 161 164 179 181 189 194
Jully-les-Buxy, 596
Junas, 740
Jurançon, 880 882
Jussy, 436

K

Kastanienbaum, 1218
Katzenthal, 92 95 99 102 109 115 116 118 128 133 142 143
Kaysersberg, 105 129 138
Kelowna BC, 1184
Kientzheim, 106 108 115 120 129 138
Kintzheim, 91 98 122

L

Labarde, 379 382 387 391
Labarthète, 887
Labastide-Marnhac, 861
Labastide-Saint-Pierre, 870 871 872 873
Lablachère, 1177
La Brède, 342 345 346 348 352
La Cadière-d'Azur, 825 829 830 831 832 1172
Lacapelle-Cabanac, 859
La Caunette, 758
La Celle, 840 843
La Celle-sous-Chantemerle, 655 662
La Chapelle-Basse-Mer, 931
La Chapelle-de-Guinchay, 170 171 179 181 186 188 194 600
La Chapelle-Heulin, 919 924 927 931 932 934 954 1143
La Chapelle-sur-Loire, 1002
La Chapelle-Vaupelteigne, 457 458 461 463
La Charité-sur-Loire, 1140
La Chartre-sur-le-Loir, 1013 1014
Laconnex, 1213
La Couture, 937
La Crau, 814 817 818 1172 1173
La Croix-Valmer, 811
Ladaux, 207 219 221 329 409
La Digne-d'Aval, 722 723 1160
Ladoix-Serrigny, 438 446 516 518 519 520 521 522 523 527 528 529 530 531 532
La Garde-Adhémar, 1125
Lagorce, 1135
Lagrasse, 729
Lagraulet-du-Gers, 1151
Lagrave, 863 864 866 868
La Haye-Fouassière, 924 928 931 932
Lahourcade, 879
Lalande-de-Fronsac, 260
Lalande-de-Pomerol, 273 274 275 277
La Limouzinière, 932 933 1142
La Livinière, 759 761 1161
La Londe-les-Maures, 808 811 812 814 815 816 817 818 819 820 821 822 823 824 825 832 1171
Lamarque, 376 379 380 381
Lambesc, 834 835 836 837 1169
La Môle, 823
Lamone, 1223
Lamonzie-Saint-Martin, 890
La Motte, 811 813 815
La Motte-d'Aigues, 1131 1174
Lancié, 175 181 188 190
Lançon-de-Provence, 834 835
Landerrouat, 217 222 230 236 332 909
Landiras, 342 347 351
Landquart, 1219
Landreville, 638 656 677
La Neuville-aux-Larris, 628 631
Langoiran, 214
Langon, 214 276 310 344 345 348 350 351 371
Lannes, 912
Lanne-Soubiran, 1151
Lansac, 248 249 251 252 253 255
Lantignié, 161 162 165 166 184 192 193
La Palme, 755 793
Lapian, 338
La Pommeraye, 943 944 947 949 951 958
La Possonnière, 942 949 959
La Réole, 893
La Rivière, 261
La Roche-de-Glun, 1101 1103 1105 1106
La Rochepot, 556 576
La Roche-Vineuse, 603 616
Laroin, 880
La Roquebrussanne, 839 842
La Roquille, 212
Larroque-sur-l'Osse, 912

Laruscade, 207 245
La Sauve, 207 212 214 219 220 235 332 336
Lasseube, 879 881
La Tour-d'Aigues, 1132 1174
Latour-de-France, 779 782 791
Latresne, 370
Lattes, 1159
Laudun, 1079 1092
Laure-Minervois, 759 760
Laurens, 753 754 755
Lauret, 739 740 1163
Lauris, 814 1072 1131 1132
Lavau, 1038
Lavaur, 1152
Laverune, 741 1160
Lavigny, 697 705
Lavilledieu-du-Temple, 862 873
Lazenay, 1052 1053
Le Barroux, 1081 1092 1110 1112
Le Beausset, 823 828 830 831 832
Le Bosc, 744 1158
Le Boulve, 859
Le Breuil, 667 669
Le Breuil, 156 157 159
Le Brulat-du-Castellet, 832
Le Bugue, 891
Le Camp-du-Castellet, 829
Le Cannet-des-Maures, 807 821 824 1171
Le Castellet, 829 831 832
Lecci, 849
Le Cellier, 934
Le Chateley, 698
Lecques, 745
Lectoure, 1151
Le Fleix, 907
Le Frèche, 1148
Leigneux, 1037
Le Landeron, 1216
Le Landreau, 923 924 928 929 930 931 935 936
Le Lavandou, 1171
Le Loroux-Bottereau, 924 926 930 935 1141 1145
Le Luc-en-Provence, 806 816 819 822
Lembras, 906
Le Mesnil-sur-Oger, 635 640 649 654 655 659 666 668 671 672 676 678 684
Léogeats, 348 352
Léognan, 353 354 355 356 357 358 359 360 361
Le Pallet, 923 924 926 927 930 931 1143 1144
Le Perréon, 164 167 191
Le Pian-Médoc, 374 379 382
Le Pian-sur-Garonne, 341
Le Plan-du-Castellet, 828 829 831
Le Puy, 332
Le Puy-Notre-Dame, 973 974 975 976
Le Puy-Sainte-Réparade, 835 1167
Les Arcs-sur-Argens, 807 814 817 822 823
Les Ardillats, 158
Les Arsures, 692 701 705
Les Artigues-de-Lussac, 264 304 310 314
Les Baux-de-Provence, 838
Les Billaux, 277
Les Esseintes, 237
Les Granges-Gontardes, 1125
Les Lèves-et-Thoumeyragues, 225 335 889
Les Marches, 708 711 713 714
Les Martres-de-Veyre, 1036
Les Mayons, 814 1172
Les Mesneux, 655
Lesparre-Médoc, 371
Lesquerde, 780
Les Riceys, 630 640 657 668 680 686 688 689
Les Salles-de-Castillon, 321 325 326 328
Lestiac-sur-Garonne, 339
Les Touches-de-Périgny, 802
Les Verchers-sur-Layon, 939 942 961 963 973
Le Taillan-Médoc, 383
Le Tholonet, 833
Le Thoronet, 806
L'Etoile, 701 702 703 705
Le Tourne, 339
Létra, 157 158
Leucate, 757
Le Val, 818 820 842
Le Vaudelnay, 975
Le Vernois, 695 696 697 699 700 701 707
Leynes, 157 607 616 694 699
Leytron, 1205 1206 1208 1210
Lézat-sur-Lèze, 1149
Lézignan-Corbières, 727 731 1161
Lhomme, 1012 1013 1014
Lhuis, 716
Libourne, 208 264 265 266 267 268 269 270 271 274 275 276 280 281 286 289 293 297 298 299 300 301 306 309 310 315 318 319 320 322
Liergues, 156 158
Ligerz, 1216
Lignan-de-Bordeaux, 208 234
Lignières-de-Touraine, 992
Lignorelles, 454 455 456 457 459 464
Ligny-le-Châtel, 431 458 480
Ligré, 1005 1007 1008 1009
Ligueux, 232
Limeray, 922 991 992
Limoux, 721 722 723 1162
Linars, 804
Linguizzetta, 847
Lirac, 1070 1121 1122 1123
Liré, 938
Lisle-sur-Tarn, 864 865 867 1152
Listrac-Médoc, 379 382 383 384 385 386 392 393 394
Loché, 612
Loisin, 708
Lorgues, 807 810 812 813 814 816 817 820 821 1173
Loubès-Bernac, 909
Loupiac, 215 349 410 411
Lourmarin, 1080 1107 1112 1132 1133
Louvois, 633 645 666 669 673
Lucenay, 160
Lucey, 148
Lucq-de-Béarn, 880
Luc-sur-Orbieu, 726 730 1160
Ludes, 628 629 634 646 668 675
Ludon-Médoc, 373 378 379 381 393
Lué-en-Baugeois, 946
Lugaignac, 216
Lugano, 1222
Lugasson, 212 218
Lugny, 428 451 604 605
Lugon, 220
Lully, 1213
Lunay, 1032
Lunel, 743 769 770
Lunery, 1050
Luri, 847
Lury-sur-Arnon, 1053
Lussac, 204 275 281 309 310 311 312 314
Lussault-sur-Loire, 1017
Lutry, 1198 1199 1201 1203
Luzech, 857 858 860
Lye, 1032 1033
Lyon, 1077

M

Macau, 210 223 229 231 233 235 312 315 374 376 380 381
Mâcon, 606
Magalas, 1155
Magny-lès-Villers, 443 444 448 449 450 517 519 526 527
Maienfeld, 1219
Mailhac, 759
Mailly, 1182
Mailly-Champagne, 655 663 679
Maisdon-sur-Sèvre, 923 926 928 929 931
Maisprach, 1218
Malagash, 1185
Malans, 1219
Maligny, 454 456 460 463 465 466 469
Malleval, 1096 1098
Malviès, 768
Manciet, 1151
Mancy, 671
Manduel, 732 733 734
Männedorf, 1221
Mantry, 701 706
Maransin, 210 224
Marcenais, 237 245
Marchampt, 165
Marcillac, 210 215 240 244 247
Marcilly-le-Châtel, 1037
Marçon, 1012 1013 1014
Mardeuil, 660 680
Mareau-aux-Prés, 1030 1031
Mareuil-le-Port, 640 652
Mareuil-sur-Aÿ, 629 653 672 674
Mareuil-sur-Cher, 987 989
Mareuil-sur-Lay, 937
Marey-lès-Fussey, 444 445 525

COMMUNES

Margaux, 216 228 378 387 388 389 390 391
Margueron, 207 218
Marieulles, 150
Marignieu, 715
Marigny-Brizay, 799 800 1145
Marin, 710
Marlenheim, 114
Marnay, 318
Marsannay-la-Côte, 433 437 438 472 473 474 475 476 479 481 483 486 488 498 506 533
Marseillan, 742 1155
Marssac-sur-Tarn, 865
Martigné-Briand, 919 939 940 943 944 947 948 950 951 952 955 963 964 965 966 967 972 1142
Martigny, 1205 1207 1209
Martigny-Croix, 1210
Martillac, 348 353 355 357 358 360
Mascaraas-Hapon, 886
Massangis, 434
Massignieu-de-Rives, 716 717
Massugas, 230
Mathenay, 694
Mauguio, 747
Maumusson, 883 884 885 886 887
Maureilhan, 1163
Maury, 780 781 782 795 796
Mauves, 1098 1099 1103 1105
Mauvezin-d'Armagnac, 1148
Maynal, 697
Mazan, 1127 1128 1130
Mazères, 342 351
Mazion, 213 241 255
Meillard, 1039
Mellecey, 592
Meloisey, 446 448 532 535 540 544 547 555
Mendrisio, 1222 1223
Ménerbes, 1131
Menetou-Ratel, 1056
Menetou-Salon, 1042 1043
Ménétrol, 1035
Menétru-le-Vignoble, 695 696 697 699 704 705
Mercuès, 859 861
Mercurey, 465 507 513 531 586 589 590 591 592 593 594
Mercurol, 1100 1101 1102 1103 1105
Méreau, 1050 1052
Merfy, 636
Mérifons, 745 1162
Mesland, 994
Mesnay, 693 701
Messanges, 1148
Meursault, 428 431 432 433 435 436 437 439 440 445 451 503 514 527 530 533 539 541 542 545 548 549 550 552 553 554 555 558 559 560 561 562 563 564 565 566 567 571 578 582 583 589 615
Meurville, 645
Meusnes, 983 988 990 1032 1033
Meynes, 736
Meyreuil, 833
Mèze, 741 746
Mézières-lez-Cléry, 1030
Mézin, 912
Mezzavia, 850
Miège, 1205 1208
Migé, 433
Millas, 775 780
Millery, 197
Milly, 454 457 458 462 467
Minerve, 760
Minzac, 894
Mirabeau, 1132
Miramas, 837 1168
Mirebeau, 798 800
Mireval, 771
Mittelbergheim, 90 102 103 121 122 145 146
Mittelwihr, 94 97 99 105 113 114 119 133 134 138
Molsheim, 121 127
Mombrier, 252 253
Monbazillac, 889 892 895 896 898 899 902 903 904
Moncaup, 883
Mondragon, 1071
Monein, 878 879 880 881 882
Monestier, 890 892 893 896 897 901 908
Monfaucon, 898
Monflanquin, 1146
Monnières, 928
Monprimblanc, 220 340 346 411 412
Montagnac, 746 750 1163 1164
Montagne, 237 270 271 275 276 282 284 287 312 313 314 315 316 317 318 319 320 321 324
Montagnieu, 717
Montagny-les-Buxy, 596
Montaigu, 699 706
Montalzat, 862
Montans, 864
Montauban, 871
Montazeau, 904
Montbrun-des-Corbières, 731
Montcalm, 1166
Montcaret, 893 905
Monteaux, 920 993
Monte Carasso, 1223
Montels, 863
Montesquieu-des-Albères, 776
Montfaucon, 1075
Montfort-sur-Argens, 811 840
Montfrin, 1076 1079
Montgenost, 638 656 659
Montgueux, 642 681 683
Monthélie, 438 450 538 549 552 553 554 558 560 561 565 589
Monthelon, 669
Monthou-sur-Bièvre, 987
Monthou-sur-Cher, 990
Montignac, 209 216 220 229
Montigny-la-Resle, 456
Montigny-lès-Arsures, 691 692 693 694 701 702
Montigny-sous-Châtillon, 636
Mont-le-Vignoble, 149
Montlouis-sur-Loire, 1015 1016 1017 1018 1020 1025
Montmort-Lucy, 663
Montner, 781
Montoire-sur-le-Loir, 1013 1014 1031
Montoulieu, 1160
Montpellier, 742
Montpeyroux, 737 749
Montpeyroux, 1035
Montpezat-de-Quercy, 862
Mont-près-Chambord, 1028
Montréal-de-l'Aude, 768
Montreuil-Bellay, 921 971 972
Montrichard, 921 984
Montséret, 728 729
Montsoreau, 980
Mont-sur-Rolle, 1197 1199
Montussan, 226 235
Morancé, 160
Morey-Saint-Denis, 428 444 478 480 482 484 485 486 487 488 489 490 491 492 493 496 497 498
Morges, 1203
Morières-lès-Avignon, 1071 1076
Morizès, 211 350 724 860 882
Mormoiron, 1127 1129 1130 1175
Moroges, 440 449 585
Morogues, 1043 1044 1058
Mosnes, 991 992
Motey-Besuche, 1181
Mouillac, 268
Mouleydier, 889 899
Mouliets, 232
Moulis-en-Médoc, 392 393 394
Moulon, 231
Mourède, 914
Mourens, 236 333 347 412
Moussoulens, 767
Moussy, 639 666 676
Moux, 729
Mouzillon, 919 923 924 929 930 943 954
Mozé-sur-Louet, 922 957
Mudaison, 1158
Muides-sur-Loire, 1027
Murviel-lès-Béziers, 742 764 765
Murviel-lès-Montpellier, 738 748
Muttenz, 1218
Myans, 712

N

Nans-les-Pins, 842 1173
Nantoux, 447 546 549 553
Narbonne, 726 730 731 732 739 744 746 747 749 751 757 759 760 1154 1161 1163
Naujan-et-Postiac, 206 207 208 213 215 219 220 223 230 233 235 236 329 330 332
Nauviale, 875
Nax, 1208
Nazelles-Négron, 992
Néac, 207 268 272 273 274 275 276 277 278 312 316
Nébian, 1159

Neffiès, 746 747
Neftenbach, 1221
Néoules, 843
Nérac, 869 912
Nérigean, 339
Neschers, 1035
Neuchâtel, 1216
Neuville-de-Poitou, 798
Neuville-sur-Seine, 626 637
Nevy-sur-Seille, 697 705
Nézignan-l'Evêque, 1155
Niagara on the Lake, 1186 1187 1188 1189
Nice, 827 828
Niedermorschwihr, 139
Nîmes, 735 737 738
Nissan-lez-Enserune, 1159 1161 752
Noé-les-Mallets, 633 639 643 685
Nogaro, 912
Noizay, 1019 1020 1021 1023 1024
Nolay, 447 448 542
Nordheim, 117
Nothalten, 111 122
Notre-Dame-d'Allençon, 919 949 956 971 1142
Noulens, 913 1151
Noves, 1172
Noyers-sur-Cher, 921 984 986 988
Noyers-sur-Serein, 453
Nuits-Saint-Georges, 428 430 433 438 439 441 442 443 444 445 451 461 476 478 480 487 490 494 497 501 506 507 510 511 512 513 514 516 517 519 523 527 532 535 544 546 550 553 557 561 566 570 579 583 589 590 591 603 723 1075
Nussbaumen, 1220

O

Obermorschwihr, 104 111 115
Obernai, 94 95 104 118
Odenas, 155 166 167 168 169 173
Œuilly, 661 680 688
Oger, 635 667 683
Oisly, 985 987 988 1028
Okanagan Falls, 1184
Oletta, 853
Ollières, 839
Ollioules, 832
Ollon, 1197 1202
Olmeto, 848
Olonzac, 761
Omet, 409
Onnens, 1203
Onzain, 994
Oppède, 1133
Orange, 1065 1072 1073 1075 1076 1080 1084 1086 1087 1088 1093 1111 1113 1115 1116 1119 1125 1129
Orbagna, 696 699 702
Orcet, 1036
Ordonnac, 365 370
Orgon, 1169
Ornaisons, 728
Orschwihr, 92 93 96 102 105 107 110 112 113 115 136
Orschwiller, 93 94 100 104 137
Osterfingen, 1220
Ostheim, 96 115
Ottrott, 120 123
Ouveillan, 1162
Ozenay, 590 602
Ozillac, 801 1147

P

Padern, 727
Paillet, 219 222 336 337
Pannessières, 700 705
Panzoult, 1004 1006 1007 1008 1009 1010 1011
Parbayse, 881
Parçay-Meslay, 1022 1023 1024 1025
Pardaillan, 910
Parempuyre, 206 215 345 347 356 365 374 377 400
Parleboscq, 1148
Parnac, 855 856 860
Parnay, 980 981
Paroy-sur-Tholon, 437
Passa, 778 790 794
Passavant-sur-Layon, 946 950
Passenans, 695 698 705 707
Passy-Grigny, 681
Passy-sur-Marne, 679 686
Patrimonio, 851 852 853
Pauillac, 335 380 395 396 397 398 399 400
Paulhan, 740 1160
Payros-Cazautets, 888
Paziols, 755 787
Pazzallo-Lugano, 1222
Pécharmant, 905
Pellegrue, 221 230 335
Pennautier, 767 1162
Pépieux, 1165
Pérignac, 804
Pernand-Vergelesses, 440 523 524 525 526 527 528 529 530 535 536 537 541
Pernes-les-Fontaines, 1127
Péronne, 163 433 449 451 537 588 594 599 601 603 605
Perpignan, 774 776 777 779 790 791 793 794
Perroy, 1203
Pertuis, 1133
Pescadoires, 859
Pessac, 353 357 358 359 360
Petite-Hettange, 150
Petit-Palais, 311
Peyriac-de-Mer, 727 728
Pézenas, 742 745 748 1156
Pézilla-la-Rivière, 777 789 793
Pfaffenheim, 90 96 100 101 106 108 109 114 116 122
Piégon, 1175
Pierreclos, 436 599 600 601 603 604 605
Pierrefeu-du-Var, 812 815 818 819 821 824
Pierrerue, 763 765 1158
Pierrevert, 1134 1166
Pierry, 625 631 649 661 663 666 686
Pieusse, 722
Pignan, 744 748
Pignans, 812 820
Pinet, 745 747
Pineuilh, 205 223 335
Piolenc, 1079 1082 1118
Pissotte, 937
Plaisance, 895
Plan-de-la-Tour, 814
Plassac, 238
Pleine-Selve, 239
Podensac, 345 349 413
Poggio-d'Oletta, 851 852
Poinchy, 468
Poleymieux-au-Mont-d'Or, 196
Poligny, 696 698 699
Polisy, 647 669
Pomerol, 260 263 264 265 266 267 268 269 270 271 272 273 274 276 277 305 316 320
Pomerols, 738 1154
Pommard, 433 434 435 437 451 452 503 505 508 529 540 541 543 545 546 547 548 550 551 556 561 563 579 582 583
Pommiers, 156 161
Pomport, 893 898 900 901 902 903
Poncé-sur-le-Loir, 1014
Pondaurat, 222
Pontaix, 1124
Pontanevaux, 170 601
Ponteilla, 778
Ponte-Leccia, 849
Pontevès, 840 842
Pontlevoy, 989
Pont-Saint-Martin, 933 1143
Portel-des-Corbières, 729
Portets, 227 342 343 344 345 346 347 349 350 351 352
Porticcio, 849
Port-Sainte-Foy, 898 900 905
Port-Vendres, 783 785
Pouançay, 973
Pougny, 1038 1039
Pouillé, 986 987 989
Pouillon, 1149
Pouillon, 631
Pouilly-sur-Loire, 993 1003 1009 1044 1045 1046 1047 1048 1049 1058
Pourcieux, 813 815 819
Pourrières, 811 819 820
Pouzilhac, 1076
Pouzolles, 743 1155
Prades-sur-Vernazobre, 764
Prahecq, 1142 1160
Prayssac, 856 857 858 859 860 861
Praz-Vully, 1217
Préhy, 429 434 453 454 461 462
Preignac, 348 349 350 351 353 414 415 416 417 418 419
Premeaux-Prissey, 442 443 445 478 483 499 500 505 507 510 511 514 516 517 518 526 538 542 560
Preuilly, 1052

Prignac-en-Médoc, 367 372
Prignac-et-Marcamps, 254
Prigonrieux, 898
Prissé, 440 598 605
Prouilly, 650
Prusly-sur-Ource, 450
Pruzilly, 194
Puéchabon, 739 741
Puget-sur-Argens, 810 813 825
Puget-Ville, 812 813 815 819 823
Pugnac, 238 243 250 253
Puissalicon, 1155 1156
Puisseguin, 206 222 227 273 274 311 315 317 318 319 323 324 325 327 410
Puisserguier, 763 1162
Pujaut, 1070
Pujols, 216 230
Puligny-Montrachet, 430 439 442 447 450 524 531 546 557 562 563 565 566 567 568 569 572 574 575 590 596 608
Pupillin, 691 693 694 696 702 706
Puycelsi, 867
Puyguilhem, 892
Puylaroque, 861 862
Puy-l'Evêque, 856 858 860
Puyloubier, 817 823
Puyricard, 836 837 1167
Puyvert, 1133

Q

Quarante, 765 1164 1165
Quenne, 440
Queyrac, 365 370 371
Quincié-en-Beaujolais, 163 165 176 182 190 192
Quincy, 1050 1051 1052
Quinsac, 337 340
Quissac, 738

R

Rablay-sur-Layon, 945 948 951
Rafz, 1221
Ramouzens, 914
Rasiguères, 781 782
Rasteau, 1066 1073 1077 1080 1082 1083 1084 1086 1089 1091 1107 1116 1132 1136
Rauzan, 209 330
Razac-de-Saussignac, 890 892 894 895 907
Razines, 986
Realville, 861
Régnié-Durette, 162 163 166 183 184 191 192 193
Reichenau, 1220
Reichsfeld, 94 120
Reignac, 240
Reims, 623 634 635 642 653 654 657 658 664 668 669 670 673 674 677 680 685
Rejaumont, 914
Remerschen, 1192 1195
Remich, 1191 1192 1193 1194 1195
Remigny, 564 581
Remoulins, 1070
Renaison, 1041 1042
Restigné, 994 995 996 997 998 999 1001
Reugny, 1024 1026
Reuil, 672
Reuilly, 1052 1053
Rians, 837 838
Ribagnac, 890 897 900
Ribautes-les-Tavernes, 1156
Ribeauvillé, 97 100 103 104 108 118 130
Riddes, 1205
Rilly-la-Montagne, 637 640 644 654 670 685 688
Rions, 214 337
Riquewihr, 94 100 107 127 129 139 141
Riscle, 885 886 887 1150
Rivarennes, 993 1009
Rivaz, 1198
Rivesaltes, 773 774 777 779 780 787 788 789 791 792 793
Rivière-sur-Tarn, 876
Roaillan, 349 350
Rochecolombe, 1177
Rochecorbon, 984 1019 1020 1023 1026
Rochefort-du-Gard, 1069 1080 1083
Rochefort-sur-Loire, 943 944 950 959 969
Rochegude, 1078 1090
Rodern, 122 130
Rognes, 833 834 836 1167
Rolle, 1198 1199
Romanèche-Thorins, 180 187 188 189 190 602 609 615
Romeny-sur-Marne, 628
Romery, 682
Roquebrun, 764 766
Roquebrune-sur-Argens, 810 817 818
Roquefort-des-Corbières, 730
Roquefort-la-Bédoule, 820 826 1168
Roquemaure, 1118 1119 1121
Roquessels, 754
Roquetaillade, 724
Rorschwihr, 96 117
Rosenwiller, 91 95
Rosheim, 114
Rosnay, 937
Rotalier, 697 698 701 703 705
Roubia, 759 760
Rouffach, 105 107 142
Rouffiac-d'Aude, 768
Rouffignac, 1146
Rouffignac-de-Sigoulès, 894
Rougiers, 842
Roullens, 768
Roussas, 1126
Rousset, 833
Rousset-les-Vignes, 1068
Roussillon, 1127 1130 1131
Routier, 768
Rovio, 1223
Ruch, 212 225
Ruefenach, 1217
Ruffieux, 710
Ruillé-sur-Loir, 1013 1014
Rully, 439 449 450 452 453 585 586 588 589 592 597
Ruoms, 1177
Russin, 1212

S

Sabirac, 223
Sablet, 1069 1076 1088 1106 1108 1172 1175
Sablonceaux, 1146
Sabran, 1068 1074 1077 1078 1082 1087 1089
Sacy, 683
Sadillac, 901
Sadirac, 227 228
Saillans, 1123 1124
Saillans, 234 258 259 260 261 262
Saillon, 1205
Sain-Bel, 160 197
Saint-Aignan, 259 261 276
Saint-Aignan, 986
Saint-Aignan-de-Grand-Lieu, 932
Saint-Amour-Bellevue, 181 194
Saint-Andelain, 1044 1045 1046 1047 1048 1049
Saint-André-d'Apchon, 1042
Saint-André-de-Cubzac, 234 386
Saint-André-de-Roquelongue, 728
Saint-André-de-Sangonis, 741 743
Saint-André-du-Bois, 211 218 341
Saint-André-et-Appelles, 204 335
Saint-Androny, 243
Saint-Antoine-de-Breuilh, 890 899 905
Saint-Antoine-du-Queyret, 225 330
Saint-Antonin-sur-Bayon, 1168
Saint-Astier-de-Duras, 909
Saint-Aubin, 497 520 521 558 562 563 564 565 567 569 570 572 573 574 575 576 580 750
Saint-Aubin-de-Blaye, 240 243 247
Saint-Aubin-de-Lanquais, 900
Saint-Aubin-de-Luigné, 941 945 948 959 961 962 963 966 967 968 969
Saint-Avertin, 991
Saint-Avit-Saint-Nazaire, 334
Saint-Baldoph, 713 714
Saint-Bauzille-de-Montmel, 745
Saint-Benoît, 717
Saint-Bonnet-sur-Gironde, 801
Saint-Brice, 235
Saint-Bris-le-Vineux, 428 432 435 439 440 454 469 470 471
Saint-Cannat, 834 1168
Saint-Caprais-de-Blaye, 240 247 379
Saint-Caprais-de-Bordeaux, 337 340

Saint Catharines, 1186
Saint-Céols, 1043
Saint-Cernin-de-Labarde, 897 900
Saint-Chamas, 837
Saint-Chinian, 763 764 765 766
Saint-Christol, 737 740 743 747 1158 1161
Saint-Christoly-de-Blaye, 238 245
Saint-Christoly-Médoc, 366 367 372
Saint-Christophe-des-Bardes, 281 282 284 286 287 290 293 299 301 302 303 304 305 306 308 315 323
Saint-Christophe-la-Couperie, 1142 1143
Saint-Cibard, 324 327 328
Saint-Ciers-de-Canesse, 241 242 248 251 252 255
Saint-Ciers-Sur-Gironde, 242 243 244 245 246 803
Saint-Clément-de-Rivière, 748
Saint-Crespin-sur-Moine, 1142
Saint-Cyr-en-Bourg, 975 977 978 979 980
Saint-Cyr-les-Colons, 433 470
Saint-Cyr-Montmalin, 698
Saint-Cyr-sur-Mer, 829 831
Saint-Denis-de-Pile, 312 314
Saint-Denis-de-Vaux, 451 584
Saint-Désert, 584 594
Saint-Désirat, 1100
Saint-Didier, 1128
Saint-Drézéry, 748
Sainte-Cécile-les-Vignes, 1069 1073 1077 1078 1086 1088 1089 1126
Sainte-Colombe, 325
Sainte-Colombe-en-Brulhois, 869
Sainte-Croix, 864
Sainte-Croix-du-Mont, 208 211 217 221 336 337 340 410 411 412 413 418
Sainte-Eulalie, 338
Sainte-Foy-la-Grande, 218 236 899
Sainte-Foy-la-Longue, 218 341
Sainte-Gemme-en-Sancerrois, 1038 1055
Sainte-Jalle, 1178 1179
Sainte-Lizaigne, 1053
Sainte-Lucie-de-Porto-Vecchio, 846
Sainte-Marie-la-Blanche, 436 575 1182
Sainte-Maure-de-Peyriac, 1146
Saint-Emilion, 212 214 217 225 226 257 264 265 267 273 274 275 277 278 279 280 281 282 284 285 286 287 288 289 290 291 292 293 294 295 296 297 298 299 300 301 302 303 304 305 306 307 308 309 310 313 321 323 326
Sainte-Pazanne, 932 1141
Sainte-Radegonde, 210 211 215 227
Saint-Estèphe, 400 401 402 403 404
Sainte-Terre, 265 285 307
Saint-Etienne-de-Baïgorry, 878
Saint-Etienne-de-Lisse, 291 292 298 300 301 304 307 321
Saint-Etienne-des-Oullières, 161 169
Saint-Etienne-du-Grès, 1167
Saint-Etienne-la-Varenne, 167
Saint-Eugène, 1147
Sainte-Verge, 940
Saint-Félix-de-Lodez, 738 752 756 1161
Saint-Fiacre, 925 929 930
Saint-Florent, 851 853
Saint-Florent-le-Vieil, 934 946 948
Saint-Genès-de-Blaye, 246 247 250
Saint-Genès-de-Castillon, 322 319 322
Saint-Genès-de-Lombaud, 231
Saint-Geniès-de-Comolas, 1119
Saint-Geniès-de-Fontedit, 754 762
Saint-Genis-des-Fontaines, 774
Saint-Genis-du-Bois, 210 211
Saint-Genix-sur-Guiers, 1176
Saint-Georges-de-Reneins, 162 167 177
Saint-Georges d'Orques, 747
Saint-Georges-sur-Cher, 983 985 990 1141
Saint-Géréon, 933 934
Saint-Germain-d'Esteuil, 405
Saint-Germain-du-Puch, 216 228 230 263 331 333 334 404
Saint-Germain-la-Rivière, 222
Saint-Germain-sur-l'Arbresle, 160 436
Saint-Gervais, 1070 1078 1084 1090
Saint-Gervais, 224 236
Saint-Gervais-sur-Roubion, 1176
Saint-Gilles, 734 735 736 737
Saint-Haon-le-Vieux, 1041
Saint-Hilaire, 722
Saint-Hilaire-d'Ozilhan, 1076
Saint-Hilaire-Saint-Florent, 921 972 974 1057
Saint-Hippolyte, 292 301
Saint-Hippolyte, 773 793
Saint-Hippolyte, 97 101 102 108 112 114 118 119 122
Saint-Hippolyte-du-Fort, 1164
Saint-Jean-d'Ardières, 156 159 166 173 183 186 187 607
Saint-Jean-de-Blaignac, 210 214 231 236
Saint-Jean-de-Cuculles, 746
Saint-Jean-de-Duras, 910
Saint-Jean-de-la-Blaquière, 740 748 750
Saint-Jean-de-la-Porte, 711
Saint-Jean-de-Minervois, 757 772
Saint-Jean-de-Muzols, 1094 1096 1101 1104
Saint-Jean-des-Mauvrets, 943 952 953 956 957
Saint-Jean-de-Vaux, 451 584 591
Saint-Jean-Lasseille, 777 793
Saint-Jeannet, 1167
Saint-Jean-Pied-de-Port, 877
Saint-Jean-Pla-de-Corts, 773
Saint-Jean-Saint-Maurice, 1042
Saint-Jean-sur-Richelieu, 1190
Saint-Julien, 165
Saint-Julien-Beychevelle, 374 405 406 407 408
Saint-Julien-de-Chédon, 984
Saint-Julien-de-Concelles, 924 931 935 936
Saint-Julien-de-Peyrolas, 1069
Saint-Julien-d'Eymet, 892
Saint-Just-d'Ardèche, 1072
Saint-Just-sur-Dive, 974 975 981
Saint-Lager, 160 162 167 168 169 173
Saint-Lambert-du-Lattay, 920 943 944 945 946 947 949 950 951 956 962 965 966 967 1145
Saint-Laurent, 376
Saint-Laurent-de-la-Cabrerisse, 726 729
Saint-Laurent-de-la-Salanque, 778
Saint-Laurent-des-Arbres, 1119 1120 1121
Saint-Laurent-des-Combes, 260 279 281 285 291 294 297 304 305 307
Saint-Laurent-d'Oingt, 157 160
Saint-Laurent-du-Bois, 218 232 341
Saint-Laurent-du-Médoc, 382
Saint-Laurent-l'Abbaye, 1044
Saint-Laurent-Médoc, 370 373 376 377 380 383 399
Saint-Léger-les-Vignes, 1142
Saint-Léon, 330 332
Saint-Lothain, 698 706
Saint-Loubès, 211 224 225 229 234 235 373 402
Saint-Louis-de-Montferrand, 243
Saint-Lumine-de-Clisson, 926 927 930 1141
Saint-Magne-de-Castillon, 234 282 297 307 321 322 323 324 325 326
Saint-Maigrin, 803 1147
Saint-Maixant, 217 410 411
Saint-Mamert-du-Gard, 1160
Saint-Marcel-d'Ardèche, 1075
Saint-Mariens, 243
Saint-Martial, 215
Saint-Martin-d'Ardèche, 1071
Saint-Martin-d'Armagnac, 914
Saint-Martin-de-Gurson, 896
Saint-Martin-de-Laye, 209
Saint-Martin-de-Sescas, 222
Saint-Martin-de-Villeréglan, 769

COMMUNES

Saint-Martin-du-Bois, 224 229 233
Saint-Martin-du-Puy, 221 230
Saint-Martin-Lacaussade, 213 240 241 243 244
Saint-Martin-le-Beau, 1015 1016 1017 1018
Saint-Martin-sous-Montaigu, 441 591
Saint-Martin-sur-Nohain, 1047
Saint-Mathieu-de-Treviers, 771 741 742 746 1160
Saint-Maurice, 1181
Saint-Maurice-de-Satonnay, 602
Saint-Maurice-les-Couches, 452
Saint-Maximin-la-Sainte-Baume, 842 843 1173
Saint-Méard-de-Gurçon, 891 900
Saint-Médard-d'Eyrans, 354
Saint-Melaine-sur-Aubance, 920 942 947 953 955 957
Saint-Même-les-Carrières, 803
Saint-Michel-de-Fronsac, 256 257 258 261
Saint-Michel-de-Lapujade, 221
Saint-Michel-de-Montaigne, 904
Saint-Michel-de-Rieufret, 350
Saint-Michel-sur-Rhône, 1097 1100
Saint-Mont, 885 887 888 1151
Saint-Morillon, 349 352
Saint-Nazaire-de-Ladarez, 764
Saint-Nexans, 890 899
Saint-Nicolas-de-Bourgueil, 996 997 998 999 1000 1001 1002 1003 1004
Saint-Ouen-les-Vignes, 992
Saint-Palais-de-Blaye, 244
Saint-Palais-de-Phiolin, 801
Saint-Pargoire, 749 1166
Saint-Patrice, 997
Saint-Paul-de-Blaye, 222
Saint-Paul-de-Fenouillet, 778 781 794
Saint-Paul-de-Loubressac, 861
Saint-Paulet-de-Caisson, 1070
Saint-Paul-les-Fonts, 1088
Saint-Paul-Trois-Châteaux, 1071 1125
Saint-Péray, 1105
Saint-Père, 1038
Saint-Père, 430
Saint-Pey-d'Armens, 291 293 298 300 302
Saint-Philbert-de-Grand-Lieu, 933 935 936
Saint-Philippe-d'Aiguilhe, 280 295 322 323 326
Saint-Pierre, 92
Saint-Pierre-à-Champ, 942 949
Saint-Pierre-d'Albigny, 713
Saint-Pierre-d'Aurillac, 221
Saint-Pierre-de-Bœuf, 1099
Saint-Pierre-de-Clages, 1206 1207 1209 1211 1212
Saint-Pierre-de-Mons, 345 348
Saint-Pierre-d'Oléron, 1146
Saint-Pourçain-sur-Sioule, 1040
Saint-Prex, 1202
Saint-Puy, 913
Saint-Quentin-de-Baron, 228
Saint-Quentin-de-Caplong, 209 223 231
Saint-Remèze, 1134 1135
Saint-Rémy-de-Provence, 838 839
Saint-Rémy-en-Mauges, 1145
Saint-Romain, 527 538 540 544 556 557 558 563
Saint-Romain-la-Virvée, 226
Saint-Romain-sur-Cher, 984 986 987
Saint-Roman, 1123 1124
Saint-Roman-de-Bellet, 827 828
Saint-Roman-de-Malegarde, 1072 1086 1175
Saint-Sandoux, 1034
Saint-Sardos, 1152
Saint-Satur, 1057 1058
Saint-Saturnin-de-Lucian, 738 750
Saint-Saturnin-sur-Loire, 952 954 957
Saint-Sauveur, 374 378 380 381
Saint-Sauveur-de-Bergerac, 905 906
Saint-Sauveur-de-Meilhan, 874
Saint-Sauveur-de-Puynormand, 233
Saint-Savin, 244
Saint-Sernin-du-Plain, 429 441 448 482 588
Saint-Seurin-de-Bourg, 234 254
Saint-Seurin-de-Cadourne, 373 377 378 380 381 382 383
Saint-Seurin-de-Cursac, 246
Saint-Siffret, 1164
Saint-Sorlin-de-Conac, 804
Saint-Sornin, 1147
Saint-Sulpice-de-Faleyrens, 206 210 279 280 281 282 285 287 289 293 296 297 300 301 304 305 309 317 320
Saint-Thibéry, 1156
Saint-Thomas-de-Conac, 804
Saint-Triphon, 1201
Saint-Trojan, 252 253 254
Saint-Vallerin, 596
Saint-Vérand, 160
Saint-Vérand, 615
Saint-Victor-la-Coste, 1072 1076 1083 1085 1090 1121
Saint-Vincent-de-Barbeyrargues, 741
Saint-Vincent-de-Paul, 231
Saint-Vincent-de-Pertignas, 229 233
Saint-Vincent-Rive-d'Olt, 860
Saint-Vivien, 893
Saint-Vivien-de-Blaye, 243
Saint-Yzans-de-Médoc, 362 364 365 367 368
Sainte-Colombe-de-la-Commanderie, 777 789
Saix, 973
Salgesch, 1207 1209 1210
Salies-de-Béarn, 877
Salignac, 230
Salinelles, 740
Sallebœuf, 331
Salles-Arbuissonnas, 159
Salles-d'Angles, 802
Salles-d'Aude, 747
Sambin, 1027
Samonac, 250 253
Sampigny-lès-Maranges, 574 582 583
Sancerre, 1038 1045 1048 1049 1054 1055 1056 1057 1061 1062 1063 1142
San-Nicolao, 1170
Santenay, 483 499 522 528 530 531 541 542 544 547 550 551 555 566 568 569 570 571 572 573 574 576 577 578 579 580 581 582 583 592
Santenay-le-Haut, 547 570 573
Santo-Pietro-di-Tenda, 851
Sarcy, 656
Sarras, 1098
Sarrians, 1068 1108 1111 1127
Sartène, 846 847 848
Sassangy, 452 584
Satigny, 1213 1214
Saulcet, 1039 1040
Saulchery, 637
Saumur, 918 920 921 973 975 976 979 1004 1140
Saussignac, 893 895 902 907
Sauternes, 236 416 417 418 420
Sauveterre, 1068
Sauveterre-de-Guyenne, 205 208 215 217 223 226 377 380 404
Sauvian, 1160
Saux, 856
Savennières, 958 959 960 961
Savièse, 1209
Savignac, 211
Savigny-en-Véron, 1005 1007 1009 1010 1011 1012
Savigny-lès-Beaune, 432 437 473 481 496 522 524 525 527 528 530 532 533 534 535 536 550
Saze, 1070 1075 1083 1087
Sazilly, 1008
Schengen, 1193 1194
Scherwiller, 95 96 100 110
Schinznach-Dorf, 1217
Schlattingen, 1221
Sciez, 713
Segonzac, 803 1147
Séguret, 1083 1088 1106
Seigy, 987
Seillans, 825 1174
Seillons-Source-d'Argens, 840
Selles-sur-Cher, 1033
Sennecey-le-Grand, 441
Senouillac, 864
Sérignan, 751
Sérignan-du-Comtat, 1074
Sermerieu, 1176
Sermiers, 670
Serrières, 597 599

Serrières-en-Chautagne, 713
Servian, 740 1156 1157 1162
Serviès-en-Val, 728
Serzy-et-Prin, 625 641
Sète, 751 1165
Seyssuel, 1093
Sierre, 1205 1207 1208 1210 1211 1212
Sigolsheim, 111 133 134
Sigoulès, 893 895 899
Sillery, 679 688
Singleyrac, 895
Sion, 1204 1205 1206 1209 1211
Siran, 762
Soings-en-Sologne, 984 989
Sologny, 599
Solutré-Pouilly, 602 603 606 608 609 610 612
Sommières, 749
Sonnac, 801
Sorbets, 913
Sorgues, 1073 1114 1115
Soturac, 856 858 859 860
Soubès, 751
Soublecause, 884
Souel, 866
Soulangis, 1042
Soulignac, 209 227 228
Soultzmatt, 114 144 145
Soultz-Wuenheim, 112 135
Soussac, 332
Soussans, 387
Souzay-Champigny, 976 977 978 980 982
Stadtbredimus, 1195
Sury-en-Vaux, 1055 1056 1057 1058 1059 1060 1061
Suze-la-Rousse, 1080 1125
Suzette, 1078 1086 1089 1090

T

Tabanac, 338 340
Tailly, 589
Tain-l'Hermitage, 1093 1098 1101 1102 1103 1105 1113
Taissy, 739
Tallard, 1169
Tallone, 846 1171
Talus-Saint-Prix, 656
Taluyers, 196 197
Tannay, 1140
Taradeau, 819 821 822
Tarerach, 778
Targon, 209 212 228 331 332
Taron, 1152
Tartegnin, 1197 1202
Tauriac, 248 250 251 252
Tautavel, 779 780 781 782 790 791 792 793 794 796
Tauxières-Mutry, 626 663
Tavant, 1005
Tavel, 1070 1075 1080 1116 1119 1120 1122 1123
Tavernes, 840
Tayac, 327 328
Técou, 865
Termine, 1222
Ternand, 158 159
Terrats, 775 778 794
Teuillac, 251 254 255
Thayngen, 1220
Theizé, 156 157 158 159
Thénac, 890 892 894 897 899 901
Thenay, 986
Thésée, 988 989 990 1141
Thézac, 1149
Thézan-des-Corbières, 725 730 731
Thoré-la-Rochette, 1031
Thouarcé, 920 940 942 946 949 950 954 964 965 966 970 971 1141
Thuir, 776 778 789 790
Tigné, 942 949 955
Tillières, 927 928 935 936 1141 1145
Tizac-de-Curton, 210 331
Tolochenaz, 1198 1202
Tonnerre, 430 432 434 435
Toulaud, 1105
Toulenne, 352
Tourbes, 1156
Tournus, 434 441 599
Tours-sur-Marne, 636 652 657 659
Tourves, 841
Tracy-sur-Loire, 1044 1045 1047 1048 1049 1050
Traenheim, 92 99 126
Trelins, 1037
Trélou-sur-Marne, 660
Trémont, 919 954 955
Trépail, 641
Tresques, 1077 1085
Tresserre, 774
Tresses, 206
Trets, 806 810 816 824
Trigny, 629
Trois-Puits, 625 682
Troissy, 656 660 665 669
Troyes, 452
Truttikon, 1221
Tuchan, 727 756 757
Tulette, 1071 1079 1179
Tupin-Semons, 1092 1093
Turckheim, 121 126 139
Turquant, 976 977 981
Twann, 1216 1217

U

Uchaux, 1074
Uchizy, 605
Uerikon, 1221
Uetikon am See, 1221
Untersiggenthal, 1217
Urville, 643 672

V

Vacqueyras, 1079 1087 1107 1110 1111 1112 1128 1130
Vacquières, 743 744 747
Vacquiers, 872
Vadans, 692
Vailhan, 749
Vaison-la-Romaine, 1074 1086 1091
Valady, 876
Valeyrac, 362 366 368 369 371
Valeyres-sous-Rances, 1203
Valflaunès, 739 742 743 744 749 751
Vallères, 993
Vallet, 923 924 925 926 927 928 929 930 932 935 936 1141 1142 1143 1144
Vallon-Pont-d'Arc, 1177
Valréas, 1070 1072 1073 1076 1080 1082 1084 1087 1091 1125
Valserres, 1169
Valvignères, 1177 1178
Vandières, 624 638 640 641 668 671
Varrains, 974 978 980 981
Vauchrétien, 940 952 957
Vaudelnay, 972 976
Vaughan, 1187
Vauvert, 736
Vaux, 150
Vaux-en-Beaujolais, 162 164
Vaux-en-Bugey, 717
Vauxrenard, 164 177
Vaux-sous-Aubigny, 1181
Vayres, 216 333 334 727 756 780 1147
Veaugues, 1043
Velaux, 834
Vendemian, 749
Vendres, 747
Venejan, 1088
Venelles, 837 1168
Venesmes, 1034 1140
Venoy, 430 435
Ventenac, 767
Venteuil, 625 651 652 664 674 676
Venthône, 1207
Vérac, 215 235
Vérargues, 770
Vercheny, 1123 1124
Verdelais, 411
Verdigny, 1043 1046 1054 1056 1057 1058 1059 1060 1061 1062
Verdille, 1147
Vergisson, 598 599 606 608 609 610 611 615 616 617
Vernègues, 833
Vernou-sur-Brenne, 1019 1020 1021 1022 1023 1024 1025 1026
Verrières, 802
Versvey-sur-Yvorne, 1199
Vertheuil, 378 402
Vertou, 923 927
Vertus, 631 632 642 643 644 645 650 658 663 674 677 685 687
Verzé, 439 599 604
Verzenay, 624 634 636 650 653 655 671 677
Verzy, 632 642 647 658 669 676 678 687
Vescovato, 846 847
Vestric-et-Candiac, 733
Vétroz, 1206 1207 1209 1210 1211
Vevey, 1198
Veyras, 1211
Veyre-Monton, 1036

Vézelay, 437
Vias, 1159 1163
Vic-Fezensac, 911
Vic-la-Gardiole, 770 771
Vic-le-Comte, 1035
Vic-le-Fesq, 746
Vic-sur-Seille, 149
Vidauban, 807 816 818 822 825 826 1172
Viella, 883 885 886
Vieussan, 763
Vigneulles, 1181
Vignonet, 290 292 297 304 308 325
Villaines-les-Prévôtes, 1180
Villars-Fontaine, 442 444 446
Villaudric, 870 871
Villecroze, 822 824 843 1169
Villedieu, 1080 1172
Villedommange, 626 628
Villefranche-de-Lonchat, 906
Villefranche-sur-Saône, 168 187
Villematier, 872
Villemontais, 1041
Villemoustaussou, 767
Villenave-de-Rions, 339
Villenave-d'Ornon, 359
Villeneuve, 1201
Villeneuve, 248 249 254
Villeneuve-d'Ascq, 183
Villeneuve-de-Berg, 1178
Villeneuve-de-Duras, 908 910
Villeneuve-les-Corbières, 756
Villeneuve-lès-Maguelonne, 742, 771
Villers-Marmery, 632 653 664 686
Villers-sous-Châtillon, 636 638 661
Villesèque, 728
Villesèque, 857
Villespassans, 762
Villes-sur-Auzon, 1129
Ville-sur-Arce, 636 665
Villette-lès-Arbois, 691
Villeveyrac, 737
Villié-Morgon, 165 172 173 176 182 183 184 185 186 187 191
Villiersfaux, 1031
Villiers-sur-Loir, 1031 1032
Villy, 456
Vinassan, 745
Vincelles, 629
Vindrac-Alayrac, 864
Vineland, 1188 1189
Vineuil, 1026
Vingrau, 789
Vinsobres, 1072 1074 1078 1081 1084 1087 1088 1092
Vinzel, 1202
Vinzelles, 602 608 613 614
Violès, 1066 1068 1106 1111
Viré, 606 607
Vire-sur-Lot, 856 857 858 860 1152
Virsac, 208 227
Visan, 1084 1085 1088
Viviers, 460 466
Vix, 937
Voegtlinshoffen, 91 94 99 103 105 116 119 121 131 146 147
Voiteur, 700 702
Volnay, 432 436 446 523 526 529 537 542 543 544 546 548 549 550 551 552 553 557 558 566 580
Volx, 1166
Vongnes, 717
Vosne-Romanée, 431 432 436 443 444 485 490 494 496 500 501 502 503 504 505 506 507 508 509 510 511 512 513 514 536 567
Vougeot, 494 498 499 501 502 511 516 540
Vouvray, 988 1018 1019 1020 1021 1022 1023 1026
Vrigny, 639 660

W

Westbank, 1184
Westhalten, 89 95 109 112 123 142 143 144 145 146
Westhoffen, 92 93 127
Wettolsheim, 93 101 103 105 106 109 114 115 126 131 132 138 141
Wihr-au-Val, 110
Wil, 1218
Wilchingen, 1220
Winterthur, 1221
Wintrange, 1194
Wintzenheim, 90 97 132 146 147
Wolxheim, 115 126 146
Wormeldange, 1192 1194 1195

Y

Yvorne, 1199 1203

Z

Zellenberg, 95 117 120 128
Zilia, 845
Zizers, 1219
Zürich-Höngg, 1222

INDEX DES PRODUCTEURS

L'indexation ne tient pas compte de l'article défini

A

ABA 871
ABART Michel 871
ABBADIE Etiennette 275
ABBAL GAEC 755
ABBATUCCI Dom. Comte J.-C. 849
ABBAYE DE SAINT HILAIRE 839
ABBÉ ROUS La Cave de l' 783 786
ABÉLANET-LANEYRIE Dom. 601
ABELÉ Henri 623
ABERLEN SCEV 303
ABLINE Joseph 1143
ABONNAT Jacques 1034
ACHARD Patrice 961 969
ACHIARY-ASTART SCEA 1074 1086
ACKERMAN-RÉMY PANNIER 918 920 1140
ACQUAVIVA Pierre 845
ADAM Jean-Baptiste 103 120 142
ADAM Dom. Pierre 103 113
ADANK HANSRUEDI 1219
ADINE EARL Christian 462
ADISSAN La Clairette d' 725
ADOUE BEL-AIR SCEA 317
ADRINA EARL d' 905
AÉRIA SARL Dom. d' 1081
AGASSAC SCA du Ch. d' 373
AGHIONE Cave coop. d' 846
AGRAPART 623
AGUILAS Pierre 942 955 964 968
AIGUELIÈRE Dom. L' 737
AIMERY-SIEUR D'ARQUES 721 723 1162
ALARD SCEA 903
ALARY Dom. Daniel et Denis 1081
ALBA Cave coop. d' 1177
ALBÉRA 789 793
ALBÈRES Les Vignerons des 774
ALBERT EARL B. et J. 976
ALBERT LE BRUN 624
ALBOUY Jean-Claude et Michelle 381
ALBRECHT Lucien 93 136
ALBUCHER GAEC des Vignobles 220 411
ALDHUY B. A. A. 858
ALEXANDRE Franck 1080
ALEXANDRE PÈRE ET FILS Dom. 581
ALIAGA Louis 730
ALIAS Bernard 730
ALIBERT Denis 837
ALICANDRI ET FILS EARL R. 228
ALINGRIN André 1155
ALISO-ROSSI Dom. 851
ALLAINES Philippe d' 737
ALLAINES François d' 428 556 569 576 581 586 593
ALLIAS PÈRE ET FILS GAEC 1018
ALLICHE Smaïn 784 786
ALLIES Anne-Marie 743
ALLIMANT-LAUGNER 93 104
ALLION Guy 1141
ALMÉRAS Roland 751
ALQUIER Pierre 773
AMADIEU Pierre 1108
AMAURIGUE SARL Dom. de L' 806
AMBROISE Maison Bertrand 442 478 499 510 518 526 538
AMÉCOURT SCEA Famille d' 223
AMELIN SA 449
AMIOT ET FILS Dom. Guy 570
AMIOT ET FILS Dom. Pierre 478 489 492
AMIOT-SERVELLE Dom. 494
AMIRAULT Thierry 1001
AMIRAULT Jean-Marie 994
AMIRAULT Yannick 994 1000
AMPELIDAE 799 1145
ANCIENNE CURE SARL 889
ANCIENS Coopérative des 678
ANDLAU ET ENVIRONS Cave vinicole d' 89 93
ANDRÉ Pierre 175 518 532
ANDRÉANI EARL 846
ANDREOTTI Arlette et Philippe 596
ANDREY Erich et Katharina 1216
ANGE Bernard 1100
ANGELIER FRÈRES GAEC 708
ANGELOT GAEC Maison 715
ANGER Jean-Claude 981
ANGES SCA Dom. des 1127
ANGLADE ET FILS Jacques 1156
ANGLADES SCEA Ch. des 806
ANGLÈS Ch. d' 738
ANGLÈS EARL Vincent et Xavier 1068
ANNIBALS SCEA Dom. des 839
ANTECH Georges et Roger 722 723
ANTOINE Gérard 766
ANTOINE Philippe 1181
APELBAUM Vignobles M.-P. et S. 282 288
APKARIAN Patrick 840
APOLLINE EARL Ch. L' 282
APPERT Jean-Marie 175
AQUADRO Yves et Michèle 814
AQUITAINE Union Vignerons d' 237
ARBEAU Jean-Claude 871
ARBO EARL 327
ARBOGAST Frédéric 93 127
ARBOIS Fruitière vinicole d' 691 700 704
ARCHAMBAULT SA Pierre 1054
ARCHERS Cellier des 807
ARCHIMBAUD SCEA Dom. d' 738
ARDENNES SCEA Ch. d' 342
ARDHUY Dom. d' 518, 526
ARDOIN SCEA des Vignobles P. et B. 241
ARDURATS ET FILS Henri 348
ARFEUILLE SCE Luc d' 306
ARISTON Jean-Antoine 624
ARISTON EARL Rémi 624
ARJEAU SCEA vignobles F. et J. 219
ARJOLLE GAEC de L' 1155
ARLAUD PÈRE ET FILS Dom. 428 489 492
ARLOT Dom. de l' 510
ARLUS Ch. d' 863
ARMAGNACAISE L' 911
ARMAND Denys 1160
ARMAND Yves 211 340 413
ARNAUD EARL Ets 728
ARNAUD SCEA Frédéric 1077 1085
ARNAUD SCEA Vignobles Jean-Yves 409
ARNAUD SA 404
ARNAUD GAEC Yves et Jean-Michel 759
ARNAUD Jean-François 1037
ARNAUD SCEV Jean 866
ARNAUD Guy 831 1172
ARNAUD Michel 937
ARNAUDE Ch. L' 807
ARNAUD-GAUJAL Simone 747
ARNAUTON Ch. 258
ARNOLD Pierre 89
ARNOULD ET FILS Michel 624
ARNOUX Dom. Robert 494 502 504 509 510
ARNOUX ET FILS 1079 1112 1130
ARNOUX PÈRE ET FILS 521 527 532 536 538
ARNOUX PÈRE ET FILS Dom. 596
AROLDI Michel 261
ARPIN EARL Vignobles G. 267 277
ARRICAU-BORDES SA Ch. d' 882
ARTOIS J. Dumond, Dom. d' 993
ASSAILLY-LECLAIRE ET FILS SAS 624

ASSÉMAT SCEA Les Vignobles 1119
ASSENS Georges 793
ASTROS SCEA du Ch. d' 807
ATHIMON ET SES ENFANTS EARL 934
ATKINSON Patricia 898
AUBAC D' 923
AUBERT Vignobles 226 275 290 306 323
AUBERT Alain 234 297 326
AUBERT Jean-Claude et Didier 1018
AUBERT Famille Max 1077 1088
AUBERT LA CHAPELLE Dom. 1012 1013
AUBONNE Association viticole 1197
AUBRION Virginie 233
AUBRON Jean 929
AUBRY ET FILS SCV 999
AUBRY FILS SCEV Champagne L. 624
AUCHAN 183
AUCHÈRE Philippe 1038
AUCŒUR Dom. 182
AUDEBERT Hubert 994
AUDEBERT ET FILS Maison 996
AUDEBERT ET FILS Dom. 995 1000 1004
AUDIBERT Michel 835, 836
AUDIER Odile 298
AUDIFFRED Bernard 504
AUDIO Pascal 966
AUDIOT Francis 1043
AUDOIN Dom. Charles 472
AUDOUIN EARL 923 935
AUDOUX Jolaine et Dominique 891
AUDOY SCE Domaines 400, 401
AUDRAIN PÈRE ET FILS GAEC 924
AUDRAS Vincent 179
AUDY-ARCAUTE Anne-Marie 228 263
AUFRANC Pascal 175
AUGE Dom. d' 838
AUGIER Rose 827
AUGIS Dom. 983 1032
AUGUSTE Christophe 428
AUJARD EARL Bernard 1052
AUJAS GAEC Jean et Benoît 178
AUJOGUES Muriel et Gilles 167
AUJOUX Jean-Marc 182
AULAN Patrick d' 306
AUMONIÈRE L' 1181
AUNEY Christian 345
AURILHAC ET LA FAGOTTE SCEA Ch. d' 373
AUSSEIL Dom. de l' 779
AUTARD Dom. Paul 1112
AUTRÉAU DE CHAMPILLON 624
AUTRÉAU-LASNOT 625
AUVERNIER Caves du Ch. d' 1215
AUVIÈRES Dom. de l' 1127
AUVIGUE Héritiers 601
AVIET ET FILS Lucien 691
AYALA 625
AYMEN DE LAGEARD 322
AYMERICH Ch. 779 791

B

BABEAU Laurent 764
BABIN Vincent 928
BACCINO Alain 819
BACHELET Jean-Claude 569
BACHELET ET FILS Dom. Bernard 570 581
BACHELET-RAMONET PÈRE ET FILS Dom. 568 569 570
BACHELIER Dom. 456
BACHEY-LEGROS Dom. Christiane 570
BADER-MIMEUR 571
BADETTE SCEA Ch. 284
BADIANE La 832
BADILLER Marc 993
BADOUX SA Henri 1201
BADOZ Benoît 696
BAGNOST SARL Arnaud 625
BAGNOST EARL Claude 625
BAHUAUD Sté Donatien 919 954 1143
BAILLETTE Jean 625
BAILLIENCOURT Nicolas et Christophe de 267
BAILLON Alain 1041
BAILLY Dom. Sylvain 1054
BAILLY Alain 625
BAILLY Jean-Pierre 1044
BAILLY Caves de 469 470
BAIXAS, VIGNOBLES DOM BRIAL Cave des Vignerons de 781 789 792
BALAN Bernard 337
BALANDRAS Jean-Marc et Cédric 597
BALARAN EARL Denis 864
BALDÈS-TRIGUEDINA SARL Jean-Luc 857
BALLAND Dom. Jean-Paul 1054
BALLAND Emile 1037
BALLAND-CHAPUIS SARL 1054
BALLOT-MILLOT ET FILS 542 558
BALLU Véronique et Tony 303
BALMIÈRE Dom. de la 779
BALOTTE Fabienne 293
BANDOCK Yannick 625
BANDOL Coopérative des Vins de 829 830
BANNWARTH ET FILS Laurent 104
BANQUETTES Dom. des 1066
BANTÉGNIES ET FILS SCEA 240
BAOU Les Vignerons du 815
BARA Paul 625 687
BARAT Michel 461
BARAT-SIGAUD Liliane 859
BARBANAU SCEA Ch. 826
BARBAROUX GAEC 818
BARBE Jean-Christophe 353 418
BARBEAU ET FILS Maison 801
BARBE-CAILLETTE Dom. 733
BARBELET Hélène 194
BARBEN Mas de La 738
BARBIER André 1052
BARBIER ET FILS Dom. 478
BARBIER-LOUVET 626
BARBOU EARL 985
BARDE Vignobles 900
BARDE-HAUT SCEA Ch. 284
BARDET SCEA des Vignobles Philippe 308 325
BARDET ET FILS Dom. 453
BARDOUX Pascal 626
BARILLOT PÈRE ET FILS 1049
BARLET ET FILS Raymond 712 715
BARMÈS-BUECHER Dom. 93
BARNAUD Stéphane 1068
BARNAUT Edmond 626
BARNOUIN SCEA Maurice 1153
BARON ALBERT 626
BARON D'ESPIET Union de producteurs 329
BARON-FUENTÉ 626
BARONNAT Maison Jean 182 449 614 1066
BARRAUD SCEA des Vignobles Denis 206 210 280 296
BARRAUD Guy 178
BARRAULT David 212
BARRÉ Didier 883
BARRE Paul et Pascale 257 260
BARRÉ SCEA Dom. Auguste 924
BARRÉ Caroline 924
BARREAU Jean-Michel 927
BARREAU Jean-Claude 863
BARREAU-BADAR Mme 264
BARREAU ET FILS EARL Vignobles C. 220 331
BARRÈRE EARL 879
BARRIER Antoine 178
BARROT Robert 1115
BARRUOL Louis 1078
BART Dom. 472 498
BARTHE SCA Vignobles Claude 206 213 215 330
BARTHE Vignobles Philippe 217 331
BARTHE SCEA Michel 208 236
BARTHÉLEMY Dom. 881
BARTHÈS Monique 828
BARTON Anthony 407
BASCOU SCEA 1155
BASSEREAU Philippe 250
BASTARD ET ERIC DAVIN Laurent 836
BASTIAN Mathis 1191
BASTIDE SCEA Ch. la 725 1157
BASTIDE Eric 1076
BASTIDE Cave coopérative Cellier de la 217
BASTIDE DU CLAUX 1131 1174
BASTIDE NEUVE Dom. de La 807
BASTOR SAINT-ROBERT SCEA Vignobles 351 415
BATAILLEY SCEA 393
BATARD EARL Pascal 923
BATARD Serge 1142
BATTISTELI Roselyne 428
BATTLE Nicolas 780 795

BAUCHET FRÈRES Sté 626
BAUDET Vignobles Michel 238
BAUDON Jacques 799
BAUDOU Laurent 749
BAUD PÈRE ET FILS 695 696
BAUDRY 626
BAUDRY GAEC 906
BAUDRY-DUTOUR 1011
BAUGET-JOUETTE 627
BAUMANN J. et G. 912
BAUMANN-ZIRGEL EARL 94 114 133
BAUR A. L. 91 94 131
BAUR Charles 136
BAUR Jean-Louis 91
BAUTOU Brice et Bernard 748
BAYLE Patrick 340
BAYLET SC Vignobles 228
BAYON Chloé 601
BAZIN Yves 442
BÉATES Dom. des 834
BEAUCHÊNE Ch. 1082
BEAUDET Paul 170 601
BEAUDOIN Georges 896
BEAUFÉRAN Ch. 834
BEAUFORT Herbert 627
BEAUFORT Jacques 627
BEAUJARDIN Cellier du 983
BEAUJEAU Jacques 946 953 968 971
BEAULIEU SCEA Ch. 834
BEAUMARTIN SCA Famille 303
BEAUMES-DE-VENISE Vignerons de 1135
BEAUMET 627
BEAUMET Ch. 809
BEAUMONT EARL Dom. des 478 485 489
BEAUMONT Dom. 1122
BEAUMONT SCE Ch. 374
BEAUMONT DES CRAYÈRES 627 661
BEAUMONT-DU-VENTOUX Cave coop. 1127
BEAUREGARD SCEA Ch. 263
BEAU RIVAGE SCEA Ch. 223
BEAUSÉJOUR SARL 312
BEAU VALLON Cave du 156
BECAMEL Béatrice 733
BÉCHEAU EARL Vignobles 326
BÉCHET GFA 305
BÉCHET Jean-Yves 249
BECHT Pierre et Frédéric 120
BECHTOLD Dom. Jean-Pierre 102 127
BECK Francis 104
BECK Hubert 102
BECKER GAEC Jean-Philippe et François 128
BECK-HARTWEG Yvette et Michel 104
BÉCOT Gérard et Dominique 285
BÉCOT Juliette 323
BÉCOT Gérard et Dominique 295
BEDENC Stéphane 309
BEGOUAUSSEL 1082
BEHAGHEL 333
BEHEITY André et Pierre-Michel 884
BÉJOT SA Jean-Baptiste 428 437
BEL Jean 858
BEL-AIR Cave des Vignerons de 183
BEL-AIR SCI Vignoble 166
BEL-AIR Lycée viticole de 156
BELCIER SCA Ch. de 321
BELIN Dom. Ludovic 524 536
BELIN Maison Jules 461
BELIN Daniel 954
BELLAIR SCEA du Dom. de 321
BELLAND Dom. Roger 542 569 570 576
BELLAND Jean-Claude 483 530
BELLANG ET FILS Dom. Christian 558
BELLEGRAVE Ch. 395
BELLERIVE-PERRIN SCEA Ch. 362
BELLES EAUX SNCE Ch. 738
BELLEVILLE Dom. Christian 586
BELLEVUE Ch. 285
BELLEVUE LA FORÊT Ch. 870
BELLIER Pascal 1026
BELLOC-ROCHET Vignobles 344
BELLUARD Dom. 708
BELON ET FILS GAEC 861
BELOT Vignoble 763
BENASSIS-LAVAIL 775 793
BÉNAT Frédéric 194
BENAU Henri 741
BENEDETTI Dom. 1066 1113
BENETIÈRE Jean-Pierre 1041
BÉNÉZECH-BOUDAL Marie 754
BENEZET Philippe et Cécile 825
BENILLAN Christian 368
BENITO Vignobles 409
BENOIST Jacqueline 1024
BENOÎT Patrice 1015
BENOIT Denis 694
BENOIT Jean-Paul 1066
BENOIT ET FILS Paul 691 702
BENOÎT RACLET Dom. 187
BENON Rémi et Paola 170
BÉRARD SCA Philippe 364
BÉRARD ET MAUBOUCHÉ 1123
BERCAIL Dom. Le 810
BERECHE ET FILS 628
BÉRENGER Famille 855
BÉRENGER Henri 820
BÉRERD Olivier 164
BÉRERD ET FILS Jean 164
BÉRÉZIAT SCEA Jean-Jacques 167
BÉRÉZIAT Christian et Marie 165
BERGER SCA Ch. 342
BERGER Bernard 237
BERGER EARL Claude 156
BERGERAC-LE FLEIX Union vinicole 907
BERGERET François 542
BERGERET Philippe 543
BERGER FRÈRES EARL 1017
BERGERON Jean-François et Pierre 179
BERGERONNEAU Florent 628
BERGER-RIVE ET FILS Dom. Gérard 448 592
BERGEY SCEA Vignobles Michel 218 341
BERGEY Denis 371
BERGON Gilles 249
BERINGUIER Robert 871
BERLOU Les Coteaux de 766 1159
BERNAERT Philippe 428
BERNALEAU Régis 376 390 393
BERNARD Yvan 1035
BERNARD GAEC Guy 1092
BERNARD Jean 157
BERNARD René et Béatrice 710
BERNARD Louis 1093
BERNARD-BONIN Maison 530
BERNARD-CHEVALLIER EARL 710
BERNARD ET FILS SCEA A. 1111
BERNARD FRÈRES 704
BERNARD-MASSARD SA Caves 1192 1194
BERNAT SARL Ch. Le 317
BERNE Ch. de 810
BERNHARD Domaine Jean-Marc 102 133
BERNHARD-REIBEL Dom. 114
BERNILLON Jean-Luc 168
BERREBI Jacques et Alain Laguillaumie 285
BERROD Dom. 175
BERROUET Xavier et Sylvie 362
BERROUET Jean-Claude 317
BERRYCURIENS SCEV Les 1050
BERSAN ET FILS Dom. 428 469 471
BERTAGNA Dom. 499
BERTHAUDIN SA 1197
BERTHAULT Alain 449
BERTHAUT Vincent et Denis 474
BERTHELOT Pascal 1016
BERTHELOT Paul 628
BERTHELOT Christian 628
BERTHENET Dom. Jean-Pierre 596
BERTHET-BONDET Dom. 695 696
BERTHET-RAYNE Michel et André 1083
BERTHIER Jean-Marie 1038 1055
BERTHILLOT SC 1182
BERTHOLLIER Denis et Didier 710
BERTIN SCEA vignobles André 234
BERTIN SCEA 312
BERTIN Pierre 929
BERTINS-MANFÉ SARL Les 909
BERTRAND Gérard 726 744
BERTRAND Roger 728
BERTRAND SCEA Vignobles Jacques 287
BERTRAND Jean-Michel 245
BERTRAND Mireille 745 1162
BERTRAND Thérèse 628
BERTRAND-BERGÉ Dom. 755 787
BERTRANDS Dom. des 1171
BESARD Thierry 992
BÉSINET Pierre 1159

BESOMBES Laurent de 778
BESOMBES-MOC-BARIL Sté Albert 1004
BESSE Gérald et Patricia 1210
BESSERAT DE BELLEFON 628
BESSETTE EARL André 222 236
BESSINEAU SA Vignobles 318 322
BESSON Jean-Paul et Martial 1202
BESSON Dom. Guillemette et Xavier 593
BESSON Dom. Alain 466
BESSONE Franck 170
BESSON PÈRE ET FILS SCEA 181
BESTHEIM 142 143
BESTHEIM-BENNWIHR Cave de 94
BETHMANN Jean-Jacques de 359
BÉTON Jean-Claude 274
BETTON Laurent 1095
BETTONI P. et L. 763 1153
BEURDIN ET FILS SCEV Dom. Henri 1052
BEYCHEVELLE SC Ch. 374 405
BEYER Emile 136
BÉZIOS Jérôme 866
BIANCHETTI Jacques 849
BIARNÈS-BALLION Vignobles Hélène 349
BIAU Vignobles 898
BIBEY GFA 367
BICH Héritiers du Baron 292
BICHOT Maison Albert 494 532 569 574 576 581
BIDEAU Jean-Vincent 245
BIELLE Lucette 277
BIENFAISANCE SA Ch. La 306
BIGONNEAU Gérard 1052
BIGUET SCEA Marcel 975
BIJOTAT BBS Bernard 628
BILANCINI Claudie et Bruno 904
BILLARD Dom. Gabriel 434
BILLARD PÈRE ET FILS Dom. 556
BILLAUD-SIMON Dom. 457 461 466
BILLECART-SALMON 629
BILLET Jean-Yves 996
BIOTTEAU FRÈRES 952 956
BIRAN EARL Vignobles de 905
BIREAUD Bernard 910
BIROT Pierre et Michel 765
BISCARRAT Karine 1086
BISSEY Cave de 439 449 584
BISTON-BRILLETTE EARL Ch. 392
BITOUZET-PRIEUR 548 558
BIZARD-LITZOW SCEA 959
BLAGNY SCEV Dom. de 564
BLAIGNAN SC du Ch. 362
BLANC Jean-François 275
BLANC SCEA Ch. 1127 1131
BLANC ET FILS Charly 1199
BLANC ET FILS Dom. Gilbert 714
BLANC FOUSSY SA 984
BLANCHARD François et David 1197
BLANCHARD SCEA 908
BLANCHE Michel 1197
BLANCHET Christian 246
BLANCHET Gilles 1045 1049
BLANCHET EARL Francis 1044
BLANCHETON FRÈRES Patrick et Francis 910
BLANCK Robert 94 104
BLANCK Dom. Paul 129
BLANCK ET FILS André 138
BLANC-MARÈS Nathalie 724 734
BLANCO Raphaël 187
BLANQUEFORT Lycée agricole de 377
BLANQUET EARL Georges de 833
BLARER D. von 1218
BLASONS DE BOURGOGNE 450
BLAYAC Stéphane 758
BLAYAIS Cave coop. du 245
BLÉGER Dom. Claude 94
BLÉGER Claude 112 119
BLÉGER François 114
BLIGNY Ch. de 629
BLIN ET CIE H. 629
BLIN ET FILS R. 629
BLONDEAU Bernard 991
BLONDEL 629
BLOT Christian 1019
BLOUIN Dom. Michel 961
BLUMSTEIN Hubert 94
BM GAEC 1019
BOCH Charles 89
BOCQUET-THONNEY Jacques et Claude 1214
BODET SCEA Antoine 972
BODINEAU Dom. 939 961
BOESCH Dom. Léon 143
BOHN François 104 128
BOHN ET FILS EARL Albert 120
BOIDRON Jean-Noël 217 264
BOIGELOT Eric 552
BOILLOT SCE du Dom. Albert 543
BOILLOT Louis 544 549
BOIREAU Bernard 344
BOIRON Maurice et Nicolas 1113
BOIS Sylvain 715
BOISARD FILS 1003
BOIS DE LA SALLE Cave coop. des grands vins du 178
BOIS DIEU Dom. de 156
BOIS ET FILS Vignoble 733
BOISSEAUX-ESTIVANT 438 494 510
BOISSEL Philippe et Suzanne 864
BOISSET Jean-Claude 428 442 532 544 570 723
BOISSON EARL Régis et Bruno 1082
BOISSONNEAU Vignobles 221
BOISTARD Jean-Pierre 1019
BOIVERT Vincent 365
BOIVERT Jean 369
BOIZEL 629
BOLLE ET CIE SA 1203
BOLLINGER 630
BON Famille 221 230
BONCHEAU EARL Jean 312
BONFILS SCEA des Vignobles O. 1153
BONFILS Christian 1106
BONGARS EARL Denise et Lucette 1019
BONHOMME SCEA Ch. 758
BONHOMME André 606
BONHOMME Pascal 606
BONIFACE Pierre 708 714
BONISTALLI EARL 1167
BONNAIRE 630
BONNAMY Catherine 211
BONNANGE Claude et Julia 213 240
BONNARD PÈRE ET FILS SCEA 1046
BONNAVENTURE Etienne de 1006
BONNEAU EARL Famille 931
BONNEAU Pascale 798
BONNEAUD Francis 324
BONNEAU ET FILS 978
BONNEFOND Patrick et Christophe 1095
BONNEFOY Gilles 1037
BONNEFOY Caroline 1076
BONNEL Thierry 760
BONNET 241
BONNET ET FILS EARL 251
BONNET Alexandre 630 689
BONNET Monique 219
BONNET SCEA Vignobles 349 350
BONNET Rémi 761
BONNET Gérard 1066 1113
BONNETEAU-GUESSELIN Olivier 928
BONNETERRE SC 1159
BONNET-HUTEAU 932
BONNET-WALTHER 1011
BONNIEUX Cave de 1131
BONNIGAL GAEC Serge et Pascal 922
BONNIN Philippe 310
BONNIN ET FILS SCEA 955 972
BONSERINE Dom. de 1093
BONTE Grégoire 294
BONTOUX-BODIN PÈRE ET FILS SCEA 826
BONVILLE Alain 216 230
BONVILLE Franck 630
BONVIN FILS Charles 1204
BONY EARL Dom. Jean-Pierre 441 510
BONZOMS Dom. 791
BOONEN Francis 630
BORD SCEA Vignobles 410
BORDEAUX VINS SÉLECTION SARL 206 208 345
BORDENAVE Sylvain 244
BORDENAVE Gisèle 879
BORDENAVE-MONTESQUIEU ET FILS Gérard 880
BORDENEUVE-ENTRAS GAEC 913
BORDERIE SCI La 902
BORDERIES Jean et Jérôme 864
BORDES Vignobles Paul 310
BORDET FWS Jean-François 469

BORÉ Alain 947 949 958
BOREL-LUCAS 630
BORÈS Marie-Claire et Pierre 94 120
BORGEOT Dom. 564
BORGERS Christine 902
BORGNAT Dom. 429
BORIE Mme Jean-Eugène 384
BORIE Domaines F. Xavier 396
BORIE SA Jean-Eugène 406
BORIE Paul-Henry 429 597
BORIES Mme 729
BORLIACHON Xavier 321
BORRELY-MARTIN Dom. 1172
BORTOLI-DÉJEAN Patrice de 231 381
BORTOLUSSI Alain 885
BORTOLUSSI Michel 300
BOS Thierry 205 224 341
BOSC Yvette et Michel 312
BOSCARY Jacques 749
BOSCQ - VIGNOBLES DOURTHE Ch. Le 400
BOSQUET SCI Dom. du 1159
BOSREDON SCEA Comte de 901
BOSSAN Patrick et Marie-Paule 164
BOSSEAU Bernard 1212
BOSSON Alain 713
BOSSUET-HUBERT SCEA Vignobles 251
BOSSUET-HUBERT SCEA Vignobles 246
BOTQUELEN Brigitte 337
BOTT FRÈRES Dom. 104
BOTT-GEYL Dom. Jean-Christophe 140
BOUACHON SA Maison 1079 1107 1109 1122
BOÜARD DE LAFOREST Hubert de 273
BOUCANT Daniel 630
BOUCARD Thierry 995
BOUC ET LA TREILLE Le 196
BOUCHARD Dom. Gabriel 556
BOUCHARD Jean 570
BOUCHARD Philippe 438
BOUCHARD Emmanuel 1080 1091
BOUCHARD Pascal 466 471
BOUCHARD AÎNÉ ET FILS 434 502 538
BOUCHARD ET SES FRÈRES Paul-Henri 1073
BOUCHARD PÈRE ET FILS 494 538 567
BOUCHAUD Henri et Laurent 924
BOUCHAUD Pierre-Luc 925
BOUCHÉ Dom. B. et B. 722
BOUCHE SCEA Vignobles 349
BOUCHÉ Jean-Claude et Béatrice 1091
BOUCHE Dominique 1068 1174
BOUCHÉ PÈRE ET FILS 631
BOUCHER Monika et Gwenaële 846
BOUCHEZ Gilbert 709 714
BOUCHEZ-CRÉTAL Dom. 450 549
BOUCHIÉ-CHATELLIER EARL 1045
BOUCHON ET FILLE Bernard 213
BOUCHOT Dom. du 1045
BOUDAT CIGANA F. 236 347 412
BOUDAU SARL Dom. 774 779 788 791
BOUDON SCA Vignoble 228
BOUET Eric 746
BOUFFARD-AUDIBERT SCEA 411
BOUGREAU Philippe 980
BOUIN-BOUMARD Jean-Paul 924
BOUIN-JACQUET EARL 932
BOUISSE-MATTERI Dom. 810
BOUKANDOURA ET MADELEINE HUTIN Henri 1154
BOULAND Patrick 172
BOULAND Dom. Jean-Paul 183
BOULAND Raymond 183
BOULARD Raymond 628 631
BOULARD-BAUQUAIRE EARL 631
BOULDY EARL Vignobles Jean-Marie 263
BOULET David 178
BOULEY Dom. Jean-Marc 446 544 549
BOULEY Réyane et Pascal 549
BOULIÈRE Jean-Louis 336
BOULIN EARL Patrick 341
BOULMÉ Paul-Emmanuel 247
BOULONNAIS Jean-Paul 631
BOULOUMIÉ Jean-Luc 860
BOUQUERRIES GAEC Dom. des 1005
BOUQUEY ET FILS EARL 303
BOUR Domaines 1126
BOURCIER SCEA des Vignobles Philippe 243
BOURDAIRE-GALLOIS 631
BOURDELOIS Raymond 631
BOURDIER Alain 800
BOURDIN EARL 976
BOURDOUX EARL Camille et Nicolas 978
BOUREAU Claude 1015
BOURÉE FILS Pierre 478 538
BOURGEOIS 632
BOURGEOIS SARL Dom. Henri 1045 1054
BOURGEOIS-BOULONNAIS 632
BOURGEON GAEC René 593
BOURGNE Nadia et Cyril 764
BOURG-TAURIAC Cave de 248
BOURGUEIL Cave des Grands Vins de 996
BOURLON Henri 317
BOURMAULT EARL Christian 632
BOURNAZEL Comtesse de 348 418
BOURNAZEL Comtes de 349
BOURNONVILLE Ch. 767
BOUROTTE SA Pierre 275 310
BOURRASSOL GAEC de 1035
BOURREAU SCEV J.-P. et P. 942 949
BOURRIGAUD Pascal 323
BOURRIGAUD ET FILS SCEA 287
BOURSAC Dom. de 801
BOURSAULT Ch. de 632
BOURSEAU 208 227
BOUSCAUT Ch. 357
BOUSQUET Pierre 1166
BOUSQUET Christophe 747
BOUSQUET Joseph 748
BOUSQUET Jean-Jacques 861
BOUSSAGOL François-Régis 765 1164
BOUSSEY Dom. Denis 552
BOUSSEY EARL du Dom. Eric 552
BOUTET-SAULNIER GAEC 1018
BOUTHENET Jean-François 581
BOUTIÈRE ET FILS 1077
BOUTILLEZ-GUER 632
BOUTILLEZ-VIGNON G. 632
BOUTON Gilles 564 570 574
BOUVACHON NOMINÉ Dom. 1113
BOUVET Dom. G. et G. 709
BOUVET-LADUBAY 921 972
BOUVIER Nadia 730
BOUVIER SA P. et S. 1202
BOUVIER Dom. René 475 479 485 489 515
BOUVIER Régis 472 474
BOUVIER Richard 287
BOUY Laurent 632 687
BOUYER SCEA des domaines 301
BOUYER Jean-Michel 929
BOUYS Francis 741
BOUYSSOU Bernard 862
BOUYX EARL 342
BOUZERAND-DUJARDIN Dom. 538 558
BOUZEREAU Vincent 560
BOUZEREAU Jean-Marie 559
BOUZEREAU Philippe 560 571
BOUZEREAU EARL Robert et Pierre 189
BOUZEREAU-EMONIN Pierre 564
BOUZEREAU ET FILS Michel 560
BOUZEREAU ET SES FILS Philippe 554
BOUZEREAU-GRUÈRE ET FILLES Hubert 560 571
BOUZONS Dom. des 1068
BOXLER Albert 139
BOYD-CANTENAC ET POUGET SCE Ch. 391
BOYÉ Vincent 232
BOYER Michel 204 213 223
BOYER SA Vignobles M. 215 349 410
BOYER Jacques et Françoise 1155
BOYER L. et F. 632
BOYER DE LA GIRODAY M. C. 221
BOYER ET FILS EARL 831

PRODUCTEURS

BOYER-FOURCADE EARL 238
BOYREAU EARL Famille 349
BRAIN Pascal 921
BRANA Jean et Adrienne 877
BRANAIRE-DUCRU Ch. 405
BRANCEILLES Cave viticole de 1150
BRANCHEREAU EARL 941 959 968 969
BRANDA SC Ch. du 317
BRANDA ET CADILLAC SCA Ch. 343 347
BRANDO J.-F. 827
BRANGER Guy 928
BRARD BLANCHARD GAEC 801 1146
BRAUD SCEA Vignobles Dominique 254
BRAULT EARL Marc 922
BRAULT GAEC 1142
BRAULTERIE MORISSET SARL La 241
BRAUN Camille 105
BRAUN ET SES FILS François 105
BRAZILIER Jean et Benoît 1031
BRÉBAN Les Vins J.-Jacques 810 837
BRECHET Sylvette 812
BRECQ Jean 1002
BRÉDIF Marc 1019
BRÉGEON André et Michel 925
BRELIÈRE Jean-Claude 586
BRÉMONT SCE Bernard 632
BRENOT Dom. 577
BRÈQUE Maison Rémy 236
BRESSAND Dom. Nathalie 608
BRESSANDE Dom. de la 589
BRESSION-SALMON 633
BRESSOULALY Noël 1035
BRÉTAUDEAU Jean-Yves 927 1141
BRET BROTHERS SARL 608 614
BRETEAUDEAU Guy 925
BRETON Jean-François 255
BRETON Catherine et Pierre 995
BRETON Jean-Marc 997
BRETON Bruno et Roselyne 995 1001
BRETON FILS SCEV 633
BREUIL Ch. du 962
BREUSSIN EARL Yves et Denis 1019
BRIACÉ AFG Ch. de 935
BRIANTE GFA Ch. de 168
BRICE Jean-Paul 633
BRIDAY Dom. Michel 586
BRIDET Robert 189
BRIE Ch. La 889
BRIGUET Joël 1210
BRILLANE Dom. de La 834
BRILLETTE SA Ch. 392
BRINTET Dom. Luc 590
BRIOLAIS Dominique 251
BRIOLAIS Dominique 370
BRISEBARRE EARL Philippe 1019
BRISSON Jean-Claude 306
BRISSON J.-Ch. 319
BRISSON Gérard 186
BRIVIO SA I Vini di Guido 1222
BRIZI Napoléon 851
BROBECKER SCEA Vins 127
BROCARD Samuel 1197
BROCARD Daniel 700 705
BROCARD Jean-Marc 429 453 461
BROCHARD Hubert 1055
BROCHARD Henry 1045
BROCHARD-CAHIER EARL 367
BROCHET Jacques 640
BROCHET-PREVOST EARL 633
BROCK Dom. 1061
BRONDEAU SCEV Vignoble 224
BRONDEL PÈRE ET FILS GAEC 157
BRONZO EARL 829
BROSSARD Dominique 935
BROSSAUD Franck 922 957
BROSSETTE Jean-Claude 157
BROSSETTE ET FILS Paul André 157
BROTTE Laurent-Charles 1068 1082 1086 1104 1110 1129 1157
BROU SA Roger Félicien 1026
BROUSTERAS SCF Ch. des 364
BROWN SAS Ch. 353
BROYER Bernard 181
BRU SCEA du 334
BRU Gérard 748
BRU-BACHÉ Dom. 879
BRUGNON Alain 633
BRUGUIÈRE 739
BRULEZ GAEC 633
BRULHOIS Les Vignerons du 873
BRULLY Dom. de 521
BRUMONT Jacques 885
BRUMONT Alain 883 886
BRUN Jean-Michel et Jocelyne 240
BRUN Jean-Marc 1082 1136
BRUNEAU Yvan 1001
BRUNEAU Sylvain 1001
BRUNEL 1115
BRUNEL FRÈRES 1118 1121
BRUNET GAEC du Dom. de 739
BRUNET Georges 1019
BRUNET Michel 1025
BRUN ET CIE SA Edouard 633
BRUN ET FILS EARL Louis 866
BRUNIER Pascal 763
BRUNOT ET FILS SCEA J.-B. 274 304
BRUREAU Victor 867
BRUSINA-BRANDLER 387 408
BRUSSET SA Dom. 1068 1083 1106
BUBOLA Régine 1148
BUCHOT Claude 697
BUECHER ET FILS Paul 105 126
BUECHER-FIX 131
BUFFET Dom. François 549
BUISSE SA Paul 984
BUISSON Christophe 538 556
BUISSON Dom. Henri et Gilles 527 544 556
BUJARD VINS SA 1198
BULABOIS Claude et Colette 691
BULLIAT Noël 183
BULLY-EN-BEAUJOLAIS Cave des vignerons de 156
BUNAN 830 831
BUNEL Eric 633
BURC Jean-Luc 860
BURGDORFER Roger 1213
BURI ET FILS 859
BURLE EARL Bernard 1111
BURONFOSSE Peggy et Jean-Pascal 697
BURRIEL Frédéric 325
BURRIER Maison Joseph 608
BURSIN Agathe 89
BUSIN Jacques 634
BUTIN Philippe 697 705
BUXY Cave des Vignerons de 584 596 602
BUYTET ET FILS EARL 351
BUZET Les Vignerons de 868 869
BYARDS Caveau des 697 700

C

CABANIS Jean-Paul 733
CABANNIEUX SCEA du Ch. 344
CABARROUY Dom. de 879
CABASSE Dom. de 1083 1106
CABISSOLE François et Isabelle de 744 1158
CABRIAC SCEA Dom. de 726
CABRIÈRES SCA Les Vignerons de 725
CABROL Marc 1162
CACHAT-OCQUIDANT ET FILS Dom. 518 521 532
CADARBACASSE Olivier 210 231
CADENIÈRE Dom. de La 834
CADOUX Nicolas 1213
CADOUX Michel 1028
CADY EARL Dom. Philippe 948 962
CAGUELOUP Dom. du 829
CAHUZAC EARL de 870
CAILBOURDIN Dom. Alain 1045
CAILLAVEL GAEC Ch. 903
CAILLAVET Ch. de 336
CAILLE EARL Famille 284
CAILLÉ François 1010
CAILLÉ EARL Thierry et Jean-Hervé 928
CAILLEAU Xavier 939 962
CAILLEAU Pascal 945 951 967
CAILLET Jacques 804
CAILLEUX EARL Vignobles 209 231 236 338
CAILLEVET SCEA Ch. 897
CAILLOT Dom. Michel 560 564 578
CAIRANNE Cave de 1091
CALADROY SCEA Ch. de 779 788 791
CALISSANNE Ch. 835
CALLOT ET FILS Pierre 634
CALON-SÉGUR SCEA 400
CALOZ Anne-Carole et Conrad 1208
CALVET 205 214
CALVISSON SCA Les Vignerons de 751

CAMARETTE SCEA La 1127
CAMBRIEL GAEC Les Vignobles 728
CAMBUSE Dom. de la 933
CAMENSAC Ch. 376
CAMENTRON SCEA Les Vignes de 1148
CAMFRANCQ Jean-François 735
CAMILLE Alain 1005
CAMPENIO Bernard 839
CAMPLONG Vignerons de 726
CAMPOT SCEA de 874
CAMPROUX ET FILS Alain 1078
CAMPUGET Ch. de 732 734
CAMUS Fabrice 903
CAMUS-BRUCHON Lucien 532
CANARD Michel et Béatrix 164
CANARD-DUCHÊNE 634
CANDIA Claude 863
CANELLI-SUCHET Bernard 713
CANESSON 1147
CANEZIN Eric 914
CANON SC Ch. 286
CANTELAUBE Vignoble 374
CANTEMERLE Ch. 376
CANTEPERDRIX Cave 1127
CANTIN Benoît 470
CANTINOT EARL Ch. 241
CANTO Jean-Louis 1117
CAPDEMOURLIN SCEA 284 287 316
CAPDEVIELLE Bernard 234 254
CAPDEVIELLE Didier 881
CAPEILLETTE GAEC Dom. de la 779 791
CAPITAIN-GAGNEROT 446 518 522
CAP LEUCATE ET DE QUINTILLAN Les vignerons du 757
CAPMARTIN Guy 883
CAPMARTIN Denis 886
CAPUANO-FERRERI ET FILS Dom. 499 578
CAPUANO-JOHN Dom. 544
CARAVINSÉRAIL SARL 1129
CARBONNE Lise 742
CARBONNELL Bernard 778 794
CARCENAC Joseph 864
CARÇOISE Cave coop. La 811
CARDARELLI EARL 230
CARÊME Vincent 1022
CARÊME Olivier 1019
CARICHON Charles 1068 1127
CARILLON Dom. Marguerite 527
CARL Erling 234
CARLE Pierre 907
CARLES SCEV du Ch. de 260
CARLES Erick 862
CARLINI Jean-Yves de 634
CARMELLI Jean-Luc 910
CAROD FRÈRES GAEC 1123
CAROZ SA 1198
CARPI-GOBET 604
CARRASSAN André 825
CARRÉ Dom. Denis 446 532 544
CARREAU ET FILS SCEV G. 242
CARREAU-GASCHEREAU 836
CARREL François et Eric 710 715
CARRÈRE EARL Vignobles 314
CARRILLE Jean-François 226 310
CARROGET-GAUTIER EARL 940
CARRUBIER SC du Dom. du 811
CARRUZZO Pierre-Maurice 1204
CARSIN GFA Ch. 214
CARTEREAU EARL Claude et Danielle 1013 1014
CARTEYRON SCEA Patrick 213 232
CARTIER Michel et Mireille 710
CASABIANCA SCEA du Dom. 845 846 1170
CASCASTEL Les Maîtres Vignerons de 755 788 792
CASES-DE-PÈNE Les Vignerons de 788
CASLOT Pierre 995
CASLOT-BOURDIN EARL Alain et Cyprien 1002
CASSAN Dom. de 1083 1106
CASSIGNARD SCEA Vignobles 333
CASSOT SCEA Michel et Nadine 857
CASTAING EARL 892
CASTAN Mesmin et Maryse 1091
CASTÉJA Héritiers 395 400
CASTÉJA Emile 380 398
CASTÉJA-PREBEN-HANSEN Indivision 286 266 308
CASTEL Jean-Claude 385
CASTEL Jean-Louis et Brigitte 763
CASTEL ET FILS GAEC Rémy 249
CASTEL FRÈRES 248 346 372 373
CASTELAS Les Vignerons du 1069 1083
CASTELL 829
CASTELLANE de 634
CASTELLINO SCEA Edouard 811
CASTELL RÉAL SCV Cellier 779 788
CASTELMAURE SCV 726
CASTELNOU SA Ch. de 774
CASTOR Gérard 1079
CATALANS Vignerons 774 779
CATARELLI EARL Dom. de 851 853
CATHAL Marie-Thérèse 903
CATHELINEAU Jean-Charles 1020
CATHIARD Sylvain 494 504 510
CATHIARD Daniel 353 360
CATON SCEA Les Domaines 1156
CATROUX Philippe 991
CATTIER 634
CATTIN Joseph 105
CAUSSÉ Laurent et Fabien 1152
CAUSSÈQUE EARL des Vignobles 362
CAUTAIN Christian 951 967
CAUTY Nathalie et Guillaume 946
CAVALIER Jean-Benoît 744
CAZALS Claude 635
CAZANOVE Charles de 635
CAZEAU ET PEREY SCI Domaines 205
CAZENAVE 884
CAZES SICA Dom. de 768
CAZES Jean-Michel 352 398 403
CAZES L'ostal 761
CAZES FRÈRES Sté 780 788 792
CAZES SÉLECTION Jean-Michel 210
CAZIN François 920 1028 1029
CAZOTTES Brigitte et Alain 868
CECCHINI SCEA Gino et Florent 367
CELERIER Vignobles 318
CENIVAL Olivier de 939
CEP D'OR SA 1192 1195
CESBRON Jean-Luc 939 947
CGR Les Domaines 364 366
CH. DE LAUSSAC Raynaud Laborde Rocher 323
CHABANIS RIFFARD SCEA Vignerons 1125
CHABBERT Philippe 1163
CHABBERT ET FILS EARL André 752
CHABERTS Ch. des 840
CHABLIS Union des Viticulteurs de 429 438 471
CHABLISIENNE La 453 457 461 467
CHABRÉ François 1041
CHAGNY EARL Bernard 183
CHAGNY Jean 616
CHAI DES COSTAINS Le 1083
CHAIGNEAU Jean-François 349
CHAIGNE ET FILS Vignobles 218 232
CHAILLOT Dom. du 1034
CHAINIER SCA Dom. 989
CHAINTRÉ Cave de 601
CHALAND Isabelle et Patrice 334
CHALAND Jean-Marie 607
CHALAND Jean-Noël 607
CHALMEAU Franck 441
CHALMEAU Madame Edmond 438
CHALMEAU Patrick et Christine 429
CHALOUPIN-LAMBROT SCEA 348
CHAMBON Christian 191
CHAMBRET 301
CHAMBRIS SCEV du Dom. des 442
CHAMFORT EARL Denis 1069
CHAMIREY Dom. du Château de 590 594
CHAMOUX Jean-Pierre 1045
CHAMPAGNON Jean-Paul 177
CHAMPALOU Catherine et Didier 1020
CHAMPART EARL 763
CHAMPCENETZ SCEA du Ch. 409
CHAMPEAU SCEA Dom. 1045
CHAMPIER GAEC Paul 166
CHAMPION EARL Pierre 1020
CHAMPSEIX SA 277
CHAMPS VIGNONS Dom. des 1005
CHAMPTELOUP SCEA 935 955

CHAMPY Maison 524 538
CHANAY Jean-Louis 161
CHANDESAIS Maison 166 549
CHANDON DE BRIAILLES Dom. 524 533
CHANET ET FILS SCEA 274
CHANGARNIER Dom. 552 560
CHANOINE FRÈRES 635
CHANSON PÈRE ET FILS Maison 461 500 516 533 539 560 571
CHANTALOUETTES EARL Les 1045
CHANTE CIGALE Dom. 1114
CHANTECLER SCEA 1068
CHANTECÔTES 1069
CHANTEMERLE SCEA de 457 461
CHANTOVENT SA 1159
CHANZY SARL CD 585
CHANZY Dom. 586
CHAPEL Julien 749
CHAPELLE SCEA du Ch. La 312
CHAPELLE DE VÂTRE Dom. de la 161
CHAPELLE ET FILS Ph. 522 571 578
CHAPELLE SAINT-ESTÈPHE SC La 403
CHAPIN-LANDAIS 972
CHAPON GAEC 801 1147
CHAPOUTIER Maison M. 1093 1098 1102 1113
CHAPPAZ Marie-Thérèse 1205
CHAPPUIS Albert et François 1198
CHAPUIS Maurice 530
CHAPUY SA 635
CHAPUZET Eric 1026
CHARACHE-BERGERET René 447 524
CHARAVIN EARL Robert 1084
CHARAVIN Didier 1083
CHARBONNIER Roland 249
CHARBONNIER ET FILS GAEC 986
CHARDIN Roland 635
CHARDON Claude et Yves 392
CHARDON Sophie et Thierry 983
CHARDONNET EARL Lionel 635
CHARDONNIER 504
CHARLEMAGNE Robert 635
CHARLEMAGNE Guy 635
CHARLES ET FILS EARL François 447 549
CHARLET Jacques 194
CHARLEUX ET FILS Dom. Maurice 581
CHARLIER ET FILS 636
CHARLIN Patrick 716
CHARLOPIN Dom. Philippe 429 472 479 488 502
CHARLOPIN Dom. Hervé 472 475
CHARLOT Pierre 335
CHARMASSON Dom. Christian et Nadia 1119
CHARMENSAT GAEC 1035
CHARMES-GODARD GFA Les 327
CHARMES Ch. des 1186
CHARMET Vignoble 157
CHARMET Pierre 156
CHARMOLÜE Jean-Louis 403
CHARNAY Cave de 597 601 614
CHARPENTIER Jean-Marc et Céline 636
CHARPENTIER François 1052
CHARPENTIER SARL Guillaume 930
CHARPENTIER J. 636
CHARPENTIER FILS SCEA 934
CHARPENTIES EARL 1151
CHARRIER-MASSOTEAU GAEC 955
CHARRION EARL Laurent 169
CHARRON Fabien 892
CHARRUT EARL 209
CHARTIER SARL 804
CHARTOGNE-TAILLET 636
CHARTON Dom. Jean-Pierre 590
CHARTREUSE DE VALBONNE 1070
CHARTREUX Cellier des 1070
CHARTRON Jean 447 565 568
CHARTRON ET TRÉBUCHET 430 524 568 569 574 590 596 608
CHARVET Gérard 171
CHARVET Armand 172
CHASLE-MÉNARD GAEC 997
CHASSAGNE-BERTOLDO SCEA 161
CHASSAGNOL GAEC Vignobles 339 411 413
CHASSAGNOUX Xavier 261
CHASSENAY D'ARCE 636
CHASSE-SPLEEN SA Ch. 392
CHASSEUIL 267
CHASSEY Guy de 669
CHASTAN D. et F. 1107 1111
CHASTEL Françoise et Benoît 164
CHATART Clos 785
CHÂTEAU Bernard 389
CHÂTEAU DE CHOREY Dom. du 536 539
CHÂTEAU DES LAURETS SAS 318
CHÂTEAU-GRIS Dom. du 511
CHÂTEAUNEUF DE PIERRE-VERT SCI 1134
CHATELAIN SA Dom. 1046
CHATELET EARL Armand et Richard 184
CHATELLIER 926
CHATELUS Pascal 157
CHATENAY Laurent 1015
CHÂTENAY-BOUVIER SA Caves 1216
CHATENOUD ET FILS Charles 310
CHATONNET GFA J. et A. 274 276 278
CHAUCESSE Jean-Claude 1041
CHAUDRON 636
CHAUMARD Dom. 1128
CHAUMET Vignobles 273
CHAUMET-LAGRANGE SCEA 864
CHAUMONT SCEA Vignobles 368
CHAUSSE Ch. de 811
CHAUSSY Monique et Daniel 1113
CHAUTAGNE Cave de 710
CHAUVEAU Earl Gérard et David 1004
CHAUVEAU Dom. Daniel 1006
CHAUVEAU EARL Dom. 1046
CHAUVENET Françoise 438 511
CHAUVENET Dom. Jean 511
CHAUVENET-CHOPIN 511 516
CHAUVET 636
CHAUVET SCEV Marc 637
CHAUVET Damien 637
CHAUVIER FRÈRES GAEC 817
CHAUVIN SCEA Ch. 287
CHAUVIN SCEA Jean-Bernard 962
CHAUVIN Dom. Pierre 948
CHAUVIN FRÈRES SCEA 1172
CHAVANES SCEA Ch. de 691
CHAVE Dom. Jean-Louis 1103
CHAVE Yann 1100 1103
CHAVET ET FILS G. 1042
CHAVRIER Muriel et Yvan 166
CHAVY Louis 450
CHAVY Henri 191
CHAVY Franck 184
CHEFDEBIEN Paul de 746
CHEMARIN Lucien 165
CHEMINAL Julien 770 771
CHÉNAS Cave du Ch. de 178
CHÉNÉ Jean-Pierre 961
CHÊNE Dom. 597 601 614
CHÉNEAU Philippe et Christophe 929
CHÊNERAIE SCEA Ch. La 811
CHÊNES SCEA Dom. des 789
CHENÊTS Dom. Les 1100
CHENEVIÈRES Dom. des 602
CHERRIER ET FILS Pierre 1060
CHESNÉ GAEC Patrice et Danielle 928
CHESNEAU ET FILS EARL 1027
CHÉTY SCEA Famille 253
CHÉTY Jean, Olivier et Emmanuel 238
CHEURLIN Richard 637
CHEURLIN Veuve 685
CHEVAL BLANC SC du 287
CHEVALIER SCE P. et F. 516
CHEVALIER SC Dom. de 354
CHEVALIER Roland 934 946 948
CHEVALIER PÈRE ET FILS SCE 518 527
CHEVALLEY André 1198
CHEVALLEY René et Pierre-Alain 1198
CHEVALLIER Sylvie 898
CHEVALLIER SCA 976 982
CHEVAL-QUANCARD 204 207 213 214 228 229 277 330 369 400 401
CHEVASSU Denis 697 705

CHEVILLON-CHEZEAUX Dom. 511
CHEVROT Fernand 430 438 578 582
CHEZEAUX Jérôme 505 511
CHICOTOT Dom. Georges 430
CHIDAINE GAEC François 1015 1020
CHIGNARD Michel 175
CHIODI SA Cantina 1222
CHIQUET Gaston 637
CHIROUBLES La Maison des Vignerons de 172
CHOBLET Luc et Jérôme 932 1143
CHOFFLET-VALDENAIRE Dom. 593
CHOLET Christian 554
CHOLLET Claude-Alain 1213
CHOLLET GAEC José et Cédric 994
CHOLLET Jean-Jacques 272
CHOLLET Gilles 1046
CHONÉ Françoise 435
CHON ET FILS SARL Gilbert 924 936
CHONION Claude 430
CHOPIN Louis-Noël 191
CHOPIN ET FILS A. 511 516
CHOQUET SCEA des Vignobles 229
CHOTARD Daniel 1055
CHOUKROUN Pierre et Sylvie 267
CHOUVAC Hervé 412 418
CHOUVET EARL Hélène et Michel 1073 1115
CHRISTOPHE ET FILS Dom. 457
CHUPIN SCEA Dom. Emile 948
CIBAUD-CH. MIRAFLORS ET BELLOCH SA 776 791
CIDIS SA Caves 1198
CINQUIN Paul 191
CINQUIN Franck 191
CIROLI Pierre 210
CISSAC SCF 377
CITERNE Bruno 327
CLAIR Françoise et Denis 574 578 583
CLAIR Dom. Michel 578
CLAIR SCEA Dom. Bruno 472 479 483 533
CLAIRET Evelyne et Pascal 702
CLAIRMONTS SCA Cave des 1100
CLAPE SCEA Dom. 1104
CLARENCE DILLON Dom. 353 357 358 359 360
CLASTRON GFA Dom. de 811
CLAVÉ SCEA des Vignobles Jean-Paul 245
CLAVEL Denis 1070 1084
CLAVELIER Dom. Bruno 494 505
CLAVELIER ET FILS Maison 522 539
CLAVIEN Claudy 1205
CLAVIEN Stéphane et Wil 1211
CLAVIEN ET FILS SA Georges 1210
CLÉMENT SCV Charles 637
CLÉMENT Isabelle et Pierre 1042
CLÉMENT Philippe 432
CLÉMENT ET FILS 637
CLÉRAMBAULT 637
CLÉRAY SCEA Dom. du 942 973
CLERGET SCEV Dom. Christian 494 499 502
CLINET SA Ch. 264
CLISSEY-FERMIS Vignobles 409
CLOS CHAUMONT EARL Ch. 215
CLOS DE BRAGUE SCE 215
CLOS DE CAVEAU SCA Dom. Le 1110
CLOS DE CHOZIEUX EARL Le 1037
CLOS DE LA BRIDERIE SCEA 993
CLOS DE SALLES EARL du Ch. 265
CLOS DES CAMUZEILLES 756
CLOS DES MOTÈLES GAEC Le 940
CLOS DES ROCHERS SARL Dom. 1192 1195
CLOS DE VAULICHÈRES Château 430
CLOS DU CLOCHER SC 265
CLOS DU VIGNEAU EARL 1001
CLOSEL EARL Dom. du 959
CLOSERIE D'ESTIAC 225 889
CLOS FOURTET SC 288
CLOS FRANTIN Dom. du 500 502 505
CLOS LA COUTALE 856
CLOS LA MADELEINE SA du 300
CLOS PETITE BELLANE 1070 1084
CLOS SAINTE-APOLLINE 95
CLOS SAINT-LOUIS Dom. du 472 476
CLOS SAINT-MARC GAEC du 196
CLOS SAINT-VINCENT SC 289
CLOS SALOMON EARL 593
CLOSSON Joël 637
CLOT DOU BAILE SCEA 827
CLOTTE SCEA du Ch. La 289
CLOU Ch. Le 902
CLOUET Paul 638
CLUB DES VIGNERONS Le 755
COCHARD ET FILS EARL 943 964 970
COCHE-BIZOUARD EARL Alain 552 554 560
CODEM SA Domaines 366 369
COFFINET-DUVERNAY Dom. 571
COGNARD Max 996 1001
COGNÉ EARL Claude 1142
COIGNARD-BENESTEAU EARL 946
COILLARD Pierre 191
COILLOT PÈRE ET FILS Dom. Bernard 479
COIPEL SCEA Jacques 1087
COIRIER GAEC 937
COLBERT Henri de 742
COLBERT Comte Bernard de 972 976
COLIGNY Yves de 180
COLIN Patrice 1031
COLIN ET FILS Bernard 571 574
COLINOT EARL 470
COLLARD François 735 736
COLLARD-CHARDELLE 638
COLLARD-PICARD 638
COLLAS Philippe 809
COLL-ESCLUSE André 790 794
COLLET Raoul 638
COLLET ET FILS Dom. J. 457
COLLIN Charles 638
COLLIN-BOURISSET VINS FINS 188 600 611
COLLOMB Mireille 836
COLLON Michel 638
COLLONGE Bernard 191
COLLOTTE Dom. 438 473 476
COLLOVRAY ET TERRIER 604 617 724
COLOMBARIÉ SARL La 865
COLOMBIER Dom. du 1101
COLOMER Louis 756
COL SAINT PIERRE SCEA 1107
COMBARIEU Thierry de 733
COMBES Géraldine 739
COMBET EARL de 895
COMBRILLAC GFA 898
COMIN Claude 225 330
COMMANDERIE Ch. la 400
COMMANDERIE DE PEYRASSOL 819
COMMANDEUR Les Caves du 811 840
COMME Corinne et Jean-Michel 335
COMPAGNET SCEA 370
COMPAGNIE DES VINS D'AUTREFOIS La 558
COMPAGNIE RHODANIENNE La 1066
COMTE Christophe 1178
COMTE Chantal 737
CONDAMIN GAEC du Dom. 197
CONDEMINE-PILLET Serge 187
CONDOM SCEA 909
CONDOM-EN-ARMAGNAC Les Producteurs de la Cave de 912
CÔNE GFA Ch. Le 242
CONFURON François 505 511
CONFURON ET FILS Dom. Christian 498 511 516
CONINCK Jean de 319
CONNAISSEUR La Cave du 462
CONNE Bernard 1213
CONSTANT Les vins 890
CONSTANT Michel 1012
CONSTANTIN-CHEVALIER Allen et Marie-Laure 1132
CONTI SCEA De 900
CONTOUR Michel 1027
COPERET Bruno 177
COPIN Philippe 638
COPINET Jacques 638 659

COQUILLADE Dom. de La 1128
COQUILLETTE Christian 678
COQUILLETTE Stéphane 639
CORALEAU Dominique 924
CORBIAC Bruno de 905
CORDAILLAT EARL Dom. 1052
CORDEUIL PÈRE ET FILS 639
CORDIER MESTREZAT ET DOMAINES 225 352 370
CORDIER PÈRE ET FILS Dom. 598 608
CORDONNIER EARL François 393
CORMEIL-FIGEAC SCEA 289
CORMERAIS EARL Bruno et Marie-Françoise 927 1141
CORNILLON Didier 1123 1124
CORNIN Dominique 603 610
CORNU Dom. Claude 450 519 527
CORNU ET FILS EARL Edmond 438 519
CORNU-CAMUS Pierre 443
CORNUT François 734
CORON PÈRE ET FILS Maison 590
CORRENS Les Vignerons de 812
CORSEAUX Association vinicole de 1198 1201
CORSIN Dom. 609 615
COSME Thierry 1020
COSSAIS Stéphane 1015
COSSON Etienne 489
COSSON Rémi 991
COSTAL Jérémie 746
COSTAMAGNA SCEA Domaines B.-M. 813
COSTE SCEA Ch. La 835
COSTE Vignobles 1070 1083
COSTE Vignobles Jean 323
COSTE Bernard 1156
COSTE Damien 738
COSTEBELLE SCA 1071
COSTE CHAUDE SARL Dom. de 1084
COSTE-LAPALUS 192
COSTES Serge et Martine 856
COSTES ROUSSES SCA Cave 1071
COSTIÈRES Cave Coop. Les 1154
COSTIÈRES DE POMÉROLS Cave coop. 738
COSTIÈRES ET SOLEIL 734
COSTON Marie-Thérèse et Joseph 741
COTEAUX Cave Les 1088
COTEAUX SCA La Vinicole des 1132 1174
COTEAUX D'AVIGNON SCA Les Vignerons des 1071
COTEAUX DE BELLET SCEA Les 827
COTEAUX DE CHAMPLITTE S.C.P. Les 1180
COTEAUX DE DIANA Les Vignerons des 846
COTEAUX DE DIANA Les Vignobles 1171
COTEAUX DE NEFFIÈS Les 746
COTEAUX DU CÉOU SCA des Vignerons des 1148
COTEAUX DU MINERVOIS SCA Les 1165
COTEAUX ROMANAIS Les Vignerons des 986
CÔTE ET GUY CINQUIN Chantal 591
CÔTES D'AGLY Les Vignerons des 776 780 792
CÔTES D'ARDOISE Dom. des 1189
CÔTES D'OLT Cave coop. 855
COTIGNAC Les Vignerons de 812 1173
COTTAGNOUD Fabienne 1211
COTTAT Eric 1055
COTTINELLI Weinhaus 1219
COUAMAIS Jean-Paul 1021
COUBRIS SARL JLC 394
COUDERT-APPERT Eric et Chantal 175
COUDOULET GAEC Dom. 761
COUDOULIS SCEA Dom. 1119
COUDRAY Les fils et Bernard 1211
COUET Dom. 1038
COUFRAN SCA Ch. 377
COULANGE Christelle 1071 1085
COULBOIS Patrick 1046 1049
COULLOMB Michel 1079
COULON Roger 639
COULON ET FILS EARL 1146
COULON ET FILS Paul 1066 1082 1113 1136
COULY-DUTHEIL 1006
COUNILH ET FILS SCEA 347
COURBET Dom. 697 705
COURBIS Dom. 1104
COURBIS EARL Dom. 1098
COURCEL Dom. de 545
COUREAU 244
COURNUAUD EARL de 258
COUROULU EARL Le 1110
COURRÈGES EARL Dom. Alain 850
COURRIAN Philippe 372
COURSELLE Sté des Vignobles Francis 212 214 219 336
COURSODON EARL Pierre 1098
COURTADE Dom. de La 812
COURTAULT Dom. Jean-Claude 454 457
COURTEILLAC SCA Dom. de 225
COURTEMANCHE Frédéric 1016
COURTET François 431
COURTEY SCEA 215
COURTINAT Cave Christophe 1039
COURTOISE SCA la 1128
COURTY EARL Arlette et Virginie 456
COUSTAL Anne-Marie et Roland 761 1165
COUSY Bernard 906
COUTET SC Ch. 413
COUTURIER Corinne 1089
COVAMA SCVM 670
CRAIN SCA de 330
CRAMPES Jean 220 226
CRANSAC Ch. 871
CRASSUS Anne et Jean-Paul 762
CRAU Cellier de la 1173
CRAVEIA-GOYAUD Catherine 418
CRAVERO Pierrette 764
CRAVIGNAC SCEA Ch. 292
CRÉA Dom. de la 556
CRÉDOZ Daniel 696 704
CRÉDOZ Dom. Jean-Claude 697
CRÉMADE SCEA Dom. de La 833
CRÉMAT Ch. de 828
CRESPIN Jean-Pierre 166
CRESPIN Jean-Pierre 1006
CRESSONNIÈRE Dom. de La 812
CRÊT D'ŒILLAT EARL du 192
CRÉTÉ SCE 368
CRÉTÉ ET FILS Dominique 639
CRETTENAND Pierre-Antoine 1205
CRÉZANCY Lycée agricole et viticole de 639
CRITTIN Christian 1209
CROCHET Dom. de 1199
CROCHET Dom. Dominique et Janine 1055
CROCHET Robert et François 1055
CROCHET Daniel 1055
CROISARD Christophe 1013
CROISILLE B. et C. 857
CROISY Patrick 811
CROIX SC Ch. La 265 266
CROIX SCF Dom. de la 365
CROIX CHABRIÈRE Ch. La 1071 1125
CROIX DE GAY SCEV Ch. La 266
CROIX DE MOUCHET SCEA Ch. 313 318
CROIX DE ROCHE GFA La 236
CROIX JACQUELET Dom. de la 586 594
CROIX SAINT-ANDRÉ GFA Ch. La 273
CROIX TAILLEFER SARL La 266 270 277
CROS Dom. Pierre 758
CROSTES H.L. Ch. Les 812
CROUSEILLES Cave de 884 886
CROUX Christophe 800
CROWN BENCH ESTATES 1186
CROZE GAEC 1071
CROZET Michel 188
CROZIER Rémy 192
CRUCHET Régis 1021
CRUCHON ET FILS SCEA Vignobles 364
CRUZ Bernard 1212
CRVC 634
CUCURON SCA Cave des Vignerons de 1133
CUILLERON Yves 1093 1096 1098
CUISSET Gérard et Nathalie 907
CUISSET Catherine et Guy 890 896
CUVELIER Sté fermière 401

CYDONIA EARL 1149
CYROT-BUTHIAU Dom. 545 582 583

D

DABADIE Pierre 886
DAGONET ET FILS SCEV Lucien 639
DAGUENEAU Didier 1046
DAGUENEAU ET FILLES Serge 1046
DAHÉRON EARL Pierre 933
DAHEUILLER SCA 981
DAILLY EARL Martine et Félix 613
DALAIS Valérie et Pascal 162
DALEY Dom. du 1199
DALLOT Frédéric et Valérie 1034
DALMAS Thierry 754
DALMASSO Jacques 828
DAME Mas de la 838
DAMOY Dom. Pierre 431 479 484 485
DAMPT Eric 454
DAMPT Emmanuel 457
DAMPT EARL Hervé 434 457
DAMPT ET FILS Dom. Daniel 457 462
DANGIN ET FILS SARL Paul 639
DANIEL Laurent 1066 1106
DANJEAN-BERTHOUX Pascal 595
DARDEAU Jean-Christophe 1016
DARIDAN Benoît 1027 1029
DARIOLY Philippe 1205
DARNAUD Emmanuel 1101
DARONA PÈRE ET FILS Dom. 1105
DARRAGON Maison 1021
DARRICARRÈRE Philippe 253
DARRIET SC J. 411
DARROUX Dom. des 188
DARTIER ET FILS EARL 241
DARVIOT Bertrand 541
DARVIOT Dom. Yves 539
DASSAULT SARL Ch. 280 291
DAUBAS H. 343
DAUBAS ET FILS SCEA des Vignobles 351
DAUBERT François 871 1150
DAUDIER DE CASSINI Arnaud 279
DAULHIAC Thierry 892
DAULNY Etienne 1056
DAURÉ Famille 783
DAURIAC SCA Anne-Marie 264
DAUVISSAT Agnès et Didier 462
DAUVISSAT Vincent 462 467
DAUVISSAT Caves Jean et Sébastien 458 462 467
DAUX GAEC Jean et Vincent 588
DAUZAC SE du Ch. 379 387
DAVANTURE ET FILS Daniel 594
DAVAU Jacques et Viviane 261
DAVAZ Andrea 1219
DAVIAU SCEA 952 956
DAVID SCEA J. E. 351 418
DAVID Bernard 1001
DAVID Dominique 1002
DAVID Dom. Michel 1142
DAVID EARL 927
DAVID Dom. Armand 972
DAVID Pierre 162
DAVID-HEUCQ SARL Henri 639
DAVY André 945 967 969
DEBAVELAERE Anne-Sophie 585 586
DÉBEAUDIÈRES EARL Domaine des 927
DEBLUË Jean-Pierre 1197
DECELLE Ch. La 1071 1125
DÈCHE Famille 1151
DECKER Charles 1192
DECOSTER Dominique 292
DECRENISSE Marie-Jo, André et Franck 197
DEDIEU-BENOIT EARL 377
DEFAIX Sylvain et Didier 467
DEFAIX Dom. Bernard 458 462
DEFFARGE Sylvie et Jean-François 899
DEFFARGE EARL Jacques et Sébastien 335
DEFFOIS Raymond et Hubert 948 962
DEFORGE Mireille 1085
DEFRANCE Jacques 640
DEGAS Marie-José 334
DEGENÈVE Laurent 1181
DEHOURS ET FILS 640
DELABARRE Christiane 640
DELACOUR Hugues 290
DELAGOUTTIÈRE André 1001
DELAGRANGE ET FILS Dom. Henri 549
DELAILLE EARL 1028
DELALANDE Fabrice 1011
DELALAY Jean-François 1007
DELALEX Cave 710
DELAMOTTE 640
DELANOUE Guy 1003
DELANOUE FRÈRES GAEC 998
DELAPORTE ET FILS SCEV Vincent 1056
DELARCHE Dom. 524
DELARUE Patrice 1003
DELAS Maison 1094 1096 1101 1104
DELAUNAY 957
DELAUNAY SARL Cognac 1147
DELAUNAY Daniel 986
DELAUNAY EARL Dom. Joël 986
DELAUNAY Philippe 923
DELAUNAY Pascal 944 951 958
DELAUNAY PÈRE ET FILS EARL 997
DELAUNOIS SCEV André 640
DELAVENNE PÈRE ET FILS 640
DELAY Richard 697 701
DELAYAT ET FILS SCF 367
DELAYE Eric 167
DELAYE Alain 612
DELBOS-BOUTEILLER SCEA 380 382
DELBRU Gérard 856
DELECHENEAU Damien 991 1016
DELESVAUX Philippe 963
DELETANG EARL 1016
DELFAU Louis 861
DELHAYE Jean-Marc 249
DELHUMEAU SCEA Marc et Luc 939 948
DELIANCE Dom. 450
DELILLE 832
DELLA-VEDOVE EARL 911
DELLOYE Jean-Michel 305
DELMAS Bernard 722 723
DELMAS SCEA Claude 894
DELMAS Patrick 823
DELMOULY 859
DELOL SCEV B. 314
DELON ET FILS SCEA Guy 404 407
DELONG Bernard 341
DELOR Maison 206
DELORME Jean-Jacques 1075 1087
DELORME Dom. Michel 609 615
DELORME André 450 585 589
DELOUVIN-NOWACK 641
DELOZANNE Yves 641
DELPEUCH ET FILS 348
DELSÉRIÈS Jean et Marise 856
DELTEIL Cellier Joseph 728
DEMANGEOT ET FILS SCE du Dom. Gabriel 447 581
DEMEL Johann et Murielle 254
DEMIÈRE Serge 641
DEMIÈRE Michel 641
DEMOISELLES SCV Cellier des 726
DEMOISELLES SAS Les 813
DEMONT Jean-François et Samuel 997
DEMONT Georges 193
DEMOUGEOT Dom. Rodolphe 533 539 545 552
DENAMIEL Jean-Pierre 301
DENÉCHÈRE ET F. GEFFARD A. 950 965 970
DENIAU Stéphane 1023
DENIS Patricia et Bruno 989
DENIS PÈRE ET FILS Dom. 524 530
DENIS PÈRE ET FILS 919 965
DENIZOT Lucien et Christophe 596
DENOIS Jean-Louis 724
DENTRAYGUES Patrice 301
DEPARDON Olivier 182
DEPARDON Pierre 184
DEPARDON-COPÉRET GAEC 177
DEPAULE Michel 764
DEPAULE-MARANDON 767
DEPONS Bernard 321
DE PRÉVILLE 918
DÉRAMÉ Bernard 930
DEREGARD-MASSING SA 665
DEREY FRÈRES 476
DÉROT François 641
DERRIEUX ET FILS Pierre 865
DERROJA Claude 758

DERVIN Michel 641
DESBAILLETS René 1212
DESBLACHES Maurice et Laurence 831
DESBOIS 320
DESBORDES Marie-Christine 641
DESBOURDES Rémi 1011
DESBOURDES Renaud 1007
DESCHAMPS Michel 553
DESCHAMPS EARL Christophe 995
DESCHAMPS Marc 1046
DESCHAMPS Philippe 162
DESCOMBES EARL Joëlle et Gérard 194
DESCOMBES François 162
DESCORPS Laurent 338
DESCOTES Michel 197
DESCOTES Régis 197
DESCOTES ET FILS GAEC Etienne 197
DESCROIX Guillaume 993
DÉSERTAUX-FERRAND Dom. 431 516
DESFAYES Stéphane 1205
DESFONTAINE Véronique 590
DESFOSSÉS Georges et Guy 930
DESGRANGES Pascal et Florence 161
DESLOGES GAEC 984
DESMEURE Cave Philippe 1102 1103
DESMIRAIL SCEA du Ch. 387
DESMOULINS ET CIE A. 641
DESORMIÈRE Michel et Eric 1041
DESPAGNE SCEA Vignobles 207 219 223 233 235 295 329 332
DESPAGNE Murielle et François 320
DESPAGNE ET FILS SCEV 313
DESPAGNE-RAPIN Vignobles 270 314
DESPLACE EARL René et Gilles 192
DESPLACE Paul 191
DESPRÉS Thierry 902
DESPRES Michel 176
DESPRÉS Jean-Marc 176
DESPUJOL - A. DE MALET ROQUEFORT F. 233
DESQUEYROUX ET FILS SCEA Vignobles Francis 419
DESROCHES Pascal 1052
DESROCHES Philippe 602 610
DESSÈVRE Vignoble 942
DESVIGNES Didier 183
DESVIGNES Maison 179
DESVIGNES Propriété 594
DÉTHUNE Paul 641
DETHURENS Hubert et Claude 1213
DEU Jean-François 784 787
DEUTZ 642
DEUX ARCS Dom. des 963
DEUX ROCHES Dom. des 602 615
DEVAUD EARL Vignobles D. et C. 304 310 314
DEVAY Jean-Paul 159
DEVERCHÈRE Colette 168
DEVEVEY Jean-Yves 447 533
DEVÈZE SCEA du Dom. de La 1160
DEVILLARD B. et C. 507 513
DEVILLERS-QUÉNEHEN SCEA 729
DEVOIS DU CLAUS Dom. 741 1160
DEZAT ET FILS SCEV André 1046 1056
DÉZÉ Jean-Yves 980
DÉZÉ Thierry 977
DÉZÉ Laurent 980
DHOMMÉ Dom. 940 963
DHOYE-DÉRUET Catherine 1021
DICONNE Jean-Pierre 554
DIDERON Pierre 733
DIE JAILLANCE La Cave de 1123 1124
DIETRICH Jean 105 138
DIETRICH Claude 120
DIETRICH-JOOSS Vignoble 1190
DILIGENCE SARL de la 269
DÎME SCEA de la 996
DINAND Maison Yvan 222
DIOCHON Bernard 188
DIRINGER Dom. 144
DIRLER-CADÉ EARL 132
DISNER Jacques 1209
DITTIÈRE Dom. 940 952 957
DIUSSE Dom. de 884
DIZERENS Jean et Michel 1203
DOAN DE CHAMPASSAK Laurence 1133
DOCK ET FILS GAEC Paul 89
DOHET Jérôme 306
DÔME D'ELYSSAS Le 1125
DOMEYNE SARL d'Exploitation du Ch. 401
DOMINICAIN SCV Le 783
DONA Cellier de la 792
DONI 1147
DONNAN Olivia 899
DONZEL Bernard 184
DOPFF ET IRION 94
DOQUET-JEANMAIRE 642 687
DOR Anne 825 1174
DORBON Joseph 692
DOREAU Gérard 438
DORGONNE SCEA Ch. la 1132
DORLÉANS Christian 1027
DORNEAU ET FILS SCEA 258 259
DOUBLE Christian 834
DOUBLET Bernard et Dominique 351
DOUCET EARL Paul 1056
DOUDEAU-LÉGER Dom. 1056
DOUDET Dom. 522 527 533
DOUDET-NAUDIN 533
DOUÉ Etienne 642
DOUET Jean 945 967
DOUGHTY Richard 908
DOURNEL Nicole 906
DOURNIE EARL Ch. la 763
DOURTHE, CH. BELGRAVE 374
DOURTHE Vins et vignobles 215 345 356 365
DOURTHE Philippe 394
DOURY Cave des Vignerons du 158
DOUSSEAU EARL 887
DOUSSOUX-BAILLIF 801
DOYARD ET FILS Robert 642
DOYARD-MAHÉ Philippe 643
DOYENNÉ SCEA du 337
DOZON Dom. 1007
DRACY SCA Ch. de 431 553
DRAGON SCEA Dom. du 813
DRAPPIER 643
DREVON Louis 1094
DREYER ET FILS Dom. Robert 95
DRIANT Jacques 643
DRIÉSEN-CAUVIN Diane de 871
DRODE Vignobles 254
DROIN Dom. Jean-Paul et Benoît 454 462 467
DROUET EARL Stéphane et Henri 931
DROUET ET FILS Dom. 802
DROUET FRÈRES SA Les vins 927
DROUHIN Maison Joseph 467 487 493 494 536 542 568 586
DROUHIN-LAROZE Dom. 479 484 498 500
DROUILLY LV Roland 643
DROUIN Jean-Michel 610
DROUIN Corinne et Thierry 606 609
DROUINEAU EARL Yves 975 977 978
DUBARD EARL Vignobles 328
DUBARD FRÈRE ET SŒUR Vignobles 891
DUBÉ PÈRE ET FILS SCEA 975
DUBŒUF SA Les Vins Georges 180 602 609 615
DUBOIS Bernard 522
DUBOIS Raphaël 560
DUBOIS EARL Dom. Jean-Luc 519 539
DUBOIS Richard et Danielle 320
DUBOIS Jean-Jacques 256
DUBOIS Michel 267
DUBOIS Gilbert 322
DUBOIS GAEC Dom. Serge 996
DUBOIS EARL Dom. 978
DUBOIS Gérard 643
DUBOIS Hervé 643
DUBOIS-CACHAT Dom. 519
DUBOIS D'ORGEVAL Dom. 539
DUBOIS ET FILS 273
DUBOIS ET FILS Dom. Régis 443 500 511 516
DUBOIS ET FILS Dom. Bernard 536
DUBOIS ET FILS EARL Vignobles 240
DUBOIS PÈRE ET FILS 676
DUBOS SCEV Héritiers 359
DUBOSCQ ET FILS Henri 400 402 404
DUBOST SARL Laurent 268

DUBOST Jean-Paul 184
DUBOURDIEU Hervé 414
DUBOURDIEU Denis et Florence 340 345
DUBOURDIEU EARL Pierre et Denis 344 413 415 416
DUBOURG Vignobles 333 338
DUBREUIL Philippe 533 536
DUBREUIL-FONTAINE Dom. 525 527
DUBREY Cyril 359
DUBUET Guy 553 560
DUBUIS ET RUDAZ Cave 1206
DUC Dom. des 194
DUCHEMIN Eric 583
DUCHEMIN-CONTANT Jean-Louis 574 582
DUCLAUX Benjamin et David 1093
DUCOLOMB Pierre 716
DUCOURNAU Patrick 883
DUCOURT SCEA Vignobles 219 329
DUCRET Olivier 1200
DUCS D'AQUITAINE SCEA les 233
DUDON SCE du Ch. 416
DUDON SARL 337
DUFAGET 220
DUFAITRE-GENIN Sylvie 166
DUFEU Bruno 996
DUFFAU Joël 231
DUFFAU Eric 204 223
DUFFAU-LAGARROSSE Héritiers 285
DUFFORT SAS 830
DUFFORT SAS Gérard 818
DUFFOUR Michel 1151
DUFOULEUR Dom. Guy 430 476 512
DUFOULEUR Dom. Yvan 443 490
DUFOULEUR PÈRE ET FILS 490 494 512 561
DUFOUR GAEC Laurent et Gérard 716
DUFOUR Jean-Pierre 439
DUFOUR Florence 961
DUFOUR SCEA 187
DUFOURG EARL Vignobles 209 212
DUFOURG-LANDRY SCE des Vignobles 388
DUFOUR PÈRE ET FILS 166
DUGOIS Daniel 692 701 705
DUGON Christian 1200
DUGOUA SCEA Vignobles 346
DUGOUA Michel 352
DUGRAND Valérie 235
DUHAMEL Léon-Nicolas 728
DUHAMEL Christine et Bruno 252
DUHART-MILON Ch. 395
DUHR ET FILS Mme Aly 1192
DUJAC Dom. 486 490 496
DULAC SÉRAPHON EARL Vignobles 411
DULON Michel 209 227
DULONG FRÈRES ET FILS 206 217 232 415 416
DULOQUET Hervé 963
DULUCQ EARL 888
DUMANGE Luc 1020
DUMARCHER Claude 1135
DUMAS Françoise 304
DUMAS Philippe 234
DUMAS Bernard 158
DUMÉNIL 643
DUMON Eric 806
DUMONT Daniel 644
DUMONT Philippe 644
DUMONT Jean 1047
DUMONT Marc 590 602
DUMONT ET FILS R. 644
DUMOUTIER SCEA 831
DUPASQUIER Dom. 710
DUPASQUIER ET FILS SCEA Dom. 439
DUPERRIER-ADAM SCA 565
DUPEUBLE PÈRE ET FILS Dom. 159
DUPLEICH Pierre 216 409
DUPLESSIS Dom. 1072
DUPOND Pierre 187
DUPONT-FAHN Dom. Michel 554 565
DUPONT-FAHN Dom. Raymond 431
DUPONT-TISSERANDOT 480 486 512
DUPORT Maison 716
DUPORT-DUMAS SARL 716
DUPRAZ ET FILS 1213
DUPRÉ Jean-Michel 158
DUPRÉ ET FILS 1135
DUPUCH Gilles et Stéphane 332
DUPUY Christine 884
DUPUY Vignobles Joël 252
DUPUY SCEA des Vignobles Jacques 296
DUPUY EARL Antoine 991
DURAND Eric 1197
DURAND Pierre et André 314
DURAND Guy 991
DURAND Pascal 194
DURAND Nicolas et Sandrine 170
DURAND PÈRE ET FILLE Dom. 476 516
DURAND PEYTEL GFA Alain 181
DURET SARL Pierre 1050
DUREUIL-JANTHIAL Vincent 588
DUREUIL-JANTHIAL Raymond 439 588
DURFORT SCEA Ch. 387
DURIEU Paul 1085 1115
DURMA Dom. des Filles 1084
DUROUX Roger et Andrée 271
DURUP PÈRE ET FILS SA Jean 454 463
DURY EARL Dom. Jacques 588
DUSSERRE SCEA 1111
DUSSOURT Dom. André 95
DUTERTRE EARL Dom. 992
DUVAL-LEROY 644
DUVAT Xavier 644
DUVEAU GAEC Dominique et Alain 981
DUVEAU-COULON ET FILS GAEC 1000 1003
DUVEAU FRÈRES SCEA 979
DUVERGEY-TABOUREAU 582 615
DUVERNAY PÈRE ET FILS GFA 588
DUVIVIER SCI Ch. 840
DUWER 249
DWL FRANCE SA 369

E

EBLIN Christian et Joseph 95 120
ECKLÉ ET FILS Jean-Paul 95 142
ECLUSE SCI de l' 169
ECOLE Dom. de l' 105
EDEL ET FILS EARL François 105 134
EHRHART Henri 95 102
EHRHART André 106 114
EINHART Nicolas 91 95
ELLNER Charles 644
ELLUL Gilles et Sylvie 741
ELNE Les Vignerons d' 774
ELOY Didier 436 604
EMERY Hubert et Roseline 1134 1166
ENCLAVE DES PAPES Cellier de l' 1072 1082 1125
ENCLOS SCEA du Ch. L' 266
ENGARRAN SCEA du Ch. de L' 741 1160
ENGEL AG Werner K. 1217
ENGEL ET FILS Fernand 96
ENGEL FRÈRES Dom. 137
EN GOURAU D'EN SÉGUR SCEA 1152
ENIXON Jean-François 261
ENTREFAUX Dom. des 1101
EOLE EARL Dom. d' 835
ERÉSUÉ Vignobles Patrick 326
ERKER Didier 594
ERMEL David 137
ERMITAGE SCEA Ch. l' 416
ERRECART Louisette et Peïo 877
ESCANDE GAEC Michel 758
ESCARELLE Ch. de L' 840
ESCART Ch. L' 225
ESCURE SCEA Héritiers 285
ESCUTENAIRE-CACHAT Dom. 519
ESPAGNET Vignobles 345
ESPAGNET Michel d' 819
ESPRITS Dom. d' 1180
ESTAGER Vignobles Jean-Pierre 264 274 315
ESTAGER SCEA Jean-Marie 318 322
ESTAGER Propriété Paulette 281
ESTAGER ET FILS G. 401
ESTAGER ET FILS Claude 274
ESTAGNOL SCEA Dom. L' 1128
ESTANG SCEA du Ch. de L' 322
ESTELLO Dom. de L' 813
ESTERLIN 644
ESTÈVE Jacques 802
ESTÉZARGUES Cave des Vignerons d' 1066 1081

ESTIENNE 830
ESTOUEIGT Julien 880
ESTOURNEL Rémy 1072 1085
ESTOURNET Vignobles Philippe 255
ESTUBIERS Ch. des 1125
ETERNES SCEV Ch. d' 973
ETIENNE Christian 645
ETIENNE F. et F. 951 966
ETIENNE 645 687
ETOILE SCV L' 785 787
EUGÉNIE Ch. 858
EUSTACHE DESCHAMPS 645
EVANGILE Ch. L' 267
EYMAS Eric 254
EYMAS SCEA Vignobles J.-P. et C. 244
EYMAS Stéphane 242
EYMERIES SCEA Les 207
EYNARD-SUDRE EARL 250
EYRAN SCEA Ch. d' 354

F

FABRE Jean-Marie 756
FABRE Louis 1160
FABRE Alain 251
FABRE Denis 366
FABRE SCEA des Domaines 812
FABROL Philippe 1125
FADAISE GAEC Dom. de La 1155
FAGARD EARL Vignobles 311
FAGE SA Ch. 333
FAGET François 914
FAGET Alain 914
FAGNOUSE SCE du Ch. La 291
FAHRER SCEA Sylvie 102
FAHRER ET FILS GAEC Charles 137
FAÎTIÈRES Cave Les 100 137
FAIVELEY Bourgognes 480 527 591
FAIZEAU SCE du Ch. 313
FALGUEYRET François et Viviane 204
FALGUEYRET Jérôme 206
FALLER André 96
FALLER Henri et Luc 106
FALLOUX ET FILS SCEA 973
FALXA Dominique 331
FANIEL-FILAINE J.-L. 645
FANIEST SCEA 305
FANTI Monika 1218
FARAMOND Hubert et Pierric de 865
FARAUD ET FILS 1090
FARAVEL EARL 1106 1110
FARDEAU SCEA 949
FARDEAU Chantal 963
FARINELLI Philippe 848
FARJON Thierry 1098
FARJON 1072 1084
FAUDOT Sylvain 698
FAUGÈRES Cave coop. 754
FAUGEROIS Les Maîtres vignerons du 754
FAULKNER Julian 815
FAURE Philippe 1072
FAURE Denis 1160
FAURE EARL Jacques 1124
FAURE Vignobles Alain 242 248
FAURE SCEA Vignobles 278
FAURE David 381
FAURE SCEA Vignobles 341
FAURE Vignobles Philippe 279 296
FAURE Christian 742
FAURE Jeanine 873
FAURE-BARRAUD GFA 294
FAURY EARL Philippe 1096
FAUVET Ludovic 645
FAUVETTE VINS Daniel 167
FAUVIN Nathalie 170
FAUVY EARL Laurent 996
FAUZAN EARL Ch. de 759
FAVAREL 228
FAVEREAUD SCEA 247
FAVIER SCEA Anna et Jacques 262
FAVRAY Ch. 1047
FAVRE Jean-Pierre 1206
FAVRE Vincent et Jean-Daniel 1211
FAYARD Guillaume 815
FAYARD Jean-Pierre 822
FAYAT Clément 265 291 377
FAYEL Jean-François 734
FAYOLLE SCEA Ch. 898
FAYOLLE FILS ET FILLE Cave 1101
FAYTOUT Jean-Albert 326
FAYE Serge 645
FEIGEL ET RIBETON 752
FEILLON FRÈRES ET FILS 234 254
FÉLETTIG GAEC Henri 443 496 512
FÉLIX Jacques et Roland 1215
FENEUIL-POINTILLART 645
FENOUILLET SCEA Le 752
FÉRAUD ET FILLE Paul 1117
FÈRE Charles de 451
FERRAN Ch. 355
FERRAND Pierre 292
FERRAND Pierre 1008
FERRAND Nadine 602 609
FERRANDIÈRES SARL Les 1161
FERRANDIS Christophe 851
FERRANT Dom. de 909
FERRAUD ET FILS Pierre 615
FERRÉ EARL Ch. 378
FERRER Sandrine 322
FERRER-RIBIÈRE Dom. 775
FERRET Patrick et Martine 599
FERRET Bernard 864
FERRET-LORTON EARL 609
FERRI ARNAUD EARL 742
FERRIÈRE SA Ch. 388
FERTÉ Fabienne et Xavier 893
FERY ET FILS Dom. Jean 480 525
FERY-MEUNIER Maison 431 490 530
FESCHET PÈRE ET FILS SCEA 1088
FESSY Vins Henry 173 607
FEUILLATTE Nicolas 645
FÈVRE Bruno 549 554 561
FÈVRE Dom. William 454 463 467
FEYTIT SCEA Vignobles 307
FEYZEAU ET FILS GAEC J.-R. 220
FEZAS EARL Famille 912
FICHET Dom. 598 602
FIÉE DES LOIS La 1142 1160
FIEUZAL Ch. de 355
FIGEAT Dom. André et Edmond 1047
FIGUREAU Michel 933 1143
FIL Jérôme 759
FILHOL ET FILS 858
FILHOT SCEA du Ch. 416
FILIPPI Toussain 846 847
FILLIATREAU Paul 973 979
FILLON Dom. 454
FINON Pierre 1098
FITOU Cave des Producteurs de 757
FLACHER Gilles 1098
FLACHE-SORNAY EARL 184
FLANDROY Pol 728
FLAVARD Claude et Marie-Claude 743
FLECK ET FILLE René 114 144
FLEISCHER Dom. 96 114
FLEITH-ESCHARD ET FILS René 129
FLENSBERG Dr Thomas 808
FLESCH ET FILS François 106
FLESIA Roger, Romain et Vincent 1089
FLEURANCE GAEC Camille et Olivier 1142
FLEURANCE-HALLEREAU Charles 926
FLEURIE Cave des producteurs de 176
FLEURIET ET FILS Bernard 1056
FLEUR MILON SCE Ch. La 396
FLEUR-PÉTRUS SC du Ch. La 267
FLEURY 646
FLORAC Myriam et Christian 752
FLORENSAC Cave coopérative de 1164
FOILLARD Daniel 180
FOLIETTE Dom. de la 928
FOLLIET Pierre 1115
FOLLIN-ARBELET Dom. 509 522
FOLTRAN Colette et Gérard 741
FOMBRAUGE SA Ch. 293
FONCALIEU UC 731 757
FONCHEREAU Ch. 226
FONDRÈCHE Dom. de 1128
FONGABAN Ch. 317 323
FONJALLAZ-SPICHER Pascal 1200
FONNÉ Antoine 106
FONNÉ Dom. Michel 93 134
FONPLÉGADE SCEA du Ch. 293
FONRÉAUD Ch. 384
FONSCOLOMBE 835 1167
FONTA ET FILS EARL 348
FONTAINE Michel 1004
FONTAN Vignobles 913 1151
FONTANEL Dom. 780 792
FONTANNAZ André 1207
FONT DU ROC SCEA la 901
FONTENAY SCEA J.-L. de 322

FONTENAY Dom. du 1041
FONTENEAU Roland 395
FONTENILLE SC Ch. de 207
FONTESOLE Cave coop. La 744
FONTVERT SCEA Dom. de 1132
FORÇA RÉAL Dom. 775
FOREST Michel 609
FOREST Eric 598 609
FORÊT SCEA Ch. La 337
FORET Dom. 705
FOREY PÈRE ET FILS Dom. 431 490
FORÉZIENS Les Vignerons 1037
FORGEOT Grands Vins 431 445 449 514 585 591
FORGET-BRIMONT 646
FORGET-CHAUVET SCEV 646
FORGET-CHEMIN 646
FORTIN Denis 713
FORT-MÉDOC SCA Les Viticulteurs du 378
FORTUNET Dom. de 1151
FOUASSIER André 1032
FOUASSIER PÈRE ET FILS SA 1057
FOUCOU Joël 748
FOUCOU Olivier 821
FOUET Dom. 979
FOUGERAY DE BEAUCLAIR Dom. 473 498
FOULAQUIER SCEA Dom. 742
FOULEURS DE SAINT-PONS Les 814
FOULQUIER-GAZAGNES Matthieu 740
FOURCAS-DUMONT SCA Ch. 384 385
FOURCAS DUPRÉ Ch. 384
FOURCAS-LOUBANEY SARL 385
FOURCAUD-LAUSSAC SCEA 323
FOURCROY Georgy 294
FOURESTEY 232
FOURNAISE Daniel 646
FOURNAS SC Ch. Le 374
FOURNIÉ Daniel et Cathy 859
FOURNIER Claire et Gabriel 431 522 545
FOURNIER SCEA des Vignobles 214 236
FOURNIER SA Dom. Daniel 294
FOURNIER Thierry 647
FOURNIER PÈRE ET FILS SAS 1043 1061
FOURQUES SCA Les Vignerons de 791
FOURREAU GFA V. et P. 207
FOURREY ET FILS Dom. 458 463
FOURRIER Philippe 647
FOURTOUT EARL David 900 904
FRANCHAIE Ch. La 942 949 959
FRANÇOIS-BROSSOLETTE 647
FRANCS SCEA Ch. de 327
FRESLIER André 1021
FRESNE EARL Gabriel 647
FRESNE Benjamin de 816
FRESNEAU François 1013 1014
FRESNET-JUILLET 647
FREUDENREICH ET FILS Joseph 106
FREY EARL Charles et Dominique 106 128
FREYBURGER Dominique 91
FREYBURGER EARL Marcel 106
FREY-SOHLER 96
FRÉZIER-ROGELET EARL 647
FRIBOURG Etat de 1217
FRICK Pierre 90
FRIOUX Jean-Jacques 242
FRISSANT Françoise et Pascal 758
FRISSANT Xavier 992
FRITSCH EARL Romain 114
FRITSCH EARL Joseph 106 115
FRITZ Daniel 133
FRITZ-SCHMITT EARL 120
FROEHLICH ET FILS EARL Fernand 96 115
FROMONT Maison Jean-Claude 431 458 480
FRONTIGNAN SCA Coop. de 770 771
FRONTON Cave de 871 1149
FRYDMAN Gérald 288 289
FUIE GAEC Dom. de La 1021
FUMEY ET ADELINE CHATELAIN Raphaël 692
FURDYNA Michel 647
FUTEUL FRÈRES 926

G

G. DE BARFONTARC 647
GABELOT SC 207
GABILLET Gérard 988
GABILLIÈRE Dom. de La 920 992
GABORIAUD-BERNARD Vignobles Véronique 300
GABRIEL EARL Bertrand 869
GABRIEL EARL Alexis 1128
GABRIELLE Denis 430
GACHET Christophe et Catherine 415
GACHOT-MONOT Dom. 517
GACON Dom. F. 802
GADAIS PÈRE ET FILS 929
GAGET EARL Dom. 185
GAILLARD Meinrad 1211
GAILLARD EARL Pierre 1096 1098
GAILLARD Roger 616
GAILLARDE Cave La 1073
GAILLARD ET BAILLS SCEA 786
GAILLE Didier 1203
GALAND ET ENFANTS SCEA vignobles Jean 226
GALANTE SC du Ch. la 226
GALES SA Caves 1192
GALETIS SCI du Dom. 1161
GALEYRAND Dom. Jérôme 480 517
GALHAUD SCEA Martine 302
GALIBERT Gisèle et Jean-Louis 729
GALINIER Pierre 726
GALINIÈRE Dom. de la 1021
GALLICIAN SCA Cave Pilote de 735
GALLOIRES GAEC des 934 938
GALLOIS Dom. Dominique 480 486
GALOUPET Ch. du 814
GAMBAL Maison Alex 431 500 505
GAMBIER ET FILS Paul 998
GAMBINI Mathieu 841
GANDON EARL 992
GANDOY-PERRINAT SCEA 226
GANEVAT Dom. 698
GANFARDS HAUTE-FONROUSSE GAEC 902
GANICHAUD ET FILS EARL Gilbert 929
GANTONET SC Ch. 215 227
GAPENNE Laurent 338
GARAGNON Gérald et Sabine 1074 1086
GARAUDET Paul 561
GARCIA José 813
GARCIN J.-C. 1120 1122
GARCIN-CATHIARD Sylviane 266
GARD Philippe 783 785
GARDE SCEA Ch. de la 226
GARDE ET FILS SCEA 275
GARDE-LASSERRE SCEA 265
GARDET Georges 648
GARDETTE Stéphane 163
GARDIEN Dom. 1040
GARDRAT Jean-Pierre 1147
GARELLE SARL La 294
GARLABAN Les Vignerons du 814
GARLON Jean-François 158
GARNIER Dom. 1032
GARNIER GAEC 810
GARNIER ET FILS Dom. 458
GARREAU SCEA Ch. 238 250
GARREY Dom. Philippe 591
GASCHY Maison Paul 121 145
GASCOGNE Vignoble de 885 886 887
GASCON Claude 1177
GASNÉ Pascal 1012
GASNIER Fabrice 1007
GASPARRI Yannick 1114
GASPERINI Vignobles 814
GASQUI SCEA Ch. 814
GASS Fabrice 646
GASSIER EARL Roger 735
GASSIER Vignobles Michel 734
GASSIER R. 1157
GASSOT Gauthier 940
GASTOU Nelly et Christian 761
GATINOIS 648 687
GAUBERT Alain 926
GAUBRETIÈRE EARL de la 950
GAUCH SCEA Any et Jacques 747
GAUCHER Sébastien 257 261
GAUDARD Jo 1206
GAUDIN Rolland 1109
GAUDINAT-BOIVIN EARL 648
GAUDRIE ET FILS SCEV 262
GAUDRON Christophe 1025
GAULTIER Philippe 1020
GAURY ET FILS SCEA 282 299

GAUSSEN 831
GAUSSEN Jean-Pierre 829
GAUSSORGUES Roger 738
GAUTHERIN ET FILS Dom. Raoul 463
GAUTHERON GAEC Alain et Cyril 458 463
GAUTHEROT François 648
GAUTHIER 261
GAUTHIER Lionel 1026
GAUTHIER Claude 149
GAUTHIER EARL Laurent et Marinette 185
GAUTHIER EARL Jean-Paul et Hervé 190
GAUTHIER EARL Jacky 162
GAUTIER Jean-Michel 1024
GAUTOUL Ch. 858
GAUTREAU SCEA Jean 382
GAVAISSON Dom. de 814
GAVELLES SCEA Ch. des 836 1167
GAVIGNET Dom. Philippe 512
GAVIGNET SCEA Dom. Maurice 443 512
GAVOTY Roselyne et Pierre 815
GAY SA Maurice 1206
GAY René-Hugues 975
GAY ET FILS Dom. Michel 522 527 536 539
GAY ET FILS EARL François 519 536
GAYET Charles-Henri 714
GAYREL Vignobles 868 1152
GAYREL Les Dom. Philippe 866
GAZANIOL Jean 232
GAZIN ROCQUENCOURT Ch. 356
GEFFARD Henri 802
GEIGER-KOENIG Simone et Richard 90
GELIN Dom. Pierre 480 484
GÉLIS Nicolas 872
GENDRIER Jocelyne et Michel 1027 1029
GENDRON EARL Dom. Philippe 1022
GENELETTI PÈRE ET FILS Dom. 703 705
GENESTE Alain et Christophe 899
GENET Michel 648
GENÈVES Dom. des 463
GÉNISSAC Les Vignerons de 213
GÉNOT-BOULANGER SCEV Ch. 530 549
GENOUILLY Cave des vignerons de 432 596
GENOUX GAEC Dom. 711 715
GENOVESI Sébastien 826
GENTES Yvon 733 1159
GENTILE Dom. Jean-Paul et Dominique 851 853
GENTREAU GAEC Vignoble 937
GENTY Gérard 162
GEOFFRAY Denis 167
GEOFFRAY EARL Claude 168 169
GEOFFRENET-MORVAL EARL 1034
GEOFFROY EARL 910
GEOFFROY René 687
GEOFFROY Dom. Alain 460 463
GÉRARDIN Chantal et Patrick 907
GÉRAULT Gilles 907
GERBAIS Pierre 648
GERBER FILS A. 121
GERBET Dom. François 500 503 505
GERIN Jean-Michel 1093 1096
GERMAIN Gilbert et Philippe 447 553
GERMAIN Sylvie 238
GERMAIN SCEA Vignobles Bernard 232
GERMAIN Thierry 980
GERMAIN Alain et Danièle 159
GERMAIN ET ASSOCIÉS Vignobles 241
GERMAIN PÈRE ET FILS EARL Dom. 540 556
GERMANIER SA Jean-René 1206
GIACHINO Frédéric 711
GIACOMETTI Christian 851
GIALDI SA Casa Vinicola 1223
GIANESINI EARL 767
GIBAULT Dom. 986
GIBOULOT Jean-Michel 533
GIELY Bernard 1091
GIGAULT SCEA Ch. 243
GIGNAC SCA Les Vignerons de 748
GIGOGNAN Ch. 1073 1115
GIGONDAS La Cave des Vignerons de 1071
GIGOU Ludovic 1013
GIGOU Joël 1014
GILARDEAU EARL Philippe 940 970
GILBERT Dom. 1043
GILBON Cave 1042
GILET Jean-Marc et François 1025
GILET Jean-Pierre 1022
GILG ET FILS Dom. Armand 102
GILIS Christian 860
GILLE Dom. Anne-Marie 432 512
GILLET EARL Cyril 366 372
GILLET Vignobles Anne-Marie 409
GILLET EARL Jean-François 366
GILLI Max 828
GILLIARD Vins Robert 1205
GILLOIRE Laurent 1009
GILLON FRÈRES Dom. 451
GILPIN Walter 832
GIMONNET Jean-Luc 649
GIMONNET Jean 649
GIMONNET ET FILS SA Pierre 649
GIMONNET-GONET 649
GINELLI Pierre 222
GINER Renée-Marie et Charles 749
GINESTE EARL Dom. de 865
GINESTET 205 227 231 359
GINGLINGER Paul 121
GINGLINGER-FIX 131 146
GIPOULOU 345
GIRARD André et Philippe 768
GIRARD Dom. Jean-Jacques 534
GIRARD Dom. Philippe 534
GIRARD Christian et Annie 986
GIRARD ET FILS Dom. Michel 1057
GIRARDI GAEC 716
GIRARDIN Yves 578
GIRARDIN Vincent 561 565 571 578
GIRARDIN Dom. 451 545
GIRAUD Sté familiale Alain 295
GIRAUD SARL André 264
GIRAUD Christian 976
GIRAUDIÈRE EARL de la 973
GIRAULT Vincent 994
GIRESSE Gérard 250
GIRONVILLE SC de la 374
GIROUD Maurice 1204
GIROUD Cave Edmond 1206
GIROUD Maison Camille 557
GIROUX Olivier 598 612
GIROUX Dom. Yves 610 612
GISCOURS SAE Ch. 378 388
GISSELBRECHT ET FILS Willy 135
GIUDICELLI Jacques 844
GIUDICELLI-LIOBARD Muriel 851 853
GIVA Guy et Emmanuel 1164
GIVAUDIN Franck 470
GIVIERGE Gérard 920
GLANA Ch. du 406
GLANTENAY ET FILS Dom. Georges 432
GLANTENET PÈRE ET FILS Dom. 443
GLAUGES DES ALPILLES SAS 836
GLEIZES Michel 763
GLEMET Laurent 245
GLOTIN Paul 333
GOBET David 163
GOBET EARL 165
GOBET Maison 167
GOBILLARD Paul 649
GOBILLARD Pierre 649
GOBILLARD Gervais 649
GOBILLARD ET FILS J.-M. 650
GOCKER Philippe 134
GODEAU Famille 988
GODEFROY GAEC Gérard et Jérôme 1002
GODET GAEC 987
GODET Anne 318
GODINEAU PÈRE ET FILS 944 965 970
GODMÉ PÈRE ET FILS 650
GOELET John 746 1163
GOERG Paul 650
GOETZ Mathieu 115
GOICHOT SA André 571
GOICHOT André 596
GOIGOUX GAEC Pierre 1035
GOISOT Dom. Anne et Arnaud 432 439
GOISOT Ghislaine et Jean-Hugues 432 439 470 471
GOIZIL EARL Denis 965 971 1144

GONET ET FILS SCEV Michel 230 334 356
GONET-SULCOVA 650
GONFRIER FRÈRES SCEA 339
GONIN Bernard 184
GONNET Charles 711
GONON Pierre 1099
GONOT Christophe 594
GONTIER SCEA Les Vignobles Richard 1087
GORDON Andrew 910
GORGES DU TARN SCV Les Vignerons des 876
GORJAT Bernard 1198
GORNY Vincent 148
GOROSTIS Anne 768
GOSSET Laurent et Sylvie 1008
GOSSET 650
GOSSET-BRABANT 650
GOUBARD ET FILS Dom. Michel 584 594
GOUBAULT DE BRUGIÈRE Eric et Cécile 893
GOUDAL Michel et Jocelyne 282
GOUFFIER Dom. 451
GOUILLON Dominique 163
GOUJON GFA Pierre 260
GOULARD EARL 650
GOULLEY ET FILS Jean 458 463
GOUMAIN Hervé 980
GOUMARRE Coralie 1086
GOUMIN Jacky 990
GOUNAN Frédéric 1034
GOURDON EARL Franck 919 944 947 966
GOURDOU Mas 743
GOURGAZAUD SA Ch. de 1161
GOURJON M. 817
GOURON GAEC 1007
GOUSSARD ET DAUPHIN 651
GOUTORBE PÈRE ET FILS SARL 651
GOUY Marc 893
GOYON Dom. Jean 610
GRABIÉOU GAEC du Dom. de 886
GRACIA Alain 248
GRACIA Bruno et Jean-Paul 766
GRAENICHER H.-R. et V. 1202
GRAF Peter 1221
GRALL Vincent 1057
GRAND Dominique 698 706
GRAND ARC Dom. du 727
GRAND BERTIN DE SAINT CLAIR SCEA Ch. 366
GRAND BOS SCEA du Ch. du 346
GRAND BOUQUETEAU SARL Le 1007
GRANDEAU ET FILS GAEC 206
GRANDE BARDE SCEA de La 314 319
GRANDE BROSSE Cave de la 988
GRAND ENCLOS DE CÉRONS SCEA du 346
GRANDES GRAVES SC des 354 361
GRANDES MURAILLES SA Les 289 290 295
GRANDES SERRES Les 1107
GRAND FERRAND Ch. du 208 215
GRAND FONTANILLE GFA du 1167
GRAND FRÈRES Dom. 695 698 705
GRANDILLON Vignobles 255
GRANDJEAN Lucien et Lydie 162
GRANDMAISON Patrick et Elisabeth 699
GRAND'MAISON Les Vignerons de la 1030 1031
GRAND MOULIN GAEC du 243
GRAND-PONTET Ch. 296
GRAND PRÉ WINES LTD 1185
GRAND-PUY DUCASSE SC du Ch. 379 396
GRAND'RIBE SCEA Dom. de La 1073
GRANDS BOIS Dom. Les 1086
GRANDS CHÊNES Ch. Les 366
GRANDS CRUS BLANCS Cave des 602 613
GRANDS ESCLANS SCEA Dom. des 815
GRANDS VINS DE GIRONDE 211 229 235 373 402
GRANGE ARTHUIS Dom. de la 1038
GRANGEON Denis 1076
GRANGEON Alain et Baptiste 1114
GRANGER Pascal 171
GRANGÈRE SCEA Ch. La 296
GRANGERIE Dom. de la 441
GRANGES DE CIVRAC EARL Les 374
GRANGETTE SAINTE-ROSE SCEA La 743 1155
GRANGIER Dom. Roland 1099
GRANIER 834
GRANIER Pierre et Philippe 1079
GRANIER Françoise 1119
GRANIER EARL 743 1163
GRANIER Jean-Christophe 743
GRANIT Dom. du 189
GRANZANY PÈRE ET FILS 651
GRAPPE DE GURSON La 896
GRAS Alain 557
GRAS EARL Edmond et Yves 1079 1109
GRAS SARL Yves 1090
GRATAS Daniel 936
GRATAS Bernard 935
GRATIAN EARL 914
GRATIEN Alfred 651
GRATIEN ET MEYER 921 973 979
GRAVALLON LATHUILIÈRE Dom. 173
GRAVE SCA Dom. La 347
GRAVIER-PICHE GAEC 831
GREBET PÈRE ET FILS 1047
GREFFE C. 1022
GREFFIER EARL François 208 224 330
GRÉGOIRE Cyrille 224
GRÉGOIRE EARL Vincent 1002
GRELLIER Joël 252
GREMEN Gilles 212
GRENELLE Caves de 973
GRENETIER Florence et Benoît 929
GRENIER Véronique et Philippe 1097
GRÈS SAINT-PAUL Ch. 743 770
GRESSER Dom. André et Rémy 132 135
GRESTA Jacky 282
GREUZARD Isabelle et Vincent 616
GRÉZAN Ch. 753
GRIAUD Alain et Anne 898
GRIFFE EARL 439 470
GRILLETTE 1215
GRIMARD GAEC des 904
GRIMAUD Vignerons de 810
GRIPA Dom. Bernard 1099 1105
GRISONI Dom. 1215
GRIVAULT SC du Dom. Albert 432 561
GROFFIER Dom. Robert et Serge 480 496 498
GROGNUZ FRÈRES ET FILS 1201
GROIES SCEA les 801
GROMAND D'EVRY SC 376 379
GRONGNET Guy 651
GROS Dom. Michel 443 496 500 505 512
GROS Dom. Anne 432 443
GROS Dom. A.-F. 503 505 508 540 545
GROSBOIS Jacques 1008
GROSBOT-BARBARA Dom. 1040
GROS ET FILS SCEA 316
GROS FRÈRE ET SŒUR Dom. 444 503 506 508
GROSSET Dom. Serge 969
GROSS ET FILS EARL Henri 107 130
GROSSOT Corinne et Jean-Pierre 464
GRUAUD-LAROSE SA Ch. 406
GRUET SARL 651
GRUET ET FILS G. 651
GRUHIER Dominique 427
GRUSSAUTE Jean-Marc 882
GRUSS ET FILS Dom. 146
GSELL Henri 107
GSELL Joseph 115
GUALCO Henri 727
GUALTIERI Patrick 819
GUÉGNIARD Yves 958 968
GUEGUEN Frédéric 454 462
GUENEAU Alain 1057
GUENEAU Jérôme 1057
GUÉNEAU ET FILS SCEA Hubert 919
GUÉNEAU ET FILS SCEA Louis 919 954 955
GUÉRARD Michel 888 1148
GUÉRARD M. 818
GUÉRIN Jean-Marc 923
GUÉRIN Thierry 616
GUERRE Michel 652
GUERRIN Maurice 610 616

GUERRY SC du Ch. 251
GUERTIN Gérard 1022
GUÉRY René-Henry 1165
GUETH GAEC Jean-Claude 91
GUEUGNON-REMOND Dom. 616
GUGÈS ET FILS Georges-Claude 378
GUIBERGIA Jean-Pierre et Bruno 815
GUIBERT Famille 1158
GUIBERTEAU Romain 974
GUICHARD SCE Baronne 272 276
GUIGAL E. 1092 1094 1095 1100
GUIGNARD FRÈRES GAEC 351
GUIGNET EARL Anne et Pascal 179
GUIGUE Ghislain 1068
GUILBAUD FRÈRES 930
GUILHEM GFA Ch. 768
GUILLARD SCEA 480
GUILLAUME Vignoble 1180
GUILLEMAIN Jean-Sylvain 1053
GUILLEMARD Eric et Florence 558
GUILLEMARD-CLERC EARL 569
GUILLEMOT SCE du Dom. Pierre 432 534
GUILLERAULT Geneviève et Jacques 1055
GUILLET Laurent 184
GUILLON SCEV 803
GUILLON Jean-Michel 481 488 490 500
GUILLOT Dom. Patrick 591
GUILLOT Julien 600
GUIMBERTEAU SCEA Vignobles 313
GUIMBERTEAU Rodolphe 315
GUINABERT Benoît 419
GUINAND Dom. 743
GUINAUDEAU Sylvie et Jacques 268
GUINDON Dom. 934
GUINOT Maison 723
GUINTRANDY Dom. La 1085
GUIRAUD SCA du Ch. 417
GUIRAUD Xavier 764
GUIRAUD RAYMOND MARBOT SA 205
GUIRONNET FRÈRES EARL 225
GUIROUILH Jean 881
GUISEZ Corinne 291
GUISTEL Romain 652
GUITARD Vignoble Charles 1161
GUITON Dom. Jean 519
GUITTENY Emmanuel et Laurent 932 1141
GUITTON-MICHEL 468
GUYARD Alain 473 506
GUYARD Jean-Pierre 437 474 476
GUYARD Jean-Yves 599
GUYENNE Vignerons de 216
GUYENNOISE La 377 380 404
GUYON EARL Dom. 512 536
GUYON Dom. Antonin 481 496 525 528 530 550
GUYON Jean 365 367 371
GUYOT Dom. Olivier 433 473 481
GYSEL WEINE 1220

H

H & B SÉLECTION 753
HAAG EARL Jean-Marie 144
HAAG ET FILS Dom. Robert 96
HABERT Jean-Paul 1016
HABSIGER 107 146
HAEFFELIN Vignoble Daniel 91
HAEFFELIN ET FILS Henri 115
HAEGELIN SCEA Bernard 107
HAEGELIN ET SES FILLES Dom. Materne 102
HAEGI Bernard et Daniel 103
HAGER Dom. Pierre 96
HAHUSSEAU Patrice et Anne-Marie 1027
HAIGRE James 455 458
HALLEY SCEA Dom. Jean 256 257 259
HALLUIN d' 222 336
HAMELIN Dom. 459
HAMELIN Dom. Thierry 464
HAMMEL SA 1199
HAMM ET FILS 652
HANIQUE Emile 554
HANSMANN Bernard et Frédéric 146
HANTEILLAN SA Ch. 378
HARLIN 652
HARLIN PÈRE ET FILS SCEV 652
HARMAND-GEOFFROY Dom. 481 488
HARTMANN SA Dom. Alice 1192
HARTMANN André 121
HARTWEG Jean-Paul et Frank 121
HASARD Alain et Isabelle 429 441
HATON Jean-Noël 652 681
HATON ET FILS 652
HATTÉ Ludovic 653
HAULLER Louis et Claude 121
HAULLER René 90
HAURE Jany 243
HAURET-BALEINE 940 947
HAUSELMANN ET FILS EARL 1146
HAUT-BAILLY SCA Ch. 356
HAUT-BALIRAC SCEA 366
HAUT-BEAUSÉJOUR Ch. 401
HAUT-BERGEY Ch. 353 356
HAUT BOURG Dom. du 933
HAUT-BRISSON SCEA Ch. 297
HAUT BRONDEAU SCEA du Ch. 280 333
HAUT-CANTELOUP SARL du Ch. 367
HAUT-CORBIN SC Ch. 297
HAUT DE BRIAILLES Dom. 1040
HAUTE-BOURGOGNE SICA les Vignerons de 450
HAUTEFEUILLE Catherine d' 900
HAUTES-CÔTES Les Caves des 451 479
HAUTES VIGNES - LA VALSEROISE Cave des 1169
HAUT GROS CAILLOU SCEA Ch. 297
HAUT-MAURAC Ch. 367
HAUT-MAYNE-GRAVAILLAS SC 347
HAUT-MAZERIS SCEA du Ch. 257
HAUT-MINERVOIS SCV Les Vignerons des Crus du 762
HAUT-MONTLONG Dom. du 898
HAUT NADEAU SCEA Ch. 228 331
HAUT-POITOU SA Cave du 798
HAUT-QUERCY Les Vignerons du 1150
HAUT-SAINT-GEORGES GFA du 299
HAUT-SARPE SCE du Ch. 298
HAUTS DE GIRONDE Cave des 210 215 247
HAUTS DE PALETTE Les 336
HAUT-SURGET GFA Ch. 268 275
HAUTVILLERS Coop. des Vignerons d' 627
HAUX SARL Ch. de 337
HAVERLAN Dominique 346 352
HAVERLAN EARL Patrice 227 344
HAWKINS DISTRIBUTION SARL 802
HAWTHORNE MOUNTAIN VINEYARDS 1184
HAYOT Vignobles du 414 417
HDV DISTRIBUTION 497 504
HÉBRARD Dominique 307
HÉBRART EARL 653
HEGOBURU Yvonne 880
HEIDE Piet et Annelies 909
HEIDSIECK & CO MONOPOLE 653
HEIDSIECK Charles 653
HEIM SARL 146
HEIMBOURGER PÈRE ET FILS Dom. 470
HEITZ Philippe 121
HEMBISE SARL des Vignobles Jean-Paul 896
HENRIET-BAZIN 653
HENRIOT 653
HENRIQUÈS J.-P. 780
HENRIQUET Jean-Georges 711
HENRY DE VÉZELAY Cave 430
HENRY FRÈRES GAEC 433
HENRY OF PELHAM WINERY 1186
HÉRAIL-PLANES SCEA 1163
HÉRARD ET FLUTEAU SARL 646
HÉRAULT EARL Eric 1008
HERBEAU Brice 833
HERBERIGS Jocelyne 1089
HERBERT Didier 654 688
HERESZTYN EARL Dom. 481 490 493 496

HERING Pierre et Jean-Daniel 133
HÉRISSÉ Joël 1144
HÉRIVAULT EARL Bernard 1024
HERMOUET Philippe 234 258
HERRICK SARL Vignobles 1161
HERTZ Dom. Victor 107
HERTZOG EARL Sylvain 115
HERVÉ Jean-Noël 260
HERVOUET ET BES DE BERC 936
HÉRY Vignerons 952 954
HERZOG Emile 126
HESSEL Dominique 394
HEUCQ André 654
HEURLIER Stéphane 213 241 255
HEYBERGER ET FILS Roger 115
HEYMOZ Serge 1211
HIAS Jean-Jacques 338
HIRISSOU Nicolas et Jean-Paul 866
HIRTZ ET FILS EARL Jean 121
HOCQUARD R. & C. 832
HOMS SCEA Dom. d' 856
HÔPITAL DE SOLEURE Dom. de l' 1216
HORCHER ET FILS Ernest 97
HORIOT Olivier 688 689
HORST Michaël 818
HORTALA GAEC 743
HOSPICES DE BEAUJEU 192
HOSTEIN Paul 385
HOSTENS-PICANT Ch. 335
HOSTOMME Laurent 654
HOUBLIN Jean-Luc 433
HOUDEBERT Dominique 1031
HOURS Charles 879
HOURTETS SCEA Dom. des 865
HOUX EARL Alain et Arnaud 997
HUBER Daniel 1222
HUBER-VERDEREAU Dom. 545 550
HUCHET Yves et Jérémie 926
HUDELOT Dom. Patrick 444
HUDELOT-BAILLET Dom. Joël 496
HUDELOT-NOËLLAT Alain 496 500 506
HUEBER ET FILS 107
HUET Laurent 603 607
HUG Laurent 1208
HUGOT-MICHAUT SCEA 460
HUGUENOT PÈRE ET FILS SCE 473 486
HUGUES Anne 1133
HUMBERT FRÈRES Dom. 481 486
HUMBRECHT Claude et Georges 97 130
HUMBRECHT Jean-Bernard 97
HUMMEL ET SES FILLES Bernard 120
HUNAWIHR Cave vinicole de 138 139
HUNOLD EARL Bruno 107
HURÉ EARL Vignobles 908
HURST Armand 121 126
HUTASSE TORNAY Rudy et Nathalie 654
HUTEAU-HALLEREAU EARL 1143
HUTIN Pierre et Jean 1213
HYVERNIÈRE SARL Dom. de l' 927

I

ICARD Laurent 744
IGÉ Cave des vignerons d' 603
ILARRIA Dom. 878
ILE DE BEAUTÉ Union des Vignerons de l' 848 1170
ILTIS ET FILS Jacques 97
IMBERT Christian 849
IMESCH VINS SIERRE 1207
INGERSHEIM Cave vinicole d' 108
INNISKILLIN WINES INC 1186
IRIS SARL Dom. des 949 955
ISAÏE Michel 451 584 591
ISNARD Anne-Marie et Jean-Luc 1130
ISSAN Ch. d' 376 388
ISSELÉE EARL Eric 654
ITTENWILLER Dom. d' 92
IZARN PLANES 762

J

JABOULET AÎNÉ Paul 1103 1105 1106
JABOULET-VERCHERRE 433
JACKSON-TRIGGS NIAGARA ESTATE 1187
JACOB Dom. Robert et Raymond 519 523 530
JACOB Dom. Lucien 447
JACOBINS Caveau des 698
JACOB MAUCLAIR Hubert 447
JACOLIN Pierre 1043
JACQUART ET ASSOCIÉS DISTRIBUTION 654
JACQUART ET FILS André 654
JACQUÉRIOZ SA Alexis 1207
JACQUES Yves 655
JACQUES-BLANC SCEA 298
JACQUINET-DUMEZ 655
JACQUIN ET FILS Edmond 711
JADEAU EARL Etienne 942
JADOT Maison Louis 163 517 525 531 534 540 611 613
JAFFELIN Maison 550 553 555 574
JAFFELIN ET FILS Roger 525
JALE Dom. de 816
JALLET 1039
JAMAIN EARL Pierre 655
JAMBON Michèle et Robert 173
JAMBON Dominique 192
JAMBON EARL A. et R., C., L. 193
JAMBON ET FILS Dom. Marc 603
JAMET EARL Catherine et Pascal 1176
JAMET Guy 1012
JAMET Francis et François 1000
JAMET Dom. Jean-Paul et Jean-Luc 1093
JANDER SCE Vignobles 386 393
JANIN Paul 190
JANISSON Philippe 655
JANISSON Christophe 655
JANISSON Manuel 655
JANISSON-BARADON ET FILS 655
JANNY Sté Pierre 163 433 451 537 588 594 599 605
JANODET Jacky 189
JANOUEIX François 276
JANOUEIX Jean-François 266 297
JANOUEIX Vignobles Pierre-Emmanuel 269
JANVIER Pascal 1013 1014
JANY ET B. ANDREU B. 1160
JARDIN René 655
JARDIN Elisabeth et Benoît 1013
JARRY Daniel 1022
JAUBERT SCEA Dom. 842
JAUBERT-NOURY Vignobles 777 793
JAUFFRET 1080
JAUFFRINEAU-BOULANGER GAEC 930 1141
JAULIN Christian 933
JAUME Dom. 1074 1087
JAUME Alain 1073 1086 1111 1116
JAUSLIN WEINE 1218
JAVERNAND SCE de 173
JAVIE Dom. La 1167
JAVOUHEY S. 506 513 519
JAVOY ET FILS EARL 1030
JEAN Michel 307
JEAN SCEA Ph. et V. 259
JEANDEAU Dom. 610
JEAN GEILER Cave vinicole 146
JEANJACQUES Pierre 1166
JEANJEAN Ets 752 756
JEANJEAN Gérard 742
JEANMAIRE 656
JEANNETTE SCEA Dom. de La 816
JEANNIARD Dom. Alain 444 490
JEANNIARD Dom. Françoise 525
JEANNIN-MONGEARD 776
JEANNIN-NALTET PÈRE ET FILS 591
JEANNOT PÈRE ET FILS GAEC 1048 1049
JEANTE Francine 889
JEAN VOISIN SCEA du Ch. 298
JEAUNAUX Michel 656
JERPHANION SCEA MM de 312
JESSIAUME PÈRE ET FILS Dom. 550 555 579
JEUNE SAS Les Vignobles Elie 1115
JEUNE Vignobles Paul 1130
JOANNET Dom. Michel 444 525
JOANNY Ch. 1074
JOBARD Rémi 433 439 561
JOBARD-MOREY Dom. 561
JOBART Albert 656
JOGGERST ET FILS 97 108
JOGUET SCEA Charles 1008

PRODUCTEURS

JOHANN Patrick et Michèle 692
JOILLOT Jean-Luc 545
JOINAUD-BORDE SCEV 290 301
JOLIET PÈRE ET FILS EARL 476
JOLLY René 656
JOLY EARL Claude et Cédric 698 701 703
JOLY EARL Nicolas 960 961
JOLY Olivier 982
JOLY Pierre 811
JOLY Pierre et Antoine 1179
JOLY-CHAMPAGNE 656
JOMARD Pierre et Jean-Michel 197
JOMINI ET FILS Jean-Louis 1201
JONCHET Marcel 186
JONNIER Jean-Hervé 588 592
JONQUIÈRES SCA Les Vignerons de 734
JORDY Frédéric 744 1158
JOSELON EARL Michel et Mickaël 949
JOSEPH Christian 978
JOSEPH EARL M.-C. et D. 190
JOSMEYER Dom. 97
JOSSELIN Jean-Pierre 656
JOST VINEYARDS LTD 1185
JOUAN Olivier 490
JOUARD Dom. Vincent et François 572
JOUARD Dom. Gabriel et Paul 572
JOUDIN EARL du Cellier de 1176
JOUGLA Alain 764
JOULIN Frédéric 1016
JOULIN Alain 1016
JOULIN Philippe 979
JOURDAIN Francis 1032
JOURDAN GAEC 828
JOUSSELIN Pascal 989
JOUSSELINIÈRE GAEC de la 935
JOUSSET ET FILS SCEA 943
JOUVE-FÉREC Mme 830
JOUVES 860
JOYET EARL 157
JOYET Famille Paul 1073
JUDELL Graeme 1159
JUGLA Sté des Vignobles 399
JUILLARD Franck 180
JUILLARD Michel 163
JUILLOT Dom. Michel 531 592
JULIEN Michel 761
JULIEN Raymond 759
JULIEN SCEA Gérard et Nicole 1091
JULIEN Xavier 436
JULIEN DE SAVIGNAC 891
JULIENNE SARL La 890
JULLIEN M. et L. 1069
JULLIEN Jean-Pierre 739
JULLIEN Guy 1086
JULLION Thierry 803 1147
JULLION EARL J.-J. et F. 238
JUMERT Charles 1031
JUND Maison Martin 97
JUNET Patrick 288
JUNG ET FILS Roger 139 141
JURANÇON Cave des producteurs de 877 880 881
JURAT Ch. le 298
JUX Dom. 108

K

KAUFFER Eric 912
KEROUATZ De 726
KHAYAT SCEA Vignobles famille 257
KIEFFER Jean-Charles 98
KIEFFER Vincent 108
KIENTZHEIM-KAYSERSBERG Cave de 108
KIENTZLER André 130
KINSELLA Michel et Gérard 188
KIRMANN Philippe 114
KJELLBERG-CUZANGE EARL Vignobles 279
KLACK ET FILS EARL Jean 141
KLÉE ET FILS EARL Henri 115
KLEIN EARL Ouahi et Rémy 1077 1089
KLEIN SARL Georges 108 122
KLEIN Joseph et Jacky 145
KLEIN-BRAND 144
KLEINKNECHT André 122
KLUR Clément 142
KOCH Dom. Pierre et François 122
KOEBERLÉ KREYER 122 130
KOEHLY Jean-Marie 91 98 122
KOHLL-LEUCK Dom. viticole Raymond 1192 1195
KOK Jan de 417
KOMMINOTH-ELMER Paul 1219
KONZELMANN ESTATE WINERY 1187
KOWAL Alexandre 656
KOX Laurent et Benoît 1193
KOZINE Marc et Danielle 727
KRAFT Laurent 1022
KRESSMANN 347
KRESSMANN Domaines 357 358
KRESSMANN Sté fermière Domaines 348
KREUSCH 904
KREUTZFELDT Elke 753
KREYDENWEISS Dom. Marc 132
KRICK EARL Hubert 146
KRIER FRÈRES Caves 1193
KRUG VINS FINS DE CHAMPAGNE 657
KUBLER EARL Paul 144
KUEHN SA 98
KUENTZ-BAS 98
KUENTZ ET FILS GAEC Romain 108
KUONEN ET SÖHNE A.G. Gregor 1210

L

LABARDE SARL de 897
LABARRE Claude de 304
LABASSE Pascal 878
LABASTIDE-DE-LÉVIS Cave de 865
LABAT Marc 882
LABATUT Bernard 328
LABBÉ ET FILS Michel 657
LABEILLE Lisette 333
LABEILLE Pierrette et Christian 334
LABET Dom. Pierre 540
LABET Alain 705
LABLACHÈRE Cave coopérative 1177
LABOUILLE Vincent 410
LABOURDETTE Alain 879
LABOURÉ-ROI 561 579
LABROUE Jean 860
LACAVE Francis 913
LACHARME ET FILS Dom. 603
LACHETEAU SAS 921 954 975
LACOMBE SCF Rémi 362
LACOMBE SCEA Ch. et S. 334
LACOMBE NOAILLAC SC Ch. 368
LACONDEMINE Roger 164
LACOQUE Noël 185
LACOQUE Hervé 185
LACOQUE Joël 185
LACOSTE Michel 410
LACOSTE Francis 769
LACOSTE Jean-Louis 882
LACROIX Yvette 903
LADESVIGNES Ch. 900
LADUGUIE Philippe 872
LA FABRÈGUE Pierre-Henri de 777
LAFAGE SCEA Dom. Jean-Marc 775 793 1154
LAFARGE Dom. Michel 550
LAFARGE Henri 598
LAFAURIE-PEYRAGUEY Ch. 417
LAFERRÈRE Hubert 605
LAFFITE Cathy et Daniel 782 796
LAFFITTE Jean-Marc 884
LAFFONT Dom. 884
LA FILOLIE de 298
LAFITE ROTHSCHILD Ch. 397
LAFITTE Charles 657
LAFON Vignobles Denis 244
LAFON Jean-Louis 209
LAFOND Jacques 1070
LAFOND Claude 1053
LAFOND EARL du Dom. 167
LAFOND ROC-EPINE Dom. 1120
LAFON-LAFAYE EARL des Vignobles 890
LAFON-ROCHET SCF Ch. 402
LAFONT Jean-Marc 166
LAFOSSE Dominique 344
LAFOUGE EARL Jean et Gilles 555
LAFOUX SCAE Ch. 841
LAFRAGETTE SCS Vignobles 347
LAGARCIE SAS Vignobles Ph. de 242
LAGARDE EARL Roland 730
LAGARDE Eric 908
LAGARDÈRE SCEV 271 315

LAGAROSSE SAS Ch. 338
LAGASSE Alain et Martine 864
LAGET-ROYER SCEA François 1117
LAGGER Jean-Marc 1201
LAGNEAU EARL Gérard 192
LAGNEAU Didier 192
LAGNEAUX-BLATON SCEA 403
LAGRANGE EARL Vignobles 211
LAGRANGE SAS Ch. 406
LAGUICHE Alain de 696 704
LAGUILLE Dom. de 913
LAGUNE Ch. La 379
LAHAYE Michel 540 561
LAHAYE Antoine 1181
LAHAYE PÈRE ET FILS 546
LAISSUS André 193
LAJONIE J. et A. 899
LAJONIE D.A.J. SCEA 903
LALANDE Dom. 1162
LALANDE SCE Ch. 406
LALANDE DE GRAVELONGUE SCEA 368
LALANDE ET FILS EARL 347 413 414 415
LALANNE Alain 914
LALAURIE Jean-Charles 1162
LALEURE-PIOT Dom. 525 528 537
LALLEMENT Damien 642
LALLIER SA René-James 657
LALOUE Serge 1057
LAMANTHE Michel 562
LAMARCHE Dom. François 504 509
LAMARCHE-CANON SCEA Ch. 258
LAMARGUE Ch. 735
LAMARQUE R. 315
LAMARTINE SCEA Ch. 859
LAMBERT Bruno de 270
LAMBERT Béatrice et Pascal 1008
LAMBERT Earl Patrick 1008
LAMBERT Frédéric 698
LAMBERT Yves 981
LAMBERT SCEV Jacky et Nicole 944
LAMBERT ET FILS EARL 1108
LAMBERT ET LEPOITTEVIN-DUBOST SCEA 897
LAMBERT-FERRENTINO 1078
LAMBINON Jean-Max 191
LAMBLIN Francis 252
LAMBLIN ET FILS 459 464
LAMBRAYS Dom. des 493
LAMÉ-DELISLE-BOUCARD EARL 987 995
LAMIABLE SC Vignobles 340
LAMIABLE Jean-Pierre 657
LAMOTHE Hervé et Patrick 414 417
LAMOTHE SC Ch. 379
L'AMOULLER Michel 243
LAMOUR GFA 736
LAMOUREUX EARL Jean-Jacques 657
LAMOUTHE GAEC de 890
LAMY Dom. Hubert 574
LANCELOT-GOUSSARD 657
LANCELOT-PIENNE 658
LANCELOT-ROYER EARL P. 658
LANCELOT-WANNER Yves 658
LANCHIER-DEGIOANNI GAEC 1175
LANCIEN René 939
LANÇON SCEA Dom. Pierre 1118
LANCYRE SCEA Ch. de 744
LANDAIS François 224
LANDAIS Les Vignerons 1148
LANDEAU Vignobles 231
LANDERROUAT-DURAS SCA Les Vignerons de 332 909
LANDEYRAN EARL du 764
LANDMANN Seppi 144
LANDRAT-GUYOLLOT Dom. 1047 1049
LANDREAU EARL 333
LANDREAU SARL Dom. du 950
LANDRODIE PÈRE ET FILLE SCEA 298
LANDRY EARL 351
LANDRY Thierry 1006
LANDUREAU Jean-Marc 365
LANEYRIE Domaines Edmond 603
LANGLOIS Michel 1038
LANGLOIS-CHÂTEAU 974 1057
LANGOUREAU Sylvain 565 574
LANNOYE SCEV Françoise et Philippe 318 324
LANSADE Régis 905
LANSON 658
LANZAC SCEA Henri de 1070 1121 1123
LAPALUS ET FILS Maurice 601
LAPELLETRIE GFA 299
LAPEYRE EARL Pascal 877
LAPEYRONIE 327
LAPIERRE Hubert 171
LAPLACE GAEC Vignobles 883
LAPLACE Yves 174
LAPLACE Michel 181
LAPONCHE Jean 810
LAPORTE SA 1057
LAPORTE Olivier 313
LAPORTE Mme Marie-Véronique 384
LAPORTE Bruno 324
LAPORTE Bruno 287
LAPORTE Dom. Raymond 776
LARCHEVESQUE SARL Cave de 257
LARDENNOIS Pierre 658
LARDIÈRE GAEC 244
LARDY Lucien 189
LARGE Michel et Alain 211
LARGEOT Daniel 523 534 537 540
LA RIVIÈRE SCA Ch. de 261
LARMANDE Ch. 299
LARMANDIER EARL Guy 658
LARMANDIER-BERNIER 658
LARMANDIER PÈRE ET FILS 659
LAROCHE GFA Mme 960
LAROCHE Michel 459 464 468
LAROCHE Claude 464
LAROCHE ET MARIA FÉLISBELA BELINHA Stéphane 193
LAROCHETTE EARL Jean-Yves 617
LAROCHETTE-MANCIAT Dom. 598
LARONDE-DESORMES SC Ch. 229
LAROPPE Marc 148
LAROPPE Marcel, Michel et Vincent 148
LAROSE-TRINTAUDON SA Ch. 380 399
LARRIAUT Jacques 221
LARRIBIÈRE SCEA 307
LARRIEU Jean-Bernard 880
LARRIVET-HAUT-BRION Ch. 357
LARROQUE SCEA des Vignobles 337
LARTEAU SCEV Ch. 229
LARTIGUE Bernard 385
LARTIGUE Jean-Claude 862
LARTIGUE-COULARY Ind. 381
LARUE Dom. 564 565 575
LASCAMP Clos de 1074 1087
LASCAUX 803
LASCAUX Fabrice 229
LASCOMBES Eric et Karine 894
LASSAGNE Daniel 204 311
LASSALLE J. 659
LASSALLE Maurice 659
LASSALLE-HANIN P. 659
LASSARAT Roger 611
LATASTE Laurence 346
LATASTE Vignobles Vincent 349
LATEYRON SA 237
LATHAM Eric 731
LATORSE SC des vignobles 220
LATOUCHE Eric et Bernard 253
LATOUR Maison Louis 531 565 569 603 1178
LATOUR SCV du Ch. 397
LATOUR ET FILS Henri 448 557
LATOUR-LABILLE ET FILS Dom. Jean 562
LATRILLE Sté des Domaines 881
LATTAUD Roland 179
LATUDE ET RUTH PARKER Gilles de 1165
LATZ Michael 807
LAUBADE SCA Ch. de 913
LAUBER Andrea 1219
LAUBIE-PRACH SCEA 295
LAUDET SCEA Noël et Christian 1148
LAUDUN Les Vignerons de 1092
LAUGEROTTE Marie-Hélène 451
LAULAN DUCOS SCEA Ch. 368
LAUNAY EARL Dom. Raymond 546 579
LAUNOIS ET CIE Léon 659
LAUNOIS PÈRE ET FILS 659
LAURAN CABARET Cellier 759
LAURE SCA Cellier de 1172
LAUREAU DU CLOS FRÉMUR Dom. 959
LAURENS SCEA Dom. J. 723
LAURENS Dom. 876

PRODUCTEURS

LAURENT Famille 1040
LAURENT-PERRIER 659
LAUSES Dom. des 1074
LAUVERJAT Christian 1058
LAUZADE KINU-ITO SARL Dom. de La 816
LAVABRE Dom. de 745
LAVAL SCEA Famille 268
LAVANCEAU Mme 378
LAVANTUREUX Roland 455
LAVAU Pierre 326
LAVAU Pierre 303
LAVAU ET FILS GAEC Jean 290
LAVAULT-ROUZÉ Sylvie 1050
LAVENANT Pierre 473
LAVERGNE EARL 900
LAVIGNE SCEA 280 295 323
LAVIGNE-VÉRON SCEA 974 980
LAVILLE SCEA Ch. 349 417
LAVILLEDIEU-DU-TEMPLE Cave de 862 873
LAVIT 1153
LAYDIS Bernard 315
LE BARAZER Anne-Marie et Patrick 339
LEBECQ ET ASSOCIÉS EARL 803
LE BIGOT P. 825
LEBLANC ET FILS EARL Jean-Claude 962
LEBRETON J.-Y. A. 953 957
LEBRETON Victor et Vincent 953 957
LEBREUIL Pierre et Jean-Baptiste 534
LEBRUN Jean-Paul 1145
LE BRUN DE NEUVILLE 660
LE BRUN-LECOUTY EARL 748
LE BRUN-SERVENAY SCEV 660
LECALLIER Georges 402
LE CAPITAINE GAEC 1023
LECCIA Dom. 852
LÉCHENAULT Mme Reine 585
LÉCHENAULT Dom. France 584
LECLERC-BRIANT 660
LECLERC-MONDET 660
LECLÈRE Emile 660
LECOMTE Bruno 1050
LECOMTE SCEA David 950
LECONTE Xavier 660
LECORRE EARL 1008
LECQUES Cave des Vignerons de 745
LEDUC-FROUIN Dom. Antoine et Nathalie 943 964
LEENHARDT André 739
LEFERRER 728
LEFLAIVE FRÈRES Olivier 531 546 557 562 565 568 572
LEGENDS ESTATE WINERY 1187
LÉGER Patrick 986
LÉGER Philippe 919 955
LEGILL Caves Paul 1193
LÉGLAND Bernard 434
LÉGLISE EARL Vignobles 417
LEGRAND Eric 660
LEGRAS R. et L. 679
LEGRAS ET HAAS 660
LE GRIX DE LA SALLE Ph. et A. 227
LEGROS Lénaïc 579
LEGROS P. et F. 1007
LEGROUX Jacky 1030
LEIPP-LEININGER 98
LEJEUNE Dom. 433 546
LEJUS EARL Arnaud 1043
LELAIS Francine et Raynald 1014
LELARGE Alain 1016
LELARGE Dominique 660
LELIÈVRE André et Roland 148
LELOUP Thierry 1012 1013
LEMAIRE Philippe 661
LEMAIRE Patrice 661
LEMAIRE-RASSELET EARL 661
LEMARIÉ Marthe et François 725
LEMOINE Alain et Gilles 942 949
LENIQUE ET FILS SA 661
LENOBLE AR 661
LÉONETTI 1169
LEONOR 762
LÉOVILLE LAS CASES SC. du Ch. 405 407
LÉOVILLE POYFERRÉ Sté fermière du Ch. 407
LEPAGE Serge 433
LEPOUTRE Serge 297
LEPRINCE SC Vignobles J. 286
LEQUIN Louis 568 572
LEQUIN-COLIN René 528 531 568 572 579
LE ROY Famille 1115
LERYS Dom. 756
LESCAUT Alain 910
LESCOUTRAS ET FILS EARL J.-C. 220 330
LESCURE Jean-Luc 894
LESCURE Fabien de 175
LESGOURGUES Jean-Jacques 885
LESINEAU 754
LESPINASSE Jean-François 342
LESPINASSE Jacques 180
LESQUEN Vicomte Patrick de 286
LESQUERDE SCV 780
LESTAGE Ch. 385 392
LESTAGE SIMON Ch. 380
LESTOURGIE Yves Antoine 1050
LÉTÉ-VAUTRAIN 661
LEVASSEUR-ALEX MATHUR Dom. 1017
LÉVÊQUE SAS Vignobles 345 413
LÉVÊQUE ET FILS EARL 1132
LEVET Bernard 1094
LEVRON-VINCENOT SCEA 920 955 957
LEY Indivision J.-F. et E. 904
LEYDET EARL Vignobles 271 299
LEYMARIE Jean-Pierre 357
LEYMARIE-CECI Dom. 501
LEYMARIE ET J.-P. COMPIN Dominique 263
LEYNIER Jean-Marie 317
LEYVRAZ Pierre-Luc 1198
LEZONGARS SC Ch. 339
LHUILLIER ET FILS Vignobles Pierre 207
LHUMEAU EARL Joël et Jean-Louis 1143
LIANZON Nicole et Jean-Pierre 872
LIBEAU Michel 930
LIBES Geneviève 753
LIBOURNE-MONTAGNE Lycée viticole de 314
LIÉBART-RÉGNIER 662
LIEBERT ET FILS 434
LIÉNARD Véronique et Jean-Marc 1182
LIERGUES Cave des Vignerons de 158
LIESCH Ueli et Jürg 1219
LIGER-BELAIR Dom. du Vicomte 506
LIGIER PÈRE ET FILS Dom. 692 701
LIGNÈRES Suzette 731
LIGNIER-MICHELOT Dom. 491 492
LIHOUR Christian 879
LILAS Dom. des 534
LILIAN LADOUYS SA Ch. 402
LIMBOSCH-ZAVAGLI Vignobles 222 325 327
LINDEN-HEINISCH Jean 1193
LINDENLAUB Jacques et Christophe 98 122
LINGOT-MARTIN Cellier 716
LIOTAUD Jean-Yves 1178
LIOTAUD ET FILS EARL Serge 1179
LIQUIÈRE Ch. de La 753
LIRAC Cave des vins du cru de 1120
LISTEL Domaines 815
LISTRAC Cave de vinification de 383 384 385 386 393
LIVERSAN SCEA Ch. 378 380
LLADÈRES Françoise 308
LOBERGER Dom. Joseph 138 140
LOCHER Roland 1202
LOCRET-LACHAUD SARL 662
LOEW Etienne 92
LOIRAC SCA Ch. 368
LOIRE Les Caves de la 941 953 955
LOIRET Brigitte et Michel 927
LOIRET Vincent 923 931 1144
LOMBARD ET CIE 662
LOMBARDO SCEA 1119
LONCLAS Bernard 662
LONDAIS Cave des vignerons 823
LONG FRÈRES 1072 1086 1175
LONGIN André et Andrée 164
LOQUINEAU Philippe 1028 1029
LORAIN SCEV Michel 430
LORANG ET FILS EARL V. 109
LORENTZ Gustave 109
LORENZON David et Marielle 912
LORGERIL Vignobles 767
LORIAUD Corinne et Xavier 246
LORIEUX Pascal et Alain 1002
LORIEUX Lucien 997
LORIOT Michel 662
LORIOT Joseph 662
LORIOT Gérard 662

LORNET Frédéric 701
LORON ET FILS Ets Louis 451
LORON ET FILS Ets 181 600
LOSTENDE Françoise de 614
LOU BASSAQUET Cellier 816
LOUBRIE Grands vignobles 419
LOUDENNE SCS Ch. 368
LOU DUMONT Maison 481 486 506 528 534
LOUET Jacqueline 987
LOUET-ARCOURT EARL Dom. 987
LOUET GAUDEFROY GAEC 987
LOU FRÉJAU SCEA Dom. 1075
LOUIS BERNARD 1065 1087 1119 1125 1129
LOUIS-MAÎTREJEAN 662
LOUISON EARL Michel 752
LOUP Jean-Louis 1005
LOURMARIN-CADENET SCA Cave de 1133
LOUVET Yves 663
LOYE Dom. de 1043
LOZE Catherine de 410
LUBAT Francis 1152
LUBIATO GAEC 324
LUC Les Vignerons du 822
LUCAS SCEA 324
LUCAS CARTON 663
LUCCHINI SA Giovanni 1223
LUCCHINI Niccolo e Lisetta 1222
LUDDECKE Henri 211 218
LUDOVIC DE BEAUSÉJOUR Dom. 816 1173
LUGNY SCV Cave de 428 451 604
LUGON Union de producteurs de 220
LUMIÈRES Cave de 1129
LUNARD EARL Dom. de 1168
LUNEAU Gilles 928
LUNEAU Louis et Denis 926
LUNEAU Christophe 924
LUNEAU Christian et Pascale 935
LUNEAU EARL Marc et Jean 936
LUNEAU-PAPIN Pierre 930
LUPÉ-CHOLET 466
LUPIN Bruno 715
LUQUET Dom. Roger 616
LUQUETTES Dom. Les 830
LUR-SALUCES Comte Alexandre de 416
LURTON Vignobles Marie-Laure 393
LURTON EARL Pierre 210 331
LURTON SCEA Vignobles Marc 205 220 222
LURTON Henri 387
LURTON SARL Les Vins Dominique 339
LURTON André 204 219 309 330 331 354 360
LURTON SA Jacques et François 216 727 756 780 1147
LURTON André 358
LUSSAC SCEA du Ch. de 311
LUSSEAU SCEA Vignobles 279 300
LÜTHI Fam. E. et S. 1221
LUTRY Association viticole de 1201
LUYCKX-VAN ANTWERPEN SCEA 858
LYCÉE VITICOLE DE BEAUNE Dom. du 538
LYDOIRE Michel 321

M

MABILEAU GAEC Lysiane et Guy 1003
MABILEAU Jean-François 996 1001
MABILEAU EARL Jacques et Vincent 1002
MABILEAU Frédéric 1002
MABILEAU Dom. Laurent 997
MABILEAU ET DIDIER REZÉ EARL Jean-Claude 1002
MABILLARD-FUCHS Madeleine et Jean-Yves 1207
MABILLE Vignobles 224
MABILLE EARL Francis 1023
MABILLOT Alain 1053
MABY Dom. Roger 1120
MACÉ GFA J. 1141
MACHARD DE GRAMONT Bertrand 441 513
MACLOU Gaëlle 817
MÂCON-DAVAYÉ Lycée viticole de 452 617
MACQUART André 663
MADELEINEAU GAEC Jean-Paul et Hervé 928
MADER Jean-Luc 98 109
MADIRET Dom. du 793
MADONE EARL Dom. de la 169
MADRELLE EARL Gilles 1023
MAËS Michel 214
MAGENCE SCEA Ch. 348
MAGLIOCCO Daniel 1207
MAGLIOCCO Sylvio-Gérald 1212
MAGNAUDEIX SCEA Vignobles 309
MAGNE Michel 711 1179
MAGNIEN EURL Frédéric 484 486 498
MAGNIEN Jean-Paul 486 491 493
MAGNIEN ET FILS Dom. Michel 487 492 493
MAGNOTTA WINERY 1187
MAGREZ Bernard 359 360
MÄHLER-BESSE SA 223 240 290 373
MAHMOUDI A. 872
MAHUZIÈS André 740
MAILLARD Yves 930
MAILLARD Bernard 930
MAILLARD PÈRE ET FILS Dom. 534 537
MAILLET EARL Laurent et Fabrice 1023
MAILLET Dom. Nicolas 439 599 604
MAILLET Jean-Jacques 1014
MAILLIARD Michel 663
MAILLY GRAND CRU 663
MAINE-CHEVALIER GAEC du 895
MAIRE SC des Domaines Henri 692 694 703 706
MAISON DES MAINES La 1147
MAISON NOBLE SAINT-MARTIN Ch. 221 230
MAISON PÈRE ET FILS Earl 1027
MAÎTRE David 864
MAÎTRES VIGNERONS NANTAIS Coopérative 930
MALABRE Chantal 1068 1082
MALANDES Dom. des 459 464 468
MALARD 663
MALARTIC-LAGRAVIÈRE SC Ch. 358
MALEPÈRE Cave La 769
MALESCASSE Ch. 380
MALET-ROQUEFORT Aliénor et Alexandre de 214 225 282 289
MALIDAIN EARL Michel 932 1142
MALIDAIN EARL Jean-Claude et Didier 1141
MALIJAY Ch. 1075
MALLARD ET FILS Dom. Michel 520 528
MALLARD-GAULIN Maison 528
MALLET Jean 1212
MALLET Jean et Bernard 251
MALLO ET FILS EARL Frédéric 115
MALLOL Bernard 663
MALTOFF Dom. 434
MALTROYE Ch. de la 572
MANAUD Michel 229
MANCEY Cave des vignerons de 434 441 599
MANDARD Jean-Christophe 987
MANDEVILLE Olivier 761
MANDOIS Henri 663
MANGONS EARL Ch. Les 335
MANIGAND Roger 168
MANIGAND Michel 167
MANN Dom. Albert 103 132 138
MANOIR DE VERSILLÉ EARL du 943 953
MANONCOURT SCEA Famille 292
MANSANNÉ Gaston 880
MANSARD-BAILLET 664
MANZAGOL-BILLARD 1009
MAOURIES Dom. de 887
MARADENNE-GUITARD 860 1152
MARANA Cave de la 1170
MARATHONIEN Vignoble du 1190
MARATRAY-DUBREUIL Dom. 520 531
MARAVAL Alexandre 771
MARC Patrice 664
MARC Didier 664
MARCADET Jérôme 1028
MARCADET EARL Alain 984
MARCELIS SCEA M. 404

MARCHAND Jean-Philippe 444 481 513 525
MARCHAND Héritiers 314
MARCHAND SARL Jacques 1047
MARCHAND David 158
MARCHAND ET FILS Pierre 1047
MARCHAND FRÈRES Dom. 491 492 496
MARCHAND-SMITH 1052
MARCHÉ AUX VINS 531
MARCHESSEAU FILS EARL 999
MARCIONETTI Nicola et Raffaele 1223
MARDON Dom. 1051
MARDON Guy 988
MARÉCHAL-CAILLOT Ghislaine et Bernard 520 537 546
MARÈS Cyril 733
MARESCHAL Xavier 304
MARET Michel 1114
MARFISI Toussaint 853
MARGAINE A. 664
MARGAN EARL Jean-Pierre et Martine 1131 1174
MARGAUX SC du Ch. 216 390
MARGERAND Denise 171
MARGERAND Jean-Pierre 180
MARGILLIÈRE SCEA Ch. 842
MARGUERITE SCEA Ch. 872
MARGUET-BONNERAVE 664
MARGUET PÈRE ET FILS 664
MARIE Annick et Jean-Pierre 376
MARIE Dom. de 1131
MARIE STUART 664
MARIN-AUDRA SCEA 273
MARINIER SCEA Vignobles Louis 253
MARINOT-VERDUN 448 482 588
MARIONNET Henry 984
MARMANDAIS Cave du 874 875
MARNÉ Patrick 1017
MARNE ET CHAMPAGNE 648 677
MARNIER-LAPOSTOLLE Sté 1061
MARNIQUET Jean-Pierre 664
MAROSLAVAC-LÉGER Dom. 566
MAROSLAVAC-TRÉMEAU EARL Stéphan 439
MARQUIS DE SAINT-ESTÈPHE 402
MARQUIS DE TERME Ch. 390
MARQUISES Dom. des 764
MARREAU Gérard 1127
MARRENON Cellier de 1133
MARSANNAY Dom. du Ch. de 473 488
MARSAU Ch. 328
MARSAUX-DONZE SCEV 253
MARTEAU Jacky 987
MARTEAUX Joël 665
MARTEL G.H. 665
MARTELLIÈRE SCEA du Dom. J. 1013 1014 1031
MARTET SCEA Ch. 335
MARTIGNE Bertrand et Jocelyne 291
MARTIN Charles 890
MARTIN Bruno 246
MARTIN Dom. 374 406 408
MARTIN Dominique 974
MARTIN GAEC Luc et Fabrice 964
MARTIN Paul-Louis 665
MARTIN Richard et Stéphane 598 615
MARTIN Jean-Jacques 195
MARTIN Gérard 615
MARTIN Patrice 180
MARTIN Cédric 195
MARTIN François et Pierre 1070
MARTIN-COMPS SCEA 763
MARTINEAU EARL 987
MARTINELLES Dom. des 1103
MARTINETTE EARL Ch. la 817
MARTIN-FAUDOT Dom. 693 701
MARTIN-PIERRAT Dom. 1161
MARTISCHANG EARL Henri 122
MARTRAY Laurent 169
MARTY Anne-Marie 1038
MARX Denis 665
MARY Christophe 566
MARY Jean-Luc et Jean-Albert 978
MARZELLE SCEA Ch. La 300
MARZELLEAU-COUPRIE EARL 929
MAS Dom. Paul 742
MAS AMIEL 781 795
MAS BLEU EARL du 836
MASCARAAS SCEV Ch. de 886
MAS D'AUREL 866
MASSA Sylvain 814
MASSE PÈRE ET FILS Dom. 594
MASSIA Joseph de 776
MASSIN Thierry 665
MASSIN ET FILS Rémy 665
MASSON Jean-Michel 1048
MASSONIE SCEA Vignobles Michel-Pierre 276
MASSON-REGNAULT François 339
MASTELLOTTO Christiane 369
MATHELIN Hervé 665
MATHIAS Béatrice et Gilles 599 613
MATHIER ET SÖHNE Albert 1207
MATHIEU Serge 665
MATHIEU Dom. 1116
MATHIEU-PRINCET SARL 665
MATHRAY Franck 176
MATIGNON EARL Yves et Hélène 950
MATINES Dom. des 921 974 977
MATRAY EARL Lilian et Sandrine 180
MATRAY SARL Bruno, Denis et Patrick 175
MATROT-WITTERSHEIM SCE Dom. 550 562
MATTON-FARNET 817
MAU SA Yvon 208 209 219 225 228 371 893
MAUCAMPS SARL Ch. 380
MAUCOIL Ch. 1116
MAUFOUX Prosper 566
MAUFRAS Jean et Alain 359
MAULER EARL Jean-Paul 134
MAULER Dom. Christian 98 99
MAULIN ET FILS EARL 235
MAURAC SCEA Ch. 380
MAUREL SARL Vignobles Alain 767
MAUREL Christian 826 1172
MAUREL VEDEAU SA 740 1162
MAURER Albert 135
MAURÈZE GFA des Vignobles 313 321
MAURICE Jean-Michel 535
MAURICE Michel 149
MAURO EARL Jean-Christophe 223
MAUROY-GAULIEZ 1044 1049
MAURY Les Vignerons de 795
MAUTALEN Dominique 956
MAUVANNE SCA Ch. de 817
MAYE Les Fils 1205
MAYE ET FILS Carlo et Joël 1204
MAYET Marlène et Alain 894
MAYNE Les Vignobles du 899
MAYNE Ch. le 231
MAYNE-VIEIL SCEA du 260
MAYOR Cave Albert 1198
MAZET Pascal 666
MAZEYRES SC Ch. 268
MAZIER Michel 699 702
MAZILLE Anne 197
MAZILLY PÈRE ET FILS Dom. 448 540
MÉA Guy 666
MEAKIN David et Sarah 862
MÉDEVILLE Christian 350
MÉDEVILLE ET FILS SCEA Jean 225 337 349 409
MÉDIO Martine et Jean-Marc 254
MÉDITERRANÉE Vignerons de la 731 732 747 757 759 760 1163
MÉDOCAINE DES GRANDS CRUS Compagnie 224
MEFFRE Christian 1078
MEFFRE Gabriel 1084 1102 1104 1108 1111
MEFFRE ET FILS SCEA des Domaines Jack 1072
MÈGE FRÈRES SCEA 239
MÉHAYE ET LUCAS SCHUTTE Béatrice 866
MEIER Manfred 1219
MEIER Erich 1221
MEISTER Raymond 1213
MEISTERMANN Michel 109
MÉJEAN 1164
MÉLI Pascal 248
MELIN Françoise et Nicolas 605 611
MELINAND Jean-Jacques et Liliane 177
MELLOT Alphonse 1057
MELLOT SA Joseph 1038 1048 1142
MÉNARD SCEA Vignobles 217 410 411

MÉNARD Joël et Christine 951
MÉNARD ET FILS J.-P. 803
MENAUT Christian 546
MENDRISIO Cantina Sociale 1222
MENESTREAU Laurent 973
MENGIN Philippe 338
MENGUIN SCEA des Vignobles 338
MENTHONNEX Yann et Karine 1199
MERCADIER Vignobles Philippe 419
MERCIER Denis et Anne-Catherine 1207
MERCIER Jean-Michel 933
MERCIER 666
MERCIER Héritiers Louis 708
MERCIER Les Vignobles 937
MERCURIO SCEA de 736
MÉRIC de 666
MÉRIC ET FILS Vignobles 337 412
MÉRIEAU 984
MERLATIÈRE GAEC de la 188
MERLE Jean-Pierre 164
MERLE Dom. du 441
MERLIN Marie-Laure 837
MERLIN-CHERRIER Thierry 1058
MÉRODE Prince Florent de 520 528
MESLIAND Dom. 992
MESLIER Famille 418
MESLIN Guy 299
MESNIL Le 666
MESSAGERIE DE LA VIGNE 823
MESTDAGH Carl 1168
MESTREGUILHEM Brigitte 209
MESTREGUILHEM GAEC 304
MESTRE PÈRE ET FILS 579
MÉTAIRIE SARL Dom. La 906
MÉTIVIER Emmanuel 1006
MÉTRAT Sylvain 169
MÉTRAT Dom. 173
METTE Domaines de la 350
METZ Hubert 99 143
METZ Dom. Gérard 99 122
MEUNIER GAEC Dom. Gilbert 1176
MEUNIER Corinne et Max 987
MEURSAULT SNC Ch. de 562
MEYENBURG Kaspar von 1221
MEYER Gilbert 116
MEYER Jean-Luc 116
MEYER Denis 99
MEYER ET FILS Alfred 92 116
MEYER ET FILS EARL Lucien 116 131
MEYER ET FILS EARL René 99 128
MEYER-FONNÉ Dom. 116 143
MEYLAN Pierre-Alain 1202
MEYNARD SCA 224
MEYNARD SCEA Vignobles 326
MEYRAN André et Marylenn 176
MEYRE SCEA Vignobles Alain 379 383 384
MEYRE SA Ch. 381 388
MÉZIAT Pierre 173
MÉZIAT Gilles 174
MÉZIAT-BELOUZE GAEC 173
MÉZIAT PÈRE ET FILS EARL 172
MIAILHE Vignobles E. F. 382
MICHAUD EARL 921 988
MICHAUT-ROBIN 459 464
MICHEL Johann et Chrystelle 1104
MICHEL Bruno 666
MICHEL Champagne Jean 666
MICHEL Paul 667
MICHELAS-SAINT JEMMS Dom. 1101 1105
MICHEL ET FILS EARL 1071
MICHEL ET FILS Louis 465
MICHEL-GENTILHOMME 667
MICHELON EARL Vignobles 1161
MICHELOT Dom. Alain 513
MICHELOT MÈRE ET FILLE Dom. 562 566
MICHON Thierry 937
MICHOT Guy et Odile 1048
MICHOT Frédéric et Sophie 1048
MIDEY Céline 181
MIGLIORE EARL 813
MIGNON Vignobles 224
MIGNON Charles 646 667 682
MIGNON Pierre 667
MIGOT Jean-Paul 897
MILAN 667
MILHADE SEV Vignobles Jean 218 276 311 319
MILHE POUTINGON Paul 774
MILLAIRE Jean-Yves 205 256
MILLARGES Dom. des 1009
MILLERAND Christian 1007
MILLET Franck 1058
MILLET Gérard 1058
MILLET David 1047
MILLY Albert de 667
MINCHIN Bertrand 1043
MINIER Dom. Claude 1032
MINIÈRE Ch. de 997
MINNA VINEYARD Villa 1168
MINOD Eric 1199
MINVIELLE Xavier 292
MIOLANE Dom. Patrick 572 575
MIOLANE EARL Dom. Christian 159
MIOLANNE Odette et Gilles 1035
MIQUEL Raymond 757 772
MIRAMBEAU SCEA 313 321
MIRAULT Maison 988 1023
MIRAVAL SA Ch. 842
MIRAVAL SA Ch. 818
MIRE L'ETANG Ch. 745
MIREMONT SARL Ch. de 760
MIROUZE Nicolas 725
MISSEREY Maison P. 603
MISSET Dom. Paul 497 513
MISSION HILL FAMILY ESTATE 1184
MISSION Vignoble La 1190
MISTRAL-MONNIER 1213
MISTRE MM 841
MITTNACHT FRÈRES Dom. 109
MOCCI Christian 745
MOCHEL-LORENTZ 126
MOCK Charles 739
MODRIN PÈRE ET FILS EARL 590
MOELLINGER ET FILS SCEA Joseph 109 132
MOËT ET CHANDON 667
MÖHR-NIGGLI Forti et Iyagda 1219
MOILLARD 523 546 583 1075
MOILLARD Dom. 444 513 517
MOINGEON - LA MAISON DU CRÉMANT 451
MOISSENET-BONNARD Dom. 435 452 546
MOLIN EARL Armelle et Jean-Michel 476
MOLINARI ET FILS SCEA 350
MOLINIER SCEA Vignobles 736
MOLLET Florian 1058
MOLLET Jean-Paul 1048
MOLTÈS ET FILS Dom. Antoine 116
MOMMESSIN 176
MONARDIÈRE Dom. La 1111
MONASTÈRE SCEV Le 887
MONBAZILLAC Cave coopérative de 892
MONBOUSQUET SA Ch. 301
MONCHO-YUNG SCEA 338
MONCONTOUR Ch. 1023
MONCUIT Pierre 668
MONDET 668
MONDORION SCEA 301
MONESTIER LA TOUR SCEA 892 896
MONGEARD-MUGNERET Dom. 501 503 504 506
MONIN Dom. 717
MONLUC Dom. de 913
MONMARTHE Jean-Guy 668
MONMOUSSEAU 921 1021
MONNE Eric 780
MONNIER ET FILS Dom. Jean 562
MONNOT ET FILS Dom. Edmond 582
MONNOT-ROCHE Dom. 448
MONS Dom. de 913
MONTAGNACOISE Cave coop. La 746
MONTAGNE Thomas 1132
MONTAGNE DE REIMS Cave des vignerons de la 679
MONTAL Patrick de 1151
MONTANGERON Frédéric 176
MONTANIÉ Philippe 727
MONTAUDON 668
MONTAUT 880
MONTBOURGEAU Dom. de 701 703
MONT D'OR SA Dom. du 1208
MONTEIL Jean de 298
MONTEIL Gérard 168
MONTEILLET Jean-Luc et Claude 1126
MONTELS Bruno 866

PRODUCTEURS

MONTESQUIEU Vins et Domaines H. de 346 352
MONTESQUIOU Claire de 1148
MONTEZ Vignobles Antoine et Stéphane 1094 1096 1099
MONTFLEURY Cave coop. de 1178
MONTFORT SC Ch. de 1023
MONTIEL Dom. de 735
MONTIGNY-PIEL 1030
MONTILLE Dom. de 546 566
MONTLOUIS-SUR-LOIRE Cave Coop. des Producteurs de 1017
MONTMOLLIN FILS Dom. E. de 1215
MONT-PÉRAT SCEA de 215 230 339
MONT-PRÈS-CHAMBORD Les Vignerons de 1028
MONTRABECH-PITT Ch. 729
MONT-REDON Ch. 1075 1120
MONTRÉMY Baronne Philippe de 840
MONTREUIL-BELLAY Lycée prof. agricole de 921
MONT SAINT-JEAN Dom. du 847 1170
MONTS DE NOÉ SCEV des 685
MONT TAUCH Les Producteurs du 727
MORAND-MONTEIL Gérôme et Dolorès 906
MORAT Gilles 608
MORDACQ Guillaume 966
MORDORÉE Dom. de La 1075 1116 1120 1122
MOREAU Jean 544 578
MOREAU SCEV 269
MOREAU Cédric et Isabelle 378
MOREAU Michel 751 1165
MOREAU Béatrice et Patrice 1009
MOREAU EARL Dominique 998
MOREAU Daniel 668
MOREAU Thierry 599
MOREAU Louis 468
MOREAU Jean-Michel 435
MOREAU ET FILS Dom. Bernard 573
MOREAU ET FILS J. 465 468
MOREAU-NAUDET ET FILS 455 465
MOREAU PÈRE ET FILS Dom. Christian 459 465 468
MOREL Benjamin 1203
MOREL EARL Jean-Charles 1152
MOREL Christian 1146
MOREL 185
MOREL Dominique 176
MOREL-THIBAUT Dom. 698
MOREY Dom. Pierre 435 553
MOREY-BLANC 562
MOREY-COFFINET Dom. Michel 573
MORGEAU Gilles et Brigitte 800
MORIN Albert 746
MORIN Jean-Paul 1000
MORIN Guy 172
MORIN Jean-François 169
MORIN Christian 435 459
MORIN Olivier 435
MORION Didier 1096
MORIZE PÈRE ET FILS 668
MORLAT ET FILS Pierre 1044
MORLET ET FILS Pierre 668
MORO GFA Régis et Sébastien 326 328
MORO Thierry 324 328
MORON GAEC 919 952
MORON EARL 943
MOROT Albert 535 540
MORTET Dom. Thierry 482 497
MORTIÈS GAEC du Mas de 746
MORTILLET GAEC de 748
MOSNIER Sylvain 456 465
MOSNY GAEC Daniel et Thierry 1015
MOSSÉ Jacques 776 789
MOTHE ET SES FILS Guy 454 462 467
MOTHERON C. 1142
MOUEIX Nathalie et Marie-José 269
MOUEIX Ets Jean-Pierre 268 300
MOUEIX SC Bernard 271 306
MOUEIX SAS Alain 293 319
MOUILHÈRES EARL 740
MOUILLARD Jean-Luc 701 706
MOULIN Ch. du 381
MOULIN BLANC SCEA du 281 314
MOULIN BORGNE GAEC du 237 245
MOULIN DE LA GACHE SCEV Ch. 245
MOULIN DE LA GARDETTE 1108
MOULIN DU CADET GFA Ch. 302
MOULIN GIRON EARL Dom. du 938
MOULINIER Dom. 765
MOULIN NOIR SC Ch. du 312 315
MOULY PÈRE ET FILS 867
MOUNIÉ Dom. 781 793
MOUNIER H. 804
MOURAT J. et J. 937
MOUREAU ET FILS Marceau 761
MOURIER Xavier 1099
MOURLAN Patrick 839
MOURRE EARL Les Vignobles 1110
MOUSSÉ Claude 669
MOUSSET Fabrice 1116
MOUSSET Franck et Murielle 1118
MOUSSET SA Louis 1076 1108
MOUSSET EARL Cyril et Jacques 1073
MOUSSET ET FILS Vignobles Guy 1114
MOUTARD Corinne 669
MOUTARD-DILIGENT SARL Champagne 642 669
MOUTARDIER SAS Jean 669
MOUTON André et Jean-Claude 1094 1096
MOUTON SCEA Dom. 595
MOUTONNE Dom. de la 468
MOUTONNET-DEMIRDJIAN Lucie 842
MOUTY SCEA Vignobles Daniel 265 285 307
MOUZON-LEROUX EARL 669
MÖVENPICK 1201
MOYER Jean-Marie 1015
MOYER Dominique 1017
MOYNE Hubert et Renaud 694
MOYNIER Luc et Elisabeth 740
MOZE-BERTHON SCEA Patrick et Sylvie 282 316
MUCHADA 881
MUCYN Pierre 452
MUGNERET Dominique 444 503 506 513
MUID MONTSAUGEONNAIS Le 1181
MULLER Jules 90 99 116
MULLER ET FILS Charles 92 99
MULONNIÈRE SCEA Ch. de La 959
MUMM G.-H. 669
MUNCK-LUSSAC SARL 311
MUR Georges et Régine 1156
MUR Philippe 883
MURAIL GAEC 937
MURÉ Francis 109
MURÉ René 142
MUREAU Régis 998
MÛRIERS SARL Les 807
MUSCAT SCA Le 772
MUSCAT DE LUNEL Les Vignerons du 770
MUSSET Jacques-Charles de 341
MUSSET-CHEVALIER SC du Ch. 302
MUSSET-ROULLIER Vignoble 943 947
MUSSO Amédée-Laurent 1167
MUSSO Louis 850
MUSSO Henri 376
MUZARD ET FILS Lucien 528 547 579

N

NADAU EARL 207
NAIGEON Pierre 482 499
NALYS Dom. de 1116
NASLES Michelle 835
NATIVEL EARL 246
NATOLI Jean 1174
NAUDET Cave Roger 1055
NAUDIN-FERRAND Dom. Henri 444 448 517
NAUDIN TIERCIN 506
NAUDIN-VARRAULT 550 579
NAUER AG Gebrüder 1217
NAU FRÈRES 998
NAUJAN Les Grands Châteaux de 229
NAULET EARL Vignobles 317
NAVARRE Fondation La 818
NAZELLE Vivien de 1150
NEAU Régis 977 980
NEBOUT Serge et Odile 1040

NEBOUT ET FILS 271
NÉGREL Guy 810
NÉGRIER ET FILS EARL Vignobles Henri 381
NEL Ida 1179
NÉNINE SCEA des coteaux de 339
NERTHE SCA Ch. La 1117
NEUCHÂTEL Cave de la ville de 1216
NEUMEYER Dom. Gérard 127
NEVEU ET FILS Dom. Roger 1058
NEWMAN GFA Dom. 540 542
NEYROUD-FONJALLAZ Jean-François 1201
NEYS Christian 340
NICOLAS Ets Claude 872
NICOLAS SC Héritiers 265
NICOLAS Eric 1012
NICOLAS PÈRE ET FILS Dom. 448
NICOLET Guy et Frédéric 1114
NICOLLE Robert 464
NICOLLE Charly 469
NIGAY Pascal 165
NIVOLLET Bernard et Béatrice 749 1166
NOAILLAC Ch. 369
NODOZ Ch. 250
NOË Dom. de la 1144
NOËL Didier 1076
NOËLLAT ET FILS SCEA Dom. Michel 485 507
NOËLLE Vignerons des Terroirs de la 939 1144
NOËL PÈRE ET FILS SCEA 256 258
NOGARO Cave des Producteurs réunis de 912
NOLL EARL Charles 99
NOLOT SCEA Catherine 963
NONY Famille 296
NONY Vignobles Léon 274 316
NONY-BORIE SCE Vignobles 376
NORGUET EARL Dominique 1031
NOUET GAEC J.-Cl. et Pierre-Yves 927
NOURY Dom. Jacques 1032
NOUVEAU EARL Dom. Claude 448 582
NOUVEL SCEA Vignobles J.-J. 289
NOUVEL V. et P. 865
NOUYS Clos de 1020
NOVELLA Pierre et Marie 853
NOYERS Ch. des 965
NUDANT Dom. 523 529 531

O

O'BRIEN David 838
OCCITANE Les Vignerons de L' 1157
ŒNOALLIANCE 247
OGEREAU Vincent 944 950 965
OGIER-CAVES DES PAPES 1075 1108 1117
OISLY ET THÉSÉE Confrérie des Vignerons de 988 1028
OJEDA Emmanuelle et Jean-Luc 902
OLESEN Mogens N. 865
OLIVIER Pierre 550 566
OLIVIER SCA Jean 1119
OLIVIER EARL Dom. 998
OLIVIER Jean-Marie 1117
OLIVIER-GARD Dom. 444
OLIVIER PÈRE ET FILS 580
OLLIER-TAILLEFER Dom. 754
OLLON Association viticole d' 1197
OLT Les Vignerons d' 875
OMASSON Bernard 998
OMNIVINS 208
ONFFROY Baron Roland de 252
OOSTERLINCK-BRACKE 964
OPÉRIE 410
ORBAN Charles 669
ORBAN Hervé 669
ORENGA DE GAFFORY GFA 852 853
OR ET DE GUEULES Ch. d' 735
ORIEUX Stéphane 926
ORLANDI FRÈRES SCEA 253
ORMARINE Cave de L' 745
ORME Dom. de l' 456
ORMES EARL Ch. Les 408
ORMES Dom. des 777 789
ORMES Dom. des 459
OROSQUETTE Jean-François 1157
ORPAILLEUR Vignoble de l' 1190
ORSAT Caves 1209
ORSUCCI François 845 1171
ORTELLI Patricia 840
OTT Dom. 818
OTTER ET FILS Dom. François 131
OTTIGER Weinbau Toni 1218
OUDIN Dom. 465
OUDINOT 670
OULIÉ Famille 883
OURY 749
OURY-SCHREIBER 150
OVIDE ET FILS EARL 247

P

PABIOT Dominique 1048
PABIOT ET FILS Jean 1047 1058
PACAUD-CHAPTAL 741
PADIOU Gérard 1144
PAGE Jean-Louis 1009
PAGÈS Marc 768
PAGÈS Maryline 740
PAGÈS Alexandre 740
PAGÈS Jean-Pierre 1133
PAGET Dom. James et Nicolas 993 1009
PAILLARD Bruno 670
PAILLARD Pierre 670
PAILLÈRE ET PIED-GU EARL 1108
PAILLET-FÉRAUD Martine 806
PAIN Philippe 1006
PAIN Dom. Charles 1009
PAIRE Jean-Jacques 159
PALAYSON SA Dom. de 818
PALME SCA Les Vignerons de La 755 793
PALMER Ch. 387 390
PALMER ET CO 670
PALOUMEY Ch. 381 393
PANERY SCEA Ch. de 1076
PANIS Jean 758
PANIS Louis 732
PANISSEAU SA 899
PANMAN Jan et Caryl 722 724
PANSIOT Dom. Eric 435
PANTALÉON Thierry 1002
PAPILLON GAEC 603
PAPIN Claude 969
PAPIN EARL Agnès et Christian 942 947 953 957
PAPON Catherine 324
PAQUES ET FILS SA 670
PAQUET EARL Agnès et Sébastien 555
PAQUET Jean-Paul 149
PAQUET Maison François 162
PAQUET Michel 617
PAQUET Jean-Paul 613 616
PARADOU Cave du 1208
PARAGE SCE Vignobles 345
PARC SAINT-CHARLES Dom. du 1076
PARDON ET FILS 189
PARENT Dom. 529
PARENT François 547 550
PARENT Annick 553
PARENT Pierre 1028
PARET Bernadette 316
PARET Alain 1099
PARIGOT PÈRE ET FILS Dom. 448 535 540 547
PARIS Vincent 1105
PARIZE Gérard et Laurent 595
PAROISSE Sté coop. de vinification La 378
PASCAL Famille Achille 829
PASCAL Alain 829
PASCAL-DELETTE 670
PAS DE L'ANE SARL 302
PASQUEREAU Didier 931
PASQUET Laurence et Marc 295
PASQUET Marc 244 251
PASQUIER Patrick 977
PASQUIER-MEUNIER Ph. 728
PASQUIERS SCEA Vignobles des 1108 1175
PASSAMA Hervé 778 790
PASSAQUAY Dominique 1208
PASSOT Jacky 185
PASSOT Alain 173
PASSOT Bernard et Monique 186
PASSOT Maurice 184
PASSOT Bernard 186
PASTOUREL ET FILS Yves 770
PASTRICCIOLA GAEC 852
PATACHE D'AUX SA 370
PATAILLE Dom. Sylvain 473
PATIS Christian 670
PATOUX Denis 671
PATRIARCHE Aline et Joël 589

PATRIARCHE Dom. Alain 439 563
PATRIARCHE PÈRE ET FILS 529 573
PATRIS SCEA Ch. 302
PATURAL Bernard 978
PAUCHARD ET FILS Jean 447
PAUCHET Arnaud 233
PAUL Jacques 841
PAUL Jean-Marie 820
PAULANDS Caves des 523
PAULILLES Les Clos de 785
PAULY SC J. et J. 415 417
PAUTRIZEL Jacques 251
PAUVIF SCEA 243
PAUX-ROSSET Jean 746
PAVELOT Jean-Marc et Hugues 535
PAVELOT EARL Dom. Régis et Luc 440 526
PAVIE SCA Ch. 303
PAVIE MACQUIN SCEA Ch. 303
PAVILLON Dom. du 523
PAVILLON SCEA Ch. du 411
PAVILLON GAEC Dom. du 1041
PAVILLON DES CAPITANS GFA Le 181
PAYS BASQUE Les Vignerons du 878
PAZAC SCA des Grands Vins de 736
PÈCH Jean-Michel 781 794
PÉCHARD Ghislaine et Patrick 193
PÉCHARNAUD SCEA 223
PECH-LATT SC Ch. 729
PÉCOULA GAEC de 903
PÉDESCLAUX SCEA Ch. 398
PEDRO SCEA des Dom. 402
PÉHU David 671
PEIGNÉ EARL Dominique 1143
PEILLOT Franck 717
PEIN Jean-François 159
PEITAVY Jean 1162
PEITAVY Luc 1162
PÉLAQUIÉ Dom. 1076 1121
PÉLÉPOL PÈRE ET FILS Jacques et Christian 821
PÉLISSIÉ SCEV François 857
PÉLISSON Patrick 1129
PELLÉ Dom. Henry 1043 1058
PELLEGRIN Jean-Pierre 1214
PELLERIN Joseph 177
PELLETIER Jean-Benoît 762
PELLETIER Jean-Christophe 1005
PELON-RIBEIRO 381
PELOSSI ET CO Azienda vitivinicola 1222
PELOU Pierre 792
PELOUX Vignobles du 736 1111 1126
PELTIER Vincent 1024
PELTIER Philippe 695 699
PENAUD Patrick 240
PENET Annick 998
PÉQUIN Vincent 992
PÉQUIN François 991
PERCEREAU Dominique 992
PERDRIAUX EARL 1026
PERDRIX Philippe 717
PÈRE TIENNE Cave du 599
PERETTI DELLA ROCCA Jean-Baptiste de 846
PÉRÉ-VERGÉ SCEA Vignobles 267 269 274
PEREY-CHEVREUIL GFA 281
PERFETTI Romain 851
PÉRIGNON Michèle et Jacques 840
PERNET Jean 671
PERNET-LEBRUN 671
PERNOT ET SES FILS EARL Paul 566
PÉROL Frédéric 157
PERRACHON Laurent 180
PERRACHON Jacques et Cécile 178 189
PERRACHON Pierre-Yves 188
PERRACHON Monique 171
PERRAUD Stéphane et Vincent 931
PERRAUD Jean-François 164 181
PERRAULT ET FILS EARL 582
PERRÉON Cave Beaujolaise du 167
PERRET Eric 762
PERRET Pascal 745
PERRET André 1097 1099
PERRIER SA Joseph 671
PERRIÈRE SCEA Dom. de La 1059
PERRIÈRE Dom. de la 1010
PERRIER-JOUËT 671
PERRIER PÈRE ET FILS Dom. 711
PERRIN EARL Daniel 672
PERRIN Dom. Christian 520
PERRIN Vincent et Marie-Christine 551 553 557
PERRIN Louise 529
PERRIN SCEA Philibert 357
PERRIN Antony 353
PERRIN Alain-Dominique 859
PERRIN Gaston 672
PERRIN EARL Dom. Roger 1076
PERRIN ET FILS SA 1076 1088
PERROMAT EARL Jacques et Guillaume 414
PERROMAT EARL Vignobles Jacques 342
PERROT Jacques 1203
PERROT Hans 1216
PERROT-MINOT Henri 487 488
PERRUCHE Dom. de la 980
PERSANGES Ch. de 703
PERSE Gérard 322
PERSENOT EARL Gérard 435 471
PERSEVAL Isabelle et Benoist 672
PERSILIER Gilles 1036
PERTOIS Dominique 672
PESTRE Dom. Patrick 448
PÉTARD Jean-Paul 931
PÉTARD EARL Luc 931
PETERS Pierre 672
PÉTILLAT Jean-Louis 1039
PETIT SARL André 803
PETIT Vignobles Jean 300 321
PETIT Vignobles Marcel 325
PETIT Camille et Marie-Thérèse 1000
PETIT James 999
PETIT Dom. Désiré 693 696 706
PETIT Jean-Michel 693 706
PETIT Franc 806
PETIT-CAMBIER Familles 276
PETIT CLOCHER GAEC du 1144
PETITEAU-GAUBERT EARL 932 936 1144
PETITOT ET FILS EARL Dom. Jean 440 520
PETIT PARIS EARL Dom. du 899 903
PETIT-ROUDIL SCEA les Vignobles Mireille 1122
PETRUS SC du Ch. 269
PEUCH SCEA 296
PEYCHAUD SCEA Ch. 253
PEYFAURES Nicole, Marie-Amélie & Laurent 232
PEYRABON SARL Ch. 381
PEYRARD Jean-Paul 160 168
PEYRAT-FOURTHON Ch. 382
PEYRE Marc 1119
PEYRESSAC GAEC de 364
PEYRETTE Patrick 880
PEYROLLE Mas 747
PEYRONIE SCEA Domaines 396
PEYRONNET Dom. 770
PEYRUSE EARL Vignobles 372
PEYRUS ET FRANÇOISE JULIEN Christophe 740
PEYSSON Jean-Luc 1088
PEYTAVY Philippe 740
PEYTOUR Didier 315
PÉZILLA Les Vignerons de 777 789 793
PFAFFENHEIM Cave vinicole de 100 116
PHÉLAN SÉGUR Ch. 403
PHILIP 1078
PHILIP FRÈRES 738
PHILIPPART Maurice 672
PHILIPPE J.-C. 289
PHILIPPE N. 1181
PHILIPPONNAT 672
PHILIPPOZ FRÈRES 1208
PHILIZOT ET FILS 672
PIALENTOU SCEA du 867
PIAT Gérard 1042
PIAUGIER Dom. de 1088
PIAZZETTA GAEC 901
PIBALEAU Pascal 993
PIBRAN Ch. 398
PICAMELOT Louis 452
PICARD Jean-Paul 1059
PICARD SCEV Jacques 673
PICARD Michel 156
PICARD Maison Michel 488 517 563 589 593
PICARD ET BOYER SCEV 673
PICHARD Philippe 1005
PICHAUD SOLIGNAC EARL 335
PICHE Bernard 826
PICHET EARL Jean-Marc et Thomas 999

PICHON Christophe 1097
PICHON-BELLEVUE Ch. 334
PICHON-LONGUEVILLE Ch. 399
PICHON-LONGUEVILLE COMTESSE DE LALANDE SCI Ch. 399
PIDAULT Jean-Marie 605
PIEAUX Bruno et Jean-Michel 1023
PIÉGUË Ch. 944
PIERAERTS GFA Philippe 336
PIERRAIL EARL Ch. 218
PIERRE M. et Mme 415
PIERRECLOS Ch. de 604
PIERREL ET ASSOCIÉS SA 673
PIERRES ROUGES Dom. des 600
PIERREUX GFA Ch. de 167
PIERREVERT Cave des Vignerons de 1134
PIERSON-CUVELIER 673
PIERSON FRÈRES 1182
PIÉTRI-GÉRAUD Maguy et Laetitia 783 786
PIGEAT Dom. André 1051
PIGNARD Evelyne et Guy 158
PIGNERET FILS EARL Dom. 440
PIGNIER Dom. 699 706
PIGOUDET SCA Ch. 837
PIGUET-CHOUET Max et Anne-Marye 547 555 563
PILLAULT Thierry 983
PILLET Alain 1146
PILLITTERI ESTATES WINERY 1187
PILLOT Paul 573 575
PILLOT EARL Fernand et Laurent 573
PILLOT Dom. Jean-Michel et Laurent 592
PILOTTE-AUDIER EARL Vignobles 295
PIMONT Dom. du 541 575
PIMPÉAN SCA Dom. de 944
PINON GAEC Michel et Damien 1024
PINON François 1024
PINQUIER-BROVELLI Dom. 435 440 541
PINS Rodolphe de 1075
PINSON Jack 1063
PINSON Dom. 469
PINSONNIÈRE GAEC de La 1022
PION Philippe 1010
PIPER-HEIDSIECK 673
PIQUEMAL Dom. Pierre 777 781 793
PIQUE-SÈGUE SNC Ch. 898
PIRON Vins Dominique 186
PIRONNEAU François 920 993
PISANI-FERRY Edouard 981
PITAULT-LANDRY ET FILS 999
PIZAY SCEA Ch. de 159 186
PLACIDO SCEA Di 842
PLAGEOLES EARL Robert et Bernard 867
PLAIMONT Producteurs 885 887 888 1151
PLAISANCE Ch. 872
PLAISANCE SCEA Ch. 233
PLANCHON ET FILS SCEV Robert 1062
PLANÈZES-RASIGUÈRES Les Vignerons de 781
PLANTADE GAEC J.-G. et D. 759
PLAN-VERMEERSCH Le 1179
PLASSAN Ch. de 340
PLASSE Jacques 1042
PLAUCHUT Emmanuel 815
PLISSON SCEA Vignobles J.-C. 240
PLOQUIN EARL Eric 999
PLOUZEAU Marc 922 1005
PLOUZEAU EARL François 986
POCHON Dom. 1101
POINTE SCE Ch. La 270
POINTILLART Philippe et Anthony 673
POIRON Jean-Michel 936 1144
POIRON ET FILS Dom. Henri 929
POISSINET-ASCAS 673
POITEVIN EARL André 194
POITOU Lionel 383
POITTEVIN Gaston 673
POIVEY Philippe 893
POLI Ange 847
POLI Eric et Antoine 1170
POLI-JUILLARD Marie-Brigitte 851
POL ROGER SA 674
POMEAUX Ch. 270
POMMERAUD Jean-François 246
POMMERY 674
POMMIER SCEA 1135
POMMIER SAS Vignobles Michel 332
POMMIER Denis 456 460 465
POMMIERS GFA des 291
PONNELLE Albert 535 541 580
PONS Jacques 753
PONS Gilles 1146
PONSARD-CHEVALIER Dom. 551 580 582
PONS-MASSENOT SCEA 825
PONT Vincent 553
PONT SCEA Ch. de 988
PONTAUD Bernard 1075 1087
PONTEY GFA du Ch. 370
PONTIÉ Philippe 858
PONT LE VOY Dom. de 1088
PONTONNIER-CASLOT EARL 999 1003
PONTY Michel 257
PORTAL Jérôme 757
PORTAL Serge 824
PORTALIER Bernard et Carmen 876
PORTAZ Jean-Marc 712
PORTIER Philippe 1051
PORTIER Virgile 688
POSQUIÈRES Dom. de 736
POTEL-AVIRON SARL 186
POTEL-PRIEUX 674
POTENSAC Ch. 370
POTIÉ N. 674
POUDEROUX Dom. 781 795
POUDEVIGNE Jérôme 1178
POUGEOISE EARL Charles 674
POUILLON ET FILS Roger 674
POUILLOUX ET FILS SCEA Robert 804
POULET Jean 557
POULET Alain 1124
POULET PÈRE ET FILS 513 553 557
POUL-JUSTINE EARL 674
POULLAIN Luc 986
POULLEAU PÈRE ET FILS Dom. 523 537 542 551
POUPARD SCEA Alain 967
POUPARD ET FILS 919 966
POUPAT ET FILS 1039
POUPINEAU Gérard 1000
POURPRE EARL Dom. du 171
POURREAU SCEA Vignobles Claude 369
POURTALÈS EARL Max de 377
POUSSE D'OR Dom. de La 529 551 580
POUSSE ET MICHEL PESSONNIER Anne 252
POUX M.-F. et E. 765
PRADELLE GAEC J. et J.-L. 1102
PRADIER Jean-Pierre et Marc 1036
PRADIER Sylviane et Bernard 1074
PRAIN Frédéric 454
PRÉDAL-VERHAEGHE EARL 776
PREIGNES LE VIEUX Dom. 1163
PREISS Ernest 100
PREISS-ZIMMER SARL 127 139
PREMEAUX Dom. du Ch. de 514 517
PRESQU'ÎLE DE SAINT-TROPEZ Les Maîtres vignerons de la 819
PRESSAC GFA Ch. de 304
PRESSOIR FLEURI Dom. du 177
PRESTIGE DES SACRES 675
PRÉVITALI Guy 1151
PRÉVOTEAU PÈRE ET FILS EARL 675
PRÉVOTEAU-PERRIER 675
PREYS ET FILS Dom. Jacky 1033
PRIEUR G. 580
PRIEUR Maison G. 547 573
PRIEUR Dom. Jacques 503 563 567
PRIEUR Pierre 1005
PRIEUR-BRUNET Dom. 541 551 580
PRIEURÉ DE LA BERNÈDE EARL 729
PRIEURÉ DE MEYNEY SAS 403
PRIEURÉ DE MONTÉZARGUES GAF 1122
PRIEURÉ-LICHINE Ch. 391
PRIEURÉ SAINT-FRANÇOIS EARL 1077
PRIEURÉ SAINT-JUST GAEC Dom. du 1088

PRODUCTEURS

PRIEURÉ SAINT-MARTIN DE LAURE 760
PRIEURÉ SAINT ROMAIN Dom. du 189
PRIEUR ET FILS Paul 1059
PRIEUR ET FILS SA Pierre 1061
PRIMO PALATUM 211 350 724 860 882
PRIN Dom. 520
PRINCE SCA des Vignobles 288
PRIN PÈRE ET FILS 675
PRIORAT GAEC du 896
PRISSÉ-SOLOGNY-VERZÉ Caves de 440 605
PRISSETTE Séverine 348 352
PRODIFFU 217 230 909
PROFFIT-LONGUET EARL 939
PROMOCOM 233
PROST ET FILS EARL Serge 582
PROTHEAU ET FILS Dom. Maurice 591
PROTON DE LA CHAPELLE Benoît 161
PROVIN Christian 1003
PROVINS VALAIS 1209 1211
PRUDHON ET FILS Henri 575
PRUNIER Dom. Jean-Pierre et Laurent 553 555
PRUNIER Michel 537 547
PRUNIER Vincent 555 557 573
PRUNIER-BONHEUR Pascal 554 555
PRUNIER-DAMY Philippe 556
PRUVOST Nicolas 903
PUECH Dom. Jean-Louis 748
PUEYO FRÈRES GAEC 280 286
PUFFENEY Jacques 693
PUGET Ch. du 819
PUGIBET François 1154
PUGNAC Union de producteurs de 243 253
PUISSEGUIN CURAT EARL du Ch. de 318
PUISSEGUIN ET LUSSAC-SAINT-EMILION Les Producteurs réunis de 206 227 311
PUITS DE COMPOSTELLE Dom. du 1140
PUJOL Annick 327
PUJOL José 776
PUJOL Jean-Luc 790
PULIGNY-MONTRACHET Ch. de 563 566 575
PUPILLIN Fruitière vinicole de 706
PUYGUERAUD SCEA Ch. 328
PUYOL ET FILS GAEC Jean 278
PUYPEZAT GAEC de 907
PUY RIGAULT EARL Dom. du 1010
PUY-SERVAIN SCEA 905
PUZIO-LESAGE 290
PY GFA du 182

Q

QUAILS' GATE ESTATE WINERY 1184
QUANCARD André 386
QUARRES SCEA Dom. des 945
QUARTIRONI 765
QUATRE-CHEMINS Cave des 1079
QUATRESOLS-GAUTHIER Régis 675
QUATRE TOURS Cellier des 837 1168
QUELLIEN Bérengère 348
QUÉNARD Les Fils de René 712
QUÉNARD Dom. J.-Pierre et J.-François 712
QUÉNARD André et Michel 712
QUENIN J.-F. et D. 273
QUENTIN François 291
QUERCY GFA du Ch. 304
QUERRE Emmanuel 320
QUEYRATS GAF Ch. Les 345
QUEYRENS Bernard 410
QUEYRENS ET FILS SCV Jean 217 221 412
QUIÉ Jean-Michel 395
QUINARD Maurice 717
QUINÇAY Ch. de 988
QUINCIÉ Cave beaujolaise de 165
QUINSON SA 174
QUINTIN FRÈRES SCEA 1039
QUIOT SÉLECTION Jérôme 1089 1118
QUIVY Gérard 482 487

R

RABELAIS SICA des Vins de 1005
RABILLER EARL Vignobles 403
RABINEAU-FILLION 952
RABOUTET Didier et Sylvie 242
RACE Denis 460
RAFFAITIN EARL Jacques 1059
RAFFAULT Julien 1010
RAFFAULT EARL Jean-Maurice 1010
RAFFINAT ET FILS 1034
RAFFLIN Denis 675
RAGON Paul 352
RAGOT Dom. Jean-Paul 595
RAGUENIÈRES SCEA Dom. des 999
RAGUENOT-LALLEZ-MILLER EARL 247 379
RAHOUL SA Ch. 350
RAIMBAULT Roger et Didier 1059
RAIMBAULT GAEC J. et G. 1024
RAIMBAULT-PINEAU Dom. 1059
RAIMOND Didier 675
RAINBOW 676
RAMBIER ET JACQUES TOURNANT Vignobles Guy 742
RAMONTEU Henri 879
RAMPON Daniel 165
RAMPON EARL Jean-Paul 193
RAMU Marc 1214
RAOUSSET Ch. de 174
RAOUSSET SCEA héritiers de 174
RAOUST Michel 847
RAOUX Philippe 373
RAOUX Isabelle 774
RAPET ET FILS EARL François 558 563
RAPET PÈRE ET FILS Dom. 523 526 529 535 541
RAPHET Gérard 482
RAPIN Béatrice et Vincent 212
RAPP Jean 92 146
RAQUILLET François 592
RASPAIL EARL Georges 1124
RASPAIL ET FILS Jean-Claude 1124
RASQUE SCEA du Ch. 819
RASSAT Didier 1051
RASSE Georges et Denis 1167
RASTEAU Cave de 1077 1136
RASTEAU ET DE TAIN-L'HERMITAGE Les Vignerons de 1089 1107 1116 1132
RATOUIN SCEA Ch. 270
RAT-PATRON Hervé et Patrice 712
RATRON Dom. 978
RAULT Marius 1017
RAUZAN Union des Producteurs de 330
RAUZAN-GASSIES Ch. 391
RAUZAN-SÉGLA SA Ch. 391
RAVAILLE Jean-Marc 742
RAVAT Serge 256
RAVAUTE Rémy et Dominique 836
RAVIER Olivier 160 177
RAY Cave François 1040
RAYMOND SCEA 341
RAYMOND Yves 386
RAYNE VIGNEAU SC du Ch. de 416 418
RAYRE EARL Ch. La 893
RAZÈS Cave du 768
RÉAL D'OR SCEA Ch. 820
REBES Laurent 365
REBEYROLLE Jean et Evelyne 900
REBOUL EARL Fabien 751
REBOURGEON Dom. Michel 547
REBOURGEON-MURE Dom. 547 551
REBOURSEAU NSE Dom. Henri 488 501
REBUT Georges 155
REDER Paul 749
REDORTIER EARL Ch. 1089
REGAUD SCEA 332
RÉGENCE-BALAVAUD SA Cave 1209
REGGIO Famille 837
REGIN André 126
RÉGINA SCEA Dom. 149
RÉGLAT Bernard 346
RÉGLAT EARL Vignobles Laurent 340 412
RÉGNARD 465
REGNAUDOT Bernard 580 582
REGNAUDOT ET FILS Jean-Claude 583
RÉGNIER SAS Louis 676
RÉGUSSE SARL Cave et Vignobles de 1134 1166
REICH GAEC des vignobles 362

REICH ET FILS EARL Henri 370
REIF ESTATE WINERY 1188
REIGNAC SARL Ch. de 234
REINE PÉDAUQUE 503 532
REINERSMANN Ernst 223
REITZ SA Paul 442 585
RELAGNES Dom. des 1117
RÉMON GAEC 884
REMORIQUET Dom. 507 514
REMPARTS GAEC Dom. des 440
REMPARTS DE NEFFIÈS SCEA 747
REMY Dom. Louis 497
RÉMY Joël 436 575
RENAUDAT Jacques 1053
RENAUDIE SCEA Ch. La 906
RENAUDIN R. 676
RENAUT-CAMUS 1180
RENCK EARL Raymond 140
RENDU J.-L. et M.-P. 789
RÉNIER Eveline 331
RENOIR Vincent 676
RENOU Claude 1003
RENOU Dom. René 971
RENOUARD Alain 1126
RENOUD-GRAPPIN Pascal 617
RENOU ET FILS GAEC Joseph 969
RENOU FRÈRES 934
RENOUIL David 362
RENTZ Dom. Edmond 117
RENUCCI Bernard 847 848
RÉQUIER Ch. 820
RÉSERVE DES DOMAINES La 180
RESSÈS ET FILS 856
RETAILLEAU Denis 962
RÉTHORÉ DAVY SCEA Vignobles 1145
RÉTIVEAU-RÉTIF EARL 977
RETTENMAIER Famille 307
REUILLY SCE Dom. de 1053
REULIER Damien 954 1141
REVAIRE Muriel et Patrick 244
REVERCHON Xavier 699
REVERDY Patrick 732
REVERDY Dom. Hippolyte 1059
REVERDY Pascal et Nicolas 1059
REVERDY Bernard-Noël 1057
REVERDY Jean-Marie 1062
REVERDY CADET ET FILS 1062
REVERDY ET FILS GAEC Daniel 1060
REVERDY ET FILS Bernard 1060
REVERDY ET FILS Jean 1060
REVOLLAT Cyril 172
REY SCA Mas de 1168
REY Raymond et Christophe 1209
REY Michel 617
REY EARL les Héritiers de Marcel 1136
REY-AURIAT Isabelle 859
REYBIER SA Domaines 400
REY ET FILS Simon 243
REYNARD Jean-Marie 1209
REYNARDE EARL la 1129 1175
REYNARDIÈRE Dom. de La 754
REYNAUD EARL Luc 1164
REYNOUARD Guillaume 974
REYSER EARL Hubert 117
RHODAN Caves du 1209
RHÔNE Vignobles et Domaines du 1077
RIBES Famille 872
RIBET Jean-Marc 752
RICARD Olivier 1169
RICARD SCEA des Vignobles 217 221
RICARD GAEC 989
RICARDELLE Ch. 749
RICAUD Ch. de 411
RICHARD Pierre 725
RICHARD SCE Henri 474 482 487 488
RICHARD EARL Philippe 1010
RICHARD Pierre 699 701 707
RICHARD Hervé et Marie-Thérèse 1097 1099
RICHARD GAEC A. 946 967
RICHARD EARL André 1109
RICHARD Jean-Pierre 937
RICHARDS Dom. des 1111
RICHARME Pierre 847
RICHARTE Jean-Pierre 1146
RICHLI Paul 1220
RICHLI ET HEIDI STEINER Jakob 1220
RICHOU Damien et Didier 922 957
RICHY Philippe 751
RICOME EARL Vignobles Dominique 737
RIÈRE J.-F. 777 794
RIETSCH EARL Pierre et Jean-Pierre 145
RIEUSSEC Ch. 418
RIEUX, CAT BOISSEL Dom. René 867
RIFFAULT SCEV Claude 1060
RIGOUTAT Dom. 436
RIJCKAERT SARL 607 694 699
RIMAURESQ SA 820
RIMBERT Jean-Marie 765
RIMBERT François-Xavier 1129 1175
RINGWOOD BREWERY Ets 895
RION Dom. Armelle et Bernard 501
RION ET FILS EARL Dom. Daniel 507 514
RIOUSPEYROUS Thérèse et Michel 877
RIS Dom. de 989
RIVAL Laurence 895
RIVALERIE Ch. La 222
RIVALS Béatrice 301
RIVESALTAIS Les Vignobles du 773 787
RIVIÈRE SCE M. et Ph. 344
RIVIÈRE SCEV Pierre 288
RIVIÈRE Jean-Pierre 311
RIVIÈRE François 926
RIVIÈRE-JUNQUAS Vignobles 275
ROBERT Denis et Emmanuel 1177
ROBERT Stéphane 1105
ROBERT GFA 722
ROBERT EARL Vignobles Maurice 235 332
ROBERT Brigitte et Claude 1164
ROBERT Olivier 771
ROBERT André 676
ROBERT EARL Michel 824
ROBERT ET FILS Vignoble Alain 1025
ROBERTIE Ch. La 894
ROBERTS Ricardo et Evelyne 235
ROBICHON Patrick 946
ROBIN SCEA Ch. 325
ROBIN EARL Louis et Claude 919
ROBINEAU Jean-François 332
ROBINEAU Michel 945 966 1145
ROBINEAU Louis 945 966
ROCALIÈRE Dom. La 1122
ROCBÈRE Caves 729
ROC DE BOISSAC SARL 273 319
ROC DE BOISSEAUX SCEA du Ch. 305
ROC DES ANGES Le 781
ROCHAIS Guy 950 959
ROCHE Michel 894
ROCHE EARL Christian 901
ROCHE SCEA 218 227
ROCHE Ch. de La 989 993
ROCHE SCEA des Dom. 858
ROCHEBIN Dom. de 599
ROCHEGUDE Cave des Vignerons de 1078 1090
ROCHE HONNEUR Dom. de la 1011
ROCHE-PRESSAC Ch. La 325
ROCHER Jean-Claude 316
ROCHER Benoît 949
ROCHER Dominique 1090
ROCHER CAP DE RIVE Vignobles 282 307 405
ROCHER CORBIN SCE Ch. 316
ROCHES Olivier 893
ROCHETTE Vincent 1077 1089
RODET Jacques 248
RODET Antonin 465
RODEZ Eric 676
RODRIGUES-LALANDE EARL Vignobles 352
RODRIGUEZ Thierry 753
ROEDERER Louis 677
ROGER Frédéric 1161
ROGER Dominique 1060
ROGER SARL Vignobles 765 1158
ROGER André 940
ROH Serge 1210
ROI Jean-Noël 309
ROLET JARBIN SCEA 205 231
ROLET PÈRE ET FILS Dom. 694 707
ROLLAND Michel et Dany 260 263 305
ROLLET Pascal 608
ROLLET S.A. Vignobles 294
ROLLIN Christiane et Jean 1171
ROLLIN PÈRE ET FILS 526
ROLLY GASSMANN 117
ROMAIN Philippe et Thierry 1150
ROMAIN ET FILS EARL J.-C. 1149

ROMANÉE-CONTI SC du Dom. de la 503 508 509 567
ROMANIN SCEA Ch. 838
ROMARINS Dom. des 1078
ROMÉRO ET FILS André 1080 1091
ROMINGER SCEA Eric 145
ROMPILLON SARL Dom. 947 951
ROMY Dominique 160
RONDEAU Marjorie et Bernard 717
RONDONNIER Gilbert 897
RONTEIN-PRIOU 336
ROPITEAU FRÈRES 563 566 589
ROQUE GAEC de la 1156
ROQUEBRUN Cave Les Vins de 766
ROQUE D'AGNEL SCAV Cellier 730
ROQUEFEUIL Vicomte Loïc de 330
ROQUEFEUIL Geoffroy de 222
ROQUEFORT Ch. 212 218
ROQUEFORT-LA-BÉDOULE Les vignerons de 820 1168
ROSE Jean-Pierre 808 1171
ROSE D'ARGENT SCEA La 332
ROSE DES VENTS Dom. La 842
ROSIER Dom. 722
ROSIER Dom. des 1126
ROSIER Sylvain 175
ROSKAM Nicole 286
ROSNAY EARL Ch. de 937
ROSSIER David 1210
ROSSIGNOL Nicolas 436 526 548
ROSSIGNOL Régis 548 551
ROSSIGNOL Pascal 778 790 794
ROSSIGNOL-BOINARD SCEA Vignobles 239
ROSSIGNOL-FÉVRIER EARL 552
ROSSIGNOL-JEANNIARD Ch. 552
ROSSIGNOL-TRAPET Dom. 485 491 541
ROTHSCHILD CV Edmond et Benjamin de 382 384 394
ROTHSCHILD SA Baron Philippe de 395 398
RÖTIBERG-KELLEREI 1220
ROTIER Dom. 867
ROTISSON Dom. de 160 436
ROTIVAL Michel 172
ROUBALLAY Noë 988
ROUBINE Ch. 820
ROUDIL EARL Isabelle et Dominique 1122
ROUDIL SCEA Henri 1123
ROUDIL-JOUFFRET EARL 1080
ROUDON MÈRE ET FILS 157
ROUET Dom. des 1011
ROUFFIAC-D'AUDE Cave coop. de 768
ROUGE Louis-Philippe et Philippe 1202
ROUGEVIN-BAVILLE Martine 870
ROUGEYRON Michel et Roland 1036
ROUGIER René 833
ROUILLÈRE Dom. de La 821
ROULET Jean-Pierre 897
ROUMAGE Jean-Louis 216 230 331
ROUMAZEILLES Odile 416
ROUMEGOUS Denis 349
ROUMIER Dom. Laurent 445 497
ROURE DE PAULIN Dom. du 611
ROUSSE Wilfrid 1011
ROUSSEAU Dom. Armand 484 489
ROUSSEAU Stéphanie 270
ROUSSEAU SCE Vignobles 275 312
ROUSSEAU Alain 964
ROUSSEAU DE SIPIAN LTD Ch. 371
ROUSSEAU FRÈRES 989 991
ROUSSEAUX Jacques 677
ROUSSEAUX-FRESNET Jean-Brice 677
ROUSSEL Marine 1120
ROUSSEL Marie-France et Didier 335
ROUSSELOT Rémy 261 276
ROUSSELY Vincent 985
ROUSSET Cave de 833
ROUSSET Denis et Geneviève 449
ROUSSET Daniel 601
ROUSSET-ROUARD 1131
ROUSSILLE Pascal 804
ROUSSILLE EARL 327
ROUSSILLE Jean-Paul 856
ROUSSY DE SALES Marquise de 166
ROUVIÈRE Luc 759
ROUVIÈRE-PLANE SARL 842
ROUVINEZ VINS 1210
ROUX de 1167
ROUX Jean-Claude 1051
ROUX Françoise 258
ROUX SCEA Vignobles Patrice 325
ROUX EARL Bruno 971
ROUX SCEA Ch. de 821
ROUX ET FILS SCEV Vignobles Alain 257 258
ROUX-OULIÉ Arnaud 258
ROUX PÈRE ET FILS Dom. 497 520 558 563 567 573 575 750
ROUZÉ Adèle 1051
ROUZÉ Jacques 1051
ROVIO RONCO SA Vini 1223
ROY Jean-François 1033
ROY Michel 989
ROY Alain 596
ROYAL COTEAU Le 677
ROYAL DEMARIA WINES 1188
ROY DE PIANELLI Grégoire et Anne 326
ROYER PÈRE ET FILS 677
ROYET ET FILS GAEC 436
ROY ET FILS Dom. Georges 523 537
ROY RENÉ Les Vignerons du 837 1169
ROY-TROCARD SCEV 260
RUET Dom. Jean-Paul 193
RUETIHOF Weingut 1221
RUFF Dom. Daniel 110
RUFFIN ET FILS 677
RUHLMANN-DIRRINGER 122
RUHLMANN FILS Gilbert 100
RUINART 642
RULLIER 259
RUNNER ET FILS Dom. François 100
RUPPERT Henri 1194
RUSTMANN M. et Mme Thierry 379 382
RUTAT René 677
RYBINSKI Emmanuel 857
RYMAN SA 891

S

SABATÉ GAEC 323
SABLONS Dom. des 989
SABON Famille 1114
SABON Dom. Roger 1117 1121
SABON Aimé 1074 1116
SABY ET FILS Vignobles Jean-Bernard 260 297
SACK-ZAFIROPULO 826
SACRÉ-CŒUR GAEC du 772
SACY Louis de 678
SADA SCEA 211
SADOUX Vignobles Pierre 895
SAGET SA Guy 1003 1009 1048
SAILLANT-ESNEU EARL 931
SAIN-BEL Cave de Vignerons réunis de 160 197
SAINT-AMANT Dom. 1078 1090
SAINT-ANDRÉ DE FIGUIÈRE Dom. 821
SAINT-ANTOINE Cave de 848 1170
SAINT-ARROMAN Fabienne et Pierre 584
SAINT-BERNARD SCA Cellier 813
SAINT-BRICE SCV Cave 365
SAINT-CELS EARL des Vignobles de 765
SAINT-CHINIAN Cave des Vignerons de 766
SAINT-CHRISTOL SCV les Coteaux de 737
SAINT-CYR EARL 156
SAINT-DÉSIRAT Cave de 1100
SAINT-DIDIER-PARNAC SCEA Château 860
SAINTE-ANNE EARL Dom. 1078 1090
SAINTE-ANNE Dom. de 947 953
SAINTE-BAUME Les Vignerons de la 842
SAINTE-BAUME Le Cellier de la 842 1173
SAINTE-BÉATRICE Ch. 821
SAINTE-BERTHE GFA Mas 838
SAINTE-CÉCILE-LES-VIGNES

Cave des Vignerons réunis de 1126
SAINTE-MARIE Dom. 822
SAINTE-MARIE-LA-BLANCHE Cave de 1182
SAINT-EMILION Union de producteurs de 278 279 280 281 284 293 296 297 299 302 309
SAINTE-ODILE Sté vinicole 95
SAINTE-RADEGONDE C.C. Viticulteurs réunis de 211
SAINTE-ROSELINE Ch. 822
SAINT-ESTÈPHE Marquis de 402
SAINT ESTÈVE DE NÉRI SA Ch. 1133
SAINT-ETIENNE Chai 861
SAINT-ETIENNE Cellier des 169
SAINT-EXUPÉRY Jacques de 747
SAINT-EXUPÉRY Hrs. Comtesse F. de 906
SAINT-FÉLIX-DE-LODEZ SCA Vignerons de 738
SAINT-GEORGES-D'ORQUES SCVA Caves 747
SAINT-GERMAIN Dom. 713
SAINT-GERVAIS Cave des Vignerons de 1090
SAINT-HILAIRE SARL 1164
SAINT-JAMES ETP 933
SAINT-JEAN Cave 364 365 371
SAINT-JEAN SA Dom. 822 843
SAINT-JEAN-D'AUMIÈRES Ch. 750 1159
SAINT-JEAN-DE-LA-BLAQUIÈRE Les Vignerons de 750
SAINT-JEAN DU NOVICIAT SAS 1163
SAINT-JEAN-LE-VIEUX Dom. de 843 1173
SAINT JOSEPH Dom. du Mas 736
SAINT-JULIEN Cave coop. de 165
SAINT-JULIEN EARL Dom. 843
SAINT-JULIEN D'AILLE Ch. 822
SAINT-JUST Dom. de 975
SAINT-LAURENT-D'OINGT Cave coop. beaujolaise de 160
SAINT-MARC Cave 1130 1175
SAINT-MARTIN Celliers 730
SAINT-MARTIN Ch. de 822
SAINT-MARTIN DE LA GARRIGUE SCEA 750
SAINT-ORENS 885
SAINTOUT Bruno 370 376
SAINT-PIERRE Cave 1210
SAINT-PIERRE Caves 1169
SAINT-PIERRE DE SERJAC GFA 1156
SAINT-POURÇAIN Union des vignerons de 1040
SAINT-REMY-DESOM Caves 1194 1195
SAINT-ROBERT SCEA de 860
SAINT-ROCH Cave 365 370
SAINT-ROCH SA Ch. 781
SAINT-SARDOS Cave des vignerons de 1152
SAINT-SATURNIN Les Vins de 750
SAINT SATURNIN DE VERGY Dom. 445
SAINT-SER Dom. de 823
SAINT-SIDOINE Cellier 812
SAINT-SORLIN Ch. 804
SAINT-SORNIN SCA Cave de 1147
SAINT-VENANT Aymar de 990 1025
SAINT-VÉRAND Cave beaujolaise de 160
SAINT-VERNY Cave 1036
SAINT-VICTOR Eric de 831
SALIN Frédéric 212
SALIS AG Von 1219
SALLE SCEA Ch. de La 246 250
SALLET EARL Raphaël et Gérard 605
SALLETTE José 370
SALMON Dom. Christian 1046 1061
SALMON Dominique 931
SALMON EARL 678
SALMONA Guy 871
SALON 678
SALVAT Dom. 778
SALVERT Jean-Denis 292
SALVESTRE ET FILS Robert 764
SAN'ARMETTU EARL 848
SANCERRE Cave des vins de 1056
SANCHEZ Jean-Louis 1163
SANCHEZ-LE GUÉDARD 678
SANFOURCHE EARL Vignobles 338
SANGLIÈRE EARL de La 823
SANLAVILLE Roger et Jean-Philippe 162
SAN MICHELE Dom. 848
SAN QUILICO EARL Dom. 852 853
SANSAC Dom. de 218
SANTÉ Bernard 171
SANTENAY Ch. de 576 592
SANTINI EARL 827
SANZAY Didier 981
SANZAY Antoine 981
SANZAY Dominique et Sébastien 981
SAPERAS Bernard 786
SARDA-MALET Dom. 790
SARRAS SCA Cave de 1098
SARRAT DE GOUNDY Dom. 750
SARRAZIN ET FILS Dom. Michel 583 595
SARTRE Ch. Le 360
SARTRON Bernard 210
SASSANGY Ch. de 452 584
SAUBOT Pierre 881
SAUGER EARL Dom. 1028
SAULNIER Marco 100 130
SAUMADE Michel 1158
SAUMAIZE Roger et Christine 599 611 617
SAUMAIZE Jacques et Nathalie 611
SAUMUR Cave des Vignerons de 975
SAUREL Joël 1109
SAUREL Christine et Eric 1108 1111
SAUREL Claude et Stéphane 1130
SAURON Sylvaine 823
SAURS SCEA Ch. de 867
SAUT SCEA Vignobles Jean-Marie 1070
SAUTEJEAU SA Marcel 923 1143
SAUVAGEONNE Dom. de La 750
SAUVAIRE Hervé 748
SAUVAN Eric 1175
SAUVANES SCEA Vignoble 754
SAUVAT Claude et Annie 1036
SAUVESTRE Dom. Vincent 436 514 548 583
SAUVÈTE Dom. 990
SAUVÊTRE Jean-Michel 924
SAUVÊTRE ET FILS 935 1145
SAUVEUSE Dom. de La 823
SAUVION - FILS SCE 926
SAVAGNY Dom. de 700 705
SAVARY Francine et Olivier 460 465
SAVÈS Camille 679
SAVOYE Dom. René 174
SAVOYE Christophe 174
SAVOYE Pierre 186
SAVOYE Laurent 177
SAXER Jürg 1221
SAXER Weingut 1220
SCARONE Bernard 820
SCHAEFFER-WOERLY 100 128
SCHAETZEL Martin 110
SCHARSCH Dom. Joseph 126 146
SCHERER Vignoble A. 117
SCHERER ET FILS EARL Paul 117 122
SCHERRER Thierry 110
SCHINZNACH Weinbaugenossenschaft 1217
SCHLEGEL Georg 1219
SCHLEGEL-BOEGLIN Dom. 123
SCHLUMBERGER Domaines 140
SCHMID Thomas Max 1221
SCHMITT Jean-Paul 110
SCHMITT Cave François 110
SCHMUTZ ET FILS A. 1217
SCHNEIDER Nicolas 768
SCHNEIDER ET FILS Paul 127
SCHOENHEITZ Henri 110
SCHOEPFER ET FILS Dom. Michel 117
SCHOETTEL Claude 123
SCHOETTEL Marie-Hélène 123
SCHOFFIT EARL Dom. 137
SCHRÖDER ET SCHYLER Maison 389
SCHUELLER Edmond 100
SCHULTE Robert et Agnès 874
SCHUMACHER-KNEPPER Dom. viticole 1194
SCHUMACHER-LETHAL Dom. viticole 1194
SCHÜRR Bernard 726
SCHUTZ Jean-Victor 128
SCHWACH EARL Paul 100
SCHWACH ET FILS Dom. François 135 146
SCHWARTZ Christian 118

SCHWARTZ ET FILS EARL Emile 110
SCHWARZ-WEBER Suzanne et Fritz 1217
SCIARD JABIOL SAS Françoise 286 292
SCIORTINO Thierry 1035
SDVF 544 577
SÉCHER Jérôme et Rémy 928
SÉCHER ET STÈVE ROULIER Isabelle 944 951
SECONDÉ François 679 688
SECRET Bruno 364
SECRET Hubert et Didier 364
SEGOND Bruno 369
SEGONZAC SCEA Ch. 247
SÉGUÉLA Dom. 782
SEGUE LONGUE SCV du Ch. 371
SEGUIN Rémi 482 491
SEGUIN Dom. Gérard 482
SEGUIN SC Dom. de 360
SEGUIN SC du Ch. de 208
SEGUIN Jean-Rémi 763
SEGUIN-BACQUEY SARL 392 393
SEGUIN-MANUEL Dom. 535
SÉGUINOT SCEA Daniel 456
SÉGUINOT-BORDET Dom. 456 460 466
SÉGUY Jean-Marc 861
SEIGNON Serge 1132
SEILLY Dom. 118
SEIZE Robert 310
SELLE EARL Pierre 870
SELTZ ET FILS EARL Fernand 145
SEMPER Dom. Paul 782 796
SENEZ Cristian 679
SENS SCEA Dom. du 340
SENSIVE GFA Dom. de La 932
SEPT MONTS Cave des 1146
SÉRAME SAS Ch. de 731
SEREX Louis 1214
SERGENTON Sylvie et Claude 894
SERGI ET ROLAND SICARDI Joseph 827
SERGUIER Jean-Pierre 1079 1118
SÉRIGNAN SCAV Les Vignerons de 751
SÉROL ET FILS EARL Robert 1042
SERRIGNY Marie-Laure et Francine 535
SERRIS Serge 760
SERVEAU Michel 576
SERVEAUX Pascal 679
SERVIN Dom. 466 469
SEUBERT SCEA 757
SEUIL SCEA Ch. du 351
SEVAULT Philippe 1014
SÈZE Olivier 377
SGVP - CH.ROUGET 270
SIBRAN Jean-Louis 817
SICARD Dom. 760
SICARD-BAUDOUIN EARL 249
SICARD-GÉROUDET Catherine 742 771
SICARDI Marc 841
SICHEL SA Maison 214 276 310 351 371
SIERRA Bernard 281
SIGALAS-RABAUD Ch. 419
SIGAUD Jean-Marie 858
SIGAUT Hervé 497
SIGNATURES DU SUD AVF 753
SIGNÉ SCEA Vignobles 214
SIGNÉ VIGNERON 155
SIGOULÈS Cave de 893
SILÈNE DES PEYRALS SCA 751
SIMART Pascal 679
SIMÉONI Sylvie et Franck 766
SIMMLER Nicolas 101
SIMON EARL Dom. J. et M. 492
SIMON Henry 763
SIMON R. et S. 1028
SIMON Aline et Rémy 118
SIMON ET FILS Guy 445
SIMONIN Jacques 611
SIMONIS René et Etienne 101 111
SIMONNET-FEBVRE 452
SIMON-SELOSSE 679
SINSON EARL Hubert et Olivier 990
SIOZARD EARL Vignobles 216
SIPP - GRANDS VINS D'ALSACE Louis 118
SIPP-MACK Dom. 111
SIRAN SC du Ch. 382 391
SIRAT Pascal 232
SIRE Jacques 782
SIRET SCEA Jacques 1050
SIROT-SOIZEAU Françoise 415
SIRUGUE ET SES ENFANTS Dom. Robert 436 507
SISQUEILLE Philippe et Cathy 777 794
SIVIR 786 792
SKALLI Les vins 1165
SOARD Patrick et Vincent 1128 1135
SOCAV SAS 893
SOCHELEAU Philippe et René 963
SOHLER Dom. Philippe 111
SOL Jean-Claude 790
SOLANE ET FILS GFA Bernard 336 412
SOLEILLA SCEA Mas du 751 1154
SOMMIÉROIS SCA Les Vignerons du 749
SONEVI SNC 821
SONNERY Jean-Yves et Annick 155
SORBE SARL Jean-Michel 1053
SORGE EARL des Vignobles Jean 387
SORIN Gilles 943 950
SORIN Dom. 831
SORIN-COQUARD EARL 440
SORINE ET FILS Dom. 573 580
SOU Emmanuel 254
SOUCIOU EARL Philippe 994
SOUFFLET ET LAURENT ESCAPA Alain 785
SOULEZ EARL Pierre 958 960
SOULIÉ Aurore et Rémy 1158
SOULIER Richard 1070
SOUNIT Albert 452 589 592 597
SOUQUES Jérôme 860
SOURDAIS Pierre 1011
SOURDAIS Serge et Bruno 1009
SOURET Jean-Félix 1080
SOUTIRAN Patrick 680 688
SOUVETON Famille Michel 855
SOUVIOU Dom. de 823 831
SPANNAGEL Vincent 143
SPANNAGEL ET FILS Eugène 111
SPANNAGEL ET FILS Paul 118
SPARRE GFA des domaines 189
SPELTY Dom. 1006
SPERRY-KOBLOTH Dom. J. 143
SPITZ ET FILS EARL 101
SPIZZO Jean 827
SPRING CELLARS Cave 1188
SROKA Julien 890
STAEHLÉ Bernard 90 132 147
STEINER Bernard 1202
STEINER Jean-Jacques 1203
STEINER GAEC 111 123
STENTZ André 101 141
STENTZ Fernand 130 136
STÉPHANE ET FILS EARL 680
STERLIN Patrice 869 912
ST-HIPPOLYTE SCAV Les Vignerons de 773
STINTZI EARL Gérard 147
STIRN Fabien 111 134
STOEFFLER Dom. Martine et Vincent 111
STOFFEL Antoine 101
STONEY RIDGE ESTATE WINERY 1188
STRAUB Jean-Marie 143
STRAUB Jean-François 123
STREWN 1189
STRIFFLING EARL 184
STROMBERG SCEA Dom. du 150
STRUSS ET FILS André 111
STUART Henry 890
SUARD Francis 1012
SUBILEAU SA Antoine 932
SUD REVERMONT Les Vignerons du 696
SUDUIRAUT Ch. 419
SUGOT-FENEUIL 680
SULAUZE SCA Dom. de 837
SULZER-FÉRET-LAMBERT SCEA 225
SUMEIRE Famille Elie 824
SUMEIRE Régine 807 824
SUPLIGEAU Jacky 1018
SUREMAIN Eric de 589
SUREMAIN Hugues et Yves de 592
SUTEAU-OLLIVIER EARL 935 1141
SUTRA DE GERMA ET CHRISTIAN GIL Anne 1156
SUYROT SCEA de 895
SUZIENNE Cave La 1080 1125
SYLLA SCA les Vins de 1130
SYYDEBÄNDEL Genossenschaft 1218

T

TABBACCHIERA Michel Rosario 293
TABOURIN Arnaud 680
TACHON René et Marie-Claire 164
TAILHADES MAYRANNE EARL Dom. 760
TAILLAN SCEA Ch. du 383
TAILLANET GFA du 362
TAILLE AUX LOUPS Dom. de la 1018 1025
TAILLEURGUET EARL Dom. 885
TAIN-L'HERMITAGE Cave de 1103 1105
TAITTINGER 680
TAÏX Josette 319
TALBOT Ch. 408
TALMARD EARL Gérald et Philibert 605
TALUAU-FOLTZENLOGEL EARL 1004
TAMARY SCEA Dom. de 824
TAMBORINI SA Eredi Carlo 1223
TANNAYSIENNES SARL Les Caves 1140
TANNEUX Jacques 680
TAPON Vignobles Raymond 313
TARA Dom. de 1130
TARADEAU SCA Les Vignerons de 821
TARAILHAN Ch. de 745
TARAMARCAZ Robert 1208
TARDIEU-LAURENT 1080 1107 1112
TARERACH SCV 778
TARI Wenny et Gabriel 767
TARI Famille 829
TARIQUET SCV Ch. du 1151
TARLANT 680 688
TASSIN Emmanuel 680 688
TASTE ET BARRIÉ SCEA des Vignobles de 255
TASTU Thierry 1154
TATARD Roland et Joëlle 892
TATIN Jean 1051
TATRAUX-JUILLET Dom. Bernard 595
TAUPENOT Dom. Pierre 556
TAUPENOT-MERME Dom. 482 487 491 497
TAURIAN René 1203
TAUTAVEL Les Maîtres Vignerons de 779 790 794
TAUTAVELLOISE SCV Les Vignerons de la 782
TAUZIN Jean-Philippe 874
TAVEL Les Vignerons de 1120 1123
TAVERNIER 879
TCHEKHOV ET ASSOCIÉS SCEA 325
TÉCHENET Jean 331
TEILLER Dom. Jean 1043
TEISSÈDRE Jacques 746
TELMONT J. de 681
TEMPLIER Jean-Yves 934
TEMPLIERS Cellier des 783 786 787
TERNYNCK Laurent 434
TERRATS SCV Les Vignerons de 778 794
TERRAVENTOUX Cave 1130
TERREBONNE SCV Ch. 1173
TERREBRUNE SCA Dom. de 919 956 971
TERREFORT-QUANCARD SCA du Ch. de 235
TERRES BLANCHES SCEA Dom. de 839
TERRES MOREL Dom. des 160
TERRES NOIRES GAEC des 994
TERREY-GROS-CAILLOUX SCEA Ch. 408
TERRIDE Ch. de 867
TERRIEN EARL Pierre 938
TERRIER Magali et Dominique 727
TERRIER Jean-Claude 607
TERRIÈRE SCEV du Ch. de La 168
TERRIGEOL ET FILS GAEC 244 803
TERROIRS DU VERTIGE SCAV Les 727
TERTRE SEV Ch. du 391
TESSERON Alfred 399
TESSIER EARL Philippe 1029
TESSIER SCEA Michel 965
TESSIER Martine 595
TESSIER ET FILS Christian 920 1027
TESSIER ET FILS SCEA 974
TESTULAT 681
TÊTE Michel 179
TEULIER Philippe 876
TEULON Philippe 737
TEVENIN Patrice 892
TÉVENOT Daniel 1029
TEYNAC EARL Ch. 408
TÉZENAS Jean-François 810
THEALLET-PITON GFA 272
THEIL SA Jean 394
THÉNARD Dom. 595
THÉRASSE Bernard 869
THÉRÈSE Vignobles 231
THÉRON SCEA Dom. du 861
THÉRON-PORTETS SCEA 350
THERREY Jacky 681
THEULOT Nathalie et Jean-Claude 592
THÉVENET Xavier 681
THÉVENET Laurent 186
THÉVENET Patrick 170
THÉVENET ET FILS Jean-Claude 600
THÉVENOT-LE BRUN ET FILS Dom. 445
THEY Alexandre 731
THÉZAC-PERRICARD Les Vignerons de 1149
THIBAULT GAEC 1039
THIBAUT Jean-Baptiste 440
THIBERT Pierre 514
THIBERT Jean-Marc 604 614
THIBERT PÈRE ET FILS GAEC Dom. 605 612 614
THIBON 1075
THIÉNOT SAS Vignobles Alain 739
THIENPONT Nicolas 328
THIENPONT Luc 387 389
THIERRY Christian 1025
THIERS Cave Jean-Louis et Françoise 1105
THIL COMTE CLARY Ch. le 360
THILL FRÈRES Dom. 1194 1195
THIOU EARL Thomas 313
THIROT-FOURNIER Christian 1062
THIRTY BENCH 1189
THOLLET Robert et Patrice 197
THOMAS EARL Dom. Gérard 567
THOMAS Dom. Charles 535 589
THOMAS SCEA Vignobles 384
THOMAS Lucien 598
THOMAS ET FILS Dom. 1061
THOMAS ET FILS SCEV Michel 1061
THOMAS ET FILS André 118
THOMAS-LABAILLE Claude et Florence 1061
THOMASSIN SA Bernard 355 356
THORIGNY Christophe 1025
THORIN Maison 182 190
THUERRY Ch. 824 843
THUNEVIN Ets 308
TIERCELINES Le Cellier des 693 701 706
TIJOU ET FILS Pierre-Yves 945
TILLERAIE Ch. La 895
TINEL-BLONDELET Dom. 1049
TINON EARL Vignoble 208 412
TISSEROND EARL 966 971
TISSIER Jacques 681
TISSIER ET FILS SA Roland 1062
TISSIER ET FILS Diogène 681
TISSOT Thierry 717
TISSOT Denis 747
TISSOT André et Mireille 694 702
TISSOT Dom. Jacques 694 707
TISSOT Jean-Louis 694 702
TIVOLI Cave du 1034
TIXIER Olivier 682
TIXIER Benoît 682
TOASC Dom. de 828
TOLA Laetitia 849
TONKIN EARL du 1051
TONNELLES SCEA les 261
TORNÉ Michel 818 1172
TORTOCHOT Dom. 483 501
TOUBLANC Jean-Claude 934
TOUCHAIS Luc 373
TOULOIS Les Vignerons du 149
TOUNY-LES-ROSES Ch. 868
TOUR Ch. de la 501
TOURANGELLE Les Caves de la 990 1141
TOUR BAJOLE Dom. de la 452
TOUR BALADOZ SCEA Ch. 307
TOUR BLANCHE Ch. La 419
TOUR BLANCHE SVA Ch. 372
TOUR CARNET Ch. La 383

TOUR DE GILET SC Ch. 235
TOUR DE PEZ SA Ch. 401 404
TOUR DES CHÊNES Dom. 1121
TOUR DU MOULIN SCEA Ch. 262
TOURENNE SCEA Vignobles 280
TOUR MONT D'OR Groupe de producteurs La 316
TOURNANT Gilles 661
TOURNIER ET THIERRY GAUTIER Corinne 440 597
TOURNOUD Guy 713
TOUR PENEDESSES Dom. de La 751
TOURTE Ch. du 352
TOURTEAU-CHOLLET SC du Ch. 352
TOUR VIEILLE Dom. la 783 784
TOYER Gérard 1033
TRACY SARL Ch. de 1049
TRAHAN Dom. des 951 954 956
TRANCHAND SCEA Patrick 176
TRAPET Jean-Claude 445
TRAPET PÈRE ET FILS Dom. 474 483 485
TRAPLETTI LORENZO E FIGLI Tenuta Vitivinicola 1223
TRAVERS SA 256
TRAVERS FILS GAEC 924
TRÉBIGNAUD Philippe 605
TREMBLAY Gérard 459 464
TRÉNEL FILS SA 187
TRÉSY ET FILS Jean 695 707
TREUILLET Sébastien 1050
TRIANS Dom. de 843
TRIBAUT G. 682
TRIBAUT-SCHLŒSSER 682
TRIBOULEY Jean-Louis 782
TRICHARD Georges 171
TRICHET Pierre 682
TRICON Olivier 455
TRICOT Vincent 1036
TRIENNES Dom. de 1173
TRIFFAULT Marc 279
TRIGNON Ch. du 1091 1109
TRIPOZ Céline et Laurent 606
TRIPOZ Didier 600 606
TRITANT Alfred 682
TROCARD Jean-Louis 264 273 294 310
TROIS CHÂTEAUX GFA Les 234
TROIS COLLINES SCA Les 339
TROIS CROIX EARL 262
TROIS DOMAINES GAEC des 914
TROIS MOULINS Cave des 862
TROIS TERROIRS Vignerons des 1165
TROLLIET 901
TRONQUOY-LALANDE Ch. 404
TROQUART GFA du Ch. 320
TROSSET SCEA Les Fils de Charles 713
TROTANOY SC du Ch. 271
TROTIGNON Philippe 984
TROTTIÈRES SCEA Dom. des 920 946
TROUCHE Pascal 866
TROUILLARD 644
TROUSSEL GAEC Dom. 1130
TROUVÉ Jean-Pierre 1018
TRUCHETET Jean-Pierre 442 445 517
TRUCHOT Jean 158
TRUC PÈRE ET FILS Francis 840
TRUET Lionel 992
TRUFFIÈRE BEAUPORTAIL EARL La 905
TSAKONAS Jean-Christophe 1160
TSCHARNER Gian-Battista von 1220
TUCHAN Cave de 756
TUPINIER-BAUTISTA EARL Dom. 593
TURCKHEIM Cave de 139
TURETTI Jean-Claude 769
TURPIN EARL Christophe 1044
TYREL DE POIX Guy 850

U

UGHETTO Eric 1109
UIJTTEWAAL EARL A. et F. 371
UMBRICHT WEINBAU 1217
UNI-MÉDOC Les Vignerons d' 363 365
UNION AUBOISE 684
UNION CHAMPAGNE 678
UNION VANDIÈRES Coopérative vinicole l' 624
UNIVERSITÉ DE BOURGOGNE Centre expérimental 474
UNIVITIS 236
USSEGLIO ET FILS Dom. Pierre 1118
USSEGLIO ET FILS Dom. Raymond 1118
UVAL - LES VIGNERONS CORSICANS 849 1170
UVAVINS - CAVE DE LA CÔTE 1202

V

VACHER Maison Adrien 713
VACHERON Dom. 1062
VACHERON Jean-Denis et Sylvie 1114
VACQUEYRAS Cave des Vignerons de 1112
VADÉ Patrick 975
VAILLANT GFA 942 949 964 970
VAILLARD Gilles 476
VALAIS Cave de l'Etat du 1204
VALAYER 1072
VALDAINE SCA Cave de la 1176
VAL D'ARENC SCA Dom. de 832
VAL DE DURANCE Cellier 814 1072 1131
VALDITION SCEA Dom. de 1169
VALENÇAY Cave des Vignerons réunis de 1033
VALENTIN ET FILS Jean 683
VALENTINI SCEA 1129
VALERY SCEA 1160
VALETTE GFA 308
VALETTE EARL Thierry 324
VALFON GAEC Dom. 778
VAL JOANIS SC du Ch. 1133
VALLEAU Guy 244
VALLÉE EARL Gérald 1004
VALLETTE Vignobles 904
VALLIÈRE Dom. de 576 580
VALLOIS-PETRET Francis 683
VALLON Les Vignerons du 876
VALLONGUE Dom. de La 838 839
VALLON NOTRE-DAME SCEA 1085
VALLOT François 1084
VALOT SARL Romuald 445
VALROSE SCEA Ch. 404
VALTON Michel 881
VANBESELAERE-MARNIX Dom. 440
VANDELLE Dom. Philippe 702 703
VANDELLE ET FILS G. 703
VAN DOREN Bernard 1171
VANEL Jean-Pierre 744
VANNIÈRES Ch. 825 832
VAN WELY Eduard et Emmanuelle 1128 1175
VARENNE Pierre 1107
VARENNE Dom. 1109
VARNIER-FANNIÈRE 683
VAROILLES Dom. des 483 487 501
VATAN André 1062
VATAN Philippe 974 979
VAUCHER PÈRE ET FILS 445
VAUCORNEILLES EARL Les 994
VAUDOISEY-CREUSEFOND 437 548
VAUGAUDRY SCEA Ch. de 1012
VAUGELAS SA Ch. de 731
VAUPRÉ Dominique et Chantal 612
VAURABOURG Pierre 416
VAURE Chais de 212
VAURENARD SCI du Dom. de 160
VAUROUX SCEA Dom. de 437
VAUTE Thierry 1135
VAUTE Claude 1136
VAUTHIER Frédéric 311
VAUTHIER Famille 284
VAUTRAIN Marcel 683
VAUVERSIN F. 683
VAUVY EARL 984
VAUX Ch. de 150
VAYRON Xavier 263
VAYSSETTE Dom. 868
VAZART René 683
VELUT EARL 683
VENDANGEOIRS DU VAL DE LOIRE Les 935 1145
VENDÔMOIS Cave des Vignerons du 1032
VENEAU SCEA Hubert 1038
VENESMES SCEV de 1140
VENOGE de 684
VENOT GAEC 585
VENTURE Isabelle et Jean-Pierre 750
VENTURI Angeline 847

VERA Jean-Louis 782
VERCHANT SCEA Dom. de 1158
VERCHENY Union des Jeunes Viticulteurs de 1124
VERDEILLE Mme Andrée 788
VERDET Alain 446
VERDIER EARL Richard 1088
VERDIER Denise et Cécile 336
VERDIER ET JACKY LOGEL Odile 1037
VERDIER PÈRE ET FILS EARL 920 956 967 1145
VERDIGNAN SC Ch. 383
VÉREZ Ch. 825
VERGÈS 812
VERGNES Vignobles 722
VERGNES GAEC Marion et Mathieu 1155
VERGNON SCEV J.-L. 684
VERHAEGHE ET FILS 856
VERLEY Gilles 1017
VERNAY Dom. Georges 1095 1097
VERNUS Armand et Céline 173
VERRET Dom. 471
VERSEAU Agnès 905
VERT SCEA Dom. du Ch. 825
VERVIER 604
VERZIER Philippe 1095
VESSELLE SCEV Alain 684
VESSELLE Maurice 684
VESSELLE Bruno 684
VESSELLE Jean 684 689
VESSIGAUD Dom. Pierre 606 612
VEUVE AMBAL 452
VEUVE AMIOT SAS 976
VEUVE CLICQUOT PONSARDIN 685
VEUVE FOURNY ET FILS 685
VEUVE HENRI MORONI 442 567
VEUVE MAURICE LEPITRE 685
VEYRAC Karine Bonjour et Guillaume 870
VEYRY Richard 281
VEYRY-SEGUILLON Chantal 300
VEZAIN Eric 241
VÉZIEN ET FILS SCEV Marcel 685
VIAL EARL Famille 841
VIALLET GAEC Dom. 713
VIAUD Dom. de 250
VIAUD SAS du Ch. de 277
VICET EARL Claude 931
VICO Dom. 849
VICTOR Jean-Philippe 823
VIDAL Alain et Céline 238
VIDAL Jean-Claude 1112
VIDAL-FLEURY J. 1080 1095 1136
VIDAUBANAISE La 807
VIEIL-ARMAND Cave vinicole du 112 135
VIEILLE CROIX SCEA de la 262
VIEILLE CURE SNC Ch. la 262
VIEILLE EGLISE Cellier de la 181
VIEILLE FORGE Dom. de la 112 119
VIENNE SARL Les Vins de 1093
VIÉNOT Charles 487 501
VIEUX CHÂTEAU CERTAN SCA du 272
VIEUX COLOMBIERS Cave Les 372
VIEUX LARTIGUE SC du Ch. 309
VIEUX MAILLET SCEA du Ch. 272 276
VIEUX ROBIN SCE Ch. 372
VIGNE Richard 1134
VIGNEAU Arnaud 886
VIGNE AU ROY Dom. de la 446
VIGNERONNE Cave La 1080 1172
VIGNERONS ARDÉCHOIS Les 1177
VIGNERON SAVOYARD Le 714
VIGNERONS ET PASSIONS 756 1161
VIGNERONS LANDAIS Les 888
VIGNOBLE DE GASCOGNE 1150
VIGNON Xavier 1081 1092 1110 1112
VIGNOT Alain 437
VIGOT EARL Fabrice 507 514
VIGOUROUX GFA Georges 859
VIGOUROUX Claude et David 870
VIGUIER Jean-Marc 875
VILLAINE GFA Dom. A. et P. de 584 585
VILLAINES-LES-PRÉVÔTES-VISERNY SA des Coteaux de 1180
VILLAINS GAEC des 952 967
VILLAMONT SA Henri de 437
VILLARD Dom. François 1097 1100
VILLARD ET FILS Dom. 1214
VILLARS Claire 388 396
VILLARS FONTAINE Ch. de 446
VILLEMAINE Jean-Marc 990
VILLENEUVE SCEA de 350
VILLENEUVE 210
VILLENEUVE André et Frédéric 1041
VILLENEUVE-BARGEMON Xavier de 817
VILLENEUVOISE SC 248
VILLEROUGE LA CRÉMADE Ch. 732
VILLETTE SARL Jules et Marie 896
VILLIERS Elise 437
VILMART ET CIE 685
VILNEAU Roland 1147
VIMES-PHILIPPE SAS Vignoble 377
VINAS Claudine et Eric 875
VINCENT Jacques 1053
VINCENT Rémy 1049 1063
VINCENT Anne-Marie et Jean-Marc 581
VINCENT Jean-Claude et Jérôme 1123
VINCENT Vignobles 209 216 220 229
VINCENT Rémi 686
VINCENT Famille 609
VINCENT-LAMOUREUX 686
VINELAND ESTATES WINERY 1189
VINET Daniel et Gérard 932
VINET-EGE SA Distillerie 802
VINIVAL SARL 919 923 943 954
VINS D'AUTREFOIS Cie des 478
VINS DE FRANCE Sté des 231
VINSMOSELLE Les Domaines de 1194 1195
VINSOBRAISE Cave coop. La 1081 1092
VINSON Denis 1087
VIOLOT-GUILLEMARD EARL Thierry 541 548
VIORNERY Georges 168
VIRANEL Ch. 766
VIRÉ Cave de 607
VIRELY-ROUGEOT Dom. 437 563
VIRONNEAU Alain 230
VISAGE SCEA des Vignobles Isabelle 281
VITTEAUT-ALBERTI Gérard 453
VITU ET HERVÉ CWIKLINSKI Fabien 252
VIVADOUR CAVE VINICOLE 912
VIVIER-MERLE Christian 158
VIVIERS SCV Ch. de 460
VOARICK Dom. Michel 529
VOCORET Dom. Yvon 460
VOCORET ET FILS Dom. 466 469
VOGEL ET HANS HÜRLIMANN Christa 1155
VOIRIN-DESMOULINS 686
VOIRIN-JUMEL 686
VOITEUR Fruitière vinicole de 700 702
VOLG WEINKELLEREIEN 1221
VOLLEREAUX SA 686
VOLONTAT Anne et Xavier de 729
VOLONTAT-BACHELET A. de 795
VONDERHEYDEN Laurent 390
VOORHUIS-HENQUET Dom. 700
VORBURGER EARL Jean-Marie 103
VOUGA Jocelyn 1216
VOUGERAIE Dom. de La 483 542
VOUVRAY Cave des Producteurs de 1026
VRANKEN 640 648 686
VRAYET James 686
VRIGNAUD Dom. 460
VUITTON Xavier 1128
VULLIEN ET FILS EARL Jean 714

W

WACH Guy 132 135 142
WACH ET FILS Jean 119
WACKENTHALER EARL François 119

WALBAUM Philippe 1177
WALCZAK Pascal 689
WALTER Fridolin et Marie-Christine 813
WANTZ Jean-Marc 90
WARION 305
WARIS Olivier 686
WARIS-LARMANDIER EARL 686
WARNERY-DA SILVA EARL 747 1158
WASSLER FILS EARL Jean-Paul 101 112 119
WEBER Odile et Danielle 136
WEINBACH-COLETTE FALLER ET SES FILLES Dom. 129
WEINDEL Volker-Paul 824
WEINGAND Jean 119 147
WEINSTAMM 1220
WELLE Alain de 819
WELTY Dom. Jean-Michel 92 112
WICHELHAUS Sylvie et Werner 894
WIEDER EARL Didier 973
WILDE Françoise de 305
WILK ET JEAN TATIN Chantal 1050
WILLOW HEIGHTS ESTATE WINERY 1189
WINTER Albert 112
WISCHLEN François 112 145
WITER TROTTE Weinbaugenossenschaft 1218
WITTMANN ET FILS EARL André 90
WOILLEMONT De 745
WOLFBERGER 113
WURTZ Bernard 113 119 134
WURTZ ET FILS GAEC Willy 113
WYMANN Dom. Xavier 103

X

XANS Vignobles Florence et Alain 281 293

Y

YBERT SCEA Vignobles Daniel 308
YQUEM SA du Ch. d' 236 420
YUNG EARL Vignobles Albert 347
YUNG ET FILS SCEA Pierre 337 340
YVORNE Commune d' 1203

Z

ZAHNER Niklaus 1221
ZECCHINI Dom. 449 526
ZEYSSOLFF G. 123
ZIEGLER Albert 113
ZIEGLER Jean 141
ZIEGLER-MAULER ET FILS Dom. 113 134 138
ZIMMER Antoine 129 141
ZIMMERMANN FILS EARL A. 137
ZINK Pierre-Paul 101
ZUCCHETTO Christian 204
ZUFFEREY Maurice 1212
ZUFFEREY Pascal 1205
ZUGER Jean-Claude 390
ZUMBAUM Yörg 752
ZWEIFEL & CO AG 1222
ZYLA MERCADIER SEV 347

INDEX DES VINS

L'indexation ne tient pas compte de l'article défini

A

AAGNE VOM SCHOPF, Canton de Schaffhouse, 1220
ABBATUCCI, DOM. COMTE, Ajaccio, 849
ABBAYE, DOM. DE L', Chinon, 1004 • Côtes-de-provence, 806
ABBAYE, CH. DE L', Pouilly-fumé, 1044
ABBAYE, CH. L', Premières-côtes-de-blaye, 239
ABBAYE DE SAINT HILAIRE, Coteaux-varois, 839
ABBAYE DE VALMAGNE, Coteaux-du-languedoc, 737
ABBAYE DU PETIT QUINCY, DOM. DE L', Bourgogne, 427
ABBAYE SAINT-LAURENT D'ARPAYE, CH. DE L', Fleurie, 174
ABBE ROUS, LA CAVE DE L', Banyuls grand cru, 786
ABEILLES D'OR, DOM. DES, Canton de Genève, 1212
ABELANET-LANEYRIE, DOM., Mâcon-villages, 601
ABELE, HENRI, Champagne, 623
ABELLES, CH. DES, Collioure, 782
ABONDANCE, LES VIGNOBLES D', Cornas, 1104
ABONNAT, JACQUES, Côtes-d'auvergne AOVDQS, 1034
ABOTIA, DOM., Irouléguy, 877
ACKERMAN, Crémant-de-loire, 920 • Jardin de la France, 1140 • Rosé-de-loire, 918
ADAM, DOM. PIERRE, Alsace gewurztraminer, 103 • Alsace tokay-pinot-gris, 113
ADAM, J.-B., Alsace gewurztraminer, 103 • Alsace grand cru wineck-schlossberg, 142
ADAM, JEAN-BAPTISTE, Alsace pinot noir, 119
ADANK HANSRUEDI, Canton des Grisons, 1218
ADISSAN, Clairette-du-languedoc, 724
AERIA, DOM. D', Côtes-du-rhône-villages, 1081
AGASSAC, CH. D', Haut-médoc, 373
AGATES, DOM. DES, Coteaux-du-tricastin, 1124
AGHJE VECCHIE, DOM., Corse ou vins-de-corse, 844
AGNEL, CH., Minervois, 757
AGRAPART, Champagne, 623
AIGUELIERE, DOM. DE L', Coteaux-du-languedoc, 737
AIGUILHE QUERRE, CH. D', Côtes-de-castillon, 320
AIGUILLOUX, CH., Corbières, 725
AIME, DOM., Minervois-la-livinière, 761
AIMERY, Blanquette-de-limoux, 721
ALARY, DOM. DANIEL ET DENIS, Côtes-du-rhône-villages, 1081
ALBA, CAVE COOPERATIVE D', Coteaux de l'Ardèche, 1177
ALBERT LE BRUN, Champagne, 623
ALBRECHT, LUCIEN, Alsace grand cru pfingstberg, 136 • Alsace riesling, 93
ALEXANDRE, DOM., Maranges, 581
ALISO-ROSSI, DOM., Patrimonio, 850
ALLAINES, FRANCOIS D', Bourgogne, 427 • Chassagne-montrachet, 569 • Givry, 593 • Maranges, 581 • Rully, 586 • Saint-romain, 556 • Santenay, 576
ALLAMAN, CH. D', Canton de Vaud, 1197
ALLEGORIA, Comté tolosan, 1149
ALLEGRETS, DOM. DES, Côtes-de-duras, 908
ALLIAS PERE ET FILS, Vouvray, 1018
ALLIMANT-LAUGNER, Alsace gewurztraminer, 104
ALLIMANT-LAUGNER, DOM., Alsace riesling, 93
ALLION, GUY, Jardin de la France, 1140
ALQUIER, DOM., Côtes-du-roussillon, 773
ALTER EGO DE PALMER, Margaux, 386
ALZIPRATU, DOM. D', Corse ou vins-de-corse, 844
AMALRIC, CH., Côtes-du-roussillon, 773
AMARINE, CH. DE L', Costières-de-nîmes, 732
AMAURIGUE, DOM. DE L', Côtes-de-provence, 806
AMBINOS, DOM. D', Coteaux-du-layon, 961
AMBROISE, BERTRAND, Beaune, 538 • Bourgogne-hautes-côtes-de-nuits, 442 • Clos-de-vougeot, 499 • Corton, 526 • Gevrey-chambertin, 478 • Ladoix, 518 • Nuits-saint-georges, 510
AMBROISIE, L', Chinon, 1004
AMBRUSSUM, CUVEE, Coteaux-du-languedoc, 737
AME DU TERROIR, L', Cabernet-d'anjou, 954
AMELIN, Crémant-de-bourgogne, 449
AMIOT ET FILS, DOM. GUY, Chassagne-montrachet, 570
AMIOT ET FILS, DOM. PIERRE, Clos-de-la-roche, 491 • Clos-saint-denis, 492 • Gevrey-chambertin, 478 • Morey-saint-denis, 489
AMIOT-SERVELLE, DOM., Chambolle-musigny, 493
AMIRAULT, JEAN-MARIE ET NATHALIE, Bourgueil, 994
AMIRAULT, YANNICK, Bourgueil, 994 • Saint-nicolas-de-bourgueil, 1000
AMPELIA, CH., Côtes-de-castillon, 320
AMPELIDAE, Vienne, 1145
AMPHORES, DOM. DES, Saint-joseph, 1097
AMPUIS, CH. D', Côte-rôtie, 1092
ANCIEN MONASTERE, DOM. DE L', Alsace pinot noir, 120
ANCIENNE CURE, DOM. DE L', Bergerac, 889 • Monbazillac, 901
ANCIEN RELAIS, DOM. DE L', Saint-amour, 194
ANDELI, Saint-émilion, 278
ANDEOL SALAVERT, Côtes-du-rhône, 1065
ANDEZON, DOM. D', Côtes-du-rhône, 1066 • Côtes-du-rhône-villages, 1081
ANDLAU-BARR, CAVE VINICOLE D', Alsace klevener de heiligenstein, 89 • Alsace riesling, 93
ANDLAU-HOMBOURG, COMTE D', Alsace edelzwicker, 92
ANDOYSE DU HAYOT, CH., Sauternes, 414
ANDRE, PIERRE, Fleurie, 174
ANDRE, PIERRE, • Ladoix, 518 • Savigny-lès-beaune, 532
ANDREAS, CH., Saint-émilion grand cru, 282
ANDRON BLANQUET, CH., Saint-estèphe, 399
ANGE, DOM. BERNARD, Crozes-hermitage, 1100
ANGELOT, MAISON, Bugey AOVDQS, 715
ANGES, DOM. DES, Côtes-du-ventoux, 1126 • Vin-de-savoie, 708
ANGLADE, DOM. DE L', Maures, 1171
ANGLADE-BELLEVUE, CH., Premières-côtes-de-blaye, 239

VINS

ANGLADES, CH. DES, Côtes-de-provence, 806
ANGLAS, DOM. D', Coteaux-du-languedoc, 738
ANGLES, CH. D', Coteaux-du-languedoc, 738
ANGUEIROUN, DOM. DE L', Côtes-de-provence, 806
ANNIBALS, DOM. DES, Coteaux-varois, 839
ANTAGNES, Canton de Vaud, 1197
ANTECH, Crémant-de-limoux, 723
ANTICAILLE, DOM. DE L', Côtes-de-provence, 806
ANTOINE, E. ET PH., Meuse, 1181
ANTONINS, CH. DES, Bordeaux supérieur, 222
APIES, CH. LES, Côtes-de-provence, 806
APOLLINE, CH. L', Saint-émilion grand cru, 282
AQUERIA, CH. D', Lirac, 1118
ARBOGAST, FREDERIC, Alsace riesling, 93 • Alsace grand cru bruderthal, 127
ARBOIS, FRUITIERE VINICOLE D', Arbois, 691 • Crémant-du-jura, 700
ARBOIS, LA FRUITIERE D', Macvin-du-jura, 704
ARBRE BLANC, VIGNOBLE DE L', Côtes-d'auvergne AOVDQS, 1034
ARCADES, DOM. DES, Morgon, 182
ARCHAMBAULT, PIERRE, Sancerre, 1054
ARCHANGE, CH. L', Saint-émilion, 278
ARCHE, CH. D', Haut-médoc, 373
ARCHERS, CELLIER DES, Côtes-de-provence, 807
ARCHIMBAUD, DOM. D', Coteaux-du-languedoc, 738
ARCINS, CH. D', Haut-médoc, 373
ARCISON, VIGNOBLE DE L', Cabernet-d'anjou, 954 • Jardin de la France, 1141
ARDECHOIS, LES VIGNERONS, Coteaux de l'Ardèche, 1177
ARDENNES, CH. D', Graves, 342
ARDHUY, DOM. D', Corton, 526 • Ladoix, 518
ARDOISE, GIVREE D', Québec, 1189
ARENA, D', Beaujolais, 155
ARGENTAINE, DE L', Champagne, 624
ARGENTEYRE, CH. L', Médoc, 362
ARIES, DOM. D', Coteaux-du-quercy AOVDQS, 861
ARISTON, JEAN-ANTOINE, Champagne, 624
ARISTON FILS, Champagne, 624
ARJOLLE, DOM. DE L', Côtes de Thongue, 1155
ARLAUD, DOM., Bourgogne, 428 • Clos-de-la-roche, 492 • Clos-saint-denis, 492 • Morey-saint-denis, 489
ARLAY, CH. D', Côtes-du-jura, 696 • Macvin-du-jura, 704
ARLETTES, LES, Cornas, 1104
ARLOT, DOM. DE L', Nuits-saint-georges, 510
ARLUS, CH. D', Gaillac, 863
ARMAGNACAISE, L', Floc-de-gascogne, 911
ARMAILHAC, CH. D', Pauillac, 395
ARMAJAN DES ORMES, CH. D', Sauternes, 414
ARMENS, CH., Saint-émilion grand cru, 282
ARNAL, CUVEE JACQUES, Coteaux-du-languedoc, 738
ARNAUD, CH., Bordeaux, 204
ARNAUD DE VILLENEUVE, Côtes-du-roussillon, 773 • Rivesaltes, 787
ARNAUDE, CH. L', Côtes-de-provence, 807
ARNAUD JOUAN, CH., Premières-côtes-de-bordeaux, 336
ARNAUDS, CH. DES, Bordeaux, 204
ARNAUTON, CH., Fronsac, 258
ARNOLD, PIERRE, Alsace sylvaner, 89
ARNOULD ET FILS, MICHEL, Champagne, 624
ARNOUX, DOM. ROBERT, Chambolle-musigny, 494 • Echézeaux, 502 • Nuits-saint-georges, 510 • Romanée-saint-vivant, 508 • Vosne-romanée, 504
ARNOUX PERE ET FILS, Aloxe-corton, 520 • Beaune, 538 • Chorey-lès-beaune, 536 • Corton, 527 • Montagny, 596 • Savigny-lès-beaune, 532
ARRETXEA, DOM., Irouléguy, 877
ARRICAU-BORDES, CH. D', Madiran, 882
ARRICAUD, CH. D', Graves, 342
ARROSEE, CH. L', Saint-émilion grand cru, 282
ARSAC, CH. LE MONTEIL D', Haut-médoc, 373
ART DE VIVRE, Côtes-du-roussillon, 773
ARTHUS, Côtes-de-castillon, 320
ARTIX, CH., Minervois, 757
ARTOIS, DOM. D', Touraine-mesland, 993
ARTON, DOM. D', Côtes de Gascogne, 1150
ASPES, DOM. DES, Oc, 1158
ASPRAS, DOM. DES, Côtes-de-provence, 807
ASSAILLY-LECLAIRE ET FILS, Champagne, 624
ASTROS, CH. D', Côtes-de-provence, 807
ATTILON, DOM. DE L', Bouches-du-Rhône, 1167
AUBAC, D', Muscadet-sèvre-et-maine, 923
AUBE, DOM. DE L', Gard, 1156
AUBERDIERE, CH. DE L', Muscadet-sèvre-et-maine, 923
AUBERT, JEAN-CLAUDE ET DIDIER, Vouvray, 1018
AUBERT LA CHAPELLE, DOM., Coteaux-du-loir, 1012 • Jasnières, 1013
AUBINERIE, DOM. DE L', Muscadet-sèvre-et-maine, 923
AUBONNE, ASSOCIATION VITICOLE, Canton de Vaud, 1197
AUBRY, Champagne, 624
AUCŒUR, DOM., Morgon, 182
AUCRET, CAVE D', Canton de Vaud, 1197
AUDEBERT, HUBERT, Bourgueil, 994
AUDEBERT ET FILS, DOM., Bourgueil, 995 • Chinon, 1004 • Saint-nicolas-de-bourgueil, 1000
AUDIFFRED, BERNARD, Vosne-romanée, 504
AUDOIN, DOM. CHARLES, Marsannay, 472
AUDOUIN, DOM., Muscadet-sèvre-et-maine, 923
AUFRANC, PASCAL, Fleurie, 175
AUGERON, DOM. D', Terroirs landais, 1148
AUGIER, DOM. ROSE, Bellet, 827
AUGIS, DOM., Touraine, 983 • Valençay, 1032
AUGUSTE, CHRISTOPHE, Bourgogne, 428
AUJARD, BERNARD, Reuilly, 1052
AUMIERES, DOM. D', Oc, 1158
AUMONIER, DOM. DE L', Touraine, 983
AUMONIERE, L', Meuse, 1181
AU POINT DU JOUR, DOM., Canton de Vaud, 1197
AURELIUS, Saint-émilion grand cru, 284
AURILHAC, CH. D', Haut-médoc, 373
AURORE, L', Bourgogne, 428
AURORE DE BEAUFORT, DOM., Montlouis-sur-loire, 1015
AUSONE, CH., Saint-émilion grand cru, 284
AUSSEIL, DOM. DE L', Côtes-du-roussillon-villages, 779
AUTARD, PAUL, Châteauneuf-du-pape, 1112
AUTREAU DE CHAMPILLON, Champagne, 624
AUTREAU-LASNOT, Champagne, 624
AUVERNIER, CH. D', Canton de Neuchâtel, 1215
AUVIERES, DOM. DE L', Côtes-du-ventoux, 1127
AUVIGUE, HERITIERS, Mâcon-villages, 601
AVENEAUX, CH. LES, Gros-plant AOVDQS, 934
AVERNUS, CH., Côtes-du-roussillon-villages, 779
AVRILLE, CH. D', Anjou-villages-brissac, 952 • Coteaux-de-l'aubance, 956
AYALA, Champagne, 625

AYDIE, CH. D', Madiran, 882
AYMERICH, CH., Côtes-du-roussillon-villages, 779 • Muscat-de-rivesaltes, 791
AZURE, DOM. DE L', Touraine, 983

B

BABLUT, DOM. DE, Coteaux-de-l'aubance, 956
BACCHUS, CAVEAU DE, Arbois, 691
BACHELET, JEAN-CLAUDE, Bienvenues-bâtard-montrachet, 568
BACHELET, DOM., Chassagne-montrachet, 570 • Maranges, 581
BACHELET-RAMONET PERE ET FILS, DOM., Bâtard-montrachet, 568 • Bienvenues-bâtard-montrachet, 569 • Chassagne-montrachet, 570
BACHELIER, DOM., Chablis, 456
BACHEN, ROUGE DE, Terroirs landais, 1148
BACHEY-LEGROS, DOM., Chassagne-montrachet, 570
BADETTE, CH., Saint-émilion grand cru, 284
BADIANE, LA, Palette, 832
BADOZ, BENOIT, Côtes-du-jura, 696
BAGNOL, DOM. DU, Cassis, 826
BAGNOST, A., Champagne, 625
BAGNOST PERE ET FILS, Champagne, 625
BAGUIER, DOM. DU, Coteaux-varois, 839
BAGUIERS, DOM. DES, Bandol, 828
BAHANS HAUT-BRION, CH., Pessac-léognan, 353
BAILLETS, CAVE DES, Canton de Genève, 1212
BAILLETTE-PRUDHOMME, JEAN, Champagne, 625
BAILLON, ALAIN, Côte-roannaise, 1040
BAILLY, ALAIN, Champagne, 625
BAILLY, CAVE DE, Irancy, 469
BAILLY, JEAN-PIERRE, Pouilly-fumé, 1044
BAILLY, SYLVAIN, Sancerre, 1054
BAILLY-LAPIERRE, Saint-bris, 470
BALAC, CH., Haut-médoc, 373
BALAGES, DOM. DE, Gaillac, 863
BALANDRAS, JEAN-MARC ET CEDRIC, Mâcon, 597
BALAZU DES VAUSSIERES, Lirac, 1119
BALESTARD LA TONNELLE, CH., Saint-émilion grand cru, 284
BALLAND, EMILE, Coteaux-du-giennois, 1037
BALLAND, DOM. JEAN-PAUL, Sancerre, 1054
BALLAND-CHAPUIS, JOSEPH, Sancerre, 1054
BALLANDORS, DOM. DES, Quincy, 1050
BALLOT-MILLOT ET FILS, Meursault, 558 • Pommard, 542
BALMIERE, DOM. DE LA, Côtes-du-roussillon-villages, 779
BALUCE, DOM. DE, Beaujolais, 155
BANDOCK-MANGIN, Champagne, 625
BANNERET, CAVE LE, Canton du Valais, 1204
BANNERET, DOM. DU, Châteauneuf-du-pape, 1112
BANNWARTH, LAURENT, Alsace gewurztraminer, 104
BANQUETTES, DOM. DES, Côtes-du-rhône, 1066
BARA, PAUL, Champagne, 625 • Coteaux-champenois, 687
BARAT, DOM., Chablis premier cru, 461
BARBE, CH. DE, Côtes-de-bourg, 248
BARBEAU, Pineau-des-charentes, 801
BARBEBELLE, CH., Coteaux-d'aix-en-provence, 833
BARBE BLANCHE, CH. DE, Lussac-saint-émilion, 309
BARBE-CAILLETTE, DOM., Costières-de-nîmes, 732
BARBELET, HELENE, Saint-amour, 194
BARBEN, MAS DE LA, Coteaux-du-languedoc, 738
BARBEROUSSE, CH., Saint-émilion, 278
BARBEYROLLES, CH., Côtes-de-provence, 807
BARBIER, ANDRE, Reuilly, 1052
BARBIER ET FILS, DOM., Gevrey-chambertin, 478
BARBIER-LOUVET, Champagne, 626
BARDE-HAUT, CH., Saint-émilion grand cru, 284
BARDE-LES TENDOUX, CH. LA, Côtes-de-bergerac, 897
BARDET ET FILS, DOM., Petit-chablis, 453
BARDOUX PERE ET FILS, Champagne, 626
BAREILLE, DOM. DE LA, Muscadet-sèvre-et-maine, 923
BARILLOT PERE ET FILS, Pouilly-sur-loire, 1049
BARMES BUECHER, DOM., Alsace riesling, 93
BARNAUT, E., Champagne, 626
BARON ALBERT, Champagne, 626
BARON DE BACHEN, Tursan AOVDQS, 888
BARON D'ESPIET, Entre-deux-mers, 329
BARON-FUENTE, Champagne, 626
BARON KIRMANN, Alsace tokay-pinot-gris, 114
BARONNAT, JEAN, Côtes-du-rhône, 1066 • Crémant-de-bourgogne, 449 • Morgon, 182 • Saint-véran, 614
BARRABAQUE, CH., Canon-fronsac, 256 • Fronsac, 258
BARRAUD, DOM. GUY, Juliénas, 178
BARRE, CAROLINE, Muscadet-sèvre-et-maine, 924
BARRE, DOM. AUGUSTE, Muscadet-sèvre-et-maine, 924
BARREAU, DOM., Gaillac, 863
BARREJAT, CH., Pacherenc-du-vic-bilh, 885
BARRES, DOM. DES, Chaume, 968 • Coteaux-du-layon, 961
BARRIER, ANTOINE, Juliénas, 178
BARROUBIO, DOM. DE, Minervois, 757 • Muscat-de-saint-jean-de-minervois, 772
BARRY, CH. DU, Saint-émilion grand cru, 284
BART, DOM., Bonnes-mares, 498 • Marsannay, 472
BARTH, RENE, Alsace grand cru marckrain, 134 • Alsace riesling, 93
BARTHELEMY, DOM., Jurançon sec, 881
BARTHES, DOM., Bandol, 828
BARTHEZ, CH., Haut-médoc, 373
BAS, CH., Coteaux-d'aix-en-provence, 833
BAS-CIEUX, DOM. DES, Beaujolais, 155
BAS-ROCHER, DOM. DU, Vouvray, 1018
BASSONNERIE, CH. LA, Pomerol, 263
BASTARD, CH. DE, Sauternes, 414
BASTIAN, DOM. MATHIS, Moselle luxembourgeoise, 1191
BASTIDE, CH. LA, Cabardès, 767 • Corbières, 725
BASTIDE, DOM. LA, Hauterive, 1157
BASTIDE BLANCHE, LA, Bandol, 828
BASTIDE DE MARIE, Côtes-du-luberon, 1131
BASTIDE DES OLIVIERS, LA, Coteaux-varois, 839
BASTIDE DU CLAUX, Côtes-du-luberon, 1131 • Vaucluse, 1174
BASTIDE DU CURE, LA, Côtes-de-provence, 807
BASTIDE NEUVE, DOM. DE LA, Côtes-de-provence, 807
BASTIDE ROUSSE, DOM. DE, Saint-chinian, 762
BASTIDE SAINT DOMINIQUE, LA, Châteauneuf-du-pape, 1113 • Côtes-du-rhône, 1066
BASTIDE SAINT VINCENT, LA, Côtes-du-rhône, 1066 • Gigondas, 1106
BASTIDETTE, CH. LA, Montagne-saint-émilion, 312
BASTIDIERE, CH., Côtes-de-provence, 807
BASTIDON, CH. LE, Côtes-de-provence, 808
BASTIDON, DOM. LE, Maures, 1171

BASTIDONNE, DOM. DE LA, Côtes-du-ventoux, 1127
BASTILLE, CH., Côtes-de-castillon, 320
BASTOR-LAMONTAGNE, CH., Sauternes, 415
BASTZ D'AUTAN, Côtes-de-saint-mont AOVDQS, 887
BATAILLEY, CH., Pauillac, 395
BATTISTELI, ROSELYNE, Bourgogne, 428
BAUBIAC, DOM. DE, Coteaux-du-languedoc, 738
BAUCHET PERE ET FILS, Champagne, 626
BAUD, Côtes-du-jura, 696
BAUDARE, CH., Côtes-du-frontonnais, 870
BAUD PERE ET FILS, Château-chalon, 695
BAUDRY, Champagne, 626
BAUGET-JOUETTE, Champagne, 627
BAULOS LA VERGNE, CH., Bordeaux supérieur, 222
BAUMANN-ZIRGEL, Alsace grand cru mandelberg, 133 • Alsace riesling, 94 • Alsace tokay-pinot-gris, 114
BAUME D'ESTELAN, Côtes-du-luberon, 1131
BAUMELLES, CH. DES, Bandol, 829
BAUMES, LES, Bandol, 829
BAUR, A. L., Alsace grand cru hatschbourg, 130 • Alsace pinot ou klevner, 91 • Alsace riesling, 94
BAUR, CHARLES, Alsace grand cru pfersigberg, 136
BAUR, LEON, Alsace pinot ou klevner, 91
BAZILLIERE, DOM. DE LA, Muscadet-sèvre-et-maine, 924
BAZIN, YVES, Bourgogne-hautes-côtes-de-nuits, 442
BEATES, DOM. DES, Coteaux-d'aix-en-provence, 833
BEAUCHENE, CH., Côtes-du-rhône-villages, 1082
BEAUFERAN, CH., Coteaux-d'aix-en-provence, 834
BEAUFORT, ANDRE, Champagne, 627
BEAUFORT, HERBERT, Champagne, 627
BEAUJARDIN, CELLIER DU, Touraine, 983
BEAULIEU, CH., Coteaux-d'aix-en-provence, 834
BEAULIEU, CH. DE, Côtes-du-marmandais, 873
BEAULIEU, DOM. DE, Muscadet-sèvre-et-maine, 924
BEAUMALRIC, DOM. DE, Côtes-du-rhône-villages, 1082
BEAUMET, Champagne, 627
BEAUMET, CH., Côtes-de-provence, 808
BEAU MISTRAL, DOM., Côtes-du-rhône-villages, 1082 • Rasteau, 1136
BEAUMONT, DOM. DES, Charmes-chambertin, 485 • Gevrey-chambertin, 478 • Morey-saint-denis, 489
BEAUMONT, DOM. DE, Côtes-de-provence, 809
BEAUMONT, CH., Haut-médoc, 374
BEAUMONT, DOM., Tavel, 1121
BEAUMONT DES CRAYERES, Champagne, 627
BEAUMONT DU VENTOUX, CAVE, Côtes-du-ventoux, 1127
BEAUNE, LYCEE VITICOLE DE, Beaune, 538
BEAUPORTAIL, CH., Pécharmant, 905
BEAUPRE, CH. DE, Coteaux-d'aix-en-provence, 834
BEAUPUY, PRESTIGE DE, Côtes-du-marmandais, 874
BEAU PUY, Saint-nicolas-de-bourgueil, 1000
BEAUQUIN, LE «B» DE, Muscadet, 923
BEAUREGARD, CH., Pomerol, 263
BEAUREGARD, CH. DE, Pouilly-fuissé, 607
BEAUREGARD DUCASSE, CH., Graves, 342
BEAUREGARD-DUCOURT, CH. DE, Bordeaux rosé, 219 • Entre-deux-mers, 329
BEAUREGARD MIROUZE, CH., Corbières, 725
BEAURENARD, DOM. DE, Châteauneuf-du-pape, 1113 • Côtes-du-rhône, 1066 • Côtes-du-rhône-villages, 1082 • Rasteau, 1136
BEAUREPAIRE, DOM. DE, Menetou-salon, 1042 • Muscadet-sèvre-et-maine, 924
BEAU RIVAGE, CH., Bordeaux supérieur, 222
BEAUROIS, DOM. DES, Coteaux-du-giennois, 1037
BEAUSEJOUR, DOM. DE, Chinon, 1004
BEAUSEJOUR, CH., Montagne-saint-émilion, 312 • Saint-émilion grand cru, 285
BEAUSEJOUR, DOM., Touraine, 983
BEAU-SEJOUR BECOT, CH., Saint-émilion grand cru, 285
BEAUSEJOUR JUDELL, DOM. DE, Oc, 1159
BEAU-SITE, CH., Saint-estèphe, 400
BEAU SOLEIL, DOM. DE, Jardin de la France, 1141
BEAU SOLEIL, CH., Pomerol, 263
BEAU VALLON, CAVE DU, Beaujolais, 155
BEAUVENT, CAVE DE, Canton de Genève, 1212
BEAUVIGNAC, HUGUES DE, Côtes de Thau, 1154
BEAUVILLAIN-MONPEZAT, CH., Cahors, 855
BECASSE, CH. LA, Pauillac, 395
BECHE, DOM. DE LA, Morgon, 182
BECHT, PIERRE, Alsace pinot noir, 120
BECHTOLD, DOM. JEAN-PIERRE, Alsace grand cru engelberg, 127 • Alsace muscat, 102
BECK, FRANCIS, Alsace gewurztraminer, 104
BECK, HUBERT, Alsace muscat, 102
BECKER, JEAN-PHILIPPE ET JEAN-FRANCOIS, Alsace grand cru froehn, 128
BECK-HARTWEG, YVETTE ET MICHEL, Alsace gewurztraminer, 104
BEGAUDIERES, DOM. DES, Jardin de la France, 1141
BEGOT, CH., Côtes-de-bourg, 248
BEGUDE, DOM. DE LA, Bandol, 829
BEGUINERIES, DOM. DES, Chinon, 1004
BEJAC ROMELYS, CH., Médoc, 362
BEJOT, JEAN-BAPTISTE, Bourgogne, 428 • Bourgogne-aligoté, 437
BEL-AIR, CH. DE, Beaujolais, 156
BEL-AIR, CAVE, Bordeaux sec, 214
BEL-AIR, DOM. DE, Brouilly, 166 • Muscadet-côtes-de-grand-lieu, 932
BEL AIR, VIGNOBLE, Brouilly, 166
BEL AIR, DOM. DE, Chinon, 1005 • Pouilly-fumé, 1044 • Pouilly-sur-loire, 1049
BEL-AIR, CH., Côtes-de-castillon, 321 • Lussac-saint-émilion, 309 • Puisseguin-saint-émilion, 317
BEL AIR, CH., Haut-médoc, 374
BEL AIR, CH., Sainte-croix-du-mont, 412
BEL AIR, CAVE DES VIGNERONS DE, Morgon, 183
BEL-AIR, DOM., Muscadet-sèvre-et-maine, 924
BELAIR-COUBET, CH., Côtes-de-bourg, 248
BEL AIR LA PERRIERE, CH., Bordeaux, 204
BEL-AIR ORTET, CH., Saint-estèphe, 400
BEL AIR PERPONCHER, CH., Bordeaux supérieur, 223 • Entre-deux-mers, 329
BELAIZE, DOM. DE LA, Côtes-du-rhône-villages, 1082
BELAYGUES, CH. DE, Côtes-du-frontonnais, 870
BELCIER, LE PIN DE, Côtes-de-castillon, 321
BEL EVEQUE, CH., Corbières, 725
BELGRAVE, CH., Haut-médoc, 374
BELIN, JULES, Chablis premier cru, 461
BELIN, DOM. LUDOVIC, Chorey-lès-beaune, 536 • Pernand-vergelesses, 524
BELINGARD, CH., Monbazillac, 901
BELLAND, JEAN-CLAUDE, Chambertin, 483 • Corton-charlemagne, 529

BELLAND, ROGER, Chassagne-montrachet, 570 • Criots-bâtard-montrachet, 569 • Pommard, 542 • Santenay, 576
BELLANG ET FILS, CHRISTIAN, Meursault, 558
BELLE ANGEVINE, DOM. DE LA, Coteaux-du-layon, 961
BELLEFONTAINE, CH., Costières-de-nîmes, 733
BELLEFONT-BELCIER, CH., Saint-émilion grand cru, 285
BELLE-GARDE, CH., Bordeaux, 204 • Bordeaux supérieur, 223
BELLEGARDE, DOM., Jurançon, 878
BELLEGRAVE, CH., Médoc, 362 • Pauillac, 395 • Pomerol, 263
BELLEGRAVE DU POUJEAU, CH., Haut-médoc, 374
BELLERIVE, CH., Médoc, 362
BELLES COURBES, DOM., Saint-chinian, 762
BELLES EAUX, CH., Coteaux-du-languedoc, 738
BELLES-GRAVES, CH., Lalande-de-pomerol, 272
BELLES PIERRES, DOM., Coteaux-du-languedoc, 738
BELLEVILLE, DOM. CHRISTIAN, Rully, 586
BELLEVUE, DOM. DE, Beaujolais, 156
BELLEVUE, DOM. DE, Gros-plant AOVDQS, 934
BELLEVUE, DOM. DE, Saint-pourçain AOVDQS, 1039
BELLEVUE, CH., Bordeaux supérieur, 223 • Côtes-de-castillon, 321 • Saint-émilion grand cru, 285
BELLEVUE, DOM., Coteaux-du-loir, 1012 • Jasnières, 1013
BELLEVUE, DOM., Touraine, 984
BELLEVUE, CELLIER DE, Côtes-du-jura, 696 • Macvin-du-jura, 704
BELLE-VUE, CH., Haut-médoc, 374
BELLEVUE, CH. DE, Lussac-saint-émilion, 310
BELLEVUE LA FORET, CH., Côtes-du-frontonnais, 870
BELLEVUE LA MONGIE, CH., Bordeaux, 204 • Bordeaux clairet, 213 • Bordeaux supérieur, 223
BELLEVUE-PEYCHARNEAU, CH., Bordeaux supérieur, 223
BELLIER, PASCAL, Cheverny, 1026
BELLISLE MONDOTTE, CH., Saint-émilion grand cru, 285
BELLIVIERE, DOM. DE, Coteaux-du-loir, 1012
BELLOCH, CH., Muscat-de-rivesaltes, 791
BELLOY, CH., Canon-fronsac, 256
BELLUARD FILS, DOM., Vin-de-savoie, 708
BELREGARD-FIGEAC, CH., Saint-émilion grand cru, 285
BELROSE MONCAILLOU, CH., Bordeaux supérieur, 223
BELVEDERE BLANC, Canton d'Argovie, 1217
BENASTRE, DOM., Saumur, 971
BENEDETTI, MAISON, Châteauneuf-du-pape, 1113
BENEDETTI, DOM., Côtes-du-rhône, 1066
BENETIERE, JEAN-PIERRE, Côte-roannaise, 1041
BENOIT, DOM. JEAN-PAUL, Côtes-du-rhône, 1066
BENOIT, PATRICE, Montlouis-sur-loire, 1015
BENOIT ET FILS, PAUL, Arbois, 691
BENOIT RACLET, DOM., Moulin-à-vent, 187
BENON, REMI ET PAOLA, Chénas, 170
BERANGER, CH., Coteaux-du-languedoc, 738
BERANGERAIE, DOM. LA, Cahors, 855
BERARD, CH., Bordeaux supérieur, 223
BERCAIL, DOM. LE, Côtes-de-provence, 809
BERCEAU DU CHAMPAGNE, LE, Champagne, 627
BERECHE ET FILS, Champagne, 627 • Champagne, 628
BERGAT, CH., Saint-émilion grand cru, 286
BERGEONNIERES, DOM. DES, Saint-nicolas-de-bourgueil, 1000
BERGER, CH., Graves, 342
BERGER DES VIGNES, DOM., Beaujolais, 156
BERGERET, FRANCOIS, Pommard, 542
BERGERET, PHILIPPE, Pommard, 542
BERGERIE, DOM. DE LA, Quarts-de-chaume, 968 • Savennières, 958
BERGERONNEAU-MARION, Champagne, 628
BERLANDE, LA, Margaux, 387
BERLIOZ SAINT-ROCH, DOM., Chiroubles, 172
BERLIQUET, CH., Saint-émilion grand cru, 286
BERLOU, LES COTEAUX DE, Oc, 1159
BERNADOTTE, CH., Haut-médoc, 374
BERNAERT, DOM., Bourgogne, 428
BERNARD, LOUIS, Coteaux-du-tricastin, 1125 • Côte-rôtie, 1092 • Lirac, 1119
BERNARD, GUY, Côte-rôtie, 1092
BERNARD, YVAN, Côtes-d'auvergne AOVDQS, 1034
BERNARD-BONIN, Corton-charlemagne, 530
BERNARD FRERES, Macvin-du-jura, 704
BERNARDIERE, DOM. DE LA, Muscadet-sèvre-et-maine, 924
BERNARDINE, LA, Châteauneuf-du-pape, 1113
BERNARD-MASSARD, Crémant-de-luxembourg, 1194 • Moselle luxembourgeoise, 1191
BERNAT, CH. LE, Puisseguin-saint-émilion, 317
BERNE, CH. DE, Côtes-de-provence, 810
BERNHARD, DOM. JEAN-MARC, Alsace grand cru mambourg, 133
BERNHARD, JEAN-MARC, Alsace muscat, 102
BERNHARD-REIBEL, DOM., Alsace tokay-pinot-gris, 114
BERROD, DOM., Fleurie, 175
BERRYCURIENS, LES, Quincy, 1050
BERSAN, CUVEE LOUIS, Bourgogne, 428
BERSAN ET FILS, Irancy, 469 • Saint-bris, 470
BERTAGNA, DOM., Vougeot, 499
BERTEAU, JEAN, Côtes-du-rhône, 1066
BERTEAU ET VINCENT MABILLE, PASCAL, Vouvray, 1018
BERTHAUDIN, CAVE, Canton de Vaud, 1197
BERTHAULT, ALAIN, Crémant-de-bourgogne, 449
BERTHAUT, VINCENT ET DENIS, Fixin, 474
BERTHELOT, CH., Champagne, 628
BERTHELOT, PAUL, Champagne, 628
BERTHENET, DOM., Montagny, 596
BERTHET-BONDET, DOM., Château-chalon, 695 • Côtes-du-jura, 696
BERTHOUMIEU, DOM., Madiran, 883
BERTICOT, B DE, Côtes-de-duras, 909
BERTICOT, DUC DE, Côtes-de-duras, 909
BERTICOT, MARQUIS DE, Côtes-de-duras, 909
BERTIGNOLLES, DOM. DE, Chinon, 1005
BERTINERIE, CH., Premières-côtes-de-blaye, 240
BERTINS, DOM. LES, Côtes-de-duras, 909
BERTRAND, PIERRE, Champagne, 628
BERTRAND, GERARD, Corbières, 725
BERTRAND-BERGE, DOM., Fitou, 755 • Rivesaltes, 787
BERTRAND DE MONCENY, Gevrey-chambertin, 478 • Meursault, 558
BERTRAND DES MARNIERES, Champagne, 628
BERTRANDE, CH. LA, Cadillac, 409
BERTRANDS, LES ROCAILLES DES, Maures, 1171
BERTRANDS, CH. LES, Premières-côtes-de-blaye, 240
BESARD, THIERRY, Touraine-azay-le-rideau, 992

BESNERIE, DOM. DE LA, Crémant-de-loire, 920 • Touraine-mesland, 993
BESSAN SEGUR, CH., Médoc, 362
BESSERAT DE BELLEFON, Champagne, 628
BESSIERE, DOM. DE LA, Saumur-champigny, 977
BESSON, DOM., Chablis grand cru, 466
BESSON, GUILLEMETTE ET XAVIER, Givry, 593
BESSONS, DOM. DES, Touraine-amboise, 991
BESTHEIM, Alsace grand cru vorbourg, 141 • Alsace grand cru zinnkoepflé, 143 • Alsace riesling, 94
BETTON, LAURENT, Condrieu, 1095
BEURDIN ET FILS, DOM. HENRI, Reuilly, 1052
BEYCHEVELLE, LES BRULIERES DE, Haut-médoc, 374
BEYCHEVELLE, CH., Saint-julien, 405
BEYER, EMILE, Alsace grand cru pfersigberg, 136
BEYNAT, CH., Côtes-de-castillon, 321
BEYZAC, CH., Haut-médoc, 374
BEZINEAU, CH., Saint-émilion, 278
BIBIAN, CH., Listrac-médoc, 383
BICHERON, DOM. DU, Crémant-de-bourgogne, 449 • Mâcon-villages, 601
BICHON CASSIGNOLS, CH., Graves, 342
BICHOT, ALBERT, Chambolle-musigny, 494 • Criots-bâtard-montrachet, 569 • Maranges, 581 • Saint-aubin, 574 • Santenay, 576
BIGNON, CH., Graves, 343
BIGONNEAU, GERARD, Reuilly, 1052
BIGOTIERE, DOM. DE LA, Muscadet, 923
BIGUET, Saint-péray, 1105
BIJOTAT, BERNARD, Champagne, 628
BILE, DOM. DE, Floc-de-gascogne, 911
BILLARD ET FILS, DOM., Saint-romain, 556
BILLAUDS, CH. LES, Premières-côtes-de-blaye, 240
BILLAUD-SIMON, DOM., Chablis, 456 • Chablis grand cru, 466 • Chablis premier cru, 461
BILLECART-SALMON, Champagne, 629
BILLEROND, CH., Saint-émilion, 279
BINASSAT, CH., Bergerac, 889
BIOLLES, DOM. DES, Canton de Vaud, 1197
BIRAN, CH. DE, Pécharmant, 905
BIRE, CH., Bordeaux supérieur, 223
BISCONTE, DOM., Côtes-du-roussillon, 774
BISSEY, CAVE DE, Bourgogne-côte-chalonnaise, 584 • Crémant-de-bourgogne, 449
BISTON-BRILLETTE, CH., Moulis-en-médoc, 392
BITOUZET-PRIEUR, Meursault, 558 • Volnay, 548
BLAGNY, DOM. DE, Blagny, 564
BLAIGNAN, CH., Médoc, 362
BLANC, CH., Côtes-du-ventoux, 1127
BLANC ET FILS, DOM. G., Roussette-de-savoie, 714
BLANC FOUSSY, Touraine, 984
BLANCHARD ET FILS, FERNAND, Canton de Vaud, 1197
BLANCHE, Sainte-Marie-la-Blanche, 1182
BLANCHET, FRANCIS, Pouilly-fumé, 1044
BLANCHET, GILLES, Pouilly-fumé, 1044 • Pouilly-sur-loire, 1049
BLANCHETIERE, DOM. DE LA, Muscadet-sèvre-et-maine, 924
BLANCK, ROBERT, Alsace gewurztraminer, 104 • Alsace riesling, 94
BLANCK, DOM. PAUL, Alsace grand cru furstentum, 129
BLANCK ET SES FILS, ANDRE, Alsace grand cru schlossberg, 138
BLANZAC, CH., Côtes-de-castillon, 321
BLAQUE, DOM. LA, Coteaux-de-pierrevert, 1134
BLASON DE BOURGOGNE, Crémant-de-bourgogne, 449
BLASSINGES, LES, Canton de Vaud, 1198
BLAVIA, Premières-côtes-de-blaye, 240
BLAYAC, DOM. DE, Minervois, 757
BLEGER, DOM. CLAUDE, Alsace riesling, 94
BLEGER, FRANCOIS, Alsace tokay-pinot-gris, 114
BLEUCES, DOM. DES, Anjou, 938
BLIGNY, CH. DE, Champagne, 629
BLIN ET CIE, H., Champagne, 629
BLIN ET FILS, R., Champagne, 629
BLONDEAU, BERNARD, Touraine-noble-joué, 991
BLONDEL, Champagne, 629
BLOT, CHRISTIAN, Vouvray, 1019
BLOUIN, DOM. MICHEL, Coteaux-du-layon, 961
BLOUINES, DOM. DES, Anjou, 939 • Anjou-gamay, 946
BLOY, CH. DU, Côtes-de-bergerac, 897
BLUMSTEIN, HUBERT, Alsace riesling, 94
BOCH, CHARLES, Alsace klevener de heiligenstein, 89
BODINEAU, DOM., Anjou, 939 • Coteaux-du-layon, 961
BOESCH, DOM. LEON, Alsace grand cru zinnkoepflé, 143
BOHN, FRANCOIS, Alsace gewurztraminer, 104 • Alsace grand cru florimont, 127
BOHN, ALBERT, Alsace pinot noir, 120
BOHUES, DOM. DES, Coteaux-du-layon, 962
BOIGELOT, ERIC, Monthélie, 552
BOILLOT, DOM. ALBERT, Pommard, 543
BOILLOT, LOUIS, Pommard, 543 • Volnay, 548
BOIS, CAVEAU SYLVAIN, Bugey AOVDQS, 715
BOIS BEAULIEU, CH., Côtes-du-marmandais, 874
BOIS BRAUD, DOM. DU, Gros-plant AOVDQS, 935
BOIS-BRINÇON, CH. DE, Anjou, 939 • Coteaux-du-layon, 962
BOIS CARRE, CH., Médoc, 362
BOIS DE LANGRES, LES CAVES DU, Crémant-de-bourgogne, 450
BOIS DE LA SALLE, CAVE DU, Juliénas, 178
BOIS DE POURQUIE, DOM. DU, Bergerac rosé, 894
BOIS DE ROC, CH., Médoc, 362
BOIS DES ABEILLES, CH. LE, Premières-côtes-de-blaye, 240
BOIS DE SAINT-JEAN, DOM. DU, Côtes-du-rhône, 1066
BOIS DES MEGES, DOM. DU, Côtes-du-rhône, 1068
BOIS DIEU, DOM. DE, Beaujolais, 156
BOIS DORE, Muscat-de-beaumes-de-venise, 1135
BOIS GALANT, Médoc, 363
BOIS GROULEY, CH., Saint-émilion, 279
BOIS-JOLY, DOM. DU, Muscadet-sèvre-et-maine, 924
BOISLAUZON, MAS DE, Châteauneuf-du-pape, 1113
BOIS MALINGE, DOM. DU, Muscadet-sèvre-et-maine, 924
BOIS-MALOT, CH., Bordeaux supérieur, 223
BOIS-MARTIN, CH., Pessac-léognan, 353
BOIS MOZE, DOM. DE, Anjou, 939
BOIS MOZE PASQUIER, DOM. DU, Saumur-champigny, 977
BOIS NOIR, CH., Bordeaux supérieur, 224
BOISSAN, DOM. DE, Gigondas, 1106
BOISSEAUX-ESTIVANT, Chambolle-musigny, 494 • Nuits-saint-georges, 510
BOISSERELLE, DOM. DE LA, Côtes-du-vivarais, 1134
BOISSET, JEAN-CLAUDE, Bourgogne, 428 • Bourgogne-hautes-côtes-de-nuits, 442 • Chassagne-montrachet, 570 • Pommard, 544 • Savigny-lès-beaune, 532

BOISSON, DOM., Côtes-du-rhône-villages, 1082
BOISTARD, JEAN-PIERRE, Vouvray, 1019
BOIS VAUDONS, VIGNOBLES DES, Touraine, 984
BOIS-VERT, CH., Premières-côtes-de-blaye, 240
BOIZEL, Champagne, 629
BOLCHET, CH., Costières-de-nîmes, 733
BOLLINGER, Champagne, 629
BONDIEU, CH. LE, Haut-montravel, 905
BONETTO-FABROL, DOM., Coteaux-du-tricastin, 1125
BONGARS, Vouvray, 1019
BONHOMME, CH., Minervois, 758
BONHOMME, DOM. ANDRE, Viré-clessé, 606
BONHOMME, DOM. PASCAL, Viré-clessé, 606
BONHOSTE, CH. DE, Bordeaux sec, 214
BONICE, CH., Costières-de-nîmes, 733
BONIFACE, PIERRE, Roussette-de-savoie, 714 • Vin-de-savoie, 708
BONNAIRE, Champagne, 630
BONNANGE, LE CLAIRET DU CHATEAU, Bordeaux clairet, 213
BONNANGE, CH., Premières-côtes-de-blaye, 240
BONNAT, CH. LE, Graves, 343
BONNEFIL, DOM. DE, Gaillac, 863
BONNEFOND, PATRICK ET CHRISTOPHE, Condrieu, 1095
BONNEFOY, GILLES, Côtes-du-forez, 1037
BONNELIERE, CH. DE LA, Chinon, 1005
BONNELIERE, DOM. LA, Saumur-champigny, 978
BONNES GAGNES, DOM. DES, Anjou-villages-brissac, 952 • Cabernet-d'anjou, 954
BONNET, CH., Bordeaux, 204 • Bordeaux rosé, 219 • Entre-deux-mers, 329 • Moulin-à-vent, 187
BONNET, ALEXANDRE, Champagne, 630 • Rosé-des-riceys, 689
BONNEVEAUX, DOM. DES, Saumur-champigny, 978
BONNIN, CH., Lussac-saint-émilion, 310
BON PASTEUR, CH. LE, Pomerol, 263
BON PAYS, LA CAVE DU, Côtes-du-jura, 696
BONSERINE, DOM. DE, Côte-rôtie, 1093
BONVALLON, CH., Côtes-de-provence, 810
BONVILLE, FRANCK, Champagne, 630
BONVIN, Canton du Valais, 1204
BONY, JEAN-PIERRE, Bourgogne-passetoutgrain, 441 • Nuits-saint-georges, 510
BONZOMS, DOM., Muscat-de-rivesaltes, 791
BOONEN-MEUNIER FILS, Champagne, 630
BORD, CH. DE, Côtes-du-rhône-villages, 1082
BORDENAVE, DOM., Jurançon, 878
BORDENAVE, CRU, Sauternes, 415
BORDERIE, CH. LA, Monbazillac, 901
BORDES, DOM. DE, Agenais, 1146
BORDES, CELLIER DE, Bordeaux, 204 • Bordeaux sec, 214
BORDES, CH. DE, Lussac-saint-émilion, 310
BORDES-LUBAT, DOM., Pyrénées-Atlantiques, 1152
BOREL-LUCAS, Champagne, 630
BORES, MARIE-CLAIRE ET PIERRE, Alsace pinot noir, 120 • Alsace riesling, 94
BORGEOT, Puligny-montrachet, 564
BORGNAT, DOM., Bourgogne, 428
BORIE BLANCHE, DOM. DE LA, Monbazillac, 902
BORIE DE MAUREL, DOM., Minervois, 758
BORIE LA VITARELE, Saint-chinian, 762
BORRELS, MAS DES, Côtes-de-provence, 810
BORRELY-MARTIN, DOM., Maures, 1171
BORY, DOM. JOSEPH, Rivesaltes, 788
BOSC, DOM. DU, Oc, 1159
BOSCQ, CH. LE, Saint-estèphe, 400
BOSQUET, DOM., Oc, 1159
BOSQUET DES PAPES, Châteauneuf-du-pape, 1113
BOSSEAU, BERNARD, Canton de Genève, 1212
BOSSIS, RAYMOND, Pineau-des-charentes, 801
BOTT FRERES, Alsace gewurztraminer, 104
BOTT-GEYL, DOM., Alsace grand cru sonnenglanz, 139 • Alsace grand cru sonnenglanz, 140
BOTTIERE, CH. DE LA, Juliénas, 178
BOUCANT-THIERY, Champagne, 630
BOUC ET LA TREILLE, LE, Coteaux-du-lyonnais, 196
BOUCHARD, PHILIPPE, Bourgogne-aligoté, 437
BOUCHARD, DOM. PASCAL, Chablis grand cru, 466 • Saint-bris, 471
BOUCHARD, JEAN, Chassagne-montrachet, 570
BOUCHARD, DOM. GABRIEL, Saint-romain, 556
BOUCHARD AINE ET FILS, Beaune, 538 • Echézeaux, 502
BOUCHARD PERE ET FILS, Beaune, 538 • Chambolle-musigny, 494 • Chevalier-montrachet, 567
BOUCHAUD, DOM. DE, Bouches-du-Rhône, 1167
BOUCHAUD, PIERRE-LUC, Muscadet-sèvre-et-maine, 924
BOUCHE, DOM. B & B, Blanquette méthode ancestrale, 722
BOUCHE, DOM., Côtes-du-rhône, 1068 • Vaucluse, 1174
BOUCHE PERE ET FILS, Champagne, 630
BOUCHET, CH. DE, Bordeaux, 205 • Bordeaux rosé, 219
BOUCHEZ, GILBERT, Roussette-de-savoie, 714 • Vin-de-savoie, 709
BOUCHEZ-CRETAL, DOM., Crémant-de-bourgogne, 450 • Volnay, 549
BOUCHIE-CHATELLIER, Pouilly-fumé, 1045
BOUCHOT, DOM. DU, Pouilly-fumé, 1045
BOUDAU, DOM., Côtes-du-roussillon, 774 • Côtes-du-roussillon-villages, 779 • Muscat-de-rivesaltes, 791 • Rivesaltes, 788
BOUGERELLE, CH. LA, Coteaux-d'aix-en-provence, 834
BOUGRIER, Jardin de la France, 1141
BOUILLEROT, DOM. DE, Bordeaux, 205 • Bordeaux supérieur, 224 • Côtes-de-bordeaux-saint-macaire, 341
BOUIS, CH. LE, Corbières, 726
BOUISSEL, CH., Côtes-du-frontonnais, 870
BOUISSE-MATTERI, DOM., Côtes-de-provence, 810
BOUISSIERE, DOM. DE LA, Gigondas, 1106 • Vacqueyras, 1110
BOULAND, PATRICK, Chiroubles, 172
BOULAND, DOM. JEAN-PAUL, Morgon, 183
BOULAND, RAYMOND, Morgon, 183
BOULARD, DOM., Auxey-duresses, 554
BOULARD, RAYMOND, Champagne, 631
BOULARD-BAUQUAIRE, Champagne, 631
BOULET, NADEGE ET DAVID, Juliénas, 178
BOULEY, DOM. JEAN-MARC, Bourgogne-hautes-côtes-de-beaune, 446 • Pommard, 544 • Volnay, 549
BOULEY, REYANE ET PASCAL, Volnay, 549
BOULLERY, DOM. DE, Bouches-du-Rhône, 1167
BOULONNAIS, JEAN-PAUL, Champagne, 631
BOUQUERRIES, DOM. DES, Chinon, 1005
BOUQUET DE VIOLETTES, CH., Lalande-de-pomerol, 272
BOURBON-PARME, PRINCE S.H. DE, Pommard, 544 • Santenay, 576
BOURDA, CH., Tursan AOVDQS, 888
BOURDAIRE-GALLOIS, Champagne, 631
BOURDELOIS, R., Champagne, 631
BOURDIC, DOM., Côtes de Thongue, 1155

BOURDICOTTE, CH., Bordeaux, 205
BOURDIEU LA VALADE, CH., Fronsac, 258
BOURDILLOT, TENTATION DU CH. LE, Graves, 343
BOURDONNAT, DOM. DU, Reuilly, 1052
BOUREAU, CLAUDE, Montlouis-sur-loire, 1015
BOUREE FILS, PIERRE, Beaune, 538 • Gevrey-chambertin, 478
BOURGELAT, CAPRICE DE, Graves, 344
BOURGEOIS, Champagne, 631
BOURGEOIS, HENRI, Pouilly-fumé, 1045
BOURGEOIS, DOM. HENRI, Sancerre, 1054
BOURGEOIS-BOULONNAIS, Champagne, 632
BOURGEON, RENE, Givry, 593
BOURG NEUF, DOM. DU, Saumur-champigny, 978
BOURGNEUF-VAYRON, CH., Pomerol, 263
BOURG-TAURIAC, EVIDENCE DES VITICULTEURS DE, Côtes-de-bourg, 248
BOURGUET, CH., Gaillac, 864
BOURISSET, DOM., Moulin-à-vent, 188
BOURMAULT, CHRISTIAN, Champagne, 632
BOURNAC, CH., Médoc, 364
BOURNONVILLE, CH., Cabardès, 767
BOURONIERE, DOM. DE LA, Fleurie, 175
BOURRACHE, LA, Canton de Vaud, 1198
BOURSAC, DOM. DE, Pineau-des-charentes, 801
BOURSAULT, CH. DE, Champagne, 632
BOUSCASSE, CH., Madiran, 883
BOUSQUET, CH. DU, Côtes-de-bourg, 248
BOUSQUETTE, CH., Saint-chinian, 762
BOUSSARGUES, CH. DE, Côtes-du-rhône, 1068 • Côtes-du-rhône-villages, 1082
BOUSSEY, DOM. DENIS, Monthélie, 552
BOUSSEY, ERIC, Monthélie, 552
BOUTHENET, DOM. JEAN-FRANCOIS, Maranges, 581
BOUTILLEZ-GUER, Champagne, 632
BOUTILLEZ-VIGNON, G., Champagne, 632
BOUTON, GILLES, Chassagne-montrachet, 570 • Puligny-montrachet, 564 • Saint-aubin, 574
BOUVACHON NOMINE, DOM., Châteauneuf-du-pape, 1113
BOUVAUDE, LA, Côtes-du-rhône, 1068
BOUVENCOURT, DOM., Vacqueyras, 1110
BOUVERIE, DOM. DE LA, Côtes-de-provence, 810
BOUVET, Saumur, 971
BOUVET, DOM. G. & G., Vin-de-savoie, 709
BOUVIER, DOM. RENE, Charmes-chambertin, 485 • Côte-de-nuits-villages, 515 • Fixin, 474 • Gevrey-chambertin, 478 • Morey-saint-denis, 489
BOUVIER, REGIS, Fixin, 474 • Marsannay, 472
BOUXHOF, DOM. DU, Alsace gewurztraminer, 104 • Alsace grand cru mandelberg, 133
BOUY, LAURENT, Champagne, 632 • Coteaux-champenois, 687
BOUZERAND-DUJARDIN, DOM., Beaune, 538 • Meursault, 558
BOUZEREAU, DOM. JEAN-MARIE, Meursault, 559
BOUZEREAU, DOM. VINCENT, Meursault, 559
BOUZEREAU-EMONIN, PIERRE, Puligny-montrachet, 564
BOUZEREAU ET FILS, MICHEL, Meursault, 560
BOUZEREAU-GRUERE ET FILLES, HUBERT, Chassagne-montrachet, 570 • Meursault, 560
BOUZONS, DOM. DES, Côtes-du-rhône, 1068
BOXLER, ALBERT, Alsace grand cru sommerberg, 139
BOYER, L. ET F., Champagne, 632
BRANA, DOM., Irouléguy, 877
BRANAIRE-DUCRU, CH., Saint-julien, 405
BRANDA, CH., Puisseguin-saint-émilion, 317
BRANDE, CH. LA, Côtes-de-castillon, 321
BRANDEAU, LES ARMES DE, Côtes-de-castillon, 321
BRANDEAUX, DOM. LES, Côtes-de-bergerac moelleux, 901
BRANE-CANTENAC, CH., Margaux, 387
BRANNE, CH. LA, Médoc, 364
BRANON, CH., Pessac-léognan, 353
BRARD BLANCHARD, Charentais, 1146 • Pineau-des-charentes, 801
BRAU, CH. DE, Cabardès, 767
BRAUDE, CH. DE, Haut-médoc, 374
BRAUDIERE, DOM. DE LA, Muscadet-sèvre-et-maine, 925
BRAULTERIE, CH. LA, Premières-côtes-de-blaye, 240
BRAUN, CAMILLE, Alsace gewurztraminer, 105
BRAUN ET SES FILS, FRANCOIS, Alsace gewurztraminer, 105
BRAVES, DOM. DES, Régnié, 190 • Régnié, 191
BREBAN, LES VINS, Côtes-de-provence, 810
BREDIF, MARC, Vouvray, 1019
BREGANCON, CH. DE, Côtes-de-provence, 810
BREGEON, MICHEL, Muscadet-sèvre-et-maine, 925
BREGEONNETTE, DOM. DE LA, Muscadet-sèvre-et-maine, 926
BRELIERE, JEAN-CLAUDE, Rully, 586
BREMONT, BERNARD, Champagne, 632
BRENNUS, Bergerac, 889
BRENOT, DOM., Santenay, 577
BREQUE, REMY, Crémant-de-bordeaux, 236
BRESSADES, MAS DES, Costières-de-nîmes, 733
BRESSAND, NATHALIE, Pouilly-fuissé, 608
BRESSION-SALMON, Champagne, 633
BRESSOULALY, NOEL, Côtes-d'auvergne AOVDQS, 1035
BRET BROTHERS, Pouilly-fuissé, 608
BRETHOUS, CH., Premières-côtes-de-bordeaux, 336
BRETON, BRUNO ET ROSELYNE, Bourgueil, 995
BRETON, CATHERINE ET PIERRE, Bourgueil, 995
BRETON FILS, Champagne, 633
BRETONNIERE, CH. LA, Bordeaux clairet, 213 • Premières-côtes-de-blaye, 241
BREUIL, CH. DU, Coteaux-du-layon, 962
BREUIL RENAISSANCE, CH. LE, Médoc, 364
BREUSSIN, YVES, Vouvray, 1019
BREZE, CH. DE, Coteaux-de-saumur, 976 • Saumur, 972
BRIACE, CH. DE, Gros-plant AOVDQS, 935
BRIAND, CH., Côtes-de-bergerac, 897
BRIANTE, CH. DE, Côte-de-brouilly, 168
BRICE, Champagne, 633
BRIDAY, DOM. MICHEL, Rully, 586
BRIE, CH. LA, Bergerac, 889
BRILLANE, DOM. DE LA, Coteaux-d'aix-en-provence, 834
BRILLETTE, CH., Moulis-en-médoc, 392
BRINTET, DOM., Mercurey, 590
BRIOT, CH., Bordeaux, 205
BRISEBARRE, VIGNOBLES, Vouvray, 1019
BRISON, LOUISE, Champagne, 633
BRISSAC, CH. DE, Anjou-villages-brissac, 952
BRIVIO, GUIDO, Canton du Tessin, 1222
BRIZAY, CH. DE, Haut-poitou AOVDQS, 798
BRIZE, DOM. DE, Anjou, 939 • Anjou-villages, 948
BRIZI, DOM. NAPOLEON, Patrimonio, 851
BROBECKER, Alsace grand cru eichberg, 127
BROCARD, JEAN-MARC, Bourgogne, 429 • Chablis premier cru, 461 • Petit-chablis, 453

BROCARD, DANIEL, Crémant-du-jura, 700 • Macvin-du-jura, 704
BROCHARD, HENRY, Pouilly-fumé, 1045
BROCHARD, DOM. HUBERT, Sancerre, 1054
BROCHET, DOM. DU, Muscadet-sèvre-et-maine, 926
BROCHET-HERVIEUX, Champagne, 633
BRONDEAU, CH. DE, Bordeaux supérieur, 224
BRONDELLE, CH., Graves, 344
BROSSAY, CH. DE, Anjou-villages, 948 • Coteaux-du-layon, 962
BROTTIERS, LES, Côtes-du-rhône, 1068
BROUSSE, DOM. DE, Gaillac, 864
BROUSSES, MAS DES, Coteaux-du-languedoc, 738
BROUSTERAS, CH. DES, Médoc, 364
BROWN, CH., Pessac-léognan, 353
BRU, CH. DU, Sainte-foy-bordeaux, 334
BRU-BACHE, DOM., Jurançon, 879
BRUGNON, Champagne, 633
BRUGUIERE, MAS, Coteaux-du-languedoc, 739
BRULESECAILLE, CH., Côtes-de-bourg, 248
BRULLY, DOM. DE, Aloxe-corton, 521
BRUN & CIE, EDOUARD, Champagne, 633
BRUNEAU, DOM., Charentais, 1146
BRUNEAU DUPUY, CAVE, Saint-nicolas-de-bourgueil, 1001
BRUNELY, DOM. DE LA, Côtes-du-rhône, 1068 • Côtes-du-ventoux, 1127
BRUNET, DOM., Chinon, 1005
BRUNET, MAS, Coteaux-du-languedoc, 739
BRUNET, DOM. GEORGES, Vouvray, 1019
BRUREAUX, DOM. DES, Chénas, 170
BRUSSET, LAURENT, Côtes-du-rhône, 1068
BRUSSET, DOM., Côtes-du-rhône-villages, 1082 • Gigondas, 1106
BRUYERE, CH. DE LA, Bourgogne, 429 • Mâcon, 597
BRUYERES, DOM. DES, Chénas, 170
BRUYERES, CH. DES, Côtes-de-duras, 909
BRUYERES, LES, Mâcon-villages, 601
BUCHOT, CLAUDE, Côtes-du-jura, 696
BUDOS, CH. DE, Graves, 344
BUECHER ET FILS, PAUL, Alsace gewurztraminer, 105 • Alsace grand cru brand, 126
BUECHER-FIX, Alsace grand cru hatschbourg, 131 • Alsace grand cru hengst, 131
BUFFET, DOM. FRANCOIS, Volnay, 549
BUISSE, PAUL, Touraine, 984
BUISSIERE, DOM. DE LA, Pommard, 544 • Santenay, 577
BUISSON, CHRISTOPHE, Beaune, 538 • Saint-romain, 556
BUISSON, DOM. HENRI ET GILLES, Corton, 527 • Pommard, 544 • Saint-romain, 556
BUISSONNES, DOM. DES, Sancerre, 1055
BUJAN, CH., Côtes-de-bourg, 248
BUJARD, Canton de Vaud, 1198
BULABOIS, COLETTE ET CLAUDE, Arbois, 691
BULLIAT, DOM. NOEL, Morgon, 183
BULLIATS, MAISON DES, Régnié, 191
BULLY, CAVE DES VIGNERONS DE, Beaujolais, 156
BUNEL, ERIC, Champagne, 633
BURNOT-LATOUR, DOM., Régnié, 191
BURONFOSSE, PEGGY ET JEAN-PASCAL, Côtes-du-jura, 697
BURSIN, AGATHE, Alsace sylvaner, 89
BURSINEL, CH. DE, Canton de Vaud, 1198
BUSIN, JACQUES, Champagne, 634
BUSSAC, CH., Graves-de-vayres, 333
BUSSIERES, DOM. DES, Côte-de-brouilly, 168
BUTIN, PHILIPPE, Côtes-du-jura, 697 • Macvin-du-jura, 705
BUTTE DE CAZEVERT, CH., Bordeaux rosé, 220
BUXYNOISE, LA, Bourgogne-côte-chalonnaise, 584 • Montagny, 596
BUYATS, DOM. DES, Régnié, 191
BYARDS, CAVEAU DES, Côtes-du-jura, 697 • Crémant-du-jura, 700

C

CABANIS, DOM., Costières-de-nîmes, 733
CABANNE, CH. LA, Pomerol, 263
CABANNES, CH. LES, Saint-émilion, 279
CABANNIEUX, CH., Graves, 344
CABARROUY, DOM. DE, Jurançon, 879
CABASSE, DOM. DE, Côtes-du-rhône-villages, 1083 • Gigondas, 1106
CABELIER, MARCEL, Crémant-du-jura, 700 • Macvin-du-jura, 705
CABIDOS, Comté tolosan, 1149
CABRIAC, CH. DE, Corbières, 726
CACH, CH. DE, Haut-médoc, 376
CACHAT-OCQUIDANT ET FILS, DOM., Aloxe-corton, 521 • Ladoix, 518 • Savigny-lès-beaune, 532
CADENET, MAS DE, Côtes-de-provence, 810
CADENETTE, CH., Costières-de-nîmes, 733
CADENIERE, DOM. DE LA, Coteaux-d'aix-en-provence, 834
CADERIE, CH. LA, Bordeaux supérieur, 224
CADET-PEYCHEZ, CH., Saint-émilion grand cru, 286
CADORIN, CH., Saint-chinian, 762
CADY, DOM., Anjou-villages, 948 • Coteaux-du-layon, 962
CAGUELOUP, DOM. DU, Bandol, 829
CAHUZAC, CH., Côtes-du-frontonnais, 870
CAILBOURDIN, DOM. A., Pouilly-fumé, 1045
CAILLASSES, LES, Coteaux-du-languedoc, 739
CAILLAVET, CH. DE, Premières-côtes-de-bordeaux, 336
CAILLETEAU BERGERON, CH., Premières-côtes-de-blaye, 241
CAILLEUX, Crémant-de-bordeaux, 236
CAILLEVET, CH., Côtes-de-bergerac, 897
CAILLOT, DOM. MICHEL, Meursault, 560 • Puligny-montrachet, 564 • Santenay, 578
CAILLOU, DOM. DU, Châteauneuf-du-pape, 1113
CAILLOU, CH. LE, Pomerol, 264
CAILLOU, CH., Sauternes, 415
CAILLOU LES MARTINS, CH., Lussac-saint-émilion, 310
CALADROY, CH. DE, Côtes-du-roussillon-villages, 779 • Muscat-de-rivesaltes, 791 • Rivesaltes, 788
CALASSOU, CH. DE, Cahors, 855
CALAVON, CH. DE, Coteaux-d'aix-en-provence, 835
CAL DEMOURA, MAS, Coteaux-du-languedoc, 739
CALET, DOM. DE, Costières-de-nîmes, 733 • Oc, 1159
CALISSANNE, CH., Coteaux-d'aix-en-provence, 835
CALISSE, CH. LA, Coteaux-varois, 839
CALLAC, CH. DE, Graves, 344
CALLOT, PIERRE, Champagne, 634
CALON SEGUR, CH., Saint-estèphe, 400
CALVAIRE DE ROCHE GRES, DOM. DU, Morgon, 183
CALVET, Bordeaux, 205
CALVET RESERVE, Bordeaux sec, 214
CAMAISSETTE, DOM. DE, Coteaux-d'aix-en-provence, 835
CAMARETTE, DOM. LA, Côtes-du-ventoux, 1127

VINS

CAMBARET, DOM. DE, Coteaux-varois, 840
CAMBAUDIERE, DOM. DE LA, Fiefs-vendéens AOVDQS, 936
CAMBON LA PELOUSE, CH., Haut-médoc, 376
CAMBUSE, DOM. DE LA, Muscadet-coteaux-de-la-loire, 933
CAMENSAC, CH., Haut-médoc, 376
CAMENTRON, DOM. DE, Terroirs landais, 1148
CAMILLE, DOM., Chinon, 1005
CAMINADE, CH. LA, Cahors, 855
CAMPANIER, LE, Coteaux-du-quercy AOVDQS, 861
CAMP DEL SALTRE, CH., Cahors, 856
CAMP GALHAN, DOM., Duché d'Uzès, 1156
CAMPI, DOM., Collioure, 783
CAMPLONG, C DE, Corbières, 726
CAMPUGET, CH. DE, Costières-de-nîmes, 733
CAMUS-BRUCHON, DOM., Savigny-lès-beaune, 532
CANARD-DUCHENE, Champagne, 634
CANCAILLAU, Jurançon, 879
CANDALE, CH. DE, Haut-médoc, 376
CANIMALS LE HAUT, DOM. DE, Saint-chinian, 763
CANON, CH., Saint-émilion grand cru, 286
CANON CHAIGNEAU, CH., Lalande-de-pomerol, 272
CANON DE BREM, CH., Canon-fronsac, 256
CANON SAINT-MICHEL, CH., Canon-fronsac, 256
CANORGUE, CH. LA, Côtes-du-luberon, 1131 • Vaucluse, 1174
CANTA RAINETTE, DOM. DE, Côtes-de-provence, 810
CANTARELLES, DOM. DES, Costières-de-nîmes, 734
CANTEGRIL, CH., Graves, 344 • Sauternes, 415
CANTELAUZE, CH., Pomerol, 264
CANTELOUP, CH., Graves-de-vayres, 333 • Premières-côtes-de-blaye, 241
CANTELYS, CH., Pessac-léognan, 353
CANTEMERLE, CRU, Bordeaux supérieur, 224
CANTEMERLE, DOM. DE, Bordeaux supérieur, 224
CANTEMERLE, CH., Haut-médoc, 376
CANTENAC, CH., Saint-émilion grand cru, 286
CANTEPERDRIX, Côtes-du-ventoux, 1127
CANTIN, BENOIT, Irancy, 470
CANTIN, CH., Saint-émilion grand cru, 286
CANTINOT, CH., Premières-côtes-de-blaye, 241
CAP DE FOUSTE, CH., Côtes-du-roussillon, 774
CAP DE HAUT, CH., Haut-médoc, 376
CAP DE MOURLIN, CH., Saint-émilion grand cru, 286
CAPDET, CH., Listrac-médoc, 383
CAPDEVIELLE, DOM., Jurançon sec, 881
CAPEILLETTE, DOM. DE LA, Côtes-du-roussillon-villages, 779 • Muscat-de-rivesaltes, 791
CAPELLE, DOM. DE LA, Muscat-de-mireval, 771
CAPITAIN-GAGNEROT, Aloxe-corton, 522 • Bourgogne-hautes-côtes-de-beaune, 446 • Ladoix, 518
CAPITELLES, RESERVE DES, Fitou, 755
CAPITOUL, CH. DE, Coteaux-du-languedoc, 739
CAP LEON VEYRIN, CH., Listrac-médoc, 383
CAPMARTIN, DOM., Madiran, 883
CAPOU, DOM. DU, Juliénas, 178
CAPPES, CH. DE, Côtes-de-bordeaux-saint-macaire, 341
CAPRICE DE COLOMBELLE, Côtes de Gascogne, 1151
CAPRIERS, DOM. DES, Côtes de Thongue, 1155
CAP ROYAL, Bordeaux supérieur, 224
CAP SAINT-MARTIN, CH., Premières-côtes-de-blaye, 241
CAPUANO-FERRERI ET FILS, DOM., Clos-de-vougeot, 499 • Pommard, 544 • Santenay, 578
CAPUCIN, DOM. DU, Mâcon-villages, 601
CAPULLE, CH., Côtes-de-bergerac, 897
CARAVELLE, LA, Listrac-médoc, 384
CARBONNIEUX, CH., Pessac-léognan, 354
CARCENAC, DOM., Gaillac, 864
CARCOISE, LA, Côtes-de-provence, 811
CARDINAL, CH., Montagne-saint-émilion, 312
CARDONNE, CH. LA, Médoc, 364
CAREME, VIGNOBLES, Vouvray, 1019
CARIGNAN, CH., Premières-côtes-de-bordeaux, 336
CARILLON, DOM. MARGUERITE, Corton, 527
CARLINI, JEAN-YVES DE, Champagne, 634
CARLOT, MAS, Clairette-de-bellegarde, 724 • Costières-de-nîmes, 734
CAROD, Clairette-de-die, 1123
CAROLINE, CH., Moulis-en-médoc, 392
CAROLUS, CUVEE, Cornas, 1104
CARONNE SAINTE-GEMME, CH., Haut-médoc, 376
CARRE, DOM. DENIS, Bourgogne-hautes-côtes-de-beaune, 446 • Pommard, 544 • Savigny-lès-beaune, 532
CARREL, ERIC ET FRANCOIS, Vin-de-savoie, 709
CARREL ET FILS, FRANCOIS, Roussette-de-savoie, 714
CARRELOT DES AMANTS, Côtes-du-brulhois AOVDQS, 873
CARROI, Saint-nicolas-de-bourgueil, 1001
CARROIR, DOM. DU, Coteaux-du-vendômois, 1031
CARRUBIER, CH. DU, Côtes-de-provence, 811
CARRUZZO ET FILS, PIERRE-MAURICE, Canton du Valais, 1204
CARSIN, CH., Bordeaux sec, 214
CARTEAU COTES DAUGAY, CH., Saint-émilion grand cru, 287
CARTIER, MIREILLE ET MICHEL, Vin-de-savoie, 710
CARTUJAC, DOM. DE, Haut-médoc, 376
CASABIANCA, DOM., Corse ou vins-de-corse, 845
CASA BLANCA, DOM. DE LA, Banyuls, 785
CASCAL, MAS, Vaucluse, 1174
CASCASTEL, CH. DE, Fitou, 755
CASCASTEL, LES MAITRES VIGNERONS DE, Fitou, 755 • Rivesaltes, 788 • Muscat-de-rivesaltes, 792
CASES DE PENE, CAVE DE, Rivesaltes, 788
CASSAGNE HAUT-CANON, CH., Canon-fronsac, 256
CASSAGNOLES, DOM. DES, Floc-de-gascogne, 911
CASSAN, DOM. DE, Côtes-du-rhône-villages, 1083 • Gigondas, 1106
CASSINI, Saint-émilion, 279
CASTAN, DOM., Côtes-du-rhône, 1068
CASTELAS, LES VIGNERONS DU, Côtes-du-rhône, 1068 • Côtes-du-rhône-villages, 1083
CASTELFORT, DE, Floc-de-gascogne, 912
CASTELL, DOM. DE, Côtes-du-roussillon-villages, 779
CASTEL LAMARE, Côtes-de-provence, 811
CASTELLANE, VICOMTE DE, Champagne, 634
CASTEL LA ROSE, CH., Côtes-de-bourg, 248
CASTELLAT, DOM. DU, Bergerac rosé, 894
CASTELL DES HOSPICES, Collioure, 783
CASTELL REAL, Rivesaltes, 788
CASTELL-REYNOARD, DOM., Bandol, 829
CASTELMAURE, CUVEE N° 3 DE, Corbières, 726
CASTEL-MIREIO, Côtes-du-rhône-villages, 1083
CASTELNAU, DE, Champagne, 634
CASTELNEAU, CH. DE, Entre-deux-mers, 330
CASTELNOU, CH. DE, Côtes-du-roussillon, 774
CASTEL VIEL, LE, Faugères, 752
CASTENET, LE CŒUR DE, Bordeaux supérieur, 224
CASTENET-GREFFIER, CH., Entre-deux-mers, 330

CASTERA, DOM., Jurançon, 879
CATALANS, LES VIGNERONS, Côtes-du-roussillon-villages, 779
CATARELLI, DOM., Muscat-du-cap-corse, 853 • Patrimonio, 851
CATEGENS, CH., Côtes-de-castillon, 321
CATHELINEAU, JEAN-CHARLES, Vouvray, 1020
CATHIARD, SYLVAIN, Chambolle-musigny, 494 • Nuits-saint-georges, 510 • Vosne-romanée, 504
CATROUX, PHILIPPE, Touraine-amboise, 991
CATTIER, Champagne, 634
CATTIN, JOSEPH, Alsace gewurztraminer, 105
CAUHAPE, DOM., Jurançon, 879
CAUSE, DOM. DE, Cahors, 856
CAUSSADE, CH. LA, Médoc, 364
CAUSSE, DOM. DE, Oc, 1159
CAUZE, CH. DU, Saint-émilion grand cru, 287
CAVALE BLANCHE, CH., Bordeaux, 205
CAVEAU DU TERROIR, Château-chalon, 695
CAVES, DOM. DES, Quincy, 1050
CAVES DU PRIEURE, DOM. DES, Sancerre, 1055
CAZAL, DOM. LE, Minervois, 758
CAZALS, CLAUDE, Champagne, 634
CAZANOVE, CHARLES DE, Champagne, 635
CAZE, CH., Côtes-du-frontonnais, 870
CAZEAU, CH., Bordeaux, 205
CAZEAUX, DOM. DE, Floc-de-gascogne, 912
CAZE BELLEVUE, CH. LA, Saint-émilion, 279
CAZENEUVE, CH. DE, Coteaux-du-languedoc, 739
CAZES, DOM., Côtes-du-roussillon-villages, 779 • Muscat-de-rivesaltes, 792 • Rivesaltes, 788
CAZES, L'OSTAL, Minervois-la-livinière, 761
CAZIN, FRANCOIS, Cour-cheverny, 1029 • Crémant-de-loire, 920
CEBENNA, Saint-chinian, 763
CECILIA, Faugères, 752
CEDRE, CH. DU, Cahors, 856
CEDRES, CH. LES, Premières-côtes-de-blaye, 241
CELLER D'AL MOULI, DOM., Muscat-de-rivesaltes, 792
CELLIER DU PALAIS, LE, Vin-de-savoie, 710
CENSY, DOM. DU, Muscadet-sèvre-et-maine, 926
CEP, CAVE DU, Canton de Neuchâtel, 1215
CEP D'OR, Crémant-de-luxembourg, 1195 • Moselle luxembourgeoise, 1192
CEPS CENTENAIRES, LES, Saint-pourçain AOVDQS, 1039
CERCY, CH. DE, Beaujolais, 156
CERINNE, CH., Cahors, 856
CERISIERS, MAS DES, Saint-chinian, 763
CERTAN DE MAY DE CERTAN, CH., Pomerol, 264
CESAR, DOM. DE, Costières-de-nîmes, 734
CESSERAS, CH., Minervois-la-livinière, 761
CEZIN, DOM. DE, Coteaux-du-loir, 1012 • Jasnières, 1014
CHABERTS, CH. DES, Coteaux-varois, 840
CHABLIS, UNION DES VITICULTEURS DE, Bourgogne, 429 • Bourgogne-aligoté, 438 • Saint-bris, 471
CHABLISIENNE, LA, Chablis, 457 • Chablis grand cru, 466 • Chablis premier cru, 461 • Petit-chablis, 453
CHABRE, FRANCOIS, Côte-roannaise, 1041
CHABRIER, CH. LE, Saussignac, 907
CHAGNY, BERNARD, Morgon, 183
CHAI DE LA MERLATIERE, DOM. DU, Moulin-à-vent, 188
CHAI DES COSTAINS, LE, Côtes-du-rhône-villages, 1083
CHAI DU ROUISSOIR, LE, Pineau-des-charentes, 801
CHAIGNEE, DOM. DE LA, Fiefs-vendéens AOVDQS, 937
CHAILLOT, DOM. DU, Châteaumeillant AOVDQS, 1034
CHAINTRE, CAVE DE, Mâcon-villages, 601
CHAISE, CH. DE LA, Coteaux-du-giennois, 1038
CHAIZE, CH. DE LA, Brouilly, 166
CHALMEAU, PATRICK ET CHRISTINE, Bourgogne, 429
CHALMEAU, MADAME EDMOND, Bourgogne-aligoté, 438
CHALMEAU, FRANCK, Bourgogne-passetoutgrain, 441
CHALONGES, DOM. DES, Saumur-champigny, 978
CHAMBERAN, Crémant-de-die, 1124
CHAMBERT-MARBUZET, CH., Saint-estèphe, 400
CHAMBOUREAU, CH. DE, Savennières, 958 • Savennières-roche-aux-moines, 960
CHAMBRIS, DOM. DES, Bourgogne-hautes-côtes-de-nuits, 442
CHAMEROSE, DOM. DE, Mercurey, 590
CHAMFORT, DOM., Côtes-du-rhône, 1069
CHAMILLY, CH. DE, Mercurey, 590
CHAMIREY, CH. DE, Mercurey, 590
CHAMOUX, DOM. J.-P., Pouilly-fumé, 1045
CHAMPAGNY, CH. DE, Côte-roannaise, 1041
CHAMPALOU, Vouvray, 1020
CHAMPART, MAS, Saint-chinian, 763
CHAMPCENETZ, CH., Cadillac, 409
CHAMP CHAPRON, DOM. DU, Gros-plant AOVDQS, 935 • Jardin de la France, 1141
CHAMP DES TREILLES, CH. DU, Sainte-foy-bordeaux, 334
CHAMP DORE, DOM. DU, Muscadet-sèvre-et-maine, 926
CHAMPEAU, DOM., Pouilly-fumé, 1045
CHAMPIER, PAUL, Brouilly, 166
CHAMPION, CH., Saint-émilion grand cru, 287
CHAMPION, PIERRE, Vouvray, 1020
CHAMPS DE L'ABBAYE, LES, Bourgogne, 429 • Bourgogne-passetoutgrain, 441
CHAMPS FLEURIS, DOM. DES, Coteaux-de-saumur, 977
CHAMPS-LINGOT, DOM. DES, Canton de Genève, 1212
CHAMPS VIGNONS, DOM. DES, Chinon, 1005
CHAMPS VIGNOTS, LES, Anjou, 939
CHAMPTELOUP, CH. DE, Cabernet-d'anjou, 954
CHAMPTENAUD, CUVEE, Saint-joseph, 1097
CHAMPVIGNY, DOM. DE, Canton de Genève, 1213
CHAMPY PERE ET CIE, Beaune, 538 • Pernand-vergelesses, 524
CHANAU, PIERRE, Blanquette-de-limoux, 721 • Gigondas, 1107 • Morgon, 183 • Sauternes, 415
CHANAY, JEAN-LOUIS, Beaujolais-villages, 161
CHANCELLE, THIERRY, Cabernet de saumur, 976
CHANDELLIERE, CH. LA, Médoc, 364
CHANDESAIS, MAISON, Brouilly, 166 • Volnay, 549
CHANDON DE BRIAILLES, DOM., Pernand-vergelesses, 524 • Savigny-lès-beaune, 533
CHANGARNIER, DOM., Meursault, 560 • Monthélie, 552
CHANOINE, Champagne, 635
CHANSON PERE ET FILS, Beaune, 538 • Chablis premier cru, 461 • Chassagne-montrachet, 571 • Clos-de-vougeot, 499 • Côte-de-nuits-villages, 515 • Meursault, 560 • Savigny-lès-beaune, 533
CHANTALOUETTES, LES, Pouilly-fumé, 1045

VINS

CHANT D'OISEAUX, VIGNOBLE DU, Orléans AOVDQS, 1030 • Orléans-cléry AOVDQS, 1030
CHANTE CIGALE, Châteauneuf-du-pape, 1114
CHANTECOTES, Côtes-du-rhône, 1069
CHANTE COUCOU, Vaucluse, 1174
CHANTEGRIVE, CH. DE, Cérons, 413 • Graves, 344
CHANTELEUSERIE, DOM. DE LA, Bourgueil, 995
CHANTELOUVE, CH., Bordeaux rosé, 220 • Entre-deux-mers, 330
CHANTEMERLE, DOM. DE, Chablis, 457 • Chablis premier cru, 461
CHANTEMERLE, CH., Médoc, 364
CHANTE PERDRIX, DOM., Châteauneuf-du-pape, 1114
CHANTE-PERDRIX, CAVE DE, Condrieu, 1095
CHANTE-PERDRIX, Cornas, 1104
CHANTET BLANET, Buzet, 868
CHANTOVENT, PRESTIGE DE, Oc, 1159
CHANZY, DOM., Rully, 586
CHANZY FRERES, Bouzeron, 585
CHAPELAINS, CH. DES, Sainte-foy-bordeaux, 335
CHAPELLE, DOM. DE LA, Chinon, 1005 • Pouilly-fuissé, 608
CHAPELLE, CH. LA, Montagne-saint-émilion, 312
CHAPELLE BELLEVUE, CH. LA, Graves-de-vayres, 333
CHAPELLE D'ALIENOR, LA, Bordeaux sec, 214 • Bordeaux supérieur, 224
CHAPELLE DES BOIS, DOM. DE LA, Fleurie, 175
CHAPELLE DE VATRE, DOM. DE LA, Beaujolais-villages, 161
CHAPELLE-LARIVEAU, CH. LA, Canon-fronsac, 256
CHAPELLE LENCLOS, Madiran, 883
CHAPIN & LANDAIS, Saumur, 972
CHAPITRE, DOM. DU, Touraine, 984
CHAPONNE, DOM. DE LA, Morgon, 183
CHAPOUTIER, M., Coteaux-du-tricastin, 1125 • Côte-rôtie, 1093 • Hermitage, 1102 • Saint-joseph, 1098
CHAPPUIS, ALBERT ET FRANCOIS, Canton de Vaud, 1198
CHAPUIS, MAURICE ET ANNE-MARIE, Corton-charlemagne, 530
CHAPUY, Champagne, 635
CHAPUZET, ERIC, Cheverny, 1026
CHARACHE-BERGERET, DOM., Bourgogne-hautes-côtes-de-beaune, 446 • Pernand-vergelesses, 524
CHARADE, DOM. LA, Côtes-du-rhône, 1069
CHARAVIN, DOM. DIDIER, Côtes-du-rhône-villages, 1083
CHARBONNIERE, DOM. DE LA, Châteauneuf-du-pape, 1114
CHARBOTIERES, DOM. DES, Coteaux-de-l'aubance, 956
CHARDIGNON, DOM. DE, Côte-de-brouilly, 168
CHARDIN, ROLAND, Champagne, 635
CHARDONNERETS, DOM. DES, Montlouis-sur-loire, 1015
CHARDONNET ET FILS, Champagne, 635
CHARDONNIER, Vosne-romanée, 504
CHARIOT D'OR, LE, L'étoile, 702
CHARITE, DOM. DE LA, Côtes-du-rhône, 1069 • Côtes-du-rhône-villages, 1083
CHARLEMAGNE, GUY, Champagne, 635
CHARLEMAGNE, ROBERT, Champagne, 635
CHARLES ET FILS, DOM. FRANCOIS, Bourgogne-hautes-côtes-de-beaune, 447 • Volnay, 549
CHARLET, JACQUES, Saint-amour, 194
CHARLEUX ET FILS, DOM. MAURICE, Maranges, 581
CHARLIER ET FILS, Champagne, 635
CHARLIN, PATRICK, Bugey AOVDQS, 715
CHARLOPIN, DOM. PHILIPPE, Bourgogne, 429 • Echézeaux, 502 • Gevrey-chambertin, 479 • Marsannay, 472
CHARLOPIN, HERVE, Fixin, 475 • Marsannay, 472
CHARLOPIN, DOM., Mazis-chambertin, 487
CHARLOTTERIE, DOM. DE LA, Coteaux-du-vendômois, 1031
CHARMAIL, CH., Haut-médoc, 377
CHARMENSAT, Côtes-d'auvergne AOVDQS, 1035
CHARMES, DOM. DES, Canton de Genève, 1213
CHARMES, CH. DES, Ontario, 1186
CHARMES CHATELAIN, LES, Pouilly-fumé, 1045
CHARMES-GODARD, CH. LES, Bordeaux-côtes-de-francs, 327
CHARMET, PIERRE, Beaujolais, 156
CHARMET, VIGNOBLE, Beaujolais, 156
CHARMOISE, DOM. DE LA, Touraine, 984
CHARMY, DOM. DE, Mercurey, 590
CHARNAY, CAVE DE, Mâcon, 597 • Mâcon-villages, 601 • Saint-véran, 614
CHARPENTIER, J., Champagne, 636
CHARPENTIER, JEAN-MARC ET CELINE, Champagne, 636
CHARRIERE, DOM. DE LA, Coteaux-du-loir, 1013 • Jasnières, 1014
CHARRIERE, CH. DE LA, Santenay, 578
CHARRON, CH., Premières-côtes-de-blaye, 241
CHARTOGNE-TAILLET, Champagne, 636
CHARTON, JEAN-PIERRE, Mercurey, 590
CHARTREUSE DE VALBONNE, Côtes-du-rhône, 1070
CHARTREUX, CELLIER DES, Côtes-du-rhône, 1070
CHARTRON, DOM. JEAN, Bourgogne-hautes-côtes-de-beaune, 447 • Chevalier-montrachet, 567 • Puligny-montrachet, 565
CHARTRON ET TREBUCHET, Bâtard-montrachet, 568 • Bienvenues-bâtard-montrachet, 569 • Bourgogne, 430 • Mercurey, 590 • Montagny, 596 • Pernand-vergelesses, 524 • Saint-aubin, 574
CHARTROUSSAS, CH. DE, Coteaux-du-tricastin, 1125
CHARVERRON, DOM. DU, Beaujolais, 157
CHARVET, ARMAND, Chiroubles, 172
CHASSAGNE, DOM., Beaujolais-villages, 161
CHASSAGNE-MONTRACHET, CH. DE, Chassagne-montrachet, 571
CHASSENAY D'ARCE, Champagne, 636
CHASSE-SPLEEN, CH., Moulis-en-médoc, 392
CHASSON, DOM., Côtes-du-luberon, 1131
CHATAIGNERAIE-LABORIER, DOM., Pouilly-fuissé, 608
CHATEAU D'AIGUES, DOM., Côtes-du-luberon, 1131
CHATEAU DE CHOREY, DOM. DU, Beaune, 539
CHATEAU DE LA VALETTE, DOM. DU, Brouilly, 166
CHATEAU DE RIQUEWIHR, DOM. DU, Alsace riesling, 94
CHATEAU-GRIS, DOM. DU, Nuits-saint-georges, 510
CHATEAUNEUF, DOM. DE, Canton du Valais, 1204
CHATELARD, CH. DU, Fleurie, 175
CHATELET, ARMAND ET RICHARD, Morgon, 184
CHATELIERES, DOM. DES, Muscadet-sèvre-et-maine, 926
CHATELLIER, DOM., Muscadet-sèvre-et-maine, 926
CHATELUS, DOM., Beaujolais, 157
CHATENAY, LAURENT, Montlouis-sur-loire, 1015
CHATENOY, DOM. DE, Menetou-salon, 1042

CHAUDRON ET FILS, Champagne, 636
CHAUMARD, DOM., Côtes-du-ventoux, 1127
CHAUME BLANCHE, LA, Bourgogne, 430
CHAUMET LAGRANGE, CH., Gaillac, 864
CHAUSSE, CH. DE, Côtes-de-provence, 811
CHAUTAGNE, CAVE DE, Vin-de-savoie, 710
CHAUVEAU, DOM. DANIEL, Chinon, 1006
CHAUVEAU, DOM., Pouilly-fumé, 1046
CHAUVENET, FRANCOISE, Bourgogne-aligoté, 438 • Nuits-saint-georges, 511
CHAUVENET, DOM. JEAN, Nuits-saint-georges, 511
CHAUVENET-CHOPIN, Côte-de-nuits-villages, 516 • Nuits-saint-georges, 511
CHAUVET, A., Champagne, 636
CHAUVET, HENRI, Champagne, 637
CHAUVET, MARC, Champagne, 637
CHAUVILLIERE, DOM. DE LA, Charentais, 1146
CHAUVIN, DOM. PIERRE, Anjou-villages, 948
CHAUVIN, CH., Saint-émilion grand cru, 287
CHAUVINIERE, DOM. DE LA, Muscadet-sèvre-et-maine, 926
CHAVANES, CH. DE, Arbois, 691
CHAVE, YANN, Crozes-hermitage, 1100 • Hermitage, 1103
CHAVE, DOM. JEAN-LOUIS, Hermitage, 1102 • Hermitage, 1103
CHAVET ET FILS, G., Menetou-salon, 1042
CHAVRIER, MURIEL ET YVAN, Brouilly, 166
CHAVY, LOUIS, Crémant-de-bourgogne, 450
CHAVY, FRANCK, Morgon, 184
CHAY, CH. LE, Premières-côtes-de-blaye, 241
CHAZELAY, DOM. DU, Régnié, 191
CHAZELLES, DOM. DES, Viré-clessé, 606
CHEC, CH. LE, Graves, 345
CHELIVETTE, CH. DE, Premières-côtes-de-bordeaux, 336
CHEMIN DE RONDE, DOM. DU, Côte-de-brouilly, 168
CHEMINS D'ORIENT, LES, Pécharmant, 905
CHENAIE, CH., Faugères, 752
CHENALETTES, LES, Canton de Vaud, 1198
CHENAS, CH. DE, Juliénas, 178
CHENE, DOM., Mâcon, 597 • Mâcon-villages, 601 • Saint-véran, 614
CHENE, DOM. DU, Pineau-des-charentes, 801
CHENE ARRAULT, DOM. DU, Bourgueil, 995
CHENES, DOM. DES, Rivesaltes, 789
CHENETS, DOM. LES, Crozes-hermitage, 1100
CHENEVIERES, DOM. DES, Chablis premier cru, 461 • Mâcon-villages, 602 • Petit-chablis, 453
CHERMIEUX, RECOLTE, Beaujolais-villages, 161
CHESNAIES, DOM. DES, Anjou, 939 • Bourgueil, 995
CHESNEAU ET FILS, Cheverny, 1026
CHEURLIN, RICHARD, Champagne, 637
CHEVAL BLANC, CH., Saint-émilion grand cru, 287
CHEVAL-BLANC SIGNE, DOM., Bordeaux sec, 214
CHEVALERIE, DOM. DE LA, Bourgueil, 995
CHEVALIER, DOM. DE, Pessac-léognan, 354
CHEVALIER BLANC, CH., Saint-émilion grand cru, 287
CHEVALIER BRIGAND, CH., Côtes-du-rhône, 1070
CHEVALIER-METRAT, DOM., Côte-de-brouilly, 168
CHEVALIER PERE ET FILS, Corton, 527 • Côte-de-nuits-villages, 516 • Ladoix, 518
CHEVALIERS D'HOMS, DOM., Cahors, 856
CHEVALLEY, ANDRE, Canton de Vaud, 1198
CHEVALLEY, RENE ET PIERRE-ALAIN, Canton de Vaud, 1198
CHEVALLIER-BERNARD, Vin-de-savoie, 710
CHEVAL-QUANCARD, Entre-deux-mers, 330
CHEVASSU, DENIS ET MARIE, Côtes-du-jura, 697
CHEVASSU, DENIS, Macvin-du-jura, 705
CHEVILLON-CHEZEAUX, DOM., Nuits-saint-georges, 511
CHEVILLY, DOM., Quincy, 1050
CHEVRE BLEUE, DOM. DE LA, Moulin-à-vent, 188
CHEVRE NOIRE, RESERVE DE LA, Bourgogne-aligoté, 438
CHEVROT, DOM., Bourgogne, 430 • Bourgogne-aligoté, 438 • Maranges, 581 • Santenay, 578
CHEZE, CH. LA, Premières-côtes-de-bordeaux, 336
CHEZEAUX, JEROME, Nuits-saint-georges, 511 • Vosne-romanée, 504
CHEZELLES, DOM. DES, Touraine, 984
CHICOTOT, DOM. GEORGES, Bourgogne, 430
CHIDAINE, FRANCOIS, Montlouis-sur-loire, 1015
CHIGNARD, DOM., Fleurie, 175
CHIQUET, GASTON, Champagne, 637
CHIROUBLES, LA MAISON DES VIGNERONS DE, Chiroubles, 172
CHIROULET, DOM., Floc-de-gascogne, 912
CHOFFLET-VALDENAIRE, DOM., Givry, 593
CHOLET-PELLETIER, CHRISTIAN, Auxey-duresses, 554
CHOLLET, GILLES, Pouilly-fumé, 1046
CHONION, CLAUDE, Bourgogne, 430
CHOPIN ET FILS, A., Côte-de-nuits-villages, 516 • Nuits-saint-georges, 511
CHOREY, CH. DE, Chorey-lès-beaune, 536
CHOTARD, DANIEL, Sancerre, 1055
CHRISTIN, DOM. DE, Coteaux-du-languedoc, 739
CHRISTOPHE ET FILS, DOM., Chablis, 457
CHUPIN, EMILE, Anjou-villages, 948
CIDIS, CAVES, Canton de Vaud, 1198
CIGALES, MAS DES, Coteaux-du-languedoc, 740
CIGALETTE, DOM. DE LA, Côtes-du-rhône-villages, 1083
CIGALINES, LES, Canton du Valais, 1204
CINQUAU, DOM. DU, Jurançon sec, 881
CISSAC, CH., Haut-médoc, 377
CITADELLE, DOM. DE LA, Côtes-du-luberon, 1131
CITEAUX, CH. DE, Chassagne-montrachet, 571 • Meursault, 560
CIVADE, Côtes-du-rhône-villages, 1084
CLAIR, DOM. BRUNO, Chambertin-clos-de-bèze, 483 • Gevrey-chambertin, 479 • Marsannay, 472 • Savigny-lès-beaune, 533
CLAIR, FRANCOISE ET DENIS, Côte-de-beaune-villages, 583 • Saint-aubin, 574 • Santenay, 578
CLAIR, MICHEL, Santenay, 578
CLAIRCOMTES, LES, Rosé-d'anjou, 954
CLAIR DE LUNE, Blanquette méthode ancestrale, 722
CLAIRMONTS, CAVE DES, Crozes-hermitage, 1100
CLAIRNEAUX, DOM. DES, Sancerre, 1055
CLAIVES, DOM. DES, Canton du Valais, 1205
CLAMERY, Haute vallée de l'Orb, 1157
CLAPE, DOM., Cornas, 1104
CLAPIER, CH. DE, Côtes-du-luberon, 1132
CLARE, CH. LA, Médoc, 364
CLARKE, CH., Listrac-médoc, 384
CLASTRON, CH., Côtes-de-provence, 811
CLAVEL, DOM., Côtes-du-rhône, 1070 • Côtes-du-rhône-villages, 1084
CLAVELIER, Aloxe-corton, 522 • Beaune, 539
CLAVELIER, DOM. BRUNO, Chambolle-musigny, 494 • Vosne-romanée, 505
CLAVIEN, CLAUDY, Canton du Valais, 1205
CLAYOU, DOM. DE, Coteaux-du-layon, 962

CLEDE, LA, Bordeaux, 205
CLEMENCE, CH. LA, Pomerol, 264
CLEMENT, CHARLES, Champagne, 637
CLEMENT ET FILS, Champagne, 637
CLEMENT-PICHON, CH., Haut-médoc, 377
CLEMENT TERMES, CH., Gaillac, 864
CLEMENT V, RESERVE, Côtes-du-rhône-villages, 1084
CLERAMBAULT, Champagne, 637
CLERAMBAULTS, DOM. DES, Coteaux-d'ancenis AOVDQS, 938
CLERAY, CH. DU, Muscadet-sèvre-et-maine, 926
CLERC MILON, CH., Pauillac, 395
CLERGET, DOM. CHRISTIAN, Chambolle-musigny, 494 • Echézeaux, 502 • Vougeot, 499
CLINET, CH., Pomerol, 264
CLOCHEMERLE, Beaujolais-villages, 162
CLOS AEMILIAN, Saint-émilion, 279
CLOS BAGATELLE, Saint-chinian, 763
CLOS BASTE, Madiran, 883
CLOS BAUDOIN, Vouvray, 1020
CLOS BELLEVUE, Jurançon sec, 881 • Muscat-de-lunel, 769
CLOS BOURBON, Premières-côtes-de-bordeaux, 336
CLOS CANOS, Corbières, 726
CLOS CAPITORO, Ajaccio, 849
CLOS CASTET, Jurançon, 879
CLOS CHATART, Banyuls, 785
CLOS CHAUMONT, CH., Bordeaux sec, 214
CLOS CROIX DE MIRANDE, Montagne-saint-émilion, 312
CLOS DAVIAUD, CH., Montagne-saint-émilion, 313
CLOS DE BALAVAUD, Canton du Valais, 1205
CLOS DE CAMUZEILLES, Fitou, 755
CLOS DE CAVEAU, DOM. LE, Vacqueyras, 1110
CLOS DE CHATONNEYRE, Canton de Vaud, 1198
CLOS DE CHOZIEUX, Côtes-du-forez, 1037
CLOS DE FONTEDIT, Coteaux-du-languedoc, 740
CLOS DE HAUTE-COMBE, Juliénas, 178
CLOS DE L'ABBAYE, Bourgueil, 995
CLOS DE L'ABBE DUBOIS, Côtes-du-vivarais, 1134
CLOS DE LA BERGERIE, Savennières-roche-aux-moines, 960
CLOS DE LA BRIDERIE, Touraine-mesland, 993
CLOS DE LA CHAPELLE, Pouilly-fuissé, 608
CLOS DE LA CHESNAIS, Muscadet-sèvre-et-maine, 926
CLOS DE LA COSTIERE, Côtes-de-castillon, 322
CLOS DE LA COULEE-DE-SERRANT, Savennières-coulée-de-serrant, 960
CLOS DE LA GARDIOLE, Muscat-de-frontignan, 770
CLOS DE LA JACQUERIE, Anjou, 939
CLOS DE LA LUNE, Côtes-de-provence, 811
CLOS DE L'AMANDAIE, Coteaux-du-languedoc, 740
CLOS DE LA NEUVE, Côtes-de-provence, 811
CLOS DE LA VIEILLE EGLISE, Pomerol, 264
CLOS DE L'ECHO, Chinon, 1006
CLOS DE L'EGLISE, Pacherenc-du-vic-bilh, 886
CLOS DE L'EPAISSE, DOM. DU, Saint-nicolas-de-bourgueil, 1001
CLOS DE L'EPINAY, DOM. DU, Vouvray, 1020
CLOS DE L'HERMITAGE, Bourgogne, 430 • Côtes-du-rhône, 1070
CLOS DE MONT-RACHET, Mâcon-villages, 602
CLOS DE NEUILLY, Chinon, 1006
CLOS DE PAULILLES, LES, Banyuls, 785 • Collioure, 783
CLOS DE PONCHON, Brouilly, 166
CLOS DE RIVE, Canton de Berne, 1216
CLOS DE SALLES, CH., Pomerol, 264
CLOS DES AUMONES, DOM. DU, Vouvray, 1020
CLOS DES CHAUMES, LE, Fiefs-vendéens AOVDQS, 937
CLOS DES CHENES, Côtes-de-la-malepère AOVDQS, 768
CLOS DES CORDELIERS, Saumur-champigny, 978
CLOS DES CRIOTS, Pouilly-fumé, 1046
CLOS DES GOHARDS, DOM. DU, Anjou-villages, 948
CLOS DES JACOBINS, Saint-émilion grand cru, 287
CLOS DES MENUTS, Saint-émilion grand cru, 288
CLOS DES MOTELES, LE, Anjou, 940
CLOS DES ORFEUILLES, Muscadet-sèvre-et-maine, 926
CLOS DES PRINCE, CH., Saint-émilion grand cru, 288
CLOS DES QUARTERONS, Saint-nicolas-de-bourgueil, 1001
CLOS DES QUATRE VENTS, Margaux, 387
CLOS DES RELIGIEUSES, Puisseguin-saint-émilion, 317
CLOS DES ROCHERS, DOM., Crémant-de-luxembourg, 1195 • Moselle luxembourgeoise, 1192
CLOS DES ROCS, DOM. DU, Mâcon, 598 • Pouilly-loché, 612
CLOS DES ROQUES, Minervois-la-livinière, 761
CLOS DES TERRASSES, Bergerac sec, 895
CLOS DE VAULICHERES, CH., Bourgogne, 430
CLOS D'ORLEA, Corse ou vins-de-corse, 845
CLOS DU BAILLY, DOM. LE, Côtes-du-rhône, 1070
CLOS DU CHAPELAIN, Lalande-de-pomerol, 273
CLOS DU CHAPITRE, Gevrey-chambertin, 479
CLOS DU CHATALET, Canton de Vaud, 1199
CLOS DU CHATEAU LASSALLE, Beaujolais, 157
CLOS DU CHATELARD, Canton de Vaud, 1199
CLOS DU CHENE, Cahors, 856
CLOS DU CLOCHER, Pomerol, 265
CLOS DU FIEF, DOM. DU, Juliénas, 179
CLOS DU GAIMONT, Vouvray, 1020
CLOS DU GRAND RIOU, Anjou, 940 • Anjou-gamay, 947
CLOS DU JONCUAS, Gigondas, 1107
CLOS DU MAINE CHEVALIER, Bergerac sec, 895
CLOS DU MARQUIS, Saint-julien, 405
CLOS DU MONT-OLIVET, Châteauneuf-du-pape, 1114
CLOS DU MOULIN AUX MOINES, Auxey-duresses, 554
CLOS DU NOTAIRE, CH., Côtes-de-bourg, 249
CLOS DU ROY, Fronsac, 258 • Sauternes, 415
CLOS DU SERRES, DOM. LE, Coteaux-du-languedoc, 740
CLOS DU VIGNEAU, Saint-nicolas-de-bourgueil, 1001
CLOS D'UZA, Graves, 345
CLOS D'YVIGNE, Côtes-de-bergerac, 897
CLOSEL, DOM. DU, Savennières, 958
CLOSERIE, DOM. DE LA, Bourgueil, 996 • Saint-nicolas-de-bourgueil, 1001
CLOSERIE DE LA PICARDIE, Anjou-villages, 949
CLOSERIE DU GRAND-POUJEAUX, CH. LA, Moulis-en-médoc, 392
CLOS FLORIDENE, Graves, 345
CLOS FOURTET, Saint-émilion grand cru, 288
CLOS FRANTIN, DOM. DU, Clos-de-vougeot, 500 • Echézeaux, 502 • Vosne-romanée, 505
CLOS GASSIOT, Jurançon, 879
CLOS GUILLOT, Chinon, 1006
CLOS GUIROUILH, Jurançon sec, 881
CLOS HAUT-PEYRAGUEY, CH., Sauternes, 415

CLOSIOT, CH., Sauternes, 415
CLOS JEAN, Loupiac, 410
CLOS JULIEN, Bergerac, 889
CLOS JUNET, Saint-émilion grand cru, 288
CLOS L'ABBA, Saint-émilion grand cru, 288
CLOS L'ABEILLEY, Sauternes, 415
CLOS LA COUTALE, Cahors, 856
CLOS LA CROIX D'ARRIAILH, Montagne-saint-émilion, 313
CLOS LA GAFFELIERE, Saint-émilion grand cru, 288
CLOS L'EGLISE, Côtes-de-castillon, 322
CLOS LES CORNIRETS, Crozes-hermitage, 1100
CLOS MARC-AURELE, LE, Corse ou vins-de-corse, 845
CLOS MARFISI, Muscat-du-cap-corse, 853
CLOS MARIE, Coteaux-du-languedoc, 740
CLOS MARTIN, Côtes-du-rhône, 1070
CLOS MARTINEAU, Anjou-villages-brissac, 952
CLOS MILLELI, Corse ou vins-de-corse, 846
CLOS ORNASCA, Ajaccio, 849
CLOS PETITE BELLANE, Côtes-du-rhône, 1070 • Côtes-du-rhône-villages, 1084
CLOS POGGIALE, Corse ou vins-de-corse, 846
CLOS RENE, Pomerol, 265
CLOS ROQUE D'ASPES, Faugères, 752
CLOS ROUSSELY, DOM. DU, Touraine, 985
CLOS SAINT-ANDRE, Pomerol, 265
CLOS SAINT-AVIT, Orléans AOVDQS, 1030
CLOS SAINTE ANNE, Premières-côtes-de-bordeaux, 336
CLOS SAINTE-APOLLINE, Alsace riesling, 94
CLOS SAINTE-MAGDELEINE, Cassis, 826
CLOS SAINT-EMILION PHILIPPE, CH., Saint-émilion grand cru, 289
CLOS SAINTE-ODILE, Alsace riesling, 95
CLOS SAINTE-PAULINE, Coteaux-du-languedoc, 740
CLOS SAINT-FIACRE, Orléans AOVDQS, 1030 • Orléans-cléry AOVDQS, 1030
CLOS SAINT-JACQUES, DOM. DU, Bourgogne, 430
CLOS SAINT-JULIEN, Saint-émilion grand cru, 289
CLOS SAINT-LANDELIN, Alsace grand cru vorbourg, 142
CLOS SAINT-LOUIS, DOM. DU, Fixin, 475 • Marsannay, 472
CLOS SAINT-MARC, DOM. DU, Coteaux-du-lyonnais, 196
CLOS SAINT-MARTIN, Saint-émilion grand cru, 289
CLOS SAINT-MICHEL, Châteauneuf-du-pape, 1114
CLOS SAINT-NICOLAS, Cadillac, 409
CLOS SAINT-THEOBALD, Alsace grand cru rangen, 137
CLOS SAINT-VINCENT, Bellet, 827
CLOS SAINT-VINCENT, SIGNATURE DU, Saint-émilion grand cru, 289
CLOS SALOMON, DOM. DU, Givry, 593
CLOS SEGUIN, Saint-chinian, 763
CLOSSERONS, DOM. DES, Coteaux-du-layon, 962
CLOS SIGNADORE, Patrimonio, 851
CLOSSON, JOEL, Champagne, 637
CLOS TEDDI, Patrimonio, 851
CLOS TRIGUEDINA, Cahors, 857
CLOS TROTELIGOTTE, CH., Cahors, 857
CLOS VAL BRUYERE, Cassis, 826
CLOT DE L'OUM, Côtes-du-roussillon-villages, 780
CLOT DOU BAILE, Bellet, 827
CLOTTE, CH. LA, Saint-émilion grand cru, 289
CLOTTE-FONTANE, CH. LA, Coteaux-du-languedoc, 740
CLOU, CH. LE, Monbazillac, 902
CLOUET, PAUL, Champagne, 638
COCHE, LA, Canton de Vaud, 1199
COCHE, DOM. DE LA, Jardin de la France, 1141 • Muscadet-côtes-de-grand-lieu, 932
COCHE-BIZOUARD, ALAIN, Auxey-duresses, 554 • Meursault, 560 • Monthélie, 552
CŒURIOTS, LES, Bourgogne, 430
COFFINET-DUVERNAY, DOM., Chassagne-montrachet, 571
COGNARD, LYDIE ET MAX, Bourgueil, 996
COGNARDIERE, DOM. DE LA, Muscadet-sèvre-et-maine, 927
COGNARD-TALUAU, LYDIE ET MAX, Saint-nicolas-de-bourgueil, 1001
COILLOT PERE ET FILS, BERNARD, Gevrey-chambertin, 479
COINS, DOM. LES, Jardin de la France, 1141
COINTES, CH. DE, Côtes-de-la-malepère AOVDQS, 768
COIRIER, Fiefs-vendéens AOVDQS, 937
COLBERT, CH., Côtes-de-bourg, 249
COLETTE, DOM. DE, Beaujolais-villages, 162
COLIN, PATRICE, Coteaux-du-vendômois, 1031
COLIN ET FILS, BERNARD, Chassagne-montrachet, 571 • Saint-aubin, 574
COLINOT, ANITA STEPHANIE ET JEAN-PIERRE, Irancy, 470
COLLARD-CHARDELLE, Champagne, 638
COLLARD-PICARD, Champagne, 638
COLLET, RAOUL, Champagne, 638
COLLET D'AYGUES, Côtes-du-luberon, 1132
COLLET DE BOVIS, Bellet, 827
COLLET ET FILS, DOM. JEAN, Chablis, 457
COLLIN, CHARLES, Champagne, 638
COLLINE, CH. DE LA, Bergerac, 890
COLLINE DES PLANZETTES, Canton du Valais, 1205
COLLON, Champagne, 638
COLLOTTE, DOM., Bourgogne-aligoté, 438 • Fixin, 476 • Marsannay, 473
COLOMBE PEYLANDE, CH., Haut-médoc, 377
COLOMBETTE, DOM. DE LA, Coteaux du Libron, 1153
COLOMBIER, DOM. DU, Chablis grand cru, 467 • Chablis premier cru, 462
COLOMBIER, DOM. DU, Jardin de la France, 1141 • Muscadet-sèvre-et-maine, 927
COLOMBIER, DOM. DU, Régnié, 191
COLOMBIER, DOM. DU, Coteaux de l'Ardèche, 1177
COLOMBIER, DOM. DU, Crozes-hermitage, 1101
COLOMBIER, LE, Côtes-du-ventoux, 1128
COLOMBIER, DOM. LE, Vacqueyras, 1110
COLOMBIERE, CH. LA, Côtes-du-frontonnais, 870
COLOMBINE, DOM. DE LA, Bordeaux, 205
COLONAT, DOM. DE, Régnié, 191
COLONNE, LA, Médoc, 365
COL SAINT PIERRE, DOM., Gigondas, 1107
COMBE, DOM. DE LA, Bergerac rosé, 894 • Mâcon, 598
COMBE AU LOUP, DOM. DE LA, Chiroubles, 172
COMBEBELLE, DOM. DE, Vaucluse, 1174
COMBE-DARROUX, DOM. DE LA, Juliénas, 179
COMBE DES GRAND'VIGNES, DOM. LA, Vin-de-savoie, 710
COMBE GOUTY, DOM. DE LA, Régnié, 191
COMBET, DOM. DE, Bergerac sec, 895
COMBRILLAC, CH., Côtes-de-bergerac, 898
COMMANDERIE, DOM. DE LA, Chinon, 1006

COMMANDERIE, CH. LA, Saint-émilion grand cru, 289 • Saint-estèphe, 400
COMMANDERIE DE MAZEYRES, CH. LA, Pomerol, 265
COMMANDERIE DE QUEYRET, CH. LA, Bordeaux supérieur, 225 • Entre-deux-mers, 330
COMMANDEUR, LES CAVES DU, Coteaux-varois, 840 • Côtes-de-provence, 811
COMPS, DOM., Saint-chinian, 763
COMTE DE NEGRET, Côtes-du-frontonnais, 871
CONCIERGERIE, DOM. DE LA, Chablis premier cru, 462
CONDAMIN, DOM., Coteaux-du-lyonnais, 197
CONDAMINE BERTRAND, Oc, 1159
CONDAMINE L'EVEQUE, DOM. LA, Côtes de Thongue, 1155
CONDOM, CH., Côtes-de-duras, 909
CONDOM, CAVE DE, Floc-de-gascogne, 912
CONE, CH. LE, Premières-côtes-de-blaye, 242
CONFRERIE, DOM. DE LA, Bourgogne-hautes-côtes-de-beaune, 447
CONFURON, C., Côte-de-nuits-villages, 516
CONFURON ET FILS, DOM. CHRISTIAN, Musigny, 497
CONFURON ET FILS, DOM. C., Nuits-saint-georges, 511
CONFURON-GINDRE, FRANCOIS, Nuits-saint-georges, 511 • Vosne-romanée, 505
CONGY, DOM. DE, Pouilly-fumé, 1046
CONNAISSEUR, LA CAVE DU, Chablis premier cru, 462
CONQUES-SOULIERE, DOM. LES, Vaucluse, 1175
CONSEILLANTE, CH. LA, Pomerol, 265
CONSTANT, LES VINS, Bergerac, 890
CONSTANTIN-CHEVALIER, CH., Côtes-du-luberon, 1132
CONTI, ES PASSION DES, Bergerac, 890
CONTOUR, MICHEL, Cheverny, 1027
COPIN, PHILIPPE, Champagne, 638
COPINET, JACQUES, Champagne, 638
COQUERIES, DOM. DES, Anjou, 940 • Bonnezeaux, 970
COQUILLADE, DOM. DE LA, Côtes-du-ventoux, 1128
COQUILLETTE, STEPHANE, Champagne, 638
COQUIN, DOM. DE, Menetou-salon, 1043
CORBIAC, CH., Pécharmant, 905
CORBILLIERES, DOM. DES, Touraine, 985
CORDAILLAT, CHANTAL ET MICHEL, Reuilly, 1052
CORDELLE, DOM. DE, Côtes-du-roussillon, 774
CORDEUIL PERE ET FILS, Champagne, 639
CORDIER, Bordeaux supérieur, 225
CORDIER PERE ET FILS, DOM., Mâcon, 598 • Pouilly-fuissé, 608
CORDOLIANI, DOM., Patrimonio, 851
CORIANÇON, DOM. DU, Côtes-du-rhône-villages, 1084
CORMEIL-FIGEAC, CH., Saint-émilion grand cru, 289
CORMERAIS, DOM. BRUNO, Jardin de la France, 1141 • Muscadet-sèvre-et-maine, 927
CORMIERS, DOM. DES, Muscadet-sèvre-et-maine, 927
CORNE-LOUP, DOM., Côtes-du-rhône, 1070
CORNILLON, DIDIER, Châtillon-en-diois, 1124 • Clairette-de-die, 1123
CORNU, DOM., Corton, 527 • Crémant-de-bourgogne, 450 • Ladoix, 518
CORNU-CAMUS, PIERRE, Bourgogne-hautes-côtes-de-nuits, 442
CORNU ET FILS, EDMOND, Bourgogne-aligoté, 438 • Ladoix, 519
CORNULIERE, DOM. DE LA, Muscadet-sèvre-et-maine, 927
CORREAUX, CH. DES, Beaujolais, 157
CORRENS, LES VIGNERONS DE, Côtes-de-provence, 811
CORRENSON, CH., Lirac, 1119
CORSIN, DOM., Pouilly-fuissé, 608 • Saint-véran, 614
COS D'ESTOURNEL, Saint-estèphe, 400
COS LABORY, CH., Saint-estèphe, 400
COSME, DOM. THIERRY, Vouvray, 1020
COSSAIS, STEPHANE, Montlouis-sur-loire, 1015
COSSON, ETIENNE, Morey-saint-denis, 489
COSSON, REMI, Touraine-noble-joué, 991
COSTE, CH. LA, Coteaux-d'aix-en-provence, 835
COSTE, DOM. DE LA, Coteaux-du-languedoc, 740
COSTEBELLE, Côtes-du-rhône, 1071
COSTE BRULADE, Côtes-de-provence, 812
COSTE CHAUDE, DOM. DE, Côtes-du-rhône-villages, 1084
COSTE-LAPALUS, REGINE ET DIDIER, Régnié, 191
COSTES, MOULIN DES, Bandol, 830
COSTES, DOM. DES, Pécharmant, 905
COSTES ROUGES, DOM. DES, Marcillac, 875
COSTES ROUSSES, CAVE, Côtes-du-rhône, 1071
COSTON, DOM., Coteaux-du-languedoc, 740
COTEAU DE BEL-AIR, DOM., Fleurie, 175
COTEAU DES LYS, DOM. DU, Morgon, 184
COTEAU DE VALLIERES, DOM. DU, Beaujolais-villages, 162
COTEAU VERMONT, DOM. DU, Morgon, 184
COTEAUX D'AVIGNON, LES VIGNERONS DES, Côtes-du-rhône, 1071
COTEAUX DE BELLET, LES, Bellet, 827
COTEAUX DE COIFFY, LES, Coteaux de Coiffy, 1180
COTEAUX DE CRUIX, DOM. DES, Beaujolais, 157
COTEAUX DE LA ROCHE, DOM. DES, Beaujolais, 157
COTEAUX DES FOUILLOUSES, DOM. DU, Juliénas, 179
COTEAUX DES TRAVERS, DOM. DES, Côtes-du-rhône-villages, 1084
COTEAUX ROMANAIS, LES VIGNERONS DES, Touraine, 985
COTE D'ADULE, DOM. DE LA, Fleurie, 175
COTE DE BALEAU, CH., Saint-émilion grand cru, 289
COTE DE CHEVENAL, DOM. DE LA, Juliénas, 179
COTE DE FRANCE, CH., Côtes-du-marmandais, 874
COTE DE L'ANGE, DOM. DE LA, Châteauneuf-du-pape, 1114
COTE MONTPEZAT, CH., Côtes-de-castillon, 322
COTES D'AGLY, LES VIGNERONS DES, Côtes-du-roussillon-villages, 780 • Muscat-de-rivesaltes, 792
COTES DE LA ROCHE, DOM. LES, Saint-amour, 194
COTES DES OLIVIERS, Agenais, 1146
COTES DU GROS CAILLOU, CH., Saint-émilion, 279
COTIGNAC, LES VIGNERONS DE, Côtes-de-provence, 812 • Var, 1172
COTILLON BLANC, LE, Anjou, 940
COTON, DOM., Chinon, 1006
COTOYON, DOM. LE, Saint-amour, 194
COTS, CH. DE, Côtes-de-bourg, 249
COTTAT, ERIC, Sancerre, 1055
COTTINELLI, Canton des Grisons, 1219
COTZETTE, DOM. DE LA, Canton du Valais, 1205

COUAMAIS, JEAN-PAUL, Vouvray, 1020
COUCHEROY, CH., Pessac-léognan, 354
COUCHETIERE, DOM. DE LA, Jardin de la France, 1142
COUCY, CH., Montagne-saint-émilion, 313
COUDERC, CH., Saint-émilion, 280
COUDERT-PELLETAN, CH., Saint-émilion grand cru, 290
COUDOULIS, DOM., Lirac, 1119
COUET, DOM., Coteaux-du-giennois, 1038
COUFRAN, CH., Haut-médoc, 377
COUHINS-LURTON, CH., Pessac-léognan, 354
COULAINE, CH. DE, Chinon, 1006
COULANGE, DOM., Côtes-du-rhône, 1071 • Côtes-du-rhône-villages, 1084
COULBOIS, PATRICK, Pouilly-fumé, 1046 • Pouilly-sur-loire, 1049
COULEE DE BAYON, LA, Côtes-de-bourg, 249
COULERETTE, CH. DE LA, Côtes-de-provence, 812
COULEURS DU SUD, Ile de Beauté, 1169
COULOMB, DOM., Coteaux-varois, 840
COULON, ROGER, Champagne, 639
COULON ET FILS, Charentais, 1146
COUME DEL MAS, QUINTESSENCE, Banyuls, 785
COUME DU ROY, DOM. DE LA, Maury, 795
COUPERIE, DOM. DE LA, Jardin de la France, 1142
COUPE-ROSES, CH., Minervois, 758
COUQUEREAU, DOM. DE, Graves, 345
COUR, CH. DE LA, Saint-émilion grand cru, 290
COURAC, CH., Côtes-du-rhône-villages, 1085
COURBET, DOM., Côtes-du-jura, 697 • Macvin-du-jura, 705
COURBIS, DOM., Cornas, 1104 • Saint-joseph, 1098
COURCEL, DOM. DE, Pommard, 544
COUR D'ARGENT, CH. DE LA, Bordeaux, 206
COURLAT, CH. DU, Lussac-saint-émilion, 310
COUROLLE, CH. LA, Montagne-saint-émilion, 313
COURONNE, CH. LA, Montagne-saint-émilion, 313 • Saint-émilion grand cru, 290
COURONNE DE CHARLEMAGNE, DOM., Cassis, 826
COUROULU, DOM. LE, Vacqueyras, 1110
COUR PROFONDE, DOM. DE LA, Chiroubles, 172
COURREGES, CH., Bordeaux sec, 215
COUR SAINT-VINCENT, DOM., Coteaux-du-languedoc, 741
COURSODON, PIERRE, Saint-joseph, 1098
COURTADE, LA, Côtes-de-provence, 812
COURTAULT, DOM. JEAN-CLAUDE, Chablis, 457 • Petit-chablis, 454
COURTEILLAC, DOM. DE, Bordeaux supérieur, 225
COURTEMANCHE, FREDERIC, Montlouis-sur-loire, 1015
COURTET, FRANCOIS, Bourgogne, 430
COURTEY, CH., Bordeaux sec, 215
COURTIADE, CH. LA, Bordeaux supérieur, 225
COURTILLES, DOM. DES, Corbières, 726
COURTINAT, CH., Saint-pourçain AOVDQS, 1039
COURT-LES-MUTS, CH., Bergerac sec, 895
COURTOISE, LA, Côtes-du-ventoux, 1128
COUSPAUDE, CH. LA, Saint-émilion grand cru, 290
COUSTARELLE, CH. LA, Cahors, 857
COUSTILLE, DOM. DE, Meuse, 1181
COUSTOLLE, CH., Canon-fronsac, 256
COUTELIN-MERVILLE, CH., Saint-estèphe, 401
COUTET, CH., Barsac, 413
COUTINEL, CH., Côtes-du-frontonnais, 871
COUTRIL, CH., Premières-côtes-de-blaye, 242
COUVENT DES JACOBINS, Saint-émilion grand cru, 290
COUZINS, CH. LES, Lussac-saint-émilion, 310
CRABITAN-BELLEVUE, CH., Premières-côtes-de-bordeaux, 336 • Sainte-croix-du-mont, 412
CRAIN, CH. DE, Entre-deux-mers, 330
CRAMPILH, DOM. DU, Madiran, 883
CRANSAC, CH., Côtes-du-frontonnais, 871
CRAU, CELLIER DE LA, Var, 1173
CREA, DOM. DE LA, Saint-romain, 556
CREDOZ, DOM. JEAN-CLAUDE, Côtes-du-jura, 697
CREMADE, CH., Palette, 832
CREMAT, CH. DE, Bellet, 827
CRESPIN, JEAN-PIERRE, Chinon, 1006
CRES RICARDS, CH. DES, Coteaux-du-languedoc, 741
CRESSONNIERE, DOM. DE LA, Côtes-de-provence, 812
CRET DES BRUYERES, DOM. DU, Régnié, 192
CRET DES GARANCHES, DOM., Brouilly, 166
CRET D'ŒILLAT, DOM. DU, Régnié, 192
CRETE ET FILS, DOMINIQUE, Champagne, 639
CRETES, DOM. DES, Beaujolais, 157
CRETTENAND, PIERRE-ANTOINE, Canton du Valais, 1205
CREYSSELS, CH., Coteaux-du-languedoc, 741
CREZANCY, LYCEE DE, Champagne, 639
CRISTAL DE ROCHE, Crémant-de-bordeaux, 236
CRISTIA, DOM. DE, Châteauneuf-du-pape, 1114
CROC DU MERLE, DOM. DU, Cheverny, 1027
CROCHET, DOM. DE, Canton de Vaud, 1199
CROCHET, DANIEL, Sancerre, 1055
CROCHET, DOM. DOMINIQUE ET JANINE, Sancerre, 1055
CROCHET, DOM. ROBERT ET FRANCOIS, Sancerre, 1055
CROCK, CH. LE, Saint-estèphe, 401
CROISADE, EN, Rivesaltes, 789
CROISARD, CHRISTOPHE, Coteaux-du-loir, 1013
CROISILLE, CH. LES, Cahors, 857
CROIX, CH. LA, Fronsac, 258 • Graves, 345 • Lalande-de-pomerol, 273 • Pomerol, 265
CROIX, CH. DE LA, Médoc, 365
CROIX, DOM. DES, Quincy, 1050
CROIX BARRAUD, DOM. DE LA, Chénas, 170
CROIX BELLE, DOM. LA, Côtes de Thongue, 1155
CROIX BELLEVUE, CH. LA, Lalande-de-pomerol, 273
CROIX BOUQUIE, DOM. DE LA, Touraine, 986
CROIX CANON, CH. LA, Canon-fronsac, 257
CROIX CHABRIERE, CH. LA, Coteaux-du-tricastin, 1125 • Côtes-du-rhône, 1071
CROIX CHAPTAL, DOM. LA, Coteaux-du-languedoc, 741
CROIX DE BERN, CH., Premières-côtes-de-bordeaux, 337
CROIX DE CHEVRE, DOM., Morgon, 184
CROIX DE FRENEAU, LA, Bordeaux sec, 215
CROIX DE GALERNE, DOM. LA, Anjou, 940
CROIX DE GAY, CH. LA, Pomerol, 265
CROIX DE LABRIE, CH., Saint-émilion grand cru, 290
CROIX DE RAMBEAU, CH., Lussac-saint-émilion, 310
CROIX DE SAINT-GEORGES, CH. LA, Saint-georges-saint-émilion, 319
CROIX DES LOGES, DOM. LA, Cabernet-d'anjou, 955 • Saumur, 972
CROIX DU MAYNE, Cahors, 857
CROIX DU PIN, LA, Jardin de la France, 1142 • Oc, 1160

VINS

CROIX DU TRALE, CH., Haut-médoc, 377
CROIX JACQUELET, DOM. DE LA, Givry, 594 • Rully, 586
CROIX MELIER, DOM. DE LA, Montlouis-sur-loire, 1016
CROIX MILHAS, Muscat-de-rivesaltes, 792
CROIX MULINS, DOM. DE LA, Morgon, 184
CROIX SAINT-ANDRE, CH. LA, Lalande-de-pomerol, 273
CROIX SAINTE-EULALIE, DOM. LA, Saint-chinian, 763
CROIX SAINT-GEORGES, CH. LA, Pomerol, 266
CROIX SENAILLET, DOM. DE LA, Mâcon, 598 • Saint-véran, 615
CROIX TAILLEFER, CH. LA, Pomerol, 266
CROIX-TOULIFAUT, CH. LA, Pomerol, 266
CROIZET-BAGES, CH., Pauillac, 395
CROS, CH. DU, Bordeaux sec, 215 • Loupiac, 410
CROS, DOM. DU, Marcillac, 875
CROS, DOM., Minervois, 758
CROS DE LA MURE, Côtes-du-rhône, 1071
CROSTES, CH. LES, Côtes-de-provence, 812
CROUTE-CHARLUS, CH., Côtes-de-bourg, 249
CROWN BENCH ESTATES, Ontario, 1186
CROZE, DOM. NICOLAS, Côtes-du-rhône, 1071
CROZE, DOM. DE LA, Lirac, 1119
CROZE DE PYS, CH., Cahors, 857
CROZET, DOM. MICHEL, Moulin-à-vent, 188
CROZIER, REMY, Régnié, 192
CRUCHET, REGIS, Vouvray, 1021
CRUIX, DOM. DE, Beaujolais, 157
CRUSQUET DE LAGARCIE, CH., Premières-côtes-de-blaye, 242
CRUZEAU, CH. DE, Pessac-léognan, 354
CUILLERAS, OLIVIER, Côtes-du-rhône-villages, 1085
CUILLERON, YVES, Condrieu, 1095 • Côte-rôtie, 1093 • Saint-joseph, 1098
CUILLERON-GAILLARD-VILLARD, Côte-rôtie, 1093
CUNE, DOM. DE LA, Saumur-champigny, 978
CURNIERE, CH. LA, Coteaux-varois, 840
CURSON, CH., Crozes-hermitage, 1101
CURTON LA PERRIERE, CH., Bordeaux, 206
CYROT-BUTHIAU, DOM., Côte-de-beaune-villages, 583 • Maranges, 582 • Pommard, 545

D

DAGONET ET FILS, LUCIEN, Champagne, 639
DAGUENEAU, DIDIER, Pouilly-fumé, 1046
DAGUENEAU, DOM. SERGE, Pouilly-fumé, 1046
DALAIS, VALERIE ET PASCAL, Beaujolais-villages, 162
DALEM, CH., Fronsac, 259
DALLOT, VALERIE ET FREDERIC, Châteaumeillant AOVDQS, 1034
DAMAZAC, DOM. DE, Bordeaux rosé, 220
DAME, MAS DE LA, Les baux-de-provence, 838
DAME DE MONTMIRAIL, LA, Côtes-du-rhône, 1071
DAMES, DOM. DES, Fiefs-vendéens AOVDQS, 937
DAMIENS, DOM., Madiran, 883
DAMIS, CH. DE, Côtes-de-bordeaux-saint-macaire, 341
DAMOY, DOM. PIERRE, Bourgogne, 431 • Chambertin-clos-de-bèze, 484 • Chapelle-chambertin, 485 • Gevrey-chambertin, 479
DAMPT, EMMANUEL, Chablis, 457
DAMPT, HERVE, Chablis, 457
DAMPT, DOM. DANIEL, Chablis, 457 • Chablis premier cru, 462
DAMPT, DOM. ERIC, Petit-chablis, 454
DANGIN ET FILS, PAUL, Champagne, 639
DARDEAU, JEAN-CHRISTOPHE, Montlouis-sur-loire, 1016
DARIDAN, BENOIT, Cheverny, 1027 • Cour-cheverny, 1029
DARIOLY, PHILIPPE, Canton du Valais, 1205
DARIUS, CH., Saint-émilion grand cru, 290
DARNAUD, EMMANUEL, Crozes-hermitage, 1101
DARONA PERE ET FILS, DOM., Saint-péray, 1105
DARRAGON, MAISON, Vouvray, 1021
DARROUX, DOM. DES, Moulin-à-vent, 188
DARVIOT, YVES, Beaune, 539
DARZAC, CH., Bordeaux, 206 • Bordeaux clairet, 213 • Bordeaux sec, 215
DASSAULT, LE « D » DE, Saint-émilion, 280
DASSAULT, CH., Saint-émilion grand cru, 291
DAULNY, DOM., Sancerre, 1055
DAUMAS GASSAC, MAS DE, Hérault, 1157
DAUPHINE, CH. DE LA, Fronsac, 259
DAUSSO, DOM. DU, Oc, 1160
DAUVISSAT, JEAN, Chablis, 457 • Chablis grand cru, 467 • Chablis premier cru, 462
DAUVISSAT, VINCENT, Chablis grand cru, 467 • Chablis premier cru, 462
DAUVISSAT, AGNES ET DIDIER, Chablis premier cru, 462
DAUZAC, CH., Margaux, 387
DAUZAN LA VERGNE, CH., Côtes-de-bergerac, 898
DAVANTURE ET FILS, DANIEL, Givry, 594
DAVAZ, Canton des Grisons, 1219
DAVID, DOM. MICHEL, Jardin de la France, 1142 • Muscadet-sèvre-et-maine, 927
DAVID, BERNARD, Saint-nicolas-de-bourgueil, 1001
DAVID, DOM. ARMAND, Saumur, 972
DAVID-HEUCQ, HENRI, Champagne, 639
DEBAVELAERE, ANNE-SOPHIE, Bouzeron, 585 • Rully, 586
DEBEAUDIERES, DOM. DES, Muscadet-sèvre-et-maine, 927
DECELLE, CH. LA, Coteaux-du-tricastin, 1125 • Côtes-du-rhône, 1071
DECKER, CHARLES, Moselle luxembourgeoise, 1192
DEDIERE, CH. DE LA, Côtes-de-provence, 812
DEFAIX, DOM. BERNARD, Chablis, 458 • Chablis premier cru, 462
DEFAIX, SYLVAIN ET DIDIER, Chablis grand cru, 467
DEFFENDS, CH., Côtes-de-provence, 812
DEFORGE, DOM., Côtes-du-rhône-villages, 1085
DEFRANCE, JACQUES, Champagne, 640
DEGENEVE, LAURENT, Meuse, 1181
DEHOURS, Champagne, 640
DELABARRE, Champagne, 640
DELAGRANGE ET FILS, HENRI, Volnay, 549
DELAHAIE, Champagne, 640
DELAHARPE, DOM., Canton de Vaud, 1199
DELALEX, CAVE, Vin-de-savoie, 710
DELAMOTTE, Champagne, 640
DELAPORTE, DOM. VINCENT, Sancerre, 1056
DELARCHE, DOM. MARIUS, Pernand-vergelesses, 524
DELAS, Crozes-hermitage, 1101
DELAUNAY, DOM., Charentais, 1146
DELAUNAY, DANIEL, Touraine, 986
DELAUNAY, DOM. JOEL, Touraine, 986
DELAUNOIS, ANDRE, Champagne, 640

DELAVENNE PERE ET FILS, Champagne, 640
DELAY, RICHARD, Côtes-du-jura, 697 • Crémant-du-jura, 700
DELAYE, ALAIN, Pouilly-loché, 612
DELBECK, Champagne, 640
DELECHENEAU, DAMIEN, Montlouis-sur-loire, 1016 • Touraine-amboise, 991
DELESVAUX, PHILIPPE, Coteaux-du-layon, 962
DELETANG, DOM., Montlouis-sur-loire, 1016
DELIANCE PERE ET FILS, Crémant-de-bourgogne, 450
DELICE D'EXCEPTION, LE, Premières-côtes-de-bordeaux, 337
DELISLE, RICHARD, Pineau-des-charentes, 802
DELMARE, Crémant-de-loire, 920
DELMAS, Crémant-de-limoux, 723
DELOR, Bordeaux, 206
DELORME, ANDRE, Crémant-de-bourgogne, 450
DELORME, DOM. MICHEL, Pouilly-fuissé, 609 • Saint-véran, 615
DELOUVIN NOWACK, Champagne, 640
DELOZANNE, YVES, Champagne, 641
DEMESSEY, Mâcon-villages, 602 • Mercurey, 590
DEMEURE-PINET, DOM., Allobrogie, 1176
DEMI-BŒUF, LE, Jardin de la France, 1142 • Muscadet-côtes-de-grand-lieu, 932
DEMIERE, SERGE, Champagne, 641
DEMIERE ET FILS, MICHEL, Champagne, 641
DEMOISELLES, DOM. DES VIGNES DES, Bourgogne-hautes-côtes-de-beaune, 447
DEMOISELLES, BLANC DE BLANCS DES, Corbières, 726
DEMOISELLES, LE CHARME DES, Côtes-de-provence, 813
DEMOISELLES, DOM. DES, Côtes-du-roussillon, 774
DEMOUGEOT, DOM. RODOLPHE, Beaune, 539 • Monthélie, 552 • Pommard, 545 • Savigny-lès-beaune, 533
DENIS PERE ET FILS, DOM., Corton-charlemagne, 530 • Pernand-vergelesses, 524
DENOIS, J.-L., Limoux, 724
DE PREVILLE, Rosé-de-loire, 918
DEREY FRERES, Fixin, 476
DEROT-DELUGNY, Champagne, 641
DERVIN, MICHEL, Champagne, 641
DESBORDES-AMIAUD, Champagne, 641
DESBOURDES, RENAUD, Chinon, 1006
DESCHAMPS, PHILIPPE, Beaujolais-villages, 162
DESCHAMPS, DOM. MICHEL, Monthélie, 552
DESCHAMPS, MARC, Pouilly-fumé, 1046
DESCOMBES, MICHELE ET FRANCOIS, Beaujolais-villages, 162
DESCOTES, MICHEL, Coteaux-du-lyonnais, 197
DESCOTES, REGIS, Coteaux-du-lyonnais, 197
DESCOTES ET FILS, ETIENNE, Coteaux-du-lyonnais, 197
DESERTAUX-FERRAND, DOM., Bourgogne, 431 • Côte-de-nuits-villages, 516
DESFAYES ET CRETTENAND, Canton du Valais, 1205
DESGRANGES, FLORENCE ET PASCAL, Beaujolais supérieur, 161
DESMIRAIL, CH., Margaux, 387
DESMOULINS ET CIE, A., Champagne, 641
DESORMIERE, MICHEL ET ERIC, Côte-roannaise, 1041
DESOUCHERIE, DOM. DE LA, Cheverny, 1027 • Crémant-de-loire, 920
DESROCHES, PASCAL, Reuilly, 1052
DESTINEA, Jardin de la France, 1142
DESTINEE, DOM. LA, Châteauneuf-du-pape, 1115
DESVIGNES, CH., Chénas, 170
DESVIGNES, PROPRIETE, Givry, 594
DESVIGNES, MAISON, Juliénas, 179
DETHUNE, PAUL, Champagne, 641
DEURRE, DOM. DE, Côtes-du-rhône, 1071
DEUTZ, Champagne, 641
DEUX ANES, DOM. DES, Corbières, 726
DEUX ARCS, DOM. DES, Coteaux-du-layon, 963
DEUX FONTAINES, DOM. DES, Fleurie, 175
DEUX LYS, DOM. DES, Fleurie, 176
DEUX RIVES, CH. DES, Bordeaux, 206
DEUX ROCHES, DOM. DES, Mâcon-villages, 602 • Saint-véran, 615
DEUX RUISSEAUX, DOM. DES, Oc, 1160
DEUX VALLEES, DOM. DES, Coteaux-du-layon, 963
DEVES, CH., Côtes-du-frontonnais, 871
DEVEVEY, Bourgogne-hautes-côtes-de-beaune, 447 • Savigny-lès-beaune, 533
DEVEZE, DOM. DE LA, Oc, 1160
DEVISE D'ARDILLEY, CH., Haut-médoc, 377
DEVOIS DU CLAUS, DOM., Coteaux-du-languedoc, 741 • Oc, 1160
DEVOY MARTINE, CH. LE, Lirac, 1119
DEYREM VALENTIN, CH., Margaux, 387
DEZAT ET FILS, ANDRE, Pouilly-fumé, 1046 • Sancerre, 1056
DHOMME, DOM., Anjou, 940 • Coteaux-du-layon, 963
DICONNE, JEAN-PIERRE, Auxey-duresses, 554
DIETRICH, JEAN, Alsace gewurztraminer, 105 • Alsace grand cru schlossberg, 138
DIETRICH, CLAUDE, Alsace pinot noir, 120
DIETRICH-JOOSS, Québec, 1189
DIEUMERCY, DOM. DE, Côtes-du-rhône, 1072
DIGOINE, LA, Bourgogne-côte-chalonnaise, 584
DILIGENT, FRANCOIS, Champagne, 642
DILLET, DOM., Canton de Vaud, 1199
DILLON, CH., Haut-médoc, 377
DIOCHON, DOM., Moulin-à-vent, 188
DIONYSOS, DOM. DE, Côtes-du-rhône, 1072
DIRINGER, Alsace grand cru zinnkoepflé, 143
DIRLER, Alsace grand cru kessler, 132
DIT BARRON, DOM., Brouilly, 167
DITTIERE, DOM., Anjou, 940 • Anjou-villages-brissac, 952 • Coteaux-de-l'aubance, 956
DIUSSE, CH. DE, Madiran, 884
DIVE, LA, Côtes-du-rhône, 1072
DIVIN, Bordeaux, 206
DIVIN, LE, Côtes-de-provence, 813
DOCK, PAUL, Alsace klevener de heiligenstein, 89
DOISY-DAENE, CH., Sauternes, 416
DOM BASLE, Champagne, 642
DOM BRIAL, Muscat-de-rivesaltes, 792 • Rivesaltes, 789
DOME D'ELYSSAS, LE, Coteaux-du-tricastin, 1125
DOMEYNE, CH., Saint-estèphe, 401
DOMINICAINS, LES, Collioure, 783
DOMINIQUE, CH. LA, Saint-émilion grand cru, 291
DOMME, VIN DE, Périgord, 1148
DOM RUINART, Champagne, 642
DOMS, CH., Graves, 345
DONA BAISSAS, CH., Muscat-de-rivesaltes, 792
DONISSAN, CH., Listrac-médoc, 384
DONJON, CH. DU, Minervois, 758
DONZEL, DOM., Morgon, 184
DOQUET-JEANMAIRE, Champagne, 642 • Coteaux-champenois, 687

DORBON, JOSEPH, Arbois, 692
DOREAU, GERARD, Bourgogne-aligoté, 438
DORGONNE, CH. LA, Côtes-du-luberon, 1132
DOU BERNES, DOM., Madiran, 884
DOUCET ET FILS, PAUL, Sancerre, 1056
DOUDEAU-LEGER, DOM., Sancerre, 1056
DOUDET, DOM., Aloxe-corton, 522 • Corton, 527 • Savigny-lès-beaune, 533
DOUDET-NAUDIN, Savigny-lès-beaune, 533
DOUE, ETIENNE, Champagne, 642
DOURNIE, CH. LA, Saint-chinian, 763
DOURTHE, NUMERO 1 DE, Bordeaux sec, 215
DOURTHE, Graves, 345 • Médoc, 365
DOURY, CAVE DES VIGNERONS DU, Beaujolais, 157
DOYAC, CH., Haut-médoc, 377
DOYARD, Champagne, 642
DOYARD-MAHE, Champagne, 642
DOYENNE, CH. LE, Premières-côtes-de-bordeaux, 337
DOZON, DOM., Chinon, 1007
DOZONNERIE, DOM. DE LA, Chinon, 1007
DRACY, CH. DE, Bourgogne, 431 • Monthélie, 553
DRAGON, DOM. DU, Côtes-de-provence, 813
DRAPPIER, Champagne, 643
DREYER ET FILS, DOM. ROBERT, Alsace riesling, 95
DRIANT-VALENTIN, Champagne, 643
DROIN, JEAN-PAUL, Chablis grand cru, 467 • Chablis premier cru, 462
DROIN, JEAN-PAUL ET BENOIT, Petit-chablis, 454
DROUET ET FILS, DOM., Pineau-des-charentes, 802
DROUET FRERES, Muscadet-sèvre-et-maine, 927
DROUHIN, JOSEPH, Bâtard-montrachet, 568 • Chablis grand cru, 467 • Chambolle-musigny, 494 • Chorey-lès-beaune, 536 • Clos-saint-denis, 492 • Côte-de-beaune, 542 • Griotte-chambertin, 487 • Rully, 586
DROUHIN-LAROZE, DOM., Chambertin-clos-de-bèze, 484 • Clos-de-vougeot, 500 • Gevrey-chambertin, 479 • Latricières-chambertin, 484 • Musigny, 498
DROUILLY LV, Champagne, 643
DROUIN, CORINNE ET THIERRY, Pouilly-fuissé, 609
DROUINEAU, YVES, Saumur-champigny, 978
DUBŒUF, GEORGES, Juliénas, 179 • Mâcon-villages, 602 • Pouilly-fuissé, 609 • Saint-véran, 615
DUBOIS, DOM. JEAN-LUC, Beaune, 539 • Ladoix, 519
DUBOIS, DOM., Bourgueil, 996 • Saumur-champigny, 978
DUBOIS, GERARD, Champagne, 643
DUBOIS, HERVE, Champagne, 643
DUBOIS, RAPHAEL, Meursault, 560
DUBOIS-CACHAT, DOM., Ladoix, 519
DUBOIS D'ORGEVAL, DOM., Beaune, 539
DUBOIS ET FILS, BERNARD, Aloxe-corton, 522 • Chorey-lès-beaune, 536
DUBOIS ET FILS, R., Bourgogne-hautes-côtes-de-nuits, 443 • Clos-de-vougeot, 500 • Côte-de-nuits-villages, 516 • Nuits-saint-georges, 511
DUBOIS-GRIMON, CH., Côtes-de-castillon, 322
DUBOST, DOM., Morgon, 184
DUBRAUD, GRAND VIN DE CHATEAU, Blaye, 238
DUBREUIL-CORDIER, PHILIPPE, Chorey-lès-beaune, 536 • Savigny-lès-beaune, 533
DUBREUIL-FONTAINE PERE ET FILS, DOM. P., Corton, 527 • Pernand-vergelesses, 524
DUBUET, GUY, Meursault, 560 • Monthélie, 553
DUBUIS ET RUDAZ, Canton du Valais, 1206
DUC, DOM. DES, Saint-amour, 194
DUC DE TARENTE, Sancerre, 1056
DUCHEMIN-CONTANT, JEAN-LOUIS, Maranges, 582 • Saint-aubin, 574
DUCLA, CH., Bordeaux supérieur, 225
DUCLAUX, BENJAMIN ET DAVID, Côte-rôtie, 1093
DUCLUZEAU, CH., Listrac-médoc, 384
DUCOLOMB, PIERRE, Bugey AOVDQS, 716
DUCRET, OLIVIER, Canton de Vaud, 1199
DUCRU-BEAUCAILLOU, CH., Saint-julien, 405
DUDON, L'ACANTHE DE, Premières-côtes-de-bordeaux, 337
DUDON, CH., Sauternes, 416
DUFEU, DOM. BRUNO, Bourgueil, 996
DUFOULEUR, DOM. YVAN, Bourgogne-hautes-côtes-de-nuits, 443 • Morey-saint-denis, 489
DUFOULEUR, DOM. GUY, Fixin, 476 • Nuits-saint-georges, 512
DUFOULEUR PERE ET FILS, Chambolle-musigny, 494 • Meursault, 561 • Morey-saint-denis, 490 • Nuits-saint-georges, 512
DUFOUR, JEAN-PIERRE, Bourgogne-aligoté, 438
DUFOUR, LAURENT ET GERARD, Bugey AOVDQS, 716
DUFOUX, DOM., Chiroubles, 172
DUGOIS, DANIEL, Arbois, 692 • Crémant-du-jura, 701 • Macvin-du-jura, 705
DUGON, CHRISTIAN, Canton de Vaud, 1200
DUHART-MILON, CH., Pauillac, 395
DUHR ET FILS, DOM. MME ALY, Moselle luxembourgeoise, 1192
DUJAC, DOM., Charmes-chambertin, 485 • Morey-saint-denis, 490
DUJAC FILS ET PERE, Chambolle-musigny, 494
DULONG, Sauternes, 416
DULOQUET, DOM., Coteaux-du-layon, 963
DUMAS, BERNARD, Beaujolais, 158
DUMENIL, Champagne, 643
DUMONT, DANIEL, Champagne, 643
DUMONT, PHILIPPE, Champagne, 644
DUMONT, JEAN, Pouilly-fumé, 1046
DUMONT ET FILS, R., Champagne, 644
DUPASQUIER, DOM., Vin-de-savoie, 710
DUPASQUIER ET FILS, DOM., Bourgogne-aligoté, 439
DUPERRIER-ADAM, Puligny-montrachet, 565
DUPLESSIS, DOM., Côtes-du-rhône, 1072
DUPLESSIS, CH., Moulis-en-médoc, 392
DUPONT-FAHN, DOM., Auxey-duresses, 554 • Puligny-montrachet, 565
DUPONT-FAHN, Bourgogne, 431
DUPONT-TISSERANDOT, Charmes-chambertin, 486 • Gevrey-chambertin, 479 • Nuits-saint-georges, 512
DUPORT, MAISON, Bugey AOVDQS, 716
DUPORT ET DUMAS, Bugey AOVDQS, 716
DUPRAZ ET FILS, Canton de Genève, 1213
DUPRE, DOM., Beaujolais, 158
DUPUY, ANTOINE, Touraine-noble-joué, 991
DURAND, PASCAL, Saint-amour, 194
DURAND, GUY, Touraine-amboise, 991
DURANDIERE, CH. DE LA, Saumur, 972
DURAND PERE ET FILLE, DOM., Côte-de-nuits-villages, 516 • Fixin, 476
DURET, CHARLES, Crémant-de-bourgogne, 450
DURET, PIERRE, Quincy, 1050
DUREUIL-JANTHIAL, RAYMOND, Bourgogne-aligoté, 439 • Rully, 586
DUREUIL-JANTHIAL, VINCENT, Rully, 588
DURFORT-VIVENS, CH., Margaux, 387

DURIEU, DOM., Châteauneuf-du-pape, 1115 • Côtes-du-rhône-villages, 1085
DURUP, Chablis premier cru, 462 • Petit-chablis, 454
DURY, DOM. JACQUES, Rully, 588
DUSSOURT, DOM. ANDRE, Alsace riesling, 95
DUTERTRE, DOM., Touraine-amboise, 991
DUTHIL, Haut-médoc, 377
DUTRUCH GRAND POUJEAUX, CH., Moulis-en-médoc, 393
DUVAL-LEROY, Champagne, 644
DUVAT ET FILS, XAVIER, Champagne, 644
DUVERGEY-TABOUREAU, Maranges, 582 • Saint-véran, 615
DUVERNAY PERE ET FILS, Rully, 588
DUVIVIER, CH., Coteaux-varois, 840

E

EBLIN-FUCHS, Alsace pinot noir, 120 • Alsace riesling, 95
ECETTE, DOM. DE L', Rully, 588
ECHARDIERES, DOM. DES, Touraine, 986
ECHEVIN, DOM. L', Côtes-du-rhône-villages, 1085
ECKLE, JEAN-PAUL, Alsace grand cru wineck-schlossberg, 142 • Alsace riesling, 95
ECOCHERE, CH. DE L', Muscadet-coteaux-de-la-loire, 933
ECOLE, DOM. DE L', Alsace gewurztraminer, 105
ECUILLERES, DOM. DES, Rully, 588
EDEM, CH., Côtes-du-ventoux, 1128 • Vaucluse, 1175
EGLISE, CH. DU DOMAINE DE L', Pomerol, 266
EGLISE, ESPRIT DE L', Pomerol, 266
EGLISE D'ARMENS, CH. L', Saint-émilion grand cru, 291
EHRHART, DOM. ANDRE, Alsace gewurztraminer, 105 • Alsace tokay-pinot-gris, 114
EHRHART, HENRI, Alsace muscat, 102 • Alsace riesling, 95
EINHART, DOM., Alsace pinot ou klevner, 91 • Alsace riesling, 95
ELEXIUM, Champagne, 644
ELGET, CH., Muscadet-sèvre-et-maine, 927
ELISE, DOM. D', Petit-chablis, 454
ELITE SAINT-ROCH, Médoc, 365
ELIXIR DE GRAVAILLAC, CH., Bordeaux supérieur, 225
ELLNER, CHARLES, Champagne, 644
ELLUL-FERRIERES, DOM., Coteaux-du-languedoc, 741
ELS BARBATS, DOM., Côtes-du-roussillon, 774
ELYSIS, Anjou, 941 • Cabernet-d'anjou, 955
EMERINGES, CH. D', Beaujolais-villages, 162
EMINADES, DOM. LES, Coteaux de Fontcaude, 1153
ENCHANTOIR, DOM. DE L', Saumur, 972
ENCLAVE DES PAPES, LES VIGNERONS DE L', Coteaux-du-tricastin, 1125 • Côtes-du-rhône, 1072
ENCLOS, DOM. DE L', Côtes de Gascogne, 1151
ENCLOS, CH. L', Pomerol, 266
ENCLOS GALLEN, L', Margaux, 387
ENGARRAN, CH. DE L', Coteaux-du-languedoc, 741
ENGARRAN, DOM. DE L', Oc, 1160
ENGEL, DOM., Alsace grand cru praelatenberg, 136
ENGEL, DOM. FERNAND, Alsace riesling, 95
EN SEGUR, DOM. D', Côtes du Tarn, 1152
ENTRE-CŒURS, DOM. DE L', Montlouis-sur-loire, 1016
ENTREFAUX, DOM. DES, Crozes-hermitage, 1101
ENTRETAN, Minervois, 758
ENVAUX, CH. D', Juliénas, 180
ENVIE, L', Montagne-saint-émilion, 313
EOLE, DOM. D', Coteaux-d'aix-en-provence, 835
EPICURE, Bordeaux, 206 • Graves, 345
EPINAUDIERES, DOM. DES, Anjou-villages, 949
EPINAY, DOM. DE L', Saumur, 973
EPIRE, CH. D', Savennières, 959
ERKER, DIDIER, Givry, 594
ERLES, LE ROSE DU CHATEAU DES, Corbières, 727
ERLES, CH. DES, Fitou, 756
ERMEL, DAVID, Alsace grand cru rosacker, 137
ERMITAGE, CH. L', Listrac-médoc, 384 • Sauternes, 416
ERMITAGE DU PIC SAINT-LOUP, Coteaux-du-languedoc, 741
ERMITE DE SAINT-VERAN, DOM. L', Saint-véran, 615
ERRIERE, DOM. DE L', Muscadet-sèvre-et-maine, 928
ESCADRE, CH. L', Premières-côtes-de-blaye, 242
ESCARAVATIERS, CH., Côtes-de-provence, 813
ESCARELLE, CH. DE L', Coteaux-varois, 840
ESCART, CH. L', Bordeaux supérieur, 225
ESCAUSSES, DOM. D', Gaillac, 864
ESCURAC, CH. D', Médoc, 365
ESCUTENAIRE-CACHAT, DOM., Ladoix, 519
ESPANET, MAS D', Oc, 1160
ESPARRON, DOM. DE L', Côtes-de-provence, 813
ESPARROU, CH. L', Rivesaltes, 789
ESPERANCE, DOM. D', Landes, 1147
ESPERANCE, DOM. DE L', Muscadet-sèvre-et-maine, 928
ESPEROUZE, DOM. DE L', Coteaux-du-tricastin, 1125
ESPRIT D'ESTUAIRE, Médoc, 365
ESPRITS, DOM. D', Franche-Comté, 1180
ESTAGNELS, DOM. DES, Fitou, 756
ESTAGNOL, DOM. L', Côtes-du-ventoux, 1128
ESTAMPES, LES, Côtes du Condomois, 1150
ESTANG, CH. DE L', Côtes-de-castillon, 322
ESTANILLES, CH. DES, Faugères, 752
ESTELLO, L', Côtes-de-provence, 813
ESTERLIN, Champagne, 644
ESTEVE, Pineau-des-charentes, 802
ESTOURNEL, DOM. REMY, Côtes-du-rhône, 1072 • Côtes-du-rhône-villages, 1085
ETANG DES COLOMBES, CH., Corbières, 727
ETE, DOM. DE L', Coteaux-du-layon, 963
ETERNES, CH. D', Saumur, 973
ETIENNE, CHRISTIAN, Champagne, 644
ETIENNE, JEAN-MARIE, Champagne, 645 • Coteaux-champenois, 687
ETOILE, L', Banyuls, 785 • Banyuls grand cru, 786
ETOILE, CH. L', L'étoile, 703
ETOILE DE SALLES, CH., Lalande-de-pomerol, 273
ETROYES, CH. D', Mercurey, 591
EUGENIE, CH., Cahors, 858
EUROPE, DOM. DE L', Mercurey, 591
EUSTACHE DESCHAMPS, Champagne, 645
EVANGILE, CH. L', Pomerol, 266
EVECHE, CH. DE L', Lalande-de-pomerol, 273
EVECHE, CH. L', Saint-émilion grand cru, 291
EXCELLENCE DE L'ANCIEN COMTE, L', Corbières, 727
EXINDRE, CH. D', Coteaux-du-languedoc, 742 • Muscat-de-mireval, 771
EYDINS, CH. LES, Côtes-du-luberon, 1132
EYMERIES, CH. LES, Bordeaux, 207
EYRAN, CH. D', Pessac-léognan, 354

F

FABRE, LOUIS, Oc, 1160
FADEZE, DOM. LA, Côtes de Thau, 1154
FAGE, CH., Graves-de-vayres, 333
FAGES, CH., Cahors, 858
FAGET, CH., Saint-estèphe, 401
FAGNOUSE, CH. LA, Saint-émilion grand cru, 291
FAHRER, CHARLES, Alsace grand cru praelatenberg, 137
FAHRER, SYLVIE, Alsace muscat, 102
FAISSES, LES, Coteaux-du-languedoc, 742
FAITEAU, CH., Minervois, 759
FAIVELEY, CLOS DES CORTONS, Corton, 527
FAIVELEY, Gevrey-chambertin, 480 • Mercurey, 591
FAIZEAU, CH., Montagne-saint-émilion, 313
FALLER, LUC, Alsace gewurztraminer, 106
FALLER, ANDRE, Alsace riesling, 96
FAMAEY, CH., Cahors, 858
FANIEL-FILAINE, Champagne, 645
FANTI, MONIKA, Canton de Bâle, 1218
FANTOU, CH., Cahors, 858
FAOUQUET, DOM. DE, Côtes-du-frontonnais, 871
FARDEAU, DOM., Coteaux-du-layon, 963
FARGUES, CH. DE, Sauternes, 416
FARJON, DOM., Saint-joseph, 1098
FARLURET, CH., Barsac, 413
FARONDES, DOM. DES, Bourgogne-aligoté, 439
FASSMANN, R., Alsace sylvaner, 89
FAUDOT, SYLVAIN, Côtes-du-jura, 698
FAUGERES, CH., Saint-émilion grand cru, 291
FAUNES, RESERVE DES, Canton de Genève, 1213
FAURE, JACQUES, Crémant-de-die, 1124
FAURE, DOM., Oc, 1160
FAURIE DE SOUCHARD, CH., Saint-émilion grand cru, 291
FAURMARIE, DOM., Coteaux-du-languedoc, 742
FAURY, PHILIPPE, Condrieu, 1096
FAUVET, LUDOVIC, Champagne, 645
FAUVY, LAURENT, Bourgueil, 996
FAUZAN, CH. DE, Minervois, 759
FAVETTE, DOM. LA, Côtes-du-rhône, 1072
FAVRAY, CH., Pouilly-fumé, 1047
FAYARD, CH., Côtes-de-bordeaux-saint-macaire, 341
FAYAU, CH., Bordeaux supérieur, 225 • Cadillac, 409 • Premières-côtes-de-bordeaux, 337
FAYE, SERGE, Champagne, 645
FAYOLLE, CH. DE, Bergerac sec, 895
FAYOLLE-LUZAC, CH., Côtes-de-bergerac, 898
FELETTIG, HENRI, Bourgogne-hautes-côtes-de-nuits, 443 • Chambolle-musigny, 496 • Nuits-saint-georges, 512
FELIX-MARIE DE LA VILLIERE, Pineau-des-charentes, 802
FENEUIL-POINTILLART, Champagne, 645
FENOUILLET, DOM. DE, Côtes-du-ventoux, 1128 • Muscat-de-beaumes-de-venise, 1135
FERE, CHARLES DE, Crémant-de-bourgogne, 451
FERET-LAMBERT, CH., Bordeaux supérieur, 225
FERME SAINT-MARTIN, DOM. DE LA, Côtes-du-rhône-villages, 1085
FERRAGES, CH. DES, Côtes-de-provence, 813
FERRAN, CH., Pessac-léognan, 355
FERRAND, DOM., Mâcon-villages, 602
FERRAND, NADINE, Pouilly-fuissé, 609
FERRAND, CH. DE, Saint-émilion grand cru, 292
FERRANDE, CH., Graves, 345
FERRANDIERE, DOM. DE LA, Oc, 1161
FERRAND LARTIGUE, CH., Saint-émilion grand cru, 292
FERRANT, DOM. DE, Côtes-de-duras, 909
FERRAUD ET FILS, PIERRE, Saint-véran, 615
FERRE, CH., Haut-médoc, 378
FERRER-RIBIERE, DOM., Côtes-du-roussillon, 774
FERRET, DOM., Gaillac, 864
FERRET, DOM. J. A., Pouilly-fuissé, 609
FERRI ARNAUD, DOM., Coteaux-du-languedoc, 742
FERRIERE, CH., Margaux, 388
FERRONNIERE, DOM. DE LA, Muscadet-sèvre-et-maine, 928
FERTE, DOM. DE LA, Givry, 594
FERTE, CH. DE LA, Muscadet-sèvre-et-maine, 928
FERTHIS, CH., Premières-côtes-de-blaye, 242
FERY ET FILS, DOM. JEAN, Gevrey-chambertin, 480 • Pernand-vergelesses, 525
FERY-MEUNIER, Bourgogne, 431 • Corton-charlemagne, 530 • Morey-saint-denis, 490
FESSY, HENRY, Chiroubles, 173
FEUILLARDE, DOM. DE LA, Mâcon, 598
FEUILLATTE, NICOLAS, Champagne, 645
FEVRE, BRUNO, Auxey-duresses, 554 • Meursault, 561 • Volnay, 549
FEVRE, DOM. WILLIAM, Chablis grand cru, 467 • Chablis premier cru, 463 • Petit-chablis, 454
FEVRIES, DOM. DES, Muscadet-sèvre-et-maine, 928
FEYTIT-CLINET, CH., Pomerol, 267
FICHET, DOM., Mâcon, 598 • Mâcon-villages, 602
FIEF DE LA CHAPELLE, Muscadet-sèvre-et-maine, 928
FIEF GUERIN, DOM. DU, Muscadet-côtes-de-grand-lieu, 932
FIEF-SEIGNEUR, DOM. DU, Muscadet-sèvre-et-maine, 928
FIEUZAL, CH. DE, Pessac-léognan, 355
FIEVET COMTE DE MARNE, Champagne, 645
FIGEAC, CH., Saint-émilion grand cru, 292
FIGEAT, ANDRE ET EDMOND, Pouilly-fumé, 1047
FIL, DOM. PIERRE, Minervois, 759
FILAINE, ALEXANDRE, Champagne, 646
FILHOT, CH., Sauternes, 416
FILIPPI, DOM., Corse ou vins-de-corse, 846
FILLIATREAU, DOM., Saumur, 973 • Saumur-champigny, 978
FILLIOL, CH., Côtes-de-castillon, 322
FILLON, DOM., Petit-chablis, 454
FINES CAILLOTTES, DOM. DES, Pouilly-fumé, 1047
FINES GRAVES, DOM. LES, Moulin-à-vent, 188
FINES ROCHES, CH. DES, Châteauneuf-du-pape, 1115
FINON, PIERRE, Saint-joseph, 1098
FIUMICICOLI, DOM., Corse ou vins-de-corse, 846
FLACHE, CORINNE ET VINCENT, Morgon, 184
FLACHER, GILLES, Saint-joseph, 1098
FLAUGERGUES, CH. DE, Coteaux-du-languedoc, 742
FLAVIGNY, VIGNOBLE DE, Coteaux de l'Auxois, 1179
FLECK, RENE, Alsace grand cru zinnkoepflé, 144 • Alsace tokay-pinot-gris, 114
FLEISCHER, DOM., Alsace riesling, 96 • Alsace tokay-pinot-gris, 114
FLEITH-ESCHARD ET FILS, RENE, Alsace grand cru furstentum, 129
FLESCH, FRANCOIS, Alsace gewurztraminer, 106
FLEUR, Entre-deux-mers, 330
FLEUR CAILLEAU, CH. LA, Canon-fronsac, 257
FLEUR CARDINALE, CH., Saint-émilion grand cru, 292

FLEUR CHADENNE, CH. LA, Fronsac, 259
FLEUR CRAVIGNAC, CH. LA, Saint-émilion grand cru, 292
FLEUR D'ARTHUS, LA, Saint-émilion grand cru, 292
FLEUR DE BOUARD, LA, Lalande-de-pomerol, 273
FLEUR DE LISSE, CH., Saint-émilion grand cru, 292
FLEUR DE PLINCE, CH. LA, Pomerol, 267
FLEURET ET FILS, BERNARD, Sancerre, 1056
FLEUR GARDEROSE, CH. LA, Saint-émilion, 280
FLEUR HAUT GAUSSENS, CH., Bordeaux, 207
FLEURIE, CAVE DES PRODUCTEURS DE, Fleurie, 176
FLEUR JONQUET, CH. LA, Graves, 346
FLEUR LARTIGUE, CH., Saint-émilion grand cru, 293
FLEUR MILON, CH. LA, Pauillac, 395
FLEUR MOUCHET, LA, Montagne-saint-émilion, 313
FLEUR PASSION, DOM. LA, Côtes-de-provence, 813
FLEUR PEREY, CH. LA, Saint-émilion grand cru, 293
FLEUR-PETRUS, CH. LA, Pomerol, 267
FLEUR SAINT-ANTOINE, Bordeaux supérieur, 226
FLEUR SAINT-ESPERIT, CH., Bordeaux, 207
FLEURY PÈRE ET FILS, Champagne, 646
FLINES, DOM. DE, Jardin de la France, 1142
FLOJAGUE, CH., Côtes-de-castillon, 322
FLUTEAU, G., Champagne, 646
FOLIE DE ROI, Pacherenc-du-vic-bilh, 886
FOLIETTE, DOM. DE LA, Muscadet-sèvre-et-maine, 928
FOLLIN-ARBELET, DOM., Aloxe-corton, 522 • Romanée-saint-vivant, 509
FOMBRAUGE, CH., Saint-émilion grand cru, 293
FONBADET, CH., Pauillac, 396
FONCHEREAU, CH., Bordeaux supérieur, 226
FONDARZAC, CH., Entre-deux-mers, 330
FONDATEURS, CUVEE DES, Coteaux de Glanes, 1150
FOND CROZE, DOM., Côtes-du-rhône, 1072 • Côtes-du-rhône-villages, 1086 • Vaucluse, 1175
FONDRECHE, DOM. DE, Côtes-du-ventoux, 1128
FONGABAN, CH., Côtes-de-castillon, 322 • Puisseguin-saint-émilion, 317
FONGRAVES, CH., Saint-émilion grand cru, 293
FONGRENIER, LA SOURCE DE, Bergerac, 890
FONJALLAZ-SPICHER, PASCAL, Canton de Vaud, 1200
FONNE, ANTOINE, Alsace gewurztraminer, 106
FONPIQUEYRE, CH., Haut-médoc, 378
FONPLEGADE, CH., Saint-émilion grand cru, 293
FONRAZADE, CH., Saint-émilion grand cru, 293
FONREAUD, CH., Listrac-médoc, 384
FONROQUE, CH., Saint-émilion grand cru, 293
FONSCOLOMBE, CH. DE, Coteaux-d'aix-en-provence, 835
FONTAINE-AUDON, CH. DE, Sancerre, 1056
FONTAINERIE, DOM. DE LA, Vouvray, 1021
FONTAINES, DOM. DES, Coteaux-du-layon, 963
FONT ALBA, DOM. DE, Côtes-du-ventoux, 1128
FONTANEAU, CH., Médoc, 365
FONTANEL, DOM., Côtes-du-roussillon-villages, 780 • Muscat-de-rivesaltes, 792
FONTANYL, DOM. DE, Côtes-de-provence, 814
FONTARABIE, CH., Premières-côtes-de-blaye, 242
FONTAVIN, DOM. DE, Châteauneuf-du-pape, 1115 • Côtes-du-rhône, 1073
FONTBAUDE, CH., Côtes-de-castillon, 323
FONTBLANCHE, CH. DE, Cassis, 826
FONTCREUSE, CH. DE, Cassis, 826
FONT DE PAPIER, LA, Vacqueyras, 1110
FONT DES PRIEURS, CH., Coteaux-du-languedoc, 742
FONT DU BROC, CH., Côtes-de-provence, 814
FONTENAY, DOM. DU, Côte-roannaise, 1041
FONTENELLES, DOM. DE, Coteaux de Miramont, 1154
FONTENIL, CH., Fronsac, 259
FONTENILLE, CH. DE, Bordeaux, 207
FONTENILLE, DOM. DE, Côtes-du-luberon, 1132
FONTENYS, DOM. DES, Bourgueil, 996
FONTES, CH. DE, Premières-côtes-de-bordeaux, 337
FONTIS, CH., Médoc, 365
FONTLADE, DOM. DE, Coteaux-varois, 840
FONTRIANTE, DOM. DE, Morgon, 184
FONT SARADE, Vacqueyras, 1111
FONT SEREINE, LA, Gigondas, 1107
FONTVERT, CH., Côtes-du-luberon, 1132
FONVIEILLE, CH., Côtes-du-frontonnais, 871
FORÇA REAL, LES HAUTS DE, Côtes-du-roussillon, 775 • Côtes-du-roussillon-villages, 780
FORCHETIERE, CH. LA, Gros-plant AOVDQS, 935
FOREST, ERIC, Mâcon, 598 • Pouilly-fuissé, 609
FOREST, MICHEL, Pouilly-fuissé, 609
FORET, DOM., Macvin-du-jura, 705
FORET, CH. LA, Premières-côtes-de-bordeaux, 337
FORET, DOM. DE LA, Sauternes, 416
FOREY PERE ET FILS, DOM., Bourgogne, 431 • Morey-saint-denis, 490
FOREZIENS, LES VIGNERONS, Côtes-du-forez, 1037
FORGEOT PERE ET FILS, Bourgogne, 431 • Bouzeron, 585 • Mercurey, 591
FORGES, DOM. DES, Anjou, 941 • Bourgueil, 996 • Chaume, 969 • Quarts-de-chaume, 968 • Savennières, 959
FORGET, MICHEL, Champagne, 646
FORGET-CHAUVET ET FILS, Champagne, 646
FORGET-CHEMIN, Champagne, 646
FORT, DOM. LE, Côtes-de-la-malepère AOVDQS, 768
FORT DU ROY, Haut-médoc, 378
FORTIA, CH., Châteauneuf-du-pape, 1115
FORTUNET, DOM. DE, Côtes de Gascogne, 1151
FOSSILES, VIN DES, Saône-et-Loire, 1182
FOUASSIER, ANDRE, Valençay, 1032
FOUASSIER PERE ET FILS, Sancerre, 1057
FOUCHAULT, CAVES DU CH. DE, Touraine-azay-le-rideau, 993
FOUDRES, DOM. DES, Beaujolais-villages, 162
FOUET, DOM., Saumur-champigny, 979
FOUGAS, CH., Côtes-de-bourg, 249
FOUGEAILLES, CH., Lalande-de-pomerol, 274
FOUGERAY DE BEAUCLAIR, DOM., Bonnes-mares, 498 • Marsannay, 473
FOUGERES, CH. DES, Graves, 346
FOULAQUIER, MAS, Coteaux-du-languedoc, 742
FOULEURS DE SAINT-PONS, LES, Côtes-de-provence, 814
FOUQUETTE, DOM. DE LA, Côtes-de-provence, 814
FOUR A CHAUX, DOM. DU, Coteaux-du-vendômois, 1031
FOUR A PAIN, DOM. DU, Côte-de-brouilly, 169
FOURCAS-DUMONT, CH., Listrac-médoc, 384
FOURCAS DUPRE, CH., Listrac-médoc, 384
FOURCAS LOUBANEY, CH., Listrac-médoc, 384
FOURN, DOM. DE, Blanquette-de-limoux, 722
FOURNAISE-THIBAUT, Champagne, 646
FOURNEL, MAS DE, Coteaux-du-languedoc, 742
FOURNERY, DOM. DE, Côtes-de-la-malepère AOVDQS, 768

FOURNEY, CH., Saint-émilion grand cru, 293
FOURNIER, TH., Champagne, 646
FOURNIER, VIGNOBLES, Crémant-de-bordeaux, 236
FOURNIER, Menetou-salon, 1043
FOURREY ET FILS, DOM., Chablis, 458 • Chablis premier cru, 463
FOURRIER, PHILIPPE, Champagne, 647
FRAICHEUR DE PADERN, Corbières, 727
FRAISSE, DOM. DU, Faugères, 753
FRANCE, CH. DE, Pessac-léognan, 355
FRANC GRACE-DIEU, CH., Saint-émilion grand cru, 294
FRANCHAIE, CH. LA, Anjou, 941 • Anjou-villages, 949 • Savennières, 959
FRANC LA ROSE, CH., Saint-émilion grand cru, 294
FRANC-MAILLET, CH., Pomerol, 267
FRANC-MAYNE, CH., Saint-émilion grand cru, 294
FRANCOIS-BROSSOLETTE, Champagne, 647
FRANC PATARABET, CH., Saint-émilion grand cru, 294
FRANC-PERAT, CH., Bordeaux sec, 215
FRANCS, CH. DE, Bordeaux-côtes-de-francs, 327
FRANDAT, CH. DU, Buzet, 868 • Floc-de-gascogne, 912
FRAPPE-PEYROT, CH., Cadillac, 409
FREDIGNAC, CH., Premières-côtes-de-blaye, 242
FREMONDERIE, CAVE DE LA, Gros-plant AOVDQS, 935
FRESCHE, DOM. DU, Anjou-coteaux-de-la-loire, 958 • Anjou-gamay, 947 • Anjou-villages, 949
FRESLIER, DOM., Vouvray, 1021
FRESNE, GABRIEL, Champagne, 647
FRESNET-JUILLET, Champagne, 647
FREUDENREICH ET FILS, JOSEPH, Alsace gewurztraminer, 106
FREY, CHARLES ET DOMINIQUE, Alsace gewurztraminer, 106 • Alsace grand cru frankstein, 128
FREYBURGER, MARCEL, Alsace gewurztraminer, 106
FREYBURGER, DOMINIQUE, Alsace pinot ou klevner, 91
FREYNELLE, CH. LA, Entre-deux-mers, 330
FREY-SOHLER, Alsace riesling, 96
FREZIER-ROGELET, R., Champagne, 647
FRICK, PIERRE, Alsace sylvaner, 90
FRISSANT, DOM. XAVIER, Touraine-amboise, 992
FRISSONS, Oc, 1161
FRITSCH, DOM., Alsace tokay-pinot-gris, 114
FRITSCH, JOSEPH, Alsace gewurztraminer, 106 • Alsace tokay-pinot-gris, 114
FRITZ ET FILS, DANIEL, Alsace grand cru mambourg, 133
FRITZ-SCHMITT, Alsace pinot noir, 120
FROEHLICH ET FILS, FERNAND, Alsace riesling, 96 • Alsace tokay-pinot-gris, 115
FROMONT, MAISON JEAN-CLAUDE, Bourgogne, 431 • Chablis, 458 • Gevrey-chambertin, 480
FRONTIGNAN, CAVE DE, Muscat-de-frontignan, 770
FRUIT DEFENDU, LE, Canton de Vaud, 1200
FUIE, DOM. DE LA, Vouvray, 1021
FUISSE, CH., Pouilly-fuissé, 609
FUMEY ET ADELINE CHATELAIN, RAPHAEL, Arbois, 692
FURDYNA, MICHEL, Champagne, 647
FUSSIACUS, DOM. DE, Pouilly-vinzelles, 613 • Saint-véran, 616
FUSSIGNAC, CH. DE, Bordeaux supérieur, 226
FUYE, CH. LA, Haut-poitou AOVDQS, 798

G

G. DE BARFONTARC, Champagne, 647
GABARON, CH., Bordeaux rosé, 220
GABELAS, DOM. DE, Saint-chinian, 764
GABELOT, CH., Bordeaux, 207
GABILLIERE, DOM. DE LA, Crémant-de-loire, 920 • Touraine-amboise, 992
GABINELE, MAS, Faugères, 753
GABY, CH. DU, Canon-fronsac, 257
GACHERE, DOM. DE LA, Anjou, 942 • Anjou-villages, 949
GACHET, DOM. DE, Lalande-de-pomerol, 274
GACHOT-MONOT, DOM., Côte-de-nuits-villages, 516
GACON, F., Pineau-des-charentes, 802
GADAIS PERE ET FILS, Muscadet-sèvre-et-maine, 928
GAGET, DOM., Morgon, 185
GAGNEBERT, DOM. DE, Anjou-villages-brissac, 952 • Rosé-de-loire, 918
GAGNET, LA FERME DE, Floc-de-gascogne, 912
GAIA, CUVEE, Minervois-la-livinière, 761
GAILLARD, PIERRE, Condrieu, 1096 • Saint-joseph, 1098
GAILLARD, ROGER, Saint-véran, 616
GAILLARD, CH., Touraine-mesland, 993
GAILLARDE, CAVE LA, Côtes-du-rhône, 1073
GALAND, CH., Bordeaux supérieur, 226
GALANTE, CH. LA, Bordeaux supérieur, 226
GALANTIN, DOM. LE, Bandol, 829
GALAU, CH., Côtes-de-bourg, 249
GALES, CAVES, Moselle luxembourgeoise, 1192
GALETIS, DOM., Oc, 1161
GALEVAN, DOM., Côtes-du-rhône-villages, 1086
GALEYRAND, DOM. JEROME, Côte-de-nuits-villages, 517 • Gevrey-chambertin, 480
GALINIERE, VIOGNIER DE LA, Bouches-du-Rhône, 1167
GALINIERE, DOM. DE LA, Vouvray, 1021
GALION, CH. LE, Côtes-de-bourg, 250
GALLOIRES, DOM. DES, Coteaux-d'ancenis AOVDQS, 938 • Muscadet-coteaux-de-la-loire, 933
GALLOIS, DOM. DOMINIQUE, Charmes-chambertin, 486 • Gevrey-chambertin, 480
GALOPIERE, DOM. DE LA, Aloxe-corton, 522 • Bourgogne, 431 • Pommard, 545
GALOPINE, LA, Condrieu, 1096
GALOUPET, CH. DU, Côtes-de-provence, 814
GALTIER, DOM., Coteaux-du-languedoc, 742
GALUCHES, DOM. DES, Chinon, 1007
GALVESSES GRAND MOINE, DOM., Lalande-de-pomerol, 274
GAMBAL, ALEX, Bourgogne, 431 • Clos-de-vougeot, 500 • Vosne-romanée, 505
GANAPES, DOM. DES, Coteaux-du-quercy AOVDQS, 861
GANDELINS, DOM. DES, Chénas, 170
GANDOY-PERRINAT, CH., Bordeaux supérieur, 226
GANEVAT, DOM., Côtes-du-jura, 698
GANNE, CH. LA, Pomerol, 267
GANTONET, CH., Bordeaux sec, 215
GARANCE HAUT GRENAT, CH., Médoc, 365
GARAUDET, PAUL, Meursault, 561
GARBELLE, DOM. DE, Coteaux-varois, 841
GARDE, CH. DE LA, Bordeaux supérieur, 226
GARDE, DOM. DE LA, Coteaux-du-quercy AOVDQS, 861
GARDE, CH. LA, Pessac-léognan, 356
GARDET, GEORGES, Champagne, 648
GARDETTE, STEPHANE, Beaujolais-villages, 163

GARDIEN, DOM., Saint-pourçain AOVDQS, 1039
GARDINE, CH. DE LA, Châteauneuf-du-pape, 1115
GARDRAT, DOM., Charentais, 1147
GARELLE, DOM. DE LA, Côtes-du-luberon, 1132
GARELLE, CH. LA, Saint-émilion grand cru, 294
GARENNE, DOM. DE LA, Bourgogne, 432 • Sancerre, 1057 • Touraine, 986
GARLABAN, LES VIGNERONS DU, Côtes-de-provence, 814
GARLON, DOM., Beaujolais, 158
GARNAUDERIE, DOM. DE LA, Chinon, 1007
GARNIER, E. ET O., Valençay, 1032
GARNIERE, DOM. DE LA, Jardin de la France, 1142
GARNIER ET FILS, DOM., Chablis, 458
GARONNEAU, L'EXCUSE DU CH. DE, Bordeaux-côtes-de-francs, 327
GARRAUD, CH., Lalande-de-pomerol, 274
GARRE, CRU DU, Loupiac, 410
GARREAU, CH., Blaye, 238 • Côtes-de-bourg, 250
GARRELIERE, DOM. DE LA, Touraine, 986
GARREY, DOM. PHILIPPE, Mercurey, 591
GARRICQ, CH. LA, Moulis-en-médoc, 393
GARRIGUE, DOM. LA, Vacqueyras, 1111
GARRIGUES, DOM. LES, Lirac, 1119
GASCHY, PAUL, Alsace pinot noir, 120 • Crémant-d'alsace, 145
GASCON, PROPRIETE CASIMIR, Coteaux de l'Ardèche, 1177
GASNIER, VIGNOBLE, Chinon, 1007
GASPA MORA, Ile de Beauté, 1169
GASPERINI, VIGNOBLES, Côtes-de-provence, 814
GASQUI, CH., Côtes-de-provence, 814
GATILLES, DOM. DES, Chiroubles, 173
GATINES, DOM. DE, Anjou, 942
GATINOIS, Champagne, 648 • Coteaux-champenois, 687
GAUDARD, DOM., Anjou, 942 • Cabernet-d'anjou, 955 • Coteaux-du-layon, 964 • Quarts-de-chaume, 968
GAUDARD, JO, Canton du Valais, 1206
GAUDE, CH. DE LA, Coteaux-d'aix-en-provence, 835
GAUDINAT-BOIVIN, Champagne, 648
GAUDINIERE, DOM. DE LA, Coteaux-du-loir, 1013 • Jasnières, 1014
GAUDRELLE, CH., Vouvray, 1021
GAUDRONNIERE, DOM. DE LA, Cheverny, 1027
GAULETTERIES, DOM. DES, Jasnières, 1014
GAUSSAN-KOZINE, CH., Corbières, 727
GAUSSEN, CH. JEAN-PIERRE, Bandol, 829
GAUTERIE, DOM. DE LA, Anjou, 942
GAUTHERIN, Chablis premier cru, 463
GAUTHERON, DOM. ALAIN, Chablis, 458 • Chablis premier cru, 463
GAUTHEROT, Champagne, 648
GAUTHIER, Champagne, 648
GAUTHIER, Moselle AOVDQS, 149
GAUTHIER, CH., Premières-côtes-de-blaye, 243
GAUTOUL, CH., Cahors, 858
GAVAISSON, DOM. DE, Côtes-de-provence, 814
GAVELLES, DOM. DES, Bouches-du-Rhône, 1167
GAVELLES, CH. DES, Coteaux-d'aix-en-provence, 836
GAVERIE, DOM. DE LA, Vouvray, 1021
GAVIGNET, DOM. MAURICE, Bourgogne-hautes-côtes-de-nuits, 443 • Nuits-saint-georges, 512
GAVIGNET, PHILIPPE, Nuits-saint-georges, 512
GAVOTY, DOM., Côtes-de-provence, 815
GAY, CH. LE, Pomerol, 267
GAY ET FILS, DOM. MICHEL, Aloxe-corton, 522 • Beaune, 539 • Chorey-lès-beaune, 536 • Corton, 527
GAY ET FILS, FRANCOIS, Chorey-lès-beaune, 536 • Ladoix, 519
GAY-MOULINS, CH., Montagne-saint-émilion, 313
GAYOLLE, DOM. DE LA, Coteaux-varois, 841
GAYON, CH., Bordeaux rosé, 220 • Bordeaux supérieur, 226
GAZIN, CH., Pomerol, 267
GAZIN ROCQUENCOURT, CH., Pessac-léognan, 356
GEFFARD, HENRI, Pineau-des-charentes, 802
GEIGER-KOENIG, Alsace sylvaner, 90
GELIN, DOM. PIERRE, Chambertin-clos-de-bèze, 484 • Gevrey-chambertin, 480
GENAUDIERES, DOM. DES, Muscadet-coteaux-de-la-loire, 934
GENDRON, DOM., Vouvray, 1022
GENELETTI, DOM., L'étoile, 703 • Macvin-du-jura, 705
GENERATIONS, DOM. DES, Morgon, 185
GENESTIERE, DOM. DE LA, Lirac, 1119 • Tavel, 1122
GENET, MICHEL, Champagne, 648
GENEVES, DOM. DES, Chablis premier cru, 463
GENIBON-BLANCHEREAU, CH., Côtes-de-bourg, 250
GENOT-BOULANGER, CH., Corton-charlemagne, 530 • Volnay, 549
GENOUILLY, CAVE DE, Bourgogne, 432 • Montagny, 596
GENOUX, DOM., Roussette-de-savoie, 715 • Vin-de-savoie, 710
GENTILE, DOM., Muscat-du-cap-corse, 853 • Patrimonio, 851
GEOFFRAY, DOM., Brouilly, 167
GEOFFRENET-MORVAL, DOM., Châteaumeillant AOVDQS, 1034
GEOFFROY, ALAIN, Chablis premier cru, 463
GEOFFROY, RENE, Coteaux-champenois, 687
GERBAIS, PIERRE, Champagne, 648
GERBEAUX, DOM. DES, Pouilly-fuissé, 610
GERBER FILS, A., Alsace pinot noir, 121
GERBET, DOM. FRANCOIS, Clos-de-vougeot, 500 • Echézeaux, 502 • Vosne-romanée, 505
GERFAUDRIE, DOM. DE LA, Anjou, 942 • Anjou-villages, 949
GERIN, JEAN-MICHEL, Condrieu, 1096 • Côte-rôtie, 1093
GERMAIN, GILBERT ET PHILIPPE, Bourgogne-hautes-côtes-de-beaune, 447 • Monthélie, 553
GERMAIN, Champagne, 648
GERMAIN PERE ET FILS, Beaune, 539 • Saint-romain, 556
GERMANIER, JEAN-RENE, Canton du Valais, 1206
GESLETS, DOM. DES, Saint-nicolas-de-bourgueil, 1001
GIACHINO, FREDERIC, Vin-de-savoie, 711
GIACOMETTI, DOM., Patrimonio, 851
GIBAULT, DOM., Touraine, 986
GIBOULOT, JEAN-MICHEL, Savigny-lès-beaune, 533
GIGAULT, CH., Premières-côtes-de-blaye, 243
GIGOGNAN, CH., Châteauneuf-du-pape, 1115 • Côtes-du-rhône, 1073
GILBERT, DOM., Menetou-salon, 1043
GILET, DOM., Vouvray, 1022
GILG, DOM. ARMAND, Alsace muscat, 102
GILLE, DOM. ANNE-MARIE, Bourgogne, 432 • Nuits-saint-georges, 512
GILLET, CH., Bordeaux, 207
GILLI, MAX, Bellet, 828

VINS

GILLON FRERES, DOM., Crémant-de-bourgogne, 451
GIMONNET, JEAN, Champagne, 648
GIMONNET ET FILS, PIERRE, Champagne, 649
GIMONNET-GONET, Champagne, 649
GIMONNET-OGER, Champagne, 649
GINESTE, DOM. DE, Gaillac, 864
GINESTET, MASCARON PAR, Bordeaux supérieur, 227
GINGLINGER, PAUL, Alsace pinot noir, 121
GINGLINGER-FIX, Alsace grand cru hatschbourg, 131 • Crémant-d'alsace, 145
GIRARD, DOM., Côtes-de-la-malepère AOVDQS, 768
GIRARD, DOM. JEAN-JACQUES, Savigny-lès-beaune, 533
GIRARD, DOM. PHILIPPE, Savigny-lès-beaune, 534
GIRARD ET FILS, DOM. MICHEL, Sancerre, 1057
GIRARDI, MICHEL ET STEPHANE, Bugey AOVDQS, 716
GIRARDIERE, DOM. DE LA, Touraine, 986
GIRARDIN, VINCENT, Chassagne-montrachet, 571 • Puligny-montrachet, 565
GIRARDIN, PATRICK, Crémant-de-bourgogne, 451 • Pommard, 545
GIRARDIN, DOM. VINCENT, Meursault, 561 • Santenay, 578
GIRARDRIE, DOM. DE LA, Saumur, 973
GIRASOLS, DOM. DES, Côtes-du-rhône, 1073
GIRAUDIERE, LA, Saumur, 973
GIROLATE, Bordeaux, 207
GIROUD, CAVE EDMOND, Canton du Valais, 1206
GIROUD, CAMILLE, Saint-romain, 557
GIROUX, DOM., Pouilly-fuissé, 610 • Pouilly-loché, 612
GISCOURS, CH., Margaux, 388
GISSELBRECHT, W., Alsace grand cru muenchberg, 135
GIUDICELLI, DOM., Muscat-du-cap-corse, 853 • Patrimonio, 851
GIVAUDIN, FRANCK, Irancy, 470
GIVIERGE, GERARD, Crémant-de-loire, 920
GLANA, CH. DU, Saint-julien, 406
GLANTENAY ET FILS, DOM. GEORGES, Bourgogne, 432
GLANTENET PERE ET FILS, DOM., Bourgogne-hautes-côtes-de-nuits, 443
GLAUGES, PETALES DE, Coteaux-d'aix-en-provence, 836
GLEON MONTANIE, CH., Corbières, 727
GLORIA, CH., Saint-julien, 406
GOBET, DAVID, Beaujolais-villages, 163
GOBET, Brouilly, 167
GOBILLARD, GERVAIS, Champagne, 649
GOBILLARD, PAUL, Champagne, 649
GOBILLARD, PIERRE, Champagne, 649
GOBILLARD ET FILS, J.-M., Champagne, 649
GOCKER, Alsace grand cru mandelberg, 134
GODARD BELLEVUE, CH., Bordeaux-côtes-de-francs, 327
GODEAU, CH., Saint-émilion grand cru, 294
GODEFROY, DOM., Saint-nicolas-de-bourgueil, 1002
GODME PERE ET FILS, Champagne, 650
GOERG, PAUL, Champagne, 650
GOETZ, MATHIEU, Alsace tokay-pinot-gris, 115
GOICHOT, ANDRE, Chassagne-montrachet, 571
GOIGOUX, P., Côtes-d'auvergne AOVDQS, 1035
GOISOT, DOM. ANNE ET ARNAUD, Bourgogne, 432 • Bourgogne-aligoté, 439
GOISOT, GHISLAINE ET JEAN-HUGUES, Bourgogne, 432 • Bourgogne-aligoté, 439 • Irancy, 470 • Saint-bris, 471
GOMBAUDE-GUILLOT, CH., Pomerol, 267
GOMERIE, CH. LA, Saint-émilion grand cru, 294
GONET-SULCOVA, Champagne, 650
GONNET, CHARLES, Vin-de-savoie, 711
GONON, PIERRE, Saint-joseph, 1098
GONOT, CHRISTOPHE, Givry, 594
GONTEY, CH., Saint-émilion grand cru, 295
GORCE, CH. LA, Médoc, 365
GORDONNE, CH. LA, Côtes-de-provence, 815
GORNY, DOM. VINCENT, Côtes-de-toul, 148
GOSSET, Champagne, 650
GOSSET-BRABANT, Champagne, 650
GOUBARD ET FILS, DOM. MICHEL, Bourgogne-côte-chalonnaise, 584 • Givry, 594
GOUDICHAUD, CH., Graves-de-vayres, 333
GOUFFIER, DOM., Crémant-de-bourgogne, 451
GOUILLON, DOM., Beaujolais-villages, 163
GOULARD, J.-M., Champagne, 650
GOULLEY ET FILS, DOM. JEAN, Chablis, 458 • Chablis premier cru, 463
GOUPIL, DOM., Anjou, 942 • Saumur, 973
GOURDOU, MAS, Coteaux-du-languedoc, 743
GOURGAZAUD, DOM. DE, Oc, 1161
GOURMET, GRANDE TRADITION, Bordeaux, 207
GOURNIER, DOM. DE, Cévennes, 1153
GOURON, DOM., Chinon, 1007
GOURRAN, CH., Premières-côtes-de-bordeaux, 337
GOUSSARD ET DAUPHIN, Champagne, 650
GOUTORBE, Champagne, 651
GOUTTE D'OR, Crépy, 708
GOYON, DOM. JEAN, Pouilly-fuissé, 610
GRABIEOU, DOM. DE, Pacherenc-du-vic-bilh, 886
GRACE DIEU DES PRIEURS, CH. LA, Saint-émilion grand cru, 295
GRACE DIEU LES MENUTS, CH. LA, Saint-émilion grand cru, 295
GRAGNOS, CH., Saint-chinian, 764
GRAIN SAUVAGE, Jurançon sec, 881
GRAINS ELECTIO, Côtes-du-ventoux, 1129
GRALL, VINCENT, Sancerre, 1057
GRANAJOLO, DOM. DE, Corse ou vins-de-corse, 846
GRAND ABORD, CH., Graves, 346
GRAND ARC, DOM. DU, Corbières, 727
GRAND BARAIL, CH., Fronsac, 260 • Montagne-saint-émilion, 314
GRAND BARIL, CH., Montagne-saint-émilion, 314
GRAND BARRAIL, CH., Côtes-de-castillon, 323
GRAND BERT, CH., Saint-émilion, 280 • Saint-émilion grand cru, 295
GRAND BERTIN DE SAINT CLAIR, CH., Médoc, 366
GRAND BIREAU, CH., Bordeaux, 208
GRAND BOS, CH. DU, Graves, 346
GRAND BOUQUETEAU, DOM. DU, Chinon, 1007
GRAND-BOURJASSOT, DOM. DU, Gigondas, 1107
GRAND CAPITOUL, Lavilledieu AOVDQS, 873
GRAND CHEMIN, CH. LE, Bordeaux, 208 • Bordeaux supérieur, 227
GRAND CLOS, DOM. DU, Bourgueil, 996
GRAND CORBIN, CH., Saint-émilion grand cru, 295
GRAND CORBIN-DESPAGNE, CH., Saint-émilion grand cru, 295
GRAND'COTE, CH., Côtes-du-marmandais, 874
GRAND COTE, DOM. DU, Palette, 833
GRAND CRES, DOM. DU, Corbières, 727
GRAND CROS, LE, Côtes-de-provence, 815

GRANDE BARDE, CH. LA, Montagne-saint-émilion, 314
GRANDE BORIE, CH. LA, Bergerac, 890
GRANDE FOUCAUDIERE, DOM. DE LA, Touraine-amboise, 992
GRANDE MAISON, Monbazillac, 902
GRAND ENCLOS DU CHATEAU DE CERONS, Graves, 346
GRANDE PALLIERE, DOM. DE LA, Côtes-de-provence, 815
GRANDES BASTIDES, Gigondas, 1107
GRANDES COSTES, DOM. LES, Coteaux-du-languedoc, 743
GRANDES MURAILLES, CH. LES, Saint-émilion grand cru, 295
GRANDES NOELLES, CH. DES, Muscadet-sèvre-et-maine, 929
GRANDES PERRIERES, DOM. DES, Sancerre, 1057
GRANDES SERRES, LES, Gigondas, 1107
GRANDES VERSANNES, Bordeaux rosé, 220
GRANDES VIGNES, DOM. LES, Anjou, 942 • Anjou-villages, 949 • Bonnezeaux, 970 • Coteaux-du-layon, 964
GRANDES VIGNES, CH. DES, Bordeaux, 208
GRAND FERRAND, CH. DU, Bordeaux, 208 • Bordeaux sec, 215
GRAND FIEF DE BELLEVUE, Muscadet-côtes-de-grand-lieu, 933
GRAND FIEF DE L'AUDIGERE, Muscadet-sèvre-et-maine, 929
GRAND FONTANILLE, DOM. DU, Bouches-du-Rhône, 1167
GRAND FRERES, DOM., Château-chalon, 695 • Côtes-du-jura, 698 • Macvin-du-jura, 705
GRAND JAURE, DOM. DU, Pécharmant, 906
GRAND-JEAN, CH., Bordeaux supérieur, 227
GRAND LAFONT, DOM., Haut-médoc, 378
GRAND LUBERON, Côtes-du-luberon, 1133
GRAND'MAISON, LES VIGNERONS DE LA, Orléans-cléry AOVDQS, 1030
GRAND MAYNE, DOM. DU, Côtes-de-duras, 909
GRAND MAYNE, CH., Saint-émilion grand cru, 295
GRAND MONTET, CH., Sainte-foy-bordeaux, 335
GRAND MOULIN, CH. LE, Premières-côtes-de-blaye, 243
GRAND MOULINET, CH., Pomerol, 268
GRAND ORMEAU, CH., Lalande-de-pomerol, 274
GRAND PAROISSIEN, LE, Haut-médoc, 378
GRAND PEYROT, CH., Sainte-croix-du-mont, 412
GRAND PEYRUCHET, CH., Loupiac, 410
GRAND PLACE, CH., Bergerac rosé, 894
GRAND PLANTIER, CH. DU, Bordeaux rosé, 220 • Loupiac, 410
GRAND POIRIER, DOM. DU, Muscadet-côtes-de-grand-lieu, 933
GRAND-PONTET, CH., Saint-émilion grand cru, 296
GRANDPRE, DOM. DE, Côtes-de-provence, 815
GRAND PRE, DOM. DU, Mâcon-villages, 602 • Pouilly-fuissé, 610
GRAND PRE, DOM. DE, Nouvelle-Ecosse, 1185
GRAND-PUY DUCASSE, CH., Pauillac, 396
GRAND-PUY-LACOSTE, CH., Pauillac, 396
GRAND RAIE, DOM. DE LA, Côte-de-brouilly, 169
GRAND RENOUIL, CH., Canon-fronsac, 257
GRAND'RIBE, DOM. DE LA, Côtes-du-rhône, 1073
GRAND ROMANE, DOM., Gigondas, 1107
GRAND ROSIERES, DOM. DU, Quincy, 1050
GRANDS BOIS, DOM. LES, Côtes-du-rhône-villages, 1086
GRANDS CHENES, CH. LES, Médoc, 366
GRANDS CRUS BLANCS, CAVE DES, Mâcon-villages, 602 • Pouilly-loché, 612 • Pouilly-vinzelles, 613
GRANDS-DEVERS, DOM. DES, Côtes-du-rhône, 1073
GRAND SELVE, DOM. DE, Saint-Sardos, 1152
GRANDS ESCLANS, DOM. DES, Côtes-de-provence, 815
GRAND SEUIL, CH., Coteaux-d'aix-en-provence, 836
GRANDS PRESBYTERES, LES, Muscadet-sèvre-et-maine, 929
GRAND TALANCE, CH. DU, Beaujolais, 158
GRAND TINEL, DOM. DU, Châteauneuf-du-pape, 1115
GRAND TRIE, CH. LE, Premières-côtes-de-blaye, 243
GRAND TUILLAC, CH., Côtes-de-castillon, 323
GRAND VALLAT, DOM. LE, Côtes-du-ventoux, 1129
GRAND VENEUR, DOM., Châteauneuf-du-pape, 1115 • Côtes-du-rhône, 1073 • Côtes-du-rhône-villages, 1086
GRAND VERDUS, CH. LE, Bordeaux supérieur, 227
GRAND VERNAY, CH. DU, Côte-de-brouilly, 169
GRAND'VIGNE, LA, Coteaux-varois, 841
GRANGE ARTHUIS, DOM. DE LA, Coteaux-du-giennois, 1038
GRANGE BLANCHE, MAS, Côtes-du-rhône, 1073
GRANGE BLANCHE, DOM., Côtes-du-rhône-villages, 1086
GRANGE CANOZ, DOM., Arbois, 692
GRANGE GRILLARD, DOM. DE, Arbois, 692
GRANGE-MENARD, DOM. DE LA, Beaujolais, 158
GRANGENEUVE, DOM. DE, Coteaux-du-tricastin, 1126
GRANGER, PASCAL, Chénas, 171
GRANGERE, CH. LA, Saint-émilion grand cru, 296
GRANGERIE, DOM. DE LA, Bourgogne-passetoutgrain, 441
GRANGETTE, DOM. LA, Coteaux-du-languedoc, 743 • Côtes de Thau, 1155
GRANGEY, CH., Saint-émilion grand cru, 296
GRANGIER, ROLAND, Saint-joseph, 1099
GRANIER, MAS, Coteaux-du-languedoc, 743
GRANINS GRAND POUJEAUX, CH., Moulis-en-médoc, 393
GRANIT, DOM. DU, Moulin-à-vent, 189
GRANOUPIAC, DOM. DE, Coteaux-du-languedoc, 743
GRANZANY PERE ET FILS, Champagne, 651
GRAPPE DE GURSON, LA, Bergerac sec, 895
GRAS, ALAIN, Saint-romain, 557
GRATIEN, ALFRED, Champagne, 651
GRATIEN, CH., Saumur-champigny, 979
GRATIEN ET MEYER, Crémant-de-loire, 921 • Saumur, 973
GRAUZILS, CH. LES, Cahors, 858
GRAVALLON LATHUILIERE, DOM., Chiroubles, 173
GRAVE, CH. LA, Bordeaux, 208 • Fronsac, 260
GRAVE, DOM. DE LA, Bordeaux supérieur, 227
GRAVE, CH. DE LA, Côtes-de-bourg, 250
GRAVE, DOM. LA, Hauts de Badens, 1157
GRAVE A POMEROL, CH. LA, Pomerol, 268
GRAVELIERE, CH. DE LA, Graves, 346
GRAVERE, CRU DE, Sainte-croix-du-mont, 412
GRAVES, DOM. DES, Canton de Genève, 1213
GRAVES, CH. LES, Premières-côtes-de-blaye, 243
GRAVES D'ARDONNEAU, DOM. DES, Premières-côtes-de-blaye, 243
GRAVES DE LOIRAC, CH. LES, Médoc, 366
GRAVES DE VIAUD, CH. LES, Côtes-de-bourg, 250

VINS

GRAVES DU TICH, CH. DES, Sainte-croix-du-mont, 412
GRAVET, CH., Saint-émilion grand cru, 296
GRAVET-RENAISSANCE, CH., Saint-émilion grand cru, 296
GRAVETTE, CH. LA, Côtes-du-marmandais, 874
GRAVETTE DES LUCQUES, CH. LA, Bordeaux supérieur, 227
GRAVETTES-SAMONAC, CH., Côtes-de-bourg, 250
GRAVEUM, Graves, 346
GRAVIERE, CH. LA, Lalande-de-pomerol, 274
GRAVIERES, CH. LES, Saint-émilion grand cru, 296
GRAVIERS, QUINTESSENCE DU CHATEAU DES, Margaux, 388
GRAVIERS, DOM. DES, Saint-nicolas-de-bourgueil, 1002
GRAVILLOT, CH. LE, Lalande-de-pomerol, 274
GRAVIS, LE, Lot, 1152
GREBET PERE ET FILS, Pouilly-fumé, 1047
GREFFE, C., Vouvray, 1022
GREFFIERE, CH. DE LA, Saint-véran, 616
GRENELLE, MILLESIME DE, Saumur, 973
GRENETIER, FLORENCE ET BENOIT, Muscadet-sèvre-et-maine, 929
GRES SAINT-PAUL, CH., Coteaux-du-languedoc, 743 • Muscat-de-lunel, 769
GRESSER, ANDRE ET REMY, Alsace grand cru kastelberg, 132 • Alsace grand cru moenchberg, 134
GREYSAC, CH., Médoc, 366
GREZAN, CH., Faugères, 753
GRIFFE, Bourgogne-aligoté, 439 • Irancy, 470
GRILLE, CH. DE LA, Chinon, 1007
GRILLET-BEAUSEJOUR, CH., Blaye, 238
GRILLETTE, Canton de Neuchâtel, 1215
GRILLON, CH. LE, Bordeaux supérieur, 227
GRILLON, CH., Sauternes, 416
GRILLOT, DOM. DE, Chablis, 458 • Petit-chablis, 454
GRIMARD, CH. LES, Montravel, 904
GRIMONT, CH., Premières-côtes-de-bordeaux, 337
GRINOU, CH., Bergerac, 890 • Bergerac sec, 896
GRIOCHE, VIGNOBLE DE LA, Bourgueil, 996
GRIPA, DOM. BERNARD, Saint-joseph, 1099 • Saint-péray, 1105
GRISONI, DOM., Canton de Neuchâtel, 1215
GRIVAULT, ALBERT, Bourgogne, 432 • Meursault, 561
GRIVIERE, CH., Médoc, 366
GROFFIER PERE ET FILS, DOM. ROBERT, Bonnes-mares, 498 • Chambolle-musigny, 496 • Gevrey-chambertin, 480
GROGNUZ FRERES ET FILS, Canton de Vaud, 1201
GROLET, CH. LA, Côtes-de-bourg, 250
GROLLAY, DOM. DU, Saint-nicolas-de-bourgueil, 1002
GRONGNET, Champagne, 651
GROS, DOM. A.-F., Beaune, 540 • Echézeaux, 503 • Pommard, 545 • Richebourg, 508 • Vosne-romanée, 505
GROS, DOM. ANNE, Bourgogne, 432 • Bourgogne-hautes-côtes-de-nuits, 443
GROS, DOM. MICHEL, Bourgogne-hautes-côtes-de-nuits, 443 • Chambolle-musigny, 496 • Clos-de-vougeot, 500 • Nuits-saint-georges, 512 • Vosne-romanée, 505
GROSBOIS, VIGNOBLE, Chinon, 1008
GROSBOT-BARBARA, DOM., Saint-pourçain AOVDQS, 1040
GROS CAILLOU, L'EXCELLENCE DE, Saint-émilion grand cru, 296
GROSEILLER, DOM. DU, Moulin-à-vent, 189
GROS FRERE ET SŒUR, DOM., Bourgogne-hautes-côtes-de-nuits, 443 • Echézeaux, 503 • Richebourg, 508 • Vosne-romanée, 505
GROS'NORE, DOM. DU, Bandol, 829
GROS PATA, DOM. DU, Côtes-du-rhône, 1074 • Côtes-du-rhône-villages, 1086
GROSS, HENRI, Alsace gewurztraminer, 107 • Alsace grand cru goldert, 130
GROSSE PIERRE, DOM. DE LA, Chiroubles, 173
GROSSET, SERGE, Chaume, 969
GROSSET, DOM., Côtes-du-rhône-villages, 1086
GROSSOMBRE, CH., Entre-deux-mers, 331
GROSSOT, JEAN-PIERRE, Chablis premier cru, 463
GRUAUD LAROSE, CH., Saint-julien, 406
GRUET, Champagne, 651
GRUET ET FILS, G., Champagne, 651
GRUSS ET FILS, JOSEPH, Crémant-d'alsace, 146
GRY-SABLON, DOM. DE, Fleurie, 176
GSELL, HENRI, Alsace gewurztraminer, 107
GSELL, Alsace tokay-pinot-gris, 115
GUENEAU, ALAIN, Sancerre, 1057
GUERCHES, CH. DES, Muscadet-sèvre-et-maine, 929
GUERIN, THIERRY, Saint-véran, 616
GUERITE, LA, Canton du Valais, 1206
GUERRE ET FILS, P., Champagne, 651
GUERRIN, NADINE ET MAURICE, Pouilly-fuissé, 610 • Saint-véran, 616
GUERRY, CH., Côtes-de-bourg, 251
GUERTIN BRUNET, DOM., Vouvray, 1022
GUETH, JEAN-CLAUDE, Alsace pinot ou klevner, 91
GUETTOTTES, DOM. LES, Savigny-lès-beaune, 534
GUEUGNON-REMOND, DOM., Saint-véran, 616
GUGES, CH., Haut-médoc, 378
GUIBERTEAU, DOM., Saumur, 973
GUIBON, CH., Entre-deux-mers, 331
GUIBOT, CH., Puisseguin-saint-émilion, 317
GUICHE, CH. DE LA, Montagny, 596
GUILHEM, CH., Côtes-de-la-malepère AOVDQS, 768
GUILHEM DE MALACOSTE, CUVEE, Corbières, 728
GUILLARD, S.C., Gevrey-chambertin, 480
GUILLAU, DOM. DE, Coteaux-du-quercy AOVDQS, 861
GUILLAUME, VIGNOBLE, Franche-Comté, 1180
GUILLAUMETTE, CH. LA, Bordeaux, 208
GUILLEMAIN, JEAN-SYLVAIN, Reuilly, 1052
GUILLEMARD-CLERC, Bienvenues-bâtard-montrachet, 569
GUILLEMARINE, DOM., Coteaux-du-languedoc, 743
GUILLEMOT, DOM. PIERRE, Bourgogne, 432 • Savigny-lès-beaune, 534
GUILLON, JEAN-MICHEL, Clos-de-vougeot, 500 • Gevrey-chambertin, 480 • Mazis-chambertin, 488 • Morey-saint-denis, 490
GUILLON-PAINTURAUD, Pineau-des-charentes, 802
GUILLOT, CH., Bordeaux supérieur, 227
GUILLOT, DOM. PATRICK, Mercurey, 591
GUILLOTERIE, DOM. DE LA, Saumur-champigny, 979
GUINAND, DOM., Coteaux-du-languedoc, 743
GUINCHULE, DOM. DE LA, Pouilly-loché, 613
GUINDON, DOM., Muscadet-coteaux-de-la-loire, 934
GUINGUETTE, DOM. DE LA, Côtes-de-provence, 815
GUINOT, IMPERIAL, Crémant-de-limoux, 723
GUIONNE, CH., Côtes-de-bourg, 251
GUIOT, CH., Costières-de-nîmes, 734
GUIRAUD, CH., Sauternes, 417
GUISTEL, ROMAIN, Champagne, 652

GUITARD, VIGNOBLE CHARLES, Oc, 1161
GUITERONDE DU HAYOT, CH., Sauternes, 417
GUITIGNAN, CH., Moulis-en-médoc, 393
GUITON, DOM. JEAN, Ladoix, 519
GUITTON-MICHEL, DOM., Chablis grand cru, 468
GURGUE, CH. LA, Margaux, 388
GUYARD, ALAIN, Marsannay, 473 • Vosne-romanée, 506
GUYON, DOM. ANTONIN, Chambolle-musigny, 496 • Corton, 528 • Corton-charlemagne, 530 • Gevrey-chambertin, 481 • Pernand-vergelesses, 525 • Volnay, 550
GUYON, DOM., Chorey-lès-beaune, 536 • Nuits-saint-georges, 512
GUYOT, OLIVIER, Bourgogne, 432 • Gevrey-chambertin, 481 • Marsannay, 473

H

HA, EQUUS DU, Haut-médoc, 378
HAAG, JEAN-MARIE, Alsace grand cru zinnkoepflé, 144
HAAG ET FILS, DOM. ROBERT, Alsace riesling, 96
HABERT, JEAN-PAUL, Montlouis-sur-loire, 1016
HABSIGER, Alsace gewurztraminer, 107 • Crémant-d'alsace, 146
HAEFFELIN ET FILS, JEAN-PAUL, Alsace pinot ou klevner, 91
HAEFFELIN ET FILS, DOM. HENRI, Alsace tokay-pinot-gris, 115
HAEGELIN, BERNARD, Alsace gewurztraminer, 107
HAEGELIN ET SES FILLES, MATERNE, Alsace muscat, 102
HAEGI, DOM., Alsace muscat, 102
HAGER, DOM. PIERRE, Alsace riesling, 96
HAMELIN, DOM., Chablis, 458
HAMELIN, THIERRY, Chablis premier cru, 464
HAMM, Champagne, 652
HANSMANN, Crémant-d'alsace, 146
HANTEILLAN, CH., Haut-médoc, 378
HARDONNIERE, DOM. DE LA, Muscadet-sèvre-et-maine, 929
HARGUE, CH. LA, Bordeaux, 208
HARLIN, Champagne, 652
HARLIN PERE ET FILS, Champagne, 652
HARMAND-GEOFFROY, DOM., Gevrey-chambertin, 481 • Mazis-chambertin, 488
HARMONIE D'UNE NUIT, Oc, 1161
HARTMANN, ANDRE, Alsace pinot noir, 121
HARTMANN, DOM. ALICE, Moselle luxembourgeoise, 1192
HARTWEG, JEAN-PAUL ET FRANK, Alsace pinot noir, 121
HATON, JEAN-NOEL, Champagne, 652
HATON ET FILS, Champagne, 652
HATTE, LUDOVIC, Champagne, 652
HAUCHAT LA ROSE, CH., Fronsac, 260
HAULLER, LOUIS, Alsace pinot noir, 121
HAURA, CH., Cérons, 413
HAURET-LALANDE, DOM. DU, Cérons, 413 • Graves, 346
HAUT-BACALAN, CH., Pessac-léognan, 356
HAUT-BADETTE, CH., Saint-émilion grand cru, 296
HAUT BAGES LIBERAL, CH., Pauillac, 396
HAUT-BAILLY, CH., Pessac-léognan, 356
HAUT-BAJAC, CH., Côtes-de-bourg, 251
HAUT-BALIRAC, CH., Médoc, 366
HAUT-BARON, Floc-de-gascogne, 912
HAUT BARRAIL, CH., Médoc, 366
HAUT-BATAILLEY, CH., Pauillac, 396
HAUT-BEAUSEJOUR, CH., Saint-estèphe, 401
HAUT-BERGERON, CH., Sauternes, 417
HAUT-BERGEY, CH., Pessac-léognan, 356
HAUT BERNASSE, CH., Bergerac sec, 896
HAUT-BERNAT, CH., Puisseguin-saint-émilion, 317
HAUT-BERNON, CH., Puisseguin-saint-émilion, 318
HAUT BEYZAC, CH., Haut-médoc, 378
HAUT BLAGNAC, Bordeaux, 208
HAUT-BLAIGNAN, CH., Médoc, 366
HAUT BOMMES, CH., Sauternes, 417
HAUT-BONNEAU, CH., Montagne-saint-émilion, 314
HAUT-BOURCIER, CH., Premières-côtes-de-blaye, 243
HAUT BOURG, DOM. DU, Muscadet-côtes-de-grand-lieu, 933
HAUT-BRANA, CH., Premières-côtes-de-bordeaux, 337
HAUT-BRION, CH., Pessac-léognan, 356 • Pessac-léognan, 357
HAUT-BRION, LES PLANTIERS DU, Pessac-léognan, 357
HAUT-BRISSON, CH., Saint-émilion grand cru, 297
HAUT BRONDEAU, CH., Graves-de-vayres, 333
HAUT-CALENS, CH., Graves, 347
HAUT-CANTELOUP, CH., Médoc, 367 • Premières-côtes-de-blaye, 243
HAUT-CARLES, Fronsac, 260
HAUT-CASTENET, CH., Bordeaux, 208
HAUT-CHAIGNEAU, CH., Lalande-de-pomerol, 274
HAUT-CHATAIN, CH., Lalande-de-pomerol, 274
HAUT-COLOMBIER, CH., Blaye, 238
HAUT CONDISSAS, CH., Médoc, 367
HAUT-CORBIN, CH., Saint-émilion grand cru, 297
HAUT-COUTELIN, CH., Saint-estèphe, 401
HAUT DE BRIAILLES, DOM., Saint-pourçain AOVDQS, 1040
HAUT DE LA GARDIERE, Saint-nicolas-de-bourgueil, 1002
HAUT DU PEYRAT, CH., Premières-côtes-de-blaye, 244
HAUTE-BORIE, CH., Cahors, 858
HAUTE BORNE, DOM. DE LA, Vouvray, 1022
HAUTE BRANDE, CH., Bordeaux, 209
HAUTE CARTE, Tursan AOVDQS, 888
HAUTE CLAYMORE, CH. LA, Lussac-saint-émilion, 310
HAUTE-COUR, DOM. DE, Canton de Vaud, 1201
HAUTE FAUCHERIE, CH., Montagne-saint-émilion, 314
HAUTE-FONROUSSE, CH., Monbazillac, 902
HAUTE-PERCHE, DOM. DE, Anjou, 942 • Anjou-gamay, 947 • Anjou-villages-brissac, 952 • Coteaux-de-l'aubance, 957
HAUTERIVE, CH. DE, Cahors, 858
HAUTERIVE LE VIEUX, CH., Corbières, 728
HAUTES-BRIGUIERES, DOM. LES, Côtes-du-ventoux, 1129 • Vaucluse, 1175
HAUTES CANCES, DOM. LES, Côtes-du-rhône, 1074 • Côtes-du-rhône-villages, 1086
HAUTES-CORNIERES, DOM. DES, Aloxe-corton, 522 • Chassagne-montrachet, 571 • Santenay, 578
HAUTES-COTES, LES CAVES DES, Crémant-de-bourgogne, 451
HAUTES COTTIERES, DOM. DES, Muscadet-sèvre-et-maine, 929
HAUTES NOELLES, DOM. LES, Jardin de la France, 1142
HAUTES NOELLES, DOM. DES, Muscadet-sèvre-et-maine, 929

VINS

HAUTES OUCHES, DOM. DES, Jardin de la France, 1143
HAUTES VIGNES, CAVE DES, Hautes-Alpes, 1169
HAUTE TERRASSE, CH., Côtes-de-castillon, 323
HAUT-FONGRIVE, CH., Bergerac rosé, 894
HAUT-FRANQUET, CH., Moulis-en-médoc, 393
HAUT FRESNE, DOM. DU, Muscadet-coteaux-de-la-loire, 934
HAUT-GARRIGA, CH., Bordeaux rosé, 220 • Entre-deux-mers, 331
HAUT GAUDIN, CH., Premières-côtes-de-bordeaux, 337
HAUT-GAYAT, CH., Graves-de-vayres, 333
HAUT-GAZEAU, CH., Lussac-saint-émilion, 310
HAUT-GLEON, CH., Corbières, 728
HAUT-GOUJON, CH., Lalande-de-pomerol, 275
HAUT-GRAMONS, CH., Graves, 347
HAUT-GRAVET, CH., Saint-émilion grand cru, 297
HAUT GROS CAILLOU, CH., Saint-émilion grand cru, 297
HAUT GUERIN, CH. DU, Premières-côtes-de-blaye, 244
HAUT GUILLEBOT, CH., Entre-deux-mers, 331
HAUT-GUIRAUD, CH., Côtes-de-bourg, 251
HAUT LA GRACE DIEU, CH., Saint-émilion grand cru, 297
HAUT LAMOUTHE, CH., Bergerac, 890
HAUT LA PEREYRE, CH., Bordeaux, 209 • Premières-côtes-de-bordeaux, 338
HAUT-LAPLAGNE, CH., Puisseguin-saint-émilion, 318
HAUT LAULAN, CH., Bordeaux-côtes-de-francs, 327
HAUT LEZIN, CH., Bordeaux supérieur, 227
HAUT LIGNIERES, CH., Faugères, 753
HAUT-MACO, CH., Côtes-de-bourg, 251
HAUT MALLET, CH., Bordeaux supérieur, 228
HAUT-MARBUZET, CH., Saint-estèphe, 402
HAUT-MARCHAND, CH., Bordeaux, 209
HAUT-MAURAC, CH., Médoc, 367
HAUT MAURIN, CH., Premières-côtes-de-bordeaux, 338
HAUT-MAYNE, CH., Graves, 347
HAUT-MAZERIS, CH., Canon-fronsac, 257
HAUT-MONDESIR, Côtes-de-bourg, 251
HAUT-MONGEAT, CH., Bordeaux clairet, 213
HAUT MONPLAISIR, CH., Cahors, 858
HAUT-MONTIL, CH., Saint-émilion grand cru, 297
HAUT-MONTLONG, Côtes-de-bergerac, 898
HAUT-MOUSSEAU, CH., Côtes-de-bourg, 251
HAUT-MUSSET, CH., Lalande-de-pomerol, 275
HAUT NADEAU, CH., Bordeaux supérieur, 228 • Entre-deux-mers, 331
HAUT PELLETAN, CH., Bordeaux, 209
HAUT PEZAUD, CH. DU, Monbazillac, 902
HAUT-PIQUAT, CH., Lussac-saint-émilion, 310
HAUT-POITOU, CAVE DU, Haut-poitou AOVDQS, 798
HAUT-PONCIE, DOM. DU, Fleurie, 176
HAUT-POURRET, CH., Saint-émilion grand cru, 297
HAUT-RENAISSANCE, Saint-émilion, 280
HAUT ROCHER, CH., Saint-émilion grand cru, 297
HAUT-ROUSSET, CH., Côtes-de-bourg, 251
HAUT-ROZIER, CH., Bordeaux-côtes-de-francs, 327
HAUT-SAINT-GEORGES, CH., Saint-georges-saint-émilion, 319
HAUT SAINT-MARTIN, CH., Bordeaux, 209
HAUT-SARPE, CH., Saint-émilion grand cru, 298
HAUTS-CLOS CASLOT, LES, Saint-nicolas-de-bourgueil, 1002
HAUTS-CONSEILLANTS, CH. LES, Lalande-de-pomerol, 275
HAUTS D'AGLAN, CH. LES, Cahors, 859
HAUTS DE BERGELLE, LES, Côtes-de-saint-mont AOVDQS, 887
HAUTS DE CAILLEVEL, CH. LES, Côtes-de-bergerac, 898
HAUTS DE LENERAC, LES, Faugères, 753
HAUTS DE SANZIERS, LES, Saumur, 974
HAUT SELVE, CH., Graves, 347
HAUTS-MOUREAUX, CH., Saint-émilion, 280
HAUT-SURGET, CH., Lalande-de-pomerol, 275
HAUT-THEULET, CH., Monbazillac, 902
HAUT TROQUART LA GRACE DIEU, CH., Saint-émilion grand cru, 298
HAWTHORNE MOUTAIN VINEYARDS, Colombie-Britannique, 1184
HAYE, CH. LA, Saint-estèphe, 402
HEBRART, MARC, Champagne, 653
HECHAC, DOM. D', Madiran, 884
HECHT & BANNIER, Faugères, 753
HEIDSIECK, CHARLES, Champagne, 653
HEIDSIECK & CO MONOPOLE, Champagne, 653
HEIM, Crémant-d'alsace, 146
HEIMBOURGER, DOM., Irancy, 470
HEITZ, PH., Alsace pinot noir, 121
HENRI, LES VIEILLES VIGNES D', Chablis premier cru, 464
HENRIET-BAZIN, D., Champagne, 653
HENRIOT, Champagne, 653
HENRY DE FRANCE, CH., Premières-côtes-de-bordeaux, 338
HENRY FRERES, Bourgogne, 433
HENRY OF PELHAM, Ontario, 1186
HERAULT, DOM., Chinon, 1008
HERBAUGES, DOM., Jardin de la France, 1143
HERBERT, DIDIER, Champagne, 653 • Coteaux-champenois, 688
HERBES BLANCHES, DOM. LES, Côtes-du-ventoux, 1129
HERESZTYN, DOM., Chambolle-musigny, 496 • Clos-saint-denis, 493 • Gevrey-chambertin, 481 • Morey-saint-denis, 490
HERING, DOM., Alsace grand cru kirchberg-de-Barr, 133
HERITIER DE CLOS NORMANDIN, L', Bordeaux supérieur, 228
HERITIERES, DOM. DES, Petit-chablis, 455
HERITIERS PLANTIN DE MONREDON, Château-neuf-du-pape, 1116
HERMINETTE, DOM. DE L', Morgon, 185
HERMITAGE, DOM. DE L', Bandol, 829
HERMITAGE SAINT-MARTIN, CH., Côtes-de-provence, 815
HERRICK, Oc, 1161
HERTZ, VICTOR, Alsace gewurztraminer, 107
HERTZOG, SYLVAIN, Alsace tokay-pinot-gris, 115
HERZOG, EMILE, Alsace grand cru brand, 126
HEUCQ PERE ET FILS, Champagne, 654
HEYBERGER, ROGER, Alsace tokay-pinot-gris, 115
HIRTZ ET FILS, JEAN, Alsace pinot noir, 121
HOMMAGE AU FONDATEUR, Corse ou vins-de-corse, 846
HORCHER, Alsace riesling, 96
HORIOT, OLIVIER, Coteaux-champenois, 688 • Rosé-des-riceys, 689
HORTALA, DOM., Coteaux-du-languedoc, 743
HOSPICE D'AUGE, Les baux-de-provence, 838
HOSPICES DE BEAUJEU, Régnié, 192

HOSPICES DE CANET-EN-ROUSSILLON, DOM. DES, Côtes-du-roussillon, 775 • Muscat-de-rivesaltes, 792
HOSPITAL, CH. L', Côtes-de-bourg, 252
HOSPITAL, CH. DE L', Graves, 347
HOSPITALET, CH. L', Coteaux-du-languedoc, 744
HOSPITALIERS, DOM. DES, Oc, 1161
HOSTE BLANC, CH. DE L', Bordeaux supérieur, 228
HOSTENS-PICANT, CH., Sainte-foy-bordeaux, 335
HOSTOMME ET SES FILS, M., Champagne, 654
HOUBLIN, JEAN-LUC, Bourgogne, 433
HOURBANON, CH., Médoc, 367
HOURCADE, CH. LA, Médoc, 367
HOURS, CHARLES, Jurançon, 879
HOURTETS, CH. DES, Gaillac, 865
HOUSSAIS, DOM. DE LA, Gros-plant AOVDQS, 935
HOUX, ALAIN ET ARNAUD, Bourgueil, 997
HUARDS, DOM. DES, Cheverny, 1027 • Cour-cheverny, 1029
HUBER-VERDEREAU, DOM., Pommard, 545 • Volnay, 550
HUDELOT, DOM. PATRICK, Bourgogne-hautes-côtes-de-nuits, 444
HUDELOT-BAILLET, DOM. JOEL, Chambolle-musigny, 496
HUDELOT-NOELLAT, ALAIN, Chambolle-musigny, 496 • Clos-de-vougeot, 500 • Vosne-romanée, 506
HUEBER, Alsace gewurztraminer, 107
HUET, LAURENT, Mâcon-villages, 603 • Viré-clessé, 607
HUGON, CH., Pécharmant, 906
HUGUENOT PERE ET FILS, DOM., Charmes-chambertin, 486 • Marsannay, 473
HUGUES, CH. D', Côtes-du-rhône, 1074
HUGUES, CH. DES, Saint-chinian, 764
HUMBERT FRERES, DOM., Charmes-chambertin, 486 • Gevrey-chambertin, 481
HUMBRECHT, CLAUDE ET GEORGES, Alsace grand cru goldert, 130 • Alsace riesling, 97
HUMBRECHT, BERNARD, Alsace riesling, 97
HUNAWIHR, CAVE VINICOLE DE, Alsace grand cru rosacker, 138 • Alsace grand cru schoenenbourg, 139
HUNOLD, Alsace gewurztraminer, 107
HUREAU, CH. DU, Saumur, 974 • Saumur-champigny, 979
HURLEVENT, Canton du Valais, 1206
HURST, ARMAND, Alsace grand cru brand, 126 • Alsace pinot noir, 121
HUTASSE ET FILS, F., Champagne, 654
HUTEAU-HALLEREAU, Jardin de la France, 1143
HUTINS, LES, Canton de Genève, 1213

I

ICARD, CH., Coteaux-du-languedoc, 744
IFS, CH. LES, Cahors, 859
IGE, LES VIGNERONS D', Mâcon-villages, 603
ILARRIA, DOM., Irouléguy, 878
ILE MARGAUX, DOM. DE L', Bordeaux supérieur, 228
ILES, DOM. DES, Chablis, 459 • Chablis premier cru, 464
ILLE, CH. DE L', Corbières, 728
ILTIS, JACQUES, Alsace riesling, 97
IMBARDIERE, DOM. DE L', Jardin de la France, 1143
IMESCH, Canton du Valais, 1206
IMPOSSIBLE, L', Fitou, 756
INNISKILLIN, Ontario, 1186
INSTANT CHOISI, Agenais, 1146
INTEMPOREL, L', Lussac-saint-émilion, 311
INTRAS, MAS D', Coteaux de l'Ardèche, 1177
IRIS, DOM. DES, Anjou-villages, 949 • Cabernet-d'anjou, 955
ISAIE, DOM. MICHEL, Bourgogne-côte-chalonnaise, 584 • Crémant-de-bourgogne, 451 • Mercurey, 591
ISIS, Côtes-du-marmandais, 874
ISSAN, CH. D', Margaux, 388
ISSELEE, ERIC, Champagne, 654

J

JABOULET AINE, PAUL, Hermitage, 1103 • Saint-péray, 1105
JABOULET-VERCHERRE, Bourgogne, 433
JACKSON-TRIGGS GRANDE RESERVE, Ontario, 1187
JACOB, DOM. ROBERT ET RAYMOND, Aloxe-corton, 522 • Corton-charlemagne, 530 • Ladoix, 519
JACOB, DOM. LUCIEN, Bourgogne-hautes-côtes-de-beaune, 447
JACOBINS, CAVEAU DES, Côtes-du-jura, 698
JACOB MAUCLAIR, HUBERT, Bourgogne-hautes-côtes-de-beaune, 447
JACQUART, Champagne, 654
JACQUART ET FILS, A., Champagne, 654
JACQUELIN, DENIS, Franche-Comté, 1180
JACQUERIOZ, ALEXIS, Canton du Valais, 1207
JACQUES, CH. DES, Beaujolais-villages, 163
JACQUES, YVES, Champagne, 654
JACQUES BLANC, CH., Saint-émilion grand cru, 298
JACQUES DE BRION, Coteaux-du-quercy AOVDQS, 862
JACQUINET-DUMEZ, Champagne, 655
JACQUIN ET FILS, EDMOND, Vin-de-savoie, 711
JADOT, LOUIS, Beaune, 540 • Corton-charlemagne, 530 • Côte-de-nuits-villages, 517 • Pernand-vergelesses, 525 • Savigny-lès-beaune, 534
JAFFEFIN, LES VILLAGES DE, Auxey-duresses, 554
JAFFELIN, Monthélie, 553 • Saint-aubin, 574 • Volnay, 550
JAFFELIN PERE ET FILS, DOM., Pernand-vergelesses, 525
JAILLANCE, Clairette-de-die, 1123 • Crémant-de-die, 1124
JALE, DOM. DE, Côtes-de-provence, 816
JALOUSIE, CH., Bordeaux supérieur, 228
JALOUSIE, DOM. LA, Chinon, 1008
JALOUSIE-BEAULIEU, CH., Bordeaux supérieur, 228
JAMAIN, PIERRE, Champagne, 655
JAMBON, DOM. DOMINIQUE, Régnié, 192
JAMBON ET FILS, DOM. MARC, Mâcon-villages, 603
JAMET, PASCAL, Collines rhodaniennes, 1176
JAMET, DOM., Côte-rôtie, 1093
JANASSE, DOM. DE LA, Châteauneuf-du-pape, 1116 • Côtes-du-rhône, 1074
JANDER, CH., Moulis-en-médoc, 393
JANEIL, MAS, Côtes-du-roussillon-villages, 780
JANISSON, CH., Cadillac, 409
JANISSON, CHRISTOPHE, Champagne, 655
JANISSON, PH., Champagne, 655
JANISSON-BARADON, Champagne, 655
JANISSON ET FILS, Champagne, 655
JANNY, PIERRE, Beaujolais-villages, 163 • Crémant-de-bourgogne, 451 • Givry, 594

JANVIER, PASCAL, Coteaux-du-loir, 1013 • Jasnières, 1014
JARDIN, RENE, Champagne, 655
JARDINS DE CYRANO, LES, Bergerac, 890
JARNOTERIE, VIGNOBLE DE LA, Saint-nicolas-de-bourgueil, 1002
JARRY, DANIEL, Vouvray, 1022
JASSE D'ISNARD, DOM. DE LA, Oc, 1161
JASSE DU PIN, LA, Costières-de-nîmes, 734
JASSON, CH. DE, Côtes-de-provence, 816
JAUBERTIE, CH. DE LA, Bergerac, 891
JAUFFRINEAU-BOULANGER, Muscadet-sèvre-et-maine, 929
JAUME, DOM., Côtes-du-rhône, 1074 • Côtes-du-rhône-villages, 1087
JAUME, ALAIN, Vacqueyras, 1111
JAUSLIN, Canton de Bâle, 1218
JAVERNIERE, DOM. DE, Morgon, 185
JAVIE, DOM. LA, Bouches-du-Rhône, 1167
JAVOUHEY, S., Ladoix, 519 • Nuits-saint-georges, 512 • Vosne-romanée, 506
JEANDEAU, DOM., Pouilly-fuissé, 610
JEAN DE GUE, CH., Lalande-de-pomerol, 275
JEANDEMAN, CH., Fronsac, 260
JEAN GEILER, Alsace gewurztraminer, 107 • Crémant-d'alsace, 146
JEAN GERVAIS, CH., Graves, 347
JEAN L'ARC, CH., Bordeaux sec, 215
JEANMAIRE, Champagne, 655
JEANNETTE, DOM. DE LA, Côtes-de-provence, 816
JEANNIARD, DOM. ALAIN, Bourgogne-hautes-côtes-de-nuits, 444 • Morey-saint-denis, 490
JEANNIARD, DOM. FRANCOISE, Pernand-vergelesses, 525
JEANNIN-NALTET PERE ET FILS, Mercurey, 591
JEAN VOISIN, CH., Saint-émilion grand cru, 298
JEAUNAUX-ROBIN, Champagne, 656
JESSIAUME PERE ET FILS, DOM., Auxey-duresses, 555 • Santenay, 579 • Volnay, 550
JEU DE PATIENCE, Côtes de Thongue, 1155
JOANIN BECOT, Côtes-de-castillon, 323
JOANNET, DOM. MICHEL, Bourgogne-hautes-côtes-de-nuits, 444 • Pernand-vergelesses, 525
JOANNY, CH., Côtes-du-rhône, 1074
JOBARD, DOM. REMI, Bourgogne, 433 • Bourgogne-aligoté, 439 • Meursault, 561
JOBARD-MOREY, DOM., Meursault, 561
JOBART, ABEL, Champagne, 656
JOCONDE, DOM. DE LA, Muscadet-sèvre-et-maine, 930
JOGGERST, RENE, Alsace gewurztraminer, 108
JOGGERST ET FILS, Alsace riesling, 97
JOGUET, DOM. CHARLES, Chinon, 1008
JOILLOT, JEAN-LUC, Pommard, 545
JOININ, CH., Bordeaux, 209
JOLIET, CH., Côtes-du-frontonnais, 871
JOLIET PERE ET FILS, Fixin, 476
JOLLY, RENE, Champagne, 656
JOLY, CLAUDE ET CEDRIC, Côtes-du-jura, 698 • L'étoile, 703
JOLY, CLAUDE, Crémant-du-jura, 701
JOLY-CHAMPAGNE, Champagne, 656
JOLYS, CH., Jurançon sec, 881
JOMARD, PIERRE ET JEAN-MICHEL, Coteaux-du-lyonnais, 197
JOMINI ET FILS, JEAN-LOUIS, Canton de Vaud, 1201
JONCHERE, DOM. DE LA, Brouilly, 167
JONCIER, DOM. DU, Lirac, 1120
JONNIER, JEAN-HERVE, Mercurey, 591 • Rully, 588
JONQUEYRES, CH., Bordeaux supérieur, 228
JONQUIERES, CELLIERS DE, Costières-de-nîmes, 734
JONQUIERES, CH. DE, Coteaux-du-languedoc, 744
JONQUIERES, DOM. DE, Hérault, 1158
JORDY, DOM., Coteaux-du-languedoc, 744 • Hérault, 1158
JORDY D'ORIENT, CH., Premières-côtes-de-bordeaux, 338
JORINE, CH. LA, Lussac-saint-émilion, 311
JOSMEYER, Alsace riesling, 97
JOSSELIN, JEAN, Champagne, 656
JOST VINEYARDS, Nouvelle-Ecosse, 1185
JOUAN, OLIVIER, Morey-saint-denis, 490
JOUARD, DOM. VINCENT ET FRANCOIS, Chassagne-montrachet, 572
JOUARD, GABRIEL ET PAUL, Chassagne-montrachet, 571
JOUCLARY, CH., Cabardès, 767
JOUGLA, DOM. DES, Saint-chinian, 764
JOULIN, ALAIN, Montlouis-sur-loire, 1016
JOULIN, FREDERIC, Montlouis-sur-loire, 1016
JOULIN, DOM., Saumur-champigny, 979
JOURDAIN, FRANCIS, Valençay, 1032
JOURDAN, CH., Bordeaux supérieur, 228
JOUSSELINIERE, CH. DE LA, Gros-plant AOVDQS, 935
JOUVE, DOM. LA, Côtes-du-rhône-villages, 1087
JOUVENTE, CH., Graves, 347
JUCHEPIE, DOM. DE, Coteaux-du-layon, 964
JUGE, CH. DU, Bordeaux sec, 216 • Cadillac, 409
JUGUET, CH., Saint-émilion grand cru, 298
JUILLARD, MICHEL, Beaujolais-villages, 163
JUILLARD, FRANCK, Juliénas, 180
JUILLOT, DOM. MICHEL, Corton-charlemagne, 531 • Mercurey, 592
JUILLOT, DOM. EMILE, Mercurey, 592
JULIAN, CH., Bordeaux, 209
JULIEN, CH., Haut-médoc, 379
JULIENNE, DOM. DE LA, Coteaux-varois, 841
JULLION, THIERRY, Charentais, 1147 • Pineau-des-charentes, 803
JUMERT, CHARLES, Coteaux-du-vendômois, 1031
JUND, MAISON MARTIN, Alsace riesling, 97
JUNG ET FILS, ROGER, Alsace grand cru schoenenbourg, 139 • Alsace grand cru sporen, 140
JUPILLE CARILLON, CH., Saint-émilion, 280
JURANCON, CAVE DES PRODUCTEURS DE, Jurançon, 879
JURA-PLAISANCE, CH., Montagne-saint-émilion, 314
JURAT, CH. LE, Saint-émilion grand cru, 298
JUX, DOM., Alsace gewurztraminer, 108

K

KALIAN BERNASSE, CH., Côtes-de-bergerac, 898
KAROLUS, Haut-médoc, 379
KIEFFER, Alsace gewurztraminer, 108 • Alsace riesling, 97
KIENTZHEIM-KAYSERSBERG, CAVE DE, Alsace gewurztraminer, 108
KIENTZLER, Alsace grand cru geisberg, 129
KIRWAN, CH., Margaux, 388
KLACK, JEAN, Alsace grand cru sporen, 141
KLEE, HENRI, Alsace tokay-pinot-gris, 115
KLEIN, GEORGES, Alsace gewurztraminer, 108 • Alsace pinot noir, 121
KLEIN-BRAND, Alsace grand cru zinnkoepflé, 144

KLEINKNECHT, ANDRE, Alsace pinot noir, 122
KLUR, CLEMENT, Alsace grand cru wineck-schlossberg, 142
KOCH ET FILS, DOM. PIERRE, Alsace pinot noir, 122
KOEBERLE KREYER, Alsace grand cru gloeckelberg, 130 • Alsace pinot noir, 122
KOEHLY, Alsace pinot noir, 122 • Alsace riesling, 98 • Alsace pinot ou klevner, 91
KOHLL-LEUCK, DOM. R., Crémant-de-luxembourg, 1195 • Moselle luxembourgeoise, 1192
KOMMINOTH-ELMER, PAUL, Canton des Grisons, 1219
KONZELMANN, Ontario, 1187
KOWAL, ALEXANDRE, Champagne, 656
KOX, DOM. LAURENT ET BENOIT, Moselle luxembourgeoise, 1193
KRESSMANN, Graves, 347
KREVEL, K DE, Montravel, 904
KREYDENWEISS, MARC, Alsace grand cru kastelberg, 132
KRICK, HUBERT, Crémant-d'alsace, 146
KRIER FRERES, Moselle luxembourgeoise, 1193
KRUG, Champagne, 656 • Champagne, 657
KUBLER, PAUL, Alsace grand cru zinnkoepflé, 144
KUEHN, Alsace riesling, 98
KUENTZ, Alsace gewurztraminer, 108
KUENTZ-BAS, Alsace riesling, 98

L

LABADIE, CH., Côtes-de-bourg, 252 • Médoc, 367
LABALLE, DOM. DE, Terroirs landais, 1148
LABARDE, CH., Haut-médoc, 379
LABASTIDE, CH., Gaillac, 865
LABBE ET FILS, MICHEL, Champagne, 657
LABEGORCE ZEDE, CH., Margaux, 389
LABESSE, CH., Côtes-de-castillon, 323
LABET, DOM. PIERRE, Beaune, 540
LABET, ALAIN, Macvin-du-jura, 705
LABLACHERE, CAVE COOPERATIVE, Coteaux de l'Ardèche, 1177
LABORDERIE-MONDESIR, CH., Lalande-de-pomerol, 275
LABOURE-ROI, Meursault, 561 • Santenay, 579
LABRANCHE LAFFONT, DOM., Madiran, 884
LACABANNE-DUVIGNEAU, CH., Puisseguin-saint-émilion, 318
LACHARME ET FILS, DOM., Mâcon-villages, 603
LACHAUX, DOM. DE, Côtes-d'auvergne AOVDQS, 1035
LACOMBE NOAILLAC, CH., Médoc, 367
LACONNEX, CH. DE, Canton de Genève, 1213
LACOQUE, JOEL, Morgon, 185
LACOUR MANOY, CH., Corbières, 728
LACROIX-VANEL, DOM., Coteaux-du-languedoc, 744
LACROUX, CH. DE, Gaillac, 865
LADOUYS, CH., Saint-estèphe, 402
LADRECHT, DOM. DE, Marcillac, 876
LADUBAY, MLLE, Crémant-de-loire, 921
LAFAGE, DOM. DE, Coteaux-du-quercy AOVDQS, 862
LAFAGE, DOM., Côtes catalanes, 1154 • Côtes-du-roussillon, 775 • Muscat-de-rivesaltes, 793
LAFARGE, DOM. MICHEL, Volnay, 550
LAFARGUE, CH., Pessac-léognan, 357
LAFAURIE-PEYRAGUEY, CH., Sauternes, 417
LAFFITTE-CARCASSET, CH., Saint-estèphe, 402
LAFFITTE-TESTON, CH., Madiran, 884
LAFFONT, DOM., Madiran, 884
LAFITE, CARRUADES DE, Pauillac, 397
LAFITE MONTEIL, CH., Entre-deux-mers, 331
LAFITE ROTHSCHILD, CH., Pauillac, 396
LAFITTE, CHARLES, Champagne, 657
LAFITTE, CH., Premières-côtes-de-bordeaux, 338
LAFLEUR, CH., Pomerol, 268
LAFLEUR DU ROY, CH., Pomerol, 268
LAFLEUR GRANDS-LANDES, CH., Montagne-saint-émilion, 314
LAFLEUR-NAUJAN, CH., Bordeaux supérieur, 229
LAFON, LA REVELATION DES VIGNOBLES DENIS, Premières-côtes-de-blaye, 244
LAFOND, DOM., Brouilly, 167
LAFOND, CLAUDE, Reuilly, 1053
LAFOND ROC-EPINE, DOM., Lirac, 1120
LAFON-ROCHET, CH., Saint-estèphe, 402
LAFONT MENAUT, CH., Pessac-léognan, 357
LAFOUGE, JEAN ET GILLES, Auxey-duresses, 555
LAFOUX, CH., Coteaux-varois, 841
LAFRAN-VEYROLLES, Bandol, 830
LAGARDE, CH. DE, Côtes-de-bordeaux-saint-macaire, 341
LAGAROSSE, CH., Premières-côtes-de-bordeaux, 338
LAGGER, JEAN-MARC, Canton de Vaud, 1201
LAGNEAU, DIDIER, Régnié, 192
LAGNEAU, GERARD, Régnié, 192
LAGRANGE, CH., Cadillac, 409 • Saint-julien, 406
LAGRANGE LES TOURS, CH., Bordeaux supérieur, 229
LAGREZETTE, CH., Cahors, 859
LAGUILLE, DOM. DE, Floc-de-gascogne, 913
LAGUNE, CH. LA, Haut-médoc, 379
LAHAYE, DOM. MICHEL, Beaune, 540 • Meursault, 561
LAHAYE PERE ET FILS, DOM., Pommard, 545
LAIDIERE, DOM. DE LA, Bandol, 830
LAISSUS, ANDRE, Régnié, 192
LAJONIE, RESERVE, Monbazillac, 903
LALANDE, DOM. DE, Mâcon-villages, 603 • Pouilly-fuissé, 610
LALANDE, DOM., Oc, 1162
LALANDE, CH., Saint-julien, 406
LALANDE-BORIE, CH., Saint-julien, 406
LALANDE D'AUVION, CH., Médoc, 368
LALANDE DE TIFAYNE, CH., Bordeaux-côtes-de-francs, 327
LALANDE-LABATUT, CH., Entre-deux-mers, 331
LALANDE VILLENEUVE, CH., Médoc, 368
LALAUDEY, CH., Moulis-en-médoc, 393
LALAURIE, DOM., Oc, 1162
LALEURE-PIOT, DOM., Chorey-lès-beaune, 536 • Corton, 528 • Pernand-vergelesses, 525
LALLIER, RENE JAMES, Champagne, 657
LALOUE, DOM. SERGE, Sancerre, 1057
LAMANTHE, MICHEL, Meursault, 561
LAMARCHE, DOM. FRANCOIS, Grands-échézeaux, 504 • La grande-rue, 509
LAMARGUE, CH., Costières-de-nîmes, 734
LAMARQUE, CH. DE, Haut-médoc, 379
LAMARTINE, CH., Cahors, 859
LAMBERT, BEATRICE ET PASCAL, Chinon, 1008
LAMBERT, PATRICK, Chinon, 1008
LAMBERT, FREDERIC, Côtes-du-jura, 698
LAMBLIN, CH., Côtes-de-bourg, 252
LAMBLIN ET FILS, Chablis, 459 • Chablis premier cru, 464
LAMBRAYS, DOM. DES, Clos-des-lambrays, 493
LAME-DELISLE-BOUCARD, Touraine, 987

LAMIABLE, Champagne, 657
LAMOTHE, CH., Côtes-de-bourg, 252
LAMOTHE BERGERON, CH., Haut-médoc, 379
LAMOTHE BOUSCAUT, CH., Pessac-léognan, 357
LAMOTHE-CISSAC, CH., Haut-médoc, 379
LAMOTHE-VINCENT, CH., Bordeaux, 209 • Bordeaux supérieur, 229 • Bordeaux rosé, 220 • Bordeaux sec, 216
LAMOURETTE, CH., Sauternes, 417
LAMOUREUX, JEAN-JACQUES, Champagne, 657
LAMY, HUBERT, Saint-aubin, 574
LANBERSAC, CH., Puisseguin-saint-émilion, 318
LANCELOT, CLAUDE, Champagne, 657
LANCELOT-PIENNE, Champagne, 658
LANCELOT-ROYER, P., Champagne, 658
LANCELOT-WANNER, YVES, Champagne, 658
LANCYRE, CH. DE, Coteaux-du-languedoc, 744
LANDAIS, LES VIGNERONS, Terroirs landais, 1148
LANDE, DOM. DE LA, Bourgueil, 997 • Monbazillac, 903
LANDELLE, DOM. DE LA, Muscadet-sèvre-et-maine, 930
LANDES, CH. DES, Lussac-saint-émilion, 311
LANDE SAINT-JEAN, CH. LA, Bordeaux supérieur, 229
LANDES DES CHABOISSIERES, DOM., Muscadet-sèvre-et-maine, 930
LANDEYRAN, DOM. DU, Saint-chinian, 764
LANDIRAS, CH. DE, Graves, 347
LANDMANN, SEPPI, Alsace grand cru zinnkoepflé, 144
LANDONNE, CH. LA, Côte-rôtie, 1093
LANDRAT-GUYOLLOT, DOM., Pouilly-fumé, 1047 • Pouilly-sur-loire, 1049
LANDREAU, DOM. DU, Anjou-villages, 949
LANDURE, CH. DE, Minervois, 759
LANESSAN, CH., Haut-médoc, 379
LANEYRIE, DOMAINES, Mâcon-villages, 603
LANGEL MAURIAC, CH., Bordeaux sec, 216
LANGLET, CH., Graves, 347
LANGLOIS, MICHEL, Coteaux-du-giennois, 1038
LANGLOIS-CHATEAU, DOM., Saumur, 974
LANGOA BARTON, CH., Saint-julien, 407
LANGOUREAU, SYLVAIN, Puligny-montrachet, 565 • Saint-aubin, 574
LANGUIREAU, CH., Côtes-de-bourg, 252
LANIOTE, CH., Saint-émilion grand cru, 298
LANNES, CH. DES, Bordeaux supérieur, 229
LANQUES, DOM. DE, Mâcon-villages, 603
LANSON, Champagne, 658
LAOUGUE, DOM., Pacherenc-du-vic-bilh, 886
LAPELLETRIE, CH., Saint-émilion grand cru, 298
LAPEYRE, DOM., Béarn, 877
LAPEYRE, Jurançon, 880
LAPEYRONIE, L'EDEN DE, Bordeaux-côtes-de-francs, 327
LAPIERRE, HUBERT, Chénas, 171
LAPLACE, DOM. DE, Côtes-de-duras, 910
LA PORTE, MAISON CLAUDE DE, Coteaux de Tannay, 1140
LAPORTE, DOM., Côtes-du-roussillon, 775
LAPORTE, Sancerre, 1057
LARCHEVESQUE, CH., Canon-fronsac, 257
LARDENNOIS, P., Champagne, 658
LARDIERE, CH., Premières-côtes-de-blaye, 244
LARDY, DOM., Moulin-à-vent, 189
LARGEOT, DANIEL, Aloxe-corton, 523 • Beaune, 540 • Chorey-lès-beaune, 537 • Savigny-lès-beaune, 534
LARGUET, CH., Saint-émilion grand cru, 299
LARIVEAU, CH. DE, Canon-fronsac, 257
LARMANDE, CH., Saint-émilion grand cru, 299
LARMANDIER, GUY, Champagne, 658
LARMANDIER-BERNIER, Champagne, 658
LARMANDIER PERE ET FILS, Champagne, 658
LAROCHE, DOM., Chablis, 459 • Chablis grand cru, 468 • Chablis premier cru, 464
LAROCHE, CH., Côtes-de-bourg, 252
LAROCHE ET MARIA FELISBELA BELINHA, STEPHANE, Régnié, 193
LAROCHETTE-MANCIAT, DOM., Mâcon, 598
LARONDE, CH., Premières-côtes-de-bordeaux, 338
LARONDE DESORMES, CH., Bordeaux supérieur, 229
LAROPPE, MARCEL ET MICHEL, Côtes-de-toul, 148
LAROSE PERGANSON, CH., Haut-médoc, 380
LAROSE-TRINTAUDON, CH., Haut-médoc, 380
LAROZE, CH., Saint-émilion grand cru, 299
LAROZE LABATISSE, CH., Haut-médoc, 380
LARREDYA, CAMIN, Jurançon sec, 881
LARREY, JEAN, Champagne, 659
LARRIBERE, DOM., Béarn, 877
LARRIVET-HAUT-BRION, CH., Pessac-léognan, 357
LARROQUE, CH., Bordeaux rosé, 220
LARROQUE, DOM. DE, Gaillac, 865
LARROUDE, DOM., Jurançon, 880
LARROZE, CH., Gaillac, 865
LARRUAU, CH., Margaux, 389
LARTEAU, CH., Bordeaux supérieur, 229
LARTIGUE, CIMES DE, Côtes-de-castillon, 323
LARTIGUE, DOM. DE, Floc-de-gascogne, 913
LARUE, DOM., Blagny, 564 • Puligny-montrachet, 565 • Saint-aubin, 575
LASCAMP, DOM. DE, Côtes-du-rhône, 1074 • Côtes-du-rhône-villages, 1087
LASCAUX, CH., Bordeaux supérieur, 229
LASCAUX, CH. DE, Coteaux-du-languedoc, 744
LASCAUX, Pineau-des-charentes, 803
LASSALLE, J., Champagne, 659
LASSALLE, MAURICE, Champagne, 659
LASSALLE, DOM., Côtes-de-la-malepère AOVDQS, 768
LASSALLE-HANIN, P., Champagne, 659
LASSARAT, ROGER, Pouilly-fuissé, 610
LASSUS, CH., Médoc, 368
LASTOURS, CH., Gaillac, 865
LASTRONQUES, DOM. DE, Ariège, 1149
LATEYRON, Crémant-de-bordeaux, 236
LATHIBAUDE, CH., Graves-de-vayres, 334
LATOUR, LOUIS, Bienvenues-bâtard-montrachet, 569 • Corton-charlemagne, 531 • Coteaux de l'Ardèche, 1177 • Mâcon-villages, 603 • Puligny-montrachet, 565
LATOUR, CH., Pauillac, 397
LATOUR, LES FORTS DE, Pauillac, 397
LATOUR A POMEROL, CH., Pomerol, 268
LATOUR ET FILS, HENRI, Bourgogne-hautes-côtes-de-beaune, 447 • Saint-romain, 557
LATOUR-LABILLE ET FILS, JEAN, Meursault, 562
LATOUR-MARTILLAC, CH., Pessac-léognan, 357
LATREZOTTE, CH., Sauternes, 417
LATUDE, CH., Coteaux-du-languedoc, 744
LAUBADE, Floc-de-gascogne, 913
LAUBAREDE COURVIELLE, CH., Graves, 348
LAUBER, ANDREA, Canton des Grisons, 1219
LAUDES, CH. DES, Saint-émilion grand cru, 299
LAUGEROTTE, MARIE-HELENE, Crémant-de-bourgogne, 451
LAULAN, DOM. DE, Côtes-de-duras, 910

LAULAN DUCOS, CH., Médoc, 368
LAULERIE, CH., Bergerac, 891
LAUNAY, DOM. RAYMOND, Pommard, 546 • Santenay, 579
LAUNES, CUVEE DES, Costières-de-nîmes, 735
LAUNOIS, LEON, Champagne, 659
LAUNOIS PERE ET FILS, Champagne, 659
LAURAN CABARET, Minervois, 759
LAURE, CAPRICE DE, Petite Crau, 1172
LAUREAU, DOM., Savennières, 959
LAURENS, DOM. J., Crémant-de-limoux, 723
LAURENS, DOM., Marcillac, 876
LAURENT, FAMILLE, Saint-pourçain AOVDQS, 1040
LAURENT-PERRIER, Champagne, 659
LAURETS, CH. DES, Puisseguin-saint-émilion, 318
LAURIERS, DOM. DES, Oc, 1162 • Vouvray, 1022
LAUROU, CH., Côtes-du-frontonnais, 871
LAURUS, Gigondas, 1108
LAUSES, DOM. DES, Côtes-du-rhône, 1074
LAUSSAC, CH. DE, Côtes-de-castillon, 323
LAUZADE, DOM. DE LA, Côtes-de-provence, 816
LAUZERAIES, LES, Lirac, 1120
LAVABRE, CH., Coteaux-du-languedoc, 744
LAVAIL, MAS DE, Côtes-du-roussillon-villages, 780 • Maury, 795
LAVALLADE, CH., Saint-émilion grand cru, 299
LAVANTUREUX, ROLAND, Petit-chablis, 455
LAVENANT, PIERRE, Marsannay, 473
LAVERGNE, CH., Côtes-de-castillon, 324
LAVIGNE, DOM., Saumur, 974 • Saumur-champigny, 979
LAVILLE, CH. DE, Premières-côtes-de-bordeaux, 338
LAVILLE, CH., Sauternes, 417
LAVILLE HAUT-BRION, CH., Pessac-léognan, 358
LAVILLOTTE, CH., Saint-estèphe, 402
LEBECQ ET ASS., Pineau-des-charentes, 803
LE BRUN DE NEUVILLE, Champagne, 659
LE BRUN SERVENAY, Champagne, 660
LE CAPITAINE, DOM., Vouvray, 1022
LECCIA, DOM., Patrimonio, 851
LECHENAULT, DOM. FRANCE, Bourgogne-côte-chalonnaise, 584 • Bouzeron, 585
LECLERC BRIANT, Champagne, 660
LECLERC-MONDET, Champagne, 660
LECLERE, EMILE, Champagne, 660
LECONTE, XAVIER, Champagne, 660
LECQUES, LES VIGNERONS DE, Coteaux-du-languedoc, 745
LECUSSE, CH., Gaillac, 865
LEDUC-FROUIN, DOM., Anjou, 942 • Coteaux-du-layon, 964
LEFLAIVE, OLIVIER, Bâtard-montrachet, 568 • Chassagne-montrachet, 572 • Corton-charlemagne, 531 • Meursault, 562 • Pommard, 546 • Puligny-montrachet, 565 • Saint-romain, 557
LEGENDES D'OC, Oc, 1162
LEGENDS, Ontario, 1187
LEGERES, DOM. DES, Bourgogne, 433
LEGILL, CAVES, Moselle luxembourgeoise, 1193
LEGRAND, ERIC, Champagne, 660
LEGRAS ET HAAS, Champagne, 660
LEGROS, LENAIC, Santenay, 579
LEHOUL, CH., Graves, 348
LEIPP-LEININGER, Alsace riesling, 98
LEJEUNE, DOM., Bourgogne, 433 • Pommard, 546
LEJUS, ARNAUD, Menetou-salon, 1043
LELARGE-PUGEOT, Champagne, 660
LELIEVRE, ANDRE ET ROLAND, Côtes-de-toul, 148
LEMAIRE, PATRICE, Champagne, 661
LEMAIRE, PHILIPPE, Champagne, 661
LEMAIRE, R.C., Champagne, 661
LEMAIRE RASSELET, Champagne, 661
LENIQUE, MICHEL, Champagne, 661
LENOBLE, AR, Champagne, 661
LENORMAND, CH., Premières-côtes-de-bordeaux, 338
LEO DE PRADES, CH., Saint-estèphe, 402
LEONIE, CH., Graves, 348 • Graves supérieures, 352
LEON LEROI, Crémant-de-loire, 921
LEOVILLE-BARTON, CH., Saint-julien, 407
LEOVILLE LAS CASES, CH., Saint-julien, 407
LEOVILLE POYFERRE, CH., Saint-julien, 407
LEPAGE, SERGE, Bourgogne, 433
LEPRINCE, CHARLES, Champagne, 661
LEQUIN, LOUIS, Bâtard-montrachet, 568 • Chassagne-montrachet, 572
LEQUIN-COLIN, RENE, Bâtard-montrachet, 568 • Chassagne-montrachet, 572 • Corton, 528 • Corton-charlemagne, 531 • Santenay, 579
LERYS, DOM., Fitou, 756
LESPARRE, CH., Bordeaux supérieur, 229 • Graves-de-vayres, 334
LESPAULT, CH., Pessac-léognan, 358
LESPINASSAT, CH., Côtes-de-montravel, 904
LESQUERDE, STE VINICOLE DE, Côtes-du-roussillon-villages, 780
LESTAGE, CH., Listrac-médoc, 385
LESTAGE SIMON, CH., Haut-médoc, 380
LESTEVENIE, CH., Bergerac, 891
LESTIAC, CH. DE, Premières-côtes-de-bordeaux, 339
LESTRILLE, CH., Entre-deux-mers, 331
LESTRILLE CAPMARTIN, CH., Bordeaux sec, 216 • Bordeaux supérieur, 230
LETE-VAUTRAIN, Champagne, 661
LEVEQUE, CH., Lalande-de-pomerol, 275
LEVET, B., Côte-rôtie, 1094
LEVRATIERE, DOM. DE LA, Fleurie, 176
LEYDET-VALENTIN, CH., Saint-émilion grand cru, 299
LEYMARIE, Clos-de-vougeot, 500
LEZONGARS, SPECIAL CUVEE DU CH., Premières-côtes-de-bordeaux, 339
L'HOPITAL DE SOLEURE, DOM. DE, Canton de Berne, 1216
LIARDS, DOM. DES, Montlouis-sur-loire, 1017
LIBIAN, MAS DE, Côtes-du-rhône, 1074
LIEBART-REGNIER, Champagne, 661
LIERGUES, CAVE DES VIGNERONS DE, Beaujolais, 158
LIESCH, UELI ET JURG, Canton des Grisons, 1219
LIEUE, CH. LA, Coteaux-varois, 841
LIEUMENANT, CH., Bordeaux supérieur, 230
LIGER-BELAIR, DOM. DU VICOMTE, Vosne-romanée, 506
LIGIER PERE ET FILS, DOM., Arbois, 692 • Crémant-du-jura, 701
LIGNIER-MICHELOT, DOM., Clos-de-la-roche, 492 • Morey-saint-denis, 491
LIGNON, DOM., Minervois, 759
LIGRE, CH. DE, Chinon, 1008
LILIAN LADOUYS, CH., Saint-estèphe, 402
LIMBARDIE, DOM. DE, Coteaux de Murviel, 1154
LINDEN-HEINISCH, DOM. JEAN, Moselle luxembourgeoise, 1193
LINDENHOF, WEINGUT, Canton de Schaffhouse, 1220

LINDENLAUB, JACQUES, Alsace pinot noir, 122 • Alsace riesling, 98
LINGOT-MARTIN, CELLIER, Bugey AOVDQS, 716
LINOTTE, DOM. DE LA, Côtes-de-toul, 148
LINQUIERE, DOM. LA, Saint-chinian, 764
LION BEAULIEU, CH., Bordeaux supérieur, 230
LION PERRUCHON, CH., Lussac-saint-émilion, 311
LIOT, CH., Sauternes, 417
LIQUIERE, CH. DE LA, Faugères, 753
LIRAC, CAVE DES VINS DU CRU DE, Lirac, 1120
LISCHETTO, DOM. DE, Ile de Beauté, 1170
LISE DE BORDEAUX, Bordeaux clairet, 213
LISES, DOM. DES, Haut-poitou AOVDQS, 798
LISTRAN, CH., Médoc, 368
LIVENNE, CH., Blaye, 238
LIVERSAN, CH., Haut-médoc, 380
LOBERGER, Alsace grand cru saering, 138 • Alsace grand cru spiegel, 140
LOCHE, CH. DE, Mâcon-villages, 603 • Pouilly-fuissé, 611 • Pouilly-loché, 613 • Pouilly-vinzelles, 613
LOCQUETS, DOM. DES, Vouvray, 1023
LOCRET-LACHAUD, Champagne, 662
LOEW, DOM., Alsace pinot ou klevner, 91
LOGE, DOM. DE LA, Pouilly-fumé, 1047
LOGIS DE LA BOUCHARDIERE, LE, Chinon, 1008
LOGIS DU PRIEURE, LE, Anjou, 943
LOIRAC, CH., Médoc, 368
LOIRE, LA, Rosé-de-loire, 919
LOIRE CLASSIC, Rosé-de-loire, 919
LOIRE DE VINIVAL, LA, Anjou, 943
LOMBARD ET CIE, Champagne, 662
LONCLAS, BERNARD, Champagne, 662
LONG-DEPAQUIT, DOM., Chablis grand cru, 468
LONGUEROCHE, DOM. DE, Corbières, 728
LOOU, DOM. DU, Coteaux-varois, 841
LOQUINEAU, PHILIPPE, Cour-cheverny, 1029
LORANG, Alsace gewurztraminer, 108
LORENTZ, Alsace gewurztraminer, 109
LORIEUX, LUCIEN, Bourgueil, 997
LORIEUX, PASCAL, Saint-nicolas-de-bourgueil, 1002
LORIOT, GERARD, Champagne, 662
LORIOT, MICHEL, Champagne, 662
LORIOT-PAGEL, JOSEPH, Champagne, 662
LORNET, FREDERIC, Crémant-du-jura, 701
LORON, LOUIS, Crémant-de-bourgogne, 451
LORON ET FILS, E., Mâcon supérieur, 600
LOUANES, DOM. DES, Coteaux de l'Ardèche, 1178
LOU BASSAQUET, Côtes-de-provence, 816
LOUDENNE, CH., Médoc, 368
LOU DUMONT, Charmes-chambertin, 486 • Corton, 528 • Gevrey-chambertin, 481 • Savigny-lès-beaune, 534 • Vosne-romanée, 506
LOUET, JACQUELINE, Touraine, 987
LOUET-ARCOURT, DOM., Touraine, 987
LOUET GAUDEFROY, Touraine, 987
LOUETTIERES, DOM. DE, Jardin de la France, 1143
LOU FREJAU, DOM., Côtes-du-rhône, 1075
LOU GAILLOT, DOM., Agenais, 1146
LOUIS BERNARD, Côtes-du-rhône-villages, 1087
LOUIS DE BEAUMONT, Bourgogne, 433
LOUIS-MAITREJEAN, Champagne, 662
LOURMARIN CADENET, CAVE DE, Côtes-du-luberon, 1133
LOUROU, DOM. DU, Madiran, 884
LOUSTEAUNEUF, CH., Médoc, 368
LOUVET, YVES, Champagne, 662
LOUVIERE, DOM. LA, Côtes-de-la-malepère AOVDQS, 768
LOUVIERE, CH. LA, Pessac-léognan, 358
LOYE, DOM. DE, Menetou-salon, 1043
LUCAS, CH., Côtes-de-castillon, 324 • Lussac-saint-émilion, 311
LUCAS CARTON, Champagne, 663
LUCIA, Saint-émilion grand cru, 299
LUDEMAN LA COTE, CH., Graves, 348
LUDOVIC DE BEAUSEJOUR, DOM., Côtes-de-provence, 816 • Var, 1173
LUGAGNAC, CH. DE, Bordeaux rosé, 221 • Bordeaux supérieur, 230
LUGNY, CAVE DE, Crémant-de-bourgogne, 451 • Mâcon-villages, 603
LUMEN, MAS, Coteaux-du-languedoc, 745
LUMIERES, Côtes-du-ventoux, 1129
LUNARD, DOM. DE, Bouches-du-Rhône, 1168
LUNEAU, PIERRE, Muscadet-sèvre-et-maine, 930
LUPIN, BRUNO, Roussette-de-savoie, 715
LUQUET, DOM. ROGER, Saint-véran, 616
LUQUETTES, DOM. LES, Bandol, 830
LURTON, JACQUES ET FRANCOIS, Bordeaux sec, 216
LUSSAC, CH. DE, Lussac-saint-émilion, 311
LUSSEAU, CH., Graves, 348 • Saint-émilion grand cru, 300
LUTHI, FAMILIE, Canton de Zurich, 1221
LUTRY, ASSOCIATION VITICOLE DE, Canton de Vaud, 1201
LUX EN ROC, DOM. DU, Fiefs-vendéens AOVDQS, 937
LYNCH, MICHEL, Bordeaux, 209
LYNCH-BAGES, CH., Pauillac, 397
LYNCH MOUSSAS, LES HAUT DE, Haut-médoc, 380
LYNCH-MOUSSAS, CH., Pauillac, 398
LYNE, DE, Bordeaux, 210
LYONNAT, CH., Lussac-saint-émilion, 311
LYS BLANCS, LES, Jardin de la France, 1143

M

MABILEAU, DOM. LAURENT, Bourgueil, 997
MABILEAU, FREDERIC, Saint-nicolas-de-bourgueil, 1002
MABILEAU, JACQUES ET VINCENT, Saint-nicolas-de-bourgueil, 1002
MABILEAU, LYSIANE ET GUY, Saint-nicolas-de-bourgueil, 1003
MABILLARD-FUCHS, MADELEINE ET JEAN-YVES, Canton du Valais, 1207
MABILLE, FRANCIS, Vouvray, 1023
MABILLOT, ALAIN, Reuilly, 1053
MABY, DOM., Lirac, 1120
MACAY, CH., Côtes-de-bourg, 252
MACHARD DE GRAMONT, BERTRAND, Bourgogne-passetoutgrain, 441 • Nuits-saint-georges, 513
MACQUART-LORETTE, Champagne, 663
MADELEINE, LA, Alpes-de-Haute-Provence, 1166
MADELEINE, CAVE LA, Canton du Valais, 1207
MADELEINE, DOM. DE LA, Muscat-de-rivesaltes, 793
MADELOC, DOM., Banyuls, 785
MADER, Alsace gewurztraminer, 109 • Alsace riesling, 98
MADONE, DOM. DE LA, Beaujolais-villages, 163 • Côte-de-brouilly, 169 • Fleurie, 176
MADRELLE, GILLES, Vouvray, 1023
MADRIGAL, Comté tolosan, 1150
MADURA, DOM. LA, Saint-chinian, 764
MAESTRACCI, DOM., Corse ou vins-de-corse, 846

MAESTROJUAN, MICHEL ET RICHARD, Floc-de-gascogne, 913
MAGDELAINE, CH., Saint-émilion grand cru, 300
MAGENCE, CH., Graves, 348
MAGISTRAT, LE, Canton de Vaud, 1201
MAGLIOCCO, DANIEL, Canton du Valais, 1207
MAGNAN LA GAFFELIERE, CH., Saint-émilion grand cru, 300
MAGNE, DOM., Coteaux du Grésivaudan, 1179 • Vin-de-savoie, 711
MAGNEAU, CH., Graves, 348
MAGNIEN, FREDERIC, Bonnes-mares, 498 • Chambertin-clos-de-bèze, 484 • Charmes-chambertin, 486
MAGNIEN, JEAN-PAUL, Charmes-chambertin, 486 • Clos-saint-denis, 493 • Morey-saint-denis, 491
MAGNIEN ET FILS, DOM. MICHEL, Charmes-chambertin, 486 • Clos-de-la-roche, 492 • Clos-saint-denis, 493
MAGNOTTA, Ontario, 1187
MAGORD, DOM. DE, Clairette-de-die, 1123
MAILLARD, BERNARD, Muscadet-sèvre-et-maine, 930
MAILLARD PERE ET FILS, DOM., Chorey-lès-beaune, 537 • Savigny-lès-beaune, 534
MAILLERIES, CH. LES, Bergerac, 891
MAILLET, DOM. NICOLAS, Bourgogne-aligoté, 439 • Mâcon, 598 • Mâcon-villages, 604
MAILLET, JEAN-JACQUES, Jasnières, 1014
MAILLET PERE ET FILS, Vouvray, 1023
MAILLIARD, MICHEL, Champagne, 663
MAILLOCHES, DOM. DES, Bourgueil, 997
MAILLY GRAND CRU, Champagne, 663
MAIME, CH., Côtes-de-provence, 817
MAINE AU BOIS, Charentais, 1147
MAINE REYNAUD, CH., Saint-émilion grand cru, 300
MAIRAN, DOM. DE, Oc, 1162
MAIRE, HENRI, Macvin-du-jura, 706
MAISON, DOM. LA, Saint-véran, 616
MAISON BLANCHE, CH., Montagne-saint-émilion, 314
MAISON BLEUE, LA, Chorey-lès-beaune, 537
MAISON DE LA DIME, DOM., Juliénas, 180
MAISON DE ROSE, LA, Côtes-du-jura, 698 • Macvin-du-jura, 706
MAISON DES MAINES, Charentais, 1147
MAISON DU LEZARD, LA, Canton de Vaud, 1201
MAISON GERMAIN, DOM. DE LA, Beaujolais-villages, 164
MAISON NEUVE, DOM. DE, Cahors, 859
MAISON NEUVE, CH., Premières-côtes-de-blaye, 244
MAISON NOBLE, CH., Bordeaux, 210
MAISON NOBLE SAINT-MARTIN, CH., Bordeaux rosé, 221 • Bordeaux supérieur, 230
MAISON PERE ET FILS, Cheverny, 1027
MAISON ROUGE, DOM. DE, Bourgogne, 434
MAISONS NEUVES, DOM. DES, Beaujolais-villages, 164 • Chiroubles, 173
MAISONS ROUGES, LES, Coteaux-du-loir, 1013
MAITRE BONHOME, Viré-clessé, 607
MAITRES VIGNERONS NANTAIS, Muscadet-sèvre-et-maine, 930
MAJUREAU-SERCILLAN, CH., Bordeaux supérieur, 230
MALANDES, DOM. DES, Chablis, 459 • Chablis grand cru, 468 • Chablis premier cru, 464
MALARD, Champagne, 663
MALARRODE, DOM., Jurançon, 880
MALARTIC-LAGRAVIERE, CH., Pessac-léognan, 358
MALAVEN, DOM. LE, Tavel, 1122
MALAVIEILLE, CH., Coteaux-du-languedoc, 745
MALAVIEILLE, DOM. DE, Oc, 1162
MALESCASSE, CH., Haut-médoc, 380
MALGARNIE, CUVEE DE LA, Saint-pourçain AOVDQS, 1040
MALIDORES, DOM. DE, Crémant-de-loire, 921
MALIJAY, CH., Côtes-du-rhône, 1075
MALLARD-ETCHEGARAY, Crémant-de-loire, 921
MALLARD ET FILS, DOM. MICHEL, Corton, 528 • Ladoix, 519
MALLARD-GAULIN, MAISON, Corton, 528
MALLE, M. DE, Graves, 348
MALLE, CH. DE, Sauternes, 418
MALLEMORT, DOM. DE, Oc, 1162
MALLEPRAT, CH. DE, Pessac-léognan, 358
MALLEVIEILLE, CH. DE LA, Côtes-de-bergerac, 898
MALLO, Alsace tokay-pinot-gris, 115
MALLOL-GANTOIS, B., Champagne, 663
MALMAISON, CH., Moulis-en-médoc, 393
MALONNIERE, CH. DE LA, Gros-plant AOVDQS, 935
MALTOFF, DOM., Bourgogne, 434
MALTRESSE, CAVE, Coteaux-du-languedoc, 745
MALTROYE, CH. DE LA, Chassagne-montrachet, 572
MAMIN, CH., Graves, 348
MANCEDRE, CH., Pessac-léognan, 359
MANCEY, LES ESSENTIELLES DE, Bourgogne, 434
MANCEY, LES VIGNERONS DE, Bourgogne-passe-toutgrain, 441 • Mâcon, 599
MANDARD, JEAN-CHRISTOPHE, Touraine, 987
MANDELIERE, DOM. DE LA, Chablis premier cru, 464
MANDOIS, HENRI, Champagne, 663
MANGEOT, ISABELLE ET JEAN-MICHEL, Côtes-de-toul, 148 • Côtes-de-toul, 149
MANGONS, CH. LES, Sainte-foy-bordeaux, 335
MANGOT, CH., Saint-émilion grand cru, 300
MANIGAND, MICHEL, Brouilly, 167
MANN, ALBERT, Alsace grand cru hengst, 131 • Alsace grand cru schlossberg, 138 • Alsace muscat, 103
MANOIR DE LA BELLONNIERE, Chinon, 1009
MANOIR DE LA FIRETIERE, Muscadet-sèvre-et-maine, 930
MANOIR DE LA TETE ROUGE, Saumur, 974
MANOIR DE L'HOMMELAIS, Gros-plant AOVDQS, 935
MANOIR DE MERCEY, Bourgogne-hautes-côtes-de-beaune, 448 • Mercurey, 592
MANOIR DE VERSILLE, Anjou, 943 • Anjou-villages-brissac, 953
MANSARD, TRADITION DE, Champagne, 664
MAOURIES, DOM. DE, Côtes-de-saint-mont AOVDQS, 887
MARAC, CH., Bordeaux sec, 216 • Bordeaux supérieur, 230
MARATHONIEN, VIGNOBLE DU, Québec, 1190
MARATRAY-DUBREUIL, DOM., Corton-charlemagne, 531 • Ladoix, 520
MARAVENNE, CH., Côtes-de-provence, 817
MARC, DIDIER, Champagne, 664
MARC, PATRICE, Champagne, 664
MARCADET, JEROME, Cheverny, 1027
MARCE, DOM. DE, Touraine, 987
MARCEVOL, DOM., Côtes-du-roussillon, 776
MARCHAND, DAVID, Beaujolais, 158
MARCHAND, JEAN-PHILIPPE, Bourgogne-hautes-côtes-de-nuits, 444 • Gevrey-chambertin, 481 • Nuits-saint-georges, 513 • Pernand-vergelesses, 525

MARCHAND, DOM. JACQUES, Pouilly-fumé, 1047
MARCHAND ET FILS, PIERRE, Pouilly-fumé, 1047
MARCHAND FRERES, DOM., Chambolle-musigny, 496 • Clos-de-la-roche, 492 • Morey-saint-denis, 491
MARCHANDISE, DOM. DE, Côtes-de-provence, 817
MARCHE, LA, Bourgogne, 434
MARCHE AUX VINS, Corton-charlemagne, 531
MARCHE-CANON, CH. LA, Canon-fronsac, 257
MARCONNAY, N° 20 DU CH., Saumur-champigny, 980
MARCY, DOM. DE, Canton de Vaud, 1201
MARDON, DOM., Quincy, 1050
MARECHAL-CAILLOT, GHISLAINE ET BERNARD, Chorey-lès-beaune, 537 • Pommard, 546
MARECHAL-CAILLOT, DOM., Ladoix, 520
MARESQUE, CH., Gaillac, 865
MARGAINE, A., Champagne, 664
MARGALLEAU, DOM. DU, Vouvray, 1023
MARGAUX, PAVILLON BLANC DU CHATEAU, Bordeaux sec, 216
MARGAUX, CH., Margaux, 389
MARGERAND, DOM. JEAN-PIERRE, Juliénas, 180
MARGEROTS, CH., Bordeaux sec, 217 • Bordeaux supérieur, 230
MARGILLIERE, CH., Coteaux-varois, 842
MARGOT, LA, Brouilly, 167
MARGOTS, DOM. LES, Beaujolais-villages, 164
MARGOTTERIE, DOM. DE LA, Pineau-des-charentes, 803
MARGUERITE, CH., Côtes-du-frontonnais, 871
MARGUET-BONNERAVE, Champagne, 664
MARGUET PERE ET FILS, Champagne, 664
MARIDET, DOM. DE, Muscat-de-rivesaltes, 793
MARIE BLANCHE, DOM., Côtes-du-rhône, 1075 • Côtes-du-rhône-villages, 1087
MARIE DU FOU, CH., Fiefs-vendéens AOVDQS, 937
MARIE STUART, Champagne, 664
MARIGNY-NEUF, Haut-poitou AOVDQS, 799
MARINOT-VERDUN, Bourgogne-hautes-côtes-de-beaune, 448 • Gevrey-chambertin, 481 • Rully, 588
MARJOLET, CH. DE, Côtes-du-rhône, 1075 • Côtes-du-rhône-villages, 1087
MARJOSSE, CH., Bordeaux, 210 • Entre-deux-mers, 331
MARMORIERES, CH. DE, Coteaux-du-languedoc, 745
MARNE, DOM., Montlouis-sur-loire, 1017
MARNIERES, CH. LES, Côtes-de-bergerac, 898
MARNIQUET, JEAN-PIERRE, Champagne, 664
MAROSLAVAC-LEGER, DOM., Puligny-montrachet, 565
MAROSLAVAC-TREMEAU, STEPHAN, Bourgogne-aligoté, 439
MAROTTE, DOM. DE, Côtes-du-ventoux, 1129 • Vaucluse, 1175
MARQUIS D'ALBAN, Bordeaux sec, 217
MARQUIS D'ALESME, CH., Margaux, 390
MARQUIS DES PONTHEUX, DOM., Chiroubles, 173
MARQUIS DE TERME, CH., Margaux, 390
MARQUISE DES MURES, DOM., Saint-chinian, 764
MARQUISON, DOM. DU, Beaujolais, 158
MARRONNIERS, DOM. DES, Bourgogne, 434
MARSANNAY, CH. DE, Marsannay, 473 • Ruchottes-chambertin, 488
MARSAU, CH., Bordeaux-côtes-de-francs, 327
MARTEAU, DOM. JACKY, Touraine, 987
MARTEAUX-GUYARD, Champagne, 664
MARTEL & C°, G. H., Champagne, 665
MARTELLIERE, DOM. J., Coteaux-du-loir, 1013 • Coteaux-du-vendômois, 1031 • Jasnières, 1014
MARTENOT, FRANCOIS, Chambolle-musigny, 496
MARTENOT, DOM., Grands-échézeaux, 504
MARTET, CH., Sainte-foy-bordeaux, 335
MARTIN, PAUL-LOUIS, Champagne, 665
MARTIN, MAS DE, Coteaux-du-languedoc, 745
MARTIN, LUC ET FABRICE, Coteaux-du-layon, 964
MARTIN, PATRICE, Juliénas, 180
MARTIN, CEDRIC, Saint-amour, 195
MARTIN, JEAN-JACQUES ET SYLVAINE, Saint-amour, 194
MARTIN, DOMINIQUE, Saumur, 974
MARTINAT, CH., Côtes-de-bourg, 253
MARTINE, CH. LA, Coteaux-varois, 842
MARTINEAU, Touraine, 987
MARTINELLES, DOM. DES, Hermitage, 1103
MARTIN ET FILS, DOM. MAURICE, Savigny-lès-beaune, 534
MARTINETTE, CH. LA, Côtes-de-provence, 817
MARTIN-FAUDOT, DOM., Arbois, 692 • Crémant-du-jura, 701
MARTRAY, LAURENT, Côte-de-brouilly, 169
MARX, DENIS, Champagne, 665
MARY, AURELIE ET CHRISTOPHE, Puligny-montrachet, 566
MARZELLE, CH. LA, Saint-émilion grand cru, 300
MAS AMIEL, Côtes-du-roussillon-villages, 780 • Maury, 795
MAS BLEU, DOM. DU, Coteaux-d'aix-en-provence, 836
MASBUREL, CH., Côtes-de-bergerac, 899
MASCARAAS, CH. DE, Pacherenc-du-vic-bilh, 886
MAS CREMAT, DOM., Côtes-du-roussillon, 776
MAS D'AUREL, Gaillac, 866
MAS DE PIERRE BLANCHE, DOM. LE, Charentais, 1147
MAS DE SAINTE CROIX, DOM. DU, Côtes-du-rhône-villages, 1087
MAS DU SOL, DOM. DU, Coteaux-du-languedoc, 745
MASQUES, DOM. DES, Bouches-du-Rhône, 1168
MAS ROUGE, DOM. DU, Muscat-de-frontignan, 770 • Muscat-de-mireval, 771
MAS ROUS, DOM. DU, Côtes-du-roussillon, 776
MASSE PERE ET FILS, DOM., Givry, 594
MASSEREAU, CH., Graves, 349
MASSIN, THIERRY, Champagne, 665
MASSIN ET FILS, REMY, Champagne, 665
MASSING, LOUIS, Champagne, 665
MASSON-BLONDELET, DOM., Pouilly-fumé, 1047
MASSONNE, CH. LA, Bordeaux sec, 217
MASTER DE CHARDONNAY, LE, Jardin de la France, 1143
MAS VENTOUX, DOM. DU, Banyuls, 786
MATALIN, CH., Bordeaux supérieur, 230
MATARDS, CH. DES, Premières-côtes-de-blaye, 244
MATHELIN, HERVE, Champagne, 665
MATHIAS, DOM., Mâcon, 599 • Pouilly-vinzelles, 613
MATHIER ET FILS, ALBERT, Canton du Valais, 1207
MATHIEU, SERGE, Champagne, 665
MATHIEU, DOM., Châteauneuf-du-pape, 1116
MATHIEU-PRINCET, Champagne, 665
MATHUR, ALEX, Montlouis-sur-loire, 1017
MATIBAT, DOM. DE, Côtes-de-la-malepère AOVDQS, 768
MATIGNON, DOM., Anjou-villages, 950
MATINES, DOM. DES, Coteaux-de-saumur, 977 • Saumur, 974
MATRAS, CH., Saint-émilion grand cru, 300

MATRAY, DOM., Juliénas, 180
MATROT-WITTERSHEIM, DOM., Meursault, 562 • Volnay, 550
MAUBET, DOM. DE, Côtes de Gascogne, 1151 • Floc-de-gascogne, 913
MAUCAILLOU, CH., Moulis-en-médoc, 394
MAUCAMPS, CH., Haut-médoc, 380
MAUCOIL, CH., Châteauneuf-du-pape, 1116
MAUFOUX, PROSPER, Puligny-montrachet, 566
MAUGRESIN DE CLOTTE, CH., Côtes-de-castillon, 324
MAULER, JEAN-PAUL, Alsace grand cru mandelberg, 134
MAULER, ANDRE, Alsace riesling, 98 • Alsace riesling, 99
MAUPAS, DOM. DU, Juliénas, 180
MAUPERTHUIS, DOM. DE, Bourgogne, 434
MAURAC, CH., Haut-médoc, 380
MAUREL-VEDEAU, Oc, 1162
MAURER, ALBERT, Alsace grand cru moenchberg, 135
MAURERIE, DOM. LA, Saint-chinian, 764
MAURICE, MICHEL, Moselle AOVDQS, 149
MAURIERES, DOM. DES, Anjou, 943
MAURIGNE, CH. LA, Saussignac, 907
MAURY, LES VIGNERONS DE, Maury, 795
MAUVAN, DOM. DE, Côtes-de-provence, 817
MAUVANNE, CH. DE, Côtes-de-provence, 817
MAVETTE, DOM. DE LA, Gigondas, 1108
MAYNE, CH. LE, Bordeaux supérieur, 231 • Côtes-de-bergerac, 899
MAYNE-BLANC, CH., Lussac-saint-émilion, 312
MAYNE D'IMBERT, CH., Graves, 349
MAYNE D'OLIVET, Bordeaux sec, 217
MAYNE DU CROS, CH., Graves, 349
MAYNE-FIGEAC, CH., Saint-émilion grand cru, 300
MAYNE LALANDE, CH., Listrac-médoc, 385
MAYNE-VIEIL, CH., Fronsac, 260
MAZERIS, CH., Canon-fronsac, 258
MAZEROLLES, CH., Premières-côtes-de-blaye, 244
MAZET, PASCAL, Champagne, 666
MAZEYRES, CH., Pomerol, 268
MAZIERE, DOM. DE, Bergerac rosé, 894
MAZILLE, ANNE, Coteaux-du-lyonnais, 197
MAZILLY PERE ET FILS, DOM., Beaune, 540 • Bourgogne-hautes-côtes-de-beaune, 448
MAZUC, DOM. DE, Coteaux-du-quercy AOVDQS, 862
MEA, GUY, Champagne, 666
MEIER, MANFRED, Canton des Grisons, 1219
MEIER, ERICH, Canton de Zurich, 1221
MEILLAN-PAGES, DOM., Côtes-du-luberon, 1133
MEISTERMANN, Alsace gewurztraminer, 109
MEIX DE LA CROIX, DOM. LE, Bourgogne-côte-chalonnaise, 584
MEJANE, DOM. DE, Vin-de-savoie, 711
MELLOT, JOSEPH, Coteaux-du-giennois, 1038 • Pouilly-fumé, 1048
MELLOT, ALPHONSE, Sancerre, 1057
MEMOIRES, CH., Bordeaux sec, 217 • Cadillac, 410 • Loupiac, 411
MENARD, HERVE, Bourgueil, 997
MENARD, DOM. DE, Côtes de Gascogne, 1151
MENARD, Pineau-des-charentes, 803
MENAUT, CHRISTIAN, Pommard, 546
MENUT DES JACOBINS, LE, Saint-émilion grand cru, 301
MERCADINE, DOM. LA, Coteaux-varois, 842
MERCHIEN, DOM. DU, Coteaux-du-quercy AOVDQS, 862
MERCIER, DENIS, Canton du Valais, 1207
MERCIER, Champagne, 666
MERCIER, CH., Côtes-de-bourg, 253
MERCUES, CH. DE, Cahors, 859
MERIBELLES, DOM. LES, Saumur-champigny, 980
MERIC, DE, Champagne, 666
MERITZ, CH. LES, Gaillac, 866
MERLE, DOM. DU, Bourgogne-passetoutgrain, 441
MERLES, CH. LES, Côtes-de-bergerac, 899
MERLES, CH. DES, Listrac-médoc, 385
MERLETTE, DOM. DE LA, Beaujolais-villages, 164
MERLIN-CHERRIER, THIERRY, Sancerre, 1058
MERODE, DOM. PRINCE FLORENT DE, Corton, 528 • Ladoix, 520
MESCLANCES, CH. LES, Côtes-de-provence, 817
MESLIAND, DOM., Touraine-amboise, 992
MESLIERE, CH., Muscadet-coteaux-de-la-loire, 934
MESNIL, LE, Champagne, 666
MESTE JEAN, CH., Bordeaux supérieur, 231
MESTRE PERE ET FILS, Santenay, 579
MESTREPEYROT, CH., Premières-côtes-de-bordeaux, 339
METAIRIE, DOM. LA, Pécharmant, 906
METAIRIE GRANDE DU THERON, Cahors, 859
METEORE, DOM. DU, Faugères, 753
METHEE, CH., Bordeaux, 210
METRAT, BERNARD, Chiroubles, 173
METZ, HUBERT, Alsace grand cru winzenberg, 143 • Alsace riesling, 99
METZ, DOM. GERARD, Alsace pinot noir, 122
METZ, GERARD, Alsace riesling, 99
MEULIERE, DOM. DE LA, Chablis premier cru, 464
MEUNIER, DOM., Balmes dauphinoises, 1176
MEUNIER, DOM. MAX, Touraine, 987
MEUNIER SAINT-LOUIS, CH., Corbières, 728
MEURSAULT, CH. DE, Meursault, 562
MEYENBURG, KASPAR VON, Canton de Zurich, 1221
MEYER, RENE, Alsace grand cru florimont, 128 • Alsace riesling, 99
MEYER, DENIS, Alsace riesling, 99
MEYER, GILBERT, Alsace tokay-pinot-gris, 115
MEYER, JEAN-LUC, Alsace tokay-pinot-gris, 116
MEYER ET FILS, LUCIEN, Alsace grand cru hatschbourg, 131 • Alsace tokay-pinot-gris, 116
MEYER ET FILS, ALFRED, Alsace pinot ou klevner, 92 • Alsace tokay-pinot-gris, 116
MEYER-FONNE, Alsace grand cru wineck-schlossberg, 142 • Alsace tokay-pinot-gris, 116
MEYLAN, P.A., Canton de Vaud, 1202
MEYNEY, CH., Saint-estèphe, 402
MEYRE, CH., Haut-médoc, 380
MEZIAT-BELOUZE, Chiroubles, 173
MIAUDOUX, CH., Saussignac, 907
MICHAUD, DOM., Crémant-de-loire, 921 • Touraine, 987
MICHEL, J. B., Champagne, 666
MICHEL, JEAN, Champagne, 666
MICHEL, PAUL, Champagne, 666
MICHEL-ANDREOTTI, DOM., Montagny, 596
MICHELAS-SAINT JEMMS, DOM., Cornas, 1104 • Crozes-hermitage, 1101
MICHEL ET FILS, LOUIS, Chablis premier cru, 464
MICHEL-GENTILHOMME, Champagne, 667
MICHELOT, DOM. ALAIN, Nuits-saint-georges, 513
MICHELOT MERE ET FILLE, DOM., Meursault, 562 • Puligny-montrachet, 566

MICHOT, FREDERIC ET SOPHIE, Pouilly-fumé, 1048
MICHOT, GUY ET ODILE, Pouilly-fumé, 1048
MICOUDS, DOM. DES, Morgon, 185
MIGNON, CHARLES, Champagne, 667
MIGNON, PIERRE, Champagne, 667
MIHOUDY, DOM. DE, Anjou, 943 • Bonnezeaux, 970 • Coteaux-du-layon, 964
MILAN, Champagne, 667
MILLARGES, DOM. DES, Chinon, 1009
MILLE, CH. DE, Premières-côtes-de-bordeaux, 339
MILLE ET UNE PIERRES, Corrèze, 1150
MILLE PIERRES, DOM. DES, Côtes-de-millau AOVDQS, 876
MILLE ROSES, CH., Haut-médoc, 381
MILLE SECOUSSES, LES HAUTS DE, Côtes-de-bourg, 253
MILLET, DOM. DE, Côtes de Gascogne, 1151
MILLET, DOM. GERARD, Sancerre, 1058
MILLET, INSOLITE DE FRANCK, Sancerre, 1058
MILLIANE, Bourgogne, 434
MILLY, ALBERT DE, Champagne, 667
MILON, CH., Saint-émilion grand cru, 301
MILOUCA, CH., Haut-médoc, 381
MINIER, DOM., Coteaux-du-vendômois, 1032
MINIERE, CH. DE, Bourgueil, 997
MINNA VINEYARD, Bouches-du-Rhône, 1168
MINUTY, CH., Côtes-de-provence, 817
MIOLANE, DOM., Beaujolais, 159
MIOLANE, DOM. PATRICK, Chassagne-montrachet, 572 • Saint-aubin, 575
MIOLANNE, ODETTE ET GILLES, Côtes-d'auvergne AOVDQS, 1035
MIRAFLORS, CH., Côtes-du-roussillon, 776
MIRAGE DU JONCAL, Bergerac, 892
MIRAMBEAU PAPIN, CH., Bordeaux supérieur, 231
MIRAMOND, CH., Gaillac, 866
MIRAULT, MAISON, Touraine, 988 • Vouvray, 1023
MIRAUSSE, CH., Minervois, 759
MIRAVAL, CH., Coteaux-varois, 842 • Côtes-de-provence, 817
MIREBEAU, CH., Pessac-léognan, 359
MIREFLEURS, CH., Bordeaux supérieur, 231
MIRE L'ETANG, CH., Coteaux-du-languedoc, 745
MIREMONT, CH. DE, Minervois, 759
MISSET, DOM. PAUL, Chambolle-musigny, 497 • Nuits-saint-georges, 513
MISSION, LA, Québec, 1190
MISSION HAUT-BRION, CH. LA, Pessac-léognan, 359
MISSION HILL, Colombie-Britannique, 1184
MITTELBURG, DOM. DU, Alsace pinot noir, 122
MITTNACHT FRERES, DOM., Alsace gewurztraminer, 109
MOCHEL-LORENTZ, Alsace grand cru altenberg-de-bergbieten, 126
MODERATO, Ile de Beauté, 1170
MOELLINGER, Alsace gewurztraminer, 109 • Alsace grand cru hengst, 132
MOET ET CHANDON, Champagne, 667
MOHR-NIGGLI, FORTI ET IYAGDA, Canton des Grisons, 1219
MOILLARD, DOM., Aloxe-corton, 523 • Bourgogne-hautes-côtes-de-nuits, 444 • Côte-de-beaune-villages, 583 • Côte-de-nuits-villages, 517 • Côtes-du-rhône, 1075 • Nuits-saint-georges, 513 • Pommard, 546
MOINES, CH. LES, Médoc, 369
MOINES, CAVES DES, Santenay, 579 • Volnay, 550
MOINES, DOM. AUX, Savennières-roche-aux-moines, 960
MOINE VIEUX, CH., Saint-émilion grand cru, 301
MOIRETS, LES, Côtes-du-rhône, 1075
MOIROTS, DOM. DES, Montagny, 596
MOISSENET-BONNARD, DOM., Bourgogne, 434 • Crémant-de-bourgogne, 452 • Pommard, 546
MOLHIERE, CH., Côtes-de-duras, 910
MOLIN, ARMELLE ET JEAN-MICHEL, Fixin, 476
MOLINES, DOM. DE, Gard, 1157
MOLLET, JEAN-PAUL, Pouilly-fumé, 1048
MOLLET, FLORIAN, Sancerre, 1058
MOLTES, DOM., Alsace tokay-pinot-gris, 116
MOMENIERE, DOM. DE LA, Gros-plant AOVDQS, 935
MOMMESSIN, Fleurie, 176
MONARDIERE, DOM. LA, Vacqueyras, 1111
MONASTERE DE SAINT-MONT, Côtes-de-saint-mont AOVDQS, 887
MONBLANC, DOM., Madiran, 884
MONBOUSQUET, CH., Saint-émilion grand cru, 301
MONBRISON, CH., Margaux, 390
MONCONSEIL GAZIN, CH., Blaye, 238
MONCONTOUR, CH., Vouvray, 1023
MONCUCCHETTO, FATTORIA, Canton du Tessin, 1222
MONCUIT, PIERRE, Champagne, 667
MONDAIN, CH., Bordeaux, 210
MONDESIR-GAZIN, CH., Premières-côtes-de-blaye, 244
MONDET, Champagne, 668
MONDORION, CH., Saint-émilion grand cru, 301
MONESTIER LA TOUR, CH., Bergerac, 892 • Bergerac sec, 896
MONFORT-BELLEVUE, Médoc, 369
MONGEARD-MUGNERET, DOM., Clos-de-vougeot, 501 • Echézeaux, 503 • Grands-échézeaux, 504 • Vosne-romanée, 506
MONGES, CH. DES, Coteaux-du-languedoc, 745
MONGRAVEY, CH., Margaux, 390
MONIER-LA FRAISSE, CH., Bordeaux sec, 217
MONIN, DOM., Bugey AOVDQS, 716
MONLOT CAPET, CH., Saint-émilion grand cru, 301
MONLUC, CH., Floc-de-gascogne, 913
MONMARTHE, Champagne, 668
MON MOUREL, DOM., Coteaux-du-languedoc, 746
MONMOUSSEAU, Crémant-de-loire, 921
MONNIER ET FILS, DOM. JEAN, Meursault, 562
MONNOT ET FILS, DOM. EDMOND, Maranges, 582
MONNOT-ROCHE, DOM., Bourgogne-hautes-côtes-de-beaune, 448
MONPLEZY, DOM., Côtes de Thongue, 1155
MONS, CH. DE, Floc-de-gascogne, 913
MONT, DOM. LE, Rosé-de-loire, 919
MONT, CH. DU, Sainte-croix-du-mont, 412 • Sauternes, 418
MONTAGNAC, VIGNOBLES, Coteaux-du-languedoc, 746
MONTAGNA MAGICA, Canton du Tessin, 1222
MONTAGNE, CH., Côtes-de-provence, 818
MONTALBANO, TENUTA, Canton du Tessin, 1222
MONTANGERON, DOM., Fleurie, 176
MONTAUDON, Champagne, 668
MONTAUNOIR, CH., Bordeaux rosé, 221 • Bordeaux sec, 217
MONTAURIOL, CH., Côtes-du-frontonnais, 872
MONTAUT, DOM., Jurançon, 880

MONT BELAIR, CH., Saint-émilion grand cru, 301
MONTBENOIT, DOM. DE, Coteaux-du-giennois, 1038
MONTBOURGEAU, DOM. DE, Crémant-du-jura, 701 • L'étoile, 703
MONTCALM, DOM. DE, Sables du Golfe du Lion, 1165
MONTCANON, CH., Canon-fronsac, 258
MONTCELLIERE, DOM. DE LA, Cabernet-d'anjou, 955 • Rosé-d'anjou, 954 • Rosé-de-loire, 919
MONTCY, DOM. DE, Cheverny, 1028
MONT D'HORTES, DOM. DE, Côtes de Thongue, 1156
MONT D'OR, DOM. DU, Canton du Valais, 1207
MONTDOYEN, CH., Bergerac sec, 896
MONTEILLET, DOM. DU, Condrieu, 1096
MONTEILLET, VIGNOBLES DU, Côte-rôtie, 1094 • Saint-joseph, 1099
MONTEL, MAS, Oc, 1162
MONTEL-CAILLOT, DOM., Côtes-d'auvergne AOVDQS, 1035
MONTELS, DOM. DE, Coteaux et terrasses de Montauban, 1150
MONTELS, CH., Gaillac, 866
MONTERRAIN, DOM. DE, Mâcon, 599
MONTESQUIEU, BARON DE, Graves supérieures, 352
MONTESQUIOU, DOM. DE, Jurançon, 880
MONTFAUCON, CH. DE, Côtes-du-rhône, 1075
MONTFLEURY, CAVE COOPERATIVE DE, Coteaux de l'Ardèche, 1178
MONTFOLLET, CH., Premières-côtes-de-blaye, 244
MONTFORT, CH. DE, Vouvray, 1023
MONTGILET, DOM. DE, Anjou-villages-brissac, 953 • Coteaux-de-l'aubance, 957
MONTGRIGNON, DOM. DE, Meuse, 1181
MONTGUERET, CH. DE, Saumur, 975
MONTHIL, CH. DU, Médoc, 369
MONTIEL, DOM. DE, Costières-de-nîmes, 735
MONTILLE, DOM. DE, Pommard, 546 • Puligny-montrachet, 566
MONTINE, DOM. DE, Coteaux-du-tricastin, 1126
MONTIRIUS, Gigondas, 1108 • Vacqueyras, 1111
MONTJOUAN, CH., Premières-côtes-de-bordeaux, 339
MONTLAUR, DOM. DE, Côtes-de-la-malepère AOVDQS, 769
MONTLOUIS-SUR-LOIRE, CAVE DE, Montlouis-sur-loire, 1017
MONTMOLLIN FILS, DOM. DE, Canton de Neuchâtel, 1215
MONT-PERAT, CH., Premières-côtes-de-bordeaux, 339
MONTPIERREUX, DOM. DE, Bourgogne, 435
MONT-PRES-CHAMBORD, LES VIGNERONS DE, Cheverny, 1028
MONTRABECH-PITT, CH., Corbières, 728
MONT REDON, DOM. DE, Côtes-de-provence, 818 • Maures, 1172
MONT-REDON, CH., Côtes-du-rhône, 1075 • Lirac, 1120
MONTREUIL-BELLAY, LYCEE VITICOLE DE, Crémant-de-loire, 921
MONTROSE, DOM., Côtes de Thongue, 1156
MONTROSE, CH., Saint-estèphe, 403
MONTROZIER, DOM., Côtes-de-millau AOVDQS, 876
MONT SAINT-JEAN, DOM. DU, Corse ou vins-de-corse, 847 • Ile de Beauté, 1170
MONTUS, CH., Pacherenc-du-vic-bilh, 886
MONTVAC, DOM. DE, Vacqueyras, 1111
MONTVIEL, CH., Pomerol, 269
MONVALLON, CH. DE, Beaujolais-villages, 164
MORANGE, CH., Sainte-croix-du-mont, 412
MORDOREE, DOM. DE LA, Châteauneuf-du-pape, 1116 • Côtes-du-rhône, 1075 • Lirac, 1120 • Tavel, 1122
MOREAU, JEAN-MICHEL, Bourgogne, 435
MOREAU, DOMINIQUE, Bourgueil, 998
MOREAU, DOM. LOUIS, Chablis grand cru, 468
MOREAU, DANIEL, Champagne, 668
MOREAU ET FILS, J., Chablis grand cru, 468 • Chablis premier cru, 465
MOREAU ET FILS, DOM. BERNARD, Chassagne-montrachet, 572
MOREAU-NAUDET, Chablis premier cru, 465 • Petit-chablis, 455
MOREAU PERE ET FILS, DOM. CHRISTIAN, Chablis, 459 • Chablis grand cru, 468 • Chablis premier cru, 465
MOREL-THIBAUT, DOM., Côtes-du-jura, 698
MOREY, PIERRE, Bourgogne, 435 • Monthélie, 553
MOREY-BLANC, Meursault, 562
MOREY-COFFINET, DOM., Chassagne-montrachet, 573
MORIN, CHRISTIAN, Bourgogne, 435 • Chablis, 459
MORIN, OLIVIER, Bourgogne, 435
MORIN, JEAN-FRANCOIS, Côte-de-brouilly, 169
MORIN-LANGARAN, DOM., Coteaux-du-languedoc, 746
MORION, DIDIER, Condrieu, 1096
MORIZE PERE ET FILS, Champagne, 668
MORLET ET FILS, PIERRE, Champagne, 668
MOROT, ALBERT, Beaune, 540 • Savigny-lès-beaune, 535
MORTET, DOM. THIERRY, Chambolle-musigny, 497 • Gevrey-chambertin, 482
MORTIER, DOM. DU, Saint-nicolas-de-bourgueil, 1003
MORTIES, Coteaux-du-languedoc, 746
MOSNIER, SYLVAIN, Chablis premier cru, 465 • Petit-chablis, 455
MOSSE, CH., Côtes-du-roussillon, 776 • Rivesaltes, 789
MOTEY-BESUCHE, DOM. DE, Franche-Comté, 1180
MOTHE DU BARRY, CH. LA, Bordeaux supérieur, 231
MOTHE PEYRAN, LA, Madiran, 885
MOTTE, DOM. DE LA, Anjou, 943 • Anjou-villages, 950 • Chablis, 459
MOTTE MAUCOURT, CH., Bordeaux, 210
MOUCHERES, DOM. DES, Coteaux-du-languedoc, 746
MOUCHET, CH., Puisseguin-saint-émilion, 318
MOUILLARD, JEAN-LUC, Crémant-du-jura, 701 • Macvin-du-jura, 706
MOUILLES, DOM. DES, Juliénas, 180
MOULIN, DOM. DU, Côtes-du-rhône-villages, 1087
MOULIN, DOM. DU, Gaillac, 866
MOULIN, DOM. DU, Bergerac, 892
MOULIN, DOM. DU, Jardin de la France, 1143 • Muscadet-côtes-de-grand-lieu, 933
MOULIN, DOM. DU, Muscadet-sèvre-et-maine, 930
MOULIN, DOM. DU, Saumur, 975
MOULIN, CH. DU, Haut-médoc, 381
MOULIN A VENT, CH., Moulis-en-médoc, 394
MOULIN BERGER, DOM. DU, Juliénas, 181
MOULIN BLANC, DOM. DU, Beaujolais, 159
MOULIN BLANC LA CHAPELLE, CH., Montagne-saint-émilion, 314
MOULIN CARESSE, CH., Côtes-de-bergerac, 899

MOULIN DE BEAU PUY, Chinon, 1009
MOULIN DE BEAUSEJOUR, CH., Bordeaux, 210 • Bordeaux supérieur, 231
MOULIN DE BEL-AIR, CH., Montravel, 904
MOULIN DE BLANCHON, CH., Haut-médoc, 381
MOULIN DE BOUTY, CH., Côtes-de-castillon, 324
MOULIN DE BREUIL, Côtes-du-roussillon, 776
MOULIN DE CHASSERAT, CH., Blaye, 238
MOULIN DE CIFFRE, Faugères, 753
MOULIN DE CLOTTE, CH., Côtes-de-castillon, 324
MOULIN DE FERRAND, CH., Bordeaux rosé, 221
MOULIN DE GUIET, CH., Côtes-de-bourg, 253
MOULIN DE LA GACHE, CH., Premières-côtes-de-blaye, 245
MOULIN DE LA GARDETTE, Gigondas, 1108
MOULIN DE LA ROSE, CH., Saint-julien, 407
MOULIN DE LA TOUCHE, LE, Jardin de la France, 1143
MOULIN DE PILLARDOT, CH., Bordeaux supérieur, 231
MOULIN DE PONCET, CH., Bordeaux sec, 217
MOULIN DES MAILLETS, Bordeaux sec, 217
MOULIN DES PEZAUDS, Monbazillac, 903
MOULIN DES VRILLERES, Sancerre, 1058
MOULIN DU BOURG, CH., Listrac-médoc, 385
MOULIN DU CADET, CH., Saint-émilion grand cru, 301
MOULIN D'ULYSSE, CH., Listrac-médoc, 385
MOULIN DU ROULET, CH., Bordeaux, 210
MOULINE, LA, Côte-rôtie, 1094
MOULINE, CH. LA, Moulis-en-médoc, 394
MOULINES, DOM. DE, Hérault, 1158
MOULINET, CH., Pomerol, 269
MOULIN-FAVRE, DOM. DU, Chiroubles, 173
MOULIN GALHAUD, CH., Saint-émilion grand cru, 302
MOULIN GIRON, DOM. DU, Coteaux-d'ancenis AO-VDQS, 938
MOULIN HAUT-LAROQUE, CH., Fronsac, 260
MOULINIER, DOM., Saint-chinian, 765
MOULIN-LA-VIGUERIE, DOM., Tavel, 1122
MOULIN NEUF, DOM. DU, Givry, 594
MOULIN-NEUF, CH. DU, Médoc, 369
MOULIN NEUF, CH., Premières-côtes-de-blaye, 245
MOULIN NOIR, CH. DU, Lussac-saint-émilion, 312 • Montagne-saint-émilion, 315
MOULIN ROUGE, CH. DU, Haut-médoc, 381
MOUNIE, DOM., Côtes-du-roussillon-villages, 781 • Muscat-de-rivesaltes, 793
MOURAS, CH., Graves, 349
MOURESSE, CH., Côtes-de-provence, 818
MOURGUES DU GRES, CH., Costières-de-nîmes, 735
MOURIER, CH., Costières-de-nîmes, 735
MOURIES, MAS, Coteaux-du-languedoc, 746
MOURZIERE, LA, Canton du Valais, 1208
MOUSSE, CLAUDE, Champagne, 668
MOUSSET, DOM. FABRICE, Châteauneuf-du-pape, 1116
MOUSSET, LOUIS, Côtes-du-rhône, 1075 • Gigondas, 1108
MOUSSEYRON, CH., Bordeaux rosé, 221
MOUTARD, CORINNE, Champagne, 669
MOUTARDIER, JEAN, Champagne, 669
MOUTARD PERE ET FILS, Champagne, 669
MOUTETE, CH. LA, Côtes-de-provence, 818
MOUTON, DOM., Givry, 595
MOUTONNIERE, DOM. DE LA, Muscadet-sèvre-et-maine, 930
MOUTON PERE ET FILS, Condrieu, 1096 • Côte-rôtie, 1094
MOUTON ROTHSCHILD, CH., Pauillac, 398
MOUTTE BLANC, CH., Bordeaux supérieur, 231 • Haut-médoc, 381
MOUZON-LEROUX, PH., Champagne, 669
MOYER, DOM., Montlouis-sur-loire, 1017
MUCYN, DOM., Crémant-de-bourgogne, 452
MUGNERET, DOMINIQUE, Bourgogne-hautes-côtes-de-nuits, 444 • Echézeaux, 503 • Nuits-saint-georges, 513 • Vosne-romanée, 506
MUID MONTSAUGEONNAIS, LE, Haute-Marne, 1181
MULINU DI RASIGNANI, Ile de Beauté, 1170
MULI WY, Canton de Zurich, 1221
MULLER, JULES, Alsace riesling, 99 • Alsace sylvaner, 90 • Alsace tokay-pinot-gris, 116
MULLER ET FILS, CHARLES, Alsace pinot ou klevner, 92 • Alsace riesling, 99
MULONNIERE, CH. DE LA, Savennières, 959
MUMM DE CRAMANT, Champagne, 669
MUR, CH. DE, Canton de Fribourg, 1217
MUR DU CLOITRE, DOM., Moselle AOVDQS, 149
MURE, FRANCIS, Alsace gewurztraminer, 109
MUREAU, DOM., Bourgueil, 998
MUSCAT, LE, Muscat-de-saint-jean-de-minervois, 772
MUSE, DOM. DE LA, Vacqueyras, 1111
MUSES, DOM. DES, Canton du Valais, 1208
MUSSET-CHEVALIER, CH., Saint-émilion grand cru, 302
MUSSET-SERGE ROULLIER, GILLES, Anjou, 943 • Anjou-gamay, 947
MUSSO, DOM. JEAN ET GENO, Crémant-de-bourgogne, 452
MUZARD ET FILS, LUCIEN, Corton, 528 • Pommard, 547 • Santenay, 579
MUZY, DOM. DE, Meuse, 1182
MYLORD, CH., Bordeaux, 211
MYRTES, DOM. DES, Côtes-de-provence, 818
MYTHIQUE, CUVEE, Oc, 1163

N

NAGES, CH. DE, Costières-de-nîmes, 735
NAIGEON, PIERRE, Bonnes-mares, 498 • Gevrey-chambertin, 482
NAIS, DOM., Coteaux-d'aix-en-provence, 836
NALYS, DOM. DE, Châteauneuf-du-pape, 1116
NARDIQUE LA GRAVIERE, CH., Bordeaux supérieur, 231
NARDOU, CH., Bordeaux-côtes-de-francs, 328
NARTETTE, DOM. DE LA, Bandol, 830
NAUDIN-FERRAND, DOM. HENRI, Bourgogne-hautes-côtes-de-beaune, 448 • Bourgogne-hautes-côtes-de-nuits, 444 • Côte-de-nuits-villages, 517
NAUDIN TIERCIN, Vosne-romanée, 506
NAU FRERES, Bourgueil, 998
NAUVE, CH. DE LA, Saint-émilion, 281
NAVARRE, DOM. DE LA, Côtes-de-provence, 818
NAVARRO, CH. DE, Graves, 349
NAYANDEI, Muscat-de-rivesaltes, 793
NEFFIEZ, Coteaux-du-languedoc, 746
NEGLY, CH. DE LA, Coteaux-du-languedoc, 746
NEGRIT, CH., Montagne-saint-émilion, 315
NENINE, CH., Premières-côtes-de-bordeaux, 339
NERE, CH. LA, Loupiac, 411
NERLEUX, DOM. DE, Coteaux-de-saumur, 977 • Saumur-champigny, 980
NERTHE, CH. LA, Châteauneuf-du-pape, 1116

NEUCHATEL, CAVES DE LA VILLE DE, Canton de Neuchâtel, 1215
NEUMEYER, DOM. GERARD, Alsace grand cru bruderthal, 127
NEVEU ET FILS, ROGER, Sancerre, 1058
NEWMAN, DOM. CHRISTOPHE, Beaune, 540 • Côte-de-beaune, 542
NICOLAS DE PANASSAC, Côtes-du-frontonnais, 872
NICOLAS D'OLIVET, Champagne, 669
NICOLAS PERE ET FILS, Bourgogne-hautes-côtes-de-beaune, 448
NICOLLE, DOM., Chablis grand cru, 468
NICOT, CH., Entre-deux-mers haut-benauge, 332
NIGRI, DOM., Jurançon sec, 882
NIZAS, DOM. DE, Coteaux-du-languedoc, 746 • Oc, 1163
NOAILLAC, CH., Médoc, 369
NOBLAIE, DOM. DE LA, Chinon, 1009
NOBLE, CH. DE LA, Bergerac, 892
NOBLESSE, CH. DE LA, Bandol, 830
NOE, DOM. DE LA, Jardin de la France, 1144
NOELLAT ET FILS, DOM. MICHEL, Chapelle-chambertin, 485 • Vosne-romanée, 506
NOELLE, LES VIGNERONS DES TERROIRS DE LA, Jardin de la France, 1144
NOEL SAINT-LAURENT, CH., Côtes-du-rhône, 1076
NOIR, MAS, Coteaux-du-languedoc, 746
NOIRAIE, DOM. DE LA, Bourgueil, 998
NOLL, CHARLES, Alsace riesling, 99
NOTRE DAME DE COUSIGNAC, Côtes-du-vivarais, 1135
NOTRE-DAME DE LAVAL, Côtes-du-roussillon, 776
NOTRE DAME DES VEILLES, CH., Côtes-du-rhône, 1076
NOTRE-DAME-DU-QUATOURZE, CH., Coteaux-du-languedoc, 747
NOURY, DOM. JACQUES, Coteaux-du-vendômois, 1032
NOUVEAU, DOM. CLAUDE, Bourgogne-hautes-côtes-de-beaune, 448 • Maranges, 582
NOUVEAU MONDE, DOM. LE, Coteaux-du-languedoc, 747
NOUZILLETTE, DOM. DE LA, Crémant-de-bordeaux, 237 • Premières-côtes-de-blaye, 245
NOVELLA, DOM., Muscat-du-cap-corse, 853
NOVI, MAS DU, Oc, 1163
NOYERS, CH. DES, Coteaux-du-layon, 965
NOZIERES, CH., Cahors, 859
NUDANT, DOM., Aloxe-corton, 523 • Corton, 529 • Corton-charlemagne, 531
NUEIL, DOM. DE, Chinon, 1009
NUIT DES DAMES, CH., Côtes-du-rhône-villages, 1087

O

OCELLE, DOM. DE L', Coteaux-du-languedoc, 747
OCELLE, MAS DE L', Hérault, 1158
OCRE ROUGE, Coteaux-du-languedoc, 747
OCTAVIE, DOM., Touraine, 988
ODYSSEE, Côtes-du-rhône-villages, 1088
OGEREAU, DOM., Anjou, 943 • Anjou-villages, 950 • Coteaux-du-layon, 965
OGIER, Châteauneuf-du-pape, 1117
OISELET, DOM. DE L', Vacqueyras, 1111
OISILLON, DOM. DE L', Beaujolais-villages, 164
OISLY ET THESEE, LA CONFRERIE DES VIGNERONS DE, Cheverny, 1028 • Touraine, 988
OLIVETTE, DOM. DE L', Bandol, 831
OLIVIER, DOM., Bourgueil, 998
OLIVIER, DOM. DE L', Côtes-du-rhône, 1076
OLIVIER, MAS, Faugères, 754
OLIVIER, CH., Pessac-léognan, 359
OLIVIER, PIERRE, Puligny-montrachet, 566 • Volnay, 550
OLIVIER-GARD, Bourgogne-hautes-côtes-de-nuits, 444
OLIVIER PERE ET FILS, DOM., Santenay, 579
OLLIER-TAILLEFER, DOM., Faugères, 754
OLLIEUX ROMANIS, CH., Corbières, 729
OLT, LES VIGNERONS D', Vins-d'estaing AOVDQS, 875
OMASSON, BERNARD, Bourgueil, 998
OMENALDI, Irouléguy, 878
OMERTA, CH. DE L', Graves, 349
OPPIDUM DES CAUVINS, DOM. DE L', Coteaux-d'aix-en-provence, 836
ORBAN, CHARLES, Champagne, 669
ORBAN, LUCIEN, Champagne, 669
ORCHYS, Limoux, 724
OR DU VIEUX PAYS, L', Pacherenc-du-vic-bilh, 886
OREE DU BOIS, DOM. DE L', Beaujolais-villages, 164
ORENGA DE GAFFORY, Muscat-du-cap-corse, 853 • Patrimonio, 852
OR ET DE GUEULES, CH. D', Costières-de-nîmes, 735
ORFEUILLES, DOM. D', Vouvray, 1024
ORGIGNE, DOM. D', Coteaux-de-l'aubance, 957
ORME, DOM. DE L', Petit-chablis, 456
ORMEOLE, L', Coteaux-de-saumur, 977
ORMES, DOM. DES, Chablis, 459
ORMES, DOM. DES, Côtes-du-roussillon, 777 • Rivesaltes, 789
ORMES, CH. LES, Saint-julien, 408
ORMES DE PEZ, CH. LES, Saint-estèphe, 403
ORMES SORBET, CH. LES, Médoc, 369
ORMOUSSEAUX, DOM. DES, Coteaux-du-giennois, 1038
ORPAILLEUR, L', Québec, 1190
ORPHYS, Bordeaux, 211
ORSCHWILLER-KINTZHEIM, LES VIGNERONS RECOLTANTS D', Alsace grand cru praelatenberg, 137 • Alsace riesling, 99
ORT D'AMOREL, DOM. DE L', Faugères, 754
OTT, DOM., Côtes-de-provence, 818
OTTER, DOM., Alsace grand cru hatschbourg, 131
OUCHES, DOM. DES, Bourgueil, 998
OUDIN, DOM., Chablis premier cru, 465 • Touraine, 988
OUDINOT, Champagne, 669
OULLIERES, DOM. DES, Coteaux-d'aix-en-provence, 836
OURY-SCHREIBER, Moselle AOVDQS, 149

P

PABIOT, DOMINIQUE, Pouilly-fumé, 1048
PABIOT ET FILS, JEAN, Sancerre, 1058
PADERE, CH. DE, Buzet, 869
PAGE, JEAN-LOUIS, Chinon, 1009
PAGET, DOM. JAMES ET NICOLAS, Chinon, 1009 • Touraine-azay-le-rideau, 993
PAGUS NOVERTAS, Saint-émilion grand cru, 302
PAILLARD, BRUNO, Champagne, 670
PAILLARD, PIERRE, Champagne, 670
PAILLAS, CH., Cahors, 860
PAILLERE ET PIED-GU, DOM., Gigondas, 1108
PAIMPARE, DOM. DE, Coteaux-du-layon, 965
PAIN, DOM. CHARLES, Chinon, 1009
PAIRE, JEAN-JACQUES, Beaujolais, 159

PALAIS, CH. LES, Corbières, 729
PALAYSON, CH. DE, Côtes-de-provence, 818
PALME, LES VIGNERONS DE LA, Muscat-de-rivesaltes, 793
PALMER, Champagne, 670
PALMER, CH., Margaux, 390
PALOUMEY, CH., Haut-médoc, 381
PALVIE, LES SECRETS DU CHATEAU, Gaillac, 866
PANCHILLE, CH., Bordeaux supérieur, 232
PANERY, CH. DE, Côtes-du-rhône, 1076
PANIGON, CH. DE, Médoc, 369
PANISSE, DOM. DE, Châteauneuf-du-pape, 1117
PANISSEAU, Côtes-de-bergerac, 899
PANNIER, Champagne, 670
PANSIOT, DOM., Bourgogne, 435
PAPE CLEMENT, CH., Pessac-léognan, 359
PAPES, CAVE DES, Gigondas, 1108
PAPETERIE, CH. LA, Montagne-saint-émilion, 315
PAQUELETS, CH. DES, Chénas, 171
PAQUES ET FILS, Champagne, 670
PAQUET, AGNES ET SEBASTIEN, Auxey-duresses, 555
PARADIS, CELLIER DU, Canton de Genève, 1213
PARADIS, DOM. DU, Muscadet-sèvre-et-maine, 930 • Touraine-mesland, 994
PARADOU, CAVE DU, Canton du Valais, 1208
PARANDOU, DOM. DU, Côtes-du-rhône, 1076
PARC SAINT-CHARLES, DOM. DU, Côtes-du-rhône, 1076
PARDON ET FILS, Moulin-à-vent, 189
PARENCHERE, CH. DE, Bordeaux supérieur, 232
PARENT, PIERRE, Cheverny, 1028
PARENT, DOM., Corton, 529
PARENT, DOM. ANNICK, Monthélie, 553
PARENT, FRANCOIS, Pommard, 547 • Volnay, 550
PARET, ALAIN, Saint-joseph, 1099
PARIGOT PERE ET FILS, DOM., Beaune, 540 • Bourgogne-hautes-côtes-de-beaune, 448 • Pommard, 547 • Savigny-lès-beaune, 535
PARIS, DOM. VINCENT, Cornas, 1105
PARISES, DOM. DES, Gaillac, 866
PAROISSE, DOM. DE LA, Côte-roannaise, 1041
PASCAL-DELETTE ET FILS, Champagne, 670
PAS DE L'ANE, CH., Saint-émilion grand cru, 302
PAS DE RAUZAN, CH., Bordeaux supérieur, 232
PAS DU CERF, CH., Côtes-de-provence, 819
PASQUIERS, DOM. DES, Gigondas, 1108 • Vaucluse, 1175
PAS SAINT-MARTIN, DOM. DU, Cabernet-d'anjou, 955
PASSAQUAY, DOMINIQUE, Canton du Valais, 1208
PASSAVANT, CH. DE, Anjou-villages, 950
PASSE CRABY, CH., Bordeaux supérieur, 232
PASSOT, BERNARD, Morgon, 185
PASSOT-COLLONGE, DOM., Morgon, 186
PASTORALE, CH. LA, Buzet, 869
PASTRICCIOLA, DOM., Patrimonio, 852
PATACHE, CH. LA, Pomerol, 269
PATACHE D'AUX, CH., Médoc, 369
PATAILLE, DOM. SYLVAIN, Marsannay, 473
PATERNEL, DOM. DU, Cassis, 827
PATIS, CHRISTIAN, Champagne, 670
PATOUX, DENIS, Champagne, 670
PATRIARCHE, DOM. ALAIN, Bourgogne-aligoté, 439 • Meursault, 562
PATRIARCHE PERE ET FILS, Chassagne-montrachet, 573 • Corton, 529
PATRIS, CH., Saint-émilion grand cru, 302
PATY CLAUNE, CH., Premières-côtes-de-blaye, 245
PAULANDS, LA MAISON, Aloxe-corton, 523
PAUL RIBES, Crémant-de-bordeaux, 237
PAVELOT, DOM., Bourgogne-aligoté, 439 • Pernand-vergelesses, 525
PAVELOT, JEAN-MARC ET HUGUES, Savigny-lès-beaune, 535
PAVIE, CH., Saint-émilion grand cru, 303
PAVIE MACQUIN, CH., Saint-émilion grand cru, 303
PAVILLON, DOM. DU, Aloxe-corton, 523 • Corton-charlemagne, 531
PAVILLON, DOM. DU, Côte-roannaise, 1041
PAVILLON DE BOYREIN, CH. LE, Graves, 349
PAVILLON DES CAPITANS, LE, Juliénas, 181
PAVILLON DES CHARMES, Vicomté d'Aumélas, 1166
PAVILLON ROUGE, Margaux, 390
PAYRAL, CH. LE, Bergerac, 892
PAYSSEL, LE, Gaillac, 866
PECHARD, DOM. TANO, Régnié, 193
PECH-CELEYRAN, CH., Coteaux-du-languedoc, 747
PECH-LATT, CH., Corbières, 729
PECH MENEL, CH., Saint-chinian, 765
PECH REDON, CH., Coteaux-du-languedoc, 747
PECH ROME, DOM. DU, Coteaux-du-languedoc, 747
PECOULA, DOM. DE, Monbazillac, 903
PEDESCLAUX, CH., Pauillac, 398
PEGAU, DOM. DU, Châteauneuf-du-pape, 1117
PEHU-SIMONET, Champagne, 671
PEILLOT, FRANCK, Bugey AOVDQS, 717
PEIRECEDES, DOM. DES, Côtes-de-provence, 819
PELAN, Bordeaux-côtes-de-francs, 328
PELAQUIE, DOM., Côtes-du-rhône, 1076 • Lirac, 1120
PELISSON, DOM., Côtes-du-ventoux, 1129
PELLE, DOM. HENRY, Menetou-salon, 1043 • Sancerre, 1058
PELLEGRIN, JEAN-PIERRE, Canton de Genève, 1213
PELOSSI, Canton du Tessin, 1222
PELTIER, VINCENT, Vouvray, 1024
PENET, ANNICK, Bourgueil, 998
PENIN, CH., Bordeaux clairet, 213 • Bordeaux supérieur, 232
PENLOIS, DOM. DU, Juliénas, 181
PENLOUP, DOM. DE, Canton de Vaud, 1202
PENNAUTIER, CH. DE, Cabardès, 767
PERAGNOLO, Corse ou vins-de-corse, 847
PERALDI, DOM. COMTE, Ajaccio, 849
PERAYNE, CH., Bordeaux, 211 • Bordeaux sec, 218
PERCEREAU, DOMINIQUE, Touraine-amboise, 992
PERCHADE, CH. DE, Tursan AOVDQS, 888
PERDRIELLE, DOM. DE LA, Touraine-amboise, 992
PERDRIX, PHILIPPE, Bugey AOVDQS, 717
PERDRIX, DOM. DES, Nuits-saint-georges, 513 • Vosne-romanée, 507
PERDRYCOURT, DOM. DE, Petit-chablis, 456
PERE ANSELME, Côtes-du-ventoux, 1129
PERE AUGUSTE, CAVES DU, Touraine, 988
PERELLES, DOM. DES, Mâcon-villages, 604 • Pouilly-vinzelles, 613 • Saint-véran, 616
PERE TIENNE, CAVE DU, Mâcon, 599
PEREY-GROULEY, CH., Saint-émilion, 281
PERIER, CH. DU, Médoc, 370
PERLE DES MERS, Entre-deux-mers, 332
PERNET, JEAN, Champagne, 671
PERNET-LEBRUN, Champagne, 671
PERNOT ET SES FILS, PAUL, Puligny-montrachet, 566
PERO-LONGO, DOM., Corse ou vins-de-corse, 847

PERRAUD, JEAN-FRANCOIS, Beaujolais-villages, 164 • Juliénas, 181
PERRAUD, STEPHANE ET VINCENT, Muscadet-sèvre-et-maine, 931
PERRAULT ET FILS, DOM., Maranges, 582
PERREAU BEL-AIR, HARMONIE DE, Côtes-de-castillon, 324
PERREE, DOM. LA, Saint-nicolas-de-bourgueil, 1003
PERREON, CAVE BEAUJOLAISE DU, Brouilly, 167
PERRET, ANDRE, Condrieu, 1096 • Saint-joseph, 1099
PERRIER, JOSEPH, Champagne, 671
PERRIERE, VIGNOBLE DE LA, Anjou, 944
PERRIERE, DOM. DE LA, Chinon, 1009
PERRIERE, LA, Jardin de la France, 1144 • Muscadet, 923
PERRIERE, CH. LA, Muscadet-sèvre-et-maine, 931
PERRIERE, COMTE DE LA, Sancerre, 1059
PERRIERES, DOM. DES, Saint-nicolas-de-bourgueil, 1003
PERRIER-JOUET, Champagne, 671
PERRIER PERE ET FILS, DOM., Vin-de-savoie, 711
PERRIN, DOM. DU, Beaujolais-villages, 164
PERRIN, DANIEL, Champagne, 671
PERRIN, GASTON, Champagne, 672
PERRIN, LOUISE, Corton, 529
PERRIN, Côtes-du-rhône, 1076
PERRIN, DOM. ROGER, Côtes-du-rhône, 1076
PERRIN, DOM. CHRISTIAN, Ladoix, 520
PERRIN, VINCENT ET MARIE-CHRISTINE, Monthélie, 553 • Volnay, 550
PERRIN, VINCENT, Saint-romain, 557
PERRIN ET FILS, Côtes-du-rhône-villages, 1088
PERRON, CH., Lalande-de-pomerol, 275
PERROT, LA CAVE, Canton de Berne, 1216
PERROT-MINOT, DOM. HENRI, Charmes-chambertin, 487 • Mazoyères-chambertin, 488
PERRUCHE, DOM. DE LA, Saumur-champigny, 980
PERSANGES, CH. DE, L'étoile, 703
PERSENOT, DOM. GERARD, Bourgogne, 435 • Saint-bris, 471
PERSEVAL-FARGE, Champagne, 672
PERSILIER, GILLES, Côtes-d'auvergne AOVDQS, 1036
PERSONNETS, LES VINS DES, Mâcon-villages, 604 • Saint-véran, 617
PERTOIS-MORISET, Champagne, 672
PERTONNIERES, CH. DES, Beaujolais, 159
PERVENCHE-PUY ARNAUD, CH., Côtes-de-castillon, 324
PESQUIER, DOM. DU, Côtes-du-rhône, 1077
PESSAN, CH., Graves, 349
PESSANGE, CH., Médoc, 370
PESTRE, PATRICK, Bourgogne-hautes-côtes-de-beaune, 448
PETERS, PIERRE, Champagne, 672
PETIT, DOM. DESIRE, Arbois, 693 • Château-chalon, 695 • Macvin-du-jura, 706
PETIT, ANDRE, Pineau-des-charentes, 803
PETIT-BARBARAS, DOM. DU, Côtes-du-rhône-villages, 1088
PETIT BOCQ, CH., Saint-estèphe, 403
PETIT BONDIEU, DOM. DU, Bourgueil, 998
PETIT-BOYER, CH., Premières-côtes-de-blaye, 245
PETIT CAUSSE, DOM. DU, Oc, 1163
PETIT CHAMBORD, LE, Cheverny, 1028
PETIT CLOCHER, DOM. DU, Coteaux-du-layon, 965 • Jardin de la France, 1144 • Rosé-de-loire, 919
PETITEAU-GAUBERT, Jardin de la France, 1144
PETITE BORIE, CH. LA, Bordeaux, 211
PETITE CHAPELLE, DOM. DE LA, Saumur-champigny, 980
PETITE CHARDONNE, LA, Côtes-de-bourg, 253
PETITE CROIX, DOM. DE LA, Anjou-villages, 950 • Bonnezeaux, 970 • Coteaux-du-layon, 965
PETITE DOREE, LA, Côtes-de-bordeaux-saint-macaire, 341
PETITE GALLEE, DOM. DE LA, Coteaux-du-lyonnais, 197
PETITE MAIRIE, DOM. DE LA, Bourgueil, 999
PETITES BRUYERES, LES, Pouilly-fuissé, 611
PETITES GROUAS, DOM. DES, Cabernet-d'anjou, 955 • Rosé-de-loire, 919
PETIT-FAURIE-DE-SOUTARD, CH., Saint-émilion grand cru, 303
PETIT FOMBRAUGE, CH., Saint-émilion grand cru, 303
PETIT FREYLON, CH., Bordeaux, 211
PETIT FROMENTIN, DOM. DE, Coteaux-du-lyonnais, 197
PETIT LA GAROSSE, CH., Premières-côtes-de-blaye, 245
PETIT MALROME, DOM. DU, Côtes-de-duras, 910
PETIT MARSALET, DOM. LE, Monbazillac, 903
PETIT METRIS, DOM. DU, Chaume, 969
PETITOT, DOM., Bourgogne-aligoté, 440
PETITOT ET FILS, DOM. JEAN, Ladoix, 520
PETIT PARIS, DOM. DU, Côtes-de-bergerac, 899 • Monbazillac, 903
PETIT PEROU, DOM. DU, Morgon, 186
PETIT PUCH, MAISON NOBLE DU, Graves-de-vayres, 334
PETIT PUITS, DOM. DU, Chiroubles, 174
PETITS QUARTS, DOM. DES, Anjou, 944 • Bonnezeaux, 970 • Coteaux-du-layon, 965
PETIT VAL, DOM. DU, Bonnezeaux, 970 • Coteaux-du-layon, 965 • Jardin de la France, 1144
PETRAPIANA, DOM. DE, Ile de Beauté, 1170
PETROCORE, LE, Côtes-de-bergerac, 899
PETRUS, Pomerol, 269
PEUY-SAINCRIT, CH., Bordeaux supérieur, 232
PEY, CH. LE, Médoc, 370
PEYAU, CH., Bordeaux supérieur, 232
PEYBONHOMME LES TOURS, CH., Premières-côtes-de-blaye, 245
PEYBRUN, CH., Cadillac, 410
PEYCHAUD, CH., Côtes-de-bourg, 253
PEY DE PONT, CH., Médoc, 370
PEYFAURES, CH., Bordeaux supérieur, 232
PEY-LAMOTHE, CH., Montagne-saint-émilion, 315
PEY MALLET, CH., Haut-médoc, 381
PEYMOUTON, CH., Saint-émilion grand cru, 303
PEYNAUD, CH., Bordeaux supérieur, 232
PEY-NEUF, DOM. DU, Bandol, 831 • Mont-Caume, 1172
PEYRABON, CH., Haut-médoc, 381
PEYRASSOL, CH. DE, Côtes-de-provence, 819
PEYRAT-FOURTHON, CH., Haut-médoc, 382
PEYRE, CH. LA, Saint-estèphe, 403
PEYREBLANQUE, CH., Graves, 349
PEYREBON, CH., Entre-deux-mers, 332
PEYREDON LAGRAVETTE, CH., Listrac-médoc, 385
PEYREGRANDES, CH. DES, Faugères, 754
PEYRE-LEBADE, CH., Haut-médoc, 382
PEYRELONGUE, CH., Saint-émilion grand cru, 303
PEYRERE DU TERTRE, CH. LA, Bordeaux, 211
PEYRES-COMBE, Gaillac, 866
PEYRETTE, DOM., Jurançon, 880

PEYRIE, DOM. DU, Cahors, 860
PEYRINES, CH., Entre-deux-mers haut-benauge, 333
PEYROLLE, MAS, Coteaux-du-languedoc, 747
PEYRONNET, DOM., Muscat-de-frontignan, 770
PEYROS, CH., Madiran, 885
PEYROT-MARGES, CH., Loupiac, 411 • Sainte-croix-du-mont, 412
PEYROU, CH., Côtes-de-castillon, 324
PEYROU, DOM. DU, Madiran, 885
PEYSSON, DOM., Côtes-du-rhône-villages, 1088
PEYSSONNIE, CH. DE, Muscat-de-frontignan, 770
PEZ, CH. DE, Saint-estèphe, 403
PEZILLA, CH., Côtes-du-roussillon, 777 • Muscat-de-rivesaltes, 793 • Rivesaltes, 789
PFAFFENHEIM ET GUEBERSCHWIHR, LES VIGNERONS DE, Alsace riesling, 100 • Alsace tokay-pinot-gris, 116
PHELAN SEGUR, CH., Saint-estèphe, 403
PHILBERDIERE, CH. DE LA, Bourgueil, 999
PHILIPPART, MAURICE, Champagne, 672
PHILIPPONNAT, Champagne, 672
PHILIPPOZ, LES FRERES, Canton du Valais, 1208
PHILIZOT ET FILS, Champagne, 672
PIADA, CH., Barsac, 414
PIALENTOU, DOM. DE, Gaillac, 867
PIANA, DOM. DE, Corse ou vins-de-corse, 847
PIAT ET FILS, MAURICE, Côte-roannaise, 1041
PIAUGIER, DOM. DE, Côtes-du-rhône-villages, 1088
PIBALEAU, PASCAL, Touraine-azay-le-rideau, 993
PIBARNON, CH. DE, Bandol, 831
PIBRAN, CH., Pauillac, 398
PIC, CH. DE, Premières-côtes-de-bordeaux, 339
PICAMELOT, Crémant-de-bourgogne, 452
PICARD, JACQUES, Champagne, 673
PICARD, MICHEL, Côte-de-nuits-villages, 517 • Mazis-chambertin, 488 • Meursault, 563
PICARD, DOM. MICHEL, Rully, 588
PICARD, JEAN-PAUL, Sancerre, 1059
PICARD ET BOYER, Champagne, 673
PICHAUD SOLIGNAC, CH., Sainte-foy-bordeaux, 335
PICHERIE, CH. LA, Montagne-saint-émilion, 315
PICHON, CHRISTOPHE, Condrieu, 1097
PICHON-BELLEVUE, CH., Graves-de-vayres, 334
PICHON-LONGUEVILLE BARON, CH., Pauillac, 398
PICHON-LONGUEVILLE COMTESSE DE LALANDE, CH., Pauillac, 399
PICON, CH., Bordeaux supérieur, 232
PICORON, CH., Côtes-de-castillon, 324
PIECES MADAME, DOM. DES, Anjou-villages, 950
PIED FLOND, DOM., Anjou, 944 • Anjou-gamay, 947 • Coteaux-du-layon, 965 • Rosé-de-loire, 919
PIEGUE, CH., Anjou, 944
PIERETTI, DOM., Corse ou vins-de-corse, 847
PIERHEM, CH., Pomerol, 269
PIERRAIL, CH., Bordeaux sec, 218
PIERRE-BISE, CH., Chaume, 969
PIERRE BLANCHE, DOM. DE, Saint-joseph, 1099
PIERRECLOS, CH. DE, Mâcon-villages, 604
PIERRE DE LUNE, CH., Saint-émilion grand cru, 303
PIERRE DE MONTIGNAC, CH., Médoc, 370
PIERREL, Champagne, 673
PIERRES, DOM. DES, Chénas, 171
PIERRES DOREES, DOM. DES, Beaujolais, 159
PIERRES ROUGES, DOM. DES, Mâcon supérieur, 600
PIERREUX, CH. DE, Brouilly, 167
PIERREVERT, CAVE DES VIGNERONS DE, Coteaux-de-pierrevert, 1134
PIERSON-CUVELIER, Champagne, 673
PIETRI-GERAUD, DOM., Banyuls, 786 • Collioure, 783
PIGANEAU, CH., Saint-émilion grand cru, 303
PIGEADE, DOM. DE LA, Muscat-de-beaumes-de-venise, 1135
PIGEAT, DOM. ANDRE, Quincy, 1051
PIGEONNIER, LE, Costières-de-nîmes, 735
PIGNERET FILS, DOM., Bourgogne-aligoté, 440
PIGNIER, DOM., Côtes-du-jura, 698 • Macvin-du-jura, 706
PIGOUDET, CH., Coteaux-d'aix-en-provence, 836
PIGUET-CHOUET, MAX ET ANNE-MARYE, Auxey-duresses, 555 • Meursault, 563 • Pommard, 547
PILLEBOIS, CH., Côtes-de-castillon, 325
PILLETS, DOM. DES, Morgon, 186
PILLITTERI, Ontario, 1187
PILLOT, FERNAND ET LAURENT, Chassagne-montrachet, 573
PILLOT, PAUL, Chassagne-montrachet, 573 • Saint-aubin, 575
PILLOT, JEAN-MICHEL ET LAURENT, Mercurey, 592
PIMONT, DOM. DU, Beaune, 541 • Saint-aubin, 575
PIMPEAN, CH. DE, Anjou, 944
PIN BEAUSOLEIL, CH. LE, Bordeaux supérieur, 233
PINCHINAT, DOM., Côtes-de-provence, 819
PINERAIE, CH., Cahors, 860
PINET, CH. DE, Coteaux-du-languedoc, 747
PINET LA ROQUETTE, CH., Premières-côtes-de-blaye, 246
PIN-FRANC-PILET, CUVEE, Bordeaux rosé, 221
PINON, FRANCOIS, Vouvray, 1024
PINQUIER-BROVELLI, DOM., Beaune, 541 • Bourgogne, 435 • Bourgogne-aligoté, 440
PINS, DOM. DES, Beaujolais-villages, 165
PINS, DOM. DES, Canton de Genève, 1214
PINS, DOM. LES, Bourgueil, 999
PINS, CH. LES, Côtes-du-roussillon-villages, 781
PINSON FRERES, DOM., Chablis grand cru, 469
PINTOUCAT, CH., Bergerac sec, 896
PINTRAY, CH. DE, Montlouis-sur-loire, 1017
PION, CH., Bergerac, 892
PIOTE-AUBRION, CH., Bordeaux supérieur, 233
PIPEAU, CH., Saint-émilion grand cru, 304
PIPER-HEIDSIECK, Champagne, 673
PIQUEMAL, DOM., Côtes-du-roussillon, 777 • Côtes-du-roussillon-villages, 781 • Muscat-de-rivesaltes, 793
PIQUE-PERLOU, Minervois, 760
PIRAS, CH. DU, Premières-côtes-de-bordeaux, 339
PIRON, CH., Graves, 349
PIRON, DOMINIQUE, Morgon, 186
PISSE-LOUP, DOM. DE, Chablis, 459
PITOUX, DOM. DES, Mâcon, 599
PIVOINES, DOM. DES, Juliénas, 181
PIZAY, CH. DE, Beaujolais, 159 • Morgon, 186
PLACES, CAVE DES, Canton du Valais, 1208
PLAGEOLES ET FILS, VIN D'AUTAN DE ROBERT, Gaillac, 867
PLAGNAC, CH., Médoc, 370
PLAGNOTTE, LA, Saint-émilion grand cru, 304
PLAIMONT, COLLECTION, Pacherenc-du-vic-bilh, 886
PLAINE HAUTE, MAS DE LA, Muscat-de-frontignan, 771
PLAIN-POINT, CH., Fronsac, 261
PLAISANCE, CH. DE, Anjou-villages, 950 • Savennières, 959

PLAISANCE, CH., Bordeaux supérieur, 233
PLAISANCE, CH., Côtes-du-frontonnais, 872
PLAISANCE, CH., Premières-côtes-de-bordeaux, 340
PLAISANCE, CH., Saint-émilion grand cru, 304
PLAN, DOM. LE, Drôme, 1179
PLAN DE L'OM, Coteaux-du-languedoc, 748
PLANERES, CH., Côtes-du-roussillon, 777 • Muscat-de-rivesaltes, 793
PLANEZES, CH., Côtes-du-roussillon-villages, 781
PLANQUE, MAS DE, Oc, 1163
PLANTE D'OR, DOM. DE LA, Cheverny, 1028
PLANTIER ROSE, CH., Saint-estèphe, 403
PLASSAN, CH. DE, Premières-côtes-de-bordeaux, 340
PLASSE, JACQUES, Côte-roannaise, 1042
PLESSIS, LES CAVES DU, Saint-nicolas-de-bourgueil, 1003
PLESSIS GLAIN, DOM. DU, Muscadet-sèvre-et-maine, 931
PLINCE, CH., Pomerol, 269
PLOUZEAU, CAVES, Crémant-de-loire, 921
POELERIE, VIGNOBLE DE LA, Chinon, 1010
POINT DU JOUR, DOM. DU, Fleurie, 176
POINTE, CH. LA, Pomerol, 269
POINTE CHANTECAILLE, CH. LA, Saint-émilion, 281
POINTILLART ET FILS, Champagne, 673
POIRON, DOM., Jardin de la France, 1144
POIRON ET FILS, JEAN, Gros-plant AOVDQS, 935
POISSINET, REGIS, Champagne, 673
POITTEVIN, GASTON, Champagne, 673
POLIGNAC, DOM. DE, Floc-de-gascogne, 913
POLL-FABAIRE, Crémant-de-luxembourg, 1195
POL ROGER, Champagne, 674
POLYPHONIES DE CEPAGES, LES, Ile de Beauté, 1170
POLYTE, LA CAVE A, Canton du Valais, 1208
POMEAUX, CH., Pomerol, 270
POMES PEBERERE, CH., Floc-de-gascogne, 914
POMMAREDE, CH. DE, Buzet, 869
POMMERAIE, DOM. DE LA, Gros-plant AOVDQS, 936
POMMERY, Champagne, 674
POMMIER, DENIS, Chablis, 460 • Chablis premier cru, 465 • Petit-chablis, 456
POMYS, CH., Saint-estèphe, 404
PONCETYS, DOM. DES, Crémant-de-bourgogne, 452 • Saint-véran, 617
PONNELLE, ALBERT, Beaune, 541 • Santenay, 580 • Savigny-lès-beaune, 535
PONSARD-CHEVALIER, DOM., Maranges, 582 • Santenay, 580 • Volnay, 551
PONT, VINCENT, Monthélie, 553
PONT, CH. DE, Touraine, 988
PONTAC GADET, CH., Médoc, 370
PONTAC MONPLAISIR, CH., Pessac-léognan, 359
PONT-CLOQUET, CH., Pomerol, 270
PONT DE BRION, CH., Graves, 350
PONT DE GUESTRES, DOM., Lalande-de-pomerol, 276
PONT DU GUE, DOM. LE, Bourgueil, 999
PONTET-CANET, CH., Pauillac, 399
PONTETE, CH. LA, Graves-de-vayres, 334
PONTEY, CH., Médoc, 370
PONTIFICAL, DOM., Châteauneuf-du-pape, 1117
PONT LE VOY, DOM. DE, Côtes-du-rhône-villages, 1088
PONTONNIER, DOM., Bourgueil, 999 • Saint-nicolas-de-bourgueil, 1003
PORTAIL, DOM. LE, Cheverny, 1028
PORTAILLE, DOM. DU, Bonnezeaux, 971 • Coteaux-du-layon, 966
PORTAZ, DOM. MARC, Vin-de-savoie, 711
PORT CAILLAVET, Saint-julien, 408
PORTETS, CH. DE, Graves, 350
PORTIER, VIRGILE, Coteaux-champenois, 688
PORTIER, PHILIPPE, Quincy, 1051
POSQUIERES, DOM. FRANÇOIS DE, Costières-de-nîmes, 736
POTEL-AVIRON, Morgon, 186
POTEL-PRIEUX, Champagne, 674
POTENSAC, CH., Médoc, 370
POTERIE, DOM. DE LA, Coteaux-du-layon, 966
POTIE, N., Champagne, 674
POUDEROUX, DOM., Côtes-du-roussillon-villages, 781 • Maury, 795
POUGEOISE, CHARLES, Champagne, 674
POUGET, CH., Margaux, 390
POUILLON ET FILS, ROGER, Champagne, 674
POUILLOUX, THIERRY, Pineau-des-charentes, 803
POUJEAUX, CH., Moulis-en-médoc, 394
POULET, ALAIN, Crémant-de-die, 1124
POULET, JEAN, Saint-romain, 557
POULET PERE ET FILS, Monthélie, 553 • Nuits-saint-georges, 513 • Saint-romain, 557
POUL-JUSTINE, Champagne, 674
POULLEAU PERE ET FILS, DOM., Aloxe-corton, 523 • Chorey-lès-beaune, 537 • Côte-de-beaune, 542 • Volnay, 551
POULTIERE, DOM. DE LA, Vouvray, 1024
POUMEY, CH., Pessac-léognan, 359
POUNTIL, MAS DU, Coteaux-du-languedoc, 748
POUPAT ET FILS, Coteaux-du-giennois, 1038
POURCIEUX, CH. DE, Côtes-de-provence, 819
POURPRE, DOM. DU, Chénas, 171
POUSSE D'OR, LA, Corton, 529 • Santenay, 580 • Volnay, 551
POYET, DOM. DU, Côtes-du-forez, 1037
POYET, CH. DU, Muscadet-sèvre-et-maine, 931
PRADAL, CH., Muscat-de-rivesaltes, 793 • Rivesaltes, 789
PRADE, CH. LA, Bordeaux-côtes-de-francs, 328
PRADELLE, DOM., Crozes-hermitage, 1101
PRADE MARI, DOM. LA, Minervois, 760
PRADIER, JEAN-PIERRE ET MARC, Côtes-d'auvergne AOVDQS, 1036
PRATAVONE, DOM. DE, Ajaccio, 850
PRE BARON, DOM. DU, Touraine, 988
PREIGNES LE VIEUX, DOM., Oc, 1163
PREISS, ERNEST, Alsace riesling, 100
PREISS-ZIMMER, Alsace grand cru brand, 126 • Alsace grand cru sommerberg, 139
PREMEAUX, CH. DE, Côte-de-nuits-villages, 517 • Nuits-saint-georges, 513
PRESIDENTE, DOM. DE LA, Côtes-du-rhône, 1077 • Côtes-du-rhône-villages, 1088
PRESQU'ILE DE SAINT-TROPEZ, LES MAITRES VIGNERONS DE LA, Côtes-de-provence, 819
PRESSAC, CH. DE, Saint-émilion grand cru, 304
PRESSOIR FLEURI, DOM. DU, Fleurie, 177
PRESTIGE DE CERES, Châteaumeillant AOVDQS, 1034
PRESTIGE DES SACRES, Champagne, 674
PREUILLAC, CH., Médoc, 371
PREVILLE, DE, Rosé-d'anjou, 954

PREVOTE, PRESTIGE DE LA, Crémant-de-loire, 922
PREVOTEAU, YANNICK, Champagne, 675
PREVOTEAU-PERRIER, Champagne, 675
PREYS ET FILS, DOM. JACKY, Valençay, 1032
PRIES, DOM. DES, Jardin de la France, 1144
PRIEUR, MAISON G., Chassagne-montrachet, 573 • Pommard, 547 • Santenay, 580
PRIEUR, DOM. JACQUES, Echézeaux, 503 • Meursault, 563 • Montrachet, 567
PRIEUR-BRUNET, DOM., Beaune, 541 • Santenay, 580 • Volnay, 551
PRIEURE, DOM. DU, Coteaux-de-l'aubance, 957 • Crémant-de-loire, 922
PRIEURE, DOM. DU, Savigny-lès-beaune, 535
PRIEURE, LA CAVE DU, Roussette-de-savoie, 715 • Vin-de-savoie, 712
PRIEURE BORDE-ROUGE, CH., Corbières, 729
PRIEURE D'AMILHAC, DOM. DU, Côtes de Thongue, 1156
PRIEURE DE CENAC, Cahors, 860
PRIEURE DE LA BERNEDE, Corbières, 729
PRIEURE DE MONTEZARGUES, Tavel, 1122
PRIEURE DE RAMEJAN, Oc, 1163
PRIEURE DE SAINT-CEOLS, LE, Menetou-salon, 1043
PRIEURE DE SAINT-JEAN DE BEBIAN, Coteaux-du-languedoc, 748
PRIEURE DES JACOBINS, Lalande-de-pomerol, 276
PRIEURE DES MOURGUES, CH. DU, Saint-chinian, 765
PRIEURE LES TOURS, CH., Graves, 350
PRIEURE-LICHINE, CH., Margaux, 391
PRIEURE MARQUET, CH., Bordeaux supérieur, 233
PRIEURE SAINTE-MARIE D'ALBAS, Corbières, 729
PRIEURE SAINT-FRANCOIS, DOM. DU, Côtes-du-rhône, 1077
PRIEURE SAINT-JUST, DOM. DU, Côtes-du-rhône-villages, 1088
PRIEURE SAINT MARTIN DE CARCARES, Coteaux-du-languedoc, 748
PRIEURE SAINT-MARTIN DE LAURE, Minervois, 760
PRIEURE SAINT ROMAIN, DOM. DU, Moulin-à-vent, 189
PRIEUR ET FILS, PAUL, Sancerre, 1059
PRIMO PALATUM, Bordeaux, 211 • Cahors, 860 • Graves, 350 • Jurançon sec, 882 • Limoux, 724
PRIMUS CLASSICUS, Canton du Valais, 1209
PRIN, DOM., Ladoix, 520
PRINCE, CH., Cabernet-d'anjou, 955 • Coteaux-de-l'aubance, 957
PRINCE, DOM. DU, Cahors, 860
PRIN PERE ET FILS, Champagne, 675
PRIORAT, CH. DU, Bergerac sec, 896
PRISSE, CAVE DE, Bourgogne-aligoté, 440
PROSE, DOM. DE LA, Coteaux-du-languedoc, 748
PROST ET FILS, SERGE, Maranges, 582
PROVENQUIERE, DOM. LA, Oc, 1163
PROVIN, DOM. CHRISTIAN, Saint-nicolas-de-bourgueil, 1003
PROVINS VALAIS, Canton du Valais, 1209
PRUDHON ET FILS, HENRI, Saint-aubin, 575
PRUNIER, DOM. JEAN-PIERRE ET LAURENT, Auxey-duresses, 555
PRUNIER, DOM. VINCENT, Auxey-duresses, 555 • Chassagne-montrachet, 573 • Saint-romain, 557
PRUNIER, MICHEL, Chorey-lès-beaune, 537 • Pommard, 547
PRUNIER, DOM., Monthélie, 553
PRUNIER-BONHEUR, PASCAL, Auxey-duresses, 555 • Monthélie, 554
PRUNIER-DAMY, Auxey-duresses, 555
P'TIT PARADIS, DOM. DU, Chénas, 171
PUECH, DOM., Coteaux-du-languedoc, 748
PUECH-HAUT, CH., Coteaux-du-languedoc, 748
PUFFENEY, JACQUES, Arbois, 693
PUGET, CH. DU, Côtes-de-provence, 819
PUISSEGUIN CURAT, CH. DE, Puisseguin-saint-émilion, 318
PUITS DE COMPOSTELLE, DOM. DU, Coteaux charitois, 1140
PUJOL, Rivesaltes, 790
PUJOLS, LES, Bergerac, 892
PULIGNY-MONTRACHET, CH. DE, Meursault, 563 • Puligny-montrachet, 566 • Saint-aubin, 575
PUPILLIN, FRUITIERE VINICOLE DE, Macvin-du-jura, 706
PUTILLE, CH. DE, Anjou, 944 • Anjou-coteaux-de-la-loire, 958 • Anjou-villages, 951
PUTILLE, DOM. DE, Anjou, 944 • Anjou-villages, 951
PUYBARBE, CH., Côtes-de-bourg, 253
PUY BARDENS, CH., Premières-côtes-de-bordeaux, 340
PUY D'AMOUR, CH., Côtes-de-bourg, 254
PUY DESCAZEAU, CH., Côtes-de-bourg, 254
PUY-FAVEREAU, CH., Bordeaux supérieur, 233
PUY-FERRAND, DOM. DE, Quincy, 1051
PUY GALLAND, FLEURON DE CH., Bordeaux-côtes-de-francs, 328
PUY GARANCE, CH., Côtes-de-castillon, 325
PUYGUERAUD, CH., Bordeaux-côtes-de-francs, 328
PUY GUILHEM, CH., Fronsac, 261
PUY LA ROSE, CH., Pauillac, 399
PUY MOUTON, CH., Saint-émilion grand cru, 304
PUYNORMOND, CH., Montagne-saint-émilion, 315
PUYPEZAT-ROSETTE, CH., Rosette, 907
PUY RIGAULT, DOM. DU, Chinon, 1010
PUY-SERVAIN, CH., Haut-montravel, 905
PYRONNIERE, DOM. DE LA, Muscadet-sèvre-et-maine, 931

Q

QUADRATUR, Collioure, 783
QUAILS' GATE, Colombie-Britannique, 1184
QUARRES, DOM. DES, Anjou, 944
QUART DU ROI, DOM., Côtes-du-rhône, 1077
QUATIRONI DE SARS, CH., Saint-chinian, 765
QUATRE FILLES, CH. LES, Côtes-du-rhône-villages, 1089
QUATRE PILAS, DOM. LES, Coteaux-du-languedoc, 748
QUATRE ROUTES, DOM. DES, Coteaux-du-layon, 966 • Rosé-de-loire, 919
QUATRESOLS-GAUTHIER, Champagne, 675
QUATRE TOURS, CELLIER DES, Bouches-du-Rhône, 1168 • Coteaux-d'aix-en-provence, 837
QUATRE VENTS, DOM. DES, Chinon, 1010
QUENARD, ANDRE ET MICHEL, Vin-de-savoie, 712
QUENARD, JEAN-PIERRE ET JEAN-FRANCOIS, Vin-de-savoie, 712
QUENARD, LES FILS DE RENE, Vin-de-savoie, 712
QUERCY, CH., Saint-émilion grand cru, 304
QUINARD, CAVEAU, Bugey AOVDQS, 717
QUINCAY, CH. DE, Touraine, 988
QUINCIE, CAVE BEAUJOLAISE DE, Beaujolais-villages, 165

QUIOT, JEROME, Côtes-du-rhône-villages, 1089
QUIVY, GERARD, Charmes-chambertin, 487 • Gevrey-chambertin, 482

R

RABASSE-CHARAVIN-COUTURIER, DOM., Côtes-du-rhône-villages, 1089
RABELAIS, DOM. DE, Touraine-mesland, 994
RACAUDERIE, DOM. DE LA, Vouvray, 1024
RACE, DENIS, Chablis, 460
RAFFAITIN, DOM. ANDRE, Sancerre, 1059
RAFFAULT, JEAN-MAURICE, Chinon, 1010
RAFFLIN, SERGE, Champagne, 675
RAFOU, DOM. DU, Gros-plant AOVDQS, 936
RAGOT, DOM., Givry, 595
RAGUENIERES, DOM. DES, Bourgueil, 999
RAHOUL, CH., Graves, 350
RAIFAULT, DOM. DU, Chinon, 1010
RAIMBAULT, ROGER ET DIDIER, Sancerre, 1059
RAIMBAULT, J.-G., Vouvray, 1024
RAIMBAULT-PINEAU, DOM., Sancerre, 1059
RAIMOND, DIDIER, Champagne, 675
RAINBOW, Champagne, 676
RAISINS DORES, DOM. DES, Vouvray, 1024
RAME, CH. LA, Bordeaux, 211 • Premières-côtes-de-bordeaux, 340 • Sainte-croix-du-mont, 413
RAMEE, LES CAVES DE LA, Touraine, 988
RAMPON, DANIEL, Beaujolais-villages, 165
RAMPON, JEAN-PAUL, Régnié, 193
RAOUSSET, CH. DE, Chiroubles, 174
RAPET ET FILS, FRANCOIS, Meursault, 563 • Saint-romain, 557
RAPET PERE ET FILS, DOM., Aloxe-corton, 523 • Beaune, 541 • Corton, 529 • Pernand-vergelesses, 526 • Savigny-lès-beaune, 535
RAPHET, GERARD, Gevrey-chambertin, 482
RAPP, JEAN, Alsace pinot ou klevner, 92 • Crémant-d'alsace, 146
RAQUILLET, FRANCOIS, Mercurey, 592
RASPAIL, GEORGES, Crémant-de-die, 1124
RASPAIL, JEAN-CLAUDE, Crémant-de-die, 1124
RASQUE, CH., Côtes-de-provence, 819
RASSAT, DIDIER, Quincy, 1051
RASSE, MRS, Alpes-Maritimes, 1166
RASTEAU, CAVE DE, Côtes-du-rhône, 1077 • Côtes-du-rhône-villages, 1089 • Rasteau, 1136
RATOUIN, CH., Pomerol, 270
RAT-PATRON, HERVE ET PATRICE, Vin-de-savoie, 712
RAUZAN DESPAGNE, CH., Bordeaux supérieur, 233 • Entre-deux-mers, 332
RAUZAN-GASSIES, CH., Margaux, 391
RAUZAN-SEGLA, CH., Margaux, 391
RAVANAY, DOM. DE, Canton du Valais, 1209
RAVIER, OLIVIER, Fleurie, 177
RAVIER, MADAME PIERRE, Juliénas, 181
RAY, FRANCOIS, Saint-pourçain AOVDQS, 1040
RAYMOND-LAFON, CH., Sauternes, 418
RAYNE VIGNEAU, CH., Sauternes, 418
RAYRE, CH. LA, Bergerac, 893
RAZ, CH. LE, Côtes-de-bergerac, 900
RAZ CAMAN, CH. LA, Premières-côtes-de-blaye, 246
REAL D'OR, CH., Côtes-de-provence, 820
REAL MARTIN, CH., Côtes-de-provence, 820
REBOURGEON, MICHEL, Pommard, 547
REBOURGEON-MURE, DOM., Pommard, 547 • Volnay, 551
REBOURSEAU, DOM. HENRI, Clos-de-vougeot, 501 • Mazis-chambertin, 488
RECOUGNE, CH., Bordeaux sec, 218
REDEMPTEUR, CUVEE DU, Champagne, 676
REDON, CH., Saint-émilion, 281
REDORTIER, CH., Côtes-du-rhône-villages, 1089
REGAIN, DOM. DU, Anjou-villages, 951 • Coteaux-du-layon, 966
REGENCE BALAVAUD, Canton du Valais, 1209
REGIN, ANDRE, Alsace grand cru altenberg-de-wolxheim, 126
REGNARD, Chablis premier cru, 465
REGNAUDOT, BERNARD, Maranges, 582 • Santenay, 580
REGNAUDOT ET FILS, JEAN-CLAUDE, Maranges, 583
REGNIER, LOUIS, Champagne, 676
REGUSSE, DOM. DE, Alpes-de-Haute-Provence, 1166
REGUSSE, CH., Coteaux-de-pierrevert, 1134
REIF, Ontario, 1187
REIGNAC, CH. DE, Bordeaux supérieur, 233
REILHE, DOM. DE, Coteaux-du-languedoc, 748
REINE JEANNE, LA CAVE DE LA, Arbois, 693 • Crémant-du-jura, 701 • Macvin-du-jura, 706
REINE PEDAUQUE, Corton-charlemagne, 532 • Echézeaux, 503
REITZ, PAUL, Bourgogne-passetoutgrain, 441 • Bouzeron, 585
RELAGNES, DOM. DES, Châteauneuf-du-pape, 1117
RELAIS DE LA POSTE, CH., Côtes-de-bourg, 254
RELIGIEUSES, CH. LES, Saint-émilion grand cru, 304
REMEJEANNE, DOM. LA, Côtes-du-rhône, 1077 • Côtes-du-rhône-villages, 1089
REMIZIERES, DOM. DES, Crozes-hermitage, 1102 • Hermitage, 1103
REMORIQUET, HENRI ET GILLES, Nuits-saint-georges, 514 • Vosne-romanée, 507
REMPARTS, DOM. DES, Bourgogne-aligoté, 440
REMY, DOM. JOEL, Bourgogne, 435 • Saint-aubin, 575
REMY, DOM. LOUIS, Chambolle-musigny, 497
RENARDE, DOM. DE LA, Bouzeron, 585 • Rully, 589
RENARDIERE, DOM. DE LA, Arbois, 693 • Macvin-du-jura, 706
RENARD MONDESIR, CH., Fronsac, 261
RENAUDIE, CH. LA, Pécharmant, 906
RENAUDIE, DOM. DE LA, Touraine, 988
RENAUDIN, R., Champagne, 676
RENCK, RAYMOND, Alsace grand cru sonnenglanz, 140
RENIERE, DOM. DE LA, Saumur, 975
RENOIR, VINCENT, Champagne, 676
RENOU, DOM. RENE, Bonnezeaux, 971
RENOUD-GRAPPIN, PASCAL, Saint-véran, 617
RENTZ, EDMOND, Alsace tokay-pinot-gris, 116
RENUCCI, DOM., Corse ou vins-de-corse, 847 • Corse ou vins-de-corse, 848
REPENTY, CH., Bergerac sec, 896
REQUIER, CH., Côtes-de-provence, 820
RESERVE DU PRESIDENT, Corse ou vins-de-corse, 848
RESPIDE, CH. DE, Graves, 350
RESPIDE-MEDEVILLE, CH., Graves, 350
RESSAC, Oc, 1164
RESSAUDIE, CH. LA, Côtes-de-bergerac, 900
RESTANQUES BLEUES, LES, Coteaux-varois, 842
RETHORE DAVY, Jardin de la France, 1145
REUILLY, DOM. DE, Reuilly, 1053
REVAOU, DOM. DU, Côtes-de-provence, 820

REVELLERIE, DOM. DE LA, Muscadet-côtes-de-grand-lieu, 933
REVERCHON, XAVIER, Côtes-du-jura, 699
REVERDI, CH., Listrac-médoc, 385
REVERDY, DOM. HIPPOLYTE, Sancerre, 1059
REVERDY, PASCAL ET NICOLAS, Sancerre, 1059
REVERDY ET FILS, BERNARD, Sancerre, 1059
REVERDY ET FILS, DANIEL, Sancerre, 1060
REVERDY ET FILS, JEAN, Sancerre, 1060
REY, MAS DE, Bouches-du-Rhône, 1168
REY, RAYMOND ET CHRISTOPHE, Canton du Valais, 1209
REY, CH. DE, Côtes-du-roussillon, 777 • Muscat-de-rivesaltes, 794
REY, MICHEL, Saint-véran, 617
REYNAC, Pineau-des-charentes, 804
REYNARD, JEAN-MARIE, Canton du Valais, 1209
REYNARDIERE, DOM. DE LA, Faugères, 754
REYNAUD, CH. DE, Bordeaux supérieur, 234 • Côtes-de-bourg, 254
REYNAUD, DOM., Oc, 1164
REYNIER, CH., Bordeaux rosé, 221
REYNON, CH., Premières-côtes-de-bordeaux, 340
REYSER, HUBERT, Alsace tokay-pinot-gris, 117
REYSSAC, CH. LE, Bergerac, 893
RHODAN, CAVES DU, Canton du Valais, 1209
RHONE, VIGNOBLES ET DOMAINES DU, Côtes-du-rhône, 1077
RIAUX, DOM. DE, Pouilly-fumé, 1048 • Pouilly-sur-loire, 1049
RIBEBON, PRESTIGE DE, Bordeaux supérieur, 234
RIBOTTE, DOM. DE LA, Bandol, 831
RICARD, CH. LES, Premières-côtes-de-blaye, 246
RICARD, Touraine, 989
RICARDELLE, BLASON DE, Coteaux-du-languedoc, 749
RICAUD, DOM. DE, Bordeaux sec, 218
RICAUD, CH. DE, Loupiac, 411
RICAUDET, CH., Médoc, 371
RICHARD, DOM. HENRI, Charmes-chambertin, 487 • Gevrey-chambertin, 482 • Marsannay, 474 • Mazoyères-chambertin, 488
RICHARD, PHILIPPE, Chinon, 1010
RICHARD, DOM., Condrieu, 1097 • Saint-joseph, 1099
RICHARD, PIERRE, Côtes-du-jura, 699 • Crémant-du-jura, 701 • Macvin-du-jura, 707
RICHARD, CH., Saussignac, 907
RICHARDS, LES, Vacqueyras, 1111
RICHELIEU, CH., Fronsac, 261
RICHLI, FAMILIE PAUL, Canton de Schaffhouse, 1220
RICHOU, DOM., Coteaux-de-l'aubance, 957 • Crémant-de-loire, 922
RIERE CADENE, DOM., Côtes-du-roussillon, 777 • Muscat-de-rivesaltes, 794
RIETSCH, PIERRE ET JEAN-PIERRE, Alsace grand cru zotzenberg, 145
RIEU FRAIS, DOM. DU, Coteaux des Baronnies, 1178
RIEUFRET, CH. DE, Graves, 350
RIEUSSEC, CH., Sauternes, 418
RIEUTORT, CH., Coteaux-du-languedoc, 749
RIEUX, DOM. RENE, Gaillac, 867
RIFFAULT, CLAUDE, Sancerre, 1060
RIGALETS, CH. LES, Cahors, 860
RIGAUD, CH., Puisseguin-saint-émilion, 319
RIGOUTAT, DOM., Bourgogne, 436
RIJCKAERT, JEAN ET REGINE, Arbois, 693
RIJCKAERT, JEAN, Côtes-du-jura, 699
RIJCKAERT, Viré-clessé, 607
RIMAURESQ, Côtes-de-provence, 820
RIMBERT, DOM., Saint-chinian, 765
RIN DU BOIS, DOM. DU, Touraine, 989
RINIERE, DOM. DE LA, Muscadet-sèvre-et-maine, 931
RION, DOM. ARMELLE ET BERNARD, Clos-de-vougeot, 501
RION ET FILS, DOM. DANIEL, Nuits-saint-georges, 514 • Vosne-romanée, 507
RIOTS, DOM. DES, Mâcon, 599
RIOU DE THAILLAS, CH., Saint-émilion grand cru, 305
RIPEAU, CH., Saint-émilion grand cru, 305
RIS, DOM. DE, Touraine, 989
RIVAGE, LE, Cassan, 1153
RIVALERIE, CH. LA, Bordeaux rosé, 222
RIVES-BLANQUES, CH., Blanquette-de-limoux, 722 • Limoux, 724
RIVIERE, CH. DE LA, Fronsac, 261
ROBERT, ANDRE, Champagne, 676
ROBERT ET FILS, VIGNOBLE ALAIN, Vouvray, 1024
ROBERTIE, CH. LA, Bergerac rosé, 894
ROBIN, CH., Côtes-de-castillon, 325
ROBINEAU, MICHEL, Anjou, 945 • Jardin de la France, 1145
ROBINEAU, VIGNOBLE MICHEL, Coteaux-du-layon, 966
ROBINEAU CHRISLOU, DOM., Anjou, 945 • Coteaux-du-layon, 966
ROBINIERES, VIGNOBLE DES, Bourgueil, 999
ROC, DOM. DU, Cadillac, 410
ROC, DOM. LE, Côtes-du-frontonnais, 872
ROCALIERE, DOM. LA, Tavel, 1122
ROCASSIERE, DOM. DE LA, Chiroubles, 174
ROCAUDY, DOM., Coteaux-du-languedoc, 749
ROCBERE, CAVES, Corbières, 729
ROC DE BERNADOTS, Buzet, 869
ROC DE BOISSAC, CH., Puisseguin-saint-émilion, 319
ROC DE BOISSEAUX, CH., Saint-émilion grand cru, 305
ROC DE CALON, CH., Montagne-saint-émilion, 315
ROC DES ANGES, LE, Côtes-du-roussillon-villages, 781
ROC DE TIFAYNE, CH., Côtes-de-castillon, 325
ROCFONTAINE, DOM. DE, Saumur-champigny, 980
ROCHE, CH. DE LA, Touraine, 989 • Touraine-azay-le-rideau, 993
ROCHE AIGUE, DOM. DE LA, Saint-romain, 558
ROCHE AIRAULT, DOM. DE LA, Coteaux-du-layon, 966
ROCHE-AUDRAN, DOM., Côtes-du-rhône, 1077 • Côtes-du-rhône-villages, 1089
ROCHE BEAULIEU, AMAVINUM DU CH. LA, Côtes-de-castillon, 325
ROCHEBELLE, CH., Saint-émilion grand cru, 305
ROCHEBERT, CH., Bordeaux sec, 218
ROCHEBIN, DOM. DE, Mâcon, 599
ROCHE BLONDE, DOM. DE, Vouvray, 1025
ROCHEBONNE, DOM. DE, Beaujolais, 159
ROCHE BUISSIERE, DOM., Coteaux des Baronnies, 1178
ROCHECOLOMBE, CH., Côtes-du-rhône-villages, 1089
ROCHE FLEURIE, DOM. DE LA, Vouvray, 1025
ROCHEFORT, CH. DE, Graves supérieures, 353 • Sauternes, 418
ROCHEGUDE, CAVE DES VIGNERONS DE, Côtes-du-rhône, 1077 • Côtes-du-rhône-villages, 1089

ROCHE-GUILLON, DOM. DE, Fleurie, 177
ROCHE HONNEUR, DOM. DE LA, Chinon, 1010
ROCHELIERRE, DOM. DE LA, Fitou, 756
ROCHELLE, DOM. DE LA, Moulin-à-vent, 189
ROCHELLES, DOM. DES, Anjou-villages-brissac, 953 • Coteaux-de-l'aubance, 957
ROCHE MERE, DOM. DE LA, Moulin-à-vent, 189
ROCHEMOND, DOM. DE, Côtes-du-rhône, 1078
ROCHE MOREAU, DOM. DE LA, Anjou, 945 • Chaume, 969 • Coteaux-du-layon, 966
ROCHEMORIN, CH. DE, Pessac-léognan, 360
ROCHE-PRESSAC, CH. LA, Côtes-de-castillon, 325
ROCHER, DOMINIQUE, Côtes-du-rhône-villages, 1090
ROCHER, CH. DU, Gros-plant AOVDQS, 936
ROCHER CORBIN, CH., Montagne-saint-émilion, 315
ROCHER-GARDAT, CH., Montagne-saint-émilion, 316
ROCHERIE, DOM. DE LA, Gros-plant AOVDQS, 936
ROCHE ROSE, DOM. DE LA, Régnié, 193
ROCHERS, CH. DES, Lussac-saint-émilion, 312
ROCHES, CH. DES, Cahors, 860
ROCHES, DOM. DES, Mâcon-villages, 604
ROCHE SAINT MARTIN, DOM. DE LA, Brouilly, 167
ROCHES BLANCHES, L'EXTREME DU DOM., Côtes-de-castillon, 325
ROCHES DE FERRAND, CH. LES, Fronsac, 261
ROCHES DES GARANTS, DOM. LES, Fleurie, 177
ROCHES DU PY, DOM. DES, Morgon, 186
ROCHES NEUVES, DOM. DES, Saumur-champigny, 980
ROCHE THULON, DOM. DE LA, Beaujolais-villages, 165
ROCHETTES, CH. DES, Anjou, 945 • Coteaux-du-layon, 967
ROCHOUARD, DOM. DU, Bourgueil, 999 • Saint-nicolas-de-bourgueil, 1003
ROC MEYNARD, CH., Bordeaux supérieur, 234
ROC PLANTIER, CH., Côtes-de-bourg, 254
ROCQUES, CH. LES, Côtes-de-bourg, 254
ROCS, CH. DES, Bordeaux sec, 218
RODET, ANTONIN, Chablis premier cru, 465
RODEZ, ERIC, Champagne, 676
ROEDERER, LOUIS, Champagne, 677
ROGER, DOMINIQUE, Sancerre, 1060
ROL DE FOMBRAUGE, CH., Saint-émilion grand cru, 305
ROLET, DOM., Macvin-du-jura, 707
ROLET PERE ET FILS, DOM., Arbois, 694
ROLLAND, DOM. DE, Fitou, 756
ROLLAN DE BY, CH., Médoc, 371
ROLLAND-MAILLET, CH., Saint-émilion grand cru, 305
ROLLET, DOM., Mâcon, 599
ROLLIN PERE ET FILS, DOM., Pernand-vergelesses, 526
ROLLY GASSMANN, Alsace tokay-pinot-gris, 117
ROMAINE, CAVE LA, Canton du Valais, 1210
ROMANEE-CONTI, DOM. DE LA, Echézeaux, 503 • La tâche, 509 • Montrachet, 567 • Richebourg, 508 • Romanée-saint-vivant, 509
ROMANES, LES, Coteaux-du-languedoc, 749
ROMANIN, CH., Les baux-de-provence, 838
ROMANIN, DOM., Mâcon-villages, 604
ROMARINS, DOM. DES, Côtes-du-rhône, 1078
ROMBEAU, CH., Côtes-du-roussillon, 777
ROMILHAC, CH. DE, Corbières, 730
ROMINGER, ERIC, Alsace grand cru zinnkoepflé, 144
ROMPIDEE, Canton du Tessin, 1222
ROMPILLON, DOM., Anjou-gamay, 947 • Anjou-villages, 951
ROMULUS, Pomerol, 270
ROMY, DOM., Beaujolais, 159
RONCEE, DOM. DU, Chinon, 1011
RONCES, DOM. DES, Côtes-du-jura, 699 • Crémant-du-jura, 702
RONCHERAIE, CH. LA, Côtes-de-castillon, 325
RONCIERE, DOM. DE LA, Châteauneuf-du-pape, 1117
RONDEAU, MARJORIE ET BERNARD, Bugey AOVDQS, 717
ROOY, CH. DU, Rosette, 907
ROPITEAU FRERES, Meursault, 563 • Puligny-montrachet, 566 • Rully, 589
ROQUEBERT, CH., Premières-côtes-de-bordeaux, 340
ROQUE D'AGNEL, EMBELLIE DE, Corbières, 730
ROQUEFEUILLE, CH. DE, Côtes-de-provence, 820
ROQUEFORT, CH., Bordeaux, 211 • Bordeaux sec, 218
ROQUEFORT LA BEDOULE, LES VIGNERONS DE, Bouches-du-Rhône, 1168 • Côtes-de-provence, 820
ROQUEFORT SAINT-MARTIN, CH., Corbières, 730
ROQUEFOURCAT, DOM. DE, Corbières, 730
ROQUE LE MAYNE, CH., Côtes-de-castillon, 326
ROQUE-PEYRE, CH., Montravel, 904
ROQUES, CH. LES, Loupiac, 411
ROQUE SESTIERE, Corbières, 730
ROQUES MAURIAC, CH., Bordeaux supérieur, 234
ROQUESSOLS, DOM., Côtes de Thongue, 1156
ROQUETAILLADE LA GRANGE, CH., Graves, 350
ROSE BOURBON, CH., Bordeaux rosé, 222
ROSE D'ARGENT, CH. LA, Entre-deux-mers, 332
ROSE DES VENTS, DOM. LA, Coteaux-varois, 842
ROSE FIGEAC, CH. LA, Pomerol, 270
ROSENAU, Canton de Lucerne, 1218
ROSE-POURRET, CH. LA, Saint-émilion grand cru, 305
ROSERAIE DU MONT, CH. LA, Puisseguin-saint-émilion, 319
ROSE RENEVE, CH. LA, Bordeaux supérieur, 234
ROSES D'OR, DOM. DES, Brouilly, 167
ROSE-TRIMOULET, CH. LA, Saint-émilion grand cru, 305
ROSEY, CH. LE, Canton de Vaud, 1202
ROSIER, DOM., Blanquette-de-limoux, 722
ROSIER, DOM. DES, Coteaux-du-tricastin, 1126
ROSIERE, DOM. LA, Coteaux des Baronnies, 1179
ROSIERS, DOM. DES, Chénas, 171 • Premières-côtes-de-blaye, 246
ROSIERS, DOM. DE, Côte-rôtie, 1094
ROSNAY, CH. DE, Fiefs-vendéens AOVDQS, 937
ROSSIER, DAVID, Canton du Valais, 1210
ROSSIGNOL, DOM. NICOLAS, Bourgogne, 436 • Pernand-vergelesses, 526 • Pommard, 547
ROSSIGNOL, DOM., Côtes-du-roussillon, 777 • Muscat-de-rivesaltes, 794 • Rivesaltes, 790
ROSSIGNOL-CHANGARNIER, DOM. REGIS, Pommard, 548 • Volnay, 551
ROSSIGNOLE, DOM. DE LA, Sancerre, 1060
ROSSIGNOL-FEVRIER PERE ET FILS, DOM., Volnay, 551
ROSSIGNOL-JEANNIARD, CH., Volnay, 552
ROSSIGNOL-TRAPET, DOM., Beaune, 541 • Latricières-chambertin, 485 • Morey-saint-denis, 491

ROSSILLONNES, CAVE DES, Canton de Vaud, 1202
ROTHSCHILD & CIE, ALFRED, Champagne, 677
ROTIER, DOM., Gaillac, 867
ROTISSERIE, DOM. DE LA, Haut-poitou AOVDQS, 799
ROTISSON, DOM. DE, Beaujolais, 160 • Bourgogne, 436
ROUANNE, CH. DE, Côtes-du-rhône, 1078
ROUBAUD, CH., Costières-de-nîmes, 736
ROUBINE, CH., Côtes-de-provence, 820
ROUBINE, DOM. LA, Gigondas, 1109
ROUCAILLAT, CUVEE, Coteaux-du-languedoc, 749
ROUDIER, CH., Montagne-saint-émilion, 316
ROUET, DOM. DES, Chinon, 1011
ROUGE, LOUIS-PHILIPPE ET PHILIPPE, Canton de Vaud, 1202
ROUGET, CH., Pomerol, 270
ROUGEYRON, DOM., Côtes-d'auvergne AOVDQS, 1036
ROUGIAN, LES, Côtes-de-provence, 820
ROUILLERE, DOM. DE LA, Côtes-de-provence, 821
ROUILLERE, CAVE DE LA, Jardin de la France, 1145
ROUISSOIR, CHAI DU, Charentais, 1147
ROULETIERE, DOM. DE LA, Vouvray, 1025
ROULLET, CH., Canon-fronsac, 258
ROUMIER, LAURENT, Bourgogne-hautes-côtes-de-nuits, 445 • Chambolle-musigny, 497
ROUMIEU, CH., Sauternes, 418
ROUMIEU LACOSTE, CH., Barsac, 414
ROUQUETTE, CH. DE, Loupiac, 411
ROUQUETTE, CH. LA, Monbazillac, 903
ROUQUETTE-SUR-MER, CH., Coteaux-du-languedoc, 749
ROURE DE PAULIN, DOM. DU, Pouilly-fuissé, 611
ROUSSE, DOM. WILFRID, Chinon, 1011
ROUSSE, CH. DE, Jurançon sec, 882
ROUSSEAU, DOM. ARMAND, Ruchottes-chambertin, 489
ROUSSEAU DE SIPIAN, CH., Médoc, 371
ROUSSEAU FRERES, Touraine, 989 • Touraine-noble-joué, 991
ROUSSEAU PERE ET FILS, DOM. ARMAND, Chambertin-clos-de-bèze, 484
ROUSSEAUX, JACQUES, Champagne, 677
ROUSSEAUX-FRESNET, Champagne, 677
ROUSSELET, CH. DE, Côtes-de-bourg, 254
ROUSSELLE, CH. LA, Fronsac, 261
ROUSSET, DOM. DE, Alpes-de-Haute-Provence, 1166
ROUSSET, CH. DE, Coteaux-de-pierrevert, 1134
ROUSSILLE, Pineau-des-charentes, 804
ROUTAS, CH., Coteaux-varois, 842
ROUVEYROLLES, DOM. DE, Coteaux-du-languedoc, 749
ROUVIERE, CH. LA, Bandol, 831
ROUVIERE, DOM. DE LA, Côtes-de-provence, 821
ROUVINEZ, Canton du Valais, 1210
ROUVIOLE, DOM. LA, Minervois-la-livinière, 762
ROUX, CH. DE, Côtes-de-provence, 821
ROUX PERE ET FILS, Chambolle-musigny, 497 • Chassagne-montrachet, 573 • Ladoix, 520 • Meursault, 563 • Puligny-montrachet, 566 • Saint-aubin, 575 • Saint-romain, 558
ROUZAN, DOM. DE, Vin-de-savoie, 712
ROUZE, DOM. ADELE, Quincy, 1051
ROUZE, DOM. JACQUES, Quincy, 1051
ROVIO, Canton du Tessin, 1222
ROY, ROSE D'UN, Coteaux-d'aix-en-provence, 837
ROY, DOM. DES, Touraine, 989
ROY, JEAN-FRANCOIS, Valençay, 1033
ROYAL COTEAU, LE, Champagne, 677
ROYAL DEMARIA, Ontario, 1188
ROYERE, DOM. DE LA, Côtes-du-luberon, 1133
ROYER PERE ET FILS, Champagne, 677
ROYET ET FILS, DOM., Bourgogne, 436
ROY ET FILS, DOM. GEORGES, Aloxe-corton, 523 • Chorey-lès-beaune, 537
ROY RENE, LES VIGNERONS DU, Bouches-du-Rhône, 1168
RUERE, DOM. DE, Bourgogne, 436 • Mâcon-villages, 604
RUET, DOM., Régnié, 193
RUETIHOF, WEINGUT, Canton de Zurich, 1221
RUFF, DANIEL, Alsace gewurztraminer, 109
RUFFIN ET FILS, Champagne, 677
RUHLMANN-DIRRINGER, Alsace pinot noir, 122
RUHLMANN FILS, GILBERT, Alsace riesling, 100
RUINETTES, LES, Canton du Valais, 1210
RULLY, CH. DE, Rully, 589
RUNNER ET FILS, DOM., Alsace riesling, 100
RUPPERT, CAVES HENRI, Moselle luxembourgeoise, 1193
RUTAT, RENE, Champagne, 677
RUTH, CH. DE, Côtes-du-rhône, 1078

S

SABLAS, DOM. DU, Côtes-du-rhône, 1078
SABLES D'OR, DOM. DES, Beaujolais, 160
SABLES VERTS, DOM. DES, Saumur-champigny, 981
SABLONNETTES, DOM. DES, Anjou-villages, 951
SABLONS, DOM. DES, Montlouis-sur-loire, 1017 • Touraine, 989
SABON, ROGER, Châteauneuf-du-pape, 1117
SABON ET FILS, DOM. ROGER, Lirac, 1121
SACRE-CŒUR, DOM. DU, Muscat-de-saint-jean-de-minervois, 772
SACY, LOUIS DE, Champagne, 677
SAGET, DOM., Pouilly-fumé, 1048
SAGET, GUY, Pouilly-fumé, 1048 • Saint-nicolas-de-bourgueil, 1003
SAILLANT, DOM. PATRICK, Muscadet-sèvre-et-maine, 931
SAIN-BEL, CAVE DE, Coteaux-du-lyonnais, 197
SAINT-GUILHEM, DOM. DE, Côtes-du-frontonnais, 872
SAINT-AGREVES, CH., Graves, 351
SAINT-ALBERT, DOM., Côtes-de-provence, 821
SAINT-AMANT, DOM., Côtes-du-rhône, 1078 • Côtes-du-rhône-villages, 1090
SAINT-ANDRE CORBIN, CH., Saint-georges-saint-émilion, 319
SAINT-ANDRE DE FIGUIERE, DOM., Côtes-de-provence, 821
SAINT-ANDRIEU, DOM., Coteaux-du-languedoc, 749
SAINT-ARNOUL, DOM., Coteaux-du-layon, 967
SAINT-AUSPICE, Côtes-du-ventoux, 1129
SAINT-BENOIT, CELLIER, Arbois, 694
SAINT-CELS, CH. DE, Saint-chinian, 765
SAINT-CHAMANT, Champagne, 678
SAINT COSME, Côtes-du-rhône, 1078
SAINT-CYRGUES, CH., Costières-de-nîmes, 736
SAINT-DAMIEN, Gigondas, 1109
SAINT-DAUMARY, Coteaux-du-languedoc, 749
SAINT-DENIS, DOM., Mâcon-villages, 604
SAINT-DESIRAT, CAVE DE, Saint-joseph, 1099
SAINTE-ANNE, DOM. DE, Anjou-gamay, 947 • Anjou-villages-brissac, 953

SAINTE-ANNE, DOM., Côtes-du-rhône, 1078 • Côtes-du-rhône-villages, 1090
SAINTE ANNE, DOM. DE, Crémant-de-loire, 922
SAINTE-BARBE, DOM., Viré-clessé, 607
SAINTE-BAUME, CELLIER DE LA, Coteaux-varois, 842 • Var, 1173
SAINTE BEATRICE, CH., Côtes-de-provence, 821
SAINTE-BERTHE, MAS, Les baux-de-provence, 838
SAINTE-CATHERINE, CH., Bordeaux sec, 218
SAINTE-CECILE-LES-VIGNES, CAVE DES VIGNERONS REUNIS DE, Coteaux-du-tricastin, 1126
SAINTE-CROIX, DOM. DE, Côtes-de-provence, 821
SAINTE-GEMME, CH. DE, Haut-médoc, 382
SAINTE-LEOCADIE, DOM., Minervois, 760
SAINTE-LUCE-BELLEVUE, CH., Premières-côtes-de-blaye, 246
SAINTE-LUCHAIRE, DOM., Minervois, 760
SAINTE MARGUERITE, M. DE CH., Côtes-de-provence, 821
SAINTE MARIE, DOM., Côtes-de-provence, 822
SAINTE-MARIE, CH., Entre-deux-mers, 332
SAINTE-MARIE-DES-CROZES, DOM., Corbières, 730
SAINTE MARTHE, DOM. DE, Cassan, 1153
SAINT-ENNEMOND, DOM. DE, Beaujolais-villages, 165
SAINTE-ROSELINE, CH., Côtes-de-provence, 822
SAINT-ESPRIT, CH., Saint-émilion grand cru, 306
SAINT-ESTEVE, CH., Corbières, 731
SAINT ESTEVE DE NERI, CH., Côtes-du-luberon, 1133
SAINTE-SUZANNE, DOM. DE, Côtes-du-roussillon-villages, 781 • Muscat-de-rivesaltes, 794
SAINT-ETIENNE, CELLIER DES, Côte-de-brouilly, 169
SAINT ETIENNE, DOM., Côtes-du-rhône, 1078
SAINT-FIACRE, DOM., Rully, 589
SAINT-GALL, DE, Champagne, 678
SAINT GEORGES, CAVE, Canton du Valais, 1210
SAINT-GEORGES, CH., Saint-georges-saint-émilion, 320
SAINT-GERMAIN, DOM., Vin-de-savoie, 713
SAINT-GERVAIS, CAVE DES VIGNERONS DE, Côtes-du-rhône-villages, 1090
SAINT-GO, CH., Côtes-de-saint-mont AOVDQS, 888
SAINT-HILAIRE, CH., Médoc, 371
SAINT-HILAIRE, DOM., Oc, 1164
SAINT-HUBERT, CH., Saint-émilion grand cru, 306
SAINT-IGNAN, CH., Bordeaux supérieur, 234
SAINT-JEAN, CH., Coteaux-du-languedoc, 749
SAINT-JEAN, CAVE, Médoc, 371
SAINT-JEAN, DOM., Saumur-champigny, 981
SAINT-JEAN D'AUMIERES, CH., Coteaux-du-languedoc, 750
SAINT-JEAN-DE-CONQUES, DOM., Oc, 1164
SAINT-JEAN-DE-CONQUES, CH., Saint-chinian, 765
SAINT-JEAN-DE-LAVAUD, CH., Lalande-de-pomerol, 276
SAINT-JEAN-DES-GRAVES, CH., Graves, 351
SAINT JEAN DE VILLECROZE, DOM., Coteaux-varois, 842 • Côtes-de-provence, 822
SAINT-JEAN-LE-VIEUX, DOM. DE, Coteaux-varois, 843 • Var, 1173
SAINT JOSEPH, DOM. MAS, Costières-de-nîmes, 736
SAINT-JULIEN, CAVE COOP. DE, Beaujolais-villages, 165
SAINT-JULIEN, CH., Coteaux-varois, 843
SAINT-JULIEN D'AILLE, CH., Côtes-de-provence, 822
SAINT JULIEN LES VIGNES, DOM. DE, Coteaux-d'aix-en-provence, 837
SAINT-JUST, DOM. DE, Saumur, 975 • Saumur-champigny, 981
SAINT-LANNES, DOM. DE, Côtes de Gascogne, 1151
SAINT-LAURENT-D'OINGT, CAVE BEAUJOLAISE DE, Beaujolais, 160
SAINT-LOUAND, CH. DE, Chinon, 1011
SAINT-LOUIS, CH., Côtes-du-frontonnais, 872
SAINT-LOUIS LA PERDRIX, CH., Costières-de-nîmes, 736
SAINT-MARC, CAVE, Côtes-du-ventoux, 1130
SAINT-MARC, LES VIGNERONS DE, Vaucluse, 1175
SAINT-MARTIN, LES VIGNERONS DE, Bordeaux clairet, 213
SAINT-MARTIN, CH. DE, Côtes-de-provence, 822
SAINT-MARTIN, DOM., Côtes-de-provence, 822
SAINT-MARTIN, CH., Listrac-médoc, 386
SAINT-MARTIN DE LA GARRIGUE, CH., Coteaux-du-languedoc, 750
SAINT-MARTIN-DES-CHAMPS, CH., Saint-chinian, 765
SAINT NABOR, CH., Côtes-du-rhône, 1079
SAINT NICOLAS, DOM., Fiefs-vendéens AOVDQS, 937
SAINTONGERS D'HAUTEFEUILLE, CH. LES, Côtes-de-bergerac, 900
SAINT-OURENS, CH., Bordeaux clairet, 213
SAINT-PANCRACE, DOM., Bourgogne, 436
SAINT-PHILIPPE, CH. DE, Côtes-de-castillon, 326
SAINT-PIERRE, DOM. DE, Arbois, 694 • Cornas, 1105 • Sancerre, 1060
SAINT-PIERRE, CAVE, Canton du Valais, 1210
SAINT-PIERRE, CH., Côtes-de-provence, 822 • Saint-julien, 408
SAINT-PIERRE, CAVES, Côtes-du-rhône, 1079 • Gigondas, 1109 • Tavel, 1122
SAINT-PIERRE DE MEJANS, CH., Côtes-du-luberon, 1133
SAINT-PIERRE DE SERJAC, DOM., Côtes de Thongue, 1156
SAINT-POURCAIN, LES VIGNERONS DE, Saint-pourçain AOVDQS, 1040
SAINT-REMY-DESOM, CAVES, Crémant-de-luxembourg, 1195 • Moselle luxembourgeoise, 1194
SAINT-ROBERT, CH., Graves, 351
SAINT-ROCH, CH., Châteauneuf-du-pape, 1117 • Côtes-du-roussillon-villages, 781 • Lirac, 1121
SAINT ROMBLE, DOM. DE, Sancerre, 1061
SAINT-ROME, LES HAUTS DE, Clairette-du-languedoc, 725
SAINT SATURNIN DE VERGY, DOM., Bourgogne-hautes-côtes-de-nuits, 445
SAINT-SAUVEUR, CH., Muscat-de-beaumes-de-venise, 1136
SAINT-SER, DOM. DE, Côtes-de-provence, 823
SAINT-SERIES, CH. DE, Coteaux-du-languedoc, 750
SAINT-SORLIN, CH., Pineau-des-charentes, 804
SAINT-THEODULE, DOM., Canton du Valais, 1210
SAINT-VALERY, CH., Saint-émilion, 281
SAINT-VERAND, CAVE BEAUJOLAISE DE, Beaujolais, 160
SAINT-VERNY, CAVE, Côtes-d'auvergne AOVDQS, 1036
SAINT-VINCENT, CH., Bordeaux supérieur, 234 • Sauternes, 418
SAINT-VINCENT, DOM., Saumur, 975
SALES, CH. DE, Pomerol, 270

VINS

SALETTE, CUVEE DE LA, Collioure, 783
SALETTES, CH., Bandol, 831
SALINS, CH., Côtes-de-provence, 823
SALIS, VON, Canton des Grisons, 1219
SALITIS, CH., Cabardès, 767
SALLE, CAVES DE LA, Chinon, 1011
SALLE, CH. DE LA, Premières-côtes-de-blaye, 246
SALLE DE GOUR, DOM., Oc, 1164
SALLET, RAPHAEL ET GERARD, Mâcon-villages, 605
SALMON, Champagne, 678
SALMON, DOMINIQUE, Muscadet-sèvre-et-maine, 931
SALMON, DOM. CHRISTIAN, Sancerre, 1061
SALON, Champagne, 678
SALQUENEN, VIEUX, Canton du Valais, 1210
SALVARD, DOM. DU, Cheverny, 1028
SALVAT, DOM., Côtes-du-roussillon, 778
SAN'ARMETTU, DOM., Corse ou vins-de-corse, 848
SANCERRE, CH. DE, Sancerre, 1061
SANCET, DOM. DE, Floc-de-gascogne, 914
SANCHEZ-LE GUEDARD, Champagne, 678
SANCTUS, Saint-émilion grand cru, 306
SANCY, DOM., Juliénas, 181
SAN DE GUILHEM, DOM., Floc-de-gascogne, 914
SANGER, Champagne, 678
SANGLIERE, DOM. DE LA, Côtes-de-provence, 823
SAN MICHELE, DOM., Corse ou vins-de-corse, 848
SAN QUILICO, DOM., Muscat-du-cap-corse, 853 • Patrimonio, 852
SANS COMPLEXE, Orléans AOVDQS, 1030
SANSONNET, CH., Saint-émilion grand cru, 306
SANTA DUC, DOM., Côtes-du-rhône, 1079 • Gigondas, 1109
SANTA DUC, Côtes-du-rhône-villages, 1090
SANT'ANTONE, Corse ou vins-de-corse, 848
SANTE, BERNARD, Chénas, 171
SANTENAY, CH. DE, Mercurey, 592 • Saint-aubin, 576
SANT JANET, DOM. DE, Côtes-de-provence, 823
SANTONS, LES, Coteaux-d'aix-en-provence, 837
SANZAY, ANTOINE, Saumur-champigny, 981
SANZAY, DOM. DES, Saumur-champigny, 981
SANZENO, Canton du Tessin, 1223
SAPARALE, DOM., Corse ou vins-de-corse, 848
SARANSOT-DUPRE, CH., Listrac-médoc, 386
SARAZINIERE, DOM. DE LA, Mâcon-villages, 605
SARDA-MALET, DOM., Rivesaltes, 790
SARMENTELLES, LES, Côtes-du-jura, 699
SARRABELLE, DOM., Côtes du Tarn, 1152
SARRAT DE GOUNDY, DOM., Coteaux-du-languedoc, 750
SARRAZIERE, CH., Côtes-du-marmandais, 874
SARRAZIN ET FILS, MICHEL, Givry, 595 • Maranges, 583
SARRY, DOM. DE, Sancerre, 1061
SARTRE, CH. LE, Pessac-léognan, 360
SASSANGY, CH. DE, Bourgogne-côte-chalonnaise, 584
SASSI GROSSI, Canton du Tessin, 1223
SAU, CH. DE, Côtes-du-roussillon, 778 • Rivesaltes, 790
SAUGER ET FILS, DOM., Cheverny, 1028
SAULE, CH. DE LA, Montagny, 596
SAULERAIE, LA, Givry, 595
SAULNIER, Alsace grand cru goldert, 130 • Alsace riesling, 100
SAULZAIE, DOM. DE LA, Muscadet-sèvre-et-maine, 931
SAUMADES, DOM. DES, Châteauneuf-du-pape, 1118
SAUMAIZE, JACQUES ET NATHALIE, Pouilly-fuissé, 611
SAUMAIZE-MICHELIN, DOM., Mâcon, 599 • Pouilly-fuissé, 611 • Saint-véran, 617
SAUMAN, CH., Côtes-de-bourg, 254
SAUMUR, CAVE DES VIGNERONS DE, Saumur, 975
SAURS, CH. DE, Gaillac, 867
SAUTES, DOM. DE, Oc, 1164
SAUVAGEONNE, LA, Coteaux-du-languedoc, 750
SAUVAGNERES, CH., Buzet, 869
SAUVANES, CH. DE, Faugères, 754
SAUVAT, Côtes-d'auvergne AOVDQS, 1036
SAUVEROY, DOM., Anjou, 945 • Anjou-villages, 951 • Coteaux-du-layon, 967
SAUVESTRE, DOM. VINCENT, Bourgogne, 436 • Côte-de-beaune-villages, 583 • Nuits-saint-georges, 514 • Pommard, 548
SAUVETE, DOM., Touraine, 989
SAUVETRE, YVONNICK ET THIERRY, Jardin de la France, 1145
SAUVEUSE, DOM. DE LA, Côtes-de-provence, 823
SAVARY, FRANCINE ET OLIVIER, Chablis, 460 • Chablis premier cru, 465
SAVES, CAMILLE, Champagne, 678
SAVOY, GUY, Champagne, 679
SAVOYE, DOM. CHRISTOPHE, Chiroubles, 174
SAVOYE, RENE, Chiroubles, 174
SAVOYE, LAURENT, Fleurie, 177
SAVOYE, DOM., Morgon, 186
SAXER, WEINGUT, Canton de Thurgovie, 1220
SAXER, JURG, Canton de Zurich, 1221
SCHAEFFER-WOERLY, Alsace grand cru frankstein, 128 • Alsace riesling, 100
SCHAETZEL, MARTIN, Alsace gewurztraminer, 110
SCHARSCH, DOM. JOSEPH, Alsace grand cru altenberg-de-wolxheim, 126 • Crémant-d'alsace, 146
SCHENGEN, CH. DE, Moselle luxembourgeoise, 1194
SCHERER, PAUL, Alsace pinot noir, 122 • Alsace tokay-pinot-gris, 117
SCHERER, ANDRÉ, Alsace tokay-pinot-gris, 117
SCHERRER, THIERRY, Alsace gewurztraminer, 110
SCHINZNACH, WEINBAUGENOSSENSCHAFT, Canton d'Argovie, 1217
SCHISTEIL, Saint-chinian, 765
SCHISTES, DOM. DES, Côtes-du-roussillon-villages, 781
SCHLEGEL, GEORG, Canton des Grisons, 1219
SCHLEGEL BOEGLIN, Alsace pinot noir, 123
SCHLUMBERGER, DOMAINES, Alsace grand cru spiegel, 140
SCHMID, THOMAS MAX, Canton de Thurgovie, 1220
SCHMITT, CAVE FRANCOIS, Alsace gewurztraminer, 110
SCHMITT, JEAN-PAUL, Alsace gewurztraminer, 110
SCHMUTZ ET FILS, A., Canton de Fribourg, 1217
SCHNEIDER, PAUL, Alsace grand cru eichberg, 127
SCHOENHEITZ, Alsace gewurztraminer, 110
SCHOEPFER, MICHEL, Alsace tokay-pinot-gris, 117
SCHOETTEL, DOM. CLAUDE, Alsace pinot noir, 123
SCHOETTEL, DOM. MARIE-HELENE, Alsace pinot noir, 123
SCHUELLER, EDMOND, Alsace riesling, 100
SCHUMACHER-KNEPPER, Moselle luxembourgeoise, 1194

SCHUMACHER-LETHAL ET FILS, DOM., Moselle luxembourgeoise, 1194
SCHUTZ, JEAN-VICTOR, Alsace grand cru frankstein, 128
SCHWACH, PAUL, Alsace riesling, 100
SCHWACH ET FILS, FRANCOIS, Alsace grand cru osterberg, 135 • Crémant-d'alsace, 146
SCHWARTZ, EMILE, Alsace gewurztraminer, 110
SCHWARTZ, CHRISTIAN, Alsace tokay-pinot-gris, 117
SCHWARZ-WEBER, SUZANNE ET FRITZ, Canton d'Argovie, 1217
SECONDE, FRANCOIS, Champagne, 679 • Coteaux-champenois, 688
SEGONZAC, CH., Premières-côtes-de-blaye, 246
SEGRIES, CH. DE, Lirac, 1121 • Tavel, 1123
SEGUELA, DOM., Côtes-du-roussillon-villages, 782
SEGUE LONGUE, CH., Médoc, 371
SEGUIN, CH. DE, Bordeaux supérieur, 234
SEGUIN, DOM. DE, Côtes-du-frontonnais, 872
SEGUIN, GERARD, Gevrey-chambertin, 482
SEGUIN, REMI, Gevrey-chambertin, 482 • Morey-saint-denis, 491
SEGUIN, CH., Pessac-léognan, 360
SEGUIN-MANUEL, DOM., Savigny-lès-beaune, 535
SEGUINOT, DANIEL, Petit-chablis, 456
SEGUINOT-BORDET, DOM., Chablis, 460 • Chablis grand cru, 469 • Chablis premier cru, 466 • Petit-chablis, 456
SEGUR DE CABANAC, CH., Saint-estèphe, 404
SEGURE, CH. DE, Fitou, 756
SEIGNERE, LA, Saumur, 975
SEIGNEURE DES TOURELLES, DOM. DE LA, Saumur, 975
SEIGNEUR D'AUPENAC, Saint-chinian, 766
SEIGNEUR DE LAURIS, Côtes-du-rhône, 1079 • Côtes-du-ventoux, 1130
SEIGNEUR DE MAUGIRON, Côte-rôtie, 1094
SEIGNEUR DES DEUX VIERGES, Coteaux-du-languedoc, 750
SEIGNEURIE DE QUEYRET, LA, Côtes-de-provence, 823
SEIGNEURS DE BERGERAC, Bergerac, 893
SEILLY, Alsace tokay-pinot-gris, 118
SELTZ ET FILS, FERNAND, Alsace grand cru zotzenberg, 145
SEME, DOM. DU, Saint-émilion, 281
SEMEILLAN MAZEAU, CH., Listrac-médoc, 386
SEMELLERIE, DOM. DE LA, Chinon, 1011
SEMPER, DOM., Côtes-du-roussillon-villages, 782 • Maury, 795
SENAILHAC, CH., Bordeaux supérieur, 235
SENEJAC, CH., Haut-médoc, 382
SENEZ, CRISTIAN, Champagne, 679
SENS, CH. LE, Premières-côtes-de-bordeaux, 340
SENSIVE, DOM. DE LA, Muscadet-sèvre-et-maine, 931
SENTES, CAVE LES, Canton du Valais, 1210
SERAME, CH. DE, Corbières, 731
SERANNE, MAS DE LA, Coteaux-du-languedoc, 750
SERENITE, LA, Pessac-léognan, 360
SERESNES, DOM. DE, Reuilly, 1053
SERGANT, CH., Lalande-de-pomerol, 276
SERGENT, DOM., Pacherenc-du-vic-bilh, 887
SERGUE, CH. LA, Lalande-de-pomerol, 276
SERILHAN, CH., Saint-estèphe, 404
SERINS, LES, Crozes-hermitage, 1102
SEROL ET FILS, ROBERT, Côte-roannaise, 1042
SERRE, DOM. DE LA, Côtes-du-roussillon-villages, 782
SERRE, CH. LA, Saint-émilion grand cru, 306
SERRE-BIAU, DOM. DU, Côtes-du-rhône-villages, 1090
SERRE DE BERNON, Côtes-du-rhône, 1079
SERRE DE GUERY, Oc, 1164
SERRES SAINTE-LUCIE, CH., Corbières, 731
SERRIGNY, DOM. FRANCINE ET MARIE-LAURE, Savigny-lès-beaune, 535
SERVANS, DOM. DE, Côtes-du-rhône, 1079
SERVEAU, MICHEL, Saint-aubin, 576
SERVEAUX FILS, Champagne, 679
SERVE DES VIGNES, DOM. DE LA, Morgon, 186
SERVIN, DOM., Chablis grand cru, 469 • Chablis premier cru, 466
SEUIL, CH. DU, Graves, 351
SEVAULT, PHILIPPE, Jasnières, 1014
SEZENOVE, CAVE DE, Canton de Genève, 1214
SIAURAC, CH., Lalande-de-pomerol, 276
SICARD, DOM., Minervois, 760
SICHEL, ALLIAGE DE, Graves, 351
SIEUR DE CAMANDIEU, Oc, 1165
SIGALAS-RABAUD, CH., Sauternes, 419
SIGAUT, DOM. HERVE, Chambolle-musigny, 497
SIGOULES, CAVE DE, Bergerac, 893
SILENE DES PEYRALS, DOM. DU, Coteaux-du-languedoc, 750
SIMART-MOREAU, Champagne, 679
SIMEONI, Saint-chinian, 766
SIMIAN, CH., Châteauneuf-du-pape, 1118 • Côtes-du-rhône, 1079
SIMMLER, Alsace riesling, 100
SIMON, ALINE ET REMY, Alsace tokay-pinot-gris, 118
SIMON, GABRIEL, Champagne, 679
SIMON, DOM. J. ET M., Clos-de-la-roche, 492
SIMONE, CH., Palette, 833
SIMON ET FILS, GUY, Bourgogne-hautes-côtes-de-nuits, 445
SIMONIN, JACQUES, Pouilly-fuissé, 611
SIMONIS, RENE, Alsace gewurztraminer, 110 • Alsace riesling, 101
SIMONNET-FEBVRE, Crémant-de-bourgogne, 452
SIMON-SELOSSE, Champagne, 679
SINGLA, DOM., Côtes-du-roussillon, 778
SINGLEYRAC, CH., Bergerac rosé, 894
SINSON ET FILS, HUBERT, Touraine, 990
SIOUVETTE, DOM., Côtes-de-provence, 823
SIPP, LOUIS, Alsace tokay-pinot-gris, 118
SIPP-MACK, Alsace gewurztraminer, 111
SIRAN, BEL AIR DE, Haut-médoc, 382
SIRAN, CH., Margaux, 391
SIRE THOMAS AU CLOS DE SAINT-BONNET, Canton de Vaud, 1202
SIRIANES, LES, Costières-de-nîmes, 736
SIRON, CH. DU, Bordeaux rosé, 222
SIRUGUE ET SES ENFANTS, DOM. ROBERT, Bourgogne, 436 • Vosne-romanée, 507
SISSAN, CH., Premières-côtes-de-bordeaux, 340
SKALLI, ROBERT, Oc, 1165
SMITH HAUT LAFITTE, CH., Pessac-léognan, 360
SOCIANDO-MALLET, CH., Haut-médoc, 382
SOHLER, PHILIPPE, Alsace gewurztraminer, 111
SOLEILLA, MAS DU, Coteaux de Narbonne, 1154 • Coteaux-du-languedoc, 751
SOLEIL ROMAIN, DOM. DU, Côtes-du-rhône-villages, 1091

SOLITUDE, DOM. DE LA, Châteauneuf-du-pape, 1118
SOL-PAYRE, DOM., Rivesaltes, 790
SOLY, DOM. DU, Beaujolais, 160
SORBA, DOM. DE LA, Ajaccio, 850
SORBE, DOM. JEAN-MICHEL, Reuilly, 1053
SORBIEF, DOM. DU, Arbois, 694
SORIN, DOM., Bandol, 831
SORIN-COQUARD, Bourgogne-aligoté, 440
SORINE ET FILS, Chassagne-montrachet, 573 • Santenay, 580
SORNIN, Charentais, 1147
SORTEILHO, DOM. DE, Saint-chinian, 766
SOUCH, DOM. DE, Jurançon, 880
SOUCHE ARDENTE, Canton de Vaud, 1202
SOUCHERIE, CH., Anjou, 945
SOUCHONS, DOM. DES, Morgon, 187
SOUDARS, CH., Haut-médoc, 382
SOUFRANDIERE, LA, Pouilly-vinzelles, 614
SOUFRANDISE, LA, Mâcon-villages, 605 • Pouilly-fuissé, 611
SOULANES, DOM. DES, Côtes-du-roussillon-villages, 782 • Maury, 796
SOULIE, DOM. DES, Monts de la Grage, 1158
SOULS, LES, Coteaux-du-languedoc, 751
SOUMADE, DOM. LA, Côtes-du-rhône, 1079 • Côtes-du-rhône-villages, 1091
SOUNIT, ALBERT, Crémant-de-bourgogne, 452 • Mercurey, 592 • Montagny, 597 • Rully, 589
SOUQUES, G. ET J., Cahors, 860
SOURCE, DOM. DE LA, Bellet, 828
SOURDAIS, PIERRE, Chinon, 1011
SOURET, JEAN-FELIX, Côtes-du-rhône, 1080
SOUTERRAINS, DOM. DES, Touraine, 990
SOUTIRAN, PATRICK, Champagne, 680 • Coteaux-champenois, 688
SOUVERAIN, DOM. LE, Principauté d'Orange, 1172
SOUVIOU, DOM. DE, Bandol, 831 • Côtes-de-provence, 823
SOUZONS, DOM. DES, Régnié, 193
SPANNAGEL, VINCENT, Alsace grand cru wineck-schlossberg, 143
SPANNAGEL, PAUL, Alsace tokay-pinot-gris, 118
SPANNAGEL ET FILS, E., Alsace gewurztraminer, 111
SPERRY-KOBLOTH, DOM. J., Alsace grand cru winzenberg, 143
SPITZ ET FILS, Alsace riesling, 101
SPRING, CAVE, Ontario, 1188
STAEHLE, BERNARD, Alsace grand cru hengst, 132 • Alsace sylvaner, 90 • Crémant-d'alsace, 147
STAMM, Canton de Schaffhouse, 1220
STEINER, Alsace gewurztraminer, 111 • Alsace pinot noir, 123
STEINER, JEAN-JACQUES, Canton de Vaud, 1203
STELLA NOVA, Coteaux-du-languedoc, 751
STENTZ, FERNAND, Alsace grand cru goldert, 130 • Alsace grand cru pfersigberg, 136
STENTZ, ANDRE, Alsace grand cru steingrübler, 141 • Alsace riesling, 101
STEPHANE ET FILS, Champagne, 680
STEVAL, CH., Fronsac, 261
STINTZI, Crémant-d'alsace, 147
STIRN, DOM., Alsace gewurztraminer, 111 • Alsace grand cru marckrain, 134
STOEFFLER, DOM., Alsace gewurztraminer, 111
STOFFEL, ANTOINE, Alsace riesling, 101
STONEY RIDGE, Ontario, 1188
STRAUB, Alsace grand cru winzenberg, 143
STREVIC-GODINEAU, CH., Bordeaux supérieur, 235
STREWN, Ontario, 1188
STROMBERG, Moselle AOVDQS, 150
STRUSS, Alsace gewurztraminer, 111
SUARD, FRANCIS, Chinon, 1011
SUAU, CH., Bordeaux sec, 219
SUBILEAU, ANTOINE, Muscadet-sèvre-et-maine, 932
SUDUIRAUT, CH., Sauternes, 419
SUFFRENE, DOM. LA, Bandol, 831
SUGOT-FENEUIL, Champagne, 680
SULAUZE, CH., Coteaux-d'aix-en-provence, 837
SUMEIRE, DOM. ELIE, Côtes-de-provence, 823
SUPLIGEAU, JACKY, Montlouis-sur-loire, 1017
SUREMAIN, HUGUES ET YVES DE, Mercurey, 592
SUREMAIN, ERIC DE, Rully, 589
SURIANE, DOM. DE, Coteaux-d'aix-en-provence, 837
SUR LES CHAUX, Canton de Vaud, 1203
SUZIENNE, CAVE DE LA, Côtes-du-rhône, 1080
SYLVAIN MAS, CH., Faugères, 754
SYYDEBANDEL, Canton de Bâle, 1218

T

TABATAU, DOM. DU, Saint-chinian, 766
TABOURIN, ARNAUD, Champagne, 680
TAILHADES MAYRANNE, DOM., Minervois, 760
TAILHAS, CH. DU, Pomerol, 270
TAILLAN, CH. DU, Haut-médoc, 382
TAILLE AUX LOUPS, DOM. DE LA, Montlouis-sur-loire, 1018 • Vouvray, 1025
TAILLEFER, CH., Pomerol, 271
TAILLEURGUET, DOM., Madiran, 885
TAIN-L'HERMITAGE, CAVE DE, Cornas, 1105
TAIN L'HERMITAGE, CAVE DE, Hermitage, 1103
TAITTINGER, Champagne, 680
TALBOT, CH., Saint-julien, 408
TALMARD, GERALD ET PHILIBERT, Mâcon-villages, 605
TALUAU, JOEL, Saint-nicolas-de-bourgueil, 1003
TAMARY, DOM. DE, Côtes-de-provence, 824
TANNERIES, DOM. DES, Châteaumeillant AOVDQS, 1034
TANNEUX-MAHY, Champagne, 680
TANTE ALICE, DOM. DE, Beaujolais, 160 • Brouilly, 168
TAP, CH. LE, Bergerac, 893
TARA, DOM. DE, Côtes-du-ventoux, 1130
TARCIERE, CH. LA, Muscadet-sèvre-et-maine, 932
TARDIEU-LAURENT, Côtes-du-rhône, 1080 • Vacqueyras, 1112
TARERACH, LES VIGNERONS DE, Côtes-du-roussillon, 778
TARGE, CH. DE, Saumur-champigny, 981
TARIQUET, DOM. DU, Côtes de Gascogne, 1151
TARLANT, Champagne, 680 • Coteaux-champenois, 688
TASSIN, EMMANUEL, Champagne, 680 • Coteaux-champenois, 688
TASTE, CH. DE, Côtes-de-bourg, 254
TASTET, DOM. DU, Terroirs landais, 1148
TATRAUX-JUILLET, DOM. BERNARD, Givry, 595
TAUPENOT, PIERRE, Auxey-duresses, 556
TAUPENOT-MERME, DOM., Chambolle-musigny, 497 • Charmes-chambertin, 487 • Gevrey-chambertin, 482 • Morey-saint-denis, 491
TAURIAN, RENE, Canton de Vaud, 1203
TAUTAVEL, LES MAITRES VIGNERONS DE, Muscat-de-rivesaltes, 794 • Rivesaltes, 790

TAUTAVELLOISE, LES VIGNERONS DE LA, Côtes-du-roussillon-villages, 782
TAUZIA, CH. DU, Buzet, 869
TAUZIES, CH. DE, Gaillac, 867
TAUZINAT L'HERMITAGE, CH., Saint-émilion grand cru, 306
TAVEL, LES VIGNERONS DE, Tavel, 1123
TAYAT, CH., Premières-côtes-de-blaye, 247
TEIGNEY, T DU, Graves, 351
TEILLER, DOM. JEAN, Menetou-salon, 1043
TELMONT, J. DE, Champagne, 680
TEMPLE, CH. LE, Médoc, 371
TEMPLIERS, CELLIER DES, Banyuls, 786 • Banyuls grand cru, 787
TEPPE, DOM. DE LA, Moulin-à-vent, 189
TEPPES MARIUS, LES, Mâcon, 600
TERA CREDA, Canton du Tessin, 1223
TERME, DOM. DU, Gigondas, 1109
TERRA BIANCA, Ile de Beauté, 1170
TERRA DI LEA, Ile de Beauté, 1171
TERRA NOSTRA, Corse ou vins-de-corse, 848
TERRA SANA, Charentais, 1147
TERRASSES D'EOLE, DOM. LES, Côtes-du-ventoux, 1130
TERRASSES DU BELVEDERE, LES, Côtes-du-rhône-villages, 1091
TERRASSOUS, Côtes-du-roussillon, 778 • Muscat-de-rivesaltes, 794
TERRA VECCHIA, DOM., Ile de Beauté, 1171
TERRE ARDENTE, Fitou, 756 • Fitou, 757
TERRE-BLANQUE, CH., Premières-côtes-de-blaye, 247
TERREBONNE, DOM. DE, Var, 1173
TERREBRUNE, DOM. DE, Bandol, 832 • Bonnezeaux, 971 • Cabernet-d'anjou, 956 • Rosé-de-loire, 919
TERRE DES SEIGNEURS, Côtes-du-rhône-villages, 1091
TERRE FORTE, CH., Côtes-du-rhône, 1080
TERREFORT-QUANCARD, CH. DE, Bordeaux supérieur, 235
TERREFORTS DE MADIRAN, Madiran, 885
TERRE MEGERE, Coteaux-du-languedoc, 751 • Oc, 1165
TERRE NATALE, Fitou, 757
TERRE ROUGE, CH., Médoc, 371
TERRES BLANCHES, DOM. DE, Les baux-de-provence, 839
TERRES DE SOLENCE, DOM., Côtes-du-ventoux, 1130
TERRES GEORGES, DOM., Minervois, 760 • Oc, 1165
TERRES MOREL, DOM. DES, Beaujolais, 160
TERRES NOIRES, DOM. DES, Touraine-mesland, 994
TERRES ROUGES, Mâcon supérieur, 600
TERRES SECRETES, Mâcon-villages, 605
TERRE VIEILLE, CH., Pécharmant, 906
TERREY-GROS-CAILLOUX, CH., Saint-julien, 408
TERRIADES, LES, Anjou-villages-brissac, 953
TERRIDE, CH. DE, Gaillac, 867
TERRIER, JEAN-CLAUDE, Viré-clessé, 607
TERRIERE, CH. DE LA, Brouilly, 168
TERRISSES, DOM. DES, Gaillac, 867
TERROIR, CAVEAU DU, Côtes-du-jura, 699
TERROIR DU PAVILLON, Fleurie, 177
TERTRE, CH. LE, Graves-de-vayres, 334
TERTRE, CH. DU, Margaux, 391
TERTRE CABARON, CH., Bordeaux supérieur, 235
TERTRE DE LEYLE, CH. LE, Côtes-de-bourg, 255
TESSIER, PHILIPPE, Cour-cheverny, 1029
TESSIER, MARTINE, Givry, 595
TESTE, CH. DE, Premières-côtes-de-bordeaux, 340
TESTULAT, V., Champagne, 681
TEVENOT, DANIEL, Cheverny, 1029
TEYNAC, CH., Saint-julien, 408
TEYSSONNIERES, DOM. LES, Côtes-du-rhône, 1080
THENARD, DOM., Givry, 595
THERMES, DOM. DES, Côtes-de-provence, 824
THERON, DOM. DU, Cahors, 861
THERREY, JACKY, Champagne, 681
THEULET, CH., Monbazillac, 903
THEVENET-DELOUVIN, Champagne, 681
THEVENET ET FILS, JEAN-CLAUDE, Mâcon, 600
THEVENOT-LE BRUN ET FILS, DOM., Bourgogne-hautes-côtes-de-nuits, 445
THIBAULT DE VILLEJAMES, Champagne, 681
THIBAUT, JEAN-BAPTISTE, Bourgogne-aligoté, 440
THIBEAUD-MAILLET, CH., Pomerol, 271
THIBERT, PIERRE, Nuits-saint-georges, 514
THIBERT PERE ET FILS, DOM., Mâcon-villages, 605 • Pouilly-fuissé, 611 • Pouilly-vinzelles, 614
THIERRY, CHRISTIAN, Vouvray, 1025
THIEULEY, HERITAGE DE, Bordeaux, 212
THIEULEY, CH., Bordeaux clairet, 214 • Bordeaux sec, 219
THIL COMTE CLARY, CH. LE, Pessac-léognan, 360
THILL FRERES, DOM., Crémant-de-luxembourg, 1195
THIRTY BENCH, Ontario, 1189
THIVIN, CH., Brouilly, 168
THOMAS, DOM. GERARD, Puligny-montrachet, 567
THOMAS, MICHEL, Sancerre, 1061
THOMAS, DOM. CHARLES, Rully, 589 • Savigny-lès-beaune, 535
THOMAS ET FILS, ANDRE, Alsace tokay-pinot-gris, 118
THOMAS ET FILS, DOM., Sancerre, 1061
THOMAS-LABAILLE, CLAUDE ET FLORENCE, Sancerre, 1061
THORIGNY, CHRISTOPHE, Vouvray, 1025
THORIN, ESPRIT, Moulin-à-vent, 190
THUERRY, CH., Coteaux-varois, 843 • Côtes-de-provence, 824
TIFAYNE, CH., Bordeaux rosé, 222
TILLERAIE, CH. LA, Bergerac rosé, 895
TILLEULS, CAVE DES, Canton du Valais, 1211
TINEL-BLONDELET, F., Pouilly-fumé, 1049
TIRECUL LA GRAVIERE, CH., Monbazillac, 903
TIREGAND, CH. DE, Pécharmant, 906
TIRE PE, CH., Bordeaux, 212
TISSIER, J. M., Champagne, 681
TISSIER ET FILS, DIOGENE, Champagne, 681
TISSIER ET FILS, ROLAND, Sancerre, 1062
TISSOT, DOM. ANDRE ET MIREILLE, Arbois, 694
TISSOT, JACQUES, Arbois, 694 • Macvin-du-jura, 707
TISSOT, JEAN-LOUIS, Arbois, 694 • Crémant-du-jura, 702
TISSOT, THIERRY, Bugey AOVDQS, 717
TISSOT, ANDRE ET MIREILLE, Crémant-du-jura, 702
TIXIER, GUY, Champagne, 681
TIXIER, MICHEL, Champagne, 682
TOASC, DOM. DE, Bellet, 828
TOINET-FOMBRAUGE, CH., Saint-émilion, 281
TOLLET, LOUIS, Champagne, 682
TONKIN, DOM. DU, Quincy, 1051

TONNELLERIE, DOM. DE LA, Touraine-amboise, 992
TONNELLES, CH. LES, Fronsac, 261
TONNERET, CH., Saint-émilion, 281
TOQUES ET CLOCHERS, Crémant-de-limoux, 723
TORNALE, LA, Canton du Valais, 1211
TORRACCIA, DOM. DE, Corse ou vins-de-corse, 849
TORTOCHOT, DOM., Clos-de-vougeot, 501 • Gevrey-chambertin, 483
TOUADE, DOM. DE, Floc-de-gascogne, 914
TOUCHES, DOM. DES, Rosé-d'anjou, 954
TOULOIS, LES VIGNERONS DU, Côtes-de-toul, 149
TOULONS, DOM. LES, Coteaux-d'aix-en-provence, 837
TOUNY-LES-ROSES, CH., Gaillac, 868
TOUR, DOM. DE LA, Alsace pinot noir, 123 • Chinon, 1012
TOUR, CH. DE LA, Clos-de-vougeot, 501
TOURADE, DOM. DE LA, Gigondas, 1109
TOURANGELLE, CAVES DE LA, Touraine, 990
TOURANS, TERRE BLANCHE DU CH., Saint-émilion grand cru, 306
TOUR BAJOLE, DOM. DE LA, Crémant-de-bourgogne, 452
TOUR BALADOZ, CH., Saint-émilion grand cru, 307
TOUR BEAUMONT, DOM. LA, Haut-poitou AOVDQS, 799
TOUR BICHEAU, CH., Graves, 351
TOURBILLON, DOM., Canton du Valais, 1211
TOUR BLANCHE, CH., Médoc, 372
TOUR BLANCHE, CH. LA, Sauternes, 419
TOUR BLONDEAU, LA, Bourgogne-hautes-côtes-de-beaune, 449 • Bourgogne-hautes-côtes-de-nuits, 445 • Nuits-saint-georges, 514
TOUR CARNET, CH. LA, Haut-médoc, 383
TOUR CASTILLON, CH., Médoc, 372
TOUR D'ARFON, CH., Bergerac, 893
TOUR D'ASPE, Côtes-du-marmandais, 874
TOUR DE BERAUD, CH. LA, Costières-de-nîmes, 736
TOUR DE BIOT, CH., Bordeaux, 212
TOUR DE CALENS, CH., Graves, 351
TOUR DE CASTRES, CH., Graves, 351
TOUR DE FARGES, CH., Muscat-de-lunel, 770
TOUR DE GILET, CH., Bordeaux supérieur, 235
TOUR DE GRANGEMONT, CH., Côtes-de-bergerac, 900
TOUR DE GUIET, CH., Côtes-de-bourg, 255
TOUR DE L'EVEQUE, CH. LA, Côtes-de-provence, 824
TOUR DE MARBUZET, CH., Saint-estèphe, 404
TOUR DE MARIGNAN, CH. LA, Vin-de-savoie, 713
TOUR DE MIRAMBEAU, CH., Bordeaux sec, 219 • Bordeaux supérieur, 235
TOUR DE MONTREDON, CH., Corbières, 731
TOUR DE PEZ, CH., Saint-estèphe, 404
TOUR DES BANS, DOM. DE LA, Morgon, 187
TOUR DES CHENES, DOM., Lirac, 1121
TOUR DES GENDRES, CH., Côtes-de-bergerac, 900
TOUR DES VIDAUX, DOM. LA, Côtes-de-provence, 824
TOUR D'HORABLE, CH., Côtes-de-castillon, 326
TOUR DU BON, DOM. DE LA, Bandol, 832
TOUR DU HAUT-MOULIN, CH., Haut-médoc, 383
TOUR DU MOULIN, CH., Fronsac, 261
TOUR DU MOULIN DU BRIC, CH., Côtes-de-bordeaux-saint-macaire, 341
TOURELLES, CH. DES, Lalande-de-pomerol, 276
TOURETTE, CH. LA, Pauillac, 399
TOUR FIGEAC, CH. LA, Saint-émilion grand cru, 307
TOUR GALINEAU, CH., Premières-côtes-de-blaye, 247
TOUR GRAND FAURIE, CH., Saint-émilion grand cru, 307
TOUR HAUT-BRION, CH. LA, Pessac-léognan, 360
TOUR HAUT-CAUSSAN, CH., Médoc, 372
TOURLAUDIERE, DOM. DE LA, Gros-plant AOVDQS, 936 • Muscadet-sèvre-et-maine, 932
TOUR LEOGNAN, CH., Pessac-léognan, 361
TOUR MAILLET, CH., Pomerol, 271
TOURMENTE, LA, Canton du Valais, 1211
TOURMENTINE, CH., Saussignac, 908
TOUR MONTBRUN, CH., Bergerac, 893
TOUR MONT D'OR, LA, Montagne-saint-émilion, 316
TOURNEFEUILLE, CH., Lalande-de-pomerol, 276
TOURNELLE, DOM. DE LA, Crémant-du-jura, 702
TOURNELLES, CH., Buzet, 869
TOURNERIE, DOM. DE LA, Jardin de la France, 1145
TOURNIER ET THIERRY GAUTIER, CORINNE, Bourgogne-aligoté, 440 • Montagny, 597
TOURNOUD, CHANTAL ET GUY, Vin-de-savoie, 713
TOUR PENEDESSES, DOM. DE LA, Coteaux-du-languedoc, 751
TOUR PRIGNAC, CH., Médoc, 372
TOUR RENAISSANCE, CH., Saint-émilion grand cru, 307
TOUR SAINT-HONORE, CH., Côtes-de-provence, 824
TOUR SAINT-MARTIN, LA, Menetou-salon, 1043
TOURS DES VERDOTS, L'EXCELLENCE DU CH. LES, Côtes-de-bergerac, 900 • Monbazillac, 904
TOUR SIGNY, DOM. DE LA, Haut-poitou AOVDQS, 800
TOURS SEGUY, CH. LES, Côtes-de-bourg, 255
TOURTE, CH. DU, Graves, 352
TOURTEAU-CHOLLET, CH., Graves, 352
TOURTERELLES, DOM. DES, Montlouis-sur-loire, 1018
TOURTES, CH. DES, Premières-côtes-de-blaye, 247
TOUR VAYON, DOM. DE LA, Mâcon-villages, 605
TOUR VIEILLE, DOM. LA, Collioure, 783
TOYER, GERARD, Valençay, 1033
TRACY, CH. DE, Pouilly-fumé, 1049
TRADITION DES COLOMBIERS, Médoc, 372
TRAGINER, DOM. DU, Banyuls grand cru, 787 • Collioure, 784
TRAHAN, DOM. DES, Anjou-villages, 951 • Cabernet-d'anjou, 956 • Rosé-d'anjou, 954
TRANCHEE, DOM. DE LA, Chinon, 1012
TRAPAUD, CH., Saint-émilion grand cru, 307
TRAPET, JEAN-CLAUDE, Bourgogne-hautes-côtes-de-nuits, 445
TRAPET PERE ET FILS, DOM., Chambertin, 483 • Chapelle-chambertin, 485 • Latricières-chambertin, 485 • Marsannay, 474
TREBUCHET, LE, Crémant-de-bordeaux, 237
TREILLE, DOM. DE LA, Moulin-à-vent, 190
TREMBLAY, DOM. DU, Quincy, 1051
TRENEL FILS, Morgon, 187
TRESBAUDON, DOM. DE, Hautes-Alpes, 1169
TRESY ET FILS, JEAN, Arbois, 695 • Macvin-du-jura, 707
TREUILLET, SEBASTIEN, Pouilly-sur-loire, 1050
TREYTINS, CH., Montagne-saint-émilion, 316
TRIANON, CH., Saint-émilion grand cru, 307
TRIANS, CH., Coteaux-varois, 843
TRIBAUT, G., Champagne, 682
TRIBAUT-SCHLŒSSER, Champagne, 682
TRIBOULET, DOM., Mâcon-villages, 605

TRIBOULEY, DOM. JEAN-LOUIS, Côtes-du-roussillon-villages, 782
TRICHET-DIDIER, Champagne, 682
TRICOT, DOM. VINCENT, Côtes-d'auvergne AOVDQS, 1036
TRICOT, CH., Montagne-saint-émilion, 316
TRIENNES, Var, 1173
TRIGNON, CH. DU, Côtes-du-rhône-villages, 1091 • Gigondas, 1109
TRIMOULET, CH., Saint-émilion grand cru, 307
TRIPOZ, DIDIER, Mâcon, 600 • Mâcon-villages, 606
TRIPOZ, CELINE ET LAURENT, Mâcon-villages, 605
TRITANT, ALFRED, Champagne, 682
TROIS BECS, DOM. LES, Clairette-de-die, 1123
TROIS C, LES, Pineau-des-charentes, 804
TROIS CHARDONS, CH. DES, Margaux, 391
TROIS COLONNES, LES, Bordeaux, 212
TROIS CROIX, CH. LES, Fronsac, 262
TROIS DOMAINES, LES, Floc-de-gascogne, 914
TROIS FONDS, CH., Sainte-foy-bordeaux, 335
TROIS MONTS, DOM. DES, Rosé-de-loire, 919
TROIS MOULINS, CAVE DES, Coteaux-du-quercy AOVDQS, 862
TROIS NOYERS, DOM. DES, Sancerre, 1062
TROIS POULES, LES, Oc, 1165
TROLLIET-LAFITE, CH., Côtes-de-bergerac, 900
TRONQUOY-LALANDE, CH., Saint-estèphe, 404
TROPLONG-MONDOT, CH., Saint-émilion grand cru, 307
TROQUART, CH., Saint-georges-saint-émilion, 320
TROSSET, LES FILS DE CHARLES, Vin-de-savoie, 713
TROTANOY, CH., Pomerol, 271
TROTTEVIEILLE, CH., Saint-émilion grand cru, 308
TROTTIERES, DOM. DES, Anjou, 945 • Rosé-de-loire, 919
TROUBADOUR, LES VINS DU, Vacqueyras, 1112
TROUSSEL, DOM., Côtes-du-ventoux, 1130
TROYES DE MESLAY, Crémant-du-jura, 702
TRUCHETET, DOM. JEAN-PIERRE, Bourgogne-hautes-côtes-de-nuits, 445 • Bourgogne-passetoutgrain, 442 • Côte-de-nuits-villages, 517
TRUFFIERES, LES, Coteaux-du-tricastin, 1126
TSCHAPPERLI, Canton de Bâle, 1218
TSCHARNER, GIAN-BATTISTA VON, Canton des Grisons, 1220
TUFFIERE, DOM. DE LA, Anjou, 946
TUILERIE, CH. LA, Bordeaux supérieur, 235 • Graves, 352
TUILERIE, CH. DE LA, Costières-de-nîmes, 736
TUILERIE DU PUY, CH. LA, Entre-deux-mers, 332
TUILIERE, CH. LA, Côtes-de-bourg, 255
TUNNEL, DOM. DU, Cornas, 1105
TUPINIER-BAUTISTA, DOM., Mercurey, 592
TUQUE BEL-AIR, DOM. LA, Côtes-de-castillon, 326
TUQUET, CH. LE, Graves, 352
TUQUET MONCEAU, CH., Bergerac, 893
TURCAUD, CH., Bordeaux supérieur, 235 • Entre-deux-mers, 332
TURCKHEIM, CAVE DE, Alsace grand cru sommerberg, 139
TURENNE, DOM., Côtes-de-provence, 824
TURPIN, CHRISTOPHE ET GUY, Menetou-salon, 1043
TURQUE, LA, Côte-rôtie, 1094
TUTIAC, DUC DE, Premières-côtes-de-blaye, 247
TWANNER FRAUENKOPF, Canton de Berne, 1216

U

UBY, DOM. D', Côtes de Gascogne, 1151
UMBRICHT, Canton d'Argovie, 1217
UNIVERSITE DE BOURGOGNE, Marsannay, 474
USSEGLIO ET FILS, DOM. PIERRE, Châteauneuf-du-pape, 1118
USSEGLIO ET FILS, DOM. RAYMOND, Châteauneuf-du-pape, 1118

V

VACAIROLLES, CH., Coteaux-du-languedoc, 751
VACCELLI, DOM. DE, Ajaccio, 850
VACHER, ADRIEN, Vin-de-savoie, 713
VACHERON, DOM., Sancerre, 1062
VAILLARD, GILLES, Fixin, 476
VAISSES, DOM. LES, Côtes-du-luberon, 1133
VAISSIERE, CH., Minervois, 761
VALAMBELLE, DOM., Faugères, 755
VALANDRAUD, CH. DE, Saint-émilion grand cru, 308
VALANGES, DOM. DES, Saint-véran, 617
VALCOLOMBE, DOM. DE, Coteaux du Verdon, 1169
VALCOMBE, CH. DE, Costières-de-nîmes, 737
VALCOMBE, CH., Côtes-du-ventoux, 1130
VALDAINE, CAVE DE LA, Comté de Grignan, 1176
VAL D'ARENC, DOM. DE, Bandol, 832
VAL DES ROIS, DOM. DU, Côtes-du-rhône, 1080 • Côtes-du-rhône-villages, 1091
VAL D'IRIS, Côtes-de-provence, 825 • Var, 1174
VALDITION, DOM. DE, Bouches-du-Rhône, 1169
VAL D'OR, CH. DU, Saint-émilion grand cru, 308
VALENCAY, CAVE DES VIGNERONS REUNIS DE, Valençay, 1033
VALENTINES, CH. LES, Côtes-de-provence, 825
VALENTIN ET FILS, JEAN, Champagne, 683
VALERIANE, DOM. DE LA, Côtes-du-rhône-villages, 1091
VALEYRES, CAVE DU CH. DE, Canton de Vaud, 1203
VALFLAUNES, CH. DE, Coteaux-du-languedoc, 751
VALFON, CH., Côtes-du-roussillon, 778
VALGUY, CH., Sauternes, 419
VAL JOANIS, CH., Côtes-du-luberon, 1133
VALLEE, GERALD, Saint-nicolas-de-bourgueil, 1004
VALLEES, LA CAVE DES, Touraine-azay-le-rideau, 993
VALLETTES, DOM. DES, Bourgueil, 1000
VALLIERE, DOM. DE, Saint-aubin, 576 • Santenay, 580
VALLIERES, LES, Canton de Genève, 1214
VALLOIS-PETRET, Champagne, 683
VALLOMBROSA, TENUTA, Canton du Tessin, 1223
VALLONGUE, DOM. DE LA, Coteaux-d'aix-en-provence, 837 • Les baux-de-provence, 839
VALMENGAUX, DOM. DE, Bordeaux, 212
VALMER, CH. DE, Touraine, 990 • Vouvray, 1025
VALMY, CH., Côtes-du-roussillon, 778 • Muscat-de-rivesaltes, 794
VALMY DUBOURDIEU-LANGE, Côtes-de-castillon, 326
VALOIS, CH. DE, Pomerol, 271
VALOT, ROMUALD, Bourgogne-hautes-côtes-de-nuits, 445
VALROSE, CH., Bordeaux supérieur, 235 • Saint-estèphe, 404
VALS, DOM. LAS, Corbières, 731
VANBESELAERE-MARNIX, DOM., Bourgogne-aligoté, 440

VINS

VANDELLE, DOM. PHILIPPE, Crémant-du-jura, 702 • L'étoile, 703
VANNIERES, CH., Bandol, 832 • Côtes-de-provence, 825
VARANNES, DOM. DES, Anjou-villages, 951 • Coteaux-du-layon, 967
VARENNE, DOM., Gigondas, 1109
VARENNES, DOM. DES, Anjou, 946 • Coteaux-du-layon, 967
VARIERE, BARON DE LA, Anjou, 946
VARIERE, CH. LA, Anjou-villages-brissac, 953 • Bonnezeaux, 971 • Quarts-de-chaume, 968
VARINELLES, DOM. DES, Saumur-champigny, 981
VARNIER-FANNIERE, Champagne, 683
VAROILLES, DOM. DES, Charmes-chambertin, 487 • Clos-de-vougeot, 501 • Gevrey-chambertin, 483
VATAN, DOM. ANDRE, Sancerre, 1062
VAUCHER PERE ET FILS, Bourgogne-hautes-côtes-de-nuits, 445
VAUCORNEILLES, LES, Touraine-mesland, 994
VAUCOULEURS, CH. DE, Côtes-de-provence, 825
VAUDOISEY-CREUSEFOND, Bourgogne, 436 • Pommard, 548
VAUGAUDRY, CH. DE, Chinon, 1012
VAUGELAS, CH., Corbières, 731
VAUGONDY, DOM. DE, Vouvray, 1025
VAUMARCUS, DOM. DU CH. DE, Canton de Neuchâtel, 1216
VAUPRE, CHANTAL ET DOMINIQUE, Pouilly-fuissé, 612
VAURE, CH. DE, Bordeaux, 212
VAURENARD, CH. DE, Beaujolais, 160
VAUROUX, DOM. DE, Bourgogne, 437
VAUTRAIN, MARCEL, Champagne, 683
VAUVERSIN, F., Champagne, 683
VAUX, CH. DE, Moselle AOVDQS, 150
VAYSSETTE, DOM., Gaillac, 868
VAZART, RENE, Champagne, 683
VELLE, CH. DE LA, Beaune, 541
VELUT, JEAN, Champagne, 683
VENDOMOIS, LES VIGNERONS DU, Coteaux-du-vendômois, 1032
VENERIE, CH. LA, Beaujolais, 160
VENESMES, Cher, 1140
VENOGE, DE, Champagne, 683
VENOT, Bourgogne-côte-chalonnaise, 584
VENTENAC, CH., Cabardès, 767
VENTOURENCO, DOM. LA, Côtes-du-ventoux, 1130
VERCHANT, Hérault, 1158
VERDIER, DOM., Cabernet-d'anjou, 956 • Coteaux-du-layon, 967 • Jardin de la France, 1145 • Rosé-de-loire, 920
VERDIER ET J. LOGEL, O., Côtes-du-forez, 1037
VERDIGNAN, CH., Haut-médoc, 383
VERDOT, ALAIN, Bourgogne-hautes-côtes-de-nuits, 445
VEREX, DOM. DE, Canton de Vaud, 1203
VEREZ, CH., Côtes-de-provence, 825
VERGER, DOM. LE, Chablis, 460
VERGNES, Blanquette-de-limoux, 722
VERGNES-BEAULIEU, CH., Bordeaux supérieur, 236
VERGNON, J.L., Champagne, 684
VERMEIL DU CRES, Coteaux-du-languedoc, 751
VERMONT, CH., Bordeaux, 212
VERNAY, DOM. GEORGES, Condrieu, 1097 • Côte-rôtie, 1095
VERNE, CH. DE LA, Fleurie, 177
VERNEDE, CH. LA, Coteaux-du-languedoc, 751
VERNEDE, DOM. DE LA, Côtes-de-provence, 825
VERNELLERIE, DOM. DE LA, Bourgueil, 1000
VERNES, DOM. DES, Saumur-champigny, 981
VERONNET, DOM. DE, Vin-de-savoie, 713
VERRET, DOM., Saint-bris, 471
VERRIERE, CH. LA, Bordeaux rosé, 222 • Bordeaux supérieur, 236
VERSEAU, CAVE DU, Canton du Valais, 1211
VERT, CH., Côtes-de-provence, 825
VESSELLE, ALAIN, Champagne, 684
VESSELLE, B., Champagne, 684
VESSELLE, JEAN, Champagne, 684 • Coteaux-champenois, 688
VESSELLE, MAURICE, Champagne, 684
VESSIERE, CH., Costières-de-nîmes, 737
VESSIGAUD, PIERRE, Mâcon-villages, 606 • Pouilly-fuissé, 612
VEUVE A. DEVAUX, Champagne, 684
VEUVE AMBAL, Crémant-de-bourgogne, 452
VEUVE AMIOT, Saumur, 975
VEUVE CHEURLIN, Champagne, 684
VEUVE CLICQUOT PONSARDIN, Champagne, 685
VEUVE DOUSSOT, Champagne, 685
VEUVE FOURNY ET FILS, Champagne, 685
VEUVE HENRI MORONI, Bourgogne-passetoutgrain, 442 • Puligny-montrachet, 567
VEUVE MAURICE LEPITRE, Champagne, 685
VEUVE TAILHAN, Crémant-de-limoux, 723
VEYRAN, CH., Saint-chinian, 766
VEYRES, CH. DE, Sauternes, 419
VEYRINES, CH., Bergerac, 894
VEZIEN, MARCEL, Champagne, 685
VIALLET, DOM., Vin-de-savoie, 713
VIAL-MAGNERES, Banyuls, 786
VIAUD, CH. DE, Lalande-de-pomerol, 277
VIAUD, DOM. DE, Lalande-de-pomerol, 277
VIAUT, CH. DE, Bordeaux supérieur, 236
VICO, DOM., Corse ou vins-de-corse, 849
VIDAL-FLEURY, BRUNE ET BLONDE DE, Côte-rôtie, 1095
VIDAL-FLEURY, J., Côtes-du-rhône, 1080
VIDAL-FLEURY, RESERVE J., Muscat-de-beaumes-de-venise, 1136
VIDOMNE, CAVE DU, Canton du Valais, 1211
VIEIL ARMAND, CAVE DU, Alsace gewurztraminer, 111 • Alsace grand cru ollwiller, 135
VIEIL ASTROS, DOM. DU, Maures, 1172
VIEILLE CROIX, CH. LA, Fronsac, 262
VIEILLE CURE, CH. LA, Fronsac, 262
VIEILLE EGLISE, CELLIER DE LA, Juliénas, 181
VIEILLE EGLISE, DOM. DE LA, Juliénas, 181
VIEILLE FORGE, DOM. DE LA, Alsace gewurztraminer, 112 • Alsace tokay-pinot-gris, 118
VIEILLE FRANCE, CH. LA, Graves, 352
VIEILLE TOUR LA ROSE, CH., Saint-émilion grand cru, 308
VIELLA, CH., Madiran, 885
VIENAIS, DOM. DES, Bourgueil, 1000
VIENOT, CHARLES, Clos-de-vougeot, 501 • Griotte-chambertin, 487
VIEUX BARRAIL, CH., Puisseguin-saint-émilion, 319
VIEUX BOURG, DOM. DU, Côtes-de-duras, 910
VIEUX CARDINAL LAFAURIE, CH., Lalande-de-pomerol, 277
VIEUX CASTEL ROBIN, CH., Saint-émilion, 282
VIEUX CHANTECAILLE, CH., Saint-émilion, 282
VIEUX CHATEAU CALON, Montagne-saint-émilion, 316
VIEUX CHATEAU CERTAN, Pomerol, 271

VIEUX CHATEAU CHAMPS DE MARS, Côtes-de-castillon, 326
VIEUX CHATEAU D'ASTROS, Côtes-de-provence, 825
VIEUX CHATEAU DES ROCHERS, Montagne-saint-émilion, 316
VIEUX CHATEAU GACHET, Lalande-de-pomerol, 277
VIEUX CHATEAU GAUBERT, Graves, 352
VIEUX CHATEAU L'ABBAYE, Saint-émilion grand cru, 308
VIEUX CHATEAU LANDON, Médoc, 372
VIEUX CHATEAU PALON, Montagne-saint-émilion, 316
VIEUX CHATEAU SAINT-ANDRE, Montagne-saint-émilion, 317
VIEUX CHENE, DOM. DU, Côtes-du-rhône-villages, 1091
VIEUX CHEVROL, CH., Lalande-de-pomerol, 277
VIEUX CLOCHER, Vacqueyras, 1112
VIEUX COLLEGE, DOM. DU, Bourgogne, 437 • Fixin, 476 • Marsannay, 474
VIEUX COUTELIN, CH., Saint-estèphe, 405
VIEUX DOMAINE, LE, Moulin-à-vent, 190
VIEUX LARMANDE, CH., Saint-émilion grand cru, 308
VIEUX LARTIGUE, CH., Saint-émilion grand cru, 309
VIEUX LAVOIR, DOM. LE, Côtes-du-rhône, 1080
VIEUX LAZARET, DOM. DU, Châteauneuf-du-pape, 1118
VIEUX MAILLET, CH., Pomerol, 272
VIEUX MAURINS, CH. LES, Saint-émilion, 282
VIEUX MOULEYRE, CH., Fronsac, 262
VIEUX MOULIN, CH., Corbières, 731 • Listrac-médoc, 386
VIEUX MOULIN, DOM. LE, Tavel, 1123
VIEUX NOYER, LE, Côtes-de-millau AOVDQS, 876
VIEUX PARC, CH. DU, Corbières, 731
VIEUX PIGEONNIER, DOM. DU, Muscat-de-beaumes-de-venise, 1136
VIEUX PLANTY, CH., Premières-côtes-de-blaye, 247
VIEUX PRECHE, DOM. DU, Sancerre, 1062
VIEUX PRESSOIR, DOM. DU, Maranges, 583 • Saumur, 976
VIEUX PRUNIERS, DOM. DES, Sancerre, 1062
VIEUX PUITS, DOM. DU, Mâcon-villages, 606
VIEUX-RIVIERE, CH., Lalande-de-pomerol, 277
VIEUX ROBIN, CH., Médoc, 372
VIEUX SAPIN, DOM. DU, Pécharmant, 906
VIEUX SAULE, CH., Bordeaux-côtes-de-francs, 328
VIEUX TUFFEAU, DOM. DU, Cabernet de saumur, 976 • Saumur, 976
VIEUX VAUVERT, DOM. DU, Vouvray, 1026
VIEUX VILLAGE, Côtes-du-rhône-villages, 1092
VIGIER, DOM. DE, Côtes-du-vivarais, 1135
VIGIERS, CH. DES, Côtes-de-bergerac, 901
VIGNAU LA JUSCLE, DOM., Jurançon, 881
VIGNEAU, DOM. DU, Anjou, 946 • Saumur-champigny, 982
VIGNEAUD, DOM. DU, Saussignac, 908
VIGNE AU ROY, DOM. DE LA, Bourgogne-hautes-côtes-de-nuits, 446
VIGNEAUX, DOM. DES, Coteaux de l'Ardèche, 1178
VIGNEFOL, Canton de Vaud, 1203
VIGNELAURE, CH., Coteaux-d'aix-en-provence, 838
VIGNE-LOURAC, CH., Côtes du Tarn, 1152 • Gaillac, 868
VIGNE NOIRE, LA, Anjou, 946
VIGNERONNE, LA, Côtes-du-rhône, 1080 • Principauté d'Orange, 1172
VIGNERON SAVOYARD, LE, Vin-de-savoie, 714
VIGNES DE L'ALMA, LES, Anjou, 946 • Anjou-gamay, 947 • Muscadet-coteaux-de-la-loire, 934
VIGNES DE L'HOSPICE, Saint-joseph, 1100
VIGNES DES DEMOISELLES, DOM. DES, Santenay, 580
VIGNES DU MAYNES, DOM. DES, Mâcon, 600
VIGNES DU TREMBLAY, DOM. DES, Moulin-à-vent, 190
VIGNON, XAVIER, Côtes-du-rhône, 1081 • Côtes-du-rhône-villages, 1092 • Gigondas, 1109 • Vacqueyras, 1112
VIGNOT, ALAIN, Bourgogne, 437
VIGOT, DOM. FABRICE, Nuits-saint-georges, 514 • Vosne-romanée, 507
VIGUERIE DE BEULAYGUE, CH., Côtes-du-frontonnais, 872
VIGUIER, JEAN-MARC, Entraygues-le-fel AOVDQS, 875
VIKING, DOM. DU, Vouvray, 1026
VILAFORCA, Rivesaltes, 790
VILLA BEL-AIR, CH., Graves, 352
VILLAINE, DOM. DE LA, Anjou-villages, 951 • Coteaux-du-layon, 967
VILLAINE, A. ET P. DE, Bouzeron, 585
VILLAINES-LES-PREVOTES-VISERNY, DOM. DE, Coteaux de l'Auxois, 1179
VILLALIN, DOM. DE, Quincy, 1051
VILLAMONT, HENRI DE, Bourgogne, 437
VILLARD, DOM. FRANCOIS, Condrieu, 1097
VILLARD, FRANCOIS, Saint-joseph, 1100
VILLARD ET FILS, Canton de Genève, 1214
VILLARGEAU, DOM. DE, Coteaux-du-giennois, 1039
VILLARS, CH., Fronsac, 262
VILLARS FONTAINE, CH. DE, Bourgogne-hautes-côtes-de-nuits, 446
VILLA SOLARIS, Canton du Valais, 1211
VILLAUDIERE, DOM. DE LA, Sancerre, 1062
VILLE, DOM. DE LA, Pineau-des-charentes, 804
VILLE D'AMONT, DOM. DE LA, Banyuls, 786 • Collioure, 784
VILLEFRANCHE, CH., Sauternes, 419
VILLEGEAI, DOM. DE, Coteaux-du-giennois, 1039
VILLEMAINE, JEAN-MARC, Touraine, 990
VILLEMONT, DOM. DE, Haut-poitou AOVDQS, 800
VILLENEUVE, DOM. DE, Coteaux-du-languedoc, 752
VILLENEUVE, CH. DE, Saumur, 976 • Saumur-champigny, 982
VILLENOUVETTE, CH. DE, Corbières, 732
VILLERAMBERT-JULIEN, CH., Minervois, 761
VILLERAMBERT MOUREAU, CH., Minervois, 761
VILLEROUGE LA CREMADE, CH., Corbières, 732
VILLHARDY, CH., Saint-émilion grand cru, 309
VILLIERS, DOM. LES, Beaujolais-villages, 165
VILLIERS, DOM. ELISE, Bourgogne, 437
VILMART ET CIE, Champagne, 685
VILNEAU, Charentais, 1147
VINCENT, REMI, Champagne, 685
VINCENT, REMY, Pouilly-fumé, 1049 • Sancerre, 1062
VINCENT, JACQUES, Reuilly, 1053
VINCENT, A.-MARIE ET J.-MARC, Santenay, 581
VINCENT-LAMOUREUX, Champagne, 686
VINDALA, Canton du Tessin, 1223
VIN DU TSAR, Thézac-Perricard, 1149
VINELAND, Ontario, 1189
VINET, DANIEL ET GERARD, Muscadet-sèvre-et-maine, 932

VIN NOIR, LE, Côtes-du-brulhois AOVDQS, 873
VINSMOSELLE, DOM., Moselle luxembourgeoise, 1194
VINSOBRAISE, LA, Côtes-du-rhône, 1081 • Côtes-du-rhône-villages, 1092
VINSSOU, DOM. DE, Cahors, 861
VINZELLES, CH. DE, Pouilly-vinzelles, 614
VIOLETTE, CH. DE LA, Vin-de-savoie, 714
VIOLOT-GUILLEMARD, THIERRY, Beaune, 541 • Pommard, 548
VIORNERY, GEORGES, Brouilly, 168
VIRAMIERE, CH., Saint-émilion grand cru, 309
VIRANEL, CH., Saint-chinian, 766
VIRE, CAVE DE, Viré-clessé, 607
VIRELY-ROUGEOT, DOM., Bourgogne, 437 • Meursault, 563
VITTEAUT-ALBERTI, L., Crémant-de-bourgogne, 453
VIVIERS, CH. DE, Chablis, 460 • Chablis premier cru, 466
VIVONNE, DOM. DE LA, Bandol, 832
VOARICK, DOM. MICHEL, Corton, 529
VOARICK, DOM., Mercurey, 593
VOCORET, DOM. YVON, Chablis, 460
VOCORET ET FILS, DOM., Chablis grand cru, 469 • Chablis premier cru, 466
VOIE ROMAINE, DOM. DE LA, Morgon, 187
VOIRIN-DESMOULINS, Champagne, 686
VOIRIN-JUMEL, Champagne, 686
VOITEUR, FRUITIERE VINICOLE DE, Côtes-du-jura, 699 • Crémant-du-jura, 702
VOLG WEINKELLEREIEN, Canton de Zurich, 1221
VOLLEREAUX, Champagne, 686
VOLTONNERIE, DOM. LA, Sancerre, 1063
VOLUET, DOM. GUY, Juliénas, 181
VOM ALTEN HOLZ, Canton de Schaffhouse, 1220
VOORHUIS-HENQUET, DOM., Côtes-du-jura, 700
VORBURGER-MEYER, VIGNOBLE, Alsace muscat, 103
VOUGA, JOCELYN, Canton de Neuchâtel, 1216
VOUGERAIE, DOM. DE LA, Côte-de-beaune, 542 • Gevrey-chambertin, 483
VOULTE-GASPARETS, CH. LA, Corbières, 732
VOUVRAY, CAVE DES PRODUCTEURS DE, Vouvray, 1026
VRAI CAILLOU, CH., Entre-deux-mers, 332
VRAI CANON BOUCHE, CH., Canon-fronsac, 258
VRANKEN, Champagne, 686
VRAY CROIX DE GAY, CH., Pomerol, 272
VRAYET, JAMES, Champagne, 686
VRIGNAUD, DOM., Chablis, 460
VRILLAYE, CH. DE LA, Chinon, 1012
VUFFLENS, CH. DE, Canton de Vaud, 1203
VULLIEN ET FILS, DOM. JEAN, Vin-de-savoie, 714

W

WACH, GUY, Alsace grand cru kastelberg, 132 • Alsace grand cru moenchberg, 135 • Alsace grand cru wiebelsberg, 142
WACH, JEAN, Alsace tokay-pinot-gris, 119
WACKENTHALER, Alsace tokay-pinot-gris, 119
WAGENBOURG, CH., Alsace grand cru zinnkoepflé, 145
WALCZAK, PASCAL, Rosé-des-riceys, 689
WANTZ, DOM. ALFRED, Alsace sylvaner, 90
WARIS-HUBERT, Champagne, 686
WARIS-LARMANDIER, Champagne, 686
WASSLER, JEAN-PAUL, Alsace gewurztraminer, 112 • Alsace tokay-pinot-gris, 119
WASSLER FILS, JEAN-PAUL, Alsace riesling, 101
WEBER, ODILE ET DANIELLE, Alsace grand cru pfersigberg, 136
WEINBACH ET SES FILLES, DOM., Alsace grand cru furstentum, 129
WEINGAND, JEAN, Alsace tokay-pinot-gris, 119 • Crémant-d'alsace, 147
WELTY, Alsace gewurztraminer, 112 • Alsace pinot ou klevner, 92
WIALA, CH., Fitou, 757
WILLOW HEIGHTS, Ontario, 1189
WINDMUEHL, DOM. DU, Alsace gewurztraminer, 112 • Alsace tokay-pinot-gris, 119
WINTER, ALBERT, Alsace gewurztraminer, 112
WISCHLEN, A., Alsace gewurztraminer, 112 • Alsace grand cru zinnkoepflé, 145
WITER TROTTE, WEINBAUGENOSSENSCHAFT, Canton d'Argovie, 1217
WITTMANN, A., Alsace sylvaner, 90
WOLFBERGER, Alsace gewurztraminer, 112
WURTZ, BERNARD, Alsace gewurztraminer, 113 • Alsace grand cru mandelberg, 134 • Alsace tokay-pinot-gris, 119
WURTZ, W., Alsace gewurztraminer, 113
WYMANN, DOM. XAVIER, Alsace muscat, 103

X

XL LES GRES, Oc, 1165

Y

Y, Bordeaux supérieur, 236
YOT, CH., Côtes-de-castillon, 326
YOTTE, CH. LA, Loupiac, 411
YQUEM, CH. D', Sauternes, 419
YSSY, DOM. D', Saint-émilion, 282
YVECOURT, CELLIER, Bordeaux sec, 219
YVORNE, DOM. DE LA COMMUNE D', Canton de Vaud, 1203

Z

ZAHNER, FAMILLE, Canton de Zurich, 1221
ZECCHINI, DOM., Bourgogne-hautes-côtes-de-beaune, 449 • Pernand-vergelesses, 526
ZEYSSOLFF, Alsace pinot noir, 123
ZIEGLER, ALBERT, Alsace gewurztraminer, 113
ZIEGLER, JEAN, Alsace grand cru sporen, 141
ZIEGLER-MAULER, Alsace gewurztraminer, 113 • Alsace grand cru mandelberg, 134 • Alsace grand cru schlossberg, 138
ZIMMER, ANTOINE, Alsace grand cru froehn, 128 • Alsace grand cru sporen, 141
ZIMMERMANN, Alsace grand cru praelatenberg, 137
ZINK, Alsace riesling, 101
ZUFFEREY, MAURICE, Canton du Valais, 1212
ZUMBAUM-TOMASI, DOM., Coteaux-du-languedoc, 752
ZWEIFEL, Canton de Zurich, 1222